1 MONTH OF
FREE
READING

at
www.ForgottenBooks.com

By purchasing this book you are eligible for one month membership to ForgottenBooks.com, giving you unlimited access to our entire collection of over 1,000,000 titles via our web site and mobile apps.

To claim your free month visit:

www.forgottenbooks.com/free1036004

ISBN 978-0-331-23211-0
PIBN 11036004

Hinrichs' Fünfjahrs-Katalog

der im deutschen Buchhandel erschienenen

Bücher, Zeitschriften, Landkarten usw.

Titelverzeichnis und Sachregister

Elfter Band 1901—1905

Bearbeitet

von

Heinrich Weise

Erster Teil

2. Hälfte

Titelverzeichnis L—Z

Voranzeigen von Neuigkeiten, Verlags- und Preisänderungen

Herausgegeben und verlegt

von der

J. C. Hinrichs'schen Buchhandlung in Leipzig

1906

Die Preise sind in Mark und Pfennigen angesetzt; dabei bedeutet

d = *Druck mit deutschen Lettern (Fraktur)*   L = *gebunden in Leinwand*
◊ F = *Fortsetzung erscheint nicht*   Ldr = ,,   ,, *Leder*
◊ H = *nicht, oder nicht mehr im Handel*   HF = ,,   ,, *Halbfranz*
vergr. = *vergriffen*   G = ,,   *mit Goldschnitt*
† = *vom Verleger nur mit Nettopreis eingeschickt* M = *in Mappe*

nn *und* nnn = *auch im Inland sind Besorgungsspesen zu erwarten.*

Lachs, J: Die Gynaekol. d. Galen, s.: Abhandlungen z. Gesch. d. Medicin.
— Die Gynäkol. d. Soranus v. Ephesus. — Gynäkologisches v. Aretaios. — Die Temperaturverhältn. bei d. Neugeborenen in ihrer 1. Lebenswoche, s.: Sammlung klin. Vortr.
Lackas, N, s.: Pensenverteilung f. d. Volkssch.
Lackemann, C: Die Elemente d. Arithmetik. Lehrb.f.d.arithmet. Unterr. an 6klass. höh. Lehranst. 4. Afl. v. Kreuschmer. (72) 8° Bresl., F Hirt 05. Kart. 1 — d
— Die Elemente d. Geometrie. Lehr- u. Übgsb. f. d. geometr. Unterr. an 6-klass. höh.Lehranst. 2 Tle. 8° Ebd. Kart. nn 2.30 d
1. Planimetrie. 7. Afl. v. Kreuschmer. (128 m. Fig.) 04. nn 1.30
2. Trigonometrie u. Stereometrie. 4. Afl., nebst e. Anh. Üb. d. 1. Anfänge d. Feldmessena. Bearb. v. Kreuschmer. (68 u. 24 m. Fig.) 05. 1 —
Lackmann, O: Das Kaisertum in d. Verfassgn d. Deut. Reiches v. 26.III.1849 u. 16.IV.1871. (65) 8° Bonn, C Georgi 03. 1.50
Lackowitz, W: Das Buch d. Tierwelt. 65. Afl. (944 m. Abb. u. Taf.) 8° Berl., W Herlet 05. L. 4 — d
— Flora v. Berlin u. d. Prov. Brandenburg. 13. u. 14. Afl. (42, 297 bezw. 42, 301) 8° Berl., Friedberg & M. 03.05. L. 2.50
— Operettenführer. Nachtr. (33) 12° Lpzg, F Reinboth (02). 1.50
— — 50 (Hauptwerk u. Nachtr.: 2.50) d
— Opernführer. 3. Nachtr. (55) 12° Ebd. (02). — 50
(Hauptwerk u. 1—3. Nachtr.: 5.50) d
Laclos, Choderlos de: Gefährl. Freundschaften, s.: Liebhaber-Bibliothek, kulturhistor.
Lacomblé, E-E-B: Hist. de la litt. franç. 2. éd. (107) 8° Lpzg, BG Teubner 03. Geb. 1.80
La Cour, JL: Beitrag z. Vorausberechng n. Untersuchg v. Ein- u. Mehrphasenstromgeneratoren. — Der Kaskadenumformer, s.: Arnold, E.
— Leerlauf- u. Kurzschluss-Versuch in Theorie u. Praxis. (127 m. Abb.) 8° Brnschw., F Vieweg & S. 04. 3.50
— Theorie d. Wechselströme u. Transformatoren, s.: Wechselstromtechnik, d.
— Die Transformatoren. — Die sychronen Wechselstrommaschinen, s.: Arnold, E.
la Cour, P: Die Windkraft u. ihre Anwendg z. Antrieb v. Elektrizitäts-Werken. Aus d. dän. Original: „Die Versuchsmühle" übers. v. J Kaufmann. (87 m. Abb.) 8° Lpzg, M Heinsius Nf. 05. 2.40
— u. J Appel: Die Physik auf Grund ihrer geschichtl. Entwicklg. Übers. v. G Siebert. 2 Tle in 1 Bde. (496 u. 491 m. Abb. u. 6 Taf.) 8° Brnschw., F Vieweg & S. 05. 15 — ;
L. nn 16.50; auch in 15 Lfgn zu 1 — d
Lacroix s.: Féaux de Lacroix.
Lacroix, F de: Geschäfts-Korrespondenz (Briefsteller) f. Gasthaus-Gewerbetreib., s.: Blüher's Sammel-Ausg. v. Gasthaus-Werken.
Lacroix, S: Die wahre Gestalt d. Christentums, s.: Guyot, Y.
Lacroma, PM (Frau M Edle v. Egger-Schmitzhausen): Bagatellen. Skizzen u. Studien. 3. Afl. (205) 8° Dresd., E Pierson 05. 2 — ; geb. 3 — d
Ladday, E: Flitter u. Gold. Roman f. Mütter u. Töchter. 5. Afl. (346 m. farb. Titelbild.) 8° Stuttg., Union (04). Geb. 4 — d
Lade, E Frhr v.: Das Problem d. unmittelbaren Ausnutzg d. Sonnenenergie u. e. neuer Vorschl. zu sr Lösg. (12) 8° Köln, Kölner Verl.-Anst. u. Dr. 03. — 30 d
— Hygien. Winke. 3. Afl. (74 m. 3 Abb.) 8° Wiesb., H Staadt 02. 2 — ; geb. 2.80 d
Ladek, K: Lehrb. d. Geogr., s.: Sonklar.
Ladenburg, J: Die d.Einfl. d. Naturwiss. auf d. Weltanschaug. Vortr. (35) 8° Lpzg, Veit & Co. 03. 1 —
— Üb. Racemie. — Baur, E: Von d. Hydraten in wässer. Lösg. [S.-A.] (40 m. Abb.) 8° Stuttg., F Enke 05. 1.20
— Vorträge üb. d. Entwicklgsgesch. d. Chemie v. Lavoisier bis z.Gegenwart. Gleichzeitig3.Afl.d.Entwicklgsgesch.d.Chemie in d. letzten 100 Jahren. (398) 8° Brnschw., F Vieweg & S. 02.
Ladenburg, M, s. a: Heymann-Dvorák, R.
— Fritz Stagart's Abenteuer. Kriminal-Novellen. 1—25.Bd. (Je 48) 8° Dresd., Verl. „Meteor" (05). Je — 10 d
Ladenburger, W: 6 Fälle v. Osteomalacie. (34 m. z. Tl farb. Taf.) 8° Tüb., F Fues 04. 1 —
Ladendorf, O: Theodor Storm's Immensee u. Ein grünes Blatt. — Theodor Storms Pole Poppenspäler, Ein stiller Musikant, s.: Dichter, deut., d. 19. Jahrh.
Laénnec: Zur Vorgesch. d. Sthetoskops. Orig.-Brief. Mit Bemerkgn v. C Gerhardt. [S.-A.] (4) 8° Berl. 1900. Halle, C Marhold. — 40
Lafar, F: Techn. Mykel. Hdb. d. Gärgsphysiol. II. Bd: Eumyceten-Gärgn. 1. Heft. (385—538 m. Abb. u. 1 Taf.) 8° Jena, G Fischer 01. 4 — ‖ Quellenverz. u. Sachregr. (138) 04. 2.80 (I, II, 1 u. Quellenverz.: 15.80)
Wird nicht fortgesetzt. Die S. 527—538 kommen in Wegfall. Die 2. Afl. s. u. d. T.: Handbuch d. techn. Mykologie.
Lafaye, G, s.: Inscriptiones graecae ad res romanas pertinentes.
Laffter, C: Beitr. z. „Gruber-Widal"'schen Reaktion. (38) 8° Freibg i/B., Speyer & K. 04. 1 —
La Fontaine: Ausgew. Fabeln, s.: Hartmann's, KAM, Schulausg. (MF Mann).
— 60 Fabeln, s.: Poëtes franç. (J Sarrazin)
Laforest, D de: Im Flugfeuer d. Liebe, s.: Collection Tiefenbach.

Laforest, D de: Pariser Frauen. Pariser Sittenroman. (319) 8° Berl., J Gnadenfeld & Co. (02). 3 — d
— Das Mädchen f. Alles. Pariser Sittenroman. Übers. v. LWechsler. 3. Afl. (332) 8° Lpzg, CF Tiefenbach, Sep.-Cto (01). ‖ 4. Afl. (328) (02.) Je 3 —
— Die Tochter d. Generals. Französ. Sittenroman. Deutsch v. L Wechsler. (208) 8° Lpzg, Deut. Verl.-Instit. (04). 2 — d
Laforgue, J: Sagenhafte Sinnspiele. Mit unbekannten Briefen an M Klinger, T Ysaye u. Klary. Verdeutscht u. eingeleitet v. P Wiegler. (230 m. Bildnissen.) 8° Stuttg., A Juncker 05. 4 — ; geb. 5.50
Lagarde, L: La clef de la conversation franç. (130) 8° Berl., Weidmann 01. Geb. 1.60 ‖ 2. u. 3. éd. (167) 02.03. ‖ 4. éd. (170) 05. Geb. je 2 —
— et A Müller: A travers la vie pratique. Morceaux de conversation sur Paris, Berlin et autres sujets, avec questionnaires et vocab. (197) 8° Ebd. 03. Geb. 2.40
Lagarde, P de: Deut. Schriften. 4. Afl. Gesammtausg. letzter Hand.(420 m.Bildnis.) 8° Gött., LHorstmann 03. 4 — ; geb. 5 — d
Lagarrigue, JE: Die Relig. d. Menschh., n. d. Lehre Aug. Comte's dargest. a. d. Span. v. H Molenaar. [S.-A.] (128) 8° Lpzg, B Uhlig (03). 1.50
ag, d., d. Bäckerei-Arbeiter Deutschlds. Nach statist. Erhebgn L d.deut. Bäckerverbandes im Jan. '04. (189) 8° Hambg 04. (Lpzg, R Lipinski.) 1.50 d
— uns. militär., u. d. Wehrreformen. Von e. Offizier. (119 m. 6 Beil.) 8° Wien, G Freytag & B. 05. 1.70
— d., d. Oberlehrer in Bremen. Denkschrift, hrsg. im Auftr. d. Vereinigg akademisch gebild. Lehrer in Bremen. (63 m. 1 Tab.) 8° Brem., G Winter 05. 1 —
— d. gegenwärt., d. Protestanten in Bayern v. Armatus, s.: Schaudig, H, Glaubens-Frühling in Steiermark.
— d., d. in d. Seeschiffahrt beschäft. Arbeiter.—Dass. in Oesterr., s.: Schriften d. Ver. f. Socialpolitik.
— d., d. Bediensteten d. Staatsb. I. Tl: Die Lage d. Wächter d. k. k. Staatsb. Auf Grund e. Erhebg d. k. k. Eisenb.-Ministeriums hrsg. v. k. k. arbeitsstatist. Amte im Handelsministerium. (9 m. 1 Tab.) 8° Wien, A Hölder 03. 1.50
Lage, B v. d.: Manual of conversation. Engl. Erzählgn z. Übg in d. Umgangssprache. Übersetzg d. „Manuel de conversation" par B Egal (B v. d. Lage). 4. Afl. (94) 8° Berl., HW Müller 01. Kart. — 80
Lageplan d. Industrie- u. Gewerbe-Ausstellg f. Rheinl., Westf. u. benachbarte Bezirke. 28×102 cm. Farbdr. Düsseldf., Schmidt & Olbertz) 02. 1.50
— d. internat. Kunstausstellg u. gr. Gartenbau-Ausstellg Düsseldorf'04: verbunden m. e. kunsthistor. Ausstellg. 1:1250. 36,5×105 cm. Ebd. (04). 3 —
Lagepläne u. Beschreibungen neuerer Gasanst. (67 m. Abb. u. 12 Taf.) 8° Münch., R Oldenbourg 1899. 2 —
Lager s.: Chronik, trier.
— Johann v. Baden, Erzbischof u. Kurfürst v. Trier, s.: Archiv, trier.
— Leben d. hl. Franz v. Sales, Fürstbischof v. Genf. Nach d. Franz. (d. Haman) bearb. 2. Afl. (710) 8° Paderb., Bonifacius-Dr. 03. 6 — d
In 1. Afl. u. d. T.: Leben d. hl. Franz v. Sales. Übers. v. L.
Laeger, O: Lebensskizzen d. Lehrer d. k. Dom-Gymnasiums zuMagdeburg. 1. u. 2.Tl. 4° Magdbg., Heinrichshofen's S. 2.50 d
1. (1675—1700.) (35) 02. 1.50 ‖ 2. (1700—30.) (39—56) 03. 1 —
Lagerborg, R: Das Gefühlsproblem.(Studien z. peripher.Mechanismus d. Bewusstseins.) (141) 8° Lpzg, JA Barth 05. 3 —
Lagergren, S: Üb. elektr. Energieausstrahlg. (109 m. Abb.) 8° Stockholm (Villagatan 23), Dr. Lagergren 02. † 2 —
Lagerlöf, S: Herrn Arnes Schatz. Erzählg. Aus d. Schwed. v. F Maro. (159) 8° Münch., A Langen 04. 3 — ; geb. 4 — d
— Unsichtbare Bande. Erzählgn. Deutsch v. M Langfeldt. (Neue Afl.) (331) 8° Berl., F Wunder 05. 3 — ; geb. 4 — d
— dass. Aus d. Schwed. v. F Maro. (315) 8° Münch., A Langen 05. 3 — ; geb. 4 — d
— Gösta Berling. Roman. Aus d. Schwed. v. P Klaiber. 2 Tle in 1 Bde. (192 m. 1 Karte.) 8° Ebd. 04. 4 — ; geb. 5 — d
— dass. Eine Sammlg Erzählgn a. d. alten Wermland. Aus d. Schwed. v. M Langfeldt. 3. Afl. 2 Tle. (287 u. 287) 8° Lpzg, H Hessel 05. 2 — ; geb. 3 — d
— Christuslegenden. Aus d. Schwed. v. F Maro. 1—6. Taus. (264) 8° Münch., A Langen 04.05. 3.50; geb. 4.50 d
— Eine Gutsgesch., s.: Universal-Bibliothek.
— Jerusalem I u. II. Erzählgn. Aus d. Schwed. v. P Klaiber. 8° Münch., A Langen. 7.50; Einhde je 1 — d
1. In Dalarne. 1—7. Taus. (356) 02-05. 3.50 ‖ II. In hl. Lande. 1—6. Taus. (396) 03-05. 4 —
— Ingrid, s.: Bücherei, englg.
— Die Königinnen v. Kungahälla. Novellen. Aus. d. Schwed. v. F Maro. (187) 8° Münch., A Langen 03. 2.50; geb. 3.50 d
— Legenden u. Erzählgn. Aus d. Schwed. v. F Maro. (300) 8° Ebd. 04. 2 — ; geb. 2.50; geb. 4 — d
— Die Wunder d. Antichrist. Roman. Deutsch v. P Klaiber. (380) 8° Münch., A Langen 05. 3 — ; geb. 4 — d
Lagershausen, H: Festpredigt, geh. bei d. Jahresversammlg d. Braunschw. Hauptver. d. Ev. Bundes. (12) 8° Wolfenb., J Zwissler 05. — 20 d

Lagershausen, H; Konfirmations-Predigt üb. Off. Joh. 2, 10. (11) 8° Brnschw., J Neumeyer 01. — 20 d
Lago di Como. — Lago Maggiore.— Lago di Lugano. 60 Photogrammes. (32) 4° Zür., T Schröter (01). Geb. 3.20
Lagow u. s. Umgebgn. Bearb. v. Lehrerver. Lagow u. Umgegend. (43 m. 1 Karte.) 12° Schwieb., C Wagner (03). — 60 d
Lagrange, C: Tante Veronika, s.: Dasbach's, GF, Novellenkranz.
Lagrange, JL: Üb. d. Lösg d. unbestimmten Probleme 2. Grades, s.: Ostwald's, W, Klassiker d. exakten Wiss.
Lagro, J: Der Weg durch d. Küche, od. Drei v. d. Artill., s.: Theater-Album, militär.
Lahantière, R: Kl. Katech. d. Sozialreform, s.: Sammlung gesellschaftswiss. Anfsätze.
Lahm, C: Paris tanzt, s.: Eckstein's Miniaturbibliothek.
Lahmann, H: Die diätet. Blutentmischng (Dysämie) als Grundursache aller Krankh. Beitrag z. Lehre v. d. Krankh.-Anlage u. Krankh.-Verhütg. 13. Afl. (215 m. Abb.) 8° Lpzg, O Spamer 08. nn 1.70; kart. 2 — || 14. Afl. (219 m. Abb.) 04. Kart. nn 2 — || 15. Afl. (245 m. Abb.) 05. Kart. nn 2.50
— Der krankmach. Einfl. atmosphär. Luftdruckschwankga (barometr. Minima), zugl. s. Beitr. z. Lehre v. d. Ursachen d. Frühjahrs- u. Herbsterkrankgn, insonderh. d. Influenza. 3. Afl. (41 m. Kurv.) 8° Stuttg., A Zimmer 03. — 75
— Die naturgemässe Gesundheitspflege u. d. Naturheilkde. 6—90. Taus. (16) 16° Lpzg, K Leutze 1900.04. — 50 d
— Die wichtigsten Kapitel d. natürl. (physikalisch-diätet.) Heilweise. 4. Afl. d. „Physiatr. Blätter". (286 m. Abb.) 8° Stuttg., A Zimmer 01. 2.50; L. 3 —
— Die Kohlensäurestaug in uns. Körper (Carbonacidaemie u. Carbonacidose), d. wichtigste allg. Krankh.-Ursache. Zugl. e. Kritik d. Haig'schen Harnsäuretheorie (Collaemie). 51—53. Taus. (45 m. Abb.) 8° Ebd. 05. — 75
— Das Luftbad als Heil- u. Abhärtgsmittel. 3. Afl. (36 m. Abb.) 8° Ebd. 04. — 75
— Die Reform d. Kleidg. 4. Afl. (132 m. Abb. u. 15 Taf.) 8° Ebd. 03. L. 2 — d
Lahmann, H: Mein neues System z. Stählg u. Abhärtg d. Körpers sowie z. Erlangg harmonisch entwickelter Körperformen. Mit Anh.: Die Anwendg u. Wirkg d. Autogymnastik durch d. Autogymnast. (87 m. Abb.) 8° Lpzg, Modern-medizin. Verl. (05).
Lahmann, J: Skizzen u. Studien. (53) 8° Delmenh., L Horstmann & S. (05). — 75
Lahmann, JF: Ägypt. Gedichte. (91) 8° Münch., CH Beck 04. Kart. 2.50; geb. m. G. 3.50 d
Lahn, JJO: Der Kreislauf d. Geldes u. Mechanismus d. Sozial-Lebens. (253 m. 1 farb. Taf.) 8° Berl., Puttkammer & M. L. 5 —
Lahn, W: Handbüchl. f. Kinder, s.: Krüger, A.
Lahnek, F: Anl. z. Holzmalerei. 3. Afl. v. C Hebing. (80 m. Abb.) 8° Lpzg, E Haberland (03). 1.50 d
Lahnlied, das. Gesch. d. Wettbewerbs v. J. 1899, nebst e. Anh., enth. 100 Lieder z. Preise d. Lahn. Hrsg. v. Emser Jagdver. (139) 8° Ems, (R Sommer) (02). 2 — d
Lahousse, G: Tractatus de sacramentis in genere, de baptismo, de confirmatione, de eucharistia. (820) 8° Brugis 1900. Rgnsbg, F Pustet. nn 6.40
— Tractatus de virtutib. theologicis. (412) 8° Ebd. 1900. nn 3.60
Lahovary, Fürst, s.: Manolescu, G.
Lahr, H: Die Heilg d. Orest in Goethes Iphigenie. (36) 8° Berl., G Reimer 02. 2 —
— s.: Zeitschrift, allg., f. Psychiatrie.
Lahrs, L: Kl. Sitten- u. Glaubenslehre f. höh. ev. Schulen, im Anschl. an d. 5 Hauptstücke d. Katech. Luthers. 2. Afl. (64) 8° Bresl., F Hirt 03. nn — 70 d
Lahrssen, F: Sammlg d. Ges., Verordngn, Bekanntmachgen etc., welche d. ev. Volksschulwesen d. Herzogt. Oldenburg betreffen. 5. Afl. (430) 8° Oldnbg, A Stalling's V. 01. (nn 8.50) 10 — d
Lahse, E: Schleiermachers Lehre v. d. Volkssch. im Zusammenh. m. sr Philosophie. (87) 8° Lpzg, J Klinkhardt 01. 2 —
Lahusen, F: Er wohnte unter uns. Predigten a. d. Leben Jesu. (254) 8° Berl., M Warneck 02. 2 —; L. 3 — d
— Der Herr allein hilft uns! Festpredigt. (15) 8° Ebd. 03. — 30 d (Braun) 05.
— Wirkt d. Gebet Wunder d. Heilg? Vortr. 2. Afl. (22) 8° Berl., M Warneck 02. — 30 d
— Zum Gedächtnis Schleiermachers, s.: Faber, W.
— Gedenket d. Diaspora auf d. Wasser. Predigt. (14) 8° Berl., M Warneck 03. — 20 d
— Der Mensch geword. Gottessohn. Predigt. (12) 8° Ebd. 05. — 20 d
— Ihr werdet d. Himmel offen sehen. Ein Wort zu d. Frage n. d. Offenbarg. Predigt. 2. Afl. (15) 8° Ebd. 03. — 20 d
— Jesus u. s. Bibel. Predigt. (15) 8° Ebd. 01. — 20 d
— Der Menschensohn ist d. Sohn Gottes. Predigt. (14) 8° Ebd. 05. — 20 d
— Predigt z. Jahresversammlg d. ev.-kirchl. Hülfsver. u. d. Frauenhülfe. (11) 8° Potsd., Stiftgsverl. 04. — 20 d
— s.: Predigten, 3 bd. d. 53. Hauptversammlg d. ev. Ver. d. Gustav Adolf-Stiftg geb.
Laible, H: Der Tosefta-Traktat Berachôth, aus d. Hebr. ins Deut. übers. (32) 8° Rothnbg o. Tbr. 02. (Lpzg, MW Kaufmann.) 1 —

Laikos, J: O, dass Du es doch erkanntest, was Dir z. Frieden dient! Soz. Gedanken. (31) 8° Zür., C Schmidt 05. — 60 d
Laisale, F: Der Strassenbau einschl. d. Strassenb., hrsg. v. L v. Willmann, s.: Handbuch d. Ingenieurwiss.
Laistner, L, s.: Novellenschatz, neuer deut.
Laitenberger, J: Das Guttemplerorden in Deutschl. (46) 8° Barm., Elim (05). — 50 d
Lake, B: A general introduction to Charles Lamb. Together with a special study of his relation to Robert Burton, the author of the „Anatomy of melancholy". (93) 8° Lpzg, Dr, Seele & Co. 03. 1.50
Laker, K: Üb. mangelhaften gesetzl. u. behördl. Schutz geg. maskierte Erpressgn weibl. Personen. (32) 8° Leob., JH Prosi (05). (Nur dir.) — 60 d
Lamann, W: Das natürl. Schutzsystem d. ob. Wege als Fremdkörpertheorie, s.: Vorträge, klin., auf d. Geb. d. Otol. usw.
La Mara (Frl. M Lipsius), s.: Berlioz, H, Briefe an d. Fürstin Caroline Sayn-Wittgenstein. — Briefe hervorrag. Zeitgenossen an Franz List.
— Aus d. Glanzzeit d. Weimarer Altenburg. Bilder u. Briefe a. d. Leben d. Fürstin Carolyne Sayn-Wittgenstein. (444 m Vollbildern u. 1 Fksm.) 8° Lpzg, Breitkopf & H. 06. 5 —: in Orig.-Bd 5,50; auf Büttenpap. in Perg, od. Ldf 20 — d
— Der deut. Jungfrau Wesen u. Wirken, s.: Milde, KJS.
— Im Lande d. Sehnsucht. Cicerone durch ital. Kunst u. Natur in Versen. (255) 16° Lpzg 01. Berl., H Seemann Nf. 2.50; geb. 4 —
— s.: Liszt's, F, Briefe.
— Musikal. Studienköpfe. 5. Bd: Die Frauen im Tonleben d. Gegenwart. 3. Afl. (380 m. Bildnissen.) 8° Lpzg, Breitkopf & H. 02. 5 —; geb. 6 — d
La Marche, O de: Le triumphe des dames. Ausg. n. d. Handschriften v. J Kalbfleisch, geb. Benas. (28, 119) 8° Rost., (H Warkentien) 01. 4 —
Lamarck, J: Zoolog. Philosophie. Nebst e. biograph. Einl. v. C Martius. aus d. Franz. v. A Lang. 2. (anastat.) Abdr. (24, 512) 8° Lpzg, JA Barth 03. 10 —
Lamare, F de, s.: See, F.
Lamarque, F: Der Hochzeitskranz. Gedichte u. Lieder. (69) 8° Berl.-W., Bülowstr. 93[11), Verl. Heerlass u. G. 2 — d
Lamartine, A de: Jeanne d'Arc et Graziella. — Le lac et L'-Automne, s.: Auteurs franç. modernes.
— Procès et mort de Louis XVI, s.: Prosateurs franç.
Lamb, C: Der arme Heinrich. Eine deut. Sage v. Gerb. Hauptmann. (79) 8° Pirmasens, (Lützel & Co.) 04. nn — 50 d
Lamb, C, and M Lamb: The merchant of Venice; King Lear, s.: Collection of famous authors (F Lotsch).
— — Six tales from Shakspere, s.: Authors, Engl. (F Friedrich).
Lambeck, H: Handwrtrb. d. engl. u. deut. Sprache. — Englisch-deut. u. deutsch-engl. Taschen-Wrtrb., s.: Köhler, F.
Lambelet, G: Neues Orts- u. Bevölkergs-Lexikon d. Schweiz. — Nouvel indicateur des communes et de la population de la Suisse. (225) 8° Zür., Schulthess & Co. 04. 5 — d
Lamberg, J: Die 1. Hilfe bei plötzl. Unglücksfällen. 3. Afl. (72 m. Abb. u. 1 Taf.) 16° Wien, (E Deuticke) 01. L. nn 1 — d Plakat-Ausg. (Fol.) 1 —
Lamberg, W: Jedermann Stegreifdichter! Anl. z. blitzschnellen poet. Improvisation n. Augenblicks-Ideen, Unfehlbark. im Gedanken-Verbinden u. Reimen. Nebst wicht. Fingerzeigen z. Abfassg v. Postkarten- u. Stammbuchversen. (71) 8° Lpzg, AF Schlößfel (02). — 75) 1 — d
Lamberger, E: Der Getreidebau, s.: Miniatur-Bibliothek.
Lambert's Gartenfreund. Anl. z. Gemüse-, Blumen- u. Zimmergärtnerei, Erdbeeren- u. Rosenzucht. Hrsg. u. verf. v. J Lambert & Söhne. 5. Afl. (259 m. Abb.) 8° Trier, (F Lintz) 04. 1.30; kart 1.60 d
Lambert, A, & EStahl: Arbeiter-Wohngn, Fortsetzg, s.: Böcklen u. Feil.
— — Architektur v. 1750—1850. (In 10 Lfgn.) 1—4. Lfg. (80 [18farb.] Taf. m. 8 S. Text.) 48,5×32 cm. Berl., E Wasmuth (03-05). Je 30 —
— — Moderne Baukunst. Aussen- u. Innen-Ansichten mod. ausgeführter Wohn- u. Geschäftshäuser. Villen u. Landhäuser. 3 Abtlgn. (60 z. Tl farb. Taf. u. 4 S. Text m. eingedr. Grundrissen.) 47×37 cm. Stuttg., K Wittwer (05). In M. 60 —
Lambert, A: Der geprellte Onkel. — Im Redaktionsbureau. — Der Theaterdirektor, s.: Vereinstheater, neues.
Lambert, F: V: Gute Umgangsformen u. wie man sie ohne Tanzstunde erlangt. (77) 8° Lpzg, R Nitzschke (05). 2 — d
Lambert's, JH, Abhandlgn z. Bahnbestimmg d. Cometen, s.: Ostwald's, W, Klassiker d. exakten Wiss.
Lambert, P, s.: Bosen-Zeitung.
Lambert, T: Die moderne Dekoration auf d. Pariser Weltausstellg 1900. 40 Lichtdr. m. kurzen erläut. Notizen. (6 S. Text.) Fol. Stuttg., J Hoffmann (01). In M. 32 —
— Die moderne Möbel auf d. Pariser Weltausstellg 1900. 40 Lichtdr. m. kurzen erläut. Notizen. 2. Afl. (6 S. Text.) Fol. Ebd. (1900). In M. 32 — Vergr.
Lambi, JH: Die Landguts-Substanz u. d. landw. Rechngsführg. (35) 8° Wien, W Frick 04. 1.60 d
Lambrecht, N (A Ruth): Was d. Dichter sagen. Ein Büchl. f. Freunde u. Jünger d. Dichtkunst. (24 m. 9 Bildn.) 8° Bad.-B., P Weber (05). — 60 d

Lambrecht, N (A Ruth): Das Haus im Moor. Eifelroman. (328)
8° Ess., Fredebeul & K. 06.   4 —; L. 5 — d
— Hausiererkinder. Erzählg f. Kinder. Für d. Unter- u. Mittelst.
(168) 8° Münst., Alphonsus-Bb. 05.   L. — 80 d
— Jos. Haydn, s.: Erzählungen f. Schulkinder.
— Kinder-Exempelgeseb. (128) 16° Dülm., L Laumann 05.
          L. — 40 d
— Wolfg. Amadeus Mozart, s.: Erzählungen f. Schulkinder.
— Was im Venn geschah . . . . Erzählgn a. d. Eifel u. d. Wal-
lonie. (239) 8° Ess., Fredebeul & K. 05.   2.40; geb. 3 — d
— Illustr. Wegweiser durch d. Seebäder d. Nord- u. Ostsee,
s.: Weber, MP.
Lambrecht, R: Studien üb. d. Einwirkgsprodukte d. Schwefel-
wasserstoffs auf Triphenylmethanfarbstoffe u. ein. and. Farb-
körper. (79) 8° Zür., Art. Instit. Orell Füssli 05.   2 —
— Lambrino, C: Die Blutnacht v. Belgrad od. Die Geheimnisse
d. serb. Königshauses. (104 m. 1 Titelbild.) 8° Dresd.-Nieder-
sedl., HG Münchmeyer 03.   — 50 d
Lambruschini, JB: Der Führer z. Himmel. Aus d. Ital. übers.
t. bearb. v. A v. Bendel. 12. Afl. (422 m. farb. Titel u. Titelbild.) 34° Freibg i/B., Herder (03).   — 70; L. — 90 d
Lambsdorff, Graf v.: Deutsch-russ. militär. Wrtrb. 2. Afl. (110)
8° Berl., ES Mittler & S. 02.   1.75; geb, 2 — d
Lamé-Fleury: Hist. de la découverte de l'Amérique. — Hist.
de France de 406—1328 et de 1328—1862, s.: Schulbibliothek,
franzōs, n. engl. (J Hengesbach).
Lamennais, F de: Das Volksbuch, s.: Hauptwerke d. Sozia-
lismus u. d. Sozialpolitik.
Lamers, W: Aus d. Psalmen. Aus d. Holl. v. K Emrich. (92)
8° Güters., C Bertelsmann 04.   1.20; geb, 1.80 d
Lametta, Gräfin. 8 Tage a. d. Leben d. Berliner Hochfinanz.
Erzählt v. Roland v. Berlin (L Leipziger.) (152 m. Titelbild).
8° Berl., C Freund 04.   2 — d
Lamhofer, A: Diagnostisch-therapent. Vademecum, s.: Schmidt,
H.
Lamich, R: Das schriftl. Multiplizieren u. Dividieren in d.
Volkssch. Beitrag zu d. Frage: „Stellenwertbestimmen od.
nicht?" (22) 8° Olm., (F Grosse) 03.   — 40
Laemlé, L: Cour et préjugés. Roman alsacien. (284) 8° Strassbg,
J Noiriel 05.   2 —
Lammasch, H: Grundr. d. Strafrechts, s.: Grundriss d. österr.
Rechts.
— Die Verbesserg d. Ehrenschutzes, s.: Klein, F.
Laemmel, R: Die Methoden z. Ermittlg v. Wahrscheinlichk,
(80) 8° Zür., E Speidel 04.   2 —
Laemmer, H: De Caesaris Baronii literarum commercio dia-
triba. (110) 8° Freibg i/B., Herder 03.   1 —
Lämmerhirt, A: Eine Palästina-Fahrt. Erlebtes u. Beobachtetes
in Athen, Konstantinopel, Syrien, Palästina u. Kairo währ.
d. Jerusalemer Kaiser-Reise. (79 m. 1 Abb.) 8° Eisen. 1898.
(Schleusing., M Schewe.)   1.50 d
Lämmerhirt, O: Die wichtigsten Obstbaumschädlinge u. d.
Mittel zu ihrer Vertilgg. 2. Afl. (63 m. Abb. u. 6 farb. Taf.)
8° Dresd., C Heinrich 03.   — 60 d
Lämmermayr, L: Beitr. z. Kenntnis d. Heterotrophie v. Holz
u. Rinde. [S.-A.] (34 m. 2 Taf.) 8° Wien, (A Hölder) 01. 1.10
Laemmermeyer, K: Hdb. z. bibl. Gesch. v. C v. Schmid-Werfer,
f. d. Gebr. v. Lehrern u. Katecheten. Altes Test. z. Afl. (144)
8° Münch., R Oldenbourg (03).   Kart. nn 1.50 d
— dass., zunächst im Anschl. an d. Schulh. v. C v. Schmid-
Werfer, f. d. Gebr. v. Lehrern u. Katecheten. Neues Test.
2. Afl. (157) 8° Ebd. (01).   Geb. nn 1.50 d
Lammers, H: Rheinisch-westfäl. Kinderharfe. Liederbüchl. f.
ev. Schulen, Sonntagssch. u. Kindergottesdienste. 24. Afl.
(182) 8° Ess., GD Baedeker 04.   — 40 d
Lammert, E: Übgsb. f. d. Unterr. im Latein. Quarta. 4. Afl.
(127) 8° Lpzg, GR Reisland 01. (geb. nn 1.90 g Quinta. 5. Afl. (164)
01. Geb. nn 1.30 || Sexta. 7. Afl. (149) 03' Geb. nn 1.20 d
Lammertz, J: Die deut. Rechtschreibg, f. d. deut. Volk. (120)
16° Aach., P Urlichs 03.   Kart. — 75 d
La Morliere: Angola, s.: Bibliothek, moderne.
Lamp, g: Das öster. Arbeiter-Krankenversicherungs-Ges. u. d.
Praxis, s.: Forschungen, staats- u. socialwiss.
— Das Problem d. städt. Selbstverwaltg u. österr. u. preuss.
Recht. (168) 8° Lpzg, Duncker & H. 05.   3.60
Lampa, A: Üb. Capillarität, s.: Vorträge d. Ver. z. Verbreitg
naturwiss. Kenntnisse in Wien.
— Elektrostatik e. Kugel, welche v. e. konzentr., aus e. iso-
tropen Dielektricum besteh. Kugelschale umgeben ist. [S.-A.]
(29) 8° Wien, (A Hölder) 02.   — 40
— Der Gefrierpunkt v. Wasser u. ein. wässer. Lösgn unter
Druck. [S.-A.] (17) 8° Ebd. 02.   — 40
— Zur Moleculartheorie anisotroper Dielektrica. Mit e. experi-
mentellen Bestimmg d.Dielektricitätsconstante e. gespannten
Kautschukplatte senkrecht z. Spanngsrichtg. [S.-A.] (14) 8°
Ebd. 02.   — 40
— Üb. d. elektromagnet. Schwingen e. Kugel sowie üb. diejen-
e. Kugel, welche v. e. konzentr. dielektr. Kugelschale um-
geben ist. [S.-A.] (30) 8° Ebd. 03.   — 60
— Üb. Strahlg, s.: Vorträge d. Ver. z. Verbreitg naturwiss.
Kenntnisse in Wien.
— Üb. Stromunterbrechg, m. bes. Berücks. d. Wehnelt'schen
Unterbrechers. [S.-A.] (16 m. Fig.) 8° Wien, (A Hölder) 01.
          — 40

Lampa, A: Üb. e. Versuch m. Wirbelringen. [S.-A.] (9) 8° Wien,
(A Hölder) 03.   — 30
— s.: Zentralblatt f. Volksbildgswesen.
Lampa, E: Ueb. d. Entwicklg ein. Farnprothallien. [S.-A.]
(17 m. 1 Fig. u. 8 Taf.) 8° Wien, (A Hölder) 01.   1.50
— Untersuchgn an ein. Lebermoosen. [S.-A.] (13 m. 5 Taf.) 8°
Ebd. 02.   1 — || II. (14 m. 4 Taf.) 03. 1.10
Lampadius, F: König Albert d. Gütige v. Sachsen. Lebens-
bild f. d. Jugend uns. Volkes. (16 m 1 Bildnis) 8° Lpzg, LA
Klepzig 02.   — 20 d
— Empor d. Herzen. Gedichtsammlg. (98) 8° Lpzg, (O Zöphel)
01.   1.50 d
— Die Kantoren d. Thomassch. zu Leipzig. (79) 8° Lpzg, LA
Klepzig 02.   1.50; geb, 2.25 d
— Nikolaus Lenau. Gedächtnisschrift. (16) 8° Ebd. 02.   — 20 d
— Friedrich Schiller, d. Lieblingsdichter d. deut. Volkes. (30
m. 1 Bildnis.) 8° Torg., F Jacob 05.   — 30 d
— Deut. Weihnachten in Wittenberg. Lutherfestsp. m. Musik
u. Gesang. (50) 8° Lpzg, LA Klepzig 02.   — 40 d
Lamparter, E: Christl. Glaubensleben. Hdb. f. d. Relig.-Unterr.
an höh. Lehranst. (132) 8° Tüb., JCB Mohr 05. 1.60; geb. 2 — d
Lamparter, O: Ueb. Combination maligner Ovarialtumoren
m. Magencarcinom. (17) 8° Tüb., F Pietzcker 01.   nn — 60
Lampe, A: Fibel, s.: Wichmann, A.
Lampe, A: Gehaltsverhältn. d. seminarisch gebild. Lehrer in
Berlin u. dessen Vororten, sowie in d. 385 Städten Preussens
m. höh. Schulen u. d. vorhand. Kategorieen. (41) 8° Berl.,
Hilfsver. deut. Lehrer 02.   — 75
— s.: Jahrbuch f. Lehrer an höh. Schulen u. deren Vorsch. in
Preussen.
— u. E Vogel: Dent. Leseb. f. d. Vorsch. höh. Unterr.-Anst.,
sowie f. d. entsprech. Kl. d. höh. Bürgersch., Mittelsch. usw.
Ausg. A. 2 Tle. 8. Afl. 8° Berl., E Sicker 05. Geb. je 1.60 d
1. (Für d. 2. Vorschulkl.) (216) || 2. (Für d. 1. Vorschulkl.) (232
m. 22) 1.80.
— dass. Ausg. B. 2 Tle. 9. Afl. 8° Ebd. 05.   Geb. 3.55 d
1. (Für d. 2. Vorschlkl.) (216 a. 96) 1.75 || 2. (Für d. 1. Vorschulkl.) (232
m. 22) 1.80.
Lampe, E: Dent. Lebensbilder u. Sagen, s.: Wagner, F.
Lampe, E: Catalog d. Reptilien-Sammlg (Schildkröten, Cro-
codile, Eidechsen u. Chamaeleons) d. naturhistor. Museums
zu Wiesbaden. Mit Bemerkgn u. Beschreibg e. neuen Eidechsenart versehen v. WA Lindholm. [S.-A.] (46 m. 1 Taf.) 8°
Wiesb., JF Bergmann 01.   1.60
— dass. (Schlangen: Frosch-, Schwanz- u. Schleichenlurche).
[S.-A.] (66) 8° Ebd. 02.   1.60
— Ergebnisse d. meteorolog. Beobachtgn d. Station II. Ordng
Wiesbaden in d. J. 1900 u. 02—04. [S.-A.] (Je 51) 8° Ebd.
01-05.   Je 2 —
— Katalog d. Vogel-Sammlg d. naturhistor. Museums zu Wies-
baden. I. u. II. Tl. 8° Ebd. 05.   1 —
1. Picariae u. Psittaci. (88) (04.) 2 — || 2. Columbae p. Pterocletes. (23)
(05.) 1 —.
Lampe, E, s.: Archiv d. Mathematik u. Physik.
— Guido Hauck. Rede. [S.-A.] Nebst d. Rede am Sarge v. A
Petrus. (32 m. 1 Bildnis.) 8° Lpzg, BG Teubner 05.   1 —
— s.: Jahrbuch üb. usw. Mathematik.
Lampe, F: Berlin—Cöln üb. Hannover u. zurück. — Cöln a. Rh.
—Bremen—Hamburg u. zurück. — Cöln—Cöln—Frank-
furt a. M. u. zurück. — Düsseldorf—Frankfurt a. M. u. zurück,
s.: Rechts u. links d. Eisenb.
— Zur Erdkde. Proben erdkundl. Darstellg, f. Schule u. Hans
ausgew. u. erläut. (151) 8° Lpzg, BG Teubner 05. Geb. 1.20 d
— Der mittelamerikan. Kanal. Progr. (55 m. 1 Karte.) 4° Berl.,
Weidmann 02.   1 — d
Lampe, MA: Das Pferd. Hdb. üb. Bau, Pflege, Zucht, Hufbe-
schlag u. Krankh. d. Pferdes. 2. [Tit.-]Afl. (d. 1. Bds v.: MA
Lampe, H Davenport u. W Nagel, d. Pferd). (816 u. 4 m. Abb.)
61 [1 Karte.] Taf. u. 1 zerlegbarem Modell.] 8° Lpzg, E Wiest
Nf. [1900] 05.   L. 18 —; auch in 56 Lfgn zu — 35 d
Lampel, H: Heimatkde d. Kreises Inowrazlaw. (20) 8° Lissa,
F Ebbecke 02.   — 20 d
Lampel, J, s.: Urkundenbuch d. aufgehob. Chorherrnstiftes
Sanct Pölten.
Lampel, L: Dent. Leseb. f. d. ob. Kl. österr. Gymnasien. I. u.IV.
Tl. 8° Wien, A Hölder.   Geb. 5.10 d
I. (f. d. V. Kl.). 4. Afl. (349) 03. 2.60 || (IV d. d. VIII. Kl.). 3. Afl. (Mit e.
Anh. üb. d. Lit. d. neuesten Zeit.) (366) 04. 2.50 Anh. allein (36) — 44.
— dass, f. d. I—IV. Kl. österr. Mittelsch. 8° Ebd. 06. 7.85 d
I. 11. Afl. (375) 04. 1.95 || II. 9. Afl. (312) 04. 2.10 || III. 9. Afl. (294) 05.
2 — || IV. 5. Afl. (295) 05. 1.80.
— u. I Pölzl: Dent. Leseb. f. d. ob. Kl. österr. Realsch. I. Tl
(f. d. V. Kl.). (401) 8° Ebd. 05.   Geb. 2.60 d
Lampel, T: Die Incunabeln u. Frühdrucke bis z. J. 1520 d. Bi-
bliothek d. Chorherrnstiftes Voran. (294) 8° Wien, Verl. d.
Leo-Gesellsch. 01.   5 —
Lampert, JB: Exempel-Lexikon f. Prediger u. Katecheten, s.:
Scherer, A.
Lampert, K: Bilder-Atlas d. Tierreichs. I. u. 2. Tl. 8° Essl.,
JF Schreiber (01).   Geb. je 4 — d
1. Säugetiere. (71 m. Abb. u. 82 Farbdr.)
2. Vögel. (57 m. Abb. u. 89 Farbdr.)
— Die Völker d. Erde. Schilderg d. Lebensweise, d. Sitten,
Gebr., Feste u. Zeremonien aller leb. Völker. 2 Bde. (383 u.
428 m. Abb. 1 Karte u. je 2 farb. Taf.) 4° Stuttg., Deut.
Verl.-Anst. (02).   L. je 12.50; auch in 35 Lfgn je — 80 d

Lampert, U : Zur rechtl. Behandlg d. kirchl. Eigentums in der Schweiz. [S.-A.] (64) 8° Freibg (Schweiz), Univ.-Bh. 04. nn 1.20 d
— Zur Beurtheilg d. persönl. Eherechts im Vorentwurf e. schweiz. Civilgesetzbuchs. [S.-A.] (54) 8° Bas. 01. (Freibg, Schweiz, Univ.-Bh.) — 80 d
Lamperti, GB : Die Technik d. Belcanto unter Mitwirkg v. M Heidrich. (38 m. Bildnis u. 2 Abb.) 8° Berl., A Stahl (05). 3 —
Lampertico, F, s.: Festgaben f. Adolph Wagner.
Lampl, K : Frühlingsblumen. Märchen u. Geschichten f. gr. Kinder. (128) 8° Prag, (G Neugebauer) 01. 1 — d
Lampmann, C : Reflexlichter! Ein Bilderb. f. alte Kinder. Humorist. Dichtung. (111 m. Abb.) 8° Berl. (03). (Lpzg, Thüring. Verl.-Anst. (2 —) 1 —; geb. (3 —) 2 — d
Lamprecht, H : Kochb. f. 3 u. mehr Personen. Neue Afl. (329 m. Fig.) 8° Reutl., Ensslin & L. (01). L. 2.60 d
Lamprecht, H : Der verlorene Sohn. Auf abschüss. Bahn, s.: Osterglocken.
Lamprecht, K : Der Unterr. in d. Naturgesch., s.: Abbandlungen, pädagog.
Lamprecht, K : Deut. Geschichte. Der ganzen Reihe 1—4. Bd ; 5. Bd. '2 Hlfte; 5. Bd. u. 7. Bd, 1 Hlfte. 8° Freibg i/B., H Heyfelder. Je 6 —; HF. je nn 8 — d
1.2. I. Abtlg. Urzeit u. M.-A. Zeitalter d. symbol. u. konventionellen Seelenlebens. 1. u. 2. Bd. 3. Afl. (37, 368 u. 17, 411) Berl. 02.04. | 3. Daae. 3. Bd. 2. Afl. Neuer Abdr. (402) 04. | 4. Daae. 4. Bd. 3. Afl. (483) 04. | 5, I. II. Abtlg: Neuere Zeit. Zeitalter d. individuellen Seelenlebens. 1. Bd. 2 Hlfte. 3. Afl. (779) 04. | 6. Daae. 5. Bd. 1. u. 2. Afl. (483) 04. | 7 I. Daae. 3. Bd. 1. Hlfte. 1. u. 2. Afl. (396) 05.
— dass. I. Ergänzsbd u. II. Ergänzgsbd. I. u. II. Hlfte. 8° Ebd. 22 —; Einbde in L. je 1 —; HF. nn 2 — (1—7 | m. I. u. II. Ergänzgsbd: 70 —| HF. nn 99 —) d
I. Zur jüngsten dent. Vergangenh. 2. Bd. Tonkunst — Bild. Kunst — Dichtg — Weltanschaug. 1. u. 2. Afl. 1—7. Tsns. (471) Berl. u. Freibg 02.05.
II, 1. Zur jüngsten dent. Vergangenh. 2. Bd. 1. Hlfte. Wirtschaftleben. — Soz. Entwicklg. 1. u. 2. Afl. u. Neuer Abdr. (520) Freibg i/B. 03.05. 7 — | 2. Hlfte. Innere Politik. — Aussere Politik. 1. u. 2. Afl. Freibg i/B. 04. 9 —
— s.: Geschichte d. europ. Staaten.
— Moderne Gesch.-Wiss. 5 Vortr. (131) 8° Freibg i/B., H Heyfelder 05. 2 — d
— Kinderzeichngn bis z. 14. Lebensj., s.: Levinstein, S.
— Friedrich Ratzel. Nekrolog. [S.-A.] (13) 8° Lpzg, BG Teubner 04. — 60
— s.: Staatengeschichte, allg. — Studien, Leipz., a. d. Gebiet d. Gesch. — Untersuchungen, geschichtl. — Zeitschrift, westdeut., f. Gesch. u. Kunst.
Lamprecht, R : Wegweiser durch Zittau u. Zittauer Gebirge. Mit 10 Ansichts-Postk. (46) 16° Zitt., W Fiedler 01. Kart. 1 —
Lampugnani's Reise-Führer. Pompeii sonst u. jetzt. Von A Fischetti. (108 m. Abb. u. 1 Pl.) 8° Mailand (05). (Rom, Loescher & Co.) Geb. nn 2 —
Lanciani, R : Forma urbis Romae. 1:1000. Fasc. V—VIII je 22 Bl. je 57×87 cm. Farbdr. Mit Text. (12) Mail., U Hoepli 1896-1901. Einzelpr. je nn 20 —
— Einsame Seelen. Roman. (232) 8° Berl., F Schirmer (04). 1.50; L. 2 — d
Lanckoronski, K Graf : Ein Ritt durch Kilikien. — Aus d. winterl. Afrika. (99) 8° Wien, (Gerold & Co.) (05). 1.50
— Einiges üb. italien. bemalte Truhen. Vortr. (28 m. 5 Taf.) 8° Ebd. (05). 1.50
Land, das. Zeitschrift f. d. soz. u. volkstüml. Angelegenh. auf d. Lande. Hrsg.: H Sohnrey. 10—14. Jahrg. Oktbr 1901—Septbr 1906 je 24 Nrn. (10. Jahrg. Nr. 1, 20) 4° Berl., Trowitzsch & S. Vierteljj. 1.50 d
— d. heil. Organ d. dent. Ver. v. hl. Lande (früher Organ d. Vereins v. hl. Grabe). 45—49. Jahrg. Neue Folge 5—10. Jahrg. 1901—5 je 4 Hefte. ('05. 168 m. Abb.) 8° Köln, (JP Bachem). Je nn 6 — d
— u. Leute. Monographien z. Erdkde. Hrsg. v. A Scobel. I, III—V u. IX—XX. (Mit Abb.) 8° Bielef., Velhagen & Kl. Kart. 59 — (I—XX : 77 —; Geschenkausg., Lwn, G. je 1 — mehr) d
Günther, F : Der Harz. (128 m. 1 Karte.) 01. [IX.] 3 —
Haas, H : Neapel, seine Umgebg u. Sizilien. (194 m. 1 Karte.) 04. [XVII.] 4 —
Hausbofer, M : Tirol u. Vorarlberg. 2. Afl. (206 m. 1 Karte.) 03. [IV.] 4 —
Heer, JC : Die Schweiz. 2. Afl. (196 m. 1 farb. Taf. u. 1 Karte.) 02. [V.] 4 —
Hörstel, W : Die Riviera. (133 m. 1 Karte.) 01. [II.] 4 —
Kaemmel, O : Rom u. d. Campagna. (187 m. 1 Karte.) 02. [XII.] 4 —
Kerp, H : Am Rhein. Die Schweiz. v. Frankfurt bis Düsseldorf u. d. Thäler d. rhein. Schiefergebirges. (128 m. 1 Karte.) 01. [X.] 4 —
Linde, R : Die Lüneburger Heide. (149 m. 1 Karte.) 04. [XVIII.] | 2. Afl.
(158 m. 1 Karte.) 05. 4 —
Neumann, L : Der Schwarzwald. (167 m. 1 Karte.) 02. [XIII.] 4 —
Regell, P : Das Riesen- u. Isergebirge. (132 m. 1 Karte.) 05. [XX.] 4 —
Ruge, S : Dresden u. d. sächs. Schweiz. (175 m. 2 Skizzen u. 1 Karte.) 03. [XVI.] 4 —
— Norwegen. 2. Afl. v. Y Nielsen. (151 m. 1 Karte.) 05. [III.] 4 —
Scobel, A : Thüringen. 2. Afl. (196 m. 1 Karte.) 05. [VI.] 4 —
Steindorff, G : Durch d. Libysche Wüste z. Amonoase. (168 m. 1 Karte.) 04. [XIX.] 04. 4 —
Wegener, G : Deutschl. im Stillen Ozean. Samoa, Karolinen, Marshall-Inseln, Marianen, Kaiser-Wilhelms-Land, Bismarck-Archipel u. Salomo-Inseln. (156 m. 1 Karte.) 03. [XV.] 4 —
Zobeltitz, F v.: Berlin u. d. Mark Brandenburg. (194 m. 1 Karte.) 03. [XIV.] 4 —
Land, A : Das Forsthaus im Spessart. Eine Waidmannsmär. (53) 8° Cö th., P Schettler's Erben (03). 1.50; in Geschenkbd 3 — d

Land, H : Bande!! Humorist. Roman. (312) 8° Berl., S Fischer 02. 3.50; geb. nn 4.50 d
— Artur Imboff. Roman. (296) 8° Ebd. 05. 3.50; geb. nn 4.50 d
— Ja — d. Liebe, s.: Bibliothek moderner deut. Autoren.
— Sonnenwende u. and. Novellen, s.: Kürschner's, J, Bücherschatz.
— Sünden. Ausgew. Erzählgn. Neue Ausg. (295) 8° Berl., S Fischer 02. 3.50; geb. nn 4.50 d
Land, HW : Elektr. u. magnet. Messgn u. Messinstrumente, s.: Hallo, HS.
Landarbeiter, d., in d. ev. Gebieten Norddeutschlds. In Einzeldarstellgn n. d. Erhebgn d. ev.-soz. Kongr. hrsg. v. M Weber. 3. Heft. 8° Tüb., H Laupp. Subskr.-Pr. 3.80; Einzelpr. 5.50 (1—3.: 12.10; bezw. 17.10)
Klee, A : Nieder- u. Mittelschlesien u. Südhlfte d. Mark Brandenburg. (187 m. Tab.) 02. [3.] 3.80; bezw. 5.50
Landau s.: Schrift, d. hl.
Landau, E : Üb. d. zahlentheoret. Funktion μ(k). [S.-A.] (84) 8° Wien, (A Hölder) 03. — 70
— Üb. d. Primzahlen e. arithmet. Progression. [S.-A.] (43) 8° Ebd. 03. — 80
— Üb. e. Verallgemeinerg d. Picardschen Satzes. [S.-A.] (16) 8° Berl., (G Reimer) 04. — 50
Landau, F, s.: Jahrbuch d. Rhedereien u. Schiffswerften.
— Die Wahlen z. deut. Reichstage seit 1871. Die 397 Wahlkreise u. Wahl-Ergebnissen in d. ges. 10 Legislatur-Perioden hinsichtlich abgegeb. Stimmen, Stichwahlen, Abgeordneten etc. Die Vertreter d. Staaten u. Provinzen u. Fraktionen in d. 10 Legislaturperioden d. Stärke d. Fraktionen n. d. betr. Hauptwahlen, Der Stimmen-Aufwand f. e. Reichstags-Sitz bei d. einz. Fraktionen. (Graph. Darstellg.) (15 Bl.) 4° Hambg, F Asche & Co. 03. (?) Bd. 1. 25 d
Landau, J : Nordlandfahrt. 2. Afl. (159) 8° Berl., H Steinitz 03. 2 — d
Landau, F, s.: Formularbuch f. d. freiwill. Gerichtsbark.
Landau, JL : Nachman Krochmal, e. Hegelianer. (69) 8° Berl., S Calvary & Co. 04. 1.50
Landau, L : Ein. Bemerkgn z. Behandlg d. Extrauterin-Schwangerschaft. [S.-A.] (7) 8° Berl., J Goldschmidt 01. 1 — d
Landau, P : Giorgione, s.: Kunst, d.
— Karl v. Holtei's Romane, s.: Beiträge, Breslauer, z. Lit.-Gesch.
Landau, R : Der Fremdenlegionar. Ein Sang a. Deutschlds Ruhmestagen. (64) 8° Dresd., E Pierson 03. 1 —; geb. 2 — d
— Das Pankreas. [S.-A.] (31) 8° Lpzg, B Konegen 02. 1 —
— Nervöse Schulkinder. Vortr. [S.-A.] 8° Hambg, L Voss 02. — 80
Landau, T : Wurmfortsatzentzündg u. Frauenleiden. (82) 8° Berl., A Hirschwald 04. 2 —
Landau, W Frhr v.: Die Bedeutg d. Phönizier im Völkerleben, s.: Ex oriente lux.
— Beitr. z. Altertumskde d. Orients. III u. IV. 8° Lpzg, E Pfeiffer. 4.80 (I—IV : 8.80)
III. Die Stele v. Amrith. Die neuen phönic. Inschriften. (29 m. Abb.) 04. 1.80
IV. Eine Bildhauer a. Heldea. Tammûz. Tanit pně-ba'al. Eine Gemme. Worterklärgn. (46 m. 4 Taf.) 05. 3 —
— Eine phönic. u. iber. Inschriften a. Sardinien. — Vorläuf. Nachrichten üb. d. im Eshmuntempel bei Sidon gefund. phöniz. Altertümer, s.: Mitteilungen d. vorderasiat. Gesellsch.
— Die Phönizier, s.: Orient, d. alte.
Landauer: Geisteswäche als Entmündigungsgrund, s.: Camerer.
Landauer, G : Die neue Gemeinschaft, s.: Hart, H.
— Macht u. Mächte. Novelle. [S.-A.] 8° Berl., E Fleischel & Co. 03. 3 —; geb. 4.50 d
— Skepsis u. Mystik. Versuche im Anschl. an Mauthners Sprachkritik. (154) 8° Berl., E Fleischel (03). 2 —; geb. 3 — d
— Der Todesprediger. Roman. (2. [Tit.-]Ausg. m. e. Nachwort d. Verf.) (329) 8° Dresd., H Minden [1893] (03). 3 — d
Landauer, S : Grundl. u. Systematik d. neuen österr. Hypothekarrechts. (180) 8° Wien, Manz 04. 3.60 d
Landberg, Comte C de : Études sur les dialectes de l'Arabie méridionale. Vol. I et II. 8° Leid., Bh. u. Dr. vorm. EJ Brill. nn 28 —
I, Ḥaḍramoût. (21, 774) 01. nn 20 — | II. Daṭînah. 1. partie. Textes et traduction. (24 m. 1 farb. Taf.) 05. nn 8 —
— Die Mehri-Sprache in Südarabien u. A Jahn u. Die Mehri- u. Soqoṭri-Sprache v. DH Müller kritisch beleuchtet. 1. Heft. 8° Berl. Texte. (59) 8° Lpzg, (O Harrassowitz) 02. 1 —
Landbote, der. Fachzeitschrift f. prakt. Landwirthe. Red. v. Frhr ER v. Canstein. 22—25. Jahrg. 1901—4 je 104 Nrn. (1901. Nr. 1 u. 2, 20) 4° Prenzl., A Mieck. Vierteljj. 2 — d
— neuer. Illustr. Familien-Kalender f. 1906. 12. Jahrg. (Polätsek's neuer Landbote-Kalender.) (64, 32 u. 16) 8° Temesv., Polatsek. 1 —
— trier. Wochenbl. f. Land- u. Volkswirtschaft u. z. Unterhaltg f. d. Landmann. Hrsg. C Wirz. 27—31. Jahrg. 1901—5 je 52 Nrn. (Nr. 1, 8) 4° Trier, J Lintz. Je 4 — d
Lande u. **Hermes**: Das allg. Landrecht f. d. preuss. Staaten in d. seit d. 1.1.1900 gült. Umfang. Ausg. m. Anmerkgn. 4. Afl. 2 Thle. 8° Berl., C Heymann. 17 —; geb. 19 — d 1. (944) 02. nn 4 —; geb. 5 — | 2. (578) 02.05. 13 —; geb. 14 —
Landé, R, s.: Architektur, dent. (im Kat. 1896/1900.)
— Ausgeführte Fabrikbauten. Dargest. durch Grundrisse, An-

sichten, Schnitte u. Teilzeichngn. (60 Taf. m. 6 S. Text.) Fol. Halle, L Hofstetter, V. 02.   In M. 25 —
Landé, R: Neue Fassaden a. Bremen's Altstadt. Das Ergebnis a. d. Wettbewerbe d. Ver. „Lüder v. Bentheim" in Bremen. (180 Taf. u. 3 S. Text m. Fig.) Fol. Lpzg, Deut. Architektur-Verl. (01).   In L.-M. 50 —
— s.: Fassaden-Entwürfe f. Bautzen.
— Fassaden-Entwürfe f.Danzig. Das Ergebnis d.Wettbewerbes, ausgeschrieben durch d. Ver. z. Erhaltg u. Pflege d. Bau- u. Kunstdenkmäler in Danzig. — Fassaden f. d. Landesversicherogsanst. (100 Taf. m. 4 S. Text.) Fol. Lpzg, Deut. Architektur-Verl. (03).   In M. 36 —
— Fassaden-Entwürfe f.Lübeck: Das Ergebnis d.Wettbewerbes, ausgeschrieben durch d. Ver. v. Kunstfreunden zu Lübeck. (80 Taf. m. 4 S. Text.) Fol. Ebd. (02).   In L.-M. 36 —
— s.: Fassadenentwürfe in neuer Richtg.
— Vorbilder f. Häuserfronten an d. Rheinuferstrasse zu Cöln. Das Ergebnis d. Wettbewerbes, ausgeschrieben durch d. Stadt Cöln. (55 Taf. m. 4 S. Text.) 43×43 cm. Lpzg, Deut. Architektur-Verl. (02).   In L.-M. 25 —
— u. O Krause: Mein Haus — meine Welt. Sammlg v. Entwürfen f. Einfamilienhäuser. (25 Taf. m. 4 S. Text.) 4° Lpzg, BF Voigt 02.   In M. 7.50
Landeck, A v. d.: Anarchismus u. Kirche od. Wiss. u. Monarchie. (79) 8° Berl., Herm. Walther 03.   1 —
Landegger, L: Ein schrrckl. Junge. Eine lehrreiche Gesch. f.unvernünft.Eltern. (1.Bd.) (85) 8° Diessen, JCHuber03. 2 — d
— dass. (Neue Afl.) (1. Bd.) (124) 8° Strassbg, J Singer 05. 1 — d
Landen, A: Lodernde Gluten. Lieder d. Liebe. (82 m. Bildnis.) 4° Berl., H Meusser (02).   3 —
Landenberger, A: Des Christen Lebensreise. (239) 8° Stuttg., C Belser 05.   L. 3 — d
— Joh. Gottfr. v. Herder, s.: Zeitfragen d. christl. Volkslebens.
— Ev. Lebensbilder a. Schwaben in 4 Jahrh. (180) 8° Lpzg, A Deichert Nf. 04.   2.20 ; geb. 3 — d
Landenberger, G: Abraham d. Erfinder d. Buchstabenschrift, (32) 8° Stuttg., G Landenberger 04.   — 50 d
Landenberger, J: Stuttgarter Hexen-Geschichten, s.: Volks-Bibliothek, deut.
Landenkron, Gräfin A v.: Verlassene Kinder. Roman a. d. röm. Gesellsch. (272) 8° Halle, Wischan & Burkhardt (03). 1.50; geb. 2.20 d
— Roman a. d. modernen österr. Gesellsch. (225) 8° Berl., Ebd. (02).   2.25 ; geb. 3 — d
Lander, F: Phryne. Impromptus. (159) 8° Wien, G Szelinski 05.   2.50
Lander, G: Leseabend·u. Volksbücherei, s.: Volksschriften-Verlag Hermannstadt.
Landerer, A: Der gegenwärt. Stand d. Hetol-(Zimmtsäure)behandlg d. Tuberkulose, s.: Klinik, Berl.
Landerer, H: Beitrag z. Kenntnis d. Korsakowschen Symptomenkomplexes. (35) 8° Tüb., F Pietzcker 05.   nn — 80
Länder- u. Völkerkunde, allg., m. Hand-Atlas. (32, 708 Sp. m. Abb. u. 23 Kartens.) 4° Berl., (PJ Oestergaard (04).   Geb. 3.50 d
Landes-Adressbuch, braunschweig., enth. sämtl. Landgemeinden d. Herzogt. Braunschweig-Gesamt-Ausg. (113, 136, 109, 92, 60, 80 u. 7) 8° Brnschw., G Wenzel & Sohn (05).   Geb. nn 10 —; einz. Kreise 2 —
Blankenburg. (50) [Braunschweig. (113)] [Gandersheim. (92)] [Helmstedt. (109)] [Holzminden. (91)] [Wolfenbüttel. (136)]
Landesen, G: Untersuchng üb. d. Wärmeausdehng wässer. Lösgn. — Ueb. d. Wärmeausdehng d. Wassers zw. 30 u. 80°, s.: Schriften, hrsg. v. d. Naturforscher-Gesellsch. bei d. Univ. Jurjeff.
Landes- u. Provinzialgeschichte. Anh. d. in R Voigtländer's Verl. in Leipzig erschien. geschichtl. Lehrbb. Heft 1—9, 10 A u. B, 11, 15—26 u. 28. (Mit je 1 Geschichtsk.) 8° Lpzg, R Voigtländer.   Einzeln. je — 20; als Anh. unberechnet. d
Düsselmann, E: Freie u. Hansestadt Bremen. 6. Afl. (16) 04. [26.]
Düring, H: Brandenburg. 14. Afl. (16 m. 1 Pl.) 05. [2.] | Ost- u. Westpreussen. 13. Afl. (24 m. 1 Abb.) 05. [1.]
Ernst, A: Schlesien. 5. Afl. (16) 05. [5.]
Güld, A: Hessen-Nassau. A. Nassau. 4. Afl. (16) 03. [10.A]
Güth, A: Hessen-Nassau. B. Nassau. 11. Afl. (16) 04. [10.B.]
Kleemann, C: Hessen-Nassau. 7. Afl. (16) 01. [18.]
Kromayer, K: Reichsl. Elsass-L. 7. Afl. (16) 05. [28.]
Lange, E: Pommern. 7. Afl. (16) 04. [3.] | Westf. u. Waldeck, Schaumburg-Lippe u. Lippe. 5. Afl. (16) 05. [9.]
Mehlis, L: Bayern. Pfalz (Rheinpfalz). 4. Afl. (16) 05. [16.]
Meinardus, K: Oldenburg. 5. Afl. (16) 04. [22.]
Rethfeld, A: Posen. 9. Afl. (16) 04. [4.] | Rheinprov. 14.Afl. (16) 05. [11.]
Richter, JWO: Prov. Sachsen. 11. Afl. (22) 05. [3.]
Salow, W: Mecklenb.-Schwerin u. Mecklenb.-Strelitz. 10. Afl. (16) 05. [21.]
Schlee, E: Schleswig-H. 28. Afl. (16) 05. [19.]
Schmitt, E: Baden. 8. Afl. (16) 02. [13.]
Schröter: Bayern. 2. Afl. (15) 02. [15.]
Schulz, A: Thüringen, umfassend: Sachsen-Weimar-Eisenach, Sachsen-Meiningen-Hildburgh., Sachsen-Altenburg, Sachsen-Coburg-Gotha, Schwarzburg-Rudolstadt, Schwarzburg-Sondershausen, Reuss ä. L., Reuss j. L. 6. Afl. (16 m. 1 Wappentaf.) 02. [23.]
Schwenkow, L: Freie u. Hansestadt Hamburg. 5. Afl. (16) 04. [25.]
Soldan, F: Grossh. Hessen. 10. Afl. (16) 04. [20.]
Viebreck, L: Hannover u. Braunschweig. 13. Afl. (16) 05. [17.]
Weber, H: Kgr. Sachsen. 8. Afl. v. G Siegert. (16) 05. [17.]
Wickenhagen, E: Anhalt. 5. Afl. (16) 05. [24.]
Landesgeschichten, deut, hrsg. v. A Tille, s.: Staatengeschichte, allg.
Landesgesetz- u. Verordnungsblatt f. d. Herzogth. Kärnten.

Jahrg. 1901—3. (1901. 1. Stück. 1) 4° Klagenf., (F v. Kleinmayr).   Je 4 — d
Fortsetzg war nicht zu erhalten.
Landesgesetze, d., d. Herzogt. Kärnten. Hrsg. v. W Müller. 1. Bd. 8° Klagenf., F v. Kleinmayr.   5 — ; geb. 6 — d
1. Gemeinde-Ordnung v. 15.III.1864, nebst e. Anh.: „Grund.sätze d. Administrativ-Verfahrens". 2. Afl. (29, 533) 04. 5 — ; geb. 6 —
— niederösterr., v. 25.XII.'04 üb. d. Volksschulwesen. Ges., betr. d. Schulaufsicht. Ges., betr. d. Errichtg. d. Erhaltg u. d. Besuch d. öffentl. Volkssch. Ges., betr. d. Regelg d. Rechtsverhältn. d. Lehrerstandes an d. öffentl. Volkssch. Ges., m. welchem auf Grund d. Ges. v. 17.VI.1888 Bestimmgn üb. d. Entlohng d. Relig.-Unterr. an d. öffentl. Volkssch. getroffen werden.) (82) 8° Wien, A Pichler's Wwe & S. 04.   — 80
— f. d. Erzherzogt. Österr. unter d. Enns v. 3.VI.'05 betr. d. Geschäftsordng d. k. k. Bez.-Schulräte sowie Verordngn üb. d. Volkschulwesen. (45) 8° Korneubg, J Kühkopf (05). — 50 ; kart. — 80 d
— dass. v. 25.XII.'04 u. v. 23.I.'05 üb. d. Volksschulwesen. (128) 8° Ebd. (05).   — 90; geb. 1.10 d
— f. d. Herzogt. Sachsen-Meiningen. II. 16° Saalf., C Niese.   Kart. 1.90 d
II. Bauordng v. 24.I.1896. — Einkommensteuerges. v. 18.III.1899 m. Ausführgsverordng v. 20.IV.1890. (132) 03.   1.20
Den I.Bd bildet: Gemeindeordnung f. d.Herzogt. Sachsen-Meiningen.
Landes-Kalender, bad., f. 1906. (56, 4 u. 8 m. Abb.) 8° Karlsr., J Lang.   — 20 d
— deut., f. 1906. (56, 4 u. 8 m. Abb.) 8° Ebd.   — 20 d
— Nassauer, f. d. katbol. Volk. 1902. (52 m. Abb.) 4° Limbg, A Hötte.   — 25 d ô F
— nassauischer allg., f. 1906. (62 m. Abb.) 8° Wiesb., R Bechtold & Co.   — 25 d
— kgl. württemberg., f. 1906. Amtl. Ausg. (122) 8° Stuttg., W Kohlhammer.   Kart. ! — 56 d
Landeskarte, topograph., d. Herzogt. Braunschweig. Hrsg. v. d. herzogl. Landesaufnahme. 1:10,000. 8 Bl. Kpfrst. u. Farbdr. Brnschw., (GCE Meyer sen.).   1 e —
Bundheim. 80.5×58 cm. 03. | Gross-Denkte. 55.5×56 cm. 02. | Gross-Vahlberg. 55.6×56 cm. 02. | Bad Harzburg. 79.5×90 cm. 03. | Oker. 69.5×79 cm. 03. | Rommkerhalle. 79.5×90 cm. 03. | Thiede. 56×56 cm. 03. | Wolfenbüttel. 55.5×55.5 cm. 03.
Landeskatechismus, mecklenburg. Neue Ausg. (114) 12° Stavenb., Beholtz (01).   Geb. — 40 d
Landes-Lesitur-Gesetze, Verordnungen u. Entscheidungen f. Tirol u. Vorarlberg. (1. Tl: Landw., bearb. v. A Grimm. 2. Tl: Forstwesen, bearb. v. K Kryspin.) (460) 8° Innsbr., Wagner 05.   L. 4 — d
Landeskunde Preussens. Hrsg. v. A Beuermann. (Ausg. B.) 1—8., 10. u. 11. Heft. (Mit Abb.) 8° Berl. Stuttg., W Spemann. Kart. 11.60; Ausg. A m. Karte. 1—6., 8. u. 10. Heft je nn — 10; 7. Heft nn — 15, 11. Heft nn — 20 mehr. d
Beuermann, A: Hannover. (136) 01. [4.]   1.20
Heinze, H: Brandenburg. (148) 01. [7.]   1.20
Karp, H: Rheinprov. (144) 01. [8.]   1.20
Liersch, H: Sachsen. (91) 01. [6.]   1.—
Schmarje, J: Schlesw.-Holst. (150) 01. [5.]   1.20; Ausg. 04. (155) 1.50
Sommer, O: Pommern. (120) 01. [10.]   1.10
Stephanblome, J: Westfalen, nebst Lippe u. Waldeck. (137) 01. [3.] 1.20
Tochter, W: Hessen-Nassau. (104 m. 2 geolog. Profilen u. 1 Karte.) 01. [3.]   1.—
Wulle, P: Schlesien. (134) 01. [9.]   1—
Ziesemer, J: Ost- u. Westpreussen. (101) 01. [11.]   1—
Das 9. Heft ist noch nicht erschienen.
— d. Herzogt. S.-Gotha. Hrsg. v. H Henze, C Langbein, H Pabst, F Faetz, E Poppe. Schülerheft. 4. Afl. (32 m. 1 Karte.) 8° Gotha, EF Thienemann 01.   nn — 40 d
Landesmann, E: Die Therapie an d. Wiener Kliniken. Verz. an denselben gebräuchl. Heilmethoden. Nebst Rezepts. 7. Afl. Nebst e. Anh.: Physikal. Heilmethoden. Hrsg. v. O Marburg. (544) 8° Wien, F Deuticke 04.   7 —; geb. 8 —
Landesmann, H, s.: Lorm, H.
Landes-Ordnung u. Landtags-Wahlordnung. Ges.v.11.IV.'04, wirksam f. d. Herzogt. Steiermark. (31) 8° Graz, Leykam 04.   — 40 d
Landes-Triangulation, d. kgl. preuss. Abrisse, Koordinaten u. Höhen sämmtl. v. d. trigonometr. Abthlg d. Landesaufnahme bestimmten Punkte. 7 Tl, Nachtr., 15. u. 18. Thl. Hrsg. v. d. trigonometr. Abthlg d. Landesaufnahme. 8° Berl., (ES Mittler & S.).   Kart. nn 22 —
7. Reg.-Bez. Oppeln. Nachtr. (107 m. 1 Beil.) 03.   nn 12 —
15. Reg.-Bez. Marienwerder. 14.Abth. (619m.10 Karten.) 04. nn 48 —
18. Reg.-Bez. Danzig u. Stade. (512 m. 14 Beil.) 01.   nn 50 —
— dass. Hauptdreieck. 11. Thl. A. Das pfälz. Dreiecksnetz. B. Die elsass-lothring. Dreiecksbstte u. d. Basisnetz bei Oberbergheim. C. Der franzöz. Anschluss. Gemessen u. bearb. v. d. trigonometr. Abthlg d. Landesaufnahme. (268 m. e. Anh., 12 Skizzon, 1 Übersichtsk. u. 1 Übersichtbl.) 8° Ebd. 01.   Kart. nn 10 —
Landes-Versammlung d. württemberg. Zentrumspartei zu Gmünd 1900, s.: Zeitfragen, polit., in Württemberg.
Landfriedt, E: Theorie d. algebr. Funktionen u. ihrer Integrale. — Thetafunktionen u. hyperellipt. Funktionen, s.: Sammlung Schubert.
Landgemeindeordnung f. d. 7 östl. Provinzen d. Monarchie v. 3.VII.1891 in d. jetzt gült. Fassg, nebst Ges., betr. d. Anstellg u. Versorgg d. Kommunalbeamten v. 30.VII.1899 u. Kommunalabgabenges. v. 14.VII.1893. (152) 12° Bresl., JU Kern 01.   1 — d

Landgemeindeordnung, rev., f. d. Kgr. Sachsen v. 24.IV.1873. Text-Ausg. m. ausführl. Sachverz. sowie Abdr. d. Ges. betr. d. amtl. Verkündigg d. allg. Anordngn d. Verwaltsbehörden v. 15.IV.1884, d. Pensionsberechtigg d. berufsmäss. Gemeinde-Beamten v. 30.IV.1890. Verz. d. Rittergüter im Kgr. Sachsen. (83) 8° Flöha, A Peitz & Sohn 02.   Kart. 1 — d

Landgraf, A: Altötting, dessen Gesch. u. Sehenswürdigk. Neueste Ausg. (57 m. Abb. u. 5 Taf.) 8° Altött., J Lutzenberger (03).   30 d

Landgraf, G. u. J **Golling**: Lit. z. histor. Syntax d. einz. Schriftsteller, s.: Grammatik, histor., d. latein. Sprache.

— u. C **Weyman**: Die Epitome d. Inlins Exuperantius. [S.-A.] (20) 8° Lpzg, BG Teubner 02.   — 60

Landgraf, J: Zur Frage d. Schiffahrts-Abgaben auf bisher abgabenfreien öff. Strömen in Deutschl., s.: Verbands-Schriften d. deutsch-österr.-ungar. Verbandes f. Binnenschiffahrt.

— Mannheim am Scheidewege? Gedankenspähne üb. d. volkswirthschaftl. Entwicklg v. Mannheim unter Grossh. Friedrich v. Baden 1852—1902. (57) 8° Manuh., J Bensheimer's N. (02).   1.30 d

Landhaus, das. Illustr. Monatsschrift f. Wohngwesen u. Verkehr. Red. f. d. belletrist. Tl: J Geissel. 2. Jahrg. 1905. 12 Hefte. (1. Heft 16 m. Abb.) 4° Wiesb., Westdent. Verl.-Gesellsch.   4 —; einz. Hefte — 40

Der 1. Jahrg. ist vergriffen.

— d. deut. Wochenschrift f. Heimkultur. Schriftleitg: G Breithaupt. Juni—Dezbr 1905. 28 Hefte. (1. Heft. 32 m. Abb.) 4° Berl. Charlttnbg., Verl. d. deut. Landhaus. Viertelj. 3 —; einz. Hefte — 30; Juni (Heft 1 u. 2) unentgeltlich.

— d. moderne. u. s. innere Ausstattg. 220 Abb. moderner Landhäuser a. Deutschl., Österr., Engl. u. Finnl., nebst Grundrissen u. Innenräumen. (152) 8° Münch., Verl.-Anst. F Bruckmann 04. Kart. 5 — || 2. Aß. 320 Abb. Mit einleit. Text v. H Muthesius. (216) 05. L. 7.50

Landindustrie, die. Organ f. alle auf dem Lande u. f. d. Land tät. Industrien u. Gewerbe. Hrsg. v. G Fischer. Oktbr—Dezbr 1904. 6 Nrn. (Nr. 1. 16 m. Abb.) 4° Osterw., AW Zickfeldt. 4 —; einz. Nrn 1 — || 2. Jahrg. 1905. 12 Nrn. Viertelj. 3 —; einz. Nrn 1 —

Erschien bis Ende April '05 in Berlin.

Landisch, E: Die Wasserwerke d. Stadt Komotau, s.: Goldmann, R.

Landjugend, die. Jahrb. z. Unterhaltg u. Belehrg. Hrsg. v. H Sohrey. 5. u. 6. Jahrg. (Je 200 m. Abb.) 8° Berl., Bent. Landbh. 01.02.   Geb. je 1.25 d

— dass. 7. Jahrg. (192 m. Abb.) 8° Berl., (M Warneck) 03.   Geb. 1.25 d

— dass. 8. Jahrg. (184 m. Abb.) 8° Ebd. 04.   Geb. 1.50 d

— dass. 9. u. 10. Jahrg. (183 u. 178 m. Abb.) 8° Berl., Landbh. 05.06.   Geb. je 1.50 d

A. u. d. T.: Jugendbuch f. Stadt u. Land.

Land-Kalender f. d. Grossh. Hessen f. 1906. 196. Jahrg. (46 m. Abb. u. Titelbild.) 8° Darmst., (G Jonghaus).   — 20; durchsch. — 25 d

Landkrieg, d., in Ostasien u. s. Chancen, v. R. u. H. (48) 8° Wien, (W Braumüller) (04).   — 80

Landmann, der. Illustr. Kalender f. d. Haus- u. Landw. f. 1906. (48 u. 16) 8° Stuttg., C Weber & Co.   — 25 d

— der. Fritz Möhrlin's schwäb. Bauernfreund. 1906. (59 m. Abb.) 8° Stuttg., K Daser.   — 30 d

Landmann's, d., Feierstunden. 4. Bd. 8° Paderb., F Schöningh.

Padberg, A. v.: Holzzucht auf mittl. u. kl. Landgütern. Nebst Anh.: Hecken u. ihr Nutzen. 2. Aß. (102) 03. [4.]   1.20

— d., Sonntagsblatt. Allg. Zeitg f. Landw., Gartenbau u. Hausw. Red.: B Grundmann. 11—15. Jahrg. 1901—5 je 52 Nrn. (Nr. 1. 4 m. 1 Abb.) 4° Nend., J Neumann.   Je 2 — d

— Taschenb. f. 1903. Hrsg. v. d. deut. Dorfzeitg. (154 m. 1 Bildnis.) 16° Berl., Deut. Verl.   L. 1 — d ö F

— d., Winterabende. 1., 2., 4., 5., 12., 19., 25., 26., 27., 33., 37., 40., 42., 43., 50., 52. u. 71—80. Bdchn. 12° Stuttg., E Ulmer.   Kart. 29.80 d

Bach, M: Die Verwertg d. Obstes im ländl. Haushalt. Mit e. Anh.: Die Kultur d. Beerenobstes. 2. Aß. (115 m. Abb.) 03. [40.]   1.—

Balster, H: Steigerg d. Erträge d. Ackerbaues u. d. Viehzucht. (128 m. Abb.) 01. [72.]   1.—

Felden, E: Die Kaninchenzucht. (147 m. Abb) 05. [75.]   1.20

Heinrichsen, C: Ent- u. Bewässerg, Urbarmachg v. Ödländereien. (123 m. Abb.) 02. [12.]   1.20

Holdefleiss, P: Betriebslehre f. d. kl. Landwirt. (177) 05. [25.]   1.30

Hopf, L: Der Thierschutz. Kurzgef. Belehrg üb. d. Pflichten d. Menschen gegenüber d. Tieren. 2. Aß. v. Wiesmann. (166 m. Abb.) 06. [96.] 1.20

— Die Vögel u. d. Landw. Kurze Belehrg üb. d. Landmanns Freunde u. Feinde unter d. Vögeln, nebst Anführg d. gesetzl. Bestimmgn üb. d. Vogelschutz. 2. Aß. (190 m. Abb. u 1 Tab.) 02. [19.]   1.—

Huzel, CA v.: Die Arbeiterversicherg (Kranken-, Unfall-, Invalidenversicherg) m. Berücks. d. landw. Verhältn. 2. Aß. (137) 03. [50.] 1.—

Klein, E: Der Weinbau. 2. Aß. (144 m. Abb.) 05. [43.]   1.20

Löser's, J, Gesch. d. Landw. 2. Aß. v. F Jost. (115) 02. [42.]   1.20

Lucas, E: Unterhaltg üb. Obstbau. 4. Aß. v. F Lucas, (166 m. Abb.) 05. [4.]   1.—

Martin, W: Der deut. Bauer in d. Vergangenh. u. in d. Gegenwart. (163) 05. [76.]   1.—

— Die Fütterg d. Rindviehs. 2. Aß. (149 m. Abb.) 03. [12.]   1.20

Möhrlin, F: Die Natur als Lehrmeisterin d. Landmannes. 3.Aß. v. V Weitzel. (142 m. Abb.) 02. [1.]   1.—

— Der Pfennig in d. Landw. 2. Aß. v. V Weitzel. (189) 01. [33.] 1.—

— Peter Schmid, d. Fortschrittsbauer. 3. Aß. (166 m. Abb.) 04. [5.]   1.—

Müller, S: Die Hausfrau auf d. Lande. 4. Aß. (190 m. Abb.) 06. [4.] 1.30

Muth, J: Geräte- u. Maschinenkde. (186 m. Abb.) 03. [75.]   1.20

— Säen u. Ernten. (100 m. Abb.) 06. [40.]   1.—

Römer, K: Die Selbsthilfe d. Landwirts. Belehrgn üb. landw. Unterr.-, Vereins-, Genossensch.- u. Versicherungswesen. 2. Aß. v. Schmidberger. (111) 02. [96.]   1.—

Schmid, A: Landleben. Erzählgn a. d. bäuerl. Beruf. 2. Aß. (138 m. Abb.) 06. [59.]   1.—

Schmidberger, J: Der Kunstdünger, d. wichtigste Kulturmittel d. neueren Landw. 2. Aß. (119) 04. [52.]   1.—

Schubert, A: Wie baut d. Landmann s. Ställe praktisch u. billig? (107 m. Abb. u. 7 Pl.) 04. [77.]   1.—

Ulrich, J: Die Kartoffel u. ihre Kultur a. rationellen Grundsätzen. (144 m. Abb.) 03. [74.]   1.20

Weber, FE: Ländl. Teichwirtschaft. (73 m. Abb.) 01. [71.]   1.—

Weigand, C: Wohlstandsquellen u. Wohlstandsgefahren. Umschau im landw. Haushalt m. bes. Berücks. kleinbäuerl. Verhältn. 2. Aß. v. F Vielhaber. (96) 06. [97.]   1.—

Weiss, JE: Der Pflanzenarzt. Prakt. Ratgeber. (184 m. Abb.) 05. [79.] 1.30

Landmann: Die kommunale Verkehrssteuer in Baden. Denkschrift. (78) 8° Mannh., (J Hermann) (05).   — 90 d

Landmann, F, s.: Festgabe, usw. Heinr. Finke gewidmet.

— Das Schulwesen d. Bist. Strassburg z. Sieberg d. Nachwuchses f. d. theolog. Studien v. 1802—1904. 1. Abschn. (65 u. 13) 8° Strassbg, (Agentur v. B Herder) 05.   1.50 d

Landmann, J: Die Arbeiterschutzgesetzgebg d. Schweiz. (132, 496) 8° Bas., Helbing & L. 04.   7.20

— Die Belastg d. Arbeiterbudgets durch d. Alkoholgenuss, s.: Blocher, H.

— Die auswärt. Kapitalanlagen a. d. Berner Staatsschatz im XVIII. Jahrh. [S.-A.] (322 m. 1 Tab.) 8° Zür., Fäsi & B. 03. 3.20

Landmann, K Ritter v.: Prinz Eugen. Die Begründg d. grossmachtstellg Oesterr.-Ungarns. 1—5. Taus. (Weltgesch. in Karakterbildern.) (100 m. Abb.) 8° Münch. 05. Mainz, Kirchheim & Co.   Kart. 4 — d

— Napoleon I. Die Vollendg d. Revolution. (Weltgesch. in Karakterbildern.) (116 m. Abb.) 8° Ebd. 05.   Kart. 4 — d

— Wilhelm III. v. Engl. u. Max Emanuel v. Bayern im niederländ. Kriege 1692—97. (110 m. 10 Kartenskizzen u. 1 Karte.) 8° Münch., J Lindauer 01.   2 — d

Landmann, L: Tab. z. Bestimmg d. Ranßspanngn v. Fabrikschornsteinen, nebst Erläuterg ihrer Herstellg u. Anwendg. [Erweit. S.-A.] (40 m. 1 Abb. u. 1 Tab.) 8° Wiesb., JF Bergmann 04.   1 —

Landmann, M, s.: Mädchenbildung auf christl. Grundl.

Landmann, R v.: Kommentar z. Gewerbeordng f. d. Deut. Reich. 4. Aß. v. G Rohmer. 10 Lfgn. (744 u. 943) 8° Münch., CH Beck 03.   26.50; in 2 L.-Bdn nn 30 — d

Landois, H: Frans Essink, sieu Liäwen un Driewen äs aolt Mönstersk Kind. Kom. Roman in 6 Abtlgn. I. u. III. Tl. 8° Lpzg, O Lenz.   7 —; Einbde je 1 — d

I. Humorist. Tl: Bi Liäwtieden. 9. Aß. (28, 200 m. Bildnis u. 11 Bildern.) 01. 4 — III. Romant. Tl: Up de Tuckesburg. 2. Aß. (257 m. 9 Bildern) 01. 4 —

Den II. Tl s.: Bibliothek, illustr., niederdeut. Klassiker.

— d. Naturgesch. u. Gewebelehre d. Tierwelt. — Lehrb. f. d. Unterr. u. z. Naturbeschreibg. — Der Mensch u. d. 3 Reiche d. Natur, s.: Krass, M.

— Das Studium d. Zool. m. bes. Rücks. auf d. Zeichnen d. Tierformen. (20, 800 m. Abb.) 8° Freibg i/B., Herder 05. 15 —;
    L. 16.40

Landois, L, Lehrb. d. Physiol. d. Menschen m. bes. Rücks. d. prakt. Medizin. 11. Aß. v. R Rosemann. 2 Hlfn. (20, 1107 m. Abb. u. 1 Taf.) 8° Wien, Urban & Schw. 05.   20 —;
    HF. nn 22.50

Landolt u. **Börnstein**: Physikalisch-chem. Tab. 3. Aß., hrsg. v. R Börnstein u. W Meyerhoffer. (861) 8° Berl., J Springer 05.   In Moleskin 36 —

Landolt, C: Die Wohngs-Enquete in d. Stadt St. Gallen v. 29.III.—30.IV.1897. (31 u. 97 m. 1 Pl.) 4° St. Gall., (Fehr) 01.   Kart. 4 —

Landolt, E: (Augenärztl.) Operationslehre, s.: Saellen, H.

— Sehproben. Reduzirte Tafel. (Rothenaicher'sche Sehprüfgsscheiben m. unzerstellbaren Landolt'schen Sehproben.) (2 kreisrunde Taf. auf Pappe m. deut., französ., engl. u. italien. Text auf d. Rücks.) 13,5×13,5 cm. 8° St. Gall., (Scheitlin) (05). Ausg. I, 1 —; Ausg. II, drehbar 2 —; Ausg. III auf schwarze Kartonpap. 41×51 cm. Nur v. 5 Stück ab je 1.80

— Die (ophthalmolog.) Untersuchgsmethoden, s.: Graefe, A, u. T Saemisch, Hdb. d. ges. Augenheilkde.

Landolt, E: Taf. z. Ermittlg d. Kubik-Inhaltes lieg., entgipfelter Baumstämme n. metr. Mass. Mit e. Anh., 14 Taf. z. Reduktion d. alten Masses in neues 08. 5. Aß. (127) 8° Zür., Schulthess & Co. 03.   1.50; kart. 1.80 d

Landor, HS: Auf verbot. Wegen. Reisen u. Abenteuer in Tibet. 7. Aß. (511 m. Abb., 8 farb. Taf. u. 1 Karte.) 8° Lpzg, FA Brockhaus 05.   9 —; L. 10 — d

Landré: Pudelnärrisch, s.: Schulze's Zehnpfennigbücher in vereinf. deut. Schreibg.

Landré, CL: Mathematisch-techn. Kapitel z. Lebensversicherg. 2. Aß. (33, 462) 8° Jena, G Fischer 01. 10 — || 3. Aß. (24, 506 m. Bildnis.) 05. 11 —
    1 —

Landriot: Zungensünden u. Eifersucht im Frauenleben. Nebst e. Anh. üb. verbot. Urtl, Geduld u. Gebet. Aus d. Franz. v. A Penker. (340) 8° Steyl, Missionsdr. 04.   L. 1.50 d

Landrolle v. Freudau. (126) 8° Rev., (Kluge & Str.) 02. 3 — d

Landsberg: Die Mängel d. Heilverfahrens u. Vorschl. zu deren Beseitig unter bes. Berücks. d. Verhältn. Posens, s.: Ver-

öffentlichungen d. Ver. z. Fürsorge f. kranke Arbeiter zu Posen.

Landsberg s.: Monatsschrift, jurist., f. Posen usw.

Landsberg, B: Hilfs- u. Übgsb. f. d. botan. u. zoolog. Unterr., s.: Schmidt, WB.

— Lehrb. f. d. botan. Unterr. an höh. Schulen. Zusammenstellg d. wichtigsten morpholog. u. biolog. Begriffe d. Botanik in z. Nachschlagen geeigneter Darstellg. [S.-A.] (55 m. Abb.) 8° Lpzg, BG Teubner 01. Kart. — 80 d

— Lehr- u. Übgsb. f. d. botan. Unterr. an höh. Schulen u. Seminarien, sowie z. Selbstunterr. (In 2 Tln.) 1. Tl. Kurs. I u. II. (127 u. 55 m. Abb.) 8° Ebd. 01. Geb. 2 — d

— s.: Natur u. Schule.

— Streifzüge durch Wald u. Flur. Anl. z. Beobachtg d. heim. Natur in Monatsbildern. 3. Afl. (255 m. Abb.) 8° Lpzg, BG Teubner 02. L. 5 — d

Landsberg, E: Das Recht d. BGB. v. 18.VIII.1896. Bogmat. Lehrb. 2 Tle. (22, 1338) 8° Berl., J Guttentag 04. 25 —;
HF. nn 28 — d

Landsberg, G: Theorie d. algebr. Funktionen e. Variablen, s.: Hensel, K.

Landsberg, H: Christian Dietrich Grabbe. — Otto Erich Hartleben. — Ibsen, s.: Essays, moderne.

— Die moderne Lit. (Die neue Kunst. Hrsg.: H Landsberg.) (109) 8° Berl., L Simion Nf. 04. 1.50 d

— (Eduard) Mörike, s.: Essays, moderne.

— Friedrich Nietzsche u. d. deut. Litt. (130) 8° Lpzg 03. Berl., H Seemann Nf. 2.50

— s.: Rahel. Ein Buch d. Andenkens f. ihre Freunde. — Renaissance-Bibliothek.

— Arthur Schnitzler. — Herm. Sudermann, s.: Essays moderne.

— Theaterpolitik, s.: Zeitfragen, moderne.

Landsberg, H, s.: Text-Buch v. 100 in Volkssch. sehr gebräuchl. Volksliedern.

Landsberg, O: Einige Ergebn. d. Volkszählg v. 1.XII.1900, s.: Mitteilungen d. statist. Amtes d. Stadt Elberfeld.

Landsberg, T: Die Brücken im allg., s.: Förster, M.

— Die eisernen Brücken im allg., s.: Brik, JE.

— s.: Brückenbau, d.

— Der Wettbewerb um d. feste Strassenbrücke üb. d. Neckar bei Mannheim. [S.-A.] (18 m. Abb.) 4° Berl., W Ernst & S. 01. 2 —

— **Wegele** v. **Willmann:** Lehrb. d. Tiefbaues. Hrsg. v. K Esselborn. (31, 782 m. Abb.) 8° Lpzg, W Engelmann 04. 20 —; HF. 28 —

Landsberg, T: Leitf. f. d. Handarbeits-Unterr. in Landsch. Nach d. Schallenfeld'schen Methode bearb. 7. Afl. (37 m. Abb. u. 3 L.) 8° Frankf. a/M., M Diesterweg 01. Kart. — 60 d

Landsberger, H, s.: Lee, H.

Landsberger, S: Don Carlos, d. Infanterist v. Spanien, das kommt davon, wenn man s. Stiefmutter liebt, s.: Curiosa, Berliner.

Landschaften, holländ. (Mslb.) (8 [4 farb.] Bl.) 8° Mainz, J Scholz (05). — 50 d

— internat.(4 Farbdr.) 8° Berl., WSchultz-Engelhard Nf. (03). 2.40

Landschaftsbilder a. d. Egr. Sachsen, s.: May, K. — Schöne, E. — Simon, A. — Stübler, H.

Landschaftsgärtnerei u. Gartenarchitektur. Hrsg. u. Red.: E Pfyffer v. Altishofen, u. v. 7. Heft an, T Lange. 3. Jahrg. 1. Halbj. Jan.—Juni 1901. 12 Nrn. (Nr. 1. 16 m. Abb.) 4° Berl., P Parey. 8 —; einz. Nrn — 30

Bisher u. d. T.: Zeitschrift f. Landschaftsgärtnerei u. Gartenarchitektur. — v. Nr 8 an u. d. T.:

— u.Gartentechnik. Hrsg. u. Red.: T Lange. 3. Jahrg. 2. Halbj. Juli—Dezbr 1901. 13—24. Heft. (13. Heft.16 m. Abb.) 4° Ebd. 3 —; einz. Hefte — 30 ∥ 4. u. 5. Jahrg. 1902 u. 3 je 24 Hefte. Viertelj. 2 —

— — dass. Mit d. Beibl.: „Dent. Baumschulzeitg" (24 Nrn), „Die deut. Gartenarchitektur u. Gartenindustrie" (12 Nrn) u. „Der deut. Blumengarten im Freien wie im Glashause" (12 Nrn). Schriftleitg: T Lange. 6. Jahrg. 1. Halbj. Jan.—Juni 1904. 12 Hefte. (1. Heft. 11 u. 4 m. Abb.) 4° Ebd. Viertelj nn 2 —
Mit „Die Gartenwelt" vereinigt. — Erschien anfänglich in Carlshorst, dann in Egeln u. Lpzg.

Landschafts-Theater, das. Stimmen üb. d. Bergtheater am Hexentanzplatz u. d. Problem d. national-volkstüml. Bühne v. T Bieder, F Fischbach, M Geissler, O Hempel, C Klings, F Lienhard, J Nickol, E Wachler. (50) 8° Thale 03. (Weim., Verl. d. Iduna.) — 50 d

Landshoff, L: Joh. Rudolph Zumsteeg (1760—1802). (214 m. 1 Bildnis.) 8° Berl., S Fischer (02). 6 —; geb. nn 7.50

Landsmann, Enzer: Führer durch d. Landesgesch. u. Bote a. d. Heimat. Schriftleiter: E Bomboes. 6. Jahrg. 1901. 24 Nrn. (Nr. 1. 8 m. 1 Abb.) 8° Lpzg (Königsstr. 5), Bomboes & Laute. Viertelj. 1.20 d ö F

Landsmann, OR: Wissembourg. Un siècle de son hist., 1480—1580. [S.-A.] (178) 8° Rixh. 02 (Umschl. 03). (Strassbg, FX Le Roux & Co.) (4 —) nn 2.50

Landsteiner, F: Sammlg der d. Volksschulwesen betr. Ges., Verordngn u. Erlässe m. bes. Rücks. auf Wien. II. Bd. Oberbehördl. Veordngn u. Erlässe. 1. Abth. (58, 810 u. 53) 8° Wien, (Gerlach & W.) 01. nn 4.80 ∥ 2. Abth. (88, 1456 u. 121) 09. nn 12 — (I—II, 2.: nn 18.20) d

Landsteiner, K: Untersuchgn üb. Syphilis an Affen, s.: Finger, E.

Landsteiner, K: Anno dazumal, s.: Für Hütte u. Palast.

— Die Geister d. Sturmes. Soc. Roman. (420) 8° Rgnsbg, Verl.- Anst. vorm. GJ Manz 02. 3 —; L. 4 — d

— Höritz u. d. Passionsspiel d. Böhmerwaldes, s.: Woerl's, L, Reisehandbb.

— s.: Jarisch, Volkskalender.

— Lebensbild Wilh. Podlaha's, s.: Podlaha, W, Erzählgn d. Pfarrers v. Kirchthal.

— Jos. Wichner. (39 m. 1 Bildnis.) 8° Wien, H Kirsch 03. — 30 d

Landtag, d. finnländ., 1904—5, (50) 8° Lpzg, Duncker & H. 05. 1 —

Landtagsakten, ernestin., bearb. v. CAH Burkhardt, s.: Geschichtsquellen, thüring.

— hess., hrsg. v. H Glagau, s.: Veröffentlichungen d. histor. Kommission f. Hessen u. Waldeck.

Landtagssession, d. preuss., 1900. 19.Legislaturperiode.II.Sess. (200) 8° Berl., Puttkammer & M. 1900. 1 — d

— dass. '03 u. 04, s.: Bibliothek f. Politik u. Volksw.

Landtagswahlen, die. Zusammenstellg der d. Wahlen z. Hause d. Abgeordneten betr. Ges., Verordngn u. d. Reglements v. 14.III.'03. (86) 8° Bielef.-Gadderh., W Bertelsmann (03). Kart. 1.50 d

— d., in Bayern. Zusammengest. in d.Geschäftsstelle d.nationalliberalen Landespartei in Bayern r. Rh. 2 Tle. (18 u. 12) 22×46 cm. Nürnbg, (JL Schrag) 05. Gebr. in 8° nn 6 — d

Landtagswahlgesetz, d., u. d. **Wahlkreiseinteilung,** nebst d. Verfassgsurkunde f. d. Grossh. Baden. (62) 8° Freibg i/B. 05. Karlsr., F Gutsch. 1 — d

Landtagswahlordnung f. d. Erzh. Österr. ob d. Enns n. d. Ges. v. 26.II.1861 unter Berücks. d. durch d. Landesges. v. 2.I.1867, v. 13.I.1869, v. 5.II.1891 u. v. 16.II.'02 eingetret. Aenderngn. Mit e. Anh., entb. d. Text d. vorangeführten Ges. nebst e. Auszuge a. d. Ges. v. 15.XI.1867 üb. d. Folgen gerichtl. Verurtheilgn. (59) 8° Linz a/D., J Feichtinger's Erben 03. (Nur dir.) — 70 d

Land- u. Seetruppen d. Grossmächte. (12 m. farb. Abb.) 4° Nürnbg, T Stroefer (01). 1.50 d

Landtwing, G: Kurze Anl. z. Brut u. Aufzucht d. Geflügels. (16) 8° Aar., (HR Sauerländer & Co.) (03). — 50 d

Landwacht. deut. Wochenbl. z. Vertretg d. Interessen d. deut. Ostens. Schriftleitg: W Augustin. Apr.—Juni 1904. 13 Nrn. (Nr. 1. 12) 4° Berl., R Hobbing. Viertelj. 1 — d
Mit „Ostdeut. Volksblatt" vereinigt.

Landwehr v. Pragenau, M, s.: Leopold I, Kaiser, Privatbriefe an d. Grafen FS Pötting.

Landwirt, der. Landw. f. d. Gesamtgeb. d. Landw. Red.: Beilage z. „Fränk. Zeitg". Red.: F Weber. Jahrg. 1904. 24 Nrn. (46) 4° Ansb., C Brügel & S. Halbj. 1 — d ö F

— der. (Vereins-)Kalender f. d. Grossh. Baden f. 1906. Red.: Würtenberger. (100 m. Abb.) 8° Karlsr., G Braun'sche Hofbuchdr. — 35 d

— d. deut. Organ d. deut. landw. Central-Verbandes f. Böhmen. H Brunner u., seit 1903, F Bassler. 30—32. Jahrg. 1901—5 je 24 Nrn. (1901. Nr. 1—3. 54) Fol. (1901 m. Beil.: Landw. Genossenschaftsbl. f. Deutschböhmen.) (Nr. 1—3.) Prag, (JG Calve). Je nn 4.20 d

— dass. Mit d.Beil.: „Illustr. Unterhaltgsbl". Schriftleitg: F Bassler. 23. u. 24. Jahrg. 1904 u. 5 je 24 Nrn. (1904. Nr. 1—6. 48 m 4°) Fol. Ebd. Je nn 3.60 d

— d. deut. Landw. Zeitg f. ganz Deutschl. Mit d. Beil.: „Für uns. Hausfrauen". Red.:Seidler. 31. Jahrg. 1905. 52 Nrn.(Nr.1—44. 348 m. Abb.) 47×34 cm. Berlin-Stegl. (Berl., W. 8, Lpzg., Str. 31/33.) Steglitz (Schlossstr. 91), Exp. Viertelj. nnn 1.35; einz. Nrn nnn — 10 d ö F

— d. prakt. (Hrsg.: HH Hitschmann.) Red.: A Lill. Verantwortlich: W Marx. 58—42. Jahrg. 1901—5 je 58 Nrn. (Nr. 1. 16) 8° Wien, (C Gerold's S.). Viertelj. 2 — d

— d.westdeut. Monatsschrift f. landw. Buchführgs- u. Rechngswesen, m. bes. Berücks. d. landw. Steuerverhältnisse. Red.: C Blank. 1. Jahrg. 1901. 12 Nrn. (211) 8° Elbing. Gr.- Lichterf., C Blank. (6.25) Geb. 4 — d

— dass. Landw. Monatsschrift f. landw. Buchführgs- u. Rechngswesen, m. bes. Berücks. d. Rentabilitätsfragen, d. Rechnewesens u. d. Steuerverhältn. landw. Betriebe. Hrsg. v. C Blank u. 2. u. 3. Jahrg. 1902 u. 3 je 12 Nrn. (1901. 189) 8° Ebd. (Je 6 —) Geb. je 4 — ∥ 4. Jahrg. 1904. Halbmonatsschrift. 24 Nrn. 6 — d ö F

— d.westdeut. Fachbl. f. Landw., Garten- u. Weinbau. Red.: W Mintrop. Jahrg. 1901. Juli—Dezbr. 26 Hefte. (1. Heft. 16) 4° Köln, JP Bachem.Viertelj.1.20 ∥ 1902. 53 Hefte.(427)Viertelj.1— ∥ 1903—5 je 52 Hefte. Red.: G Biesenbach. (416, 416 u. 420) Viertelj. — 50 d

Landwirtschaft, d., in Württemberg. Denkschrift, hrsg. v. d. k. Zentralstelle f. d. Landw. (490 u. 1 Karte.) 8° Stuttg., W Kohlhammer 02. 6 —; geb. 7 — d

Land- u. Forstwirtschaft. 1—3. Heft. 8° Darmst., G Jongbaus. nn 1.30 d
  Dienstanweisung f. d. Domanial- u. Kommunal-Forstwarte im Grossh. Hessen v. 20.IX.'05. Amtl. Handausg. (50) 05. [3.] — 40
  z. Feldschützen v. 17.XII.'04, nebst Anl. f. d. Ortspolizeibehörden z. Ausführg der d. Feld- u. Forstschutz betr. Gesetzgebg. Amtl. Handausg. (46) 05. [2.] — 40
  Forst. u. Feldstrafgesetzgebg. im Grossh. Hessen, u. zwar: d. Forststrafges. u. d. Feldstrafges., beide v. 13.VII.'04, nebst d. zugehör. Verfahrgsvorschriften. Amtl. Handausg. (66) 04. [1.] nn — 50

Landwirtschaftliche u. Gartenbau-Bibliothek, Leipz., Fortsetzg, s.: Bibliothek, Leipz. landw., Gartenbau- u. Weinbau-Bibliothek.

Landwirtschaftsbeamte, der. Schriftleitg: S Braun. 9—13.Jahrg. 1901—5 je 12 Nrn. ('04, 98) 4° Neud., J Neumann. Je 1.20 d
Landwirtschafts-Kalender, deut., f. 1906. (3. Jahrg.) Mit e. Anh.: Haus- u. Landwirtschaftliches, red. v. F Toch. (34, 96, 16 u. 57) 8° Warnsdorf, E Strache (durch A Hartleben in Wien), — 60 d
— erzgebirg. illustr., f. 1906. 52. Jahrg. (29) 8° Schneebg, BF Goedsche. — 20 d
— **Fromme's** österr.-ungar., s.: Fromme.
Landwirtschaftskammer, d., f. d. Prov. Sachsen zu Halle a. S. ihre Institute. Amtl. Ausg. (258 m. Abb. u. 10 Taf.) 8° Berl., P Parey 01. 2 —
Landy, F: Das Blumenmädl, s.: Krenn, H.
— Das Haus Bulton. Russ. Kultur-Roman a. d. Zeit Nikolaus I. (431) 8° Wien, C Konegen 04. 4 —; geb. 5 — d
Laner, SP: Entwicklg u. Weltanschaug, s.: Volksschriften z. Umwälzg d. Geister.
— Plurismus od. Monismus, s.: Weltanschauung, d. neue.
Lanfrey, P: La campagne de 1806—7. Für d. Schulgebr. hrsg. v. O Kähler. I. Tl: Einl. u. Text. II. Tl: Anmerkgn. (166 m. 2 Kart.) 8° Lpzg, G Freytag 1900. Geb. u. geb. 1.70 : Wrtrb. (40) — 50 d
— dass., s.: Prosateurs franç. (K Beckmann). — Schulbibliothek, französ. u. engl. (O Klein).
— La campagne de 1809. Für d. Schulgebr. hrsg. v. O Kähler. (122 m. 1 Karte.) 8° Lpzg, G Freytag 04. Geb. 1.60
— dass., s.: Schulbibliothek, französ. u. engl. (O Klein).
— Exp. d'Égypte et campagne de Syrie, s.: Prosateurs franç. (E Paetsch).
Lang's bad. Geschäftskalender f. 1906. Mit Geschäftszweig f. Bezirksämter u. Gemeindebeamte. 29. Jahrg. (152 u. 292 m. 1 Karte.) 8° Karlsr., J Lang. L. 1.30; durchsch. 1.50 d
— Sammlg deut. u. bad. Ges. 1., 2. u. 5—12. Bd. 12° Ebd. L. 50.15 d Becker, E: Das bad. Ges. v. 14.VI.1899, d. Erbschafts- u. Schenkgssteuer betr. nebst d. Vollzugsverordng v. 6.III.1899. Textausg. m. Einl., Er- läutergn u. Sachreg. (327) 1900. [5.] 3.50
Buchenberger, A: Fischereirecht u. Fischereipflege im Grossh. Baden. 2. Afl. (290 u. 16 m. Abb.) 03. [11.] 3.50
Dorner, E: Das bad. Ges., d. freiwill. Gerichtsbark. u. d. Notariat betr. (Rechtspolizeiges.) v. 17.VI.1899, nebst d. erlass. Ausführgsverordng. Textausg. m. Anmerkgn u. Sachreg. 2. Afl. (22, 299) 02. [2.] 3.80
— Die Kosten in Angelegenh. d. freiwill. Gerichtsbark. u. bad. Recht. Textausg. d. massgeb. Vorschriften m. Einl., Anmerkgn, Kostentab. u. Sachreg. 2. Afl. (24, 386) 03. [1.] 1.75
Hafner: Das Veterinärwesen im Grossh. Baden. 1. Bd. Organisation, Seuchenpolizei, Abdeckereiwesen u. Nahrgsmittelpolizei, nebst Anh. üb. d. Einrichtg v. Schlachthäusern u. d. Fleischsteuer. (54, 780) 05. [9.] 6 — ‖ 2. Bd. Tierzucht, Tierhaltg u. Tierheilwesen. (344) 04. [10.] 4 —
Mainhard, L: Das formelle Grundbuchrecht im Grossh. Baden. (Die Reichsgrundbuchordng m. d. bad. Ausführgs- u. Vollzugsvorschriften.) Textausg. m. Anmerkgn, Einl. u. Sachreg. (32, 423) 04. [12.] 5.60
Schinzer, O: Die deut. Wehrordng m. d. auf d. Wehrverfassg bezügl. Ges. sowie d. weit. Vollzugsbestimmgn, f. d. Grossh. Baden hrsg. u. erläut. (320 u. 291) 01. [6.] 5 —
Schwoerer, V: RGB. m. Nebenges. Handausg. m. Anmerkgn. Für Baden bearb. (1076) 01. [7.] 4 —
Zimmermann, E: Das Verkehrssteuerges. v. 6.V.1899, nebst d. Vollzugsvorschriften. (30, 423) 02. [8.] 5 —

Lang, A: Bilder a. d. Heiligen- u. Kirchengesch. m. bes. Berücks. d. elsäss. Relig.-Gesch. (381 m. 1 Abb. u. 8 Vollbildern.) 8° Strassbg, FX Le Roux & Co. (03). 2 —; L. 2.80 d
Lang, A: Prakt. Ziegenzucht. (68 m. Abb.) 8° Lpzg, RC Schmidt & Co 01. — 50 d
Lang, A: Maine de Biran u. d. neuere Philosophie. Beitrag z. Gesch. d. Kausalproblems. (65) 8° Köln, JP Bachem (01). 1.20
— s.: Diözesanblatt, Strassburger.
— Das Kausalproblem. 1. Tl. Gesch. d. Kausalproblems. (519) 8° Köln, JP Bachem 04. 5 —; geb. nn 6.30
— Nietzsche u. d. deut. Kultur. [S.-A.] (29) 8° Ebd. (01). — 60 d
Lang, A: Die bad. Gewerbeor. u. Handwerkerverfassg u. ihre Stellgnahme z. neuen Handwerkerges. (91) 8° Hdlbg 1900. (Karlsr., G Braun'sche Hofbuchdr.) 1.60
— Die Maschine in d. Rohproduktion. Volkswirtschftl. Studie. 1. u. 2. Tl. 8° Berl., G Siemens 04. 4.40 1. Alfg. (101) ‖ 2. Die Maschine in d. Landw. (126) 2.40.
Lang, A, s.: Acta Salzburgo-Aquilejensia.
— Beitr. z. Kirchengesch. d. Steiermark u. ihrer Nachbarländer, s.: Veröffentlichungen d. histor. Landes-Commission f. Steiermark.
Lang, A: Beitr. zu e. Trophocöltheorie. Betrachtgn u. Suggestionen üb. d. phylogenet. Ableitg d. Blut- u. Lymphbehälter, insbes. d. Articulaten. Mit e. einleit. Abschn. üb. d. Abstammg d. Anneliden. [S.-A.] (373 m. Fig. u. 6 Taf.) 8° Jena, G Fischer 03. 16 —
— Lehrb. d. vergleich. Anatomie d. wirbellosen Thiere. 2. Afl. 2. Lfg. Protozoa. Bearb. v. A Lang. (311 m. Abb.) 8° Ebd. 01. 10 — (1. u. 2: 22 —)
— Ueb. Vorversuche zu Untersuchgn üb. d. Varietätenbildg v. Helix hortensis Müller u. Helix nemoralis L., s.: Denkschriften d. mediz.-naturwiss. Gesellsch. in Jena.
Lang, E: Lehrb. d. Haut- u. Geschlechtskrankh. 2 Bde. 8° Wiesb., JF Bergmann. 25 —
I. Hautkrankh. (655 m. Abb.) 02. 14.60 ‖ II. Geschlechtskrankh. (399 m. Abb.) 04. 10.40.
— Der Lupus u. dessen operative Behandlg, Ergänzg, s.: Spitzer, L, u. A Jungmann, Ergänzge v. 240 operierten Lupusfällen.
— Klin. Taf. operativ behandelter Lupusfälle. Mit 39 Abb. 67,5 ×48 cm. Wien, J Šafář 05. 1.50

Lang, E: Therapeutik f. Venerische u. Hautkranke. Von E Deutsch. 4. Afl. (234 m. Abb.) 12° Wien, J Šafář 03. L. 4.20
Lang, F: Neuestes Glückwunschb. f. Geburts- u. Namenstagsfeiern. Neue Ausg. (96) 8° Reutl., Ensslin & L. (03). — 50 d
Lang, FJ: Aus Frankens Urzeit. Beitr. zu prähistor. Gräberfunden in Unterfranken u. Aschaffenburg. (30 m. 5 Pl. u. 8 Taf.) 8° Würzbg, (Stahel's S.) 05. 2.50
Lang, FW: Wanderg auf österr. Friedhöfen. 1905 d. sinnigsten u. schönsten Grabsteinverse. (20, 302 m. Abb. u. Bildnis.) 8° Linz, (E Mareis) (05). L. 6 — d
Lang's, G, Erdk. in Merkators Projection. Zur Übersicht d. polit. Besitzverhältn. u. d. Weltverkehrs. 2. Afl. 4 Bl. je 53,5× 83 cm. Farbdr. Lpzg, G Lang (01). 7 —; L. m. St. 12 —
— Volksschul-Atlanten d. Deut. Reiches (f. jeden Reg.-Bez. in bes. Ausg.). Mit bes. Berücks. d. Heimats- u. Vaterlandskde. (Begründet v. Algermissen.) Nr. 4. 4° Ebd. (01). — 50 d 4. Reg.-Bez. Aachen. 1². Afl. (18 farb. Kartens. m. 7 S. Text.)
— dass. Nr. 51. Ober-Elsass. 13. Afl. (18 Kart. u. 4 S. Text nebst Text auf d. Umschl.) 4° Gebw., J Boltze 02. — 50 d
Lang, G: Der Irrtum d. Demokratismus. (82) 8° Karlsruhe i/B., Maj. a. D. Lang (03). nn 1.20 d
Lang, G: Unser Kleeblatt. Eine lust. Ferienreise. Erzählg f. d. Jugend. 2. Afl. (323 m. 3 Bildern.) 8° Stuttg., Levy & M. (04). Geb. 4 —
Lang, G: Erscheine, 1. Oberlehrer! Festsp. z. Hundertjahrfeier d. Muster- u. Elisabethensch. zu Frankfurt a. M. (16) 12° Frankf. a/M., Kesselring (03). — 20 d
— Uns. Ferienkolonisten. 3 lust. Bilder a. Schule u. Wald. (13) 8° Frankf. a/M., H Keller 01. — 20 d
— Sucht Ihr Freunde? Heit. u. ernste Erlebnisse m. mens. gefügelten a. vierflss. Genossen. (144 m. Titelbild.) 8° Frankf. a/M., Kesselring (03). Kart. 1.20 d
— Kinderlieder, m. d. Jugend f. d. Jugend verf. (95 m. Abb.) 8° Ebd. 06. Geb. 2 — d
— Tandf. Künstlerhand. Ein-u. Ausfälle. (78) 8° Frankf. a/M., H Keller 02. — 80 d
Lang, G: Die Technik d. Feder, d. Weg d. Schreiblehrkunst, sachlich begründet u. methodisch erläutert. (277 m. Abb.) 8° Münch., R Oldenbourg 05. nn 4.75; geb. nn 5.25 d
Lang, G: Epistel-Bearbeitg f. Lehrer u. Lehrerinnen sowie z. Gebr. in Lehrer- u. Lehrerinnen-Bildgsanst. 4. Afl. v. H Hoppe. (160) 8° Bresl., C Dülfer 03. 1.50; geb. 1.80 d
Lang, G: Untersuchgn z. Geogr. d. Odyssee. (122 m. 2 Kart. u. 1 Taf.) 8° Karlsr., F Gutsch 05. 3 —
Lang, G: Die Schornsteinbau. 3. Heft: Anordng gemauerter Schornsteinschäfte. (189—336 m. Abb. u. 2 Taf.) 8° Frankf., Helwing 04. 9 — (1—3 m. Anh.: 20 —)
Lang, H v.: Moderne Schlagwörter. Gespräche a. d. Gegenwart. (72) 8° Stuttg., W Kohlhammer 02. 1 — d
Lang, H: Die Entwicklg d. Bevölkerg in Württemberg im Laufe d. 19. Jahrh., s.: Beiträge z. Gesch. d. Bevölkerg in Deutschl. seit d. Anfange d. 19. Jahrh.
Lang, H: Allg. Baukonstruktionslehre, s.: Breymann, GA.
— u. E Schmitt: Lehrer- u. Lehrerinnenseminare, s.: Handbuch d. Architektur.
Lang, H: Stimmen d. Herzens. Gedichte. (88) 8° Dresd., E Pierson 01. 1 —; geb. 2 — d
Lang, J: Leseb. f. Mittelsch. Nach d. Lehrordng f. bayer. Lehrerbildgsanst. v. 30.VII.1898 bearb. 1. Tl. (351) 8° Egnsbg, F Pustet 06. 2.10; geb. 2.50 d
— Rechtschreib-Übgsstoff, s.: Brunner, J.
Lang, K: Elemente d. Phonetik z. Selbstbelehrg m. Rücks. auf d. bes. Bedürfn. d. Seminars. 2. Afl. (66 m. 3 Taf.) 8° Berl., Reuther & R. 03. 1 —; kart. 1.20 d
Lang, K: Die Rechtsprechg z. Krankenversichergsges. Textausg. d. Ges., m. o. Sammlg d. auf d. Geb. d. Krankenversicherg v. J. 1893 ab ergang. Entscheidgn d. Reichsgerichts, d. Oberverwaltgsgerichte usw. (172) 8° Grunew.-Berl., Verl. d. Arbeiter-Versorgg A Troschel 04. 3.20; geb. 4.20 d
Lang, K v.: Der polnisch-türkisch-tartar. Feldzug im J. 1675. [S.-A.] (32 m. 2 Kart.) 8° Wien, (LW Seidel & S.) 02. 1.20 d
Lang, KH: Vollständ. Lehrb. d. dopp. Buchführg, s.: Gehr, E.
— Wesen u. System d. dopp. Buchführg. Methode Gehr-Lang. (154) 8° Lpzg, CL Hirschfeld 03. 3 —; geb. 3.50
Lang, L: Die Grundbegriffe d. Himmelskde. (147 m. Fig. u. 1 Karte.) 8° Lpzg, E Wunderlich 03. 2 —; geb. 2.50 d
Lang, L: 100 Jahre Zollpolitik. Aus d. Ung. v. E Karstens. (680 m. 1 Karte.) 8° Wien, C Fromme 06. 12 —
Lang, M: Führer durch Marienbad & Umgebg. (99 u. 4 m. 1 Karte.) 12° Marienb., F Gschihay 02. Kart. 1.40
Lang, M: Dokumente d. Frauen.
— Aus meiner Heimat. Sagen a. d. Iglauer Sprachinsel. (104 m. 1 Pl.) 8° Iglau, (E Netoliczka) 05. 1 — d
Lang, M: Moses. Ein Lebens- u. Zeitbild. (74) 12° Csacza 02. (Wien, J Eisenstein & Co.) 1 — d
Lang, O: Alkoholgenuss u. Verbrechen. Vortr. (59) 8° Bas., F Reinhardt (01). — 50 d
— dass. 16—20: Das Alkoholkap. (32) 8° Bas., Schriftstelle d. Alkoholgegnerbundes (durch F Reinhardt)(1892). — 10 d
— Die Arbeiterschaft u. d. Alkoholfrage. (16 Farbdr.) Berl., Bh. d. deut. Arbeiter-Abstinenten-Bundes (05). — 10 d
— dass. Vortr. Mit te. Nachwort v. V Adler. (30) 8° Wien, (Wiener Volksbh.) 02. — 10 d
— Der Socialismus in d. Schweiz. (27) 8° Berl., Verl. d. socialist. Monatshefte 02. nn — 75

Lang, O: Übgsb. z. Übers. a. d. Griech. in d. Deut., s.: Pistner, J.
Lang, O: Das österr. Staatsproblem u. s. Lösg. (160) 8° Wien, CW Stern 05. 2 — d
Lang, P: Der 1. Radfahrer. Eine phantast., abenteuerl. Gesch. a. alter Zeit. Vergilbten Papieren nacherzählt. (187) 8° Dresd., E Pierson 02. 3.50; geb. 3.50
Lang, P: Maulbronner Geschichten. 2. Afl. (305) 8° Stuttg., A Bonz & Co. 01. 1.20; L. 1.80 d
— Rusenschloss. Eine Gesch. a. d. 15. Jahrh. 2. Afl. (148) 8° Ebd. 03. — 80; L. 1.30 d
Lang, R, s.: Bau-Jahrbuch, Berliner.
Lang, R: Der Kt. Schaffhausen im Revolutionsj. 1798. Die Schicksale d. Kt Schaffhausen in d. J. 1802 u. 3 bis z. Meditation. — Die Schicksale d. Kt. Schaffhausen in d. J. 1800 u. 1, s.: Neujahrsblatt d. historisch-antiquar. Ver. u. d. Kunstver. d. Stadt Schaffhausen.
Lang, V v.: Krystallographisch-opt. Bestimmg. (5. Reihe.) [S.-A.] (51 m. Fig.) 8° Wien, (A Hölder) 02. 1.90 (1—5.: 4.10)
Lang-Anton, H: Schminke, s.: Kaufmann's moderne Zehnpfennig-Bibliothek.
Langbein, J, s.: Rembrandt als Erzieher.
Langbein, AFE: Schwänke. 25. Afl. (144) 8° Berl., Neufeld & H. (01). 1.50 d
Langbein, C, s.: Landeskunde d. Herzogt. S.-Gotha.
Langbein, G: Hdb. d. elektrolyt. (galvan.) Metallniederschläge (Galvanostegie u. Galvanoplastik) m. Berücks. d. Kontaktgalvanisiergn, Eintauchverfahren, d. Färbens d. Metalle, sowie d. Schleif- u. Poliermethoden. 5. Afl. (33, 656 m. Abb.) 8° Lpzg, J Klinkhardt 03. 7.50
— u. A Friessner: Galvanoplastik u. Galvanostegie, s.: Weber's illustr. Katech.
Langbein, H: Die Auswahl d. Kohlen f. Mittel-Deutschl., spez. d. Kgr. Sachsen, u. ihre chem. u. kalorimetr. Untersuchg. (121) 8° Lpzg, JA Barth 05. 10 —; L. 11 —
Langbein, H: Lebensbild d. Herzogin Auguste v. Sachsen-Coburg-Saalfeld, geb. Prinzessin v. Reuss-Ebersdorf. (21 m. 1 Bildnis.) 8° Cobg, (JF Albrecht) 04. — 75 d
Langbein, K: Die Absolutorialaufg. in Bayern. Aufg.- u. d. kaufmänn. Arithmetik, Buchführg u. Handelskde an d. bayer. Real- u. Handelsschl. 3. Afl. (114) 8° Nürnbg, C Koch 05. Kart. 1.20 d
— Stenograph. Übgsb. d. deut. Handelskorrespondenz, s.: Kolb, F.
Langbein, P: Bibelbüchl. Hilfsb. z. Verständnis d. bl. Schrift f. d. Hand d. Bibellesers. 1. u. 2. Afl. (174 bezw. 184 m. Abb. u. 6 bezw. 7 Kartens.) 8° Stuttg., T Benzinger (04). Kart. 1 —; geb. 1.60 d
— Euch ist heute d. Heiland geboren. Bilder u. Geschichten a. d. Leben Jesu. Für d. Kinder in d. freiwill. Sonntagssch. u. z. Handreichg f. d. Lehrer u. Lehrerinnen d. Kleinsten gesammelt u. verf. (84 m. Abb.) 8° Reutl., Ensslin & L. (05). — 40; kart. — 80 d
— D. Martin Luther m. Verw. Haus. 1. u. 2. Afl., (324 m. Abb., 1 Bildnis u. 2 Farbdr.) 4° Köln, H & F Schaffstein (03.03). L. 13 —; m. G. 15 — d
— Christl. Vergissmeinnicht im Spruch u. Lied f. alle Tage d. Jahrs. (384 m. Vollbildern.) 16° Reutl., Ensslin & L. (05). Geb. m. G., gepolstert 2.50 d
Langbridge, R: The flame and the fiord, s.: Unwin's library.
Langdon, S: The annals of Ashurbanapal, s.: Lau, RJ.
Lange's Hdb. d. ges. Verkehrswesens d. Deut. Reiches z. prakt. Gebr. f. Kontor u. Bureau. Orts- u. Stationsverz. m. sämtl. Verkehrswegen u. Verkehrsanst. Nebst Übersichten üb. d. Bundesstaaten u. deren Verwaltgsbezirke, üb. d. Reichsbankstellen, d. Standorted. deut. Reichsheeres u. d. kaiserl. Marine. 6. Afl. v. E Starke u. P Schönfelder. (24, 1419 m. 1 Karte.) 4° Dresd., G Kühtmann 03. Je — 50 d
Lange's A, einfachste Buchführg d. Welt. (48 m. 2 Tab.) 8° Hann., J Spaeth (03). 1 — || 2. Afl. (60 m. 2 Taf.) (03.) 1.20
Lange, A: Dorf. Götter- u. Heldensagen. 2 Bdch. 8° Bielef. (408 m. 12 L.) 8° Lpzg, BG Teubner 03. Geb. je 2.40; in 1 Bd 6 — d
Lange, A: Üb. d. Verhalten v. kohlensaurem Kalk zu Kobaltsalzen. (31) 8° Freibg i/B., Speyer & K. 04. 1 —
Lange's A, Eisenb.-Stations-Verz. sämtl. deut. Voll-, Nebenu. Kleinb. Abgeschl. Anfang Febr. '04. (178) 8° Bielefeld, EH Petzold 04. 3.50; L. 4 —
Lange, A: Plattdüt. Pulterabend. Irnsthafte un spass. Rimels in Meckelbörger (Fritz Reuter-) Plattdütsch för Pulterabend, sülwern un gollen Hochtid. 2 Bdchn. (Je 78) 8° Mülh. a/R., J Bagel (04). Je — 50 d
Lange, B: Katech. d. Arbeiterversicherggses., s.: Hennig, E.
Lange, BJ: Die Pädagogik d. Pierre Coustel. Nach d. „Regles de l'éducation des enfants" v. J. 1687 dargest. u. beurteilt. (97) 8° Wandsb., (K Sauermann) 03. 1.50 d
Lange, C: Ludwig d. Springer. Schausp. m. Gesang. (108 m. Abb. u. 1 farb. Taf.) 8° Halle, (J Kraus) 02. 1 — d
— Joh. Friedr. Reichardt. (66 m. Abb.) 8° Ebd. (02). 1 — d
Lange, C, s.: Alt-Heidelberg Du feine.
Lange, C, s.: Sinnesgenüsse u. Kunstgenuss, s.: Grenzfragen d. Nerven- u. Seelenlebens.
Lange, E: Lehrpl. f. d. einklass. Volkssch. 2. Afl. (23) 8° Kiel, (Lipsius & T.) 1900. (1 —) — 75 d

Lange, E: Heinr. Kruses pommersche Dramen. (34) 8° Greifsw., J Abel 02. — 80 d
— Pommern, s.: Landes- u. Provinzialgeschichte.
— Die Greifswalder Sammlg Vitae Pomeranor. (Balt. Studien. 1. Folge. Ergänzgsbd 1898.) Ergänzgn. (32) 8° Greifsw., (J Abel) (01). — 60 (Hauptwerk u. Ergänzgn: 6.80) d
— Westfalen u. Waldeck, Schaumburg-Lippe u. Lippe, s.: Landes- u. Provinzialgeschichte.
Lange, E v.: Die Gesetzmässigk. im Längenwachstum d. Menschen. [S.-A.] (64 m. Fig. u. 1 Taf.) 8° Berl., S Karger 02. 2 —
Lange, E: Die finanz. Grundl. d. deut. Unfall-Versicherg u. ihre rationelle Umgestaltg. (38) 8° Grunew.-Berl., Verl. d. Arbeiter-Versorgg A Troschel 03. — 80
— Der Zusammenschluss d. deut. Spiritusindustrie. (32) 8° Berl., P Parey 01. — 50 d
Lange, E, s.: Wanderungen im Erzgebirge.
Lange, E: Krankh. d. Kulturpflanzen. I. u. H. Serie. (Je 3 farb. Taf.) Je 98×69 cm. Mit Text. (11 m. 3 Taf.) 8° Lpzg, Leipz. Lehrmittel-Anst. (05). Jede Serie 5 —; auf dopp. Pap. m. L.-Rand u. Oesen 6 —; auf L. m. St. 10 —; einz. Taf. 2 —; bezw. 2.40 u. 3.75; Text allein — 30

  I. Getreidekrankh. 1. Mutterkorn (Secale cornutum). — 2. Stein- od. Stinkbrand (Tilletia caries Tul.); Staubbrand (Ustilago Carbo Tul.). — 3. Stengel- od. Stülbrand (Urocytis occulta Rabenh.). Getreiderost (Puccinia graminis Pers.).
  II. Kartoffelkrankh. 4. Krautfäule od. d. Schwarzwerden d. Kartoffelkrautes durch Phytophtora infestans de By. — 5. Schwarzbeinigk. d. Stengelfäule d. Kartoffel. Kräuselkrankh. Scherf. — 6. Kaolienfäulen d. Kartoffel. Nass- u. Trockenfäulen.

Lange, F, u. K Hoffmann: Der kl. Katech. Luthers, auf Grund d. bibl. Gesch. in anschaul. u. einfacher Weise f. d. Schulgebr. erklärt. III Tle. A. Ausg. f. d. Lehrer. 8° Lpzg, Dürr'sche Bh. 2.80; Einbde je nn — 40; in 1 Bd geb. nn 3.40
  I. Das 1. Hauptstück. 4. Afl. (104) 02. 1 —
  II. Das 2. Hauptstück. 4. Afl. (104) 05. 1 —
  III. Das 3., 4. u. 5. Hauptstück nebst Anh. 3. Afl. (88) 01. — 80
Lange, F, u. FJ Trumpp: Entstehg u. Verhütg d. körperl. Missgestalt, s.: Bibliothek d. Gesundheitspflege.
Lange, F: Berufswahl u. körperl. Anlagen, s.: Hahn, M.
Lange, F: Gesch. d. Tempels. (341) 8° Jerusal. 1899. (Stuttg., M Kielmann.) 7 — d
Lange, F: German conversation-grammar, s.: Otto, E.
— Häb. engl. u. deut. Idiome. (Methode Gaspey-Otto-Sauer.) (149) 8° Hdlbg, J Groos (05). Geb. 1.60 d
Lange, F, s.: Schüler-Jahrbuch, deut.
Lange, F: Endlich Schulreform? od. Ewiges Flickwerk, s.: Abhandlungen, pädagog.
Lange, F: Reines Deutschtum. Grundz. e. nationalen Weltanschaug. Mit e. Anh.: Nationale Arbeit u. Erlebnisse. 4. Afl. (443) 8° Berl., A Duncker 04. 4 —; L. 5 — d
— s.: Zeitschrift f. d. Reform d. höh. Schulen.
Lange, F: Josef Lanner u. Johann Strauss. Ihre Zeit, ihr Leben u. ihre Werke. (101 m. Abb., 5 Taf. u. 2 Fksms.) 8° Wien, (Gerold & Co.) 04. 3 —; L. 4 — d
Lange, FA: Gesch. d. Materialismus u. Kritik sr Bedeutg in d. Gegenwart. 2 Bde. 7. Afl. Biograph. Vorwort u. Einl. m. krit. Nachtr. In. 2 Hälften v. H Cohen. (23, 535 u. 13, 576 m. Bildnis.) 8° Lpzg, J Baedeker 02. 12 —; Hf. 15 —
Lange, G, s.: Herero-Aufstand, d., 1904.
Lange, G: Die Simultansch. in d. Ostmark, s.: Blätter, pädagog., a. d. deut. Ostmark.
— Volkssch. u. Deutschtum in d. Ostmark. — Das Volksschulwesen in d. Prov. Posen, s.: Abhandlungen, pädagog.
Lange, G: Desch.-Stoff f. d. einfachsten Volksschulverhältn., insbes. f. 1- u. 2klass. utraquist. Volkssch. 8. Afl. (40) 8° Neum., J Koepke 05. nn — 25 d
Lange, H: Anl. z. Brennereibetrieb, s.: Maercker, M.
Lange, H: Hans Holm, s.: Erzählungen f. Jugend u. Volk.
Lange, H, s.: Hirtenzeitung.
Lange, H: Frankreichs Jugenddichtgn. Ausw. französ. Kinderlieder m. Gedichtg. f. d. Schulgebr. stufenmässig geordnet. 8. Afl. (186) 8° Frankf. a/M., Voigt & Gleiber 01. nn 1.20
Lange, H: Klar z. Gefecht, s.: Jugend- u. Volksbibliothek, deut.
— Dörch Nacht tau'm Licht, s.: Aus Mecklenburg.
— Verschlung. Wege, s.: Jugend- u. Volksbibliothek, deut.
Lange, H: Der russisch-japan. Krieg bis z. Falle Port Arthurs. (208) 8° Dresd., P Seemann (05). 2 — d
Lange, H: Das Endziel d. Frauenbewegg. Rede. [S.-A.] (16) 8° Berl., W Moeser 04. — 40 d
— s.: Frau, d.
— Grundfragen d. Mädchenschulreform. (16) 8° Berl., W Moeser (03). nn — 40 d
— s.: Handbuch d. Frauenbewegg.
— Leitf. f. d. Unterr. in d. Gesch. d. französ. Litt. (Précis de l'hist. d. la litt. franç.) 18. Afl. (144) 8° Berl., L Oehmigke's V. 03. 1.25; kart. 1.45; 30. Afl. (144) 05. Geb. 1.50
— Schiller's philosoph. Gedichte. Einführg in die Grundgedanken. 2. Afl. (143) 8° Ebd. 05. 1.60; L. 2.50 d
— Schiller u. d. Seinen, s.: Wychgram, J.
Lange, H: Atlas f. bayer. Volkssch., s.: Geistbeck, A.
— Atlas d. Deut. Reiches. Neueste Bearbeitg in 30 (farb.) Kart. (3 St. Text.) 4° Brunschw., G Westermann (01). In Fol. kart. 4 —
— Neue Spezialt. v. Unter-Harz. 2. Afl. v. Schmeetz, J. 1:100,000. 48,5×77 cm. Farbdr. Berl., M Pasch 03. auf L. 3 —
— Volksschul-Atlas. 42 Kart. auf 45 (farb.) Kartens. Neu bearb.

v. C Diercke. Ausg. f. d. Grossh. Hessen. Nebst Text. (3) 4⁰ Brnschw. (02). (Giess., E Roth.)   Kart. 1 —; geb. 1.50
Lange, H, u. C **Diercke:** Schul-Atlas. Für d. bayer. Schulen bearb. v. A Geistbeck. 52 Kart. auf 44 (farb.) Kartens. 4⁰ Brnschw. (02). (Münch., R Oldenbourg.)   Kart. an 1.50;
     kl. Ausg. (14) — 60
Lange, HO: Prophezeign e. ägypt. Weisen a. d. Papyrus !, 344 in Leiden. Vorläuf. Mitteilg. [S.-A.] (10) 8⁰ Berl., (G Reimer) 08.   — 50
— u. H **Schäfer:** Grab- u. Denksteine d. mittl. Reichs im Museum v. Kairo, s.: Catalogue général des antiquités égypt. du musée du Caire.
Lange, J, u. M **Brückner:** Grundr. d. Krankh. d. Kindesalters, s.: Bibliothek, medicin., f. prakt. Ärzte.
Lange, J : Briefe. Hrsg. v. P Köbke. Uebers. v. I Anders. (294 m. Bildnis.) 8⁰ Strassbg, JHE Heitz 03.   5 —; geb. 6 — d
— Die menschl. Gest. in d. Gesch. d. Kunst v. d. 2. Blütezeit d. griech. Kunst bis z. XIX. Jahrh. Hrsg. v. P Köbke. Aus d. Dän. v. M Mann. (451 u. 98 S. Abb.) 8⁰ Ebd. 03.   30 —
Lange, J : Schulwrtrb. zu Cäsars Kommentarien, s.: Ebeling, H.
Lange, JP: Das Evangelium n. Matthäus, 5. Afl. v. O Zöckler, s.: Bibelwerk, theologisch-homilet.
Lange, K : Üb. Apperzeption. 8. Afl. (255) 8⁰ Lpzg, R Voigtländer 03.   3 —; geb. 3.60
— Dichterstimmen a. neuer u. neuester Zeit. Anh. zu d. Leseb. v. Jütting u. Weber u. and. Leseb. (32) 8⁰ Lpzg, J Klinkhardt 03.   — 10 d
— Die Erziehg d. sittlich gefährdeten Schulkinder, s.: Zur Pädagogik d. Gegenwart.
— Lesebb., s.: Jütting, W.
— Die Schwachen in d. Schule. [S.-A.] (16) 8⁰ Dresd., Bleyl & K 01.   (1 —) — 60
Lange, K : Das Wesen d. künstler. Erziehg. (34) 8⁰ Ravnsbg, O Maier 02.   1 — d
— Das Wesen d. Kunst. Grundz. e. realist. Kunstlehre. 2 Bde. (405 u. 405) 8⁰ Berl., G Grote 01.   12 —; geb. 15 —
Lange, L : Der kl. Blumenfreund. Ratgeber z. Behandlg d. Zimmer-Pflanzen. (16 m. Abb.) 8⁰ Dortm., (Ruhfus' Sort.) 01.   nn — 25
Lange, L : Register, s.: Archiv f. Hygiene.
Lange, M : Üb. Leichenstarre totgeborener Kinder. [S.-A.] (4) 8⁰ Lpzg, B Konegen 05.   1 —
— Vademecum d. Geburtshilfe. 3. Afl. (302 m. Abb.) 8⁰ Würzbg, A Stuber's V. 04.   L. 4.50
Lange, M : Zum Turnen bekehrt, s.: Lustspiele, tarner.
Lange, M : Gross-Schmetterlinge Deutschlds, s.: Ihle, P.
Lange, O : Ueb. Volvulus (Volvulus d. Dünndarms). (40) 8⁰ Gera, M Lange 02.   — 80
Lange, O, s.: Festschrift z. 100jähr. Jubiläum d. I. Bürgersch. in Leipzig.
Lange, O : Kl. deut. Sprachlehre. 49. Afl. v. L Berthold. (40) 8⁰ Berl., Weidmann (03).   nn — 25 d
Lange, P : Zur Reform uns. neusprachl. Schulausg. (20) 8⁰ Lpzg, Rossberg'sche Verl.-Bh. 01.   nn — 25
Lange, R : Prakt. Hdb. f. d. Rechtschreib-Unterr. (196) 8⁰ Lpzg, Dürr'sche Bh. 01. ‖ 2. Afl. (211) 03.   Je 2.50 d
     1.40 d
— Wie steigern wir d. Leistgn im Deutschen? (112) 8⁰ Ebd. 05.   — 60 d
— Sprachübgen. Übgsschule z. Erlerng d. Richtigsprechens. 1. u. 2. Afl. (95) 8⁰ Ebd. 02.03.   — 60 d
— Sprachübgsheft. Sprech- u. Rechtschreibübgn in 5 Stufen f. d. Hand d. Schüler. (96) 8⁰ Ebd. 05.   — 50; geb. — 75 d
— Übgssch. z. Erlerng d. Rechtschreibg u. Zeichensetzg m. Diktaten im Aufsatzform. 3. Afl. (79) 8⁰ Ebd. 01. ‖ 4. Afl. (80) 03. ‖ 5—8.-Afl. m. Wrtrverz. (96) 04-06. Je — 50 ; kart. je — 65 d
— Übgsstoffe f. d. deut. Sprachunterr. im 2. Schulj. Nach phonet. Grundsätzen bearb. Zugl. e. Vorstufe zu d. Verf. „Übgs-schulen". (24) 8⁰ Ebd. 03.   — 20 d
— u. **Spannagel:** Vorst. f. d. Unterr. im kaufmänn. Briefwechsel. 1—3. Afl. (88) 8⁰ Ebd. 02-06.   1 — d
Lange, R : Ev. Choralb., s.: Schärtlich, JC.
Lange, R : 3 Briefe d. jüngeren Plinius u. d. Trajan u. Monumentum Ancyranum, s.: Tacitus' Annalen u. Historien.
— Alte Gesch. f. d. Anfangsst. d. histor. Unterr. — Gesch. d. deut. Volkes, s.: Müller, D.
— Gesch.-Repetitionen, s.: Junge, F.
— Leitf. z. Gesch. d. deut. Volkes, s.: Müller, D.
Lange, R : Übgs- u. Leseb. z. Studium d. japan. Schrift, s.: Lehrbücher d. Seminars f. oriental. Sprachen in Berlin.
Lange, S : Marie Grubbe. Schausp. Frei n. JP Jacobsens Roman. Aus d. Dän. v. GI Klett. (222) 8⁰ Münch., A Langen 05.   geb. 4 — d
— Hertha Juncker. Roman. Aus d. Dän. v. M Mann. (373) 8⁰ Ebd. 01.   3.50; geb. 4.50 d
— Sommerspiel. Novelle. Aus d. Dän. v. M Mann. (220) 8⁰ Ebd. 02.   2.50; geb. 3.50 d
— Die stillen Stuben. Schausp. Aus d. Dän. v. GI Klett. (150) 8⁰ Ebd. (02).   1 —; geb. 2.50 d
— Ein Verbrecher. Schausp. Aus d. Dän. v. GI Klett. (175) 8⁰ Ebd. 03.   2 —; L. 3 — d

Lange, T : Allg. illustr. Gartenb. 2 Bde. 3. [Tit.-]Afl. 8⁰ Lpzg, O Spamer [1897] 02.   Je 5 —; L. je 6 — d
1. Ziergarten u. Topfblumenkultur, nebst e. Einl.: „Die Pflanze als leb. Wesen". (726 n. 19 m. Abb. u. 14 Pl.)
2. Gemüsebau u. Obstbau. (5⁰2 u. 96 m. Abb. u. 3 Pl.)
— Werde e. Mann. Mitgabe f. d. Lehrzeit. 6. Afl. (270) 12⁴ Ebd. 05.   L. 1.50 d
— Uns. Salatkräuter. Blatt-, Wurzel-, Frucht-u. Blumen-Salate, ihre Kultur im Hausgarten u. ihre Zubereitg in d. Küche. 3. Afl. (160) 8⁰ Neud., J Neumann (05).   Kart. 1.20 d
— Beschreib. Wegweiser durch d. Gartenbau- u. verwandte Litt., s.: Friedrich.
Lange, W: Der Bau d. Treppen. (70 m. 40 Doppeltaf. in Fol.) 8⁰ Halle, L Hofstetter, V. 01.   In M. 10 — d
— Das Fachzeichnen. Sammlg v. Vorl. a. allen Geb. Branchenausg. 18—20. Heft. (Je 15 Taf.) 31,5×48,5 cm. Dresd. (02). Lpzg, HAL Degener. Einzelpr. je 6 —; Subskr.-Pr. f. 4 Hefte 16 —
18.19. Vorl. f. Tiefbauer. ‖ 20. Vorl. f. Formenlehre (Holzarchitektur). Bl. 16—30.
— Katech. d. Mechanik, s.: Huber, P.
— Die Laufbahnen d. Techniker im Deut. Reiche, in d. Bundesstaaten, Östreich u. d. Schweiz. (686) 8⁰ Brem., Diercksen & Wichlein (01). 7.50 ; geb. nn 8.50 (Vollst.: 12.50; geb. nn 14.50)
— Vorl. z. Formenlehre d. Holz- u. Steinarchitektur. [Sonderausg. d. 9. u. 20. Heftes d. „Fachzeichnens".] 30 Taf. 31,5× 48,5 cm. Dresd. (02). Lpzg, HAL Degener.   In M. 12 —
— Vorl. f. Tiefbauer. [Sonderausg. d. 18. u.19. Heftes d. „Fachzeichnens".] 30 Taf. 31,5×48 cm. Ebd. (02).   In M. 12 —
— Die Wasserversorgg d. Gebäude, s.: Weber's illustr. Katech.
Lange, W: Das Vaterunser. 9 Predigten. (92) 8⁰ Berl., M Warneck 05.   1.50; geb. 2 — d
Lange, W: Los v. Rom! Was d. Jesuiten bringen! Relig.-Kämpfe in Oesterr. Gesch. v. Klostergrab, Leitmeritz u. Zinnwald. (32) 8⁰ Dresd.(04). Düsseldf (Büker-Allee 41),William Lange.   — 20 d
Lange-Dietharz, W: Die Blumenbinderei, s.: Weber's illustr. Katech.
— Gärtnerin u. Blumenbinderin, s.: Frauen-Berufe.
Lange-Hohenfelde, H: Heinrich d. Schwarze, Grafv. Schwerin, s.: Für Schule u. Haus.
Langeheldt, ECF: Conversation-book in Engl. and Spanish — Deutsch-span. Konversationsb., s.: Connor, J.
— Kl. span. Leseb., s.: Ferrades, E.
— Manuel de conversation en franç. et en espagnol,s.: Connor, J.
— Kleine span. Sprachlehre, s.: Sauer, CM.
Langelütje, E: Die Musica figuralis d. Magister Daniel Friderici. Eine Singsilbel d. 17. Jahrh. (30) 4⁰ Berl., Weidmann 01.   — d
Langemak, O : Üb. d. Einfl. d. Blutdrucksteigerg auf d. anaem. Niereninfarkt. — Untersuchgn üb. d. anaem. Niereninfarkt als Folge v. Schnittwunden, s.: Bibliotheca medica.
Langen, A : Der privatrechtl. Stellg d. Wirthe u. Gastanfnahmevertrag. (135) 8⁰ Marbg, NG Elwert's V. 02.   2.40 d
Langen, F, u. L **Ernst:** Der Wert uns. Konversations-Lexikon in kultureller Beziehg, s.: Flugschriften-Sammlung, allg.
Langen, HG : Die Key- od. Kii-Inseln d. O.I. Archipelago. Aus d. Tageb. e. Colonisten. (60 m. Abb. u. 1 Karte.) 8⁰ Wien, (C Gerold's S.) 02.   2.50
Langen, K : Der ästhet. Wert. Philosoph. Studie m. bes. Beziehg auf d. metaphys. Pessimismus, d. monistisch-naturalist. Optimismus u. d. Subjektivismus d. modernen Lebens. (73) 8⁰ Berl., R Trenkel 05.   2 —
Langen, M v.: Blumen u. Vögel. 4 Pancelfüllgn. 2. Reihe. 3. Afl. (4 Bl.) Fol. Lpzg, E Haberland (01).   4 —
— Vorl. f. Brandmalerei u. Pinselbrand zu e. dreiteil. Wandschirm. (4 Taf.) Fol. Ebd. (01).   3 —
Langen, M : v. Falkenburg — Cohn. Lustsp. (70) Münch., A Langen (03).   1 —; L. 3 — d
— Geben u. Nehmen. Schausp. (230) 8⁰ Ebd. (03). 2.50; geb. 3.50 d
Langenbach, FL: Erzbibl. Schwank. (64) 12⁸ Münch., Bayer. Kolonialhaus (02). (?)   — 75 d
Langenbeck, W, s.: Archiv f. klin. Chirurgie.
Langenbeck, E : Ackerbau- u. Pflanzenbaulehre, s.: Eippert, P.
— Grundr. d. landw. Betriebslehre, s.: Sammlung Göschen.
Langenbeck, R : Landeskde d. Reichsl. Elsass-L., s.: Sammlung Göschen.
— Leitf. d. Geogr. f. höh. Lehranst. im Anschl. an d. preuss. Unterrichtspl. 2 Tle. 8⁰ Lpzg, W Engelmann.   Geb. 4.90; bezw. 4.60 d
1. Lehrstoff d. unt. Kl. 4. Afl. (134 m. Fig.) 04.   1.60)
2. Lehrstoff d. mittl. u. ob. Klassen. 3. Afl. Ausg. f. Gymnasien. (260 m. Fig.) 02.   2.60; Ausg. f. Realanst. (314 m. Fig.) 3 —
Langenbeck, W: Die Politik d. Hauses Braunschweig-Lüneburg in d. J. 1640 u. 41, s.: Quellen u. Darstellungen z. Gesch. d. Niedersachsens.
Langenberg, E : Prakt. Rechenb., s.: Diesterweg.
Langenberg, R : Quellen u. Forschgn z. Gesch. d. deut. Mystik. (304) 8⁰ Bonn, P Hanstein 02.   5 —
Langenberg, W: Der blinde Benjamin od.: Das Wunder an d. Krippe. Weihnachtssp. (24) 8⁰ Kemp., Thomasdr. u. Bh. (04).   1 — d
— Jung Deutschlds Kaiser-Feier. Lieder, Gedichte u. kl. Spielchen z.Feier d. Kaisergeburtstages. (16) 8⁰ Düsseldf, LSchwann 04.   — 50 d

Langenberg, W: Die kl. Soldaten. Festsp. z. Geburtstage d. Kaisers. (23) 8° Düsseldf, L Schwann (03). — 50 d
— Ein Wiedersehen. Dramat. Szene z. Feier patriot. Gedenktage. (14) 8° Kemp., Thomasdr. u. Bb. (05). — 75 d
Langenberger, S: Das städt. Volksbad in München, s.: Hocheder, K.
Langendorff, O: Zur Erinnerg an Otto Nasse. [S.-A.] (22 m. 1 Bildnis.) 8° Bonn, M Hager 04. — 80
Langenhan, A: Liegnitzer plast. Altertümer. (79 m. Abb. u. 4 Taf.) 8° Liegn., E Scholz 02. 3 — d
— Versteinergn d. deut. Trias (d. Bundsandsteins, Muschelkalks u. Keupers). (22 m. Abb. u. 17 Taf.) 8° Ebd. 03. 2.50 d
Langenhan, JC: Die Grenzen d. Gebrauchsmusterschutzes u. s. Tragweite. (57) 4° Lpzg, Bh. G Fock (02). 2 — d
— Beiträge z. Hydrogr. Österr. J. '04. s.: Beiträge z. Hydrogr. Österr.
Langenscheidt's Sachwörterbücher. Land u. Leute in Amerika. Zusammengest. v. C Naubert. 2. Afl. v. H Kürschner. Verm. durch e. Anh.: Englisch-deut. Ergänzgswrtrb. v. F Baumann. 2. Bearbeitg. 10—11. Taus. (516 u. 64 m. Abb.) 8° Berl.-Schönebg, Langenscheidt's V. 06. L. 3 —; Ergänzgswrtrb. allein — 75 d
— dass. Land u. Leute in Frankr. Zusammengest. v. C Villatte. (Methode Toussaint-Langenscheidt.) 8. Bearbeitg 1904. 11—16. Taus. v. R Scherffig. (30, 439 u. 93) 8° Ebd. (05). Geb. 3 — d
— dass., französisch, s.: Villatte, C.
Langenscheidt, P, s. a.: Rex, E.
— Kaufmänn. Miniatur-Lexikon. Pult- u. Taschenb. d. Handelswiss. 3. Afl. (700) 24° Berl., Verl. f. Sprach- u. Handelswiss. 01. L. 3 — d
— Um Nichts. Roman. (221) 8° Berl., F Fontane & Co. 04. 3 —; Geb. 4 — d
— Kaufmänn. Unterr.-Stunden, s.: Schär, JF.
Langenschwalbach, Bad, et ses environs. Guide, publié par la direction municipale des eaux. (55 m. Abb. u. 2 Pl.) 8° Wiesb., (G Quiel) 03. 1.20
Langensiepen, F: 10 Jahre im reichsländ. Schuldienst. (160) 8° Weissenbg (02). (Lpzg, R Uhlig.) 1.50
Langer, A: Kl. Anl. z. Gebr. d. Posner-Langer'schen Rechenkästchens in Kinderstuben, Spielschulen etc. (Umschl.: 3. Afl.) (11 m. 2 Taf.) 8° Liesa, F Ebbecke (03). — 25
— Schles. Biographieen. (183 m. 7 Portr.) 8° Landeck i/Schl., Hauptlehr. Langer 02. 1.20; L. 1.50 d
— Erinnergn a. d. Leben e. Dorfschullehrers. 2. Afl. (350) 8° Gr.-Lichterf., E Runge (02). 3.50; geb. nn 4 — d
— Kindergärtlein, s.: Ebbecke's, F, Jugendschriften.
Langer, A: Der Kampf um Gürtelfestgn, s.: Macallik, J.
Langer, C: Selbsttät. Feuermelde. Mahnworth an d. Feuerwehren u. Feuerversicherungsanst. usw. (29) 8° Lpzg, (JJ Weber) 04. L. — 75
Langer's, C V., Lehrb. d. systemat. u. topograph. Anatomie. 7. Afl. v. C Toldt. (870 m. Abb. u. 1 Taf.) 8° Wien, W Braumüller 02. — 16 —; HF. 18.50
Langer, E: Mittelalterl. Hausgesch. d. edlen Familie Thun. I. u. II. Heft. 1. u. 2. Abtlg. [S.-A.] 8° Wien, (C Gerold's H.) Kart. 6.50
1. Die Anfänge d. Gesch. d. Familie Thun. (42 u. 8 m. 1 Stammtaf.) 04. 1.50
II. Die Gesch. d. Familie Thun im 14. Jahrh. (130 u. 11—36 m. 1 Kart., 1 Lichtdr. u. 1 Stammtaf.) 05. 5 —
Langer, E: Du geistl. Gefäss! Mai-Erwäggn u. Lesgn zu Ehren d. hl. Jungfrau Maria. (196) 16° Tetsch., (O Henckel) 01. 1 —
Langer, E: Namen-u. Sachreg., s.: Schlosser's, FC, Weltgesch.
Langer, E: Das östl. Deutschböhmen. Deut. Volkskde a. d. östl. Böhmen. 1—5. Bd. Je 4 Hefte. (167, 322, 295, 316 u. 276 m. Abb.) 8° Braunau (Böhmen), Dr. Langer 01-05. Dr Bd nn 5 — d
— dass. I. Bd. 1. Ergänzgsheft u. II. Bd. 4. Heft. 8° Ebd. nn 3 — d
J.1. Ergänzgsheft. Fraus Schönig. „d. Mittelwälder Horst" u. s. gilts. Gedichte. Beitrag z. Mundart d. Adlergebirges u. d. Braunauer Landchens. Mit Glossar als Entwurf zu e. Adlergebirgs-Idiotikon. (18, 9, 70) II.4. (263—292 m. Abb.) 02.
Langer, E: Sprüchwörter-Chronik. Enth. üb. 1000 schles.Sprüchwörter u. Redensarten. 2. Afl. (49) 8° Schweidn., G Brieger (04). — 50 d
Langer, F: Zur Sprache d. Abingdon Chartulars. (75) 8° Berl., Mayer & M. 04. 1.80
Langer, F, s.: Fromme's österr. Medizinal-Kalender.
Langer, FS: Geprellt od. „Physiognom. Studien". Schwank. (20) 8° Speyer, Jäger 05. — 50 d
— Die Hexenlinde im Dohlengrunde, s.: Heidelmann's, A, Theaterbibliothek.
Langer, G: Der progressive Strafvollzug in Ungarn, Kroatien u. Bosnien. (252 m. 6 Taf.) 8° Berl., J Guttentag 04. 5 —; L. 6 —
Langer, J, s.: Kalender d. Centralver. deut. Ärzte in Böhmen.
Langer, J: Gesangb. z. Gebr. beim kathol. Gottesdienste an Mittelsch., s.: Pauker, W.
Langer, K: Elemente d. allg. Warenkde f. Handelssch. 4.Afl. (184 m. Abb.) 8° Wien, Manz 1900. Geb. 1.65 d
— Grundr. d. allg. Warenkde f. 2class. Handelssch. 3. Afl. (258 m. Abb.) 8° Ebd. 1900. Geb. 3.40 d
Langer, O: Deut. Diktierstoffe in Aufsatzform, vermehrt durch Einzelsätze, f. d. Unterr. in d. Rechtschreibg. Zum Gebr. an höh. Lehranst., sowie Bürgersch. u. f. d. Privatunterr. 4. Afl. (162) 8° Wien, F Tempsky. — Lpzg, G Freytag 06. Geb. 2 — d
Langer, O: Edmond Rostand. (65) 8° Linz, (V Fink) 01. — 90 d

Langer, O: Weltgesch. in übersichtl. Darstellg, s.: Weber, G.
Langer, O: Aufsätze f. d. Unterkl. d. Volkssch., s.: Rabele, K.
— Aus d. Algäuer Bergen. Gedichte. (99) 8° Augsbg, Schwäb. permanente Schulausstellg 01. Kart. — 75 d
— Präparationen zu Lesestücken f. d. Oberkl. d. Volkssch. (539) 8° Ebd. 1900. Geb. nn 4 — d
— u. F Wiedenmann: Briefe u. Geschäftsaufsätze f. Sonntagsu. Fortbildgssch. (153) 8° Ebd. 02. Geb. 1.40 d
Langerhans, G: Hdb. d. gelt. öffentl. u. bürgerl. Rechts, s.: Zelle, R.
Langerhans, R: Grundr. d. patholog. Anatomie. 3. Afl. (748 m. Abb.) 8° Berl., S Karger 02. 13 —; geb. 14 —
— Die traumat. Spätapoplexie. (81) 8° Berl., A Hirschwald 03. 2 —
Langermann, J: Zur Frage d. Schulaufsicht. I. Der Ausschuss d. Barmer Lehrerschaft in er organ. Beziehg zu d. besteh. Rektorensystem. II. Schulleitg u. Schulaufsicht. [S.-A.] (98) 8° Elberf., S Lucas (04). — 50
— Probleme d. Erziehg. I. Jurist, Arzt u. Pädagoge. II. Die Erziehgreform u. d. soz. Frage. (191) 8° Elberf., A Martini & Gr. 02. 2.40 d
— Schulleitg u. Schulaufsicht. Entwurf e. Denkschrift, welche Sr Exz. Hrn Staatsminister Dr. Studt überreicht werden sollte v. d. rhein. Prov.-Lehrerver. (40) 8° Mind., C Marowsky 05. — 60
Langethal, LE: Cyperaceae et Gramineae, s.: Schlechtendal, DFL v.
Langewiesche, D: Kinder, d. Jesus segnete! 3 Erzählgn f. Kinder v. 8—12 Jahren. (115 m. 3 Bildern.) 8° Barm., E Müller (05). L. 1.50 d
Langewiesche, W, s.: Frauentrost.
— Planegg. Ein Dank a. d. Walde. (72) 8° Münch., CH Beck (04). Geb. 2.40 d
— Und wollen d. Sommers warten. Verse. (96) 8° Ebd. 06. Kart. 1.80; Ldr 3 —
Langewort, A: Handbüch]. f. schles. Tierschutzfreunde. Systemat. Zusammenstellg d. wichtigsten auf d. Tierschutz bezügl., in d. Prov. Schlesien gült. Ges., Verordngn u. Bekanntmachgn. (88) 8° Bresl. 5 (Luisenst. 15 II), Schles. Zentralver. z. Schutze d. Tiere (04). — 30 d
Langgaard, A: Compendium d. Arzneiverordng, s.: Liebreich, O.
— s.: Monatshefte, therapeut.
Langguth, A: Die Bilanz d. akadem. Bildg, s.: Bücherei, burschieuschaftl.
— Christian Hieronymus Esmarch u. d. Göttinger Dichterbund. Nach neuen Quellen a. Esmarchs handschriftl. Nachlass. (372 m. Abb.) 8° Berl., H Paetel 03. 10 —; geb. nn 11.50 d
Langguth, F: Elektromagnet. Aufbereitg. (64 m. Abb.) 8° Halle, W Knapp 03. 3 —
Langguth-Junge, F: Beranschgn. Gedichte. (189) 8° Strassbg, J Singer 06. 2.50
Langhans, G: Bibl. Gesch. f. Volkssch. 17. Afl. (192 m. 1 Karte.) 8° Bern, E Baumgart 03. Kart. nn — 85 d
Langhans, H: Fibel f. d. verein. Sprech-, Lese- u. Schreibunterr. 17. Afl. (64 m. Abb.) 8° Hannov., C Meyer 01. nn — 38; geb. nn — 48

18. Afl. u. d. T.:
— Fibel f. d. Sprech-, Lese- u. Schreibunterr. im 1. Schulj. 18. Afl. (64 m. Abb. u. 1 Taf.) 8° Ebd. 04. nn — 38; geb. nn — 50 d
— dass. Ausg. B. In reiner Schreibschrift. (186 m. Abb. u. 1 Taf.) 8° Ebd. 05. — 38; geb. nn — 50 d
— Leseb. f. d. Unter-St. (2. Tl d. Fibel). 8. Afl. (120 m. Abb.) 8° Ebd. 01. nn — 55; geb. nn — 70 || 9. Afl. (186 m. Abb.) 04. nn — 60; geb. nn — 75 d
Langhans, P: Alldeut. Atlas, s.: Perthes, J.
— s.: Erde, deut.
— Handelsschul-Atlas. 9. Afl. (17 farb. Kartens. m. 2 Bl. Text.) 8° Gotha, J Perthes 04. Kart. 2 —
— Politisch-militär. Karte v. Afghanistan, Persien u. Vorder-Indien z. Veranschaulichg d. Vordringens d. Russen u. Engländer. 1:7,500,000. 68,5×58 cm. Farbdr. Mit militärstatist. Begleitworten (auf d. Umschl.). Ebd. (01). — 75 d
— Karte d. Afrikander-Aufstandes im Kaplande u. d. Angriffskrieges d. Buren. 1:4,000,000. 53×69 cm. Farbdr. Nebst Text auf d. Umschl. Ebd. 01.
— Karte d. Thätigk. d. Ansiedelgs-Kommission f. d. Provv. Westpreussen u. Posen 1886—1901. Auf Vogels Karte d. Deut. Reiches in 1:500,000. 4. Afl. 83×58 cm. Farbdr. Mit statist. Begleitworten (auf d. Umschl.). Ebd. (01). || 7. Afl. 1886—Ende Dezbr '04. (05.) Je 2 — d

Neue Afl. u. d. T.:
— Karte d. Provv. Posen u. Westpreussen nber bes. Berücks. d. Ansiedelgsgüter u. Ansiedelgn, Staatsdomänen u. Staatsforsten n. d. Stand v. 1.VII.'05. (Nationalitäten- u. Ansiedlgskarte v. Westpreussen u. Posen [Tätigk. d. kgl. Ansiedlgs-Kommission 1886—1905].) 1:500,000. [S.-A.] 8. Afl. 84×85 cm. Farbdr. Ebd. (05).
— Neue Kriegsk. v. Ost-Asien. Auf Grundl. d. Karten a. Stielers Handatlas v. H Habenicht u. C Barich. 1:7,500,000. 57,5 ×69 cm. Farbdr. Mit Begleitworten: Ost-Asien v. politischmilitär. Standpunkte (auf d. Umschl.). Ebd. (05).
— s.: Rechts u. links d. Eisenb.!
— Neuer Seekriegs-Schauplatz d. russisch-japan. Flotten. Ind. Ozean. — Madagaskar bis Tokio. Etwa 1:25,000,000. 41,5 ×53,5 cm. Mit Begleitworten (auf d. Umschl.). Gotha, J Perthes (05). — 80

Langhans, P: Staatsbürger-Atlas, s.: Perthes, J.
— NeuesteTagesk. v.Ost-Asien. 1 : 5,000,000. 57,5×69 cm. Farbdr.
Mit Begleitworten : Ost-Asien v. politisch-militär.Standpunkt
(auf d. Umschl.). Goths, J Perthes 04.   1 —
Langhard, J : Die anarchist. Bewegg in d. Schweiz v. ihren
Anfängen bis z. Gegenwart u. d. internat. Führer. (492) 8°
Berl., O Häring 03.   10 —
Langheim, O : De Visé, s. Leben u. s. Dramen. (110) 4° Wolfenb.,
(J Zwissler) 03.   3 —
Langheineken, P : Anspruch u. Einrede n. d. deut. BGB. (368)
8° Lpzg. W Engelmann 03.   5 —; L. 6 — d
— Mathemat. Bemerkgn z. BGB. 1. Heft. (40) 8° Ebd. 01. 1.50
— Das Potential e. materiellen Kugel, dessen Dichtigk. e. ganze
rationale Funktion d. rechtwinkl. Koordinaten ist. (59 m.
Fig.) 8° Ebd. 01.   1 —
Langheinrich, F, s.: Meister, 100, d. Gegenwart in farb. Wieder-
gabe.
Langheinrich, F : Der 2. Brief Sankt Pauli an d. Korinther.
2. Afl. (223) 8° Lpzg, F Jansa 05.   3.60; geb. 4.50 d
Langheld, E, s.: Saling's Börsen-Papiere.
Langte, G. s.: Hebel, JP, a. H.'s ungedr. Papieren.
Langkammer, Frau M, s.: Nordmann, R.
Langkavel, M : Henry Blaze's Übertragg d. 2. Teiles v. Goethes
Faust, s.: Aus roman. Sprachen u. Lit.
— Die französ. Übertragg v. Goethes Faust. (156) 8° Strassbg,
KJ Trübner 02.   4 —
Langl, J : Bilder z. Gesch. f.Gymnasien, Realsch. u. verwandte
Lehranst. In Sepia-Manier ausgeführt. Nr. 69—71 je 76×57cm.
Mit Text. (Je 2 S.) 8° Wien, E Hölzel (01).   Je 2 —;
     auf Deckel gespannt je 3 —
69. Jerusalem. | 70. Bethlehem. | 71. Nazareth.
Langmann, P : Gerwins Liebestod. Drama. (151) 8° Stuttg., JG
Cotta Nf. 03.   2 —; L. 3 — d
— Die Herzmarke. Drama. (388) 8° Ebd. 02. 3 —; geb. 4 — d
— Leben u. Musik. Roman. (325) 8° Ebd. 04. 3.50; L. 4.50 d
— Anna v. Ridell. Schausp. (127) 8° Berl., S Fischer 05. 2 —;
     geb. nn 3 — d
— Korporal Stöhr. Drama. (127) 8° Stuttg., JG Cotta Nf. 01.
     2 —; geb. 3 — d
— Bartel Turaser. Drama. 3.Afl. (130) 8° Ebd. 01. 2 —; geb. 3 — d
Langmesser, A: Allein durch d. Glauben ! Kurzgef. Auslegg
d. Galaterbriefes. (131) 8° Bas., Kober 01.   1 —; L. 1.60 d
— Jesus v. Nazareth. Reden. (287) 8° Ebd. 02. 2.20; L. 3 — d
— Conr. Ferd. Meyer. Sein Leben, s. Werke u. s. Nachlass.
(586 m. 1 Bildnis u. 1 Fksm.) 8° Berl., Wiegandt & Gr. 05.
     6.50; L. 7.50; in Liebh.-HF. 10 — d
— Aus grossen Tiefen. Erzählg. (8)8°Barm., Elim(03). nn — 05 d
Langohr, Freund. Mal-Buch. (8 m. z. Tl farb. Abb. ohne Text.)
16° Hannov., A Molling & Co. (04).   — 10 d
Langrod, R : Sammlg d. nicht stempelmäss., öffentlich nor-
mierten Gebühren u. Taxen d. Justiz- u. polit. Verwaltg.
9 Lfgn. (432) 8° Wien, C Konegen 04.   Je 1 — d
Langsdorff, G v.: Die Irrlehre d. Theosophie üb. Re-Inkar-
nation. Endgiltig erklärt v. Geiste d. Mad. HP Blavatsky
durch d. Medium Prof. Dr. Petersilea. Deutsch wiedergegeben.
(98) 8° Lpzg, W Besser 04.   1 —
— Ein Wegweiser f. d. Magnetisieren u. Massage. 5. Afl. (80)
8° Lpzg, O Mutze (05)   1 —; geb. 1.50 d
Langsdorff, E v., u. F **Mammen**: Volkswirtschaft f. jedermann.
Gemeinfasslich dargest. v. deutsch-nationalen Standpunkt.
(392) 8° Berl., R Hobbing 05.   4 —; geb. 5 — d
Langsdorff, W v., s.: Pastoralblätter f. Homiletik etc.
— Alttestamentl. Perikopen. Homilet. Hdb. f. ev. Geistliche.
Nachtr.: Die alttestamentl. Texte d. Eisenacher Perikopenb.,
soweit sie nicht in d. Hauptwerk behandelt sind. (705—784)
8° Dresd., CL Ungelenk 03. 1.50 (Hauptwerk u. Nachtr.: 12.50) d
— Neuere epistol. Perikopen nebst Offenb. Johannis. Homilet.
Hdb. f. ev. Geistliche z. Behandlg d. in d. ev. Landeskirchen
Deutschlds zu Predigtzwecken ausgeschrieb. nicht altkirchl.
Perikopen a. d. Episteln u. d. Offenbarg Johannis unter bes.
Berücks. d. Eisenacher Perikopen. 2—12. Lfg. (81—812) 8°
Lpzg 1900.'01. Dresd., CL Ungelenk.   Je 1 —
     (Vollst.: 12 —; HF. 14 —) d
Längstalter, W : Diakonissen od. Barmherzige? (161) 8° Linz,
Pressver. 04.   1.30 d
Langsted, A : Das gute Hirte. Gesch. e. kl. Savoyarden. Aus d.
Dän. v. E Rohr. (104) 8° Bern, G Grunau 05.   L. 2 — d
Langstein, L: Die Kohlehydrate d. Serumglobulins. [S.-A.]
II. Mitteilg. (11) 8° Wien, (A Hölder) 04. — 40 || III. Mitteilg.
     (5) 05. — 20
Die 1. Mitteilg erschien nur in d. Monatsheften f. Chemie.
Langwerth v. Simmern, H Frhr v.: Deutschtum u. Anglophobie.
2 Bde. (463 u. 182) 8° Wiesb., W Bröckling 03.'04. 11.70 d
Aus d. 1. Bd. allein: Zur Beurteilg Englds. (161) 03. 2.40 || Engl. u.
Deutschl. (180) 03. 2.40 || Der Krieg in Südafrika. (164) 04. 5 —
— Engl. in Südafrika u. d. gr. germän. Weltinteressen. 2. Afl.
(28, 54) 8° Ebd. 02.   1.20 d
— Die Konzentrationslager, s.: Flugschriften, pangerman.
Lankau, JM, u. M **Reibin**: Lust u. Leid d. Backfischzeit. Erzählgn. (208 m. Vollbildern.) 8° Mülh. a/R., J Bagel (05).
     geb. 2 —; L. 4 — d
— u. a.: Eva auf Reisen u. and. Erzählgn f. junge Mädchen.
(128 m. 4 Abb.) 8° Ebd. (04).   Geb. 1.50 d
Lankes-Uhlemann, F : Glaube, Hoffng, Liebe. Soz. Dichtg in
5 Akten. (116) 8° Berl., E Apolant 01.   1 — d

Lankow, A : Die Wiss, d. Kunst-Gesanges. Mit pract. Uebgs-
Material v. A Lankow u. M Garcia. — The science of the art
of singing. English translation by E Buck. (43 u. 49 m. Abb.
Bildnis u. 1 Fksm.) 4° Lpzg, Breithopf & H. (02). 10 — || 4., f.
     Deutschl. umgearb. Afl. (32 u. 52) 05. 8 —
Lankus', CJ, Almanach d. Bäder, Luftecurorte u. Sommerfrischen
Steiermarks. Ausg. 1902. (98 m. Abb.) 8° Graz, (Styria). 1.90
Lanner, A : Die wiss. Grundl. d. 1. Rechenunterr. (49) 8° Wien,
C Fromme 05.   1 —
— Naturlehre. (377 m. Fig., 1 Taf. u. 4 Kart.) 8° Ebd. 02. L. 5 —
— dass. Bearb. f. d. ob. Cl. d. Mittelsch. (377 m. Fig., 1 Taf. u.
4 Kart.) 8° Ebd. 02.   4.50; geb. 5.20
Laus, JR van d.: König Karl u. Widukind. Histor. Roman.
Übers. v. J Olandus. 2. Afl. (239) 8° Dülm., J Horstmann (03).
     2.50; geb. 3.50 d
Lans: Maria uns. Zuflucht, neue Bearbeitg, s.: Maff, C, siehe
deine Mutter.
Lans-Bloesch, E : Das alte Biel, s.: Propper, EJ.
Lans-Liebenfels, J : Katholizismus wider Jesuitismus. (84) 8°
Frankf. a/M., Neuer Frankf. Verl. 03.   1 — d
— Theozoologie od. d. Kunde v. d. Sodoms-Äfflingen u. d. Götter-
elektron. Einführg in d. ält. u. neueste Weltanschaug u. e.
Rechtfertigg d. Fürstentums u. d. Adels. (171 m. Abb.) 8°
Wien, Moderner Verl. (05).   2.50
Lanze, e., f. d. Freskomalerei, n. d. Mskr. M Knoller's, s.: Flug-
blätter, techn., d. Mappe u. deut. Malerzeitg.
Lanzelot: Gertrud u. Joachim. (173) 8° Hdlbg, Heidelb. Verl.-
Anst. u. Dr. 04.   2 — d
Lanzenauer s.: Haehling v. Lanzenauer.
Lansendörfer, A : Der apologet. Relig.-Unterr. in d. Oktava.
(73) 8° Prag, JG Calve 04.   1.40 d
Lansendörfer, J : Liederb. f. Töchtersch. u. für's Haus. 3. Afl.
(90) 8° Nürnbg., C Koch 02.   Geb. — 90 d
— Das Wichtigste a. d. Weltgesch. u. Gesch. Bayerns f. Volkssch.
9. Afl. (56) 8° Ebd. 02.   — 30 d
Lanserath, T : 10 Paragraphen üb. d.Liebesreue. (20)16°Paderb.,
Bonifacius-Dr. 04.   — 10 d
Lansky, P : Amor Fati. Gedichte. (133) 8° Lpzg, CG Naumann
(04).   2 —; L. nn 3 — d
Lao-Tse: Die Bahn u. d. rechte Weg. Der chines. Urschrift
in deut. Sprache nachgedichtet v. A Ular. (87) 4° Lpzg, Insel-
Verl. 05.   4 —; geb. 6 — d
Lapieng, E : Skizzenb. (39 Taf. m. 4 S. Text.) 8° Lpzg, See-
mann & Co. (03).   L. 4 —
Lappe, F : Bilder u. Bildg, s.: Abbandlungen, pädagog.
Lapsa, E : Tant' Jula. Ein dünastrand. Geçuassel. (30) 8° Riga
(gr. Münstereistr. 6), Typo-Lithographie ,Gutenberg" 02. 1 — d
Laqua, A : Das Wichtigste a. d. Heimatkde d. Kreises Cosel.
(16) 8° Glog., C Flemming (05).   — 10 d
Laquer, B : Üb. Höhenkuren f. Nervenleidende, s.: Sammlung
zwangl. Abhandlgn a. d. Geb. d. Nerven- u. Geisteskrankh.
— Trunksucht u. Temperenz in d. Verein. Staaten, s.: Grenz-
fragen d. Nerven- u. Seelenlebens.
Laquer, L: Die ärztl. Feststellg d.verschied.Formen d.Schwach-
sinns in d. ersten Schulj. [S.-A.] (14) 8° Münch., Seitz & Sch.
01.   1 —
— Üb. schwachsinn. Schulkinder, s.: Sammlung zwängl. Ab-
handlgn a. d. Geb. d. Nerven- u. Geisteskrankh.
Laquer, A : Moderne Hydrotherapie, s.: Brieger, L.
Laqueur, E : Krit.Untersuchgn z.3.Makkabäerb.(37)8°Strassbg,
KJ Trübner 04.   2 —
Laer, v.: Das deut. veredelte Landschwein, s.: Hoesch.
Larcher, J : Betrachtgn e. Jerusalem-Pilgers. (20 relig. Vor-
träge.) (181 m. Titelbild.) 8° Innsbr., F Rauch 03.   2 —;
     geb. 2.60 d
Lardelli, J : Übgstücke z. Übers. a. d. Deut. in d. Italien.
(Methode Gaspey-Otto-Sauer.) 4. Afl. (112) 8° Hdlbg, J Groos
03.   Geb. 1.60 d
Larfeld, W : Hdb. d. griech. Epigraphik. II. Bd. Die att. In-
schriften. 2. Hälfte. (393—957 m. Tab. u. 2 Taf.) 8° Lpzg, OR
Reisland 02.   36 — (II. Bd. vollst.: 50 —) d
Largiader, AP : Üb. erzieh. Unterr. (71) 8° Zür., Schulthess
& Co. 02.   1 — d
Laris, E : Der kl. Holzberechner f. d. Holz-Handel u. Verkehr.
3. Afl. (105) 12° Marbg 1899. Eisen., E Laris Nf. Kart. 1.90
— Kubik-Tab. z. Bestimmg d. Kubikinhaltes runder Hölzer in
Kubikmetern. (Umschl.: 27. Afl. [im Taschenformat].) (56)
12° Marbg 1899. Eisen., E Laris Nf.   Kart. — 75
— dass. d. Langhölzer in Kubikmetern u. Mittenmessg. Ausg. A.
50. Afl. (im Taschenformat.) (31) 12° Eisen., E Laris Nf. 05.
     — 40
Larisch, R v.: Beisp. künstler. Schrift. 2. Folge. (35 Bl. m.
7 S. Text.) 4° Wien, A Schroll & Co. (02). 7 — (1 u. 2: 14 —)
— Üb. Leserlichk. v. ornamentalen Schriften. (48)8°Ebd. 04. 2 —
— Unterr. in ornamentaler Schrift, s.: Jahrb. d. Staats- u.Wien.
Hof- u. Staatsdr. 05.   8 —
La Roche, J : Das Positive in D. Fischers Vortrag. Ein Wort
f. Fischer v. e. Gegner Fischers. (30) 8° Berl., G Nauck 05.
     — 50 d
La Rosée, s.: Basselet v. La Rosée.
La Rosée Graf: Der Adlerprinz. Roman. (320) 8° Berl., A
Schall (03).   3.50 d

Lasson, G: Uns. ev. Kirche u. ihre Zerstörer. Referat.(24) 8°
Berl., Schriftenvertriebsanst. 05.   — 25 d
— Der Mensch u. d. Jenseits.-Anregg z. richt. Verständnis d.
Wirklichk. (43) 8° Berl., Trowitzsch & S. 02.   — 50
— s.: Monatsschrift, kirchl.
— Die theolog. Wiss. u. d. Kirche. (31) 8° Berl., Trowitzsch
& S. 03.   — 50 d
— Wochenschrift, kirchl., f. ev. Christen.
— Zions Sieg üb. Babel. Predigt. (11) 8° Berl., Trowitzsch
& S. 03.   — 30 d
Lasswitz, K: Aspira. Der Roman e. Wolke. (265) 8° Lpzg, B
Elischer Nf. (05).   3.50; L. 4.50 d
— s.: Fechner, GT, Zend-Avesta.
— Gustav Theodor Fechner, s.: Frommann's Klassiker d. Philo-
sophie.
— Nie u. Immer. Neue Märchen. (337) 8° Lpzg 02. Jena, E Diede-
richs.   4 —; geb. 5 — d
— Auf 2 Planeten. Roman. 7. u. 8. Taus. 2 Bde. (421 u. 545) 8°
Lpzg, B Elischer Nf. (05).   8 —; L. 10 — d
— Relig. u. Naturwiss. Vortr. (30) 8° Ebd. (04).   — 60 d
— Seifenblasen, Moderne Märchen. 3. Afl. (291) 8° Berl. 01. Lpzg,
B Elischer Nf.   3.50; geb. 4.50 d
— Wirklichkeiten. Beitr. z. Weltverständnis. 2. Afl. (448) 8°
Lpzg, B Elischer Nf. (03).   5 —; L. 6 — d
Lasswitz, R: Die Kreide-Ammoniten v. Texas, s.: Abhandlungen,
geolog. u. palaeontolog.
Last, I, s.: Josef Ibn Kaspi, 10 u. weit. 2 Schriften.
Lastanosa, Don J de: Anl. z. imponier. Auftreten, s.: Geb-
hardt, W.
Lastenheft üb. d. Ausführg v. Arbeiten u. Liefergn d. Stadt
Strassburg. (99) 8° Strassbg, Schlesier & Schw. 01. Kart. 3 —
Lastig, G: Der Gewerbetreib. Eintraggspflicht z. Handels-
register u. Beitragspflicht z. Handelskammer u. Handwerks-
kammer, s.: Festgabe. f. Herm. Fitting.
László, A: Ungar. Skizzen. II. Neue Folge v. „Aus meiner
Heimath". Ernste u. heitere Erzählgn. (127) 8° Berl., A Bo-
denburg 01.   (1.20) 1 — (I u. II.: 2 —)
Lassowska, E de, s.: Gerard, E.
Latemar, Comte de: Tini Rupprecht, artiste peintre de Mu-
nich. (62 m. Abb. u. 19 Taf.) 4° Münch., H Helbing 01. 8 —
Laterna magica. Vierteljahrsschrift f. alle Zweige d. Projek-
tions-Kunst. Red.: V Berghoff. 17—19. Bd. 1901—3 je 4 Hefte.
(’03. 64 m. Abb.) 8° Lpzg, E Liesegang.   Je 3 —
     einz. Hefte — 75
*Jahrg. 1901 erschien noch in Düsseldf. — Fortsetzg s. u. d. T.:
Skioptikon.*
Laterne, die. Hrsg.: A Schleimer. 52 Nrn. (Je 32 m. Abb.) 8°
Berl., Imprimatur (01.02).   Je — 20 d ö F
Laternenlieder, Bonner, v. Pulcinella. 1.Heftchen.(32) 12° Bonn,
A Heidelmann (02).   — 50 d
Lathrop, L, s.: Kaye, L.
Latif, G: Führer durch d. Weltausstellg Lüttich 1905, durch
Lüttich m. Umgebg u. d. Badeorte Belgiens, in deutsch u.
französisch. (123 m. Abb.) 8° Köln, (P Neubner) (05).   1.60
Laetitia s: Waldmann, V. d. Au.
Latomia. Neue Zeitschrift f. Freimaurerei. Begründet v. B
Cramer. Red.: R Fischer. 24—28. Jahrg. 1901—5 je 26 Nrn.
(Nr. 1. 8) 4° Lpzg, B Zechel.   Halbj. 3 —
Lätsch, J: Taschenb. f. d. prakt. Baumwollspinner u.-Zwirner.
(352 m. Abb. u. 4 Taf.) 8° Lpzg, Verl. d. „Leipz. Monats-
schrift f. Textil-Industrie" 05.   L. 3.50
Latschka, A: Der kl. kathol. Christ. Gebet- u. Liederb. 1. u.
2., d. neuen Katech. angepasste Afl. (324 u. 4 m. 1 Farbdr.)
16° Wien, St. Norbertus 02.04.   L. — 60 d
Latt-Felsberg, A: Skizzen. (Moderne Menschen.) (119) 8° Berl.,
Selbstverl. 01. (Lpzg, O Weber.)   1.50; geb. 2 —
Lattmann, H: Latein. Elementarb. f. Reformsch. A. Übgsb.—
B. Leseb. (92 u. 108 m. 3 Kart.) 8° Gött., Vandenhoeck & R.
03.   Geb. 2.80 d
— dass. Hülfsheft zu B (Leseb.). (54) 8° Ebd. 03.   — 80 d
Lattmann, J: Grundz. d. deut. Grammatik nebst Regeln d.
Rechtschreibg u. d. Wichtigsten a. d. Rhetorik. 3. Afl. v. H
Lattmann.(108)8° Gött., Vandenhoeck & R. 02. Geb. n.1.30 d
Lattorff, A v.: Ernstes u. Heiteres, s.: Kürschner's, J, Bücher-
schatz.
Latyschev, MB, s.: Inscriptiones antiquae orae septentrionalis
Ponti-Euxini graecae et latinae.
Latz, G: Bummeleien z. Parnass. Heiteres u. Weiteres f. Vor-
trag, jegl. Geschlechts. (229) 8° Berl., Vossische Bh, 01.
     3.25; geb. 4 — d
Latzel, R: Leitf. d. Zool. f. höh. Lehranst., s.: Graber.
— Naturgesch. d. Tierreiches, s.: Pokorny.
Lataxe, R: Zur Beurteilg Roseggers. (64) 8° Wien, C Konegen
04.   1 — d
Lau, A: Vokalismus d. westallgäuer Dialektes. (64) 8° Kempt.,
J Kösel 03.   1 — d
Lau, A: Aus d. Bipperannagasse, Cordula. — Im Frühlicht d.
Reformation, s.: Volksschriften, elsäss.
— Was uns d. Jung St. Peterskirche in Strassburg erzählt.
(53 m. 1 Abb.) 8° Strassbg, Schlesier & Schw. 03.   1 — d
— Strassburger Märe a. Barbarossas Zeit. — Herr Heinrich
v. Müllenheim. In Angst u. Not. — Und es war Nacht. —
Der junge Philipp Jak. Spener in Strassburg, s.: Volksschriften,
elsäss.

Lau, F, s.: Codex diplomaticus Moenofrancofurtanus.
Lau, E, s.: Anschluss, d., d. Deut. Reichs an d. internat. Union
f. gewerbl. Rechtsschutz.
Lau, RJ, and S Langdon: The annals of Ashurbanapal, s.:
Study-Series, Semitic.
— and JD Prince: The Abu Habba Cylinder of Nabuna'id,
s.: Study-Series, Semitic.
Laub u. Blüten. Gedichte v. E L. in d. Au (E Marschall). (95)
8° Coblenz (03). Pfaffendorf a/Rh. (Emserstr. 20), Emma Mar-
schall.   2 —
Laube, AE, s.: Wegweiser, bibl.
Laube, E: Das Buch d. Rezepte u. Hausmittel. (154) 8° Erf.,
F Bartholomäus (01).   1.50 d
Der Name d. Verf. ist auf d. Titelbl. nicht angegeben.
Laube, GC: Der geolog. Aufbau v. Böhmen, s.: Sammlung ge-
meinnütz. Vortr.
— Synopsis d. Wirbeltierfauna d. böhm. Braunkohlenforma-
tion, s.: Abhandlungen d. deut. naturwiss.-medicin. Ver. f.
Böhmen „Lotos".
— Volkstüml. Überliefergn a. Teplitz u. Umgebg, s.: Beiträge
z. deutsch-böhm. Volkskde.
Laube's, H, dramat. Werke. Volksausg. 11. Bd. 8° Lpzg, JJ
Weber.   1 — d
     11. Demetrius. Histor. Trauersp. 5. Afl. (124) 04.   1 — d
Laube, R: Rudolf Hildebrand u. s. Schule. Beitrag z. Gesch.
d. deutschsprachl. Unterr. in d. 2. Hälfte d. 19. Jahrh. (136)
8° Lpzg, F Brandstetter 03.   1.80 d
Laube, R: Hamburg u. s. Welthandel. Projektions-Vortr. (22 Bl.)
8° Dresd., (Unger & Hoffmann) 1900.   2 —
— Paris u. s. Weltausstellg. Projektions-Vortr. (34 Bl.) 8° Ebd.
1900.   2.50
— Wandergn in Paris. Projektions-Vortr. (28 Bl.) 8° Ebd. 1900.
     2.50
Lauber, E: Prakt. Hdb. d. Zeugdrucks. 3 Bde. Mit Abb. u.
Zeugproben. 8° Lpzg, (Bh. G Fock).   58 — ;
     Einbde je 4 —
     I. 4. Afl. 7 Lfgn. (219 u. 5) 01.02. 14 — ¶ II. 2. Afl. 8 Lfgn. (254 u. 6) 02.
     16 — ¶ III. 2. Afl. 10 Lfgn. (432 u. 36) 02.03.   je 4 — ö 02.
— dass. Suppl.-Bd z. 4. Afl. d. I. Bds u. 2. Afl. d. II. u. III. Bds.
(244 m. Abb. u. Zeugproben.) 8° Ebd. 05.   HF. 25 —
— Monatshefte f. Färber u. Drucker. 2. Bd. 1901. 11 Hefte.
(1. Hcft. 18 m. Abb. u. farb. Stoffmustern.) 8° Lpzg, (S Schnurpfeil).   6 — ö F
Laubert, R: Die Rotpustelkrankh. (Nectria cinnabarina) d.
Bäume u. ihre Bekämpfg. — Die Schwarzfleckenkrankh.(Rhy-
tisma acerinum) d. Ahornblätter, s.: Flugblätter d. kais. Gesundheitsamtes.
Laubfrosch, d. echte lust. Herriedener. Humorist. Volkskalender u. Wetterprophet f. 1905. 3. Jahrg. (Neue Folge 15. Jahrg.)
(47 m. Abb.) 8° Würzbg, (Stahel's V.).   — 30 d
Laubhütte, d., Fortsetzg, s.: Zeitung, deut. israelit.
Lauboeck, G: Die Technik d. wichtigeren Baustoffe, s.: Exner,
WF.
Lauchert, F: Franz Anton Staudenmaier (1800—56) in s. Leben
u. Wirken. (544 m. 1 Bildnis.) 8° Freibg i/Br., Herder 01.
     5 — ; L. 6.20 d
Lauckhard, CF: 1001 Nacht. Für d. Jugend bearb. Vollendet
u. hrsg. v. F Hofmann. 20. Afl. (329 m. Abb. u. 3 [4 Taf.]
Bildern.) 8° Lpzg, Abel & M. (05).   4 — d
— Der abenteuerl. Simplicissimus, s.: Grimmelshausen, C v.
Lauda, E: Fortschritte auf hydrograph. Gebiete in Oesterr.,
s.: Verbands-Schriften d. deutsch-österr.-ungar. Verbandes
f. Binnenschiffahrt.
Laudate. Kathol. Andachtsb. 29. Afl. (623 m. farb. Titel u. 2 St.)
16° Augsbg, B Schmid 05.   1.40; geb. von 2 — bis 3.60 d
— dass. 18. Afl. (625 m. Titelbild.) 8° Ebd. 04. 2.20; geb. †8.20
     u. †3.60 d
Laudenheimer, R: Üb. Kinderpsychosen, nebst Mitteilg z.
Falles v. sexuellen Zwangsvorstellgn. [S.-A.] (8) 8° Lpzg, B
Konegen 00.   — 25 d
Laudetur Jesus Christus! Des Ordensstandes Gross- u. Logs-
wort. Vom Verf. d. Kantate „Laudetur Jesus Christus!" (48
m. Abb. u. 1 Farbdr.) 16° Einsied., Verl.-Anst. Benziger &
Co. 02.   2.70 d
Laudien, CF: Gesch. Preussens, s.: Heinel, E.
Laudien, H: Preuss. Helden. Lebensbilder. (80) 8° Mülh. a/R.,
J Bagel (05).   Kart. — 30 d
— Marschall Vorwärts, d. Vater Blücher. Erzählg. (126) 8°
Ebd. (05).   — 40 d
Laudien, V: Rich. Wagner u. d. Relig. d. Christentums. Vortr.
(28) 8° Königsbg, F Beyer 02.   — 50 d
Laue: Gedanken üb. Optimismus, Pessimismus, Opportunis-
mus. (16) 8° Wittnbg, P Wunschmann 02.   — 20 d
Laue, B: Ausführgsanweisg v. 6.VII.1900 z. Einkommensteuer-
Ges. v. 24.VI.1891 u. z. Ergänzgsteuer-Ges. v. 14.VII.1893.
3. Afl. d. Anweisg v. 31.VIII.1894". (Neue [Tit.-]Ausg.) (188)
8° Wiesb., Magistr.-Sekr. Laue [1900] 02.   Kart. 2.70 d
— Massgeb. Erkenntn. d. kgl. preuss. Oberverwaltungsgerichts
in Kommunalabgaben-Sachen. (Neue [Tit.-]Ausg.) (199)8°Ebd.
[01] (02).   L. 3 — d
Laué, W: Gedanken zu Goethes Faust. — Schiller u. d. Farbenlehre. (310) 8° Bresl., Schles. Buchdr. usw. 04.   3 — ;
     geb. 4 — d

wenn sie 2—6 Jahre alt sind. 7. [Tit.-]Afl. (161 m. Abb. u.
8 Farbdr.) 8° Lpzg, O Spamer (02) (05). 3 —; geb. 3.50 d
Lauscher, A: Erzbischof Bruno II. v. Köln. (79) 8° Köln, JP
Bachem (03). 2.40 d
Lauser, W, s.: Schelmenroman, d., v. Lazarillo.
Laute, d., d. Engl. in ihrem Verhältn. z. Schreibg. (6 auf Kart.)
8° Graz, Leuschner & L. 05. — 25 d
Lautenhammer, J, s.: Lehrbuch, kurzgef., d. Gabelsb.'schen
Stenogr.
— Stenogr. Lese- u. Übgsb. 3 Tle. 12° Münch., M Kollerer.
Kart. je — 50
I. 21. Afl. (36) (05.) ‖ II. 19. Afl. (37—71) 03. ‖ III. 15. Afl. (72—97) 03.
Lautensack, H: Der Hofrath erzählt, s.: Rosenberg, GJ v.
— Aus d. Papieren e. Mönches. (56) 8° Stuttg., A Juncker 04. 1 — d
Lautenschlager, JB: Jubiläums-Büchl. z. Gebr. bei d. Jubi-
läum im J. 1901. 1—16. Afl. (40) 12° Augsbg, B Schmid 01.
— 15 d
Lautenschläger: Lehrb. d. Physik in method. Bearbeitg f.
Landw.-Schulen. 2. Afl. (332 m. Abb. u. 1 Taf.) 8° Berl., P
Parey 04. Geb. 2.80 d
Lauter, A: Die Hand bei d. Arbeit, d. Herz bei Gott. Sammlg
v. Liedern, Gedichten, Sprüchen u. Prosastücken. 1. Tl. Festl.
Zeiten u. Tage. (212) 8° Karlsr., JJ Reiff 04. L. 2 — d
Lauterbach, F: Gesch. d. in Deutschl. bei d. Färberei ange-
wandten Farbstoffe m. bes. Berücks. d. mittelalterl. Waid-
baues. (113) 8° Lpzg, Veit & Co. 05. 3.20
Lauterbach, JZ, s.: Saadja Al-fajjûmî's arab. Psalmenüber-
setzg.
Lauterbach, K: Flora d. deut. Schutzgeb., s.: Schumann, K.
Lauterborn, R, s.: Baldner, L, Vogel-, Fisch- u. Thierb.
— Beitr. z. Fauna u. Flora d. Oberrheins u. sr Umgebg. Einl.
I u. II. [S.-A.] 8° Ludwigsh., (A Lauterborn). Je — 80
I. Ein Vegetationsbild d. Pfälzerwaldes a. d. 18. Jahrh. (71) 03.
II. Faunist. u. biolog. Notizen. (70) 04.
Lauterburg, E: Das gr. Buch d. Punta-Spiele. (122 m. Abb.)
8° Berl., H Steinitz (04). 1.50 d
Lauterburg, M: Die Bedeutg d. Autorität im Glaubensleben.
Vortr. (24) 8° Bern, A Francke 05. — 60
— Rückblick auf d. Gesch. d. ev. Mission im 19. Jahrh., s.:
Missions-Studien, Basler.
Lauterburg, O: Christentum, Arbeiterschaft u. soz. Frage.
Referat. (32) 8° Bas., F Reinhardt 02. — 50 d
Lauterer, E: Taunusstimmen. Ein Buch f. Deutsche. (21, 169)
8° Frankf. a/M., Mahlau & W. 01. 3.50; L. 4 —
Lauterer, J: Japan. Das Land d. aufgeh. Sonne einst u. jetzt.
(407 m. Abb.) 8° Lpzg, O Spamer (04). ‖ 2. Afl. m. 1 Karte (04.)
Je 7 —; L. je 8.50 d
Lauttafel, französ. (System Viëtor.) 2. Afl. 93×138 cm. Farbdr.
Erklärgn u. Beisp. (Dent., engl. u. französ. Text.) (4, 4 u. 4)
8° Marbg, NG Elwert's V. 02. 2 —; auf L. m. St. nn 4 —
Lautz, T: Fortbildgs- u. Fachsch. f. Mädchen. Referat. (232)
8° Wiesb., JF Bergmann 02. 2.80
Laux, M, u. J **Boock:** Die Erziehg d. Deutschen z. Staats-
bürger. Denkschrift. (54) 8° Berl., Horn & Raasch 02. 1.50 d
Beil. s. u. d. T.: Boock J, Lehrproben x. Bürgerkde.
Laux, W: Preuss. Apothekerordng, auf Grund d. z. Z. gelt.
gesetzl. Bestimmgn zusammengest. 8° Berl., M Warneck
03. L. 1.50
Lauxmann, R: Die 8 Seligpreisgn Jesu Christi. Der Gemeinde
in 10 Predigten ausgelegt u. dargeboten. 2. Afl. (144) 8° Stuttg.,
C Belser 05. Kart. 1.50 d
— O fröhl., sel. Weihnachtszeit. 4 Aufführgn f. Haus u. Verein.
(25) 8° Stuttg., Holland & J. (01). — 40 d
— Weinsberg im Munde d. Dichter u. Sänger. Vortr. (45 m.
3 Kunstbeil.) 8° Weinsberg, Verl. d. Weinsberger Zeitg (02).
(Nur dir.) — 35 d
Lauzemis, B: Leiden u. Freuden b. d. Gründg d. Jubiläums-
station d. Gossnerschen Kolssmission. (32 m. Abb.) 8° Frieden.-
Berl., Bh. d. Gossnerschen Miss. (05). — 25 d
— Von Ostindien n. d. H. Lande. (120 m. Abb.) 8° Ebd. 03.
— 75 d
Lavalle, A: Stammbuchführg f. Nutz- u. Rasse-Geflügelzucht.
(3 S. u. 1 Zachtbl.) Fol. Schiffmühle b/Freienwalde a/O. 01.
(Berl.,-F Pfenningstorff.) nn — 20; Notiz-Blockkalender dazu.
8° nn — 75
— s.: Taubenrassen, d.
Lavater, JC: Worte d. Herzens. Für Freunde d. Liebe u. d.
Glaubens, Hrsg. v. CWHufeland. 3—4. Taus. (176) 16° Stuttg.,
Greiner & Pf. (02). L. m. G. 2 — d
Lavater, Joh. Caspar, 1741—1801. Denkschrift z. 100. Wieder-
kehr s. Todestages. Hrsg. v. d. Stiftg v. Schnyder v. Warten-
see. (502 m. Abb.) 4° Zür., (A Müller's V.) 02. 10 —
Lavaux, M: Ueb. d. Anästhesierg d. Nieren u. ob. Harnwege.
[S.-A.] (8) 8° Lpzg, Verl. d. Monatsschrift f. Harnkrankh.
05. — 60
Lavedan, H: Das Bett. (15 Dialoge.) Aus d. Franz. v. L Wolff.
1—5. Taus. (279 m. Abb.) 8° Wien, Wiener Verl. 05. 2 —;
geb. nn 3 —
— Mamsell Tugendspiegel, s.: Bibliothek berühmter Autoren.
Laven, H: Konstantin d. Gr. u. d. Zeichen am Himmel. (31)
8° Trier, F Lintz 02. — 50
Lavergne, Mme J: Fantaisie tourangelle; pauvre Jacques, s.:
Prosateurs franç. (B Schmidt).
Laverrens, V: Der Aufstand d. Herero. Erzählg a. d. An-

siedlerleben in Deutsch-Südwest-Afrika. (64 m. Abb.) 8° Dresd.-
Niedersedl., HG Münchmeyer (04). — 20 d
Laverrenz, V: Burenstreiche. — Bei uns. China-Kriegern, s.:
Fünfzig-Pfennig-Bibliothek illustr. humorist.
— Der kl. Cohn auf Reisen. Eine lust. Reise um d. Erde. VI.
— Der kl. Cohn in Ost-Indien. (176 m. Abb.) 8° Ebd. (03). 1 —;
(Vollst.: 6 —) d
I—V s. u. d. T.: Cohn, d. kl., auf Reisen.
— Die Denkmäler Berlins im Volksmunde. Humorist. Plande-
reien. 2. Afl. (112 m. Abb.) 8° Berl., H Steinitz (04). 1 — d
— Die Denkmäler Berlins u. d. Volkswitz. Humoristisch-satir.
Betrachtgn. Neue Folge. Der Sammlg 3. Bdchn. (141 m. Abb.)
8° Lpzg, F Kirchner & Co. 04. 1 — (1—3.: 3 —)
Einbde je — 50) d
— Neueste Berliner Denkmals-Witze. 1—5. Taus. (112) 8° Berl.,
H Steinitz (05). 1 — d
— Deutschlds Kriegsflotte. Darstellg d. Entwickelg u. d. gegen-
wärt. Bestandes d. ges. Reichsmarine, ihrer Organisation
u. ihres Materials. (606 m. Abb., 1 Tab. u. z. Tl farb. Taf.)
8° Lpzg, F Kirchner 06. L. 12 —; auch in 12 Lfgn zu 1 — d
— Unter deut. Handelsflagge. Gesch. d. deut. Handelsflotte,
ihre Stellg im Weltverkehr, Entwickelg d. gr. Reedereien
u. Werften, Bilder a. d. Leben an Bord u. a. deut. Hafen-
städten. (235 m. Abb. u. 29 [2 farb.] Taf.) 8° Berl., HJ Meidinger (02). Geb. 5 — d
— Prinz Heinrichs Amerika-Fahrt. (259 m. Abb. u. 4 Taf.) 8°
Ebd. (02). Geb. 4 — d
— Heiteres v. d. Reichspost. Humoresken a. d. Postleben.
(113) 8° Berl., Verl.-Anst. Kosmos (02). 1 — d
— Auf d. Hohenzollern, s.: Fünfzig-Pfennig-Bibliothek, illustr.
humorist.
— Humoresken a. d. Leben. 2. Afl. v. „Nach d. Natur". 3. u.
4. Taus. (111) 8° Berl.; H Steinitz (04). 1 — d
— In d. Land d. Fjorde. Reisebriefe a. Norwegen. (109 m.
Abb.) 8° Berl., Verl.-Anst. Kosmos (02). 1 — d
— Militär- & Marine-Humoresken. 1. Bd. Ein Jahr im bunten
Rock. Militär-Humoresken. 14. Afl. (222 m. Abb. u. Bildnis.)
8° Berl., PJ Oestergaard (05). 1 — d
— Eine lust. Orientfahrt. Heit. Bilder v. e. Frühjahrsreise n.
d. Orient, d. Krim u. d. Kaukasus. (272 m. Abb.) 8° Lpzg, F
Kirchner (05). 2 — d
— Die Räuber v. Jordansee. Roman. (100) 8° Swinem., W
Fritzsche (03). 1 — d
— Kaiser Rotbart. Ein deut. Schausp. (106) 8° Berl., Verl.-Anst.
Kosmos (01). 1 — d
— Seemannshumor, s.: Fünfzig-Pfennig-Bibliothek, illustr.
humorist.
— Seemannslatein. (1. Serie.) Humoresken f. Jung u. Alt. (95
m. Abb.) 8° Schönebg-Berl., W Sommer (01). — 50 d
— „Segel los!" Marine-Humoresken. 2. Afl. (95) 8° Berl., Verl.-
Anst. Kosmos (02). 1 — d
— Uhlans, s.: Kurth, A.
— Ulanen-Leben. Militär-Humoresken. (80) 8° Berl., Verl.-Anst.
Kosmos (03). 1 — d
— Der letzte Wendenfürst (Die Sage v. Schildhorn). Histor.
Roman a. d. 12. Jahrh. (128 m. Abb. u. Titelbild.) 8° Ebd.
01. 1 — d
— Eine Winterfahrt n. Amerika. Ernste u. heit. Reiseerleb-
nisse auf d. Atlantik. (126 m. Abb.) 8° Ebd. (02). 2 — d
Lavesne, s.: Duin de Lavesne.
Lavisse, E: Récits et entretiens familiers sur l'hist. de France
jusqu'en 1328, s.: Prosateurs, modernes.
— u. Rambaud: l'Empire 1805—09. L'Allemagne napoléoni-
nienne, s.: Schulbibliothek französ. u. engl. Prosaschriften.
Law, E: Die Reformkleidg in wiss. u. gesundheitl. Beziehg,
s.: Volksschriften, Dresdner.
Lawin, O: Anl. z. Unterweisg in d. Bienenzucht, s.: Unter-
richt, d. landw., im Seminar.
— Rechenb. f. d. Oberst. v. Mädchensch., s.: Braune, A.
Lawitschka, A, s.: Einjährig-Freiwilligensaport, d.
— Offiziers-Angelegenh. (124) 8° Przemysl 04. (Prag, G Neu-
gebauer.) 1.50
Lawn Tennis. Sportzeitschrift. Red.: R Sander. 1—3. Jahrg.
1903—5 je ca 15 Nrn. (Nr. 1, 14) 4° Danzig (Langer Markt 40),
Ostdeut. Lawn-Tennis-Turnier-Verband. Die Nr. nn — 50
Lawn-Tennis-Handbuch f. Oesterr. 1904. Hrsg. v. J Eber-
mann u. Rosenbaum-Jenkins. (82) 8° Prag 04. (Wien, F Beck.)
— 80 ö F
Lawn-Tennis-Jahrbuch, deut., 1901 u. 2. Der Jahrbücher 7 u.
8. Jahrg. Hrsg. v. R Frhr v. Fichard. (85 u. 95 m. Abb.) 8°
Bad.-B., E Sommermeyer. Je 1.50
Fortsetzg s. u. d. T.:
— illustr., f. d. Deut. Reich, Österr.-Ungarn u. d. Schweiz f.
1903 u. 4. Der deut. Lawn-Tennis-Jahrbb. IX. u. X. Jahrg. Hrsg.
v. Frhr R v. Fichard. (158 u. 164) 8° Ebd. Je 2 —
Fortsetzg u. d. T.:
— illustr. 1905. XI. Jahrg. d. deut. Lawn-Tennis-Jahrbb. Hrsg.
v. Frhr R v. Fichard. (100) 8° Ebd. 1.20
Lawn-Tennis-Spiel, d., s.: Miniatur-Bibliothek.
Lawn-Tennis-Sport, der. Red.: F Manning. 1. Jahrg. 1905. 30
Nrn. (Nr. 1—29. 440 m. Abb.) 4° Berl. (W. 9, Potsdamer Str.
10/11), F Manning. 6 —; einz. Nrn — 30
Lawrow, D, s.: Untersuchungen, chem. u. medicin.
Lawrow, P: Histor. Briefe. Aus d. Russ. v. S Dawidow. Mit e.

Einl. v. C Rappoport. (42, 368 m. 2 Portr.) 8° Berl. 01. Lpzg,
R Lipinski. 3.50; geb. 5 —
Lawson, AW: Wieder geboren. Roman. Dent. Ausg. 1. u. 2. Afl.
(268 m. Abb.) 8° Lpzg, Lotus-Verl. (05). 3 —; geb. 4 — d
Lay, M, s.: Matthias v. Bremscheid.
Lay, M (Red Cloud): Ein Goldmädchen, s.: Kürschner's, J,
Bücherschatz.
— s.: Grenzpanorama.
— Der Herr Intendant, s.: Weichert's Wochen-Bibliothek.
— s.: Mouthon-Affäre, d.
— Nomaden. — Zu Strassburg auf d. Schanz, s.: Kürschner's, J,
Bücherschatz.
Lay, WA: Anschaugs- u. Gedächtnistypen in Volksschul- u.
Seminarkl. Experimentelle Untersuchgn z. Vertiefg d. Prin-
zips d. Anschaug, (48) 8° Wiesb. 03. Lpzg, O Nemnich. 1 —
— Experimentelle Didaktik. Ihre Grundlegg m. bes. Rücks.
auf Muskelsinn, Wille u. Tat. 1. Allg. Tl. 1. u. 2. Afl. (595)
8° Ebd. 03.05. 9 —; geb. 10 —
— Pädagog. Fachbildg u. Fachaufsicht. Vortr. (29) 8° Ebd. 01.
— 60
— Führer durch d. Rechtschreib-Unterr., gegründet auf psycholog. Versuche u. verbunden m. e. Kritik d. 1. Sach- u.
Sprachunterr. 3. Afl. (237) 8° Ebd. 05. 3.60; geb. 4.50
— Menschenkde. Leben, Bau u. Pflege d. menschl. Körpers
auf Grund e. vergleich. Tierkde f. Lehrer- u. Lehrerseni-
nare u. and. höh. Schulen. 1. u. 2. Afl. (99 m. Abb. u. 15 Taf.
m. Text auf d. Rücks. u. 1 farb. Taf.) 8° Lpzg, O Nemnich
05. Geb. 2.50 d
— s.: Pädagogik, d. experimentelle.
— Der Rechtschreibstoff in naturgemässer Verteilg u. Einübg.
Schülerb. (23) 8° Wiesb. 05. Lpzg, O Nemnich. — 20; kart. — 90 d
— Uns. Schulunterr. im Lichte d. Hygiene. Mahnruf d. 1. internat. Kongresses f. Schulhygiene z. Errichtg pädagog. Lehrstühle u. pädagog. Laboratorien. (32) 8° Ebd. 04. — 60
Laya, H: 2Aphr. Paragraphon in 4 Aufz. (57) 8° Dresd, E Pier-
son 03. 1.50
Layer, M: Principien d. Enteigngsrechtes, s.: Abhandlungen,
staats- u. völkerrechtl.
Layer, S: Der Aufsichtsrat d. Darlehenskassen-Ver. (112) 8°
Stuttg., W Kohlhammer 02. Kart. 1 —
— Hdb. d. Darlehenskassen-Ver. 2. Afl. (442) 8° Ebd. 03. 4.40;
geb. 5 — d
Layriz, O: Betrachtgn üb. d. Zukunft d. mechan. Zuges f. d.
Transport auf Landstrassen, hauptsächlich üb. s. Verwend-
bark. im Kriege. 2. Afl. (85 m. Abb.) 8° Berl., ES Mittler &
S. 05. 1.75 d
— Moderne Feldartill. m. Rohrrücklaufgeschützen u. Schutz-
schilden. Betrachtgn üb. Kampfverfahren u. Ausbildg m. Be-
rücks. d. Erfahrgn im russ.-japan. Kriege. (148 m. 2 Taf.)
8° Berl., R Eisenschmidt 05. 2.40 d
Lazarević, LK, schönste Erzählgn. Der Schöpfer d. serb.
zeitgenöss. Erzählg. Übers. v. B Schaić-Didolinko. (276 m.
Bildnis.) 8° Dresd., E Pierson 02. 3 —; geb. 4 — d
— Serb. Erzählgn, s.: Universal-Bibliothek.
Lazarus, A: Leukaemie etc., s.: Ehrlich, P.
Lazarus, B: Pädagog. Briefe. Hrsg. v. A Leicht. (165) 8° Bresl.,
Schles. Buchdr. usw. 03. 1.50; geb. 2.50 d
Lazarus, P: Beitrag z. Pathol. u. Therapie d. Pankreaserkrankgn
m. bes. Berücks. d. Oysten u. Steine. [Erweit. S.-A.] (208 m.
Fig.) 8° Berl., A Hirschwald 04. 5 —
Lea, HC: Gesch. d. Inquisition im M.-A. Übersetzg, bearb. v.
H Wieck u. M Rachel, rev. u. hrsg. v. J Hansen. 1. Bd. Ur-
sprg u. Organisation d. Inquisition. (38, 647 m. Bildnis.)
8° Bonn, C Georgi 05. 10 —
Leadbeater, CW: Die Astral-Ebene, ihre Szenerie, ihre Be-
wohner u. ihre Phänomene. Uebers. v. G Wagner n. d. 3.
engl. Ausg. (128) 8° Lpzg, T Grieben 03. 1.40; geb. 2 — d
— Grundlinien d. Theosophie. (Aus d. Engl.) (115) 8° Berl. 03.
Lpzg, M Altmann. geb. 1.80
— Uns. unsichtbaren Helfer. Aus d. Engl. (80) 8° Lpzg, M
Aitmann (05). 1 —
Leander: Der Beichtstuhl, er ist vertheidigt wird u. wie er
ist, Neubearbeitg d. Handschrift v. J Ferk, s.: Fragen, zeit-
gemässe relig.
Leander, A: Das bürgerl. Recht, s.: Buch, d. prakt.
— u. H **Neumann**: Das Reichsrecht, s.: Buch, d. prakt.
Leander, R, s.: Volksmann-Leander, R v.
Leather, R: Vom Karnickel, d. immer anfing. Briefe Pierrots
an s. Kolombine. (70) 8° Dresd., E Pierson 05. 1 —; geb. 2 — d
Lebbin, G: Das Weinges. v. 24. V. '01, s.: Guttentags Sammlg
deut. Reichsges.
— u. G **Baum**: Das Fleischbeschauges., s.: Guttentag's Sammlg
deut. Reichsges.
Lebedef, W: Die Verteidiggsfähigk. d. russ. Westgrenze, s.:
Enwald, M.
Lébédeff, S: Observations faites à la grande lunette méri-
dienne, s.: Sokoloff, A.
Lebedew, NI: Die Bedeutg d. Korallen in d. deutsch. Ablagergn
Russlds. (In dent. u. russ. Sprache.) [S.-A.] (180 m. 5 Taf.)
4° St. Petersbg 02. (Lpzg, M Weg.) 7.75
— Die geolog. Sammlgn d. kaukas. Museums, s.: Sammlungen,
d., d. kaukas. Museums (in Tiflis).

Lebegott's Hilfsbücher f. d. Einj.-Freiw.-Prüfg in Frage u.
Antwort. 3—6. Bd. 8° Mgdbg, G Poetzsch. 8 — (1—6.: 9.80) d
3. Examinatorium d. Planimetrie u. Körperberechng. (58) (01.) 1.80 | 4.
Dass. d. deut. Litt. (44) (01.) 1.70 | 5. Dass. d. phys. u. polit. Geogr. (90)
(01.) 2 — | 6. Dass. d. Gesch. (118) 01. 3.20.
— Rechtsbb. f. Jedermann! Nr. 1—3. 8° Mgdbg, E Lebegott.
(Nur dir.) 3.80 d
1. Rechtsb. f. zahlgsunfähige Schuldner. (51) (04.) 1.50 | 2. Dass. f. Ehe-
leute. I. Tl: Vermögensrecht. (54) (04.) — 80 | 3. Dass. II. Tl: Die un-
gltckl. Ehe. (42) (04.) 1.50.
Leben, Ein Blatt f. denk. Menschen v. H Lhotzky. 1. Bd. (224)
8° Pasing, Dr. Lhotzky 05. L. m. G. 4.50 d
— dass. Heftausg. 1. Bd. 4 Hefte. (1. Heft. 64) 8° Ebd. nn 3.50;
einz. Hefte nnn 1 — d ö H
— das. Illustr. Wochenschrift. Hrsg.: A Kirchhoff. Red.: E
Schultze-Malkowsky. Oktbr—Dezbr 1905. 10 Nrn. (Nr. 1. 32)
8° Berl., Modern-populärer Verl., H Kirchhoff. 2 —;
einz. Nrn — 20
— **Berliner**. Hrsg. u. Red.: W Kraus, 1904, G Reppert, 1905,
R Wandelt. 4—8. Jahrg. 1901—5 je 12 Hefte. (1901. 246 m.
Abb.) 4° Berl., Berliner Verl.-Gesellsch. Dr. Russak & Co.
Viertelj. 1.50; einz. Hefte — 50
— **deut.** Red.: J Landau. 1. Jahrg. Mai 1903—Septbr 1904. 24 Hefte.
(1. Heft. 22 m. Abb.) Fol. Ebd. (03). Je — 75 ö F
— **gesundes**. Familienbl. f. Gesundheitspflege u. allseit.
Lebensreform. Hrsg.: W Hotz. 1. u. 2. Jahrg. April 1904—
März 1906 je 12 Nrn. (1 J. 338) 8° Mellenbach, Verl. Gesundes
Leben. Halbj. 1.50; einz. Nrn — 30
Der 1. Jahrg. erschien in Berlin; d. 2. in Langensalza.
— d., d. **Glaubens**. Betrachtgn u. kurze Uebrgn. 3. Afl. (23)
16° Saarl., F Stein Nf. 03. — 10 d
— d., d. **Grönländers**, s.: Von d. Wiege bis z. Grab.
— **heil.**", od. Die Lehre d. Herzens in allen Religionen. (30)
8° Berl., P Raatz (04). 40
— **mein, im Himmel.** Aus d. Papieren eines Dahingeschiedenen.
2. Afl. (15) 8° Lpzg, KF Pfau (05). — 50
— d. **höhere**, od.: Die Regeln d. Rādscha-Yôga n. d. Vorschriften d. Gautama Buddha. (Aus d. Engl.) (29) 8° Lpzg,
Buddhist. Verl. 03. — 50
— d., **Jesu**, n. sr Jünger in Bildern n. Gesch. (Bilder v. Schnorr
v. Carolsfeld.) 1—4. Heft. (32 n) 8° Konst., C Hirsch (04). Je — 15 d
1. Ehre sei Gott in d. Höhe! | 2. Fürchte dich nicht, glaube nur! | 3.
Siehe, ich bin bei euch alle Tage. | 4. Dein Wort ist meines Fusses
Leuchte!
— d., **Jesu Christi**, in Betrachtgn f. alle Tage d. Jahres.
Nach d. Franz. e. ungenannten Verf. v. e. Priester d. Diöz.
Culm. 4—6. Tl. 16° Mainz, F Kirchheim 01. Lje 1.50 (Vollst.: 9 —) d
4. Juni u. Juli. (240) | 5. Aug. u. Septbr. | 6. Oktbr u. Novbr. (239)
— d. **wunderbare**, d. hl. Bettlers Benedikt Josef Labre u. d. Aus
d. Franz.) (32 m. Abb.) 16° Strassbg, FX Le Roux & Co. (02). — 10 d
— d. **bewundergswürd.**, d. hl. Ignatius v. Loyola, d. Stifters
d. Gesellsch. Jesu. (Aus d. Franz.) (32 m. Abb.) 16° Ebd. (04).
— 10 d
— d. **ehrwürd. Maria v. d. Menschwerdg Christi**, Ursu-
line, geb. Maria Guyart, Gründerin d. 1. Ursulinenklosters
in Québec. Verf. u. a. d. Franz. übers. v. e. Schwester desselben
Ordens. (280 m. 1 Bildnis u. 3 Taf.) 8° Köln, JP Bachem 01.
3 —; geb. 4.50 d
— **neues. Zeitschrift f. soc. Reformbestrebgn.** Gewöhnl. Ausg.
Hrsg. u. Red.: JH Franke (H Wortmann). 2. Jahrg. Juli—
Septbr 1901. 9 Nrn. (Nr. 48. 16) 4° Glar., Verl. Neues Leben. — 40
— dass. Zeitschrift f. soc. Reform. Mit d. Gratis-Beil. Freilicht. Zeitschrift f. Kunst, Wissen u. gesellschaftl. Leben.
Hrsg. u. Red.: JH Franke (H Wortmann). 3. Jahrg. 1902. 12 Nrn.
(Nr. 68. 16) 4° Ebd. Viertelj. 1.20 d
— dass. Illustr. Tbl (Freilicht). Zeitschrift f. Kunst, Wissen
u. gesellschaftl. Leben. Hrsg. u. Red.: JH Franke (H Wortmann). 4. Jahrg. 1903. 12 Nrn. (Nr. 97. 36) 4° Ebd. Viertelj. 1.20;
einz. Nrn — 15 d
— dass. Zeitschrift f. geist. Reform. Red.: C Wortmann. Jahrg.
1904 n. 5 je 12 Nrn. (Nr. 109. 8) 4° Ebd. Viertelj. nn 1 — d
Erschien bis 1903 in Zürich. — 1905 tragen d. Nummern als Aus-
gabeort d. Bezeichnsgn St. Ludwig u., v. Nr. 110 an, Leopoldshöh.
— d. **hl. Franz v. Sales**, 2. Afl., s.: Lager.
— d. **hl. Joh. Bapt. de la Salle**, Doktor d. Theol., Kanonikus
an d. Metropolitankirche zu Reims, Stifter d. Kongregat. d.
Brüder d. christl. Schulen. (14) 8° Aach., (A Creutzer) 01. — 40
— d. **in d. Schlüsselburger Festg.** (In russ. Sprache.) (127)
8° Berl., H Steinitz 04. 3 —
— d. **sexuelle. Ein Fluch d. Menschh. Von RSt. (55) 8° Lpzg,
O Weber (01). 1.50
— **theosoph. Monatsschrift f. allg. Bruderschaft, Theosophie,
Okkultismus u. Mystik. Hrsg.? P Raatz. 4—8. Jahrg. Apr. 1901—
März 1904 je 12 Nrn. (Nr. 1. 32) 8° Berl., P Raatz. Je 3 —
— dass. Monatsschrift, gewidmet d. theosoph. Bewegg u. d.
Studium v. Philosophie, Wiss. u. Relig. Hrsg.? P Raatz. 7. u.
8. Jahrg. Apr. 1904—März 1905 je 12 Nrn. (1904. Nr. 1. 32)
8° Ebd. Je 5 —
— d. **hl. Theresia.** Aus d. Franz. (32 m. Abb.) 16° Strassbg,
FX Le Roux & Co. (05). — 10 d
— d. **wunderbare, d. sel. J-B-M Vianney, Pfarrer v. Ars.
Aus d. Franz. (32 m. Abb.) 16° Ebd. (05). — 10 d
— d. **wahre. Nach d. Darstellg im Worte Gottes. (32) 8° Brem.,
Bb. u. Verl. d. Tractath. (02). — 25 d

Leben, wahres. Monatsschrift f. geist. u. leibl. Gesundheitspflege. Red.: E Schaarschmidt. 8. Jahrg. Oktbr 1901—Septbr
1902. 12 Nrn. (Nr. 1. 8) 4⁰ Lpzg, (E Fiedler). Halbj. 1.50 d
— dass.Organ d.deut.Spiritualistenverb. Red.: E Schaarschmidt.
—7. Jahrg. Oktbr 1902—Septbr 1906 je 12 Nrn. (Nr. 1. 8) 4⁰
Ebd. Halbj. 1.50 d
— u. Abenteuer d. kgl. Alumnus Jeremias Rohrbein währ. s.
Aufenthalts zu St. Augustin. Ein kom. Heldengedicht n. Art
d. Cyropaedie in 9 Gesängen. Zu Nutz u. Frommen d. ganzen
sünd. Menschh. im Allg., u. z. harmlosen Erinnerg an Alle,
so in Illustri Moldano waren, sind od. sein werden, im Bes.
n. Rohrbeins eig. Tageb. bei Gelegenh. d. gr. Schulfestes
bearb. u. hrsg. v. Moldanus Moldanissimus. Grimma 1850.
I. II. III. Gesang. Neu aufgelegt durch d. Niederl. d. Ver. ehemal. Fürstenschüler. (36) 16⁰ Meiss. 02.(Grimma, G Gensel's V.)
— 50 d
— Leiden u.seliger Heimgang e.jungen Mediciners. (Neue Afl.)
(48) 12⁰ Neukirch., Bh. d. Erziehgsver. (01). Kart. — 50
— u. Regel d. hl. Vaters Benedictus. Mit 70 Illustr. u. Compo-
sitionen d. Beuroner Kunstschule. Hrsg. v. d. Abtei Emaus
in Prag. (308) 8⁰ Prag (II, 320), Administr. d. „St. Benedicts-
stimmen" 01. L. 4 — d
— Thaten u.Höllenfahrt d.Erzschwarzkünstlers Dr.Joh.Faust.
Fürs Volk erzählt. (48) 8⁰ Neuweissens., E Bartels (o. J.) — 50 d
— u. Tugenden d. Dieners Gottes P. Petrus Julianus Eymard,
Stifters d. Kongregation v. Allerheil. Sakramente. Veröffentlicht zu Rom v. Postulator d. Seligsprechgs-Prozesses. Uebersetzg u. Bearbeitg v.d.Vätern v.Allerheil.Sakrament in Bozen.
(400 m. Bildnis.) 8⁰ Boz. (03). (Buchs, Verl. d. Emmanuel.) 2 — d
— u. Werke d. griech. u. röm. Schulschriftsteller. (Zusammengest. v. Lehrern d. gr. Stadtsch. in Wismar.) 3. Afl. (31) 8⁰
Wism., Hinstorff's V. 02. — 50
— u.Wissen. 1—5.Bd.8⁰ Jena, E Diederichs. 21—; Einbde je 1 — d
Denkwürdigkeiten u. Erinnerungen e. Arbeiters (K Fischer). Hrsg. u. m.
e. Geleitwort versehen v. P Göhre. 1. u. 2. Afl. (391) Lpzg 03. [2.] § N.F.
3. u. 4. Taus. (392) Lpzg 04. [4.] 4.50
Ferguson, C: Lebensbejahg. Darstellg d.Ursprgs u. d. Mission d. ameri.
kan. Geistes. Übers. v. C Mettenius. (141) Lpzg 03. [3.] 2.50
Pastor, W: Die Erde in d. Zeit d. Menschen. Versuch e. naturwiss. Kulturgesch. (296) (04.) [5.] 5.50
— Lebenagesch. d. Erde. Überblick üb. d. Metamorphosen d. Erden-
sternes. 1—3. Taus. (261) 03. [1.] 4 —
Lebensbaum z. Erquickg u. Stärkg gen Zion pilgernder Seelen.
1906. 68. Jahr. (78) 8⁰ Berl., Hauptver. f. christl. Erbaugs-
schriften. — 25; L. — 40; u. durchsch. — 60 d
Lebensbeschreibung, kurze, hervorrag. Christen. II—XII.Heft.
8⁰ Brem., Bh. u. Verl. d. Traktath. Je — 25 d
Calvin, John, Reformator v. Genf. (48 m. Bildnis.) 1896. [VI.]
Farel, Wilh., d. Evangelist d. französ. Schweiz. (48 m. Bildnis.) 1896. [V.]
Friedrich, J: Johann Kaspar Lavater. (48 m. 1 Bildnis.) (04.) [XII.]
Gossner, Jobs. (52 m. Bildnis.) 1896. [VIII.]
Kessler, JF: Rob. Ralkes, d. Gründer d. Sonntagssch. (52 m. 1 Bildnis.)
(01.) [X.]
Kleinknecht, W: Bischof W Taylor, e. Pionier d. Mission. (46 m. 1 Bild-
nis.) (03.) [XI.]
Knox, John, Reformator v. Schottl. (52 m. Bildnis.) 1896. [VII.]
Lasko, Jobs a. d. poln. Reformator. (52 m. Bildnis.) 1896. [II.]
Melanchthon, Philipp, d. Lehrer Deutschlds. (48) 1896. [III.]
Räcker, A: Jobs Brenz, d. Reformator Württembergs. (38) (01.) [IX.]
Zwingli, Ulr., Reformator d. deut. Schweiz. (48 m. Bildnis.) 1896. [III.]
Nr. I bildet: Rodemeyer, A. Mart. Luthers Leben u. Wirken.
Lebensbeschreibungen, kurzgef., d. Heiligen u. Seligen d.
Dominicanerordens, v. e. Schwester d. Genossensch. v. d.
hl. Katharina v. Siena, a. d. Mutterhause zu Stone, Engl.
Hrsg. u. m. e.Einl. versehen v.J Procter. Aus d.Engl. v. BJO W.
(24, 406) 8⁰ Dülm., A Laumann 03. 2 —; geb. 3 — d
Lebensbild d.ehrwürd.Mutter Magdalena Sophia Barat,Stifterin
d. Gesellsch. d. hist. Herzens Jesu. Hrsg. v. G B. 2. Afl. (328
m. 1 Bildnis.) 12⁰ Faderb., F Schöningh (03). 1.80 d
— Gebhard Antons v. Krosigk, weyl. herzogl. anhalt. Gesammt-
raths, Erbherren u. Kirchenpatrons zu Hohen-Erxleben u.
Rathmannsdorf, geb. zu Hohen-Erxleben d. 26.II.1754, gest.
daselbst d. 16.IV.1840, u. sr Gemahlin Auguste Ernestine
Elisab. v. Krosigk, geb. v. d. Schulenburg a. Hause Emden,
geb. zu Emden d. 18.XI.1761, gest. zu Hohen-Erxleben d.22.IV.
1840. 2 Bde. (Von A v. Krosigk, geb. v. d. Schulenburg.) (326
m. 2 Bildn.) 8⁰ Gr.-Lichterf.-Berl., E Runge 02. 8.50 d
Lebensbilder deut. Dichter f. Rektoratech., Mittelsch. u. d.
Oberst. mehrklass. Volkssch. Nebst e. Übersicht üb. d. Gesch.
d. deut. Dichtg u. d. Wichtigsten a. d. Poetik. (46 m. Bildnissen.) 8⁰ Arnsbg, J Stahl 02. — 40 d
— ev., a. d. Elsass. (214 m. 6 Bildnissen.) 8⁰ Strassbg, Bh. a.
ev.Gesellsch. 01. 1.80; geb. 2 — ‖ 2.Reihe. (219 m. Abb. u. Bildnissen.) 05. Geb. 2.50; auch in 2 Heften zu — 30 d
Bach, A: Mart. Butzer. (36) 05. [7.]
Pedarlin, F: Kaspar Klee (1565—1652). Lebensbild a. alten elsäss. Pfar-
rern. (40) 05. [10.]
Freund, P: Geiler v. Kaysersberg (1445—1510). (46) 01. [1.] ‖ Jobs Tan-
ler. (44) 05. [7.]
Hackenschmidt, K: Fritz Oberlin, d. Vater d. Steinthals. (24) 01. [6.]
Hertzog, E: Joh. Lorenz Blessig, Prof. u. Pfarrer zu Strassburg. (37)
01. [5.]
Lasch, G: Hans Michel Moscherosch (1601—69). 05. [11.]
Matthis, G: Jost Holler, d. Pfarrer zu Bockenheim (Saar-Union). (36)
05. [8.]
Ploss, H: Dominik Dietrich, Ammeister d. Stadt Strassburg. (40) 01. [L]
Schweitzer, GE: Katharina Zell. (38) 01. [9.]
Will: Jak. Sturm. (38) 05. [9.]
Winnecke, A: Luise Schepler (1763—1537). (38) 05. [12.]

Lebensbilder f. Jung u. Alt od. edle, sittl. Grundsätze f. d.
häusl. Kreis. 2 Bde. 8⁰ Hambg, Internat. Traktatgesellsch.
je 1.80 d
I. 4. Afl. (256 m. Abb.) 1896. ‖ II. 2. Afl. (256 m. Abb.) 1896.
Lebensfrage, d. wirtschaftl. u. soz., uns. Handarbeiter, s.:
Wessen bedarf gegenwärtig d. deut. Volk, insbes. d. Ar-
beiterstand usw.
Lebensfragen. Kampf- u. Friedensblätter a. d. Zeit — f. d. Zeit.
Hrsg. v. RE Funcke. 1903. 3 Hefte. 8⁰ Freibg i/B., P Waetzel.
Je 1 — d ö H
Funcke, RE: Psychekult n. Relig. ErnsteWorte an denk. Leute. (69) 05. [1.]
Müller, C: Moloch Ehre. Ein freies Wort geg. d. Duellunwesen. (64) 03. [1.]
Uhard, B: Mädchenrecht u. Ehereform. Deutsches u. Deutliches. (76)
03. [2.]
— Schriften u.Reden, hrsg. v.H Weinel. (1—12.Bd ohne Nummer-
angabe.) 8⁰ Tüb., JCB Mohr. nn 20.70 d
Drews, P: Die Reform d. Strafrechts u. d. Ethik d. Christentums. (44) 05.
nn — 50
Herrmann, R: Erlösg. (44) 05. — 50
Jaeger, P: Zur Ueberwindg d. Zweifels. (73) 05. — 90
Krüger, G: Das Dogma v. d. Dreieinigk. u. Gottmensch. in sr geschichtl.
Entwicklg dargest. (312) 05. 3 —; geb. nn 4 —
Krukenberg, E: Die Frauenbewegg, ihre Ziele u. ihre Bedeutg. (295) 05.
3 —; geb. nn 4 —
Linde, E: Relig. u. Kunst. Vortr. (36) 05. nn — 50
Martin, M: Wahre Frauenbildg. Ein Mahnwort an d. Gebildeten. (44) 05.
— 50
Meyer, A: Die Auferstehg Christi. Die Berichte üb. Auferstehg, Himmel-
fahrt u. Pfngsten, ihre Entstehg, ihr geschichtl. Hintergrund u. ihre
relig. Bedeutg. (368) 05. 3 —; geb. 4 —
Otto, R: Naturalist. u. relig. Weltanschaug. (296) 04. 3 —; geb. 4 —
Seil, K: Die Relig. uns. Klassiker Lessing, Herder, Schiller, Goethe. (274)
04. 2.50; geb. 3.50
Weinel, H: Paulus. Der Mensch u. s. Werk: Die Anfänge d. Christentums, d. Kirche u. d. Dogmas. (316) 04. 3 —; geb. 4 —
Lebensgeschichte e. modernen Fabrikarbeiters (Moritz William Theodor Brommes). Hrsg. u. eingeleitet v. P Göhre.
(389) 8⁰ Jena, E Diederichs 05. 4.50; geb. 5.50 d
Lebenslauf, mein. Personal-Buch. 2. Afl. (132) Fol. Berl., R
Eisenschmidt 04. — 90 d
Lebensmittelbuch, schweiz. Methoden f. d. Untersuchg u. Nor-
mierg d. Beurteilg v. Lebensmitteln u. Gebrauchsgegenständen. Bearb. v. schweiz. Ver. analyt. Chemiker. 2. Afl. 1. u.
2. Abschn. 8⁰ Bern, Neukomm & Z.
1. Die alkohol. Getränke, Wein, Bier, Spirituosen u. a. Ausg. Essig. (76)
04. § 2. Milch u. Milchprodukte. Speisefette u. Speiseöle. (50) 05.
Lebensmittelfrage, d. u. d. indirekten Steuern. Wer sie zahlt
u. wem sie nützen. (16) 8⁰ Berl., Bh. Vorwärts 03. — 10 d
Lebensregeln. (Von e. französ. Königin.) (4) 8⁰ Bas., (Basler
Missionsbh.) (o. J.). — 15 d
Lebbens-Spuren. Zeitschrift f. harmon. geist. u. materielle
Lebens-Lntfaltg. Hrsg. v. K Kohm. 1—5. Bd.: (41 m. Abb.) [87 Nrn.]
(800) 8⁰ Lorch, K Rohm 01—04. Je 4 —; einz. Nrn — 75 d
Die Zeitschrift „Der freie Christ" wurde am 1.VII.'03 hiermit
vereinigt.
Lebens-Versicherungs-Gesellschaften, d. deut., 1900—02.
[S.-A.] (56, 60. u. 52 m. je 3 Tab.) 8⁰ Berl., (WH Kühl) 01-03.
Je 1.50
— dass. im J. 1904. [S.-A.] (76) 8⁰ Gr. Lichterf., Wallmann 05.
1.50
Lebenswasser. Ev. Wochenbl. Hrsg. v. Holtey-Weber. 2. Jahrg.
Oktbr 1901—Septbr 1902. 52 Nrn. (Nr. 1. 8) 4⁰ Hag., O Rippel.
Viertelj. nn — 50 d ö H
Lebensweisheit, d. d. Hindus. Aus d. Papieren e. alten Brah-
minen hrsg. v. Grafen v. Chesterfield. Deutsch v. J Schmitz.
(187) 8⁰ Lpzg, Jaeger (04). 3 —
Leber, C, s.: Staats- u. Communal-Adress-Handbuch f. d. Reg.-
Bez. Wiesbaden.
Leber, F: Lehrg. im Notensingen f. Volkssch. u. höh. Lehr-
anst. sowie z. Selbstunterr. 4 Schulhefte. (Bloss je 2 Taf.) 8⁰
Lpzg, R Voigtländer (04). — 85; Lehrerheft. (152 m. Fig. u.
2 Taf.) 04. Kart. 2 — d
1. (15) — 15.[2. (15) — 20 ‖3. (76) — 20 ‖4. (36) — 50.
Leber, F: Neues Dichteralbum, s.: Dittmar, F.
Leber, H: Die Fettsucht. (79) 8⁰ Münch., Verl. d. ärztl. Rund-
schau 03. 2 —; geb. 3 — d
Leber, J: Bericht üb. d. Versammlgn d. ophthalmolog. Ge-
sellsch.
— Die Circulations- u. Ernährgsverhältn. d. Auges, s.: Graefe,
A, u. T Saemisch, Hdb. d. ges. Augenheilkde.
— s.: Graefe's, A v., Archiv f. Ophthalmol.
— Die Gründg d. (Heidelberger) Univ.-Augenklinik u. ihre ersten
Direktoren. — Willy Kühne, s.: Professoren, Heidelberger,
u. ihre Wirksamk. im 19. Jahrh.
Leberkrankheiten, d. häufigsten, s.: Miniatur-Bibliothek.
Lebermann, J: Aus d. Kunstleben d. hess. Residenz am An-
fang d. vor. Jahrh., s.: Lehmann's jüd. Volksbücherei.
Lebermann, A: Gedankenbeherrschg. (29) 8⁰ Schweidn., P Fröms-
dorf 03. — 80
Lebierre, J: Le mouvement réformiste des dernières années
et l'état actuel de la langue franç. (54) 4⁰ Lpzg, BG Teubner 02.
1 —
Lebius, R, s.: Was lehrt d. I. deut. Städte-Ausstellg?
Lebl, M: Beerenobst u. Beerenwein. Anzucht u. Kultur d. Jo-
hannisbeere, Stachelbeere, Himbeere, Brombeere, Preissel-
beere, Erdbeere u. d. Rhabarbers u. d. Bereitg d. Beerenweine.
2. Afl. (84 m. Abb.) 8⁰ Berl., P Parey 03. 1 — d
— Die Champignonzucht. 5. Afl. (85 m. Abb.) 8⁰ Ebd. 03.
Kart. 1.50 d

Lebl, M: Katech. d. Zimmergärtnerei, s.: Weber's illustr. Katechismen.

Le Blanc, M: Die Darstellg d. Chroms u. sr Verbindgn m. Hilfe d. elektr. Stromes, s.: Monographien üb. angewandte Elektrochemie.
— Lehrb. d. Elektrochemie. 3. Afl. (284 m. Fig.) 8º Lpzg, O Leiner 03.   6 —; L. 7 —

Le Boucher, G: Letture francesi. (Metodo Gaspey-Otto-Sauer.) (340 m. 1 Karte u. 1 Pl.) 8º Hdlbg, J Groos 05.   Geb. 3 —
— Libro de lectura francesa. (Método Gaspey-Otto-Sauer.) (242 m. 1 Karte u. 1 Pl.) 8º Ebd. 04.   Geb. 3 —
— Livro de leitura franceza. (Methodo Gaspey-Otto-Sauer.) (306 m. 1 Karte u. 1 Pl.) 8º Ebd. 05.   Geb. 3 —

Le Bourgeois, F: Notions de correspondance commerciale d'après J Wenzely, s.: Sammlung kaufmänn. Unterr.-Werke.

Lebrecht, d. Ä., verb. gr. egypt. Traumb. 31. Afl. (122 m. Abb.) 8º Lpzg, G Brauns (04).   — 75 d

Lebrecht, F: Deut. Familienbriefe. Zur Übg f. Ausländer. (62) 8º Bresl., JU Kern 02.   1 — d

Lebrun, A: 15 jours à Paris, s.: Schriftsteller, engl. u. französ., neueren Zeit (P Rossmann).

Lebrun, M: Die Strassensängerin v. London. Grosser Volksroman. (In 90 Heften.) 1—5. Heft. (1—160 m. Abb.) 8º Dresd., RH Dietrich (05).   Je — 10 d

Le Brun, MLE, s.: Vigée-Le Brun.

Lebzelter, FFX: Kathol. Missionäre als Naturforscher u. Ärzte. Als Vorläufer u. Fahrtgenossen Alex. v. Humboldts. Gedenkschrift z. 100. Jährg d. Reise Humboldts in d. Aquinoctial-Gegenden d. Neuen Continentes. (96 m. 1 Bildnis.) 8º Wien, St. Norbertus 02.   1.50

Le Camus, E: Falsche Exegese: Schlechte Theologie. Brief an d. Direktoren meines Seminars üb. d. Theorien in A Loisy's Schrift: Autour d'un petit livre. Aus d. Franz. v. C Racke. (94) 8º Mainz, Druckerei Lehrlingshaus 05.   1.50

Le Chatelier, A: Üb. d. Einfl. v. Zeit u. Temperatur auf d. mechan. Eigensch. d. Metalle u. auf d. Materialprüfg. Deutsch u. französisch. (33 m. Fig.) 4º Stuttg. 02. Freibg i/B., J Bielefeld.)   4 —

Leche, W: Zur Entwicklgsgesch. d. Zahnsystems d. Säugethiere, s.: Zoologica.
— u. E Göppert: Säugetiere: Mammalia, s.: Bronn's, HG, Klassen u. Ordngn d. Tier-Reichs.

Lecher, E: Beeinflussg d. elektr. Funkens durch Elektrisierg. [S.-A.] (11 m. Fig.) 8º Wien, (A Hölder) 02.   — 50
— Üb. Elektronen. [S.-A.] (10 m. 1 Fig.) 8º Prag (Krakauerg. 14) Germania, Lese- u. Redever. deut. Hochschüler (04).   — 80 d
— Üb. d. Entdeckg d. elektr. Wellen durch H Hertz u. d. weit. Entwicklg dieses Gebietes. Vortr. (32) 8º Lpzg, JA Barth 01.   1.20
— Üb. d. Messg d. Leitfähigk. verdünnter Luft mittels d. sog. elektrodenlosen Ringstromes. [S.-A.] (15 m. Fig.) 8º Wien, (A Hölder) 03.   — 40

Lechita s.: Radnicki v. Lechita.

Lechleitner, F: Bergsonnenschein. Märchen. (272 m. Abb.) 8º Berl., Fischer & Fr. (02).   4.20; L. 6 — d
— Aus d. Gefilden d. Seligen. Märchenb. (258 m. Abb.) 4º Ebd. (02).   L. 6 — d

Lechleitner, F: Möbelskizzen f. Laubsägerei, Holzbrand & Kerbschnitt. (36 Bl. m. 8 S. Text.) 4º Münch., Mey & W. (03). 2 — d
— Das Ulmer Münster. (Laubsägevorlagen.) (30 Bl.) 57×45 cm. Ebd. (03).   4.50
— Musterblätter f. Brandmalerei u. Tiefbrand. (28 Taf. m. 8 S. Text.) 4º Ebd. (01).   8 — d
— Musterblätter f. Holzbrand. IV. u. V. Mappe. (Bl. 91—150 in Farbdr.) 45,5×57,5 cm. Ebd. 02.05. In M. je 12 —
                                                 einz. Bl. — 50 (I—V.: 60 —)
Fortsetzg s. u. d. T.: Musterblätter.

Lechleitner, H: Mineralogisch-petrograph. Mittheilg s. d. Mühlviertel. (11) 8º Linz a/D., Museum Francisco-Carolinum 1898. (Nur dir.)   — 15

Lechler, C: Was gebt u. steht im Alphabet. (15 m. z. Tl farb. Abb.) 4º Nürnbg, T Stroefer (01).   1.50 d
— Blatt f. Blatt, s.: Pietsch, O.
— Ein Buch v. Kätzchen f. uns. Schätzchen. (15 m. z. Tl farb. Abb.) 4º Nürnbg, T Stroefer (01).   1.50 d
— Heit. Gesellen. (15 m. z. Tl farb. Abb.) 4º Ebd. (03).   — 75 d
— Wie's im Hause geht. Erzählgn u. Gedichte f. Kinder. Mit 6 Farbdr.- u. vielen Textbildern n. Orig.-Zeichngn v. O Pletsch. 10. Afl. (75) 8º Stuttg., Loewe (04).   Geb. 3 — d
— Wie d. Kind sein soll! Kinderspiegel. Mit 14 feinen Farbbildern u. zahlreichen Textabb. v. J Mukarowsky. 2. Afl. (52) 4º Essl., JF Schreiber (01).   Kart. 3 — d
— Kinderglück, Bilderb. m. Erzählgn- u. Versen. (36 m. z. Tl farb. Abb.) 4º Nürnbg, T Stroefer (03).   Kart. 3 — d
— Kinderlust, Bilderb. auf Pappe m. Versen. (2. [Umschl.-Afl.] (12 m. z. Tl farb. Abb.) 4º Essl., JF Schreiber [1899] (02).   Kart. 3 — d
— Fröhl. Kinderzeit, s.: Fraungruber, H.
— Des Kindes Lieblingstiere. (32 m. z. Tl farb. Abb.) 4º Nürnbg, T Stroefer (04).   Kart. 3 — d
— Lasset d. Kindlein zu mir kommen. (15 m. z. Tl farb. Abb.) 4º Ebd. (03).   Kart. 1 — d

Lechler, C: Lieblings Bilder-ABC. (15 m. z. Tl farb. Abb.) 4º Nürnbg, T Stroefer (02).   Geb. 1 — d
— Lieblings Schatzkästlein. (11 m. z. Tl farb. Abb.) 4º Ebd. (01).   Geb., auf Pappe 1.20 d
— Der Nussknacker, s.: Reiss, F.
— Goldene Reime f. d. Kinderstube. 7. Afl. (24 m. 23 [12 farb.] Bildern.) 8º Stuttg., Loewe (05). Geb. 3 —; Volksausg. (12 farb. Bl. m. Text.) (01.) Geb. 1.50 d
— Ein Sonntags-Bilderb. f. uns. Kleinen. (18 m. z. Tl farb. Abb.) 4º Nürnbg, T Stroefer (04).   Kart. 1.50 d
— u. a.: Tiergeschichten. (50 m. z. Tl farb. Abb.) 4º Essl., JF Schreiber (03).   Geb. 1 — d
— F Flinzer u. B Hörtkorn: Lust. Tiergesch. f. kl. Tierfreunde. 2. Afl. (24 m. 6 Farbdr.) 8º Stuttg., Loewe (04). Geb. 1.80 d
— J Trojan, RH Greinz: Das Puppenhaus. 16 Farbendr.-Bilder m. Texten. (24 m. z. Tl farb. Abb.) 8º Essl., JF Schreiber (05).   Geb. 2.50 d

Lechler, K v.: Die Fortbildg d. Relig. (39) 8º Stuttg., JF Steinkopf 03.   — 60 d
— Die bibl. Lehre v. hl. Geiste. II. u. III. Tl. 8º Gütersl., C Bertelsmann. 10.30; geb. 11.90 (Vollst.: 15 —; geb. 17.50) d
   II. Philosophisch-dogmat. Begründg. (317 Bl. auf Kart.) 16º (02.)   5.60; geb. 6.40
   III. Prakt. Verwertg. (290) 04.   4.60; geb. 5.50

Lechler, P: Der 1. Schritt z. nationalen Wohngsreform, s.: Zeitfragen, soz.
— Die Wohngsfrage u. d. preuss. Ministerialerlasse v. 19.III.'01. Vortr. (27) 8º Berl., E Hofmann & Co. 01.   — 75 d

Lechmann-Tharnau, P: Die Falschmünzer, s.: Weichert's Wochen-Bibliothek.

Lechner's photograph. Bibliothek. I, VIII u. IX. Wien, R Lechner's S.   13.50
   David, L: Anl. z. Photographieren. 9.Afl. (218 m.Abb. u. 8 Taf.) ca 05. [I.]s —
   Probst, F: Receptarium f. Photogr. (171 Bl. auf Kart.) 16º (02.) [VIII.]
                                                In L.-Kassette 5 —
   Rheden, J: Photograph. Belichtgs-Tab. (13 Bl., 4 S. Text u. 4 S. Text auf Einbd u. Futteral.) 16º (03.) [IX.]   L. 3.50
— Eiseub.- u. Strassenk. d. österr.-ungar. Monarchie. 1:1,000,000. (Neue Ausg.) 8 Je 56×63 cm. Farbdr. Ebd. (04). In M. 10 —;
   auf L. in M. 19 —; m. St. 25 —; einz. Bl. in L.-Decke 3 —;
                                                 auf L. in Decke 4.50
      1. Nordwestl. Tl. Enth. Böhmen, Mähren, Schlesien, Ober-, Niederösterr., Salzburg, Steiermark, Kärnten, Nord-Tirol, Vorarlberg u. West-Ungarn. §2. Nordöstl. Tl. Enth. Galizien, Bukowina, Ober-Ungarn, West-Russl., Nord-Rumänien. §3. Südwestl. Tl. Enth. Görz, Gradiska, Krain, Istrien, Croatien, Slavonien, Dalmatien, Bosnien, Hercegovina u. Nord-Italien. §4. Südöstl. Tl. Enth. Rumänien, Serbien, Montenegro, Bulgarien u. europ. Türkei.
— Generalkarten. Farbdr. Ebd. In L.-Decke je 2.40; auf L. je 3.50
      1. Niedor-Österr. 1:300,000. (Aufg. 1905.) 80,3×70,5 cm. (01.)
      1:300,000. 5f,5×69 cm. (02.) § Salzburg. 1:300,000. 58×55 cm. (01.)
— dieselben. Vortr. Ebd. In L.-Decke je 3 —; auf L. je 4.50
      1. Niedor-Österr. 1:300,000. 67,5×81,5 cm. (04.) § Galizien u. Bukowina. 1:750,000. 61×83,5 cm. (03.) § Küstenland. 1:300,000. 87×82 cm. (04.)
— Mittellgu a. d.-Geb. d. Lit. u. Kunst, d. Photogr. u. Kartogr. Red.: L. Hörmann. 15. u. 14. Jahrg. Mai 1901—Apr. 1903 je 12 Nrn. (Nr. 1. 16 m. 1 Bildnis.) 8º Ebd.   Je 2 —
— dass. a. d. Geb. d. Lit., Kunst, Kartogr. u. Photogr. Red.: L Hörmann. 15. Jahrg. Mai 1903—Apr. 1904. 24 Nrn. (Nr. 1. 16 m. 1 Bildnis.) 8º Ebd.   4 —
— dass. 16. u. 17. Jahrg. Mai 1904—Apr. 1906. Ausg. m. literar. u. Ausg. m. photograph. Inhalt. Je 12 Nrn. (Literar. Ausg. Nr. 1. 32 m. Abb.) 8º Ebd.   Jede Ausg. 3 —
— Touren-K. f. Radfahrer. 1:130,000. Bearb. v. E Letoschek. Bl. XIV u. XV. 45×50,5 cm. Farbdr. Ebd. Auf L. je m 1.80
   XIV. Venedig u. Belluno. (01.) § XV. Königgrätz u. Breslau. (03.)

Lechner, E: Graubündens. Illustr. Reisebegleiter durch alle Talschaften. (239 m. 1 Karte.) 8º Chur, (J Rich) 03. Kart. 3.50
         § 2. Afl. (293 m. 1 Karte.) 8º Ebd. 05.   Kart. 3.50
— Pontresina, s.: Europa, illustr.
— Das Tbal d. Maira (Bergell). Wanderbild v. Maloja bis Chiavenna u. bistor. Skizze. (76 m. Abb. u. 1 Karte.) 8º Samad., Engadin Press Co. 05.   Kart. 1.60

Lechner, H: Sommernächt'. Drama. (81) 8º Dresd., E Pierson 03.   2 — d

Lechner, J: Der Huf u. s. Mechanik. Skizze üb. d. anatom. Bau u. d. Verrichtgn d. Hufes. (24 m. 8 Taf.) 8º Wien, (Hofu. Staatsdr.) 04.   3.50

Lechner, K: Psychomechan. Bestrebgn auf d. Geb. d. Psychiatrie. Vortr. (32) 8º Halle, C Marhold 01.   — 40

Lechner, K, s.: Belehnungs- u. Lehensgerichtsbücher, d. ält., d. Bisth. Olmütz.

Lechner, M: Wer ist Christus? 6 Fastenpredigten. (103) 8º Innsbr., F Rauch 03.   1 — d
— Das Evangelium d. Barmherzigk. Fastenpredigten. (88) 8º Ebd. 03.   1 — d
— Uns. lieben Frau Edelknabe. Kurze Ansprachen an marian. Sodalen. (239) 8º Ebd. 03.   2 — d
— St. Pancbalis-Büchl. 2. Afl. (215 m. Titelbild.) 16º Ebd. 01. 1.30 d

Lecky, WEH: Engl. manners and conditions in the latter half of the XVIIIth century. Für d. Schulgebr. hrsg. v. H Hoffmann. (136 m. 1 Abb. u. 2 Kart.) 8º Lpzg, G Freytag 03.
                                                     Geb. 1.50
— Sittengesch. Europas v. Augustus bis auf Karl d. Gr. 3. Afl. (732) 8º Lpzg, Deut. Verl.-Act.-Gesellsch. 04. 10 —; geb. 12 —

Legge di 15.X.1900 con cui viene emanato un regolamento edilizio per la contea principesca del Tirolo etc., s.: Gesetz, womit e. Bauordng f. d. gefürst. Grafsch. Tirol etc. erlassen wird.

Legien, C: Die deut. Gewerkschaftsbewegg. Vortr. (1—10. [Umschl.-]Taus.) (18) 8° Berl., Verl. d. sozialist. Monatshefte 01. — 20 d

Legien, H: Der Hochmeister. Rittersp. (876) 8° Hambg (04). Berl., KW Mecklenburg. 1 — d

Legorju, J: Der Handarbeits-Unterr. als Klassen-Unterr. Leitf. z. Erteilg e. gründl. Handarbeits-Unterr. in Schulen. 6. Afl. v. M Legorju. (218 m. Abb. u. 15 Taf.) 8° Frankf. a/M., Kesselring (02). Geb. nn 5 — d

— Hülfsbüchl. bei d. Handarbeits-Unterr. Für d. Hand d. Schülerinnen d. Volkssch. u. d. Mittelst. d. höh. Mädchensch. 1. Tl. 3. Afl. v. M Legorju. (48) 8° Ebd. (02). — 60 d

Legouvé, E: Les contes de la reine de Navarre. — Les doigts de fée, s.: Scribe, E.

Legov, M: Ein Dienstmädchen a. d. J. 2000 od. Soweit wird es noch kommen. — Das verhängnisvolle Hochzeitsgeschenk. — Der Paletot od. Der Herr im Hause, s.: Glaser's, C, Theater-Bibliothek.

Legrain, G, s.: Catalogue des monuments et inscriptions de l'Égypte antique.

— Fouilles à Dahchour, s.: Morgan, J de.

Legros, L: Berechng e. städt. Lichtverteilgsnetzes, s.: Abhandlungen, techn., a. Wiss. u. Praxis.

Lehardy, B: Liesel ou le roman d'un étudiant franç. à Heidelberg. (256) 8° Hdlbg, O Petters 01. 2.80

Lehbert, H: Das german. Gehöfte. Kulturbild a. deut. Vergangenh. Nach Heymann u. Uebel f. d. ob. u. Mittelkl. d. (russ.) Gymnasien u. Realsch. bearb. (44 m. 1 Taf.) 8° Mosk., J Deubner 04. — 80 d

— Maxim Gorki. Ein Bild s. Lebens u. Schaffens. (62) 8° Stuttg., Strecker & Schr. 05. — 60 d

Lehen, v.: Der Weg z. innern Frieden. Nach d. 4. Afl. a. d. Franz. übers. v. J Brucker. 20. u. 21. Afl. (451) 12° Freibg i/B., Herder 04. 2.25; L. 3 —; Ldr m. G. 4.80 d

Leher, E: Das Wasser u. s. Verwendg in Industrie u. Gewerbe. — Die Zucker-Industrie, s.: Sammlung Göschen.

Lehfeldt, P, s.: Bau- u. Kunstdenkmäler Thüringens.

Lehfeldt, R: Gesch. d. Füsilier-Regts Graf Roon (ostpreuss.) Nr. 33. 2. Afl., fortgeführt v. Kischke, ergänzt durch e. Neubearbeitg d. Gesch. d. schwed. Stamm-Regts v. Wagner. (424 u. 116 m. Kart., Skizzen u. 1 Bildnis.) 8° Berl., ES Mittler & S. 01. 12 —; L. 14 — d

Lehm, KO: Aus Vergangenh. u. Gegenwart d. bei Tharandt geleg. Orte Hartha, Grillenburg, Fördergersdorf, Hintergersdorf, Spechtshausen u. Porsdorf. (27) 8° Potschapp. 04. (Tharandt, Akadem. Bh. — Dresd., H Burdach.) nn — 50 d

Lehmann's internat. Handels-Gärtner-Adressb. Bearb. v. R de Terra. Deut. Tl. 1902/3. (292) 8° Berl., P Lehmann Gartenbau-Verl. Geb. 4 — ‖ Auslands-Thl. 1902—3. (354) (03.) Geb. 12 —

— Adressb. d. Privatgärtnereien v. Deutschl., Österr.-Ungarn u. Russl. Nebst Adressb. d. Gartenbesitzer u. Blumenliebhaber. Neue Afl. (266 u. 37) 8° Ebd. (03). Kart. 7.50

Lehmann's jüd. Volksbücherei. Hrsg. v. O Lehmann. 13—33., 36., 37., 39. u. 40. Bd. 8° Mainz, J Wirth'sche Hofbuchdr. Je — 50 d

Beermann, M: Die Stimme Jakobs. Volksthüml. Aufsätze üb. Israels Weltanschaug. 3 Thle. (129. 123 u. 88) (01.) [13—15.]

Herzberg, J: 3 Erzählgn. (70) (05.) [37.] ‖ Chone Larch, d. Schadchen, od. 2 Verlobgn auf einmal. (75) (02.) [29.]

Lebermann, J: Aus d. Kunstleben d. hess. Residenz am Anfang d. vor. Jahrh. (39 m. 1 Bildnis.) (04.) [36.]

Lehmann, M: Esther Chiera. Histor. Erzählg. (106) (02.) [28.] ‖ Gegenströmgn. Jüd. Erzählg. 2 Thle. (102 u. 104) (02.04.) [30.31.] ‖ Vor 100 Jahren. Ein Bild a. d. alten Berliner israelit. Gemeinde. (48) (04.) [32.] ‖ Rabbi Joselmann v. Rosheim. Histor. Erzählg a. d. Zeit d. Reformation. 7 Thle. (157, 160, 79, 80, 80, 72 u. 60) (01.) [17—25.] ‖ Der königl. Resident. Histor. Erzählg. 2 Thle. (127 u. 123) (02.) [26.27.] ‖ 2 Schwestern. Jüd. Erzählg. (113) (05.) [39.] ‖ Der Sohn d. Wittwe. Jüd. Erzählg. (78) (04.) [33.]

Rott, F: Gerettet. Erzählg a. d. jüd. Leben. (138) (01.) [16.]

Steinhardt, M: Aus d. Ghetto. Erzählg a. d. vor. Jahrh. (98) (05.) [40.]

Bd 33 u. 35, bei Erscheinen nicht eingesandt, sind vergriffen. — Bd 38 ist noch nicht erschienen.

Lehmann's medizin. Atlanten. I—III. u. V. Bd. 4° Münch., JF Lehmann's V. L. 68 —

Grashey, R: Atlas typ. Röntgenbilder v. normalen Menschen, ausgew. u. erklärt n. chirurgisch-prakt. Gesichtspunkten m. Berücks. d. Varietäten u. Fehlerquellen, sowie d. Aufnahmetechnik. (92 m. Abb. u. 97 Taf.) 05. [V.] 16 —

Schultze, O: Atlas u. Grundr. d. topograph. u. angewandten Anatomie. (156 m. Abb. u. 70 Taf.) 03. [I.] 16 —

Sobotta, J: Atlas d. deskriptiven Anatomie d. Menschen. I. Abtlg. Knochen, Bänder, Gelenke u. Muskeln. (229 m. z. Tl farb. Abb. u. 34 farb. Taf.) 04. [II.] 20 — ‖ II. Abtlg. Die Eingeweide d. Menschen einschl. d. Herzens. (231—400 m. z. Tl farb. Abb. u. 19 farb. Taf.) 04. [III.] 16 —

Der IV. Bd ist noch nicht erschienen.

— medizin. Handatlanten. IV., V., VII., VIII., X., XIII., XVI., XVIII., XXI., XXII., XXIV—XXXII. u. XXXIV. Bd. 8° Ebd. L. 261 —

Brühl, G: Atlas u. Grundr. d. Ohrenheilkde. Unter Mitwirkg v. A Politzer. 1. u. 2. Afl. (19, 264 bezw. 25, 247 m. Abb. u. 45 bezw. 47 farb. Taf.) 01.05. [XXIV.] 12 —

Dürck, H: Atlas u. Grundr. d. spez. patholog. Histol. II. Bd. Leber, Harnorgane, Geschlechtsorgane, Nervensystem, Haut, Muskeln, Knochen. (220 m. 60 farb. Taf.) 01. [XXI.] 11 — ‖ III. Bd. Allg. patholog. Histol. Nebst e. Anh. üb. pathologisch-histolog. Technik. (410 m. 108 farb. Taf.) 03. [XXII.] 20 — (Vollst.: 22 —)

Grünwald, L: Atlas u. Grundr. d. Krankh. d. Mundhöhle, d. Rachens u. d. Nase. 2. Afl. (28, 212 m. Abb. u. 42 farb. Taf.) 02. [IV.] 12 —

Haab, O: Atlas d. äuss. Erkrankgn d. Auges, nebst Grundr. ihrer Pathol. u. Therapie. 2. Afl. (13, 242 m. Abb. u. 48 farb. Taf.) 01. [XVIII.] 10 —

— Atlas u. Grundr. d. ges. Augenheilkde. 3. (Schl.-)Bd. Die Lehre v. d. Augenoperationen. (16, 390 m. Abb. u. 30 farb. Taf.) 04. [XXXI.] 10 —

— Atlas u. Grundr. d. Ophthalmoskopie u. ophthalmoskop. Diagnostik. 4. Afl. (92 u. 82 m. z. Tl farb. Abb.) 04. [VII.] 10 —

Hecker, R, u. J Trumpp: Atlas u. Grundr. d. Kinderheilkde. (23, 482 m Abb. u. 48 farb. Taf.) 05. [XXXII.] 16 —

Helferich, H: Atlas u. Grundr. d. traumat. Frakturen u. Luxationen. 6. Afl. (19, 348 m. Abb. u. 76 farb. Taf.) 03. [VIII.] 12 —

Hoffa, A: Atlas u. Grundr. d. Verbandlehre. 3. Afl. (13, 139 m. 144 farb. Taf.) 04. [XIII.] 8 —

Lehmann, KB, u. RO Neumann: Atlas u. Grundr. d. Bakteriol. u. Lehrb. d. spez. bakteriolog. Diagnostik. 3. Afl. 2 Tle. (16, 623 u. 88 m. 1 Tab. u. 74 farb. Taf.) 04. [X.] 16 —

Marwedel, G: Grundr. u. Atlas d. allg. Chirurgie. (18, 414 m. Abb. u. 28 farb. Taf.) 05. [XXXIV.] 12 —

Mraček, F: Atlas u. Grundr. d. Hautkrankh. 2. Afl. (19, 284 m. Abb. u. 77 farb. Taf.) 04. [V.] 16 —

Preiswerk, G: Lehrb. u. Atlas d. Zahnheilkde. m. Einschl. d. Mundkrankh. (19, 352 m. Abb. u. 44 farb. Taf.) 03. [XXX.] 14 —

Schaeffer, O: Atlas u. Grundr. d. gynäkolog. Operationslehre. (16, 94 m. z. Tl farb. Abb. u. 42 farb. Taf.) 02. [XXVIII.] 12 —

Seiffer, W: Atlas u. Grundr. d. allg. Diagnostik u. Therapie d. Nervenkrankh. (14, 379 m. Abb. u. 26 farb. Taf.) 02. [XXIX.] 12 —

Sobotta, J: Atlas u. Grundr. d. Histol. u. mikroskop. Anatomie d. Menschen. (24, 247 m. Abb. u. 80 farb. Taf.) 02. [XXVI.] 20 —

Sultan, G: Atlas u. Grundr. d. Unterleibsbrüche. (20, 244 m. Abb. u. 36 farb. Taf.) 01. [XXV.] 10 —

Weygandt, W: Atlas u. Grundr. d. Psychiatrie. (20, 663 m. Abb., 24 farb. Taf. u. 1 Karte.) 02. [XXVII.] 16 —

Zuckerkandl, O: Atlas u. Grundr. d. chirurg. Operationslehre. 3. Afl. (20, 498 m. Abb. u. 46 farb. Taf.) 05. [XVI.] 12 —

Lehmann's Volkshochsch. (Hrsg.: E Dannheisser.) 2., 3., 5. u. 6. Bdchn. 12° Stuttg., F Lehmann. Geb. je 1 — d vorl. ö F

Ackermann, R: Gesch. d. engl. Litt. in d. Grundz. ihrer Entwicklg. (165) 02. [2.]

Börtzler, F: Gesch. d. griech. Philosophie. (70) 04. [5.]

Stöckel, H: Gesch. d. deut. Schrifttums v. d. ält. Zeiten bis z. Gegenwart. 1. Hlfte. Von d. ält. Zeit bis auf Martin Opitz. (223) 04. [4.]

Weddigen, O: Die deut. Sage u. d. deut. Volksmärchen. Ihr Wesen, ihre Entstehg u. Erklärg, nebst bibliograph. Nachweisen. (68) 04. [6.]

Das 1. Bdchn bildet: Dannheisser, E: Die Entwicklgsgesch. d. franz. Litt. — Der 4. Bd ist noch nicht erschienen.

Lehmann's allg. Wohngs-Anzeiger, nebst Handels- u. Gewerbe-Adressb. f. Wien nebst Floridsdorf u. Jedlersdorf. 2 Bde. 1905. 47. Jahrg. (42, 1838 u. 79, 1559 m. 14 Pl.) 8° Wien, A Hölder. Kart. nn 18 — d

Lehmann: Kurfürstin Elisabeth v. Brandenburg, d. Bekennerin. — Die Reformation in d. Mark, s.: Hefte z. märk. Kirchengesch.

Lehmann s.: Zuwachssteuer, d.

Lehmann: Festschrift z. Eröffng d. Altonaer Museums, zugl. e. Führer durch d. Sammlgn. Mit e. Abhandlg üb. d. Herbarium d. Altonaer Museums v. W Heering. (82 m. Abb. u. 1 Taf.) 8° Altona, (J Harder V.) 01. †1.40

Lehmann: Heimatsk. v. Kamenz u. Umgebg, s.: Kuhnert, M.

Lehmann, A, s.: Bau-Journal.

Lehmann, A: Zoolog. Atlas. Nach Aquarellen v. H Leutemann, F Specht, E Schmidt, W Molitor u. W Kuhnert in Buntfarbendr. ausgeführt. Lpzg, Leipz. Schulbilderverl. v. FE Wachsmuth. Je 1.40; auf dopp. Pap. m. L.-Rand u. Oesen je nnn — 20 mehr.

Auchenia lama (Lama). 60×81 cm. (01.) ‖ Boa constrictor (Riesenschlange). 79,5×60 cm. (02.) ‖ Buteo vulgaris (Bussard). 60,5×80 cm. (05.) ‖ Equus zebra (Zebra). 60,5×80 cm. (03.) ‖ Forelle (Salmo fario). 59×78,5 cm. (04.) ‖ Meleagris gallopavo (Truthuhn). 60×81 cm. (01.) ‖ Meles taxus. 60×81 cm. (02.) ‖ Naja tripudians (Brillenschlange), Crotalus duriosus (Klapperschlange). 89×67 cm. 80×60 cm. (02.) ‖ Nonne. 80,5×60,5 cm. (03.) ‖ Oriolus galbula. Parus pendulinus. 60,5×80 cm. (05.) ‖ Phoenicopterus ruber (Flamingo). 81,5×59,5 cm. (05.) ‖ Plissolophus Leadbeateri. Melosittacus undulatus. Vanellus christatus. 60×81 cm. (02.) ‖ Ploceus fulvicollis (Webervogel). Orthotomus Bennettii (Schneidervogel). 60×79,5 cm. (04.) ‖ Psittacus erithacus (Graupapagei). 82×60 cm. (03.) ‖ Putorius foetidus (Iltis). 60,5×80 cm. (05.) ‖ Schmarotzer am Menschen. 60,5×80 cm. (05.) ‖ Trichechus rosmarus (Walross). 60×81 cm. (01.) ‖ Troglodytes gorilla (Gorilla). 80×60 cm. (02.)

— Kulturgeschichtl. Bilder. II. Abtlg. Alte Gesch. Farbdr. Ebd. Je 2.80; L.-Rand m. Oesen je nnn — 20

Akropolis v. Athen in griech. Zeit. 56×79 cm. (04.) ‖ Festplatz v. Olympia in griech. Zeit. 57×81 cm. (03.) ‖ Das Forum Romanum z. Z. d. Septimus Severus. 60×82 cm. (02.) ‖ Im röm. Lager. 60×82 cm. (01.) ‖ Im Priesterhofe d. Tempels zu Jerusalem (Opferscene). 57,5×80 cm. (03.) ‖ Der Tempel zu Jerusalem z. Z. Christi. (Nach Schlick.) 55×78 cm. (03.) ‖ Griech. Tempelweihe. 78,5×57 cm. (02.) ‖ Ägypt. Totenkultus. 55,5×77 cm. (o. J.)

— dass. Benediktiner Abtei. IX. Jahrh. 58,5×82,5 cm. Farbdr. Ebd. (05). 2.60; L.-Rand m. Oesen nnn — 20; Kommentar v. B Steiner. (26 m. Abb. u. 1 Taf.) 8° — 40 ‖ Pfahlbau-Ansiedelg. (Prähistorisch.) 59×81 cm. (05.) 2.60; L.-Rand m. Oesen nnn — 20

Kommentar s.: Heymann, T, u. A Uebel, a. vergang. Tagen.

— geogr. Charakterbilder. Farbdr. Ebd. 25.60; L.-Rand m. Oesen je nnn — 20

Berlin. 55,5×164 cm. (02.) 4 — ‖ Die Göltzschtal-Brücke bei Mylau-Netzschkau i. V. 58×83,5 cm. (05.) 1.40 ‖ Der Harz. 60×81,5 cm. (02.) 1.40. ‖ Helsingfors. 61×88,5 cm. (04.) 1.40 ‖ Der schwäb. Jura. 60×82 cm. (03.) 1.40 ‖ Lüneburger Haide. 56×78,5 cm. (02.) 1.40 ‖ Neapel v. Klostergarten v. San Martino gesehen. 59,5×81 cm. (03.) 1.40 ‖ Reichstagsgebäude u. Bismarckdenkmal in Berlin (Abendstimmg n. d. Regen). 58×160 cm. (03.) 3 — ‖ Das Siebengebirge. 59,5×81,5 cm. (03.) 1.40 ‖ Der Spreewald. 66,5×68,5 cm. (02.) 1.40 ‖ Stubbenkammer auf Rügen. 82×60 cm. (01.) 1.40 ‖ Venedig. 60,5×82 cm. (04.) 2 — ‖ Wien. 57×160 cm. (03.) 4 —

Kommentar s.: Weigeldt, P, a. allen Erdteilen.

Lehmann, A, u. F Bucacx: 4 Jahreszeiten. 4 Taf. 68×95 cm.
Farbdr. Lpzg, Leipzg. Schulbilderverl. v. FE Wachsmuth (05).
Je 2.60; L.-Rand m. Oesen je nnn — 20
— u. H **Leutemann**: Völkertypen.Beduinen.59,5×80 cm.Farbdr.
Ebd. (05). 2 —; L.-Rand m. Oesen nnn — 90
Lehmann, A: Die körperl. Äussergn psych. Zustände. 2. u.
3. Tl. Übers. v. F Bendixen. 8° Lpzg, OR Reisland. 30 —;
m. Atlas 42 — (1—3.: 62 —)
2. Die phys. Aequivalente d. Bewusstseinserscheingn. (327 m. Fig. u. 30
Taf.) 01. 16 — ‖ 3. Elemente d. Psychodynamik. (314 m. Fig.) 05. 14 —;
Atlas (19 Taf.) 45,5×33,5 cm. In M. 12 —
Lehmann, A: Berichtiggn u. Ergänzgn f. d. naturwiss. Unterr.
2 Tle. 8° Zwick., Förster & Borries 05. 1.50
1. Zool. u. Anthropol. (90) — 60 ‖ 2. Botanik. Mit Anh.: Mineral., Chemie,
Physik. (56) — 70.
— Die Schnecken u. Muscheln Deutschlds. (82 m. Abb. u. 1 farb.
Taf.) 8° Ebd. 04. L. 2 —
Lehmann, ARH, Krankh., Begabg, Verbrechen, ihre Ursachen
u. ihre Beziehgn zu einander. (402 m. Fig.) 8° Berl., J Gnaden-
feld & Co. 04. 6 —; geb. 7.50
— s.: Zensor, d.
Lehmann, B, s.: Handlexikon, kirchl.
Lehmann, B: Kleinkapital im deut. Bergbau. Beitrag z. Frage
d. Betheiligg an Gewerksch., Bohrgesellsch. u. dergl. (53)
8° Berl., AW Hayn's Erben 09. 1.20
Lehmann, B: Bodenkredit u. Hypothekenbanken. (121) 8° Berl.,
Puttkammer & M. 03. 2.80 d
Lehmann, C, Eisenbahn-K. d. Bahngebiete Mittel-Europa's.
17. Afl. v. LT Schultz. 1:2,000,000. 61×74 cm. Farbdr. Nebst
e.Verz. d. Eisenb. in Deutschl., Oesterr.-Ungarn u. d. Schweiz.
(32) 8° Lpzg, Luckhardt's Bh. f. Verkehrswesen 02. 2 —;
auf L. in L.-Decke 4 —
Lehmann, C: Die Probeschur in Halle a. S. im J. 1901; dass.
in Hannover im J. 1903, s.: Arbeiten d. deut. Landw.-Ge-
sellsch.
Lehmann, C: Was ist Wahrheit? Ein off. Wort an Jedermann.
(16) 8° Strassbg i/E. (Neudorf, Polygonstr. 43), Selbstverl.
(1900). — 10 d
Lehmann, C: Die Impfg. (99 m. 3 Fig. u. 1 Tab.) 8° Lpzg, W
Schumann Nf. 03. L. 1.50 d
Lehmann, CF: Babyloniens Kulturmission einst u. jetzt. Ein
Wort d. Ablenkg u. Aufklärg z. Babel-Bibel-Streit. I. u. 2.Afl.
(88 m. Abb.) 8° Lpzg, Dieterich 03. 1.20
— s.: Beiträge z. alten Gesch.
— Üb. d. Beziehgn zw. Zeit- u. Raummessg im babylon. Sexa-
gesimalsystem. [S.-A.] (20) 8° Lpzg, Dieterich 02. 1 —
— Die histor. Semiramis u. Herodot. [S.-A.] (26) 8° Ebd. 01. 1.40
Lehmann, CR: Diätet. Merkblätter f. Gichtiker, Rheumatiker,
Zuckerkranke, Herzleidende, Fettsüchtige u. Darmkranke
etc. spec. in Verbindg m. e. Badekur in Wiesbaden, Baden-
Baden, Wildbad, Marienbad etc. (16) 8° Wiesb., A Venn (05). — 30
— Schönh.-Massage u. rationelle Kosmetik. (40) 8° Ebd. (05). — 60
Lehmann, E, s.: Bericht üb. d. Lit. z. Relig.-Gesch.
Lehmann, E: Neuer Führer durch d. Eulengebirge u. s. Vor-
berge einschl. d. Zobtengebirges unter Berücks. d. anstoss.
Gebiete d. Warthaer, Heuscheuer- u. Waldenburger Gebirges.
(Zugl. kl. Führer f. Reichenbach i. Schl. [u. d. E.], Franken-
stein, Silberberg, Gnadenfrei, Nimptsch, Langenbielau, Pe-
terswaldau, Schweidnitz, Wüste- u. Waltersdorf.) (161) 8°
Reichenb., (Heege & G.) 02. — 60; m. Karte 1 — d
— Neue Wege-K. durch d. Eulengebirge u. s. Vorberge, unter
Berücks. anstoss. Tle d. Warthaer, Heuscheuer- u. Walden-
burger Gebirges. 1:100,000. 51,5×50 cm. Farbdr. Ebd. (02). — 50
Lehmann, E: Silbiertibel f. Schule u. Haus nebst ausführl.
Anweisgn. (32 m. Abb.) 8° Wenigenjena, Lehr. Ernst Leh-
mann 03. [?] nn 1 — d
Lehmann, E: Lehr- u. Leseb. d. engl. Sprache. Nach d. An-
schaugsmethode. Nebst e. grammat. u. poet. Anh. 6. Afl. (15, 246
m. Abb.) 8° Mannh., J Bensheimer's V. 02. 2.70; geb. 3 —
Lehmann, EA: Karte d. Dresdner Heide. — Specialk. Kips-
dorf-Altenberg-Lauenstein, s.: Meinhold.
Lehmann, F: Lehrb. d. anorgan. Chemie, s.: Lorscheid, J.
Lehmann, FWP, s.: Lehmann-Schiller, P.
Lehmann, G: Die Rechtslage d. kaufmänn. Auskunfteien u. d.
BGB. (89) 8° Köln, F Neubner 04. 1.60
Lehmann, G: Wie ich meine Nervosität verlor. Natürl. Selbst-
hilfe bei Nervosität durch Selbstwachsuggestion. Nach d.
Methode d. Dr. JE Lévy in Nancy. (39) 8° Lpzg, M Spohr 05. — 80
Lehmann, G: Die Reichs-Branntweinsteuer-Ges. u. d. Bun-
desrath erlass. Ausführgsbestimmgn. 2. Afl. (214) 8° Bresl.,
JU Kern (02). Kart. 2.50 d
— Strafgesetzgebg u. Strafverfahren in Bezug auf d. Zuwider-
handlgn geg. d. Zoll- u. Steuer-Ges., s.: Röhr, W.
Lehmann, G: Die Mobilmachg v. 1870/71. (382 u. 7) 8° Berl.,
ES Mittler & S. 05. 6 —; geb. nn 7.50 d
Lehmann, H: Lernstoff f. d. Relig.-Unterr. in ev. Schulen.
7. Afl. (64) 8° Spand., Neugebauer 05. — 25 d
Lehmann, H: Das Recht d. Handlgslehrlinge. (119) 8° Berl.,
04. Stuttg., J Hess. 2.40 d
Lehmann, H: Offiz. Führer durch d. schweiz. Landesmuseum
in ürich. 3. Afl. (56 m. 16 Taf. u. 2 Pl.) 8° Zür., Hofer & Co.
(01)z. nn 1 —
— Die gute alte Zeit. Bilder a. d. Leben uns. Vorväter. (700
m. Abb.) 8° Nenenbg, F Zahn (04). — (Bas., Schweiz. Natio-
nal-Bh. [Nur dir.].) L. 24 — d

Lehmann, H: Die Unterschrift im Tatbestande d. schriftl.
Willenserklärgℓ (136) 8° Bonn, Röhrscheid & E. 04. 2 —
Lehmann, H: Vorl. f. Schumacher, s.: Kühn, A.
Lehmann, H: Zinzendorfs Religiosität. Eine Anschaug v. e.
persönl. Verhältn. d. Menschen zu s. Schöpfer u. Heiland.
Untersucht nach psycholog. u. zeitgeschichtl. Voraussetzgn
ohne d. Massstab dogmat. Lehrsätze. (63) 8° Lpzg, F Jansa
03. 1.25
Lehmann, HO: Die Haftpflicht d. Lehrer n. d. BGB. f. d.
Deut. Reich. Ansprache. (31) 8° Marbg, NG Elwert's V. 01.
— 50 d
— Hdb. d. deut. Privatrechts, s.: Stobbe, O.
— Das bürgerl. Recht, s.: Enneccerus, L.
Lehmann, J: Sammlg v. deut. Übgsstücken z. Übers. ins La-
tein., Fortsetzg, s.: Sammlung.
— Übgsstücke n. Cäsar, s.: Detto, A.
Lehmann, J, s.: Tierfreund, d. illustr.
Lehmann, J: Dornröschen. Knecht Ruprechts Weihnachts-Mär-
chen. 2. Afl. (39) 8° Deub. 1899. (Lpzg, A Lorentz.) nn — 25 d
— Der Kaffeetisch, s.: Bühne, christl.
— Die hl. Nacht. Weihnachts-Festspiel. 4. Afl. (38) 8° Lpzg, HG
Wallmann 01. — 30 d
— Eine unmögl. Person. — Die Berliner Tante, s.: Bühne, christl.
Lehmann, I: Augen rechts! Komödie. (135) 8° Berl., Vita (05).
2 —d
— Befreites Glück. Roman. (259) 8° Berl., E Fleischel & Co.
04. 3 —; geb. 4 — d
— Oberarzt II. Klasse. — Die Schrippe, s.: Universal-Biblio-
thek.
Lehmann, J: Gesch. d. christl. Predigt. (151) 8° Kass., (JG
Oncken Nf.) 04. L. 2 — d
Lehmann, J: Johann ohne Land, s.: Studien, histor.
Lehmann, J: Deut. Schulgrammatik f. Lehrer- u. Lehrerinnen-
Bildgsanst. Mit e. Abriss d. deut. Metrik. 9. Afl. (298) 8° Wien,
F Tempsky. — Lpzg, G Freytag 02. Geb. 3.20 d
— Deut. Sprach- u. Aufsatzlehre. Nebst e. Abriss d. Poetik
u. Metrik. Für Bürgersch. 11. Afl. (189) 8° Ebd. 03. Geb. 1.60 d
Lehmann, J: Kehraus, s.: Universal-Bibliothek.
Lehmann, J: Hülfsb. bei Herstellg u. Preisberechng v. Druck-
werken, s.: Paul, J.
Lehmann, K: Lehrb. d. Handelsrechts. (In 8—10 Lfgn.) 1. u.
2. Lfg. (1—192) 8° Lpzg, Veit & Co. 05. Je 1.80 d
— Das Recht d. Aktiengesellsch. 2. Bd. (20, 659) 8° Berl., C
Heymann 04. 12 — (Vollst.: 22 —)
— Die Rechtsbula. [S.-A.] (34) 8° Rost., Stiller 04. 2 —
— s.: Zeitschrift f. d. ges. Handelsrecht.
— u. V Ring: Das Handelsgesetzb. f. d. Deut. Reich, s.: Kom-
mentar z. BGB. u. s. Nebenges.
Lehmann, K: Die Angriffe d. 3 Barkiden auf Italien. (310 m.
Abb., 5 Pl. u. 4 Kart.) 8° Lpzg, BG Teubner 05. 20 —;
geb. 13 —
Lehmann, KB: Die Verunreinigg d. Kanalhafens v. Frankenthal, ihre Ursachen, ihre Folgen u. d. Mittel z. Abhülfe.
Gutachten. [S.-A.] (81 m. 1 Karte.) 8° Würzbg, A Stuber's V.
03. 3 —
— u. RO Neumann: Atlas n. Grundr. d. Bakteriol. u. Lehrb.
d. spez. bakteriolog. Diagnostik, s.: Lehmann's medizin.
Handatlanten.
Lehmann, L: Meine Gesangskunst. (45 m. 31 Taf. u. Bildnis.)
4° Berl., Verl. d. Zukunft 02. 10 —; L. 12 — d
— Goethe sagt: Die Kunst stellt eigentlich nicht Begriffe dar,
aber d. Art wie sie darstellt, ist s. Begreifen, e. Zusammen-
fassen d. Gemeinsamen u. Charakteristischen d. h. d. Stil.
Studie zu Fidelio. (68 m. Fig.) 8° Lpzg, Breitkopf & H. 04.
2 — d
Lehmann, L: Märk. Dorfleben einst u. jetzt. Bilder a. d. Gesch.
d. Landgemeinden Hermersdorf—Trebnitz i. Mark
v. alters her bis auf d. Gegenwart. (95) 8° Berl., Deut. Verl.
01. Geb. 2 — d
Lehmann, M: Esther Chiera. — Gegenströmgn. — Vor 100
Jahren. Ein Bild a. d. Berliner israelit. Gemeinde. — Rabbi
Joselmann v. Rosheim. — Der königl.Resident. — 2 Schwestern.
— Der Sohn d. Wittwe, s.: Lehmann's jüd. Volksbücherei.
— Sprüche d. Väter. I. Buch u. II. u. III. Buch je 2 Abthlgn.
8° Mainz, J Wirth'sche Hofbuchdr. Je 1.50 d
(91) 1895. ‖ II,1. (135) 1896. ‖ II,2. (142) 1897. ‖ III,1. (141) 1898. ‖ III,2.
(91) 1899.
Lehmann, M: Preussen u. d. kathol. Kirche seit 1640, Fortsetzg,
s.: Granier, H.
— Freiherr vom Stein. 3 Thle 8° Lpzg, S Hirzel. 33 —;
Einbdk je nn 9.50 d
1. Vor d. Reform. 1757—1807. (454) 02. 10 — ‖ 2. Die Reform. 1807—08.
(506) 02. 12 — ‖ 3. Nach d. Reform. 1808—31. (517) 05. 11 —
Lehmann, O, u. K Dorenwell: Deut. Sprach- u. Übgsb. f. d.
unt. u. mittl. Kl. höh. Schulen. 8 Heften. Unter Mitwirkg
v. O Lehmann bearb. v. K Dorenwell. 8° Hannov., C Meyer.
3.15 d
1. Sexta. 3. Afl. (91) 05. — 60 ‖ 2. Quinta. 3. Afl. (99) 05. — 75 ‖ 3. Quarta.
2. Afl. (116) 02. — 80 ‖ 4. Tertia. (45) 05. 1 —
Lehmann, O, s.: Lehmann's jüd. Volksbücherei.
Lehmann, O: Das sächs. Einkommensteuer-Ges., erläut. an
praktisch durchgeführten Beispielen. (Wie schätze ich mich
richtig ein? Wie reklamiere ich m. Erfolg?) 7. u. 8. Afl. 8°
(52) 8° Dresd., A Köhler 04. — 50 d
Lehmann, O: Die Schulgärten an d. Volkssch. d. Stadt Dresden

im J. 1903. [S.-A.] (12 m. 1 Tab.) 8° Dresd., O & R Becker
(04). — 50
Lehmann, O: Ausgew. poet. Uebersetzgn, bes. a. Victor Hugo.
Nebst ein. Bemerkgn üb. d. Kunst d. Übersetzens. (79) 8°
Wittst. 04. (Lpzg. Bh. G Fock.) 1.20
Lehmann, O: Flüss. Kristalle sowie Plastizität v. Kristallen
imAllg.,molekulareUmlagergnu.Aggregatszustandsändergn.
(267 m. Abb. u. 39 Lichtdr.) 4° Lpzg, W Engelmann 04.
In M. 20 —
— Physik u. Politik. Festrede. (55) 8° Karlsr., G Braun'sche
Hofbuchdr. 01. 1.20
— Physikal. Technik, s.: Frick, J.
— Magnet. Wind u. Magnetokathodenstrahlen. Vortr. [S.-A.]
(80 m. Fig.) 8° Karlsr., G Braun'sche Hofbuchdr. 05. 2 —
Lehmann, P: Die veränderl. Taf. d. usw. preuss. Normalka-
lenders, s.: Foerster, W.
— u. E **Blenck**: Populäre Mitteilgn z. astronom. u. chrono-
log. Tle d. preuss. Normalkalenders f. 1906. (26) 8° Berl.,
Verl. d. k. statist. Landesamts 05. 1 — d
Bisher bearb. v.: Foerster, W, u. E Blenck.
Lehmann, P: Der sozialdemokrat. Zukunftsstaat. (40) 8° Weida,
(Thomas) 05. — 30 d
Lehmann, P, u. H **Stadlinger**: Hilfstab. z. raschen Berechng
d. ursprüngl. Extraktgehaltes d. Bierwürze n. d. Formel
$$e = \frac{100 (E + 2,0665 A)}{100 + 1,0665 A}.$$ [S.-A.] (9) 8° Wiesb., CW Kreidel 05.
1.20
Lehmann, R: Schul-Atlas, s.: Andree, R.
— u. W **Petzold**: Atlas f. d. unt. Kl. höh. Lehranst. 2. Afl.
(52 Kartens.) 4° Bielef., Velhagen & Kl. 01. 1.60; text 2 —;
geb. 2.30
— — Atlas f. Mittel- u. Oberkl. höh. Lehranst. 69 Haupt- u.
90 Nebenk. auf 80 Kartens. 3. Afl. (6 S. Text.) 4° Ebd. 04.
4.60; kart. 5 —; geb. 5.50
— u. A **Scobel**: Atlas f. höh. Lehranst. m. bes. Berücks. d.
Handelsgeogr. 74 Haupt- u. 66 Nebenk. auf 80 Kartens. (4 S.
Text.) 4° Ebd. 03. Kart. 5 —; geb. 5.50
Lehmann, R: Relig. u. Naturwiss. (84) 8° Strassbg, C Bon-
gard 05. 1 — d
Lehmann, R: Die höb. Lehranst. u. d. Mädchenschulwesen im
Deut. Reich, s.: Rethwisch, C.
— Lehrb. d. philosoph. Propädeutik. (173) 8° Berl., Renther
& R. 05. 3.60; geb. n. 4.50
— Deut. Leseb. f. höh. Lehranst. Unter Mitwirkg v. G Klee,
M Nath, W Pfeifer, V Steinecke u. A Zehme hrsg. I—III. Tl;
IV. Tl, 2 Halbbde; V. Tl; VI. Tl, 2 Halbbde u. VII. Tl. 8° Lpzg,
G Freytag. Geb. 20,20 d
I. (Für Sexta.) (290) 04. 2.50 ‖ II. (Für Quinta.) (298) 04. 2.50 ‖ III. (Für
Quarta.) (340) 05. 2.80 ‖ IV,1. (Für Unter-Tertia.) (199) 05. 1.90 ‖ IV,2.
(Für Ober-Tertia.) (254) 05. 2.20 ‖ V. (Für Unter-Sekunda.) (205) 05. 3 —
‖ VI,1. (Für Ober-Sekunda.) 1. Halbbd: Poesie. (70₁) 06. 3 — ‖ VI,2. Dass.
2. Halbbd: Prosa. (186) 06. 1.60 ‖ VII. (Für Prima.) (336) 06. 3 —
— Übersicht üb. d. Entwickelg d. deut. Sprache u. Lit. Für
d. ob. Kl. höh. Lehranst. 4. Afl. (134) 8° Berl., Weidmann
03. Kart. 1.40 d
— Wege u. Ziele d. philosoph. Propädeutik. s.: Sammlung v.
Abhandlgn a. d. Geb. d. pädagog. Psychol. u. Physiol.
Lehmann, S: Saadia Al-Jajjumi's arab. Psalmenübersetzg u.
Commentar. (Psalm 21—41.) Nach e. Münch. u. e. Berliner
Handschrift hrsg., übers. u. m. Anmerkgn versehen. (71 u. 29)
8° Berl., M Poppelauer 01. 2.80
Lohmann, U, s.: Zeitschrift, allg., f. Entomol.
Lehmann, W: Zur Reform d. Reichsstrafgesetzb. — Üb. d.
Vermögensstrafen d. röm. Rechts, s.: Abhandlungen d. kri-
minalist. Seminars an d. Univ. Berlin.
Lehmann, W: Lehrb. d. engl. Sprache, s.: Fernbach, L.
Lehmann, WL: Konr. Grob. — Adolf Stäbli, s.: Neujahrsblatt
d. Kunstgesellsch. in Zürich.
Lehmann-Felskowski, G: Deutschlds Häfen u. Wasserstrassen
in Wort u. Bild. 1. Bd. Seehäfen. (In 4 Lfgn.) 1. u. 2. Lfg.
(1—80 m. 1 Pl.) 4° Berl., Boll & E. 05. Je 6 — d
— Deutschlds Schiffsbau-Industrie. (240 m. Abb. u. 11 [2 farb.]
Taf.) 4° Ebd. 03. (8 —) Geb. 10 —; auch in 10 Lfgn à 1 —
— Die hohe See als Luftkurort. (40 m. Abb. u. 2 farb. Taf.) 8°
Ebd. 01. 1 — d
— s.: Woche, d, Kieler.
Lehmann-Filhés, M: Üb. Brettchenweberei. (55 m. Abb.) 4° Berl.,
D Reimer 01. Geb. 8 —
Lehmann-Filhés, R, s.: Vierteljahrsschrift d. astronom. Ge-
sellsch.
Lehmann-Haupt, C: Tre Fontane u. and. Erzählgn. 1. u. 2. Afl.
(242) 8° Dresd., E Pierson 03.(05). 3 —; geb. 4 — d
— Warum d.Frühling kommen musst!], s.:Universal-Bibliothek.
Lehmann-Hohenberg: Wiederum Jena! Weckruf an d. deut.
Volk z. neuen Freiheitskampfe. (68) 8° Berl., Herm. Walther
05. 1 — d
— Naturwiss. u. Bibel. Beitr. z. Weiterbildg d. Relig., Aus-
blicke auf e. neue Staatskunst, e. naturwiss. Antwort auf
d. Glaubensbekenntnis Kaiser Wilhelms II. 1—6. Taus. (160)
8° Jena, H Costenoble 04.05. 2 —
— Recht od. Gewalt? Auf d. Wege z. Kornzoll. Wird sr be-
händigt diese Schrift d. Königs? Berufg an d. ges. deut.
Volk geg. d. auf Amtsentsetzg laut. Urtheil d. obersten kgl.
preuss. Disziplinargerichtshofes in Berlin v. 13.XII.'02. (88 u.
Nachtr. 71—104) 8° Kiel, Verl. d. „Volksanwalt" (03). 1.50 d

Lehmann-Hohenberg: s.: Rechtshort. — Volksanwalt.
Lehmann-Nitsche, R: Beitr. z. prähistor. Chirurgie n. Funden
a. deut. Vorzeit. (28 m. 1 Taf.) 8° Buenos Aires 1898. (Lpzg, S
Hirzel.) 2 —
— Die Vorgesch. d. Entdeckg v. Grypotherium bei Ultima
Esperanza, s.: Abhandlungen, naturwiss.
Lehmann-Richter, EW: Prüfgn in elektr. Zentralen m. Dampf-
maschinen-u. Gasmotoren-Betrieb. (277 m. Abb.) 8° Brnschw.,
F Vieweg & S. 03. 8 —; L. 9 —
Lehmann-Russstädt, O: Weckrnf an Deutschlds junge Geister.
(44) 8° Schmargendf-Berl., Verl. „Renaissance" 01. — 30 d
Lohmann-Schiller, P (FWP Lehmann): Geschichten a. Homers
Odyssee. Dem deut. Volke u. sr Jugend erzählt. (114 m. 4
Farbdr.) 8° Lpzg, BG Teubner (05). Geb. 2 — d
— Ganz olle Kamellen ut Ithaka. Geschichten ut de Odyssee,
plattdütsch verteilt. (164) 8° Stett., L Schlag 05. 2 —; geb. 2.50 d
— Länder- u. Völkerkde, s.: Hausschatz d. Wissens.
— Aus gr. Zeit. Bilder a. d. Kriegsleben e. pommerschen Jägers.
(252) 8° Neud., J Neumann 03. 4 —; L. 5 — d
Lehmen, A: Lehrb. d. Philosophie auf aristotelisch-scholast.
Grundl., z. Gebr. an höh. Lehranst. u. z. Selbstanterr. II. Bd,
2 Abtlgn. 8° Freibg i/B., Herder. 9 —; HF. 11 — d
II. 1. Kosmol. u. Psychol. (296) 01. 6 — ‖ 2. Theodicee. (587—776) 01. 3 —
— dass. 2. Afl. I. u. II. Bd. 8° Ebd. 11 —; HF. 14.60 d
I. Logik, Kritik u. Ontol. (447) 04. 5 —; geb. 6.50
II. Kosmol. u. Psychol. (19, 540) 05. 6 —; geb. 7.50
Lehmensick, F, s.: Märchen- u. Robinson-Lesebuch. — Mein-
bold's deut. Märchenbilder.
— Thüringer Sagen. (90 m. Abb.) 8° Lpzg, H Bredt 02. 1 — d
Lehmgrübner, P: Mittelalterl. Rathausbauten in Deutschl. Mit
e. Überblick üb. d. Entwicklg d. deut. Städtewesens. 1. Tl:
Fachwerksrathäuser. (56 m. Abb. u. 34 Taf.] 51,5×34 cm. Berl.,
W Ernst & S. 05. In M. 36 —; geb. 38 —
Lehmhaus, F: Moderner Zeichenunterr., s.: Magazin, pädagog.
Lehmkuhl, A: Arbeitsvertrag u. Streik, s.: Frage, d. soz., be-
leuchtet durch d. Stimmen a. Maria Laach.
— Casus conscientiae ad usum confessarior.compositi et solnti.
2 tomi. 8° Freibg i/B., Herder. Je 6.40; HF. je 8.40
I. Casus de theologiae moralis principiis et de praeceptis atque officiis
christianis speciatim acuuptis. (363) 03. ‖ Ed. H. (304) 03.
II. Casus de sacrements qul respondent tertn „Theologia moralis" elus-
dem auctoris volumini alteri. (583) 02. ‖ Ed. H. (592) 03.
— Compendium caeremoniar., s.: Hausherr, M.
— Der Herz-Jesu-Monat, durch Gebet u. Betrachtg geheiligt.
9. Afl. (430 m. 1 St.) 16° Paderb., Junfermann 05. 1.35; L. 1.85 d
— Lehrb. d. Relig., s.: Lehmkuhl's, A.
— Manuale sacerdotum, s.: Schneider, J.
— Neo-Confessarius, s.: Renter, I.
— Die soz. Not u. d. kirchl.Eind., s.: Frage, d. soz., beleuchtet
durch d. Stimmen a. Maria-Laach.
— Regel- u. Gebetb. f. d. Mitglieder d. marian. Kongregationen,
s.: Schneider, J.
— Theologa moralis. 2 voll. Ed. X. 8° Freibg i/B., Herder 02.
16 —; HF. 20 —
I. Contiuens theologiam moralem generalem et ex speciali theologia
morali tractatus de virtutib. et officiis vitae christianae. (10, 816)
II. Contiuens theologiae moralis specialis partem II seu tractatus de sub-
sidiis vitae christianae cum dusb. appendicib. (16, 896)
Lehmus, W: Wir sind jung! Ernste u. heit. Dichtgn. (68) 8°
Kiel, Lipsius & T. 01. 1.20; L. 2 — d
Lohnbuch, d., Friedrichs d. Strengen, Markgrafen v. Meissen u.
Landgrafen v. Thüringen 1349/50. Hrsg. v. W Lippert u. H
Beschorner. (358, 642 m. 9 Lichtdr.) 8° Lpzg, BG Teubner
03. 28 —; geb. 31 —
Lehndorff, C Gräfin (geb. Gräfin Kalnein): Koch- u. Wirt-
schaftsb. (93) 8° Torg., F Jacob 05. 1.20; geb. 2 — d
Lehne's Musiker-Notizb. 1901. (365 S. Schreibkalender.) 16°
Hannov., Lehne & Co. Kart. — 60 d
Lehne, A: Anilinschwarz, s.: Noelting, E.
— s.: Färber-Zeitung.
— Tabellar. Übersicht üb. d. künstl. organ. Farbstoffe u. ihre
Anwendg in Färberei u. Zeugdruck. 2. Ergänzgsbl. 1. u. 2. Lfg.
(18 S. u. Bl. 1—32) 8° Berl., J Springer 05. Je 6 — (Haupt-
werk m. 1. Ergänzgsbl u. 2. Ergänzgsbl 1. u. 2. Lfg.: 69 —)
Lehne, F: Das neue Fräulein. Novelle. (153) 8° Chemn., H Thümm-
ler 06. 2 —; L. 3 — d
— Ein Frühlingstraum. Erzählg a. d. Leben. (238) 8° Ebd. (05).
2 — d
Lehner, F: Helldunkel. Neue Gedichte. (135) 12° Paderb., F
Schöningh 02. L. m. G. 3 — d
— Der verlorene Sohn. 7 Fastenpredigten. Im Anh.: e. Primiz-
predigt. (111) 8° Regsbg, F Pustet 03. 1 —; HLdr 1.40 d
— Was ich fand. Gedichte. (134) 12° Paderb., F Schöningh (01).
L. m. G. 2.80 d
Lehner, H: Felix Hettner. [S.-A.] (23 m. 1 Bildnis.) 8° Trier,
J Lintz 03. — 80
— Das Kastell Kemel. [S.-A.] (8 m. 1 Taf.) 4° Hdlbg,
O Petters 01. 1.80
— Das Prov.-Museum in Bonn. Abbildgn sr wichtigsten Denk-
mäler. 1. Heft. Die röm. Skulpturen. (34 Taf. m. 10 S. Text.)
8° Bonn, (F Cohen) 05. Kart. 1.50
Lehner,J,u.EMader: NeueDekorations-Malereien im modernen
Stil. I. u. II. Serie: Je 60 Taf. farb. Orig.-Entwürfe. Je 5 Lfgn.
45×33,5 cm. Wien, F Wolfrum & Co. (02-05). In M. je 75 —;
jede Lfg 15 —

Lehner, J, u. E **Mader**: Neue Glasmalereien u. Kunstverglasgn im modernen Stil. I. Serie. 4 Abtlgn. (48 farb. Taf.) 48×37,5 cm. Wien, F Wolfrum & Co. (05).   Mit M. je 25 —
— — Neue Schriften u. Firmenschilder im modernen Stil. 1. Serie. 60 Taf. farb. Orig.-Entwürfe. 5 Lfgn. 45×33,5 cm. Ebd. 03.04.   Je 15 —
— — Neue Stuckdekorationen im modernen Stil. I. Serie: Decken, Vestibule, Friese, Rosetten, Füllgn u. sonst. prakt. Verziergn f. Innenräume. 60 Lichtdr. 45,5×34 cm. Ebd. (05). In M. 75 —
Lehner, MJ: Nürnberg's nächste Umgebg. Histor. Wanderg. (129 m. Titelbild.) 8° Nürnbg 1900. München (Universit.-Bibl.), Selbstverl.   2 — d
Lehner, RJ: Nächte. Neue Gedichte. (50) 8° Diessen, JC Huber 02.   1 — d
— 2 irre Wanderseelen, s.: Linhardt, A.
Lehner, S: Die Kitte u. Klebemittel. Ausführl. Anl. z. Darstellg aller Arten v. Kitten u. Klebemitteln. 6. Afl. (136) 8° Wien, A Hartleben 04.   1.80; geb. 2.60 d
— Die Kunststeine. Schilderg d. Darstellg aller Arten künstl. Steinmassen. (356 m. Abb.) 8° Ebd. (02).   6 —; geb. 6.80 d
Lehner, T: Simon Rettenbacher. Ein Erzieher u. Lehrer d. deut. Volkes. (16, 52) 8° Wien, W Braumüller 05.   1 —
— P. Simon Rettenbacher's Lebens- u. Weltanschaug, s.: Literaturbilder fin de siècle.
Lehnerdt, M: Lucretius in d. Renaissance, s.: Festschrift z. Feier d. 600jähr. Jubiläums d. Kneiphöf. Gymnasiums zu Königsberg i. Pr.
Lehnert's Hdb. f. d. Truppenführer. 21. Afl. (20, 218 m. Abb.) 12° Berl., ES Mittler & S. 03. ‖ 22—24. Afl. v. Immanuel. (22, 224; 23, 231 bezw. 23, 238 m. Zeichngn u. Übersichtaf.) 04-06.   L. 1.75 d
— dass. 25. Afl. unter Berücks. d. neuen Schiessvorschrift f. d. Infant. (Entwurf v. 2.XI.'05). (23, 238 m. Zeichngn u. Übersichtaf.) 8° Ebd. 06.   L. 1.75 d
Lehnert, F: A-B-C-Schützen, s.: Bloch's, L, Kinder-Theater.
Lehnert, G: Das Porzellan, s.: Sammlung illustr. Monographien.
— Zimmerturnen, s.: Taschenbücher, illustr., f. d. Jugend.
Lehnert, WM: Leitf. d. modernen Kältetechnik, s.: Weber's illustr. Katech.
Lehnhard, PR, u. s.: Rahnheld, P.
— Onkel Angstmaier, s.: Thalia.
— Zu Befehl, Herr Hauptmann!, s.: Vereinstheater.
— Vor d. Bescherg, s.: Danner's, G, deut. Jugendbühne.
— Riekchen Blaustrumpf, s.: Danner's, G, Damen-Bühne.
— Ihr Cousin, s.: Vereinstheater.
— Comtesse Eigensinn, s.: Danner's, G, Damen-Scenen.
— Frau Ella, s.: Moser, G v.
— Aus Furcht vor Vater Philipp, s.: Danner's, G, Herren-Bühne.
— Gebirgsluft, s.: Danner's, G, Theater-Abend.
— Der Gummitopf, s.: Hochzeits-Album.
— Die Heiratsfalle, s.: Moser, G v.
— Das Hexen-Annerl v. Bergmannsdorf, s.: Danner's, G, Theater-Abend.
— Jette's Dienstboten-Leiden, s.: Danner's, G, Damen-Scenen.
— Ein Kaffeeklatsch, s.: Vereinstheater.
— Des Kaisers Silberhochzeits-Feier, s.: Danner's, G, deut. Jugendbühne.
— Klug wie d. Schlangen, s.: Moser, G v.
— Die verliebte Kochmamsell, s.: Danner's, G, Damen-Scenen.
— Der Königin Traum, s.: Danner's, G, Damen-Bühne.
— Kurbad Centrum. Schwank. 2. Afl. (80) 8° Mühlh. i/Th., G Danner (04).   2.50 d
— Der Laubfrosch, s.: Moser, G v.
— In d. Leutnantsküche, s.: Danner's, G, Herren-Bühne.
— Lottchen's Neujahrs-Überraschg, s.: Danner's, G, Damen-Scenen.
— Lustspiele u. Schwänke, s.: Moser, G v.
— Das neue Mädchen, s.: Thalia.
— Der Meisterschuss, s.: Danner's, G, Theater-Abend.
— Eine Muster-Ehe, s.: Vereinstheater.
— Auf Nachtwache am Kaisers Geburtstag, s.: Festspiele zu Kaisers Geburtstag.
— Der Parlamentarier, s.: Moser, G v.
— Der schlaue Peter, s.: Scenen, kurze.
— Im Riesengebirge, s.: Moser, G v.
— Das Riesenkind, s.: Mebrakter.
— Der Schäferhund, s.: Moser, G v.
— Der gr. Schatz, s.: Thalia.
— Der Silvester-Punsch, s.: Aufführungen f. Weihnachten u. Neujahr.
— Stillgestanden, s.: Vereinstheater.
— Ein flotter Studio, s.: Danner's, G, Herren-Bühne.
— Der 1. Tag in d. Ehe, s.: Hochzeits-Album.
— Der schönste Tag im Jahr, s.: Festspiele zu Kaisers Geburtstag.
— In d. Theater-Garderobe, s.: Danner's, G, Herren-Bühne.
— Marga Tostara, s.: Danner's, G, deut. Volksbühne.
— Der Unterhaltgs-Abend f. Feuerwehr-Ver. Sammlg gew. Ausführgsmaterials f. gesell. Abende. (120) 8° Mühlh. i/Th., G Danner (1900).
— Der Unterhaltgs-Abend im Krieger- u. Militär-Ver. Sammlg gew. Aufführgsmaterials f. gesell. Abende. 1. Bd. 2. Afl. u. 2. Bd. (184 u. 159) 8° Ebd. (05.01).   Je 1.50 d
— Die einsame Villa, s.: Danner's, G, Herren-Bühne.

Lehnhard, PR: Auf d. Vogelwiese, s.: Bloch's, E, Theater-Korrespondenz.
— Wie soll er heissen?, s.: Moser, G v.
— im Zeichen d. Verkehrs, s.: Danner's, G, Theater-Abend.
Lehnhardt, A: Was ist Heiligg u. d. Worte Gottes? (16) 8° Elmsh., Gebr. Bramstedt 02.   — 15 d
Lehrpfuhl, P: Masstaf. f. Grubenhölzer v. 1—2,5 m Länge u. 5—32 cm Zopfstärke z. Bestimmg d. Festgehalts a. Länge u. Zopfstärke. (22) 8° Berl., J Springer 04.   Kart. 1.60 d
Lehr u. **Wehr** für's deut. Volk. Eine Sammlg v. volkstümlich-wiss. Abhandlgn. 1—18. Heft. 8° Hambg, Agent. d. Rauhen H.   Je — 10; Buchausg. 1. Bd. (I. u. II. Serie.) Kart. 1.50 d

Baarts, P: Was ist Offenbarg.? 1. u. 2. Afl. (15) (05.) [16.]
Bertling, O: Was ist Relig.? [8.-A.] 1—5. Taus. (16) (05.) [15.]
Broistedt, W: Wer bist du? Was willst du? Woher u. wohin? 1. u. 2. Afl. (15) (05.) [9.]
Broniach, G: Ist Jesus auferstanden? 1—6. Taus. (16) (05.) [16.]
Gareis: Was sagt d. Heidenmission d. modernen Menschen? 1. u. 2. Afl. (15) (05.) [9.]
Hennig, M: Sind wir unsterblich? 1—3. Afl. (16) (04.05.) [11.]
Petran, E: Das Gewissen. 1—5. Afl. (16) (04.05.) [5.]
Pfennigsdorf, O: Was ist Glaube? 1. u. 2. Afl. (14) (05.) [7.]
Pilts, F: Was berühmte Männer üb. d. Bibel sagen. 1—5. Afl. (16) (04. 05.) [4.]
Schneider: Wissen u. Glaube. 1—5. Taus. (14) (05.) [12.]
Schwartz, v.: Was ist Materialismus? (Nach: Sch., d. moderne Materialismus als Weltanschaung u. Geschichtsprinzip.) 1—5. Taus. (16) (05.) [18.]
Sommer, J: Ehe od. freie Liebe? (16) (05.) [11.]
Splitgerber, A: Kann e. moderner Mensch an Wunder glauben? 1 u. 2. Afl. (14) (05.) [10.]
Studemund, W: Gibt es e. Gott? 1—6. Afl. (16) (04.05.) [1.]
Thomä, J: Hat Nietzsche recht? 1—6. Taus. (16) (05.) [14.]
Weber: Christentum u. Kulturfortschritt. 1—4. Afl. (23) (04.05.) [4.5.]
Werner, J: Haeckels „Welträtsel" im Lichte d. Vernunft u. d. Bibel. 1—4. Afl. (16) (04.05.) [8.]

Lehr, FM, s.: Freund, d., d. Schreibervereins.
Lehr, J: Die Grundbegriffe d. Nationalökonomie, 2. Afl. v. M v. Heckel, s.: Hand- u. Lehrbuch d. Staatswiss.
— Polit. Ökonomie in gedrängter Fassg (Volksw.-Lehre u. -Politik, Finanzwiss., Statistik u. s. w.) 4. Afl. v. C Neuburg. (176) 8° Münch., J Lindauer 05.   3 —; geb. 3.90 d
Lehr, J: Das im Grossh. Hessen gelt. Reichs- u. Landesrecht, s.: Glock, A.
Lehranstalten, d. land- u. forstw., Österr. n. d. Stande zu Ende März 1901. Zusammengest. im k. k. Ackerbau-Ministerium. [8.-A.] (37) 8° Wien, A Hölder 01. ‖ Im Schulj.01/2, 02/3 u. 04/5. (35, 35 u. 37) 02-05.   Je — 40
Lehrbuch d. Chemie, chem. Technol., Warenkde u. mechan. Technol. f. höh. Handelssch. u. verwandte Lehranst. (In 3 Bdn.) II. Bd. 8° Wien, A Hölder.   Geb. 2.30 (I u. II.: 4.70) ö F
II. Chemie, R: Lehrb. d. organ. Chemie u. chem. Technol. (151 m. Abb.) 01.   2.30
— d. Zuschnitts u. d. Bearbeitg d. Damengarderobe spez. f. d. in Herrenschneiderarbeit (Tailor-made) herzustell. Kostümarten. (99 m. Abb.) (1. Thl.) 8° Dresd., Exp. d. europ. Modenzeitg (02).   Kart. 4 — d
— d. französ. Sprache. I. Tl u. II. Tl A u. B. 8° Lpzg, G Freytag.   Geb. 6.20

I. Weitzenböck, G: Lehrb. d. französ. Sprache. I. Tl. 4. Afl. (172) 02.
   2 — ‖ 5. Afl. (172) 04. 2.20
II, A. Dass. Übgsb. 5. Afl. (196 m. Abb., 1 Kärtchen u. 1 Pl.) 05.   2.50
II, B. Dass. Sprachlehre. 5. Afl. (90) 06.   1.50

— dass. f. höh. Mädchensch. u. Lehrerinnen-Seminarien. I. Tl, II. Tl A u. B. IV. Tl. 8° Ebd.   Geb. 13.50 (Vollst.: 15 —)

I. Weitzenböck, G: Lehrb. d. französ. Sprache. 1. u. 2. Afl. (160) 02.04.   2.50
II, A. Dass. Übgsb. (279 m. Abb., 1 Kärtchen u. 1 Pl.) 04.   3.60
II, B. Dass. Sprachlehre. (90) 04.   1.70
IV. Duschinsky, W: Choix de lectures expliquées à l'usage de l'enseignement secondaire. (372 m. Abb. u. 9 Kart.) 04.   4.80

Den III. Tl bildet: Duschinsky, W: Übgsb. z. französ. Syntax.
— d. Geogr. f. d. unt. Klass. d. Mittelsch. 1. u. 2. Tl. 8° Wien, F Tempsky.   Geb. 5.05

1. Richter, E: Lehrb. d. Geogr. f. d. I., II. u. III. Kl. d. Mittelsch. 6. Afl. (266 m. Abb. u. 20 Kart.) 04.   3.35
2. Mayer, FM: Geogr. d. Österr.-Ungar. Monarchie (Vaterlandskde) f. d. 4. Kl. d. Mittelsch. 6. Afl. (98 m. Abb., 3 Taf. u. 1 Kart.) 04.   1.70

— kurzes, d. Gynäkol., bearb. v. E Bumm, A Doederlein, C Gebhard, A v. Rosthorn u. O Küstner. (465 m. Abb.) 8° Jena, G Fischer 01. 6 —; geb. 7.50 ‖ 2. Afl. (510 m. z. Tl farb. Abb. u. 1 Taf.) 04. 7.50; geb. 9 —
— d. klin. Untersuchsmethoden u. ihrer Anwendg auf d. spec. ärztl. Diagnostik. Hrsg. v. A Eulenburg, W Kolle u. W Weintrand. 2 Bde in 4 Tln. (707 u. 200, 1000 m. z. Tl farb. Abb. u. 4 Taf.) 8° Wien, Urban & Schw. 03-05.   42 —; in 2 HF.-Bdn nn 47 —
— d. inneren Medizin. Hrsg. v. Frhr v. Mering. (1092 m. Abb.) 8° Jena, G Fischer 01. 12 —; HF. 14 —; 2. Afl. (1165 m. Abb. u. 1 Taf.) 03. 12 —; geb. 14.50 ‖ 3. Afl. (1165 m. Abb.) 05. 12.50; geb. nn 15 —
— d. spez. Methodik f. d. österr. Lehrer- u. Lehrerinnen-Bildgsanst. Red. v. M Zenz. 1. Bd. 8° Wien, A Hölder. — 90
Beck's, J, Methodik d. Unterr. in d. Elementarkl. 2. Afl. v. W Zenz. (317 m. Abb.) 04. [1.] — 90
— f. d. naturwiss. u. landw. Unterr. an d. landw. Wintersch. u. ähnl. Anst., sowie z. Selbstunterr. Hrsg. v. Verband bayer. Landw.-Lehrer. 2. Afl. (556 m. Abb.) 8° Stuttg, E Ulmer 04.   4.80; geb. nn 5.50 d
— dass. Ausg. f. bayer. landw. Wintersch. 1. u. 2. Afl. (536 bezw. 609 m. Abb.) 8° Ebd. 02.04.   5 —; L. nn 5.50 d

Lehrbuch d. Navigation. Hrsg. v. Reichs-Marine-Amt. 3 Bde.
(Mit Fig.) 8° Berl., ES Mittler & S. 01. 16 —
1. Terrestr. Navigation. (541 m. 4 Taf.) § 2. Astronom. Navigation. (428
m. 2 Taf.) § 3. Anl. zu Küstenvermessg. (106 m. 1 Taf.)
— d. Psychiatrie, bearb. v. A Cramer, A Westphal, A Hoche,
R Wollenberg, O Binswanger u. E Siemerling. (341) 8° Jena,
G Fischer 04. 5 —; geb. 6 —
— d. kathol. Relig. f. d. ob. Kl. d. Gymnasien. 10. Afl. (414)
8° Münch., R Oldenbourg (04). Geb. nn 2.90; m. Dreher's Abr.
d. Kirchengesch. (414 u. 121) nn 3.50 d
— dass. zunächst f. d. ob. Kurse d. Lehrerbildgsanst. u. d.
Realsch. 6. Afl. (258) 8° Ebd. (05). Geb. nn 1.60 d
— d. Relig.-Gesch. Hrsg. unter Red. v. PD Chantepie de la
Saussaye. 2 Bde. 3. Afl. (543 u. 587) 8° Tüb., JCB Mohr 05.
24 —; HF. nn 29 —
In 2. Afl. unter Saussaye aufgenommen.
— f. d. österr. Schiffersch. an d. Elbe. Hrsg. v. Elbever.
in Aussig, red. v. R Pollack u. R Menzer. (300 m. Abb. u.
2 Taf.) 8° Aussig, (A Becker) 01. 3 —
— kurzgef., d. Gabelsb.'schen Stenogr. (Redezeichenkunst.)
Preisschrift. Hrsg. v. d. 1. allg. Versammlg Gabelsb.'scher
Stenogr. zu München. 93. Afl. v. J Lautenhammer. (136 m.
1 Bildnis.) 8° Münch., G Franz' V. 03. Geb. 2 —
— vollständ., d. Gabelsb.'schen Stenogr., s.: Hilf dir selbst.
— stenograph., (System Paulmann). Hrsg. v. Centralver. f.
Faulmann'sche Stenogr. in Wien. Stenograph. Vollschrift.
(20) 8° Wien, (A Bermann) 1900. 45
Lehr- u. Handbuch d. polit. Oekonomie. Bearb. u. hrsg. v.
A Wagner. IV. Hauptabth. 4. Thl. II. Hlbbd. 8° Lpzg, CF
Winter. 15 —
IV. Wagner, A: Finanzwiss. 4. Thl. Spec. Steuerlehre. (Praxis d. Be-
steuerg.) Die einzl. Besteuerg. d. 19. Jahrh. (Staats-, Communal- u.
Reichsbesteuerg.) II. Hlbbd. Baden. Hessen. Elsass-L. Mecklenburg.
Sämmtl. Kleinstaaten. Dout. Reich. (Mit Nachträgen auch z. I. Hlbbd.)
(345—852) 01. 15 — (1—4 m. Ergänzgsheft: 78 —)
Lehr- u. Lesebuch f. Gewerbe-Lehrlingssch. Hrsg. v. S Both,
C Petri, F Schüller u. G Schuller. I. Tl. 1. u. 2. Afl.
(322) 8° Nagyszeben (Hermannst.), W Krafft 02. Geb. nn 2.13 d
Lehrbücher f. d. prakt. Arzt. 1. Serie. Frauenkrankh., Kin-
derkrankh., Augenheilkde, Psychiatrie, Ohrenheilkde. l. u.
2. Halbjlg u. 3—41. (Schl.-)Lfg. 8° Lpzg, S Hirzel. 80 —
Baginsky, A: Lehrb. d. Kinderkrankh. 7. Afl. (1165) 02. [9—19.] 21 —
Fritsch, H: Geburtshilfe. Einführg in d. Praxis. (467 m. Abb.) 04. [97—
41.] 14 —
— Die Krankh. d. Frauen. 10. Afl. (640 m. Abb.) 01. [1—6.] 14 —
Kirchner, W: Hdb. d. Ohrenheilkde. 7. Afl. (272 m. F.) (04.) [34—36.] 6 —
Schmidt-Rimpler, H: Augenheilkde u. Ophthalmoskopie. 7. Afl. (640 m.
Abb. u. 2 Farbt.) 01. [20—25.] 12 —
Ziehen, T: Psychiatrie. (731 m. Abb. u. 3 Lichtdr.) 02. [26—33.] 16 —
— d. Seminars f. oriental. Sprachen zu Berlin. Hrsg. v. d.
Direktor d. Seminars. XIX. Bd. 8° Berl., G Reimer.
L. nn 28 — (I—XIX.: 375.50)
Lange, R: Übgs- u. Leseb. z. Studium d. Japan. Schrift. (529) 04. [XIX.]
nn 28 —
— d. deut. Reichsrechtes, (Umschl.: Guttentag's Sammlg
v. Lehrbüchern d. deut. Nachsrechts) II. 8° Berl., J Guttentag. 5.50; L. 6 — d
Rosenfeld, EH: Der Reichs-Strafprozess. (470) 01. [II.] 5.50; geb. 6 —
Lehre uns beten, o Herr! Gebet- u. Lehrbüchl. f. Schul- u.
Christenlehrkinder. (190 m. 1 Farbdr.) 11×7,5 cm. Kevel., J
Thum (03). L. — 40 d
— d., d. Bearbeitg sämmtl. Herrenkleidgsstücke. 5. Afl.
(95 m. Abb.) 8° Dresd., Exp. d. europ. Modenzeitg (03). kart. 1 — d
— d., v. Kreuze. Nach d. Franz. 10. Afl. (32 m. 12 St.) 16° Freibg
i/B., Herder (05). — 75; L. 1 — d
— d., u. d. Leben Mohammeds od. d. Geist d. Islam. (In russ.
Sprache.) 1. Bd. (437) 8° Berl., H Steinitz 02. 5 — d
— u. Wehre. Theolog. u. kirchlich-zeitgeschichtl. Monatsbl.
Hrsg. v. d. deut. ev.-luth. Synode v. Missouri, Ohio u. a. St.
Red. v. Lehrer-Collegium d. Seminars zu St. Louis. 47. Afl.
Jahrg. 1901—3 je 12 Nrn. (Nr. 1. 32) 5° St. Louis, Mo. (Zwick.,
Schriften-Ver.) Je 7 — || 50. u. 51. Jahrg. 1904—5. Je 8 — d
Lehren, d., d. bibl. Gesch. in Verbindg m. d. Katech. Zum
häusl. Gebr. f. Schüler d. Erzdiöz. Köln. 2 Hefte. 8° Ess.,
Frödebeul & K. 03. Je nn — 15 d
1. Altes Test. (28) § 2. Neues Test (40)
Lehrer's, d. deut., Heim-Kalender. 1904. (02) 8° Dresd., H
Schultze. L. — 60
Lehrer, JC: Fibel, auf Grund d. verein. Anschaungs- u. Sprach-
Unterr. entworfen. 9. Afl. (86 m. Abb.) 8° Nagyszeben (Her-
mannst.), W Krafft 02. Kart. nn — 48 d
Lehrer-Almanach f. d. Reg.-Bez. Erfurt auf d. Schulj. 1905/6.
Hrsg. v. GG Urbach. 3. Jahrg. (166 m. 2 Tab. u. Schreibkldr.)
16° Stotternheim, R Intrau. L. 1.25 d
Lehrerheim, das. Wochenbl. f. Lehrer u. Lehrerfreunde. 19—
20. Jahrg. 1901—5 je 52 Nrn. (Nr. 1. 8) 4° Stuttg., R Lutz.
Viertelj. 1.30 d
Lehrerin, d., in Schule u. Haus. Zentralorgan f. d. Interessen
d. Lehrerinnen u. Erzieherinnen d. In- u. Auslds. Hrsg. v.
M Loeper-Housselle.18.Jahrg.Oktbr1901—Septbr1902. 24 Hefte.
Mit d. Monatsbeil.: Die techn. Lehrerin. Hrsg. v. E Altmann.
(1. Heft. 48) 8° Lpzg, BG Teubner. Viertelj. 1.50; einz. Hefte
35 — || 19—22. Jahrg. Oktbr 1902—Septbr 1906 je 52 Nrn. Mit
d. Beil.: Die techn. Lehrerin. Hrsg. v. E Altmann. (19—21. J.
1498, 1408 u. 1414) Viertelj.)* —; einz. Nrn — 20 d
— d. verheiratete. Verhandlgn d. 1. internat. Lehrerinnen-
Versammlg in Deutschl., berufen im Anschl. an d. internat.

Frauenkongress im Juni '04. Hrsg. v. Landesver. preuss.
Volksschullehrerinnen. (80) 8° Berl., Herm. Walther 05. 1 — d
Lehrerinnenhort. Stellen-Anzeiger f. Lehrerinnen u. Erzieherinnen. Hrsg. u. Schriftleitg: A Sprengel. 6—10. Jahrg. 1901—5
je 26 Nrn. (Nr.1. 8) 8° Bielef., Velhagen & Kl. Viertelj. 1 — d
Lehrerinnen-Kalender, deut., f. d. Zeitraum v. 1.IV.'05—31.
III.'06. Hrsg. v. F Rommel. 19. Jahrg. (278) 16° Berl., L Oeh-
migke's V. L. 1.30 d
— kathol., f. 1906. 14. Jahrg. Hrsg. im Auftr. d. Vorst. d. Ver.
kathol. deut. Lehrerinnen. (199 m. 1 Bildnis.) 16° Hamm, Breer
& Th. L. 1 — d
Lehrerinnen-Seminar, das. Vorbereitg z. Ablegg d. Lehrerinnen-Prüfg. Methode Rustin. Selbst-Unterr.-Briefe. Red. v.
C Jlzig. 28—230. Lfg. (6350 m. Abb., 1 farb. Taf., 2 Tab. u.
14 Kart.) 8° Potsd., Bonness & H. (01-05). Subskr.-Pr. je — 90;
Einzelpr. je 1.35 d
Lehrer-Kalender 1905. (Einbd: Für 1904—5.) (66 u. Schreibkalender.) 16° Kornenbg, J Kühhopf. L. 1 —
— f. 1906. Für Schulinspektoren, Lehrer, Lehrerinnen, Seminaristen u. Präparanden. Hrsg. v. KHL Magnus. 17. Jahrg.
(258 m. 1 Bildnis.) 16° Bannov., Manz & L. L. 1 — d
— braunschweig. f. 1906/7. 7. Jahrg. (266 m. 1 Bildnis.) 16°
Brnschw., H Wollermann. L. — 75 d
— deut., s.: Postel, E.
— deut., f. 1906. 25. Jahrg. (160 m. 1 Karte.) 16° Langens.,
H Beyer & S. L. 1 —
— allg. deut., f. 1906. Für Schulinspektoren, Rektoren, Lehrer
u. Seminaristen hrsg. v. A Jelitto u. O Wilpert. 9. Jahrg.
(232) 8° Gross-Strehl., A Wilpert. L. 1 — d
— elsass-lothring., f.1906. (19.Jahrg.)(100 u.112 m. 1 Karte.)
8° Strassbg, F Bull. L. nn 1.25 d
— hess., f. 1906. 24. Jahrg. 2 Tle. (192 u. 173 m. 1 Bildnis.)
8° Giess., E Roth. L. u. geb. 1.40 d
— kathol., f. 1906—7. 12. Jahrg. (143 u. 88 m. 1 Bildnis.) 8°
Bresl., F Goerlich. L. 1 —
— kathol., f. 1906. 4. Jahrg. (166 m. 1 Bildnis.) 16° Hamm,
Breer & Th. L. 1 — d
— kathol., f. 1905. 16. Jahrg. v. württ. kathol. Lehrerver.
(112 m. 1 Bildnis.) 16° Horb, (P Christian). L.
Nur f. Mitglieder d. württemb. kathol. Lehrerver.
— neuer, f. 1905. Hrsg. v. ein. Lehrern. 18. Jahrg. (278 m.
1 Karte.) 16° Hildburgh., FW Gadow & S. L. 1 — d º F
Lehrer-Prüfungs- u. Informations-Arbeiten. 4. ,6.,10.,14.,16.,
17., 20., 21., 22., 23., 25., 26. u. 98. Heft. 8° Mind., A Hufeland. 9.30 d
Anders, G: Welche pädagog. Grundsätze d. Comenius sind heute noch
gültig? — Worin besteht d. bleib. Wert d. Schrift Pestalozzi's: „Wie
Gertrud ihre Kinder lehrt", z. Kiessler, F, d. Vorstellgsreihe.
Berndt, L: Welche Bedeutg hat d. richtig erteilte geograph. Unterr. f. d.
Gesamtbildg d. Schüler? — Kauermann, F: Beachte d. Individualität
d. Kinder! — Reimann, W: Welche Anfordergn sind an d. Frage an
stellen, wenn sie d. Zwecken d. Unterr. entsprechen soll? 3. Afl. (32)
01. [16.]
Bunse, C: Die Erziehg z. Gehorsam u. z. Wahrhaftigk. — Reimann, K:
Lehrer anzuwenden, um z. Behandlg durch Erzieher u. Lehrer. 9. Afl.
(46) 01. [21.]
Firchau: Übs d. pädagog. Wert d. Dichtgn Uhlands, s.: Hasaheider, d.
Vortragsübgn in d. Volkssch.
Focken, T: Analyse d. Gedankenganges in Pestalozzis „Abendstunde e.
Einsiedlers". Mit e. Abdr. d. „Abendstunde" selbst. 3. Afl. (56) 08. [4.] — 50
Gitschmann: Der Wandel d. Lehrers in s. Bedeutg f. d. Verwaltg d.
Volksschulwesens. — Schülter: Die Wiederholg u. Zweck, Betrieb u. Um-
fang. — Reimann, C: Der heimatkundl. Unterr. in d. Volkssch. 3. Afl.
(44) 05. [4.] — 80
Hasaheider: Die Vortragsübgn in d. Volkssch. — Firchau: Übs. d. pädag.-
gogg. Wert d. Dichtgn Uhlands. — Schreck, E: Wie führen wir uns.
Schüler z. sicheren Gebr. d. Satz- u. Lesezeichen? 2. Afl. (48) 04. [23.]
— 80
Kauermann, F: Beachte d. Individualität d. Kinder, s.: Berndt, L., welche
Bedeutg hat d. etc. geograph. Unterr.
Kiessler, F: Die Vorstellgsreihe, ihr Wesen u. ihre Bedeutg f. d. Unterr.
— Anders, G: Welche pädagog. Grundsätze d. Comenius sind heute
noch gültig? — Anders, G: Worin besteht d. bleib. Wert d. Schrift
Pestalozzi's: „Wie Gertrud ihre Kinder lehrt"? 2. Afl. (39) 02. [36.] — 60
Knauf, N: Der Fabeldichter Wilh. Hey u. s. Bedeutg f. d. Schule. —
Tappe, F: Wie erzieht man d. Schüler durch d. Unterr. z. Selbsttätigk.?
2. Afl. (31) 05. [20.] — 60
Kühn, K: Die Fordergn an d. Lesen in d. Schule usw., s.: Schreff, H, d.
d. Einübg d. Unterr.-Stoffes.
Obst, JG: Die häusl. Arbeiten im Dienste d. Unterr., s.: Schreff, H, d.
d. Einübg d. Unterr.-Stoffes.
— Aller Unterr. soll auf Anschaug beruhen. — Welche Mittel hat d.
Lehrer anzuwenden, um d. Interesse d. Schüler f. den Gesch.-Unterr.
zu wecken u. zu beleben? — Psychologg. Grundsätze, welche f. d. Kie-
mentarschulunterr. massgebend sind. 2. Afl. (46) 01. [25.] — 60
Reimann, K: Der heimatkundl. Unterr., s.: Bunse, C, d. Erziehg z. Gehorsam.
— Die Pflege d. Heimats- u. Vaterlandsliebe durch d. Schule. — Wel-
meier, B: Warum u. in welcher Weise muss d. Volkssch. d. Schönheits-
gefühl ihrer Schüler bilden? 3. Afl. (63) 01. [17.] — 80
— Der heimatkundl. Unterr., s.: Gitschmann, d. Wandel d. Lehrers.
Reimann, W: Welche Anfordergn sind an d. Frage zu stellen, s.: Berndt,
welche Bedeutg hat d. etc. geograph. Unterr.
Richter, C: Was hat d. Lehrer zu tun, um e. gute Schuldisziplin herzu-
stellen u. zu erhalten? 3. Afl. (48) 05. [14.] — 80
Schreck, E: Wie führen wir uns. Schüler z. sicheren Gebr. d. Satz- u.
Lesezeichen, s.: Hasaheider: Die Vortragsübgn in d. Volkssch.
Schreff, H: Die Einübg d. Unterr.-Stoffes. — Obst, JG: Die häusl. Ar-
beiten im Dienste d. Unterr. — Kühn, K: Die Fordergn an d. Lesen
in d. Schule u. d. Mittel, denselben zu genügen. 3. Afl. (35) 04. [26.] — 60
Schülter: Die Wiederholg, s.: Gitschmann, d. Wandel d. Lehrers.
Tappe, F: Wie erzieht man d. Schüler durch d. Unterr. z. Selbsttätigk.?,
s.: Knauf, N, Wilh. Hey.
Twiebhausen, O (? Kranebauer): Rousseaus Pädagogik u. d. Nachwirkgn
derselben bis auf d. Neuzeit. 2. Afl. (48) 02. [10.] — 90
Wehmeier, B: Warum u. in welcher Weise muss d. Volkssch. d. Schön-

heitsgefühl ihrer Schüler bilden?, s.: Reimann, K: Die Pflege d. Heimats- u. Vaterlandsliebe durch d. Schule.
Lehrerverein, d., zu Frankfort s. M. Denkschrift a. Anlass d. Feier s. 25jähr. Bestehens. Hrsg. v. d. Vorstand d. Vereins. (120) 8° Frankf. a/M., Kesselring 02. Kart. 1.20 d
Lehrerzeitung, allg. deut. Schriftleiter: Jahn u. H Arnold, 1903, Kiessling u. Arnold, u. seit 1904, Kiessling u. Mittenzwey. 53—57. Jahrg. 1901—5 je 52 Nrn. (1901. Nr. 1. 12) Mit Beil.: Anzeiger f. d. neueste pädagog. Litt. 30—34. Jahrg. 1901—5 je 12 Nrn. 4° Lpzg, J Klinkhardt. Halbj. 4 — d
— **kathol**. Hrsg. v. B Dürken. 12. Jahrg. 1901. 36 Nrn. (Nr. 1. 32 Sp.) 8° Paderb., F Schöningh. Halbj. 1.60 ∆ 6 F
— Leipz. Schriftleiter: H Rösch n., v.12.Jahrg. an, O Meyrich. 9—13. Jahrg. Oktbr 1901—Septbr 1906 je 45 Nrn. (8. Jahrg. Nr. 1. 10) 4° Lpzg, A Hahn. Viertelj. 1.25; einz. Nrn — 20
— **Posener**. Leiter: A Otto. 10—14.Jahrg. 1901—5. Nebst Beil.: Des Lehrers Feierabend. 4—8. Jahrg. Je 52 Nrn. (Nr. 1. 8 u. 8) 4° Pos. Lissa, F Ebbecke. Viertelj. 1.50; einz. Nrn — 20
— **schweiz**. Red.: F Fritschi.'46. u.47. Jahrg.1901 u. 2 je 52 Nrn. (1901. Nr. 1. 4 u. 8) 4° Zür., Art. Instit. Orell Füssli. Je nn 5 —
— **dass**. Red.: F Fritschi u. P Conrad. 48. Jahrg. 1903. 52 Nrn. Nebst: Blätter f. Schulgesundheitspflege u. Kinderschutz. Red.: Kraft. 1.Jahrg. 1903. 6 Nrn. (Nr.1. 8 u. 16 m. Abb. in 8°) 4° Ebd. nn 5.50; einz. Nrn — 20
— **dass**. 49. u. 50. Jahrg. 1904 u. 5 je 52 Nrn. Nebst: Monatsblätter f. d. Schulturnen. Red.: AJ Müller, J Boltinger-Auer u. G Bubloz. (12 Nrn.) — Blätter f. Schulgesundheitspflege (6 Nrn.). — Praxis z. Volkssch. (12 Nrn.). — Literar. Beil. (12 Nrn.). — Mitteilgn d. Pestalozzianums (10 Nrn.). (Nr. 1. 18 u. 24 m. Abb. in 8°) 4° Ebd. Je nn 5.50; einz. Nrn — 20
— allg. stenograph. Monatsschrift d. deut. Vereinigg stenographier.Lehrer. Schriftleiter: E Böge. 4. Jahrg. 1903. 12 Nrn. (Nr. 1. 4 u. 4) 8° Liegn., Dr. v. Kunowski. Halbj. nn 1 —
Fortsatzg z. u. T.: Unterrichtsleiter, d.
— deut. stenograph. Mit d. Beil.: Pädagog. Beil., stenograph. Monatsschau, stenograph. Lesehalle, d. Vereinsbote. (System Stolze-Schrey.) Schriftleitg: E Stark. 4. Jahrg. 1903. 12 Nrn.(Nr.1.8 u.8) 8° Magdeburg (Oivenstederstr.59). H Wutcke. Postfrei 4 —
— dass., m. d. Beil.: Pädagog. Beil. u. stenograph. Gartenlaube. (System Stolze-Schrey.) Schrifteitg: E Stark. Red.: F Weber, seit 1904 A Müller. 5—u. Jahrg. 1902—5 je 12 Nrn. (Nr. 1. 8 u. 8) 8° Ebd. Postfrei je 4 —; einz. Nrn — 40
— f. Thüringen u. Mittel-Deutschl. Hrsg. v. E Polz. 14—16. Jahrg. 1901—3 je 52 Nrn. (Nr. 1—7. 56) 4° Weim., B Wagner Sohn. Viertelj. 2 —; einz. Nrn — 50
— dass. Monatlich 1 literar. Beil. u. 1 Beil.: Aus d. Fachpresse*. 17. u. 18. Jahrg. 1904 u. 5 je 52 Nrn. (Nr. 1. 8) 4° Ebd. Viertelj. 2 —; einz. Nrn — 50
— **westdeut**. Zeitschrift z. Förderg d. kathol. Schule u. d. Lehrerstandes. Gegründet v. H Sittart. Red.: F Bachem. 9—12. Jahrg. 1901—4 je 36 Nrn. (424, 452, 440 u. 552) 4° Köln, J P Bachem. Viertelj. 1.20 || 13. Jahrg. 1905. 52 Nrn. (552) Viertelj. 1.25 d
— neue westdeut. Monatl. Beil.: Jugendschriften-Warte u. Litterar. Anzeiger. Schriftleiter: A Siepen. 7—11. Jahrg. Apr. 1901—März 1906 je 12 Nrn. (Nr. 1. 8) 8° Elberf., (S Lucas). Viertelj. nn 1.75; einz. Nrn — 60
— f. Westfalen, d. Rheinprov., Hannover, Braunschweig. Waldeck-Pyrmont u. d.Nachbargebiete. Regelmäss. Monatsbeil.: Jugendschriften-Warte. Red.: H Anders. 18—22. Jahrg. 1901—5 je 52 Nrn. (Nr.1.12) 4° Bielef., A Helmich.Viertelj. 1.50 d
Lehrgang d. Eilschrift (System v. Kunowski) sammt Schlüssel. 2. Afl. (31) 8° Liegn., Dr. v. Kunowski 02. nn 1 —
— f. d. elementaren Zeichenunterr. Hrsg. v. Ver. z. Förderg d. Zeichenunterr. in Hannover. 1. Ti. 2. Afl. v. H Magdeburg. (24 m. 3 L.) 8° Hannov., Norddeut. Verl.-Anst. 02. — 70 d
Lehrgänge f. d. Unterr. in d. Fortbildgssch. IX. Bd. 8° Lpzg, F Reinboth. 3 —; geb. 4 — d
Pache, O: Die Lehre v. d. Gesellsch. Volkswirtschaftslehre f. d. erwachs. 3. Afl. (92) 02. [IX.]
— illustr., f. d. Unterr. in Knabenhandarbeit. Modellieren, Kartonnage, Hobelbank, Eisen- u. Schnitzarbeiten. Bearb. v. kant. Ver. f. Knabenhandarbeit. 3. Afl. (90 m. z. Tl farb. Abb.) 8° Zür., (E Speidel) 03. nn 1.50
Lehrheft d. Rundschrift f. Klassen- u. Selbstunterricht. Hrsg. v. Lehrern d. kgl. verein. Maschinenbansch. in Dortmund. 2. Afl. (18) 4° Dortm., (Ruhfus' Sort.) (03). nn — 25
Lehrhefte f. d. Einzelunterr. an Gewerbe- u. Handwerkersch., hrsg. v. C Lachner. I. Abtlg. Nr. 1 u. 1a; II. Abtlg. Nr. 1—3, 5, 7 u. 8; III. Abtlg. Nr. 2, 5, 6 u. 8; Abtlg. IV b; V. Abtlg. Nr. 1, 3, 4, 6 u. 7; VI. Abtlg. Nr. 1, 2, 6—8, 11 u. 12—20. 8° Lpzg, Seemann & Co. 12.50
I. 1- Krökes, E, u H Sundermeyer: Das Zirkelzeichnen u. geometr. Darstellen körperl. Grundformen. 12. Afl. (9 Taf. m. Text auf Rücks. u. Umschl.) 03. — 50 || 1a. Krökes, E: Zirkelzeichnen. 4. Afl. (6 Taf. m. Text auf Rücks. u. Umschl.) 04. — 40
II. Masszeichnen u. Modellen. 1. Für Möbeltischler, v O Winkelmüller. 4. Afl. (12 Taf. m. Text auf Rücks. u. Umschl.) 03. — 50 || 3. Für Maschinenbauer, v. W Klapproth. 4. Afl. (6 Taf. m. Text auf Rücks. u. Umschl.) 03. — 50 || 5. Für Bauschlosser, v. K Klapproth. 3. Afl. 2. Abdr. (12 Taf. m. Text auf Rücks. u. Umschl.) 03. — 50 || 6. Für Feinmechaniker u. Elektrotechniker, v. K Beriepsch. 2. Afl. (12 Taf. m. Text auf Rücks. u. Umschl.) 03. — 50 || 7. Für Bantischler, v O Winkelmüller. 2. Afl. (12 Taf. m. Text auf Rücks. u. Umschl.) 03. — 50 || 8. Für Bauhandwerker, v A Narten. 2. Afl. (9 Taf. m. Text auf Rücks. u. Umschl.) 03. — 50
III. Fachzeichnen u. Masskizzen, Muster u. Modellen. 2. Für Glaser,

v. W Müller. 2. Afl. (6 Taf. m. Text auf Rücks. u. Umschl.) 03. — 40 || 5. Für Stellmacher, v. O Winkelmüller. 2. Afl. (12 Taf. m. Text auf Rücks. u. Umschl.) 02. — 80 || 6. Für Schneider, v. A Kirchner. 2. Afl. (8 Taf. m. 8 S. Text.) 03. — 80 || 8. Für Böttcher, v. O Winkelmüller. (6 Taf. m. Text auf Rücks. u. Umschl.) 03. — 40
IVb. Krökes, E: Geometr. Darstellen einf. Körpermodelle (verkürzter Lehrg.) 4. Afl. (6 Taf. m. Text auf Rücks. u. Umschl.) 03. — 40
V. Fachzeichnen u. Masskizzen f. Bauhandwerker. 1. Der Treppenbau, v. P Schmidt. 4. Afl. (6 Taf. m. Text auf d. Umschl.) 03. — 40 || 2. Maurerarbeiten, v. P Schmidt. 3. Afl. (6 Taf. m. Text auf Rücks. u. Umschl.) 04. 1.20 || 4. Bogen u. Gewölbe, v. P Schmidt. 4. Afl. (6 Taf. m. Text auf Rücks. u. Umschl.) 04. — 40 || 6. Zimmerarbeiten, v. P Schmidt. 4. Afl. (6 Taf. m. Text auf Rücks. u. Umschl.) 03. — 40 || 7. Dachkonstruktionen, v. P Schmidt. 3. Afl. (6 Taf. m. Text auf Rücks. u. Umschl.) 03. — 40
VI. Geschäftsaufzüge f. d. Unterr. in d. gewerbl. Buchführg. Nr. 1. Für Tischler, v. K Wenzel. 5. Afl. (15) 04. | 2. Für Schlosser, v. K Wenzel. 6. Afl. (16) 05. | 6. Für Maschinenbauer, v. W Klapproth u. H Lie. 3. Afl. (16) 03. | 7. Für Buchbinder, v. K Wenzel. 7. Afl. (15) | 8. Für Schlachter, v. K Krökes. 2. Afl. (16) 05. | 11. Für e. Galanteriewkr.- u. Spielwarenhandlg, v. H Lie. 3. Afl. (16) 03. | 13. Für Friseure, v. K Wüster. (15) 02. | 14. Für Glaser, v. K Wüster. (9) 02. | 15. Für Klempner, v. K Wüster. (10) 03. | 16. Für Maler, v. K Wenzel. (16) 03. | 17. Für Maurer, v. K Wenzel. (16) 03. | 18. Geschäftsaufzüge f. Kl.- u. verschied. Berufen, v. K Wüster. (12) 03. | 19. Für Zimmerer, v. K Wenzel. (15) 03. | 20. Für Photographen, v. K Wüster. (16) 03. Je — 15

Die VI. Abtlg führt d. Titel f. Fortbildgs- u. Handwerkersch.
Lehrhefte, techn. (Abt. A.) Baufach 5., 13. u. 14. Heft. 8° Lpzg, JM Gebhardt. 6.20; geb. 8 —
Tietjens, J: Die Dachkonstruktionen. II. Hälfte. (103 m. Abb. u. 4 L.) Karlsr. 04. [b.] 4.90; geb. 5 — (Vollst.: 7.70; geb. 8.50; in 1 Ld.-Bd 9 —)
— dass. Abtlg B. Maschinenbau. Heft 2, H. T1; 4b; 6, 3 Tle; 9, 10, 13 u. 14. 8° Ebd. Geb. 33.30
Kessler, J: Berechng u. Konstruktion d. Turbinen. 3. Afl. (52 m. Abb.) Hildbargh. 02. [9.] 1.60; geb. 2 —
— Die Dampfmaschinen. I. Abtlg. Konstruktion d. Dampfmaschinen. Beschreibg d. Dampfmaschinen, d. verschied. Bauarten u. Einzelh. Die Steuergn u. deren Diagramme. Die Kondensatoren. 2. Afl. (128 m. Abb. u. 6 Taf. in M.) Karlsr. 04. [6 L.] 5 —; geb. 6 — || II. Abtlg. Berechng d. Dampfmaschinen. Korzgef. Theorie d. Wärme, d. Gase u. d. Wasserdampfes. Theorie d. Dampfmaschinen u. anl. z. Berechng derselben. 3. Afl. (59 m. Abb.) Hildbargh. 03. [6 Il.] 1.80; geb. nn 2.30 || III. Abtlg. Berechng d. Schwungräder u. Centrifugalregulatoren. 2. Afl. (45 m. Abb.) Karlsr. 04. [b Il.] Geb. 1.80 || in 1 Ld.-Bd, Taf. in M. 9.50
— Grundz. d. Mechanik. 1. T1: Statik fester Körper. (136 m. Abb.) Hildbargh. 01. [10.] 3.50; geb. 4 —
Korn, H: Die Maschinen-Elemente. 2. Tl. (143 m. Abb. u. 96 (Larb.) Taf.) Hildbargh. 01. [9.] 4 —; geb. 4.50 (Vollst. in 1 Bd: 9.40; geb. 10 —)
Voss, E v.: Grundz. d. Gleichstrommechanik. 1. Tl. (96 m. Abb. u. 2 Taf.) Hildbargh. 03. [10.] 3.60 || 2. Tl. (119 m. Abb. u. 11 Taf.) Karlsr. 04. [14.] 5.40; geb. 6 — (Vollst. in 1 Bd geb. 9.50
Zirmann, J: Die Krane. 1. T1: Berechng u. Konstruktion d. Gestelle d. Krane. 2. Afl. (93 m. Abb. u. 6 Taf.) Hildbargh. 03. [4b.] Geb. 3 —
Lehrmittel, d. elektrotechn., Deutschlds. Organisation, Lehrziele, Aufnahmebedingen, Studienkosten etc. d.techn.Fachsch. Deutschlds, welche Elektro-Ingenieure u. Elektrotechniker ausbilden. (44) 8° Stegl. 02. Berl., C Malcomes. — 80
Lehrling z., nötigste Gebete. 2. Afl. (16) 9.8×7 cm. Maikgt. Druckerei Lehrlingshaus 03. nnn — 80
Lehrlinge u. Volontäre im Buchhandel, v. Seriosus (KF Pfan). (Neue Ausg.) 12° Lpzg, KF Pfan (01). nnn — 80
Lehrlingsarbeiten-Ausstellung 1904 d. Wiener Tischler-Genossenschaft. (21 Lichtdr.) 41×32 cm. Wien, A Schroll & Co. (05). In M. 14 —
Lehrlingswesen, kaufmänn., s.: Veröffentlichungen d. deut. Verbandes f. d. kaufmänn. Unterr.-Wesen.
Lehrmann, K: Zur Konfirmanden-Entlassg. Sammlg v. Ansprachen, Gedichten u. zweistimm. Liedern. (120) 8° Osterw., A W Zickfeldt 03. nn 2.90 d
Lehrmeister, d., im Garten u. Kleintierhof. Red.: ES Zürn, H Frhr Schilling v. Canstatt, C Hecker. 1. Jahrg. Oktbr 1902— Septbr 1903. 52 Nrn. (838 m. Abb. u. 1 farb. Taf.) 4° Lpzg, Hachmeister & Th. L. 6.50; viertelj. 1 — d
— dass. Illustr. Wochenzeitschrift f. Obst- u. Gartenbau u. Blumenpflege, sowie f. Geflügel-, Hunde-, Kaninchen-, Ziegen-, Schaf-, Fisch- u. Bienenzucht. Red. v. J Schneider, (C Hecker, K Hinz). Für Tierkrankh.: K Roth. 2— u. Jahrg. Oktbr 1903—Septbr 1906 je 52 Nrn. (2. u. 3. J. 770 u. 812 m. Abb. u. je farb. Taf.) 4° Ebd. L. je 6.50; viertelj. 1 — d
Lehrmittel f. d. Relig.-Unterr. in d. Volkssch. 4 Hefte. 8° Zür., Schulthess & Co. 1.80; kart. nn 2.90 d
I. (4. Schulj.) Neue Afl. (32) 02. — 40; kart. nn — 50 || II. (3. Schulj.) 3. Afl. (36) 03. — 40; kart. nn — 50 || III. (6. Schulj.) Neue Afl. (70) 01. 3. Afl. nn — 50 IV. (7. Schulj.) (102) 1996. — 60; kart. nn — 70
Neue Afl. s. u. d. T.: Erzählungen, bibl., f. d. Realst. d. Volkssch.
— dass. 2. Tl. (d. Oberscb.). (Neue Ausg.) (160 m. Abb. u. 1 Karta.) 8° Ebd. 02. — (Vollst.: 2 —; kart. 2.40) d
— dass. Schule. Mitteilgn, Ratschläge u. Beurteilgn a. d. Praxis d. höh. Lehranst., Volks- u. Fortbildgssch. Red.: F Priebatsch. 1—5. Jahrg. 1901—5 je 8 Nrn. (1901. Nr. 1. 12) 4° Bresl., Priebatsch. Je 3 —; einz. Nrn — 40
— f. d. modernen Zeichen-Unterr. a. d. Verlage d. Firma A Müller-Fröbelhaus-Dresden. (Liste Nr. 1. 2 u. 8) 8° Dresd., A Müller-Fröbelhaus 03. 50 —
Lehrmittel-Archiv. Illustr.Halbmonatsschrift f. d. prakt. Sammelwesen, f.Experimentatoren, Amateurphotogr., sowie f.Dilettanten a. allen Gebieten, m. d. Beil. „Sammler-Post". Red.: H Konwiczka. Jahrg. 1905. 24 Nrn. (Nr. 1 u. 2. 20 u. 4) 8° Berl. (N. 58, Wicherstr. 8), Verl. d. deut. Lehrmittel-Gesellsch. Viertelj. — 80; einz. Nrn — 20

Leicht, A: Lazarus, d. Begründer d. Völkerpsychol. (111 m.
1 Bildnis.) 8° Lpzg, Dürr'sche Bh. 04. 1.40
Leicht, J: Die Klagelieder d. Propheten Jeremias. Fastanpre-
digten. (47) 8° Rgnsbg, F Pustet 05. — 90; L. 1.40 d
Leichtentritt, H: Frédéric Chopin, s.: Musiker, berühmte.
— Gesch. d. Musik, s.: Hillger's illustr. Volksbb.
— Prakt. Harmonielehre. — Der strenge Satz in d. musikal.
Kompositionslehre, s.: Bussler, L.
Leiden, geheime, s.: Volks- u. Hausarzt, deut.
— Sterben u. Auferstehung uns. Heilandes Jesu Christi. In
d. Worten d. Evangeliums m. 17 Bildern v. H Schäuffelin.
(39) 8° Lpzg, R Voigtländer (01). — 80 d
Leidenroth, B: Indicis grammatici ad scholia Veneta A ex-
ceptis locis Herodiani specimen II. (30) 4° Lpzg, (Dürr'sche
Bh.) 03. 1.50
Leidensgeschichte, d., JEsu Christi, a. d. 4 Evangelisten zu-
sammengefasst. Nach d. rev. Text. [S.-A.] (20) 12° Elberf.,
Bh. d. ev. Gesellsch. (04). — 10 d
— e. Stundisten, s.: Hefte z. Christl. Orient.
Leidens-Schule. Betrachtgsbüchl. f. Verehrer d. leid. Heilan-
des. Aus d. Franz. 2. Afl. (80) 8×5,5 cm. Münch., J Pfeiffer
(03). — 20 d
Leidfried: Von Liebe, Leid u. Tod. Gedichte. (151) 8° Berl.,
K Siegismund (03). L. 3 — d
Leidich, G: Landw.-Lehre. Leitf. f. Fortbildgssch. 3 Tle. 8°
Giess., E Roth. Je 1 — d
1. Bodenkde. (31) 03. | 2. Pflanzenbau. (24) 04. | Tierzucht. (32) 03.
Leidig: Der Ausstand d. Bergarbeiter im Ruhrkohlengebiet,
s.: Bueck, HA.
Leidinger, G, s.: Chronik u. Stamm d. Pfalzgrafen bei Rhein
u. Herzoge in Bayern. — Festgabe, Karl Theodor v. Heigel
gewidmet.
Leidl, L: Der Moos-Gaberl, s.: Schulze's Zehnpfennigbücher.
Leidner: Zur Impffrage, s.: Sammlung populärmedizin. Ab-
handlgn auf wiss. Grundl.
Lejeune-Dirichlet's, G, Vorlesgn üb. d. Lehre v. d. einf. u.
mehrf. bestimmten Integralen. Hrsg. v. G Arendt. (23, 476
m. Abb.) 8° Brnschw., F Vieweg & S. 04. 12 —; L. 13 —
Leiffholdt, F: Prakt. Lehrg. d. span. Sprache z. Einführg in
d. span. Handelskorrespondenz. (246) 8° Freibg, E Mauckisch
05. L. n. 3.25 d
Leihbibliothekar, der. Wöchentl. Anzeigebl. erscheint. Bücher f. Leihbibliotheken. 18—21. Jahrg. Oktbr 1901
—Septbr 1905 je 52 Nrn. (18. Jahrg. Nr. 1. 26) 4° Lpzg, R
Maeder. Je nnn 4 — d
Leimbach, G, s.: Monatsschrift, deut. botan.
Leimbach, KL: Ausgew. deut. Dichtgn, f. Lehrer u. Freunde
d. Litt. erläut. XII. Bd. 3. Lfg u. XIII. Bd. 3 Lfgn. A. u. d.
T.: Die deut. Dichter d. Neuzeit u. Gegenwart. Biographieen,
Charakteristiken u. Ausw. ihrer Dichtgn. VIII. Bd. 3. Lfg u.
IX. Bd. 3 Lfgn. 8° Frankf. a/M., Kesselring. Je 1.50
(I—XIII.: 51.50: Einbde je Bd I—XII je nn — 70) d
XII,3. (VIII. Bd. 371—465) (1900.) | XIII. (IX. Bd. 462) (01.02.)
— s.: Haus u. Schule.
— Leitf. f. d. ev. Relig.-Unterr. in d. höh. Lehranst. Vorst.
Bibl. Gesch. d. Alten u. Neuen Test. (164 m. 1 Karte.) 8°
Bannov., C Meyer 04. Geb. 1 — d
— dass. 2. Tl. Oberst. 3. Afl. (211) 8° Ebd. 02. Geb. 1.80 d
— dass. Ausg. A. (Für d. nichtschles. höh. Lehranst.) 1. Tl.
Unter- u. Mittelst. 4. Afl. (260 m. 1 Karte.) 8° Ebd. 02. Geb. 2.20 d
— Deut. Leseb. f. höh. Mädchensch., s.: Plümer.
Leimdörfer, D: „Die Himmel rühmen . . ." Studie z. Psalmen-
forschg. (11) 8° Frankf. a/M., J Kauffmann 05. — 30 d
— Der Jhwh-Fund v. Babel — in d. Bibel. 1—3. Taus. (32) 8°
Hambg, C Boysen 03. — 1 — d
— Das Wesen d. Judentums. (15) 8° Frankf. a/M., J Kauffmann
05. — 50 d
Leimdörfer, M: Entwicklg u. Organisation d. Brandschaden-
versicherg in Österr. 1700—1848, s.: Studien z. Sozial-, Wirt-
schafts- u. Verwaltgsgesch.
Leinberger's Haushaltsgsb. (26) 8° Darmstadt, A Leinberger
(01). (Nur dir.) — H
Leine, Fv. d., s. a.: Löns, H.
— Ausgew. Werke. (79) 8° Hannov., M & H Schaper 02. — 50 d
Leiner's elektrotechn. Katalog. Die Lit. d. Elektrizität, d.
Magnetismus, d. Elektrotechnik, Galvanoplastik, Telegr.,
Telephonie, Blitzschutzvorrichtg, Elektrostrahlen, Elektro-
metallurgie u. Elektrochemie, sowie d. Acetylen- u. Carbid-
Industrie u. J. 1884—1903. (Geschl. am 1.VI.'03.) Mit Schlag-
wortreg. u. Verleger-Verz. 7. Afl. (155) 8° Lpzg, O Leiner 03.
†2 — || Nachtr. Juni 1903—Aug. 1904. (23) 04. nn — 55
Leiner, R: Sumpf. Sittenkomödie. (132) 8° Strassbg, Süddeut.
Merker (05). 1.50 d
Leinweber, H: Dichtergold, s.: Schöningh's Ausg. deut. Klas-
siker.
— Schülerb. Hilfsmittel f. d. Unterr. in d. deut. Satz-, Wort-
u. Rechtschreibelehre. Für Volks- u. Bürgersch. in 3 konzentr. Kreisen u. im Anschl. an d. Leseb. bearb. u. hrsg.
8° Trier, H Stephanus. — 85 d
1. 31—53. Taus. (44) 04. — 20 || II. 35—37. Taus. (45) 02. — 35 || III. 30—
35. Taus. (105) 02. — 40.
— Übgsstoff z. Befestig. in d. deut. Rechtschreibg. 7. Afl. (109)
8° Ebd. 04. 1 — d
Leinhaas, GA: Erinnergn an Victoria, Kaiserin u. Königin

Friedrich. (60) 8° Mainz, (V v. Zabern) 02. 2 —; engl. Ausg.
(58) 02. 2 — d
Leinhaas, GA: Aus 4 Weltteilen. Reise-Erinnergn. (214 m. Abb.
u. Bildnis.) 8° Mainz, L Wilckens 04. L. 3 — d
— Wohnräume d. 15. u. 16. Jahrh. Nach gleichzeit. Darstellgn
auf Gemälden etc. 2? Farbentaf. m. erläut. Verz. (VIII S. Text.)
4° Berl., E Wasmuth 01. In L.-M. 30 — d
Leiningen, H Gräfin zu: Im Vorzimmer d. Kaisers. Histor.
Charakterbild. (51 m. 1 Bildnis.) 8° Lpzg, H Schmidt & C
Günther 05. — 75; geb. nn 1.75 d
Leiningen-Westerburg, KE Graf zu: Deut. u. österr. Biblio-
thekzeichen, Exlibris. (610 m. Abb. u. 4 [2 farb.] Taf.) 8°
Stuttg., J Hoffmann 01. 12.50
Leinitz, L: Wie studiert man Nationalökonomie? (31) 8° Lpzg,
Rossberg'sche Verl.-Bh. 02. — 80 d
Leinweber, E: Baasenreisig. Gesch. u. Gedichte in vogtländ.
Mundart. (48) 8° Plauen, FE Neupert's S. (04). — 50 d
— Geschichten u. Gedichte in vogtländ. Mundart. 2—4. Bd. 8°
Plauen. Dresd., R Härtel. Je — 50 d
2. In dr Waldmühl un Anneres aus'm Vogtland. (46) (01.) || 3. Frische
Grüne. 2. Afl. (47) (02.) || 4. Tollbasten. Ulk un Spuk aus'm Vogtland. 2. Afl.
(84) (03.)
Den 1. Bd bildet „Nu itze aufgepasst!"
— Rewinsele. Gesch. u. Gedichte in vogtländ. Mundart. (48)
8° Plauen, FE Neupert's S. (05). — 50 d
Leinweber, W: Die Silberkrönchen, s.: Sermes, MC.
Leinz, A: Die Simonie. (154) 8° Freibg i/B., Herder 02. 2 —
Leipart, T: Die Lage d. Arbeiter in d. Holzindustrie. Nach
statist. Erhebgn d. deut. Holzarbeiter-Verbandes f. 1902 bearb.
(96) 8° Stuttg., JHW Dietz Nf. 04. 1.50 d
Leipelt's Touristenführer f. d. Riesen- u. Isargebirge. Von S
Beck. 4. Afl. (128 m. 1 Karte.) 8° Warmbr., M Leipelt 05. — 80
— neue Wege-K. d. Riesen-, Iser- u. Jeschkengebirges. 8. Afl.
1 : 125,000. 35×67,5 cm. Mit Text auf d. Rücks. Ebd. (04). — 40
Leipheimer, RD: Die künstler. Aufg. d. Staates. (42) 8° Darmst.,
E Roether (04). 1 — d
Leipold, E: Die Volksschule. Schulzucht, Lehrpersonen, Schul-
aufsicht u. Schularbeit. 1. u. 2. Afl. (310 m. 1 Taf.) 8° Rgnsbg,
Verl.-Anst. vorm. GJ Manz 04. 3 —; L. 3.60 d
Leipold, G: Erdk. — Palästina bis z. Z. Christi, s.: Kuhnert, M.
— Verkehrsk. v. Mitteleuropa. Polit. Karte m. Angabe d. Eisenb.,
wicht. Alpenstrassen, Dampferlinien u. Telegraphenverbindgn.
4 Bl. Je etwa 86,5×79 cm. Farbdr. Dresd., A Müller-Fröbel-
haus (05). 16 —; auf L. m. St. u. Wachstuchschutz 22 —
— Wandk. d. Weltverkehrs. Polit. Erdk. im Mercator-Entwurf
m. Darstellg d. wichtigsten Eisenb., Dampfer-, Telegr.-Linien
u. Karawanenstrassen. 1. u. 2. Afl. (48) 8° Dresd., A Müller-
Ebd. (05.05]) 14 —; auf L. m. St. 20 —
Leipold, J: Didymus, d. Blinde v. Alexandria, s.: Texte u.
Untersuchungen z. Gesch. d. altchristl. Lit.
— Der Hirt d. Hermas in saldischer Übersetzg. [S.-A.] (28) 8°
Berl., (G Reimer) 03. — 50
— Schenute v. Atripe u. d. Entstehg d. national-ägypt. Christen-
tums, s.: Texte u. Untersuchungen z. Gesch. d. altchristl. Lit.
Leipold, O: De Hufapetbek. Schwank. (31) 8° Plauen, (R Neu-
pert jr.) 01. — 80 d
Leipzig in Geschichten u. Bildern. Heimatkundl. Lesestücke
z. Einzugd. Lpzg. Schulleseübücher. Hrsg. v. e. Kommission
d. Lpzg. Lehrerver. (160 m. Abb.) 8° Lpzg, Dürr'sche Bh. 04.
Kart. nn 1.20 d
— im J. 1904. Hrsg. a. Anlass d. Betätigg Leipzigs an d.
Weltausstellg in St. Louis. (115 m. 26 [4 farb.] Taf.) 4° Lpzg,
Giesecke & Devrient (04). Geb. 5 — d
Leipzig's Handel u. Industrie. Adressb. sämtl. handelsgerecht-
lich eingetrag. Firmen u. d. grösseren gewerbl. Betriebe f.
1901. VI. Jahrg. (340) 8° Lpzg, Schulze & Co. Geb. 6 — ö F
Leipziger, L, s.: Roland, d., v. Berlin. — Roland v. Berlin.
Leis, G, s.: Komet-Kalender.
Leisa, J: Der 30jähr. Petroleumkrieg, s.: Brackel, Frhr O v.
Leisching, H: Charakterist. Kunstdenkmäler d. geschichtl.
Stilarten Niedersachsens. (1 Bl. auf Kart.) 4° Hannov., M &
H Schaper 03. — 25
Leisching, J: Rudolf v. Alt. [S.-A.] (19 m. Abb., 1 farb. Taf. u.
2 Radiergn.) 41×31 cm. Wien, Gesellsch. f. vervielfältig.
Kunst 02. (10) 4° Brünn, (C Winiker) 01. — 60
— Arnold Böcklin. Gedenkrede. (10) 4° Brünn, (C Winiker) 01.
nn — 60
— Josef Danhauser. [S.-A.] (16 m. Abb. u. 3 Taf.) 41×31 cm.
Wien, Gesellsch. f. vervielfältig. Kunst 05. nn — 60
— Die Hauptströmgn d. Kunst d. XIX. Jahrh. (104) 8° Brünn,
C Winiker (04). 2.50
— Kunstzieriehg u. Schule. (52) 8° Lpzg, BG Teubner 02. 1.20 d
— Emil Orlik. [S.-A.] (14 m. Abb. u. 2 farb. Taf.) Fol. Wien,
Gesellsch. f. vervielfältig. Kunst 02. 10 —
Leissring u. Hartmann: Der Fuss d. Pferdes in Rücks. auf
Bau, Verrichtgn u. Hufbeschlag. 10. Afl. v. A Lungwitz. (468
m. Abb.) 8° Lpzg, RC Schmidt & Co. 03. L. 8 — d
Leissring, H: Hdb. d. deut. Nationallitt., s.: Viehoff, H.
Leixner, O: Der Gesangunterr. auf d. Seminar. (85) 8° Lpzg,
C Merseburger 01. 1.20 d
— Schulrat Dr. Hempel, kgl. Bezirksschulinspektor in Leipzig
1874—97. (158 m. 1 Bildn.) 8° Lpzg, A Strauch 05. 2.50;
L. 3.50 d
Leisse, H: Projectirg städt. Electricitätswerké. (151 m. Abb.)
8° Düsseldf 02. (Lpzg, W Opetz.) Kart. 3.50

Leisser, H: Üb. d. geist. Ermüdg d. Schüler. (37) 8° Berl.,
 Modern-paedagog. u. psycholog. Verl. 05.   — 75
 — Grundz. d. Pädagogik. (246) 8° Ebd. (05).   4 —; geb. 5 —
Leissl, J, u. J Lindner: Sprachübgn. Im Anschl. an d. Lehr-
 ordng u. Lesebb. d. oberpfälz. Volkssch. 3 Hefte. 8° Münch.,
 R Oldenbourg (05).   nn — 80 d
 1. Unterkl., 81—85. Taus. (50) nn — 20 ‖ 2. Mittelkl. 66—74. Taus. (96)
 nn — 30 ‖ 3. Oberkl. 52—56. Taus. (96) nn — 30.
Leist, A: Untersuchgn z. inneren Vereinsrecht, m. Beitr. z.
 Recht d. Aktiengesellsch. Gesellsch. m. beschränkter Haftg
 u. Genossensch. (202) 8° Jena, G Fischer 04.   4 — d
Leist, A: Das georg. Volk. (328 m. Abb.) 8° Dresd., E Pierson
 (05).   5 —; geb. 6 —
Leist, C: Die Steuergn d. Dampfmaschinen. 3. Afl., zugl. als
 5. Afl. d. gleichnam. Werks v. E Blaha. (940 m. Fig.) 8° Berl.,
 J Springer 05.   L. 20 —
Leist, E: Die Sanierg v. Aktiengesellsch. Darstellg d. Rechts-
 behelfe d. deut. Aktienges. z. Wiederaufrichtg notleid. Ge-
 sellsch. (180) 8° Berl., F Siemenroth 05.   4 —; L. nn 5 —
Leist, H¹: Gr. Anekdotenschatz. (144) 8° Berl., H Steinitz (04).
                                                    1 — d
Leisten, A: Das Buch f. Eltern, Lehrer u. Erzieher. (84 m.
 Abb. u. 1 Taf.) 8° Frankf. a/M. 01. (Darmst., E Zernin.) †1.40
Leistert, S: Die wichtigsten Geschäfts-Formulare f. d. Gebr.
 in gewerbl. Forthbildgssch. 2 Hefte u. Anh. 8° Quedlinbg, H
 Schwaneeke (04).   1 —
 1. (24) — 30 ‖ 2. (34) — 40 ‖ Anh. (15 Formulare.) — 30.
Leistner, KR: Panthea, d. Kriegsgefangene. Klass. Schausp.
 (43) 8° Dresd., E Pierson 04.   — 75
Leistungsfähigkeit, d., d. deut. Viehzucht. Hrsg. v. deut.
 Landw.-Rat, [S.-A.] (50) 8° Berl., P Parey 04.   1 — d
Leite, R: Die Gesch. deut. Volks- u. Kulturlebens, in abge-
 rundeten Zeitbildern dargestellt. (1—10. Taus.) (760 m. Abb.,
 Taf. u. Fksms.) 8° Konst., G Hirsch (05). L. 6 —; HF. 7.50 d
 — Für d. Kinderstube. Alte bekannte Weihnachtsklänge, Kin-
 derliedchen u. Gebete. 2. Afl. (79) 8° Elberf., Bb. d. ev. Ge-
 sellsch. 05.   — 80; L. 1.20 d
 — Weltgesch., s.: Seckler, F.
Leitenberger, H: Lehrb. d. Chemie u. Mineral., s.: Hemmel-
 mayr, F v.
Leitenberger, O: Erzählgn, s.: Schul- u. Hausbibliothek, kathol.
 — Eine Feuerwehr-Gesch., s.: Volks-Bibliothek, kathol.
 — Der kl. Missionär, s.: Dilettanten-Bühne, kathol.
Leiter, A: Zeremonien-Büchl. f. Sakristane, Ministranten u.
 Zeremoniäre. 3. Afl. v. A Frhr Riccabona. (190) 8° Innsbr., F
 Rauch 05.   — 60 d
Leiter, F: Die Gemeindeverwaltg. (364) 8° Wien, M Perles 05.
                                                    6 — d
Leiter-Pyramiden. 1. Heft. 16° Lpzg, Rauh & Pohle.
 1. Schulz, E: 8 Gruppen an 1 feststehl. Leiter f. 20—30 Turner. (9 Bl.)
 (04.)   1 —
Leitfaden f. d. Unterr. in d. Artill. an Bord d. Artillerieschul-
 schiffs. 1—3. Thl. Hrsg. v. d. Inspektion d. Bildgswesens
 d. Marine. 2. Afl. 8° Berl., ES Mittler & S. 9.70; geb. 11.30 d
 1. Material. (238 m. Abb.) 5 —; geb. 5.60 ‖ 2. Pulver u. Munition. (90)
 1.70; geb. 2.30 ‖ 3. Schiesslehre. (150 m. Abb.) 04. 9 —; geb. 3.50.
 — f. d. Unterr. in d. Befestigungslehre u. im Festgskrieg
 an d. kgl. Kriegssch. 10. Afl. (155 m. Abb.) 4° Ebd. 01. 4.50;
 kart. nn 5.40; durchsch. nn 6.40 ‖ 11. Afl. (136 m. 1 Taf.) 5 —;
                              kart. 5.70; u. durchsch. 6.50 d
 — f. d. Fachunterr. d. Steuer-Aufseher üb. d. Branntwein-
 steuer. (126) 8° Berl., (O Drewitz) 02.   1.50 d
 — prakt., z. Erlerng d. Damespiels, nebst Anh.: Das Mühlespiel, s.: Miniatur-Bibliothek.
 — f. d. Unterr. in d. Elektrotechnik in d. Ingenieuraspi-
 ranten-Kl. d. kais. Deckoffizierschule. (244 m. Fig.) 8° Wilhelmsh., A Heine 02.   L. 5 — d
 — dass. in d. Ingenieur-Kl. d. kais. Deckoffizierschule. (Von
 Slanck.) (133 m.Abb.) 8° Wilhelmsh.,(F Schmidt) 03. L. nn 5 — d
 — dass. auf d. Maschinenhulk. Kl. III. (49) 8° Wilhelmsh., A
 Heine (05).   1 — d
 — f. d. Unterr. in d. Feldkde (Geländelehre, Darstellen u.
 Aufnehmen) an d. k. bayer. Kriegssch. 5. Afl. (90 m. Abb. u.
 4 Taf.) 8° Münch., Lit.-artist. Anst. 04.   L. 3.20 d
 — f. d. Unterr. in d. Feldkde, Planzeichnen u. Aufnehmen
 auf d. kgl. Kriegsschulen. 11. Afl. (97 m. Abb. u. 7 Taf.) 4°
 Berl., ES Mittler & S.02. 3.40; kart. 4 —; u. durchsch. nn 4.50 d
 — betr. d.Gewehr in d. Seitengewehr 98. 1899. Unter Einarbeitg
 d. bis Novbr 1900 ergang. Aendergn. (79) 12° Berl., ES Mittler
 & S. 01.   † — 35; kart. † — 50 d
 — dass. Vom 19.I.1899. Unter Einarbeitg d. bis Juli '02 ergang.
 Aendergn u. Deckblätter. (D.V.E. No. 257a.) (79) 12° Ebd.03.
                                        † — 30; kart. † — 40 d
 — f. d. Unterr. üb. Heerwesen an d. kgl. bayer. Kriegssch.
 6. Afl. (96) 4° Münch., Lit.-artist.-Anst. 03.   L. 3 — d
 — dass. auf d. kgl. Kriegssch. 9. Afl. (50) 8° Berl., ES Mittler
 & S. 02.   2 —; kart. 2.40; u. durchsch. 2.75 d
 — f. d. Unterweisg d. Unterbeizer d. kais. Marine.
 (180 m. Abb.) 8° Ebd. (05).   1.20; geb. nn 1.50 d
 — jurist., z. prakt. Gebr. f. d. Pfleger u. Pflegerinnen d.
 freiwill. Erziehgsbeirats f. schulentlassene Waisen. s.: Schriften d. Erziehgsbeirats f. schulentlassene Waisen.
 — betr. d. Karabiner 98 u. s. Munition v. 24.I.'03. (D.V.E.
 No. 269a.) (59) 12° Berl., ES Mittler & S. 03. † — 30; kart. † — 40 d
 — f. d. Unterr. in d. Maschinenkde an d. kais. Marine-

schule. Hrsg. v. d. Inspektion d. Bildgswesens d. Marine.
 (327 m. Abb. u. Taf.) 8° Berl., ES Mittler & S. 02.   6.50;
                                             L. nn 8.25 d
Leitfaden f. d. Unterweisg d. Maschinistenanwärter d.
 kais. Marine. (269 m. Abb.) 8° Berl., ES Mittler & S. 04. 1.80;
                                             geb. 2.30 d
 — z. Vorbereitg auf d. Meisterprüfg im Handwerk, hrsg.
 durch d. Handwerkskammer zu Darmstadt. 4. Taus. (88 u.
 12) 8° Darmst., (E Zernin) 03.   1 — d
 — f. d. Abhaltg d. theoret. Meisterprüfg. Hrsg. v. Vorstand
 d. Handwerkskammer Düsseldorf. (8) 8° Kref.,(W Greven)(03).
                                                  — 30 d
 — f. d. Unterr. im Militär-Schreibwesen an d. kgl. bayer.
 Kriegssch. 4. Afl. (36 m. Formularen.) 8° Münch., Lit.-artist.
 Anst. 01.   Kart. 2 — ‖ 5. Afl. (69) 05. 1.20 d
 — f. d. Unterr. im Militär-Schreibwesen (Geschäftsstil
 u. Geschäftskenntnis) auf d. kgl. Kriegssch. 13. Afl. (29 m.
 12 Abl.) 8° Berl., ES Mittler & S. 05.   1.80; kart. 2.50 d
 — dass. an d. Unteroffiziersch., v. 1.X.'01. (8) Fol. Ebd. 02.
                                                  — 30 d
 — f. d. Unterr. in d. Naturlehre an d. kais. Marinesch.
 3. Afl. (111) 4° Kiel, Univ.-Bh. 01.   L. 4 —
 — f. d. Unterr. in d. Navigation. Auf Veranlassg d. Inspektion d. Bildgswesens d. Marine ausgearb. 3. Afl. (312 m.
 Abb. u. 8 L.) 4° Nebst Anh.: Naut. Rechngn. (143 m. Abb.) 8°
 Berl., ES Mittler & S. 01. 12.50; L. nn 15 —; Leitf.allein 10 —;
 geb. nn 11.25; Anh. allein 4 —; geb. nn 5.25 ‖ 4. Afl. (326 m.
                       Abb. u.5 Taf.) 05. 11 —; geb. 12.50
 — f. d Nutzgeflügel-Züchter.-Welches ist d. beste Nutz-
 huhn f. d. Landleute d. Kreises Husum? (Hrsg. im Auftr.
 d. Kreisver. f. Geflügel- u. Kaninchenzucht „Fauna“, Husum.)
 (16) 8° Hus., (CF Delff) 01.   — 10 d
 — f. d. Relig.-Unterr. in d. Volkssch. d. Herzogt. Gotha.
 12. Afl. (86) 8° Gotha, EF Thienemann 03.   Kart. — 50 d
 — d. Rundersport, s.: Miniatur-Bibliothek.
 — kurzor, d. russ. Sprache f. d. Reisegebr. nebst Redewendgn
 u. Wrtrverz. 4. Afl. (98) 12° Lpzg, K Baedeker 03. Kart. 1 —
 — z. fachtechn. Unterr. d. k. u. k. Sanitäts-Hilfspersonals. (Zur Instruction f. d. Truppensch. d. k. u. k. Heeres,
 VI. Thl.) (288 m. Fig.) 8° Wien, (Hof- u. Staatsdr.) 01. 2.40 d
 — f. d. Unterr. im Schiffbau. Hrsg. v. d. Inspektion d. Bildgswesens d. Marine. 3 Thle. 8° Berl., ES Mittler & S. 02. 15 —;
                                             L. nn 18.75 d
 1.2. Theoret. u. prakt. Schiffbau. (204 m. Abb. u. 34 Taf.) 6.50; geb.
 nn 8.25 ‖ 3. Schiffskde. (356 m. Abb. u. 17 Taf.) 8.50; geb. 10.50.
 — betr. d. in d. kgl. sächs. Armee geführten Seitengewehre
 d. Truppen zu Fuss u. zu Pferde einschl. d. Lanze. (60 m. 5
 Abb.) 8° Dresd., (C Damm) 01.   Kart. 3 — d
 — f. d. Unterr. in d. Taktik auf d. kgl. Kriegssch. 12. Afl.
 (100 m. Abb.) 4° Berl., ES Mittler & S. 02. 2.80; kart. 3.25;
 u. durchsch. 3.80 ‖ 13. Afl. 1.Tl. (71 m. Abb.) 04. 2.30; kart. 2.50;
                                     u. durchsch. 2.75 d
 — f. d. Unterr. üb. Truppendienst (Dienstkenntnis) auf d.
 kgl. Kriegssch. 10. Afl. (77) 8° Berl., ES Mittler & S. 03. 1.60;
 kart. 2 —; u. durchsch. 2.25 ‖ 11. Afl. (80) 05. 1.75; kart. 2.30;
                                     u. durchsch. 2.60 d
 — f. Versicherungswesen. Darstellg d. f. d. Landwirt in
 Betracht komm. Versichergn. Hrsg. v. Hauptverbande d.
 landw. Lokalver. Schlesiens zu Breslau. (182) 8° Schweidn.,
 (L Heege) (03).   1.50; geb. nn 1.80 d
 — f. d. Unterr. in d. Waffenlehre an d. kgl. Kriegssch.
 11. Afl. (156 m. Abb. u. 6 Taf.) 4° Berl., ES Mittler & S. 05.
              8.50; kart. nn 9.25; u. durchsch. nn 10 — d
 — z. Selbststudium f. Lehrlinge d. Zimmerhandwerks.
 Hrsg. v. d. Inng d. Baumeister zu Dresden. (Verf.: E Knauch.)
 (84 m. 32 Taf.) 8° Dresd., (Gewerbe-Bh.) (05).   Geb. 2.50 d
Leitgeb, L, s.: Jahr, d. d. Israel. Nazarener, MM.
 — Maria Magdalena, s.: Perzager, MM.
 — Schmerz-Maria-Büchlein. Betrachtgn u. Gebete zu Ehren d.
 schmerzhaften Muttergottes. 3. Afl. (172 m. 1 Farbdr.) 16°
 Münst., Alphonsus-Bh. (04).   L. — 50 d
 — Die Verbrechen d. kathol. Ordensgenossensch. (29) 8° Ebd.
 03.   — 40 d
Leitgeb, O v.: Der verlass. Gott. Novellen. 1. u. 2. Afl. (358)
 8° Stuttg., Deut. Verl.-Anst. 01.   3.50; geb. 4 —
 — Bedrängte Herzen. Novellen. 1. u. 2. Afl. (261) 8° Berl., E
 Fleischel & Co. 05.   3.50; geb. 5 — d
 — Die stumme Mühle. Roman. 1—3. Afl. (381) 8° Ebd. 03-05.
                                       5 —; geb. 6.50 d
 — Sidera corda. Roman a. Friaul. 1. u. 2. Afl. (410) 8° Stuttg.,
 Deut. Verl.-Anst. 01.   4 —; geb. 5 — d
Leitha, G v.: d. Plaudereien. Zur Beherzigg f. d. gebild. Welt.
 (126) 8° Wien, Mayer & Co. 04.   1.80
Leithäuser, J: Bergische Ortsnamen. (291) 8° Elberf., A Mar-
 tini & Gr. 01.   5 —
Leithner, H: Anleitgn f. d. Bewertg d. Frei- u. Eisenstabübgn
 u. d. Pflichtübgn d. Kunstturnens in allg. Wetturnen. (80)
 12° Wien, (F Schalk) (05).   — 80 d
 — Das Kürturnen u. d. Kürübgn. (53) 16° Ebd. (02).   — 50 d
 — Leitf. f. Gau- u. Vereinsturnwarte z. Abhaltg v. Gau- u.
 Vereinsvorturnerstunden. (206) 8° Wien, A Amonesta (01). 2 — d

Leitbner, H: Leitf. f. Gauvorturner-Ausbildgsstunden. (47) 8° Wien, A Amonesta (01). — 70 d
Leitbold, F: Erinnergn a. meinem Diakonissenleben. 2. Volksausg. (319 m. 1 Pl.) 8° Lpzg, A Deichert Nf. 05. 3 — d
Leitmaier, V v.: Die süddeut. Küche, s.: Prato, K.
Leitner, A: 's Krautschafferl, s.: Schul- u. Vereinsbühne, christl.
Leitner, FJ: 's Julerl. Orig.-Volksstück. (78) 12° Wr. Neust., K Blumrich (01). — 80 d
Leitner, KF: Das Bankgeschäft u. s. Technik. (324) 8° Frankf. a/M., JD Sauerländer 03. 4 —; geb. 4.80
— Die Selbstkostenberechg industrieller Betriebe. (134) 8° Ebd. 05. 3 —; geb. 3.60
— Die private Versicherg im Dienste d. Kaufmanns. Grundz. d. Versicherungswesens auf Grund d. neuen Gesetzgebg. (126) 8° Lpzg, Verl. d. mod. kaufm. Bibliothek (01). L. 2.75
Leitner, M: Das jüd. Mädchen. Erzählg. Aus d. Engl. (8) 12° Lpzg, Ev.-luth. Zentralver. f. Mission unter Israel 03. — 10 d
Leitner, M: Die christl. Kinderzucht, s.: Königsdorfer, M.
— Lehrb. d. kathol. Eherechts, s.: Handbibliothek. wiss.
Leitritz, J: La France, s.: Schulbibliothek, franzöz. u. engl.
— Frankr. in Oesch. u. Gegenwart, s.: Böddeker, K.
— The British isles. — London and its environs. — Paris et ses environs, s.: Schulbibliothek, franzöz. u. engl.
Leitsätze f. d. Behandlg d. Arbeiterfrage. Hrsg. v. d. Generalsekretariat d. Verbandes d. kathol. Arbeiterver. (Sitz Berlin). (83) 8° Berl., Verl. Der Arbeiter 04. 1.50 d
— üb. d. Schutz d. Gebäude geg. d. Blitz, aufgest. v. elektrotechn. Ver. (5) 12° Berl., J Springer 05. — 20
— vorläuf., d. Vorbereitg, Ausführg u. Prufg v. Eisenbetonbauten. Aufgestellt v. Verbande deut. Architekten- u. Ingenieur-Ver. u. d. deut. Beton-Ver. 1904. (23) 8° Berl. (Deut. Bauzeitg) 04. — 40; Ausg. im Reichsformat. (15) 4° — 40
— d. Schulgesundheitspflege. (Von A Hartmann.) 2. Afl. (27) 8° Berl., (G Winckelmann) 1900. nn — 50 d
Leitschuh, F: Katalog d. Handschriften d. kgl. Bibliothek zu Bamberg, Fortsetzg, s.: Katalog.
Leitschuh, FF: Flötner-Studien. I. Das Plakettenwerk Peter Flötners in d. Nürnberger Patriziers Paulus Behaim. (42 m. 20 Taf.) 4° Strassbg, L Beust 04. L. 14 —
— s.: Kunstdenkmäler, elsäss. u. lothring.
— Strassburg, s.: Kunststätten, berühmte.
Leitzmann, E: Die Grundz. d. franzöz. Litt.- u. Sprachgesch., s.: Breitinger, H.
Leitztern f. d. Jugend. Monatsschrift f. Jünglinge. 9. u. 10. Jahrg. 1904 u. 5 je 12 Nrn. (Nr. 1—3. 20) 8° Mainz, Druckerei Lehrlingshaus. Jährl. — 30 d
Unter 10 Stück wird nicht geliefert.
— dass. Illustr. Wochenschrift f. Knaben u. Mädchen. Red.: P Vetter. Jahrg. 1901—5 je 52 Nrn. (Nr. 1. 8) 8° Berl., F Lenz & Co. Viertelj. — 30 d
Leitzsterne f. Jung u. Alt. Von J Sr. (Sattler). (150) 8° Lpzg, P Schimmelwitz (04). L. 1.50 d
— f. d. Lebensweg. Christl. Dichtgn. (63 m. 4 Farbdr.) 12° Konst., C Hirsch (01). L. 1.20 d
Leitzmann s.: Eisenbahn-Technik, d. Gegenwart.
Leitzmann u. **Wiesemann**: Hdb. d. Verwaltgsstrafges. v. 26. VII. 1897. (178) 8° Berl., ES Mittler & S. 05. 3 —; geb. 3.50 d
Leitzmann, A, s.: Erzählungen, Fabeln u. Lehrgedichte, kleinere mhd. — Humboldt, K v., neue Briefe. — Lichtenbergs, GC, Briefe.
Leixner, O v.: Moderne Einfamilienhäuser u. Villen. Orig.-Entwürfe in einf. u. maler. Ausführg. (60 z. Tl farb. Taf.) Fol. Wien, F Wolfrum & Co. (01). In M. 50 —
— Der Kirchenbau d. Hoch- u. Spätrenaissance in Venedig, s.: Baukunst, d.
— Lehrb. d. Baustile. Mit bes. Berücks. d. architekton. u. techn. Details. II. Bd: Die Baukunst d. M.-A. (227 m. Abb. u. 32 Taf.) 4° Lpzg, Baumgärtner (05). L.—M. 14 — (I u. II.: 23 —)
— Der St. Stephansdom zu Wien, s.: Baukunst, d.
Leixner, O v.: Ausgew. poet. Werke. 3 Bde. 8° Berl., O Janke (02). 6 —; L. 9 —; 2. Volks-[Tit.-]Ausg. 3 Tle in 1 Bde. (05.) L. 3 — d

1. Gedichte. 2. Afl. (325) | 2. Dämmergn. Dichtg. 2. Afl. (111) | 3. Er-
träumte Leben. Lyr. Roman. (115)
— Gesch. d. deut. Litt. 7. Afl. (1087 m. Abb. u. 56 z. Tl farb. Beil.) 8° Lpzg, O Spamer 06. 16 —; L. in 20 —;
in 2 HF.-Bdn nn 20 —; auch in 40 Lfgn zn — 40 d
— Überflüss. Herzensergiessgn eines Unglaubigen. Betrachtgn a. deut. Weltanschaug. 2. Afl. (285) 8° Berl., O Janke 02. 4 — d
— Zum Kampfe geg. d. Schmutz in Wort u. Bild, s.: Fortschritt, soz.
— Laien-Predigten f. d. deut. Haus. Ungeh. Reden eines Ungehaltenen. 2. [Tit.-]Afl. (259) 8° Berl., A Schall (1894) (01).
2.50; geb. 3.50 d
— Plauderbriefe an e. junge Frau. 2. Afl. (202) 8° Lpzg, CF Amelang 01. L. m, G. 5 — d
— In Sachen d. Volksbundes, s.: Flugschriften d. Volksbundes z. Bekämpfg d. Schmutzes in Wort u. Bild.
— Aesthet. Studien f. d. Frauenwelt. 6. Afl. (265) 8° Lpzg, CF Amelang 01. L. 5 — d
— Der Weg z. Selbst. Ein Buch f. d. deut. Volk. 1—4. Taus, (214) 8° Berl., E Felber 05. 2.50; L. 3.50 d
— „Also sprach Zarathustras Sohn...." Aus d. Geistesgesch. eines Modernen. 2. Afl. (229) 8° Berl., O Janke (03). 3 — d
Lektionar. Episteln u. Evangelien, nebst d. epistol. u. ev. Lek-

tionen auf alle Sonn- u. Festtage, sowie d. a. d. 4 Evangelisten zusammengezog. Gesch. v. d. Leiden, Sterben u. Auferstehen uns. HErrn Jesu Christi u. d. Beschreibg d. Zerstörg Jerusalems. (326, 100 u. 19) 8° Hannov., H Feesche 01.
5 —; HF. 6 —; m. G. nn 6.50; in Ldr m. G. nn 8 —
Lektüre, gew., f. Schule u. Haus. Hrsg. v. A Hentschel u. K Linke. Nr. 1, 2 u. 5. 8° Lpzg, Dürr'sche Bh. Je — 30;
kart. je — 40; geb. je — 60 d
Goethe, W v.: Hermann u. Dorothea. 5. Afl. (71) (01.) [5.]
Lessing, GE: Minna v. Barnhelm od. d. Soldatenglück. Lustsp. 6. Afl.
(79) 08. [1.]
Schiller, F v.: Wilhelm Tell. Schausp. 9. Afl. (104 m. 1 Karte.) (94) [2.]
Lelewer, G: Die Militär-Straf-Process-Ordng, s.: Taschen-Ausgabe (Manz'sche).
Le Maire, K: Prakt. Anl. z. Kirchendienste nebst e. kurzen Erklärg d. Kirchenj., zunächst f. Lehrerbildsanst. 3. Afl. (136) 8° Speyer, Jäger 02. Geb. 1.50 d
— Kathol. Kirchengesch. zunächst f. d. ob. Kurse d. Lehrerbildsanst. u. d. Bealsch. 3. Afl. (145) 8° Münch., R Oldenbourg (05). Geb. nn 1.75 d
Lemaitre, J: La princesse Lilith et Mademoiselle de Montcernay, s.: Auteurs franç. modernes (H Saure).
Leman, A: Die Schattenphänomene bei Finsternissen, s.: Vorträge u. Abhandlungen, hrsg. v. d. Zeitschrift „Das Weltall".
Le Mang, G: Die Volkssch. d. Zukunft. (118) 8° Lpzg, A Hahn 03. 1.50; L. 2 — d
Le Mang, R: Die neue Zeit. 1 u. II. 8° Dresd., C Reissner. 2.25 d
I. Der Wohlthäter. Drama. (54) 02. 1.50
II. Fabrikant Hartmann. Drama. (45) 05. — 75
Lemayer, K Frhr v.: Der Begriff d. Rechtsschutzes im öffentl. Rechte (Verwaltgsgerichtsbark.), im Zusammenh. d. Wandlgn d. Staatsauffassg betrachtet. [S.-A.] (228) 8° Wien, A Hölder 02. ö H
Lembcke, W: S. u. G. Zustände in hamburg. Krankenhäusern. Krit. Beleuchtg d. v. Senator Dr. Schröder geh. Rede. (1. u. 2. [Umschl.-]Afl.) (20) 8° Berl., Thormann & Goetsch 03. — 40
Aus d. Handel gezogen.
Lembeck, R: Die besten Gedichte d. deut. Sprache. 1. Hundert: Lyrik. (109) 16° Lpzg, W Weicher 04. — 60;
Ldr m. G. 2 —
Lemberg, H s.: Ausflüge, 50, f. wanderlust. Dortmunder.
— Die Eisen- u. Stahlwerke, Maschinenfabriken, Metallgiessereien u. verwandte Gewerbe d. niederrheinisch-westfäl. Industriebez. u. d. angrenz. Gebiete. (2. Afl.) (168 m. 1 Karte.) Dortm., CL Krüger 01. 4 —
— **s.**: Führer durch Dortmund.
— Heimatkde d. Prov. Westfalen. 8. Afl. (36 m. 2 Kart.) 8° Dortm., CL Krüger 02. — 40 d
— Hütten-, Gruss- u. Klein-Metall-Industrie d. niederrheinischwestfäl. Industriebez. u. d. angrenz. Gebiete. 3. Afl. (161) 8° Ebd. 02. 4 —
4. Afl. u. d. T.:
— Die Hütten- u. Metall-Industrie Rheinlds u. Westf. 4. Afl. (173) 8° Ebd. 05. 4 —
— Plan d. Stadt Dortmund. 43×56 cm. Lith. Mit Strassenverz. auf d. Umschl. Ebd. (05). — 25
— Die Steinkohlenzechen d. niederrheinisch-westfäl. Industriebez. 11. Afl. (114) 8° Ebd. (05). 1.60 d
— Übersichtsk. d. niederrheinisch-westfäl. Industriebez. 1 : 120,000. 5. Afl. 48,5×93,5 cm. Farbdr. Nebst: Zechen-Verz. (2 Bl.) 8° Ebd. 04. 2 —
Lembeye, : Aves de la isla de Cuba, s.: Facsimile-Edition.
Lembke, FE Buchführg u. Gesetzeskde f. Handwerker. (190) 8° Kiel, Lipsius & T. 04. Kart. 2 —
— Bürger- u. Rechtskde d. Handwerkers, s.: Präparationen f. d. Unterr. in d. gewerbl. Fortbildgssch.
— Die ländl. Fortbildgssch. u. d. ländl. Volkshochsch. Unter bes. Berücks. d. Prov. Schleswig-H. (181) 8° Kiel, Lipsius & T. 05. 2 —; f. Abnehmer d. Zeitschrift f. d. ges. Fortbildgsschulwesen in Preussen 1.50
— Spez. Geschäftskde d. Handwerkers, s.: Präparationen f. d. Unterr. in d. gewerbl. Fortbildgssch.
— Lokale Geschäfts- u. Bürgerkde d. Handwerkers, s.: Siercks, H.
— Gesetzsammlg f. Handwerker. (180) 8° Kiel, Lipsius & T. 04. Kart. 1.50 d
— Die Lüge unter bes. Berücks. d. Volksschülerlebg, s.: Magazin, pädagog.
— Die Volkshochsch. nebst Plan e. deut. ländl. Volksschule, s.: Zeitschrift f. d. ges. Fortbildgsschulwesen in Preussen.
Lemcke, G: Opfer d. Sünde, s.: Eckstein's illustr. Roman-Bibliothek.
Lemcke, A, u. **G Melinat**: Pflanzenkde in populär-wiss. Darstellg, insbes. f. d. Zwecke d. Lehrerbildg. 1. Abtlg. (276 u. 14 m. Abb. u. 60 Taf.) 8° Lpzg, H Mendelssohn 01. 9 (8—
Natürl. System. Aufgebaut bis z. XX. Reihe d. Dicotyledonen — abschliessend m. d. 67. Familie: Halorrhagidáceae. (277 —581 u. 25 m. Fig.) 01. Geb. m. 4.50 d
Lemcke, C, s.: Notiz-Kalender z. Gebr. in allen Zweigen d. Bauwesens.
Lemcke, H: Reg.-Bez. Stettin, s.: Bau- u. Kunstdenkmäler, d. Prov. Pommern.
Lemcke, J (P Friesenhahn): Hdb. d. Reklame. (312 m. Abb.) 8° Berl.-Grunew., Broekhaus & Co. 01. L. 3 —
Lemcke, P: Schülerlist u. Lehrertücke, s.: Schüler-Bibliothek, stenograph.

Lemke, F: Reform d. Relig.-Unterr. in Volks- u. Mittelsch. Vortr. [S.-A.[(38) 8° Mgdbg 02. Nordh., C Haacke. — 50
Lemke, H: Univers. u. Volksschullehrer, s.: Abhandlungen, pädagog.
Lemke, L: Rechenb. f. nied. u. mittl. landw. Lehranst. 2 Tle. 8° Berl., P Parey. Geb. 3.40 d
1. Unterkl. 8. Afl. (141) 05. 1.40 ‖ 2. Mittel- u. Oberst. 2. Afl. (226 m. Fig.) 02. 2 —
— Schweinezucht in mittl. u. kl. Wirtschaften. (65) 8° Neud., J Neumann 05. 1 — d
Lemke, R: Die preuss. Exekutiv-Polizei. Wie sie war, wie sie ist u. wie sie sein müsste. (343) 8° Osnabr., (B Wehberg) 04. 4 — d
Lemkes, H: Aufg. z. Gebr. beim Rechenunterr. — Materialien, s.: Schellen, H.
Lemm, O v.: Der Alexanderroman bei d. Kopten. Text. Übersetzg. Anmerkgn. (18, 161 m. 2 Taf.) 4° St. Petersbg 03. (Lpzg, Voss' S.) 4.50
— Das Triadon, e. sahid. Gedicht m. arab. Übersetzg. I. Text. (19, 251 m. 3 Taf.) 8° Ebd. 03. 6 —
Lemme, L: Die Aufg. d. Christen im Geistesleben u. Glaubenskampf d. Gegenwart. (23) 8° Hambg, Agent. d. Rauben H. 04. — 40 d
— Die Busse n. Schrift, Bekenntnis u. Erfahrg. (48) 8° Herb., Bh. d. nass. Colportagever. 01. — 60 d
— Relig.-geschichtl. Entwicklg od. göttl. Offenbarg? Vortr. (96) 8° Karlsr., Ev. Schriftenver. 04. — 80 d
— Christl. Ethik. 1.Bd. (640) 8° Gr. Lichterf., E Runge 05. 11 — ‖ 2. (Schl.-)Bd. (641—1218) 05. 10 —; Einbde in HF. je zu 2 — Wer war Jesus? Vortr. (30) 8° Berl., F Zillessen (05). — 30 d
— Die Vertreter d. systemat. Theol., s.: Professoren, Heidelberger, a. d. 19. Jahrh.
— Das Wesen d. Christentums u. d. Zukunftsrelig. 17 Reden üb. christl. Religiosität. (219) 8° Gr. Lichterf., E Runge (01). 3.50 ‖ Ausg. B. 3. Taus. (219) 04. 2 —; geb. 3 — d
Lemme, W: Anstich-Lieder, s.: Mayer, J.
Lemmens, L: Die Anfänge d.Clarissenordens. [S.-A.] (32) 8° Rom 02. (Lpzg, Bh. G Fock.) 1.20
Lemmer, K: Langenau, Bez. Hohenelbe in Böhmen. Ein Bild a. d. ev. Bewegung in Österr. (16) 8° Barm., H Klein's V. (01). — 40 d
Lemmermann, E: Das Plankton schwed. Gewässer. [S.-A.] (209 m. 2 Taf.) 8° Stockh. 04. (Berl., R Friedländer & S.) m 6.60
Lemmermann, O: Die Düngerlehre. [S.-A.] (240 m. Abb. u. Tab.) 8° Lpzg, M Schäfer 02. 4 —; geb. m 5 — d
— Krit. Studien üb. Denitrifikationsvorgänge. (71) 8° Jena, G Fischer 1900. nn 3 —
Lemmermayer, F: Die Leiden e. deut. Fürsten (Herzog Elimar v. Oldenburg). Biograph. Skizze. (60 m. 2 Abb.) 8° Berl., Herm. Walther 05. 2 — d
— Novellen u. Novelletten. (335) 4° Linz (03). Wien, J Deubler. 4.50; geb. 5 — d
Lemoine: Muttersegen, s.: Dennery.
Lemoine u. S Jaccoud: Die Lungenentzündg u. ihre physikalisch-diätet. Behandlg, s.: Bücherei, diese hygien.
Lemonnier, C: Die Hysterische. Roman. Deutsch v. E Singer. (277) 8° Berl. (05). Lpzg, Verl A. Funken, Sep.-Kto. L 5 —; Ldr 6 —;
— Die Liebe im Menschen, s.: Liebhaber-Bibliothek, kulturhistor.
— Liebespuppen, s.: Bibliothek berühmter Autoren.
Le Moult, CH: Kurzer Leitf. z. raschen Orientierg üb. sämmtl. bekannten Hafenplätze d. Erde, sowie Beschreibg d. Segelschiffsreisen v. u. n. Europa, America, Asien etc. (653, 45, 10 u. 12) 8° Hambg, (Eckardt & M.) 01. L. 12 — ‖ 2. Bd. (287) 02. Geb. 3 —
Lemoyne, GB: Die Stampfmühlen od. Die letzten Stunden d. Heidentums zu Rom. Drama. Übers. v. A Wolf. 2. Afl. (71) 8° Brix., A Weger 04. — 80 d
Lemp, E, s.: Aufsätze zeitgenöss. Schriftsteller.
— Lebensworte. Spruchschatz, n. d. Büchern d. hl. Schrift geordnet. (145) 8° Gött., Vandenhoeck & R. 05. L 1.80;
— Schulausg. Geb. — 80 d
— Die Mädchen-Fortbildgsch., e. Erwerbsanstalt. Vorschlag. (53) 8° Lpzg, Dürr'sche Bh. 05. — 60 d
— Schillers Welt- u. Lebensanschaug in Aussprüchen a. s. Werken u. Briefen. 1. u. 2. Afl. (124 m. 1 Bildnis.) 8° Frankf. a/M., M Diesterweg 05.06. 3 —; geb. 4 — d
Lempens, C, s.: Adel, d. (im Kat. 1896/1900).
— Benedikt.-Mönche, d., in Bayern (im Katalog 1871/75).
— Gesch. d. Berg. Landes v. d. ält. Zeiten bis z. Gegenwart. In Verbindg m. e. Gesch. d. Stadt Barmen. 2. Afl. (288) 8° Elberfeld (Hauptpost, Postfach), Selbstverl. 1900. 2 — d
— Gesch. d. Deut. Ordens u. sr Ordensländer Preussen u. Livland. Zugl. e. Beitrag z. Naturgesch. d. s. Vätern v. 1454 auch heute noch ebenbürt. preuss. Junkertums; sowie hist. Nachweis, wer d. Untergang d. Polenreiches angestiftet, herbeigeführt u. durchgesetzt hat. (132 m. 2 Abb.) 8° Jena, HW Schmidt 04. 1.50 d
— s.: Heuchelei, moderne (im Katalog 1896/90). — Kampf, d., d. Reichsregierg m. d. Priesterschaft (im Katalog 1871/75). — Kaufmann, d. vorsicht. (im Katalog 1886/90). — nicht röm., sondern dent. Syllabus d. gesunden Menschenverstandes (im Katalog 1871/75). — Opfer, e., geistl. Corruption (im Katalog

1871/75). — Rechtlosigkeit, d., d. Staatsbürgers in Preussen (im Katalog 1876/80). — Rechtszustände in Preussen (im Katalog 1866/70). — Schweizerohre (im Katalog 1881/85). — Türkisches in Christenthum (im Katalog 1896/1900).
Lempens, C: Das grösste Verbrechen aller Zeiten. Pragmat. Gesch. d. Hexenprozesse. 1. u. 2. Afl. (135) 8° Halle 04. Jena, HW Schmidt. 1.50 d
— s.: Weiberregiment, d., in d. Pfarrhäusern.
Lemperts, HG: Joh. Peter Alex. Wagner, fürstbischöfl.-würzburg. Hofbildhauer, 1730—1809. (133) 8° Köln, (JM Heberle) 04. 2 — d
Lempp, J: 4 Bilder a. d. ind. Frauenmission. Zur Aufführg in Missions- u. Jungfrauen-Ver. (18) 8° Stuttg., Holland & J. (03). — 30 d
— Pfarrer's Geburtstag. Harmloser Schwank zur Aufführg in einf. Verhältn. (15) 8° Ebd. (02). — 20 d
— Das Zäuberkästchen. Aufführg f. Jungfrauenver., Töchtersch. usw. (20) 8° Ebd. 01. — 30 d
Lempruch, K Freih. v.: Die Gebürennovelle v. 18.VI.'01, s.: Odkolek, A Freih. v.
Lemström, S: Elektrokultur. Erhöhg d. Ernte-Erträge aller Kultur-Pflanzen durch elektr. Behandlg. Übers. v. O Fringsheim. (43) 8° Berl., W Junk 03. 1.50
Lenary, P: Clown-Pantomimen f. 2 u. mehr Personen. 2. Afl. (88) 8° Mühlh. i/Th., G Danner (1900). 1.50 d
Lenars, B: Nachfolge d. seligsten Jungfrau Maria n. d. Muster d. „Nachfolge Christi". Aus d. Franz. 10. Afl. (400) 16° Saarl., F Stein Nf. 1900. — 50; L. — 60 d
11. Afl. u. 4. T.:
— Marian. Tugendschule. Unterweisgn in d. Nachfolge Mariä, nebst e. vollständ. Gebetb. 11. Afl. d. „Nachfolge Mariä". (448 m. Titelbild.) 11.5×8 cm. Ebd. 05. — 60; L. — 75 d
Lenau's, N (N Niembsch, Edler v. Strehlenau), sämtl. Werke, m. Biogr. d. Dichters. 2 Bde. (414 u. 356 m. Bildnis.) 8° Lpzg, C Grumbach (02). L. (5 —) 4 —; geb. (6 —) 5 — d
— dass, Mit e. biograph. Einl. v. OF Gensichen. (24, 373 m. Bildnis.) 8° Stuttg., Deut. Verl.-Anst. (02). L. 2 —;
— feine Ausg., geb. 4 —; HF. nn 6 — d
— Die Albigenser, s.: Handbibliothek, Cotta'sche. — Hempel's Klassiker-Bibliothek. — National-Bibliothek, allg.
— Ausgew. Dichtgn. (322 m. Bildnis.) 8° Halle, H Gesenius 02. L. m. G. 3.50 d
— Grössere lyrisch-ep. Dichtgn, s.: Hempel's Klassiker-Bibliothek.
— Faust, s.: Hempel's Klassiker-Bibliothek. — National-Bibliothek, allg.
— Faust. Don Juan. Helena, s.: Handbibliothek, Cotta'sche.
— Gedichte. (Min.-Ausg.) (434 m. Bildnis.) 12° Stuttg., JG Cotta Nf. (02). L. —
— dass. (452) 16° Stuttg., C Krabbe 02. Geb. 3 — d
— dass., s.: Handbibliothek, Cotta'sche. — Hempel's Klassiker-Bibliothek.
— Ausgew. Gedichte. Elzevierausg. (182) 16° Lpzg (01). Berl., H Seemann Nf. Ldr 3 —
— dass., s.: Gerlach's Jugendbücherei.
— Klara Hebert. Romanzenkranz. (In stenograph. Schrift.) (32) 12° Berl., Frz Schulze 03. Geb. — 75
— Savonarola, s.: Handbibliothek, Cotta'sche. — Hempel's Klassiker-Bibliothek.
Lenbach, E, a. s.: Muellenbach, E.
— Der Türkenkopf. Erzählg. (In stenograph. Schrift.) (50) 8° Berl., Frz Schulze (02). L. 1 —
Lenbach, F v.: Gespräche u. Erinnergn. Mitgeteilt v. W Wyl. 1.—4. Taus. (160 m. Bildnis, Fksm. u. 4 Bildnissen.) 8° Stuttg., Deut. Verl.-Anst. 04. 3 —; geb. 4 — d
— Schönheit-Ideale. Mit einleit. Text v. F v. Ostini. (34 Photograv. u. 1 Bildnis m. 16 S. Text.) 8° München., F Hanfstaengl (04). L. 30 — d
Lenbach-Ausstellung im kgl. Kunstaustellsgebäude am Königsplatz, veranstaltet v. d. Zentral-Komitee d. IX. internat. Kunstausstellg, München '05- 1. Afl., ausg. am 1.VI.'05. (36 u. 170 S. Abb.) 8° München., (A Buchholz) 05. — 75 d
Lendenfeld, R de: Tabulae anatomicae. Tab. III u. IX. Farbdr. Mit Text in deut. Sprache. 8° Berl. Dresd., A Müller-Fröbel-haus. Je nn 10.50
III. Sceletus. Aspectus frontalis. 206×74 cm. (5) 03.
IX. Meaculi. Aspectus frontalis. 209.5×73 cm. (12) 04.
Tab. I, II u. IV—VIII sind noch nicht erschienen.
— Tabulae, quibus animalium anatomia atque origo et incrementa explanantur. Tab. XIX et XXIX—XXXI. Farbdr. Mit Text in deut. Sprache. 8° Ebd. Je nn 10 —
XIX. Anodonta mutabilis. 192×100 cm. (10) 04. ‖ XXIX—XXXI. Gallus domesticus. (Origo et incrementa.) Je 105.5×135 cm. (22) 05.
Nr. I—XVIII. u. XX—XXVIII sind noch nicht erschienen.
— Tetraxonia, s.: Tierreich, d.
Lene, A: Des Kaisers Bild, s.: Danner's, G, Damenbühne.
Leneček, O: Illustr. gewerbl. Materialienkde, s.: Volger's, B, Handwerkerkunde.
Lenel, O: Die Anfechtg v. Rechtshandlgn d. Schuldners im klass. röm. Recht. [S.-A.] (23) 8° Lpzg, CL Hirschfeld 03. — 80
— 2 neue Bruchstücke a.: Ulpians Disputationen. [S.-A.] (15 m. 2 Taf.) 8° Berl., (G Reimer) 03. — 50; Nachtrag. 03
— Praktikum d. bürgerl. Rechts. (175) 8° Lpzg, B Tauchnitz 01. Geb. 2.40 ‖ 2. Afl. (208) 02. Geb. 2.80 d

Lenel, O: Neue Ulpianfragmente. [S.-A.] (17 m. 2 Taf.) 8° Berl.,
(G Reimer) 04. 1 —
Lenert, A: Die Pfalz u. ihre Umgebg. Wandk. f. d. Mittelkl.
d. pfälz. Volkssch. 1:100,000. 3. Afl. 4 Bl. je 68,5×72 cm.
Farbdr. Lpzg, G Lang (01). 9 —; auf L. in M. od. m. St. 15 —
Lenert, A: Erfahrgn in d. Bekämpfg d. Heu- u. Sauerwurms.
(36 m. Abb.) 8° Trier, J Lintz 03. — 80 d
Lengauer, H: Das salige Fräulein, s.: Erzählungen f. Schul-
kinder.
Lengauer, J: Die Grundlehren d. eb. Trigonometrie. 2. Afl.
(58 m. Fig.) 8° Kempt., J Kösel 01. nn — 90: geb. nn 1.20 d
Lengerke s, v., landw. Hülfs- u. Schreib-Kalender, s.: Mentzel.
Lengerken, O v.: Arzneib. f. Mediziner. Hdb. z. Beurteilg u.
z. selbständ. Aufstellg v. Rezepten im Anschl. an d. Arzneib.
f. d. Deut. Reich (IV. Ausg.). (576) 8° Lpzg, Veit & Co. 04.
11 —; in Moleskin 12.50
Lenggenhager, E: Erläutergn zu d. Feuersicherh.-Vorschriften
f. elektr. Licht- u. Kraftanlagen. (59) 8° Zür., A Baustein
03. 1 —
— Kl. Wrtrb. d. angewandten Elektrotechnik m. bes. Berücks.
d. elektr. Beleuchtg u. Kraftübertragg. (86) 8° Ebd. 04. Kart. 1.20
Lengnick, A, u. R Frhr v. Klimburg: Uns. Wehrmacht zur
See. Überblick d. ges. Marinewesens u. d. Grundsätze mo-
derner Seekriegführg. (520) m. Fig. u. 12 Taf.) 8° Wien, LW
Seidel & S. 04. 8 —; geb. 10 —
Lengsing, C: Uns. Kriegsmarinewesen, s.: Bibliothek d. Rechts-
u. Staatskde.
Lenhardt, J: Marmorgruppen f. Damen. (9 Taf. m. 1 Bl. Text.)
8° Lpzg, Rauh & Pohle (03). 1 —
— Schwarz u. Weiss. Leitergruppiergn an 2 langen u. 2 kurzen
Leitern f. 12 Turner in schwarzen u. weissen Trikots. (9 Taf.)
8° Probsth. (03). Lpzg, Rauh & Pohle. 1 —
— Olymp. Spiele. Marmorgruppen. (6 Taf. m. 1 Bl. Text.) 8°
Ebd. (02). 1 —
Lenhartz, H: Die sept. Erkrankgn, s.: Pathologie u. Therapie,
spec.
— s.: Jahrbücher d. hamburg. Staatskrankenanst.
— Mikroskopie u. Chemie am Krankenbett. 4. Afl. (377 m. Abb.
u. 3 farb. Taf.) 8° Berl., J Springer 04. L. 8 —
— s.: Mitteilungen a. d. hamburg. Staatskrankenanst.
Lenhossék, M v.: Die Entwicklg d. Glaskörpers. (107 m. Abb.
u. 2 farb. Taf.) 4° Lpzg, FCW Vogel 03. 12 —
— Das Problem d. geschlechtsbestimm. Ursachen. (Nach d.
Vortr.) (99 m. 2 Abb.) 8° Jena, G Fischer 03. 2 —
Lenin, N: Was thun? Einschneid. Fragen uns. Bewegg. (in
russ. Sprache.) (144) 8° Stuttg., JHW Dietz Nf. 02. 2 —
Lenk, H: Wer war Jesus?, s.: Universalbibliothek, christl.
Lenk, H: Die glacialen u. postglacialen Bildgn d. Prienthals.
[S.-A.] (22 m. 1 Karte.) 8° Lpzg, A Deichert Nf. 01. 1.60
Lenk, H v.: Die Gesch. Transvaals v. d. Gründg d. Staates
bis z. Wahl d. Präsidenten Paul Krüger 1852—63. — Dass.
unter d. Präsidentschaft Paul Krügers bis z. Ausbruch d.
gr. Krieges 1884—99. — Die Wanderzg d. Buren bis z. Gründg
ihrer Staaten 1652—1854, s.: Universal-Bibliothek.
Lenk, M: Im Bahnhäuschen. Erzählg f. d. Jugend. 3. Afl. (96)
8° Zwick., J Herrmann (04). Kart. 1 — d
— Die Bettelsänger. Erzählg f. d. Jugend. (210) 8° Ebd. (01).
1.60; geb. 1.85; L. 2 — ‖ 2. Afl. (230 m. Abb.) (05.) 2 —;
geb. 2.30 u. 2.50 d
— Der Findling. Erzählg a. d. Zeit d. Reformation. 2. Afl.
(296 m. Bildnis.) 8° Ebd. (05). 3 —; geb. 3.30; L. 3.50 d
— 2 Häuslein am Bach. Erzählg f. Kinder. 2. Afl. (56 m. Abb.)
16° Ebd. 03. Kart. — 40 d
— Treue Herzen. 2 Erzählg f. d. Jugend. (218) 8° Ebd. (05).
1.85: geb. 2.10; L. 2.25 d
— Kinderherzen. 4 Erzählgn. 2. Afl. (205) 8° Ebd. (01). 1.60;
geb. 1.80; L. 2 — d
— Ein Kleeblatt. Erzählg f. d. reif. Jugend. 3. Afl. (150) 8°
Ebd. (04). 1.40; geb. 1.60; L. nn 1.75 d
— Lenas Wanderjahre. Erzählg f. d. Jugend. (226) 8° Ebd. (05).
1.60; geb. 2.10; L. 2.25 d
— Durch Nacht z. Licht. (23) 8° Ebd. (05). — 10 d
— Paul u. s. Brüder. (19) 8° Ebd. (05). — 10 d
— Des Pfarrers Kinder. Erzählg a. d. Zeit d. 30jähr. Krieges.
5—9. Taus. (302) 8° Ebd. (05). 2.50; geb. 2.80; 3 — d
— Schulmeisterlein. (32) 8° Ebd. (05). — 15 d
— Seemövchen u. and. Erzählgn. (192) 8° Ebd. (02). 1.60;
geb. 1.85; L. 2 — d
— Sturm u. Sonnenschein. 2 Erzählgn f. d. Jugend. (198) 8°
Ebd. (04). 1.85; geb. 2.10; L. 2.25 d
— Der Taler. Erzählg. (19) 8° Ebd. (05). — 10 d
— Im fernen Westen. Deut. Ansiedler in Nordamerika, s.:
Jugend- u. Volksbibliothek, deut.
— 3 Wünsche. Erzählg f. d. reif. Jugend. 2. Afl. (262) 8° Zwick.,
J Herrmann (05). 2.50; geb. 2.80; L. 3 — d
Lenker, JN: Die luther. Kirche d. Welt. 1. Bd. Europa ausserh.
Deutschl. 1—6. Taus. (544 m. Abb.) 8° Sunbury, Pennsyl-
vanien 01. (Brekl., Christl. Bh.) L. 7 —
Lennartz, J: Der arme Bastian od. Wohlthun bringt Zinsen,
s.: Volks-Bibliothek, kathol.
— Führer durch Aachen u. Umgebg. (73 m. Abb. u. 1 Pl.) 12°
Aach., J Kessels (04). ‖ 2. Afl. (86 m. Abb. u. 1 Pl.) (04.)
Je — 50: franzbs. Ausg. (76 m. Abb. u. 1 Pl.) — 90
— Das Kirchenj. in s. Festen u. Gebräuchen. (223) 16° Kempt.,
J Kösel 05. — 50 d

Lennartz, J: Die Kunst- u. Reliquienschätze d. Kaiser-Doms
zu Aachen. 16. Afl. (19 m. Abb.) 8° Aach., J Kessels (04). — 50
— Perlen d. Andacht. Gebetb. f. kathol. Christen. Auszug a.
d. Gebetb. Blüten d. wahren Andacht. (258 m. Titelbild.) 128×6.5
cm. Kevel., J Thum (03). L. m. G. — 75 d
— Wandergn durch d. Eifel. (77 m. Abb. u. 1 Karte.) 12° Aach.,
J Kessels 03. 1 —
Lennmann, W: Aus Bauernlanden. Gedichte. (79 m. Abb.) 8°
Kiel (04). Iaerl., F Bischoff jr. nn 1 — d
Lennhoff, G: Die Krankh. d. Halses u. d. Nase u. ihre Ver-
hütg, s.: Volksschriften, hygien.
Lennhoff, R, s.: Kongress, d., d. Krankenkassen Deutschlds in
Leipzig. — Reform, medicin.
— Die zukünft. staatsrechtl. Stellg d. Aerzte in Deutschl. unter
Berücks. d. Verhältn. d. Aerzte z. Krankenversicherges.
[S.-A.] (48) 8° Berl., O Coblentz 03. 1 —
Lennig, AF: Betrachtgn üb. d. bittere Leiden Jesu Christi.
Neue Afl. (496 m. Titelbild.) 8° Mainz, Druckerei Lehrlings-
haus 03. 1.50; L. 2.10; HF. 3.30 d
Lenning's Encyklop. d. Freimaurerei, 3. Afl., s.: Handbuch,
allg., d. Freimaurerei.
Lenobel, S: Anl. z. raschen Prüfg wichtiger Lebens- u. Ge-
nussmittel. (29) 8° Wien, A Hartleben (04). L. 1.55
Lenor, E v.: Selbstvernichtg. Novellen. (135) 8° Lpzg, F Kirchner
(04). 2 —
Le Normand, Mlle: Wahrsagekunst. 11. Afl. (76 m. 54 Kart.)
16° Luz., E Nedwig (01). 1.50 d
Lensch: Der Bau d. menschl. Körpers m. Rücks. auf d. Ge-
sundheitspflege. 3. Afl. (90 m. Abb.) 8° Gross-Lichterf., BW
Gebel 05. Geb. 1.20 d
Lenschau, T: Ausw. a. d. höf. Epikern d. deut. M.-A., s.:
Hagen, F.
— s.: England in deut. Beleuchtg.
— Die amerikan. Gefahr. (58) 8° Berl., F Siemenroth 02. 1.20
— Das Weltkabelnetz, s.: Geographie, angewandte.
Lent, s.: Zentralblatt f. allg. Gesundheitspflege.
Lent, G: St. Quirein in d. Wiesen. Novelle. (285) 8° Berl., Gebr.
Paetel 05. 4 —; L. 5 — d
— Im Sommer. 2 Novellen. (149) 8° Berl., Harmonie (01). 2.50 d
Lentner, F: Sebastian Ruf, Irrenhaus-Kaplan zu Hall i. T.,
als Seelenforscher. Beitrag z. Lehre v. d. Zurechng im Straf-
recht. (119 m. 1 Bildnis.) 8° Innsbr., Wagner 02. 2 — d
Lentschner: Erkrankgn d. Atmgsorgane m. bes. Berücks. d.
Luftröhren-, Brustfell- u. Lungenkrankh. (59) 8° Lpzg, W
Schumann Nf. 02. Geb. 1.50 d
Lentz: Beitrag z. Frage n. d. Spezifizität d. im Serum d. nor-
malen u. choleraimmunisierten Pferdes enth. Agglutinine,
s.: Hetsch.
— s.: Beiträge z. Typhusforsch.
Lentz, A: Deut. Leseb. f. höh. Mädchensch., s.: Plümer.
Lentz, E: Berlin–Stralsund–Rügen–Trelleborg u. zurück. —
Bodensee—Arlberg—Innsbruck—München u. zurück. — Ischl
—Salzburg—München u. zurück. — Luzern—Zürich—Lindau
—München u. zurück, s.: Rechts u. links d. Eisenbahn.
Lentz, E: Die Vorzüge d. gemeinsamen Unterbaues aller höh.
Lehranst., im Auftr. d. Ver. f. Schulreform erläut. 3. Afl. (77)
8° Berl., O Salle 04. 1 — d
— s.: Zeitschrift f. d. Reform d. höh. Schulen.
Lentz, F: Die wichtigsten Übgn im Rechtschreiben f. d. Mittel-
u. Oberst. d. Volkssch. Nebst schriftl. Aufg. u. Diktaten. 3. Afl.
(63) 8° Düsseldf, L Schwann 03. — 60; kart. — 75 d
Lentz, G, u. K Lentz: Der Zinsschein, s.: Schütz, F.
Lentz, P: Wegweiser in d. Verkehrsleben zugl. e. Formular-
heft zu Geschäftsaufsätzen f. Volkssch. u. ländl. Fortbildgesch.
(48) 4° Köln, JP Bachem (03). — 50 d
Lenz u. Liebe. Von Rideamus. Illustr. v. P Haase. 10. Taus.
(181) 8° Berl., Harmonie (05). 2 —; geb. 3 — d
Lenz, A: Der Amtsbez. Wiesloch nebst geschichtl. Notizen.
(16 m. 1 Karte.) 8° Karlsr., J Lang 01. — 25 d
Lenz, A: Wetterleuchten. Satir. Reimspiel. (36) 8° Wien, F
Knepler 05. 3 —
Lenz, A v.: Lebensbild d. Generals Uchatius, d. Erfinders d.
Stahlbronzegeschütze. Mit 9 Briefen d. Generals Uchatius an
s. Frau a. d. Belagerungsarmee v. Venedig im J. 1849. (159 m.
Musikbeil. 6 m. 2 Abb. u. Bildnis.) 8° Wien, (C Gerold's S.)
04. 3 —
Lenz, F: Deklamator. Vorträge. Ernste u. humorist. Vorträge
erprobter Wirkg. (256) 8° Berl., A Weichert (02). 2 —;
geb. 3 — d
Lenz, G: Adressb. d. deut. Auslandschulen, s.: Dibelius, W.
Lenz, H: Ostafrikan. Dekapoden u. Itomatopoden. Gesammelt
v. A Voeltzkow. [S.-A.] (52 m. 2 Taf.) 8° Frankf. a/M., (M
Diesterweg) 05. 5 —
Lenz, J: Der Kaufmann u. d. Handelsregister. Prakt. Ratgeber
m. e. Anh., betr. d. Anmeldg v. Warenzeichen u. Mustern.
(73) 8° Frankf. a/M., A Biazek jun. 05. 1 —
Lenz, JMR: Verteidigg d. Hrn Wieland geg. d. Wolken u. d.
Verf. d. Wolken, s.: Literaturdenkmale, deut., d. 18. u. 19. Jahrh.
Lenz, K: Der schriftl. Verkehr m. Behörden, s.: Cllstein'sSammlg
prakt. Hausbb.
Lenz, KG: Üb. Rousseaus Verbindg m. Weibern. 2 Tle in 2 Bde.
Unverkürzte Neuausg. d. Originals v. 1782. Nebst 16 neuaus-
gefund., bisher unveröffent. Briefen Rousseaus an d. Gräfin

108*

Houdetot. (376 m. Abb. u. 12 Bildern.) 8° Berl., H Barsdorf 06. 4 —; geb. 5 — d

Lenz, L (JR Schwanzara): Liebeskämpfe. 4 Lebensfragmente. (136) 8° Dresd., C Reissner 04. 2 — d
— Die Lüge d. Liebe. Psycholog. Studie in Dialogform. (180) 8° Ebd. 02. 2.50; geb. 3.50 d
— Sonnamira. Gedichte. (124) 8° Ebd. 02. 2 —; geb. 3 — d

Lenz, L: Die neuesten engl. Märchensammlgn u. ihre Quellen. (100) 8° Cass., C Victor 02. 2 —

Lenz, M: Gesch. Bismarcks. 1. u. 2. Afl. (455) 8° Lpzg, Duncker & H. 02. 6.40; geb. 8 — d
— Röm. Glaube u. freie Wiss. (32) 8° Berl., Herm. Walther 02. — 50 d
— Napoleon, s.: Monographien z. Weltgesch.
— Ausgew. Vortr. u. Aufsätze, s.: Bücherei, deut.

Lenz, O: Die engl. Militärstationen auf d. Seewege n. Indien: Gibraltar, Malta u. Aden. [S.-A.] (17) 8° Prag (Krakauerg. 14), Germania, Lese- u. Redever. d. deut. Hochschüler 03. nn — 60 d

Lenz, O: Die Hygiene n. d. Flitterwochen. 2. Afl. (88) 8° Berl., H Steinitz (02). 2 —

Lenz, P, s.: Zeitschrift f. hochdeut. Mundarten.

Lenz, R: Die indian. Elemente im chilen. Spanisch, inhaltlich geordnet. [S.-A.] (48) 8° Halle, M Niemeyer 02. 1.60

Lenz, W: Stumme Musikanten od. Wunder d. Insektenwelt. Unterhalt. u. belehr. Abhandlgn üb. Lautäussergn, Töne u. Stimmen d. Insekten. Der lieben Jugend gewidmet. 3—6.Bdchn. 8° Ess., HL Geck (01). Kart. je — 50 (Vollst.: 3 —) d
[3. Gesang d. Halbflügler od. Schnabelkerfe. Töne d. Schmetterlinge. (50) || 4.5. Töne u. Stimmen d. Immen od. Hautflügler. 2 Tln. (55 u. 55) || 6. Stimmen d. Wasserjungfern od. Libellen. Lautäussergn d. Fliegen od. Zweiflügler. Zweck d. Musik uns. stummen Musikanten. (66)]
— Radfahrer- u. Reisek. f. d. Reg.-Bezz. Münster, Arnsberg u. d. angrenz. Gebiete m. d. Stadtpl. v. Dortmund u. Münster. 4. Afl. 72,5×62,5 cm. Farbdr. Nebst Text. (4) 8° Ess., GD Baedeker (02). 1 —

Lenzen di Sebregondi, M: Die Blumen d. Haide, s.: Godin, A.
— Fritz Elmer's Pflegesohn. Was sein muss, muss sein. Caroline, s.: Braun's Novellen- u. Roman-Sammlg.

Lenzmann, R: Die entzündl. Erkrankgn d. Darms in d. Regio ileo-coecalis u. ihre Folgen. (371 m. 3 Taf.) 8° Berl., A Hirschwald 01. 10 —
— Die Tuberculose, d. grimmigste Feind uns. Volkes. (159 m. z. Tl farb. Fig. u. 2 Taf.) 8° Duisbg, J Ewich 02. 2 —

Leo. Sonntagsbl. f. d. kathol. Volk. Red.: C Meder u., seit 1902, B Mock. 24—28. Jahrg. 1901—5 je 52 Nrn. (Nr. 1. 8 u. 8 m. 1 Abb.) 4° Faderb., Bonfacius-Dr. Viertelj. — 50 d

Leo XIII. s. u.: Pecci, J.
— Allocutiones,epistolae,constitutiones aliaeque acta praecipua. Vol. I—VI. 8° Brugis. (Rom, Desclée, Lefebore & Co.) Je 2 —
[I. (1878—1882.) (396) 1887. || II. (1883—87.) (326) 1887. || III. (1887—89.) (398) 1893. || IV. (1890—91.) (331) 1894. || V. (1891—94.) (349) 1895. || VI. (1894—97.) (377) 1900.]
— Carmina, inscriptiones, numismata. Vollständ. Ausg., m. Einl. u. Anmerkgn v. J Bach. (176 m. Bildnis.) 8° Köln, JP Bachem 03. Geb. 4.20
— Sämtl. Gedichte nebst Inschriften u. Denkmünzen. Nach d. vollständ. Ausg. Bach's a. d. Lat. u. Ital. übers. u. umgedichtet v. B Barth. (90, 163 m. Abb.) 8° Ebd. 04. L. 4.20 d
— Die fundamentale Glaubenslehre d. kathol. Kirche, vorgelegt u. gegb. d. modernen soz. Irrtümer verteidigt. Aus d. päpstl. Kundgebgn zusammengest. v. CM Schneider. (460) 8° Faderb., F Schöningh 03. 3.50; geb. 4.50 d
— s.: Rundschreiben. — Sendschreiben.

Leo XIII, Papst, †. Erinnergsbl. f. d. kathol.Volk. (25 Bl. m. Abb.) 16° Augsbg, B Schmid 03. 2 —
— uns. hl. Vater. Festgabe f. kathol, Kinder v. e. Schulmanne. (16 m. Abb.) 12° Ess., Fredebeul & K. 03. — 10 d
— Wiege u. Jugend. Gezeichnet n. Briefen v. P.... (61 m. 7 Taf.) 8° Wien, (St. Norbertus) 03. — 60 d

Leo! Warum u, wie nähern wir uns d. Anarchie? (In russ. Sprache.) (130) 8° Berl., H Steinitz (03). 2 —

Leo, C, s.: Ziegler, L.

Leo, E: Ein Tenor a. Kyritz, s.: Volger's Herren-Bühne.

Leo, F: Die griechisch-röm. Biogr. u. ihrer litter. Form. (329) 8° Lpzg, BG Teubner 01. 7 —
— De Ciri carmine coniectanea. (22) 8° Gött., Vandenhoeck & R. 02. nn — 50
— s.: Hermes. — Literatur u. Sprache, d. griech.
— Die Originalität d. röm. Litt. Festrede. (18) 8° Gött., (Vandenhoeck & R.) 02. — 40
— Der saturn. Vers, s.: Abhandlungen d. kgl. Gesellsch. d. Wiss. zu Göttingen.

Leo, H: Arzneiverordngn, diätet. u. a. Vorschriften, f. d. Practicanten d. medizin. Poliklinik zusammengest. (55) 12° Berl., A Hirschwald 03. 2 —

Leo, M: Hamburg. Ges. u. Verordngn, s.: Wulff, A.
— Deut. Seehandelsrecht(Handelsgesetzb.: Buch IV, Seehandel, in d. Fassg d. Ges. v. 10.V.1897 u. d. Abändergsges. v. 2.VI.'02), nebst e. Anh. enth. d. Nebenges. Handausg. m. Erläuterung u. Sachreg. 3 Lfgn. (417) 8° Münch., J Schweitzer 04. geb. 7.60 d

Leo, N: Hat d. Menschenleben e. Zweck? (94) 8° Berl., W & S Loewenthal (03). 1.50

Leo, R: Häusl. Krankenpflege, nebst e. Anh. üb.: 1. Laien-Hilfe bei plötzl. Erkrankgn u. Unglücksfällen. Vortr. f. Damen ge-

bild. Stände. (167 m. Abb.) 8° Dresd., O Damm (01). 3 —; L. 4 — d

Leo, V: Entwickelgstendenzen im Welthandel. (40) 8° Berl., J Guttentag 01. 1 —
— Die Organisation d. amtl. Arbeiterstatistik im Deut. Reich. Für d. Weltausstellg in St. Louis dargest. (68) 8° Berl., C Heymann 04. 1 —

Leo's, W, Buchbinder-Kalender. Jahrg. 1906. 17. Jahr. (390 m. Fig.) 8° Stuttg., Verl. d. Allg. Anzeigers f. Buchbindereien. L. 1 — d

Leon, R v.: Deut.Bauern.Volksstück. (44) 8° Meran, FW Filmenreich 02. 1 — d
— Savonarola. Trauersp. (109) 8° Linz, (Österr. Buchdr.- u. Verl.-Gesellsch.) 02. (2 —) 2.40 d
— Der poln. Jude, s.: Weis, K.

Leonard, L: Die klösterl. Tagesordng. Anl. f. Laienbrüder u. Ordensschwestern, d. tägl. Übgn ihres hl. Standes im rechten Geiste zu verrichten. 4. u. 5. Afl. (536 m. 1 St.) 8° Rgnsbg, F Pustet 05. 2 —; L. 2.50 d

Leonardo da Vinci, d. Denker, Forscher u. Poet. Nach d. veröffentl. Handschriften. Ausw., Übersetzg, Einl. v. M Herzfeld. (132, 281 m. 1 Taf.) 8° Lpzg 04. Jena, E Diederichs. 3 —; geb. 10 —
— Das Abendmahl u. d. Christuskopf daraus. — Mona Lisa, s.: Meisterbilder fürs deut. Haus.

Leonardy, N: Vergissmeinnicht. Novene f. d. armen Seelen. 2. Afl. (334 m. Abb. u. 1 St.) 12° Rgnsbg, F Pustet 1900. — 40; L. — 60 d

Leonat, H, s.: Schönheitsfehler d. k. K.

Leonhard, A: Der innere Wert d. Münch. Terrain-Gesellschaften. (34) 8° Münch., AH Müller (04). — 50 d

Leonhard, F: Das Kastell Urspring, s.: Fabricius, E.
— Die Beweislast. (452) 8° Berl., F Vahlen 04. 9 — d

Leonhard, R: Samuel Selfisch, e. deut. Buchhändler am Ausg. d. XVI. Jahrh., s.: Abhandlungen, volksw. u. wirtschaftsgeschichtl.

Leonhard, O:Enteigng u. Enteigngsverfahren im österr.Rechte. (58) 8° Wien, M Breitenstein 03. — 70 d
— Der unlaut. Wettbewerb u. s. Bekämpfg. (115) 8° Wien, A Hölder 03. 2.60

Leonhard, R: Paphlagon. Denkmäler (Tumuli, Felsengräber, Befestiggn).Ergebnisse e.Reise.[S.-A.](40 m.Fig. u.1 Lichtdr.) 8° Bresl., GF Jäschek 03. 1.20

Leonhard, R, s.: Eck, E, Vortr. üb. d. Recht d. BGB.
— Die Replik d. Prozessgewinns (replica rei secundum me judicatae), s.: Festgabe f. Fel. Dahn.
— Der Schutz d. Ehre im alten Röm. Rede. (49) 8° Bresl., M & H Marcus 02. 1 —
— s.: Studien z. Erläuterg d. bürgerl. Rechts.

Leonhardi, E: 20 Landschaften. (20 Lichtdr. m. 7 S. Text.) 49.5×33,5 cm. Dresd., E Arnold (04). In L.-M. 20 —

Leonhardi, G, s.: Bibliothek angelsächs. Prosa.

Leonhardi, G: Üb. d. Gräbern. Ostergruss in Wort u. Lied. 4. Afl. (90 m. 1 St.) 12° Lpzg, BG Teubner 04. L. m. G, 3 — d
— s.: Im Reiche d. Gnade. — Pastoralblätter f. Homiletik, Katechetik u. Seelsorge.

Leonhardi, H Frhr v.: Karl Christian Friedrich Krause, als philosoph. Denker gewürdigt. Aus d. philosoph. Nachlasse hrsg. v. P Hohlfeld u. A Wünsche. (Als Anh. zu Krause's psych. Anthropol.) (295—475) 8° Lpzg, Dieterich 05. 2.40
— Karl Christian Friedrich Krause's Leben u. Lehre. Aus d. handschriftl. Nachlasse hrsg. v. P Hohlfeld u. A Wünsche. (131) 8° Ebd. 02. 3 —

Leonhardt, C: Flora v. Jena m. bes. Berücks. d. Ziergehölze in d. Anlagen u. e. Reihe botan. Ausflüge. (511) 8° Jena, B Vopelius 1900. 5.60
— Führer durch Jena u. Umgegend. 2 Tle. 2. Afl. 12° Jena, Döbereiner Nf. — 80
[1. Die Stadt u. nächste Umgegend. (74 m. 1 Karte u. 1 Pl.) (01.) — 50 || 2. Nähere u. weit. Umgegend (mittl. Saalthal m. Nebenhälern u. Nachbarstädte). (103 m. 2 Kart.) (02.) — 60; m. Karte f. d. weit. Umgegend — 80]
— Leitf. f. d. Unterr. in d. Geogr., s.: Daniel, HA.

Leonhardt, E: Die Bastarde d. deut. karpfenähnl. Fische. (58) 8° Neud., J Neumann 04. Kart. 1.60 d
— Der gemeine Flussal (Anguilla vulgaris Flem.). (56) 8° Neud., E Schweizerbart 02. 1.20
— Die Lachs. Versuch e. Biol. uns. wertvollsten Salmoniden. (60) 8° Neud., J Neumann 05. 1.60 d

Leonhardt, F: „Amboss-Klänge". Gedichte u. Lieder. (136) 12° Ebersw., (H Langewiesche) 1900. — 25 d

Leonhardt, G: 4 Burenlieder. (8) 8° Dess., C Dünnhaupt (01). — 25 d

Leonhardt, H, s.: Kompass.

Leonhardt, L: Die Mühlengenossensch. d. Niederrheins, s.: Genossenschaftsbibliothek, deut. landw.

Leonhardt, R: Motive f. moderne ornamentale Malerei. (24 farb. Taf. m. 4 S. Text.) Lpzg, C Scholtze (04). In M. 35 — d

Leonhard, W: Die rechtl. Stellg d. Landessynode im Kgr. Sachsen. (80) 8° Lpzg, O Wigand 04. 1.20

Leonhardus, J: Diewil es Lebens gilt! (70) 8° Berl., (H Seemann Nf.) 05. 2 — d

Leschziner, L: Ueb. 2 Fälle v. Bursitis trochanterica tuber-
culosa. (22) 8° Freibg i/B., Speyer & K. 02. — 60
Lescot, M: Gleissendes Gold. Roman. (211 m. Abb.) 8° Berl.,
F Schirmer (04). 1.50; L. 2 — d
— Der Treubruch. Roman. (334) 8° Dresd., E Pierson 06. 2.50;
geb. 3.50 d
Lesebibliothek, stenogr. Hrsg. v. d. Gabelsb. Stenogr.-Central-
Ver. München. Red.: R Lautenhammer u., 1904 G Söldner,
1905 A Huber. 33—87. Jahrg. 1901—5 je 12 Nrn. (Nr. 1. 8) 8°
Münch.,(M Kellerer). Je 1 —; m. d. Blättern f. Stenogr. je 3 —
— stenogr. Beibl. z, Korrespondenzbl. d. kgl. stenograph. Instit.
Red.: R Fuchs. Jahrg. 1904 u. 5 je 12 Nrn. (Nr. 1. 8) 8° Dresd.,
BG Teubner. Je — 60
Lese- u. Übungsblatt. Beil. z. deut. Stenogr.-Zeitg. Red. v.
M Fröbliger. 19. u. 20. Jahrg. 1904 u. 5 je 26 Nrn. (Nr. 1. 8)
8° Wolfenb., Heckner. Je 1.50
Lesebuch f. d. Primarsch. d. Kt. Basel-Stadt. II—IV. Schulj.
8° Bas., Helbing & L. Geb. nn 2.70 d
II. 5. Afl. (152) 05. nn — 80 ‖ III. 4. Afl. (200) 05. nn — 90 ‖ IV. 5. Afl.
(216) 01. nn 1 —
— f. d. Sekundarsch. d. Kt. Basel-Stadt. 4 Tle. 8° Ebd.
Geb nn 5.30 d
I. (3. Schulj.) 5. Afl. (282) 05. nn 1.10 ‖ II. (5. Schulj.) 4. Afl. (272) 05.
nn 1.20 ‖ III. (7. Schulj.) 5. Afl. (378) 04. nn 1.50 ‖ IV. (8. Schulj.) 3. Afl.
(331) 05. nn 1.50.
— deut., f. d. Unterkl. d. bayer. Volkssch. Nach d. bayer.
Kreislehrpl. bearb. Ausg. f. kathol. Schulen. 2 Abtlgn. 8°
Münch., R Oldenbourg (04). Je nn — 30; kart. je nn — 42;
in 1 Bd kart. nn — 75 d
I. 2. Schulj. 21. Afl. (120) ‖ II. 3. Schulj. 16. Afl. (144)
— dass. Ausg. f. protestant. Schulen. 2 Abtlgn. 8° Ebd. (04).
Je nn — 30; kart. je nn — 42; in 1 Bd kart. nn — 75 d
I. 2. Schulj. (120) ‖ II. 3. Schulj. 30. Afl. (144)
— bibl., f. ev. Schulen. Amtl. Ausg. (824 m. 8 Kart.) 8° Stuttg.,
Württ. priv. Bibelanst. 01. Geb. nn 1.50 d
— f. Bürgersch. Hrsg. v. Lehrerver. d. Stadt Hannover.
Für 6—8klass. Schulen. 1—3. Tl. (Mit Abb.) 8° Hannov., Hahn.
9.80; Einbde nnn — 75 d
I. 12. Afl. (272) 03. — 60; Einbd nnn — 20 ‖ II. 9. Afl. (384) 03. 1 —; Einbd
nnu — 25 ‖ III. 7. Afl. (406) 03. 1.20; Einbd nnu — 30.
— dass, Für jüd. Schulen umgearb. v. Levy, Reuss, Spanier.
2. Tl. Oberst. (256) 8° Ebd. 01. Geb. 1.60 (Vollst.: 2.80) d
— deut., f. Bürgersch. (in 8 Tln.) Hrsg. v. d. Rektoren zu
Frankfurt a/M. I., II. u. IV—VI. Tl. 8° Frankf. a/M., FB Auffarth. Geb. nn 7.60 d
I. (3. Schulj.) Fibel. 11. u. 12. Afl. (128 m. Abb.) 04. 1.05. ‖ II. (4. Schulj.)
bearb. v. G Chun. 9. Afl. v. G Chun u. W Liermann. (192) 04. 1.20 ‖ IV.
(4. Schulj.) bearb. v. B Widmann. 2. Afl. Ausg. f. kathol. Schulen. (204)
04. 1.45 ‖ V. (5. Schulj.) bearb. v. G Chun u. W Liermann. 3. Afl. Ausg.
f. simultane Schulen. (228) 02. nn 1.50 ‖ VI. (5. Schulj.) bearb. v. G Chun
u. W Liermann. 2. Afl. Ausg. f. ev. Schulen. (344) 02. nn 1.90.
— deut. Hrsg. v. d. Gesellsch. d. Freunde d. vaterländ. Schul-
u. Erziehgs-Wesens. (Neue Afl.) 6 Tle. 8° Hambg, (C Boysen).
Geb. 7.40 d
I. (176) 03. — 95 ‖ 2. (200) 03. 1 — ‖ 3. (232) 03. 1.10 ‖ 4. (256) 03. 1.30 ‖ 5.
(256) 05. 1.50 ‖ 6. (360) 04. 1.65.
— deut. Nach Massgabe d. allg. Bestimmgn v. 15.X.1872 bearb.
u. hrsg. v. hess. Volksschullehrerver. Ausg. D (in 6 Bdn.)
1. Tl. 5. Afl. (96 m. Abb.) 8° Cass., (Hess. Schulbh.) R Röttger
04. Geb. nn — 70 d
— f. d. Mittelkl. d. Elementarsch. in Elsass-L. Ausg. f. kathol.
Schulen. 33. Afl. (204) 8° Strassbg, F Bull 05. Geb. nn — 80 d
— f. d. Oberkl. d. Elementarsch. in Elsass-L. Neue Ausg.
f. Simultansch. 8. Afl. d. bisher. Buches. (454) 8° Strassbg,
Strassb. Druckerei u. Verl.-Anst. 02. Geb. nn 1.10 d
— f. d. Oberkl. ev. Elementarsch. in Elsass-L. Neue Ausg.
9. Afl. d. bisher. Buches. (455) 8° Ebd. 02. Geb. nn 1.10 d
— f. d. Oberkl. kathol. Elementarsch. in Elsass-L. 22. Afl.
(448) 8° Ebd. 03. Geb. nn 1.10 d
— f. d. Oberkl. d. Volkssch. in Elsass-L. Neue Ausg. f. Simultansch. 9. Afl. d. bisher. Buches. (455) 8° Ebd. (03).
Geb. nn 1.10 d
— deut., f. d. Mittelkl. ev. Volkssch. in Elsass-L. (200) 8°
Ebd. 03. Geb. nn — 70 d
— f. d. Oberkl. ev. Volkssch. in Elsass-L. Neue Ausg. 10. Afl.
d. bisher. Buches. (455) 8° Ebd. 04. Geb. nn 1.10 d
— deut., f. d. Mittelkl. kathol. Volkssch. in Elsass-L. (200)
8° Ebd. 03. Geb. nn — 70 d
— f. d. Oberkl. kathol. Volkssch. in Elsass-L. 23. Afl. (448)
8° Ebd. 04. nn 1 10; geb. nn 1.80 d
— f. Fortbildgssch. Bearb. unter Leitg d. grossh. bad.
Oberschulrats. (274) 8° Lahr, M Schauenburg 01. Geb. 1.20;
Ausg. f. Lehrer, durchseh. nn 1.75 d
— dass. Hrsg. v. württ.-ev. Schullehrerunterstützgsver. 4. Afl.
(399) 8° Stuttg., A Bonz & Co. (05). Geb. nn 1 — d
— f. ländl. Fortbildgssch. Hrsg. unter Mitwirkg v. JB
Krämer, J Rockstroh, B Schreiber u. K Stier v. F Polack.
2. Afl. (470 m. Abb.) 8° Wittnbg, R Herrosé 05. Geb. 2 — d
— f. Fortbildgs-, Fach- u. Gewerbesch. nebst fachkundl. Anhängen. Hrsg. v. Leipz. Fortbildgsschuldirektoren
u.-Lehrern. A. Allg. Tl. (428) 8° Lpzg,,A Hahn 01. Geb. nn 1.60
‖ 2. Afl. (228) 02. Geb. 1.65 d
— dass. Ausg. f. Dresden. (428 u. *289—*304) 8° Ebd.
Geb. nn 1.70 d
— dass. 3. Afl. Ausg. f. Hessen-Nassau, bearb. v. R Nishoff.
(424) 8° Ebd. 04. Geb. nn 1.80 d

Lesebuch f. Fortbildgs-, Fach- u. Gewerbesch. nebst
fachkundl. Anhängen. Hrsg. v. Leipz. Fortbildgsschuldirektoren. Ausg. f. Oldenburg, bearb. v. A Fissen. 1. u. 2. Afl. (424)
8° Lpzg, A Hahn 02.05. Geb. nn 1.80 d
— dass. Ausg. f. Ost- u. Westpreussen, bearb. v. Fischer. (424)
8° Ebd. 04. Geb. nn 1.80 d
— dass. 3. Afl. Ausg. f. Preussen, bearb. v. B Wersch. (424) 8°
Ebd. 04. Geb. nn 1.80 d
— dass. 4. Afl. Ausg. f. d. Kgr. Sachsen. (428) 8° Ebd. 05.
Geb. nn 1.65 d
— dass. 4. Afl. Ausg. f. d. thüring. Staaten, bearb. v. E Linde.
(424) 8° Ebd. 05. Geb. nn 1.80 d
— dass. Anh. f. Rechnen. Ergänzgsheft. Aufg. z. Kranken-, Un-
fall-, Invaliditäts- u. Altersversicherg. 5. Afl. (16) 8° Ebd.
05. — 15; Lösgn. (3) 02. nn — 25 d
— dass. 5. Afl. Aufg. f. Rechnen u. Buchführg in Barbier-
u. Friseurkl. 1. u. 2. Afl. (34 bezw. 36) 8° Ebd. 03.06. — 50;
Lösgn. (8) (05.) — 50 d
— dass. Anh. f. Bauhandwerker: Rechnen u. Geometrie. 2. Afl.
(64) 8° Ebd. 05. — 50; Lösgn. (8) (04.) — 50 d
— dass. Anh. f. Fleischer: Rechnen. (48) 8° Ebd. 05. — 60 d
— dass. Anh.: Rechnen f. Kaufmannslehrlinge u. Bureaubeamte.
(67) 8° Ebd. 05. — 50; Lösgn. (18) (05.) — 50 d
— dass. B. I. Fachleseb. f. Metallarbeiter. (148) 8° Ebd. 02.
Geb. nn 1.20 ‖ 2. Afl. (158) 05. Geb. nn 1.40 d
— dass. Anh. f. Bauhandwerker: Rechnen. Aufg. f. Rechnen
u. Geometrie in Bauhandwerkerkl. Mit e. Anh.: Aufg. z.
Kranken-, Unfall-, Invaliditäts- u. Altersversicherg. (Anh.
Lösgn. (8) 8° Ebd. 02. — 50 (Anh. u. Lösgn. — 90) d
— dass. B. V. Fachleseb. f. Köche: Rechnen. Mit e. Anh.: Aufg.
z. Kranken-, Unfall-, Invaliditäts- u. Altersversicherg. (Anh.
Nr. 3.) (40 u. 16) 8° Ebd. 01. — 50; Lösgn. (10) 02. — 50 d
— dass. Anh. Nr. 4. Aufg. f. Rechnen u. Geometrie. z. Gebr.
in Metallarbeiterkl. 1—3. Afl. (80 m. Abb.) 8° Ebd. 02.06.
— 50; Lösgn. (8) 02. — 50 d
— dass. B. III. Fachleseb. f. Bäcker. (100 m. Abb.) 8° Ebd. 03.
Geb. nn 1.20 ‖ 2. Afl. (100 m. Abb.) 05. Geb. nn 1.40 d
— dass. B. IV. Fachleseb. f. Kellner u. Köche. (188) 8° Ebd.05.
Geb. 1.50 d
— dass. B. V. Fachleseb. f. Barbiere u. Friseure. (180 m. Abb.)
8° Ebd. 06. Geb. nn 1.60 d
— dass. C. Fachleseb. f. Bauhandwerker. (100 m.Abb.) 8° Ebd.
03. Geb. nn 1.30 d
— weibl. Fortbildgs- u. Feiertagssch. Hrsg. v. Lehrer-
Innen-Ver. München. 6. u. 7. Afl. (328 bezw. 319) 8° Münch.,
R Oldenbourg (03.05.) Geb. nn 1.75 d
— dass. (Bearbeitg f. Landsch.) 3. Afl. (216) 8° Ebd. 05.
Kart. nn 1.25 d
— deut., f. sächs. Gymnasien. In 8 n. Klassenstufen geordneten Abteilg hrsg. v. H Steuding. 1—4. Abtlg. 8° Lpzg,
Dürr'sche Bh. Geb. 8.40 d
I. 1. Sexta, bearb. v. O Hartlich. (905) 05. 2.30 ‖ 2. Quinta bearb. v. J Cali-
nich. (186) 05. 2 — ‖ 3. Quarta, bearb. v. A Oehme. (174*) 05. 2 — ‖ 4.
Untertertia, bearb. v. P Wagler. (208) 05. 2.20.
— deut., u. in 4 Tln f. d. Schulen d. Grossh. Hessen. Unter
Mitwirkg v. K Backes u. H Scherer hrsg. v. G Chun u. W
Liermann. Ausg. A. I. Tl (2. Schulj.). 3. Afl. (112) 8° Frankf.
a/M. 02. Giess., E Roth. Geb. nn — 80 d
— dass. Ausg. A u. B. Fibel. (1. Schulj.) 4. Afl. (96 m. Abb.) 8°
Ebd. 04. Geb. nn — 80 d
— dass. in 2 Tln. Ausg. C. Fibel. (1. u. 2. Schulj.) 5. Afl. (140
m.Abb.) 8° Ebd. 04. Geb. nn — 85 ‖ II. Tl. (5., 6., 7. u. 8. Schulj.)
4. Afl. (464) 02. Geb. nn 2 — d
— hess., hrsg. v. hess. Schulmännern. I. Tl. Fibel. Ausg. z.
d. gemischten Schreiblese-Methode. 35. Afl. (108 m. Abb.) 8°
Giess., E Roth 05. — 50; geb. nn — 80 d
— dass. nach Reinsch'schem Verf. 1. Tl. (Mit Abb.) 8°
Ebd. 05. — 50; geb. nn — 80 d
— dass. Ausg. A., III., V. u. VII. Tl. (Mit Abb.) 8° Ebd.
4.30; geb. nn 5.40 d
II. 2. Schulj. 9. Afl. (152) 05. — 70; geb. nn — 90 ‖ III. (3. Schulj.) 5. Afl.
(184) 04. — 80; geb. nnu 1 — ‖ V. (5. Schulj.) 4. Afl. (248) 05. 1 —; geb.
nn 1.30. ‖ VII. (7. u. 8. Schulj.) 3. Afl. (496) 05. 1.60; geb. nn 1.90.
— dass. 4. Afl. Ausg. B. Für 4klass. Volksch. II—IV. Tl. (Mit Abb.)
8° Ebd. 3.40; geb. nn 4.30 d
II. Unterst. (2—4. Schulj.) 10. Afl. (191) 05. — 50; geb. nn 1 — ‖ III.
Mittelst. (5—6. Schulj.) 6. Afl. (320 m. Abb.) 04. 1 —; geb. nn 1.20 ‖ IV.
Oberst. (7—8. Schulj.) 6. Afl. (484) 02. 1.60; geb. nn 2 —.
— dass. Ausg. C. Für 1- u. 2klass. Volkssch. II. u. III. Tl. (Mit
Abb.) 8° Ebd. 2.30; geb. nn — 90 ‖ III.
Für Oberkl. (3—7. Schulj.) 6. Afl. (312) 06. 1.60; geb. nn 2 —
— dass. Ausg. D f. sklass. Schulen. III. Tl f. d. 4. u. 5. Schulj.
2. Afl. (230) 8° Ebd. 02. 1 —; HF. nn 1.30 d
— f. Hilfssch. Bearb. v. d. Lehrerkollegium d. Lpzig. Hilfssch.
3. Tl. 3. Afl. (200) 8° Lpzg, Dürr'sche Bh. 05. Geb. 1.20 d
— f. Fortbildgs. u. höh. Fachschulen. Mittel- u. Oberst. 8°
Daser. Geb, nn 2.90 d
Mittelst. (247) (05.) nn 1.30 ‖ Oberst. (485 m. Abb.) (03.) nn 1.70.
— f. höh. Lehranst. Hrsg. v. Lössl, Madel, Micheler, Reidelbach, Roth, Schöttl, Stöckel. 6 Bde. 8° Münch., H Pohl 04.
9.20; geb. nn 11.50 d
I. 1. Schulj. 7. Afl. (324) 1.40; geb. nn 1.75 ‖ II. 2. Schulj. 7. Afl. (260)

1.60; geb. nn 1.75 ‖ III. 3. Schulj. 5. Aﬂ. (229) 1.60; geb. nn 2 — ‖ IV.
4. Schulj. 5. Aﬂ. (370) 04. 1.60; geb. nn 2 — ‖ V. 5. Schulj. 4. Aﬂ. (360)
1.60; geb. nn 2 — ‖ VI. 6. Schulj. 4. Aﬂ. (350) 1.80; geb. nn 2 —
Bei d. 4. Aﬂ. d. 2. Tls war weilerer Mitarb. Schultheis.
Lesebuch, deut., f. höh. Lehranst. Unterst. 1—3. Abschn.
Von W Scheel. 8° Berl., ES Mittler & S. 05. Geb. 4.40;
in 1 Bd 5.40 d
1. Sexta. (166) 1.40 ‖ 2. Quinta. (192) 1.60 ‖ 3. Quarta. (174) 1.40.
— deut., f. höh. Lehranst. Hrsg. v. Lehrern d. deut. Sprache
an d.kgl.Realgymnasium zu Döbeln. 1—III. Tl u.IV. Tl,1 Abtlg.
8° Lpzg, BG Teubner. Geb. 9.60 d
1. Sexta. 4. Aﬂ. (287) 02. 2 — ‖ II. Quinta. 4. Aﬂ. (225) 05. 2.40 ‖ III.
Quarta. 4. Aﬂ. (345) 05. 2.80 ‖ IV.,1. Unter-Tertia. 3. Aﬂ. (331) 01. 2.60.
— deut., f. höh. Lehranst. In 8 nach Klassenst. geordn.
Abtlgn u. 2 Vorschul-Tln hrsg. v. CMuﬀ. 1—8. Abtlg. 8° Berl.,
G Grote. Geb. 19.10
1. Für Sexta, v. J Hopf u. K Paulsiek. Neu bearb. v. CMuﬀ. 14. Aﬂ. d.
neuen Bearbeitg. (302) 05. 2 — ‖ 2. Für Quinta, v. J Hopf u. K Paulsiek.
Neu bearb. v. CMuﬀ. 14. Aﬂ. d. neuen Bearbeitg. (424) 05. 2.40 ‖ 3. Für
Quarta, v. J Hopf u. K Paulsiek. Neu bearb. v. C Muﬀ. 14. Aﬂ d. neuen
Bearbeitg. (406) 05. 2.40 d ‖ 4. Für Unter-Tertia. v. CMuﬀ. 15. Aﬂ. (376)
05. 2.40 d ‖ 5. Für Ober-Tertia, v. CMuﬀ. 11. Aﬂ. (380) 05. 2.50 d ‖ 6. Für
Unter-Sekunda, v. CMuﬀ. 7. Aﬂ. (437) 05. 2.60 d ‖ 7. Für Ober-Sekunda:
Ausw. a. d. klass. Lit. d. M.-A., v. F Hoﬀmann. 2. Aﬂ. (177) 03. 2 — ‖ 8.
Für Prima. v. C Muﬀ. 2. Aﬂ. (292) 03. 2.50. d
Die alte Bearbeitg s. u. d. T.: Hopf, J, u. K Paulsiek, deut. Leseb.
— dass. Anmerkgn f. d. Gebr. d. Lehrer. Abteilg f. Unter-
Sekunda, bearb. v. EH Zergiebel. (154) 8° Ebd. 05. †1.60 d
Wird nur direkt an Lehrer abgegeben.
— dass. 5. Abtlg, f. Ober-Tertia, v. CMuﬀ. Anmerkgn f. d. Gebr.
d. Lehrer. Abtlg f. Obertertia, bearb. v. F Hildebrandt u.
R Dreist. (96) 8° Ebd. 1898. — 90 d
— deut., f. höh. Lehranst. (Sexta bis Prima nebst 2 Vor-
schulteilen.) Hrsg. v. O Liermann. 1—6. Tl. 8° Frankf. a/M.,
Kesselring 04. Geb. nn 14.80 d
1. Sexta. Bearb. v. O Liermann u. E Prigge. (334) nn 2.20 ‖ 2. Quinta.
Bearb. v. O Liermann u. H Schmidt. (419) nn 2.50 ‖ 3. Quarta. Bearb. v.
A Höfer u. O Liermann. (367) nn 2.50 ‖ 4. Untertertia. Bearb. v. O Liermann u. W Vilmar. (380) nn 2.50 ‖ 5. Obertertia. Bearb. v. O Liermann u. R
Pappritz. (361) nn 2.50 ‖ 6. Untersekunda. Bearb. v. H Butzer u. O Liermann. (425) nn 2.60.
Das Leseb.: f. Vorschulen s.: Bangert, W.
— f. d. Kapitulantensch. 2 Tle: Zum Dienstgebr. ausg.
v. kgl. preuss. Kriegsministerium. 8° Berl., ES Mittler & S.
03. nn 2.75; geb. nn 3.40 d
1. (406 m. Abb.) nn 1.25; geb. nn 1.60 ‖ 2. (487 m. Abb.) nn 1.50; geb.
nn 1.80.
— f. landw. Wintersch. u. ländl. Fortbildgssch. Hrsg. v. d.
landw. Ver. f. Rheinpreussen u. d. Landw.-Kammer f. d.
Rheinprov. 6. Aﬂ. (295) 8° Bonn, F Cohen 05. Geb. nn 2.50 d
— deut., f. d. Latein- u. Realsch. Württembergs. 1. Bd
(Neue Ausg.)(192) 8° Stuttg.,Zeller & Schmidt 03. Geb. nn — 65 d
— deut., f. mehrklass. Schulen. In 4 Stufen. Hrsg. v. e.
Kommission d. Schuldirektoren Leipzigs. 8° Lpzg, Dürr'sche
Bh. Geb. nn 5.05 d
1. 14. Aﬂ. (174) 05. nn — 85 ‖ II. 8. Aﬂ. (311) 01. nn 1.25; 11. Aﬂ. (288)
04. nn 1.15; nn. Abb. 12. Aﬂ. (335) 05. nn 1.40 ‖ III. 10. Aﬂ. (328) 04.
nn 1.40; 11. Aﬂ. nn. Abb. 12. Aﬂ. (359) 05. nn 1.40 ‖ IV. 13. Aﬂ. (391) 06. nn 1.65.
— f. d. Mittelst., s.: Lesebuch, deut., f. Stadt- u. Landsch.
— f. d. 3—7. Kl. d. Volkssch. in München. Hrsg. v. Bez.-
Lehrerver. München. (Mit Abb.) 8° Münch., R Oldenbourg.
nn 3.80; kart. nn 4.70 d
III. 11. Aﬂ. (122) (05.) nn — 55; kart. nn — 70 ‖ IV. 10. Aﬂ. (136) (05.)
nn — 65 ; kart. nn — 80 ‖ V. 7. Aﬂ. (237) (05.) nn — 80; kart. nn 1 — ‖ VI.
6. Aﬂ. (224) (05.) nn — 90; kart. nn 1 — ‖ VII. 6. Aﬂ. (270) (04.) nn 1 —;
kart. nn 1.20.
— f. Nationalstenogr. (System v. Kunowski). 2. Aﬂ. (32)
8° Liegn., Dr. v. Kunowski 03. 1 —
— f. d. Oberkl. d. Volkssch. d. Reg.-Bez. Niederbayern,
s.: Lese- u. Sprachbuch.
— f. d. Unter-, Mittel- u. Oberkl. d. Volkssch. d. Reg.-Bez.
Oberbayern. Bearb. v. mehreren Schulmännern. (Mit Abb.)
8° Münch.,R Oldenbourg. nn 2.55; kart. nn 3.12 ; geb. nn 3.55 d
Unterkl. 25. Aﬂ. (287) (05.) nn — 65; kart. nn — 75; geb. nn — 90 ‖ Mittelkl. 24. Aﬂ. (296) (05.) nn — 65; kart. nn 1.59; geb. nn 1.65.
20. Aﬂ. (362) (05.) nn 1.30; kart. nn 1.59; geb. nn 1.65.
— f. d. Unter-, Mittel- u. Oberkl. d. Volkssch. d. Reg.-Bez.
Oberfranken. Bearb.v.mehreren Schulmännern.(Mit Abb.)
8° Ebd. (05). nn 2.30; kart. nn 2.90 d
Unterkl. (2. u. 3. Schulj.) 3. Aﬂ. (105) — 60; kart. nn — 80 ‖ Mittelkl. (4.
u. 5 Schulj.) 3. Aﬂ. (256) nn — 75; kart. nn — 95; geb. nn 1.05 ‖ Oberkl.
(6. u. 7. Schulj.) 3. Aﬂ. (370) nn — 90; kart. nn 1.15; geb. nn 1.30.
— deut. Für d. Bedürfnis oberfränk. Volkssch. bearb. (Kathol. Ausg.) 2 Tle. 8° Ebd. (04). nn 1.50; kart. nn 1.85;
in 1 Bd kart. nn 1.75; in 1 L.-Bd nn 1.85 d
1. Erbauliches u. Beschauliches. 33. Aﬂ. (144) nn — 50; kart. nn — 65 ‖
2. Realienb. 22. Aﬂ. (350 m. Abb.) nn — 1 —; kart. nn 1.20; geb. nn 1.32
— dass. (Protestant. Ausg.) 2 Tle. 8° Ebd. (04). nn 1.50;
kart. nn 1.85; in 1 Bd kart. nn 1.75; in 1 L.-Bd nn 1.85 d
1. Erbauliches u. Beschauliches. 33. Aﬂ. (144) nn — 60; kart. nn 1.32
2. Realienb. 22. Aﬂ. (343 m. Abb.) nn 1 —; kart. nn 1.20; geb. nn 1.32
— f. d. Unter-, Mittel- u. Oberkl. d. Volkssch. d. Reg.-Bez.
Oberpfalz.Bearb.v.mehrerenVolksschullehrern.(MitAbb.)
8° Ebd. nn 1.95; kart. nn 2.50 d
Unterkl. 1—3. Aﬂ. (240) (04.05.) nn — 60 ‖ Mittelkl. 1 —
2. Aﬂ. (311) (04.05.) nn — 65; kart. nn — 85; geb. nn 1 — ‖ Oberkl.: 1—2.
Aﬂ. (265) (04.05.) nn — 85; kart. nn 1.05; geb. nn 1.20.
— deut., f. d. beiden ob. Kl. d. Volkssch. in d. Oberpfalz.
2 Tle in 1 Bde. (Ausg. f. kathol. Schulen.) 8° Ebd. (03). nn 1.60;
geb. nn 2 — d
1. Erbauliches u. Beschauliches. 29. Aﬂ. (144)
2. Realienb. 29. Aﬂ. (360 m. Abb.)

Lesebuch f. d. Mittel- u. Oberst. ostfries. Volkssch. Hrsg. v.
d.ostfries.Lehrerver.8°Güstersl.,CBertelsmann05. Geb.2.50 d
Mittelst.(Neue Aﬂ.)(256) 1 —; Oberst. 4. Aﬂ. (564 m. Abb.) 1.50.
— f. d. II—VII. Kl. d. Volkssch. Bearb.v.pfälz. Lehrern. 61.Aﬂ.
(Mit Abb.) 8° Münch., R Oldenbourg. nn 3.50 d
II. 62. Aﬂ. (111) (05.) — 40; kart. nn — 90 ‖ VII.IV. 55. Aﬂ. (344) (05.)
nn — 80; geb. nn 1.15 u. nn 1.70 ‖ V.VI u. VII. sowie f. d. Sonntags-
u. Fortbildgssch. 36. Aﬂ. (705) (05.) nn 2.10; geb. nn 2.55.
— deut., f. Realsch. u. verwandte Lehranst. Hrsg v. R Becher,
K Börner, ER Richter, O Zimmermann. 3 Tle. 8° Lpzg, Dürr-
sche Bh. Geb. 9.70 d
1. 7. Aﬂ. (349) 05. 2.50; m. grammat. Anh. v. A Ketzer. (349 u. 23) nn 2.90
‖ II. 5. Aﬂ. (470) 02. 3 — ‖ III. 7. Aﬂ. (616) 01. 4.30.
— f. d. Satzkürzgs-Unterr. n. Gabelsb's System. [S.-A.]
(32) 8° Lpzg, E Zehl 04. — 30 d
— f. deut. Schulen f. d. 2., 3. u. 4. Schulj. im Anschl. an d.
deut. Fibel in Lateinschrift v. G Grimmer. Bearb. v. Praktikern an Auslandssch. (347 m. Abb.) 8° Bruchs., O Katz 05.
Geb. 3 —
— f. d. 1. Schuljahr. Hrsg. im Auftr. d. Lehrerschaft d.
Herzogt. Coburg. 2. Aﬂ. (94 m. farb. Abb.) 8° Cobg, JF Albrecht
02. Geb. nn — 90 ‖ 3. Aﬂ. (108 m. 2. Tl farb. Abb. u. 1 Taf.) 05.
Geb. 1.20 d
— f. d. 2. Schuljahr. Hrsg. v. pädagog. Ver. zu Chemnitz.
8. Aﬂ. (128) 8° Chemn., JCF Pickenhahn & S. 05. † — 55;
geb. †— 80 d
— f. d. 3. Schuljahr. Ausg. b. Verff.d.Schuljahre.1.Abtlg:
Thüringer Sagen. 2. Aﬂ. (90 m. Abb.) 8° Lpzg, H Bredt 03.
— 60 d
— f. d. 1. u. II. Stufe d. Sundarsch. Hrsg. v. d. kantonalen st. gall. Sekundarlehrer-Konferenz. 8° St. Gallen, Fehr
04. Geb. nn nn 2.40
— 1. Aﬂ. (327) ‖ II. 2. Aﬂ. (511)
— deut., f. Stadt- u. Landsch. in 4 Tln. 2. Tl ; 3. Tl, 2 Abtlgn
u. 4. Tl. 8° Bresl., WG Korn 05. nn 3.35; Einbde nnn — 70 d
2. Dürr, P : Leseb. f. d. Unterst. 23. Aﬂ. (136) nn — 50; Einbd nnn — 15
3. I. Leseb. f. d. Mittelst. Im Anschlusse an d. Unterst. bearb. v. d. Leh-
rerkommission. 1. Abtlg. 17. Aﬂ. (302) — 75; Einbd nnn — 15
II. Dass. II. Abtlg. 16. Aﬂ. (202) — 75; Einbd nnn — 15
4. Thiel, H : Leseb. f. d. Oberst. Zugl. f. Mittelseh. u. d. entsprech. Kl.
höh. Bürger-u. Mädchen-Sch. 10. Aﬂ. (385) nn 1.35; Einbd nnn — 25
s. Übg in engl. u. franzö. Stenogr. n. Gabelsb.-Geiger.
(Von A Geiger.) — Reading exercises for students of shorthand after the system Gabelsb.-Geiger. — Exercices de lecture pour les élèves du sténog. d'après le système Gabelsb.-
Geiger. (110) 8° Frankf. a/M., Mahlau & W. 02. 3 —
— stenograph. (System Faulmann.) Hrsg. v. Central-Ver.
f. Faulmann'sche Stenogr. in Wien. Stenograph. Vollschrift.
(89) 8° Wien, (A Bermann) 03. — 70
— 1. trier-, f. kathol. Volkssch. v. Seminar- u. Volksschullehrern. 2. Aﬂ. u. II. Leseb. (84 m. Abb. u. 64) 8° Trier, J
Lintz (05). Geb. nn — 40 d
— vaterland. 3 Tle. 8° Weim., H Böhlau's Nf. nn 2.50 d
1. Unterst. Hrsg. v. H Francke. 30. Aﬂ. (116 m. Abb.) 05. — 50 ‖ 2. Mittelst. Von H Francke. 21. Aﬂ. (190) 04. nn — 60 ‖ 3. Oberst. Hrsg. v A
Bräunlich. 17. Aﬂ. v. H Francke. (429 nn. 1 Karte.) 04. nn 1.40.
— dass., f kathol. Schulen. 1. Tl. Unterst. 29. (3.) Aﬂ. (134 m.
H.) 8° Ebd. 04. nn nn — 50 d
I. (Für d. 5. u. 6. Schulj.) (312) 01. ‖ II. (Für d. 7. u. 8. Schulj.) (330) 05.
— deut., f. d. Volkssch. Ausg. B in 2 Tln. II. Tl: Oberst. Bearb.
u. hrsg. v. hess. Volksschullehrerver. 7. Aﬂ. (480 m. Abb.) 8°
Cass., (Hess. Schulbh. R Röttger) 01. Geb. nn 1.50 d
— dass. Unterst. d. 2- u. 3bänd. Ausg. (Ausg. B. I Tl.) 8. Aﬂ.
(288 m. Abb.) 8° Ebd. 04. nn 1.40 d
— dass. Ausg. D in 6 Bdn. III—VI. Tl. 8° Ebd. Geb. nn 5 — d
III. 4. Aﬂ. (216) 05. nn — 90 ; 3. Aﬂ. (216 m. Abb.) 04. nn 1 — ‖ IV. 4. Aﬂ.
(232 m. Abb.) 04. nn 1.10 ‖ V. 3. Aﬂ. (259) 04. nn 1.30 ‖ VI. 3. Aﬂ. (409)
01. nn 1.50; 4. Aﬂ. (400) 05. nn 1.60.
— f. d. Unter-, Mittel- u. Oberkl. d. Volkssch. Bearb. v.
mehreren Volksschullehrern. (Mit Abb.) 8° Münch., R Oldenbourg. nn 2.05; kart. nn 2.50; geb. nn 3.05 d
Unterkl. 21. Aﬂ. (240) (05.) nn — 60; kart. nn — 75; geb. nn — 90
Mittelkl. 18. Aﬂ. (304) (04.) nn — 65; kart. nn — 85; geb. nn 1 —
Oberkl. 16. Aﬂ. (365) (04.) nn — 80; kart. nn 1 —; geb. nn 1.15
— dass. f. d. Mittel- u. Oberkl. Ausg. f. d. Reg.-Bez. Unterfranken u. Aschaffenburg. (Mit Abb.) 8° Ebd. (05). nn 1.65;
kart. nn 2.05; geb. nn 2.35 d
Mittelkl. 3. Aﬂ. (216) nn — 65 ; kart. nn — 85; geb. nn 1 —
Oberkl. (350) nn 1 —; kart. nn 1.20; geb. nn 1.35.
— f. ev. Volkssch. Mittel- u. Oberst. Hrsg. im Auftr. d. kgl.
Regierg zu Arnsberg. (Neue Aﬂ.) (Mit Abb.) 8° Bielef., Velhagen & Kl. Geb. nn 1.80 d
Mittelst. (267) 03. nn — 50 ‖ Oberst. (442 m. Abb.)
— f. kathol. Volkssch. Für einf. Schulverhältn. m. bes. Berücks. d. utraquist. Schulen Oberschlesiens. Ausg. B. 4 Tle.
Neu bearb. Ausg. (Mit Abb.) 8° Dortm., W Crüwell 01.
Geb. nn 2.60 d
1. Fibel. (84) nn — 40 ‖ 2. Unterst. (84) nn — 40 ‖ 3. Mittelst. (176) nn —
‖ 4. Oberst. (385) nn 1.20
— dass. Ausg. B. I. u. II. T.: Fibel u. Leseb. f. d. Unterst. im Auszuge. Neubearb. Ausg. (104 m. Abb.) 8° Ebd. 01. Geb. nn — 50 d
— f. d. Mittel. kathol. Volkssch. Hrsg. im Auftr. d. kgl. Prov.-
Schulkollegiums zu Münster. Neue bearb. Ausg. f. d. Prov.
Hessen-Nassau. (348) 8° Ebd. 04. Geb. nn — 80 d
— dass. Ausg. f. d. Herzogt. Oldenburg. (224) 8° Ebd. 05.
Geb. nn — 80 d
— dass. f. d. Prov. Westfalen. (246) 8° Ebd. 05. Geb. nn — 80 d

Lesebuch f. d. Oberkl. kathol. Volkssch. Ausg. f. d. Herzogt. Braunschweig. (547) 8° Dortm., W Crüwell 04. Geb. nn 1.85 d
— dass. Ausg. f. d. Herzogt. Oldenburg. (568) 8° Ebd. 05.
　　　　　　　　　　　　　　　　　　Geb. nn 1.50 d
— dass. Hrsg. im Auftr. d. kgl. Prov.-Schulkollegiums zu Münster. Neu bearb. Ausg. f. d. Prov. Hessen-Nassau. (560) 8° Ebd. 04.　　　　　　　　Geb. nn 1.50 d
— dass. Ausg. f. d. Prov. Westfalen. (552) 8° Ebd. 03. Geb. nn 1.50 d
— deut., f. kathol. Volkssch. 2 Tle. 8° Cöln, M DuMont-Sch.
　　　　　　　　　　　　　　nn 1.75; geb. nn 2.10 d

1. Mittelst. 23. Afl. (308) 05.　　　　nn — 65; geb. nn — 80
2. Oberst. 15. Afl. (588) 04.　　　　　nn 1.10; geb. nn 1.30

— d., in d. Volkssch. Behandlg deut. Lesestücke u. d. formalen Stufen, d. Grammatik u. Orthogr. in konzentr. Kreisen, nebst e. kurzen Litt.-Gesch. Bearb. f. d. Unter-, Mittel- u. Oberst. 1. Heft. Unterstufe. 2. Afl. (104) 8° Langens., Schulbh.
01.　　　　　　　　　　　　　　　　— 90 d
Lese- u. Lehrbuch f. d. Feiertags- u. Fortbildgsscb. d. Oberpfalz 2. Afl. (200) 8° Rgnsbg, H Bauhof 03. Geb. nn 1 — d
Lese- u. Sprachbuch f. d. Unterkl. d. Volkssch. (2. u. 3. Schulj.) Bearb. v. mehreren öffentl. Lehrern. 232. Afl. (240 m. Abb.) 8° Münch., R Oldenbourg (03).　　nn — 60; kart. nn — 75 d
— — f. d. Unter-, Mittel- u. Oberkl. d. Volkssch. d. Reg.-Bez. Niederbayern. Bearb. v. mehreren öffentl. Lehrern. (Mit Abb.) 8° Ebd.　　　　　　　nn 2.45; kart. nn 3 — ; geb. nn 3.45 d
Unterkl. 24. Afl. (284) (05.)　　　　nn — 65; kart. nn — 70; geb. nn — 85
Mittelkl. 23. Afl. (303) (05.)　　nn — 90; kart. nn 1.10; geb. nn 1.35
Oberkl. 15. Afl. (373) (05.)　　　nn 1 — ; kart. nn 1.20; geb. nn 1.85
Lese- u. Übersetzungsbuch, 1. französ., f. Kinder, welche d. Dentschlesens kundig sind, s.: Livre, premier, de lecture franc. et de traduction.
Lesebüchlein. Hrsg. v. Berliner Tierschutz-Ver. u. v. deut. Lehrer-Tierschutzver. 4. Bdchn. (Hrsg. v. H Stenz.) (96 m. Abb.) 12° Berl. (S. 42, Wasserathorstr. 27), (Berolina-Versand-Bh.) (02).　　　　　　　　— 80 d
Lesehalle, die, Illustr. Unterhaltgsbl. Red.: L Brenner. 1. Jahrg. Oktbr 1903—Septbr 1904. 24 Nrn. (Nr. 1. 32 Sp. u. 16 S. in 8°.) 4° Lussinpiccolo, Verl. d. „Astronom. Rundschau".
　　　　　　　　　　　　　　　　2 — d ö F
— deut. Illustr. stenotachygraph. Unterhaltgsbl. 1—4. Jahrg. 1901—4 je 12 Hefte. (1901. Nr. 1. 16) 8° Obertürkheim, R Lang, (Nur dir.) Viertelj. bar nn —60 ‖ 5. Jahrg. 1905. Jährlich nn 3 —
　　　　　Bildet d. Fortsetzx xu: Lesehalle, stenotachygraf. — Die Nummern
　　　　　erschienen x. Tl noch in Tübingen.
— stenograph. Red. im Auftr. d. Stenogr.-Verbandes Stolze-Schrey v. F Specht. Jahrg. 1901—5 je 12 Nrn. (Je 8) 8° Berl., Gerdes & H.　　　　　　　　　　　　Halbj. — 75
— stenotachygraf., Fortsetzg, s.: Lesehalle, deut.
Leser, E: Die spec. Chirurgie in 60 Vorlesgn. Kurzgef. Lehrb. 5. Afl. (1110 m. Abb.) 8° Jena, G Eischer 02. ‖ 6. Afl. (28, 1158 m. Abb.) 04.　　　　　　Je 20 — ; geb. je nn 22.50
— Lehrb. d. Chirurgie in Vorlesgn. I. Tl. Allg. Chirurgie in 50 Vorlesgn. (26, 585 m. z. Tl farb. Abb.) 8° Ebd. 06. 12 — ;
　　　　　　　　　　　　　　　　geb. 14 —
— Operations-Vademecum f. d. prakt. Arzt. 2. Afl. (186 m. z. Thl farb. Abb.) 8° Berl., S Karger 02.　　　　　L. 5 —
Leser, H: Das Wahrheitsproblem unter kulturphilosoph. Gesichtspunkt. (90) 8° Lpzg, Dürr'sche Bh. 01.　　　2 —
Leser, LL: Das zerrissene Bild u. and. Novellen. (163) 8° Dresd., E Pierson 04.　　　　　　　　　　2 — ; geb. 3 — d
— Schön-Rottraut. Märchensp. m. Gesang. (84 m. Bildnis.) 8° Ebd. 04.　　　　　　　　　　　　　1.50 d
Lesestücke, heimatkundl., Schlesien. Ausg. f. ev. Schulen. (F Hirt's deut. Lesebuch, Ausg. A u. B.) (64 m. Abb.) 8° Bresl., F Hirt (03).　　　　　　　　　Geb. nn — 90 d
Lesewandtafeln, 25, z. Frankfurter Fibel. 78×89,5 cm. Frankf. a/M., FB Auffarth (03). nn 10 —; aufgez. auf 13 Taf. nn — 50
Lesimple: Guide illustré du Rhin, la Bergstrasse, l'Odenwald et le Taunus. 2. éd. (88, m. Abb., 1 Panorama.) 12° Lpzg, Á Lesimple 02.　　　　　　　　　　Geb. 1.50 d
— Guide prat. du Rhin, la Bergstrasse, l'Odenwald et le Taunus. 2. éd. (88 m. Abb. u. 1 Panorama.) 12° Ebd. 02. Geb. 1.60 d
— Practical guide through the Rhine Valley with the Bergstrasse, Odenwald and Taunus. 5. ed. (82 m. Abb., 2 St. u. 1 Panorama.) 12° Ebd. 01. Geb. 1.60; Ausg. m. 4 St., u. 2. Tl.:
　　　　　　　　　　　　　Illustrated guide. 2.25
— Reisebücher. Cöln nebst Ausflug in. Bonn u. ins Siebengebirge. 4. Afl. (24 m. Abb.) 16° Ebd. 02.　　　　— 60
— dass. Illustr. Führer durch d. Rheinland nebst Bergstrasse, Odenwald u. Taunus. 9. Afl. (116 m. 5 St. u. 1 Panorama.) 12° Ebd. 02.　　　　　　　　　　　　　Geb. 2 —
— dass. Prakt. Führer durch d. Rheinlande, nebst Bergstrasse, Odenwald u. Taunus. 9. Afl. (116 m. Abb. u. 1 Panorama.) 12° Ebd. 02.　　　　　　　　　　　Geb. 1.60
— dass. Rundreisen durch d. Rheinlande nebst Seitenthäler. 2. Afl. (32 m. Abb.) 16° Ebd. 02.　　　　　　— 60
Leske, F: Vergleich. Darstellg d. BGB. f. d. Deut. Reich u. d. preuss. allg. Landrechts, s.: Darstellung, vergleich., d. BGB.
— u. W Loewenfeld: Die Rechtsverfolgg im internat. Verkehr. Darstellg d. Justizorganisation d. Civilprozessrechts, d. Konkursrechts, d. Erbschaftsreguliergu. d. Konsulargerichtsbark. in d. europ. u. aussereurop. Staaten. III. Bd. 1. Thl. Das neue öster. Civilprocessrecht. Das neue Civilprocess- u.

Konkursrecht d. Niederl. (424 u. 31) 8° Berl., C Heymann 01. 11 —
　　Neus Afl. u. Fortsetzx s. u. d. T.: Rechtsverfolgung, d., im internat.
　　Verkehr.
Leske, M (M Witter): Illustr. Spielb. f. Mädchen. 19· Afl. (412 m. 6 farb. Taf. u. 1 Schnittmusterbog.) 8° Lpzg, O Spamer 04.
　　　　　　　　　　　　　　4 — ; L. 4.50 d
Leskien, A: Hdb. d. altbulgar. (altkirchenslav.) Sprache. Grammatik—Texte—Glossar. 4. Afl. (348) 8° Weim., H Böhlau's Nf. 05.　　　　　　　　　　　　　7.50
Lesse, T: Die preuss. Rechtsanwaltschaft währ. d. letzten 50 Jahre. [S.-A.] (84) 8° Berl., F Vahlen 01.　　　— 60
Lessen, L: Fackeln d. Zeit. Gedichte. (48) 8° Berl., Bh. Vorwärts 04.　　　　　　　　　　　　— 50 d
Lessenthin, B: Das Riesengebirge im Winter, m. Berücks. d. Wintersports u. and. scbles. Gebirgen u. im Harz, offiziell bearb. Verzeichnisse d. Schneeschuhtouren im Riesen- u. im Isergebirge, sowie e. Anh.: Skizzen a. d. sommerl. Riesengebirge. (456 m. Abb.) 8° Bresl., Scbles. Buchdr. etc. 01. 4 — d
Lesser: Üb. Blitzschutz m. bes. Berücks. d. Sprengstofffabriken. [S.-A.] (8) 4° Berl., Polyt. Bh. A Seydel 03.　　— 50
Lesser, A: Stereoskop. gerichtsärztl. Atlas. 4 Abthlgn. (Je 50 Taf. m. 64, 44, 72 u. 76 S. Text.) 4° Bresl., Scbles. Buchdr. usw. 03-05.　　　　　　　In Kart. je 15 —
　　— Verletzgn ein. Unterleibsorgane sowie Schwangerschafts-
　　u. Wochenbett-Verändergn d. Gebärmutter, s.: Neisser, A,
　　stereoscop. medicin. Atlas.
Lesser, E: Der Gemüsegarten. Anl. z. Anpflanzg u. Pflege. (48 m. Abb.) 8° Stuttg., E Ulmer 04.　　　　— 50 d
Lesser, E: Lehrb. d. Haut- u. Geschlechtskrankh. 2 Tle. 8° Lpzg, FCW Vogel 04.　　Je 8 — ; geb. je 9.25
1. Haut-Krankh. 11. Afl. (427 m. Abb. u. 9 farb. Taf.) ‖ 2. Geschlechts-
Krankh. 11. Afl. (381 m. Abb. u. 3 Taf.)
　　— s.: Mitteilungen d. deut. Gesellsch. z. Bekämpfg d. Geschlechts-
　　krankh.
　　— Üb. d. Verhütg u. Bekämpfg d. Geschlechtskrankh. Vortr.
　　[S.-A.] (22) 8° Jena, G Fischer 04.　　　　　— 60
　　— s.: Zeitschrift f. Bekämpfg d. Geschlechtskrankh.
Lesser, E: Fritz v. Fleck. Bilder v. P Haase. 3—5. Taus. (48) 8° Berl., Harmonie (05).　　2 — ; geb. 3 — d
Lesser, E: Die Schule u. d. Fremdwörterfrage. — Die Vielseitigk. d. deut. Unterr., s.: Magazin, pädagog.
Lesser, O: Hilfsb. f. d. geometr. Unterr. an höh. Lehranst. (189 m. Fig.) 8° Berl., O Salle 02.　　　　2 —
Lessig, O: Lehrb. d. deut. Stenogr., s.: Meyer, A.
　　— Wiederholgskurs. Hilfsb. f. d. Fortbildgsunterr. (36) 8°
　　Wolfenb., Heckner 03.　　　　　　　　nn — 60
　　— Winke u. Ratschl. f. Leiter stenograph. Kurse. (16) 8° Lpzg,
　　J Klinkhardt 05.　　　　　　　　Unberechnet. d
Lessing, v.: Berliner z. Gesch. d. Schlacht bei Beaune la Rolande am 28.XI.1870, s.: Beiheft z. Militär-Wochenbl.
　　— Feldzug 1870/71. Die Thätigk.d.Generalkommandos X.Armee-
　　korps am 15. u. 16.VIII.1870. (98 m. 1 Karte.) 8° Berl., R Eisen-
　　schmidt 02.　　　　　　　　　　　1.80 d
Lessing's Sehnsucht. Weit. Ausführgn z. Schrift „Vom kinft. Gott u. s. Kult" od. „Psychotheismus statt Kosmotheismus" v.demselben Verf.(J Moltmann). (79) 8° Lpzg, O Wigand 05. 1.50 d
Lessing, A: Kinder-Lieder. (32 m. farb. Abb.) 4° Potsd., R Müller (03).　　　　　　　　　　　Kart. 1.50 d
Lessing, O: Scriptor. historiae Augustae lexicon. Pasc. 4. (1—640) 8° Lpzg, OR Reisland 01-05.　　Subskr.-Pr. je 5.60
Lessing, E: Worte am Grabe d. Prof. Dr. Arnold Böcklin. (8) 8° Flor., B Seeber 01.　　　　　　— 50
Lessing, G: Reichstags. betr. d. Entschädigg f. unschuldig erlitt. Untersuchgshaft, s.: Handbibliothek, jurist.
Lessing, GE, s.: Dichter, deut., in Ausw. fürs Volk. — Dürr's deut. Bibliothek (W Vortobrot).
　　— Werke. Mit e. biograph. Einl. v. L Holthof. (24, 877 m. Bildnis
　　u. 3 Taf.) 8° Stuttg., Deut. Verl.-Anst. (01).　　L. 5 —
　　　　　　feine Ausg. geb. 5 —; HF. nn 7 — d
　　— Werke in 6 Bdn. Mit e. Einl. üb. Lessings Leben u. Schriften
　　v. T Matthias. (456, 352, 408, 351) 8° Halle-HF. 1.50 d
　　geb. auf bess. Pap., HF. 7.50; Liebh.-HF. 9.50 d
　　— Werke m. e. Biogr. v. M Arend. 5 Bde. (490, 870, 570,
　　590 u. 612 m. Bildnis.) 8° Lpzg, C Grumbach (03). L. 10 —;
　　　　　　　　　HF. 15 —; HKalbldr 27.50 d
　　— ausgew. Werke in 2 Bdn. Mit e. Einl. üb. Lessings Leben
　　v. Schriften v. T Matthias. (456 u. 352 m. Bildnis.) 12° Lpzg, M
　　Hesse (01).　　In 1 Bd geb., L. 1.60; auf bess. Pap., HF. 3.50 d
　　　　　　　　　　　　　　　Liebh.-HF. 3.50 d
　　— sämtl. Schriften. Hrsg. v. K Lachmann. 3. Afl., besorgt durch
　　F Muncker. 16., 17., 19. u. 20. Bd. (523, 429, 431 u. 296) 8° Lpzg,
　　GJ Göschen 03-05.　　Je 4.50 (1—17, 19 u. 20.: 85.50;
　　　　　　　　　　　　　geb. 1. je 1.50; in fein HF. je 2.50) d
　　Der 18. Bd ist noch nicht erschienen.
　　— Abhandlgn üb. d. Fabel. Anmerkgn üb. d. Epigramm, s.:
　　Hempel's Klassiker-Bibliothek.
　　— Abhandlgn üb. d. Fabel. Hrsg. m. Anh.: Fabeltexte u. Briefe,
　　d. neueste Litt. betr., s.: Schöningh's Ausg. deut. Klassiker
　　(L Lütteken).
　　— Wie d. Alten d. Tod gebildet. Für d. Schulgebr. hrsg. v,
　　E Clausnitzer u. B Wehnert. (67 m. 2 Taf.) 8° Halle, H Schroedel
　　02.　　　　　　　　　　　　　　Kart. 1 — d
　　— Anti-Goeze. Mit e. Vorrede v. A Pfungst. (Bibliothek d. Auf-
　　klärg.) (80) 8° Frankf. a/M., Neuer Frankf. Verl. (05). — 60 d

Lessing, GE: Minna v. Barnhelm od. d. Soldatenglück. Lustsp.
Für d. Schulgebr. hrsg. v. E Aelschker. 2. Afl. (134) 8° Lpzg,
G Freytag 04. Geb. — 70 d
— dass. Schulausg. m. Anmerkgn v. A Bieling. Neue Afl. (188)
12° Stuttg., JG Cotta Nf. 01. Geb. — 60 d
— dass. Für Schulgebr. a. Selbstunterr. hrsg. v. G Frick. (115)
8° Lpzg, BG Teubner 03. — 35; geb. — 60 d
— dass. Hrsg. v. G Gramberg. (123) 8° Berl., A Anton & Co. 02.
— 30 d
— dass. Hrsg. v. J Stoffel. (68) 8° Lpzg, Dürr'sche Bh. 04. — 70 d
— dass. Für d. Schulgebr. hrsg. v. H Vockeradt. (207 m. Bildnis.)
8° Münst., Aschendorff 04. Geb. 1.15 d
— dass., s.: Bibliothek, kl. — Dürr's deut. Bibliothek (J Stoffel). —
Graeser's Schulausg. klass. Werke (F Streinz). — Handbibliothek, Cotta'sche. — Hempel's Klassiker-Bibliothek. —
Hölder's Klassiker-Ausg. f. d. Schulgebr. (J Pölzl). — Lektüre, gew., f. Schule u. Haus (A Hentschel u. K Linke). —
Schöningh's Ausg. deut. Klassiker (A Funke). — Schöningh's
Textausg. alter u. neuer Schriftsteller. — Velhagen & Kla-
sing's Sammlg deut. Schulausg. (A Thorbecke). — Weber's,
F, Hausbibliothek.
— Briefe. — Briefe, d. neueste Lit. betr., s.: Hempel's Klassiker-
Bibliothek.
— s.: Briefe v. u. an GE Lessing.
— Briefe u. Abhandlgn, s.: Velhagen & Klasing's Sammlg deut.
Schulausg. (P Tesch).
— Hamburg. Dramaturgie, s.: Hempel's Klassiker-Bibliothek. —
Schöningh's Ausg. deut. Klassiker (J Buschmann). — Schö-
ningh's Textausg. alter u. neuer Schriftsteller. — Velhagen
& Klasing's Sammlg deut. Schulausg. (O Lyon).
— Der Freigeist, s.: Hempel's Klassiker-Bibliothek.
— Emilia Galotti. Trauersp. Für d. Schulgebr. hrsg. v. W
Böhme. (130) 8° Münst., Aschendorff 01. Geb. — 75 d
— dass., s.: Graeser's Schulausg. klass. Werke (A Rebhann). —
Handbibliothek, Cotta'sche.— Hempel's Klassiker-Bibliothek.
— Schöningh's Ausg. deut. Klassiker (H Deiter). — Schö-
ningh's Textausg. alter u. neuer Schriftsteller. — Velhagen
& Klasing's Sammlg deut. Schulausg. (A Thorbecke). —
Weber's, F, Hausbibliothek.
— Gedichte u. Fabeln. — Der junge Gelehrte. — Zur Gesch.
u. Gelehrtengesch. Vermischtes. Nachträge. Lessing-Biblio-
thek. — Die Juden. Der Misogyn. — Bildende Künste, s.:
Hempel's Klassiker-Bibliothek.
— Laokoon od. üb. d. Grenzen d. Malerei u. Poesie. Für d.
Schulgebr. hrsg. v. M Manlik. 1. Afl. 2. Abdr. (128 m. 1 Abb.)
8° Lpzg, G Freytag. — Wien, F Tempsky 04. Geb. — 60 d
— dass. Mit beiläuf. Erläutergn verschied. Punkte d. alten
Kunstgesch. Für d. Schulgebr. hrsg. v. L Schunck. (198 m.
2 Taf.) 8° Münst., Aschendorff 01. Geb. 1.10 d
— dass., s.: Graeser's Schulausg. klass. Werke (K Janker). —
Hempel's Klassiker-Bibliothek. — Schöningh's Ausg. deut.
Klassiker (J Buschmann). — Schöningh's Textausg. alter u.
neuer Schriftsteller. — Velhagen & Klasing's Sammlg deut.
Schulausg. (A Thorbecke).
— Klass. Lit., s.: Hempel's Klassiker-Bibliothek.
— Dramat. Meisterwerke. Neue, reich illustr. Prachtausg. in
1 Bde. (286) 8° Lpzg, O Maier 01. L. 3 — d
— dass., s.: Klassiker-Ausgaben, illustr., Minerva.
— Nathan d. Weise. Dramat. Gedicht. (Pantheon-Ausg. Textrevision v. O Pniower, Einl. u. Erläutergn v. A Köster.) (212
m. Bildnis.) 16° Berl., S Fischer (02). Ldr m. G. 2.50
— dass. Schulausg. m. Anmerkgn v. H Deiter. (Neue Afl.) (196)
8° Stuttg., JG Cotta Nf. 03. Geb. — 60 d
— dass. Mit Einl. u. Anmerkgn versehen v. F Prosch. 16. Tsd. (Die
116) 8° Wien, K Graeser & Co.—Lpzg, BG Teubner (01). — 50 d
— dass., s.: Graeser's Schulausg. klass. Werke (F Prosch). —
Hempel's Klassiker-Bibliothek. — Klassiker-Ausgaben,
illustr., Minerva.— Meisterwerke, d., d. deut. Bühne (RM Meyer).
— Schöningh's Ausg. deut. Klassiker (J Buschmann). — Schö-
ningh's Textausg. alter u. neuer Schriftsteller. — Velhagen
& Klasing's Sammlg deut. Schulausg. (A Thorbecke).
— Philotas, s.: Hempel's Klassiker-Bibliothek.
— Philotas. Trauersp. — Aus d. Poesie d. 7jähr. Krieges. Für
Schulgebr. u. Selbstunterr. hrsg. v. G Frick. (79) 8° Lpzg,
BG Teubner 03. — 40; geb. nn — 65 d
— Miss Sara Sampson, s.: Handbibliothek, Cottasche. — Hem-
pel's Klassiker-Bibliothek.
— Der Schatz. Damon od. d. wahre Freundschaft. Die alte
Jungfer. — Kleinere Schriften z. modernen Lit. u. Sprache. —
Kleinere Schriften z. dramat. Poesie u. z. Fabel. — Philosoph.
Schriften, s.: Hempel's Klassiker-Bibliothek.
— Kleinere prosaische Schriften, s.: Velhagen & Klasing's
Sammlg deut. Schulausg. (F Violet).
— Theolog. Schriften. — Das neueste a. d. Reiche d. Witzes.
Die krit. Briefe v. 1753, s.: Hempel's Klassiker-Bibliothek.
Lessing, I: Begriff d. Rechtsnachfolge n. bürgerl. Rechte. (84)
8° Berl., Struppe & W. 03. 3 — d
Lessing, J: Chines. Bronzegefässe, s.: Vorbilder-Hefte a. d.
kgl. Kunstgewerbe-Museum zu Berlin.
— Die Gewebesammlg u. d. Kunstgewerbemuseums zu Ber-
lin. 10 Lfgn. (1. Lfg. 15 farb. u. 15 Lichtdr.-Taf. m. je 1 Bl.
Erklärgn.) Fol. Berl., E Wasmuth (1900). Subskr.-Pr. je 60 —
— s.: Grundlagen, d. allg., d. Kultur d. Gegenwart.
— Wandteppiche u. Decken d. M.-A. in Deutschl. 2. u. 3. Lfg.

(20 z. Tl farb. Taf. m. 4 u. 6 S. illustr. Text.) 49×33 cm,
Berl., E Wasmuth (01.03). In M. je 20 — (1—3.: 60 —)
Lessing, O: Beisp. angewandter Kunst. I. Abtlg. (Innere u.
äussere Bauteile.) (In 4 Lfgn.) 1. u. 2. Lfg. (Je 20 Lichtdr.)
48×35,5 cm. Lpzg, Seemann & Co. (05). Je 12.50
— dass. III. Abtlg. Bildhauerarbeiten u. architekton. Einzelh.
(In 10 Heften.) 1. u. 2. Heft. (Je 9 Lichtdr.) 4° Ebd. (05). Je 2.50
Lessing, OE: Grillparzer u. d. neue Drama. (175) 8° Münch.,
R Piper & Co. 05. 4 —
— Rebekka. Deutsch-amerikan. Schausp. (104) 8° Stuttg.,
Strecker & Schr. 05. 1.50 d
Lessing, R: Wie werde ich Schriftsteller? (28) 8° Berl., H
Rau (05). 1 — d
Lesske, FA: Beitr. z. Gesch. u. Beschreibg d. Planenschen
Grundes bei Dresden u. sr anlieg. Ortschaften. 2. u. 3. Tl.
8° (Dresd.-Plauen, H Pocken.) 1 — (1—3 geb.: 15 —) d
2. (305) Gorbitz 1897. 2 — (1 u. 2 in 1 Bd geb.: 6 —) | 3. (36, 1156) Xie-
dergorbitz 06. 3. 9 —
Lessmann, O, s.: Musik-Zeitung, allg.
— Die Entwicklg d. Frauenbewegg u. ihre wirtschaftl. Resul-
tate. Referat. Uebers. v. H Foerster. [S.-A.] (39) 8° Berl.,
Herm. Walter 01. 1 —
— Die Komödiantin. Roman. Aus d. Franz. v. A Neustädter.
(386) 8° Münch., A Langen 01. 3 —; geb. 4 — d
— Slav. Leidenschaft, s.: Engelhorn's allg. Roman-Bibliothek.
Lesuise, F: Konjugations-Tab. d. schwierigsten Verben d.
französ. Sprache m. Beisp. nebst e. Verz. d. gebräuchlichsten
französ. Zeitwörter. 2. Afl. v. G Beaujon. (63) 8° Dresd., F
Jacobi 03. — 80
Lethaea geognostica od. Beschreibg u. Abbildg d. f. d. Ge-
birgs-Formationen bezeichnendsten Versteinergn. Hrsg. v. c.
Vereinigg v. Palaeontologen. I. Thl. Lethaea palaeozoica.
Entwickelg u. Verbreitg d. Palaeozoicum. II. Bd. 4. Lfg. 8°
Stuttg., E Schweizerbart 05. —
II, 4. Frech, F: Die Dyas (Schl.). Unter Mitwirkg v. F Noetling. (34 u.
579—788 m. Fig.) 02. 9 —
— dass. Hdb. d. Erdgesch. m. Abb. d. f. d. Formationen be-
zeichnendsten Versteinergn. Hrsg. unter d. Red. v. F Frech.
II. Thl. 1. Bd. 1. u. 2. Abth. Neozoicum. 2. Afl. 3 Lfgn.
8° Ebd. —
(Atlas m. Textbd I, 1, 2.I—IV, II, 1,1 u. II u. III, 2.I.: 276 —)
II. Das Mesozoicum. 1. Heft. Trias. 1. Lfg.: Einl. d. Mesozoicum u. d.
Trias v. Hrsg., continentale Trias v. E Philippi (m. Beitr. v. J Wyso-
górski). (106 m. 79 Taf. u. 6 Tab.) 03. 38 — | 2. Lfg.: Die asiat. Trias
v. F Noetling. (107—221 m. Abb. u. 135 Taf.) 05. 24 —
III. Das Caenozoicum. 2. Bd. Quartär. 1. Abth. Flora u. Fauna d. Quar-
tärs v. F Frech m. Beitr. v. E Geinitz. Das Quartär Nordeuropa v.
E Geinitz. 2 Lfgn. (480 m. Abb., 3 Kart., 14 Taf. u. 6 Beil.) 03.04. 58 —
Letoschek, E, s.: Lechner's Touren-K. f. Radfahrer.
— Lehrb. d. Geogr., s.: Sonklar.
— Leitf. d. Geogr. f. d. 1. Jahrg. d. k. u. k. Militär-Unter-
realsch. 1. Abtlg. (1. Heft d. 2. Afl. d. bisher. 3. Abtlg.) Grund-
lehren a. allg. Erdkde. (78) 8° Wien, LW Seidel & S. 04.
2.20; geb. 2.50 d
— dass. f. d. 2. Jahrg. I. Allg. Erdkde. II. Länderkde v. Asien,
Afrika, Australien, Amerika. (112) 8° Ebd. 05. 2.80; geb. 3 — d
Letsche, E: Kondensation v. Diazobenzolimid m. Säuresstern.
(102) 8° Tüb., J Pietzcker 03. nn 1.50
Lett, A: Im Dienst d. Evangeliums auf d. Westküste v. Nias,
s.: Missionstraktate, rhein.
Lettau, H: Kl. Geogr. f. Volkssch. 14. Afl. (56 m. Abb. u. 20
Kart.) 8° Lpzg, Dürr'sche Bh. (01). — 40; geb. — 50 || 15. Afl.
(56 m. Abb. u. 1 Taf.) 04. nn — 30; m. 16 farb. Kartens. — 50 d
— Bibl. Gesch. f. Schulen. 2. Afl. (156 m. Abb. u. 3 Kart.) 8°
Ebd. 02. Geb. nn — 70 d
— Die Raumlehre, verbunden m. Zeichnen u. Rechnen. bearb.
f. ein- u. mehrklass. Volkssch. In Stadt u. Land. 7. Afl. (120
m. Abb. u. 10 Taf.) 8° Ebd. 05. Kart. nn 1.20 d
— Realienb., nebst e. Anh. f. Deutsch u. Raumlehre. Ausg. A.
l. f. einf. ev. Volkssch. 34. Afl. (116 m. Abb. u. Kart.) 8° Ebd.
02. Kart. nn — 60 d
— dass. Nr. 1—12 u. 15—17. Mit Heimatsk. u. Heimatskde.
(Je 116 m. Abb.) 8° Ebd. 05. Kart. nn — 66 d
1. Ostpreussen. || 2. Westpreussen. || 3. Pommern. || 4. Brandenburg. || 5.
Prov. Sachsen. || 6. Posen. || 7. Schlesien. || 8. Schlesw.-H. || 9. Hannover.
|| 10. Westphalen. || 11. Hessen-Nassau. || 12. Rheinprov. || 15. Mecklenburg.
|| 16. Bayern. || 17. Württemberg, Baden, Elsas-L.
— dass. In Verbindg m. Rössler, Runkel, Imhäuser, Pfefferkorn neu bearb. v. G vorm Stein. Ausg. A f. ev. Volkssch.
35. Afl. (120 m. Abb.) 8° Ebd. 03. Kart. nn — 60;
m. Heimatskde nn — 70 d
— dass. Ausg. B f. Simultansch. 33. Afl. (120 m. Abb. u. Kart.)
8° Ebd. 05. Kart. nn — 60 d
— dass. Heimatkunden. 8° Ebd. (04). Kart. nn — 60 d
1. Prov. Brandenburg. (8 m. 1 Karte.) | 2. Hessen-Nassau. Von J Geisel. (16 m. 1
Karte.) | 3. Rheinprovinz. Bearb. v. F Schwarzhaupt. (7 m. 1 Karte.) | 6. West-
falen. Bearb. v. Asbeck. (11 m. 1 Karte.)
— u. H Sermond: Realienb., nebst e. Anh. f. Deutsch u. Raumlehre. Ausg. C f. einf. kathol. Volkssch. 20. Afl. (116 m. Abb.
u. Kart.) 8° Ebd. 02. Kart. nn — 60 d
— dass. Neu bearb. v. Gust. vorm Stein, Runkel, Imhäuser,
Pfefferkorn, Rössler u. H Sermond. Ausg. C f. kathol. Volkssch.
21. Afl. (120 m. Abb. u. Kart.) 8° Ebd. 03. Kart. nn — 60 d

Leutnant, d., als militär. Kasernen-Vorsteher. Von A v. P. (15) 8° Berl., Liebel 04. — 80 d
Leutsch, E v., s.: Philologus.
Leutwein, P: Meine Erlebnisse im Kampf geg. d. Hereros, s.: Mit d. Schutztruppe durch Deutsch-Afrika.
Leutz, F: Lehrb. d. Erziehg u. d. Unterr. f. Lehrer u. Lehrerinnen. 1—3. Tl. 8° Karlsr., J Lang. 10 —; geb. nn 11.80 d
　1. Die Erziehglehre. 5. Afl. (236) 04. 3 —; geb. nn 3.50
　2. Die Unterr.-Lehre. 4. Afl. (388) 01. 5 —; geb. nn 5.60; 5. Afl. (400) 05.
　　　　　　　　　　　　4 —; geb. nn 4.60
　3. Die Gesch. d. Pädagogik. 5. Afl. (250) 01. 3 —; geb. nn 3.50
Leutz, H: Die deut. Kriegs- u. Handelsflotte. (176 m. Abb. u. 2 Taf.) 8° Karlsr. 01. Weinh., F Ackermann. L. (3.50) 2.50 d
Leuzinger, R: Karte d. Kt. Bern z. Gebr. f. Schulen. 1:400,000. (Ausg. 1905.) 53,5×42 cm. Farbdr. Bern, Geograph. Kartenverl.
　　　　　　　　　　Auf Javapap. — 16; auf L. — 40
— Reisek. v. Ober-Italien u. d. benachbarten Geb. v. Frankr. u. Oesterr. sowie d. grössten Teile d. Schweiz. 1:900,000. 5. Afl. 51×73,5 cm. Farbdr. Zür., J Meier 04. 3.60; auf L. 5 —
— Karte v. Palästina. 28,5×18 cm. Farbdr. Bern, Geograph. Kartenverl. (o. J.). — 16
— Karte (Touristen-K.) d. Schweiz. 1:400,000. (Ausg. 1905.) 59×86 cm. Farbdr. Ebd. 2.80; auf L. 4 —
— Karte d. Schweiz f. Schulen. (Ausg. 1905.) 1:700,000. 34× 48,5 cm. Farbdr. Ebd. (o. J.). Auf Javapap. — 25; auf L. — 55
— dass. (Kl. Ausg.) 1:800,000. (Ausg. 1905.) 31×45,5 cm. Farbdr. Ebd. Auf Javapap. — 20; auf Papyrolin od. L. — 50
— Physikal. Karte d. Schweiz. 1:800,000. 30×43 cm. Farbdr. Ebd. (o. J.). — 50
— Reise-Karte d. Schweiz. 1:530,000. (Ausg. 1905.) 51×73 cm. Photolith. u. Farbdr. Ebd. auf Papyrolin 1.60; auf L. 2.60
— Reise-Reliefk. d. Schweiz. 1:530,000. (Ausg. 1905.) 50,5× 71,5 cm. Photolith. u. Farbdr. Ebd. 2.80; auf Papyrolin 3.20; auf L. 4 —
— u. **Kutter**: Karte d.Berner Oberlandes. (Distanzen-u.Touren-Karte.) 1:200,000. (Ausg. 1905.) 50,5×70 cm. Farbdr. Ebd. 1.30;
　　　　　　　　　　　　auf L. 2.40
Bisher unter Kutter u. Leuzinger erschienen.
Levaditi, C: Antitox. Prozesse. (96 m. Abb.) 8° Jena, G Fischer 05. 2.80
Levante-Erinnerungen. (36 Bl. Abb.) 8° Hambg (03). Berl., K W Mecklenburg. L. 4 —
Levanti, F: Am Abgrund. Erzählg. (200) 8° Berl., Berliner Verl.-Instit. (05). 1 — d
Levec, W, s.: Urbare, österr.
Lévêque, C, libellum aureum de Platarcho mentis medico, denuo edendum curavit JJ Hartman. (56) 8° Leid., AW Sijthoff 03. 2.50
Le Verdier, H: D. K. L. 17 poste restante!, s.: Unterhaltungsbibliothek, moderne.
Levertin, O: Die Magister v. Oesteras. Erzählg. Aus d. Schwed. v. F Maro. (184) 8° Lpzg (02). Berl., H Seemann Nf.
　　　　　　　　　　　　geb. 3.50 d
— Selma Lagerlöf, s.: Literatur, d.
— Aus d. Tageb. e. Herzens u. and. Rococonovellen. Übertr. v. F Maro. (301) 8° Lpzg, Insel-Verl. 05. 4 —; geb. 5 — d
Levett & Findeisen: Der Galvaniseur u. Metallschleifer. (84 m. Fig.) 8° Lpzg, S Schaarpfeil (03). L. 2.50
Levett-Yeats, S: The Lord Protector. — Orrain. — The traitor's way, s.: Collection of Brit. auth.
Levetzau, J v., s.: Familienblätter, v. Levetzowsche.
Levetzow, C v.: Tante Hanne. — Uns. Nachbarin. — Sidsel. — Wozu er taugte, s.: Hausfreund, neuer.
— Viktoria. Erzählg. Aus d. Dän. (134) 8° Mülh. a/R., Bh. d. ev. Vereinsh. (03). 1.20; geb. 1.50 d
Levetzow, H v.: Lies u. Lene. Die Schwestern v. Max u. Moritz. Buschiade f. Gross u. Klein in 7 Streichen. Reich illustr. v. F Maddalena. (48 m. farb. Abb.) 8° Augsbg (04). Lpzg, T Thomas.) geb. 2 — d
— Pierrots Leben, Leiden u. Himmelfahrt. Trag. Pantomime m. begleit. Versen. (157) 8° Lpzg 02. Berl., H Seemann Nf. 2 — d
— s.: Theater, buntes.
Levi, E: Ein Fall v. Nystagmus bei monocularem Sehen. [S.-A.] (12) 8° Tüb., F Pietzcker 01. nn — 60 d
Levi, G: Parabeln, Legenden u. Gedanken a. Talmud u. Midrasch, a. d. Urtexte übertr. v. L Seligmann. 8. Afl. (36) 8° Lpzg, O Leiner (04). 1.50 d
Levi, H: Gedanken a. Goethes Werken. (144) 16° Münch., Verl.-Anst. F Bruckmann 01. Ldr 2.50 || 2. Afl. (144) (03.) 2 —; Ldr 3.50 || 3. Afl. (144) (05.) 2 —; HLdr 3.50 d
Lévi, I, s.: Text, the Hebrew, of the book of Ecclesiasticus.
Levin, I, s.: Frapan-Akunian, I.
Levin, W: Method. Lehrb. d. Chemie u. Mineral. f. Realgymnasien u. Ober-Realsch. II. Tl: Oberst. (Pensum d. Ober-Sekunda u. Prima). (195 m. Abb.) 8° Berl., O Salle 05. 2.40 d
　Der I. Tl ist noch nicht erschienen.
— Method. Leitf. d. Anfangsunterr. in d. Chemie unter Berücks. d. Mineral. 4. Afl. (168 m. Abb.) 8° Ebd. 02. 2 — d
Levinstein, S: Kinderzeichngn bis z. 14. Lebensj. Mit Parallelen a. d. Urgesch., Kulturgesch. u. Völkerkde. Mit e. Anh. v. K Lamprecht. (119 n. 14 m. 85 Taf. u. 18 Tab.) gr. Lpzg, R Voigtländer 05. 10 —; L. 12 — d
Levis, O: Die Entmündigg Geisteskranker. Das Entmündiggs-

Beschlussverfahren geg. Geisteskranke u. Geistesschwache. Nach d. BGB. u. d. ZPO. (339) 8° Lpzg, CL Hirschfeld 01. 8.40; geb. 9.40
Levison, W, s.: Vitae Sancti Bonifatii.
Levitus, D: Rechenmassstab. Graph. Taf. z. Multiplizieren, Dividieren, Potenzieren, Radizieren sowie z. Logarithmenberechng u. zu allen trigonometr. Berechngn. (22 m. Fig. u. 1 Taf.) 8° Freibg, Frotscher 04. 1.50
— Der Kampf um d. Mehrheit. Predigt. (15) 8° Berl., E Rosenstein 02. — 60 d
Levsen, J: Schein u. Wahrheit im relig. Leben. Vortr. (16) 8° Hambg, (Agent. d. Rauhen H.) (01). — 20 d
Levsen, J: Fliehe d. Lüste d. Jugend! Führer auf dunklen Pfade f. uns. Jünglinge. Mit e. Vorwort v. S Keller. 9. Afl. (16) 8° Düsseldf, C Schaffnit 04. — 10 d
Levy: Neue Entwürfe zu Teppich-Gärten, deren Anlage u. Bepflanzg. 3. Afl. v. O Halbritter. (71 m. Abb.) 8° Lpzg,H Voigt 03. 1.20; geb. 1.60
Levy s.: Archiv f. öffentl. Gesundheitspflege in Elsass-L.
Levy s.: Lesebuch f. Bürgersch.
Levy, A: Das Targum zu Koheleth. Nebst e. Abh. Handschriften hrsg. (13, 40) 8° Bresl. 05. (Berl., M Poppelauer.) 2 —
Levy, A: Ein Beitr. zu d. skorbut. Augenerkrankgn. bes. d. Sehnervenatrophie. (36) 8° Freibg i/B., Speyer & K. 03. — 80 d
Levy, E: Der Kampf um d. Mehrheit. Predigt. (15) 8° Berl.. E Rosenstein 02. — 60 d
Levy, E: Provenzal. Suppl.-Wrtrb. Berichtigqn u. Ergänzgn zu Raynouards Lexique roman. 11—19. Heft. (3. Bd. 257— 623; 4. Bd. 446 u. 5. Bd. 1—256) 8° Lpzg, OR Reisland 1900-05. 34 — (1—19.: 72 —; 1. Bd: 14 —; 2. Bd: 16 —; 3. Bd: 20 —;
　　　　　　　　　　4. Bd: 14 —)
Levy, H: Entstehg u. Rückgang d. landw. Grossbetriebes in England. (247) 8° Berl., J Springer 04. 3 —
— Die Not d. engl. Landwirte z. Zt. d. hohen Getreidezölle, s.: Studien, Münch. volksw.
— Die Stahlindustrie d. Verein. Staaten v. Amerika in ihren heut. Produktions- u. Absatz-Verhältn. (364) 8° Berl., J Springer 05. 7 —
Levy, H: Die früh. Macht u. Herrschaft d. Weiber in Elsass-L. (19 m. 1 Abb. u. 1 Taf.) 8° Colmar, (H Hüffel) 03. nn — 20 d
Levy, H: Fränkisch-alaman. Gräberfeld am Birnbach bei Landau i. d. Pfalz. [S.-A.] (27 m. 23 Taf.) 8° Kaisersl., H Kayser 02. 1.50 d
Levy, J: Die Gewährleistg f. Mängel beim Werkvertrag. (72) 8° Strassbg, J Singer 03. 2 —
Levy, L: Die tuberculöse Disposition. (40) 8° Ludwigsh., (A Lauterborn) (02). — 60
Levy, L: Historisch d. Commentars Ibn Esras zu d. ersten Propheten. (19, 44) 8° Berl., M Poppelauer 05. 2 —
Levy, M: Üb. e. 2. Typus d. anomalen trichromat. Farbensystems, nebst ein. Bemerkgn üb. d. schwachen Farbensinn. (63 m. 1 Abb.) 8° Freibg i/B., Speyer & K. 03. 2 —
Levy, O: Das 19. Jahrh. (155) 8° Dresd., E Pierson 04. 2 —; geb. 3 —
Levy, PE: Die natürl. Willensbildg. Prakt. Anl. z. geist. Heilkde u. z. Selbsterziehg. Nach d. 3. französ. Afl. v. M Brahn. (134) 8° Lpzg, R Voigtländer 03. 2 —; geb. 3 — d
Levy, R: Martial u. d. deut. Epigrammatik d. 17. Jahrh. (111) 8° Stuttg., Levy & M. 03. 3 —
Levy's, S, Anl. z. Darstellg organisch-chem. Präparate. 4. Afl. v. A Bistrzycki. (224 m. Abb.) 8° Stuttg., F Enke 02. 4.20; L. 5 —
Levy, V: Im beig. Congostaate. Streiflichter a. d. modernen Afrika. (117 m. Abb. u. 1 Tab.) 8° Wien, (Wiener Verl.) 01. 2.50
Lévy-Bruhl, L: Die Philosophie August Comte's. Übers. v. H Molenaar. (287) 8° Lpzg, Dürr'sche Bh. 02. 6 —
Levy-Dorn, M: Die Röntgenstrahlen, e. Mittel z. Erkenng u. Heilg v. Krankh., s.: Volksbücherei, medizin.
Levysohn's Verloosgs-Kalender f. 1905. Nebst e. Verz. aller bis Ende d. J. 1904 gezog. Serien derjen. Prämien-Loose, welche in Serien eingeteilt sind. Hrsg. v. d. Red. d. „Levysohn's Ziehgsliste". (58) 4° Grünbg i/Schl., W Levysohn. — 75
— Ziehgsliste sämmtl. in-u. ausländ. Staatspapiere, Eisenb.-Effekten, Renteobriefe, Lotterie-Anleihen etc. Red. u. Hrsg.: Ulr. Levysohn. 47—51. Jahrg. 1901—§ je 52 Nrn. (1901. Nr. 1. 50 n. 8) 4° Nebst finanz. Beil.: Der Kapitalist. Je 52 Nrn. (Nr. 1. 4) Fol. Berl. Grünbg i/Schl., W Levysohn. Halbj. 4 — d
— dass. Register-Formular. (39) 4° Ebd. 02. 1 —
Lewald, E, geb. Jansen, s. a.: Roland, E.
— Die Heiratsfrage. Der unverstandene Mann. Ein spätes Mädchen. Der Salonphilosoph u. and. Typen a. d. Gesellsch. 1. u. 2. Afl. (301) 8° Stuttg., Deut. Verl.-Anst. 06. 3 —; L. 4 — d
— Sylvia. Roman. 1. u. 2. Afl. (336) 8° Ebd. 05. 3.50; L. 4.50 d
Lewald, F: August Lamey. [S.-A.] (56 m. 1 Bildnis.) 8° Hdlbg, C Winter. V. 04. 1 — d
Lewandowsky, F: Zur Theorie d. Phlorhizindiabetes. (25) 8° Strassbg, J Singer 02. 1 —
Lewandowsky, M: Üb. d. Anatomie d. sympath. Systems n. am Auge angestellten Beobachtgn. [S.-A.] (5) 8° Berl., (G Baimer) 1900. — 50
— Untersuchgn üb. d. Leitsbahnen d. Truncus Cerebri u. ihren

Zusammenh. m. denen d. Medulla spinalis u. d. Cortex Cerebri, s.: Denkschriften d. medic.-naturwiss. Gesellsch. zu Jena.
Lewes, GH: Goethes Leben u. Werke. Uebers. v. J Frese. 18.Afl. 2 Tle in 1 Bde. (32, 288 u. 380 m. 1 Bildnis.) 8° Stuttg., C Krabbe 03. \   5 —; L. 6 —; HF. 7 — d
— dass. Neu übers. u. m. literar. u. krit. Anmerkgn versehen v. P Lippert. 7. Afl. 2 Tle in 1 Bd. (550 u. 621) 8° Berl., Neufeld & H. (02).   L. 7.50 d
Lewicki, E: Das Wesen d. Maschinenlaboratorien u. ihre Bedeutg f. Unterr., Forschg u. Praxis. Antrittsvorlesg. (21) 12° Dresd., A Dressel 02.   — 30
— Wirtschaftlichk. u. Betriebssicherh. moderner Dampfkraftanlagen im Vergl. m. Sauggenerator-Gaskraft-Anlagen. (52 m. Fig.) 8° Berl., J Springer 04.   — 80 Vergr.
Lewil, H: Die Glücksbatzen, s.: Welt, alle.
Lewin: Der Zahnarzt, s.: Was willst Du werden?
Lewin, H: Uns. Kaiser u. ihr Haus nebst d. Wichtigsten a. d. Leben uns. Vorfahren. Gesch.-Bilder f. d. Schüler d. Mittel- u. Oberst. 6. Afl. (171) 8° Bresl., C Dülfer 01. Kart. — 70 d
— Das kgl. parität. Lehrerseminar in Usingen, vormals herzogl. Landes-Seminar zu Idstein in Nassau. Festschrift. (136 m. Titelbild.) 8° Wiesb., P Flaum 01.   nn 2.50
— u. J **Vahlbruch:** Geschichtsb. f. Lehrerbildsanst. (In 2 Bdn.) 4. Afl. v. „Uns. Kaiser u. ihr Haus", Lehrerausg. I. Bd. Gesch. f. Präparandenanst. (In 3 Tln.) 1. u. 2 Tl. 8° Bresl., C Dülfer.   3 —; Einzde je — 40 d
I, 1. Deut. Gesch. bis 1648. Von H Lewin. (143) 05.   1.40
2. Brandenbb.-preussisch-deut. Gesch. Von H Lewin. (152) 06.   1.60
Lewin, K: Die physikalisch-diätet. Therapie d. wichtigsten Kinderkrankh. [S.-A.] (36) 8° Wien, Urban & Schw. 01. 1 —
— dass., s.: Klinik, Wiener.
Lewin, L: Die Fruchtabtreibg durch Gifte u. and. Mittel. 2. Afl. (375) 8° Berl., A Hirschwald 04.   10 —
— u. H **Guillery:** Die Wirkgn v. Arzneimitteln u. Giften auf d. Auge. 1. Bd. (857 m. Abb.) 8° Ebd. 05. 22 — ‖ 2. (Schl.-)Bd.   (1046 m. Abb.) 05. 26 —
Lewin, L: Gesch. d. Juden in Lissa. (401) 8° Pinne, N Gundermann 04. (Nur dir.)   3.50
— Die Judenverfolgung im 2. schwedisch-poln. Kriege 1655—59. [S.-A.] (24) 8° Pos., J Jolowicz 01.   — 80 d
— Neue Materialien z. Gesch. d. Vierländersynode. I. [S.-A.] (26) 8° Frankf. a/M., J Kauffmann 05.   1.50
Lewin, M: Wo wären d. „10 Stämme Israels" zu suchen? (143) 8° Pressbg 01. (Frankf. a/M., J Kauffmann.)   3 — d
— s.: Theodor Bar Kôni, Scholien z. Patriarchengesch.
Lewinsky, A: Der Hildesheimer Rabbiner Samuel Hameln. [S.-A.] (21) 8° Hildesh., (A Lax) 1900.   — 80
— Die Kinder d. Hildesheimer Rabbiners Samuel Hameln. [S.-A.] (26) 8° Ebd. 01.   — 80
Lewinski, L, s.: Regesten z. Gesch. d. Juden im fränk. u. deut. Reiche.
Lewinsohn, R: Das Handelsrecht, unter Berücks. d. Seerechts, f. d. jurist. Prüfgn. (53) 8° Berl., O Häring 01. Kart. 1.50 d
Lewinstein, G: Aktien-Gesellschaften, Volkswohlstand, Handelskrisen, s.: Zeitfragen, volksw.
— s.: Tabak-Industrie-Kalender.
Lewis, JP, s. a.: Penn-Lewis.
— „Zur Herrlichkeit". (7 Traktate zu je 8 S.) 16° Berl., (F Züllessen) (05).   In Umschl. nn — 25 d
— Neues Leben. (7 Traktate zu je 4 S.) 16° Ebd. (04). — 15 d Vergr.
Lewis, W: Das deut. Seerecht, s.: Boyens, E.
Lewitt, M: Geschlechtl. Enthaltsamk. u. Gesundheitsstörgn. (30) 8° Berl., M Boas 05.   1 —
Lewkowitsch, J: Laboratoriumsb. f. d. Fett-u.Öl-Industrie. (148) 8° Brnschw., F Vieweg & S. 02.   6 —
— Chem. Technol. u. Analyse d. Öle, Fette u. Wachse. 2 Bde. (458 u. 768 m. Abb., Tab. u. 1 Taf.) 8° Ebd. 05. 32 —; L. 34 —
Lewontin, M: Ueb. artificielle Hautgangrän bei Hysterischen. (49) 8° Berl., M Günther 04.   — 60
Lex Heinze, nebst anh.: Ges. betr. Ändergn u. Ergänzgn d. Strafgesetzb., s.: Bibliothek f. Politik u. Volkswirthschaft.
Lex, J: Lebens- u. Bürgerkde. Im Auftr. d. Schulbehörde f. d. städt. Gewerbe- u. Fortbildgssch. in München bearb. 1. u. 2 Afl. 2 Tle. 8° Münch., Buchdr. u. Verl.-Anst. C Gerber 03.05.   Geb. je — 60 d
1. Lebenskde. (96) ‖ 2. Bürgerkde. (107 bezw. 144)
Lex, M: Die Idee im Drama bei Goethe, Schiller, Grillparzer, Kleist. (35) 8° Münch., CH Beck 04.   4 —; geb. 5 — d
Lex, P: Das kirchl. Begräbnisrecht historisch-kanonistisch dargestellt. (485) 8° Rgnsbg, Verl.-Anst. vorm. GJ Manz 04.   4 —
Lexer, E, s.: Chirurgie d. Kopfes u. d. Speiseröhre.
— Lehrb. d. allg. Chirurgie. (In 2 Bdn.) 1. Bd. (388 m. z. Tl farb. Abb.) 8° Frankf. J Enke 04. 9 — ‖ 2. Bd. (474 m. Abb. u. 2 farb. Taf.) 05. 13 —; Einbde in L. je 1 —
— **Kuliga** u.W Türk: Untersuchgn üb. Knochenarterien mittelst Röntgenstrahlen injizierter Knochen u. ihre Bedeutg f. einz. pathol. Vorgänge am Knochensysteme. (23 m. 22 stereoskop. Bildern u. 3 Taf.) 8° Berl., A Hirschwald 04.   18 —
Lexer, M: Mhd. Taschenwrtrb. 7. Afl. (413) 8° Lpzg, S Hirzel 04; L.   je . 6 —
Lexikon d. Elektrizität u.Elektrotechnik. Hrsg. v. F Hoppe. (In 20 Lfgn.) 1. Lfg. (1—48 m. Abb.) 8° Wien, A Hartleben (05).   — 50 d

Lexikon d. Kleidermachers. 4—9.Bd. (Mit Abb.) 8° Dresd., Exp. d. europ. Modenzeitg.   L. je 3.50 (Vollst.: 31.50) d
4. Sportkleidg. (96) (1899.) ‖ 5. Uniformen u. Sportkleider. (96) (1900.) ‖ 6. Vereinf. Zuschnitt aller Ober- u. Ueberkleider. (104) (1900.) ‖ 7. Dass. 2. Abth.: Die Aufstellg d. Aermels, Fachstudien üb. Aermel u. Armlochformen, d. Joppen u. Blousen in allen Form-Arten, Westen, Rock-Jackets, Gehrücke u. Fracks. (90) (02.) ‖ 8. Lehrb. d. Zuschnitts u. d. Bearbeitg d. Damengarderobe, spez. f. d. in Herrenschneiderarbeit (Tailormade) herzustell. Kostümarten. (90) (03.) ‖ 9. Dass. 2. Thl. Die Ueberkleider. (111) (04.)
— ausführl., d. griech. u. röm. Mythol., hrsg. v. WH Roscher. 43—52. Lfg. (3. Bd. Sp. 961—2560 m. Abb.) 8° Lpzg, BG Teubner 01-05.   Je 2 —
— dass., Suppl. 8° Ebd.   8.80
Berger, EH: Myth. Kosmogr. d. Griechen. (41) 04.   1.80
Carter, IB: Epitheta deor. quae apud poetas latinos leguntur. (154) 02. 7 —
— geograph., d. Schweiz. Hrsg. unter Leitg v. C Knapp, M Borel u. V Attinger. Deut. Ausg. v. H Brunner. 7—164.Lfg. (1.Bd. 97—704; 2. u. 3. Bd je 768 u. 4. Bd. 1—384 m. Abb., Kart. u. Pl.) 8° Neuenbg (Neuchâtel), Gebr. Attinger 1900-05.   Je — 60 (1. u. 2. Bd, erh. Pr.: Je 33.60; geb. je 36 — ‖ 3. Bd: 28.80; geb. nn 31.80)
— d. physikal. Therapie, Diätetik u. Krankenpflege f. prakt. Ärzte. Hrsg. v. A Bum. 3 Abtlgn. (1448 Sp. m. Abb.) 8° Wien, Urban & Schw. 03.04.   Je 6 —; in 1 HF.-Bd nn 20.50
— d. Weltgesch. Nach d. Plane u. d. Aufzeichngn v. J Mehlig. 1. Bd v. E Bäumer. 1. Lfg. (1—32 m. 3 farb. Taf.) 8° Lpzg, (KF Pfau) (01).   — 50 d
Fortsetzg ist kaum zu erwarten.
Lexis, W: Abhandlgn z. Theorie d. Bevölkergs- u. Moralstatistik. (253 m. Abb.) 8° Jena, G Fischer 03.   6 —
— Der mittl. u. nied. Fachunterr. im Deut. Reich, s.: Unterrichtswesen, s.: Deut. Reich.
— s.: Grundlagen, d. allg., d. Kultur d. Gegenwart. — Handwörterbuch d. Staatswiss.
— Die Hochsch. f. bes. Fachgeb. im Deut. Reich. — Die techn. Hochsch. im Deut. Reich, s.: Unterrichtswesen, d., im Deut. Reich.
— s.: Jahrbücher f. Nationalökonomie u. Statistik. — Reform, d., d. höh. Schulwesens in Preussen.
— Die neueren Deut. Universitäten im Deut. Reich, s.: Unterrichtswesen, im Deut. Reich.
— Die neuen franz. Universitäten. Denkschrift a. Anlass d. Pariser Weltausstellg v. 1900. (62) 8° Münch., Academ. Verl. München 01.   nn — 90
— A general view of the aim, and organisation of public education in the German Empire. Translated by GJ Tamson. (182) 8° Berl., A Ascher & Co. 04.   Kart. 3.50
Lexow, B: Die Fraseräuber. Kriminal-Roman a. d.Verbrecherwelt d. alten New-York. Nach d. Orig. neu bearb. (96) 8° Neuweissens., E Bartels (o. J.).   1 — d
Ley, H: Die litterar. Tätigk. d. Lady Craven, d. letzten Markgräfin v. Ansbach-Bayreuth, s.: Beiträge, Erlanger, z. engl. Philol.
Ley, J: Das Buch Hiob n. s. Inhalt, z. Kunstgestaltg u. relig. Bedeutg. (155) 8° Halle, Bh. d. Waisenh. 03.   6 — d
Leybold: Stein- u. Kohlenfall-Verunglückgn im Oberbergamtsbez. Dortmund. Darstellg m. techn. Besprechg v. 100 tödtl. Fällen u. d. Monaten Jan. bis Juli 1900. [S.-A.] (72 m. Abb.) 4° Berl., W Ernst & S. 01.   4 —
Leyden, M: Die sog. Cultur-Compensation im BGB. (105) 8° Berl., C Heymann 02.   2 —
Leyden, E v., s.: Bericht üb. d. v. Komitee f. Krebsforschg veranst. Sammelforschg.
— Das Denken in d. heut. Medicin. Festrede. (28) 8° Berl., A Hirschwald 03.   1 —
— Fest-Rede z. Feier d. 50jähr. Bestehens v. Dr. Brehmers Heilanst. f. Lungenkranke in Görbersdorf i. Schlesien. (17 m. 1 Bildnis.) 8° Wiesb., JF Bergmann 04.   — 80
— Grundz. d. Ernährg u. Diätetik. [S.-A.] (77 m. 2 farb. Taf.) 8° Lpzg, G Thieme 03.   L. 2 —
— s.: Handbuch d. Ernährgstherapie u. Diätetik. — Klinik, d. deut., am Eing. d. 20. Jahrh.
— Die Tabes dorsalis. (Rückenmarksschwindsucht, Ataxie locomotrice progressive, graue Degeneration d. hint. Rückenmarksstränge.) [Erweit. S.-A.] 3. Afl. (140 m. Abb. u. 2 Taf.) 8° Wien, Urban & Schw. 01.   5 —; L. 6.50
— Ueb. d. parasitäre Theorie in d. Aetiol. d. Krebse. Vortr. [S.-A.] (20 m. 1 Taf.) 8° Berl., A Hirschwald 05.   — 80
— s.: Tuberkulose. — Untersuchungen, chem. u. medicin. — Verhandlungen d. Comités f. Krebsforschg. — Verhandlungen d. Kongresses f. innere Medizin.
— Verhandlg d. Tuberkulose (Schwindsucht), s.: Veröffentlichungen d. deut. Vert. f. Volks-Hygiene.
— s.: Veröffentlichungen d. Komitee's f. Krebsforschg. — Zeitschrift f. Krebsforschg. — Zeitschrift f. klin. Medizin. — Zeitschrift f. diätet. u. physikal. Therapie. — Zeitschrift f. Tuberkulose u. Heilstättenwesen.
— u. **Goldscheider:** Die Erkrankgn d. Rückenmarkes u. d. Medulla oblongata. 3 Thle. 2. Afl. 8° Wien, A Hölder. 25.70
I. Allg. Thl. (256 m. Abb.) 03. 8.40 ‖ II. Spez. Thl. (574 m. Abb.) u. III. (524 m. Abb.) u. III. Medulla oblongata. (84 m. Abb.) 05. 7.50.
— u. E **Grunmach:** Die Röntgenstrahlen im Dienste d. Rückenmarkskrankh. Vortr. [S.-A.] (30 m. 1 Abb. u. 2 Taf.) 8° Berl., A Hirschwald 03.   1.20
Leyden-Feier, d., im April '02, s.: Erinnerungs-Blätter.

Leyder, J : Das belg. Pferd. s. Charakteristik u. Zuchtverhältn. (120 m. Abb.) 8° Berl., P Parey 04.   2.50 d
Leydig, F: Horae zoologicae. Zur vaterländ. Naturkde. (280) 8° Jena, G Fischer 02.   6 —
Leydolph, E: Die Schlacht bei Jena. 2. Afl. (100 m. 2 Autotyp. u. 2 Kart.) 8° Jena, Frommann'sche Hof bh. 01. 1.40 ; L. 1.80 d
Leyen, v. d.: Vorschrift f. d. Behandlg, Dressur u. Verwendg d. Kriegshunde bei d. Jäger-(Schützen-)Bataillonen. (41) 12° Berl., ES Mittler & S. 02.   † — 30 ; kart. — 40 d
Leyen, F v. d., s.: Abhandlungen, germanist., Herm. Paul dargebracht.
Leyen, R v. d.: Johs Brahms als Mensch u. Freund. Nach persönl. Erinnergn. [S.-A.] (99 m. 1 Fksm.) 8° Düsseldf, KR Langewiesche 05.   Kart. 1.60
Leyenda, la, del abad Don Juan de Montemayor, publicada por RM Pidal, s.: Gesellschaft f. roman. Lit.
Leyendecker, L: Spottdrossel-Sang. Wiesbad.Scherz-Gedichte. (32) 12° Mainz 01. (Wiesb., W Bröcking.)   1 —
Leyfer, H: Deut. Kolonistenleben im Staate Santa Catharina in Süd-Brasilien. 1. u. 2. Afl. (94) 8° Hambg (Hansahaus) Hanseat. Kolonisations-Gesellsch. 1900.02.   † — 75 d
Leyfert, S : Der heimatkundl. Unterr. m. bes. Rücks. auf d. Einführg in d. Kartenverständnis. 3. Afl. (101) 8° Wien, A Pichler's Wwe & S. 04.   1.50 d
Leykauff, A : François Habert u. s. Übersetzg d. Metamorphosen Ovids, s.: Beiträge, Münch. z. roman. u. engl. Philol.
Leymann, H : Die Verunreinigg d. Luft durch gewerbl. Betriebe. [S.-A.] (94 m. Abb.) 8° Jena, G Fischer 03.   2.80
— — dass., s.: Handbuch d. Hygiene.
Leys, JK : Das Geheimnis d. Rechtsanwalts, s.: Engelhorn's allg. Roman-Bibliothek.
Lhomond u. C **Holzer**: Urbis Romae viri illustres a Romulo ad Augustum. Mit sachl. Anmerkgn u. e. Wrtrb. 12. Afl. v. H Planck u. C Minner. (211) 8° Stuttg., A Bonz & Co. 02.   1.20 ; L. 1.50 ; m. 4 Kart. u. Pl. 1.80 ; geb. 2.90 d
— — dass., s.: Sammlung v. Lehrmitteln f. höh. Unterr.-Anst.
Lhotzky, H., s.: Leben.
— Leben u. Wahrheit. 2. Afl. (229) 8° Lpzg, JC Hinrichs' V.   3 — ; L. 4 — d
— Relig. od. Reich Gottes. Eine Gesch. 1. u. 2. Afl. (402) 8° Ebd. 04.05.   3 — u. 3.60 ; Ldr 4.50 ; in 12 Heften 1.50 d
— Der Weg z. Vater. Ein Buch f. werd. Menschen. 1—4. Taus. (594) 8° Ebd. 02-04.   5 — ; L. 6.50 d
Lia: Geröll. Ungeordnetes. (112) 8° Dresd., E Pierson 04. 1.50 d   geb.2.50 d
Ljamin, AA: Spiritismus triumphatus od. d. wiss. Enthüllg d. Spiritismus. Aus d. Russ. v. Feilgenhauer. (36) 8° Lpzg, O Mutze 04.   — 50 d
Libanii opera. Recens. R Foerster. Vol. I. Fasc. I et II et vol. II. 8° Lpzg, BG Teubner.   21 — ; geb. 23 —
I.I. Orationes I—V. (390) 02. 5 — ; geb. 5.60 | I.2. Orationes VI—XI. (221 —555) 02. 4 — ; geb. 4.60 | II. Orationes XII—XXV. (372) 04. 12 —; geb. 12.60.
Libellus post saeculum quam Ioannes Bolyai de Bolya anno 1802 a. d. XVIII kalendas Ianuarias Claudiopoli natus est, ad celebrandam memoriam eius immortalem ex consilio ordinis mathematicor. et naturae scrutator. regiae litt. univ. hungaricae Francisco-Josephinae Claudiopolitanae ad. (154 m. 1 Fksm.) 4° Claudiop. 02. (Lpzg, BG Teubner.)   6 —
— stipendior. missae oblator. Ed. II. (160) 8° Danz., Dr. B Lehmann 01.   L. (2 —) 1.50
Liber Genesis, sine punctis exscriptus. Curaverunt F Muehlau et Ae Kautzsch. Ed. IV. (78) 8° Lpzg, JA Barth 04.   1.80
— Iesu filii Sirach sive Ecclesiasticus hebr. Secundum cod. nuper repertos vocalib. adornatus, addita versione latina, cum glossario hebr.-latino ed. N Peters. (16,163) 8° Freibg i/B., Herder 05.   3 —
— orationum in benedictione ss. sacramenti pro opportunitate temporis. Complectens orationes, duplicium I et II classis necnon alior. festor. usitator., orationes et preces pro diversis circumstantiis, demum litanias approbatas. (Ausg. in Schwarzdr.) (60) Fol. Strassbg, FX Le Roux & Co. 03. 1.80 ; Einbde von nn 2 — bis nn 5.50
   2.50 ; Einbde von nn 2 — bis nn 5.50
— statutor. civitatis Ragusii edd. V Bogišić et C Jireček, s.: Monumenta historico-juridica Slavor. meridionalium.
Library, Engl. 31. u. 34—37. Bd. 12° Dresd., G Kühtmann.   Geb. n. geh. 7 —
Cooke, FE: Hist. of Engl. Im Ausz. u. d. 2. Afl. m. Anmerkgn u. Fragen, nebst e. Wrtrb. hrsg. v. E Taubenspeck, unter Red. v. CT Lion. (156, 37 u. 54) 02. [36.]   1.20
Cummins, Miss: The lamplighter or an orphan girl's struggles and triumphs. Im Ausz. m. Anmerkgn, Fragen u. e. Wrtrb. hrsg. v. CT Lion. (267, 34 u. 126) 02. [35.]   1.50
Jefferies, R : The life of the fields. Im Ausz. m. Anmerkgn u. e. Wrtrb. hrsg. v. AW Sturm unter Red. v. CT Lion. (160, 30 u. 8) 06. [37.]   1.20
Montgomery, F: Misunderstood. Nach d. 22. Afl. d. Orig. Im Ausz. m. Anmerkgn, Fragen u. e. Wrtrb. hrsg. v. CT Lion. 3. Afl. (111, 30 u. 47) 03. [31.]   1.20
Twain, M (SL Clemens): The prince and the pauper. A tale for young people of all ages. Im Ausz. m. Anmerkgn, Fragen u. e. Wrtrb. hrsg. v. CT Lion. (166, 35 u. 92) 01. [34.]   1.20
— the Engl. Vol. 205—213. 12° Lpzg, The Engl. Library. Je 1.60
Deeping, W : Uther & Igraine. (354) 04. [213.]
Douglas, G : The house with the green shutters. (339) 01. [210.]
Jókai, M : The baron's sons. A romance of the Hungarian revolution of 1848. Translated from the Hungarian by PF Bicknell. (343) 01. [208.]

Parker, G : The right of way. Being the story of Charley Steele and another. (368) 01. [209.]
Stoker, B : The mystery of the sea. (292 u. 296) 03. [211.12.]
Libro, nuovo, di letture italiane per le classi inferiori delle scuole medie. Parte III e IV. 8° Triest, FH Schimpff. Geb. 7.60 (I—IV.: nn 12.10)
III. (396 u. 66) 01. 3.80 | IV. (374 u. 48) 05. 4 —
— delli ordinamenti e delle usanze della universitade e delle commun della isola de Lagusta, hrsg. v. F Radić, s.: Monumenta historico-juridica Slavor. meridionalium.
Liburnau s.: Lorenz v. Liburnau.
Lichatscheff, E: Die Erinnergn e. Berühmtheit. (118 m. Bildnis.) 8° Dresd., E Pierson 04.   2 — ; geb. 3 —
— Gedichte. (72) 8° Ebd. 05. 1.50 ; geb.2.50 || 2. Afl. (132 m. Bildnis.) 04. 2 — ; geb. 3 —
— Bunte Phantasien, s.: Reigen, lyr.
— Susanne's Tageb. Ein Roman d. Modernen. (80) 8° Lpzg, Modernes Verl.-Bureau 04.   2 —
Lichnowsky, Graf, s.: Helfert, Frhr v., d. tiroler Landesvertheidigg im J. 1848.
Licht, d., Fortsetzg, s.: Kraft u. Licht.
— d., d. Buddha. (Von S Kuroda.) Deutsch b. d. englisch-japan. Originale v. KB Seidenstücker. (103 m. Titelbild.) 8° Lpzg, Buddhist. Verl. 04.   1 — ; geb. 2.20 ; in Prachtbd 3 —
— im Dunkeln. Kurze Perlenschnur a. Gottes Wort. Ein Monatsbüchl. f. Kranke. Mit e. poet. Nachklang v. E R. (96) 8° Lpzg, F Jansa 01.   — 75 ; geb. 1.20 d
— mehr! Zur Verständigg im Kampfe geg. d. konfessionellen Studentenkorporationen. Von e. deut. Studenten. Mit e. Einl. v. H Cardauns. (32) 8° Köln, JP Bachem (05).   — 60 d
— v. Oben. Lebenserinnergn einer früh Verwaisten v. CJ. (CJacobshagen.) 18. Afl. (250) 8° Hannov., H Fesche 03.   2.40 ;   kart. 2.80 ; geb. 3.40 d
— u. Finsternis. Hefte z. Brüdermission. Nr. 1. 8° Herrnh., Missionsbh.   — 25 d
Bechler, T : Frauenleben u. Frauenmission in Klein-Tibet. (48 m. Abb.) 04. [1.]   — 25
— u. **Kraft** f. d. Tag. Handreichg f. d. Hausandacht. Betrachtgn üb. d. tägl. Losgn u. Lehrtexte d. Brüdergemeine f. 1906. 2. Jahrg. (384) 8° Elberf., Bh. d. ev. Gesellsch. Geb. 1.20 ; bessere Ausg. 2 — ; feine Ausg. Velinpap., m. G.   3 — u. 4.50 ; Ldr 4.50 ; in 12 Heften 1.50 d
— u.**Leben**. Ev. Wochenbl. Hrsg. v. J Dammann. 15—17.Jahrg. 1903—05 je 52 Nrn. 1903. Nr. 1—39. 644) 8° Schwerts. (Elberf., Bh. d. ev. Gesellsch.)   Vierteljj. nn — 60 d
Licht, H, s.: Architektur, d. d. XX. Jahrh. — Details, charakterist., v. ausgeführten Bauwerken.
Licht, S : Mittel u. Wege z.genossenschaftl.Organisation d.kleingewerbl.Credites in Österr. (100) 8° Brünn, (C Winiker) 01. 1.50 d
Licht, W, s.: Rahn E.
Lichtblau, W : Raumlehre f. Lehrerbildganst., s.: Wiese, B.
— u. **B Wiese**: Rechenb. f. Lehrerbildganst. (In 2 Tln.) 1. Tl.) 3 Hefte u. II. Tl. 8° Bresl., F Hirt.   6.10 ; geb. 7.80 d
I. Für Präparandenanst., bearb. unter Mitwirkg v. K Backhaus. 1. Heft. Rechenstof f. d. VI.—III. Kl. — 2. Afl. (151) 02-04. 1.40 ; geb. 1.80 ; Ergebnisse. (23) 04. — 75 || 2. Rechenstof f. d. 2. Kl., bearb. unter Mitwirkg v. A Knotho. 1—3. Afl. (196) 02-05. 1.60 ; geb. 2 — || 3. Rechenstof f. d. I. Kl. 1—3. Afl. (104) 02-05. 1.10; geb. 1.50; Ergebnisse. (74) 05. — 75
II. Für Lehrerseminare. (197 m. Fig.) 02. 2 — ; geb. 2.40 ; 3. Afl. (220) 05. Geb. 2.50 ; Ergebnisse. (32) 04. 1 —
Zu 12 sind Ergebnisse noch nicht erschienen.
Lichte, J : Der Stadt- u. Landkreis Gelsenkirchen. Heimatkde f. Schule u. Haus. 2. Afl. (100) 8° Gelsenk., T Dahl jun. 04.   Kart. — 80 d
Lichten, O : Die grossh. hess. Verordng. d. Gebühren d. Rechtsanwälte betr. v. 22.I.'02. Nebst Gebührentab. (109) 8° Mainz, J Diemer 03.   L. 3 — d
Lichtenauer, H. u. A **Witting**: Stenograph. Leseb. f. höh. Lehranst., s.: Reuter's Bibliothek f. Gabelsb.-Stenogr.
Lichtenberg, C : Die indirekte Farbenphotogr. in d. Hand d. amateurs. (48) 8° Stolp, H Hildebrandt's Bh. 01.   1.50 d
Lichtenberg's GC, Aphorismen u. Gedanken. (Literaturdenkmale, deut., d. 18- u. 19. Jahrh.)
— Briefe. Hrsg. v. A Leitzmann u. C Schüddekopf. 3 Bde. 8° Lpzg, Dieterich.   Je 10 — ; geb. je nn 12.50 d
I. 1766—81. (47 u. 462.) || II. 1782—89. (419 u. Abb.) 02. | III. 1790—99. Nachträge. (907) 04.
— Aus GC Lichtenbergs Correspondenz. Hrsg. v. E Ebstein. (107 m. Abb. u. Taf.) 8° Stuttg., F Enke 05 (Umschl. 06). 2.40 d
Lichtenberg, K : Schriftl. Arbeiten z. häusl. Nebenerwerbe. (86) 8° Milb., J Bagel (03).   1 — d
Lichtenberg, M : Landw.Haushaltgskde. (352 m.Abb. u. 2 Taf.) 8° Berl., P Parey 02.   L. 4.50 d
Lichtenberg, R Frhr v.: Üb. ein. Fragen d. modernen Malerei. (66) 8° Lpzg, G Winter, V. 03.   1.20 d
— Das Porträt an Grabdenkmalen, s. Entstehg u. Entwickelg v. Altertbum bis z. italien. Renaissance, s.: Zur Kunstgesch. d. Ausl.
Lichtenberger, A : Mädchenbilder. Briefe, Dialoge, Novellen. Uebers. v. A Born-Temme. (355) 8° Basl., B Schwabe 02.   4 — ; geb. 4.80 d
— Herr v. Migurac od. Der philosoph. Marquis. Roman. Aus d. Franz. übers. u. eingel. v. F v. Oppeln-Bronikowski. 1. u. 2. Afl. (360) 8° Stuttg., Deut. Verl.-Anst. 05.   3.50 ; geb. 4.50 d
— Mein Klein Trott. Uebers. v. A Born-Temme. (198) 8° Freibg i/B., FE Fehsenfeld 01.   3 — ; geb. 4 — d
— Mon petit Trott et sa soeur. Für d. Schulgebr. hrsg. v. A

Lie, J: Bose Mächte. Roman. Aus d. Norweg. v. M Mann. (202)
8° Münch., A Langen 01.   2 —; geb. 3 — d
— Wenn d. Vorhang fällt. Aus d. Komödie d. Lebens. Roman.
(219) 8° Berl., R Taendler (01).   4 —; geb. 5 — d
Lieb, A: Der Aufsatzunterr. in d. Volkssch. 2. u. 3. Tl. 3. Afl.
8° Nürnbg, F Korn.   3.40 d
2. Mittelkl. (1½) 05. 1.40 | 3. Oberkl. (20, 213) 02. 2 —
— Rechenaufg. f. Knaben-Sonntags- u. Wochen-Schulen. Im
Anschl. an d. „Rechensch." v. Lieb-Tillmann-Töpfner hrsg.
(51) 8° Ebd. 04.   — 20 d
— dass. f. Mädchen-Sonntags- u. Wochen-Schulen. (40) 8° Ebd.
03.   — 20 d
Liebach: Bataillonsführg, n. d. neuesten Dienstvorschriften
bearb. (108 m. Kartenskizzen u. 1 Taf.) 8° Berl., Vossische
Bh. 04.   2.80; kart. 3.20 d
— Takt. Wandergn üb. d. Schlachtfelder um Metz 1870. 2. Afl.
(141 m. 4 Pl. u. 6 Skizzen.) 8° Berl., ES Mittler & S. 05.
   3 —; kart. 3.40 d
Liebau, AK: Getrennte Welten. Nationales Schausp. (2¼) 8°
Dresd., E Pierson 02.   3 — d
Liebau, G: König Eduard III. v. Engl. im Lichte europ. Poesie,
s.: Forschungen, anglist.
Liebau, I: Still u. bewegt. Ausgew. Gedichte. (39 m. Bildnis.)
8° Wien, Verl.-Anst. neuer Lit. u. Kunst (04).   1.50 d
Liebe, d. prakt. christl., in d. Ideal d. Judenmission, dargest.
in d. Lebensschicksalen in d. ev. Kirche heimatlos umher-
irr. theolog. Verf. P B(ernstein). [S.-A.] (32) 8° Elberf., (A
Martini & Gr.) 01.   — 40 d
— deut. Aus d. Papieren e. Fremdlings. Hrsg. v. FM Müller.
14. Afl. (155) 8° Lpzg, FA Brockhaus 05.   L. m. G. 3 — d
— d., ist d. Gefahr d. Einsamsten. Beitrag z. Psychol. d. Mädchens. (Von F Burger.) (80) 8° Wien, CW Stern 04.   1.50 d
— d., d. Gesetzes Erfüllg 04. Im Christo frei v. Sabbatgebot
z. Zehnten-Gesetz. Von CCH R. (72) 8° Gotha, Missionsbh.,
P Ott 05.   — 40 d
— d., ist meine Sünde. Deutsch v. E Mayer, s.: Eckstein's Illustr.
Roman-Bibliothek.
Liebe, G: Die Arbeit in d. Jugendlogen d. Guttemplerordens,
s.: Galle, H.
Liebe, G, s.: Handbuch d. Krankenversorgg u. Krankenpflege.
— Heilstättenbote, d.
— Die stadier. Jugend u. d. Alkoholfrage. Nach e. Vortr. (19)
8° Erl., T Krische 04.   — 30 d
— s.: Werde gesund!
Liebe, G: Das bürgerl. Recht n. d. deut. BGB. 2 Bde. 8° Lpzg,
Rossberg'sche Verl.-Bh. 04.   Je 10 —; geb. je 11 —;
   auch in Lfgn zu 1.50 d
1. Allg. Tl. Recht d. Schuldverhältn. (655)
2. Sachenrecht. Familienrecht. Erbrecht. (688)
Liebe, G: Das Judentum in d. deut. Vergangenh., s.: Mono-
graphien z. deut. Kulturgesch.
— Die mittelalterl. Siechenhäuser d. Prov. Sachsen, s.: Neu-
jahrsblätter. Hrsg. v. d.histor. Kommission f. d. Prov.Sachsen.
— Soz.Studien a. deut. Vergangenh. (119) 8° Jena, H Costenoble
01.   2 — d
Liebe, L, s.: Liederkranz, Regensburger.
Liebe, R: Fechner's Metaphysik. (89) 8° Lpzg,Dieterich 03. 2.40
Liebek, SH: Handschriftliches z. Gesch. d. Juden in Prag in d.
J.1744—54. [S.-A.] (68) 8° Frankf.a/M., J Kauffmann 05. 2.50
Liebenau, A v.: Alles f. Jesus, od.: Die leichten Wege z. Liebe
Gottes. Nach W Fabers engl. Originale neu bearb. (558 m.
Titelbild.) 8° Donauw., L Auer 04.   Geb. 1.60; m. G. 2.20 d
— Auf d. Höhe d. Lebens. Ein Blick auf d. Grösse, Wirksamk.
u. d. Verdienste d. christl. Frauenwelt. (368) 12° Ebd. 04.
   L. m. G. 4 — d
Liebenau, E: Die photogrammetr. Beurteilg d. Tierkörpers.
[S.-A.] (58 m. 21 Lichtdr.) 8° Berl., P Parey 04.   5 —
Liebenau, T v.: Landammann u. Oberst Peter a Pro, s.: Neu-
jahrs-Blatt, histor., hrsg. v. Ver. f. Gesch. u. Altertümer v.
Uri.
Liebenow's, W, Specialk. d. Reg.-Bez. Allenstein. 1:300,000.
(Volksausg. Neu bearb. v. H Ravenstein 05). 41×78 cm. Farbdr.
Frankf. a/M., L Ravenstein (05).   1.50
— Specialk. v. Grossh. Baden. Neu bearb. v. H Ravenstein
Volks-Ausg. 1:300,000. 88×61,5 cm. Farbdr. Ebd. (05).   1.50
— Karte d. Prov. Brandenburg. 1:300,000. 80,5×109 cm.
Farbdr. Ebd. (02).   In Decke 6 —; auf L. 9 —; m. St. 10 —
— Specialk. v. Herzogth. Braunschweig, Reg.-Bez. Hildes-
heim u. d. Harz. 1:300,000. 52×59,5 cm. Farbdr. Ebd. (02).
   In Decke 3 —; auf L. in Decke 3 —; Volksausg. (04.) 1.20
— Spezial-Verkehrsk. f. d. Umgegend v. Bremen, d. Grossh.
Oldenburg, d. Reg.-Bezz. Stade u. Aurich nebst d. angrenz.
Gebieten. 1:300,000. (Volksausg.) 63×82 cm. Farbdr. Ebd. (04).
   1.50
— Specialk. d. Reg.-Bez. Breslau. 1:300,000. (Volksausg.)
63,5×63,5 cm. Farbdr. Ebd. (04).   1 —
— Specialk. d. Reg.-Bez. Bromberg. [S.-A.] 1:300,000. 53×
62,5 cm. Farbdr. Ebd. (03).   In Decke 2.50; auf L. in Decke 3.50;
   Volksausg. (04.) 1 —
— Karte v. Central-Europa z. Übersicht d. Eisenb., einschl.
d. projectirten Linien, d. Gewässer u. hauptsächlichsten
Strassen. 1:1,250,000. 37. Afl. Ausg. A. Mit farb. Unterscheid.
d. Eisenb.-Direktionsbez.; Ausg. B. Mit farb. Unterscheid.
Eisenb., auf denen Luxuszüge, Schnellzüge u. Schlafwagen
verkehren, d. Zollabfertiggsstationen, Haltestellen d. Luxus-

züge u. e. Verz. d. Luxuszüge m. Angabe ihrer Verkehrszeit.
Je 133×159,5 cm. Je 6 Bl. Farbdr. u. kol. Berl., Berliner lith.
Instit. (05).   Je 6 —; auf L. in M. od. m. St. je 12 —;
   m. St. u. lackiert je 15 —
Liebenow's, W, Spezialk. d. Reg.-Bezz. Coblenz u. Wiesbaden m. angrenz. Länderteilen 1:300,000. 57,5×51,5 cm. Farbdr. Frankf.a/M., L Ravenstein (02).   In Decke 2 —;
   auf L. in Decke 3 —; Volksausg. (04.) 1.30
— Spezial-K. d. Reg.-Bez. Danzig m. angrenz. Länderteilen.
1:300,000. 45×50 cm. Farbdr. Ebd. (02).   In Decke 2.40;
   auf L. in Decke 3 —; Volksausg. (04.) 1 —
— Karte v. Deut. Reich z. Übersicht d. Eisenb., einschl.d. projectirten Linien, d. Gewässer u. hauptsächlichsten Strassen.
1:1,250,000. Ausg. 1905. Ausg. A u. B. Je 133×108 cm. 4 Bl.
Farbdr. u. kol. Berl., Berliner lith. Instit.   Je 4 —;
   auf L. in M. od. m. St. je 11.50
Die Unterschiede d. Ausg. A u. B wie bei d. Karte v. Central-Europa.
— Spezialk. v. Elsass-L. Neu bearb. v. H Ravenstein. Volksausg. 1:300,000. 82×63,5 cm. Farbdr. Frankf. a/M., L Raven-
stein (05).   1.50
— Specialk. d. Reg.-Bez. Erfurt u. d. Thüring. Staaten.
1:300,000. (Volksausg.) 61,5×73 cm. Ebd. (04).   1.50
— Specialk. d. Reg.-Bez. Frankfurt a. O. 1:300,000. 75,5×64
cm. Farbdr. Ebd. (02).   In Decke 3 —; auf L. in Decke 4.50;
   Volksausg. (04.) 1.50
— Specialk. d. Reg.-Bez. Gumbinnen. [S.-A.] 1:300,000. 78×
52 cm. Farbdr. Ebd. (03).   In Decke 3 —; auf L. in Decke 4.50;
   Volksausg. Neu bearb. v. H Ravenstein. (04.) 1.50
— Specialk. f. d. Umgegend d. freien Städte Hamburg u.
Lübeck. 1:300,000. (Volksausg.) 61×69 cm. Farbdr. Ebd.
(04).   1.50
— Specialk. d. Grossh. Hessen (m. angrenz. Länderteilen).
1:300,000. 62×47 cm. Farbdr. Ebd. (02).   In Decke 3 —;
   auf L. in Decke 3 —
— Special-K. d. Prov. Hessen-Nassau, d. Prov. Oberhessen
u. d. Fürstenth.Waldeck (m. angrenz. Länderteilen). 1:300,000.
65×67 cm. Farbdr. Ebd. (02).   In Decke 3 —; auf L. in Decke
   4.50 | Volksausg. Neu bearb. v. H Ravenstein (05). 1.50
— Specialk. d.Reg.-Bez.Köln,Düsseldorf u.Aachen. 1:300,000.
68,5×46,5 cm. Farbdr. Ebd. (01).   In Decke 2 —; auf L. 3 —;
   Volksausg. (04.) 1 —
— Specialk.d.Reg.-Bez. Königsberg. [S.-A.] 1:300,000. 81,5×
58,5 cm. Farbdr. Ebd. (03).   In Decke 3 —; auf L. in Decke 4.50;
   Volksausg. Neu bearb. v. H Ravenstein. (04.) 1.50
— Specialk. d.Reg.-Bez.Köslin. [S.-A.] 1:300,000. 63×80,5 cm.
Farbdr. Ebd. (03).   In Decke 2.50; auf L. in Decke 3.50;
   Volksausg. (04.) 1.50
— Specialk. d. Reg.-Bez. Liegnitz. 1:300,000. Volksausg.
58,5×78,5 cm. Farbdr. Ebd. (04).   1 —
— Specialk. d. Reg.-Bez. Marienwerder nebst d. angrenz.
Länderteilen. 1:300,000. 48,5×93 cm. Farbdr. Ebd. (02).   1.30
— Reisen- u.Reise-K.v. Mittel-Europa. 1:2,500,000. Ausg.
1901. 73,5×73,5 cm. Farbdr. Berl., Berliner lith. Instit.   — 80;
   auf L. in M. St. od. in M. 3 —; m. St. u. lackiert je 5 —
— Special-K.v. Mittel-Europa. 1:300,000. 4.—17. Lfg. 114 Bl.
Je 37×28 cm. Farbdr. u. kol. Frankf. a/M., L Ravenstein (01-
05).   Je 5 —; auf L. je 9 —; einz. Bl. 1 —; auf L. 1.50;
   Radfahrer-Ausg., Red.: H Ravenstein, zu gleichen Preisen.
♦ Alkmaar. 42. ‖ Amiens. 92. ‖ Amsterdam. 50. ‖ Arnsberg.
71. ‖ Augustowo. 29. ‖ Autun. 152. ‖ Bar le Duc. 125. ‖ Basel. 154. ‖ Braunau. 109. ‖ Beuthen. 92. ‖ Bialystok. 41. ‖ Bielitz. 106. ‖ Bourges 121. ‖ Bregenz. 156. ‖ Bremen. 44. ‖ Breslau. 77. ‖ Bromberg. 58. ‖ Brünn. 119. ‖ Brüssel. 62. ‖ Budweis. 131. ‖ Calais. 61. ‖ Cassel-Göttingen. 72. ‖ Chalons-sur-
Marne. 124. ‖ Cöslin. 140. ‖ Danzig. 26. ‖ Deutsch-Eylau. 39. ‖ Dijon. 153.
‖ Eisenach. 88. ‖ Elbing. 27. ‖ Emden. 51. ‖ Frankfurt a. M. 99. ‖ Freiburg.
141. ‖ Givet. 97. ‖ Gnesen. 50. ‖ Groningen. 43. ‖ Gumbinnen. Insterburg.
30. ‖ Halle. 73. ‖ Hannover. 58. ‖ Hela. 16. ‖ Hertogenbosch. 59.
‖ Hirschberg. 90. ‖ Iglau. 118. ‖ Ingolstadt. 129. ‖ Innsbruck. 157. ‖ Inter-
burg u. Gumbinnen. 18. ‖ Kalisch. 69. ‖ Kissingen. 100. ‖ Köln. 94. ‖ Königgrätz. 104. ‖ Königsberg. 17. ‖ Köslin. 25. ‖ Kowno. 6. ‖ Krenz. 49. ‖ Lan-
denburg.133. ‖ Langres.139. ‖ Liegnitz. 76. ‖ Linz. 145. ‖ Loda. 64. ‖ Lötzen.
29. ‖ Lublin. 66. ‖ Maastricht. 53. ‖ Magdeburg. 50. ‖ Mannheim. 113. ‖ Mar-
96. ‖ Radom. 65. ‖ Regensburg. 130. ‖ Reims. 110. ‖ Rheydt. 144. ‖ Rosslo-
Neidenburg. 40. ‖ Neisse. 91. ‖ Nürnberg. 115. ‖ Olmütz. 105. ‖ Orléans.
187. ‖ Ostende. 67. ‖ Paris. 122. ‖ Plock. 51. ‖ Posen. 62. ‖ Prag. 103. ‖ Prüm.
96. ‖ Radom. 65. ‖ Regensburg. 130. ‖ Reims. 110. ‖ Rheydt. 144. ‖ Rosslo-
22. ‖ Tilsit. 5. ‖ Törning. 90. ‖ Trechtin. 120. ‖ Trier. 112.
‖ Troyes. 138. ‖ Tulln. 127. ‖ Valenciennes. 96. ‖ Verdun. 111. ‖ Warschau.
59. ‖ Wesel. 70. ‖ Wielun. 75. ‖ Wien. 147. ‖ Wilhelmshaven. 22. ‖ Würzburg. 114. ‖ Zell. 156. ‖ Znaim. 132. ‖ Zürich. 155. ‖ Zwolle. 56.
— Specialk. d. Reg.-Bez. Oppeln. 1:300,000. (Volksausg.)
53×64 cm. Farbdr. Ebd. (04).   1 —
— Verkehrs-K.v. Oesterr.-Ungarn nebst d. angrenz. Ländern d. deut.Reiches, v.Russl. u. d. europ.Türkei. 1:2,500,000.
(Ausg. 1901). 125×134 cm. Farbdr. Berl., Berliner lith. Instit.
   5 —; auf L. in M. St. od. in M. 12 —; u. lackiert 15 —
— Karte d. Prov. Ost-Preussen. 1:300,000. 106×70 cm.
Farbdr. Frankf. a/M., L Ravenstein (02).   In Decke 6 —;
   auf L. 9 —; m. St. 10 —
— Karte d. Prov. Pommern u. d. Grossh. Mecklenburg-Strelitz nebst d. angrenz. Länderteilen. [S.-A.] 1:300,000. 75,5×
127 cm. Farbdr. Ebd. (03).   In Decke 6 —; auf L. in Decke 9
— Karte d. Prov. Posen. 1:300,000. 88×73,5 cm. Farbdr. Ebd.
(02).   In Decke 6 —; auf L. in Decke 9 —; m. St. 10 —

Liebenow's,W,Specialk.d.Reg.-Bez.Posen.[S.-A.] 1:300,000. 64×73 cm. Farbdr. Frankf. a/M., L Ravenstein (03).
— In Decke 3 —; auf L. in Decke 4.50; Volksausg. (04.) 1.50
— Spezialk.-K. f. d. Reg.-Bez. Potsdam-Berlin m. angrenz. Länderteilen. 1:300,000. 68,5×72 cm. Farbdr. Ebd. (02).
— In Decke 3 —; auf L. in Decke 4.50; Volksausg. (04.) 1.50
— Spezialk. d. bayr. Rheinpfalz, d. Prov. Rheinhessen u. d. Fürstent. Birkenfeld. Neu bearb. v. H Ravenstein. Volks-Ausg. 1:300,000. 44,5×38,5 cm. Farbdr. Ebd. (05). 1 —
— Topograph.Karted.Rheinprov.u.d.Prov.Westf. 1:80,000. Neue Afl. (In 36 Bl.) Bl. 8, 12, 15—17, 19, 20, 23 u. 36. Je etwa
. 54×68 cm. Lith. Berl., S Schropp 01.02. Je 1 —
Aachen. 19. ‖ Bielefeld. 8. ‖ Dortmund. 12. ‖ Düsseldorf. 16. ‖ Köln. 20. ‖ Krefeld. 15. ‖ Lüdenscheid. 17. ‖ Malmedy. 23. ‖ Waldeck-Cassel. 36.
— Specialk. d. Kgr. Sachsen. 1:300,000. (Volksausg.) 59× 77,5 cm. Farbdr. Frankf. a/M., L Ravenstein (04). 1 —
— Spezial-K. d. Prov. Schlesien m. angrenz. Länderteilen. [S.-A.] Neu bearb. v. H Ravenstein. 1:300,000. 84,5×132 cm. Farbdr. Ebd. (05). In Decke 8 —; auf L. in Decke 12 —;
m. St. 15 —
— Special-K. v. Schleswig-H. 1:300,000. (Volksausg.) 76× 60,5 cm. Farbdr. Ebd. (04). 1.50
— Specialk. d. Reg.-Bez. Stettin. [S.-A.] 1:300,000. 68×89,5 cm. Farbdr. Ebd. (03). In Decke 2.50; auf L. in Decke 3.50; Volksausg. (04.) 1.50
— Specialk. d. Reg.-Bez. Trier m. angrenz. Länderteilen. 1:300,000. 50×37,5 cm. Farbdr. Ebd. (02). In Decke 1.50; auf L. in Decke 2.25; Volksausg. (04.) 1 —
— Karte d.Prov. Westfalen u.d.Fürstent.Lippe u.Waldeck. 1:300,000. (Volksausg.) 68,5×73 cm. Farbdr. Ebd. (04). 1.50
— Karte d. Prov. West-Preussen nebst d. angrenz. Länderteilen. 1:300,000. 76,5×91 cm. Farbdr. Ebd. (01).
In Decke 5.50; auf L. 8 —; m. St. 10 —
— Spezialk. v. Kgr. Württemberg nebst Hohenzollern. Neu bearb. v. H Ravenstein. Volks-Ausg. 1:300,000. 81×58,5 cm. Farbdr. Ebd. (05).

Liebenow, W: Die Promulgation. (124) 8° Berl., (E Ebering) 01. 3.60
Liebenwein, M: Bildermappe d. Sarajevoer Maler-Clubs, s.: Arndt, WL.
Lieber u. Tecklenburg: Gemeinverständl. Erörtergn üb. ein. Tled.deut.BGB. (260) 8° Wiesb., R Bechtold & Co. (03). 1.50 d
Lieber, A (S v. S.-Bielefeld): Thor-Lisele. Aus meinen Papieren. (56) 8° Bruschw., H Wollermann 01. — 40 d
Lieber, A: Auf stillen Pfaden. 1. u. 2. Afl. (85) 12° Innsbr., Wagner 02. 1.50; geb. 2 —
Lieber, C: Ges. betr. d.Diensteinkommen d. Lehrer u. Lehrerinnen an d. öffentl. Volkssch. Preussen nebst d. ministeriellen Ausführgsbestimmgn, m. Anmerkgn u.e. Übersichtd. Besoldgsverhältn. in sämtl. Orten üb. 10000 Einwohner. (96) 8° Leipz., H Beyer & S. 04. — 80
Lieber, H, u. a. Köhler: Arithmet. Aufg. 3. Afl. (232) 8° Berl., L Simion Nf. 03. 2.70; geb. 3 — d
2. Tl s.: Köhler, A.
— u. F v. Lühmann: Anfangsgründe d. Trigonometrie u. Stereometrie. Elemente d. Projektionslehre u. Kartographie. Pensum d. Untersekunda v. Realanst. Neu bearb. v. C Müsebeck. [S.-A.] (76 m. Fig.) 8° Ebd. 02. Kart. 1 — d
— — Geometr. Konstruktions-Aufg. 12. Aufl. (206 m. 1 Taf.) 8° Ebd. 03. 2.70; geb. 3 — d
— — Leitf. d. Elementar-Mathematik. Neu bearb. v. C Müsebeck. 1. u. 2. Tl. Ausg. A u. B u. 3. Tl. 8° Ebd. 7.90 d
1. Planimetrie. Ausg. A f. Gymnasien, Realgymnasien u. Oberrealsch. 18. Afl. (155 m. Fig.) 05. 1.50; geb. 1.80 ‖ Ausg. B f. Realsch. (Exth. d. ges. Lehraufg. d. Mathematik m. Ausn. d. Arithmetik f. Realsch.). 3. Afl. (190 m. Fig.) 04. 1.00; geb. 1.30
2. Arithmetik. Ausg. A f. Gymnasien, Realgymnasien u. Oberrealsch. 9. Afl. (186 m. Fig.) 05. nn 1.70; geb. 2 — ‖ Ausg. B f. Realsch., Progymnasien u. Realprogymnasien. (92) 02. Kart. 1 —
3. Ebene Trigonometrie, Stereometrie, sphär. Trigonometrie. Grundlehren v. d. Koordinaten u. Kegelschnitten. 12. Afl. (180 m. Fig.) 04. 1.60; geb. nn 2.10

Lieberknecht, A: Die durchgeseh. Ausg.d. deut. Bibelübersetzg Luthers od. d. sog. rev. Bibel, beurteilt. [S.-A.] (32) 8° Cottb. 01. Sagan, Gotthold-Exp. — 30 d
— Die Stellg d.Konfirmation zu d.beiden Sakramenten. Referat. [S.-A.] (51) 8° Ebd. 01. — 40 d
Liebermann, B: Elisabeth v. Brandenburg. Ev. Volksfestsp. a. d. Reformationszeit (m. Prologen, leb. Bildern u. Gesängen). (89) 8° Dresd., E Pierson 06. 1.50 d
— Die Kirche zu St. Graba u. ihre Altertümer (zumal im Kirchenmuseum). (18) 8° Saalf. (04). (Lpzg, KGT Scheffer.) — 20 d
Liebermann, E: Lieder f. Kinderherzen, s.: Strasburger, EH.
— Aus dem: Märchenwelt, s.: Teuerdank.
— 4 Orig.-Steinzeichngn, s.: Steinzeichngen deut. Maler.
— Die Poesie d. Landstrasse. — Allerlei Wetter, s.: Teuerdank.
Liebermann, F: Die Ges. d. Angelsachsen. 1. Bd. Text u. Übersetzg. 3. Lfg. (62 u. 373—675) 4° Halle, M Niemeyer 03. 16 — Bd vollst.: 52 —)
— Üb. d. engl. Rechtsb. Leges Henrici. (59) 8° Ebd. 01. 1.60
Liebermann, M: Degas. 3. Afl. (24 m. Abb. u. 5 Taf.) 8° Berl., B Cassirer 02. 3 —
— Jozef Israels. [S.-A.] (21 m. Abb. u. 1 Taf.) 8° Ebd. 01. ‖ 2. Afl. (35) 02. Je 2 —

Liebermann v. Sonnenberg, F: Jagd-Geschichten. — Jägerlatein, s.: Eckstein's Reise-Bibliothek.
Liebermann v. Sonnenberg, M, s.: Blätter, deutsch-soz. — Blutmord, d., in Konitz. — Herabwürdigung, d., d. christl. Eides durch d. Rabb. Dr. Münz. — Korrespondenz, antisemit.
— „Landsturm-Deutsch"z Reichstagsroden z. Chamberlain-Angelegenh. 1.—5. Afl. (40) 8° Berl. (02). Hambg, Deutschnationale Bh. u. Verl.-Anst. nn — 10 d
Liebermeister, C: Grundr. d. inneren Medicin. 2. Afl. (448) 8° Tüb., F Pietzcker 01. L. 10 —
Liebermeister, G: Beitrag z.Casnistik d.multiloculären Echinococcus. (39) 8° Tüb., F Pietzcker 02. nn 1 —
Liebers, G, s.: Frei-Pyramiden.
— 14 wirkgsvolle Gruppen in Negerkostümen, s.: Neger-Gruppen.
— Meisterwerke d. Plastik. Marmorgruppen. (9 Taf.) 16° Lpzg, Rauh & Pohle (04). 1.50
— Brüder Mumpitz (brothers Mumpitz) als Parterre-Akrobaten. 31 Gruppen v. Akrobaten-Tricks f. 2—4 Personen. (18) 16° Ebd. (03). 1 —
— s.: Pyramiden f. Radfahrer.
— Weihnachtsbilder. Marmorgrupen. (7 Taf.) 16° Lpzg, Rauh & Pohle (04). 1.50
— n. K Liebers: Zeitvertreib auf hoher See. (Matrosenspiele II. Tl.) 10 Pyramiden an Barren, Leiter sowie Barren, Leiter u. Ringen f. 10 Turner in Matrosenkostüm. (2 S., 8 Bl. u. 2 S.) 8° Ebd. (03). 1 —
Liebers, K: Gruppierg f.Turnerinnen. 30 Gruppen am Barren f. 8, 9, 10, 12 u. 16 Turnerinnen m. Verwendg v. Guirlanden u. Flaggen. (32) Probsth. (04). Lpzg, Rauh & Pohle. 1.50
— Matrosenspiele. 14 turner. Gruppiergn an e. Paar Ringe u. am Schwebereck m. 2 Ringen f. 7 Turner. (16) 8° Ebd. (03). 1 —
— Eine Scene auf d. Trockenplatze od.: Die bösen Turner, s.: Turner-Pantomimen.
Liebert, Ev.: Nationale Fordergn u. Pflichten, s.: Flugschriften d. Alldeut. Verbandes.
— Die deut. Kolonien im J. '04: Vortr. (24) 8° Lpzg, W Weicher 04. 1 —
— Überseepolitik od. Festlandspolitik, s.: Reismann-Grone.
Liebert, PN: Katbol. Gebetb. In stenogr. Schrift hrsg. 9. Afl. (248) 16° Augsbg, Kranzfelder 04. 1.60; geb. von 2.40 bis 3.20 d
— Latein. Stilübgn. (208 m. Bildnis.) 8° Ebd. 05. 2.80; geb. 3.60 d
Liebesabenteuer. In 1. Hart, F: „Ewige Liebe". Eine indiskrete Novelle. (54) 8° Berl., Berliner Roman-Verl. (05). — 10 d ‖ H
Liebesbriefe s.Deutsch-Amerikanerin. (142) 8° Dresd., E Pierson 04. 1.50; geb. 2.50 d
— deut., a. 9 Jahrh. (Ges., eingeleitet u. m. e. erklär. Anh. hrsg. v. J Zeitler.) (467) 8° Lpzg, J Zeitler 05. 6.50; L. 8 —‖ in Perg. 12 —; Luxusausg. 20 —
— kl. deut. Nachlese zu d. Ausg.: Deut. Liebesbriefe a. 9 Jahrh. (116) 8° Ebd. 05. 2 —; geb. 3 — d
— e. engl. Mädchens. Übertragg. (272) 8° Lpzg, Insel- erl. 04. 2 —
Liebes-Briefsteller. Mit Anh.: Die Briefmarkensprache. (48) 12° Berl., W Frey (o. J.). — 20 d
— f. beide Geschlechter. (110) 8° Neuweissens., E Bartels (o. J.). 1 — d
— d. vollständ., f. alle Fälle u. f. Damen u. Herren gebildeter Stände. Ster.-Ausg. (192) 8° Reutl., R Bardtenschlager (02). Geb. 1.25 d
Liebesbündnis z. göttl. Herzen Jesu. (16) 8° Rgnsbg, J Habbel (05). — 15 d
Liebesdienste. 9. geg. d. hlst. Herz Jesu. Nach Apl. d. sel. MM Alacoque. Aus d. Ital. v. e. Mitgliede d. Gesellsch. Jesu. 5. Afl. (48) 16° Paderb., Junfermann 01. — 15 d
Liebeskind, P: Die Glocken d. Neustädter Kreises, s.: Zeitschrift d. Ver. f. thüring. Gesch. u. Landeskde.
Liebesleben, d., d. Königs Leopold II. v. Belgien. V. einem Eingeweihten. (256) 8° Zür., C Schmidt 03. 3 — d
Liebes- u. Eheleben an euroip. Höfen. 4. Afl. (270) 8° Berl., H Steinitz (03). 3.50 d
Liebetanz, F: Die Elektrotechnik a. d. Praxis — f. d. Praxis. 4. Afl. Mit biograph. Notizen v. Ohm, Ampère, Volta, Faraday, Siemens, Schuckert, Edison, Reis, Morse u. Franklin. (413 m. Abb., Bildnissen u. 13 Tab.) 8° Düsseldf, JB Gerlach & Co. (02). 5 —; geb. 6 — d
— Der prakt. Maschinenbau, s.: Ripke, G.
Liebetreu, CF, s. a.: Truloff, W.
— Aus d. Kinderj. d. Weltstadt, s.: Berlin, wie es weint u. lacht.
Liebetreu, O: Urningsliebe! Aus d. Erlebnissen einer gleichgeschlechtlich Liebenden. (32) 8° Lpzg, Ficker's V. (04). 1 — d
Liebetruth, L: Eine Arbeitsstunde im Alumnat. Festsp. z. Säkularfeier d. herzogl.Francisceums in Zerbst. (21) 8° Zerbst (03). — 50 d
Liebfrauen-Kalender, Marienthaler, hrsg. v. d. Kongregation d. Väter v. hl. Geist u. d. unbefleckten Herzen Maria im Missionshause St. Florenz in Zabern (Els.). 11. Jahrg. 1903. (70 m. Abb.) 4° Aach., G Schmidt. 30 — d
Wo d. Fortsetzg erscheint, war nicht zu erfahren.
— Würzburger, d. 1904. 30. Jahrg. (80 u. 8 m. Abb.) 4° Veitshöchh.-Würzbg, Ettinger. 1 —
Liebhaber, d. unglückl., od. d. tugendhafte Frau. Lustsp. (Von E Guglia.) (87) 4° Wien, CW Stern 08. 1.50 d
Liebhaber, O: Bibl. Gesch. d. Alten u. Neuen Test. f. d. Unterkl. 1. u. 2. Afl, (12) 8° Münch., R Oldenbourg 01.03. nn — 10 d

Liebhaber-Bibliothek alter u. seltener Drucke in Fksm.-Nachbildg. Hrsg. u. eingeleitet v. R Zoozmann. 1. Bd. 4° Berl., O Elsner. Ldr nn 40 — d
Passion, der, oder dz lyden Jesu Christi vnsers herren, noch d. text d. fyer Euangelisten, wie jn daß d. hochgelert Doctor Johannes Geyler v. Keysersberg zu Strassburg järlich zepredigt hatt. Nachbildg d. 8. „Passion" gen. Tls d. Gellerschen Postille, erschienen 1527 zu Strassburg bei Joh. Schott. Mit Geilers Portr., e. Titelbordüre u. d. 30 blattgr. Passionsdarstellgn v. J Wächtlin. Mit e. Einl. in Geilers Leben u. Schriften v. R Zoozmann. (15, 56) 05. [1.] nn 60 —
— alter Illustratoren in Facsimile-Reproduction. X.u.XI.Bdchn. 8° Münch., G Hirth. 8 —; Ldr nn 14 —
Burgkmair's, H, Leben u. Leiden Christi. Augsburg bei Grimm & Wyrsung 1890. 2. Afl. (37 Bl.) 03. [XI.] 5 —; geb. nn 6 — d
Holbein's, H, Todtentanz. Lyon, Trechsel fratres 1538. 3. Afl. (104) 03. [X.] 5 —; geb. nn 4 —
— kulturhistor. 1—24., 26., 27. u. 30. Bd. 12° Lpzg, Verl. d. Funken Sep.-Kto. 82 —; Einbde in L. je 1 —; in Ldr je 2 —
Apulejus: Amor u. Psyche. Märchen. Übertr. v. E Norden. (45) 05.[9.] 2 — d
Balzac, H de: Die Frau v. 30 Jahren. Deutsch v. O Flake. Eingeleitet v. R Schickele. 1—3. Afl. (32, 232) Berl. (05). [26.] 3 —
Bandello, M: Künstler-Novellen a. d. Renaissance. Aus d. Ital. v. P Seliger. (144) 03. [3.] 2 — d
Bibliene: Die Calandria. Komödie. Aus d. Ital. übers. u. eingeleitet v. P Seliger. (165 m. Titelbild.) 03. [4.] 2 — d
[Brantôme.] Aus d. Memoiren d. Pierre de Bourdeille, Herrn v. Brantôme. Eingeleitet u. übers. v. A Semerau. (190) Berl. (04). [17.] 4 —
Bruno, G: Die Vertreibg d. triumphier. Bestie. Vorgeschlagen v. Jupiter. Ausgeführt v. d. Ratsversammlg. Geoffenbart v. Merkur. Erzählt v. Sofia. Gehört v. Saulino. Niedergeschrieben vom Nolaner. Eingeteilt in 3 Dialoge, d. wiederum in je 3 Tle zerfallen. Aus d. Ital. übers. u. eingeleitet v. P Seliger. (25, 280) Berl. (04). [16.] 3 —
Castiglione, Graf B: Frauenspiegel d. Renaissance. Aus d. Ital. übers. u. eingeleitet v. P Seliger. (192) (03.) [2.] 2 — d
Crebillon d. J.: Das Sofa. Moral. Erzählg. Uebers. u. bearb. v. J Max. (242) (03.) [6.] 2 — d
Diderot, D: Im Kloster. Roman. Übers. u. bearb. v. J Max. (222) (03.) [5.] 4 —
Du Barry, d. Frau Gräfin. Orig.-Briefe. Neudr. Mit e. Einl. v. R Schickele. 1—3. Afl. (208) Berl. (05). [24.] 3 — d
Firenzuola, A: Gespräch üb. d. Schönheit d. Frauen. Aus d. Ital. v. P Seliger. (116 m. Abb.) (03.) [9.] 2 —
Geschichte, d., d. Königs Apollonius v. Tyrus. Der Lieblingsroman d. M.-A., eingeleitet u. n. d. ält. latein. Textform z. erstenmal übers. v. R Peters. (190 m. 1 Taf.) Berl. (04). [18.] 3 —
Goncourt, E de, u. J de Goncourt: Tagebuchblätter 1851—95. Ausgew., verdeutscht u. eingeleitet v. H Stümcke. (284) Berl. (05). [20.] 3 — d
Hayemans, J A: Die untere! Roman. 2 Bde. (256 u. 237) (03.) [6.7.] 4 — d
— Geg. d. Strich. Roman. Aus d. Franz. v. M Capsius. (272) Berl. (05). [20.] 3 —
Laclos, Choderlos de: Gefährl. Freundschaften. Deutsch v. H Mann. 2 Bde. 1. u. 2. Afl. (321 u. 393) Berl. (05). [22.23.] Je 3 —
Lemonnier, C: Die Liebe im Menschen. Aus d. Franz. v. F Adler. Eingeleitet v. S Zweig. (209) (05.) [15.] 5 — d
Longus: Hirtengesch. v. Daphnis u. Chloe in 4 Büchern. Nach d. Übersetzg v. F Jacobs hrsg. u. eingeleitet v. O Kiefer. (186) Berl. (04). [13.] 2 —
Machiavelli, N: Mandragola. Komödie. Aus d. Ital. übers. u. eingeleitet v. P Seliger. (113) Berl. (04). [1.] 2 — d
Narval, G de: Der Fürst d. Narren. Roman. Deutsch v. H Moeller-Bruck. 2. Afl. (361) Berl. (05). [21.] 3 —
Papefeinbuch, d. pers. (Tuti Nameh.) Sammlg pers. Märchen. Übers. v. CJL Iken. Neudr. m. Einl. v. S Nippold. (14, 324) Berl. (04). [12.] 3 — d
Quevedo, Don FG de: Gesch. u. Leben d. gr. Spitzbuben Paul v. Segovia. Nach d. Übersetzg v. JG Keil hrsg. u. eingeleitet v. K Biesendahl. (28, 239) Berl. (04). [14.] 3 — d
Scrapsronda, JA: Die ergötzl. Historie. Eingeleitet u. übers. v. A Semerau. (182) Berl. (04). [19.] 3 —
Voltaire: Candide od. d. Beste d. Welten. Philosoph. Roman. Aus d. Franz. übers. u. eingeleitet v. P Seliger. (220) Berl. (04). [15.] 3 — d
Wieland: Gesch. d. Prinzen Biribinker. Hrsg. u. eingeleitet v. C Schüdde-kopf. (122) Berl. (04). [11.] 2 — d
Bd 25, 28 u. 29 sind noch nicht erschienen.
Liebhaberbühne, Berner. 6. u. 8—10. Heft. 16° Bern, A Francke. Je nn — 70 d
Dietzi, H: Die 3 Grazie. — Erüni blü! — Jungi Franc. 3 berndeut. Sze. nen. 2. Afl. (38) 05. [6.] ¶ Die Raritätekabinet vo der Frau Mümpfeli, Berndeut. Scene. 2. Afl. (22) 01. [8.]
Greyers, O v.: Herz ist Trumpf! Lustsp. (48) 04. [10.] ¶ Der schön Herr Nägeli. Berndeut. Schwank. (35) 04. [9.]
— neue. Nr. 20, 62, 65 u. 70—81. 8° Landsbg a/W., Volger & Kl. Je 1 — d
Artopé, T: Der Hypnotiseur. Schwank. 1. u. 2. Afl. (20) (01.03.) [70.]
Bergen, A: Herkules als Liebhaber. Lustsp. (19) (01.) [71.]
Bliss, F, u. W Thal: Eine Bombenuhr. Schwank. (16) (03.) [78.]
Braune, E: Fidele Patienten. Orig.-Schwank. (29) (01.) [72.] ¶ 2. Afl. (20) (04.)
Fischer-Lösher, A: Eine Kraftprobe. Lustsp. (16) (03.) [75.]
Kalisch, D: Doctor Peschke. Posse m. Gesang. Neu f. d. Bühne bearb. v. R Weiss. (24) (03.) [77.]
Nobody, C: Robert u. Bertram od.. Die lust. Vagabunden. Schwank. 4. Afl. (16) (01.) [20.]
Praeger, O: Der Strohwitwer od. Nur einer v. Militär. Schwank. (15) (04.) [80.]
Reuker, C: Der Arzt wider Willen. Orig.-Lustsp. (15) (03.) [74.] ¶ Bar bier u. Seifensieder. Lustsp. (16) (02.) [41.]
Rosa, T: Durch's Sprachrohr od.: Das Kronjuwel. Schwank. 2. Afl. (18) (03.) [73.]
Steiner, W: Ein weibl. Don Juan, od. Mein Name ist Meyer. Schwank. (16) (02.) [73.] ¶ Eine tolle Nacht od.: Lust. Feuerwehr. Posse m. Ge. (16) (05.) [81.]
Volger, P: Der fidele Agent. Schwank. (16) (03.) [72.] ¶ Das gestohlene Rad od.: Manchmal da geht's. Radfahrer-Schwank m. Gesang. 2. Afl. (16) (05.) [65.]
Liebhaberkünste. Die Ölmalerei, s.: Miniatur-Bibliothek.
— Zeitschrift f. häusl. Kunst. Red.: O Schulze-Köln. 10. Jahrg. 1901. 24 Hefte. (352 m. Abb. u. 32 z. Tl farb. Taf.) Fol. Münch. Wiesb., Hauskunst-Verl. J Köhler. Viertelj. 3 —;
einz. Hefte — 75 (Vollst. in M.: 16 —) d
— dass. 11. Jahrg. 1902. 24 Hefte. (1. Heft, 16 m. Abb. 1 farb. Taf. u. 1 Musterbog.) Fol. Darmst. Wiesb., Hauskunst-Verl., Hinrichs' Fünfjahrskatalog 1901—1905.

J Köstler. ‖ 12. Jahrg. 1. Halbj. Jan.—Juni 1903. 12 Hefte. Viertelj. 3 —; einz. Hefte — 75
Liebhaberkünste. Zeitschrift f. häusl. Kunst u. Korrespondenzblatt f. Dilettanten. Red.: J Köstler. Mit d. Gratis-Monatsbeil.: Der Malkasten. 13. Jahrg. Oktbr 1904—Septbr 1905. 16 Hefte. (1. Heft. 16 m. Abb. u. Musterbog. u. 4) 8° Darmst. Wiesb., Hauskunst-Verl., J Köstler. Halbj. 2.50;
einz. Hefte — 50 d
Ist Juli 1903—Septbr 1904 erschienen.
— dass. 17. Sep.-Heft. Fol. Ebd. 3 — (1—17: 35 —)
Richter, A: 12 Bog. Vorlagen f. d. Tiefbronn-Technik. Mit Text und Umschl. (02.)
— d., in Einzelabhandlgn. 1—3. Heft. 16° Lpzg, W Möschke. Je — 30
Boerge, M: Die Porzellanmalerei u. Porzellanradierg. (20) (03.) [3.]
Nordhausen, G: Die Malerei auf alle Arten v. Stoff m. d. Heliosfarben (Helios-Malerei). (14) (03.) [1.]
Schütze, W: Die Plastin-Relief-Malerei. (24 m. Abb.) (03.) [2.]
— u. Dilettanten-Arbeiten, 170. Übersichtl. Darstellg e. Unmenge nützl. u. lehrreicher Beschäftigns z. Pflege u. Förderg d. Hausfleisses. (132 m. Abb.) 8° Lpzg-Oetzsch (1900). Lpzg, Geschäftsstelle d. „Hausfleiss". 1.20 d
Liebhaber-Theater. Kl. Lustspiele, Genrebilder, Possen, Schwänke u. Scenen f. mehrere Personen. 75—105. Bdchn. 12° Mülh. a/R., J Bagel. Je — 50 d
Ecke, W: Ein Sonntag-Nachmittag. Lustsp. (22) (02.) [88.]
Ernst, R: Auf d. Brautfahrt. Schwank. (64) (01.) [96.]
Grabe, F: In Kiontschau. Militär. Schwank m. Gesang. (20) (01.) [84.] ¶ Martha's Geburtstag. Liefersp. (35) (1900.) [77.] ¶ Je Spanger Scheeper od.: Nord u. Süd. Volksstück m. Gesang. (30) (01.) [85.] ¶ Schlüssel-blümel. Schwank m: Gesang. (32) 1900.] [83.]
Knopfer, E: Das verhängnisvolle Sofa. Schwank. (31) (02.) [91.]
Matthes, O: Strudel Bummel. Eine gemütl. Gerichtsszene in Schöppenstedt. Schwank. (22) (04.) [100.] ¶ In Feindesland. Volksstück. (32) (04.) [97.] ¶ ¶ Freiwillige. Schwank. (32) (04.) [94.] ¶ Der gebellte Major. Lustsp. (35) (04.) [101.] ¶ Bursche Radowsky. Posse. (32) (04.) [99.] ¶ Dr. Schlau. Lustsp. (30) (04.) [98.] ¶ Spukmüller. Posse. (32) (03.) [95.] ¶ Beim Hauptmann Tournee. Schwank. (24) (05.) [93.]
Neuenhof, H: Die Höllenmaschine. Schwank. (47) (1900.) [78.] ¶ Ein Rendezvous. Schwank. (32) (02.) [87.] ¶ Der Smyrnateppich. Schwank. (46) (03.) [92.]
Neuss, G: Das 1. Mittagessen. Schwank. (22) (1900.) [82.] ¶ Versuchsweise. Lustsp. (24) (04.) [96.]
Oerden, G: Augeführt. Lustsp. f. Backfische. (34) (1900.) [81.]
Peters jun., P: Blümchen als Ehestifter. Schwank. (43) (04.) [100.] Schätzler-Perrnini, J: Nur keinen Leutnant! Militär. Schwank. (46) (1900.) [79.]
Schatze, W: Wenn dich d. bösen Buben locken. Lustsp. (37) (1900.) [75.]
Schumann, E: Ein gefäll. Mensch. Schwank. (40) (03.) [89.]
Staberow, P, u. E Huhle: Unsere Jungens vor Paris. Ein Stück a. d. Soldatenleben m. Gesang. (46) (1900.) [80.]
Wiesau, V: Aus d. Jugendzeit. Lustsp. (32) (02.) [90.] ¶ Freie Wahl. Lustsp. (25) (1900.) [79.]
Wilke, F: Der Held v. Fehrbellin. Die Mühle v. Fehrbellin. Vor Paris. 3 Einakter a. d. Tagen d. Gr. Kurfürsten, Königs u. Kaisers. 1. Bdchn: Der Held v. Fehrbellin. Geschichtsbild. (40) (05.) [103.] ¶ 2. Bdchn: Die Mühle v. Leuthen. Patriot. Lustsp. a. d. Zeit d. gr. Königs. (90) (05.) [104.] ¶ 3. Bdchn: Vor Paris od.: Die Maner v. Buzanval. Patriot-ischhumorist. Szene a. d. Zeit d. „gr. Kaisers". (39) (05.) [105.]
Liebhart, M: Lehrb. d. Terrainlehre, Terraindarstellg u. Terrainaufnahmen, f. d. k. u. k. Militärakad. u. Kadettenschl. verf. 1. u. 2. Tl. (123 m. Fig. u. 17 Kart. u. 124 m. Fig.) 8° Wien, LW Seidel & S. 02.04. Je 5.90; L. je 6.40 d
Liebheim, E: Beitr. z. Kenntnis d. lothring. Kohlengebirges, s.: Abhandlungen z. geolog. Spezialk. v. Elsass-L.
Liebich, B, s.: Candra-Vyākaraṇa.
— Das Datum Candragomin's u. Kalidasa's. [S.-A.] (11) 8° Bresl., GP Aderholz 03. — 60
— Sanskrit-Lesebuch. Zur Einführg in d. altind. Sprache u. Lit. (651) 8° Lpzg, (O Harrossowitz) 05. L. nn 10 —
— Die Wortfamilien d. indisch. bedeut. Sprache als Grundl. f. e. System d. Bedeutgslehre. 1. Die Wortfamilien in alphabet. Ordng. Nach Hayne's deut. Wrtrb. bearb. 8. [Tit.-]Ausg. (521) 8° Bresl., Preuss & J. [1899] 05. HF. nn 4 —
Liebich, C: Das Arbeitsheer. Ein Zukunftsbild d. staatl. Beseitigg d. Arbeitslosigk. 80° Berl. 03. Lpzg, Krüger & Co. (1 —) — 30 d
— Obdachlos. Bilder a. d. soz. u. sittl. Elend d. Arbeitslosen. 2. Afl. (269) 8° Ebd. 01. (2 —) 1.20 d
Liebich, K: Das göttl. Herz Jesu u. d. Jungfrau, s.: Seeböck, P.
Liebich, K: Der verantwortl. Redakteur u. s. Haftg. § 20 Absatz 2 d. Reichspressges. (127) 8° Bresl., Koebner 05. 2 —
Liebich, L: D' Krüddenajder odder d' Elsässer in Afrika. Luschtspiel, maischt in Elsässer Mundart, m. Gsänge. (79 u. Musikbeil. 4) 8° Strassbg, Schlesier & Schw. 02. 1.20 d
Liebig, E, v.: Beitr. z. Verschlacgsz. Problem d. Kreditverschlackg. (110) 8° Berl., Puttkammer & M. 05. 2,60
Liebig's, J v., Annalen d. Chemie. Hrsg. v. E Erlenmeyer, R Fittig, A v. Baeyer, O Wallach u. J Volhard. 317—344. Bd u. 3 Hefte. (317. Bd. 1. Heft. 145) 8° Lpzg, CF Winter 01-05. Für je 4 Bde 24 —
— dass. General-Reg. zu d. Bdn 277—328 (1893—1903). Bearb. v. V Villiger. (1063) 8° Ebd. 05. 36 —
— s.: auch d. Briefwechsel v. Just, Liebig m. d. Minister Reinh. Frhr v. Dalwigk. — Jahresbericht üb. d. Fortschritte d. reinen u. F M o h r in ihren Briefen v. 1853—70. hrsg. v. GWA Kahl-baum, s.: Monographien a. d. Gesch. d. Chemie.
Liebig, M, s.: Beamten-Kalender, dem.
Liebigbilder-Zeitung. Illustr. Hrsg.: F Dreser. 6—10. Jahrg. 1901—5 je 12 Nrn. (Nr. 1, 8) 8° Hambg, F Dreser. Je 2.50;

einz. Nrn nn — 25; m. Beil. 1 Bilderserie je 6 —; m. allen
                Serien je 12 —
Liebing, RH: Hygiene d. Schulkindes im Elternhause, s.: Minia-
  tur-Bibliothek.
Liebisch, R: Der zerbroch. Krug u. anderes. (101) 8° Dess.,
  C Dünnhaupt (02). 1 —; L. 1.50 d
Liebisch, T, s.: Jahrbuch, neues, f. Mineral. usw.
— Die Synthese d. Mineralien u. Gesteine. Festrede. (28) 8°
  Gött., Vandenhoeck & R. 01. — 40
— s.: Zentralblatt f. Mineral. usw.
Liebknecht W: Zur Gesch. d. Werttheorie in Engl. (112) 8°
  Jena, G Fischer 02. 2.80
Lieblein, J, J **Mylius**, R v. **Reinhardt**, E **Schmitt** u. H **Wag-**
  ner: Baulichk. f. Kur- u. Badeorte. Gebäude f. Gesellsch. u.
  Vereine. Baulichk. f. d. Sport. Panoramen; Musikzelte; Aus-
  sichtstürme, Bellevuen u. Belvedere, s.: Handbuch d. Archi-
  tektur.
Lieblein, V : Üb. d. wichtigsten Fehlerquellen bei d. Dentg v.
  Röntgenbefunden, s.: Handbuch d. ärztl. Sachverständ.-Tätigk.
— u. H **Hilgenreiner**: Die Geschwülste u. d. erworb. Fisteln
  d. Magen-Darmkanals, s.: Chirurgie, deut.
Liebling's, uns., Bilderb. (13 farb. S. auf Pappe.) 4° Nürnbg,
  T Stroefer (08). Kart. 1 — d
Liebling, K: Das Handelsgesetzb. in Frage u. Antwort. Repe-
  titorium. (346) 8° Berl., O Liebmann 01. L. 4.50 d
— Ueb. d. Verhältnis zw. Raub u. Erpressg. (54) 8° Berl., Struppe
  & W. 01. 1.50 d
Liebling, L, u. B **Jacobsohn**: Schire beth Jacoob. Israelit.
  Schul- u. Gemeinde-Gesangb. z. Gebr. beim Unterr. in d.
  Liturgie u. beim öffentl. Gottesdienste. (167) 8° Altona 1880.
  (Lpzg, MW Kaufmann.) Geb. 2.40
Lieblinge, uns., s.: Bilder, liebl., a. Haus u. Kinderwelt.
— uns. Mai-Buch. (20 m. z. Tl farb. Abb. ohne Text.) 8° Hannov.,
  A Molling & Co. (04). — 15 d
— uns., a. Haus & Hof, a. Feld & Wald. (10 auf Pappe m. farb.
  Abb.) 4° Mainz, J Scholz (05). Geb. 2 —
  in Leporelloform od. unzerreissbar auf L. je 2 — d
Lieblingstiere, uns. (13 m. farb. Abb.) 8° Nürnbg, T Stroefer
  (04). Auf Pappe od. in Leporelloform 3 — d
— uns., in Haus u. Hof. (32 m. farb. Abb.) 4° Ebd. (02).
  Geb. 3 —; auf Pappe od. in Leporelloform 5 — d
Liebmann, A: Stotternde Kinder. — Die Sprachstörgn geistig
  zurückgeblieb. Kinder, s.: Sammlung v. Abhandlgn a. d. Geb.
  d. pädagog. Psychol.
— Vorlesgn üb. Sprachstörgn. 6. Heft. Kinder, d. schwer lesen,
  schreiben u. rechnen lernen. (132) 8° Berl., O Coblentz 05.
  2.40 (1—5: 8.40)
— u. **M Edel**: Die Sprache d. Geisteskranken n. stenograph.
  Aufzeichngn. (183) 8° Halle, C Marhold 03. — 40
Liebmann, H : Nichteuklid. Geometrie, s.: Sammlung Schubert.
— Notwendigk. u. Freih. in d. Mathematik. [S.-A.] (21) 8° Lpzg,
  BG Teubner 05. — 80
Liebmann, N : Hebr. Lesefibel, f. d. 2 ersten Schulj., n. d. ana-
  lytisch-synthet. Methode bearb. 6. Afl. (44 m. Abb.) 8° Frankf.
  a/M., J Kauffmann 02. Kart. — 60 d
Liebmann, O : Gedanken u. Thatsachen. Philosoph. Abhandlgn,
  Aphorismen u. Studien. I. Bd, 1. Heft u. II. Bd, 2—4. Heft.
  8° Strassbg, KJ Trübner. 11.50 (Vollst.: 20 —) d
  1. 1. Die Arten d. Nothwendigk. Die mechan. Naturerklärg. Idee u. Ente-
    lechie.2. Afl. (122) 04. 2.50
  II, 2. Grundr. d. krit. Metaphysik. (01—294) 01. 3—
    3. Trilogie d. Pessimismus. Gedanken üb. Schönheit u. Kunst. (295—
    362) 02. 2.50
    4. Der Ursprg d. Werthe. Episoden : e. Gedankensymphonie. Gedan-
    ken üb. d. Wesen d. Moralität. Gang. d. Gesch. (363—509) 04. 3 —
    [2. Bd: 11 —]
— Immanuel Kant. Gedächtnisrede. (18) 8° Ebd. 04. — 60 d
Liebold, B : Taschenb. f. Bauhandwerker. 2 Tle. 4. Afl. 8° Holzm.,
  CC Müller. Ln 14.10
  I. Siegelrohbau. Sammlg v. Façaden- u. Giebelausbildgn, Streifen ein-
    gebauter Wohnhäuser, Sockel-, Band-, Gurt- u. Hauptgesimse etc.
    v. ausgeführten Bauwerken u. d. m. (193 S. Abb. m. 6 S. Text) 01,
    Geb. 7.50
  II. Holzarchitektur. (Holzbau.) Sammlg v. Façadenausbildgn m. ausge-
    mauerten u. verschalten Riegelwänden, gens u. nur in d. oh. Höhe u.
    s. Fachwerk, Giebelausbildgn, Wandverzierg u usw. (183 no. Abb.) 04.
    Geb. nn 6.60
Liebrecht, M (Frl. M Haug): Im Aehrenfeld. Eine Gabe f. Lei-
  dende. (40) 8° Konst., C Hirsch (02). — 20 d
— Bleibet in meiner Liebe. Ermunterg z. Arbeit im Weinberg
  d. Herrn. (40) 8° Ebd. (05). — 20 d
— Des Christkinds Segen, s.: Vergissmeinnicht-Erzählungen.
— Ein Dankesbote. Des Vaters Liebe, s.: Kinderfreund, s.
  Kinderfreund, s.
— Ehre sei Gott in d. Höhe! Weihnachtsgabe f. Erwachsene.
  (40) 8° Konst., C Hirsch (05). — 20 d
— Friede auf Erden, s.: Immergrün.
— An Früchten reich. Ermunterg z. Arbeit im Weinberg d.
  Herrn. (40) 8° Konst., C Hirsch (02). — 20 d
— Der Herr ist mein Hirte. Gabe f. Konfirmanden. (40) 8° Ebd.
  (05). — 20 d
— Himmelsschlüssel. Gabe f. Konfirmanden. (40) 8° Ebd. (02).
  — 20 d
— Kindl. Liebe. Dazu habe ich keine Lust. Die Entsagg. Die
  Schmetterlingspuppe, s.: Kinderfreund, s.
— Margretleins Christtag, s.: Vergissmeinnicht-Erzählungen.
— Pfarrminchen, s.: Himmelsblumen.

Liebrecht, M (Frl. M Haug): Dein Stecken u. Stab trösten
  mich. Gabe f. Leidende. (40) 8° Konst., C Hirsch (05). — 20 d
— Tannengrün. Weihnachtsgabe f. Erwachsene. (40) 8° Ebd.
  (02). — 20 d
— Die Weihnachtspfeife, s.: Vergissmeinnicht-Erzählungen.
Liebreich, O: Ueb. Beziehgn d. pharmakodynam. Therapie zu
  and. Wiss. im 19. Jahrh. Vortr. (39) 8° Berl., A Hirschwald
  05. 1 —
— Zur Frage d. Bor-Wirkgn. Kritik d. Wileyschen Berichtes
  an d. amerikan. Ackerbau-Ministerium. (51 m. 4 Taf.) 8° Ebd.
  06. 4 —
— s.: Hilfe, 1. ärztl., bei plötzl. Erkrankgn u. Unfällen. —
  Medizin, gerichtl. — Monatshefte, therapeut.
— Ueb. d. Wirkg d. Borsäure u. d. Borax. (Ein 2. Gutachten.)
  (80 m. 5 Taf.) 8° Berl., A Hirschwald 03. 4 —
  Das 1. Gutachten ist in d. Vierteljahrsschrift f. gerichtl. Medicin
  veröffentlicht.
— u. A **Langgaard**: Compendium d. Arzneiverordng. Nach d.
  Pharmacopoea Germanica ed. IV u. d. neuesten fremden
  Pharmakopoeen. 5. Afl. (827) 8° Berl., Fischer's med. Bh. 02.
  15 —; HF. 18.50
Liebscher, allerhöchste. (In russ. Sprache.) (26) 8° Berl.,
  H Steinitz 04. 1—
Liebscher, H : Die Niederl. d. sächs. bürgerl. Reichstag-Wäh-
  lerschaft im J. 1903. (23) 8° Dresd., C Heinrich (05). — 50 d
Liechtenhan, R : Die Offenbarg im Gnosticismus. (168) 8° Gött.,
  Vandenhoeck & R. 01. 4.80
Liechtenstein, A Fürst: Der Relig.-Kampf in Oesterr., s.: Schön-
  born, F Graf.
Lieckfeld, G : Die Petroleum- u. Benzinmotoren, ihre Ent-
  wicklg, Konstruktion u. Verwendg. 2. Afl. (297 m. Abb.) 8°
  Münch., R Oldenbourg 01. 9 —; geb. 10 —
Lieckfeld, S : Die Entstehg u. Entwicklg d. Weltkörper, s.:
  Vorträge u. Abhandlungen, hrsg. v. d. Zeitschrift „Das Weltall".
Lied, d., d. Lieder. Betrachtgn üb. d. Hohelied Salomos. Nach
  d. Engl. 2. Afl. (247) 8° Elberf., R Brockhaus (durch J Faas-
  bender) 04. 1.25 d
Lieder, d., d. Anakreon u. d. Anakreontiker, hrsg. v. R Grie-
  benow, s.: Bibliothek d. Gesamtlitt.
— 40, f. fröhl. Brüder. 4. Afl. (63 m. Abb.) 16° Marbg, NG Elwert's V. (05). — 15 d
— christl., z. Gebr. in d. Sonntagsschul. u. Familie. 4. Afl. (80)
  8° Elberf., R Brockhaus (durch J Fassbender) 04. — 30 d
— deut. Sammlg beliebter Soldaten-, Liebes-, Trink-, Turn-
  u. Wanderlieder. (Umschl.: Armee-Liederb.) (160) 16° Neuweissens., E Bartels (o. J.). Kart. — 50 d
— dass. (Einbanddecken: Soldaten-Liederb. u. Deut. Turnlie-
  derb.) (160) 16° Ebd. (o. J.). Kart. je — 50 d
— 55, f. fröhl. Deutsche. 23. u. 24. Taus. (65) 12° Elberf.,
  Martini & Gr. 02. — 25 d
— d., d. Edda, hrsg. v. B Sijmons u. H Gering, s.: Handbibliothek, germanist.
— d. schönsten, d. Edda, m. Erläutergn als Volks- u. Schulb.
  hrsg. v. F Fischbach. (102) 8° Köln (03). (Lpzg, Teutonia-
  Verl.) 1 — d
— d., d. ält. Edda (Saemundar Edda), hrsg. v. K Hildebrand
  u. H Gering, s.: Bibliothek d. ält. deut. Litt.-Denkmäler.
— 100 geistl. Schulauszug a. d. ev. Gesangb. f. d. Prov. Brandenburg. (Ausg. 1904.) (128) 8° Berl., Trowitzsch & S. 04.
Die Ausg., ohne Noten z.: Schneider, K.
— d., d. Heidelberger Handschrift Pal. 343, hrsg. v. A Kopp,
  s.: Texte, deut., d. M.-A.
— f. d. Hoffnungsbund. 2. Heftchen. (17—32) 12° Bern (01).
  Barmen, Elim. — 10 u. 2.: — 40) d Verzg.
— 3. gesungen in d. Pfarrkirche zu St. Martin in Jauer. (15)
  16° Jauer, O Hellmann (03). — 10 d
— alte u. neue, f. Kriegerver. (16) 8° Dess., Anhalt. Verl.-
  Anst. (03). (?) (Lpzg, R Hoffmann.) — 05 d
— lebende, f. d. Liebhaber-Bühne u. häusl. Feste (bes. auch
  f. Hochzeiten). 1. Heft m. d. Cyklus „Hellasbilder" v. M Dre-
  gen. (32) 8° Strlsg., A Hoffmann (01). — 1 — d
— ausgew., zusammengest. u. hrsg. v. Mitgliedern d. Luther-
  stifts in Göttingen. 2. Heft f. d. Mittel- u. Oberkl. 6. Afl.
  (180) 8° Gött., C Spielmeyer's Nf. 04. Kart. — 20 d
— d. romant. Lyrik, s.: Jungbrunnen.
— alte u. neue, f. Marine- u. Flottenver. [S.-A.] (34) 8°
  Dess., Anhalt. Verl.-Anst. (03). (?) (Lpzg, R Hoffmann.) — 05 d
— f. Missionsfeste. (8) 8° Elberf., Luther. Bücherver. (04).
  100 Stück 3 — d
— f. Missionsfeste usw. hrsg. v. ev. Ver. im Herzogt.
  Braunschweig. 28—37. Taus. (16) 8° Brnschw., H Wollermann
  05. — 05 d
— alte u. neue, f. Sanitätskolonnen. [S.-A.] (31) 8° Dess.,
  Anhalt. Verl.-Anst. (03). (?) (Lpzg, R Hoffmann.) — 05 d
— schlichte, f. schlichte Leute. Von H v. H(edern). 1. Bd.
  2. Afl. u. 2. Folge. (199 u. 154) 8° Berl., Deut. ev. Buch- u.
  Tractat-Gesellsch. 01. je 1.50; geb. je 2 — d
— e. fahr. Schülers. Erinnergn an zürcher. Studententage.
  Gesammelt u. hrsg. v. e. alten Burschen. (32) 12° Zür.,
  Schmidt 02. — 50 d
— e. fahr. Schülers (M Wittich), nebst e. Jugendbildnis u. e.
  Biogr. d. Verf. u. m. e. Vorwort versehen v. R Lavant. Hrsg.
  v. A Wittich. (76) 8° Lpzg, (Leipz. Buchdr.) 04. — 50 d

Lieder, 130 ein- u. mehrstimm., f. d. Schulgebr. 9. Afl. (104)
8° Gütersl., C Bertelsmann 01. nn — 25 d
— zweier Schwestern. Mit Zeichngn v. C Oehler. (64) 8°
Bas., (Basler Missionsbh.) (05). 1.90 d
— unsere. I/II. Von d. Blankenburger Allianzkonferenz. (34)
8° Blankenbg i/Th., Allianzhaus 1900. — 40 :
Ausg. ohne Noten. (23) 16° — 15 d
— f. d. kathol. Volkssch. Württembergs. 2 Hefte. 2. Afl. 8°
Stuttg., Mnth 05. nn — 25 d
1. Für d. 3 unt. Schulj. (74) 05. nn — 10 | 2. Für d. 4 ob. Schulj. (64)
05. nn — 15.
— f. d. deut. Volks- u. Mittelsch. Hrsg. in 3 Heften v. hess.
Volksschullehrer-Ver. 2. Heft. 6. Afl. (72) 12° Cass., Hess.
Schulbh. R Röttger 01. nn — 30 d
— u. Bilder f. jung u. alt. Ein Hausschatz deut. Dichtg m. Bildern v. E Kuthan, F Stassen, H Bek-Gran u. a. Hrsg. v. Kölner Jugendschriften-Ausschuss. (212) 8° Düsseldf (04). Berl.,
Fischer & Fr. Geb. 2 — d
— u. Couplets, neueste, z. Mitsingen. (32) 8° Neuweissens., E Bartels (o. J.). — 25 d
— u. Gebete bei spiritist. Sitzgn. (36) 8° Berl., F Schlosser
(1900). Kart. — 30 d
— u. Gesänge, 552 d. neuesten u. beliebtesten, d. deut. Volks-
liederschatzes f. sangeslust. Kreise. (288) 16° Reutl., Ensslin
& L. (01). — 40 d
Liederbuch. Sammlg d. beliebtesten Volksweisen, Märsche,
Choräle u. Motetten. Für d. Schulgebr. in 2 Heften bearb. v.
Suhler Lehrern. 8° Hildburgh., FW Gadow & S. — 90 d
1. Unter- u. Mittelst. (84) 05. — 40 | 2. Mittel- u. Oberst. (144) 05. — 50.
— alldeut., hrsg. v. Alldeut. Verbande. „Gedenke, dass du
ein Deutscher bist!" (154) 12° Lpzg, Breitkopf & H. 01. Kart. 1.30 d
— d. kathol. Arbeiterinnen-Vereins zu . . . (59 m. Titelbild.) 16° Bresl., F Goerlich (01). Geb. — 20 d
— f. d. Gesamtverband ev. Arbeiterver. Deutschlds. 6. Afl.
(93) 16° Bresl., M Woywod 04. Kart. — 25 d
— f. kathol. Arbeiter-Ver. 7. Afl. (153 u. 7) 16° Berl., Germania (04). In Wachstuch — 25 d
Auch u. d. T.: Liederbuch f. kathol. Ver.
— f. Berg- u. Hüttenleute. Hrsg. v. berg- u. hüttenmänn.
Ver. zu Berlin. 7. Afl. (177 m. Titelbild.) 12° Ess., GD Baedeker 03. Kart. 1.20 ; L. 1.50; in Wachstuch m. Biernägeln 1.20 :
in Ldr 2 — d
— f. d. Vereine „Ceres" u. „Pomona". (Köstritzer Liederb.)
(200) 8° Köstr., C Seifert (04). Geb. m. Buchschn 1.75 d
— Chemnitzer, f. Volkssch. Hrsg. v. pädagog. Ver. zu
Chemnitz. 1. bis 4. Schulj. 11. Afl. (52) 8° Chemn.,
(JCF Pickenhahn & S.) 05. †— 25 d
— deut. 7. Afl. (303) 16° Neuhaldensleben, CA Eyrand. (Nur
dir.) — 25 d
— deut. (Leipz. Schulliederb.) Ausgearb. v. e. Kommission
Leipz. Lehrer. Ausg. A. 1. Heft. Unterst. f. d. ersten 4 Schulj.
28. Afl. (104) 8° Lpzg, (Dürr'sche Bh.) 05. Kart. nn — 40 d
— d. Evangel. Bundes. 2. Afl. (77) 8° Lpzg, (C Braun) 03. — 30 :
L. — 50 d
— Freiburger. Sammlg v. 300 d. beliebtesten Vaterlands-.
Volks-, Commers-, Studenten-, Liebes- usw. Lieder. (164) 12°
Freibg i/B. (01). Karlsr., F Gutsch. Geb. — 80 d
— f. schweiz. Freimaurer-Logen, hrsg. im Auftr. d.
schweiz. Grossloge „Alpina". — Recueil de chants maçon.
(163) 8° Aar., HR Sauerländer & Co. 01. L. nn 9 —
— freisinn. I. Vaterlandslieder. II. Polit. Lieder. III. Volks-
u. Fidelitaslieder. (47) 8° Varel, Verl.-Anst. A Allmers (01).
nn — 15 d
— d. 4. Garde-Regts zu Fuss. (108) 5,7×8 cm. Berl., R Eisenschmidt 02. nn — 25 d
— deutschnationaler Handlgsgehilfen. 9. u. 10. Afl. (117)
16° Hambg, Deutschnationaler Handlgsgehilfen-Verband 02.
Kart. nn — 50 d
— f. d. siebenbürgisch-sächs. Hochschüler. (95) 13° Hermannst., W Krafft 03. Kart. — 51 d
— d. Infant.-Regts v. Stülpnagel (5. brandenburg.) Nr. 48.
(128) 32° Berl., R Eisenschmidt 01. Kart. nn — 50 d
— f. kathol. Jugendvereine. Hrsg. v. Vorst. d. kathol.
Jugendver. zu Freibg i/Schl. (54) 16° Bresl., F Goerlich (01).
Geb. — 20 d
— d., d. Jungbrunnen, s.: Jungbrunnen.
— f. kathol. Jungfrauen u. Jungfrauen-Vereiniggn. 2. Afl.
(64) 16° Dortm., Gebr. Lensing (02). 3. Afl. (72) 04.
Kart. je nn — 20 d
— Stuttgarter, f. ev. Jungfrauenver. 4. Afl. (256) 8° Stuttg.,
Bh. d. ev. Gesellsch. 06. 1.50 d
— f. kathol. Jungfrauen-Ver. 2. Afl. (72 u. 4) 16° Berl.,
Germania (04). In Wachstuch — 20 d
— f. d. ev.-christl. Jünglings- u. Männerver. d. deut.
Schweiz. Den Freunden christl. Männergesanges dargeboten
v. Bundeskomite d. deut.-schweiz., ev.-christl. Jünglings- u.
Männerver. 6. Afl. (375) 8° Bas., Kober (04). 1.50 ; geb. 1.80 :
L. 2 — ; Ldr 3 d
— Karlsruher, „Fidelitas". Hrsg. v. d. Section Karlsruhe
d. deut. u. österr. Alpenver. 2. Afl. (47) 8° Karlsr., JJ Reiff
05. — 50 d
— f. kathol. kaufmänn. Ver. 3. Afl. (384) 16° Bresl., F Goerlich (03). Kart. nn — 80 d
— f. d. Landwirte Ostfrieslds. (48) 12° Leer, WJ Leendertz
(04). — 30 d

Liederbuch f. patriot. Feste u. frohe Kreise. (Nendr.) (64)
16° Voges, JF Rohr (05). nn — 10 d
— plattdeut., s.: Leederbok.
— (f. Seeleute). (48) 13° Hannov., H Feesche 04. — 10 d
— f. fröhl. Skater. Mit e. Anh.: Entwurf zu e. allg. deut.
Verbands-Skat-Ordng. (40) 12° Altenbg, R Fuchs (02). — 30 d
— f. Gabelsb.'sche Stenogr. Mit e. Anh.: Lied er v. E Krumbein,
s.: Reuter's Bibliothek f. Gabelsb.-Stenogr.
— f. deut. Studenten. 7. Afl. (208) 12° Hdlbg, CWinter. V. (04).
In Wachstuch 1 — ; m. Biernägeln in L. 1.80 ; in Ldr 2.40 d
— f. deut. Turner. (36—45. [Umschl.-]Taus.) (70) 16° Hof, R
Lion (01). — 20 d
— d. Verbandes siebenbürgisch-sächs. Turnver. Hrsg. v. d.
Verbands-Ausschuss. 3, Afl. (116) 12° Hermannst., W Krafft
03. Kart. nn — 43 d
— unser. Die beliebtesten Kinderlieder, ausgew. v. F Merck,
m. Bildern v. L v. Zumbusch, f. Kinderstimmen gesetzt v. F
Vollbach. (48 m. farb. Abb.) Fol. Mainz, B Schott's Söhne
(1900). Kart. nn — 50 d
— f. gesell. Vereine. 12. Afl. (147 m. 1 Bildnis.) 16° Ess., (Fredebeul & K.) 1900. Geb. — 50 ; L. — 55 d
— f. kathol. Vereine. Ausg. A. u. B. (155 u. 133) 16° Bresl.,
F Goerlich (01). Je — 15 ; geb. je — 20 d
— f. christl. Vereins- u. Gemeindefeste. 4. Afl. d. „Davids-
harfe". (33) 16° Hambg, Agentur d. Rauh. H. (01). — 10 d
— Zusammengestellt v. Mitgliedern d. Ver. „Volksheim" in
Hamburg. (80) 16° Hambg, C Boysen 03. Kart. — 30 d
— f. Volkssch. d. (84) 8° Düsseldf, L Schwann (05).
Kart. 5 —
— f. d. Volkssch. d. Reg.-Bez. Arnsberg. Ausg. A (Noten).
18. Afl. (88) 8° Arnsbg, J Stahl 05. nn — 25; Ausg. B (Ziffern).
14. Afl. (38) 04. nn — 25 d
— f. Volks- u. Mittelsch. 4. Afl. (98) 8° Osterode, A Sorge
02. Kart. nn — 50 d
— f. d. weibl. Jugend in Turnver. u. Schulen. In 3stimm.
Singweisen bearb. u. hrsg. v. d. Turngemeinde in Berlin.
E. V. (210) 8° Berl., R Gahl 02. Kart. 1 — d
Liederbüchlein, Calwer. 80 Lieder f. christl. Vereine, Sonntagssch. etc. 14. Afl. (62) 16° Calw. u. Stuttg., Vereinsbh.
(04). — 20 d
— f. d. ev. Kindergottesdienst, neben d. kirchl. Gesangb. zu
gebr. Mit e. Anh.: Ordng d. Kindergottesdienstes. 3. Afl. d.
Liederbüchl. „Singet d. Herrn"! (51) 8° Ansb., C Brügel & S.
04. Kart. — 90 d
Liederfreund. Sammlg 1-, 2- u. 3stimm. Lieder f. Volkssch.
u. gehob. Schulen. In 3 Heften zusammengef. v. e. Kommission d. Halberstädter Lehrerver. 1. Heft. (Unterst.) 3. Afl.
(41) 8° Halberst., J Schimmelburg 04. Kart. — 40 d
Liedertafel, f. d. Volkssch. d. Reg.-Bez. Düsseldorf. Hrsg. v.
prakt. Schulmännern. (Ausg. m. Noten.) 57. Aufl. (58) 8° Ess.,
GD Baedeker 03 | Ausg. in Ziffern. 8. Afl. (49) 1900.
Je nn — 15 d
— dass. d. Prov. Westfalen. Enth. 100 Volkslieder in Noten.
Schülerausg. 5. Afl. (96) 8° Dortm., W Crüwell 06. — 30 :
Lehrer-Ausg. 4. Afl. (40, 92) 05. Kart. 1 — d
Liederheimat. Liederb. f. Schulen, hrsg. v. Lehrerver. d. Stadt
Hannover. I. u. II. Heft. 8° Hannov., Hahn. nn — 65 d
I. 18. Afl. (64) 02. nn — 25 | II. 16. Afl. (115) 02. — 40.
Liederhort, unser. Sammlg auserles. Lieder f. d. deut. Volk
u. s. Jugend, insbes. f. ev. Männer- u. Jünglings-Ver. 2 Tle.
8° Hambg, Bundes-Bh. 04. In 1 Bd. 2 Bde †— 75 d
I. 3. Afl. (160) †— 40 | II. 3. Afl. (50) †— 35.
— dass. (Melodienausg.) Insbes. f. ev. Männer- u. Jünglings-
u. Posaunenchöre. Hrsg. v. norddeut. Männer- u. Jünglingsbund. 2 Tle. (112 u. 115) 8° Ebd. 02. Geb. je 1.20 ; in 1 Bd 2.20 d
Liederkranz f. kathol. Arbeiterver. u. and. gesell. Kreise.
Enth. auserl. Melodieen. (116) 16° Bocholt, J & A Temming (01).
Kart. — 20 ; Ausg. m. Melodieen. (119, 4 u. 4) Kart. — 40 ;
Klavierbegleitg dazu. (46) 4° 3.50 d
— elsäss. Hrsg. v. ein. elsäss. Musikfreunden. 2. Afl. (300) 16°
Rixheim, F Sutter & Co. 02. (Nur dir.) nn — 60 :
in Wachstuch 1 — 70 d
— f. Jung u. Alt. (96) 16° Neuweissens., E Bartels (o. J.). 1 — d
— neuester, f. fröhl. Sänger u. Sangesfreunde. (48) 12° Reutl.,
R Bardtenschlager (02). — 90 d
— f. Rauch-Vereine. Hrsg. durch R Knoll. 6. Afl. (70) 8°
Hambg, (G Kramer V.) (04). Geb. — 50 d
— Regensburger. Sammlg ausgew. 4stimm. Liedern. Nachtr.
Partitur. 24. u. 25. Afl. v. L Liebe. (293 bezw. 312) 8° Regbg,
A Coppenrath's V. 05. Je 7.40 ; L. je m 8.60 ; HF. je nn 8.90 || Neue
Folge. Sammlg 4stimm. Männergesänge. Partitur. 3. Afl.
(248) 02. 8 — d
Liedersammlung. Hrsg. v. pädagog. Ver. in Altona. 1. u. 4. Heft-
8° Altona-Ottens., T Christiansen. nn 1.50
(1—4: nn 2.50) d
1. Für einf. Schulverhältn. 2. Afl. (56) 01. — 30 | 4. Für gehob. Gesangskl.
(136) 01. nn 1.50.
Utgeb. dazu s.: Wächter, C.
— Hrsg. v. d. Lehrern d. Bez. Wels. (17) 8° Wels, J Haas (o. J.).
— 20 d

Liedersammlung f. kathol. gesell. Ver. 5. Afl. (32) 16⁰ Mainz, Druckerei Lehrlingshaus 1900.   In Wachstuch — 20 d
— f. ev. Jugendver. (76) 12⁰ Hdlbg, Ev. Verl. (03). Kart. — 30 d
Liederschatz. 200 d. beliebtesten Lieder f. alle Kreise u. Gelegenh. 1—10. Taus. (138) 16⁰ Ess., Fredebeul & K. 02. — 10 d
— hohenlohisch-fränk. Hrsg. v. Freunden d. Volksgesanges. (Hrsg.: F Abel.) (71) 8⁰ Bretth. (03). (Schwäb. Hall, W German.)   Kart. 1 — d
— f. d. deut. Jugend. Hrsg. v. Lehrern d. Bürgersch. zu Plauen i. V. Ausg. A. 2 Hefte. 8⁰ Plauen, A Kell. nn — 85 d
1. Unter- u. Mittelst. 4. Afl. (48) 04. nn — 30 ‖ 2. Oberst. 3. Afl. (112) 04. nn — 60.
— dass. Ausg. B. In 1 Hefte. 6. Afl. (56) 8⁰ Ebd. 05. nn — 30 d
— f. ev. Kinder-Gottesdienste. Hrsg. v. Elberfelder Erziehgsver. 7. Afl. (159) 8⁰ Elberf., Bh. d. Erziehgs-Ver. 04.   Geb. — 40 d
— d. gr. Loge Kaiser Friedrich zur Bundestreue. I. (81) 8⁰ Berl., A Unger 1895.   50 d
— f. Schule u. Haus. Hrsg. v. Vorstande d. Lehrer-Witwen- u. Waisenkasse f. d. Bez. d. vormal. Landdrostei Lüneburg. 25. Afl. (40) 8⁰ Hannov., Hahn 03.   — 20 ;   m. Noten. 18. Afl. (88) 02. — 40 d
— f. Volkssch. Bearb. n. d. Bestimmgn d. kgl. Regierg zu Coblenz. 1—7. Afl. (64) 8⁰ Kreuzn., R Schmithals V. 01-05.   Kart. nn — 35 d
Liederstrauss f. Oberkl. deut. Volkssch. 17. Afl. (64) 8⁰ Darmst., L Saeng 02.   — 25 d
Liedertexte f. Schule u. Haus. Zusammengest. in d. Lehrerkonferenzen d. Schulaufsichtskreises Worbis unter Leitg v. F Polack. 12. Afl. (119) 12⁰ Lpzg, BG Teubner 02. Kart. nn — 25 d
Liedloff, K : Die Nachbildg griech. u. röm. Muster in Seneca's Troades u. Agamemnon. (18) 4⁰ Grimma, (G Geusel's V.) 02. 1 —
— Röm. Reimchronik v. d. Gründg d. Stadt bis z. Schlacht bei Actium. (636) 8⁰ Dresd., E Pierson 04.   5 — ; geb. 6 — d
Liedtke : Christl. Familienabende, s.: Schliepe.
Liedtke, G : Die Geschäftsanweisg f. d. Amtsanwälte v. 28. VIII.1879, s.: Borchert, T.
Liedtke, H : Neuere Kirchengesch. — Kirchengesch. im Zeitalter d. Reformation, s.: Hilfsmittel z. ev. Relig.-Unterr.
Liedtke, Joh. Adolph, 1. Prediger d. ev. deutsch-reformierten Burgkirchengemeinde zu Königsberg i.Pr. 1888—1903. Gedenkblätter f. s. Freunde. (91 m. Bildnis.) 8⁰ Königsbg, (CT Nürmberger) 04.
— f. botan. Unterr.-Materials an d. Schulen d. Stadt Königsberg i.Pr. (20) 8⁰ Königsbg, (Gräfe & U., Bh.) 05. — 40 d
Lieferungsbedingungen u. Abnahme-Vorschriften f. Bekleidgsämter. [S.-A.] (92) 8⁰ Berl., ES Mittler & S. 04. † — 90;   Kart. † 1.10 d
Liefmann, R : Kartelle u. Trusts. (143) 8⁰ Stuttg., EH Moritz 05.   — 80 ; L. 1 — d
— Schutzzoll u. Kartelle. (74) 8⁰ Jena, G Fischer 03.   2 —
Liehr: Dienst-Vorschriftenf.d.Mannschaftend.Jägern.Schützen-Bataillone. 10. Afl. von v. Rosenberg. (216 m. Abb., 6 Taf. u. 1 Skizze.) 8⁰ Berl., ES Mittler & S. 01. — 80 ; Kart. — 90 d
— dass. Unter Berücks. d. Gewehre 88 u. 98. 13. Afl. von v. Rosenberg. (276 m. Abb., 6 Taf. u. 1 Skizze.) 8⁰ Ebd. 04.   — 80 ; kart. nn — 90 d
— Schiess-Buch (f. Jäger). 15. Afl. von v. Rosenberg. (51 m. Abb.) 8⁰ Ebd. 06.   — 20 d
Liehr, A : Gedichte. (143) .8⁰ Mettm., H v. d. Heyden 02.   L. 3 — d Vergr.
Liek, G : 80 Aufg. a. d. Methodik d. deut. Sprachunterr. 6. Afl. v. M Wilck. (117) 8⁰ Königsbg, Hartung 01.   Geb. — 80 d
Liekefett, F : Deut. Fibel, auf phonet. Grundl. u. n. d. auflösend-zusammenstell. Lehrweise bearb. Ausg. A : Für mehrklass. Schulen. 2 Tle. 8⁰ Hildesh., F Borgmeyer (04).   Geb. nn 1.10 d
I. 41. Afl. (80 m. Abb.) nn — 50 ‖ II. Im Anschl. an d. Anschauungsunterr. 42. Afl. (96) nn — 60.
— dass. Ausg. B : Für einklass. Schulen. 44. Afl. (96 m. Abb.) 8⁰ Ebd. (04).   Geb. nn — 60 d
— Anschaulich-ausführl. Realienb., s.: Kahnmeyer, L.
— Rechenb. f. Volkssch., s.: Matern, d.
Liell, HJJ : „Fractio panis" od. „Oena coelestis"? Eine Kritik d. Werkes „Fractio panis" v. Wilpert. (71) 8⁰ Trier, (Löwenberg) 03.   2.50 d
Liemann, M : Beitr. z. Gesch. d. Klaussen, Mönchs- u. Ritterorden u. deren Besitzg im Harzgau. (46) 8⁰ Osterw., AW Zickfeldt 02.   — 80 d
Lienenklaus, HL : Prakt. deut. Sprachb. f. d. Volkssch. in 4 Heften. 8⁰ Bielef., Velhagen & Kl.   Begleitwort. (7) Unberechnet. d
I. 3. u. 4. Jahrg. 1—3. Afl. (48) 01-04. — 30 ‖ II. 5. Jahrg. 1—3. Afl. (34) 01-04. — 30 ‖ III. 6. Jahrg. 1. u. 2. Afl. (40) 01.03. — 30 ‖ IV. 7. u. 8. Jahrg. 1. u. 2. Afl. (59 u. 10) 01.05. — 40 d
Lienert, K : Josephs-Büchl. Lehr- u. Gebetbüchl. (336 m. Abb. u. 1 Farbdr.) 16⁰ Einsied., Verl.-Anst. Benziger & Co. 04.   L. — 80 ; Ldr m. G. 1.50 d
— Maria meine Freude, s.: Effinger, K.
— Das wahre Marienkind. Lehr- u. Gebetbüchl. (240 m. Titelbild.) 24⁰ Einsied., Verl.-Anst. Benziger & Co. 1900.   Geb. von — 85 bis 3.20 d
— Sternenkrone Mariens, s.: Effinger, K.
Lienert, M : Die Immergrünen. 2 fröhl. Erzählgn. (1. Die Hagelkanone v. Hellikon. 2. Die gemeinsame Kammer.) (129) 8⁰ Aar., HR Sauerländer & Co. 04.   3.20 ; geb. 4 — d

Lienert, M : Meine 1. Liebe. Claudels Erbteil, s.: Verein f. Verbreitg guter Schriften, Zürich.
— Die Wildleute. Erzählg. (333) 8⁰ Ebd. (01).   L. 5 — d
Lienhard, F : Abasver.Tragödie. (63) 8⁰ Stuttg., Greiner & Pf. 03.   1.50 ; geb. 2.50 d
— König Arthur. Trauersp. 2. Afl. (87) 8⁰ Berl. 1900. Stuttg., Greiner & Pf.   2 — ; geb. 3 — d
— Till Eulenspiegel. Narrensp. 3. Afl. (182) 8⁰ Ebd. 02. 3 — ;   geb. 3 — d
— Gedichte. 1. Gesamtausg. (388) 8⁰ Ebd. 02. 3 — ; geb. 4 — d
— Gedichte. 3. Afl. (317) 8⁰ Stuttg., Greiner & Pf. 05. 3 — ;   L. 4 — d
— Gottfried v. Strassburg. Dramat. Dichtg. 2. Afl. (128) 8⁰ Berl. 02. Stuttg., Greiner & Pf.   2 — ; geb. 3 — d
— Neue Ideale. Ges. Aufsätze. (271) 8⁰ Ebd. 01. 4 — ; geb. 5 — d
— Litt.-Jugendv. heute, s.: Blätter, grüne, f. Kunst u. Volkst.
— Münchhausen. Komödie. 2. Afl. (88) 8⁰ Berl. 01. Stuttg., Greiner & Pf.   2 — ; geb. 3 — d
— Nordlandslieder. 2. Afl. (127) 12⁰ Strassbg 1900. Stuttg., Greiner & Pf.   2 — ; geb. 3 — d
— Oberflächen-Kultur. (63) 8⁰ Stuttg., Greiner & Pf. 04. 1 — d
— Der Raub Strassburgs, s.:Lohmeyer's, J, vaterländ. Jugendbücherei.
— Schiller, s.: Dichtung, d.
— Thüringer Tageb. 1—3. Afl. (199) 8⁰ Stuttg., Greiner & Pf. 04.   3 — ; L. 4 — d
— Deutsch-ev. Volksschausp., s.: Blätter, grüne, f. Kunst u. Volkstum.
— Wartburg.Dramat.Dichtg in 3 Tln. I u. II. 8⁰ Stuttg., Greiner & Pf.   Je 2 — ; geb. je 3 — d
I. Heinrich v. Ofterdingen. Drama. (121) 03.
II. Die hl. Elisabeth. Trauersp. (91) 04.
— Wasgau-Fahrten. Ein Zeitbuch. ' 3ᵗᵉ Afl. (190) 8⁰ Berl. 02. Stuttg., Greiner & Pf.   2 — ; geb. 3 — d
— s.: Wege n. Weimar.
— Wieland u. Schmied. Dramat. Dichtg. Mit e. Einl. üb. Bergtheater u. Wielandsage. (19, 86) 8⁰ Stuttg., Greiner & Pf. 05.   2 — ; geb. 3 — d
Lienhart et R Humbert : Les uniformes de l'armée franç. depuis 1690 jusqu'à nos jours. Livr. 65—120 u. 120 bis. (152 Farbdr. m. Text.) Bd 49—485 u. 5.Bd.635) 8⁰ Lpzg, M Ruhl (1900-05).Je 1.60 (4.Bd in M.: 48 — ; 5. Bd in M.: 51.50 ; vollst.: 900 —)
Liens, Adolph, s.: Martin, E.
Liensberger, J : Im Hl. Land. Pilgerbriefe, d. Jugend gewidmet. (121 m. Abb. u. Titelbild.) 8⁰ Freibg i/B., Herder 04.   Geb. 1.20 ; L. 1.40 d
Liepe, A : Ein deut. Heldenknabe. Der Jugend n. d. Leben erzählt. 2. Afl. (55) 8⁰ Berl., F Zillessen (05). Kart. — 35 d
— Nathanael. Kulturgeschichtl. Roman a. d. Reformationszeit. 4. Afl. (400) 8⁰ Lpzg, HG Wallmann (02). . 2.80 ; L. 3.80 d
— Ueb. d. schwachsinn. Schüler u. ihre Behandlg. (42) 8⁰ Berl., F Zillessen 05.   — 75 d
— Die Spinne. Roman a. d. gegenwärt. Kämpfen d. Polentums wider d. Deutschtum in d. deut. Ostmark. 1—4. Afl. (356) 8⁰ Ebd. 02.   Geb. (3 —) 1 — d
Liepe, F, u. C Thöns : Rechenb. f. deut. Volkssch. 6 Hefte. 8⁰ Berl., L Oehmigke's V. 05.   1.40 d
I. 10. u. 20. Afl. (32) — 15 ‖ III. 58. Afl. (44) — 20 ‖ IV. 81. Afl. (60) — 25 ‖ V. 38. Afl. (44) — 25 ‖ VI. 46. Afl. (97) — 40.
Liepelt : Das Wasser als Heilmittel, s.: Möller's, W, Bibliothek f. Gesundheitspflege.
Liepmann, H : Üb. Ideenflucht,s.:Sammlung zwangl. Abhandlgn s. d. Geb. d. Nerven- u. Geisteskrankh.
— Ueb. Störgn d. Handelns bei Gehirnkranken. (162) 8⁰ Berl., S Karger 05.   2.50 d
Liepmann, M : Duell u. Ehre. Vortr. (61) 8⁰ Berl., O Liebmann 04.   — 75 d
Lier, E : Turnbüchl. f. Lehrer an einklass. Volkssch. 3. Afl. (28 m. Abb.) 8⁰ Langens., Schulbh. 05.   — 75 d
— Turnbücher f. Deutschlds Jugend. 6. Afl. (96 m. Abb.) 8⁰ Ebd. 05.   Kart. 1.20 d
Lier, J : Celestyne, s.: Kürschner's, J, Bücherschatz.
Lieres u. Wilkau, O v., s.: Highlife.
— Die Muse. Roman. (334) 8⁰ Berl., G Grote 01. 3 — d
— Die rote Rose Leidenschaft. Roman. (258) 8⁰ Berl., R Eckstein Nf. (05).   2 — ; geb. 3 —
Lierheimer, BM : Das hl. Bussskrameut in 21 zusammenhäng. Kanzelvorträgen. 4. Afl. (340) 8⁰ Rgnsbg, Verl.-Anst. vorm. GJ Manz 04.   3 — d
— Jesus uns. uns. Predigten üb. d. hlst. Sakrament d. Altars, nebst 3 Herz Jesu-Predigten. 3. Afl. (283) 8⁰ Ebd. 01. 2.40 d
— Die Unterscheidg. d. Geister zur eig. u. fremder Seelenleitg, s.: Scaramelli, JB.
Lierke, E : Die Kalisalze, deren Gewinng, Vertrieb u. Anwendg s. d. Landw. (22 m. 13 Taf.) 8⁰ Stassf., R Weicke 01. 1.50 d
Liermann, O : Henricus Fetreus Herdesianus u. d. Frankfurter Lehrpl. nebst Schulordngn v. 1579 u. 99. (63 m. 1 Bildn.) 4⁰ Frankf. a.M., (Gebr. Knauer) 01.   3 — d
— s.: Lesebuch, deut., f. höh. Lehranst.
— Reformwes. n. Frankfurter u. Altonaer System. 1. Tl. Die Casseler Novemberkonferenz v. 1901 üb. Fragen d. Reformschulunterr. Nebst e. Anh.: Übersicht üb. d. Bestand an Re-

formsch. u. ein. Lehrpl. (140 m. 1 Taf.) 8° Berl., Weidmann
02.   3.60
Liermann, O: Polit. u. sozialpolit. Vorbildg durch d. klass.
Altertum. Vortr. [S.-A.] (21) 8° Hdlbg, C Winter, V. 01. — 60 d
Liermann, W, s.: Lesebuch, deut., f. Bürgersch. — Lesebuch,
deut., f. d. Schulen d. Grossh. Hessen.
Liersch: Die Schule v. Salerno. (16) 8° Lpzg, FCW Vogel 02. 1.50
Liersch, A: Dukaten-Sozietät u. Glaubens-Akademie. 2 wiedi-
sche Gesellsch. d. 18. Jahrh. (62) 8° Neuw., Heuser's V. 04.
                                                           L. 2 —
Liersch, H: Die Prov. Sachsen, s.: Landeskunde Preussens.
Lierse, E: Elementarb. d. latein. Sprache, s.: Schmidt, H.
-**Liersemann,** H: Erinnergn e. deut. Seeoffiziers. (258 m. Abb.)
8° Rost., CJE Volckmann 02. L. 5 — § 2. Afl. (258 m. Abb.) 02.
                                                          L. 3.50 d
Liesche, O: Führer durch Sommerfrische Schöneck u. Umgebg.
(46 m. Abb. u. 1 Karte.) 8° Annabg, (Graser) (03).   — 50
Lieschke, R, s.: Weibegottesdienst z. Einweihg d. erneuerten
Lutherkirche in Plauen i. V.
Liese, A: Allg. Bestimmgn üb. d. preuss. Volkssch.-, Präpa-
randen- u. Seminar-Wesen v. 15.X.1872 u. v. 1.VII.'01, nebst
verschied. Fach-Prüfgs-Ordngn, d. Schulaufsichtsges. v. 11.
III.1872, sowie d. Pensionsges. v. 6.VII.1885 u. d. bis 1901 erlass., erläut. u. ergänz. Ministerial- u. Regiergs-Bestimmgn.
13. Afl. (263) 8° Neuw., Heuser's V. 02.   Geb. 1.50 d
— 25 Jahre im Schulaufsichtsdienst. (55) 8° Wiesb., H Ferger
04.   1.50 d
— Schul-Verordngn d. Reg.-Bez. Koblenz. 3. Afl. m. d. bis 1902
erlass. Ministerial- u. Regiergs-Bestimmgn. (441) 8° Neuw.,
Heuser's V. 02.   L. 3 — d
Liese, E: Die neueste Sprachenmethode (methodus linguar. no-
vissima) d. JA Comenius. (101) 8° Neuw., Heuser's V. 04. 1 —
Liese, R: Für Kaiser u. Reich. 80 Lieder z. Feier vaterländ.
Gedenktage f. Volks-, Mittel-, höh. Töchter- u. Knabensch.
Op. 2. 2. Afl. (53) 8° Neuw., Heuser's V. 04.   — 40 d
Liese, W: Das hauswirtschaftl. Bildgswesen in Deutschl. (104)
8° M. Gladb., Zentralstelle d. Volksver. f. d. kath. Deutschl.
06.   1 — d
— Hdb. d. Mädchenschutzes, s.: Charitas-Schriften.
Liesegang's photograph. Bücherschatz. 1—3. Bd. 8° Lpzg, E
Liesegang.   10 —; geb. 12 —
Liesegang, FE: Der Pigment-Druck (Kohledruck). 13. Afl. v. H Spörl. Im
Anh. Ozotypie, Carbon-Velour u. ähnl. Verfahren. (164 m. Abb. u. 1
Taf.) 05. [1.]   3 —; geb. 3.50
Schnauss, J: Der Lichtdruck u. d. Photolithogr. 7.Afl. v. A Albert. (169 m.
Abb.) 06. [2.]   4 —; geb. 5 —
Spörl, H: Die Lichtpaus-Verfahren z. Herstellg v. Kopien m. Zeichngn,
Plänen, Stichen, photograph. Negatives etc. 4. Afl. (136 m. Abb.) 06.
[3.]   3 —; geb. 3.50
Liesegang, E, s.: Blätter f. Volksbibliotheken u. Lesehallen.
— Hausbücherei, rhein. — Schöffensprüche, Magdeburger.
Liesegang, LH, s.: Almanach, photograph.
— Chlorsilber-Schnelldruckpapier. (57 m. Titelbild.) 8° Düsseldf
01. Lpzg, E Liesegang.   1 —
Liesegang, PE, s.: Almanach, photograph.
— Die photograph. Apparate, 11. Afl., s.: Spörl, H.
— Der Kohle-Druck. (Mit Ergänzgn v. RE Liesegang.) 13. Afl.
(161 m. Abb.) 8° Lpzg, E Liesegang 02.   2.50
13. Afl., s.: Liesegang's photograph. Bücherschatz.
— Die Projektions-Kunst f. Schulen, Familien u. öffentl. Vor-
stellgn, m. e. Anl. z. Malen auf Glas u. Beschreibg chem.,
magnet., opt. u. elektr. Experimente. 11. Afl. v. FP Liese-
gang u. V Berghoff. (316 m. Abb.) 8° Ebd. (03).   5 —
Liesegang, W, s.: Bau-Ordnung f. d. Stadtkreis Cöln.
Liesen, E: Naturblumen. 24 Bl. Natur-Aufnahmen in Lichtdr.
[9 S. Text.] 4° Berl., Graph. Kunst-Verl. (02).   6 —
Lieser, J, s.: Wasserwerk, d. Remscheider.
Lieske, R: Die wirtschaftl. Selbständigk. d. deut. National-
staates. (27) 8° Berl. 01. Görlitz (Landeskronenstr. 13), Selbstverl.   — 50 d
Liessem, HJ: Herm. van d. Busche. Sein Leben u. s. Schriften.
Anh. Bibliograph. Verz. d. Schriften Busches. IV, Progr. (8)
8° Köln, JP Bachem (03).   1 — (1. Tl u. Anh. I—IV.: 5,90)
— u. P Piel: Lumen cordium. Kathol. Gebet- u. Gesangb. insbes. z. Gebr. anh höh. Lehranst. 6. Afl. (296 u. 236) 16° Ebd.
(05).   L. 2 — d
Liessem, JJ: Poesie fürs Haus. Eine Ausw. v. Gedichten, bes.
a. d. neueren Zeit. (517) 8° Köln, JP Bachem (03).   L. 6 — d
Lietz, E: Buchführg. Hilfsb. f. Schüler an gewerbl. u. kaufmänn.
Fortbildgssch. u. an Handelssch., sowie z. Selbstgebr. 2 Tle.
8° Wittnbg, R Herrosé.   1.10
1. Einf. Buchführg. (52) 02. — 50 | 2. Doppelte Buchführg. Mit Berücks.
d. amerikan. Buchführg. (64) 03. — 60.
— Übgsheft z. amerikan. Buchführg, s.: Haumann.
Lietz, H: Das 3. Jahr im deut. Landerziehgsheim bei Ilsen-
burg im Harz. (108 m. Abb.) 8° Berl., F Dümmler's V. 1900.
                                 2 — | Neue Afl. (148 m. Abb.) 01. 4 —
— Das 4. Jahr in deut. Landerziehgsheimen. (119 m. Abb.) 8°
Ebd. 02. 4 — | Dass. Unterr-Juli '01- (26 m. Abb.) 01. 1 — '|
Dass. Juli- (1284, 2 m. 3 Tab.) 03. 4 —
— dass. 6. u. 7. Jahr. (59 u. 64 u. 12 m. Abb.) 8° Schloss Bieber-
stein u. Haubinda 04.05. Lpzg, R Voigtländer.   Je 3 —
                                                  (1—7.: 21.50)
— Unterr. in deut. Landerziehgsheimen 1900—01. [S.-A.] (40)
8° Berl., F Dümmler's V. 01.   1 —
Lietze, M, s.: Taubenrassen, d.

Lietzmann, H, s.: Amos, d. Prophet.
— Apollinaris v. Laodicea u. s. Schule. Texte u. Untersuchgn.
L. (323) 8° Tüb., JCB Mohr 04.   9 —
— s.: Didache, die. — Fragment, d. murator. — Martyrologien,
d. 3 ältesten. — Papyri, griech.
— Der Psalmencommentar Theodor's v. Mopsuestia. [S.-A.] (13)
8° Berl., (G Reimer) 02.   — 50
— s.: Schriften, apollinarist. — Texte, kl., f. theolog. Vorlesgn
u. Übgn.
Lietzow, P: Album universel pour timbres-poste. 3. éd. (216 Bl.
m. Markenabb.) 4° Lpzg, Verl. d. Universal-Briefmarken-Album
(01).   4 —
Lieven, A: Aerztl. Ratgeber f. Aachener Thermalkuren unter
Berücks. v. Kuren in d. Heimat. (44 m. Abb.) 8° Aach., H
Köster 05.   — 60
Lieven, H: Hurra-Bansai! Erlebnisse e. Arztes währ. d. russisch-
japan. Feldzuges. (373 m. Abb. u. 4 Kartenskizzen.) 8° Berl.,
D Reimer 05.   L. 10 —
Lieven, Fürst M: Die Arbeiterverhältn. d. Grossgrundbesitzes
in Kurland. 1. Abth. 1. Bd. Die Enquête v. Frühj. 1899 u.
ihre Resultate. 3—8. Lfg. 4° Berl., Puttkammer & M. Je 2.40
3. Kreis Talsen. (52—145) 01. | 4. Kreis Tuckum. (149—198) 01. | 5. Kreis
Grobin. (201—217) 02. | 6. Kreis Hasenpoth. (226—271) 02. | 7. Kreis
Doblen. (273—302) 03. | 8. Kreis Bauske. (303—334) 03.
Lieven-Swiderska, E v.: (Bismarck,) Deutschlds Hort. (136) 8°
Dresd., E Pierson 05.   1.50; geb. 2.50 d
Lignitz, T v.: Zur Hygiene d. Krieges. (103) 8° Berl., ES Mittler
& S. 05.   1.60 d
— Aus 3 Kriegen. 1866—70/71—77/78. (316 m. 10 Kart. u. Skizzen.)
8° Ebd. 04.   5.50 d
— Scharnhorst, s.: Erzieher d. preuss. Heeres.
Liguori, AM de: Opera moralia. I. Theologia moralis. Ed. nova,
cum antiquis editionib. diligenter collata, in singulis auctor.
allegationib. recognita notisque criticis et commentariis illustrata cura et studio L Gaudé. Tom. I, complectens tractatus de conscientia, de legib., de virtutib. theologicis, et
de primis sex decalogi praeceptis. (63, 722 m. Bildnis.) 8°
Rom, (F Pustet) 05.   9.50
— Sämtl. Werke. 1. Abth. Ascet. Werke. 2. Section. 6. u. 7. Bd.
8° Rgnsbg, Verl.-Anst. vorm. GJ Manz. 4 —; L. nn 5.50 d
6.7. Die wahre Braut Jesu Christi. Aus d. Ital. v. CE Schmöger. 4. Afl.
2 Tle. (400 u. 499 m. 2 St.) 01.   4 —; geb. nn 5.50
— Besuchg d. allerheil. Altarssakramentes. Hrsg. v. M Schom-
mer. (308 m. 1 St.) 31,8×7,2 cm. Trier, Lowenberg (04).
                                  L. — 60; Ldr m. G. 1.50 d
— dass. m. kurzen Annutgn u. Erwäggn f. Erstkommunikanten v. J Pörtzgen. 2. Afl. (286) 11×7 cm. Ebd. 04.
              L. — 60; Chagrin m. G. 1.50; weich gepolstert 2 — d
— dass. u. d. allers. Jungfrau Maria f. jeden Tag d. Monats.
Aus d. Orig.-Text übers. u. m. e. Gebetsteil a. d. Schriften
desselben Heiligen verm. v. M Helbling. 20° m. Titelbild.) 34°
Einsied., Eberle & R. 1900.   L. — 60 d
— dass. Neu aus d. Ital. übers. u. hrsg. v. G Freund. 5. Afl.
(176 m. farb. Titelbild.) 12,5×8 cm. Münst., Alphonsus-Bh. (04).
                                                       L. — 50 d
— dass. Hrsg. v. A Michelitsch. (304 m. Abb.) 12° Graz, (Styria)
01.   L. nn — 40 | 2. Afl. (288 m. 1 St.) 16° 04. Geb. 1 — d
— s.: Besuchungen, 31. z. allerhlst. Sakrament.
— Vollständ. Besuchungen d. allerheil. Sakramentes u. übers.
v. MA Hugues. Neue Afl. (Miniatur-Ausg.) (528 m. farb. Titel
u. 1 St.) 24° Mainz, F Kirchheim 02.   1.20; HLdr 1.70;
                                                 L. 2.20; Ldr 3.20 d
— Geistl. Blumenlese, s.: Heilgers, J.
— Der vollkommene Christ. Ausführl. Anl. z. christl. Vollkommenh. Aus d. Ital. übers. u. bearb. v. e. Priester a. d.
Versammlg d. allerheil. Erlösers. 4. Afl. (640) 8° Rgnsbg, Verl.-
Anst. vorm. GJ Manz 05.   2.40 | L. nn 3.20 d
— dass. od. Anl. z. christl. Vollkommenh. 2. Afl. (610 m. 1 St.)
16° Paderb., Bonifacius-Dr. 1900.   1.20 d
— Das Gebet, d. Mittel, um d. ewige Heil u. alle Gnaden zu
erlangen, d. wir v. Gott wünschen. Aus d. Ital. v. M Helbling.
(124) 16° Einsied., Eberle & R. 01.   L. — 50 d
— Kathol. Gebet. Neu bearb. v. Heilgers. 3. Afl. (640 m. Abb.,
u. 1 farb. Titel.) 16° Einsied., Verl.-Anst. Benziger & Co.
05.   Geb. von 2 — bis 4.80 d
— Gebetsperlen, s.: Krebs, JA.
— Die Herrlichk. Mariens. Aus d. Ital. übers. v. JA Krebs.
(592 m. 1 Farbdr.) 8° Egnsbg, F Pustet 05.   2.70; L. nn 3.60 d
— dass. Umgearb. m. d. Andachts-Cebgn verm. v. A Merkle.
Verb. hrsg. v. JB Kempf. 28. Afl. (598 m. 4 St.) 16° Einsied.,
Verl.-Anst. Benziger & Co. (04).   Geb. von 1.60 bis 3 — d
— dass. Neu a. d. Ital. übers. v. CE Schmöger. 3. Afl. (624 m.
1 St.) 8° Rgnsbg, Verl.-Anst. vorm. GJ Manz 04. 2.40; L. 3.20 d
— Moral-Theol. Wortgetreue Uebersetzg einz. Tle moraltheol.
n. d. v. Autor selbst verb. 5. Ausg. er „Theologia moralis"
erschienen in Bologna im J. 1763. (Bersorgt durch J Ferb.)
(31) 8° Zfr., Deutschvölk. Verl. (01). (?)   — 80 d
— dass. 80. [bezw. 31—40.] Taus.) (31) 8° Wilmersdf-Berl.
(02). Wien, Nationaler Kunst- u. Schriften-Verl.   — 10 d
— Novene zu Ehren d. heil. Herzens Jesu. In neuer Übersetzg
hrsg. v. d. PP. Redemptoristen. 3. Afl. (68) 16° Dülm., A Laumann 05.   — 10 d
— Opera dogmatica. Ex italico sermone in latinam transtulit,
ad antiquas ed. castigavit notisque auxit A Walter. 2 tomi.
(719 u. 795) 8° Rom, (F Pustet) 03.   20 —

Liguori, AM de: Uebg d. Liebe zu Jesus Christus. Anl. z. christl. Vollkommenh. Aus d. Ital. v. J Wipfli. (Neuer Abdr.) (447 m. farb. Titelbild.) 16⁰ Einsied., Verl.-Anst. Benziger & Co. 1887 (01).   L. 1 — d

Liguori, d. Geburtshelfer d. Unfehlbarkeitsdogmas, e. Totengräber d. Sittlichk., v. Petrus Philalethes, s.: Streitfragen, freundschaftl.

Liguori-Moral, d., u. d. geheime Sitzg d. österr. Abgeordnetenh. v. 23.II.'01. 1—3. Afl. (19) 8⁰ Wien, Stähelin & L. 01.   — 50 d

Likowski, E :,Gesch. d. allmäl. Verfalls d. unirten ruthen. Kirche im XVIII. u. XIX. Jahrh. unter poln. u. russ. Scepter. Deutsch v. A Tioczynski. (Neue [Tit.-]Ausg.) 2Bde.(304 u. 339) 8⁰ Krak., Bh. d. poln. Verl.-Gesellsch. [1885-87] 03.   nn 8 —

— Die ruthenisch-röm. Kirchenvereinigg, gen. Union zu Brest. Aus d. Poln. v. P Jedzink. (23, 384) 8⁰ Freibg i/B., Herder 04.   6 —

— e. schwarze, s.: Christblumen.

Lilge, H : Die Ges. u. Verordngn üb. d. Verfassg u. Verwaltg d. ev. Landeskirche in d. ält. Provinzen d. Monarchie. 7. Afl. (315) 8⁰ Berl., F Heinicke 05.   Kart. 2.20 d

Lilia, M : Generalreg., s: Bolze, A, d. Praxis d. Reichsgerichts in Civilsachen.

Lilie, d., v. Castiglione. Betrachtgn u. Gebete zu Ehren d. hl. Aloysius. Nach d. Ital. d. A Nannerini u. d. Holl. d. Ermans, Deutsch v. e. Schwester d. hl. Karl Borr. (256 m. 2 Photogr.) 24⁰ Einsied., Verl.-Anst. Benziger & Co. 01. L — 80 ; m. G. 1 —; Ldr m. G. 1.20 u. 1.90 d

— e. schwarze, s.: Christblumen.

Lilie, M : Auf Schleichwegen. Im Dunkel d. Nacht. — Der Schlosshauptmann v. Düsseldorf. Ein Künstlertraum. Zu rechter Zeit, s.: Ensslin's Roman- u. Novellenschatz.

Lilien, A Freiin v.: Im Kampf d. Lebens. Roman. 2. Afl. (288) 8⁰ Paderb., J Esser (04).   3.50 ; L. 5 — d

— Vom Wittekindshofe. (250) 8⁰ Paderb., Junfermann (05).   2.75 ; L. 3.50 d

Lilien, EM. Sein Werk. Mit e. Einl. v. S Zweig. (349 m. Abb.) 4⁰ Berl., Schuster & Loeffler 03. L. 10 — ; Luxus-Ausg. 20 — d

Liliencron, Freifrau v., geb. Freiin v. Wrangel: Unsre Braven, s.: Sammlung leb. Bilder.

— Durchgerungen. Erzählg. (136) 8⁰ Barm.(1900). Bas., E Finckh.   1.80 ; geb. 2.80 d

— Die Fahne d. 61. Regts, s.: Familienbibliothek fürs deut. Volk.

— Kameradschaft. Ein Bild a. d. Soldatenleben. (224) 8⁰ Berl., Schriftenvertriebsanst. (05).   L. 1.50 d

— Pieter Lafras u. s. Familie. — Die Macht d. Liebe, s.: Volksbücher, neue.

— In letzter Minute, s.: Weichert's Wochenbibliothek.

— Gottfried Thomas. PreisgekrönteErzählg.a.Preussenschweren Tagen. (152) 12⁰ Elberf., Westdeut. Jünglingsbund 04.   Kart. — 75 d

— Tom, d. Reimer. — Ein Gutskauf. 2 Erzählgn. (205) 8⁰ Lpzg, A Deichert Nf. 01.   2.80; geb. nn 3.75 d

— Wintersonne, s.: Weichert's Wochen-Bibliothek.

— General d. Infant. Freiherr Karl v. Wrangel. Lebensbild n. s. eig. Aufzeichngn. (195 m. 2 Portr.) 8⁰ Gotha, FA Perthes 03.   2.40 ; L. 3.40 d

Liliencron, D v: Sämtl. Werke. 14 Bde. 8⁰ Berl., Schuster & Loeffler. In Kassette L. 42 — ; HF. 56 — ; einz. Bde 2 — ; L. 3 — ; HF. 4 —

1. Kriegsnovellen. 11. Afl. (269) 04. ‖ 2. Aus Marsch u. Geest. 3. Afl. (254) 04. ‖ 3. Könige u. Bauern. 3. Afl. (226) (04.) ‖ 4. Roggen u. Weizen. 3. Afl. (246) 04. ‖ 5. Der Mäcen. 5. Afl. (226) (04.) ‖ 6. Breide Hummelsbüttel. 3. Afl. (225) (04.) ‖ 7. Kampf u. Spiele. Der ges. Gedichte 1. Bd. 5. Afl. (222) 04. ‖ 8. Kämpfe u. Ziele. Der ges. Gedichte 2. Bd. 4. Afl. (226) 04. ‖ 9. Nebel u. Sonne. Der ges. Gedichte 3. Bd. 4. Afl. (245) (04.) ‖ 10. Bunte Beute. Der ges. Gedichte 4. Bd. 5. Afl. (182) 05. ‖ 11.12. Poggfred. Kunterbunter Epos in 24 Cantussen. 6. Afl. 2 Tle. (243 u. 183) 04. ‖ 13. Mit d. linken Ellenbogen. Roman. 4. Afl. (290) (05.) ‖ 14. Dramen. 2. Afl. (422 m. Bildnis.) (05.)

Erschien in 56 Lfgn zu — 50; vergr.

— Das Abenteuer d. Majors Glöckchen u. andere Novellen, s.: Sammlung Franckh.

— Bunte Beute. 4. Afl. (225) 8⁰ Berl., Schuster & Loeffler 04.   3 — ; geb. 4 — d

— Gedichte, s.: Volksbücher, Wiesbad.

— Gedichte. Ausw. f. d. Jugend. Zusammengest. v. d. Lehrervereinigg z. Pflege d. künstler. Bildg in Hamburg. 1—3. Taus. (76) 8⁰ Berl., Schuster & Loeffler 01.   Geb. — 75 d

— Kriegsnovellen. 1—3. Taus. (129 m. Abb.) 4⁰ Ebd. (02). — d kart. 5 — ; L. 7 — ; Ldr. 20 — d

— dass., s.: Ecksteine d. neueren Lit.

— Greggert Meinstorff u. andere Novellen, s.: Kürschner's, J, Bücherschatz.

— 10 ausgew. Novellen, s.: Hesse's, M, Volksbücherei.

— Umzingelt. Der Richtigsmært, s.: Volksbücher, Wiesbad.

Liliencron, M Frhr v.: Kriegserlebnisse e. preuss. Ulanenoffiziers a. d. J. 1870. (29) 8⁰ Cass., E Kramer-Bangert 01.   1 — d

Liliencron, R Frhr v.: Wie man in Amwald Musik macht. — Die 7¹ Todsünde. 2 Novellen. (204) 8⁰ Lpzg, Duncker & H. 03.   geb. 4.20 d

— Frohe Jugendtage. Lebenserinnergn. (197) 8⁰ Ebd. 02. 3 — ; geb. 4.20 d

Lilienduft. Züge a. d. Leben d. hl. Aloysius v. Gonzaga u. deinen Nachahmg im Leben sr eifrigsten Schutzkinder. Von e. Mitgliede e. geistl. Genossenschaft. 2. Afl. (84 m. Titelbild.) 15×7,8 cm. Frankf. a/M., P Kreuer (04).   — 20 d

Lilienfein, H : Die Anschaugn v. Staat u. Kirche im Reich d. Karolinger, s.: Abhandlungen, Heidelberger, z. mittl. u. neueren Gesch.

— Berg d. Ärgernisses. Tragödie. 2. Afl. (126) 8⁰ Hdlbg,CWinter, V. 06.   2 — d

— Maria Friedhammer. Drama. 2. Afl. (78) 8⁰ Ebd. 05.   2 — d

— Die Heilandsbraut. Drama. (72) 8⁰ Ebd. 03.   1.60 d

— Kreuzigg. Drama. (32) 8⁰ Ebd. 02.   — 80 d

— Menschendämmerg. Schausp. (118) 8⁰ Ebd. 02.   2 — d

— Modernus. Die Tragikomödie. 3. Lebens — a. Bruchstücken e. Bruchstück. 1. u. 2. Afl. (220) 8⁰ Ebd. 04.05. 3.60; geb. 5 — d

— Heinr. Vierordt, d. Profil e. deut. Dichters. Gez. zu s. 50. Geburtstag. 1. u. 2. Afl. (70 m. 1 Bildn.) 8⁰ Ebd. 05.   Kart. 1 — d

Lilienfeld, W : Der Rechenunterr. im Zahlenkreise 1—10, s.: Abhandlungen, pädagog.

Liliengarten, himml. Kathol. Gebet- u. Andachtsb. f. christl. Jungfrauen. 8. Afl. v. T Beining. (576 m. farb. Titel u. 1 Farbdr.) 16⁰ Dülm., A Laumann 03.   L. 1.50 d

Lilienhain, A v.: Dunkle Morde! Xanten, Konitz, Gumbinnen. (49) 8⁰ Lpzg, Verl.-Anst. M Minde (02).   — 50 d

Lilienthal: Bodenkde. 2. Afl. (100 m. Abb.) 8⁰ Berl., P-Parey 03.   L. 1.20 d

— Gesundheitspflege d. landw. Haussäugetiere. (85 m. Abb.) 8⁰ Bautz., E Hübner 01.   L. 1.60 d

— Die Pferdezucht im landw. Betriebe. (163 m. Abb.) 8⁰ Ebd. 03.   2.40 d

Lilienthal, E : Peter Schüler. Eine Tragi-Groteske. (388) 8⁰ Mind., JCC Bruns 05.   4 — ; geb. 5 — d

— Tageb. a. Siegers. (304) 8⁰ Ebd. 01.   geb. 3.75

Lilienthal, E : Ueb. e. Fall v. Duodenalfistel n. Choledochotomie. (29) 8⁰ Freibg i/B, Speyer & K. 01.   — 80 d

Lilienthal, K v.: Heidelberger Lehrer d.Strafrechts im 19.Jahrh., s.: Professoren, Heidelberger, a. d. 19. Jahrh.

— s.: Zeitschrift f. d. gesamte Staatswiss.

Lilienthal, L, s.: Formularbuch f. d. frei will. Gerichtsbark.

— Das BGB., s.: Goldmann, E.

Lilienthal, S, s.: Stahl, F.

Lilienthal, W, s.: Thal, W.

Liljequist, W : Die Diagnose a. d. Augen, sowie rationelle Gesundheitspflege u. Krankenbehandlg. 2. Afl. (188 m. Abb.) 8⁰ Lpzg, (Krüger & Co.) 03.   6 — ; geb. 7.25

Liliput-Ausgabe. 1. Bd, 10,5×5 cm. Berl., OLiebmann. L. 1 — d

1. Liebknecht, Liszgerl., f. d. Deut. Reich, enthd. d. Einführgsges. v. Pr. VIII.1896. Textausg. m. Sachreg. 5. Afl. (299) 05.   1 — d

Lill, J : Die Flotte u. Schiffahrt auf d. Rhein. (36) 8⁰ Frankf. a/M., Gebr. Knauer (01).   — 1 — d

— Maintal, Main u. Mainschiffahrt. (51) 8⁰ Berl.-Grunew., A Troschel 04.   1 — d

— Der Rheinstrom in schiffahrtl. Beziehg. (48) 8⁰ Düsseldf, E Lintz (02).   1 — d

Lilla, F : Klippen d. Glücks u. and. Kriminal-Novellen, s.: Klausmann, AO, Arsenik.

— s.: Volkserzählungen, kl.

Lilie, H : As like as two peas, s.: Theatre, modern Engl. comic (A Diezmann).

Liljeborg, W : Cladocera Sueciae od. Beitr. z. Kenntniss d. in Schweden lebd. Krebsthiere v. d. Ordng d. Brachiopoden u. d. Unterordng d. Cladoceren. [S.-A.] (701 m. Abb.) 4⁰ Ups., (Akadem. Bh). 1900.   50 —

Liman: Aufklärg u. Sicherg vor d. Front durch Kavall., selbständ. Patrouillen d. Infant., Jagdkommandos u. reit. Infant., s.² Sammlung militärisches. Einzelschriften.

Liman, C: Hdb. d. gerichtl. Medizin, s.: Casper, CL.

Liman, C : Tragesfragen. Die General-Versammlg d. pommerschen Hypotheken-Actien-Bank v. 16.XI. cr. u. d. Schou vor d. Liquidation. — Beurteilg d. Entwürfe e. Reichsges. betr. d. Sicherg d. Baarforderg. — Hypothekenbanken u. Staatsaufsicht. (32) 8⁰ Berl., A Bath 01.   — 60 d

— Die Ursachen d. Krisis bei d. National-Hypotheken-Credit-Gesellsch. in Stettin u. d. Spielhagen-Banken in Berlin. (30) 8⁰ Berl., (L Simion Nf.) 01.   — 60 d

— dass. u. d. pommerschen Hypotheken-Actien-Bank in Berlin, d. mecklenburg-strelitzschen Hypothekenbank in Neustrelitz. Welche Lehren ergeben sich a. d. gescheh. Vorkommnissen? 2. Afl. (51) 8⁰ Ebd. 01.   — 75 d

Liman, P : Fürst Bismarck n. sr Entlassg. (294 m. 1 Bildnis.) 8⁰ Lpzg 01.Berl., CA Schwetschke & S.01. 5 — ; L. 6.50 ‖ 6—11. Taus. Neue verm. Volksausg. (294 m. 1 Bildnis.) Berl. 04.   3 — ; geb. 4 — d

— Hohenzollern. 1—5. Taus. (290) 8⁰ Berl., CA Schwetschke & S. 05.   5 — ; geb. 6 — d

— Der Kaiser. Ein Charakterbild Wilhelms II. 1—3. Afl. (301 m. 1 Photogr.) 8⁰ Ebd. 04.05.   5 — ; geb. 6.50 d

— u. H v. Ziegesar: Der Burenkrieg. Seine Ursachen u. s. Entstehg. (481 m. 5 Kart. u. 1 Fksm.) 8⁰ Lpzg 02. Berl. CA Schwetschke & S.   L. 12.50 d

— Die Friedewalder Obr, ält. u. neuere Gesch. d. Insel u. d. Sage v. König Olaf Trygvession. (15 m. 1 Abb.) 12⁰ Stett., A Schuster (02).   30 d

Liman, R: Medizin. Wegweiser f. Berlin. Bearb. unter Mitwirkg v. Dengel. (100) 8⁰ Berl., (Berolina, F Cronmeyer) (03).   — 50

Limbach, S: Mit Christo ins himml. Wesen versetzt, s.: Besitz, d. sel., in Christo JEsu.

— Steine d. Anstosses. Allerlei Anstösse u. Widersprüche d.

hl. Schrift u. e. Versuch ihrer Lösg. (238) 8° Bas., Kober 03.
1.60 ; L. 2.40 d
Limbach, S: Was haben wir an uns. Taufe? [S.-A.] (12) 8° St.
Gall., Bh. d. ev. Gesellsch. 01. — 20 d
— Wegweiser in d. Hl. Schrift. (381) 8° Bas., Kober 01. 2.40;
L. 3.20 d
Limbach, W: Bruderschafts-Büchl. zu Ehren Uns. Lieben Frau
v. d. immerwähr. Hülfe. 24. Afl. (80) 16° Dülm., A Laumann
03, L. — 45 d
Limberg, P: Die Gefängnisseelsorge u. charitative Fürsorge
f. Gefangene u. Entlassene in Preussen. (128) 8° Münst., Re-
gensberg 03. 1.40 d
Limberger, K: Aus d. Heimat — üb. d. Heimat. Sammlg v.
Lesestücken f. bad. Schulen. (32, 32, 34, 26 u. 26 m. 1 Kärt-
chen.) 8° Frankf. a/M., M Diesterweg 05. 1 —; geb. 1.20;
auch in 5 einz. Tln zu — 30 d
Limbert, F: Mozarts C-Moll-Messe. Nach e. Vortr. (24) 8° Salzbg,
(H Kerber) (04). — 60
Limburg, H: Die kgl. Bank zu Nürnberg in ihrer Entwicklg
1780—1900, s.: Wirtschafts- u. Verwaltungsstudien.
Limburg, J: Faul-Lischen. Märchen-Lustsp. (Kinder-Theater.)
(31) Wien, Sallmayer'sche Bh. 1900. 1 — d
— Sturmgeklärt. Lyrisch-ep. Gedichte. (96) 8° Wien, C Ko-
negen 03. 1.50 d
Limé, E (E Utitz): Meine Hochburg. (161) 8° Dresd., E Pier-
son 02. 3 —; geb. 4 —
— Von d. Lebens letzten Rätseln. Eine lyr. Symphonie in 3
Sätzen. (57) 8° Wien, Verl.-Anst. Neuer Lit. u. Kunst 03. 1.70
Limes, d. obergermanisch-raet., d. Roemerreiches. Hrsg. v.
O v. Sarwey, E Fabricius, (F Hettner). 13—25. Lfg. (Unter
Mitwirkg v. J Jacobs hrsg. v. F Hettner.) (Mit Abb.) 4° Hdlbg,
O Petters. 83.20 (1—35.: 133 —)
13. (27, 15 u. 11 m. 11 [1 Doppel-]Taf.) 1900. 6 — | 14. (75 m. 22 Taf.) 01.
8.50 | 15. (9, 4 u. 22 m. 6 Taf.) 01. 4 — | 16. (37 u. 34 m. 7 Taf.) 01.
6.40 | 17. (35 u. 19 m. 12 Taf.) 02. 7.20 | 18. (34 u. 44 m. 9 Taf.) 03. 6.80
| 19. (31, 76 u. 11 m. 17 Taf.) 03. 6.40 | 20. (15 u. 43 m. 11 Taf.) 03. 7.20
| 21. (18 u. 16 m. 7 Taf.) 04. 4.60 | 22. (48 m. 8 Taf.) 04. 5 — | 23. (17, 10
u. 19 m. 6 Taf.) 04. 5 — | 24. (43 u. 17 m. 9 Taf.) 05. 5.60 | 25. (56 m.
11 Taf.) 05. 7.20.
— d. röm., in Österr. Hrsg. v. d. kais. Akad. d. Wiss. 2—6. Heft.
(Mit Abb.) 4° Wien, A Hölder. Kart. 50.60 (1—6.: 58.60)
2. (160 Sp. m. 24 Taf.) 02. 14 — | 3. (130 Sp. m. 2 Taf. u. 11 S. Text.) 02.
9 — | 4. (134 Sp. m. 3 Taf.) 03. 8 — | 5. (140 Sp. m. 2 Taf.) 04. 9 — | 6. (188
Sp. m. 2 Taf.) 05. 10.60.
Limesblatt. Mitteilgn d. Streckenkommissare bei d. Reichs-
limeskommission. Red.: E Fabricius. Nr. 35. (Sp. 937—968)
8° Trier, J Lintz 03. — 60 ö F
Limlay, A: Sie hat recht, s.: Friedrich's, L, Einakter-Sammlg.
Limmer, E, u. W Graf Baudissin (Frhr v. Schlicht): Hinter
d. Coulissen. Bilder-Prachtwerk v. L., m. Text v. B. (80 m. 24
Taf.) 4° Berl. 03. Dresd., A Köhler. L. (12 —) 8 —
Limmer, O: Vom Heimweh d. Kinder Gottes u. was sie im
Vaterhause erwartet. (68 m. 1 Lichtdr.) 8° Barm., Wupper-
taler Traktat-Gesellsch. (03). L. 1.60 d
Limpricht, KG, u. W Limpricht fil.: Die Laubmoose, s.: Raben-
horst's, L, Kryptogamen-Flora.
Linck: Eine Brunnenepidemie m. nicht charakterist. Beginn.
[S.-A.] (8 m. 1 Abb. u. 1 Pl.) 8° Jena, G Fischer 04. 1 —
Linck, G: Tab. z. Gesteinskde. (8 Tab. m. 3 Taf. u. 3, 1 S. Text.)
8° Jena, G Fischer 02. 2 —
Linoke: Das Schullehrer-Seminar zu Lüneburg v. 1851—1901.
Festschrift. (92 m. 1 Taf.) 8° Lünebg, Herold & W. 01. 1.50;
auf Büttenpap. 2 —
Lincke, E, u. H Carlos-Duchow: Das Haus Förstenau. — Joche-
beth, s.: Kürschner's, J, Bücherschatz.
Lincke, F, s.: Baumaschinen, d.
Lincke, KFA: Jesus in Kapernaum. Ein Versuch z. Erklärg
d. Markus-Evangeliums. (44) 8° Tüb., JCB Mohr 04. 1 —
— Samaria u. s. Propheten. Mit e. Textbeil.: Die Weisheits-
lehred. Phokylides, griechisch u. deutsch. (179) 8° Ebd. 03. 4 —
Lincke, O: Üb. d. Wortzusammensetzg in Carlyles „Sartor Re-
sartus". (22) 8° Berl., Mayer & M. 04. 1.20
Lincke-Besch, Frau H: Der Emporkömmling u. d. moderne
Frau. (32) 8° Dresd.-A. (Postamt 10 lagernd), Selbstverl. (04).
— 30 d
— Als Hamburger Junge od. s. Ziel. Eth. Verbindg zw. Dresden,
Leipzig u. Hamburg. (32) 8° Ebd. (04). — 30 d
— Das rett. Kind! Erzählg a. Reussenland. (52) 8° Ebd. (01).
— 40 d
— Robert u. Agathe od. ein bessere Wittwe. Zeitbild a. d. Gross-
stadt. (32) 8° Ebd. (03). — 30 d
Linckelmann, K, u. E Fleck: Das neue Privatrecht nach
d. Inkrafttreten d. BGB. 2—10. Lfg. (24 u. 81—817) 8° Hannov.,
Helwing 01-03. je 2 — (Vollst.: 20 —; geb. 22 —) d
Lind's Nähmaschinen-Techniker, Fortsetzg, s.: Nähmaschinen-
zeitung, deut.
Lindau, C: Der gute Ton. Regeln d. Anstandes. 11. Afl. (166)
8° Erf., F Bartholomäus (01). 1.25; geb. 2.25
Lindau, C, u. J Wilhelm: „Mona Vanna" od. Einquartierg in
Pisa. Ein nacktes Seelengemälde in e. Mantel ohne Aufzug.
(20) 8° Wien, J Eisenstein & Co. 03. — 60
Lindau, F: Rechenhefte, s.: Dorschel.
Lindau, G: Die Beschädigg d. Vegetation durch Rauch, s.:
Haselhoff, E.
— Fungi imperfecti (Hyphomycetes), s.: Rabenhorst's L, Kryp-
togamen-Flora.

Lindau, G: General-Reg., s.: Zentralblatt f. Bakteriol. usw.
— Hdb. d. Pflanzenkrankh., s.: Sorauer, P.
— Hilfsb. f. d. Sammeln d. Ascomyceten m. Berücks. d. Nähr-
pflanzen Deutschlds, Österr.-Ungarns, Belgiens, d. Schweiz
u. d. Niederl. (139) 8° Berl., Gebr. Borntraeger 03. Kart. 3.40
— Hilfsb. f. d. Sammeln parasit. Pilze, m. Berücks. d. Nähr-
pflanzen Deutschlds, Österr.-Ungarns, Belgiens, d. Schweiz
u. d. Niederl., nebst e. Anh. üb. d. Thierparasiten. (90) 8°
Ebd. 01. Kart. 1.70
— Hilfsb. f. d. Sammeln u. Präparieren d. nied. Kryptogamen
m. bes. Berücks. d. Verhältn. in d. Tropen. (78) 8° Ebd. 04.
Kart. 1.50
— Pilze, s.: Hennings, P.
— Üb. d. Vorkommen d. Pilzes d. Taumellolchs in altägypt.
Samen. [S.-A.] (6 m. 2 Abb.) 8° Berl., (G Reimer) 04. — 50
Lindau, H: Abende in Versailles. (201) 8° Bresl., Schles. Buchdr.
usw. 03. 2 —; geb. 3 — d
— Unkrit. Gänge. (192) 8° Berl., E Fleischel & Co. 04. 2 —;
geb. 3 — d
— Namen- u. Sachreg., s.: Studien philosoph.
— Namenverz. u. Sachreg. zu Wundt's Logik. 2. Afl. (74) 8°
Stuttg., F Enke 02. 2 —
— Phil. Bibliothek, s.: Philosoph. Bibliothek.
Lindau, P: Berlin. Romane. 3 Bde. 8° Stuttg., JG Cotta Nf.
Je 4 —; geb. je 5 — d
I. Der Zug n. d. Westen. 10. Afl. (396) 03. | II. Arme Mädchen. 9. Afl.
(394) 05. | III. Spitzen. 9. Afl. (388) 04.
— Kleinigkeiten. (169) 8° Bresl., Schles. Buchdr. usw. 2 —;
geb. 3 — d
— Die beiden Leonoren, s.: Universal-Bibliothek.
— s.: Nord u. Süd.
— Der Schatten, s.: Universal-Bibliothek.
Lindau, R: Robert Ashton. Roman. (Neue [Tit.-]Ausg.) (388)
8° Berl., E Fleischel & Co. (1892) 03. 3 —; geb. 4 — d
— Alte Geschichten. (288) 8° Ebd. 04. 3.50; geb. 5 — d
— Gute Gesellsch. Roman. Neue [Tit.-]Ausg. (373) 8° Ebd. [1892]
(03). 3 —; geb. 4 — d
— Der lange Holländer. Novellen. (Neue [Tit.-]Ausg.) (378) 8°
Ebd. [1893] 03. 3 —; geb. 4 — d
— Nach d. Niederlage, s.: Verein f. Verbreitg guter Schriften,
Basel.
— Das rote Tuch u. and. Novellen. Neue [Tit.-]Ausg. (395) 8°
Berl., E Fleischel & Co. [1892] (03). 3 —; geb. 4 — d
— Die kleine Welt. Novellen. Neue [Tit.-]Ausg. (378) 8° Ebd.
[1893] 03. 3 —; geb. 4 — d
Lindbaum, G: Selbst verraten u. Das Goldlager im Felsgang,
s.: Bibliothek, illustr., d. Reisen u. Abenteuer.
Lindberg, E: Ann-Lis, s.: Frauen-Bibliothek, moderne.
Linde, A: Das neue Dienstmädchen, s.: Mädchen-Bühne.
Linde, C: Sauerstoffgewinng mittels fraktionierter Ver-
dampfg flüss. Luft. (Vortr.) [S.-A.] (15 m. Fig.) 8° Berl., J
Springer 02. — 60 Vergr.
Linde, C v. d.: Sonnenschein u. Schatten. Alte u. neue Lieder.
(238) 8° Berl., F Schneider & Co. 02. 4 —; geb. 5 —
Linde, E: Vom gold. Baum. Aphorismen z. Kunst d. Lebens
u. d. Erziehg. (134) 8° Lpzg, F Brandstetter 02. 2 —; L. 2.60 d
— Fibel, s.: Schlimbach, G.
— Führer v. Elgersburg. 2. Afl. (56) 8° Gotha, Stollberg (02). — 50
— Moderne Lyrik in schulmäss. Behandlg m. bes. Berücks.
d. asthetischen. (227) 8° Lpzg, F Brandstetter 04. 2.50;
L. nn 3 — d
— Persönlichkeits-Pädagogik. Mahnwort wider d. Methoden-
gläubigk. uns. Tage. Mit bes. Berücks. d. Unterr.-Weise R
Hildebrands. 2. Afl. (245) 8° Ebd. 05. 2.50; L. nn 3 — d
— Religion u. Kunst, s.: Lebensfragen.
— Schulanthologie. Sammlg neuerer lyr. u. lyrisch-ep. Ge-
dichte z. Bedürf. d. Unterr. in d. Relig., in d. Gesch., Geogr.
u. d. Naturgesch. (22, 416) 8° Lpzg, F Brandstetter 04. 3 —;
L. nn 3.60 d
Linde, F: Entwürfe z. Behandlg deut. Prosastücke. 2 Bde. 8°
Cöth., O Schulze V. 5.70; geb. 6.80 d
I. Lesestücke gesellschtl., geograph. u. naturkundl. Inhalts. (340) 04. 2.50;
geb. 3 — | II. Erzählg u. Abhandlg. (396) 05. 3.20; geb. 3.80.
— Üb. d. Lautveränderg in d. deut. Sprache. — Die Okono-
matik, e. notwend. Zweig d. deut. Sprachunterr. — Üb. Pho-
netik u. ihre Bedeutg f. d. Volkssch., s.: Magazin, pädagog.
Linde, M: Edvard Munch u. d. Kunst d. Zukunft. 2. u. 3. Afl.
m. 3 [3 farb.] Taf.) 4° Berl.-Charlttnbg, F Gottheiner (02). 5 —
II Neue Ausg. 05. 2.50
Linde, O: Ueb. d. Auszichen v. Drogen z. Zwecke d. Alka-
loidbestimmg. [S.-A.] (37) 8° Berl., (Selbstverl. d. Autors. Apo-
thekerver.) (01). 1 —
— Das Messen mikroskop. Objekte. [S.-A.] (9 m. Fig.) 8° Ebd.
(01). nn — 25
Linde, O, z., s.: Charon.
— Fantoccini. (232) 8° Dresd., E Pierson 02. 4 —; geb. 5 — d
— Gedichte, Märchen u. Skizzen. (204) 8° Ebd. 03. 3 —; geb. 4 —
Linde, R: Die Lüneburger Heide, s.: Land u. Leute.
Linde-Severin, D: Mehr Licht. Lehrb. d. geheimen Wiss. 10 Bde.
8° Lpzg, Ficker's V. 01. Mit M. je 1 —
1.2. Hypnotismus u. verwandte Gebiete. (57) | 3. Holl- u. Fernsehen, Ge-

dankenlesen u. -Uebertragen. (69 m: Abb.) ‖ 4. Hypnose als Heilmittel. (49) ‖ 5. Hypnogene Mittel. (48) ‖ 6.7. Spiritismus. (64 m. Abb.) ‖ 8. Faust-Wunderthaten u. Schwänke. (45) ‖ 9. Hexenwesen. (56) ‖ 10. Allerlei Uebersinnliches. (62)

Lindecke, F: Gedanken üb. d. neue Leseb. f. d. anhalt. Volkssch., s.: Günther, A.

Lindecke, O: Die Aussichten d. Konsumver. u. d. kleinhändler. Interessenverbände. (104) 8° Basel, (Helbing & L.) (04). 1.60

Lindelöf, U: Die südnorthumbr. Mundart d. 10. Jahrh. Die Sprache d. sog. Glosse Rushworth². — Studien za altengl. Psalterglossen. — Wrtrb. z. Interlinearglosse d. Rituale ecclesiae Dunelmensis, s.: Beiträge, Bonner, z. Anglistik.

Lindeman, M v.: Der Grossmutter Segen, s.: Köhler's illustr. Jugend- u. Volksbibliothek.

Lindeman, M: Urbegriffe d. Wirtschaftswiss. Arbeit, Wert (Gebrauchs- u. Tauschwert), Geld, Preis; Wirtschaft, Wirtschaftswiss. (243) 8° Dresd., OV Böhmert 04.   6 —

Lindemann u. **Schum:** Kur- u. Diätvorschriften f. d. Gebr. d. Mergentheimer kochsalzhalt. Bitterwassers. (15) 8° Mergenth., C Ohlinger 05.   — 30 d

Lindemann, C, s.: Ergebnisse, d. hauptsächlichsten, a. d. v. allen meteorolog. Stationen d. Kgr. Sachsen eingesandten Beobachtgn.

Lindemann, C: Engl. Schulgrammatik, s.: Gureke, G.

Lindemann, E: Die Kreis-, Prov.-, Städte- u. Landgemeindeordng f. d. Prov. Westfalen. 2. Afl. v. O Lindemann. (304) 8° Dortm., Köppen 01.   L. 4.50 d

Lindemann, E: Neuere Behandlgsmethoden d. chron. Gelenkrheumatismus, s.: Klinik, Berliner.

Lindemann, F: Üb. d. d'Alembert'sche Prinzip. [S.-A.] (25) 8° Münch., (G Franz' V.) 04.   — 60
— Ueb. d. Fermat'schen Satz betr. d. Unmöglichk. d. Gleichg $x = y^n + z^n$, [S.-A.] (18) 8° Ebd. 01.   — 40
— Ueb. d. Pascal'sche Sechseck. [S.-A.] (9) 8° Ebd. 02.   — 30
— Zur Theorie d. automorphen Functionen. II. [S.-A.] (8) 8° Ebd. 01.   — 40
I erschien nur in d. Sitzsber. d. bayer. Akad. d. Wiss.
— Zur Theorie d. Spectrallinien. 1. u. II. [S.-A.] 8° Ebd. 1.80 [. (54) 02. — 80 ‖ II. (12) 02. 1 —

Lindemann, F: Was sagen d. Worte? Worterklärg z. Luther. Katechismustextes. (44) 8° St. Louis, Mo. 1900. (Zwick., Berlin, Jaeckel.)   Kart. — 50 d

Lindemann, F: Wie komme ich zu Erfolg u. Glück im Leben? 3. Afl. (80) 8° Lpzg, Deut. Reform-Verl. (05).   3 — d

Lindemann, F, s.: Normallehrgang f. d. Papparbeits-Unterr.
— Das künstlerisch gestaltete Schulhaus. (113 m. Abb.) 8° Lpzg, R Voigtländer 04.   7 —; geb. 6 — d

Lindemann, H: Des hl. Hilarius v. Poitiers „liber mysteriorum". (120) 8° Münst., Aschendorff 05.   3.30
— Liebe zu Jesus. Kurzgef. vollständ. Gebetbüchl. (254 m. 1 St.) 8.8×5,5 cm. Einsied., Verl.-Anst. Benziger & Co. (04).
   Geb. m. G. — 60; — 75; 1.20 u. 1.40 d

Lindemann, H (C Hugo): Kommunale Arbeiterpolitik, s.: Gemeindepolitik, sozialdemokrat.
— Arbeiterpolitik u. Wirtschaftspflege in d. deut. Städteverwaltg. 2 Bde. 8° Stuttg., JHW Dietz Nf, 04. 16.50; Einbde je 1.50 d
1. Arbeiterpolitik. (468) 9 — ‖ 2. Wirtschaftspflege. (456) 7.50.
— Die neue Gemeindeordng. Kritik. (80) 8° Ebd. 03.   1.20 d
— Das kommunale Wahlrecht, s.: Hirsch, P.
— Die Wohngsstatistik v. Wien u. Budapest, s.: Schriften d. Ver. f. Socialpolitik.

Lindemann, H: Wen trifft d. Schuld? Betrachtgn üb. Ursachen u. Entstehg d. Ausstandes d. Ruhrberglente im Jan. u. Febr. '05. (99) 8° Ess., O Radke's Nf. 05.   1 —

Lindemann, H, s.: Gregor, L.

Lindemann, H, s.: Horn, König.

Lindemann, O: Ges., betr. d. Urheberrecht an Werken d. Lit. u. d. Tonkunst, s.: Guttentag's Sammlg deut. Reichsges.
— Die Gesetzgebg üb. Polizeiverordngn in Preussen, s.: Guttentag's Sammlg preuss. Ges.
— Das Reichsges. üb. d. Zwangsversteigerg u. d. Zwangsverwaltg nebst d. Einführgs- u. preuss. Ausführgsges., m. Erläutergn u. Beisp. (264) 8° Bresl., M & H Marcus 05. L. 3 — d
— Sammlg d. wichtigsten preuss. Strafges., nebst e. Anh.: Ges., betr. d. Erlass polizeil. Strafverfüggn, s.: Guttentag's Sammlg preuss. Ges.

Lindemann, T, s.: Evangelienpredigten z. Gebr. in Lesegottesdiensten.
— Die „apostol. Gemeinden" keine apostol. Gemeinden. 2. Afl. (15) 8° Güstr., Opitz & Co. 02.   — 10 d

Lindemann, W, s.: Untersuchungen, chem. u. medicin.

Lindemann, W, s.: Bibliothek deut. Klassiker.
— Gesch. d. deut. Lit. 8. Afl. v. M Ettlinger. (1083) 8° Freibg i/B., Herder 06.   10 —; HF. 13 — d

Linden, A (Frl L Förster): Adventsglocken.—Die Berge d. Hilfe. — Die Bescherg, s.: Vergissmeinnicht-Erzählungen.
— Denksteine. Etta. d. Friesenmädchen. Ein Engel, s.: Kinderfreund, d.
— Wie uns. Freund d. Heimat fand, s.: Himmelsblumen.
— Grenzsteine, s.: Edelweiss.
— Hans u. Hannchen, s.: Kinderfreund, d.
— Das Hexenlicht, s.: Kaufmann's moderne Zehnpfennig-Bibliothe .
— Das neue Licht. Erzählg a. d. Franzosenzeit. (328 m. 4 Bildern.) 8° Konst., C Hirsch (05).   L. 3 — d

Linden, A (Frl. L Förster): Auch bloss e. Mensch. Der Hunnenführer. Heimruf. Die Wespe, s.: Kinderfreund, d.
— Das Pfarrhaus am Rhein. Erzählg. (288 m. 2 Vollbildern.) 8° Konst., C Hirsch (02).   L. 3 — d
— Stolz-Cilla, s.: Weber's moderne Bibliothek.
— Treibemeisters Klärchen, s.: Himmelsblumen.
— Mein Vater ist bei mir. Engelgeleit, s.: Kinderfreund, d.
— In Versuchg, s.: Edelweiss.
— Der rote Vogel, s.: Blumen u. Sterne.
— Die Wetternacht v. Breisig, s.: Goldkörner.
— Das blaue Wunder, s.: Edelweiss.

Linden, E: Präparat. zu Virgils Äneide. 1. u. 2. Heft. Buch I u. II. (35 u. 39) 8° Gotha, FA Perthes 02. Je — 50 ‖ 3. Heft. Buch III. (57) 05. — 60 d

Linden, H v. d.: Deut. Heldensagen. Der Jugend erzählt. 5. Afl. (222 m. 5 Farbdr.) 8° Lpzg, O Drewitz Nf. (01). Geb. 5.50 d

Linden, J: Anfangsgründe od. kl. Katech. d. kathol. Relig. Nr. 4. (74 m. Titelbild.) 15×10 cm. Rgnsbg, F Pustet 04. Kart. — 20 d
— Jos. Deharbe's mittl. Katech. d. kathol. Relig., neu bearb. (Schulausg.) (156) 8° Ebd. 01.   Geb. — 48 d
— Der mittl. Deharbe'sche Katech., als Versuch z. Lösg d. Katechismusfrage neu bearb. Mit e. historisch-krit. Abhandlg üb. denselben. (47, 156) 8° Ebd. 1900. — 60; geb. — 90 ‖ 2. Afl. (22, 165 m. Abb. u. Titelbild.) 03. Geb. — 50 ‖ 3. Afl. (16, 165 m. Titelbild.) 04. Geb. — 50 d
— Grössere Katechismuserklärg, s.: Deharbe, J.
— Die wichtigsten Unterscheidslehren, d. h. Lehren, durch welche sich d. Katholiken v. Protestanten voneinander unterscheiden. (16) 8° Paderb., Bonifacius-Dr. 05.   — 10 d

Linden, K v.: Ein Schloss d. Liebe / Roman d. Baronesse Irma v. Baerenhorst, s.: Adels-Bibliothek.

Linden, L: Am Kieler Hafen. Festsp. zu Kaisersgeburtstag. Vorgetr. v. 4 Knaben. (19) 12° Paderb., F Schöningh 03. — 80 d

Linden, Gräfin M v.: Die Farben d. Schmetterlinge u. ihre Ursachen. [S.-A.] (10) 4° Halle 02. (Lpzg, W Engelmann.) — 75

Linden, O: Schulrätsel Albori. Zirkusgeschichte. (95) 8° Stuttg., H Koch 01. (?) (Lpzg, B Witt.)   1 — d
— Cirkushumoresken, s.: Eckstein's humorist. Bibliothek.
— Dreimal, s.: Schulze's Zehnpfennigbücher.

Lindenau, v.: Was lehrt uns d. Burenkrieg f. uns. Infant.-Angriff? Vortr. [S.-A.] (45 m. 2 Kart.) 8° Berl., ES Mittler & S. 02.   1 — d
— dass. — Die Schlacht bei Kesselsdorf, s.: Beiheft z. Militär-Wochenbl.

Lindenau, H v.: Die Schriftstellerei als Nebenerwerb. 3. Afl. (64) 8° Hambg, H Paustian (05).   2 —

Lindenberg, C: Das preuss. Gesinderecht im Geltgsbereiche d. Gesindeordng v. 8. XI. 1810. 6. Afl. d. gleichnam. Posseldt'schen Buches. (159) 8° Berl., HW Müller 01.   Kart. 1.60 d

Lindenberg, O: Die Gefahren im deut. Bankwesen. (35) 8° Berl., AW Hayn's Erben 01.   1 —
— 50 Jahre Gesch. e. Spekulationsbank. (246) 8° Ebd. 03. 5 —

Lindenberg, P, s.: Dohme, R, unter 5 preuss. Königen.
— Führer durch d. Umgebg Berlin's, s.: Peip's, C, Taschenatlas v. Berlin.
— Kurt Nettelbeck. Abenteuer e. jungen Deutschen in Siam. (243 m. Abb. u. 4 Vollbildern.) 8° Berl., F Dümmler's V. 03,   Geb. 4 — d
— Paris. Zur Führg u. z. Erinnerg. 10. Afl. (134 m. Abb. u. 1 Pl.) 12° Mind., JCC Bruns (01).   1.25 d
— Auf deut. Pfaden im Orient. Reisebilder. (320 m. Abb.) 8° Berl., F Dümmler's V. 02.   3 —; geb. 4 — d
— s.: Volks-Erzählungen, kl.

Lindenmeyer: Ueb. paradoxe Lidbeweggn. — Ueb. Schrotschussverletzg d. Auges, s.: Sammlung zwanglf. Abhandlgn a. d. Geb. d. Augenheilkde.

Lindenschmit Sohn, L, s.: Altertümer, d., uns. heidn. Vorzeit.

Lindenstead, A: Sketches from commercial life in Engld. Preceded by an introductory sketch on the historical development of the city of London. (146 m. Abb. u. 2 Kart.) 8° Lpzg, Renger 05.   2.40; geb. 2.80
— First steps in Engl. conversation. (145) 8° Berl., Velhagen & Kl. 04.   1.20; geb. 1.40
— Woman in domestic, social, and professional life: being glimpses from woman's world. (178) 8° Berl., ES Mittler & S. 06.   2 —; geb. 2.40

Lindenthal, H: Gedichte. (71) 8° Dresd., E Pierson 02. 1.50; geb. 2.50

Lindenthal, OT: Üb. d. Schaumorgane u. d. bakteriellen Schleimhautemphyseme, s.: Hitschmann, F.

Linder, E, s.: Kalender f. Seemaschinisten.

Linder, E: Neues Gratulations- u. Wunsch-Buch. (144) 8° Reutl., R Bardtenschlager (02).   — 75 d

Linder, G: Die Offenbarg Johannis, aufgeschlossen. (96) 8° Bas., Helbing & L. 05.   — 50 d

Linder, J: Von d. Vielheit z. Gottheit. (39) 8° Leutk., (J Bernklan) 02.   1 — d

Linderer, E: Das gr. Coupletbuch. (244) 8° Berl., A Weichert (02).   2 —; geb. 3 — d
— Es ist erreicht! Orig.-Sammlg humorist. Vorträge, Parodieen, Soloscherze u. Couplets. (96) 8° Ebd. (01). — 50 d
— Nanu geht's los! Soloscenen, Ensembles, Couplets u. Vorträge. (96) 8° Ebd. (01).   — 50 d
— Fideler Polterabend. (96) 8° Ebd. (01).   — 50 d

Linderer, R: Bei d. Gaslaterne, s.: Bloch's, L, Militär-Festmappe.
Linders, O: Die Formelzeichen. Beitrag z. Lösg d. Frage d.
algebr. Bezeichng d. physikal., techn. u. chem. Grössen. (96)
8° Lpzg, Jäh & Schunke 05.   5 —
— Die f. Technik u. Praxis wichtigsten physikal. Grössen in
systemat. Darstellg sowie d. algebr. Bezeichng d. Grössen.
Physikal. Masssysteme, Nomenklatur d. Grössen u. Massein-
heiten. (396 m. Fig.) 8° Ebd. 04.   L. 10 —
— Zur Klarstellg d. Begriffe Masse, Gewicht, Schwere u. Kraft.
(32) 8° Ebd. 05.   1 —
Lindhamer, H: Die Wohlfahrtseinrichtgn Münchens. (195) 8°
Münch., A Schupp (01). (Lpzg, F Förster.)   1.20 d
Lindhe, W: Durch d. Brandg u. and. Erzählgn, s.: Bibliothek
d. Gesamtlitt.
Lindheim, A v.: Die Gefahrlosigk. d. Kurorte u. Lungenheil-
stätten in bezug auf d. Infektion d. Bevölkerg. [S.-A.] 2. Afl.
(37) 8° Wien, F Deuticke 05.   2 —
— Saluti aegrorum. Aufg. u. Bedeutg d. Krankenpflege im mo-
dernen Staat. (334 m. Fig.) 8° Ebd. 05.   7 —
Lindheimer, F: Karl Roland. Roman. (180) 8° Berl., Dr. J Edel-
heim 02. (Lpzg, CF Fleischer.)   2 —; geb. 3 — d
Lindheimer, O: Aquarien. — Türnanst., s.: Handbuch d. Archi-
tektur.
Lindholm, W: 2 Menschen. Erzählg. Aus d. Dän. v. WK Saf-
feini. (105) 8° Lpzg, Insel-Verl. 05.   1.80; L. 2.50
Lindholm, WA: Beschreibg e. neuen Eidechsenart, s.: Lampe,
E, Catalog d. Reptilien-Sammlg d. naturhistor. Museums zu
Wiesbaden.
— Beschreibg e. neuen Schlangenart (Dipsadophidium Welleri
nov. gen. et nov. sp.) a. Kamerun. [S.-A.] (5) 8° Wiesb., JF
Bergmann 05.   — 40
— Üb. ein. Eidechsen u. Schlangen a. Deutsch-Neuguinea.
[S.-A.] (14) 8° Ebd. 05.   — 60
Lindl, E: Cyrus. Entstehg u. Blüte d. altoriental. Kulturwelt.
Weltgesch. in Karakterbildern.) (126 m. Abb. u. 1 Karte.) 8°
Münch. 05. Mainz, Kirchheim & Co.   Kart. 4 — d
— Die Oktateuchcatene d. Prokop v. Gaza u. d. Septuaginta-
forschg. (161 m. 1 Lichtdr.) 8° Münch., H Lukaschik 02.   6.80
Lindl, J: Lehrb. d. Geogr. f. gymnasiale Mädchensch., höh.
Töchtersch. u. Mädchen-Fortbildgssch. (189 m. Fig.) 8° Wien,
A Pichler's Wwe & S. 01.   Geb. 2.30
Lindlau, J: Die Invaliden- u. Altersversicherg, s.: Kell's Rechts-
Bibliothek.
Lindley, WH: Elektricitätswerk Frankfurt a. M. Schlussbericht
üb. d. Bau d. Werkes u. üb. d. 1. Betriebsj. (80, 3, 22, 3; 9,
2 u. 19 m. Fig., 25 Taf. u. 2 Pl.) Fol. Frankf. a/M., (K Scheller)
1896.   Kart. (20 —) 12 —
Lindman, CAM: Beitr. z. Kenntnis d. tropisch-amerikan.
Parnflora. (88 m. 8 Doppeltaf.) 8° Stockh. 03. (Berl.,
R Friedländer & S.)   4 —
— Regnellidium novum genus Marsiliacear. [S.-A.] (14 m. Fig.)
8° Ebd. 04.   — 60
Lindner, A: Der Kurprinz v. Brandenburg, bearb. v. K Grube,
s.: Bibliothek d. Gesamtlitt.
— s.: Festschrift d. Handwerkskammer zu Danzig. — Kunst-
schatz, d.
Lindner, A: Danzig, s.: Kunststätten, berühmte.
Lindner, AE: Elisabeth Holberg, s.: Kaufmann's moderne
Zehnpfennig-Bibliothek.
Lindner, E: Frau Hadwig. Eine Strandgesch. (191) 8° Dresd.,
M Fischer 04.   2 —; L. 3 — d
— Jutta. Roman. (193) 8° Ebd. 04.   2 —; L. 3 — d
Lindner, E: Die. poet. Personifikation in d. Jugendschausp.
Calderons, s.: Beiträge, Münch., z. roman. u. engl. Philol.
Lindner, F: Die ortspolizeil. Revision d. gewerbl. Anlagen.
Mit abwechselbarer Revisionsübersicht (Stolzenberger Fabrik-
Schnellhefter). [Erweit. S.-A.] (108 u.47) 12° Wasserbg,(H Grau)
03.   L. nn 1.80 d
Lindner, F: Zur Gesch. d. Oberonsage. Vortr. (18) 8° Rost.,
H Warkentin 02.   — 60 d
Lindner, F: Hans Eisenhart. Ein deut. Flottenb. Text v, Graf
Bernstorff. Illustr. v. L. 2. Afl. (549 m. Abb. u. 20 [4 farb.]
Taf.) 8° Stuttg., Union (05).   L. 10 — d
Lindner, F; E: s.: Vademecum, ornitholog.
Lindner, F: Vaterländ. Gedichtb. f. unt. u. mittl. Kl. höh.
Lehranst. 2. Afl. 1. u. 2. Tl. 8° Berl., ES Mittler & Sohn.
geb. nn 5.55 d

1. Ausg. f. d. unt. Kl. (18, 167) 1900.   1.50; geb. nn 2.15
2. Ausg. f. d. mittl. Kl. (29, 290) 03.   nn 4.50; L. nn 5 —

— Lehr- u. Leseb. d. Gesch., s.: Stenzler, R.
— Übersicht d. Weltgesch., s.: Holtze, F.
Lindner, G: Die Kultur d. Eucharis, s.: Radetzki, gärtner.
Kultur-Anweisgn.
Lindner, G: Der Segen d. Gemeindegottesdienstes u. einige
Vorschl., s. Besuch zu heben. Vortr. (30) 8° Lpzg, H Schlag
Nf. 04.   — 60
Lindner, GA: Allg. Erziehgslehre. 13. Afl. v. T Tupetz. (156)
8° Wien, A Pichler's Wwe & S. 05.   L. 2.10 d
— Allg. Unterr.-Lehre. Lehrtext z. Gebr. an d. Bildgsanst. f.
Lehrer u. Lehrerinnen. 7. Afl. (111 m. 1 Pl.) 8° Ebd. 05.
geb. nn 1.50 d
Lindner, H: Pastoralmedizin. Briefe an e. jungen Pfarrer.
(180 m. Abb.) 8° Berl., M Warneck 05.   3 —; geb. 4 — d

Lindner, HF: Was sollen uns. Töchter lesen? (31) 8° Wien,
F Tempsky. — Lpzg, G Freytag 01.   Geb. 1.50 d
Lindner, J: Method. Lehrg. d. Rechenunterr. auf d. Unterst.
d. Volkssch. Hiezu Heft 1 u. 2 d. Lindnerschen Rechenb. f.
Volkssch. (88) 8° Münch., R Oldenbourg (01). nn 1.25 ll 2. Tl.
Mittelst. (104) (02.) nn 1.40 d
— Rechenb. f. Feiertags- u. landw. Schulen, s.: Sterner, M.
— Rechenb. f. d. Volkssch. Mit Berücks. d. neuen Kreislehrpl.
bearb. Ausg. A in 7 Heften. 8° Münch., R.Oldenbourg. nn 1.35 d
  1. 13—27. Taus. (40) (05.) nn — 15 ll II. 19—22. Taus. (40) (04.) nn — 20 ll
  III. 3. Schulj. 16—20. Taus. (40) (05.) nn — 20 ll IV. 4. Schulj. 11—15. Taus.
  (48) (04.) nn — 20 ll V. 5. Schulj. 11—14. Taus. (48) (05.) nn — 20 ll VI.
  6. Schulj. 6—8. Taus. (40) (05.) nn — 20 ll VII. 7. Schulj. 6—8. Taus. (48)
  (04.) nn — 20.
— dass. Lehrerheft (Methodisches, Resultate u. weit. Aufgaben)
zu Ausg. A Heft 5—7. 8° Ebd. (01). nn — 80 (3—7.: nn 1.30) d
  5. (38) nn — 30 ll 6.7. (54) nn — 50.
— dass. Ausg. B in 4 Heften. 8° Ebd. (05).   nn — 77 d
  1. Vorbereitgskl. 1. Schulj. 60—76. Taus. (28) nn — 12 ll 2. Unterkl. 2. u.
  3. Schulj. 96—102. Taus. (44) nn — 20 ll 3. Mittelkl. 4. u. 5. Schulj. 57—60.
  Taus. (64 m. Fig.) nn — 30 ll 4. Oberkl. 6. u. 7. Schulj. 43—50. Taus. (72 m.
  Fig.) nn — 25.
— dass. Lehrerheft. 3. u. 4. Heft. 8° Ebd.   Je nn — 40 d
  3. Mittelkl. (Method. Anl. u. Resultate.) 2. Afl. (42) (04.) ll 4. Oberkl. (Methodisches, Resultate u. weit. Aufg.) 2. Afl. (42) (03.)
— Sprachübgn, s.: Leissl, J.
Lindner, K: Das Wichtigste a. d. Heimatkde d. Kreises Sprottau.
(20) 8° Glog., O Flemming (05).   — 15 d
Lindner, M: Die Hypnose im Alltagsleben. (158 m. Abb.) 8°
Dresd., E Pierson (04).   3 —; geb. 4 — d
— Thure Brandt'sche Massage u. Gymnastik sowie Wasser-
behandlg u. Pflege bei weibl. Unterleibszuständen. (200 m.
Abb.) 8° Ebd. 04.   3 —; geb. 4 — d
Lindner, M: Der Blitzschutz. Prakt. Anl. z. Projectierg, Her-
stellg u. Prüfg v. Gebäude-Blitzableitern jeder Art auf Grund
d. neueren Anschaugn üb. d. Wesen d. Blitzentladgn. (176 m.
Abb.) 8° Lpzg, O Leiner 01.   4 —; L. 5 —
— Schaltgsb. f. Schwachstromanlagen. 164 Schaltgs- u. Strom-
verlaufsskizzen m. erläut. Text. (234 m. Tab.) 8° Lpzg, Hachmeister & Thal 02. L. 1.80 ll 4. Afl. (224 m. Tab.) 05. Geb. 2 —
ll 5. u. 6. Afl. (234 m. Tab.) 05. Geb. 2 —
Lindner, P: Atlas d. mikroskop. Grundl. d. Gärgskde m. bes.
Berücks. d. biolog. Betriebskontrolle. (111 Taf. m. 9 S. Text.)
8° Berl., P Parey 03. L. 19 —; Französ. u. engl. Text. (49)
03. 1 —
— Mikroskop. Betriebskontrolle in d. Gärgsgewerben m. e.
Einführg in d. techn. Biol., Hefenreinkultur u. Infektionslehre.
3. Afl. (488 m. Abb., 2 graph. Tab. u. 4 Taf.) 8° Ebd. 01.
L. 17 — ll 4. Afl. (521 m. Abb., 2 Taf. u. 4 Taf.) 04. (241) L. 4.50)
— Pilze, s.: Hennings, P.
Lindner, T: Allg.-geschichtl. Entwickelg. Rede. (24) 8° Stuttg.,
JG Cotta Nf. 04.   — 50 d
— Gesch.-Philosophie. Einl. zu e. Weltgesch. seit d. Völker-
wanderg. (266) 8° Ebd. 01. 4 —; HF. 5.50 ll 2. Afl. (241) 8° Ebd.
geb. 6 — d
— Die deut. Hanse. Ihre Gesch. u. Bedeutg. 3. Afl. (192 m. Abb.
Titelbild u. 1 Karte.) 8° Lpzg, F Hirt & S. 02. 2.25; geb. 3 — d
— Weltgesch. seit d. Völkerwanderg. (In 9 Bdn.) 1—4. Bd. 8°
Stuttg., JG Cotta Nf.   Je 5.50; L. je 7 —; HF. je 7.50 d
  1. Der Ursprg d. byzantin. islam., abendländisch-christl., chines. u.
  ind. Kultur. (479) 01. ll 2. Niedergang d. islam. u. d. byzantin. Kultur.
  Beginn d. europ. Staaten. (506) 02. ll 3. Vom 13. Jahrh. bis z. Ende d.
  Konzils. Die abendländisch-christl. Kultur. Anfänge u. neues Zeit. (597) 03.
  ll 4. Der Stillstand d. Orients u. d. Aufsteigen Europas. Die deut. Reforma-
  tion. (473) 05.
Lindorfer, J: Aufg. f. d. stille Sprachbeschäftigg in d. Volkssch.
I. u. III. Klasse. 8° Landsh., FP Attenkofer.   Je — 20 d
  I. (2. u. 3. Kurs.) 18. Afl. (48) (04.) ll III. (6. u. 7. Kurs.) (64) 02.
Lindow, M: Sammlg v. Aufg. a. d. Differential- u. Integralrechng, s.: Sohncke, LA.
Lindskog, E: In tropos scriptor. latinor. studia. (65) 4° Upsala,
Almqvist & Wicksell 05. (Nur dir.)   +3 —
Lindstädt, C: Die Verrichtg d. Schilddrüse (Glandula thyreoi-
dea). Die Ursachen d. Kropfes, d. Epilepsie etc. u. ihre Heilg;
d. Nahrgsmittelfrage (Vegetarismus u. Fleischnahrg); d. Tuberkulose d. Rindvieks als Studien auf d. Geb. d. Nervenphysiol. u. Pathol. d. Blutlebens. (12) 8° Perlsbg, (W Düwert)
02.   1 — d

2. Afl. u. d. T.:
— Neuere Forschgn üb. d. Verrichtg d. Schilddrüse, ihre Be-
ziehgn z. Kropf, Kretinismus, Epilepsie etc. Studien auf d.
Geb. d. Nervenphysiol. u. Pathol. sowie d. Blutlebens. 2. Afl.
(40) 8° Berl., Fischer's med. Bh. 04.   1.50
Lindt, R: Das physikal. Praktikum, s.: Grünbaum, F.
— Das Prinzip d. virtuellen Geschwindigk., s. Beweise u. d.
Unmöglichk. sr Umkehrg bei Verwendg d. Begriffes „Gleich-
gewicht e. Massensystems" u. d. Abhandlungen z. Gesch. d.
mathemat. Wiss.
Lindtner, A: Für müss. Standen! Skizzen. (32) 8° Berl., Ber-
linische Verl.-Anst. (03).   1 —
Lindwurm, A: Die Handelsbetriebslehre u. d. Entwickelg d.
Welthandels, s.: Handel, d.
Liner, C: Panorama v. Hohen Kasten 1798 m ü. d. Meer. 1904—05.
23×314,5 cm. St. Gall., (Fahr) (05).   In Decke 3.60
Lingelsheim, W: Die Buchführg f. jeden Geschäftsmann. (43)
8° Freibg, H Sander (04).   — 80
Lingen, E (Frl. E Schilling): In d. Ardennen u. and. Novellen.

1. u. 2. Afl. (350) 8° Münst., Alphonsus-Bh. (01.02) Kart. 3—;
L. 4— d
Lingen, E (Frl. E Schilling): Gott schickt noch immer Engel!
Erzählg. (66 m. Abb.) 8° Frankenst. 03. Neu-Weissens., HWT
Dieter. — 20 d
— Mutterflehen. Ein Sternlein. 2 Erzählgn. (50) 8° Ebd. 04. — 15 d
Lingen, T: Aus Dunkel u. Dämmerg. (130 m. Bildnis.) 8° Berl.,
Schuster & Loeffler 02. 2—; geb. 3 —
— Die schönen Frauen. (210) 12° Ebd. 01. 3.50 d
Lingenfelder, W: Die Tragfähigk.-Berechngn v. Balken, Säulen
u. dergl. (61 m. Fig.) 8° Emmend., Druck- u. Verl.-Gesellsch.
vorm. Dölter 02. 1.30 d
Lingens, E: Die innere Schönh. d. Christentums. 2. Afl. (207)
8° Freibg i/B., Herder 02. 2—; L. 2.80 d
Lingg, E: Zur Reform d. Administrativverfahrens. (56) 8° Wien,
Manz 04. 1.60 d
Lingg, H: Ausgew. Gedichte. Hrsg. v. P Heyse. (18, 268 m.
Bildn.) 8° Stuttg., JG Cotta Nf. 05. L.4— d
— Schlussrhythmen u. neueste Gedichte.(271)8°Ebd.01. L.4— d
Lingke,AF: Die Schuhmacher-Inng zu Dresden 1401—1901.Fest-
schrift z. 500jähr. Jubelfeier. (Chronik d. Schuhmacher-Innz
zu Dresden.) (99 m. Abb. u. 2 Taf.) 8° Dresd., (v. Zahn & J.)
01. 3— d
Linhardt,A: Paris. Moderne Gedichte. (58) 8° Diessen, JCHuber
03. 1.50 d
— u. RJ **Lehner**: 2 irre Wanderseelen. Moderne Gedichte. (56)
8° Ebd. 03. 1.25 d
Linhoff, A: Des Landwirts schriftl. Verkehr im privaten u.
geschäftl. Leben, sowie m. d. Behörden. Musterheft zu Mappe I.
Für d. Hand d. Schülers. 1—5. Afl. (29) 8° Warbg, FC Werth
(05). nn — 15; Mappe (m. Formularen) dazu 1.25 d
— dass. Musterheft zu Mappe II. Für d. Hand d. Schülers. 1—4.
Afl. (31 m. 3 Formularen.) 8° Ebd. (05). nn — 15; Mappe (m.
Formularen) dazu, 4° 2.25 d
Die Musterhefte kosten ohne gleichzeit, Mappenbezug je — 30.
Linke, d. moderne. Hrsg.: A Wendler. 1. Bd. 6 Hefte. (1. u. 2.
Heft. 16 m. Abb. u. Taf.) Fol. Frankf. a/O. 03.04. (Lpzg, G
Hedeler.) Je — 80
— u. **Form**. Erläut. Verz. d. Ausstellg formenschöner Erzeug-
nisse d. Natur, Kunst u. Technik im Kaiser-Wilhelm-Museum
zu Krefeld '04. (58 m. 2 Taf.) 8° Kref., Kramer & Baum 04. 1.50 d
Linientaufe 8. M. S. Vineta. In Wort u. Bild verf. u. hrsg.
v. Angehör. d. kaiserl. Marine. (24 Taf.) 8° Wilhelmsh., Gebr.
Ladewigs (01). 3—
Link, C: Quadrille franç. u. Quadrille à la cour. Leichtfassl.
Erklärg d. Figuren dieser modernen Gesellschaftstänze, nebst
s. Anl. z. Arrangieren u. variirten Finales bei d. Quadrille
franç. u. d. wichtigsten Regeln d. Anstandes u. d. guten
Tones f. d. Ballsaal. 2. Afl. (102),12° Prag, A Storch Sohn (02).
Geb. 2—
Link, K: Neue Novene zu Ehren Uns. lieben Frau v. Lourdes
f. Kranke, Leidende u. Bedrängte z.Erflehg. e. bes. Gnade.
16. Afl. (156 m. 1 Farbdr.) 16° Münst., Alphonsus-Bh. (04).
L. — 50 d
Link, L: Postheft f. Volks- u. Fortbildgsschh. (24) 8° Kref. 1900.
(Lpzg, P Stiehl.) nn — 25 d
Link, O: Mess-Stipendien. (389) 8° Rgnsbg, Verl.-Anst. vorm.
GJ Manz 01. 3.60
Link, T: Grammaire franç. à l'usage des écoles secondaires.
Französ. Grammatik f. d. Schul- u. Privatgebr., namentlich
f. Institute, Töchtersch. u. Lehramtskandidatinnen. Mit e.
Anh., enth. d. „Liste des tolérances" u. schwierigere Stücke
z. Übers. a. d. Deut. ins Französ. (Prüfgsaufg.) 2. Afl. (179)
8° Münch., JJ Lentner 03. Geb. 3.80
— s.: Klassiker-Bibliothek, französisch-engl.
— Italien. Lehr- u. Übsgb. z. Schul- u. Privatgebr. 1. u. 2. Tl.
8° Rgnsbg, A Coppenrath's V. 2—; geb. je nn 2— d
1. Die vollständ. Formenlehre. (168) 04. | 2. Die Hauptregeln d. Syntax.
(196) 05.
— Französ. Leseb. — Materialien z. Übers. a. d. Deut. ins
Französ., s.: Bauer, J.
— A: Umsonst geopfert! Kriminal-Roman. (160) 8° Berl.,
Norddeut. Verl.-Anst. L Hohenstein & Co. (05). 1 — d
Linke, F: Moderne Luftschiffahrt. (296 m. 24 Taf.) 8° Berl.,
A Schall 03. 7.50; geb. 9 — d
— Luftelektr. Messgn bei 12 Ballonfahrten, s.: Abhandlungen
d. kgl. Gesellsch. d. Wiss. zu Göttingen.
Linke, F: Die Malerfarben, Mal- u. Bindemittel u. ihre Ver-
wendg in d. Maltechnik. (122) 8° Stuttg. Ud. Essl., P Neff. 3.50;
geb. 4— d
Linke, G: Der rote Bart. Kriminalgesch. (144) 8° Berl., Ber-
liner Verl.-Instit. (05). 1— d
Linke, H: Wunder u. Aberglauben in d. Heilkde, s.: Biblio-
thek d. Seelen- u. Sexuallebens.
Linke, J: Die Behandlg d. Basedow'schen Krankh. n. Maass-
gabe d. Ergebn. d. Gesamtlitt. d. 19. Jahrb, (43) 8° Halle, CA
Kaemmerer & Co. 02. 1—
Linke, K, s.: Lektüre, gew., f. Schule u. Haus.
— Illustr. deut. Lit.-Kde. — Kl. Lit.-Kde, s.: Hentschel, A.
Linke, KF: Poesiestunden. Die deut. Dichtg v. d. Sängern d.
Freiheitskriege bis z. Gegenwart. (Erziehg deut. d. Kunst.)
(556) 8° Hannov., C Meyer 04 Geb. 7.50 d
— Poesiestunden fürs deut. Heim, insbes. f. d. bildgsfreudige
deut. Jugend. Geschenk-Ausg. (556) 8° Ebd. 05. L. 8— d

Linke, O: Neue miles. Märchen, s.: Bibliothek d. Gesamtlitt.
Linke, W: Technik d. Wechselströme u. Mehrphasenströme
m. Berücks. d. wichtigsten Messmethoden. 2 Tle. (56 u. 45
m. Abb.) 8° Steglitz. 05. Berl., C Malcomes. L. je 1.60
Linkenbach, HL: Er lebt uns noch. Festsp. z. Bismarck-Feier.
(10) 8° Ems, (A Pfeffer) 05. — 50 d
— Gedichte. (104) 8° Bad Ems, R Sommer (04). L. 2 — d
Linker, A: Die hauptsächlichsten Messinstrumente. (Das Studium d. Elektrotechnik in Theorie u. Praxis.) (73 m. Abb.)
8° Steglitz 05. Berl., C Malcomes. Geb. 2—
Linko, A: Üb. d. Bau d. Augen bei d. Hydromedusen. [S.-A.]
(23 m. 2 Taf.) 4° St. Petersbg 1900. (Lpzg, Voss' S.) 2.50
Links, E, s.: Rechtsprechung, d., d. k. k. Obersten Gerichtshofes.
Linn, JW: Die 2. Generation, s.: Engelhorn's allg. Roman-
Bibliothek.
Linnarz, E: Heimatskde d. Stadt Berlin, Prov. Brandenburg
u. d. deut. Reiches. 5. Afl. (64 m. 1 Karte.) 8° Berl., Rosenbaum & H. 03. — 50 d
Linnarz, R: Ausw. v. Choral-Melodieen f. Schulen, n. Unterr.-
Stufen geordnet. (36) 8° Hannov., Norddeut. Verl.-Anst. (01).
— 50 d
— Ausw. v. Chorgesängen f. Oberkl. höh. Mädchensch., sowie
f. Pensionate u. Lehrerinnen-Seminare. Werk 105 a u. b. 2 Bde.
8° Ess., GD Baedekar. Geb. 2.20 d
1. Geistl. Lieder (engl. f. 1stimm. Kirchenchöre). (144 u. 12) (05.) 1 —
2. Weltl. Lieder. (304 u. 22) (05.) 1.30
— Ausw. v. Liedern, s.: Bösche, K.
— Glück auf! Bergmanns-Lieder f. 4stimm. Männerchor. Op. 51.
2. Afl. (115) 8° Ess., GD Baedeker 05. 1.60 d
— Methodik d. Gesangunterr. (84)8°Lpzg,BG Teubner 04. 1 — d
— Polyhymnia, s.: Büsche, K.
— Soldaten-Lieder f. Krieger-Ver. u. d. deut. Reichsheer. Werk
85. (Noch: Tit.-Ausg.) (391 m. 5 Bildnissen.) 16° Reutl., R
Bardtenschlager (1898) (02). — 60 ; kart. — 80; L. 1 — d
— 188 d. besten deut. Volkslieder u. geistl. Lieder, s.: Sering, FW.
Linneborn, J, s.: Festgabe, usw. Heinr. Finke gewidmet.
— Die Reformation d. westfäl. Benedictiner-Klöster im 15. Jahrb.
(Umschl., 01). (Paderb., Junfermann.) [S.-A.] (190) 8° Brünn 1899
(Umschl., 01). (Paderb., Junfermann.) 3.60
Linnert, G: Prakt. Motorenkde. (54 m. Abb.) 8° Lpzg, H Kla-
sing 02. L. 2.40
Linnig, F: Der deut. Aufsatz in Lehre u. Beisp. f. d. mittl.
u. ob. Kl. höh. Lehranst. 9. u. 10. Afl. (495 bezw. 502) 8°
Paderb., F Schöningh 01.05. 3.40; geb. 4 — d
— Deut. Leseb. 1. u. 2. Tl. 8° Ebd. Geb. nn 7.70 d
1. Für ant. Kl. höh. Lehranst. 12. Afl. (542) 01 ; 13. Afl. (490) 04. Je 3.60
2. Für d. mittl. Kl. höh. Lehranst. incl. Untersekunda. ,11. Afl. (556)
05. nn 4.10
— Deut. Sprachlehre. Zusammenstellg d. wichtigsten Lehr-
stoffe. 4. Afl. (135) 8° Ebd. 01. Geb. nn — 90
Linsbauer, K: Zur Anatomie d. Vegetationsorgane v. Cassiope
tetragona Don. [S.-A.] (14 m. 2 Taf.) 8° Wien, (A Hölder)
1900. — 70
— Bau u. Leben d. Pflanzen, s.: Vierhapper, F.
— Zusammenstellg üb. d. Lichtlage d. Laubblätter. I. Orientier.
Versuche üb. d. Zustandekommen d. Lichtlage monokotyler
Blätter. [S.-A.] (54 m. 3 Taf.) 8° Wien, (A Hölder) 04. 1.80
— L **Linsbauer**, I v. **Portheim**: Wiesner u. s. Schule. Fest-
schrift anlässlich d. 30jähr. Bestandes d. pflanzenphysiolog.
Instit. d. Wiener Universität. (18, 260 m. 1 Bildnis.) 8° Ebd.
03.
L: Photometr. Untersuchgn üb. d. Beleuchtgsver-
hältn. im Wasser. [S.-A.] (25 m. 2 Fig. u. 1 Taf.) 8° Wien,
(A Hölder) 05. — 70
Linschmann, H: Das preuss, Rentengut.'(51) 8° Berl., A Duncker
04. 1 — d
Linsel, E: Berechng d. Wechselräder z. Gewindeschneiden auf
d. Leitspindeldrehbank.(140)8°Hildburgh., E Wittig(04). 1 — d
Linsenmayer, A: Die Bekämpfg d. Christentums durch d. röm.
Staat bis z. Tode d. Kaisers Julian (363). (301) 8° Münch.,
JJ Lentner 05. 5.80
Linsingen, W: Die 7 Sendschreiben d. Offenbarg St. Johannis
f. bibelgläub. Christen u. such. Seelen ausgelegt. (108) 8°
Kass., E Röttger (02). 1.30 d
Linstow, v., s.: Bericht üb. usw. d. Naturgesch. d. nied. Thiere.
Lintner, A: „Ave Maria". Gebet- u. Gesangbüchl. f. d. deut.
Anteil d. Diöz. Trient. (344 m. Titelbild.) 16° Boz., A Auer
& Co. 04. L. 1 — 1.60; m. Gld. Schr. L bz 2.20; m. G. 2.40 d
Lintner, CJ, s.: Brauer- u. Mälzer-Kalender.
— Grundr. d. Bierbrauerei, s.: Thaer-Bibliothek.
Lintner, K: Umgebgs-K. v. München u. d. Münchner Ober-
landes. 1:280,000. (24.5×42 cm. Lith. Münch., Mey & W. (03).
— 60; — 90
Lintner, L: Wildrosen. Gedichte. (112) 8° Dresd., E Pierson
03. 1.50; geb. 2.50 d
Lintorf, B: Masculini generis. Ein Lebensbild. (303) 8° Brnschw.
(05). Lpzg, R Sattler. 2 — d
Lintperg, Alb: Ein Traum d. Freundschaft. Gedichte. (87) 8°
Dresd., E Pierson 02. 2—; geb. 3 —
Lins-Godin, Frau A, s. a.: Godin, v.
— Dora Reval. Erzählg f. junge Mädchen. (232 m. 4 Vollbil-
dern.) 8° Stuttg., G Weise (01). Geb. 3 — d
Linzen-Ernst, C: Die Arbeiterin u. d. Arbeitskammern, s.
Fortschritt, soz.

Lion u. **Forbát-Fischer**: Entwurf f. e. Schlachthof in Alten-
essen. (28 m. 4 Taf.) 8° Lpzg, F Leineweber 04.　　1 —
Lion, JC, s.: Pyramiden f. Turner.
— Übgsgang d. Stossfechtkunst in Beispielen. 2. Sonderabdr.
(20) 12° Hof, R Lion 1900.　　　　　　　　　　— 40 d
Lion, M: Die Mitvormundschaft. (88) 8° Berl., Struppe & W.
05.　　　　　　　　　　　　　　　　　　　　　1.60
Lionardo da Vinci s.: Leonardo.
Lioy, D: Die Philosophie d. Rechts. Nach d. 2. Afl. übers. v.
M di Martino. Neue wohlf. [Tit.-]Ausg. (20, 552) 8° Berl., RL
Prager [1885] 06.　　　　　　　　　　　　　4 —; geb. 5.—
Lipinski, R: Friede auf Erden od.: Die Ausweisg am Weih-
nachtsabend. Soz. Bild in 2 Aufz. 4. Afl. (21) 8° Berl., A Hoff-
mann 1899.　　　　　　　　　　　　　　　　1 — d
— Das Recht im gewerbl. Arbeits-Verhältnis. (269) 8° Lpzg,
R Lipinski 02.03.　　　　　L. 3 —; Volksausg., HL. 2 — d
— dass. — Das Recht u. d. Rechtsweg d. Handlgsgehilfen
(Kaufmannsgerichte). — Die Rechte u. Pflichten d. Mieters
n. d. neuen BGB., s.: Bibliothek d. prakt. Wissens.
Lipliawsky, S, s.: Gesundheit, d., in Wort u. Bild. — Rund-
schau, russ. medicin.
Lipotschka-Popowna. Erzählg. (In russ. Sprache.) (127) 8°
Berl., H Steinitz (04).　　　　　　　　　　　　　2 —
Lipowski, FJ: Gemälde a. d. Nonnenleben. Verf. a. d. Papieren
d. aufgehob. bair. Klöster. (171) 8° Ludwigsbg, H Fischhaber
(02).　　　　　　　　　　　　　　　　　　2 — d
Lipowski, J: Leitf. d. Therapie d. inneren Krankh. m. bes.
Berücks. d. therapeut. Begründg u. Technik. (22, 236) 8°
Berl., J Springer 01.||2. Afl. (28, 284) 04.　　L. je 4 —
— dass. Lehrauist. 3. Afl. (362 m. Abb. u. 1 Taf.) 8° Stuttg., F Grub
05.　　　　　　　　　　　　　　　　　　Geb. 3.80
Lipp, JM: Lernbüchl. d. Naturlehre f. Schüler d. 1- bis 3klass.
Volkssch. z. häusl. Wiederholg d. Lehrstoffes. (30) 8° Wien,
A Pichler's Wwe & S. 05.　　　　　　　　　— 80 d
— Ausgeführte Präparat.- d. Unterr. in d. Naturlehre an
niedrig organisierten (1- bis 3klass.) Volkssch. (212 m. Abb.)
8° Ebd. 05.　　　　　　　　　　　　　　　3 — d
Lipp, S: Handel u. Verkehr im 19. Jahrh., s.: Volksschriften
d. Umwälzg d. Geister.
Lippe, A v. d.: Aus meinen Erlebnissen als Burenkommandant.
(107) 8° Wiesb., Moritz & M. 01.　　　　1.50; HL. 2.50 d
— And. Zeiten — and. Wege. Betrachtgn e. alten Offiziers üb.
militärisch-polit. Dinge. (54) 8° Berl., O Salle 04.　　1 — d
Lippe, B Graf z.: In d. Jagggründen Deutsch-Ostafrikas. Er-
innergn a. meinem Tagebuch m. e. kurzen Vorwort üb. d.
ostafrikan. Schutzgebiet. (154 m. Bildnis u. 16 Lichtdr.) 8°
Berl., D Reimer 04.　　　　　　　　　　　　L. 6 —
Lippe, F Gräfin z.: Schwester Marie. Nach d. Leben erzählt.
(56) 8° Berl., (Bh. d. ostdeut. Jünglingsbundes) (04).　— 50 d
— Schwestern-Geschichten. Nach d. Leben erzählt. (160) 8°
Schwer., F Bahn 05.　　　　　　　1.80; geb. 2.50 d
Lippe, Pauline Fürstin z., geb. Prinzessin v. Anhalt-Bernburg:
Zur Frauenzimmer-Moral. (48) 12° Lpzg, Insel-Verl. 03. 1 —;
　　　　　　　　　　　　　　　　　　　geb. 1.50 d
— u. **Herzog Friedrich Christian v. Augustenburg**. Briefe
a. d. J. 1790—1812, hrsg. v. P Rachel. (268 m. 6 Vollbildern.)
8° Lpzg, W Weicher 03.　　　. 6 —; geb. 7.50 d
Lippe-Konow, I v. d.: Aus d. Kinderzeit. Aus d. Norweg. v. M
v. Wolframsdorff-Baars. (153) 12° Halle, Gebauer-Schwetschke
04.　　　　　　　　　　　　1 —; geb. 1.60 d
Lippelt, E: Quae fuerint Justini Martyris ἀποφθέγματα qua-
que ratione cum forma evangelior. syro-latina cohaeserint,
s.: Dissertationes philologicae Halenses.
— Schiller als Erzieher. Festrede. (27) 8° Oldnbg, H Nonne
05.　　　　　　　　　　　　　　　　　　— 25
Lipperheide, F Frhr v.: Spruchwrtrb. Sammlg deut. u. fremder
Sinnsprüche, Wahlsprüche, Inschriften an Haus u. Gerät,
Grabsprüche usw. 1—10. Taus. (In 20 Lfgn.) 1—3. Lfg. (1—144)
4° Berl., Exp. d. Spruchwrtrb. 06.　　Je — 60 d
Lippert, F: Gesch. d. Gegenreformation in Staat, Kirche u.
Sitte d. Oberpfalz-Kurpfalz z. Z. d. 30jähr. Krieges. (265) 8°
Freibg i/B., P Waetzel 01.　　　　　　　　6 — d
Lippert, G: Das Alkoholmonopol. Darstellg u. Besprechg d.
Aglaveschen Projektes, d. österr. u. deut. Literatur, sowie
d. schweiz. u. russ. Gesetzgebg. (75) 8° Wien, Manz 04. 1.80 d
— Die Arbeitsverhältn. im Lloydarsenale u. Stabilimento tecnico
Triestino, s.: Mitteilungen d. k. k. arbeitsstatist. Amtes im
Handelsministerium.
— Üb. d. Vergleichbark. d. Werte v. internat. Waren-Ueber-
traggn. (189) 8° Wien, W Braumüller 03.　　　　3.60
Lippert, J, s.: Augenärzte, d. arab. — Ibn Al-Qifṭi's Ta'rīḫ
Al-Ḥukamā'. — Ibn Sina, Augenheilkde.
— Die arab. Lehrbb. d. Augenheilkde, s.: Hirschberg, J.
Lippert, J: Hausbaustudien in e. Kleinstadt (Buttstedt in Böh-
men), s.: Beiträge z. deutsch-böhm. Volkskde.
— Bürgerl. Landbesitz im 14. Jahrh. Zur Ständefrage jener
Zeit. [S.-A.] (92 m. 1 Karte.) 8° Prag, (JG Calve) 02. 1.20 d
Lippert, R: Deut. Fibel, s.: Bumüller, J.
— Handreichg f. d. Gebr. d. Leseb. f. d. Oberkl. kathol. u.
ev. Elementarsch. in Elsass-L. Ausg. f. ev. Schulen. 1—3. Heft.
(74, 76 u. 76) 8° Strassbg, Strassb. Druckerei u. Verl.-Anst.
02.03. Je 1 — ||4. Heft. (188) 04. 1.80 (Vollst. geb.: nn 5.30) d
— dass. f. d. Oberkl. kathol. u. ev. Volkssch. in Elsass-L. 4. Heft.

Ausg. f. kathol. Schulen, bearb. unter Mitwirkg v. H Böglin.
(80) 8° Strassbg, Strassb. Druckerei u. Verl.-Anst. 04. 1 —
　　　　　　　　　　　　(Vollst.: 4 —; geb. 4.50) d
Lippert, R: Handreichg f. d. Unterr. in d. deut. Sprachlehre.
2. Afl. (104) 8° Freibg i/B., Herder 01.　　　　1.50 d
— Deut. Leseb. f. höh. Mädchensch., s.: Keller, E.
— Deut. Leseb. f. Volkssch., s.: Bumüller, J.
— Deut. Sprachbüchl. f. Volkssch. 3 Hefte. 2. Afl. 8° Freibg i/B.,
Herder.　　　　　　　　　　　　　　　— 85 d
　1. (31) 03. — 2§ 2. (42) 03. — 30 | 3. (41) 03. — 30.
— Sprachregeln. Ergänzsheft zu d. 4 Heften d. „Deut. Sprach-
übgn f. entwickeltere Schulen". (57) 8° Ebd. 01.　— 50 d
— Deut. Sprachübgn f. entwickeltere Schulen. 4 Hefte. 8° Ebd.
　　　　　　　　　　　　　　　　　　　　1.40 d
　1. 7. Afl. (42) 02. — 25 | 2. 8. Afl. (42) 04. — 30 | II. 7. Afl. (55) 04. — 35 |
　III. 6. Afl. (90) 05. — 35 | IV. 4. Afl. (04) (03.) — 40.
— Grammat. Übgn, s.: Hang, J.
Lippert, R: Übgsstoff f. d. Zeichnen m. Stigmen, s.: Bayr, E.
Lippert, W, s.: Lehnbuch, d., Friedrichs d. Strengen, Mark-
grafen v. Meissen.
— Die meissn. Lehnbücher. Beitrag z. Registerwesen u. Lehn-
recht d. M.-A. (184) 8° Lpzg, BG Teubner 03.　　8 —
Lipphausen, C: Triumph d. Glaubens, s.: Heidelmann's, A,
Theaterbibliothek.
Lippi, F: Madonna im Walde, s.: Meisterbilder.
Lippl, J: Zur Kritik richterl. Urteile u. d. Rechtspflege. [S.-A.]
(35) 8° Hannov., Helwing 01.　　　　　　　　1 —
Lippmann, A: Weltanschaug u. Glaube d. modernen Naturwiss.
Monismus od. Dualismus? Zugl. e. Wiederlegg d. Schrift v.
R Hertzsch: Endlich e. streng mathemat.: d. keimesgeschicht-
lich-stammesgeschichtl. Beweis f. d. Dasein Gottes. (35) 8°
Lpzg, (R Gerstäcker) 05.　　　　　　　　　1.40 d
Lippmann, EO v.: Die Chemie d. Zuckerarten. 3. Afl. v. Die Zucker-
arten u. ihre Derivate. 2 Halbbde. (28, 2003) 8° Brnschw., F
Vieweg & S. 04.　　　　　　　30 —; HF. 34 —
— Goethe's Farbenlehre. Vortr. [S.-A.] (27) 8° Stuttg., E Schweiz-
erbart 01.　　　　　　　　　　　　　　— 60
— Naturwissenschaftliches a. Shakespeare. Vortr. (56) 8° Ebd.
02.　　　　　　　　　　　　　　　　　— 50
Lippmann, F: Der Kupferstich, s.: Handbücher d. kgl. Museen
zu Berlin.
— s.: Zeichnungen alter Meister im Kupferstichkabinet d. k.
Museen zu Berlin.
Lippmann, J: Der Anarchistenabbé. Roman. (86) 8° Hambg,
W Digel (03).　　　　　　　　　　　　　· 1.50 d
— Entschleierter Bühnenzauber, s.: Collection Tiefenbach.
— Der Karikaturenzeichner. Humorist. Novelle. (120 m. Abb.)
8° Lpzg, (GF Tiefenbach, Sep.-Cto (03).　　　(1 —) — 80
— Die Liebe in d. dramat. Lit. (160) 8° Berl. (SW. 11, Lucken-
walderstr. 15), E Hahn 04.　　　　　　　　L. 6 —
— Ein verbot. Schauspiel, s.: Goldschmidt's Bibliothek f. Haus
u. Reise.
Lippmann, M: Der deut. Reichstag. XI. Legislaturperiode v.
1903—8. (112) 8° Zwick., Zwickauer Zeitg 03.　　1.25
Lippmann, O: Berechng d. Wechselräder z. Gewindeschneiden
auf d. Drehbank. (28 m. Fig.) 8° Dresd.-Trachau, O Lippmann
03.　　　　　　　　　　　　　　　　　— 50
— dass., m. e. Einl.: Maschinen u. Werkzenge f. Dreherei, u.
e. Anh.: Schneckenberechng, Riemenübertragg, Riemen- u.
Schnittgeschwindigk., Berechng d. Arbeitszeit. 2. Afl. (48 m.
Abb.) 8° Ebd. 04.　　　　　　　　　　　　— 50
— Flächenberechnng (Planimetrie), Körperberechnng (Stereometrie) u. Gewichtsberechnng m. bes. Berücks. d. Maschinenbaues. (114 m. Fig.) 8° Ebd. (02).　　　　　　nn 1.50
— Lackschrift. Moderne Reklameschriften f. d. Kaufmann. (6 Taf.
m. 2 S. Text.) 8° Ebd. (05).　　　　　　　　— 75
— Die Rundschrift. Lehrg., e. einf. u. schöne Rundschrift in
kürzester Zeit zu erlernen. 1. u. 2. Afl. (8 m. Abb.) 8° Ebd.
||3. Afl. (8) 04.　　　　　　　　　　　Je — 20
— Moderne Schriften-Vorlagen. (7 Bl.) 16° Ebd. 05.　— 25
— dass. gebraet. Zeichnen u. d. Projektionslehre als Grundl.
f. d. ges. techn. Zeichnen. (19 m. 33 Taf.) 4° Ebd. (01). nn 5 —
Lippold, E: Anpassg d. Zwergpflanzen d. Würzburger Wellen-
kalkes in Blattgrösse u. Spaltöffngn, s.: Aus d. Pflanzenwelt
Unterfrankens.
Lippold, M, s.: Hilfs- u. Schreibkalender, altenburg.
Lippold, M: Moderne Pflanzenstilisation, methodisch dargest.
50 Taf. (in Fol.), nebst Text. (16 m. Fig.) 4° Dresd., G Küht-
mann (01).　　　　　　　　　　In L.-M. 24 — d
Lipps, F: Das gold. Jahr, s.: Kocher, J.
Lipps, GF: Grundr. d. Psychophysik, s.: Sammlung Göschen.
— Die psych. Massmethoden, s.: Wissenschaft, d.
— Die Theorie d. Collectivgegenstände. (81 m. Fig.)
8° Lpzg, W Engelmann 02.
Lipps, T: Vom psych. absorption. [S.-A.] (59) 8° Münch., O
Franz' V.) 01.　　　　　　　　　　　　　— 60
— Ästhetik. Psychol. d. Schönen u. d. Kunst. 1. Tl. Grundlegg
d. Ästhetik. (601) 8° Hambg, L Voss 03.　　10 —; L. 12 —
— s.: Beiträge z. Ästhetik.
— Bewusstsein u. Gegenstände, s.: Untersuchungen, psycholog.
— Einheiten u. Relationen. Skizze z. Psychol. d. Apperzeption.
(108) 8° Lpzg, JA Barth 02.　　　　　　　　3.60
— Von d. Form d. ästhet. Apperception. [S.-A.] (42) 8° Halle,
M Niemeyer 02.　　　　　　　　　　　　　1.60

Lipps, T: Vom Fühlen, Wollen u. Denken, s.: Schriften d. Gesellsch. f. psycholog. Forschg.
— Die eth. Grundfragen. 10 Vortr. 2. Afl. (327) 8° Hambg, L Voss 05. 5 —; L. 6 — d
— Inhalt u. Gegenstand; Psychol. u. Logik. [S.-A.] (159) 8° Münch., (G Franz' V.) 05. 2 —
— Leitf. d. Psychol. (349) 8° Lpzg, W Engelmann 03. 8 —; L. 9 —
— Psychol., Wiss. u. Leben. Festrede. (28) 4° Münch., (G Franz' V.) 01. 80
— Das Relativitätsgesetz d. psych. Quantität u. d. Weber'sche Gesetz. [S.-A.] (56) 8° Ebd. 02. — 80
— Das Selbstbewusstsein; Empfindg u. Gefühl, s.: Grenzfragen d. Nerven- u. Seelenlebens.
— Psycholog. Studien. 2. Afl. (287) 8° Lpzg, ·Dürr'sche Bh. 05. 5 —; geb. 6 —
Lipps, K: Die Kunst d. Freihandzeichnens. I. A u. B, u. II A u. B. 8° Zür., Art. Instit. Orell Füssli. 6 —
I. Die Elemente d. freien Linienführg. A. Gerade u. Oval. 16 Taf. Diktate, m. e. kurzen Darstellg ihrer spez. Methodik. (16 S. Text.) 01. 1.50 ‖ B. Das naive Freihandquadrat u. d. Rund. 16 Taf. Diktate m. e. kurzen Erklärg. (8 S. Text.) 01. 1.50
II. Methodik d. Zeichnens in d. Elementarsch. A. Die Grundbegriffe, erläut. n. m. e. vollständ. Lehrg. illustr. in 16 Taf. (20) (03.) 1.50 ‖ B. Üb. d. relative Messen. Anschaug v. Quadrat u. Rechteck. 16 Taf. m. 129 Kompositionen nebst e. Erklärg. (12) (03.) 1.50
Lipschitz, A: Neue Strahlen, s.: Sammlung gemeinnütz. Vortr.
Lipschitz, M: Richt. Zahnpflege, e. Notwendigk. z. Erhaltg d. Zähne. 2. Aufl. (31) 8° Berl., (W & S Loewenthal) 01. — 20
— Zahn- u. Mundpflege, s.: Volksschriften, hygien.
Lipschütz, L: Französinnen. Der Roman eines Deutschen. (173) 8° Wien, Wiener Verl. 03. 2 —; geb. 3 — d
Lipsius, FR: Kritik d. theolog. Erkenntnis. (212) 8° Berl. 04. Lpzg, M Heinsius Nf. 5.50
Lipsius, HF: Die Schaumweinsteuer, e. verhängnissvolle Thorheit! (20 u. 10) 8° Berl., M Pasch 01. — 50 d
Lipsius, JH: Griech. Alterthümer, s.: Schoemann, GF.
— Das att. Recht u. Rechtsverfahren, m. Benutzg d. att. Processes v. MHE Meier u. GF Schömann dargest. 1. Bd. (233) 8° Lpzg, OR Reisland 05. 6 —
— s.: Studien, Leipz., z. class. Philol.
Lipsius, Prl. M, s.: La Mara.
Lipsius, RA, s.: Acta apostolor. apocrypha. — Hand-Kommentar z. Neuen Test.
Lipski s.: Stephan, d. kl.
Lirsch, E: Gedichte. (82) 8° Berl., Concordia 05. 2 —; geb. 3 — d
Lisch s.: Jahrbücher d. Ver. f. mecklenburg. Gesch.
Lischnewska, M: Die geschlechtl. Belehrg d. Kinder. Zur Gesch. u. Methode d. Gedankens. Vortr. [S.-A.] (36) 8° Frankf. a/M., JD Sauerländer 05. 1 —
Lisco, H: Der Christus d. Heiden. Bemerkgn zu d. Evangelien. (28) 8° Halle, (R Heller) 05. — 50 d
— Jerusalem liberanda. Beobachtgn zu ein. Kapiteln d. Evangelien. (311) 8° Ebd. 05. 6.50 d
— Die verlor. Kirche. Kurzer Bericht üb. d. ält. Gesch. d. Christenh. u. e. off. Brief an Se. Exc. Barkhausen. (112) 8° Berl., F Schneider & Co. 01. 1.50 d
— Roma Peregrina. Rückblick üb. d. Entwickelg d. Christentums in d. ersten Jahrhunderten. (565 m. 1 Karte.) 8° Ebd. 03. 9 — d
Liscow's Werke, s.: Bibliothek d. Gesamtlitt.
Liselotte s.: Elisabeth Charlotte Herzogin v. Orleans.
Liselotte s.: Familie, e. Schöneberger.
Lisner: Die Kanalisationsanlagen Düsseldorfs, s.: Geusen.
Liss, O: Die Marientaler Hochquellenwasserleitg u. ihre Vorzüge gegenüber d. Wiener-Neustädter Tiefquellenwasserleitg. Beitrag z. Frage d. Wasserversorgg d. Gemeinden usw. Wien u. Wiener-Neustadt u. d. Triestingtales. (60) 8° Wien, Spielhagen & Sch. 05. 1 — d
Lissau, E: Jugendchöre, s.: Reinke, C.
Lissauer: Regeln u. Belehrgn f. junge Mütter. (Neue [Tit.-] Ausg.) (26) 12° Berl., Berlinische Verl.-Anst. (1891) (03). — 50
Lissauer, P: Die Ausdehng d. Invaliden- u. Altersversicherg auf d. ges. Unselbständigen u. Selbständigen d. gewerbl., kommerz. u. landw. Betriebe. (36) 8° Berl., CA Schwetschke & S. 05. — 80 d
— Reise-Momentbilder in Versen. (104) 8° Berl., E Goldschmidt 1900. ‖ Neue Folge. (119) 02. Je 2 — d
Lissel, P: Plan v. Leipzig m. d. angrenz. Ortschaften. (Ausg. 1905.) 1:17.000. 59×51,5 cm. Farbdr. Nebst Text. (8) 8° Lpzg, JA Gstcaschebauch. 3 — d
List, C: Altäre u. and.kirchl.Einrichtgn a. Österr., s.: Schmidt,O.
— s.: Bildhauer-Arbeiten in Österr.
— Wendelin Bosheim, s.: Jahrbuch d. kunsthistor. Sammlgn d. allerh. Kaiserhauses.
— Interieurs v. Kirchen u. Kapellen in Oesterr., s.: Schmidt, O.
— s.: Quellenschriften z. Kunstgesch. u. Kunsttechnik. — Tafelbilder a. d. Museum d. Stiftes Klosterneuburg.
List, E: Drogerie-,Spezerei-u.Farb-Waaren-Lexikon,s.: König, JK.
List, F: Das nationale System d. polit. Oekonomie, s.: Sammlung sozialwiss. Meister.
List, G: Alraunenmären. (417 m. Bildnis.) 4° Wien, J Deubler (03). 3 —; geb. 4 — d
— Das Gotzschebauch. Liebesdrama. (125) 8° Wien, Lit.-Anst. Austria 03. 2 — d
— Sommer-Sonnwend-Feuerzauber, d. wiederhergestellte, wuo-

tansdienstl. Brauchthum d. Feuertödtg wie d. Feuerzeugg·z; Begehg d. Sommer-Sonnenwende, d. Sterbetages d. Sommersonne u. d. Geburt d. Wintersonne. 2. Afl. (28 m. Abb.) 4° Innsbr. (02). Wien, Verwaltg d. Scherer. 1.25 d
List, H, u. H **Mühlfeith**: Verteilg d. Lehrstoffes d. Elementarkl. auf Wochen u. Halbstunden. 3. Afl. v. H Mühlfeith. (128) 8° Wien, A Pichler's Wwe & S. 05. 1.60 d
List, J: Üb. naturgemässe Verjüngg d. Beskyden-Urwälder. (43) 8° Teschen, 8 Stuks (05). 1 — d
List, T: Die Mytiliden d. Golfes v. Neapel, s.: Fauna u. Flora d. Golfes v. Neapel.
List, W: Franz regier. Graf zu Erbach. Neue Beitr. zu ·sr Lebensgesch.(223)8°Strassbg,KJ Trübner03. 6 —; L.nn 7.50 d
Liste des brevets, s.: Patent-Liste.
— des dessins et modèles, s.: Liste d. Muster u. Modelle.
— alphabet., d. Verff., deren Werke im Verz. d. Bücher-Sammlg d. kais. Gesundheits-Amtes (2. Ausg.) aufgeführt sind. (94) 8° Berl., (J Springer) 03. Kart. nn — 75 d
— d. Mitglieder d. Bailey Brandenburg d. ritterl. Ordens St. Johannis v. Spital zu Jerusalem 1905. (585) 8° Berl., C Heymann 05. 5 — d
— d. Muster u. Modelle. Hrsg. v. d. Eidg. Amt f. geist. Eigentum, Bern. — Liste des dessins et modèles. Jahrg. 1902. 24 Nrn. (Nr. 1. 5 m. Abb.) 8° Bern (H Körber). 1.80; als Beibl. z. Patent-Liste unberechnet. 0 H
— d. Patentanwälte u. Ges. betr. d. Patentanwälte v. 21.V. 1900, nebst Prüfgsordng v. 25.VII.1900. Amtl. Ausg. v. März '09. (36) 12° Berl., C Heymann 02. ‖ 2. Ausg. v. Mai '05· (36) 03. Je — 30; geb. je — 50 d
— d. bei d. kgl. Regierg etc. notierten Reserve-Jäger d, Kl. A f. Preussen, d. kgl. Hofkammer d. kgl. Familiengüter u. Elsass-L. nach d. Stande v. 1.VIII.'05. Hrsg. v. d. Red. d. „Deut. Forst-Zeitg". 12. Jahrg. (46) 8° Neud., J Neumann 05. 1 — d
— d. inländ. Sammelwerke u. Geschäftspublikationen, welche m. Zeitgs-Frankomarken versendet werden können. Aug. d. Jg. 1905. Bearb. v.k.k. Post-Zeitgsamte I in Wien. (54) 8° Wien, R v. Waldheim. — 50
— amtl., d. Schiffe d. deut. Kriegs- u. Handels-Marine m. ihren Unterscheidgs-Signalen, als Ack. z. internat. Signalb. Hrsg. im Reichsamte d. Innern. Mit 1 u. 2. Nachtr. (121) 8° Berl., G Reimer 02. Kart. L.60
Fortsetzg u. d. T:
— amtl. d. deut. Seeschiffem. ihren Unterscheidgs-Signalen, als Anh. z. internat. Signalb. Abgeschl. am 1.I.'05. Hrsg. im Reichsamte d. Innern. (119) 8° Ebd. 05. Kart. 1.60
— des stations des chemins de fer auxquels s'applique·la convention internat. sur le transport de marchandises par chemins de fer. Publiée par l'office central des transports internat. par chemins defer à Berne. (250) 8° Zür., Art. Instit. Orell Füssli 05. nn 3.50
Listemann, O, s.: Neuzeit, G.
Listing, JB: Beitrag z. physiolog. Optik, s.: Ostwald's, W, Klassiker d. exakten Wiss.
Liszt's, F, Briefe. Ges. u. hrsg. v. La Mara. 6—8 Bd. 8° Lpzg, Breitkopf & Härtel. Je 6 — (1—8.' 46 —; Einbde je 1 —) 5.7. Briefe. 6 Bd. 1 v. d. Fürstin Carolyne Sayn-Wittgenstein. 3. u. 4. [Schl.-]Th. (375 m. 2 Bildn. u. 460 m. 2 Abb.) 02. 6. 1823—86. Neue Folge an Bd I u. II. (437 m. Bildnis u.48.in Fksm.) 05.
— Briefe an Carl Gille. Mit e. biograph. Einl. Hrsg. v. A Stern. (55, 96 m. 1 Bildnis.) 8° Ebd. 05. 5 —; geb. 6 —
— Christus.Oratorium f.Soli, Chor,Orgel u.gr. Orchester. Neues Textb., hrsg. u. m. musikal., literar. u. liturg. Erläuterzgn versehen v. T Müller-Reuter. (38) 8° Lpzg, CF Kahnt Nf. (01). — 30
Liszt, F v., s.: Abhandlungen d. kriminalist. Seminars an d. Univ. Berlin.
— Strafrechtl. Aufsätze u. Vorträge. 1875—1904. 8 Bde. (560 u. 519) 8° Berl, J Guttentag 05. 20 —; in 1 HF.-Bd 22 —
— s.: Festschrift f. d. XXVI. deut. Juristentag.
— Lehrb. d. deut. Strafrechts.11.Afl. (26,678) 8° Berl.,JGuttentag 03. ‖ 12. u. 13. Afl. (26, 689) 03. ‖ 14. u. 15. Afl. (24, 684) 05. Je 10 —; HF. je nn 12 —
— Strafrechtsfalle z. akadem. Gebr. 7. Afl. (122) 8° Jena, G Fischer 02. 2.60; geb. nn 3.20
— Das Völkerrecht, systematisch dargest. 2.Afl. (412) 8° Berl., O Häring 02. 9 —; geb.11 — ‖ 3.Afl. (466 bezw.482) 04.06. 10 —; geb. 12 —
— s.: Zeitschrift f. d. ges. Strafrechtswiss.
— u. f **Duensing**: Die Zwangserziehg n. d. im Anschl. an d. BGB. erfolgten Neuregelg durch d. Landesges., s.: Rechtsbücher f. d. deut. Volk.
— **Löffler**, **Rosenfeld** u. **Radbruch**: Verbrechen u. Vergehen wider d. Leben. Körperverletzg. Freiheitsdelikte, s.: Darstellg, vergleich., d. deut. u. ausländ. Strafrechts.
Liszt, MG v.: Leben d. ehrwürd. Mutter Theresia v. Jesu, geb-Gräfin Xaverie v. Maistre, unbeschuhte Carmelitin. Nach d. Abfl. d. französ. Originals d. Houssaye u. C Gay. (312) 12° *Minst., Alphonsus Bh. 01. 2 —; L. 2.60 d
Litanei-Buchz. Gebr. beim öffentl. Gottesdienste in d. Erzdiöc. Wien. Offic. Ausg. (84) 8° Wien, St. Norbertus 01. L. 1.80 m. G. 2.50 d
Litaneien, d. kirchl., samt Anh. v. Andachts-Übgn. (112) 8° Graz, Styria 05. L. 2 — d

Literatur, die. Sammlg illustr. Einzeldarstellgn, hrsg. v. G
Brandes. 1—21. Bd. 8° Berl., Bard, Marquardt & Co.
          Kart. je 1.25; L. je 1.50; Perg. je 2.50
Bie, O: Das Ballett. (76 m. 17 [3 farb.] Taf.) (05.) [13.]
Blei, F: Novalis. (64 m. 9 Taf. u. 1 Fksm.) (04.) [6.] § 5 Silhouetten in
  e. Rahmen. JJ Bodmer, Wieland, Heine, HF Sturz, CF Moritz. (73 m.
  13 Taf. u. 2 Fksms.) (04.) [13.] § Die galante Zeit u. ihr Ende. Piron,
  Abbé, Galiani, Réuf de la Bretonne, Grimod de la Reynière, Choder-
  los de Laclos. (51 m. 11 Taf. u. 1 Fksm.) (04.) [3.]
Brandes, G: Anatole France. Deutsch v. I Anders. (75 m. 6 Taf. u.
  1 Fksm.) (05.) [20.]
Eloesser, A: Heinr. v. Kleist. (70 m. 11 Taf. u. 1 Fksm.) (05.) [16.]
Ettlinger, J: Theodor Fontane. (65 m. 13 Taf. u. 4 Fksms.) (04.) [18.]
Golther, W: Rich. Wagner als Dichter. (79 m. 15 Taf. u. 2 Fksms.) (04.) [14.]
Hauser, O: Die japan. Dichtg. (60 m. 14 [2 farb.] Taf.) (04.) [5.]
Hofmannsthal, H v.: Unterhaltg üb. literar. Gegenstände. (55 m. 12 Taf.)
  (04.) [1.]
Holitscher, A: Charles Baudelaire. (63 m. 9 Taf. u. 3 Fksms.) (04.) [12.]
Kerr, A: Schauspielkunst. (45 m. 19 Taf.) (04.) [9.]
Levertin, O: Selma Lagerlöf. Übers. v. F Maro. (50 m. 12 Taf. u. 2 Fksms.)
  (04.) [7.]
Lublinski, S: Friedr. Schiller. Seine Entstehg u. s. Zukunft. (82 m. 12 Taf.
  u. 1 Fksm.) (05.) [21.]
Mauthner, F: Aristoteles. (73 m. 12 Taf. u. 1 Karte.) (04.) [9.]
Ostwald, H: Maxim Gorki. (61 m. 14 Taf. u. 9 Fksms.) (04.) [4.]
Poppenberg, F: Nord. Porträts u. 4 Reichen. (Herrn. Bang, Kant Ham-
  sun, Sigbjörn Obstfelder, Gustav af Geyerstam, Juani Aho.) (73 m.
  15 Taf.) (04.) [11.]
Reuter, G: Annette v. Droste-Hülshoff. (57 m. 12 Taf. u. 1 Fksm.) (05.) [19.]
Stoessl, O: Gottfr. Keller. (78 m. 11 Taf. u. 2 Fksms.) (04.) [10.]
Ubell, H: Die griech. Tragödie. (46 m. 9 Taf.) (05.) [17.]
Wassermann, J: Die Kunst d. Erzählg. (55 m. 9 Taf.) (04.) [8.]
— medizin. Verzeichnis d. neuesten deut. u. ausländ. Erscheingn auf d. Gebiete d. ges. Medizin (einschl. d. Dissertationen),nebst krit.Besprechgn. 1. Jahrg. 1901. 26 Nrn. (Nr. 1.
  10) 8° Lpzg, B Konegen. 12 R.-Mk. 2.50; Jahrg. 3 je 13 Nrn.
  (Nr. 1. 82)   Je 1 — ‖ 4. u. 5. Jahrg. 1904 u. 5. Je 2 —
— d., d, 10 wichtigsten Nutzfische d. Nordsee in monograph.
  Darstellg, s.: Publications de circonstance du conseil permanent internat. pour l'exploration de la mer.
— d. schöne. Beil. z. literar. Zentralbl. f. Deutschl. Hrsg. u.
  Red.: E Zarncke. 8 cm 6. Jahrg. 1903—5 je 26 Nrn. (400, 432, 512
  u. 496 Sp.) 4° Lpzg, E Avenarius. Halbj. 3 —; einz. Nrn —50 d
  Der 1. u. 2. Jahrg. erschienen ohne besond. Titel als Beil. z. liter.
  Zentralbl. — Vergl. dieses.
— d., d. Städtewesens in techn. u. hygien. Beziehg. Hrsg.
  anlässl. d. deut. Städte-Ausstellg zu Dresden '03· (79) 8°
  Dresd., Gewerbe-Bb. (03).   — 75
— techn. La litt. techn. — Technical literature. Internat.
  Wochenschrift f. d. Litt. auf d. Ges.-Geb. d. angewandtenWiss.,
  hrsg. v. O Wolters. 1. Jahrg. 1. Halbj. Jan.—Juni 1904. 26 Nrn.
  (Nr. 1. 14) Fol. Hannov., Dr. M Jänecke.   Viertelj.   5 —
  einz. Nrn — 80 ‖ 2. Halbj. Juli—Dezbr 1904. Monatsschrift.
  6 Nrn. ‖ 2. Jahrg. 1905. 12 Nrn. Monatsschr. v. 1.IV.
  1889—1.XII.'01. (103) 8° Berl., R Schoetz 02.   †2.80
— u. Sprache, d. griech. u. latein., v. U v. Wilamowitz Moellendorff, E Krumbacher, J Wackernagel, F Leo, E Norden, F
  Skutsch, s.: Kultur, d., d. Gegenwart.
Literatur-Anzeiger. Halbmonatsschrift f. alle Literatur-
  freunde. Red.: M Eichhorn. Oktbr 1901—Septbr 1902. 24 Nrn.
  (Nr. 1 u. 2. 23) 4° Berl., Literar. Bureau C Freyer. (?)   10 —
Literatur-Bericht f. Theol. u. d. Bücherei d. christl. Hauses
  überhaupt. Hrsg. v. W Rathmann. 15—19. Jahrg. Oktbr 1901
  —Septbr 1906 je 12 Nrn. (Je 160) 8° Lpzg, G Strübig. Je 1 — d
— theolog. Begründet v. P Eger. Hrsg. v. J Jordan. 24—28.
  Jahrg.1901—5 je 12 Hefte. (488, 488, 488, 436 u. 440) 8° Gütersl.,
  C Bertelsmann.   Je 3 — d
Literaturberichte, internat. Halbmonatlich erschein. litterar.
  Ratgeber f. Verleger, Publikum u. Buchhändler. Hrsg.: M
  Blank. 1. Jahrg. Febr.—Apr. 1903. 7 Nrn. (26 8) 4° Dresd.,
  Calebow & Co. (?)   jährlich 2 — 0 F
— internat. Red.: R Volger. 3. Jahrg. 1901. 26 Nrn. (Nr. 1. 12)
  4° Lpzg, W Fiedler. ‖ 9. Jahrg. 1. Halbj. Jan.—Juni 1902.
  13 Nrn.   Viertelj. 1.50
— dass. Red.: O Webel. 9. Jahrg. 1902. 2 Halbj. Juli—Dezbr
  13 Nrn u. no. Jahrg. 1903. 26 Nrn. (1903. Nr. 1. 8) 4° Lpzg.
  Berl., Verl. d. Litt. u. Musikberichte.   Viertelj. 1.50
  Fortsetzg u. d. T.:
Literatur- u. Musikberichte, internat. Früher: Internat. Literaturberichte. Red.: W Müller-Waldenburg u. J Orgiss. 11. u.
  12. Jahrg. 1904 u. 5. je 26 Nrn. (Nr. 1. 8 m. Abb.) 4° Berl., Verl.
  d. Literatur- u. Musikberichte.   Viertelj. 1.50
Literaturbilder, deut., a. alter u. neuer Zeit. Hrsg. v. KM Klob
  u. O Pach. Red.: KM Klob. 1.—3. Jahrg. Juni 1901—Mai 1904
  je 12 Nrn. (Je 16 m. 1 eingedr. Bildnis.) 8° Wien (XII, Frauen-
  heimg. 3), Administr.   Je 2 — d
  Fortsetzg war nicht zu erhalten.
— fin de siècle. Hrsg. v. A Breitner. VI. Bdchn. 12° Lpzg, CF
  Tiefenbach.   1.50 (I.—VI.: 6 —)
VI. Rettenbacher. Mit Beitr. v. T Lehner; P Simon Rettenbachers Lebens-
  u. Weltanschaug. — MM Rabenlechner; Rosegger, d. Didaktiker. — A Breitner: Fin de siècle-Stimmungen. (106) 0900.   1.50
  Fortsetzg u. d. T.:
— d. Gegenwart. Hrsg. v. A Breitner. 1. Bdchn. 12° Ebd. 2 —
  Rabenlechner, MM: Hamerling. (100 m. 1 Bildnis.) 01. [1.]   2 —
  Fortsetzg s. u. d. T.: Randglossen x. deut. Lit.-Gesch.
Literatur-Blatt, allg. Hrsg. durch d. österr. Leo-Gesellschaft,

red. v. F Schnürer. 10—12. Jahrg. 1901—3 je 24 Nrn. (Nr. 1.
  32 Sp.) 4° Wien, Verl. d. Leo-Gesellsch.   Je 12.50;
          f. Mitglieder d. Leo-Gesellsch. je nnn 8.50
Literatur-Blatt, allg. Hrsg. durch d. österr. Leo-Gesellsch.,
  red. v. F Schnürer. 13. u. 14. Jahrg. 1904 u. 5 je 24 Nrn. (Je
  384 Sp.) 4° Wien, C Fromme.   Je 12.50;
          f. Mitglieder d. Leo-Gesellsch. je nnn 8.50
— botan. Organ f. d. Autor- u. Instituts-Referate a. d. Ges.-Geb.
  d. botan. Litt. Hrsg. u. red. v. A Wagner. 1. Jahrg. Jan.—Aug.
  1903. 16 Nrn. (Nr. 1. 56) 8° Innsbr., Wagner. Halbj. 14— 0 F
— f. german. u. roman. Philol. Hrsg. v. O Behaghel u. F Nen-
  mann. 22—26. Jahrg. 1901—5 je 12 Nrn. (1901. Nr. 1. 56 Sp.) 4°
  Lpzg, OR Reisland.   Halbj. nn 5.50; einz. Nrn 71.40
— jüd. Red.: M Brahmer. 25. Jahrg. 1901. 12 Nrn. (Nr. 1. 8) 4°
  Berl., S Cronbach.   Viertelj. 1 —
— dass. 26. Jahrg. 1902. 12 Nrn. (Nr. 1. 8) 4° Berl. (C., Ross-
  str. 3), Arthur Scholem. ‖ 27. u. 28. Jahrg. 1903 u. 4 je 24 Nrn.
  ‖ 29. Jahrg. 1905. Red.: LA Rosenthal.   Viertelj. 1 —
— dass., s.: Wochenschrift, israelit.
— jurist. Hrsg. u. Red.: A Keil. 13—17. Bd. 1901—5 je 10 Nrn.
  ('04. 344) 8° Berl., C Heymann.   Je 5 —; einz. Nrn nn — 50
— naturkundl., s.: Nerthus.
— numismat. Hrsg.: M Bahrfeldt. 22—25. Jahrg. 1901—5 je
  etwa 5 Nrn. (Nr. 119. 8) 8° Bresl. u. Halle. (Hildesh., A Lax.)
          Je nn 1.50
— theolog. Hrsg. v. CE Luthardt u., seit 1902, Hölscher in
  Verbindg m. Klostermann, Haussleiter, Walther, Cremer,
  Beck. 22—26. Jahrg. 1901—5 je 52 Nrn. (1901. Nr. 1 u. 2. 24 Sp.)
  4° Lpzg, Dörffling & Fr.   Halbj. 5 —
Literaturblätter, entomolog. 1—5. Jahrg. 1901—5 je 12 Nrn.
  (210, 232, 254, 232 u. 204) 8° Berl., R Friedländer & S.   Je 1 —
Literaturdenkmale, deut., d. 18. u. 19. Jahrb. (hrsg. v. A Sauer).
  Nr. 16 u. 91—135. 1. Folge Nr. 16; neue Folge Nr. 41—70 u. III.
  Folge Nr. 1—15. 8° Berl., B Behr's V. §1.50; Einbde je — 80
Antikeslen. 1. Heft. Fulda, FC: Trengikon u. Verdang d. Xenien (1797).
  Hrsg. v. L Grimm. (15, 45) 03. [123.]   1 —; Einzelpr. 1.20 d
Bonaventura: Nachtwachen. (1805.) Hrsg. v. H Michel. (09, 167) 04. [133.]
          1 —; Einzelpr. 1.50 d
Brentano, C: Valeria od. Vaterlist. Lustsp. (Die Bühnenbearbeitg d.
  „Ponce de Leon". Hrsg. v. R Steig. (33, 86) 01. [106.]   1 —; Einzelpr. 1.20 d
Friedrich d. Gr: De la litt. allemande (1780). 2. Abt., nebst CW v. Dohms
  deut. Übersetzg. Hrsg. v. L Geiger. (50, 84) 03. [16.]   1 — Einzelpr. 1.50
Gegenschriften geg. Friedrichs d.Gr. de la litt. allemande. 1. Heft. Möser,
  J: De la deut. Sprache u. Litt. (1781.) Hrsg. v. C Schüddekopf. (27,
  31) 02. [127.]   1 —; Einzelpr. — 80 d
Gerstenberg's, HW v., Rezensionen in d. Hamburg. neuen Zeitg 1767—71.
  Hrsg. v. O Fischer. (99, 415) 04. [129.]   1 —; Einzelpr. 5 — d
Gutzkow's, K, u. L Wienbarg: Die deut. Revue. (1835.) Hrsg. v. J Dresch.
  (43, 39) 04. [130.]   1.30; Einzelpr. 1.50 d
Holzmann, M: Aus d. Lager d. Goethe-Gegner. (81 u. Anh.: Ungedrucktes
  a. d. Archiv. (224) 04. [129.]   2 —; Einzelpr. 3.50 d
Lenz, JMR: Vertheidigg d. Hrn Wieland geg. d. Wolken v. d. Verf. d.
  Wolken. (1776.) Hrsg. v. E Schmidt. (16, 35) 02. [121.]
          1 —; Einzelpr. 1.20 d
Lichtenberg's, GC, Aphorismen. Nach d. Handschriften hrsg. v. A Leitz-
  mann. 1. Heft: 1764—71. (76) 02. [123.] — 1. Heft:
          1772—75. (378) 04. [131.] 6 —; Einzelpr. 7.50 d
Loeben, OH Graf v.: Gedichte. Ausgew. u. hrsg. v. R Pissin. (17, 171)
  05. [135.]   3 —; Einzelpr. 3.50 d
Moritz, CF: Reisen eines Deutschen in Engl. im J. 1782. Hrsg. v. O z.
  Linde. (33, 167) 03. [126.]   3 —; Gegenschriften geg. Fried-
  richs d. Gr. de la litt.-s.
Platen's, A Graf v., dramat. Nachlass. Aus d. Handschriften d. Münch.
  Hof- u. Staatsbibliothek hrsg. v. E Petzet. (97, 192) 02. [124.]   5 — ;
          u. Staatsbibliothek hrsg. v. E Petzet. (97, 192) 02. [124.]
Quellenschriften z. hamburg. Dramaturgie. I. Weisse, CF: Richard III.
  Trauersp. Hrsg. v. D Jacoby u. A Sauer. (23, 91) 04. [126.]
          9.40; Einzelpr. 5 — d
Sauer, A: Die deut. Säcularichtgn an d. Wende d. 18. u. 19. Jahrh.
  (172, 634) 01. [104.]   8.40; geb. 9.50 d
Schillers Fiesci v. Stuttgart u. Anfenthalt in Mannheim v. 1782—83. Nov
  hrsg. v. H Hofmann. (17, 167) 05. [134.]   9.40; Einzelpr. 3 — d
Schnabel, JG: Die Insel Felsenburg. 1. Thl. (1731.) Hrsg. v. H Ullrich.
  (54, 19, 467 m. 1 Karte.) 02. [108—29.]   9.40; Einzelpr. 3.50 d
Weisse, CF: Richard III., s.: Quellenschriften z. hamburg. Dramaturgie.
Zacharä, FW: Poetische Schriften. Hrsg. v. J Loherm. Auswahl. (16,
  70) 00. [127.]   60; Einzelpr. — 80 d
Literaturdenkmäler, deut., d. 16. Jahrh. II. Hans Sachs, ausge-
  gew. v. J Sahr, s.: Sammlung Göschen.
— latein., d. XV. u. XVI. Jahrh. Hrsg. v. M Herrmann. 15 u. 16.
  8° Berl., Weidmann.   6.40 (1—16.: 37.20)
Dedekinde, F: Grobianus. Hrsg. v. A Bömer. (94, 96) 03. [16.]   9.40
Vetervior (Maistre Patelin) u. Advocatus. 2 Pariser Studentenkomödien.
  Hrsg. v. J. 1512 u. 32. Hrsg. v. J Bolte. (32, 132) 05. [15.]   3 —
Literaturen, d., d. Ostens in Einzeldarstellgn. 1., 2., 4., 5. u.
  8. Bd. 8° Lpzg, CF Amelang. Je 7.50 °; L. je 8.50° HF, je 9.50°;
          9. u. 10. Bd je 1 Halbbd je 8.75°
Brockelmann, C: Gesch. d. arab. Litt., s.: Horn, P, Gesch. d. pers. Litt.
Brückner, A: Gesch. d. russ. Litt. (XVI, 5...)
Dieterich, K: Gesch. d. byzantin. u. neugriech. Litt. — Horn, P: Gesch.
  d. türk. Moderne. (242 u. 74) 02. [4.]
Florenz, K: Gesch. d. japan. Litt. 1. (Abt.)   (643.) 05. [10.]
Grube, W: Gesch. d. chines. Litt. (467) 02. [8.]
Horn, P: Gesch. d. pers. Litt. — Brockelmann, C: Gesch. d. arab. Litt.
          (248 u. 235) 01. [6.]
— Gesch. d. türk. Moderne s.: Dieterich, K, Gesch. d. byzantin. Litt.
          (Gesch. d. pers. Litt.) s.: Horn, P. u. 1. Abschn.: Der Isb.
Literatur-Kalender, deut., f.1902. Hrsg. v. J Kürschner. 24. Jahrg.
  (52 u. 1760 Sp. m. 2 Portr.) 12° Lpzg, GJ Göschen. Geb. nn 6.50 d
  Fortsetzg s.: Kürschner, J.
— kathol., 6. Jahrg., s.: Keiter, H.

4° Wien, Lit. Instit. Kosmos. Je 30 —; L. Je 40 —; Ausg. m.
65 Farbdr. Ldr. m. G. u. Metallschlössern je 125 —
I. Ancien test. par AD Bertillanges. (354) (02.)
II. Nouveau test. par H Didon. (331) (01.)
Lizius, M: Taschenb. f. Berechng d. Cubikinhaltes v. Rund-
hölzern, Latten, Brettern u. Läden im Metermasse nebst
Massvergleichg m. d. alten Masse. 4. [Tit.-] Afl. Ausg. f.
Bayern. (172 m. 1 Taf.) 8° Stuttg. [1898] (02). Straub., C Atten-
kofer. Geb. 1.70 d
Lixnar, J: Üb. d. Abhängigk. d. tägl. Ganges d. erdmagnet.
Elemente in Batavia v. Sonnenfleckenstande. [S.-A.] (58) 8°
Wien, (A Hölder) 04. 1.10
— Die barometr. Höhenmessg. (48 m. Fig. u. 9 Taf.) 8° Wien,
F Deuticke 04. 2 —
Lloyd, german. Internat. Register. 1904. (34, 48; 11, 561; 392,
108, 13 u. 51 S. u. 1 Nachtr. 47 Bl.) 4° Berl., (ES Mittler & S.).
Ldr nn 40 —
— german. Vorschriften f. d. Klassifikation u. f. d. Bau u. gl.
Ausrüstg v. eisernen u. stählernen Schiffen (d. langen u.
atlant. Fahrt sowie d. gr. u. kl. Küstenfahrt) 1904. (27, 243)
8° Rost. (Berl., WH Kühl.) L. 11.40
— dass. d. Sund- u. Wattfahrt sowie d. Binnenfahrt 1905. (61)
8° Ebd. L. †7.50
— dass. v. Yachten. 1904. (20, 153 m. Abb.) 8° Ebd. (05). L. †8 —
— d. ostasiat. (nebst Nachrichten a. Kiautschou bis 1.IV.'01).
Organ f. d. deut. Interessen im fernen Osten. Hrsg. u. Red.:
C Fink. 15—18. Jahrg. 1901—4 je 52 Nrn. (1902. Nr. 1—45. 922)
Fol. Schanghai. (Berl. Exped.) Viertelj. nn 7.50; einz.Nru †1 —
Fortsetzg war nicht zu erhalten.
— d. österr., u. s. Verkehrsgebiet. Offic. Reisehdb., hrsg. v.
d. Dampfschiffahrts-Gesellsch. d. österr. Lloyd. Chefred.: H
Bürger. I—IV.Thl. (Mit Abb. u. je1 Karte.) 8° Wien, (W Brau-
müller). Geb. 5.80
I. Istrien, Dalmatien, Herzegowina u. Bosnien. (136) Brünn (01). — 90 ‖
II. Aegypten. (744) (01.) 1.50 ‖ III. Palästina, Syrien, Kleinasien. (713)
(02.) 1.50 ‖ IV. Konstantinopel u. Umgebg, Schwarzes Meer, Griechen-
land. (346) (03.) 1.50.
Lloyd, E: Dorothea, meine puritan. Tante, s.: Familienbiblio-
thek, Calwer.
Loeb, E, u. BH Moltmann: Die gr. Schiffahrtsgesellschaften.
Ihre finanzielle Lage u. ihre finanziellen Aussichten. (65) 8°
Berl., Finanzverl. 04. 1.50
Loeb, H: Circumcision u. Syphilis-Prophylaxe. [S.-A.] (6) 8°
Lpzg, Verl. d. Monatsschrift f. Harnkrankh. 04. — 50
Loeb, M: Seine Majestät d. Reisende, s.: Sammlung Franckh.
Loeb, R: Üb. d. Anwendg d. Silberpräparate (d. modernen)
bei d. Gonorrhoe. [S.-A.] (8) 8° Lpzg, Verl. d. Monatsschrift
f. Harnkrankh. 05. — 60
Löb, W: Die Elektrochemie d. organ. Verbindgn. 3. Afl. v.:
Uns. Kenntnisse in d. Elektrolyse u. Elektrosynthese organ.
Verbindgn. (320) 8° Halle, W Knapp 05. 9 —
Lobatschefskij's, NJ, imaginäre Geometrie u. Anwendg d. ima-
ginären Geometrie auf ein. Integrale, s.: Ostwald's, W, Klassiker d. exakten Wiss.
— Pangeometrie, s.: Ostwald's, W, Klassiker d. exakten Wiss.
Lobe, A: Die Form d. Rechtsgeschäfte nebst e. Verzeichnis d. form-
bedürft. Rechtsgeschäfte. (42) 8° Lpzg, Dieterich 01. 1 — d
— Neue deut. Rechtssprichwörter f. jedermann a. d. Volke. (141)
8° Ebd. 02. 1.60; geb. 2.50 ‖ Neue bill. Volksausg. (Tit.-Ausg.)
(05.) — 75; geb. 1.25 d
— Ursprg u. Entwickelg d. höchsten sächs. Gerichte. (139) 8°
Ebd. 05. 4 — d
— s.: Zentralblatt f. freiwill. Gerichtsbark.
Lobe, JC, u. R Hofmann: Lehrb. d. Kompositionslehre. —
Katech. d. Musik, s.: Weber's illustr. Katech.
Löbe, E: Hdb. d. kgl. sächs. Etat-, Kassen- u. Rechngswesens
m. Einschl. d. rechngsmäss. Staatshaushaltskontrolle. 2. Afl.
(824) 8° Lpzg, Veit & Co. 04. 20 —; HF. 22.50 d
— Das dent. Zollstrafrecht. Die zollstrafrechtl. Vorschriften
d. deut. Reichs. 3. Afl. (317) 8° Lpzg, CL Hirschfeld 01. 7.50;
geb. 8.50 d
Löbe, M: Sammlg v. Aufg. a. d. Arithmetik. Für Gymnasien,
Realsch. u. höh. Bürgersch. bearb. 3. Heft. 5. Afl. (76) 8° Lpzg,
F Brandstetter 02. — 80 d
Löbe, W: Die Geflügelzucht in ihrem ganzen Umfange, Zucht,
Fütterg, Mast, Krankh. 4. Afl. v. E Schneider. (180 m. Abb.)
8° Lpzg, H Voigt 03. 1.60; geb. nn 2.30 d
— Landw. Taschen-Kalender f. 1906. Neu bearb. v. W Gwallig.
48. Jahrg. 2 Tle. (54, Schreibkalender, 88 u. 120) 8° Lpzg,
Reichenbach. L. u. geh. 2 —; L. u. geb. 2.50 d
*Früher auch in Ausg. f. Österr., Preussen u. Sachsen zu gl.
Preisen. — Bis 1904 u. d. T.; Taschen-Kalender f. deut. Haus-
u. Landwirthe.*
Lobeck: Reuter-Abend, s.: Dichter- u. Liederabende.
Lobeck, W: Karte d. Höhenluft-Kurortes Elend nebst Umgebg.
1:11,100. 49,5×38 cm. Farbdr. Weim., Geograph. Instit. (05).
— 50
Lobedank: Prakt. Arzt u. Augenheilkde. [S.-A.] (15) 8° Münch.,
Seitz & Sch. 03. — 50
— Die Augenkrankh., ihre Verhütg u. Behandlg. (74 m. Abb.)
8° Münch., Verl. d. ärztl. Rundschau 02. 1 —
— Die Behandlg eingebild. u. nicht eingebild. Krankh. durch
Suggestion. Zur Beleuchtg d. sog. Magnetopathie u. gleich-
art. Kurpfuschertums. (16) 8° Münch., Seitz & Sch. 02. — 60
— Die Geschlechtskrankh. Gemeinverständl. Darstellg ihres

Wesens u. Belehrg üb. zweckmäss. Verhalten d. Erkrankten.
(40) 8° Münch., Verl. d. ärztl. Rundschau 04. 1.20
Lobedank: Die Gesundheitspflege d. Schulkindes im Eltern-
hause. (219) 8° Hambg, L Voss 04. 2.50
— Hilfstaf. z. Gebr. bei Sektionen u. z. Abfassg d. Sektions-
protokolls. Eine z. Ablesen auf 2 m Entferng eingericht. Taf.
als Ersatz e. Handbuchs. (2 S. auf L.) 67×47 cm. Nebst Text.
(5) 12° Lpzg, E Konegen 03. In Futteral 2.25
— Die Infektionskrankh. (anstock. Krankh.). Ihre Entstehg u.
Verhütg. (104) 8° Münch., Verl. d. ärztl. Rundschau 04. 1.60
— Der Militärarzt. Ratgeber bei d. Berufswahl. (86) 8° Lpzg,
G Thieme 03. 1.50
— Die Mitwirkg d. Offiziers, insbes. d. Kompagniechefs u. d.
Rekrutenoffiziers, bei d. Ermittelg regelwidr. Geisteszustände
in d. Armee. (48) 8° Berl., R Eisenschmidt 06. 1 — d
— Der Revierdienst. Anl. z. Wahrnehmg d. Revierdienstes f.
Unterärzte u. einj.-freiw. Ärzte. (99) 8° Strassbg, Strassb.
Druckerei u. Verl.-Anst. 01. 1.50
— Der physiolog. Schwachsinn d. Menschen. (59) 8° Münch.,
Seitz & Sch. (05). 1.50
— Üb. d. Wesen u. d. Wirkg d. Arzneimittel. (72) 8° Lpzg, W
Schumann Nf. 03. Geb. 1.50 d
— Üb. d. Wesen d. Traumes, s.: Sammlung gemeinnütz. Vortr.
Loebel, A: Die Lösg d. Welträtsels. (129) 8° Breitenau (Pirna),
Selbstverl. 04. 2 — d
— Der Mensch m. sr eisernen Maske. Roman. (135) 8° Dresd.,
E Pierson 04. 2 —; geb. 3 — d
Löbell's, v., Jahresberichte üb. d. Veränderngn u. Fortschritte
im Militärwesen. 27—31. Jahrg.: 1900—4. Hrsg. von v. Pelet-
Narbonne. 8° Berl., ES Mittler & S. 55.50; Einbde je nn 1.50 d
27. (611 m. 11 Skizzen.) (01.) 12 — ‖ 28. (554 m. 5 Skizzen u. 1 Bildnis)
(02.) 10.50 ‖ 29. (579 m. 6 Skizzen.) (03.) 10.50 ‖ 30. (542 m. 2 Skizzen.)
(04.) 11 — ‖ 31. (546 m. 10 Skizzen u. 1 Karte.) (05.) 11.50.
Loebell's A V.: Ein Ehrendenkmal f. d. Verteidiger v. Danzig
1807. Nach d. Tagebb. d. Gen.-Leutn. v. Loebell bearb. (141
m. 2 Kart.) 8° Berl., E Schröder 01. 2 —; geb. 3 — d
Loebell, G v.; Englisch-deut. Taschenwrtb. z. Vorbereitg f.
militär. Prüfgn. Nach d. englisch-französ. Ausg. v. HWG
Meyer-Griffül. (137) 16° Berl.-Schönebg, Langenscheidt's V.
(05). Kart. 1 — d
Loebell, H: Gesch. d. magdeburg. Train-Bataillons Nr. 4. (325
m. 2 Kart. u. 7 [3 farb.] Taf.) 8° Berl., R Eisen-
schmidt 03. 11 —; L. 12 — d
Loeben, MG v.: Der Absatz d. Plauener Spitzen in d. Verein.
Staaten v. Nordamerika. (139) 8° Dresd., OV Böhmert 05. 3.60 d
Loeben, OH Graf v.: Gedichte, s.: Literaturdenkmale, deut.,
d. 18. u. 19. Jahrh.
Loeber, G: Orthogr. in Beisp., s.: Kobmann, G.
Löber, G: Die üb. sr. Deutschl. gelt. Ordinationsverpflichtgn,
geschichtlich geordnet. Mit Angaben üb. d. Verpflichtg f.
Professoren d. ev. Theol. an d. deut. Univers. im Bezug auf
d. Lehre u. üb. d. Mitwirkg d. obersten Kirchenbehörden bei
Besetzg d. akademisch-theolog. Lehrstühle. (89) 8° Lpzg, G
Wigand 05. Geb. 1.50 d
Loeber, J: Übgsb. z. Übers. a. d. Deut. ins Latein., s.: Brandt, K.
Löber, R: Der d. Geistlichen zu üb. Seelsorge. (92) 8° Lpzg,
A Deichert Nf. 03. 1.50 d
Lobet d. Herrn! Gebet- u. Andachtsb. f. kathol. Christen.
11. Afl. (384 m. farb. Titel u. 1 St.) 16° Dülm., A Laumann
03. nn 1 — d
— dass. Kathol. Gebet- u. Andachtsb. f. d. gemeinsamen Gottes-
dienst u. d. Privatandacht. Lateinisch u. Deutsch m. d. röm.
Missale u. Brevier. (512 m. 1 Farbdr.) 10×6,5 cm. Einsied.,
Eberle, Kälin & Co. (03). L. nn — 80; m. G. nn 1 —
In Kalbldr m. G. u. Schloss nn 3.08 d
Lo Bianco, S: Pelag. Tiefseefischerei d. „Maja" in d. Umgebg
v. Capri, s.: Beiträge z. Kenntnis d. Meeres u. sr Bewohner.
Lobkowitz, Prinz ZV: Statistik d. Päbste. Auf Grund d.
Papstverz. d. „Gerarchia Cattolica" bearb. (88 m. 3 Tab.) 8°
Freilg i(Br., Herder 05. 2 —
Loebl, AH: Zur Gesch. d. Türkenkrieges v. 1593—1606, s.:
Studien, Prager, a. d. Geb. d. Geschichtswiss.
— österr. u. Preussen. 1766—68. [S.-A.] (120) 8° Wien, (A Höl-
der) 03. 2.60
Löbl, E: Kultur u. Presse. (291) 8° Lpzg, Duncker & H. 03. 5.60
Loebleider d. Liere d. Erretters. (432) 12° Bern 02. Barmen,
Flim. Li weichem L.-Bd nn 3.50; in festen L.-Bd nn 2.75 d
Löbmann, H: Jugendgrüsse. 63 ein- u. zweistimm. Lieder f. höh.
u. neue Lieder ab Gesänge
z. „Liederb. f. kathol. Schulen". (52) 8° Lpzg, X Pflugmacher
01. 1 — d
— Liederb. f.kathol.Schulen. 8° 2 Tle. Ebd. — 90; Einbde je — 20 d
1. Unterst. 4. Afl. (66) (04.) ‖ 2. Oberst. 4. Afl. (90) (04.) — 50.
— Singfibel f. Kinder. 2 Tle. 8° Ebd. nn — 45 d
1. Elfererungen. Umfang 1—6. (16) 04. — 20 ‖ 2. Singen u. Ziffern in
Verbindg m. Noten. (20) 04. nn 5.
— Aus meiner Singstunde. Bd. f. Lehrer d. Volksschulsingens
nebst beigefügten Erläutergn z. „Singübel" f. Kinder. (48)
8° Ebd. 04. — 60
— Übungsb. m. Lautbildg. (40) 8° Lpzg, Dürr'sche Bh. 05. — 60
Löbner, M: Die Beerenobstzucht. Nebst e. Anh. üb. d. Ver-
wertg d. Früchte. (54 m. Abb.) 8° Aar., E Wirz 02. — 80 d
— Grundz. d. Pflanzenvermehrg. (30) 8° Berl., P Parey 01.
L. — 70 d
— Lehrb. d. Gartenbaues unter bes. Berücks. schweiz. Ver-
hältn. (174 m. Abb.) 8° Zür., O Schmidt 03. 4 — d

Loebner, P: Die Chemie in Industrie, Handwerk u. Gewerbe, s.: Spennrath, J.
Loebnitz, GT: Rechenb. f. Gymnasien, Realgymnasien, Oberreal- u. Realsch. Bearb. v. A Flöckher. 2 Tle nebst Antwortenheften. 8° Hildesh., Gerstenberg 03. 3.20; geb. nn 4.10 d
| 20. Afl. (185) 1 —; geb. nn 1.30; Antwortenheft. 11. Afl. (59) — 60;
| geb. nn — 75 | II. 17. Afl. (200) 1 —; geb. un 1.30; Antwortenheft. 13. Afl.
| (59) — 60; geb. nn — 75.
Lob-, Bitt- u. Dankopfer, seraph. Lehr- u. Gebetb. f. alle kathol. Christen. 10. Afl. (584 m. 1 Farbdr.) 16° Rgnsbg, F Pustet 03. — 75; L. 1.15; Ldr m. G. 1.80 d
Lobsien, M: Die Gleichschreibg als Grundl. d. deut. Rechtschreibunterr., s.: Magazin, pädagog.
— Schwankgn d. psych. Kapazität, s.: Sammlung v. Abhandlgn a. d. Geb. d. pädagog. Psychol. u. Physiol.
— Üb. d. relativen Wert verschied. Gedächtnistypen, s.: Magazin, pädagog.
Lobsien, W: Dünung. Gedichte. (179) 8° Brem., C Schünemann (05). 2 —; geb. 3 — d
— Ich liebe Dich. Gedichte. (103 m. Vignetten.) 4° Ebd. (02). L. 4 — d
— Selige Zeit. Alte u. neue Kinderlieder. (68 Bl.) 4° Ebd. (02). L. 3 —; Volksausg. (68) (03). Kart. 1.25 d
Lobstein, P: Zum ev. Lebensideal in sr luther. u. reformierten Ausprägg, s.: Abhandlungen, theolog.
— Wahrheit u. Dichtg in uns. Relig. [S.-A.] (35) 8° Tüb., JCB Mohr 05. — 60 d
Lobt froh d. HErrn! Liederb. f. Kindergottesdienste (Sonntagssch.). (60) 16° Neumünst., Vereinsbh. G Ihloff & Co. (03). nn — 10 d
Locard, P: Léon Boëllmann. (Biographies alsaciennes.) [S.-A.] (13 m. Abb. u. Musikbeil. 3) 4° Strassbg i/E. (Brandg. 2), Verl. d. illustr. elsäss. Rundschau (01). 2.80
Locella, Bar. G: Taschenb. d. Handelskorrespondenz in italien. u. deut. Sprache, s.: Taschenbücher d. Handelskorrespondenz.
— Neues italienisch-deut. u. deutsch-italien. Taschenwrtrb. 2 Tle in 1 Bd. 7. Afl. (200 u. 342) 8° Lpzg, B Tauchnitz 04. 1.50; L. 2.25 d
Loch, V, s.: Testamentum, novum, ex Vulgatae ed. exemplaria et correctiora romana.
Locher, A: Vom Frauenstimmrecht insbes. in kirchl. Angslegenh. [S.-A.] (46) 8° Zür., Art. Instit. Orell Füssli 03. — 80
— Gottlieb Ziegler. Ein schweiz. Staatsmann. 1828—98. (164 m. 1 Bildnis.) 8° Winterth., Geschwister Ziegler 01. 2 —
Locher, C: Die Orgel-Register u. ihre Klangfarben sowie d. damit verwandten akust. Erscheingn u. wirksamen Mischgn. 3. Afl. (141 m. Abb. u. 1 Bildnis.) 8° Bern, E Baumgart 04. 3 —; geb. 4 —
Locher, F: Republikan. Wandel-Bilder u. Portraits. Hrsg. v. E Locher. (380) 8° Zür., (T Schröter) (01). 3 —; geb. 4 —
Locher, H: Illustr. Hdb. d. Zimmermannskunst, s.: Promnitz, J.
Locher-Werling, E: Wie's ä cha gah! Preis-Lustsp. in Zürcher Dialekt. (96) 8° Aar., HR Sauerländer & Co. 05. 1.20 d
Löcherbach, H: Erklärg d. hl. Messopfers, s.: Gebetbuch, M V.
— Gebetbüch). f. Kinder. (119 m. Abb. u. Titelbild.) 16° Ess., Fredebeul & K. 03. L.— 35; m. Silberdr.-Titel — 45 d
Lochmann, E: Friedrich d. Gr., d. schles. Katholiken u. d. Jesuiten seit 1756. (74) 8° Gött., Vandenhoeck & R. 03. 1.80
Lochmann, W: Sakrament u. Parabel. Altes u. Neues z. schriftgemässen Lösg d. Abendmahlsproblems. (128) 8° Halle, E Strien 03. 3 — d
Lochner-Hensslein, Frhr v.: Bad Kissingen u. Umgebg, s.: Grieben's Reiseführer.
Löchner, J: Sprachlippen — Übgsstoff f. d. Rechtschreib-Unterr., s.: Krauss, A.
Lochte: Untersuchgn üb. Syphilis maligna u. Syphilis gravis. (69) 8° Hambg, L Voss 01. 1.50
Lochte, D: Das Ges. üb. Kleinb. u. Privatanschlussb., s.: Taschen-Gesetzsammlung.
Loeck, P: Das Reichsges. betr. d. Wechselstempelsteuer, s.: Guttentag's Sammlg deut. Reichsges.
— Reichsstempelges. (Börsensteuerges.), s.: Guttentag's Sammlg deut. Reichsges.
Frühere Afl. bearb. v. B Gaupp.
— Preuss. Stempelsteuerges., s.: Guttentag's Sammlg preuss. Ges.
Locke, J: An essay concerning human understanding, s.: Schriftsteller, engl., a. d. Geb. d. Philosophie usw.
Löckell, E: Die ersten Folgen d. Verwundg d. Stengels dicotyler Holzgewächse durch Schnitte in d. radialen Längsrichtg. (23 m. 1 Taf.) 4° Berl., Weidmann 01. 1 — d
Loekemann, O: Die Entwicklg u. d. gegenwärt. Stand d. Atomtheorie. (48 m. 1 Tab.) 8° Hdlbg, C Winter, V. 05. 1 —
Löcker, H: Die Wassereinbrüche in d. Dux-Ossegger Kohlengruben, ihre Einwirkg auf d. Teplitzer Thermalquellen u. ihre Verdämmg. Vortr. (122 m. 5 [3 farb.] Taf.) 8° Tepl.-Schönau, A Becker (1900). 4 —
Löcker, H, s.: Amateur, d.
Löcker, J: Ortsregister v. Österr.-Ungarn. (60) 4° Wien, C Konegen 06. 2.50
Lockroy, E.: Von d. Weser bis z. Weichsel. Briefe üb. d. deut. Seewesen. Übers. v. Loppe. (139) 8° Berl., JM Spaeth 02. 2 —; Volksausg. 04. 1 — d

Locxy, L v.: Spezialk: d. Balatonsees u. sr Umgebg, s.: Resultate d. wiss. Erforschg d. Balatonsees.
Lodge, G: Lexicon Plautinum. Vol. I fasc. I—III. (1—288) 8° Lpzg, BG Teubner 01-04. Je 7.20
Loé, Frhr v.: Ansprache zu Bonn, s.: Kaiserrede, d., zu Aachen.
— Erinnergn a. meinem Berufsleben 1849—67. (140) 8° Stuttg., Deut. Verl.-Anst. 06. 5 —; geb. 6 — d
Loefen, v.: Anl. z. Ausbildg in d. Marschsicherg d. Infant. (19) 8° Berl., Liebel 05. — 20 d
— Anl. f. d. allg. Anweisg u. d. besond. Unterweisg d. Doppelposten. — Anl. z. Ausbildg d. Patrouillenführer d. Infant. — Der gute Kamerad, s.: Klass, v.
Loefen, W v.: Zur Reform d. deut. Handelsstatistik. (51) 8° Berl., E Haase 05. 1 —
Loeff, AK van d.: De Indis eleusiniis. (148) 8° Leid., EC van Doesburgh 03. 3.50
Löffler: Der russisch-japan. Krieg in s. takt. u. strateg. Lehren. 2 Tle. 8° Berl., ES Mittler & S. 05. 6.50; geb. 9 —; in 1 Bd geb. 8 — d
| 1. Vom Begin d. Krieges bis z. Ende d. J. 1904. (135 m. 2 Kart. u. 9
| Skizzen.) 3 —; geb. 4 —
| 2. Vom Beginn d. J. 1905 bis z. Friedensschluss. Der Kampf um Port
| Arthur u. z. See. (137 m. 4 Kart.) 3.00; geb. 5 —
Löffler: Die Unwandelbark. d. kirchl. Lehre trotz d. Wandelgn d. menschl. Geistes. Vortr. (29) 8° Bregz., JN Teutsch (01). — 30 d
— dass., s.: Volksaufklärung.
Löffler, A: Bericht d. Wiener Stadtphysikates.
Löffler, A: Üb. unheilbare Nichtigk. im österr. Strafverfahren. [S.-A.] (72) 8° Wien, A Hölder (04). 1 —
— Das Strafrecht, s.: Studienausgabe österr. Ges.
— Verbrechen u. Vergehen wider d. Leben u.s.w., s.: Liszt, F v.
Loeffler, O: Jesus Christus. Drama. (172) 8° Lpzg (Inselstr. 12), (Thalacker & Schöffer) 04. 1 —
Loeffler, E: Das Treffen bei Elchingen u. d. Katastrophe v. Ulm im J. 1805, s.: Mitteilungen d. Ver. f. Kunst u. Altertum in Ulm.
Löffler, E: Dänemarks Natur u. Volk. (120 m. Abb. u Kart.) 8° Kopenh., Lehmann & Stage 05. nn 9.80
Loeffler, F: Die Schutzimpfg geg. d. Maul- u. Klauenseuche, s.: Festschrift z. 60. Geburtstag v. Rob. Koch.
Löffler, FL: Neues Stuttgarter Kochbuch. 24. Afl. (535) 8° Stuttg., JF Steinkopf 04. 2.40; L. 3 — d
Löffler, GO: Gottes-Grüsse. Sprüche. (90) 8° Bitterf. (02). Schmiedebg, FE Baumann. — 50 d
— s.: Theosophie, christl.
Löffler, H: Üb. Verschlussvorrichtgn an d. Blütenknospen bei Hemerocallis u. ein. and. Liliaceen. [S.-A.] (11 m. 2 Taf.) 4° Hambg, L Friedrichsen & Co. 03. 2 —
Löffler's, H, k. illustr. prakt. Kochbüchl. f. d. Puppenküche. 5. Afl. (112) 12° Ulm, J Ebner (01). Kart. 1 — d
— u. Bechtel's gr. illustr. Kochbuch. 14. Ausg. (109 m. 6 farb. Taf.) 8° Ebd. (03). L. 7 — d
— K. Kochb. f. d. einf. bürgerl. Küche. Hrsg. v. E Bechtel. (478 m. 1 Taf.) 8° Ebd. 05. L. 4 — d
Löffler, JH: Jakob Querengässer. Eine Heiratsgesch. a. d. Orlagau z. Ermunterg ält. Junggesellen. (164 m. Bildnis.) 8° Pösen, F Gerold Nf. 03. L. 2.50 d
Löffler, K: Die westfäl. Bischöfe im Investiturstreit u. in d. Sachsenkriegen unter Heinrich IV. u. Heinrich V., s.: Beiträge, Münstersche, z. Gesch.-Forschg.
Löffler, O: Die China-Legsd. 1900—01. Unter bes. Berücks. d. Thätigk. d. Armee-Oberkommandos u. d. deut. Expeditionskorps. [S.-A.] (48 m. 1 Kart.) 8° Berl., ES Mittler & S. 02. 1.20; L. nn 2.45 d
— dass., s.: Beiheft z. Militär-Wochenbl.
Löfqvist, R: Zur Pathol. d. Mucosa corporis uteri. [S.-A.] (258 m. 2 Taf.) 8° Berl., S Karger 03. 8 —
Loga, V v.: Francisco de Goya. (348 m. 86 Taf.) 4° Berl., G Grote 03. Kart. 24 —
— Wandschmuck-Sammlg v. Meisterwerken klass. Kunst. (48 m. Abb. u. 1 Taf.) 8° Berl., (Unger & Fengler) (03). — 50
‖ 3. Afl. 04. — 80
Logarithmen, 5stell., d. Zahlen u. trigonometr. Funktionen. (Von Heun.) (48) 8° Karlsr., (F Gutsch) (03). — 40 d
Logarithmentafeln, 4-u. 5stellige, nebst ein. physikal. Konstanten. (Aufgestellt v. L Holborn u. KScheel.) (24) 8° Brnschw., F Vieweg S. 04. — 80
Logau, J F v.: Sinngedichte u. Epigramme, s.: Bibliothek d. Gesamtlitt.
Logen-Korrespondenz, Braunschweiger. Hrsg. v. F Holtschmidt. 17—23. Jahrg. Jan 1899—Juni 1905 je 12 Nrn. (20. J. 96) 4° Brnschw., (F Vieweg & S.). Je n n 4 —
Loginros s.: Dionysios.
Logophilus s.: Streit, d., üb. d. Zillmer'sche Methode in d. Lebensversicherg.
Lohauss, J: Der anatom. Bau d. Laubblätter d. Festucaceen, s.: Bibliotheca botanica.
Lohde, G (Frau C Boetticher): Kastell Belcaro, s.: Weber's moderne Bibliothek.
— Einsam im Purpur. Roman. (411) 8° Nürnbg, C Koch (03). 4 —
— Flüchtiges Glück. Roman. (226) 8° Berl., R Taendler (03). 3 —; geb. 4 — d
— Jugendfreunde, s.: Kürschner's, J, Bücherschatz.
— Leonore, s.: Weichert's Wochen-Bibliothek.

Lohde, C (Frau C Boetticher): Sturmflut, s.: Kürschner's, J, Bücherschatz.
— Auf d. Throne. Ein Königsroman. (2. Afl.) 1—18. Lfg. (1. Bd. 566 m. 1 Bildnis.) 8° Nürnbg, C Koch (02.03). II 19—31. (Schl.-) Lfg. 2. Bd. Einsam im Purpur. (411) (03.) Je — 25 d
— Dunkle Wege. Orig.-Roman. (216) 8° Mannh., J Bensheimer's V. (01). 3 — d
— u. F **Ehrhardt:** Die Geschwister. Roman in Briefen. (192) 8° Ebd. (03). 2 — d
Lohde, G: Der Jäger v. Rominten. (84) 8° Dresd., H Schultze 1900. 3 —; L. m. G. 4 — d
Lohde, L: Die architekton. Ordngn d. Griechen u. Römer, s.: Mauch, JM v.
Lohe: Die Verschuldg d. ländl. Besitzes in Folge d. Erbtheilen u.d.unkündbareRentenhypothek d.Landesbank.(18)8°Düsseldf, H Hoch (02). — 30 d
Löhe, A: Tageb. 1870—71. 9 Monate am III. kgl. bayer. Hauptfeldspital. (104 m. Abb., Fksms u. 1 Taf.) 8° Münch., Seitz & Sch. 01. L. 3 — d
Löhe, W: Von d. Barmherzigk. 3. Afl.(172)8°Gütersl., C Bertelsmann 05. Kart. m. G. 1.20; geb. 1.50 d
— 2 Bücher v. d. Kirche. 4. Abdr.(128) 8°Ebd. 04. 1.75; geb. 2.50 d
— Conrad od. Folge mir nach. Eine Gabe f. Konfirmanden. Neue Ausg. (88) 8° Konst., C Hirsch (04). — 50 d
— Von d. weibl. Einfalt. (158) 8° Ebd. (05). Geb. — 80; L. m. G. 1.20 d
— dass. (13. Afl.) (Prachtausg.) (100) 8° Gütersl., C Bertelsmann 05. Kart. m. G. — 80; L. 1.20 d
— Etwas a. d. Gesch. d. Diaconissenhauses Neuendettelsau. 2. Afl. (188) 8° Ebd. 01. — 85 d
— Lebenslauf e. hl. Magd Gottes a. d. Pfarrstande. 3.Afl. (46) 8° Ebd. 04. — 60; geb. 1 — d
— 4 Leichenreden. Nebst e. Anh.: Innere Mission. Vortr., geh. zu Nürnberg 1850. (54) 8° Ebd. 03. — 80 d
— Rauchopfer f. Kranke u. Sterbende u. deren Freunde. (368) 16° Konst., C Hirsch (04). Geb. 1.80 d
— dass. 5. Afl. (288) 8° Gütersl., C Bertelsmann 05. Kart. 1.20; geb. 1.60 d
— Samenkörner d. Gebets. (357 m. Bildnis.) 12° Konst., C Hirsch (04). Geb. 1 — L. 1.20; m. G. 1.80; Ldr 2 —; m. G. 2.50 d
Loeheim, J: Das gold. Buch d. Gesundheit. Aerztl. Ratgeber f. Gesunde u. Kranke. (512 m. Abb.) 8° Berl., Verl.-Anst. Universum 03. L. 7.50 d
Lohde, A: George Chapmans Dias-Uebersetzg. (113) 8° Berl., Mayer & M. 03. 3 — d
Löhle, M: Anl. z. Erteilg d. Unterr. im freien Zeichnen f. Volkssch. II Tle. 8° Gebw., J Boltze 02. nn 2.60 d
I. Unterr. u. Mittelst. (1—4. Schulj.) 4. Afl. (46 Schulj.). 4. Afl. (46 m. 12 L.) 02. Kart. nn 2 —
— Der Unterr. im freien Zeichnen in Volkssch. 1. Tl. Unterr. u. Mittelst. (1—4, Schulj.). 4. Afl. (16 z. Tl farb. Taf.) 45,5×33 cm. Ebd. (04). In L.-M. nn 10 —
Lohlein, H, s.: Verhandlungen d. deut. Gesellsch. f. Gynäkol.
Lohmann, A: Schreib-Lese-Fibel, s.: Fricke, A.
Lohmann, A: Erd- od. Feuerbestattg. Überblick z. Lösg d. Bestattgsfrage. (11 m. Abb.) 8° Chemn. (01). (Lpzg, EF Steinacker.) — 20
Lohmann, CEJ: Üb. d. Giftigk. d. deut. Schachtelhalmarten, insbes. d. Duwocks (Equisetum palustre), s.: Arbeiten d. deut. Landw.-Gesellsch.
Lohmann, E: Lehrg. d. franzõs. Sprache f. höh. Mädchensch. u. d. Privatgebr. Von d. Anschaug ausgehend, auf phonet. Grundl..Vorkurs. I. Tl. (80 m. Abb.) 8° Nürnbg, M Edelmann 05. Geb. 1.50 d
Lohmann, E: Affen-Abstammung. Vortr. (34) 8° Bonn, J Schergens 05. — 25 d
— s.: Anatole.
— Das Buch. Hefte f. Revision d. Bibelübersetzg. 12 Hefte. (350, 233 u. 193 m. Abb.) 8° Dingl., St. Johannis-Dr. (03-05). Je — 30 d
— Hefte f. Alle. 1—4. Heft. 8° Strieg. (01). Frankf. a/M., Verl. Orient. Je — 10 d
1. Gottes Krtge. (2) | 2. Vom Tode erwacht. (2) | 3. Was ers ? (16) | 4. Silvo. Ein Gleichnis. (12 m. Abb.)
— Im Kloster zu Sis. Beitrag zu d. Gesch. d. Beziehgn zw. d. Deut. Reiche u. Armenien a./M. (34 m. Abb. u. 1 Karte.) 4° Ebd. (01). (2 —) 1 — d
— Das Leben d. Glaubens n. 1. Mose 12—24. 3. Afl. (104) 8° Bonn 03. Frankf. a/M., Verl. Orient. — 70; geb. 1.40 d
— Probleme d. Orientforschg. Vorwort zu d. Veröffentlichgn d. deut. Gesellsch. f. d. wiss. Erforschg Anatoliens. (12 m. Abb.) 4° Freienw., M Rüger 04. — 60
— Tharsis od. Ninive. Beitrag z. Verständnis d. Buches Jona. Mit. e. Anh.: Das Buch Jona in bericht. Übersetzg, nebst ein. erklär. Anmerkn. (50) 8° Ebd. 04. 1 — L. 2 — d
— Trümmer. 1. Heft. (32 m. Abb.) 8° Neukirchen (05). Frankf. a/M., Verl. Orient. — 30 d ô F
Lohmann, F: Lehrb. d. Kirchengesch., 6. Afl., s.: Netoliczka, O.
Lohmann, F: Entwicklg d. Lokalbahnen in Bayern, s.: Wirtschafts- u. Verwaltungsstudien.
Lohmann, FH: Die deut. Sprache. Handbuch, statist., d. Volks-, Mittel- u. Privatsch. d. Reg.-Bez. Hildesheim. (48) 8° Chicago, Koelling & KL. 04. — 50 d
Lohmann, H, s.: Handbuch, statist., d. Volks-, Mittel- u. Privatsch. d. Reg.-Bez. Hildesheim.

Lohmann, H: Die Lehrpläne f. d. Präparandenanst. u. Lehrerseminare, s.: Kreipe, A.
Lohmann, H: Eier u. sog. Cysten, Anh.: Cyphenantes, s.: Ergebnisse d. usw. Plankton-Exped. d. Humboldt-Stiftg.
— Halacaridae, s.: Tierreich, d.
— Untersuchgn üb. d. Tier- u. Pflanzenwelt sowie üb. d. Bodensedimente d. Nordatlant. Ozeans zw. d. 38. u. 50. Grade nördl. Breite. [S.-A.] (24 m. 1 Taf.) 8° Berl., (G Reimer) 05. 1 —
Lohmann, JB: Die Gabe d. hl. Geistes. Erwäggn üb. d. heiligmach. Gnade. 2. Afl. (288) 16° Paderb., Junfermann 02. 1.50; L. 2 — d
— Das Leben uns. Herrn u. Heilandes Jesu Christus n. d. 4 Evangelisten. Volks-Ausg. (356) 16° Ebd. 05. 1.20; L. 1.55 d
Lohmann, M: Auf z. Kampf geg. d. Agrarier u. Zöllner. Vorschl. z. Beseitigg d. Protektionssystems in Deutschl. (23) 8° Berl.-Friedrichsh., Verlagsh. f. Volkslitt. C Teistler & Co. 01. — 50 d
Lohmann, P: Lieder. (47) 8° Lpzg, JJ Weber 05. — 50 d
Lohmann, R: Nova studia Euripidea, s.: Dissertationes philologicae Halenses.
Lohmann, W: Touristenk. v. d. Harburger Schweiz (Haake, Emme, Rosengarten). 1—4. Afl. 39,5×48 cm, Farbdr. Harbg, G Elkan (01-05). Je — 60
— Physikal. Wandk. v. hamburg. Gebiet nebst Umgebg in d. Ausdehng v. Oldesloe bis Lüneburg, v. Lauenburg bis Stade. 1:50,000. 4 Bl. (3 Bl. je 63,5×78,5 cm u. 2 Bl. je 100,5×74 cm. Farbdr. Hambg, O Meissner's V. (02). 12 —; auf L. m. St. 20 —
— s.: Kalender f. Mineralwasser-Fabrikanten.
Lohmar, HF: Gebiet d. Einer. Begleitschrift: „Eine Revision d. 1. Rechenunterr." Neue Folge. (39) 8° Flensbg, A Westphalen 02. — 30 d
— Gebiet d. Hunderte. Begleitschrift: „Eine Revision d. 1. Rechenunterr." Neue Folge. (52) 8° Ebd. 02. — 30 d
— Gebiet d. Zehner. Begleitschrift: „Eine Revision d. 1. Rechenunterr." Neue Folge. (96) 8° Ebd. 02. Kart. — 60 d
— Kranken- Unfall-, Invaliden- u. Altersversichergsrechng. (47) 8° Ebd. 02. nn — 15 d
— Rechenheft I. Unterst. 34.Afl. Parallelausg. (50) 8° Ebd. 01. — 40 d
— I.—IV. Rechenheft geg. Ausg. 8° Ebd. Kart. 3 — d
I. Unterst. 37. Afl. (96) 05.— 60 | II. Unt. Mittelst. 28. Afl. (84) 04. — 60 | III. Ob. Mittelst. 24. Afl. (90) 05.— 60 | IV. Oberst. 11. Afl. (195 u. 13 m. Fig.) 05. 1.20.
— Eine Revision d. 1. Rechenunterr. Zugl. e. Begleitwort zu meinen Rechenheften: „Das Gebiet d. Einer, d. Zehner, d. Hunderte, sowie d. Tausende u. Millionen". (31) 8° Ebd. 01. — 50 d
Lohmar, E:Die Kolben, Kolbenstangen, Stopfbüchsen, s.: Unterrichtswerke (Methode Hittenkofer).
— Kreuzköpfe, s.: Hittenkofer, M, Unterr.-Werke.
— Maschinen-Elemente, s.: Hittenkofer, M, Unterr.-Werke.
— Unterrichts-Werke (Methode Hittenkofer).
— Mechanik, s.: Hittenkofer, M, Unterr.-Werke.
— Seiltrieb. — Die Wellen. — Zapfen u. Achsen, s.: Unterrichts-Werke (Methode Hittenkofer).
Lohmar, P: Üb. Reform u. Vereinheitlichg uns. Arbeiterversicherg. (68) 8° Köln a/Rh., Selbstverl. 05. 1.95
— Eine Revision. Das Wesen d. Begünstigg. (66) 8° Bresl., M & H Marcus 04. 1.60
Lohmeyer, A: Auf weiter Fahrt.
— Junges Blut. 6 Erzählgn f. d. Jugend. (J Lohmeyers ges. Jugendnovellen.) 2. Afl. (230 m. 4 Farbdr.) 8° Stuttg., Union (01). 3 —; L. 4 — d
— Ges. Dichtgn. (207 m. Bildnis.) 8° Berl., W Vobach & Co. (08). 3 —; L. 4 — d
— Unter d. Dreizack. Neues Marine- u. Kolonialb. f. Jung u. Alt. (485 m. Abb. u. 8 z. Tl farb. Taf.) 8° Bielef., Velhagen & Kl. 02. Geb. 4 — d
— Humoresken. 3. Taus. (248) 8° Berl., Freund & J. 01. 3 —; geb. 4 — d
— Deut. Jugend. Neue sorgfält. Ausw. 2 Halbbde. (Je 128 m. Abb. u. 6 farb. Taf.) 8° Stuttg., Loewe (03). Geb. je 2.50; in 1 Bd 4.50 d
— Vaterland. Jugendbücherei f. Knaben u. Mädchen. 2—5., 7. u. 13—17. Bd. 8° Münch., JF Lehmann's V. Geb. (1—17. 56.20) d
Conscience, H: Der Löwe v. Vlaandern. Aus d. Niederdeut. übertr. u. bearb. v. A Schowalter. 2. Afl. (200 m. Abb.) 05. [4.] 4 —
Dose, J: Der Trommler v. Düppel. Erzählg a. d. Nordmark. (178 m. Abb.) (01.) [13.] 3 —
Felsing, O: Gert Janssens China-Fahrten. Erzählg a. Kriegserlebnisse d. jungen Deutschen. (464 m. Abb.) (04.) [14.] 4 —
Hahn, W: Deut. Charakterköpfe. EM Arndt, JG Fichte, Hans Joach. v. Zieten, Friedrich Wilhelm als Kronprinz, Königin Luise. 2. Afl. (211 m. Abb.) (04.) [5.] 3 —
Lienhard, F: Der Ranb Strassburgs. Geschichtl. Erzählg. 2. Afl. (85 m. Abb.) (05.) [2.] 3 —
Oborn, A: Aus Tagen deut. Not. Geschichtl. Erzählg. 2. Afl. (99 m. Abb.) (04.) [3.] 3 —
Schalk, G: Der grosse Kurfürst u. seine Zeit. Geschichtl. Erzählg. 2. Afl. (141 m. Abb.) [12.] 3 —
Schalk, G: Sang u. Klang d. Heldensagen in deut. Volkes. 2. Afl. (390 m. Abb.) (04.) [7.] 4 —
Thoma, A: Johs Gutenberg, d. Erfinder d. Buchdruckerkunst. (173 m. Abb.) (04.) [11.] 4 —
— Konrad Widerholt, d. Kommandant v. Hohentwiel. (274 m. Abb. u. 1 Karte.) [16.] 4 —
Weitbrecht, R: Der Leutfresser u. s. Bub. Eine Landsknechtsgesch. a. d. Zeit Georgs v. Frundsberg. (396 m. Abb.) (05.) [17.] 4 —
— Junges Blut. s. Irrfahrten. 7 Erzählgn f. d. Jugend. (J Lohmeyers ges. Jugendnovellen.) 2. Afl. (236 m. 4 Farbdr.) 8° Stuttg., Union (01). Geb. 2 — d

Lohmeyer, J: 50 Kinder-Lieder m. 50 Bildern f. meine Lieb-
linge. (63 m. Bildnis.) 4° Berl., W Vobach & Co. (03). Kart. 3 — d
— Künstlerfestspiele, s.: Meyer's Volksbb.
— Auf d. Lande, s.: Pletsch, O.
— s.: Monatsschrift, deut., f. d. ges. Leben d. Gegenwart.
— Bunter Strauss, s.: Jugendbibliothek, deut.
— s.: Wandbilder z. deut. Götter- u. Sagen-Welt.
— Wir leben noch u. anderes. Neue Novellen. (250) 8° Stuttg.,
A Bonz & Co. 01.   2.40; L. 3.50 d
— u. F Flinzer: König Nobel, e. heit. Bilderb. (46 m. farb.
Abb.) 4° Lpzg, PE Lindner (04).   Geb. 6 — d
— — Der Tierstruwwelpeter, e. lust.Buch. f.d. kl. Volk. (Neue
Afl.) (48 m. farb. Abb.) 4° Ebd (02).   Geb. 4.50 d
Lohmeyer, K, u. A Thomas: Hilfsb. f. d. Unterr. in d. Gesch. f.
d.mittl.Kl.höh.Lehranst. 2 Tle. 8° Halle, Bh. d.Waisenh. 2.60 d
  1. Deut. Gesch. bis z. Aug. d. M.-A. (Lehraufg. d. Untertertia.) 4. Afl.
    v. E Knaake u. K Lohmeyer. (94) 04.   L.; 1 geb. nn 1.90
  2. Deut. u. brandenb.-preuss. Gesch. v. Aug. d. M.-A. bis z. Gegenwart.
    (Für d. Obertertia u. Untersekunda.) 5. Afl. v. E Knaake u. K Loh-
    meyer. (188) 03.   1.60
Lohmeyer, T: Dispositions- u. Aufsatzregeln im Anschl. an
  Dispositions- u. Aufsatzvorbilder. [S.-A.] (47) 8° Hannov.,
  Helwing 04.   — 40 d
— Die Hauptges. d. german. Flussnamengebg, hauptsächlich
  an nord- u. mitteldeut. Flussnamen erläutert. Vortr. (32) 8°
  Kiel, Lipsius & T. 04.   1.20
— Kl. deut. Sprach- u. Aufsatzlehre. Für höh. Lehranstalten
  (zunächst f. VI—II B), namentlich auch f. Realgymnasien u.
  Realsch. 5. Afl. (196) 8° Hannov., Helwing 04.   Geb. 2 — d
Lohmüller, A: Anl. z. gottsel. Leben, s.: Sales, F v.
Löhn, RP: Französ. Grammatik (Formenlehre u. Syntax) in
  Versen. (40) 8° Wien, Sallmayer'sche Bh. 05.   1.20
Lohnbuch (n. amtl. Material zusammengest.), (128 u. Notizbl.)
  8° Ravnsbg, F Alber (02).   Kart. 1 —
Lohnstein, H, s.: Commedia, la divina.
Lohnes, H, s.: Papier-Kalender.
Löhnis, F: Einführg in d. Bakteriol. Für Landwirte verf. (141)
  8° Lpzg, H Voigt 06.   2.50
— Grundr. d. Ges.- u. Verwaltgsrecht. (102) 8° Ebd. 03. L. 1.40 d
— dass. f. preuss. Landwirte u. landw. Schulen. 2. Afl. (109)
  8° Ebd. 05.   Geb. 1.40 d
— Lehrb. d. landw. Physik u. Wittergskde. (144 m . Abb.) 8°
  Lpzg, Landw. Schulbh. 03.   L. 1.50 d
Lohnsdorf, W v.: Weiberregiment. Eine Hundstagsblüte. (103)
  8° Berl., H Wagner (03). (Lpzg, O Weber.)
Lohnstein, H, s.: Monatsberichte f. Urol.
— u. T Lohnstein, s.: Medizinal-Kalender u. Recept-Taschen-
  buch. — Zentral-Zeitung, allg. medicin.
Lohn-Tabellen f. alle Gewerbtreib., v. 1 Pfennig bis 99 Pfennig
  aufwärts f. ³/₄ Stunde bis inkl. 99 Stunden berechnet. (34) 8°
  Prenzl., C Vincent (04).   — 60 d
Lohr-, Arbeits- u. sanitarischen Verhältnisse, d., d.Bäckerei-
  arbeiter Zürichs. (Von A Merk.) (10) 4° Zür., (Bh. d. schweiz.
  Grütliver.) 03.   — 25 d
Lohof, H: Wand-K. d. Kreises Usedom-Wollin. 1:50,000. 4 Bl.
  je 58×79 cm. Farbdr. Stett., J Burmeister (02). Auf L., m.St. 16 —
Lohoff, H: Kurze Handreichg z. Behandlg d. ev. u. epistol.
  Perikopen d. Kirchenj. Nach d. v. ev. Oberkirchenrat hrsg.
  „neuen" Verz. d. Archl. Perikopen in 2 Heften bearb. 8°
  Bresl., F Hirt 02.   1.30 d
  1. Die alte Perikopenreihe umfassend. (43) — 60 § 2. Die v. d. General-
    synode 1896 genehm. neuen Perikopen enth. (56) — 70.
— Theorie u. Praxis d. Schreibunterr. Für Lehrer u. Semi-
  naristen. 2.Afl. (42 m. 3 Taf.) 4° Halle, H Schroedel 05. — 60 d
Lohr, A: Geistig defekt? Sitten-Roman a. d. modernen Ge-
  sellsch. (176) 8° Stuttg. 02. Münch., Allg.Verl.-Gesellsch. 2.40;
                                               geb. 3 — d
Lohr, A: Rich. Flecknoe, s.: Beiträge, Münch., z. roman. u.
  engl. Philol.
Lohr, E: Wie erlange ich d. Berechtigg z. „Einjährigen". (61)
  8° Karlsruhe (Schützenstr. 63), F Lang'sche Buchdr. (03). 1.20 d
Lohr, E: Bestimmg d. elektr. Leitfähigk. d. Natriums m. d.
  Induktionswage. [S.-A.] (13) 8° Wien, (A Hölder) 04.   — 40
Lohr, H: Anl. z. Ermittlg d. Selbstkostenpreises, z. Kalku-
  lation. (52) 8° Karlsr., O Braun'sche Hofbuchdr. 03. — 50 d
                                  || (Schülerheft.) (16) Fol. 02. — 50 d
Loehr, A v.: Wiener Medaillenm. Nachtr. 1901. (45—62 m. Abb.,
  2 Heliograv. u. 10 Zinkotyp-Taf.) Fol. Wien, A Schroll & Co.
  02.   7 — (Hauptwerk m. Nachtr., L., erm. Pr.: 30 —)
Lohr, F: Deutsch f. Kaufleute. (269) 8° Arnsbg, J Stahl (04).
  Geb. 3 —; Lösgn zu d. Aufg. u. Anl. f. d. Selbstunterr. (48)
                                               (05.) — 60 d
— Der richt. Fall. 60 Aufg. z. Einübg desselben. 3. Afl. (32)
  8° Bielef., A Helmich (04).   — 20 d
— Übgsstoffe f. d. Unterr. in Sprachlehre usw., s.: Schreff, H.
Lohr, H: Jahreszahlen a. d. Weltgesch., Kirchengesch. u. Litt.-
  Gesch., nebst e. Anh. d. wichtigsten geograph. Daten. Für
  höh. Mädchensch. (16) 8° Quedlinbg, P Deter 01.   — 30 d
Löhr, H: Der Turnunterr. f. Mädchen, s.: Dieckmann, A.
Lohr, J: Abraham u. Isaak auf d. Jagd. — Baron-Dienstmann
  u. Dienstmann-Baron. — Der pfiff. Bauer. — Die misslungene
  Betrügerei. — Biermann vor Gericht. — Emmy od. Franzy. —
  Die neue Feuerwehr. — Der unmusikal. Freier. — Der kurierte
  Geck. — Goldkörnchen. — Eine Heiratsgesch. — Kein Jagd-
  schein. — Die Grubesche Kur. — Malzextrakt. — Der Maurer. —
  Die Mehlspeise od. Meier in tausend Aengsten. — Missver-

standen. — Die verhexten Pantoffeln. — Wenn e. Pech hat. —
Das Pfeifchen. — Der Polizeidiener v. Gundelhausen. — Der
schlaue Polizist. — Die Rache d. Lehrlings od. Schneider-
meister Zwirn als Wunderdoktor. — Rot od. Schwarz? —
Der verliebte Schneider. — Der Schnupfer. — Der Schusterjunge. — Ein Stündchen Kasernenleben. — Das vergessene
Thema. — Der entsprungene Turco. — Der gestohl. Ueber-
zieher. — Die Volkslieder, d. reine Un- u. Blödsinn. — Die
verhängnisvolle Wurst.—Der läst. Zimmernachbar od. Wurst
wider Wurst, s.: Heidelmann's, A, Theaterbibliothek.
Löhr, JAC: Erzählng f. Kinder. In neuer Ausw. 3. u. 4. Afl.
  2 Tle in 1 Bd. (112 u. 112 m. Abb. u. 12 [6 farb.] Vollbildern.)
  12° Stuttg., Loewe 02.   Geb. 2.50; in 2 Bde kart. je 1.20 d
— Erzählng f. kl. Kinder. In neuer Ausw. hrsg. v. C Lechler.
  3. Afl. (99 m. Abb. u. 6 Farbdr.) 8° Ebd. (05).   Geb. 3 — d
— Kl. Erzählgn z. Vorlesen u. z. Leseübg f. kl. Kinder. 5. Afl.
  (160 m. 8 Farbdr.) 8° Stuttg., K Thienemann (03). Geb. 3 — d
— s.: Gott schütze dich.
Löhr, M: Babel u. d. bibl. Urgesch. Vortr. (28 m. Abb.) 8° Bresl.,
  GP Aderholz 03.   — 75
— Der vulgärarab. Dialekt v. Jerusalem nebst Texten u. Wrtr-
  verz. (144) 8° Giess., A Töpelmann 05.   4.80
— Seelenkämpfe u. Glaubensnöte vor 2000 Jahren, s.: Volks-
  bücher, relig.-geschichtl.
Löhr, W: Moss, d. Knecht Gottes. — Der Pfingstgeist, s. Wesen
  u. s. Wirken, s.: Weg, d., göttl. Zeugnisse.
Lohre, H: Von Percy z. Wunderhorn, s.: Palaestra.
Lohrenz, K: Nützl. u. schädl. Insekten in Garten u. Feld. Anh.:
  Ges., betr. d. Bekämpfg d. Reblaus v. 6.VII.'04. (99 m. 16 farb.
  Taf.) 8° Halle, H Gesenius 05.   2.60 ; L. 3.20 d
— Prakt. Leitf. f. Käfersammler. (72 m. Abb.) 8° Lpzg, Ernst
  (05).   1 — d
— dass. f.Schmetterlingssammler. (83 m.Abb.) 8°Ebd.(05). 1 — d
— Das Süsswasser-Aquarium. Mit e. Anh.; Das Laubfrosch-
  Haus. (79 m. Abb.) 8° Ebd. (03).   1 — d
— Das Terrarium. (52 m. Abb.) 8° Ebd. (05).   — 75 d
Lohrer, J: Vom modernen „Elend in d. Jugendllit.", s.: Zeit-
  fragen, pädogog.
Lohse, K: Lichtbehandlg bei schweren u. bisher unheilbaren
  Krankh. Auszugsweise bearb. n. Lichtkuren v. G Martin.
  (46 m. Abb.) 8° Lpzg, O Borggold (02).   1 — d
— u. K Daniel: Das ethisch-naturwiss. Heilverfahren f. körper-
  lich u. geistig Gesundende. (99) 8° Lpzg, R Fröbel (04). 2 — ;
                                                 geb. 2.60 d
Lohse, L: Ausw. v. Gesängen f. höh. Schulen. (In 5 Heften.)
  Heft A, B, C u. D. 4° Lpzg, R Voigtländer.   9 —
  A. Welti.Lieder f. gemischte Stimmen. 13. Afl. (100) (02.)   2.50
  B. Dass. 3. Männerstimmen. 13. Afl. (143) 05.   3.70
  C. Geistl. Gesänge f. gemischte Stimmen. 9. Afl. (80) 03.   2 —
  D. Dass. f. Männerstimmen. 8. Afl. (24) (02.)   — 80
— Der Gesangunterr. in d. Seminarsch. zu Plauen. 12. Afl. (28
  m. 1 farb. Taf.) 8° Ebd. 04.   — 60
Lohse, O: Funkenspectra ein. Metalle, s.: Publikationen d.
  astrophysikal. Observatoriums zu Potsdam.
Lohse, O: Üb. Additionen an Verbindgn, d. e. System kon-
  jugierter Kohlenstoff-Doppelbindgn enthalten. (41) 8° Berl.,
  O Rothacker 04.   1 —
Lohsing, E: Das Geständnis in Strafsachen, s.: Grenzfragen,
  juristisch-psyehiatr.
Lohwag, E: Übergangsmenschen. Drama. (167) 8° Dresd., E
  Pierson 03.   2 — d
Loi fédérale concernant les chèques et les virements postaux,
  s.: Bundesgesetz, betr. d. Postcheck- u. Giroverkehr.
— la nouv., sur l'organisation municipale pour l'Alsace-L.,
  s.: Gemeinde-Ordnung, d., f. Elsass-L.
Loir, M, u. G Caqueray: Flotte u. Fortschritt. Wiss. u.
  Kapital, d. Truppen d. Zukunftskriege. Aus d. Franz. v. A
  v. L.*. (142) 8° Berl. 02. Jena, H Costenoble.   3 — d
Lois du 13 juillet 1901 concernant 1. L'impôt sur le capital,
  2. L'impôt sur les salaires et traitements, 3. L'Affectation
  des produits de l'impôt sur le capital, les salaires et traite-
  ments, ainsi que la perception de centimes additionnels
  départementaux. (42) 8° Metz, R Lupus 03.   — 60
Loisy, A: Evangelium u. Kirche, Übers. n. d. 2. Afl. v. J Grière-
  Becker. (189) 8° Münch. 04, Mainz, Kirchheim & Co. 4 — ; geb. 5 —
Loiterle, 's, u. and. Humoresken, s.: Nagel's Bibliothek illustr.
  Humoresken.
Loizillon, H: Campagne de Crimée, s.: Hartmann's, KAM,
  Schulauszg. (U Meier).
Lokal-Fahrplan, Aachener, d. Eisenb. in Strassenb. Ausg. v,
  1.X.'04., (43) 12° Aach., (Cremer).   — 20
Lokay, HJ: Ein launig' Reisebuch. Ansichtskarten v. e. Jour-
  nalistenbummel. (192) 8° Berl., J Räde 03.   2 — d
Lokomotive, die, illustr. Monats-Fachzeitg f. Eisenb.-Tech-
  niker. Hrsg. u. Red.: O Schiff. 1. Jahrg. Mai—Dezbr 1904.
  8 Hefte. (1—6. Heft. 40 S.) 8° Wien. (Berl., A Seydel.) nn 3.80
  || 2. Jahrg. 1. Halbj. Jan.—Juni 1905. 6 Hefte. (96) nn 2.40 ;
  || 2. Halbj. Juli—Dezbr 1905. 6 Hefte. nn 3.60
Lolling, M: Anl. z. Zeichnen u. Entwerfen v. Maschinenteilen.
  1. u. 2. Tl. 4° Köln, P Neubner (03).   In M. je 5.50
  L Maschinenteile 1. als Verbindgsmittel, 2 z. Tragen u. z. Verbindg v.
    Wellen u. Achsen, 3. z. Aufnahme u. z. Fortleitg v. flüss. u. gasförm.
    Körpern. 4. Afl. (16 Bl.) || II. Maschinenteile, 1. z. Umänderg e. geradlin.
    Beweg in e. dreh. u. umgekehrt, 2. z. Uebertragg d. dreh. Beweg v.
    e. Welle auf e. andere. 3. Afl. (18 Taf.)
— Konstruktionsblätter praktisch ausgeführter Maschinenan-

lagen, nebst erläut. Text u. elementar geh. Berechng als Unterr. f. prakt. Ausführgn, techn. Lehranst. u. z. Selbstunterr. 2. Tl. Dampfmaschinen. (16 Taf. in Aubeidr.) Fol. Köln, P Neubner (01).   In M. 3 — (Vollst.: 6.60)

Lolls, Bruder: Der Abt v. Herafeld. Schausp. (146) 8° Berl., Buchdr. u. Verl.-Anst. „Strauss" 01.   nn 2 — d

Lombard, J: 1. deut. Sprachb. f. d. reichsländ. 2sprach. Schulen. Ausg. A (f. d. Lehrer). 5. Afl. (55) 8° Metz, P Even 02.
      Kart. — 80 d
— dass. Ausg. B (f. d. Schüler). 6. Afl. (55) 8° Ebd. 03.
      Kart. — 45 d
— 2. deut. Sprachb. f. d. reichsländ. 2sprach. Schulen. Ausg. B (f. d. Schüler). 5. Afl. (160 m. Abb.) 8° Ebd. 01. Kart. — 80
      ‖ 6. Afl. (55) 03. — 45 d
— 3. deut. Sprachb. f. d. reichsländ. 2sprach. Schulen. Ausg. B (f. Schüler). (384) 8° Strassbg, F Bull 03. Kart. nn 1.20 d
— u. K König: Deut. Sprechübgn f. 2sprach. Schulen im Anschl. an d. Strassburger Anschaugsbilder. 3. Afl. Ausg. f. Schüler. (32 m. Abb.) 8° Ebd. 02.   nn — 25 d

Lombard, J: Die Agonie. Aus d. Franz. v. FL Leipnik. (438) 8° Budap., F Sachs 03.   3 — d

Lombard, L: Lebenskunst eines Ehelosen. Übersetzg d. amerikan. Orig. (90 m. Abb.) 8° Lpzg, Modernes Verl.-Bureau 05. 1 —

Lomberg, A: Präparat. zu deut. Gedichten. Nach Herbart. Grundsätzen ausgearb. 5 Hefte. 8° Langens., H Beyer & S. 14.60 d
1. Uhland, Schwab u. Kerner. 4. Afl. (156) 02. 2.40 ‖ 5. u. 6. Afl.(180 berw. 1901 04.05. 2.50
2. Goethe u. Schiller. 4. Afl. (272) 03.   3.60
3. Rückert, Eichendorff, Chamisso, Heine, Lenau, Freiligrath u. Geibel. (208) 08.   2.50
4. Gellert, Pfeffel, Claudius, Hölty, Bürger, Herder, Hebel, Krummacher, Giesebrecht, Bernbardi, Wilh. Müller, Hoffmann v. Fallersleben, Hauff, Vogl. (342) 01. 2.85 ‖ 2. Afl. (350) 02. 3 — ‖ 3. u. 4. Afl. (252) 04.05. 3.20‖
      geb. 4 —
5. Gedichte geschichtl. Inhalts v. Simrock, Dahn, Platen, Gerok, Oser, Koplsch, Mosen, Arndt, Körner, Schenkendorf u. a. (220) 02. 2.75 ‖ 2. Afl. (220) 03. 2.90

— Friedrich Schiller in s. Leben u. Wirken. Der deut. Jugend dargest. (110 m. Abb. u. Titelbild.) 8° Ebd. 05. Geb. — 75 d
— Sollen in d. Volkssch. auch klass. Epen u. Dramen gelesen werden?, s.: Magazin, pädagog.

Lombroso, C: Die Ursachen u. Bekämpfg d. Verbrechens. Übers. v. H Kurella u. E Jentsch. (403) 8° Berl., H Bermühler 02.
      8 —; geb. 10 —

Lommatzsch, E, u. K **Lommatzsch**: Wegweiser z. Erlangg akadem. Würden, s.: Baumgart, M.

Lommatzsch, W, s.: Civis Romanus.

Lommel, E v.: Lehrb. d. Experimentalphysik. 8. u. 9. Afl. v. W König. (592 m. Fig., 1 Bildnis u. 1 farb. Taf.) 8° Lpzg, JA Barth 02. ‖ 10. u. 11. Afl. (596 m. Fig. u. 1 farb. Taf.) 04.
      Js 6.40; L. je 7.20

Lömmer, A: Homeri ludos funebres quomodo recentiores epici Graeci et Latini imitati sint. (54) 8° Straub., (H Appel) 01. 3 —

Lomnitz, H: Ein Weg z. Verringerg d. Frachtkosten v. Koks u. Minette f. d. rheinisch-westfäl. u. lothring.-luxemburg. Eisenindustrie. [S.-A.] (51) 8° Berl. 03. Dresd., OV Böbmert. 1.50

Lonas, H: Choralb. z. ev. Brüdergemeine. Neue Ausg. 2 Tle. 8° Herrnh., Missionsbb. Je 1 —; L. je 1.50; in 1 Ld.-Bd 3.40 d
L 130 d. bekanntesten Melodien m. Text u. als Anh. ein. d. beliebtesten Arien. 10. Afl. (132) (02.) ‖ II. 68 welt. Melodien m. Text u. e. Anzahl Motetten f. d. a cappella Gesang. 3. Afl. (119) (04.)

London Art Fashion Journal, the, Fortsetzg, s.: Tailor and Cutter, the.

Long u. **Preusse**: Prakt. Anl. z. Trichinenschau. 3. Afl. v. M Prensse. (67 m. Abb.) 8° Berl., R Schoetz 02. Geb. 2.40 ‖ 5. Afl. (65 m. Abb.) 04. ‖ 6. Afl. (85 m. Abb.) 05. Geb. je 2.50 d

Longard de Longgarde, Mad. D, s. u. Gerard, D.
— Die Blutsteuer. Roman a. d. deut. Militärleben. Aus d. Engl. v. O Marschall v. Bieberstein. (272 m. Bildnis.) 8° Lpzg, H Schmidt & C Günther 04.   2.50; geb. 3.50 d

Longardt, L: Der Major als Escadrons-Commandant. (39) 8° Krak. 02. (Wien, LW Seidel & S.)   1 —

Longe, A de: Feldzüge d. Bayern. Kriegsgeschichtl. National-Kalender. (257) 8° Landsh., P Krüll 02.   2 — d

Longfellow, HW: Evangeline, s.: Authors, Engl. f. National.
— E Schmid u. F Kriete). — Textbibliothek, engl. (E Sieper).
— dass. Neu verdeutscht v. W Andresen. (48) 8° Lpzg (1900). Bannov., O Tobies.   L. 2 — d
— Nuremberg. Poem. (Neue Ausg.) (16 m. 1 Abb. u. 4 Taf.) 8° Nürnbg, JA Stein (03).   Geb. 2 —

Longhaye, G: Canossa. — Kämpfe u. Kronen, s.: Schul- u. Vereinsbühne.

Longinus: Üb. d. Erhabene. Verdeutscht u. eingeleitet durch F Hashagen. (118) 8° Gütersl., C Bertelsmann 03. 2.40 d

Longiovits, J, s.: Praxis, pharmaceut.

Longus: Hirtengesch. v. Daphnis u. Chloe, s.: Liebhaber-Bibliothek, kulturhistor.

Loening, E: Die Gerichtsbark. üb. fremde Staaten u. Souveräne, s.: Festgabe, f. Herm. Fitting.
— Grundz. d. Verfassg d. Deut. Reiches, s.: Aus Natur u. Geisteswelt.
— s.: Handwörterbuch d. Staatswiss. — Jahrbücher f. National-ökonomie u. Statistik.

Loening, R: Gesch. d. strafrechtl. Zurechngslehre. 1. Bd. Die Zurechnungslehre d. Aristoteles. (30, 559) 8° Jena, G Fischer 03.   9 —

Lonke, A: Hauptdaten d. deut. Lit. v. 1830—1900. (67) 8° Brem., G Winter 05.   1 — d
— Königin Luise v. Preussen. Lebensbild. (835 m. Abb. u. 2 Beil.) 8° Lpzg, EA Seemann 04.   6.50; L. 8 —; HF. 9 — d

Lonlay, E de: Ihr erster Roman, s.: Weichert's Wochen-Bibliothek.

Lonnberg, E: Pisces (Fische), s.: Bronn's, HG, Klassen u. Ordngn d. Tier-Reichs.

Lönnberg, I: Studien üb. d. Nabelbläschen an d. Nachgeburt d. ausgetrag. Kindes. (118 m. 8 Taf.) 8° Stockh. 01. (Wiesb., JF Bergmann.)   4.60

Löns, H, s. a.: Leine, F v. d.
— Mein gold. Buch. Lieder. (64 Bl.) 4° Hannov., M & H Schaper (01).   2.50; L. 3.50 d
— Mein grünes Buch. Schüldergn. (160) 8° Ebd. (01). 2 —; L. 3 —

Looff, E: Burg Ehrenstein. Sage v. Niederwald. (156) 8° Dresd., E Pierson 01.   2.50; geb. 3.50 d
— „Des Kaisers Schwert". Erzählg a. d. Zeit d. Hohenstaufen. (155) 8° Cass., (F Kessler) 04.   1.50; geb. 2 — d

Loofs, F: Grundlinien d. Kirchengesch. in d. Form v. Dispositionen f. s. Vorlesgn. (319) 8° Halle, M Niemeyer 01. 3 —;
      geb. 4 —
— Römisch-kathol. u. ev. Lehre v. d. Kirche, s.: Flugschriften d. Ev. Bundes.
— Nestorian. Die Fragmente d. Nestorius. Ges., untersucht u. hrsg. Mit Beitr. v. SA Cook u. G Kampffmeyer. (407) 8° Halle, M Niemeyer 05.   15 —
— Predigten. 2. Reihe. (316) 8° Ebd. 01.   3 —
      (1 u. 2.: 6 —; Einbde je 1 — d
— Der authent. Sinn d. nicän. Symbols. Vortr. [S.-A.] (28) 8° Lpzg, G Wigand 05.   — 40 d
— Symbolik od. christl. Konfessionskde, s.: Grundriss d. theolog. Wiss.
— Die Trinitätslehre Marcell's v. Ancyrn u. ihr Verhältn. z. ält. Tradition. [S.-A.] (18) 8° Berl., (G Reimer) 02. 1 —
— Was soll uns heute noch im. Stellgnahme im Frauischtkirchl. Leben? Predigt. [S.-A.] (18) 8° Halle, E Strien 04. — 20 d

Loos, A, s.: Andere, d.

Loos, C: Plan v. Wien m. d. neuen Strassen- u. Gassen-Namen. 1:25,000. 68×84,5 cm. Farbdr. Mit 1 Detailpl. d. I. Bezirkes. 1:10,000. 23×27 cm. Farbdr. Neue Ausg. 1905. Nebst Verz. d. Strassen etc. (18) 12° Wien, R Lechner's S. In Kart. 2.40 ;
      geb. 3 — d

Loos, I: Aus d. Werde-Epoche e. Individualität. Ein psycholog. d. Psychophysiol. (331) 8° Wien, C Stetter 02.   3.50 d

Loos, O: Zahnhygiene in Schule u. Heer, s.: Jessen.

Loos, R: Bau u. Topogr. d. Alveolarfortsatzes im Oberkiefer. (99 m. Fig. u. 10 Taf.) 8° Wien, A Hölder 1900.   4.80

Loose, E: 12 Jahre aktiv: Mein Kaiser rief! Alles umfass. Ratgeber f. Militäranwärter d. deut. Heeres u. d. Marine beim Uebertritt in d. Beamten-Laufbahn. (206) 8° Mgdbg, (Lichtenberg & B.) (01).   Geb. — 75 d

Loose, E: Prakt. Unterrichtsb. f. Schlosser. 2. Afl. (268 m. Abb.) 8° Halle, L Hofstetter, 04. Kart. — 60 d
— dass. f. Tischler, Bildhauer, Drechsler etc. 3. Afl. (220 m. 1 Taf.) 8° Ebd. 04.   Kart. 4 — d

Loose, F: Aus Grossmühlingens Vergangenheit. (46 m. Abb.) 8° Dess., C Dünnhaupt 03.   1 — d

Loose, F: Taschenb. f. Monteure elektr. Strassenb. Anl. z. Bau u. Unterhaltg elektr. Strassenb. m. Oberleitgs- u. Akkumulatorenbetrieb. Bearb. unter Mitwirkg v. M Schiemann. 2. [Tit.-]Afl. (18 m. Abb.) 12° Lpzg, O Leiner [1899] 03. Geb. 1.50

Loose, P: Wie wirke ich in d. Ferne? Prakt. Anl. z. Ausübg d. Telepathie auf jede Entferng u. Heilg v. Krankh. durch dieselbe. (23 m. Abb.) 8° Lpzg, E Fiedler (05).   — 50 d

Looser: Versuche a. d. Wärmelehre u. verwandten Gebieten m. Benutzg d. Doppel-Thermoskops. 2. Afl. Anh.: Ein neuer Wärmeleitgsapparat, e. hydromechan. Apparat. (131 m. Fig.) 8° Ess., Hl Geck 04.   L. 3 —

Looshorn, J: Die Gesch. d. Bisth. Bamberg. IV. Bd. 2. Lfg u. V. Bd. 8° Bambg, Handels-Dr. u. Verlagsh.   12 —
      (I, II, 3 u. III—V.: 67 —) d
IV. 1400—1556. 2. Lfg. (513—1080) 1900. 11 — ‖ V. 1556—1622.(544) 03. 17 —
— Weigand v. Redwitz, Fürstbischof v. Bamberg 1522—56. [S.-A.] (538) 8° Ebd. 1900.   1 —

Looss, E: Beisp. z. Satzlehre a. deut. Dichtern. 2. Afl. (24) 8° Langens., Schulbb. 02.   — 25 d

Looss, G: Welche naturwiss. Kenntnisse braucht d. moderne Kaufmann? Die Ausnutzg d. Naturkräfte z. Beginn d. 20. Jahrh. im Dienste d. Handels u. d. Industrie. (145 m. Abb.) 8° Lpzg, Verl. d. mod. kaufm. Bibliothek (03).   L. 2.75

Loosten, de: Jesus Christus v. Standpunkte d. Psychiaters. (104) 8° Bambg, Handels-Dr. u. Verlagsh. (05).   2 —

Lope s.: Vega Carpio, Frey Lope F de.

Loeper, R: Rechenb., s.: Giese, J.

Loeper, R: Aus die Athen, s.: Tabulae, quibus antiquitates graecae et romanae illustrantur.

Loeper-Housselle, M, s.: Lehrerin, d., in Schule u. Haus.

Loosten, s.: Jesus Christus v. [see above]

Loeper-Housselle, M: Beschaffenh., Herstellg u. Funktion v. Verdampfersolen f. Fleischkühlanlagen. [S.-A.] (17) 8° Altona 05. (Hambg, J Kriebel.)   — 30

Łopuszánski, E: Die österr. Banken im J. 1902. [S.-A.] (123) 8° Wien, Manz 03.   2.40

Łopuszánski, E: Die österr. Banken im J. 1903. [S.-A.] (103)
8° Wien, (Hof- u. Staatsdr.) 05. . . . —
— Die Volkswirtschaft Österr. in d. J. 1900—04. (111) 8° Wien,
A Hölder 04. 2.20 d
Loquax s.: Kunst, d., ledig zu bleiben.
Lorand, A: Die rationelle Behandlg d. Zuckerkrankh. (48) 8°
Berl., A Hirschwald 03. 2 —
— Die Entstehg d. Zuckerkrankh. u. ihre Beziehgn zu d. Ver-
ändergn d. Blutgefässdrüsen. (63) 8° Ebd. 03. 1.60
Lorch, J: Mathemat. Geogr., 7. Afl., s.: Eggert, E.
Lorch's, N, Ruina Palatinatus Bipontini, hrsg. v. R Buttmann,
s.: Mitteilungen d. histor. Ver. d. Mediomatriker f. d. West-
pfalz in Zweibrücken.
Lorch, W, s.: Jahrbuch d. Ver. f. Orts- u. Heimatskde in d.
Grafsch. Mark. — Naturfreund, d.
Lörcher, Frau E, s.: Grupe-Lörcher, E.
Lörcher, U: Allerlei Herzen. 4 Erzählgn a. d. Leben. (213) 8°
Herb., Bh. d. nass. Colportage-Ver.02. — 80; geb. 1.20; L.1.50 d
— Uns. Landsleute in Siebenbürgen, s.: Familien-Bibliothek
fürs deut. Volk.
— Susanne. Erzählg a. d. Dienstbotenleben uns. Tage. (54 m.
Titelbild.) 12° Strassbg, Bh. d. ev. Gesellsch. 01. geb. — 50 d
— Aus Ungarns Glaubenskämpfen. Kultur- u. kirchengeschichtl.
Erzählg. (212) 8° Herb., Bh. d. nass. Colportagever.05. 1 —;
geb. 1.40; L. 1.80 d
Loreck, C, u. A Winter: Atlas f. d. bayer. Mittelsch. III. u.
IV. Tl. Fol. Münch., Filoty & L. nn 4.10 : kart. nn 5 —
(Vollst.: nn 5.70; kart. nn 7.50; in 1 Bd geb. nn 6 —)
III. Die Länder Europas ausser Deutschl., Oesterr.-Ungarn u. d. Schweiz.
(20 Kartens.) 01. nn 1.60; kart 1 2 —
IV. Asien, Afrika, Australien, Nord- u. Südamerika. Übersichten üb. d.
Erdoberfläche u. viele Nebenk. (25 Kartens.) 03. nn 2.50; kart. nn 3 —
— — Atlas f. d. Münch. Volkssch. V—VII. Kl. Fol. Ebd.
nn 1.95 (III—VII.: nn 2.85)
V. (8 Kartens.) (01.) nn — 75 ‖ VI.VII. (14 Kartens.) 01. nn 1.30.
Lorentz, F: Das Ges., betr. Kinderarbeit in gewerbl. Betrie-
ben. Vom 30.III.'03. Winke f. d. Durchführg desselben. (73) 8°
Langens., Schulbh. 04. — 75 d
Lorentz, F: Slovinz. Grammatik. (20, 392 m. 1 Karte.) 8° St.
Petersbg 03. (Lpzg, Voss' S.) 4 —
— Slovinz. Texte. (150) 8° Ebd. 05. 2 —
Lorentz, HA: Sichtbare u. unsichtbare Beweggn. Vortr. Aus
d. Holl. v. G Siebert. (123 m. Abb.) 8° Brnschw., F Vieweg
& S. 02. 3 —; L. 3.80
— Ergebnisse u. Probleme d. Elektronentheorie. Vortr. (62) 8°
Berl., J Springer 05. 1 —
Lorentz, K: Hoch d. Hohenzollern! Patriot. Reden f. Schulen,
Krieger- u. Turnver. (87) 8° Neuw., Heuser's V. 02. 1 —;
feine Ausg. 1.50 d
Lorentz, P, s.: Hebbelbuch.
Lorentzen, T: Führer durch Heidelberg, s.: Beckmann.
— Der Odenwald in Wort u. Bild. 2. Afl. 30 Lfgn. (348 m. Abb.
u. 30 Lichtdr.) 4° Stuttg, J Weise (04.05). Je — 80;
in 1 L.-Bd m. G. 25 — d
— Die Sage v. Rodensteiner, s. historisch-krit. Darstellg. (70)
8° Hdlbg, K Groos 03. 1 —
Lorenz: Jahresbericht d. Gewerbeaufsichtsbeamten d. Auf-
sichtsbez. Lübeck.
Lorenz: Das grossh. hess. Ges. betr. d. Entschädigg f. an Milz-
brand, Rauschbrand u. Schweinerothlauf gefall. Thiere v.
7.VII.1896/24.IX.1900, nebst Anweisg d. grossh. hess. Ministeriums d. Innern, d. Ausführg d. ob. Ges. sowie d. beim Auftreten d. Rauschbrandes u. Schweinerothlaufes zu ergreif.
veterinärpolizeil. Massregeln betr., vom 20.X.1900. [S.-A.]
(54) 8° Jena, G Fischer 01. 1 —
Lorenz: Prakt. Führer durch d. ges. Medizin m. bes. Berücks.
d. Diagnose u. Therapie. 13 Lfgn. (1040) 8° Lpzg, B Konegen
02-04. Je 2 —; in 1 HF.-Bd. 28.50 ‖ Nachtr. (104) 04. 3.90; Hl. 3.50
Lorenz, s.: Taschen-Kalender f. Aerzte.
Lorenz, A: Die alte reformierte n. d. neue ev. Gemeinde Grevenbroich. (147) 8° Barm., E Biermann 05. 2.50; geb. 3.25 d
— s.: Heimatskunde.(144)8° Dresd.,EPierson 03. 2 —; geb. 3 —
Lorenz, C: Alphabet. Zusammenstellg d. französ. Verben, wel-
che m. d. Infinitiv m. de u. à verbunden gebraucht werden.
2. durch Nachtr. u. C Lorenz' Nachlass verm. u. v. C Klöpper
bearb. Afl. (84 u. 42) 8° Wolfenb., J Zwissler 1900.04 (Umschl).
1.50; Nachtr. allein — 30
Lorenz, C: Aufg. f. d. Rechenunterr., s.: Pann, H.
Lorenz, E: Das Ges. betr. d. Verkehr m. Lebensmitteln u. ein.
Gebrauchsgegenständen, s.: Gesetz-Ausgabe, Manz'sche.
Lorenz, E, s.: Lorenz-Terentius.
Lorenz, F: Alpine Plandereien. Heiteres u. Weiteres a. meinen
Alpenfahrten. (84) 12° Schweinf., (E Stoer) (02). — 40 d
Lorenz, H: Schüler v. St. Laurentius. Roman. (220) 8° Dresd.,
E Pierson 03. 3 —; geb. 4 —
Lorenz, H: Die Beamten-Besoldgstitel d. Deut. Reichs- u.
preuss. Staats-Haushalts-Etats f. d. Rechngsj. 1904. Anh.:
Zivillisten u. Präsidentengehälter d. Staatsoberhäupter u. a. m.
12. Jahrg. (136) 12° Berl., (O Nahmmacher) 04. — 75 d
— Die Berufswahl d. Militär-Anwärter. Rathgeber f. Avancirte
d. Armee u. Marine -z. Vorbereitg f. d. Beamtenlaufbahn.
6. Afl. Anh.: Die Beamten-Besoldgstitel. (282 u. 90) 12° Ebd.
02. 1.50 d
— s.: Organisation, d., d. Lehranst. p. s. w.

Lorenz, H: Rathgeber f. Reichs-, Staats- u. Kommunalbeamte.
15. Afl. (606 u. Nachtr. 16 m. 1 Karte.) 12° Berl., (O Nahmmacher) 04. L. 2 —; m. Beamten-Besoldgstitel in 1 Bd 2,75 d
— Wie verwalte ich mein Vermögen? Prakt. Ratschläge, sowie
d. Vorschriften üb. d. Verwaltgsrecht d. Mannes an d. Vermögen d. Ehefrau u. -d. Vormundes an d. Mündelvermögen.
(72) 8° Berl., H Steinitz 02. 1 — d
Lorenz, H: Dynamik d. Kurbelgetriebe m. bes. Berücks. d.
Schiffsmaschinen. (156 m. Fig.) 8° Lpzg, BG Teubner 01. 5 —
— Die prakt. Gleichwertigk. d. 3 Hauptsysteme v. Kompres-
sionskühlmaschinen. (12 m. 1 Tab.) 8° Münch., R Oldenbourg
02. — 50
— Neuere Kühlmaschinen, s.: Handbibliothek, techn.
— Lehrb. d. techn. Physik. 1. u. 2. Bd. 8° Münch., R Oldenbourg.
28 —; Einbde je 1 —
1. Techn. Mechanik starrer Systeme. (34, 625 m. Abb.) 02. 15 —
2. Techn. Wärmelehre. (19, 545 m. Abb.) 04. 13 —
— s.: Zeitschrift f. d. ges. Kälte-Industrie.
Lorenz, H: Die Muskelerkrankgn, s.: Pathologie u. Therapie,
spec.
Lorenz, H: Die Klage vor d. Amts-, Gewerbegerichten u. d.
Schiedsgerichten f. Arbeiterversicherg, sowie d. Zwangsvollstreckg, s.: Bibliothek d. prakt. Wissens.
Lorenz, H: Die Einführg d. brandenb.-preuss. Landeshoheit
in d. Stadt Quedlinburg u. d. Feier d. Eröngstages daselbst
am 17. u. 18.1701. Festschrift z. 200jähr. Jubelfeier d. preuss.
Königskrönng. (32) 8° Qdlnbg, H Schwaneke 01. — 80 d
— Christoph GutsMuths. Bilder a. d.·Leben d. Begründers d.
deut. Leibesübg. Festspiel. (Neue Afl.) (31 m. 1 Taf.) 8° Ebd.
03. — 50 d
— s.: GutsMuths, Christoph. — Wehrkraft durch Erziehg.
— H Raydt u, R Rössger: Dent. Leseb. f. d. mittl. Kl. höh.
Lehranst. 3 Tle. 8° Lpzg, R Voigtländer. Geb. 6 — d
1. Prosa. (347) 04. 2.80 ‖ 2. Gedichte f. Untertertia. (192) 04. 1.30 ‖ 3. Von
allen Zweigen. Sammlg deut. Gedichte. 1.-3. Taus. (320) (03.) 3 —
Lorenz, J, s.: Bericht üb. d. X. Blindenlehrer-Kongress.
Lorenz, J: Schaff dir Gold in Monte Carlo! (124 m. 3 Taf. u.
Bildnis.) 8° Münch., C Beck (L Haile) 05. 6 —
Lorenz, JJ: Erzählgn in Gedichte 'in Egerländer Mundart.
2. Afl. (20 m. Bildnis.) 8° Eger, J Kobrtsch & Gschihay (03).
— 40 d
Lorenz, K: Lehrb. d. Gesch. f. Mittelsch. (350 u. 21) 8° Münch.,
R Oldenbourg 04. Geb. nn 3.50 d
— dass. f. realist. Mittelsch. 2. Afl. (361 u. 19) 8° Ebd. 06.
Geb. nn 3.50 d
— Die historisch-polit. Parteibildg in Deutschl. vor Beginn
d. 30jähr. Krieges im Spiegel d. konfessionellen Polemik.
(163) 8° Münch., CH Beck 03. 3.50 d
Lorenz, K, s.: Kiesgen, L.
— Ein Engel auf Erden, s.: Theater, kleines.
Lorenz, K: Sammlung belehr. Unterhaltgsschriften f. d.
deut. Jugend.
Lorenz, K: Formularb. f. d. freiwill. Gerichtsbark., s.: Weiz-
säcker, H.
— Formularb. zu d. Reichsges. üb. d. Zwangsversteigerg u.
d. Zwangsverwaltg. Auf d. Grundl. d. Formularb. v. C Wil-
manns hrsg. (45) 8° Berl., R Kühn 01. 1.20; geb. nn 2 — d
Lorenz, L v., s.: Lorenz v. Liburnau.
Lorenz, L: Ein Denkmal d. Erzgebirges.' Des Erzgebirgers
Freud u. Leid. (117 m. Notenbild.) 8° Annabg, (Graser) 03.
— 80 d
Lorenz, L: Die Mariendarstellg Albr. Dürers, s.: Studien z.
deut. Kunstgesch.
Lorenz, O: Das Evangelium n. Matthäus, Markus, Lukas sach-
lich geordnet. 1. Tl: Das sittlich-relig. Leben. — 2. Tl: Die
Vorstellgs-Welt. (78) 8° Hdlbg, Ev. Verl. 01. Geb. (1.75) 1 — d
Lorenz, O: Gegen Bismarcks Verkleinerer. Nachträge zu
Kaiser Wilhelm u. d. Begründg d. Reichs[1]. (116), 8° Jena,
G Fischer 03. 2 — d
— Friedrich, Grossh. v. Baden. Zum 50jähr. Regiergsjubiläum
1852—24.IV.—'02. Charakterbild m. e. Anh. biograph. Nach-
richten. (127) 8° Jena, G Fischer. 2.50; L. 3.50 d
— Kaiser Wilhelm u. d. Begründg d. Reichs 1866—71 n. Schrif-
ten u. Mittellgn beteil. Fürsten- u. Staatsmänner. (684) 8°
Jena, G Fischer 02. 10 —; geb. 12 — d
Lorenz, O: Die Seligpreisgn, in Predigten ausgelegt. (77) 8°
Halle, CE Müller 02. 1.20; geb. 1.80 d
— Die Stadtkirche zu Weissenfels. (75 m. Abb., 1 Taf. u. 1
Grundr.) 8° Weissenf., M Lehmstedt 03. 2 — d
Lorenz', P, Touristenk. d. Elsass (Vogesen). 1:200,000. 2 Bl.
Farbdr. Freibg i/B., P Lorenz. Je 2 —; auf L. je 3 —;
1. Strassburg. 50×50,5 cm. (02.) ‖ 2. Colmar—Mülhausen. 52,5×50,5 cm.
(03.)
— Freiburg im Breisgau. Führer nebst Spaziergängen u. Aus-
flügen. 4. Afl. (100 m. 1. Karte.) 12° Ebd. (04). — 75
— Plan d. Stadt Freiburg im Breisgau. 1:12,000. 76×50 cm.
Farbdr. Nebst Strassenverz. (5) 8° Ebd. (04). — 50
— dass. (Kl. Ausg.) 39,5×39 cm. Farbdr. Nebst Strassenverz.
(5) 8° Ebd. (04). — 50
— Herrenalb u. Umgebg. Touristenk. 1:40,000. 50×52,5 cm.
Farbdr. Ebd. (04). — 75
— Plan v. Herrenalb. 1:6000. 27,5×46,5 cm. Farbdr. Mit Text.
(4) 8° Ebd. (04). — 30

Lorenz', P, neueste Karte v. Hornberg, Triberg, Schönwald u.
Umgebg. 1 : 75,000. 37,5×47 cm. Farbdr. Freibg i/B., P Lorenz
(09).   — 75
— Spezialk. v. Schwarzwald. III—VII. Bl. 1 : 75,000. Farbdr.
Ebd.   Je 2.95; auf L. je nn 3.25
III. Tübingen—Oberndorf. 58×75,5 cm. ‖ IV. Karte v. südl. Schwarzwald.
Bl. I. Freiburg in Br. (Neue Aß.) 557×65 cm. (02.) ‖ V. Dass. Bl. II:
Schramberg-Donaueschingen. 52×59,5 cm. (01.) ‖ VI. Dass. Bl. II. Mülheim-
Waldshut. (Neue Aß.) 50×70,5 cm. (02.) ‖ VII. Bonndorf-Schaffhausen-
Bodensee. 43×59 cm. (05.)
Bl. I ist noch nicht erschienen. Bl. II bildet : Lorenz, P, Karte
v. nördl. u. mittl. Schwarzwald, 2. Bl: Renchen-Schiltach (im
Kat. 1896/1900).
— Übersichtsk. d. Schwarzwalds. [S.-A.] (Neudr.) 1 : 400,000.
46,5×38 cm. Farbdr. Ebd. (05).   — 60
— Übersichts-K. d. Schweiz. (Neue Ausg.) 1 : 800,000. 31×43,5
cm. Farbdr. Ebd. (05).   — 50
— Wildbad u. Umgebg. Touristenk. 1 : 40,000. 50×52,5 cm.
Farbdr. Ebd. (04).   — 75
Lorenz, R: Erzählgn u. Lieder, s.: Reinick, R.
— Deut. Kindermärchen, s.: Grimm, J.
— Märchen, s.: Reinick, R.
— Auserlesene Märchen. — Die schönsten Märchen, s.: Grimm, J.
— Märchen, Erzählgn u. Lieder, s.: Reinick, R.
Lorenz, R: Ueb. d. Ausbildg d. Elektrochemikers. Vortr. (40)
8° Halle, W Knapp 01.   2 —
— Die Elektrolyse geschmolz. Salze, s.: Monographien üb. an-
gewandte Elektrochemie.
— Elektrochem. Praktikum. (254 m. Abb.) 8° Gött., Vanden-
hoeck & R. 01.   L. 6 —
— s.: Zeitschrift f. anorgan. Chemie.
Lorenz, R: Lerne Reden! Prakt. Winke z. Erhaltg, Kräftigg
u. Veredlg d. Sprechstimme. 2. Afl. (64) 8° Halle, CA Kaemmerer & Co. 02.   1 — d
— Lichtenstein. Ein deut. Spiel n. Hauff's romant. Sage. (123
m. 1 Bild.) 8° Ebd. 01.   1.50; L. 2.50 d
Lorenz, T: Beitr. z. Geol. u. Palaeontol. v. Ostasien unter
bes. Berücks. d. Prov. Schantung in China. [S.-A.] I. Tl. (64
m. Fig. u. 5 Beil.) 8° Marbg 05. (Lpzg, M Weg.)   nn 4 —
— Monogr. d. Fläscherberges, s.: Beiträge z. geolog. Karte
d. Schweiz.
— Geolog. Studien im Grenzgeb. zw. helvet. u. ostalpiner
Facies. 2. Tl. Südl. Rhaetikon. [S.-A.] (68 m. Fig. u. 9 Taf.)
8° Freibg i/B. (02.) (Tüb., JCB Mohr.)   4 —
— Der 1. Tl ist enth. in: Lorenz, T, Monogr. d. Fläscherberges.
Lorenz, W: Übgn f. d. Trockenschwimmen, s.: Striegler, B.
Lorenz v. Liburnau, H Ritter: Lehrb. d. Forstw., s.: Eckert, F.
Lorenz v. Liburnau sen., JR Ritter: Zur Deutg d. fossilen
Fucoiden-Gattgn Taenidium u. Gyrophyllites. [S.-A.] (61 m.
Fig. u. 4 Taf.) 4° Wien, (A Hölder) 1900.   7.50
— Ergänzg z. Beschreibg d. fossilen Halimeda Fuggeri. [S.-A.]
(28 m. Fig. u. 2 Taf.) 8° Ebd. 05.   1.10
                            (Hauptwerk u. Ergänzg: 1.40)
Lorenz v. Liburnau, L Ritter: Das Becken d. Steller'schen
Seekuh, s.: Abhandlungen d. k. k. geolog. Reichsanst.
— Üb. Hadropithecus stenognathus Lz., nebst Bemerkgn zu
ein. and. ausgestorb. Primaten v. Madagaskar. [S.-A.] (12 m.
2 Taf.) 4° Wien, (A Hölder) 01.   2 —
— Megalodapis Edwardsi G. Grandidier. [S.-A.] (40 m. Fig. u.
6 Taf.) 4° Ebd. 05.   6.30
— Zur Ornis Neuseelds. [S.-A.] (22 m. 1 farb. Taf.) 8° Ebd. 02. 2 —
— u. CE Hellmayr: Ein Beitr. z. Ornis Südarabiens. Mit
„Field notes" d. Collectors GW Bury. [S.-A.] (19 m. 1 farb.
Taf.) 4° Ebd. 02.   2 —
Lorenz-Terentius, F, s. a.: Terentius, L.
— Deutschl. Ein neues Wintermärchen. (37 m. 3 farb. Taf.) 8°
Berl., Harmonie (05).   2 —; geb. 3 — d
— Der Klex. Ein Drunter- u. Drüberbrettl-Buch f. Nomaden,
· Secessionisten u. and. Herrenmenschen. (63 m. 15 Taf. u.
Bildnis.) 8° Berl. (SW, Hallesche Str.17), Fel. Lorenz 02.   1 — d
Lorenzen: Gesch. d. Berliner Invalidenhauses (Fortsetzg d.
v. Ollech'schen Schrift), s.: Beiheft z. Militär-Wochenbl.
Lorenzen, F: Der Universal-Bazar, s.: Kürschner's, J Der Kinder-
schatz.
Lorenzen, H: Das Bildnis. Novelle. (62) 8° Strassbg, J Singer
04.   1 —
Lorey, F: Hölzerne Brücken usw., s.: Baumeister, R.
Lorey, F: Die Besteurg d. Gewerbebetriebes im Umherziehen
im Kgr. Sachsen, s.: Handbibliothek, jurist.
Lorey, T, s.: Forst- u. Jagd-Zeitung, allg.
— Hdb. d. Forstwiss. 2. Afl., hrsg. v. H Weber. 2 Bde. 8°
Tüb, H Laupp 03.   Je 9 —; in 4 HF.-Bdn 60 —
  I. Die Aufg. d. Forstwirtschaft u. forstl. Produktionslehre L (800)
  II. Forstl. Produktionslehre II. (556 m. Abb.)
  III. Forstl. Betriebslehre u. forstl. Ingenieurwesen. (586 m. Abb.)
  IV. Forstl. Verwaltgs- u. Betriebsl., Forstpolitik u. Forstgesch. (604)
— s.: Jahresbericht üb. Veröffentlichg u. wichtigere Ereig-
nisse im Geb. d. Forstwesens usw.
Loria, A, s.: Festgaben f. Adolph Wagner.
— Die Soziologie. Ihre Aufgabe, ihre Schulen u. ihre neuesten
Fortschritte. Vortr. Aus d. Ital. v. O Heiss. (112) 8° Jena,
G Fischer 01.   1 — d
Loria, G: Spez. algebr. u. transscendente ebene Kurven, s.:
Teubners, BG, Sammlg v. Lehrbb. auf d. Geb. d. mathemat.
Wiss.
Lorichs, M, a. Flensburg: Konstantinopel unter Suleiman d.

Gr. Aufgenommen im J. 1559. Nach d. Handzeichg d. Künstlers in d. Univ.-Bibliothek zu Leiden m. und. alten Plänen
hrsg. u. erläut. v. E Oberhummer. (22 Lichtdr. u. 24 S. illustr.
Text.) 31,5×44 cm. Münch., R Oldenbourg 02. In L.-M. 30 —;
                            Ausg. in Handkolorit 60 —
Lorimer, GH: Briefe e. Dollar-Königs an s. Sohn. Diese Briefe
schrieb d. Chef d. Schweinefleisch-Versand-Grosshandlg Gra-
ham & Co. in Chicago, Herr John Graham, an d. Börse unter
d. Spitznamen ‚Der Alte-Schweine-Graham' bekannt, an s.
Sohn Pierrepont, in intimem Kreise ‚Ferkelchen' genannt.
Übers. v. O v. Oppen. 10. Afl. (299 m. 18 Vollbildern.) 8° Berl.,
E Fleischel & Co. 05.   3.50; geb. 5 — d
Bei d. 1.—6. Afl. fehlte d. Name d. Verf. auf d. Titel, daher unter
  Briefe angenommen.
— Neue Briefe e. Dollar-Königs an s. Sohn. Übers. v. A Brieger.
1—3. Afl. (321) 8° Ebd. 05.   3.50; geb. 5 — d
— Old Gorgon Graham, s.: Collection of Brit. auth.
— s.: Letters from a self-made merchant to his son.
Loriol, P de: Étude sur les Mollusques et Brachiopodes de
l'Oxfordien supérieur et moyen. Accompagnée d'une notice
stratigraph. par E Koby. 1. suppl. [S.-A.] (119 m. 7 Taf.) 4°
Genève 01. (Berl., R Friedländer & S.)   nn 12 —
                            (Hauptwerk u. 1. Suppl.: nn 28 —)
— Notes pour servir à l'étude des Echinodermes. Fasc. IX. (45
m. 3 L.) Fol. Bas. 01. Berl., R Friedländer & S.   nn 6.80
Die früh. Fasc. sind nur in Zeitschriften erschienen.
Lorm, C: Das Buch d. Glückwünsche f. jedes Alter u. alle Er-
innerngstage d. gesellschaftl. u. Familien-Lebens. (168)8°Wien,
A Hartleben (05).   Geb. 1.50 d
Lorm, H (H Landesmann): Bekenntnisblätter. Verstreute u.
hinterlassene Aufzeichngn e. Dichterphilosophen. Eingeleitet
v. P Stein. (16, 224 m. 2 Bildn. u. 2 Fksms.) 8° Berl., Schuster
& Loeffler 05.   3 —; geb. 4 — d
— Nachsommer. Neue Gedichte. 3. Afl. (164 u. 4 m. Bildnis.) 8°
Dresd., H Minden 01.   2 —; geb. nn 3 — d
— Der Naturgenuss. Beitrag z. Glückseligkeitslehre. 3. Afl. (191)
8° Teach., K Prochaska 01.   3.50; L. 3.50 d
Lorne de St. Ange, De: Die Ausbildg d. Schützen u. d. Rotte.
Stufenweise zusammengest. n. Exerzierreglement, Schiess-
vorschrift u. Turnvorschrift f. d. Infant. Ausg. f. Gew. 88 u.
Gew. 98. 4. Afl. (Je 23) 8° Wes., C Kühler 04.   Je — 25 d
Lorrain, C: Der Morgen" u. „Der Abend", s.: Meisterbilder
fürs deut. Haus.
Lorsbach, P, s.: Kriegs-Erlebnisse Siegerländer u. Wittgen-
steiner Veteranen.
Lorscheid, J: Lehrb. d. anorgan. Chemie. 16. Afl. v. F Leh-
mann. (325 m. Abb., 1 farb. Taf. u. 2 Taf.) 8° Freibg i/B.,
Herder 04.   3.60; geb. 4.20 d
Bisher u. d. Titel:
— Lehrb. d. anorgan. Chemie m. e. kurzen Grundr. d. Mine-
ral. 15. Afl. v. F Lehmann. (344 m. Abb., 1 farb. u. 4 Tab.) 8°
Ebd. 01.   3 —; geb. nn 3 — d
Lorsing, A: Johannes, d. Täufer, s.: Feierstunden.
— Der Psalter n. Luthers Uebersetzg. Zum Singen eingerichtet
m. e. angefügten Metten- u. Vesperordng u. d. nöt. Musik-
beil. 7. Afl. (224) 8° Gütersl., C Bertelsmann 04.   — 75;
                                                        geb. 1 — d
Lortzing, F: Bericht üb. d. griech. Philosophen vor Sokrates
f. d. J. 1876—97. (I u. II.) [S.-A.] 8° Lpzg, OR Reisland. 11 —
I. (132—322) (01.) 5 — ‖ II. (152) (03.) 5 —
Lortzing's, GA, Briefe. Ges. u. hrsg. v. GR Kruse. (289 m. Bild-
nis u. Fksm.) 8° Lpzg (02). Berl., H Seemann Nf. 5 —; geb. 6.50 d
— Die Opernprobe, s.: Universal-Bibliothek.
— Hans Sachs, Text v. P Reger, s.: Universal-Bibliothek.
Albert Lortzing-Feier, Bad Pyrmont, '01-(50 m. 4 Taf.) 8° Pyrm.,
(E Schnelle) (01).   Kart. 12 — d
Lortzing, E: Festgabe, Karl Theodor v. Heigel gewidmet.
— Nietzsche als Gesch.-Philosoph, s.: Weltanschauung, d. neue.
Lohrs, W: Rundblick v. Jägerhäuschen bei Hildburghausen.
29×28 cm. Lith. Hildburgh., (FW Gadow & S.) (01). (—50) — 50
Los v. Berlin, s.: Lustige Blätter-Bibliothek.
Los v. Berlin, s.: V Kemp., Thomasatr. u. Bh. (01).   1 — d
— trauriges. 6 Vortr. (Umschl.: Eltern-los, heimat-los, arbeit-
los, mittel-los, sonntag-los, gott-los usw.) (95) 8° Lpzg, P Eger 03.
                                                        — 60 d
Lösch, K: Kräuterb. Uns. Heilpflanzen in Wort u. Bild. 1. u.
2. Afl. (209 u. 17 m. Abb. u. 86 farb. Taf.) 8° Essl., JF Schrei-
ber (03.05).   L. 14 —; auch in 15 Lfgn zu — 50 d
Lösch, D: Brotwucher col. — kühles Blut? 3 Briefe an Hrn
F Naumann. m. P. Tans. (16) 8° Berl., A Duncker 01.   — 30 d
— Württemberg. Gegenwartsfragen u. Zukunftssorgen. 1. u.
3. Afl. (64) 8° Stuttg., W Kohlhammer 01.03.   — 90 d
Lösch, P, s.: Chroniken, 2 Kasseler, d. 18. Jahrh.
— Der 1. lipp. Erbfolgekrieg. Vorspiel z. lipp. Frage. (40) 8°
Melsung., W Hopf 05.   — 50 d
Loesch's Speditions-Adressb. f. d. Weltverkehr. Welt-Adressb.
d. Spediteure, Zoll-Agenten, Schiffsmakler u. verwandten
Branchen. VII. Ausg. 1900—01. (169) 8° Hambg (Poggenmühle
11/12), W Loesch & Co.   Kart. 6.50
Loesch, C: Aus Heimat u. Vaterhaus. Harmlose Jugenderin-
nergn. (125) 8° Kaisersl., E Crusius 06.   1.20; geb. 1.80 d
Lösch, D v.: Aber e. Tages . . . Roman. (17) 8° Dresd., CL
Reissner (04).   2.50; geb. 3.50 d

Loesoh, H v.: Die Kölner Kaufmannsgilde im 12. Jahrh., s.: Zeitschrift, westdeut., f. Gesch. u. Kunst.

Löschardt, F: Ein Vorschl. z. Bestimmg d. Venusrotation. [S.-A.] (6) 8° Wien, (A Hölder) 04. — 20

Loesohe, B: Die neue Bahn. Gespräch. 2. Afl. (23) 8° Hambg, Bundesbh. (1896.97). — 30 d
— Der Fischzug. Deklamatorium. (16) 8° Ebd. (1896.97). — 20 d
— Gottes Wege. Gespräch. 2. Afl. (17) 8° Ebd. (1896.97). — 30 d
— Der Kaiser kommt! Deklamatorium. (16) 8° Ebd. (1896.97). — 25 d
— Die Macht d. Gesanges. Deklamatorium. (20) 8° Ebd. (1896.97). — 30 d
— Der Maskenball. Gespräch. (23) 8° Ebd. (1896.97). — 30 d
— König Maximilian u. d. Gänsejunge. Declamatorium. (16) 8° Ebd. (1896.97). — 20 d
— Wenn d. Not am grössten, ist Gottes Hilfe am nächsten. Deklamatorium. (16) 8° Ebd. (1896.97). — 25 d
— Thatsachen beweisen. (Das 8. Gebot.) Deklamatorium. 2. Afl. (16) 8° Ebd. (1896.97). — 25 d
— König Wilhelm u. d. tapfre Pommer. (Nach e. Erzählg a. d. Kriege 1870/71.) Deklamatorium. (14) 8° Ebd. (1896.97). — 20 d

Loesohe, G: Die ev. Fürstinnen im Hause Habsburg. [S.-A.] — 3 Bildnissen u. 1 Fksm.) 8° Wien, Manz 04.
— Gesch. d. Protestantismus in Oesterr. In Umrissen. (251) 8° Tüb., JCB Mohr 02. 2 —; geb. nn 2.50
— s.: Jahrbuch d. Gesellsch. f. d. Gesch. d. Protestantismus in Oesterr.
— Monumenta Austriae ev. Festrede anlässlich d. 25jähr. Bestandes d. Gesellsch. f. d. Gesch. d. Protestantismus in Oesterr. [S.-A.] (28) 8° Bielitz, W Fröhlich 05. — 50 d

Loesohe, Frau N, s.: Norrmann, T.

Loesoher, F: Die Bildnis-Photogr. (180 m. Abb.) 8° Berl., G Schmidt 03. 4.50; geb. 5.50
— Camera-Kunst, s.: Jubl, E.
— s.: Kamera-Almanach.
— Leitf.d.Landschafts-Photogr.(162m.24Taf.)8°Berl.,GSchmidt || 2. Afl. (184 m. 27 Taf.) 04. Je 3.60; geb. je 4.50
— ⁰¹: Mitteilungen, photograph.
— Die Retouche v. Photographien, s.: Grasshoff, J.
— Vergrössern u. Kopieren auf Bromsilberpapier, s.: Bibliothek, photograph.

Löscher, FH: Heimkehr. Erzgeb. Heimat-Festsp. m. Benutzg erzgebirg. Lieder u. Gedichte. (45) 8° Zwönitz 05. (Annabg, Graser.) nn — 50 d
— Weihnachtssegen im Bergmannsheim. Erzgebirg. Weihnachtssp. (42) 8° Zwick., Verl. „Uns. Heimat" 03. — 1 d
— u. H Schultz: Zwönitz, s.: Grohmann, M. d. Obererzgebirge.

Loesoher, M: Neue Kerbschnitt-Vorlagen f. Anfänger u. Geübtere. (6 Bl.) Fol. Stett. (1900). Brüssel, M Grauert. 5 —

Löschhorn, H, s.: Kndrun.
— Lessing's Leben u.Werke, s.: Velhagen & Klasing's Sammlg deut. Schulausg.
— Museumsgänge. Einführg in Kunstbetrachtg u. Kunstgesch. (268 m. Abb. u. 2 Taf.) 8° Bielef., Velhagen & Kl. 03. L 5 — || 2. Afl. (268 m. Abb. u. 2 Taf.) 04. L 4 —

Löschke, T: Aurich. Topograph. Skizze. (29) 8° Aur., D Friemann 1900. — 50 d
— Pädagog. Reform, e. Vorschl. (8) 8° Bunzl., E Muschket 01. — 30

Löschner, H: Genauigkeitsuntersuchgn f. Längenmessgn m. bes. Berücks. e. neuen Vorrichtg f. Präcisions-Stahlbandmessg. (56 m. Abb.) 8° Hannov., Dr. M Jäneoke 02. 1.60
— Der Schutz d. Ingenieurtitels in Österr., m. e. Ausserg v. A Riedler. (37) 8° Graz, Leuschner & L 03. — 50 d
— Üb. Sonnenuhren. (155 m. Abb.) 8° Ebd. 05. 5 —

Löschnig, J: Prakt. Anl. z. rationellen Betriebe d. Obstbaues. (150 m. Abb.) 8° Wien 01. (Krems, F Oesterreicher.)
Kart. nn 3 — d
— Die Blutlaus. (Schizoneura lanigera.) Plakat. 4° Farbdr, Korneubg, J Kühkopf (05). 1 —; aufgezogen u. lackiert 1.80 d
— Landw. Buchführg. (46) 8° Wien, A Pichler's Wwe & S. 02. Kart. — 80 d
— Der kl. Frostspanner. (Cheimatobia brumata.) Plakat. 4° Farbdr. Korneubg, J Kühkopf 04. 1 —; aufgezogen u. lackiert 1.80 d

Loesdau, H: Der Führer v. Elbing u. Umgebg (Vogelsang, Kahlberg etc.). 2. Afl. (36 Abb. u. 2 Kart.) 8° Elb., C Meissner (03). — 75

Loosener, T: Monographia Aquifoliacearum, s.: Acta, nova, acad. etc. naturae curiosor.

Löser, B: Hilfsb. z. Anfertigg d. im Hochbau vorkomm. stat. Berechngn. (13) 8° Dresd. 01. Lpzg, Gilbers. L 5 —
Loeser, C: Krit. Betrachtg ein. Untersuchsgmethoden d. Kaoline u. Tone. (29) 8° Halle, L Nebert 05. 1 —
— Handbb. d. keram. Industrie. 2 Tle. 8° Ebd. 12 —
1. Die Rohmaterialien. (192) 01. 4.50 || 2. Aufachen, Abbohren u. Bewerbg v. Lehm-, Ton- u. Kaolin-Lagern. (111 m. Abb. u. 10 Taf.) 04. 7.50.
Löser, F: Lehrheft d. Mechanik. Für d. Unterr. in Mechanik (Kurs 3) an d. kgl. Baugewerkensch. zu Dresden bearb. (48 m. Taf.) 4° Dresd., Gewerbe-Bh. 03. 1.50 d
Löser, J: Der Bürger im Rechts- u. Rechtsverkehr. '2. Tl. Der Kaufmann. Hdb. d. wichtigsten Bestimmgn d. Handelsu. Wechselrechts, prakt. Anl. z. kaufmänn. Buchführg u. Handelskorrespondenz, Verkehr m. Post u. Bahn. 3. Afl. v.

E Breunig. (270) 8° Hdlbg 01. Ohlau, F Leichter. Kart. 3.60 (1 u. 2 in 1 Bd: 5.60) d
Löser, J: Der Bürger im schriftl. u. Rechtsverkehr, 5. Afl., s.: Breunig, E, d. Bürger.
— Gesch. d. Landw., 2. Afl. v. F Jost, s.: Landmann's, d., Winterabende.
— Rechenb. f. deut. Schulen. Für höh. Lehranst. bearb. v. F Jost. 2 Tle. 2 Afl. (200 u. 182 m. Fig.) 8° Weinh., F Ackermann 05. Geb. je 1.40 d
— u. F Jost: Prakt. Rechenb. f. deut. Schulen. III—V. Heft. 8° Ebd. 1.15 d
III. 108. u. 109. Afl. (64) 04. — 50 | IV. Anh.: Geometr. Formenlehre. 102.
u. 103. Afl. (91 m. Fig.) 03. — 40 | V. Anh.: Geometr. Formenlehre. 106.
u. 107. Afl. (116 m. Fig.) 03. — 40.
— u. JB Krämer: Prakt. Rechenb. f. deut. Schulen. Ausg. C, weitergeführt v. F Jost u. JH·Krämer. Des I. Heftes 1. u. 2. Tl. u. II—V. Heft. 8° Ebd. 1.85 d
I.1. Rechenthei. 11. u. 12. Afl. (56) 05. — 15 | I.2. 15. u. 16. Afl. (72 m. Abb.)
04. — 20 | II. 19. u. 20. Afl. (64) 05. — 20 | III. 15. u. 16. Afl. (77) 05. — 20
| IV. 12. u. 13. Afl. (96 m. Fig.) 04. — 40 | V. 9. Afl. (104 m. Fig.) 05. — 40.
— u. H Zeeb's Rechenb. f. landw. Schulen, sowie auch z. Selbstunterr. im landw. Rechnen. Weitergeführt v. F Jost u. R Seifert. 3. Afl. (344 m.Abb.) 8° Stuttg., E Ulmer 01. Geb. 3 — Resultate. (51) 1.30 || 9. Afl. v. F Jost u. A Schleitzer. (344) 04. Geb. 3 — d
Löser, L: Herostrat v. Ephesus. Tragödie. (96) 8° Wolfenb., J Zwissler 04. 1.50; geb. 2 — d
Loeserth, J: Urkundl. Beitr. z. Gesch. Erzherzog Karls II. in d. beiden Regiersgj. — Briefe u. Acten z. steiermärk. Gesch. unter Erzherzog Karl II. — Die Gegenreformation in Graz 1582—85, s.: Veröffentlichungen d. histor. Landes-Commission f. Steiermark.
— Gesch. d. stągk. M.-A. v. 1197—1492. (Hdb. d. mittelalterl. u. neueren Gesch. Hrsg. v. G v. Below u. F Meinecke.) (727) 8° Münch., R Oldenbourg 03. Geb., geb. 18 —
— Grundr. d. allg. Gesch. f. Obergymnasien, Oberrealsch. u. Handelsakad. 3 Tle. 8° Wien, Manz. Geb. 6.90
1. Altertum. 6. Afl. (227) 05. Geb. 3.10 | II. M.-A. 4. Afl. (188) 02. 2.16;
geb. 2.40 | III. Neuzeit, 4. Afl. (296) 02. 2.16; geb. 2.40.
— Leitf. d. allg. Gesch. f. d. unt. u. mittl. Kl. d. Gymnasien, Realsch. u. verwandten Lehranst. 1. Tl.: Altertum. 5. Afl. (128 m. Abb.) 8° Ebd. 04. — 50 d
— s.: Salzburg u. Steiermark im letzten Viertel d. 15. Jahrh.
— Archival. Studien in Wiener Archiven z. Gesch. d. Steiermark im 16. Jahrh., s.: Veröffentlichungen d. histor. Landes-Commission f. Steiermark.
— Genealog. Studien z. Gesch. d. steir. Uradels. Das Haus Stubenberg bis z. Begründg d. habsburg. Herrschaft in Steiermark, s.: Forschungen z. Verfassgs- u. Verwaltgsgesch. d. Steiermark.
Losinsky, E: Was haben d. Armen d. Christenthum zu verdanken? An d. Werken d. Schriftsteller d. 19. Jahrh. dargelegt. (24) 8° Berl., H Bachmann. Vorwärts 02. — 90 d
— Das wahre Christenthum als Feind v. Kunst u. Wiss. An d. Werken d. Schriftsteller d. 19. Jahrh. dargelegt. (16) 8° Ebd. 01. — 15 d
— War Jesus Gott, Mensch od. Uebermensch? An d. Werken d. Schriftsteller d. XIX. Jahrh. dargelegt. (16) 8° Ebd. 01. — 15 d
— Waren e. d. Christen wirklich Socialisten? An d.Werken d. Schriftsteller d. 19. Jahrh. dargelegt. (15) 8° Ebd. 01. — 15 d
Loskay, N: Die astronom. Beziehgn d. Cheops-Pyramide. (1 Bl. m. 2 Abb.) 34,5×42 cm. Budap. 04. (Lpzg, Leipz. Lehrmittel-Anst.) '— 20
— Sonnenlauf am Himmel d. Planeten. (Anb. z. drehbaren Tagbogen-Taf.) (1 Bl. m. farb. Abb.) 41,5×34 cm. Ebd. 04. — 35
— Sonnen- & Sternenlauf an jedem Orte d. Erde. (Mit Text auf d. Rücks.) Kreisförmig auf Pappe z. drehen. 26×26 cm. Ebd. (03). nn 1.25;
m. Sternenhimmel f. Mittel-Europa auf d. Rücks. nn 1.75
Loeske, L: Moosflora d. Harzes. (350) 8° Lpzg, Gebr. Borntraeger 03. 8 —
Loeske, M: Taschen-Wrtrb. f. Uhrmacher, s.: Grossmann, M.
Lösner, H: Levitation u. Flugproblem. (18) 8° Gotha, R Schmidt 04. — 50
Lospiohl, J v.: Winke f. d. Tonplattenschnitt. (23 m. Fig.) 8° Offenb., JP Strauss (01). — 50 d
Lossberg, O v.: Mit Santa Barbara in Südafrika. (302) 8° Lpzg, Historisch-polit. Verl. 03. 2.50 d
Loessel, G: Ernst-naut. s.: Aus Vergangenh. u. Gegenwart.
Lossen, H: Die Ernst-Ludwigs-Heilanstalt. Beitr. z. Anwendg d. physikal. Heilmethoden. (492 m. Taf.) 8° Darmst., HL Schlapp 05. — 40
Lossen, W: Der Antheil d. Katholiken am akadem. Lehramte in Preussen. (164) 8° Köln, (JP Bachem) 01. 2 —
— Off. Brief an Alb. Ladenburg u. off. Anfrage an d. Vorstand d. Gesellsch. deut. Naturforscher u. Aerzte. (26) 8° Ebd. 05. — 20 d
— Meminisse juvat. Ein Rückblick auf d. Fall Spahn. [S.-A.] (48) 8° Ebd. 02. — 20 d
— s.: Untersuchungen, chem. u. medicin.
Losskij, N: Die Grundlehren d. Psychol. v. Standpunkte d. Voluntarismus. Deutsch v. E Kleuker. (221) 8° Lpzg, JA Barth 04. 6 —
Lössl, H: Jurist. Grenzverkehr. Studie z. Weltrecht. (16) 8° Wien, J Eisenstein & Co. 03. — 40

len'schen Formel $v = \dfrac{d}{D}$. 2. Afl. (2 Taf. je 83×28, 1 Taf. 22×

33 cm.) Nebst Text. (6 m. 1 Fig.) 8º Jena, G Fischer 03.
In M. 2 —
Lotz, F: Blätter a. meinem Tagebuche. Gedichte. (77) 8º Lpzg,
A Deichert Nf. 06. 1.30 d
Lotz, W: Sonderinteressen gegenüber d. Wiss. einst u. jetzt,
s.: Zeitfragen, volksw.
— s.: Studien, Münch. volkswirtschaftl.
— Zolltarif, Sozialpolitik, Weltpolitik. Referat m. Nachträgen.
(58) 8º Lpzg, Duncker & H. 02. 1 — d
Lotz, W: Die Bundeslade. [S.-A.] (44) 8º Lpzg, A Deichert Nf.
01. 1.20
— Das Alte Test. u. d. Wiss. (252) 8º Ebd. 05. 4.20; geb. 5 — d
Lotze, W: Führer durch d. Invalidenversicherg, s.: Kranken-
kassen-Bibliothek.
— dass. f. Versicherte. (31) 8º Offenb., JP Strauss (04). — 90 d
Lotze, H: Grundz. d. Logik u. Encyklopädie d. Philosophie.
Diktate a. d. Vorlesgn. 4. Afl. (123) 8º Lpzg, S Hirzel 02. 2.40 d
— Grundz. d. Metaphysik. Diktate a. d. Vorlesgn. 3. Afl. (100)
8º Ebd. 01. 2 — d
— Grundz. d. Psychol. Diktate a. d. Vorlesgn. 8. Afl. (95) 8º
Ebd. 04. 1.80 d
— Mikrokosmus. Ideen z. Naturgesch'. u. Gesch. d. Menschh.
Versuch e. Anthropol. II. Bd. 4. Der Mensch. 5. Der Geist.
6. Der Welt Lauf. 5. Afl. (466) 8º Ebd. 05. 3 —; geb. 9 — d
Lotze, M, u. G Böhme: Die kgl. sächs. Ges. u. Verordngn üb.
Jagd u. Fischerei, s.: Handbibliothek, jurist.
Lotze, W: Elias III.., e. Wort z. Aufklärg üb. John Alex. Dowie,
s.: Irrtümer, kräft.
Lotzelsch, 1001, f. Herren. (1. Bdchn.) (96) 8º Pressbg, A Hart-
leb 05. 1 —
Lotzer's, S, Schriften. Hrsg. v. A Goetze. (86) 8º Lpzg, BG
Teubner 02. 3 — d
Lötzsch, C: Geometrie in konzentrisch erweit. Kursen. I. u.
II. Kurs. (Mit je 1 Taf.) 8º Mittw., Polyt. Bh. (1.50) 1.30 d
f. 2. Afl. (34) (03.) — 50 ‖ II. 7. Afl. (46) 01. (1 —) — 80.
Loubier, J: Der Bucheinband in alter u. neuer Zeit, s.: Mono-
graphien d. Kunstgewerbes.
Louis, R: Hector Berlioz. (207) 8º Lpzg, Breitkopf & H. 05.
3 —; geb. 4 — d
— Anton Bruckner. (234 m. 7 Taf. u. 5 Fksms.) 8º Münch., G
Müller 05. 5 —; geb. 7 —
— dass., s.: Essays, moderne.
— Friedrich Klose u. s. symphon. Dichtg „Das Leben e. Traum",
s.: Broschüren, Münch.
— Hans Pfitzners „Die Rose v. Liebesgarten". (16) 8º Münch.,
(CA Seyfried & Co.) 04. — 25 d
Louisenson, A: Präliminarien z. Frieden zw. Wiss. u. Glauben.
Vorschl. e. alten Schäfers, d. in Gottes freier Natur beide
liebgewonnen hat. (62) 8º Bresl., Maruschke & B. 04. 1 —
Lourdes-Rosen. Monatschrift z. Verehrg d. sel. Jungfrau
Maria. Hrsg.: LAuer. Red.: M Gebelen., seit 1903, JP Banstert.
6—10. Jahrg. 1901—5 je 12 Nrn. (Nr. 1. 16 m. Abb.) 8º Donauw.,
L Auer. Halbj. — 80; einz. Nrn — 20 d
Louys, P: Die Abenteuer d. Königs Pausol. Roman. Uebers.
v. A Schwarz. 2. Afl. (315) 8º Budap., G Grimm 02. 3 — d
— Aphrodite. Ein antikes Sittenbild. 6. Afl. Verdeutschg. (316
m. Abb.) 8º Ebd. 01. 3 — ‖ Billig. Ausg. (135) 01. 1 — d
— Idyllen. (Eine neue Wonne — Das Häuschen am Nil — Byblis
— Leda — Ariadne.) Uebers. v. A Schwarz. 2. Afl. (124) 8º Ebd.
01. 1 — d
— Im Venusberg u. and. Novellen, s.: Bibliothek berühmter
Autoren.
— Das Weib u. d. Hampelmann. Span. Roman. Übers. v. A
Schwarz. 2. Afl. (225) 8º Budap., G Grimm 01. 3 — d
Lövegren, E: Zur Kenntnis d. Poliomyelitis anterior acuta
u. subacuta s. chronica. [S.-A.] (108 m. 2 Taf.) 8º Berl., S
Karger 05. 5.50
Lovera, R: Conversazioni tedesche, s.: Motti, P.
— Grammatik d. italien. Umgangssprache. 2. Afl. (187) 8º Lpzg,
BG Teubner 04. Geb. 2 — d
— dass. f. d. österr. Mittelsch. bearb. v. A Ive. (218) 8º Wien,
K Graeser & Co. 02. Geb. 2.80 d
— In Italia. Italien. Sprachführer. (173) 8º Lpzg, E Haberland
04. Geb. 2.50 d
— Italien. Konversations-Leseb., s.: Sauer, CM.
— Lehrb. d. italien. Sprache, s.: Leseb. d. italien.
Sprache, s.: Boerner, O.
— Oberst. z. Lehrb. d. italien. Sprache, s.: Boerner, O.
— Oberst. z. Lehrb. d. Leseb. d. italien. Sprache. Mit des Be-
rücks. d. Übgn im mündl. u. schriftl. freien Gebr. d. Sprache.
(271 m. 5 Abb.) 8º Lpzg, BG Teubner 04. Geb. 3.60 d
Die übr. Teile s. u. d. T.: Boerner, O, u. R Lovera: Lehrb. d.
italien. Sprache.
Lovrich, S: Molekular-physiolog. Abhandlgn. I. Üb. d. Wachs-
tum d. Organismus. Gaseigenschaften d. lebend. Substanz.
(40) 8º Budap., (F Kilián's Nf.) 02. 1 —
Lovy, J: Schiller. Die Worte d. Glaubens. 3 Kanzelreden.
Gesammt. d. Grundt., G Röthe 05. 1 — d
Loew, E: Hdb. d. Blütenbiol., s.: Knuth, P.
— Lebensgesch. d. Blütenpflanzen Mitteleuropas, s.: Kirch-
ner, O.
— Pflanzenkde, f. d. Unterr. an höh. Lehranst. Ausg. f. Real-
anst., auf Grund d. preuss. Lehrpl. v. '01 bearb. (In 2 Tln.)

1. Tl: Lehrstoff d. Sexta bis Quarta. 4. Afl. (176 m. Abb.) 8º
Bresl., F Hirt 03. Geb. 2 — d
Löw, H: Die Weisen a. d. Morgenlande. Epiphanias-Spiel. (16)
8º Zür., Bh. d. ev. Gesellsch. 06. — 30 d
Löw, O: Die Clemotaxis d. Spermatozoen im weibl. Genital-
tract. [S.-A.] (15* m. 1 Fig.) 8º Wien, (A Hölder) 02. — 40
Löw, P: Diaspora-Bilder a. Ungarn, s.: Festschriften f. Gustav-
Adolf-Ver.
Löw, T: Das ungar. Handelsges. (Gesetz-Artikel XXXVII v.
J. 1875.) Text-Ausg. in deut. Übersetzg m. Anmerkgn u. Sach-
reg. (274) 8º Budap., C Grill 02. 5 —
Löw, W: Die Räuber. — Dass., in plattköln. Mundart, s.:
Heidelmann's, A, Theaterbibliothek.
Löwa, E: Ev. Relig.-Buch. 2. Afl. (248 m. 2 Kart.) 8º Berl., L
Oehmigke's V. 01. Geb. nn 1 — d
— dass. Neubearbeitg auf Grundl. d. Berliner Normal-Lehrpl.
v. '03. (315) 8º Ebd. 02. Geb. 1 — d
Lowag, AF: Gobler Geschichtla. 20 humorist. Erzählgn a. d.
Altvatergebirge in schles. u. nordmähr. Mundart. (268) 8º
Freudenth., W Krommer 03. 1.70 d
Lowag's, J, ges. Schriften. 1.—4. Bd. 8º Freudenth., W Krommer.
5.70 d

1. Altvater-Sagen. 2. Afl. (347) 02. 1.40; geb. 1.90
2. Schles. Volks- u. Bergmanns-Sagen. (234) 03. 1.40; geb. 1.90
3. Illustr. Führer durch d. Budeteugebirge, dessen Kurorte, Heilanst. u.
Sommerfrischen m. bes. Berücks. d. Bades Karlsbrunn. (207 m. 1
Karte.) (03.) 1.50 (nicht geb.)
4. Sagen u. Geschichten a. d. Altvatergebirge. (236) 04. 1.40; geb. 1.90

Loewe: Wassermengen in Kanälen u. Drainagen sowie in Rohrleitgn überhaupt. 1. Tl: Konstruntionstaf. (49 u. 2 m. Fig.,
1 Taf. u. 10 farb. Kartens. u. Abb.) 2º Lissa, (F Ebbecke)
05. 2.50; geb. 3 —
Loewe, CC, s.: Pharus-Plan Berlin. — Pharus-Plan Stettin. —
Pharus-Plan Stuttgart. — Pharus-Touristenkarte Oberspree.
Loewe, E: Ges., bearb. d. privatrechtl. Verhältn. d. Eisenbahn-
schiffahrt u. d. Flösserei, s.: Makower, H.
— Die Seemannsordng v. 2.VI.'02. Zugl. als Nachtr. z. 2. Bde
d. Kommentars z. Handelsgesetzb. v. H Makower. 12. Afl.
v. E Loewe. (148) 8º Berl., J Guttentag 03. 3 —; L.-A — d
Loewe, E: Die StrPO. f. d. Deut. Reich, s.: Gerichtsver-
fassges. u. den d. Strafverfahren betr. Bestimmgn d. übr.
Reichsges. Mit Kommentar. 11. Afl. v. A Hellweg. (28, 1066)
8º Berl., J Guttentag 04. 20 —; HF. nn 22 — d
Loewe, F: Die Bahnen d. Fuhrwerke in d. Strassenbögen. Ergänz. Untersuchg zu dessen „Strassenbaukde". (21 m. Abb.)
8º Wiesb., CW Kreidel 01. 1 —
— s.: Handbuch d. Ingenieurwiss.
Löwe, F: Flagellanten. Epos. (194) 8º Lpzg, P List (03.) 3 —;
geb. 4 — d
Loewe, G, s.: Corpus glossariorum, latinor.
Loewe, H: Die Annales Augustani. (132) 8º Münch., (R Olden-
bourg) 03. 3 — d
Loewe, H: Der Liberalismus macht selig u. d. Sonntagsgottes-
dienst macht liberal. Ein Wort z. Verständigg an Hrn Gust;
Levinstein. (11) 8º Berl., (C 22, Augustastr. 49 a), Verl. Jüd.
Rundschau 01. (— 20) — 10 d
— Eine jüd. Nationalbibliothek. (30) 8º Berl.-Charlttnbg, Jüd.
Verl. 05. — 50
— s.: Neu-Judäa. — Rundschau, israelit. — Student, d. jüd.
Loewe, H ‖ Lexikon d. Handelskorrespondenz Deutsch-Englisch-
Französisch. Unter Mitwirkg v. H Alcock u. C Charmillot
hrsg. 6. Afl. 12 Lfgn. (571) 8º Berl., CRegenhardt 02. Je — 50 d
— Deutsch-engl. Phrasenl. in systemat. Ordng. nebst e. syste-
matical vocabulary. Unter Mitwirkg v. B Schmitz. 7. Afl. (198)
8º Berl.-Schönebg, Langenscheidt's V. 05. 2.50; geb. 3 — d
— Unterr.-Briefe z. schnellen u. leichten Erlerng fremder
Sprachen in neuer natürl. Methode. Englisch. Unter Mitwirkg
v. H Alcock. 7. Afl. 10 Hefte (336, 84 u. 51) 8º Berl., CRegenhardt (03). Je — 50; in 1 L.-Bd 6 — d
— dass. Französisch. Unter Mitwirkg v. C Charmillot. 4. Afl.
10 Hefte. (304, 80 u. 39) 8º Ebd. (03). Je — 60; in 1 L.-Bd 6 — d
— dass. Italienisch. Bearb. v. JA Scartazzini. 4. Afl. 10 Hefte.
(364, 92 u. 35) 8º Ebd. (03). Je — 50; in 1 L.-Bd. 6 — d
Löwe, H: Üb. d. Einwirkg v. Thiophenolen auf Chlor-Nitro-
benzole. (30) 8º Freibg i/B., Speyer & K. 05. — 80
Loewe, J: Babylonien u. Assyrien, s.: Projections-Vorträge.
Loewe, J: Die Störgn in d. deut. elektro-techn. Industrie währ.
d. J. 1900 ff., s.: Schriften d. deut. Ver. f. Socialpolitik.
Loewe, K: Festgrüsse an Bernh. Baumeister v. Goethe, Schiller,
Lessing, dZ Ehrmann u. Otto Ludwig, Scheffel. Dem Jubilar in
d. Festkneipe beim „Weingartel" vermittelt. (16) 8º Wien,
J Eisenstein & Co. 02. — 80
Löwe, KR: Wie erziehe u. belehre ich mein Kind bis z. 6. Lebensj.?
4. Afl. (184) 8º Hannov., O Meyer 04. 2 —; geb. 2.50 d
Löwe, L: Zur Chirurgie d. Nase. (44 m. Abb. u. 11 Taf.) 4º
Berl., O Coblentz 03. In M. 10 —
Löwe, M: Aufg. f. d. kaufmänn. Kopfrechnen m. beigefügten
Beisp. u. Resultaten. 2. Afl. (48) 8º Lpzg, J Klinkhardt 06. 1.20 d
— Methodisch geordnete Aufg. z. kaufmänn. Rechnen m. aus-
geführten Beisp. f. Real-, Gewerbe-, Handels- u. höh. Bür-
gersch. 3 Tle. 8º Ebd. 3.80; Resultate. 7. Afl. (36) 03. 1 —
‖ 22. Afl. (90) 04. — 80 ‖ II. 20. Afl. (84) 03. — 80 ‖ III. 13. Afl. (106)
03. 1.30.
Neue Afl. u. d. T:

Löwe, M: Aufg. z. kaufmänn. Rechnen, methodisch geordnet u. m. ausgeführten Beisp. 3 Tle. 8° Lpzg, J Klinkhardt. 3 — I. 24. Afl. (90) 05. — 80 ‖ II. 21. Afl. (100) 04. 1 — ‖ III. 14. Afl. (114) 04. 1.90.
— Der F **Unger:** Aufg. f. d. Zahlenrechnen f. höh. Schulen. Heft A (Sexta) u. B (Quinta). 10. Afl. (Je 68) 8° Ebd. 03. Je — 60
— — u. M **Richter:** Prakt. Rechnen f. Realsch. u. ähnl. Lehranst. in 3 Heften. 8° Ebd. 05.   Je 1.20; Resultate. (56) 1 —
I. (144) ‖ II. 3. Afl. (138) ‖ III. 2. Afl. (134)
Loewe, P: Präparat. zu Vergils Äneis, s.: Krafft u. Ranke's Präparat. f. d. Schullektüre.
Loewe, R: German. Sprachwiss., s.: Sammlung Göschen.
Loewe, V, s.: Acta borussica.
— Bücherkde d. dent. Gesch. Krit. Wegweiser durch d. neuere deut.histor.Litt. (120) 8° Berl., J Räde 03. 3 — ‖ 2.Afl. (131) 05. 2 —
— Die Wallenstein-Lit. 3. u. 4. Ergänzg. 8° Prag, J G Calve. 1.10 d 3. (1678—1893.) (40) 1896. — 60 ‖ 4. (Geschlossen in Hannover, d. 10.XI. 1900.) [S.-A.] (27) 02. — 50.
Das Hauptwerk ist nicht als Sonderausg. erschienen. Die 1. u. 2. Ergänz sind vergriffen.

Lowell, EJ: Die Hessen u. d. and. deut. Hülfstruppen im Kriege Gross-Britanniens geg. Amerika 1776—83. Nach d. Engl. Hrsg. v. OC Frhrn v. Verschuer. (250 m. 8 Pl.) 8° Brnschw. 01. Lpzg, R Sattler.   5 —
Löwen, JF, Gesch. d. deut. Theaters (1766) u. Flugschriften üb. d. Hamburger Nationaltheater (1766 u. 67), s.: Neudrucke literarhistor. Seltenh.
Löwenbach: Das westfälisch-provinzielle ehel. Güterrecht d. Ges. v. 16.IV.1860 in zr Bedeutg f. d. am 1.I.1900 besteh. Eben. (112) 8° Faderb., F Schöningh 01.   2.40 d
Löwenberg, A: Friedr. Ed. Benekes Stellg z. Kantschen Moral-philosophie. (104) 8° Berl., (Mayer & M.) 02.   3 —
Loewenberg, J: Deut. Dichter-Abende. Sammlg v. Vorträgen üb. neuere deut. Lit. (198 m. 1 Bildnis.) 8° Hambg, Guten-berg-Verl. Dr. E Schultze 04.   3 —; geb. 3 — d
— Gustav Frenssen (v. d. Sandgräfin bis z. Jörn Uhl). (36 m. 1 Bildnis.) 8° Hambg, M Glogan jr. 03.   — 50 d
— Detlev v. Liliencron. [S.-A.] (30 m. 1 Bildnis.) 8° Hambg, Gutenberg-Verl. Dr. E Schultze 04.   — 50; geb. 1 — d
— Geheime Miterzieher. Studien u. Plaudereien f. Eltern u. Erzieher. (134) 8° Lpzg 03. Hambg, Gutenberg-Verl. (1 —) 1.50; geb. 2.50 d
— Rübezahl. Märchensp. (64) 8° Hambg, M Glogan jr. (04). — 50; auf bess. Pap. 1., 1.80 d
— Aus jüd.Seele. Gedichte. 1. u. 2. Afl. (88) 8° Ebd.(01.03). L. 1.80 d
— Von Strand u. Strasse. Gedichte. (192) 8° Ebd. 05. L. 3 — d
— Vom goldnen Überfluss. Ausw. a. neuern deut. Dichtern f. Schule u. Haus. 1—5. Abdr. (272) 8° Lpzg, B Voigtländer (03). Geb. 1.60 ‖ Neue Ausg. 31—35. Taus. (304) (04). Geb. 1.80 d
Loewenberg, T: Eine Wienerin in Amerika. Amerikan. Ein-drücke. (109) 8° Wien, CW Stern 04.   2 —
Löweneck, M, u. H **Eger:** Zur Einführg in d. Theorie u. Praxis d.Handfertigk.-Unterr. 2 Vortr. (36)8° Augsbg,Schwäb.perma-nente Schulausstellg 05.   — 40 d
Loewenfeld, L: Üb. d. geist. Arbeitskraft u. ihre Hygiene, s.: Grenzfragen d. Nerven- u. Seelenlebens.
— Die moderne Behandlg d. Nervenschwäche (Neurasthenie), d. Hysterie u. verwandter Leiden. Mit bes. Berücks. d. Luft-kuren, Bäder, Gymnastik, d. psych. Behandlg u. d. Mitchell-Playfairschen Mastkur. 4. Afl. (167) 8° Wiesb., JF Bergmann 04.   3 —
— Üb. d. Beziehgn d. Kopfumfangs z. Körperlänge u. z. geist. Entwicklg, s.: Eyerich, G.
— Ueb. d. geniale Geistesthätigk. m. bes. Berücks. d. Genie's f. bild. Kunst.—Hypnose u. Kunst, s.: Grenzfragen d. Nerven-u. Seelenlebens.
— Der Hypnotismus. Hdb. d. Lehre v. d. Hypnose u. d. Sugge-stion m. bes. Berücks. ihrer Bedeutg f. Medicin u. Rechts-pflege. (522) 8° Wiesb., JF Bergmann 01.   8.80
— Ueb. Luftkuren f. Nervöse u. Nervenkranke. [S.-A.] (18) 8° Münch., Seitz & Sch. 01. — 80 ‖ 2. Afl. (30) 02. 1.50 2. Afl. d
— Sexuallehen u. Nervenleiden. Die nervösen Störgn sexuellen Ursprgs. Nebst e.Anh. üb.Prophylaxe u. Behandlg d. sexuellen Neurasthenie. 3. Afl. (325) 8° Wiesb., JF Bergmann 03. 6 —
— Üb. d. gegenwärt. Stand d. Hypnotherapie. [S.-A.] (33) 8° Lpzg, B Konegen 02.   1 —
— Die psych. Zwangserscheingn. (568) 8° Wiesb., JF Bergmann 04.   13.60
Loewenfeld, R: Gespräche üb. u. m. Tolstoj. 3. Afl. (170 m. 1 Bildnis.) 8° Lpzg 01. Jena, E Diederichs.   1.50 d
— Leo N. Tolstoj, Leben, Werke, Weltanschaug. 1. Tl. 2. [Tit.-Afl. (295) 8° Ebd. [1892] 01.   4 —; geb. 5 — d
— s.: Volksunterhaltung, d.
Löwenfeld, T: Kommentar z.BGB. f. d. Deut.Reich, s.: Kommen-tar. — Staudinger, J v.
Loewenfeld, W, s.: Formularbuch f. d. freiwill. Gerichtsbark.
— Die Rechtsverfolgg im internat. Verkehr, s.: Leske, F. — Rechtsverfolgung.
Loewengard, M: Aufg. z. Harmonielehre im Anschl. an d. Verf. Lehrb. d. Harmonie. (34) 8° Berl., A Stahl 05.   1 —
— Harmony. Translated by HM Peacock. (108) 8° Ebd. 05. L. 4 —
— Lehrb. d. Canons u. d. Fuge. (87) 8° Berl. (02). Halensee-Berlin, Verl. Dreililien.   L. 4 —
— Lehrb. d. Contrapunkts. (100) 8° Ebd. 02.   L. 4 —
Hinrichs' Fünfjahrskatalog 1901—1905.

Loewengard, M: Lehrb. d. musikal. Formen. (112) 8° Berl., M Staegemann jun. 04.   L. 4 —
— Lehrb. d. Harmonie. 4. Afl. (119) 8° Berl., A Stahl 08. L. 4 —
Loewenhars, M: Was jeder Landwirt v. Verfahren in Rechts-angelegenh. wissen muss. 2.Afl. (36) 8° Berl., P Parey 01. —80 d
— Rechtsbeistand d. Landwirts, s.: Thaer-Bibliothek.
— Die Verfüggn in Grundbuchsachen. (115) 8° Berl., J Gutten-tag 04.   2 —; L. 2.50 d
Löwensohn, M: Der Kumys u. s. Anwendg bei d. Lungentuber-kulose. (32) 8° Berl., M Günther 01.   — 60
Löwenstein, L: Gesch. d. Juden v. d. babylon. Gefangenschaft bis z. Gegenwart. (271) 8° Mainz, J Wirth'sche Hofbuchdr. 04.   L. 3.50 d
Löwenstein, M Graf v.: Waid- u. Wehrgedichte. (44) 8° Salzbg, E Höllrigl (05).   L. 4 —
Loewenstimm, A: Kriminalist. Studien. (201 m. Titelbild.) 8° Berl., J Räde 01.   2.50 d
Loewenthal, E, s.: Am Triebrad d. Zeit.
— Fremdwrtrb., s.: Heyse, JCA.
— Die Fulguro-Genesis im Gegensatz z. Evolutionstheorie u. d. Kulturziele d. Menschh. (32) 8° Berl., E Ebering 02. — 60 d
— Gesch.: d. Friedensbewegg. Nebst Anh.: Ein Welt-Friedens-Plebiszit u. Weltfriedenspreise. (105) 8° Ebd. 05.   2.50 d
— Grundz. z. Reform d. deut. Strafrechts u. Strafprozesses. (20) 8° Ebd. 03.   — 60 d
— dass. 2. Afl. (19) 8° Berl., H Muskalla 05.   — 60 d
— s.: Instanz, d. vierte.
— Die neue Lehre. Relig.-Unterr. f. Cogitanten od. Anhänger d. Relig. d. Wissens u. d. Wissens-Erweiter. (16) 8° Berl., E Ebering 01.   — 30 d
— Napoleon I. u. Mlle Lenormand. Dramat. Revue. (44) 8° Lan-gens., Deut. Druck- u. Versandthaus (02).   1 — d
— Organ. Neubildg u. Eegeneration od. d. Biol. im Lichte d. Fulguro-Genesis. (13) 8° Berl., O Dreyer 03.   — 50 d
— Das Radium u. d. unsichtbare Strahlg. Aufgeklärt durch d. Fulguro-Genesis-Theorie. (12) 8° Ebd. 04.   — 50 d
— Der Staat Bellamy's u. s. Nachfolge. 3. Afl. (29) 8° Berl., P Mnskalla 05.   — 50 d
— Die Weltgesch. f. Jedermann. 2.Afl. (38) 8° Ebd. 05. — 50 d
— Der Welt-Staatenbund in Sicht u. d. Mission d. Cogitanten-tums. (8) 8° Berl., E Ebering 1900.   — 30 d
Loewenthal, H, s.: Versicherungs-Kalender, oesterr.-ungar.
Löwenthal, H: Die Heilfaktoren v. Schleswig-Holstein. (56) 8° Berl., A Hirschwald 04.   1 —
Löwenthal, L: Die Chockmeckocker u. and.Geschichten. Humo-resken a. d. jüd. Leben. (128) 8° Berl., M Poppelauer 05. 1.50 d
— Am Freitag Abend. Humoresken a. d. jüd. Familienleben. 3. Afl. (200) 12° Ebd. 02.   1 — d
— Die Reise in Berlin u. and. Geschichten. (115) 8° Lpzg, MW Kaufmann (04).   2 — d
— Die Tannenfee, s.: Aufführungen f. Weihnachten u. Neujahr.
Loewenthal, MJ: Das Untersuchgsrecht d. internat. Seerechts in Krieg u. Frieden, s.: Studien, rechts- u. staatswiss.
Loewenthal, N: Gedichte. (107) 8° Wien, EM Engel (02). 1.60
Loewenthal, N: Atlas z. vergleich. Histol. d. Wirbeltiere nebst erläut. Texte. (51 Taf. m. 109 S. Text.) 4° Berl., S Karger 04.   Kart. 36 —
Loewenthal, R: Die Färberei d. Spinnfasern nebst Bleicherei u. Zeugdruck u. e. Anh.: Die Appretur d. Gewebe. [S.-A.] 2. [Tit.-Afl. (97 m. Abb.) 8° Lpzg, O Spamer [1896] 01. 2.50; L. 3 — d
Loewentraut, A: Bibl. Gesch., s.: Reinke.
— s.: Handbuch d. preuss. Rektorenver. — Kalender f. Schul-inspektoren ev.
— Kirchengesch. — Religionsb., s.: Reinke.
Löwentraut, A, s.: Steinmeyer, FL, d. altkirchl. ev. Perikopen.
Loewenwald, L: Lehrb. d. CPO. f. d. Deut. Reich. (479) 8° Berl., Puttkammer & M. 03.   10 — d
— Lieder d. Sehnsucht. Gedichte. — Gedichte in Prosa. (66) 8° Ebd. 05.   L. 2 — d
Loewi, Frau B, s.: Herwi B.
Löwinsohn's, S, Buchgsaufg. f. d. Umfang e. 3monatl. Ge-schäftsbetriebes, enth.: etwa 500 Geschäftsvorfälle a. d. Waren-, Wechsel-, Fonds-, Speditions- u. Kommissions-geschäfte. 5. Afl. O Schönwandt. (44) 8° Berl., C Regendanz (02).   L. 4 — ‖ Übgshefte dazu in M. 3 — d
Löwis of Menar, K v.: Die ält. Ordensburg in Livland. [S.-A.] (8 m. 1 Taf.) 8° Berl., F Ebhardt & Co. 03.   1 — d
Löwit, M: Experimentelle Studien z. intravasalen Bakteriolyse. Beitrag z. Alexinfrage. [S.-A.] (197 m. 1 Taf.) 8° Wien, (A Hölder) 04.   3.90
Lowitz, T, s.: Optik, meteorolog.
Loewy, A: Höhenklima u. Bergwanderg, s.: Zuntz, N.
— u. F **Müller:** Üb. d. Einfl. d. Seeklimas u. d. Seebäder auf d. Stoffwechsel d. Menschen. [S.-A.] (27 m. Fig.) 8° Bonn, M Hager 04.   1 —
— u. H v. **Schrötter:** Untersuchgn üb. d. Blutcirculation beim Menschen. [S.-A.] (115 m. Fig., Kurven u. 3 Taf.) 8° Berl., A Hirschwald 05.   3 —
Loewy, A: Die Differentialgleichgn, d. m. ihren adjungirten in derselben Art gehören. [S.-A.] (12) 8° Münch., (G Franz V.) 02.   — 20
— Versicherungsmathematik, s.: Sammlung Göschen.
Löwy, E: Die Naturwiedergabe in d. ält. griech. Kunst. (60 m. Abb.) 8° Rom, Loescher & Co. 1900.   3.50

Loewy, W: Die bestrittene Verfassgsmässigk. d. Arbeiterges. in d. Verein. Staaten v. Nordamerika. Ein Beisp. d. Beschränkg d. legislativen Gewalt durch d. richterl. Prüfgsrecht. (88) 8° Hdlbg, C Winter, V. 05.   2.40
Löwy, W, s.: Jahrbuch, statist., d. Stadt Wien.
Loy, A v. (Frl. H v. Düring-Oetken): Neue Novellen u. Märchen. (351) 8° Berl., F Grunert, Sep.-Cto 02.   3.50; geb. 4.50 d
Loy, E: Die Prüfg d. Berufes z. Ordensstande. 8. Afl. (45) 16° Donauw., L Auer 02.   — 20 d
Loyola, hl. I v.: Geistl. Übgn. Aus d. span. Orig.-Text übers. v. R Handmann. Kl. Textausg. (198 m. Titelbild.) 8° Graz, Styria 05.   1.50; geb. 2 — d
— dass. Mit Anmerkgn u. Erklärgn v. J Roothaan. Aus d. Lat. Von R Handmann. (40, 303) 8° Rgnsbg, Verl.-Anst. vorm. GJ Manz 04.   4 —; HLdr 5.30 d
Loyola, Mutter M: Vor d. Allerheiligsten. Eucharist. Betrachtgn. Aus d. Engl. (119) 8° Mainz, Kirchheim & Co. 04. — 90; L. 1.20 d
— Schlichte Gedanken üb. d. Rosenkranz. Aus d. Engl. (267) 12° Ebd. 04.   1.80; L. 2.30 d
Loycke, O: Abschiedspredigt. (8) 8° Pos., F Ebbecke 03. — 15 d
Loyd, S: 120 Schachprobleme. Gesammelt v. M Weiss. (74 m. Diagr.) 8° Berl., O Dreyer (03).   2 —; geb. 3 — d
Lozier, CS: Behandlg d. Kinder, s.: Holbrook, ML, schmerzlose Entbindg.
Lu-Rewall: Aus d. Leben. (66) 8° Dresd., E Pierson 01. 1 —; geb. 2 — d
Lubahn, P: Prometheus, s.: Universal-Bibliothek.
Lubarsch, O: Elemente d. Experimental-Chemie. Einvmethod. Leitf. f. d. chem. Unterr. an höh. Lehranst., sowie z. Selbstunterr. 2. Afl. (357 m. Fig.) 8° Berl., J Springer 04. 4 —; L. 4.80
Lubarsch, O: Patholog. Anatomie u. Krebsforschg. (51) 8° Wiesb., JF Bergmann 03.   nn 1.30
— s.: Arbeiten a. d. pathologisch-anatom. Abteilg d. kgl. hygien. Instit. zu Posen. — Ergebnisse d. allg. Pathol. u. patholog. Anatomie d. Auges. — Ergebnisse d. allg. Pathol. u. patholog. Anatomie d. Menschen u. d. Tiere.
— Die allg. Pathol. Hand- u. Lehrb. I. Bd. 1. Abtlg. (317 m. Abb. u. 5 Taf.) 8° Wiesb., JF Bergmann 05.   7 —
— Üb. d. sog. Vivisektion, s.: Volksbücherei, medizin.
Lübben, E: Oldenburger Gestütb., II. Bd, s.: Gestütbuch, Oldenburger.
Lübbers, LE: Ostfrieslds Schiffahrt u. Seefischerei, s.: Zeitschrift f. d. ges. Staatswiss.
Lubbock, Sir J, s.a.: Avebury, Lord.
— The beauties of nature. Für d. Schulgebr. hrsg. v. AW Sturm. (125) 8° Lpzg, G Freytag. — Lpzg, F Tempsky 05. Geb. 1.20
Lübcke, C: Dampferwege durch d. Magellan-Strasse u. d. Smyth-Kanal, s.: Pilote, d.
— s.: Verzeichnis d. Hamburger Schiffe.
Lübcke, CW: De Vierundtwintigster. Theaterstück. (60) 8° Bütz, 03. (Lüb., Lübcke & N.)
Lübeck, AH: Bilder a. d. deut. u. sächs. Gesch., entworfen als Lernstoff f. d. Hand d. Schüler in d. Mittelst. (48) 8° Lpzg, X Pfingmacher 05.   50 d
Lübeck, K: Adoniskult u. Christentum auf Malta. (138) 8° Fulda, Fuldaer Actiendr. 04.   1 —
— Reichseinteilg u. kirchl. Hierarchie d. Orients bis z. Ausg. d. 4. Jahrh., s.: Studien, kirchengeschichtl.
Lübeck, O: Algebr. Analysis, s.: Unterrichts-Werke (Methode Hittenkofer).
— Chemie u. Physik, s.: Hittenkofer, M, Unterr.-Werke.
— Differentialrechng, s.: Unterrichts-Werke (Methode Hittenkofer).
— Festigkeitslehre, s.: Hittenkofer, M, Unterr.-Werke. — Unterrichts-Werke (Methode Hittenkofer).
— Analyt. Geometrie, s.: Unterrichts-Werke (Methode Hittenkofer).
— Mechanik (Statik), s.: Hittenkofer, M, Unterr.-Werke. — Unterrichts-Werke (Methode Hittenkofer).
— Stereometrie, s.: Hittenkofer, M, Unterr.-Werke. — Unterrichts-Werke (Methode Hittenkofer).
— Wärmelehre, s.: Unterrichts-Werke (Methode Hittenkofer).
Lübke, A: Ausw. charakterist. Stücke a. Prosastücke z. Einführg in d. deut. Litt. 2. Tl. VII. Zeitraum. Von 1770 bis zu Goethes Tode. 8. Afl. v. H Huth. (352) 8° Lpzg, F Brandstetter 01.   1.60; geb. 2 — d
— u. C Nacke's Leseb.: Fibel. Nach d. kombinierten Schreiblese- u. Normalwortmethode, nach d. Grundsätzen d. Phonetik völlig neu bearb. v. F Hollkamm. 27. Afl. 1. Afl. d. Neubearbeitg. (124 m. Abb.) 8° Ebd. 03. — 60; geb. nn — 75 d
— — Leseb. f. Bürgersch. 37. Afl. v. H Huth 3. Tl. (900) 8° Ebd. 01.   — 80; geb. nn 1.10 d
— — Leseb. Für d. Gebr. in mehrklass. Volkssch. u. in Mittelsch. neu bearb. u. hrsg. v. H Kasten. 1. Tl. 8° Ebd. 1.60; geb. nn 2 — d
1. (Für d. 2. u. 3. Schulj.) 1. Afl. d. Neubearbeitg. (88 m. Abb.) 04. 1.60; geb. nn 2 —
Lubenow, H: Die übersinnl. Wirklichk. u. ihre Ergenntnis. (164) 8° Gütersl., C Bertelsmann 04.   2.40; geb. 3 — d
Lubenow, H: Die Wahrh. üb. d. Leben. (91) 16° Berl., Schmaller & Lubenow (04).
Luberg: Landw. Betriebslehre. (Landw. Unterrichtsbb.) (136) 8° Berl., P Parey 04.   Geb. 1.60 d
Lübke, W: Gesch. d. neueren Baukunst, s.: Burckhardt, J.
— Grundr. d. Kunstgesch. 5 Bde. 8° Stuttg. Essl., P Neff.

37.50; L. 45 —; Luxusausg. in HF. 57.50; auch in Lfgn zu — 50
I. Die Kunst d. Altertums. 13. Afl. v. M Semrau. (381 m. Abb. u. 5 Farb. Taf.) 04.   5.50; geb. 7 — u. 9.50
II. Die Kunst d. M.-A. 13. Afl. v. M Semrau. (466 m. Abb. u. 5 farb. Taf.) 05.   6.50; geb. 8 — u. 10.50
III. Die Kunst d. Renaissance in Italien u. im Norden. 12. Afl. v. M Semrau. (558 m. Abb. u. 9 [5 farb.] Taf.) 03. 10.50; geb. 12 — u. 14.50
IV. Die Kunst d. Barockzeit u. d. Rokoko. 12. Afl. v. M Semrau. (435 m. Abb. u. 7 [2 farb.] Taf.) 05.   6.50; geb. 8 — u. 10.50
V. Haack, F: Die Kunst d. XIX. Jahrh. (414 m. Abb. u. 5 [3 farb.] Taf.) 05.   8.50; geb. 10 — u. 12.50
Lubliner, H: Frau Schubels Tochter. Roman. (254) 8° Bresl., Schles. Buchdr. usw. 05.   2.50; geb. 3.50 d
Lublinski, S: Die Bilanz d. Moderne. 1. u. 2. Afl. (374) 8° Berl., S Cronbach 04.   (4 —) 5 —; geb. (5 —) 6 — d
— Charles Darwin, s.: Klassiker d. Naturwiss.
— Elisabeth u. Essex. Tragödie. (167) 8° Berl., S Cronbach 03.   2 — d
— Die Entstehg d. Judentums. (71) 8° Berl.-Charlttnbg, Jüd. Verl. 03.   1 — d
— s.: Flaum, Franz.
— Gescheitert. Novellenb. (259) 8° Dresd., C Reissner 01. 3 —; geb. 4 — d
— Vom unbekannten Gott. Ein Baustein. (99) 8° Ebd. (04). 1.50
— Hannibal. Tragödie. (140) 8° Ebd. 02.   2 — d
— Holz u. Schlaf. Ein zweifelhaftes Kapitel Lit.-Gesch. (63) 8° Stuttg., A Juncker (05).   1 — d
— Der Imperator. Trauersp. (335) 8° Dresd., E Pierson 01. 3.50 d
— Multatuli (Eduard Douwes Dekker), s.: Essays, moderne, sozial. u. Litt.
— Der Polizeileutnant in d. Lit. Abwehr gog. Arno Holz. 1 — 6. Afl. (15) 8° Berl. (04). Lpzg, Verl. d. Funken, Sep.-Kto. — 30
— Friedrich Schiller, s.: Literatur, d.
Lubowski, C: Die Kunst, o. Mann zu bekommen. 10 Kapitel f. junge Mädchen bess. Stände. (147) 8° Dresd., E Pierson 04. 1.50 —; geb. 2.50 u 2. Afl. (147) 04. 1 —; geb. 2 — d
— Heimlich Recht, Ein Roman zweier Weltanschaugn. 1. u. 2. Afl. (198) 8° Königsbg, F Beyer 05.   3 —; geb. 4 — d
Lubowski, K: Der Kampf d. Frau ums Recht. Roman. (207) 8° Lpzg 03. Berl., H Seemann Nf.   2 — d
Lübsen, HB: Einl. in d. Mechanik, 5. Afl., s.: Donadt, A, Lehrb. d. Mechanik.
— Ausführl. Lehrb. d. Analysis z. Selbstunterr. 10. Afl. (203) 8° Lpzg, F Brandstetter 02.   3.60; geb. 4.10
— Ausführl. Lehrb. d. eb. u. sphär. Trigonometrie. 18. Afl. v. A Donadt. (146 m. Fig.) 8° Ebd. 04.   2.40; geb. 2.90
Lübstorf, W, u. J Peters: Leitf. f. d. Unterr. in d. Mineral., Botanik, Anthropol. u. Zool. in 4 Kursen. 1. Kurs. 3. Afl. (58 m. Abb.) 8° Parch., H Wehdemann (01). — 60 || 3. Kurs. 2. Afl. (159 m. Abb.) (02.) 1 — d
Lubszynski, J, s.: Wettbewerb, unlaut.
Luca, M de: Institutiones iuris ecclesiastici publici, quas iuxta methodum Tarquinii tradebat in schola institutionum canonicar. L. 2 voll. (341 u. 459) 8° Romae 01. Rgnsbg, FPustet. 5.60
Lucanus, AH: Preussens uralter u. heut. Zustand. 1748. (Mscr. in d. kgl. u. Univ.-Bibliothek in Königsberg i. Pr.) Hrsg. im Auftr. d. „Litterar. Gesellsch. Masovia" zu Loetzen. 1. u. 2. Lfg. (Beil. zu Heft 6 d. „Mitteilgn" d. litterar. Gesellsch. Masovia in Loetzen.) (316 m. 1 Stammtaf.) 8° Brannsbg u. Loetzen (01). (Königsbg, F Beyer.)   11 — d
Lucanus, F v.: Die Höhe d. Vogelzuges u. s. Richtg z. Winde auf Grund aeronaut. Beobachtgn. 2 Vortr. (24) 8° Neud., J Neumann 04.   1 —
Lucanus, MA: De bello civili libri decem. G Steinharti allorumque copiis usus it. ed. C Hosius. (60, 374) 8° Lpzg, BG Teubner 05.   4.40; geb. 5 —
Lucas' Mentor od. Schülerfreund. Taschenkalender f. Zöglinge höh. Lehranst. f. 1906. Red. v. e. Schulmanne. (50, 122 u. 136 m. Abb.) 16° Elberf., S Lucas.   Geb. — 60 d
Lucas: Der Landwirth u. d. BGB. Darstellg d. f. d. Landwirth wichtigsten Bestimmgn d. BGB. u. sr Nebenges. 2. Afl. (111 u. 13) 8° Schwedin., (L Heege) (03).   1.20 d
Lucas, A: Toilette de ma poupée. Une hist. de poupées, contenant une indication d'après laquelle les jeunes filles peuvent faire seules leur trousseau de poupée. Traduit de l'allemand par S Barazetti. (66 m. Abb. u. 7 [4 farb.] Taf.) 8° Ravnsbg, O Maier (05).   Kart. 3.50; m. Schnittmustern 6 —
Lucas, E: Kurze Anl. z. Obstkultur. 11. Afl. v. F Lucas. (173 m. Abb. u. 4 L.) 8° Stuttg., E Ulmer 04.   Kart. 1.65 d
— Gartenb., s.: Christ, JL.
— Der Gemüsebau. 6. Afl. v. F Lucas. (378 m. Abb. u. 1 Pl.) 8° Stuttg., JB Metzler 05.   L. 4 — d
— Vollständ. Hdb. d. Obstkultur. 4. Afl. v. F Lucas. (519 m. Abb.) 8° Stuttg., E Ulmer 02.   Geb. 6 — d
— Unterhaltgn üb. Obstbau, s.: Landmann's, d., Winterabende.
Lucas, F: Anl. z. Gemüsebau sowie z. Einrichtg e. Hausgartens. 3. Afl. (179 m. Abb.) 8° Stuttg., E Ulmer 01. Geb. 2 — d
— Gartenb., s.: Christ, JL.
— s.: Monatshefte, pomolog.
— Anleitg. üb. d. Erziehg d. jungen Obstbäume in d. Baumschule. (Mit untergedr. Text.) 2. Afl. 25,5×80 cm. Farbdr. Stuttg., E Ulmer (05).   In M. 3 —
Lucas, G: Eine neue Methode, engl. Geld mühelos in deut. umzurechnen. (20) 8° Hambg, O Meissner's V. 04.   — 50

Lucas, H: Anl. z. strafrechtl. Praxis. 2 Tle. 8° Berl., O Liebmann. Je 8 —; geb. je nn 9 — d
 1. Das formelle Strafrecht. (415) 02. ‖ 2. Aß. (444) 05.
 2. Das materielle Strafrecht. (434) 04.
Lucas, R, s.: Bericht üb. usw. Entomol.
Lucas, S: In d. Heimat Mirza-Schaffys. Kulturbilder a. d. Kaukasus. (253) 8° Berl., Concordia 05. 3.50; geb. 4.50 d
Lucas, WM: Für kl. Leser, s.: Heerdorf, A.
Lucas van Leyden 1494—1533. Handzeichngn. Stiche u. Gemälde. 1—11. Lfg. (Je 5 Taf.) Fol. Haarl., H Kleinmann & Co. (03.04). Je 5 —
Lucerna, C: Die südslav. Ballade v. Asan Agas Gattin u. ihre Nachbildg durch Goethe, s.: Forschungen z. neueren Litt.-Gesch.
Lueht, PJ: Anl. f. d. Verarbeitg u. Verwendg v. Portland-Cement unter bes. Berücks. d. Fabrikation v. Cementwaren, Marmor-, Mosaik-, Terrazzo- u. Granito-Kunstarbeiten, Cementdachfalzziegel sowie d. Felsen- u. Grottenbauten. 2. Aß. (100 m. Abb.) 8° Frankf. a/M. (02). Lpzg, M Heinsius Nf. 2.60
Lucian's (a. Samosata) Werke. Deutsch v. T Fischer. 1., 4., 9., 11—16. u. 18—21.Lfg. 12° Berl.-Schönebg, Langenscheidt's V. (02-05). Je — 35 d
 1. 7. Aß. (1. Bd. 1—46) ‖ IV. 3. Aß. (1. Bd. 145—192.) ‖ IX. 7. Aß. (3. Bd. 97—144) ‖ XII. XIII. 2. Aß. (3. Bd. 193—196) ‖ XIII—XVI. XVII.XIX. 2. Aß. (3. Bd. 1—192 u. 4. Bd. 1—96) ‖ XX. 2. Aß. ‖ XX. v. EA Bayer. (4. Bd. 97—144) ‖ XXI. 2. Aß. (4. Bd. 145—192)
— dass., s.: Prosaiker, griech., in neuen Uebersetzgn.
— Ausw. a. s. Schriften, s.: Bücher d. Weisheit u. Schönh.
— Der Traum od. Lucians Lebensgang u. Ikaromenipp od. d. Himmelsreise. Hrsg. u. erklärt v. K Mras. 2 Hefte. 8° Wien, C Fromme 04. 1.50
 1. Text (nebst Anmerkgn). (42) ‖ 2. Einl., Kommentar u. a. (108)
— Traum u. Charon. Ausg. f. d. Schulgebr. v. F Pichlmayr. (48) 8° Münch., M Kellerer (05). Geb. — 80 d
Luciani, L: Physiol. d. Menschen. Deutsch v. S Baglioni u. H Winterstein. m. e. Einführg v. M Verworn. (In etwa 12 Lfgn.) 1—5. Lfg. (50) u. 2. Bd. 1—320 m. z. Tl farb. Abb.) 8° Jena, G Fischer 04.05. Je 4 —. (1. Bd.: 12 —; geb. 13 —)
Lucifer. Red.: J Lazarus. Jahrg. 1903. Juni—Dezbr. 30 Nrn. (Nr. 1. 3 m. z. Tl farb. Abb.) Fol. Wien, Administr. (1) (Lpzg, M Prager.) Viertelj. 1.50; einz. Nrn — 10 d ö F
— m. d. Gnosis. Hrsg.: R Steiner. Nr. 8—12. Jan.—Mai 1904. (Nr. 8. u. 9. 71 m. Abb.) 8° Lpzg, (M Altmann). ‖ Juni 1904— Mai 1906 je 12 Nrn. Viertelj. 1.50; einz. Nrn. — 50
Nr. 1—7 s. u. d. T.: Luzifer. — Die Gnosis wurde hiermit vereinigt. — Erschien bis Septbr 1905 in Berlin.
Lucilii, C, carminum reliquiae. Recens., enarravit F Marx. 2 voll. 8° Lpzg, BG Teubner. 22 —; geb. 27.60
 1. Prolegomena, testimonia, fasti Luciliani, carminum reliquiae, indices. (186, 162) 04. 5 —; geb. 10.60
 II. Commentarius. (22, 457 m. 1 Bildnis.) 05. 14 —; geb. 17 —
Lucius, A: Der Geschäftsaufsatz u. d. Buchführg in d. Fort-bildgssch., s.: Rasche, E.
— Lehrstoffverteilg f. d. Volkssch. Hessens auf Grund d. Ministerialverordng v. 2.XII.1874.d.Einteilg d.Volkssch. in Klassen u. Abteilgn u. d. Lehrplan betr., m. e. Anh. üb. d. Verteilg d. Lehrstoffe in d. einf. Fortbildgssch. u. 10 Wandpl. f. d. 1—4klass. Schulen. (106) 8° Giess., E Roth 02. L. nn 3 — d
Lucius, CS v.: Stimmgn. (86) 8° Berl., (Gose & T.) 03. 1 —
— dass. 1.50 d (An d. Verf. [?] zurück.)
Lucius, K: Die Gedächtniskunst u. ihre prakt. Verwertg. Mit Übgsanh.: Die Mnemotechnik in d. modernen Magie. (111) 8° Lpzg, O Seiler (05). 2 — d
Lucius, PE: Die Anfänge d. Heiligenkults in d. christl. Kirche, hrsg. v. G Anrich. (526) 8° Tüb., JCB Mohr 04. 12 —
— Bonaparte u. d. protestant. Kirchen Frankreichs, s.: Sammlung gemeinverständl. Vorträge u. Schriften a. d. Gebiet d. Theol. u. Relig.-Gesch.
— Das mönch. Leben d. 4. u. 5. Jahrh. in d. Beleuchtg sr Vertreter u. Gönner, s.: Abhandlungen, theolog.
— Zur äussern u. innern Mission. Vermischte Vortr. u. Aufsätze. (186) 8° Tüb., JCB Mohr 03. 2 —
Lucius, PF: Friederike Brion v. Sessenheim. 3. Aß. (107 m. Abb. u. 1 Karte.) 8° Strassbg, JHE Heitz (04). 2.50; geb. 3.50 d
Luck, G: Rät. Alpensagen. Gestalten u. Bilder a. d. Sagenwelt Graubündens. (124 m. 4 Bildern.) 8° Davos(-Platz), Buchdr. Davos A.-G. 02. 1.25
— Augen auf!, s.: Fatio, G.
— Festsp. z. 100jahrfeier d. Bündner Kantonsch. in Chur, s.: Bühler, M.
— Waltthari, s.: Bühler, M.
Lucka, E: Gaia. Das Leben d. Erde. Dichtg. (112) 8° Lpzg, Modernes Verl.-Bureau (03). 2.50
— Sternennächte. Dichtgn. (138) 8° Ebd. (03). 2.50
— Otto Weininger, s. Werk u. s. Persönlichk. (158) 8° Wien, W Braumüller 05. 2.50
Luckau, WH: Herbstblüthen. Lieder e. schlichten Mannes. (201 m. Bildnis.) 12° Mgdbg, Creutz 01. 2 —; L. 3 — d
Lucke, R: Die männl. Geschlechtskrankh. (16) 8° Lpzg, Verl. d. Monatsschrift f. Harnkrankh. 05. — 75
— Die Harnverhaltg in diagnost. u. therapeut. Beziehg. (40 u. 12 m. Abb.) 8° Jena, G Fischer 03. 1 —
Lucke, A, s.: Chirurgie, spec.
Lücke, CF: Briefmarken-Album, s.: Schaubek.
Lücken, W: Die Niederschlagsverhältn. d. Prov. Westfalen u.

ihrer Umgebg. [S.-A.] (128 m. 1 Karte, 27 Tab. u. 2 Diagr.) 8° Münst., Regensberg 03. 1.50
Luckenbach, H: Die Akropolis v. Athen. 2. Aß. (58 m. Abb.) 8° Münch., R Oldenbourg 05. 2.50
— Kunst u. Gesch. 1—3. Tl. 8° Ebd. 3.90; Kartonnagen je — 30
 1. Abb. z. alten Gesch. 4. Aß. (82) 02. 1.40 ‖ 5. Aß. (96) 04. 1.50
 2. Abb. z. deut. Gesch. (95) 02. 1.50
 3. Die deut. Kunst d. 19. Jahrh. (36 m. Abb.) 05. — 90
— Olympia u. Delphi. (54 m. Abb.) 8° Ebd. 04. 2.50
— dass., s.: Bezirk, d. bl. v. Delphi. — Olympia.
Lücker, E: Pharmacognost. Tab. (56) 8° Weida, Thomas 03. 1.20
Luckhardt's, F, zeitgeschichtl. Bibliothek. I—V. 8° Lpzg, F Luckhardt. 11.50 d
 Bresnitz v. Sydacoff: Die Wahrheit üb. Ungarn. Polit. u. gesellschaftl. Geschichten a. d. neuen u. neuesten Gesch. Ungarns. 2. Aß. (192) 06. [IV.] 3 —
 Mann-Tiechler, KH v.: Deutschl. m. Frankreich. Polit. u. militär. Betrachtg am Anfang d. 20. Jahrh. (195) 03. [L.] 2 —
 Nochmals Deutsch od. Polnisch? Eine Volkastimme a. d. Ostmark. Mahnruf an alle, welche deutsch bleiben wollen. (46) 02. [V.] 1 —
 Pfister-Schwaighusen, H v.: Alldeut. Stammes-Kde m. Mundarten u. Geschichten m. genauen Grenzen aller Stämme. (16, 124) 02. [III.] 4 —
 Strantz, K v.: Das verwelschte Deutschtum jenseits d. Westmarken d. Reiches (d. französ. Niederl., d. französisch geblieh. Lothr. u. elsäss. Sundgaues, d. Freigrafsch. Hochburgund, sowie d. Westschweiz). Antwort auf d. Franzos. Rachegeschrei. 2. Aß. (15, 76) 02. [II.] 1.50
— Der deut. Buchhandel an d. Jahrh.-Wende. (31) 8° Ebd. 01. — 50 ‖ 2. Aß. (36) 01. — 60 d
Lückhoff, L: Die Buren-Generale Botha, de Wet, de la Rey in d. deut. Reichshauptstadt. Denkschrift üb. d. Berliner Festtage v. 16—18.X.'02. (58 m. 4 Vollbildern.) 8° Berl., J Harrwitz Nf. (02). — 50; Geschenkausg., L. 2 — d
Lückhoff, W: Ueb. d. Entstehg d. Instrumente m. durchschlag. Zungenstimmen u. d. ersten Anfänge d. Harmonium-Baues. (15 m. Abb.) 4° Lpzg, P de Wit (01). — 75
— s.: Harmonium, d.
— Das Harmonium d. Zukunft. Erklärg d.Wesens u. d. künstler. Bedeutg d. modernen Harmoniums. (32) 8° Berl., Dr. E Eulting 01. 1 —
Lücking, G: Schiller als Herausgeber d. Memoirensammlg. I—[37] 4° Berl., Weidmann 01. ‖ II. (Capilupi.) (30) 02. Je 1 —
Luckow, E: Lehrstoff f. d. Turnunterr. an Knaben-Volks- u. Mittelsch. (82 m. Abb.) 8° Berl., H Muskalla 04. Kart. 2.50 d
Lnckow, H: Illustr. Lehrstoff f. d. Zeichenunterr. n.d. Grundlehrpl. d. Berliner Gemeindesch., nebst e. v. d. kgl. Kunstsch. in Berlin getroff. Ausw. v. Lehrmitteln f. d. Zeichenunterr. (16 m. 12 z. Tl farb. Taf.) 8° Stuttg., Union (05). 1 —
Luckow, M: Meine 1. Liebe u. and. Skizzen a. d. Grossstadt. (192) 8° Berl., R Eckstein Nf. (02). 2 —
— Ein Vagabund d. Liebe. Erzählg. (132) 8° Ebd. (03). 2 —; geb. 3 —
Lucks, JH: Rechenb., s.: Knabe.
— Deut. Schulfibel n. analytisch-synthet. Grundsätzen. 2. Aß. (92) 8° Rendsbg, Coburg 04. Geb. — 70 d
— u. Ostwald: Religionsb. f. ev. Schulen. Ausg. A. (Prov. Sachsen.)6. Aß. (264 m. 2 Kart.) 8° Mgdbg, (Heinrichsbote's V.) 03. Geb. nn — 90 d
Lucretius Carus, T: Von d. Natur d. Dinge, s.: Universal-Bibliothek.
Lucrum B. Prozentaal-Berechngs-Tab. 2. Aß. (41) 4° Wien, (Wallishausser) (05). 6 —
Lucy, Mme la Comtesse de: Hist. d'une pièce d'or, s.: Prosateurs franç.
Lüdcke, W: Linearzeichnen in d. Volkssch. n. d. neuen preuss. Zeichenlehrpl. Nebst Ergänzgsaufg. f. Mittelsch. u. Präparandenanst. (60 m. Fig. u. 19 L.) 8° Dortm., FW Ruhfus (04).
— Übgsstoff f. d. prakt. Unterr. in d. darstell. Geometrie an höh. Lehranst., Kunstgewerbesch., Lehrerseminarien u. gewerbl. Fortbildgs- u. Fachsch. (15 m. Abb. u. 19 [1 farb.] L.) 4° Ebd. (04). In M. 3.50
Lüddecke u. H Haack: Deut. Schulatlas. 88 Kart. u. 7 Bilder auf 51 (farb.) Seiten. 4. Aß. (2 S. Text.) 4° Gotha, J Perthes 03. Geb. 3 — d
— dass. Kleine Ausg. 47 (farb.) Kart. auf 33 S. 3. Aß. (2 S. Text.) 4° Ebd. 04. Geb. 2 — d
Lüddecke, G: Bilder a. d. Crossener Odergau, nebst e. Anh.: Die wichtigsten Wanderlinien bei Crossen. (138 m. 1 Abb. u. 5 Kartenskizzen.) 12° Cross., R Zeidler 02. 1 — d
Luedecke, C: Die Boden- u. Wasserverhältn. d. Odenwaldes m. Ausn. d. Buntsandst.-Gebietes, s.: Abhandlungen d. grossh. hess. geolog. Landesanst. zu Darmstadt.
Lüdecke, F: Wo liegen d. Grenzen d. Welt? (16) 8° Gotha 1900. Hambg, G Schlossmann. — 40 d
Lüdecke, F: Plattdüt. Dichtgn. (106) 8° Dresd., E Pierson 02. 1.50; geb. 2.50
— Die Reise n. Braunschweig, s.: Knigge, A Frhr.
Luedecke, HE, v.: Musen-Almanach, Hallescher.
— Die Säule d. Lebens. Gedicht-Zyklus. (67) 8° Halle, H Kuhnt 05. 1.50
— Zeus. Gedichtbuch. (141) 8° Ebd. 04. 2 —
Lüdecking, H: Engl. Leseb. 1. Tl. Für unt. u. mittl. Kl. 15. Aß. v. H Lüdecking. (279 m. 1 Karte.) 8° Lpzg, CF Amelang 05. Geb. 2.25 d
— Französ. Leseb. 2 Tle. Neue Aß. v. H Lüdecking. 8° Ebd. Geb. 5.75 d
 I. Für unt. u. mittl. Kl. 24. Aß. (294 m. 1 Karte.) 02. 2.25 ‖ II. Für mittl. u. ob. Kl. 11. Aß. (338) 01. 3.50.

Lüdeling, G: Ergebnisse 10jähr. meteorolog. Beobachtgn in Potsdam, s.: Abhandlungen d. kgl. preuss. meteorolog. instit. Post u. Telegr.
— Deut. Reichs-Post-Katech. od. Post-Examinator. 19. Afl. v. M Weigel. (465) 8° Lpzg, Luckhardt's Bh. f. Verkehrswesen 03.   L. 5 — d
— Schule d. Amtssprache. Vorbereitgsb. f. d. schriftl. Tl d. Assistenten- u. Sekretärprüfg sowie allg. Lehrb. üb. dienstl. Arbeiten aller Art. 2. Afl. (512) 8° Lpzg, F Luckhardt 04.
                                                              3 —; L. 4 — d
Lüdemann, H: Gott ist tot; es lebe d. neue Gott od. Die germanisch-kathol. Kirche. (102) 8° Wilhelmsh., H Lüdemann (04).   1 — d
— Im herzinn. Gutsein, liegt immer zugl. d. Gewissh. d. Unsterblichk. od.: Das german. Papsttum. Die Fabel v. Jesu Christo. Die ewige Relig. Ausblicke in Deutschlds Zukunft. (48) 8° Ebd. (04).   2 — d
Lüdemann, H: Was heisst „Bibl. Christentum"? Vortr. (35) 8° Bern, A Francke 05.   — 60
— Individualität u. Persönlichk. Rektoratsrede. (24) 8° Bern, A Bentel) 1900.   — 90
Lüdendorf, H: Der gr. Sternhaufen im Herkules Messier 13. — Untersuchgn üb. d. Kopien d. Gitters Gautier Nr. 47 u. üb. Schichtverzerrgn auf photograph. Platten, s.: Publikationen d. astrophysikal. Observatoriums zu Potsdam.
Lüdendorf, P: Immobil. Erinnergn e. Landwehr-Offiziers an d. Schlacht bei Langensalza, s.: Aus d. Unratthale.
— Leitf. f. d. Unterr. im Patrouillendienst d. Kavall., an d. Hand d. Felddienst-Ordng bearb. (59 m. Fig.) 8° Berl., ES Mittler & S. 01.   — 80 d
Lüderitz, A: Die Liebestheorie d. Provençalen bei d. Minnesingern d. Staufenzeit, s.: Forschungen, literarhistor.
Lüders, A: Anl. z. Aquarell-, Guache-u.Chromo-Malerei.Fingerzeige f. Anfänger. 3. Afl. (44) 8° Lpzg, E Haberland 01.   — 75 d
Lüders, CE: Zum Geburtstag. Glückwünsche f. Kinder u. Erwachsene. (96) 8° Reutl., R Bardtenschlager (08).   — 50 d
Lüders, E: Arbeiterinnenorganisation u. Frauenbewegg. (33) 8° Berl. (Lutherstr. 94), Frl. Else Lüders 02.   — 50 d
— dass., s.: Fortschritt, soz.
— Der „linke Flügel". Ein Blatt a. d. Gesch. d. deut. Frauenbewegg. (68) 8° Berl., W & S Loewenthal (04).   — 75 d
— Stand d. deut. Frauenbewegg im Beginn d. J. '02- (54) 8° Zür., T Schröter 02.   — 50 d
Lüders, H: Üb. d. Grantharecension d. Mahābhārata, s.: Abhandlungen d. kgl. Gesellsch. d. Wiss. zu Göttingen.
Lüders, P: Chronik v. Gross-Lichterfelde. 3. Afl. v. H Lüders. (135 m. Abb. u. 1 Pl.) 8° Gross-Lichterf., BW Gebel (02).   Geb. 2 — d

1. Afl. u. d. T.:
— Gross-Lichterfelde in d. ersten 25 Jahren s. Bestehens. (94 m. Abb. u. 1 Pl.) 8° Berl. 1893. Gross-Lichterf., BW Gebel.
                                                              Kart. 1.50 d
Lüders, A: Die neueren Arzneimittel u. ihre Anwendg, bearb. unter Mitwirkg v. W Thom. (1. Abtlg. 160 m. Abb.) 8° Lpzg, B Konegen 06.   Für vollst. 9 —
Lüdert, T: 5 Jahre in Transvaal. 1895—1900. Reise- u. Kriegs-Erlebnisse. (87 m. Bildnis u. 1 Karte.) 8° Hambg, O Meissner's V. 01.   Geb. 3 — d
Ludwig, H: Wie behandelt man s. Arzt? Ungelehrte Plaudereien. (51) 8° Bunzl., G Kreuschmar 01.   — 30 d
— Der Gerechte erbarmet sich s. Viehs; wer aber erbarmet sich d. f. vogelfrei erklärten Kranken? Stechpalmreis auf meines guten Onkel Doktors Grab. (51) 8° Ebd. 03.   — 50
Ludwig, W: Hdb. d. Hygiene u. Diätetik d. Truppenpferdes. (413 m. 48 Taf.) 8° Berl., ES Mittler & S. 05. 11 —; geb. 12.50
Lüdicke, CH: Deut. Liederb. Sammlg d. besten Volkslieder f. deut. Schulen. Ausg. in 9 Tln. 2. Tl. 215 Lieder u. Gesänge f. d. Mittel- u. Oberst. 3. Afl. (128) 8° Lpzg, E Zehl (01).
                                                    nn — 55; kart. nn — 45 d
— Liederwald. Lieder f. deut. Schulen. Ausg. in 4 Tln. 8° Ebd.
  1.50; Kärtonnagen je nn — 10; in 1 Lu.-Bd 2 — d
  I. 168 Lieder f. d. Unter- u. Mittelst. 6. Afl. (80) 03. — 80 || II. 160 Lieder u. Gesänge f. d. Mittel- u. Oberst. 7. Afl. (96) 01. — 80 || III. 168 Lieder u. Gesänge f. d. Oberst. 11. Afl. (160) 04. — 40 || IV. 128 Lieder u. Gesänge f. d. Oberst. 6. Afl. (160) 04. — 50.
Lüdke, A: Kathol. Gesang- u. Gebetb. d. Erzdiöz. Gnesen-Posen. 3. Afl. (784 m. 1 St.) 12° Bresl., GP Aderholz 01. Geb. 2 — d
— Die hl. Kreuzweg-Andacht. Nach d. Formular d. P.P. Franziskaner. 7. Afl. (52) 16° Ebd. 03.   — 15 d
Lüdke, H: Kaiser Julian. Biograph. Dichtg. (94) 8° Lpzg, Modernes Verl.-Bureau 05.   1.50
Ludloff, K: Zur Pathogenese u. Therapie d. angebor. Hüftgelenksluxation. [S.-A.] (136 m. Abb. u. 14 Taf.) 8° Jena, G Fischer 02.   14 —; f. Abnehmer d. klin. Jahrb. 10 —
Ludloff, RF: Coburg anno 1629. Wahrheit u. Dichtg. (184 m. 2 Taf.) 8° Cobg, (E Riemann) 05.   1 — d
Ludolff, M (Frl. L Huyn): Beata. Novelle. 4. Afl. (427 m. Bildnis.) 8° Bonn, P Hauptmann (03).   geb. 4 — d
— Vor 100 Jahren. Roman. (308 m. Bildnis.) 8° Ebd. (02).   3 —;
                                                              geb. 4 — d
— Das Kind d. Vagabunden. Novelle. (363 m. Bildnis.) 8° Ebd. (01).   3 —; geb. 4 — d
— Zu spät. Novelle. (3. [Umschl.-]Afl.) (168) 8° Ebd. (02). 1 —;
                                                               geb. 2 — d

Ludolff, M (Frl. L Huyn): Verschollen. Roman. (5. [Umschl.-]Afl.) (336 m. Bildnis.) 8° Bonn, P Hauptmann (01). 3 —; geb. 4 — d
— Weihnachts-Erzählgn, s.: Unterhaltungs-Bibliothek, Steyler.
Ludolff: Orig.-Entwürfe u. Arrangements v. Kunst-Stickereien. V. Serie. 7—12. Heft u. VI. Serie. 12 Hefte. (Je 4 Taf.) 4° Lpzg, O Lüdolff 1898—1901. Je 1 — || VII. Serie. 60 Taf. in moderner Richtg. (03.) 6 — 6 F
Ludolph, W, s.: Jahrbuch, kl. naut.
— Leuchtfeuer u. Schallsignale d. Erde f. 1905. 34. Jahrg. (27, 527) 8° Bremerh., L v. Vångerow 05.   L. 8 —
— dass. in Ostsee, Nordsee u. Kanal f. 1905. [S.-A.] (15, 192) 8° Ebd. 05.   2 —
Ludorff, A: Die Bau- u. Kunstdenkmäler v. Westfalen. (XI—XVII.) 4° Münst. (Faderb., F Schöningh.)   nn 22.40
                        (I—XVII.; nn 74.90; Einbde je nn 4 —) d
  XI. Kreis Ahaus. Mit geschichtl. Einleitg v. J Schwieters. (106 m. Abb. u. 68 Taf.) 1900 (Umschl. 01).   3 —
  XII. Kreis Wiedenbrück. Mit geschichtl. Einleitg v. Eickhoff. (96 u. 8 m. Abb. u. 58 Taf.) 01.   3 —
  XIII. Kreis Minden. Mit geschichtl. Einleitg v. Worm. (134 m. Abb. u. 78 Taf.) 02.   4 —
  XIV. Kreis Siegen. Mit geschichtl. Einleitg v. Heinserling. (95 m. Abb., 2 Kart. u. 22 Taf.) 03.   nn 12.40
  XV. Kreis Wittgenstein. Mit geschichtl. Einleitg v. Heinserling. (74 m. Abb., 2 Kart. u. 18 Taf.) 03.   nn 2 —
  XVI. Kreis Olpe. Mit geschichtl. Einleitg v. F Hölscher. (113 m. Abb., 2 Kart. u. 45 Taf.) 03.   nn 3 —
  XVII. Kreis Steinfurt. Mit geschichtl. Einleitg v. Döhmann. (106 m. Abb., 2 Kart. u. 86 Taf.) 04.   nn 4 —
Ludowici, W: Stempel-Namen röm. Töpfer v. meinen Ausgrabgn in Rheinzabern, Tabernae rhenanaa 1901—04. (140 m. Abb.) 8° Münch., (M Rieger) (05).   Kart. nn 21 —
Ludt, A: Handk. d. Kreises Merzig. 1:80,000. 36,5×44 cm. Farbdr, Trier, F Lintz (05).   75; auf L. 1.35; m. St. 1.50
— dass. d. Kreises Ottweiler. 1:80,000. 34×38cm. Farbdr. Ebd. (03).   — 40
— dass. d. Kreises Saarbrücken. 1:75,000. 42×43 cm. Farbdr. Ebd. (05).   — 40
— dass. d. Stadt- u. Landkreises Trier. 1:100,000. 48×49 cm. Farbdr. Ebd. (05).   1 —; auf L. 1.60; m. St. 1.80
— Wandk. z. bibl. Gesch. 1:1,800,000. 1 u. 2. Afl. (93 × 94 cm. Farbdr. Lpzg, G Lang (03.05).   10 —;
                                       auf L. in M. od. m. St. 16 —
Lüdtke, A, s.: Lotterien, uns.
Lüdtke, F: Die strateg. Bedentg d. Schlacht bei Dresden. [S.-A.] (61) 8° Berlin-Wilmersdf (Nassauischestr. 37), Dr. F Lüdtke 04.
                                                              3 — d
Lüdtke, H: Lesestoff in mässig gekürzter Debattenschrift d. Einiggssystems „Stolze-Schrey". (48) 8° Berl., L Oehmigke's V. 04.   — 80
Ludwich, A: Anekdota z. griech. Orthogr. I. (32) 8° Köngsbg, (Akadem. Bh. v. Schubert & S.) 05.   — 50
— Bessergsvorschl. zu Kolluthos. — Krit. Miscellen (XXI—XXIV). (20) 4° Ebd. 01.   — 30
— Kant u. d. Humanismus. (9) 8° Ebd. 04.   — 30
— Üb. d. Papyrus-Commentare zu d. homer. Gedichten. (24) 4° Ebd. 02.   — 30
— Revision meiner Ausg. d. Homer. Hermes-Hymnus. Krit. Miscellen (XXV—XXVIII). (73) 8° Ebd. 05.   — 30
— Üb. 2 Scholien zu Herondas u. ein. Verderbnisse bei Babrios. (19) 4° Ebd. 02.   — 30
— Textkrit. Untersuchgn üb. d. mytholog. Scholien zu Homer's Ilias: II—IV. (24, 24 u. 20) 4° Ebd. 01-03. Je — 30 (I—IV.: 1.30)
Ludwig: Kurzer Abriss d. Gesch. d. Fussartill.-Regts Encke (Magdeburg.) Nr. 4. Für d. Unterr. d. Mannschaften bearb. (58 m. 4 Skizzen, 1 Bildnis u. 1 farb. Taf.) 8° Berl., Liebel 05.   — 75; geb. 1.25 d
Ludwig s.: Von d. protestant. Theol. z. Priesterthum im J. 1806[1900].
Ludwig s.: Jahresbericht d. vogtländ. altertumsforsch. Ver. zu Hohenleuben.
Ludwig, Onkel, s. a.: Auer, L.
— Aus d. Leben f. d. Leben. Neue Volks- u. Jugendschriften. II. Abtlg. Kinder-Schriften. 1. Lfg. Der Schul-Ludwig. 2. Afl. (114 m. Abb. u. Bildnis.) 8° Donauw., L Auer 05. Kart. — 50 d
— Lustig in Ehren. Anl. u. Stoff zu guter Unterhaltg. 1. Lfg. 5. Afl. (176) 8° Ebd. (04).   1.50 d
Ludwig, A: Neuester zeitgemässer Briefsteller f. Geschäfts- u. Privatzwecke. Liebesbriefe. 6. Afl. (158) 8° Berl., Neufeld & H. (05).   1 —; geb. 1.50 d
Ludwig, A: Beitr. z. Gesch. d.Umgebg v. St. Gallen, s.: Kalbup, N.
Ludwig, A: Ein Liebestraum. (116) 8° Wien, C Konegen 03. 1.50 d
Ludwig, A: Das Urteil üb. Schiller im 19. Jahrh. Eine Revision s. Prozesses. (113) 8° Bonn, F Cohen 05.   2 — d
Ludwig, A, s.: Krankenhaus, d. ev., Cöln.
Ludwig, A: Volksgsunt. Polit. Volksschausp. (146 m. Bildnis.) 8° Dresd., E Pierson (05).   1.50 d
Ludwig, A, s.: Energie.
— Hdb. f. Acetylen, s.: Caro, N.
Ludwig, A (AL Hirt): Bilderschatz z. Länder- u. Völkerkde, s.: Hirt, F.
Ludwig, A: Analysis of the book of Iyyôb. [S.-A.] (57) 8° Prag, (F Řivnáč) 05.   — 80
— On the dual-forms in Job. [S.-A.] (9) 8° Ebd. 03.   — 30
  'Εντίωφος; Μίνως; u. Od. κ 1903. [S.-A.] (9) 8° Ebd. 03. — 30
— Die homer. Frage u. ihre beantwortg. [S.-A.] (11) 8° Ebd. 04.   — 90.

Ludwig, A: Die ursprüngl. gestalt v. Dias B. 1—454. [S.-A.]
(20) 8° Prag, (F Řivnáč) 03. — 30
— Üb. d. grundgedanken d. Mahabharata. [S.-A.] (11) 8° Ebd. 1900. — 20
— Der blinde mann v. Chios u. s. name. Homer. thesen. [S.-A.] (14) 8° Ebd. 04. — 20
— Üb. d. vermeintl. notwendigk., e. epos Οἶτος ἥλιου anzunemen m. einigen bemerkgn üb. N—T. [S.-A.] (20) 8° Ebd. 02. — 20
— Ueb. d. unmöglichk. e. sog. urilias. [S.-A.] Ebd. 01. — 42
— Ueb. d. verhältn. d. Peisistrat. redaction zu d. ganzen d. Ilias. [S.-A.] (27) 8° Ebd. 03. — 40
— Die ält. weltkarte. [S.-A.] (5) 8° Ebd. 03. — 12
Ludwig, A, s. a.: Babe, A.
— Schnozelborn. Thüringer Dorfleben in 4 Bildern. (49) 8° Herbsl. (05). (Weim., L Thelemann.) 1.80 d
Ludwig, A: Artige u. unart. Gedichte in 3 Büchern. 3 Tle. (Mit je 1 Bildnis.) 8° Berl.-Tempelhof, Eiselt & Rohkrämer (05). 5.50; in 1 Bd. (223) 3 — d
   1. Aus jungen Tagen. Gedichte u. Schelmenlieder. (31) 1 — ‖ 2. Scharf Geschliffenes. Sinnsprüche u. Spitzgedichte. (70) — 50 ‖ 3. Leichte Ware. Reimereien m. Grübchen im Backen u. Schelm im Nacken. (36) — 50 ‖ 4. Im Lebensstrom. Vers-Fantasien. (47) 1 — ‖ 5. Vers-Splitter u. -Gaben. (70) — 60 ‖ 6. Böhmmchen. Ein freier, allzufreier Vers-Zyklus. (24) — 50 ‖ 7. Herbst-Astern. (Aus meiner Hinterlassenschaftsmappe.) (18) — 50 ‖ 8. Gesang-Verve, B. Instrumental-Geleitverse. (32) 1 —
Ludwig, AF: Weihbischof Zirkel v. Würzburg in sr Stellg z. theolog. Aufklärg u. z. kirchl. Restauration. (In 2 Bdn.) 1. Bd. (377 m. 1 Bildnis.) 8° Paderb., F Schöningh 04. 3 — d
Ludwig, C: Der neue Hamlet, neue Ausg., s.: Büchner, L.
Ludwig, C: Das Glaubensgericht. Zeitbild a. d. Hannöv. in 5 Acten. (92) 8° Brem., (C Schünemann) (02). 1 — d
Ludwig, DA: Der Prättigauer Christkampf. (201) 8° Schiers 01. (Chur, F Schuler.) Kart. 2 — d
Ludwig, E, s.: Rundschau, neue philolog.
Ludwig, E: Berechng u. Konstruktion d. Schiffsmaschinen u. Kessel, s.: Bauer, G.
— s.: Kalender f. Seemaschinisten.
Ludwig, E: Ein Friedloser. Dramat. Dichtg. (84) 8° Wien, CW Stern 03. 2 —
— Ein Untergang. Drama. (178) 8° Berl., B Cassirer 04. 2.50 d
Ludwig, E: Frühlings-Stürme. Erzählg f.d. Mädchenwelt. (255 m. Titelbild.) 8° Berl., Globus Verl. (02). Geb. 1.40 d
— Hildegard. Erzählg f. junge Mädchen. (278 m. 1 Bildnis u.) 8° Ebd. (1900). Geb. ‖2 — d
— Die schönsten Märchen a. allen Landen. Der Jugend erzählt. (254 m. Abb. u. Farbdr.) 4° Ebd. (01). Geb. 2.50; neue Aff. m. 1 Farbdr. (05). ‖1.60 d
— Schulmädel-Geschichten. 30 Erzählgn f. Mädchen im Alter v. 7—12 Jahren. (243 m. Abb. u. 3 Farbdr.) 4° Ebd. (1900). Geb. 3 —; neue Aff. m. 1 Farbdr. (05.) Geb. ‖1.60 d
Ludwig, E: 5 Brote z. Seelenspeise, s.: Predigt-Bibliothek, moderne.
Ludwig, E: Üb. d. Arsen, s.: Vorträge d. Ver. z. Verbreitg naturwiss. Kenntnisse in Wien.
— Schwefelbad Hidže bei Sarajevo in Bosnien. 6. Afl. (63 m. Abb.) 8° Wien, (A Hartleben) 02. 1 —
— Üb. Mineralwässer, s.: Vorträge d. Ver. z. Verbreitg naturwiss. Kenntnisse in Wien.
Ludwig, F: Die Gesindevermittlg in Deutschl., s.: Zeitschrift f. d. ges. Staatswiss.
Ludwig, F: Die Milbenplage d. Wohngn, s.: Sammlung naturwiss.-pädagog. Abhandlgn.
— I. Scheible u. H Gebenzleben: Deut. Jugend, üb. Pflanzenschutz! 3 Preisarbeiten. Ausg. A f. d. Zöglinge d. höh. Lehranst. 2. Afl. (48) 8° Lpzg, BG Teubner 03. — 30 d
Ludwig, FK: Das logarithm. Rechnen. Leichtfassl. Darlegg üb. d. Wesen, d. Berechng u. Anwendg d. Logarithmen. (52) 8° Reichenbg, (P Sollors Nf.) (02). 1 —
Ludwig, G, s.: Dokumente üb. Bildersendgn v. Venedig n. Wien in d. J. 1816 u. 28.
— Die Examenskandidaten | Göhren'sche Novellen.(93)8°Dresd., E Pierson 05. 1 —; geb. 2 — d
— Die Venus v. Milo. (60) 8° Ebd. 04. 1.50; geb. 2.50 d
Ludwig, H: Präparat. zu Q. Horatius Flaccus' Oden. 1. u. 2. Heft. 8° Lpzg, BG Teubner. Je — 60
   1. Buch I u. II. (44) 03. ‖ 2. Buch III u. IV. (31) 03.
— dass. zu Q. Horatius Flaccus' Satiren. 1. u. 2. Heft: Buch I u. II. (35 u. 29) 8° Ebd. 04. Je — 60 d
— dass. zu Platons Apologie u. Kriton, s.: Teufel.
— dass. zu Sophocles' Antigone. (36) 8° Lpzg, BG Teubner 03. — 50
— dass. zu Sophocles' Philoctetes. (22) 8° Ebd. 02. — 50 d
— Latein. Stilübgn f. Oberkl. an Gymnasien u. Realgymnasien. (148) 8° Stuttg., A Bonz & Co. 02. Geb. 1.60;
           Übersetzg. (98) 1.85 d
Ludwig, H: Brutpflege bei Echinodermen, s.: Jahrbücher, zoolog.
— u. O Hamann: Echinodermen (Stachelhäuter), s.: Bronn's, HG, Klassen u. Ordngn d. Tier-Reichs.
Ludwig, J (JL Haase): Mir od. mich? Dramat. Scherz. (44) 8° Wien, A Pichler's Wwe & S. 02. — 80 d
Ludwig, J: Aus gold. Zeit. 3 Erzählgn f. d. Jugend. (J Ludwigs Jugendnovellen.) 2. Afl. (212 m. 4 Farbdr.) 8° Stuttg, Union (01). Geb. 3 — d

Ludwig, K: Neues Recht. Scherzhafter Ernst a. d. BGB. (128) 9e Neuw., Heuser's V. 03. 1.80 d
— 30 Reden u. Trink-Sprüche zu Kaisers Geburtstag, nebst e. Anh.: Prolog zu Kaisers Geburtstag. 4. Afl. (73) 8° Ebd. (04). 1.90 d
Ludwig, K: Heimatsk. d. deut. Lit. 3 Bl. je 51,5×64 cm u. 3 Bl. je 54,5×56,5 cm. Farbdr. Mit Namenverz. am Rande. Wien, G Freytag & B. (03). 20 —; m. St. 25 —
Ludwig, KF: Wie verschaffe ich mir e. Darlehn ohne Sicherh. sowie auf Bürgschaft, durch Wechsel, durch Teilhaberschaft u. dergl., nebst e. Anh.: Wie vermeidet man e. Konkurs? (64) 8° Pössn., H Schneider Nf. (03). 2 — d
Ludwig, N: Neuer erfolgreicher Bienenzuchtbetrieb. (62) 12° Lpzg-R., Leipz. Bienenzeitg (1900). — 50 d
Ludwig, O, s.: Amts-Kalender f. Gutsvorsteher im Kgr. Sachsen.
Ludwig, O, ausgew. Werke in 7 Büchern. Mit d. Lebensschilderg u. e. Charakteristik d. Werke Ludwigs v. W Eichner. 2 Bde. (48, 67, 392, 320 u. 250, 293, 183 u. 215 m. Bildnis u. 1 Abb.) 12° Berl., A Weichert (02). L. 6 — d
— Die Emancipation d. Domestiken, s.: Hesse's, M, Volksbücherei.
— Der Erbförster. Trauersp. Für d. Schulgebr. hrsg. v. F Kleinsorge. (164 m. Bildnis.) 8° Münst., Aschendorff 04. Geb. 1.10 d
— Gedanken. Aus s. Nachlass ausgew. u. hrsg. v. C Ludwig. (174) 12° Lpzg 03. Jena, E Diederichs. Kart. 2.50 d
— Die wahrhaft. Gesch. v. d 3 Wünschen, s.: Hesse's, M, Volksbücherei.
— Die Heiteretei. Erzählg. (351) 8° Halle, H Gesenius 02.
                        L. G. 1.50 d
— dass. Erzählg a. d. Thüringer Volksleben. Illustr. v. E Liebermann. Eingeleitet u. hrsg. v. V Schweizer. 2. [Tit.-]Afl. (188) 4° Lpzg [1899] 1900. Berl., H Seemann Nf. L. 6 — d
— Die Heiteretei u. ihr Widerspiel. 2 Novellen. (293) 8° Berl., A Weichert (02). L. 1.50 d
— dass., s.: Hesse's, M, Volksbücherei.
— Zwischen Himmel u. Erde. Erzählg. 1—5. Taus. (Hamburg. Hausbibliothek.) (223) 8° Hambg, J Janssen 04. L. 1 —
— dass., s.: Hesse's, dent. — Hesse's, M, Volksbücherei.
— Die Makkabäer, s.: Meisterwerke, d., d. deut. Bühne. — Teubner's, BG, Sammlg deut. Dicht- u. Schriftwerke (RPelsch).
— Meisterwerke (436 m. Abb. u. Bildnis.) 8° Berl., Deut. Verlagshaus Bong & Co. (02). L. 4 — d
— Aus d. Regen in d. Traufe. Erzählg. (200 m. Abb.) 16° Lpzg (01). Berl., H Seemann Nf. Ldr 3 —
— dass., s.: Volksbücherei.
— dass., Das Märchen v. toten Kinde, s.: Bücherei, deut.
— Shakespeare-Studien. Mit e. Vorbericht u. sachl. Erläutergn v. M Heydrich. 2. Afl. (35, 403 m. Bildnis.) 8° Halle, H Gesenius 01. 4.50; L. 4 — d
Ludwig, P: Aus uns. sonn. Baden. Heit. u. ernste Dichtgn. (87) 8° Wiesb. 01. Lpzg, O Nemnich. 1 —; geb. 1.50 d
Ludwig, PC: Üb. Ferienheime f. kaufmänn. Angestellte. (16) 8° Hartbg, R Stolle 05. 2 — d
Ludwig, T: Racines Verzicht auf d. Bühnendichtg u. s. Anteil an d. Giftmordprozesse, s.: Festschrift z. Feier d. 500 jähr. Jubiläums d. Königshof. Gymnasiums zu Königsberg i. Pr.
Ludwig, V: St. Vinzenz v. Paul u. d. heiligste Eucharistie. (107 m. Titelbild.) 8° Wien, H Kirsch 05. 1 — d
Ludwig, W: Die Horopterkurve m. e. Einl. in d. Theorie d. binok. Raumkurve, s.: Abhandlungen, mathemat.
Ludwig, W: Ratschläge u. Erfahrgssätze f. Zuckerkranke. (52 m. Abb.) 8° Düsseldf, H Kafittich (05). 2 —
Ludwig Amadeus v. Savoyen, Herzog d. Abruzzen: Die Stella Polare im Eismeer. Erste italien. Nordpolexped. 1899—1900. Mit Beiträgen v. Cagni u. C Molinelli. (566 m. Abb., 33 Taf., 2 Panoramen u. 2 Kart.) 8° Lpzg, FA Brockhaus 03. 9 —; geb. 10 — d
Ludwig Ferdinand v. Bayern, Frau Prinzessin: Emanuela Therese v. Orden d. hl. Klara, Tochter Kurfürst Max Emanuels v. Bayern (1696—1754). (108 u. 10 m. Abb., Stammtaf., 7 [2 farb.] Vollbildern u. 3 Musikbl.) 8° Münch., Allg. Verl.-Gesellsch. 02. L. 10 —; feine Ausg. auf starkem Kunstdr.-Pap. 15 —; französ. Ausg. 10 —; 15 —
— In d. ewigen Stadt. Reiseerzählg. [S.-A.] (32 m. 1 Abb.) 8° Münch., Herder & Co. 03. — 25 d
Ludwig Salvator, Erzherzog: Helgoland, s.: Woerl's Reisehandbücher.
— Zante. (2 Thle. 4° Lpzg,Woerl's Reisebücherverl. (04). L. 100—
   Spec. Tbl. (449 m. Abb., 1 Taf., 4 Pl., 2 Kart. u. 1 Tab.) 40 — ‖ Allg. Tbl. (467 m. Abb.) 60 —
Ludwig-Wolf, LF: Das kgl. sächs. Ergänzssteuerges., s.: Handbibliothek, jurist.
— Das Reichsgesetz üb. d. Verwaltgsorganisation d. Städte d. Kgr. Sachsen, s.: Häpe, G.
Ludwig, F: Das Heiligtum v. Antiochien Schausp. Mit Männerchören, Soli u. Klavierbegleitg komponiert v. F Koenen. Ohne Frauenrolle. 4. Afl. (108) 12° Düsseldf, L Schwann (03). 1.90 d
Ludwigs, FJ: Fest-Reden z. Feier d. diamant. Priesterjubiläums uns. Bischofs Ign. v. Senestrey, s.: Sepp, B.
— s.: Gesetz-Entwurf, d. ministerielle, e. Kirchengemeindeordng.
Ludwigs, HM: Erinnergn an d. Priester-Seminar. Beitrag z.

Chronik d. erzbischöfl. Priesterseminars zu Köln. (191) 8°
Köln, H Theissing 03.   3 — d
Ludwigs, HM: Das 4. allg. Jubiläum im Pontifikate d. Papstes
Leo XIII. (47) 16° Köln, H Theissing 01.   — 15 d
Ludwigs, M: Kochb. f. d. Selbstkocher. (88) 8° Berl., C Habel
04.   L. 1.50 d
Ludwik, C: Schiffs-Hebewerke d. verein. Maschinen-Fabriken.
[S.-A.] (21) 8° Prag, JG Calve 02.   1 —
Lueger, K, s.: Gemeinde-Verwaltung, d. v., Wien.
Lueger, O: Lexikon d. ges. Technik u. ihrer Hilfswiss. 2. Afl.
(In 8 Bdn.) 1. u. 2. Bd. (Je 800 m. Abb.) 8° Stuttg., Deut.Verl.-
Anst. (04.05).   HF. je 30 —; auch in 40 Abtlgn zu 5 —
Lüer, H: Die Entwicklg in d. Kunst. (71) 8° Strassbg, JBE
Heitz 01.   1.50
— Kronleuchter u. Laternen, s.: Vorbilder-Hefte a. d. kgl.
Kunstgewerbe-Museum zu Berlin.
— Technik d. Bronzeplastik, s.: Monographien d. Kunstge-
werbes.
— u. M **Creutz:** Gesch. d. Metallkunst. (2 Bde.) 1. Bd: Kunst-
gesch. d. unedlen Metalle: Schmiedeisen, Gusseisen, Bronze,
Zinn, Blei u. Zink. Bearb. v. H Lüer. (660 m. Abb.) 8° Stuttg.,
F Enke 04.   28 —; L. 30 —
Lüers, A: David Humes relig.-philosoph. Anschaugn. (20) 4°
Berl., Weidmann 01.   1 —
Lüerssen, H: Das Schiffsglänbigerrecht u. d. übr. seerechtl.
Pfandrechte. (69) 8° Berl., Struppe & W. 02.   1.60
Luft, Münchner. Jahrg. 1905. 12 Nrn. (Nr. 1. 20 m. Abb.) 4°
Münch., R Abt.   Viertelj. 1.50; einz. Nrn — 50 d
Luft, F: Serenissimus in Nöten, s.: Fastnachts-Bühne.
Luftschiffer-Abteilung, d. kgl. preuss., Berlin. 1884—1901. (47
m. Abb.) 8° Berl., (Es Mittler & S.) (05).   1.50 d
Luftschiffer-Zeitung, Wiener.Hrsg. u. Red.:V Silberer. 1.Jahrg.
März—Dezbr 1902. 10 Nrn. (Nr. 1. 20 m. 1 Bildnis,) 4° Wien,
Verl. d. Allg. Sportzeitg. nn 8.50 || 2—4. Jahrg. 1903—5
                                         je 12 Nrn. Je nn 10 —
Lüftung, d. natürl., d. Stuttgarter Thales. (Von F Erk.) Nachtr.
zu: Die Stuttgarter Stadterweiterg m. volkswirtschaftl.,
hygien. u. künstler. Gutachten. (11 m. Fig.) 4° Stuttg., W
Kohlhammer 05.   — 80 (Hauptwerk u. Nachtr.: 8.30)
Das Hauptwerk s. u. d. T.: Stadterweiterung, d. Stuttgarter.
Luge, G: Berechng d. Servisentschädigg f. Quartierleistg an
d. Truppen im Frieden. — Das Naturalleistgs-Ges. v. 24.V.1898,
nebst d. durch Erlass d. Kaisers v. 13.VII.1898 genehm. Ver-
ordng, sowie d. durch Erlass d. Prinzregenten Luitpold v.
Bayern v. 28.VIII.1898 genehm. Instruktion z. Ausführg des.
Ges. u. d. weiter dazu ergang.kriegsministeriellen Bestimmgn.
10. Afl. (52 u. 32) 4° Strassbg, (CF Schmidt) (04). nn 2.50 d
Lügen, konventionelle, im Buchhandel. Allerlei Unverfroren-
heiten v. Xanthippos (L Hamann). 3. Afl. (119) 8° Lpzg (03).
Schönebg-Berl., Verl. Euterpe.   nn 1.20 m. Abb. nn 1.60
Luginbühl, R: Gesch. d. Schweiz f. Mittelsch. 6—15. Taus.
(178 m. 1 farb. Taf.) 8° Bas., Helbing & L. 05. Geb. nn 1.60 d
— Geist, Kultur d.Schweiz, s.:Bibliographie d.schweiz. Landes-
kde.
— Methodik d. Gesch.-Unterr. bes. in Volks- u. Mittelsch. (27)
8° Bas., Helbing & L. 03.   — 50 d
— Weltgesch. f. Sekundar-, Bez.- u. Realsch. in method. An-
ordng. 4. Afl. (221 m. Abb. u. 6 Kart.) 8° Ebd. 05. Geb. 2.40 d
Lugo, E: Handzeichngn u. Aquarelle. 15 unveröffentl. Blätter
a. d. Nachl. d. Meisters. Mit e. Vorwort v. S Graf Pückler-
Limpurg. 44×57 cm. (4 S. Text m. Bildnis.) 57×44 cm. Münch.
(05). Lpzg, F Rothbarth.   In M. 27 —
Lühe, v. d.: Gesch. d. holstein. Feldartill.-Regts Nr. 24. Für
Unteroffiziere u. Mannschaften zusammengest. (104) 8° Güstr.,
Opitz & Co. 01.   1.20 d
Luhmann, E: Prakt. Anl. z. Fabrikation d. moussir. Getränke,
s.: Gressler.
— Die Fabrikation d. Dachpappe u. d. Anstrichmasse f. Papp-
dächer in Verbindg m. d. Theerdestillation, nebst Anfertigg
aller Arten v. Pappbedachgn u. Asphaltirgn. 2. Afl. (291 m.
Abb.) 8° Wien, A Hartleben 02.   3.25; geb. 4.05 d
— Die Fabrikation d. flüss. Kohlensäure. (304 m. Abb.) 8° Berl.,
M Brandt & Co. 04.   3 —; L. 3.80 d
— Die Industrie d. verdicht. u. verflüss. Gase. (312 m. Abb.)
8° Wien, A Hartleben 04.   4 —; geb. 4.80 d
— Die Industrie d. alkoholfreien Getränke. (364 m. Abb.) 8°
Ebd. 05.   6 —; geb. 6.80 d
— Die künstl. Kohlensäurebäder. Ihre Herstellg, physiolog.
Wirkg u. therapeut. Verwerthg [S.-A.] (20) 8° Berl., M Brandt
& Co. 1898.   1.50 d
Lühmann, F v.: Anfangsgründe d. Trigonometrie u. Stereo-
metrie. — Geometr. Konstruktions-Aufg. — Leitf. d. Elemen-
tar-Mathematik, s.: Lieber, H.
Lühr, G: Die Schüler d. Rösseler Gymnasiums n. d. Album d.
marian. Kongregation. 1. Tl. 1631—1749. 1. u. 2. Lfg. [S.-A.]
(184) 8° Braunsbg, E Bender 04.   Je 1.20 d
Lühr, K: Dein Reich komme! Nachgelass. Predigten üb. d.
Vaterunser u. ein. and. Texte. (179) 8° Berl., A Duncker 04.
— Zum Totenfest. „Ich bin bereit". Aus d. hinterlass. Predigten.
(14) 8° Gotha, EF Thienemann 04.   — 30 d
Lührse, L: Die Errichtg v. Volkszahnkliniken, e. soz. Pflicht
d. Städte. [S.-A.] (12) 8° Stett., (Keimling & Grünberg) (03).— 30
Luib, F: Der Taunus u. s. Gebiet zw. Rhein, Main u. Lahn.

30· Lfg. (5 Phototyp.) 4° Frankf. a/M., Kesselring (01). 2 —
                                         (Vollst.: 40 —) d
Luick, K: Gesch. d. heim. engl. Versarten. 2. Afl. [S.-A.] (41)
8° Strassbg, KJ Trübner 05.   1 —
— Dent. Lautlehre. Mit bes. Berücks. d. Sprechweise Wiens u.
d. österr. Alpenländer. (103) 8° Wien, F Deuticke 04. 2.50
— Studien z. engl. Lautgesch., s.: Beiträge, Wiener, z. engl.
Philol.
Luise, Grossh. v. Baden: Ich weiss, dass mein Erlöser lebt!
Glaubensworte f. Tage d. Prüfg, ausgewählt. (Bearb. v. E
Fischer.) 4.Afl. (172)8°Bielef., Velhagen & Kl. 05. L.m.G.2—d
Luise, Grossh., in ihren Beziehgn z. bad. Volks. (2—4. Taus.)
(42 m. 1 Bildnis.) 8° Bad.-B., P Weber 02.   — 30 d
Luise, ehemal. Kronprinzessin v. Sachsen, s.: Montignoso, L
Gräfin v.
Luise, Herzogin v. Sachsen-Coburg-Saalfeld. Lebensbild n.
Briefen derselben. Hrsg. v. P v. Ebart. (244 m. 2 Bildnissen.)
8° Mind., JCC Bruns (03).   4.50; L. 5.25 d
Luise Henriette, Kurfürstin v. Brandenburg. Festschrift z.
Andenken an d. Enthüllg d. Denkmals dieser Fürstin zu
Moers. (Von H Otto.) (15 m. 1 Abb.) 8° Moers, JW Spaarmann
(04).   — 20 d
Luithlen, F: Therapie d. Hautkrankh., s.: Handbibliothek,
medicin.
— Die Zellgewebsverhärtgn d. Neugeborenen (Sclerema oede-
matosum, adiposum u. Sclerodermie.) (78) 8° Wien, A Höl-
der 02.   3.20
Lukas, F: Psychol. d. niedersten Tiere. Untersuchg üb. d.
ersten Spuren psych. Lebens im Tierreiche. (276) 8° Wien,
W Braumüller 05.   5 —
— Der babylon. u. d. bibl. Weltentstehgsbericht. 2. Afl. (66)
8° Lpzg, F Luckhardt 03.   2 —
Lukas, H, u. H Ullmann: Elementares Zeichnen n. modernen
Grundsätzen. (43 m. 24 [8 farb.] Taf.) 8° Dresd., A Müller-
Fröbelhaus (04). 3 —; geb. 5.75 || Tl. (41 z. Tl farb. Taf. m.
Text auf d. Rücks. u. 6 S. Text.) (05.) 4 —; geb. 4.80
Lukas, J: Üb. d. Gesetzes-Publikation in Österr. u. d. Dent.
Reiche. (248) 8° Graz, Leuschner & L. 03.   5 —
— Die rechtl. Stelle d. Parlamentes in d. Gesetzgebg Österr.
u. d. constitutionellen Monarchien d. Deut. Reichs. Kritik
d. herrsch. Lehre. (243) 8° Ebd. 01.   5 — d
Lukasiewicz, G: Das Bezehnen u. Schneiden d. Gewinde. 3.Afl.
(92 m. Abb.) 8° Lpzg, BF Voigt 04.   2.50 d
— Die Metalldreherei, s.: Neumann, F.
Lukat, M, s.: Urkunden z. Gesch. d. ehem.Hauptamts Insterburg.
Lueken, J: Rechenb., s.: Munderloh, HF.
Lueken, W, s.:Bibliographie d.theolog.Rundschau. — Schriften,
d., d. Neuen Test.
Luks, W: Das Anfechtgsges. v. 21.VII.1879 u. d. §§ 29 ff. d.
Konkursordng v. 10.II.1877. 2. Afl. (71) 8° Berl., HW Müller
02.   1.20 d
Luksch, J: Beobachtgn u. Messgn d. Temperatur usw. d. Was-
sers in d. nördl. Adria, s.: Wolf, J.
Luksch, V: Illustr. Gesch. d. kathol. Kirche, s.: Kirsch, JP.
Luley, A: An Gottes Hand. Erinnergn a. meinem Diakonissen-
leben. 3. Afl. (224 m. Bildnis.) 8° Neudietendf, (Exp. d. thüring.
ev. Sonntagsbl.) (02).   1.75; L. 2.50 d
Löling, E: Mathemat. Taf. f. Markscheider u. Bergingenieure,
sowie z. Gebr. f. Bergsch. 5. Afl. (41, 64 m. Fig.) 8° Berl., J
Springer 02.   L. 8 —
Löling, H: Kaiser Rotbarts Erwachen. Festsp. (23) 8° Hof, R
Lion (02).   1 — d
Lullies, H: Zum Götterglauben d.alten Preussen. (20) 8° Königsbg,
(Gräfe & U., Bb.) 04.   — 80
— Wandk. d. Prov. Westpreussen, s.: Cunerth, O.
Lülmann, C: Das Bild d. Christentums bei d. gr. deut. Ideal-
isten. (229) 8° Berl. 01. Lpzg, M Heinsius Nf.   4.80 d
— Predigten üb. Zeitfragen. (90) 8° Tüb., JCB Mohr 05. 1.60;
                                               geb. 2.40 d
Lummer, O: Die Ziele d. Leuchttechnik. (112 m. Abb.) 8° Münch.,
R Oldenbourg 03.   2.50
— u. E **Gehrcke:** Üb. d. Bau d. Quecksilberlinien; e. Beitr. z.
Auflösg feinster Spectrallinien. [S.-A.] (7 m. 1 Fig.) 8° Berl.
(G Reimer) 02.   — 50
Lummert, A: Das nied. Schulwesen d. Grossstadt im Lichte d.
pädagog. Fordergn d. Gegenwart. (51) 8° Berl., LOehmigke's V.
01.   — 80 d
Lunák, I: De paricidii vocis origine. (18) 8° Odessae 1900. [Lpzg,
Simmel & Co.]   1 —
Lunckwitz, E: Verfall-Buch. (96 Doppels.) 4° Lpzg, O Seiler (01).
                                                    Geb. 5 —
Lund H: Schleswig-Holstein. Sagen, s.: Müllenhoff, K.
— u. W **Sühr:** 1. Leseb. f. d. Schulen d. deut. Nordmarken. Vorst.
z. „Vaterland". (128) 8° Kiel, Lipsius & T. 01. Geb. nn — 80 d
— — Das Vaterland. Leseb. f. d. deut. Nordmarken. Ausg. in
1 Bde. (551) 8° Ebd. 01.   Geb. nn 2.20 d
— — dass. Mittelst. Ausg. f. Mittel- u. Volkssch. (359) 8° Ebd. 01.
                                               Geb. nn 1.40 d
— — dass. Oberst. Ausg. f. Mittelsch. 2 Tl. (530 u. 510) 8° Ebd. 01.
                                               Geb. je 2.80 d
— — dass. Oberst. Ausg. f. Volkssch. (587) Ebd. 01.
                                               Geb. nn 2.20 d
— — dass. Begleitwort. 4. Ausg.m. zahlreichen Hinweisen auf

d. Erlass d. Unterr.-Ministers v. 28.II.'02, sowie m. Übersichten
üb. d. Inhalt d. Leseb. (80) 8° Kiel, Lipsius & T. 02. †— 70 d
Lund H., u. W **Suhr**: Das „Vaterland" u. d. Kritik. (45) 8° Kiel,
Lipsius & T. 03. — 40 d
Lund, H., s.: Kierkegaard's, S, Verhältnis zu er Braut.
Lund, Frl. K.: Kierkegaard's Familie u. Privatleben, s.: Kierke-
gaard, S, ausgew. christl. Reden.
Lundborg, H: Die progressive Myoklonus-Epilepsie (Unver-
richt's Myoklonie). (207 m. 3 Tab.) 8° Upsala, Almqvist &
Wiksell (03). (Nur dir.) nn 5 —
— Klin. Studien u. Erfahrgn betreffs d. familiären Myoklonie
u. damit verwandten Krankh. [S.-A.] (131 m. 7 Taf.) 8° Stockh.,
(Nordiska Bokhandeln) 01. 3.75
Lundén, H: Üb. Katalyse v. Aethylacetat durch Salpetersäure
bei Gegenwart v. Alkalinitraten. [S.-A.] (12) 8° Stockh. 04.
(Berl., R Friedländer & S.) — 60
Lundström, V, s.: Anecdota byzantina. — Eranos.
Luneburg, G: Haushaltgskde. Leitf. f. d. hausw. Unterr. in
Volks- u. Fortbildgssch. 3. Afl. (80) 8° Bresl., F Hirt 01.
Kart. 1 — ‖ 4. Afl. (88) 05. Kart. — 90 d
Lüneburgs ält. Stadtb. u. Verfastgsregister, hrsg. v. W Rein-
ecke, s.: Quellen u. Darstellungen z. Gesch. Niedersachsens.
Luncke, H: Die Schreckenstage v. Peking, s.: Günther, H.
Lundmann, E: Repetitorium d. Handelswiss. Kaufmänn. u. polit.
Arithmetik, Buchhalkg, Compoirarbeiten, Correspondenz. Han-
delskde, Wechsel- u. Handelsrecht. (343) 8° Wien, A Hölder
02. 2.50 ‖ 2. Afl. (301 m. 6 Tab.) (05.) 3.40
Lunge, G: Technisch-chem. Analyse, s.: Sammlung Göschen.
— Zur Gesch. d. Entstehg u. Entwicklg d. chem. Industrien
in d. Schweiz. (71) 8° Zür., Artist. Instit. Orell Füssli 01. 1 —
— Hdb. d. Soda-Industrie. 1. Bd. Schwefelsäure-Fabrikation,
s.: Handbuch d. chem. Technol.
— s.: Untersuchungsmethoden, chemisch-techn.
Lüngen, W: Fragen d. Frauenbildg. (108) 8° Lpzg, BG Teubner
04. 1 —
Lungen-Entzündungen, d., s.: Miniatur-Bibliothek.
Lungenkrank s.: Flugschriften, hygien.
Lungenkrankheiten u. deren gründl. Heilg durch d. Schroth'sche
Heilkur. Rev. v. K Schroth. 22. Afl. (37 m. 1 Bildnis.) 8° Freiw.,
A Blazek (04). — 80 d
Lunglmayr, A: Der jurist. Vorbereitgsdienst in Bayern. 2 Bde.
8° Berl., F Vahlen 05. 22 —; Einbde je nn 1 — d
1. Die Vorschriften. Die Ordng d. Dienstes. Allg. Lehren. (639) 12 —
2. Die einz. Stadien d. Ausbildg i. Amtsgericht, Landgericht, Bezirksamt
(Magistrat u. Polizeidirektion), Rechtsanwaltschaft. (546) 10 —
Lungwitz, A: Der Fuss d. Pferdes, s.: Leisering.
— Krankh. d. Hufes, s.: Handbuch d. thierärztl. Chirurgie u.
Geburtshilfe.
— Der Lehrmeister im Hufbeschlag. Leitf. f. d. Praxis u. d.
Prüfg. 10. Afl., m. e. Anh., enth. d. gegenwärtig im Deut.
Reiche gelt., d. Ausübg d. Hufbeschlaggewerbes betr. gesetzl.
Bestimmgn. (179 m. H.) 8° Lpzg, RC Schmidt & Co. 03. L. 2 — d
— Was ist Keltern, Raspen u. Pferdebesitzern v. Hufbeschlag
zu wissen nötig? [S.-A.] (24 m. Abb.) 8° Würzbg 01. Lpzg,
RC Schmidt & Co. — 50 d
— Wandtaf. z. Beurteilg d. Füsse u. Hufe d. Pferdes m. Röcks.
auf Fussaxe u. Hufform. Suppl. zu d. „26 Wandtaf. z. Beur-
teilg d. natürl. Pferde-Stellgn". 5. Afl. (10 Taf.) 75×50,5 cm.
Lpzg, RC Schmidt & Co. 04. In M. 19 — d
— Wandtaf. z. Beurteilg d. natürl. Pferde-Stellgn. 9. Afl.
(26 Taf.) 74,5×50,5 cm. Ebd. (04). In M. 12 — d
Lungwitz, H: Gayer, s.: Grohmann, M, d. Obererzgebirge.
Lungwitz, M, s.: Hufschmied, d.
— Übgn am Hufe f. Studier. d. Tierheilkde. (69 m. Abb.) 8° Lpzg,
RC Schmidt & Co. 08. L. 3 — d
Lungwitz, O, u. FM **Schröter**: Landeskde d. Kgr. Sachsen. 6. Afl.
(24 u. 16 m. Abb., Profilen u. Kärtchen.) 8° Bresl., F Hirt 03.
Kart. — 50 d
Bearbeitg f. Lehrerbildzanst., s.: Schunke, H.
Lüning u. **Sartori**: Deut. Leseb., 3. Afl., s.: Schnorf, K.
Lunn, J: Fish out of water, s.: Theatre, modern Engl. comic
(K Albrecht).
Lünnemann, L: Bad Driburg u. s. Heilmittel. (83 m. Abb.) 8°
Paderb., Junfermann 02.
Lautowski, A: Beobachtgn eines Beobachteten. Einiges z. Kritik
d. Bildg u. Entwicklg in uns. Lehrerseminaren. (32) 8° Lpzg,
W Röhmann Nf. 04. — 80 d ‖ 2. Afl. (43) 04. 1 —
— Zwischen Tag u. Nacht. (80) 8° Dresd., P Pierson 05. 1.50;
geb. 2.50
Lüntsmann s.: Farb. Malerb., s.: Witte.
Lüpke: Schloss Plön. (42 m. Abb.) 12° Ploen, (Hahn) (03). — 50 d
Lüpke, H v.: Tat u. Wahrheit. Eine Grundfrage d. Geisteswiss.
(35) 8° Lpzg, Dürr'sche Bh. 03. — 50 d
Lüpke, R: Grundr. d. Chemie, s.: Aldorff, F.
— Grundz. d. Elektrochemie auf experimenteller Basis. 4. Afl.
(236 m. Fig. u. 28 Tab.) 8° Berl., J Springer 01. 5 —; L. 6 —
Lüpke, T v.: Ba'albek, s.: Puchstein, O.
Lippo-Cramer: Wiss. Arbeiten auf d. Geb. d. Photogr., s.:
Enzyklopädie d. Photogr.
— Die Trockenplatte, s.: Bibliothek, photograph.
Luerssen, C, s.: Bibliotheca botanica.
Luerssen, H, s.: Roth's illustr. Lahnführer.
Lurz, A: Weltreise-Skizzen. 5 Lfgn. 8° Dresd., A Baensch.
4 —; geb. 5 — d
1. London u. Umgebg. Die engl. Nation u. John Ball, ihr Bürger. (24)

---

02. — 50 ‖ 3. Süd-Afrika, Kapstadt u. Umgebg. Die Buren etc. (25—50)
02. — 75 ‖ 3. Australien. (51—177) 02. 2 — ‖ 4. Australien (Fortsetzg), Neu-
Seeland, Samoa, Honolulu. (181—212) 02. — 75 ‖ 5. Von San Francisco
bis New-York. (215— 800) 02. 1.75.
Lurz, G: Die bayer. Mittelsch. seit d. Übernahme durch d. Klöster
bis z. Säkularisation, s.: Mitteilungen d. Gesellsch. f. deut.
Erziehgs- u. Schulgesch.
Luschan, F v.: Die Karl Knorrsche Sammlg v. Benin-Alter-
tümern im Museum f. Länder- u. Völkerkde in Stuttgart. [S.-A.]
(95 m. Abb. u. 12 Taf.) 8° Stuttg., (H Lindemann) 01. 2 —
Luschin v. Ebengreuth, A: Materialien z. Gesch. d. Behördenwesens u. d. Verwaltg in Steiermark, s.: Veröffentlichungen
d. histor. Landes-Commission f. Steiermark.
— Allg. Münzkde u. Geldgesch. d. M.-A. u. d. neueren Zeit.
(287 m. Abb.) 8° Münch., R Oldenbourg 04. 9 —; geb. 10.50
— Wiens Münzwesen, Handel u. Verkehr im späteren M.-A.
[S.-A.] (126 m. Abb., 9 Taf. u. 1 Karte.) Fol. Wien, A Holz-
hausen 02. nn 45 —
— Die Universitäten. Rückblick u. Ausblick. Rede. (17) 8° Graz,
Leuschner & L. 05. — 40
— u. A **Kapper**: Katalog d. landschaftl. Urkunden d. steier-
märk. Landesarchives, s.: Publikationen a. d. steiermärk.
Landesarchive.
Luschka, H: Das Höllental bis z. Ausg. d. 30jähr. Krieges.
(43) 8° Freibg i/B., (C Troemer) 03. 1.50
Luserke, O: Union, Gebetsverein, Freikirche n. Gottes Wort
u. d. luther. Bekenntnissschriften. (193) 8° Insterbg, (J Krauss
Nf.) 03. 1 —
Lusensky, F: Ges., betr. d. Pflichten d. Kaufleute bei Auf-
bewahrg fremder Wertpapiere, s.: Guttentag's Sammlg deut.
Reichsges.
— Der Handel, s.: Handbuch d. Gesetzgebg in Preussen u. d.
Deut. Reiche.
— Der zollfreie Veredlgsverkehr. (318) 8° Berl., O Häring 03. 5 — d
Lussingrande, Lussinpiccolo. Lussin u. d. Inseln d. Quarnero.
(104 m. Abb. u. 3 Kart.) 8° Wien, A Hartleben (05). Kart. 1.80
Lust u. Lehr fürs junge Volk. Beilage z. schweiz. Familien-
Wochenbl. 14. Bd. Juli 1905—Juni 1906. 12 Nrn. (Nr. 1. 8 m.
Abb.) 8° Zür., E Richter. 1 —
Lust, G: Die Arbeit. Lustsp. (94) 8° Wien, W Braumüller 05. 2 —
Lüster, F.: Prosa z. Herbarium m. Anweisg f. d. Samm-
v. d. Heyden (05). — 50
— u. C Seufferheld: Die ebda. (95) ‖ Nr. 3 m. 2 ...
„**Lustert enden**‖" Prosa u. Gedichte in Aachener Mundart. 1. Bdchn.
16° Aach., G Schmidt. — 60 d
1. Girkens, J: Dichtgn. (88 m. Bildnis.) 03.
Lustgärtlein gottinn. Seelen, n. d. sel. Thomas v. Kemped
v. L v. H. (154) 16° Münst., Alphonsus-Bh. (05). L. m. G. 2 — d
Lusthaus, d. Wahrheit gr. dächt. Reich. ist sonst aspassaft, was d. „Hans-
jörg u. sei' Greth'" übers Lusthaus sagen. Humoristisch-
satyr. Gedicht in schwäb. Mundart. Von W H. 1—22 Taus.
(12) 12° Stuttg., P Mähler 04. — 20 d
Lüsthäuser, stadt. Ein ernstes Wort ohne Umschweife! Von
MK G. Mit e. Vorwort v. C Fraenkel. (35) 8° Lpzg, JA Barth
05. — 40
Lusticus s.: Fremdwörter u. Redensarten, Münch.
Lustig, A: Die Grotte Giusti in Monsummano u. d. Bäder v.
Montecatini. (Führer durch d. Nievoletal in Toskana.) (52)
8° Wien, W Braumüller 05. Kart. 1.40
Lustig, F: Südafrikan. Minenwerte. (600) 8° Berl., Minen-Verl.
02. L. 12 — ‖ Neue Afl. (864 m. Skizzen u. 5 Kart.) 05. L. 15 —
Lustig, S: Die Cemente in d. Zahnheilkde. (15) 8° Budap. 05.
(Berl., Berlinische Verl.-Anst.) 1 —
Lustige, der. Anekdoten- u. Bilderkalender f. 1906. (16, 48 u. 8.)
8° Stuttg., C Weber & Co. — 25 d
Lustige Blätter-Bibliothek. 2 Bde. 8° Berl., Verl. d. lust. Blätter.
Je — 50 d
Los v. Berlin! (80 m. Abb.) (04.) [2.]
Ueber'n grossen Teich. Pietsch u. Krause auf d. Weltausstellg in St. Louis.
(80 m. Abb.) (04.) [1.]
Lüstner, G: Frostschutzspanner. Plakat. 46×38 cm. Farbdr.
Berl., P Parey (03). nn — 50 d
— Obstwickler. Plakat. 46×38 cm. Farbdr. Ebd. (02). nn — 50 d
— Springwurmwickler. Plakat. 46×38 cm. Farbdr. Ebd. (02).
nn — 50 d
— u. O Seufferheld: Die Bekämpfg d. Traubenwicklers (Heu-
u. Sauerwurm). (26 m. 1 farb. Taf.) 8° Wiesb., (R Bechtold
& Co.) 02. nn — 50 ‖ 2. Afl. (32 m. 2 farb. Taf.) (04.) — 75 d
Lustspiele. 1—12. 8° Lpzg, Rauh & Pohle. Je 1 — d
1. Frisch, C: Frl. Leutnant od. Strafe muss sein. (28) (05.) [12.]
Franke, H: Unterm Weihnachtsbaum. Schausp. 2. Afl. (16) Probsth. (03). [7.]
Heinz, P: Der Doppelgänger. (46) Probsth. (05). [4.] ‖ Eine Galt-Glan-
bigerversammlg. Humorist. Gesamtspiel. Text u. Musik v. H. (12) (04.)
[5.] Das lenkbare Luftschiff. (54) Probsth. (08). [7.] ‖ Das verunglückte
Schächtfest. Humorist. Gesamsp. (70) (04.) [11.]
Jentzsch, A, u. A Forker: Ein epplepter Schelmeister. Humorist. Ge-
samtsp. Musik v. F Sperling. (12) (04.) [10.]
Kiehne, W: Die Liebesprobe. Nach d. Franz. (28) Probsth. (05.) ‖ Die
Verlobten. Lustsp. n. J France. (20) (04.) [8.]
Paepart, G v.: Professor Barbierag. (12) Probsth. (08). [12.]
Zeiss, M: Abgebrannt. Lustsp. (48) Probsth. (08). [4.] ‖ Auf d. Heirats-
befehl. Schwank. (36) Probsth. (08). [8.]
Nr. 15—15 bilden: Schröder, P: König Dampf; Die Getreuen v.
Jever; Ihr Lieblingskind.
— f. Feuerwehren. Nr. 4. 8° Ebd. 1 — d
Renner, G: Die neue Feuerwehr od. Blinder Lärm. (20) (04.) [4.]
Nr. 1—3. bilden: Schröder, P: Alarmiert; Feuerlärm v. Woki-
thätig ist d. Feuers Macht.

Lustspiele f. Radfahrer. Nr. 1—4. 8° Lpzg, Rauh & Pohle.
Je 1 — d

Heilfron, A: Der Radlerfeind. (16) (04.) [3.]
Hains, P: Das Glück erradelt. (15) Probsth. (03). [2.] ‖ Tolle Streiche od. Eine verunglückte Brautwerbg. (24) (04.) [4.]
Parpart, G v.: Radlerliebe. Zeitbild. (14) Probath. (03). [1.]
— turner. Nr. 1—17. 8° Ebd. Je 1 — d
Bromme, W: Unter d. Tannenbaum. Weihnachtsschwank f. Arbeiter-Turner. (16) (04.) [15.]
Franke, H: Master John. 2. Aft. (15) Probath. (02). [2.] ‖ Der Wunderdoktor. Schwank. 3. Aft. (8) Probsth. (02). [3.] ‖ Aus stürm. Zeit. Schausp. (20) Probath. (02). [5.]
Heim, G: Hoch d. Turnsp. (11) Probath. (03). [12.]
Heinz, P: Die gestörte Einquartierg. Humorist. Gesamtsp. a. d. Turnerleben. (16) Probath. (04). [13.] ‖ Turner-Rache. Schwank. (14) (04.) [14.] ‖ Eine Turnstunde auf d. Standesamt. Humorist. Scene m. Gesang. (15) Probath. (03). [8.]
Lange, M: Zum Turnen bekehrt. Charakterbild. (22) Clstr. 1895. [7.]
Neumann, G: Ende gut, alles gut. Mit Gesang. (11) Probsth. (03). [10.]
Oertel, F: Im Pensionat. Schwank m. Reigeneinlage. (30) (04.) [17.]
Renker, F: Freie Turner. 3. Aft. (16) Probath. (03). [9.]
Renner, G: Ausgekniffen. Schwauk. (27) Probath. (03). [11.] ‖ Meisels Brautfahrt. Schwank. (74) Probath. (07). [5.]
Tapper, E: Ein famoses Quartier. Turnerposse. (27) (04.) [16.]
Unterm Weihnachtsbaum. (16) o. O. (02). [4.]
— u. Weihnachtsspiele s.: Fest- u. Gelegenheitsgedichte.
Luterbacher, F: Der Prodigienglaube u. Prodigienstil d. Römer. (69) 8° Burgdf, (C Langlois & Co.) 04. 1.35
Lütge: Lehr- u. Lernbüchl. f. d. 1. Gosch.-Unterr., s.: Dettmer, H.
Lütgenau, F: Darwin u. d. Staat. (155) 8° Lpzg, T Thomas (05).
1 — d
— Der Ursprg d. Sprache. (32) 8° Lpzg 01. Berl., H Seemann Nf. 1.50 d
Lütgendorf, C Frhr v.: Feld-Sanitäts-Dienst u. Gefechtslehre (Taktik) in Wechselbezieh. Applicator. Studie. (107 m. 1 Karte, 1 m. 21 Skizzen u. Oleaten.) 8° Wien, LW Seidel & S. 02. 4.80
— Gefechts-Schulg d. Bataillons auf d. Exerzierplatze u. im Walde. (84 m. Fig. u. 2 Skizzen.) 8° Ebd. 02. 1.50
— Üb. Okkupation u. Pazifizierg v. insurgierten Gebirgsländern unter bes. Berücks. d. Volksstämme u. d. Terrains auf d. Balkanhalbinsel. (80 m. 3 Taf.) 8° Ebd. 04. 2 —
— Taktik-Behelf f. Stabsoffiziers-Aspiranten d. Truppen, dann f. Corps- u. Kriegsschul-Aspiranten aller 3 Waffen. 76 takt. Aufgaben, applicator. Besprechg, Kriegsspiele, Entwürfe f. Gefechts-Exercieren u. Übgn, Beisp. z. Befehlstechnik, Aufgaben-Lösgn. (282 m. 2 Kart., 6 Skizzen u. 3 Oleaten.) 8° Ebd. 01. 6 —
Lütgendorff, WL Frhr v.: Die Geigen- u. Lautenmacher v. M.-A. bis z. Gegenwart. (812 u. Nachtr. 18 m. Abb.) 8° Frankf. a/M, H Keller 04.05. 28 —; geb. 31 —
— Der Maler u. Radierer Ferd. v. Lütgendorff. 1785—1858. Sein Leben u. s. Werke. (298 m. Abb. u. 1 Bildn.) 8° Ebd. 06. 8 —
Lütgert, W: Die Anbetg Jesu, s.: Beiträge z. Förderg christl. Theol.
— s.: Bibelfrage, d., in d. Gegenwart.
— Die Erschütterg d. Optimismus durch d. Erdbeben v. Lissabon 1755, s.: Beiträge z. Förderg christl. Theol.
— Die Furcht Gottes, s.: Studien, theolog.
— Gottes Sohn u. Gottes Geist. Vortr. z. Christol. u. z. Lehre v. Geiste Gottes. (141) 8° Lpzg, A Deichert Nf. 05. 2.80 d
— Die Lehre v. d. Rechtfertigg durch d. Glauben. Vortr. (27) (04.) L 1 — d
— Die Liebe im Neuen Test. (275) 8° Lpzg, A Deichert Nf. 05. 5.40
Luthardt, AE: Mein Werden u. Wirken im öffentl. Leben. (403) 8° Münch., CH Beck 01. 3 —; L. n 4 — d
Luthardt, CE, s.: Kirchenzeitung, allg. ev.-luther. —Literaturblatt, theolog.
Luther, A: Im Banne. Erzählgn. (90) 8° Dresd., E Pierson 03. 1.80; geb. 2.80 d
Luther, A: Byron. Heine. Leopardi. 3 Vortr. (114) 8° Mosk. 04. (Lpzg, F Wagner.) / 1.75
— Goethe. 6 Vortr. (208 m. 1 Taf.) 8° Jauer, O Hellmann (05).
3 —; geb. 4.50 d
Luther, H: Das Ges. üb. d. Enteigng v. Grundeigenthum v. 11.VI.1874. Textausg. m. Anmerkgn u. Sachreg. (140) 16° Berl., F Vahlen 02. L 1.60 d
— Thronstreitigk. u. Bundesrat, s.: Studien, rechts- u. staatswiss.
Luther, J: Der Buchdruck u. Buchschmuck d. alten Meister. [S.-A.] (48 m. Abb.) 8° Berl. (N.W., Ottostr.9), Dr. J Luther (01). nn 2.50
Luther, M, ausgew., bearb, u. erläut. v. R Neubauer, s.: Denkmäler d. ält. deut. Lit.
— Werke. Krit. Gesamtausg. 10.Bd III.Abtlg. 23.,25. u. 27—29. Bd. 8° Weim., H Böhlau's Nf. 116.80 (1—9, 10 III, 11—16, 18, 23—25 u. 27—29.: 467.60; Einbde in HF. je nn 5 —) d
10,III. (175, 447) 05. 18 — ‖ 23. (762 m. 4 Fksm.) 01. 25.20 ‖ 25. (598) 02. 15 — ‖ 27. (21, 555) 03. 16.60 ‖ 28. (737) 05. 22 — ‖ 29. (36, 717) 04. 22 —
— Werke. Hrsg. v. Buchwald, Kawerau, J Köstlin, Rade, E Schneider u. A. 3. Aft. 1—7.Bd. 8° Berl., G Mayer, J Meinsius Nf. Je 2.50; geb. je 3.25 d
I.2. I. Folge: Reformator. Schriften. 2 Tle. (419 u. Bildnis u. 511.) ‖ 3.4. II. Folge: Reformator. u. polem. Schriften. 2 Tle. (449 u. 482 m. 1 Bildnis.) ‖ 5.6. III. Folge: Predigten u. erbaul. Schriften. 2 Tle. (571 u. 419 m. 1 Bildnis.) ‖ 7. IV. Folge: Vermischte Schriften. (540 m. 1 Abb.)
— dass. Ergänzgsbd I u. H. Hrsg. v. O Scheel. (378 u. 550 m. Bildnis.) 8° Ebd. 05. 8 —; geb. 9.60; L. 10 —; HF. 11 — d

Luther, M: Sämmtl. Schriften, hrsg. v. JG Walch. Aufs Neue hrsg. im Anftr. d. Ministeriums d. deut. ev.-luth. Synode v. Missouri, Ohio u. and. Staaten. 14., 16. u. 17. Bd u. 21. Bd. 2 Thle. 4° St. Louis, Mo, (Zwick., Schriften-Ver.) 80.50 (Vollst.; 353 —) d
14. Vorreden, histor. u. philolog. Schriften. (Das „Passional" m. Illustr.) Als Suppl. d. 6. Bds: Auslegg d. Alten Test. (Schluss.) Auslegg üb. d. Propheten Obadja bis Maleachi. (26 S. u. 2195 Sp.) 1898. 18 —
16. Reformations-Schriften. 1. Abth.: Zur Reformationshistorie gehör. Documente. A. Wider d. Papisten. (Fortsetzg.) Aus d. J. 1525—27. (26 S. u. 2926 Sp.) 1900. 16 —
17. Dass. (Schl.) Aus d. J. 1588—46. B. Wider d. Reformirten. (26 S. u. 2261 Sp.) 01. 18 —
21, I. Briefe nebst d. wichtigsten Briefen, d. an ihn gerichtet sind, n. incl. and. einschlag. interessanten Schriftstücken. Briefe v. J. 1507—32 incl. (40 S. u. 1791 Sp.) 03. 14.50
II. Dass. Briefe v. J. 1533—46. Nachlese. Nachtr. zu d. Briefen v. April 1531 bis s. Juli 1536. (32 S. u. Sp. 1792—3519) 04. 14 —
— 1. deut. Auslegg d. Vaterunsers v. 1518. Im Fksm.-Druck hrsg. m. Übertragg in d. heut. Schreibweise v. O Seitz. (70 u. 47) 8° Wittnbg (04). Lpzg, F Jansa. Geb. (3 —) 1 — d
— s.: Auslegung vieler schöner Sprüche hl. Schrift.
— Aussprüche üb. d. Glauben. Zu neuer Beherzigg hrsg. v. R Eckart. (32) 8° Elberf., Luther, Bücherver. 05. — 90 d
— Ausw. kleinerer Prosaschriften, s.: Velhagen & Klasing's Sammlg deut. Schulausg. (G Schöppa).
— Wie man beten soll, s.: Heintze, H, d. freie Gebet im Kämmerlein u. in d. Gemeinsch.
— Brief an s. Söhnl. Hänsigen. Mit H. n. Orig.-Zeichng v. L Richter. 33. Aft. (8) 8° Lpzg, A Dürr 02. — 15 d
— dass., s.: Kinderengel, d.
— Briefwechsel. Bearb. u. m. Erläutergn versehen v. EL Enders. (Sämmtl. Werke in beiden Orig.-Sprachen n. d. ältesten Ausg. kritisch u. historisch bearb.) 9. u. 10. Bd. 8° Calw u. Stuttg., Vereinsbh. Je 4.50; L. je 5.40 d
9. Briefe v. Mai 1531—Ap. 1534. (384) 03.
10. Briefe v. Febr. 1534—Juli 1536. (384) 03.
— Dichtgn, s.: Statuen deut. Kultur.
— s.: Disputationen, d. ält. eth.
— Erklärg d. Eisenacher Perikopen. Die ev. Perikopen. Hrsg. v. G Mayer. 6 Hefte. (607) 8° Gütersl., C Bertelsmann 02. Je 1 —; in 1 Bd geb. 7 — d
— Denn d. Herr ist Dein Trotz, s.: Worte u. Werke, leb.
— Dr. Katech. 3. Aft. (306 m. Bildnis.) 8° Zwick., J Herrmann (05). L 2 — d
— Der kl. Katech., n. d. Ausg. v. J. 1536 hrsg. u. im Zusammenh. m. d. and. v. Nickel Schirlentz gedr. Ausg. untersucht v. O Albrecht. (124 u. 127 in Fksm. m. Abb.) 8° Halle, Waisenh. 05. In Perg. 8 — d
— dass., historisch-krit. Ausg. Urtext m. d. Abweichgn bis 1580, nebst Anmerkgn u. Vorschl, zu sprachl. Änderg v. A Ebeling. 2. Ausg., m. e. Anh. üb. d. Ausg. d. Katech. m. Nachtr. u. m. d. vorluther. Texte. (84) 8° Hannov., C Meyer 01. 1.20 d
— dass., n. d. ält. Ausg. in hochdent., niederdeut. u. latein. Sprache hrsg. m. m. krit. u. sprachl. Anmerkgn versehen v. K Knoke. (133 m. Abb.) 8° Halle, Bh. d. Waisenh. L. 8 — d
— dass. 3. Aft., übereinstimmend m. d. durch d. Eisenacher Kirchenkonferenz festgest. Text. (24) 8° Hermannst., W Krafft 01. — 14 d
— dass., m. e. Anh. Für d. Kleinen. 68. Aft. (80) 16° Schlesw., J Bergas V. 05. Kart. — 30 d
— dass., nebst e. amtl. Ausg. v. Bibelsprüchen u. Bibelabschnitten f. d. Volks- u. Mittelsch., sowie f. d. höh. Mädchensch. d. Prov. Schleswig-H. 8. Abdr. (16) 8° Ebd. 04. — 90 d
— dass., m. Ausw. v. Bibelsprüchen u. e. Anh. 22. Aft. Hrsg. v. d. Gesellsch. d. Freunde d. vaterländ. Schul- u. Erziehgswesens. (63) 8° Hambg, (C Boysen) 03. — 25; geb. — 50 d
— dass., nebst e. Sammlg v. Bibelsprüchen. Hrsg. v. pädagog. Verein in Altona. 5. Aft. (32) 8° Altona-Ottens., T Christiansen 01. — 50 d
— dass. Nebst 150 Bibelsprüchen. (28) 8° Kiel, Lipsius & T. (02). — 25 d
— dass., m. e. bibl. Spruchb. Für d. Schulen d. Herzogtümer Coburg u. Gotha. (63) 12° Gotha, Engelhard-Reyher'sche Hofbuchdr. 1897. (Nur dir.) Geb. 1 — 50 d
— dass. m. Bibelsprüchen u. Anh. 2. Aft. (36) 8° Halle, Bh. d. Waisenh. 03. 1. Aft. u. d. T.:
— dass. mit Sprüchen u. Anh. Eingerichtet n. d. neuen Lehrpl. f. d. höh. Schulen in Preussen v. J. '01. (56) 8° Ebd. 02. — 25 d
— dass., erläut. durch Sprüche d. Hl. Schrift u. Beisp. d. bibl. Gesch. 12. Aft. (79) 8° Wism., Hinstorff's V. 05. — 30; geb. — 40 d
— Pädagog. Schriften, s.: Schriften hervorrag. Pädagogen f. Seminaristen u. Lehrer.
— Predigten zu d. alten Evangelien in neuer Fassg. Aus s. Werke komponiert u. disponiert v. M Kreutzer. 2 Hälften. (579) 8° Gött., Vandenhoeck & R. 03.04. Je 3 —; in 1 Bd geb. 6.80 d
— 70 Predigten auf alle Sonn- u. Festtage d. Kirchenj., ausgew. v.H Planck. 2.Aft. (648 m.Bildnis.) 8° Calw & Stuttg., Vereinsbh. 05. HF. 3 — d
— Ungedr. Predigten a. d. J. 1537—40. Zum 1. Mal veröffentlicht v. G Buchwald. 14 Lfgn. (696) 8° Lpzg, G Strübig 05. 8 —; geb. 10 —; einz. Lfgn — 60 d
— So spricht Dr. Mart. Luther. Worte a. L.'s Schriften, ausgew.

u. geordnet v. G Buchwald. 1—3.Taus. (294) 8ᵃ Berl., M Warneck
08.   3 —; geb. 4 — d
Luther, M: Bibl. Spruch- u. Schatzkästlein. 4 Thle in 1 Bd.
Neueste, nach Schinmeier u. A. verm. u. vollständigte Ausg.
Hrsg. v. e. Ver. ev. Männer. Neue Afl. (639 m. Bildnis.) 12ᵃ
Reutl. (1882). (Zwick., Schriften-Ver.) Geb. 1.50 d
— 95 Thesen samt s. Resolutionen sowie d. Gegenschriften v.
Wimpina-Tetzel, Eck u. Prierias u. d. Antworten Luthers
darauf. Krit. Ausg. m. kurzen Erläutergn v. W Köhler. (212)
8ᵃ Lpzg, JC Hinrichs' V. 03.   3 —; L. 3.50
— Tischreden u. d. Mathesischen Sammlg. Aus e. Handschrift
d. Leipz. Stadtbibliothek hrsg. v. E Kroker. (22, 472) 8ᵃ Lpzg,
BG Teubner 03.   12 — d
Luther, Martin. Entgegnung auf d. Schmähschrift: Martin Luther
od.: warum bleiben wir katholisch? Zugl. e. Beleuchtg ultra-
montaner Kampfesweise an e. Musterbeisp. [S.-A.] (63) 8ᵃ
Klagenf., (J Heyn) (04).   — 50 d
— als Anwalt d. Singvögel u. s. Schutzbrief f. dieselben. Ein
Gespräch m. s. Söhnen. d. Hauslehrer Wolf, Dr. Jonas u. M
Mathesius. (16) 8ᵃ Halle, Christl. Volksschriften-Ver. 02. — 20 d
— als Erzieher. Von *ₐ*. 1—10. Taus. (208) 8ᵃ Berl., M Warneck
02.   (2 —; geb. 3 —) nn — 50; kart. nn — 75 d
— Glaubensbekenntnis v. J. 1529, s.: Schutz- u. Trutz-Schriften
d. christl. Kolportage-Ver.
— im ev. Haus, s.: Langbein, P.
— Schwert u. Kelle. Red.: M Willkomm. 5—8. Jahrg. 1901—5
je 24 Nrn. (9 J. 192 Sp.) 8ᵃ Zwick., J Herrmann.   Je 1 —
— geg.Luther. Beitrag z.Beleuchtg d.„Reformators" v.Witten-
berg. 8. Afl. (40) 18ᵃ Paderb., Bonifacius-Dr. 02.   — 15 d
Luther, Martin. od. Warum bleiben wir katholisch? [S.-A.]
(39) 8ᵃ Münch., (G Schnh & Co.) 04.   — 20 d
Luther, P: Deut. Volksabende. Hdb. f. Volksunterhaltgsabende.
2. Afl. (356) 8ᵃ Berl., A Duncker 03.   3 —; L. 3.50
— R: Die Anfg. d. Photochemie. Antrittsvorlesg. (18) 8ᵃ
Lpzg, JA Barth 05.   — 80
— Hand- u. Hilfsb. z. Ausführg physiko-chem. Messgn, s.: Ostwald, W.
— u. F Weigert: Üb. umkehrbare photochem. Reaktionen im
homogenen System. I. Anthrazen u. Dianthrazen. [S.-A.] (12)
8ᵃ Berl., (G Reimer) 04.   — 50
Lutheraner, der. Hrsg. v. d. deut. ev.-luther. Synode v. Missouri,
Ohio u. a. Staaten. Red. v. d. Lehrer-Collegium d. theolog.
Seminars in St. Louis. 57—61. Jahrg. 1901—5 je 26 Nrn. (Nr.1.
16) Fol. St. Louis, Mo. (Zwick., Schriften-Ver.) Je 4 — d
Luther-Vorträge, Würzburger. Als Antwort auf d. Angriffe
d. Jesuiten Berlichingen brsg. v. ev. Bund. 7 Hefte. 8ᵃ Münch.,
JF Lehmann's V. 03.   2.10; in 1 Bd 2 —; L. 3 — d

Buchwald, G: D. Martin Luther, e. christl. Charakter. (29) [5.] — 20
Du Moulin-Eckart, R Graf: Luther u. d. deut. Kulturleben. (16) [1.] — 70
Geyer, C: Luther u. d. Moral. (30) [4.] — 30
Kawerau, G: Luther u. s. Gegner. [50] [6.] — 30
Kolde, T: Luther in Worms. (24) [2.] — 30
Meyer, F: Luthers bleib. Bedeutg. (28) [7.] — 30
Steinlein, H: Luther u. d. Bauernkrieg. (31) [3.] — 40

Lutherworte zu d. Evangelien d. Kirchen). nebst erläut. Gesch.
u. Beisp. Hrsg. v. A.V. B. (271) 8ᵃ Gütersl., C Bertelsmann
03.   L. 3 — d
Lüthgen, E: Sehnsüchte! Psycholog. Novellen. (46) 8ᵃ Strassbg,
J Singer 04.   3 — d
Lüthi, A: Begleitwort zu d. obligator. Sprachlehrmitteln d.
zürcher. Primarsch. (170) 8ᵃ Zür., Schulthess & Co. 03. 1.80;
                                 geb. 2.20
Lüthi, E: Die bern. Chuzen od. Hochwachten im 17. Jahrh.
2. Afl. (18 m. 1 Abb.) 8ᵃ Bern, A Francke 05.   — 50
— Pater Gregor Girard. Sein Lebensbild als Festgabe z. Girard-
feier. (39 m. Abb.) 8ᵃ Bern, (E Baumgart) 05.   1 —
— G: Excelsior. Lieder e. Bergwanderers. (95 m. Abb.) 8ᵃ
Samad., Engadin Press Co. (02).   L. 1.50 d
— n. C Egloff: Das Säntis-Gebiet. Illustr. Touristenführer.
(156 m. 1 Karte.) 8ᵃ St. Gall., Fehr 04.   Kart. 2.40
Lüthje, FH: Liederb. f. höh. Schulen. 2. u. 3. Heft. 3. Afl. 8ᵃ
Hambg-Eimsb., O Kaven.   Geb. 2.40 d
2. Serta u. Quinta. (192) (02.) — 90 ∥ 3. Quarta u. Tertia. (150) (04.) 1.50.
Luthmer, F: Die Bau- u. Kunstdenkmäler d. Rheingaues. —
Dass. d. östl. Taunus (Landkreis Frankfurt, Kreis Höchst,
Obertaunus-Kreis, Kreis Usingen), s.: Bau- u. Kunstdenk-
mäler, d., d. Reg.-Bez. Wiesbaden.
— Innenräume, Möbel u. Kunstwerke im Louis-Seize- u.Empire-
Stil. Nach Vorbildern a. d. Ende d.18. u. Anfange d. 19.Jahrh.
1. Abtlg. (Neue Afl.) n. 2. Abtlg. (Je 30 Lichtdr.) 53,5×37 cm.
Frankf. a/M., H Keller 03.   In M. je 30 —
— Bürgerl. Möbel a. d. 1. Drittel d. 19. Jahrh., m. ein. Beisp.
a. Staatsgemächern fürstl. Schlösser. (56 Lichtdr. m. 4 S.Text.)
4ᵃ Ebd. 04.   In M. je 30 —
— Deut. Möbel d. Vergangenh., s.: Monographien d. Kunstgewerbes.
— Roman. Ornamente u. Baudenkmäler in Beisp. a. kirchl. u.
profanen Bauwerken d. XI. bis XIII. Jahrh. 2. Abth. Ornamentale Einzelh. a. roman. Bauwerken d. Schweiz. (30 Lichtdr.
m. 2 S. Text.) 52×36 cm. Frankf. a/M., H Keller (03.) 8 — d
                                 (1 u. 2.: 60 —)
Luthmer, K: Veröffentlichg d. geheimen kriegsgerichtl. Akten
im Falle Luthmer. (117) 8ᵃ Hdlbg, (J Hörning) 02.   1.50 d
Lütkemann, H: D. Joachim Lütkemann. Sein Leben u. Wirken.

2. Afl. (189 m. 1 Bildnis.) 8ᵃ Brnschw., H Wollermann 02. 2 —;
                                 HF. 2.80 d
Lütkemann, H: Die Parochie Wiershausen, Kreis Münden. (119)
12ᵃ Brnschw., H Wollermann 01.   Geb. — 50 d
Lütkemann, J: Der 33. Psalm. Ein Loblied. Erbaulich aus-
gelegt. Neue Ausg. (41) 8ᵃ Hermannsbg, Missionshandlg 05.
                                 — 30 d
Lütkemüller, J: Desmidiaceen a. d. Ningpo-Mountains in Cen-
tralchina. [S.-A.] (13 m. 1 Taf.) 8ᵃ Wien, A Hölder 1900. 1.40
Lutsch, H: Bilderwerk schles. Kunstdenkmäler. (332 Taf. m.
illustr. Text, 369 Sp., S. 370—401, 9, 10 u. 10) 47,5×32 cm.
Bresl., (B Richter) 03.   In 3 L.-M. 80 —
— Breslaus maler. Architekturen, s.: Probst, OF.
— Verz. d. Kunstdenkmäler d. Prov. Schlesien. V. u. VI. Bd.
Bresl., WG Korn.   21 — (I—VI.: 49.80)
   V. Reg. (zu d. Bdn I—IV). (212) 8ᵃ 05.   12 —
   VI. Denkmäler — Karten. (3 farb. Bl.) Je 49×54 cm. Nebst Text. (3) 49×
   32 cm. 07.   In M. 9 —
Lutsch, K: Die Unterabtheilg als Familie. Beitrag z. patriot.
u. moral. Erziehg d. Soldaten. (175) 8ᵃ Wien, (LW Seidel & S.)
01.   3.60 ∥ 2. Afl. (175) 03. 3 —
Lutschounigg, A: Gesangfibel. Anl. z. Treffichern im Singen.
(28) 8ᵃ Klagenf., Buch- u.Kunsth. d.St.Josef-Ver.04. Kart. — 60 d
Lütt, I v. d.: Das feine Dienstmädchen, wie es sein soll. 6.Afl.
(96) 12ᵃ Stuttg., Deut. Verl.-Anst. (02).   Geb. 1.20 d
— Die gesell. Hausfrau. Plaudereien üb. Geselligk., Ratschläge
f. Geselischaften, Feste, Bazare, Festsp., Aufführgn, Unterhaltgn etc. Mit Beitr. v. G v. Hemming. (137) 8ᵃ Berl., E Bloch
(03).   L. 4 — d
Lütteken, L: Litteraturkde. — Poetik, s.: Reuter, W.
Lutter, H: Jermak Timosejeff, d. Eroberer Sibiriens, s.: Spa-
mer's, O, neue Volksbb.
Lutter, H: Führer durch d. Kurort Baden bei Wien u. Um-
gebung. 2. Afl. (205 m. 1 Pl. u. 1 Karte.) 8ᵃ Baden, F
Schütze 04.   Geb. 2 — d
Lütterbeck, H: Winke f. Lokomotivführer u. Heizer. 1. u. 2. Afl.
(16) 8ᵃ Mind., A Hufeland 01.
Lutteroth, A: Taschenb. d. wichtigsten Gleichstrommessgn im
Laboratorium u. in d. Praxis. (135 m. Fig.) 8ᵃ Hildburgh.,
E Wittig (05).   L. 5.50
Lüttge, A: Die Lebensarbeit e. Hohenzollern im Osten Europas.
[S.-A.] (43) 8ᵃ Erf., C Villaret 04.   — 60
Lüttge, E: Der stilist. Anschaugs-Unterr. 1. u. 2. Tl. 8ᵃ Lpzg,
E Wunderlich.   4 —; geb. 5 — d
1. Anl. zu e. planmäss. Gestaltg d. ersten Stilübgn auf anschaul. Grundl.
   3. Afl. (184) 04.   1.40; geb. 2 —
2. Der Aufsatzunterr. d. Oberst. als planmäss. Anl. z. freien Aufsatze.
   2. Afl. (242) 03.   2.40; geb. 3 —
— Die Praxis d. Rechtschreibunterr. auf phonet. Grundl. (217)
8ᵃ Ebd. 03.   2.40; geb. 3 —
— Die mündl. Sprachpflege als Grundl. e. einheitl. Unterr. in
d. Muttersprache. (107) 8ᵃ Ebd. 03.   1.40; geb. 1.80
— Stilmuster f. d. 1. Aufsatzunterr. (53) 8ᵃ Ebd. 04.   — 40 d
— Zur Umgestaltg d. Unterr. in d. Rechtschreibg. (52) 8ᵃ Ebd. 04.
                                 — 60 d
Lüttgert, G: Ev. Kirchenrecht in Rheinl. u. Westf. (368) 8ᵃ
Gütersl., C Bertelsmann 05.   1 —; HF. 16 — d
— Die ev. Kirchenverfassg in Rheinl. u. Westf. u. ihrer ge-
schichtl. Entwicklg. [S.-A.] (149) 8ᵃ Ebd. 05. 2.50; geb. 3.20 d
Lüttich u. d. Welt-Ausstellg '05. (15 m. 1 Pl.) 8ᵃ Brüss., Kiess-
ling & Co.   — 40
Lüttich, A: Das Leipz. Gewerkschaftskartell u. d. Entwickelg
u. wirtschaftl. Kämpfe d. Leipz. Gewerkschaften. (190 m.
1 Tab.) 8ᵃ Lpzg, Leipz. Buchdr. 01.   1 — d
Lüttich, W: Buntes Allerlei. Dichtgn. (330) 8ᵃ Dresd., E Pierson 05.   3 —; geb. 4 — d
Lüttke, A: Unterredgn m. d. konfirmierten Jugend in Entwürfen. 2 Tle. 8ᵃ Gütersl., C Bertelsmann 01.   4 —;
                            in 1 Bd geb. nn 4.50 d
1. Unterredgn üb. Kirche u. Welt. (219)   2.50
2. Unterredgn üb. d. augsburg. Glaubensbekenntnis. (96) 1.20
Luttmann, L: Der Wirtin Töchterlein od. Die Rache d. ab-
geblitzten Liebhaber. s.: Radfahrer-Pantomimen.
Lüttmann, AJ Baron: Das Hmed d. Glücklichen. Bunte Bilder
a. d. Leben e. Convertiten. 7. Afl. (168) 8ᵃ Trier, Paulinus-
Dr. 05.   1.30; geb. 2 — d
Lüttwitz, S v., a.: Ell, F Freiin v.
— General-Feldmarschall Graf v. Roon, s.: Volksbücher, neue.
Lutz' Kriminal- u. Detektiv-Romane etc. 29. u. 37—42. Bd. 8ᵃ
Stuttg., R Lutz. 9.30 (1—42.: 54.70; Einbde in L.je — 80) d
[37.] — Der Mann e. Freund a. Mittelw. a. engl. Gesch. 1. u. 2. Afl. (199) (05.) 2
Gaboriau, E: Herr Leecoq. Deut. Bearbeitg. 1.u.2.Afl. (381) (05.) [39.] 1.50
Munzmann, C: Räuberei der Bruka u. Frau. Übers. v. B Mann. 1.u.2.Afl.
   (721) (05.) [42.]
Perfall, A v.: Die Finsteruis u. ihr Eigentum. 1. u. 2. Afl. (329) (05.) [38.]
                                                          1.90
Poe, EA: Unheiml. Geschichten. Ausgew. Erzählgn. Deut. Bearbeitg. 1. u.
   2. Afl. (284) (05.) [40.]   1 —
Russell, C: Der Juwelen d. Frau Dinez. 2. Afl. (180) (05.) [29.]   1 —
Bisher u. a.: Detektiv-Romane, Kriminal- u. Detektiv-Romane.
Lutz: Uns. Flotte. Volksb. f. Jung u. Alt. Volksausg. 3. Afl.
(171 m. Abb. u. 1 Tab.) Potsd., A Stein 03.   — 90; kart. — 90;
                                 geb. 1 — d
Lutz: Das neue württemb. Ges. v. 2.XII.'04 üb. d. Leibgedings-
vertrag (Ausding). (40) 8ᵃ Ellw. 05. Stuttg., J Hess.   — 40 d
Lutz, ET: Bibl. Real- u. Verbal-Handkonkordanz, s.: Büchner, G.

Lutz, F: Choralb. z. Gebr. f. ev.-luther. Christen in Kirche, Schule u. Haus n. Layriz, Kern d. deut. Kirchengesangs. (252) 4° Chicago Ill., Wartburg Publishing House (03). HF. 7 — d

Lutz, F: Der Begriff d. Öffentlichk. im Reichsstrafgesetzb., s.: Abhandlungen, strafrechtl.

Lutz, G: Das Mädchen v. Esslingen. Historisch-roman. Trauersp. (160) 8° Stuttg. 05. (Luz., F Diemer.) 1.35 d

Lutz, J: Die fleiss. Puppenschneiderin. Anl. u. Muster z. vollständ. Bekleidg e. Puppe. 5. Afl. v. B Heyde. (60 m. Abb., 12 farb. Taf. u. 10 Schnittmustern). 8° Stuttg., G Weise (02).
In M. 3.50; m. Puppe in Kasten 6 — d

Lutz, JP: Neues deut. Rechtsb., s.: Gebhard, FA.

Lutz, KG: Kurze Anl. z. Sammeln, Bestimmen, Trocknen, Einlegen u. namentlich z. Beobachtg d. Pflanzen, sowie Einrichtg e. Herbariums. (2. Afl.) Neu bearb. u. erweit. v. M Kohler. (96) 8° Ravnsbg, O Maier 03. 1.20 d

— Flora v. Deutschl., s.: Sturm, J.

— Uns. Haustiere. 3 Lfgn. 12 Bl. je 84,5×108 cm. Farbdr. Stuttg., KG Lutz. Je 11.20; einz. Taf. 3 —; vollst. 31.20
I. 2. Hund (Bernhardiner). | 4. Schaf (Landschaf). | 7. Pferd (Araber). | 10. Huhn (Landhuhn). (01.)
II. 1. Hauskatze. | 5. Rind. | 9. Hausschwein. | 12. Hausgans' u. Hausente. (02.)
III. 3. Hunde-Rassen. | 6. Rindvieh-Rassen u. Ziege. | 8. Pferde-Rassen. | 11. Hühner-Rassen. (02.)
Text dazu s.: Gaub, G, uns. Haustiere.

— Der Käfersammler, s.: Hofmann, E.

— Der Schmetterlingszüchter. Lebens- u. Entwicklgsweise uns. einheim. Schmetterlinge, nebst e. Anl. z. Schmetterlingszucht. 2. Afl. (176 m. Abb. u. 15 farb. Taf.) 8° Ulm, J Ebner (04).
L, 4.50 d

— Der Vogelfreund. Uns. einheim. Vögel in Wort u. Bild. 3 Bdchn. (164, 154 u. 203 m. Abb. u, 39, 40 u. 41 farb. Taf.) 16° Stuttg., KG Lutz (01). L. je 2 — d

Lutz, M: Welche Aufnahme d. Mannheimer Schulorganisation bisher gefunden hat. [S.-A.] (37) 8° Mannh., J Bensheimer's V. 05. — 40 d

Lutz, R: Skizzen z. Eisenb.-Maschinenbau unter Berücks. in- u. ausländ. Bahnen. 2 Hefte. (Mit Text auf d. Umschl.) Fol. Berl., Polytechn. Bh. A Seydel. Je nn 3.50
1. Preuss. Normalien. (15 Taf.) 01. Vergr. | 2. Preuss. Normalien, deut. u. ausländ. Konstruktionen. (20 Taf.) 02.

Lutz, R: Die Ansichts-Postkarte, ihre Entstehg, Entwicklg u. Bedeutg. [S.-A.] (18 m. 2 Fksms.) 12° Bad.-B., R Lutz (01).
— 20 d

Lutz, SV, s.: Erzählungen f. d. Jugend.

Lutzau, H v.: Zukünft. Aufg. d. Pandektenrechtswiss. (27) 8° Riga, Jonck & P. 03. — 80 d

— Die Lehre v. d. Klagenverjährg n. liv-, est- u. kurländ. Privatrecht in steter Vergleichg m. d. gemeinen Recht u. d. wichtigsten modernen Gesetzgebgn. 1. Bd. (1—368) 8° Leipzg 04. Crimmitsch., R Wöpke. 9 — d

— Streifzüge auf d. Geb. d. Theorie u. Praxis d. provinz. Privatrechts. (232) 8° Riga, Jonck & P. 02. (Berl., HW Müller.) 6 —

— Alphabet. Wort- u. Sachreg. z. neuen Stempelsteuergs. v. 10.VI.1900, betr. die d. Stempelsteuer unterlieg. u. d. v. derselben befreiten Verträge, Urkunden u. Dokumente. (91) 8° Riga, Jonck & P. 01. 2.30 d

Lutze, EA: Hohenzollern-Anekdotenschatz. In Versen. (169) 8° Berl., Verl. f. nationale Lit. 05. 1.50; L. 2.50 d

Lutze, G: Die fürstl. Hofkapelle zu Sondershausen v. 1801—1901. Festschrift z. Hundertjahrfeier d. Lohkonzerte 1901. (40 m. 5 Taf.) 4° Sondersh., FA Eupel 01. 1.50 d

— Aus Sondershausens Vergangenh. 1—7. Lfg. (1. Bd. 207 m. 7 Taf.) 8° Ebd. (01-04). (5.20) 4 —; geb. nn 5 — d

Lutze, N: Jene Asra! (75) 8° Berl., Harmonie (02). 1.50; geb. 2.50 d

Lützeler, E: Er ruh el mssaferi. (Die wandernde Seele.) (100) 8° Lpzg, O Mütze (04). 4 — d

— Was muss d. Jugend v. d. neuesten Erfindgn n. Entdeckgn wissen? 1. u. 2. Afl. (124 m. Abb.) 8° Stuttg., Union (01.03).
Geb. 2 — d

Lütken, J: Eine Reise n. Spitzbergen. Projektions-Vortr. (16 Bl.) 8° Dresd., (Unger & Hoffmann) 1900.

Lutzow, Frhr v.: Kl. Turn- u. Bajonettir-Vorschrift f. Unteroffiziere u. Mannschaften d. Infant. 1. u. 2. Afl. (38) 16° Berl., Liebel 02. || 3. Afl. (40) 03. || 4. u. 5. Afl. (48) 04.06. Je 25 d

Lützow, E: Aus alter Zeit. Histor. Erzählg f. d. reif. Jugend. (146 m. Titelbild.) 8° Potsd., A Stein (01). 1.20; geb. 1.50 d

Lux, B: Der sel. Rudolf Aquaviva u. s. Gefährten, Martyrer in Vorderindien. (75 m. 1 Titelbild.) 8° Steyl, Missionsdr. 01.
Geb. — 50 d

Lux, C, s.: Constitutionum apostolicar. de generali beneficior. reservatione ercta. collectio et interpretatio.

Lux, JA: A Fink vom Weanawald. Gedichte in d. unterennas. Mundart. (111) 8° Wien, A Amonesta 01. 1.40 d

— Das moderne Landhaus. (99 m. Abb.) 4° Wien, A Schroll & Co. (03). 8.50

— Wiener Sonette u. and. Lieder. (71) 8° Dresd., E Pierson (03). 2 —; geb. 3 —

— s.: Warte, hohe.

— Die moderne Wohng u. ihre Ausstattg. (175 m. Abb. u. 8 farb. Taf.) 8° Wien, Wiener Verl. 05. 6 —; geb. nn 8 —

— u. I Lux: Deut. Kinderreime. 1—5. Taus. (208) 8° Ebd. (04).
1 —; geb. 1.50 d

Luxenburger, A: Experimentelle Studien üb. Rückenmarks-

Verletzgn. (96 m. Abb. u. 12 Taf.) 8° Wiesb., JF Bergmann 03. 5 —

Luyken, K: Bericht üb. d. Arbeiten d. Kerguelen-Station, s.: Drygalski, E v., allg. Bericht üb. d. Verlauf d. deut. Südpolar-Exped.

Luzatto, A, s.: Söhnstorff, A.

Lusenberger, A v.: Die Franklin'sche Elektrizität in d. medizin. Wiss. u. Praxis, s.: Abhandlungen, zwangl., a. d. Geb. d. Elektrotherapie usw.

Luzifer. Zeitschrift f. Seelenleben u. Geisteskultur. — Theosophie. Hrsg.: R Steiner. Juni—Dezbr 1903. 7 Nrn. (295) 8° Berl. (Lpzg, M Altmann.) Viertelj. 1.50; einz. Nrn — 50 d
Fortsetzg s.: Lucifer m. d. Gnosis.

Lyall, E: The hinderess, s.: Collection of Brit. auth.

— Die kl. Missionare od. wie d. kl. Fee u. ihr Bruder Paul e. gr. Sturm erregen. (24) 4° Berl., Internat. Verl.-Anst. (03).
Kart. 1 — d

— In spite of all, s.: Collection of Brit. auth.

— Durch Stillessin u. Hoffen. Roman. Übers. v. J Charlot. (320) 8° Lpzg, G Wigand (03). 4 —; L. 5 — d

Lycurg s.: Lykurgus.

Lyddeker, R: Die geograph. Verbreitg u. geolog. Entwicklg d. Säugetiere. Aus d. Engl. v. G Siebert. 2. [Tit.-] Afl. (532 m. Abb. u. 1 Karte.) 8° Jena, H Costenoble [1897] 01. 6 —; gr. Sturm erregen. (24) 4° Berl., Internat. Verl.-Anst. (03). 7.50

Lydia, d. Schulmeisterstochter. Ein christl. Lebensbild a. d. Baselbiet v. J B(user). 3. Afl. (68 m. 1 Farbdr.) 8° Bas., (Basler Missionsbh.) 1891. — 60; geb. 1.15 d

[Lydos.] Lydi, I, de magistratib. populi romani libri tres. Ed. R Wuensch. (48, 183) 8° Lpzg, BG Teubner 03. 5 —; geb. 5.60

Lydtin, A: Die körperl. Entwicklg d. deut. Rinder. — Systeme d. Punktierrichtens f. Rinder u. d. System d. deut. Landw.-Gesellsch., s.: Arbeiten d. deut. Landw.-Gesellsch.

— Die Waudigen in d. Tuberkulose-Frage. [S.-A.] (18) 8° Lpzg, RC Schmidt & Co. 02. — 40 d

— u. H Werner: Anl. f. d. Richten v. Rindern auf d. Ausstellgn d. deut. Landw.-Gesellsch., s.: Anleitungen f. d. prakt. Landwirt.

Lykurgus: Oratio in Leocratem. Post C Scheibe ed. F Blass. (46) 8° Lpzg, BG Teubner 02. — 60; geb. — 90

— Rede geg. Leokrates, s.: Meisterwerke d. Griechen u. Römer.

Lynch, L: Schlingen u. Netze, s.: Sammlung ausgew. Kriminal- u. Detektiv-Romane.

Lynch, R: Mikroskop. Untersuchg d. Fäces. Vortr. (35) 8° Lpzg, G Thieme 04. 1.30

Lynen, W: Die Wärmeausnutzg bei d. Dampfmaschine. [S.-A.] (59 m. Fig.) 8° Berl., J Springer 01. 1 —

Lynkeus s.: Popper, J.

Lynn, A: Die Tochter d. Piratenkapitäns, s.: Weber's moderne Bibliothek.

Lyon, Cl: Ein Fall v. Enchondrom d. Glandula submaxillaris. (21) 8° Freibg i/B., Speyer & K. 05. — 60

Lyon, H: Sturmwind. Familien-Glück, s.: Theater d. Gegenwart.

Lyon, O: Prakt. Anl. z. Vermeidg d. hauptsächlichsten Fehler im Anlage u. Ausführg deut. Aufsätze, s.: Kutzner, A.

— Answ. deut. Gedichte, s.: Velhagen & Klasing's Sammlg deut. Schulausg.

— s.: Dichter, deut., d. 19. Jahrh.

— Fremdwrtrb., s.: Heyse, JCA.

— Deut. Grammatik u. kurze Gesch. d. deut. Sprache, s.: Sammlung Göschen.

— Hdb. d. deut. Sprache f. höh. Schulen. Mit Übgsaufg. 1. Tl: Sexta—Tertia. 9. Doppelaufl. (296) 8° Lpzg, BG Teubner 04.
Geb. 2.80 d

— dass. 1. Tl. 1. Abtlg: Sexta. 9. Afl. (118) 8° Ebd. 05. Kart. 1.90 d

— dass. 3. Tl: Für ob. Klassen. Stilistik, Poetik u. Litt.-Geschichte. Ausg. B, in 3 Abtlgn. 2. Abtlg: Abriss d. deut. Poetik; 6. Afl. (89—168) 8° Ebd. 03. Kart. 1 — d

— dass. Für preuss. höh. Schulen eingerichtet v. W Scheel. 1. Tl. (199) 8° Ebd. 02 || 2. Afl. (188) 04. || 3. Afl. (225) 05.
Geb. je 1.60 d

— Synonym. Handwrtrb. d. deut.'Sprache, s.: Eberhard, JA.

— Leitf. z. gründl. Unterr. in d. deut. Sprache, s.: Heyse, JCA.

— Die Lektüre als Grundl. e. einheitl. u. naturgemässen Unterr. in d. deut. Sprache, sowie als Mittelpunkt nationaler Bildg. Deut. Prosastücke u. Gedichte, erläutert u. behandelt. 1. Tl: Sexta—Tertia. 3. Afl. (288) 8° Lpzg, BG Teubner 04. Geb. 6 — d

— dass. 4. Tl. z. Lehrer- u. Lehrerinnenbildgsanst. Hdb. d. deut. Sprache f. höh. Schulen. Ausg. E. (96 m. 13 Taf.) 8° Ebd. 05.
Geb. 1.80 d

— Die Meister d. deut. Briefes, s.: Klaiber, Th.

— Die Lektüre als Grundl. e. Werke, s.: Velhagen & Klasing's Sammlg deut. Schulausg.

— s.: Zeitschrift f. d. deut. Unterr.

— u. P Polack: Hdb. d. deut. Sprache f. Präparandenanst. u. Seminare. Mit Übgsaufg. (Ausg. C.) (305) 8° Lpzg, BG Teubner 02. || 2. u. 3. Afl. (342) 03.05. Geb. je 2.80 d

— — dass. 1. Tl: Für Präparandenanst. 3. Afl. (240) 8° Ebd. 05.
Geb. 2 — d

Lyon, Frhr V v.: Chronik europ. Fürstenhöfe. 1—6. Bd. (Neue [Tit.-]Ausg. v. A Breyer, romantisch-histor. Welt-Panorama.) 8° Lpzg, Deut. Verl.-Instit. Je 2 — d
1. Liebeaffairen d. Gräfin v. Lichtenau. Interessantes u. Intimes a. d. Berliner Hofleben u. z. Friedrich Wilhelm II. (151) (04.)

2. Schön-Liese v. Possenhofen. Aus d. Wiener Hofleben u. Schicksals-
tragik d. Kaiserin Elisabeth. (144) (04.)
3. Ein Fürstensohn im Liebesbann. Interessante Episoden a. d. Leben
König Otto I. (152) (04.)
4. Spanisch-kors. Blut od. Die Messalina d. Tuilerien. (156) (04.)
5. Sultanin-Favorite Aspaia. Die enthüllten Geheimnisse d. Serail. (156)
(04.)
6. Eine schöne Sünderin. Das Verhängnis im Konak zu Belgrad. (160) (04.)
Lyongrün, A: Neue Ideen f. dekorative Kunst u. f. d. Kunstgewerbe. 94 Taf. m. 340 Motiven. (3 S. Text.) Fol. Berl., Kanter
& Mohr(01). In L.-Mappe 32 — d || II. Serie. 2 Hftn. (32 Lichtdr.)
50,5×35 cm. (08.) In M. 83 —
— Neue Ornamente. I. Serie, 5. Lfg u. II. Serie, 4. u. 5. Lfg.
(Je 7 Taf. in Licht- u. Farbdr.) Fol. Berl., E Wasmuth.
Je 13 — (Vollst.: 130 —)
I. Aus d. Pflanzenreiche. 5. Lfg. 01. (Vollst.: 65 —)
II. Vögel u. Schmetterlinge. 4. u. 5. Lfg. (01.07.) (Vollst.: 65 —)
— Stilformen, entwickelt a. Naturformen. Vorlagen. 5 Lfgn.
(30 Taf.) Fol. Dresd., G Kühtmann 01. In M. 36 —;
einz. Lfgn 7.20
— Vorbilder f. Kunstverglasgn im Style d. Neuzeit. 4. Lfg.
(3 farb. Taf.) 48×34,5 cm. Berl., B Hessling (1900). 15 —
(Vollst. in 2 M. [1. u. 2. Serie]: Je 20 —)
Lyra, die Allg. deut. Kunstzeitschrift f. Musik u. Dichtg. Mit
d. Abthlgn u. Beil.:Sängerhalle, Lieder-Album u. Deut. Dichtg.
Hrsg. u. Schriftleiter: AA Naaff. 25—29. Jahrg. Octbr 1901—
Septbr 1906 je 24 Nrn. (25. Jahrg. Nr. 1. 20 m. Abb.) 4° Wien.
(Lpzg, LA Kittler.) Je 10 — d
Lyra, JW: D. M Luthers deut. Messe u. Ordng d. Gottesdienstes
in ihren liturg. u. musikal. Bestandteilen n. d. Wittenberger
Orig.-Ausg. v. 1526 erläutert a. d. System d. Gregorian. Ge-
sanges. Mit prinzipiellen Erörtergn üb. liturg. Melodien n.
Psalmodie, sowie m. musikal. Beil. Hrsg. v. M Herold. (192)
8° Gütersl., C Bertelsmann 04. 3.60; geb. 4.50 d
Lyragé, J: Neues Taschenwörtb. Französisch-deutsch u.
Deutsch-Französisch. 6. Afl. v. P Faber. (192 u. 188) 16° Stuttg.
Fleischhauer & Sp. (01). L. 1.50 d
Lyrik, jungdeut. Anthol. (162) 8° Diessen, JC Huber 03. 2.50 d
geb. 3.50 d
Lyriker, neue deut. Hrsg. u. eingeleitet v. C Busse. 1—3. Bdchn.
8° Berl., G Grote. Je 2 —; geb. je 2.50 d
Basse, H: Gedichte. (196) 02. [3.]
Holst, A: Sternschnuppen. Gedichte. (149) 02. [1.]
Paquet, A: Lieder u. Gesänge. (124) 03. [1.]
— moderne, s.: Hesse's, M. Volksbücherei.
Lys, A du: Der hl. Paschalis Baylon, Minderbruder, Patron
d. eucharist. Vereine u. Bruderschaften. Uebers. (n. d. Mskr.
z. A. Afl.) v. A Müller. (229 m. 2 Abb.) 8° Boz. 02. (Buchs,
Verl. d. Emanuel.) 1.50 d
— Leben u. Martyrium d. Minderbruders Johannes v. Triora,
selig gesprochen am 27.V.1900. Aus d. Franz. v. M Paula.
(158 m. 4 Taf.) 8° Rgnsbg, J Habbel (02). 1.20; L. n n 1.70 d
Lysias: Orationes. In usum studiosae iuventutis textum con-
stituit CG Cobet. Ed. IV quam novis curis recens. JJ Hartman. (Ed. maior prolegomenis, fragmentis, indice nominum
aucta.) (61, 280) 8° Lpzg, BG Teubner 01. nn 4 —
— Orationes. Recens. T Thalheim. Ed. maior. (50, 400) 8° Lpzg,
BG Teubner 01. 3 —; geb. 3.60 || Ed. minor. (20, 268) 01. 1.30
— Rede f. Mantitheos. Für d. Bresthaften (Krüppel), s.: Bibliothek, kl.
— Reden. Ausw. f. d. Schulgebr., bearb. u. erläut. v. H Win-
del. Text. (90, 153) 8° Bielef., Velhagen & Kl. 05. Geb. 1.50;
Kommentar. (82) 05. — 90
— Ausgew. Reden. 1—3. Lfg. 8° Berl.-Schöuebg, Langenscheidt's
V. Je — 25 d
1. Verdeutscht v. A Westermann. 5. Afl. (22—72) (04.) | 2. Verdeutscht v.
A Westermann. 5. Afl. (33—72) (01.) | 3. Übers. v. W Binder. 6. Afl. (1—27)
(01.)
— dass. Nach Text u. Kommentar getrennte Ausg. (B) f. d.
Schulgebr. v. W Kocks. 2 Bdchn. 8° Gotha, FA Perthes. Je 1.50
1. 3. Afl. v. R Schnee. 7 Hefte. (56 u. 66) 04. | II. 2. Afl. v. R Schnee.
2 Hefte. (48 u. 76) 03.
— dasz. m. e. Anh. a. Xenophons Hellenika. Für d. Schulgebr.
hrsg. v. A Weidner. 2. Afl. v. P Vogel. (164) 8° Lpzg, G Frey-
tag. — Wien, F Tempsky 05. Geb. 1.50;
Schülerkommentar. (45) — 50
— Reden geg. Eratosthenes u. üb. d. Ölbaum, s.: Meisterwerke
d. Griechen u. Römer in kommentierten Ausg.
Lytton-Bulwer, E, s.: Bulwer, Lord EL.
Maack, F: Heimweh u. Verbrechen. 4. [Tit.-]Afl. (35) 8° Berl.,
Berlinische Verl.-Anst. [1894] (03). — 50 d
— Die gold. Kette Homeros. Ein z. Studium u. z. Verständnis
d. ges. hermet. Litt. unentbehrl. Hilfsb. (74 m. 1 Taf.)8° Lorch,
K Rohm 05. 1.20
— Polarchemiatrie. Beitrag z. Einigg alter u. neuer Heilkunst.
(42) 8° Lpzg, M Altmann 05. 1.20
— s.: Zeitschrift, wiss., f. Xenol.
Maag, P: Der Weg z. Gesundheit. Medizin. Betrachtgn f. denk.
Laien. (161) 8° Zür., Schulthess & Co. 03. 2.40 d
Maak, F: Das Goethetheater in Lauchstädt, nebst d. v. Goethe
zu sr Einweihg gedicht. Vorsp.: „Was wir bringen" u. e.
Ausz. a. d. alten Badeliste v. 1721—1842. (81 m. 4 Abb.)
Lauchst., D Häcker 05. 1 — d
Maar, A: Prakt. Rezept-Taschenb. f. Geflügelzüchter. (58) 12°
Dresd. 02. Reichenb., JG Koch. — 90; L. 1.30
Maartens, M: Dorothea, s.: Collection of Brit. auth.
— Auf tiefer Höhe. Eine Gesch. a. hohen Kreisen. Roman in
2 Tln. (Deut. Orig.-Ausg.) (567) 8° Köln, A Ahn 05. 6 — d

Maartens, M: My poor relations. — Some women I have known,
s.: Collection of Brit. auth.
Maas, G: Bibliogr. d. bürgerl. Rechts. Verz. v. Einzelschriften
u. Aufsätzen üb. d. im BGB. f. d. Deut. Reich vereinigte Recht.
1900—4. [S.-A.] (84, 83, 84, 94 u. 94) 8° Berl., C Heymann 01-04.
Je 1.50 ô F
Maas, J: Liederb., s.: Fricke, H.
Maas, J: Prim, J v.
Maas, O: Bemerkgn z. System d. Medusen. Revision d. Canno-
tiden Haeckels. [S.-A.] (35) 8° Münch., (G Franz' V.) 04. — 40
— Einführg in d. experimentelle Entwickelgsgesch. (Entwicke-
lgsmechanik). (208 m. Fig.) 8° Wiesb., JF Bergmann 05. 7 —
— Ueb. Entstehg u. Wachstum d. Kieselgebilde bei Spongien.
[S.-A.] (17 m. 1 farb. Taf.) 8° Münch., (G Franz' V.) 01. — 40
— Die Scyphomedusen d. Siboga-Exped. (91 m. 12 Taf.) 4° Leid.,
Bh. u. Dr. vorm. EJ Brill 03. nn 16 —
Maas, P: Die Entwickelg d. Sprache d. Kindes u. ihre Störgn.
— Üb. Taubstummh. u. Hörstummh., s.: Abhandlungen,
Würzb., a. d. Ges.-Geb. d. prakt. Medizin.
Maasdorff, W: 15 Briefe e. Pflege persönl. Lebens. (81) 8°
Lorch, K Rohm 04. Kart. — 80 d
— Das Geheimnis, d. menschl. Leben zu verlängern. (37) 16°
Ebd. 04. — 25 d
— Materielle Lebensreformen. (15) 12° Ebd. 02. — 10 d
— Die Relig. u. d. Philosophie d. Zukunft. (47)12° Ebd. 03. — 40 d
Maass, A: Entwurf e. Handwerker-Versicherg. (8) 8° Kolberg
(Münderstr. 19), Fleischermstr. Maass 05. — 10
— Fachwissenschaftliches a. d. Fleischerei. (40) 8° Ebd. 05. — 50
— Die Wunder d. Himmels u. d. Erde, erforscht u. ergründet
als Naturereignisse allgewaltigster Art. (26) 8° (Lpzg 01.)
Ebd. 1.35 || 2. Afl. (128) Kolbg 04. (3. —) —
— Die Tagesgötter in Rom u. d. Provinzen. Aus d. Kultus d.
Niederganges d. antiken Welt. (311 m. Abb.) 8° Berl., Weid-
mann 02. 10 —
Maass, A: Quer durch Sumatra. (143 m. 33 Bildern u. 2 Kart.)
8° Berl., W Süsserott 04. 6 —
— Bei liebenswürd. Wilden. Beitrag z. Kenntnis d. Mentawai-
Insulaner, bes. d. Eingeborenen v. Si Oban auf Süd-Pora od.
tobo Iagai. (256 m.Abb., 8 [2 farb.] Taf. u. 1 Karte.) 8° Ebd.
02. 7.50
Maass, B: Auslegg d. kl. Katech. Luthers f. Volkssch. u. Prä-
parandenanst. 4. u. 5. Afl. v. B Wulff. (192 bezw. 181) 8° Bresl.,
F Hirt 03. geb. 2.50 d
— Die Psychol. in ihrer Anwendg auf d. Schulpraxis. 9. Afl.
v. C Thomas. (134 m. Abb.) 8° Ebd. 03. Kart. 1.60 d
Maass, E: Analecta sacra et profana. (6) 4° Marbg, NG El-
wert's V. 01. 1.20; kart. 1.40
— Aus d. Farnesina. Hellenismus u. Renaissance. (56) 8° Ebd.
02. 1.20; kart. 1.40
— Griechen u. Semiten auf d. Isthmus v. Korinth. Relig.-ge-
schichtl. Untersuchgn. (135 m. 1 Abb.) 8° Berl., G Reimer
03. 3 —
— Die Tagesgötter in Rom u. d. Provinzen. Aus d. Kultus d.
Niedergangs d. antiken Welt. (311 m. Abb.) 8° Berl., Weid-
mann 02. 10 —
Maass, F: Das junge Pferd. Beobachtgn u. Erfahrgn üb. Er-
ziehg u. Anlernen d. jungen Pferdes, sowie Ratschläge beim
Hufbeschlag ohne Anwendg gewaltsamer, meist gefährl.
Zwangsmittel, nebst Beurteilg d. Bespanng leicht. u. mili-
tär. Fuhrwerke. (75 m. 6 Taf.) 8° Ankl., F Krüger 01. 1.50 d
Maass, L: Der Einbl. d. Maschine auf d. Schreinergewerbe in
Deutschl., s.: Studien. Münch. volksw.
Maass, W: Aphorismen zu e. praktisch branchbaren Anschaug
d. Welt im gold. Zeitalter d. Technik unter d. soz. Frage-
zeichen. (98) 8° Hannov., W Otto (05). 1 — d
Maass, W: Die deut. Arbeiterversicherg als Lehrstoff in d. Schu-
len. (48) 8° Lpzg, J Klinkhardt 05. — 80 d
— Hdb. d. Deutschrechtl. d. Invalidenversicherngsges. v. 13.VII.
1899. 2. Afl. (190) 8° Berl., Verl. d. Arbeiter-
Versorgg, A Troschel. 2 —; geb. 2.80 d
Maassen, J: Grundr. zu d. Rechtsbestimmgn üb. Pflichttheil
u. Erbunwürdigk. (Nach d. Systeme d. BGB.) (17) 8° Köln,
KA Stauf & Co. — 60 d
Maats, D: Die kaufmänn. Bilanz u. d. steuerbare Einkommen.
3. Afl. (276) 8° Berl., C Heymann 02. 1 — d
— Das preusz, Einkommensteuerges. (184) 8° Ebd. 02. 3 — d
Macalle, J, u. A Langer: Der Kampf um Gürtelfestgn. An e.
zusammenhäng. Beispiel applicatorisch bearb. 4 Hefte. 8°
Wien, LW Seidel & S. Je 3.60
1. Die Kriegsaurüstg d. Festg Königgrätz. (54 m. 5 Taf.) 01. | 2. Der
Kampf um d. Festg Königgrätz. (71 m. 7 Beil.) 02. || 3. Der Kampf um
d. Festg Königgrätz. (61 m. 5 Beil.) 03. | 4. Der Nahkampf u. Entsatz
v. Königgrätz. (65- m. 10 Beil.) 04.
McAlpine, D: A new genus of „Uredineae-Uromycladium".
[S.-A.] (21 m. 4 Taf.) 8° Burg (05). (Berl., R Friedländer & S.)
nn 4 —
Macauy, G: Die Chronik v. Dirnan. Gesch. e. Dorfes. (82) 8°
Wien, CW Stern 03. 3 — d
McAulay, A: The affair at the inn, s.: Wiggin, KD.
Macaulay's, Lord TB, krit. u. histor. Aufsätze (W Pitt), s.:
Universal-Bibliothek.
— Lord Clive, s.: Authors, Engl. (O Thiergen) — Perthes'
Schulausg. engl. u. franzö. Schriftsteller (K Köhler).
— **Schulbibliothek**, franzö. u. engl. (A Kressner). — Velhagen
& Klasing's Sammlg franzö. u. engl. Schulausg. (O Thier-
gen u. A Lindenstead.)
— England before the restoration, s.: Authors, Engl. (K Ban-
dow.)

Macaulay, Lord TB: Altröm. Heldengesänge. (Lays of ancient Rome.) Anh.: Die Schlacht v. Ivry. Deutsch im Versmass d. Orig. v. W du Nord. (151) 8° Wien, (C Gerold'sS.) 03. L. 3 —
— Hist. of Engl. Erklärt v. F Meffert. 1. Heft. 1. Kapitel: Die Zeit bis z. Restauration im J. 1660. 3. Afl. 2 Tle. (125 u. 32) 8° Berl., Weidmann 02. Geb. u. geh. 1.60
— James II. descent on Ireland and the siege of Londonderry, s.: Schulbibliothek, französ. u. engl. (O Hallbauer),
— Masterpieces, selected by P Lange, s.: Reformbibliothek, neusprachl.
— The Duke of Monmouth, s.: Authors, Engl. (E Paetsch).
— The Engl. revolution (1688—89). Auszug a. The hist. of Engl. Chap. VII/IX, f. d. Schulgebr. hrsg. v. A Greeff. (164) 8° Lpzg, G Freytag. — Wien, F Tempsky 06. Geb. 1.60
— Historical scenes and sketches from the hist. of Engl., s.: Schriftsteller, engl. u. französ., d. neueren Zeit (J Klapperich).
— The siege of Londonderry and Enniskillen, s.: Authors, Engl. (K Bandow).
McCarthy, J, and JH **McCarthy**: A history of the four Georges and of William IV., s.: Collection of Brit. auth.
Maceiucca, FV: Lust. gute Ges. üb. verborgte Bücher. Aus d. Exlibris d. italien. Rechtsgelehrten M. (†1785). Deutsch v. B. (Lateinisch u. deutsch.) (4) 8° Lpzg, (A Weigel) 04. 2 — d
Macco, HF: Beitr. z. Geneal. rhein. Adels- u. Patrizierfamilien. 3. Bd. 4° Aach., (A Creutzer). Geb. nn 50 —
 3. Gesch. u. Geneal. d. Familie Peltzer. (369 m. Abb. u. 1 farb. Taf.)
 01. nn 30 —
Der 1. u. 2. Bd, bei Erscheinen nicht eingesandt, sind vergriffen.
Macdonald: Memoiren, s.: Memoirenbibliothek.
Macdonald, DB, s.: Ibn Khaldūn, prolegomena.
Macdonald, M: Everyday words for Engl. conversation, with a few common idioms attached. 3. ed. (56) 8° Hambg, L Gräfe & S. 04. Kart. — 80
M°**Donell**, J: Sühnopfer d. Liebe. Betrachtgn u. Gebete f. d. 9 ersten Freitage. Uebers. n. d. 6. Afl. d. Engl. v. M Xaveria. (352 m. Titelbild.) 16° Eins., Verl.-Anst. Benziger & Co. 04: L. 1.10 ; Ldr 1.60 d
Mac Gillivray, HS: The influence of christianity on the vocabulary of Old Engl., s.: Studien z. engl. Philol.
Mac-Gregor, M: Die stille Stunde. Übers. v. F v. L. (32) 16° Kass., E Röttger (01). — 40 d
Mach, E: Die Analyse d. Empfindgn u. d. Verhältn. d. Physischen z. Psychischen. 3. Afl. (286 m. Abb.) 8° Jena, G Fischer 02. || 4. Afl. (294 m. Abb.) 03. Je 5 — ; geb. je 6 —
— Erkenntnis u. Irrtum. Skizzen z. Psychol. d. Forschg. (461 m. Fig.) 8° Lpzg, JA Barth 05. 10 — ; L. 11 —
— Grundr. d. Naturlehre. Bearb. v. K Habart. Ausg. f. Gymnasien. I. Tl: Unterst. 5. Afl. (180 m. Abb.) 8° Wien, F Tempsky. — Lpzg, G Freytag 02. Geb. 2.20
— dass. f. d. unt. Kl. d. Mittelsch. Ausg. f. Gymnasien. 5. Afl. v. K Habart. (180 m. Abb.) 8° Ebd. 02. Geb. 2.50
— dass. d. Realsch. 4. Afl. v. K Habart. (192 m. Abb.) 8° Ebd. 05. Geb. 2.50
— Grundr. d. Physik, f. d. höh. Schulen d. Dent. Reiches bearb. v. F Harbordt u. M Fischer. I. Tl: Vorbereit. Lehrg. 3. Afl. (226 m. Abb.) 8° Ebd. 05. Geb. 3 —
— Die Mechanik in ihrer Entwickelg, s.: Bibliothek, internat. wiss.
— Populär-wiss. Vorlesgn. 3; Afl. (403 m. Abb.) 8° Lpzg, JA Barth 03. — ; L. 6.80
— s.: Zeitschrift f. d. physikal. u. chem. Unterr.
— u. L **Mach**: Versuche üb. Totalreflexion u. deren Anwendg. [S.-A.] (12 m. Fig.) 8° Wien, (A Hölder) 04. — 40
Mach, FJ: Gesch. d. Offenbarg d. Neuen Bundes. Zum Unterr.-Gebr. an Mittelsch. u. verwandten Lehranst. 3. Afl. (167 m. 2 Kart.) 8° Wien 1900. Rgnsbg, Verl.-Anst. vorm. GJ Manz. Geb. (1,90) 1.40 d
— Hussitismus, Reformation u. Gegen-Reformation in Saaz u. im „Saazer Lande". (71 m. 1 Abb.) 8° Saaz, JL Neudörfer 05. 1 —
— Die Krisis im Christentum u. d. Relig. d. Zukunft. (295) 8° Dresd., E Pierson 05. 3.50; geb. 4.50 d
— Das Relig.- u. Weltproblem. Dogmenkrit. u.naturwiss.-philosoph. Untersuchgn f. d. denk. Menschheit. Mit e. Selbstbiogr. 2 Tle. (16, 19, 71, 1364 u. 19 m. Bildnis.) 8° Ebd. 04. geb. 24 — ; d
— „Freie kathol. Universität" u. moderne Wiss. 1—4. Taus. (127) 8° Linz (09). Wien, J Deubler. 1.50 d
Mach, J: Hans Hammer. Drama. (82) 8° Dresd., E Pierson 02. 2 — d
— Hans, s.: Picbler's Jugendbücherei.
Mach, R v.: Die Wehrmacht d. Türkei u. Bulgariens, s.: Heere u. Flotten, d., d. Gegenwart.
Machacek, F: Gletscherkde, s.: Sammlung Göschen.
— Der Schweizer Jura,s.: Petermann's, A,Mittellgn s. J Perthes' geograph. Anst.
Machalla, K: Amerika, d. Land d. unbehinderten Erwerbes. (175) 8° Wien, A Amonesta 05. L. nn 3 —
Machan, A: Ueb. Frauenbildg u. Frauenbewegg in Kärnten zu Ende d.19. Jahrh. (304) 8° Klagenf.,(F v. Kleinmayr)01. 4.50 d
Machar, JS: Magdalena. Roman in Versen. Aus d. Tschech. v. E Falk. (262 m. Bildnis.) 8° Wien, Wiener Volksbh. 05. 3.50 d
— dass. Aus d. Čech. v. Z Fux-Jelenský. 1—5. Taus. (275) 8° Wien, Wiener Verl. 05. 3.50 ; geb. nn 5 — d

Mache, H: Eine Beziehg zw. d. specif. Wärme e. Flüssigk. u. ihres Dampfes. [S.-A.] (5) 8° Wien, (A Hölder) 01. nn — 10
— Üb. d. Explosionsgeschwindigk. in homogenen Knallgasen. [S.-A.] (14 m. Fig.) 8° Ebd. 04. — 50
— Üb. d. Radioaktivität d. Gasteiner Thermen. [S.-A.] (34 m. 2 Fig.) 8° Ebd. 04. — 60
— Üb. d. Schutzwirkg v. Gittern geg. Gasexplosionen. [S.-A.] (6 m. 1 Fig.) 8° Ebd. 02. — 30
— Üb. d. Verdampfgswärme u. d. Grösse d. Flüssigkeitsmolekel. [S.-A.] (13) 8° Ebd. 02. — 20
— Üb. d. Zerstreug d. Elektricität in abgeschloss. Luft. [S.-A.] (5) 8° Ebd. (01). — 20
— u. S **Meyer**: Üb. d. Radioaktivität d. Quellen d. böhm. Bädergruppe: Karlsbad, Marienbad, Teplitz-Schönau-Dux, Franzensbad sowie v. St. Joachimsthal. [S.-A.] (31) 8° Lpzg, 1.10
— — Üb. d. Radioaktivität ein. Quellen d. südl. Wiener Thermenlinie. [S.-A.] (7) 8° Ebd. 05. — 20
Machalli, M: Grossstadtsumpf. Streiflichter z. Sternberg-Prozess. Roman. (76) 8° Lpzg 01. (Schkeud., P Friedrich. (?)) (1 —) 50 d Vergr.
Machenhauer: Ueb. 1. Vaporisation, 2. Alexander-Adam'sche Operation, 3. Extrauterinschwangerschaft. [S.-A.](16)8°Lpzg, B Konegen 02. —
Macherl, P: Gesch. Österr.,f. d. Volk. 3. Afl. 17 Lfgn. (779 m. Abb.) 8° Graz, Styria 05.06. Je — 45; in 1 Bd geb. 10 —
Machern, C v.: Friedel's Irrfahrt u. Heimkehr, s.: Erzählungen f. Schulkinder.
Machhols, E: Die reformierte Kirchengemeinde in Soldan im Kreise Neidenburg. [S.-A.] (51) 8° Küngsbg, (F Beyer) (05). — 80 d
Machiavelli, N: Mandragola, s.: Liebhaber-Bibliothek, kulturhistor.
Machir bar Abba Mari: Jalkut Ha-Machiri. Sammlg midrasch. Auslegg n d. Sprüche Salomons. Zum 1. Male nach e. Handschrift hrsg. m. Anmerkgn, Quellennachweis u. Einl. versehen v. L Grünhut. (In hebr. Sprache.) (282) 8° Frankf. a/M, J Kaufmann (02). 4 —
Macht, d., d. Liebe. Hrsg. v. d. niedersächs. Gesellsch. z. Verbreitg christl. Schriften. 1—10. Heft. (Je 16) 8° Hambg, Ev. Bh. (05). Je — 10 d
 Erzählgn v. Bach, M J, M v. O, C Niese u. a.
Mächtig z. See. Streiflichter u. Thatsachen v. d. deut. Flotte. Von *,* . (48 m. Abb.) 8° Zweibr. 01. Stuttg., F Lehmann. — 40 d
Machule, P: Zur Anrechngsfrage bei d. Oberlehrern. (72)* 8° Gelsenk., E Kannengiesser 04. 1 — d
— Zur preuss. Schulpolitik. (74) 8° Bresl., Priebatsch 05. 1.20
Mack: Die Gefahren d. Mutterschaft u. deren Verhütg n. bisher. u. neuester wiss. Methode. (64 m. Abb.) 12° Berl., J Ohlenschläger (02). — 80 d
Mack, A: Die baul. Entwicklg in Stuttgart auf d. Platze d. abgebrannten Hoftheaters u. dessen Umgebg in d. nächsten Jahren u. Dezennien. (25 m. 1 Pl.) 8° Stuttg., (K Wittwer) 03. 1.20 d
Mack, F: Gesangschulb. f. höh. Lehranst., zugl. f. d. Oberkl. d.Volkssch., sowie Privatunterr. 3 Stufen. 8° Mannheim (V 618). Gesanglehr. Mack. Kart. je †1.40 d
 I. 2. Afl. (75, 7 u. 8) 04. | II. 2. Afl. (96) 04. | III. (117) 05.
— Gesangschulb. f. höh. Schulen. 1. Heft. Sexta. (71 m. Anh. I. [katholisch] 7 u. Anh. II. [ev.] 8) 8° Karlsr., G Braun'sche Hofbuchdr. 01. Kart. 1 — d
Mack, H, s.: Urkundenbuch d. Stadt Braunschweig.
Mack, J: Das specifisch Menschliche u. s. Verhältnis z. übr. Natur (Analogien). Versuch d. Lösg d. Ichproblems. (224) 8° Münch., L Finsterlin 04. 3.50
Mack, K: Physikal. Hypothesen u. ihre Wandlgn. Festrede. [S.-A.] Lit.-Nachweisen. (39) 8° Lpzg, JA Barth 05. 1 —
— s.: Jahrbuch, deut. meteorolog., Württemberg.
Mackarness, Mrs: Amy's kitchen (B Klatt). — A trap to catch a sunbeam (E Grube), s.: Authors, Engl.
Mackay,Alex. M., Pionier-Missionar v. Uganda. Von sr Schwester. Übers. v. JH Nebinger. Mit e. Skizze sr Persönlichk. aus persönl. Verkehr v. W Baur. Wohlf. [Tit.-]Ausg. (32, 421) 8° Lpzg, JC Hinrichs' V. 02. 2 — ; L. 3 — d
Mackay, JH: Freunde u. Gefährten. Meisterdichtgn auf einz. Blättern. Hrsg. v. M. 10 (Je 100 Bl.) 16° Berl., Schuster & Loeffler 02. In Kart. (20 —) 10 — ; einz. Serien (3 —) 1 —
 m. Wahl in Kart. (3 —) 1 — ; 95 Bl. in Kart. (1 —) — 25; einz. Bl. (— 05) — 01; Luxusmappe f. je 100 Bl. 1 — d
 1. Volksliederr. || 2. Gesungene Gedichte. || 3. Gesprochene Gedichte. || 4. Natur. || 5. Lieder d. Liebe. || 6. Menschen-Leben u. -Schicksal. || 7. Stimmg. || 8. Soz. Gedichte. || 9. Kinder- u. Kinder-Lieder. || 10. Bunte Lese.
— Die Menschen d. Ehe. Schildergn a. d. kl. Stadt. 2. Afl. (96) 8° Ebd. 03. 1.50; geb. nn 2.50 d
— Der Schwimmer. Die Gesch. e. Leidenschaft. (404) 8° Ebd. 01. 4 — ; geb. nn 5 — d
— Zwischen d. Zielen. Prosa. 2. Bd. 1896—1901. Der Sybarit u. Anderes in Prosa. (122) 8° Ebd. 03. 1.50 (1. u. 2. 3 —; Einbde je 1 —) d
Mackay, K: Gabrielle. Ein Traum a. d. Inhaltsschatze d. Briefe v. Abélard u. Heloise. Aus d. Engl. v. J de Mon u. E Reimer. (60 m. Bildnis.) 8° New York 04. Weipert, E Reimer. (Lpzg, J Werner.) 1.70; Luxusausg. 10 —

Macke, K: Aus sturmbewegter Heldenzeit. (Cäsar's Brückenbau.) Vaterländ. Schuldrama. Tonsatz d. Chöre v. W Nick. Textb. (30) 8° Düsseldf, L Schwann (01).   — 50 d
— Der Stromgeiger. Romant. Dichtg. (332) 8° Heiligenst., FW Cordier 05.   L. 3 — d
Mackenroth, A: Ueb. d. Rechtsstellg d. Frau im Vorentwurf z. schweiz. Civilgesetzb. 4 Vortr. [S.-A.] (76) 8° Zür., T Schröter 01.   — 80 d
Mackenroth, V: Mündl. u. schriftl. Übgn zu Kühns französ. Lehrbb. 2 Tle. 8° Bielef, Velhagen & Kl. 01.   Geb. nn 3.60
1. Mit e. grammat. Elementar-Kursus v. K. Kühn als Anh. (166) nn 1.80 ;
2. Aß. (180) 03. Geb. 1.80] 2. (193) Geb. 1.80.
— dass. Lehrerheft. (36) 8° Ebd. 01.   — 50
Mackensen, E: Der Tunnelbau, s.: Handbuch d. Ingenieurwiss.
Mackensen, L: Kanon d. einzupräg. Gesch.-Zahlen. (59) 8° Wolfenb., J Zwissler 04.   Kart. — 50 d
— Lehrb. d. Gesch. f. höh. Lehranst. Auf Grund d. Gehrkeschen Grundrisse d. Gesch. verf. 4 Tle. 8° Ebd. 03.   nn 3.70 ;
Einbde je nn — 30 d
1. Lehraufg. d. Quarta. Gesch. d. Altertums. (101)   nn — 90
2. Lehraufg. d. Untertertia. Deut. Gesch. bis z. Ausg. d. M.-A. (93) nn — 90
3. Lehraufg. d. Obertertia. Deut. insbes. brandenb.-preuss. Gesch. v. Ausg. d. M.-A. bis z. Regiergsantritt Friedrichs d. Gr. (96) nn — 90
4. Lehraufg. d. Untersekunda. Deut. u. preuss. Gesch. v. Regiergsantritt Friedrichs d. Gr. bis z. Gegenwart. (118)   1 —
Mackensen v. Astfeld, R: Braunschweiger Husaren in Feindes Land. Erinnergn a. d. Kriege 1870/71. (167 m. Abb.) 8° Berl., O Salle 02.   3 — ; kart. 2.50 d
Mackenzie, J: Die Lehre v. Puls. Arterienpuls. — Venenpuls. — Leberpuls. — Sichtbare Herzbeweggn. Aus d. Engl. v. A Deutsch. (506 m. Fig.) 8° Frankf. a/M., J Alt 04.   12 —
Mackenzie, Sir M: Singen u. Sprechen. Pflege d. Ausbildg d. menschl. Stimmorgane. Deutsch v. J Michael. 2. Aß. (335 m. Abb.) 8° Hambg, L Voss 01.   1.30 d
Mackintosh, CH: Betrachtgn üb. d. 2. Buch Mose. Aus d. Engl. 4. Aß. (394) 8° Elberf., R Brockhaus (durch J Fassbender) 02.   1.50 d
Mackintosh, CR: Haus e. Kunstfreundes, s.: Meister d. Innenkunst.
Mäckler, H: Die Ausblühgn d. Mauerwerks, ihre Entstehg u. Bekämpfg. (19) 8° Berl., Tonindustrie-Zeitg 02.   (— 10) — 50
Mackowsky, H, s.: Bayersdorfer's, A Leben u. Schriften.
— Verrocchio, s.: Künstler-Monographien.
Mackowsky, W: Giovanni Nosseni u. d. Renaissance in Sachsen, s.: Beiträge z. Bauwiss.
Maclaren, A: Christi Wort f. uns. Zeit. 18 Predigten. Übers. v. L Kunerth. (320) 8° Stuttg., JF Steinkopf 05.   3 — ; geb. 4 —
Maclaren, J (J Watson): Schott. Erzählgn. 3 Bde. Aus d. Engl. v. L Öhler. 8° Stuttg., JF Steinkopf. 11 — ; Einbde in L. je 1 — d
I. Beim wilden Rosenbusch.— Lang; lang ist's her. 4. Aß. (429) 04. 4 —
II. Altes u. Neues v. Drumtochty. 2. Abdr. (440) 1900.   4 —
III. Ernstes u. Heiteres. (313) 04.   3 —
— His Majesty baby and some common people, s.: Collection of Brit. auth.
Maclean, AP: Sofort Bauchredner u. Tierstimmen-Imitator! Prakt. Anl. 2. Aß. (64 m. Abb.) 8° Lpzg, AF Schlöffel (05).   1 — d
Maclean, JK: Torrey u. Alexander. Die Gesch. ihres Lebens. Deutsch v. M K.-G. (171 m. 8 Taf.) 8° Bas., Kober 05.   1.50 ;
L. 2.40 d
Macleod, F (W Sharp): Das Reich d. Träume. (Aus d. Engl. v. W Mey.) (312) 8° Jena, E Diederichs 05.   4 — ; geb. 5 — d
— The sunset of old tales. — Wind and wave, s.: Collection of Brit. auth.
— Wind u. Woge. Kelt. Sagen. (Aus d. Engl. v. W Mey.) (255) 8° Jena, E Diederichs 05.   4 — ; geb. 5 — ; Luxusausg. 8 — d
Mac Nevin O'Kelly, F Frhr: Vor 25 Jahren. Eigene Erinnergn a. d. Okkupations-Kampagne 1878 in Bosnien. (158 m. 3 Bildnissen.) 8° Graz, Leykam 03.   2.40
Maçon, M: Der Chammer u. d. Schaute. Humoreske a. d. jüd. Leben d. guten, alten Zeiten — Blendwerk. Nach e. wahren Begebenh. — Der Ring Nadri's. Eine Erzählg in Teheran. (Umschl.:3 humorvolle Erzählgn.)(145)8° Mainz 1900.(Strassbg, J Singer.)   1.30 d
Macpherson, S: Prakt. Harmonielehre. Deutsch v. J Bernhoff. (159) 8° Lond. 04. Lpzg, Breitkopf & H.   3.50 ; L. nn 4.50
McSherry: Der Schwur d. Huronenhäuptlings, s.: Hnopder, A.
Maday, E: Was muss man v. Staatsdienste wissen? Üb. Verfassg u. Verwaltg d. österr.-ungar. Monarchie, Rangseintailg sämtl. Funktionäre d. öffentl. Dienstes, m. allen wicht. Angaben üb. dieselben u. e. Rangs- u. Titelübersicht. Mit e. Anh.: Kurze Übersicht üb. d. Uniformen d. Offiziere, Militärbeamten, Zivilstaatsbeamten u. Staatsbahnbeamten. (262) 8° Wien, (R Lechner's 8.) 04.   4 —
Maday, I v.: Die Alkoholfrage in Ungarn. [S.-A.] (Aus d. Ung.) (72) 8° Budap., F Kilián's Nf. 05.   — 90
Mädchen, junge. Almanach, begründet v. C Helm u. F Schanz. Hrsg. v. F Schanz. 7. u. 8. Jahrg. (Je 400 m. Abb. u. farb. Taf.) 8° Bielef., Velhagen & Kl. (01.03).   Geb. je 4 — d
Mädchenbildung auf christl. Grundl. Red.: M Landmann. 1. u. 2. Jahrg. Oktbr 1904—Septbr 1906 je 12 Hefte. (1. Heft. 56) 8° Cobl., Görres-Druckerei.   Je 5 — d
Mädchenbuch, deut. Jahrb. d. Unterhaltg, Belehrg u. Beschäftigg f. junge Mädchen. 9—13. Bd. (399, 398, 388, 400 u. 410 m. Abb. u. farb. Taf.) 8° Stuttg., K Thienemann (01-05).   Geb. je 6.50 d

Mädchenbuch, neues. Sammlg v. Erzählgn, Gedichten, Unterhaltgn a. d. Natur, Anreggn z. Selbstbeschäftigg, z. Handarbeit, zu Spielen u. and. mehr. Hrsg. v. M Promber. 2 Tle. 1. u. 2. Aß. (144 u. 142 m. Abb. u. je 4 farb. Taf.) 8° Stuttg., Loewe (04).   Geb. je 2.50; in 1 Bd 4.50 d
Mädchen-Bühne. Aufführgn m. nur weibl. Rollen, f. Schule u. Familienfeste. 55., 56. u. 58—76. Heft. 8° Berl., E Bloch.   Je — 60 d
Berg, L: Gute Freundschaft. Lustsp. (76) Frankf. a/M. 1904. [56.]] Beigenap. u. Prologe. (40) Frankf. a/M. 1904. [60.]] Rheinmärchen in 4 Bildern. Frankf. a/M. 1904. [62.]
Braune, E: Die neue Miss. Schwank. (14) 61. [58.]
Detloff, M: Kaisers Geburtstag in Hübezahls Reich. Festsp. m. Gesang u. Reigen. (37) (02.) [67.]] Am Reisanbrunnen. Vaterländ. Festsp. (21) (02.) [65.]] Unser Schiller. Festsp. (21) (05.) [74.]
Dörflinger, F: Christbäumchens Wahl. Weihnachtsfestsp. (15) (03.) [70.]
Dörrien, E: Ein Pensions-Kommers. Dramat. Scherz, m. Reigen v. B Jaffé. (24) (04.) [72.]
Ebeling-Grau: Der Weihnachtsbaum. Weihnachts-Festsp. (19) (02.) [64.]
Hermann, A: Winter-Reigen. (71) (01.) [56.]
Hoepfner, H: Vom Fels z. Meer! Festdichtg m. eingelegten Chören u. vaterländ. Melodien z. Geburtstag d. Kaisers. (12) (04.) [73.]] Der deut. Wald. Festdichtg z. Geburtstage d. Kaisers. (19) (1906.) [55.]] Festtag mit Zollern allewegz. Festdichtg m. eingelegten Chören u. Reigen u. vaterländ. Melodien z. Geburtstage d. Kaisers. (16) (02.) [69.]
Knse, M: 8 Tanzreigen. (24) (05.) [73.]
Linde, A: Das neue Dienstmädchen. Schwank. (15) (05.) [76.]
Steiner, O: Das Mädchen a. d. Fremde. Singsp. zu beliebten Operettenmelodien. (35) (01.) [53.]] Das Preisrätsel. Lustsp. (32) (01.) [65.]] Rokoko-Tanzstunde. Dramat.Scherz m. Tanz. (18) (02.) [66.]] Wahrheits-Koller. Lustsp. (15) (03.) [71.]
Valentin, V: Der Blumen Rache. (Traumbild.) (22) Frankf a/M. 1906. [61.
Mädchenschule, die. Zeitschrift f. d. ges. Mädchenschulwesen m. bes. Berücks. d. höh. Mädchensch. Hrsg. v. K Hessel. 14—18. Jahrg 1901—5 je 12 Hefte. (300, 290, 290, 274 u. 282) 8° Bonn, A Marcus & E Weber.   Je 6 —
Mädchen-Schulzeichnen, das. Method. Anl. 110 Taf. m. 500 Zeichngn nebst erläut. Text (v. R Bautz). 2 Bde. 8° Lpzg. (Frankf. a/M., A Blažek jun.)   Kart. 5 —
I. (30) (1901.) 9 —] II. (30) (1907.) 6 —
Inhalt ist derselbe wie d. Formenstudien v. R Bautz.
Mädchen-Zeitung,deut.Organd.ev.Jungfrauen-Ver.Deutschlds. Gegründet v. Frau S Lösche. Hrsg. u. red. v. Burckhardt u. Frau Burckhardt. 33—37. Jahrg. 1901—5 je 12 Nrn. (Nr. 1. 16 m. 1 Abb.) 8° Berl., (Bh. d. ostdeut. Jünglingsbundes.) Je 1 — ; einz. Nrn — 10 d
Maddalena, E: Raccolta di prose e poesie italiane. Annotate ad uso dei tedeschi. 2. ed. (263 u. 68) 8° Wien, W Braumüller 03.   Geb. u. geb. 3.20
— Uno scenario inedito. Messo in luce da M. [S.-A.] (22) 8° Wien, (A Holder) 01.   — 60
— Italien. Unterr.-Lehre, s.: Mussafia, A
Maddalena, F: Lies u. Lene, s.: Levetzow, H v.
Madden, WH: Kommentar u. Wrtrb. z. Rolfs, moderne Handelsbriefe in genauer Wiedergabe d. Originale. H. Tl. Engl. Ausg. 2. Aß. d. v. d. Hrsg. d. Briefe. (51) 8° Köln, P Neubner 04.   1 — d
Maddox, EE: Die Motilitätsstörgn d. Auges auf Grund d. physiolog. Optik, nebst einleit. Beschreibg d. Tenon'schen Fascienbildgn. Bearb. v. W Asher. (316 m. Fig. u. 1 Tangentenskala.) 8° Lpzg, A Deichert Nf. 02.   6 — ; geb. 7 —
Madels: Abriss d. deut. Grammatik. — Abriss d. deut. Sprachlehre. — Lesebuch f. höh. Lehranst.
Mader, E: Neue Dekorations-Malereien. — Neue Glasmalereien u. Kunstverglasgn. — Neue Schriften u. Firmenschilder. — Neue Stuckdekorationen, s.: Lehner, J.
Mader, F, s.: Eichstätts Kunst.
— Loy Hering. Beitrag z. Gesch. d. deut. Plastik d. XVI. Jahrh. (122 m. Abb.) 4° Münch., Gesellsch. f. christl. Kunst 05.   6.50
Mader, G: Schul-Wandk. d. Kreises Ruhrort, s.: Zöhren, A.
Mader, L: Ub. Nasen- u. Mundatmg m. bes. Berücks. ihrer Beziehgn z. Infektion. (26) 8° Halle, C Marhold 05.   — 80
Mader, M: Heilstätten f. Tuberculöse u. d. Schulmedicin. (53) 8° Wien, Stähelin & L. 02.   1 —
Mader, P: Ketzerbriefe üb. Homöopathie. (81) 8° Wien (XVIII, Kreuzgasse 20), (R Richter) 03.   1.30
Mader, W: ElDorado. Reisen u. Abenteuer zweier dent. Knaben in d. Urwäldern Südamerikas. Erzählg. (357 m. Abb. u. 2 Farbdr.) 8° Stuttg., D Gundert 04.   L. 4.50 d
— Die Emanzipierten. Dramat.Zukunftsphantasie. (88) 8° Dresd., E Pierson 05.   1 — d
— Ernstes u. Heiteres a. d. Burenkriege. (126) 8° Lpzg 01. Berl., H Seemann Nf.   1.50 d
— Gesch. d. Burenstaaten. (74) 8° Ebd. 01.   1 — d
— Züchtiggspolitik u. Züchtiggsrecht. Ein Mahnwort a. d. Erziehgswese. 05.   40 d
Maderny, H Freifrau v., s.: Götzendorff-Grabowski, H v.
Maderspach, G: Judas. Charakteristik. (136) 8° Dresd., E Pierson 05.   2 — ; geb. 3 — d
Madeyski v. Poray, S Ritter: Studien z. Rechtsprechg d. Reichsgerichtes üb. Verletzg polit. Rechte. 2. Heft. (122) 8° Wien, F Tempsky 01.   3.20 (1 u. 2.: 5.80)
Madjera, W: Absaver. (157) 8° Wien, C Konegen 03.   1.50
— Der Hausadministrator, s.: Seltsam, F.
— Helden d. Feder. Schausp. (82) 8° Wien, C Konegen 02. 1.40 d
— Der Magistrats-Entwurf e. neuen Bauordng f. Wien. Vortr. (40) 8° Wien, Manz 04.   1 — d

Madjera, W: Politik u. Geistesleben in Wien. (23) 8° Wien, C Konegen 05. — 50 d
— Schatten u. Sterne. Gedichte. (148) 8° Ebd. 02. 2.50; geb. 3.50 d
Mäding, F: Schnick — Schnack. Allerhand Verslein f. kl. u. gr. Kinder. (47) 8° Lpzg, O Borggold, Sept.-Kto 04. 1 — d
Mádl, KB, s.: Hynais, V, e. Ausw. sr Werke. — Jenewein, F, d. Pest. — Myslbek, JV, s. Leben u. s. Werke.
Madonna, d. sixtin., v. Rafael Santi. (25 m. 1 Abb.) 8° Lpzg, Leipz. Schulbilderverll. v. FE Wachsmuth (03). — 40
Madsen: Ole. Ein Jütländer Fischer u. ehemal. Rettgsbootführer. Aus d. Dän. v. C Axelsen. (40) 8° Frankf. a/M., Verl. Orient 05. — 20 d
Madsen, J: Vollständ. kaufmänn. Arithmetik, s.: Braune, A.
— Englisch, s.: Wie bestehe ich meine Prüfg?
Madsen, PL: Der Lehrer im Examen u. im Amt. Zusammenstellg d. wichtigsten amtl. Bestimmgn betr. d. Leitg v. Volksu. Mittelsch. in Schleswig-H. (165) 8° Flensbg, Huwald 01. art. 3.50 d
Madsen, R: Grundtvig u. d. dän. Volkshochsch., sñ Magazin, pädagog.
Maffezzoli, F: Beitr. z. Kenntnis d. Anthrachinon-ortho-dicarbonsäureanhydrids. Diss. (48) 8° Freibg i/B., Speyer & K. 04. 1 — d
Magagna, P: Ranken u. Rauten. Gedichte. (210) 8° Boz., A Auer & Co. 06. 2.30; L. 3.20; m. G. 3.50 d
Magazin f. volksthüml. Apologetik. Hrsg.: EH Kley. 1—4. Jahrg. April 1902—März 1906 je 12 Nrn. (1. u. 2. Jahrg. 420 u. 467) 8° Ravnsbg, F Alber. Je 3.90 d
Der 1. Jahrg. erschien in Frankf, a/M.
— braunschweig, Hrsg. unter d. Red. v. P Zimmermann. 5. u. 7. Bd. Jahrg. 1900 u. 1 je 26 Nrn. (Je 208) 4° Brnschwg (Wolfenb., J Zwissler.) Je 4 — ‖ Jahrg. 1902—5 je 12 Nrn. ('02. 152 m. Abb. u. 2 Pl.) Je 3 — d
— f. ev.-luther. Homiletik u. Pastoraltheol. Hrsg. v. d. deut. ev.-luth. Synode v. Missouri, Ohio u. a. St. Red. v. Lehrercollegium d. Seminars zu St. Louis. 25—27. Jahrg. 1901—3 je 12 Nrn. (1901. Nr. 1. 32) 8° St. Louis, Mo. (Zwick., Schriften-Ver.) Je 7 — ‖ 28. u. 29. Jahrg. 1904 u. 5. Je 8 — d
— neues lausitz. Hrsg. v. R Jecht. 76. Bd u. 77—81 Bd je 2 Hefte. (75. Bd. 332) 8° Görl., (H Tzschaschel) 1900-05. Der Bd 5 — d
— d., f. Litteratur. Begründet v. J Lehmann. Hrsg.: J Gaulke u. F Philips. Red.: J Gaulke. 70. Jahrg. 1901. 52 Nrn. (Nr. 1. 32 Sp.) 4° Berl., S Cronbach. Viertelj. 4 —; einz. Nrn. — d
— dass. Hrsg. u. Red.: F Philips. 71. Jahrg. 1. Viertelj. Jan.-März 1902. 13 Nrn. (Nr. 1. 8) 4° Berl., (AW Hayn's Erben). 4 — d
— dass. 71. Jahrg. 2—4. Viertelj. Apr. —Dezbr 1902. 39 Nrn. u. 72. Jahrg. 1. Viertelj. Jan.—März 1903. 13 Nrn. (Nr. 1. 8) 4° Berl.-Schönebg (Vorbergstr. 4), Frz Philips. Viertelj. 4 — d
— dass. Hrsg.: F Philips. Red.: (C Gomoll u.) J Hegner. 72. Jahrg. 2—4. Viertelj. Apr.—Dezbr 1903. 18 Hefte. (548) 4° Lpzg, (Verl. d. Funken Sep.-Kto). ‖ 73. Jahrg. 1. Halbj. Jan.—Juni 1904. 13 Hefte. (326 m. Abb. u. 14d) Viertelj. 3 —; einz. Hefte — 50 d
Erschien seit Mitte März 1904 in Berlin. — Fortsetzg s.: Magazin, d. neue, f. Lit., Kunst u. sov, Leben.
— musikal. Abhandlgn üb. Musik u. ihre Gesch., üb. Musiker u. ihre Werke. Hrsg. v. E Rabich. 1—10. Heft. 8° Langens., H Beyer & S. 5.90
Draheim, H: Goethes Balladen in Loewes Komposition. (32) 05. [10.] — 75
Istel, F: Das deut. Weihnachtsspiel u. s. Wiedergeburt a. d. Geiste d. Musik. Zur Einführg in P Wolfram's Weihnachtsmysterium. (27) 01. [1.] — 40
Klauwell, O: Ludwig van Beethoven u. d. Variationenform. (31) 01. [3.] — 50
— Komponist u. Dichter. (36) 05. [7.] — 50
König, A: Die Ballade in d. Musik. (47) 04. [9.] — 75
Krause, E: Kurzgef. Darstellg d. Passion, d. Oratoriums u. moderns Konzertwerkes f. Chor, Soli u. Orchester. (78) 02. [5.] 1 —
Nagel, W: Goethe u. Beethoven. Vortr. (25) 03. [6.] — 40
— Goethe u. Mozart. Vortr. (24) 04. [8.] — 50
Steinhäuser, W: Zur Choralkonstnis. (36) 01. [2.] — 50
Zenger, M: Fra Schuberts Wirken u. Erdenwallen. (43) 02. [4.] — 50
— d. neue, f. Lit., Kunst u. sox. Leben. Red.: R Schickele. 73. Jahrg. 2. Halbj. Juli—Dezbr 1904. 26 Hefte. (820 m. Abb.) 8° Berl., Verl. d. neuen Magazins ‖ 4. Jahrg. Jan.—März 1905. 13 Hefte. Viertelj. 3 —; einz. Hefte — 30 d
Bisher u. d. T.: Magazin, d., f. Litt. — Mit d. „Monatsblättern f. deut. Litt." vereinigt.
— f. Pädagogik. Vorm.: Süddeut, kath. Schulwochenbl. Wochen-Ausg. Mit 12 Beil.: Lit. u. Anzeigen u. Praxis d. Volkssch. Hrsg. v. B Kaisser u. JA Keller. 64. Jahrg. 1901. 1. Halbj. 26 Nrn. (Nr. 1. 8 u. 16) 8° Spaich., M Kupferschmid. nn 3 —; 2. Halbj. 26 Nrn. nn 3.50 ‖ 65. Jahrg. 1902. 52 Nrn. nn 7.65 ‖ 66. u, 67. Jahrg. 1903 u. 04. Je nn 7.30 d
Fortsetzg erscheint im Verl. d. kathol. Schulver. f. d. Diöz. Rottenburg, nicht mehr im Buchh.
— pädagog. Abhandlgn v. Gab. d. Pädagogik in ihrer Hilfswiss. Hrsg. v. F Mann. 99., 116., 142., 146., 150., 155—253., 255 u. 257—267. Heft. 8° Langens., H Beyer & S. 60.90
Baentsch: H. St. Chamberlains Vorurteilgn üb. die Relig. d. Semiten spez. d. Israeliten. (25) 05. [246.] — 50
Bauch, B: Schiller u. s. Kunst in ihrer erzieher. Bedeutg f. uns. Zeit. Festrode. (15) 05. [260.] — 30
Bauer, G: Klagen üb. d. u. d. Schulzeit hervortret. Mängel d. Schulunterrichtserfolge. (23) 03. [207.] — 30
Baumann: Die Lehrpläne v. '01, beleuchtet a. ihnen selbst u. a. d. Lexikschen Sammelwerk. (81) 04. [223.] 1.20
Benrubi, J: JJ Rousseaus eth. Ideal. (141) 05. [236.] 1.80

Benson, AC: Der Schulmeister. Studie z. Kenntnis d. engl. Bildgswesens u. e. Beitr. z. Lehre v. d. Zucht. Aus d. Engl. v. K Rein. (87) 04. [226.] 1.20
Bliehner, J: Biol. u. Poesie in d. Volkssch. (03) 04. [220.] — 75
Böringer, F: Frage u. Antwort. (27) 01. [156.] — 35
Bornemann, L: Dörpfeld u. Alb. Lange. Zur Einführg in ihre Ansichten üb. soz. Frage. Schule, Staat u. Kirche. (37) 03. [194.] — 45
Bötte, W: Die Gerechtigk. d. Lehrers geg. s. Schüler. (27) 02. [186.] — 35
— Wert u. Schranken d. Anschaug d. Formalstufen. (27) 02. [190.] — 35
Buses, R: Wer ist mein Führer? Vortr. (19) 03. [206.] — 30
Cornelius, C: Die Universitäten d. Verein. Staaten v. Nordamerika. (40 m. Abb.) 05. [259.] — 60
Dannmeier, H: Die Aufg. d. Schule im Kampf geg. d. Alkoholismus. Vortr. (76) 03. [211.] — 35
Dornheim, O: Volksschäden u. Volksschule. (43) 04. [225.] — 60
Dressler: Gedanken üb. d. Gleichnis v. reichen Mann u. armen Lazarus. (21) 02. [184.] — 30
Eismann, D: Der israelit. Prophetismus in d. Volkssch. (23) 02. [176.] — 80
Flügel, O: Üb. d. Absolute in d. kathet. Urteilen. (81) 01. [167.] — 45
— Falsche u. wahre Apologetik. Vortr. (60) 04. [235.] — 75
— Herbart u. Strümpell. (50) 04. [235.] — 65
Foltz, O: Üb. d. Wert d. Schönen. (20) 01. [168.] — 30
Förster, F: Der Unterr. in d. deut. Rechtschreibg v. Standpunkte d. Herbartschen Psychol. u. betrachtet. (41) 01. [172.] — 50
Friemel, R: Schreiben u. Schreibunterr. (28) 02. [209.] — 40
Fritzsche, H: Die neuen Bahnen d. erdkundl. Unterr. (115) 02. [160.] 1.50
— Der Stoffwechsel u. s. Werksenge. Präparat. z. Menschenkde u. Gesundh.-Lehre. (61) 05. [244.] — 75
Fritzsche, W: Die pädagogisch-didakt. Theorien Charles Bonnets. (120) 05. [259.] 1.50
Gille, G: Die absolute Gewissh. u. Allgemeingültigk. d. sittl. Stammurteile. Vortr. (32) 03. [204.] — 50
Göring, H: Knno Fischer als Literarhistoriker. I. (33) 01. [162.] — 45
Grosse, H: Ein Mädchenschul-Lehrpl. a. d. 16. Jahrh.: Andr. Moskulus „Jungfraw Schule". v. J. 1574. (27) 04. [222.] — 40
— Ziele u. Wege weibl. Bildg in Deutschl. (106) 03. [206.] 1.40
Grosskopf, A: Der letzte Sturm u. Drang d. deut. Litt., insbes. d. moderne Lyrik. (34) 01. [168.] — 50
Gründler, E: Üb. nationale Erziehg. Kaisergeburtsrede. (15) 04. [230.] — 90
Heine, G: Unterr. in d. Bildersprache. (15) 04. [246.] — 25
Henn: Üb. 2 Grundgebrechen d. heut. Volkssch. (47) 03. [215.] — 60
— Kl. Schulgemeinden u. kl. Schulen. (16) 02. [179.] — 20
Keferstein, H: Die Bildgsbedürfnisse d. Jugendlichen. (62) 03. [215.] — 80
— Zur Frage d. Berufsethik in Familie, Gemeinde, Kirche u. Staat. (47) 05. [267.] — 60
— Die Aufg. e. nationalen Kinder- u. Jugendschutz-Vereins. (32) 02. [185.] — 40
Kirst, A: Präparat. z. Behandlg. v. 20 Fabeln v. Hey auf d. Unterst. 4. Aß. (76) 04. [164.] — 90
— Bückerts nationale u. pädagog. Bedeutg. (40) 1900. [146.] — 50
Koehler, J: Die Veranschaulichg im Kirchenliedunterr. (16) 04. [242.] — 30
Kohlhaas, F: Die method. Gestaltg d. erdkundl. Unterr. (45) 05. [269.] — 60
rücks. d. Kultur- bezw. Wirtschaftsgeogr. (45) 05. [266.] — 60
König, E: Der Gesch.-Quellenwert d. Alten Test, in Vortr. vor Lehrern u. Lehrerinnen erörtert. (56) 05. [255.] 1.20
Lehmhaus, F: Moderner Zeichenunterr. (21) 05. [251.] — 30
Lembke, F: Die Lüge, unter bes. Berücks. d. Volksschulerziehg dargest. (37) 01. [171.] — 40
Lasser, E: Die Schule u. d. Fremdwörterfrage. (14) 03. [196.] — 25
— Die Vielseitigk. d. deut. Unterr. (15) 05. [164.] — 30
Linde, F: Etwas üb. Lautveränderg in d. deut. Sprache. (21) 04. [222.] — 20
— Die Onomatik, e. notwend. Zweig d. deut. Sprachunterr. (52) 1900 (Umschl. 02). [142.] — 65
— Die Phonetik u. ihre Bedeutg f. d. Volkssch. (79) 04. [235.] 1 —
Lobaien, M: Die Gleichschreibg als Grundl. d. deut. Rechtschreibunterr. (43) 04. [219.] — 50
— Üb. d. relativen Wert verschied. Gedächnistypen. (22 m. Fig.) 02. [190.] — 30
Lomberg, A: Sollen in d. Volkssch. auch klass. Epen u. Dramen gelesen werden? (15) 03. [214.] — 20
Madsen, R: Grundtvig u. d. deut. Volkssch. (124) 05. [258.] 1.60
Mann, A: Kant u. Rousseau in ihren method. Ansichten, im einander im Lichte d. Gegensatz. seit Wilh. v. Humboldt. (82) 01. [160.] 1 —
Mollberg, A: Ein Stück Schulleben. (99) 03. [205.] — 40
Müller, H: Konzentration in konzentr. Kreisen. Beitr. z. Herbeiführg e. planmässig durchgeführten Konzentration auf d. Grundl. d. method. Fortschritte in konzentr. Kreisen. (79) 04. [227.] 1 —
Muthesius, K: Altes u. Neues z. Herders Kinderstube. (38) 05. [247.] — 45
— Der 3. Kunsterziehgstag in Weimar. (27) 04. [224.] — 45
— Schulaufsicht u. Lehrerbildg. Vortr. (33) 02. [190.] — 70
Niehus, P: Neuergn in d. Methodik d. elementaren Geometrieunterr. (16) 05. [217.] — 45
Noch, G: Erweiterg, Beschränkg, Ausdehng, Vertiefg d. Lehrstoffes. (76) 02. [181.] — 90
Okanowitsch, BM: Interesse u. Selbstthätigk. (17) 01. [159.] — 70
Peper, W: Üb. ästhet. Sehen. (56) 01. [174.] — 70
Pfannstiel, G: Leitsätze f. d. biolog. Unterr. (38 m. Fig.) 05. [265.] — 50
Pflugk, G: Die Übertreibg im sprachl. Ausdruck. (31) 02. [175.] — 30
Pieker, W: Üb. d. Konzentration. Lehrplanfrage. (34) 02. [195.] — 40
Pottag, A: Schule u. Lebensauffassg. (13) 04. [194.] — 20
Redlich, J: Ein Einblick in d. Gebiet d. höh. Geodäsie. (28) 05. [245.] — 50
Rein, W: Stimmen z. Reform d. Relig.-Unterr. 1. Heft. (54) 04. [237.] — 75
Reischke, R: Spiel u. Sport in d. Schule. (17) 04. [231.] — 35
Richter, O: Die deutsche Bewegg u. d. Problem d. nationalen Erziehg in d. deut. Gegenwart. (94) 03. [205.] 1.30
Ritter, B: Eine Schulfeier am Denkmale Friedrich Rückerts. Zugl. e. Beitr. z. Pflege e. gesunden Schullebens. (14) 04. [199.] — 20
Rubinstein, S: Schillers Begriffsinventar. (15) 05. [255.] — 20
Rude, A: Der Hypnotismus u. s. Bedeutg, namentlich d. pädagog. 2. Aß. (65) 03. [150.] — 80
Sallwürk, E v.: Das Gedicht als Kunstwerk. (15) 03. [213.] ‖ II. Der Vortr. (17) 04. [199.] Je — 30
— Die zeitgemässe Gestaltg d. deut. Unterr. (22) 05. [248.] — 30
— Literarhist. Lesen, E v.: Heine Methode. (12) 01. [164.] — 20
— Ein Lesestück. (25) 05. [200.] — 45
— Streifzüge z. Jugendgesch. Joh. Fr. Herbarts. (45) 03. [199.] — 60

Magazin, pädagog. Fortsetzg.

Schaefer, K: Die Bedeutg d. Schülerbibliotheken u. d. Vorsorg derselben a. Löng d. ersichl. u. unterrichtl. Aufg. d. Volkasch. Mit e. Zusammenstellg empfehlenswerter Jugendschriften f.d. einz. Schulj. unter Berücks. d. Lehrpl. u. d. Fenesverteilg. (99) 03. [191.] — 50

Schaller, E: Naturgeschichtl. Lehrausflüge (Exkursionen). (68) 05. [250.] — 75

Schleichert, F: Die Pflege d. ästhet. Interesses in d. Schule. (16) 03. [201.] — 80

Schleinitz, O: Darstellg d. Herbartschen Interessenlehre. (35) 01. [176.] — 45

Schmidt, M: Das Prinzip d. organ. Zusammenh. u. d. allg. Fortbildgssch. (32) 04. [341.] — 40

Schmieder, A: Anreggn z. psycholog. Betrachtg d. Sprache. (37) 02. [178.] — 30

Schmitz, A: Zweck u. Einrichtg d. Hilfssch. (18) 03. [205.] — 30

Schöns: Der Stundenpl. u. s. Bedeutg f. Schule u. Haus. (37) 01. [165.] — 50

Schumann, P: Experimentelle Didaktik. Referat üb. Lay's gleichnam. Werk unter Berücks. ein- und einschläg. Arbeiten. (50) 05. [261.] — 60

— Suggestion u. Hypnose n. ihrer Erscheing, Ursache u. Verwertg. Krit. Betrachtg d. bes. auf Unterr. u. Erziehg Bezug nehm. einschläg. Litt. (68) 02. [191.] — 50

Schreiber, H: Unnatur im beut. Gesangunterr. (34) 02. [177.] — 30

Schubert, C: Die Schülerbibliothek im Lehrpl. (16) 02. [187.] — 25

Siebert, O: Anthropol. u. Relig. in ihrem Verhältn. zu einander. (14) 02. [183.] — 20

— Entwicklgsgesch. d. Menschengeschichts. (16) 03. [200.] — 25

— Der Mensch in s. Beziehg auf e. gistl. Prinzip. (21) 05. [239.] — 35

Sieffert, F: Offenburg u. hl. Schrift. (106) 05. [262.] 1.50

Stahl: Verteilg d. mathematisch-geograph. Stoffes auf e. 8klass. Schule. (20) 1900. [156.] — 35

Staude, P: Das Antworten d. Schüler im Lichte d. Psychol. 2. Afl. (21) 02. [39.] — 50

— Die Bedeutg d. Gleichnisreden Jesu in neuerer Zeit. (18) 03. [197.] — 35

— Zum Jahrestage d. Kinderschutzges. (1.I'04.) (Vortr. zu e. Elternabend.) (38) 05. [237.] — 30

— Lehrbeisp. f. d. Deutschunterr. n. d. Fibel v. Heinemann u. Schröder. (1. Heft.) (18 m. Abb.) 03. [192.] — 25

Tews, J: Konfession, Schulbildg u. Erwerbstätigk. (19) 01. [173.] — 25

Thieme, P: Gesellschaftswiss. u. Erziehg. (23) 03. [712.] 1.50

— Kulturdenkmäler in d. Muttersprache f. d. Unterr. in d. mittl. Schulj. (94) 01. [137.] 1.50

Thurmann, E: Die Zahlvorstellg u. d. Zahlanschaumittel. (36) 05. [249.] — 50

Weber, E: Zum Kampf um d. allg. Volkasch. Versuch s. Klärleg d. eigentl. Grundfragen u. e. Beitr. z. bevorsteh. deut. Lehrerversammlg. Pfingsten '04. (42) 04. [222.] — 50

Weise, R: Die Fürsorge d. Volkasch. f. ihre nicht schwachsinn. Nachstgler. Vortr. (33) 05. [196.] — 45

Winter, P: Die Schadenersatzpflicht, insbes. d. Haftpflicht d. Lehrer, n. neuen bürgerl. Recht. (26) (02.) [188.] — 45

Winzer, H: Die Volkasch. u. d. Kunst. (17) 03. [218.] — 25

Wohllaben: Das preuss. Fürsorge-Krziehuges. unter bes. Berücks. der d. Lehrerstand interessier. Gesichtspunkte. Vortr. (15) 02. [192.] — 20

Zeiselg, E: Der Dreibund v. Formenkde, Zeichnen u. Handfertigk.-Unterr. in d. Volkasch. Beitrag z. Durchführg d. Konzentrationsprinzips. (63) 01. [168.] — 65

— Üb. d. Wort Konzentration, s. Bedeutg u. Verdeutschg. Vortr. (17) 01. — 25

Heft 97, 254 u. 256 sind noch nicht erschienen.

— f. Stenogr., Fortsetzg, s.: Stenograph, d. deut.

Magazine, internat., for school hygiene, s.: Archiv, internat., f. Schulhygiene.

Magdalene: Kochrezepte u. kurze Winke z. Bereitg v. Speisen f. Darm- u. Magenleidende n. Kussmauls Methode. 4. Afl. (23) 12* Hdlbg, G Winter, V. (01). nn — 50 d

Magdeburg, H, s.: Lehrgang f. d. elementaren Zeichenunterr.

Magelssen, A: Wetter u. Krankh. Spec. Th. 4. Heft. (75—82 m. Karven.) 8* Christiania 02. (Berl., R Friedländer & S.) nn 1 —
(1—4.: nn 4 —)

Magenau, F: Ein Ball v. Geburtsschwerg durch congenitale Hydronephrose, nebst e. Zusammenstellg ähnl. Fälle a. d. Litt. (45) 8* Tüb., F Pietzcker 02. nn 1 —

Magen- u. Darmkrank s.: Flugschriften, hygien.

Magenkrankheiten, d., s.: Miniatur-Bibliothek.

Mager's Bibliothek d. Praxis. 1—7, u. 9. Bd. 16* Donauw., E Mager. 2.90 d

Birnbaum, M: Die Genickstarre. (32) (03.) [9.] — 30

— Der Körper d. Menschen in Bild u. Wort. (16 m. Abb. u. 1 Modell.) (05.) [7.] — 60

Ehrmann, A: Tennis. Vademecum f. Tennisspieler u. solche, d. es werden wollen. (64 m. Abb.) (04.) [1.] — 40

Greither, H: Schweinezucht u. Schweinehaltg. (45 m. Abb.) (05.) [4.] — 40

Hildebrand, O: Das Pianino, s. Bau u. s. Behandlg. (32 m. Abb.) (05.) [6.] — 50

Peschke, B: Die Feuerversicherg. (Mobilarversicherg.) (48) (04.) [2.] — 30

Rudolf, G: Die Tomate. (Paradiesapfel.) Kultur, Pflege u. Verwendg. (32 m. Abb.) (05.) [5.] — 30

Schultze, O: Die Rose, d. Königin d. Blumen, ihre Pflanzg, Züchtg u. Pflege. (63 m. Abb. u. 1 Farbdr.) (05.) [7.] — 60

Bd 8 ist noch nicht erschienen.

Mager, A: Moderne deut. Dichter. Für Schule u. Haus hrsg. 2. Afl. (354 m. Bildnissen.) 8* Wien, A Pichler's Wwe & S. 02. II 3. Afl. (291 m. Bildnissen.) 4.— Geb. je 4 — d

— Grundz. d. deut. Lit.-Gesch. Für höh. Lehranst. u. z. Selbststudium bearb. (233 m. Bildnissen.) 8* Ebd. 03. Geb. 3.20 d

Mager, E: Mit Rundreisebillet durch Italien, s.: Woerl's, L, Reisehandbuch.

Mager, E: Katech. d. Gesetzkde f. d. Gebr. an Landw.- u. landw. Winter-Schulen u. auf Grundl. d. Lehrpl. d. letzteren verf. (112) 8* Eichst., (P Brönner) 03. (P Brönner) — 80

Mager, E: Schriften- u. Urkundenfälschg u. deren Erkeng. (55) 8* Wien, M Perles 05. 1.60

Mager, J: Span. Gedichte, s.: Campoamor, R.

— Reiseskizzen. Dalmatien. — Ein Tag in Montenegro.—Wolgafahrt u. Nischnij-Nowgoroder Messe. — London. — Aus Italien. (107) 8* Münch., E Scherzer 03. — 1 — d

Mager, JN: Lohn-Berechngs-Schlüssel. (In deut., ungar. u. tschech. Sprache.) (9 auf Kart.) 14×34,5 cm. Wien, (G Szelinski) 03. Geb. 4.20

Mager, T: Die Zweiteilg d. Stolze-Schreyschen Debattenschrift, s.: Schriften d. stenograph. Gesellsch. zu Köln.

Maggini, G, s.: Volks-Atlas d. Schweiz.

Magie, D: De Romanor. iuris publici sacrique vocabulis sollemnib. in graecum sermonem conversis. (183) 8* Lpzg, BG Teubner 05. 6 —; geb. 8.60

Magisterbuch. (Verz. d. ev. Geistlichk. Württembergs.) 35. Folge 1904. Hrsg. v. W Breuninger. (217) 8* Tüb., Osiander. Kart. nn 2.50 d

Magistretti, M: Monumenta veteris liturgiae Ambrosianae. Vol. II et III. Manuale Ambrosianum. Ex codice saec. XI olim in usum canonicae Vallis Travaliae in duas partes distinctum ed. M. (302 u. 503) 8* Mailand, U Hoepli 04.05. nn 32 —
(I—III.: nn 42 —)

Magnay, Sir W: Die Männerfalle, s.: Ensslin's Roman- u. Novellenschatz.

Magner, S: Der Sport um's Dasein. Entwurf e. neuen biolog. Weltanschaug. (85) 8* Münch., Seitz & Sch. (05). 2 — d

Magnetismus, der. Anl. z. Studium d. magnet. Erscheing, sowie z. Experimentierkasten „Magnetismus". (27 m. Abb.) 8* Lpzg, Leipz. Lehrmittel-Anst. 01. — 75

— u. Hypnotismus u. ihre Gefahren. Von e. Arzte. (16) 8* Bas., (Basler Buch- u. Antiquariatsh. vorm. A Geering) 01. — 40

Magnifikat. Kathol. Gesangbüchl. m. e. Anh. v. Gebeten z. gottesdienstl. Gebr. in d. Leitmeritzer Diöz. (308 m. Titelbild.) 16* Rgnsbg, F Pustet 05. L. — 85 d

— Kathol. Gebet- u. Gesangb. f. d. Erzdiöc. Freiburg. Hrsg. im Auftrag d. Erzbischofs v. Freiburg. (Neue Ausg. v. '04.) Kl. Ausg. (770 m. 2 Abb.) 16* Freibg i/B., Herder. nn 1.20
Gr. Ausg. (770 m. 2 Abb.) 12* nn 1.40 d

— dass. Beigabe. Enth. Messgesänge u. Andachten z. neuen Afl. v. Frühj. '04. (48) 16* Ebd. — 10 d

— dass. Ergänzg. (Ohne d. Karwochenandacht.) (8) 16* Ebd. (04). nn — 10 d

Orgelbuch dazu s.: Mohr, J. — Vgl. a.: Abendandachten f. d. Karwoche.

Magnus, C: Die Geschäftsordng f. d. Gerichtsschreibereien d. Amtsgerichte v. 26.XI.1899 m. Erläutergn u. Musterausfüllgn in d. Formularen nebst e. Examinatorium f. Justiz- u. Militär-Anwärter. (176) 8* Berl., J Guttentag 01. 2.70; L. 3 — d

— Der Letzte d. Regts Gendarmes, 2. Afl., s.: Dickhuth, G.

— Vénus als Siegerin, s.: Auswahl v. Werken zeitgenöss. Schriftsteller.

Magnus, E: Die Ausgleichspflicht n. d. BGB. (120) 8* Bresl., JU Kern 01. 2.50

Magnus, E: Studien z. Überliefg u. Kritik d. Metamorphosen Ovids. VI. Noch einmal Marcianus u. Neapolitanus. (66) 4* Berl., Weidmann 02. 1 — (V. u. VI.: 2 —)

Magnus, H: Der Aberglauben in d. Medicin, s.: Abhandlungen z. Gesch. d. Medicin.

— Anl. z. Diagnostik d. centralen Störgn d. opt. Apparates, s.: Unterrichtstafeln, augenärztl.

— Die medizin. Erziehg d. Farbensinnes. Mit e. Farbentaf. (43 ×87 cm, auf Pappe) u. 72 Farbenkärtchen (in Kästchen). 2. Afl. (16) 8* Ebd. 02. 24 —

— 6 Jahrtausende im Dienst d. Äskulap. (228 m. Abb.) 8* Ebd. 05. L. 5 — d

— Metaphys. Krankenbehandlg. Medizin-geschichtl. u. kulturhist. Studien u. verwandte Bestrebgn. (20) 8* Ebd. 02. — 60 d

— Kritik d. medizin. Erkenntnis, s.: Abhandlungen z. Gesch. d. Medicin.

— Die Kurierfreiheit u. d. Recht auf d. eignen Körper. (24) 8* Bresl., JU Kern 05. — 75 d

— Das Kurpfuscherthum. (32) 8* Ebd. 03. — 75 d

— Medicin u. Relig. in ihren gegenseit. Beziehgn. s.: Abhandlungen z. Gesch. d. Medicin.

— Schiller als Arzt. [S.-A.] (16 m. 1 Abb.) 8* Lpzg, G Thieme 05. 1.50

— Die Volksmedizin. — Der Wert d. Gesch. f. d. moderne induktive Naturbetrachtg u. Medicin, s.: Abhandlungen z. Gesch. d. Medicin.

Magnus, K: Der Handel, s.: Verdeutschungsbücher d. allg. deut. Sprachver.

Magnus, KHL: Der prakt. Lehrer. Übgn, in d. Handfertigk. f. d. Unterr., unter Mitarbeit v. K Sumpf. 2. Afl. (210 m. Fig.) 8* Hildesh., A Lax 05. 3 —; geb. 3.60 d

— s.: Lehrerkalender.

— Merkb. f. Wetterbeobachter. (48) 8* Hannov., C Meyer 02. Geb. — 80

— Rechenb. f. Fortbildgssch., s.: Wenzel, K.

— Rechenb. f. Präparandenanst. 1. u. 2. Tl. 8* Hannov., C Meyer 03. Je — 80 d

1. Das Pensum d. 3. Kl. (96 m. 1 Karte.) 02.
2. Das Pensum d. 3. Kl. (104) 02.
Lehrerheft z.: Klingemann, O.

— Rechenb. f. mehrklass. Schulen. — Rechenb. f. 1- bis 3klass. Volkasch. — Übgsb. f. d. Rechenunterr., s.: Heuer, F.

Magnus, KHL, u. K **Wenzel**: Rechenb. f. Handwerker- u. ge-
werbl. Fortbildgssch. Ausg. A. I—IV. Stufe. 8° Hannov., C
Meyer.   nn 1.50 d
I. 16. u. 17. Afl. (65 m. Fig.) 05. — 40 ‖ II. 22—24. Afl. (60) 05. — 40 ‖ III.
24. u. 25. Afl. (52) 05. nn — 35 ‖ IV. 18. u. 19. Afl. (50) 04. nn — 35.
— — dass. Lehrerheft. Ausg. A. I u. II. Stufe. 8° Ebd.   1.20
I. 12. u. 13. Afl. (55) 04. — 80 ‖ II. (42) 02. — 40.
Magnus, P: Die Pilze v. Tirol usw., s.: Dalla Torre, KW v., u.
L Graf v. Sarnthein, Flora.
Magunna, P: Der aufsichtführ. Richter bei d. preuss. Amts-
gerichten, s. Rechte u. Pflichten. 3. Afl. (250) 8° Berl., HW
Müller 02.   5 —; geb. nn 6´—
Mahl-Schedl: Index, s.: Mayrhofer, E, Hdb. f. d. polit. Ver-
waltgsdienst.
Mahl-Schedl-Alpenburg, FJ: Grundr. d. kathol. Kirchen-
rechtes m. Berücks. d. österr. Gesetzgebg. 2. Afl. (280) 8° Wien,
A Hölder 05.   4.80; geb. 5.40
Mahlau's Frankfurter Adressbuch 1903. 35. Jahrg. (800, 82 u.
5 m. 5 Pl.) 4° Frankf. a/M., Mahlau & W.   Kart. nn 10 —
                                             geb. nn 12 —
Fortsetzg s. u. d. T.: Adressbuch, neues, f. Frankfurt am Main.
— Bücherei, Verz. aller erschein. Städte-, Länder-, Welt- u.
Fach-Adressbücher sowie sonst. Nachschlagewerke. Nebst e.
Anh.: Die 1. Nachschlage-Bücherei. (Adressb. d. Adressbücher.)
(Neue Afl.) (69) 12° Ebd. (01).   — 75
Mahler, A, s.: Museum, d. stereoskop.
— Polyklet u. s. Schule. (159 m. Abb.) 8° Athen, Beck & Barth
02.   9 —
Mahler, F: Der Kindertausch. Ein lustig Buch f. gross u. klein.
(Einbd: Paul u. Christian od. d. Kindertausch.) (21 farb. Bl.)
8° Mainz, J Scholz (03).   Geb. 1.50 d
— Neue Postkarten-Grüsse. Epigramme. (32) 8° Berl., Bero-
lina (F Cronmeyer) (03).   — 50
— Die Reise d. Tiere. Bilderb. (6 farb. S. auf Pappe.) 8° Berl.,
W Dilms (02).   Geb. — 50 d
— Würzewein. Ges. Schelmenlieder u. and. Scherzdichtgn. (158)
8° Berl., Berolina (F Cronmeyer) 03.   2 —; L 3 —
Mahler, G: Physikal. Aufgabensammlg. — Physikal. Formel-
sammlg. — Eb. Geometrie, s.: Sammlung Göschen.
— Leitf. f. d. Anfangs-Unterr. in d. Algebra. Resultate. (87)
8° Stuttg., A Bonz & Co. (1896).   nn 1.30
              (Hauptwerk u. Resultate: nn 2.40) d
Mahler, L: Prakt. Grammatik d. amhar. (abessin.) Sprache.
(223) 8° Wien (I, Wollzeile 6), L Mahler 06.   12 —
Mahler, M: Die natürl. Verbindlichk. im R[öglb. (85) 8° Berl.,
Struppe & W. 04.   7 — d
Maehler, D: Die Erbin. Schausp. (195) 8° Strassbg, J Singer
05.   3 —
— Schnuller-Peter. Schnuller-Liese. Schneider Ziegenböck, d.
unfolgsame Peter. Der Jägersmann. Die unfolgsame Liese.
Onkel List. Tante Müller. Nikolaus. Lustige Erzählgn m.
droll. Bildern. (32) 4° Nürnbg (05). (Lpzg, A Cavael.) Geb. 2.50 d
Mahlert, A: Lehrb. d. Planimetrie f. höh. Mädchensch. Als
Abschluss d. Rechenb. f. höh. Mädchensch. v. H Müller u. O
Schmidt u. d. Lehrb. v. H Müller bearb. (86 m. Fig.) 8° Lpzg,
BG Teubner 06.   Geb. 1.30 d
Mahlich, P, s.: Kaninchen, uns.
— Kaninchenzucht, s.: Bibliothek f. Sport u. Naturliebhaberei.
— Hasbach, DH.
— Nutztaubenzucht, s.: Bibliothek f. Sport u. Naturliebhaberei.
Mahling: Die Reform d. Konfirmations-Praxis, s.: Flugschrift,
kirchlich-soz.
Mählis, F: Neue Einteilg d. Jahres. [S.-A.] (4) 8° Dresd. (Chri-
stianstr. 23), Selbstverl. (05).   — 20 d
Mahlmann, M: Magister Andreas Reyher, d. treue Mitarbeiter
Herzog Ernst d. Frommen. (56 m. 1 Bildnis.) 8° Gotha, EF
Thienemann 01.   1 — d
Mahn, Frau A, s.: Wothe, A.
Mahn, E: Darstellg d. Syntax in d. sog. angelsächs. Physio-
logus. (65) 4° Neubrandnbg 05. (Rost., H Warkentien.) 2 — d
Mahn, P: Der kranke Fritz. Novelle. (116) 8° Berl., F Fontane
& Co. 03.   2 —; geb. 3 — d
— Kreuzfahrt. Glossen and. Rand e. Lebens. Aus d. Aufzeichnng
e. Freundes. (214) 8° Ebd. 02.   3 —; geb. 4 — d
Mahner, A: Leitf. f. d. Unterr. in d. Warenkde an kaufmänn.
Fortbildgssch. 2. Afl. (146 m. Abb.) 8° Wien, A Hölder 02.
                                             Kart. 1.20 d
Mahnert, L: „Ich muss d. Evangelium predigen." Ordinations-
u. Einführgspredigt. (14) 8° Hamm, (Emil Griebsch) 02. — 25 d
— 4 Jahre ev. Arbeit in Steiermark. Ansprache. (22) 8° Lpzg,
(C Braun) 03.   nn — 10 d
Mahnruf an d. Mütter v. e. Mutter, nebst Briefen a. e. Sohn,
a. d. Engl. (16) 8° Berl. (C. 2, Kaiser Wilhelmstr. 39, II), Ver.
„Jugendschutz" 1896.   nn — 20
Mahnung, e., an Deutschlds Söhne, v. L v B. (16) 8° Mexiko,
(Ruhland & Ahlschier) 01.   nn — 50
— ernste, zu polit. Umkehr. Ein Wegweiser z. endgilt. Behebg
d. ewigen Parlaments- u. Staatskrisen in Oesterr. Von
Austriacus. (32) 8° Wien, Huber & Lahme Nf. 02.   nn — 80 d
Maehnz, E: Schnitt d. Obstbäume auf Form u. Frucht. 2. Afl.
d. Zwergbaumzucht. (103 m. Abb.) 8° Erf. (01). Berl., Lehr-
bücher-Verl.   Kart. 2 —
Mahraun, H: Volkswirtschaftl. Leseb. z. Unterr.-Gebr. 2. Afl.
(102) 8° Berl., C Heymann 02.   Geb. 1.25 d
Mahrenholtz, A: Grundr. d. Naturgesch., s.: Schilling, S.

Mahrenholts, A: Die agrikulturchem. Übgn an Landw.-Schulen.
2. Afl. (68 m. Abb.) 8° Liegn., Reisner 01.   Kart. 1.40
Mai, 1. Red.: W Ellenbogen. (8 m. Abb. u. 1 Taf.) 4° Wien,
Wiener Volksbh. 05.   20 d
Mai, C, s.: Bericht üb. d. 4. Jahres-Versammlg d. freien Ver-
einigg deut. Nahrgsmittelchemiker.
Mai, O: Das Geheimnis d. Stollens, s.: Weber's moderne Biblio-
thek.
Mai, M: „Voraussetzgslosigkeit" in Theorie u. Praxis. Krit.
Beleuchtg d. „Falles Lenz" u. d. „Falles Lehmann". [S.-A.]
(54) 8° Münch., Lit.-artist. Anst. 02.   1 — d
Maja, V v.: Die kl. Bühne. Nr. 3. Der Tharer-Wirt. Volks-
schausp. (73) 8° Innsbr., F Rauch 01.   1 — (Vollst.: 2.30) d
Maiandacht z. Verehrg d. allerselig. Jungfrau Maria. Gebete,
Litaneien u. Lieder. (44) 16° Bresl., F Goerlich (03). ‖ Neue
Afl. (48 m. Titelbild.) (04.)   Je — 10 d
Maidorf, M: Frend´ u. Leid im kl. Kreise. Mariechens Brief.
— Licht u. Schatten. — Mutters Romreise. — Rudolfs Stief-
mutter. Eine böse Schuld. — Der verhängnisvolle Steinwurf.
— Am schönen Strand d. Mosel, s.: Bachem's Jugend-Er-
zählgn.
Maier's Contor- u. Reisek. v. Deutschl. & d. angrenz. Ländern.
1:1,890,000. 5. Afl. 59×69 cm. Farbdr. Nebst Ortsverz. (11)
8° Ravnsbg, O Maier (04).   — 60
— drehbare Sternk. Mit Text auf d. Rücks. (Kl. Ausg.) (1 Bl.)
4° Ebd. (03). — 50 ; Salonausg. m. Golddr. (— 60) — 75 ; gr. Schulausg. 1.20 ; kl. Taschenausg. — 50 d
Maier: Die Musenstadt Tübingen. Bilder a. Vergangenh. u.
Gegenwart. (219 m. 25 Lichtdr.) 8° Tüb., (Oslander) 04.
                                             Geb. 3.50 d
Maier, A: Das musikal. A-B-C f. d. Männer-Chorgesang. 5. Afl.
(27) 12° Nürnbg, C Koch (02).   — 30 d
— Sangesblüten. Ausgew. Lieder u. Gesänge in 2- u. 3stimm.
Bearbeitg ohne Begleitg sowie 1- u. 2stimm. Lieder m. Kla-
vierbegleitg. 3. Afl. (81) 8° Nürnbg, F Korn (05).   Kart. 1.30
— Weihnachts-Festsp. „Weihnachtszeit, frohe Zeit". Melodra-
mat. Prolog m. Reigen, leb. Bildern u. Gesang. Dichtg v. P
Ulsch. Opus 87. (Textb.) (16) 8° Rgnsbg, A Coppenrath's V.
(04).   — 20
Maier, AC: Der Verband d. Glacéhandschuhmacher u. ver-
wandten Arbeiter Deutschlds, s.: Wirtschafts- u. Verwaltungs-
studien.
Maier, E: Abwasserreinigg, s.: Dobel, E, Kanalisation.
Maier, E: 200 Postkartengrüsse, s.: Miniatur-Bibliothek.
— 8° Freibg i/B., Speyer & K. 04.   nn 1 — d
Maier, F: Lehrg. d. Redeschrift d. Gabelsb.'schen Systems.
(45) 8° Wolfenb., (Heckner) 04.   nn 1.10
Maier, F, s.: Studien, psych.
Maier, FJ: Zur Aetiol. d. Chorioiditis disseminata. (23) 8° Tüb.,
F Pietzcker 02.   nn — 70
Maier, G: Gedichte. (423) 8° Dresd., E Pierson 05.   3.50 ;
                                             geb. 4.50 d
Maier, G: Soz. Beweggn u. Theorien bis z. modernen Arbeiter-
bewegg, s.: Aus Natur u. Geisteswelt.
Maier, H: Die Austraggn u. Schiffgn d. Zimmermanns in d.
Theorie u. Praxis. (58 m. Abb.) 4° Lpzg, C Scholtze 05. 5 —
— u. K **Wöhr**: Neue Formen d. Friedhof-Architektur. Eine
Reihe v. Grabmonumenten, Grabkreuzen, Platten u. Aschen-
urnen. 5 Lfgn. (41 Taf. m. 5 Bl. Text.) 4° Münch., (E Pohl.
Stuttg., P Mähler) (03-04).   Je 1.50 ; Mappe 1 —
Maier, JG: Bauernehre u. and. soz. Geschichten. (82) 8° Salzbg,
(E Höllrigl) 04.   — 80 d
Maier, K: Die staatl. Aufsicht üb. d. Kommunalverbände. (110)
8° Lpzg, O Maier 05.   1 — d
Maier, KO: Schriften-Sammlg f. Techniker aller Art. 50 Taf.
nebst Beiheft m. verkleinerten Schriften. (8 S. Text.) 8° Ravnsbg,
O Maier (03).   1.50
Maier, M: Die „gelbe Gefahr" u. ihre Abwehr. (55) 8° Bas.,
Basler Missionsbh. 05.   nn — 65 d
Maier, M: Haftpflichtrecht, s.: Lass, L.
Maier-Bode, F: Buchführg f. bayer. Landwirte, s.: Dürig, F.
— Der prakt. Landwirt. (320 m. Abb. u. 18 Farbdr.) 8° Clm, J
Ebner (02).   L. 7 — d
— Des Landwirts Schriftverkehr, s.: Krausbauer, T.
— s.: Taschen- u. Schreibkalender, landw.; bezw. bayer. landw.
u. württemberg. landw.
— u. C **Neumann**: Die Getreideverkaufsgenossenschaft, ihr Nutzen,
ihre Gründg u. ihre Einrichtgn, nebst Beschreibgn üb. d. Betrieb u. d. geschäftl. Resultate einz. bestandn. Getreidesatzm.
u. Kornhausgenossensch. in Deutschl. (354 u. 27 m. Abb.) 8°
Stuttg., E Ulmer 02.   6.80 ; geb. nn 7.80 d
Maier-Maier, Kaufmann, Kl. Scherz f. Familien-Abende. (6)
8° Stuttg., Holland & J. (03).   — 15 d
Maier-Rothschild: Hdb. d. ges. Handelswiss. 84—87. Taus.
2 Tle in 1 Bd. (415 u. 608) 8° Berl., Verl. f. Sprach- u. Handels-
wiss. 05.   L. nn 12 — d
Maier-Rothschild-Bibliothek, 5., 11., 13., 90. u. 26—29. Bd.
8° Berl., Verl. f. Sprach- u. Handelswiss.   17 —; geb. 23 —
Handelskorrespondenz. 2. Afl. (95) [08.] [20.]   2 —; geb. 3 —
Mämminger, M: Grundz. d. polit. Ökonomie. [In 2 Abtlgn.] 2. Aufg. Wirt-
schaftslehre u. Handwerkerswesen. 4. Afl. (125) [04.] [4.] ‖ 3. Abtg.
Finanzwiss. 2. Afl. (466) 04. [5.]   2 —; geb. 3 — d
Hönncher, E: Prakt. Lehrg. d. engl. Sprache als Vorbereitg auf d. engl.
Handelskorrespondenz. 2. Afl. (466) 04. [26.27.] 4 —‖ geb. 5 — d

Hönacher, E: Prakt. Lehrg. d. franzö. Sprache als Vorbereitg auf d. franzö. Handelskorrespondenz. 3. Aß. (343) [04.] [†?8.89.] 3 — ; geb. 4 — d
Schär, JF: Handelskorrespondenz u. Wechsellehre in Verbindg m. d. kaufmänn. Betriebslehre. 2 Tle in 1 Bde. 2. Aß. (128 u. 146) 03. [12.13.] 4 — ;
geb. 5 — d

Maierl, E: Kl. Erdkde. (Mit Ausschl. d. Österr.-ungar. Monarchie.) (35) 8° Leoben, M Enserer 02. — 40 d
— Kl. Heimatkde v. Steiermark n. Landschaftsgebieten. (27) 8° Ebd. 01. || 2. Aß. (35) 02. || 3. Aß. (27) 04. Je — 30 d
— Präparat. z. unterrichtl. Behandlg d. Heimatl. Steiermark. (182) 8° Ebd. 01. 2.50 d
— Uns. Vaterland, d. österr.-ungar. Monarchie. Geograph. Präparat. (273) 8° Ebd. 02. 3.50; geb. 4 — d
— Kl. Vaterlandskde d. Österr.-ungar. Monarchie. (39) 8° Ebd. 02. || 2. Aß. (40) 04. Je — 40 d
Majestät s. A. D. Psycholog. Romanstudie a. d. fürstl. Frauenleben zu Beginn d. 20sten Jahrh. (Von Truth.) 1—3. Taus. (192) 8° Berl., R Eckstein Nf. (03). 2 — ; geb. 3 —
Majestäten, alpine, u. ihr Gefolge. Die Gebirgswelt d. Erde in Bildern. 4 Bde. 44.5×30,5 cm. Münch., Verein. Kunstanst. Geb. je 18 —; auch in je 12 Hftn zu 1 —;
1. u. 2. Bd kart. erm. Pr. je 10 —
L 280 Ansichten m. einleit. Text u. 1 Einteilgrk. d. Alpen v. A Rothplets. (144 Bl. m. 80 Sp. Text.) 01.
II. 272 Ansichten m. einleit. Text v. E Platz, nebst e. Gliedergsk. d. Alpen v. A Rothplets. (135 Bl. m. 12 Sp. Text.) 02.
III. 266 Ansichten m. einleit. Text v. E Platz, nebst 1 Gliedergsk. d. Alpen v. A Rothplets. (119 Bl. m. 14 Sp. Text.) 03.
IV. 272 Ansichten m. einleit. Text v. W Bauer, nebst 1 Gliedergsk. d. Alpen v. A Rothplets. (116 Bl. m. 8 Sp. Text.) 04.
Majestätsbeleidigungen. Randglossen zu d. v. Kaiser Wilhelm am 4.IX.'02 im Ständehaus zu Posen geh. Ansprache. (32) 8° Wien, J Eisenstein & Co. 02. — 60
Maifeier 1904 u. 5. (Red.: W Paetzel.) (Je 8 m. Abb.) 4° Berl., (Bh. Vorwärts). Je — 10 d
— dass. 1902 u. 3. (Red.: W Ellenbogen.) (Je 8 m. 2 farb. Abb. u. 1 farb. Taf.) Fol. Wien, Wiener Volksbh. Je — 20 d
Maigatter, F: Deut. Gesch., s.: Schenk, K. — Wolff, E.
Maikow, AN: Gedichte, s.: Universal-Bibliothek.
Mailand, E: Das wiederentdeckte Geheimnis d. altitalien. Geigenlackes. Nach d. vergriff. französ. Orig.-Werke „Découverte des anciens vernis italiens". Übertr. u. ergänzt v. d. Red. d. „Zeitschrift f. Instrumentenbau". (74) 8° Lpzg, P de Wit 03. 2.50
Mailänder's, JG, Buchführg, 4. Aß., s.: Bandtel, J, einf. Buchführg.
— Leseb. f. Kl. I d. Elementaranst. u. höh. Mädchensch. (156) 8° Stuttg., Deut. Verl.-Anst. (03). — 55; geb. nn — 80 d
— Deut. Leseb. f. höh. Mädchensch. 3 Bde. 8° Stuttg., A Bonz & Co. 5 — ; geb. nn — 60 d
I. (8. u. 3. Schulj.) 2. Aß. (230) 03. 1.70; geb. nn 2 — d
II. (4. u. 5. Schulj.) 2. Aß. (342) 03. 1.80; geb. nn 2.10 || 3. (6. u. 7. resp. 8. Schulj.) 2. Aß. (291) 02. 2 — ; geb. nn 2.40.
Mailath, J Graf: Studien üb. d. Landarbeiterfrage in Ungarn, s.: Studien, Wiener staatswiss.
Maimonides s. a.: Maimuni.
— Commentar z. Tractat Kethuboth, Abschn. VI, VII, VIII. Arab. Urtext nach d. Handschriften auf Grund v. 4 Handschriften zu 1 Male hrsg., ins Deut. übers. u. m. krit. Anmerkgn versehen v. G Freudmann. (43 u. 20) 8° Berl., (L Lamm) 04. 2 —
— Commentar z. Tractat Kidduschin. Krit. Éd. d. arab. Urtextes m. verb. hebr. Uebersetzg, Einl. u. Anmerkgn. Von AB Nurock. (10, 44) 8° Berl., M Poppelauer 02. 2 —
— Commentar z. Tractat Pesachim, z. 1. Male im arab. Urtext auf Grund v. 4 Handschriften hrsg. u. m. Text u. Übersetzg klarstell. Anmerkgn versehen v. H Kroner. (27 u. 37) 8° Berl. 01. (Frankf. a/M., J Kauffmann.) 2 —
— Commentar z. Tractat Sanhedrin. Abschn. IV—V. Arab. Urtext m.verb. hebr. Uebersetzg, Einl. u. Anmerkgn. Von 1 Bleichrode. (36 u. 11) 8° Berl., L Bleichrode 04. 1.50 d
— Commentar z. Tractate Tamid. Arab. Text m. verb. hebr. Uebersetzg nebst Anmerkgn. Hrsg. v. M Fried. (16 u. 36) 8° Frankf. a/M., J Kauffmann 03. 1.50
— Commentarien in Mischnam ad Tractatum Joma (Cap.I—IV). Textum arabicum ed. adnotationibusque illustr. E Hirschfeld. (14, 18) 8° Budap. 02. Berl., S Calvary & Co. 2 —
— dass. ad tractatum Sabbat (Cap. VIII—XII). Textum arabicum ed. adnotationibusque illustravit M Katz. (12, 20) 8° Ebd. 03.
— dass. ad tractatum Taanith. Textum arabicum cum versione hebr. adnotationibusque ed. B Sik. (8, 24) 8° Ebd. 02. 1 —
— Einl. in d. Mišna. Arab. Text, m. umgearb. hebr. Uebersetzg d. Charizi u. Anmerkgn hrsg. v. B Hamburger. (17 u. 73) 8° Frankf. a/M., J Kauffmann 02. 3 —
— Der Mischnah-Commentar z. Tractat Mo'ed ḳaṭan u. z. Tractat Sabbath V, VI, VII. Nach d. Handschriften zu Berlin, Budapest u. London z. 1. Male im arab. Urtext nebst verb. hebr. Uebersetzg hrsg. v. J Simon. (8, 33) 8° Berl. 02. (Frankf. a/M., J Kauffmann.) 2 —
— Mischnah-Commentar z. Traktat Taanith I. II. Im Urtext m. hebr. Uebersetzg d. El-Fawwal m. Einl. u. Anmerkgn z. 1. Male hrsg. v. A Källner. (42 u. 13) 8° Lpzg, (MW Kauffmann) 02. 1.50
Maimuni, Mose ben, s. a.: Maimonides.
— 8 Capitel, analyst. nach m. Anmerkgn v. M Wolff. 2. Ausg. (96 u. 40) 8° Leid., Bh. u. Dr. vorm. EJ Brill 03. nn 5 —

Maimuni, Mose ben: Commentarius in Mischnam ad tractatum Sabbath (cap. XIX—XXIV). Textum arabicum ed. adnotationibusque illustr. L Kohn. (12, 20) 8° Budap. 03. (Berl., S Calvary & Co.) 1.50
— Mischna-Kommentar z. Traktat Kethuboth (Abschn. I u. II). Arab. Urtext auf Grund v. 2 Handschriften z. 1. Male hrsg. m. verb. hebr. Uebersetzg d. Jacob ibn Abbasi, Einl., deut. Uebersetzg nebst krit. u. erläut. Anmerkgn. Von S Frankfurter. (40 u. 16) 8° Berl., L Lamm 03. 2 —
— dass. z. Tractat Megillah, nebst d. hebr. Uebersetzg z. Josef ibn Al-Fawwal. Krit. Ed. m. Anmerkgn. Hrsg. v. S Behrens. (19 u. 26) 8° Frankf. a/M., J Kauffmann 01. 1.50
Mainbote v. Oberfranken. Haus- u. Familien-Kalender f. 1906. Kathol. u. protestant. Ausg. (Je 90 m. Abb. u. 2 farb.Taf.) 8° Lichtenf., HO Schulze. Je — 30 d
Mainer, O: Bunte Blüten. Gedichtsammlg. (48) 12° Erl. 03. Bamberg, Selbstverl. nn 1 —
Maingis, L: Die Versicherg d. Mutterschaft. s.: Frank, L.
Mainhard, L: Bäuerl. Grenzverhältn. [S.-A.] (16) 8° Karlsr., G Braun'sche Hofbuchdr. 02. Je — 30 d
— Das formelle Grundbuchrecht im Grossh. Baden, s.: Lang's Sammlg deut. u. bad. Ges.
— Muster 36. Anl. f. d. Hilfsbeamten d. Grundbuchämter. (122) 8° Karlsr., G Braun'sche Hofbuchdr. Kart. 2 — d
Mains, B: Das Haushaltgs-Buch d. ökonom. Hausfrau. Hausw. Einnahme- u. Ausgabeb. f. jeden Tag d. Jahres. (76) 4° Münch., (H Hugendubel) 04. — (Lpzg, P Stiehl.) Geb. 1.50
Mainzer, O: Der Anschlagsunterr. u. d. Sprechübgn in d. beiden ersten Schulj., s.: Abhandlungen, pädagog.
Mainzer, J: Beitrag z. Kenntnis d. Ätiol. d. Keratitis parenchymatosa. (29) 8° Tüb., F Pietzcker 01. nn — 80
Mainshausen, C: Die Ges. d. elektr. Stromes. (92 m. Abb.) 8° Stieglitz 03. Berl., C Malcomes. L. 2 —
Major, O: Als d. Rittertum in Blüte war. Roman. Übers. v. A Wirth. (222) 8° Stuttg., Union (05). 3 — ; L. 4 — d
Major, G: Neue Wege f. d. Relig.- u. Konfirmanden-Unterr. Abnormer. (85) 8° Jena, H Costenoble 05. 1.50
Majr's, F, deut. Leseb. f. d. Bürgersch. Österr. Hrsg. v. F Echsel, JW Holczabek u. J Kraft u. a. I. u. II. Tl. 4. Aß. (208 u. 232) 8° Wien, F Tempsky 03. Geb. je nn 1.60 d
— dass. f. d. allg. Volkssch. Niederösterr. Hrsg. v. F Echsel, K Hilber, JW Holczabek u. a. 1. Tl: Fibel. (Fürd. 1. u. 2.Schulj.) (111 m. Abb.) 8° Ebd. 03. Geb. nn — 70 d
— dass. d. 2.- bis 3klass. Volkssch. Niederösterr. Hrsg. v. F Echsel, K Hilber, JW Holczabek u. a. II. u.III. Tl. 8° Ebd. 03. Geb. nn 3.60 d
II. (Mittelst.) (208 m. Abb. u. 1 Karte.) nn 2.10
III. (Oberst.) (408 m. Abb. u. 1 Karte.) nn 2.10
— Liederb. f. österr. Bürgersch. 9. Aß. v. A Kirchl. (144) 8° Wien, A Pichler's Wwe & S. 05. Geb. 1.10 d
— Liederstrauss. 1- u. 2stimm. Lieder, nebst d. Wichtigsten a.d.Gesanglehre f. österr.allg.Volkssch. Neue Aß. v. A Kirchl. 3 Hefte. 8° Ebd. 05. — 80 d
I. 1. u. 2. Schulj. — ; II. 3. u. 4. Schulj. 11.Aß. (64) — 30 || III. 5.Schulj. 10. Aß. (64) — 30
— dass. Ausg. f. 1-, 2- u. 3klass. Volkssch. in 1 Hefte. 2. Aß. (96) 8° Ebd. 03. — 50 d
— dass. Ausg. f. 4-, 5- u. 6klass. Volkssch. 2 Hefte. 8° Ebd. 03. Kart. je — 50 d
1. Unter- u. Mittelst. || 2. Oberst.
— Prakt.Singlehre f.österr.Volks- u.Bürgersch. 1. Heft. 27.Aß. (36) 8° Ebd. 04. — 24 d
Majr, I: Gerichtlich-medicin. Casuistik d. Kunstfehler. Sammlg der in d. deut. Litt. veröffentlichten Fälle ärztl. Unglücke u. v. Ärzten m. Übertretg ihrer Berufspflichten begangenen fahrläss. Tötgn u. Körperverletzgn. (3 Tle in 1 Bde.) Neue [Tit.-]Ausg.; (66, 109 u. 110) 8° Münch., Berlinische Verl.-Anst. [1892,93] (05). 7.90
Majr, JF: Der Sensenschmied v. Volders, s.: Erzählungen f. Jugend u. Volk.
— Speckbacher. Eine Tiroler Heldengesch. 1. u. 9 Aß. (558 m. 3 Taf.) 8° Innsbr., H Schwick 04. 4 — ; L. 5 — d
Majr, S: Ein Stückchen Himmelblau a. d. Tiroler Bergen. Gedichte. (132) 8° Boz., Bh. „Tyrolia" 02. 1.70 d
Majran, J H, s.: Optik, meteorolog.
Maire, S: Würdigg Kaiser Heinrichs VI. (27) 4° Berl., Weidmann 02. 1 —
Mairet, J: Meeresblume, s.: Kürschner's, J, Bücherschatz.
— La petite princesse, s.: Schülerbibliothek, französ.
— Zwiefach besiegt u. and. Novellen, s.: Kürschner's, J, Bücherschatz.
Mairich, A: Hilfstab. z. Berechg eiserner Baukonstruktionen. I. Tl. (39 m. Fig.) 8° Chemnitz (Nicolaistr. 2), Ingen. Mairich (03). L. 3.75
Mairon, E: Geschäfts-Kalender (f. d. Notariate u. Grundbuchämter Badens). (1904.) 65×47 cm. Karlsr., G Braun'sche Hofbuchdr. — 50 d
Mairoser, G: Gesch. d. Exp. Peter Kolbs n. d. Kap d. guten Hoffng 1705. Seine kleineren schriftstellen. Arbeiten. (82) 8° Nürnbg, (C Koch) (02). — 60 d
Maisch, L: Das Recht z. Stenographieren u. d. Recht am Stenographierten, s.: Abhandlungen z. schweiz. Recht.
Maisch, R, u. F Pohlhammer: Griech.Altertumskde, s.: Sammlung Göschen.

Maison, H: Der gute Doktor, s.: Nassauer, M.
Maiss, E; Hilfsb. z. Naturlehre. — Hilfsb. z. Physik. — Naturlehre. — Physik, s.: Höfler, A.
Maistre, Graf X de: Die Gefangenen im Kaukasus, s.: Zehn-Pfennig-Bibliothek, Frankf.
— La jeune Sibérienne, s.: Auteurs franç. modernes (H Saure).—
Prosateurs franç. (F d'Hargues).
— Die junge Sibirierin, s.: Meyer's Volksbb.
Maitland, Klara, s.: Bachem's Jugend-Erzählgn.
Majunke, P: Gesch. d. „Kulturkampfes" in Preussen-Deutschl. Wohlf. Volksausg. 2. Afl. (283) 8° Paderb., F Schöningh 02. 1.80; geb. 2.60 d
Maiwald, V: Gesch. d. Botanik in Böhmen. (297) 8° Wien, C Fromme 04. 5.50
Maiwald, W: Kurzgef. Lehrb. d. Mathematik. — Sammlg v. Aufgaben a. d. Arithmetik usw., s.: Baltin, R.
Maiseroy, R: Sinnl. Liebe. Roman. Nach d. Franz. v. R Steindorf. (311) 8° Budap. (04). Lpzg, Bibliograph.Anst. A Schumann. 3 — d
Makar, S: Die Gustel v. Blasewitz. Beitrag z. Schillerfeier. (32) 16° Würzbg, N Philippi 05. — 85 d
Makower, H: Ges., betr. d. privatrechtl. Verhältn. d. Binnenschiffahrt u. d. Flösserei, 3. Afl. v. E Loewe, s.: Guttentag's Sammlg deut. Reichsges.
— Handelsgesetzb. m. Kommentar. 1. Bd, unter Zugrundelegg d. Fassg d. Handelsgesetzb v. 10.V.1897 u. d. BGB. neu bearb. v. F Makower. 12. (d. neuen Bearbeitg 1.) Afl. 5.—7. Lfg. 8° Berl., J Guttentag. 15 — (I—III.: 47 —; Einbd in HF. je nn 2 —) d
5. 1. Tl: Buch I u. II (Handelsstand, Gesellschaften). (891—892) 01. 8 —
(I. Tl vollst. 10 —)
6.7. II. Tl: Buch III (Handelsgeschäfte). (803—1568) 02. 12 —
Nachtr. x, 2, Bde s.: Loewe, E, d, Seemannsordng.
Makowska, E v.: Gedichte. (32) 8° Wien, Verl.-Anst. neuer Lit. u. Kunst (04). 3.50
Makowski, L: Abschied, s.: Siedenburg's Sammlg v. Einaktern.
— Zu Befehl, Herr Rittmeister!, s.: Universal-Bibliothek.
— Adolar Eisenbart, Spezial-Reisender f. Ehestands-Artikel, s.: Hochzeits-Album.
— Der Geburtstagshase, s.: Album f. Liebhaber-Bühnen.
— Die Hausgeister, s.: Hochzeits-Album.
— Eine verunglückte Pfingstpartie, bearb. v. P Meinhold, s.: Danner's, G, Herren-Bühne.
— Der Teufel auf Besuch, s.: Album f. Liebhaber-Bühnen.
Makowsky, A, u. A Rzehak: Führer durch d. Höblengebiet v. Brünn. (48 m. Abb. u. 1 Karte.) 8° Brünn, C Winkler 05. 1.30
Malade, T: Geschichten v. d. Scholle. (148) 8° Brnschw. 01. Lpzg, R Sattler. 1.80; geb. 2.60 d
— dass. 2. Afl. (221) 8° Berl., Gebr, Paetel 05. 3 —; L, 4 — d
— Der Hilfsprediger. Roman. (164) 8° Berl., Herm. Walther 02. 3 — d
— Lebenskünstler. Schausp. (115) 8° Brnschw. 05. Lpzg, R Sattler. 2 — d
Maladinski-Schramm, Frau M: Techniker. Festsp. — Irrsteine am Ostseestrande. Erzählg. (51) 8° Stettin (Preussischestr.33 I), Selbstverl. 05. 1 — d
Malapert-Neufville, MC Frfr. v., s.: Heisterbergk, C.
— Schlichte Geschichten a. d. Volke u. f. d. Volk. (200) 8° Dresd., E Pierson 03. 2 —; L, 3 — d
— Malergeschichten. 9 Novellen. (236 m. Bildnis u. 8 Taf.) 8° Ebd. 02. 4 —; geb. 4 — d
— Aus Nord u. Süd. 9 Novellen. (247) 8° Ebd. 01. 3 —; geb. 4 — d
— dass. Neue Folge v. Novellen u. Skizzen a. d. Leben. (213) 8° Ebd. 05. 3 —; geb. 4 — d
Malassez, Mme J: Hist. du petit Paul, s.: Schulbibliothek, französ. u. engl. (F Lotsch).
Malberg s.: Kalender f. d. höh. Schulwesen Preussens.
Malbuch, mein erstes. 4 Sorten. (Je 8 [4 farb.] Bl.) 8° Mainz, J Scholz (05). — 40 d
— d. leichte. (12 [6 farb.] Bl.) 8° Essl., JF Schreiber (05). — 60 d
— neues, m. Malkasten u. Palette. (42 m. z. Tl farb. Abb.) 8° Nürnbg, T Stroefer 01. Geb. 1.50 d
— d. prakt. 2 Nrn. (Je 16 [8 farb.] Bl. ohne Text.) 8° Ebd. (01). Je 75 d
Mal- u. Zeichenbuch, e., m. Glückwunsch-Karten. (10 Bl. m. z. Tl farb. Abb.) 8° Nürnbg, T Stroefer (04). — 75 d
Malbüchlein f. Herzblättchens Mussestunden. (8 m. z. Tl farb. Abb.) 12° Konst., C Hirsch (01). — 10 d
Malcher, J: Wie spreche ich m. meinen Landarbeitern? Deutsch-poln. Sprachführer. (67) 12° Berl., Deut. Tages-Zeitg (03). 1 — d
Malchow, v.: Die Ereignisse vor d. Schlacht bei Custozza 1866, s.: Beiheft z. Militär-Wochenbl.
Malciszewski v. Tarnawa, J Ritter: Kriegserfahrgn a. d. russisch-japan. Kriege lib. d. 3 Hauptwaffen. (60 m. Textskizzen.) 8° Wien, LW Seidel & S. 05. 3.20
— Die Schlachtfeldbefestiggn n. d. Erfahrgn d. russisch-japan. Krieges, d.einschläg.Veröffentlichungen, Reglements u. d.Kriegsgesch. (70 m. Textskizzen u. 8 Taf.) 8° Ebd. 05. 2 —
Malden, A (A Mandl): Irrwege. Novellen. (272 m. Bildnis.) 8° Berl. (05). Oranienbg, W Möller. 2 —; geb. 2 — d
— Die Mutter sr Kinder u. Anderes. (156) 8° Oranienbg, W Möller (05). 1 —; geb. 2 — d
Maldfeld, G: Die deut. Interpunktion u. ihre Behandlg in d. Schule. (64) 8° Eschw., J Braun 05. — 80 d

Maler, d, kleine. 2 Sorten. (Je 10 z. Tl farb. S.) 8° Stuttg., G Weise (04). Je — 15 d
— d, närr, s.: Gabelsberger-Bibliothek.
Maler-Bundes-Zeitung. Illustr. Fachbl. f. Dekorationsmaler, Anstreicher u. Gewerbetreib. verwandter Gebiete. Red.: R Schultz. Jahrg. 1905. 12 Hefte. (1. u. 2. Heft. Je 24 m. Abb. u. 2 Taf.) 4° Lpzg. (Dresd., Gewerbe-Bh.) 6 —
Malerei, d., s.: Meister, alte, (in d. Farben d. Orig. wiedergegeben).
— dekorative, u. Flächen-Verzierg. Verz. v. Vorlage-Werken, Lehr- u. Handbüchern. (146 m. Abb. u. 4 farb. Taf.) 4° Berl., B Hessling (03). — 60
— d, keram., illustr. Anl. z. selbständ, Erlerng d. Porzellan-Malerei u. Überblick üb. d. Glas- u. Unterglasur-Malerei u. d. sonst, wichtigsten Arten keram. Malerei. Hrsg. v. d. Schriftleitg d. „Kunstmaterialien- u. Luxuspapier-Ztg". (Verf. v. M Mayr.) (104) 8° Münch. VII, Münch. Geschäftsstelle d. „Kunstmaterialien- u. Luxuspapier-Zeitg". (Nur dir.) 1.50
— d., d. alten Meister, s.: Meister, alte.
Malereien, neue. 2. Folge. Dekorative Arbeiten v. A Maennchen, Berlin. Hrsg. v. E Wasmuth. (Mappentitel: Neue Malereien. 2. Folge. Sammlg prakt. Vorbilder, entworfen u. ausgeführt v. A Maennchen.) (In 10 Lfgn.) 1—4. Lfg. (32 Taf. in Farben- u. Lichtdr. m. 3 S. Text.) 50×34 cm. Berl., E Wasmuth (03.04). Mit M, je 10 —
Die 1. Folge s. u. d. T.: Wasmuth, E.
Maler-Gewerbe, unser. Illustr. Fachbl. f. Dekorationsmaler u. verwandte Berufe. Red.: F Laesecke. 3. u. 4. Jahrg. Juli 1901—Juni 1903 je 24 Nrn. (Nr. 1. 8 m. Abb. u. 2 [1 farb.] Taf.) 4° Lpzg, A Bergmann. Viertelj. 3 —; einz. Nrn — 50 d
— dass. Fachbl. f. Maler. Red.: F Laesecke. 5—7. Jahrg. Juli 1903—Juni 1906 je 24 Nrn. (Nr. 1, 8 m. 4 [2 farb.] Taf.) 4° Ebd. Viertelj. 3 —; einz. Nrn — 50 d
Maler-Kalender, Fortsetzg, s.: Maler-Kalender, illustr. deut.
— deut., 1906. Hrsg. v. E Kruse. (276 u. 19) 8° Berl. (W 57, Alvenslebenstr. 91), Verl. d. Berliner Maler-Zeitg. L. 1.50
— illustr., f. 1906. 26. Jahrg. Bearb. v. G Weber. (239, 128 u. 8) 8° Lpzg, Jüstel & G. L. u. geb. 2.50; Ldr u. geb. 3 —
— illustr. deut., f. 1906, nebst Beiheft: Preisliste u. Stundenlöhngetab. Hrsg. v. L Reisberger. (Schreibkalender, 100 u. 33) 8° Münch., GDW Callwey. L. 2 — d
Bis 1902 u. d. T.: Maler-Kalender (ohne Zusatz).
Maler-Zeitung. Illustr. Fachbl. f. Dekorationsmaler, Lackierer, Anstreicher u. verwandte Gewerbe m. viertelj. 2 Heften Dekorations-Motive d. Maler-Zeitg (je 4 Taf. m. 3 B. Details). Red.: H Hillig, Chefred.: R Hesse. 22—24. Jahrg. Juli .52 Nrn. (Nr. 1. 16) Fol. Lpzg, Jüstel & G. ‖ 25. u. 26. Jahrg. 1904 u. 5. Red.: E Thomas. Viertelj. 3 —; einz. Dekorations-Motive 2 —; Dekorations-Motive allein viertelj. 3 —
— Berliner - Fachzeitschrift f. d. ges. Malergewerbe. Red.: F Schnare u. E Kruse. Aug. 1901—Juli 1905 je 24 Nrn. (1901/2. Nr. 1—7. 124 m. Abb.) 4° Berl. (W. 57, Alvenslebenstr. 9), Verl. d. Berliner Maler-Zeitg. 6 —
— deut. (Der Dekorationsmaler.) Fachzeitschrift f. Dekorationsmaler, Anstreiber, Lackierer u. verwandte Gewerbe. Textbeil. z. „Mappe". Red.: L Reisberger. Juli 1901—Juni 1902, 52 Nrn. (Nr. 1—14. 224) Fol. Münch., GDW Callwey. ‖ Juli 1902—März 1903. 36 Nrn. Viertelj. 3 —; einz. Nrn — 20 d
— dass. Die Mappe. Fachzeitschrift f. Dekorationsmaler, Tüncher, Anstreicher u. Lackierer etc. Textbeil. z. „Mappe". Red.: L Reisberger u. C Hebing. 23—25. Bd. April 1903—März 1905. Je 52 Nrn. (Nr. 1, 20) Fol. Ebd. Viertelj. 1.50; einz. Nrn — 20 d
Maleska, A: Wie man Geisteskranke fabriziert. Aktenmässig zusammengest. u. hrsg. (80) 8° Berl., (HA Weber) (05). 1 — d
Malet, Sir E: Diplomatenleben. Bunte Bilder a. meiner Thätigk. in 4 Weltteilen. Übers. v. H Conrad. (228) Frankf. a/M., Neuer Frankfurter Verl. 01. (6 —) 3 —; geb. 5.70) 3.50 d
— Shifting scenes, s.: Collection of Brit. auth.
Malet, L: The hist. of Sir Richard Calmady, s.: Collection of Brit. auth.
Maletzke, W: Gereimtes Zwickauer Allerlei, bes. Bismarck-gedichte, 2. Afl. v. „Ein deut. Liederstrauss". (84) 8° Zwick., EW Marx 09. 1.20
Malfatti di Monte Tretto, J Frhr v.: Hdb. d. österr.-ungar. Konsularwesens. 2. Afl. 2 Bde. (29, 797 u. 43, 1235 m. 30 z. Tl farb. Taf.) 8° Wien, Manz 04. 38 —; geb. 43 —
Malin, U: Un collégien de Paris en 1870. Für d. Schulgebr. hrsg. v. B Lade. (95) 8° Lpzg, G Freytag 05. Geb. 1.25; geb. — 50
Maline, C: Le commençant. Lehrb. d. französ. Sprache z. schnellen Erlerng derselben durch Selbstunterr. System: Répétiteur. (200) 8° Berl., Rosenbaum & H. (02). Geb. 2 — d
Malinin, A: z Streitfragen d. Topogr. v. Athen. (43) 8° Berl., G Reimer 01. 1
Maljowantzi, d., s.: Hefte z. Christl. Orient.
Malkasten, der, Ratgeber f. d. ges. mal. Welt. Fachbl. f. Kunsttechnik u. Innendekoration. 1. Jahrg. 1903. 12 Nrn. (Nr.1. 8)' 8° Lpzg, W Möschke. Viertelj. — 50'
— dass. Zeitschrift f. d. ges. Malerei. Centralbl. f. d. Malvorl. Markt, Gratis-Beil. d. Liebhaber-Künste. 2. u. 3. Jahrg. 190. u. 5 je 12 Nrn. (1904, Nr. 1, 12) 8° Ebd. Je 2
Fortsetzg nur nach Bedarf u. unregelmässig.
— mein erster. Malbuch. (24 m. z. Tl farb. Abb. ohne Text.) 16° Hannov., A Molling & Co. (01). — 15 '

Malkmus, B: Grundr. d. klin. Diagnostik d. inneren Krankh. d. Haustiere. 2. Afl. (215 m. Abb.) 8° Haunov., Dr. M Jäneoke 02. L. 4.50
— s.: Wochenschrift, deut. tierärztl.
Malkowsky, G, s.: Weltausstellung, d. Pariser, in Wort u. Bild.
Malling, M: Donna Ysabel. Roman. Aus d. Schwed. v. P Klaiber. (370) 8° Berl., S Fischer 02. 4 —; geb. nn 5 — d
Mallner, W: Wahrer Wert aller im Wiener Karsblatte notierten Lose, berechnet zu d. Kursen v. 26. X. '02. 21. Jahrg. (24) 8° Wien, Huber & Lahme Nf. — 50
Malm, JJ: Die Oberpahlsche Freundschaft. Deutsch-estn. Gedicht. Mit d. Lebensbild d. Verf. 8. Afl. (28) 8° Rev., F Wassermann 05. — 45 d
Malme, GOA: N: Üb. d. Asclepiadaceen-Gattgn Mitostigma Decaisne u. Amblystigma Bentham. [S.-A.] (24 m. 2 Fig. u. 1 Taf.) 8° Stockh. 04. (Berl., R Friedländer & S.) 1.20
— Beitr. z. Kenntnis d. südamerikan. Aristolochiaceen. [S.-A.] (31 m. Fig. u. 3 Taf.) 8° Ebd. 04. 1.60
— Die Gentiahaceen d. 2. Regnell'schen Reise. [S.-A.] (23 m. 2 Taf.) 8° Ebd. 04. nn 1.25
— Oxypetali species novae vel ab auctoribus saepe confusae. [S.-A.] (19 m. 2 Fig. u. 1 Taf.) 8° Ebd. 04. nn 1 —
— Die Umbelliferen d. 2. Regnell'schen Reise. [S.-A.] (22 m. 3 Taf.) 8° Ebd. 04. nn 1.20
Malot, H: Cara, s.: Reclam's Unterhaltgs-Bibliothek.
— Daheim, s.: Engelhorn's allg. Romanbibliothek.
— En famille. Für d. Schulgebr. hrsg. v. E Pariselle. I. Tl: Einl. u. Text. II. Tl: Anmerkgn u. Wrtrverz. 2. Abdr. d. 1. Afl. (225) 8° Lpzg, G Freytag. — Wien, F Tempsky 04. Geb. 1.80 d
— Sans famille. Für d. Schulgebr. hrsg. v. B Lade. I. Tl: Einl. u. Text. II. Tl: Anmerkgn u. Wrtrverz. 1. Afl. (2. Abdr.) (233) 8° Lpzg, G Freytag 03. Geb. 1.60 || 3. Abdr. (Ohne Wrtrverz.) (169) 05. Geb. 1.60; Wrtrb. (64) — 60 d
— dass., s.: Bibliothèque franç. (CT Lion). — Prosateurs franç. (M Benecke)
— Heimatlos. Nach M.s Roman „Sans Famille". Übersetzg. 5. Afl. (404 m. Abb. u. 16 Tonbildern.) 8° Stuttg., K Thienemann (05). L. 6 — d
Malpighi, M: Die Anatomie d. Pflanzen, s.: Ostwald's, W, Klassiker d. exakten Wiss.
Malsen, T Frhr v.: Hdb. f. d. Einj.-Freiwill. usw. d. kgl. bayer. Infant., s.: Müller, CT.
— Leitf. f. d. Unterr. d. Infanteristen u. Jägers, s.: Parseval, O v.
Malten: Der Kinderprozess v. Mensch u. Tier, s.: Horn, P.
Malthan, F: Kindergrüsse a. d. Eltern z. Neujahrsfeste, zu Geburts- u. Namenstagen. Nebst e. Anh. v. Rätseln u. Charaden. 3. Afl. (79) 12° Erf., F Bartholomäus (01). — 75 d
Malthus, TR: Eine Abhandlg üb. d. Bevölkergsgesetz, s.: Sammlung sozialwiss. Meister.
Maltzahn, Frhr v.: Hdb. f. d. Rinj.-Freiwill. sowie f. d. Reserve-u. Landwehr-Offizier d. Kavall. Begründet v. v. Poten, fortgeführt von v. Glasenapp, 10. Afl. (20, 506 m. Abb. u. 1 Bildnis.) 8° Berl., ES Mittler & S. 05. 6 —; geb. 6.50 d
In letzter Afl. unter Glasenapp aufgenommen.
Maltzahn, Frau Baronin A v., s.: Gersdorff, A v.
Maltzahn, E v.: Doktor Bernhardus. Erzählg a. d. Reformationszeit. 2. Afl. (133) 8° Schwer., F Bahn 05. 2 —; geb. 2.50 d
— Der Hofprediger Ihrer Durchlaucht. Erzählg a. d. Reformationszeit Mecklenburgs. 2. Afl. (294) 8° Ebd. 02. 3.50; geb. 4.50 d
— Ilsabe. Erzählg a. d. Reformationszeit Mecklenburgs. 3. Afl. (272 m. Titelbild.) 8° Ebd. 04. 2 —; geb. 4.50 d
— Eine Königin v. Frankreich u. Navarra. Erzählg a. d. Revolutionszeit. (349 m. 1 Bildnis.) 8° Ebd. 03. 3.50; geb. 4.50 d
— Die Linden v. Pyrmont. Bilder u. Skizzen a. d. Emmertal. (165 m. Abb.) 8° Ebd. 05. 2 —; geb. 2.50 d
— Osanna in excelsis! Erzählg a. d. Revolutionszeit. 1. u. 2. Afl. (338) 8° Ebd. 05. 3.50; geb. 4.50 d
— Getraute Treue. Erzählg a. Thüringens Vergangenh. 1. u. 2. Afl. (189) 8° Ebd. 02. 2 —; L. 3 — d
Maltzew, A v.: Liturgikon. („Sluschebnik".) Die Liturgien d. orthodox-kathol. Kirche d. Morgenl. unter Berücks. d. bischöfl. Ritus, (deutsch u. slavisch), nebst e. historisch-vergleich. Betrachtg d. hauptsächlichsten Liturgien d. Orients u. Occidents. (108, 462) 8° Berl., K Siegismund 02. 9 —
— Menologion d. orthodox-kathol. Kirche d. Morgenl. II. Tl. (März-August.) Deutsch u. slavisch unter Berücks. d. griech. Urtexte. (80, 896) 8° Ebd. 01. 10 — (Vollst.: 20 —)
— Oktoichos od. Parakletike d. orthodox-kathol. Kirche d. Morgenl. I. Thl. (Ton I—IV.) Deutsch u. slavisch m. Berücks. d. griech. Urtexte. (1270) 8° Ebd. 03. || II. Thl. (Ton V—VIII.) (86, 1194) 04. je 14 —
Mal-Uebungen f. kl. Hände. 3 Sorten. (Je 16 Bl. m. z. Tl farb. Abb.) 4° Nürnbg, T Stroefer (03). Je — 60 d
— leichte. 6 Sorten. (Je 8 Bl. m. z. Tl farb. Abb.) 4° Ebd. (03). Je — 30 d
Malvert, A: Wiss. u. Relig. Nach d. 25. Taus. d. französ. Ausg. übertr. (134 m. Abb.) 8° Frankf. a/M., Neuer Frankf. Verl. 04. 2 —; geb. 3 — d
Malvorlagen. (12 [6 farb.] Bl.) 4° Mainz, J Scholz (05). Kart. 1 — d
— dass. Tiere. (12 [6 farb.] Bl.) 4° Ebd. (05). Kart. 1 — d
Maly, F: Grundr. d. Mediations-Rechng. (174) 8° Graz, Styria 04. 10 —

Maly, K: Beitr. z. Kenntnis d. Flora Bosniens u. d. Herzegowina. [S.-A.] (145) 8° Wien, (A Hölder) 04. 4.30
Maly, R. s.: Jahres-Bericht üb. usw. Tier-Chemie.
Mamlock, GL: Friedrichs d. Gr. Beziehgn z. Medizin. (91) 8° Berl., A Duncker 02. 2 — d
Mamlok, HJ: Die Porzellanfüllg, Leitf. f. d. Füllen d. Zähne m. Porzellan u. dessen Anwendg in ein. bes. Fällen. (52 m. Abb.) 8° Berl., Berlinische Verl.-Anst. (01). 2.75; geb. 3.50 d
Mammen, F: Warum muss sich auch d. Arbeiter f. d. Fragen d. Volkswirtschaft interessieren? Vortr. [S.-A.] (12) 8° Dresd. (05). (Thar., Akadem. Bh.) nn — 20 d
— Die volkswirtschaftl. Ausbildg d. Forstwirtes. Antrittsvorlesg. [S.-A.] (13) 8° Thar., (Akadem. Bh.) (05). nn — 20 d
— Preussens Eisenbahntarife f. Holz. (183 m. 4 Tab.) 8° Münch. 1900. (Thar., Akadem. Bh.) nn 4.50
— Julius Adolph Stöckhardts Werke. (Schriften-Verz.) [S.-A.] (52) 8° Dresd. 03. Tharandt, Priv.-Doz. Dr. Mammen. 1.50 d
— Volkswirtsch f. jedermann, s.: Langsdorff, K v.
Mammertus, M: Fröhl. Weihnachten. Weihnachtssp. f. christl. Vereine. (24) 8° Berl., Vaterländ. Verl.-u. Kunstanst. 05. — 30 d
Man, JG de: Die v. Prof. Kükenthal im Ind. Archipel ges. Dekapoden u. Stomatopoden. [S.-A.] (465 m. 9 Taf.) 4° Frankf. a/M., (M Diesterweg) 02. 40 —
Ma'n Ibn Aus: Gedichte. Arab. Text u. Commentar, hrsg. v. P Schwarz. (22 u. 38) 8° Lpzg, O Harrassowitz 03. 8.50
Manacéine, M v.: Die geist. Überbürdg in d. modernen Kultur, s.: Bibliothek, natur- u. kulturphilosoph.
Manandian, A: (Nonnos.) Die Scholien zu 5 Reden d. Gregor v. Nazianz. Hrsg. v. M. [S.-A.] (81) 8° Marbg, NG Elwert's V. 03. 2.50
— s.: Zeitschrift f. armen. Philol.
Manasse, B: Das Gebiet d. Spiritismus. Aufklär. Darstellg. (39) 8° Berl. (S. 42, Wasserthorstr. 27), (Berolina-Versand-Bh.) 01. — 50 d
Manasse, L: Zur Gesck. d. Kystoskopie. [S.-A.] (12) 8° Berl., J Goldschmidt 04. 1 —
Manassewitsch, B: Die Kunst, d. arab., poln. u. russ. Sprache durch Selbstunterr. schnell u. leicht zu erlernen, s.: Kunst, d., d. Polyglottie.
Manchot, C: Zum Gedächtnis uns. Verstorbenen. Predigt. 1 — 3. Afl. (12) 8° Hambg, C Boysen 05. M 4.50
Manchot, C: Das Delirium tremens u. die Anwendg d. Bedürfnisfrage bei d. Erteilg v. Schankkonzessionen in Hamburg. (90) 8° Hambg, O Meissner's V. 03. 1 — d
— Die Michelskirche d. St. Gertrud-Gemeindepflege in Hamburg 1889—1904. Erfahrgn u. Ergebnisse auf d. Geb. d. Säugltngs-Ernährg. (51) 8° Hambg, C Boysen 05. 1 — d
Manchot, W: Das Stereoskop. Seine Anwendg in d. techn. Wiss. Üb. Entstehg. u. Konstruktion stereoskop. Bilder. (68 m. Fig.) 8° Lpzg, Veit & Co. 03. 1.80
Manchot, W: Lehrb. d. anorgan. Chemie, s.: Holleman, AF.
Mancke; M, s. a.: Felseneck, M v. — Forster, W.
— Aus Pommerns Vergangenh. Sagen u. Erzählgn a. d. Ostseebädern Swinemünde, Heringsdorf, Misdroy. 2. Afl. (112) 8° Swinem., H Dehne 01. 1 — d
— Die Schriftstellerin, s.: Frauenberufe.
— Aus verklung. Tagen. — In Untreue treu, s.: Weichert's Wochen-Bibliothek.
Mandée, R, s.: Jahrbuch f. Aquarien- u. Terrarienfreunde.
Mandel, K: Die Verfassg u. Verwaltg v. Elsass-L. Neubearb. v. O Grünewald. (188) 8° Strassbg, JHE Heitz 05. 2.50
Mandel, P: Entwurf z. e. Ges. üb. d. Kartellverträge. (Mskr., a. d. Ung. übers.) (32) 8° Budap., (F Kilián's Nf.) 04. 1.20
Mandel, T: Der Konfirmations-Unterr. Referat. (43) 8° Güterslo., C Bertelsmann 02. — 60 d
Mandelkern, S: Russ. Elementar-Leseb. in 4 Abtlgn. Accentuierte Texte nebst vollständ. Wrtrb. 2. [Tit.-]Ausg. 8° Lpzg, F Haberland [1900] 03. Je — 75; in 1 Bd geb. 3 — d
1. Kl. Erzählgn, Fabeln, Schildergn u. Gedichte. (1—84)
2. Russl., Land u. Leute in Prosa u. Poesie. (85—132)
3. Abriss d. wichtigsten Begebenh. a. d. russ. Gesch. (133—188)
4. Biograph. Skizzen d. bedeutendsten russ. Schriftsteller. (189—240)
5. Russisch-deut. Wrtrb. (130)
— Taschenb. d. Handelskorrespondenz in russ.-u. deut. Sprache, s.: Pfeifer, J.
— Russisch-deut. u. deutsch-russ. Taschenwrtrb., s.: Schmidt, JAE.
Mandelló, J, s.: Bibliographia economia universalis.
Mandello, K: Ges. freimaurer. Vortr. (304) 8° Budap., S Deutsch & Co. 05. 6 —
Mander, C van: Das Leben d. niederländ. u. deut. Maler, s.: Studien, kunstgeschichtl.
Manderscheid, F: Frauenchöre f. d. Gesangunterr. an Lehrerinnenseminarien u. höh. Mädchensch. (262) 8° Düsseldorf, L Schwann 02. 1.50; geb. 2 — d
— dass. Ausg. A. 2. Afl. (270) 8° Ebd. 04. Geb. 2 — || Ausg. B. Für parität. Schulen. (222) 04. Geb. 1.50 d
Mandl, A, s.: Malden, A.
Mandl, B: Das jüd. Schulwesen in Ungarn unter Kaiser Josef II. (1750—90). (49) 8° Pos. (03). (Frankf. a/M., J Kauffmann.) — 50 d
Mandl, F, s.: Rundschau, jüdische.
Mandl, J: Graph. Darstellg v. mathemat. Formeln. [S.-A.] (65 m. Fig. u. 4 Taf.) 8° Wien, (LW Seidel & S.) 02. 6 —
— Diagramm f. frei auflieg. hölzerne Balken u. gewalzte I- u. [-Träger. [S.-A.] (2 Bl.) 4° Ebd. (03). 1.50

Mandl, L: Experimentelle Beitr. zu d. physiolog. Wechselbeziehgn zw. Fötus u. Mutter, s.: Kreidl, A.
— n. O **Bürger**: Die biolog. Bedeutg d. Eierstöcks n. Entferng d. Gebärmutter. (340 m. Abb., Kurven u. 13 Taf.) 8⁰ Wien, F Deuticke 04.   7 —
Mandl, S: Monotheismus — e. Weltprinzip. Vortr. (16) 8⁰ Brünn, B Epstein & Co. 04.   nn — 75 d
— Das Wesen d. Judentums dargest. in homilet. Essays, nebst e. Anh.: Die Lehre v. Gott, d. Lehre v. Menschen. (99) 8⁰ Frankf. a/M., J Kauffmann 04.   1.70
Mandoline. Internat. Musik-Journal f. d. Virtuosentum u. d. fachtechn. Entwicklg, Verbesserg u. Baukunst d. Mandoline u. verwandter Instrumente. Chefred. u. Hrsg.: A Bertinelli. (In deut., franzöz. u. engl. Sprache.) 1. Jahrg. März 1904— Febr. 1905. 12 Nrn. (Nr. 1 u. 2. 20) 4⁰ Lpzg (Göschenstr. 20), A Bertinelli.   Unberechnet.
Mandonnet s.: Studien, Freiburger histor.
Mandowski, O: 100 Stellen a. d. Corpus iuris (Digesten). Ausführl. Interpretation u. Vergleichg m. d. BGB. u. and. deut. Reichsges. 5. Afl. (196) 8⁰ Bresl., M & H Marcus 05. L. 3 — d
Mandry, G v., s.: Archiv f. d. civilist. Praxis. — Festgaben f. Alb. Schäffle.
— Das Grundbuchwesen in Württemberg. [S.-A.] (52) 8⁰ Tüb., H Laupp 01.   1 — d
— Das württemberg. Privatrecht. I. Bd u. II. Bd, 3 Tle. 8⁰ Tüb., JCB Mohr.   26 —; 4 Einbde je nn 1.25 d
   I. Das württemberg. Privatrecht auf Grund d. Ausführigsges. v. 28.VII. 1899 u. d. neben d. Ausführigsges. f. d. Zukunft gelt. Rechtsquellen. (299) 01.   7 —
   II. Die Quellen d. württemberg. Privatrechts. 1. Tl. 7 Lfgn. (499) 02. 6.50 | 2. Tl. Von Lfg 12 ab hrsg. v. O Haidlen. 7 Lfgn. (550) 02.03.   7 — | 3. Tl. 9 Lfgn. (419) 03. 5.50
Mandschurei, die. Nach d. v. russ. gr. Generalstabe hrsg. „Material z. Geogr. Asiens". Übers. v. R Ullrich. (51 m. 1 Karte.) 8⁰ Berl., K Siegismund 04.   1 — d
Mandyczewski, C, s.: Jahrbuch d. Bukowiner Landes-Museums.
Manen, d., Bismarck's. Ein Schärflein z. Darmstädter Bismarcksäule. (9) 8⁰ Darmst., J Waitz 02.   —20 d
Manes, A: Die Arbeiterversicherg, s.: Sammlung Göschen.
— Die Haftpflichtversicherg. Ihre Gesch., wirtschaftl. Bedeutg u. Technik, insbes. in Deutschl. (272) 8⁰ Lpzg, CL Hirschfeld 02.   7.20; geb. 8.20
— Das Reichsges. üb. d. privaten Versicherungsunternehmgn, s.: Hirschfeld's Taschen-Gesetzssammlg.
— s.: Veröffentlichungen d. deut. Ver. f. Versichergs-Wiss.
— Versichergswesen. (468) 8⁰ Lpzg, BG Teubner 05. 9.40 | L. 10 —
— Versichergs-Wiss. auf deut. Hochsch. (73) 8⁰ Berl., ES Mittler & S. 03.   2 —
Mang, A: Kl. Naturlehre, s.: Riedel.
Mang, A: Kurzgef. Anl. z. häusl. Buchführg f. deut. Mädchenvolks- u. Fortbildgs- sowie Haushaltgssch. 3. Afl. (31) 8⁰ Bonndf, Spachholz & Ehrath (04).   nn — 25 d
— Kurzgef. Gesundheitslehre f. Schule u. Haus. Mit e. Anh.: Üb. d. 1. Hilfe bei Verunglückten u. bei ansteck. Krankh. 2. Afl. (32 m. Abb.) 8⁰ Weinh., F Ackermann 01.   —30 d
— Prakt. Haushaltb. f. Arbeiter- sowie auch Beamten- u. Geschäftsfamilien m. bescheid. Einkommen. 2. Afl. (406) 12⁰ Bonndf, Spachholz & Ehrath (02).   1 — d
Mangels, H : Wirtschaftl., naturgeschichtl. u. klimatolog. Abhandlgn a. Paraguay. (364 m. 7 Taf.) 8⁰ Freis., FP Datterer & Co. 04.   6 —; geb. nn 8.50 d
Mangelsdorf, F: Reminiscere. Zum 50jähr. Jubiläum d. Rettgshauses zu Schildesche. 30.VII.'02. (96 m. Abb.) 8⁰ Güters., (C Bertelsmann) (02).   nn — 50; kart. nn — 60 d
Manger, JP: Beschreibg v. Amtsbez. Emmendingen. Für Schule u. Haus. 4. Afl. (50 m. Abb., Titelbild u. 1 Karte.) 8⁰ Emmend., Druck- u. Verl.-Gesellsch. vorm. Dölter 05.   Kart. — 50 d
Manger, K: Hilfsbüchl. f. d. engl. Unterr. Übgsstücke z. Übers. a. d. Deut. ins Engl. samt Wrtrverz. Synonymical remarks, A Nürnberg. Engl. repetitional grammar. (203) 12⁰ München, O Koch 02.   1 — d
— Übgsstoffe z. Wiederholg d. französ. ungleichmäss. Verba. Mit e. Anh.: Einige zusammenhäng. Übgn. (72) 8⁰ München, R Oldenbourg 04.   Kart. 1 — d
Mangier, G: Die Buchführg f. d. allg. Fortbildgssch. B. Für landw. Verhältn. Ausg. f. Lehrer, sowie z. Selbstunterr. (56) 8⁰ Stuttg., Holland & J. 05.   1 — d
— Buchführgsheft f. d. allg. Fortbildgssch. Ausg. f. landw. Verhältn. (32) 4⁰ Ebd. (04). — 45; m. Geschäftsnotizen. 8⁰ — 50; Geschäftsnotizen allein — 10 d
— Jahrb. f. d. Buchführg d. Landwirts. (84) 8⁰ Ebd. (05).   Kart. 1 — d
Mangler, G: Ueb. d. sog. Aethenyltrisulfid (Tetraaethenylhexasulfid) u. ein. sr Derivate. (38) 8⁰ Freibg i/B., Speyer & K. 1900.   1 — d
Mangold, F: Die Arbeitslosigk. in Basel. — Basels Staatseinnahmen u. Staatsvertheilg 1888—1903. — Statistik d. Grossratswahlen v. 5./7.V.'05 im Kt. Basel-Stadt. — Die Zählg d. Leerstch.Wohngn u. Geschäftslokale in Basel, s.: Mitteilungen d. statist. Amtes d. Kt. Basel-Stadt.
Mangold, K: Der kathol. Lehrer-Ver. in Württemberg im Kampf um d. Schulaufsicht. Beitrag z. Begründg d. Ravensburger Beschlüsse. (40) 8⁰ Ulm, Verl. d. Ulmer Zeitg (02). — 50 d
Mangold, W, s.: Schiller-Reden.

Mangold, W, s.: Friedrich d. Gr., ein. Gedichte in ursprüngl. Fassg.
— Ungedr. Verse v. Gresset an Friedrich d. Gr. [S.-A.] (16) 8⁰ Brnschw., G Westermann 05.   —30
— Voltaires Rechtsstreit m. d. kgl. Schutzjuden Hirschel 1751. Prozessakten d. kgl. preuss. Hausarchivs. Mit e. Anh. ungedr. Voltaire-Briefe a. d. Bibliothek d. Verlegers. (37, 138 m. 3 Fksms.) 8⁰ Berl., E Frensdorff 05.   5 — d
— s.: Voltairiana inedita.
— u. D **Coste**: Lehrb. d. französ. Sprache f. höh. Lehranst. 2 Tle. 8⁰ Berl., J Springer. Je 1.40; Einbde je nnn — 35 d
   1. Lese- u. Lehrb. f. d. unt. Stufe. Ausg. B: Für höh. Töchtersch. 3. Afl. (224 u. 38) 04.
   2. Mangold, W : Grammatik d. französ. Sprache f. d. ob. Stufe höh. Lehranst. Ausg. A : Für Gymnasien u. Real-Gymnasien. 3. Afl. (144) 02.
Mangold, K v.: Die städt. Bodenfrage. Vortr. (30) 8⁰ Gött., Vandenhoeck & R. 04.   —50 d
Mangoldt, P v.: Das kgl. sächs. Forst- u. Feldstrafges., nebst den d. Verfahren in Forst- u. Feldrügesachen betr. Ges., 2. Afl. v. H v. Feilitzsch, s.: Handbibliothek, jurist.
Manheimer, V : Die Lyrik d. Andreas Gryphius. (386) 8⁰ Berl., Weidmann 04.   8 — d
Manifest, d. kommunist. 6. deut. Ausg. Mit Vorreden v. K Marx u. F Engels. (32) 8⁰ Berl., Bh. Vorwärts 01.   —15 d
Manigk, A: Das Anwendgsgebiet d. Vorschriften f. d. Rechtsgeschäfte, s.: Studien z. Erläuterg d. bürgerl. Rechts.
— Pfandrechtl. Untersuchgn. 1. Heft. Zur Gesch. d. röm. Hypothek. 1. Tl. Die pfandrechtl. Untersuchgn u. Lit. d. Römer. (138) 8⁰ Bresl., M & H Marcus 04.   4 —
Manitius, M : Mären u. Satiren a. d. Latein., s.: Bücher d. Weish. u. Schönh.
— Weltgesch. z. Konversations-Lexikon. — Kurzgef. Weltgesch., s.: Schwahn, W.
— T **Rudel** u. W **Schwahn**: Illustr. Weltgesch. (Neue [Tit.-] Ausg.) 4 Tle in 2 Bdn. (536, 506, 586 u. 603 m. 47 z. Tl farb. Bildern.) 8⁰ Berl., Neufeld & H. [01] (04).   L. 30 — d
Mankiewea, O : Kunstbuch, s.: Bartisch, G.
Mankiewitz : Ratgeber f. d. Tropen, s.: Kohlstock, P.
Mankowski, J : Führer durch Ermland, s.: Städte u. Landschaften, nordostdeut.
Mankowski, H : Die Belagerg d.Marienbrg.Historisch-romant. Schausp. (75) 8⁰ Lpzg, S Schmurpfeil (01).   1.20 d
— Die Jungfrau v. Orleans, s.: Theater, kl.
Manlik, W : Anl. z. Matrikenführg n. d. kirchl. Vorschriften u. d. in Oesterr. gelt. staatl. Normen. (465 m. 6 Formularen.) 8⁰ Prag, Rohlíček & Sievers 05.   5.70 d
Manly, T : Anl. z. Ausübg d. Ozotypie, e. neuen Pigment- u. Gummidruck-Verfahrens m. sichtbarem Bild u. ohne Uebertragg. Uebersetzg. (51) 16⁰ Dresd., Unger & Hoffmann 03. — 90
Mann, d. wiss. gebildete. Hdb. z. Aneigng e. umfass. universellen Wissens. Redaktion. Selbst-Unterr.-Briefe in Verbindg m. eingeh. Fernunterr. Red. v. C Cizig. 30—228. Lfg. (6392 m. Abb., 1 Tab., 1 Farbdr. u. 13 Kart.) 8⁰ Potsd., Bonness & Hachfeld (01-05). Subskr.-Pr. je — 90; Einzelpr. je 1.25 d
Mann, A: Staat u. Bildgswesen in ihrem Verhältn. zu einander im Lichte d. Staatswiss. nebst Wlln. v. Humboldt, s.: Magazin, pädagog.
Mann, A: Fünf Uhr-Tee. Anl. f. sparsame u. anmut. Gesellsch. (78) 8⁰ Hambg, A Janssen 03.   1 —; in Seide 3 — d
Mann, F, s.: Molkerei-Zeitung.
Mann, F : Frauen-Erzählgn, s.: Grad, M.
— Könige ohne Land. — Alte Mädchen, s.: Frauen-Bibliothek, moderne.
— Vom Mädchen m. d. sing. Herzen. (157) 8⁰ Berl., H Seemann Nf. (04).   3 — d
Mann, F: Anl. d. Mathematik in d. Logik. Beitrag z. Propädeutik d.Philosophie. (35) 8⁰ Lpzg, A Deichert Nf. 06. — 60 d
Mann, F., s.: Bibliothek pädagog. Klassiker. — Blätter, deut., f. erzieh. Unterr. — Magazin, pädagog.
— Kurzes Wrtrb. d. deut. Sprache. 6. Afl. (340) 8⁰ Langens., H Beyer & S. 04.   3 —; geb. nn 4 — d
Mann, F: Die Pflege d. Wöchnerin u. d. Säuglings. (119) 8⁰ Paderb., Junfermann 02. 1. Afl. (136) 04. Geb. 3 — d
Mann, H: Die moderne Parfümerie. Anweisg u. Sammlg v. Vorschriften z. Herstellg sämtl. Parfümerien u. Kosmetika unter bes. Berücks. d. künstl. Riechstoffe, nebst e. Anh. üb. d. Parfümierg d. Toilettenseifen. (525) 8⁰ Augsbg, Verl. f. chem. Industrie 04.   L. 10 —
Mann, H: Flöten u. Dolche. Novellen. (143) 8⁰ Münch., A Langen 05.   2 —; geb. 3 — d
— Eine Freundschaft, Gustave Flaubert u. George Sand. (23) 8⁰ Münch.-Schwab., EW Bonsels 05.06.   1.60
— Die Göttinnen od. d. 3 Romane d. Herzogin v. Assy. 3 Tle. 8⁰ Münch., A Langen 03.   9 —; geb. je 4 — d
   I. Diana. (341) | II. Minerva. (385) | III. Venus. (318) 03.
— Die Jagd n. Liebe. Roman. (601) 8⁰ Ebd. 05. 5 —; geb. 6 — d
— Schauspielerin, s.: Bibliothek moderner deut. Autoren.
— Professor Unrat od. Das Ende e. Tyrannen. Roman. 1—4.Taus. (279) 8⁰ Münch., A Langen 05.06.   4 — d
Mann, J: Gesangb. f. österr. allg. Volkssch. 1. Thl. 1, 2. u. 3.Schulj. 2.Afl. (52) 12⁰ Prag, G Neugebauer 1897. Geb. — 42 d
Mann, L: Elektrodiagnostik u. Elektrotherapie, s.: Handbibliothek, medizin.
Mann, M, s.: Constantin's, Frau, Koch- u. Haushaltgsb.
Mann, MF, s.: Reformbibliothek, neusprachl.

Mann, O: Kurze Skizze d. Lurdialekte. [S.-A.] (21) 8° Berl., (G Reimer) 04.   1 —
Mann, O, u. H **Jedlička**: Das österr. Personalsteuerges. n. d. derzeit. Stande d. Praxis. (379) 8° Wien, A Hölder 04.   3.40; geb. 4.40 d
Mann, R, u. H **Sibert**: Das württemb. Gemeinderechnugswesen. Lösgn v. Rechngsfällen. (262) 8° Stuttg., W Kohlhammer 01.   4.80; geb. 5.50 d
Mann, T, s.: Christ, d. freie.
Mann, T: Buddenbrooks. Verfall e. Familie. Roman. 2 Bde. (566 u. 539) 8° Berl., S Fischer 01. 12 —; geb. nn 14 — || 2—17. Afl. 2 Tle in 1 Bde. (566 u. 539) 03.04. 5 —; geb. nn 6 — d
— Fiorenza. (170) 8° Ebd. 06. 2.50; geb. nn 3.50; in Perg. nn 5 — d
— Tristan. 6 Novellen. 1—4. Afl. (264) 8° Ebd. 03.04.   3.50; geb. nn 4.50 d
Mann-Tiechler, KH v.: Deutschl. u. Frankreich, s.: Luckhardt's zeitgeschichtl. Bibliothek.
Manna. (Ziehkästchen m. Sprüchen.) (100 Bl.) 64° Konst., C Hirsch (01).   In Kästchen m. G. — 50 d
— Illustr. kathol. Jugendschrift. Zugl. Organ d. Engelbündnisses. Verantwortlich: L Herren u., 1905, J Burkard. 19—22. Jahrg. 1902—5 je 12 Hefte. (1. Heft. 32) 8° Herbesth. (Aach., I Schweitzer.)   Je 1 — d
Mannagetta s.: Beck v. Mannagetta.
Maennchen, A, s.: Malereien, neue.
Maennel, A: Vom Hilfsschulwesen, s.: Aus Natur u. Geisteswelt.
Männel, L, s.: Jahrbuch d. k. k. Hof-Burgtheaters.
Mannens, P: Theologiae dogmaticae institutiones. Tom. I. Theologia fundamentalis. Complectens tractatus de vera religione, de fontib. revelationis, de ecclesia Christi, de fide divina. (488) 8° Roermond, JJ Romen & Böhne 01.   nn 5 —
Manner, L: Lehrg. d. Kurrent-, Latein-, Rund- u. Frakturschrift m. e. Begleitworte (auf d. Umschl.) u. e. Anh. 2. Afl. (9 Bl.) 8° Wien, (Sallmayer'sche Bh.) 02.   nn 1 —
Männer, bedeut., a. Vergangenh. u. Gegenwart. Hrsg. v. HF v. Ossen. I—XIII. 8° Berl., E Schildberger.   Je — 50
Barth, A: Friedrich Nietzsche. (20) (01.) [IV.] d
Goldschmidt, KW: Henrik Ibsen. (30) (01.) [IX.] d
Haek, D: Charles Darwin u. d. Darwinismus. 2. Afl. (30) (01.) [VIII.] d
Joseph, D: Heinr. Schliemann. Grundr. d. Gesch. s. Lebens u. ar Ausgrabgn. 2. Afl. (32) (01.) [V.]
Kirchstein, M: Gerhart Hauptmann. Leben u. Werke in e. kurzen Uebersicht. 1. u. 2. Afl. (40) (01.02.) [II.III.] d
Kohut, A: Ferd. Lassalle. 2. Afl. (27) (01.) [VI.] d || Nicolaus Lenau. (29) (01.) [X.] d
Reimer, J: Jean Jacques Rousseau. (20) (02.) [XII.] d || Voltaire. (19) (02.) [XII.] d
Reismann, A: Ludw. van Beethoven. (21) (01.) [VII.] d || Rich. Wagner. (3. [Umschl.-]Afl.) (20) (01.) [I.] d
Vollmer, H: Frans Stuck. (31) (02.) [XI.] d
— deut.! Bewahrt Euch d. Freude am Vaterlande! (31) 8° Berl., R v. Decker (04).   — 20 d
— d. Wiss. Hrsg. v. J Ziehen. 1—3. Heft. (Mit je 1 Bildnis.) 8° Lpzg, W Weicher.   Je 1 —
Flügel, O: Der Philosoph JF Herbart. (47) 05. [1.]
Oppermann, E: Friedrich Wilh. Dörpfeld. (44) 05. [3.]
Ortwald, W: RW Bunsen. (05.) [2.]
— d. Zeit, Lebensbilder hervorrag. Persönlichk. d. Gegenwart u. jüngsten Vergangenh. 10—13. Bd. 8° Lpzg, Berl., H Seemann Nf.   13 —; L. 16.60 (1—13.: 37.80; L. 46.80) d
Brieger-Wasservogel, L: Max Klinger. (376 m. 1 Bildnis.) 02. [12.] 3 —; L. 4 — ; Ldr 5 —
Harrneau, K: David Friedrich Strauss. Sein Leben u. s. Schriften unter Heranziehg ar Briefe dargest. (406 m. 1 Bildnis.) 03. [10.] 4 —; L. 4.60
Kappstein, T: Emil Frommel. (472 m. 1 Bildnis.) 03. [13.] 3 —; L. 3 —
Liebhaberausg. geb. 5 —
Kretzer, E: Joseph Arthur Graf v. Gobineau. Sein Leben u. s. Werk. (265 m. 1 Bildnis.) 02. [11.] 3 —; L. 4 —
Maenner, C: Jagdrecht d. Pfalz. Ergänzgsheft. (4, 81) 8° Kirchheimbolanden (u. Kaisersl.), Thieme'sche Druckereien 02.   1.50 (Hauptwerk m. Ergänzg: nn 4 —) d
Männerwallfahrt, I. schwäb., n. Altötting v. 3—5.X.'03, veranstaltet v. d. marian. Bürger-Kongregation Augsburg. Hrsg. v. e. marian. Sodalen. (48 m. Bildnissen.) 8° Augsbg, (Lit. Instit. v. Dr. M Huttler) 03.   nn — 25 d
Mannes, W: Das Bäckergewerbe u. d. Konsumver. (119) 8° Berl., (FA Günther's Zeitgsverl.) 04.   1 — d
Mannfels: Vorschl. z. Hebg d. jetz. wirtschaftl. Lage in Deutschl. A. Anregg z. Gründg e. reichsdeut. landw. Kreditgenossensch. in Verbindg m. e. Notenbank unter Beihilfe u. Garantie d. Reiches, nebst Vorschl. f. d. Verwirklichg dieser Anregg. (214) 8° Dresd., E Pierson 03.   1 — d
Mannhardt, HG: Predigten u. Reden a. 25jähr. Amtszeit. (394) 8° Danz., Joh v. Rosenberg 05.   2.40; geb. 3 — d
Mannhardt, W: Wald- u. Feldkulte. 2. Afl. u. W Heuschkel. 2 Bde. 8° Berl., Gebr. Borntraeger.   34 —
I. Der Baumkultus d. Germanen u. ihrer Nachbarn. (648) 04. 14 —
II. Antike Wald- u. Feldkulte aus nordeurop. Überlieferg. (48,356) 05. 10 —
Mannheimer: Rede z. Gedächtnisfeier d. Grossh. Nikolaus Friedrich Peter. (14) 8° Oldnbg, (SL Landsberg) 1900.   — 50 d
Mannheimer, A: Die Bildgsfrage als Machtfrage. (156) 8° Jena, G Fischer 01.   1.50 d
—Gesch. d. Philosophie in übersichtl. Darstellg. 1. u. 2. Tl. 8° Frankf. a/M., Neuer Frankf. Verl.   Je 1.50 d
1. I. Wesen u. Aufg. d. Philosophie. II. Die Philosophie d. Griechen. 7. Afl.
v. „Die Philosophie d. Griechen in übersichtl. Darstellg". (111) 05.
2. Von d. Entstehg d. Christentums bis Kant. (90) 04.
— Die Philosophie d. Griechen in übersichtl. Darstellg. (48) 8° Ebd. 02.   — 50

Mannheimer, T: Ekstasen, Reflexionen. Gedichte. (56) 8° Dresd., E Pierson 05.   1.50; geb. 2.50 d
— In Lust u. Leid. Ges. Gedichte. (128) 8° Ebd. 03.   2 —; geb. 3 — d
Männig, Frau M: Mein Schwesterchen, s.: Lotosblumen, ind.
Manning: Erholgsstunden. Übers. v. F Steffens. 2. Afl. (117 m. 1 Bildnis.) 12° Freibg i/B., Herder 01.   — 80; L. 1.30 d
— Das ewige Priestertum. Uebers. v. EW Schmitz. 3. Afl. (256) 8° Mainz, Kirchheim & Co. 05.   2 —; L. 3 — d
Manninger, V: Der Entwickelgsgang d. Antiseptik u. Aseptik, s.: Abhandlungen z. Gesch. d. Medicin.
Manzl, O: Die Prämonstratenser d. Prager Erzdiöz. n. d. Bestätiggsbüchern. (1354—1436.)(28) 8° Pils., (C Maasch) 03. nn 1 —
Manno, R: Theorie d. Beweggsübertragg als Versuch e. neuen Grundlegg d. Mechanik. (102 m. Abb.) 8° Lpzg, W Engelmann 03.   2.40
Mannstaedt, H: Die kapitalist. Anwendg d. Maschinerie. (103 m. 1 Kurve.) 8° Jena, G Fischer 05.   2 —
Mannstädt, W, u. A **Weller**: Die wilde Katze, s.: Universal-Bibliothek.
Manoleseu, G (Fürst Lahovary): Ein Fürst d. Diebe. Memoiren. (276 m. Bildnis.) 8° Gross-Lichterf.-Ost, Dr. P Langenscheidt (05).   3 —; geb. 4.50
— Gescheitert. Aus d. Seelenleben e. Verbrechers. Übers. v. P Langenscheidt. (274 m. Bildnis.) 8° Ebd. (05). 3 —; geb. 4.50
Manolof, P: Willensunfreiheit u. Erziehgsmöglichk. (Spinoza, Leibniz, Schopenhauer). s.: Studien, Berner, z. Philosophie.
Manon s.: Memoiren e. Fremdenmädchens.
Manresa od. d. geistl. Übgn d. hl. Ignatius in neuer, leichtfassl. Darstellg z. Gebr. aller Gläubigen. Nach d. Franz. frei bearb. v. FA Schmid. 4. Afl. v. K Friedrich. (516 m. 1 Farbdr.) 8° Egsabg, F Pustet 03. 3 —; in HChagr. 4 — d
Mansberg, R Frhr v.: Erbarmanschaft wettin. Lande. Urkundl. Beitr. z. obersächs. Landes- u. Ortsgesch. in Regesten v. 12. bis Mitte d. 16. Jahrh. I—IH. Bd. 8° Dresd., W Baensch.   Je nn 75 —
I. Das Osterland. Mit 6721 Regesten u. 22 Taf. (in M.). (576 m. Abb.) 02.
|| II. Die Mark Meissen. Mit 8530 Regesten u. 13 Taf. (in M.). (590 m. Abb.) 04. || III. Thüringen. Mit 5939 Regesten, 16 Taf. (in M.). (616 m. Abb.) 05.
Mansfeld, F: I. Was wollte Christus? II. Wer war Christus? III. Die Auferstehg Christi. (20) 8° Berl., Bruer & Co. 02. — 50 d
— Versuch, e. freisinn., christl. Glaubensbekenntnis aufzustellen, im Einklang m. d. hl. Schrift. (24) 8° Ebd. 03. — 50 d
Mansfeld, M: Die Untersuchg d. Nahrgs- u. Genussmittel sowie diät. Gegenstände. 2. Afl. (243 m. Abb.) 8° Wien, F Deuticke 05.
Manskopf, J: Böcklins Kunst u. d. Relig. (56 m. 24 Taf.) 8° Münch., Verl.-Anst. F Bruckmann 05.   2 —; geb. 3 —
Maenss, J: Leitf. f. d. 1. zusammenhängend. Unterr. in d. Gesch. 1. Heft: Griech. u. röm. Gesch. 4. Afl. (90) 8° Lpzg, R Bredow 03.   geb. — 80 d
Mansten, E. v.: Chronik d. Geschlechts v. Manstein. (101 m. 3 Stammtaf.) 8° Wehlau 01. Königsbg, Akadem. Bh. v. Schubert & S.   6 — d
Mantegazza, P: Die Geschlechtsverhältn. d. Menschen. 4. Afl. Aus d. Ital. (442) 8° Berl., Neufeld & H. (08).   6 — d
— Die Hygiene d. Liebe. Neue deut. Ausg. a. d. Ital. v. WA Kastner. (300) 8° Dresd., H Minden 05.   6 — d
— dass. Aus d. Ital. v. R Teuscher. 10. Afl. (469) 8° Berl., Neufeld & H. (05).   6 — d
— Die Physiol. d. Liebe. Aus d. Ital. v. E Engel. 12. Afl. (404) 8° Ebd. (04).   6 — d
— Die Physiol. d. Weibes. Aus d. Ital. v. R Teuscher. 6. Afl. (505) 8° Ebd. (05).   3 — d
— Die Physiol. d. Wonne. Vollständ. deut. Ausg., v. Graf A Wilding. 2. Afl. (532 u. 4) 8° Zür., C Schmidt 01.   4 — d
Mantegna, A: Darbringg Christi im Tempel. — Lodovico Scarampi, s.: Meisterbilder fürs deut. Haus.
Mantei, F: Kuno v. Hohenfels, s.: Heidelmann's, A, Theaterbibliothek.
Mantel, G, u. W **Hinrichs**: Eiserne Brückenpfeiler. Ausführg u. Unterhaltg d. eisernen Brücken, s.: Handbuch d. Ingenieurwiss.
Manteuffel, O Frhr v.: Unter Friedrich Wilhelm IV. Denkwürdigkeiten. Hrsg. v. H v. Poschinger. 2. Bd. 1851—54. (489) 8° Berl., ES Mittler & S. (l 3. Bd. 1854—82. (407) 01. Je 10 — (Vollst.: 30 —; Einbde in HF. je nn 3.20 d)
— s. Preussens ancienne Politik 1850—58.
Manteuffel, U Zöge v.: Sybold v. Eck. Roman. 2 Bde. (352 u. 392) 8° Dresd., J Pierson 06.   6 —; geb. 8 — d
— Zur linken Hand. Roman. 2 Bde. 2. Afl. (286 u. 275) 8° Ebd. 04.   6 —; geb. 8 — d
— Helmuth v. Loysen. Roman. 2 Bde. (656) 8° Ebd. 04. 6 — d
Mantey, W: Gesetzl. Rechte u. Pflichten d. Frau als Tochter, Gattin, Mutter u. Dienstherrin, s.: Frauen-Buch, d. prakt.
Mantey, R Erbprinz v.: Joh. Georg Jacobis Iris. (88) 8° Zwick., (J Herrmann) 05.   1 — d
Mantuani, J: Beethoven u. Max Klinger's Beethovenstatue. (39 m. 1 Taf.) 8° Wien, Gerold & Co. 02.   1.40
— Üb. d. Beginn d. Notendruckes, s.: Vorträge u. Abhandlungen, hrsg. v. d. Leo-Gesellschaft.
— s.: Dioscurides, codex Aniciae Iulianae.
— Gesch. d. Musik in Wien. I. Thl. Von d. Römerzeiten bis z.

Tode d. Kaisers Max I. [S.-A.] (340 m. Abb.) 40,5×29,5 cm. Wien, A Holzhausen 04. nn 50 —
Mantuani, J: P. Hartmanns Oratorium „St. Petrus", s.: Vorträge u. Abhandlungen, hrsg. v. d. Leo-Gesellsch.
— Das Riesentor zu St. Stephan in Wien u. Fr. v. Schmidt's Projekt f. dessen Wiederherstellg. Randglossen zu H Swobodas Schrift: „Zur Lösg d. Riesentorfrage". (58 m. 5 Taf.) 4° Wien, St. Norbertus 03. 2.40
Mantzke, O: Lehr- u. Übgsb. d. kaufm., bezw. volkswirtschaftl. Rechnens, s.: Golling, O.
Manual del congregante de la santisima virgen. (256 m. 2 Bildern.) 16° Freibg i/B., Herder 05. L. 1.28
— pequeño, del terciario Franciscano. 2. ed. (260) 16° Ebd. 03. L. 1.44
Manuale del codice civile generale austriaco, s.: Raccolta di leggi ed ordinanze della monarchia austriaca.
— precum. (32) 10,6×7,7 cm. Rgnsbg, Verl.-Anst. vorm. GJ Manz 04. — 20
— rituum ad usum dioec. Herbipolensis a sancta sede apostolica approbator. (372) 8° Würzbg, (V Bauch) 02. nn 2 —
Manuel universel de la litt. musicale, s.: Universal-Handbuch d. Musiklit. aller Zeiten u. Völker.
— de piedad en honor del milagroso niño Jesús de Praga, dedicado á la niñez por un sacerdote de los sagrados corazones (Picpus). 2. ed. (412 m. 1 Farbdr.) 16° Freibg i/B., Herder 03. 1 —; L. 1.60
— de langue russe. Suppl. au guide en Russie par K Baedeker. 3. éd. (110) 12° Lpzg, K Baedeker 03. Kart. 1 —
Manuel's, HR, Weinspiel od. Fastnachtsp. v. d. Trunknen Rott a. d. J. 1548. Zur 1. Aufführg in Bern eingerichtet u. gekürzt v. O v. Greyerz. (47) 8° Bern, Neukomm & Z. 03. 1 — d
Manuela, d. Heldenmädchen, neue Ausg., s.: Braut, d., d. Rebellen.
Manussi-Montesole, A Edler v., s.: Prochaska's, K, Stationen-Verz.
Manz, F: Der moderne Mensch u. d. Christentum. (31) 8° Lahr, Gross & Sch. 05. — 50 d
Manz, F: O Herr, hilf! 2 Predigten üb. Lukas 17, 11—19 u. Matthäus 6, 25—33. (18) 8° Erl., R Merkel 02. — 40 d
Manz, O: Die chirurg. Untersuchgsarten. Einführ. Vorlesgn üb. allg. chirurg. Diagnostik. 1. Tl. (322 m. Fig.) 8° Jena, G Fischer 04. 6 —; geb. 7 —
Manzel, L: Skulpturen. Text v. J Norden. (20 Lichtdr. m. 4 S. Text.) 49×33 cm. Berl., O Baumgärtel (05). In M. 20 —
Manzer, R, s.: Lehrbuch f. d. österr. Schiffersch. an d. Elbe.
Manske, W: Unterrichtsb. f. Grenz- u. Steuer-Aufseher, s.: Bartel, P.
Mappe, die. Illustr. Fachzeitschrift f. Decorations-Malerei u. verwandte Gewerbe. Red.: L Reisberger. 21. Jahrg. Juli 1901— Juni 1902. 12 Hefte. (1. Heft. 12 m. 5 Taf. u. 2 Detaillbog.) Fol. Nebst Gratis-Beil.: Deut. Malerzeitg. 52 Nrn. (Nr. 1.16) Münch., GDW Callwey. || 22. Jahrg. Juni 1902—März 1903. 9 Hefte u 39 Nrn. Viertelj. 3 —; Kolportage-Ausg. 12 Hefte zu 1 — d
— dass. Illustr. Zeitschrift f. d. ges. Malerei. Red.: L Reisberger. 23—25. Bd. Apr. 1903—März 1906 je 12 Hefte. (1. Heft. 12 m. 5 Taf. u. 2 Detaillbog.) Nebst Gratis-Beil.: Deut. Malerzeitg. Je 52 Nrn. (23. Bd. Nr. 1. 20) Fol. Ebd. Viertelj. 3 —; Kolportage-Ausg. 12 Hefte zu 1 — 0 F
— f. prakt. Aerzte 1905. (116 m. 1 Taf.) 4° Münch., Seitz & Sch. Kart. 2 — 0 F
— d. Hausfrau. 2. Afl. (80 m. Abb.) 4° Münch., Seitz & Sch. — (Dresd., H Schultze) (03). 1 —; L. 2 —
Mappe-Mal-Vorlagen. I u. II. 8° Münch., GDW Callwey (05). In Umschl. 9 —
Hebing, C: Marmor. 30 Marmor-Vorl. in Farbendr. (4 S. Text.) [I.] 8 —
Schriften. 30 Taf. Ausgew., s. Tl m. Preisen ausgezeichnete Schriften. (2 S. Text.) [II.] 3 —
Mar-Jacobus Sarugensis: Homiliae selectae. Ed. P Bedjan. Tom. I. (In syr. Sprache.) (889) 8° Parisiis 05. Lpzg, O Harrassowitz. nn 26 —
Marais-Hoogenhout, N: Prakt. Lehrb. d. kap-holländ. Sprache (Burensprache), s.: Kunst, d., d. Polyglottie.
Maras, R: Niemes m. d. Roll. Führer durch Stadt u. Umgebg m. geschichtl. Rückblicken auf dieselbe u. d. Roll. Mit Abb., 1 Karte u. 1 Rundsicht. (72) 8° Niemes, A Bienert (02). — 70
3. Afl. (80) 04. — 60 d
Marasse, M: Die Brücke. — Die Wunder d. Madonna, s.: Weber's moderne Bibliothek.
Maraun's gr.Verkehrspl.v.Berlin u.s.Vororten. 1902. Strassenb., u. Omnibus-Pl. 75,5×96 cm. Farbdr. Mit Strassenverz. usw. (20) 4° Berl., Liebel 2 —
Maraun, W: Das BGB. v. 18.VIII.1896 nebst Einführgsges. u. d. v. Bundesrath erlass. Vorschriften. 2. Afl. (403, 96 u. 160) 8° Berl., Bruer & Co. 04. HF. 4 — d
— s.: Reichsgesetzbuch, deut., f. Industrie, Handel u. Gewerbe.
— Verwaltgsvorschriften f.preuss. Gemeinde-, Polizei- u. Reichsbehörden. Sammig zentralbehördl. Erlasse a. d. J. 1799 bis einschl. 1902 z. Ausführg u. Erläutrg d. Staats- u. Reichsges. 4 Bde m. Sachreg. (954, 1040, 1206, 1081 u. 483) 8° Berl., Bruer & Co. 05. 65 —; geb. 75 — || J. 1903. (504, 5—6 d. 10 Bl.) 04. Geb. 9 — || Jahrg. 1904. (724 u. 102 nebst Fortbiggs- u. Ergänzgsbl). II. Jahrg. 1904. 40 Bl.) 05. HF. 15 — d
Marbach, H: Christus u. Faust. Gedanken üb. Relig. u. Sittlichk. (105) 8° Dresd., C Reissner 01. 2 —; geb. 3 —
— König u. Kaufmann. Histor. Drama. (182) 8° Ebd. 03. 5.50 d

Marbach, O: Agenda J. Ritual u. Material f. Aufnahme-, Unterr.-, Tafel-, Trauer- u. Festlogen im Lehrlingsgrade. 5. Afl. (504) 8° Lpzg, B Zechel 01. 7.50
Marbe, K: Üb. d. Rhythmus d. Prosa. Vortr. (37) 8° Giess., A Töpelmann 04. — 60
— Experimentelle Untersuchgn üb. d. psycholog. Grundl. d. sprachl. Analogiebildg, s.: Thumb, A.
— Experimentell-psycholog. Untersuchgn üb. d. Urteil. Einl. in d. Logik. (105) 8° Lpzg, W Engelmann 01. 2.80
Marbler, A: Neues prakt. Kochb. f. jeden Hausbalt. 3. Afl. (40, 384) 8° Graz, Leykam 02. 3.80; kart. 4 — d
Marbot, Baron de: Campagne de 1809, s.: Perthes' Schulausg. u. französ. Schriftsteller (P Steinbach).
— Gloires et souvenirs d'un officier du 1er empire, s.: Schriftsteller, engl. u. französ., d. neueren Zeit (K Roeth).
— Retraite de la grande armée et bataille de Leipzig, s.: Schulbibliothek, französ. u. engl. (A Stange).
Marburg, G: Soz. Reformen. (47) 8° Wien, Stäbelin&L. (04). 1 —
Marburg, O: Mikroskopisch-topograph. Atlas d. menschl. Zentralnervensystems, m. begleit. Texte. (125 m. Abb. u. 30 Taf.) 8° Wien, F Deuticke 04. 11 —
— Die diagnost. Bedeutg d. Pupillenreactionen, s.: Klinik, Wiener.
— s.: Heilmethoden, d. physikal., in Einzeldarstellgn.
— Die Therapie an d. Wiener Kliniken, s.: Landesmann, E.
Marby, A: Es fiel e. Reif —. (Salonfee.) Roman. (Neue Afl.) (206) 8° Gotha, Verl.-Anst. u. Dr. (E Bartholomäus) (05). 1 — d
Marc: Kurze Anl. z. Behandlg d. elast. Catheter u. Bougies. 5. Taus. (4) 8° Bad Wildung., P Pusch (04). — 10
— Allg. Vorschriften f. d. Gebr. d. Wildunger Kur m. spec. Berücks. d. dabei zu halt. Diät. 4. Afl. (31) 8° Ebd. (04). — 60
— Bad Wildungen u. s. Mineral-Quellen m. bes. Berücks. ihres Eindl. auf d. Erkrankgn d. Harnorgane. 4. Afl. (52) 8° Bad Wildungen, (Fürstl.Wildunger Mineralquellen-A.-G.) 03. — 50
— Pract. Winke z. Ausführg d. Blasen-Spülg. 3. Afl. (16) 8° Bad Wildung., M Pusch 1900. — 40
Marc, L: Sammlg d. Aufgaben a. d. höh. Mathematik, techn. Mechanik n. darstell. Geometrie, welche bei d. Vorprüfg f. d. Bauingenieur-, Architektur- u. Maschinen-Ingenieurfach an d. k. techn. Hochsch. zu München in d. J. 1885 m. 1901 gestellt worden sind. (52 m. Fig.) 8° Münch., T Ackermann 01. 1.60
Marc Aurel s.: Mark Aurel.
Marcard, v.: Gesch. d. 1. hannov. Infant.-Regts Nr. 74. (72 m. Abb.) 8° Hannov., C Brandes 04. L. 1 — d
Marcel, B: Die Völlerei, s.: Todsünden, d. sieben.
Marcel, S: Der kl. Fuss d. Königin Hedwig. — Die Tochter meines Feindes, s.: Braun's Novellen- u. Roman-Sammlg.
March s.: Staaf v. d. March.
March, O: Der Gedanke d. ev. Kirchenbaues. Festrede. (24 m. 2 Taf.) 8° Berl., W Ernst & S. 04. — 60
Marchand, F, s.: Arbeiten a. d. pathol. Instit. zu Leipzig.
— Üb. Gehirnzysticerken, s.: Sammlung klin. Vortr.
— Ueb. d. Hirngewicht d. Menschen, s.: Abhandlungen d. kgl. sächs. Gesellsch. d. Wiss.
— Der Process d. Wundheilg m. Einschl. d. Transplantation, s.: Chirurgie, deut.
— Rudolf Virchow als Pathologe. Gedächtnis-Rede. (35) 8° Münch., JF Lehmann's V. 02. 1 —
Marchand, W: Alleinsteh. Fräulein sucht diskretes Darlehen v. ält. reichen Herrn. Offert. unter „Glück" Nr. 123 beförd. d. Exped. Sittenbild a. d. Grosstadt. 2. Afl. (15) 8° Münch., Verl. d. Münch. Stadt-Telegramm (04). (?) — 30 d
— Die Knabenliebe in München! (Münchens Homosexuelle.) Sittenbild a. d. Grosstadt. 1—5. Taus. (16) 8° Ebd. (04). — 30 d
— Uns. Masseusen! Sittenbild a. s. Grosstadt. 5. Afl. (15) 8° Ebd. (04). — 30 d
— Uns. Modelle. Sittenbild a. d. Grosstadt. (15) 8° Ebd. (04). — 30 d
— Die Studenten-Mizzi! (Uns. Kellnerinnen!) Sittenbilder a. d. Grosstadt München. 1—5. Taus. (16) 8° Ebd. (04). — 30 d
Marché, le, universel. Organe de l'industrie et du commerce d'importation et d'exportation. Réd.: H Böttger u., seit 1902, K Sachisthal. 15—18. année 1901—4 à 12 nrs. (1901. Nr. 1. 22 m. Abb.) 4° Berl. Brusciw., A Limbach. Je 4 —
— dass. Réd.: K Sachisthal. A.b. Revue internat. de la construction de machines et des industries métallurg. et minéralog. 19. année. 1905. 12 nrs. (Nr. 1. 20) 4° Ebd. 4 —
— dass. Ed. B. Organe de l'industrie et du commerce d'importation et d'exportation. 19. année. 1905. 12 nrs. (Nr. 1. 20) 4° Ebd. 4 —
Vgl.: Universal market, the. — Weltmarkt, d.
Marchel, F: Compendio di storia della letteratura italiana, compilato ed annotato ad uso delle scuole medie tedesche, e antologia italiana dai migliori autori antichi e moderni, raccolta e commentata ad uso delle scuole medie tedesche. (100 u. 357 m. 4 Taf.) 8° Innsbr., Wagner 01. 5.70 || Neue Afl. (106 u. 369 m. 4 Taf.) 02. 5.70; geb. 6 —; letteratura einzeln (106 m. 4 Taf.) Kart. 2 —
— Italien. Grammatik. 3. Afl. (446) 8° Ebd. 06. Geb. 5.80 d
— dass. 2. Gebr. an Mittelsch. m. deut. Unterr.-Sprache. (386) 8° Ebd. 05. Geb. 5.40 d
Märchen, alte u. neue, v. Grimm, Bechstein, Hauff, Godin

u. anderen. (86 m. Abb. u. 6 Farbdr.) Fol. Stuttg., G Weise (03), Geb. 6 — ‖ 8° Ausg. (140. m. 6 Farbdr.) (05.) Geb. 3.50 d
Märchen, deut. Märchen v. EM Arndt, A Franz, Gebr. Grimm u. a. (233 m. 10 Farbdr.) 8° Lpzg, E Kempe (03). Geb. 3 — d
— gold. Neue Märchen u. Geschichten v. E Haag, F Heuer, F v. Kronoff u. a. (237 m. 5 Farbdr.) 8° Wes., W Düms (03). Geb. 1.50 d
— d., v. d. Päpstin Johanna, s.: Volksaufklärung.
— f. d. deut. Jugend. Zusammengest. u. hrsg. v. Kölner Jugendschriften-Ausschuss. (208 m. Abb.) 8° Berl., Fischer & Fr. (02). Geb. 2 — d
— neue. Sammlg f. Erwachsene. Von E Weber. 3. [Tit.-]Afl. (250) 8° Berl., F Wunder [1900] (03). 2.50; geb. 4 — d
— neue deut. Märchen f. Knaben u. Mädchen v. F Goebel, F v. Kronoff, K Reichner, K Zastrow u. a. 24—34. Taus. Neue Ausg. (138 m. 4 Farbdr.) 8° Wes., W Düms (05). Geb. — 60 d
— ausgew., a. 1001 Nacht. (127 m. 4 Farbdr.) 8° Stuttg. (05). Reutl., E Bardtenschlager. Geb. — 75 d
— dass. (80 m. 4 Farbdr.) 8° Ebd. (05). Geb. — 75 d
— d. schönsten, a. 1001 Nacht. Für d. Jugend ausgew. u. bearb. 6—8. Taus. (304 m. 4 Farbdr.) 8° Stuttg., G Weise (03). Geb. 3 — d
— dass. (131 m. 4 Farbdr.) 8° Ebd. (04). Geb. 1.50 d
— dass. f. d. Kinderstube. Deutsch v. A König. Ausew., neu bearb. u. hrsg. v. C Michael. 5. [Tit.-]Afl. (274 m. Abb. u. 8 Farbdr.) 8° Lpzg, O Spamer [1890] 02. 2 —; geb. 2.50 d
— zwei, in Bildern v. M Bernuth, s.: Jungbrunnen.
Märchen-Album (in Leporelloform). (6 farb. Taf. m. 4 S. Text auf d. Rücks., auf Pappe.) 16° Stuttg., G Weise (02). Kart. — 50 d
Märchenbilderbuch. (106 m. 71 Farbdr.) 4° Stuttg., Loewe (05). Geb. 8 — d
Märchenborn. (275 m. 16 [8 farb.] Bildern.) 8° Elberf., S Lucas (01). Geb. — 3 d
Märchenbuch, mein erstes. 12. Afl. (56 m. 12 Farbdr.) 8° Berl., Loewe (05). Geb. 3 — d
— gold. Ausw. v. 12 d. schönsten Märchen. Volksausg. 3. Afl. (96 m. 4 Farbdr.) 12° Ebd. (01). Geb. — 80 d
— dass. Ausw. v. 24 d. schönsten Märchen f. d. Jugend. Pracht-ausg. 2 Tle in 1 Bde. (96 u. 96 m. 16 [8 farb.] Bildern.) 12° Ebd. (01). Geb. 1.80 d
— dass. (Wohlf. Ausg.) 2. Afl. 2 Tle in 1 Bde. (96 u. 96 m. 8 Farbdr.) 12° Ebd. (01). Geb. 1.20 d
— neues. Ausw. v. 30 d. schönsten Märchen f. d. Jugend. 20. Afl. (106 m. 8 Farbdr.) 8° Stuttg., Loewe (04). Geb. 3 —; Pracht-ausg. 8° Stuttg., G Weise (03.) Geb. 3.50 d
Märchen-Kalender f. 1906. Gezeichnet v. H Lefler u. J Urban. Mit Gedichten v. L Fulda. (24 m. 12 farb. Taf.) 8° Wien, M Munk. V. —
Märchen- u. Robinson-Lesebuch v. d. Verff. d. Schuljahre. (2. Titelbl.: Märchen- u. Robinson-Lesebuch. Von F Lehmen-sick.) 5. Afl. (288 m. 1 Abb.) 8° Lpzg, H Bredt 04. 3 — d
Märchenpracht, goldene. Ausw. d. schönsten Märchen f. d. Jugend. (127 m. 4 Farbdr.) 8° Stuttg. (05). Reutl., R Bardten-schlager. Geb. 2.50 d
Märchenquell s.: Es war einmal.
Märchenschatz. 12 d. schönsten Märchen f. d. lieben Kleinen. 11. Afl. (32 u. 30 m. 6 Farbdr.) 8° Stuttg., Loewe (04). Geb. 1.20 d
— neuer deut. 7. Sonderheft d. „Woche". 1—10. Taus. (190 m. Abb. u. farb. Taf.) 4° Berl., A Scherl (05). Kart. 3 — d
— gold. (331 m. Abb. u. 6 Farbdr.) 8° Stuttg., G Weise (01). Geb. 3 — d
— neuer gold. (80 m. Abb. u. 6 Farbdr.) 8° Stuttg., W Nitzschke (02). Geb. 3 — d
Märchenspiegel, gold. Ausgew., v. d. Märchentante. (40 m. Abb. u. 3 Farbdr.) 8° Stuttg., W Nitzschke (02). Geb. 3 — d
Märchenstrauss. Ausw. v. 16 d. schönsten Märchen f. d. Jugend. (50 m. 6 Farbdr.) 4° Stuttg., Loewe (02). Geb. 1.80 d
Märchenwelt. Sammlg d. schönsten Volks- u. Kindermärchen u. Gebr. Grimm u. andern. (40 m. z. Tl farb. Abb. u. 3 Farbdr.) 4° Essi., JF Schreiber (02). Geb. 2 — d
Märchensammler. Märchen v.EM Arndt, F Cölln, Gebr.Grimm u.a. (228 m. 10 Farbdr.) 8° Lpzg, E Kempe (03). Geb. 3 — d
Marcher, T: Geleislose elektr. Bahn m. Oberleitg. (35 m. Fig. u. 2 Taf.) 8° Halle, CO Lehmann 01. 1.80
— Experimentelle Untersuchgn auf d. Wechselstromgebiete. [S.-A.] (30 m. Abb.) 8° Lpzg, F Enke 02. 1.20
Marchesan, A: Papst Pius X. in Leben u. Wort. Uebers. v. K Artho. (In 12 Lfgn.) 1. u. 2. Lfg. (1—112 m. Abb. u. 5 [1 farb.] Taf.) 8° Einsled., Verl.-Anst. Benziger & Co. 05. Je 1.60 d
Marchesetti, C: Appunti sulla flora egiziana. [S.-A.] (22) 8° Triest, [FH Schimpff] 05. nn 1 —
— I castellieri preistorici di Trieste e della regione giulia. [S.-A.] (206 m. Abb., 23 Taf. u. 1 Kart.) 8° Ebd. (03). nn 40 —
Marchet, J: Bau u. Betrieb d. Rieswege. [S.-A.] (43 m. Abb. u. 2 Taf.) 8° Wien, F Deuticke 04. 3 —
— Holzproduktion u. Holzhandel v. Europa, Afrika u. Nord-Amerika. 1. Bd. (494) 8° Wien, (W Frick) 04. 13 — d
— s.: Taschenkalender f. d. Forstwirt.
Marchetti, H: Ergebn. d. meteorolog. Beobachtgn in Pola, s.: Kessitz, W.
Marcinowski, J: Wann kämpft um gesunde Nerven! (141) 8° Berl., O Salle 04. ‖ 2. Afl. (148) 05. Je 2 — d
— Nervosität u. Weltanschaug. Studium z. seel. Behandlg Nervöser, nebst e. kurzen Theorie v. Wollen u. Können. (132 m. Abb.) 8° Ebd. 05. 3 — d

Marcinowski, J: Krankhafte Richtgn d. geschlecht!. Sinnlichk. u. ihre Entstehgsgesetze, s.: Flugschriften d. Volksbundes z. Bekämpfg d. Schmutzes in Wort u. Bild.
Marck, v., u. Kloss: Die Staatsanwaltschaft bei d. Land- u. Amtsgerichten in Preussen. Form u. Inhalt d. Amtshandlgn d. Staatsanwaltschaft u. Reichs- u. Landesrecht, m. d. einschläg. Bestimmgn im Wortlaut u. m. Verfüggsentwürfen. 2. Afl. 2 Hlbbde. (595) 8° Berl., C Heymann 01.03. Je 6 —; in 1 Bd geb. 13 — d
Marck, A: Was d. Mensch säet ... Roman. 2. Afl. (322) 8° Berl., Vita (05). 3.50 d
Marck, H: Närrische Weisheit. Lustsp. (91) 8° Berl., H Steinitz 04. 2 — d
Maercker: Die Nachlassbehandlg. d. Erbrecht, Familienrecht u. Vormundschaftsrecht, nebst d. auf diese Rechtsverhältn. bezügl. gesetzl. Bestimmgn u. Verwaltgsvorschriften f. d. preuss. Rechtsgebiet. 17. Afl. v. P Köhne u. R Feist. (690) 8° Berl., R v. Decker 02. L 9 — d
Maercker, H: Gesch. d. Schwetzer Kreises, s.: Wegner, R.
— Gesch. d. ländl. Ortschaften u. d. 3 kleineren Städte d. Kreises Thorn, s.: Quellen u. Darstellungen z. Gesch. Westpreussens.
Maercker's, M, Anl. z. Brennereibetrieb, 3. Afl. v. M Delbrück u. H Lange, s.: Thaer-Bibliothek.
— Fütterglehre. Hrsg. v. F Albert. (172) 8° Berl., P Parey 02. L 4 — d
— Hdb. d. Spiritusfabrikation. 8. Afl. v. M Delbrück. (940 m. Abb., 4 Taf. u. Bildnis.) 8° Ebd. 03. L 14 — d
— Untersuchgn üb. d. Wert d. neuen 40prozent. Kalidünge-salzes gegenüber d. Kainit, s.: Arbeiten d. deut. Landw.-Gesellsch.
— u. M Hoffmann: Die Kalisalze, s.: Anleitungen f. d. prakt. Landwirt.
— u. W Schneidewind: Untersuchgn üb. d. Wert d. neuen 40prozent. Kalidüngesalzes gegenüber d. Kainit, s.: Arbeiten d. deut. Landw.-Gesellsch.
Marcks, E, s.: Abhandlungen, Heidelb., z. mittl. u. neueren Gesch.
— Luder Häusser u. d. polit. Gesch.-Schreibg in Heidelberg, s.: Professoren, Heidelberger, a. d. 19. Jahrh.
— Die Univ VIII. im 19. Jahrh. Festrede. 1—3. Taus. (45) 8° Edlbg, C Winter, V. 03. — 80 d
— Der imperialist. Idee in d. Gegenwart, s.: Zeit- u. Streitfragen, neue.
— s.: Studien, Leipz., a. d. Gebiet d. Gesch.
— Treitschke. Bismarck, s.: Bücherei, deut.
— Wilhelm I. Rede. 1. u. 2. Afl. (32 m. 1 Taf.) 8° Hdlbg, C Winter, V. 02. — 60 d
— Kaiser Wilhelm I. 5. Afl. (12, 428) 8° Lpzg, Duncker & H. 05. 6 —; geb. 7.60 d
Marckwald, E, u. F Frank: Ueb. Herkommen u. Chemie d. Kautschuks. [S.-A.] (68) 8° Dresd., Steinkopff & Spr. (04). 1.50
Marckwald, W: Ub. Becquerelstrahlen u. radioaktive Substanzen, s.: Bibliothek, moderne ärztl.
— Sichtbare u. unsichtbare Strahlen, s.: Börnstein, R.
Marco, L: Wie sie lieben, s.: Eckstein's moderne Bibliothek.
— Shocking? Satyrisches u. Harmloses. 7. Afl. (128) 8° Berl., R Eckstein Nf. (01). 2 —; geb. 3 — d
Marcotti, G: Enthrt. Roman. Übers. v. C Brenning. (371) 8° Dresd., H Minden (02). 4 —; geb. nn 5 — d
Marcuard, F, s.: Michelangelo's Zeichngn im Museum Teyler zu Haarlem.
Marcus, A: „Barsillai". Sprache als Schrift d. Psyche. Ebräisches Wurzel-Wrtrb. (i. Tl.) (368 m. Abb. u. 1 Taf.) 8° Berl., L Lamm 05. HF. nn 10 — d
Marcus, O: Die Lüge vor Gericht. Kritik d. neueren Bestregn d. Zwecke d. Anderg d. Reichsjustizges. (31) 8° Lpzg, Dieterich 01. — 50
— Die Nebenmaterien z. BGB. f. d. Deut. Reich, in Frage u. Antwort, z. Selbstkontrolle. (402) 8° Hannov. (Gerberstr. 4), CV Engelhard & Co. 02. L 10 —
Marcus, E, s.: Natzohme.
— Usse Dölfken od. Lattenske Buren od. Was kraucht da in d. Busch herum?, s.: Vereinstheater.
— Düörgemös. Plattdütske Riemseln, Vertällsels un Döhnkes. (78) 12° Ess., Fredebeul & K. 03. — 75 d
— De gnaute Kumeet of Weg met 'n Dreck, s.: Volksbühne, plattdeut.
— s.: Volksbühne, niederdeut.
Marcus, E: Das Erkenntnisproblem od. wie man m. d. „Radier-nadel" philosophiert. (95) 8° Herf., W Menckhoff 05. 1 — d
— Kants Revolutionsprinzip(Kopernikan. Prinzip). Eine exakte Lösg d. Kant-Humeschen Erkenntnisproblems, insbes. d. Problems d. „Erscheinng" od. „Ding an sich". (181) 8° Ebd. 02. 4 —
Marcus, H: Die allg. Bildg in Vergangenh., Gegenwart u. Zukunft. (72) 8° Berl., E Ebering 03. (1.50) 3 —
— Meditationen. (220) 8° Ebd. 04. 3 — d
Marcus, J: Anweisg d. preuss. Minister d. Justiz u. d. Innern v. 23.VI.1900, betr. d. Errichtg v. Testamenten vor d. Gemeinde- od. Gutsvorsteher. Text m. Einl., Anmerkgn u. Sachreg. (40) 8° Lpzg, Dieterich 01. Kart. — 80 d
— Handausg. d. allg. Verfügg v. 20.XII.1899 üb. d. Verfahren u. d. Gebühren d. Dorfgerichte im Geltgsbereiche d. allg. Land-

·(139 m. Abb.) 16° Einsied., Eberle, Kälin & Co.(03). nn — 25;
  m. 13 Vollbildern nn — 50 d
Maria Gabriela v. hlst. Sakrament, s. a.: Berge, F vom.
  Leben d. ehrwürd. Dienerin Gottes Anna v. hl. Augustinus,
  e. Gefährtin d. hl. Theresia, d. gr. Erneuerin d. Karmeliten-
  Ordens. (216 m. Titelbild.) 8° Innsbr., F Rauch 04.   1.50 d
— Leben d. ehrwürd., durch d. wunderbaren Sieg auf d. Weissen
  Berge bei Prag 1620 berühmten Dieners Gottes Dominikus
  a Jesu Maria, gewes. General d. Ordens d. Unbeschuhten
  Karmeliten. (416 m. 1 Bildnis.) 8° Ebd. 02.   3 — d
— Das wunderbare Leben d. ehrwürd. Dienerin Gottes Rosa
  Maria Serio v. hl. Antonius, Karmelitin d. alten Observanz.
  Nach d. alten italien. Ausg. v. J Gentili bearb. (411 m. 1 Bild-
  nis.) 8° Ebd. 03.   3 — d
— Lebensbilder hervorrag. Männer u. Frauen d. Ordens Uns.
  Lieben Frau v. Berge Karmel. (304) 8° Dülm., A Laumann 04.
                                                       L. 3 — d
Maria-Hilf! Monatsschrift f. alle Verehrer d. Mutter Gottes
  v. d. immerwähr. Hilfe. Red. v. A Pichler. 14—16. Jahrg.
  Oktbr 1901—Septbr 1904 je 12 Hefte. (1. Heft. 32 m. Abb.) 8°
  Münst., Alphonsus-Bh. Je 1 — ‖ 17. u. 18. J. 1904/6. Red.: G
                                                  Freund. Je 1.20 d
Maria-Hilf-Kalender. 1906. 16. Jahrg. (80 u. 21 m. Abb. u. 1
  Farbdr.) 8° Münst., Alphonsus-Bh.   — 50 d
Maria Immaculata. Illustr. Marien- u. Missions-Zeitschrift.
  Hrsg. v. d. dent. Ordensprov. d. PP. Oblaten M. I. Red.: J
  Classen. Nebst Beil.: Freie Stunden. 9—18. Jahrg. Oktbr 1901—
  Septbr 1906 je 12 Hefte. (1. Heft. 36) 8° Hünfeld (Fulda, Fuldaer
  Actiendr.)   Je 2 — d
Maria- u. Josef-Kalender z. Förderg christl. Lebens f. 1902.
  14.Jahrg. Hrsg. v. d. St.Josef-Bücher-Bruderschaft in Klagen-
  furt. Red.: R Klimsch. (32, 112, 16, 24 u. 50 m. Abb.) 4° Klagenf.,
  Buch- u. Kunsth. d. St. Josef-Ver.   — 80 d
  Fortsetzg s. u. d. T.: Sankt Maria- u. Sankt Josef-Kalender.
Maria-Lourdes-Kalender s.: Marien-Kalender, neuer illustr.
Maria Magdalena — Feier. 2 Betrachtgn v. M E. 1. u. 2. Aufl.
  (16) 8° Strieg., R Urban (02).04.   — 15 d
Marjannhill-Kalender s.: Kalender, Marjannhiller.
Maria-Stanislaus, F: Erinnergn an e. Ministranten. (24 m. 1
  Bildnis.) 8° Strassbg, (FX Le Roux & Co.) 04.   — 20 d
Marie Madeleine (Baronin v. Puttkamer) s.: An d. Liebe Narren-
  seil. — Auf Kypros. — Aus faulem Holze. — Felsentaube,
  d. ind. — „Frivol". — Im Spielerparadies. — In Seligkeit u.
  Sünden. — Krabben. — Nächte, d. drei. — Ritter arme.
Marienbad in d. Westentasche. Saison 1903. Red.: R Seidel.
  (266 u. 23) 7,5×6,8 cm. Neutitsch., LV Enders (durch R Hosch).
                                                           — 50 d F
Marien-Blüten. Monatsschrift f. Marien-Verehrg m. Berichten
  v. marian. Wallfahrtsorten. Trsg. v. Schmitt. 28. u. 29. Jahrg.
  1901 u. 2 je 12 Hefte. (1901. 1—4. Heft. 64) 8° Insbr., J Lutz. (?)
                                                           Je 1 — d
— dass. Hrsg. v. A Reiners. 30. Jahrg. 1903. 12 Hefte. (192) 8°
  Augsbg, Schmid., E Mager.   1 — d
— dass. Illustr. Monatsschrift f. alle Verehrer Mariens, m. e.
  Beibl.: Echo d. Annalen uns. lieben Frau v. Lourdes. (Red.:
  A Reiners.) 31. u. 32. Jahrg. 1904 u. 5 je 12 Hefte. (1. Heft. 16)
  8° Donauw., E Mager.   Je 1.20 d
Mariengrüsse a. Einsiedeln. Volksschrift z. Pflege d. Marien-
  verehrg u. d. christl. Lebens. Red.: JE Hagen. 6—10. Jahrg.
  1901—5 je 12 Hefte. (1.Heft. 32) 8° Einsied., Eberle & R. Je 1.85 d
Marien-Kalender, Eichsfelder. 1906. 30. Jahrg. (192 Sp. u.
  16 S. m. Abb. u. 1 Farbdr.) 8° Heiligenst., FW Cordier. — 40 d
— **Einsiedler.** 1906. (48 u. 16 m. Abb. u. 1 Farbdr.) 8° Einsied.,
  Eberle & R.   — 35 d
— **grosser, f. d. kathol. Volk** f. 1906. (112, 16 u. 16 m. Abb.
  u. 3 Taf.) 8° Winterbg, J Steinbrener.   — 50 d
— **neuer illustr.** (Maria-Lourdes-Kalender) f. 1906. 18. Jahrg.
  (88 u. 8 m. 1 Farbdr.) 8° Winterbg, Süddeut. Verlagsbh. — 50 d
  In Ausg. f. Süddeutschl., Norddeutschl. u. Österr.
— **Kevelaerer.** Missions-Kalender d. Väter v. hl. Geist f. 1906.
  8. Jahrg. (125 m. Abb. u. 1 Farbdr.) 8° Düsseldf. (Düsseld.
  Tageblatt). (Nur dir.)   — 50 d
— **kleiner, f. d. kathol. Volk** f. 1906. (64, 16 u. 16 m. Abb. u. 1
  Taf.) 8° Winterbg, J Steinbrener.   — 40 d
— **Mariazeller.** 1902. (95 m. Abb. u. 1 Farbdr.) 8° Wien, E
  Hassenberger.   — 60; L. m. G. 2 — d
  Fortsetzg von nicht zu erhalten.
— **oberösterr.,** f. d. kathol. Volk. 1903. Hrsg. u. red. v. E
  Hassenberger. (112 u. 8 m. Abb. u. 3 [1 farb.] Taf.) 4° Wien.
  (Linz, Zentraldruckerei vorm. E Mareis.)   — 60 d ó F
— **Regensburger,** f. 1906. 41. Jahrg. (208 Sp. u. 19 S. m.
  Abb. u. 2 Farbdr.) 8° Regsbg, F Pustet.   — 50 d
  *In Ausg. f. Bayern, Württemberg, d. übr. Deutschl., Österr.,
  Schweiz u. Südamerika.*
Marienkind, d., s.: Dilettantenbühne, kathol.
Marien-Psalter, der. Monatsschrift f. d. Verehrer d. hl. Rosen-
  kranzes. Red.: HJ Pfugbeil, 29. J. v. Raphael Maria. 25—29.
  Jahrg. Oktbr 1901—Septbr 1906 je 12 Hefte. (Je 288 m. Abb.)
  8° Dülm., A Laumann.   Je 1.20 d
Marin, J: Das Zeichnen in d. Volkssch., umfassend 34 Musterbl.
  m. 91 Vorübgn, 400 Lebensformen u. 68 Ornamenten u. e.
  method. Anweisg m. Lehrpl. u. 10 Stundenbildern. (64) 8°
  Marburg a/D., (C Scheidbach) 03. (Nur dir.)   4 — d
Marine, d. kais., u. d. Wirren in China 1900—01. Hrsg. v.
  Hinrichs' Fünfjahrskatalog 1901—1905.

Admiralstabe d. Marine. (271 m. Abb. u. 20 Pl. u. Skizzen.)
  8° Berl., ES Mittler & S. 03.   8 —; geb. nn 10 — d
Marine-Almanach s.: Almanach f. d. k. u. k. Kriegs-Marine.
Marine-Kirchenordnung, ev. (E. M. K.) (D. E. Nr. 369.) (36) 8°
  Berl., (ES Mittler & S.) 03.   — 40; kart. — 60 d
Marinelli, B, s. a.: Hirschberg-Jura, R. — Jura, R.
Marineordnung. Militär. Ergänzgsbestimmgn z. deut. Wehr-
  ordng. Neusbdr. (351) 8° Berl., ES Mittler & S. 04.   2.60;
                                                    kart. 3 — d
Marine-Rundschau. Red.: Nachrichtenbureau d. Reichs-Marine-
  Amts. Verantwortlich: Koch. 12—14.Jahrg. 1901—3 je 12 Hefte.
  (1901. 1. Heft. 121 m. 1 Taf.) 8° Berl., ES Mittler & S. Viertelj.
  2 —; einz. Hefte 1 — ‖ 15. Jahrg. 1904. 1. Viertelj. 2 — ‖ 2 —
  Viertelj. (1441) Viertelj. 2.50 ‖ 16. Jahrg. 1905. Viertelj. Nr. 3
— dass. 1904. 15 Beihefte. 8° Ebd.   6.30
  1—13 u. 15. Krieg, d. russisch-japan. (1—183 u. 251—267 m. Skizzen, 5
     Kart. u. 6 Anl.)   5.10
  14. Neutralitätsverlesse 1854—1904. Hilfsmittel z. Studium d. russisch-japan.
     Krieges. (195—249)   1.70
— dass. 1905. 1. Beiheft. 8° Ebd.   — 60 d
  1. Tätigkeit, d., d. Landgskorps S. M. S. „Habicht" währ. d. Herero-Auf-
     standes in Süd-West-Afrika Jan./Febr. 1904. Bearb. im Admiralstab d.
     Marine. (31 m. 6 Skizzen.) 05.   — 60
Marinesco, G: Lésions des cordons postérieurs d'origine exo-
  gene, s.: Atlas d. patholog. Histol. d. Nervensystems.
Marine-Taschenbuch. Auf Grund amtl. Materials bearb. u.
  hrsg. 4. Jahrg. (32, 537) 16° Berl., ES Mittler & S. 06. 3.25;
                                                    geb. 4 —
Marineverordnungsblatt. Hrsg. v. Reichs-Marine-Amt. 32—
  36. Jahrg. 1901—5. ('04. 474) 8° Berl., (ES Mittler & S.).
                                              Viertelj. 1 —; S.)
Marine-Zeitung, dent. Wochenschrift f. Marine- u. Seewesen.
  Red.: K Jansen. 8—12. Jahrg. 1901—5 je 52 Nrn. (1901. Nr. 1.
  12 m. 1 Abb.) Fol. Kiel, Deut. Marine-Zeitg. Viertelj. 1 — d
Maring, J: Diözesansynoden u. Domherrn-Generalkapitel d.
  Mittelalters z. Gesch. Niedersachsens.
Marion, E: Frack Nr. 1, Nr. 2 u. Nr. 3, s.: Dilettanten-Theater.
Mariupolsky, L: Die philosoph. Begründg d. Evolutionstheorie
  Herbert Spencer's. (144) 8° Helsingf. 04. (Riga, N Kymmel's
                                                     S.)   4 —
Marius, G: Reiterlieder, s.: Schreiber's humorist. Bibliothek.
Mark, die. Illustr. Berliner Zeitschrift. Red.: GE Kitzler.
  1. Jahrg. Aug. 1904—Juli 1905. 26 Nrn. (Nr. 1—8. 64 m. Abb.)
  4° Berl., Verl. „Baldur". 3.25; geb. 5.25; einz. Nrn — 10 d
— dass. Illustr. Berliner Wochenschrift. 2. Jahrg. Juli 1905—
  Juni 1906. 52 Nrn. (Nr. 1. 8 m. Abb.) 4° Ebd. Viertelj. 1.25;
                                              einz. Nrn — 10 d
Mark, C: Gesetzeskde f. bayer. Landwirte. (167) 8° Münch.,
  CH Beck 01.   Kart. 1.90 d
Mark, D: Die Einführg in d. Gemeindeschreiber-Dienst im Kgr.
  Bayern diesseits d. Rheins. 4. Afl. (306) 8° Amberg 01. (Münch.,
  J Lindauer.)   Kart. 3.50 d
Mark, D: Der christl. Glaube. Apologet. Kanzelvorträge zu-
  nächst f. d. reif. studier. Jugend. 2. Afl. (459) 8° Brix., A Weger
  05.   4 — d
Mark, E: Licht u. Schatten. Militär. Novellen. (196) 8° Dresd.,
  E Pierson 01.   3 —; geb. u — d
Mark, LJ: Die Kompagnie im Verbande. (52) 8° Metz, P Müller
  03.   1.80 ‖ 2. Afl. (139) 05. Kart. 1.40 d
— Vorbereitg z. gefechtsm. Abteilgsschiessen in d. Kompagnie
  sowie Einiges üb. d. Führg d. Kompagnie im Gefecht. 6. Afl.
  (44) 12° Ebd. 01.   nn — 35 d
Mark, T: Was da Hansel in ganzen Tag treibt. 1 Kindern
  vazählt. (14 m. 3 Taf.) 4° Wien, Wiener Verl. 02. Kart. 1.90 d
— Standhafte Mädchen.(120)8°Ebd.02. Kart. 2 —; geb. nn 3 — d
— Die Wittib. (116) 8° Ebd. 04.   — 50 d ó F
Mark, W V. d.: Akotenfauer od. Natz van Dülmen ass Präsen
  im Schmeukklub „Bruderbund". — Die gestörte Hildesheim-
  Versammlg od. Nätzken van Dülmen bi dä Buren. — Der mo-
  derne Heilkünstler od. Hausknecht als Wunderdoktor, s.: Hei-
  delmann's, A, Theaterbibliothek.
Mark Aurel s. a.: Antoninus, M.
— Selbstbetrachtgn.(Neu verdeutscht u. eingeleitet v. O Kiefer.)
  (32, 176) 8° Lpzg 03. Jena, E Diederichs.   3 —; geb. 4.50
— Selbstgespräche. Übers. u. erläut. v. C Cless. 3. u. 4. Lfg.
  2. Afl.(97—176)8°Berl.-Schöneshg, Langenscheidt's V.(1900.01).
                                                      Je — 35 d
Marke, F, s.: Führer durch d. Volksschullese.
— Sprachsch., s.: Kamp, K.
Maerkel, P: Der Kulturwert d. Russischen. (38) 8° Berl., Weid-
  mann 05.   1 —
Markenbach, H: Der Schlaf v. Standpunkte d. transszenden-
  talen Psychol. Zugl. e. Wort d. Trostes f. betrübte Seelen
  u. lindernder Balsam auf d. Wunden, die d. Tod teurer
  Geliebten gerissen. (15) 8° Lpzg, Q Mutze 02.   — 50 d
Märker, der. Organ d. märk. Verbandes f. Nationalstenogr. Red.:
  H Möckel. 1. Jahrg. Juni—Dezbr 1903. 6 Nrn. (Nr. 1. 8) 8°
  Berl. (NW.21., Alt Moabit100), R Dausel.—70; einz. Nrn —20 d
Märker, W: Die Gefahr d. Alkoholgenusses u. d. Aufg. d. Schule,
  in d. Bekämpfg derselben mitzuhelfen, s.: Abhandlungen, päda-
  gog.
Markert, H: 6 Charakter-(Tanz-)Reigen f. 1—6 Paare. — 7 neue
  Damenreigen. — 4 Knabenreigen. — 6 Kostüm-(Charakter-)
                                                          116

Reigen f. 8—24 Damen. — 7 Mädchenreigen, s.: Aufführungen, Reigen u. Tänze.

Markgraf, H. s.: Stein's, B, Beschreibg v. Schlesien.

Markgrafen-Büchlein. Kurz zusammengef. Gesch. d. Markgrafen Ansbach's u. Bayreuth's u. ihrer Vorfahren, d. Burggrafen in Nürnberg. (Von F Herrmann.) (372 m. 1 Stammtaf.) 8° Bayreuth, E Mühl 02. (Nur dir.)   nn 3.50

Markl, A: Oberösterr. Fundmünzen. A. Die antiken Fundmünzen d. Museums Francisco-Carolinum. (74) 8° Linz a/D., Museum Francisco-Carolinum 1898. (Nur dir.)   — 50

Märklin s.: Taschen-Kalender, bad. landw.

Märklin, E, u. K **Erbe:** Anthologia latina. Blumenlese a. latein. Dichtern. Für mittl. Kl. zusammengest. u. m. erläut. Anmerkgn versehen. 2. Afl. (96) 8° Stuttg., A Bonz & Co. 04.
          — 75; kart. 1 —

Marklowski, A v.: Nachschlage-B. f. d. Militär-Radfahrer. (29 m. 1 Taf.) 12° Mörch., O Steinbicker 02.   — 40 d

Markmann, H: Soll u. Haben in d. Praxis d. Sortimenters. Aufzeichngn e. rühr. Buchhändlers. Mit 4 Übgsheften. (108, 4, 10, 6 u. 7) 8° Münch., H Markmann 06.
          Kart. u. geb., in L.-M. nnn 8 —
— dass. in d. Praxis d. Verlegers. Mit 4 Übgsheften. (154, 4, 13, 7 u. 7) 8° Ebd. 06.   Kart. u. geb., in L.-M. nnn 10 —
— Städteführer. Nr. 3 u. 4. 12° Lpzg, A Schumann's V. Je 1 — 6 F
  3. Geld u. Zeit in Köln u. Umgebg. (144 m. Pl. u. 1 Karte.) [01.]
  4. Dass. in Wiesb. nebst Umgebg. (128 m. Pl. u. 1 Karte.) [02.]

Markóczy, A: Hdb. f. d. Patrouillen-Dienst. (31) 12° Budap., C Grill 01.   — 40

Markovic, M: Die serb. Hauskommunion (Zadruga) u. ihre Bedeutg in d. Vergangenh. u. Gegenwart. (87) 8° Lpzg, Duncker & H. 03.   2.40

Markovics, MA v., s. a.: Tour, E de la.
— Das Geheimnis Dragynianus. Auf eig. Füssen, s.: Weber's moderne Bibliothek.
— 2 harte Köpfe. Novelle. (151) 8° Bresl., Schles. Buchdr. etc. (01).   — 75; geb., — d
— Rauschgold. — Vom Seine-Strand, s.: Weber's moderne Bibliothek.

Markovics-Lettkow, M: Verbotene Früchte u. anderes, s.: Ensslin's Roman- u. Novellenschatz.

Markovitch, GP: Die Berechng d. elektr. Konstanten paralleler Wechselstromoberleitgn. [S.-A.] (100 m. Abb.) 8° Stuttg., F Enke 05.   3.60
— Spanngserhöhg in elektr. Netzen infolge Resonanz n. freier elektr. Schwinggn. [S.-A.] (56 m. Abb.) 8° Ebd. 05.   2.40

Markow, S: Taschenb. d. Handelskorrespondenz in russ. u. deut. Sprache, s.: Pfeiffer, J.

Markowitsch, BS: Die Gemeinden u. ihr Finanzwesen in Serbien, s.: Sammlung nationalökonom. u. statist. Abhandlgn.

Marks, S: Rosa Burger, d. kühne Burenmädchen. Od.: Die Goldgräber v. Transvaal. Roman a. d. Burenkriege. 6—90. Heft. (121—2166 m. je 1 Vollbild.) 8° Dresd., RH Dietrich 01/03.
          Je — 10 (Vollst.: 9 —) d

Markscheffel, K: Der internat. Schülerbriefwechsel. SeineGesch. Bedeutg, Einrichtg u. gegenwärt. Stand. (44) 8° Marbg, KG Elwert's V. 03.   — 80 d

Marktbericht, wöchentl., (üb. d. Zuckerhandel). Beil. z. Wochenbl. „Die deut. Zuckerindustrie". Red.: R Hennig u. 1905, A Bartens. Jahrg. 1901—5 je 52 Nrn. (1901. Nr. 1. 16 Sp.) 4° Berl., (R Friedländer & S.).   Viertelj. nn 4 —

Markus, D, s.: Corpus juris hungarici.

Markus, DF: Die Associationstheorieen im 18. Jahrh., s.: Abhandlungen z. Philosophie u. ihrer Gesch.

Markwalder: Pferdezucht u. Militärpferde. Mit Berücks. d. schweiz. Verhältn. (55 m. Abb.) 8° Aar., E Wirz 05. 2.50

Markwort, W: Bibl. Gesch. f. Stadt- u. Landsch. 2. Afl. (220 m. Abb. u. 2 Kart.) 8° Brnschw., H Wollermann 03. Geb. 1 — d

Marmier, C: Gesch. u. Sprache d. Hugenottencolonie Friedrichsdorf am Taunus. (136) 8° Marbg, NG Elwert's V. 01.   3.40

Marmordarstellungen. 18 neue Vorl. z. Darstellg v. Marmorgruppen. (18 Taf.) 8° Probsth. (02). Lpzg, Rauh & Pohle. 1.50

Marmorgruppen. 1. u. 2. Heft. 8° Lpzg, Rauh & Pohle. Je 1.50
  1. (13 Taf. m. 1 Bl. Text.) [02.] § 2. Entworfen u. gez. v. A Leue. (13 Taf. m. 2 Bl. Text.) [02.]
— f. Kinder. 14 Vorl. z. Aufstellg v. Marmorgruppen f. 3 Kinder im Alter v. 8—10 Jahren. (14 Taf. m. 1 Bl. Text.) 16° Probsth. (04). Lpzg, Rauh & Pohle.   1.50

Marmorstein, A: Studien z. Pseudo-Jonathan Targum. I. Das Targum u. d. apokryphe Lit. (39) 8° Pozsony (Pressbg), (S Steiner) 05.   1.20

Marnet-Bibliothek. 56—61. Bd. 8° Neust. a/H., W Marnet. à 4.45;
          geb. 7.45
  Dewall, J v.: Bunte Bilder. In Gabelsb.'sche Stenogr. übertr. v. C Creutzburg. 1. 3 Humoresken a. d. Militärleben. 1. Der Zug d. Herzens. 2. Der junge Mann m. 3 Orden. 3. Die Haar-Tinktur. (89) (03.) [39.] — 65; geb. 1.15 § II. 3 Humoresken a. d. Militärleben. 1. Losg u. Feldgeschrei. 2. General-Marsch. 3. Onkel Zastrow. (48) (03.) [61.] — 50; geb. 1.30
  Pereike, H: Carnison-Gesch. In Gabelsb.'sche Stenogr. übertr. v. C Creutzburg. I. 3 Humoresken. 1. Doch angeführt. 2. Der Grosse u. d. Kleine. 3. Major Nepomuk. (42) (03.) [58.] — 70; geb. 1.20 § II. 3 Humoresken. 1. Das Schlachtfest. 2. Die verfäng-nisvolle Bowle. 3. Wilhelm d. Eroberer. (46) (03.) [59.] — 70; geb. 1.25
  Riotte, J v.: Die schöne Griechin. — Der Amateur-Photograph. 2 Humoresken. In Gabelsb.'sche Stenogr. übertr. v. C Creutzburg. (40) (03.) [56.]   — 60; geb. 1.30
  Schanz, F: Die Alte. Novelle. In Gabelsb.'sche Stenogr. übertr. v. C Creutzburg. (47) (03.) [57.]   — 75; geb. 1.25
  Bisher u. d. T.: Büchersammlung f. Gabelsb.'sche Stenogr.

Marney, EA Toreau de: Grammaire franç. idéograph. Premier emploi de l'équivalent pour la règle, l'exception. — Franzōs. Grammatik m. suggerier. (ideograph.) Zeichen. (136) 8° Lpzg, E Haberland 03.   2 —; geb. 2.50
— Premier pas vers la langue univ. par des signes suggestifs. Sprechübgn f. Anfänger im Anschl. an d. Vorfälle d. Tages, erläut. durch ideograph. Zeichen. (31) 8° Ebd. 02.   1 —
— First step to Engl. conversation. Sprechübgn f. Anfänger im Anschl. an d. Vorfälle d. Tages, erläut. durch ideograph. Zeichen. (32) 8° Ebd. 03.   1 —

Marni, J: Die Gattin. — Sündige Liebe, s.: Bibliothek Bard.
— Tageb. einer Verliebten. Roman. (478) 8° Wien, Wiener Verl. 05.   3 —; geb. nn 4.50 d

Marnitz, L v.: Russ. Grammatik, auf wiss. Grundl. f. prakt. Zwecke bearb. 2. Afl. (151) 8° Lpzg, R Gerhard 02.   2.60; geb. 3 — d
— s.: Methode Toussaint-Langenscheidt, Russisch.

Maróczy, G v.: Kl. Hdb. d. Schachspiels, s.: Szemere, E.

Marold, K, s.: Hartmann v. Aue.

Maron, D. Christenknabe a. d. Libanon, s.: Aus fernen Landen.
— Desde lejanas tierras.

Marosy, S: Ungeschminkte Wahrh. üb. d. Liebesdrama d. Kronprinzen Rudolf u. d. Baronesse Mary Vetsera. (319) 8° Lpzg, Lpzg. Verlags-Comptoir 03.   2.50 d

Marót, M: Χαλεπ' Ἀφροδίτη, (104) 8° Berl., GH Meyer 02. (Lpzg, F Volckmar.)   2 —; geb. 3 —

Marotzke, E: Wandk. d. Kreises Kolmar, s.: Baron, P.

Marpmann, G: Beitr. z. Trinkwasser-Untersuchg, s.: Mitteilungen a. Marpmann's hygien. Laboratorium.
— Illustr. Fachlexika d. ges. Apparaten-, Instrumenten- u. Maschinenkde, d. Technik u. Methodik f. Wiss., Gewerbe u. Unterr. 1. Bd. Chemisch-analyt. Technik u. Apparatenkde. 21 Lfgn. (978 a. 35) 8° Lpzg, P Schimmewitz (01-05). Je 1.50; in 2 L.-Bdn je 17 —
— dass. II. Bd. Chemisch-techn. Apparaten- u. Maschinenkde. (In 20 Lfgn.) 1. Lfg. (1—48 m. Abb.) 8° Lpzg, AH Payne (03).   1.50
— s.: Zeitschrift f. angewandte Mikroskopie.

Marpurg, O: Allerlei a. alten u. bösen Tage. (75) 8° Cöth., Lehr. Marpurg 02.   1.50 d
— Hilfsb. f. d. Unterr. an einf. Fortbildgssch. — Theorie u. Praxis d. Fortbildgsschulunterr., s.: Tischendorf, J.

Marquard, A: Württemberg u. d. Brotgetreidezoll. Das Interesse d. Landw., d. Kleingrundbesitzer, sowie d. nicht landw. Bevölkerg Württembergs an d. Zöllen auf Brotgetreide. (71) 8° Stuttg., (O Gerschel) 02.   1 — d

Marquardsen, A: Die Familie Bonnet. Geschichten f. Kinder v. 8—12 Jahren a. d. Zeit „Als d. Urgrossvater d. Urgrossmutter nahm". Nach d. Engl. frei erzählt. (256) 8° Nürnbg, T Stroefer (03).   Geb. 3.50 d
— Aus Feld u. Flur! Bilderb. m. Verschen u. Erzählgn. (27) 4° Ebd. (01).   Geb. 1 —
— Gruss vom Osterbas! (15 m. z. Tl farb. Abb.) Fol. Ebd. (02).   Geb. 1 —
— Nur f. ganz brave Kinder! Erzählgn u. Verse. (66 m. z. Tl farb. Abb.) 4° Ebd. (04).   Geb. 6 — d
— Der Kinder Bildersaal. Bilderb. m. Verschen u. Erzählgn. (66 m. z. Tl farb. Abb.) 4° Ebd. (01).   Geb. 6 — d
— Für's Kinderherz. Bilderb. m. Verschen. (20 m. Abb. u. 7 farb. Drehbildern.) 4° Ebd. (01).   Geb. 4.50 d
— Kinderhort. Ein neues Bilderb. für's kl. Volk. Mit Erzählgn u. Versen. (36 m. z. Tl farb. Abb.) 4° Ebd. (03).   Geb. 8 — d
— Zur Osterzeit. (15 m. z. Tl farb. Abb.) 8° Ebd. (05). Geb. — 75; ausgestanzt — 75 d
— Froehliche Stunden. Bilderb. f. uns. Lieblinge m. Erzählgn u. Versen. (32 m. z. Tl farb. Abb.) 4° Ebd. (05). Geb. 3 — d
— Verwandle dich! Zauber-Bilderb. m. Versen. (16 m. Abb. u. 5 farb. Klappbildern.) 4° Ebd. (01).   Geb. 2 — d

Marquardsen, H v., s.: Handbuch d. öffentl. Rechts d. Gegenwart.

Marquardt, C: Verz. e. ethnolog. Sammlg a. Samoa. (21) 8° Berl., D Reimer 02.   1 —

Marquardt, F: Handelsinspektoren, s.: Denkschrift d. Verbandes deut. Handlgsgehülfen.

Marquardt, P, s.: Volks-Erzählungen, kl.

Marquardt, P, s.: Polyglotte. Neueste Methode z. schnellen u. leichten Erlerng moderner Sprachen. Grammatik — Lektüre — Conversation — Lit. — Correspondenz. Deut. Tl. (70 m. 12 Taf.) 8° Salzw., JD Schmidt (05).   1.50

Marquart, J: Ērānšahr n. d. Geogr. d. Ps. Moses Xorenac'i, s.: Abhandlungen d. kgl. Gesellsch. d. Wiss. zu Göttingen.
— Osteurop. u. ostasiat. Streifzüge. Ethnolog. u. historisch-topograph. Studien z. Gesch. d. 9. u. 10. Jahrh. (ca 840—940). (58) 8° Lpzg, Dieterich 03.   30 —; geb. 32.50
— Untersuchgn z. Gesch. v. Erān. 2. Heft. [S.-A.] (258) 8° Ebd. 05.   10.20 (Vollst.: 12 —)

Marr, B: Der Baum d. Erkenntnis. Mythologisch-etymolog. Studie. In 2 Tln u. 1 Anh. (143 m. Fig.) 8° Dux, B Marr (durch C Scheithauer) (04).   2.50
— Die Symbolik d. Lunation. Von d. Entstehgsursache d. Sprach- u. Sagenschatzes d. Gesamtmenschh. (151 m. Fig.) 8° Ebd. 05.   2.10

Marr, O: Kosten d. Betriebskräfte bei 1—24stünd. Arbeitszeit

täglich u. unter Berücks. d. Aufwandes f. d. Heizg. (83) 8°
Münch., R Oldenbourg 01. 2.50
Marr, O: Die neueren Kraftmaschinen, ihre Kosten u. ihre Ver-
wendg. (66) 8° Münch., R Oldenbourg 04. 3 —
Marré, EC: Die Kolik d. Pferde. (52) 12° Lpzg (02). Berl., Zuck-
schwerdt & Co. — 80 d
— Vollständ., kurzgef. illustr. Lehrb. d. prakt. Spiritismus.
2. Afl. v. H Arnold. (108 m. Abb.) 8° Lpzg, E Fiedler (05). 1.50
— Die Sprache d. Hausa, s.: Kunst, d., d. Polyglottie.
Marriage, ME, s.: Volkslieder a. d. bad. Pfalz.
Marriott, E (Frl. E Mataja): Schlimme Ehen. Novellen. (236) 8°
Berl., G Grote 01. 2.50; geb. 3.50 d
— Seine Gottheit. Roman. 5. Taus. (361) 8° Ebd.04. 5 —; geb. 5 — d
— Menschlichkeit. Roman. 3. Taus. (326) 8° Ebd. 02.
4 —; geb. 5 — d
— Der geistl.Tod. Roman. 8.Taus. (317) 8° Ebd.04. 3 —; geb. 4 — d
— Die Unzufriedenen. Roman a. d. bürgerl. Kreisen. 3. Afl. (364)
8° Ebd. 1890. 3 —; geb. 4 — d
Marrot, A: Wer will Gesundheit u. Glück? Übers.v.G Foerschke.
(96) 8° Halle, Gebauer-Schw. 03. 2 — d
Marryat, F: The children of the New Forest, s.: Authors,
Engl. (A Stange). — Klassiker-Bibliothek, französisch-engl.
(G Buchner). — Schulbibliothek, französ. u. engl. (G Wolpert).
— The 3 cutters, s.: Authors, Engl. (E Paetsch). — Schul-
bibliothek, französ. u. engl. (R Müller).
— Jakob Ehrlich, s.: Roth, R.
— Der Flottenoffizier, s.: Geyer, A.
— Seekadett Jack Freimut. Für d. Jugend bearb. v. A Her-
mann. 2. [Tit.-]Afl. (249 m. 6 Farbdr.) 8° Lpzg, O Spamer
[1899] (02). Geb. 2 — d
— Der flieg. Holländer, s.: Erzählungen, klass., d. Weltlitt.
— Der Pirat. See-Roman a. d. Engl. (96) 8° Neuweissens., E
Bartels u. Co. J.J. 1 — d
— dass. Eine Seegesch. Für d. Jugend bearb. v. P Schlicht.
(191 m. 8 Farbdr.) 8° Lpzg, O Spamer (02). Geb. 3 — d
— Masterman Ready or the wreck of the Pacific, s.: Authors,
Engl. (E Paetsch).
— Romane. Aus d. Engl. 3., 5., 6., 10—12. u. 22. Bd. (Neudr.)
8° Lpzg, KF Koehler. Je 2 —; geb. 50 —] d
(Vollst., 23 Bde: 40 —; geb. 50 —) d
3. Midshipman Easy. (486) (04.)] 5. Peter Simpel. (390) (05.)] 6. Japhet,
d. e. Vater sucht. (468) (01.)] 10. Jakob Ehrlich. (474) (01.)] 11. Der
Kaperschiffer vor 100 Jahren. (396) (04.)] 12. Der arme Jack. (445) (05.)
[27. Die Ansiedler in Canada. (396) (04.)
— Sigismund Rüstig. Der Bremer Stenermann od. d. Schiff-
bruch d. Pacific. Für d. deut. Jugend bearb. v. F Meister.
8. Afl. (335 m. Abb. u. 4 Farbdr.) 8° Lpzg, Abel & M. 05.
Geb. 3 —] 9. Afl. Volks-Ausg. (335 m. Abb. u. 4 Farbdr.) 05.
Geb. 2 — d
— Sigismund Rüstig od. d. Schiffbruch d. Pazifik. Erzählg f.
d. deut. Jugend. 2. Afl. (240 m. 4 Farbdr. u. 1 Pl.) 8° Stuttg.,
Union (03). 2 — d
— dass., v. Reichhardt, R.
— Die Schiffbrüchigen auf d. Chincha-Inseln. Merkwürd. Er-
lebnisse e. Kindes. Deutsch v. L Freytag. (432 m. Abb.) 8°
Lpzg 02. Crimmitschau, R Wöpke. 3.60; geb. 4.50 d
— Selections from Peter Simple, s.: Reformbibliothek, neu-
sprachl. (G Krueger).
— The settlers in Canada, s.: Authors, Engl. (A Benecke).
— Peter Simpel, s.: Schneesing, J.
— Peter Simple, s.: Authors, Engl. (A Stange).
Mars s.: Militär-Kalender f. d. k. u. k. Heer.
— regiert d. Stunde, v. Nebukadnezar, s.: Broschüren-Folge
„Continent".
Mars s.: Brief, d. blaue.
Marsano, W: Die Helden, s.: Universal-Bibliothek.
Marschall, E, s.: Laub u. Blüten.
Marschall, GN: Fibel, s.: Anfangsunterricht.
— Grundr. d. deut. Sprach- u. Rechtschreiblehre, s.: Gutmann,
KA.
— Deut. Leseb. f. höh. Lehranst. I. u. II. Bd. 8° Nürnbg, F Korn.
Geb. 6.10 d
I. Für d. unt. Kl. 10. Afl. (354) 04. 2.50] III. 3. Afl. (540) 06. 3.60.
— Deut. Leseb. f. d. Unter- bezw. Mittelkl. d. Volkssch., s.:
Krieger, F.
— Leseb. f. d. 2. Kl. d. Volkssch. in München. — Deut. Leseb.
f. d. Oberkl. d. Volkssch., s.: Bauer, L.
— Deut. Stilbuch. 3. Kurs. Für d. ob. Kl. höh. Lehranst. 6. Afl.
(284) 8° Nürnbg, F Korn 05. 1.50 d
— u. KA Gutmann: Deut. Sprachb. (Sprach- u. Rechtschreib-
lehre). 2 Abtlgn. 8° Münch., R Oldenbourg 03. Geb. nn 3 — d
I. Für d. unt. Kl. höh. Lehranst. u. f. Fortbildgsch. 9. Afl. (112) nn 1.10
II. Für d. mittl. u. ob. Kl. höh. Lehranst. 2. Afl. (237) nn 1.90
Marschall, O: Irings Vermächtnis. Konservatives Gedicht. (94)
8° Berl., Herm. Walther 05. 2 — d
Marschall, R: 3 Weihnachts-Abende a. Luthers Leben. Festsp.
(82) 8° Essen a/R. (W.), Pfr. Marschall 02. †2 — d
Marscheider, R: Beitr. z. Kurzschriftmethodik, s.: Bausteine,
pädagog.
— Übersicht d. vereinf. deut. Kurzschrift u. Stolze-Schrey.
1—5. Taus. (4) 8° Berl., Bh. d. Stenogr.-Verbandes Stolze-
Schrey 04. — 15
Marschik, S: Physikalisch-techn. Untersuchgn v. Gespinsten
u. Geweben. (70 m. Abb.) 8° Wien, (C Gerold's S.) 04. 2 —

Marschner, E: Lehrb. d. Waffenlehre z. Selbststudium f. Offi-
ziere aller Waffen. 2 Bde. 3. Afl. 8° Wien, F Tempsky. L. 18.40
I. Allg. Waffenlehre. (249 m. Abb.) 03. 10 —
II. Spez. Waffenlehre. (204 m. Abb.) 03. 8.40
Marschner, H, u. R **Marschner**: Gesichtsmassage z. Erreichg
e. gefäll. Gesichtsausdrucks, hauptsächlich im Profil. (34 m.
Abb.) 8° Stuttg. (03). (Pirmasens, Lützel & Co.) — 90 d
Marschner, J: Hülfsb. f. d. einj.-freiwill. Mediciner im 1. Halbj.
(111) 12° Marbg a/D., W Blanke Nf. (01). 1.50
Marschner, L: Leitf. f. Laien-Fleischbeschauer, s.: Koschel, O.
Marschner, O: Takt u. Ton. Plaudereien üb. d. feinen Takt
u. guten Ton im gesell. Verkehr. (686) 8° Lpzg 01. Berl.,
Neufeld & H. 01. L. 6 — d
Marsh, R: Die Totenhand. Kriminalroman. (128) 8° Lpzg (1900).
Erf., F Bartholomäus. 1 — d
Marshall, A: Hdb. d. Volkswirtschaftslehre. 1. Bd. Nach d.
4. Afl. d. engl. Originals übers. v. H Ephhraim u. A Salz.
(29, 717) 8° Stuttg., JG Cotta Nf. 05. 12 —; L. 13.50; HF. 14 — d
Marshall, E: Die Liebe höret nimmer auf. Erzählg a. d. Zeit
d. Bürgerkriege Englds. Übertr. v. M Morgenstern. (151) 8°
Herb., Bh. d. nass. Colportagever. 01. — 80;
in Bibliotheksbd 1.30; L. 1.40 d
Marshall, JS: Die chirurg. Krankh. d. Gesichts, d. Mundhöhle
u. d. Kiefer. Uebersetzg. (771 m. Abb.) 8° Berl., The S. S.
White Dental Manufacturing Co. 1899. L. 15 —
Marshall, NH: Die gegenwärt. Richtgn d. Relig.-Philosophie
in Engl. u. ihre erkenntnistheoret. Grundl. (136) 8° Berl.,
Reuther & R. 02. 4.50
Marshall, W: Charakterbilder a. d. heim. Tierwelt. (402 m.
Abb.) 8° Lpzg, A Twietmeyer 03. 5 —; L. 6 — d
— Der zoolog. Garten, s.: Rechner, M.
— Geflügelzüchter,Tierärzte, Menschenärzte u. zoolog.Wunder.
[S.-A.] (29) 8° Stuttg., E Schweizerbart 01. — 60
— Herrn Grillens Thaten u. Fahrten, s.: Candéze, E.
— Katech. d. Zool., (2. Afl. d. CG Giebelschen Katech.), s.:
Weber's illustr. Katechismen.
— Zoolog. Plaudereien. 2. Reihe. 4. Sammlg d. Plaudereien u.
Vorträge. (243 m. Abb.) 8° Lpzg, A Twietmeyer (01). 4 — d
— (1—4.: 16 —; Einbde je 1 —) d
— Die Raubvögel Mitteleuropas, s.: Kleinschmidt, O.
— Die Thalsperre, s.: Candéze, E.
— Die Tiere d. Erde. Eine volkstüml. Uebersicht üb. d. Na-
turgesch.d.Tiere.3.Bde.(Die Erde in Einzeldarstellgn II.Abtlg.)
(328, 325 u. 377 m. Abb. u. 24 farb. Taf.) 8° Stuttg., Deut.
Verl.-Anst. (03.04). L. je 12 —; auch in 50 Lfgn zu — 60 d
— Gesell. Tiere, s.: Hochschul-Vorträge f. Jedermann.
— s.: Tierfreund, deut.
Marsop, P: Der Kern d. Wagner-Frage. Museumskunst od.
Bühne d. Lebenden? [S.-A.] (37) 8° Münch. 02. (Lpzg, Gef
Steinacker.) —75
— Studienblätter e. Musikers. (475) 8° Berl., Schuster & Loeff-
ler 03. 9; geb. 6 —
Marstatt, M: Wechsellehre n. d. Bestimmgn d. Schulordng f.
Realsch. [S.-A.] (35) 8° Rgnsbg, F Pustet 02. — 15 d
Martel de Janville, Gräfin G, s.: Gyp.
Marten, A: Leben u. Schriften d. Schulinspektors Friedrich
Krancke, [S.-A.] (73 m. 1 Bildnis.) 8° Hannov., Hahn 01. — 75 d
— Realienb. d. Volkssch., s.: Hüttmann, JF.
— Turnspiele, s.: Kohlrausch, E.
— Weltkunde, s.: Hüttmann, JF.
— u. H **Sundermeyer**: Lehr- u. Aufgabenb. f. d. Linearzeich-
nen inLehrerbildgsanst. Zirkel- u. Projektionszeichnen. Ele-
mente d. Schattenkonstruktion u. Perspektive. (100 m. Fig.)
8° Bresl., F Hirt 04. Kart. 3.25
Marten sen., H: Das Haus-Wassergeflügel, s. Zucht u. Pflege
zu Nutz- u. Ausstellgszwecken. Nach d. Engl. d. H Digby
bearb. (119 m.Abb.) 8° Lpzg, Exp. d. Geflügel-Börse 04. 2 — d
Marten, W: Ueb. d. Kältetechfälle im Juni, s.: Abhandlungen
d. kgl. preuss. meteorolog. Instit.
Martens, A, u. M Guth: Das kgl. Materialprüfgsamt d. techn.
Hochsch. Berlin auf d. Gelände d. Domäne Dahlem beim
Bahnhof Gross-Lichterfelde West. Denkschrift z. Eröffng.
(280 m. Abb. u. 4 Taf.) 4° Berl., J Springer 04. 10 —
Martens, B: Im Dämmerland. Gedichte. (1897—1900.) (107) 8°
Münch. (Amalienstr. 35), Selbstverl. 1900. 1 —
Martens, E v., u. J **Thiele**: Die beschalten Gastropoden d.
deut.Tiefsee-Exp., s.: Ergebnisse, wiss., d. deut. Tiefsee-Exp.
Martens, F de, s.: Recueil des traités et conventions, conclus
par la Russie avec les puissances étrangères.
Martens, GF de, s.: Recueil, nouv., général de traités etc.
Martens, GH: Vögel, s.: Ergebnisse d. Hamburger Magalhaens.
Sammelreise.
Martens, E: Rechtschreibb. Method. Lehr- u. Übgsb. f. d.
Unter- in d. deut. Rechtschreibg. Für d. Hand d. Schüler
bearb. Ausg. A: in 3 Heften. (Grössere Ausg.) 9° Brnschw.,
H Wollermann. 1.90 d
I. 2. Afl. (297) 07. — 90] II. 3. Afl. (56) 02. — 40] III. 3. Afl. (96) (03.) — 50
— dass. Für d. ob. Klassen d. Bürger-, Mittel- u. Mädchensch.,
sowie f. Fortbildgsanst. Ausg. C: in 1 Hefte. 3. Afl. (96) 8°
Ebd. 03. — 50 d
— Deut. Sprachb. Lehr- u. Übgsstoffe f. Sprachlehre u. Recht-
schreibg (in 5 u. 6 Heften). Für Bürger-, Mittel- u. höh. Mädchensch. bearb. 1—5. Heft. 4. Afl. 8° Ebd. 03. 1.85 d
I. (2.Schulj.) (96) — 30] II. (3. Schulj.) (36) — 30] III. (4. Schulj.) (52)
— 40] 4. (5.Jb. Schulj.) (56) — 40] 5. (88) — 30]

Martin, FR: Dän. Silberschätze a. d. Zeit Christians IV. Aufbewahrt in d. kais. Schatzkammer zu Moskau. (20 m. Abb. u. 21 Taf.) Fol. Stockh., (F Hey'l) 1900. (?) L. 40 —
Martin, G: Frauenleiden u. Männersünden. 2. Afl. (40 m. Fig.) 8° Lpzg, O Borggold 01. — 80 d
— Mein Harn als Erkenngszeichen v. Krankh., sowie d. dazu gehör. hygien. Verhaltgsmassregeln. Durchgesehen v. e. prakt. Arzte. (55) 8° Ebd. 03. 1 —
— Der Heilmagnetismus, s. Praxis u. deren Wunder. (80 m. Abb.) · 8° Ebd. (01). 1.20 d
— Die naturgemässe Lebens- u. Heilweise. 2. Afl. (52) 8° Ebd. (01). 1 — d
— Lichtkuren. 3 Abtlgn. (Mit Abb.) 8° Ebd. 5 —; in 1 L.-Bd 6 —
1. Sonnenlichtkuren. (147) (01.) 2 — § 2. Farblichtkuren. (149—196) (02.) 1 — § 3. Elektr. Kuren. (201—331) (02.) 2 —
— Schädigng durch Hypnose u. hypnot. Suggestion. (32) 8° Ebd. (05). — 60
Martin, H: Die Forsteinrichtg. Grundr. z. Vorlesgn m. bes. Berücks. d. Verhältn. Preussens. (66) 8° Berl., J Springer 03. 1.20 d
— Die ökonom. Grundl. d. Forstwirtschaft. Grundr. zu Vorlesgn. (59) 8° Ebd. 04. 1.20 d
— Die forstl. Statik. (381) 8° Ebd. 05. 7 —; L. 8.20
Martin, H: Das Wahlrecht in Deutschl. u. d. Unrecht in Sachsen. (78) 8° Berl., E Hofmann & Co. 08. — 80 d
Martin, J: Zur Frage d. Stromrichtgn d. Inlandeises. [S.-A.] (27) 8° Hambg, L Friederichsen & Co. (02). 1.20
Martin, J: Präses-Büchl. f. d. Kongregationen vom „guten Tod". (Neue Afl.) (63) 12° Ravnsbg, F Alber 02. — 60 d
Martin, JEA, s.: Urkundenbuch d. Stadt Jena.
Martin, K, s.: Beiträge z. Geol. v. Niederländisch-Westindien.
— Reisen in d. Molukken, in Ambon, d. Uliassern, Seran (Ceram) u. Buru. Geolog. Thl. 2, u. 3. Lfg. 8° Leiden, Bh. u. Druckerei vorm. EJ Brill. Je nn 5 — (Reisebeschreibg u. geolog. Thl. 1—3. Lfg.: nn 36 —)
2. Seran u. Buano. Nebst e. Nachtr. zu Ambon u. d. Uliassern. (99—199 m. Abb., 2 Kart. u. 2 Taf.) 02.
3. Buru u. s. Beziehgn zu d. Nachbarinseln. (201—296 m. 1 Karte, 7 Taf. u. 2 Textbildern.) 03.
— s.: Sammlingen d. geolog. Reichs-Museum in Leiden.
Martin, K: Die Verwandlgbestdn. Schulden in Darlehnsschulden (BGB. § 607 Abs. 2). (69) 8° Marbg, NG Elwert's V. 03. 1.20 d
Martin, K: Die Schweizer Reise, s.: Siedenburg's Sammlg v. Einaktern.
Martin, L: Helene. Aus Liebe, s.: Ensslin's Roman- u. Novellenschatz.
Martin, M: Die Frau als Gehilfin bei soz. Zeitaufg. Vortr. (24) 8° Gött., Vandenhoeck & R. 02. — 50 d
— Soll d. christl. Frau studieren?, s.: Hefte d. freien kirchlich-soz. Konferenz.
— Wahre Frauenbildg, s.: Lebensfragen.
— Lehrb. d. Mädchenerziehg f. Lehrerinnenbildgsanst. u. z. Selbstunterr. 1. Bd. 8° Lpzg, Dürr'sche Bh. Geb. 2.60 d
1. Allg. Erziehgslehre. Lehre v. Menschen m. bes. Berücks. d. weibl. Natur (Psychol.). (186) 03. 2.60
— Die höh. Mädchensch. in Deutschl., s.: Aus Natur u. Geisteswelt.
— Die Psychol. d. Frau. Vortr. [S.-A.] (18) 8° Lpzg, BG Teubner 04. — 60
Martin, M: Die Anästhesie in d. ärztl. Praxis. (36) 8° Münch., JF Lehmann's V. 05. 1 —
Martin, M: Joh. Landtsperger. Die unter diesem Namen geh. Schriften u. ihre Veröff. (116) 8° Augsbg, (Lampart & Co.) 02. 2 —
— Bücherei, freie hygien.
Martin, P: Der gegenwärt. Stand d. Geometrie-Methodik — 6. Rückstand?, s.: Bausteine, pädagog.
— u. O **Schmidt**: Raumlehre. Nach Formenergnebnissen bearb. Vereinf. Ausg. (Ausg. B.) 3 Hefte. (Mit Fig.) 8° Berl., Gerdes & H. 1.65
1. Der Wohnort. (45) (03.) — 50 § 2. Die Feldmark. (63) (03.) — 60 § 3. Kulturstätten. (54) (03.) — 55.
Martin, P, s.: Rade, M. — ?
Martin, P: Lehrb. d. Anatomie d. Haustiere. (An Stelle d. IV. Afl. d. Franck'schen Hdb. d. Anatomie d. Haustiere.) 2. u. 13. Lfg. 8° Stuttg., Schickhardt & E. 50 —
(Vollst.: 54 —; HF. 60 —)
2—6. I. Bd. Vergleich. Anatomie u. Histol. d. Haustiere. Dargest. auf Grund d. Entwickelgsgesch. (161—848 m. Abb.) 01.02. 19 —
7—13. II. Bd. Beschreib. Anatomie d. eins. Haustierarten. (1317 m. Abb.) 01.04. 31 —
Martin, R: Die Eisenindustrie in ihrem Kampf um d. Absatzmarkt. Studie üb. Schutzzölle u. Kartelle. (332) 8° Lpzg, Duncker & H. 04. 7 — d
— Die Zukunft Russlds u. Japans. Die deut. Milliarden in Gefahr. (Soll Deutschl. d. Zeche bezahlen?) 1—3. Afl. (258) 8° Berl., C Heymann 05. 4 —; geb. 5 — d
Martin, R: Phys. Anthropol. d. schweiz. Bevölkerg, s.: Bibliographie d. schweiz. Landeskde.
— Die Inlandstämme d. malayischen Halbinsel. (1052 m. Abb., 26 Taf. u. 1 Karte.) 8° Jena, G Fischer 05. Kart. 50 d
— Wandtaf. f. d. Unterr. in Anthropol., Ethnogr. u. Geogr. — Planches murales pour l'enseignement de l'anthropol., de l'ethnogr. et de la géogr. (Kleine Ausg., od. gr. Ausg. 1. Serie.) (8 farb. Taf.) ²88×62 cm. Nebst Text. (3 S. u. 3 Bl.) 4° Zür.,

Art. Instit. Orell Füssli (02). In M. nn 28 — ‖ 2. u. 3. Serie. (Je 8 farb. Taf. je 88×62 cm.) Nebst Text. (Je 8 Bl.) (03.) In M. nn 35 —
Martin, T, s.: Monatsschrift, Leipz., f. Textil-Industrie. — Textil-Exporteur, d.
Martin, W: Der deut. Bauer in d. Vergangenh. u. in d. Gegenwart. — Die Fütterg d. Rindviehs, s.: Landmann's, d., Winterabende.
— Kurzes Lehrb. d. Landw., zugl. 9. Afl. d. Schrift: Die Hauptlehren d. neueren Landw. (400) 8° Stuttg., E Ulmer 03. Geb. 3.80. d
Martinak, E: Psycholog. Untersuchgn z. Bedeutgslehre. (98) 8° Lpzg, JA Barth 01. 3 —
— Zur pädagog. Vorbildg f. d. Lehramt an Mittelsch. [S.-A.] (19) 8° Wien, (C Gerold's S.) 04. — 50
Martineau, H: Der Bauer u. d. Fürst. 3. Afl. (121) 8° Gütersl., C Bertelsmann, Sep.-Cto (04). — 60; m. Titelbild, kart. — 70; geb. — 80; L. — 90 d
Martinelli, J: „Das gr. illustr. Dichter- u. Künstlerb." Herbstfolge 1900. (61—120 m. Bildnissen.) Fol. Berl. 1900. St. Petersb., J Martinell. (Lpzg, CF Fleischer.) 3 —; geb. 1.50
(Vollst.: in 1 Bd: 1.75; kart. 3 —; L. 5 —)
Martinengo-Cesaresco, Gräfin E: Italienische Patrioten. Dent. Ausg. (348) 8° Lpzg, G Wigand 03. 5 —; geb. 6.50 d
Martinez, Don MF: Método-Berlitz para la enseñanza de idiomas modernos, s.: Berlitz, MD.
Martini s.: Aufsatzschulz z. Selbstunterr.
Martini u. Chemnitz: Systemat. Conchylien-Cabinet. Neu hrsg. v. HC Küster, fortgesetzt v. W Kobelt. 459—505. Lfg. (1920 m. 337 meist farb. Taf. u. 3 Bildn.) 4° Nürnbg, Bauer & R. 01-05. Je 9 —
— dass. Sect. 152—168. 4° Ebd. Je 27 —
152. Bulimus VI. (557—724 m. 18 Taf.) 01. § 153. Helix XVI. (98 m. 18 Taf.) 01. § 154. Bulimus VII. (112 m. 18 Taf.) 02. § 155. Pleurotomaria. (104 m. 16 Taf.) 01. § 156. Auriculacea III. Turritella II. Eulimidae III. (210 m. 18 Taf.) 01. § 157. Bulimus VIII. (215 m. 19 Taf.) 02. § 158. Chitonidae I. (96 m. 18 Taf.) 03. § 159. Auriculacea III. (188 m. 18 Taf.) 03. § 160. Chitonidae II. (48 m. 18 Taf.) 03. § 161. Helix XX. (64 m. 18 Taf.) 04. § 162. Agnatha. (128 m. 18 Taf.) 04. § 163. Chitonidae III. Vermedidae I. (155 m. 20 Taf.) 04. § 164. Agnatha II. (168 m. 18 Taf.) 04. § 165. Helix XVII. (98 m. 18 Taf.) (04.) § 166. Agnatha III. (150 m. 18 Taf.) 05. § 167. Helix XVIII. (119 m. 16 Taf.) 05. § 168. Helix XXI. (72 m. 18 Taf.) 05.
— dass. I. Bds 12. Abth., 12. Abth. (B), 13., 16., 18., 28. Abth. u. VI. Bds 1. Abth. o m. Nachtr. u. 4. Abth. 4° Ebd. 491 —
Clessin, S: Die Familie Chitonidae. (135 m. 41 Taf.) 04. [VI,4.] 54 —
— Die Familie d. Eulimidae. (273 m. 41 Taf.) 02. [I,28.] 84 —
Kobelt, W: Die Familie Auriculacea. 2. Tl. (81—316 m. 24 Taf.) 01. [I,16.] 40 — (1 u. 2 53.50)
— Die Familie Bulininidae. 2. Thl. (397—1051 m. 55 Taf.) 02. [I,13.] 110 — (Vollst.: 900 —)
— Die Familie d. Heliceen. 5. Abth. (861—1296 m. 72 Taf.) 05. [I,12.] 120 — (1—5.: 450 —)
Moellendorff, O v.: Die Raublungenschnecken (Agnatha). 1. Abth. Rhytidae & Eueidae. Vervollst. u. weitergeführt u. W Kobelt. (363 m. 43 Taf.) 05. [I,12 B.] 70 —
Schmals, C: Die Gattg Pleurotomaria. (79 m. 15 Taf.) 01. [VI,1 c.] 90 — § Nachtr. (81—104 m. 3 Taf.) 04. 18 —
Martini, Ä, s.: Catalogus codicum astrologor. graecor.
Martini, A: Schiller. Festrede. (23) 8° Cobl., W Groos (05). — 50 d
Martini, E: Heimatkde d. Stadt Magdeburg, s.: Henze, T.
Martini, E: Vergleich. Embryolog üb. Bau u. Entwicklg d. Tsetse- u. Rachentrypanosomen, s.: Festschrift z. 60. Geburtstage v. Rob. Koch.
— s.: Berichte üb. d. Wertbestimmg d. Pariser Pestserums.
— Insekten als Krankh.-Überträger, s.: Bibliothek, moderne ärztl.
— Symptome, Wesen u. Behandlg d. Malaria (Wechselfieber). (59 m. Fig.) 8° Berl., R Schoetz 04. 1 —
— Das Wechselfieber (Malaria), s. Verhütg u. Bekämpfg. (11 m. Abb.) 8° Ebd. 05. — 30; Plakatausg. 43,5×60 cm — 30 d
— Ueb. d. Wirkg d. Pestserums bei experimenteller Pestpneumonie an Ratten, Katzen, Meerschweinchen u. Kaninchen. [S.-A.] (40) 8° Jena, G Fischer 02. 1 —
Martini, H!: Notenlese-Schule z. schnellen u. sicheren Erlerng d. Noten im Violin- u. Bassschlüssel. (11) Fol. Lpzg, Reichenbach 07. — 50
Martini, M: Bilder-Lieder-Buch f. sing. u. spiel. Kinder. Mit leichter Klavierbegleitg u. farb. Bildern. 5. Taus. (34) 4°Zwick., Verl. „Uns. Heimat" (04). Geb. 3 — d
Martini, Frau S, s.: Bauer, M.
Martinius, E: Behauptgs- u. Beweislast bei d. Negative u. d. bedingten Vertrage. (63) 8° Berl., C Heymann 03. 1.20
Martinowitz, N, s.: Ask-Embla.
Martiny, G: Friede auf Erden. Deut. Weihnachtsdichtg. Festspr. m. teb. Bildern. (31) 8° Lpzg, Siegismund & V. 04. — 60 d
— Die Butterversorgg Berlins durch d. Eisenb. im 1. Halbj. 1899, s.: Arbeiten d. deut. Landw.-Gesellsch.
— Vor 100 Jahren. Darstellg d. Milchwirtschaft Gross-Britanniens um d. J. 1800. Vorbild f. d. gegenwärt. Entwicklg d. deut. Milchwirtschaft. (217) 8° Lpzg, M Heinsius N°. 04. 6 —; geb. 8 — d
— s.: Milch-Zeitung.
— 6 Prüfgn milchwirtschaftl. Geräte, s.: Arbeiten d. deut. Landw.-Gesellsch.
— Tal: Taschenbuch, milchwirtschaftl.
— Vorprüfg neuer Molkereigeräte d. Wanderausstellg zu Danzig '04, s.: Arbeiten d. deut. Landw.-Gesellsch.

Martius, CFP v., AW Eichler et I Urban: Flora brasiliensis. Fasc. 124—128. 49×31,5 cm. Münch., (R Oldenbourg). 226 —
(1—128.; 4296.05)
124. (Sp. 465—680 m. 24 Taf.) 1900. 36 — ‖ 125. (Sp. 181—364 m. 32 Taf.)
01. 40 — ‖ 126. (Sp. 381—564 in. 38 Taf.) 02. 52 — ‖ 127. Orchidaceae VIII.
Exposuit A Cogniaux. (Sp. 1—202 m. 42 Taf.) 04. 50 — ‖ 128. Dass. IX.
(Sp. 167—390 m. 37 Taf.) 05. 48 —
Martius, F: Wahre u. falsche Heilkunst. Vortr. (32) 8° Wien, F Deuticke 02. — 80
— Krankh.-Anlage u. Vererbg. (39) 8° Ebd. 05. 1 —
— Pathogenese innerer Krankh. III. Heft. Functionelle Neu-
rosen. (261—394) 8° Ebd. 03. 2 — (I—III.: 9 —)
Martius, G, s.: Beiträge z. Psychol. u. Philosophie.
— Kant. Akadem. Rede. (27.) 8° Kiel, (Lipsius & T.) 04. — 60
Martius, Frau M, s.: Frohmut, M.
Martius, W: Die schulentlass. u. erwerbsarbeit. Jugend u. d.
Alkohol.[S.-A.] 2. Afl. (76) 8° Berl., Mässigkeits-Verl. 03. — 75 d
— Die ält. deut. Mässigkeits- u. Enthaltsamkeitsbewegg (1838
—48) u. ihre Bedeutg f. d. Gegenwart. (112) 8° Dresd., OV Böh-
mert (01). 1.80
Maertl, J: Im Kampfe um d. Macht. Erzählg a. d. modernen
Arbeiterleben. (85) 8° Berl., Vaterländ. Verl.- u. Kunstanst.
(03). Geb. 1 — d
Martus, HCE: Mathemat. Aufg. z. Gebr. in d. obersten Kl.
höh. Lehranst. I—IV. Tl. 8° Dresd., CA Koch. 17 —;
Einbde je — 40
I. Aufg. 11. Doppelafl. (195) 03. 3.60 ‖ II. Ergebnisse d. Aufg. d. I. Tls.
II. Doppelafl. (280) 03. 4.80 ‖ III. Aufg. 3. Doppelafl. (180) 04. 4.20 ‖ IV.
Ergebnisse d. Aufg. d. III. Tls. (182) 01. 4 —; neue Ausg. (182 u. 15)
04. 4.40.
— Astronom. Erdkde. Lehrb. angewandter Mathematik. Gr.
Ausg. 3. Afl. (473 m. Fig.) 8° Ebd. 04. 9 —; HF. 11 — ‖ Kl.
Ausg. 2. Afl. (127) 02. 2.80; L. 3.20
— Maxima u. Minima. Geometr. u. algebr. Übgsb. 2. Abdr. (127
m. 1 Taf.) 8° Hambg, H Grand 03. 1.80 d
Märtyreracten, ausgew., s.: Acta martyrum selecta.
— dass., hrsg. v. R Knopf, s.: Sammlung ausgew. kirchen- u.
dogmengeschichtl. Quellenschriften.
Martyrium, d., d. Madonna. (Von Moses Maria.) (7) 8° Lpzg
(Kurprinzstr. 5, H Funke), Verl. d. Schriften Moses Maria 04.
1 — d
Martyrologien, d. 3 ältesten, hrsg. v. H Lietzmann, s.: Texte,
kl., f. theolog. Vorlesgu u. Übgn.
Marucchi, O: Die Katakomben u. d. Protestantismus. Aus
d. Ital. v. J Rudisch. (106) 8° Rgnsbg, F Pustet 05. — 60; L. 1 —
Marwedel, G: Grundr. n. Atlas d. allg. Chirurgie, s.: Leh-
mann's medizin. Handatlanten.
Marwin, A: Befreig. Drama. (29) 8° Dresd., E Pierson 05. 1 — d
Marwitz, B: Der Bühnenengagementsvertrag. (222) 8° Berl.,
RL Prager 02. 4 —; L. 5 —
— s.: Hammacher-Festschrift, Berliner juristenfeier.
Marwitz, W: Das Urteil in bürgerl. Rechtsstreitigk., s.: Hilfs-
bücher f. d. gerichtl. Praxis.
Marx: Präparat. z. Alten Test., s.: Freund, W.
Marx: Handbüchl. d. Krankenpflege zu Hause u. im Hospi-
tale, zugl. e. Unterrichtsb. f. angeh. Krankenpflegerinnen.
5. Afl. v. A Russell. (144 m. Abb.) 8° Faderb., F Schöningh 05.
Geb. 1.80 d
Marx, A: 30 beliebte Weihnachts-Lieder f. Weihnachtsfeiern
in Familien, Schulen, Gesellschaften u. Vereinen. (20) 16°
Ess., Fredebeul & K, 02. nn — 10 d
Marx, A: Hülfsbüchl. f. d. Aussprache d. latein. Vokale in
positionslangen Silben. Wiss. Begründg d. Quantitätsbe-
zeichngn in d. latein. Schulbüchern v. H Perthes. 3. Afl. (09)
8° Berl., Weidmann 01. 3 —
Marx, AB: Anl. z. Vortrag Beethovenscher Klavierwerke. Neue
Afl. v. R Hövker. [S.-A.] (167) 8° Lpzg, Gebr. Reinecke (03).
2 —; L. 3 —
— Ludwig van Beethovens Leben u. Schaffen. In 2 Tln m. auto-
graph. Beilagen u. Bemerkgn üb. d. Vortrag Beethovenscher
Werke. (285, 283 u. 43) 8° Ebd. 02. Auf Büttenpap. 10 —;
geb. 12.50
— dass. In 2 Thln m. chronolog. Verz. d. Werke u. autograph.
Beil. 5. Afl. v. G Behncke. 2 Thle. (27, 399 u. 562) 8° Berl.,
O Janke 01. 16 —; L. 18.20
Erschien in 13 Lfgn z. Subskr.-Pr. v. je 1 —
— Die Lehre v. d. musikal. Komposition, praktisch theore-
tisch. Neu bearb. v. H Riemann. 1. Tl. 10. Afl. (532) 8° Lpzg,
Breitkopf & H, 08. 6 —; L. 7 —
Marx, E: Die experimentelle Diagnostik, Serumtherapie u.
Prophylaxe d. Infectionskrankh., s.: Bibliothek d. ges. med.
— Mittellgn a. d. prüfgstechn. Praxis, s.: Festschrift z. 60.
Geburtstage v. Rob. Koch.
— s.: Psychiatrie d.
Marx, E: Ueb. wahre u. scheinbare Abweichgn v. Ohmschen
Gesetz, s.: Hinden, H, üb. deformierte Schallströme.
Marx, E: Studien z. Gesch. d. niederländ. Aufstandes, s.:
Studien, Leipz., a. d. Geb. d. Gesch.
Marx, E: Konstruktionselemente in Stein, s.: Handbuch d.
Architektur.
— u, H Koch: Sicherg geg. Einbruch, s.: Handbuch d. Archi-
tektur.
Marx, F, s.: Studien, Leipz., z. class. Philol.
Marx, F: Beitr. z. Frage d. Zusammensetzg d. Kuhmilch. (59
m. 21 Tab.) 8° Löb., JG Walde 03. 1 —

Marx, H: Hilfsb. f. d. ev. Relig.-Unterr. an höh. Lehranst.
1. Tl: Stufe d. bibl. Gesch. Sexta bis Quarta. (219 m. Abb.
u. 5 Kart.) 8° Frankf. a/M., Kesselring 04. Geb. nn 2 — d
— u. H Tenter: Hilfsb. f. d. ev. Relig.-Unterr. an höh. Lehranst. II. Tl: Stufe d. Gesch. d. Reiches Gottes. Untertertia
bis Untersekunda. (236 m. Abb. u. 2 Kart.) 8° Ebd. 05.
Geb. nn 2.25 d
Marx, J: Lehrb. d. Kirchengesch. (785) 8° Trier, Paulinus-Dr.
03. 8.50; geb. nn 10.50
Marx, K: Ges. Schriften, s.: Aus dem literar. Nachlass v. K
Marx usw.
— Der Bürgerkrieg in Frankr. (1870—71). (In russ. Sprache.)
(112) 8° Berl., H Steinitz (03). 2 —
— Zur Kritik d. polit. Ökonomie. Hrsg. v. K Kautsky. 2. Afl.
(293) 8° Stuttg., JHW Dietz Nf. 03. 3.50 d
— s.: Manifest, d. kommunist.
— Theorien üb. d. Mehrwert. I. Die Anfänge d. Theorie bis Adam
Smith. II. David Ricardo, s.: Bibliothek, internat.
Marx, Karl. (8 m. Bildnis u. 1 farb. Taf.) 4° Wien, Wiener
Volksbh. (03). — 20 d
— od. Lassalle? Eine Entscheidg v. grundleg. Bedeutg f. d.
Arbeiterpolitik d. Gegenwart v. Politikus. (54) 8° Görl., R
Dülfer 03. — 60
Marx, P: Die Unternehmerorganisationen in d. deut. Buch-
binderei. (259 m. 5 Tab.) 8° Tüb., JCB Mohr 05. 6.60
Marx, R: Die modernen Medailleure auf d. Pariser Weltaus-
stellg v. 1900. (32 Lichtdr. m. 8 S. Text.) Fol. Stuttg., J Hoff-
mann (01). In M. 26 —
Marx, T: Nicht geseilt u. doch erhört. Predigt. (15) 8° Herrenh.,
Missionsbh. (02). — 15 d
Marxen, K: Die Sozialdemokratie in ihrer eig. Litz (16) 8°
Elmsh., D Feddersen jr. 04. — 30 d
Marx-Studien. Blätter z. Theorie u. Politik d. wiss. Sozialis-
mus. Hrsg. v. M Adler u. R Hilferding. 1. Bd. (433) 8° Wien,
Wiener Volksbh. 04. 7 —
Maryan, Mme M: Marcia de Laubly, s.: Hausschatz-Bibliothek.
— Un plan matrimonial; une soirée, s.: Posateurs franç. (B
Schmidt).
März, O: Berg u. Tal d. Heimat. Geologisch-geograph. Wan-
dergn in d. Amtshauptmannsch. Löbau. (70) 8° Löb., JG Walde
05. — 80 d
— Der Seenkessel d. Soiern, e. Karwendelkar, s.: Veröffent-
lichungen, wiss., d. Vereins f. Erdkde zu Leipzig.
März, J: Christoph Kolumbus u. d. Entdeckg d. neuen Welt.
(147 m. Abb. u. 1 Karte.) 8° Lpzg, O Spamer 06. 3 —; geb. 4 — d
— Francisco Pizarro u. d. Eroberg v. Peru. Für Jugend u. Volk
geschildert. (228 m. Abb. u. 1 Karte.) 8° Ebd. 05. 4.50;
geb. 5.50 d
Maers, UR, s.: Schlosser- u. Schmiede-Kalender, deut.
Märzfeier 1901 u. 2. Red.: H Heller. (Je 8 m. Abb. u. 1 farb. Taf.)
4° Wien, Wiener Volksbh. 01/02.
'03 s.: Marx, Karl.' — '04. März-Gedenkschrift.
Märzfeld, O: Alfred u. Annie. Erzählg a. d. Ragiergszeit d.
Königin Elisabeth. Für d. Oberst. (160 m. 1 Abb.) 12° Berl.,
Alphonsus-Bh. 04. Geb. — 80 d
— Antitop od. Das Testament d. Cylinderfeindes. Lustsp. (31)
8° Paderb., Junfermann 05. — 60 d
— Die Traumkönigin. Märchensp. (42) 8° Ebd. (05). — 60 d
— Weihnachts-Erstkommunion, s.: Erzählungen f. Schulkinder.
— Der Zauberlehrling. Lustsp. (16) 12° Paderb., Junfermann 02.
— 40 d
März-Gedenkschrift. 1904. (8 m. Abb. u. 1 farb. Taf.) 4° Wien,
Wiener Volksbh. (04). — 20 d
'03 s.: Marx, Karl frühere Märzfeier.
Marziani-Raiser: Führer durch Taormina u. Umgebg. (32 m.
Abb., 1 Taf. u. 1 Panorama.) 8° Giess., E Roth (03). 1 —
Marzoll, F: Anl. z. Gewichts-Berechng techn. Gummiwaren
sowie z. Ermittelg d. spezif. Gewichte. (39) 8° Dresd., Stein-
kopf & Spr. 04. L. 1.50
Masaŕik, J: Böhm. Schulgrammatik. Für deut. Mittelsch. u.
verwandte Lehranst. sowie z. Selbstunterr. 6. Afl. (256) 8°
Prag, G Neugebauer 02. Geb. 2.80 d
— Übgs- u. Leseb. samt Wrtrverz. z. böhm. Schulgrammatik.
(250) 8° Ebd. 02. Geb. 2.80 d
— Das böhm. Verbum in s. Formen u. Zeiten. (In böhm. u.
deut. Sprache.) 3° Prag, G Neugebauer (02—05).
12 —; Einbd nm 1 —; einz. Hefte —70
Masaryk, TG: Die Ideale d. Humanität. Deutsch v. H Herbat-
schek. (48) 8° Wien, C Konegen 02. — 80 d
Maschek sen., R, s.: Artaria's Touristenk. d. österr. Alpen.
Maschinenbauer- u. Schlosser-Kalender f. 1906. Hrsg. v. C
Pataky. 26. Jahrg. (128 u. 200 m. Fig.) 8° Berl., C Pataky.
L. 1 —
Maschinenbau- u. Metall-Arbeiter-Kalender f. 1906. Hrsg.
v. C Pataky. 26. Jahrg. (128 u. 300 m. Fig.) 8° Berl., C Pataky.
L. 1 —
Maschinenbauschule. System Karnack-Hachfeld. Unterr.-
Briefe f. d. Selbststudium. Red. v. O Karnack (Müller). Der
Maschinen-Konstrukteur. 152—169. (Schl.-)Heft. (247 m. Abb. u.
4 Taf.) 8° Potsd., Bonness & H. (1900-03). Subskr.-Pr. je — 60 ‖
Einzelpr. je — 90 d
— dass. Der Monteur, Vorarbeiter u. Maschinist.110—114.(Schl.-)
Heft. (175 m. Abb.) 8° Ebd. (01). Subskr.-Pr. je — 60 ‖
Einzelpr. je — 90 d
— dass. Der Werkmeister. 140—146. (Schl.-)Heft. (228 m. Abb.)

8° Potsd., Bonness & H. (1900-02). Subskr.-Pr. je — 60; Einzelpr. je — 90 d
Maschinen-Industrie, d. deut., s.: Deutschland's Industrien.
Maschinen-Konstrukteur, d. prakt. Zeitschrift f. Maschinen-
u.Mühlenbauer, Ingenieure u.Techniker aller Industriezweige.
Hrsg. v. WH Uhland. 34—38. Jahrg. 1901—5 je 26 Hefte. (1901.
1. Heft. 10, 12 u. 12 m. Abb. u. 5 [1 farb.] Taf.) 4° Lpzg, Uhland's
techn. Verl.   Viertelj. 4.—
— dass. Gesamtausg. in Verbindg m. Uhlands Wochenschrift
f. Industrie u. Technik. 34—38. (15—19.) Jahrg. 1901—5 Je
26 Hefte u. 52 Nrn. (1901. 1 Heft u. Nr. 1. 10, 4, 12, 12 u. 12
m. Abb. u. 6 [5 farb.] Taf.) 4° Ebd.   Viertelj. 8 —
Maschinen-Laboratorium, d., am eidgenöss. Polytechnikum
in Zürich. [S.-A.] (24 m. Abb. u. 6 Taf.) 4° Zür., Rascher & Co.
04.   2 —
Maschinenmeister, d., an d. Schnellpresse. (112 m. Abb. u.
2 Taf.) 8° Lpzg-R., J Mäser 05.   L. 3 —
— d., auf d. Tiegelpresse. Mit e. Anh. üb. d. Giessen d. Walzen.
(120 m. Abb.) 8° Ebd. 05.   L. 3 —
Maschinen. u. Geräte-Zeitschrift, landw. Hrsg. u. Red.: W
Rathke. 2—4. Jahrg. Apr. 1901—März 1904 je 24 Nrn. (1901.
Nr. 1. 12 m. Abb.) 4° Mgdbg-Wilhelmst., W Rathke. Je 3 —;
einz. Nrn — 20 ö F
Maschinen-Zeitung. (Beil. z. illustr. landw. Zeitg.) Red.: L
Meyer; f. d. geschäftl. Tl: E Mallon, 1905: Feldmann. 1—3.
Jahrg. 1903—5 je 24 Nrn. (Nr. 1. 12 m. Abb.) 8° Berl., Deut.
Tageszeitg.   Viertelj. 1 — d
Maschinist u. Heizer, deut. Fachzeitschrift f. d. ges. Praxis
d. Betriebstechnik. Red.: K Kirschnick. 6. Jahrg. 1901. 24 Nrn.
(Nr. 1—7. 116 m. Fig.) 4° Berl. (Lpzg, P Schimmelwitz.)
Halbj. 3 — d ö F
Maschke, B: Ein Sonntagnachmittag in d. Kaserne, s.: Bloch's,
L. Militär-Festmappe.
Maschke, H: Aus Oesterr.-Schlesien. Gedichte in schles. Mund-
art. 2. Afl. (120) 12° Freudenth., W Krommer (04).   1 —;
geb. 1.70 d
Maschke, R: Die Persönlichkeitsrechte d.röm.Injuriensystems,
s.: Studien z. Erläuterg d. bürgerl. Rechts.
Maschke, T: Schul-Physik, s.: Trappe, A.
Maschler, JW: Chronik d. Maiser Volkssch. (72) 8° Ober-
mais-Meran (04). (Meran, C Jandl.)   † — 70
Maschner, M: Kl. deut. Sprachlehre f. Tschechen. (Methode
Gaspey-Otto-Sauer.) (192 m. 1 Karte u. 1 Pl.) 8° Hdbg, J
Groos 05.   Geb. 2 — d
Maser, H, P Richert u. A Kühns: Die Physik, s.: Hausschatz
d. Wissens.
Mäser, J, s.: Faktor, d.
— Farbenlehre f. Buchdrucker. 1. u. 2. Afl. (64 m. 1 Farbendreise
u. 8 Farbentaf.) 8° Lpzg-R., J Mäser (02.03).   L. 5 —
— s.: Tonplattenschnitt, d.
— u. O Westram: Der Titelsatz u. s. Entwicklg bis z. Gegen-
wart. (58) 8° Lpzg-R., J Mäser (01).   1 —
Masern, Scharlach u. Röteln, s.: Miniatur-Bibliothek.
Masius Rundschau. Blätter f. Versichergswiss., Versicherßgs-
recht u. bemerkenswerte Vorgänge im Versicherngswesen.
Red.: W Bär. Neue Folge. 13—17. Jahrg. 1901—5 je 12 Hefte.
(1901. 1. Heft. 40) 8° Lpzg, W Winterling.   Je nn 20 —;
einz. Hefte nn 2 —
Maske, G: Die Herrlichk. uns. Erlösg. (18) 8° Strieg., R Urban
(04).   — 15 d
Masken. (Hrsg. v. Schauspielhaus Düsseldorf.) Oktbr—Dezbr
1905. 13 Nrn. (Nr. 1. 16 m. 1 Abb.) 8° Düsseldf, (Schmitz &
Olbertz).   (3 —) 1.20
Masner, E, s.: Jahrbuch d. schles. Museums f. Kunstgewerbe
u. Altertümer.
— Häusl. Kunstpflege, s.: Flugschriften d. schles. Museums f.
Kunstgewerbe u. Altertümer.
Mason,AEW:The courtship of Morrice Buckler.—The 4 feathers.
— Miranda of the balcony.— The truants.— The watchers,
s.: Collection of Brit. auth.
Mason, CM: The counties of Engl., s.: Schulbibliothek französ.
· u. engl. Prosaschriften (O Badke).
Mason's, G, grammaire angloise, s.: Neudrucke frühneuengl.
Grammatiken.
Mason, L, s.: Taschenbuch d. Handelskorrespondenz in deut.
u. engl. Sprache.
Mason, LW, KL Zeidler, K Unglaub: Neue Gesangsch. 4. Heft.
2. Afl. (235) 12° Lpzg, Breitkopf & H. 01.   Kart. 1 — d
— — dass. Ausg. f. d. Schweiz. 1. u. 2. Heft. 2. Afl. (54 u. 85)
12° Ebd. 02.   In 1 Bd kart. 1 — d
Mass, K: Dörch Blaumen un Nettel. (209) 8° Stett., P Niekammer
03.   2 —
— Der Goldschmuck v. Hiddensee. Erzählg a. Pommers Ver-
gangenh. (68) 8° Stett., L Saunier 02.   — 50 d
— Der Mönch v. Pudagla. Erzählg a. Pommerns Vergangenh.
(Um 1280.) (114) 8° Ebd. 04.   1.50; geb. nn 2.50 d
— Das Haus Stavenhagen. Erzählg a. Pommerns Vergangenh.
(Um 1761.) (204) 8° Ebd. 02.   2 —; geb. 3 — d
— Sylvia. Erzählg a. Pommerns Vergangenh. (Um 1660.) (120)
8° Ebd. 03.   1.50; geb. 2.50 d
Mass, T, s.: Archiv f. deut. Lehrerbildg.
— Hilfs- u. Vorbereitgs-Bücher f. d. Prüfgn an höh. Lehranst.
1 u. II. 8° Dresd. Weinh., F Ackermann.   3.30; geb. 4.20 d
I. Repetitorium d. Weltgesch. (136) (02.) (nn 1.25) — 90; geb. (2 —) 1.20

II. Hdb. d. deut. Lit. Biogr. d. Dichter nebst Erläuterg u.Inhaltsangabe
d. Werke darselben. (477) 03.   (3.50) 2.50; geb. (4.50) 3 —
Mass, T: Lehrproben. Zur Vorbereitg auf d.Lehrerprüfg. (242)
8° W.-Jena (04). Lpzg, HG Wigand.   2.50 d
— Prakt. Ratgeber f. Landwirte. 2. Afl. (352) 8° Berl. (01).
L. 1.50 d
Oranienbg, W Möller.   L. 1.50 d
— Die Vorbereitg auf d. 1.Lehrerprüfg. (In 8 Bdn zu je4—6 Lfgn.)
1. Lfg. Kirchengesch. (1—32) 8° Lpzg, GH Wigand 05. — 50 d
— Die Vorbereitg auf d. 2. Lehrerprüfg, Mittelschul- u. Rektor-
prüfg. 4 Bde. 2. [Tit.-]Afl. 8° Ebd. [1900] (04). Je 1.50; geb. je 2 — d
I. Schulpraxis. (126) || 2. Erziehgs- u. Unterr.-Lehre, nebst Psychol. u.
Logik. (146) || 3. Lehrproben a. allen Unterr.-Fächern. (202 m. Fig.) || 4.
Gesch. d. Untern. (96)
— Die Vorbereitg auf d. Lehrerprüfgn in d. Relig. I. Repe-
titorium d. Gesch. d. Reiches Gottes. (201) 8° Lpzg 02. Crini-
mitschau, R Wöpke.   2.40; geb. 2.80 d
Massarellus, A: De concilio Tridentino diarium, s.: Concilium
Tridentinum.
Massbuch f. Schuhmacher. 2. Afl. (156) 8° Berl., Rosenbaum
& H. 02.   L.— 60 d
— d.Schuhmachermeisters .. (Einbd : Schuhmachermassbuch.)
(Ausg. A.) 11. Afl. (164) 12° Neud., J Neumann (02). L.— 80 d
— — dass. (Ausg. B.) 12. Afl. (136) 12° Ebd. (02).
In Wachstuch, 10 Stück 5.25 d
— — dass. Kl. Ausg. (C.) (122) 16° Ebd. (02).
In Wachstuch, 25 Stück 6.50 d
— — dass., wie ich schnell gut photographieren? (105
m. Abb.) 8° Berl., W Vobach & Co. (05).   Geb. 1.20
Massenbach, G Frh. v.: Prakt.Anl. z. Rimpauschen Moordamm-
kultur. 3. Afl. v. K Frhrn v. Massenbach. (39 m. Abb.) 8° Berl.,
P Parey 04.   1 — d
Massenmord, d., d. heut.·Schlachten, e. unverantwortl., weil
vermeidbares Hindernis d. Sieges. Beitrag z. Beurteilg d.
Militär-Vorlage. Von Hauptmann a. D. *_*. (39) 8° Stuttg.,
Nationaler Verl. (05).   — 40
Masser, F, s.: Erbfolge-Krieg, österr.
Massey, A: God save the Queen. Für d. 1. Schullektüre ge-
schrieben v. M. u. hrsg. v. L Fries. 3. Afl. (140 m. 1 Pl.) 8°
Lpzg, OR Reisland (03).   Geb. nn 1.40; Wrtrb. (51) — 40
— s.: Methode Schliemann z. Selbsterlerng d. engl. Sprache.
— In the struggle of life. Lesestoff z. Einführg in d. Lebens-
verhältn. u. in d. Umgangssprache d. engl. Volkes. Für d.
Mittelstufe. bearb. v. A Harnisch. Mit e. Anh.: Engl. Leben,
Bemerkgn üb. Land u. Leute. 6. Afl. (133 m. 1 Pl.) 8° Lpzg,
OR Reisland 03.   Geb. 1.50; Wrtrb. (32) — 30
Mässigkeits-Blätter. Mitteilgn d. deut. Ver. gegg d. Missbr.
geist. Getränke. (Hrsg. v. E Just.) 18—31. Jahrg. 1901—5 je
12 Nrn. (1901. 1. Heft. 40) 8° Berl., Mässigkeits-Verl.   Je 2 —;
einz. Nrn — 25 d
*Erschien bis 1902 noch in Hildesheim. — Fortsetzg zwar nicht
zu erhalten.*
— kathol., z. Förderg d. Mässigkeitsbestrebgn im kathol.
Deutschl. Hrsg. v. Vorstand d. Charitasverbandes f. d. kathol.
Deutschl. Beil. z. Charitas. Red.: L Werthmann u., ab 1904,
F Keller. Jahrg. 1—6 je 6 Nrn. (Je 48) 8° Freibg i/B., Ge-
schäftsstelle d. Charitas-Verbandes.   Je — 50 d
Fortsetzg s.: Rundschau in d. Alkoholfrage.
Mässigkeitsfreund. 1. deutsch-europ., christl. Zeitschrift m.
d.Grundsatz gänzl.Enthaltsamk.v. allen berausch.Getränken.
Hrsg. u. Red.: AJ Bucher. 18. Jahrg. 1901. 12 Nrn. (Nr.1—4. 16)
4° Brem., Bh. u. Verl. d.Traktath. — 80 || 19—21. Jahrg. 1902—4
je nn — 60 || 22. Jahrg. 1905. nn — 50 d
Massinger, P: Der Herzog v. Mailand, s.: Bücher d. Weish.
u. Schönh.
— Ein neuer Weg, alte Schulden zu bezahlen. Komödie. Aus
d. Altengl. v. M.Otto. (100) 8° Berl., A Hofmann & Co. 02. 1.50 d
Massinger, R: Geometr. Anschaugslehre, s.: Holzmann, A.
Masskow, A: Der relig. Unterr.-Stoff, s.: Nürnberg, L.
Masskow, A: Der relig. Unterr.-Stoff, s.: Nürnberg, L.
Massnahmen, empfehlenswerte, bei Bränden. Aufgest. v. Ver-
bande deut. Elektrotechniker auf d.Jahresversammlg zu Dort-
mund-Essen 1905. (4) 8° Berl., J Springer 05. 10 Stück — 25;
Plakatausg. 10 Stück 3 —
— d., auf d. Geb. d. landw. Verwaltg in Bayern 1897—1903.
Denkschrift, hrsg. v. kgl. bayer. Staatsministerium d. Innern.
(485) 8° Münch., (R Oldenbourg) 03.   3 — d
Masson, F: De verstoss. Josephine, Gemahlin Napoleons I.
(1809—14.) Uebertr. v. O Marschall v. Bieberstein. (278 m. Abb.)
8° Lpzg, H Schmidt & C Günther 02.   6 —; geb. nn 7.50 d
— Napoleon I. zu Hause. Der Tageslauf in d. inneren Gemächern
d. Tuilerien. Uebertr. u. bearb. v. O Marschall v. Bieberstein.
4—5. Taus. (303 m. 13 Bildern.) 8° Ebd. 04.   4.50; geb. 5.80 d
— — dass.—Napoleon I. u. d. Frauen, s.: Napoleon I.
Masson-Forestier: Das Geheimnis d. Advokaten. Übers. v. E
Peters. (155) 8° Berl., H Steinitz (01).   2 — d
Masskow, W: Textil-Chemie, s.: Sammlung Göschen.
Masskow, A v.: Völlerei, Unzucht, Hazard. Ein Wort a. Kame-
raden in d. deut. Armee. (99) 8° Lpzg, GH Wallmann 03. — 30 d
Masskow, O v.: Das preuss. Fürsorgeerziehgsges. v. 2.VII.1900
u. d. Mitwirkg d. bürgerl. Gesellsch. bei s r Ausführg. Auf
Grund d. Ausführgsbestimmgn v. 18.XII.1900 bearb. (76) 8°
Berl., Mücola's V. 01.   1 — d
Massow, Julie v. †. [S.-A.] (8) 8° Augsbg, Lit. Instit. v. Dr.
M Huttler 01.   — 20 d
Massow, M v.: Junge Niedsucht. Gedichte.(104) 8° Hanau, Clauss
& Feddersen (04).   2.40; geb. 3 — d

Massow, W v.: Aus Krim u. Kaukasus. Reiseskizzen. (142 m. Abb., Titelbild u.1 Karte.) 8° Lpzg, G Wigand 02. 3.60 ; L. 4.80 d
— Die Polen-Not im deut. Osten. Studien z. Polenfrage. (429) 8° Berl., A Duncker 03. 5 — d
Mass- u. Gewichtssystem, d. metr., gegründet auf 1 Meter
$= \frac{1}{10{,}000{,}000}$ d. Meridianquadranten. 65×50 cm. Neuw., Heuser's V. (01). Auf L. m. St. 1.60
Masstabellen f. d. Schuhfabrikation. [S.-A.] (23) 8° Berl., Kampffmeyer'scher Zeitgsverl. (04). 1 —
Masuccio v. Salerno: Novellen. Zum 1. Mal übertr. v. P Sakolowski. 2 Bde. (173 u. 260) 8° Altnbg, T Unger 05. Je 2.50
Masurin, C: Traumland. 2 episch-lyr. Dichtgn. Aus d. Russ. durch R Zoozmann. (62 m. Abb.) 8° Berl., O Elsner 1900. Kart. 2 —
Matador-Zeitung. Red.: J Korbuly. Jahrg. 1905. Cs 4 Nrn. (Nr. 1. 16 m. Abb.) 8° Wien. (Lpzg, Leipz. Schulbh. v. Arno Schmidt.) 7 —
Mataja, Frl. E, s.: Marriot, E.
Matauschek, FA: Neue Zinsrechenschule. (30) 8° Dresd., (G Pietzsch) 05. — 75
Matek, B: Resultate z. Anfg.-Sammlg in Močnik-Neumanns Lehrb. d. Arithmetik u. Algebra f. d. ob. Kl. d. Mittelsch. Ausg. f. Gymnasien. 6. Afl. (159) 8° Wien, C Gerold's S. 04. ‖ Ausg. f. Realsch. (159) Kart. je 2.40 d
— Resultate d. Anfg. in Močnik-Spielmanns Lehrb. d. Geometrie f. d. ob. Kl. d. Mittelsch. Ausg. f. Gymnasien. (128) 8° Ebd. 05. ‖ Ausg. f. Realsch. (134) 05. Kart. je 2.40 d
Material, urkundl., a. d. Brandenburger Schöppenstuhlsakten. Unter Mitwirkg v. E Deichmann u. V Friese hrsg. v. A Stölzel. 4 Bde in 5 Tln. (745, 785, 243 u. 332) 8° Berl., F Vahlen 01. 40 —; geb. nn 46 —
Materialien z. Arbeiterfrage. Das russ. Ges. u. d. Arbeiter. Denkschrift d. russ. Finanzministeriums üb. d. Revision d. Strafges., betr. Arbeitseinstellgn u. Kontraktbruch, sowie üb. d. Nützlichkt. v. Arbeitsorganisationen z. Zwecke d. Selbsthilfe. Mit e. Vorrede v. Hrsg. P v. Struve. (In russ. Sprache.) (46) 8° Stuttg. 02, Paris, A Schulz. 2 —
— z. Frage d. Brausteuer-Erhöhg im norddeut. Brausteuergeb., s.: Veröffentlichungen aus d. Ver. „Versuchs- u. Lehranst. f. Brauerei" in Berlin.
— zu d. sächs. Ausführgses. z. bürgerl. Gesetzb., s.: Archiv, sächs., f. bürgerl. Recht u. Prozess.
— z. Kde d. ält. engl. Dramas, begründet u. hrsg. v. W Bang. I.–VI. Bd. (134) 8° Louvain, Lpzg, O Harrassowitz. Subskr.-Pr. nn 83.80
Barnes, B: The devil's charter. Ed. from the quarto of 1607 by RM McKerrow. (23, 144) 04. [VI.] nn 5.60; Einzelpr. nn 8.60
Chettle, H. u. J Day: The blind begger of Bednall Green. Nach d. Q 1659 in Neudr. hrsg. v. W Bang. (10, 80) 02. [I.] 3.60 ; Einzelpr. 4.40
Enterlude, a new, of godly queene Hester, ed. from the quarto of 1561 by WW Greg. (16, 62) 04. [V.] nn 3 — ; Einzelpr. nn 4 —
Everyman. reprinted by WW Greg from the ed. by John Skot, preserved at Britwell Court. (32 m. Abb.) 04. [IV.] nn 1.40; Einzelpr. nn 1.80
Heywood, T: Pleasant dialogues and dramma's. Nach d. Octavausg. 1637 in Neudr. hrsg. v. W Bang. (13, 15, 380) 03. [III.] nn 13 — ‖
nn 14.50
Jonson's, B, Dramen. In Neudr. hrsg. n. d. Folio 1616 v. W Bang. 1. Tl. (276 m. 2 Taf.) 05. [VII.] nn 20 — ; Einzelpr. nn 24 —
— every man in his homor, reprinted from the quarto 1601 by W Bang and WW Greg. (38) 05. [X.] nn 4 — ; Einzelpr. nn 4.80
King and Queene, the, entertainement at Richmond. Nach d. Q 1636 in Neudr. hrsg. v. W Bang. (9, 56) 03. [II.] nn 1.40 ; Einzelpr. nn 1.80
Koeppel, E: Studien üb. Shakespeare's Wirkg auf zeitgenöss. Dramatiker. (103) 05. [IX.] nn 4.80; Einzelpr. nn 5.60
Pedantius, a Latin comedy formerly acted in Trinity College, Cambridge, ed. by GCM Smith. (50, 6, 164) 05. [VIII.] nn 8 — ; Einzelpr. nn 9.60
— z. Geol. Russlds. Hrsg. v. d. kais. mineralog. Gesellsch. (In deut. u. russ. Sprache.) 20. Bd. (262 m. 1 Karte u. 15 Taf.) 8° St. Petersbrg, (Eggers & Co.) 1900. 10 — d
— f. d. deut. Handelspolitik. Hrsg. v. deut. Landw.-Rath. 2. Heft. 8° Berl., P Parey. 3 — (1 n. 2. 7 —) d
Schumacher, H: Üb. Kornerträge in d. Landw. I. Kann d. deut. Landw. d. deut. Volke d. zu ihr Ernährg erforderl. Brotkorn liefern? II. Zur Wirtschaftsgesch. d. Landgüter Tellow u. Roggow in Mecklenbrg. (112) 01. [2.]
— zu e. Gesch. d. Sprachen u. Litt. d. vord. Orients. Hrsg. v. M Hartmann. 1. u. 3. Heft. 8° Hdlbg, C Winter, V. 16 —
(1.–3.) 02.
Christensen, A: Recherches sur la Rubā'iyāt de 'Omar Hayyām. (174) 05. [3.] 7 —
Hartmann, M: Čaghataisches. — Die Grammatik und lisānī turkī d. Mehemed Sadiq. (19, 83) 02. [2.] 9 —
— z. Reichsgesetzgebg. Reichstagssession 1903/4. 1. Heft. (80) 8° Berl., A Duncker 04. 1.50 d
— z. Gesch. d. Verfolgg v. Studenten unter Alexander II. (1838). (In russ. Sprache.) 2. Afl. (185) 8° Lpzg, EL Kasprowicz (01). 2.50
— zu e. Neu-Gestaltg d. Ges. betr. d. Urheberrecht an d. Werken d. bild. Künste. Hrsg. v. d. „Werkstatt d. Kunst". (92) 12° Münch., Verl. d. „Werkstatt d. Kunst" 02. — 80 d
— betr. d. mitteleurop. Wirtschaftsver., hrsg. v. J Wolf, s.: Veröffentlichungen d. mitteleurop. Wirtschaftsver.
— zu d. Ges. v. 3. VI. '05 betr. d. Zivilprozessordng, s.: Rechtsprechung, d., d. Oberlandesgerichts auf d. Geb. d. Zivilrechts.
— z. Zolltarif, hrsg. v. Bund d. Landwirte. 12 Hefte. 4° Berl., (W Issleib) (01). 7 — d
1. Tarifentwurf, d., d. Regierg. (22) — 50 ‖ 2. 3. Anträge d. Bundes d.

Landwirte z. neuen deut. Zolltarife. (Eingabe d. Gesamtvorstandes u. Ausschusses d. Bundes d. Landwirte an d. Bundesrat d. Deut. Reiches u. d. deut. Reichstag z. Entwurf d. neuen Zolltarifs.) (154) 2 — ‖ 4. Lei. stungsfähigkeit, d., d. deut. Landw. (45) — 50 ‖ 5. Rentabilität, d., d. deut. Landw. (22) — 50 ‖ 6. Interesse, d., d. Kleinbauern u. Landarbeiter am Getreidepreise. (31) — 50 ‖ 7. Wer zahlt d. Zoll? (14) — 50 ‖ 8. Fut. termittelzölle. (20) — 50 ‖ 9. Brotwucher. (22) — 50 ‖ 10. Zollschutz, d., d. Auslandes. Auszug a. d. „Nachrichten v. deut. Landwirtschaftsrat". (31) — 50 ‖ 11. Habn, D: Landw. u. Industrie. (22) — 50 ‖ 12. Seite, d. natio. nale, d. deut. Agrarfrage. (15) — 50.
Materialvorschriften d. deut. Kriegsmarine. Aug. 1905. (Vorschriften f. d. Lieferg u. Abnahmeprüfg d. hauptsächlichsten Materialien u. Apparate d. Kriegsschiffs- u. Torpedobootsbaus.) (147) 8° Berl., (ES Mittler & S.) 05. Kart. 3.60 d
Matériaux, les, de construction, s.: Baumaterialienkunde.
— pour la flore cryptogam. suisse, s.: Beiträge z. Kryptogamenflora d. Schweiz.
— pour la carte géolog. de la Suisse, s.: Beiträge z. geolog. Karte d. Schweiz.
Maeterlinck, M: 3 Alltagsdramen. Deutsch v. F v. Oppeln-Bronikowski. (Der Eindringling. — Die Blinden. — Zu Hause.) (90) 8° Lpzg 01. Jena, E Diederichs. (3 —) 2 —; geb. (4 —) 3 —
— Die Blinden. Aus d. Franz. v. L v. Schlözer. 2. Afl. (74) 8° Münch., A Langen 02. 1 — ; geb. 2 —
— Der Eindringling. Die Blinden, s.: Universal-Bibliothek.
— Der doppelte Garten. Deutsch v. F v. Oppeln-Bronikowski. 1. u. 2. Taus. (194) 8° Jena, E Diederichs 04. 4.50; geb. 5.50
— Joyzelle. Schausp. Deutsch v. F v. Oppeln-Bronikowski. (80) 8° Lpzg 03. Jena, E Diederichs. 2 —; geb. 3 —
— Das Leben d. Bienen. Deutsch v. F v. Oppeln-Bronikowski. (256) 8° Ebd. 01. ‖ 2. Afl. (264) 03. Je 4.50; geb. je 5.50
— Prinzess Maleen. Deutsch v. G Stockhausen. 2. Afl. (104) 8° Berl., F Schneider & Co. 02. 1.50; L. 2.50 d
— Prinzessin Maleine. Deutsch v. F v. Oppeln-Bronikowski. (122 m. Bildnis.) 8° Lpzg 02. Jena, E Diederichs. (3 —) 2 —;
geb. (4 —) 3 —
— Pelleas u. Melisande. Deutsch v. F v. Oppeln-Bronikowski. 2. Afl. (74) 8° Ebd. 03. 2 —; geb. 3 —
1. Afl. u. d. T.:
— Pelleas u. Melisande. Eingeleitet durch 12 Lieder. Deutsch v. F v. Oppeln-Bronikowski. (88) 8° Ebd. 02. (3 —) 2 —;
geb. (4 —) 3 —
— Der Schatz d. Armen. Deutsch v. F v. Oppeln-Bronikowski. 2. Afl. (170) 8° Ebd. 02. 4 —; geb. 5 —
— 2 Singspiele. Deutsch v. F v. Oppeln-Bronikowski. Blaubart u. Ariane. Schwester Beatrix. (82) 8° Ebd. 01. (3 —) 2 —;
geb. (4 —) 3 —
— Der begrab. Tempel. Deutsch v. F v. Oppeln-Bronikowski. (230) 8° Ebd. 02. 4.50; geb. 5.50
— Monna Vanna. Schausp. Deutsch v. F v. Oppeln-Bronikowski. 3—5. Taus. (94) 8° Ebd. 03. 2 —; geb. 3 —
— Weisheit u. Schicksal. Deutsch v. F v. Oppeln-Bronikowski. 3. Afl. (230) 8° Ebd. 03. 4.50; geb. 5.50
— Das Wunder d. hl. Antonius. Satir. Legende in 2 Aufz. Deutsch v. F v. Oppeln-Bronikowski. (45) 8° Jena, E Diederichs 04. 1 —
Matern, A, F Liekefett u. A Meinberg: Rechenb. f. Volkssch. Nr. 4, 4a. u. 5.—16. 8° Hildesh., L Steffen. nn 14.55 d
4. Schülerausg. f. d. Unterr. 1klass. Volkssch. (50) 03. nn — 20 ; kart. nn — 30 ‖ 4a. Method. Hdb. f. Lehrer u. Seminaristen. 1. Heft. Für d. Unterr. d. 1klass. Volkssch. (99) 02. 1 — ; geb. 1.40 ‖ 5. Schülerausg. f. d. Mittelst. mehrklass. Volksach., bearb. v. Matern u. Meinberg. 1. Heft. (52) 1900. nn — 20 ; kart. nn — 40 ‖ 6. Dass. 2. Heft. (65) 1900. nn — 20 ; kart. nn — 40 ‖ 7. Method. Hdb. f. Lehrer u. Seminaristen. 2. Heft. Für d. Mittelst. mehrklass. Volksach., bearb. v. Matern u. Meinberg. (316) 1900. 3 — ; geb. 3.50 ‖ 8. Schülerausg. f. d. Mittelst. 1klass. Volksach. (46) 03. nn — 20 ; kart. nn — 30 ‖ 9. Method. Hdb. f. Lehrer u. Seminaristen. 2. Heft. Für d. Mittelst. einklass. Volksach., bearb. v. Matern u. Meinberg. (120) 01. 1.20 ; geb. 1.60 ‖ 10. Schülerausg. f. d. Oberst. mehrklass. Volksach. 1. Heft. (58) 03. nn — 20 ; kart. nn — 40 ‖ 11. Dass. 2. Heft. (80) 03. nn — 20 ; kart. nn — 40. ‖ 12. Method. Hdb. f. Lehrer u. Seminaristen. 3. Heft. Für d. Oberst. mehrklass. Volksach. (192) 02. 1.60 ; geb. 2 — ‖ 13. Schülerausg. f. d. Oberst. 1klass. Volksach. (28) 03. nn — 20 ; kart. nn — 30 ‖ 16. Rauminre f. mehrklass. Volksach. u. Seminaristen. 3. Heft. Für d. Oberst. 1klass. Volksach. (233) 02. 2.50; geb. 3 — ‖ 15. Schülerausg. f. d. Oberst. einklass. Volksach. Raumlehre. (44) 04. nn — 20 ; kart. nn — 30 ‖ 16. Rauminre f. mehrklass. Volksach. u. Seminaristen. 3. Heft. Für d. Oberst. 1klass. Volksach. (233) 02. 2.50 ; geb. 3 —
— u. A kathol.-soz. Vereinsleben in d. Diöc. Ermland, s.: Charitas-Schriften.
Matern, J: Sichere Heilg d. Lungentuberkulose in jedem Stadium. Verfahren d. Dr. GM Carasso. (47) 8° Wien 1900. (Lpzg, Rossberg'sche Verl.-Hdlg.) nn 3 —
Materna, HF: Rich. Wagners Frauengestalten. (186 m. Abb. u. Bildnis.) 8° Lpzg (04). Berl., Verl. d. Frauen-Rundschau. 2 — d
Materne's 1. Relig.-Unterr. f. Kinder ev. Christen. Ausg. B: f. d. Kinder. 7. Afl. v. Postler. (108 m. Abb.) 8° Lpzg, G Reichardt 05.
Materne, R: Ausländ. Kulturpflanzen, s.: Mück's prakt. Taschenbb.
— Der Obstbau, s.: Miniatur-Bibliothek. — Mück's prakt. Taschenbb.
— Das wichtigsten Pilze, s.: Mück's prakt. Taschenbb.
— Ärztl. Zimmergymnastik, s.: Schreiber, DGM.
Mathe, K, s.: Stühlen's, P, Ingenieur-Kalender.
Mathers, H: Cinders. — The frenzyman. — Griff of Griffiths-court. — „Honey". — The new lady Teazle, and other stories and essays, s.: Collection of Brit. auth.
Mathes, J: Tugendsterne Deutschlds seit d. Glaubensspaltg. (336 m. Abb.) 8° Steyl, Missionsdr. 02. L. 4 — d

Mathes, P: Katalog aller Gelegenheitsmarken. Enth. alle bis Ende 1901 erschienenen: Ausstellgs-, Jubiläums-, Kongress-, Gedächtnis- u. Festmarken u. dergl. in chronolog. Reihenfolge. Nebst a. Anh. enth.: Die span. „Sellos patrioticos" (Marken d. freiwill. patriot. Kriegastener) u. d. Marken d. span. Separationsbestrebgn (catalon. Union, Autonomie-Propaganda etc.). [S.-A.] (108) 8° Stolbg (Rhld), J Mathes (03). 1.50

Mathesius, J: Ausgew. Werke, s.: Bibliothek deut. Schriftsteller a. Böhmen.
— Schöne Fabel v. alten u. jungen Sperling. Aus d. Jugendblättern v. Barth u. Hänel. Jahrg. 1857. (12) 12° Bas., (Basler Missionsbh.) 1897. — 20 d
— Predigten üb. Luthers Leben. Mit Erläutergn. Dem ev. Volke dargeboten v. G Buchwald. (349 m. Bildnis.) 8° Stuttg. 04. Bas., E Finckh. 3.50; L. nn 4.50 d

Mathew, F., Apostel Irlds, s.: Unterhaltungs-Bibliothek Steyler.
Mathias, FX: Die Choralbegleitg. (52) 8° Egnsbg, F Pustet 05. — 60
— Einführg in d. v. elsäss. Cäcilienver. hrsg. Choralbegleitg. (36) 8° Strassbg, (FX Le Roux & Co.) 04. — 40 d
— Die histor. Entwicklg d. Choralbearbeitg f. Orgel, in 2 Orgelvortr. beleuchtet. (16) 8° Ebd. (05). nn — 25 d
— Der Strassburger Chronist Königshofen als Choralist. Sein Tonarius, wiedergefunden v. M Vogeleis. (191 m. 3 Taf.) 8° Graz, (Styria) 03. 4.80
— Die Musik im Elsass. (42) 8° Strassbg, FX Le Roux & Co. 05. — 60 d
— Phototyp. Wiedergabe d. Königshofenschen Tonarius in C. XI. E. 9 d. Prager Univ.-Bibliothek, hergestellt im Auftrag d. Finders M Vogeleis. (23 Taf.) 4° Graz, (Styria) (03). nn 6.40

Mathias, HA: Naturgesch. v. Bitterfeld. (26) 12° Bittorf., W Meissner Nf. 01. nn — 25 d
Mathias, W: Sofort Hypnotiseur! 2 Tle. (45 u. 37) 8° Berl., W Reuter (05). Je — 80 d
— Die Sittlichk.-Verbrechen m. bes. Berücks. d. Verirrgn u. Geschlechtstriebs. (Umschlag: Die Sittlichk.-Verbrechen u. Entartgn d. Geschlechtslebens.) (84) 8° Ebd. (05). 1.50 d
Mathies, Baron P de, s.: Albing, A.
Mathieu, s.: Archiv, internat., f. Schulhygiene.
Mathieu, C: Die besten Kirschen, Pfirsiche usw., s.: Kunze, F.
— Verz. d. im Handel u. Kultur befindl. Rosennamen u. deren Rechtschreibg. (Umschl.: Verz. d. usw. Rosen u. d. Rechtschreibg ihrer Namen.) (Bill. Ausg.) (95) 8° Berl., Gebr. Radetzki (04). 1 —
Mathis, A: Gr. illustr. Kochb., s.: Ehrhardt, M.
Mathis, F: „Jesus Christus, gestern u. heute, u. derselbe auch in Ewigkeit". Predigten. Aus d. Nachl. ges. (88) 8° Berl., M Warneck 03. Kart. 1.20 d
Mathos, C: Die gen. Quartier- u. Naturalleistgs-Vorschriften f. d. bewaffnete Macht im Frieden. 3. Afl. (147) 8° Karlsr. (09). (Berl. [S. 39, Pfannfer 92b II], A Frantz.) Kart. 3.20 d
Mathy: Gefechtsaufg. f. d. Bataillon gemäss Exerzir-Regl. f. d. Infant. II. Tbl. A. (60 m. 25 Skizzen u. 2 Pl.) 8° Berl., E Eisenschmidt (02). 2 — d
Mathy, K: Aus d. Leben e. Schullehrers, s.: Volksbücher, Wiesbad.
Matiegka, H: Bericht üb. d. Untersuchg d. Gebeine TychoBrahe's. (14 m. Abb.) 8° Prag, (F Řivnáč) 01. — 50
— Ueb. e. Fall v. partieller Zweiteilig d. Scheitelbeins beim Menschen. [S.-A.] (8) 8° Ebd. 05. — 20
— Ub. d. Hirngewicht, d. Schädelkapacität u. d. Kopfform, sowie deren Beziehgn z. psych. Thätigk. d. Menschen. [S.-A.] (75) 8° Ebd. 02. 1.10
— Ueb. Schädel u. Skelette v. Santa Rosa (Santa Barbara-Archipel bei Californien). [S.-A.] (123m. 3 Tab.) 8° Ebd.04. 1.90
Matosch, A: General-Reg. d. Bde XLI—L d. Jahrb. u. d. Jahrgänge 1891—1900 d. Verhandlgn d. k.-k. geolog. Reichsanst. Mit Anh.: Autoren-Reg. d. Abhandlgn d. k. k. geolog. Reichsanst., Bd I—XX, (1850—1900) u. Autoren-Reg. d. Erläutergn z. geolog. Karte d. im Reichsrate vertret. Königreiche u. Länder d. österr.-ungar. Monarchie; Lfg I—V (1893—1904; 17 Hefte) u. zu d. Probekarten (3 Hefte). (210) 8° Wien, (J Lechner's S.) 05. nn 6 —
Matouschek, F: Beitr. z. Moosflora v. Oberösterr. I. Tl. (22) 8° Linz a/D., Museum Francisco-Carolinum 04. (Nur dir.) — 25
Matrikel, d., d. Hornbacher Gymnasiums 1559—1630, hrsg. v. R Buttmann, s.: Mitteilungen d. histor. Ver. d. Mediomatriker f. d. Westpfalz.
— d., d. Univ. Leipzig, hrsg. v. G Erler, s.: Codex diplomaticus Saxoniae.
— d., d. Univ. Rostock. IV,1 u. 2. Hrsg. v. A Hofmeister. 4° Rost., (Stiller.) 7 — (I—IV,2: 87 —)
1. Mich. 1694—Ost. 1747. (240) 01. — 1 2. Ost. 1747—Ost. 1789. Anh.1 Die Matrikel d. Univ. Butzow. Mich. 1760—Ost. 1789. (33 u. 341—391) 04. 12 —
— d., d. ungar. Nation an d. Wiener Univ. 1453—1630. Hrsg. v. K Schrauf. (92, 557 m. 2 Taf.) 8° Wien, (A Holzhausen) 02. 10.80
Matrikeln, d. alten, d. Univ. Strassburg 1621—1793, bearb. v. GO Knod, s.: Urkunden u. Akten d. Stadt Strassburg.
Matrosenkind, das. 2. Afl. (56 m. Abb.) 12° Elberf., R Brockhaus (durch J Fassbender) 1900. — 20 d
Matschenz: Gesch. d. pommerschen Train-Bataillons Nr. 2. (289 m. Abb.) 8° Berl., ES Mittler & S. 03. 7 —; geb. nn 8.50 d

Hinrichs' Fünfjahrskatalog 1901—1905.

Matschenz, H: Vollständ. Lehrb. d. deut. Volks-Kurzschrift. Ganz vereinf. Arendssche Stenogr. 16. Afl. (34 u. 8) 8° Berl. (02). (Lpzg, JH Robolsky.) — 50 d
— Lehrg. d. deut. Volks-Kurzschrift. Ganz vereinf. Arendssche Stenogr. 18. Afl. (18) 8° Ebd. (05). — 75 d
— Leseb. f. Arendssche Stenogr. Zugl. Schlüssel f. d. vollständ. Lehrb. d. deut. Volks-Kurzschrift. 10. Afl. (24) 8° Ebd. (02). nn — 75 d
Matschie, P: Bilder a. d. Tierleben. 30 Lfgn. (476 m. Abb. u. 1 Farbdr.) 4° Stuttg., Union (03.04). Je — 50; in 1 Bd geb. 19.— d
— Die Chiropteren, Insectivoren u. Mariden d. Semonschen Forschungsreise, s.: Denkschriften d. medic.-naturwiss. Gesellsch. zu Jena.
— Die Kennzeichen d. deut. Enten-, Schnepfen- u. Raubvögel, s.: Reichenow, A.
— Die Säugetiere d. v. W Kükenthal auf Halmahera, Batjan u. Nord-Celebes gemachten Ausbeute. [S.-A.] (50 m. 1 Abb., 1 Kartenskizze u. 3 Taf.) 4° Frankf.a/M., (M Diesterweg) 1900. 7 —
— s.: Verhandlungen d. V. internat. Zoologen-Congresses.
Matschke, W: Die Kultur d. Ficus elastica, s.: Radetzki, gärtner. Kultur-Anweisg.
Matschoss, C: Gesch. d. Dampfmaschine. Ihre kulturelle Bedeutg, techn. Entwicklg u. ihre grossen Männer. (461 m. Abb., 3 Taf. u. 5 Bildnissen.) 8° Berl., J Springer 01. L. 10 —
Matsfix, Quinten. 3. Lfg. (12 Lichtdr.) Fol. Haarl., H Kleinmann & Co (02). 3 —; L. 3.75
Matt: Prakt. Hydrotherapie, s.: Weiner.
Matt, H v.: Fabiola. Drama. 1. u. 2. Afl. (99) 8° Stans, H v. Matt & Co. 02. 1.50 d
Mattachich, G: Aus d. letzten Jahren. Memoiren. (207) 8° Lpzg 04. Wien, CW Stern. 3.50; geb. 4.50 d
Mattar, S: Dachpappe u. Holzcement. Prakt. Anl. z. Herstellg d. Dachpappen-, Holzcement- u. Kiespapp-Dächer u. deren Materialien. (40 m. Abb.) 8° Wiesb., P Plaum 02. — 75
Mattei, Graf C, s.: Monatsschrift f. Electro-Homöopathie.
Matter, A: Die christl. Lehre. Deutsch v. G Holtey-Weber. 2. Bd. (343) 8° Gütersl., C Bertelsmann 01. 4.80; geb. 5.70 (Vollst.: 8.80; geb. 10.50) d
Matter, P: Ein Künstler u. e. Christ. Lebensbild d. Malers Luther. Richter. (48 m. Abb. u. 1 Bildnis.) 8° Berl., F Zillessen (04). — 60 d
Mattern, E: Der Thalsperrenbau u. d. deut. Wasserwirthschaft. Studie üb. d. Frage d. Niedrigwasservermehrg d. Ströme a. gemeinsamen Sammelbecken f. Hochwasserschutz, Kraftgewinng. Landw. Bewässerg u. Schiffahrtszwecke. (100) 8° Berl., Polyt. Bh. A Seydel oz. 3 —; L. 3.75
Matterdorff, W: Die Bahnmotoren f. Gleichstrom, s.: Müller, M.
Matthaei: Die Erhölg d. Kriegstüchtigk. e. Heeres durch Enthaltg v. Alkohol. Vortr. [S.-A.] (16) 8° Dresd., OV Böhmert 01. — 60 d
— Die Förderg d. Enthaltsamk.-Bewegg durch d. Arbeiter od. Der Ausstand geg. d. Alkohol, s.: Antialkohol-Schriften.
Matthäi, deut. Baukunst im M.-A., s.: Aus Natur u. Geisteswelt.
— Die bild. Kunst u. d. Volksleben in Deutschl. (58) 8° Kiel, Lipsius & T. 02. — 60 d
— Schillers Ringen um e. Weltanschaug. Rede. (28) 8° Danz., AW Kafemann 05. — 60 d
— Moritz v. Schwind. Rede. Mit e.Verz. d. wichtigsten Arbeiten Schwinds. (53) 8° Kiel, Lipsius & T. 04. 1 —
— Die städt. Verwaltg u. d. Pflege d. bild. Kunst in Schleswig-H. Referat. (32) 8° Ebd. 01. — 80
— Werke d. Holzplastik in Schlesw.-H. bis z. J. 1530. 2 Bde. (349 m. 1 Karte.) 8° Mit 46 Lichtdr. Fol. Lpzg, Seemann & Co. 01. L. n in M. 60
L. 4 —; d
Matthaeus ab Aquasparta: Quaestiones disputatae selectae, s.: Bibliotheca Franciscana scholastica medii aevi.
Matthäus-Passion, deutsch m. Chören, u. mehrstimmig zu singen. Zum Gebr. in d. kathol. Kirche. 10. Afl. (40) 10° Speyer, (Jäger.) — 20 d
Matthes, s.: Entfasselg gebund. Kräfte. Den Prov.-Synoden d. Erwägg. [S.-A.] (24) 8° Berl., (Vaterländ. Verl.-u. Kunstanst.) 02. — 20 d
— Die alttestamentl.Lektionen, n.Festsetzg d. Eisenacher Konferenz, in Predigten. (456) 8° Lpzg, A Deichert Nf. 05. 4.50 —; geb. nn 6 — d
— Die epistol. Lektionen n. Festsetzg d. Eisenacher Konferenz in Predigten. (481) 8° Ebd. 06. 5 —; geb. nn 6 — d
Matthes, H: Stille Grüsse. Dichtgn. 2. Bd. (188 m. Bildnis.) 8° Dresd., CL Ungelenk 02. L. 2.50 u. 2.50; d 4.50 d
Matthes, H: Die Nahrgsmittelverfälschg u. d. Massregeln zu ihrer Bekämpfg. [S.-A.] (12) 8° Weim., H Böhlau's Nf. 05. — 30 d
Matthes, M: Gedichte. Hrsg. u. eingeleitet v. C Biberfeld. (84 m. Bildnis.) 8° Bresl., Preuss & J. 05. Geb. 1 — d
Matthes, M: Kochbüchl. f. Hausshaltgessch. Nahrgsmittellehre u. Kochrezepte f. Schule u. Haus. (112) 8° Düsseldf., L Schwann (04). Kart. — 50 d
Matthes, M: Lehrb. d. klin. Hydrotherapie. Mit Beitr. v. P Cammert, E Hertel u. F Skutsch. 2. Afl. (480 m. Abb.) 8° Jens, G Fischer 03. 9 —; geb. 10 — d
Matthes, O: Student Bummel. — In Feindesland. — 3 Freiwillige, s.: Liebhaber-Theater.

117

Matthes, O: Gedichte. (64) 8° Wien, Verl.-Anst. Neuer Lit. u. Kunst 02. 1 — d
— Der geheilte Major. — Bursche Radowsky. — Dr. Schlau. — Spukmüller.—BeimHauptmannTourno, s.: Liebhaber-Theater.
Matthes, R: EinApril-Scherz, s.:Glaser's, C,Theater-Bibliothek.
— Der alte Barbarossa, s.: Kinderfestspiele f. Schule u. Haus.
— Bekehrt. — Der Blick in d. Zukunft. — Bocksprünge. — Der neue Bursche. — Uns. Dienstboten, s.: Glaser's, C, Theater-Bibliothek.
— Ehre sei Gott in d. Höhe, s.: Kinderfestspiele f. Schule u. Haus.
— Der Erbschleicher. — Es brennt! — Der Feuerwehrtag. — In e. kl. Garnison, s.: Glaser's, C, Theater-Bibliothek.
— Grossmütterchens Geburtstag, s.: Kinderfestspiele f. Schule u. Haus.
— Der kluge Hans, s.: Glaser's, C, Theater-Bibliothek.
— Hänsel u. Gretel. — Heil dir im Siegerkranz. — DieHeinzelmännchen.— Der Herzensdieb. — Fran Holle's Weihnachtsgäste, s.: Kinderfestspiele f. Schule u. Haus.
— Heil d. Kaiser u. d. Kaiserin. Fantast. Kinderfestsp. m. Gesang u. e. Schlussbilde z. Feier d. Silberhochzeit uns. Kaiserpaares. (13) 8° Lpzg, C Glaser 05. 2 — d
— Irren ist menschlich. — Kaisers Geburtstag. — Das Kaisermanöver. — Der Kegelkönig, s.: Glaser's, C, Theater-Bibliothek.
— Das eiserne Kreuz, s.: Kinderfestspiele f. Schule u. Haus.
— Krieger's Weihnachtsheiligabend. — Um e. Kuss. — Liesmanns Erben.—Die neuePensionärin, s.:Glasers's, C,Theater-Bibliothek.
— In d. Puppenklinik, s.: Kinderfestspiele f. Schule u. Haus.
— Der Radlerfeind. — Der Regimentstambour. — Rosensonntag, s.: Glaser's, C, Theater-Bibliothek.
— Rübezahl, s.: Kinderfestspiele f. Schule u. Haus.
— Das Schmerzensgeld.—Die Schnürsee'r, s.:Glaser's, C, Theater-Bibliothek.
— Sommer-Lust, s.: Kinderfestspiele f. Schule u. Haus.
— Am Sylvester-Abend. —Der Turner im Freiquartier. —Turner am Weihnachtsabend.—Turnwart's Huldigung. — Im Wechsel d. Zeit. — Glückl. Weihnachten, s.: Glaser's, C, Theater-Bibliothek.
— Weihnachten auf hoher See, s.: Kinderfestspiele f. Schule u. Haus.
— Ein fröhl. Weihnachtsfest. — Die Weihnachtsgans. — Wenn die Weihnachtsglocken klingen, s.: Glaser's, C, Theater-Bibliothek.
— Unverhofftes Weihnachtsglück. — Die Weihnachtspost, s.: Kinderfestspiele f. Schule u. Haus.
— Die Weihnachtspräsente. — Der erfüllte Weihnachtswunsch, s.: Glaser's, C, Theater-Bibliothek.
Matthes, VM: Spätblutgn ins Hirn n.Kopfverletzgn, s.: Sammlung klin. Vortr.
Matthes, W: Aufgestellt werden sie doch! Lustsp. (17) 8° Lpzg, Leipz. Bienenzeitg (04). — 80 d
— Spassige Leute. Lustsp. (14) 8° Ebd. (04). — 80 d
— Line u. Biene. Ein lust. Stücklein s. d. Immenlehen. (11) 8° Ebd. (04). — 50 d
Matthey, M: Von Alltag u. Sonntag. Gedichte. 1899 —1901. (160) 8° Berl., F Wunder 02. 2 —; geb. 3 — d
— Claudine. Episch-lyr. Dichtg in Gesängen. (85) 8° Ravecchia-Bellinzona, Verl. „Liberta" 02. 2 — d
— Tessiner Novellen. (392) 8° Ebd. 06. 4 —; L. 5 d
Matthias, A: Der kl. Engländer od. d. Kunst, d. engl. Sprache in kurzer Zeit verstehen, lesen, schreiben u. sprechen zu lernen. 7.Afl.(178)16°Berl.,Friedberg&M.(01).1.25; kart.1.50 d
— Der perfekte Engländer od. prakt. Unterr. in d. engl. Umgangssprache. 10. Afl. (291) 12° Ebd. (01). Kart. 2.25 d
— Hdb. d. engl. Umgangssprache. 10. Afl. (291) 12° Ebd. (03). (03).
— Hdb. d. italien. Umgangssprache. 5. Afl. (282 u. 55) 12° Ebd. (03).
— Der kl. Italiener od. d. Kunst, d. italien. Sprache in kurzer Zeit verstehen, lesen, schreiben u. sprechen zu lernen. 4. Afl. (910) 16° Ebd. (01). 1.25; kart. 1.50 d
— Der perfekte Italiener od. prakt. Unterr. in d. italien. Umgangssprache. 6. Afl. (282 u. 55) 12° Ebd. (01). Kart. 2.25 d
— Neues ausführl. Taschenwrtrb. d. engl. u. deut. Sprache. 2 Tle. 7. Afl. (745 u. 746) 16° Ebd. 05. Je 1.80; in 1 HF.-Bd nn 4.50 d
Matthias, A: Latet-Patet. Ein Jahrg. Predigten üb. d. v. CJ Nitzsch ausgew. alttestamentl. Perikopen. 2. [Tit.-JAfl. (396) 8° Halle, CA Kaemmerer & Co. [1899] 03. 6 — d
Matthias, A: Die soz. u. polit. Bedeutg d. Schulreform v. J. 1900. Vortr. [S.-A.] (36) 8° Berl., A Duncker 05. — 75 d
— Wie erziehen wir uns. Sohn Benjamin? Ein Buch f. deut. Väter u. Mütter. 4. Afl. (274) 8° Münch., CH Beck 04. Je 3 —; L. je4 — d
— Franz Grillparzer, d. Ahnfrau, s: Dichter, deut., d. 19. Jahrh.
— s.: Grundlagen, d. allg., d. Kultur d. Gegenwart. — Handbuch d. deut. Unterr. an höh. Schulen.
— Hilfsb. f. d. deut. Sprachunterr. auf d. 3 unt. Stufen höh. Lehranst. 5. Afl. (159) 8° Düsseldf, E Blasius 05. Kart. 1.50 d
— Wie werden wir Kinder d. Glücks? 2. Afl. (320) 8° Münch., CH Beck 02. 3 —; L. 4 — d
— Die patriot. Lyrik d. Befreigskriege, s.: Velhagen & Klasing's Sammlg deut. Schulausg.

Matthias, A, s.: Monataschrift f. höh. Schulen.
— Prakt. Pädagogik f. höh. Lehranst., s.: Handbuch d. Erziehgs- u. Unterr.-Lehre f. höh. Lehranst.
— Das deut. Volkslied, s.: Velhagen & Klasing's Sammlg deut. Schulausg.
Matthias, C, s. a.: Ten Bergh, (J).
— Im Eise d. Nordens. Aus d. hinterlass. Papieren e. Schiffsjungen. Der reif. Jugend erzählt. (28Q m. 4 Bildern.) 8° Stuttg., Levy & M. (02). Geb. 4.50 d
— Der Freund d. Delawaren. Erzählg f. d. Jugend a. d. nordamerikan. Freiheitskriege. (299 m. 4 Bildern.) 8° Ebd. (03). Geb. 4.50 d
— Das Geheimnis d. Brasilianers. Erzählg f. d. Jugend. 2. Afl. (265 m. 4 Bildern.) 8° Ebd. (04). Geb. 4.50 d
— Das Geheimnis d. Kreuzganges. Roman. (235) 8° Gotha, Verl.-Anst. u. Dr. (H Bartholomäus) (05). 1 — d
— Der Goldtambour, Erzählg f. d. reif. Jugend. (280 m. 4 Bildern.) 8° Stuttg., Levy & M. (01). Geb. 4.50 d
— Unter d. roten Kreuz, s.: Weber's moderne Bibliothek.
— Mit vollen Segeln, s.: Kamerad-Bibliothek.
Matthias, F: Üb. d. Wohnsitze u. d. Namen d. Kimbern. (49) 8° Berl., (Mayer & M.) 04. 1 —
Matthias, T: Aufsätze a. Oberkl. (322) 8° Lpzg, BG Teubner 05. 2.80; geb. 3.20 d
— Aufsatzsünden. Warn. Beispiele, zu Nutz u. Frommen d. deut. Schuljugend u. z. Ersparg vieler roter Tinte ges. u. erläut. 2. Afl. (81) 8° Lpzg, R Voigtländer 01. — 60 d
— Bismarck als Künstler n. d. Briefen an s. Braut u. Gattin. (354) 8° Lpzg, F Brandstetter 02. 3 —; geb. 3.80 d
— Gedrängtes, vollständ. Fremdwrtrb., s.: Hoffmann, PFl.
— Die Grundz. d. Meditation. — Meditationen, s.: Schultz, F.
— s.: Regeln f. d. deut. Rechtschreibg.
— Wilh. Heinr. v. Riehl's „Fluch d. Schönheit", „Quell d. Genesg", „Gerechtigk. Gottes", s.: Dichter, deut., d. 19. Jahrh.
— Zum deut. Unterr., s.: Schriften d. pädagog. Gesellsch.
— Vollständ. kurzgef. Wrtrb. d. dent. Rechtschreibg, m. zahlreichen Fremdwortverdeutschgn u. Angaben üb. Herkunft, Bedeutg u. Flügg d. Wörter. 2. Afl. (31, 355) 8° Lpzg, M Hesse 02. Geb. 1.50 d
Matthias, W: Tambach u. Dietharz. Führer in ihren Wäldern. (73 m. Abb.) 8° Eisen. 03. (Tambach, T Mosche.) † 1.40 d
Matthias, W, s.: Deutschlands Liederschatz.
Matthias v. Bremscheid (M Lay): Der christl. Arbeiter. Seine Würde, Bedeutg u. Pflicht. 2. Afl. (83) 16° Mainz, F Kirchheim 01. Kart. — 40 d
— Fluch d. Unglaubens, s.: Volksbibliothek, kathol.
— Die christl. Jungfrau in ihrem Tugendschmucke. 5. Afl. (108) 16° Mainz, Kirchheim & Co. 04. L. — 80 d
— Der christl. Mann in s. Glauben u. Leben. 3. Afl. (240) 12° Mainz, F Kirchheim 01. L.1.80 d
— Kurze Sonntagspredigten f. d. ganze kathol. Kirchenj. (358) 8° Mainz, Kirchheim & Co. 05. 2.80; L, 3.50 d
— Thorheit d. Unglaubens, s.: Volksbibliothek, kathol.
Matthias, B: Die Entwicklg d. deut. bürgerl. Rechts, s.: Bibliothek d. Rechts- u. Staatslehre.
— s.: Studien, Rostocker rechtswiss.
Matthies, C: Am Quell d. Zeiten, s.: Barnick, E.
Matthies, E: Azimut-Tab. [S.-A.] (127—265 m. 2 Fig.) 8° Emd., W Haynel 05. 4 —
— Naut. Taf. f. d. Nord- u. Ostsee u. d. Engl. Kanal, nebst Azimut-Tab. 3. Ausg. (265 m. 2 Fig.) 8° Ebd. 05. L. 7.50
Matthies, H: Heidbalk'n. Allerhand Löäg u. Töäg' upp oldmärk'sch Oart. (55) 8° Stend., E Schulze 03. 1 — d
Matthies, J: Das Volksschulwesen u. d. Lehrerbildgswesen im Deut. Reich, s.: Gizycki, P v.
Matthies-Masuren, F: Gummidrucke, v. Hugo Henneberg-Wien, Heinrich Kühn-Innsbruck u. Hans Watzek-Wien. (20 Gravuren m. 24 S. illustr. Text u. 8 Taf.) 44×33 cm. Halle, W Knapp (02). In L.-M. nn 40 —; Liebhaberausg. nn 70 — d
— s.: Kunst, d. photograph.
— Bildmäss. Photogr. Mit Benutzg v, BH Robinsons d. maler. Effekt in d.Photogr. (88 m.Abb.) 4° Halle, W Knapp 03. Geb.8 —
— s.: Photographie, d. bildmäss. — Rundschau, photograph.
— Vorlage-Blätter f. Photographen.
Matthiessen, J: Anordnung z. Sammlg v. Beisp. u. Aufg. a. d. allg.Arithmetik u. Algebra v. E Heis. 4. Afl. (180) 8° Köln, M Du Mont-Sch. 02. 2.50 d
— Übgsb. f. d. Unterr. in d. Arithmetik u. Algebra. Nach d. Aufgabensammlg v.Heis bearb. 6. Afl. (255) 8° Ebd. 05. 2 — d
Matthis, C: Jacob, d. letzte d. Lichtenberger u. s. deutsche Bärbel. 2 geschichtl. Bilder a. d. HanauerLänd'l. (20 m. Abb.) 8° Strassbg, JHE Heitz 02. — 50
Matthis, C: Aus Niederbronns alten Zeiten. Seine Vorgesch., s. röm. Bäder u. deren Entdeckg im J. 1592. (60 m. Abb.) 8° Strassbg, J Noiriel 01. (1.50) 1 —
Matthis, G: Jost Holler, d. Pfarrer zu Bockenheim, s.: Lebensbilder, ev., a. d. Elsass.
Mattiat, W: Mathemat. Gesch. z. Schulgebr. in Stadt u. Land. 2. Afl. (126) 8° Tilsit, J Reyländer & Sohn. 03. Kart. — 50 d
— Die Raumlehre in d. Volks- u. Fortbildgssch. 5. Afl. (90 m. H.) 8° Lpzg, BG Teubner 01. Kart. — 80 d
— Der Spiritusberechner als Rechenkontrolleur. (32) 12° Tils., J Reyländer & Sohn (02). Kart. — 40 d
— Deut. Sprachlehre f. Volkssch. 2. Afl. (67) 8° Ebd. 03. Kart. — 40 d

Mattl-Löwenkreuz, Baronin E : Schwester Monica. Roman. (351) 8º Wien, Wiener Verl. 05. 3 —; geb. nn 4.50
Mattos s.: Teixeira de Mattos.
Matulewicz, GB : Doctrina Russor. de statu justitiae originalis. (237) 8º Cracov. 05. (Freibg i/B., Herder.) nn 4.50
Matz: Die Eindeichg u. Entwässerg d. Memeldeltas, s.: Danckwerts.
Matzat, H : Erdkde. Hilfsb. f. d. geograph. Unterr. 4. Afl. (323 m. Fig.) 8º Berl., P Parey 05. Geb. nn 2.50 d
— Philosophie d. Anpassg m. bes. Berücks. d. Rechtes u. d. Staates, s.: Natur u. Staat.
— Rechts- u. Staatslehre f. deut. Schulen. (135) 8º Berl., P Parey 04. Geb. 1.80 d
Matzdorf, P: Sechse kommen durch d. ganze Welt, s.: Bloch's, L, Kinder-Theater.
Matzdorff, C, s.: Bericht üb. d. wiss. Leistgn in d. Naturgesch. d. nied. Thiere.
— Tierkde f. d. Unterr. an höh. Lehranst. Ausg. f. Realanst. In 6 Tln. (Mit z. Tl farb. Abb.) 8º Bresl., F Hirt. Kart. 6.50 d
1. Lehrstoff d. Sexta. (64) 03. — 60 ‖ 2. Lehrstoff d. Quinta. (78) 03. — 60 ‖ 3. Lehrstoff d. Quarta. (136) 03. 1.25 ‖ 4. Lehrstoff d. Unter-Tertia. (164 m. 2 farb. Taf.) 03. 1.50 ‖ 5. Lehrstoff d. Ober-Tertia. (171 m. 1 Karte.) 03. 1.50 ‖ 6. Lehrstoff d. Unter-Sekunda. (127 m. 3 Taf. u. 1 Karte.) 03. 1.50.
— Wandtaf. f. d. naturkundl. Unterr., s.: Engleder, F.
— Ökologisch-etholog. Wandtaf. z. Zool. 2 farb. Taf. n. Originalen v. P Flanderky. Je 92×123 cm. Mit je 1 Bl. Text in 4º. Essl., JF Schreiber (05). Je 4 —; auf l. m. St. je 6 — u. lackiert je 6.50
Matzdorff, O : Werthbestimmg d. Rhizoma Felicis. [S.-A.] (24) 8º Berl, (01). (Erl., T Blaesing.) 1 —
Matzen : Ansgar, d. Apostel d. Nordens. Gedenkbl. f. d. Missionar uns. Heimatlandes. 3. Afl. (24 m. Abb.) 8º Brekl., (Christl. Bh.) 03. nn — 10 d
Matzen, H : Die nordschleswigsche Optantenfrage. (204) 8º Kopenh., Gyldendal 04. 3 —
Matzen, N : Die Berufskrankh. d. Lehrer n. Ursachen, Verhütg u. Behandlg. (94) 8º Radebeul (03). Rottmannshöhe, Lumen-Verlag. 2 —
— Eine notwend. Stütze im Kampfe geg. d. Alkohol. (20) 8º Dresd., (OV Böhmert) (04). — 30
Matsenauer, R : Lehrb. d. vener. Erkrankgn. 1. Tl. (285) Wien, M Perles 04. 5.40
— Die Vererbg d. Syphilis. Ergänzgsheft z. „Archiv f. Dermatol. u. Syphilis". (216) 8º Wien, W Braumüller 03. 4 —
Matzold, C : Winke z. Erbaug u. Erhaltg e. glückl. Heims. 3. Afl. (24) 8º Dresd., (Niederl. d. Ver. z. Verbreitg christl. Schriften) (04). — 10 d
Matzuschita, T : Bacteriolog. Diagnostik. Zum Gebr. in d. bacteriolog. Laboratorium u. z. Selbstunterr. (692 m. 1 Taf.) 8º Jena, G Fischer 02. 15 —; geb. 16 —
Mau, A : Führer durch Pompeji. 4. Afl. (123 m. Abb. u. 6 Pl.) 12º Lpzg, W Engelmann 03. Geb. 3 —
— s.: Katalog d. kais. deut. archäolog. Instit. in Rom.
— Pompeji, s.: Museum, d. stereoskop.
Mau, O : Führer durch d. Friedhof zu Ohlsdorf-Hamburg. (36 u. 8 m. Abb. n. 1 Pl.) 8º Hambg, C Boysen 01. 1 —
— Wohin? Beitrag z. Selbsthülfe in d. Wohngsreform u. Wohngspflege. (60) 8º Hambg (05). (Lpzg, O Zöphel). — 30
m. 2 Pl. — 50 d
Maubach, J : Die Kardinäle u. ihre Politik um d. Mitte d. XIII. Jahrh. unter d. Päpsten Innocenz IV., Alexander IV., Urban IV., Clemens IV. (1243—68.) (136) 8º Bonn, C Georgi 02. 2.50
Mauch, JM v.: Die architekton. Ordngn d. Griechen u. Römer. Ergänzgsheft z. d. 8. Afl. v. R Borrmann. (14 m. 10 Taf.) Fol. Berl., W Ernst & S. 02. 8 — (Hauptwerk m. Ergänzgsheft u. Nachtr.: 29 —)
Mauch, T : Schiller-Anekdoten. 1—6. Taus. (308) 8º Stuttg., R Lutz 05. 2.50; geb. 3.50 d
Maucher, H : Der kaufmänn. Korrespondent, s.: Foerster, C.
Mauckisch, M : Reichsstrafgesetzb. unter bes. Berücks. d. kgl. sächs. Landesgesetzgebg. — Strafgesetzb. f. d. Deut. Reich, s.: Handbibliothek, jurist.
Maucourant, F : Fromme Erwäggn üb. d. Demut. Uebers. v. W Veit, unter Assistenz v. Hofele u. J Haettensschwiller. (288 m. farb. Titelbild.) 16º Kevel., J Thum 01. 1 —; L. 1.50: Ldr m. G. 2.75 d
— Fromme Erwäggn üb. d. Gelübde d. Gehorsams. Uebers. v. W Veit, durchgesehen v. e. Benediktiner. (272 m. Titelbild.) 16º Ebd. 02. L. 1.50 d
— Die Keusch. Fromme Erwäggn f. n. Vollkommenh. streb. Seelen, bes. f. Ordensleute. Uebers. v. F Böser. 2. Afl. (283 m. farb. Titelbild.) 16º Ebd. 04. L. 1.50 d
— Das vertraul. Leben m. uns. göttl. Erlöser. Betrachtgn u. Gebet-Anh. f. fromme, in d. Welt leb. Christen u. f. Ordensleute. (2. Afl.) Bearb. v. H Kiene. (350 m. 1 Farbdr.) 16º Ebd. (03). L. 1.75 d
— Fromme Prüfgn u. Erwäggn üb. d. klösterl. Gelübde. 3. u. 4. Bd. Uebers. v. W Veit. Durchgesehen v. e. Benediktiner. 16º Ebd. Je 1 —; je 1.50; in Chagr. m. G. je 3 — 3. Die Armut. (284 m. Titelbild.) 02. ‖ 4. Der Gehorsam. (272 m. Titelbild.) 04.
— Den J. u. 2. Bd bilden: M., d. Keuschheit, u. M., d. Demut.
— Die Tugend d. Jungfräulichk. Gebet- u. Betrachtgsb. f. jung-

fraul. Seelen in Kloster u. Welt. 2. Afl. (476 m. Titelbild.) 16º Kevel., J Thum 05. L. 1.80 d
Mauczka, J : Der Rechtsgrund d. Schadenersatzes ausserh. besteh. Schuldverhältn. Mit bes. Berücks. d. österr. u. deut. Privatrechts. (18, 383) 8º Wien, F Deuticke 04. 8 —
Mauderer, E : Komm mit! Ein schwarzfröhl. Bilbderb. m. Versen v. F Schanz. (28 Bl.) 8º Stuttg., Levy & M. (04). Kart. 2.50 d
Mauer, A : Geograph. Bilder. Darstellg d. Wichtigsten u. Interessantesten a. d. Länder- u. Völkerkde. 2 Bde. 8º Langens., Schubb. 9.50; Einbde je 1 — d
I. 1⁴. Afl. (662) 05. 5 — ‖ II. 17. Afl. (582) 03. 4.50.
Mauerhof, E : Shakespeareprobleme. (312) 8º Berl., J Kösel 05. 4.50; geb. 5.40 d
Mauerhofer J : Mitteilgn a. d. Praxis d. Schlämmverfahrens am gräfl. Wilczekschen Dreifaltigkeitsschachte in Poln.-Ostrau. (7 m. 1 Taf.) 8º Mähr.-Ostrau, J Kittl 05. 2 —
Maugras, G : Der Herzog v. Lauzun. Aus d. Franz. v. P Bornstein. 2 Bde. 8º Münch., A Langen 01. 12 —; geb. 14 — d
1. Der Herzog v. Lauzun u. d. intimen Hofkreise Ludwigs XV. (1247—93.) (265) ‖ 2. Der Herzog v. Lauzun u. d. Gesellsch. am Hofe d. Königin Marie Antoinette. (385)
Mauke, W : Das neue Lied, s.: Warte, freie.
— Rich. Strauss' 2 Gesänge f. 16stimmig. gemischten Chor a capella. Der Abend (F v. Schiller). Hymne (F Rückert). — Rich. Strauss' 4 Gesänge f. e. Singstimme m. Begleitg d. Orchesters, s.: Musikführer, d.
— Ludw. Thuille's Gugeline, s.: Opernführer.
Maul, A : Barrenübg n. Schwierigkeitsstufen in Gruppen zusammengest. 2. Afl. (94) 12º Karlsr., G Braun'sche Hofbuchdr. 02. Kart. 1 — d
— Gerätübgn f. d. Mädchenturnen. (186) 8º Ebd. 04. 1.40 d
— Lehrpl. f. d. Turnen d. männl. Schuljugend. 2. Afl. (16) 12º Ebd. 02. — 25 d
— dass. d. weibl. Schuljugend. (14) 12º Ebd. 04. — 25 d
— Pferdübgn, n. Schwierigkeitsstufen in Gruppen zusammengest. 2. Afl. (84) 12º Ebd. 02. Kart. 1 — d
— Reckübgn, n. Schwierigkeitsstufen in Gruppen zusammengest. 2. Afl. (84) 12º Ebd. 02. Kart. 1 — d
— Turnbüchl. f. Volkssch. ohne Turnsaal. 3. Afl. (58) 8º Ebd. 04. — 60 d
— Reigenart. Turnübgn f. Mädchen. 2 Tle. 12º Ebd. 01. 2.60 d
1. Die unt.Stufen. (126 m. Fig.) 1.20 ‖ 2. Die ob. Stufen. (168 m.Fig.) 1.40.
Maul, A (M Gerhardt): Friedlose Liebe. Roman. (359) 8º Dresd., C Reissner 03. 4 —; geb. 5 — d
— Taugenichts. Roman. (320) 8º Ebd. 02. 4 —; geb. 5 — d
Mautl. E : Hanstiere im Fell u. Federkleide. (27 m. z. Tl farb. Abb.) 4º Nürnbg, T Strorfer (02). Geb. 3 — d
— Drolliges Kaninchenb. (15 m. z. Tl farb. Abb.) 4º Ebd. (03). — 75 d
— Die Liebessaat. Erzählg f. junge Mädchen. (256 m. Titelbild.) 8º Berl., HJ Meidinger (01). Geb. 4 — d Vergr.
— Mit einer helltg. Krise u. d. Lehren d. Gesch. Aus d. Franz. v. V Holzer. (183 m. Bildnis.) 8º Münch., R Abt 05. 2 — d
Mauntz, A v.: Heraldik in Diensten d. Shakespeare-Forschg. (331) 8º Berl., Mayer & M. 03. 3 —
Maupassant, G de: Ges. Werke. Illustr. Ausg. 1. Bd. Sonntagserlebnisse e. Pariser Spiessbürgers. Aus d. litterar. Nachlass. Übers. v. F v. Oppeln-Bronikowski. (211) 8º Berl. 02. Lpzg, G Fock V. 3 —; geb. 4 — d
— dass. Frei übertr. v. G Frhrn v. Ompteda. 1. Serie. 3., 4. u. 11. Bd u. II. Serie 4—10. Bd. 8º Berl., E Fleischel & Co. 3 —; geb. je 2.75; auch in 80 Lfgn zu — 50 d
I. 3. Miss Harriet. 4—6. Taus. (272) 1900. ‖ 4. Das Haus. Novellen. 4—6. Taus. (299) 02. ‖ 11. Stark was d. Tod. Roman. (Neue Afl.) (271) 05. II. 4. Die kleine Roque. Novellen. (255) 01. ‖ 5. Nutzlose Schönheit. Novellen. (245) 04. ‖ 6. Der Tugendpreis. Novellen. (247) 02. ‖ 7. Schnepfenetc. (297) 02. ‖ 8. Unser Herz. (254) 02. ‖ 9. Tag- u. Nachtgeschichten. Novellen. (267) 05. ‖ 10. Mont Oriol. Roman. (268) 05.
— Im Banne d. Liebe, s.: Sammlung Franckh.
— Das Bett u. and. Novellen, s.: Bibliothek berühmter Autoren.
— Bett 29 u. and. Novellen, s.: Bibliothek Langen, kl.
— Boule de suif, s.: Taschenbibliothek, allg.
— Das Brillanthalsband u. and. Novellen, s.: Bibliothek Langen, kl.
— Der schöne Freund Georg. Deutsch v. H Frhr v. Schorlemer. 2. Tl. (Neue [Tit.-]Ausg.) (280 m. Abb.) Lpzg, CF Tiefenbach [1898] (01). 2 —
— Ernste u. heit. Geschichten a. Dorf u. Stadt. Neue Auswsetzg u. Ausw. (96) 8º Neuweissens., E Bartels (o. J.). 2 — d
— Unser Herz, s.: Deva-Roman-Sammlung.
— Histörchen, s.: Kollektion Iris.
— Das Loch u. and. Novellen. — Die Millionenerbschaft, s.: Bibliothek Langen, kl.
— Mittelmeerfahrt, übers. v. Marie Madeleine. (143) 8º Berl., Vita 02. 1 —; geb. 2 — d
— Mondschein u. and. Novellen, s.: Bibliothek Langen, kl.
— Monte Carlo u. and. Novellen. — Nachtgeschichten, s.: Sammlung Franckh.
— Ausgew. Novellen, s.: Universal-Bibliothek.
— Aus d. Pariser Leben, s.: Sammlung Franckh.
— Frau Parisse u. and. Novellen. — Fräulein Perle u. and. Novellen, s.: Bibliothek Langen, kl.
— Auf d. Reise, s.: Sammlung Franckh.
— Die schöne Roque u. and. Novellen. — Die Schauspielerin u. and. Novellen. — Unnütze Schönheit u. and. Novellen, s.: Bibliothek Langen, kl.

Maupassant, G de: Ein Testament a. Liebe. Erzählg a. d. modernen Paris. (158) 8° Berl. (o. J.). Lpzg, H Hedewig's Nf.
    2 —; geb. 2.80 d
— Der Teufel u. and. Novellen. Neue Ausg. (96) 8° Neuweissens.,
  E Bartels (o. J.).   2 — d
— Verse. Uebertr. v. M Hoffmann. Mit e. Einl. d. Übersetzers
  u. e. Briefe G Flauberts. (103 m. Bildnis.) 8° Bresl., Schles.
  Buchdr. usw. 02.   2 —; geb. 3 — d
— Yvette. (96) 8° Neuweissens., E Bartels (o. J.).   2 — d
— dass., s.: Seemann's kl. Unterhaltgsbibliothek.
Mauracher, K: In d. Himmel will ich kommen! Lehr- u. Gebetbüchl. f. fromme Kinder. 5. Afl. (249 m. 1 Farbdr.) 16°
  Freibg i/B., Herder (03).   — 40; HL. —60; L. — 70 d
Maurenbrecher, B: Sallustiana. 1. Heft: Die Überlieferg d.
  Jugurthalücke. Festschrift, d. 47. Versammlg deut. Philologen u. Schulmänner in Halle a. S. zugeeignet. (137) 8° Halle,
  CA Kaemmerer & Co. 03.   3 —
Maurenbrecher, H: Gebildete Hebammen? (43) 8° Lpzg, F
  Dietrich 05.   1 —
Maurenbrecher, M: Die Gebildeten u. d. Sozialdemokratie.
  Erweit. Vortr. (31) 8° Lpzg, Leipz. Buchdr. (04).   — 25 d
— Die Hohenzollern-Legende. Kulturbilder a. d. preuss. Gesch.
  v. 12. bis z. 20. Jahrh. (In 50 Heften.) 1—40. Heft. (632 m. Abb.
  u. 1 farb. Taf.) 8° Berl., Bh. Vorwärts (05).   Je — 20
                    (1. Bd. [400] L. 7 —; HF. 8 —) d
Maurenbrecher, W: Gründg d. Deut. Reiches 1859—71. 3. Afl.
  (254) 8° Lpzg, CEM Pfeffer 03.   3 —; geb. 4.25 d
Maurer, A: Rühl. Ein Elsässer a. d. Revolutionszeit. (143) 8°
  Strassbg, JHE Heitz 05.   2.50
Maurer, CF: Der deutsch-französ. Krieg 1870/71. 6. Afl. (357 m.
  Abb., 16 Taf. u. 5 Pl.) 8° Lpzg, G Fock, V. (01). L. 5 — d
Maurer, F: Das Integument e. Embryo v. Ursus Arctos, s.:
  Denkschriften d. mediz.-naturwiss. Gesellsch. zu Jena.
— Untersuchg z. vergleich. Muskellehre d. Wirbeltiere. Die
  Musculi serrati postici d. Säugetiere u. ihre Phylogenesi. (50)
  m. Fig. u. 4 farb. Taf.) 4° Jena, G Fischer 05.   20 —
Maurer, F: Die Askanier. (48 m. Abb.) 8° Dess., Anhalt, Verl.-
  Anst. (02). (?) (Lpzg, R Hoffmann.) — 50; feine Ausg., L. 3 —
                    Fürstenausg., L. m. G. 6 —
— Die Hohenzollern. (35 Bl. m. Abb.) 12° Ebd. (03).   — 50; feine
          Ausg. (35 Bl. m. Abb.) L. m. G. 6 —
Maurer, F: Turnspiele. (45) 16° Wien, (LW Seidel & 3.) 02. — 50
Maurer, F: Völkerkde, Bibel u. Christentum. 1. Tl: Völkerkundliches a. d. Alten Test. (254) 8° Lpzg, A Deichert Nf. 05. 5 —
Maurer, G: Deut. Leseb. f. höh. Lehranst., s.: Zettel, K.
Maurer, H: Hdb. zu d. v. d. Bez.-Synode Wiesbaden hrsg. ev.
  Katech. 3 Tle in 1 Bde. 2. Afl. (306) 8° Herb., Bh. d. nass.
  Colportagever. 01.   2.80; geb. 3.20 d
Maurer, H: Meteorolog. Beobachtgn in Deutsch-Ost-Afrika,
  s.: Beobachtungen, deut. überseeische meteorolog.
— Zur Klimatol. v. Deutsch-Ostafrika. [S.-A.] (33) 4° Hambg,
  (L Friederichsen & Co.) 01.   m 2 —
Maurer, HE: Betrachtgn üb. relig.-sittl. Leben z. Pflege christl.
  Familiensinns. 2. [Tit.-]Ausg. v. „Pro domo". Illustratives
  u. Belehrendes üb. Relig. u. Moral. (365) 8° Zür., T Schröter
  [1898] 03.   2 —; L. 3 —; m. G. 3.75
Maurer, J: 60 Jahre schweiz. Postdienstes 1842—1902. (86) 8°
  Bas., B Schwabe 02.   1.20
Maurer, J: Wer wird am Ende Sieger bleiben? Die Kirche od.
  ihre Gegner? (82) 8° Boz., Bh. „Tyrolia" 04.   — 35 d
Maurer, K v., s.: Vierteljahrsschrift, krit., f. Gesetzgebg u.
  Rechtswiss.
Maurer, K: Der Widerruf d. Vollmacht n. d.BGB. (68) 8° Strassbg,
  J Singer 05.   1.50
Maurer, KH, s. a.: Maurer-Hartmann, K.
— In stillen Nächten. Gedichte in Vers u. Prosa. (211 m. Bildnis.) 8° Altenbg, T Unger 04.   2.50
Maurer, LH: Das Kurschiff f. Lungenkranke, s.: Michael, F.
Maurer, R: Meine lyr. Gedankenwelt. Literargeschichtl. Studis
  üb. d. kathol. Lyrik d. Gegenwart. (31) 8° Augsbg, (Lampart
  & Co.) 03.   — 50 d
Maurer, R: Lehrstoffverteilg f. allg. gewerbl. Fortbildgssch.
  aufGrund d. neuen Normallehrpl. 1.Tl. Kommerzielle Fächer,
  Geometrie, Projektionslehre u. Gesundheitsregeln. (26) 8°
  Wien, K Graeser & Co. (03).   — 50 d
Maurer, SF: Engl. u. Transvaal od. Der Burenkrieg in christl.
  Beleuchtg. (31) 8° Stuttg., Christl.Verl.-Haus (02). — 25; geb. 35 d
Maurer, W: Bernhard. Roman. (104) 8° Berl., A Duncker 01. 1.50 d
Maurer-Hartmann, K, s.: Maurer, KH.
— Essays. 1. Folge. Jens Peter Jacobsen. (47) 8° Altnbg, T Unger 04.   1 —
— Kritik. Eine Studie. (14) 8° Ebd. 04.   — 40
Maurey, M: Die Empfehlg, s.: Bloch's, E, Theater-Korrespondenz.
Maurier, G du: Trilby. Roman. Deutsch v.M Jacobi. 12. [Tit.-]Afl.
  (447) 8° Stuttg., R Lutz [1897] 04.   4.50; m. G. 5.50 d
Maurik (jun.), J van: Herrn v. Bommels Baderlebnisse, s.: Aus
  Vergangenh. u. Gegenwart.
— Mein Vortragsabend u. and. Humoresken, s.: Universal-
  Bibliothek.
Maurisio, A: Getreide, Mehl u. Brot. Ihre botan., chem. u.
  physikal. Eigenschaften, hygien, Verhalten, sowie ihre Beurteilg u.Prüfg. (393 m. Abb. u. 2 Taf.) 8° Berl., P Parey 03. L. 10—
Mauron, A: Petite grammaire angl. 5. éd. par JAH Murray.

(Méthode Gaspey-Otto-Sauer.) (189 m.2 Kart.) 8° Hdlbg, J Groos
  04.   Geb. 2 —
Mauron, A: Französ. Leseb., s.: Süpfle, L.
— et P Verrier: Nouv. grammaire angl. (Méthode Gaspey-Otto-
  Sauer.) 2 Tle. 9. éd. 8° Hdlbg, J Groos 01. Geb.4.40; in 1 Bd 3.60
  1. (220 m. 2 Kart.) 2 — : 2. (228 m. 2 Kart.) 2.40.
Maurus, P: Die Wielandsage in d. Lit., s.: Beiträge, Münch.
  z. roman. u. engl. Philol.
Maus, C: Das Reich d. Mitte, s.: Missions-Traktate, rhein.
Mausbach, J: Autorität u. Freiheit, s.: Volksaufklärung.
— Christentum u. Weltmoral. 3 Vortr. 2. Afl. (75) 8° Münst.,
  Aschendorff 05.   1.25
— Einige Kernfragen christl. Welt- u. Lebensanschaug, s.:
  Tagesfragen, apologet.
— Die kathol. Moral, ihre Methoden, Grundsätze u. Aufg. 1. u.
  2.Afl. (158 bezw. 178) 8° Köln, (JP Bachem) 01.02. 2.50; geb. 3.20 d
— Die „ultramontane Moral" u. Graf Paul v. Hoensbroech. (88)
  8° Berl., Germania 02.   — 80 d
— s.: Religion, d. christl.
— Weltgrund u. Menschheitsziel, s.: Vorträge, apologet.
Mausberger's Privat-, Geschäfts- u. Auskunftskalender, s.:
  Dorfmeister, A.
Mauser, M: Ueb. d. Begutachtg Tuberkulöser z. Aufnahme in
  Lungenheilstätten. (63) 8° Tüb., F Pietzcker 05.   nn 1.20
Maushake, A: Übgssstoffe z. gründl. Einübg d. Sprachfälle in
  Volks- u. Bürgersch. 3. Afl. (62) 8° Berl., Gerdes & Hödel
  (02).   Kart. — 50 d
Maus, T: Ueb. Darmtuberculose im Kindesalter. (35 m. 2 Taf.)
  8° Freibg i/B., Speyer & K. 01.   1.20
Mausser, J: Anl. z. Anfertig v. Kartenskizzen d. österr.-
  ungar. Kronländer, d. Länder Europas, d. Erdtheile u. d.
  wichtigsten Flussläufe. Mit Zugrundelegg einf. Hilfslinien.
  4. Afl. (15 m. 35 Skizzen.) 8° Wien, Sallmayer'sche Bh. 01. 1.60
— Kartenskizzen aller Erdteile u. Länder. Mit bes. Rücks. auf
  d. „Leitf. f. d. Unterr. in d. Geogr. f. österr. Burgersch."
  v. G Rusch bearb. 3. Afl. (24) 8° Wien, A Pichler's Wwe & S.
  04.   — 40
Mauthner, F: Aristoteles, s.: Literatur, d.
— Beitr. zu e. Kritik d. Sprache. 3 Bde. 8° Stuttg., JG Cotta
  Nf.   38 —; Einbde in HF. je 2 —
  I. Sprache. u. Psychol. (557) 01. 12 — | II. Zur Sprachwiss. (735) 01. 14 —
  | III. Zur Grammatik u. Logik. (666) 02. 12 —
— Der steinerne Riese. Eine fast wahre Gesch. 4. [Tit.-]Afl.
  (210) 8° Dresd., H Minden [1897] (02).   1 — d
Mautner, J, u. S Kohn: Bibl. Gesch. u. Relig.-Lehre f. d.
  israelit. Jugend an Bürgersch. 3 Hefte (m. je 1 Karte). Nach
  d. Lehrpl. d. isr. Cultusgemeinde Wien. 8° Wien, A Pichler's
  Wwe & S.   Kart. 5.20 d
  1. (96) 01. 1 — | II. 1. u. 2. Afl. (86) 01.04. 1 — | III. (112) 01. 1.20
— — dass. au Volkssch. 1. Heft. 4. Afl. (82 m. Abb. u. 1 Karte.)
  8° Ebd. 1900.   Kart. — 90 d
— — dass. Nach d. Lehrpl. d. isr. Kultusgemeinde Wien. 1 —
  4. Afl. (10 m. Abb. u. 1 Karte.) 8° Ebd. 01-04. Kart. 1.30 d
— — dass. 1. Heft. Für d. 4. Schulj. u. u. 2. Afl. (67 m.
  Abb. u. 3 Kartenskizzen.) 8° Ebd. 04.05.   Kart. — 80 d
Mävers, K: 88 Aufsätze in entwickelnder Form, auf Grund d.
  Lüneburger Leseb. bearb. u. f. d. Oberst. d. Volkssch. hrsg.
  (47) 8° Peine, C Rother (03).   1 — d
— Wie ich in meiner Klasse n. künstler. Gesichtspunkten Aufsätze anfertigen lasse. (Vortr.; zngl. Erläuterg zu: 88 Aufsätze in entwickelnder Form.) (24) 8° Ebd. 04.   — 25 d
Max, Prinz v. Sachsen, Herzog zu Sachsen: Der hl. Märtyrer
  Apollonius v. Rom. (88) 8° Mainz, F Kirchheim 03. 4 —; geb. 5 —
— Verteidigg d. Moral-Theol. d. hl. Alphonsus v. Liguori gegr.
  d. Angriffe Rob. Grassmanns. 7. Afl. (52) 8° Nürnbg, C Koch
  01.   — 60 d
— Die hl. Woche. Predigten. (134 m. Titelbild.) 8° Einsied.,
  Verl.-Anst. Benziger & Co. 04.   2.40 d
— Die 5 Wunden Christi. Fastenpredigten. (64) 8° Freibg
  (Schweiz), Univ.-Bh. 05.   — 40
Max, F: Deut. Märchenb. 2. Afl. (76 m. Abb. u. 8 Farbdr.) 8°
  Essl., JF Schreiber (01).   Kart. (1 —) — 70 d
Max, W: Sofamenschen. Komödie. (63) 8° Dresd., E Pierson
  04.   2 — d
Maxen, EK: Feldblümchen. Erzählgn. (81) 8° Aar., HR Sauerländer & Co. 04.   1.20; geb. 1.80 d
Maximaldosen d. Arzneimittel f. e. erwachs. Menschen. 6. Afl.
  4° 7×5,5 cm. Tüb., F Pietzcker 05.   — 10
Maximal- u. Rückstromrelais, s. automat., System Brown,
  Boveri & Cie. (Umschl.: Relais-Anordngn f. automat. Ausschalter in Wechselstrom-Anlagen.) (26 m. Abb.) 8° Zür. 05.
  (Berl., J Springer.)   1.50
Maxim-Maschinengewehr, d., u. s. Verwendg. (46 m. Abb. u.
  2 Taf.) 8° Berl., R Eisenschmidt 01.   1.50
Maxim-Maschinenkanone, d., u. ihre Verwendg. (47 m. Abb.)
  8° Berl., R Eisenschmidt 01.   1.50
Maximow, A: Experimentelle Untersuchgn üb. d. entzündl.
  Neubildg d. Bindegewebe, s.: Beiträge z. patholog. Anatomie.
Maximowicz, CJ, s.: Beiträge z. Kenntnis d. Russ. Reiches.
Maxwell, WB: The ragged messenger, s.: Collection of Brit.
  auth.
May's Schweinezucht. 5. Afl. v. E Meyer, s.: Thaer-Bibliothek.
May, CH: Grundr. d. Augenheilkde. Deutsch v. EH Oppenheimer. (44 m. Abb. u. 13 farb. Taf.) 8° Berl., A Hirschwald
  03.   6 —

May, F: Methodik d. Naturkde auf Grund d. Reformbestrebgn d. Gegenwart m. Anschl. v. mehreren Lehrproben. 2. Afl. (163) 8° Düsseldf, L Schwann 03. 2 —; geb. 2.40 d
May, G: Das Höchste. Roman. (183) 8° Dresd., E Pierson 02. 2 —; geb. 3 — d
May, J: Rhythm. Analyse d. Rede Ciceros pro S. Roscia Amerino. (135) 8° Lpzg, Bh. G Fock 05. 3 —
May, J: Gesch. d. Generalversammlgn d. Katholiken Deutschlds (1848—1902). (393 m. Bildnissen.) 8° Köln, JP Bachem 03. 4 —; geb. 4.80 d
May, J: Der ehrwürd. Ludwig da Ponte a. d. Gesellschaft Jesu. Leben u. Schriften. (223 m. 1 Bildnis.) 8° Dülm., A Laumann 02. 2.40; geb. 3 — d
May, J: Gesch. d. k. u. k. Infant.-Regts No. 85. (313 m. 15 Bildern u. 12 Kart.) 8° Pilsen, (C Maasch) 01. nn 4 —
May, K, u. **Tittel**: Das Oschatzer Hügel- u. Tieflandsgebiet zw. Mulde u. Elbe. I. Tl: Der geolog. Aufbau d. Landschaft. Von M. II. Tl: Die Besiedelg d. Landschaft. Von T. (Landschaftsbilder a. d. Kgr. Sachsen.) (64 m. Abb. u. 9 Kart.) 8° Meiss., HW Schlimpert 05. Subskr.-Pr. 1.35; kart. 1.80; Einzelpr. 1.50; kart. 2 — d
May's, K, illustr. Werke. I—IV. Serie, 153 Lfgn u. V. Serie, 1—29. Lfg. 8° Dresd.-Niedersedl., HG Münchmeyer. Je — 30 d
  I. Deut. Heeren u. Helden. 35 Lfgn. (614, 623, 628, 544 u. 600) (02.).
    In 5 Bde geb. 1, 2 u. 5 je 5 —; 8 u. 4 je 4.50
  II. Das Waldröschen od. d. Verfolgg rund um d. Erde. Enthüllgsroman üb. d. Geheimnisse e. menschl. Gesellsch. 44 Lfgn. (562, 560, 965, 840, 715 u. 632) (02.) In 6 Bde geb. 1 u. 4—6 je 3 —; 2 u. 3.50; 3. 6 —
  III. Deut. u. Glück. Eine überbayer. Gesch. a. d. Leben Ludwigs II. Neue illustr. Ausg. 08 Lfgn. (08.04.) 11. Bd. Die Morenlani. (788) Einzelpr. 4 —; geb. 5 — ‖ 2. Bd. Der Wurz'naepp. (972) Einzelpr. 5 —; geb. 6 — ‖ 3. Bd. Der Geldprotz. (790) Einzelpr. 4 —; geb. 5 — ‖ 4. Bd. Der Krökelanton. (1002)
  IV. Der verlorene Sohn. Roman a. d. Leben. Neue illustr. Ausg. 54 Lfgn. (05.) [1. Bd. Sklaven d. Elends.(651) ‖ 2. Bd. Sklaven d. Arbeit. (606) ‖ 3. Bd. Sklaven d. Schande. (507) ‖ 4. Bd. Sklaven d. Goldes. (560)] 5. Bd. Sklaven d. Ehre. (704) Geb. je 5 —
  V. Die Liebe d. Ulanen. Humoreskon u. Erzählgn. Neue illustr. Ausg. 1—29. Lfg. (03.) [1. Bd. Die Herren v. Königsau. (600) ‖ 2. Bd. Napoleons letzte Liebe. (566) ‖ 3. Bd. Der Kapitän d. Kaisergarde. (556) ‖ 4. Bd. Der Spion v. Ortry. (607) ‖ 5. Bd. Durch Kampf z. Sieg. (1¹¹²) - Humoresken u. Erzählgn. [1—150)] —1 m. 9 d. geb. je 3 —
— Erzgebirg. Dorfgeschichten. Erstlingswerke. 1. Bd. (548) 8° Dresd.-Niederscdl., Belletrist. Verl. (03). 4.50; geb. 5 — d
— Der Degel d. Verbannten. Roman. (800 m. Abb.) 8° Dresd. (02). Niederscdl., HG Münchmeyer. 4 —; L. 5 — d
— Der Fürst d. Bleichgesichter. Roman 2 Tle. (528 u. 544 m. Abb.) 8° Ebd. (01). Je 3.50; L. je 4.50 d
— Humoresken u. Erzählgn. (285) 8° Ebd. (02). 3.50; L. 4.50 d
— Die Königin d. Wüste. Roman. (623 m. Abb.) 8° Ebd. (01). 4 —; L. 5 — d
— Der Oelprinz. Erzählg f. d. reif. Jugend. 3. Afl. (559 m. 16 Farbdr.) 8° Stuttg., Union (01). Geb. 7 — d
— Reiseerzählgn. 271—300. Lfg. 8° Freibg i/B., FE Fehsenfeld. Je — 30 d
    271—290. 26. Bd. Im Reiche d. silbernen Löwen. 3. u. 4. Bd. (36 u. 645) (02.05.) ‖ 291—300. 30. Bd. Und Friede auf Erden. (680) (03.04.)
— Der Schatz im Silbersee. 4. Afl. (327 m. 16 Bildern.) 8° Stuttg., Union (01). Geb. 7 — d
— Die Sklavenkarawane. 3. Afl. (496 m. 16 Bildern.) 8° Ebd. 01. Geb. 7 — d
— Eine deut. Sultana. Roman. (614 m. Abb.) 8° Dresd. (01). Niederscdl., HG Münchmeyer. 4 —; L. 5 — d
— Wanda. Novelle. (230) 8° Ebd. (01). 2 —; L. 2.50 d
May, M: Ende gut, alles gut. Erzählg. (32) 8° Basel Schriftstelle d. Alkoholgegnerbundes (durch F Reinhardt). (o. J.) 10 d
— Die Heidelberger Wohngsuntersuchgn in d. Wintermonaten 1895/96 u. 96/97, deren Ergebnisse a. deren Fortsetzg durch e. ständ. Wohngsinspektion. (128) 8° Jena, G Fischer 03. 2 —
May, M v.: Moderne Gedanken. Anh.: Regeln d. Hockey-Spieles. (78 u. 8 m. Fig. u. Titelbild.) 8° Bern, (A Francke) (05). —80 d
May, R, s.: Pathologie, d. raca. d. Tuberculose.
May, RE: Das Grundges. d. Wirtschaftskrisen u. ihr Vorbeugemittel im Zeitalter d. Monopols. (146 m. 5 Tab. u. 1 Taf.) 8° Berl., F Dümmler's V. 02. 2 —; geb. 2.80
— Zur Hamburger Wahlrechts-Vorlage. (126) 8° Hambg, C Boysen 05. 1 —
May, Frau T: So heilt d. Kneippsche Methode! Lupus im Beginn, Krampfadern, Hämorrhoiden, Schreibkrampf, kropfa d. Nervosität, Knöchelhautentzündg, Schlaganfall, Geistessörg, Gemütskrankh., Epilepsie, Scheintod, Fraisen in samariter Weise an durch Laienrat u. -Tat n. ausschliesslich m. Wasser u. Kräutern gründlich geheilt. (13) 8° Graz (Maigasse 24), Selbstverl. 04. 25
— Meine furchtbare Krankh. u. 14jähr. medicinwiss. erfolgloser Behandlg durch 24 Scheläräzte u. vielmals erklärter Unheilbark. in samariter Weise radical geheilt durch Kur Kneipp! 4. Afl. (14) 8° Ebd. (03). 10
May, U: Lindenzweige. — Lust u. Leid, s.: Allerhand a. Volk u. Land.
— **A Seipel** u. **JM Hinterwaldner**: Geogr., s.: Realienbücher f. österr. allg. Volksschulen.
May, W: Die Ansichten üb. d. Entstehg d. Lebewesen. (64) 8° Karlsr., Polyt. Verl. O Pezoldt 05. — 60
— Goethe, Humboldt, Darwin, Haeckel. 4 Vortr. (255 m. 16 Taf.) 8° Berl.-Stegl., E Quehl 04. Kart. 5 —

May, W: Zweck u. Mittel d. Verstandesbildg, s.: Für d. Schule a. d. Schule.
Maya: Ein Seelencyclus d. Liebe. (86 m. Abb.) 12° Berl., C Messer & Co. (03). (?) 3 —
Maybaum, S: Haggada f. d. häusl. Gottesdienst an d. Vorabenden d. Pessachfestes. (4. Taus.) (18 u. 34) 8° Berl., M Poppelauer 04. Kart. nn — 50 d
Maydorn, B: Bilder a. d. schles. Reformationsgesch. f. Volk u. Jugend. (64) 8° Bresl., F Hirt 03. — 60 d
— Deut. Sang. Liederb. f. Sprachvereine. (111) 8° Thorn, (EF Schwartz) 02. Kart. — 50 d
Mayeda, U: Üb. Bindegewebsbildg auf d. Sehnervenpapille, s.: Beiträge z. Augenheilkde.
Mayenberg, J: Führer durch d. bayer. Wald u. d. angrenz. Böhmerwald. 12. Afl. (222 m. 3 Kart.) 8° Pass., M Waldbauer 04. Geb. 3.50
— u. **A Müller**: Kl. Führer (früher Wegweiser) durch d. Fichtelgebirge u. d. Frankenwald. 5. Afl. (64 m. 1 Karte.) 8° Hof, R Lion (05). 1 — d
Mayer: Naturlehre f. Bürgersch., s.: Swoboda.
Mayer, A: Flora v.Tübingen u.Umgebg.schwäb.Alb v.Plettenberg bis z. Teck; Balingen, Hechingen, Reutlingen, Urach, Rottenburg, Herrenberg, Böblingen. I/B., 315) 8° Tüb., F Pietzcker 04. 2.80; L. 3.40
Mayer, A: „Forschg“. Medizinisch-naturwiss. Abhandlg. 2 Tle. (164 u. 183) 8° Augsbg 1900. (Lpzg, J Werner.) Je 3 —
— Gedanken üb. systemat. Hungerkuren. (183) 8° Ebd. 1900. 3 —
Mayer, A: Lehrb. d. Agrikulturchemie. 5. Afl. 22 Lfgn. (Mit z. Tl farb. Abb.) 8° Hdlbg, C Winter, V. Subskr.-Pr. je 1 —; in 4 L.-Bdn 30 —
    I. Die Ernährg d. grünen Gewächse in 26 Vorlesgn. (442) 01. Geb. 12 —
    II, 1. Die Bodenkde in 10 Vorlesgn. (174) 01. Geb. 4.50
    II. Die Düngerlehre in 16 Vorlesgn. (253) 02. Geb. 6.60
    III. Die Gärprochemie in 15 Vorlesgn. (232) 02. Geb. 6.60
— dass. 6. Afl. I. Bd u. II. Bd, 2 Abtlgn. 8° Ebd. 05. L. 23.40
    I. Die Ernährg d. grünen Gewächse in 27 Vorlesgn. (447 m. Abb. u. 1 Taf.) 05. 12 —
    II, 1. Die Bodenkde in 10 Vorlesgn. (187 m. Abb.) 05. Geb. 4.50
    II. Die Düngerlehre in 16 Vorlesgn. (253) 05. Geb. 6.60
— Los v. Materialismus! Bekenntnisse e. alten Naturwissenschaftlers. (260) 8° Ebd. 06. Kart. 5 — d
— Resultate d. Agrikulturchemie. (269) 8° Ebd. 05. — 1. L. 4 — d
Mayer, A: Das niederöstern. Landhaus in Wien. (1513—1848.) [S.-A.] (133 m. Abb. u. 16 Taf.) 4° Wien, (Gerold & Co.) 04. 15 —
— s.: Quellen z. Gesch. d. Stadt Wien.
Mayer, A: Üb. d. Abhängigk. d. Farbenschwellen v. d. Adaption. (70 m. Abb.) 8° Freibg i/B., Speyer & K. 03. 2 —
— Die Fortschritte in d. Pathol. u. Therapie d. kindl. Verdagsorgane in J. 1900—03. [S.-A.] (96) 8° Gött., Vandenhoeck & R. 05. 2.40
Mayer, A: Üb. Einzel- u. Gesamtleistg d. Schulkindes, s.: Sammlung v. Abhandlgn z. psycholog. Pädagogik.
Mayer, B, s.: Rückblick auf d. jüngste Entwicklgsperiode Ungarns.
Mayer, C: Leitf. f. d.1.geschichtl. Unterr.an Mittelsch. 3 Abtlgn. 8° Münch., R Oldenbourg. Kart. nn 2.55 d
    I. Alte Zeit. 9. Afl. (92) (04.) nn — 50 ‖ II. Mittl. Zeit. 11. Afl. (132) (03.) nn — 80 ‖ III. Neue Zeit. 9. Afl. (196) 02. nn 1.25.
Mayer, C: 20 Kärntnerlieder f.d.Schulgebr. 3.Afl. (24) 8° Klagenf., J Leon sen. 02. — 30 d
Mayer, C: Auslands-Handelskammern. Bericht an d. Aelt. d. Kaufmannsch. v. Berlin. (78) 8° Berl., G Reimer 05. 1.50
Mayer, CF: London, s.: Grieben's Reiseführer.
Mayer, E: Die Dichter uns. Gesangbuch-Lieder, welche n. d. neuen Instruktion f. d. Volkssch. d. Pfalz vorgeschrieben sind. (28) 8° Kaiseral., E Crusius 03. — 30 d
— Uns. Prinzreg. Luitpold 80. Geburtstag. Entwurf e. Schul- u. Vereins-Feier. (32) 8° Ebd. 01. — 30 d
Mayer, E: Das ist doch 'mal was And'res! Melodramen. Carnevalist. Vortr. (48 m. Bildnis.) 8° Frankf. a/M., A Blažek jun. (01). 1 — d
Mayer, E v.: Falsche Feuer. Roman a. d. deut. St. Petersburg. 2 Bde. (284 u. 286) 8° Jena, H Costenoble. 5 —; geb. 6 — d
— Die Lebensgesetz d.Kultur.Beitrag z.dynam.Weltanschaug. (396 m. 1 Taf.) 8° Halle, M Niemeyer 04. 9 —
— Modernes Mittelalter. (90) 8° Berl., Gose & Tetzlaff (05). 1.50; geb. 2.50
— Pompeji in ar Kunst, s.: Kunst.
— Die Seele Tizians, s.: Führer z. Kunst.
Mayer, E: Die angebl. Fälschgn d. Dragoni. Übersah. Quellen z. kirchl. u. weltl. Verfassgsgesch. Italiens. (98) 8° Lpzg, A Deichert Nf. 05. 2 —
— Die dalmatisch-istr. Munizipalverfassg im M.-A. u. ihre röm. Grundl. [S.-A.] (100) 8° Weimar, H Böhlau's Nf. 03. 2.80
— Die Schenkgn Constantins u. Pipins. [S.-A.] (69) 8° Tüb., JCB Mohr 04. 2 —
Mayer, E: Üb. Chinondiimid, s.: Willstätter, R.
Mayer, E: Der Kampf wider d. Atheismus, s.: Sulze, E, nur durch d. Überwindg d. Katholizismus usw. ist d. wachs. Macht d. Atheismus zu brechen.
Mayer, E, s.: Liebe, d., ist meine Sünde.
Mayer, EW: Theol. u. Aufg. d. Dogmatik, s.: Abhandlungen, theolog.
— Die Aufg. d. inneren Mission gegenüber d. gegenwärt. Gefährdg d. christl. Lebensanschaug durch antichristl. Geistes-

strömgn. Vortr. [S.-A.] (20) 8º Brnschw., H Wollermann 03.
— 50 d
Mayer, EW: Christentum u. Kultur. (63) 8º Berl., Trowitzsch & S. 05. 1.40 d
— Der christl. Gottesglaube u. d. naturwiss. Welterklärg. (28) 8º Strassbg, E van Hauten 03. — 80 d
Mayer, F: Saatkörner, s.: Rüegg, H.
Mayer, F: Die Gesetzentwürfe betr. d. Schutz geg. unlaut. Wettbewerb, sowie Abänderg u. Ergänzg d. Gewerbeordng. [S.-A.] (46) 8º Wien, Manz 02. 1— d
Mayer, F: Gottessegen in d. Pflanzenwelt, s.: Ulsamer, JA.
Mayer, F: Cecil, d. moderne Faust. Tragödie. (72) 8º Berl., Herm. Walther 05. 2— d
Mayer, FA, s.: Thalia, deut.
Mayer, FM: Bilder a. d. Gesch. v. Steiermark. (Für d. steiermärk. Schulen.) (48 m. 1 Bilduis.) 8º Graz, U Moser 05. — 20 d
— Geogr. d. Österr.-Ungar. Monarchie, s.: Lehrbuch d. Geogr. f. Mittelsch.
— Gesch. Österr. m. bes. Rücks. auf d. Culturleben. 2. Afl. 9— 11. Lfg. 2. Bd: Vom J. 1526 bis z. Gegenwart. 4—6. Lfg. (385— 797 m. 1 Stammtaf.) 8º Wien. W Braumüller 01. 7—
(2. Bd: 13 —; HF. 16.50; vollst. 23 —; geb. 29 —) d
— Lehrb. d. Gesch. f. d. unt. Kl. d. Mittelsch. 3 Tle. 4. Afl. (Mit Abb.) 8º Wien, F Tempsky 03. Geb. 5.70
1. Altertum. (142 m. Kart. u. 2 Farb. Taf.) 2 — § 2. M.A. (107 m. 1 Karte.) 1.70 § 3. Neuzeit. (138 m. 1 Karte.) 2 —
— Lehrb. d. allg. Gesch. f. d. ob. Kl. d. Gymnasien, s.: Gindely.
— dass. f. d. ob. Kl. d. Realsch. i. u. 3. Tl. (Mit Abb.) 8º Lpzg, G Freytag — Wien, F Tempsky. Geb. 4.60
1. Altertum. 4. Afl. (211 m. 1 Farbdr.) 2.60 § 3. Die Neuzeit seit d. Ende d. 30jähr. Krieges. 2. Afl. (156) 02. 2 —
Mayer, G: Üb. d. Prognose d. Syphilis. 4 Vorlesgn. (87) 8º Berl., S Karger 04. 2 —
— Vergangenh. u. Zukunft d. Aach. Bäder. (14) 8º Aach., C Mayer 01. — 60
Mayer, G: Hygien. Studien in China. (167 m. 4 Taf. u. 2 Kart.) 8º Lpzg, JA Barth 04. 5 —
Mayer, G: Fürs geistl. Amt. Ges. Vortr. (304) 8º Gütersl., C Bertelsmann 03. 3.60; geb. 4.50 d
— s.: Deutschland, d. ev.
— Der gr. Geisterkampf im Leben d. Gegenwart. [S.-A.] (16) 8º Stuttg., Greiner & Pf. 03. — 30 d
— s.: Luther, M, Erklärg d. Eisenacher Perikopen.
— Die Missionstexte d. Neuen Test. in Meditationen u. Predigtdispositionen. (In 10 Heften.) 1—5. Heft. 8º Gütersl., C Bertelsmann. Je 1 —
1.2. 1. Bd, 1. Abtlg. Die Missionstexte in d. Evangelien. (192) 02. 2 —; geb. 2.50 § 3.4. 1. Bd, 2. Abtlg. Die Missionstexte in d. Apostelgesch. (199) 04.05. 2 —; geb. 2.50 § 5. II. Bd. (1—96) 05.
— Die Notlage d. ev. Kirche gegenüber d. modernen Theol- (24) 8º Hambg, G Schloessmann (02). — 60 d
— Die neuen ev. Perikopen d. Eisenacher Konferenz. 6—13. Lfg. (401—1021) 8º Lpzg, A Deichert Nf. 01. Je 1 —
(Vollst.: 13 —; HF. 15 —) d
— dass., s.: Perikopen, d. neuen, d. Eisenacher Konferenz.
— Geistl. Weihestunden. Ev. Zeugnisse. (151) 8º Lpzg, G Strübig 05. 2.50; geb. 3.30 d
Mayer, H: Lehrb. d. Familien- u. Erbrechts. Auf Grundl. d. Reichsrechts neu bearb. v. H Mayer u. R Reis. 4. Afl. 2. Bd. Erbrecht. (400) 8º Stuttg., W Kohlhammer 02. 7 —; geb. 8.— d
Mayer, H: Blondlot's N-Strahlen. (39 m. 1 Abb.) 8º M.-Ostr., R Papauschek 05. 1—
— Die neueren Strahlgn. Kathoden-, Kanal-, Röntgen-Strahlen u.d.radioaktiveSelbsstrahlg (Becquerelstrahlen). Vom Standpunkte d. modernen Elektronentheorie unter Berücks. d. neueren experimentellen Forschgsresultate behandelt u. im Zusammenh. dargest. 1. u. 2. Afl. (68) 8º Ebd. 04. 1.50
Mayer, H, s.: Dupré, H.
Mayer, H: Beitrag z. Unterbindg d. gr. Schenkelgefässe am Ligamentum Poupartii. (36) 8º Freibg i/B., Speyer & K. 03. — 80
Mayer, H: Kompendium d. Zool. u. vergleich. Anatomie m. bes. Berücks. d. neuen Prüfgsordng. (64) 8º Freibg i/B., Speyer & K. 04. 1.20; geb. 1.60
Mayer, H: Üb. traumat. Meningitis. (26) 8º Freibg i/B., Speyer & K. 05. — 80
Mayer, J: Fachl. Sach-Commentar zu Vergils Preisgedicht auf d. Bienen u. ihre Zucht. (P Vergilii Maronis Georgicon liber quartus.) Vom Standpunkt d. rationellen Bienenzucht z. Förderg e. erspriessl. Lectüre verf. (103) 8º Budw., LE Hansen 03. 2 —
Mayer (richtig Meyer), J: Deut. Volksbb., s.: Schwab, G.
Mayer, J: Die Fallsucht od. Epilepsie. — Der Schlaganfall od. Apoplexie. — Der Veitstanz od. Chorea. (58) 8º Lpzg, W Schumann Nf. 05. Geb. 1.50 d
— s.: Jahresbericht, zoolog.
Mayer, J: Rechenbb. f. d. Volkssch. Zahlzifferrechnen 1—10. (24 m. farb. Fig.) 8º Donauw., L Auer 03. — 20 d
— Das Zahlzifferrechnen. Neue Afl. d. Schrift Veranschaulichg sämtl. Rechen-Operationen. Nebst: Rechenbb. f. d. Volkssch. Zahlzifferrechnen 1—10. (30 u. 24 m. farb. Fig.) 8º Ebd. 03. 1 —
Mayer, J, s.: Betrachtungen f. alle Tage u. Feste d. Jahres üb. d. Leben u. d. Geheimnisse uns. Herrn Jesu Christi.
— Immerwähr. Hilf-Büchl. Bericht üb. d. Gnadenbild u. d. Erzbruderschaft Uns. lieben Frau v. d. immerwähr. Hilfe. (66 m. 1 Farbdr.) 16º Saarl., F Stein Nf. 03. — 45; L. — 50 d
— Maria-Immerhilf. Ausführl. Bericht üb. d. Gnadenbild u. d.

Erzbruderschaft Uns. lieben Frau v. d. immerwähr. Hilfe. 13. Afl. (516 m. 1 Farbdr.) 16º Saarl., F Sein Nf. (02). 1.10; L. 1.20 d
Mayer, J: Geistl. Vergissmeinnicht. Erinnerg an d. hl. Exercitien. (24) 16º Saarl., F Stein Nf. 03. — 10 d
Mayer, J, u. J Noe: Sammlg v. Stickereien. Aufnahmen n. ausgeführten Orig.-Arbeiten d. Frauenarbeitssch. d. bad. Frauenver. in Karlsr. (15 Lichtdr. m. 4 S. Text u. 2 Frauen) 4º Karlsr., (A Bielefeld) 02. 5 —
Mayer, J: Lernb. d. Erdkde, s.: Becker, A.
— A **Becker** u. G **Rusch**: Geograph. Grundbegriffe, erläut. an Wien u. Umgebg. Mit Benützg d. 1. Tls v. „Becker u. Mayer, Lernb. d. Erdkde". (64 m. Abb.) 8º Wien, F Deuticke 03. Kart. 1 —
Mayer, JE: Das mathemat. Pensum d. Primaners. 20 Hefte. 8º Lpzg, M Schäfer. Je 1 —
1. Progressionen, Zinsexzins- u. Rentenrechng. (52) (02.) § 2. Kettenbrüche, Teilbruchreihen, diophant. Gleichgen, Stereometrie I. (55 m. Fig.) (02.) § 3.4. Stereometrie I. (Fortsetzg.) Stereometrie II. Stereomet. Aufg. m. ihren Auflösgn. (88 m. Fig.) 03. § 5. Quadrat. Gleichgn m. e. u. mehrе. Unbekannten. Höh. Gleichgn, welche sich auf quadrat. zurückführen lassen. (43) (03.) § 6.7. Sätze u. Aufg. a. d. ob. Geometrie. (Potenz, Satz d. Menelaos, d. Ceva, harmon. Punkte u. Strahlen, Satz d. Pascal, d. Brianchon, Pol u. Polare etc., Gymdis. d. geometr. Projektionslehre.) (90 m. Fig.)(03.) § 8. Die geometr. Orter: Ellipse, Hyperbel, Parabel m. voll. ständig gelösten Aufg. (39 m. Fig.) (03.) § 9.10. Elemente d. analyt. Geometrie d. Ebene. (60 m. Fig.) 05. § 11.12. Kombinatorik (Permutation, Kombinatorik, Variation). Wahrscheinlichkeitsrechng, Versichergsrechng. Imaginäre Zahlen (Moivre'scher Satz). Maxima u. Minima. (77) (03.) § 13. Binom. u. polynom. Lehrsatz. Eigenschaften d. Binomialkoeffizienten. Arithmet. Reihen höh. Ordng; äquivarte Zahlen. (46) (03.) § 14.15. Eb. u. sphär. Trigonometrie nebst Anwendgn. (107 m. Fig.) (04.) § 16. Von d. Funktionen u. Gleichgn im Allg. Knb. Gleichgn. Biquadrat. Gleichgn. (56) (05.) § 17.18. Lehre v. d. Kegelschnitten in elementarer Behandlg. Elemente d. projektiven Geometrie. (92 m. Fig.) (05.) § 19.20. Elemente d. Mechanik. (86 m. Fig.) (05.)
Heft 1—8 u. 11—13 erschienen noch in Freibg i/B.
Mayer, JG: Prakt. Orgel-Schule. 5. Afl. v. K Gansloser. (92) 8º Schw. Gmünd, J Roth 03. 5 —; kart. 6 — d
Mayer, JG: Das Konzil v. Trient u. d. Gegenreformation in d. Schweiz. 2 Bde. (364 m. 372) 8º Stans, H v. Matt & Co. 01.03. Je 4 — d
Mayer, JW, u. E **Csap**: Die prakt. Wartg d. Dampfkessel u. Dampfmaschinen. 3. Afl. (171) 8º Wien, K Graeser & Co. 05. 3.50 d
Mayer, K: Wozu führt uns d. Betrachtg d. Alkoholfrage? Vortr. 3—4. Taus. dieser Ausg. (24) 8º Basel, Schriftstelle d. Alkoholgegnerbundes (durch F Reinhardt) (01). — 10 d
Mayer, K: Prosit! Humorist. Rezepth. m. reimlust. Pastillen, satirisch litterar. Pillen, lyrisch urfeuchten Schwänklein in elegisch heilsamen Tränklein wider d. Weltschmerz. (243) 8º Kass. 02. Ohlau, P Leichter. 2.50; geb. 3.50 d
Mayer, K: Albertus Magnus u. Martin Malterer. 2 Standbilder auf d. Schwabenthorbrücke zu Freiburg i. Br. (20) 8º Freibg i/B., Herder 01. — 50 d
Mayer, K: Griasnocká, foaste u. sperð, wias ös wöllts! Mundartl. Dichtgn. (14) 8º Münch., V Fink 05. L. 3.30 d
Mayer, K: Was d. Kind im 1. u. 2. Schulj. zeichnen soll. 2 Hefte. 8º Münch., M Kellerer 05. — 90 d
1. Schulj. (16 m. Abb.) — 40 § 2. Schulj. (19 m. Abb.) — 50.
Mayer, KA: Aufg. a. d. Flächen- u. Körperberechg, s.: Hoch, J.
Mayer, KL: Im Waffenrock. Gedichte e. Einjährigen. (101) 8º Berl., Gose & T. 04. 1.50 d
Mayer, L: Artillerist. Erkundg. Für Offiziere aller Waffen. (50 m. 3 Skizzen.) 8º Berl., ES Mittler & S. 01. 1.40 d
Mayer, LJ, s.: Geschichtliches üb. d. Koeningser-Veste Aggstein usw.
Mayer, M: Licht als Heilmittel, s.: Brieger, L.
Mayer, ME: Die schuldhafte Handlg u. ihre Arten im Strafrecht. (201 m. 1 Tab.) 8º Lpzg, CL Hirschfeld 01. 6 —
— Rechtsnormen u. Kulturnormen, s.: Abhandlungen, strafrechtl.
— Die allg. Strafschärfgsgründe d. dent. Militär-Strafgesetzb. [S.-A.] (83) 8º Lpzg, CL Hirschfeld 03. 2 —
Mayer, O v.: Trostbüchl. f. d. kranku Liebling. Kranken Kindern z. Erbaug u. Unterhaltg gewidmet. (204 m. Abb. u. 42 Vort.) 8º Münch., J Roth 04. L. (2 —) 1.60 d
Mayer, O, s.: Archiv f. öffentl. Recht.
— Die Entschädigungspflicht d. Staates n. Billigkeitsrecht, s.: Zeit- u. Streitfragen, neue.
— Justiz u. Verwaltg. Rede. (25) 8º Strassbg, JHE Heitz 02. 1 —
— Portalis u. d. organ. Artikel. Rede. (20) 8º Ebd. 02. — 80
Mayer, P: Die Caprellidae d. Siboga-Expedit. (160 m. 10 Taf.) 4º Leid., Bh. u. Dr. vorm. EJ Brill 03. nn 16.50
— Grundz. d. mikroskop. Technik, s.: Lee, AB.
— s.: Jahresbericht, zoolog.
Mayer, R: Der theolog. Gottesbeweis u. d. Darwinismus. (375) 8º Mainz, P Kirchheim 01. 4 — d
Mayer, TF: Eine Abrechng m. d. röm. Stuhl, s.: Aktenstücke, kirchl.
— s.: Aus d. Schatzkammer d. Apostel.
Mayer, W: Prakt. Anssprach- u. Rechtschreiblehre d. hochdeut. Sprache. (Schülerausg.) (22) 8º Ravnsbg, F Alber 02. — 20; Lehrerausg. (6. 22) — 40 d
Mayer, W: Die kaufmänn. Buchführg in d. Apotheke. 3. Afl. (50) 8º Berl., J Springer 03. Kart. 1.40
Mayer, W: Die Genessgshäuser im Dent. Reich, Juni'01. [S.-A.] (50) 8º Fürth, (G Rosenberg) 01. — 60

Mayer v. Rosenau, DS: Gedenkschrift e. verdienstvollen Wiener Bürgers Franz Edler v. Mack, Hofjuwelier d. Kaiserin Maria Theresia. u. s. Bedeutg f. Kalksburg, Mauer u. Umgebg. (70 m. Abb. u. 1 Stammtaf.) 8⁰ Atzgersdorf bei Wien (Bahnstr. 2), Selbstverl. 04.   3.50
Mayer-Wyde, A, s.: Revue, österr.-ungar.
Mayerhausen, G: Ziferntaf. z. Bestimmg d. Sehschärfe n. d. Snell'schen Formel $v = \frac{m}{D}$. 2. Aß. (In deut. u. französ. Sprache. (5 Taf.) 8⁰ Berl. 04. Gött., H Peters.   2 —
Mayerhöfer, R: Geschäftsrechnen u. Kalkulationsaufg. f. d. Unterr. in d. gewerbl. Buchführg an allg. u. fachl. gewerbl. Fortbildgssch. (1. Tl: Dreimonatl. Geschäftsgang. 2. Tl: Die Ein- u. Verkaufsrechng. 3. Tl: Prakt. Kalkulationsaufg.) I.—IV. 8⁰ Wien, A Pichler's Wwe & S.   Je — 30
I. Für Schlosser. (18) 03. ‖ II. Für Tischler. (19) 05. ‖ III. Für Schneider. (20) 05. ‖ IV. Für Schuhmacher. (21) 05.
— Gewerbl. Rechnen. Lehrb. f. allg. u. fachlich gewerbl. Fortbildgssch. (158) 8⁰ Ebd. 05.   Kart. 1 — d
Mayerhofer v. Vedropolje, E: 1805. Der Krieg d. 3. Koalition geg. Frankr. (in Süddeutschl., Österr. u. Oberitalien). Vortr. (45 m. 4 Skizzen.) 8⁰ Wien, LW Seidel & S. 05.   2 —
— Das Gefecht bei Jajce am 7.VIII.1878. (35 m. 1 Skizze u. 4 Beil.) 8⁰ Ebd. 04.   3.60
— Österr. Krieg m. Napoleon I. 1809. (228 m. 20 Skizzen u. 14 Beil.) 8⁰ Ebd. 04.   10 —
Mayet, P: Lotterie u. Sparen. Vortr. (38) 8⁰ Berl., C Heymann 04.   — 60
Mayne, H: Ed. Mörike. Sein Leben u. Dichten. (415 m. 1 Bildnis.) 8⁰ Stuttg., JG Cotta Nf. 02.   6.50; geb. 7.50 d
Mayow, J: Untersuchg üb. d. Salpeter u. d. salpetr. Luftgeist, d. Brennen u. d. Athmen, s.: Ostwald's, W, Klassiker d. exakten Wiss.
Mayr, A: Die vorgeschichtl. Denkmäler v. Malta. [S.-A.] (84 m. 7 Pl. u. 12 Taf.) 4⁰ Münch., (G Franz' V.) 01.   5 —
— Aus d. phönik. Nekropolen v. Malta. [S.-A.] (43 m. Abb. u. 4 Taf.) 8⁰ Ebd. 05.   1.20
Mayr, A: Antiphons Rede geg. d. Stiefmutter. (18) 8⁰ Klagenf., (F v. Kleinmayr) 04.   1 —
Mayr, A: Untersuchgn üb. d. Agglomerationsverhältn. d. Bevölkerg im Kgr. Bayern. (87 m. 7 Kartogr. u. 13 Tab.) 4⁰ Münch., E Reinhardt 04.   5 —
Mayr, A: Die Heimatges.-Novelle v. 5.XII.1896. (56) 8⁰ Wien, Manz 01.   — 1 d
— Die Wirkgn d. Heimatges.-Novelle v. 5.XII.1896. (29) 8⁰ Ebd. 01.   — 60 d
Mayr, G v., s.: Archiv, allg. statist.
— Begriff u. Gliederg d. Staatswiss. [S.-A.] (66) 8⁰ Tüb., L Laupp 01.   1.80 d
— s.: Festgaben f. Alb. Schäffle. — Grossstadt, d.
— Die Reichsfinanzreform insbes. v. staatsrechtl. Gesichtspunkte. (36) 8⁰ Münch., R Oldenbourg 02.   nn — 85
— Zolltarif-Entwurf u. Wiss. (98) 8⁰ Ebd. 01.   3 — d
Mayr, G: Südafrikan. Formicinen, ges. v. H Brauns. [S.-A.] (30 m. 2 Taf.) 8⁰ Wien, A Hölder 01.   3.60
Mayr, H: Die Forstbenutzg, s.: Gayer, K.
Mayr, J: Fridolin od. Der Gang z. Eisenhammer, s.: Esser's, J, Sammlg leicht aufführbarer Theaterstücke.
Mayr, K, s.: Briefe u. Akten z. Gesch. d. 30jähr. Krieges.
— Festgabe, Karl Theodor v. Heigel gewidmet.
Mayr, K: Der neue Münch. Illustrationsstil u. s. Hauptvertreter. [S.-A.] (26 m. Abb. u. 7 farb. Taf.) Fol. Wien, Gesellsch. f. vervielfältig. Kunst 02.   15 —
Mayr, L: Χαίπων πέλας, Die Stadt d. Grazien. Beschreibg d. Stadt Graz, nach d. wichtigsten Sagen u. Stadt u. Umgebg. Griechisch u. deutsch. 2. Aß. (66) 8⁰ Graz, (P Cieslar) 02.   1 —
Mayr, M, s.: Brandmalerei, d., m. Stift u. Pinsel.
— Kunsttechn. Lehrbb. Nr. 1, 4 u. 5. 8⁰ München VII, Verl. d. Kunstmaterialien- u. Luxuspapier-Zeitg. (Nur Abt.) 4⁰ Wien. (A Hölder) 01.   Je 1.50
1. Das Formen u. Modellieren, illustr. Anl. s. selbstänl. Erlerng d. Formerei m. Gips u. Leim u. d. Modellirens in Thon, Wachs, Plastilin, Gummikautschuc &c. (78) 04.
4. Das techn. u. mechan. Zeichnen, Malen u. Vervielfältigen. Illustr. Anl. z. Einführg in d. techn. Zeichnen u. Malen u. z. Erlerng e. mechan. Zeichnen-, Vergrösserngs-, Verkleinergs-, Vervielfachgs-, Paus-, Schablonier-, Vervielfältigngs- u. Lichtpaussverfahren. (126) 03.
5. Techniken d. dekorativen & monumentalen Malerei u. d. Anstriches. Mit bes. Berücks. d. Wandmalerei d. Neuzeit. (114) (04.)
Bisher nicht unter Sammeltitel erschienen.
— s.: Malerei, d. keram.
Mayr, M: Die polit. Beziehgn Deutschtirols z. italien. Landestheile. (82) 12⁰ Innsbr., (Vereins-Bh. u. Buchdr.) 01.   — 60 d
— s.: Forschungen u. Mitteilungen z. Gesch. Tirols u. Vorarlberges.
— Veste Hohenwerfen. Geschichtl. Führer. (75 m. Abb.) 8⁰ Innsbr., Wagner 03.   nn — 80
— Die Vorbereitgn d. 3. Befreig Tirols im J. 1809. [S.-A.] (34) 8⁰ Innsbr., Vereinsbh. u. Buchdr. 02.   — 30 d
Mayr, M Frhr v., s.: Aus d. österr. Advokatenpraxis.
Mayr, R: Lehrb. d. Handelsgesch. auf Grundl. d. Social- u. Wirtschaftsgesch. 2. Aß. (274) 8⁰ Wien, A Hölder 01. Geb. 3 — d
— Deut. Leseb. f. höh. Handelsssch. (Handelsssch.) Für d. 1. u. 2. Jahrg. (bezw. Vorbereitgskl. u. 1. Jahrg.) höh. Handelsssch. 2. Aß. (585) 8⁰ Ebd. 04.   Geb. 4.20 d
— Literarhistor. Leseb. II. Thl d. Leseb. f. Handelsssch. (Han-

dels-Akad.). (Für d. 3., ev. 2. u. 3. Jahrg. höh. Handelsssch.) 2. Abdr. (551) 8⁰ Wien, A Hölder 1900.   Geb. 5 — d
Mayr, R: s.: Weltgeschichte.
— u. H Pischek: Hilfsb. f. d. deut. Unterr. (Grammatik, Stilistik, Metrik u. Poetik). 2. Aß. (201) 8⁰ Wien, A Hölder 04.   Geb. 2.15 d
Mayr, R: Einführg z. Verständnis d. elektr. Masse, ihrer Festsetzg, ihres Zusammenh. u. ihrer prakt. Anwendg. (50) 8⁰ Münch., T Ackermann 03.   1.20
Mayr, R v.: Die Auslobg. (153) 8⁰ Wien, Manz 05.   3.10 d
— Der Bereichgsanspruch d. deut. bürgerl. Rechtes. (750) 8⁰ Lpzg, Duncker & H. 03.   17 —
— Das bürgerl. Recht, s.: Studienausgabe österr. Ges.
Mayr-Amberg, F: Münch. Messalinen. Novellen-Kranz. (111) 8⁰ Münch., Münch. Novellen-Verl. (02). (?) (Lpzg, L Staackmann.)   1.50 d
Mayr-Günther, J: Trotz Acht u. Bann. Freiheitslieder d. verfehmten Tiroler Dichters M.-G. (92 m. Bildnis.) 8⁰ Innsbr. (01). Wien, Verwaltg.d.Scherer.Geb.1.50; Liebhaberausg. 2.50 d
Mayreder, K: Städt. Bauordnng m. bes. Berücks. d. Wohngsfrage, s.: Schriften d. österr. Gesellsch. f. Arbeiterschutz.
Mayreder, R: Zur Kritik d. Weiblichk. Essays. (299) 8⁰ Jena, E Diederichs 05.   5 —; geb. 6 —
— Pipin. Ein Sommererlebnis. (280) 8⁰ Lpzg 03. Berl., H Seemann Xf.   3 —; geb. 4 — d
Mayrhofer's, E, Hdb. f. d. polit. Verwaltgsdienst in d. im Reichsrathe vertret. Königreichen u. Ländern. 5. Aß. v. Graf A Pace. 95—111. Heft. (5. Bd. 1041—1623 u. 7. Bd. 161—1010) 8⁰ Wien, Manz 1900.01.   22 —. (5. Bd: 31 —; 7. Bd. 19.50; vollst.: 169 —; HF. nn 187 —) d
— dass. Index. Red. v. Mahl-Schedl. 13 Lfgn. (1040) 02.03. Je 1.50; in 1 HF.-Bd nn 22 — d
Mayrhofer, J: In verlorenen Augenblicken. Allerlei Gedanken, Einfälle u. Ausfälle. (20) 8⁰ Heiligenst., FW Cordier 03. —75 d
— Galiläer, du hast gesiegt. — Gespensternächte. — Hakon Jarl od. d. untergeh. Götter. — Der König v. Granada. — Maiendämmerg, s.: Vereins- u. Gesellschaftsbühne, neue.
— Der Mutter Vermächtnis. Novelle. (177 m. Titelbild.) 8⁰ Heiligenst., FW Cordier 03.   2 —; geb. 2.75 d
— Seleukus u. Stratonike, s.: Vereins- u. Gesellschaftsbühne, neue.
Mayrhofer, I: Bach-Studien. Aesthet. u. techn. Fingerzeige z. Studium d. Bachschen Orgel- u. Klavierwerke. Einbegleit. v. e. Abhandlg üb. Polyphonie, d. Verständnis polyphoner Tonwerke u. d. Verhältnis Joh. Seb. Bachs z. modernen Musik. 1.Bd. Orgelwerke. (182) 8⁰ Lpzg, Breitkopf & H. 01. 3 —; geb. 4 — d
Mayring, P: Kommentar z. BGB. f. d. Deut. Reich, s.: Kommentar. — Staudinger, J v.
Mayser, O: Burg. — Eisenb.- u. Bahnhofsbau f. Knaben. — Elektromotor f. Knaben. — Photographie-Apparat, s.: Spiel u. Arbeit.
Mazal, C: Die Actienbanken Wiens u. Berlins. (31) 8⁰ Wien, (Gerold & Co.) 01.   1 —
— Die v. Aktiengesellschaften betrieb. elektrotechn. Fabriken, Elektrizitätswerke u. Hülfsgeschäfte im Deut. Reiche u. in Österr.-Ungarn. (16) 8⁰ Ebd. 03.   — 60
Mazé, H, et A Schramm: Essai de classification des algues de la Guadeloupe, s.: Facsimile-Edition.
Mazedonien. Militär-polit. Studie. [S.-A.] (29) 8⁰ Wien, LW & S. 05.   1 — d
Mazegger, B: Üb. Terrain-Kurorte, s.: Oertel, MJ.
Mazegger, B: Burgthürme im Vinschgau. [S.-A.] (23 m. 1 Abb.) 4⁰ Meran, FW Ellmenreich 05.   — 50 d
— Die St. Katharina-Kirche in Hafling. [S.-A.] (12 m. Abb.) 8⁰ Ebd. 02.   — 50 d
Mazel, A: Künstler. Gebirgs-Photogr. Uebers. v. E Hegg. (176 m. 12 Taf.) 8⁰ Berl., G Schmidt 03.   4 —; geb. 5 — d
Mazelle, E: Einß. d. Bora auf d. tägl. Periode ein. meteorolog. Elemente. [S.-A.] (34) 4⁰ Wien, (A Hölder) 01.   2.80 d
— Erdbebenstörgn zu Triest. — Die elingische mehrmonatl. Periode u. ihr Zusammenh. m. Wind u. Luftdruck. — Die tägl. period. Schwankg d.Erdbodens n. d. Aufzeichngn e. dreifachen Horizontalpendels zu Triest, s.: Mitteilungen d. Erdbeben-Commission d. kais. Akad. d. Wiss.
— Die Zerstreug d. atmosphär. Elektrizität in Triest u. ihre Abhängigk. v. meteorolog. Elementen, s.: Beiträge z. Kenntnis d. atmosphär. Elektrizität.
Mazzetti, H: Novografie. Neue Schnellschrift. (36) 8⁰ Wien, G Szelinski 02.   2 —
— Poesie in Prosa. (48 m. Abb. u. farb. Titelbild.) 4⁰ Ebd. (02).   Geb. 4 —
Mdenko, EV: Petschorin, s.: Weber's moderne Bibliothek.
Mead, GRS: Fragmente e. verschollenen Glaubens. Kurzgef. Skizzen üb. d. Gnostiker, bes. währ. d. zersten Jahrh. Deutsch v. A v. Ulrich. (27, 511) 8⁰ Berl. 02. Lpzg, M Altmann. 10 —; geb. 12 —
Meade, LT: Love triumphant, s.: Unwin's library.
Mebus, F: Studien zu William Dunbar. (103 m. 1 Taf.) 8⁰ Bresl., (Preuss & J.) 02.   3.40
Mechanik: Das zionist. Phantom. (28) 8⁰ Mainz, Dr. Mechanik 03.   — 75 d
— Das zionist. Trugbild u. s. Gefahr. (83) 8⁰ Ebd. 03. —75 d
Mechaniker, der. Zeitschrift z. Förderg d.Präzisions-Mechanik u. Optik, sowie verwandter Gebiete. Hrsg. v. F Harrwitz.

9—13. Jahrg. 1901—5 je 24 Nrn. (Nr. 1. 12 m. Abb.) 4° Berl.,
Administr.   Viertelj. 1.50
Mechaniker-Zeitung. Fach- u. Offertenbl. f. Mechaniker, Optiker, Uhrmacher u. verwandte Berufszweige. 6. u. 7. Jahrg.
Oktbr 1900—Septbr 1902 je 24 Nrn. (7. Jahrg. Nr. 1. 8 m. Abb.)
4° Lpzg-Stötteritz, Baum.   Viertelj. 1 —; einz. Nrn — 20
Fortsetzg war nicht zu erhalten.
— deut. Beibl. z. Zeitschrift f. Instrumentenkde u. Organ f. d.
ges.Glasinstrumenten-Industrie. Red.: A Blaschke. Jahrg.1901
—5 je 24 Nrn. ('04. 257 m. Abb.) 4° Berl., J Springer. Je 6 —
— dass., s.: Zeitschrift f. Instrumentenkde.
Mechel, H v.: Major Karl Suter, s.: Militärzeitung, allg. schweiz.
Mechelin, L: Zur Frage d. Autonomie Finnlds u. sr verbrieften
Gesetze. Kritik d.Broschüre v. ND Sergejewski. Aus d.Schwed.
(In russ.Sprache.)(170)8° Berl.-Charlttnbg,F Gottheiner 03. 4 —
Mechtold, F: Die Sozialdemokratie ist keine polit. Partei,
sondern e. Kulturbewegg. (15) 8° Jena, H Costenoble 05. — 50
Meck, KK: Die Industrie- u. Oberamtsstadt Heidenheim nebst
d. Schloss Hellenstein in d. Vergangenh. u. Gegenwart. 1. Tl.
Chronik v. d. halben Jahrtaus. 1300—1800. (243 m. Abb.) 8°
Heidenh., (CF Rees) (04).   L. nn 5 — d
Meckel: Anl. z. Kriegsspiele. Neu bearb. v. Frhr v. Eynatten.
(55 m. 5 Taf.) 8° Berl., Vossische Bh. (03).   2.50 d
Medaillen u. **Münzen**, d., d. Ges.-Hauses Wittelsbach. Auf
Grund e. Mscr. v. JP Beierlein bearb. u. hrsg. v. k. Conservatorium d. Münzkabinets. I. Bd. Bayer. Linie. II. Tl: Von
d. Regierg Karl Albert VII. bis z. Gegenwart. (29 u. 271—540
m. Abb. u. 8 Taf.) 4° Münch., (G Franz' V.) 01.   20 —
    (1. Bd vollst.: 35 —)
Medak, H : Ludw. van Beethoven's gr. Septett. — Carl Goldmark's „Sakuntala" u. „Im Frühling". — Ant. Rubinstein's
4. Klavierkonzert Op. 70. D moll. — Frz Schubert's Octett,
F dur, s.: Musikführer, d.
Medelsky, J, s.: Werkmann, J.
Medem, E: Vizerlei Acker. (78) 8° Berl., Schriftenvertriebsanst. 04.   Geb. 1.20 d
Medem, Fran Baronin I v., s.: Dürow, J v.
Medem,R: Leitf.d.Gabelsb.'schen Stenogr. 2.Afl.(63)8°Wolfenb.,
Heckner (03).   1 —; geb. 1.30 d
Medem, R: Ueb. Selbstentzündg u. Brandstiftg. V. u. VI. Heft.
8° Greifsw., (J Abel) 04.   2.70 (I, II, V u. VI.: 6.50)
V. Preaskohlen, Heu. (55 m. Abb.), 1.20 ∥ VI. Instruktion u. Fragebogen
f. Brandstiftgs- u. Selbatentzündgs-Untersuchgn. 3. Afl. (29 S. u. 3 u. 4 S.
in 4°.) 1.50 d
*Heft III u. IV sind Sonderabdr. v. Zeitgsartikeln u. e. Vortrages
u. v. Verf. verschenkt worden.*
Meder, E: Ueb. Impferfolg bei Wiederimpflingen. (Nach e.
Vortr.) [S.-A.] (6) 8° Jena, G Fischer 04.   — 40
Meder,F : Inwiefern kann d. franzö. Unterr. an d.höh. Schulen
e. Vertiefg erfahren? (49) 8° Lpzg, Ranger 04.   — 75
Meder, J : Neue Beitr. z. Dürer-Forschg, s.: Jahrbuch d. kunsthistor. Sammlgn d. Allerh. Kaiserhauses.
— s.: Handzeichnungen alter Meister a. d. Albertina.
— 2 Kartonzeichnugn v. Giulio Romano, s.: Jahrbuch d. kunsthistor. Sammlgn d. allerh. Kaiserhauses.
Meder, P: Vom Forsthaus z. Grafenschloss. Erzählg f. d. reif.
weibl. Jugend u. f. Erwachsene. (229 m. 1 Bild.) 8° Stuttg,
S Grübel 04.   4.60 ; geb. nn 5.50
— Die Jagdeinladg, s.: Vereinstheater, neues.
Medicin s.: Medizin.
Medicus, F: JG Fichte. 13 Vorlesgn. (269) 8° Berl., Reuther
& R. 05.   3 —; geb. nn 3.80
— Kant's Philosophie d. Gesch. [S.-A.] (82) 8° Ebd. 02.   2.40
— Die beiden Prinzipien d. sittl. Beurteilg. [S.-A.] (34) 8° Halle,
M Niemeyer 02.   1 —
Medicus, L: Einl. in d. chem. Analyse. 1. u. 2. Heft. 8° Tüb.,
H Laupp.   4.40 ; Einbde je — 80
1. Kurze Anl. z. qualitativen Analyse. 10. u. 11. Afl. (178 m. Abb.) 01. 3 —
2. Kurze Anl. z. Massaulyse. Mit spez. Berücks. d. Vorschriften d. Arzneib. bearb. 7. u. 8. Afl. (171) 02.   2.40
— Practicum f. Pharmaceuten. Analyt. Uebgn u. Präparate.
(364) 8° Ebd. 03.   6.00 ; geb. nn 5.50
Meding, O, s.: Samarow, G.
Medinger, W : Wirtschaftsgesch. d. Domäne Lobositz. (203)
8° Wien, CW Stern 03.   6 —
Medizin, deut., im 19. Jahrh. Säcular-Artikel d. Berliner klin.
Wochenschrift. Hrsg. v. CA Ewald u. C Posner. 1. Bd. (491)
8° Berl., A Hirschwald 01.   8 — ∥ 2. (Schl.-)Bd. (154 m. 1 Abb.)
02. 3 —
— gerichtl. 12 Vorträge v. Gottschalk, Jolly, Israel, Koeppen,
Liebreich, Mendel, Moeli, Olshausen, Puppe u. Strassmann,
red. v. R Kutner. [S.-A.] (226 m. Abb.) 8° Jena, G Fischer 03.
   geb. 6 —
Medizinal-Bericht v. Württemberg f. 1899—1903. Hrsg. v. d.
kgl. Medizinal-Kollegium. 8° Stuttg.,(W Kohlhammer). Je 2.50
1899. (145 m. 2 Kärtchen.) 01. ∥ 1900. (165 m. 3 Kärtchen.) 02. ∥ '01- (172
m. 2 Pl. u. 2 Kärtchen.) 03. ∥ '02- (189 m. Abb., 2 Pl. u. 2 Kärtchen.) 04. ∥ 2 Bildnissen.) 04. ∥ '03- (168 m. Abb. u. 2 Kärtchen.) 05.
Medizinal-Jahr- u. **Adressbuch**, schwäiz. 3. deut. Ausg. Red.
v. G Beck. (205 u. 104) 8° Bern 02. Laus., Soc. suisse d'édition.
   L. 3.60 O F
Medizinal-Index u. **therapeutisches Vademecum**. 8. Jahrg.
1906. Hrsg. v. MT Schirer. (400, 120 u. Schreibkalender.) 16°
Wien, (R Coën).   L. 2.50
Medizinal-Kalender f. 1906. 2 Abtlgn. (1. Abtlg, hrsg. v. R

Wehmer.) (356 u. 70, 1421 m. 2 Halbjahrsheften.) 8° Berl., A
Hirschwald.   Ldr u. L. 4.50; m. 1. Abtlg durchsch. 5 —
Medizinal-Kalender, Fromme's österr., Fortsetzg, s.: Fromme.
— schweiz. 1906. 28. Jahrg. Hrsg. v. E Haffter u. A Jaquet.
2 Thle. (Schreibkalender, 161 u. 208 in 16°) 8° Bas., B Schwabe.
   3.20 ; Ldr nn 4.40
— Taschenb. f. Zivil-Ärzte. 48. Jahrg. 1906. Begründet v. L
Wittelshöfer. Hrsg. v. H Adler. (239 u. Tageb.) 8° Wien, M
Perles.   L. 5 —; Ldr 4.40
Den II. Thl s. u. d. T.: Medizinal-Schematismus f. Oesterr.
— u. **Recept-Taschenbuch.** 1906. Hrsg. v. d. Red. d. Allg. medicin. Central-Zeitg (H u. T Lohnstein). 13. Jahrg. Nebst 4
Quartalsheften. (284 u. Schreibkalender m. 2 Taf.) 8° Berl.,
O Coblentz.   Ldr u. geb. 3 —
— Berliner, f. prakt. Ärzte. 8. Jahrg. 1906. (532, 32 u. Tageb.)
16° Berl., Urban & Schw.   L. 2.50
— Wiener, f. prakt. Ärzte. 29. Jahrg. 1906. (317, 31, 68 u.
Schreibkalender.) 16° Wien, Urban & Schw.   L. 3 —
Medizinal-Schematismus f. Österr. 1905. II. Tl. d. Medizinal-
Kalenders, Taschenb. f. Zivilärzte. (47. Jahrg.) Verzeichn.
d. Ärzte u. Apotheker. Red. v. H Adler. (427) 8° Wien, M Perles.
   5.60; geb. 6.60
Medizinal-Zeitung, deut. Centralbl. f. d. Ges.-Interessen d.
medizin.Praxis. Hrsg.v.J Grosser, Red. f F Heymann.22.Jahrg.
1901. 104 Nrn. (Nr. 1. 12 u. 4) 4° Mit Beil.: Monatsschrift f.
orthopäd. Chirurgie u. physikal. Heilmethoden. 1. Bd. 12 Nrn.
(Nr. 1. 16) 8° Berl., E Grosser.   Viertelj. 5 —
— dass. (Ohne Beil.) Begründet v. J Grosser. Red.: J Grosser,
23—26. Jahrg. 1902—je 104 Nrn. (Nr. 1. 12 u. 4 m. Abb.) 4°
Ebd.   Viertelj. 5 —
Meebold, A: Luzie's Testament. (229) 8° Berl., Vita(01). 3 — d
— Sarolta. Roman. (253) 8° Berl., E Fleischel & Co. 04.   3 —;
geb. 4 — d
Meer u. **Küste.** Internat. Zeitschrift f. d. Interessen d. See- u.
Küstenbevölkerg, Schiffahrt, Reise- u. Fremdenverkehr, Hebg
d.Seebäderetc. Hrsg. v. E Volckmann. 1.Jahrg. 1901. 18 Nrn.
(Nr. 1. 8 m. Abb.) 4° Rost., CJE Volckmann. 5 —; einz. Nrn
— 40 ∥ 2. Jahrg. 1902. 24 Nrn. Viertelj. 1.50; einz. Nrn — 30 d
∥ 3. Jahrg. 1903. 24 Hefte. ∥ 4. Jahrg. 1—3. Viertelj. Jan.—
Septbr 1904. 18 Hefte. ∥ 4. Jahrg. Viertelj. Hefte — 40
— dass. Internat. Zeitschrift f. alle maritimen Interessen.
Hrsg. v. E Volckmann. 4. Jahrg. 4. Viertelj. Oktbr—Dezbr
1904. 6 Hefte. (19. Heft. 12 m.Abb.) 4° Berl.,(Herm. Walther).
   1.75; einz. Hefte — 40 o F
Meer, A : Die Grundlehren d. Ordenslebens. Nach d. Franz.
4. Afl. (128 m. St.) 16° Berl., F Goerlich (01).   60 d
   8° Bambg, Handels-Dr. u. Verlagsb. (04).   1 — d
Meer, FAW ter : Laiengedanken üb. Relig. u. Sittlichk. (84)
8° Bamberg, Handels-Dr. u. Verlagsb. (04).   1 — d
Meer, J van d.: Les. Mädchen, s.: Meisterbilder.
Meerberg, A v.: Die Bewegsspiele im Freien. (89 m. Abb.) 8°
Lpzg, Ernst (02).   — 75 d
— Das gr. Buch d. Gesellschaftsspiele. (142 m. Abb.) 8° Ebd.(01).
   1.50 d
Meereskunde in gemeinverständl. Vortr. u. Aufsätzen. Hrsg.
v. Instit. f. Meereskde an d. Univ. Berlin. I. Bd. 1. u. 2. Heft.
8° Berl., ES Mittler & S.   2.75
Schwarz, T: Das Linienschiff einst u. jetzt. 2 Vortr. (68 m. Abb.) '05.
[1,2.]   1.75
Thiess, E: Organisation u. Verbandsbildg in d. Handelsschiffahrt. Vortr.
(48) 06. [1,1.]   1 —
Meeresuntersuchungen, wiss., hrsg. v. d. Kommission z. wiss.
Untersuchg d. deut. Meere in Kiel u. d. biolog. Anst. auf
Helgoland. Neue Folge. Abtlg Helgoland. IV. Bd. 2. Heft
V. Bd. 1. u. 2. Heft; VI. Bd., 1. u. 2. Heft u. VII. Bd., 1. Heft. 4°
Kiel, Lipsius & T.   54 —
IV,2. (141—263 m. Fig. u. 5 Taf. u. 1 Karte.) 1900. 20 — (vollst.: 35 —) ∥
V,1,2. (132 m. Fig. u. 3 Taf.) 02.04. 11 — ∥ V,2. (300 m. Fig. u. 14 Taf.)
02. — ∥ VII,1. (76 m. Fig. u. 9 Taf.) 05. 6 —
— dass. Abtlg Kiel. V. Bd. 3. Heft; VI. Bd.; VII. Bd, Ergänzgs-
heft u. VIII. Bd m. Ergänzgsheft. 4° Ebd.   95 —
V,3. (170 m. Fig. 1 Taf. u. 1 Karte.) 02. 16 — (1. u. 3.: 34 —) ∥ VI. (284
m. Fig. u. 5 Taf.) 02. 20 — ∥ VII. Ergänzgsheft. (145 m. 1 Fig. u. 7
Taf.) 03. 14 — ∥ VIII. (287 m- Fig. Textkart, 5 Taf., 4 Kart., 13 graph.
Darstellgn. u. 81 Tab.) 05. 50 — ∥ Ergänzgsheft. (157 m. Fig.) 05. —
Meersheim, J v.: Johs Gutenberg u. Peter Schöffer, s.: Verein
f. Verbreitg guter Schriften, Basel.
Meerheim, H v.(Frau Gräfin MH v. Bünau): Befreiung. Roman.
2 Tle in 1 Bde. (169 u. 203) 8° Berl., O Janke (02).   4 — d
— Des Kaisers Abgesandt, Histor. Roman. (199) 8° Ebd.04. 3 — d
— Kapituliert. Erzählg. (160) 8° Dresd., E Pierson (05).   2 —;
geb. 3 — d
— Ohne Liebe. Roman. 2 Tle in 1 Bde. (188 u. 200) 8° Berl., O
Janke (01).   5 — d
— Im Nebel. Roman. 2 Tle in 1 Bde. (235 u. 169) 8° Ebd. (03). 4 — d
— In letzter Stunde. Roman. (263) 8° Dresd., E Pierson (04).
   2.50; geb. 3.50 d
— Treue. Histor. Roman a. d. J. 1813—14. (264) 8° Ebd. 03.
   2.50; geb. 3.50 d
— Zu stolz. Erzählg. (302) 8° Ebd. (04).   2 —; geb. 3 — d
Meerkatz, A: Schulgerechte Darbietg d. 6. Gebotes f. Unter-
Mittel- u. Oberstuf. d. Volksschl. (17) 8° Bunzl., G Kreuschmer
02.   — 50 d
— Allg. verständl. Interpunktionslehre. (82) 8° Langens.,
Schulbb. 02.   Kart. 1.20 d
— Der Zeichenunterr. in sr neuen Gestalt, s.:Studien, pädagog.
Meerscheidt-Hüllessem, Frhr v.: Die Ausbildg d. Infant. Zeit-

gemässe Erörtergn gemäss d. Anfordergn d. heut. Gefechts
u. d. Verändergn im soz. Leben. 3 Tle. 8° Berl., ES Mittler
& S. 04.   6.90 d
t. Winter-Periode. (108) ?.25 | 2. Frühjahrs-Periode. (116) 2.40 | 3. Die
Herbstübgn. (108) 2.25.
Meerscheidt-Hüllessem, Frhr v.: Die Handhabg d. Disziplinar-
Strafgewalt. (71) 8° Berl., ES Mittler & S. 05.   1.25 d
Meerscheidt-Hüllessem, Frhr v.: In u. um Peking, s.: Wang.
Meerscheidt-Hüllessem, L v.: Elfi. Ein Frauenleben. Roman.
(326) 8° Berl., F Fontane & Co. 05.   3.50; geb. 5 — d
Meerwaldt, JH: 2 Batakknaben, s.: Missions-Traktate, kl.
— Johannes Pasariba, e. Pandita batak, s.: Missionstraktate,
rhein.
— Wie e. Samboan zu Ehren kam od. Die Entwicklg d. Mis-
sionsarbeit in Pansur na pitu, s.: Missions-Traktate, rhein.
— Siebenmal n. d. Tobasee, s.: Missionsschriften, rhein.
Meerwarth, H: Photograph. Naturstudien. Anl. f. Amateure
u. Naturfreunde. (144 u. 3 m. Abb. u. 51 Taf.) 8° Essl, JF
Schreiber (05).   4.20; geb. 4.80 d
— DieRandstructur d. letztenHinterleibssegments v.Aspidiotus
perniciosus Comst. [S.-A.] (15 m. Abb. u. 1 Taf.) 8° Hambg.
(L Gräfe & S.) 1900.   — 80
— Die westind. Reptilien n. Batrachier d. naturhistor. Museums
in Hamburg. [S.-A.] (41 m. 2 Taf.) 8° Ebd. 01.   2 —
Meerwein, G, s.: Aus d. Schatzkammer d. Apostel. — Freuden-
ernte. — Sonntags-Gedanken.
— Weihnachts-Freude. Eine liturg. Handreichg z. Christfest.
(24) 8° Karlsr., JJ Reiff 04.   — 30 d
— Zion, halte deine Treu! Kurze Gesch. d. bad. Waldens_erge-
meinden Palmbach-Untermutschelbach. (116 m. Abb.) 8° Ebd.
01.   1.30 d
Meesmann, P: Das Haftpflichtrecht d. deut. Industrie u. d. Haft-
pflicht-Versicherg. Vortr. (22) 8° Mainz, J Diemer 03.   — 60 d
Meester, J de: Empfindsame Skizzen. (Aus: Allerlei Menschen.)
Uebers. v. A Rothgiesser. (85) 8° Berl., Verl. Nec Sinit 05.   1 — d
Meffert, F: Arbeiterfrage u. Sozialismus. Apologet. (386) 8°
Mainz, F Kirchheim 01.   4.50; geb. 5.50 d
— Die geschichtl. Existenz Jesu, s.: Tagesfragen, apologet.
— Der hl. Alfons v. Liguori, s.: Tagesfragen z. christl. Lit.-
u. Hamgensch.
— s.: Vorträge, apologet.
Megede, A z.: Wie fertigt man techn. Zeichngn? 5. Afl. v.
A Hertwig. (96) 8° Berl., Polyt. Bh. A Seydel 01.   L. 1.50
Megede, JR z.: Das Blinkfeuer v. Brüsterort. 1—6. Afl. (270)
8° Stuttg., Deut. Verl.-Anst. 05.   3 —; geb. nn 4 — d
— Von zarter Hand. Roman. 6. Afl. 2 Bde. (369 u. 363) 8° Ebd.
02.   7 —; geb. nn 8 — d
— Kismet. Frühlingstage in St. Surin. Schloss Tombrowska.
6. Taus. (318) 8° Ebd. 05.   3 —; geb. nn 4 — d
— Modeste. Roman. 1—5. Taus. (407) 8° Ebd. 06. 4 —; geb. nn 5 — d
— Quitt. Roman. 11. Taus. (598) 8° Ebd. 05.   3 —; geb. nn 6 — d
— Trianon u. and. Roman. 4. Afl. (398) 8° Ebd. 05.   3 —;
geb. nn 5 — d
— Der Ueberkater. Roman. 1—5. Afl. (640) 8° Ebd. 05.   5.50;
geb. nn 6.50 d
— Unter Zigeunern. Roman. 4. Afl. (390) 8° Ebd. 05.   3 —;
geb. nn 4 — d
Megede, M z. (Frau M Hartog): Das Licht. Roman. (365) 8° Berl.,
F Fontane & Co. 02.   5 —; geb. 6.50 d
— Narren. Roman. 1. u. 2. Afl. (424) 8° Ebd. 04.   5 —; geb. 6.50 d
— Sport. Novelle. 1. u. 2. Afl. (163) 8° Ebd. 03.   2 —; geb. 3 — d
Meggendorfer's, L, humorist. Blätter. (Farbig illustr. Wochen-
schrift f. Humor u. Kunst.) Red.: M Schreiber. 44—51. Bd
od. 13. u. 14. Jahrg. 1901 u. 2 je 52 Nrn. (Der Bd etwa 156) 4°
Essl., JF Schreiber. Viertelj. 3 —; auch in 26 Heften zu — 50 d
Fortsetzg s. u. d. T.: Meggendorfer-Blätter.
— Arche Noah. Bilderb. (Leporello-Album auf Pappe.) (9 farb.
Taf.) 8° Ebd. (03).   Kart. 1.30 d
— internat. Circus. (Zum Aufstellen.) 4. Afl. (8 farb. Bl.) 4°
Ebd. (01).   Kart. 6 — d
— Drehbilder-A-B-C. (Eingedr.) Text in Versen v. F Feldigl.
(2. [Umschl.-]Afl.) (22 farb. Taf. z. Drehen.) 4° Ebd. [1898] (02).
Geb. 3 — d
— In Grosspapa'sGarten. Ein lust. Bilderb. (Leporello-Album.)
(Neue Afl.) (11 farb. S. auf Pappe.) 8° Ebd. (01). Kart. (2 —) 1.50 d
— Lustiges Kasperltheater, m. (z. Tl farb.) Zeichngn. (48) 8°
Ebd. (04).   Geb. 1.50 d
— Neues Kasperltheater, m. (z. Tl farb.) Zeichngn. (48) 8° Ebd.
(04).   Geb. 1 — d
— Nur f. brave Kinder v. Verwandlgs-Bilder. 2. Afl. (12 Farbdr.
m. Text auf d. Rücks.) 4° Ebd. (02).   Geb. 3.50 d
— Lach m. mir! Bilderb. 2. Afl. (6 farb. Taf. m. Text auf
d. Rücks.) Fol. Ebd. (02).   Geb. 2.50 d
— „Larifari". Humorist. Quintessenz. Text v. L Meggendorfer,
I Bosch-Ivo, J Beck u. a. (2. Taus.) (77) 8° Münch., C Haus-
halter (02).   (1 —) — 75 d
— Verschied. Leute. Ziehbilderb. 2. Afl. (6 farb. Taf. m. Text
auf d. Rücks.) Fol. Essl., JF Schreiber (02).   Geb. 2.50 d
— Prinzessin Rosenhold. (6 farb. Bilder. m. 9 S. illustr.
Text.) 4° Ebd. (01).   Geb. 5 — d
— Vor d. Stadt. Bilderb. (Leporello-Album auf Pappe.) (Neue
Afl.) (9 farb. Taf.) 8° Ebd. (03).   Kart. 3 — d
— Struwelpeter u. and. Gesch. (12 m. z. Tl farb. Abb.) 8°
Ebd. (02).   Auf L. — 70 d

Hinrichs' Fünfjahrskatalog 1901—1905.

Meggendorfer, L: Trulala. Humorist. Bilderb. (32 m. farb.
Abb.) Fol. Münch., C Haushalter (02).   Geb. (3 —) 2.25 d
— Viel Vergnügen. Klappbilderb. (42 farb. S. ohne Text in
Leporelloform.) 4° Ebd. (03).   Geb. (1 —) — 75 d
— Verwandlgs-Bilder. 2. Afl. (16 m. 12 Farbdr. u. 8 illustr.
Texts.) Fol. Essl., JF Schreiber (03).   Kart. 3.50 d
— Lustige Ziehbilder. (Enth. 6 Ziehbilder m. Inst.Versen.) 2. Afl.
(13) 4° Ebd. (03).   Kart. 2 — d
— Lustigs Zool. (Verwandlgsbilderb.) (20 einmal durchschnitt.
farb. Bl.) 4° Ebd. (01).   Kart. 1.50 d
Meggendorfer-Blätter, München. Zeitschrift f.Humor u.Kunst.
Red.: M Schreiber u., v. 56. Bd an, F Schreiber jun. 52—63.
Bd od. 15—17. Jahrg. 1903—5 je 52 Nrn. (Der Bd etwa 156
m. z. Tl farb. Abb.) 4° Essl., JF Schreiber. Viertelj. 3 —;
kart. 3.50; auch in 26 Heften zu — 50 d
Méhely, L: Monographia Chiropteror. Hungariae. (In ungar.
Sprache.) (Cum appendice in lingua germanica conscripta.)
(372 m. 22 Taf.) 8° Budap., (L Toldi) 1900.   10 —
Mehl, H: Deut. Leseb., s.: Jacobi, A.
Mehl, M: Die Heilg v. Hantkrankh. bes. Lupus, (Lippen-, Nasen-,
Zungen-, Brust-)Krebs, Flechten u. Ausschlagskrankh., Mut-
termäler etc. durch konzentrierte Sonnenstrahlen. 2. Afl. (39
m. Abb.) 8° Oranienbg, Orania-Verl. (04).   1 — d
Mehl, OJ: Die schönen Gottesdienste. (198) 8° Hambg, A Jans-
sen 02.   L. 3 — d
Mehl, W: Zur Beurteilg d. Luftbeschaffenh. gesohloss. Aufent-
haltsräume m. dauernder Benutzg. [S.-A.] (21) 8° Lpzg, F
Leinewaber 03.   — d
— Darlegg d. Grundsätze z. Erwärmg geschloss. Räume unter
Berücks. d. f. Heizgsanl. in Betracht komm. Verhältn. [S.-A.]
(31 m. Fig.) 8° Ebd. 03.   1 —
— Üb. hemm. Einfl. in d. Entwicklg d. Heizgs- u. Lüftgstechnik
unter Beachtg hygien. Grundsätze. (24) 8° Halle, C Marhold
02.   — 50
— Kohlensäuremasstab, Atemgift, Entwärmgsmasstab. Zugl.
e. Beitrag z. Sicherg hygien. Fordergn an d. Luft u. d. Wärme
dicht besetzter Räume. [S.-A.] (32) 8° Lpzg, F Leinewaber
03.   1 —
— Ratschl. z. Beschaffg v. Haus-Bädern. [S.-A.] (16 m. Abb.)
8° Münch. 02. Dresd., Ingen. Mehl.   — 50
— Üb. Rauch u. Russ, sowie deren Verminderg, unter bes. Be-
rücks. d. häusl. Feuergsanlagen. (51) 8° Lpzg, F Leinewaber
03.   —
Mehler, FG: Hauptsätze d. Elementar-Mathematik z. Gebr.
an höh. Lehranst. 34. Afl. v. G Baseler. (266 m. Fig.) 8° Berl.,
G Reimer 05.   Geb. 2 — d
Mehler, J: Der Einbrecher u. and. Humoresken. (98) 8° Hannov.,
Berenberg'sche Buchdr. 02.   Geb. 1.50
— Das 1. Engagement. Humorist. Erzählg u. d. Theaterleben.
(132) 8° Hannov., M & H Schaper 02.   1 — d
Mehler, JB, s.: Bericht, offiz., üb. d. 300jähr. Jubiläum d.
Marian. Congregation Altötting u. d. 1. deut. Sodalentag. —
Bericht üb. d. allg. Sodalentag.
— Die Bischofs-Weihe in d. kathol. Kirche n. d. röm. Ponti-
fikale. (142) 12° Rgnsbg, J Habbel 02.   — 10 d
— Festlieder d. Volksver. f. d. kathol. Deutschl. Für Bayern
brsg. (16) 16° Rgnsbg, Pusser Mehler (01).   — 10 d
— U. L. Frau v. Bogenberge. Jubiläumsbüchl. f. 1904. Mit e.
Anh. v. Gebeten. 8. u. 4. Taus. (64 m. Abb.) 12° Rgnsbg, J
Habbel (03).   — 50 d
— Uns. liebe Frau v. Tuntenhausen. Illustr. Wallfahrtsbüchl.
(171) 12° Tuntenhausen (Oberbayern), Nik. Promberger. (Nur
dir.)   nn — 80 d
— Gedenkblätter a. Kötztings Vergangenh. u. d. Pfingstritt.
(76 m. Abb.) 8° Kötzting (01). Rgnsbg, Präses Mehler.
nn — 60 d
— Das Bischofs-Weihe im kathol. Kirche n. d. röm. Ponti-
fikale. (142) 12° Rgnsbg, J Habbel 02.   — 10 d
— Gedenkbüchl. f. d. gr. Wallfahrt oberpfälz. Veteranen- u.
Kriegerver. auf d. Mariahilfberg bei Amberg am 23..24.VI.'01.
(54 m. Abb.) 12° Rgnsbg (01). (Ambg, F Pustet.) nn — 10 d
— s.: Mühlen, d. unterird.
— Pilgerbüchl. Gebete u. Lieder f. d. Wallfahrt in Altötting.
(16 m. 1 Abb.) 16° Rgnsbg, Präses Mehler (01).   — 10 d
— Die Priester-Weihe in d. kathol. Kirche n.d. Pontifikale
Romanum. (40) 8° Rgnsbg, J Habbel (02).   — 10 d
— Die 8. Regensburger Pilgerfahrt n. Altötting v. 14—16.IX.
Jubiläumsj. 1901. (44 m. Abb.) 8° Rgnsbg, Präses Mehler
(01).   — 20 d
— General Tilly, d. Siegreiche. (216 m. Abb.) 8° Münch., CA
Seyfried & Co. (04).   1.20; L. 1.30 d
— Wallfahrtsbüchl. v. U. L. Frau in Weissenregen. Mit e. Anh.
v. Gebeten. (96 m. Abb.) 12° Rgnsbg, Präses Mehler (03).
1 —; L. 1.40 d
Mehler, L: Armenseelenpredigten. Hrsg. v. JE Zollner. 3. Afl.
(152) 8° Rgnsbg, Verl.-Anst. vorm. GJ Manz 04.   1 — d
— Grabreden u. Grabschriften. Hrsg. v. JE Zollner. 3. Afl. (352)
8° Ebd. 05.   3 — d
Mehlhorn, P: Die Bibel, ihr Inhalt u. geschichtl. Boden. 5. u.
6. Afl. (87 bezw. 95) 8° Lpzg, JA Barth 01.05.   Kart. 1 — d
— Grundr. d. protestant. Religionslehre. 4. Afl. (79) 8° Ebd.
01.   Kart. 1 — d
— Die beiden Hauptrichtgn d. kirchl. Protestantismus. (43) 8°
Hdlbg, (Ev. Verl.) 03.   — 30 d
— Aus Höhen u. Tiefen, s.: Predigt-Bibliothek, moderne.

118

Mehlhorn, P: Die Kirche f. d. Lebenden! Predigt. (15) 8º Berl.
04. Lpzg, M Heinsius Nf. — 30 d
— Leben u. Heimat in Gott, s.: Hammer, J.
— Der Relig.-Unterr. in d. höh. Schulen. Vortr. (27) 8º Hdlbg,
(Ev. Verl.) 01. — 20 d
Mehlhose, AG: Touristenk. d. Zittauer Gebirges. 3. Afl. J : 50,000,
33×43,5 cm. Farbdr. Zitt., W Fiedler (05). — 50; auf L. — 80
Mehlig, J, s.: Lexikon d. Weltgesch.
Mehlis, C: Von d. Burgen d. Pfalz. (111 m, Abb.) 8º Freibg
i/B. 02. Kaisersl., E Crusius. (2 —) 1 — ; geb. 1.60 d
— Führer durch Neustadt a. H., s.: Beckmann.
— Reg.-Bez. Pfalz (Rheinpfalz), s.: Landes- u. Provinzialge-
schichte.
— Studien z. ält. Gesch. d. Rheinlande. 15. Abtlg. (32 m. Fig.
u. 4 Taf.) 8º Lpzg, Duncker & H. 04. 2 — (1—15.: 36.20)
— Walahstede. Eine rhein. Burganlage a. d. Merovingerzeit.
Vortr. (31 m. 1 Abb. u. 2 Taf.) 8º Kaisersl., H Kayser 01. 1 —
Mehlis, H: Dampfschnellbahnzug f. 120 km mittl. stündl. Ge-
schwindigk. (150 Km-St. maximal). (40 m. 10 Taf.) 8º Berl.,
(G Siemens) 03. 5 — ‖ 2. Afl. (46 m. 10 Taf.) 04. Geb. 5 —
Mehliss, O: Das deut. Volksversichergsgeschäft. (82) 8º Berl.,
E Ebering 04. 2 —
Mehlspeiseköchin, die. Anl. z. wohlschmeck. u. bill. Herstellg
d. berühmten „Wiener Mehlspeisen". Hrsg. v. Josefine. (120)
8º Beutl., R Bardtenschlager (03). — 75 d
Mehmke, B, s.: Christrosen. — Weckstimmen.
Mehmke, R, s.: Jahresbericht d. deut. Mathematiker-Vereinigg.
— Zeitschrift f. Mathematik u. Physik.
Mehner, H: Üb.Gleichgewichtszustände bei d.Reduktion d.Eisen-
erze. [Verb. S.-A.] (36 m. 1 Fig.) 8º Berl., L Simion Nf. 05. 1.50
— Heizgstechnik geg. Kohlennot. (32) 8º Lpzg, Leipz. Buchdr.
01. — 25 d
Mehner, M: Die Aufg. u. Einrichtg d. Fortbildgssch. Vortr.
(24) 8º Dresd. 01. Lpzg, A Hahn. — 50 d
— Fortbildungschulkde. Hdb. f. Fortbildgsschullehrer. (253) 8º
Ebd. 03. 3 — ; geb. 4 — d
— Der Lehrpl. d. Fortbildgssch. zu Döbeln. Als Anh. z. „Fort-
bildgsschulkde" hrsg. (132) 8º Ebd. 04. 2.40; geb. 3 — d
Mehnert, A : „Kismet webt!", s.: Köhler's illustr. Jugend- u.
Volksbibliothek.
Mehnert, E : Ueb. topograph. Altersverändergn d. Atmgsappa-
rates u. ihre mechan. Verknüpfgn, an d. Leiche u. am Leb.
untersucht. (151 m. Fig. u. 3 Taf.) 8º Jena, G Fischer 01. 6 —
Mehnert, K : Zu Lamartines polit. Dichtgn. (60) 8º Erl., F
Junge 03. 1.60
Mehnert, M : Üb. Sprachstörgn m. bes. Berücks. d. Stammelns
u. Stotterns bei Schulkindern. Vortr. (40 m. 1 Fig.) 8º Dresd.,
(A Urban) 04. — 75
Mehrakter. Nr. 8—21. 8º Mühlh. i/Th., G Danner. Je 2 — d
Böttinger, O : Der Wildschütz. Volksstück m. Gesang. Musik v. Schlam.
(39) (04.) [16.]
Braune, E : Die kl. Pepita. Lustsp. (52) (05.) [19.] ‖ Weihnachtsfrieden.
Weihnachts-Komödie. (52) (04.) [14.]
Dennery u. Cormon : Die beiden Waisen. Volksstück. Nebst u. f. kleinere
Bühnen eingerichtet v. D Schrutz. (56) (03.) [12.]
— u. Lemoine : Muttersegen od. Die Gnade Gottes. Volksstück m. Ge-
sang. Deutsch v. D Schrutz. (71) (02.) [9.]
Ekliw, F : Fehrbellin. Dramat. Zeitbild a. d. Tagen d. gr. Kurfürsten.
(51) (01.) [8.]
Jagow, E v.: Getreu bis in d. Tod. Stimmgsbild. (81) (03.) [11.]
Leinhard, PR : Das Riesenkind. Schwank. (40) (05.) [20.]
Reinhold, P : Im Kampfe geg. d. Hereros. Dramat. Zeitbild. (32) (04.) [15.]
Moser, G v., u. E Thun : Der tolle Hoffjunker. Schwank. (60) (03.) [10.]
Philippi, B : Ein Sonntag in Podejuch. Posse m. Gesang. Musik v. A Aich.
(58) (04.) [17.]
Unkel, H : Erste Liebe. Lustsp. (48) (04.) [13.]
Wermann, J : Der Freischütz. Romant. Volksstück m. Gesang. Nach Web-
her's Oper bearb. Musik-Arrangement v. M Blumhardt. (52) (05.) [21.]
Wünscher, H : Aus Herzeleid a. Siegesfreud. Vaterländ. Schausp. a. d.
Zeit d. gr. Krieges 1870/71. (48) (04.) [18.]
— patriot. Nr. 1 u. 2. 8º Landsbg, Kayser & Kl. Je 1.50 d
Nagel, F : Verrat u. Kriegslist. Patriot. Festsp. (24) (02.) [2.]
Volger, A : Das tapferste Herz. Vaterländ. Schausp. (31) (04.) [1.]
Mehring, F, s.: Aus d. literar. Nachlass v. Karl Marx usw.
— Gesch. d. deut. Sozialdemokratie. 4 Bde. 2. Afl. 8º Stuttg,
JGW Dietz Nf. Je 4 — ; geb. Je 5 — d
1. Bis z. Märzrevolution. (386) 03. ‖ 2. Bis z. preuss. Verfassgsstreite.
(378) 03. ‖ 3. Bis z. deutsch-französ. Kriege. (595) 03. ‖ 4. Bis z. Erfurter
Programm. (579) 04.
— Meine Rechtfertig. Ein nachträgl. Wort z. Dresdner Partei-
tage. (48) 8º Lpzg, Leipz. Buchdr. 03. — 25 d
— Schiller. Lebensbild f. deut. Arbeiter. (119 m. 1 Bildnis.) 8º
Ebd. 05. 1 — d
Mehring, G: Geschichtl. Lieder u. Sprüche Württembergs, s.:
Steiff, K.
Mehring, S: Ein Herbst auf Festg. Erinnergn. (127 m. Bild-
nis.) 8º Berl., Rosenbaum & H. 01. 2 — d
— Ungebundenes in gebund. Form. — Die Verlobg, s.: Uni-
versal-Bibliothek.
Mehrlein, F: Die Verteilg d. Armenlasten, s.: Schriften d.
deut. Ver. f. Armenpflege u. Wohlthätigk.
Mehrmann, K: Die Aristokratie in d. Weltpolitik. (127) 8º Berl.,
CA Schwetschke & S. 05. 1 — d
Mehrtens, CJ: Ludwig Harms', d. Begründers d. Hermanns-
burger Mission, Leben u. Wirken. 3. Afl. (335 m. 1 Abb., 1
Bildnis u. 1 Faksm.) 8º Stade, Fr Schaumburg 02. 3.20; geb. 4.20 d
Mehrtens, GC: Die Brücken im allg. usw., s.: Förster, M.
— Ermittelg d. Spanngn in steinernen Brücken, s.: Gehler.
— Vorlesgn üb. Statik d. Baukonstruktionen u. Festigkeits-

lehre. 3 Bde. (Mit z. Tl farb. Fig.) 8º Lpzg, W Engelmann.
54 — ; Einbde in L. je 1 —
1. Einführg in d. Grundl. (423) 03. 20 — ‖ 2. Statisch bestimmte Träger.
(330) 04. 14 — ‖ 3. Formändergn u. statisch unbestimmte Träger. Nebst
Sachl- u. Namenverz. (478) 05. 20 —
Meiche, A: Sagenb. d. Kgr. Sachsen. (57, 1085) 8º Lpzg, G Schön-
feld 03. L. 12 — d
Meider, O: Die Wegmüden. Schausp. (96) 8º Dresd., E Pier-
son 01. 1.50
Meidinger, H: Uns. Brennstoffe. [S.-A.] (48) 8º Karlsr., G Braun-
sche Hofbuchdr. 02. — 30 d
Meier: Aufg. z. Dolmetscherprüfg währ. d. J. 1893—1905 m.
Lösgn in französ., engl., russ. u. poln. Sprache. (152) 8º
Berl., ES Mittler & S. 05. 4 — ; geb. 5 — d
— Aufg. m. Lösgn z. französ. Dolmetscherprüfg. (96) 8º Ebd.
03. — 80 d
— Der Offizier als engl. Dolmetscher, s.: Püttmann.
— Eine Sammlg v. Beisp. u. Mustern f. d. Abfassg v. Mauer-
anschlägen, veröffentlichgn u. a. in Feindesl., s.: Püttmann,
d. Offizier als französ. Dolmetscher.
Meier, B: Legenden u. Gesch. d. Klosters St. Aegidien zu
Braunschweig. Hrsg. v. L Hänselmann. (83 u. 114 m. 2 farb.
Taf.) 8º Wolfenb., J Zwissler 1900. 15 — d
Meier, E: Die Böhmin od. Itta a. d. Elend. Volksstück a. d.
bayer. Walde. (57) 8º Pass., (M Waldbauer) (02). 1.50
— Der Gschlössibauer.Volksstück m. Gesang a. d. bayer.Walde.
Musik v. E Zeinesk. (67 m. 1 Bildnis.) 8º Ebd. (02). 1.50 d
Meier, E: Der Gemüsefreund od. d. Kultur d. empfehlenswer-
testen Gemüsearten. 3. Afl. (113 m. Abb.) 8º Zür., T Schröter
03. Kart. 1.80 d
Meier, G: Sebastian v. Beroldingens Bibliothek, nebst e. Anh.
üb. d. Bücher-Zensur im Lande Uri, s.: Neujahrsblatt, histor.,
hrsg. v. Ver. f. Gesch. u. Altertümer v. Uri.
— Der Bibliothekskatalog d. Stiftes Heiligenkreuz v. J. 1374.
Aus d. Handschrift v. St. Gallen hrsg. [S.-A.] (17) 8º Wien,
(A Hölder) 01. 1 — d
Meier, H, s.: Erinnerungen an W Sauerländer.
Meier, H: Die Strassennamen d. Stadt Braunschweig, s.: Quel-
len u. Forschungen z. braunschw. Gesch.
Meier's JW, Adressb. d. Exporteure v. Hamburg, Bremen,
Berliu, London, Manchester, Liverpool, Birmingham, Glas-
gow, Amsterdam, Rotterdam, Paris, Mailand, Lissabon etc.
1905/6, nebst e. gr. Anzahl überseeischer Importeure m. An-
gabe d. europ. Einkäufer. 2. Afl. (627) 8º Hambg (05). [Lpzg,
G Hedeler.) L. 7.50
Meier, K: Dr. James Hobrecht, s.: Gedächtnisfeier usw. f. Dr.
James Hobrecht u. Wilh. Böckmann.
Meier, K: Racine u. Saint-Cyr. [S.-A.] (71) 8º Marbg, NG Elwert's V. 03. 1.20
— s.: Souvenirs d'une Bleue, élève de Saint-Cyr.
— u. B Assmann: Hilfsbücher f. d. Unterr. in d. engl. Sprache.
2. Tl. Lese- u. Übgsb. B. Oberst. (244) 8º Lpzg, Dr. Seele &
Co. 01. Geb. 2.25 (Vollst. m. Wrtrb.: 7 —) d
— — dass. Ausg. f. Anst. m. 3jähr. Kursus. 2 Tle. 8º Ebd. 02.
1. Lehrg. (290 u. 7) ‖ 2. Lesteb. (229 m. 1 Pl.) Geb. — 90
— — dass. Key to the translation exercises. (48) 8º Ebd. (04). †1.70
Wird nur direkt an Lehrer abgegeben.
Meier, LE: La lingvo internacia esperanto. Vollständ. method.
Grammatik, Formenlehre u. Syntax d. internat. Sprache
Esperanto. 2. Afl. (128) 8º Münch., J Lindauer 03. 1.50;
kart. 1.70 d
Meier, MHE, u. GF Schömann: Der att. Prozess, Neubearbeitg, s.: Lipsius, JH, d. att. Recht.
Meier, PJ, s.: Bau- u. Kunstdenkmäler, d., d. Herzogt. Braun-
schweig.
Meier, R: Mitteilgn üb. ausgeführte Hochdruckleitgn a. guss-
eisernen Muffenröhren u. d. zugehör. Apparate. [S.-A.] (16)
8º Zür., (Rascher & Co.) (03). — 20
Meier, S: Kulturhistorisches a. d. Kelleramt m. bes. Berücks.
d. 18. Jahrh. (186) 8º Aar., HR Sauerländer & Co. 04. 2.40 d
Meier-Graefe, AJ: Der Fall Böcklin u. d. Lehre v. d. Ein-
heiten. (270) 8º Stuttg., J Hoffmann 05. 3 — ; geb. 4 — d
— Entwickelgsgesch. d. modernen Kunst. 3 Bde. (770 m. Abb.,
308 Taf. u. 38 farb. Taf.) 8º Ebd. 04. Kart. 30 —
— Der moderne Impressionismus. — Manet u. s. Kreis, s.:
Kunst, d.
Meierowitsch, C: Sprechen Sie russisch? Hülfsb., um richtig,
schnell u. leicht d. russ. Sprache zu erlernen. (341) 8º Mülh.
a/Rt., J Bagel (01). 2 — ; geb. 2.50
Meigs, H, u. E Feindel: Der Tic, s. Wesen u. s. Behandlg.
Deutsch v. O Giese. (398) 8º Wien, F Deuticke 03. 10 —
Meijer, W: Benedicti Spinozae philosophiae brevis com-
mentatio. (20) 8º Haag, (M Nijhoff) (05). nn — 85
Meijere, JCH de: Die Echinoidea d. Siboga-Exp. (252 m. 25 Taf.)
8º Leid., (E Brill). Subskr.-Pr. Druckerei vorm. EJ Brill 04. nn 31.25
Meikel, G: Bayr. Ausführgsges. z. BGB., z. CPO. z. Ge-
richts-Verfassgs-Ges., m. Wiedergabe d. citierten Paragra-
phen, Anmerkgn, Vollzugsvorschriften u. e. Gesamtregr.
6—8. Lfg. (401—645) 8º Münch., J Schweitzer V. 01. 3 —
(Vollst.: 6 — ; geb. 7 —) ‖ 2. Afl. (686) 02. 6.50; geb. 7.50 d
— Ges. betr. d. Anfechtg v. Rechtshandlgn usw. Schuldners, s.:
Hartmann, B.
— Grundbuchordng f. d. Deut. Reich v. 24.III.1897, unter bes.
Berücks. d. bayer. Ausführgsges. u. d. einschläg. Vollzugs-

vorschriften erläutert. 1. Lfg. (1—80) 8° Münch., J Schweitzer
V. 05. 　　　　　　　　　　　　　　　　　1.50 d
Meikel, G: Das bürgerl. Recht d. deut. Reichs, s.: Müller, G.
Meili, F: Das internat. Civilprozessrecht auf Grund d. Theorie,
Gesetzgebg u. Praxis. 2 Tle. (436) 8° Zür., Art. Instit. Orell
Füssli 04. 　　　　　　　　　　　　　　　19.50
— Das internat. Civil- u. Handelsrecht auf Grund d. Theorie,
Gesetzgebg u. Praxis. 2 Bde. (405 u. 391) 8° Ebd. 02. Je 10 —
— Der Gegenstand u. d. Tragweite d. 4 europ. Staatskonfe-
renzen üb. internat. Privatrecht. Rede. (40)8° Berl., J Springer
05. 　　　　　　　　　　　　　　　　　1 —
— Der gesetzgeber. Kampf geg. Schädiggn im Bauhandwerk,
in d. illoyalen Konkurrenz u. im Kreditwesen. — Die Kodi-
fikation d. schweiz. Privat- u. Strafrechts, s.: Zeitfragen,
schweiz.
— Reflexionen üb. d. Exekution auswärt. Zivilurteile. (65) 8°
Zür., Schulthess & Co. 02. 　　　　　　　1.60
— Die recht. Stellg d. Automobile. (52) 8° Zür., A Müller's V.
02. 　　　　　　　　　　　　　　　　1.20
Meili, F, s.: Zeitschrift, schweiz. theolog.
Meillet, A: Esquisse d'une grammaire comparée de l'armé-
nien classique. (20, 119) 8° Vienne 03. (Lpzg, O Harrassowitz.)
　　　　　　　　　　　　　　　　　nn 4.80
Mein, A: De optativi obliqui usu Homerico. Pars I. De sen-
tentiis obliquis aliunde pendentibus primariis. (28) 8° Bonnae
03. (Lpzg, Bh. G Fock.) 　　　　　　　　— 60
Meinardus, K: Grossh. Oldenburg, s.: Landes- u. Provinzialgeschichte.
Meinardus, O: Der Katzenelnbog. Erbfolgestreit, s.: Veröffentlichungen d. histor. Commission f. Nassau.
Meinardus, W: Der gr. Staubfall v. 9—12.III.'01 in Nordafrika,
s.: Hellmann, G.
Meinberg, A: Rechenb. f. Volkssch., s.: Matern, A.
Meinberg, H: Neuer Lehrg. d. deut. Einheitsstenogr. „Gabelsberger". — Neuer Lehrg. d. deut. Einheitsstenogr., s.: Nie-
möller, W.
Meinck, E: Friedr. Hebbels u. Rich. Wagners Nibelungen-Tri-
logien, s.: Beiträge, Breslauer, z. Lit.-Gesch.
Meincke, R: Christus, d. Weg. Konfirmationsreden a. d. J.
1887—1902. (23, 288) 8° Hambg, G Meissner's V. 03. L. 4.50 d
— Die gegenwärt. Konfirmationspraxis. 2 Afl. (39) 8° Hambg,
L Gräfe & S. 01. 　　　　　　　　　　— 75 d
Meindl, F: Erzählgn a. d. Orient. (183) 8° Bresl., Schles. Buchdr.
usw. 02. 　　　　　　　　　1.50; geb. 2.50 d
Meindl, F: Spaziergänge im Pustertale u. s. Seitentälern. (192
m. Abb.) 8° Warnsdf, (A Opitz) 05. 　　　2 —
Meindl, K: Kurze Fastenpredigten üb. d. Andachten d. kathol.
Christen in d. hl. Fastenzeit. (112) 8° Rgnsbg, Verl.-Anst. vorm.
GJ Manz 01. 　　　　　　　　　　　1.20 d
Meindl, V: Sir George Etheredge, s. Leben, s. Zeit u. s. Dramen,
s.: Beiträge, Wiener, z. engl. Philol.
Meinecke, F, s.: Handbuch d. mittelalterl. u. neueren Oesch.
— Zeitschrift, histor.
Meinecke, G, s.: Kolonial-Kalender, deut.
— Die deut. Kolonien in Wort u. Bild. Gesch., Länder- u.
Völkerkde, Tier- u. Pflanzenwelt, Handels- u. Wirtschafts-
verhältn. d. Schutzgebiete d. Deut. Reiches. 2 Afl. (104 u.
Anh.: Die Samoa-Inseln m. Abb., Bildnissen u. 10 Kart.) Fol.
Lpzg (01). Berl., Neufeld & H. 　　　　　5 — d
— Aus 3 Weltteilen. Ges. Skizzen u. Erzählgn. 2. Bd.
(286) 8° Berl.-Charlttnbg, Deut. Kolonial-Verl. (01). 　2 — d
　　　　　　　　　　　　　　(1 u. 2.: 4 —)
— s.: Zeitschrift, koloniale.
— u. W v. Bülow: Seidenzucht in d. Kolonien. (50) 8° Berl.-
Charlttbg, Deut. Kolonial.-Verl. 01. 　　　1.50 d
Meinecke, L: Das gestörte Mittagsessen. — Onkelchen schläft!,
s.: Glaser's, C, Theater-Bibliothek.
Meineidsprozess, d., in Konitz. Krit. Untersuchg v. *.*. (19)
8° Berl., Herm. Walther 01. 　　　　　　— 50 d
Meineke, C: Lehrb. f. d. Handarbeitsunterr., s.: Prellwitz, M.
Meinel, K: Kommentar z. Krankenversicherungsges. — Kom-
mentar z. Unfallversicherungsges., s.: Rasp, K v.
Meiners, W: Leitf. d. Gesch. f. höh. Lehranst. 1. Tl: Leitf.
d. alten Gesch. f. Quarta. (118) 8° Lpzg, BG Teubner 01.
　　　　　　　　　　Geb. 1.60 (1 u. 2.: 4.40) d
Meinert s.: Alkoholfrage, d.
Meinerts, M: Der Jakobusbrief u. s. Verf. in Schrift u. Über-
lieferg, s.: Studien, bibl.
— Das Neue Test. u. d. neuesten relig.-geschichtl. Erklä-
rungsversuche. Vortr. [S.-A.] (14) 8° Strassbg, FX Le Roux & Co.
(04). 　　　　　　　　　　　　　　— 60
Meingard, R: Auf Glaubenspfaden. (27) 8° Dresd., E Pierson
03. 　　　　　　　　　　　— 75 ; geb. 1.75 d
Meinhard, C, s.: Kunst, d., im Leben d. Kindes.
— Die einsamen Menschen vom Schliersee, s.: Bernauer, R.
Meinhard, K: Auftrag u. Verwahrungsvertrag. (Populäre Rechts-
katech., hrsg. v. M Raschke.) (29) 8° Berl., Verl. d. Frauen-
Rundschau (05). 　　　　　　　　　　— 25 d
Meinhardi, A: Die Univ. Wittenberg vor d. Eintritt Luthers,
s.: Haussleiter, J.
Meinhardt, A (Frl. M Hirsch): Catarina. Das Leben e. Färbers-
tochter. (267) 8° Berl., Concordia 02. 　4 —; geb. 5 — d
— Frau Hellfrieds Winterpost. (201) 8° Berl., Gebr. Paetel 04.
　　　　　　　　　　　3 —; L. 4 — d

Meinhardt, A (Frl. M Hirsch): Heinz Kirchner. Aus d. Briefen
e. Mutter an ihre Mutter. 3. Afl. (168) 8° Berl., Gebr. Paetel
02. 　　　　　　　　　　　　2 —; L. 3 — d
— Aus d. Kriegsjahr, s.: Bücherei, deut.
— Mädchen u. Frauen. (254) 8° Berl., Gebr. Paetel 03. 　3 —;
　　　　　　　　　　　　　　　　L. 4 — d
Meinhardt, CL: Schul-Liederb. 2 Hefte. 8° Halle, R Mühlmann's
V. 　　　　　　　　　　　　　　　— 70 d
1. Unter- u. Mittelst. Nebst Übgsbeisp. f. d. Notensingen v. P Hoffmann.
　5. Afl. (58) 04. 　　　　　　　　　　　　　　— 30
2. Oberst. Neubearb. u. m. e. Anh. v. Übgsbeisp. f. d. Gehör- u. Noten-
　singen versehen v. P. Hoffmann. 3. Afl. (82) 03. 　　　— 40
Meinhardt, P: Kann Deutschl. Weltpolitik treiben? Volks-
wirtschaftl. Untersuchg üb. Deutschl. am Beginne d. 20. Jahrh.
(31) 8° Weim., M Grosse 03. 　　　　　— 60 d
Meinhof, C: Die Christianisierg d. SprachenAfrikas, s.: Missions-
Studien, Basler.
— Hottentott. Laute u. Lehnworte im Kafir. [S.-A.] (97) 8° Lpzg,
(FA Brockhaus' S.) 05. 　　　　　　　　4 —
— Wie treibt e. Missionar am besten d. Erlerng d. Sprache
d. Volkes, unter d. er arbeitet? [S.-A.] (23) 8° Berl., Bh. d.
Berliner ev. Missionsgesellsch. (05). 　　　— 20 d
— Das Tši-Venda'. [S.-A.] (76) 8° Lpzg, (FA Brockhaus' S.) 01.
　　　　　　　　　　　　　　　　2.40
Meinhof, H: Wie soll e. Christ sich in d. Wahrg sr Ehre richtig
verhalten? Predigt. (8) 8° Halle, Wischan & Burkhardt (02).
　　　　　　　　　　　　　　　— 10 d
— 75 Jahre Hallischer Missionsarbeit. 1829—1904. (48 m. Abb.
u. 13 Taf.) 8° Berl., Bh. d. Berliner ev. Missionsgesellsch. 04.
　　　　　　　　　　　　　　　— 75 d
— s.: Kinderharfe.
— Bibl. Schutz- u. Trutzbüchlein. Die Wahrheit d. Bibel dargelegt geg. d. Angriffe d. Sozialdemokraten u. Freireligiösen.
(Umschl.: 7. Afl.) (100) 8° Lpzg, Sächs. Volksschriften-Verl.
03. 　　　　　　　　　　　　　　— 50 d
Meinhold's Anschauungsbilder, zugl. künstler. Wandschmuck f.
Schulen. Neue Ausg. Auf d. v. Grüllich f. d. 1. Ausg. ausgestellten Grundl. bearb. v. J Kühnel. Nach Orig.-Aquarellen
v. JF Elssner in feinstem 10—12fachen Farbendr. ausgeführt.
Bl. 1—3 u. 5. Je 60×85,5 cm. Dresd., CC Meinhold & Söhne
(04). Je 1.90; auf Ldrpap. Je 2 — m. L.-Rand u. Oesen je 2.20
1. Frühling: Auf d. Felde. ‖ 2. Sommer: Heuernte. ‖ 3. Herbst: Im
Bauernhof. ‖ 5. Winter: In d. Grossstadt (Dresdner Hauptbahnhof).
Erläutergn s.: Kühnel, J, d. Heimat im Wechsel d. Jahres.
— (geograph. Bilder a. Sachsen. II. u. III. Lfg. Je 5 Taf. je 60×
85 cm. Farbdr. Ebd. 　　　　　　Auf Ldrpap. je 9 —
　　　　　　　　m. L.-Rand u. Oesen je 10 —; einz. Taf. 1.80;
　　　　　　　　　　　　　　m. L.-Rand u. Oesen 2 —
II. 6. Kloster Marienthal. ‖ 7. Bastei. ‖ 8. Herrnhut. ‖ 9. Moritzburg. ‖ 10.
　Kriebstein. (03.)
III. 11.12. Leipzig. I. II. ‖ 13. Wend. Dorf. ‖ 14. Muldenhütten. ‖ 15. Erz-
　gebirge. (03.)
— Führer durch Dresden, zu s. Kunstschätzen, Umgebgn u. in
d. sächsisch-böhm. Schweiz. 26. Afl. Von T Schäfer. (300 m.
Abb., 1 Pl. u. 4 Kart.) 12° Ebd. 02. 　　　　Kart. 2 —
— Karte d. Dresdner Heide. Bearb. v. EA Lehmann. (Ausg. 1904.)
1: 18.000. 55,5×67,5 cm. Farbdr. Nebst Text. (18) 8° Ebd.
　　　　　　　　　　　　; auf L. im 1.75
— dent. Märchenbilder f. Schule u. Haus z. Förderg d. ästhet.
Erziehg d. Jugend. Ausgew. u. bearb. v. F Lehmensick. Nach
Orig.-Aquarellen v. JF Elssner in feinstem 12fachen Farbendr.
ausgeführt. Bl. Dornröschen u. Rotkäppchen. Je 97×66 cm.
Nebst Text. (8 u. 8) 8° Ebd. (04). Je 3.60; in Rahmen je 10 —
— Karte d. Lössnitz bei Dresden m. Umgebg. (Ausg. 1904.) 1:
13.500. 51×68 cm. Farbdr. Nebst Wandervorschl. u. Namens-
Verz. (17) 8° Ebd. 　　　　　　1.25; auf L. im 2 —
— neuester Schulpl. v. Dresden. 1: 20.000. 48,5×56 cm. Farbdr.
Ebd. (?). 　　　　　　　　　　　　— 20
— Spezialk. Kipsdorf—Altenberg—Launestein. Bearb. v. EA
Lehmann. (Ausg. 1904.) 1: 25.000. 78×58 cm. Farbdr. Ebd. |
‖ Uebersichtsk. 1: 300.000. 19,5×12,5 cm. Farbdr. Ebd. 1.50;
　　　　　　　　　　　　　　　auf L. 2.50
— Spezialk. v. Thar andt u. Umgebg. 1: 20.000. 58×78 cm. Farbdr.
Nebst Text u. A Naumann. (12) 8° Ebd. (01). 1.50; auf L. 2.50
‖ Kleinere Ausg. 51×44 cm. Farbdr. Mit Text. (10) 8° Ebd.
　　　　　　　　　　　　　　　auf L. 1.50
— Wandbilder f. d. Unterr. in d. Zool. Nr. 5, 6, 11, 12 u. 58.
(Neue Ausg.) Je 60×85 cm. Farbdr. Ebd. (04). 　Je 1 —
5. Storch. ‖ 6. Biber. ‖ 11. Orang-Utan. ‖ 12. Känguruh. ‖ 58. Schwein.
Meinhold, E: Klass. Vergissmeinnicht. Gedanksprüche f. alle
Tage d. Jahres. (384) 16° Reutl., Enslin & L. (03). L. u. G. 1.50;
m. Abb. 1.80; in Celluloid m. G. 2 —; in Ldr m. G. 3 — d
Meinhold, J, s.: Amos, d. Prophet.
— Sabbat u. Woche im Alten Test., s.: Forschungen z. Relig.
u. Lit. d. Alten u. Neuen Test.
— Studien z. israelit. Relig.-Gesch. I. Bd: Der hl. Rest. 1. Tl:
Elias, Amos, Hosea, Jesaja. (160) 8° Bonn, A Marcus & E
Weber 03. 　　　　　　　　　　　3.20
— Die bibl. Urgesch. 1. Mose 1—12. (159 u. 16) 8° Ebd. 04. 2.60;
　　　　　　　　　　　Übersetzg allein (16) — 30 d
Meinhold, L: Die neuere deut. Lit. Charakteristik u. Ausw.
(32) 8° Berl., Gerdes & H. (05). 　　　　　— 30 d
Meinhold, P: Alles f. uns. Kaiser!, s.: Festspiele zu Kaisers
Geburtstag.
— Uns. Blaujacken, s.: Danner's, G, Herren-Bühne.

　　　　　　　　　　　　　　　　118*

Meissner, FH: Das Künstlerb. Künstlermonographieen. 1. Bd. Arnold Böcklin. 9. Taus. (124 m. Abb.) 8° Berl., Schuster & Loeffler 03.   L. 3 —
— *Fortsetzg s.: Künstlerbuch, d.*
— Adolph v. Menzel, s.: Künstlerbuch, d.
Meissner, GM: Der „Grafenkünstler". Aus d. Liebesleben e. Künstlers. Von ihm selbst erzählt. (138) 8° Wien, Szelinski & Co. (05).   3 — d
Meissner, M: Galizien u. s. Juden, s.: Schriften, kl., z. Judenmission.
Meissner, M: Asteroideen, s.: Ergebnisse d. Hamburger Magalhaens. Sammelreise.
— Echinodermen, s.: Bronn's, HG, Klassen u. Ordngn d. Thier-Reichs.
— Echinoideen, s.: Ergebnisse d. Hamburger Magalhaens. Sammelreise.
— Liste d. v. Prof. Semon bei Amboina u. Thursday Island ges. Bryozoen, s.: Denkschriften d. medic.-naturwiss. Gesellsch. zu Jena.
Meissner, NNW: Taschen-Wrtrb. d. englisch-deut. u. deutschengl. Sprache m. Bezeichng d. engl. Aussprache. 2 Tle in 1 Bde. 3. Afl. (342 u. 289) 16° Lpzg 04. Berl., Verl. f. Börsenu. Finanzlit.   L. 3 —
Meissner, O: Kommentar z. kais. Verordng v. 22.X.'01 betr. d. Verkehr m. Arzneimitteln ausserh. d. Apotheken. Nebst Anh.: Handel m. Giften, m. Branntwein u. Spiritus, m. Nahrgsmitteln u.s.w. (288) 8° Lpzg., Drogisten-Zeitg° 02. L. (4.40) 3 —
Meissner, jr., O, s.: Wanderbuch, Hamburger.
Meissner, P: Abolitionismus u. Hygiene. [S.-A.] (7) 8° Lpzg, Verl. d. Monatsschrift f. Harnkrankh. 05.   — 60
— Die bei d. 1—3. deut. Aerzte-Studienreise besuchten Bäder, s.: Gilbert, WH.
— Die Genickstarre (auch Kopfgenickkrampf) Meningitis cerebrospinalis epidemica. (15) 8° Lpzg, Jacobi & Quillet (05). — 30 d
— Die Gonorrhoe (Tripper), ihre Gefahren u. ihre Heilg. (47) 8° Berl., P. Nitschmann 04.   — 60
— Grundr. d. patholog. Anatomie. (391 m. Abb.) 8° Ebd. 04. Geb. 7.50
— Mikroskop. Technik d. ärztl. Sprechstunde. 2. Afl. (74 m. z. Tl farb. Abb.) 8° Lpzg, G Thieme 02.   L. 2.20
Meissner, R: Anl. z. mikroskop. Untersuchg u. Reinzüchtg d. häufigsten im Most u. Wein vorkomm. Pilze. (96 m. Fig.) 8° Stuttg., E Ulmer 01.   2.40
— Die Kellerbehandlg d. Traubenweine, s.: Barth, M.
— Die Obstweinbereitg. (86 m. Abb.) 8° Stuttg., E Ulmer 04. Kart. 1.50 d
Meissner, R: Im Wechsel d. Zeiten. Allegor. Gedicht. (16) 8° Olm., (F Grosse) 01.   — 60
Meissner, R: Skaldenpoesie. Vortr. (32) 8° Halle, M Niemeyer 04.   1 —
— Die Strengleikar. Beitrag z. Gesch. d. altnord. Prosalitt. (319) 8° Halle, M Niemeyer 02.   8 —
Meissner's, S, ges. Orig.-Couplets u. Parodien. 7. Heft. (16) 8° Berl., T Mayhofer Nf. (02).   — 10 (1—7.: — 70) d
Meissner, S: Modernes Kochb. Mit bes. Berücks. d. hygien. Grundsätze d. Neuzeit u. d. nationalen Küche. (668) 8° Wien, A Hartleben (01).   L. 5 —; geh u 12 Lfgn zu — 45 d
Meister, alte, (in d. Farbe d. Originals wiedergegeben). 6 — 25. (Schl.-)Lfg. (160 Taf. in Passepartout m. 42 S. Text.) 4° Lpzg, EA Seemann (04-05). Subskr.-Pr. je 5 —; einz. Taf. 1 —; Ausg. auf grauem Karton u. d. T.: „Die Malerei" je 3 —; einz. Taf. 1 —
— d., ist d a u, rufet dich. Off. Brief an Töchter gebild. Stände. Von e. ind. Missionarin. (15) 8° Bas., Basler Missionsbh. 02. — 10 d
— d., v. dan Eck-Schule, auch gen. d. unbekannte Meister v. 1480. 12 Lfgn. (60 Lichtdr. m. 4 S. Text.) Fol. Haarl., H Kleimann & Co. (03.04).   Je — d
— d. Farbe. Beisp. d. gegenwärt. Kunst in Europa m. begleit. Texten. 1. u. 2. Jahrg. 1904 u. 5 je 12 Hefte. (Je 72 Farbdr. m. 72 Bl. u. '02 95 S. Text.) 4° Lpzg, EA Seemann. Subskr.-Pr. je 2 —; Einzelpr. je 3 —
— 100, d. Gegenwart. Proben zeitgenöss. deut. Malerei in farb. Wiedergabe. Mit erläut. Texten. 20 Hefte. (Je 5 Bl. m. 5 Bl. Text.) 4° Ebd. Subskr.-Pr. je 2 —; Einzelpr. je 3 —; einz. Bl. 1 —; 1. Mng. u. 2. Afl. m. 44 —; geb. 45 —

1. Münch. Kunst. L F v. Lenbach, FA v. Kaulbach, W Leibl, E Grützner, H v. Bartels, m. Text v. F v. Ostini. 02. ‖ 2. Berliner Kunst. 1. Heft. A v. Menzel, P Meyerheim, F Skarbina, M Liebermann, H Herrmann, m. Text v. M Osborn. 02. ‖ 3. Karlsruher Kunst. H Thoma, L Dill, F Keller, G Schönleber, F Hein, m. Text v. F v. Ostini. 02. ‖ 4. Münch. Kunst. 2. Heft. G v. Max, A Langhammer, W Volz, H Zügel, m. Text v. F v. Ostini. 02. ‖ 5. Dresdener Kunst. 1. Heft. G Kühl, M Pietsch, m. Text v. F v. Ostini. 02. ‖ 6. Berliner Kunst. 2. Heft. O Schumann. 02. ‖ 6. Berliner Kunst. 2. ‖ Kunst. M Klinger, H Fechner, H Vogel, R Friese, L Dettmann, m. Text v. M Osborn. 02. ‖ 7. Düsseldorfer Kunst. 1. A Achenbach, G Janssen, P Philippi, C Meyer, R Burnier, m. Text v. W Schäfer. 03. ‖ 8. Berliner Kunst. 3. M Slevogt, V Kallmorgen, J Block, OH Engel, M Leistikow, m. Text v. M Osborn. 03. ‖ 9. Münchener Kunst. 3. F v. Defregger, F Stuck, F v. Uhde, A v. Keller, J Kästner, m. Text v. F v. Ostini. 03. ‖ 10. Dresdener Kunst. 2. G Prell, R Müller, E Medis, G Müller. Breslau, m. Text v. P Schumann. 03. ‖ 11. Stuttgarter Kunst. L v. Kalkreuth, C Grethe, R Haug, H Rath, R Poetzelberger, m. Text v. M Osborn. 03. ‖ 12. G v. Bochmann, H Fedderson, H v. Volkmann, H Olde, H Urban. Mit Text v. P Langheinrich m. W Schäfer. 03. ‖ 13. Worpswede. F Mackensen, H Vogeler, F Overbeck, H am Ende, O Modersohn, m. Text v. P Warncke. 03. ‖ 14. Wiener Kunst. 1. H Makart, Rv. Alt, R Andri, J Engelhart, E Medis, m. Text v. J Hevesi. 03. ‖ 15. Berliner Kunst. 4. D Hitz, P Franck, A Kampf, L v. Hofmann, H Baluschek, m. Textv. M Osborn. 03. ‖ 16. Münchener Kunst. 4. H v. Petersen, H Zügel, R Heinicke, PP Müller, W v. Diez, m. Text v.

F v. Ostini. 03. ‖ 17. E v. Gebhardt, B Vautier, L Muntha, F Fehr, O Jernberg, m. Text v. W Schäfer. 03. ‖ 18. H Herterich, L Hornwitz, L Passini, K Strathmann, O Achenbach, m. Text v. L Hevesi, W Schäfer, F v. Ostini. 03. ‖ 19. E Harburger, L Corinth, LF Graf, A Pettenkofen, W Steinhausen, m. Texten v. M Osborn, F v. Ostini, L Hevesi u. W Schäfer. 04. ‖ 20. A Böcklin, M Klinger, G Klimt, TT Heine, G Kolbe, m. Text v. F v. Ostini, L Hevesi, P Becker. 04.
Lfg 20 ist einzeln nicht käuflich.
Meister d. Innen-Kunst. I—III. Fol. Darmst., Verl.-Anst. A Koch.   In M. (60 —) 36 —
Bauer, L: Das Haus e. Kunstfreundes. (12 farb. Taf.) Mit Text v. F Commichau. (3 Bl.) (02.) [II.]   Einzelpr. (90 —) 12 —
Mackintosh, R: Haus e. Kunstfreundes. (14 farb. Taf.) Mit Text v. H Muthesius. (3 Bl.) (02.) [II.]   Einzeldr. (25 —) 15 —
Scott (London) B: Haus e. Kunst-Freundes. (10 farb. Taf.) Nebst Text v. H Muthesius. (3 Bl.) (02.) [I.]   Einzeldr. (25 —) 15 —
— d. Tonkunst, in Biographien geschildert. 5 Bdchn. 16° Lpzg (1879-81). Heilbr., CF Schmidt.   Je (— 25) — 20 d
L van Beethoven. (44 m. Bildnis.) ‖ Luigi Cherubini. 2. Afl. (32) ‖ Heinz. Marschner. (46 m. Bildnis.) ‖ WA Mozart. (53 m. Bildnis.) ‖ Friedr. Schneider. (64 m. Bildnis.)
— verscholl., d. Lit. I u. II. 8° Berl., K Schnabel.   7.50; Einbde in Ldr je 1.50
Eckhart's, Meister, myst. Schriften. In urn. Sprache übertr. v. G Landauer. (246) 03. [I.]   5 —
Wilde, O: Der Sozialismus u. d. Seele d. Menschen. Aus d. Zuchthaus zu Reading. Aesthet. Manifest. Uebers. v. H Lachmann u. G Landauer. (149) 04. [II.]   1.50
Meister, A: Die Anfänge d. modernen diplomat. Geheimschrift. Beitr. z. Gesch. d. italien. Kryptographie d. XV. Jahrh. (65) 8° Paderb., F Schöningh 02.   4 —
— s.: Annalen d. histor. Ver. f. d. Niederrhein. — Beiträge, Münstersche, z. Geschichtsforschg. — Cäsarius v. Heisterbach, d. Fragments d. Libri VIII Miraculor.
Meister, E, s.: Briefsteller, kaufmänn., in Deutsch u. Spanisch.
— Korrespondenz f. Fabrik- u. Exportgeschäfte (in Deutsch, Englisch, Französisch, Spanisch u. Italienisch). 5 Tle. (Je 64) 8° Berl., C Hartz (05).   Je 2 —; in 1 L.-Bd 11 —
Deut. Tl. Engl. Tl. Von M. u. WC Drakeford. ‖ Französ. Tl. Von M. u. C Rousseau. ‖ Span. Tl. Von M. u. J Bravo. ‖ Italien. Tl. Von M. u. C Pettoello.
Meister, F: Burenblut. Bilder a. d. letzten Transvaalkriege. Für d. reif. Jugend u. d. deut. Familie geschildert. 4. Afl. (251 m. Abb. u. 4 Tonbildern.) 8° Lpzg, Abel & M. 03. Geb. 3 —
— Don Quixote, s.: Cervantes Saavedra, M de.
— Gullivers Reisen zu fremden u. seltsamen Völkern. Nach J Swift f. d. Jugend u. d. Familie bearb. (290 m. Abb.) 8° Lpzg, Abel & M. 04.   Geb. (3.50) 1.50 d
— Späte Heimkehr. Auf d. Wrack. — Kapitän Hindorfs large Fahrt, s.: Meyer's, U, Bücherei.
— Hung Li Tscheng od. Der Drache am gelben Meer. Erzählg f. d. reif. Jugend u. d. deut. Haus. 4. Afl. (262 m. Abb. u. 4 Tonbildern.) 8° Lpzg, Abel & M. 03.   Geb. 3 — d
— Im Kielwasser d. Piraten. Abenteuer zweier ehemal. Schulkameraden in 2 Weltmeeren u. d. Wildnissen v. Süd-Amerika. Für d. reif. Jugend erzählt. 4. Afl. (244 m. Abb. u. 2 Vollbildern.) 8° Ebd. (04).   Geb. 4.50 d
— Lederstrumpf. — Lederstrumpf-Geschichten. — Der Letzte d. Mohikaner, s.: Cooper, JF.
— Muhrero rikavera! (Nimm dich in acht, Herero!) od. Die Schiffsfährliche. Jugend-u. Familienb. (219 m. Abb.) 8° Lpzg, Abel & M. 04.   Geb. 3.60 d
— Der Pfadfinder, s.: Cooper, JF.
— Robinson Crusoe, s.: De Foe, D.
— Sigismund Rüstig, s.: Marryat, F.
— Die Schatzsucher im Eismeer. Erzählg f. d. reif. Jugend. 4. Afl. (186 m. 5 Vollbildern.) 8° Lpzg, Abel & M. (04). Geb. 4 — d
— Der Seekadett. Abenteuer d. Kadetten S. M. Korvette „Scharfschütz" auf deren Kreuzfahrten in trop. Meeren. Der reif. Jugend u. d. deut. Familie erzählt. 7. Afl. (215 m. Abb. u. 4 Vollbildern.) 8° Ebd. (04).   Geb. 4 — d
— In d. deut. Südsee. Erlebnisse u. Abenteuer e. Lehrersohnes in d. Südsee. 1. u. 2. Afl. (235 m. 8 Vollbildern.) 8° Ebd. 02.05. Geb. 3.60 d
— Der alte Trapper. — Der Wildtöter, s.: Cooper, JF.
Meister, F: Grundr. d. Geometrie. Zum Gebr. an Sekundarsch. (78 m. Fig.) 8° Zür., Schulthess & Co. 01.   Kart. — 80;
     Schlüssel zu d. Aufgaben. (14) — 60
Meister, M: Uns. Liebe Frau v. d. immerwähr. Hilfe. 2. Taus. (40 m. 1 Farbdr.) 16° Münst., Alphonsus-Bh. 03.   — 15 d
— Sicheres Heil! Zeitgemässe Winke f. Gesunde u. Kranke. (70) 12° Ebd. (01).   — 15 d
— Worte d. Trostes f. Gesunde u. Kranke. (36 m. 1 Farbdr.) 16° Ebd. 02.   — 15 d
Meister, K: Das Beamtenrecht d. Erzdiöz. Freiburg, s.: Abhandlungen, kirchenrechtl.
Meister, R: Dorer u. Achäer, s.: Abhandlungen d. kgl. sächs. Gesellsch. d. Wiss.
— Griech. Schulgrammatik, s.: Curtius, G.
Meister, R: Lieder f. Männerchor. 120 ausgew. Chorlieder f. Männerstimmen. (192) 8° Halle, H Schroedel (03). Kart. n 1.50
— Volksschul-Liederschatz. Sammlg 1-, 2-, 3stimm. Lieder nebst e. Ausw. v. Elementarübgn. 3. Afl. (84 u. 9) 8° Ebd. (01). nn — 35; kart. nn — 40 ‖ 4. Afl. (93 u. 11 (04.) nn — 40 d
Meister, T: Aus d. Konferenzbuche d. Bayreuther Waisenhauses, s.: Mitteilungen d. Gesellsch. f. deut. Erziehgs- u. Schulgesch.
— Oberfränk. Sagen. (93) 8° Münchbg 03. (Bayr., B Seligsberg.) Geb. 1 — d

Meister, U: Die Entwicklg d. schweiz. Wehrverfassgn, s.: Neujahrsblatt d. Feuerwerker-Gesellsch. in Zürich.

— Die Stadtwaldgn v. Zürich. 2. Afl. (240 m. Abb. u. 22 Lichtdr.) 8° Zür., (A Müller's V.) 03. 10 —

Meister, W: Rechensch., s.: Saggau, C.

Meister, W: Gesch. d. Familie Meister jüng. Linie. (128 m. 1 farb. Taf.) 8° Berl., JA Stargardt 01. 5 —; L. 6 —

— Jurist. Repetitorien. 1—4. Bd. 8° Gött., Vandenhoeck & R. Kart. 4.40 d

1. Repetitorium d. Pandektenrechts m. ständ. Hinweis auf d. bezügl. Bestimmgn d. BGB. u. d. übr. Reichsges. 4. Afl. (190) 04. 2 —
2.3. Repetitorium d. allg. u. d. deut. Staatsrechts, sowie d. europ. Völkerrechts. 2. Afl. (111) 05. 1.60
4. Repetitorium d. Kirchenrechts. 2. Afl. (48) 05. — 80

— Zeitbetrachtgn. (40) 8° Berl., Schriftenvertriebsanst. 05. Kart. — 60 d

Meisterbilder. Hrsg. v. Kunstwart. Neue Reihe. 109—150. Bl. Mit Text auf d. Umschlag. 4° Münch., GDW Callwey (05). Je — 25

Botticelli: Die Kröng d. Maria. [124.] ‖ Burgkmaier: Der Tod als Würger. [118.] ‖ Corot, C: Castel Gondolfo. [126.] ‖ Dürer: Die Anbetg d. hl. 3 Könige. [143.]; Die Auferstehg Christi. Holzschn. [136.]; Das Heilandskind. [109.]; Michaels Kampf m. d. Drachen. (Kämpf. Engel.) [114.] ‖ Dyck, van: Die letzten Stuarts. [148.] ‖ Everdingen: Norweg. Wasserfall. [145.] ‖ Giorgione: Brustbild e. Mannes. [149]; Das Konzert. [112.13.] ‖ Hals, F: Der Lautenspieler. [110]; Ein Offizier. [134.] ‖ Holbein: Saul u. Samuel. [142.] ‖ Kranach d. Ä., L: Der hl. Christophorus. [123.] ‖ Lippi, F: Madonna im Walde. [139.] ‖ Meer, J van d.: Les. Mädchen. [135.] ‖ Melozzo da Forli: Engel m. Geige. [130.]; Engel m. Laute. [131.] ‖ Memling: Maria m. d. Kinde. [147.] ‖ Michelangelo: Daniel. [144.] ‖ Millet: Ährenleserinnen. [115.] ‖ Neer, van d.: Mondscheinlandschaft. [116.] ‖ Palma Vecchio: Violante. [140.] ‖ Potter, P: Kopf d. jungen Stiers. [132.] ‖ Raffael: Engelsköpfe. [121.]; Papst Julius II. [119.]; Madonna della Sedia. [125.] ‖ Rembrandt: Kopf d. „Stahlmeisters“. [129.]; Jan Six. [138.]; Jan Six am Fenster. [141.]; Die „Stahlmeister“. [127.] ‖ Rethel, A: Sieg d. Todes. [130.] ‖ Richter, L: Überfahrt am Schreckenstein. [111.] ‖ Rubens: Spielende Kinder. [150.]; Landschaft m. Philemon u. Baucis. [122.] ‖ Ruisdael: Flusslandschaft m. Windmühle. [146.]; Bewegte See. [137.] ‖ Schwind: Naturgeister, die d. Mond anbeten. [120.] ‖ Sodoma: Der hl. Sebastian (Ausschnitt). [133.] ‖ Velde d. J., van de: Der Kanonenschuss. [117.]

Bisher u. d. T.:

— fürs deut. Haus. Hrsg. v. Kunstwart. 7—108. Bl. Mit Text auf d. Umschl. 4° Ebd. (01-04). Je — 25 d

Altdorfer, A: Ruhe auf d. Flucht. Nebentext: Altdorfers Leben. [78.] ‖ Amberger, C: Sebastian Münster. Nebentext: Ambergers Leben. [82.] ‖ Bellini, G: Der tote Christus. Nebentext: Bellinis Leben. [27.]; Der Doge Loredano. Nebentext: Bellinis Leben. [71.] ‖ Bouts, D: Der hl. Christophorus. [36.] ‖ Constable, J: Das Kornfeld. Nebentext: Constables Leben. [74.] ‖ Cornelius, P: Die apokalypt. Reiter. Nebentext: Leben d. Cornelius. [18.] ‖ Cranach d. Aelt., L: Der hl. Hieronymus. Nebentext: Cranach's Leben. [98.]; Ruhe auf d. Flucht. Nebentext: Kranach's Leben. [77.] ‖ Cuyp, A: Flusslandschaft. Nebentext: Cuyps Leben. [94.] ‖ Dürer, A: Die Apostelbilder. [25.26.]; Die Beweing Christi. Nebentext: Dürers Leben. [63.]; Christus am Kreuze. Nebentext: Dürers Leben. [45.]; Die hl. Familie in Nazareth (sog. Ruhe auf d. Flucht). Nebentext: Dürers Leben. [76.]; Die Feldschlange. (Die gr. Kanone.) Nebentext: Wie werden „Strichätzgn“ gemacht? [16.]; Greisenkopf. [51.]; Hieronymus Holzschuber. [22.]; Der hl. Hubertus (Eustachius). [8.]; Hans Imhof. [7.]; 3 Marien m. d. Kinde. Nebentext: Dürers Leben. [40.]; Das Meerwunder. [50.]; Die apokalypt. Reiter. Nebentext: Dürers Leben. [89.] ‖ Dyck, van: Sog. van d. Geest. Nebentext: Van Dycks Leben. [105.] ‖ Eyck, J van: Der Mann m. d. Nelke. Nebentext: Eycks Leben. [92.] ‖ Hals, F: Sog. Hille Bobbe v. Haarlem. Nebentext: Halsens Leben. [72.] ‖ Hobbema: Die Allee v. Middelharnis. Nebentext: Hobbemas Leben. [58.]; Das Haarlemer Holz. Nebentext: Hobbemas Leben. [86.] ‖ Holbein d. Ältere, H: Die Heiligen Barbara u. Elisabeth. Nebentext: Holbeins Leben. [87.] ‖ Holbein d. J., H: Bonifacius Amerbach. Nebentext: Holbeins Leben. [29.]; Bildnis e. ält. Herren. Nebentext: Holbeins Leben. [99.]; Erasmus v. Rotterdam. Bildnis. Nebentext: Holbeins Leben. [13.]; Georg Gisze. Nebentext: Holbeins Leben. [84.]; Holbeins Frau u. Kinder. Nebentext: Holbeins Leben [41.]; Die Madonna d. Bürgermeisters Meyer. [52.]; Jane Seymour. Nebentext: Holbeins Leben. [47.]; Sir Bryan Tuke. [33.] ‖ Koch, JA: Der Schmadribachfall. Nebentext: Kochs Leben. [81.] ‖ Lionardo da Vinci: Das Abendmahl u. d. Christuskopf daraus. Nebentext: Leben d. Lionardo da Vinci. [65.66.]; Mona Lisa. [23.] ‖ Lorrain, C: „Der Morgen“ u. „Der Abend“. Nebentext: Lorrains Leben. [107.08.] ‖ Mantegna, A: Darbringg Christi im Tempel. Nebentext: Mantegnas Leben. [69.]; Lodovico Scarampi. Nebentext: Mantegnas Leben. [70.] ‖ Michelangelo Buonarotti: Die Erschaffg Adams. [24.]; Die delph. Sibylle. Nebentext: Michelangelos Leben. [55.] ‖ Millet, F: Die Kuh bei d. Tränke. Nebentext: Millets Leben. [85.] ‖ Moretto: Die hl. Justina. Nebentext: Morrettos Leben. [88.] ‖ Murillo: Die unbefleckte Empfängnis. Nebentext: Murillos Leben. [106.] ‖ Ostade, A van: Die Künstlerwerkstatt. Nebentext: Ostades Leben. [104.] ‖ Raffael Santi: Johanna v. Aragonien. Nebentext: Raffael Santis Leben. [73.]; Die sixtin. Madonna. [19.20] ‖ Rembrandt: Die Anatomie. [75.]; Bildnis e. alten Dame. [61]; Die Erweckg d. Lazarus. [21.]; Faust. Nebentext: Rembrandts Leben. [68]; Der Gelehrte. [32.]; Die Jünger v. Emmaus. Nebentext: Rembrandts Leben. [42.]; Die Kreuzabnahme (m. d. Fackel). Nebentext: Rembrandts Leben. [28.]; Die 3 Kreuze. [57.]; Die Landschaft m. d. 3 Bäumen. [9]; Phantast. Landschaft. Nebentext: Rembrandts Leben. [49]; Predigt Johannes d. Täufers. Nebentext: Rembrandts Leben. [56.]; Der Raub d. Proserpina. Nebentext: Rembrandts Leben. [64.]; Selbstbildnis. Nebentext: Rembrandts Leben. [67.]; Selbstbildnis v. 1658. Nebentext: Rembrandts Leben. [100.]; Hendrickje Stoffels. [97.]; Der Tod d. Maria. [43.]; Die Verkündigg an d. Hirten. Nebentext: Rembrandts Leben. [15.]; Die Zimmermannsfamilie. [10.] ‖ Bethel, A: Die Genesg. [11.]; Otto III. in d. Gruft Karls d. Gr. Nebentext: Bethels Leben. [34.35.] ‖ Ribera, J de: Die hl. Agnes. Nebentext: Riberas Leben. [54.] ‖ Rubens, PP: Christus am Kreuze. Nebentext: Rubens Leben. [46.]; Der Sturz d. Verdammten. Nebentext: Rubens' Leben. [39.] ‖ Ruisdael, J van: Der Judenkirchhof. [12.]; Der Sumpf. [31.] ‖ Schwind, M v.: Morgensonne. Nebentext: Schwinds Leben. [37.] ‖ Sebastiano del Piombo: Der Geigenspieler. [53.] ‖ Signorelli, L: Die Auferstehg d. Fleisches. Nebentext: Signorellis Leben. [30.]; Die Seligen. Nebentext: Signorellis Leben. [44.]; Die Verdammten. Nebentext: Signorellis Leben. [38.] ‖ Teniers d. Jüngere, D: Die Versuchg d. hl. Antonius. Nebentext: Teniers Leben. [90.] ‖ Terborch, G: Das Konzert. Nebentext: Terborchs Leben. [91.] ‖ Thoma, H: Endymion. Nebentext: Thomas Leben. [103.] ‖ Tizian: Himmelfahrt d. Maria. Nebentext: Tizians Leben. [101.02.]; Lavinia. Nebentext: Tizians Leben. [48.]; Überredg z. Liebe. Nebentext: Tizians Leben. [17.] ‖ Turner, J: Der Temeraire. Nebentext: Turners Leben. [62.] ‖ Uhde, F v.: Die hl. Nacht. Nebentext: Uhdes Leben. [79.80.] ‖ Velazquez: Bildnis e. Herrn. Nebentexte: Leben d. Velazquez. — Wie werden Autotypien gemacht? [14.]; Alessandro del Borro, zugeschrieben V. [60.]; Die Infantin Maria Theresa. Nebentext: Velazquez' Leben. [93.]; Philipp IV. Nebentext: Velazquez' Leben. [83.] ‖ Vigée-Le Brun: Selbstbildnis. Nebentext: Le Bruns Leben. [59.] ‖ Watteau: Die Einschiffg n. Cythere. Nebentext: Watteaus Leben. [95.]; Gilles. Nebentext: Watteaus Leben. [96.]

Meistererzähler, roman. Hrsg. v. FS Krauss. I—V. Bd. 8° Lpzg, Deut. Verl.-Actiengesellsch. 05. 19.50; Einbde je 1 —

Crébillon d. J: Das Spiel d. Zufalls am Kaminfeuer. Deutsch v. K Brand. (83) [III.] 2 —
Erzählungen, d. 100 alten. Deutsch v. J Ulrich. 1—3. Taus. (50, 141) [I.] 3 —
Furetière, A: Uns. biedern Stadtleut. Deutsch v. E Meyer. (122) [V.] 2.50
Poggio Bracciolini, d. Florentiners G-F, Schwänke u. Schnurren. Übersetzg, Einl. u. Anmerkgn v. O Semerau. (244) [IV.] 6 —
Schelmennovellen, roman. Deutsch v. J Ulrich. (43, 235) [II.] 6 —

Bd. II—IV sind nur f. Gelehrte bestimmt u. nicht f. d. Buchh.

Meistersänger, d. gr., s.: Gabelsberger-Bibliothek.

Meister-Spiele u. **Verdi-Fest-Spiele** im kgl. Schauspielhause u. im neuen kgl. Operntheater zu Berlin Mai 1902. (36 m. Abb.) Fol. Berl., O Elsner (02). 3 — d

Meisterwerke, d., d. deut. Bühne, hrsg. v. G Witkowski. Nr. 1—42. 8° Lpzg, M Hesse. Je — 30; geb. je — 50; Doppelnrn — 80 d

Goethe, W v.: Clavigo. Trauersp. Mit Einl. u. Anmerkgn v. RM Meyer. (16, 40) (04.) [31.] ‖ Egmont. Trauersp. Mit Einl. u. Anmerkgn v. M Morris. (18, 70) (03.) [1.] ‖ Götz v. Berlichingen m. d. eisernen Hand. Schausp. Mit Einl. u. Anmerkgn v. A Hauffen. (36, 88) (04.) [13.] ‖ Die Laune d. Verliebten. Schäfersp. in Versen. Die Geschwister. Schausp. Mit Einl. u. Anmerkgn v. J Minor. (26, 33) (03.) [27.] ‖ Torquato Tasso. Schausp. Mit Einl. u. Anmerkgn v. V Michels. (24, 87) (04.) [28.]

Grabbe, CD: Napoleon od. d. 100 Tage. Drama. Mit Einl. u. Anmerkgn v. R Hallgarten. (118) (03.) [11.]

Grillparzer, F: Die Ahnfrau. Trauersp. Mit Einl. u. Anmerkgn v. M Necker. (18, 86) (03.) [9.] ‖ Die Jüdin v. Toledo. Histor. Trauersp. Mit Einl. u. Anmerkgn v. M Necker. (16, 59) (05.) [38.] ‖ Des Meeres u. d. Liebe Wellen. Trauersp. Mit Einl. u. Anmerkgn v. M Necker. (15, 68) (05.) [37.] ‖ Sappho. Trauersp. Mit Einl. u. Anmerkgn v. M Necker. (15, 63) (03.) [10.] ‖ Das gold. Vliess. Dramat. Gedicht. Mit Einl. u. Anmerkgn v. M Necker. (30, 146) (03.) [14.15.]

Halm, F: Griseldis. Dramat. Gedicht. Mit Einl. u. Anmerkgn v. A Schlossar. (16, 67) (01.) [16.] ‖ Der Sohn d. Wildnis. Dramat. Gedicht. Mit Einl. u. Anmerkgn v. A Schlossar. (14, 75) (05.) [39.]

Hebbel, F: Agnes Bernauer. Ein deut. Trauersp. Mit Einl. u. Anmerkgn v. RM Werner. (16, 72) (03.) [17.] ‖ Gyges u. s. Ring. Tragödie. Mit Einl. u. Anmerkgn v. RM Werner. (12, 58) (05.) [36.] ‖ Judith. Tragödie. Mit Einl. u. Anmerkgn v. RM Werner. (14, 57) (05.) [42.] ‖ Maria Magdalene. Bürgerl. Trauersp. Mit Einl. u. Anmerkgn v. RM Werner. (14, 48) (05.) [41.] ‖ Die Nibelungen. Ein deut. Trauersp. Mit Einl. u. Anmerkgn v. RM Werner. (19, 185) (04.) [29.30.]

Ibsen, H: Ein Puppenheim (Nora). Übers. v. M Lie. Mit Einl. v. R Woerner. (13, 72) (04.) [18.]

Kleist, H v.: Prinz Friedrich v. Homburg. Schausp. Mit Einl. u. Anmerkgn v. R Schlösser. (16, 64) (03.) [7.] ‖ Das Käthchen v. Heilbronn od. Die Feuerprobe. Grosses histor. Ritterschausp. Mit Einl. u. Anmerkgn v. A Ettlinger. (16, 84) (03.) [19.] ‖ Der zerbrochene Krug. Lustsp. Mit Einl. u. Anmerkgn v. O Walzel. (20, 75) (05.) [32.]

Körner, T: Zriny. Trauersp. Mit Einl. u. Anmerkgn v. E Wasserzieher. (14, 73) (03.) [26.]

Lessing: Nathan d. Weise. Dramat. Gedicht. Mit Einl. u. Anmerkgn v. RM Meyer. (22, 119) (05.) [35.]

Ludwig, O: Die Makkabäer. Trauersp. Mit Einl. u. Anmerkgn v. A Stern. (16, 74) (03.) [12.]

Schiller, F v.: Die Braut v. Messina od. Die feindl. Brüder. Trauersp. m. Chören. Mit Einl. u. Anmerkgn v. A Leitzmann. (14, 74) (03.) [23.] ‖ Don Karlos, Infant v. Spanien. Dramat. Gedicht. Mit Einl. u. Anmerkgn v. G Witkowski. (34, 174) (05.) [33.34.] ‖ Die Huldigg d. Künste. Ein lyr. Spiel. Demetrius. Fragment. Mit Einl. u. Anmerkgn v. G Witkowski. (24, 80) (05.) [40.] ‖ Die Jungfrau v. Orleans. Romant. Tragödie. Mit Einl. u. Anmerkgn v. F Muncker. (16, 164 m. 1 Kartenskizze.) (03.) [5.] ‖ Kabale u. Liebe. Bürgerl. Trauersp. Mit Einl. u. Anmerkgn v. G Witkowski. (18, 86) (04.) [22.] ‖ Die Räuber. Schausp. Mit Einl. u. Anmerkgn v. G Witkowski. (22, 114) (04.) [20.] ‖ Maria Stuart. Trauersp. Mit Einl. u. Anmerkgn v. A Leitzmann. (14, 112) (03.) [4.] ‖ Wilhelm Tell. Schausp. Mit Einl. u. Anmerkgn v. G Witkowski. (18, 92 m. 1 Kartenskizze.) (03.) [6.] ‖ Die Verschwörg d. Fiesko zu Genua. Republikan. Trauersp. Mit Einl. u. Anmerkgn v. G Witkowski. (16, 98) (04.) [21.] ‖ Wallenstein. Dramat. Gedicht. Mit Einl. u. Anmerkgn v. A Köster. (20, 219) (03.) [2.3.]

Shakespeare, W: Der Widerspenstigen Zähmg (The taming of the shrew). Lustsp. Nach d. Schlegel-Tieckschen Übersetzg f. d. deut. Bühne bearb. v. K Zeiss. (32, 58) (03.) [25.]

Uhland, L: Ernst, Herzog v. Schwaben. Trauersp. Mit Einl. u. Anmerkgn v. H Fischer. (16, 54) (03.) [8.] ‖ Ludwig d. Bayer. Schausp. Mit Einl. u. Anmerkgn v. H Fischer. (15, 56) (04.) [24.]

— deut. Dichtg, s.: Aus d. deut. Lit.

— d. deut. Litt. in neuer Ausw. u. Bearbeitg f. höh. Lehranst., begründet v. K Holdermann, hrsg. v. L Sevin, V Uellner, M Evers, K Rehorn (u. K Hessel). 1. u. 7. Bd. 12° Berl., Reuther & R. Kart. 1.35 d

Nibelungenlied, das. Schulausg. 8. Afl., an Stelle d. Holdermannschen Bearbeitg neu übertr. v. K Rehorn. (136 m. Titelbild.) 02. [1.] — 75
Schiller, F v.: Die Jungfrau v. Orleans. Romant. Tragödie. 3. Afl. v. M Evers. (143 m. 1 Karte.) 01. [7.] — 60

— aus d. kgl. Gemälde-Gallerie zu Cassel. (16 Bl. m. 1 Bl. Text.) 41,5×34 cm. Lüb., B Nöhring (04). In L.-M. 8 —

— dass., m. Text v. K Voll, s.: Hanfstaengl's Maler-Klassiker.

— d., d. kgl. Gemälde-Gallerie zu Dresden. 223 Kunstdr. n. d. Orig.-Gemälden. Einl. v. H Hirth. (178) 8° Münch., F Hanfstaengl (1900). L. 12 —

— d., d. kgl. Gemälde-Galerie im Haag u. d. Galerie d. Stadt Haarlem, m. einleit. Text v. K Voll, s.: Hanfstaengl's Maler-Klassiker.

Meisterwerke, d., d. Gemälde-Galerie d. Allerh. Kaiserhauses (kunsthist. Hofmuseum) in Wien. 12 Lfgn (122 Bl.) 68×51 cm. Berl., Photograph. Gesellsch. (02-04). In M. je 125 —
— d. deut. Glasmalerei-Ausstellg, Karlsruhe. Veranstaltet v. bad. Kunstgewerbe-Ver. Mit e. Begleitwort v. FS Meyer. (100 Lichtdr. m. 16 S. Text.) 42×31 cm. Berl. (03). Lpzg, Baumgärtner.   In L.-M. 100 —
— d. Griechen u. Römer in kommentierten Ausg. I—X. Je 2 Hefte. 8⁰ Lpzg, BG Teubner. — Wien, K Graeser & Co. 15 —
Aischylos' Perser. Hrsg. u. erklärt v. H Jurenka. Textheft u. Einl. u. Commentar. (10, 29 u. 68 m. Bildniz.) 02. [I.] 1.40
Apuleius: Amor u. Psyche. Märchen. Hrsg. u. erklärt v. F Norden. Textheft u. Einl. u. Kommentar. (11, 43 u. 93 m. 1 Bildniz.) 03. [VI.] 1.40
Aeswahl a. d. röm. Lyrikern. Mit griech. Parallelen. Hrsg. u. erklärt v. H Jurenka. Textheft u. Einl. u. Kommentar. (68 u. 84) 05. [III.] 1.60
Cicero: Ausgew. Briefe. Hrsg. u. erklärt v. E Gzebwind. Einl. u. Textheft u. Kommentar u. Vers.-d. Eigennamen u. Abb. (18, 90 u. 75) 03. [V.] 1.70
Euripides: Iphigenie in Aulis. Hrsg. u. erklärt v. K Busche. Textheft u. Einl. u. Kommentar. (12, 59 u. 86 m. 1 Bildniz.) 03. [VII.] 1.40
— Kyklops. Hrsg. u. erklärt v. N Wecklein. Textheft u. Einl. u. Kommentar. (10, 24 u. 55) 03. [VIII.] 1 —
Isokrates' Panegyrikos. Hrsg. u. erklärt v. J Mesk. Textheft u. Einl. u. Kommentar. (48 u. 66) 03. [II.] 1.40
Lykurgos' Rede geg. Leokrates. Hrsg. u. erklärt v. E Sofer. Textheft u. Einl. u. Kommentar. (36 u. 71) 05. [X.] 1.90
Lysias' Reden geg. Eratosthenes u. üb. d. Ölbaum. Hrsg. u. erklärt v. E Sewera. Textheft u. Einl. u. Kommentar. (42 u. 55 m. 1 Taf.) 03. [IV.] 1.70
— Plinius, d. Jüngeres, Briefe. Hrsg. u. erklärt v. RC Kukula. Textheft u. Einl. u. Kommentar. (95 u. 35, 118) 04. [IX.] 2.60
— a. d. Kunstsammlgn d. deut. Kaisers. 2—4. Lfg. Fol. (21 Photograv. m. 3 S. Text.) Fol. Berl., Photograph. Gesellsch. (01).   Je 50 — (Vollst.: 200 —)
— in Kupferstichen u. Radiergn. 25 Bl. n. Originalen v. Raphael, Crespi, Meissonier etc. 14. Afl. Fol. Berl., Neufeld & H. (01).   In L.-M. (01).
— d. Malerei. Alte Meister. Reproductionen in Photograv. Mit begleit. Text v. W Bode u. F Knapp. 24 Lfgn (72 Bl. m. 72 Bl. u. 6 S. Text.) 51×38 cm. Berl., R Bong (03.04). Je 3 —; in 1 Luxus-Kassette m. Schloss od. in Molesquin 100 — || 2. Sammlg. (In 24 Lfgn.) 1—16. Lfg. (48 Bl. m. 48 Bl. u. 2 S. Text.) (05.) Je 3 —
— ausländ. Malerei. 2. Afl. u. Neue Folge. (Je 12 Taf. m. 1 Bl. Text.) 4⁰ Berl. (04). Köln, FCW Frank. In M. je 3.50 I. vergr.
— d. klass. Malerei a. d. bedeutendsten Gallerien, Museen u. Privatsammlgn. 30 Taf. Orig.-Aufnahmen in Lichtdr., hrsg. v. J Nöhring. (3 S. Text.) 40,5×33 cm. Lüb., B Nöhring (02).
— a. d. grossh. Museum zu Schwerin. Direkt n. d. Originalen aufgenommen. (16 Bl. m. 1 Bl. Text.) 41,5×34 cm. Ebd.   In L.-M. 3 —
— d., d. National Gallery zu London. 222 Kunstdr. n. d. Orig.-Gemälden. Mit einleit, Text v. K Voll. (20, 210) 8⁰ Münch., F Hanfstaengl (02).   L. 12 —
— d., d. Rijks-Museums zu Amsterdam. 208 Kunstdr. nach d. Orig.-Gemälden. Mit einleit. Text v. K Voll. (20, 208) 8⁰ Ebd. (03).   L. 12 —
— russ., m. Accenten. Ausg. I, ohne Kommentar. 1. 11. u. 12. Heft. 8⁰ Lpzg, R Gerhard.   Je — 60
Reisebeschreibungen, russ. Bearb. v. L v. Marnitz. 1. u. 2. Tl. (84) (01.) [11.12.]
Tolstoj, Graf LN: Der Schneesturm. Erzählg. 2. Afl. Bearb. v. P v. Mertschinski u. R Abicht. (34) (03.) [1.]
— dass. 1. u. 7. Bd. 8⁰ Ebd.   1.60 (1—7.: 6.25)
Reisebeschreibungen, russ. Bearb. u. m. Accenten versehen v. L v. Marnitz. (84) 01. [7.]
Tolstoj, Graf LN: Der Schneesturm. 2. Afl. Bearb. v. P v. Mertschinski u. R Abicht. (34) (03.) [1.]
— dass. Aug. II, m. Kommentar. 1. u. 17—19. Heft. 8⁰ Ebd.   Je — 60
Reisebeschreibungen, russ. Bearb. u. m. Accenten versehen v. L v. Marnitz. 1. u. 2. Tl. (84) (01.) [17.18.] § 2. Tl. Kommentar. (90) (01.) [19.]
Tolstoj, Graf LN: Der Schneesturm. Erzählg. 2. Afl. Bearb. v. P v. Mertschinski u. R Abicht. (34) (03.) [1.]
— dass. 6. Bd. 8⁰ Ebd.   1.50 (1—6.: 9.50)
Reisebeschreibungen, russ. Bearb., kommentiert u. m. Hinweisen auf z. Grammatik versehen v. L v. Marnitz. (84 u. 26) 01. [6.]
— f. d. Schulpraxis. 5. u. 8. Bd. 8⁰ Langens. Schulbh. 7 — (1—8.: 20.40; Einbde je — 60) d
Diesterweg, A: Populäre Himmelslähre u. mathemat. Geogr. Neue zeit. gemäsa bearb. Afl. 2. Afl. Bearb. v. J Kart.) 02. [5.] 2.50
Nüsselt, F: Weltgesch. in 4 Bdn. 2. Tl. Gesch. d. M.-A. Neue Ausg. (34?) 04. [6.] 3.50 (1 u. 5.: 6 —)
Meitinger, G: Adress-Kalender d. Wagenfabrikanten Deutschlds, Schweiz, Hollds u. Russlds. 4. Afl. (36) 12⁴ Münch., G Meitinger 03.   6 —
— 25 Pariser Luxuswagen. [S.-A.] (18 Taf.) 8⁰ Ebd. 01.   6 —
— Der Chaisen- u. Wagenbau. Sep.-Ausg. v. 20 Wagen im Farbendr. (18 Taf.) 8⁰ Ebd. (02).   20 —
— 45 moderne neueste Wagenzeichngn. [S.-A.] (45 z. Tl farb. Bl.) 8⁰ Ebd.   6 —
Meitner, W: Ueb. „Antipatrol", e. neues Desinfektionsmittel u. a. d. Reihe d. kresolhalt. Gemische. [S.-A.] (5) 8⁰ Lpzg, B Konegen 04.   1 —
— Die Antitussinbehandlg d. Keuchhustens. [S.-A.] (4) 4⁰ Ebd. 03.   1 —
— Beitr. z. Kenntnis d. Vasole u. Vasogene. [S.-A.] (12, 7, 8, 2, 4, 2, 8 u. 8) 8⁰ Ebd. 04.   1 —
— Ein Bemerkgn betr. d. therapeut. Verwendg einz. „modernerer" Eisenpräparate. [S.-A.] (20) 8⁰ Ebd. 04.   1 —
— Üb. Extracta Thymi saccharata. [S.-A.] (4) 8⁰ Ebd. 04. 1 —

Meitner, W: Das Fluor-Epidermin in d. Behandlg alltägl. Wunden. [S.-A.] (2) 4⁰ Lpzg, B Konegen 03.   1 —
— Kalium sulfo-guajacolicum contra Thiocol! [S.-A.] (11) 8⁰ Ebd. 05.   1 —
— Üb. Kola im allg. u. üb. „Syrupus Colae compos. Hell" im bes. [S.-A.] (8) 8⁰ Ebd. 02.   1 —
Meitzen, A: Zur Agrargesch. Norddeutschlds. [S.-A.] (176) 8⁰ Berl., P Parey 01.   6 —
— Gesch., Theorie u. Technik d. Statistik. 2. Afl. (240 m. Taf.) 8⁰ Stuttg., JG Cotta Nf, 03.   6 —; L. 7 —
— u. F Grossmann: Der Boden u. d. landw. Verhältn. d. Preuss.-Staates. 6. Bd. [Nach d. Gebietsumfange d. Gegenwart.) (656 u. 526) 4⁰ Berl., P Parey 01.   24 — (1—6.: 75 —)
Meixner, A, s.: Hand-Katalog f. Lehrer.
— Allg. Erziehgslehre, s.: Zeynek, G Ritter v.
— Allg. Unterr.-Lehre, s.: Mich, J.
Meixner, H: Diktatstoffe ähnlich- u. gleichlaut. Wörter (Homonymen) in Sprachganzen als e. Handreichg z. Rechtschreibg in Landsch. (60) 8⁰ Lobenst., F Krüger (04).   1 — d
Meixner, O: Histor. Rückblick auf d. Verpflegg d. Armeen im Felde. 4. Lfg. (214 m. 3 Kart.) 8⁰ Wien, (LW Seidel & S.) 04.   6 — (1—4.: 18,80)
— Studie üb. d. Entwurf d. Exercirregl. v. J. '01 im Vergl. m. d. deut., russ. u. französ. Reglement. (100) 8⁰ Ebd. 02. 3.50 d
Mekler, S, s.: Academicorum philosophor. index Herculanensis.
Mandan, J, s.: Ingenieur- u. Architekten-Kalender, österr.
Melanchthon's Einl. in d. Lehre d. Paulus v. J. 1520, s.: Traktate, zeitgemässe, a. d. Reformationszeit.
— Warum e. Reformation im „hill. Cöln"?, s.: Aus d. Väter Tagen.
Melander, E: Ein Weihnachtsabend ohne Weihnachtsbaum. Eine wahre Gesch. Aus d. Schwed. v. K v. B. [S.-A.] (64 m. Abb.) 8⁰ Biel 04. (Sonntag, J Schergens.)   50 — d
Melandria, A: Luchsauge, s.: Kaufmann's moderne Zehnpfennig-Bibliothek.
Melasfeld s.: Unschuld v. Melasfeld.
Melata, B: De potestate qua matrimonium regitur et de iure matrimoniali civili apud praecipuas nationes. (104) 8⁰ Rom, (F Pustet) 03.   1.60
Melati v. Java: Eutlarvt. Novelle. Uebers. v. BJ F. (183) 8⁰ Dülm., J Horstmann (02).   2 —; geb. 3 — d
— Herbstblätter. Roman. Uebertr. v. J Olandus. (288) 8⁰ Mainz, F Kirchheim 01.   3 —; geb. 4 — d
Melber, J, s.: Blätter f. d. Gymnasial-Schulwesen.
Melcher, B, u. A **Melcher**, s.: Handbuch d. Grundbesitzes im Deut. Reiche.
Melchers: Stammliste d. Offizier-Korps d. Infant.-Regts v. Horn (8. rhein.) Nr. 29, 1813—1901. (542 m. 1 Fksm.) 8⁰ Trier, J Lintz 01.   L. un 12 — d
Melchers, O: Glück d. Treue. Aus d. Tageb. eines Sülfriedenen. (19) 8⁰ Brem., O Melchers (05).   — 30 d
Melchior, O: Die hamburg. Ausführgesv. auf d. Geb. d. Grundbuchrechts. (2175) 8⁰ Hambg, C Boysen 02.   6 —; geb. 7 — d
— Grundbuchordng v. 24.III.1897 (in d. Fassg d. Ges. v. 20.V. 1898). (289) 8⁰ Ebd. 01.   6 —; L. 7 — d
Melchior, F: Heinr. Heines Verhältnis zu Lord Byron, s.: Forschungen, literarhistor.
Meldau, H: Naut. Aufg., s.: Fulst, O.
— Der Kompass an Bord eiserner Schiffe. — Steuermannskunst. — Naut. Taf., s.: Breusing.
Meldegg s.: Reichlin v. Meldegg.
Meldewesen, d. polizeil.—Aufenthalts- u. Fremdenkontrolle — sowie d. Wohngsaufsicht n. d. neuesten Bestimmgn v. Mai '01. Textausg. m. Anmerkgn n. Sachreg. (30) 8⁰ Stuttg., W Kohlhammer 02.   50 — d
Melegari, D: Gefeit, s.: Engelhorn's allg. Roman-Bibliothek.
Mélia s.: Paz y Mélia.
Melia, L: Homopteren-Fauna v. Ceylon. (243 m. 6 Taf.) 8⁰ Berl., FL Dames 03.   15 —
— Monogr. d. Acanaloniiden u. Flatiden (Homoptera). [S.-A.] (32 u. 253 m. 9 Taf.) 8⁰ Wien, A Hölder 02.   7 —
Melichar, L: Arzneizubereitgn u. pharmazeut. Spezialitäten. Mit e. Verz. d. in Österr. verbot. Arzneizubereitgn, sowie u. sonst. Mittel. (76) 8⁰ Wien, F Deuticke 05.   2 —
— Lehrb. f. d. Verwaltgsgerichtshofes in Sanitätsangelegenh. (197) 8⁰ Ebd. 04.
Melinat, G: Das Bibeliesen im Volkssch.-Unterr. 2. Taus. (289) 8⁰ Halle, CE Müller 01.   2.50; geb 3.30 d
— Geogr. im Einschl. d. Wichtigsten a. Verkehr u. Handel, s.: Koblhammer 03.
— s.: Gressler's, FGL, Seminaristen-Kalender.
— Illustr. Naturgesch. d. 3 Reiche, s.: Polack, F.
— Pflanzenleben b.: Lemcke, A.
— Pflanzenleben u. Pflanzenarten, s.: Gressler's, FGL, Lehrb. Lernbb. f. d. realist. Unterr.
— Physik d. deut. Lehrerbildgsanst. (479 m. Abb.) 8⁰ Lpzg, BG Teubner 03.   5.60; geb. 6.40 d
— Physik u. Chemie. — Tierleben u. Tierarten m. Einschl. d. Wichtigsten a. uns. Gesundheitslehre, s.: Gressler's, FGL, Lehrb. Lernbb. f. d. realist. Unterr.
— Der landw. Unterr. im Lehrerseminar u. 2. 1. Selbststudium. (176 m. Abb.) 8⁰ Lpzg, Dürr'sche Bh. 03.   Kart. 2.60 d
Méline, J: Die Rückkehr z. Scholle u. d. industrielle Über-

produktion. Übers. v. K Gans Edlem Herrn zu Putlitz. (277)
8° Berl., P Parey 06. 3.50 d
Melingo, P v.: Französ. Leben, Mitteilgn üb. Land u. Leute
Frankreichs, s.: Olivier, E, u. R Sigismund, Französisch f.
Mediziner.
Melitz, L: Führer durch d. Opern. 220 Operntexte n. Angabe
d. Inhalts, d. Gesänge, d. Personals u. Szenenwechsels. Bis
z. Gegenwart ergänzt v. H v. Koss. Neue Afl. (284) 8° Berl.,
Globus Verl. (01). L. †1 — d
— Der Schauspielführer. Führer durch d. Theater d. Jetztzeit.
300 Theaterstücke, ihrem Inhalte nach wiedergegeben m. e.
Einl.: Zur Gesch. d. dramat. Lit. u. e. Anh.: Die Posse, Die
Operette. Das Ballet. (27, 229) 8° Ebd. (04). L. †1 — d
— Die Theaterstücke d. Weltlit. ihrem Inhalte nach wieder-
gegeben. Hrsg. m. e. Einl.: Zur Gesch. d. dramat. Lit. 3. Afl.
2 Tle in 1 Bde. (77, 511 u. 309) 8° Berl., Wiener (04). L. 6 — d
Mell, A, s.: Eos.
Mell, A: Die Anfänge d. Bauernbefreig in Steiermark unter
Maria Theresia u. Josef II., s.: Forschungen z. Verfassgs-
u. Verwaltgsgesch. d. Steiermark.
— Das Archiv d. steir. Stände im steiermärk. Landesarchive.
— Regesten z. Gesch. d. Familien v. Teufenbach in Steiermark, s.: Veröffentlichungen d. histor. Landes-Kommission
f. Steiermark.
Mell, C: Die Landplanarien d. Madagass. Subregion. [S.-A.]
(46 m. Fig. u. 3 [2 farb.] Taf.) 4° Frankf. a/M., (M Diesterweg)
03. 5 —
2 —; geb. nn 3 —
Mell, M: Latein. Erzählgn. (115) 8° Wien, Wiener Verl. 04.
Mell, R: Abhandlgn z. Gesch. d. Landstände im Erzbisch. Salz-
burg. I. Die Anfänge d. Landstände. [S.-A.] 4 Lfgn. (340 m.
1 Taf.) 8° Salzbg 05. (Innsbr., Wagner.) 3.50 d
Mellien, Frl. M: Die Fachschrift f. Neustolzeaner. (96) 8°
Berl. (W. 35, Lützowstr. 66), Frl. Anna Mellien 02. 1 — d
— Leseb. f. angeh. Stolzeaner. (72) 8° Ebd. 01. 1 —
— Stenograph. Unterr.-Briefe n. Stolzeschem System. (96) 8°
Ebd. 01. 2 — d
Mellin, GSA: Marginalien u. Register zu Kants Kritik d. Er-
kenntnisvermögen. Zur Erleichterg u. Beförderg e. Vernunft-
erkenntnis d. krit. Philosophie u. ihrer Urkunde. II. Tl. Mar-
ginalien u. Register zu Kants Grundlegg z. Metaphysik d.
Sitten, Kritik d. prakt. Vernunft, Kritik d. Urteilskraft.
Züllichau 1795. Neubrsg. u. m. e. Begleitschrift „Der Zu-
sammenh. d. Kant. Kritiken" versehen v. L Goldschmidt.
(59 u. 237) 8° Gotha, EF Thienemann 02. 6 —
(I u. II.: 12 —; Einbde je 1 —)
Mellin, H (H v. Thadden): Ikarus. Reisenovelle. 4. Afl. (320)
8° Wolfenb., J Zwissler 02. 3 —; L. 4 — d
Mellmann, P: Die chem. Industrie auf d. Pariser Weltaus-
stellg 1900. (24) 4° Berl., Weidmann 01. 1 —
Mello, C de: Les lois de la géogr. Ire étude. I. Introduction
générale. II. La géophys. stat. III. Bibliogr. systémat. de la
géophys. (360 m. Fig.) 8° Berl., R Friedländer & S. 02. 10 —
Mello e Simas, MS de: Definitive orbit elements of comet
1900 II, s.: Abhandlungen, astronom.
Melnik, J, s.: Russen üb. Russland.
Melnikow, N: Der russisch-japan. Krieg, u. Solowjew's „kurze
Erzählg üb. d. Antichristen". 1. Taus. (54) 8° Mainz, Sauer-
bach's News Exchange (04). 1.60 d
— Die gesellschaftl. Stellg d. russ. Frau. (154) 8° Berl., Herm.
Walther 01. 3 —
Melnikow-Raswedenkow, N: Studien üb. d. Echinococcus al-
veolaris sive multilocularis, s.: Beiträge z. pathol. Anato-
mie u. allg. Pathol.
Melodieen z. ev. Gesangb. f. Ost- u. Westpreussen. Hrsg. v.
d. kgl. Konsistorion d. Provv. Ost- u. Westpreussen. 15. Afl.
(305) 8° Königsbg, JH Bon's V. (03). — 75 d
Melodienbuch zu d. neuen lübeck. Gesangb., u. Hohen Senate
genehmigt n. d. Bearbeitg v. H Jimmerthal. 4. Ausg. (78) 8°
Lüb., J Carstens 03. Geb. — 90 d
Melozzo da Forli: Engel m. Geige. — Engel m. Laute, s.:
Meisterbilder.
Melschin, L: Judenkinder, s.: Bibliothek berühmter Autoren.
— Im Lande d. Verworfenen. (Unverkürzte Übersetzg v. M
Feofanoff.) 2 Bde. (672 u. 608) 8° Lpzg, Insel-Verl. 03. 10 —;
geb. 13 —; auch in 20 Lfgn zu — 50 d
Neue Tit.-Ausg. s.: M. *Tagebuchblätter.*
— Im Reiche d. Ausgestossenen. Aus d. Memoiren d. sibir.
Sträflings M. Uebers. v. H Harff. 1. u. 2. Taus. (325 m. Bild-
nis.) 8° Dresd., H Minden (01). 5 —
— Sibir. Sklaven, s.: Bibliothek berühmter Autoren.
— Tagebuchblätter e. sibir. Sträflings. 2. Afl. in unverkürzter
Übertragg v. M Feofanoff. (Neue Tit.-)Ausg. v.: Im Lande
d. Verworfenen.) (672 u. 608) 8° Lpzg, Insel-Verl. [03] 04. 5 —;
geb. 7 — d
— In d. Welt d. Verstossenen. Erzählgn. Aus d. Russ. v. O
Polonsky. 1. u. 2. Afl. (285) 8° Stuttg., Deut. Verl.-Anst. 05.
2 —; geb. nn 3 — d
Melsted, H v.: Georg Dahns. Roman. Aus d. Schwed. v. M
Sommer. (111) 8° Berl., K Schnabel 05. 4 —; geb. 5.50
Meltz, O: Die Beamtenhaftpflicht n. § 839 BGB., s.: Studien,
Rostocker rechtswiss.
Meltzer, E: Die staatl. Schwachsinnigenfürsorge im Kgr.
Sachsen, s.: Zur Pädagogik d. Gegenwart.
Meltzer, H: Griech. Grammatik, s.: Sammlung Göschen.

Meltzer, H: „Neue Bahnen" im Relig.-Unterr.? Eine Lit.-Be-
sprechg. [S.-A.] (28) 8° Dresd., Bleyl & K. (04). — 40
— Die Behandlg d. Propheten als Vorbedingg f. e. rechte Würdigg
Jesu. [S.-A.] (19) 8° Ebd. 01. — 30
— Lesestücke a. d. prophet. Schriften d. Alten Test. 2. Afl.
Ausg. A. (Ur.-Ausg.) (83) 8° Ebd. 04. — 35; kart. — 50 ‖ Ausg. B.
(Kl. Ausg.) (52) 04. — 30 d
— Lit.-Verz. z. ev. Relig.-Unterr., s.: Schriften d. pädagog.
Gesellsch.
— Luther als deut. Mann. (77) 8° Tüb., JCB Mohr 05. 1.20
— Der Relig.-Unterr., s.: Thrändorf, E.
— Zum ev. Relig.-Unterr., s.: Schriften d. pädagog. Gesellsch.
— Geschichtl. Relig.-Unterr. 3. Heft: Jesus (2. Tl.), Die Ur-
gemeinde. Sonderausg. d. „Relig.-Unterr. im 7. Schulj." (Rein,
Pickel u. Scheller, Theorie u. Praxis d. Volksschulunterr.
Bd. VII. 3. Afl.) (112) 8° Lpzg, H Bredt 06. 1.20
Heft 1 u. 2 sind noch nicht erschienen.
Meltzer, O: Eisenberg-Moritzburg im Kriegsj. 1813. (30) 8°
Dresd., C Heinrich (05). — 50 d
Melz, K: Orthograph. u. grammat. Übgn in 3 Stufen. 8° Schwer.,
F Bahn. Geb. nn 1.90 d
I. 6. Afl. (31) 03. nn — 90 ‖ II. 6. Afl. (77) 03. nn — 60 ‖ III. 7. Afl. (147)
05. nn 1 —
Melzer, A: Uebersichtl. Hand- u. Verkehrs-K. d. oberschles.
Berg-u. Hüttenbez., enth. d. Kreise Beuthen, Gleiwitz, Katto-
witz, Pless, Rybnik, Tarnowitz u. Zabrze, sowie d. angrenz.
Ortschaften v. Oesterr. u. Russl. 1:90,000. 2. Afl. 60×67 cm.
Farbdr. Mit alphabet. Verz. sämmtl. Städte, Dörfer, Hütten usw.
(4) 8° Beuth., H Freund 02. 1.25
Melzer, C: Chronik v. Neugersdorf. (251 m. Abb. u. 4 Taf.)
8° Neugersdf, Teller & Rossberg 03. L. 4 — d
Melzer, H: Der prakt. Bienenmeister. Anl. z. lohn. Betriebe
d. Bienenzucht, nebst e. volkstüml. Darstellg d. Dickel'schen
Theorie u. e. Schilderg d. Preuss'schen Betriebsweise, v. E
Preuss. (128 m. Abb.) 8° Neud., J Neumann 01. 1.80 d
Melzer, O: Aus Innsbrucks Bergen, s.: Ficker, H. v.
— Aus Innsbrucks Bergwelt. 12 Photograv. 8° Innsbr., II Schwick
04. n M. 6 —
— Meisterbilder a. Tirols Alpenwelt. Wandergn in Innsbrucks
Bergen. Textv. H v. Ficker. (51 m. Bildn., Abb. u. 22 Heliograv.)
4° Berl., Preuss' Instit. Graphik (05). L. m. G. 24 —
Memling: Maria m. d. Kinde, s.: Meisterbilder.
Memminger, A: Das verhexte Kloster. Nach d. Akten dargest.
(275) 8° Würzbg, Memminger 04. 2.50 d
Memoiren e. Freudenmädchens, Interessante Enthüllgn a. d.
Leben e. Verlorenen. Von Manon. 1—3. Taus. (130 m. Abb.)
8° Berl., Berliner Verl.-Instit. (03). 2 —
— d., d. Königs Milan. 10 Kapitel aus d. Leben d. 1. Serben-
königs. Nach e. hinterlass. Papieren dargest. v. „*". (196)
8° Zür., C Schmidt 02. 4 — ‖ 2. [Umschl.-]Afl. 02. 3 — d
— d. Revolutionszeit, hrsg. v. G Hananer, s.: Prosateurs franç.
— e. österr. Veteranen. 1846 u. 47 Garnison Prag. 1848 Italien.
1849 Italien u. Ungarn. (142) 8° Wien, (W Braumüller) 01. 2 — d
Memoirenbibliothek. I. Serie. 14. Bd. 8° Stuttg., R Lutz. 5.50;
geb. 6.50; HF. 7.50 d
Gourgaud, G de: Napoleons Gedanken u. Erinnergn. St. Helena 1815—
18. Nach d. 1896 e. erstenmal veröffentl. Tageb. deutsch bearb. v. H
Courad. 1. u. 2. Afl. (356 m. 6 Bildnissen.) 01.04. [14.] 5.50; geb. 6.50;
HF. 7.50
Weitere Bde wurden unter d. Einzeltiteln aufgenommen.
— dass. II. Serie. 1—9. Bd. 8° Ebd. 56 —; Einbde in L. je 1 —
in HF. je 2 — d
Debogory-Mokriewitsch, W: Erinnergn e. Nihilisten. Deutsch v. H Röbl.
1. u. 2. Afl. (21, 327 m. Bildn.) 06. [9.] 5.50
Gennat, E: Aus Weimars klass. u. nachklass. Zeit. Erinnergn e. alten
Schauspielers. Neue Ausg. bearb. v. R Kohlrausch. 1—4. Afl. (274 m. 2 Bild-
nissen.) 04.05. [8.] 4.50
Keller, H: Die Gesch. meines Lebens. Deutsch v. P Seliger. 1—20. Afl.
(19, 347 m. Fksm. u. 8 Vollbildern.) 04.05. [6.] 5.50; Autor-Ausg., HLdr
20 —
Macdonald : Memoiren. Nach d. 7. Afl. d. französ. Originals bearb. v. H
v. Natzmer. (352 m. Bildnis.) 03. [4.]
Spencer, H: Eine Autobiogr. Deutsch v. L u. H Stein. 2 Bde. Nebst e.
Einführg. in d. Philosophie u. Soziol. Spencers v. L Stein. (63, 389 u.
524 m. 4 Bildnissen.) 05. [7.6.]
Thiébault, du: Memoiren a. d. Zeit d. französ. Revolution u. d. Kaiserreichs. Bearb. in 2 Bde. v. H Heinzig. Mit 15 Portr. u. 1 Pl. 1. Bd.
(Jugendzeit in Berlin. Paris u. d. Revolution. Mit d. Revolutionsheeren
in Belgien, Holland u. Italien.) (347) 02. ‖ 2. Bd. (Feldzug geg. Neapel
u. Aufstand in Italien. Kämpfe in Oberitalien. Mit d. „Armee v. Portugal" in Spanien. Der österr. Feldzug 1805. Schlacht bei Austerlitz.)
(385) 03. ‖ 3. Bd. (Gouverneur v. Fulda. In Portugal u. Spanien 1807—
13. Unter Davoust in Bremen, Lübeck u. Hamburg. Zusammenbruch d.
Kaiserreichs. Die Bourbonen.) (334) 02. [1—3.]
Memoiren-Sammlung. I. u. II. Bd. 8° Berl., Hüpeden & M. Je 5.50;
geb. Je 8 —
Nolhac, P de: Ludwig XV. u. d. Marquise v. Poupadour. Deutsch v. T
Müller-Fürer. (310) 05. [I.]
— Ludwig XV. u. Maria Lesszcynska. Übertr. v. T Müller-Fürer. (305)
05. [II.]

Mémoires de la soc. finno-ougrienne. XV, 2; XVI, 1 u. XVII
—XXIV. 8° Helsingf. (Lpzg, O Harrassowitz.) nn 48.25
Francke, AH: Der Wintermythus d. Kesarsage. Saensarsa bal. I. Saensars d.
vorbuddhist. Relig. Ladakhs. (77) 02. [XV.2.]
Kallas, O: Die Wiederholgnlieder d. estn. Volkspoesie. I. Folkloristl.
Untersuchg. (300 m. 1 Karte.) 01. [XVI.1.]
Karjalainen, KF: Zur ostjak. Lautgesch. I. Üb. d. Vokalismus d. 1. Silbe.
(304) 05. [XXIII.]
Nielsen, K: Die Quantitätsverhältn. im Polmaklappischen. (311) 02. [XX.]
nn 6 — ‖ II. Nachtr. u. Reg. (90) 05. [XXIV.] nn 2 —
Paasonen, H: Mordvin. Lautlehre. (123) 03. [XXII.] nn 3.25

Ramstedt, GJ: Üb. d. Konjugation d. Khalka-Mongolischen. (196) 02.
[XIX.]　　　　　　　　　　　　　　　　　　　　nn 4.20
— Bergtscheremiss. Sprachstudien. (210) 02. [XVII.]　　　4.40
Wasiljev, J: Übersicht üb. d. heidn. Gebräuche, Aberglauben a. Relig.
d. Wotjaken in d. Gouv. Wjatka u. Kasan. (143 u. 4) 02. [XVIII.] nn 3.60
Wichmann, Y: Die tschuwass. Lehnwörter in d. perm. Sprachen. (28,
171) 03. [XXI.]　　　　　　　　　　　　　　　　　an 4 —
Mémoires de l'herbier Boissier. Suite au Bulletin de l'herbier
Boissier. Nr. 21 u. 22. 8° Bas., Georg & Co. 1900.　　nn 3.60
　　　　　　　　　　　　　　　　　　　　　(Vollst.: nn 40 —)
21. Schlechter, R: Monogr. d. Podochilinae. — Minks, A: Beitr. z. Er-
weiterg d. Flechtengattg Omphalodium. — Beauverd, G: Sur quelques stations nouv. ou intéress. de la florule du Grand-Saint-Bernard.
　　　　　　　　　　　　　　　　　　　　　　　　　nn 11.60
22. Minks, A: Analysis d. Flechtengattg Umbilicaria. Zugl. e. lichenolog.
Beitr. z. Kenntniss d. Entstehg u. d. Begriffes d. naturwiss. Art. —
Meylan, C: Une excursion bryolog. à la Döle et au Colombier de
Gex. (90 m. 1 Taf.)　　　　　　　　　　　　　　an 2 —
*Erscheinen in dieser Form nicht weiter, dagegen wieder als Bulletin
de l'herbier Boissier.*
— nouv., de la soc. helvét. des sciences naturelles, s.: Denkschriften, neue, d. allg. schweiz. Gesellsch. f. d. ges. Naturwiss.
— de la soc. paléontolog. suisse, s.: Abhandlungen d. schweiz.
paläontolog. Gesellsch.
Memoirs of Frederica Sophia Wilhelmina, Princess Royal of
Prussia, Margravine of Baireuth, sister of Frederic the Great.
Written by herself. Translated from the original French.
2 Tle in 1 Bde. (264 u. 236 m. Bildnis.) 8° Berl., H Barsdorf
04.　　　　　　　　　　　　　　　　6 —; L. 7.50
Memorabillen. Zeitschrift f. rationelle prakt. Aerzte. Hrsg.
u. red. v. F Betz. 44. Jahrg. [Neue Folge. 19. Jahrg.] 9 Hefte.
(1. Heft. 64) 8° Heilbr., Schell'sche Buchdr. 01.02.　　9 —;
　　　　　　　　　　　　　　　　　einz. Hefte 1 —
Fortsetzg vor nicht zu erhalten.
Memoriorstoff f. d. Relig.-Unterr. d. 3 ersten Schulj., zusammen-
gest. v. Lehrern d. kgl. Vorsch. zu Berlin. 5. Afl. (16) 8° Berl.,
C Habel (01).　　　　　　　　　　　　　　　— 20 d
Menacci, P, s.: Zur Gesch. d. Petersketten.
Menáchem ben Josef ben Jehuda Chasan a. Troyes: Seder
Troyes. Ritus Troyes. Zum 1. Male hrsg. n. e. Handschrift
d. Bibliothek David Kaufmann's zu Budapest u. m. Anmerkgn
versehen v. M Weisz. (In hebr. Sprache.) (41) 8° Frankf. a/M.,
J Kauffmann 05.　　　　　　　　　　　　　　　1 —
Menadier, J, s.: Zeitschrift f. Numismatik.
Menagerie, d. gr. (12 farb. Taf. ohne Text, auf Pappe.) 4° Konst.,
C.Hirsch (02).　　　　　　　　　　In Leporelloform 1.50
— d. gr. (6 Farbdr.) 4° Stuttg., G Weise (05).　　　　　— 15 d
Meník, F: Ein Beitr. z. Gesch. d. Verhandlgn üb. d. Ertheilg
d. preuss. Königstitels. (30) 8° Wien, Gerold & Co. 01. — 50 d
Menke: Welche Anfg. erfüllt d. Anstands-Kl. d. Städte u.
wie ist es einzurichten? 5. Afl. v. F Carlau. (83 m. H. u. 6
Taf.) 8° Berl., R Schoetz 04.　　　　　　　　　　3 —
Mencl, E: Kurze Bemerkgn üb. d. Solgerschen intracellulären
Fibrillen in d. Nervenvellen v. Scyllium. [S.-A.] (5 m. 1 Taf.)
8° Prag, (F Řivnáč) 03.　　　　　　　　　　　— 36
— Ueb. d. Verhältn. d. Lymphocyten zu d. Nervenzellen nebst
Bemerkgn zu d. diesbezügl. Angabe v. Kronthal. [S.-A.] (25
m. Fig. u. 1 Taf.) 8° Ebd. 03.　　　　　　　　　— 72
Mende, A: Gr. Gerichtsplan Berlin u. s. Vororte, s.: Kasch, A.
— Gr. Plan „Berlin n. Vororte", umfassend 430 Quadratkilo-
meter. 1 : 23,500. (Neue Ausg.) 88,5×95,5 cm. Farbdr. Nebst
Verz. d. Strassen usw. (30) 4° Berl., A Mende (01).　　3 —;
　　　　　　　　auf Pappe 5 —; auf Ln. in Taschenform 6 —; m. St. 7.50
— Hand-Pl.v.Berlin. 1 : 23,500.(Ausg.1902.)48×57,5 cm.Schwarz-
dr. Mit Verz. d. Strassen etc. (63) 12° Ebd.　　　　　— 30;
　　　　　　　　　　8farbig m. sämtl. Strassenbahnlinien — 75
— Taschen-Atlas v. Berlin u. s. Vororten. Bearb., gez. u.
hrsg. v. A Ewan u. A Mende. (158) 8° Ebd. (04). 2farb. (Ausg. C.)
　　　— 30; 8farbig (Ausg. B.) kart. — 75; (Ausg. A.) geb. 1.50
— Gr. Verkehrs-Plan. Berlin u. Vororte. 1 : 27,300. 89×120 cm.
Mit Text. (32) 8° Ebd. (05). 3 —; auf L. in Taschenform 7 —;
　　　　　　　　　　　　m. Leisten od. auf Pappe 8 —
— Kl. Verkehrsplan Berlin. 1 : 23,500.(Ausg.1902.) 49×42,5 cm. Farbdr. Mit
Strassenverz. usw. (32) 16° Ebd. (o. J.).　　　　　　— 20
— Südwestl. Vororte v.Berlin. 1 : 23,500.(Ausg.1902.)49×43 cm.
7farbig. Ebd.　— 50; 8farbig m. Strassenverz. (63) 12° — 75
— Neue Karte d. südöstl. Vororte Berlins bis Köpenick u. Grü-
nau reichend. 1 : 37,300. 69,5×68 cm. Farbdr. Ebd. (05). 1.10
— Neue Karte d. südwestl. Vororte Berlins bis Teltow u. Stahns-
dorf reichend. 1 : 27,300. 67×71,5 cm. Farbdr. Ebd. (05). 1.10
— Taschen-Atlas v. Potsdam n. Umgebg. System Ewan u. Mende.
Bearb., gez. u. hrsg. v. A Ewan u. A Mende. (30) 8° Ebd.
(o. J.).　　　　　　　　　　　　　　　　　1 —
Mendel, E, s.: Jahresbericht üb. usw. Neurol. u. Psychiatrie.
— Leitfaden d. Psychiatrie. (250) 8° Stuttg., F Enke 02. 5 —;
　　　　　　　　　　　　　　　　　　　　　　　L. 6 —
— s.: Medizin, gerichtl. — Psychiatrie etc. — Zentralblatt,
neurolog.
Mendel's, G, Briefe an Carl Nägeli, hrsg. v. C Correns, s.:
Abhandlungen d. kgl. sächs. Gesellsch. d. Wiss.
— Versuche üb. Pflanzenhybriden, s.: Ostwald's, W, Klassiker
d. exakten Wiss.
Mendel, H: Deut. Taschen-Liederb. Nebst Angabe d. Tonarten,
sowie d. Dichter u. Componisten. 87. Afl. (24, 523) 16° Berl.,
S Mode (03).　　　　　　　　　　　　　　1 — d
Mendel, K: Welchen Schutz bietet uns. Zeit d. Geisteskranken?,
s.: Klinik, Berliner.

Mendelsohn, H: Böcklin, s.: Geisteshelden.
— Der Heiligenschein in d. italien. Malerei seit Giotto. (23 m.
Abb.) 8° Berl., B Cassirer 03.　　　　　　　　　2 —
Mendelsohn, M, s.: Ausbau, d., im diagnost. Apparat d. klin.
Medizin. — Krankenpflege, d.
— Ueb. d. Nothwendigk. d. Errichtg v. Heilstätten f. Herz-
kranke. Vortr. (15) 8° Berl., G Reimer 01.　　　— 80 d
— Die Prophylaxe d. Herzkrankh. (30) 8° Münch., Seitz & Sch.
01.　　　　　　　　　　　　　　　　　1.20
— s.: Zeitschrift f. Krankenpflege.
Mendelsohn, F: Die volksw. Bedeutg d. deut. Schafhaltg um
d. Wende d. 19. Jahrh., s.: Sammlung nationalökonom. u.
statist. Abhandlgn.
Mendelssohn-Bartholdy, F: Loreley, s.: Textbibliothek z. Mu-
sik- u. Opernführer.
Menden, T: Ueb. d. Aufg. d. Gymnasiums gegenüber d. soz.
Irrgn d. heut. Zeit. (52) 8° Bonn, P Hanstein 05.　— 80
Mendes, C: Im Bade zu lesen. — Im Kloster zu lesen, s.: Bibliothek berühmter Autoren.
Mendes da Costa, MB: Index etymologicus dictionis Home-
ricae. (594 Sp.) 8° Leid., AW Sijthoff 05.　　　　10 —
Mendheim, M: Gedichte. (80) 8° Lpzg, A Hahn 05.　1 — d
Mendner, E: An d. engl. u. deut. Ostafrikaküste. (48 m. 1 Abb.)
8° Zeulenr., G Merseburger 06.　　　　　　　— 50 d
— Unterwegs u. Daheim. Meine Reise v. Deutschl. n. Ost-Afrika
u. ein. Bilder a. meiner 2. Heimat. (188 m. Abb.) 8° Lpzg, (F
Schneider) 01.　　　　　　　　　　1.50; geb. 2.25 d
— dass. Neue [Tit.-]Ausg. (188 m. Abb.) 8° Oberneukirch, F
Hübschmann. [01] 02. — (Lpzg, F Schneider).1.50; geb. 2 — d
Mendthal, H, s.: Urkundenbuch, neues preuss.
Mendthal, C: D. höchste Persönlichkeit. (46) 8° Berl.-
Schlachtensee, M Hildebrandt 1900.　　　　　— 80 d
— dass. Jurist. Dramaturgie. 2. Afl. m. Anmerkgn. (103) 8°
Memel, (J Schenke) 04.　　　　　　　　　　4 — d
— Meine Weltanschauug. Mit Beil.: Üb. d. höchste Persönlich.
(15 u. 46) 8° Memel, FW Siebert 04.　　　nn — 25 d
Ménégos, E: Die Rechtfertiggslehre n. Paulus u. n. Jakobus.
Übersetzg. (36) 8° Giess., A Töpelmann 03.　　　— 60 d
Menegoz, F: Die Orthodoxie, s.: Wesen u. Werden, d., d. Pro-
testantismus.
Menestrina, F: L'accessione nell'. esecuzione. (241) 8° Wien,
Manz 01.　　　　　　　　　　　　　　　2 —
— La preiudiciale nel processo civile. (235) 8° Ebd. 04. 5 —
Menge, C: Üb. d. Einwirkg einzng. Kleidg auf d. Unterleibs-
organe, bes. d. Fortpflanzgsorgane d. Weibes. Vortr. (19) 8°
Lpzg, G Thieme 04.　　　　　　　　　　　— 60
— Die Therapie d. chron. Endometritis in d. allg. Praxis. [S.-A.]
(102 m. Abb.) 8° Berl., A Hirschwald 01.　　　　2.40
Menge, G: Um d. „Johann Heinrich". Schausp. (92) 8° Brem.,
C Schünemann (05).　　　　　　　　　　1.50 d
Menge, H: Materialien z. Repetition d. latein. Grammatik, im
genauen Anschl. an d. Grammatiken v. H Menge u. v. Ellendt-
Seyffert. 4. Afl. (171) 8° Wolfenb., J Zwissler 04.　4 — d
— Repetitorium d. latein. Syntax u. Stilistik. 8. Afl. 1. Tl (Fra-
gen). — 2. Tl (Antworten). (486) 8° Ebd. 05.　　8 — d
— Griechisch-deut.Schul-Wrtrb.8 Lpzg.(635)8°Berl.-Schönebg,
Langenscheidt's V. 03.　　　　— 75; in 1 L.-Bd 7.50
— Taschenwtrb. d. griech. u. deut. Sprache. (Methode Tous-
sa nt-Langenscheidt.) 1. Tl. Griechisch-deutsch. (540) 12° Ebd.
(03).　　　　　　　　　　　　　　　　L. 2 —
Den 2. Tl s.: Güthling, O.
— dass. d. latein. u. deut. Sprache. 1. Tl. Lateinisch-deutsch.
(390) 8° Ebd.(03). || 2. Tl. Deutsch-lateinisch. (548)(05).1 —;
　　　　　　　　　　　　　　　in 1 L.-Bd 3.50 d
— Übgsb. z. latein. Stilistik, in genauem Anschl. an d. latein.
Stilistik v. H Menge. 2. Afl. (57) 8° Wolfenb., J Zwissler 04.
Menge's,K, Dispositionen u. Musterentwürfe zu deut. Aufsätzen
f. ob. Kl. höh. Lehranst. 2. Afl. v. O Weise. (127) 8° Lpzg,
BG Teubner 04.　　　　　　　　　　Kart. 1.80 d
Menge, R: Einführg in d. antike Kunst. Method. Leitf. f. höh.
Lehranst. u. z. Selbstunterr. 3. Afl. (338) 8° Lpzg, EA See-
mann 01.　　　　　　　　　　5 —; geb. 6 — d
— Ithaka, s.: Gymnasial-Bibliothek.
— s.: Lehrproben u. Lehrgänge a. d. Praxis d. Gymnasien u.
Realsch.
— Troja u. d. Troas, s.: Gymnasial-Bibliothek.
Mengel, H: Spiel u. Wette. (92) 8° Lpzg, Bh. G Fock 02. 2 — d
Mengelberg: Die Kohlenaufbereitg u. Verkokg im Saargebiet,
s.: Steinkohlenbergbau, d., d. Preuss. Staates in d. Umgebg
v. Saarbrücken.
Menger, A: Aus d. soz. Anfg. d. Rechtswiss. Inaugurations-
rede. 2. Afl. (34) 8° Wien, W Braunmüller 05.　　1 —
— Das Recht d. vollen Arbeitsertrag in geschichtl. Dar-
stellg. 3. Afl. (181) 8° Stuttg., JG Cotta Nf. 04.　　3 —
— Das bürgerl. Recht u. d. besitzlosen Volksklassen. 3. Afl.
(4. Taus.) (241) 8° Tüb., H Laupp 04.　　　　　2.50
— Neue Sittenlehre. (38) 8° Jena, G Fischer 05.　　1 — d
— Neue Staatslehre. (335) 8° Ebd. 03. 5 —; geb. 6 — || 2. Afl.
(263) 04. [?]　　　　　　　　　　nn 2.40; geb. nn 2.60
Menger, J: Geometr. Formenlehre. Für d. 1. Kl. d. Realsch.
5. Afl. (38 m. H.) 8° Wien, A Hölder 04.　　　Geb. 1 —

Menger, J: Grundlehren d. Geometrie. Leitf. f. d. Unterr. in d. Geometrie u. im geometr. Zeichnen an Realsch. 7. Afl. (127 m. H.) 8° Wien, A Hölder 04. Geb. 1.65
— Leitf. d. Geometrie f. Gewerbesch. 3. Afl. (77 m. Abb.) 8° Ebd. 01. Kart. — 96 d
Menger, M: Staatskriso u. Staatsstreich-Enthusiasten. (49) 8° Wien, (Wiener Verl.) 01. * 1.25 d
Mengerling, Dankeröder. Nachklänge v. 1. Heimatfeste. (32 m. Abb.) 8° Dankerode 04. (Quedlinbg, H Schwanecke.) nn — 30 d
Mengers, C: Blumen v. Strande. Gedichte u. Lieder. Hrsg. v. K Schrattenthal. (69) 12° Oldenbg, G Stalling's V. 01. 1 —; geb. 1.50 d
Menges, H: Sammlg deut. Gedichte. —Schul-Leseb., s.: Wetzel, F.
' Menges, H: Sagen u. Gesch. in schulgemässer Darstellg f. d. heimatkundl. Unterr. d. Mittelst. elsass-lothring. Volkssch. (152) 8° Strassbg, F Bull 04. 2 — d
Mengewein, C: Liebe u. Glück, s.: Thalia.
Menghin, A: Geogr. u. Oesch. v. Tirol u. Vorarlberg, s.: Scherer.
Mengs, G (Frl. G Büstorff): Auf Bergeshöh'n, Roman. 2 Tle in 1 Bde. (232 u. 190) 8° Berl., O Janke (03). (4 —) 2 — d
— Hochsommerzeit war's!, s.: Romane, moderne, aller Nationen.
— Wen du nicht verlässest, Genius. Roman. (437) 8° Berl., O Janke (05). 4 — d
Menke-Hölzke, O: Führer u.Orientiergsbüchl. v.Weimar, 3. Afl., s.: Führer durch Weimar.
Menken, G: Auslegg d. Briefes Pauli an d. Philipper in Homilien. Hrsg. v. A Schmidt. (215) 8° Gütersl., C Bertelsmann 03. 1.80; geb. 2.50 d
Menn: Was hat d. Lehrer zu tun, um d. Schüler zu Kl. möglichst gleichmässig zu fördern?, s.: Abhandlungen, pädagog.
Menn, M: Blätter im Winde. Gedichte. (134) 8° Dresd., E Pierson (02). 2.50; geb. 3.50 d
Menna, P: De infinitivi apnd Plinium minorem usu. (152) 8° Rost., (H Warkentien) 02. 3 —
Menne, K: Die Entwickelg d. Niederländer z. Nation, s.: Geographie, angewandte.
— Goethe's „Werther" in d. niederländ. Lit., s.: Beiträge, Breslauer, z. Lit.-Gesch.
Mennel u. Rieg's Almanach f. d. kathol. Geistlichen d. Diöc. Rottenburg f. 1906. Hrsg. v. A Mühleis. 27. Jahrg. (172) 8° Leutk., J Bernklau. L. nn 1 — d
Bis 1904 u. d. T.: Almanach f. d. kathol. Geistlichen d. Diöc. Rottenburg.
Mennel, F: Der bl. Aloysius als Vorbild u. Patron d. christl. Jugend. Neu rev. v. e. Priester d. Diöc. Mainz. 35. Afl. (718 m. farb. Titel u. 1 St.) 16° Einsied., Verl.-Anst. Benziger & Co. 03. L. 1.20; m. G. 1.60; Ldr m. G. 2.20 d
Mennenga, O: Sammlg v. Aufg. z. Vorbereitg f. d. Prüfg z. Schiffer auf kl. Fahrt. (55 m. 1 Tab.) 8° Emd., W Haynel 04. L. 2 —; Auflösgn. (29) 2 —
Mennicke, H: Zur Verwertg, spez. d. Wiedergewinng d. Zinns v. Weissblechabfällen. [S.-A.] (68) 8° Stuttg., F Enke 02. 1.30
Mennung, A: Jean-Franç. Sarasin's Leben u. Werke, s. Zeit u. Gesellschaft. 1. Bd. (31, 435 m. 1 Heliogr.) 8° Halle, M Niemeyer 02. 12 —; 2. (Schl.-)Bd. (606) 04. 14 —
Menrad, J: Die latein. Kasuslehre (Pensum d. S. Kl.) in prakt. Übgsbeisp. z. Zwecke leichterer Erlerng u. Repetition. 2. Afl. (67) 8° Münch., J Lindauer 04. 1.20; kart. 1.55 d
— Deut. Leseb. f. höh. Lehranst., s.: Zettel.
— Markgraf Luitpold. Dramatisiertes Geschichtsbild. Festsp. z. Feier d. 80. Geburtstages d. Prinzregenten. (24) 8° Münch., J Lindauer 01. — 15 d
Mensch, der. Wochenschrift f. allseit. Reformen auf naturgemässer Grundl. Begründet durch P Heidemann. Red.: C Schon. 3. Jahrg. 1901. 52 Nrn. (Nr. 1, 12) 4° Berl., Bh. Lebensreform. Viertelj. 2.20 || 4. Jahrg. 1902. Viertelj. 1.50 || 5. J. 1903. Viertelj. nn 1.25 d
— dass. Halbmonatsschrift. Schriftleitg: A Rentsch. 11. Jahrg. 1904. 24 Nrn. (Nr. 1, 16 m. 1 Abb.) 4° Ebd. Viertelj. nn 1.35 || 12. Jahrg. 1905. Schriftleitg: J Sponheimer, J Beranek u. A Rentsch. Viertelj. 1.50 d
Der „Vegetar. Vorwärts" wurde hiermit vereinigt. — Wird nicht üb. Leipzig geliefert.
— d. moderne, u. d. Christentum, s.: Hefte z. „Christl. Welt'.
— d. neue. Sammel- u. Sühnebl. f. allseit. Menschenveredelg u. geist. Einigg Deutschlds. Mit: Reform-Echo u. Sprech-Halle. Hrsg. v. J Guttzeit. 1. Gang. Apr. 1900—März 1901. 6 Hefte. (1. Heft. 34) 8° Dresd.-Loschwitz. Wohlau (Kr. Pless), J Guttzeit. 2.65
— dass. Deut. Sammel- u. Sühnebl. m. „Reform-Echo" u. „Sprech-Halle". Hrsg. v. J Guttzeit. 2. Gang. Juni 1901—Novbr 1902. 6 Hefte. (176) 8° Triest. Wohlau (Kr. Pless), J Guttzeit. 2.65
— d., u. s. Pflege. Illustr. volkstüml. Wochenschrift f. Menschenkde, Gesundheitslehre, öffentl. Gesundheit, Pflege d. gesunden u.kranken Menschen, Seelenpflege, Schönheitspflege, Wohlfahrtspflege, Mässigkeitspflege, Sport, Spiel, Frauen-u. Kinderwohl. Nebst Anlage: Die Pflege d. Tiere in gesunden u. kranken Tagen. Hrsg. v. W Cremat. 1. Jahrg. 1904. 52 Nrn. (Nr. 1 u. 2. 32) Fol. Gr. Lichterf., Verl. d. Wochenschrift „Der Mensch u. seine Pflege". Viertelj. 1.75 d ô F
Mensch, E: Der Geopferte. Liebesroman e. modernen Mannes. (214) 8° Lpzg (02). Berl., H Seemann Nf. 2 —; geb. 3 — d

Mensch, E: Auf Vorposten, s.: Frauen-Bibliothek, moderne.
Mensch, G: John Franklin, d. kühne Nordpolfahrer, s.: Spiegelbilder a. d. Leben.
Mensch, G: Herzensklänge. Gedichte. (193) 8° Dresd., E Pierson 05. 2 —; geb. 3 — d
Mensch, H, s. a.: Nordheim, H.
— Characters of Engl. lit. For the use of schools. 4. ed. (166) 8° Coeth., O Schulze V. 05. 1.80; kart. 2 —
— s.: Phönix-Kalender f. Schüler höh. Lehranst.
Menschen, wahre erstklass. Militär-Roman. Selbsterlebtes, m. d. Herzen geschrieben v. e. aktiven Stabsoffizier. (269) 8° Berl., W Schultz-Engelhard 04. 3 —; geb. 3.50 d
Menschenaffen (Anthropomorphae). Studien üb. Entwickelg u. Schädelbau. Hrsg. v. E Selenka. 4. u. 5. Lfg. 4° Wiesb., CW Kreidel. In M. 41.35
4. Walkhoff, O: Der Unterkiefer d. Anthropomorphen u. d. Menschen in ar funktionellen Entwickelg u. Gestalt. (209—827) 02. 22.60
5. Selenka, E: Zur vergleich. Keimesgesch. d. Primaten. Als Fragment hrsg. v. F Keibel. Eingeleitet durch e. Lebensbild Selenka's v. AAW Hubrecht. (14 u. 2 u. 849—872 m. Abb., 1 Bildnis u. 1 Taf.) 03. 18.65
— dass. Nach Selenka's Tode auf Grund d. Nachlasses fortgeführt v. AAW Hubrecht, H Strahl u. F Keibel. 6.—8. Lfg. 4° Ebd. In M. 59.60 (1—8 : 147.50)
6. Walkhoff, O: Die diluvialen menschl. Kiefer Belgiens u. ihre pithekoiden Eigenschaften. (373—415 m. Abb.) 03. 11 —
7. Strahl, H: Primaten-Placenten. (417—491 m. Abb.) 03. 18.50
8. Strahl, H, u. H Happe: Üb. d.Placenta d.Schwanzaffen. (493—551 m. 43 Taf.) 05. In M. 30 —
— dass., s.: Studien üb. Entwickelgsgesch. d. Tiere.
Menschentum. Organ f. dent. Freidenkertum. Hrsg. v. A Specht, 30—34. Jahrg. 1901—5 je 52 Nrn. (Nr. 1 u. 4) 4° Gotha, Stollberg. Viertelj. — 75 d
Menschenverstand, gesunder. Der einz. aber zuverläss. Führer a. d. Nöten uns. Zeit. Von einem Ungelehrten. (94) 8° Lpzg, W Fiedler (05). 1.30 d
Menschig, CP: Üb. d. Contagiosität d. Krebses. (29) 8° Lpzg, B Konegen 02. — 60
Menschung, M: Gertrudis. Dramat. Gedicht f. d. weibl. Jugend. (48) 12° Hildesh., H Helmke (03). — 50 d
Mense, C, s.: Archiv f. Schiffs- u. Tropen-Hygiene.
— Trop. Gesundheitslehre u. Heilkde, s.: Süsserott's Kolonialbibliothek.
— s.: Handbuch d. Tropenkrankh.
Mensing, K: Bilder a. d. sächs. Gesch. 1. Ein bitt. Sterben. 2. Der sächs. Judas? (Georg d. Bärtige u. Kurfürst Moritz. II.) (96) 8° Dresd., Vorbandsplh. (02). — 60
(Vollst.: 1.20; in 1 L.-Bd 1.80) d
Mensing, O: Deut. Grammatik f. höh. Schulen. (69) 8° Dresd., L Ehlermann 03. || 2. u. 3. Afl. (75) 04.05. Geb. je — 80 d
Mensinga: Vom vereinf. Instrumentarium. [S.-A.] (7 m. Abb.) 8° Lpzg, B Konegen 04. 1 —
— Vom Sichinachtnehmen (congressus interruptus — Zwangsverkehr). (68 m. Abb. u. 1 Tab.) 8° Neuw., Heuser's V. 05. 2 —
— Facultative Sterilität. II. Tl. (Suppl.) Für Frauenärzte. Das Pessarium occlusivum u. dessen Applikation. 7. Afl. (80 m. 1 Taf.) 8° Lpzg, M Spohr 1900. 2 —
— Ueb. Stillgenot od. üb. d. zunehm. Unvermögen d. Mütter zu stillen u. mein Verfahren dagegen. (35 m. 1 Taf.) 8° Lpzg, B Konegen 02. 1 —
Mente, T: Leitf. z. Ausbilg d. Gewerbeaufsichtsdienstes behufs d. Polizeibeamten. (96) 12° Berl., AW Hayn's Erben 1900. Geb. — 90 d
Menten, JEH: Die beiden Brüder od. Venetian. Rache. Drama. Aus d. Holl. v. C Boventer. (1. u. 2. Afl.) (72 bezw. 67) 8° Kemp., Thomasdr. u. Bh. 03.(05). 1.35 d
Mentor, der. Notiz-Kalender f. Schüler f. 1906. 36. Jahrg. (352 m. Abb., Bildn. u. Titelbild.) 16° Altenbg, HA Pierer. Kart. — 60; L. 1 — d
— dass. f. Schülerinnen f. 1906. 36. Jahrg. (252 m. Abb., Bildn. u. Titelbild.) 16° Ebd. Kart. — 60; L. 1 — d
— d. österr. Studenten-Kalender f. Mittel- Bürger-u. Fachschulen, sowie Präparandien in Osterr.-Ungarn. Für d. Studienj. 1906. 34. Jahrg. (139 m. Titelbild u. Agenda.) 16° Wien, M Perles. Kart. 1 —; L. 1.60
Ments, G, s.: Artikel, d. Wittenberger, v. 1556.
— Zur Gesch. d. Packschen Händel, s.: Archiv f. Reformationsgesch.
— Johann Friedrich d. Grossmütige, s.: Beiträge z. neueren Gesch. Thüringens.
Mentz, s.: Spalatin's, G, Briefe an V Warbeck.
Mentz, Iu v.: Gedichte, s.: Reigen, lyr.
Mentzel u. v. Lengerke's landw. Hülfs- u. Schreib-Kalender. 59. Jahrg. 1906. Hrsg. v. H Thiel. 2 Tle. (Schreibkalender, 184 u. 518 m. Fig. u. 1 Karte.) 8° Berl., P Parey. Ausg. m. 1/2 Seite weiss Pap. pro Tag, L. geb. 2.50; Ldr 3 —; m. 1 Seite weiss Pap. pro Tag, L. u. geb. 3 —; Ldr 4 —
Mentzel: Das neue bürgerl. Recht, s.: Zorn, P, d. Grundl. d. preuss. Verwaltungsrechts.
Menzel, E: Fränkische Erde. Roman. 1—2. Taus.(414) 8° Frankf. a/M., JF Schulz 05. 3.50; geb. 4.50 d
— Alte Hausmittel. Charakterbild. (4. Afl.) 8° Frankf. a/M., Lit. Anst. 01. — 80 d
— Das alte Frankfurter Schauspielhaus u. s. Vorgesch. (203 m. 20 Bildnissen u. 1 Taf.) 8° Ebd. 2 — d
Menzel u. R Spaeth: Konfirmandenstunden. 4. Afl. (48) 8° Halle, CA Kaemmerer & Co. 01. — 20 d

Menzel, A: Das Werk Adolf Menzels 1815—1905. Mit e. Biogr.
d. Künstlers v. M Jordan. (Neue Ausg.) (104 m. Abb. u. 21 Taf.)
4° Münch., Verl.-Anst. F Bruckmann 05. 10 —; geb.'12 —
— dass. 1895—1905. II. Nachtr. zu d. Hauptwerke. Mit Text v.
M Jordan. (16 Heliograv. m. 12 u. 2 S. illustr. Text.) 66×
46,5 cm. Ebd.(05). In Karton-M. 60 —; in Ldr-M. 75 — (Hauptwerk m. 1. u. 2. Nachtr.: 770 —; bezw. 800 —; 1. u. 2. Nachtr,
in M. 100 —; bezw. 125 —)
— Bilder z. Gesch. Friedrichs d. Gr. Mit e. Einl. v. O Hach.
(24 Bl. u. S.) 8° Lpzg, R Voigtländer 05.   — 75 d
— Illustr. zu Kugler, Gesch. Friedrich d. Gr. 390 Bilder m. Text
v. E Kiesling. (190 Bl. m. 52 S. Text.) 4° Lpzg, H Mendels-
sohn 06. L. 36 —; numer. Ausg., in 2 Bde geb. 50 —
Menzel, A: Die Kartelle u. d. Rechtsordng. 2. Afl. (79) 8° Lpzg,
Duncker & H. 02.   2 —
— Natur- u. Kulturwiss., s.: Vorträge u. Abhandlungen üb. d.
Wesen d. Begriffe.
— Untersuchng z. Socrates-Processes. [S.-A.] (64) 8° Wien, (A
Hölder) 02.   1.50
— dass., s.: Jahrbuch f. d. Berg- u. Hüttenwesen im Kgr.
Sachsen.
Menzel, CA: Der prakt. Maurer (Maurer- u. Steinmetzarbeiten).
12. Afl. v. O Alisch, A Eckardt, M Köster, P Schmidt. 30 Lfgn.
(572 m. Abb., Taf. u. farb. Modellen.) 8° Lpzg, JJ Arnd 02.
                              Je — 50; in 1 Bd geb. 18 — d
— u. A Schubert: Der Ban d. Eiskeller, Eishäuser, Lagerkeller
u. Eisschränke, sowie d. Anlage v. Kühlräumen, nebst Eis-
u. Kühlmaschinen f. Brauereien, Molkereien, Schlächtereien,
Eisfabriken etc. 6. Afl. v. A Schubert. (120 m. Abb.) 8° Neud.,
J Neumann 03. ·   4 —; L. 5 — d
Menzel, G: Lese- u. Übgsb. d. vereinf. dent. Stenogr. (System
Stolze-Schrey). (67) 8° Berl., L Oehmigke's V. 02. || 3. u. 4. Afl.
(64) 03.05. Je 1 — || Schlüssel. (53) 05. nn — 50
Menzel, H: Ueb. e. neues Rhizokorallium a. d. unt. Kimme-
ridge v. Hildesheim, s.: Mitteilungen a. d. Roemer-Museum,
Hildesheim.
Menzel, H, s.: Wie erzieht u. bildet d. Gymnasium uns. Söhne?
Menzel, J: Aufg. f. d. schriftl. Rechnen. 1., 3. u. 4. (Schüler-)
Heft. Bearb. v. K Steinert. 8° Bielef., Velhagen & Kl. nn — 60 d
I. 132. Afl. (16) 03. nn — 15 || III. 74. Afl. (576) 05. — 20 || IV. 50. Afl. (28)
03. — 20.
— Hülfsbüchl. f. d. schriftl. Beschäftigg d. Rechenschüler. (Re-
chenflbel). 10. Afl. (15) 8° Ebd. 1900.   — 20 d
— Rechenb. A—E. (Für d. Schüler.) 8° Ebd.   1.15 d
A. 135. Afl. (16) 01. — 20 || B. 123. Afl. (16) 01. — 20 || C. 85. Afl. (16) 01.
— 20 || D. 81. Afl. (32) 03. — 25 || E. 74. Afl. (32) 01. — 30.
— dass. Heft B u. E. (Für d. Lehrer.) 8° Ebd.   Je — 50 d
B. 3. Afl. (16) 01. || E. 4. Afl. (16) 03.
— dass. Ausg. f. 1- u. 2klass. Volkssch., hrsg. v. K Meyer. 3 Hefte.
1. u. 2. Afl. 8° Ebd.   nn — 85 d
1. Unterst. (19) 02.03. — 20 || 2. Mittelst. (36) 02.03. — 30 || 3. Oberst. (47)
02.03. nn — 35.
— Sammlg deut. Gedichte. — Schul-Leseb., s.: Wetzel, F.
Menzel, M: Dienst-Unterr. d. deut. Infanteristen. Jahrg. 1901
— 02. Mit Anh.: Das Gewehr 88. (192 m. Abb., 10 farb. Taf.
u. 2 Kart.) 8° Berl., R Eisenschmidt.   — 60 d
— dass. Mit Anh.: Das Gewehr 98. (198 m. Abb., 10 farb. Taf.
u. 2 Kart.) 8° Ebd.   — 60 d
— dass. Bearb. v. E v. Wurmb. Jahrg. 1905—6. Ausg. f. Gewehr 88 u. Gewehr 98. (Je 200 m. Abb., 1 farb. Bildnis, 10
farb. Taf. u. 2 Kart.) 8° Ebd.   Je — 60 d
— Der Infant.-Einjähr. u. Offizier d. Beurlaubtenstandes. Ausbildg u. Doppelstellg im Heer u. Staat. 7. Afl. von v. Wurmb.
(343 m. Abb., 3 Taf. u. 2 Anl.) 8° Ebd. 05.   L. 3 — d
— Der deut. Infanterist als Lehrer u. Volkserzieher. „Schlüssel
z. Schloss f. d. Unterr.!" 8. u. 9. Afl. von v. Wurmb. (331 m.
Abb., Kart. u. 2 Anl.) 8° Ebd. 05.   L. 3 — d
Anlage u.: Wurmb, v., d. Gewehr 98.
Menzel, ML: Notensingen f. Volkssch. u. höh. Lehranst. Ausg.
f. Lehrer. (24) 8° Meiss., HW Schlimpert 05.   — 60
— dass. Ausg. f. Schüler. 2 Hefte. I—IV. u. V—VIII. Schulj.
(Je 24) 8° Ebd. 05.   Je — 20
Menzel, R: Wandtaf. f. d. physikal. Unterr. 2. Afl. 31. u. 32. Bl.
Fol. Farbdr. Bresl., E Morgenstern, V. (01).   Je 1 —;
f. Abnehmer d. vollstänh. Werkes je — 60 (1—32.: 19.20)
Menzel, T, s.: Tevfik, M, u. Jahr in Konstantinopel.
Menzel, V: Moderne Lieder eines Unmodernen. (112) 8° Dresd.,
E Pierson 05.   2 —; geb. 3 —
— Sarmatenweisen. (156) 8° Ebd. 04.   2.50; geb. 3.50 d
— Ewige Wahrh. (78) 8° Berl., A Duncker 05.   2 —; d
Menzen: Dent. Bürgerb. Allg. Rechtsb. 2, Afl. 2 Tle in 1 Bde.
(789 u. 928) 8° Berl., Globus Verl. (04).   L. †3.20 d
— Invaliditäts- u. Altersversicherng in d. Fassg d. Invaliden-
versichergsges. v. 13.VII.1899. (214) 8° Paderb., F Schöningh
02.   2.80 d
Menzendorf, f: Spezialkarte m. Führer v. Solbad Kösen u. Um-
gebg (Saale v. Naumburg, Kösen, Rudelsburg). 1 : 14000. 65
×58 cm. Farbdr. (7 S. Text.) 8° Pforta, Förster Menzendorf
(05).   nn 1 —
Menzer, A: Die Aetiol. d. akuten Gelenkrheumatismus, s.: Bibliothek v. Coler.
— Die Behandlg d. Lungenschwindsucht durch Bekämpfg d.
Mischinfektion. (87 m. Kurventaf.) 8° Berl., G Reimer 04. 3 —
— Die bakteriolog. Frühdiagnose d. Abdominaltyphus, s.: Klinik, Berliner.

Menzer, P: Philosoph. Leseb., s.: Dessoir, M.
Menzi, T: Ernst Haeckel's Weltrâtsel od. d. Neomaterialismus.
(129) 8° Zür., Schulthess & Co. 01.   7 — d
Menzinger, L, u. JB Prenner: Ges. betr. Kaufmannsgerichte,
v. 6.VII.'04. Textausg. m. Erläutergn. e. Auszug a. d. Gewerbegerichtsges. nebst Erläutergn, sowie e. Abdr. d. §§ 59—83
d. Handelsgesetzb. (Rechtsverhältn. d. Handlgsgehilfen u.
Handlgslehrlinge). 1. u. 2. Afl. (172) 8° Münch., CH Beck 04.
                                                  L. 1.80 d
— — Gewerbegerichtsges. in d. Passg v. 26.IX.'01. Textausg.
m. Einl., Anmerkgn u. Sachreg. (150) 8° Ebd. 02. L. 2 — || 2. Afl.
(22, 196) 05. Geb. 2.20 d
Meran, E: Edelweiss u. Tannengrün. Tiroler Jagdbilder. (148
m. Abb.) 8° Klagenf., (J Leon sen.) 01.   L. nn 3 — d
Meraviglia, Gräfin O: Reise-Erinnergn a. Indien. 1902. (286 m.
Abb.) 8° Graz, Leykam (03).   3 — d
Meray, CH v.: Die Physiol. uns. Weltgesch. u. d. komm. Tag.
Die Grundl. d. Sociol. 1. Buch. I. Tl: Genesis. — II. Tl: Po-
litik. (527) 8° Budap., C Grill (04).   8 —
Mercalli, G: Üb. d. jüngsten Ausbruch d. Vesuv. [S.-A.] (7 m.
Abb.) 8° Laib., (I v. Kleinmayr & F Bamberg) 03.   — 80
Mercator, B (Frau B Josephson): Freude, s.: Osterglocken.
— Für uns. Kleinen, s.: Dieffenbach, GC. — Für uns. Kleinen.
— Fux u. Mux. Eine Gesch. f. Knaben u. Mädchen, nebst ein.
and. Gaben. 2. Afl. (128 m. 3 Farbdr.) 8° Berl. (01). Hambg,
G Schloessmann.   Geb. 1.80 d
— Gaben d. Alltags. Skizzen u. Novellen. (192) 8° Hambg, G
Schloessmann (05).   L. 3 — d
— Kinder auf Reisen u. Kinder daheim. (151 m. 6 Vollbildern.)
8° Berl., Vaterländ. Verl.- u. Kunstanst. (01).   Geb. 1.50 d
— Aus Kinderwelt u. Märchenwald. Geschichten u. Märchen f.
kl. Leute u. solche, die sie verstehen. (331 m. Abb.) 8° Hambg,
G Schloessmann (04).   Geb. 4 — d
— Der Neger. Weihnachtserzählg. (32 m. Abb.) 8° Berl., (Bb.
d. ostdent. Jünglingsbundes) 02.   — 30 d
— dass., s.: Weihnachten.
— Die dent. Pfarrfrau, s.: Josephson, H.
— Wie Trndchen d. ganze Haus bescherte, s.: Schneeflocken.
— Ueberraschgn u. Anderes. Bilder a. d. Leben. (227) 8° Berl.,
Vaterländ. Verl.- u. Kunstanst. (02).   nn 1.50; geb.2.20 d
Mercator, G: Anl. z. Dolorieren photograph. Bilder. — Die
Ferrotypie. — Die photograph. Retusche, nebst e. Anl. z.
Kolorieren v. Photographien, s.: Encyklopädie d. Photogr.
Merchich, M: De veris geometriae integrae principiis contra
geometras Euclideos simul et Noneuclideos. (37) 8° Zagrabiae
03. Horvát-Eimle, Komitat Moson, Selbstverl.   1 —
Merck, E, s.: Bericht üb. usw. Pharmakotherapie n. Pharmazie.
— Index (f. Drogen u. Chemikalien.) II. Afl. (374) 8° Darmst.
(02). (Berl., J Springer.)   Geb. nn 4 —
— Prüfg d. chem. Reagenzien auf Reinh. (281) 8° Ebd. 05. L. 2.50
— Reagentien-Verz., enth. d. gebräuchl. Reagentien u. Reac-
tionen, geordnet n. Autornamen. (174) 8° Ebd. 03. Geb. nn 4 —
Merck, F, s.: Liederbuch, uns.
Merckel, C: Bilder a. d. ingenieurtechnik. — Schöpfgn d. In-
genieurtechnik d. Neuzeit, s.: Aus Natur u. Geisteswelt.
Merckle, A: Gedichte. (69) 12° Neust. a. d. H.,(H Epp)(03). 1 —
Meredith, G: Diana v. Krenzweg. Roman. Deutsch v. FP Greve.
2 Tle in 1 Bde. (592) 8° Mind., JCC Bruns (04). 4.50; geb. 5.50
— Richard Feverels Prüfg. Ein Gesch. v. Vaters u. e. Sohnes.
Deutsch v. FP Greve. 2 Tle in 1 Bde. (316, 328 u.3) 8° Ebd. (04).
                                              4 —; geb. 5 —
— Rhoda Fleming. Übers. v. S v. Harbou. 2 Tle in 1 Bde. (319
u. 335) 8° Ebd. (05).   4.50; geb. 5.50
— Harry Richmonds Abenteuer. Deutsch v. FP Greve. 2 Bde.
(392 u. 398) 8° Ebd. (04).   5.50; geb. 7.50
— Ges. Roman. 1. u. 2. Bd. 8° Berl., S Fischer V. 10 —;
                                              geb. 12 — d
1. Richard Peverel. Eine Gesch. v. Vater u. Sohn. Übertr. v. J Sottelt.
2. Afl. (677) 04.   6 —; geb. nn 5 —
2. Der Egoist. Übertr. v. J Sottelt. (773) 05. 6 —; geb. nn 7.50
Merensky, A: Statist. Angaben üb. d. Stand d. ges. ev. Mis-
sionswerkes an d. Jahrh.-Wende. — Die Arbeit d. dent. Missionen. — Deutschlds Pflicht gegenüber d. Heiden u. d. Heiden-
tum in s. Kolonien, s.: Beiträge z. Missionskde.
— Etwas a. d. Mission in Kaiser-Wilhelmsland, Neuguinea. —
Kinderleben in Afrika. — Kinderleben in Kamerun. — Krieg
m. d. Wabehe u. Eroberg d. Hehelandes in Deutsch-Ostafrika.
— Eine neue Missionsstation im Innern v. Deutsch-Ostafrika.
— Die Schreckensnächte v. Kimberley. — Der alte Sefanaja, s.:
Missionsschriften f. Kinder.
Mereschkowski, DS: Julian Apostata, d. letzte Hellene auf d.
Throned. Cäsaren. Biograph.Roman. Deutsch v.C v.Gütschow.
(325) 8° Lpzg, Schulze & Co. 03.   3 —; geb. 4 — d
— Leonardo da Vinci. Biograph. (Histor.) Roman a. d. Wende
d. 15. Jahrh. Deutsch v.C v.Gütschow. 1. u. 3. Afl. (615 bezw.
629) 8° Ebd. 03.06.   6 —; geb. 7.50 d
— Michelangelo u. and. Novellen a. d. Renaissancezeit, Deutsch
v. C v. Gütschow. (224) 8° Ebd. 05.   3 —; geb. 3 — d
— Peter d. Gr. u. s. Sohn Alexei. Histor. Roman a. Russlds
gr. Zeit. Deutsch v. C v. Gütschow. 3 Afl. 8° Ebd. 05. 6 —;
                                                  L. 7 — d

Mereschkowski, DS: Tolstoi u. Dostojewski als Menschen u. als Künstler. Deutsch v. C v. Gütschow. (304) 8° Lpzg, Schulze & Co. 03. 4.50; geb. 5.50 d

Mereschkowsky, C v.: Das ird. Paradies. Märchen a. d. 27. Jahrh. Eine Utopie. (in russ. Sprache.) (471) 8° Berl.-Charlttnbg, F Gottheiner 03. 6 —

— dass. Aus d. Russ. v. H Mordaunt. (486) 8° Ebd. 03. 4.50; I°. 5.50 d

Merfield, CJ: Definitive orbit elements of comet 1901 I, s.: Abhandlungen, astronom.

Merg, H: Joh. Heinr. Pestalozzi, s.: Klassiker, d. pädagog.

Mergenthaler, A: Französ. Sprachbsch., s.: Bechtle, J.

Merges, N: Die internat. Wurst- u. Fleischwaren-Fabrikation. 2. Afl. v. G Wenger. (184 m. Abb.) 8° Wien, A Hartleben 03. 3 —; geb. 3.80 d

Merguet, H: Handlexikon zu Cicero. (In 4 Heften.) 1 u. 2. Heft. (400) 8° Lpzg, Dieterich 05. Je 6 —

Merian, H: Gesch. d. Musik im 19. Jahrh. 3—10. Lfg. (113—716 m. 23 Vollbildern u. 6 Fksms.) 8° Lpzg, O Spamer 01,02. Subskr.-Pr. je 1 — (Vollst.: 13 —; L. 15 —) ‖ 2. Afl. (737 m. Abb. u. 42 Beil.) 06. 13 —; L. 15 —

— Tannhäuser u. d. Sängerkrieg auf Wartburg v. Rich. Wagner, s.: Opernführer.

Mérimée, P: Colomba. Für d. Schulgebr. hrsg. v. M Kuttner. (196) 8° Lpzg, G Freytag 03. Geb. 1.50; Wrtrb. (43) — 50

— dass., s.: Bibliothèque franç. (B v. d. Lage). — Erzählungen, klass., d. Weltlit. — Perthes' Schulausg. engl. u. französ. Schriftsteller (A Sturmfels). — Prosateurs franç. (G Franz u. T Engwer). — Schulbibliothek, französ. u. engl. (J Leiritz).

— Volksbücher, Wiesbad.

— La Vicomtesse du Peloux, s.: Prosateurs franç. (Grube).

Mering, Freih. v., s.: Jahrbuch, klin. — Lehrbuch d. inneren Medizin.

Meringer, R: Indogerman. Sprachwiss., s.: Sammlung Göschen.

— Die Stellg d. bosn. Hauses u. Etymologien z. Hausrath. [S.-A.] (118 m. Fig.) 8° Wien, (A Hölder) 01. 4.50

Merk, A: Des Christen Pilgerstab auf d. Reise in d. Ewigk. 18. Afl. (383 m. 3 Bildern.) 8° Einsied., Verl.-Anst. Benziger & Co. (03). L. 1—d

— Kathol. Missions-Buch, od.: Unterr. u. Gebete z. Begründg u. Bewahrg e. gottsel. Lebenswandels. 11. Afl. (415 m. Titelbild.) 16° Saarl., F Stein Nf. (01). — 60; L. — 75 d

Merk, A, s.: Lohn-, Arbeits- u. sanitarischen Verhältnisse, d., d. Bäckereiarbeiter Zürichs.

Merk, E (Frau E Haushofer): 3 Frauen. Münch. Roman. (307) 8° Dresd., C Reissner 02. 4 —; geb. 5 —

— Freundinnen. Novelle. (104) 8° Berl., A Goldschmidt 05. — 50; L. — 75 d

— Die junge Generation, s.: Kürschner's, J, Bücherschatz.

— Am Hochzeitstage. — Das Rätsel d. Bergnacht, s.: Goldschmidt's Bibliothek f. Haus u. Reise.

— Sepp's Geist, s.: „Daheim". Stenogr.-Bibliothek in vereinf. deut. Stenogr.

Merk, FH: Üb. d. Einwirkg v. Schwefelammonium auf fettaromat. Ketone. (31) 8° Freibg i/B., Speyer & K. 03. 1 —

Merk, G: Schles. Choralmelodieenb., enth. 100 Choralmelodieen in d. v. d. kgl. Konsistorium zu Breslau f. d. Prov. Schlesien festgesetzten Lesart, sowie d. 30 n. d. Militär-Melodieenb. einzuüb. Melodieen. 2. Afl. (72) 8° Bunzl., G Kreuschmer 04. — 40 d

— Allg. Musik- u. Harmonielehre. 4. Afl. (288) 8° Quedlnbg 01. Gr. Lichterf., CF Vieweg. 2.80 ‖ 5. Afl. (318) Gr. Lichterf. (05). Geb. 3.50

Merk, L: Experimentelles z. Biol. d. menschl. Haut. 2. Mittheilg. Vom histolog. Bilde bei d. Resorption. [S.-A.] (33 m. 2 Taf.) 8° Wien, (A Hölder) 01. 1.10 (1 u. 2.: 3.90)

— Die Verbindg menschl. Epidermiszellen unter sich u. m. d. Corium. [S.-A.] (14 m. 1 Taf.) 8° Ebd. 03. — 50

Merk's, T, Haustier-Heilkde f. Landwirte. 9. Afl. v. L Hoffmann. (391 m. Abb.) 8° Stuttg., E Ulmer 03. Geb. 4—d

Merkatz F v.: Unterr.-Buch f. d. Maschinengewehr-Abteilgn. (232 m. Abb., 1 Bildn. u. 2 Taf.) 8° Berl., R Eisenschmidt 06. 1.80 d

Merkbuch, forstbotan. Nachweis d. beachtenswerten u. zu schütz. urwüchs. Sträucher, Bäume u. Bestände i m Kgr. Preussen. II u. III. Hrsg. auf Veranlassg d. Ministers f. Landw., Domänen u. Forsten. (Mit Abb.) 8° Berl., Gebr. Borntraeger 05. L. 6.40 (I—III.: 8.90)

II. Prov. Pommern. (118) 2.80 ‖ III. Prov. Hessen-Nassau. (209) 3.60.

— f. d. inneren Kompagniedienst, s. Afl., s.: Egersdorff.

Merkbüchlein f. d. Reform-Zeichenunterr. (41) 12° Berl., M Rockenstein (03). ‖ 2. u. 3. Afl. (95) (04). Je — 50 d

Merkel, A: Jurist. Encyklopädie. 3. Afl. v. R Merkel. (885) 8° Berl., J Guttentag 04. 5 —; L. 5.50 d

Merkel, CA, s.: Warnungsstimme f. uns. Jugend.

Merkel, E: Der Leichenraub. (50) 8° Lpzg, Veit & Co. 04. 1.60

Merkel, E: Mittel u. Wege z. Lösg d. soz. Frage. (80) 8° Traunst., (M Ender) 05. nn 1 —

Merkel, F: Atmgsorgane, s.: Handbuch d. Anatomie d. Menschen.

— s.: Ergebnisse d. Anatomie u. Entwickelgsgesch.

— Grundr. d. Anatomie d. Menschen, s.: Henle, J.

— Hdb. d. topograph. Anatomie. III. Bd. 1. u. 2. Lfg. (408 m. z. Tl farb. Abb.) 8° Brnschw., F Vieweg & S. 03,04. 15.50. (I—III, 2.: 71,50)

— s.: Hefte, anatom.

Merkel, F, u. E **Kallius**: Makroskop. Anatomie d. Auges, s.: Graefe, A, u. T Saemisch, Hdb. d. ges. Augenheilkde.

Merkel, G: Gr. Atlas d. Eisenb. v. Mittel-Europa, s.: Flemming, M.

Merkel, J: Der Kampf d. Fremdrechtes m. d. einheim. Rechte in Braunschweig-Lüneburg, s.: Quellen u. Darstellungen z. Gesch. Niedersachsens.

Merkel, P: Aussprache u. Deklamation. Beitrag z. Hebg d. Männergesanges. [S.-A.] (37) 8° Lpzg, CFW Siegel (04). — 50 d

— Der Instrumentenbauer. — Der Opern- u. Konzertsänger, s.: Miniatur-Bibliothek.

— Der norweg. Komponist Johan Selmer. Lebensbild. (20 m. 1 Bildnis.) 8° Lpzg, CFW Siegel (04). Unberechnet.

Merkel, P: Die Urkunde im deut. Strafrecht. (502) 8° Münch., CH Beck 02. 12 — d

Merkel, R: Aus protestant. Lager. Lieder u. Gedichte. (31) 8° Neudietendf, V Eifert (03). 25 d

— Pechsieders Weihnacht. Deklamatorium (scen. Bearbeitg v. P Roseggers Erzählg: „Der liebe Gott geht durch d. Wald") f. ev. Jünglingsver. 2. Afl. (12) 8° Dresd., Verbandsbh. 02. — 90 d

— Vierteljahrsschrift, deut., f. öffentl. Gesundheitspflege.

Merkens, H: Was sich d. Volk erzählt. Deut. Volkshumor. 2. Bd. 2. Afl. (201) 8° Jena, HW Schmidt (01). ‖ 3. Bd. (201) (01.) Je 3 — (1—3.: [11 —] 5 —) d

— dass. 3 Tle in 1 Bds. (Neue [Tit.-]Ausg.) (280. 201 u. 264) 8° Berl. [1895.01] (03). Jena, HW Schmidt. 5 —; L. 6 — d

Merker, der, Halbmonatsschrift. Hrsg.: O Flake u. R Schickele. 1. Jahrg. April—Dezbr 1903. 18 Nrn. (Nr. 1 u. 2. 36) 8° Strassbg, (C Bongard). Viertelj. 1.80; einz. Nrn — 40 ô ð F

Merker, H, s.: Dalen's, C van, Kalender f. Freimaurer.

Merker, M, s.: Bildersaal d eut. Gesch.

Merker, M: Die Masai. Ethnograph. Monogr. e. ostafrikan. Semitenvolkes. (424 m. Abb., 6 Taf. u. 1 Karte.) 8° Berl., D Reimer 04. L 8 —

— Rechtsverhältn. u. Sitten d. Wadschagga, s.: Petermann's, A, Mittelign. a. J Perthes' geograph. Anst.

Merk-u. Zeichenheft, geograph. Hrsg. v. Bez.-Lehrerver. München. 4 Hefte. (Je 8 Bl.) 8° Münch., (M Kellerer) (05). Je nn — 15

Merkl's Leitf. f. d. Unterr. d. Kanoniers u. Fahrers d. bayer. Feldartill. 13. Afl. v. H Pöllmann. (168 m. Abb.) 8° Münch., R Oldenbourg 04. — 75 d

Merkl, J: „Flitterwochen" u. and. heit. Gesch., s.: Schreiber's humorist. Bibliothek.

Merkle, S: (3te theolog. Fakultäten u. d. relig. Friede. Vortr. 2. Afl. (76) 8° Münch., J Gammann 05. — 80 d

— Reformationsgeschichtl. Streitfragen. Ein Wort z. Verständig a. Anlass d. Prozesses Beyhl-Berichingen. (76) 8° Münch. 04. Mainz, Kirchheim & Co. 1.20 d

— s.: Severolus, H, de concilio Tridentino commentarius.

Merkle, W: Die Lage d. Hausbesitzers hinsichtlich d. Besteuerg f. Staat u. Gemeinde u. s. Stellg z. bevorsteh. Steuerreform. (Vortr.) (48) 8° Karlsruhe (Schützenstr. 63), P Lang'sche Buchdr. (04). — 40 d

Merklein, T: Präparat. zu Ovids Metamorphosen, s.: Krafft u. Ranke's Präparat. f. d. Schullektüre.

Merkt, A: Der Aufsatz in d. Volkssch., s.: Kleins, F.

— Haushaltsgesch., s.: Schmid, F.

Merktafeln f. d. Turnen d. Infant. n. d. Turnvorschrift f. d. Infant. v. 24.X.1895 nebst Nachtr. v. 1897. 8. Afl. (7 S. auf Karton.) 16° Metz, R Lupus 01. — 15 d

Merkur, Kalender f. Handelsakademiker u. Handelsschüler. 12. Jahrg. Studienj. 1905/06. (133 m. 1 Bildn. u. Agenda.) 16° Wien, M Perles. L. 1.60

— Zeitschrift f. Stenographiker. Kaufleute, System Stolze-Schrey. Schriftleitg: M Kullnick. 1. Jahrg. Oktbr 1902—Dezbr 1903. 15 Nrn. (Nr. 1. 16 m. 1 Bildnis.) 8° Berl., Frz Schulze. 3.75 ‖ 2. Jahrg. 1904. 12 Nrn 3 — ô F

— deut. Populär-wiss. Organ d. deut. Alkatholizismus. Hrsg. v. P Mühlaupt. 55. Bd. Jahrg. 1904 u. 5. je 26 Nrn. (Nr. 1. 4) 4° Bonn (Schumannstr. 45), Red. d. deut. Merkur. Je 5 — d

Merkuria, Organ d. Verbandes kathol. kaufm. Vereinigg Deutschlds n. sr Hülfskassen. Red. A Tchirsch. 21—25. Jahrg. 1901—5 je 52 Nrn. (Nr. 1. 8) 4° Berl., Germania. Viertelj. nn — 75 d

Bis 1903 u. d. T.: Mercuria.

Merlin, H: Das gr. Buch d. Träume u. ihrer Deutg. Nach d. Aufzeichngn d. Artemidoros. (112) 8° Berl., H Steinitz (04). 1 — d

— Das gr. Buch d. Wahrsage-Kunst. Nebst e. Anh. üb. d. kabbalistisch-astronom. Lotto-Orakel u. kabbalistisch-mathemat. Glücksrad. (168) 8° Ebd. (01). 1.50 d

— Die Kunst Karten zu schlagen u. daraus wahrzusagen. [S.-A.] (95 m. Fig.) 8° Ebd. (05). 1 — d

— Was ist Okkultismus u. wie erlangt man okkulte Kräfte? (79) 8° Ebd. (03). 1 — d

Merlo, C: Der Entwurf e. Ges. betr. d. Umlegg v. Grundstücken in Frankfurt a. M. (neue lex Adickes) u. d. Wohngsfrage. (42 u. 11) 8° Köln, P Neubner 01. 1 — d

— Neue Steuern f. d. Haus- u. Grundbesitz, insbes. d. Wertzuwachs. (40) 8° Ebd. 05. — 70 d

Merlo-Horstius, J: Aphorismi euacharistici, i. e. piae et sanctae celebrationis monita ex praecipuis ascetis collecta et illustrata. Textum recens. adiectisque precib. ante et post missam denuo ed JA Krebs. Praemittitur viro auctoris. (16, 158 m. Bildnis.) 8° Rgnsbg, F Pustet 02. 1.20; L. 1.70

Mermagen, C: Die Wasserkur. Briefe an e. jungen Freund. (326) 8° Stuttg, F Enke 04.   2.80; geb. 3.60 d
Merobaudes, F: Reliquiae, ed F Vollmer, s.: Monumenta Germaniae historica.
Merrick, L: The quaint companions. — Conrad in quest of his youth, s.: Collection of Brit. auth.
— Liebe u. Ruhm, s.: Deva-Roman-Sammlung.
— When love flies out o'the window, s.: Collection of Brit. auth.
— Der Theaterdirektor, s.: Universal-Bibliothek.
Merriman, CE: Briefe an Papa. Diese Briefe schrieb Pierrepont Graham, d. Sohn d. Dollarkönigs John Graham, an s. Vater, d. Chef d. Schweinefleisch-Versand-Grosshandlg Graham & Co. in Chicago. Übers. v. A Brieger. 1—3. Afl. (342) 8° Berl., E Fleischel & Co. 04.   3.50; geb. 5 — d
Merriman, HS (HS Scott): Barlasch of the guard, s.: Collection of Brit. auth.
— Der rosa Brief, s.: Engelhorn's allg. Roman-Bibliothek.
— The velvet glove. — The last hope, s.: Collection of Brit. auth.
— Schloss Osterno, s.: Sammlung ausgew. Kriminal- u. Detektiv-Romane.
— Tomaso's fortune, and other stories. — The vultures, s.: Collection of Brit. auth.
Mersch, G: Gesch. d. christl. Kirche, s.: Siemers, K.
Merseburger, G, s.: Kalender, Leipz.
Mertens: Das Erbbaurecht als Mittel z. Bekämpfg d. Wohgsnoth. Bericht. (40) 8° Hannov., T Schulze 01.   —75 d
Mertens, A: Landeskde d. Prov. Sachsen, s.: Hertel, G.
Mertens, C, s.: Zeitschrift f. vaterländ. Gesch. u. Altertamskde (Westfalen).
Mertens, E: Der Weg z. Standesamt. Von e. Elternpaar, d. 5 Töchter ohne Mitgift unter d. Haube brachte. (34) 8° Lpzg, R Nitzschke 05.   1 — d
Mertens, F: Ein Beweis d. Galois'schen Fundamentalsatzes. [S.-A.] (21) 8° Wien, (A Hölder) 01.   — 50
— Üb. n. Darstellg d. Legendre'schen Zeichens. [S.-A.] (5) 8° Ebd. 04.   — 20
— Üb. zykl. Gleichgn. [S.-A.] (44) 8° Ebd. 05.   — 80
— s.: Monatshefte f. Mathematik u. Physik.
Mertens, F: Aufg. z. prakt. Rechnen, s.: Kleinpaul, L.
Mertens, G: Die Krankh. d. Halses u. d. Kehlkopfes. 2. Afl. (80) 8° Berl., H Steinitz (05).   1.50
Mertens, HW: Des Freiherrn v. Münchhausen wunderbareReisen u. Abenteuer, s.: Bibliothek, kl.
Mertens, M: Hilfsb. f. d. Unterr. in d. alten Gesch. 7. u. 8. Afl. (154) 8° Freibg i/B., Herder 04.   1.60; geb. 2 — d
— dass. in d. deut. Gesch. 3 Tle. 8° Ebd. 4.30; Einbde je —40 d
1. Von d. ält. Zeiten bis z. Ausg. d. M.-A. 9. u. 10. Afl. (140) 05. 1.40 ſ 2. Vom Beginn d. Neuzeit bis z. Thronbesteigg Friedrichs d. Gr. 7. u. 8. Afl. (141—242) 05. 1.20 ſ 3. Von d. Thronbesteigg Friedrichs d. Gr. bis z. Gegenwart, nebst e. Anh. 5. u. 6. Afl. (241—386) 01. 1.60.
Mertens, O: Illustr. Weltgesch. (792 m. 7 Taf.) 8° Berl. (o. J.). (Lpzg, G Fock V.)   Geb. 14 —; in Liebh.-Bd 15 — d
Mertens, O: In 5 Minuten Redner!, nebst e. Anl.: Befangenheit, Angst (Lampenfieber), Unruhe u. Nervosität im Entstehen zu unterdrücken. (78) 8° Berl., C Georgi (04). 4. Afl. (76) (04).   Je 1 — d
Mertens, R: Obsteinkochbüchl. f. d. bürgerl. u. feineren Haushalt. 7. Afl. v. E Junge. (157 m. Abb.) 8° Wiesb., R Bechtold & Co. (05).   1.50 d
— Unterweisgn im Obstbau, bes. im Kronenschnitt. 2. Afl. (174 m. Abb.) 8° Ebd. (01).   1.50 d
Mertens, S: Die Eigenschaften u. physikal. Ges. d. Luft u. d. Dampfes, sowie deren Anwendg bei d. Berechng v. Trockenanlagen. (61) 8° Lpzg, C Scholtze 04.   2.50; geb. 3 — d
Mertens, W, s.: Stenographen-Kalender, deut.
Mertes, P: 200 d. bekanntesten u. vorzüglichsten Heilpflanzen, s.: Sammlung kl. Volksschriften.
Merth, B: Die 4 Fälle d. persönl. Fürwortes. — Die 4 Fälle d Geschlechtswa, Wandtaf. (3 Bl.) Je 95,5×64 cm. Kornenbg, J Kühkopf (04). (2—) 1.20; auf Pappe u. lackiert (4.50) 3.60 d
— Kl. Landeskde d. Erzherzogt. Österr. unter d. Enns. 3. Afl. (124) 8° Ebd. 03.   Kart. 1 — d
— Sprachübgn f. 1- bis 5klass. Volkssch. Im Anschl. an d. Lesebuch. a. d. k. k. Schulbücher-Verl. Unter Mitwirkg v. J Wandl u. F Wollmann verf. 1—3. Tl. 8° Wien, A Pichler's Wwe & S. 04.   8.10 d
   1. Übgn im mündl. u. schriftl. Gedankenausdrucke. (123) 02. 1.50 ſ 2. Sprachlehr-Übgn : 1. Unter- u. mittelst. 2. Oberst. (256) 03. 3 — ſ 3. Wortbedeutg, Mehrdeutigk. u. Sinnverwandtschaft d. Wörter, Wortbildg u. Rechtschreiben. (298) 05. 3.60.
— u. F Wollmann: Sprachlehrübgn f. 4- u. mehrklass.Volkssch. Unter Mitwirkg v. J Wandl verf. 1. Heft. (2. u. 3. Schulj.) (128) 8° Wien, F Tempsky 06.   1.60 d
Merth, H: Die Trunksucht u. ihre Bekämpfg durch d. Schule. (275) 8° Wien, A Pichler's Wwe & S. 04.   3.60 d
Merthiven, F v.: Am Berg Isel. Illustr. populär-histor. Skizze. (50) 16° Innsbr., E Lorenz (05).   — 80
Mertig, J: Was d. Handwerker v. kaufmänn. Kenntnissen wissen muss. (57) 8° Lpzg, H Klasing 02.   L. 1.80
— u. B Volger: Die Buchführg d. Gewerbetreib. — Der prakt. Geschäftsbetrieb f. d. Gewerbetreib. u. Handwerker, s.: Volger's, B, Bücherei f. d. Gewerbe- u. Handwerkerstand.
Mertz, G: Was jeder Protestant v. christl. Glauben u. Leben wissen soll. 1. Bd. (385) 8° Gütersl., C Bertelsmann 05. 3.60; geb. 4.50 d

Mertz, G: Das Schulwesen d. dent. Reformation im 16. Jahrh. (881) 8° Hdlbg, C Winter V. 01./02.   16 —; HF. 18 — d
   Erschien in 10 Lfgn à. Subskr.-Pr. v. je 1.20.
Meru, J: Am Quell d. Zeiten, s.: Barniok, E.
Mervarid: Ihr treuster Freund. Roman. (296) 8° Görl., R Dülfer 03.   3 — d
Merwart, K: Der psycholog. Augenblick. Schwank. (64) 8° Wien, (C Fromme) 04.   1 — d
— Ferienblüten. Ernste u. heit. Dichtgn. (104) 12° Ebd. 02. 1.90 d
Merwin, P: Ein Sekundaner-Don Juan. Trauersp. (71) 8° Dresd., E Pierson 02.   1 — d
— Der Tod d. ew. Juden. (90) 8° Ebd. 02.   1.50; geb. 2.50 d
Merx, A: Die 4 kanon. Evangelien n. ihrem ält. bekannten Texte. Uebersetzg u. Erläuterg d. syr. im Sinaikloster gefund. Palimpsesthandschrift. II. Thl, 2 Hlften. Erläuterg. 8° Berl., G Reimer.   28 — (I u. II.: 33 —)
   II,1. Das Ev. Matthaeus. (23, 488) 02. 12 — ſ 2. Die Ev. Markus u. Lukas. (545 m. 4 Abb.) 05. 16 —
— Die morgenländ. Studien u. Professuren an d. Univ. Heidelberg vor u. bes. im 19. Jahrh., s.: Professoren, Heidelberger, a. d. 19. Jahrh.
Merx, O: Der Aufstand d. Handwerksgesellen auf d. Gartlage bei Osnabrück am 13.VII.1801. [S.-A.] (109) 8° Osnabr., (Rackhorst) 02.   1.50 d
Merz, E: Vorzugsgaspreise f. bestimmte Gasverbrauchszwecke bezw. Zeiten od. Einheitsgaspreise? [S.-A.] (7 m. Fig.) 4° Münch., R Oldenbourg 01.   — 50
Merz, F: Die forstl. Verhältn. d. Kt. Tessin. Vortr. [S.-A.] (36 m. 6 Taf. u. 2 Kart.) 8° Zür. 03. (Bern, A Francke.) 1.30
Merz, H: Üb. d. Ausbildg d. Infanteristen z. Schützen im Gelände u. vor d. Scheibe, s.: Militärzeitung, allg. schweiz.
Merz, H: Üb. Verstellg u. Schutzfärbg in d. Tierwelt. [S.-A.] (10) 8° Aar., (HR Sauerländer & Co.) (04).   — 30 d
Merz, J, s.: Kunstblatt, christl.
— Die Marienkirche in Reutlingen, s.: Gradmann, E.
— Theodor Schüz, e. weltl. Maler m. ev.-christl. Gedanken. [S.-A.] (15) 8° Stuttg., JF Steinkopf 02.   — 50 d
Merz, W: Die mittelalterl. Burganlagen u. Wehrbanten d. Kt. Argau. 1—5. Lfg. (424 m. Abb., 33 Taf., 15 Stammtaf. u. 2 Tab.) 4° Aar., HR Sauerländer & Co. 04.05. Je 5 —; 1. Bd. (300 u.10) L. 24 —
— s.: Führer durch d. Klosterkirche zu Königsfelden.
— Die Lenzburg. (172 u. 110 m. Abb., 42 Taf. u. 3 Stammtaf.) 8° Aar, HR Sauerländer & Co. 04. 7 —; auf Handpap, m 11 —
Merz, W: Berner Novellen. (268) 8° Bern, Neukomm & Z. (01).
Merzbach, D: Das Zeuggsvermögen, s.:Volksbücherei, medizin.
Merzbacher, G: Vorläuf. Bericht üb. e. in d. J. 1902 u. 03 ausgeführte Forschgsreise in d. zentralen Tian-Schan, s.: Petermann's, A, Mitteilgn.
— Forschgsreise im Tian-Schan. [S.-A.] (93)8°Münch., (G Franz' V.)   1.80
— Aus d. Hochregionen d. Kaukasus. Wandergn, Erlebnisse, Beobachtgn. 2 Bde. (39, 957 u. 963 m. Abb. u. 8 Kart.) 8° Lpzg, Duncker & H. 01.   L. 40 —
— Karte d. kaukas. Hochgebirges v. Elbrus bis z. Passe Godiwaik. [S.-A.] 1:140,000. 3 Bl. je 51×94 cm. Farbdr. Ebd. 01.
   In L.-M. 9 —
Merzbacher, S: Aktienges. Handelsgesetzbuch v. 10.V.1897. II. Buch, 3. u. 4. Abschn.: Aktiengesellsch. u. Kommanditgesellsch. auf Aktien erläut. u. m. Satzgsentwurf hrsg. (381) 12° Münch., CH Beck 01.   L. 3.50 d
— Ges., betr. d. Anfechtg v. Rechtshandlgn e. Schuldners ausserh. d. Konkursverfahrens in d. Fassg v. 20.V.1898. (97) 12° Ebd. 03.   L. 1.20 d
— Rechtsges, betr. d. Gesellsch. m. beschränkter Haftg in d. Fassg d. Bekanntmachg v. 20.V.1898, erläutert m. Entwurf e. Gesellschaftsvertr. hrsg. 2. Afl. (214) 12° Ebd. 04.   L. 3.50 d
— Die bayer. Verordng v. 26.III.'02 üb. d. Gebühren d. Rechtsanwälte. (245 m. Tab.) 12° Ebd. 02.   L. 3 — d
— Die allg. deut. Wechselordng, s.: Brentano, H.
Meschendörfer, JT, W Morres u. E Morres: Lese- u. Lehrb. f. d. ländl. Fortbildgssch. 4. Afl. (482 m. 1 Bildnis.) 8° Brassó (Kronst.), H Zeidner 04.   Geb. 2.25 d
Meschler, M: Die Gabe d. hl. Pfingstfestes. Betrachtgn üb. d. Hl. Geist. 5. Afl. (506) 8° Freibg i/B., Herder 05. 3.60; HF. 5.20 d
— Jardin de rosas de nuestra Señora. Excelencias del santisimo rosario y modo de rezarle bien. (204 m. Farb. Titelbild.) 16° Ebd. (03).   L. — 80
— Das ndial. Kirchenj. Betrachtgn üb. d. Leben uns. Herrn Jesus Christus, d. Sohnes Gottes. 1. u. 2. Afl. 2 Bde. (380 u. 459) 8° Ebd. 05.   6 —; HF. 9.50 d
— Leben d. hl. Aloysius v. Gonzaga, Patrons d. christl. Jugend. 7. Afl. (311 m. 3 Lichtdr.) 8° Ebd. 04.   2.50; L. 3.60 d
— Leben d. hl. Herrn Jesu Christi, d. Sohnes Gottes, in Betrachtgn. 5. Afl. 2 Bde. (21, 653 u. 586 m. 1 Karte.) 8° Ebd. 02.   7.50; HF. 11 — d
— Novene zu Uns. Lieben Frau v. Lourdes. 8. Afl. (225 m. Titelbild.) 8° Ebd. 05.   1.50; L. — 90 d
— Der Rosengarten Uns. Lieben Frau. Aufmunterg u. Anl. z. hl. Rosenkranzgebet. 10. Afl. (119 m. 1 St.) 16° Paderb., Junfermann 03.   — 40; L. — 60 d
Meschwitz, P: Willy Baumann. Eine Händlergesch. a. d. deut. Südsee. Der reif. Jugend u. d. Volke gewidmet. (154 m. 4 Bildern.) 8° Lpzg, H Lautenschläger (03).   L. (2.50) 2 — d

Meschwitz, H: Auf schmalem Pfad. Roman. (225) 8° Dresd., E Pierson 02. 2.50; geb. 3.50 d
— In Poseidons Lehrstube. Erzählg a. d. Seekadettenlebn. Mit e. Anh.: Stand d. deut. Kriegsmarine u. Laufbahn in d. kaiserl. Marine nebst Übersichtspl. derselben. (172 m. Abb. u. 4 [1 farb.] Vollbildern.) 8° Dresd., A Köhler (01). 3 —; L. 4 — d
Meschwitz, R: Seine Frau. Roman. (188) 8° Dresd., E Pierson 04. 2 —; geb. 3 — d
Mesnil, du: Nebengedanken e. Landarztes. (56) 8° Dresd., E Pierson 03. 1 —; geb. 2 — d
Mesnil, J: Die freie Ehe. Uebers. v. K Federn. (41) 8° Schmargendf.-Berl., Verl. „Renaissance" 03. || 2. Afl. (53) 04. Je — 60 d
Mess-Adressbuch f. Leipzig. 105. Afl. 1905. Oster-Vormess-Ausg. (98, 352, 52, 13 u. 8 m. 1 Pl.) 8° Lpzg, CH Serbe. Geb. 2 —
|| 105 b. (Oster-Hauptmess-)Ausg. 1905. (26 u. 61 m. 1 Pl.) — 50
|| 106. Afl. 1905. Michaelis-Mess-Ausg. (91, 352, 42 u. 61 m. 1 Pl.) Geb. 2 —
Message du conseil fédéral à l'assemblée fédérale concernant le projet de code civil suisse, s.: Botschaft d. Bundesrates an d. Bundesversammlg z. Bundesges., enth. d. schweiz. Zivilgesetzb.
— dass. concernant le projet de loi destiné à completer le projet de code civil suisse (droit des obligations et titre final), s.: Botschaft d. Bundesrats an d. Bundesversammlg zu e. Gesetzentwurf betr. usw. Zivilgesetzb.
Messager boiteux, le grand, de Strasbourg, pour 1906. 91. année. (80 m. Abb.) 8° Strassbg, FX Le Roux & Co. nn — 30
Messala, M, s.: Weihnachten, merkwürd.
Messalinen, d., an d. Donau. Pikante Geschichten a. d. lust. Kaiserstadt. (96) 8° Neuweissens., E Bartels (o. J.). 2 — d
— d. an d. Spree. Spann. Geschichten a. mehreren Zeitaltern d. Reichshauptstadt. (96) 8° Ebd. (o. J.). 2 — d
Messbuch, mein. Erklärg d. hl. Messopfers n. mehreren d. besten Schriftstellern; nebst 6 Messandachten u. and. Gebeten. Hrsg. f. d. Mitglieder d. St. Josef-Bücherbruderschaft. (376 m. Abb.) 16° Klagenf., Buch- u. Kunsth. d. St. Josef-Ver. 04. L. 1 — d
— f. Weltleute, enth. 52 sehr kräft., andächt. u. herzl. Messandachten nebst allen gewöhnl. Andachtsübgn. Von e. Priester a. d. Diöz. Basel. 40. Afl. v. J Tschümperlin. (656 m. Abb. u. 16 Taf.) 16° Einsied., Verl.-Anst. Benziger & Co. 05. L. 1.40; HLdr m. G. 1.80; Ldr m. G. 2.60 d
Messbüchlein, mein liebes. Eine kurze Messandacht z. gemeinschaftl. Gebr. f. Kinder. 21. Afl. (80 m. Abb.) 16° Dülm., A Laumann 04. Geb. — 30 d
Messdiener, d. fromme. Gebetbüchl. z. Gebr. beim Dienen d. hl. Messe. Ausg. m. deut. od. latein. Lettern. (Je 30) 16° Strassbg, FX Le Roux & Co. 02. Geb. je — 15 d
Messdienerbüchlein. Kurze Anl., wie d. Ministrant d. Priester bei d. hl. Messe dienen soll. (31) 16° Habelschw., Franke 02. — 10 d
Messer, A: Kants Ethik. Einführg in ihre Hauptprobleme u. Beitr. zu deren Lösg. (407) 8° Lpzg, Veit & Co. 04. 9 —
— Die Reformbewegg auf d. Geb. d. preuss. Gymnasialwesens v. 1882—1901. (173) 8° Lpzg, BG Teubner 01. 3.20 d
— Herm. Schiller als Pädagog. [S.-A.] (16) 8° Karlsr. 02. (Giessen, A Töpelmann.) — 60
Messer, J: Stern-Atlas f. Himmelsbeobachtgn. 2 Übersichtsk. d. nördl. u. südl. Himmels u. 26 Spezialk. aller m. freien Augen sichtbaren Sterne u. Kennzeichng d. Veränderlichen, Doppelsterne, Sternhaufen u. Nebelflecke. 2. Afl. (244 m. Abb.) 4° St. Petersbg, KL Ricker 02. L., in 4° 04. 3 —
Messer, J: Führer durch Bad Kreuznach, Münster a. Stein u. Umgebg. (52 m. 1 Pl. u. 1 Karte.) 8° Kreuzn., W Pullig (05). 1 —
— Führer durch Bad Kreuznach, Bad Münster am Stein u. d. Nahetal m. s. angrenz. Gebieten. (194 m. 3 Kart. u. 1 Pl.) 8° Ebd. (05). 1 — d
Neue Bearbeitg d. 14. Afl. v. Voigtländer's Bad Kreuznach.
Messer, M: Moderne Essays. (270) 8° Dresd., C Reissner 01. 6 —; geb. 7 — d
— Die moderne Seele. 2. Afl. (123) 8° Dresd. 01. Berl., H Seemann Nf. 3 —; geb. 4 — || 3. Afl. (124) Lpzg 05. 3.50; geb. 5.50
— Varieté d. Geistes. (110) 12° Lpzg 02. Berl., H Seemann Nf. 2 — d
Messerer, T (Frau T Winkler): Berglust & Tannengrün. Hochlandsgeschichten f. d. reif. Jugend u. d. Volk. Neue Ausg. (120 m. Titelbild.) 12° Reutl., Ensslin & L. (05). geb. † — 60 d
— Dorfgeschichten f. d. Jugend. — Am Gamshörnl. Der Schnaps-Michl, s.: Bachem's Jugend-Erzählgn.
— Treue Herzen. 2 Erzählgn a. d. bayr. Bergen. Ster.-Ausg. (128 m. 1 Bilde.) 12° Reutl., Ensslin & L. (01). — 25 d
— Der Muckl an d. Wand. Erzählg a. d. bayer. Hochgebirge. Ster.-Ausg. (108 m. Titelbild.) 12° Ebd. (01). Geb. — 60 d
— In d. Staffelküamm. Der Kasperl, s.: Bachem's Jugend-Erzählgn.
Messerschmidt, FR: Das Ich-Evangelium. Schausp. (56) 8° Dresd.-Blasew., R v. Grumbkow 04. 1.20 d
Messerschmidt, L: Corpus inscriptionum Hettiticar., s.: Mitteilungen d. vorderasiat. Gesellschaft.
— Die Entzifferg d. Keilschrift. — Die Hettiter, s.: Orient, d. alte.
Messerschmitt, A: Calculation u. Technik d. Eisengiesserei. 3. Afl. in 2 Bdn. 8° Ess., GD Baedeker. L. 13 —
1. Die Calculation in d. Eisengiesserei u. d. Giesserei-Techniker in s. Betriebe, sowie d. Arbeits-Verträge u. Accord-Gedinge, Giesserei-Verbands-Verträge u. Preiscourant, Gewichtstab. u. Mathematisches,

nebst Maass- u. Gewichts-Einheiten d. metr. Systems. (210 m. Fig.) 05. 4 —
II. Die Technik in d. Eisengiesserei n. prakt. Wiss. Analysen, Gattierg, Festigk., Schmelzöfen, Trockenkammern, Inoxydation, Formmaschinen, Allg., sowie d. Schweissverfahren u. Gusseisen-Veredelg a. d. Verfahren v. Goldschmidt. (329 m. Fig. u. Skizzen.) 04. 9 —
Messerschmitt, A: Die Kalkulation im Maschinenwesen, nebst Anl. z. Bestimmg d. allg. wie spezialisierten Akkord-Gedinge u. d. Wahl d. Materialien, sowie Anh. v. Akkord-Verz. u. Preisen maschineller Gegenstände. 2. Afl. (164 m. Fig.) 8° Ess., GD Baedeker 05. L. 3.50
Messerschmidt, JB: Beeinflussg d. Magnetographen-Aufzeichngn durch Erdbeben u. ein. and. terestr. Erscheingn. [S.-A.] (84) 8° Münch., (G Franz' V.) 05. — 40
— Magnet.-Ortsbestimmg in München. [S.-A.] (15) 8° Münch., (G Franz' V.) 05. — 40
— Magnet. Beobachtgn in München, s.: Veröffentlichungen d. erdmagnet. Observatoriums bei d. kgl. Sternwarte in München.
— Ergebnisse v. Sextantenprüfgn an d. deut. Seewarte. [S.-A.] (44 u. 4 m. Fig.) 4° Hambg, (L Friederichsen & Co.) 02. nn 3 —
— Polhöhen u. Intensitätsbestimmg in Bayern. [S.-A.] (15) 8° Münch., (G Franz' V.) 05. — 40
— Das Wetter. Ungewitter v. 31.X.'03. [S.-A.] (11 m. 1 Taf.) 8° Münch., (G Franz' V.) 04. — 40
Messgesänge u. Kirchenlieder. 17. Afl. (96) 12° Kornenbg, J Künkopf 1900. — 20 d
Messien, H, s.: Kalender f. Handelslehranst. — Kalender f. Handelsschüler.
— Leitf. d. Handelswiss., s.: Findeisen, CF.
— Rechenb. f. gewerbl. Fortbildgssch. sowie f. Fortbildgssch. im allg. I. Tl, 2 Hlftn u. II. Tl. 3. Afl. 8° Meiss., HW Schlimpert 04. 2 — d
  I., 1. Für d. Hand d. Lehrers. (52 m. Fig.) — 50
  2. Auflsgn z. Schülerheft. Für d. Hand d. Lehrers. (11) — 50
  II. Für d. Hand d. Schülers. (64) — 50
— Übgssätze u. Musterbriefe z. Einführg in d. engl., bezw. französ. Handelskorrespondenz, s.: Witzel, K.
Messing, O: Steuer- u. Finanzwesen Chinas an d. Hand d. Gesch., s.: Verhandlungen d. deut. Kolonial-Gesellsch.
Messmer, E: Sagen u. Sänge vom Lauenstein u. Loquitzthal. (40 m. Abb.) 4° Berl. (02). Würzbg, A Herzer. 1.90 d
Messmer, G: Üb. e. Fall v. ausgedehnter Tuberkulose m. eigentüml. Localisation. (16 m. Abb.) 8° Dülm., F Pietzcker 01. nn — 50
Messmer, J: Jesus v. Nazareth. Freirelig. Schausp. (48) 8° Dresd., E Pierson 05. 1 — d
Messmer, O: Grundlinien z. Lehre v. d. Unterr.-Methoden auf log. u. experimenteller Basis nebst krit. Anmerkgn üb. d. „formalen Stufen" v. Ziller. (338) 8° Lpzg, BG Teubner 05. 7 —
— Kritik d. Lehre v. d. Unterr.-Methode. (180) 8° Ebd. 05. 3.60; geb. 4.20 d
— Zur Psychol. d. Lesens bei Kindern u. Erwachsenen, s.: Sammlung v. Abhandlgn z. psycholog. Pädagogik.
Messner, H: Taschenb. f. d. Lebensmittelkontrollorgane d. Gemeinden. (284) 8° Wien, W Braunmüller 05. L. 3 —
Messner, J: Die Handwerksburschen, s.: Volksbücherei.
Messner, P: 3 deut. Böhmerwalddichter. (100) 8° Lpzg, (JC Hinrichs' S.) 01. || 2. Afl. (94) Prachatitz 02. Je 1 — d
Messopfer, d. hl., u. d. Stationen d. hl. Kreuzweges. Von e. Schwester d. Dominikanerklosters. (39) 16° Augsbg, Kranzfelder 05. — 15 d
Messtischblätter d. Preuss. Staates. Kgl. preuss. Landes-Aufnahme. 1:25,000. Nr. 390, 1110—1112, 1114, 1200, 1203, 1289, 1290, 1297—1299, 1301, 1302, 1365, 1378—1383, 1458—1463, 1531—1533, 1535, 1541, 1542, 1594, 1602—1608, 1610—1613, 1677—1683, 1690—1695, 1729, 1744—1755, 1762—1767, 1801, 1805, 1816—1827, 1834—1839, 1890—1895, 1897, 1898, 1905—1913, 1958—1963, 1905, 1966, 1973—1981, 2025, 2026, 2028—2030, 2032, 2040—2048, 2093—2098, 2100—2107, 2110—2116, 2160, 2162—2166, 2180—2182, 2255—2250, 2306—2332, 2361—2408, 2454, 2456—2482, 2537, 2552—2555, 2584, 2586, 2599—2603, 2650, 2673—2679, 3743, 2744, 2747, 2748, 2804, 2806, 2809, 2864, 2867—2870, 2872, 2932—2934, 2936, 2990—3002, 3037—3040, 3061, 3093, 3099, 3100, 3117—3119, 3121, 3123, 3125, 3158, 3159, 3176, 3179, 3181, 3183, 3214—3216, 3293, 3296—3299, 3233, 3290, 3298, 3291, 3310—3391, 3364—3364, 3402—3404. Je etwa 46×47 cm. Farbdr. Berl., (R Eisenschmidt) 01-05. Je nn 1 —
Adorf. 2660. || Aken. 2313. || Allstedt. 2602. || Alt-Döbern. 2472. || Alten-Grabow. 2104. || Altenkirchen im Westerwald. 2100. || Altenmedingen. 1362. || Alt-Landsberg. 1939. || Alt-Schadow. 2114. || Amelinghausen. 2554. || Arnsdf-son. 1661. || Arnsdorf. 2297. || Backum. 1601. || Ballenstedt. 2582. || Barby. 2229. || Barssel. 1503. || Barum. 2005. || Baruth. 2170. || Bassenheim. 2569. || Beeden-bostel. 1745. || Beelitz. 2040. || Beerfelde. 1912. || Beeskow. 2113. || Beetzen-dorf. 1746. || Bendingen. 1878. || Belzig. 2100. || Benndorf. 3215. || Bergen im Celle. 1502. || Bergen a. d. Dumme. 1503. || Berlin. 1837. || Bernau. 1766. || Bernburg. 2556. || Betzdorf. 3040. || Beversen. 1402. || Beverstedt. 1114. || Biederitz. 2101. || Bienenbüttel. 1304. || Biesenthal. 1594. || Bismark. (Prov. Sachsen.) 1754. || Bispingen. 1452. || Bitterfeld. 2402. || Bitterfeld (West). 2461. || Blankenhain. 2093. || Blecken. 2100. || Bobers-berg. 2103. || Boppard. 3320. || Brakes. 1203. || Braun-schweig. 2094. || Breihn. 2594. || Breloh. 1453. || Briesen in d. Mark. 1991. || Briesnitz. 2407. || Brelchof. 1816. || Brome. 1150. || Brück. 2107. || Buckowen. 2468. || Burg im Spreewald. 2295. || Buttelstedt. 2870. || Calvörde. 1964. || Cam-burg. 2673. || Celle. 1745. || Charlottenburg. 1836. || Christianstadt. 2405. || Colochau. 2294. || Cülleda. 2603. || Cöpenick. 1909. || Coswig. 2313. || Crotta-3380. || Dachsenhausen. 3321. || Dahlenburg. 1303. || Dahme. 2321. || Daliges-Döberitz. 1835. || Derdesheim. 2253. || Delitzsch. 2555. || Derenburg. 2506.

| Dessau. 2314. | Deutsch-Pretzier. 1610. | Dierdorf. 3159. | Diesdorf. 1678. | Döbern. 2475. | Dolle. 1897. | Dommershausen. 3364. | Drebkau. 2473. | Düben. 2536. | Ebstorf. 1461. | Egeln. 2236. | Ehra. 1821. | Eimke. 1533. | Eisleben. 2530. | Eitorf. 3037. | Ems. 3271. | Erdeborn. 2603. | Erfurt. 2933. | Erxleben. 2030. | Eschede. 1674. | Eversdorf. 1379. | Fallersleben. 1892. | Finsterwalde. 2470. | Forst. 2402. | Frankenhausen. 2674. | Freyburg a. d. Unstrut. 2748. | Freystadt i/Schl. 2408. | Friedersdorf. 2045. | Friedrichsfelde. 1838. | Fuhrberg. 1816. | Fürstenau in Hann. 1803. | Fürstenwalde. 1980. | Fürstlich-Drehna. 2397. | Gamsen. 1820. | Gardelegen. 1825. | Garlstorf. 1298. | Gassen. 2405. | Gebesee. 2604. | Gifhorn. 1891. | Göhren. 2330. | Göllnitz. 2471. | Golssen. 2249. | Görzke. 2105. | Gräfenhainichen. 2389. | Gräfenthal. 3181. | Grano. 2255. | Greussen. 2743. | Grüningen. 2235. | Gr. Apenburg. 1680. | Gr. Beeren. 1975. | Gr. Garz. 1541. | Gr. Leuthen. 2182. | Gr. Ösingen. 1747. | Gr. Rietz. 2048. | Gr. Twülpstedt. 1961. | Grünthal (Reg.-Bez. Potsdam). 1695. | Guben. 2256. | Gösten. 2384. | Halbau. 2552. | Halberstadt. 2307. | Halle a. d. S. (Nord.) 2533. | Hamersleben. 2104. | Hankensbüttel. 1676. | Hartau. 2481. | Harzgerode. 2454. | Haselünne. 1729. | Heiligendorf. 1960. | Heinersdorf. 1913. | Helmstedt. 2029. | Hennigsdorf. 1764. | Heringen. 2599. | Hermannsburg. 1803. | Hermswalde. 2331. | Herzberg (Kr. Beeskow-Storkow). 2047. | Herzberg a.d. Elster. 2467. | Herzfelde. 1911. | Hessen. 2162. | Hettstedt. 2457. | Himbergen. 1468. | Hirschfeldau. 2480. | Holz. 1297. | Hütensleben. 2097. | Hundeluft. 2242. | Jadebusen. 1111. | Jamlitz. 2254. | Jatens. 1112. | Jeetze. 1661. | Jena. 2936. | Jerxheim. 2163. | Jessen. Kr. Spremberg. 2546. | Jessen. Kr. Schweinitz. 2392. | Jessnitz 2329. | Jüterbog. 2246. | Kalau. 2398. | Kalbe a. d. Milde. 1753. | Kalbe a. d. S. 2238. | Kanig. 2257. | Kastellaun. 3402. | Kaub. 3404. | Kelbra. 2600. | Kemberg. 2390. | Kestert. 3365. | Ketzin. 1905. | Kirchgellersen. 1299. | Kirchhain. 2469. | Kisselbach. 3403. | Kl. Leipisch. 2543. | Klepzig. 2173. | Klettwitz. 2544. | Klötze. (Ost.) 1752. | Klötze. (West.) 1751. | Knau. 3125. | Knesebeck. 1749. | Koblenz. 3270. | Kochstedt. 2309. | Kolbitz. 1965. | Komptendorf. 2474. | Königsee. 3121. | Königs-Wusterhausen. 1977. | Könnern. 2458. | Kossenblatt. 2115. | Kottbus (Ost). 2401. | Kottbus (West). 2400. | Kranichfeld. 2997. | Kremmern. 1691. | Kunrau. 1823. | Landsberg b. Halle. 2533. | Lehesten. 3238/3290. | Leimbach. 2456. | Leitzkau. 2169. | Leppin. 1617. | Lichtenrade. 1976. | Liebengrün. 3183. | Liebenwerda. 2541. | Lieberose. 2258. | Liebthal. 2259. | Linda. 2319. | Lindau. 2170. | Lindstedt. 1826. | Linum. 1690. | Löbejün. 2459. | Lobenstein. 3239. | Loburg. 2103. | Lübben. 2251. | Lübbenau. 2324. | Luckau. 2323. | Luckenwalde. 2177. | Lüderitz. 1827. | Madfeld. 2586. | Magdeburg. 2100. | Mallmitz. 2553. | Mansfeld. 2529. | Marlishausen. 2996. | Marwitz. 1763. | Mehlis. 3118. | Meine. 1959. | Meinersen. 1890. | Meiningen. 3176. | Merseburg (West). 2679. | Messdorf. 1682. | Mieste. 1895. | Mihla. 2664. | Mittenwalde. 2044. | Möckern. 2102. | Hockrehna. 2537. | Montabaur. 3216. | Hilden. 1819. | Mühlstedt. 2241. | Münster. 1532. | Münstermaifeld. 3319. | Muskau. 2549. | Nauen. 1762. | Naumburg a. Bober. 2332. | Naumburg a. d. Saale. 2809. | Nebra. 2747. | Nedlitz. 2171. | Neetze. 1301. | Neudietendorf. 2932. | Neuenburg in Oldbg. 1200. | Neumark in Thür. 2869. | Neustadt a. d. Orla. 3063. | Neustädtel. 2492. | Neuwied. 3214. | Nieder Hartmannsdorf. 2551. | Niemegk. 2174. | Nienburg a. d. S. 2311. | Niewisch. 2183. | Öbisfelde. 1893. | Oderin. 2180. | Offen. 1672. | Oppelhain. 2542. | Oranienburg. 1692. | Oschersleben. 2165. | Osterburg. 1683. | Osterholz. 1290. | Paplitz. 2178. | Peitz. 2327. | Petkus. 2248. | Pförten. 2403. | Potsdam (Nord u. Süd). 1906. 1974. | Prettin. 2465. | Pretzsch. 2391. | Primkenau. 2555. | Quedlinburg. 2381. | Quellendorf. 2387. | Querfurt. 2677. | Raguhn. 2388. | Rätzlingen. 1894. | Roda. 3000. | Rogätz. 1966. | Rüdersdorf. 1910. | Rudolstadt. 3061. | Rüthen. 2584. | Saalfeld a. d. S. 3123. | Sagan. 2479. | Salzgitter. 2160. | Sangerhausen. 2601. | St. Goarshausen. 3366. | Schafstädt. 2678. | Schinne. 1755. | Schlenzer. 2247. | Schlepzig. 2181. | Schlieben. 2395. | Schmiedeberg. Bez. Halle. 2464. | Schöneberg. 1908. | Schönerlinde. 1765. | Schönewalde. 2320. | Schöneweide. 2110. | Schöningen. 2096. | Schöppenstedt. 2095. | Schwanebeck. 2234. | Schwanewede. 1289. | Schweinitz. 2393. | Schwenda. 2527. | Seehausen in d. Altmark. 1613. | Seehausen Kr. Wanzleben. 2098. | Senftenburg. 2545. | Seyda. 2318. | Söllichau. 2463. | Solpke. 1824. | Soltau. 1531. | Sommerfeld. 2404. | Sondershausen. 2673. | Sorau. 2478. | Sperenberg. 2111. | Sprakensehl. 1675. | Spreenhagen. 1979. | Spremberg. 2547. | Sprottau. 2554. | Stackelitz. 2172. | Staasfurt. 2310. | Steimke. 1822. | Steinhausen. 1110. | Storkow. 2046. | Stotternheim. 2868. | Straach. 2243. | Straupitz. 2252. | Strega. 2328. | Suderburg. 1605. | Suhl. 3119. | Sülze. 1673. | Süpplingen. 2028. | Teltow. 1907. | Teupitz. 2112. | Titschendorf. 3291. | Torgau. (Ost u. West.) 2539. 38. | Trebbin. 2042. | Treuenbrietzen. 2175. | Triebel. 2476. | Twistringen. 1594. | Tzschecheln. 2477. | Übigau. 2540. | Uckro. 2322. | Ülzen. 1535. | Unterlüss. 1604. | Unterneubrunn. 3179. | Vätheu. 1896. | Vechelde. 2025. | Vetschau. 2399. | Wahrenholz. 1748. | Waldbreitbach. 3158. | Waldow. 2250. | Walschleben. 2867. | Wandlitz. 1093. | Wanzleben. 2166. | Wartenburg. 2317. | Wasungen. 3117. | Wathlingen. 1617. | Weferlingen. 1962. | Wegeleben. 2308. | Weimar. 2934. | Weissensee. 2744. | Weisswasser. 2548. | Wendeburg. 1958. | Wend. Buchholz. 2113. | Wendisch-Drehna. 2396. | Werben im Spreewald. 2326. | Werder. 1973. | Werneuchen. 1767. | Wernsdorf. 1978. | Wettin. 2531. | Weyerbusch. 3038. | Wieren. 1606. | Wildenbruch. 2041. | Winsen a. d. Aller. 1744. | Wissen. 3039. | Wittenberg. (Prov. Sachsen.) 2316. | Wittenberge. 1542. | Wittingen. 1677. | Wolfenbüttel. 2094. | Wolmirstedt. 2032. | Wriedel. 1460. | Wulfen. 2312. | Wustermark. 1834. | Zahna. 2244. | Zerbst. 2240. | Zibelle. 2550. | Ziegelroda. 2676. | Zinna. 2176. | Zörbig. 2460. | Zossen. 2043. | Zuckau. 390. | Zülsdorf. 2406.

Nr. 2688 s.: Karte, topograph., d. Kgr. Sachsen Nr. 21.

Mess-Zeitung, Leipz. Offertenbl. f. alle einschläg. Branchen. Hrsg.: R Grosser. 2. Jahrg. 1905. 40 Nrn. (Nr. 1. 8) 4° Lpzg, Verl. d. Leipz. Mess-Zeitg. 4 —

Mestorf, J, s.: Bericht d. schleswig-holstein. Museums vaterländ. Altertümer bei d. Univ. Kiel.

— Wohnstätten d. ält. neolith. Periode in d. Kieler Föhrde, s.: Weber, CA.

Mestrik, A: A launig's Büachl. Österr. Dialektdichtgn z. Vortrag in gesell. Kreisen. (111) 8° Wien, A Mejstrik 02. 1.35 d

— Humorist. Geschichten a. Wien. (191) 8° Ebd. 01. 2 — d

— Wos zan Locha. Österr. Dialektdichtgn z. Vortrag in gesell. Kreisen. (103) 8° Ebd. 02. 1.35 d

Metallarbeiter, der. Fachbl. f. Bronzearbeiter, Galvaniseure, Gas- u. Wasserleitgs-Installateure etc. Hrsg.: C Pataky. Red.: W Häntzschel. 27. u. 28. Jahrg. 1901 u. 2 je 104 Nrn. (Nr. 1. 8 m. Abb.) 4° Berl., C Pataky. ‖ 29. Jahrg. 1. Halbj. Jan.—Juni 1903. 52 Nrn. Viertelj. 3.50 ‖ 29. Jahrg. 2. Halbj. Juli—Dezbr 1903. Viertelj. 2 — d

— dass. Illustr. Fachbl. f. d. ges. Metallindustrie. Hrsg.: C Pataky. Red.: W Häntzschel. 30. u. 31. Jahrg. 1904 u. 5 je 104 Nrn. (Nr. 1. 8 m Abb.) 4° Ebd. Viertelj. 2 — d

Metallarbeiter-Kalender, österr., f. 1906. Hrsg. im Auftr. d. Verbandes d. Eisen- u. Metallarbeiter Oesterr. 3. Jahrg. (192 u. Schreibkalender m. 1 Bildn.) 16° Wien, Wiener Volksbh. L. nn 1 — d

Metall-Industrie, deut. Fach- u. Offerten-Bl. sämtl. Branchen d. Metall-Industrie. 1. Jahrg. Oktbr 1903—Septbr 1904. 28 Nrn. (340 m. Abb.) 4° Eberswalde, E Kähler. (Nur dir.) ‖ 2. Jahrg. Septbr 1904—Aug. 1905. 52 Nrn. Viertelj. — 76 Vergr.

— dass. Illustr. Fach-Zeitschrift f. d. techn. u. wirtschaftl. Interessen sämtl. Zweige d. Metallbranche. 3. Jahrg. Septbr 1905—Aug. 1906. 52 Nrn. (Nr. 85. 12 m. Abb.) 4° Gr.-Lichterfelde, A Paeprer. Viertelj. nnn 1 — ö H

Erschien bis 1. III. '06 noch in Eberswalde.

Metallindustrie-Kalender f. 1906. Hrsg. v. C Pataky. 26. Jahrg. (128 u. 168 m. Fig.) 8° Berl., C Pataky. L. 2 —

— (österr.-ungar.), f. 1906. Hrsg. v. C Pataky. 26. Jahrg. (168 m. Fig.) 8° Wien, M Perles. L. 2.60

Metall-Industrie-Zeitung, deut. Hrsg. u. Red.: KW Türck. 17. u. 18. Jahrg. 1901 u. 2 je 52 Nrn. (1901. Nr. 1—13. 520 m. Abb.) 4° Remscheid, Bergisch-märk. Druckerei u. Verl.-Anst. (Nur dir.) Je nn 8 — ‖ 19—21. Jahrg. 1903—5. Je nn 10 —

Metallurgie. Zeitschrift f. d. ges. metallurg. Technik: Aufbereitg — Metallgewinng — Metallverwertg unter Ausschl. d. Eisenhüttenwesens. Hrsg. v. W Borchers. 1. u. 2. Jahrg. 1904 u. 5 je 12 Hefte. (1. J. 573 m. Abb. u. 12 Taf.) 8° Halle, W Knapp. Viertelj. 4 —

Methner, C: Aktionär, Aufsichtsrat u. Vorstand u. ihre Rechte u. Pflichten bei Aktiengesellschaften bezw. Kommanditgesellsch. auf Aktien. (180 m. 1 Abb.) 8° Lpzg, Verl. d. mod. kaufm. Bibliothek (02). L. 2.75

Methner, R: Die Darstellg d. latein. Temporalsätze in d. Obertertia. Nebst e. Anh. üb. d. Bedeutg v. postquam. (47) 8° Brombg, (Mittler) 02. 1 —

— Untersuchgn z. latein. Tempus- u. Moduslehre m. bes. Berücks. d. Unterr. (315) 8° Berl., Weidmann 01. 6 —

Methode Schliemann z. Selbsterlerng d. engl. Sprache. Nach e. v. H Schliemann gebilligten Plane bearb. v. C Massey, E Penner u. P Spindler. 3. Afl. v. FE Akehurst. 22 Briefe. (544 m. 1 Pl. u. 1 Taf. u. a.) 8° Stuttg., W Violet (05). In L.-M. 22 —; einz. Briefe 1 — d

— f. junge Leute, um sich selbständig zu machen. Anl. z. Ausbildg u. log. Denken v. H Kr. (Elementar-Unterr., verbunden m. zeitgemässem Lehrg. f. d. einz. Erwerbszweige, d. Aufsuchen v. Erwerbszweigen, d. Ermitteln v. Handgriffen, Bildg d. Genossenschaften.) (39) 8° Köln, (M Coenen) (03). Kart. — 80 d

— Toussaint-Langenscheidt. Briefl. Sprach- u. Sprechunterr. f. d. Selbststudium Erwachsener. Italienisch, v. H Sabersky unter Mitwirkg v. G Sacerdote. 36 Briefe, 7 Beilagen u. Sachreg. (711, 12, 12, 32, 16, 16, 19, 48 u. 43) 8° Berl.-Schönebg, Langenscheidt's V. 04-06. 27 —; in 2 Kursen je 18 —; einz. Briefe 1 — d

— dass. Russisch, verf. v. A Garbell, beendet v. K Blattner unter Mitwirkg v. P Perwow, W Körner, L v Marnitz. 36 Briefe, 4 Beil. u. Sachreg. (205, 20, 16, 20 u. 24) 8° Ebd. (02. 03). 27 —; in 2 Kurs. je 18 —; einz. Briefe 1 — d

— dass. d. schwed. Sprache v. E Jonas unter Mitwirkg v. (E Westerblad bis z. 12. Briefe) E Tuneld u. CG Morén. 36 Briefe, 6 Beil. u. Sachreg. (600, 8, 34, 14, 12, 19, 19 u. 15) 8° Ebd. (05). 27 —; in 2 Kurs. je 18 —; einz. Briefe 1 — d

— dass. Spanisch, v. S Gräfenberg unter Mitwirkg v. A Paz y Mélia. 36 Briefe, 6 Beilagen u. Sachreg. (668, 107, 16, 31, 15, 16, 24 u. 18) 8° Ebd. 27 —; in 2 Kurs. je 18 —; einz. Briefe 1 —; 1. Beil. 2 — d

Methoden z. Untersuchg d. Kunstdüngemittel. Hrsg. v. Ver. deut. Dünger-Fabrikanten. 3. Afl. (31 m. 1 Fig.) 8° Berl., Weidmann 03. 1 —

Methsieder, JF: Erinnergn a. meinem Leben n. e. 53jähr. Dienste in d. Schule. (113) 8° Nürnbg, F Korn 05. 1.50; L. 2.20 d

Metlinger, B: Kinderb., s.: Unger, L.

Metnitz, JR v.: Lehrb. d. Zahnheilkde. 3. Afl. (451 m. Abb.) 8° Wien, Urban & Schw. 03. 10 —; L. 12 —

— Pathol. d. Zähne, s.: Wedl, C.

Metscher, E, s.: Schülerkalender, deut.

Metschke, H: Bergbau u. Industrie in Westfalen u. im Ruhrgeb. d. Rheinprov. unter d. Herrschaft d. Caprivischen Handelsverträge. (99) 8° Berl., F Siemenroth 05. 2 —

Metschnikoff, E: Immunität bei Infektionskrankh. Übers. v. J Meyer. (456 m. Fig.) 8° Jena, G Fischer 02. 10 —

— Studien üb. d. Natur d. Menschen. Eine optimist. Philosophie. Autoris. Ausg. Eingeführt durch W Ostwald. (399 m. Abb.) 8° Lpzg, Veit & Co. 04. 5 —; L. 6 —

Metta, K: Wie belehren wir uns. Kinder in Schule u. Haus üb. d. Geschlechtsleben?, s.: Möller's, W, Bibliothek f. Gesundheitspflege.

Mettenborn, E v.: An d. Höfen d. Balkanstaaten, s.: Weiberregiment, d., an d. Höfen Europas.

Mettenbüchlein f. d. Volk. 3. Afl. (48) 8° Nürnbg, C Koch 02. — 25 d

Mettenleiter, B: Das Harmonium-Spiel in stufenweiser, gründl. Anordng z. Selbstunterr. 1. Tl. Op. 30. 5. Afl. (136) 8° Kempt., J Kösel 04. 3 —; L. 3.50 d

Mettier, P: Die Pfandhaftg d. Früchte (Miet- u. Pachtzinse) u. Immobile. Dargest. n. d. deut. u. schweiz. Gesetzgebg, unter bes. Berücks. d. schweiz. Vorentwurfes. (109) 8° Zür., Schulthess & Co. 04. 3 — d

Metterhausen, F: Die Dogmenschieber. Fastnachtsschwank. (55) 8° Hambg, Gutenberg-Verl. Dr. E Schultze 06. 1—; geb. 2 — d
Mettig, C: Illustr. Führer durch Riga m. Umgebg u. Runö. Bearb. v. M., d. 2., lokale Thl v. G Kneuchel. 4. Afl. (116 m. 4 Pl.) 8° Riga, Jonck & P. 01. 1.25 ‖ 5. Afl. (143 m. Abb. u. 4 Pl.) 04. 1.60 d
— Baltische Städte. Skizzen a. d. Gesch. Liv-, Est- u. Kurlands. 2. Afl. (417) 8° Ebd. 05. Geb. 3.60 d
Mettler, A: Das Kastell Benningen. [S.-A.] (19 m. Abb. u. 4 Taf.) 4° Hdlbg, O Petters 02. 4.20
— u. P **Schultz**: Die Kastelle bei Welzheim. [S.-A.] (18 m. Abb. u. 4 Taf.) 4° Ebd. 04. 4 —
Mettner, K: Deut. Liederb. f. Schulen. (In 3 Abtlgn.) 2. u. 3. Heft. Neuer Abdr. 8° Bresl., F Hirt 1900. — 65 d
2. Mittelst. (47) — 25 ‖ 3. Oberst. (68) — 40.
Metz u. **die Schlachtfelder**. (Leporelloalbum.) (24 Taf. in Photogr.-Imitat.) 12° Metz, P Müller (01). In Decke 1.50
— — dass. Prakt. Führer. 4. Afl. (78 m. Abb., 1 Pl. u. 1 Karte.) 8° Ebd. 06. — 75
Metz, A: Schiller, s. Kunst im Zusammenh. m. sr Menschheit, s.: Schillerreden, 2, in Hamburg.
Metz, H: Innere Kolonisation in d. Provv. Brandenburg u. Pommern 1891—1901, s.: Jahrbücher, landw.
Metz, J: Trambahn-Gedanken. (16) 8° Münch., (J Lindauer) (04). — 20 d
Metz, J: Didi u. Konsorten. (64 m. Abb.) 8° Berl., Harmonie (05). 1—; geb. 2.50 d
— Gedichte, s.: Bloch's, E, Orig.-Deklamatorium.
— Im Himmelhaus. — Auf d. Spielplatz, s.: Bloch's, L, Kinder-Theater.
— Das letzte Rendez-vous, s.: Bloch's, L, Sammlg v. Zwie- u. Dreigesprächen.
Metze, O: Hauptmerkmale d. Baustile, s.: Schneider, J.
Metze, O: Bienenleben u. Bienenzucht, s.: Hillger's illustr. Volksbb.
Metzel, J: Der Unterr. in d. Nadelarbeiten, s.: Krause, F.
Metzelthin, T: Ueberblick üb. Chinas Volkswirtschaft, Verwaltg u. Handel. [S.-A.] (92) 8° Münch. 01. (Berl., S Calvary & Co.) 2.40 d
Metzen, J: Gesch. d. Gymnasiums u. Realprogymnasiums zu Limburg a. d. Lahn, s.: Festschrift z. Einweihg d. neuen Gymnasialgebäudes zu Limburg a. d. Lahn.
Metzenthin, E: Im Hause d. Herrn. Hülfsb. f. alle Freunde d. Gotteshauses, enth. erprobte Liturgien zu d. Nebengottesdiensten in d. ev. Kirche, auch f. d. häusl. Erbaug, sowie d. Ordng f. d. Prüfg d. Konfirmanden u. f. d. Einsegngsfeier nebst etl. Anweisgn f. d. Beteiligg d. Gemeinde an d. kirchl. Handlgn. (48) 8° Görl., R Dülfer (03). Kart. — 50 d
Metzger, C: Weihnachtsliturgien z. Gebr. f. Sonntagssch., Jünglings-, Jungfrauenver. u. sonst. Unterr.-Zwecke. (92) 8° Frankf. a/M. 02. Bonn, J Schergens. — 60 d
Metzger, E: Schachzüge, s.: Arnstein, F.
Metzger, F, u. O **Ganzmann**: Lehrb. d. französ. Sprache auf Grundl. d. Handlg u. d. Erlebnisses. Für lateinlose u. Reform-Schulen. II. Stufe. (215 m. 6 Bildern, 1 Pl. u. 1 Karte.) 8° Berl., Reuther & R. 04. nn 2.10; geb. nn 2.50 (I u. II geb.: nn 4.20)
Die I. Stufe s.: Ganzmann, O.
Metzger, GJ: Das christl. Gaisteslebem u. d. prinzipiellen dogmat. Voraussetzgn desselben, auf Grund d. hl. Schrift u. d. Erfahrg a. d. Prinzip d. Lebens entwickelt u. m. Bezugnahme auf verschied. theolog. Anschaugn systematisch dargestellt. (245) 8° Stuttg., (Bh. d. deut. Philadelphia-Ver.) 05. 2.40; geb. 3 — d
Metzger, M: Moderne schmiedeeiserne Schaufensterkonstruktionen. 25 Taf. u. ebenso viele Detailbog. m. Konstruktionsschnitten in wirkl. Grösse nebst kurzgef. Text. (15) 48,5× 33 cm. Lüb., C Coleman (04). In M. 15 —
— Kurzgef. Stillehre f. unstschlosser. 1. u. 2. Afl. (99 bezw. 96 m. Abb.) 8° Ebd. (03[). nn 1.50
Metzger, R: Ueb. Einwirkg v. Quecksilberoxydsalz auf aromat. Verbindgn. (51) 8° Tüb., F Pietzcker 01. nn 1 —
Metzig, O: Lehrb. d. Arithmetik u. Algebra nebst Aufgabensammlg f. Baugewerksch. u. verwandte techn. Lehranst., sowie z. Selbstunterr. 2. Afl. (184) 8° Bresl., E Morgenstern, V. 02. Geb. 2 — d
Metzke: Gesch. d. pommerschen Pionier-Bataillons Nr. 2, s.: Troschel.
Metzke, J: Vom Lenz z. Herbst. Gedichte. (163) 8° Opp. 01. Salzbrunn, G Maske. (?) 2 —; geb. 3 —
Metzler, L: Rumänien, s. Handelspolitik u. s. Handel 1890—1900. Mit bes. Berücks. d. deutsch-rumän. Handelsbeziehgn. (66) 8° Altnbg, O Bonde 02. 2 — d
Metzmacher, A: Die Fauna d. miocänen Glimmertons v. Kümmer, Hohenwoos u. Bockup. [S.-A.] (16) 8° Güstr., (Opitz & Co.) (04). — 40
Metzner, F, s.: Festschrift z. Feier d. f0jähr. Bestehens d. vogtländ. alterthumsforsch. Ver. in Hohenleuben.
Metzner, O: Planen i. V. Führer. Ausg. A. 5. Afl. (38 m. Abb., 1 Pl. u. 1 Karte.) 8° Annabg, Graser (02) — 60 d
— — dass. u. d. vogtländ. Schweiz. Ausg. B. 5. Afl. (64 m. Abb., 1 Pl. u. 1 Karte.) 8° Ebd. (02). — 75 d
— Vogtländ. Wandergn. 5. Afl. (201 m. Abb. u. Kart.) 8° Ebd. 03. 9.50 d
Metzsch, v.: Auszug a. d. Gesch. d. kgl. sächs. 1. Jäger-Ba-

taillons Nr. 12. (26 m. 2 Bildnissen u. 2 Skizzen.) 8° Freibg, Craz & G. 05. — 50 d
Metzsch-Reichenbach, C v.: Die interessantesten alten Schlösser, Burgen u. Ruinen Sachsens. (329 m. Abb.) 8° Dresd, W Baensch 02. L. 6 — d
Metzsch-Schilbach, W v.: Prinz Friedrich August, Herzog zu Sachsen. Lebensbild. (68 m. Abb.) 8° Berl., K Siegismund 01. 1 — d
Meurer, J: Marienlob. Kantate üb. d. Festzeiten d. Muttergottes f. Soli (Sopran u. Alt), gemischten Chor m. Klavierod. Orchesterbegleitg (ev. z. Aufführg m. leb. Bildern). Textb. (8) 8° Fulda, A Maier 04. — 10 d
Meumann, EFM, s.: Archiv f. d. ges. Psychol.
— Die Entstehg d. 1. Wortbedeutgn beim Kinde. [S.-A.] (69) 8° Lpzg, W Engelmann 02. 1.20
— Üb. ein. Grundfr. d. Psychol. d. Übgsphänomone im Bereiche d. Gedächtnisses, s.: Ebert, E.
— Haus- u. Schularbeit. Experimente an Kindern d. Volkssch. (64) 8° Lpzg, J Klinkhardt 04. 1.20
— Üb. Ökonomie u. Technik d. Lernens. [S.-A.] (102) 8° Ebd. (03). 1.50
— s.: Pädagogik, d. experimentelle.
— Die Sprache d. Kindes, s.: Abhandlungen, hrsg. v. d. Gesellsch. f. deut. Sprache in Zürich.
— s.: Sammlung v. Abhandlungen z. psycholog. Pädagogik.
Meumann, GA: Prolegomena zu s. System d. Vermögensrechts, s.: Studien z. Erläuterg d. bürgerl. Rechts.
Meunier, C: Der Feinschmecker. Nur Kochrezepte f. d. verwöhntesten Gaumen. Neue Ausg. s. (Umschol.-Adt.) (157 m. Titelbild.) 8° Gotha, P Hartung (1892) (05). 2 —; geb. 3 — d
Meunier, E: Die Familie d. Admirals. Erzählg f. junge Mädchen. Übers. v. F v. Barmen. (204 m. 4 Bildern.) 8° Cöln, JP Bachem (05). 2 —; geb. 3.50 d
Meunier, WH: Die Lehrmethode im Katech.-Unterr. (310) 8° Köln, JP Bachem 05. 4 — d
— Schule u. Elternhaus. Sammlg geistl. Vorträge üb. d. Unterstützg d. schulamtl. Wirksamk. seitens d. Eltern. (120) 8° Mainz, Druckerei Lehrlingshaus 04. 1.30 d
— Das Werk d. hl. Kindheit Jesu. Sammlg v. geistl. Vorträgen üb. u. f. d. Kindheitsver. (172) 8° Köln, JP Bachem (03). 2 — d
Meurer, C: Die Haager Friedenskonferenz. (2 Bde.) 1. Bd. Das Friedensrecht d. Haager Konferenz. (391) 8° Münch., J Schweitzer V. 05. 15 —
— Die jurist. Personen n. deut. Reichsrecht. (358) 8° Stuttg., F. Enke 01. 11 — d
— Übersicht üb. d. Arbeiten d. Haager Friedenskonferenz, insbes. d. Abkommen z. friedl. Erledigg internat. Streitfälle v. 29.VII.1899. Festrede. (60) 8° Münch., J Schweitzer V. 05. 1.80
Meurer, H: Latein. Leseb. m. Wortschatz. 3. Tl. Für Quarta. 5. Afl. (228) 8° Weim., H Böhlau's Nf. 02. 1.50 d
— Zum Regts-Jubiläum. Beitrag z. Gesch. d. Regts „Grossh. v. Sachsen" (1807—34). [S.-A.] (28) 8° Ebd. 02. — 50 d
Meurer, J: Der russisch-japan. Krieg in s. Rückwirkgn auf d. Weltfrieden. Mit bes. Bezugnahme auf d. Frage d. Gestaltg u. Beschaffenh. d. Zukunfts-Flotten (Panzer-Linienschiffe od. Kleinschiffe) u. d. zukünft. Weltmachtstellg d. europ. Grosstaaten. (Umschl.: 2. Afl.) (110) 8° Halle, Gebauer-Schwetschke 05. 2 —
Meurer, J, s.: Artaria's Touristenk. d. österr. Alpen.
— Illustr. Führer durch ganz Tirol u. Vorarlberg. — Kl. illustr. Führer durch Wien u. Umgebgn, s.: Hartleben's, A, illustr. Führer.
— A handy illustr. guide to Vienna and environs. 2. éd. (124 m. 4 Pl.) 8° Wien, A Hartleben 06. Geb. 3 —
— Weltreiseführer. (398 m. Abb., Taf. u. 1 Karte.) 8° Lpzg, BG Teubner 06. L. 9 — d
Meurer, K: Französ. Leseb. 1. Tl. Für d. mittl. Kl. d. Gymnasien, Realgymnasien u. ähnl. Schulen. Mit e. Wrtrb. 4. Afl. (304) 8° Lpzg, OR Reisland 01. Geb. nn 1.80
— Sachlich geordnetes engl. Vokabularium m. bes. Berücks. d. Konversation nebst Phraseol. u. Sprechübgn üb. Vorkommnisse d. tägl. Lebens. 2. Afl. (176) 8° Berl., FA Herbig 02. 1.50 d
— Sachlich geordn. französ. Vokabularium m. Phraseol. u. Sprechübgn üb. Vorkommnisse d. tägl. Lebens. 3. Afl. (180) 8° Ebd. 02. 1.50; geb. 1.80 d
Meurer, M: Der kl. Ko aus Kiautschau. In 10 (farb.) Bildern m. Text (auf d. Rücks.). 4° Langens., H Beyer & S. (03). Geb. 2 — d
Meurer's, W, Pflanzenbilder. Ornamental verwertbare Naturstudien. 2. Serie. 10 Hefte. (Je 10 Taf.) Fol. Dresd., G Kühtmann (01,03). Je 6 —; ‖ u M. 60 —
Meurin, F, s.: Plebanus, E.
Meurin, L: Titi, e. Schwarzwaldmär. (107 m. Abb.) 8° Freibg i/B., Thalia-Verl. (05). 3 — d
Meusel, A: Enea Silvio als Publicist, s.: Untersuchungen z. deut. Staats- u. Rechtsgesch.
Meusel, C, s.: Handlexikon, kirchl..
Meusel, E: Die Zusammensetzg d. chem. Elemente, theoretisch u. experimentell unter Beweis gestellt. (88) 8° Liegn., C Seyffarth 02. 3 —
Meusel, H: Kl. latein. Schulgrammatik. — Latein. Wortkde, s.: Harre, P.
Meusel, O, s.: Francke's, AH, Briefe.

Meusel, O: Die Stellg d. Sprüche Salomos in d. israelit. Litt.-
u. Relig.-Gesch. (75) 8° Lpzg 1900. (Schleiz, F Lämmel.) 1 — d
Meunier, G: Die französ. Juwelierkunst im J. 1900. (32 Lichtdr.)
Fol. Stuttg., J Hoffmann (01). In M. 26 —
Meunier de Querlon: Psaphione od. d. Courtisane v. Smyrna.
Antikes Sittengemälde. Deutsch v. F Unger. (69) 8° Coeth. 02.
Wien, FC Mickl. 3 —
Meutzner, P: Lehrb. d. Physik im Anschl. an Weinbolds
physikal. Demonstrationen u. Vorsch. d. Experimentalphysik.
5. Afl. (286 m. H. u. 2 Taf.) 8° Lpzg, OR Reisland 03. Geb. 2.80
Méville, H de, s.: Almanach, deutsch-naut.
— Auf Back u. Schanze. Skizzen u. Federzeichngn s. d. See-
mannsleben. (109 m. Abb.) 8° Rost., CJE Volckmann (02). 1.80;
geb. 2.50 d
— Die Handelsmarine u. ihre Laufbahnen. Nebst e. Anh.: Aus-
zug u. d. neuen deut. Seemannsordng. 1—5. Taus. (192 m. Abb.,
Taf., Kart. u. 5 Farbdr.) 8° Ebd. 03. In Segellw. 3.50 d
Mevius, W: Anleitung z. Unterr. im Rechnen u. in d. Raum-
lehre. (144 m. Fig.) 8° Lpzg, BG Teubner 05. 1.80 d
Mewes, R: Dampfturbinen, deren Entwickelg, Bau, Leistg u.
Theorie, nebst Anh. üb. Gas- u. Druckluftturbinen. (298 m.
Abb. u. 1 Taf.) 8° Berl., M Krayn 04. 7.50; geb. 8.70
— Dr. Eugen Dühring als wiss. Gladiator u. Plagiator. (46)
8° Berl. (NW. 21, Pritzwalkerstr. 14), R Mewes (03). — 75 d
— s.: Turbine, d.
— Warng f. u. vor Rom. Erläutergn zu A Springer's Drama
„Des Vaters Fluch". (29) 8° Berl. (N. W. 21, Pritzwalkerstr. 14),
R Mewes (03). — 30 d
— Zur Wehr geg. d. kais. Patentamt. Zum Kampf f. d. deut.
Erfinder. (80) 8° Ebd. (02). 1.50 d
Mewes, W: Bodenwerte, Bau- u. Bodenpolitik in Freiburg i/Br.
während d. letzten 40 Jahre, s.: Abhandlungen, volksw., d.
bad. Hochsch.
Mewes, W: Moderne Kunstverglasg zumeist m. Benutzg v.
Kathedral- u. Opalescentglas. Vorbilder im Geschmack d.
Neuzeit. 3. Serie. 9 Lichtdr. u. 3 farb. Taf. Nebst e. Anl. z.
Ausführg. (5) Fol. Berl., M Spielmeyer (01). In M. 15 —
(1—3: 45 —)
Mewis, A: Deut. Sprachsch., s.: Stoffel, J.
Mewis, M: Die Einfältigen. Kl. Geschichten in Vers u. Prosa.
(272) 8° Berl., F Fontane & Co. 04. 3 —; geb. 4 — d
— Die Grenzwarte. Ein Metzer Roman a. überwund. Zeit. (272)
8° Ebd. 05. 3 —; geb. 4 — d
— Der Sonntagsmann. Novellen. (359) 8° Ebd. 03. 3 —; geb. 4 — d
Mexin, S: Der Mädchenhandel. (80) 8° Bas., Basler Buch- u.
Antiquariatsh. vorm. A Geering 04. 1.20
Mey, A: Burgschimmelchen. Erzählg f. d. lieben Kleinen. (160)
12° Münst., Alphonsus-Bh. 02. Kart. (1 —) 80 ‖ 2. Afl. (160)
04. Geb. — 80 d
— Dämmerstündchen bei d. Märchenfee. Märchen u. Erzählgn.
(154 m. Abb.) 8° Ebd. 04. Geb. 1.50 d
Mey, C: Die Musik als tön. Weltidee. Versuch e. Metaphysik
d. Musik. 1. Tl: Die metaphys. Urgesetze d. Melodik. (398)
8° Lpzg 01. Berl., H Seemann Nf. 5 — d
Mey, G: A biblia das escolas ou historia resumida do Antigo
e do Novo Test. Versão portuguesa pelo M de Azevedo Araujo
e Gama. 4. ed. (258 m. Abb. u. 2 Kart.) 8° Freibg i/Br., Herder
03. Kart. nn — 92
— Bibl. Gesch. f. kathol. Volkssch., s.: Schuster, J.
— Vollständ. Katechesen f. d. unt. Kl. d. kathol. Volkssch. Mit
e. Anh.: „Der 1. Beichtunterr." 11. Afl. (509) 8° Freibg i/B.,
Herder 02. 3 —; HF. 4.50 d
— Librito de misa dedicado á los niños piadosos, 5. ed. castellana
por un padre de la compañia de Jesús. (148 m. Abb. u. 1 Farbdr.)
16° Ebd. 01. — 48; L. — 60
— Mess-Andacht f. fromme Kinder. [S.-A.] 11. Afl. (42 m. Abb.
u. farb. Tittelbild.) 32° Ebd. (04). — 20; geb. — 25 d
— Messbüchl. f. fromme Kinder. 25. Afl. (140 m. Abb. u. 1 Farbdr.)
16° Ebd. 03. — 30; geb. od. kart. — 40
— dass. 24. Afl. Ausg. f. d. Erzdiöz. Freiburg. (151 m. Abb.) 16°
Ebd. 03. — 30; geb. — 40 d
— s.: Religionsunterricht, d., f. die 1. Schulj.
Mey, O: Frankreichs Schulen in ihrem organ. Bau u. ihrer
histor. Entwicklg m. Berücks. d. neuesten Reformen. 2. Afl.
(229) 8° Lpzg, BG Teubner 01. 4.80 d
Meydenbauer, H: Die Stadt Düsseldorf u. ihre Verwaltg im
Ausstellgsj. 1902. Festschrift. (286 m. Abb. u. Taf.) 4° Düsseldf.,
(A Bagel) 02. Geb. 5 —
Meyenberg, A: Flugblätter üb. grundsätzl. Fragen. Repeti-
tionen üb. d. Seelsorgewerk. (11) 8° Luz., Räber & Co. 05. — 15
— Die kathol. Moral als Angeklagte. 1. u. 2. Afl. (208) 12° Stans,
H v. Matt & Co. 01. 1 — d
— Sicherh. u. Weitherzigk. kathol. Gottes- u. Weltanschaug,
s.: Katholisches f. Jedermann.
— Homilet. u. katechet. Studien im Geiste d. Hl. Schrift u. d.
Kirchenj. 2 Lfgn. (640) 8° Luz., Räber & Co. 08. 11 —
— Eine Weile d. Nachdenkens üb. d. Seele. (52) 8° Ebd. 05. — 75
— dass., s.: Bröschüren-Sammlung d. schweiz. Kirchenzeitg.
Meyenn, F v.: Urkundl. Gesch. d. Familie v. Pentz. 2. Bd.
(612 u. 48 m. 2 Taf. u. 8 Stammtaf.) 8° Schwer., (Stiller) 1900.
11 — (1 u. 2: nn 21 —) d
Meyer's Schreibtisch-Wochen-Kalender f. Ärzte f. 1906. (72 u.
25) 4° Halberst., H Meyer. Geb. nn 2 —
— Termin-Kalender f. Gerichtsvollzieher f. 1906. 24. Jahrg.
Hinrichs' Fünfjahrskatalog 1901—1905.

(Schreibkalender u. 350) 8° Halberst., H Meyer. In 1 L.-Bd 2.50;
in 2 Tle geb. u. kart. 2.75 d
Meyer's geograph. Hand-Atlas. 3. Afl. Mit 115 Kartenbl. u. 5
Textbeil. Ausg. A ohne Namenreg. Ausg. B m. alphabet. Namenreg. 40 Lfgn. (8 S. Text u. Namenreg. 244) 8° Lpzg, Bibliograph. Insti. 05. Je — 30
(Vollst.: Ausg. A, L. 10 —; Ausg. B, HF. 15 —)
— Konversations-Lexikon. 5. Afl. 321—336. Heft. (21. Bd. /3.,
Jahres-Suppl. 1900—01, m. Gesamtverz. d. in d. Suppl.-Bdn
[Bd 18—21] enth. Artikel, 16 Hefte.) (1042 m. Abb., Taf., Kart.
u. Pl.) 8° Ebd. 01. Je — 50 (21. Bd vollst. in 2 Halbbdn zu 4 —:
in 1 HF.-Bd 10 —) d
— gr. Konversations-Lexikon. 6. Afl. (In 20 Bdn.) 1—12. Bd.
(904, 914, 924, 906, 912, 908, 904, 908, 906, 908, 908 u. 908 m. Abb.,
Kart., Pl. u. z. Tl farb. Taf.) 8° Ebd. 02-05. HF. je 10 —;
Prachtausg. je 12 —; auch in 320 Lfgn zu — 50 d
— Reisebb. (Mit Kart. u. Pl.) 12° Ebd.
Ägypten. Unter- u. Oberägypten, Obernubien u. Sudán. 4. Afl. (304 m.
Abb.) 04. Geb. 7.50
Deut. Alpen. 1. Tl: Bayer. Hochl., Algäu, Vorarlberg; Tirol: Brennerb.,
Ötztaler-, Stubaier- u. Ortler-Gruppe, Bozen, Schlern u. Rosengarten,
Maran, Brenta- u. Adamellogruppe; Bergamasker Alpen, Gardasee.
9. Afl. (362 m. 14 Panoramen.) 05. Geb. 5 — ‖ 2. Tl. Salzburg; Berchtes-
gaden, Salzkammergut, Gisslab., Hohe Tauern, Unterinntal, Zillertal,
Brenach., Pustertal u. Dolomiten, Bozen. 8. Afl. (350 m. 9 Panoramen.)
05. Geb. 5 — ‖ 3. Tl. Wien, Ober- u. Nieder-Österr., Salzburg o. Salzkammergut, Steiermark, Kärnten, Krain, südöstl. Kalkalpen u. Istrien. 3. Afl. (362
m. 6 Panoramen.) 02. Geb. (5.50) 5 —
Dresden, sächs. Schweiz u. Lausitzer Gebirge. 7. Aufl. (243 m. 4 Panoramen.) 03. Geb. T —
Harz. Gr. Ausg. 16. Afl. (207 m. 1 Panorama.) 05. Geb. 2.50 ‖ Kl. Ausg.
(30) 03. Kart. 1 —
Der Hochtourist in d. Ostalpen. Von L Purtscheller u. H Hess. 2 Bde.
3. Afl. 05. Geb. 15 —
1. Bayr. u. nordtiroler Kalkalpen, nord-rät. Alpen, Ötztaler Alpen,
Ortler- u. Adamello-Alpen. (400) 4 —
2. Kaisergebirge, Salzburger u. Berchtesgad. Kalkalpen, oberösterr.
u. steir. Alpen, Zillertaler Alpen, Hohe u. Niedere Tauern. (314) 4.50
3. Dolomit-Alpen, karn. Alpen, südöstl. Kalkalpen. (796) 4.50
Italien in 60 Tagen v. T Gsell Fels. 8. Afl. 2 Tle in 1 Bde. (346 u. 328 m.
Grundrissen.) 05. Geb. 9 —
Mittelmeer u. s. Küstenstädte. (309 m. Grundrissen.) 02. ‖ 2. Afl. (342 m.
Grundr.) 05. Geb. 9 —
Nordseebäder u. Städte d. Nordseeküste. (297 m. 2 Abb.) 01. Geb. 4 —
‖ 2. Afl. (299 m. 1 Abb.) 04. Geb. 4.50
Norwegen, Schweden u. Dänemark v. Y Nielsen. 3. Afl. (393) 03. Geb. 6.50
Oberitalien u. Mittelitalien (bis vor d. Tore Roms) v. T Gsell Fels. 7. Afl.
(452) 03. 6 —
Österr.-Ungarn, Bosnien u. Herzegovina. 17. Afl. (372 m. 6 Panoramen.)
03. Geb. 6 —
Ostseebäder u. Städte d. Ostseeküste. 2. Afl. (313) 03. Geb. 4 —
Palästina u. Syrien. 4. Afl. (274 m. Grundrissen u. 1 Abb.) 04. Geb. 7.50
Rheinlande. 11. Afl. (332 m. 7 Panoramen.) 05. Geb. 5 —
Riesengebirge u. Grafsch. Glatz v. T Gsell Fels. 4. Afl. (274 m. 2 Pano-
ramen.) 02. ‖ 14. Afl. (Ohne Angabe e. Hrsg.) (280) 04. Kart. je 2 —
Riviera, Südfrankreich, Corsica, Algerien u. Tunis v. T Gsell Fels. 6. Afl.
(478) 04. Geb. 9 —
Rom u. Campagna v. T Gsell Fels. 5. Afl. (1206 Sp. m. Abb. u. Grund-
rissen.) 02. Geb. 8 —
Schwarzwald, Odenwald, Bergstrasse, Heidelberg u. Strassburg. 15. Afl.
(292) 04. Kart. 2 —
Schweiz. 17. Afl. (416 m. 29 Panoramen.) 02. Geb. 5 — ‖ 15. Afl. (116) 04.
Kart. 1 —
Süddeutschl., Salzkammergut, Salzburg u. Nordtirol. 9. Afl. (412 m. Grund-
rissen u. 6 Panoramen.) 03. Geb. 5.50
Thüringen u. Frankenwald. 17. Afl. Gr. Ausg. (296 m. 2 Panoramen.)
04. Geb. 2.50; kl. Ausg. (296) Kart. 1.50
Türkei, Rumänien, Serbien, Bulgarien. 6. Afl. (364 m. 1 Panorama.) 02.
Geb. 6 —
Unteritalien u. Sizilien v. T Gsell Fels. 4. Afl. (380) 02. Geb. 7 —
— Volksbücher. (Hrsg. v. H Zimmer.) Nr. 1251—1422. 16° Ebd.
Je — 10 d
Alexia, W: Die Hosen d. Herrn v. Bredow. Vaterländ. Roman. (298) (02.)
[1329—33.] L. — 90
Benedix, R: Das bemooste Haupt od.: Der lange Israel. Schsanp. (70)
[05.] [1421.] ‖ Der Prozess. Die Hochzeitsreise. 2 Lustsp. (76) [05.] [1422.]
‖ Die relegierten Studenten. Lustsp. (104) [05.] [1401.02.] ‖ Relatives
Weipe. Lustsp. (94) [05.] [1408.04.]
Braga, a.: Dorfgeschichten a. d. Portugies. v. L Ey. (96) (01.) [1256.]
Brehm: Die Elefanten. [S.-A.] (95) (01.) [1266.] ‖ Die Wild- u. Hauskatzen.
[S.-A.] (99) (01.) [1275.]
Darwin, C: Die Abstammg d. Menschen u. d. geschlechtl. Zuchtwahl.
Aus d. Engl. v. P Seliger. 9 Bde. (324 u. 394 m. Abb.) (02.) [1311—29.]
In 5 L.-Bdn je 1.40 ‖ Die Entstehg d. Arten durch natürl. Zuchtwahl
od. d. Erhaltg d. bevorzugten Rassen im Kampfe ums Dasein. Aus d.
Engl. v. P Seliger. 2 Bde. (337 u. 355) (02.) [1292—1301.] L. 1.80
Beide sind vorläufig aus d. Handel gezogen.
Daudet, A: Tartarin v. Tarascon. Aus d. Franz. v. CG Lohse. (120) (04.)
[1353.54.]
Duden, K: Orthograph. Wrtverz. d. deut. Sprache. Nach d. f. Deutschl.,
Österr. u. d. Schweiz gült. amtl. Regeln. (129) (05.) [1299.90.] L. — 50
Ferrari, P: Medizin f. e. kranke Mädchen. Lustsp. Aus d. ital. v. L
Jüngst. (41) (01.) [1366.]
Gerstäcker, F: Herrn Mahlhubers Reiseabenteuer. (136) 05. [1357.56.]
‖ Mississippi-Bilder. (175) (02.) [1359—61.]
Gogol, NW: Der Revisor. Lustsp. Aus d. Russ. v. W Moderow. (92) (01.)
[1256.57.]
Grillparzer, F: Die Ahnfrau. Trauersp. (102) 02. [1350.51.] ‖ Ein Bruder-
zwist in Habsburg. Trauersp. (105) (03.) [1372.73.] ‖ Ein treuer Diener
s. Herrn. Trauersp. (93) (05.) [1382.83.] ‖ Die Jüdin v. Toledo. Histor.
Trauersp. (72) (05.) [1371.] ‖ Libusaa. Trauersp. (95) (04.) [1361.64.] ‖
Des Meeres u. d. Liebe Wellen. Trauersp. (82) (03.) [1364.65.] ‖ König
Ottokars Glück u. Ende. Trauersp. (111) (03.) [1369.70.] ‖ Sappho.
Trauersp. (77) 05. [1354.] ‖ Der arme Spielmann. Novelle. (56) (05.)
[1374.] ‖ Der Traum, e. Leben. Dramat. Märchen. (97) 03. [1355.56.] ‖
Weh dem, der lügt. Lustsp. 2 Bde. Dramat. Gedicht. (104) (03.) m. d.
idgt? Lustsp. (75) 03. [1343.]
Grundbuchor nung, d., f. d. Deut. Reich v. 24.III.1897. Textausg. m.
Einl., Anmerkgn u. Sachreg. Von e. prakt. Juristen. (56) (04.) [1383.]

Habberton, J: Anderer Leute Kinder. Aus d. Engl. v. O Nessille. (248)
(01.) [1264—67.] Geb. — 75
Halévy, L: Eine Heirat a. Liebe. Novelle. Aus d. Franz. v. B Assmus.
(44) (02.) [1309.]
Halm, F (E Frhr v. Münch-Bellinghausen): Der Fechter v. Ravenna.
Trauersp. (78) (02.) [1394.] || Der Sohn d. Wildnis. Dramat. Gedicht.
(86) 03. [1343.44.]
Handelsgesetzbuch. Textausg. m. Anmerkgn u. Sachreg. Von e. prakt.
Juristen. (406) (01.) [1273—77.]
Hersch, H: Die Anna-Lise. Schausp. (64) (01.) [1279.]
Kalisch, D: Ein gebildeter Hausknecht. — Haussegen. — Doktor Peschke.
3 Possen. (106) 03. [1355.56.]
Koeblich, R: Hdb. d. ges. Radfahrwesens. Mit e. Anh.: „Die Motor-Zwei-
u. Dreiräder“. (197 m. Abb. u. 1 Taf.) (01.) [1271.72.] Geb. — 50
Konkursordnung f. d. Deut. Reich v. 10.II.1877 u. d. Ges., betr. d. An-
fechtg v. Rechtshandlgn e. Schuldners ausserh. d. Konkursverfahrens
v. 21.VII.1879, beide in d. Fassg v. 17.V.1898, nebst damit zusammen-
häng. reichsgesetzl. Bestimmgn. Textausg. m. Einl., Anmerkgn u. Sach-
reg. Von e. prakt. Juristen. (180) (05.) [1399.1400.]
Kügelgen, W v.: Jugenderinnergn e. alten Mannes. (572) 03. [1355—42.]
Lohmeyer, J: Künstlerfestspiele. (70) (04.) [1394.]
Malatre, X de: Die junge Sibirierin. Erzählg. Aus d. Franz. v. LW v.
Ahlen. (77) (01.) [1288.]
Meyer, H: Das deut. Volkstum. [S.-A.] (74) (01.) [1263.]
Meyer, MW: Die Kometen u. Meteore. [S.-A.] (119) (01.) [1909.70.]
Mikszáth, K: Des Feldzeugmeisters Tod u. Servus, Vetter Paul! 2 No-
vellen. Aus d. Ung. v. A v. Spöner. (71) (02.) [1310.]
Multatuli (ED Dekker): Max Havelaar od. Die Kaffeeversteigergn d.
niederländ. Handelsgesellsch. Aus d. Holl. v. P Seeliger. (428) (04.)
[1275—60.]
Novellenbuch, modernes französ. Aus d. Franz. v. M Kohn. (118) (02.)
[1307.08.] Geb. — 50
Po-sseung-ling: Chines. Novellen. Übers. v. Lie-te-schun, bearb. u. hrsg.
v. O Gast. (88) (01.) [1253.54.]
Reichsgesetze, d., üb. d. Urheber- u. Verlagsrecht v. 19.VI.'01. Textausg. m. Anmerkgn u. Sachreg. Von e. prakt. Juristen. (54) (02.) [1291.]
Geb. — 40
Renan, E: Das Leben Jesu. Aus d. Franz. v. P Seliger. (343) (02.) [1302
—06.] Geb. — 90
Reuter, F: Dörchläuchting. (282) (05.) [1394—97.] || Ut mine Festgtid.
(276) (05.) [1390—95.] || Woans ik tau 'ne Fru kamm. Ut de Franzosen-
tid. Twei lust. Geschichten. (242) (05.) [1387—89.] || Ut mine Stromtid.
3 Tle. (270, 263 u. 307) (05.) [1406—16.]
Riffert, J: Das Spiel v. Fürsten Bismarck od. Michels Erwachen. Vater-
länd. Festsp. (60) 03. [1348.]
Ruppius, O: Das Vermächtnis d. Pedlar. Roman a. d. amerikan. Leben.
Folge d. Romans: „Der Pedlar“. (284) (01.) [1359—62.] Geb. — 75
Stifter, A: Bergkristall. Erzählg. (62) (01.) [1251.] || Brigitta. Erzählg. (70)
(01.) [1252.]
Tábori, R: Das Leben in Fortsetzgn. Roman. Aus d. Ung. v. A v. Spöner.
(176) (01.) [1280—85.]
Thamm, M: Femgericht u. Hexenprozesse. (180) 03. [1345—47.]
Thode, H: Die deut. bild. Kunst. [S.-A.] (126) (01.) [1283.84.]
Tschechow, AP: Mütde. Die Fürstin. Rothschilds Geige. 3 Skizzen. Aus
d. Russ. v. SW Mierzinski. (48) (05.) [1898.]
Twain, M: Erzählgn u. Plaudereien. Aus d. Engl. v. H Löwe. (207) (01.)
[1257—61.]
Zimmer, H: Die deut. Erziehg u. d. deut. Wiss. [S.-A.] (277) (05.) [1417—20.]
Meyer: Der weibl. Körper in ungefähr ⅓ Lebensgrösse. Ana-
tom. Darstellg. d. sämtl. Organs. (28 Sp. m. zerlegbarem Mo-
dell.) 49×19,5 cm. Fürth, G Löwensohn (03). Kart. 3 — d
Meyer: Erkältg. Neue Gesichtspunkte zu ihrer Verhütg. (32)
8° Münch., Seitz & Sch. 05. — 60
— Das wichtigste Gebot währ. d. Schwangerschaft. (18) 8° Ebd.
(04). — 50
— Die Gesundheitsstörgn v. Darm aus. (44) 8° Münch., Verl. d.
ärztl. Rundschau 04. 1.20; geb. 2 —
— Die Hautkrankh. 1. u. 2. Afl. (32 bezw. 36) 8° Ebd. 02.04. 1 —;
geb. 2 —
— Atyp. Krankh.-Bilder. (38) 8° Münch., Seitz & Sch. 05. 1 —
— Eine einf., erfolgreiche Methode z. Beseitigg d. Fettleibigk.
(18) 8° Ebd. (04). — 50
— Die Schlaflosigk. Neue Gesichtspunkte zu ihrer Verhütg.
(40) 8° Ebd. 05. — 80
— Unhygienisches im Alltagsleben. (20) 8° Ebd. (04). — 50
Meyer: Sammlg prakt. Winke f. d. Infant.-Schiesslehrer. (72)
8° Berl., Vossische Bh. 04. 1.60; kart. 1.90 d
Meyer's Forstwirtschaft. 3. Afl. v. Berlin. (Landw. Unterrichtsbh.)
(106) 8° Berl., P Parey 04. L. 1.30 d
Meyer, A: Haltg. Fütterg u. Pflege d. Gebrauchspferdes. (58
m. Abb. u. 1 farb. Taf.) 8° Aar., E Wirz 05. Kart. 1.50 d
Meyer, A: Studie üb. d. Konstitution d. Portland-Cementes.
(Deutsch u. französisch.) [S.-A.] (43) 4° Stuttg. 02. (Freibg
i/B., J Bielefeld.) 4.50 d
Meyer, A: Die deut. Post im Weltpostver. u. im Wechselverkehr. Erläutergn z. Weltposthdb. u. z. Hdb. f. d. Wechsel-
verkehr. Nach d. Stande v. 15.VI.'01. (337) 8° Berl., J Springer
01. 5 — d
Meyer, A, v.: Uebersichtsplan d. Stadt Quedlinburg.
Meyer, A: Was muss man in Baden v. Dienstboten-Ges. wissen?
(44) 8° Karlsr., F Gutsch (05). — 60 d
Meyer, A: Aufg. in militär. Geländebeurteilg a. Kuhn's Auf-
nahmeprüfg f. d. Kriegsakad. 2. Afl. (54) 8° Berl., Liebel 02.
1.50 d d
— Sächs. Gesch. im Rahmen d. deut. Gesch. Für d. Kapitulanten-
Unterr. zusammengef. (16) 8° Ebd. 02 — 30 d
— Gesichtspunkte f. d. Lösg taktisch-strateg. Aufg., durch-
geführt an d. in d. letzten Jahren bei d. Aufnahmeprüfgn
z. Kriegs-Akad. gestellten Prüfgsarbeiten. 2. Afl. (54) 8° Ebd.
02. Kart. 4.40 d
— Max Jähns als militär. Schriftsteller, s.: Jähns, M, geschichtl.
Aufsätze.
Meyer, A: Die deut. Börsensteuern 1881—1900, s.: Studien,
Münch. volksw.

Meyer, A: Lehrb. d. deut. Stenogr. nach d. System v. FX Ga-
belsberger. 13. Afl. v. O Lessig. (67) 8° Lpzg, J Klinkhardt
01. 1.20 || 19. Afl. (66) 05. 1 —; geb. 1.30 d
— dass. Schlüssel, nebst e. Anh.: „Winke u. Ratschläge f. Kursus-
leiter“. Hrsg. v. O Lessig. (16 u. 14) 8° Ebd. 02. — 40 d
Meyer, A: Die Auferstehg Christi, s.: Lebensfragen.
— Unser Glaube. Vortr. 2. Taus. (39) 8° Bonn 05. (Gummersb.,
E Krüger.) — 30 d
— Das Leben n. d. Ev. Jesu, s.: Sammlung gemeinverständl.
Vortr. u. Schriften a. d. Geb. d. Theol.
— Theolog. Wiss. u. kirchl. Bedürfnisse, s.: Sammlung gemein-
verständl. Vortr. u. Schriften a. d. Geb. d. Theol. u. Relig.-
Gesch.
Meyer, A: Das Relativgeschäft, s. Rechtsgeschäft, d. sich auf
e. Sondervermögen bezieht. (61) 8° Würzbg, Gnad & Co. 05. 1.20
Meyer, A: Atlas d. officin. Pflanzen, s.: Berg, OC.
— Botan. Practica. II. Practicum d. botan. Bakterienkde. Ein-
führg in d. Methoden d. botan. Untersuchg u. Bestimmg d.
Bakterienspezies. (157 m. Abb. u. 1 farb. Taf.) 8° Jena, G
Fischer 03. 4.50; geb. 5.30 (I u. II.: 6.90; geb. 8.30)
Meyer, A: Hygiene d. kinderlosen Ehs. 6. u. 7. Taus. (90) 8°
Berl., H Steinitz (01). 2 —
Meyer, AB: Album v. Philippinen-Typen. III. Negritos, Man-
gianen, Bagobos. (37 Lichtdr. m. 22 S. Text in deut. u. engl.
Sprache.) 4° Dresd., Kunstanst. Stengel & Co. 04. In M. 40 —)
(I—III.: nn 130 —)
Früher bearb. v.: Meyer, AB, u. A Schadenberg.
— Bericht üb. ein. neue Einrichtg d. kgl. zoolog. u. anthro-
pologisch-ethnograph. Museums in Dresden. — Hauptverz. —
Üb. ein. europ. Museen u. verwandte Instit., s.: Abhandlungen
u. Berichte d. kgl. zoolog. usw. Museums zu Dresden.
— Üb. Museen d. Ostens d. Verein. Staaten v. Nord-Amerika. Reise-
studien. II. [S.-A.] (101 m. Abb.) 4° Berl., R Friedländer &
S. 01. 22 — (I u. II.: 38 —)
— dass. — Zur Nephritfrage (Neu-Guinea, Jordansmühl u. a.,
Alpen), s.: Abhandlungen u. Berichte d. kgl. zoolog. usw.
Museums zu Dresden.
— Foy u. O Richter: Ethnograph. Miscellen. I. [S.-A.] (150
m. Fig. u. 3 Lichtdr.) 4° Berl., R Friedländer & S. 01. 22 —
— u. KM Heller: Aepyornis-Eier. [S.-A.] (8 m. 1 Lichtdr.) 4°
Ebd. 01. 4 —
— u. J Jablonowski: 24 Menschenschädel v. d. Oster-Insel.
[S.-A.] (108 m. Abb. u. 7 Taf.) 4° Ebd. 01. 24 —
— u. O Richter: Celebes I: Sammlg d. Herren Dr. Paul u. Dr.
Fritz Sarasin, m. besond. Berücks. d. Bogen-, Strich-, Punkt- u. Spiral-
ornamente v. Celebes, s.: Publikationen a. d. kgl. ethnograph.
Museum zu Dresden.
— Ethnograph. Miszellen, s.: Abhandlungen u. Berichte d.
kgl. zoolog. usw. Museums zu Dresden.
Meyer, AF: Deut. Elementarb. Methodisch geordnete Übgssätze, Regeln u. Übgsaufg. f. d. deut. Sprachunterr. auf d.
untersten Stufe d. grammat. Unterr. höh. Lehranst. 2. Afl.
(56) 8° Trier, J Lintz 04. Kart. — 60 d
— Hülfsb. f. d. Unterr. in d. deut. Sprache, s.: Herrmann, W.
— St. Odilia. Die Legende v. Leben u. Wirken d. hl. Patronin
d. Elsasses. Nach d. 10 Wandgemälden in d. St. Odilien-Ka-
pelle d. Klosters St. Odilien dargest. 2. Afl. Mit e. Anh.: Niedermünster. (36) 8° Strassbg, L Beust 02. — 80 d
Meyer, AF: Hat d. Ehevertrag e. Wert f. mich? u. Wie mache
ich mein Testament? (32) 8° Lörrach 04. (Lpzg, Fritzsche &
Schmidt.) 1 — d
— Nachlass-Verz. u. a. Egb. §§ 1519 m. Testamentsverkünd,
Auseinandersetzg, Erbschein u. nachlassgerichtl. Zeugnis v.
d. Sterbefallsanzeige bis z. Ladg — in Aktenform —, nebst
Ausz. a. Rechtspolizeiges., Rechtspolizeiordng, freiwill. Ge-
richtsbarkeitsges., Ges. betr. d. Ueberleitg d. eül. Güter-
stände d. xit. Rechts in d. Reichsrecht v. 4.VIII.'09, Kosten-
verordng u. e. Sammlg v. Entscheidgn verschied. Gerichtshöfe u. Erlasse gr. Justizministeriums, ferner e. Geschäftskalender f. gr. Notariate. (288) 8° Lörr., CR Gutsch 03. L.4 — d
— Wie d. Zwangsversteigerg v. Grundstücken im Wege d.
Zwangsvollstreckg n. d. Ges. v. 24.III.1897 betrieben wird.
2. Afl. (24) 8° Lörrach (03). (Lpzg, Fritzsche & Schmidt.) 1 — d
Meyer, AG, u. L Nagel: Leitf. f. d. Unterr. in d. deut. Grammatik. (31) 8° Lpzg, Dürr'sche Bh. 05. — 30 d
— — Deut. Leseb. f. höh. Lehranst. In Anschl. an d. preuss.
Lehrpläne v. '01. insbes. f. Real-, Oberrealsch. u. Realgymnasien. Ausg. A. Unterst. 2 Tle. 8° Ebd. Geb. 4.75 d
1. Kl. VI. 5. Afl. (288) 2 —| 2. Kl. V u. IV. 4. Afl. (303) 2.75.
— — dass. Ausg. B. Unterst. 1 u. 2 Tl. 8° Ebd. 03. Geb. 6.04 d
1. Kl. VI. 4. Afl. (288) 2 —| 2. Kl. V. 3. Afl. (317) 2.50.
— — dass. Ausg. C. Unterst. 3 Tle. 8° Ebd. 03. Geb. 7 — d
1. Kl. VI. 4. Afl. (288) 2 —| 2. Kl. V. 3. Afl. (317) 2.50 || 3. Kl. IV. (234) 2.50.
— — dass. Gedichtsammlg f. d. Mittelst. (Kl. III—I d. Realsch.).
5. Afl. (364) 8° Ebd. 03. Geb. 2.80 d
— — dass. Anh. z. Gedichtsammlg. (Ausg. f. Besitzer alter Afl.)
(336—366) 8° Ebd. 02. — 90 d
— — dass. f. d. Oberst. Kl. III—I. 4. Afl. (364) 8° Ebd. 02.
Geb. 2.80 d
— — dass. 3 u. 5. Prosaheft. 8° Ebd. Kart. 4.40 d
1. Für Unter-Tertia (Kl. III d. Realsch.) 8. Afl. (197 m. 1 Abb.) 1.25
3. Für Unter-Tertia (Kl. III d. Realsch.), bearb. v. F Weise. 2. Afl. (182)
1.60
5. Für Unter-Tertia (Kl. III d. Realsch.), bearb. v. J Buséllo. 2. Afl.
(155) 1.50

Meyer, F: Festpredigt bei d. Einweihg d. ev. Kirche zu Turn in Böhmen. (13) 8° Lpzg, (C Braun) 05. — 15 d
— In Gottes Welt. Ein Jahrg. Predigten üb. Texte a. d. Evangelien. (565) 8° Münch., JF Lehmann's V. 02. 6 —; geb. 7 — d
— Der Jesuitenorden u. d. deut. Volksseele. Vortr. (15) 8° Lpzg, (C Braun) 03. nn — 10 d
— Kampf u. Sieg d. Christen, s.: Predigt-Bibliothek, moderne.
— Die Lage d. Protestantismus im Deut. Reiche. Ansprache. (24) 8° Lpzg, (C Braun) 05. — 40 d
— Luthers bleib. Bedeutg. s.: Luthervorträge, Würzburger.
— Schlusswort bei d. XIV. Generalversammlg d. Ev. Bundes, Breslau 1901. (7) 8° Lpzg, (C Braun) (01). nn — 10 d
— dass. bei d. Generalversammlg in Hamburg. (8) 8° Ebd. 05. — 15 d

— Relig. Unklarh. — Roms Bundesgenossin. Vortr. (16) 8° Ebd. 04. — 25 d
— s.: Wartburg, d.
Meyer, F: Passionsblumen f. stille Stunden in d. Fastenzeit. 2. Afl. (160) 4° Gütersl., C Bertelsmann 03. 1.50; geb. 2 — d
Meyer, FA: Die städt. Verbrennungsanst. f. Abfallstoffe am Bullerdeich in Hamburg. 2. Afl. (39 m. 13 Taf.) 8° Brnschw., F Vieweg & S. 01. 3 —
Meyer, FB: Die Beziehgn d. Hl. Geistes z. Gemeinde Christi. — Wie man d. Bibel lesen muss, s.: Für Dich.
— David, Hirte, Sänger u. König. Übers. v. C F. (261 m. Abb.) 8° Cass., JG Oncken Nf. 1900. 2.75; geb. 2.80 d
— Das Erfülltwerden m. d. Hl. Geist, s.: Für Dich.
— Der Erlösten Lobopfer. (8) 8° Strieg., H Urban 03. — 10 d
— Der Friedens-König. (16) 8° Ebd. (05). — 20 d
— Das Fundament d. Werkes d. Hl. Geistes in d. Versöhng am Kreuze. — Der Hl. Geist arbeitet in uns. — Der Hl. Geist im Leben JEsu Christi, s.: Für Dich.
— Ohne Geld. (13) 8° Strieg., R Urban (05). — 20 d
— Gesucht, erlöst, getragen! Deutsch v. G Holtey-Weber. 1— 3. Afl. (159) 8° Barm., E Müller 04. Kart. 1 —; geb. 1.50 d
— Getröstet, dass wir Tröster würden. (7) 8° Strieg., R Urban (05). — 15 d
— Gottes Kanäle. (14) 8° Ebd. (05). — 20 d
— An Seiner Hand. (16) 8° Ebd. (05). — 20 d
— „Der HErr ist mein Hirte". Der Hirten-Psalm. Aus d. Engl. v. R v. Zwingmann. 2. Afl. (112) 8° Berl., Deut. ev. Buch- u. Traktat-Gesellsch. (04). Geb. 1.50; eleg. geb. 2 — d
— Verborg. Herrlichk. (16) 8° Strieg., R Urban (05). — 20 d
— Jakob, d. Gotteskämpfer und. Israel, e. Fürst Gottes. Die Gesch. Jakobs wiedererzählt. Uebers. v. E v. Fellitzsch. (220 m. 9 Abb.) 8° Berl., Deut. ev. Buch- u. Tractat-Gesellsch. 01. 2.40 d
— Jeremia, e. Priester u. Prophet. Übers. v. H Liebig. (264 m. Abb.) 8° Cass., JG Oncken Nf. 01. 2.25; geb. 2.80 d
— Mit Jesu gestorben. (8) 8° Strieg., R Urban 03. — 10 d
— Macht Jesus z. König! 1—3. Afl. (8) 8° Ebd. 03-05. — 10 d
— Das Innenwohnen JEsu u. d. Hl. Geistes, s.: Für Dich.
— Verborg. Kraft f. d. Wandel im Licht. (168) 8° Strieg., R Urban 05. 1.50 d
— Vom Kreuz bis z. Thron. Betrachtgn. Deutsch v. G Holtey-Weber. 2. Afl. (104) 8° Barm., E Müller 05. 1 — d
— Lichtstrahlen a. Gottes Wort. Ein Gang durch d. Bibel in tägl. Betrachtgn. Übers. v. M K.-G. 3—5. Bdchn. 12° Bals, Kober. Je à 1.20 (Vollst.: 6 —; Einbde in L. je — 80) d
  5. Psalmen bis Hohelied. (202) 1900. ǁ 4. Die Propheten. (202) 01. ǁ 5. Das Neue Test. (263) 01.
— Lieben, wie Gott liebt. (16) 8° Strieg., R Urban (05). — 20 d
— Osterglocken. 9 Ansprachen, in Deutschl. geh. (55 m. Bildnis.) 8° Berl., Deut. ev. Buch- u. Tractat-Gesellsch. 03. — 75 d
— 7 Reden üb. d. Wirken d. hl. Geistes. (108) 12° Ebd. 01. 1 — d
— Ruhe f. d. Müden. (8) 8° Strieg., R Urban 03. — 10 d
— Sacharja, d. Prophet d. Hoffng. Uebers. v. G Holtey-Weber. (168 m. Bildnis.) 8° Hag., O Rippel 02. 1.10; geb. 2.50 d
— Der Prophet Samuel. (208) 8° Berl., Deut. ev. Buch- u. Tractatgesellsch. 05. 2.40 d
— Schritte z. sel. Leben. Uebers. v. H v R. 2. Afl. (80) 8° Ebd. 01. — 05 d
— „Selig seid ihr!" Die Seligpreisgn d. Bergpredigt, ausgelegt. Deutsch v. G Holtey-Weber. (168) 8° Kreuzn. 04. Bethel b/Bielef., Bh. d. Anst. Bethel. L. (3 —) 2 — d
— Sieg f. d. Aufrichtigen. Ein Wort an junge Männer. 1— 20. Taus. (7) 8° Strieg., R Urban (05-05). — 05 d
— Ein hl. Tempel. Hilfreiche Worte üb. d. Keuschheit. Jungen Männern gewidmet. Übers. v. C Krause. 2. Afl. (16) 8° Münd., R Werther 05. 1 — d
— Das Thun d. Willens Gottes, s.: Für Dich.
— Die schöne Thür d. Tempels. Bibelkunde. [S.-A.] (10) 8° Blankenbg i/Th., Ev. Allianzhaus 1900. — 10 d
— Umgeben v. Gottes Schutz. (8) 8° Strieg., R Urban 04. — 10 d
— Waffen d. Lichtes. (8) 8° Ebd. (05). — 10 d
— Der Weg z. Frieden. (24) 8° Ebd. (05). — 20 d
— Weltschöpfg u. Erlösg. 9 Vortr. üb. d. Anfänge d. Alten u. d. Neuen Test. (77) 8° Barm., E Müller 04. — 40 d
— 9 Worte a. Joh. 15 f. Reichs-Gottesarbeiter, s.: Für Dich.
— Würdig f. d. Dienst d. Meisters. Übers. v. J Morjan. (130) 8° Barm., E Müller (03). ǁ 2. Afl. (126) (04). Je 1.50; geb. je 2.25 d
— u. O Stockmayer: Ansprachen an Reichsgottesarbeiter auf d. 14. Allianzkonferenz in Blankenburg i. Thür. [S.-A.] (4) 8° Blankenbg i/Th., Ev. Allianzhaus 1899. — 05 d

Meyer, FS: Hdb. d. Liebhaberkünste. 3. Afl. (834 m. Abb.) 8° Lpzg, Seemann & Co. 02. 6 —; L. 7 — d
— Systematisch geordnetes Hdb. d. Ornamentik, s.: Seemann's Kunsthandbb.
— s.: Meisterwerke d. deut. Glasmalerei-Ausstellg, Karlsruhe.
— u. F Ries: Die Gartenkunst in Wort u. Bild. (484) 4° Lpzg, C Scholtze 04. 25 —; geb. 27 — d
Meyer, FX, s.: Festreden an d. Schlachtfeier in Sempach.
Meyer, G: Landw. Baukde, s.: Schubert, A.
Meyer, G: Lehrb. d. schönen Gartenkunst, Ergänzg, s.: Bertram, M, d. Technik d. Gartenkunst.
Meyer, G; Ueb. d. Bildg v. Helium a. d. Radiumemanation, s.: Himstedt, F.
Meyer, G: Erdmagnet. Untersuchgn. im Kaiserstuhl. [S.-A.] (40 m. 4 Taf.) 8° Freibg i/B. (02). (Tüb., JCB Mohr.) 3 —
Meyer, G: Prakt. Anl. z. Erlerng d. dopp. u. einf. Buchführg f. Handelsschulen, Kaufleute, Handwerker u. Gewerbetreib. (52) 8° Brnschw., Theye & Bode 01. 1 —
Meyer, G, s.: Abhandlungen, staats- u. völkerrechtl.
— Lehrb. d. deut. Staatsrechtes. 6. Afl. v. G Anschütz. (893) 8° Lpzg, Duncker & H. 05. 16.60; geb. 19 —
— Das parlamentar. Wahlrecht. Nach d. Verf. Tode hrsg. v. G Jellinek. (734) 8° Berl., O Häring 01. 16 —
Meyer, G: Aufg. f. d. Rechen-Unterr., s.: Buchenau, F.
Meyer, G: Das Recht d. Beschlagnahme v. Lohn- u. Gehaltsfordergn, s.: Guttentag's Sammlg deut. Reichsges.
Meyer, G, s.: Bericht üb. d. v. Komitee f. Krebsforschg erhob. Sammelforschg.
— Üb. d. Beziehgn d. adenoiden Gewebes zu bösart. Geschwülsten, s.: Sammlung klin. Vortr.
— Der Einfl. d. Zentrale d. Berliner Rettgsgesellsch. auf d. Krankenversorgg Berlins. [S.-A.] (48 m. 4 Kurven u. 1 Pl.) 8° Jena, G Fischer 05. 1.80
— Die wiss. Grundl. d. Graphol. (81 m. 31 Taf.) 8° Ebd. 01. 5 —
— s.: Handbuch d. Krankenversorgg u. Krankenpflege. — Hilfe, 1. ärztl., bei plötzl. Erkrankgn u. Unfällen. — Kalender, deut., f. Krankenpflegerinnen u. Krankenpfleger. — Krankenpflege-Kalender, deut.
— Zur Organisation d. Rettgswesens. [S.-A.] (40) 8° Jena, G Fischer 01. 1.90
— s.: Verhandlungen d. Comités f. Krebsforschg. — Veröffentlichungen d. Komitees f. Krebsforschg. — Zeitschrift f. Krebsforschg.
Meyer, G, s.: Meyrink, G.
Meyer, G: Im Vorexamen. 700 Fragen a. d. Geb. d. anorgan. Chemie f. Examenskandidaten sowie z. Selbstprüfg u. Rep. (91) 12° Hildesh., L Steffen 04. L. 1.50
Meyer, G: Chemie u. landw. Nebengewerbe, s.: Pagel, A.
— Lehrb. d. Botanik f. Landw.-Schulen u. and. höh. Lehranst. 2. Afl. (218 m. Abb.) 8° Berl., P Parey 01. L. 2 — d
— Leitf. d. Botanik f. landw. Wintersch. u. Landwirte. 3. Afl. (175 m. Abb.) 8° Ebd. 05. Geb. 1.50 d
— Die geolog. Verhältn. d. Umgebg v. Dahme (Mark) u. ihre Beziehgn z. Landw. (27 m. Fig. u. 1 Karte.) 8° Ebd. 02. 1.50 d
Meyer, G: Die Wölbg d. Gerdaubrücke bei Uelzen. — Ritter: Ueb. d. Berechng eiserner Dach- u. Brücken-Constructionen. [S.-A.] (30 Sp. m. Abb. u. 1 Taf.) 4° Hannover (ca 1905). Lpzg, HAL Degener. Kart. 3.50
Meyer, GE, u. W Hardt: Zur Geburtstagsfeier Kaiser Wilhelms II. in d. Schule. Festreden, Festspiele, Gedichte u. Einzelvorträge. 3. Afl. (78) 8° Danz., AW Kafemann. 03. ǁ 2. u. 3.Bd. (82 u.88) 03.06. Je 1 —; Schülerheft. (53 u.57) 02.03. Je — 50 d
Meyer, GF: Zur Gesch. d. Zuckerfabrikation. (25 Jahre ohne Knochenkohle.) (116 m. Abb.) 8° Brnschw., E Appelhans & Co. 05. 4 —
Meyer, GW: Der elektr. Betrieb v. Fernschnellbahnen. (83) 8° Halle, W Knapp 02. 1.50 d
Meyer, H: Lieben, Glauben, Hoffen. Lieder d. Südens. (111) 8° Meran, FW Ellmenreich 04. 2 — d
Meyer, H, s.: Aus deut. Landen. — Kalender, hess.
— Landschaften u. Städtebilder. Malbuch. (24 Bg. Tl farb. Bl.) 8° Nürnbg, T Stroefer (04). Kart. 3.50 d
Meyer, H: Was kann d. Lehrer z. Hebg d. Volksgesanges thun? (15) 8° Hildesh., H Holmke (02). — 40 d
Meyer, H: Die Diaspora d. deut. ev. Kirche in Rumänien, Serbien u. Bulgarien. (480 m. Abb. u. 1 Karte.) 8° Potsd., E Stein 01. 10 —; geb. (12 —) 7.50
Meyer, H: Gerichts- u. Prozess-Praxis. Hdb. d. Zivil- u. Strafprozesses. (In etwa 36 Lfgn.) 1—8. Lfg. (1. Bd. 1—272) 8° Münch., Beck's Söhne 04.05. Je nn — 05 d
Meyer, H; Der richt. Berliner in Wörtern u. Redensarten. 5. Afl. (18, 199) 8° Berl., HS Hermann 04. L. 3 — d
— Lehrb. d. Gesch. f. d. unt. u. mittl. Kl. höh. Lehranst 1. Heft. Alte Gesch. Mit e. Abriss d. alten Geogr. 7. Afl. (80) 8° Berl., J Springer 04. Kart. — 80 d
— dass. f. d. ob. Kl. höh. Lehranst., s.: Hofmann, F.
Meyer, H: Die Eisenb. im tropic. Afrika. (186 m. 1 Karte.) 8° Lpzg, Duncker & H. 02. 4.80; L. 6 —
— Das deut. Volkstum, s.: Meyer's Volksbb. — Volkstum, d. deut.
Meyer, H: Anorg. u. Constitutionsermittelg organ. Verbindgn. (26, 700 m. Fig.) 8° Berl., J Springer 03. 16 —; L. 18 —
— Anl. z. quantitativen Bestimmg d. organ. Atomgruppen. 2.Afl. (202 m. Fig.) 8° Ebd. 04. L. 5 —
— s.: Untersuchungen, chem. u. medicin.

Meyer, H: Anlage u. Ausstattg v. Turnplätzen u. Turnhallen,
s.: Volksturnbücher, deut.
Meyer, H: De rechte Schaul. Erzählg a. d. niederdeut. Bauernleben. (100) 8° Hambg, Gutenberg-Verl. Dr. E Schultze 06.
1.50; geb. 2.50 d
Meyer, H, s.: Meyer-Benfay, H.
Meyer, H: Entwerg u. Eigentum im deut. Fahrnisrecht. Beitrag z. Gesch. d. deut. Privatrechts u. d. Judenrechts im
M.-A. (314) 8° Jena, G Fischer 02. 10 — d
— Die rechtl. Natur d. nur scheinbaren Bestandteile e. Grundstücks (§ 95 BGB.), s.: Festgabe f. Fel. Dahn.
— Neuere Satzg v. Fahrnis u. Schiffen. (142) 8° Jena, G Fischer
03. 4.50 d
— s.: Turnerschaften, d.
Meyer, H: Die Kriege Friedrichs d. Gr. 1740—63, s.: Sammlung
belehr. Unterhaltsschriften f. d. deut. Jugend.
Meyer, H: Die Einkommensteuerprojekte in Frankr. bis 1887.
(190) 8° Berl., C Heymann 05. 4 — d
Meyer, H: Anl. z. Prozesspraxis in Beisp. an Rechtsfällen.
6. Afl. (In d. Reihe d. Abdrücke d. 13.) (395) 8° Berl., F Vahlen
03. 6 —; geb. nn 7 — d
— Aus meiner Kuriosen-Samulg. (83) 8° Hannov., Helwing(03).
2 — d
— Der Prozessgang, an e. Rechtsfalle dargest. 10. Abdr. (70) 8°
Berl., F Vahlen 05. 1.20 d
— Prakt. Streifzüge auf d. Geb. d. Erbenhaftg. (47) 8° Ebd.
04. 1 — d
Meyer, H: Beitr. z. Pensionsversicherg. (172) 8° Jena, G Fischer
03. 6 —
Meyer, HAW, s.: Kommentar, kritisch-exeget., üb. d. Neue Test.
Meyer, HB: Hof- u. Zentralverwaltg d. Wettiner in d. Zeit
einheitl. Herrschaft üb. d. meissnisch-thüring. Lande 1248—
1379, s.: Studien, Leipz., a. d. Geb. d. Gesch.
Meyer, HCH: Aus alter Burschenzeit. (263) 8° Bresl., Schles.
Buchdr. usw. 03. 2 —; geb. 3 — d
— Heinr. Schaumberger u. Rudolf Köselitz, Dichter u. Illu-
strator. (135 m. Abb.) 8° Wolfenb., J Zwissler 01. Kart. (1.50)
— 75 d
Meyer, HTM: Geograph. Charakterbilder, s.: Daniel, HA.
— Die Schulstätten d. Zukunft. (78 m. Abb.) 8° Hambg, L Voss
03. 1.50
— u. G Vollers: Schulbauprogramm n. d. Entwurfe d. Schul-
bauten-Ausschusses d. hamburg. Schulsynode. (84 m. Abb.)
4° Ebd. 01. 2 — ‖ 2. Afl. (89 m. Abb.) 04. 4 — d
Meyer, J: Ortsgesetze d. Stadt Lingen. (136) 8° Ling., (R van
Acken) 03. 1 — d
Meyer, J: Gesch. d. Genfer Konvention, s.: Schriften d. Ver.
v. Rothen Kreuz.
Meyer, J: Die Abweichng d. neuen v. d. alten Rechtschreibg,
nebst Übgsaufg., Diktaten u. e. Wrtvrz. (32) 8° Hannov.,
C Meyer 02. — 15 ‖ 3—25. Afl. (33) 02-05. — 20 d
— Einführg in d. deut. Lit. Dichtgn in Poesie u. Prosa, erläut.
f. Schule u. Haus. 1. Bd. Die ält. Zeit. — Die mhd. Zeit. (656)
8° Berl., Gerdes & H. 05. 6 —; geb. 7 — d (s. a. unten: Lit.)
— Vaterländ. Gesch., s.: Rübenkamp, W.
— Heimatskde d. Prov. Hannover. 6. Afl. (48) 8° Hannov., Helwing 1900, m. Karte — 35· d
— s.: Jahrbuch, pädagog.
— Des Kindes 1. Sprachb. Zugl. e. Vorst. zu d. Verf. Schulbb.:
Deut. Sprachb., Ausg. A. u. kl. deut. Sprachb., s.: Hannov.,
C Meyer 02. — 15 ‖ 2—
3. Taus. (40) 8° Hannov., C Meyer 02.03. 23 d
— Lehr- u. Übgsb. f. d. Unterr. in d. deut. Rechtschreibg. Nach
method. Grundsätzen f. Mittel-, Bürger- u. gehob. Volkssch.,
sowie f. d. entsprech. Kl. d. höh. Lehranst. bearb. Ausg. A
in 1 Hefte. 18. Afl. (68) 8° Ebd. 05. — 30 d
— dass. In 4 Stufen. Ausg. B in 2 Heften. 1. Heft. (56) 8° Ebd.
02. — 50 ‖ 2. Heft. (96) 02. — 50 d
— dass. In 5 Stufen. Ausg. B in 2 Heften. 2. Afl. 1. Heft. (56)
8° Ebd. 04. — 30 ‖ 2. Heft. (104) 04. Kart. — 50 d
— Die preuss. Lehrerprüfgn. Verordng f. d. Fortbildg d.
Lehrers im Amte. 1. Tl. Die 2. Prüfg. Nebst e. Anh., enth. d.
Bestimmgn üb. Ausbildg u. Prüfg d. Turn-, Zeichen- u. Musiklehrer an höh. Lehranst., sowie d. Taubstummenlehrer. 3. Afl.
(187) 8° Lpzg, BG Teubner 02. 2 —; geb. 2.40 d
— Method. Leitf. f. d. Unterr. in d. Rechtschreibg. In 3 Stufen
bearb. 5.Afl. (255) 8° Lpzg, Dürr'scheBh.02. 2 —; geb. 3.80 d
‖ 6. Afl. (281) 05. 3 —; geb. 3.60 d
— I. Aus d. deut. Lit. Dichtgn in Poesie u. Prosa, ausgew. f.
Schule u. Haus. — II. Einführg in d. deut. Lit. Dichtgn
in Poesie u. Prosa, erläut. f. Schule u. Haus. Zugl. e. Buch
d. deut. Lit. v. d. ält. Zeiten bis z. Gegenwart. Unter Benutzg d. gleichnam. Werkes v. Lüben u. Nacke hrsg. 1—
27. Lfg. (1. u. 1. Bd. 512 u. 2. Bd. 1—272 u. 11. Bd. 656 u. 2. Bd.
1—368) 8° Berl., Gerdes & H. 04.05. Je — 50 d
(s. a. oben: Einführg)
— dass. (I allein.) 1. Bd. Die ält. Zeit. — Die mhd. Zeit. (512)
8° Ebd. 05. 4.80; geb. 5.80 d
— Deut. Lit.-Kde f. mittl. u. höh. Mädchensch. 2. Afl. (135 m.
Bildnissen.) 8° Lpzg, Dürr'sche Bh. 05. 1.60; geb. 2 — d
— Regeln u. Wrtvrz. z. deut. Rechtschreibg. Für
Volks-, Mittel- u. Fortbildgsschüler bearb. (44) 8° Hannov.,
C Meyer 02. — 25 d
— Ev. Relig.-Buch, s.: Gottschalk, H.
— s.: Schulmann, d. deut.
— Spiegel neudeut. Dichtg. Auswahl a. d. Werken leb. Dichter.

Mit e. geschichtl. Einführg u. biograph. Notizen. (318) 8° Lpzg,
Dürr'sche Bh. 05. 3 —; geb. 3.80 d
Meyer, J: Deut. Sprachb. Für Bürger-, Mittel- u. höh. Mädchensch. Ausg. A in 1 Hefte. 13—15. Afl. (200) 8° Hannov., C
Meyer 03. Geb. 1.90 d
— dass. Ausg. B in 4 Heften. Unter Mitwirkg v. Rossbach bearb.
8° Ebd. nn 2.50 d
I. 1—3. Taus. (40) 02.03 ; 2. Afl. (42) 05. Je — 25 ‖ II. (96) 06 ; 3. Afl. (96)
04. Je — 50 ‖ III. (140) 03. nn — 75; 2. Afl. (146) 04. Kart. nn — 75 ‖ IV.
(156) 03.
— Kl. deut. Sprachb. Für mehrklass. Volkssch. bearb. Ausg A
in 1 Hefte. 4. Afl. (128) 8° Ebd. 04. Kart. — 60 d
— dass. Ausg. B in 3 Heften. Unter Mitwirkg v. Cremer u.
Osterhorn bearb. 8° Ebd. 1.15 d
I. (40) 02.; 4. Afl. (42) 05. Je — 25 ‖ 2. (88) 03. — 40 ‖ 3. (120) 03. — 50;
3. Afl. (122) 04. — 50.
Neus Afl. u. d. T.:
— dass. Für 4- bis 5klass. Volkssch. hrsg. Ausg. B in 2 Heften.
Unter Mitwirkg v. Cremer u. Osterhorn bearb. 8° Ebd. 1.15 d
I. 5—6. Taus. (40) 03. — 22 ‖ II. 3. Afl. (90) 04. — 40 ‖ III. 4—7. Taus.
(122) 05. — 50.
— dass. Für mehrklass. Volkssch. hrsg. Ausg. B in 3 Heften.
I. u. II. Heft. 8° Ebd. 05. — 65 d
I. 3. Afl. (42) — 25 ‖ II. 4. Afl. (90) — 40.
— Deut. Sprachübgn. Für einf. Schulverhältn. bearb. Ausg. A
in 1 Hefte. 2. Afl. (72) 8° Ebd. 03. — 40 d
— dass. Ausg. B in 2 Heften. Unter Mitwirkg v. Rheinen u.
Sander bearb. 1. Heft. (40) 8° Ebd. 02. — 25 ‖ 2. Heft. (80) 03.
— 40 d
Neus Afl. u. d. T.:
— dass. Für 1- bis 3klass. Volkssch. bearb. Ausg. A in 1 Hefte.
3. Afl. (74) 8° Ebd. 04. — 40 d
— dass. Ausg. B in 2 Heften. Unter Mitwirkg v. Rheinen u.
Sander bearb. 8° Ebd. — 65 d
I. 4. Taus. (40) 04 ; 3. Afl. (42) 05. Je — 25 ‖ II. 2. Afl. (92) 04. — 40.
— Zur Umgestaltg d. grammat. Unterr. in d. Volkssch. 2. Afl.
(60) 8° Ebd. 05. — 80 d
— Deut. Volksbb., s.: Schwab, G.
— u. A Thelen: Gegenüberstellg d. Unterschiede zw. d. alten
u. d. neuen Rechtschreibg. (Vor-Puttkamersche — Puttkamer-
sche — neue Rechtschreibg.) 1—17. Taus. (72) 8° Hannov., C
Meyer 02.03. — 50 d
Meyer, J: Anfangsgründe d. deut. Sprachlehre, s.: Götzinger, MW.
Meyer, J: Die Aggregatzustände d. Körper. (Üb. d. physikal.
Eigenschaften d. chem. Körper.) I. Thl. Chem. Äquivalente.
— Die Dichtigk. d. Körper. (Gase, Dämpfe, Flüssigk. u. feste
Körper.) (166 u. 3 m. 9 Taf.) 8° Luxembg, (V Bück) 1900. 5 — d
Meyer, J: Gesch. v. Uffenheim, s.: Bullnheimer, JA.
Meyer, J: Einführg in d. Thermodynamik auf energet. Grundl.
(216) 8° Halle, W Knapp 06. 8 —
— Die Phasentheorie u. ihre Anwendg. [S.-A.] (50 m. Abb.) 8°
Stuttg., F Enke 05. 1.20
Meyer, J: Anstich-Lieder. Ges. u. hrsg. in Verbindg m. W Bier-
mann u. W Lemme. (96) 8° Lpzg-E., A Hoffmann 01. L. 2 — d
Meyer, J, s.: Gemälde-Galerie, d. kgl. Museen zu Berlin.
Meyer, J: Die Bedeutg d. bakteriolog. Diagnose bei Infektions-
krankh. [S.-A.] (23) 8° Lpzg, B Konegen 03. 1 —
Meyer, J: Tirol, s.: Projections-Vorträge.
Meyer, J: Ritro auf d. Pegasus. (136) 8° Aar., HR Sauerlän-
der & Co. 05. 1.60; L. 2.40 d
Meyer, JG (Umschl. GJ): Am Krankenlager deut. Wiss. Krit.
Bemerkgn z. neueren naturwiss. Gesellschaftslehre. (23) 8°
Lpzg, GH Wigand (05). — 30
— Kronos od. Seele u. Welt. 2. Afl. (42) 8° Ebd. (05). 1 —
— Die Kulturgesch. im Lichte d. Darwin'schen Lehre, s.: Vor-
träge n. Abhandlungen, gemeinverständl. darwinist.
— Staat u. Gesellschaft. Gemeinverständl. Betrachtgn im Lichte
d. Entwicklgslehre. (60) 8° Lpzg, GH Wigand (05). 1.20
Meyer, JG: Der neue Schlemihl. Roman in 3 Büchern. (280)
8° Berl., Verl. Continent (05). 3.50; geb. 5 —
Meyer, JJ: Asanka, Sudschata, Tangara u. and. Dichtgn. (202)
8° Lpzg (03). Berl., K Singer & Co. 4 —; geb. 5 — d
— s.: Dhammaraguptas Kuṭṭanimatam. — Daṇḍin's Daçaku-
māracaritam.
— Kāvyasamgraha. Erot. u. esoter. Lieder. Metr. Übersetzg
a. ind. u. and. Sprachen. (223) 8° Lpzg (03). Berl., K Singer &
Co. 4 —; geb. 5 — d
— s.: Schelmenbücher, altind.
Meyer, K: Der Prolog d. Johannesevangeliums. Nach d. Evan-
gelium erklärt. (101) 8° Lpzg, A Deichert Nf. 02. 1.40
Meyer, K: Naturlehre (Physik u. Chemie) f. höh. Mädchensch.,
Lehrerinnen-Seminarien u. Mittelsch. 1.u.2.Afl. (290 m. Abb.) 8°
Lpzg, G Freytag 01.02. ‖ 3. Afl. (242 m. Abb.) 04. Geb. je 2.20 d
— Rechenb., s.: Menzel, J.
— Landw. Rechenb. Nebst e. Anh., enth. d. Arbeiter-Versicherg,
Muster f. einf. Buchführg u. geschäftl. Aufsätze. Schüler-
heft. 9. Afl. (42) 8° Strassbg, F Bull 03. — 40 d
Meyer, K: Die klin. Bedeutg d. Eosinophilie. (106) 8° Berl., S
Karger 05. 3.50
Meyer's, K, Übgsb. f. schriftl. Arbeiten in Fortbildgssch. Heft I,
III b u. IV. Hannov., C Meyer. nn — 90 d
I. 4. Afl. (72) 4° (02.) nn — 15 ‖ Heft. III b. 2. Afl. (70) Fol. (36.) nn — 20
‖ IV. (Verheft.) 3. Afl. 8° (25 Formulare.) (01.) nn — 50.
— Zeichenhefte f. Stadt- u. Landsch. 1. Heft. Bearb. v. K Pa-
cyna. 31—33. Taus. (10 Bl.) 4° Ebd. 05. — 12 d

Meyer, K: Heimatskde f. d. Schulen d. Kreises Grafsch. Hohenstein. (56) 8° Ellrich 1897. (Nordh., C Haacke.) — 30 d
— Heimatskde f. d. Schulen d. Stadt Nordhausen. 8. Afl. (64) 8° Nordh., (C Haacke) 03. — 35 d
Die 7. Afl. war bearb. v. L Harbort u. K Meyer.
— Karte d. Kreises Aschersleben. 1:100,000. 32,5×43,5 cm. Farbdr. Nordh., F Eberhardt (o. J.). — 25
— Kreis Eckartsberga. Karte z. Heimatskde. 16,5×25 cm. Farbdr. Ebd. (o. J.). — 15
— Führer üb. d. Kyffhäuser-Gebirge. VI. Afl. v. „Die ehemal. Reichsburg Kyffhausen". (158 m. Abb., Titelbild, 2 Kart. u. 4 Pl.) 12° Ebd. 1896. — 75 d
— Kreis Sangerhausen. Karte z. Heimatskde. 5. Afl. 17,5×21 cm. Farbdr. Ebd. (o. J.). — 15
Meyer, K, s.: Archiv f. celt. Lexikogr. — Zeitschrift f. celt. Philol.
Meyer, K: Der Spediteur u. s. Pflichten. (111) 8° Berl., Struppe & W. 03. 3 —
Meyer. KT: 4 Orig.-Steinzeichnngn, s.: Steinzeichnungen deut. Maler.
— E Nikutowski, H v. Volkmann u. F v. Wille: Bilder v. Rhein u. a. d. Eifel. 25 Zeichngn u. Orig.-Lithographien. 4° Düsseldf. (04). Berl., Fischer & Fr. Geb. 6 —
Meyer, KW: Deut. Leseb. f. höh. Lehranst. — Dass. f. Vorsch. höh. Lehranst., s.: Kohts, R.
Meyer, L, s.: Jahrbuch, deut. meteorolog., Württemberg.
Meyer, L: Zur Reform d. ev. Relig.-Unterr. in d. Volkssch. Bayerns d. d. Rh. (61) 8° Münch., (M Kellerer) 03. 1 —
Meyer, L: Grundz. d. deut. Militärverwaltg. Zugl, als 2. Afl. d. gleichnam. Werkes v. R de l'Homme de Courbière. (414) 8° Berl., ES Mittler & S. 01. 8 —; L. nn 9.25 d
Meyer, L: Hdb. d. griech. Etymol. 4 Bde. 8° Lpzg, S Hirzel. 60 —; geb. nn 68.40

1. Wörter m. d. Anlaut α, ἀ, ε, η, ω. (656) 01. 14 —; geb. nn 16 —
2. Wörter m. d. Anlaut ι, αι, ει, οι, υ, αυ, ευ, ου, ϝ auch ξ), π (auch ψ), τ. (659) 01. 20 —; geb. 22.40
3. Wörter m. d. Anlaut γ, β, δ, ζ, χ, φ, ϑ. (448) 01. 12 —; geb. 14 —
4. Wörter m. d. Anlaut σ, ϲ, μ, ς, λ. (608) 02. 14 —; geb. nn 16 —

Meyer's, L, Grundz. d. theoret. Chemie. 3. Afl. v. E Rimbach. (255 m. Fig. u. 1 L.) 8° Lpzg, Breitkopf & H. 02. 5 —; geb. 6.50
Meyer, M: Anl. z. Ausübg d. Fleischbeschau. (55) 8° Anr. (E Wirz) 03. Kart. 1 — d
Meyer, M: Die Pfandbriefe d. Hypotheken-Banken. 2. Afl. (47) 8° Berl. (S.W. 11, Schönebergerst. 19 I), H Brner 01. 2 — d
Meyer, Frl. M, s.: Folkart, M.
Meyer, M: Die Arbeiten d. Bautischlers. 2 Hefte. (Je 30 Taf.) 4° Lüb., C Coleman (05). Je 3 —
— Moderne goth. Architekturen. 12 Lfgn. 4° Lpzg, Baumgärtner 02. Je 3 Lfgn 9 —; in 1 od. in 3 L. M. 36 — d
1—5. I. Abth. Backsteinbauten. (60 Taf. m. 4 S. Text.) In M. 18 —
7., 8. II. Abth. Schlosser- u. Kunstschmiedearbeiten. (Taf. 61—90 m. 3 S. Text.) In M. 9 —
10—12. III. Abth. Innere Ausbauten u. Bautischlerarbeiten. (Taf. 91—120 m. 3 S. Text) In M. 9 —
Erschien z. Tl noch in Berlin.
— Innerer Ausbau. H. Abth. I. u. II. Serie. Die Arbeiten d. Bautischlers. Im Stile d. Gotik u. Renaissance. (Je 30 Taf.) 4° Deutsch-Krone, F Ziebarth 1900. Kart. je 6 — (I u. II.: 17 —)
1. Fussboden, Konstruktionen, Thore f. Ställe, Scheunen u. Remisen; Zimmer- u. Hausthüren, Schiebethüren, Thüren f. Kirchen u. Schulen, Windfänge, Beschläge u. s. w. II. Wandfelguns. Einfache Fenster u. Doppelfenster. Schiebefenster. Schaufenster. Getäfelte Beschläge u. s. w.
— Der Bau hölzerner Treppen. 2. Afl. (40 photolith. Taf. m. 4 S. Text.) 4° Lpzg, C Scholtze (04). Kart. 10 — d
— Eisenkonstruktion d. Hochbaues. 30 Bl. Vorlagen. 8° Deutsch-Krone, F Ziebarth 1900. Kart. 3 — d
Meyer, M: Sagen-Kränzlein a. Tirol. 3. Afl. (398 m. Titelbild.) 8° Innsbr., Wagner 05. 3 —; geb. 4 — d
Meyer, M: Der Apostel Paulus als armer Sünder. (58) 8° Gütersl., C Bertelsmann 03. 1 —; geb. 1.50 d
Meyer, MW: Die Gesetze d. Bewegng am Himmel u. ihre Erforschg, s.: Hillger's illustr. Volksbb.
— Populäre Himmelskde, s.: Diesterweg.
— Die Kometen u. Meteore, s.: Meyer's Volksbb.
— Die Naturkräfte. Ein Weltbild d. physikal. u. chem. Erscheingn. (671 m. Abb. u. 29 z. Tl farb. Taf.) 8° Lpzg, Bibliograph, Instit. 03. HF. nn 17 —; auch in 15 Lfgn zu 1 — d
— Von St. Pierre bis Karlsbad. Studien üb. d. Entwicklgsgesch. d. Vulkane. 3. Afl. (346 m. Abb. u. farb. Titelbild.) 8° Berl., Allg. Ver. f. deut. Litt. 04. 7 —; L. od. HF. 8.50 d
— Die Schweiz, s.: Museum, stereoskop.
— Sonne u. Sterne. 1. u. 2. Afl. (106 m. Abb.) 8° Stuttg., Franckh (05). 1 —; geb. 2 — d
— Der Untergang d. Erde u. d. kosm. Katastrophen. Betrachtgn üb. d. zukünft. Schicksale uns. Erdenwelt. 2. Afl. (389) 8° Berl., Allg. Ver. f. deut. Litt. 04. 6 —; L. od. HF. 7.50 d
— Wie kann d. Welt einmal untergehen? (Umschl.: Weltuntergang.) 1—9. Afl. (93 m. Abb.) 8° Stuttg., Franckh (04.05). 1 —; geb. 2 — d
— Das Weltgebäude. Gemeinverständl. Himmelskde. Stenograph. Auszug v. F Brüggemann. (110) 8° Berl., Frz Schulze (05). 1.50; geb. 2 — d
— Weltschöpfg. Wie d. Welt entstanden ist. 1—96. Afl. (72 m. Abb.) 8° Stuttg., Franckh (04.05). 1 —; geb. 2 — d
Meyer, O: Chem. Experimente, s.: Peters, T.
Meyer, O: Nord u. Nebel. Lieder u. Balladen. (87) 8° Berl., CA Schwetschke & S. (04). 1.80; geb. 2.50 d

Meyer, O: Der Sprech- u. Leseunterr. auf phonet. Grundl. (130) 8° Soloth., (A Lüthy) 04. nn 2 —
Meyer, O: Ges. üb. d. Enteigng v. Grundeigentum, s.: Guttentag's Sammlg preuss. Ges.
Meyer, P: Die Ehe im Lichte d. Spiritualismus u. d. Theosophie. (15) 8° Lorch, K Rohm 04. — 20 d
Meyer, P: Die Staldenschule, s.: Neujahrs-Blatt d. literar. Gesellsch. Bern.
Meyer, P: Das Handelsgesetzb., s.: Berliner, M.
Meyer, P: Droysig 1859—1902. Festschrift z. 50jähr. Bestehen d. Droyssiger Anstalten. (168 m. Abb. u. 10 Taf.) 8° Bresl., F Hirt 02. L. 3 — d
Meyer, P: Die Idee d. ewigen Friedens bei Kants Zeitgenossen. (12) 4° Berl., Weidmann 05. 1 —
— Rand-Bemerkgn üb. Politik. I. Etwas Polnisches. (14) 8° Berl., Herm. Walther 01. — 50 d
Meyer, P: Das Erbrecht d. BGB. f. d. Deut. Reich. 2 u. 3. Lfg. (97—238) 8° Marbg, NG Elwert's V. 01.02. 2.80 (1—3.: 4.60) || 1—4. Lfg. (1—3. Lfg in 2. Ausg.) (296) 05. 5.80; 5. Lfg. (297—302) 04. 1.50 d
Die 1. Ausg. v. Lfg 1—3 ist zurückgezogen worden.
Meyer, P, s.: Gymnasium.
— Üb. Nachhilfe an Schüler, s.: Abhandlungen, pädagog.
Meyer, PM: Zum Ursprg d. Kolonats. [S.-A.] (3) 8° Lpzg, Dieterich 02. — 40
Meyer, R, s.: Kierkegaard, Sören. u. s. Verhältn. zu ihr.
Meyer, R, u.: Abhandlungen a. d. Gebieten d. Mathematik usw. — Jahrbuch d. Chemie.
Meyer, R: Üb. Derivate d. -s-Jodpseudocumols m. mehrwert. Jod. (34) 8° Freibg i/B., Speyer & K. 01. 1 —
Meyer, R: Soll u. kann d. Hauszinssteuer in e. Mietsteuer u. e. Hausgrundsteuer verlegt werden? [S.-A.] (43) 8° Wien, W Braumüller (05). 1.20
— Das Zeitverhältnis zw. d. Steuer u. d. Einkommen u. s. Theilen. Beitrag z. österr. Steuerrechts u. z. Lehre v. Einkommen. (186) 8° Wien, Manz 01. 3.60 d
Meyer, R, geb. Jacob: Jüd. Leben. Den Oppenheim'schen Bildern a. d. sitjüd. Familienleben nachgedichtet. (23) 8° Rendsbg, H Möller 03. — 50 d
Meyer, R, u. H Schneidewin: Die Wohlfahrts-Einrichtgn Magdeburg's. (75) 8° Mgdbg, (Heinrichshofen's S.) 02. 1.25 d
Meyer, R, u. F Hoffmann: Düngerlehre, s.: Handelspolitik. (45) 8° Bonn, F Cohen 04. 1 —
Meyer, RJ: Bibliogr. d. selt. Erden. Ceriterden, Yttererden u. Thorium. (79) 8° Hambg, L Voss 05. 2 —
Meyer, RM: Gestalten u. Probleme. (311) 8° Berl, G Bondi 05. 4 —; geb. 5 — d
— Goethe. 2 Bde. 3. Afl. (19, 90, 911 m. Fksm. u. 14 Bildnissen.) 8° Berl., E Hofmann & Co. 05. L. 12 — d
— dass., s.: Geisteshelden.
— Franz Grillparzers Libussa, s.: Dichter, deut., d. 19. Jahrh.
— Grundr. d. neuern deut. Litt.-Gesch. (258) 8° Berl., G Bondi 02. 6 —; L. 7 — d
— Die deut. Lit. d. 19. Jahrh., s.: Jahrhundert, d. 19., in Deutschlds Entwicklg.
— 400 Schlagworte. [S.-A.] (95) 8° Lpzg, BG Teubner 1900. 2 —
Meyer, S: Contra Delitzsch! Die Babel-Hypothesen widerlegt. 1. Heft. Wie s. Briefs v. F Delitzsch an d. Verf. (59) 8° Frkft. a/M., J Kauffmann 03. || 2. Afl. (60) 03. || 2. Heft. (48) 03. Je 1 — d
Meyer, S: Übg u. Gedächtnis, s.: Grenzfragen d. Nerven- u. Seelenlebens.
Meyer, S: Polterabend- u. Hochzeits-Gedichte f. Damen, s.: Gedanus, A.
Meyer, S: Das 1. Schulj. Vortr. [S.-A.] (16) 8° Brnschw., E Appelhans & Co. 03. — 80 d
Meyer, S: Üb. d. durch d. Verlauf d. Zweiphasencurve bedingte maximale Arbeit. [S.-A.] (6 m. 2 Fig.) 8° Wien, (A Hölder) 02.
— Magnetisierungszahlen selt. Erden. [S.-A.] (19) 8° Ebd. 01. — 40
— Magnetisierungszahlen ein. organ. Verbindgn u. Bemerkgn üb. d. Unabhängigk. schwach magnet. Flüssigk. v. Feldstärke u. Dissoziation. [S.-A.] (11) 8° Ebd. 04. — 30
— Notiz üb. d. magnet. Verhalten v. Europium, Samarium u. Gadolinium. [S.-A.] (4) 8° Ebd. 02. nn 10 —
— Üb. d. Radioaktivität ein. Quellen d. böhm. Bädergruppe. — Üb. d. Radioaktivität ein. Quellen d. südl. Wiener Thermenlinie, s.: Mache, H.
— Üb. d. Wachstum d. Kristalle, s.: Vorträge d. Ver. z. Verbreitg naturw. Kenntnisse in Wien.
— u. E Ritter v. Schweidler: Untersuchgn üb. radioaktive Substanzen. I—V. Mitteilg. [S.-A.] 8° Wien, (A Hölder). 2.90
I. Üb. d. Einfl. v. Temperaturänderg u. üb. d. durch Pechblende induzierte Aktivität. (28 m. Fig. u. 1 Taf.) 04. — 90
II. Üb. d. Strahlg d. Uran. (9 m. Fig.) 04. — 90
III. Üb. d. zeitl. Änderg d. Aktivität. (9) 05. — 90
IV. Zur Kenntnis d. Aktiniums. (12 m. 2 Fig.) 05. — 90
V. Üb. d. Radium-Restaktivitäten. (25 m. Fig. u. 2 Taf.) 05. — 90
Meyer, T: Die christlich-eth. Sozialprinzipien a. d. Arbeiterfrage, s.: Frage, d. soz., beleuchtet durch d. „Stimmen a. Maria-Laach".
Meyer, T, s.: Schomaker, J, Lüneburger Chronik.
Meyer, T, s.: Meyer, KT.
Meyer, T: Das ärztl. Vertragsverhältnis. (52) 8° Berl., C Heymann 05. 1 —

Meyer, TA: Das Stilgesetz d. Poesie. (231) 8° Lpzg, S Hirzel 01.   4 —; geb. 5 — d
Meyer's, U, Bücherei. Nr. 1—20. 12° Berl., U Meyer. Je — 30 d
  Algenstaedt, L: Der Reisepass. Eine Hofgeschichte. Um d. Ehre. 3 Erzählgn. (90 m. Abb.) (05.) [14.]
  Bittrich, M: Techmeckers Käthe u. ihre Abenteuer im 30jähr. Kriege. Nach alten Tagebüch. u. Chronikblättern wiedererzählt. (77 m. Abb.) (05.) [12.]
  Boynsen, HH: Fiedelhans u. Knüppelhans. 2 norweg. Erzählgn. (80) (05.) [16.]
  Elbe, A v. der: Heimgefunden. Erzählg a. d. norddeut. Heide. (77 m. Abb.) (08.) [1.]
  Gründler, A: Das Leben Friedrich Schillers. (244 m. Abb.) (05.) [11—14.]
  Justus, T: Wider einander. Erzählg. (79 m. Abb.) (05.) [13.]
  Klaussmann, AO: Matte Wetter. Eine Bergmannsgesch. (79 m. Abb.) (05.) [3.]
  Krause, H v. (C v. Hallen): Dorothees Geheimnis. Erzählg. (76) (05.) [19.] § Tina. Erzählg. (76) (05.) [5.]
  Meister, F: Späte Heimfahrt. — Auf d. Wrack. 2 Seegesch. (94) (05.) [15.] § Kapitän Hinsdorfs lange Fahrt. Erzählg. (73 m. Abb.) (05.) [4.]
  Nixes, C: Meister Ludwigsen. — Herrn Meiers Hund. 2 Erzählgn. (99 m. Abb.) (04.) [7.]
  Reulecke, A: Im Tode treu. Geschichtl. Erzählg. (80) (05.) [16.]
  Schrill, E: Die gold. Feder. — Heilserum. 2 Erzählgn. (79) (05.) [17.]
  Sohnrey, H: Die Jungfernauktion. — Als d. Grossmutter sterben wollte. 2 Dorfgesch. (77) (04.) [6.]
  Villinger, H: Eine Gewitternacht u. anderes. 5 Erzählgn. (77) (05.) [20.]
  Werner, E v.: Auf blauem Wasser. Seebilder. (77 m. Abb.) (04.) [8.]
  Westkirch, L: In d. Joachimsthalmen. Erzählg. (79 m. Abb.) (05.) [2.]
— Sammlg guter Geschichten. 1. u. 2. Bd. [Titel-]Ausg. v. Meyer's Bücherei Nr. 1—8.] (77, 79, 79, 78 u. 77, 69, 77 u. 76 m. Abb. u. je 2 Farbdr.) 8° Ebd. [03.04] 04.   L. je 1.20 d
Meyer, V: Tab. z. qualitativen Analyse, s.: Treadwell, FP. — u. P Jacobson: Lehrb. d. organ. Chemie. II. Bd. Cycl. Verbindgn. — Naturstoffe. 1. Thl. 3. Abth. u. 2. Thl. 2 Abthlgn. 8° Lpzg, Veit & Co.   31.30 (I—II, 2.: 70.50)
  1. Einkern. isocycl. Verbindgn 3. Abth. Die Gruppe d. hydroaromat. Verbindgn. bearb. in Gemeinschaft m. P Jacobson v. C Harries. (29 u. 577—1016) 02.   13.50 (Tl.1 vollst.: 27 —: HF. 20 —)
  2. Mehrkern. Benzolderivate. In Gemeinschaft m. P Jacobson bearb. v. A Reissert. 1. Abth. (288) 01. 7.50 § 2. Abth. (289—664) 03. 10 —; ja   1 HF-Bd. 20.50
Meyer, W, s.: Bibliographie, altpreuss.
Meyer, W: Kaufmänn. Briefsteller. (96) 12° Charlttnbg (o.J.), Berl., W Frey.   2 — d
Meyer-Rinteln, W: Die Schöpfg d. Sprache. (256) 8° Lpzg, FW Granow 05.   5 —
Meyer, W: Ges. Abhandlgn z. mittellatein. Rythmik. 2 Bde. (374 u. 403) 8° Berl., Weidmann 05.   Je 8 —
— Fragmenta Burana. [S.-A.] (190 m. 15 z. Tl farb. Taf.) 4° Ebd. 01.   6 —
— Der Gelegenheitsdichter Venantius Fortunatus. — Die Legende d. hl. Albanus, d. Protomartyr Angliae, in Texten vor Beda. — Henricus Stephanus üb. d. Regll Typi Graeci, s.: Abhandlungen d. kgl. Gesellsch. d. Wiss. in Göttingen.
— Übgsbeispiele d. d. Satzschlüsse d. latein. u. griech. rythm. Prosa a. d. Gesammelten Abhandlgn z. mittellatein. Rythmik. (32) 8° Berl., Weidmann 05.   — 60
— u. JLW Sauer: Hallelujah! 100 neue 3- u. 3stimm. geistl. Gesänge f. alle Festtage d. Kirchenj. sowie f. bes. Gelegenh. (146) 8° Potsd., A Stein 01. — 40; kart. — 60 § 2. Aufl. (02.) — 50; kart. nn — 70 d
Meyer, W: Die Untersuchg d. Genussmittel, s.: Zeit- u. Streitfragen, genossenschaftl.
Meyer, W: Friedr. Ludw. Jahn, s.: Sammlung belehr. Unterhaltgsschriften f. d. deut. Jugend.
Meyer, WF, s.: Archiv d. Mathematik u. Physik.
— Differential- u. Integralrechng, s.: Sammlung Schubert.
— s.: Encyclopédie des sciences mathémat. — Enzyklopädie d. mathemat. Wiss.
Meyer-Benfey, H (H Meyer): Herder u. Kant. (Der deut. Idealismus u. s. Bedeutg f. d. Gegenwart.) (114) 8° Halle, Gebauer-Schwetschke 04.   1.20 d
— Die moderne Litt. u. d. Sittlichk. (49) 8° Lpzg 02. Berl., H Seemann Nf.   — 75 d
— Lucinde u. lex Heinze. Ein Rückblick v. d. Jahrh.-Wende. (60) 8° Ebd. 03.   — 75 d
— Friedrich Naumann. Seine Entwicklg u. s. Bedeutg f. d. deut. Bildg d. Gegenwart. (193) 8° Gött., Vandenhoeck & R. 04.   2.40; geb. 3 — d
— s.: Naumann-Buch.
— Moderne Relig. Schleiermacher. Maeterlinck. (194) 8° Lpzg 02. Jena, E Diederichs.   3 — d
— Die Sprache d. Buren. Einl., Sprachlehre u. Sprachproben. (105) 8° Gött. 01. Berl., F Wunder.   2 — d
— s.: Tolstoj-Buch.
— Wortreg., s.: Sammlung d. griech. Dialekt-Inschriften.
Meyer-Förster, E: Die Freundin a. Russisch-Polen. Bauernrache. Novellen. (83 u. 37) 8° Berl., C Duncker (04.)   3 — d
— Theatermädel u. and. Novellen, s.: Eckstein's moderne Bibliothek.
Meyer-Förster, W, s. a.: Gregorow, S.
— Alltagsleute. Roman. 2. Afl. (299) 8° Stuttg., Deut. Verl.-Anst. 04. 3.50; L. nn 5 — § d. (304) 05. 3.50; L. nn 4.50 d
— Alt-Heidelberg. Schausp. (110 m. 17 Taf.) 8° Berl., A Scherl (03).   1 — d

Meyer-Förster, W: Derby. Sportroman. 5. Afl. (262) 8° Stuttg., Deut. Verl.-Anst. 04.   3 —; geb. nn 4 — d
— Eischen auf d. Universität. 9—20. Taus. (128 m. Abb.) 8° Stuttg., Franckh (03).   2 —; geb. 3 — d
  Erschien bisher ohne Angabe d. Verfassernamens.
— Die Fahrt um d. Erde. Roman. Neue illustr. Ausg. 2—8. Taus. (170) 8° Stuttg., Deut. Verl.-Anst. (03).   2 —; geb. 3 — d
— Heidenstamm. Roman. 1—9. Afl. (332) 8° Ebd. 01-04. 3 —;   L. nn 4 — d
— Karl Heinrich. Erzählg. 22—24. Taus. (204 m. Abb. u. Bildnis.) 8° Ebd. 05.   3 —; geb. nn 4 — d
— Lena S. Roman. 1—8. Taus. (234) 8° Ebd. 05.   3 —;   geb. nn 4 — d
— Süderssen. Roman. 1—5. Afl. (234) 8° Ebd. 02.03.   3 —;   L. nn 4 — d
Meyer-Griffth, HWG: Englisch-deut. Taschenwrtrb., s.: Loebell, G v.
Meyer-Rousselle, Frau C, s.: Schott, F.
Meyer v. Knonau, G: Jahrbücher d. Deut. Reiches unter Heinrich IV. u. Heinrich V. IV. u. V. Bd. 8° Lpzg, Duncker & H. 28 — (I.—V.: 79.50) d
  IV. 1085—96. (558) 02. 14.40 § V. 1097—1106. (516) 04. 13.60.
— Joh. Heinrich Schinz, s.: Neujahrsblatt, hrsg. v. d. Stadtbibliothek Zürich.
Meyer-Lübke, W: Die Betong im Gallischen. [S.-A.] (71) 8° Wien, (A Hölder) 01.   1.60
— Einführg in d. Studium d. roman. Sprachwiss., s.: Sammlung roman. Elementarbb.
— Grammatik d. italien. Sprache, s.: d'Ovidio, F.
— Grammatik d. roman. Sprachen. 4. Bd. Reg.z. roman. Grammatik. (340) 8° Lpzg, OR Reisland 02.   10 —; geb. 11.60 (Vollst.: 69 —; geb. 76.60)
— Zur Kenntniss d. Altlogudoresischen. [S.-A.] (76) 8° Wien, (A Hölder) 02.   1.70
— Romanische Namenstudien. I. Die altportuges. Personennamen german. Urspgs. [S.-A.] (102) 8° Ebd. 05.   3.—
— Die vorroman. Volkssprachen d. roman. Länder, s.: Windisch, E.
Meyer-Markau, W: Vom Relig.-Unterr., s.: Sammlung pädagog. Vortr.
Meyer-Merian, T: Dienen u. Verdienen, s.: Verein f. Verbreitg guter Schriften, Bern.
— Friedli „im Boden". Das verzauberte Haus, s.: Verein f. Verbreitg guter Schriften, Zürich.
Meyer-Rüegg, R: Kompendium d. Frauenkrankh. (310 m. Fig.) 8° Lpzg, FCW Vogel 05.   L. 5 —
Meyer v. Schauensee, L: Der alte Soldat. — Ein Sturm auf d. Vierwaldstätter-See, s.: Verein f. Verbreitg guter Schriften, Zürich.
Meyer v. Schauensee, P: Die Strafrechtsreform in Deutschl. u. d. Schweiz. (58) 8° Berl., Puttkammer & M. 03.   1.60
Meyer-Wellentrup, A: Lebensheimer Aufsätze, s.: Volks-Erziehungs-Schriften, Lebensheimer.
Meyer-Wimmer, J: Das Dotations-, Pensions- u. Reliktengesetz d. preuss. Volksschullehrer. 2. Afl. (100 m. 5 Tab.) 8° Langens., Schulbb. 01.   1.90 d
— Deut. Kulturgesch., s.: Dreyer, F.
Meyerbeer, G: Dinorah od. d. Wallfahrt n. Ploërmel, Dichtg v. J Barbier u. M Carré, s.: Universal-Bibliothek.
Meyeren, G v.: Das Reichsges. betr. Kaufmannsgerichte m. d.preuss.Ausführgsbestimmgn, s.: Taschen-Gesetzsammlung.
Meyerfeld, M: Von Sprach' u. Art d. Deutschen u. Engländer. Krit. Worte u. Wortkritik. (112) 8° Berl., Mayer & M. 05. 1.50
Meyerhof-Hildeck, L: Das Ewig-Lebendige. Roman. 1. u. 2. Afl. (243) 8° Stuttg, JG Cotta Nf. 05.   2.50; L. 3.50 d
— Töchter d. Zeit. Münchner Roman. (301) 8° Ebd. 03.   3 — d
— Wollen u. Werden. Roman. 2. [Tit.-]Afl. (269) 8° Dresd., H Minden [1897] (04).   3 — d
Meyerhoff, G: Corpus juris civilis f. d. Deut. Reich n. Preussen. Mit Erläutergn. I. Bd. 1. Thl u. III. Bd. 2. u. 3. Thl. 8° Berl., C Heymann.   19 — (I, 1. II u. III.: 30 —)
  I, 1. Bürgerl. Recht. (Allg. Tl. — Recht d. Schuldverhältn. Abschn. 1-6.) (§ 599.) (224) 02.
  III, 2. Freiwill.Gerichtsbark. (Freiwill. Gerichtsbark. — Grundbuchrecht. — Verfahren in Agrarsachen. — Kosten- u. Stempelwesen.) (22, 1100) 02.
  3. Konkurs- u. Immobiliar-Zwangsvollstreckg. (23, 698) 04. 19 —
— Das Reichsrecht. Dezernat in Konkurs- u. Immobiliar-Zwangsvollstreckungssachen. (194) 8° Ebd. 04.   Kart. 1 — d
Meyerhoffer, W: Die chemisch-physikal. Beschaffenh. d. Heilquellen. Vortr. (32 m. 1 Abb.) 8° Hambg, L Voss 02.   1 — d
— Physikalisch-chem. Tab., s.: Landoldt.
— Untersuchgn üb. d.Bildgsverhältn. d. ocean. Salzablagergn, s.: Hoff, JH van't.
Meyerinck, B: Glückauf! Lieder u. jungen Wanderburschen. 1. Thl. (Neue Afl.) (99 m. Abb. u. 1 Panorama.) 8° Hannov. (04). (Leipzig)   L. 1.50:
— Harzvögelchen. Ein Frühlingstraum in Liedern. (46 m. 1 Abb.) 8° Ebd. 04.   L. 1.50 d
— Mit Schellengeläut' u. Peitschengeknall'. Übermüt. Schlittenfahrt durchs Leben. (31 m. Abb.) 8° Brnschw., Verl. Kescher (02).   1 — d
— Veilchen. Zum Strauss' gebunden. (72) 8° Brnschw. (02). Quedlbg., H Schwanecke.   L. (2 —) 1.50 d

Meyerholz, F, Jugendfreund, s.: Munderloh, HF.
Meyermann, G: Göttinger Hausmarken u. Familienwappen. (97 m. 25 Taf.) 8º Gött., L Horstmann 04. 3.50
Meyern-Hohenberg, MG Frhr v.: Lawn-Tennis. 4. Afl. (292) 8º Triest, FH Schimpff 04. L. 5 —
— dass. Zählblätter (scoring-sheets) z. Gebr. bei Matches u. Turnieren. 3. Afl. (20 Bl. m. Text auf d. Umschl.) Fol. Ebd. (02). Kart. 1.50
— Wie werde ich See-Officier?, s.: Berufsarten d. Mannes.
Meyerowitz, A: Der Schlossteich in Königsberg u. s. Benutzg. Im Anschl. an d. Zivilprozess Maschke c/a Königsberg. (20) 8º Königsbg, Gräfe & U., Bh. 04. — 60 d
Meyke, N: Funken unter Asche. Roman. (355) 8º Lpzg, P List (01). 5.—; L. 6 — d
— 2 Welten. Roman in 2 Bdn. (302 u. 382) 8º Berl., A Schall 02. 6 —; L. 8 — d
Meylan, C: Une excursion bryolog. à la Dôle et au Colombier de Gex, s.: Mémoires de l'herbier Boissier.
Meylan, FT: La coéducation des sexes. Etude sur l'éducation supérieure des femmes aux Etats-Unis, (181) 8º Bonn, C Georgi 04. 4 —; L. 5 — d
Meymund, K: Zimmergärtnerei, s.: Hillger's illustr. Volksbb.
Meyn's, L, schleswig-holstein. Haus-Kalender f. 1906. 38. Jahrg. (171 m. Abb.) 8º Gard., H Lühr & Dircks. — 50 d
— Vaterländ. Leseb., s.: Keck, H.
— s.: Taschenbuch, schleswig-holstein. landw.
Meyndt, G: Äuss aser Gemien. E Sanyspäl ä vaar Beldern (Kechesdirfersech). (21) 12º Hermannst., W Krafft 01. nn — 21 d
Meynert, T: Gedichte. (143) 8º Wien, W Braumüller 05. 2 — d
Meyr, M: Ende gut, alles gut, s.: Bibliothek d. Gesamtlitt. — Universal-Bibliothek.
— Erzählgn a. d. Ries. (98, 143, 120 u. 98 m. Bildnis.) 8º Halle, O Hendel (03). In Geschenkbd 2.50 d
— dass. (Ludwig u. Annemarie. Ende gut — alles gut.) (282 m. Abb.) 8º Münch., CH Beck 06. L. 5.50 d
— dass. Gesamtausg. in 4 Bdn. Hrsg. u. eingeleitet v. O Weltzien. (16, 295, 317, 299 u. 291 m. 1 Abb.) 8º Lpzg, M Hesse (04). In 2 L.-Bdn 3.60 d
— dass. Der schwarze Hans. Georg. — Die Lehrersbraut. Der Sieg d. Schwachen. — Ludwig u. Annemarie. Ende gut, alles gut. — Regine. Gleich u. Gleich, s.: Hesse's, M, Volksbücherei.
— Die Lehrersbraut. — Ludwig u. Annemarie, s.: Bibliothek d. Gesamtlitt. — Universal-Bibliothek.
— Regine, s.: Volksbücher, Wiesbad.
— Der Sieg d. Schwachen, s.: Bibliothek d. Gesamtlitt. — Erzählungen, klass., d. Weltlitt. — Universal-Bibliothek. — Volksbücher, Wiesbad.
Meyrink, G (G Meyer): Orchideen. Sonderbare Gesch. (148) 8º Münch., A Langen 04. 2 —; geb. 3 — d
— Der heisse Soldat u. and. Gesch., s.: Bibliothek Langen, kl.
Meyrswalden, s.: Kralik v. Meyrswalden.
Meyssenbug, M v.: Individualitäten. 1. u. 2. Afl. (579) 8º Berl., Schuster & Loeffler 01.03. 6 —; geb. 7.50
— Der Lebensabend e. Idealistin. Nachtrag zu d. „Memoiren e. Idealistin". 6. Afl. (491 m. Bildnis.) 8º Ebd. 05. 6 —; geb. 7.50
— Himml. u. ird. Liebe. Roman. (194) 8º Ebd. 05. 2 —; geb. 3 —
— Eine Reise n. Ostende (1849). 2. Afl. (155) 8º Ebd. 05. 2 —; geb. 3 —
— Stimmgebilder. 4. Afl. (497) 8º Ebd. 05. geb. 3 —
Meyssner, E, s.: Formularbuch f. d. freiwill. Gerichtsbark.
Mes, A, s.: Muhammad ibn ahmad abulmutahhar alazdi, Abul-käsim, s. bagdäder Sittenbild.
Mes, C: Myrsinaceae. — Theophrastaceae, s.: Pflanzenreich, d
— Mikroskop. Untersuchgn, vorgeschrieben f. deut. Arzneib. Leitf. f. d. mikroskopisch-pharmakognost. Praktikum. (153 m. Fig.) 8º Berl., J Springer 02. 5 — d
Mezger, G: Entwürfe zu Katechesen üb. Luthers kl. Katech. (295) 8º St. Louis, Mo. 02. (Zwick., Schriften-Ver.) Geb. nn 5 — d
Mezger, L, u. KL Schmid's griech. Chrestomathie. Gekürzte Ausg. Bearb. v. A Thierer. 6., d. gekürzten Ausg. 1. Afl. (155) 8º Stuttg., JB Metzler 04. 1.50; Wrtrb. (128) 1.50 d
Mezger, M: Bundes-Chöre. 380 geistl. u. weltl. 4stimm. Männergesänge. (28, 748) 8º Stuttg., (Holland & J.) 05. L. 2.20 d
Auch u. d. T.:
— 380 geistl. u. weltl. Männer-Chöre in 4stimm. Satze f. Lehrer-Seminare, höh. Lehranst., Jünglings- u. Männergesangver. etc. (28, 748) 8º Ebd. 05. L 2.20 d
Mezger, P: Rätsel d. christl. Vorsehgsglaubens. (95) 8º Bas., Helbing & L. 04. 1.60 d
Mgebroff, J: Gesch. d. 1. deut. ev.-luther. Synode in Texas. (360 m. Abb.) 8º Austin, Texas 02. (Chicago, Ill., Wartburg Publishing House.) L. 5.50 d
Mich, J: Allg. Erziehgslehre. 11. Afl. v. A Meixner. (103) 8º Tropp., Buchholz & D. 03. 1.40 d
— Allg. Unterr.-Lehre m. bes. Rücks. auf d. Volksschulunterr. 6. Afl. v. A Meixner. (81) 8º Ebd. 03. 1 — d
Michael, C, s.: Märchen, d. schönsten, a. 1001 Nacht.
Michael E: Führer f. Pilzfreunde. (Ausg. A.) 2. u. 3. Bd. 8º Zwick., Förster & Borries. Je 8 — [1—3. 24 —)
2. Mit 107 Pilzgruppen auf 9 farb. Taf. (40×54,5 cm.) (67) 01.
3. Mit 181 Pilzgruppen auf 10 Taf. (40×54,5 cm.) (70) 06.
— dass. (Ausg. B.) 2. u. 3. Bd. 8º Ebd. L. je 6 — [1—3: 18 —)
2. Mit 107 Pilzgr. (14 S. u. 73 farb. Taf. m. Text auf d. Rücks.) 01.
3. Mit 181 Pilzgruppen. (11 S. u. 80 Taf. m. Text auf d. Rücks.) 06.

Michael, E: Gesch. d. deut. Volkes v. 13. Jahrh. bis z. Ausg. d. M.-A. 3. Bd. Deut. Wiss. u. deut. Mystik währ. d. 13. Jahrh. A. u. d. T.: Kulturzustände d. deut. Volkes währ. d. 13. Jahrh. 3. Buch. 1—3. Afl. (31, 473) 8º Freibg i/B., Herder 03. 6.40; L. in Ldr.-Rücken 8.40 (1—3.: 17.40; geb. 23.20) d
— Kritik u. Antikritik in Sachen meiner Gesch. d. deut. Volkes. 2. Heft. Der Rezensent im histor. Jahrb. d. Görres-Gesellsch. (54) 8º Ebd. 01. — 80 (1 u 2.: 1.40) d
Michael, E: Der Pfarrer v. Grünhain. Trauersp. (72) 8º Lpzg, A Baum 01. 1.50 d
Michael, F, u. LH Maurer: Das Kurschiff f. Lungenkranke u. s. Kreuzungrund (s. Sanatorium auf hoher See). (48 m. Pl. u. 1 Karte.) 8º Löban, JG Walde 03. 2 — d
Michael, H: Die Heimat d. Odysseus. Beitrag z. Kritik d. Dörpfeld'schen Leukas-Ithaka-Hypothese. (32 m. 1 Bild u. 1 Kartenskizze.) 8º Jauer, O Hellmann 05. 1 — d
— Das homer. u. d. heut. Ithaka. (38 m. 1 Karte.) 4º Ebd. 02. 1.50
Michael, JO: Die Gottesherrschaft als leit. Grundgedanke in d. Offenbarg St. Johannis. (74) 8º Lpzg, F Jansa 04. 1 —
Michael, MA: Der junge Mann, s. Geschlechtsleben u. d. Ge-schlechtskrankh. (32) 8º Lpzg, Jaeger (03). — 60 d
Michael, O: Aufgabe u. Stellg d. bibl. Oesch. im Relig.-Unterr. an höh. Schulen. (30) 8º Annabg, Graser 01. — 30 d
— Bibl. Gesch. f. d. Unterkl. höh. Schulen. (176) 8º Ebd. 01. — 80; geb. 1 — d
Michael,'O: Der Stil in Thomas Kyds Orig.-Dramen. (120) 8º Berl., Mayer & M. 05. 2 —
Michael Ephesius s. a.: Ioannes Philoponus.
— In libros de partib. animalium, de animalium motione, de animalium incessu commentaria. — In librum quintum ethicor. Nicomacheor. commentarium. — In parva naturalia commen-taria, s.: Commentaria in Aristotelem graeca.
Michaeli, O: Scherz u. Schmerz. Gedichte. (227) 12º Berl., Concordia 03. 3 —; geb. 4 — d
Michaelis: Der Wert d. einz. Persönlichk. Vortr. (16) 8º Berl., Ev. Bh. 05. — 25 d
Michaelis, A: Strassburger Antiken. (39 m. Abb.) 8º Strassbg, KJ Trübner 01. 5 —
— s.: Arx Athenarum.
— Hdb. d. Kunstgesch., s.: Springer, A.
— Georg Zoega's Betrachtgn üb. Homer, s.: Festschrift, Strassb., z. 46. Versammlg deut. Philologen u. Schulmänner.
Michaëlis, A: Zum 100. Geburtstag v. Schillers Tell. 17.III.'04. (50) 8º Bern, KJ Wyss 04. — 80 d
Michaelis, A: Uns. Lieblings-Opern, s.: Burkhardt, M.
— Aconitum als Heilpflanze. [S.-A.] (96 m. 1 farb. Taf.) 8º Halle, Gebauer-Schwetschke 03. 1 — d
— Erfahrgn auf d. Geb. d. Heilkde, nebst e. wiss. Begründg d. homöopath. Heilverfahrens. (111) 8º Hildburgh., FW Gadow & S. (02). 2 —; geb. 3 — d
— Die Onanie (Masturbation). Ihre Ursachen, Folgen u. sichere Erkenng. (48) 8º Lpzg, Ernst (09). 1 — d
— Pflanzenheilkde. Pflanzen u. Kräuter als Volksheilmittel. 2 Tle in 1 Bde. (I. Allg. Tl. — II. Angewandter Tl. Aconitum als Heilpflanze.) (160 u. 96 m. 1 farb. Taf.) 8º Halle, Gebauer-Schwetschke 03. 2.40; geb. 3 — d
— Der Schmerz, s. wicht. diagnost. Hilfsmittel. (117) 8º Lpzg, Verl. d. Monatsschrift f. Harnkrankh. 05. 2 — d
— Todes-Prognosen od. wann stirbt d. Mensch? (140) 8º Lpzg, H Hedewig's Nf. 04. 1.80
— Die männl. u. weibl. Unfruchtbark. (Sterilität). Ihre Ur-sachen, Behandlg u. Heilg. (96) 8º Lpzg, Ernst (02). 1.50 d
Michaëlis, C: Carl Goldbeck. (84 m. 1 Bildnis.) 8º Lpzg, Dürr-sche Bh. 05. 1.60
— Nhd. Grammatik, bearb. f. höh. Schulen. 3. Afl. (211) 8º Bielef., Velhagen & Kl. 04. Geb. 2.20 d
— Wrtrb. d. philosoph. Grundbegriffe, s.: Kirchner, F.
Michaelis, C: Prinzipien d. natürl. u. soz. Entwicklgsgesch. d. Menschen, s.: Natur u. Staat.
Michaelis, E: Wie reist man in Italien, s.: Kinzel, K.
Michaelis, G: Welche Förderg kann d. latein. Unterr. an Re-formsch. durch d. Französ. erfahren? (52) 8º Marbg, NG Elwert's V. 02. 1.20
— Latein. Formenlehre. — Latein. Grammatik. — Latein. Satz-lehre, s.: Müller, HJ.
Michaelis, H, s.: Haberland's Unterr.-Brief-Briefe, Französisch.
— Allg. Wrtrb. d. Aussprache ausländ. Eigennamen, s.: Müller, A.
Michaelis, H: A new dictionary of the Portuguese and English languages. Based on a manuscript of J Cornet. 2 parts. 2. ed. (729 u. 742) 8º Lpzg, FA Brockhaus 05. Je 13.50; — in 1 Bd 29 —
— Neues Taschen-Wrtrb. d. italien. u. deut. Sprache. 2 Tle. 8. Afl. (484 u, 540) 8º Ebd. 05. 6 —; in 1 L.-Bd 7 — d
— Neues Wrtrb. d. portugies. u. deut. Sprache. 2 Tle. 7. Afl. (737 u. 573) 8º Ebd. 05. Je 7.50; geb. je nn 9 —; in 1 Bd nn 17 — d
Michaelis, J: Hochmoderne Entwürfe f. Wand- u. Decken-malerei. (40 Taf.) 4º Hannov. (02). (Berl., B Hessling.) In M. 18 —
Michaelis, K: Geistig Arme. Novellen. Übers. v. M Mann. (195 m. Bildnis.) 8º Berl., J Onadenfeld & Co. 03. 3 —
— Backfische. Sommererzählg. (Übertr. v. M Mann.) (167) 8º Lpzg, Insel-Verl. 05. 4 —; L. 5 —

Michaelis, K: Gyda. Roman. (Übertr. v. M Mann.) (193) 8° Lpzg, Insel-Verl. 05. 4—; L. 5 —
— Das Kind. (Deut. Orig.-Ausg., besorgt v. M Mann.) (127) 8° Berl. 02. Stuttg., A Juncker. 2 —; geb. 3 — || 2. Afl. (119) Stuttg. 05. 2 —
— Liebe, s.: Frauen-Bibliothek, moderne.
— Der Richter. Roman. (202) 8° Stuttg., A Juncker 03, 3 —; geb. 4 —
— Das Schicksal d. Ulla Fangel. Eine Gesch. v. Jugend u. Ehe. 1. u. 2. Afl. (145) 8° Berl. 03.04. Stuttg., A Juncker. 3 —; geb. 4 —
— Der Sohn. Erzäblg. Aus d. Dän. v. W Thal u. Karding. (184) 8° Berl., A Kohler 14. 3.50; geb. 4.50 d
Michaelis, K: Der Gr. Kurfürst. Festspiel f. d. Volksbühne. (113) 8° Berl. (02). (Demmin, Volkstou-Verl.) 1 — d
Michaelis, L: Die Bindgsgesetze v. Toxin u. Antitoxin. (62 m. Fig.) 8° Berl., Gebr. Borntraeger 05. 2 —
— Einfübrg in d. Farbstoffchemie f. Histologen. (156) 8° Berl., S Karger 02. 4 —
— Kompendium d. Entwicklgsgesch. d. Menschen m. Berücks. d. Wirbeltiere. 2. Afl. (162 m. Abb. u. 2 Taf.) 8° Lpzg, G Thieme 04. L. 4 —
— s.: Zentralblatt f. d. ges. Biol.
Michaelis, O: Register, s.: Monatsschrift f. Gottesdienst u. kirohl. Kunst.
Michaelis, P: Neues Rittertum. Roman a. d. Gegenwart. (297) 8° Dresd., E Pierson 03. 3 —; geb. 4 — d
Michaelis, PW: Wer sind d. Heiligen d. letzten Tage? Ein aufklär. Wort. üb. Mormonismus. 2. Afl. (23) 8° Bielef., O Fischer (03). — 20 d
Michaelis, R: Merkbüchl. f. Bienenzüchter. 7. Afl. (48) 16° Lpzg, Leipz. Bienenzeitg 01. — 35 d
— Merkbüchl. f. Hühnerzüchter. 5. Afl. (56) 16° Lpzg-R., A Michaelis 02. — 35 d
Michaelis, R: Die elsass-lothring. Landesges. u. Verordngn. Ausführg u. Ergänzg d. CPO. u. d. Zwangsversteigergsges., s.: Sammlung landesrechtl. Civil-Prozess-Normen.
Michaelis, S: Giovanna. Eine Gesch. a. d. Stadt m. d. schönen Türmen. Aus d. Dän. v. M Herzfeld. (165) 8° Frankf. a/M., Lit. Anst. 05. 3 —; geb. 4 —
Michaelis, W: Hat d. 1. Gemeinde d. Hl. Geist betrübt? Vortr. Nebst Ansprachen v. O Stockmayer u. v. Viebahn. (31) 8° Barm., Bh. d. Johanneums 05. — 40 d
Michaelis Ephesii commentarium, s.: Michael Ephesius.
Michaëlis de Vasconcellos, C, s.: Cancioneiro da Ajuda.
Michaëlis, A: Atemzüge d. Seele. Gedichte a. Natur u. Leben. (127) 16° Dresd., E Pierson 03. 2 —; geb. 3 — d
Michaelsen, W: Die stolidobranchiaten Ascidien d. deut. Tiefsee-Exp., s.: Ergebnisse, wiss., d. deut. Tiefsee-Exp.
— Zur Kenntnis d. Naididen, s.: Zoologica.
— Oligochaeten, s.: Elb-Untersuchung, hamburg.
— Die Oligochaeten d. Baikal-Sees, s.: Ergebnisse, wiss., e. zoolog. Exp. n. d. Baikal-See.
— Die Oligochäten, nebst Erörterg d. Terricolenfauna ocean. Inseln, insbes. d. Inseln d. subantarkt. Meeres, s.: Ergebnisse, wiss., d. deut. Tiefsee-Exp.
— Oligochaeten v. Paradeniya auf Ceylon, e. Beitr. z. Kenntnis d. Einflusses botan. Gärten auf d. Einschleppg peregriner Thiere. [S.-A.] (16 m. Abb.) 8° Prag, (F Řivnáč) 03. — 24
— Die Oligochaeten d. deut. Südpolar-Exp., s.: Südpolar-Expedition, deut., 1901—03.
— Neue Oligochaeten u. neue Fundorte alt-bekannter. [S.-A.] (54 m. 1 Taf.) 8° Hambg, (L Gräfe & S.) 04. 1.50
— Westafrikan. Oligochaeten, aus v. Y Sjöstedt. [S.-A.] (14 m. 1 Taf.) 8° Stockh. 03. (Berl., R Friedländer & S.) — 80
— Revision d. composit. Styeliden od. Polyzoinen. [S.-A.] (124 m. Abb., 2 Taf. u. 1 Karte.) 8° Hambg, (L Gräfe & S.) 04. 4 —
— Terricolen, s.: Ergebnisse d. Hamburger Magalhaens. Sammelreise.
— Die geograph. Verbreitg d. Oligochaeten. (186 m. 11 Kart.) 8° Berl., R Friedländer & S. 03. 12 —
Michaelson, H: Lukas Cranach d. Ältere, s.: Beiträge z. Kunstgesch.
Michaelson, Frl. M, s.: Georgy, E.
Michaely, P, s. a.: Schalek, A.
— Wann wird es tagen? Wiener Roman. 2 Bde. (281 u. 274) 8° Wien, C Konegen 02. 6 —; geb. 7 — || 2. u. 3. Afl. in 1 Bde. (274 u. 281) 04. 4 — d
Michajlowsky, S: Eine Skizze d. Vegetation d. Kreises Njeshin d. Gouv. Czernigow, s.: Schriften, hrsg. v. d. Naturforscher-Gesellsch. bei d. Univ. Jurjeff.
Michalcescu, J: Die Bekenntnisse u. d. wichtigsten Glaubenszeugnisse d. griechisch-orient. Kirche im Orig.-Text, nebst einleit. Bemerkgn. Eingeführt v. A Hauck. (Θησαυρὸς τῆς ὀρθοδοξίας.) (315) 8° Lpzg, JC Hinrichs' V. 04. 5 —; L. 6 —
— Darlegg u. Kritik d. Relig.-Philosophie Sabatiers, s.: Studien, Berner, z. Philosophie.
Michalke, C: Herstellg u. Instandhaltg elektr. Licht- u. Kraftanl., s.: Gaisberg, S Frhr v.
— Die vagabundier. Ströme elektr. Bahnen, s.: Elektrotechnik in Einzeldarstellgn.
— Taschenb. f. Monteure elektr. Beleuchtgsanlagen, s.: Gaisberg, S Frhr v.
Michalski, F: Leitf. f. d. Registraturwesen u. d. allg. Geschäftsgesch.
Hinrichs' Fünfjahrskatalog 1901—1905.

gang d. deut. Städteverwaltgn. (197) 8° Lpzg, F Leineweber 04. 8.60; L. 5 —
Michalsky: Das alte Gymnasium im Dienste d. neuen Zeit. Rede. (12) 8° Hdlbg, C Winter, V. 04. — 20
— Die Berliner Jöhre, s.: Fünfzig-Pfennig-Bibliothek, illustr.
Michalsky, R, s. a.: Gregory, E.
Michaud, E, s.: Revue internat. de théol.
— Rom u. d. Lüge. — Die Affaire Dreyfus u.d. Klerikalismus. Übers. a. d. „Revue internat. de théologie". 2. Afl. (48) 8° Bern 01. Frankf. a/M., Neuer Frankf. Verl. — 75
— Hist. Frankf. Verl. — 75
Michaud, H: Liebesklage. Zyklus lyr. Dichtgn in 8 Tln. (54) 8° Dresd., E Pierson 03. 1 —; geb. 2 — d
Michaud, J-F: Hist. de la 3ᵐᵉ croisade, s.: Schulbibliothek, französ. u. engl. (O Klein).
— Hist. des croisades, s.: Prosateurs franç. (E Paetsch).
Michaut, G: Sainte-Beuve avant les „Lundis", s.: Collectanea Friburgensia.
— Sainte-Beuve avant les „Lundis", s.: Collectanea Friburgensia.
— Ehrlich währt am längsten, s.: Woywod's Volks-u. Jugend-Bibliothek.
— Gott lenkt, s.: Trewendt's Jugendbibliothek.
— Durch Nacht z. Licht, s.: Woywod's Volks- u. Jugend-Bibliothek.
Michel, deut. Verantwortlich: L Hamann. 7. u. 8. Jahrg. 1901 n. 2 je 52 Nrn. (Nr. 1. 8 m. Abb.) 4° Lpzg, W Werner (in Konkurs). Viertelj. 1.50 d ð F
Michel, A: Üb. d. Oxydation d. Octoglykolisobutyrates, s.: Lesch, K.
Michel, C: Gesch. d. Bieres v. d. ält. Zeit bis z. J. 1900 m. Einschl. d. einschläg.Ges.,Statistik d.Gerstenbaues,d.Hopfenbaues, d.Biererzeugg u. d.Eishandels. (155) 8° Augsbg, Gebr. Reichel 01. 4 —
— Lehrb. d. Bierbrauerei, m. bes. Berücks. d. pneumat. Mälzerei, d. Dampfkochg, d. Vacuumgärbg u. d. Hefereinzucht. 3. Afl. (717 m. Abb.) 8° Ebd. 1900. 21 —
— Manual f. d. pract. Brauereibetrieb. 4. Afl. (111 m. Abb.) 4° Ebd. 01. 3.50
Michel, E: Kgl. sächs. rev.Landgemeindeordng, s.: Bosse, H A V.
— Die kgl. sächs. Städteordng, s.: Handbibliothek, jurist.
Michel, E: Üb. d. keram. Verblendstoffe. (48 m. Abb.) 4° Halle, W Knapp 04. nn — 70
Michel, G: Beitrag z. Kenntnis d. Retinitis septica. (29) 8° Tüb., F Pietzcker 02. nn — 70
Michel, G: Gedichte. (71) 8° Lpzg, Modernes Verl.-Bureau 05. 1.50
— Die Hautpflege d. gesunden Menschen. (28) 8° Münch., Verl. d. ärztl. Rundschau 02. — 60
Michel, H: Heinrich Knaust. Beitrag z. Gesch. d. geist. Lebens in Deutschl. um d. Mitte d. 16. Jahrh. (344) 8° Berl., B Behr's V. 03. 8 —
Michel, H: Das deut. Reichspatent, s. Anmeldg, Durchfechtg, Übertragg u. Anfechtg. (223 m. 1 Taf.) 8° Lpzg, W Engelmann 03. L. 4.40
— Wegweiser z. Geldverdienen. 472 Probleme u. Geldquellen f. Erfinder. (34) 8° Zür., T Schröter 04. 1 —
Michel, J V., s.: Jahresbericht üb. neue. Ophthalmol.
— Klin. Leitf. d. Augenheilkde. 3. Afl. (480) 8° Wiesb., JF Bergmann 04. L. 8.60
— s.: Zeitschrift f. Augenheilkde.
Michel, JJ: Die Bockreiter v. Herzogenrath, Valkenberg u. Umgebg (1734—16 u. 1762—76). Nebst e. Namens-Verz. aller hingericht., entsprung. n. a. d. Lande gewies. Bockreiter v. A Daniels. 2. Afl. (191) 8° Aach., G Schmidt 05. 1.80; L. 2.50 d
Michel, K: Gebet u. Bild in frühchristl. Zeit, s.: Studien üb. christl. Denkmäler.
Michel, M: Die Buchführg f. d. Handwerker u. Kleingewerbetreib. 2. Afl. (83) 8° Strassbg, Strassb. Druckerei u. Verl.-Anst. 04. Kart. — 80
— Leseb. f. Fortbildgssch., s.: Walter, W.
Michel, O: Vorwärts zu Christus! Fort m. Paulus! Deut. Relig.! (426) 8° Berl., H. Seemann Nf. (05). 5 —
Michel, R: Sprachübgn. Mit e. Anh. allg. Stilregeln. (36) 8° Lpzg, BG Teubner 03. — 90
— u. G Stephan: Lehrpl. f. Sprachübgn. (120) 8° Ebd. 04. 1.80
Michel, W: Apollon u. Dionysos. Dualist. Streifzüge. (80) 8° Stuttg., A Juncker 04. (3 —) 2 —
Michelangelo Buonarotti: Werke, m. e. Einl. v. F Knapp, s.: Klassiker d. Kunst.
— Daniel, s.: Meisterbilder.
— Die Erschaffg Adams. — Die delphische Sibylle, s.: Meisterbilder fürs deut. Haus.
— Zeichngn im Museum Teyler zu Haarlem. Hrsg. v. F v. Marcuard. (25 Taf. m. 27 S. illustr. Text.) Fol. Münch., Verl.-Anst. F Bruckmann 01. L. 90 —
Micheler s.: Abriss d. deut. Grammatik. — Abriss d. deut. Sprachlehre. — Lesebuch f. höh. Lehranst.
Michelet, M: Puck, 2 Kindergesch. Aus d. Norweg. v. M Sommer. 1. u. 2. Afl. (141 m. Abb.) 8° Schwer., F Bahn 04.05. Geb. 2.50 d
Michelis, F: Der Gedanke d. Gestaltg d. Pflanzenreiches.Eine kurze u. fassl. Darstellg meines in d. Schrift: „Das Formentwicklgsges. im Pflanzenreiche" ausgeführten Systems. (35) 8° Bonn 1871. Aach., J Schweitzer. — 90 d
— Der Gedanke d. Gestaltg d. Thierreiches. Eine neue In-

stanz geg. d. Darwinismus u. s. Herrschaft in Deutschl. (81)
8° Bonn 1872. Aach., I Schweitzer. — 30 d
Michelis, WH: Antisophie. (45) 8° Berl., G Eichler 05. 1 — d
— Wiss. u. Naturheillehre. Anmerkgn zu d. Broschüre Klein-
schrod's: „Die Naturheillehre u. d. Krankh.-Lehre d. heut.
Medizin". (12) 8° Berl., Verl. „Unser Hausarzt" 05. — 25 d
Michelitsch, A: Besuchgn d. allerheil. Altars-Sacramentes, s.:
Liguori, AM v.
— Cölibat u. Beicht, s.: Sammlung zeitgemässer Broschüren.
— Elementa apologetica. Tom. II—V. 8° Graz, Styria. nn 4.40;
geb. nn 6 — (Vollst.: nn 6.50; geb. nn 9.30; in 1 Bd geb. nn 7.90)
II.III. Theoria revelationis et demonstratio christiana. (45 u. 108) 01. 1.30;
geb. nn 2.60
IV.V. Demonstratio catholica sive de ecclesia Christi. — De magisterio
ecclesiae sive de regula fidei. (215 u. 85) 04. nn 2.60; geb. nn 3.40
— Der Glaube als göttl. Tugend. — Die wahre Kirche Jesu
Christi, s.: Zwerger, J.
Michels: Die Salpeterindustrie Chiles, s.: Semper.
Michels, K: Anl. z. Behandlg d. Leseb. in d. Oberkl. d. Volkssch.,
s.: Gottesleben, N.
— Die psychopath. Minderwertigk., s.: Vorträge u. Abhand-
lungen, pädagog.
— Das 1. Schulj., s.: Seidel, LE.
Michels, R: Brautstandsmoral. (20) 8° Lpzg, Verl. d. Funken,
Sep.-Kto 03. — 30 d
Michels, V: Zu Schillers Gedächtnis. Rede. (27) 8° Jena, (G
Neuenhahn) 05. — 90
Michelsen: Rechensch., s.: Saggau, C.
Michelsen, E, u. F **Nedderich**: Gesch. d. deut. Landw., s.:
Thaer-Bibliothek.
Michler, KW: Flickstunde, s.: Vereins-Theater, neues.
— Die Schlacht bei Mollwitz. Patriot. Volksstück. (94) 8°
Schweidn., (G Brieger) (04). 1 — d
Michniewicz, AR: Die Lösgesweise d. Reservestoffe in d. Zell-
wänden d. Samen bei ihrer Keimung. [S.-A.] (28 m. 2 Taf.)
8° Wien, (A Hölder) 03. 1.10
Micholitsch, A: Zur Reform d. Zeichenunterr. (111 m. Fig.)
8° Wien, A Pichler's Wwe & S. 04. 2.50
— Der Zeichenunterr. in d. 3. u. 4. Kl. d. Mittelsch. (64 m. Abb.)
8° Krems, (F Lamprecht) 02. nn 2 — Vergr.
Michow, A: Alt Heidelberg. Aus d. beliebtesten Studenten-
u.Volkslieder Deutschlds, n. Wort u. Tonweise a. Vergangenh,
u. Gegenwart ges. (544) 8° Berl., A Michow (05). L. 50 d
— s.: Deutschlands Liederschatz.
Michow, H: Caspar Vopell u. s. Rheinkarte v. J. 1558. [S.-A.]
(25 m. 1 Karte.) 8° Hambg, L Friederichsen & Co. 03. 2 —
— Die Behandlg u. Züchtg d. feinen Kanarienvogels.
(4. [Umsehl.-]Afl.)(30)16° Berl. (S. 42, Wasserthorstr.27), (Berolina-Versand-Bh.)(01). — 25 d
Micinski, T: Der Roman e. Lehrerin, s.: Welt-Bibliothek.
Micki, JCA: Eine lust. Comedie. Hrsg. v. R Schmidtmayer.
(94) 8° Prag, (JG Calve) 02. 1.20 d
— Plus ultra! Ein latein. episches Gedicht üb. d. Entdeckg
Amerikas durch Columbus. Hrsg. v. R Schmidtmayer. (187
m. Bildnis.) 8° Wien, Verl. d. Leo-Gesellsch. 02. 3 —
Mickley, P: Das Vater Unser. Predigten. (50) 8° Berl., G Nauck
04. — 80 d
Mickoleit, K, s.: Tielo, AKT.
Micröne, J: Corona Schröter. Festschrift z. Enthüllg ihres
Denkmals in Guben. (12) 8° Gub., F Rebsch 04. — 50
Miculey, P: Aus d. nicht angestellten Post- u. Telegr.-Assi-
stenten '02. (Vervollständigt bis Ende Aug. '03.) (108) 8°
Frankf. a/O. (03). (Strassbg, Wollstein & Teilhaber.) 1.20
Middeldorf, M: Katech. d. Haushaltsgskde u. Naturlehre. Lern-
büchl. f. Schülerinnen d. Volkssch. 1. u. 2. Afl. (96 m. Abb.)
8° Düsseldf, L Schwann 02.03. II 3. Afl. (99 m. Abb.) 05.
Kart. je — 50 d
Middendorf, FL: Bemastg u. Takelg d. Schiffe. (400 m. Fig.,
1 Titelbild u. 2 Taf.) 4° Berl., J Springer 03. L. 30 —
Middendorf, H: Handwerker-Katech. z. Buchführg u.
Gesetzeskde. (160) 8° Fürstenau, F Salje 04. 2 —; geb. 2.40 d
Middendorf, H: Altengl. Flurnamenb. (156) 8° Halle, M Nie-
meyer 02. 3 — —
Middendorf, HW: Die Ursache d. Tuberkulose n. Rob. Koch u.
dessen Heilverfahren. Vortr. (12) 8° Lpzg,Dr.Boden 02. — 50 d
Midsommernacht. Kindersymphonie u. and. Aufführgn, Rät-
selspiele u. Gedichte, s.: Jugendbände, Münch.
Mie, G: Die neueren Forschgn üb. Ionen u. Elektronen. [S.-A.]
(40 m. Abb.) 8° Stuttg., F Enke 05. 1.20
— Moleküle, Atome, Weltäther, s.: Aus Natur u. Geisteswelt.
Mie, H: Unter d. Sonne. 3 Erzählgn. (138) 8° Wism., H Bar-
tholdi 06. 2.25; geb. 3 —
Mieck: Entscheidgn d. Reichsgericht üb. Bau- usw. Polizei.
s.: Camphausen.
Mieck, A: Der Hacksilberfund v. Alexanderhof, s.: Hauberle, E.
Mieck, P: Die Arbeiter-Wohlfahrts-Einrichtgn d. industriellen
Unternehmer in d. preuss. Provv. Rheinl. u. Westf. Die ihre
wirtschaftl. u. soz.Bedeutg. (223)8°Berl., CHeymann 04. 4 —
— Das civilprozessuale Konzentrationsprinzip, d. Prinzip, in
welchem d. Bestreben d. Gesetzgebg wurzelt, Prozessver-
schleppgn zu verhüten. (98) 8° Berl., (Gose & T.) 01. 5 —
Mieckley, E: Gesch. d. kgl. Hauptgestüts Beberbeck. u. sr
Zucht. (45 m. Abb. u. 6 Taf.) 8° Berl., R Schoetz 05. 2 — d
— s.: Stutbuch d. kgl. preuss. Hauptgestüts Beberbeck.

Miedlig, W: Plan v. Merseburg. 1:3000. 84,5×57,5 cm. Farbdr.
Mit Strassenverz. usw. an d. Seiten. Mersebg, F Stollberg
01. 1.20
Miegel, A: Gedichte. (128) 8° Stuttg., JG Cotta Nf. 01 || 2. Afl.
(132) 03. L. je 3 — d
Miehe, C, u. M **Goerlitzer**: Lernstoff f. d. ev. Relig.-Unterr.
in d. höh. Mädchensch. 4. Afl. (80) 8° Berl., Schnetter & Dr.
Lindemeyer 04. nn — 50 d
Miehe, H: Üb. d. Selbsterhitzg d. Heues, s.: Arbeiten d.deut.
Landw.-Gesellsch.
Miekley, R: So schreibst du grammatisch richtig Deutsch.
— So schreibst du orthographisch richtig Deutsch, s.: Möl-
ler's, W, Bibliothek f. Gesundheitspflege.
Miekley, W, u. H **Säbring**: Deut. Fibel, n. d. phonet. Prinzip
u. n. d. auflösend-zusammenstell. Lehrweise bearb. Ausg. A.
7. Afl. (114 m. Abb.) 8° Potsd., A Stein (04). Geb. nn — 60 d
— — dass. Ausg. B. 9. Afl. (70m. Abb.) 8° Ebd. (03). Geb. nn — 35 d
— — Neue Fibel n. rein phonet. Prinzip u. d. auflösend-zu-
sammensetz. Lehrweise. 1.—3. Afl. (94 m. Abb.) 8° Ebd (01-04).
Geb. nn — 50 d
— — Deut. Leseb. I. Tl. Unterst. 8. Afl. (104) 8° Ebd. (04).
Geb. nn — 55 d
Mielck, **Ernst**. Geb. 24.X.1877, gest. 22.X.1899. Ein kurzes
Künstlerleben. (20) 8° Lpzg, F Hofmeister 01. — 30
Mielck, WB: Prakt. russ. Sprachlehre, s.: Vymazal, I.
— Die Weltsprache. La lingvo internacia, s.: Miniatur-Biblio-
thek.
Mielcke: Preussisch-deut. Gesetz-Sammlg 1806—1904, s.: Grote-
fend, GA.
Mielichhofer, S: Der Küstenkrieg. (251 m. Abb. u. 1 Skizze.)
8° Wien, LW Seidel & S. 03. 6 —
Mielke, A: Das Liebesmahl d. Apostel. Bibl. Scene v. Rich.
Wagner. Kleiner Konzertführer. (12) 12° Lpzg, Breitkopf & H.
(02). — 10 d
Mielke, F: Universalfideikommiss u. Nacherbschaft. (58) 8°
Lpzg, CL Hirschfeld 01. 1.40 d
Mielke, H: Gesch. d. deut. Romans, s.: Sammlung Göschen.
— Der Maler. Novelle. (207) 8° Bresl., Schles. Buchdr. usw. 04.
2 —; geb. 3 — d
— Ein Seelenleiden, s.: Goldschmidt's Bibliothek f. Haus u.
Reise.
Mielke, R, s.: Adler, d. rote.
— Der Einzelne u. s. Kunst. 2. [Tit.-]Afl. (147) 8° Münch., G
Müller (1900) 04. 2.50; geb. 3.50 d
— Museen u. Sammlgn. (39) 8° Berl., F Wunder 05. — 60 d
— Das deut. Pfarrhaus u. d. Volkskunst, s.: Blätter, grüne,
f. Kunst u. Volkskunst.
Mierwa-Judeich, S: Aus d. Reiche d. Naphtha, s.: Kürsch-
ner's, J, Bücherschatz.
Mierzinski, S: Die Industrie d. Essigsäure u. d. essigsauren
Salze. (214 m. Abb.) 8° Lpzg, C Scholtze 05. 4.50; geb. 5.50
— Die Praxis u.Kontrolle d.Schwefelsäure-Fabrikation.
(254 m. Abb.) 8° Wien, A Hartleben 04. 4 —; geb. 4.80 d
Miescher, C: Die Aufg. d. Mission in Beziehg auf d. verschied.
Motive d. Überkritts. [S.-A.] (24) 8° Berl., Bh. d. Berliner ev.
Missionsgesellsch. (05). — 20 d
— Die Bibel im Geistesleben d. Menschen u. Völker. Vortr.
(27) 8° Bas., Kober 04. — 40 d
— Es sei denn — Jesu Gespräch m. Nicodemus üb. d. Kommen
in's Himmelreich. (63) 8° Bas., (Basler Missionsb.)1897.— 40 d
— Gesegnete Ferien! Allerlei z. Beherzigg, zu Mahng u. Trost
f. d. Ferienzeit. (111) 12° Ebd. 1896. — 40 d
— Durch's Gewissen z. Gewissheit. Vortr. (26) 12° Trüllik. 1890.
(Bas., Basler Missionsb.) — 15 d
— Die Glocken v. St. Paulus u. d. Botschaft, d. sie ausrichten.
Predigten üb. 5 Glocken-Inschriften. (62 m. 1 Abb.) 8° Bas.,
Basler Missionsb. 03. — 60 d
— Gott ist d. Liebe. 3 Predigten. 3. Afl. (39) 12° Ebd. 1896. — 20 d
— In Jesu Gemeinschaft. Das Unser-Vater in Predigten aus-
gelegt. (72) 8° Ebd. 06. — 80 d
— Was haben wir an Ihm? 4 Predigten. (48) 8° Ebd. 03. — 60 d
— Die Mission, d. Urheberin v. Wirren. — Missionszeit, Mis-
sionsmethode, Missionsgeist, s.: Missions-Studien, Basler.
Mieses, J: Das Buch d. Schachmeisterpartien, s.: Universal-
Bibliothek.
— Kl. Lehrb. d. Schachspiels, s.: Dufresne, J.
— Wie erlernt man während u. leicht d. Schachspiel? 1. u. 2.
(Umschl.-)Afl. (92 m. Diagr.) 8° Berl., H Steinitz (05.04). 1 — d
Messner, A: Der Andere. Novellen. (164) 8° Mind., JCC Bruns
05. 3 —; geb. 3.50 d
— Das Leben e. Spiel. Zur Reform d. Schauspielkunst. (108)
8° Jena, E Diederichs 05. 2 — d
— Maeterlincks Werke. (96) 8° Berl., R Schröder 04. 1.50 d
— Ludwig Tiecks Lyrik, s.: Forschungen, litterarhistor.
Mieter u. **Vermieter**. Mietvertrag u. Quittgsbuch. Von **.** **.**
(36) 8° Ess., O Radke's Nf. 02. — 25 d
Miete-Zeitung, deut. Monatsbl. f.Wohngs-u. Gemeindefragen.
Verantwortlich: O Zöphel. April 1905—März 1906. 12 Nrn.
(Nr. 1. 12) 4° Lpzg, O Zöphel. Halbj.1.20 d
— Leipz. Red.: P Kornick. Jahrg. 1905. 12 Nrn. (Nr. 1 u. 2. 16)
4° Ebd. || Jahrg. 1904 u. 5. Red.: O Reichelster. Viertelj. — 30 d
Miethe, A, s.: Atelier, d., f. Photographen.
— Dreifarbenphotogr. n. d. Natur, s.: Enzyklopädie d. Photogr.

Miethe, A: Grundz. d. Photogr. 3. Afl. (94 m. Abb.) 12° Halle,
 W Knapp 03. 1 —
— Lehrb. d. prakt. Photogr. 2. Afl. 2—9. Heft. (49—445 m. Abb.)
 8° Ebd. 01.02. Je 1 — (Vollst.: 9 —; L. 10 —)
— s.: Notiz-Kalender, photograph. — Vorlage-Blätter f. Pho-
 togr. — Zeitschrift f. Reproduktionstechnik.
Mietvertrag u. d. neuen bürgerl. Recht u. Mietzins-Quittgsb.
 10—15. Taus. (32 u. 16) 12° Kaisersl., E Crusius (02). — 30 d
Mietzschke, O: Hdb. d. Fräserei, s.: Jurthe, E.
Miéville, H: Christus unser Heil. Ev. Predigten. (151) 8° Bas.,
 Kober 03. 1.20; L. 2 — d
Mignet, AFA: Hist. de la révolution franç., s.: Perthes' Schul-
 ausg. engl. u. französ. Schriftsteller (J Mosheim). — Pro-
 sateurs franç. (A Krause).
— Vie de Franklin, s.: Schulbibliothek, französ. u. engl. (H
 Voss),
Migula, W, s.: Arbeiten a. d. bacteriolog. Instit. d. techn.
 Hochsch. zu Karlsruhe.
— Die Bakterien, s.: Weber's illustr. Katech.
— Compendium d. bakteriolog. Wasseruntersuchg, nebst voll-
 ständ. Uebersicht d. Trinkwasserbakterien. (440 m. 2 Lichtdr.)
 8° Wiesb. 01. Lpzg, O Nemnich. 9 —; geb. 10 —
— Kryptogamen-Flora, s.: Thomé's, O, Flora v. Deutschl.
— Morphol., Anatomie u. Physiol. d. Pflanzen, s.: Sammlung
 Göschen.
— Allg. Pflanzenkde, s.: Hillger's illustr. Volksbb.
— Die Pflanzenwelt d. Gewässer, s.: Sammlung Göschen.
— Botan. Vademecum. (24, 315 m. Abb.) 8° Wiesb. 04. Lpzg,
 O Nemnich. L. 7 —
Mika, A: Enchiridion fontium historiae Hungaror., s.: Marc-
 zali, H.
Miketta, K: Der Pharao d. Auszuges, s.: Studien, bibl.
Miklas, L: Fibel f. abnorme Kinder, s.: Schiner, H.
— Hdb. d. Schwachsinnigenfürsorge, s.: Bösbauer, H.
Miklau, J: P. Maurus Lindemayr. Ein österr. Dichter d. XVIII.
 Jahrh. (28) 8° Marbg a/D. (01). (Brünn, R Knauths). — 50
Mikolajczak, J: De septem sapientium fabulis quaestiones
 selectae. Accedit epimetrum de Maeandrio sive Leandro re-
 rum scriptore, s.: Abhandlungen, Breslauer philolog.
Mikolaschek, K: Maschinenkde f.Webesch. 1. u. 2. Tl. 8° Wien,
 U Deuticke. 3.30
 1. Maschinen-Elemente u. Transmissionen. (86 m. Fig.) 02. 1.50
 2. Motoren u. elektr. Beleuchtg. (102 m. Fig. u. 9 Taf.) 03. 1.80
— Mechan. Weberei. 3. Afl. 1. Abtlg. Die Vorbereitungsmaschinen.
 (132 m. Fig.) 8° Ebd. 04. 2.30
Mikosch, Baron, d. ungar. Witzbold. Lust. Anekdoten a. s.
 Leben, 3 Tle. 23. Afl. (Mit Abb.) 12° Berl., Neufeld & H. (05).
 Je 1 —; in 1 Bd 3 —; L. 4 —
 1. Mikosch, d. ungar. Witzbold. (86) ‖ 3. Neue Mikosch-Witze. (76) ‖ 2.
 Baron Mikosch's Abenteuer auf Reisen. (102)
— Pikante Witze u. Abenteuer. (32 m. Abb.) 8° Neuweissens.,
 E Bartels (05). — 25 d
— **Mikosch's,** Baron, Abenteuer auf Reisen. Neue Erlebnisse Mi-
 kosch's, s. mündl. Berichten nacherzählt v. V a. d. Vinkl.
 (2. Folge v. „Mikosch, d. ungar. Witzbold"), 10. Afl. (102 m.
 Abb.) 12° Berl., Neufeld & H. (01). 1 — d
Mikosch jun., B, s.: Reiseonkel's humor. Bibliothek.
Mikosch-Witze, neue. Neue Folge v. „Mikosch, d. ungar. Witz-
 bold". Nebst ein. eingestreuten Scherzen v. Mikosch's Be-
 dienten „Janosch". Ges. u. hrsg. v. Sigmar v. d. öden Burg.
 14. Afl. (74 m. Abb.) 12° Berl., Neufeld & H. (05). 1 — d
— d. neuesten. (Eine Kiste neuer Humor!) 91—100. Taus. (224)
 5,8×3,9 cm. Ebd. (05). In Futteral — 50 d
Miksáth, K: Des Feldzeugmeisters Tod u. Servus, Vetter
 Pauli, s.: Meyer's Volksbb.
— Der kl. Kirchenfürst, s.: Bibliothek berühmter Autoren.
— Ungar. Novellen, s.: Kürschner's, J, Bücherschatz.
— Der wunderthätige Regenschirm, s.: Reclam's Unterhaltgs-
 Bibliothek.
— Szelistye, d. Dorf ohne Männer, s.: Universal-Bibliothek.
Mikulicz, A, s.: Jahrbuch d. Bukowiner Landes-Museums.
Mikulicz-Radecki, J v., s.: Bibliotheca medica. — Chirurgie
 d. Unterleibes. — Handbuch d. prakt. Chirurgie. — Mittei-
 lungen a. d. Grenzgebieten d. Medizin u. Chirurgie. — Neisser,
 A, stereoskop. medizin. Atlas. — Sammlung klin. Vortr.
— u. Frau V Tomaszewski: Orthopäd. Gymnastik geg. Rück-
 gratsverkrümmgn u. schlechte Körperhaltg. (42, 103 m. Abb.)
 8° Jena, G Fischer 03. 2. Afl. (42, 107 m. Abb.) 05.
 geb. je 4 —
Miladinoff, IA: Vollständ. bulgarisch-deut.Wrtrb. LTl, 2 Hiften.
 (432) 8° Sofia (01.05). (Lpzg, Kössling.) Je nn 2.50
Milan, E: Trari-Trara!, s.: Kleukens, FW.
Milankovitch, M: Beitrag z. Theorie d. Betoneisenträger. (18
 m. Fig.) 8° Wien, Lehmann & W. 05. 1 —
Milär-Gersdorff, E (Frau B Mohr): Das Geheimnis v. Szambo.
 Novelle, In vereinf. deut. Stenogr. (System Stolze-Schrey).
 (148) 16° Berl, K Bontemps (04). Geb. 1.25
Milasch, N: Die rumänisch-orthod. Abneig als Ehetrenngsgrund
 n. d. österr. BGB. (114) 8° Wien, Manz 05. 2.10
Milbach, O: Moderne Gladiatoren, Roman. (425 m. Titelbild.)
 8° Dresd. 03. Lpzg, Leipz. Verl. 3 — d
— Rivalen, s.: Kürschner's, J, Bücherschatz.
Milbradt, A, E Hopf u. K Mörchen: Gutachten, s.: Schriften
 d. deut. Ver. f. Armenpflege u. Wohlthätigk.
Milch, d., u. ihre Bedeutg f. Volkswirtschaft u. Volksgesund-

heit. Dargestellt im Auftr. d. wiss. Abteilg d. allg. Ausstellg
 f. hygien. Milchversorgg, Hamburg '03· (592) 8° Hambg, C
 Boysen 03. 6 —; L. 8 —
Milch-Speisen u. Getränke. (Von Router.) 2. Afl. (77) 8° Hambg,
 O Boysen 03. Geb. — 60 d
Milchwirtschaft, moderne. Haupt-Katalog d. Molkerei-Maschi-
 nenfabrik Carl W Jurany, Wien, XX/2, Pasettistrasse 29—31.
 (267 m. Abb.) 8° Wien, (J Eisenstein & Co.) (03). 2 —
Milch-Zeitung. Organ f. d. Molkereiwesen u. d. ges. Viehhaltg. Durch B Martiny begründet. Hrsg. v. E Ramm. 30—
 33. Jahrg. 1901—4 je 52 Nrn. (884, 832,, 832 u. 850 m. Abb.) Fol.
 Lpzg., M Heinsius Nf. Viertelj. 2 —; einz. Nrn nn — 25 d
— dass. Wochenschrift f. d. Molkereiwesen u. d. ges. Viehhaltg. Hrsg. v. R Eichloff. 34. Jahrg. 1905. 52 Nrn. (644 m.
 Abb.) 4° Mit d. wiss. Monats-Beil.: Milchw. Zentralbl. 1. Jahrg.
 12 Nrn. 8° Ebd. Viertelj. 3 —; ohne Beil. 1.60; einz. Nrn — 20 ;
 d. Zentralbl. 1.50 d
Mildbraed, J: Generalreg., s.: Jahrbücher, botan.
Milde, B, s.: Hochbau-Muster-Hefte, architekton.
— König Johann v. Sachsen. Lebensbild. (16 m. 1 Bildnis.) 8° Lpzg (Nürnb. Str. 35), C Milde (01). — 30 d
— Deut. Reichsbürger-Kalender 1902. Gr. Ausg. Mit 7 Gratis-
 Zugaben: Volksthüml. Erläuterg z. BGB., v. H Arnold. (225)
 8° Geb. in L. — Absolute u. relative Lebensbedürfnisse d.
 Menschen u. deren Befriedigg, v. T Canz. (28) 8° — Farb.
 Weltverkehrsk. d. deut. u. engl. Colonien. — Die Ehrenordg
 d. Präsidenten Mac Kinley. (23 m. Abb.) 8° — Portemonaie-
 kalender, Wandkalender, buntfarb. Chromobild. (70 m. Abb.)
 4° Ebd. 1 — d ö F
— dass. Kl. Ausg. Mit 4 Gratis-Zugaben: Erläutergn z. BGB.
 — Lebensbedürfnisse d. Menschen. — Wandkalender, buntfarb, Chromobild. (38, 225 u. 28 in 8° m. Abb.) 4° Ebd.
 — 50 d ö F
— Der Zusammenbruch d. Leipz. Bank u. d. Actiengesellsch.
 f. Trebertrockng in Cassel. (48) 8° Ebd. 01. — 80 d
— dass. Das Urtheil am 23.VII.04. (4,48) 8° Ebd. 02. — 40 d
Milde, KSJ (KS Gerhard): Der deut. Jungfrau Wesen u. Wirken.
 Winke f. d. engl. Leben. 13. Afl. v. La Mara. (454
 m. Bildnis.) 8° Lpzg, CF Amelang 04. L. m. G, 6 — d
Milde, N v.: Oerte u. Schiller u. d. Frauenfrage. 2. Afl. (49)
 8° Hambg, E Seippel 04. 1 — d
— Maria Pawlowna. Gedenkbl. z. 9.XI.'04. (100 m. 1 Bildnis.)
 8° Ebd. 04. 1 —; L. 3.50 d
Mildenberger, A: Sind im Sehnerven d. Pferdes Centralge-
 fässe vorhanden? (21) 8° Tüb., F Pietzcker 05. nn — 80
Milé, RA: Das deutsch-amerikan. Harmonium, s. Bau, s. Behandlg. (28) 8° Hambg, v. Festenberg-Pakisch & Co. (05). — 90
Miles, H: Chronik, s.: Mitteilungen z. vaterländ. Gesch. (St.
 Gallen).
Miletić, L: Das Ostbulgarische, s.: Schriften d. Balkancom-
 mission.
Militär u. Zivil. Zeitgemässe Betrachtgn v. e. Oesterreicher.
 (170) 8° Wien, W Braumüller 03. 2.50
Militär-Adressbuch sowie Nachweis üb. d. Staats- pp. Be-
 hörden in Berlin, Charlottenburg, Potsdam. Jahrg. 1904/05.
 (160) 8° Steglitz-Berl., R Auerbach. 1.50 d ö F
— u. Wegweiser durch d. Garnisonen Berlin, Charlottenburg,
 Potsdam, Spandau. (175) 12° Ebd. 03. 1 — d
Militär-Akademien, d. k. u. k., Militär-Realsch. u. d. Officiers-
 waisen-Instit. Aufnahms-Bedinggn. (Ausg. 1905.) (55) 8° Wien,
 LW Seidel & S. — 60 d
Militäranwärter, der. Lehrb. z. Erlangg derjenigen Kenntnisse, welche bei d: Prüfg z. Anstellg d. Anwärter bei d.
 Reichs- u. Staatsbehörden als Subalternbeamte notwendig
 sind. Methode Rustin. Selbst-Unterr.-Briefe in Verbindg m.
 eingeh. Fernunterricht. Red. v. C Ilzig. 15—107. Lfg. (3056 m.
 Abb., 15 Kart. u. 1 Tab.) 8° Potsd., Bonness & E. (01—05).
 Subskr.-Pr. je — 90; Einzelpr. je 1.25 d
— der. Zeitschrift f. alle Militär-Anwärter d. deut. Armee u.
 d. kais. Marine m. e. Gratis-Beil.: Vakanzenliste f. Militär-
 Anwärter. 9—13. Jahrg. 1901—5 je 24 Nrn. (1901, Nr. 1.16 u. 4)
 4° Berl., S Gerstmann. Viertelj. 1.80 d
Militärarzt, der. Zeitschrift f. d. ges. Sanitätswesen d. Armeen.
 Red. v. H Adler. 35—39. Jahrg. 1901—5 je 24 Nrn. (Nr. 1 u. 2.
 16 Sp.) 4° Wien, M Perles. Je nn 12 —; f. Abnehmer d. „Wiener
 medizin. Wochenschrift" unentgeltlich; einz. Nrn + — 80
Militär- u. Sport-Bibliographie, allg. Monatsbericht üb. d.
 Militär- u. Sportlit. d. In- u. Auslandes. Red. H Wiegrebe.
 10—14. Jahrg. 1901—5 je 12 Nrn. (1901. Nr. 1. 16) 8° Berl.,
 Zuckschwerdt & Co. Je 1.50 d
 Erschien bis Mitte 1904 in Leipzig.
Militär-Eisenbahn-Ordnung. II. Thl. C. Bestimmgn, betr. d.
 Ausrüstg u. Einrichtg v. Eisenb.-Wagen f. Militärtransporte,
 (Vorschrift üb. d. Hergabe v. Personal u. Material d. Eisenb.
 Verwaltgn an d. Militärbehörde n. E. Instruktion, betr. Kriegs-
 betrieb u. Militärbetrieb d. Eisenb., nebst Anl. I. — 40 (I u. II.: nn 1.55)
 Eisenb.-Amt. (44 m. 6 Taf.) 8° Berl., J Springer 02. Kart. — 80;
 Thl II C, allein (16 m. 6 Taf.) nn — 40 (I u. II.: nn 1.55) d
 Der I. Thl erschien u. d. T.: Militär-Transport-Ordnung u. Mili-
 tärtarif f. Eisenb.
— dass. Mit d. militär. Ausführgs-Bestimmgn. II. Thl. (D.V.E.
 Nr. 432.) (56 m. 8 Taf.) 8° Berl., ES Mittler & S. 02. † — 40;
 kart. † — 60 (I u. II.: † 1.30; kart. † 1.50) d

Militär-Gesang- u. Gebetbuch, ev. (224) 16° Berl., G Reimer (01). nn — 25; kart. — 40; auf feinem Pap. nn — 40; L. m. G. 1.60; Ldr m. G. 2 — d

Militär-Handbuch d. Kgr. Bayern. Verf. n. d. Stande v. 15. V. '05. 42. Afl. (21, 569) 8° Münch., (T Ackermann. — Lit.-artist. Anst. — J Lindauer). Kart. † 5.40 d

— f. Elsass, Bereich XV. Armeekorps. Adressb. d. Offiziere, Beamten u. Behörden, Geschäftszimmer u. Kasinos d. Truppentle u. Militärbehörden d. XV. Armeekorps. Ausg. '01. (80) 8° Stuttg., C Dieterich. 2 — d

— f. Schlesien. VI. Armeekorps. Adressb. d. Offiziere u. Beamten, Geschäftszimmer u. Kasinos d. Truppentle u. Militärbehörden d. VI. Armeekorps. Ausg. 1900. (78) 8° Ebd. 2 — d

Militärhumoresken s.: Nagel's Bibliothek illustr. Humoresken.

Militarismus, d., insonderh. in d. Militärrechtspflege. Gumbinnen u. Karlsruhe. (32) 8° Essl., W Langguth 02. — 50

— d., in Österr.-Ungarn. Zeitgemässe Betrachtgn v. e. Österreicher. (31) 8° Wien, LW Seidel & S. 02. — 80

Militär-Kalender f. d. k. u. k. Heer „Mars" pro 1906. 41. Jahrg. Neue Folge. 25. Jahrg. (232 u. Tageb.) 16° Wien, M Perles. L. 3 —; Ldr 4 —

Militär-Lexikon. Hdwrtrb. d. Militärwiss. Bearb. u. hrsg. v. H Frobenius. 20 Lfgn. (920 m. Abb., 5 Kart. u. 1 Tab.) 8° Berl., M Oldenbourg 01. Je 1.25; in 1 HF.-Bd 28 — ‖ 1. Ergänzgsheft. (52 m. Abb., Tab. u. 1 Taf.) (02.) 1.80; kart. 2 — ‖ 2. Ergänzgsheft. (80) (04.) 2 —
Das 2. Ergänzgsheft enth. auch d. Inhalt d. vergr. 1. Heftes.

Militär-Literatur-Zeitung. Literar. Beibl. z. Militär-Wochenbl. Red.: v. Frobel. 82—86. Jahrg. 1901—5 je 12 Nrn. ('04. 440 Sp.) 8° Berl., ES Mittler & S. Je 5 —; einz. Nrn nn — 50 d

Militär-Musiker-Adressbuch f. d. Deut. Reich. Hrsg. v. A Parrhysius. (519) 8° Berl., A Parrhysius (05). 5 —; Einbd nnn — 50 d
Bisher u. d. T.: Militär-Musiker-Almanach.

Militär-Musiker-Notiz- u. Taschenbuch f. 1906. 23. Jahrg. (306 u. Musikbeil. 59) 8° Berl., A Parrhysius. L. nn 1.25

Militär-Musiker-Zeitung, deut. Schriftleiter: T Kewitsch 1904, M Chop, 1905 A Pfannenstiel. 23—27. Jahrg. 1901—5 je 52 Nrn. (Nr. 1. 8) 41×29 cm. Berl., A Parrhysius. Viertelj. nn 1.50 d

Militärmusik-Zeitung, neue. Schriftleiter: A Oertel u., seit 1903, F Neuendorf. 8—12. Jahrg. 1901—5 je 52 Nrn. (1901. Nr. 1. 8) 4° Hannov., Lehne & Co. Viertelj. 1.25; einz. Nrn — 20

Militärorganisation, d., in Unter-Trullikon. 3 Briefe v. Schaggi Müller, Gemeindeschreiber, an s. Freund d. Angestellten Xter Klasse d. schweiz. Militärdepartements. Eine erfundene wahre Geschichte. 2. Afl. (22) 8° Zür., A Bopp (05). — 50 d

Militär-Pensions-Gesetz-Entwurf, d. neue, f. Offiziere u. Mannschaften vor d. Richterstuhle d. deut. Volkes. Von Hauptm. a. D. ***. (30) 8° Stuttg., Nationaler Verl. (05). — 60

Militärstenograph, der. Monatsschrift f. d. Einheitsstenogr. in Armee u. Marine. Red.: C Zander u., seit 1902, M Schirmer. Mit: Bibliothek Gabelsberger. 4. u. 5. Jahrg. 1901 u. 2 je 12 Nrn. (Nr. 1. 8) 8° Berl., Verl. Gabelsberger. Je 4 — ‖ 6. Jahrg. 1903. Red.: A Neupert. 3 — δ F

Militär-Stenographen-Zeitung, deut. Monatsschrift f. d. Gabelsb.'sche Stenogr. in Heer u. Flotte. Red.: G Roselieb. 1. u. 2. Jahrg. 1904 u. 5 je 12 Nrn. Nebst autogr. Beilage: Lese- u. Übgsbl. Red. v. M Fröhliger. 19. u. 20. Jahrg. 1904 u. 5 je 26 Nrn. (Nr. 1. 8 u. 16) 8° Wolfenb., Heckner. Je nn 2 —

Militär-Stiftungen, welche in d. Verwaltg od. in d. Obsorge d. Reichs-Kriegs-Ministeriums stehen. (646) 4° Wien, Hof- u. Staatsdr. 03. 20 —

Militärstrafgerichtsordnung f. d. Deut. Reich, nebst Einführgsges. u. Ges., betr. d. Dienstvergehen d. richterl. Militärjustizbeamten u. d. unfreiwill. Versetzg derselben in e. and. Stelle od. in d. Ruhestand. Vom 1. XII. 1898. Text-Ausg. m. Sachreg. 2. Afl. — Nebst: Militär-Strafgesetzb. f. d. Deut. Reich, m. Verweisgn u. Abdr. d. entsprech. Bestimmgn d. Reichstrafgesetzb. Text-Ausg. m. Sachreg. (216 u. 83) 16° Berl., J Guttentag 01. L. 1.50 d

Militär-Strafgesetzbuch f. d. Deut. Reich, m. Verweisgn u. Abdr. d. entsprech. Bestimmgn d. Reichsstrafgesetzb. Text-Ausg. m. Sachreg. (83) 16° Berl., J Guttentag 01. L. 1 — d

Militär-Taschen-Kalender „Janus" f. d. bewaffnete Macht d. österr.-ungar. Monarchie 1902. 15. Jahrg. [S.-A.] (32, 112 m. Fig.) 16° Wien, (LW Seidel & S.). L. nn 1 — δ F

Militärurtheil, e., in Oesterr. Die Wechsel d. Prinzessin Louise v. Coburg. (46) 8° Wien, Wiener Volksbh. 02. — 50 d

Militär-Vereinsblatt, bad. Hrsg. v. bad. Militärver.-Verband. Red.: Heusch. 28—32. Jahrg. 1901—5 je 52 Nrn. Nebst: Das eiserne Kreuz. Red.: E Hülle u., seit 1902, H Pankow. (Nr. 1. 8 u. 4) 4° Karlsr., JJ Reiff. Je 3 — d

Militär-Vereins-Kalender, illustr. bad. 1906. 7. Jahrg. II. Afl. Hrsg. durch Anheuser. (89 m. Abb. u. 2 Taf.) 8° Karlsr., JJ Reiff. nn — 30 d

Militär-Verordnungsblatt, schweiz. 26—30. Jahrg. 1901—5. (1901. Nr. 1. 41) 4° Bern, (H Körber). Je 4 —

Militär-Veterinärordnung. (M. V. O.) (Nach d. gleichnam. k. preuss. Vorschrift.) (159 m. Abb.) 8° Hiezu e. Atlas. (21 Bl.) 4° Münch., (Lit.-artist. Anst.) 02. Kart. 3 — d

Militär-Vorschriften, Fortsetzg, s.: Taschen-Ausgabe d. Militär-Vorschriften.

Militär-Wochenblatt. Red.: v. Frobel. 86—88. Jahrg. 1901—3 je 104 Nrn. Mit literar. Beibl.: „Militär-Literatur-Zeitg" u. „Beihefte". (1901. Nr. 1. 24 Sp.) 4° Berl., ES Mittler & S. ‖ 89. u. 90. Jahrg. 1904 u. 5 je 156 Nrn. ('04. 3784 Sp.) Viertelj. 4.50; einz. Nrn — 20 d
Vgl. a.: Beiheft z. Militär-Wochenbl.

Militär-Zeitung. Red.: v. Grünzweig. Red.: P Müller. 60. Jahrg. 1905. 52 Nrn. (Nr. 1. 10 S.) 4° Wien, (LW Seidel & S.). nnn 24 — δ H

— allg. Red.: Zernin. 76. u. 77. Jahrg. 1901 u. 2 je 52 Nrn. (Nr. 1. 8 u. 6) 4° Darmst., E Zernin. Viertelj. 6 — d δ F

— Organ f. d. Reserve- u. Landwehr-Offiziere d. deut. Heeres, d. deut. Offizier-Ver. (Waarenhaus f. Armee u. Marine). Red.: Oettinger. 24—28. Jahrg. 1901—5 je 52 Nrn. (1901. Nr. 1. 12) 4° Berl., R Eisenschmidt. Viertelj. 4 — d

— allg. schweiz. Red.: v. Elgger u., seit 1902, U Wille. 47—51. Jahrg. Der schweiz. Militärzeitschrift 67—71. Jahrg. 1901—5 je 52 Nrn. (1901. Nr. 1. 8) 4° Bas., B Schwabe. Je 6.40

— dass. Beilagen. 1901, 2 Hefte; 1902 u. 3 je 3 Hefte; 1904, 4 Hefte u. 1905, 2 Hefte. 8° Bas., B Schwabe. nn 14.10

Biberstein: 2 neue Exerzier-Reglemente f. d. Infant. Nach e. Vortr. (36 m. Fig.) 02. [1.] 1 —
Egli, K: Die Manöver am Lukmanier v. 4—8. IX. '04. (44) 05. [2.] 1 —
Gertsch, F: Die Manöver d. IV. Armeekorps 1902. (55 m. 1 Karte.) 03. [1.] 1.60
Immenhauser, G: Radfahr. Infant. (35 m. 1 Tab.) 04. [4.] — 80
Koller, H: Vorschl. z. Bekleidgsreform d. schweiz. Infant. Vortr. (25 m. Abb.) 03. [2.] nn — 65
Mechel, H v.: Major Karl Suter. (25) 04. [2.] — 80
Merz, H: Üb. d. Ausbildg d. Infanteristen z. Schützen im Gelände u. vor d. Scheibe. (36) 02. [3.] — 80
Pietzcker, H: Die Manöver d. I. Armeekorps '03. (60 m. 1 Karte.) 04. [3.] 1.60 ‖ Dass. d. III. Armeekorps '04. (79) 05. [2.] 1.60
Sarasin, P: Üb. d. Verwendg d. beritt. Maschinengewehr-Schützen-Kompagnien. Ihr Einfl. auf d. Taktik d. Kavall. (23 m. 1 Karte.) 01. [1.] — 80
Schaeppi: Lassen d. Lehren a. d. Burenkrieg e. Änderg uns. Infant.-Exerzierregl. wünschenswert erscheinen? (48) 04. [1.] 1.20
Schibler: Üb. d. Feuertaktik d. schweiz. Infant. (20) 02. [2.] — 80
Schneider, A: Die Zuständigk. d. militär. Gerichte in d. Schweiz. (24) 01. [2.] — 80
Zeerleder, F: Gedanken üb. Führg kombinierter Kavall.-Detachemente in schweiz. Verhältn. (28) 03. [3.] nn — 65

Militch, E: Auf d. Lebenspfade. Skizzen. (In russ. Sprache.) (23) 8° Berl. (W., Kaiserin Augustastr. 72 pt.), Frau E Militch-Wassilieff (05). 1 —

— Mussestunden. (Skizzen u. Erzählgn.) (In russ. Sprache.) (175) 8° Mainz (04). Berl., Frau E Militch-Wassilieff. 3 —

— Aus d. Seelen-Welt. Gedichte. (In russ. Sprache.) (101) 8° Berl., Frau E Militch-Wassilieff (05). 3 —

Milkau, F, s.: Grundlagen, d. allg., d. Kultur d. Gegenwart.

Milkowicz, W, s.: Weltgeschichte.

Millenkovich, S v., s.: Milow, S.

Millenkovics, M v., s.: Morold, M.

Millennium-Tages-Anbruch. (Eine Handleitg f. Bibelforscher.) 5 Bde. 8° Allegh., Pa. (Elberf., Verl. d. Wacht-Turm.) Je 1 —; L. je nn 1.50 d
1. Der Plan d. Zeitalter. Aus d. Engl. n. d. 470. Taus. (367 m. 1 Fig u. 1 Taf.) 01. ‖ 2. Die Zeit ist herbeigekommen. 200. Taus. (366) 03. ‖ 3. Dein Königreich komme. Aus d. Engl. n. d. 90. Taus. (365 m. Abb. u. 1 Taf.) 1898. ‖ 4. Der Tag d. Rache. 30. Taus. (357) 1900. ‖ 5. Die Versöhng v. Gott u. d. Menschen. 50. Taus. (485) 03.

Miller: Bürgerl. u. ländl. Bauwerke in d. Rheinpfalz. (30 Lichtdr. m. 7 S. Text.) 40,5×30,5 cm. Frankf. a/M., H Keller 05. In M. 24 — d

Miller, A: Vergl. d. elektr. Kontakt- u. Influenzwirkg. (16) 8° Münch., (M Kellerer) 03. 1 —

Miller, E: Relig. Gedichte. (96) 12° Münst., Alphonsus-Bh. 04. L. 1.80 d

— u. A **Reiser**: Der Geiger v. Gmünd, s.: Dilettantenbühne, kathol.

Miller, E: Die Kartoffel- u. Kastanienküche. 2. Afl. (128) 12° Lpzg, Fritzsche & Schmidt 03. Kart. 1.25 d

Miller, F: Leben d. hl. Johs Berchmans, s.: Höver, F.

— Leitsterne f. d. Leben u. Wirken d. Priesters, s.: Valuy, B.

— Die Liebe, d. Band d. Vollkommenh., s.: Dolfinger, K.

— Der himml. Palmgarten, s.: Nacatenus, W.

— Regel- u. Gebetb. z. Gebr. d. marian. Männer-Congregationen, s.: Pesch, T.

— Wert u. Übg d. Andacht z. allersel. Jungfrau, s.: Gallifet, de.

Miller, J: Weltgesch., s.: Becker, KF.

Miller, M: Griech. Ferienaufg. Übgsaufg. m. Anmerkgn u. Hinweisgn auf d. Grammatik (Englmann, Kurz, Halm) z. Selbstübg d. Schüler. I. Abtlg: Formenlehre. II. Abtlg: Kasus- u. Satzlehre. Nebst Übersetzgn. 3. Afl. (77 u. 48) 8° Münch., E Pohl 04. 3 — d

— Vorbereitgsbüchl. f. d. Eintritt in d. 1. Kl. d. Gymnasiums. 4. Afl. (47) 8° Ebd. 01. Kart. — 80 d

Miller, M: Manuale f. Untersuchg u. Begutachtg Unfallverletzter u. Invalider. (296 m. Abb., Tab., Schemen, Formularien u. 4 Beil.) 8° Lpzg, FCW Vogel 03. 6 —; geb. 7.25

Miller, O: Von Stoff zu Form. Essays. (Alfred Rethel. — Wie ich zu meinen Bildern kam u. was sie mir sagen. — Worin liegt d. künstler. Wert d. Werke Cuno Amiets?) (88) 8° Frauenf., Huber & Co. (05). 1.60

Miller, O v.: Die Versorgg d. Städte m. Elektricität, s.: Tiefbau, d. städt.

Miller, W v., u. H **Kiliani**: Kurzes Lehrb. d. analyt. Chemie. 5. Afl. v. H Kiliani. (639 m. Abb. u. 1 Taf.) 8° Münch., T Ackermann. 03. 10 —; geb. 11 —

Miller, W: The banker's millions, deut. Ausg., s.: Frost, J, Vendetta.

Miller, W: Die Vermessgskde. (164 m. Abb.) 12⁰ Hannov., Dr. M Jänecke 01. || 3. Afl. (174 m. Abb.) 03.   L, je 3 —
Miller, W: Die Sprache d. Osseten, s.: Grundriss d. iran. Philol.
Miller, WD: Lehrb. d. konservier. Zahnheilkde. 3. Afl. (533 m. Abb.) 8⁰ Lpzg, G Thieme 03.   15 —; L. 16 —
Miller zu Aichholz, V v., s.: Brahms-Bilderbuch, e.
Millerand als Gesetzgeber. (39) 8⁰ Berl., Puttkammer & M. 01.   — 50 d
Millet, F: Ährenleserinnen, s.: Meisterbilder.
— Die Kuh bei d. Tränke, s.: Meisterbilder fürs deut. Haus.
Millet, JF: Briefe, s.: Cartwright, J, Jean François Millet.
Millethus, PW: Peter v. Staufenberg. Eine altdent. Rittermär. (49) 8⁰ Brnschw. 04. (Wolfenb., Lange Herzogstr. 37, W Fust.) 1 —
— Phantasus. Erträumte Gedichte. (80) 8⁰ Ebd. 05.   1 —
— Für Pharisäer. Erzählig in Gedichten. (184) 8⁰ Ebd. 04. Kart. 3 —
Millies, E: Die Emeritiergs-Ordng f. d. ev.-luther. Geistlichen im Grossh. Mecklenburg-Schwerin nebst Grundsätzen f. d. Veranschlagg d. Pfarreinkommen u. Satzg f. d. Emeritiergs-kasse. (41) 8⁰ Schwer., F Bahn 04.   1 — d
Millinger, L: Kriegsereignisse in Kirchdorf, s.: Wörndle, H v.
Millionen, 200, Kronen f. neue Kanonen, s.: Lichtstrahlen.
Millowitsch, W: Der Giftmord, s.: Bloch's, E, Theater-Korrespondenz.
Mills, WH: Studien üb. Halogencumalinsäuren. (55 m. 1 Fig.) 8⁰ Tüb., F Pietzcker 01.   nn 1 —
Milne, J: The epistles of Atkins, s.: Collection of Brit. auth.
Milne, JG: Greek inscriptions, s.: Catalogue général des antiquités égypt. du musée du Caire.
Milon jun.: Wie werde ich Athlet? Aufklärgn üb. e. zu ungewöhnl. Körperkraft führ. Lebensweise. 3. Afl. (92 m. Abb.) 8⁰ Lpzg, AF Schlöffel (05).   1.60 d
Milow, S (S v. Millenkovich): Fallende Blätter. Neue Gedichte. (228) 8⁰ Kass. 03. Ohlau, 2⁰ Leichter.   2.40; L. 3.20 d
Milton, J: Paradise lost, s.: Authors, Engl. (L Spies).
Milukow, P: Skizzen russ. Kulturgesch. Deutsch v. E Davidson. 2. Bd. (447 m. 1 Taf.) 8⁰ Lpzg, O Wigand 01.   8 — d
(Vollst.: 14 —) d
Minarelli Fitz-Gerald, A Chevalier: Die Gefechte in Natal u. d. Kap-Kolonie 1899. (187 m. 14 Skizzen.) 8⁰ Wien, LW Seidel & S. 04.   4 —
— Infanteriemassen im Angriff. Einst u. jetzt. (100 m. 8 farb. Skizzen.) 8⁰ Budap., C Grill's S. 05.   4 —
— FM. Lord Roberts Exercierregl. f. d. engl. Infant. v. J. '02 im Vergl. m. d. analogen reglementären Vorschriften in Deutschl., Frankr., Italien, Österr.-Ungarn u. Russl. [S.-A.] (44) 8⁰ Wien, (LW Seidel & S.) 02.   1 —
— Das moderne Schiesswesen (f. Gewehr u. Carabiner). (203 m. Fig. u. 2 Taf.) 8⁰ Wien, Hof- u. Staatsdr. 01.   4 —
Minck, O: Lehrb. d. dopp. italien. Buchführg, s.: Strahlendorff, H.
Minckwitz, MJ: Ein Schreiben z. Gesch. d. französ. Akad. v. 1710—31, s.: Aus roman. Sprachen u. Lit.
Minde-Pouet, G: Kunstpflege in Posen. Warngn u. Vorschläge. [S.-A.] (78) 8⁰ Pos., J Jolowicz 02.   1.20
Mindes, J: Manuale d. nouen Arzneimittel. 4. Afl. (324) 8⁰ Zür., Art. Instit. Orell Füssli 02.   L. 4.60
— Der Rezeptar. Leitf. z. Selbstunterr. f. Aspiranten d. Pharmazie u. selbstdispensier. Ärzte. (161 m. Abb.) 8⁰ Wien, F Deuticke 05.   3.50
Mineralkohlen, d., Österr. Hrsg. v. Komitee d. allg. Bergmannstages, Wien '03-(20, 490 m. Abb., Taf. u. 12 Kart. in M.) 8⁰ Wien, (F Deuticke) (03).   L. nn 25 —
Mineral-Wasserfabrikant, der. Fachzeitschrift f. d. Mineralwasser-u.Limonaden-Industrie.Red.:W Lohmann.5-7.Jahrg. 1901—3 je 24 Nrn. (1901. Nr. 1 u. 2. 48) 4⁰ Lüb., C Coleman. Viertelj. 1 — || 8. u. 9. Jahrg. 1904 u. 5 je 52 Nrn. Viertelj. 1.50
Minerva. Jahrb. d. gelehrten Welt. Hrsg. v. K Trübner. 11. Jahrg. 1901—02. (27, 1241 m. 1 Bildnis.) 12⁰ Strassbg, KJ Trübner 02. 11 —; HPerg. 12 — || 12. Jahrg. 1902—03. (40, 1332 m. 1 Bildnis.) 03. 13 —; geb. 14 — || 13. u. 14. Jahrg. 1903—04 u. '04—05. (40, 1390 u. 42, 1436 m. je 1 Bildnis.) 04-05. Je 14 —; geb. je 15 — || 15. Jahrg. 1905—06. (43, 1478 m. 1 Bildnis.) 06. 15 —; geb. 16 —
Minet, A: Die Gewinng d. Aluminiums u. dessen Bedentg f. Handel u. Industrie, s.: Monographien f. angewandte Elektrochemie.
Minetti, W: Die Giebel-Architekturen. (In 5 Bdn.) 1.Bd. Giebel in d. Formen d. deut., französ., italien. u. niederländ. Renaissance, sowie d. Barocks u. d. Rokokos. (36 Taf. m. 12 S. illustr. Text.) Fol. Lpzg, JM Gebhardt 02.   In M. 15 —
— Lehrhefte f. gewerbl. Buchführg u. Kalkulation, s.: Kasten, A.
Ming, PA: Der Bauer u. d. Abstinenz. 8—9. Tans. (15) 8⁰ Bas., Schriftstelle d. Alkoholgegnerbundes (durch F Reinhardt) (02).   — 10 d
Minges, P: Compendium theologiae dogmaticae specialis. 3 partes. 8⁰ Münch., JJ Lentner.   11.20
I. Doctrina de Deo, creatione, redemptione objectiva, gratia. (249) 01. 4 — II. Doctrina de sacramentis ecclesiae et de novissimis. (227) 01. 3.20 III. Compendium theologiae dogmaticae generalis. (249) 02.   4 —
— Ist Duns Scotus Indeterminist?, s.: Beiträge z. Gesch. d. Philosophie d. M.-A.

Miniatur-Bibel. Ausg. in Heften. Nr. 1—12. 8⁰ Biel. Bonn, J Schergans.   3.75 d
1. Das Buch d. Propheten Jesaja. In möglichst getreuer Uebersetzg. (33) 01. — 30 || 2. Die Evangelien u. Johannes u. Markus. (32) (02.) — 50 || 3. Die Briefe Pauli an d. Römer, Galater, Epheser, Philipper u. Colosser. (20) (02.) — 30 || 4. Die Briefe Pauli an d. Epheser, Philipper u. Colosser. Extra-Ausg. in grösserer Schrift. (32) (02.) — 30 || 5. Das Buch Hiob. Extra-Ausg. in grösserer Schrift u. m. erklär. Anmerkgn. (64) (02.) — 30 || 6. Die salomon. Weisheitsschriften. (27) 03. — 15 || 7. Die Psalmen. (40) (03. — 30 || 8. Das Buch d. Propheten Jeremia. (03) 03. — 30 || 9. Daniel u. d. 12 kl. Propheten. (40) 04. — 30 || 10. Das 1. Buch Mose. (36) 04. — 30 || 11. Die Gesetzbücher. 2—5. Buch Mose. (35—185) 04. — 50 || 12. Das Schlüsl. Heft u. d. beiden Bücher Samuels. (178—216) 04. — 30.
— dass. Die ganze hl. Schrift n. d. Urtext u. m. Benützg d. besten Uebersetzgn verdeutscht. 1. Ges.-Ausg. (728) 8⁰ Ebd. 05.   Geb. nn 3.50; nn 4 —; nn 4.50 u. nn 6 — d
— dass. Das ganze Neue Test. Nach d. Urtext u. m. Benützg d. besten Uebersetzgn verdeutscht. 1. Probedruck. 1. Probedruck. 8⁰ Ebd. 02. L, nn 1 — || 2. Afl. (178) 03. Geb. nn 12⁰   Ldr m. G.
Miniatur-Bibliothek. Nr. 103, 125, 126, 135—139, 153—155, 285 —597 u. 600—675. 11×7,7 cm. Lpzg, Ö Paul.   Je — 10
Abfonss, A: Die Bienenzucht. (35) (01.) [306.] d
Alkoholismus, d. moderne. s. Hauptursachen, s. Schäden u. d. Frage sr Bekämpfg. (64) (Spies.) [597.98.] d
Antos, H: Do you speak English? Prakt. Anl. z. Konversation. (44) (01.) [345.] || Konjugationsmuster d. französ. regelmäs. u. unregelmäss. Verben. (72) (02.) [373.74.] || Parlez-vous français? Prakt. Anl. z. Konversation. (48) (01.) [347.] d
Aymeric, J: Kurt gef. u. leicht verständl. Grammatik d. französ. Sprache s. Selbstudium. (129) (01.) [316—20.] d
Baur, F: Mathemat. Geogr. (140 m. Fig.) (05.) [671—73.] d
Berrenobel, d., uns. Gärten. Anl. z. Pflege u. Vermehrg. (96) (02.) [413.16.] d
Bergsport, d. Ratgeber f. Bergsteiger. (18½) (01.) [343—45.] d
Betriebe, techn. Blücher, H: Die Bierbrauerei. (48 m. Abb.) (02.) [386.]
|| Blücher, H: Eisenhüttenkde. (38 m. Abb.) (02.) [386.] || Blücher, H: Die Herstellg d. Leuchtgases. (48 m. Abb.) (02.) [389.] || Blücher, H: Die Kakao-, Schokoladen- u. Zuckerwarenfabrikation. (48 m. Abb.) (04.) [496.] || Blücher, H: Die Spiritusbrennerei, sowie d. Fabrikation v. Spiritusen. (48 m. Abb.) (02.) [373.74.] || Blücher, H: Der Steinkohlenteer u. s. Verarbeitg. (47 m. Abb.) (02.) [390.] || Blücher, H: Die Zuckerfabrikation. (62) (02.) [385.] || Fabrikation, d. d. Porzellans. Steinzeugs, d. Fayencen, Majoliken u. Ziegel. (48 m. Abb.) (02.) [384.] || Glasfabrikation. (47 m. Abb.) (02.) [385.] || Hoch, J: Das Holz u. s. Bearbeitg. (46 m. Abb.) (05.) [669.] d
Bildnisspiel, d. Unter Mitwirkg v. H Kerkau. (58 m. 16 Taf.) (03.) [451.52.] d
Blücher, H: Die Abstammg d. Menschen. (80) (05.) [674.75.] d
Blücher, H: Die Bierbrauerei, s.: Betriebe, techn.
— Organ. Chemie. (144) (01.) [357—59.] || Dampfkessel u. Dampfmaschinen. (182 m. Abb.) (05.) [470—73.] || Düngemittel u. Futtermittel. (96) (05.) [544.45.] d
— Eisenhüttenkde, s.: Betriebe, techn.
— Elektrochemie. (172 m. Abb.) (02.) [377—80.] d
— Die Herstellg d. Leuchtgases. || Die Kakao- usw. Fabrikation, s.: Betriebe, techn.
— Prakt. Pilzkde. 2 Tle. (40 u. 32 farb. Taf. m. Text auf d. Rücks.) (04.) [560—54.] d
— Die Spiritusbrennerei. || Der Steinkohlenteer. || Die Zuckerfabrikation, s.: Betriebe, techn.
Börsengeschäfte. (47) (02.) [386.] d
Börse, d. Fondsbörse, Produktenbörse u. Börsengeschäfte. (96) (03.) [429.30.] d
Brahm, H: Was kosten meine Prozesse? (Gerichts- u. Anwaltskosten: Gebühren u. Zeugen u. Sachverständige.) (95) (05.) [667.86.] d
Bronchial-Katarrh, d. (47) (01.) [300.] d
Brustfellentzündung, d. (47) (01.) [312.] d
Croup u. Diphtherie u. d. Wahrheit üb. d. Diphtherieheilserum. (96) (01.) [355.56.] d
Cruciger, G: Einteilg, Informiers u. Garnieosee d. deut. Reichsheeres. (Nebst e. Verz. sämtl. Truppenteile, Bezirkskommandos u. militär. Behörden.) (174) (02.) [400—02.] d
Domino. (40 m. Fig.) (05.) [560.] d
Eberhard, H: Der Hund u. s. Rassen, s. Anfrucht u. Pflege. (117 m. Abb. (04.) [491.92.] d
Ehrlich, J: Ihr Wesen u. ihre Gesch. (96) (04.) [637.38.] d
Eis,Jährig-Freiwillige, d. u. s. Dienst. (94) (04.) [633.34.] d
Elektrotechnik. (150 m. Abb.) (01.) [293—95.] d
Erfindungen u. Entdeckungen. Auer's Osmiumlampe. Brennerlampe. (40) [421.] || Elsper, E: Der Telephonograph. System Poliak u. Virág. (36 m. Abb.) [02.] [681.] || Lenkbare Luftschiffe u. Flugmaschinen. (40 m. Abb.) [02.] [441.] || Motorwagen (Automobile). (40) (02.) || Unterseeboote u. Torpedobootszerstörer. (48 m. Abb.) (01.) [299.] d
Erkrankungen, d. Augen, s.: Mundhöhle. (46) (05.) [436.] d
Fabrikation, d., d. Porzellans, s.: Betriebe, techn.
Facius, S: Das Kegelspiel. (36) (02.) [427.] || Die Kunst d. Bauchredens. (46) [457.] d
Fehlerbuch, photograph. (96) (04.) [639.40.] d
Fernsprechwesen, d. (48 m. Abb.) (01.) [296.97.] d
Feuerlöschwesen, d. (48 m. Abb.) (01.) [468.] d
Feuerwerkerei, d. z. Belustigg. (128 m. Abb.) (02.) [418—20.] d
Formeln, mathemat. (±8) (05.) [564.65.] d
Fortschritte, welt., d. Amateur-Photographen. (96) (03.) [447.48.] d
Freimaurertum, d. (40 m. Abb.) (02.) (02.) [412.] d
Fritsch, E: Aktiengesellschaften. Begründg, Recht u. Buchhaltg. (64) (05.) [655?.] d
Fussballspiel, d. (35) (02.) [393.] d
Geheimnisvolles a. d. Jenseits. (Von G W Gessmann.) (67) (01.) [125.26.] d
Gemütsleben, d. Kindes. (33) (03.) [466.67.] d
Gerichtsverfassung, deut. (44) (02.) [412.] d
Geschichte d. Buchdruckerkunst. (185) (04.) [610—12.] d
Giebt, d. (47) (05.) [376.] d
Gisod, A: Die Gesellsch. m. beschränkter Haftg. (47) (05.) [658.] d
— u. H Brahm: Die Kaufmanngeschäfte. (95) (05.) [663.] d
Glasfabrikation, s.: Betriebe, techn.
Gott Deutsch? (Rechtschreibg, Satzlehre, Satzzeichen, Stil.) (137) (04.) [600—02.] d
Gut, A: Die Baustile m. bes. Berücks. ihrer Hauptmerkmale. (72 m. Abb.) (04.) [508.96.] || Grundr. d. Kunstgesch. I. Übersicht üb. d. Gesch. d. Malerei. (96 m. Abb.) (05.) [650.60.] d
Hämorrhoiden u. and. Mastdarmkrankh. (47) (02.) [364.] d

Miniatur-Bibliothek. Fortsetzg.
Hand-Atlas v. Afrika u. Australien. (12 [farb.] Karten-S. m. erläut. Text.) (24) (01.) [154.] ‖ Dass. v. Amerika. (10 [farb.] Karten-S. m. erläut. Text.) (20) (01.) [155.] ‖ Dass. v. Asien. (10 [farb.] Karten-S. m. erläut. Text.) (20) (01.) [156.]
Hautkrankheiten, d. häufigsten. (96) (03.) [427.28.] d
Reissner, W: Deut. Grundbuchrecht. (48) (02.) [411.] d
Hennecke, L: Haus, Hof u. Garten. Beitrag z. Frage d. Anlegg ländl. Anwesen. (48 m. Abb.) (04.) [641.] d
Herzkrankheiten, d. (48) (02.) [399.] d
Hoch, J: Das Holz, s.: Betriebe, techn.
Huhle, E: Kirchengesch. (199) (03.) [477—80.] ‖ Deut. Kulturgesch. (143) (03.) [481—83.] ‖ Deut. Mythol. (72) (04.) [493.94.] ‖ Philosophie. (133) (04.) [497—99.] d
Jagd, d. Prakt. Anl. z. Ausübg d. Waidwerks. (184 m. Abb.) (03.) [484—87.] d
Japan. Land u. Leute. (48) (04.) [636.] d
Illustrationstechnik, moderne. (84) (01.) [285.86.] d
Influenza, d. (47) (03.) [458.] d
Kartenlegen, d. (48) (01.) [363.] d
Kinderpflege u. d. Krankh. d. Neugeborenen. (52) (03.) [438.] d
Kisch, OM: Prakt. Vogelkde u. Vogelpflege. (104 m. farb. Abb.) (01.) [350—54.] d
Klapper, E: Der Telephonograph, s.: Erfindungen.
Knoop, J: Anl. z. Angelfischerei. (55 m. Abb.) (03.) [440.] d
Koran, d. Grundz. d. mohammedan. Lehre. (56) (04.) [635.] d
Krankheit, d. Bright'sche, u. and. Nierenkrankh. (46) (02.) [425.] d
Krankheiten, d. häufigsten, d. Kindesalters. (92) (03.) [459.60.] d
Krebsgeschwülste, d. (88) (03.) [449.50.] d
Kreissl, J: Das Versichergswesen. (113) (08.) [455—57.] d
Lamberger, R: Der Getreidebau. (48) (05.) [647.] d
Lawn-Tennis-Spiel, d. (33) (02.) [394.] d
Leberkrankheiten, d. häufigsten. (48) (03.) [432.] d
Leitfaden, prakt., z. Erlerng d. Damespiels, nebst Anh.: Das Mühlespiel. (64 m. Diagr.) (01.) [309.10.] d
— d. Rudersport. (48) (02.) [372.] d
Liebhaberkünste. Die Ölmalerei. (56) (04.) [655.] d
Liebing, RH: Hygiene d. Schulkindes im Elternhause. (110 (05.) [661.62.] d
Lungenentzündungen, d. (48) (01.) [311.] d
Magenkrankheiten, d. (55 m. 1 Fig.) (01.) [341.] d
Maier, E: 200 Postkartengrüsse. (48) (03.) [476.] d
Masern, Scharlach u. Röteln. (48) (01.) [298.] d
Materne, R: Der Obstbau. (96) (02.) [423.24.] d
Mielck, WB: Die Weltsprache. La lingvo internacia. (168) (04.) [613—16.] d
Möbius, P: Das Fahrrad u. s. richt. Behandlg. (48 m. Fig.) (01.) [346.] d
Möller, A: Die Geisteskrankh., m. bes. Berücks. d. Krankh.-Unterscheidg. Unter Mitwirkg v. Bolims. (240) (01.) [336—40.] ‖ Gesch. d. Geisteskrankh., d. Irrenwesens u. d. Irrenheilkde. (76) (02.) [370.71.] d
Muskelrheumatismus u. Gelenkrheumatismus. (47) (02.) [369.] d
Mythologie d. Griechen u. Römer. (83) (03.) [488.89.] d
Nasen-, Rachen- u. Kehlkopfkrankheiten, d. häufigsten. (47) (03.) [437.] d
Neuerungen u. Fortschritte in d. Photogr. Rezeptb. f. d. Amateur. (95) (01.) [360.61.] d
Ölmalerei, d., s.: Liebhaberkünste.
Optik. (56 m. Abb.) (02.) [417.[d
Ortleb, A, u. G Ortleb: Kulturgesch. d. Aegypter. (63 m. Abb.) (02.) [403.04.] ‖ Kulturgesch. d. antiken Griechenlds in Wort u. Bild. (116) (02.) [405—07.] ‖ Kulturgesch. d. alten Römer. (124 m. Abb.) (02.) [408—10.] d
Pikettspiel, d. (56) (04.) [607.] d
Pozzoli, R: Parla italiano? Prakt. Anl. z. Konversation. (48) (01.) [349.] d
Ramshorn, M: Kurz gef. u. leicht verständl. Grammatik d. italien. Sprache z. Selbststudium. (144) (01.) [301—5.] ‖ Dass. d. span. Sprache. (207) (01.) [321—25.] ‖ Spanisch-deut. Handels-Correspondenz. (200) (01.) [331—35.] d
Beger, L: Rechtsbeistand beim Viehkauf. (48) (05.) [670.] d
Reiche, G: Der Ausstopfer. Prakt. Anl. z. Präparieren, Ausstopfen u. Skelettieren, z. Anlage e. Eiersammlg u. z. Konservierg in Alkohol. (96 m. Abb.) (04.) [603.04.] d
Reuter, W: Kurz gef. u. leicht verständl. Grammatik d. engl. Sprache z. Selbststudium. (130) (01.) [326—330.] ‖ Englisch-deut. Handels-Correspondenz. (176) (01.) [135—39.] d
Rückenmarksschwindsucht, d., u. and. Rückenmarkskrankh. (84) (03.) [433.34.] d
Salta u. Salta-Solo. (40 m. Diagr.) (02.) [382.] d
Schaefer, F: Die Kunst, im Ausl. Stellg zu finden. Prakt. Winke u. Ratschl. f. d. modernen Kaufmann nebst Anh. engl., französ., span. u. italien. Musterbriefe. (78) (01.) [313.14.] d
Schaefer, K: Das Urheberrecht u. d. Verlagsrecht an Werken d. Litt. u. Tonkunst. (Nach d. Reichsges. v. 1.I.'02.) (54) (02.) [367.] d
Schafkopfspiel. (39) (03.) [453.] d
Schiller: Das Lied v. d. Glocke u. and. Gedichte in stenotachygr. Schrift. (32) (01.) [103.] d
Schlittschuhlaufen, d. (Umschl.: Der Eissport.) (32) (03.) [439.] d
Schumachers, F: Die homöopath. Therapie v. exakt-naturwiss. Standpunkte. (62) (03.) [469.] d
Schwimmen u. Tauchen. (44) (02.) [391.] d
Sechsundsechzig, Binokel, Schafkopf zu zweien, Briscon. (39) (03.) [445.] d
Seewasser-Aquarium, d. (40) (03.) [446.] d
Segall, S: Prakt. Anl. z. Erlerng d. Ansatzes v. Gleichgn. (52) (02.) [381.] d
Segelsport, d. (52 m. Abb.) (03.) [454.] d
Selbstbildung. (39) (05.) [656.] d
Skatspieler, d. tadellose. (112 m. Fig.) (04.) [630.31.] d
Skrofulose u. Rachitis. (44) (03.) [485.] d
Sport, athlet. Anl. z. richt. Ausübg d. bekanntesten Zweige d. Kraftsports. (48) (02.) [392.] d
Strafrecht, deut. (104) (02.) [413.14.] d
Streissler, F: Wie leitet man Versammlgn? (Der Vereinsvorstand.) (185) (04.) [625.26.] d
Streissler, I: Israelit. Küche. (142) (04.) [627—29.] d
Suggestion. (71) (02.) [395.96.] d
Süsswasser-Aquarium, d. (40) (03.) [442.] d
Telegraphie, d. (95 m. Abb.) (02.) [365.66.] d
Traumleben, d., u. s. Deutg. (84) (03.) [461.62.] d
Unterleibstyphus, d. (48) (01.) [299.] d
Urgiss, J: Allg. Musiklehre. (44) (02.) [421.] d
Vereinsrecht, d., n. d. neuen BGB. (38) (01.) [315.] d
Volkswirtschaftslehre, d. (184) (04.) [617—19.] d
Vymazal, J, u. WB Mielck: Prakt. russ. Sprachlehre. (126) (04.) [620—24.] d
Was werde ich? 500. Allg. Führer durch alle Berufszweige. (44) (03.) ‖ 501. Chemiker. (48) (03.) ‖ 502. Maschinen-Ingenieur u. Maschinen-Techniker. (48) (03.) ‖ 503. Elektro-Ingenieur u. Elektro-Techniker. (48)

Miniatur-Bibliothek. Fortsetzg.
(03.) ‖ 504. Journalist u. Schriftsteller. (39) (03.) ‖ 505. Postbeamtin im Telegr.- u. Telephondienst. (31) (03.) ‖ 506. Klempner od. Blecharbeiter. (42) (03.) ‖ 507. Buchdrucker. (43) (03.) ‖ 508. Maschinenbauer, Monteur u. Werkmeister. (48) (03.) ‖ 509. Lehrerin. (44) (03.) ‖ 510. Buchhändler. (39) (03.) ‖ 511. Berg- u. Hütten-Ingenieur. (48) (03.) ‖ 512. Kaufmann. (40) (03.) ‖ 513. Die kaufmänn. Gehilfin. (47) (03.) ‖ 514. Die mittlere Postkarriere. (47) (03.) ‖ 515. Kindergärtnerin. (38) (03.) ‖ 516. Die Frau im Kunstgewerbe. (43) (03.) ‖ 517. Buchbinder u. Buchbinderin. (39) (03.) ‖ 518. Weberei-Techniker. (48) (03.) ‖ 519. Mechaniker u. Optiker. (32) (03.) ‖ 520. Höh. Forstkarriere. (44) (03.) ‖ 521. Förster. (44) (03.) ‖ 522. Diplomat u. d. übr. Personen d. völkerrechtl. Verkehrs. (45) (03.) ‖ 523. Jurist. (47) (03.) ‖ 524. Mediziner. (48) (03.) ‖ 525. Apotheker. (47) (03.) ‖ 526. Koch. (36) (03.) ‖ 527. Kellner. (35) (03.) ‖ 528. Landwirtin u. Gärtnerin. (Die Frau in d. Landw.) (48) (03.) ‖ 529. Musterzeichner. (43) (03.) ‖ 530. Drogist. (46) (03.) ‖ 531. Brenner u. Destillateur. (44) (03.) ‖ 532. Bierbrauer. (44) (03.) ‖ 533. Gerber. (46) (03.) ‖ 534. Schlosser. (48) (03.) ‖ 535. Der nied. Verwaltgsbeamte. (Subaltern-Karriere.) (36) (03.) ‖ 536. Der höh. Verwaltgsbeamte. (43) (03.) ‖ 537. Kolonialbeamter. (32) (03.) ‖ 538. Orchestermusiker. (39) (03.) ‖ 539. Photograph. (48) (03.) ‖ 540. Landwirt. (48) (03.) ‖ 541. Der akademisch gebild. Lehrer. (46) (03.) ‖ 542. Der seminaristisch gebild. Lehrer. (52) (03.) ‖ 543. Architekt, Bauingenieur u. Staats-Baubeamter. (48) (03.) ‖ 544. Maurer- u. Baugewerksmeister. (54) (03.) ‖ 545. Musiklehrer. (39) (03.) ‖ 546. Theologe. (36) (03.) ‖ 547. Gärtner. (47) (03.) ‖ 548. Färber. (47) (03.) ‖ 549. Müller. (47) (03.) ‖ 550. Steinmetz u. Bildhauer. (43) (03.) ‖ 551. Offizier u. d. höh. Beamte d. kais. Marine. (47) (03.) ‖ 552. Unterpersonal in d. kais. Marine. (Schiffsjunge, Matrose u. s. w.) (44) (03.) ‖ 553. Barbier, Friseur u. Perückenmacher. (44) (03.) ‖ 554. Tierarzt. (56) (03.) ‖ 555. Rossarzt. (48) (03.) ‖ 556. Mathematiker. (42) (03.) ‖ 557. Diakonissin. (52) (03.) ‖ 558. Uhrmacher. (46) (03.) ‖ 559. Fleischer. (38) (03.) ‖ 560. Offizier d. steh. Heeres. (43) (03.) ‖ 561. Schuhmacher. (42) (03.) ‖ 562. Bäcker u. Konditor. (44) (03.) ‖ 563. Unteroffizier im Heere u. Militäranwärter-Carriere. (48) (03.) ‖ 564. Marine-Ingenieur u. Marine-Maschinist. (39) (03.) ‖ 565. Schiffbau-Ingenieur u. Schiffbau-Techniker. (Schiffsbauer.) (54) (03.) ‖ 566. Schneider. (48) (03.) ‖ 567. Bibliothekar u. Archivar. (44) (03.) ‖ 568. Drechsler u. Bildschnitzer. (47) (03.) ‖ 569. Heizer u. Maschinist. (46) (03.) ‖ 570. Lithograph u. Steindrucker. (48) (03.) ‖ 571. Zimmermann. (48) (03.) ‖ 572. Tapezierer u. Dekorateur. (47) (03.) ‖ 573. Tischler. (36) (03.) ‖ 574. Seemann. (44) (03.) ‖ 575. Maler. (51) (03.) ‖ 576. Der nichttechn. Eisenb.-Beamte. (40) (03.) ‖ 577. Der techn. Eisenb.-Beamte. (43) (03.) ‖ 578. Der Zoll- u. Steuer-Beamte. (46) (03.) ‖ 579. Zahlmeister. (43) (03.) ‖ 580. Schauspieler u. Schauspielerin. (52) (03.) ‖ 581. Merkel, P: Opern- u. Konzertsänger. (46) (03.) ‖ 582. Artist. (48) (03.) ‖ 583. Schornsteinfeger. (31) (03.) ‖ 584. Kürschner. (44) (03.) ‖ 585. Glaser. (44) (03.) ‖ 586. Schmied. (48) (03.) ‖ 587. Stellmacher u. Wagenbauer. (46) (03.) ‖ 588. Dachdecker. (40) (03.) ‖ 589. Holzschneider u. Zinkograph. (48) (03.) ‖ 590. Der Bankbeamte. (32) (03.) ‖ 591. Geometer u. Markscheider. (40) (03.) ‖ 592. Töpfer u. Ofensetzer. (48) (03.) ‖ 593. Fleischbeschauer u. Trichinenschauer. (48) (03.) ‖ 594. Der bild. Künstler. (Akadem. Maler u. Bildhauer.) (48) (03.) ‖ 595. Merkel, P: Instrumentenbauer. (31) (03.) ‖ 596. Hebamme. (56) (04.) ‖ 597. Stukkateur. (45) (04.) d
Wesen, d., d. Dramas. (47) (02.) [375.] d
Wesner, F: Gesellschaftl. Tanzkunst. Enth.: Contre-danse u. Quadrille à la cour, sowie Verhaltgsregeln im Ballsaale, beim Tanzen, bei Tische usw. (79 m. 12 Taf.) (01.) [307.8.] d
Whist. (56) (04.) [606.] d
Wulf, A: Die Geflügelzucht. (102 m. Abb.) (03.) [474.75.] ‖ Der Kanarienvogel. Seine Rassen, Pflege u. Zucht. (46 m. Abb. u. 3 Taf.) (04.) [495.] ‖ Die Kaninchenzucht. (47 m. Abb.) (03.) [490.] ‖ Molkerei. Die Milch, ihre Eigenschaften, Prüfg, Behandlg u. Verwertg, sowie d. Butter- u. Käsebereitg. (96 m. Abb.) (04.) [642.43.] ‖ Prakt. Fischzucht u. Teichnutzg. (48 m. Abb.) (04.) [646.] ‖ Die Taubenzucht. (96 m. Abb.) (04.) [644.45.] ‖ Wirtschaftsgeflügelzucht. (62 m. Abb.) (04.) [605.] d
Zuckerharnruhr u. einfache Harnruhr. (43) (01.) [362.] d
Nr. 598 u. 599 sind noch nicht erschienen.
— deutsch-österr. 5 Bde. 16° Wien, Kratz, Helf & Co. Je — 50 ö F
Helden, E v. d.: Bettelkinder. Skizzen. (143 m. Bildnis.) (04.) [2.3.]
Kolloden, AM: Nach d. Redoute. Komödie. (71) 03. [1.]
Wenden, H: St. Elmsfeuer. Skizzen. (148) (04.) [4.5.]
Miniature, le, del pontificale Ottoboniano, s.: Codices e Vaticanis selecti.
Miniatures du psautier de S. Louis, manuscrit lat. 76 A de la bibliothèque de l'univ. de Leyde, avec préface par H Omont, s.: Codices graeci et latini.
Ministerialanweisung, betr. d. Verfahren vor d. unt. Verwaltgsbehörden (§§ 57—64 J.V.G.) v. 15.XI.'04. Mit Gegenüberstellg d. Abweichgn d. Anweisg v. 6.XII.1899. (11) 8° Grunew.-Berl., Verl. d. Arbeiter-Versorgg A Troschel 05. — 50 d
Ministerial-Blatt d. Handels- u. Gewerbe-Verwaltg. Hrsg. im kgl. Ministerium f. Handel u. Gewerbe. 1. Jahrg. Apr.—Dezbr 1901. Etwa 18 Nrn. (Nr. 1. 26) 8° Berl., C Heymann. 4.50 ‖ 2—5. Jahrg. 1902—5 je etwa 24 Nrn. (1904. 495) Je 6 — d
— f. Kirchen- u. Schul-Angelegenh. im Kgr. Bayern. Amtlich hrsg. v. kgl. Staatsministerium d. Innern f. Kirchen- u. Schul-Angelegenh. Jahrg. 1901—5. (1901. Nr. 1. 48 u. 2) 8° Münch., (T Ackermann). Je † 6.75 d
— dass. Haupt-Reg. zu d. Jahrg. 1865—1902. (128) 8° Münch., G Franz' V. nn 2.50; geb. nn 3 — d
— d. kgl. preuss. Verwaltg f. Landw., Domänen u. Forsten. Hrsg. im Ministerium f. Landw., Domänen u. Forsten. 1. Jahrg. 1905. 12 Nrn. (Nr. 1—4. 101 m. Abb.) 8° Berl., P Parey. 6 — d
— f. Medizinal- u. medizin. Unterr.-Angelegenh. Hrsg. im Ministerium d. geistl., Unterr.- u. Medizinal-Angelegenh. 1. Jahrg. Apr.—Dezbr 1901. Etwa 9 Nrn. (292) 8° Berl. Stuttg., JG Cotta Nf., Zweigniederlassg Berlin. 4.50 ‖ 2. Jahrg. 1902. Etwa 12 Nrn. (368) ‖ 3—5. Jahrg. 1903—5 je 24 Nrn. ('03.04. 422 u. 438) Je 6 — d
— f. d. ges. innere Verwaltg in d. kgl. Preuss. Staaten. Hrsg. im Bureau d. Ministeriums d. Innern. 62 u. 63. Jahrg. 1901 u. 2 je 11 Nrn. (266 u. 238) 4° Berl., Puttkammer & M. ‖ 64—66. Jahrg. 1903—5 je 12 Nrn. (270, 296 u. 216) Je † nn 9 — d
Ministerial-Erlass betr. Einrichtg u. Betrieb v. Aufzügen (Fahrstühlen) v. 20.IV.'03. Nachtr. z. 2. Afl. d. Polizei-Verordng betr

d. Einrichtg u. d. Betrieb v. Aufzügen (Fahrstühlen), m. Erläutergn, Gebührenordng u. Dienstvorschriften, nebst Anweisg z. Berechng d. Seile u. Prüfg d. Aufzüge. (4) 16° Hag., O Hammerschmidt (03). nn — 10
(Hauptwerk u. Nachtr.: nn — 60) d
Das Hauptwerk s. u. d. T.: Polizei-Verordnung betr. d. Einrichtg u. d. Betrieb v. Aufzügen.
Ministerialverfügungen, preuss., z. Ausführg d. BGB. u. d. Neben- u. Ausführgsges. Nachtr. (60) 8° Berl., R v. Decker 01.
1 — (Hauptwerk u. Nachtr.: 7 —) d
Ministerialverordnung v.11.XII.1860, betr. Grundz. z. Einführg v.behördlich autoris.Privat-Technikern.(Genehmigt m.allerh. Entschliessg v. 29.XI.1860.)—Kundmachg d. k. k. Statthalterei v. Oberösterr. v. 14.VI.1862, betr. d. Gebühren d. behördlich autoris. Privat-Techniker f. d. im Auftr. d. Behörden verricht. Geschäfte. — Verordng d. Ministeriums d. Innern im Einvernehmen m. d. Ministerium f. Kultus u. Unterr., dann d. Justiz-, Finanz-, Handels- u. Ackerbau-Ministerium v. 8.XI.1886, m. welcher d. Bestimmgn d. Ministerial-Verordng v. 11.XII.1860, üb. d. Einteilg d. behördlich autoris. Privat-Techniker u. d. v. d. Bewerbern um solche Befugnisse beizubring. Nachweise in ein. Punkten abgeändert werden. (7) Fol. Linz, (Zentraldruckerei vorm. E Mareis) 04. — 60 d
Ministrant, d., od: kurze Anl., wie d. Ministrant d. Priester bei d. hl. Messe am Altare zu dienen hat. (36) 16° Münch., JJ Lentner (04). — 10 d
— d. kleine. Lehr- u Gebetbüchl. f. Altardiener. 13. Afl. (80 m. Abb.) 10,5×6,5 cm. Einsied., Verl.-Anst. Benziger & Co. (04.) L. — 25 d
Ministranten-Büchlein, v. e. Priester d. Diöc. Würzburg. 4.Afl. (16) 8° Würzbg, Göbel & Scherer (05). — 10 d
Ministrier-Büchlein, das. 5. Afl. (64) 11,1×7,3 cm. Graz, U Moser 05. — 10 d
Mink, J: Lehrb. f. Fortbildgssch. d. Fleischergewerbes. (117 m. 7 Taf.) 8° Worms, LP Bros 04. 3 —; geb. 3.50
— **Mink,** PJ: Die Nase als Luftweg, s.: Sammlung zwangl. Abhandlgn a. d. Geb. d. Nasen- usw. Krankh.
Minkel, J: Üb. glycogen-u. fetthalt. Endotheliome d. Knochen. (34) 8° Würzb , F Freundenberger 04. — 2 —
Minkowski, O: gEie Gicht, s.: Pathologie u. Therapie, spec.
Minkowsky, P: Die Entwickelg d. synagogalen Liturgie bis n. d. Reformation d. 19. Jahrh. (55) 8° Odessa 02. (Lpzg, MW Kaufmann.) — 1 d
Minks, A: Analysis d. Flechtengattg Umbilicaria. — Beitr. z. Erweiterg d. Flechtengattg Coniogalium, s.: Mémoires de l'herbier Boissier.
Minner, C: Ausgew. Stücke a. d. 3. Dekade d. Livius, s.: Jordan, W.
— Urbis Romae viri illustres, s.: Lhomond.
Minzich, W: Das Kropfherz u. d. Beziehgn d. Schilddrüsenerkrankgn zu d. Kreislaufapparat. (166 m. Abb. u. 1 Taf.) 8° Wien, F Deuticke 04. 4.50
Minnigerode, v.: Ueb. chines. Theater. 2. [Tit.-]Afl. (47) 8° Oldnbg, Schulze [1888] (01). — 80 d
Minoprio, J: Wie erledigt d. Kaufmann s. deut. Handelskorrespondenz? (95) 8° Berl., H Steinitz (01). — 1 d
— Wie erledigt man s. deutsch-engl. Handelskorrespondenz? (50) 8° Ebd. (05). — 1 d
— dass., deutsch-französ. Handelskorrespondenz. (80) 8° Ebd. (05). — 1 d
— dass., deutsch-italien. Handelskorrespondenz. (80) 8° Ebd. (05). — 1 d
— dass., deutsch-span. Handelskorrespondenz. (80) 8° Ebd.(05). — 1 d
— Die Weltbildg d. Kaufmanns. 2. Afl. (478) 8° Berl., Verl. f. Sprach- u. Handelswiss. (01). L. 3 — d
Minor, J: Goethes Fragmente v. ew. Juden u. v. wiederkehr. Heiland. (224) 8° Stuttg., JG Cotta Nf. 04. 3.50; L. 4.50 d
— Nhd. Metrik. 2. Afl. (587) 8° Strassbg, KJ Trübner 02. 10 —
Minor, L, s.: Handbuch d. patholog. Anatomie d. Nervensystems.
Minos, J: Ein neuentdecktes Geheimschriftsystem d. Alten. Mit Proben a. Nikander, Catull, Tibull u. a. u. m. e. Nachwort üb. Akrostichisches bei d. klass. Dichtern d.Griechen u. Römer. (54) 8° Lpzg, (Bb. G Fock) 01. 2.40
Minot, CS, and E Taylor: Normal plates of the development of the rabbit (Lepus cuniculus L.),s.: Normentafeln z.Entwicklgsgesch. d. Wirbeltiere.
Minotto, D Graf, Edler v. Venedig: Chronik d. Familie Minotto. Beitr. z. Staats- u. Kulturgesch. Venedigs. 1. u. 2. Bd. 4° Berl., A Asher & Co. Je 30 —
1. Vom 5. Jahrh. bis z. J. 1280. (350 m. 10 [1 farb.] Taf. u. Stammtaf. u. Doppelbl.) 01. || 2. Vom J. 1285 bis z. J. 1393. (296 m. Abb.) 02.
Minra, A v.: Vineta od. Wiedergefunden am Elternherzen, s.: Konkordia-Jugendschriften.
Minra, F v.: Ernst u. Scherz, s.: Danner's, G, Damen-Bühne.
— Heimlichkeiten, s.: Glaser's, C, Theater-Bibliothek.
— Die neue Oper, s.: Thalia.
— Am rechten Ort, s.: Jugendbühne, d.
Minssen, H, s.: Mitteilungen a. d. Praxis d. Dampfkessel- u. Dampfmaschinen-Betriebes.
Mintrop, W: 30 prakt. u. theoret. Aufsätze u. Vorträge üb. Landw. u. Genossenschaftswesen. (167) 8° Neisse, Gen.-Schr. Mintrop (02). 73.20 d
— Neuwieder Filialen od. provinziell selbständ. Genossenschaftsverbände? (62) 8° Neisse, (J Graveur's V.)(05). 1 — d

Mintz, M: Die Patentges. aller Völker, s.: Kohler, J.
Minucii Felicis, M, Octavius. Recens. et praefatus est H Boenig. (31, 116) 8° Lpzg, BG Teubner 03. 1.60; geb. 2 —
Minunni, G, s.: Jahresbericht üb. usw. Chemie.
Minuth, FR: Ein sonderbarer Heiliger. Sozialpolit. Roman. (301) 8° Berl., R Mosse (02). 1.50
— Ihr Verbrechen. Soz. Roman. (368) 8° Berl., R Schröder 4. 4 —; geb. 5 — d
Minutoli, C v.: Die am Birgelstein in Salzburg ausgegrab. röm. Alterthümer. 2. [Tit.-]Ausg. (19 m. 12 Taf.) 4° Salzbg, H Dieter [1848] 01. 1.50
Mjoen, JA: Üb. d. chem. Zusammensetzg d. norweg. Holzteers. (44) 8° Kristiania, (J Dybwad) 01. † 1.60
Mioni, H: Der Schutzgeist d. Kaisers v. Birma, s.: Hauschatz-Bibliothek.
— Die Sodalität d. hl. Petrus Claver, e. Propagandagesellsch. f. Afrika. (48 m. 1 Taf. u. 1 Bildnis.) 12° Salzbg (Dreifaltigkeitsgasse 12), St. Petrus-Claver-Sodalität f. d. afrikan. Missionen (01). — 35
Mir s. a.: Huldschiner, R.
— s.: Aus d. Badeleben.
Mir, A: Eine nicht vollzogene Ehe. (Roman). (116) 8° Dresd., E Pierson 03. 2 —; geb. 3 — d
Mirabeau, Comtesse de: „Baron d'Aché", s.: Adels-Bibliothek.
Mirai, L: Herr Sanftleben, s.: Vely, A.
Miranda, E v.: Die Kunst, durch e. rationelle Pflege d. Körpers in kurzer Zeit sympath.] Aussere u. imponier.Umgangsformen zu erlangen. (Neue[Tit.-Ausg. v. M., wie fessle ich e. Mann!) (171) 8° Lpzg, Modern-medizin. Verl. [01] (05). 2 — d
— Die Macht d. Frau. Unschätzbarer Ratgeber f. d. Damenwelt. (171 m. Abb.) 8° Ebd. (03). (3 —) 2 — d
— Wie eignet man sich gute Manieren u. gewandtes Benehmen an? (Neue [Tit.-]Ausg. v. M., d. feine Welt.) (97) 8° Ebd. [01] (05). 1.25 d
Mirandolli, Cav. P: Die Automobilen f. schwere Lasten u. ihre Bedeutg f. militär. Verwendg. Aus d. Ital. v. O Layriz. (60 m. Abb.) 8° Berl., ES Mittler & S. 01. 1.35 d
Mirau, L: Lieder a. weiter Ferne. (32) 8° Buenos Aires 04. (Lpzg, K Kaupisch.) 1 — d
Mirbach: Altes u. Neues, Helles u. Dunkles. Von Röntgen-Dörchläuchting. (47) 8° Berl. 04. Zür., C Schmidt. 1 —
Mirbach, Graf v.: Welcher Kapitalwert d. Grundbesitzes ist gerechter weise bei d.Veranlagg z.Vermögenssteuer zu Grunde zu legen?, s.: Freudenstein, O.
Mirbach, W Frhr v.: Die völkerrechtl. Grundsätze d. Durchsuchgsrechts a. See. (135) 8° Berl., C Heymann 05. 3 —
Mirbeau, O: Der Abbé. Roman. Aus d. Franz. v. L Wachsler. 2. Taus. (364) 8° Wien, Wiener Verl. 03. 3 —; geb. 4.50 d
— Die Badereise e. Neurasthenikers. (Les 21 jours d'un neurasthénique.) Übers. v. G Nördlinger. (345) 8° Budap., G Grimm 02. 3 — d
— Bauernmoral. Aus d. Franz. (137) 8° Wien, Wiener Verl. 02. 2 —; geb. 3 — d
— Enthüllgn e. Kammerzofe. Deutsch v. F Hofen. (386) 8° Budap., G Grimm 01.|| 2. Afl. (368) 01. 3 — d
— Der Garten d. Qualen. Deutsch v. F Hofen. (266) 8° Ebd. 01. || 2. Afl. (275) 02. Je 3 — d
— Las e u. and. Gesch. — Der Herr Pfarrer u. and. Gesch., s.: Bibliothek berühmter Autoren.
— Sebastian Roch. Sittenroman. Aus d. Franz. v. F Hofen. 2. Taus. (378) 8° Wien, Wiener Verl. 02. 3 —; geb. 4.50 d
— Tagebch e. Kammerjungfer. Roman. Aus d. Franz. 1.—7. Taus. (432) 8° Ebd. 01. 3 — d
Mirbt, C: Die katholisch-theolog. Fakultät zu Marburg. (261) 8° Marbg, NG Elwert's V. 05. 5 —
— Die ev. Mission als Kulturmacht, s.: Beiträge z. Missionskde.
— Quellen z. Gesch. d. Papsttums u. d. röm. Katholizismus. 2. Afl. (492) 8° Tüb., JCB Mohr 01. 7.50; geb. nn 8.50
— Der Toleranzantrag d. Centrums. Vortr. (40) 8° Lpzg, (C Braun) 01. || 2. Afl. (47) 02. Je — 60
— Der Ultramontanismus im 19. Jahrh., s.: Flugschriften d. Ev. Bundes.
— Der Zusammenschluss d. ev. Landeskirchen Deutschlds, s.: Reden, Marburger akadem.
Miřicka, A: Der Dolus eventualis, s.: Gerichtssaal, d.
Mirkoff, W: Strafbare Handlgn wider d. Ehre n. deut u. bulgar. Recht. (223) 8° Lpzg, CL Hirschfeld 03. 7 —
Mirow, L: Mozarts letzte Lebensjahre. Künstlertragödie. (144) 8° Lpzg 04. Crimmitschau, R Wöpke. 1.50; geb. nn 2.35 d
Mirsky-Tauber, R: Schüttelreime. (64)8° Prag, JG Calve04. — 50
Mirus, E: Kl. Sammlg ausgew. Männerchöre f. Hochschüler u. f. Studier. an d. obersten Cl. österr. Mittelsch., sowie f. Sangesfreunde. (100) 8° Wien, A Hölder 01. Geb. 1.05 d

Mirus, E: Kl. Sammlg ausgew. Männerchöre f. d. obersten Cl. österr. Mittelsch. (100) 8° Wien, A Hölder 02. Geb. 1.05 d
— u. N **Brücke**: Deut. Messgesänge f. gemischten Chor. Zum Gebr. an österr. Mittelsch. u. verwandten Lehranst. hrsg. (58) 8° Ebd. 02. Kart. — 56 d
Mirus, PAL: Ist d. Abstinenz Endziel? Vortr. [S.-A.] (16) 8° Lpzg, K Lentze 04. — 20
Misch, M: Beitr. z. Kenntnis d. Gelenkfortsätze d. menschl. Hinterhauptes u. d. Varietäten in ihrem Bereiche. (107 m. Abb. u. 1 Taf.) 8° Berl., M Günther 05. —
Misch, R: Biederleute. Satir. Komödie. (125) 8° Köln, A Ahn 04. 2 — d
— Das **Ewig-Weibliche**. Ein heiteres Phantasiesp. (120) 8° Lpzg 02. Berl., Harmonie. 2 —; geb. 3 — d
— Die 3 Freunde. Roman. (362) 8° Berl., C Duncker (04). 3.50 d
— Die Grossstädterin. Satir. Eheroman. (129) 8° Ebd. 01. 2.50 d
— Villa Kaltenbach. Roman. (321) 8° Lpzg (03). Berl., Harmonie. 2 — d
— Krieg im Haus. Romant. Verslustsp. (123) 8° Ebd. (03). 1.20 d
— Schauspielerehe. Novelle. (158) 8° Köln, A Ahn (04). 2 — d
— Das Schützenfest. — Die Töchter d. Doktors, s.: Erzähler, deut.
— Rittergut Tressin. Roman. (180) 8° Berl., C Duncker (03). 2.50 d
— Uebermenschen. (Tiger Borgia. Ein Renaissance-Akt. Schicksalswende. Ein Empire-Akt. Der Prophet. Ein moderner Akt.) (74) 8° Berl., Harmonie (05). 1.50; geb. 2.50 d
Misch-Kastner, M: Annemarie. Roman. (229) 8° Köln, A Ahn (04). 2.50 d
Mischewski, C: Hdb. d. Photogr., s.: Pizzighelli, C.
Mischke, H: Die Elemente d. Gesetzeskde u. Volkswirtschaftslehre, s.: Rasche, E.
Mischler, E, s.: Besitz- u. Schuldverhältnisse, ländl., in 27 Gemeinden Steiermarks. — Staatswörterbuch, österr.
Mischler, K: Quartier- & Strassenpl. v. Bern 1902 (m. Strassenverz. [a. d. Seiten] u. Hausnummern). 9. Afl. 1: 6250. 50×60 cm. Farbdr. Bern, H Körber. 1.50
Mischlich, A: Lehrb. d. hausan. Sprache (Hausa-Sprache), s.: Archiv f. d. Studium deut. Kolonialsprachen.
Mischnatractate, ausgew., in deut. Uebersetzg. 1. 8° Tüb., JCB Mohr.
Joma. Der Mischnatractat „Versöhngstag" übers. u. unter bes. Berücks. d. Verhältn. z. Neuen Test. m. Anmerkgn versehen v. P Fiebig. (34) 05. [1.]
Mises, L v.: Die Entwicklg d. gutsherrlich-bäuerl. Verhältnisses in Galizien (1772—1848), s.: Studien, Wiener staatswiss.
Miskowiec, HRM: Die Gotth. Jesu Christi im Lichte d. Vernunft, s.: Taschenbuch-Apologie.
Missa in festo S. Bedae venerabilis conf. et eccl. Doct. Die 27. mai. Ed. II. (2 in Rot- u. Schwarzdr.) Fol. Kempt., J Kösel 01. 10
— in festo beatae Crescentiae Höss, virg. III. Ord. Die 7. aprilis. (2 in Rot- u. Schwarzdr.) Fol. Ebd. 01. 10
— in festo S. Joannis Baptistae. de la Salle confessoris. Die 15. maji. (2 in Rot- u. Schwarzdr.) Fol. Ebd. 01. 10
Missae pro defunctis ad commodiorem ecclesiar. usum ex missali romano desumptae. Accedit ritus absolutionis pro defunctis ex rituali et pontificali romano. Ed. VIII. post typicam. (In Rot- u. Schwarzdr.) (47) 8° Rgnsbg, F Pustet 03. 1.20; L. 2.80; Schafldr 5 —; m. Goldkreuz u. G.80; Chagr. m. Goldkreuz u. G. 7.90
— dass. Ed. IX. post typicam. (In Rot- u. Schwarzdr.) (52 m. 1 St.) 4° Ebd. 04. 2 —; L. 3.80; Ldr 6 —; m. G. 7 —; Chagr. m. G. 9 —
— pontificales in festis solemniorib. ad usum episcopor. ac praelator. excerptae ex missali romano. (In Rot-u.Schwarzdr.) (167 m. 1 Farbdr.) 45×51 cm. Ebd. 03. 20 —; Chagr. m. G. 44 —; Kalbldr m. G. 50 —
— propriae sanctor. dioec. Osnabrugensis cum suppl., quod continet missas nonnullor. ss. patronor. in ecclesiis ecc. propriis a. s. sede apostolica approbatae. (32) 4° Osnabr., G Pillmeyer 04. nn 1.50
Missale Romanum ex decreto sacrosancti concilii Tridentini restitutum, S. Pii V. pontificis maximi jussu ed., Clementis VIII., Urbani VIII. et Leonis XIII. auctoritate recognitum. Ed. I. post alteram typicam anno superiore a s. r. c. declaratam. (In Rot- u. Schwarzdr.) (54, 616, 228 u. 4 m. Abb., farb. Titel u. 1 Farbdr.) Fol. Rgnsbg, F Pustet 01. 21 —; m. sämtl. Initialen in Farbdr. 26 —
— dass. Ed. II. post alteram uti typicam a. s. r. c. declaratam. (42, 572 u. 216 in Rot- u. Schwarzdr. m. Abb., farb. Titel u. 1 Farbdr.)4° Ebd. 02. Ausg. Ia anf starkem Maschinenpap. 16 —; Ausg. Ib auf italien. Handpap. 21 —; Ausg. II m. sämtl. Illustr. d. Kanon in Farbdr. 21 —
— dass. Ed. V. post alteram uti typicam a S. R. C. declaratam. (64, 544 u. 216 m. Abb. u. Titelbild.) 8° Ebd. 05. 7 —; geb. von 9.50 bis 15 —
— dass. (Ausg. in Rot- u. Schwarzdr.) Ed. VI. post alteram typicam. (108, 712 u. 296 m. Abb. u. 1 St.) 8° Ebd. 05. 4.80; geb. von 6.80 bis 10.80
— ad usum sacerdotum caecutientium concinnatum. Ed. III. (In Schwarz- u. Rotdr.) (124, 8 u. 4 m. Abb. u. 1 Farbdr.) Fol. Ebd. 02. 10 —; Ldr m. G. 16 —; Chagr. m. G. 19 —
Missalek, W: Die Bedeutg d. Phonetik f. d. Deutschunterr. (40) 8° Bresl., WG Korn 01. — 50 d

Missalek, W: Rechtschreiblesefibel n. phonet. Grundsätzen. 3. Afl. (96 m. Abb.) 8° Bresl., WG Korn 02. Geb. — 40; m. Anh. (104 m. Abb.) — 50; m. Einführg in d. Lateinschrift. (112 m. Abb.) — 55 d
— Rechtschreibübgn f. d. Hand d. Schüler. 2 Hefte. 8° Bresl., Priebatsch. nn — 35; Lehrerheft. (56) — 60 d
1. (Unterst.) (24) nn — 15 ‖ 2. (Mittel- u. Oberst.) (32) — 20. .
— Sprachlehre in Beisp. u. Übgn. 2 Hefte. 8° Ebd. 05. (´03 u. ´05.) (03). — 50 d
1. (Mittelst.) (28) — 20 ‖ 2. (Oberst.) (56) — 30.
— Die grundleg. Übgn in d. Rechtschreibg. 4. Afl. (48) 8° Ebd. (03). — 25 d
Missbach, ER: Flora v. Deutschl., s.: Sturm, J.
Missbrauch, d., d. Reichstagswahlrechts durch d. Sozialdemokratie. Mahnwort an d. deut. Volk v. Arminius. (16) 8° Berl., O Elsner 04. — 20
Mission, d., d. Brüdergemein'e in Missionsstunden. Hrsg. v. G Burkhardt. 4. u. 5. Heft. 8° Herrnh., Missionsbb. Je 1 — d (1.50) 1 —
Burkhardt, G: Süd-Afrika. (111) Lpzg 01. [4.] Schulzt, A: Moskitoküste in Nicaragua. (79) 05. [5.]
— d. innere, in Berlin. Zeitschrift f. Verständnis u. Förderg ev. Liebesarbeit in d. Hauptstadt. Hrsg. v. W Pfeiffer. 1. u. 2. Jahrg. 1904 u. 5 je 4 Hefte. (1904. 1. Heft. 52) 8° Berl. (NW., Alt-Moabit 133), Stadtausschuss f. i. M. Je 2 — d 0 H
— d. rhein., in Kaiser Wilhelms-Land, s.: Missionstraktate, rhein.
Missionär, der Illustr. Zeitschrift f. d. katbol. Volk. Hrsg. v. d. Gesellsch. d. göttl. Heilandes. Verantwortlich: L Herren. 22. u. 23. Jahrg. 1902 u. 3 je 12 Nrn. (Nr. 1. 32) 4° Herbesthal. (Aach., I Schweitzer.) Je 2 — d H
— dass. Illustr. Monatsschrift f. katbol. Familien z. Belehrg u. Unterhaltg. Hrsg. v. d. Gesellsch. d. göttl. Heilandes in Rom. Verantwortlich 1904: L Herren, 1905: L Burkard. 24. u. 25. Jahrg. 1904 u. 5 je 12 Nrn. (Nr. 1. 32) 8° Ebd. Je 2 — d
Missionen, d., ev. Illustr. Familienbl. Hrsg. v. J Richter. 7— 11. Jahrg. 1901—5 je 12 Hefte. (292, 292, 288, 288 u. 288) 8° Gütersl., C Bertelsmann. Je 3 —; geb. je 4 —;
m. Saml. u. Ernte je 3.75 d
— d. ev., in d. deut. Kolonieen u. Schutzgebieten. Hrsg. v. d. Ausschuss d. deut. ev. Missionen. 3. Afl. (136 m.Abb.) 8° Berl., Bh. d. Berliner ev. Missionsgesellsch. 1 — d
— d. katbol. Illustr. Monatsschrift, im Anschl. an d. Lyoner Wochenschrift d. Ver. d. Glaubensverbreitg hrsg. v. ein. Priesterd. Gesellsch. Jesu. (Red.: A Streber.) 30—34.Jahrg. Oktbr 1901—Septbr 1906 je 12 Nrn. (Je 284 u. 24 m. Titelbild.) 4° Freibg (Br., Herder 01. Hrsg.). geb. je 6 —; cinz. Nrn — 40 d
Missionsarbeit, rhein., 1828—1903. Gedenkb. z. 75jähr. Jubiläum d. rhein. Mission. (Einbd: 75 Jahre rhein. Missionsarbeit. (319 m. Abb.) 8° Barm. 03. (Lpzg, HG Wallmann.) L. nn 1 —
Missions-Berichte, Berliner. Hrsg. u. Red.: Wendland u., seit 1902, Gänsichen. Jahrg. 1901—5 je 12 Nrn. (´05. 550 m. Abb.) 8° Berl., [Bh. d. Berliner ev. Missionsgesellsch.]. Je 1.40 d
Missionsbilder, ostafrikan. 2—4. Heft. (Mit je 1 Titelbild.) 12° Berl., M Warneck (01). Je — 15 (Vollst.: — 40) d
2. Wälbnachtsgf&te, d. Je — 15 (Vollst.: — 40) d 8. Muesa u. Mariamu. Alšte vüflassen u. wäder bäkommen. (24) 8. Ngämbi, schwařt u. wöised, in Hohenfriedeberg. (24)
Missionsblatt. Hrsg. v. d. Missions-Gesellsch. in Barmen. Red.: E Kriele. 76—80. Jahrg. 1901—5 je 12 Nrn. (Nr. 1. 8 m. Abb.) 4° Barm., Comptoir d. Mission. Je nn 1.25 d
— d. Brüdergemeine. Red.: T Bechler. 65—69. Jahrg. 1901 —5 je 12 Nrn. (1901. Nr. 1.12 m. Abb.) 4° Herrnh., Missionsbb. Je 1.40 d
— Calwer. Red.: J Hesse. 74—78. Jahrg. 1901—5 je 12 Nrn. (Nr. 1. 8 m. Abb.) 4° Calw u. Stuttg., Vereinspbh. Je 1.50 d
— ev.-luther. Red. v. Handmann. 56—60. Jahrg. 1901—5 je 24 Nrn. (Nr. 1. 24 m. Abb.) 8° Lpzg, Verl. d. ev.-luther. Mission. Je 1.20; einz. Nrn — 10 d
— d. allg. ev.-protestant. Missionsver. Red. v. Schick u., seit 1904, A Kind. 17—21. Jahrg. 1901—5 je 12 Nrn. (Nr. 1. 8 m. 1 Abb.) 8° Eidlbg, Ev. Verl. Je — 60 d
— d. Frauen-Ver. f. christl. Bildg d. weibl. Geschlechts im Morgenl. Red.: Thiele. 37—41. Jahrg. 1901—5 je 12 Nrn. (´05. 200) 8° Potsd. (Berl.), Bh. d. Berliner ev. Missionsgesellsch.) Je 1.50 d
— d. bannov. ev.-luther. Freikirche. Red.: E Drevés. 3. u. 4. Jahrg. 1901 u. 2 je 12 Nrn. (Nr. 1. 12) 8° Celle, Exped. Je 2 — d 0 H
— bannov. Red.: W Wendebourg. 22—26. Jahrg. 1901—5 je 12 Nrn. (Nr. 1. 8) 8° Mit Beibl.: Hannov. Missions-Volksbl. (Nr. 1. 4 m. 1 Abb.) Hannov., H Feesche. Je nn 1 — d
— Hermannsburger. Red.: G Haccius. 48—52. Jahrg. 1901 —5 je 24 Nrn. (Nr. 1. 16) 8° Hermannsbg, Missionshandlg. Je 1.50 d
Das Beibl., erscheint nicht mehr.
— illustr., f. d. deut. Volk.Wohlf. Ausg. d. „Missions-Freund". Hrsg. u. red. v. A Merensky. 56—60. Jahrg. 1901—5 je 12 Nrn. (´05. 96) 4° Berl., Bh. d. Berliner ev. Missionsgesellsch. Je — 80 d
Nur v. 10 Stück an zu beziehen.
— d. westdeut. Ver. f. Israel. Schriftleiter: F Stölle, 1904, Hötzel, 1905 Wagner. 10—14. Jahrg. Neue Folge 9—13.Jahrg. 1901—5 je 12 Nrn. (´01—4. 188 188, 192 u. 200) 8° Köln, Westdeut. Ver. f. Israel. Je 1.50 d
— f. uns. liebe Jugend. Hrsg.: G Haccius. 4—8. Jahrg. 1901 —5 je 12 Nrn. (Nr. 1. 4 m. Abb.) 4° Hermannsbg, Missionshandlg. Je — 20 d

Missionsblatt, katbol. Sonntagsbl. z. relig. Belehrg u. Er-
baug. Red.: B Komnik. Nebst: Hausschatz. Red.: F Essmann.
50—54. Jahrg. 1901—5 je 52 Nrn. (Nr. 1. 16 u. 16) 8° Dülm.,
A Laumann.   Viertelj. — 50 d
— f. Kinder. Red. v. J Hesse. 60—64. Jahrg. 1901—5 je 12 Nrn.
(Nr. 1. 12 m. Abb.) 12° Calw u. Stuttg., Vereinsbh. Je — 75 d
— Königsberger. Vom Missionsver. hrsg. Red.: Baumann.
Jahrg. 1901. 12 Nrn. (Nr.1—9. 94) 4° Königsbg l/Pr., Ostpreuss.
Druckerei u. Verl.-Anst.   Halbj. nnn —60 d 6 H
— Nürnberger. Hrsg. v. Central-Ausschuss d. ev.-luther.
Missions-Ver. f. Bayern in Nürnberg. Red.: H Köberle u.,
seit 1903, G Seiler. Jahrg. 1901—5 je 12 Nrn. (Nr. 1 u. 2. 16
m. Abb.) Fol. Rothnbg o/T., (JP Peter).   Je nn 1 — d
— schleswig-holstein. Berichte d. schleswig-holstein. ev.-
luth. Missionsgesellsch. an Breklum. Red.: R Bahnsen u. T
Dittmer. 26—29. Jahrg. Neue Folge 15—18. Jahrg. 1901—4 je
12 Nrn. (Nr. 1. 8 u. 4 m. 1 Karte.) 4° Brekl., (Christl. Bh.)
    Je nn 1 — d
Fortsetzg war nicht zu erhalten.
Missions-Blätter. Illustr. Zeitschrift f. d. katbol. Volk. Red.
v. C Wehrmeister. Neue Folge. 1. Jahrg. 1897. 12 Nrn.
(384 Sp.) 8° St. Ottilien, Missions-Verl. 1.50 ǁ 2—6. Jahrg. 1898
—1902 je 4 Nrn. (120, 128, 128, 128 u. 128) Je 1 — ǁ 7. Jahrg.
Jan.—Septbr 1903. 3 Nrn. (88) 1 — ǁ 8. Jahrg. Oktbr 1903—
Septbr 1904. 12 Nrn. (192)   1.50 d
— dass. Mit d. Beil.: „Stimmen a. St. Ottilien". Red. v. C Wehrmeister, 10. Jahrg. B Sauer. Neue Folge. 9. u. 10. Jahrg. Oktbr
1904 —Septbr 1906 je 12 Nrn. (Nr. 1. 16) 8° Ebd.   Je 1.50 d
Missionsbote, der. Hrsg. f. d. Mission d. bischöfl. Methodisten-
kirche. Red. v. GA Schneider. Verantwortlich: H Burkhardt.
43—47. Jahrg. 3. Folge. 8—12. Bd. 1901—5 je 12 Nrn. (Nr.1—3.
24 m. Abb.) 8° Brem., Bh. u. Verl. d. Traktathauses. Je — 80 d
— d. kleine, z. besten d. schles. Missions-Hilfsver. f. d. Kols
u. Deutsch-Ostafrika hrsg. v. P Gerhard. 29—33. Jahrg. 1901
—5 je 4 Nrn. (1901. Nr. 1. 20) 8° Bresl., (C Dülfer). Je — 60 d
— Steyler. Vormals Steyler Herz-Jesu-Bote. Monatsschrift d.
Glaubensverbreitg. Red.: F Schwager. Verantwortlich: In
Deutschl. J Reidick, 33. J.: G Grenz; in Oesterr. M Münzinger.
30—33. Jahrg. Oktbr 1902—Septbr 1906 je 13 Nrn. (Nr. 1. 16 m.
Abb.) 4° Steyl, Missionsdr.   Je 1 — d
Bisher u. d. T.: Herz-Jesu-Bote, Steyler.
Missions- u. Heidenbote, d., nebst Beibl. Begründet v. L Doll.
Hrsg.: J Starsberg. 23. Jahrg. 1901. 12 Nrn. (288 Sp. u. 96 S.
m. Abb.) 4° Neukirch., Missionsbh. Starsberg & Co.   1.60;
geb. 2.20 ǁ 24—27. Jahrg. 1902—5. Je 2 — ; geb. Je 2.75 d
Missions-Buch, elsäss., v. e. Priester d. Gesellsch. Jesu. 46. Afl.
v. JG Aman. (423 m. Titelbild.) 8° Saarl., F Stein Nf. 01. — 60;
L. — 90; Ldr 1.15; m. G. 1.35.
Neue Afl. s.: Aman, JG.
— d. neue, d. Congregat. d. allerhlst. Erlösers. Hauptsächlich
entnommen a. d. Werken d. hl. A v. Liguori. 5. Afl. (504 m.
Titelbild.) 16° Freibg i/B., Herder 05.   — 90; L. 1.20 d
Missionsbüchlein. (Von F Askani.) 2. Afl. (72) 8° Freibg i/B.,
O Fleig (04).   nn — 50 d
*Die 1. Afl. erschien u. d. T.: Askani, F: Kurzer Leitf. f. d.
Unterr. in d. Heidenmission.*
— d. alten deut. Jesuiten-Missionäre. Gebet-. Lehr- u. Trost-
Büchl. f. d. christl. Volk. Neue Ausg. (268) 16° Aach., R Barth,
Verl. 1896.   Geb. (— 50) — 60 d
— f. d. katbol. Volk. (72 m. Titelbild.) 16° Ess., Fredebeul &
K. 05.   — 20 d
Missions-Dienst an d. Grossstadt. Monatsbl. d. Hallischen
Stadtmission m. Nachrichten a. and. Stadtmissionsgeb. Hrsg.:
UG Hobbing. 3. Jahrg. März—Decbr 1905. 10 Hefte. (148) 8°
Halle, Bh. d. ev. Stadtmission.   Viertelj. nn — 50 d
Bisher u. d. T.: Stadtmission, d., ev., jedoch nicht im Handel.
Missions-Freund, der. Red. u. Hrsg.: A Merensky. 56—60. Jahrg.
1901—5 je 12 Nrn. ('05. 96 m. Abb.) 4° Berl., Bh. d. Berliner
ev. Missionsgesellsch.   Je 1.20; m. Bestellgeld je 1.40 d
Kleine Ausg. s. u. d. T.: Missionsblatt, illustr., f. d. devt. Volk.
— evangel. Missionsbl. z. Förderg u. Unterstützg d. Mission.
Red.: G Füssle. 24—28. Jahrg. 1901—5 je 12 Nrn. (Nr. 1. 8 m.
1 Abb.) 8° Stuttg., Christl. Verl.-Haus.   Je 1.20 d
— d. kleine. Hrsg. v. J Spiecker. 47—51. Jahrg. 1901—5 je 12
Nrn. (Nr. 1. 16 m. Abb.) 12° Barm., Comptoir d. Missionsh.
    Je 1 — ; bill. Ausg. fnn — 25 d
— d. kleine. Missionsbl. f. Sonntagssch., hrsg. v. Sammelver.
f. d. Berliner Missionsgesellsch. Red. u. Hrsg.: A Merensky.
3—7. Jahrg. 1901—5 je 12 Nrn. ('05. 48 m. Abb.) 4° Berl., Bh.
d. Berliner ev. Missionsgesellsch.   Je — 20 d
Nur v. 20 Stück an zu beziehen.
Missions-Geschichten m. Bildern f. Kinder. Hrsg. v. d. Missions-
konferenz in d. Prov. Brandenburg. 2. Sammlg. (17) 12° Berl.,
Bh. d. Berliner ev. Missionsgesellsch. (01). — 10 (1 u. 2.: — 20) d
Missionsglocke, die. Red. v. A v. Lewinski. Jahrg. 1901—5 je
12 Nrn. (Nr. 1. 4 m. 1 Abb.) 4° Lpzg, Verl. d. ev.-luther. Miss.
    Je — 12 d
Nur v. 100 Stück an zu beziehen.
Missionsharfe, grosse. Geistl. Liederb. f. gemischten Chor,
sowie f. Klavier- od. Harmonium-Begleitg. Hrsg. v. HGE
Niemeyer. 2 Bde. 8° Gütersl., C Bertelsmann.   4.50;
    Einbde je — 80 d
I. 20. Afl. (264) 04. 2 — ǁ II. 3. Afl. (275) 02. 2.50.
— kleine, im Kirchen- u. Volkston f. festl. u. ausserfestl. Kreise.
67. Afl. (144) 8° Ebd. 05.   nn — 30 d

Missionshelden. I.—III. 8° Bas., Basler Missionsbh. — 56 d
Steiner, P: Hans Egede an Grönlds Westküste. (32 m. Abb.) 03. [I.] — 15
— Vater Freeman, e. schwarzer Missionspionier. (65 m. Abb.) 03.[III.] — 25
— David Zeisberger, d. Indianer. FFreund. (40 m. Abb.) 05. [II.] — 16
Missionskalender, ev. 1906. 27. Jahrg. (64 m. Abb. u. 1 Farbdr.)
8° Bas., Basler Missionsbh.   — 20 d
— Hermannsburger. 1906. 4. Jahrg. (48 m. Abb. u. 1 Farbdr.) 8°
Hermannsbg, Missionshandlg.   — 20 d
— illustr., f. d. ev. Haus f. 1905. Hrsg. von v. Schwartz. (224
m. Abb.) 8° Gütersl., C Bertelsmann. 1.50; geb. 2 — ǁ 1906.
    (180 m. Abb.) 1 — ; geb. 1.50 d
— Kameruner, f. 1906. 12. Jahrg., hrsg. v. d. Kongregat. d.
Pallottiner z. Limburg a. d. Lahn. (104 S. u. 20 Sp. m. Abb.
u. 1 Farbdr.) 8° Limbg, Kongregat. d. Pallottiner.   — 50 d
Missions-Kinderfreund. Hrsg. v. AW Schreiber. 1. u. 2. Jahrg.
1904 u. 5 je 12 Nrn. (Nr. 1. 4 m. 1 Abb.) 4° Brem., Norddeut.
Missionsgesellsch.   Je nn — 12 d
Missionsleben unter d. Rothäuten Nordamerikas. (24 m. Abb.)
8° Bas., Basler Missionsbh. 05.   — 30 d
Missionsliederbuch, kl. bannov. Hrsg. v. Verband bannov.
Missionsver. 51—55. Taus. (24) 8° Hannov., H Feesche 04.
    — 10 d
Missions-Magazin, ev. Hrsg. v. P Steiner. Neue Folge. 45—
49. Jahrg. 1901—5 je 12 Hefte. (532, 524, 524, 524 u. 508 u.
je 64 m. je 12 Taf.) 8° Bas., Basler Missionsbh.   Je 5 — d
Missionsschriften, Bremer. Nr. 1—13. (Mit Abb.) 8° Brem.,
Norddeut. Missions-Gesellsch.   1.40 d
Diakonissen-Arbeit in Keta. (16) 01. [3.]   — 10
Fies, K: Mauchtöfei Eleöd untrr d. Erbevolk. (30) 01. [6.]   — 10
Flothmeier: Eine Lagunenfahrt. (15) 02. [7.]   — 10
Oswald, C: 50 Jahre Missionsarbeit in Keta. (20) 05. [11.]   — 10
Schreiber, AW: Die norddeut. Missions-Gesellschaft. Überblick in Wort
u. Bild. (16) 01. [1.]   — 10
— Der alte brem. Missions-Verein. (37) 01. [2.]   — 10
Seeger, Fitse: Die 1. Anfänge in Amedschowhe. (20) 01. [5.]   — 10
Seidel, H: Bilder a. d. Alltagsleben d. Togoneger. (20) 03. [9.]   — 10
Spiess, C: Die Gründg v. Agu. (23) 02. [5.]   — 10
Spieth, J: Die Entwicklg. e. v. Christengemeinde im Ewe-Lande. Vortr.
(16) 03. [12.]   — 10
— Das Sühnebedürfnis d. Heiden im Ewelande. Ansprache. (12) 03. [13.]
    — 10
Tirtsch, G: Samuel Böhm, d. 1. ev. Missionar Ungarns. (16) 03. [10.] — 10
— kl. Hermannsburger. Nr. 20—39. 8° Hermannsbg, Missions-
handlg.   3.85 (1—39.: 6.45) d
Dödekind. CW: Ein Flüchtsleben im Sululand. (24) 03. [27.]   — 10
Haccius, G: Der Betschuanen-Missionar Georg Behrens zu Harmshope
in Südafrika. (32 m. Titelbild.) [26.] [29.]   — 50
— Der Betschuanen-Missionar Wilh. Behrens zu Bethanie in Südafrika.
(72 m. Abb.) 01. [24.]   — 50
— Friedrbundschaft a. unfub. Kriegszeit in Transvaal. (16) 04. [37.] — 10
— Gott bittet Japhet ans. Missionspredigt. (16) 03. [33.]   — 10
— Lichtbilder a. dunkler Kriegszeit in Transvaal. (16) 04. [36.]   — 10
— Dass d. Hermannsburger Mission sichtlich e. Werk Gottes ist. Vortr.
1900. [20.]   — 10
— Joh. Hinrich Nagel, d. gottreu Freund d. Hermannsburger Mission.
(48 m. Abb.) 03. [38.]   — 50
— Der Betschuanen-Missionar u. Propst Christoph Penzhorn zu Saron in
Südafrika. (83 m. Abb. u. Titelbild.) (05) [35.]   — 50
Penzhorn, T: Narayana od. d. Bekehrg e. Hindu. (22) 01. [27.]   — 10
Schulz, L: Ludelas Wundon u. ihre Heilg. Vortr. (16) 01. [35.]   — 10
— Die Kinderkostschule auf d. Station Gudur in Indien. (32 m. Abb.)
02. [29.]   — 10
— Der Zweigebrorene. Aus d. Engl. (15) 02. [28.]   — 10
Wecken, M: Die Hermannsbg. Mission in Südafrika in u. n. d. Buren-
kriege. (16) 04. [34.]   — 10
Wörrlein, J: Ist in Indien e. besond. Frauenmission nötig? (16) 02. [31.] — 10
— Hefma. Ernst Jürgenmeier. Von 1888—92 Missionar in Indien. (16)
01. [22.]   — 10
— Christian Schomburg, 1860—1891 Missionar in Indien. (16) 01. [25.] — 10
— Peter Wilh. Heinr. Lüchow. Von 1888—92 Missionar in Indien. (16)
01. [21.]   — 10
— Reiss v. Gudur ab. Jerusalem n. Hermannsbg. (64 m. Abb.) 01.
[23.]   — 50
— Karl Scriba, Missionar in Indien. (16 m. 1 Bildnis.) (03.) [32.] — 10
— f. Kinder. Nr. 27, 30 u. 38—50. (Je etwa 16 m. Abb.) 16° Berl.,
Bh. d. Berliner ev. Missionsgesellsch.   Je — 05 d
Glöckner: Petrus Loblengwane, d. Helfer in Hoffenthal, e. Lebensbild
a. d. Sulumission. (02.) [42.]   — 5
Heide, d., n. wir. (04.) [46.]   — 5
Merensky, A: Etwas a. d. Mission in Kaiser-Wilhelmsland, Neuguinea.
(04.) [40.] ǁ Kinderleben in Afrika. 2. Afl. (01.) [39.] ǁ Kinderleben in
Kamerun. (01.) [47.] ǁ Krieg m. d. Waheho u. Frieden d. Hehelander
in Deutsch-Ostafrika. (01.) [49.] ǁ Das Missionsleben im Lande d. Herero
v. Deutsch-Ostafrika. 2. Afl. (01.) [27.] ǁ Die Schreckensfahrt v. Kimberley.
(01.) [40.] ǁ Der alte Sefanja. Eine Geschchte u. d. Witu-Inseln. (03.) [44.]
Nösberg: Missionsanfänge in Mubanga unter d. Wahehe in Deutsch-Ost-
afrika. (05.) [50.]   — 5
Reuter: Paula Ndumbane. Wie a. e. Saulus a. Paulus wird. (01.) [41.]
Schlobmann: Mokokotschana in Malokona, a. e. Zaubernester e. Jünger
Jesu. (03.) [45.]   — 5
Sonntag: Von 2 Knaben, e. weisser u. e. schwarzer, Mission getrieben
haben. (03.) [43.]   — 5
Voskamp: Merkwürd. Lebensführg e. chines. Christen. (03.) [47.]
Wessmann: Philippus Thai, e. treuer Nationalhelfer im Hereuolande.
(03.) [46.]   — 5
— neue. Nr. 25, 34, 38 u. 51—80. (Mit Abb.) 8° Ebd. 2.80 d
Bovula, JJ: Der König Tod u. s. Diener. Redé. Uebers. v. A Kropf. (5)
(01.) [67.]   — 10
Büttner, F: Japan, d. Land d. aufgeh. Sonné. (31) (25.) [77.]   — 20
Eisstein: Um e. Mädchenseele. Bine Gesch. a. d. Mission in Transvaal.
(15) (03.) [71.]   — 10
Endemann, K: Jap Sewuachane od. Im Wöttsr gen Himmel. (15) (01.) [62.]
    — 10
Fleck, P: Aus d. Leben d. Missionars FFanz Coillard. (16) 03. [79.] — 10
Flex, O: Untr d. Uraun. (12) (01.) [61.]   — 10
Heine, F: Wie Wörbzig christlich u. deutsch wurde. (16) (03.) [76.] — 10

122

Hoppé: Eine Johannesseele od. e. Frucht a. d. Missionsarbeit in Wartburg im Kafferland. (24) [01.] [66.] — 15
— Stefan Schwehn, d. Evangelist in Wartburg (Kafferland). (20) (05.) [78.] — 10

Bußfig, F: Der Krüppel Ho-a-ngi-pak, e. Lichtgestalt a. d. China-Mission. 4. Afl. (15) (01.) [88.] — 10
Löscher, FW: Allerlei a. China. (16) (01.) [63.] — 10
— Bilder d. Todes u. Bilder d. Lebens a. China. (16) (01.) [64.] — 10
— Vom bretten a. schmalen Wege. Lebensbild a. d. chines. Mission. (15) (02.) [70.] — 10
Petrich, H: Wilh. Licht. Ein Lebensbild a. d. heim. Missionsgemeinde. (20) (01.) [66.] — 20
— Pastor Meinhof. Aus d. Leben e. Missionszeugen im vor. Jahrh. (30) (02.) [74.] — 15
Posaunen, d., v. Medingen. (20) (03.) [75.] — 15
Rhein, W: Die Frauen Chinas. (15) (02.) [73.] — 10
Richter, J: Frederik Salomo Oppermann. 3. Afl. (24) (01.) [84.] — 15
Schlegelmilch, F: Bartholomäus Ziegenbalg, d. 1. Missionar d. luther. Kirche. (30) (02.) [69.] — 20
Tschadderschi, KT: Zum Licht od. Wie e. Brahmane Christum fand. Lebensgesch. d. Tsch. Von ihm selbst erzählt. Aus d. Engl. v. M F. (16) (05.) [80.] — 10
Tsön-fen-tshu : Das Wichtigste a. d. Tagen meines Lebens. Aus d. Chines. v. Löscher. (16) (01.) [65.] — 10
Voskamp : Mittelj̃en a. d. Leben d. chines. Gelehrten Li-syn-tahoi. Von ihm selbst aufgezeichnet. 3. Afl. (16) (01.) [25.] — 10
Westphal : Theus Blöm. Ein Kirchenältester unter d. Koranna-Hottentotten. (16) (02.) [72.] — 10

Missionsschriften, neue. (Neue Folge.) Nr. 1 u. 2. (Je 16) 8° Berl., Bh. d. Berliner ev. Missionsgesellsch. (05). Je — 10 d
— rhein. Nr. 85—87, 109, 115—121 u. 125. (Mit Abb.) 8° Barm., Comptoir d. Missionshauses. 3.15 d
Axstilt, van : Johannes Huta Pea. Der Evangelist d. Batang-torn-Tales. (Nach d. holl.) Vader an Zoon, ü̃b̃ Batta-Christenen.) (36) 02. [110.] — 15
Fehr : Ein Häuptling v. Nias. (16) 02. [117.] — 10
— Der Niasser im Leben u. Sterben. (57) 01. [115.] — 20
Meerwaldt, JH: Siebdhumel in d. Tobasee. (96 m. 1 Karte.) (01.) [100.] — 25
Pohlig : Petrus Silltonga. Ein früh vollendeter Batak. (70) 02. [116.] — 15
Riechmann, H: Unter d. Zwartboois auf Franzenfontein. (56) [83.] 1899. — 15
Schreiber, A: Eine Missionsreise in d. fernen Osten. 1898—99. I. Sumatra. (120 m. 1 Karte.) 1899. [84.] — 30 ‖ II. Nias u. Borneo. (98) 1899. [65.] — 15 ‖ III. China. (51) 1899. [86.] — 15
— Sumatra. Mökka. Die Türken. 3. Aufstand üb. d. Islam. (32) 1899. [87.] — 10
Storsberg, G: Christian Nibin, e. dajakk. Schulmeister. (23) 02. [112.] — 10
Sundermann, H: Die Insel Nias u. d. Mission daselbst. (Mit Anh.: „Nias. Lit.") (259 m. Abb.) 05. [128.] 1.—
Zimmer, Vater, Sein Leben u. Wirken. 2 Tle. (67 u. 61 m. Abb.) 03. [120.21.] Je — 10

Frühere u. fehl. Nrn s. u. d. T.: Missions-Traktate, rhein.

Missions-Studien, Basler. 1—29. Heft. 8° Bas., Basler Missionsbh. 13.60 d
Büchler, T: Unabhängigkeitsbewegg. d. Farbigen in Südafrika. (40) 03. [16.] — 40
Boßmann, W: 4 Tab. z. Gesch. d. Basler Mission. [S.-A.] (16) 02. [11.] — 30
Dürer, W: Krischna od. Christus? Relig.-geschichtl. Parallele. (64) 04. [26.] — 50
— Das Ringen d. d. Landessprache in d. ind. Missionsarbeit. (40) 03. [12.] — 50
Eppler, P: Die neueste Mission im Spiegel d. altchristl. u. Harnack, m. e. Nachwort üb. Jesus Christus u. d. Weltmission. (44) 03. [16.] — 60
Feldmann, H: Die ärztl. Mission unter d. Heiden u. Mohammedanern. (176) 04. [22.] 1.80
Frohnmeyer, LJ : Missionsarbeit in Indien. (48) 05. [29.] — 90
Badorn, W: Mission u. Nationalität im Blick auf d. Mission d. alt. Christenheit. (37) 01. [8.] — 40
Haller, J: Die Vorbildg una. Missionare. (40) 04. [23.] — 50
Hoch, M: Die Aufg. d. Missionspredigt in Indien. (27) 01. [8.] — 40
— Die Taufbewerber in d. ind. Mission, ihre Beweggründe u. ihre Behandlg. (46) 01. [4.] — 40
Lauterburg, M: Rückblick auf d. Gesch. d. ev. Mission im 19. Jahrh. (78) 01. [7.] — 50
Milchör, C: Die Christianisierg d. Sprachen Afrikas. (55) 05. [28.] — 50
Müscher, E: Die Mission, d. Urheberin u. Mutter d. Schrift. (34) 01. [1.] — 40
— Missionsedit. Missionsmethode. Missionageist. (34) 04. [19.] — 40
Oehler, T: Welche Anfg. stellt d. Erziehg d. Heidenchristen h. kirchl. Selbständigk. an d. ev. Mission? [S.-A.] (24) 03. [17.] — 40
— Üb. d. Berechtigg d. Unterscheidg zw. wahrer u. falscher Relig. (16) 05. [27.] — 30
— Die Mission u. d. Zukunft d. Reichs Gottes. (16) 02. [10.] — 30
— Monotheismus u. Offenbarungsrelig. (16) 03. [13.] — 30
— Enthält d. Neue Test. bind. missions-method. Vorschriften ? (14) 01. [8.] — 30
— Weltregierg u. Reichsregierg Gottes. (16) 01. [6.] — 30
Fiton, C: Der Buddhismus in China. (27) 02. [12.] — 40
— Konfuzius, d. Heiligé Chinas. (45) 03. [14.] — 60
Riggenbach, E: Die Relig. n. sittl. Erziehg heidenchristl. Gemeinden in d. Korintherbriefen. (30) 04. [20.] — 50
Schlatter, W: Die chines. Probleme- u. Christenwerthg v. Sommer 1900. (78) 01. [7.] — 50
Stöckel, F: Kulturarbeit d. Basler Mission in Westafrika. (34) 04. [24.] — 40
Wörm, P: Die Relig. d. Küstenstämme in Westafrika. (34) 04. [22.] — 50
Würz, F: Die muhamed. Gefahr in Westafrika. (26) 04. [21.] — 40
— Die Basler Mission in Kamerun u. ihre gegenwärt. Arbeit. (27) 09. [9.] — 70

Missions-Taube. Nachrichten a. d. Missionsgebiet d. Heimath u. d. Ausl. Hrsg. f. d. ev.-luther. Synodalconferenz v. Nordamerika v. d. Commission f. d. Negermission; red. v. R Kretzschmar. 23. u. 24. Jahrg. 1901 u. 2 je 12 Nrn. (Nr. 1. 8 m. Abb.) 4° St. Louis, Mo. (Zwick., Schriften-Ver.) Je 1.20 d
— dass. Missionszeitschrift d. ev.-luther. Synodalconferenz v. Nordamerika. Red. v. R Kretzschmar. 25—27. Jahrg. 1903—5 je 12 Nrn. (Nr. 1. 8 m. Abb.) 4° Ebd.

Missions-Traktate, kleine. Nr. 28—44. (Je etwa 16 m. Abb.) 16° Barm., Comptoir d. Missionsh. Je — 05 d
Bernamann, F : Vom Hüttenjungen z. Evangelisten. 04. [42.] — 5
Elisabeth u. Anna. 2 schlichte Lebensbilder a. d. Neu es-Mission. 1899. [28.] — 5
Gentiler, J : Ein Schiffsgespräch üb. d. Mission. 01. [32.] — 5
Hömgang, sel., v. Kinder'n. 1900. [—] — 5
Hochstetter, G: Auf'm Felder u. e. Hochstätärfiöst m. Todesgefahr. 01. [34.] — 5
Jugendtage zweier niass. Dorfgenossen. 01. [36.] — 5

Mädchen, e. dajak., d. gerne e. Christin werden wollte u. auch wurde. (05.) [44.] — 5
Mörder, e., u. e. Kopfabschneider, ihre Bekehrg u. Taufe. (05.) [43.] — 5
Meerwaldt, J : 2 Batakknaben. 01. [33.] — 5
Olpp, J : Und das war e. Hottentott! 3 Gesch. (04.) [40.] — 5
Papenkinder, d., in d. Schule. 03. [39.] — 5
Paulus, d. blinde. 1899. [29.] — 5
Priesterin, e. alte, d. 1. Christin auf d. Westküste v. Nias. 01. [35.] — 5
Rebekka, e. treues Herrenmädchen. (04.) [41.] — 5
Sife, e. niass. Christenmädchen. 05. [38.] — 5
Von schwarzen, braunen u. gelben Kindern. 01. [37.] — 5
Wilhelm u. Marta Radja Israel. Kurze Lebensbilder a. Sumatra. 1899. [80.] — 5

Missions-Traktate, kleine. Nr. 17, 27, 28 u. 61. (Je 16) 16° Bas., Basler Missionsbh. Je — 04 d
Ernstes u. Heiteres a. d. Südsee. 12. Afl. 01. [28.] — 5
Hand, d. gute, Gottes u. d. Mission. 4. Afl. 01. [27.] — 5
Rottmann, S : Um d. Abend wird es licht sein. 01. [61.] — 5
Unter d. Pescheräha. Allen Gardiner's Tod u. dessen Frucht im Feuerlande. 2. Afl. 01. [17.] — 5
— **rhein.** Nr. 88—108, 110—114 u. 122—124. (Mit Abb.) Barm., Comptoir d. Missionsh. 4.15 d
Brincker, PH: Una. Ovambo-Mission, sowie Land, Leute, Relig., Sitten, Gebräuche, Sprache usw. d. Ovakuanjama-Ovambo. (76 m. 1 Karte.) 8° 1900. [101.] — 25
Eich, Frau: Elia Kandirikirira. Lebensbild e. Herero-Evangelisten. (20) 8° 01. [108.] — 10
Erstlinge v. d. Arbeitsgebieten. d. rhein. Mission. (48) 12° 1899. [94.] — 10
Fehr, JA: Sasira u. Sira'ias od. d. mich frühe suchen, finden mich. (30) 8° 01. [113.] — 10
Fetero od. Der gold. Faden d. vorbereit. u. beruf. Gnade Gottes. (30) 8° 01. [106.] — 10
Genübr, I : China u. d. Chinesen. (28) 8° 01. [113.] — 10
— Deren d. Welt nicht wert war. Berichte üb. Verfolggn chines. Missionare. (32) 8° 01. [110.] — 10
— Die Wirren in China in neuer Beleuchtg. Salongespräch üb. d. Mission. (24) 8° 01. [111.] — 10
Hilern, d., geweiht. Ein Frauenleben im Dienste d. Mission. (30) 12° 1900. [96.] — 10
Himmelreich, JF: Ovamboland. 1. Heft. Land, Leute, Heidentum d. Ovambo. (20) 12° 1900. [95.] ‖ 2. Heft. Gesch. d. Mission unter d. Ovambo. (24) 1900. [96.] Je — 10
Lett, A : Im Dienst d. Evangeliums. 1. Heft: Ein Vorbereitgs- u. Reisejahr. (108 m. 1 Karte.) 8° 01. ‖ 2. Heft: Aus O. Tagen d. Anfänge. (90) 8° 01. ‖ 3. Heft: Ernste u. heit. Erlebnisse. (93) 8° 01. ‖ 4. (Schl.) Heft : Durch Kampf z. Sieg. (107) 8° 01. [102—5.] Je — 25
Maus, C : Das Reich d. Mitte. (20) 8° 1900. [97.] — 10
Meerwaldt, JH: Johannes Pasariluu, e. Pandita batak. (40) 8° 04. [123.] — 15
— Wie e. Sembaon au Eisre wurde od. Die Entwicklg d. Missionsarbeit in d. Pasnor na pitu. (63) 8° 1900. [97.] — 20
Mission, d. rhein., im Kaiser Wilhelms-Land. 2. Afl. (51) 8° 04. [123.] — 30
Püss, H : Unter Kannibalen auf Samoair. (43) 12° 1899. [88.] — 10
Riechmann, H : Allerlei Bilder a. meinem Missionsleben. (46) 8° 1900. [100.] — 15
Sandmann, F: Die christl. Heilsbotschaft u. d. Islam. (24) 8° 01. [107.] — 10
Schaar, W: Freuden u. Leiden auf e. Missionsstation in Deutsch-Südwestafrika. (41) 8° 1900. [99.] — 15
Sundermann, H : Upter d. Dajaken auf Beto. 1. Heft. Tameanglajang ; Gründg d. Station Beto. (37) 12° 1899. [91.] ‖ 2. Heft. Die Macht d. Heidentums Freud, Leid, Arbeit. (31) 1899. [92.] ‖ 3. Heft. Die Macht d. Heidentums u. d. Dajakken. (27) [92.] 1899. ‖ 4. Heft. Abschied v. Beto ; Heimreise ; letzte Nachrichten v. Beto. (30) 1899. [93.] Je — 10
Wegner, R : Neue Bilder a. d. rhein. Mission. (67) 12° 1899. [89.] — 15
Wulfhorst: Aus d. Anfangsjahren d. Ovambomission. (34) 8° 04. [124.] — 15
Weitere Nrn s. u. d. T.: Missions-Schriften, rhein.

Missions-Zeitschrift, allg. Hrsg. v. G Warneck. Repertorium zu Bd 1—25: 1874—98. Von P Horbach. (22, 561) 8° Gütersl., C Bertelsmann 03. 7 — ; gebd. 8 —
— dass. Monatshefte f. geschichtl. u. theoret. Missionskde. In Verbindg m. Buchner u. R Grundemann hrsg. v. G Warneck. 28—32. Bd. Jahrg. 1901—5 je 12 Hefte. (613, 581, 596, 568 u. 576 u. Beibl.) 8° Berl., M Warneck. Je 7.50; einz. Hefte — 75 d
— dass. Repertorium zu Bd 26—30 : 1899—1903. Von P Horbach. (60) 8° Ebd. 04. 2 — d

Mistake, a slight, or, a prize in a German lottery, with notes by K Albrecht, s.: Theatre, modern Engl. comic.
Mistéli, E: Celio Malespini u. s. Novellen. (158) 8° Wohlen (02). (Aar., Sauerländer's Sort.) 4 —
— dass. 3. Afl. (172) 8° Aar., HR Sauerländer u. Co. 05. 2.50
Misteli, W: Beitrag z. unvollständ. Verbrenng d. Gase. Ueb. d. Wesen d. Leuchtens d. Flamme, Ueb. Bestimmgn d. Benzoldampfes im Leuchtgase. (68) 8° Herisaa 04. Zür., E Speidel. 2 —
Mistral, F: Mirèio. Provenzal.-Dichtg. Deutsch v. A Bertuch. 4. Afl. (37, 259 m. Bildnis.) 8° Stuttg., JG Cotta Nf. 05. 4.50; 5.50 d

Mit d. bremisch-hannov. Kleinbahn durch Haide u. Moor. „Blockland — Lilienthal — Falkenberg — Moorende — Worpswede—Tannstedt—Zeven etc." (32 m. Abb.) 8° Brem., U Winter) (01). — 20
Mit (Geschichten a. d. Leben. Von M v. O. 2. Afl. (128 m. Titelbild.) 8° Schwer., F Bahn 05. 1.20 ; geb. 1.50 d
— **Gott f. Kaiser u. Reich".** 1.—7. Edchn. 8° Köln, Westdout. Schriftenvor. Kart. 4.75 d
Falke, R : Glaube u. Tapferk. bei verschied. Völkern d. Erde. (79) 05. — 50
— Soldatenleben einst u. jetzt. (152) 06. [6.7.] 1.25
Müller, CF: Standesehre u. Standespflichten d. Unteroffizierskorps. (79) 05. [5.] — 70
Rocholl, H : Die Treue bis in d. Tod. (71) 05. [3.] — 70
Wiehe, W: Der Fahneneid. (100) 05. ‖ Du sollst d. Feiertag heiligen! (60) 05. [1.] Je — 70

— **Gunst!** Wegweiser durch d. Gesellenleben d. Schornsteinfegers. Auch : Der Schornsteinfegergesellen Handwerks-Gebr.

u. -Gewohnh., nebst dazu gehör. Gesellen-Regeln u. Schornsteinfeger-Lieder enth. (57) 12° Berl., GBC Rahn (1900). — 50 d
Mit Musik. Album für's musikal. Haus. (Ausgestanzt in Form u. Geige.) (36 m. Abb.) 8° Berl., Harmonie (02). ‖ Neue Folge. (70 m. Abb.) (04.) Kart. je 1 —
— d. Schutztruppe durch Deutsch-Afrika. Bearb. v. Simplex africanus (Deutsch-Süd-West-Afrika), Laasch (Kamerun u. Togo), Leue (Deutsch-Ost-Afrika). Nebst e. Anh.: Meine Erlebnisse im Kampf geg. d. Hereros. Von F Leutwein. 20. Taus. (303 m. Abb., 3 [1 farb.] Taf. u. 1 Karte.) 8° Münd., W Köhler 05. 1.75; geb. 2.50; Volksausg. nn — 75 d
— d. deut. Truppen n. Paris 1870/71, s.: Projectious-Vorträge.
Mitcalfe, C: Engl. made easy. Eine neue Methode, Engl. lesen, schreiben u. sprechen zu lernen. (147) 8° Dresd., Holze & Pahl 05. Geb. u. geb. 2.50 d
Mitchell, J: Organisierte Arbeit. Ihre Aufg. u. Ideale unter Berücks. d. gegenwärt. u. zukünft. Lage d. amerikan. Lohnarbeiterschaft. Übers. v. H Hasse. (205 m. Bildnis.) 8° Dresd., OV Böhmert 04. 4 —
Mitford, JB: Das Auge d. Nacht. Erzählg z. Transvaal. Uebers. v. M Walter. (128) 8° Erf., F Bartholomäus (05). — 60 d
Mitford, MR: Selected stories from our village, s.: Authors, Engl. (O Hallbauer).
Mitgabe auf d. Lebensreise. Blütenstrauss geistl. Lieder u. Gedichte a. allen Zeiten d. Kirche auf jeden Tag d. Jahres. (Ausg. A.) Mit 8 Lichtdr. n. Originalen v. CG Pfannschmidt. 8. Afl. (381) 12° Stuttg., JF Steinkopf 02. L. m. G. a —;
Ausg. B. ohne Bilder. L. 2 — d
Mitgliederliste d. Ver. kgl. preuss. Forstbeamten. Im Stande v. 15.IX.'04. Aufgest. v. d. Geschäftsstelle d. „Deut. Forst-Zeitg". (73) 8° Nend., J Neumann 04. 1 — d
— d. deut. Landw.-Gesellsch. Nach d. Stande am 1.X.'04. (294 u. 93) 8° Berlin (W. 8, Leipz.-Str. 81.32), Haasenstein & Vogler 04. 5 — d
Mitglieder-Verzeichniss der d. Verbande deut. Archit.- u. Ingen.-Ver. angehör. 37 Vereine. 1904. (136) 8° Berl., Deut. Bauzeitg. 1.80
Mitis, C: Allerlei Brettspiele u. and. Hausspiele. — Schach, s.: Spielbücher.
Mitis, FX: Am Strande d. Adria. Gedichte. (56) 8° Wien, E Hassenberger 01. 1 —
Mitlacher, W: Toxikologisch od. forensich wicht. Pflanzen u. vegetabil. Drogen, m. bes. Berücks. ihrer mikroskop. Verhältnisse. (23, 200 m. Abb.) 8° Wien, Urban & Schw. 04. 6 —;
geb. nn 7.50
Mitrailleuse, la, Maxim et son emploi. Traduit de l'allemand. (48 m. Fig. u. 2 Taf.) 8° Berl., R Eisenschmidt 01. 5 —
Mitscherlich, EA: Bodenkde f. Land- u. Forstwirte. (364 m. Abb.) 8° Berl., P Parey 05. L. 9 —
— Die Schwankgn d. landw. Reinerträge, berechnet f. ein. Fruchtfolgen m. Hilfe d. Fehlerwahrscheinlichkeitsrechng, s.: Zeitschrift f. d. ges. Staatswiss.
Mitscherlich, W: Entstehg d. deut. Frauenbewegg. (95) 8° Berl., Puttkammer & M. 05. 1 —
Mitsotakis, JK: Taschenwrtrb. d. neugriech. Schrift- u. Umgangssprache. II. Tl.: Neugriechisch-Deutsch. (996) 8° Berl., Schönebg, Langenscheidt's V. (05). L. 3.50 d
Mittag, M: Chemie u. Mineral. Als Anh. zu K Sumpfs Anfangsgründen d. Physik neu bearb. 4. Afl. (34 m. Abb.) 8° Hildesh., A Lax 02. — 40 ‖ 5. Afl. (52 m. Abb.) 04. — 50 ‖ 6. Afl. (56 m. Abb.) 05. — 60 d
— Stereoskop, s.: Spiel u. Arbeit.
Mittag, R, s.: Kraft. — Werkmeister-Kalender.
Mittag-Leffler, G, s.: Acta mathematica.
Mitteilung Nr. XV d. Gesellsch. z. Förderg deut. Wiss., Kunst u. Lit. in Böhmen. 8° Prag, (JG Calve). 2 —
Jüthner, J, F Knoll, K Patsch, H Swoboda: Vorläuf. Bericht üb. e. arch.-epigraph. Reise in Kleinasien. (50 m. Abb. u. 2 Taf.) 02. [XV.] 2 —
Mitteilg I—XIV sind nicht im Handel.
Mitteilungen, illustr. aëronaut. Deut. Zeitschr, f. Luftschiffahrt. Chefred.: R Emden. Jahrg. 1901 u. 3 je 4 Nrn. (1901. Nr. 1. 44 m. 1 Taf.) 4° Strassbg, (KJ Trübner). Je 4 —
‖ 7—9. Jahrg. 1903—5. Chefred.: K Neurether. Je 12 Hefte. 8°
Je 12 —; einz. Hefte 1.50
— d. deut. u. österr. Alpenver. Schriftleiter: H Hess. Jahrg. 1901—5 je 24 Nrn. ('01—04. 296, 294, 290, 290) 4° Innsbr.-Münch.-Wien. (Münch., J Lindauer.) Je 6 —; einz. Nrn — 25
— wiss., d. schweiz. alpinen Museums in Bern. Nr. 1. 8° Bern, (KJ Wyss). — 60
Kürstiner, W: Das alpine Rettigswesen in d. Schweiz. (28 m. 5 Taf.) 05. [1.] — 60
— a. d. Altonaer Museum. Hrsg. v. d. Museumsleitg 1902. 6 Hefte. (1. u. 2. Heft. 36 m. Abb.) 8° Altona, (J Harder S.), — 60
— d. Ver. f. anhalt. Gesch. u. Altertumskde. Hrsg. v. H Wäschke. 9. Bd. 1—7. Heft. (8. Bd. 587—647 u. 9. Bd. 582 u. 8 m. 2 Taf.) 8° Dessau, (O Dünnhaupt) 01-04. Je (±1.40) 14 d
— d. Ver. f. Gesch. v. Annaberg u. Umgegend. VII—IX. Jahrb. (II. Bds 2—4. Heft.) 8° Annabg, (Graser). nn 4.20
{II, 1—4.: nn 5.20} d
VII. 1898—1900. (81—156) 03. nn 2 — ‖ VIII. 1900—2. (157—270) 03. nn 1 —
VII. 1902—4. (271—396) 03. nn 1 —
— literar- d. Annalen d. Deut. Reichs. Monatsbericht üb. Neuerscheing auf d. Geb. d. Rechts- u. Staatswiss. Hrsg.

v. KT Eheberg u. A Dyroff. 14—18. Jahrg. 1901—5 je 12 Nrn. (1901. Nr. 1. 64 Sp.) 8° Münch., J Schweitzer V. Je 2 —
Bisher u. d. T.: Mitteilungen, literar., f. Juristen u. Verwaltgsbeamte.
Mitteilungen d. anthropolog. Gesellsch. in Wien. 31—35. Bd. [Der 3. Folge 1—5. Bd.] Je 6 Hefte. (34. Bd. 394 u. Sitzgsberichte 108 m. Abb.) 4° Wien, (A Hölder)01-05. Je 20 —
— d. anthropolog. Ver. in Schleswig-H. 14—16. Heft. 8° Kiel, Lipsius & T. Je 1 —
14. (48 m. Abb. u. 1 Taf.) 01. ‖ 15. (38 m. Abb. u. 1 Taf.) 02. ‖ 16. (80) 03.
— d. k. k. arbeitsstatist. Amtes im Handelsministerium. 2. u. 3. Heft. 8° Wien, A Hölder. 3.40 (1—3.: 4.50)
Lippert, G : Die Arbeitsverhältn. im Lloydarsenale u. Stabilimento Tecnico Triestino, unter Zugrundelegg d. v. d. Directionen d. beiden Anst. z. Verfügg gestellten Daten. (97 m. 1 Pl.) 02. [2.] 1.10
Morgenstern, H : Gesindewesen u. Gesinderecht in Oesterr. 1. Tbl. Geschichtl. Überblick. Statistik u. wirtschafl. Lage d. Gesindes. (215) 02. [3.] 2.30
— d. 2. internat. Congress f. christl. Archaeol. zu Rom gewidmet v. Collegium d. deutschen Campo Santo, s.: Nῠmμφmα-τιον ἀρχαιολογικόν.
— d. kais. deut. archaeolog. Instit., athen. Abthlg. 26—30. Bd je 4 Hefte. (428, 448, 482, 303 u. 416 m. Abb. u. 13, 15, 5, 26 u. 15 Taf.) 8° Ath., Beck & Barth 01-05. Je nn 12 —
— dass., röm. Abth. — Bullettino dell' imperiale istituto archeologico germanico, sezione romana. XV—XX. Bd. Je 4 Hefte. (15. Bd. 1. u. 2. Heft. 180 m. Abb. u. 2 Taf.) 8° Rom, Loescher & Co. 1900-5. Je 12 —; einz. Hefte 4 —
— dass. Regg zu Bd I—X. (47) 8° Ebd. 02. nn 1 —
— archäologisch-epigraph., a. Oesterr.-Ungarn. Reg. zu Jahrg. I—X. Bearb. v. S Frankfurter. (188) 8° Wien, A Hölder 02. 12 —
— d. k. preuss. Archivverwaltg. 5—8. Heft. 8° Lpzg, S Hirzel. 25.60 (1—8: 37.40)
Ausfeld, E: Übersicht üb. d. Bestände d. k. Staatsarchivs zu Coblenz. (227) 05. [6.] 8 —
Knipping, R: Niederrhein. Archivalien in d. Nationalbibliothek u. d. Nationalarchiv zu Paris. (186) 04. [8.] 1 —
Koser, R: Die Neuordng d. preuss. Archivwesens durch d. Staatskanzler Fürsten v. Hardenberg. (19, 72) 04. [7.] 2.60
Warschauer, A: Die städt. Archive in d. Prov. Posen. (41, 324) 01. [5.] 10 —
— üb. Gegenständ d. Artill.- u. Genie-Wesens. Hrsg. v. k. u. k. techn. Militär-Komitee. Jahrg. 1901—5 je 12 Hefte. ('01—4: 884, 1164, 952 u. 1237 m. Fig. u. 24, 45, 74 u. 65 Taf.) 8° Wien, (R v. Waldheim). Je 20 —; einz. Hefte 3 —
— f. d. Ver. schleswig-holstein. Aerzte. Hrsg. v. Hoppe-Seyler. Neue Folge. 10—14. Jahrg. Juli 1901—Juni 1906 je 8 Nrn. (10. Jahrg. Nr. 1 u. 2. 48) 8° Kiel, (R Cordes). Je 6 —
— d. Ver. d. Ärzte in Steiermark. Red.: W Scholz. 38. u. 39. Jahrg.1901 u. 3 je 12 Nrn. (1901. Nr. 1. 16) 8° Graz, (Leuschner & L). Je 11—40—42. Jahrg. 1903—5. Je 6 —; einz. Nrn — 60
— d. Vereinigg v. Freunden d. Astronomie u. kosm. Physik. Red. v. W Foerster unter Mitwirkg v. Plassmann u. Schleyer. 11—15. Jahrg. 1901—5 je etwa 10—12 Hefte. (13, 129, 142, 110 u. 128) 8° Berl., F Dümmler's V. Je 6 —
— a.d. Augenklinik in Jurjew.1u.2.Heft.8°Berl.,SKarger.7.50
1. Ewetzky, T v.: Üb. d. Syphilom d. Ciliarkörpers. (110 m. Abb.) 04. 4.50
2. (119 m. Abb.) 05. 4 —
— a. d. Augenklinik d. Carolin. medico-chirurg. Instit. zu Stockholm. Hrsg. v. J Widmark. 3—7. Heft. 8° Jena, G Fischer. 20.60 (1—7: 32.10)
3. (50 m. Abb. u. 3 Taf.) 01. 6 — ‖ 4. (150 m. Abb. u. 2 Taf.) 02. 4 —
5. (99 m. 2 Abb. u. 2 Taf.) 04. 3.60 ‖ 6. (71 m. Abb. u. 1 Taf.) 04. 3 —
7. (105 m. 7 Taf.) 05. 4 —
— statist., d. Kt. Basel-Stadt. Bericht üb. d. Civilstand, d. Todesursachen u. d. ansteck. Krankh. in d. J. 1900—42. (65 m. 1 Taf., 59 u. 61) 4° Bas., (B Wepf & Co.) 02-04. Je 1.50
— d. statist. Amtes d. Kt. Basel-Stadt. Nr. 2—6. Bas., (CF Lendorff). 6.70
Manjold, F : Basels Staatseinnahmen u. Steuerverteilg 1888—1905, tabellarisch dargest. (50 u. 16 m. 4 [1 farb.] Taf.) 8° verkl. 02. [2.] 1.10
— Die Arbeitslosigk. in Basel im Winter '04/05. (27) 8° '04. [4.] — 60
‖ Winter '04/05. (18) 8° 05. [5.] — 60
— Statistik d. Grosratswahlen v. 1902. (58) 8° '04. [8.] 1.10
— Statistik d. Grossratswahlen 1902, s.: F.IV.'04. im Kt. Basel-Stadt. (26 m. 1 Taf.) 8° 05. [6.] 1 —
— Die Zählg d. leerstehh. Wohngn u. Geschäftslokale in Basel im Dezbr. '04. (34 m. 1 Pl.) 8° 05. [4.] — 80
Nr. 1 bildet : Arbeitslosigkeit, d., in Basel im Winter '02/03.
— d. Ver. Bauhütte zu Stuttgart. Hrsg. v. d. Ausschuss d. Bauhütte. 15—19. Jahrg. 1901—5 je 12 Nrn. (1901. Nr. 1. 32 m. 1 Taf.) 8° Stuttg., J Weise. Je 3 —
— bauholzeitl. Hrsg. v. Flathner. Jahrg. 1904 u. 5 je 12 Nrn. (1904. Nr. 1. 12 m. Abb.) 8° Hannov., Culemann'sche Buchdr. Halbj. 4 —; einz. Nrn 1 —
— d.Berliner Beamten-Vereinigg.Red.:GLiebau u.Seiffert. 13—17. Jahrg. 1901—5 je 24 Nrn. (1901. Nr.1. 20) 4° Berl., C Heymann.Jes—; einz.Nrn —40;f.Mitgliedernunentgeltlich.d.
— d. Ver. f. d. Gesch. Berlins. Red.: H Brendicke. Jahrg. 1901—5 ('04. 162) 4° Berl., (ES Mittler & S.). Je 6 — d
— d. bern. statist. Bureaus. Jahrg. 1901—5 je 2 Lfgn. 8° Bern, (A Francke). 14.40
'01- 1. Ergebnisse d. Steuerstatistik d. Kt. Bern pro 1899. (159 m. 3 Tab.) 2 —
2. Ergebnisse d. eidgenöss. Volkszählg im Kt. Bern am 1.XII.1900. — Recensement fédéral de la population du canton de Berne au 1.XII.1900. (161—364) 4 —
'02. 1. Ergebnisse d. eidgenöss. Viehzählg im Kt. Bern v. 19.IV.'01. (90) 1.70
2. Ergebnisse d. Alpstatistik im Kt. Bern pro 1891—1902. (74—400) 2.40

Mazelle, E: Die tägl. period. Schwankg d. Erdbodens n. d. Aufzeichnen e. dreifachen Horizontalpendels zu Triest. (125 m. 5 Taf.) 1900. [XIX.]
8.90

Mitteilungen d. Erdbeben-Kommission d. kais. Akad. d. Wiss.in Wien. Neue Folge. Nr.I—XXVI.[S.-A.] 8° Wien, (A Hölder).
39.10
Benndorf, H: Bericht üb. d. Aufstellg zweier Seismographen in Pfibram, a.: Mojsisovics, E v., allg. Bericht u. Chronik d. im J. '02 eingetret. Erdbeben.
Paldiga, A: Das Erdbeben v. Sinj, am 2.VII.1898. (162 m. Fig. u. 5 Taf.) 03. [XVII.]
2.90
Hoernes, R: Berichte üb. d. makedon. Erdbeben v. 4.IV.'04. (54) .04. [XXIV.]
— Das Erdbeben v. Saloniki am 5.VII.'02 u. d. Zusammenh. d. makedon. Beben m. d. tekton. Vorgängen in d. Rhodopemasse. (91 m. Fig. u. 1 Karte.) 02. [XIII.]
2
— Erdbeben u. Stosslinien Steiermarks. (115) 02. [VII.]
3.10
Knett, J: Vorläuf. Bericht üb. d. ergebirg. Schwarmbeben '05 v. 13.II.—23.III., m. e. Anh. üb. d. Nacherschütterg bis Anfang Mai. (27 m. 1 Taf.) 05. [XVI.]
— Das Erdbeben am böhm. Pfahl, 26.XI.'02. (22 m. 2 Taf.) 03. [XVIII.]
— 80
Laska, W: Üb. d. Berechng d. Felbbeben. (14) 02. [XIV.]
— 80
— Bericht üb. d. seismolog. Beobachtungen d. J. 1902 in Lemberg. (37) 03. [XXII.]
— 70
— Das Erdbeben üb. d. Erdbebenbeobachtgn in Lemberg. (84 m. Fig. u. 1 Taf.) 01. [I.]
1.90
— dass. während d. J. '01. (55 m. 2 Fig.) 02. [IX.]
1.10
— Die Erdbeben Polens. Das histor. This I. Abth. (36) 02. [VIII.] — 80
— Üb. d. Verwendg d. Erdbebenbeobachtgn z. Erforschg d. Erdinnern. (13 m. 2 Fig.) 04. [XXIII.]
— 40
Mojsisovics, E: Erdbebenstörgn zu Triest, beobachtet am Rebeur-Ehlert'-schen Horizontalpendel in J. 1900. (52) 01. [V.]
— dass. im J. '01, nebst e. Anh. üb. d. Aufstellg d. Vicentini'schen Mikro-seismographen. (96 m. Abb.) 03. [XI.]
1.30
— dass. im J. '02- (87 m. 1 Fig.) 03. [XX.]
1.40
— Die mikroseism. Pendelunruhe u. ihr Zusammenh. m. Wind u. Luftdruck. (87 m. 7 Taf.) 03. [XV.]
2.60
Mojsisovics, E v.: Allg. Bericht u. Chronik d. im J. 1900 im Beobachtgs-gebiete eingetret. Erdbeben. (114 m. 1 Taf.) 01. [II.] 2.30 || '01- (184 m. 2 Kartenskizzen.) (02.) [X.] 8.90 || '02- Mit Anh.: Bericht üb. d. Aufstellg zweier Seismographen in Pfibram v. H Benndorf. (161 m. 4 Taf.) 03. [XIX.] 2.60 || '03- (161 m. 4 Taf.) 04. 3.40
Schwab, F: Bericht üb. d. Erdbebenbeobachtgn in Kremsmünster im J. 1905. (34) 01. [IV.] — 60 || '01. (21) 02. [XI.] — 40 || '02- (23) 03. [XII.] — 50 || '03- (15) 04. — 40
Uhlig, V: Bericht üb. d. seism. Ereignisse d. J.1900 in d. deutsch. Gebieten Böhmens. (55 m. 1 Fig. u. 1 Taf.) 01. [III.]
— 80
— Woldřich, JN: Das nordostböhm. Erdbeben v. 10.XII.'01. (56 m. 1 Fig. u. 2 Kart.) 01. [VI.]
1.60
— d. Ver. f. Erdkde zu Dresden. 1. Heft. (68 m. 1 Bildnis u. 2 Kart.) 8° Dresd., W Baensch 05. || 8. Heft. (42 u. 76) 05. Je 2.50
Bildet d. Fortsetzg zu: Jahresberichts d. Ver. f. Erdkde zu Dresden.
— d. Ver. f. Erdkde zu Leipzig. 1900—2, 03 I. Heft u. 04. 3°
Lpzg, Duncker & H.
90.20
1900. (57, 115 m. 3 Kart.) 01. 4.80 || '01- (59, 149 m. 2 Kart.) 01. 5 — || '02- (67, 135 m. 6 Taf.) 03. 5 — || '03- I. (72) 04. 1.40 || '04- (74, 94 m. 8 Bildnissen.) 05. 4 —
Das Schlussheft v. 1903 ist noch nicht erschienen.
— d. Ver. f. d. Gesch. u. Altertumskde v. Erfurt. 21—25. Heft. 8° Erf., (H Güther).
15.50
21. (29, 170 m. Abb. u. 1 Karte.) 1900. 3 — || 22. (21, 145 m. Fig. u. 2 Taf.) 01. 3 — || 23. (20, 91 m. 5 Taf.) 02. 4 —. 2 Tle. (23 u. 204 m. Abb. u. 12 Taf.) 03. 4 — || 25. (23, 122) 05. 2.50.
— üb. d. 42—46. allg. Genossenschaftstag d. auf Selbsthilfe beruh. deut. Erwerbs- u. Wirtschaftsgenossensch. Hrsg. v. H Crüger. 8° Berl., (J Guttentag).
Je 2 — d
42. Mannheim '01- (412) 01. || 43. Kreuznach '03- (449) 02. || 44. Danzig '05- (404) 03. || 45. Breslau '04- (428) 04. || 46. Westerland-Sylt 03. (450) 05.
— d. Gesellsch. f. deut. Erziehgs- u. Schulgesch. Begründet u. bis 1904 hrsg. v. K Kehrbach. 1905 Schriftleitg: A Heubaum. 11—15. Jahrg. Je 4 Hefte. (11—14: 352. 315, 320 u. 324) 8° Berl., A Hofmann & Co. 01-05. Je 8 —; einz. Hefte 2 —
— dass. 1—7. Beiheft. 8° Ebd.
13.90
1. Texte u. Forschungen z. Gesch. d. Erziehg u. d. Unterr. in d. Län-deln deut. Zunge. Hrsg. v. K Kehrbach. VI. Beitr. z. Gesch. d. Er-ziehg u. d. Unterr. in Bayern. Hrsg. v. d. Gruppe Bayern d. Ge-sellsch. f. deut. Erziehgs- u. Schulgesch. 3. Heft: Beitr. z. Gesch. d. oberpfälz. Volkssch. im J. 1643. — Börnes, J: Beitr. z. Gesch. d. Volkssch. in Franken (Hochstift Würzburg) v. Ausg. d. 15. Jahrh. bis in 18. Jahrh. — Schmidt, F: Zur Gesch. d. Volksschulwesens im Hochstifte Würzburg 1772—95. (101) 03.
2. Dass. VII. Beitr. z. Gesch. d. Erziehg u. d. Unterr. in Bayern usw. 4. Heft: Heigenmooser, J: Ermittenach. in Altbayern. (101) 03. 1.60
3. Dass. VIII. Delbrück, F: Zur Jugend- u. Erziehgs-Gesch. d. Könige Ffiedrich Wilhelm IV. v. Preussen u. d. Kaisers u. Königs Wilhelm I. Aus d. Handschr. Schmidt, Mf: Unterschgn üb. d. hess. Schul-wesen u. z. Philippi d. Grossmütigen. (71) 04. (I—IX.) 03.90
5. Beiträge z. Gesch. d. Erziehg u. d. Unterr. in Bayern usw. 5. Heft: Rückerl, G: Gesch. d. Volksschulwesens d. Stadt Lauingen v. Anag d. M.-A. bis z. Anf. d. 19. Jahrh. (72) 04.
1.60
6. Dass. 6. Heft. Lutz, G: Die bayer. Mittelsch. seit d. Übernahme durch d. Klöster bis z. Säkularisation. — Meister, T: Aus d. Konferenzb. d. Bayreuther Waisenh. (165) 05.
2.60 [1—6: 11.70]
7. Beiträge z. Gesch. d. Erziehg u. d. Unterr. in Pommern. Hrsg. v. d. Gruppe Pommern. 7. Heft. Wehrmann, M: Die Begründg d. ev. Schul-wesens in Pommern bis 1563. (72) 05.
1.65
— d. ev. kirchl. Erziehgs-Ver. d. Prov. Westfalen. Hrsg.: Siebold. 1. u. 2. Jahrg. 1901 u. 2. Je 12 Nrn. (Je 8) 8° Bielef. (Bethel bei Bielef., Bh. d. Anst. Bethel.) Je — 75 d ö H
— esperantist, "Esperantaj scilgoj". Red.: J Borel. Jahrg. 1904. 10 Nrn. (56) 8° Berl., Esperanto-Verl. Möller & Borel. 1.50 d
Fortsetzg z. u. d. T.: Esperantisto, germana.

Jodl, F: Ueb. d. Wesen u. d. Aufg. d. eth. Gesellsch. Rede. 2. Afl. (40) 03. [I.]
— 40
— d. Evangel. Gesellsch. f. Deutschl. Red.: Coerper. 51—55. Jahrg. 1901—5 je 12 Nrn. (Nr. 1. 16) 8° Elbert., Bh. d. ev. Gesellsch.
Je 1.50 d
— d. evangel. Ver. in d. Prov. Sachsen. Nr. 29. [S.-A.] (48) 8° Halle, E Strien 01.
— d.k.k.Finanz-Ministeriums.Red. im Präsidial-Bureau d. k. k. Finanzministeriums. 7. Jahrg. 8 Hefte; 8. u. 9. Jahrg. je 4 Hefte; 10. Jahrg. 8 Hefte u. 11. Jahrg. 1. u. 2. Heft. 8° Wien, (Hof- u. Staatsdr.):
71.50
7. (1900) 01. 11 — || 8. (1843 m. 10 Taf.) 02.03. 14.50 || 9. (2172 m. 12 z. Tl farb. Taf.) 03. 15 — || 10. (1977 m: 21 z. Tl farb. Taf.) 04. 17 — || 11. LII. (883) 05. 14 —
— a. Finsens medicinske Lysinstitut (Finsens medicin. Licht-instit.) in Kopenhagen. H. Hrsg. v. NR Finsen. Die deut. Ausg. hrsg. v. V Bie. (154) 8° Lpzg, FCW Vogel 01. 3 — || III. (155 m. Abb.) 03. 5 —
— dass. IV—IX. Heft. Die deut. Ausg. ist v. FGJ Müller durch-gesehen u. corrigiert. 8° Jena, G Fischer. 37.50 (I—X. 58.50) IV. (160 m. Abb.) 02. 4 — || V. VI. (220 m. 48 Taf.) 04. 8 — || VII. (182 m. 4 Taf.) 04. 4 — || VIII. (147 m. Abb.) 04. 4 — || IX. (235 m. Abb. u. 1 Bild-nis.) 05. 7.60.
— d. österr. Fischerei-Ver. Red.: H v. Kadich. 21—23. Jahrg. Neue Folge. 1901—3 je 10 Nrn. (1901. Nr. 1—3. 60) 8° Wien (I. Schauflerg. 96), Administr. d. öst. Fischereizeitg. Je 4 — d
Fortsetzg z. u. d. T.: Fischerei-Zeitung, österr.
— d. westpreuss. Fischerei-Ver. Red. v. Seligo. 13—15. Bd. 1901—3. (1901. Nr. 1. 8) 8° Danz., (L Saunier).
Je 5 — d
Fortsetzg war nicht zu erhalten.
— amtl., a. d. Abtlg f. Forsten d. kgl. preuss. Ministeriums f. Landw., Domänen u. Forsten. (69) 8° Berl., J Springer 01.
2 — || 1900—03. (67) 05. 2 — d
— a. d. forstl. Versuchswesen Österr. Hrsg. v. d. k. k. forstl. Versuchsanst. in Mariabrunn. Der ganzen Folge 26—31. Heft. 4° Wien, W Frick.
29 —
Cieslar, A: Einiges üb. d. Rolle d. Lichtes im Walde. (150 m. Fig.) 04. [30.]
4 —
Janka, G: Fichte v. Nordtirol, v. Wienerwalde u. Erzgebirgs, a.: Unter-suchungen üb. d. Elasticität usw. d. österr. Bauhölzer.
Schiffel, A: Form u. Inhalt d. Lärche. (127) 05. [31.]
5 —
— Die Kubierg v. Rundholz z. 2 Durchmessern u. d. Länge. (148 m. 1 Tab. u. 7 Taf.) 02. [27.]
4 —
— Wachsgesetz normaler Fichtenbestände. (106 m. Abb. u. 4 Taf.) 04. [29.]
Simony, O: Die mhergsweise Flächen- u. Körperberechng in d. wisa. Holzmesskde. (64 m. Abb.) 01. [26.]
Unterbuchungen üb. d. Elasticität u. Festigk. d. österr. Bauhölzer. I. Janka, G: Fichte v. Nordtirol, v. Wienerwalde u. Erzgebirge. (318 m. Abb. u. 15 Taf.) 04. [25.]
6 — (I. u. II. 14 —)
— d. schweiz. Centralanst. f. d. forstl. Versuchswesen. Hrsg. v. A Engler. VIII. Bd. (400 m. 14 Taf.) 8° Zür., (Fäsi & B.) 03.
10 — || VIII. Bd. 3 Hefte. (34, 287 m. Abb. u. 16 Taf.)
03.05. 8.80
— forststatist., a. Württemberg f. 1899—1903. Hrsg. v. d. kgl. Forstdirektion. 18—22. Jahrg. 4. Stuttg., (F Stahl.)
8 —
1899.'00. (Je 106) 01.02. Je nn 1 — || '01- (120) 03. 1.20 || '02- (106) 04. 1 — || '03. (62) 05. nn 1 —.
— d. deut. Forstver. Hrsg. u. red. v. Laspeyres. 2—6. Jahrg. 1901—5 je 5—8 Nrn. ('04. 111) 4° Berl., J Springer. Je 2 — d
— d. niederösterr. Forstver. Red. v. G Eisenmenger. 28—30. Jahrg. 1901—3 je 6 Nrn. (1901. Nr. 1. 56) 8° Wien, (C Ge-rold's S.).
Je 6 — d
Fortsetzg z. u. d. T.: Blätter a. d. Walde.
— d. histor. Ver. f. Heimatkde zu Frankfurt a. Oder. 21. Heft. Übersicht üb. d. Thätigk. d. Ver. 1860—98. (143) 8° Frankf. a/O., (G Harnecker & Co.) 01. || 22. Heft. (99) 04.
Je 2 — d
— d. bayr. Frauenbewegg. Hrsg. v. Ver. f. Frauenbestre-ssen. Red.: I Frendenberg. 2. Jahrg. Novbr 1905—Mai 1904. 14 Nrn. (Nr. 1) 4° München., (C Beck [L Halle]).
— 75; einz. Nrn — 05 d ö F
— d. deutsch-ev. Frauenbundes, Fortsetzg, s.: Frauenzei-tung, ev.
— a. d. Basler Frauenmission. Hrsg. v. F Würz. 4. u. 5. Jahrg. 1904 u. 5. (Nr. 1. 16) 8° Bas., Basler Missionsbh.
Je nn — 80 d
— d. Freiberger Altertumsver. m. Bildern a. Freibergs Ver-gangenh. Hrsg. v. K Knebel. 37—40. Heft. (105, 115, 184 u. 114 m. Abb.) 8° Freibg, Gerlach'sche Buchdr. 01-04. Je 2 — d
— üb. Ziele u. Zwecke d. Freimaurerbundes. Aufgest. v. d. Grossloge n Hamburg. Genehmigt u. Frankfurt. 1. u. 2. Afl. (14) 16° Ulm, H Kerler (01.02).
— 30
— d. Fürstenberg. Archive, hrsg. v. d. fürstl. Archiv-verwaltg in Donaueschingen. II. Bd. Quellen z. Gesch. d. f. Hauses Fürstenberg u. s. ehedem reichsunmittelbaren Ge-bietes. 1560—1617. Hrsg. v. FL Baumann u. G Tumbült. (1013) 8° Tüb., H Laupp 02.
22 — (Vollst.: 34 —)
— f. d. Genossenschaft d. Buch-, Kunst- u. Musikalien-handels. 9—11. Jahrg. Mai 1900—April 1903. (105, 115, 184 n. 2. 16) 8° Wien, Administr. R Crncic (durch Freytag & B.). Postfrei je nn 2 — || 12—14. Jahrg. 1903—5 je 12 Nrn. Post-frei je nn 3.50
— üb. d. 6.Kongress d. internat.Genossenschaftsallianz,

Budapest '04· Hrsg. v. Zentralausschuss. (667) 8º Lond. 05.
Berl., Puttkammer & M. 5 —
Mitteilungen, geograph., a. Hessen.. Hrsg. v. **W** Sievers.
5. Heft. (199 m. 1 Karte.) 8º Giess., (A Töpelmann) 03. 4.50
(1—3.; 7.50)
— a. J Perthes' geograph. Anst., s.: Petermann, A.
— d. geograph. Gesellsch. in Hamburg. 17—20. Bd. Hrsg.
v. L Friederichsen. 8º Hambg, L Friederichsen & Co. 59 —
17. (866 m. 4 Kart.) 01. 16 — § 18. (819 m Abb. u. 1 Karte.) 02. 12 — § 19.
(867 m. 4 Kart.) 03. 10 — § 20 m. Suppl. (311 u. 44 m. 52 Taf. u. 2 Kart.)
04. 21 —
— d. geograph. Gesellsch. (f. Thüringen) zu Jena. Hrsg. v.
G Kurze u. R Dove. 19—22. Bd. 8º Jena, G Fischer. 13 —
19. (101) 1900.'01. 2.80 § 20. (134) 02. 3 — § 21. (162 u. 16 m. Abb., 2 Kart.
n. 3 Taf.) 03. 5 — § § 22. (46) 04. 1.50.
— d. geograph. Gesellsch. u. d. naturhistor. Museums in
Lübeck. Hrsg. v. Red.-Ausschuss. 2. Reihe. 14—19. Heft. 8º
Lüb., Lübcke & N. 33.70
14. (187) 1900. 4 — § 15. (109) 01. 3 — § 16. (140 m. 13 Taf. u. 1 Karte) 02.
7 — § 17. (187 m. 11 Taf.) 03. 5 — § 18. (189) 04. 4.50 § 19. (105 m. 11 Taf.
u. 1 Karte.) 04. 7.20.
— d. geograph. Gesellsch. in München. I. Bd. 1. u. 2. Heft.
(Fortsetzg d. „Jahresberichte d. geogr. Gesellsch. in München".) (312 m. 5 Kartentaf., 1 Kurvenk. u. 12 Tab.) 8º Münch.,
(Liter.-artist. Anst.) 04.05. Je 5 —
Bisher u. d. T.: Jahresbericht d. geograph. Gesellsch. in München.
— d. k. k. geograph. Gesellsch. in Wien. Red.: A Böhm
Edler v. Böhmersheim. 44—48. Bd. Jahrg. 1901—5 je 12 Nrn.
(44—47: 65, 337 m. 4 Kart.; 63, 355 m. 2 Taf.; 65, 464 m. 2
Kart. u. 66, 562 m. 6 Taf.) 8º Wien, R Lechner's S. Je nn 6 —
— geolog. Zeitschrift d. ungar. geolog. Gesellsch., zugleich
amtl. Organ d. k. ung. geolog. Anst. Red. v. **M** v. Pálfy
(u. W Seemayer). (Ungarisch u. deutsch.) 30—35. Jahrg. 1900—5
je 12 Hefte. (1901. 1—4. Heft. 136 m. Fig.) 8º Budap., (F Kilian's
Nf.). Je 5 —
— dass. General-Reg. zu d. Bdn 13—30. Zusammengest. v. E
v. Cholnoky, (256) 8º Ebd. 03. 8 —
— d. grossh. bad. geolog. Landesanst. 3. Ergänzg z. I. Bde.
8º Hdlbg, C Winter, V. nn 2.80
Eck, H: Verz. d. mineralog., geognost., ur-(vor)geschichtl. u. homo-
graph. Litt. v. Baden, Württemberg, Hohenzollern u. ein. angrenz.
Gegenden. Marburg u. 3. Fortsetzg. (Geschl. im Jan. 1901.) (141) 01.
nn 2.80
— dass. IV. Bd. 2—4. Heft. (83—548 m. Abb., 2 Taf. u. 2 Kart.)
8º Ebd. 01-03. nn 9.90 (IV. Bd. vollst.: nn 11.90)
— d. geolog. Landesanst. v. Elsass-L. Hrsg. v. d. Direction
d. geolog. Landes-Untersuchg v. Elsass-L. V.Bd. 3. u. 4. Heft.
(19—34. 125—380 m. Abb., 2 Kart. u. 10 Taf.) 8º Strassbg,
Strassb. Druckerei u. Verl.-Anst. 01.03. 4.50 (1—4.; 6.30)
— d. grossh. mecklenburg. geolog. Landesanst. XII—XVIII.
4º Rost., (GB Leopold). 22.10
Geinitz, E: Die geolog. Aufschlüsse (Litofina-Ablagergn) d. neuen Warne-
mündef Hafenbanten. (23 m. 3 Taf.) (02.) [XIV.] 7.50 d
— Brunnenbohrgn in Mecklenburg, a.: Saas, C,.d. Schwankgn d. Grundwassers.
— Die Einwirkg d. Silvestersturmflut 1904 auf d. mecklenbrg. Küste.
(9 m. 13 Taf.) 05. [XVI.] 5 —
— Der Landvefinst d. mecklenbrg. Küste. (27 m. 5 Kart. u. 10 Taf.)
03. [XV.] 6 —
Kaestnef, A: Die nordöstl. Heide Mecklenburgs u. ihref geolog. Beschaffenh. u. Entstehg. (26 m 2 Taf. u. 1 Karte.) 01. [XII.] 2.50 d
Nettekoven, A, u. E Geinitz: Die Salzlagerstätte v. Jessenitz in Mecklenburg. (17 m. 2 Taf.) 03. [XVIII.] 3 —
Saas, C: Die Schwankgn d. Grundwassers in Mecklenburg. (30 m. 6 Taf.)
01. [XII.] 1.50 d
— dass. II. — Geinitz, E: Brunnenbohrgn in Mecklenburg. (16 m. 2 Taf.)
03. [XVII.] 1.60
— d. Jahrb. d. kgl. ungar. geolog. Anst. Ans d. ung. Orig.
XII. Bd. 3—5. Heft; XIII. Bd, 4—6. Heft; XIV. Bd, 1. u. 2. Heft
u. XV. Bd, 1. Heft. 8º Budap., (F Kilian's Nf.). 47.40
Adda, K v.: Geolog. Aufnahmen im Interesse v. Petroleum-Schürfgn im
nördl. Tle d. Comitates Zemplén in Ungafn. (57 m. 1 Taf.) 1900.
[XII,3.] 3.60
— dass. in d. Comitaten Zemplén u. Sáros. Nachd. Veff. Tode hrsg. (54
m. 1 farb. Taf.) 02. [XIII.4.] 3 —
Gesell, A: Die geolog. Verhältn. d. Petroleumvorkommens in d. Gegend
v. Luh im Ungthate. (15 m. 1 Fig. u. 1 farb. Taf.) 1900. [XII,4.] 1.60
Gorjanović-Kramberger, K: Palaeoichthyolog. Beitr. (37 m. 4 Taf. u. 4
Taf.) 03. [XIII,3.] 8 —
Horusitzky, H: Agrogeolog. Verhältn. d. Staatsgestüts-Praedinms v. Bá-
bolna. (37 m. 4 [1 farb.] Taf.) 02. [XIII,3.] 4 —
— Die agro-geolog. Verhältn. d. Ill. Bez. (O-Buda) v. Budapest m. bes.
Rücks. auf d. Weincultur. (31 m. 1 farb. Taf.) 01. [XII,5.] 3.20
Pálfy, M v.: Die ob. Kreidescbichten in d. Umgebg v. Alvincz. (112 m.
9 Taf.) 02. [XIII,6.] 6 —
Papp, C v.: Heterodelphis leiodontus nova forma a. d. miocenen Schichten d. Comitates Sopron in Ungarn. (30 m. Fig. u. 2 Taf.) 04. [XIV,2.] 3 —
Pfiaa, G: Die Fanna d. alt. Juraböldgn m nordöstl. Bakony. (142 m.
Fig. u. 36 Taf.) 04. [XV,1.] 8 —
— d. deut. Gesellsch. z. Bekämpfg d. Geschlechtskrankh.,
hrsg. v. A Blaschko, E Lesser, A Neisser. Red.: A Blaschko.
1. Bd. Dezbr 1902—Dezbr 1903. 9 Nrn. (219) 8º Lpzg, JA Barth.
4.50 || 2. u. 3. Bd. 1904 u. 5 je 6 Nrn. (146 u. 126) Je 3 —
— d. Gewerbe-Museums zu Bremen. Red.: A Töpfer. 16—
18. Jahrg. 1901—3 je 12 Nrn. (1903. Nr. 1—8, 24 m. Abb. u.
3 Taf.) 4º Bremen, Gewerbe-Museum. (Nur dir.) Je nnn 3 — o H
— d. k. k. technolog. Gewerbe-Museums in Wien. Red.-
Comité: W Exner, L Erhard, P Friedlaender, A Grau, B Kirsch,
G Lanboeck, F Ulzer, F Walla. Neue Folge. 11—15. Jahrg.
1901—5 je 12 Hefte. ('01—04: 227, 319, 229 u. 363 m. Fig.) 8º
Wien, Volksw. Verl. A Dorn. Je 16 —
— d. steiermärk. Gewerbeyer. Hrsg.: Steierm. Gewerbe-Ver.

(Präs.: O Klusemann) in Graz. Red.: JG Tankel. 9—11. Jahrg.
1903—5 je 24 Nrn. (1903. Nr.1—4. 32 m. Abb.) 4º Graz (I Franzens-
platz 2 II), Steiernärk. Gewerbeyer. Je 4 —; halbj. 2.40
Mitteilungen d. statist. Bureaus d. herzogl. Staatsministeriums
zu Gotha. Jahrgänge 1898, 1899, 1901 m. 2. 4º Gotha, (EF
Thienemann). 7 — d
1898.99. (48 u. 42) (02.) 2 — § '01. (67) (02.) 2 — § '02. (102) (03.) 3 —
Jahrg. 1900 ist nicht erschienen.
— d. Vereinigg f. Gothaische Gesch. u. Altertumsforschg.
(Fortsetzg d. Blätter „Aus d. Heimat".) Jahrg. 1901—4. 8º
Friedrichr. (Gotha, Thienemann'sche Hofbh.) Je † 2.80 d
'01. Hrsg.: K Lefp. (296) § '02—04, Hrsg.: E Bilwald. 02. (128 m. Abb.) §
'03. (196 m. 1 Taf. u. 1 Karte.) § '04· (148 m. 1 Bildnis.)
Jahrg. 1—3 s. u. d. T.: Aus d. Heimat.
— schweizer graph. Halbmonatsschrift f. d. graph. Kunstgewerbe. Red. u. Hrsg.: A Müller. 20—24. Jahrg. Septbr 1901—
Aug. 1906 je 24 Nrn. (20. Jahrg. Nr. 1. 24 m. Abb. u. 9 Beil.) 4º
St. Gall., (Scheitlin). Je 9 —
— d. gynaekolog. Klinik d. Prof. O Engström in Helsingfors. III. Bd, 3. Heft u. IV—VI, Bd je 3 Hefte. 8º Berl., S Karger.
36.60
III,3. (295—308 m. 1 farb. Taf.) 01. 4 — (Vollst.: 12 —) § IV. (905) 01-03.
8.50 § V. (356) 03. 12.60 § VI. (239 m. Abb. u. 2 Taf.) 03.04. 11.50
— d. deut. Haftpflicht-Schutzverbandes. Hrsg. v. d.
Verbandsvorst. Nr.12. (167) 8º Berl., F Siemenroth 01. 3.50
Fortsetzg u. d. T.:
— d. deut. Haftpflicht- u. Versichergs-Schutzver-
bandes. Hrsg. v. d. Verbandsvorst. Red. v. P Prigge. Nr. 13
u. 14. 8º Ebd. 4.50
13. März 1902. (145) 02. 3 — § 14. Denkscbrift betf. d. allg. Versichergsbedingn d. deut. Privat-Feuer-Versichergsgesellsch. (aufd. J. 1900/01).
— Vorbehlige u. Abändergn d. allg. Versichergsbedingn d. Verbandes
deut. Privat-Feuef-Versichergsgesellsch. (Auf Grund d. Denkschrift, betf.
d. allg. Versichergsbedingn d. deut. Privat-Feuef-Versichergsgesellsch.
v. J. 1900/01). (58) 02. 1.50.
— d. Ver. f. hambufg. Gesch. Hrsg. v. Ver.-Vorstand. 20. u.
21. Jahrg. (01—24—553 m. 8 Taf.) 8º Hambg, W Mauke S.
01.02. || 22—24. Jahrg. 1902—4. (594) 03-05. Je 2 — d
— d. deut. Haftpflicht- u. Versichergs-Schutzver-
bandes. Hrsg. v. d. Verbandsvorst. III. Bd, 2—4. Heft u.
IV. Bd, 4 Hefte. (Wiss. Tl d. Jahrbücher d. hambufg. Staatskrankenanst. IV. u. VIII. Bd.) 8º Hambg, L Voss. 28 —
III. Hrsg. unter Red. v. Rumpf. 2—4. Heft. (77—664 m. Abb. u. 3 Taf.)
01. 21 — (Vollst.: 22.50)
IV. Hrsg. unter Red. v. Lenbartz. (266 m. Abb. u. 10 Taf.) 03.04. 17 —
— d. Handelskammer zu Leipzig. Hrsg.: Wendtland. Red.
d. jurist. u. verwaltgsschbl. Tls.: Rossbach, d. volkswirtschaftl. Tls.: Heubner. 1. Jahrg. Juli—Dezbr 1904. 6 Nrn. (186)
8º Lpzg, A Twietmeyer. 3 —; einz. Nrn. nn — 50 || 2. Jahrg.
1905. 12 Nrn. 6 — d
— statist. 'd. niederösterr. Handels- u. Gewerbekammer.
5—8. Heft. 4º Wien, (W Braumüller). nn 12 — (1—8.: nn 22 —)
5. Genossenschaften d. gewerbl. Handelskammer i. J. 1897—1900. 1.
Die Wiener Genossenschaften. Verff. vom statist. Bufeau d. Handels-
u. Gewerbekammer. (114) 02. nn 2 —
6. Dass. II. Die Genossensch. Niederösterr. ausserhalb Wiens. Verff. v.
statist. Bufeau d. Handels- u. Gewerbekammer. (330) 05. nn 4 —
7. Vofschriften u. Formularien f. d. Zkblg d. gewerbl. u. landw. Be-
tiMebe Niederösterr. an 3.VI.'05. (114) 04. nn 4 —
8. Gebürtigkeit u. Alter d. Gewerbeanmelder Niederösterr. in d. J. 1897
—1900. Bearb. v. statist. Bureau d. n.-ö. Handels- u. Gewerbekam.
(98, 147 m. 10 Kart.) 05. nn 4 —
— d. Zentralstelle z. verein. Handels- u. Gewerbekammern u,
— d. Zentralverbandes d. Industriellen Österr. z. Vorbereitg d.
Handelsverträge. 24 Nrn. 4º Wien, (W Braumüller).
nn 45.50
1. Ein. u. Ausfuhr v. Papier u. Papierwaren in d. wichtigsten Staaten
sammt d. einschlg. Zolltarifen. Zusammengest. v. d. nied.-öst. Han-
dels- u. Gewerbekammer. (23, 157) 02. nn 3 —
2. Ein. u. Ausfuhr v. Häuten, Leder u. Lederwaren, sowie v. Schuch-
nerwaren in d. wichtigsten Staaten sammt d. einschlg. Zolltarifen.
Zusammengest. v. d. nied.-öst. Handels- u. Gewerbekammer. (24,
187) 02. nn 2.50
3. Ein. u. Ausfuhr v. Maschinen u. Apparaten, Eisenb.-Fahrzeugen, Instrumenten u. Uhren in d. wichtigsten Staaten sammt d. einschlg.
Zolltarifen. Zusammengest. v. d. nied.-öst. Gewerbekammef in
Pfag. (109) 02. nn 2.50
4. Ein. u. Ausfuhr v. Wolle, Wollengarn u. Wollenwaren in d.
wichtigsten Staaten, sammt d. einschlg. Zolltarifen. Zusammengest.
v. d. Handels- u. Gewerbekammer in Brünn. (22, 178) 02. nn 2.50
5. Ein. u. Ausfuhr v. Flachs, Hanf, Jute u. and. vegetabil. Spinn-
stoffen (im Ausnahme v. Baumwolle) sowie v. Waren darans in d.
wichtigsten Staaten sammt d. einschlg. Zolltarifen. Zusammengest.
v. d. Handels- u. Gewerbekammer in Reichenberg. (179, 163) 02.
nn 2.50
6. Ein. u. Ausfuhr v. Eisen- u. Eisenwaren in d. wichtigsten Staaten sammt d. einschlg. Zolltarifen. Zusammengest. v. d. nied.-öst.
Handels- u. Gewerbekammer. (20, 287) 02. nn 3.40
7. Ein. u. Ausfuhr d. v. Holz u. Holzwaren in d. wichtigsten Staaten
sammt d. einschlg. Zolltarifen. Zusammengest. v. d. Handels- u.
Gewerbekammer in Krakau. (20, 144 m. 1 Tab.) 02. nn 2.40
8. Ein. u. Ausfuhr d. v. Glas u. Glaswafen in d. wichtigsten Staaten
sammt d. einschlg. Zolltarifen. Zusammengest. v. d. Handels- u.
Gewerbekammer in Reichenberg u. Pilsen. (20, 97) 02. nn 2.50
9. Ein. u. Ausfuhr d. v. Drechsler- u. Schnitzstoffen sowie Waren
darans, sowie v. Korkwaren, Fleischstoffen u. Gedichten, sowie Bür-
stenbinder, u. Siebmacherwaren in d. wichtigsten Staaten samt d.
einschlg. Zolltarifen. Zusammengest. v. d. Handels- u. Gewerbekam-
mefn in Wien u. Reichenberg. (20, 150) 03. nn 2.50
10. Ein. u. Ausfuhr d. v. Seide u. Seidenwaren in d. wichtigsten Staaten samt d. einschlg. Zolltarifen. Zusammengest. v. d. Handels- u.
Gewerbekammer in Wien. (20, 133) 03. nn 3.50
11. Zolltarif. d. neue allg. Fuss., v. 16.[79.]L.'05. (77) 03. nn 3.50
12. Ein. u. Ausfuhr d. v. unedlen Metallen u. Wafen darans i.d d. wich-

tigsten Staaten samt d. einschläg. Zolltarifen. Zusammengest. v. d. nied.-österr. Handels- u. Gewerbekammer. (31, 257) 03. nn 3.60
13. Ein- u. Ausfuhr, d., v. Baumwolle, Baumwollgarn u. Baumwollwaren in d. wichtigsten Staaten samt d. einschläg. Zolltarifen. Zusammengest. v. Centralverband d. Industriellen Österr. (23, 261) 03. nn 3.60
14. Zusammenstellung d. Zolltarife d. europ. Länder u. d. Verein. Staaten v. Amerika f. d. Warengruppe Edelmetalle u. Waren daraus. Zusammengest. v. d. Handels- u. Gewerbekammer in Wien. (35) 03. nn — 90
15. Dass. f. d. Gruppe Konfektionswaren. Zusammengest. v. d. nied.-Sst. Handels- u. Gewerbekammer. (34) 03. nn — 90
16. Dass. f. d. Gruppe Tonwaren. Zusammengest. v. d. nied.-öst. Handels- u. Gewerbekammer. (35) 03. nn — 90
17. Dass. f. d. Gruppe Gefränke. Zusammengest. v. d. Handels- u. Gewerbekammern in Pilsen, Bozen u. Görz. (40) 03. nn — 90
18. Zolltarif, d. neue bulgar., v. 10.IV.(29.III.)'03 im Vergl. m. d. gelt. Zolltarif. Der Aktien- u. Getreid-Tarif. (64) 03. nn 1 —
19. Zusammenstellung d. Zolltarife d. europ. Länder u. d. Verein. Staaten v. Amerika f. d. Gruppe Mineralien u. Steinwaren. Zusammengest. v. d. Handels- u. Gewerbekammer in Pilsen, Tropau u. Innsbruck. (48) 03. nn — 90
20. Dass. f. d. chem. u. verwandten Industrien. (207) 03. nn 1.80
21. Protokoll, stenograph., d. Plenarversammlg d. Zentralstelle usw. sam Verh. d. Gewerbekammer. (35) 03. Unentgeltlich.
22. Zolltarif, d. neue serb., v. 30./17.III.'04. im Vergl. m. d. gelt. Zolltarif. Die inneren Abgaben. (115) 04. nn 1.30
23. Zolltarif, d. neue allg. rumän., im Vergl. m. d. gelt. Zolltarife. (99) 04. nn 1 —
24. Zolltarif, d. neue bulgar., v. 17./31.XII.'04. (71) 05. nn 1 —

Mitteilungen d. Ver. f. Gesch. u. Altertumskde. d. Hasegaus. 1. u. 10—18. Heft. 8° Ling., (R van Acken). 4.75 d
1. Hardebeck, W: Überblick u. Beschreibg d. früh- u. vorgeschicht. Erd- u. Steindenkmäler, Leichenfelder, Urnenfriedhöfe, Landwehren, Ringwälle u. Ansiedelgsplätze im Kreise Bersenbrück. 2. Aß. (51 m. 2 Taf.) 02. 1 —
10. (69 m. 2 Taf.) 01. 1 — ‖ 11. (72 m. Abb.) 02. — 75 ‖ 12. (57) 03. 1 —
13. (64) 04. 1 —
— f. d. Haus- u. Küchengerät- u. Eisenwaren-Handel. Red.: W Hachmann. 3—5. Jahrg. 1901—03 4 — je 12 Hefte. (1901. 1 Heft. 32 u. 4 m. Abb.) 8° Remscheid. Düsseldf (Hansa-Haus), Verl. d. Mitt. f. d. Eisenwaren- usw. Handel. Je 2 —
Fortsetzg z. u. d. T.: Mitteilungen f. d. Eisenwaren-, Haus- u. Küchengerät-Handel.
— üb. röm. Funde in Heddernheim. III. Hrsg. v. d. Ver. f. Gesch. u. Altertumskde zu Frankfurt am Main. (100 m. 2 Taf.) 4° Frankf. a/M., KT Völcker 1900. 4 — (I—III.: 12 —)
— d. k. u. k. Heeresmuseums im Artill.-Arsenal in Wien. Hrsg. v. d. Kuratorium. 1. u. 3 Heft. 8° Wien, (CKonegen). 04.75 c
1. (29, 200 m. Fig.) 02. ‖ 2. (49, 126 m. 3 Taf.) 03.
— akadem., f. d. Studier. d. Ruprecht-Karls-Univ. Heidelberg. Sommer-Halbj. 1901. Winter-Halbj. 1901/02. Je 8) 4° Hdlbg, J Hörning, (Winter-Halbj. 1902. 18 Nrn. ‖ Sommer-Halbj. 1902. Etwa 26 Nrn. ‖ Winter-Halbj. 1902/3. ‖ Sommer-Halbj. 1905 u. Winter-Halbj. 1905/6. Halbj. 18 Nrn. Halbj. 1.50
— z. Gesch. d. Heidelberger Schlosses. Hrsg. v. Heidelberger Schlossver. IV. Bd, 2—4. Heft u. V. Bd, 1. u. 2. Heft. 8° Hdlbg, K Groos. 15 — (I—V. 2.; 49 —) d
IV, 2. (89—159 m. 6 Taf.) 02. 3 — ‖ 3.4. (238) 03. 6 —
V, 1.2. Rott. H: Ott Heinrich u. d. Kunst. (232 m. Abb. u. 5 Taf.) 05. 6 —
— herald. Monatsschrift f. Wappenkde u. Wappenkunst, unter Beachtg damit verwandter Gebiete. Hrsg. v. H Ahrens. 14. u. 15. Jahrg. 1903. u 4 je 12 Nrn. (1903. Nr. 1—7. 56 m. Abb. u. Taf.) 4° Hannov. (Am Konenwall 14), Jaab & Kohlrautz. Halbj. an 2 —
— dass. Hrsg. v. Ver. Zum Kleeblatt. Schriftleitg: RP Bromme. 16. Jahrg. 1905. .12 Nrn. (Nr. 1. 8 m. Abb. u. 1 Taf.) 4° Ebd. 1899—1904. 8° Kass., (G Dufayel). 1 — einz. Nrn — 50 d
— an d. Mitglieder d. Ver. f. hess. Gesch. u. Landeskde. Jahrg. 1899—1904. 8° Kass., (G Dufayel). Je 10.50
1899. (87 u. 77) 01. 3 — ‖ 1900. (90 u. 33 m. 1 Bildnis.) 01. 3 — ‖ '01. (37 u. 24) 03. 3 — ‖ '02. (48) 03. 1 — ‖ '03/04. (25) 04. — 50.
— d. grossh.hess. Zentralstelle f. d. Landesstatistik. 30—34. Bd. Jan. bis Dezbr 1900—4. 8° Darmst., G Jonghaus. 20.40
30. Nr. 700—718. (304 m. 8 L.) 1900. 3.80 ‖ 31. Nr. 719—740. (352) 01. 4.40 ‖ 32. Nr. 741—761. (336) 02. 4.40 ‖ 33. Nr. 762—781. (390) 03. 4.20 ‖ 34. Nr. 782—797. (256) 04. 3.40.
— a. d. histor. Lit., hrsg. v. d. histor. Gesellsch. in Berlin i. red. v. F Hirsch. 29—33. Jahrg. 1901—6 je 4 Hefte. (Je 504) 8° Berl., Weidmann. Je 8 —
— dass. ‖ Ergänzgsheft. Register üb. Jahrg. XXI—XXX. [1893 —1902.] (157).8° Ebd. 03. 4 — (1. u. 2.: 7 —)
— neue, a. d. Geb. historisch-antiquar. Forschgn. Im Namen d. Thüringisch-Sächs. Ver. f. Erforschg d. vaterländ. Altertums u. Erhaltg ser Denkmäler hrsg. v. G Hertzberg u. R Brode. 21. Bd. 3 Hefte. (320) 8° Halle, (E Anton) 01-03. ‖ 22. Bd. 1. u. 3. Heft. (256) 03.05. Das Heft nn 2 —
— d. Ver. f. Gesch. u. Altertumskde in Hohenzollern. 32—38. Jahrg. 8° Sigmar., (O Liehner). Je † 2.70 d
32. 1898/99. (116) 1899. ‖ 33. 1899/1900. (120 m. 2 Kart.) 1900. ‖ 34. 1900/01. (96 m. Abb. u. 1 Stammtaf.) 01. ‖ 35. '01/02. (73) 02. ‖ 36. '02/03. (54) 04.) ‖ 37. '03/04. (106) 04.) 35. '04/05. (102) 05.)
— statist., üb. d. höh. Unterr.-Wesen im Kgr. Preussen, s.: Zentralblatt f. d. ges. Unterr.-Verwaltg in Preussen.
— d. Ver. f. Gesch. u. Altertumskde zu Homburg v. d. Höhe. 8. Heft. 8° Hombg, (LStaudt) 04. nn 2 — (1—6.: nn 15 —)
Wilhelm, Prinzessin v. Preussen, geb. Prinzessin Marianne v. Hessen. Homburg: Briefe an ihren Bruder Ludwig. Veröffentlicht, E Droescher. (364 m. 2 Abb. u. 7 Taf. [4.]
Das 7. Heft, bei Brachmann nicht eingesandt, ist vergriffen.
—a. Marpmann's hygien. Laboratorium, Leipzig. 1. Heft. 8° Lpzg, P Schimmelwitz. — 50 ð F
Marpmann, G: Beitr. z. Trinkwasser-Untersuchg. [S.-A.] (12) (01.) [1.] — 50
— d. Jeschken-Iser-Turngaues. Hrsg. v. Gauturnrate.

15. Jahrg. 1901. 12 Nrn. (Nr. 1. 16) 8° Gablonz, (H Rössler). nn 2 — ‖ 16. Jahrg. 1902. 1.30 ‖ 17. Jahrg. 1903. 2 — ‖ 18. u. 19. Jahrg. 1904 u. 5. Je † 1.50 d ð F
Mitteilungen f. d. zu d. Lehr- u. Informationskursen d. Infant.-Schiessschs. kommandierten Offiziere. (18) 8° Berl., ES Mittler & S. 03. † — 30 d
— üb. Forschgsarbeiten auf d. Geb. d. Ingenieurwesens, insbes. a. d. Laboratorien d. techn. Hochsch., hrsg. v. Ver. deut.Ingenieure. 1—28. Heft. (Mit Abb.) 8° Berl., (J Springer). Je 1 —
1. (75 m. 4 Taf.) 01. ‖ 2. (78) 01. ‖ 3. (64 m. 4 Taf.) 01. ‖ 4. (68) 02. ‖ 5. (54) 02. ‖ 6. (65 m. 9 Taf.) 02. ‖ 7. (36 m. 1 Taf.) 03. ‖ 8. (107) 03. ‖ 9. (43 m. 7 Taf.) 03. ‖ 10. (56) 03. ‖ 11. (73) 03. ‖ 17. (95) 03. ‖ 13. (90) 04. ‖ 14—16. (306) 04. ‖ 17. (43 m. 5 Taf.) 04. ‖ 18. (100 m. 1 Tab.) 04. ‖ 19. (94 m. 1 Taf. u. 3 Tab.) 04. ‖ 20. (72 m. 7 Taf.) 04. ‖ 21. (103 m. 1 Taf.) 05. ‖ 22. (79) 05. ‖ 23. (46) 05. ‖ 24. (56 m. 1 Taf.) 05. ‖ 25. (97 m. 1 Taf.) 05. ‖ 26.27. (129) 05. ‖ 28. (80 m. 4 Taf.) 05.
— z. j üd. Volkskde., hrsg. v. M Grunwald. Neue Reihe. 1. Jahrg. 2 Hefte. (Der ganzen Reihe 15. u. 16. Heft.) (176 m. Abb.) 8° Berl., S Calvary & Co. 05. 4 —; einz. Hefte 2.50
Bisher u. d. T.:
— d. Gesellsch. f. j üd. Volkskde., hrsg. v. M Grunwald. 1—14. Heft. 8° Hambg. (Berl., M Poppelauer.) nn 37.50
1. (120 m. 3 [2 farb.]Taf.) 1898. nn 2.50Verg. ‖ 2. Mit e. Anh.: Brinckmann, J: Die Sammlg j üd. Kultgeräte im hamburg. Museum f. Kunst u. Gewerbe. (96 m. 1 Abb. u. 2 Taf.) 1898. nn 2.50 Vergr. ‖ 3. (00) 1899. nn 2.50 ‖ 4. (154) 1899. nn 2.50 ‖ 5. (66 m. 1 Taf.) 1900. nn 2.50 ‖ 6. Beil.: 1) Vers. d. Sammlgn d. Ges. f. jüd. Volksk. — 2) Museum f. jüd. Volkskde. (97—138. 18 u. 7.) 1900. nn 2.50 ‖ 7. (100) 01. nn 2.50 ‖ 8. (111—191 m. 4 Taf.) 01. nn 2.50 ‖ 9. (78) 02. nn 2.50 ‖ 10. (81—151) 02. nn 2.50 ‖ 11. (55) 03. nn 2.50 ‖ 12. (124 m. Abb.) 03. nn 2.50 ‖ 13. (72 m. Abb.) 04. nn 5 — ‖ 14. (94 m. Abb.) 04. nn 2.50.
— üb. Jugendschriften an Eltern, Lehrer u. Bibliothekvorstände, v. d. Jugendschriften-Kommission d. schweiz. Lehrerver. 24—28. Heft. 8° Bas., Ver. f. Verbreitg guter Schriften. Je 1 — nn — 50 d
24. (102) 01. ‖ 25. (91) 02. ‖ 26. (67) 03. ‖ 27. (140) 04. ‖ 28. (144) 05.
— a. d. ev.-luther. Jünglingsbunde. Hrsg. v. M Seidel. 14—18. Jahrg. 1901—5 je 24 Nrn. (Nr. 1. 16) 8° Angermünde, Past. C Seidel. Je 1 — d
— literar., f. Juristen u. Verwaltgsbeamte, Fortsetzg, s.: Mitteilungen, litterar., d. Annalen d. Deut. Reichs.
— d. Ver. f. Gesch. u. Altertumskde zu Kahla u. Roda. V.Bd. 3. u. 4. Heft n. VI. Bd. 1. u. 2. Heft. 8° Kahla, (F Beck). 3.50 d
V.3.4. (251—463 m. 3 Taf.) 1898-1900. 2 — ‖ VI.1.2. (181) 01.04. 1.50.
— d. Ver. junger Kaufleute v.Berlin. Red.: M Seckel. 1. Jahrg. Okt. 1902—Septbr 1903. 24 Nrn. (218) 4° Berl., C Heymann. 3 — ‖ 2. Jahrg. Oktbr 1903—Dezbr 1904. 30 Nrn. (304) 3.75 ‖ 3. Jahrg. 1905. 24 Nrn. 3 —; einz. Nrn — 15 d
— d. Gesellsch. f. kieler Stadtgesch. 18., 20. u. 21. Heft. 8° Kiel, Lipsius & T. nn 6.50 d
Chronicon Kilonense tragicum-curiosum 1432—1717. Die Chronik d. Asmus Bremer, Bürgermeister v. Kiel. Hrsg. v. K Blumberg. (39, 157) 04. [21.] 3 — nn 2 —
Eckardt, JH: Gesch. d. Gesellsch. "Harmonie" in Kiel. (947) 05. [20.] nn 1.50
Reutebuch, J: 2. kieler. (1487-1553) Hrsg. v. M Stern. (39, 167) 04. [21.] 3 —
Das 19. Heft ist noch nicht erschienen.
— kirchl., a. u. üb. Nordamerika, Australien u. Neu-Guinea. Blatt f. innere u. äussere Mission. Monatl. Beibl. zu Freimund's kirchlich-polit. Wochenbl. Red.: M Deinzer. Neue Folge. 33—37. Jahrg. 1901—5 je 12 Nrn. (Nr. 1 u. 2. 16 Sp.) 4° Nördl., (CH Beck). Je — 50 d
— a. d. Stadtarchiv v. Köln, begründet v. K Höhlbaum, fortgesetzt v. J Hansen. 31. Heft. (335) 8° Köln, M Du Mont-Sch. 02. 8 — ‖ 32. Heft. (158 m. 1 Karte.) 04. 4.40
— d. deut. Exkursions-Klubs in Konstantinopel. Hrsg. v. G Albert. 1903. V. u. VI. Heft. 8° Konstantin., G Keil. nn 3.50
Mordtmann, J: Die Avaren u. Perhof v. Konstantinopel. ‖ VI. [2 — Resemi Effendi, d. türk. Ver. Beschaft an Friedrich d. Gr. Aus d. Türk. übertr. v. Willi Bay-Bolland. (40) [VI.] 1 —
— d. Musealver. f. Krain. Geleitet v. O Gratzy Edler v. Wardengg u., seit 1904, F Kornatar. 14—17. Jahrg. 1901—4 je 6 Hefte. (1901. 1. u. 2. Heft.) 4° Laib., (I v. Kleinmayr & F Bamberg). Je † 5.40
Fortsetzg war nicht zu erhalten.
— d. Dr. Schmidts Laboratorium f. Krebsforsch. 1. u. 2. Heft. 8° Bonn, M Hager 05. 6 —
1. Schmidt, O: Üb. d. Vorkommen e. protozoenart. Parasiten in d. malignen Tumoren u. Kultur anserb. d. Tierkörpers. — Weitere Resultate u. spezif. Therapie d. Karzinoms. (78 m. 3 Taf. u. 4 Abb. [2. u. nn 1 Doppeltaf.] 2 —
— d. Kreisturnrates u. Turnver. Deutsch-Österr. Hrsg.: F Hirth. Schriftleiter: A Kiesslich. 27—31. Jahrg. 1901—5 je 12 Nrn. (1901. Nr. 1—7. 200) 8° Prag (II. Krakauergasse 11). Versandstelle. Je nn 3 — d
— d. k. u. k. Kriegs-Archivs. Hrsg. v. d. Direktion. 3 Folge. 1—3. Bd. 8° Wien, LW Seidel & S. Je 8 —; L. je 10 —
1. (348 u. 121 m. 10 Taf.) 01. ‖ 2. (348) 02. ‖ 2. (313 u. 33/4 m. Skizzen u. 3 Beil.) 04.
Suppl. s.: Geschichte d. k. u. k. Wehrmacht. — Wlaschütz, W, Bedeulg u. Befestigtn in d. Kriegführg Napoleons.
— d. internat. kriminalist. Vereinigg. — Bulletin de l'Union internat. de droit pénal. Red.: F v. Liszt u., v. 10. Bd an, E Rosenfeld. 8—11. Bd. (8—10. Bd. 421 u. 53; 408 u. 658) 8° Berl., J Guttentag 1899—1903. Je 8 — ‖ 12. u. 13. Bd. 05.06. Je 12 —
— dass. 11. Bd. Beilage. 8° Ebd.
Gottschalk, A: Materialien z. Lehre v. d. verminderten Zurechnngsfähigk. (123) 04. [11.] 2 —

Mitteilungen d. k.k. Central-Commission f.Erforschg u.Erhaltg
d. Kunst- u. histor. Denkmale. Hrsg. unter d. Leitg v.
JA Frhrn v. Helfert. Red.: K Lind. 27. Bd. 4 Hefte. Neue Folge
d. Mitteilgn d. k. k. Central-Commission f. Erforschg u. Erhaltg v. Baudenkmalen. 1901. (1. Heft. 56 m. Abb.) 4° Wien,
(A Schroll & Co.). · nn 20 — ‖ 28. Bd. 2 Hefte. 1902. nn 10 —
— dass. Red.: W Kubitschek u. A Riegl. 3. Folge. 1. Bd. 1902.
12 Nrn. (Nr. 1—3. 80 Sp.) 4° Ebd. nn 5 — ‖ 2. u. 3. Bd. 1903 u.
4 je 12 Nrn. Mit Jahrb. je nn 20 — ‖ 4. Bd. 1905. nn 5 —
— d. 3.(Archiv-)Section d. k. k. Central-Commission z.Erforschg
u. Erhaltg d. Kunst- u. histor. Denkmale. 5. Bd. Archiv-
Berichte a. Tirol v. E v. Ottenthal u. O Redlich. III. Thl.
9 Hefte. (577) 8° Ebd. 1900-03.
— dass. 6. Bd. Hrsg. unter Leitg v. JA Frhrn v. Helfert. (Der
vermischten Aufsätze III. Bd.) 1.Heft. (138) 8° Ebd. 04. nn 4 —
— d. württemberg. Kunstgewerbever. Stuttgart. Schriftleitg : Der Red.-Ausschuss. Jahrg. 1902. 6 Hefte. (1. Heft. 72 m.
Abb. u. 1 Taf.) 4° Stuttg. Göppingen, Illig & Müller. 12 — 6 H
— kurzschriftl. Organ d. allg. Verbandes Braunsscher
Stenogr. Red.: J Brauns. Mit d. Beil.: „Unterhaltgs-Blätter
f. Braunssche Stenogr." Red.: A Düffer, „Stenograph. Korrespondenzbl.", Red.: A Schreiber, „Stenograph.Polemik". Hrsg.:
J Brauns u. (f. 1901) Unterhaltgsbl. f. d. Braunssche Stenick d.
deut. Stenogr. Beil. z. stenograph. Korrespondenz-Bl. Red.: W
Schwarz. 10. u. 11. Jahrg. 1901 u. 2 je 12 Nrn. (1901. Nr.1 u. 2.
8) 8° Hambg. (Lpzg, JH Robolsky.)   Je nn 4 —
                                                ohne Beil. je nn 2 —
— dass. Mit d. Beibl.: „Stenogr. Polemik" u. d. autograph. Beil.:
„Korrespondenz- u. Unterhaltgs-Blatt". Red.: A Schreiber.
12—14.Jahrg. 1903—5 je 12 Nrn. (Nr. 1 u. 8) 8° Ebd. Je 4 —;
                                                ohne Beil. je 2 —
— statist., a. d. deut. ev. Landeskirchen v. J. 1899—1903.
(Von d. statist. Kommission d. deut. ev. Kirchenkonferenz
zusammengest.) [S.-A.] 8° Stuttg., C Grüninger.   2 — d
1899. (22) 01. — 30 ‖ 1900. (41) 02. — 50 ‖ ·01—3. (23, 24 u. 24) 08-05. Je — 40
— statist., üb. d. Landw. in Bayern, s.: Beiträge z. Statistik
d. Kgr. Bayern.
— d. kgl. bayer. Akad. f. Landw. u. Brauerei in Weihenstephan.
Hrsg. z. Jahrb.-Feier 1905. (288 m. Abb. u. 50 [2 farb.] Taf.)
4° Freis., JG Wölfle 05.   5 — d
— üb. d. Verbandlgn d. Sektion f. Land- u. Forstw. u. Montan-
wesen d. Industrie- u. Landw.-Rathes bei d. IV—X. Tagg.
8° Wien, (W Frick).   19 — (I.—X.: nn 24 —) d
IV. ·01. (171) 01. 2 — ‖ V. ·01. (290) 02. 3 — ‖ VI. ·02. (436) 03. 3 — ‖ VII.
·08. (291) 03. 3 — ‖ VIII. ·08. (271) 04. 3 — ‖ IX. ·04. (48) 04. 1 — ‖ X. ·05.
(238) 5 —
— landw. Zeitschrift d. Ver. zu Neuhaldensleben, Loburg u.
Mahlwinkel. Red.: G Eyraud u., seit 1902, W Clar. 52. u.
58. Jahrg. 1901 u. 2 je 12 Nrn. (Nr. 1. 8) 4° Neuhaldensl., CA
Eyraud. (Nur dir.) Je 1.50; f. Vereinsmitglieder je nnn 1 —
‖ 54. Jahrg. 1904. Red.: P Schettler. Nur f. Vereinsmitglieder
                                                unentgeltlich. d
— westpreuss. landw. Red. v. A Steinmeyer. 9. u. 10. Jahrg.
1904 u. 5 je 52 Nrn. (Nr. 1. 6) 47,5×32 cm. Danz., AW Kafemann.   Halbj. 3 — d
— d. landw. Instit. d. kgl. Univ. Breslau. Hrsg. v. K v. Rümker.
I. Bd. 4. u. 5. Heft; II. Bd. 5 Hefte u. III. Bd. 4 Hefte. 8° Berl.,
P Parey.   61 — d
I. 4. (161 m. 4 Kart.) 01. 5 — ‖ 5. (219) 01. 6 — (Vollst.: 29 —) ‖ II. 1 (??)
m. 6 Taf.) 02.04. 29 — ‖ III. (161 m. Abb., 5 Taf. u. 4 Fig.) 04-05. 22 —
— d. landw. Instit. d. Univ. Leipzig. Hrsg. v. W Kirchner.
2—7. Heft. 8° Berl., P Parey.   33.50 (1—7.: 38.50)
2. (129 m. Abb.) 01. 3.50 ‖ 3. (192) 02. 5 — 4 (192 m. Abb.) 08. 7 — d
‖ 5. (192 m. 5 L.) 04. 5 — ‖ 6. (132 m. 21 Taf.) 05. 8 — ‖ 7. (180) 05. 5 —
— d. Vereinigg deut. landw. Versuchsstationen. 1. u. 2. Heft.
8° Berl., P Parey.   Je 9.50
Wagner, P: Die Ausführg v. Felddünggsversuchen u. exakter Methode
u. verschied. Fragen d. Salpeter- u. Ammoniaksalzdüngg. In Gemeinschaft m. R Dofsch u. G Hamann. (95) 04. [1]
— Die Bestimmg d. zitronensäurelösl. Phosphorsäure in Thomasmehlen.
In Gemeinschaft m. H Dofsch, F Aschoff u. R Kunze. (112) 05. [2]
— landw. forstwirtschaftl. Amtl. Verlautbargn d. deut.
Sektion d. Landeskulturrates f. Böhmen. Red. v. KM Hergel
u. F Lassmann. 3—7. Jahrg. 1901—3 je 24 Nrn. (Nr. 1. 8) Fol.
Prag, (JG Calve).   Je nn 3.60 d
— d. deut. Landw.-Gesellsch. Hrsg.: B Wölbling. Schriftleitg : H Sundermann. 16—20. Jahrg. 1901—5 je 52 Stücke-
(·01—4. 760, 800, 735 u. 780) 4° Berl., P Parey.
                          Für Nichtmitglieder je 10 —; einz. Nrn — 50 d
— d. Ver. z. Hebg d. Leipz. Theaterzustände. Nr. 2—5. 8° Lpzg,
G Wigand.   1.25 (1—5.: 1.55) d
2. (16) (1900.) — 40 ‖ 3. (33) (1900.) — 40 ‖ 4. (16) (01.) — 20 ‖ 5. (9) (01.)
— 25.
— d. Gesch.- u. Altertumsver. zu Leisnig im Kgr. Sachsen.
12. Heft, zusammengest. u. hrsg. v. Mirus. (82 m. 1 Abb.) 8°
Leisnig, Geschichts- u. Altertumsver. 04. (Nur dir.) 2 — d
— üb. d. deutsch-französ. Liga. Nr. 1—5. (80) 8° Münch. (Holz-
kirchner 05.), Dr. H Molenaar 04.05.   Je — 25
— d. lipp. Gesch. u. Landeskde. Hrsg. v. d. geschichtl. Abtlg
d. naturwiss. Ver. in Detmold. (Hrsg. u. red.v.Kiewning.) I u.II.
(Je 200 m. Abb.) 8° Detm., H Hinrichs 01.04.   Je 3 — d
— medizinischen litterar. Gesellsch. 25—28. Heft. (V.) 1—4.)
(356) 8° Hdlbg, (C Winter, V.) 1900-03.   12.50 d
— a. d. Geb. d. Gesch. Liv-, Est- u. Kurlds, hrsg. v. d. Gesellsch. f.Gesch. u.Alterthumskde d.Ostseeprovinzen Russlds.

18. Bd. I. Heft u. 19. Bd. 2 Hefte. 8° Riga, N Kymmel's S. 10 —
¹⁹·¹. (809) 02. 3 — ‖ 19. (556) 03.04. 7 —
Umschlagtitel : Mitteilungen a. d. livländ. Gesch. — Das Erscheinen
d. 2. Heftes d. 18. Bds ist auf unbestimmte Zeit verschoben.
Mitteilungen d. Ver. f. d. Förderg d. Lokal- u. Strassenb.-
Wesens. Red.: N Messing. 9—13. Jahrg. 1901—5 je 12 Hefte.
(1901. 1. Heft. 48) 8° Wien, (Lehmann & W.).   Je nn 24 —
— d. Ver. f. lübeck. Gesch. u. Alterthumskde. 10. u. 11. Heft
je 12 Nrn. (10. Heft. Nr. 1—4.) 8° Lüb., (Lübcke & N.) 01-04.
                     Für 6 Nrn 1.20; f. d. Heft 2.40 d
— techn., f. Malerei. Begründet v. AW Keim. Hrsg. v. G
Schultz. Red. v. Büttner Pfänner z. Thal. Techn. Zentral-
Organ f. Kunst- u. Dekorationsmaler, Architekten usw., sowie f. d. ges. Farben-Industrie. 18. u. 19. Jahrg. Juli 1901—
Juni 1903 je 24 Nrn. (18. Jahrg. Nr. 1. 12) 8° Lpzg, Münch.,
Administr. ‖ 20. Jahrg. 1903/4. Hrsg.v.G Schultz. Viertelj. 2 —
                                                  einz. Nrn — 40
— dass. Fachbl. u. Publikationsorgan d. Versuchsanst. u. Auskunftsstelle f.Maltechnik an d. kgl.techn.Hochsch.in München.
(Hrsg. v. G Schultz.) Red. v. Büttner Pfänner z. Thal. Verantwortlich: AW Keim. 21. u. 22. Jahrg. Juli 1904—Juni 1906
je 24 Nrn. (Nr. 1. 12) 8° Münch., Administr. Viertelj. 2 —;
                                                  einz. Nrn — 40
— a. d. Markscheiderwesen. NeueFolge. Hrsg. v. H Ullrich
u. H Werneke. 2—7. Heft. 8° Freibg, Craz & G. 18.50 (1—7.: 21 —)
2. (70 m. 1 Fig. u. 5 L.) 1900. 2.50 ‖ 3. (76 m. Abb. u. 1 Karte.) 01. 2.50
‖ 4. (107 m. Abb., 1 Taf. u. 1 Ueberficht d. geolog. Spezialk. v. Pfeussen
u. d. Thüring. Staaten.) 02. 3 — ‖ 5. (111 m. Abb., 1 Portr., 3 Taf. u.
1 Gliederga-Tab. d. Dekorationsind. d. oberschles. Steinkohlengebirges.) 03.
3.50 ‖ 6. (112 m. Abb. u. 8 Taf.) 04. 4 — ‖ 7. (104 m. 1 Abb. u. 5 Taf.)
05. 3 —
— z. Hebg d. Industrie sprech. Maschinen. (Umschl.: Winke
u. Ratschläge z. Herstellg v. besproch. Walzen.) (18) 12° Berl.
(N.W. Perlebergerstr. 58), Herm. Berger 01.   1 —
— a. d. Maschinen-Laboratorium d. kgl. techn. Hochsch.
zu Berlin. 3.u.4.Heft. 4° Münch., R Oldenbourg. 9.50 (1—4.: 17 —)
Josse, E: Neuere Untersuchgn u. Versuche m. Abwärmekraftmaschinen. 3.50
m. Fig.) 01. [3.]
— Neuere Wärmekraftmaschinen. Versuche u. Erfahrgn m. Gasmaschinen,
Dampfmaschinen, Dampfturbinen etc. (108 m. Abb. u. 1 Taf.) 05. [4.] 7 —
— d. litterar. Gesellsch. Masovia (d. früh. Ver. f. Kde Ma-
surens). Hrsg. v. RE Schmidt. 6—10. Heft. (6—10. Jahrg.) 8°
Lötzen. (Kőngsbg, P Parey.)   Je 4 — (1—10.: 35 —) d
6. (104) 1900. ‖ 7. (201 m. 1 Abb. u. 1 Karte.) 01. ‖ 8. (226 m. Abb. u. 1 Karte.)
02. ‖ 9. (210) 03. ‖ 10. (372) 04.
Beil. s.: Lucanus, AB, Preussens uralte u. heut. Zustand.
— a. d. kgl. Materialprüfgsamt zu Gross-Lichterfelde-
West. Red.: A Martens. 22. u. 23. Jahrg. 1904 u. 5 je 6—8 Hefte.
(1904. 1. u. 2. Heft. 102 m. Abb.) 8° Berl., J Springer. Je 12 — d
Bisher u.d.T: Mitteilungen a.d.kgl.techn.Versuchsanst. zu Berlin.
— d. Materialprüfgs-Anst. am schweiz. Polytechnikum
in Zürich. VIII u. IX. 8° Zür., (E Speidel).   14 —
Tetmajer, L: Die Gesetze d. Knickgs- u. zusammengestützten Druck-
festigkeit d. technisch wichtigsten Baustoffe. 2. Aufl. (220 m. Abb. u. 6 Taf.)
01. [VIII.]
— Methoden u. Resultate d. Untersuchg d. Aluminiums u. s. Abkömmlinge. Landesanstellg-Ausg. 1896. (182 m. 8 Taf.) 1900. [IX.] 6 —
— d. mathemat. Gesellsch. in Hamburg. 4. Bd. 1—5. Heft.
(223 m. 2 Taf.) 8° Lpzg, (BG Teubner) 01-05.   6.80 d
— mathematisch-naturwiss., begründet v. O Böklen,
hrsg. v. A Schmidt. A Haas u. E Wölfing. 2. Serie. 3—7. Bd.
je 3 Hefte. (3—6 : 96, 80 m. 1 Bildn., 80 u. 95) 8° Stuttg., JB
Metzler 01-05.   Je 3 —
— d. mechanisch-techn. Laboratorium d. k. techn. Hochsch. München. Gegründet v. J Bauschinger. Neue Folge.
Hrsg. v. A Föppl. Der ganzen Reihe 27—29. Heft. 4° Münch.,
T Ackermann.   32 — (1—29.: 228.20)
27. (48 m. Abb. u. 6 Taf.) 02. ‖ 28. (48 m. Abb., 4 Taf. u. 12 Tab.) 08. 10 —
‖ 29. (48 m. Abb. u. 8 Taf.) 04. 10 —
— a. d. Grenzgebieten d. Medizin u. Chirurgie. Red. v. J v.Mi-
kulicz, B Naunyn. 8—5. Bd. je 5 Hefte. (758, 986 m. 788 m.
Abb., Kurven u.14, 5 u.14 Taf.) 8° Jena, G Fischer 01-04. ‖ 15.Bd.
Red. v. B Naunyn u. J v. Mikulicz. 5 Hefte. (456 m. Abb.,
Kurven u. 15 Taf.)   Je 25 — d
— dass. 1. u. 2. Suppl.-Bd. 8° Ebd.   24 —)
                              f. Abnehmer d. Mitteilgn 19 —
Boffmann, R : Das Wachstum u. d. Verbreitgswege d. Magencarcinoms
v. anatom. u. klin. Standpunkt. (376 m. Abb. u. 16 Taf.) [1.] 16 —; 1
                                                        bezw. 12 —
QueYrain, F de : Die akute eiter. Thyreoiditis u. d. Beteiligg d. Schilddrüse an akuten Intoxikationen u. Infektionen überhaupt. (185 m. 6 Taf.)
04. [2.] 8 — ; 6 —
— z. Gesch. d. Medizin u. d. Naturwiss. Hrsg. v. d. deut.
Gesellsch. f. Gesch. d. Medizin u. d. Naturwiss. unter Red.
v. GWA Kahlbaum, M Neuburger, K Sudhoff. 1—4. Jahrg.
8° Hambg, L Voss.   80 —
1. (421 m. Abb.) 02. 18 — ‖ 2. (479 m. Abb.) 03. 21 — ‖ 3. (528 m. Abb.)
04. 21 — ‖ 4. (582 m. Abb. u. 1 Taf.) 05. 20 —
— d. Gesellsch. f. innere Medizin u. Kinderheilkde in Wien.
Hrsg.: H Neumann. Red.: H Schlesinger. 3. u. 4. Jahrg. 1904
u. 5 je 10 Nrn. (1904. Nr. 1. 2. Suppl. z. Stuttgart d. Gesellsch. 3)
8° Wien, M Perles.   Je 6 —
— medizinal-statist., a. d. kais. Gesundheitsamte. (Beihefte zu d. Veröffentlichgn d. kais. Gesundheitsamtes.) VI. Bd.
3. Heft; VII. u. VIII. Bd. je 3 Hefte; IX. Bd. u. 2 Hefte u. X. Bd.
1. Heft. Berl., J Springer.   40.80 d
VI, 3. (297—388 m. 171—361 m. 4 Kart.) 01. 6 — (Vollst.: 14 —) ‖ VII.
(256 u. 68 m. 6 Kart.) 01-08. 8.40 ‖ VIII. (326 u. 135 m. 6 Kart. u. 1 farb.

Taf.) 03.04. 10.40 ‖ IX. (183 u. 419 m. 6 Kart.) 04.05. 13 — ‖ Σ,1. (77 n. 99 m. 4 Kart.) 05. 4 —
Die Abnehmer d. Veröffentlichgn d. kais. Gesundheitsamtes erhalten d. Mitteilgn zu e. um 20% ermäss. Preise.
Mitteilungen d. Wiener m e d i z i n. Doktoren-Kollegiums. Red.: F Batsy. 27—30. Bd. 1901—4. je 26 Nrn. (134, 134, 134 u. 160) 8° Wien, (F Deuticke.) Je 6 —; einz. Nrn nn —50 ‖ 31. Bd. 1905. 4 Nrn. Je 1 —
— a. d. m e d i z i n. Facultät d. kais.-japan. Univ. zu Tokio. III. Bd. 3 Nrn. (331 m. 18 Taf.) 8° Tokio 1897. (Berl., R Friedländer & S.) nn 26 — ‖ IV. Bd. 7 Nrn. (362 m. 10 Tab. u. 28 Taf.) 1898–1900. (1.4 —; 4. nn 4 —; 5. nn 2 —; 6. nn 6 —; 7. nn 12 —) ‖ V. Bd. 4 Nrn. (427 m. 54 Taf.) 01–04. nn 36 — ‖ VI. Bd. Nr. 1—3. (348 m. 9 Tab. u. 14 Taf.) 03.05. nn 20 —
Fehlendes war nicht zu erhalten.
— d. Ver. f. Gesch. d. Stadt Meissen. Des 6. Bds 1—4. Heft. (487) 8° Meissen, (L Mosche) 01-04. Je 3 —
— b. m i l c h w i r t s c h a f t l. Ver. im Allgäu. Zeitschrift f. d. Milchwirtschaft u. Viehzucht d. bayer. Allgäu. Hrsg vom milchw. Ver. im Allgäu (e. V.), unter Schriftleitg v. T Hobenegg u., seit 1903, T Aufsberg. 12—16. Bd. 15—19. Jahrg. 1901 — je 12 Hefte. ('01—4: 336, 320, 356 u. 304) 8° Memmingen, Kempten, Geschäftsstelle. Halbj. 1.50; einz. Hefte — 30 d
— d. k. u. k. m i l i t ä r- g e o g r a p h. Instit. Hrsg. auf Befehl d. k. u. k. Reichs-Kriegs-Ministeriums. 20—24. Bd. 8° Wien, (R Lechner's S.) Je nn 18 —
20. 1900. (212 m. 14 Taf.) 01. nn 3 — ‖ 21. '01- (300 m. 7 Taf.) 02. nn 3 — ‖ 22. (469 m. 7 Taf.) 03. nn 4 — ‖ 23. '03- (317 m. 10 Taf.) 04. nn 3 — ‖ 24. '04- (180 m. 7 Taf.) 05. nn 3 —
— m i n e r a l o g. u. petrograph. s.: Tschermak.
— a. d. m i n e r a l o g i s c h - g e o l o g. Instit. d. Reichs-Univ. zu Groningen a. d. Geb. d. Kristallogr., Mineral., Petrogr., Geol. u. Palaeontol. Hrsg. v. FJP van Calker. I. Bd. 1. Heft. (237 m. Abb. u. 15 Taf.) 8° Lpzg, Gebr. Borntraeger 05. Kart. nn 22.50
— d. Ver. z. Förderg d. M o o r k u l t u r im Deut. Reiche. Red.: M Jablonsky. 1901. 24 Nrn. 8° Berl., Deut. Tageszeitg. 8 — ‖ 20. u. 21. Jahrg. 1902 u. 3. Je 10 — ‖ 22. u. 23. Jahrg. 1904 u. 5. Je 8 — d
— f. d. M o z a r t - G e m e i n d e in Berlin. Hrsg. v. R Genée. 11—20. Heft. 8° Berl., (ES Mittler & S.). 15 — (1—20.: 30.50) d
11. März 1901. Mozarts Terzett „Mi laguerò tacendo". (40 m. 2 Bildnissen u. Notenbeil. 7 in 48.) 1.50 ‖ 12. Oktbr 1901. (43—50 m. 3 Bildnissen u. 1 Fksm.) 1.50 ‖ 13. Febr. 1902. (81—112 m. 1 Bildnis u. 1 Notenbeil. 7 in 48.) 1.50 ‖ 14. Oktbr 1902. (113—152 m. 2 Bildnissen u. 1 Notenbeil. 15—242) 1.50 ‖ 15. März 1903. (153—184 u. Notenbeil. 8) 1.50 ‖ 16. Novbr '03. (243—266) 1.50 ‖ 17. März '04. (243—282 m. 1 Fksm.) 1.50 ‖ 18. Novbr '04. (283—306 m. 7 Bildmittaf. u. 7 fksm. S.) 1.50 ‖ 19. März '05. (307—342) 1.50 ‖ 20. Decbr '05. (343—374 m. 1 Abb.) 1 Taf., 3 fksm. Bl. n. Notenbl. 1) 05. 1.50
— d. statist. Amtes d. Stadt München. XVII. Bd. 2. Heft, 3. Heft III Tle u. 4. Heft; XVIII. Bd. 5. Hefte u. XIX. Bd. 2. Heft. 4° Münch., J Lindauer. 19 —
XVII, 2. Geburten u. Sterbefälle im J. 1900. — Steuern u. Gemeindeumlagen d. Einwohnerschaft Münchens in d. J. 1899 u. 1900. — Steuern u. Gemeindeumlagen d. unmittelbaren Städte Bayerns (1890—1900). — Geburten u. Sterbefälle im J. 1901. (113—284 m. 1 Taf.) 02. 2 — d
3. III. Volks- u. Wohnungs-Zählung, d. v 1.XII.1900 in München. I. Tl. Die Volkszählg. (56) 01. 1 — ‖ II. Tl. Die Wohngszälg. (56) 01. 1 — d ‖ III. Tl. — I. Die Anwesen- u. Gebäudezälg. — II. Die Haushaltzälg. Anh.: Der Bestand an Vieh u. Obstbäumen. (54) 02. 1 — d 4. Jahresübersichten, Münch., f. 1900. (112) 01. (XVII. vollst.: 9 —)
XVIII, 1. Jahresübersichten, Münch., f. '01- (98 m. 1 Taf.) 02. (XVII. vollst.: 9 —) 2. (99—194, 7 u. 10.) 04. — 3.4. Jahresübersichten, Münch., f. '02 u. '03- (109' u. 96 m. Fig.) 03.04. 5. (195—207 u. 11—52) 05.
— XIX. 2. Jahresübersichten, Münch., f. '04- (109 m. Fig.) 05. 2 —
Das 1. Heft d. 19. Bds ist noch nicht erschienen.
— d. Ver. f. nassauische Altertumskde u. Gesch.-Forschg an s. Mitglieder. Jahrg. 1901/2, 1902/3, 1903/4, 1904/5 u. 1905/6 je 4 Nrn. (128, 144, 144, 144 u. 148 Sp.) 8° Wiesbaden (Friedrichstr. 1, I), Ver. f. nass. Altertumskde. Je 2 —; f. Mitglieder unentgeltlich.
— d. aarg. n a t u r f o r s c h. Gesellsch. IX. Heft. Zugl. Festgabe an d. Jahresversammlg d. schweiz. naturforsch. Gesellschaft in Zofingen. Red.: F Mühlberg. (98, 99, 6, 16, 2 u. 2 m. 11 Tab., 1 Karte u. 1 Taf.) 8° Aar., HR Sauerländer & Co. 01. 4 — ‖ X. Heft. (84, 101 m. 4 Taf.) 05. 2.80
— d. n a t u r f o r s c h. Gesellsch. in Bern a. d. J 1900—4. Red.: JH Graf. 8° Bern, KJ Wyss. Je 6.40 d
1900. Nr. 1478—1490. (173 m. Fig. u. 8 [4 farb.] Taf.) 01 ‖ '01. Nr. 1500— 1516. (152 m. 2 Taf. u. 1 Taf.) 02. ‖ '02. Nr. 1519—1550. (236 m. 9 Taf.) 03. ‖ '03. Nr. 1551—1564. (110 m. Abb. u. 1 Taf.) 04. ‖ '04- Nr. 1565—1590. (70, 201 m. Abb., 8 Taf. u. 1 Karte.) 05.
— d. n a t u r f o r s c h. Gesellsch. in Luzern. Red.: H Bachmann. 4. Heft. (27, 281 m. 16 Taf. u. 1 Bildnis.) 8° Luz., (E Haag) 05. 3 —
— d. n a t u r f o r s c h. Gesellsch. in Solothurn. 1. Heft. (XIII, Bericht.) 1899—1902. (155) 8° Soloth., (A Lüthy. — T Petri) 02. nn 2.50 d
Bericht I—XII enth. keine wiss. Arbeiten u. wurden nur an Mitglieder abgegeben.
— a. d. n a t u r h i s t o r. Museum in Hamburg. 2. Beiheft z. Jahrb. d. hamburg. wiss. Anst. XVII—XXI. Jahrg. 8° Hambg, (L Gräfe & S.). 43 —
XVII. 1899. (108 m. 1 Fig. u. 7 Taf.) 1900. 10 — ‖ XVIII. 1900. (263 m. Fig. u. 10 Taf.) 01. 10 — ‖ XIX. '01. (210 m. Abb., 8 Taf. u. 1 Karte.) 03. 7 — ‖ XX. '02. (309 m. Abb. 03. 9 — ‖ XXI. '03- (207 m. Abb., 1 Kartenskizze, 4 Taf. u. 1 Karte)
— a. d. n a t u r w i s s. Ver. f. Neu-Vorpommern u. Rügen in Hinrichs' Fünfjahrskatalog 1901—1905.

Greifswald. Hrsg. v. Vorstand. 32—36. Jahrg. 1900—4. 8° Berl., Weidmann. 33 —
32. (70, 222 m. 1 Taf.) 01. 7 — ‖ 33. (78, 156 u. 40 m. Abb. u. 5 Taf.) 02. 7 — ‖ 34. (104 u. 99) 03. 6 — ‖ 35. (24, 80 u. 51) 04. 4 — ‖ 36. (78, 188 u. 51 m. Abb. u. 1 Taf.) 05. 5 —
Mitteilungen d. n a t u r w i s. Ver. f. Steiermark. Jahrg. 1900 —4. (Der ganzen Reihe 37—41. Heft.) Red. v. C Doelter. 8° Graz, (Leuschner & L.). Je 9 —
1900. (111, 309 m. Abb. u. 4 Taf.) 01. ‖ '01- (76, 296 m. Abb., 3 Taf. u. 5 Kart.) 02. ‖ '02. (102, 419 m. Abb.) 03. ‖ '03- (153, 322 m. Abb., 1 Bildnis u. 2 Taf.) 04. ‖ '04- (113, 202 m. 2 Abb. u. 2 Taf.) 05.
— dass. Haupt-Repertorium üb. sämtl. Vorträge, Abhandlgn u. wichtigere fachwiss. Notizen, welche sich in d. Heften XXI bis einschl. XL (d. Jahrg. 1884 bis einschl. 1903) befinden. Veranstaltet v. e. Mitgliede. (39) 8° Ebd. 05. 1 —
— N i e d e r l a u s i t z e r. Zeitschrift d. Niederlausitzer Gesellsch. f. Anthropol. u. Alterthumskde. VI. Bd. 6—8. Heft; VII. u. VIII. Bd je 8 Hefte u. IX. Bd. 1—4. Heft. 8° Gub., (A Koenig). † nn 26.05 d
VI,6—8. (263—501 m. 1 Taf.) 1900.01. † 4.50 † VII. (437 m. Abb. u. 3 Taf.) 02.03. † nn 10.65 ‖ VIII. (348 m. 4 Taf.) 04. † nn 7.90 ‖ IX,1—4. (288) 05. † 3 —
Die fehl. Hefte waren nicht zu beschaffen.
— d. n o r d b ö h m. Exkursions-Klubs. Red. v. A Paudler u. F Hantschel. 23—28. Jahrg. 1900—5 je 4 Hefte. 1900—4: 416, 416, 416, 408 u. 428) 8° Leipa, (J Hamann). Je nn 3.40; einz. Hefte nn — 85 d
— d. n o r d f r i e s. Ver. f. Heimatkde u. Heimatliebe, s.: Veröffentlichungen.
— d. kais. N o r m a l - E i c h g s - K o m m i s s i o n. 2. Reihe. Nr. 11—19. (123—248 m. Abb.) 8° Berl., J Springer 01-05. nn 2.75 (1—9: nn 5.35) d
— d. bayer. n u m i s m a t. Gesellsch. Hrsg. v. deren Redactions-Comité. XX—XXIII. Jahrg. Münch., (Dr. E Merzbacher Nf.). (Nur dir.) 19.50
XX. '01- Festgabe z. Feier d. 80. Geburtsfestes d. Prinz-Reg. (153 m. Abb. 1 Taf.) 01. 9 — ‖ XXI. '02. (79 u. 82 u. 1 Taf.) 02. (6—) 7.50 ‖ XXII.XXIII. '03 u. 04. (197 m. Abb.) 03. 6 —
— d. Ver. f. Gesch. d. Stadt N ü r n b e r g. Hrsg. v. E Mummenhoff. 14. u. 15. Heft. (296 u. 252) 8° Nürnbg, (JL Schrag) 01.02. Je 6.80
— d. o b e r h e s s. Gesch.-Ver. Neue Folge. 10—13. Bd. 8° Giess., (A Töpelmann). 9.50 d
Ergänzg z. u. d. T.: Fundbericht f. 1893—1901.
— üb. Obst- u. Gartenbau. Hrsg. v. R Goethe u. geleitet v. E Junge. 16. u. 17. Jahrg. 1901 u. 2 je 12 Nrn. (16 m. Abb., 16 u. 1 Taf.) 8° Geisenh, Wiesb., R Bechtold & Co. Je 1.75 d
Fortsetzg u. d. T.:
— Geisenheimer, üb. Obst- u. Gartenbau. Gegründet u. (bis 1903) hrsg. v. R Goethe u. geleitet v. E Junge. 18—20. Jahrg. 1903—5 je 12 Nrn. '03. 1. 16 m. Abb.) 8° Ebd. Je 1.75 d
— d. wiss. Ver. f. O k k u l t i s m u s in Wien. Schriftleiter: R Hielle. 3. Jahrg. Nr. 1. (31) 8° Wien, (C Stetter) 02. — 50 d ‖ 2. (16) 02. — 25 d
Mit „Gnosis" vereinigt. — Später wieder erschienen u. d. T.: Sonnenkunde.
— d. ö k o n o m. Gesellsch. im Kgr. Sachsen 1900—5. 27—31. Fortsetzg d. Jahrbb. f. Volks- u. Landw. 8° Lpzg, G Schönfeld. Je 2 — d
27. 1900/01. (129, 121 m. 4 Tab.) Dresd. 01. ‖ 28. '01/2. (36, 135 m. Tab.) Dresd. 02. ‖ 29. '02/3. (148 u. 1 Forke. 257.) 03. ‖ 30. '03/4. (51, 113) 04. ‖ 31. '04/5. (41, 199 m. Abb.) 05.
— a. d. O r i e n t. Hrsg. v. deut. Hülfsbund f. christl. Liebeswerk im Orient. Zentrale Frankfurt a. M. (Hrsg.: Lohmann.) 4—7. Jahrg. Oktbr 1901—Septbr 1905 je 12 Hefte. 4. Jahrg. 1. Heft. 8 m. Abb.) 14° Frankf. a/M., Verl. Orient. Je 1.50 d
Fortsetzg s. u. d. T.: Sonnen-Aufgang.
— a. d. o r i e n t a l. Sammlgn d. kgl. Museen zu Berlin. IX., XIII. u. XVI. Heft. Fol. Berl., G Reimer. 149 —
(—XIII u. XVI.: 481 —)
Ausgrabungen in Sendschirli. Ausgeführt u. hrsg. im Auftr. d. Orient-Comités zu Berlin. III. Thorsculpturen. (201—236 m. 15 Taf.) 02. 9 —
(—III.: 19 —)
Steindorff, G: Grabfunde d. mittl. Reichs in d. kgl. Museen zu Berlin. II. Der Sarg des Sebk—O. — Ein Grabfund a. Gebelen. (34 m. Abb. u. 22 [z. Tl. farb.] Taf.) 01. [IX.] 68 — (I—II.: 148 —)
Tempelurkunden a. Telloh. Hrsg. v. G Reisner. Mit Wörter- u. Namenverz. (155 m. Abb.) Bl. 01. [XVI.] 56 —
— d. S e m i n a r s f. orient. Sprachen an d. kgl. Friedrich Wilhelms-Univ. zu Berlin. Hrsg. v. E Sachau. 4—8. Jahrg. Je 3 Abthlgn. 8° Berl., G Reimer 01-04. jede Abthlg je 6 —
1. Ostasiat. Studien. Red. v. C Arendt u. R Lange. IV. (290) [V. (232)] VI. Red. v. R Lange u. A Forke. (317) ‖ VII. Red. v. C Arendt u. R Lange. (349) u. 6 Taf.)
2. Westasiat. Studien. Red. v. K Foy, C Brockelmann u. B Meissner. IV. (277) ‖ V. Red. v. K Foy u. B Meissner. (301) ‖ VI. (219) ‖ VII. (348) u. 6 Taf.) ‖ VII. Red. v. K Foy u. B Schwarz. (349)
3. Afrikan. Studien. Red. v. C Velten, J Lippert u. C Meinhof. IV. (290) ‖ V. (382) ‖ VI. (342) ‖ VII. (416) ‖ VIII. (349)
— d. deut. O r i e n t - G e s e l l s c h. zu Berlin. Nr. 1—20. 8° Berl. (W. 10, Victoriastr. 33), Verl. d. Gesellsch. 1898—1903. 6 H
— d. Ver. f. Gesch. u. Landeskde v. O s n a b r ü c k (Histor. Ver.). 25—29. Bd. Red. v. Onno Abb., (H Meinders. — Rackhorst). 6 — d
25. 1900. (19, 331) 01. ‖ 26. '01- (20, 320) 02. ‖ 27. '02- (19, 347) 03. ‖ '03- (20, 325) 04. ‖ 29. '04- (20, 332 m. 1 Taf.) 05.

Mitteilungen d. dent. Gesellsch. f. Natur- u. Völkerkde Ostasiens. Hrsg. v. Vorstande. VIII. Bd, 2. u. 3. Thl; IX. Bd, 3 Thle u. X. Bd, 1. Tl. 8° Tokyo. (Berl., A Asher & Co.)
Der Thl nn 6 —
VIII,2.3. (105—406 m. 15 Taf.) 1900.02. || IX. (488 m. 12 Taf.) 02.03. || X,1. (132 m. 6 Taf.) 05.
— dass. Suppl. 8° Ebd. nn 35 —
. Florens, E: Japan. Annalen a. D. 592—607. Nihongi v. Suiko-Tennō bis Jitō-Tennō. (Buch XXII—XXX.) 2. Afl. (58, 421) 03. nn 10 —
— Japan. Mythol. Nihongi „Zeitalter d. Götter". Nebst Ergänzg u. and. alten Quellenwerken. (341 m. 19 Taf. u. 2 Kart.) 01. nn 10 —
Haas, H: Gesch. d. Christentums in Japan. 1 Erste Einführg d. Christentums in Japan durch Franz Xavier. (301) 02. nn 6 — || II. Fortschritte d. Christentums unter d. Superiorat d. P. Cosmo de Torres. (27, 283) 04. nn 9 —
— a. d. Osterlande. Hrsg. v. d. naturforsch. Gesellsch. d Osterlandes zu Altenburg i. S.-A. Neue Folge. 9—11. Bd. Der ganzen Reihe 28—30. Bd. 8° Altenbg. (Schnuphase). 4 —
9 [25]. (82) 1900. 1 — || 10 [29]. (105) 03. 2 — || 11 [30]. (91) 05. 1 —
— d. gesch.- u. altertbumsforsch. Gesellsch. d. Osterlandes.
1. Ergänzsheft. 8° Ebd. nn 2.50 d
Geyer, M: Verz. d. Handschriften in d. Archive d. Gesellsch. (123) 01.
[1.] nn 2.50
— d. Instit. f. österr. Gesch.-Forschg. Red. v. E Mühlbacher.
22—24. Bd je 4 Hefte. (23. u. 24. Bd. 720 u. 688) 8° Innsbr., Wagner 01-03. Je 13 —
— dass. Unter Mitwirkg v. A Dopsch u. F Wickhoff red. v. O Redlich. Nebst Beibl.: Kunstgeschichtl. Anzeigen. Red. v. F Wickhoff. 25. u. 26. Bd je 4 Hefte. (1. Heft. 208 u. 34) 8° Ebd. 04.05. Je 13 —
— dass. V. Ergänzgsbd, 3. Heft; VI. Ergänzgsbd u. VII. Ergänzgsbd, 1. Heft. 8° Ebd. 98 —
V,3. (475—690 m. 1 Karte.) 03. 5 — (Vollst.: 15 —) || VI. (Theodor R v. Sickel z. 50jähr. Doctor-Jubiläum 1860—1906 gewidmet v. Instit. f. österr. Geschichtsforschg u. dessen einst. Mitgliedern.) (388 m. 2 Taf. u. 1 Bild-nis.) 01. 18 — || VII,1. Red. v. O Redlich. Gewidmet d. VIII. Versammlg deut. Historiker in Salzburg. Septbr '04. (214) 04. 5 —
— üb. Parsons-Dampfturbinen. [S.-A.] (8 m. Abb.) 4° Zür., Rascher & Co. 02. — 50
— v. Verband deut. Patentanwälte. Hrsg. v. Vorstand. Red.: W Dame. 3. Jahrg. 1903. (Nr. 1. 8) 4° Berl., Schmorl.
Nur f. Mitglieder.
— d. Zentralstelle f. deut. Personen- u. Familiengesch.
1. Heft. (48) 8° Lpzg, Breitkopf & H. 05. 1 — 3
— a. J Perthes' geograph. Anst., s.: Petermann, A.
— d.histor. Ver. d. Pfalz. XXV—XXVII. 8° Speier, (J äger). 3 —
XXV. (250 m. 2 Taf.) 01. 4 — || XXVI. (156) 03. 4 — || XXVII. Hrsg. v. A Müller. (19, 358 m. 1 Abb.) 04. 5 —
— photograph. Illustr. Zeitschrift f. d. Ges.-Gebiet d. Photogr. Gegründet v. HW Vogel. Hrsg. u. Red.: E Vogel u., 1902, v. P Hanneke. 38. u. 39. Jahrg. 1901. u. 9 je 24 Hefte. (588, 73 u. 396, 84 m. Abb., in Taf.) 8° Berl., G Schmidt. Viertelj. 3 —
— dass. Halbmonatsschrift f. Amateur-Photogr. Hrsg.: P Hanneke. Bildererg. F Loescher. 40—42. Jahrg. 1905—5 je 24 Hefte. (386, 182; 384, 150 u. 384, 156 m. Abb. u. Taf.) 8° Ebd.
Viertelj. 3 —; einz. Hefte — 60
— d. photograph. Industrie. Redact.: E Bühler. 1. Jahrg. Mai
—Aug. 1901. 4 Nrn. (Nr. 1. 8 m. Abb.) 8° Karlsr., (G Pillmayer).
Je — 20 Vergr. 5 F
— d. physikal. Gesellsch. Zürich. 1—3 Red.: A Schweitzer; 4 u. 5 Red.: U Seiler-Heberlein; 6 Red.: G Grossmann, Nr. 1—6. 8° Zür., A Müller's V. 7 —
1. (92) 01. 1 — || 2. (16) 03. 1 — || 4. (16 m. Fig.) 03. 1 — || 5. (44 u. 4 m. Fig.) 03. 2 — || 6. (18 m. Fig.) 04. 1 —
— a. d. Ver. f. Gesch. d. Stadt Pirna. 1. u. 2. Heft. 8° Pirna, (C Diller & S). 1.35 d
Speck, O: Melanchthons Beziehgn zu Pirna. Vortr. (8) 1897. [1.] — 60
— Wie Pirna böhmisch u. wieder melzenisch wurde. (81) 05. [2.] — 75
— d. Altertumsver. zu Plauen i. V. 14—16. Jahresschrift f. 1900—4. Hrsg. v. CA Scholtze. 8° Plauen, (R Neupert jr.).
nn 7.70 d
14. 1900. (128 u. 107) '01. nn 3.90 d || 15. '01.02. (51) 02. nn 1.50 d || 16. '03.04. (200) 04. nn 3 —
Beilage s, u. d. T.: Raab, C v., d. Amt Plauen.
— d.prähistor. Commission d. kais. Akad. d. Wiss. Hrsg. v. d. Akad. d. Wiss. iu Wien. 1. Bd. Nr. 5 u. 6. 4° Wien, (A Hölder). Kart. 10.40 (1—6.: 25.40)
1.5. (365—868 m. Abb.) 01. 3.60 d || 6. (369—411 m. Abb. u. 6 Taf.) 05. 5 —
— d. wiss. Predigerver. d. Pfalz. Schriftleitg: Born. 3.
Jahrg. 1905. 12 Nrn. (Nr. 1—4. 28) 8° Lettweiler, Pfr. Born. d ö H
— f. d. Pressluft-Industrie. Beibl. z. Zeitschrift f. komprimierte u. flüss. Gase etc. Red.: C Heinel. 1. Jahrg. Mai
1905—März 1904. 6 Nrn. (30 m. Abb.) 8° Weim., C Steinert.
6 — || 2. Jahrg. Mai 1904—Apr. 1905. 6 Nrn. 4 — || 3. Jahrg.
Juli 1905—Juni 1906. Schriftleitg: E Lesser u. F Greger. 6 Nrn.
4 —
— d. Ver. f. Roohlitzer Gesch. 4. Heft. 8° Rochl., (B Pretzsch Nf.). 2 — (1—4.: 8 —) d
Pfau, WC: Gesch. d. Töpferei in d. Rochlitzer Gegend v. d. frühesten vorchristl. Zeiten bis auf d. Gegenwart unter Berücks. benachbarter Ortsgebiete. (174 u. 74 m. Abb. u. 7 Taf.) 05. [4.]
— a. d. Roemer-Museum Hildesheim. Nr. 14—20. 8° Hildesh., (A Lax). 25.70 (1—20.: nn 56.50)
Andreae, A: 2. Beitr. z. Binnenconchylienfauna d. Miocäns v. Oppeln in Schlesien. (31 m. Abb.) 02. [18.] 2.50
— 3. Beitr. z. Kenntnis d. Miocäns v. Oppeln i. Schl. (22 m. Abb.) 04. [20.] 2.50 (1—3.: 6.20)
— Untermiocäne Landschneckenmergel bei Oppeln i. Schl. (8 m. Abb.) 02. [16.] 1.70
Menzel, H: Ueb. e. neues Rhizocorallium a. d. unt. Kimmeridge v. Hildesheim. (6 m. Abb. u. 1 Taf.) 02. [17.] 1.50

Mitteilungen d. histor. Ver. f. d. Saargegend. 8. Heft. 8°
Saarbr., (C Schmidtke). nn 6 — (4—8.: nn 15 —) d
Krohn, A; Beitr. z. Gesch. d. Saargegend. III. (448 m. 1 Karte.) 01. [8.]
nn 6 —
— a. d. Prov.-Museum d. Prov. Sachsen zu Halle a.S., hrsg. v. O Förtsch. (2. Heft.) Festgabe d. histor. Commission f. d. Prov. Sachsen an d. 31. allg. Versammlg deut. anthropolog. Gesellsch. zu Halle. (104 m. Abb., Pl. u. Taf.) 8° Halle, O Hendel 1900. 3 — (1 u. 2.: 4 —)
— d. Ver. f. sächs. Volkskde. Hrsg. v. E Mogk u. H Stumme.
2. Bd. 1900—1902. 12 Hefte. (384) 8° Dresd.(-A.,Wallstr.9 I), Neue
Verkehrs-Anstalt Hansa. Nur f. Mitglieder.
— salvatorian., hrsg. v. d. Gesellsch. d. göttl. Heilandes
in Rom. 5. Jahrg. 1904. 6 Nrn. (Nr. 1—4. 64 m. Abb.) 8° Harbesthal, Salvatorian. Druckerei. (Nur dir.) nn 1.50
— d. Gesellsch. f. Salzburger Landeskde. 41—45. Vereinsj.
8° Salzbg, (H Nägelsbach). Je nn 10 — d
41. '01. Red. v. A Prinzinger. (1. Heft. 104 m. Fig. u. 3 Taf.) 42. '02.
Red. H Widmann. (299 m. 9 Taf. u. 1 Pl.) || 43. '03. (1. Heft. 160 m.
1 Abb. u. 3 Taf.) || 44. '04. (426 m. 3 Taf.) || 45. '05. (1. Heft.151 m. Fig.,
8 Taf. u. 1 Karte.)
— z. vaterländ. Gesch. Hrsg. v. histor. Ver. in St. Gallen.
28 u. 29, I. u. II. Hälfte, XXVI. Folge. VIII u. IX, 1,2. 8° St. Gallen, Fehr. 26 —
Briefsammlung d. vadian., d. Stadtbibliothek St. Gallen IV. 1526—30,
hrsg. v. E Arbenz. — Chronik, d., d. Hermann Miles. (385) 02. [28.] 5 —
— dass. V. 1581—40. Hrsg. v. E Arbenz u. H Wartmann. 1. Hälfte. 1531—
35. (272) 03. [29,1.] 6 — || II. Hälfte. 1536—40. (273—746) 05. [29,II.] 13 —
— a. d. reichsgräfl. Schaffgotsch'schen Archiv. 3. Heft. 8°
Warmbr. (M Leipelt). — 80 (1—3.: 6.80) d
Nentwig, H: 80 Urk. II. Gotsch genannt. Fragment. (c. 1346—1470.) (30 m.
1 Taf.) 04. [8.] — 80
— d. ständ. Comités z. Untersuchg v. Schlagwetterfragen
in Mährisch-Ostrau u. Segengottes. (1897—99.) [S.-A.] Veröffentlicht v. k. k. Ackerbauministerium. (124 m. Abb.) 8°
Wien, Hof- u. Staatsdr. 02. 3 —
— dass. in Wien. (1900—01.) [S.-A.] Veröffentlicht v. k. k. Ackerbauministerium. (8 m. Abb.) 8° Ebd. 02. 4 —
— d. wiss. Ver. f. Schneeberg u. Umgegend. 5. Heft. Hrsg.
v. Vorstand. (16, 14 m. 3 Taf.) 8° Schneebg, (BF Goedsche) 04.
nn 1.50
— fachwiss., d. Berliner Schneider-Akademie v. Rud.
Maurer. Nach-Organ d. Militär- u. Regiments-Schneider. Red.:
A Maurer. 7. Jahrg. 1904. 12 Nrn. (Nr. 1. 16 m. Abb.) 4° Mit
Modebild: The Gentleman. 10 Monatsbilder in Kupferdr. auf
China-Karton u.1 Rahmen a 5,5×32 cm. Berl., RMaurer. nn 24 —;
m. Modebild: Internat. Moden. Ausg. A. 2 Albums, 3 Saisonbilder u. 10 Monatsbilder in autotypograph. Farbendr. 50×
32 cm nn 13 —; Ausg B. 3 Saisonbilder u. 2 Albums nn 9 —;
m. Modebild u. Internationale Moden, Ausg. A zusammen nn 30 —

Fortsetzg war nicht zu erhalten.
— kleinere, üb. Schussverletzgn, s.: Veröffentlichungen
a. d. Geb. d. Militär-Sanitätswesens.
— v. Forschgkreis. u. Gelehrten a. d. deut. Schutzgebieten.
Wiss. Beihefte z. deut. Kolonialbl. Hrsg. v. Frhr v. Danckel-
man. XIV—XVIII. Bd je 4 Hefte. 8° Berl., ES Mittler & S.
Je 9 —
XIV. (341 m. Abb. u. 5 Kart.) 01. Einzelpr. 9.50 || XV. (260 m. Abb., zu-
gedr. Kartenskizzen, 2 Taf. u. 5 Kart.) 02. Einzelpr. 9 — || XVI. (268 m.
Abb., 5 Taf. u. 7 Kart.) 03. Einzelpr. 9 — || XVII. (216 m. Abb., 11 Taf.
u. 6 Kart.) 04. Einzelpr. 10 — || XVIII. (377 m. Abb., 5 Kart. u. 7 Taf.)
05. Einzelpr. 10.75.
— d. deut. Seefischereiver. Red.: Herwig. 17—21.Bd. Jahrg.
1901—5 je 12 Nrn. (1901. Nr. 1. 40 m. 1 Karte.) 8° Berl., (W
Moeser). Je 3 — d
— a. d. Geb. d. Seewesens. Hrsg. v. k. u. k. marine-techn.
Komitee. Marine-Bibliothek. 30—84. Bd. Jahrg. 1902—6 je
12 Nrn. (1902. Nr. 1. 78 m. Abb. u. 4 Taf.) 8° Pola. (Wien, C Gerold's S.) Je 14 —
— d. histor. Ver. d. Kt. Solothurn. 1. u. 2. Heft. 8° Soloth.,
T Petri. nn 6 —
Eggenschwiler, F: Zur Gesch. d. Freiherren v. Bechburg. (107 m. Abb.
u. 4 Taf.) 02. [1.] nn 3 —
Heierli, J: Die archäolog. Karte d. Kt. Solothurn nebst Erläuterung m.
Fundregr. (92 m. 9 Taf. u. 1 Karte.) 05. [2.] nn 4 —
— amtl., üb. Umschreibg d. württemberg. Staatsschuld-
verschreibgn. (44) 8° Stuttg., (O Gerschel) 02. † — 50 d
— d. Ver. f. Steiermark. Hrsg. v. statist. Landesamte d.
Herzogth. Steiermark. 9—16. Heft. 8° Ebd. (1—16.: 24.30)
Beiträge z.Schulentschuldenubaltes.1 Die Bauten v. Volks- u. Bürger-
schulgebäuden in Steiermark seit d. Erlasz d. Reichsvolksschulgesetzes
v. Volke 1900. (84) 03. [11.] || Die Schulden d. Gemeinden am Ende
Desbr '01. (56) 04. [12.]
Beatts. u. Schuldverabältnisse, ländl., in 37 Gemeinden Steiermarks. I.
Bericht, durch geführt unter Leitg v. E Mischler. 1. Thl: Die Besitz-
verhältnisse. (151) 01. [8.] || 2. Thl: Die Schuldverhältnisse. (22) 02. [10.]
|| 3. (Schl.-)Thl. Einzelbeschreibg u. Gesindewesen. Besitzveränderg.
(114) 03. [13.]
Sparkassen, d., u. Gesindew. u. Wirtschaftsgenossensch. in Steiermark
in d. J. 1899—1902. (56, 54, 79 u. 95) 05.04—05. [7, 9, 13, 15.]
Verkäufe bäuerl. Besitzgn an Personen nichtbäuerl. Standes in Steier-

mark in d. J. 1903 u. 04. — Zwangsversteigerungen land- u. forstw.
Grundstücke in Steiermark in d. J. 1903 u. 04. (75) 05. [16.] 1 —
Mitteilungen üb. d. niederrheinisch-westfäl. Steinkohlen-
Bergbau. Den Theilnehmern am VIII. allg. deut. Bergmannstag gewidmet v. Ver. f. d. bergbaul. Interessen im Oberbergamtsbez. Dortmund zu Essen (Ruhr). (Einbd : Festschrift z.
VIII. allg. deut. Bergmannstag, Dortmund, 1901.) (338 m. Fig.
u. 17 Taf.] 4° Berl., J Springer (01). L. nn 15 —
— d. allg. deut. Stenogr.-Bundes, System Gabelsb. Hrsg.
v. d. Geschäftsstelle. Nebst: Ubgs- u. Unterhaltgsbl. 1. Jahrg.
Aug.—Dezbr 1902. 6 Nrn. (84) 8° Lpzg,(E Zehl). 1.25 || 1. Folge.
(Ohne Ubgs- u. Unterhaltgsbl.) 6 Nrn. (Nr. 1. 8) 03. 1.25 d 6 F
— d. Hamburger Sternwarte. Nr. 7. [4. Beiheft z. Jahrb. d.
hamburg. wiss. Anst. XIX. 1901.] 8° Hambg,(L Gräfe & S.).
4 — (3—7.; 16 —)
Schorr, R, u. A Scheller: Catalog v. 344 Sternen zw. 79°50' u. 81°10'
nördl. Declination f. d. Aequinoctium 1900. (115) 02. [7.] 4 —
— d. grossh. Sternwarte zu Heidelberg (astrometr. [V astronom.] Instit.). Hrsg. v. W Valentiner. I.—V. 8° Earlsr., (G
Braun'sche Hofbuchdr.). 11 —
Bemporad, A : Zur Theorie d. Extinktion d. Lichtes in d. Erdatmosphäre.
(78) 04. [IV.]
Gast, P : Die Bahn d. period. Kometen 1894 I (Denning). (63) 03. [II.] 3 —
Jahresbericht üb. d. Tätigk. d. Instituts währ. d. Kalender). '03 v. W Valentiner. (14) 04. [III.]
Jost, E : Photometr. Beobachtg d. Merkur währ. d. totalen Sonnenfinster-
niss am 28.V.1900 in Ovar (Portugal). (25) 01. [I.] 1.20
Moschick, F : Eine neue Methode z. Bahnbestimmg v. Meteoren. Die Bahn
d. am 21.III.'04 in Süddeutschl. sichtbaren Meteors. (36) 05. [V.] 1.80
— d. Verwaltg d. direkten Steuern im preuss. Staate.
Nr. 35, 32 u. 41—47. 8° Berl., E v. Decker. 10.10 d
— 28. Neudr. unter Weglassg d. nicht mehr gelt. Bestimmgn pp. (82) 01.
1.50 || 32. (Anstatt. Neudr.) (112) (1895.) 02. 1 — || 41. (82) 01. 1 — || 42. (98)
01. 1.20 || 43. (44) 02. 1 — || 44. (70) 02. 1 — || 45. (112) 03. 1.20 || 46. (72)
03. 1 — || 47. (110) 04. 1.20.
— dass. Statistik d. preuss. Einkommensteuer-Veranlagg f.1900,
01-03 u. 04. Bearb. v. kgl. statist. Bureau. (279, 215, 215 u.
215) Fol. Berl., Verl. d. k. statist. Landesamts 1900-04.
Je 5 — d
— dass. f. 1902 u. d. Ergänzssteuer-Veranlagg f. 1902/04. (24,
296) Fol. Ebd. 09. 5 — d
— a. d. Verwaltg d. direkten Steuern im Kgr. Sachsen. Hrsg.
v. kgl. sächs. Finanzministerium. VI. u. VII. Bd je 6 Hefte u.
VIII. Bd, 1—3. Heft. 8° Dresd., C Heinrich. Das Heft 1 — d
VI. (472) 1900-07. || VII. (476) 03.04. || VIII.1—3. (234) 04.05.
— statist., a. d. direkten Steuerwesen d. Grossh. Hessen,
s.: Beiträge z. Statistik d. Grossh. Hessen.
— ehemal. u. jetziger Techniker Hildburghausens. Schriftleitg u. Red.: L Schumann. 1. Jahrg. 1905. 13 Nrn. (Nr. 1. 20 m.
Fig.) 8° Hildburgh., E Wittig. 3 —
— techn. Mitteilgn. v. d. Zentral-Kommission d.Maschinenmeister
Deutschlds. 3 Heft. 4° Berl. (Lpzg, S Schnurpfeil.) 3 —
Eblert, W: Die Farben u. ihre Töne. (Techn. Anl. z. Anlegen, Mischen
u. Drucken v. Tonfarben. (23 m. 6 Taf.) 02. 2.50
Heft 1 u. 2 sind nicht im Buchh.
— a. d. kgl. techn. Versuchsanst. zu Berlin. Red.: A Martens.
— 19—21. Jahrg. 1901—3 je 6 Hefte. (1901. 1. Heft. 44 m. Fig.
u. 1 Taf.) 4° Berl., J Springer. Je 12 — d
— dass. 1901. 1. Ergänzgsheft. 4° Ebd. 4 —
Rudoloff, M : Untersuchg üb. d. Rind. vorangegang. Formänderg auf
d. Festigkeitseigenschft. d. Metalle. (76 m. Abb. u. 1 Taf.) 01. [1.] 4 —
Fortsetzg u. d. T.: Mitteilungen a. d. kgl. Materialprüfgsamt zu
Gross-Lichterfelde-West.
— a. d. Telegr.-Ingenieurbureau d. Reichs-Postamts. II.
(Apr. 1892—Ende 1905.)(122m.Fig.)8° Berl., JSpringer1896. 3 —
Fortsetzg u. d. T.:
— a. d. Telegraphen-Versuchsamt (Telegraphen-Inge-
nieurbüreau) d. Reichs-Postamts. III. Febr. 1896—Juni 1900.
(116 m. Fig.) 8° Ebd. 01. 5 — (II.—III.; 9 —)
— d. Ver. bad.Tierärzte. Red. v. Hafner, Febsenmeier (u.
Hink). 1—5. Jahrg. 1901—5 je 12 Nrn. (Nr. 1. 16) 8° Earlsr.,
Macklot. Je 5 —; einz. Nrn —u
— d. deut. Ver. f. Ton-, Zement- u. Kalkindustrie E.V.
Nr. 38—41. 8° Berl., Tonindustrie-Zeitg. 4 —
— 39. 1) Protokoll d. 38. Haupt-Versammlg d. deut. Ver. f. Thon-, Cement-
u. Kalk-Industrie 1902. 2) Protokoll d. 10. Haupt-Versammlg d. Sektion
Kalk. (227 u. 88 m. Abb. u. 7 Taf.) 03. 5 — || 40. Haupt-Versammlg u. 39.
(272 u. 96 m. Abb.) 03. || 40. Dass. 40. bezw. 12. Vers. '04 (291, 66 u. 36
u. Abb.) 04. || 41. Dass. 41. bezw. 13. Vers. '05. (353 u. 94 m. Abb. u. 1
Tab.) 05.
— tourist., a. beiden Hessen, Nassau, Frankfurt a/M., Waldeck u. d. Grenzgebieten. Hrsg. v. W Lange. 10—12. Jahrg.
Juli 1901—Juni 1904 je 12 Nrn. (10. Jahrg. Nr. 1. 12 m. Abb.)
8° Cassel (Landaust. 25), Exped. || 13. Jahrg. Juli 1904—Dezbr
1905. Je 2.50
— d.uckermärk. Museums- u.Gesch.-Ver.zu Prenzlau. Hrsg.
v. Vorstande. 1. u. 2. Bd je 4 Hefte. (150 m. Abb. u. 2 Taf. u.
156) 8° Prenzl., (A Mieck) 01-03. Je 4 — ; einz. Hefte 1 —
— d. Ver. f. Kunst u. Alterthum in Ulm u. Oberschwaben.
9—12. Heft. 4° Ulm, (L Frey). Je 4. 4.50 d
9. Pfeiderer, E : Baustätte u. Gründg d. Münsters. — Die Bildwerke d.
Südwestportals. (30 m. 2 Taf.) 1900. nn 1.50
10. Holzer, E: Südweststädten. (32 u. 18 m. 1 Bildniss.) 03. nn 1.50
11.12. Loeffler, E v.: Das Treffen bei Elchingen u. d. Katastrophe v. Ulm
im J. 1805. — Pressel, Fv.: Aus Alt-Ulm. (96 m. 1 Karte u. 20 m. Abb.)
04.05.
— ungar. statist. Verf. u. hrsg. durch d. kön. ungar. statist.
Zentralamt.Neue Folge.25.u.27—29.Bd.(Ungarisch u.Deutsch.)
4° Budap., (F Kilián's Nf.). L. nn 26 —
25. Krankenkassen, d., d. Länder d. ungar. Krone in J. 1898. (164 u. 181)
01. nn 6 — || 27. Statistik, landw., d. Länder d. ungar. Krone. 4. Tbl. End-

ergebnisse. (118 u. 234 m. 17 Kart.) 1900. nn 6 — || 28. Eisenb. d. Län-
der d. ungar. Krone in d. J. 1897—99. (23 u. 194) (02.) nn 6 — || 29. Handel.
auswärt., d. Länder d. ungar. Krone im J. 1900. (87 u. 187) 01. nn 6 —
Mitteilungen, ungar. statist. Verf. u. hrsg. v. durch d. kön.
ungar. statist. Zentralamt. Neue Serie. 1—3., 8., 9., 13. u. 14.
Bd. (Ungarisch u. Deutsch.) 8° Budap., (F Kilián's Nf.)
L. nn 51 —
1. Volkszählg in d. Ländern d. ungar. Krone v. J. 1900. 1. Tl, Allg. Be-
schreibg d. Bevölkerg n. Gemeinden. (45 u. 609) 02. nn 6 — || 2. Dass.
2. Tl. Die Berufstätigk. d. Bevölkerg n. Gemeinden. (88 u. 1012)04. nn 6 —
|| 3. Dass. 4. Tl. Die Berufstätigk. d. Bevölkerg. (90 u. 1023) 05. nn 12 —
|| 8. Dass. 6. Tl. Arbeitszeit u. Arbeitslohn d. s. Industrie gebür. Beamten-
u. sonst. Hilfspersonals. (830) 05. nn 10 — || 9. Handel, auswärt., d. Län-
der d. ungar. Krone im J. 1901. (189 u. 309) 02. || 8. Dass. im J. 1908. (189
u. 347) 04. || 13. Dass. im J. 1904. (168 u. 349) 05. Je nn 5 —
Bd 4—7 u. 10—12 sind noch nicht erschienen.
— d. kgl. Univ.-Sternwarte zu Breslau. 1. u. 2. Bd. Hrsg.
v. JHG Franz, u. F Bresl., (Maruschke & B.). Kart. je nn 10 —
1. (216 m. 6 Taf.) 01. [2. (120 m. 6 Taf.) 03.
— d.Verbandes Österr. u.ungar. Versichergs-Techniker.
— 9.Heft. (23, 28, 15, 25, 35, 25, 26, 14 u. 20) 4° Wien, (F Denticke) 1899-03. Je 1.50
— versichergswiss. Red.:V Ohnhäuser. [S.-A.] 1.Bd. Jahrg.
1904/05. 4 Hefte. (307 m. Fig.) 8° Ebd. 12 — ; einz. Hefte 4 —
— d. Vogelwelt. Hrsg. v. österr. Reichsbund f. Vogelkde
u. Vogelschutz in Wien. Schriftleiter : K Boyer. u. 5. Jahrg.
1904 u. 5 je 24 Nrn. (Nr. 1—6. 52 m. Abb.) 4° Kornebg, J
Kühkopf. Je 4.60 d
1904 Nr. 1 u. 2 erschienen u. d. T.: Mitteilungen d. österr. Reichs-
bundes f. Vogelkde u. Vogelschutz in Wien.
— a.d.städt. Museum f.Völkerkde zu Leipzig. I. Bd. 1.Heft.
4° Lpzg, KW Hiersemann. 8 —
Ephraim, H : Üb. d. Entwicklg d. Webetechnik u. ihre Verbreitg. auswärt.
Europas. (72 m. Abb. u. 1 Karte.) 05. [I.1.]
— d. schles. Gesellsch. f. Volkskde. 1—14. Heft. 8° Bresl.,
(M Woywod). 35 —
1.2. Hrsg. v. F Vogt u. O Jiriczek. I. Bd. (Novbr 1894—März 1896.) (56
u. 106) 1896. 6 — || 3.4. Hrsg. v. F Vogt u. O Jiriczek. II.Bd. (Apr. 1896—
Dezbr '97.) (12 u. 131) 1897. 5 — || 5.6. Hrsg. v. F Vogt u.O Jiriczek.
III. Bd. (Jan. 1898—Dezbr 1899.) (108, 99 u. 5) 1899. 5 — || 7.8. Hrsg. v.
F Vogt. IV. Bd. (Jan. 1900—Dezbr '01.) (94, 94 u. 12) 01. 5 — || 9.10.
Hrsg. v. F Vogt u. 7 Siehs. V. Bd. (Jan. '02—Dezbr '03.) (90, 96 u. 15)
03. 4 — || 11—14. Hrsg. v. 7 Siehs. (125, 116, 120 u. 116) 04.05. Je 2.50.
— dass. I. u. II. Jahrg. 8° Ebd. Je 1.30
I. Pautsch, O : Grammatik d. Mundart v. Kieslingswalde, Kr. Habelschwerdt. 1. Tl. Lautlehre. (52) 01. 1.30
II. Goessgen, W: Die Mundart v. Dubraucke. A. Grammat. Tl. (55) 02. 1.30
— monatl., d. Ver. z. Erhaltg d. ev. Volkssch. 23—27. Jahrg.
1901—5 je 12 Nrn. (Nr. 1. 16) 8° Berl., F Zillessen. Je 2 — d
— d. Ver. f. Volkswirtschaftl. Verbandes. Red.: W Borgius
n., f. d. letze Nr.: Rágóczy. 1. Jahrg. Febr.—Septbr 1902.
11 Nrn u. 2. Jahrg. 1902. 2 Nrn. (58) 4° Berl.,(C Heymann).
10 —
Fortsetzg s. u. d. T.: Blätter, volkswirtschaftl.
— d. vorderasiat. Gesellsch. V. Jahrg. 1900. 3—5. Heft ;
VI. Jahrg. 1901. 5 Hefte; VII.Jahrg. 1902, 6 Hefte; VIII.Jahrg.
1903. 6 Hefte; XI. Jahrg. 1904. 5 Hefte u. X. Jahrg. 1905. 1—
4. Heft. 8° Berl., (W Peiser). Jährlich 5 —
Erbt, W: Die Geschichte d. Bibel. Quellenscheidg u. polit. Bedeutg. Beigegeben ist d. Unterauchg : Umschrift u. Uebersetzg d. metrisch gesetzt.
Textes. (40) 04. [IX,4.] 1.20
Hrozný, F : Sumerisch-babylon. Mythen v. d. Gotte Ninrag (Ninib). Hrsg.,
umschrieben. übers. u. erklärt. (128 m. 13 Taf.) (05.) [VIII,5.] 1 —
Landau, W Frhr v.: Neo phönic. u. über. Inschriften a. Sardinien. (4 m.
6 Taf.) 1900. [V,3.] 2 —
— Vorblat. Nachrichten üb. d im Eabmontempel bei Sidon gefund.
phönic. Altertümer. Mit Benutzg v. Mitteilgn v. T Macridy-bey u. H
Winckler. (72 m. Abb. u. 17 Taf.) 04. [IX,5.] 6 — || Fortsetzg: Ergeb-
nisse d. J. 1904. (16 m. 6 Taf.) [X,1.] 1.50
Littmann, E : Zur Entzifferg d. thamuden. Inschriften. Untersuchg d.
thamuden. Idebals d. Inbalts d. thamuden. Inschriften auf Grund d.Lesgaben
v. J Euting u. unter Benutzg d. Vorarbeiten v. DH Müller, nebst e.
Anh. üb. d. arab. Stammesseichen. (108 m. 12 Taf.) [IX,1.] 6 —
Meisaner, B : Ein altbabylon. Fragment d. Gilgamosepoa. (15 m. Abb. u.
2 Taf.) 02. [VII,1.] 1.50
— Assyriolog. Studien. I. (26) 05. [VIII,3.] 1.50 || II. (57) 04. [IX,3.] 2 —
|| III. (85) 05. [X,2.] 2 —
Messerschmidt, L : Corpus inscriptionum hetticarum I. Beschreibg. (68) 1900.
[V,4.] 2 — || II. Inschriften. (45 Taf.) 1900. [V,5.] 6 — || 1. Nachtr. (94 m.
14 Taf.) 02. [VII,3.] 3 —
Morgenstern, J : The doctrine of sin in the Babylonian religion. (108)
05. [X,3.]
Müller, WM : Der Bündnisvertrag Ramses' II. u. d. Chetiterkönigs, im
Orig.-Text neu hrsg. u. übers. (16 m. 10 Doppeltaf.) 02. [VII,5.] 6 —
— Neue Darstellgn "myken." Gesandter u. phönic. Schiffe in ägypt.
Wandgemälden. (68 m. Abb. u. 5 Taf.) 04. [VIII,4.] 2 —
Oefele, Bar v : Die Angaben d. Berliner Planetentaf. P 8279 vergl.
m. d. Geburtsgesch. Christi im Berichte d. Matthäus. (40) 05. [VIII,3.]
2.50
Das Horoskop d. Empfängnis Christi m. d. Evangelien verglichen.
(15) 05. [VIII,6.]
— Materialien z. Bearbeitg babylon. Medizin. I. (40) 02. [VII,6.] 2 —
Peiser, FE ; Der Prophet Habakuk. Untersuchg z. Kritik d. alten Test.
(38) 03. [VII,1.]
— Studien z. oriental. Altertumskde. IV. (56) 07. [VII,3.] 2.50 (I—IV.—
9 —)
Prásek, JV : Sanheribs Feldzüge geg. Juda. I. (45) 03. [VII,4.] 1.50
Sanda, A : Untersuchgn z. Kde d. alten Orients. I. Zur Geogr. d. ob.
Tigrisländer. Ararat. Die Lage v. Hannaton u. Me Merom. Aphek. Der
Fluss Sa(u)gura bei Assurnasirpal; Ariboa. Zur Chronol. d. Regierg
Sanheribs. Das Todesj. Assaruaddons. Ja'kob-el. Der Gyndes bei Hero-
dot. (79) 02. [VII,3.] 4 —
Stucken, E : Beitr. z. oriental. Mythol. I. Lilars Höllenfahrt u. d. Genesis.
Grün d. Farbe d. Mondes. Ruben im Jakobsegen. (72) 02. [VII,4.] 3 —

Mittelbach's, R, Karte d. Kreishauptmannsch. d. Kgr. **Sachsen.** Abdr. a. d. Entferngsk. d. Kgr. Sachsen. 1 : 120,000. 5 Bl. Lpzg, Mittelbach (04). Js 2 —
1. Leipzig. 64×78.5 cm. (04.) ∥ II. Dresden. 82×73,5 cm. (04.) ∥ III. Bautzen. 64,5×51,5 cm. (04.) ∥ IV. Zwickau. 86,5×56 cm. (04.) ∥ V. Chemnitz. 52× 57,5 cm. (04.)
— Specialk. d. Prov. **Sachsen** u. d. Herzogth. Anhalt. 1 : 300,000. 83×95,5 cm. Farbdr. Ebd. (04). 1.50
— Reise-K. durch d. sächsisch-böhm. **Schweiz.** (Neue Ausg.) 25,5×40 cm. Farbdr. Dresd., Albanus (04). — 30
— Strassenprofilk. d. **Salzkammergutes.** 48×49 cm. Farbdr. Lpzg, Mittelbach (01). Auf L. in Futteral 2 —
— Specialk. d. Prov. **Schleswig-H.** sowie d. freien Städte Hamburg u. Lübeck. 1 : 300,000. 95×86 cm. Farbdr. Ebd. (04). 1.50
— **Strassenprofilk.** f. Rad- u. Motorfahrer. 1 : 300,000. 12 Bl. Farbdr. Ebd. (03.05). Auf L. in Futteral je 1.75
Breslau—Liegnitz—Schweidnitz—Waldenburg. 42×58 cm.
Cassel-Marburg-Giessen. (Kurhessen, Grossh. Hessen, nördl. Th. u. Waldeck.) 53,5×36 cm.
Erfurt-Gotha-Weimar-Eisenach. (Thüring. Staaten.) 44,5×26 cm.
Göttingen-Goslar-Mühlhausen-Nordhausen (Harz-Eichsfeld-Kyffhäuser). 51 ×24 cm.
Hessen-Nassau u. Hessen-Darmstadt. (Frankfurt-Wiesbaden-Darmstadt-Mainz.) 54×54 cm.
Karlsruhe-Mannheim-Heidelberg. (Mittel- u. Nordbaden, Haardtgebirge.) 51,5×35 cm.
Köln-Bonn-Aachen u. weit. Umgebg. 51,5×36,5 cm.
Niederrhein-Ruhr- u. Wuppergebiet. 42×50 cm.
Osnabrück-Münster-Bielefeld-Minden. 47,5×72,5 cm.
Prag-Pilsen. 46,5×49 cm.
Strassburg-Freiburg-Mülhausen (Elsass-Südwest-Baden). 61,5×47,5 cm.
Stuttgart-Heilbronn-Tübingen. 50,5×46 cm.
— Specialk. d. **Thüring.** Staaten. 1 : 300,000. 75×92 cm. Farbdr. Ebd. (04). 1.50
— **Umgebgs-Karten.** 1 : 75,000. 5 Bl. Farbdr. Ebd. Je — 60
Bochum u. Witten. 37,5×46,5 cm. ∥ Duisburg-Oberhausen-Mülheim-Ruhrort. 80×41,5 cm. ∥ Essen. 37,5×45 cm. ∥ Hagen u. Iserlohn. 51,5×41,5 cm. ∥ Remscheid-Solingen-Lennep. 34,5×45,5 cm.
— Specialk. d. Prov. **Westfalen** z. Hand- u. Bureaugebr. 1 : 300,000. 73×83 cm. Farbdr. Ebd. (05). 1.50
Mittelhäuser, E: Unfall u. Nervenerkrankgu. (86) 8° Halle, C Marhold 05. 1.50
Mittelmann, E: Elektr. Licht- u. Kraftanlagen im Anschl. an Elektrizitätswerke. Mit bes. Berücks. d. städt. Elektrizitätswerke Halle a. S. u. e. Anh.: Winke f. Behandlg u. Instandhaltg elektr. Licht- u. Kraftanlagen. (47 m. Fig.) 8° Halle, CO Lehmann 01. 1.20
Mittelschule, österr. Hrsg. v. L Eysert, S Schüller, M Gla-batz u. s. 15—19. Jahrg. 1901—5 je 3—4 Hefte. ('04. 471) 8° Wien, A Hölder. Je 7.20
— u. höhere **Mädchenschule,** die. Pädagog. Zeitschrift. Schriftleiter: H Haase. 15—18. Jahrg. 1901—4 je 24 Hefte. (I. Heft. 20) 8° Halle, H Schroedel. Viertelj. nn 2 —;
einz. Hefte nn — 50 d
Mittelschullehrer, der. Vorbereitg z. Ablegg d. Mittelschullehrer-Examens. Methode Rustin. Selbst-Unterr.-Briefe in Verbindg m. eingeh. Fernunterr. Red. v. C Ilzig. 262—214. Lfg. (6076 m. Abb. u. 11 Kart.) 8° Bresl., Bonness & H. (01-05).
Subskr.-Pr. je — 90; Einzelpr. je 1 25 d
Mittelschullehrer- u. Rektoratsprüfung, die. Ratgeber f. d. auf Ablegg beider Prüfgn hinziel. Fortbildg d. Lehrers, hrsg. v. L Hohmann. I. Hefte, 1, 3., 4., 6. u. 7. Heft u. 8. Hefte, 2—6. Heft. 8° Bresl., F Hirt. 7.20 (I. 1—8 u. II. 1—6 u 8.: 10.40)
I. Die Mittelschullehrerprüfg. [II. Die Rektorenprüfg.]
Habermas: Relig. (64) 01. [II,3.] — 70 d
Hezing, W: Gesch. (84) 03. [I,4.] ∥ (50) 03. [II,4.] Je — 90 d
Hohmann, L: Gesch. d. Pädagogik. Die Grundwiss. d. Pädagogik. [I,1.] — 50 d
Imhäuser, L: Naturwiss. (72) 04. [II,5.] — 90 d
Vorbrodt, W: Deutsch. (76) 02. [I,2.] — 80 d ∥ (93) 04. [II,3.] Je — 80 d
Wiese, B: Mathematik. (56) 05. [I,7.] — 60 d
Ziesemer, J: Geogr. (46) 01. [I,6.] — 50 d ∥ (42) 05. [II,6.] — 40 d
Mittelstaedt, Frau A: Anweisg z. selbständ. Vermögensverwaltg f. d. alleinsteh. Frau. In 10 Frauenbriefen behandelt. (79) 8° Hannov., C Meyer 03. 1.50 d
— Jurist. Ratgeber f. d. Frauenwelt, s.: Kroon, S.
Mittelstaedt, A: Der Krieg v. 1859, Bismarck u. d. öffentl. Meing in Deutschl. (264) 8° Stuttg., JG Cotta Nf. 04. 3.60;
L. 4.60 d
Mittelstaedt, J, u. C Hillig: Das Verlagsrecht. Reichsges. üb. d. Verlagsrecht v. 19.VI.'01 m. Erläuterg u. e. Anh., enth. d. Reichsges. betr. d. Urheberrecht an Werken d. Litt. u. d. Tonkunst v. 19.VI.'01. (189) 8° Lpzg, S Hirzel 01. 4 —;
L. 5 — d
Mittelstaedt, O: Aus d. Praxis d. Zuckerindustrie, s.: Rathke's, A, Bibliothek f. Zucker-Interessenten.
Mittelstand, d., früher d. Bundes-Wacht. Nachrichten d. deut. Bundes f. Handel u. Gewerbe. Jur. Person, Sitz Leipzig. Red.: M Heitl. 2. Jahrg. 1903. 12 Nrn. (Nr. 1—3. 22) 4° Lpzg-B., (J Mäser). nn 3 — ; d ö H
Der 1. Jahrg. erschien u. d. T.: Die „Bundes-Wacht", seit Aug. nicht im Handel.
Mittelstein, M: Deut. Binnenschiffahrtsrecht, s.: Handbibliothek, jurist.
— See-Unfallversicherggses., s.: Guttentag's Sammlg deut. Reichsges.
Mittendorf, F: Schillers Lebensideale u. d. Gegenwart. Vortr. [S.-A.] (28) 8° Brnschw., (E Appelhans & Co.) 05. — 30

Mittendorfer, JE: Die Benoebelg d. Marchfeldes. (62 m. 1 Karte.) 8° Wien, (J Eisenstein & Co.) 01. 2 — d
Mittentrwey, L: Erzählgn, s.: Pilhés, B.
Mittentrwey, L: Die schädl. Folgen d. Trunksucht u. ihre Abwehr auch durch d. Schule. (23) 8° Lpzg, Siegismund & V. 03. — 60 d
— Geometrie f. gehob. Volks- u. Fortbildgs-Sch. u. unt. Kl. höh. Lehranst. Ausg. B in 3 Heften. Für d. Hand d. Schüler. I. u. II. Heft. 8° Lpzg, J Klinkhardt. Je — 30 d
I. 11. Afl. (27 m. Fig.) 02. ∥ II. 9. Afl. (40 m. Fig.) 02.
— Kunst u. Schule. (114) 8° Lpzg, Siegismund & V. (02). 2 —
— Mathemat. Kurzweil od. 333 Aufg., Kunststücke, geistanreg. Spiele, verfängl. Schlüsse, Scherze, Überraschgn u. dergl. a. d. Zahlen- u. Formenlehre. 4. Afl. (108 m, Fig.) 8° Lpzg, J Klinkhardt 04. Kart. 1.50
— Des Lehrers ärztl. Beruf, s.: Studien, pädagog.
— s.: Lehrplan f. d. 8klass. mittl. Volksch.
— 40 Lektionen üb. d. verein. Gesetzeskde u. Volkswirtschaftslehre. Zum Gebr. in Fortbildgsch. u. höh. Lehranst. u. z. Selbstunterr. 4. Afl. (22, 200) 8° Wiesb., E Behrend 03. 2 —;
Geb. 2.50 d
— Reden u. Ansprachen in Schuleu u. Vereinen. (254) 8° Lpzg, Dürr'sche Bh. 05. 3 — d
— s.: Sammelmappe, pädagog.
— Sprechen Sie Deutsch?, s.: Koch's Sprachführer.
— Tuberkulose als Volkskrankh. u. deren Bekämpfg insbes. auch durch d. Schule. (17) 8° Lpzg, Siegismund & V. 03. — 40 d
Mitteregger, J: Anfangsgründe d. Chemie u. Mineral. f. d. 4. Kl. d. Realsch. 7. Afl. (160 m. Abb.) 8° Wien, A Hölder 05. Geb. 1.70
— Lehrb. d. Chemie f. Oberrealsch. 2 Tle. 8° Ebd. Geb. 4 —
1. Anorgan. Chemie. 9. Afl. (218 m. H. u. 1 Farb. Taf.) 04. 2.18
2. Organ. Chemie. 8. Afl. (146 m. H.) 04. 1.90
Mitteregger, P: Deut. Leseb. f. Mädchen-Lyzeen. I—IV. Bd. 8° Wien, F Deuticke. Geb. 11.80 d
I. (50½) 02. 2.80 ∥ II. (290) 02. 2.50 ∥ III. (309) 04. 3 — ∥ IV. (384) 04. 3.50.
— Griech., röm. u. vaterländ. Sagen u. Erzählgn. Anh. z. 1. Bde s. deut. Leseb. f. Mädchen-Lyzeen. (89) 8° Ebd. 02. Geb. 1.40 d
Mitterer, J: Prakt. Chorsingsch. insbes. z. Heranbildg tücht. Kirchenchöre, sowie z. Gebr. am Altar u. Lehranst. 8. Afl. (178) 8° Regnsbg., A Coppenrath's V. 03. 1.20 d
— dass. Suppl. Ausw. v. 1—4stimm. Singübgn z. Förderg d. Treffsicherh. u. d. guten Vortrags. (147) 8° Ebd. 04. 1.20 d
— Die wichtigsten kirchl. Vorschriften f. Kirchenmusik. 4. Afl. (158) 8° Ebd. 05. 1.20
Mitterer, J: G'spassige G'schicht'n. Gedichte in bayer. u. tyroler Mundart. 2. Afl. (96 m. Abb. u. Bildnis.) 8° Münch., J Lindauer 01. L. 2 — d
Mittermaier: Die Reform d. Verfahrens im Strafprozess, s.: Grenzfragen. juristisch-psychiatr.
Mittermaier, T: Das Schlachten, geschildert u. erläut. auf Grund zahlreicher u. neuerer Gutachten. (28) 8° Hdlbg, C Winter, V. 02. — 60 d
Mitterrutzner, JC: Aus d. Schatze e. glückl. Menschen. Autobiogr., veröffentlicht u. ergänzt v. E Jochum. (92 m. Bildnis.) 8° Brixen, A Weger 03. 1 —
Mittnacht, Frhr v.: Erinnergn an Bismarck. 1—6. Afl. (58) 8° Stuttg., JG Cotta Nf. 04. ∥ Neue Folge (1877—89). 1—5. Afl. (80) 05. Je 1.50; L. je 2 — d
Mittwoch, E, s.: Augenärzte, d. arab.
— Die arab. Lehrbb. d. Augenheilkde, s.: Hirschberg, J.
Mitzschke, E, u. P **Mitzschke:** Sagenschatz d. Stadt Weimar u. ihrer Umgegend. (152) 8° Weim., H Böhlau's Nf. 04. 2.40 d
Mitzschke, P: Anfänge u. Entwicklg d. Naumburger Hussitensage. (26) 8° Weimar (Bankstr. 3), Dr. Mitzschke. † — 40 d
Miyake, R: Ein Beitr. z. Anatomie d. Musculus dilatator pupillae bei d. Säugetieren. [S.-A.] (18 m. Fig u. 1 L.) 8° Würzbg, A Stuber's V. 01. 2.50
Mnemosyne. Bibliotheca philologica Batava, collegerunt SA Naber, J van Leeuwen J F., IMJ Valeton. Nova series. Vol. 29—33 à 4 partes. (Vol. 29 : pars 1. 129) 8° Leiden, Bh. u. Druckerei vorm. EJ Brill. — Lpzg, O Harrassowitz 03-05. Je nn 9 —
Möbel, moderne, in einf. Ausführg. Ergebnis d. v. rhein. Ver. z. Förderg d. Arbeiterwohgswesens a. d. Firma Fried. Krupp in Essen ausgeschrieb. Wettbewerbes. 12 Lfgn. (108 z. Tl) 11.° Düsseld., F Wolfrum (02.03). Je z. L. je nn 26 —
— u. **Dekoration.** Illustr. Zeitschrift f. d. ges. Kunstgewerbe. 4—8. Jahrg. 1901—5 je 24 Nrn. (Nr. 1. 12) 4° Dresd., H Schmauk & Co. Viertelj. 2.50
Erschien bis 1903 in Nürnberg.
— u. **Innenräume,** neue. Ausgeführte Wohngseinrichtgn im modernen Stil. I. Serie. 5 Lfgn (60 Lichtdr.) 45,5×54,5 cm. Wien, F Wolfrum & Co. (03.04). Mit M. je 8 —
— & **Interieurs** a.d. Ausstellg d. Wiener Kunstgewerbe-Ver. 1903 nebst ausgeführten Arbeiten & Entwürfen. (70 Lichtdr.) 40,5×31 cm. Wien, A Schroll & Co. (03). In M. 42 —
— u. **Zimmereinrichtungen** d. Gegenwart. Sammlg v. modernen Möbeln, Decorationen u. Wohnräumen in allen Stilarten. 9. u. 10 Lfg. (20 Taf. in Farb- u. Lichtdr.) 48×32 cm. Berl., E Wasmuth (01). Je 10 — (Vollst.: 100 —) ∥ I. Folge. 1—6. Lfg. (60 Taf.) 02-05. Je 10 —

Möbel-Architekt, der. Zeitschrift f. moderne Möbel, Innen-Architektur u. Dekoration. Red.: W Rehme. 2. Jahrg. Oktbr u. Novbr 1901. 2 Hefte. (20 Lichtdr. m. 4 S. illustr. Text.) 4° Berl. Lpzg, Baumgärtner.   Je 8 — ô F
Neue Ausg. d. 1. Jahrg. u. d. T.:
— der. Eine Sammlg moderner Möbel, Innenarchitekturen u. Dekorationen, hrsg. v. W Rehme. 1. Bd. (Neue [Tit.-]Ausg.) (118 Lichtdr., 1 farb. Doppeltaf. u. 60 Bl. Details nebst Text.) (15) 4° Lpzg, Baumgärtner [1900.01] (03).   In L.-M. 60 — d
Möbel-Ausstellung, 10., 1904. Veranstaltet v. Klub d. Industriellen f. Wohngs-Einrichtg in Wien. (42 Lichtdr.) 41,5×32 cm. Wien, A Schroll & Co. (05).   In M. 26 —
Möbel-Magazin, das. Illustr. Zentralorgan f. d. Gesamtinteressen aller holzverarbeit. Industrien, bes. f. d. Möbelfabrikation. Red.: P Malle. Jahrg. 1904. 26 Nrn. (Nr. 1. 12 m. 1 Taf.) Fol. Berl., Verl.-Gesellsch. „Das Möbel-Magazin". Viertelj. — 50
Fortsetzg war nicht zu erhalten.
Möbel- u. Bauschreiner, d. süddeut. Mit d. Unterhaltgsbeil.: „Gute Unterhaltg". Hrsg. v. L Heilborn. 1. Jahrg. Oktbr-Dezbr 1901. 6 Nrn. (Nr. 1. 16 m. Abb. u. 1 farb. Taf.) 4° Heilbr. Stuttg., Greiner & Pf. ‖ 2. Jahrg. 1902. 24 Nrn. Viertelj. nn 1.30; einz. Nrn nn — 25 ‖ 3—5. Jahrg. 1903—5 je 24 Hefte. Viertelj. 1.50; einz. Hefte — 30 d
Mobiliar-Verzeichnis (f. Feuerversicherg). (Von O Vater.) (19) 8° Rudolst., (Müller) 04.   — 20 d
Möbius: Bilder a. d. ev. Bewegg in d. Steiermark, s.: Wartburghefte.
Möbius, A: Bilder a. Grosszschochers Vergangenh. Gesch. d. Dörfer Grosszschocher-Windorf. (116 m. Abb. u. 4 Taf.) 8° Lpzg, (J v. Schalscha-Ehrenfeld) 05.   2 — d
Möbius, AF, u. WF Wislicenus: Astronomie, s.: Sammlung Göschen.
Möbius, H, H Pöthig, O Werner: Rechenb. f. Volkssch. in 4 Heften. je Heft. 12. Aufl. (64) 8° Lpzg, J Klinkhardt 02.   — 20 d
Möbius, H: Deutsche Götter- u. Heldensagen. Für d. Jugend erzählt. 4. Aufl. (448 m. Abb.) 8° Dresd., A Köhler (03). Geb. 3 — d
— Heinr. Schaumberger. Leben u. Werke. Biographie. — Schaumberger, H: Eine Weihnacht auf d. Lande. Eine lust. Knabengesch. (60 u. 48 m. 10 Taf. u. 1 Fksm.) 8° Lpzg, C Grumbach (05).   (1 —; geb. 1.50) — 75; geb. 1 — d
— Aus Stadt u. Land, s.: Rosegger, P.
— u. H Möbius: Peter Rosegger. Beitrag z. Kenntnis s. Lebens u. Schaffens. Mit e. Verz. d. hochdeut. Schriften Roseggers. (155 m. Abb. u. Fksms.) 8° Lpzg, L Staackmann (03). Kart. 3.50 d
Möbius, E: Die Formen u. Farben d. Insekten ästhetisch betrachtet. [S.-A.] (8) 8° Berl., (G Reimer) 05.   — 50
— Die Formen, Farben u. Beweggn d. Vögel, ästhetisch betrachtet. [S.-A.] (12) 8° Ebd. 04.   — 80
— Die Pantopoden, s.: Ergebnisse, wiss., d. deut. Tiefsee-Exped.
Möbius, M: Botanisch-mikroskop. Praktikum f. Anfänger. (121 m. Abb.) 8° Berl., Gebr. Borntraeger 03.   L. 2.80
— Matthias Jacob Schleiden. Zu s. 100. Geburtstage. (106 m. 2 Abb. u. 1 Bildnis.) 8° Lpzg, W Engelmann 04.   2.50
Möbius, O: Wien u. Umgebgn, s.: Grieben's Reiseführer.
Möbius, P: Das Fahrrad u. s. richt. Behandlg, s.: Miniatur-Bibliothek.
Möbius, PJ: Ausgew. Werke. 1—7. Bd. 8° Lpzg, JA Barth.   Je 3 —; HF. je 4.50
  1. JJ Rousseau. (24; 312 m. Titelbild.) 03. ‖ 2.3. Goethe. 2 Tble. (365 m. 1 Bildnis u. 200 m. 1 Taf.) 05. ‖ 4. Schopenhauer. (262 m. 13 Bildniasen.) 04. ‖ 5. Nietzsche. (194 m. Titelbild.) 04. ‖ 6. Im Grenzlande. Aufsätze üb. Sachen d. Glaubens. (228 m. 1 Bildnis.) 05. ‖ 7. Franz Joseph Gall. (229 m. Fig. u. 5 Taf.) 05.
— Beitr. z. Lehre v. d. Geschlechts-Unterschieden. 1—10. Heft. 8° Halle, C Marhold.   Subskr.-Pr. je — 80; Einzelpr. je 1 —
  1. Geschlecht u. Krankh. (99) 03. ‖ 2. Geschlecht u. Entartg. (46) 03. ‖ 3.4. Üb. d. Wirkgn d. Castration. (99 m. Abb.) 03. ‖ 5. Geschlecht u. Kopfgrösse. (47 m. Fig. u. 1 Taf.) 03 ‖ 6. Goethe u. d. Geschlechter. (30) 03. ‖ 7.8. Geschlecht u. Kinderliebe. (73 m. Abb. u. 1 Bildnis.) 04. ‖ 9.10. Die Geschlechter d. Thiere. 2 Thle. (32 u. 46) 05.06.
— Geschlecht u. Unbescheidenh. (30) 8° Ebd. 04.   1 —
— Üb. d. Kopfschmerz. (46) 8° Ebd. 02.   1 —
— Üeb. Kunst u. Künstler. (296 m. 7 Taf.) 8° Lpzg, JA Barth 01.   L. 8.50 d
— Die Migräne. 2. Aufl. (114) 8° Wien, A Hölder 03.   2.80
— Ueb. d. Pathologische bei Nietzsche, s.: Grenzfragen d. Nerven- u. Seelenlebens.
— Ueb. d. Schädel e. Mathematikers. [S.-A.] (13 m. Fig. u. 4 Taf.) 8° Lpzg, JA Barth 05.   — 80
— s.: Schmidt's Jahrbb. d. in- u. ausländ. Medicin.
— Halle, d. physiolog. Schwachsinn d. Weibes. 3. Aufl. (93) 8° Halle, C Marhold 04. ‖ 4. Aufl. (101) 02. ‖ 5. Aufl. (123) 05. ‖ 6. Aufl. (181) 04. ‖ 7. Aufl. (140) 05.   Je 1.50
— Stachyologie. Weitere vermischte Aufsätze. (219) 8° Lpzg, JA Barth 01.   4.80; L. 6 —
Moochegiani, P: Iurisprudentia ecclesiastica ad usum et commoditatem utriusque cleri. Tom. I. (767) 8° Rom, Desclée, Lefebvre & Co. 04.
Mochow, E: Das Gespenst im Kürass, s.: Stavenow, R.
— Mars u. Amor. Scenen a. d. Offiziersleben. — Zapfen, H v., E Mochow etc.: Lieutenantsleben u. Lieben. Humorist. Skizzen. (Unschd.: Mochow, E.: Humorist. Skizzen a. d. Offiziersleben.) (101 u. 112) 8° Mülh. a/R., J Bagel 04.   — 60 d
Mook, B: Prediger Bourrier, d. „Held" d. ev. Bundes u. d. „Evangelisator" Frankreichs, auf d. Bärenjagd verfolgt u.

abgefasst. [S.-A.] 3. Afl. (40) 16° Paderb., Bonifacius-Dr. 02. ‖ 4. Afl. (48) 02.   Je — 15 d
Mock, B: Jesuitenmoral od. Luthermoral? Beitrag z. Jesuitenhetze, d. ev. Bunde z. Betrachtg vorgelegt. 1. u. 2. Afl. (84) 12° Paderb., Bonifacius-Dr. 03.04.   — 20 d
— Der Wolf im Schafspelze od.: Die Evangelisationsgesellsch. z. „Bekehrg" d. Katholiken. (32) 8° Ebd. 04.   15 d
Mock, E: Beitrag z. Kasuistik d. Staugspapille. (28) 8° Tüb., F Pietzcker 04.   nn — 70
Möckel, K: Ueb. Jodoso-, Jodo- u. Jodiniumverbindgn d. p-Jodchinolins u. substituierter p-Jodchinoline. (28) 8° Freibg i/B., Speyer & K. 01.   1 —
Möckel, M: Turnerstreiche, s.: Bibliothek turner. Unterhaltgn.
Möckel, R: Die Entwicklg d. Volksschulwesens in d. ehem. Diöc. Zwickau währ. d. Zeit v. d. Mitte d. 18. Jahrh. bis z. J. 1835. (173) 8° Lpzg, F Brandstetter 1900.   2 —
Močnik's, F Ritter v., geometr. Anschaugslehre f. Unter-Gymnasien. Bearb. v. J Spielmann. 3 Abthlgn. 8° Wien, F Tempsky.   Geb. je 1.50
  1. I. u. II. Kl. 27. Afl. (76 m. Fig.) 04. ‖ 2. III.-u.IV.Kl. 22.Afl. (85 m.Fig.) 04. ‖ 3. V.Kl. 26.Afl. (94 m.Fig.) 04.
— geometr. Formenlehre f. Mädchen-Bürgersch. Bearb. v. ZF Wenghart. 5. Afl. (135 m. Fig.) 8° Ebd. 04.   Geb. 1.70
— geometr. Formenlehre u. Anfangsgründe d. Geometrie f. Realsch. Bearb. v. J Spielmann. 19. Afl. (156 m. Fig.) 8° Ebd. 04.   Geb. 2.10
— Geometrie u. geometr. Zeichnen f. Knaben-Bürgersch. Bearb. v. H Halbgebauer. 1. u. 2. Heft. 8. Afl. 8° Ebd. je 1 —
  1. (1. Kl.) (70 m. Fig. u. 1 Taf.) 04. ‖ 22. (2. Kl.) (78 m. Fig.) 03.
— Lehrb. d. Arithmetik f. Unter-Gymnasien, bearb. v. A Neumann. 3 Abthlgn. 8° Ebd.   Geb. 4.05
  1. I. u. II. Kl. 37. Afl. (148) 04. 2.10 ‖ 2. III. u. IV. Kl. 28. Afl. (184) 04. 1.95.
— Lehrb. d. bes. u. allg. Arithmetik f. Lehrer- u. Lehrerinnenbildgsanst. Bearb. v. A Behacker. 7. Afl. (254) 8° Ebd. 05.   Geb. 2.90
— Lehrb. d. Arithmetik u. Algebra nebst e. Aufg.-Sammlg f. d. ob. Kl. d. Gymnasien, bearb. v. A Neumann. 28. Afl. (510) 8° Ebd. 04.   Geb. 3.70 d
— dass. f. d. ob. Cl. d. Mittelsch., bearb. v. A Neumann. Ausg. f. Gymnasien. 27. Afl. (313) 8° Ebd. 02.   Geb. 3.70 d
  Resultate s. Aufgabensammlg s.: Malek, B.
— dass. f d. ob. Kl. d. Realsch., bearb. v. A Neumann. 27. Afl. (324) 8° Ebd. 04.   Geb. 3.80 d
— Lehrb. d. Geometrie f. d. ob. Kl. d. Gymnasien. Bearb. v. J Spielmann. 25. Afl. (269 m. Fig.) 8° Ebd. 06.   Geb. 3.80
— dass. f. d. ob. Kl. d. Mittelsch., bearb. v. Spielmann. Resultate d. Aufg. s.: Matek, B.
— dass. f. d. ob. Cl. d. Realsch. Bearb. v. J Spielmann. 45. Afl. (293 m. Fig.) 8° Wien, F Tempsky. — Lpzg, G Freytag 01.   Geb. 3.80
— dass. f. Lehrer- u. Lehrerinnenbildgsanst. Bearb. v. A Behacker. 6. Afl. (174 m. fl.) 8° Ebd. 04.   Geb. 2.10
— Lehr- u. Übgsb. d. Arithmetik f. d. unt. Kl. d. Realsch., bearb. v. A Neumann. I—III. Heft. 8° Ebd.   Geb. 4.80
  1. 28. Afl. (74) 04. 1.50; geb. 1.80 ‖ 2. 22. Afl. (92) 04. 1.50 ‖ III. 21. Afl. (74) 03. 1.50.
— 5stell. Logarithmen-Taf. z. Schulgebr. 2. Afl. v. J Jeidinger. (80) 8° Ebd. 04.   Geb. 1.50
— Rechenb. f. Bürgersch. Bearb. v. E Reinelt. Einteil. Ausg. 2. Afl. (246) 8° Ebd. 03.   Geb. 2.40 d
— dass. f. I. u. III. Kl. d. Knaben-Bürgersch. Bearb. v. E Reinelt. 8° Ebd. 04.   Geb. 2.60 d
  I. 19. Afl. (100) 1.30 ‖ III. 15. Afl. (125) 1.40.
— dass. f. d. II. u. III. Kl. d. Mädchen-Bürgersch. Bearb. v. E Reinelt. 8° Ebd. 04.   Geb. 2.30 d
— Rechen-Unterr. in d. Volkssch. Method. Anl. f. Volksschullehrer. 7. Afl. v. A Kollitsch. (258) 8° Ebd. 05.   Geb. 3.80
Mode, die. Illustr. Ausg. Hrsg. v. L Zwieback & Bruder. Jahrg. 1905. Nr. 5. u. 17. (Frühjahrs- u. Herbstheft.) (Je 92) Fol. Wien. (Lpzg, A Twietmeyer).   je 1.80
— die. Allg. Schneider-Zeitg. Organ f. Herrengarderobe u. d. Interessen d. Bekleidgs-Gewerbes. Red.: A Jürgens. 22. u. 23. Jahrg. 1901 u. 02. Je 52 Nrn. (Nr. 1. 8 m. Abb. u. 1 Mode-kpfr.) 4° Berl., P Stankiewicz. Viertelj. 3 — ô ô F
— d. elegante. Illustr. Zeitg f. Mode u. Handarbeiten. Red.: P Stein. Für Oesterr.-Ungarn: J Häusler. Hrsg.: H Heick. 12—16. Jahrg. 1901—5 je 24 Nrn. (Nr. 1. 16 m. 1 Schnittmustertaf. u. 1 farb. Modebild.) 4° Berl., Bazar-Actien-Gesellsch. Viertelj. 1.75 d
— Pariser. Red.: Fran Michalek. 4. Jahrg. Aug.—Dezbr 1901. 17 Nrn. (Nr. 53. 8 m. Abb. u. 1 Schnitt.) 45,5×39 cm. Lpzg, Administr. Je —10 ‖ 5—8. Jahrg. 1902—5 je 52 Nrn m. jährl. Schnitten. Viertelj. 1.30; einz. Nrn — 10; gr. Ausg., farbig. m. jährl. 52 Schnitten 2 —; einz. Nrn — 15 d
— neueste Pariser. Dir.: H Petit. 8. Jahrg. 1901. 12 Hefte. (1. Heft. 12 m. Abb., 5 halb. Modebild. u. 1 Schnittmusterbog.) Fol. Paris, (Lpzg, FA Brockhaus' S.) 14 —; halbj. 7.50; viertelj. 4 — ‖ 9. Jahrg. 1. Viertelj. Jan.—März 1902. 3 Hefte.   4 — ô F
— la, parisienne. Modèles prat., genre, couturière et tailleur. Nouvaux patrons modèles. Éditeur: A Bachwitz. 3. Jahrg. 2—4. Viertelj. Jan.—Septbr 1902. 9 Nrn u. 4—6. Jahrg. Oktbr u. 1 Schnittbog. 4° Wien, Verl. d. Modejournale Chic Parisien usw. Ausg. I m. 1 Schnittbog. Jährlich 14 —; halbj. 8 —; viertelj. 4.20; einz. Nrn 1.40; Ausg. II m. e. neuesten Rockschnitt u. 1 Schnittbog. Jährlich 17 —; halbj. 9 —;

viertelj. 5 —; einz. Nrn 1.70; Ausg. III m. 6 vollständ. Schnitten, Roben u. Costumes jährlich 30 —; halbj. 17 —; viertelj. 9 —; einz. Nrn 3.50; Ausg. IV (seit Nr. 46) Luxus-Ausg. m. e. neuesten Rockschnitt. 1 Schnittbog. u. 1 farb. Pracht-Tableau viertelj. 5 —; einz. Nrn 2.50

Bill. Ausg. s.; Toilettes parisiennes.
Mode, Wiener. Illustr. Frauen- u. Modezeitg. m. Beil. „Wiener Kinder-Mode" u. d. Unterhaltgsbeil. „Im Boudoir". Red.: F Burckhard. 15—18. Jahrg. Oktbr 1901—Septbr 1905. Je 24 Hefte. (1. Heft. 64 u. 8 m. Abb. u. 1 Schnittbog.) 4° Wien, Gesellsch. f. graph. Industrie.　　　　Viertelj. 2.50 d
— dass. Mit d. belletrist. Beibl.: „Im Boudoir" u. d. Beil.: „Wiener Kinder-Mode", „Die prakt. Wiener Schneiderin" u. Schnittmusterbogen. Red.: F Burckhard. 19. Jahrg. Oktbr 1905—Septbr 1906. 24 Hefte. (1. Heft. 72, 8 u. 2 m. Abb.) 4° Ebd.　　　　Viertelj. 2.80; einz. Hefte — 50 d
— u. **Handarbeit.** Prakt. Illustr. Frauen-Zeitg, hrsg. v. d. Exp. d. schweiz. Familien-Wochenbl. in Zürich. Jahrg. 1901 u. 2 je 12 Nrn. (Nr. 1. 8 m. 1 Schnittmuster-Bog.) 4° Zür., E Richter. Viertelj. — 75 || 1903 u. 4. Viertelj. — 80 || 1905. Viertelj. — 90 d
— u. **Haus.** Illustr. Handarbeits- u. Familie. Mit 7 Beil. u. Schnittmusterbogen. Chef-Red.: E Calé. 18. Jahrg. Jan.—Septbr 1902. 18 Nrn. (Nr. 1. 28 u. 16 in 8°) 4° Berl., JH Schwerin. || 19—22. Jahrg. Mode- u. Familien-Journal. Mit 7 Beil. Oktbr 1902—Septbr 1906 je 24 Nrn.　　　　Viertelj. 1 —; m. 12 farb. Modebildern 1.25 d

Mode-Album, Wiener. Hrsg.: G Fournes. 16. Jahrg. 1905. 12 Nrn. (Nr. 1. 4 S. Text.) 44×32 cm. Wien, G Fournes & Co.
　Ausg. I. 24 —; halbj. 13 —; viertelj. 7 —; einz. Hefte 2.75. —
　Ausg. II. 20 —; halbj. 10.50; viertelj. 5.60; einz. Hefte 2 —. —
　Ausg. III. 15 —; halbj. 8 —; viertelj. 4.25; einz. Hefte 1.55. —
　Ausg. IV. 12 —; halbj. 6.50; viertelj. 3.50; einz. Hefte 1.20. —
　Ausg. I a 32 —; halbj. 17 —
　　I. Monatlich 70 Modelle auf 1 farb. Panorama, 6 farb. Taf., 8 S. Schwarzdr u. 2 Schnittmuster-Bog. Mit 1 farb. Ball-Album nebst 2 Blusenheften od. je 1 Spezialheft f. Konfektion u. engl. Mode, u. f. Jahresabonnenten 2 farb. Saisontableaus.
　　II. Monatlich 50 Modelle auf 4 farb. Taf., 8 S. Schwarzdr. u. 2 Schnittmuster-Bog. Mit 1 Blusenalbum od. 1 Spezialheft f. Konfektion u. engl. Mode.
　　III. Monatlich 60 Modelle auf 2 farb. Taf., 2 schwarzen Taf., 8 S. Schwarzdr. u. 2 Schnittmuster-Bog.
　　IV. Monatlich 60 Modelle auf 4 schwarzen Taf. u. 8 S. Schwarzdr. Jährlich 4 Schnittmuster-Bog.
　A. u. d. T.: Façon parisienne. — Genre parisienne. — Modèles parisiens.

Modebäder. 1. Bd. 8° Berl.. Harmonie.　　2.50; geb. 4 — d
Edel, E: Marienbad. Skizzen. 1—5. Taus. (98 m. Abb.) (05.) [1.] 2.50;
　　　　　　　　　　　　　　　　　　　　　　　　　geb. 4 —
Moedebeck, HWL, s.: Taschenbuch z. prakt. Gebr. f. Flugtechniker u. Luftschiffer.
Model, O: 63 Chöräle m. bezifferten Bässen z. Gebr. beim Orgelspiel u. im theoret. Musikunterr., bes. f. Schullehrer-Seminare. op. 9. (18) Fol. Halle, H Schroedel 02.　　1.20
— Liederbahn u.s.: Hentschel, E.
— u. M **Möhring:** 100 geistl. u. weltl. gemischte Chöre z. Pflege d. Chorgesangs in Kirche, Schule u. Haus. (166) 8° Osterbg, R Danehl 02.　　　　Kart. — 80 d
Modèles parisiens s.: Mode-Album, Wiener.
Modell, zerlegbares, d. Menschen. Farbdr. (2 S. Text.) 8° Weim., M Grosse (01).　　　　　　　　— 80 || 9. Aufl. (02.) 1 — d
Modelleur, der. Zeitschrift f. dekorative Bildhauerkunst u. f. d. Detail in d. modernen Architektur. Red.: W Rehme. 4—7. Jahrg. Oktbr 1901—Septbr 1905 je 12 Hefte. (Je 10 Lichtdr.) 4° Berl., Kanter & Mohr.　Je 24 —; viertelj. 7.50;
　　　　　　　　　　　　　　　　　　　　einz. Hefte 3 —
Fortsetzg u. d. T.:
— u. **Bildhauer,** der. Zeitschrift f. plast. Arbeiten aller Art. Einzelh. d. Aussen- u. Innen-Architektur. 8. Jahrg. Oktbr 1905—Septbr 1906. 12 Hefte. (1. Heft. 8 m. Abb. u. 10 Taf.) 4° Ebd.　　　viertelj. 7.50; einz. Hefte 3 —
Modellier-Bilderbuch. (6 farb. Taf. m. 4 S. illustr. Text.) 4° Nürnbg, T Stroefer (03).　　　　　　　　　1.20 d
Moden d. Hauptstädte. Metropolitan fashions. Hrsg. v. The Butterick Publishing Co. (limited). 58—65. Bd. Frühj. 1901 u. 2. (In deut., engl., französ. u. span. Sprache.) (60. Bd. 77—200 u. 16 m. Abb.) Fol. London. Berl., Act.-Gesellsch. f. Butterick' V. Je 1.50 || 64—74. Bd. 1902—5. (64 u. 65. Bd. 81—191 m. Abb.) Je 2 —; jährlich 2 Bde m. 10 monatl. Ergänzgn
　　　　　　　　　　　　　　　　　　　　　　　5 —
— internat. u.s.: Mitteilungen, fachwiss., d. Berliner Schneider-Akad. v. Rud. Maurer.
„Moden-Akademie" Berichte u. Anzeigen d. Moden-Akad. zu Leipzig. Illustr. Zeitschrift f. d. ges. Moden-gsfach. Ausg. f. feine Herrenschneiderei. Red.: A Thiel. 8—10. Jahrg. 1901 —3 je 12 Nrn. (Nr. 1 u. 2. 26) 4° Lpzg, Exp. Je 3.50; einz. Nrn — 40; Ausg. m. Modenbildern. Viertelj. 3.75 || 11. u. 12. Jahrg.
　　　　　　　　　　　　　　　　　1904 u. 5. Je un 5.50
Moden-Album u. **Schnitt-Musterbuch,** reichhalt. Frühj. u. Sommer 1904. (80 m. Abb.) 55×38 cm. Dresd., Exp. d. europ. Modenzeitg. — 50 || 1. Nachtr. (4 m. Abb.) — 20 || Herbst u. Winter 1904/5. (80 m. Abb.) — 50; Nachtr. (16) — 20
Modenbühne. Red.: R Tiesler. 35. Jahrg. 1902. 12 Nrn. (Nr. 1. 4 u. 10 m. Abb., 2 (1 farb.) Modebildern, Reduktionsschema u. Schnittmuster.) Fol. Dresd., Exp. d. europ. Modenzeitg.

Viertelj. 2.25; gr. Ausg. m. 3 (2 farb.) Modebildern 3 — d
Fortsetzg d. gr. Ausg. s. u. d. T.: Modenzeitung, europ.; d. kl. Ausg. u. d. T.: Moden-Telegraph.
Moden-Post, die. Fachbl. f. Herrenmoden. Red.: R Tiesler. 39—41. Jahrg. 1903—5 je 12 Nrn. (Nr. 1. 4 u. 8 m. Abb., 1 Modebild u. Reduktionsschema.) Fol. Dresd., Exp. d. europ. Modenzeitg.　　　　　Viertelj. 1.50 (1903 d)
Bisher u. d. T.:
— f. Herren-Garderobe. Red.: R Tiesler. 38. Jahrg. 1902. 12 Nrn. (Nr. 1. 4 u. 10 m. Abb., 1 Modebild u. Reduktionsschema.) Fol. Ebd.　　　　　　　　　Viertelj. 1.50 d
Modenreporter, der. Moden- u. Fachzeitg f. Herrenschneider. Red.: M Mayer. 8—12. Jahrg. 1901—5 je 12 Nrn. (Nr. 1. 16 m. Schnittzeichngn im Text, 1 Schnittmusterbog. u. 2 Modebildern.) 4° Lpzg, Jüstel & G.　　　　　Je 5 —
Moden-Revue, Wiener. Neue Wiener Schnittmodelle. 3. Jahrg. Oktbr—Dezbr 1901. 3 Nrn. (Nr. 1. 12 m. Abb. u. 5 farb. Taf.) 4° Wien, Administr. v. „Neue Wiener Schnittmodelle".
　　　　　　　　　　　Gr. Ausg. m. 6 Schnitten 7.50
Bisher u. d. T.: Schnitt-Modelle, neue Wiener.— Fortsetzg s. u. d. T.:
Moden-Rundschau, die. Die Mode d. XX. Jahrh. Die Mode Berlin—München. Hrsg. v. Central-Verband deut. Zuschneider-Ver. Sitz Berlin. Red.: B Kirschstein. Jahrg. 1905. 12 Nrn m. 2 Saisonbildern. (Nr. 1. 12 m. Abb. u. 1 Taf.) 4° Berl., Verl. u. Exp. d. Moden-Rundschau.　　　Viertelj. 1.50 d
Moden-Salon, der. Mit monatl. Beibl.: „Die Kinder-Mode". Red.: M Sklarek u., 1902, D Retzlaff. 5. Jahrg. 1901. 24 Hefte. (1. Heft. 20 u. 8 m. Abb., 1 farb. Modebild u. 1 Schnittbog.) 4° Friedenau-Berl., Verl. d. Moden-Salon. Viertelj. 1.25 || 6. Jahrg. 1902.
　　　　　　　1. Viertelj. 1.25; 2 —. Viertelj. je 1.50 d
— dass. u. m. d. Beilage „Für d. Kinderstube". Red.: Cv. Carnap. 7. Jahrg. 1903. 24 Hefte. (1. Heft. 20 u. 8 m. Abb., 1 farb. Modebild u. 1 Schnittbog.) 4° Ebd.　　　Viertelj. 1.50 d
— dass. u. „Grosse Schnittmusterbog." Red.: Cv. Carnap. 8. u. 9. Jahrg. 1904 u. 5 je 24 Hefte. (1. Heft. 20 u. 8 m. Abb., 2 farb. Modebildern u. 1 Schnittbog.) 4° Ebd.　　Viertelj. 1.50 d
Moden-Telegraph. Illustr. Fachbl. d. neuesten Geschmack in d. Herren-Garderobe. Red.: R Tiesler. 42. Jahrg. 1902. 12 Nrn. (Nr. 1. 4 u. 10 m. Abb., 2 (1 farb.) Modebildern u. Reduktionsschema.) Fol. Dresd., Exp. d. europ. Modenzeitg.
— dass. Vereinigt m. „Phönix" u. Modenbühne. kl. Ausg. Fachbl. f. Herrenmoden. Red.: R Tiesler. 43—45. Jahrg. 1903—5 je 12 Nrn. (Nr. 1. 4 u. 8 m. Abb., 2 Modebildern u. Reduktionsschema.) Fol. Ebd.　　　Viertelj. 1.75 d (1903 d)
Modenwelt, die. Illustr. Zeitg f. Toilette, Handarbeiten u. Unterhaltg. Red.: A Grosse u. A Beetschen u. (v. 39. Jahrg. an) G Beeg, f. Oesterr.-Ungarn R Mohr. 37—41. Jahrg. Oktbr 1901 —Septbr 1906 je 24 Nrn. (Nr. 1. 8 u. 8 m. Schnittbog. u. 1 farb. Modekpfr.) 41×29,5 cm. Berl., F Lipperheide. Viertelj. 1.25;
　　　　　　　　　　　　auch in 24 Heften zu — 25 d
— grosse. (Hrsg.: JH Schwerin.) Leiter u. Red.: E Calé. 10— 14. Jahrg. 1901—5 je 24 Nrn. (Nr. 1. 8 u. 8 m. Abb., Schnittmusterbog. u. jährlich 12 farb. Modekpfrn. (1901. Nr. 1. 8, 4, u. 2 m. 1 Taf.) Fol. Berl., H Schwerin. Viertelj. 1 —; einz. Nrn — 25 d
Billige Ausg. s. u. d. T.: Zentralblatt f. Moden.
— kleine. Illustr. Fachbl. f. Damenschneiderei u. Putz. Chef-Red.: E Calé. 14—17. Jahrg. 1902—5 je 12 Nrn. (Nr. 1. 8 m. Schnittmusterbog. u. kol. Modebild.) 4° Ebd. Viertelj. — 50 d
Moden-Zeitung, allg. Red.: OF Dürr. 103—105. Jahrg. 1902—5 je 52 Nrn. (Nr. 1. 16 m. 1 farb. Modekpfr.) 4° Lpzg, Dürr'sche Bh. Je 21 —; einz. Nrn — 40; halbj. m. 52 St. je 27 —; einz.
　　　　　　　　　　　　　　　　　Nrn nn — 50 d à 6 F
— deut. Illustr. Zeitg f. Mode, Handarbeit, Belehrg u. Unterhaltg. Schriftleitg: B Hochfelden. 11—15. Jahrg. Oktbr 1901— Septbr 1906 je 24 Nrn. (11. Jahrg. Nr. 1. 16 m. 1 Schnittbog.) 4° Lpzg, Verl. d. Deut. Moden-Zeitg.　　Viertelj. 1 — d
— europ., f. Herren-Garderobe. Red.: R Tiesler. 52. Jahrg. 1902. 12 Nrn. (Nr. 1. 4 u. 10 m. Abb., 3 (1 farb.) Modebildern u. Reduktionsschema u. Schnittmuster.) Fol. Dresd., Exp.
　　　　　　　　　　　　　　　　　Viertelj. 3.40 d
— dass. Vereinigt m. „Modenbühne", gr. Ausg. Fachbl. f. Herrenmoden. Red.: R Tiesler. 53—55. Jahrg. 1903—5 je 12 Nrn. (Nr. 1. 4 u. 8 m. Abb., 3 (1 farb.) Modebildern, Reduktionsschema u. Schnittmuster.) Fol. Ebd. Viertelj. 3.40 (1903 d)
— grosse. Red. P Stein, f. Österr.-Ungarn: J Häusler. 6. Jahrg. 1—3. Viertel. Jan.—Septbr 1901. 19 Nrn. (Nr. 1. 16 m. Abb. u. 1 Schnittbog. Jahrg.-Oktbr—Dezbr 1901. 6 Nrn u. 1 Schnittbog.) 4° Berl., W Vobach & Co. || 7. Jahrg. Oktbr 1901—Dezbr 1901. 6 Nrn. || 7—10. Jahrg. 1902—5.
　　Hrsg.: H Heick. Je 24 Nrn. (9. Jahrg. Nr. 1.
— fürs deutsche Haus. Illustr. Zeitg z. Selbstanfertigg d. Damen- u. Kinderkleidg, Wäsche u. Handarbeiten. Nebst Beil. Illustr. Kinderzeitung — Roman-Zeitg. Red.: D Kiesewetter. 1. Jahrg. Oktbr 1901—Septbr 1902. 24 Nrn. (Nr. 1. 4 u. 4 m. Schnittmusterbog.) 4° Berl., W Vobach & Co. || 2. Jahrg. Oktbr 1902—März 1903. 52 Nrn. Viertelj. — 90; einz. Hefte — 15 d
— dass. Damengarderobe. Kinder-Garderobe. Illustr. Monatsschr. reichhalt. Red.: D Kiesewetter. H Steffahny, S Hochstein u. a. Jahrg. 1906/6. (April 1903—März 1906.) Je 6 Hefte. (1. Heft. 4, 4, 4, 6 u. 8 m. Abb. u. Schnittbog.) 4° Ebd. Je — 15 d
— internat. Central-Organ europ. Herren-Moden m. Wiener u. Pariser Orig.-Modenbildern. Red.: J Sturm. 32—35. Jahrg. 1902—5 je 12 Nrn. (Nr. 1. 4 m. 4 Modebildern u. 1 Reduktionsschema.) Fol. Wien, Hofmann & S.　　Viertelj. 3.75

Mode-Photographien, Pariser. 1—6.Lfg. (60 Bl. m. 40 Bl. Text.) Fol. Steglitz-Berl., Neue photograph. Gesellsch.(01). Je 10 —; einz. Bl. 1.50
Der Text wurde erst v. d. 3. Lfg an beigegeben.
— dass. Jahrg. 1902. 12 Hefte. (Je 10 Bl. m. 10 Bl. Text.) Fol. Ebd. 100 —; einz. Hefte 10 —; einz. Bl. 1.50 ô F
Vom 3. Heft ab u. d. T.: Photographies de modes parisiennes. Text in französ., deut. u. engl. Sprache.
Modern, H: Geweihte Schwerter u. Hüte, s.: Jahrbuch d. kunsthistor. Sammlgn d. allerh. Kaiserhauses.
— Giovanni Battista Tiepolo. (63 m. Abb. u. 2 Taf.) Fol. Wien, Artaria & Co. 02. 15 —
Modern, M: Das reformirte österr. Postelberg, E.
Moderow, H: Die ev. Geistlichen Pommerns v. d. Reformation bis z. Gegenwart. Auf Grund d. Steinbrück-Berg'schen Mskr. bearb. 1. Tl: Der Reg.-Bez. Stettin. (747) 8° Stett., P Niekammer 03. 14 — d
Möders: Führer zu d. Sehenswürdigk. Xantens. (16 m. 1 Abb. u. 1 Kartenskizze.) 16° Xant., Gebr. Krams 05. nn — 10 d
Modersohn, E: Er kann helfen! Geschichten a. d. Leben, z. Ehre d. HErrn gesammelt. (154) 8° Mülh. a/R., Bh. d. ev. Vereinsh. (04). 3 —
— Es lohnt sich! 1—3. Afl. (35) 8° Ebd. 04. — 20 d
— Eine Frage ohne Antwort. Evangelisationsrede. (20) 8° Ebd. (04). — 10 d
— Die Frauen d. Alten Test. Einfache Betrachtgn f. einfache Leute. (355) 8° Ebd. 04. Kart. 3.60; geb. 4.50 d
— Das Gebet d. HErrn. (110) 8° Ebd. 04. 1 —; geb. 1.20 d
— Der Heilsweg. [S.-A.] (23) 8° Strieg., R Urban 02.|| 2. u. 3. Aufl. (In Briefen erklärt.) (22) 03.04. Je — 20 d
— Wie kommt man in d. Himmel? (24) 8° Ebd. 02.|| 4. Afl. (30) 04. — 20 d
— Zweierlei Menschen. Evangelisationsrede. (16) 8° Mülh. a/R., Bh. d. ev. Vereinsh. (04). — 10 d
— In d. Tagen d. Menschensohnes. Eine Gesch. a. d. Zukunft. 14. Afl. (47) 8° Ebd. 02. — 25 d
Modersohn, H, s.: Birkenfeld, H.
Modersohn, W: Vorträge üb. d. BGB. (234) 8° Münst. (04). (Mind., A Hufeland.) 3.50 d
Modes, les grandes, de Paris. Publication mensuelle. Jahrg. 1902. 12 Nrn. (Nr. 13. 15 S. französ. Text m. Abb., 8 farb. Modekpfr. u. 1 Bl. deut. Text.) 4° Paris. Lpzg, Hoffmann & O. Viertelj. 4.50; einz. Nrn 1.50 ô F
Modeschuh, der. Vorlageblätter f. d. Schuh-Fabrikation, hrsg. v. H Kunze. 1. u. 2. Jahrg. Oktbr 1903—Septbr 1905 je 12 Hefte. (1. Heft. 6 farb. Taf. m. 6 Schnittmustern.) Fol. Lpzg-Schl., Kunstanstalt Grimme & Hempel. Je 1 —; Einzelpr. je 1.50 ô F
Modezeichner, Wiener. Red.: A Bachwitz. Spec. Fachbl. f. Confections-Modelle. 11.Jahrg.März 1905—Febr.1906.12Hefte. Ausg. I. Gr. Ausg. f. Jacken, Mäntel, engl. Kleider u. Sport. 800 Modelle. (121. Heft. 16 Taf. m. 9 S. Text.) 43,5×33 cm. Wien, Verl. d. Modejournale „Chic parisien" usw. 65 —; halbj. 40 —
— dass. Ausg. II. Modefachbl. f. engl. Taillenkleider. Reiseu. Strassen-Costüme, Reit- u. Sportkleider. 450 Modelle. (121. Heft. 12 Taf.) 43,5×33 cm. Ebd. Viertelj. 9 —
— dass. Ausg. III. Confection. Etwa 600 Modelle. (121. Heft. 9 Taf.) 43,5×33 cm. Ebd. 45 —
Modiste, la, de Paris. Éd. pour modistes et lingerie. 35. u. 36. Jahrg. 1901 u. 2 je 12 Nrn. (1901. Nr. 1. 4 u. 4 m. H. u. 5 [4 farb.] Modekpfrn.) Fol. Lpzg, Hoffmann & O. Viertelj. je 3 —; einz. Nrn 1.30 d
— dass. Spec. Organ f. Damenputz. 37. Jahrg. 1903. 12 Nrn. (Nr. 1. 4 u. 4 m. Abb., 4 farb. Modekpfrn u. 1 Taf.) Fol. Ebd. || 38.Jahrg. 1. Viertelj. Jan.—März 1904, 3 Nrn. Viertelj.3.35; einz. Nrn 1.20 ô ô F
Modistin, die. Geschäftl. Rathgeber f. d. Putzbranche, sowie f. d. ges. Wäsche- u. Weisswaaren-Industrie. Chef-Red.: M Albu. 9—13. Jahrg. 1901—5 je 24 Nrn. Fol. (1901. Nr. 1—10. 108 m. farb. Modebildern.) Berl., Verl. d. Modistin. Viertelj. 2.50 d
Modl, J: Anekdoten. I—V. Tbl. Wien, (F Lang). Je — 40 I. (22) 12° 1905. || II. (27) 12° 1905. || III. (27) 12° 01. || IV. (15) 8° 05. || V. (26) 8° (04.)
Modlmayr, H: Bunte Bilder a. d. ob. Allgäu. Illustr. v. W Irlinger. (68 m. 2. Tl farb. Abb. u. Taf.) 8° Ebd. Kart. 4 — d
— Oberstdorf u. Umgebg, s.: Woerl's Reisehandbb.
Móga, V v.: Wesentl. Unterschiede zw. d. neuesten österr.-ungar. Gewehr-Modellen u. d. M. 88/90 (90). (26) 8° Wien, LW Seidel & S. 01. — 80 Vergr.
Mogan, L: Untersuchg üb. e. fossile Konifere. [S.-A.] (12 m. 2 Fig. u. 1 Taf.) 8° Wien. (A Hölder) 03. — 50 d
Mogk, E, s.: Beiträge z. Volkskde.
— Gesch. d. norwegisch-island. Lit. 2. Afl. [S.-A.] (886) 8° Strassbg, KJ Trübner 04. 9 —; L. 10 d
— s.: Saga-Bibliothek, altnord.
Moglichkeit, d. d. Ackerbewässerg in Deutschl., s.: Arbeiten d. deut. Landw.-Gesellschaft.
Mohaupt's, F, Fanstzeichngn z. gedächtnismäss. Aneigng f. d. Unterr. in Gesch. u. Geogr. 2. Afl. (6 Taf.) 4° Mit erläut. Texte. (31) 8° Tetsch., O Henckel 03. In Umschl. — 50 d
— Kl. Gesundheitsspiegel. 2. Afl. (192) 8° Ebd. (04). Geb. 2 — d

Mohaupt, F: Allerlei Hobelspäne a. meiner Werkstatt. Ges. Aufsätze allg.-pädagog., sowie didakt. Inhaltes. 2. Bd. (199) 8° Leipa 01. Tetsch., O Henckel. 2 — (1 u. 2: 4 —) d
Mohelský, H: Leitf. z. leichten u. raschen Erlernen d. böhm. Sprache. z. Dienstgebr. 2. Afl. (54) 8° Hohenst. 1899. (Brünn, C Winkler.) 1 — d
Mohl, FG: Les origines romanes. La 1. personne du pluriel en gallo-roman. [S.-A.] (154) 8° Prag, (F Řivnáč) 1900. 2 —
Mohl, O v: Am japan. Hofe. (239 m. Titelbild. u. 50 [4 farb.] Taf.) 8° Berl., D Reimer 04. L. 10 —
Mohl, R v.: Kissingen vor 60 Jahren. Badebriefe e. deut. Professors. Mit Anmerkgn hrsg. v. Kerler. (60 m. Titelbild.) 8° Kiss., F Weinberger (04). — 50 d
— Lebenserinnergn 1799—1875. 2 Bde. (288 u. 451 m. 13 Bildnissen.) 8° Stuttg., Deut. Verl.-Anst. 02. 10 —; geb. nn 12 — d
Mohl, G: Cours complet de langue allemande à l'usage des établissements d'instruction moyenne. 1. partie. Cours élémentaire. 34. éd. (167) 8° Cöln, M Du Mont-Sch. 03. 1 —
— Die Vorläufer d. heut.Organisation d. öffentl. Armenpflege in München insbes.: Das Armeninstit. d. Grafen Rumford. (88) 8° Ebd. 03. 3 —
Möhler, K: Firmgs-Büchl. 13. Afl. (63) 12° Stuttg., Muth 03. — 20; geb. nn — 35 d
Möhlmann : Lehrb.d.deut.Handelskorrespondenz, s.:Günther,H.
Moehlmann, A: Ueb.Ausstrahlg hochgespannterWechselströme v. hoher Frequenz a. Spitzen. (40 m. 3 Taf.) 8° Freibg i/B., Speyer & K. 01.
Möhlmann, K: Beitrag z. Kenntnis d. peripapillären Chorioidealsarkoms, sowie d. Melanosarkoma iridis. (43 m. 1 Taf.) 8° Freibg i/B., Speyer & K. 01. 1.50
Mohn, VP: Ludwig Richter, s.: Künstler-Monographien.
— u. K Gerok: Christkind. Bilder u. Lieder. (Neue Ausg.) (13 farb. Vollbilder m. Text auf d. Rücks.) 4° Stuttg., Greiner & Pf. (04). Geb. 3.50 d
Mohn, W: Der Heidelberger Katech., f. d. Schule u. d. Pfarrunterr. bearb. 9.Afl.(71)8° Neuw., Heuser's V. (03). Geb. — 50 d
Mohn, H: Matthias Claudius, d. Wandsbecker Bote. Aus s. Leben u. a. s. Werken. Für d. Jugend u. d. Volk dargest. u. ausgew. (112 m. 1 Bildnis.) 8° Gütersl., C Bertelsmann 01. 1 —; geb. 1.50 d
Mohr: Die Bedeutg d. Schweinehaltg f. d. Fleischversorgg, s.: Schriften d. deut. milchw. Ver.
Mohr, Frau B, s.: Milar-Gersdorff, B.
Mohr, E: Kurzes Lehrb. d. organ. Chemie, s.: Beruthsen, A.
Mohr, F: Briefe, s.: Liebig, J v.
Mohr, G: Wrtrb. d. deut. Sprache, s.: Hoffmann, PFL.
Mohr, H: Die chirurg.Behandlg d.Nephritis, s.:Sammlung klin. Vortr.
— Der Gelenkrheumatismus tuberkulösen Ursprgs, s.: Klinik, Berliner.
— Allg. üb. d. Krebs, s.: Volksbücherei, medizin.
— Üb. Recidive n. Operationen an Gallenwegen, s.: Sammlung klin. Vortr.
Mohr, J: Andachtsblüten. Vollständ. Gebetb. f. d. kathol. Jugend. 8. Afl. (314 m. Titelbild.) 16° Rgnsbg, F Pustet 02. — 40; geb. v. — 70; in. G. 1 —; Ldr m. G. 1.40 d
— Cäcilia. Kathol. Gebet- u. Gesangb. 30. Afl. (154, 464 u. 4 m. 1 St.) 8° Ebd. (05). 1 —; L. 1.50 d
— Herz-Jesu-Büchlein. Betrachtgn üb. d. heil. Herz Jesu v. Gautrelet u. Borgo, nebst Andachtsübgn u. Gebeten, hrsg. v. M. 9. Afl. (652) 16° Ebd. 05. 1.50; L. 2 — d
— Lasset uns beten! Kathol. Gebet- u. Gesangb. 7. Afl. (719 m. 1 St.) 16° Ebd. 01. 1.30; L. 1.70; Ldr m. G. 2.60 d
— Manuale cantor. Auszug a. d. offic. Choralbb. Roms, enth. d. Ordinarium missae, d. Psalmen, Hymnen u. Versikel d. Vespern u. d. Komplet, nebst e. Sammlg v. latein. Kirchenliedern u. e. Ausw. v. Gebeten. 13. Afl. (743 u. 4 m. 1 St.) 16° Ebd. 01. 1 —; L. 1.50 d
— Ordinarium missae, sive cantiones missae communes pro diversitate temporis et festor. per annum, quas juxta graduale romanum ed. M. Ed. XVII. (128) 16° Ebd. 05. — 20; kart. — 30
— dass. Ed. XVIII. (Ausg. m. Ecknoten.) (128) 16° Ebd. 02. — 20; kart. — 30
— Orgelb. z. Magnificat, Gebet- u. Gesangb. f. d. Erzdiöc. Freiburg. (Neue Ausg. v. 1904.) (560) 4° Freibg i/B., Herder (04). HF. nn 15.60; 2. Abth. allein. (349—560) nn — 60 d
— Psalterlein. Kathol. Gebet- u. Gesangb. 6. Afl. (784 m. 1 St.) 16° Freibg, F Pustet 05. 1.30; L. 1.70 d
— Geistl. Vademecum. Gebetb. f. Gebildete. 4. Afl. (304 m. 1 St.) 16° Ebd. 04. — 40; L. — 70; Ldr m. G. 1.40 d
— Vesperbüchlein. Das allen Vespern Gemeinsame, d. Hymnen u. Versikel d. Vespern v. d. Sonntagen, sowie d. Festen d. Herrn u. d. Heiligen, nebst d. vollständ. Komplet n. d. Choralbüchern Roms. 2. Afl. (384 m. 1 St.) 16° Ebd. 1905. — 45; Geb. — 75; Ldr m. G. 1.40 d
Mohr, J: Der Kontokorrentverkehr. (127) 8° Berl., J Guttentag 02. 3.60 d
Mohr, KAF: Die Gesch. v. Sachsen z. Unterr. in d. vaterländ. Schulen. 9. Afl. m. T Flathe. (84 m. 1 Abb.) 8° Lpzg, JA Barth 02. Kart. 1 — d
Mohr, L: Ueb. diabet. u. nicht-diabet. Autointoxicationen m.

Säuren (Acidosis), s.: Sammlung klin. Abhandlgn üb. Pathol. u. Therapie d. Stoffwechsel- u. Ernährgsstörgn.
Mohr, M: Vogtländ. Bauernehre. Preis-Lustspiel in vogtländ. Mundart. (35) 12° Plauen, R Neupert jr. (01). — 80 d
Mohr, M: Adel u. Politik. 9 Kapitel bayer. Tagesgesch. (51) 8° Münch., CH Beck 04. — 80 d
Mohr, M: Das Dorfgericht Schaidt. (55) 8° Speyer, (Jäger) 04. 1.20 d
Mohr, ML: Niobe. Drama. (41) 8° Plau, L Hancke 05. 1 — d
Mohr, O: Abhandlgn a. d. Geb. d. techn. Mechanik. (459 m. Abb.) 8° Berl., W Ernst & S. 06. 15 —; geb. 16.50
— Beitrag z. Theorie d. Holz- u. Eisen-Constructionen. [S.-A.] (36 Sp. m. 1 Taf.) 4° Bannov. (1865). Lpzg, HAL Degener. 1 — d
Mohr, P: Handelsverträge Marokkos, m. e. statist. Anh. üb. d. Aussenhandel Marokkos. (57) 8° Charlttnbg 05. (Osterw., A W Zickfeldt.) 2 —
— Marokko.Politisch-wirtschaftl.Studie.(62)8° Berl., F Siemenroth 02. 1.40
— s.: Monatsschrift, deut., f. Kolonialpolitik u. Kolonisation.
— Nordafrika.
Mohrbutter, A: Hilfsb. f. d. französ. Aufsatz. (152) 8° Lpzg, Renger 05. 2 —; geb. u. durchsch. 2.80 d
— Modern Engl. novels, s.: Schulbibliothek französ. u. engl. Prosaschriften.
Mohrbutter, A: Das Kleid d. Frau, s.: Koch's Monographien.
Möhring, B, s.: Charakterbilder, architekton.
— Stein u. Eisen. 1—3. Lfg. (30 Taf. m. 5 S. u. 2 Bl. Text.) 50,5×33,5 cm. Berl., E Wasmuth (03-05). Je 10 —
Möhring, E (E Heydemann-Möhring): Finale. Novellen u. Skizzen. 2. [Tit.-]Afl. (v.: E Heydemann, Novellen u. Skizzen.) 8° (167) Berl., R Möhring [1897] (01). 2 — d
— Krisen. Neue Novellen. 2. [Tit.-]Afl. (143) 8° Ebd. [1899] (01). 2 — d
— Die Letzten. (212) 8° Dresd., H Minden (01). 2 — d
Möhring, M: 100 geistl. u. weltl. gemischte Chöre, s.: Model, O.
— Das Christwunder, s.: Bethge, E.
— Liederhain, s.: Hentschel, E.
Möhring, P: Der Jubilar, s.: Volkmann, JAF.
Möhrlin, F, schwäb. Bauernfreund, s.: Landmann, J.
— Die Natur als Lehrmeisterin d. Landmannes. 3. Afl. v. V Weitzel.— Der Pfennig in d. Landw. 2. Afl. v. V Weitzel.
— Peter Schmid, d. Fortschrittsbauer. 3. Afl. v. V Weitzel, s.: Landmann's, d., Winterabende.
Mohrmann, E: Lehrb. d. got. Konstruktionen, s.: Ungewitter, G.
— Goth. Musterb., s.: Statz, V.
— u. F Eichwede: German. Frühkunst. 130 Taf. in Lichtdr. m. erläut. Text. (In 12 Lfgn.) 1—7. Lfg. (40 Lichtdr. m. 6 S. Text.) 47,5×34 cm. Lpzg, CH Tauchnitz 05.06. Je 6 —
(1. Abtlg [Lfg 1—6] in M.: m. 38.50] d
Mohrmann, O: Illustr. Küchen- u.Blumen-Garten,s.:Davidis,H.
Moinaux-Wittmann: Die Taabn härn!, s.: Neubert, R.
Moisel, M: Karte v. Deutsch-Ostafrika m. Angabe d. nutzbaren Bodenschätze u. e. Karton z. Übersicht d. Beziehgn Deutsch-Ostafrikas zu d. ihr. deutsch-afrikan.Kolonien. Neubearbeitg. 1. u. 2. Afl. 1:2,000,000. 93,5×72 cm. Farbdr. Berl., D Reimer (03.05). 6 —; auf L. 8 —; m. St. 9 —
— dass., s.: Kiepert, B.
— Gr. deut. Kolonialatlas, s.: Sprigade, P.
— s.: Kriegskarte v. Deutsch-Südwestafrika. — Stuhlmann's, F, Aufnahmen im Geb. d. Albert- u. Albert-Edward-Sees.
— Wandk. v. Kamerun. 1:1,000,000. 4 Bl. je 65,5×53 cm. Farbdr. perl., D Reimer (01). 6 —; auf L. in M. od. m. St. 12 —
Mojsisovics, E v.: Befreig. Roman. (157) 8° Dresd., E Pierson 05. 3 — d; geb. 3 — d
Mojsisovics, R v.: Führer durch Dichtg u. Musik zu Wilh. Kienzl's musikal.Tragikomödie,DonQuixote'.(Kahnt's Musikführer.) (36) 8° Lpzg, CF Kahnt Nf. 05. — 30
Mojsisovics Edler v. **Mojsvár,** v.: Allg. Bericht u. Chronik d. im Beobachtgsgebiete eingetret. Erdbeben, s.: Mitteilungen d. Erdbeben-Kommission d. kais. Akad. d. Wiss. in Wien.
— Das Gebirge um Hallstatt. Die Cephalopoden d. Hallstätter Kalke, s.: Abhandlungen d. k. k. geolog. Reichsanst.
Moisaan, H: Einteilg d. Elemente. Deutsch v. T Zettel. (58) 8° 'Berl., M Krayn 04. 2 —
Moissl, F: Die Palmen. Dichtg v. C v Alsen. Für Männerchor, Sopransolo u. gr. Orchester komp. v. R Freiherr Procházka. Op. 15. Erläutergn z. Einführg in d. Werk. (7) 8° Brem., M Heineck & Meier (02). — 90
Moissl, K: Vom Baume d. Lebens. Pädagog. Gedanken f. Lehrer u. Schulfrennde. (109) 8° Wien, F Tempsky 05. 1.50
— Die Heimatskunde in d.Volkssch. 3.Afl. (34 m. Fig.)8° Ebd. 06. 1.40
— Jugendbücherei. 1—5. Bdchn. 8° Aussig, A Grohmann. Kart. 5.50 d

1. Klirrende Schwerter. 2 Erzählgn f. d. vaterländ. Jugend. (Kreuz u. Schwert. — Schwarz-gelb.) (98 m. 1 Bilde.) (03.) 1 —
2. Rosen u. Disteln am Wege d. Kindes. (90 m. 1 Bilde.) (03.) 1 —
3. Krautstengl. 7! Aus rauher Zeit.(Malpeter. — Der Zeidelmeister.) 2 erschichtl. Erzählgn a. Nordböhmen. (132) (05.) 1.50
4. Karl Wolfrum. Ein Mann a. eig. Kraft. (79 m. 1 Bildnis.) (04.) 1 —
5. König Heinzelmaun u. s. Spiegelein. Ein Märchen f. alle. (88 m.Abb.)(04.)

— Zum deut. Sprachunterr. in d. Volks- u. Bürgersch. (98) 8° Wien, F Tempsky. — Lpzg, G Freytag 1900. 1.80 d
— u. Krautstengl: Die deutsch-österr. Jugendlit. Krit. Beurtheilg d. deutsch-österr. Jugendschriften. 2. Tbl. (221 m. 15) 8° Aussig, A Grohmann 01. 4 — (Vollst.: 7 —) d
Hinrichs' Fünfjahrskatalog 1901—1905.

Moldanus Moldanissimus s.: Leben u.Abenteuer d. kgl.Alumnus Jeremias Rohrbein.
Moldenhauer, F: Das deut. Corpsleben, s.: Allers, CW.
Moldenhauer, P: Die Aufsicht üb. d. privaten Versichergsunternehmgn auf Grund d. Reichsges. v. 12.V.'01. (166) 8° Lpzg, CL Hirschfeld 03. 4.50
— Das Versicherngswesen, s.: Sammlung Göschen.
Molé, A: Dictionary of the Engl. and French languages, s.: James, W.
Molenaar, H: Alfred d. Gr., d. Befreier Englds vor 1000 Jahren, d. freiheitmord. Engl. v. heute als Spiegelbild vorgehalten. (19) 8° Lpzg, R Uhlig 01. — 25
— s.: Chinabriefe.
— Freidenkertum — Theologismus — Positivismus.Vortr. [S.-A.] (16) 8° Lpzg, R Uhlig (03). — 20
— Die Geistesentwicklg d. Menschh. u. August Comte. (96 m. 1 Bildnis.) 8° Ebd. 02. 1 —
— s.: Mitteilungen üb. d. deutsch-französ. Liga.
— Neukatholicismus od. Reformkatholicismus? Off. Brief an Hrn Dr. Jos. Müller. [S.-A.] (24) 8° Lpzg, R Uhlig (03). — 25
— s.: Neigungen, die menschl.
— Die Relig. d. Zukunft. Vortr. (23) 8° Lpzg, R Uhlig (03). — 25
— s.: Weltanschauung, positive.
Moleschott, J, s.: Untersuchungen z. Naturlehre d. Menschen u. d. Thiere.
Moeli s.: Medizin, gerichtl.
Molière: Amphitryon. Verdeutscht v. C Möser. (72) 8° Berl., E Goldschmidt 02. 2 —
— Der flieg. Arzt. s.: Universal-Bibliothek.
— L'Avare, s.: Bibliothèque franç. (H Lichtenauer). — Collection Teubner (H Bornecque). — Hartmann's, KAM, Schulausg. (C Humbert). — Perthes' Schulausg. engl. u. französ. Schriftsteller (A Diebler). — Reformbibliothek, neusprachl. (E Müller). — Schulbibliothek, französ. u. engl. (W Mangold). — Théâtre franç. (W Scheffler). — Velhagen & Klasing's Sammlg französ. u. engl. Schulausg. (W Scheffler u. J Combes).
— L'École des femmes, s.: Théâtre franç. (W Scheffler).
— Les femmes savantes, s.: Bibliotheca romanica. — Klassiker-Bibliothek, französisch-engl. (T Link). — Schriftsteller, engl. u. französ., d. neueren Zeit (F Lotsch). — Schulbibliothek, französ. u. engl. (W Mangold). — Théâtre franç. (W Scheffler).
— Les fourberies de Scapin, s.: Théâtre franç. (W Scheffler).
— Die gelehrten Frauen, s.: Handbibliothek, fremdsprachl.
— Le bourgeois gentilhomme, s.: Klassiker-Bibliothek, französisch-engl. (M Walter). — Théâtre franç. (AW Kastan. — W Scheffler).
— Ausgew. Lustsp. 1., 3. u. 5. Bd. Erklärt v. H Fritsche. 8° Geb. u. geb. 5.20
1. Le Misanthrope. 2. Afl. (142 u. 66) 01. 3. L'Avare. 2. Afl. (129 u. 68 m. 2 Fig.) 02. 2 — 5. Les précieuses ridicules. 2. Afl. v. J Hengesbach. (13 u. 29) 05. 1.90.
— Le malade imaginaire, s.: Schriftsteller, engl. u. französ., d. neueren Zeit (F Lotsch). — Théâtre franç. (A Benecke. — E Friese).
— Meisterwerke. Uebertr. v. L Fulda. 3. Afl. (534) 8° Stuttg., JG Cotta Nf. 01. 6.50; L. 7.50 || 4. Afl. 2 Bde. (340 u. 315) 05. 7 —; geb. 9 — d
— Le misanthrope. Comédie. 1666. Analyse, étude et commentaire par H Bernard. (76 u. 59) 8° Berl., Weidmann 04. Geb. u. geb. 1.50
— dass., s.: Bibliotheca romanica. — Perthes' Schulausg. engl. u. französ. Schriftsteller (F Meder). — Schulbibliothek, französ. u. engl. (W Mangold). — Théâtre franç. (W Scheffler).
— Les précieuses ridicules, s.: Schulbibliothek, französ. u. engl. (W Mangold). — Théâtre franç. (W Scheffler).
— dass., Bearbeitg., s.: Batka, R.
— Le tartuffe ou l'imposteur, s.: Théâtre franç. (E Friese. — A Mühlan).
Molin, J: Entwurf e. modernen Relig.-Lehre f. Volkssch. (31) 12° Wien (VII, Spittelbergasse 38), Prof. Dr. Molin 1900. — 50 d
Molinus, T, s.: Dichtersaal.
Molisch, H: Bakterienlicht u. photograph. Platte. [S.-A.] (20 m. 3 Taf.) 8° Wien, (A Hölder) 05. 1.20
— Üb. d. Gehörgang v. Chromophyton Rosanofiii Woronin. [S.-A.] (10 m. Fig.) 8° Ebd. 01. — 30
— Üb. d. Heliotropismus im Bakterienlichte. [S.-A.] (18 m. Fig.) 8° Ebd. 02. — 30
— Die Leuchtbakterien im Hafen v. Triest. [S.-A.] (15 m. 1 Taf.) 8° Ebd. 04. — 50
— Üb. d. Leuchten v. Hühnereiern u. Kartoffeln. [S.-A.] (12) 8° Ebd. 05. — 30 Dichtersaal.
— Die Lichtentwickelg in d. Pflanzen. (32) 8° Lpzg, JA Barth 04. Kart. 1 —
— Leucht. Pflanzen. (168 m. Fig. u. 2 Taf.) 8° Jena, G Fischer 04. 6 —
— Eine Wanderg durch d. japan. Urwald, s.: Sammlung gemeinnütz. Vorträge.
— u. G Goldschmiedt: Üb. d. Scutellarin, e. neuen Körper bei Scutellaria u. and. Labiates. [S.-A.] (21) 8° Wien, (A Hölder) 01. — 50
Molitor s.: Feuer-Schutz u. -Trutz.
Molitor, H: Hülfsb., enth. Entscheidgn u. Bestimmgn d. u.

124

Möller, J: Bestimmg d. Bahn d. Cometen 1897 I, s.: Abhandlungen, astronom.
Möller, J, u. P Müller: Kompendium d. Anatomie d. Menschen. (436 m. Fig. u. 2 Taf.) 8° Lpzg, Veit & Co. 03.   L. 7.50
Moeller, J: Leitf. zu mikroskopisch-pharmakognost. Übgn. (386 m. Fig.) 8° Wien, A Hölder 01.   8 —; L. nn 9 —
— Mikroskopie d. Nabrgs- u. Genussmittel a. d. Pflanzenreiche. 2. Afl. unter Mitwirkg AL Wintons. (599 m. Fig.) 8° Berl., J Springer 05.   18 —; L. 20 —
— s.: Real-Enzyklopädie d. ges. Pharmazie.
Möller, J, s.: Handreichung z. Vertiefg christl. Erkenntnis. — Monatsblatt, ev., f. Westfalen.
Möller, JD: Wesen, Behandlg u. Heilg v. Nasen-, Rachen- u. Mittelohrkatarrhen in Verbindg m. Schwerhörigk., Ohrensausen, Verhärtgn, Kurzatmigk. u.s.w. (Umschl.: 2. Afl.) (67) 8° Bremen, JD Möller (05).   2 —
Möller, JK: Volksw. u. forstl. Anmerkgn zu d. Gelände-Erwerbgn d. k. s. Forstfiskus im Vogtlande. [S.-A.] (91) 8° Lpzg, (RC Schmidt & Co.) (03).   1 — d
Möller, K: Das Keulenschwingen in Schule, Verein u. Haus. 2. Afl. (155 m. Abb.) 8° Lpzg, R Voigtländer 04. Kart. 1.80 d
— s.: Körper u. Geist.
— Die Kultur in d. Turnver. [S.-A.] (31) 8° Lpzg, R Voigtländer 04.   — 30 d
— Der Vorturner. Wegweiser f. Turnwarte u. Vorturner im 6. Übgsverteilg f. 3 Turnstufen. 2. Afl. (203) 8° Ebd. 04.   Kart. 1.60 d
Möller's, L, deut. Gärtner-Zeitg. Hrsg. v. L Möller. 16—20. Jahrg. 1901—5 je 52 Nrn. (Nr.1. 12 m. Abb. u. 1 Taf.) 4° Erfurt, (Lpzg, H Dege.)   Halbj. 5 —
Möller, M: Frau Anne. Drama. (97) 8° Berl., O Elsner 02.   2 — d
— Dornröschen. Legende in 5 Akten. (116) 8° Ebd. 01.   2 — d
— Fritz Reuter, s.: Dichtung, d.
— Sakuntala, s.: Kalidasa.
Möller, M: Blondelschen od. Im Zauberreich d. Hutibrass. — Jung-Habenichts u. d. Silberprinzesschen, s.: Universal-Bibliothek.
— Lachpillen. Eine Sammlg spez. f. d. Vortrag verf. humorist. Dichtgn. (47) 8° Lpzg, (R Maeder) (03).   1 — d
— Prinzess Tausendundchen od. Die Wunderharfe d. Tannenkönigin, s.: Universal-Bibliothek.
Möller, M: Orientierg u. d. Schatten. Studien üb. e. Touristenregel. (157 m. Fig.) 8° Wien, (A Hölder) 05.   3.50 d
Möller, M: Erddruck-Tab. m. Erläutergn üb. Erddruck u. Verankergn. (148 m. Abb. u. 13 Fig.) 8° Lpzg, S Hirzel 02.   Geb. (7 —) 4 —
— Flut u. Witterg. Eine neue Theorie atmosphär. Flut- u. Ebbebewegg, abgeleitet f. nördl. geograph. Breiten u. deren Anwendg auf d. Gestaltg d. Witterg. (24 m. Abb.) 8° Brnschw., A Limbach 05.
— Eine Frage! Soll d. Meteorol. e. fortlauf. Vergl. zw. Mondstellg u. Witterg in ihren Arbeitsplan aufnehmen od. soll d. Forscher weiter Einfl. nur durch gelegentl. private Arbeiten einz. Forscher weiter verfolgt werden? (30) 8° Ebd. 03.   1 —
— Der Glaube. Skizzen 1. Tl. (45) 12° Brnschw., H Wollermann 04.   — 50 d
Möller, OM: Von Liebes Gnaden. Aus d. Dän. v. M Mann. (125) 8° Lpzg, F Rothbarth (04).   1.80 d
— Wer kann dafür? Eine sexual-psycholog. Schilderg. Aus d. Dän. v. R Meienreis. (86) 8° Lpzg, M Spohr 01.   1.50 d
Möller, P: Die Bedeutg d. Urteils f. d. Auffassg, s.: Schriften d. Gesellsch. f. psycholog. Forschg.
Möller, P: Aus d. amerikan. Werkstattpraxis. Bericht üb. e. Studienreise in d. Verein. Staaten v. Amerika. [S.-A.] (141 m. Fig.) 4° Berl., J Springer 04.   L. 8 —
Moeller, R: Reform d. CPO. (102) 8° Bresl., M & H Marcus 02.   2 — d
Möller, S: Das diätet. Heilverfahren Schroths u. s. gr. Wirksamk. im Lichte neuerer Forschg. (45) 8° Dresd., Verl. d. diätet. Heilanst 04.
— Wege z. körperl. u. geist. Wiedergeburt. (157) 8° Lpzg, M Salle 05.   2 — d
Möller's, W, Bibliothek f. Gesundheitspflege, Volksaufklärg, Hauswirtschaft u. Unterhaltg. 1—40. Heft. 12° Oranienbg, W Möller.   Je — 20; geb. je — 40 d
  Böhm, M: Die naturgemässe Pflege d. Säuglings u. d. Kindes in d. ersten Lebensj. (22) Berl. (03.) [7.]
  Brändli, O: Die wahre Sonntagsfreude! (14) Berl. (03). [7.]
  Fehlmer: Der Keuchhusten. Wesen, Verhütg u. Heilg. (12) Berl. (03). [3.]
  Fischer: So verhütet man sich vor ansteck. Geschlechts-Krankh.! (12) Berl. (03). [4.] ∥ Wie verhütet man sich vor ansteck. Geschlechts-Krankh.? (18) Berl. (03). [8.] ∥ Wie verhütet man Magen-, Leber- u. Darm-Krankh.? (22) Berl. (03). [23.] ∥ Wie man Nieren- u. Blasen-Krankh. verhütet u. behandelt. (16) Berl. (03). [15.]
  Gerling, R: Er beisst! Posse nach e. alt. Idee. (36) Berl. (03). [21.] ∥ Ich lehr bekehrt. Schwank. (29) Berl. (03). [17.] ∥ Auf d. Brautschau. Schwank. (27) Berl. (03). [18.] ∥ Wen darf ich heiraten? (25) Berl. (03). [20.] ∥ Das Modell d. Hygieia. Scen. Plauderei. (26) Berl. (03). [19.]
  Gesundheitsregeln f. d. Schuljugend. Zusammengest. v. d. Vereinigg f. Gesundheitserziehg d. Berliner Lehrer-Ver. Mit Begleitworten v. W Siegert u. O Janke. Neue Ausg. (28 m. Abb.) Berl. (04). [29.]
  Kühner, A: Epilepsie u. verwandte Nerven-Krankh., ihre Ursachen, Verhütg u. Behandlg. (25) (04.) [27.]
  Liepelt: Das Wasser als Heilmittel, s. Anwendg u. Wirkg. (52 m. Abb.) Berl. 1897. [30.]
  Merta, K: Wie belehren wir uns. Kinder in Schule u. Haus üb. d. Geschlechtsleben? (29) Berl. (03). [11.]
  Mickley, R: So schreibst du grammatisch richtig Deutsch. (48) (05.) [40.] ∥ So schreibst du orthographisch richtig Deutsch. (50) (04.) [38.]

  Muche, K: Hygiene d. Ehe. (28) (05.) [38.] ∥ Uns. Nahrg als Heilmittel. (31) Berl. (03). [15.] ∥ Ursache, Verhütg u. Behandlg d. allgemeinsten Frauenleiden. (26) (04.) [33.]
  Müller, A: Durchfall (Diarrhoe) u. chron. Stuhlverstopfg. (29 m. Abb.) Berl. (02). [24.]
  Paterna: Die Kunst bis ins hohe Alter gesund zu bleiben. (37) (04.) [34.] ∥ Die verderbl. Wirkg d. Alkohols auf d. menschl. Körper. (36) Berl. (03). [14.]
  Schusaow, A: Ein unprakt. Arzt. Schwank. (35) Berl. (03). [19.] ∥ Ein edler Landmann. Allegorie. (12) Berl. (03). [16.]
  Schneider, J: Nutzbring. Hühnerzucht. (70 m. Abb.) Berl. (04). [27.28.]
  Schneider, J: Einmachen d. Obstes u. gesundheitl. Grundsätze ohne Alkohol u. Gärg. (44 m. Abb.) Berl. (04). [31.] ∥ Der Hausgarten. (79 m. Abb.) Berl. (04). [35.36.] ∥ Die Pflege d. Zimmerpflanzen. (34) Berl. (04).
  Schönenberger, F: Badet in d. Luft u. im Lichte. Pflegt d. Freiluftkuren. (32 m. Abb.) Berl. (02). [2.] ∥ l. Hilfe in Unglücksfällen u. bei plötzl. Erkrankgn bis z. Ankunft d. Arztes. (29 m. Abb.)(03.)[35.]∥[36.] ∥ Wegweiser z. Ausführg ärztl. Kurvorschriften. (44 m. Abb.) (03.) [36.]
  Spühler, J: Das hl. Reform-Kochb. [S.-A.] (42) Berl. (03). [6.]
  Vierath, W: Die Phrenol. (Kopfformen-Kde) u. ihre Bedeutg f. d. Erziehg u. Bildung. (34 m. Abb.) Berl. (04). [22.]
  Weil, R: Die Atemzüge u. d. Wert richt. Atmg. (15 m. Abb.) Berl. (03). [26.] ∥ Die zeckmässige Behandlg kleinerer Wunden u. Verletzgn. (32 m. Abb.) (05.) [37.] ∥ Die Massage d. Augen. (16) Berl. (04). [23.]
  Bis x. 31. Hefte u. d. T.: Möller's Bibliothek f. Gesundheitspflege, Erziehg u. Volksaufklärg.
Möller, W: Das Buchdruckers beste Bezugsquellen. 7. Afl. (40) 8° Berl. 01. Oranienbg, W Möller.   † 1.40
  Neue Afl. s. u. d. T.: Buchdrucker's, d., beste Bezugsquellen.
— s.: Frauenbuch, d. prakt. — Volkskalender, hygien.
Möller, W: Die Entwicklg d. alttestamentl. Gottesidee in vorexil. Zeit, s.: Beiträge z. Förderg christl. Theol.
Moeller, W: Lehrb. d. Kirchengesch. I. Bd. Die alte Kirche. 2. Afl. v. H v. Schubert. 3. (Schl.-)Abtlg. (20 u. 465—842) 8° Tüb., JCB Mohr 02. 8 — (I. Bd vollst.: 18 —; geb. nn 20.50; I u. III.: 28 —; geb. nn 33 —)
Möller, W: Zur Gesch. d. Königstädt. Gymnasiums v. Michaelis 1877 bis Michaelis 1902. (51) 4° Berl., Weidmann 02.   1 —
Möller, W: Der kl. Wetterprophet od. welches Wetter bekommen wir? (188) 12° Ess., Fredebeul & K. (01).   — 80 ;
   L. 1.30 d
Moeller-Bischleben, H: Friedrich Ludwig Jahn, Deutschlds Turnvater. Lebensbild. (30 m. 1 Bildnis.) 8° Veitshöchh., Zelinger 02.   — 50 d
Moeller van den Bruck, A: Verirrte Deutsche. (Vom Deutschen u. Problematischen. Günther. Lenz. Klinger. Grabbe. Büchner. Conradi. Hille.) (175) 8° Mind., JCC Bruns (04). 2.50; geb. 3.50 d
  — Die moderne Lit. (793) 8° Berl., Schuster & Loeffler 02. 6 —;   geb. 7 —

  In einzelnen Bdn. u. d. T.:
  — Die moderne Litt. in Gruppen- u. Einzeldarstellgn. 7—12. (Schl.-)Bd. 8° Ebd.   Einzelpr. je — 50
    7. Unser alter Heimat. (74) 1900. ∥ 8. Bei d. Formen. (56) 01. ∥ 9. Stillismus. (74) 01. ∥ 10. Das Junge Wien. (56) 02. ∥ 11. Der neue Humor. — Varietätstil. (46) 02. ∥ 12. Propheten. (30) 02.
  — Das Théâtre franç., s.: Theater, d.
  — Das Variété. (236 m. Abb. u. 24 Taf.) 4° Berl. 02. Lpzg, G Fock V.   7 —; geb. 8 —
  — Die Zeitgenossen. Die Geister — d. Menschen. (386) 8° Mind., JCC Bruns 06.   4.30; geb. 5.50 d
Möllern, J: Herz-Jesu-Büchlein. 7. Afl. (155 m. farb. Titelbild.) 16° Münst., Alphonsus-Bh. (05).   L. — 50 d
Möllhausen, B: Bilder a. d. Reiche d. Natur. (175 m. 1 Abb. u. Bildnis.) 8° Berl., D Reimer 05.   L. 3.50 d
— Der Piratenleutnant. Roman. 3. Afl. (530) 8° Berl., O Janke (02).   2 — d
— Der Postreiter. — Sankt Elmsfeuer u. and. Novellen, s.: Kürschner's, J, Bücherschatz.
— Der Vaquero. Roman. (343 m. Bildnis.) 8° Stuttg., Union (05).   4.50 d
— Die Verlorene. Auf d. Bärenhaut, s.: Kürschner's, J, Bücherschatz.
Mollinary, A, Frhr v.: 46 Jahre im österr.-ungar. Heere 1833—79. 2 Bde. (257 u. 337 m. 5 Bildn., 1 Taf. u. 16 Kart.) 8° Zür., Art. Instit. Orell Füssli 05. 16 —; L. 20 —; Luxusausg. auf stärk. Pap. brosch. 34 —
Mollmann: Stammliste d. Offiziere, Sanitätsoffiziere u. Beamten d. 7. rhein. Infant.-Regts Nr. 69. (310) 8° Oldnbg, G Stalling's V. 02.   6 —; geb. 8 — d
Möllmann, E: Warum erlernt d. Volksschullehrer e. Fremdsprache?, s.: Abhandlungen, pädagog.
Mollwo, C, s.: Buch, d. rote, d. Stadt Ulm.
— Das Handlgsbuch v. Herm. u. Joh. Wittenborg. (79, 103) 8° Lpzg, Dyk 01.   4 — d
Molnenti, P: Venedig, s.: Kunstland, d., Italien.
Molnár, E: Pomologie bongroise. Rédigée par ordre de B Talián. (Un ungar. u. französ. Sprache.) 3. Nicr. (119 Taf. m. 38. Text.) 54,5×39 cm. Budap., O Nagel jun. (04). nn 3 —
   (1—3.: nn 8 —)
Molnár, F: Aus d. Jugendzeit. Gedichte. (56) 12° Berl., J Sassenbach 02.   1 — d
Molo, W v.: als 16 d. bunte Mütze trug, s.: Seemann's kl. Unterhaltungsbibliothek.
Molo, W Ritter v.: Wie mache ich e. österr. Patentanmeldg?, s.: Dimmer, O.
Molsberg, Frhr PA v.: Streifzüge in's Gebiet d. Philosophie u. Naturwiss. 3 Bde. u. Anh. z. 1 Bd. 8° Wiesb., (R Bechtold & Co.).   9 — d
   1. (151) (01.) 2 — ∥ Anh. (26) (04.) 1 — ∥ 2.3. (208 u. 325) (02.) Je 3 —

Schriften u. Abbildgn f. 1901—5. Als Fortsetzg d. Hdb. d. musikal. Lit. 78—77. Jahrg. je 13 Nrn. ('04. 724) 8° Lpzg, F Hofmeister. Je 20 —; auf Schreibpap. je 22 —
Monatsbericht, internat. wiss.-litterar. Monat. Uebersicht aller wicht. Neu-Erscheingn d. In- u. Auslandes, nebst antiquar. Anzeiger werthvoller Werke zu sehr mäss. Preisen. 11. Jahrg. Oktbr 1901—Septbr 1902. 13 Nrn. (Nr. 1. 16 u. 16) 8° Berl., S Calvary & Co. Viertelj. nn — 60 ô F
Monatsberichte d. brem. statist. Amts. Hrsg.: Böhmert. 1902—5 je 12 Hefte. (1—3. Heft je 12) 8° Brem., (F Leuwer).
Das Heft nn — 70
— d. statist. Amtes d. Stadt Charlottenburg. Jahrg. 1901
—5 je 12 Nrn. (1902. Nr. 1. 9) 4° Charlottnbg, (C Ulrich & Co.). Die Nr. nn — 90
— üb. d. Gesamtleistgn auf d. Gebiete d. Krankh. d. Harn- u. Sexual-Apparates, Fortsetzg, s.: Monatsberichte f. Urologie.
— üb. Kunst u. Kunstwiss. In Verbindg m. H Popp u. R Frhr v. Seydlitz hrsg. v. H Helbing. Verantwortlich: H Popp. 3. Jahrg. 1903. 12 Hefte. (339 m. Abb. u. Taf.) 4° Münch., (Herrnnstr. 33/34), Verein. Druckereien u. Kunstanst. 12 — ô F
Bisher u. d. T.:
— üb. Kunstwiss. u. Kunsthandel. In Verbindg m. R Frhr v. Seydlitz u. G Koch hrsg. v. H Helbing. Verantwortlich: G Koch. 2. Jahrg. 1902. 12 Hefte. (1. Heft. 48 m. Abb. u. 4 Taf.) 4° Ebd. 12 —
— ornitholog., hrsg. v. A Reichenow. 9—13. Jahrg. 1901—5 je 12 Hefte. ('01—4: 188, 188, 192 u. 200) 8° Berl., R Friedländer & S. Je nn 6 —
— f. Urologie. Red. v. L Casper u. H Lohnstein. 6—10. Bd je 12 Hefte. (753, 768, 752, 756 u. 768 m. Abb. u. 1, 1, 1, 2 u. 0 Taf.) 8° Berl., O Coblentz 01—05. Je 16 —; einz. Hefte 2 —
Bisher u. d. T.: Monatsberichte üb. d. Ges.-Leistgn auf d. Gebiete d. Krankh. d. Harn- u. Sexual-Apparates.
Monatsblatt d. Altertums-Ver. zu Wien. Red.: C List u., v. 19. Jahrg. an, A Starzer. 18—22. Jahrg. 1901—5 je 12 Nrn. (Nr. 1. 4) 4° Wien, (Kubasta & V.). Je nn 2.40;
einz. Nrn nn — 20
— v. Benggen. Red.: E Zeller, 1904 Schrenk, 1905 Zeller. 73—77. Jahrg. 1901—5 je 12 Nrn. (Nr. 1. 8) 4° Bas., Helbing & L. Je nn 1 — ô F
— bündner. (Neue Folge.) Red.: S Meisser. 6 u. 7. Jahrg. 1901 u. 2 je 12 Nrn. (Nr. 1. 8) 8° Davos, H Richter.
Je 3 — ô ô H
— evangel., f. Westfalen. Hrsg. v. d. Vorst. d. Ravensberg. Missions-Hülfsgesellsch., red. v. J Möller u. B Volkening. 57—61. Jahrg. 1901—5 je 12 Hefte. (Je 384) 8° Gütersl., C Bertelsmann. Je nn 1.80 ô
— evang.-luther., f. Oberfranken. Schriftleitg: Beck. 1. Jahrg. 1904. 12 Nrn. (Nr. 1—4. 48) 4° Bayreuth, E Mühl. (Nur dir.) †1.60 n ô H
— f. d. evang.-reformierte Landeskirche d. Kt. Aargau. Red.: W Gimmi, C Hassler, J Heiz u. E Haller. Red.: Heiz. 11—15. Jahrg. 1901—6 je 13 Nrn. (Nr. 1. 8) 4° Lenzbg. (Aar, HR Sauerländer & Co.) Je nn 1 — ô
— f. öffentl. Gesundheitspflege. Hrsg. v. d. Ver. f. öffentl. Gesundheitspflege im Herzogt. Braunschweig. Schriftleiter: E Blasius. 24—28. Jahrg. 1901—5 je 12 Nrn. (1901. Nr. 1. 16) 8° Brnschw., JH Meyer. Je 2 —
— d. Gustav-Adolf-Ver. f. d. Prov. Sachsen. (Red.: K Fey.) 23—27. Jahrg. 1901—5 je 12 Nrn. (Nr. 1. 16) 8° Halle, E Strien. Je 1.20 ô
— kirchl., f. d. ev. Gemeinden Rheinlds u. Westf. Hrsg. u. red. v. E Kühn. 16—20. Jahrg. 1901—5 je 12 Hefte. ('05. 382) 8° Duisbg. (J Ewich). Je nn 1.80 ô
— d. ev. Lehrerbundes. Hrsg. v. Vorst. u. red. v. H Voss u., v. 31. Jahrg. an, PGA Sydow. 30—34. Jahrg. Oktbr 1901—Septbr 1906 je 12 Hefte. (1. Heft. 32) 8° Brnschw., E Mühlmann. Je 2 —; einz. Hefte — 20 ô
— d. norddeut. Missions-Gesellsch. Schriftleitg: AW Schreiber (u. FM Zahn). 3. Folge. 13. u. 14. Jahrg. 1901 u. 2 je 12 Nrn. ('02. 106 m. Abb.) 8° Brem., Norddeut. Missionsgesellsch. Je 1.50 || 15. Jahrg. (13 Nrn. 1901. 1904 u. 5. Je 1.20; m. Missions-Kinderfreund je 1.32 ô
— f. Oberfranken. Schriftleitg: Beck. 1. u. 2. Jahrg. 1904 u. 5 je 12 Nrn. (1904. 144) 8° Bayreuth, E Mühl. (Nur dir.)
Halbj. nnn — 85 ô ô H
— f. d. Diaspora in Oberschwaben. Hrsg.: Schmidt u. Theobald. Red.: P Dorsch. 10—14. Jahrg. 1901—5 je 12 Nrn. (Nr. 1. 14) 4° Stuttg., C Belser. Je — 40 ô ô F
— stenograph., z. Übg u. Unterhaltg f. Gabelsb. Stenogr. Hrsg. v. A Tränka u.a. 1. Jahrg. März—Dezbr 1903. 10 Nrn. (Nr. 1. 4) 4° Saaz. (Eger, J Kobrtsch & Gachihay.) 2 — ô F
— f. d. Zeichenunterr. (Hrsg. v. H Grau.) Red.: A Gar. 16—20. Jahrg. 1901—5 je 12 Nrn. (Nr. 1. 12 m. 1 Taf.) 8° Stade, A Pockwitz. Halbj. 1.50; einz. Nrn nn — 90 ô
Monatsblätter, klin., f. Augenheilkde, hrsg. v. T Axenfeld u. W Gutth. 39—43. Jahrg. 1901—5 je 12 Hefte. (1092; 564, 472; 608, 636 m. Abb. u. 19. 21 Taf.) 8° Stuttg., F Enke. Je 24 — || 42. u. 43. Jahrg. 1904 u. 5. ('04. 642 u. 636 m. 30 Taf.)
Je 30 —
— dass. Festschrift f. Geheimrat Prof. Dr. W Manz u. Geheimrat Prof. Dr. H Sattler. Beilageheft z. 41. Jahrg. (394 m. Abb. u. 19 z. Tl farb. Taf.) 8° Ebd. 03. 14 — || Beilageheft z. 43. Jahrg. (326 m. Abb. u. 2 Taf.) 05. 10 —

Monatsblätter d. Touristenklub f. d. Mark Brandenburg. Red.: O Wendler. 10—14. Jahrg. 1901—5 je 12 Nrn. (Nr. 1. 12) 8° Berl., (F Fontane & Co.). Je 4 — d
— Organ d. Ver. „Breslauer Dichterschule", Fortsetzg, s.: Osten, d.
— f. deut. Litt. Hrsg. u. red. v. A Warneke. 6—8. Jahrg. Oktbr 1901—Septbr 1904 je 12 Hefte. (1. Heft. 48) 8° Berl., Dr. A Tetzlaff. Je 5 — || 9. Jahrg. 1904/5. Hrsg.: A Tetzlaff. Dr. A Tetzlaff. Je 5 — || 9. Jahrg. 1904/5. Hrsg.: A Tetzlaff.
(576) 6 —; einz. Hefte — 60 d
— dass. Zugl. Das neue Magazin (74. Jahrg.). Hrsg. u. red. v. A Tetzlaff. 10. Jahrg. 1905. 12 Hefte. 13 Hefte. (1. Heft. 48) 8° Ebd. 6 — d
Hört m. Nr. 9 zu erscheinen auf, als Heft 10—12 werden Nr. 1—3 d. „Magazin f. Lit. d. In- u. Auslandes" geliefert.
— d. Goethebunds in Augsburg. Verantwortlich: H Sand. Jahrg. 1902. 12 Nrn. (Nr. 1 u. 2. 16) 8° Augsbg, (M Rieger).
2 — d ô F
Bisher u. d. T.: Halbmonatsblätter.
— homöopath. Red.: R Hähl.(Mitred.:H Moeser.)26—29.Jahrg. 1901—4 je 13 Nrn. (Nr. 1. 16) 8° Stuttg., (Holland & J.).
Je 2.20 || 30. Jahrg. 1905. 3 — d
— populär-wiss., z. Belehrg üb. d. Judentum, s.: Brüll, A. (literar., s.: Warneke, A.
— f. innere Mission. Hrsg. durch C Kayser, P Wurster u. W Ziegler. 18—22. Jahrg. 1901—5 je 12 Hefte. ('01. 220 m. Abb.) 8° Karlsr., Ev. Schriftenver. Je 1.80 d
— f. öffentl. Missionsstunden. Hrsg. v. J Hesse. 63—67. Jahrg. 1901—5 je 12 Nrn. (Nr. 1. 16) 8° Calw u.Stuttg., Vereinsbh. Je 1.80 d
— f. d. Neue Kirche. Red.: F Görwitz. 19. Jahrg. 1902. 12 Nrn. (Nr. 1. 20) 8° Zürich-Oberstrass (Sonneggstr. 10), F Görwitz. nnn 3.20 d ô H
— histor., f. d. Prov. Posen. Red.: A Warschauer. 2—6. Jahrg. 1901—5 je 12 Nrn. ('01—4: 192, 220, 192 u. 202 m. Abb.) 8° Pos., (J Jolowicz). Je 4 —; einz. Nrn nn — 50 [1901 u. 2 d]
— f. post u. Telegr. Zeitschrift z. Förderg d. geist. Interessen d. Post-. Telegr.- u. Eisenb.-Beamten, sowie z. Erörterg wicht. Verkehrsfragen. 3. Jahrg. Apr.—Dezbr 1901. 9 Hefte. (1. Heft. 60) 8° Lpzg, Luckhardt's Bh.f. Verkehrswesen. || 4. Jahrg. 1902. 12 Hefte. Viertelj. 2.50; einz. Hefte 1 — ô F
— f. d. kathol. Relig.-Unterr. an höh. Lehranst. Hrsg. v. F Becker, J Hoffmann, R Wildermann. 2—6. Jahrg. 1901—5 je 12 Hefte. (Je 384) 8° Köln, JP Bachem. Halbj. 4 — d
— zu Ehren d. Rosenkranz-Königin. Hrsg. u. Red.: N Putzer. 6—10. Jahrg. 1901—5 je 12 Nrn. (Nr. 1. 16) 12° Graz, (U Moser). Je 4 — ô d
— f. d. Schulaufsicht. Schriftleitg: FH Musolff u., v. Oktbr 1903 an, F Rzesnitzek. 1. Jahrg. 2. Halbj. Jan.—Juni 1901. 6 Nrn.(158) 4° Bresl., F Hirt. || 2—6. Jahrg. Juli 1901—Juni 1906 je 12 Nrn. (3—5. J. 188, 192 u. 192) Viertelj. 1 —;
einz. Nrn nn — 35 d
Erschienen bis Juni 1905 in Neisse.
— f. d. Schulturnen. Hrsg. v. schweiz. Turnlehrerver. Beil. d. schweiz. Lehrerzeitg. Red.: JJ Müller, (J Bollinger-Auer u. A Niehof), G Bubloz. 12—16. Jahrg. 1901—5 je 12 Nrn. (Nr. 1. 16) 8° Zür., (Art. Instit. Orell Füssli). Je 2 —; einz. Nrn — 30
— d. badischen Schwarzwaldver. Schriftleitg: F Pfaff. 3—6. Jahrg. 1901—5 je 12 Nrn. (1902. Nr. 1. 24 Sp. m. Abb.) 4° Freibg i/B. (Emmend., Druck- u. Verlagsgesellsch. vorm. Dölter.) Je 3 —; einz. Nrn — 30 d
Fortsetzg s. u. d. T.: Schwarzwald, d.
— d. Gabelsb. Stenogr.-Ver. in Augsbg. Red.: T Russs. 4. Jahrg. 1901—5 je 12 Nrn. (Nr. 1. 8) 8° Augsbg, (Lampart & Co.). Je 2 —; einz. Nrn — 20
— vogtländ. Verkehrsbl. f. vogtländ. Landsleute. Red.: E Gerbet u. R Merkel. Oktbr 1901—Septbr 1902. 12 Nrn. (Nr. 1. 8 m. 2 Fig.) 8° Lpzg-Sellerh., Past. R Merkel. Halbj. — 50 d
— d. wissenschaftl. Klub in Wien. 24—27. Jahrg. Oktbr 1902 —Septbr 1906 je 12 Nrn. (25.u.26.J. 122 u. 94) 8° Wien,(A Hölder).
Je 3 —
Monats-Börsenkurse, Dresdner. Zusammengest. v. W Grumbt. Oktbr 1904—Septbr 1905. 12 Hefte. (1. Heft. 36) 8° Dresd., BG Teubner. Viertelj. nn 3 —; einz. Hefte nn 1.35 ô F
Monatsbote, der. Anzeige-Bl. f. kathol. Litt. u. christl. Kunst. Red.: F Essmann. 3. Jahrg. 1900. 12 Nrn. (1. 32) 8° Dülm., A Laumann. †1-60 d
Fortsetzg s. u. d. T.:
— der. Anzeige-Bl. f. d. kathol. Geistlichk. Red.: F Essmann. 4. u. 5. Jahrg. 1901 u. 2 je 12 Nrn. (Nr. 1. 12) 4° Ebd. Je †1.60 d
Wird gratis versandt.
— d., a. d. Stephansstift. Monatsbl. f. Innere Mission im Sinne d. luther. Kirche. Hrsg. v. P Oehlkers. 22—26. Jahrg. 1901—5 je 12 Nrn. ('02—05. 106, 128, 216 u. 184) 8° Hannover, Buchdr. d. Stephansstifts. Halbj. — 50 d
Monatshefte, academ. Organ d. dent. Corpsstudenten. Hrsg. u. Red.: K Rügemer. 18—22. Jahrg. Apr.—Apr. 1906 je 12 Hefte. (1. Heft. 40 m. Abb.) 4° Starnbg bei München, K Rügemer. Halbj. 3 —
— architekton. Neubauten u. Concurrenzen. Red.: J Heindl. 7. u. 8. Jahrg. 1901 u. 3. je 12 Hefte. (1. Heft. 4 m. Abb. u. 8 Taf.) 4° Wien. Stuttg., J Engelhorn. Je Hefte 1.75
— dass. Vereinigt m. Architekton. Rundschau. Skizzenblätter u. allen Geb. d. Baukunst. Red.: C Engelhorn. 9. Jahrg. 1903.

12 Hefte. (96 m. Abb. .u. .96 z. Tl farb. Taf.) Fol. Stuttg., J Engelhorn.   20 —
Forisetzg s. u. d. T.: Rundschau, architekton.
Monatshefte f. Chemie u. verwandte Thle and. Wiss. Ges. Abhandlng a. d. Sitzgsberichten d. kaisl. Akad. d. Wiss. 22— 26. Bd. Jahrg. 1901—5 je 10 Hefte. ('01—3: 2024, 1227 m. 2 Taf. u. 1015 m. Fig.) 8° Wien, (A Hölder).   Je 10 —
— dass. Generalreg. zu d. Bdn XI—XXII. (Jahrg. 1890—1901). Zusammengest. v. A Franke. (504) 8° Ebd. 05.   7 —
— d. Comenius-Gesellsch. Hrsg. v. L Keller. 10. Bd. Jahrg. 1901. 10 Hefte. (332) 8° Berl., Weidmann. || 11. u. 12. Bd. Jahrg. 1902 u. 3 je 12 Hefte. (328 u. 377) || 13. u. 14. Jahrg. 1904 u. 5 je 15 Hefte. (296 u. 308)   Je 10 —
— f. prakt. Dermatol. Hrsg. u. red. v. PG Unna u. P Taenzer. 32—35. Bd je 12 Nrn. (691, 696, 603 u. 658 m. Abb. u. 5, 4, 3 u. 5 Taf.) 8° Hambg, L Voss 01-02. Je 18 — || 36—41. Bd. (36— 39. Bd: 801, 635, 682 u. 821 m. Abb. u. 4, 5, 8 u. 8 Taf.) 03-05.   Je 20 —
— dass. Ergänzgshefte. 1901, I u. 1903, I u. II. 8° Ebd.   Einzelpr. 21 —
Studien, dermatolog. 19. Heft. Beck, C, u. E Krompecher: Die feinere Architektur d. primären Hautcarcinome u. insbes. d. bei ihnen obwalt. verschied. Besiehgn zw. Epithelwucherg u. Bindegewebswiderstand. (112 m. 4 Taf.) 05. [1903,I.]   4.50 ; bezw. 6 —
Unna, PG : Histolog. Atlas z. Pathol. d. Haut. 5. Heft. (108—130 m. 6 farb. Taf.) 04. [1903,II.] 4.50 ; bezw. 6 — || 6. u. 7. Heft. (131—191 m. 8 farb. Taf.) 05. [1903,II.] 6.75 ; bezw. 9 — (1—7.: 33.90)
— Düsseldorfer, s.: Rheinlande, d.
— ostdeut., f. Erziehg u. Unterr. Hrsg. v. A Bode. 1. u. 2. Bd. 1903 u. 4 je 12 Hefte. (560 u. 592) 8° Bresl., F Hirt.   Viertelj. 2.50 ; einz. Hefte 1 — d ô F
— f. Färber u. Drucker, s.: Lauber, E.
— f. graph. Kunstgewerbe. Fortsetzg d. Monatshefte f. Lithogr. u. d. ges. graph. Kunstgewerbe. Hrsg. u. techn. Leiter: A Knab, verantwortl. Schriftleiter: F v. Biedermann. 2. Jahrg. Oktbr 1905—Septbr 1904. 12 Hefte. (98 u. 48 m. Abb. u. 48 z. Tl farb. Taf.) 40,5×30,5 cm. Berl., B Hessling.   Je 2 —
Den 1. Jahrg. s. u. d. T.: Monatshefte f. Lithogr. — Fortsetzg u. d. T.:
— f. graph. Kunstgewerbe, f. geschäftl. Druck- u. Ankündiggswesen. Hrsg.: (F v. Biedermann u.) A Knab. 3. u. 4. Jahrg. Oktbr 1904—Septbr 1906 je 12 Hefte. (3. J. 230 m. Abb. u. 3. Tl farb. Taf.) 4° Glog., O Flemming.   Viertelj. 6 — ; einz. Hefte 1.50
— grapholog. Red.: L Klages. 5. Jahrg. 1901. 12 Hefte. (1. u. 2. Heft. 20) 8° Münch., A Ackermann's Nf. 8 — ; einz. Hefte 50 || 4—6. Bd. 6—8. Jahrg. 1902—4. (1904. 98 m. 1 Bildnis.) Je 6 — ; einz. Hefte 1 —
— dass. Archiv f. Psychodiagnostik u. Charakterologie. Red.: L Klages. Mit d. Beil.: Nachrichten f. d. Mitglieder d. „Deut. grapholog. Gesellschaft". Red.: A Hentschel, u. Grapholog. Praxis. Red. v. HH Busse. 7. Bd. 9. Jahrg. 1905. 12 Nrn. (Nr. 1 u. 2, 16, 4 u. 16) 8° Ebd.   6 — ; einz. Hefte 1 —
— medizin., f. Homöopathie u. allg. Heilkde, nebst Anzeiger f. medizin. Litt. Hrsg. v. AA Michaelis. 6—8. Jahrg. 1900—2 je 12 Hefte. (1. Heft. 16) 8° Cassel. Göttgn, A Michaelis. (Nur dir.)   Je 2 — ô ô F
— d. allg. deut. Jagdschutz-Ver. u. d. deut. Verrachs-Anst. f. Handfeuerwaffen. Red.: F Genthe. 10. Jahrg. 1905. 24 Nrn. (Nr. 1. 24) 8° Berl., (A Scherl).   12 — ; einz. Hefte — 50 d
— keram. Hrsg. v. d. Red. d. deut. Töpfer- u. Ziegler-Zeitg. (Unentgeltl.) Beil. z. deut. Töpfer- u. Ziegler-Zeitg. Red.: F Dümmler. 1—5. Jahrg. 1901—5 je 12 Hefte. (1904, 193) 4° Halle, W Knapp.   Viertelj. 2 — ; einz. Hefte 1 —
— d. kunstwiss. Lit. Hrsg. v. E Jaffé u. C Sachs. Red.: C Sachs. Jahrg. 1905. 12 Hefte. (296) 8° Berl., Edm. Meyer.   Viertelj. 2 — ; einz. Hefte 1 —
— f. Lithogr. u. d. ges. graph. Kunstgewerbe. Hrsg. u. techn. Leiter: A Knab. Schriftleiter u. Red.: F v. Biedermann. 1. Jahrg. Oktbr 1902—Septbr 1903. 12 Hefte. (96 m. 58 farb. Taf.) 40,5× 30 cm. Berl., B Hessling.   Je 2 —
Fortsetzg s. u. d. T.: Monatshefte f. graph. Kunstgewerbe.
— f. Mathematik u. Physik. Hrsg. v. G v. Escherich, (L Gegenbauer,) F Mertens u. W Wirtinger. 12—16. Jahrg. 1901— 5 je 12 Hefte. (1904. 412 u. 72 m. Fig.) 8° Wien, (J Eisenstein & Co.).   Je 14 —
— f. Musik-Gesch., hrsg. v. d. Gesellsch. f. Musikforschg. Red.: R Eitner. 33—37. Jahrg. 1901—5 je 12 Nrn. (1901—4: 224, 16, 7 ; 225, 24 ; 200, 45 u. 219) 8° Lpzg., (Breitkopf & H.).   Je 9 — ô F
— dass. I—III. Reg. Verf. v. R Eitner. 8° Ebd.   Je 2 —
1. Zu d. ersten 10 Jahrg. (1869—78). (34) Berl. 1879. || II. Zu d. zweiten 10 Jahrg. (1879—88). (60) 1889. || III. Zu d. dritten Jahrg. 1889—98. (69) 1899.
— pädagog. Zeitschrift z. Förderg d. kathol. Bädagogik, d. Lehrerbildg u. gesunder Unterr.-Reformen. Hrsg. v. A Knöppel. 7—11. Jahrg. 1901—5 je 12 Hefte. (1901—4 : 672, 680, 680 u. 680) 8° Stuttg, Süddeut. Verlagsbh.   Viertelj. 1.40 ; einz. Hefte nn — 50
— physikalisch-medizin. Zeitschrift f. d. physikal. Richtg in d. Medizin, m. bes. Berücks. d. Radiol. Hrsg. v. H Kraft u. B Wiesner. 1. Jahrg. April 1904—März 1905. 12 Hefte. (... m. Abb.) 8° Berl., Dr. Demcker.   24 — ô F
— somolog. Allg. deut. Obstbauzeitg. Gegründet v. E Lucas. Hrsg. v. F Lucas. Jahrg. 1901—5. (47—51. Jahrg. Mit Beginn d. Zeitschrift.) Je 12 Hefte. (276, 280, 280, 280 u. 280 m. Abb. u. 12, 11, 11, 11 u. 12 Taf.) 8° Stuttg., E Ulmer.   Je 4.50 d

Monatshefte, protestant. Neue Folge d. protestant. Kirchenzeitg. Hrsg. v. J Websky. 5. u. 6. Jahrg. 1901 u. 2 je 12 Hefte. (1901. 1. Heft. 40) 8° Berl., G Reimer.   Halbj. 4 — ;
einz. Hefte — 80
— dass. 7—9. Jahrg. 1903—5 je 12 Hefte. ('03 u. 4 je 488) 8° Berl., CA Schwetschke & S.   Halbj. 4 — ; einz. Hefte — 80
— sozialist. Red.: H Warschawski u., seit 1902, O Richter. 5—7. (7—9.) Jahrg. 1901—3 je 12 Hefte. (1010, 994 u. 966 m. 5, 4 u. 4 Taf.) 8° Berl., Verl. d. sozialist. Monatshefte. 1. Jahrg. 9. (10. u. 11.) Jahrg. 1904 u. 5. Hrsg. v. J Bloch. Red.: W Sternbaner. (1029 u. 1078 m. 4 u. 7 Taf.) Viertelj. 1.50 ; einz. Hefte — 50
— süddeut. Hrsg. v. W Weigand. 1. Jahrg. 1904. 12 Hefte. (548 u. 512) 8° Stuttg., A Bonz & Co. 12 — ; einz. Hefte 1.50 || 2. Jahrg. 1905. Hrsg. v. PN Cossmann. (516 u. 576) 15 — ;
viertelj. 4 — ; einz. Hefte 1.50 d
Erschienen bis Juni 1905 in München.
— therapeut. Hrsg. v. O Liebreich unter Red. v. A Langgaard u. S Rabow. 15. Jahrg. 1901—5 je 12 Hefte. (673, 673, 672, 670 u. 666) 4° Berl., J Springer.   Je 12 —
— f. prakt. Tierheilkde. Hrsg. v. Fröhner u. Kitt. 13—17. Bd je 12 Hefte. (13—15. Bd je 576 m. Abb. u. 1, 9 u. 6 Taf.) 8° Stuttg., F Enke 01-04.   Je 12 —
— Monatskarte f. d. nordatlant. Ozean. 3—5. Jahrg. 1903—5 je 12 Nrn. 59×84,5 cm. Farbdr. Mit Text auf d. Rücks. Hambg, (Eckardt & M.)   Jede Nr. — 75
— dass. Neue Folge d. nordatlant. Wetterausschau. 2. Jahrg. Nr. 6. Ausg. am 28./V.'02. Mit 4 Nebenk. u. Text auf d. Rücks. 59×84,5 cm. Lith. Ebd.   nn 1.50
Monatskurse, Berliner. Hrsg.: M Handl. Aug. 1904—Juli 1905 je 12 Hefte. (1. Heft. 46) 8° Berl., Verl. d. Berl. Monatskurse.   Viertelj. 3.50 ; einz. Hefte 1.30
Monatspläne (Stoffverteilgspläne) f. d. Elementarsch. in Elsass-L. Ausg. f. Ober- u. Unter-Elsass. Ausg. 1902. (Je 30) Fol. Gebw., J Boltze.   Je nn 1 — d
Monatschau, rhein. Der „Rheinlande" Monatsschrift f. deut. Kunst. Red.: W Schäfer. Jahrg. 1901. 12 Hefte. (1. u. 3. Heft je 8 m. Abb.) 4° Düsseldf, Verl. d. Rheinlande.   3 — ;
einz. Hefte — 20 ô F
— stenograph. Im Auftr. d. Stenogr.-Verbandes Stolze-Schrey red. u. hrsg. v. M Bäckler u., seit 1903, F Specht. Mit Beil.: „Stenograph. Lesehalle" u., „Der Vereinsbote". 12—16. Jahrg. 1901—5 je 12 Nrn. (1901. Nr. 1. 16 u. 8) 8° Berl., (Gerdes & H.).   Je 3 —
Monatsschrift, internat., z. Erforschg d. Alkoholismus u. Bekämpfg d. Trinksitten. Revue mensuelle internat. contre la boisson. Hrsg. u. red. v. H Blocher. 12—15. Jahrg. 1902—5 je 12 Hefte. (388, 392, 384 u. 384) 8° Basel, F Reinhardt.   Je 4 — ;
einz. Hefte — 40
Bisher u. d. T.: Monatsschrift, internat., z. Bekämpfg d. Trinksitten.
— altbayer., hrsg. v. histor. Ver. v. Oberbayern. Schriftleitg: I Striedinger u. Bitterauf. 3—5. Jahrg. je 6 Hefte. (1. Heft. 32 m. Abb. u. 1 Taf.) 4° Münch., (JJ Lentner) 01-05.   Je 7 —
— allpreuss., neue Folge. Der neuen preuss. Prov.-Blätter 5. Folge. Hrsg. v. R Reicke (u. E Wichert). Der Monatsschrift 38—41. Bd. Der Prov.-Blätter 104—107. Bd. Jahrg. 1901—4 je 8 Hefte. (644 m. 1 Karte u. 1 Taf.; 680; 600 m. 8 Taf. u. 592 m. 1 Taf.) 8° Königsbg, F Beyer. Je 10 — || 42. bezw. 108. Bd. 1905. (570 m. 1 Karte u. 1 Taf.) 12 —
— dass. Inhaltsverz. v. Bd. 1—40. Hrsg. v. Ver. f. d. Gesch. v. Ost- u. Westpreussen. (154) 8° Ebd. 05.   3 —
— internat., f. Anatomie u. Physiol. Hrsg. v. EA Schäfer, L Testut u. F Kopsch. 18—22. Bd je 12 Hefte. (Mit Abb.) 8° Lpzg, G Thieme.   504 —
18. (454 m. 23 Taf.) 01. 75 — || 19. (368 m. 19 Taf.) 01.02. 50 — || 20. (464 m. 15 Taf.) 02.03. 50 — || 21. (504 m. 1 Bildnis u. 20 Taf.) 04. 70 — || 22. (408 m. 18 Taf.) 05. 50 —
— aerztl. Mit bes. Rücks. auf diätetisch-physikal. Therapie. Red.: O Dornblüth. 4. Jahrg. 1. Viertelj. Jan.—März 1901. 3 Nrn. (Nr. 1. 48) 8° Lpzg, R Rossberg. 1.50 ; einz. Nrn — 50
— dass. Red. v. Boltenstern. 4. Jahrg. 2—4. Viertelj. April— Dezbr 1901. 9 Nrn. (Nr. 9. 48) 8° Lpzg (Carolinenstr. 15), J Brandstätter. 4.50 ; einz. Nrn. — 50 || 5. Jahrg. 1902. 5 Nrn.   3 — ô ô F
— illustr., d. ärztl. Polytechnik. (Begründet v. G Beck.) Hrsg. v. R Rosen. 23—25. Jahrg. 1901—5 je 12 Nrn. ('04. 190) 8° Berl., Fischer's med. Bh.   Je 6 —
— dass., u.: Zeitschrift f. Krankenpflege.
— balt. Hrsg. u. Red.: A v. Tideböhl. Mithrsg.: K v. Stern. 51—54. Bd. u. 44. Jahrg. 1901 u. 2 je 12 Hefte. ('01. 1. Heft. 80 u. 16) 8° Riga, (N Kymmel's S.) || 55—60. Bd. 45—47. Jahrg. 1903—5. Hrsg. u. Red.: F Bienemann. Jährlich nn 20 — d 12 Hefte, f. d. öffentl. Bauinteress. Fortsetzg. v.: Wochenschrift, österr., f. d. öffentl. Baudienst.
— f. deut. Beamte. Hrsg.: F Caspar u., seit 1902, E Klewitz. 22—29. Jahrg. 1901—5 je 24 Hefte. (1. Heft. 16) 8° Berl., R v. Decker.   Viertelj. 1.50 ; einz. Hefte — 90 d
— d. Berg. Gesch.-Ver. Red.: O Schell. 8—12. Jahrg. 1901—5 je 10 Nrn. (240, 244, 248, 232 u. 240 m. je 6 Taf.) 8° Elberf, (A Martini & Gr.).   Je 2 — d
— deut. botan. Zeitg f. Systematiker, Floristen u. alle Freunde d. heim. Flora. Hrsg. u. red. v. G Leimbach u., seit 1903, EM Reineck. 19—22. Jahrg. 1901—4 je 12 Nrn. (Nr. 1. 16) 8° Arnstadt. Weimar (Kohlstr. 211), EM Reineck.   Je 6 — ;
01—03 einz. Pr. je 3 — ô F

Monatsschrift f. orthopäd. Chirurgie u. physikal. Heilmethoden. Hrsg. v. M David. 1—5. Bd. 1901—5 je 12 Nrn. (*02. 166 m. Abb.) 8° Berl., E Grosser. Je 6 —
— *Jahrg. 1901 erschien als Beil. x, deut. Medizinal-Zeig.*
— d. deutsch-brasil. Ver. Hrsg. v. deutsch-brasil. Verein, Berlin. Red.: H Schacht, u., seit 1903, Plüddemann. Jahrg. 1901 —5 je 12 Nrn. (1901—3. 112, 106 u. 116 m. Abb.) 8° Berl., H Paetel. Je 6 —
Bisher u. d. T.: Nachrichten, deutsch-brasil.
— deut., f. d. ges. Leben d. Gegenwart. Begründet u. hrsg. v. J Lohmeyer, u. 3. Jahrg. an hrsg. v. O Hötzsch. 1—5. Jahrg. (1—10. Bd.) Oktbr 1901—Septbr 1906 je 12 Hefte. (1—6. Bd je 960; 7. u. 8. Bd. 912 u. 864) 4° Berl., A Duncker. Viertelj. 5 —; einz. Hefte 2 — d
— f. Electro-Homöopathie. Deut. Ausg. d. „Moniteur de l'Electro-Homéopathie", Organ d. electro-homöopath. Heilmethode d. Grafen C Mattei. Red.: J Dohn. 4—8. Jahrg. 1901 —5 je 12 Nrn. (Nr. 1. 8) 4° Lpzg, A Strauch. Je 2.50 d
— f. Geburtshülfe u. Gynaekol. Hrsg. v. A Martin. (M Sänger) u. a. v. Rosthorn. Red.: A Martin. 13—22. Bd. Jahrg. 1901 —5 je 12 Hefte. (872, 856; 1016, 1100; 1411, 946; 924, 1322 u. 827, 891 m. Abb. u. 9, 6, 8, 8, 16, 1, 5, 23, 10 u. 3 Taf.) 8° Berl., S Karger. Jährlich 36 —
— dass. Ergänzgshefte. 15. Bd. Jahrg. 1902. (383—614 m. 1 Taf.) 8° Ebd. 02. 5.40 ∥ 16. Bd. Jahrg. 1902. (465—703) 4.50 ∥ 17. Bd. Jahrg. 1903. (719—1258 m. Abb. u. 4 Taf.) 10 — ∥ 20. Bd. Jahrg. 1904. (441—900 m. Abb. u. 4 Taf.) 9 —
Bei d. Seitenzahlen d. Bde sind die d. Ergänzgshefte mit einbegriffen. — Im Bd-Preise sind d. Ergänzgshefte nicht einbegriffen.
— gemeinnütz., Fortsetzg, s.: Monatsschrift, gemeinnütz. polytechn.
— f. Gesundheitspflege. Red. v. H Adler. 19—23. Bd. Jahrg. 1901—5 je 12 Nrn. (*04. 256) 8° Wien, (M Perles). Je 6 —
— f. Gottesdienst u. kirchl. Kunst, hrsg. v. F Spitta u. J Smend. Reg. zu Jahrg. I—V, bearb. v. O Michaelis. (34) 8° Gött., Vandenhoeck & R. 01. 1 — d
— dass. 6—10. Jahrg. 1901—5 je 12 Nrn. (438, 384, 415, 393 u. 386 m. Abb.) 8° Ebd. Je 6 —; einz. Nrn — 80; m. d. Korrespondenzbl. d. ev. Kirchensangver. f. Deutschl. 7 — d
— d. Handelskammer zu Düsseldorf f. d. Stadt- u. Landkreis Düsseldorf. Hrsg. v. Brandt. 1. Jahrg. 1905. 12 Nrn. (Nr. 1. 14) 8° Düsseldf., A Bagel. Jahrg. 2 — d 6 H
— f. Handelsrecht u. Bankwesen, Steuer- u. Stempelfragen. [Neue Folge d. Monatsschrift f. Aktienrecht.] Hrsg. u. red. v. P Holdheim. 10—14. Jahrg. 1901—5 je 12 Nrn. (*04. 308) 8° Berl., C Heymann. Halbj. 5 —; einz. Nrn 1.20 d
— f. Handels- u. Sozialwiss. Centralbl. f. d. ges. kaufmänn. Wissen. Hrsg. v. A L Stange. 1. Halbj. Jan.—Juni 1903. 6 Nrn. (Nr. 1. 32) 4° Münch. (Lpzg, BG Teubner.) Viertelj. 1 — ∥ 2. Halbj. Juli—Dezbr 1903. 6 Nrn. (320) Viertelj. 2.50 ∥ 2. Jahrg. 1904. 12 Nrn. (360) Viertelj. 2.50
Fortsetzg u. d. T.: Handels-Hochschul-Nachrichten.
— f. Harnkrankh. u. sexuelle Hygiene. Hrsg. v. K Ries. 1. u. 2. Jahrg. 1904'3. 5 je 12 Nrn. (550 u. 542) 8° Lpzg, Verlag d. Monatsschrift f. Harnkrankh. Je 8 —; einz. Nrn. 1 —
— f. höh. Schulen. Hrsg. v. R Köpke u. A Matthias. 1—4. Jahrg. 1902—5 je 12 Hefte. (720, 729, 704 u. 704) 8° Berl., Weidmann. Je 15 —
— f. Gesch. u. Wiss. d. Judentums. Begründet v. Z Frankel, fortgesetzt v. H Graetz u. PF Frankl. Neue Folge, im Verein m. D Kaufmann uns hrsg. v. M Brann. 45—49. Jahrg. Neue Folge. 9—13. Jahrg. 1901—3 je 12 Hefte. (1. u. 2. Heft. 96) 8° Bresl., Koebner. Je 9 —; einz. Hefte nn — 75 ∥ 48. u. 49. bezw. 12. u. 13. Jahrg. 1904 u. 5. Je 10 —; einz. Hefte 1 —
— jurist., f. Posen, West- u. Ostpreussen u., seit 1904, Pommern. Red.: Landsberg. 4—8. Jahrg. 1901—5 je 12 Nrn. (1901. Nr. 1. 20) 4° Pos., J Jolowicz. Je 5 —; einz. Nrn — 50 d
— f. Kakteenkde. Zeitschrift d. Liebhaber v. Kakteen u. and. Fettpflanzen. Hrsg. v. K Schumann u., seit 1904, E Dams. 11—15. Bd. 1901—5 je 12 Nrn. (194, 204, 192, 194 u. 194 m. Abb.) 8° Neud., J Neumann. Geb. je 10 —; Halbj. 5 —; einz. Nrn 1 —
— katechet. Blätter f. Erziehg u. Unterr. m. bes. Berücks. d. Katechese. Hrsg. v. F Schumacher. 13. u. 14. Jahrg. 1901 u. 2 je 12 Nrn. (Nr. 1. 32 u. 16 Sp.) 8° Münst., H Schöningh. Je 2.60; m. Beibl.: Predigt u. Katechese, je 3.90 d
— dass. 15—17. Jahrg. 1903—5 je 12 Nrn. (Nr. 1. 32 Sp.) 8° Ebd. Ausg. I (m. Lit.-Bericht) Je 2.80; Ausg. II (m. Lit.-Bericht u. Predigt u. Katechese) je 4 —; Ausg. III (m. Lit.-Bericht u. lit. Anz.) je 4 —; Ausg. IV (m. Lit.-Bericht, lit. Anz. u. Predigt u. Katechese) je 5.90 d
— f. Kinderheilkde. Red. v. A Keller. 1. Bd. Oktbr 1902 —März 1903. 6 Hefte. (Heft 1. 56) 8° Wien, F Deuticke. ∥ 2—4. Bd. Lit. 1903—5 je 12 Hefte. Je 16 —
— kirchl. Organ f. d. Bestrebgn d. positiven Union. Hrsg. v. G Lasson. 19. Jahrg. Oktbr—Dezbr 1900. 3 Hefte. (13—15. Heft. 609—752) 8° Gross-Lichterf.-Berl., E Runge. 2 —; einz. Hefte — 75 d
Erscheint nicht weiter. — Fortsetzg bildet: Wochenschrift, kirchl., f. ev. Christen.
— f. d. kirchl. Praxis. Der Zeitschrift f. prakt. Theol. neue Folge. Hrsg. v. O Baumgarten. 1—5. Jahrg. 1901—5. Der

ganzen Folge 23—27. Jahrg. Je 12 Hefte. (454, 498, 536, 560 u. 558) 8° Tüb., JCB Mohr. Je 6 —; einz. Hefte — 75 d
Bisher u. d. T.: Zeitschrift f. prakt. Theol.
Monatsschrift, deut., f. Kolonialpolitik u. Kolonisation (früher Nordafrika). Hrsg. v. P Mohr. 3. Jahrg. 1905. 12 Nrn. (296 m. Abb.) 8° Charlottenbg (Krummestr. 4), Dr. P Mohr. 9 —
Bisher u. d. T.: Nordafrika, seit Juli 1904 unter d. neuen Titel.
— konservative, f. Politik. Lit. u. Kunst. (62. Jahrg. d. Monatsschrift f. Stadt u. Land.) Oktbr—Dezbr 1905. 3 Hefte. (1. Heft. 120) 8° Berl., R Hobbing. 3 —; einz. Hefte 1 — d
Erscheint bis Ende d. J. a. u. d. T.: Monatsschrift f. Stadt u. Land.
— f. Kriminalpsychol. u. Strafrechtsreform, hrsg. v. G Aschaffenburg. 1. u. 2. Jahrg. 1904 u. 5 je 12 Hefte. (1904. 1. Heft. 76) 8° Hdlbg, C Winter. V. Je 20 —
— f. kathol. Lehrerinnen. Organ f. Erziehg u. Bildg d. kathol. weibl. Jugend. Hrsg. v. M Waldeck. 14—18. Jahrg. 1901—5 je 12 Hefte. (792, 777, 786, 792 u. 810) 8° Paderb., F Schöningh. Halbj. 2 — d
— internat. photograph., f. Medizin, Fortsetzg, s.: Abhandlungen, zwanglose, a. d. Gebiete d. medizin. Photogr. etc.
— f. soz. Medizin. Zentralbl. f. d. ges. wiss. u. prakt. Sozialmedizin. Hrsg. v. M Fürst u. K Jaffé. 1. Bd. 12 Hefte. (608) 8° Jena, G Fischer 03. 10 —
Fortsetzg s. u. d. T.: Archiv f. soz. Medizin u. Hygiene.
— f. Mineralien-, Gesteins- u. Petrefaktensammler. Hrsg. v. R Zimmermann. 1. u. 2. Jahrg. Oktbr 1903— Septbr 1905 je 12 Nrn. (Nr. 1. 16) 8° Rochl., R Zimmermann. Je 6 — d
— f. innere Mission m. Einschl. d. Diakonie, Diasporapflege, Evangelisation u. ges. Wohlthätigk. Hrsg. v. T Schäfer. 21— 25. Bd. 1901—5 je 12 Hefte. (512, 534, 528, 480 u. 480) 8° Gütersl., C Bertelsmann. Je 6 — d
— dass. Ges.-Reg., umfassend d. 25 J. 1877—1901. Bearb. v. T Schäfer. (66) 8° Ebd. 02. — 80 d
— schweiz., f. Offiziere aller Waffen. Hrsg. v. K Fisch u., seit 1904, H Hungerbühler. 13—17. Jahrg. 1901—5 je 12 Nrn. (1901. Nr. 1. 48) 8° Frauenf., J Huber & Co. Je 4.80
Vgl.: Blätter, schweiz. militär.
— f. Ohrenheilkde, sowie f. Kehlkopf-, Nasen-, Rachenkrankh. Neue Folge. Hrsg. v. L v. Schrötter, P Schech, E Zuckerkandl, V Urbantschitsch. Red.: P Schech. 35—39. Jahrg. 1901—5 je 12 Nrn. (1901. Nr. 1. 56) 8° Berl., O Coblentz. Je 12 —; f. Abnehmer d. allg. medicin. Centralzeitg je 8 —; einz. Nrn 1.50
— österr., f. d. Orient. Hrsg. v. k. k. österr. Handels-Museum in Wien. Red.: R v. Roessler. 27—31. Jahrg. 1901—5 je 12 Nrn. (Nr. 1. 12) 4° Wien, Administr. d. k. k. österr. Handels-Museums. Je 10 —
— ornitholog. Hrsg. v. deut. Ver. z. Schutze d. Vogelwelt, begründet unter Red. v. E v. Schlechtendal. Red. v. C R Hennicke, (Frenzel) u. O Taschenberg. 26—30. Jahrg. 1901—5 je Nrn. (*01—4 : 434, 536, 506 u. 532 m. Abb. u. 6, 23, 19 u. 11 z. Tl farb. Taf.) 8° Dresd., (H Schultze). Je 8 — d
1901—4 erschienen in Gera-Untermhaus.
— f. Pastoraltheol. z. Vertiefg d. ges. pfarramtl. Wirkens. hrsg. v. HA Köstlin u. P Wurster. [Neue Folge d. Zeitschrift „Halte, was du hast".] 1. u. 2. Jahrg. Oktbr 1904—Septbr 1906 je 12 Hefte. (1. Jahrg. 1. Heft. 42) 8° Berl., Reuther & R. Je 6 —; einz. Hefte — 75 d
Bisher u. d. T.: „Halte, was du hast".
— f. pharmazeut. Grossindustrie. Red.: M Caspar. Jahrg. 1901—5 je 12 Nrn. (*04. 122) 8° Hamburg 19, M Caspar. (Nur dir.) Je nn 10 —
Erschien Anfangs in Berlin.
— gemeinnütz. polytechn. Red.: A Stöhr. 51—55. Jahrg. 1901—5 je 12 Nrn. (Nr. 1. 16) 8° Würzbg, Stahel's V. Je 4 —; einz. Nrn an — 90 d
Bisher u. d. T.: Monatsschrift, gemeinnütz.
— f. Psychiatrie u. Neurol. Hrsg. v. C Wernicke u. T Ziehen. Red.: Ziehen. 9—16. Bd. Jahrg. 1901—5 je 12 Hefte. (476, 476, 476, 564, 632, 480, 474 u. 527 m. 4, 10, 10, 10, 0, 5, 6 u. 16 Taf.) 8° Berl., S Karger. Jährlich 32 — ∥ 17. u. 18. Bd. Jahrg. 1905. (576 u. 568 m. 8 u. 12 Taf.) 38 —
— dass. Ergänzgshefte. 12. Bd. Jahrg. 1902. (341—328 m. 8 Taf.) 8° Ebd. 4 — ∥ 13. Bd. Jahrg. 1903. (417—576 m. Abb.) 6 — ∥ 16. Bd. Jahrg. 1904. (81—218 m. Abb. u. 1 Taf.) 3 — ∥ 17. Bd. Jahrg. 1905, Heft 1 — 13. Bd. Jahrg. 1905. (448 m. 3 Taf.) 14 —
Bei d. Seitenzahlen d. Bde sind die d. Ergänzgshefte mit einbegriffen. — Im Bd-Preise sind d. Ergänzgshefte nicht einbegriffen.
— f. christl. Sozial-Reform. Begründet v. Frhr K v. Vogelsang. Red.: M v. Vogelsang u., seit 1903, J Beck. 23—27. Jahrg. 1901—5 je 12 Hefte. (*01—4 : 678, 624, 544 u. 708) 8° Bassel. Zür, Baessler & Drexler. Je nn 6.50; einz. Hefte nn — 60 d
— medizinisch-pädagog., f. d. ges. Sprachheilkde m. Einschl. d. Hygiene d. Lautsprache. Hrsg. v. A u H Gutzmann. 11— 15. Jahrg. 1901—5 je 12 Hefte. (*04. 122) 8° Berl., Fischer's med. Bh. Je 10 —; einz. Hefte nn 1.20
— f. Stadt u. Land. 58. Jahrg. 1901. Hrsg.: M v. Natusius u. U v. Hassell. Begründet 1843 als Volksbl. f. Stadt u. Land. 12 Hefte. (1. Heft. 112) 8° Lpzg, E Ungleich. ∥ 59. Jahrg. 1. Halbj. Jan.—Juni 1902. 6 Hefte. Viertelj. 3 —; einz. Hefte nn 1.25 d
— dass. 59. Jahrg. 2. Halbj. Juli—Dezbr 1902. 6 Hefte. (1272) 8°

Berl., R Hobbing. || 60—62. Jahrg. 1903—5 je 12 Hefte. (03.04
je 1348) Viertelj. 3 — d
Das 4. Viertelj. 1905 erscheint a. u. d. T.: Monatsschrift, konser-
vative, f. Politik, Lit. u. Kunst. — 1906 nur noch unter diesem
Titel.
Monatsschrift, statist. Hrsg. v. d. k. k. statist. Zentral-
Kommission. Neue Folge. 6—10. Jahrg. (Der ganzen Reihe 27
—31. Jahrg.) 1901—5 je 12 Hefte. ('04. 858 m. graph. Darstellgn.)
8° Wien. Brünn, F Irrgang. Je 14 —
— s t e n o g r a p h., a. Landshut. Hrsg. v. d. Gabelsb. Stenogr.-
Ver. Landshut. 41—44. Jahrg. 1901—4 je 12 Nrn. (Nr. 1. 8)
8° Landsh., (P Krüll). Je nn 1.80 ô H
— Leipz., f. T e x t i l - I n d u s t r i e. Mit d. Export-Ausg.: „Der
Textil-Exporteur" u. d. 3 Beibl.: Muster-Zeitg (12 Nrn);
Wochenberichte, Handelsbl. (52 Nrn) u. Mittheilgn a. u. f.
Textil-Berufsgenossensch. (n. Bedarf). Chef-Red.: T Martin.
16—20. Jahrg. 1901—5 je 12 u. 4 Spezial-Nrn. (1901. Nr. 1.
80 u. 4 m. Abb. u. Mustern.) Fol. Lpzg, Verl. d. Leipz. Mo-
natsschrift f. Textil-Industrie. Halbj. 8 —
— t h e o l o g i s c h - p r a k t. Zentral-Organ d. kathol. Geistlichk.
Bayerns. Red.: G Pell u. LH Krick. 12—16. Bd. Oktbr 1901—
Septbr 1906 je 12 Hefte. (12—15. Bd. 850, 812, 814 u. 786) 8°
Pass., (G Kleiter). Je 5 — ; einz. Hefte — 50 d
— österr., f. T i e r h e i l k d e u. Revue f. Tierheilkds u. Tierzucht. Hrsg. u. red. v. A Koch. 26—30. Jahrg. 1901—5 je 12
Nrn. ('04. 559) 8° Wien, M Perles. Halbj. 4 —
— internat., z. Bekämpfg d. T r i n k s i t t e n. Revue mensuelle
internat. contre la boisson. Red. v. H Blocher. 11. Jahrg. 1901.
12 Hefte. (1. Heft. 32) 8° Bas. (Lpzg, OG Tienken.)
einz. Hefte — 40
Fortsetzg s. u. d. T.: Monatsschrift, internat., z. Erforschg d. Al-
koholismus usw.
— f. d. T u r n w e s e n m. bes. Berücks. d. Schulturnens u. d.
Gesundheitspflege. Hrsg. 1901 v. C Euler u. G Eckler; seit 1902
v. G Eckler u. R Schröer. 20—24. Jahrg. 1901—5 je 12 Hefte.
('01—4: je 576, '05: 390) 8° Berl., Weidmann. Je 6 — d
— dass. Beiheft. 8° Ebd. 2 — d
Verhandlungen, d., d. 14. deut. Turnlehrer-Versammlg u. d. 2. Turnlehrer-
tages d. deut. Turnlehrer-Ver., Magdeburg 1900, hrsg. v. F Kessler, H
Schröer, Rein u. Friebel. (109) 01.
— f. U n f a l l h e i l k d e, m. bes. Berücks. d. Mechanotherapie
u. d. Begutachtg Unfallverletzter u. Invalider; Hrsg. v. C
Thiem. 8. Jahrg. 1901. 12 Nrn. (1. 32) 8° Lpzg, FCW Vogel.
12 — ; einz. Nrn 1.20
Fortsetzg u. d. T.:
— f. U n f a l l h e i l k d e u. Invalidenwesen, m. bes. Berücks. d.
Mechanotherapie u. d. Begutachtg Unfallverletzter, Invalider
u. Kranker. Hrsg. v. C Thiem. 9—12. Jahrg. 1902—5 je 12 Nrn.
('04. 404) 8° Ebd. Je 12 — ; einz. Nrn 1.20
— f. bern. V e r w a l t g s r e c h t u. Notariatswesen. Revue mensuelle pour le droit administratif et le notariat du canton de
Berne. Red.: E Blumenstein. 1—3. Bd. 1903—5 je 19 Hefte.
(Je 576) 8° Bern, (A Francke). Je 10 — ; halbj. 6 —
— f.prakt. W a s s e r h e i l k d e u. physikal. Heilmethoden. General-Reg. zu Jahrg. I—VII (1894—1900). Hrsg.: A Krüche. (15)
8° Münch., Verl. d. ärztl. Rundschau 01. — 50
— dass. Hrsg. v. A Krüche. 8—10. Jahrg. 1901—3 je 12 Nrn.
(Je 288) 8° Ebd. (|| 11. u. 12. Jahrg. 1904—5 je 12 Nrn.
(Je 288) 8° Ebd. Je 4 —
— Wiener z a h n ä r z t l. Red. v. S Ornstein. 3—5. Jahrg. 1901—3
je 12 Nrn. (618, 640 u. 722 m. Abb.) 8° Wien. Berl., C Ash &
Sohn. Je 10 —
Fortsetzg s. u. d. T.: Zeitschrift, österr., f. Stomatol.
— deut., f. Z a h n h e i l k d e. Red. v. J Parreidt. 19—23. Jahrg.
1901—5 je 12 Hefte. (1901. 1. Heft. 48 m. Abb. u. 4 Taf.) 8°
Lpzg, A Felix. Halbj. 7 —
Monbart, Frln. H v. s.: Kahlenberg, H v.
Monbart, N v., s.: Pasteur, Louis.
Monbrun, A: Leben d. hl. Simon v. Stock, s.: Heiligen, d., d.
Kirche.
Mönch, H: Hafendämme etc., s.: Franzius, G.
Mönch, O, s.: Kalender f. Lehrer an Fach- u. Fortbildgssch.
Monchamp, G: P. Victorin Delbrouck, e. Blutzeuge d. Franzis-
kanerordens a. uns. Tagen. Übers. v. R Wegener. (68 m. 2
Bildnissen.) 8° Paderb., Junfermann 02. — 60
Mönckeberg, C, s.: Lotse, d.
Mond, d., u. d. **Mai** od. Don Juan. Lose Blätter u. Wandel-
bilder a. d. Leben. Dichtg v. J van C. Platz, v. P Valentin.
(267) 8° Dresd., E Pierson 02. 5 — ; geb. 6 — d
Monforte, A: Die Andacht d. Priester z. seligsten Jungfrau
Maria. Nach d. 2. italien. Ausg. übers. v. E Heger. (300 m.
1 St.) 8° Rgnsbg, F Pustet 03. 1 — ; 1.—1.50 d
Monge, G: Darstell. Geometrie, s.: Ostwald's, W, Klassiker d.
exakten Wiss.
— s.: Optik, meteorolog.
Mongré, P: Ekstasen. (216) 8° Lpzg 1900. Berl., H Seemann
Nf. 3 — d
Monhaupt's, P, Orig.-Citroneusaftkur, s.: Sturm.
Monika. Zeitschrift f. kathol. Mütter u. Hausfrauen. Hrsg.
L Auer. Red.: EM Zimmerer. 33—37. Jahrg. 1901—5 je 52 Nrn.
(Nr. 1. 12 m. Abb.) 4° Nebst Beil.: Der Schutzengel. 27—31.
Jahrg. Je 26 Nrn. (Nr. 1. 8 m. Abb.) 8° Donauw., L Auer.
Halbj. 1.50; einz. Nrn — 06 d
Monika-Kalender f. 1906. (176 Sp. u. 17 S. m. Abb. u. 1 Farbdr.)
8° Donauw., L Auer. — 50 d

Monita secreta. Die geheimen Instruktionen d. Jesuiten. Lateinisch u. Deutsch. Deut. Uebersetzg v. J Hochstetter. (63)
8° Stuttg., Heimdall 01. 1.50
— dass. Deut. Übersetzg. Wohlf. Ausg. (32) 8° Ebd. 01. — 60 d
Moniteur de l'electro-homéopathie, deut. Ausg., s.: Monatsschrift f. Electro-Homöopathie.
Monitor, techn. Zeitschrift f. d. wirtschaftl. Interessen d. Tech-
nikerschaft. Red.: O Romen jr. (3.) Jahrg. 1905. 52 Nrn. (Nr.
1—15. 130) 4° Berl., G Dreyer. Viertelj. 4 —
Mönkemeyer, P: Prolegomena zu e. Darstellg d. engl. Volks-
bühne z. Elisabeth- u. Stuart-Zeit n. alten Bühnen-Anweisgn.
(95) 8° Hannov., Hahn 05. 1.50
Mönkemeyer, W: Taschenwrtrb. d. botan. Kunstausdrücke f.
Gärtner, s.: Kohl.
Mönkemöller: Geistesstörg u. Verbrechen im Kindesalter, s.:
Sammlung v. Abhandlgn a. d. Geb. d. pädagog. Psychol. u.
Physiol.
— Zur Gesch. d. Psychiatrie in Hannover. (351) 8° Halle, C
Marhold 03. 6 —
Monlaur, MR: Le Rayon, deut. Ausg., s.: Haide, C z., d. Strahl.
Mönnichmeyer, C: Beobachtgn d. internat. Polhöhensterne am
Repsold'schen Meridiankreise d. Bonner Sternwarte, s.: Ver-
öffentlichungen d. kgl. Sternwarte zu Bonn.
— Beobachtgn v. 4292 u. 2294 Sternen, s.: Küstner, F.
Mönnichs, T: Warum katholisch u. nicht evangelisch? Ant-
wort auf d. Schrift v. R Friedewald: „Warum evangelisch ?"
(45) 8° Münch., (JJ Lentner) 02. — 50 d
Monod, A: Langsam z. Reden. 2 Briefe üb. ungeziem. Red-
seligk. Aus d. Lebenserinnergn. (14) 12° Bas., (Basler Mis-
sionsbh.) 1887. — 04 d
Monod, A: Hist. de France, s.: Prosateurs franç. — Velhagen
& Klasing's Sammlg franzöz. n. engl. Schulausg.
Monod, G: Allemands et Français, souvenirs de campagne.
Metz, Sedan, La Loire, s.: Schulbibliothek, franzöz. u. engl.
— Biographies histor., s.: Dhombres, G.
Monogramme u. **Dekorationen** f. Uhren- u. Edelmetall-Gra-
vierg, sowie f. verwandte Gewerbe. Hrsg. v. W Diebener.
Entwurf u. Zeichng: E Menzel, G Gessner, R Langner, G
Wastian. 11—42. Lfg. 1. u. 2. Afl. (78 Taf. m. 12 S. Text.)
4° Lpzg, W Diebener 02. Je 1 — (Vollst., L.: 50 —)
— — dass. 7 Monogramm-Alphabete u. dazu pass. Dekora-
tionen. 3. Afl. (In 44 Lfgn.) 1—24. Lfg. (43 Taf.) 4° Ebd. (04.05).
Je 1.25
— — dass. Nachtr. (Zur 1. u. 2. Afl.) (In 8 Lfgn.) 1—4. Lfg.
(16 Taf.) 4° Ebd. (04.05). Je 1.25
Monogrammes et **décorations** à l'usage des graveurs de mon-
tres et de métaux précieux comme des métiers qui s'y rat-
tachent. Rédigé par W Diebener. Dessins et gravures par:
E Menzel, G Gessner, R Langner, G Wastian. 1. et 2. éd.
18 Lfgn. (100 Taf. m. 8 S. Text.) 4° Lpzg, W Diebener 02.
Je 25
Monograms and **decorations** intended for the use of engra-
vers in precious metals, watches and kindred trades. Ed. by
W Diebener. Invented and designed by: E Menzel, G Gessner, R Langner, G Wastian. 1 and 2. ed. 18 Lfgn. (100 Taf.
m. 12 S. Text.) 4° Lpzg, W Diebener 02. Je 2.50
Monographien d. Balkanstaaten. Hrsg. v. W Ruland. I.
8° Lpzg, Bernh. Meyer. 23 — ; geb. 25 —
I. Kanitz, F: Das Kgr. Serbien u. d. Serbenvolk v. d. Römerzeit bis z.
Gegenwart. I. Bd. Land u. Bevölkerg. (555 m. Abb.) 04. 77 — ; geb. 25 —
— a. d. Gesch. d. Chemie. Hrsg. v. GWA Kahlbaum.
8. Heft. 8° Lpzg, JA Barth. 21 —
1—(1—8.) 49 — ; Einbde in L. je 1.80)
Berzelius, J. Selbstbiograph. Aufzeichngn. Hrsg. v. HG Söderbaum. Nach
d. wörtl. Übersetzg v. E Wäbler bearb. v. WA Kahlbaum. — Anedeo
Avogadro u. d. Molekulartheorie. Von I Guareschi. Deutsch v. O Merkens.
(194 m. Bildnis.) 03. [7.]
Boltzmann, GWA, u. E Schaer: Christian Friedrich Schönbein 1799—1868.
(281) 01. [5.] 8 —
Liebig, J v., u. F Mohr in ihren Briefen v. 1834—70. Hrsg. u. m. Glossen,
Hinweisen u. Erläutergn versehen in Gemeinschaft m. O Merkens u.
WI Baragiola v. GWA Kahlbaum. (65, 374 m. 2 Bildnissen.) 04. [6.] 8 —
— üb. angewandte E l e k t r o c h e m i e, hrsg. v. V Engelhardt.
—21. Bd. 8° Halle, W Knapp. 109.90
Abel, E: Hypochlorite u. elektr. Bleiche. Theoret. Tl. Theorie d. elek-
trochem. Darstellg v. Bleichlauge. (211 m. Fig. u. 10 Tab.) 05. [17.] 4.50
Vgl. unten: Engelhardt.
Becker, H: Die Elektrometallurgie d. Alkalimetalle. (185 m. Abb. u. 5
Tab.) 03. [9.] 6 —
Borchers, W: Elektro-Metallurgie d. Nickels. (36 m. Abb.) 03. [6.] 1.50
Cowper-Coles, S: Elektrolyt. Verfahren z. Herstellg parabol. Spiegel.
Deutsch v. E Abel. (17 m. Abb. u. 2 Tab.) 04. [14.] 1.—
— Elektrolyt. Verzinkg. Deutsch v. E Abel. (37 m. Fig. u. Abb.) 04.
[18.] 1 —
Engelhardt, V: Die Elektrolyse d. Wassers, ihre Durchführg u. Anwendg.
(117 m. Fig. u. 15 Tab.) 02. [1.] 5 —
— Hypochlorite u. elektr. Bleiche. Technisch-konstruktiver Tl. (211 m.
Fig. u. Tab.) 03. [8.] 4 —
Ferchland, P: Die elektro-chem. Industrie Deutschlds. (296 m. Abb. u.
04. [19.] 5 —
Fitz-Gerald, FAJ: Carborundum. Deutsch v. M Huth. (44 m. Abb. u. 3
Tab.) 04. [13.] 1 —
— Künstl. Graphit. Deutsch v. M Huth. (60 m. Abb. u. 5 Tab.) 04. [16.] 8 —
Günther, E: Die Darstellg d. Zinks auf elektrolyt. Wege. (240 m. Abb.)
05. 10 —
Kershaw, JBC: Die elektrolyt. Chloratindustrie. Deutsch v. M Huth. Mit
m. Anh., d. wörtl. Wiedergabe d. wichtigsten Patente enth. (124 m. Fig.
u. 3 Tab.) 05. [15.] 6 —
Le Blanc, M: Die Darstellg d. Chroms u. z. Verbindgn m. Hülfe d. elektr.
Stromes. (109) 02. [3.]

Lorenz, R: Die Elektrolyse geschmolz. Salze. 1. Tl: Verbindgn u. Elemente. (217 m. Abb.) 05. [20.] § 2. Tl: Das Gesetz v. Faraday; d. Überführg u. Wanderg d. Ionen: d. Leitvermögen. (257 m. Abb.) 05. [21.]
　　　　　　　　　　　　　　　　Je 8 —
Minet, A: Die Gewinng d. Aluminums u. dessen Bedeutg f. Handel u. Industrie. Deutsch v. E Abel. (179 m. Fig. u. 15 Tab.) 02. [3.]　　7 —
Nissenson, H: Einrichtgn v. elektrolyt. Laboratorien unter bes. Berücks. d. Bedürfnisse f. d. Hüttenpraxis. (51 m. Abb.) 03. [4.]　　2.40
Pfanhauser, W: Die Galvanoplastik. (138 m. Abb.) 04. [11.]　　4 —
— Die Herstellg v. Metallgegenständen auf elektrolyt. Wege u. d. Elektrogravüre. (146 m. Abb.) 03. [5.]　　7 —
Ulke, T: Die elektrolyt. Raffination d. Kupfers. Deutsch v. V Engelhardt. (156 m. Abb. u. 23 Tab.) 04. [10.]　　8 —
Uslar, M v.: Cyanid-Prozesse z. Goldgewinng. Bearb. unter Mitwirkg v. G Erlwein. (100 m. Fig. u. 3 Taf.) 03. [7.]　　4 —

Monographien z. deut. Kulturgesch., hrsg. v. G Steinhausen. 8—13. (Schl.-)Bd. Mit Abb. u. Beil. m. Originalen, grösstenteils a. d. 15—18. Jahrh. Ausg. A, auf alterthüml. Pap. 8° Jena, E Diederichs. Je 4 —; HL. je 5.50; Liebhaberausg. auf Büttenpap. je 8 —; geb. je 10 —; Ausg. B, auf weissem Pap. je 4 —;
　　　　　　　　　　　　　　　　L. je 5.50 d
Drews, P: Der ev. Geistliche in d. deut. Vergangenh. (140) 05. [12.]
Hampe, T: Die fahr. Leute in d. deut. Vergangenh. (138) Lpzg 02. [10.]
Liebe, G: Das Judentum in d. deut. Vergangenh. (129) Lpzg 03. [11.]
Mummenhoff, E: Der Handwerker in d. deut. Vergangenh. (142) Lpzg 01. [8.]
Reicke, E: Lehrer u. Unterr.-Wesen in d. deut. Vergangenh. (136) Lpzg 01. [9.]

— **kunstgeschichtl.** I u. II. 8° Lpzg, KW Hiersemann.
　　　　　　　　　　　　　　　　Kart. 20 —
Burckhardt, R: Cima da Conegliano, e. venezian. Maler d. Übergangs v. Quattrocento- v. Cinquecento. (144 m. Abb.) 05. [II.]　　12 —
Haupt, A: Peter Flettner, d. 1. Meister d. Otto-Heinrichsbaues zu Heidelberg. (99 m. Abb. u. 15 Taf.) 04. [I.]　　8 —

— d. **Kunstgewerbes,** hrsg. v. JL Sponsel. I—X. (Mit Abb.) 8° Berl., H Seemann Nf.　　46 —; Einbde in L. je 1 —;
　　　　　　　　　　　　　　in Liebh.-Bd m. G. je 2 —
Bode, W: Die italien. Hausmöbel d. Renaissance. (84) Lpzg (02). [V.]
　　　　　　　　　　　　　　　　　　　　　　7 —
— Vorderasiat. Knüpfteppiche a. ält. Zeit. (136 m. 1 farb. Taf.) Lpzg (01). [I.]　　4 —
Borrmann, R: Moderne Keramik. (122) Lpzg (02). [V.]　　4 —
Brüning, A: Die Schmiedekunst seit d. Ende d. Renaissance. (146) Lpzg (02). [III.]　　3 —
Fabriczy, C v.: Medaillen d. italien. Renaissance. (108) Lpzg (03). [IX.] 5 —
Loubier, J: Der Bucheinband in alter u. neuer Zeit. (187) (04.) [X.] 4 —
Lüer, H: Technik d. Bronzeplastik. (134) Lpzg (02). [IV.]　　4 —
Luthmer, F: Deut. Möbel d. Vergangenh. (138) Lpzg (02). [VII.]　4 —
Pazaurek, GE: Moderne Gläser. (134 m. 4 Farbdr.) Lpzg (01). [II.] 5 —
Scherer, C: Elfenbeinplastik seit d. Renaissance. (144 m. 1 Taf.) Lpzg (03). [VIII.]

— **landw. Nutztiere,** hrsg. v. d. Red. d. Deut. landw. Tierzucht. 1—5. Bd. 8° Lpzg, RC Schmidt & Co.　　L. je 4 — d
Gross, H: Das ostfries. Rind. (98 m. Abb. u. 8 Taf.) 05. [5.]
Hofmann, E: Das holländer Rind. (141 m. Abb. u. 2 Taf.) 05. [4.]
Hoesch, Schleh u. v. Leer: Das deut. veredelte Landschwein. (104 m. Abb. u. 7 Taf.) 04. [3.]
Müller, H: Das Jeverländer Rind. (131 m. Abb., 5 Taf. u. 2 Kart.) 04. [1.]
Rasch, F: Das westpreuss. Rind. (88 m. Abb., 6 Taf. u. 3 Kart.) 04. [2.]

— **afrikan. Pflanzen-Familien u. -Gattgn.** Hrsg. v. A Engler. VI—VIII. 4° Lpzg, W Engelmann. 68 — (I—VIII.: 160 —)
Engler, A: Sapotaceae. (88 m. Abb. u. 34 Taf.) 04. [VIII.]　　30 —
— u. L Diels: Anonaceae. (96 m. 1 Fig. u. 30 Taf.) 01. [VI.]　　22 —
Oltg, E: Strophanthus. (48 m. Fig. u. 10 Taf.) 03. [VII.]　　16 —

— z. **Weltgesch.** Hrsg. v. E Heyck. I, IV, VI u. XV—XXIV. (Mit Abb.) 8° Bielef., Velhagen & Kl.　　In L. kart. 49 —;
Geschenkausg., L. m. G. je 1 — mehr; numerierte Ausg., Ldr jeder Bd 20 — (I—XXIV.: 87 —) d
Below, G v.: Das ält. deut. Städtewesen u. Bürgertum. 2. Aß. (188 m. 6 Beil.) 05. [VI.]
Bezold, C: Ninive u. Babylon. (143) 03. § 2. Aß. (145) 03. [XVIII.] Je 4 —
Heyck, C: Bismarck. 3. Ausg. (194 m. Fksm.) 04. [IV.]　　4 —
— Florens u. d. Mediceer. Erweit. 2. Ausg. d. Monogr. „Die Mediceer". (185 m. 5 Kunstbeil.) 02. [I.]　　4 —
— Der Gr. Kurfürst. (120 m. 2 Fksms u. 1 Karte.) 02. [XVI.]　4 —
Hötzsch, O: Die Verein. Staaten v. Nordamerika. (150 m. 1 Karte.) 04. [XX.]　　4 —
Koepp, F: Die Römer in Deutschl. (155 m. 18 Kart.) 05. [XXI.]　4 —
Lenz, M: Napoleon. (190 m. 13 Fksms u. 3 Kart.) 05. [XXIV.]　4 —
Pantenius, TH: Der falsche Demetrius. (124) 04. [XXX.]　　3 —
Schäfer, D: Die Hanse. (139) 03. [XIX.]　　4 —
Seeck, O: Kaiser Augustus. (143) 02. [XVII.]　　4 —
Wiegand, W: Friedrich d. Gr. (169 m. 2 Kunstbeil. u. 3 Fksms.) 02. [XV.]　　4 —
Zwiedineck-Südenhorst, H v.: Maria Theresia. (111 m. 2 Fksms.) 05. [XXIII.]
　　　　　　　　　　　　　　　　3 —

— z. **Weltpolitik.** Hrsg. v. R Breitscheid u. R Zabel. 1. Bd. 8° Lpzg, G Wigand.　　3.50
Rohrbach, P: Die russ. Weltmacht in Mittel- u. Westasien. (176) 04. [1.]
　　　　　　　　　　　　　　　　3.50

Monographs on artists. Ed. by H Knackfuss. VI—IX. (Mit Abb.) 8° Bielef., Velhagen & Kl.　Kart. je 4 —; geb. je 5 —
　　　　　　　　　　　　(I—IX.: 36 —; geb. 45 —)
Knackfuss, H: Rubens. Translated by LM Richter. (168) 04. [IX.]
Meyer, AG: Donatello. Translated by PG Konody. (160) 04. [VIII.]
Rosenberg, A: Leonardo da Vinci. Translated by J Lohse. (155) 06. [VII.]
Steinmann, E: Botticelli. Translated by C Dodgson. (136) 01. [VI.]
Monsterberg-Münckenau, E: Gedichte. (127) 8° Dresd., E Pierson 02.　　2 —; geb. 3 — d
Mont, P de: Die graph. Künste im heut. Belgien u. ihre Meister. [S.-A.] (92 m. Abb. u. 12 Taf.) Fol. Wien, Gesellsch. f. vervielfältig. Kunst (02).　　34 —
Montags-Post m. d. Beilage: Kampf! Blätter f. Freiheit u. Menschenrechte. Hrsg.: Bernstein-Sawersky u. S Hoy. Red. f. Theater u. Feuilleton: Bernstein-Sawersky; Musik u. Kunst: R Meienreis; Börse u. Handel: J Rosenstern, alles übrige:

Hinrichs' Fünfjahrskatalog 1901—1905.

20. Krankh. d. Neugeborenen. (3. Bd. 597—704) 03. 3 —
21. Die wichtigsten Hautkrankh. im Kindesalter. (3. Bd. 705—860) 03.
4 — (3. Bd vollst.: 21.50)
Monti, A: Kinderheilkde in Einzeldarstellgn, s.: Klinik, Wiener.
Montifaud, M de: Die Courtisanen d. Altertbums. 3. Afl. (268
m. Abb.) 8º Budap., G Grimm 02. 5 — d
Montignoso, L Gräfin v., ehemal. Kronprinzessin y. Sachsen,
als Dichterin. Von H v. Alt-Damerow. (62 m. Fksms u. Bildnis.)
8º Schkeuditz-Lpzg, Dent. Volksverl. (05). 1.50; geb. 3 —
— Gedichte. Einz. komplette, autoris. Ausg. (20 Bl. m. Bildnis.)
8º Dresd., W Karlowa (05). 1 — d
Montos, P: „Mr. Chamberlain". Schwank. (128) 8º Bern, (Neu-
komm & Z.) 01. nn 1.70 d
Monturswirtschaftsvorschrift f. d. k. k. Landwehr u. f. d. k.
k. Landsturm. (520) 8º Wien, (Hof- u. Staatsdr.) 03. 4 — d
Montsheimer, Frl. E, s.: Hellingen, E.
Monumenta vaticana res gestas Bohemicas illustrantia.
Edd. ad recensendos hist. Bohemicae fontes delegati. Tom.
I et V pars I et II. 8º Prag, (F Řivnáč). 36 —
I. Acta Clementis VI. pontificia romani. 1342—52. Opera L Klicman. (955)
03. 12 —
V. Acta Urbani VI. et Bonifatii IX. pontificum Romanorum. Pars I et II.
1378—1404. Opera C Krofta. (28, 1505) 03.05. Je 12 —
— boica. 46. Bd. Collectio nova. Ed. acad. scientiar. boica.
Vol. XIX. (755) 8º Münch., (G Franz' V.) 05. 16 —
— dass. 47. Bd. Neue Folge, 1. Bd. Hrsg. v. d. kgl. bayer.
Akad. d. Wiss. (20, 906) 8º Ebd. 03. 16 —
— hist. ducatus Carinthiae. Geschichtl, Denkmäler d. Herzogt. Kärnten. 3. u. 4. Bd. 8º Klagenf., (F v. Kleinmayr). 58 —
(1—4.: 92.40)
3. Geschichtsquellen, d. kärntner. 3. Bd. 811—1202. Hrsg. v. A v. Jaksch.
(59, 600) 04. 30 — ‖ 4. Dass. 4. Bd. 1202—69. 1. Tl. 1202—62. Hrsg. v.
A v. Jaksch. (39, 587) 05. 28 —
— Germaniae historica inde ab a. Christi D usque ad a.
MD ed. soc. aperiendis fontib. rer. Germanicar. medii aevi,
Epistolar. tomi VI pars I, Karolini aevi IV. (256) 4º Berl.,
Weidmann 02. Auf Schreibpap. 12 —; auf Druckpap. 8 —
— dass. (Nene Quart-Ausg.) Auctor. antiquissimor. tom. XIV.
4º Berl., Weidmann. 16 —; auf Schreibpap. 24 —
XIV. Merobaudis, F, reliquiae. — Dracontii, BA, carmina. — Eugenii Tole-
tani episcopi carmina et epistolae. Cum appendicula carminum
spurior. ed. F Vollmer. (50, 455) 05. 16 —; auf Schreibpap. 24 —
— dass. (Neue Quart-Ausg.) Diplomatum regum et imperator.
Germaniae tomi III. pars 2. Heinrici II. et Arduini diplomata.
(Auch m. dent. Titel: Die Urkunden d. deut. Könige u. Kaiser.
3. Bd. Die Urkunden Heinrichs II. u. Arduins.) (30 u. 721—853)
4º Hannov., Hahn 03. 6 —; auf fein. Velinpap. 9 —
(Tom. III vollst.: 30 —; bezw. 45 —)
— dass. Legum sectio I, tom. I; sectio III, tom. I pars I et
sectio IV tom. III pars 1. 4º. Ebd. 50 —
auf fein. Velinpap. 75 —
I. Legum nationum germanicar. tomus I. Leges Visigothorum. Ed. K
Zeumer. (35, 570) 02. 20 —; bezw. 30 —
III. Concilia. Tom. II. Pars I. (464) 04. 20 —; bezw. 30 —
(I u. II, 1.: 25 —; bezw. 37.50)
IV. Constitutiones et acta publica imperator. et regum. Tom. III. Pars I.
(456 m. 1 Taf.) 04. 15 —; bezw. 22.50 (I—III, 1.: 62 —; bezw. 93.50)
— dass. Necrologica Germaniae. Tom. II, 2 et III. 4º Berl.,
Weidmann. Auf Schreibpap. 39 —; auf Druckpap. 39 —
(I u. II.: 88 —; bezw. 58 —)
II, 2. Dioec.Saliaburgensis. Ed.S Herzberg Fränkel. 2. (385—804 m. 1 Taf.)
Auf Schreibpap. 32 —; auf Druckpap. 21 — (Vollst.: 43 —; bezw. 30 —)
III. Dioeceses Brixinensis, Frisingensis, Ratisbonensis. Ed, FJ Baumann.
(534 m. 2 Taf.) 05. 27 —; bezw. 18 —
— dass. Scriptor. tomi XXXI pars I (336) 4º Hannov., Hahn 02.
11 —; auf fein. Velinpap. 16.50 ‖ pars II (Schl.). (337—776 m.
10 Taf.) 03. 15 —; bezw. 22.50 ‖ Tomi XXXII pars I. (301) 05.
12 —; bezw. 18 —
Tom XXX, pars II ist noch nicht erschienen.
— dass. Scriptor. rer. Merovingicar. tom. IV. 4º Ebd. 26 —;
auf fein. Velinpap. 39 — (I—IV.: 97 —; bezw. 145.50)
02. 26 —; auf fein. Velinpap. 39 —
— Germaniae paedagogica, Schulordngn, Schulbücher
u. pädagog. Miscellaneen a. d. Landen deut. Zunge. Hrsg.
v. K Kehrbach. XXII—XXXIII. Bd. 8º Berl., A Hofmann &
Co. 169.50 (I—XXXIII.: 504 —)
Brunner, K: Die bad. Schulordngn. 1. Tl. Bad.-Volksschulvorschriften.
grafschaften. (128, 617) 03. [XXIV.] 16 —
Cohrs, F: Die evv. Katech.-Versuche vor Luthers Enchiridion. 3. Bd.
Aus d. J. 1528—29. (74, 480) 01. [XXII.] ‖ 4. Die altdeutscher Katech.-
Versuche u. zusammenfass. Darstellg. (39, 431) 09. [XXXII.] Je 15 —
(Vollst.: 30 —)
Diehl, W: Die Schulordnng d. Grossh. Hessen. 1. Bd. Die höh. Schulen
d. Landgrafsch. Hessen-Darmstadt. 1. Tl: Die Texte. (500) 03. [XXVII.]
‖ 2. Bd. Dass. 2. Tl: Überblick üb. d. Entwicklg d. höh. Schulwesens,
Texterläutergn, nebst Namen- u. Sachreg. (506) 03. [XXVIII.] ‖ 3. Bd.
Das Volksschulwesen d. Landgrafsch. Hessen-Darmstadt. (574 m. 5 Bildn.)
05. [XXXIII.] Je 15 —
Israel, A: Pestalozzi-Bibliogr. Die Schriften u. Briefe Pestalozzis u. d.
Zeitfolge, Schriften u. Aufsätze üb. ihn u. Inhalt u. Zeitfolge. 1. Bd. Die
Schriften Pestalozzis. (36, 636) 03. [XXV.] 18 — ‖ 2. Bd. Die Briefe
Pestalozzis. (290) 04. [XXIX.] 10 — § 3. (Schl.) Bd. Schriften u. Aufsätze
üb. Pestalozzi. (59, 639) 04. [XXXI.] 18 —
Reform, d. pädagog., d. Comenius in Deutschl. bis z. Ausg. d. 17. Jahrh.
Hrsg. v. J Kvačala. 1. Bd. Texte. (44, 395) 04. [XXVI.] 12 — ‖ 2. (Schl.)
Bd. Histor. Überblick, Bibliogr., Namen- u. Sachreg. (295) 04. [XXXII.]
7.50
Wotke, K: Das österr. Gymnasium im Zeitalter Maria Theresias. 1. Bd.
Texte nebst Erläutergn. (80, 615 m. 5 Taf.) 05. [XXX.] 18 —

Monumenta Hungariae beraldica. Hrsg. v. L Fejérpataky.
I. u. II. Bd. 4º Budap., (G Rapschburg). Je 20 —
I. (In ungar. Sprache.) (97 m. 25 farb. Taf.) 01. ‖ II. (Vorrede u. Anmerkgn in ungar. Sprache.) (69 m. 25 farb. Taf.) 02.
— Hungaria judaica. Publicari fecit soc. litteraria hunga-
rico-judaica. Tom. I. 1092—1539. Cooperante M Weisz studio
A Friss. (Auch m. ungar. Titel. (41, 524) 8º Budap., (R Lampel)
03. 10 —
— palaeographica. Denkmäler d. Schreibkunst d. M.-A.
I. Abtlg: Schrifttafeln in latein. u. deut. Sprache. Hrsg. v.
A Chroust. 1. Serie. (I—III. Bd.) 3—20. Lfg. (125 Lichtdr. m.
415 S. Text.) 59×42 cm. Münch., Verl.-Anst. F Brackmann
01-05. Je nn 20 —
— medii aevi historica res gestas Poloniae illustrantia. Edit.
collegii historici acad. litterar. Cracoviensis tom. XVI. 8º
Krak., Bh. d. poln. Verl.-Gesellsch. 16 — (II—XVI.: 178 —)
XVI. Acta capitulor. nec non iudicior. ecclesiasticor. selecta, ed. B Ulanowski. Vol. II. Acta iudicior. ecclesiasticor, dioec. Gneznensis et
Poznaniensis (1403—1530). (952) 02. 16 — (I u. II.: 26 —)
— Pompeiana. (In ca 50 Lfgn.) 1—47. Lfg. (Ital. Sprache.) 61,5
m. 48 Bl. Text in italien., französ., deut. u. engl. Sprache.) 61,5
×44 cm. Napoli (01-05). (Lpzg, G Hedeler.) Je 12 —
— ordinis fratrum Praedicator. historica. Tom. VI, fasc.
1 et 2; tom. IX et X. 8º Romae. Münch., J Roth. 20.30
(I—VI, 2 u. VIII—X.: 59.30)
Acta capitulorum generalium ordinis Praedicatorum. Rer. BM Reichert.
Vol. IV. 1501—58. (361) 01. [X.] 7.50 ‖ V. 1558—1600. (407) 01. [X.] 9 —
(I—V.: 89 —)
Raymundiana seu documenta quae pertinent ad S. Raymundi de Pennaforti vitam et scripta. Collegerunt, edd. F Balme et C Paban. Fasc. 1.
(37) 1900. [VI,1.] 2 — ‖ 2. Edd. F Balme, C Paban et J Collomb. (107)
01. [VI,2.] 2.80
— spectantia historiam Slavor, meridionalium. Ed. acad.
scientar. et artium Slavor. meridionalium. Vol. XXX, 2 fasc.
8º Agr., (G Trpinac). nn 10 — (I—XXX.: nn 180.00)
XXX. Spectantia vol. IV. BA Kercselich: Annuae 1748—67. Procemio de
vita operibusque scriptoris praemisso digessit T Smičiklas. (70,
668 m. Bildnis.) 01. nn 10 —
— historico-juridica Slavor. meridionalium. Sumptibus acad.
scientiar. et artium Slavor. meridionalium. Tom. VII—IX. 8º
Ebd. nn 16 — (I—IX.: nn 57 —)
VII. Statuta confraternitatum et corporationum Ragusinar. (ab aevo
XIII—XVIII). Sumta I. Bratovštine Dubrovacke. Uvodnu raspravu
napisar i slstnio Bratovštinske priložio Kosta kuca Vojnović. (53,
190) 1900. nn 5 —
VIII. Statuti delli ordinarrenti e delle nsaņe della universitade et dello
commun della Isola de Lagusta. Priredio za tisak polog rukopisa,
koji se nahodi u Laguštu, uvodom i dodacima t. j. prispodobu sa Arnerijevim
i bečkim kodeksom F Radić. (185) 01. nn 3 —
Beide auch m, vollständ. kroat. Titel.
IX. Liber statutor. civitatis Ragusii composita anno 1272. Cum legib.
aetate posteriore insertis atque cum summariis, adnotationib. et
scholiis a veterib. juris consulta Ragusinis additis, nunc primum
in locem protulerunt, praefatione et apparatu critico instruxerunt,
indices adjecerunt V Bogišić et C Jireček. (69, 467) 04. 1 —
— hist. Societatis Iesu nunc primum ed. a patrib. ejus-
dem soc. Annus VIII—XII. 1901—5 je 12 fasc. (Fasc. 78. 160)
8º Madrid. (Freibg i/B., Herder.) Je nn 20 —
— typographica. Catalogus LIII primordii artis typogra-
phicae complectens editiones usque apud equitem Leonem S.
Olschki, bibliophilum Florentiae exstant, ab eo accurate de-
scribuntur pretiisque oppositis venumdatur. (498 m. Abb.) 8º
Florenz, LS Olschki 03. 16 —
— Germaniae et Italiae typographica. Deut. u. italien. Inkunabeln in getreuen Nachbildgn hrsg. v. d. Dir. d. Reichsdruckerei. Ausw. u. Text v. K Burger. 6—8. Lfg. (25, 28 u.
25 Taf.) Fol. Nebst Reg. zu Lfg 1—6. (11) 4º Berl. 1900-04.
(Lpzg, Ö Harrasswowitz.) Je nn 20 — (1—8.: nn 160 —)
— historica liberae regiae civitatis Zagrabiae, metropolis
regni Dalmatiae, Croatiae et Slavoniae. Collegit et ed. JB
Tkalčić. Vol. IV—XI. (Einl. in kroat. Sprache.) 8º Agram, (G
Trpinac). Je 4 — (I—XI.: 44 —)
IV. (Libri citationum et sententiar.) (Ann. 1355—65.) (28, 398) 1897. ‖ V.
(Dass.) (Ann. 1375—91.) (31, 395) 1898. ‖ VI. (Dass.) (Ann. 1412—48.) (32,
398) 1900. ‖ VII. (Dass.) (Ann. 1450—80.) (43, 535) 02. ‖ VIII. (Dass.) (Ann.
1481—1520.) (37, 483) 03. ‖ IX. (Libri fassionum seu fundualea.) (Ann.
1441—1464.) (35, 387) 03. ‖ X. (Dass.) (Ann. 1441—70.) (27, 306) 04. ‖ XI.
(Dass.) (Ann. 1471—1526.) (Inventaria et rationes.) (Ann. 1368—1521.)
(55, 362) 05.
Bisher unter JB Tkalčić aufgenommen.
Monumentalplan v. Görlitz. 49×66,5 cm. Farbdr. Mit Abb.
Bresl. (03). Görl., E Remer. 1 —
— v. Nürnberg. Grösse z. PC Erberich. 63,5×80 cm. Farbdr. Mit
Strassenverz. (7) 8º Nürnbg, JL Schrag (03). 1 —
Monumente u. Standbilder. Sammlg künstlerisch u. geschichtlich bedentsamer Denkmäler. 8—11. Lfg. (Je 10 Lichtdr.) 43,5×
32,5 cm. Berl., E Wasmuth (01-04). Je 10 —
— dass. Denkmäler d. Architecture d'Alsace, s.: Denkmäler d. Bau-
kunst im Elsass.
Moody, DL: Bibl. Charakterbilder. Zusammengest. u. bearb.
v. E Rohe. 4 Hefte. (Je 32) 8º Barm., Bildn (05). Je — 20;
1 1 L.-Bd (124) 1 — d
1. Noah. Abraham. Lot. Der weltlich gesinnte Mann. Mephiboseth. ‖ 2.
Daniel. Elias. ‖ 3. Der reuige Schächer. Saulus v. Tarsus. Jesus. ‖ 4. Die
Unheilbaren. Der barmherz. Samariter. Amul. Jakob u. Esau. Bileam, v.
E Rohe.
— Wie wir d. Heimat finden. Deutsch v. G Holtey-Weber. (162)
8º Barm., E Müller 04. Kart. 1.80; geb. 2.50 d
— Lebensbrot. Predigten. (136) 16º Witt., Bh.d. Stadtmiss. (01).
Geb. — 80 d

Moody, DL: Männer d. Bibel. 12 Charakterzeichngn. Übers. v. C F. (280) 8° Cass., JG Oncken Nf. 01.   L. 1.80 d
— Pestilenz im Finstern. Ein Wort an Gebildete. Nach d. engl. Ausg. hrsg. v. C v. Schmidtz-Hofmann. — Prächt. Schnee", hrsg. v. C v. Schmidtz-Hofmann. 1. u. 2. Afl. (10) 8° Ascona, C v. Schmidtz (05).   — 25
— Der köstlichere Weg, s.: Haarbeck, T.
Moore, EW: Die „christl. Wiss." (Christian Science), was sie ist u. woher sie stammt. Übers. v. Gräfin L Groeben. (39) 8° Berl.-Gr. Lichterf., Deut. Orient-Mission 04. (— 30) — 20 d
Moore, FF: The white causeway. — A damsel or two. — Castle Omeragh. — Shipmates in sunshine. — The original woman, s.: Collection of Brit. auth.
Moore, G: Confessions of a young man. — The untilled field, s.: Collection of Brit. auth.
— Frauenromane. Deutsch v. M Meyerfeld. 1. Bd. 8° Berl., E Fleischel & Co.   6 —; geb. 7.50 d
   1. Arbeite u. bete. (Esther Waters.) Roman. Übers. v. A Neumann-Hofer. (491) 04.   5 —; geb. 7.50
— Ird. u. himml. Liebe. (Frauenromane.) Deutsch v. M Meyerfeld. 2 Bde. 8° Ebd. 05.   10 —; geb. 12 — d
   1. (Evelyn Innes.) (412) | 2. (Sister Teresa.) (322)
— Sister Teresa, s.: Collection of Brit. auth.
Moore, GF: The book of Judges, s.: Books, the sacred, of the Old au New test.
Moore, T: Paradise and the Peri, s.: Schulausgaben engl. u. französ. Schriftsteller (A Bremer).
— dass,: selections from Irish melodies, National airs, and Sacred songs, s.: Collection of famous authors (K Grosch).
Moorman, FW: The interpretation of nature in Engl. poetry from Beowulf to Shakespeare, s.: Quellen u. Forschungen z. Sprach- u. Culturgesch. d. Völker.
Moormann, C: Hildesheim. Führer. 7. Afl. (152 m. Abb., Grundrissen u. 1 Pl.) 8° Hildesh., Gerstenberg 04.   1 —
— Das Wesen d. Elektrizität u. d. Magnetismus, in gemeinverständl. Darstellg erklärt. (60 m. Abb.) 8° Lpzg, EH Mayer (04).   1.80
Moormann, J: Philothea, s.: Sales, F v.
Moorseitschrift, österr. Schriftleiter: H Schreiber. 2—6. Jahrg. 1901—5 je 12 Nrn. ('02. 152) 4° Staab bei Pilsen, Geschäftsleitg. (Nur dir.)   Je nn 5.50 d
Moos, H: Wie baut d. Landwirt zweckmässig u. billig? 2. Afl. (147 m. Abb., 2 Taf. u. 7 Pl.) 8° Frauenf., Huber & Co. 04. L. 3.40 d
Moos, J, s.: Festreden an d. Schlachtfeier in Sempach.
Moos, LK, u. EA **Zdenek:** Die kathol. Kirchenreform u. d. Altkatholizismus. Nach d. 2. Beschlagnahme 3. Afl. (27) 8° Mähr.-Schönbg. (J Emmer) 1900.   — 25 d
Moos, P: Moderne Musikästhetik in Deutschl. (455) 8° Lpzg 02. Berl., Schuster & Loeffler.   (10 —) 8 —; geb. (12 —) 9 —
Moosberger, J: Kunstfar-Pyramiden. (1 Bl. m. Abb.) 32×22,5 cm. Stuttg., Glaser & Sulz (1898).   1 — d
Mooser, J: Theoried. Entstehg d. Sonnensystems. Eine mathemat. Behandlg d. Kant-Laplace'schen Nebularhypothese. (30) 8° St. Gall., Fehr 03.   1.20 || Neue Bearbeitg. (39) 04. 1 —
Mooser, L: Gelegenheitsgedichte f. Schule u. Haus. 15. Afl. (227) 8° Langens., Schnblb. 05.   2 — d
Mora, O, s.: Mysing, O.
Moraczewski, W v., s.: Pathologie, d. chem., d. Tuberculose.
Moral v. heut. 2 lose Blätter v. „Einem Ungenannten". (52) 8° Zür., C Schmidt 04.   1 — d
Morandi, L: Die Erziehg Victor Emanuels III. Erinnergn. Deutsch v. F Noack. (138 m. Abb.) 8° Rom, Loescher & Co. 02.   3 —
— e D Ciampini: Poeti stranieri, lirici, epici, drammatici. Scelti nelle versioni italiane dir. d M. e C. Parte I. Lyrica e poemetti. Vol. 1 e 2. 8° Lpzg, R Gerhard.   18 —
   1. 1. Giapponesi, Chnesi, Indiani, Persiani, Ebraici, Arabi, Russi, Polacchi, Slavi meridionali, Greci moderni, Albanesi, Danesi, Ungheresi. (368) 04.   9 —
   2. Finlandesi, Svedesi, Norvegesi, Danesi, Inglesi e Americani, Olandesi, Tedeschi, Spagnoli e Americani, Portoghesi e Americani, Provenzali, Francesi. (705) 04.   10 —
Mörath, A: Schloss Schwarzenberg in Franken, d. Stammhaus d. Fürsten zu Schwarzenberg. (29) 8° Krumau, LE Hansen 02.   †1 —; m. Ansichtspostk. †1.15 d
Moratin, Don LF de: El si de las niñas, s.: Bibliothek span. Schriftsteller.
Möraus, P v.: Das Ges. betr. d. direkten Personalsteuern, s.: Reisch, R.
Morávek: Aerztl. Rathgeber z. Schönheitspflege, s.: Rožánek.
Morawetz, F: Moderne Tendenzen im operativen Verpflegswesen. (26 m. 4 Beil.) 8° Sarajevo 05. (Wien, LW Seidel & S.) .20
Morawitz, C: Die Türkei im Spiegel ihrer Finanzen. Nach d. französ. Original „Les finances de la Turquie". Übers. u. m. e. Nachtr. versehen v. S Schweitzer. (511) 8° Berl., C Heymann 03.   9 —
Morawski, C: Catulliana et Ciceroniana. [S.-A.] (21) 8° Krak., B d. poln. Verl.-Gesellsch. 03.   10 —
— Parallelismi sive de locutionum aliquot usu et fatis apud auctores Graecos nec non Latinos. [S.-A.] (23) 8° Ebd. 02.   — 50
— Rhetor. Romanor. ampullae. [S.-A.] (20) 8° Ebd. 01.   — 50
Morawski, M: Abende am Genfer See. Grundzüge e. einheitl. Weltanschaug. Aus d. Poln. v. J Overmans. (258) 8° Freibg i/B., Herder 04.   2.20; HL. 2.80 d
Morawsky, S: Echo d. russ. Umgangssprache. Mit e. russisch-

deut. Spezialwrtrb. v. H Sack. 2. Afl. (120 u. 71) 8° Lpzg, A Giegler 02.   Geb. 3 —
Moraz, R: Der Julblock. Drama. Aus d. Franz. v. M Hoffmann. (46) 8° Laus., T Sack 04.   1.50
— Die Quaternebernacht. Drama a. d. schweiz. Hochgebirge. Uebers. v. J Bosshart. (147) 8° Zür., Verl. d. Lesezirkels Hottingen 03.   3 —; geb. 4 — d
Moerbe, J: Die vollständ. Angelfischerei in ihrer prakt. u. allseit. Anwendg f. jeden Angler. Nebst allen Fisch- u. Krebsfang-Geheimnissen u. Angabe d. besten Lockspeisen. 13. Afl. (148) 8° Berl., S Mode (01).   1.50 d
Morburger, C: Die da gefallen sind . . . Eine Gesch. a. d. Niedergg. (79) 8° Wien, Szelinski & Co. (05).   1.35 d
— Rebellan. Soz. Roman. (282) 8° Wien, Moderner Verl. (04). 3 —
Morceaux choisis de poètes franç. particulièrement des poètes lyr. du XIXe siècle, hrsg. v. A Graz, s.: Reformbibliothek, neusprachl.
Morcelly, D: Die Pariser Range. 1. u. 2. Bd. 8° Lpzg (02). Dess., E Vollmar.   Je 1 —
   1. In Moulin rouge. 1. u. 2. [Umschl.-].16. (132) | 2. In Quartier latin: (144)
Mörchen, F: Üb. Dämmerzustände. Beitrag z. Kenntnis d. patholog. Bewusstseinsverändergn. (82) 8° Marbg, NE Elwert's V .   1.50
Mörchen, K: Gutachten, s.: Milbradt, A.
Morck, E: Theorie d. Wechselstromzähler u. Ferrarisschem Prinzip u. deren Prüfg an ausgeführten Apparaten. [S.-A.] (116 m. Abb.) 8° Stuttg., F Enke 05.   3.60
Mord, e., im Dunkeln. (124) 8° Berl., Norddeut. Verl.-Anst. L Hohenstein & Co. (05).   1 — d
— e. geheimnisvoller. Aus d. Erinnergn e. Kriminal-Beamten. (176) 8° Berl., Berliner Verl.-Instit. (05).   1 — d
— d., am Kronprinzen Rudolf v. Oesterreich. Von einem Eingeweihten. (63) 8° Frankf. a/M., JB Müller-Herfurth (03). 1.50 d
Mordtmann, A: Die Avaren u. Parser vor Konstantinopel, s.: Mitteilungen d. deut. Exkursions-Klubs- in Konstantinopel.
Mordtmann, AJ: Die Perlen d. Adhermiducht, s.: Viktoria-Sammlung.
— Sonnige Tage. Der Roman e. Geigers. Leukothea. Pfingstidylle, s.: Kürschner's J, Bücherschatz.
Moré, A, u. J **Sarolhandy:** Grammatik d. katalan. Sprache. 2. Afl. [S.-A.]. (37) 8° Strassbg, KJ Trübner 06. 1 —
Morén, GG, s.: Methode Toussaint-Langenscheidt Schwedisch.
Mores, M: Gedichte. (84) 8° Dresd., E Pierson 01. 2 —; geb. 3 — d
Moret, E, s.: Conteurs modernes.
Moreto: Die hl. Justina, s.: Meisterbilder fürs deut. Haus.
Morf, H, u.: Archiv f. d. Studium d. neueren Sprachen.
— Aus Dichtg u. Sprache d. Romanen. Vorträge u. Skizzen. (540) 8° Strassbg, KJ Trübner 04.   6 —; L. 7 — d
— s.: Rektoratswechsel an d. Akad. f. Sozial- u. Handelswiss.
Morf, L: Manuel d'arithmét. commerciale, s.: Bonjour, PE.
Morgan, C: Der Fischotter u. s. Jagd- u. Fangarten. 2. [Tit.-] Afl. (67 m. Abb.) 8° Wien, K Mitschke [01] 05.   2.60 d
— Uns. Thronfolgers u. Erzprinzen Waidwerk. (59 m. Abb. u. 4 Taf.) 4° Ebd. 05.   L. 20 —; Ldr 50 —
Morgan, J de, s.: Catalogue des monuments et inscriptions de l'Egypte antique.
— Fouilles à Dahchour en 1894—95. Avec la collaboration de G Legrain et G Jéquier. (119 m. Abb. u. 27 Taf.) 4° Wien, A Holzhausen 03. (Lpzg, KW Hiersemann.)   L. nn 42 —
Morgan, TH: Die Entwickelg d. Froscheies. Nach d. 2. engl. Afl. übers. v. B Solger. (292 m. Abb.) 8° Lpzg, W Engelmann 04.   6 —
Morgen, der. Monatsschrift f. relig., künstler. u. wiss. Kultur. Hrsg.: F Clement. 1. Jahrg. Oktbr 1903—Septbr 1904. 12 Hefte. (1. Heft. 64) 8° Münch., R₁Abt.   Halbj. 3 — d ó F
Morgen- u. Abendandacht, welche an 10 Freitagen z. Gedächtnisse u. z. Verehrg d. gr. Indianerapostels, d. hl. Franziskus Xaverius geh. wird. (16) 12° Hildesh., A Lax 01.   — 20 d
Morgenrot in Indien. Nr. 1—8. Kl. Missionsschriften, hrsg. v. Missionshause in Breklum. 8° Brekl., (Christl. Bh.). .
     Je nn — 10 d
   Ahrens, T: Wie Heiden darnach ringen, selig zu werden. 2. u. 3. Taus. (16 m. Abb.) 03. [7.]
   Dittmer, T: Die Kaste, d. stärkste Bollwerk J. Heidentums in Indien. (16 m. Abb.) 03. [6.]
   Frieling, v.: 10 Jahre in Indien. (24 m. Abb.) 03. [8.]
   Gloyer, E: In Gefahr unter wilden Tieren im Urwald v. Jeypur. (24 m. Abb.) 03. [2.]
   Pohl, E: Jesus nimmt d. Sünder an. (Paul Chinnayah in Salur.) 3. Afl. (20 m. Abb.) 03. [2.]
   Schütze, P: Schiwaya, d. kl. Waisenknabe in Sakur. 3. Afl. (24) 03. [3.]
   Timm, J: Einfaches Gesch. e. einfachen Mannes a. uns. Mission, d. Heide war u. Christ wurde. 2. Afl. (24 m. Abb.) 02. [1.] | Gonga u. Portima od. d. Evangelium u. s. Kraft Gottes. 2. Afl. (32) 01. [4.]
Morgenröthe, die. Sozialdemokrat. wiss.-polit. Journal. Hrsg. unter Mitwirkg v. G Plechanow, W Sassulitsch u. P Ayelrod. (In russ. Sprache.) Jahrg. 1901. 4 Bde. (1. Bd. 288) 8° Stuttg., JHW Dietz Nf.   Jeder Bd 4 —
   Fortsetzg wear nicht zu erfahren.
Morgen- u. Abendsegen f. d. christl. Haus. Nach d. Kirchenj. f. alle Tage d. Jahres. 9. Afl. (848) 16° Berl., Hauptver. f. christl. Erbauungsschriften (04). L. 2 —; Ldr 2.40; m. G. 3.40 d
Morgenstern. Hrsg. v. d. christl. Traktat-Gesellsch. in Cassel (vorm. Hamburger Traktat-Gesellsch.). Red.: JG Lehmann. 16. Jahrg. 1901. 24 Nrn. (Nr. 1. 4 m. 1 Abb.) 8° Cass., (JG

Oncken Nf.). un 1 — ‖ 17. Jahrg. 1902. 52 Nrn. nn — 50 ‖ 18—
  20. Jahrg. 1903—5. Je 2 — d
Morgenstern, C: Galgenlieder. (48) 8⁰ Berl., B Cassirer 05.
  1 — ‖ 2. Afl. (48) 06. 1.50
— Und aber ründet sich e. Kranz. (106) 8⁰ Berl., S Fischer 02.
  1.50; geb. nn 2.50
Morgenstern, EBG: Ein sicherer Weg zu Glück u, Gesundh.
  (20) 8⁰ Schweidn., Theosoph. Verl. P Frömsdorf (05). — 20
Morgenstern, H: Die in Osterr. gelt. (24) Dienstboten-Ordng,
  sammt d. Entwurfe d. neuen Wiener Dienstboten-Ordng, s.:
  Gesetz-Ausgabe, Manz'sche.
— Gesindewesen u, Gesinderecht in Oesterr., s.: Mitteilungen
  d. k. k. arbeitsstatist. Amtes im Handelsministerium.
Morgenstern, J: The doctrine of sin in the Babylonian religion, s.: Mitteilungen d. vorderasiat. Gesellsch.
Morgenstern, J: Allg. deut. Buchführg od. d. Vorzüge u. Ergebnisse d. dopp. (ital.) Buchführg in einf. Buchführg dargest. 11 Hefte. 5. Afl. 8⁰ Berl., S Mode (01). In L².-M. 5 — d
  I. Erläutergn. (31) ‖ 2. Verz. d. Geschäftsvorfälle, welche z. Buchg gelangt sind. (16) ‖ 3. Waarenb. (6 Doppels. u. 3) ‖ 4. Geldb. (3 Doppels. u.
  1) ‖ 5. Wechselb. (3 Doppels. u. 1) ‖ 6. Buch I. Verschiedenes. (1 Dopp-
  pels. u. 1) ‖ 7. Verlust- u. Gewinnb. (3 Doppels. u. 1) ‖ 8. Hauptb. (11
  Doppels. u. 1) ‖ 9. Vermögensb. (3 Doppels. u. 1) ‖ 10. (Waaren-)Lagerb.
  (7 Doppels.) ‖ 11. a) Die Beweisführg d. Richtigk. d. Buchgn u. d. Ge-
  winnermittelg. b) Die Einführg d. neuen Systems bei schon besteh. Geschäften. (11)
— Prakt. Buchführg f. d. Handwerkerstand. 3. Afl. (47) 8⁰ Lpzg,
  BF Voigt 02. — 75 d
— Die Hotel-Buchführg, s.: Trempenau, W.
Morgenstern, K: Die im Kgr. Sachsen gelt. Bestimmgn üb.
  Dampfkessel, s.: Handbibliothek, jurist.
Morgenstern, L: Ernährgslehre. Grundl. e. häusl. Gesundh-
  heitspflege. 5. Afl. (268) 8⁰ Berl., Schall & Rentel 03. L. 3 —
— 100 Erzählgn a. d. Kinderwelt f. Kinderstube u. Kindergarten.
  3. Afl. (159 m. 4 Farbdr.) 8⁰ Stuttg., K Thienemann (03). L. 3 — d
  s.: Hausfrauen-Zeitung, deut.
— Das Paradies d. Kindh. Lehrb. f. Mütter, Kindergärtnerinnen
  u. Erzieherinnen. Nach F Fröbel's System. 5. Afl. (317 m.
  1 Bildnis.) 8⁰ Rgnsbg, W Wunderling 04. 3 — ; L. 4 — d
Morgenstern, O, s.: Arendt-Morgenstern, O.
Morgenstern, W: Hdb. f. Sattelmacher. Genaue Anl. z. An-
  fertigg d. Herren- u, Damen-Sättel m. allem Zubehör. (95 m.
  Abb. u. 9 Schnittmustern.) 8⁰ Berl., Berg & Schoch (02).
  Geb. 12 — d
— Der Sattler als Zuschneider. Sammlg v. Zeichngn f. Stall-,
  Reit- u. Fahr-Requisiten. 8. Afl. (80 m. Abb.) 8⁰ Berl., Laubsch
  & Everth 04. 2.50 d
Morgenstund hat Gold im Mund! Anl. z. frühen Aufstehen. Von
  H W. 7. Afl. (69) 8⁰ Zür., T Schröter 03. — 80 d
Morgenthaler, F: Die elektr. Einrichtgn d. Vesuvbahn, s.:
  Strub, E, d, Vesuvbahn.
Moericke, O: Die Agrarpolitik d. Markgrafen Karl Friedrich
  v. Baden, s.: Abhandlungen, volksw., d. bad. Hochsch.
Moericke, P: Waldemar d. Gr., Markgraf v. Brandenbrg. 1.Tl.
  Brandenbrgs auswärt. Politik v. 1303—08 bis z. Tode Ottos IV.
  (77) 8⁰ Frankf. a/O., Waldow 02. 1.50
Mörike's, E, sämtl. Werke in 6 Bdn. Hrsg. v. R Krauss. (261,
  198, 238, 256, 203 u. 306 m. 6 Bildern u. 1 Fksm.) 8⁰ Lpzg, M
  Hesse (05). In 2 Bde geb. 4 — ; feine Ausg. 5 — ; in 3 Bde geb.
  5 — ; feine Ausg. HF. 6.50 ; Luxusausg. Liebh.-HF. 8 — d
— Ges. Schriften. In 4 Bdn. Volksausg. (313, 255, 212 u. 178
  m. Bildn.) 8⁰ Lpzg, GJ Göschen 05. In 3 Bde geb. L. 5 —
  HF. 6.50 d
— Briefe. Ausgew. u. hrsg. v. K Fischer u. R Krauss. In 2 Bdn.
  8⁰ Berl., O Elsner. Je 4 — ; L. je 5 — d
  I. (1816—40.) Von R Krauss. (340 m. Bildnis u. Fksm.) 04.
  II. (1841—74.) Von K Fischer. (371 m. Bildnis u. Fksm.) 04.
— Ges. Erzählgn. 7. Afl. (426) 8⁰ Lpzg, GJ Göschen 04. (4 —) 2.50 ;
  L. (5 —) 3 — 's Afl. (426) 04. 2.50 ; L. 3 — d
— Gedichte. 22.Afl. (31,428) 8⁰Ebd. (05). (4 —) 2.50 ; L.(5 —) 3 — d
— Gedichte u. Briefe a. s. Braut Margarethe v. Speeth. Hrsg.
  v. M Bauer. [S.-A.] (71) 8⁰ Münch. 05. (Lpzg, EF Steinacker.)
  — 75 d
— Lieder u. Gedichte in Ausw. (96) 8⁰ Lpzg, GJ Göschen 05.
  Kart. 2.50; auf Büttenpap., Perg. od. Ldr 12 — d
— Mozart auf d. Reise n. Prag. Novelle. 7. Afl. (105) 12⁰ Ebd. 02.
  L. (2.50) 1.50 ‖ 9. Afl. (105) 05. 1 — d
— Maler Nolten. Roman. 7. Afl. 2 Bde. (348 u. 302) 8⁰ Ebd. 04.
  (6 —) 5 — ; L. (10 —) 6 — ‖ 8. Afl. (348 u. 302) 04. 5 — ; L. 6 — d
Morin, G, s.: Anecdota Maredsolana.
Morin, H: Botan. Wandtaf., s.: Ross, H.
Morin, JL: Ev. Erwachen im kathol. Canada, s.: Berichte üb.
  d. Fortgang d. „Los v. Rom-Bewegg".
Möring, G: Cuxhaven als Fischereihafen u. Fischmarkt. (39
  m. 1 Tab.) 8⁰ Hambg, H Seippel (04). — 50 d
Moritz, Herzog u. Kurfürst v. Sachsen, s.: Korrespondenz, polit.
  Literaturdenkmale, deut., d. 18. u. 19. Jahrh.
Moritz, E: Die geograph. Kenntnis v. d. Nord- u. Ostseeküsten
  bis z. Ende d. M.-A. 1. Tl. (39) 4⁰ Berl., Weidmann 04. 1 —
— Die Nordseeinsel Röm. [S.-A.] (210 m. 3 Kart.) 8⁰ Hambg,
  L Friederichsen & Co. 03. 6 —
— American vacation schools. (28) 4⁰ Berl., Weidmann 02. 1 —
Moritz, E: Eisenindustrie, Zolltarif u. Aussenhandel. (74) 8⁰
  Berl., F Siemenroth 02. 1.50
Moritz, F, s.: Archiv, deut., f. klin. Medizin.

Moritz, J: Massregeln z. Bekämpfg d. Reblaus u. and. Reben-
  schädlinge im Deut. Reiche. Zusammenstellg d. in Geltg
  befindl. reichs- u. landesgesetzl. Vorschriften, sowie e. Anzahl ergang. Vollzugsverfüggn. (23, 370) 8⁰ Berl., P Parey.
  — J Springer 02. (Auslieferg durch Parey.) L. 4 — d
— Was kann u. soll d. deut. Winzer z. Bekämpfg d. Reblaus-
  krankh. tun?, s.: Flugblätter d. kais. Gesundheitsamtes.
Moritz, J: Die Tauschmädels. Erzählg f. junge Mädchen. (232
  m. Abb.) 8⁰ Stuttg., K Thienemann (03). Geb. 4 — d
Moritz, K: Berechng u. Konstruktion v. Gleichstrommaschinen.
  (111 m. Abb. u. 167 M. u. 15 Taf.) 8⁰ Lpzg, Hachmeister & Th.
  01. L. 4 —
  ‖ 2. Afl. (150 m. Abb. u. 15 Taf.) 05. Geb. 4.50
Moritz, M: Üb. d. Tagesbeleuchtg d. Schulzimmer. [S.-A.] (16
  m. Abb.) 8⁰ Jena, G Fischer 05. — 60
Moritz, P: Don Quixote, s.: Erzählungen, lust.
— Kindermärchen, s.: Grimm, J, u. W Grimm.
— Leben u. Abenteuer Don Quixotes, d. sinnreichen Ritters v.
  d. Mancha. Nach M de Cervantes Saavedra f. d. Jugend frei
  bearb. 8. Afl. (101 m. 6 Farbdr.) 8⁰ Stuttg., Loewe (04). Geb. 3 —
  ‖ 9. Afl. (142 m. Abb. u. 6 Vollbildern.) (04.) Geb. 1.20 d
— Lederstrumpf od. d. Ansiedler an d. Quellen d. Susque-
  hanna. Erzählg f. d. Jugend. Nach JF Cooper frei bearb.
  4. Afl. (167 m. 4 Farbdr.) 8⁰ Stuttg., K Thienemann (03).
  Geb. 2 — d
— Der Pfadfinder. Erzählg f. d. Jugend. Nach JF Cooper frei
  bearb. 3. Afl. (150 m. 4 Farbdr.) 8⁰ Ebd. (01). Geb. 2 — d
— Sigismund Rüstig od. d. Schiffbruch d. Pacific. Erzählg f.
  d. Jugend. Nach Marryat frei bearb. 5. Afl. (153 m. 4 Farbdr.)
  8⁰ Ebd. (04). Geb. 2 — d
— Die letzten Tage v. Pompeji. Erzählg f. d. Jugend. Nach
  E Bulwer-Lytton frei bearb. 3. Afl. (158 m. 4 Farbdr.) 8⁰ Ebd.
  (03). Geb. 3 — d
— Der Wildtöter. Erzählg f. d. Jugend. Nach JF Cooper frei
  bearb. 3. Afl. (167 m. 4 Farbdr.) 8⁰ Ebd. (01). Geb. 2 — d
Moritz, R: Die Schrift. Hrsg. unter Mitwirkg v. A Knab. (In
  8 Lfgn.) 1—4. Lfg. (28 Bl.) 4⁰ Berl.(03.04). (Lpzg, G Hedeler.)
  Je 1.25
Moris-Eichborn, K: Das Soll u. Haben v. Eichborn & Co. in
  175 Jahren. (18, 371 m. Abb. u. 7 Taf.) 4⁰ Bresl., WG Korn 03.
  18 — ; L. 20 —
Mork, H: Des Erfinders Nachschlageb. 2. Afl. (33) 8⁰ Bonn, O
  Paul 04. 1.50
Morley, J: Oliver Cromwell, s.: Perthes' Schulausg. engl. u.
  franzős. Schriftsteller (K Pusch).
Moro, E: Diätetik u. Therapie d. Kinderkrankh. [S.-A.] (69)
  8⁰ Wien, F Deuticke 04. 1 —
Morold, M(M v. Millenkovich): Josef Reiter. (62 m. 2 Bildnissen.)
  8⁰ Wien, C Fromme 04. 1 —
— Der Totentanz. Tanz- u. Sing-Sp. Nach e. sobles. Sage. In
  Musik gesetzt v. J Reiter. (66) 8⁰ Ebd. 03. 1 — d
Morotius, AJ: Cursus vitae spiritualis facili ac perspicua me-
  thodo perducens hominem ab initio conversionis usque ad
  apicem sanctitatis. Ed. III. (331) 8⁰ Rgnsbg, F Pustet 05.
  2.40; L. 3.20
Morozewicz, J: Der geolog. Aufbau d. Hügels v. Issatschki.
  (Deutsch u. russisch.) [S.-A.] (40 m. 4 Taf.) 4⁰ St. Petersbg
  03. (Lpzg, M Weg.) nn 2.16
— Ueber d. Osanggesteine d. Bez. Taganrog. (Deutsch u. rus-
  sich.) [S.-A.] (56 m. 5 Taf.) 4⁰ Ebd. 03. nn 2.72
Morphy, G: Les luthistes espagnols du XVIᵉ siècle. (Die span.
  Lautenmeister d. 16. Jahrh.) Franzős. Text rev. v. C Mal-
  herbe. Übers. v. H Riemann. 2 Bde. (53, 252 m. 5 Taf.) 4⁰
  Lpzg, Breitkopf & H. 02. 30 —
Morpurgo, S, s.: Breviarium, d., Grimani.
Morré: Moderne Chirurgie in amerikan. Beleuchtg. [S.-A.] (8)
  8⁰ Lpzg, B Konegen 05. 1 —
— 2 Fälle v. Morbus Basedowii. [S.-A.] (4) 8⁰ Ebd. 05. 1 —
Morre, K: 's Nullerl. Volksstück m. Gesang. Musik n. steir.
  Motiven v. V Pertl. 5. Afl. (80 m. 1 Taf.) 8⁰ Graz, M Pech 04.
  1.50 d
Morres, u. W Morres: Dent. Lesseb., s.: Obert, F.
Morres, W: Der Hanklichrand. Sächs. Volksstück. [S.-A.] (31)
  19⁰ Hermannst., W Krafft (01). nn 2 d
— u. E Morres: Lese- u. Lehrb. f. d. ländl. Fortbildgssch.,
  s.: Meschendörfer, JT.
Morris, M: Goethe-Studien. 2 Bde. 2. Afl. (340 u. 297) 8⁰ Berl.,
  C Skopnik 02. Je 3 — ; in 1 Bd geb. 7.50
Morris, W: Die Gesch. d. glänz. Ebene, auch d. Land d. Le-
  benden od. d. Reich d. Unsterblichen genannt. (Roman.)
  Übers. v. R Schapire. (270) 8⁰ Lpzg 02. Berl., H Seemann Nf.
  (02). 3 — d
— Wahre u. falsche Gesellschaft. (Übers. v. R Seliger.) (46)
  8⁰ Ebd. 02. 1 — d
— Die Kunst u. d. Schönheit d. Erde. (31) 8⁰ Ebd. 01. (2 —)
  1 — d
— Kunsthoffngn n. Lebensweisen. [S.-A.] (38) 8⁰ Ebd. 04. (2 —) 1 — d
  I. Die Schönheit d. Lebens. (44) 01. ‖ II. Die Kunst d. Volkes. (41) 01. ‖ III.
  Die Schönheit d. Lebens. (36) 02. ‖ IV. Wie wir s. d. Bestrebenden d.
  Beste machen können. (74) 01. ‖ V. Die Aussichten d. Architektur in d.
  Civilisation. (66) 02.
— Eine königl. Lektion. — Ein Traum v. John Ball. Aus d.
  Engl. (128) 8⁰ Wien, Szelinski & Co. (04). 1.50
— Neues a. Nirgendland. Zukunftsroman. Aus d. Engl. v. P
  Seliger. (302) 8⁰ Lpzg (01). Berl., H Seemann Nf. (6 —) 5 — ;
  geb. (7.50) 6 — d

Morris, W: Kunstgewerbl. Sendschreiben. (25) 8° Lpzg 01. Berl., H Seemann Nf. (2 —) 1 — d
— Ein paar Winke üb. d. Musterzeichnen. (50) 8° Ebd. 02. (2 —) 1 — d
— Zeichen d. Zeit. 7 Vortr. Aus d. Engl. v. P Seliger. (200) 8° Ebd. (02). 3 —; geb. 4 — d
Morrison, A: The green Eye of Goona. — The hole in the wall, s.: Collection of Brit. auth.
— Ein Kind d. Jago. Aus d. Engl. v. C Markus. (271) 8° Wien, Wiener Verl. 02. 2.50; geb. nn 3.50 d
— Divers vanities, s.: Collection of Brit. auth.
Morsbach, L: Die angebl. Originalität d. frühmittelengl. „King Horn", nebst e. Anh. üb. anglo-franzöz. Konsonantendehng. [S.-A.] (34) 8° Halle, M Niemeyer 02. 1.20
— s.: Studien z. engl. Philol. — Texte, alt- u. mittelengl. — Texts, old and middle Engl.
Morsbach-Hartstein, M: Ebbe u Flut. 2 Novellen. (135) 8° Düsseldf, A Schneider (04). 1.80; geb. 2.50 d
— Meer, Heide u. Heim. Gedichte. (64) 8° Ebd. (03). L. 2 —
Morsch, H: Das höh. Lehramt in Deutschl. u. Österr. (332) 8° Lpzg, BG Teubner 05. 8 —; L. 9 —
Morsch, H, s.: Staub, JB, e. Edelmensch im schlichtesten Gewande.
Mörsch, E: Der Betoneisenbau, s.: Wayss & Freytag.
2. Afl. u. d. T.:
— Der Eisenbetonbau, s. Theorie u. Anwendg. Hrsg. v. Wayss & Freytag A.-G. (252 m. Abb.) 8° Stuttg., K Wittwer 06. L. 6.50
— Die Isarbrücke bei Grünwald. [S.-A.] (8 m. Abb.) 4° Zür., Rascher & Co. 05. .50
— Schub- u. Scherfestigk. d. Betons. [S.-A.] (6 m. Abb.) 4° Ebd. 04. — 40
Morsey, Baron: Die Klosterhetze in Oesterr., s.: Sammlung zeitgemässer Broschüren.
— Reden üb. d. Orden, s.: Volksbroschüre, kathol.
Morsier, A de: Frauenrecht u. Geschlechtsmoral, s.: Frau u. Sittlichkeit.
Morskóy, M: Weltuntergang. — Pygmalion. (154) 8° Münch., (A Ackermann's Nf.) 02. Kart. 2.50
Morton, M: Box and Cox, s.: Authors, modern Engl. (H Saure).
Mory, E: Engl. grammar and reader. 1. course. 3. ed. (84) 8° Bas., B Schwabe 05. Kart. 1.20
— Der Vortrinker u. and. Basler Novellen. (159) 8° Zür., „Austria" Schröter 02. 2 —; geb. 3 — d
Mörzinger, J: „Beichtstuhl-Romane". (75) 8° Wien, „Austria" F Doll 04. — 60 d
— „Petrus stirbt nicht!" Gedanken üb. d. Unzerstörbark. d. Felsen Petri. (172) 12° Wien, H Kirsch 02. 1 — d
Mosa, EW, s.: Handzeichnungen (alter Meister) d. holländ. u. vläm. Schule im kgl. Kupferstichkabinet zu Amsterdam.
Mosapp, H, s.: Blätter, neue, a. Süddeutschl. f. Erziehg u. Unterr.
— Wilh. Hauff, s.: Volksabende.
— Herr, bleib bei uns! Tägl. Andachten fürs christl. Haus. 1.—5. Taus. (392) 8° Stuttg., M Kielmann 03. L. 2 —; Ldr 4 — d
— Luther als dent. Volksmann, s.: Volksabende.
— Charlotte v. Schiller. Lebens- u. Charakterbild. 2. Afl. (268 m. Abb. u. 2 Lichtdr.) 8° Stuttg., M Kielmann 02. 4 —; geb. 5 — d
— Friedrich Schiller. Zur 100. Wiederkehr s. Todestages, f. Deutschlds Jugend u. Volk dargest. 1.—129. Taus. (104 m. Abb.) 8° Stuttg., A Bonz & Co. 05. nn — 25 d
Mosbach, K, s.: Beamtenzeitung, hess.
Mosch, E: 50 Aufg. u. 12 Tab. a. d. Schiesswesen f. d. Repetier-Gewehr M. 1895. (45 m. 5 Taf.) 8° Krak. 04. (Wien, LW Seidel & S.) 3 —
— Aufg.-Sammlg a. d. Schiesswesen. (153 m. Fig. u. 1 Tab.) 8° Prag 01. (Wien, LW Seidel & S.) 3.20
Moschick, P: Eine neue Methode z. Bahnbestimmg v. Meteoren. Die Bahn d. am 21.III.'04 in Süddeutschl. sichtbaren Meteores, s.: Mitteilungen d. grossh. Sternwarte zu Heidelberg.
Möschke, P: Die Erdbeere, ihre Einteilg, Beschreibg u. Kultur im Freien u. unter Glas (Treiberei). 2. Afl. (55 m. Abb.) 8° Neud., J Neumann 05. Kart. 2 —
Moschkoff, V: Mundarten d. bessarab. Gagausen, s.: Radloff, W, d. Sprachen d. türk. Stämme.
Mose s, s.: Mosis.
— 1, 24. Ein Blick in d. Tiefen d. Alten Test. [S.-A.] (8) 8° Strieg., R Urban (05). — 10 d
Mose, H[?]: Führer durch Gloggnitz u. s. maler. Umgebg. (42 m. Abb.) 8° Wr.-Neustadt, A Folk (04). Kart. 1 —
— Pitten, d. Bergschloss Seebenstein u. s. Sammlgn, d. Türkenstarz, s.: Durch d. niederösterr. Alpengebiet.
— Aus d. Waldmark. Sagen u. Gesch. a. d. Rax-, Semmering-, Schneeberg- u. Wechselgeb. 3. Afl. (99 m. Abb.) 8° Neunk., EW Türichtar 04.
Mose, Frl. J, s.: Torrund, J.
Mosel, C v. d.: Hdwrtrb. d. kgl. sächs. Verwaltgsrechts. 9. Afl. (832) 8° Lpzg, Rossberg'sche Verl.-Bh. 01. nn 16 —; geb. nn 18 —
I 10. Afl. 3 Bde. (568 u. 462) 03. 20 —; L. 22 —; HF. 24 — d
— Das Recht d. Gemeindebesteuerg im Kgr. Sachsen, s.: Handbibliothek, jurist.
Mosel, H v. d.: Lösgn a. d. Civilrechtspraktikum z. Selbststudium u. z. Lehrgebr. v. R Schück. 1. Heft. (103) 8° Berl., J Guttentag 05. Kart. 1.50 d
Moselführer, kl. Kurze Beschreibg d. Moselthales v. Trier

bis Coblenz, sr Städte, Burgen u. bemerkenswerten Punkte. (40 m. 10 Ansichtspostk. u. 1 Karte.) 16° Trier, H Stephanus (02). 1 —
Mosellieder, d. ältesten. Die Mosella d. Ausonius u. d. Mosel-gedichte d. Fortunatus. Deutsch in d. Versmassen d. Urschrift v. K Hessel. 2. Afl. (32) 8° Bonn, A Marcus & E Weber 04. — 60 d
Mosen, J: Ausgew. Dichtgn. Hrsg. u. m. e. Einl. versehen v. M Rudolf. (205 m. Bildnis.) 8° Rochl., R Zimmermann 05. 2.50 d
— Maines Grossvaters Brautwerbg, Ismael. — Das Heimweh, s.: Volksbücher, Wiesbad.
Mosengeil, F: Stenogr., d. Kunst, m. d. höchstmöglichsten Geschwindigk. u. Kürze in einf., v. allen and. Schriftzügen völlig verschied. Zeichen zu schreiben. Eisenach 1796. (Fksm.-Ausg.) Hrsg. v. akadem. Stenogr.-Ver. n. Stolze-Schrey zu Berlin. (47 m. 7 Taf.) 8° Berl., (Bh. d. Stenogr.-Verbandes Stolze-Schrey) 03. 3 —
Mosengel, G: Deut. Aufsätze f. d. Mittelst. höh. Lehranst. im Anschl. an d. deut. Lesestoff. (116) 8° Lpzg, BG Teubner 01. Geb. 1.40 d
— dass. f. mittl. u. ob. Kl. höh. Lehranst. im Anschl. an d. deut. Lesestoff. Neue Folge. (146) 8° Ebd. 03. Geb. 1.80 d
Moser's Sammlg zeitgemässer Broschüren,Fortsetzg, s.: Sammlung.
Moser, A: Jos. Joachim. Lebensbild. 3. [Tit.-]Afl. Neue wohlf. Ausg. (308 m. 9 Bildnistaf. u. 3 Fksms.) 8° Berl., B Behr's V. [1900] 04. L. 3 —
Moser's, C, Schreib-Kalender f. d. schweiz. Landwirte u. Bauern. Hrsg. v. C Moser. 1906. 45. Jahrg. (Schreibkalender, 36 u. 122 m. 1 Taf.) 8° Bern, A Francke. L. 2 —; Ldr u. durchsch. 3 — d
Moser, E: v. Puppe Wunderhold, s.: Cosmar, A.
Moser, E: Aus e. kl. Garnison. Schwank. (33) 8° Berl., M Böhm (04). 1.50 d
— Der Geburtstag d. sozialdemokrat. Zukunftsstaates. Humo-reske. (96 m. Abb.) 8° Dess. 05. Ballenst., P Baumann. 1 — d
— s.: Theater- u. Musik-Zeitung.
— Vergangenh., s.: Weichert's Wochenbibliothek.
Moser, F: Die Ctenophoren u. Siboga-Expedit. (34 m. 4 Taf.) 4° Leid., Bh. u. Druckerei vorm. EJ Brill 03. nn 6 —
Moser, F: Allerlei Erwerb u. Nebenerwerb. Ueber 100 Ratschl. z. Gelderdienen m. u. ohne Capital. (160) 8° Lpzg, Geschäftsstelle d. „Hausfeiss". 3 — d
Moser, F: Eine Nacht im Walde. Bilder u. Reime. (32 m. farb. Abb.) 4° Kaisersl. (u. Kirchheimbol.), Thieme'sche Druckereien (02). Geb. 3 — d
— Das Zeichnen an nied. gewerbl. Schulen. (51) 8° Kaisersl., JJ Tascher 01. 1.30
Moser, F, s.: Volkserzählungen, kl.
Moser, G v.: Die Dienstboten. — Eigensinn, s.: Benedix, R.
— Er ist nicht eifersüchtig, s.: Elz, A.
— Die Gouvernante, s.: Thalia.
— Die Lehrende, s.: Universal-Bibliothek.
— Lustspiele. 4. Bd. Der Veilchenfresser. Lustsp. 5. Afl. (126) 8° Berl., E Bloch (01). 4 — d
— Der Nimrod, s.: Universal-Bibliothek.
— Ein altes Sprichwort. — Versalzen, s.: Benedix, R.
— u. PR Lehmhard: Frau Ella. — Die Heiratsfalle. — Das Kind. — Klug wie d. Schlangen. — Der Laubfrosch, s.: Thalia.
— Lustspiele u. Schwänke. Nr. 1—3. 8° Mühlh. i/Th., G Danner. Je 3 — d
1. Uns. Pauline. Schwank. (196) (04.) | 2. Sein Fehltritt. (126) (02.) | 3. Die schlanke Lina. Schwank. (122) (04.)
— Der Parlamentarier. — Im Riesengebirge. — Der Schäferhund, s.: Thalia.
— Wie soll er heissen?, s.: Festspiele zu Kaisers Geburtstag.
— u. D Thun: Der tolle Hofjunker, s.: Mehrakter.
Moser, H: Sternschnuppen. Für d. Jugend u. ihre Freunde. (16 m. Abb.) 4° Zür., Gebr. Künzli (03). 1 — d
— u. U Kollbrunner: Jugendland. Ein Buch f. d. junge Welt u. ihre Freunde. 3 Bde. (Je 64 m. z. Tl farb. Abb.) 4° Ebd. Geb. je 5 — d
1. Für Kinder bis z. Alter v. 3 Jahren. (01.) | 2. Für Kinder v. 3—12 Jahren. (02.) | 3. Für d. reif. Jugend. (03.)
Moser, J, s.: Adress-Buch, Vorarlberger.
Moser, J; Reg., s.: Zeitschrift d. Harzver. f. Gesch. u. Altertumskde.
Moser, J: Accords de lyre. Poésies. (30) 16° Brésl., GP Aderholz 02. — 75
— Harmonies intérieurs. Poésies. (36) 16° Ebd. 04. — 75
Moser, Joh. Jak., d. württ. Landschaftskonsulent (1759—65). Zur Aufführg f. Vereine u. Schulen. Von J L. (14) 8° Gablenbg 1897. (Stuttg., JF Steinkopf.) — 30 d
Moser, JP: Der elektr. Hausarzt. Anl. z. neuen, durchaus schmerzlosen elektr. Selbstbehandlg ohne Diagnose, ohne Arzneien, ohne Wasserkur). 3. Afl. (72 m. Abb. u. Bildnis.) 8° Frankf., a/M 01. (Stuttg., T Naedelin.) 1.50 d
Die 1. u. 2. Afl. erschienen u. d. T.: JP Moser's Heilapparat (3. Afl. s. Selbstbehandlg u. Kurze Anl. z. elektr. Selbstbehandlg).
— dass. Prakt. Erfahrgn m. d. Heilverfahren d. Doktoren v. Alimonda (allg. Galvanisation d. Organismus, ohne Diagnose, ohne Arznei, ohne Wasserkur). 4. Afl. Mit e. Abs. f. Erwachsene". (227 u. 32 m. Abb.) 8° Hamm, Breer & Th. 04. L. 4 — d

Moser, JP: Der elektr. Haushierarzt, ohne Diagnose, ohne Arznei, ohne Wasserkur, absolut sicher u. schmerzlos. (32 m. Abb. u. Bildnis.) 8° Frankf. a/M. 01. (Stuttg., T Naedelin.)
1.50 d
— Die elektr. Heilmethode im Selbstgebr. (40 m. Abb.) 8° Stuttg., (T Naedelin) 02. — 40 d
Moser, K: Gottesdienst. Gebete u. Gesänge f. d. katbol. Jugend, neu geordnet u. verm. v. A Neuner. 5. Afl. (305 m. 1 Farbdr.) 16° Innsbr., Wagner 01. L. nn 1.20 d
Moser, K, s.: Fläche, d.
— Flächenschmuck, s.: Quelle, d.
Moser, M: Beitr. z. Wohlthätigk. u. soz. Hilfeleistg in ihrer prakt. Anwendg. (49) 8° Zür., Schulthess & Co. 05. 1 —
— Die weibl. Jugend d. ob. Stände. Betrachtgn u. Vorschläge. (32) 8° Ebd. 05. — 80
Moser, O: Die Vervehmte. Histor. Roman. (200) 8° Berl., Berliner Verl.-Instit. (05). 1 — d
Moser, O: Untersuchgn üb. d. Sprache John Bale's. (31) 8° Berl., Mayer & M. 02. 1 —
Moser's, P, Haushaltgsb. f. d. Schreibtisch deut. Hausfrauen f. 1906. 20. Jahrg. (Schreibkalender m. Löschpap. durchsch., 70 Sp. u. 32 S. m. 1 Karte.) 4° Berl., Berliner lith. Instit. L.-M. m. grünem Tuchpap. überzogen od. in schwarzer Wachstuchm. 2 —; Ldr.-M, a —
— Notiz-Kalender f. 1906. 30. Jahrg. Ausg. A. (Schreibkalender u. 32 m. 1 Karte.) 34×12,8 cm. Ebd. L. 2 —; Ausg. B. Mit Löschpap. durchsch., geb. 2.50; Ausg. C. Mit Schreibpap. durchsch., geb. 2.50
— Notiz-Kalender als Schreibunterlage f. 1906. 30. Jahrg. (Schreibkalender m. Löschpap. durchsch. u. 100 Sp. m. 1 Karte.) 4° Ebd. L.-M. m. grünem Tuchpap. überzogen od. in Wachstuchm. 2 —; in Ldr-M. 3 —; Luxus-Ausg, in Ldr-M. 7.50; nur d. Einlage 2.50
Moser, P: Ueb. d. Behandlg d. Scharlachs m. e. Scharlach-Streptokokkenserum. [S.-A.] (118 m. 1 Tab. u. 5 Taf.) 8° Berl., S Karger 03. 4 —
Moser, R: Auch e. Pfarrersleben. I. Thl; H. Thl, 2 Hefte u. III. Thl, 2 Hefte. 8° (Stuttg., O Gerschel.) nn 5 — d
  1. Bis in's Vikariat. Zugl. e. Beitr. z. Pädagogik & Pastoraltheol. (126) Hildrizh. 1875. || II,1. Vom Hofmeister z. Diaspora-Prediger. Zugl. e. Beitr. z.Pädagogik & Pastoraltheol. (72) Tüfern.1881. || II,2.Immer noch Diaspora-Prediger. 6 Jahre in d. preuss. Landeskirche. Zugl. e. Beitrag z. Pädagogik & Pastoraltheol. (124) Tüferr. 1883. || II,1. Einige Jahre Pfarrer in d. preuss. Landeskirche. 1858—61. (75) Ostdorf 1889. nn 4 —
  III, 2. Sechs Jahre in d. preuss. Landeskirche. Schluss. 1861—63. Pfarrer in Wallhausen. 1263—67. Pfarrer in Altheim, Oberamt Ulm. 1867—75. (131) Brackenh. 03. nn 1 —
Moser, W: Die Suppenküche, s.: Grethlein's prakt. Hausbibliothek.
Moser-Naunhof, F: Der gute Unterhalter im Familienkreise. Ausgew. Sammlg v. Anreggn z. Belehrg u. Belustigg aller denkbaren Art. (168 m. Abb.) 12° Berl., U Meyer 04. Kart. 1 — d
Mösers Kursb. (gen.: Der kl. Möser). Fahrplanb. f. Nord- u. Mitteldeutschl. Mit Gratis-Beil.: Möser's Berliner Taschenfahrplan. Sommer-Ausg. 1905; Reise-Ausg. Juli bis Septbr 1905 u. Winter-Ausg. 1905/6. (40, 528, 52; 40, 532, 52 u. 40, 528, 52 m. je 1 Karte.) 8° Berl., Verl. v. Möser's Kursb. Je — 50
— Berliner Taschenfahrplan. (Gratis-Beil. zu Möser's Kursb. Berl. Ausg.) Sommer-Ausg. 1905 u. Winter-Ausg. 1905/6. (Je 52) 8° Ebd. Je — 10
Moeser, H: Was können wir trinken, wenn wir geist. Getränke meiden wollen?, s.: Sprechstunden, hygienisch-ärztl.
Möser, J: Üb. d. deut. Sprache u. Litt., s.: Literaturdenkmäle, deut., d. 18. u. 19. Jahrb.
Möser, W: Universal-Latein. Versnch e. theilweisen Übertragg d. Grammatik d. Volapük auf d. latein. Sprache. (82) 8° Innsbr. (02). (Lpzg, EH Mayer.) — 75 d
Moses s.: Samuel B. Moses.
Moses, J: Das Sonderklassensystem d. Mannheimer Volkssch. Nach e. Referate. (70) 8° Mannh., J Benheimer's V. 04. — 80 d
Moses Maria (M Wiener), s.: Danke Peter. — Martyrium, d., d. Madonna.
Mosis s. a.: Mose.
— 10. u. 11. Buch, od. d. wunderbarsten Geheimnisse d. Natur. Sympathetisch-magnet. Heilschatz f. allerlei Krankh. v. Menschen u. Vieh, einschl. vieler Zaubermittel z. Erlangg wunderwir. Kräfte, Reichtum u. Macht. (112) 8° Lpzg, AF Schlößl (01). 2.50 d
Mosler, J, u. E Pappe: Tier. Parasiten. Bearb. v. E Pappe. 2. Afl. (376 m. Abb.) 8° Wien, A Hölder 04. 11.20; geb. nn 13.70
Mosler, H: Konstruktion u. Berechng v. Selbstanlassern f. elektr. Aufzüge m. Druckknopfsteuerg. (102 m. Fig.) 8° Berl., J Springer 04. 3 —
Mœsmage, M: Tilly. (19) 8° Altötting, J Lutzenberger 03. — 20 d
Mosquées, les, de Samarcande. Fasc. I. Gour-Emir. Publié par la commission imp. archéolog. (Russisch u. französisch.) (18 z. Tl farb. Taf., m. 8 S. Text m. 2 Abb.) 7.5×55 cm. St. Petersbg 05. (Lpzg, KW Hiersemann.) In M. 100 —
Mosse, A: Handelsgesetzb., s.: Litthauer, F.
Mosse, M, s.: Enzyklopädie d. mikroskop. Technik. — Zentralblatt f. normale u. pathol. Anatomie.
Mössmer, A: Eine Erinnerg an d. Dompropst Franz Permanne in Augsburg. (8) 8° Augsbg, Kranzfelder (05). — 10 d
Mosner, C, s.: Adressbuch d. Directoren u. Aufsichtsraths-Mitglieder v. Actien-Gesellsch. — Handbuch Börsen-Werthe.

Mosso, U: Der Einfl. d. Zuckers auf d. Muskelarbeit. — Die Temperatur d. Körpers im Hungerzustande u. d. Schnelligk. d. Assimilation d. Kohlehydrate. — Die Schnelligk. d. Absorption u. d. Assimilation d. Eiweissstoffe u. d. Fette. — Albertoni, P: Ueb. d. Verhalten u. d. Wirkg d. Zuckerarten im Organismus. (67 m. Fig.) 8° Berl., Thormann & G. 01. 1 —
Most, rhein., s.: Bibliothek litterar. u. kulturhistor. Seltenh.
Most, O: Der Nebenerwerb in sr volksw. Bedeutg, s.: Sammlung national-ökonom. u. statist. Abhandlgn.
Most, R: Der mathemat. Unterr.-Stoff u. d. mathemat. Bildgsgebiet in d. ob. Kl. d. Realgymnasiums u. d. Oberrealsch. (200 u. 26 m. 22 Taf.) 8° Cobl. 01. (Lpzg, Bh. G Fock.) 4 — d
Moestue, W: Uhlands nord. Studien. (67) 8° Berl., W Süsserott (02). 1.20
Mosskowiez, L: Die Krankenpflege s.: Billroth, T.
Moszkowski, A: Flatterminen. 12 Humoresken. (98 m. Abb.) 8° Stuttg., Union (05). 1 —; geb. 2 — d
— Das Ueber-Büchl. 14 Humoresken. (110 m. Abb.) 8° Lpzg (01). Stuttg., Union. 1 —; geb. 2 — d
Moszyński, G: Lettre ouverte à Monsieur le Comte Pierre Golénistchev-Koutousov au sujet de la liberté de conscience en Russie. (26) 8° Krak., (Bh. d. poln. Verlagsgesellsch.) 02. nn 1 —
Mothes, R: Die Beschlagnahme n. Wesen, Artan u. Wirkgn. (110) 8° Lpzg, Veit & Co. 03. 3 —
Motifs, varies. (32 Taf.) 8° Plauen, C Stoll (03). In M. 12 —
Motive f. d. Accidenzsatz a. d. Graph. Beobachter. XII—XXI. Serie. (Je 12 Taf.) 4° Lpzg, S Schnurpfeil (01.02). Je 1 —
— moderne, f. d. Kleinmusterg d. Gewebe. II. Serie, 2. u. 3. Lfg; III. Serie, 3 Lfgn u. IV. Serie, 1. u. 2. Lfg. (Je 16 Lichtdr.) 4° Plauen, C Stoll (01-05). Je 9 —(I—IV, 2: 99 —)
Motiven-Album f. moderne Handarbeiten. Hrsg. u. ges. v. d. Handarbeitsalthlg d. „Wiener Mode". (18 farb. Taf. m. 4 S. Text.) 45×29,5 cm. Wien (02). Berl., J Gnadenfeld & Co. In M. 6 —
Motora, Y: An essay on eastern philosophy. (32) 8° Lpzg, R Voigtländer 05. — 80
Motorfahrzeug-Bibliothek. 3. Bd. 8° Berl., Phönix-Verl. (W Vogel). 4.20; geb. 4.80; Luxusausg. 5.40
  Bd. 1 u. 2 bilden: Vogel, W, Der Motorwagen u. s. Behandlg. (193 m. Abb.) 06. [5.] 4.20; geb. 4.80; Luxusausg. 5.40
  Bd. 1 u. 2 bilden: Vogel, W, Ankauf, Einrichtg u. Pflege d. Motorzivetrades. — Vogel, W, Ratschläge f. d. Ankauf v. Motorfahrzeugen jeder Art.
Motorrad, das. Illustr. Zeitschrift f. d. Ges.-Interessen d. Motor-Radfahrer u. techn. Organ z. Verbreitg d. Motorrades. Red.; R Koehlich. 1. Jahrg. Oktbr —Dezbr 1903. 7 Nrn. (Nr. 1. 20) 4° Breslau (X, Matthias-Str. 29), P Förster. 1 — || 2. Jahrg. 1904. 26 Nrn. Halbj. 1 — || 3. Jahrg. 1905. Halbj. 2 —; einz. Nrn — 20
Motorwagen (Automobilen). s.: Miniatur-Bibliothek.
— der. Hrsg.: A Klose. Red.: A Neuburger u. R Conrad. 4. Jahrg. 1901. 24 Hefte. (1. Heft. 14 m. Abb.) 4° Berl., M Krayn. (30 —) 12 —; einz. Hefte (1 —) — 50
— dass. Zeitschrift f. Kraftfahrverkehr-u. Motorwagentechnik. Begründet v. A Klose. Red.: (A Neuburger u.) R Conrad. 5. u. 6. Jahrg. 1902 u. 3 je 24 Hefte. (1902. 1. Heft. 21 m. Abb.) 4° Ebd. 20 —; einz. Hefte (1 —) — 50
— dass. Zeitschrift f. Automobilen-Industrie u. Motorenbau. Red.: R Conrad. 7. u. 8. Jahrg. 1904 u. 5. Je 26 Hefte. (1904. 588 m. Abb.) 4° Ebd. Viertelj. 3 —; einz. Hefte 1 — 50
  Die „Zeitschrift f. Automobilen-Industrie u. Motorenbau" wurde hiermit vereinigt.
Motschmann: Rechenb., s.: Barnicol.
Mott, FW: 4 Vorlesgn a. d. allg. Pathol. d. Nervensystems. Übers. v. Wallach. (112 m. Fig.) 8° Wiesb., JF Bergmann 02. 2.80
Mott, JR: Die Evangelisation d. Welt in dieser Generation. Übers. v. Gräfin E Groeben. (118) 8° Berl.-Gr. Lichterf., Deut. Orient-Miss. (01). L. 1.50 d
— Wandle vor Mir. Winke z. Gewinng e. festen Glaubensstandes. Verdeutschg. 1853? 16° Stuttg., D Gundert 04. 1 —; m. G. 1.60 d
Motte, de la: Scala divini amoris. Myst. Traktat in provenzal. Sprache a. d. 14. Jahrb. (18, 21) 8° Halle, M Niemeyer 03. 4 —
Motti, P: Italian conversation-grammar, s.: Sauer, CM.
— Russian conversation-grammar. 2. ed. (Method Gaspey-Otto-Sauer.) (359 m. 2 Kart.) 8° Hdlbg, J Groos 01. Geb. 2 —; key. (48) Kart. 1.60
— Conversazioni tedesche ossia guida metodica a parlar tedesco. (Metodo Gaspey-Otto-Sauer.) 2. ed. da R Lovera. (123) 8° Ebd. 04. Geb. 1.30
— Italien. Gespräche, s.: Sauer, CM.
— Petite grammaire italienne. (Méthode Gaspey-Otto-Sauer.) 3. éd. (172 m. 1 Kart. u 1 Pl.) 8° Hdlbg, J Groos 03. Geb. 2 —
— Elementary Italian grammar. (Method Gaspey-Otto-Sauer.) 2. ed. (158 m. 1 Karte u. 1 Pl.) 8° Ebd. 01. Geb. 2 —
— Elementary Russian grammar. 2. ed. (Method Gaspey-Otto-Sauer.) (152 m. 2 Kart.) 8° Ebd. 01. Geb. 2 —; key. (15) Kart. 1.60
— Grammatica elementare della lingua francese. (Metodo Gaspey-Otto-Sauer.) 3. ed. (105 m. 1 Karte u. 1 Pl.) 8° Ebd. 04. Geb. 2 —
— Grammatica della lingua russa. (Metodo Gaspey-Otto-Sauer.)

(388 m. 2 Kart.) 8° Hdlbg, J Groos 05. Geb. 5 —; chiave (115) 04.   Kart. 2 —

Motti, P: Grammatica elementare della lingua tedesca, s.: Otto, E.
— Kl. russ. Sprachlehre. 2. Afl. (Methode Gaspey-Otto-Sauer.) (183 m. 2 Kart.) 8° Hdlbg, J Groos 04.   Geb. 2 —;   Schlüssel. (55) Kart. — 80 d

Mottl, K: Bewährte Gewinn-Methoden a. Monte-Carlo. Roulette u. Trente-et-Quarante. 1. Bd. Die Methode d. Spiel-Blätter. (30 m. 6 Taf.) 8° Wien 01. (Nizza L Gross.) (8 —) 4 — d
— dass. I. Bd; II. Bd 2 Tle. u. III. Bd. 8° Nizza, (L Gross) 03.   32 — d

   I. Die Nummern-Methode. Die Methode d. Voisins-Nummern. (75 m. 7 Taf.)   8 —
   II, 1. Die Serien-Methode. 1. Tbl : Die Sprung-Methode. (65 m.27 Taf.) 8 —
    2. Dass. 2. Tbl : Die Gagnante. (65 m. 12 Taf.)   8 —
   III. Die Intermittenten-Methode. (67 m. 12 Taf.)

— Ist es möglich in Monte-Carlo dauernd zu gewinnen? (12 m. 3 Taf.) 8° Ebd. 02.   (2.40) 1.60 d
— Authent. Permanenzen v. d. Roulette u. v. Trente-et-Quarante a. Monte-Carlo. 1. Bd. 1899, 1900, 1901. (272 m. 3 Taf.) 8° Ebd. 02.   L. (16 —) 8 — d
— 16 ganze Tage Trente-et-Quarante a. Monte-Carlo. Ergängsgsheft z. 1. Bd. d. „Authent. Permanenzen" d. Roulette u. v. Trente-et-Quarante a. Monte-Carlo. (143 m. 6 Taf.) 8° Ebd. 02.   (L. 16 —) 8 — d

Mottola, S: Nouvelle méthode rapide-attrayante-graduée de langue franç. à l'usage des étrangers. (159 m. 1 Schrifttaf.) 8° Brassó (Kronst.), H Geidner 04.   1.80; geb. 2.35

Motylewski, S: Ueb. Pentanthrenderivate. (51) 8° Lembg, (Gubrynowicz & Schmidt) 04.   3 —

Motz, T: Rechenb. f. Stadt- u. Landsch., s.: Casper.
— Die Zahnpflege in d. Schule, s.: Jessen, E.

Motz, W, s.: In k. u. k. Diensten.
— „Oesterreichs Ruhmeshalle" in Wort u. Bild. Fortsetzg zu „In k. u. k. Diensten", militär. Sittenbilder aus österr. Garnisonen. (109) 8° Münch., O Mütterlein 05.   2.50; kart. 3.50 d

Motzkau, J: Wie sie sich fanden u. Anderes, s.: Weichert's Wochen-Bibliothek.

Moufang, C: Officium divinum. Kathol. Gebetb., lateinisch u. deutsch, z. Gebr. beim öffentl. Gottesdienst u. z. Privat-Andacht. 19. Afl. v. J Selbst. (865) 8° Mainz, Kirchheim & Co. 05.   2 —; geb. v. 3 — bis 6 — d

Moulet, A: Pioniere d. sittl. Fortschritts. Aus d. Franz.: „Le mouvement éth." Von R Penzig. (103) 8° Berl., Herm. Walther 02.   1.20 d

Mourek, VE: Zur negation im altgerman. [S.-A.] (67) 8° Prag, (F Řivnáč) 03.   1 —
— Üb. d. Negation im Mhd. [S.-A.] (30) 8° Ebd. 02.   — 40
— Zum Prager Deutsch d. XIV. Jahrh. [S.-A.] (34) 8° Ebd. 01.   1.20

Mourgue, L: Marcella. Aus d. Franz. v. K Sartorius. (63) 8° Berl., (Bh. d. orient. Jünglingsbundes) 01.   — 40 d

Mousson, A: Grüsse a. d. Ecke. (Rudolf Derrer.) II. Tl v. „Ein Leben in d. Ecke". (93) 8° Zür., Bh. d. ev. Gesellsch. 03. — 60 d
— Ein Leben in d. Ecke. (Rudolf Derrer.) Kranken u. Gesunden gewidmet, 1—12. Taus. (62 m. Abb.) 8° Ebd. 02-05. — 50 d

Mouthon-Affaire, d., — e. verunglückte Mission d. deutschfranzös.Weltfriedensliga od. „Schwarze Rache f. Fameck", v. Red Cloud (M Lay). (63) 8° Brnschw. 04. Berl., R Sattler. — 50 d

Movimento dei piroscafi, diligenze e messaggerie a Zara. (49) 8° Zara, Internat. Bh. H v. Schönfeld 04. — 35

Moewos: Gesck. d. 1. westfäl. Infant.-Regts Nr. 7, s.: Hamm.

Moy, E Graf v.: Das Wahlrecht d. Geistlichen. (29) 8° Münch., C Haushalter 05.   — 30

Mozart, WA: Don Juan. Oper. Aus d. italien. Text v. Da Ponte. Neu übers. nebst ausführl. krit. Einl. v. E Heinemann. (129) 8° Berl., M Staegemann jun. 04.   1.20 d
— Don Juan. Der bestrafte Wüstling od. Don Juan. Heit. Drama. Dichtg v. L da Ponte. Der italien. Orig.-Text m. hauptsächl. Benützg d. Übersetzg v. F Grandaur, neu bearb. v. H Levi. 2. Afl. (93) 12° Münch., T Ackermann 02.   — 60 d
— u. L da Ponte: Die Hochzeit d. Figaro, s.: Sammlung internat. Operntexte.
— u. E Schikaneder: Der Zauberflöte, s.: Sammlung internat. Operntexte.
— u. L Schneider: Der Schauspieldirektor, s.: Universal-Bibliothek.

Mráček, F: Atlas u. Grundr. d. Haut-Krankh., s.: Lehmann's medizin. Handatlanten.
— s.: Handbuch d. Hautkrankh.

Mrázek, A: Ein Beitr. z. Kenntnis d. Fauna d. Warmhäuser. [S.-A.] (31) 8° Prag, (F Řivnáč) 02.   — 30
— Ergebnisse e. v. Dr. A Mrázek im J. '02 n. Montenegro unternomm. Sammelreise. I. Einl. u. Reisebericht. [S.-A.] (34 m. Abb.) 8° Ebd. 03.   1.20
— Ueb. abnorme Mitosen im Hoden v. Astacus. [S.-A.] (7 m. 1 Taf.) 8° Ebd. 01.   — 36
— Üb. e. neue poly-pharyngeale Planarienart a. Montenegro. (Pl. montenegrina n. sp.) [S.-A.] (43 m. Fig. u. 2 Taf.) 8° Ebd. 04.   1.20
— Ueb. Potamothrix Moldaviensis, s.: Vejdovský, F.
— Die Samentaschen v. Rhynchelmis. [S.-A.] (5 m. 1 Taf.) 8° Prag, (F Řivnáč) 1900.   — 32

Mrázek, A: Süsswasser-Copepoden, s.: Ergebnisse d. Hamburger Magalhaens. Sammelreise.
— Ueb. d. Vorkommen e. frei leb. Süsswassernemertine in Böhmen. [S.-A.] (7) 8° Prag, (F Řivnáč) 04.   — 16

Mrgowsky, E: Hilfsb. f. d. ev. Relig.-Unterr., zunächst z. Gebr. an Lehrerbildgsanst. sowie z. eig. Weiterbildg d. Lehrers. 2 Tle. 8° Halle, H Schroedel. 4.50; Einbde je nn — 50 d
   1. Bibelkde d. Alten Test. (171) 05. 2 — ∥ 2. Dass. d. Neuen Test. (211) 05. 2.50.
— Die Leben-Jesu-Bewegg in d. Pädagogik. Der jüd. Hintergrund im Neuen Test. 2 Beitr. z. unterrichtl. Behandlg d. Gesch. Jesu in d. Volkssch. (42) 8° Ebd. 01.   — 80 d

Much, H: Experimentelle Beitr. zu e. Adsorptionstheorie d. Toxinneutralisirg. s.: Biltz, W.

Much, H: Gedichte. (56) 12° Würzbg, Stahel's V. 01. L. 1.50 d
— Treue Stunden.Gedichte.(110)8° Lpzg,KGT Scheffer 05.L.2.30 d

Much, M: Die Heimat d. Indogermanen im Lichte d. urgeschichtl. Forschg. (311) 8° Berl. 02. Jena, H Costenoble. 7 —;   geb. nn 8 — ∥ 2. Afl. (421) 04. 8 —; geb. nn 9 —
— Wandtaf. d. vor- u. frühgeschichtl. Denkmäler a. Österr.-Ungarn. Aquarelle v. LH Fischer. 63×84,5 cm. Farbdr. Mit Text. (4) 4° Wien, E Hölzel (05). 2 —; m. L.-Rand u. Ösen 2.50;   auf L. m. St. 3.80 d

Much, R: Deut. Stammeskde, s.: Sammlung Göschen.

Mucha, A, s.: Grotesklinie, d., u. ihre Spiegelvariation im modernen Ornament.
— Ilse Prinzessin v. Tripolis, s.: Flers, R de.

Mucke, K: Die schmerzlose Entbindg, s.: Collins, M.
— Hygiene d. Ehe, s.: Möller's, W, Bibliothek f. Gesundheitspflege.
— Was hat e. Mutter ihrer erwachs. Tochter zu sagen? Belehrg üb. d. Geschlechtsleben z. sr phys. u. eth. Seite. 2. Afl. (112 m. Abb.) 8° Lpzg, T Grieben 02.   1.20 d
— Die ersten Mutterpflichten u. d. erste Kindespflege. Vom Standpunkte d. arzneilosen Heilweise f. junge Frauen u. Mütter. 2. Afl. (130) 8° Ebd. 05.   Kart.1.20 d
— Uns. Nahrg als Heilmittel. — Ursache, Verhütg u. Behandlg d. allgemeinsten Frauenleiden, s.: Möller's, W, Bibliothek f. Gesundheitspflege.

Muchitsch, F: Anbetg Gottes im Geiste u. in d. Wahrheit. 2. Afl. (363 m. Titelbild.) 8° Klagenf., Buch- u. Kunsth. d. St. Josef-Ver. 05.   L. 3.30 d

Muck, J: Der Erdwachsbergbau in Borysław. (218 m. Fig. u. 3 Taf.) 8° Berl., J Springer 05.   6 —

Muck, P: Abschiedsworte an d. Jugend bei Entlassg a. d. Schule. (54) 16° Mainz, Kirchheim & Co. 03.   — 50; L. — 70 d
— Der hl. Aloysius als Führer d. christl. Jugend. (526 m. farb. Titelbild.) 12° Wien, (St. Norbertus) 02.   — 80 d
— dass. 2.Afl. (294) 8° Mainz, Kirchheim & Co. 04. 1.80; L. 2.20 d
— Was ist Wahrheit? Populäre Beleuchtg relig. Wahrb. d. Glaubens- u. Sittenlehre sowie bedeutsamer Fragen d. Welt- u. Kirchen-Gesch. (192) 12° Münst., Alphonsus-Bh. 01. 1.25;   geb. nn 1.65 d
— dass. Lösg v. Glaubenszweifeln. 2. Afl. (235) 8° Ebd. 04. 1.70;   L. 2.25 d
— Das grösste Wunder d. Weltgesch. Ursprg, Fortbestand, Wirksamk. u. Merkmale d. kathol. Kirche. (248) 8° Rgnsbg, F Pustet 05.   1.50; geb. 2 — d

Muck's prakt. Taschenbb. Nr. 1—12. 16° Wien, Szelinski & Co. 9 —

   1. Kolor. Pflanzen-Atlas im Taschenformat. (12 farb. Bl. in Leporelloform.) (03.)   — 90
   2. Materne, F: Der Praktiker in Garten, Hof u. Haus. Der Obstbau. I. 1. u. 2. Afl. (166 m. Abb.) (04.)   — 90
   3. Schmetterlings-Atlas im Taschenformat. (19 farb. Bl. in Leporelloform.) (04.)   — 90; neue Ausg. (05.) — 90
   4. Käfer- & Insekten-Atlas im Taschenformat. (18 farb. Bl. in Leporelloform.) (04.)   — 90; neue Ausg. (05.) — 90
   5. Materne, R: Ausländ. Kulturpflanzen. (171 m. 3 Taf.) (04.) — 70
   6. Pilze, uns, wichtigsten essbaren. Neu durchgesehen v. R Materne. (62 m. 8 farb. Taf.) (04.) — 70
   7. Pflanzen-Atlas im Taschenformat. II. Heft. (12 farb. Bl. in Leporelloform.) (05.)   — 90
   8. Materne, R : Der Praktiker in Garten, Hof u. Haus. Der Obstbau. II. (216 m. Abb.) (05.)   — 90
   9. Schreber, DGM : Ärztl. Zimmergymnastik. Neu durchgesehen u. verb. v. R Materne. (96 m. Abb. u. 1 Taf.) (04.)   — 90
   10. Alpen-Pflanzen-Atlas im Taschenformat. (12 farb. Bl. m. 2 S. Text.) (05.)   1 —
   11. Cüm, RK: Textbd z. Alpenpflanzen-Atlas im Taschenformat. (32) (05.)   — 50
   12. Pilze, d. am häufigsten vorkomm. essbaren. (12 farb. Bl. in Leporelloform.) (05.)   — 60
   13. Pilze, d. am häufigsten vorkomm. gift. (12 farb. Taf. in Leporelloform.) (05.)   — 60

Mück, H: Die einstweil. Verfüggn n. d. österr. Executionsordng v. 27.V.1896, unter bes. Berücks. d. Rechtssprechg d. k. k. obersten Gerichtshofes systematisch dargest. u. m. e. Anh., enth. zahlreiche Beisp. v. Sicherungsanträgen u. Rechtsmitteln, versehen. 2. Afl. (78) 8° Wien, Manz 01.   1.30 d

Mücke, C: Valentin Duval od. „Der Sonne zu!" Aus d. Franz. v. C Zeller. (96) 8° Stuttg., Bh. d. ev. Gesellsch. 05. — 60;   geb. 1 — d

Mücke, JR: Das Problem d. Völkerverwandtschaft. (23, 3683) 8° Greifsw., J Abel 05.   7.50 d

Mücke: Die providentielle Weltmission d. Hohenzollern u. d. Romanov im 20. Jahrh. 1. Bd. (548 m. 1 Abb.) 8° Gr. Lichterf.- Berl., E Runge 03.   5 — d

Mücke, F: Der preuss. Forst- u. Jagdschutzbeamte. Der Forst-
u. Jagdschutzbeamte als Forst- u. Jagdpolizeibeamter u. als
Hilfsbeamter d. Staatsanwaltschaft. Das Ges. üb. Waffengebr.
d. Forst- u. Jagdbeamten v. 31.III.1897. Die gesetzl. Bestimmgn
üb. d. Bestrafg d. Jagdvergehen u. üb. d. Widersetzlichk. bei
Forst- u. Jagdvergehen. 4. Afl. (143) 8° Neud., J Neumann 02.
Kart. 3 — d
— Ges. betr. d. Forstdiebstahl v. 15.IV.1878 m. Erläutergn.
2. Afl. (37) 8° Ebd. 02. Kart. 2.40 d
Mücke, J: Die Ges. betr. d. preuss. Staatsschuldb. k. d. Reichs-
schuldb., s.: Guttentag's Sammlg preuss. Ges.
Mückenberger, R: Hdb. d. chem. Industrie d. ausserdeut. Län-
der. III. Ausg. 1905. (439, 223, 106 u. 88) 8° Berl., R Mücken-
berger. L. 30 —
Muckenschnabel, K: Die Pielachtalbahn. St. Pölten—Kirch-
berg—Mariazell. (33 m. 1 Taf., 10 Ansichtsk. u. 1 Karte.) 16°
Wien, H Kirsch 05. 1.20
Muckenthaler, J: Wert-Tab. z. Berechg d. Grund- u. Boden-
wertes sowie d. Wohngebäude in München. (112) 8° Münch.,
(J Lindauer) ('04). L. nn 8 —
Muckermann, E: Ueb. d. Einwirkg v. Hydrazinhydrat auf
Bernsteinsäuremonoäthylester, Succinaminsäure u. Succini-
mid. (61) 8° Hdlbg, vorm. Weiss'sche Univ.-Bh. 02. 1.20
Mudicke's, Rentier, Stammtischreden. (215) 8° Berl., Ullstein
& Co. (03). (1 —) — 50 d
Muff, C: Humanist. u. realist. Bildg. (88) 8° Berl., G Grote 01.
1 —; geb. 1.50 d
— Idealismus. 3. Afl. (324) 8° Halle, R Mühlmann's V. 02. 5 —;
geb. 6 — d
— s.: Lesebuch, deut., f. höh. Lehranst.
— Deut. Leseb. f. Vorsch. höh. Lehranst., s.: Paulsiek, K.
— Der Zauber d. Homer. Poesie. Vortr. [S.-A.] (37) 8° Erf., C
Villaret 1900. 1 — d
— A Dammann: Deut. Leseb. f. Mädchensch. Ausg. in 5 Bdn.
8° Berl., G Grote. Geb. 8.80 d
1. (2. Schulj.) 3. Afl. (102) 05. 1.20 ∥ 2. (3. Schulj.) 3. Afl. (257) 05. 1.40
∥ 3. (4. Schulj.) 3. Afl. (247) 05. 1.60 ∥ 4. (5. u. 6. Schulj.) 4. Afl. (360) 05.
2.20 ∥ 5. (7. u. 8. Schulj.) 3. Afl. (384) 05. 2.40.
— dass. f. höh. Mädchensch. (In 5 Bdn.) 1—5. Bd. 8° Ebd.
Geb. 8.80 d
1. (2. Schulj.) 3. Afl. (162) 05. 1.20 ∥ 2. (3. Schulj.) 3. Afl. (197) 05. 1.40
∥ 3. (4. Schulj.) 3. Afl. (342) 05. 1.60 ∥ 4. (5. u. 6. Schulj.) 4. Afl. (360) 05.
2.20 ∥ 5. (7. u. 8. Schulj.) 3. Afl. (394) 05. 2.40.
— dass. Ausg. f. parität. Schulen. 1—5. Bd u. 6. Bd Abtlg A.
8° Ebd. Geb. 10.60 d
1. (2. Schulj.) 1. u. 2. Afl. (162) 01.03. 1.20 ∥ 2. (3. Schulj.) 1. u. 2. Afl. (197)
01.03. 1.40 ∥ 3. (4. Schulj.) 1. u. 2. Afl. (242) 01.05. 1.60 ∥ 4. (5. u. 6. Schulj.)
1—3. Afl. (360) 01.05. 2.20 ∥ 5. (7. u. 8. Schulj.) 1—3. Afl. (394) 01-05. 2.40
∥ 6. Abtlg A. (9. Schulj.) (366) 1.80.
Muff, P: Eucharist. Anbetgsstunden u. Walser: Die ewige Anbetg. (448 m. 1 Farbdr.) 16° Einsied., Eberle & Rickenbach
1900. 1 — d
— Zu Gott, mein Kind! 1. u. 2. Bdchn. 16° Einsied., Verl.-Anst.
Benziger & Co. L. 1.50 d
1. Gebete u. Unterweisgn f. Schulkinder. (192 m. Abb. u. 9 Farbdr.) 04.
— 80 ∥ 2. Belehrgn u. Gebete f. Firmlinge u. Erstkommunikanten. (432
m. Abb. u. 24 Farbdr.) 05. Geb. v. 1 — in als 4.40.
— Die Hausfrau u. Gottes Herzen. Gedenkblätter u. Gebete,
d. Bräuten u. Frauen d. kathol. Volkes gewidmet. (736 m.
farb. Titel u. 1 St.) 16° Ebd. 03. Geb. 4.50 d
— Hinaus ins Leben. Gedenkblätter ü. Gebete, d. Söhnen d.
kathol. Volkes als Begleiter durch d. Jugendjahre gewidmet.
(704) 16° Ebd. 02. Geb. 1.60; 1.80; 2 —; 2.40 u. 3.60 d
— Siehe Deine Mutter. Unterr.- u. Gebetb. z. Verehrg d. allersel.
Jungfrau u. Gottesmutter Maria. Nach Lanz „Maria ...
Zuflucht" neu bearb. (656 m. 2 St.) 16° Ebd. 01. Geb. 1.80;
1.60 u. 9.20 d
— Gold. Worte a. d. Nachfolge Christi auf jeden Tag d. Jahres.
Nach Brunner's Zusammenstellg neu bearb. (256 m. 2 Lichtdr.)
24° Ebd. 01. Geb. — 80; 1.30 u. 2 — d
Müffelmann, H: Irdische Gefässe. Nach d. Papieren e. alten
Freundin mitgeteilt. (80) 8° Berl., F Zillessen (05). Kart. 1.20 d
— Die Sternkde als Volkseigentum. (43) 8° Ebd. (05). — 50 d
Müffelmann, L: Das Problem d. Willensfreiheit in d. neuesten
deut. Philosophie. (115) 8° Lpzg, JA Barth 02. 5.50
— Rich. Wagner u. d. Entwicklg z. menschl. Freiheit, nebst
e. einleit. Dichtg u. e. Anh.: „Wagners Lebens- u. Werde-
gang" in Tabellenform. 1. u. 2. Afl. (135) 8° Berl., R Schröder
(03) 04. 1 — d
Mugdan, B, s.: Rechtsprechung, d. d. Oberlandesgerichte auf
d. Gebiete d. Civilrechts.
Mugdan, E: Die Errichtg v. Testamenten u. Erbverträgen in
Preussen unter Berücks. d. gesetzl. Erbrechts u. d. Familien-
rechts. Mit Formularen. Nach O Häntzschel, „Die Aufnahme v. Testamenten" bearb. 2. Afl. (136) 8° Bresl., JU
Kern 01. Kart. 2.75 d
Mugdan, L: Gewerbegerichtsges., 6. Afl. v. W Cuno, s.: Guttentag's Sammlg deut. Reichsges.
Mugdan, O: Kommentar f. Aerzte z. Gew.e be-Unfallversichergs-
ges., nebst d. Ges., betr. d. Abänderg d. Unfallversicherungs-
Ges. v. 30.VI.1900 in d. Fassg d. Bekanntmachg v. 5.VII.1900.
(215) 8° Berl., G Reimer 02. 5 —; L. 5.80 d
— Die preuss. Rechtspr. Sammlg v. 25.VI.1895 in d. Fassg
d. Bekanntmachg v. 6.X.1899. Preuss. Gerichtskostenges. u.
Gebührenordng f. Notare. 4. Afl. (588) 8° Berl., F Vahlen 04.
11 —; geb. nn 13 — d
Mügge, E: Sammlg moderner Pausen u. Schablonen. 2. u. 3.

Serie. (Je 12 z. Tl farb. Taf.) Fol. Berl., M Spielmeyer (04.05).
Je 4 —
Die 1. Serie, im Selbstverl. in Halle a. S. erschienen, ist nicht
durch d. Buchh. zu beziehen.
Mügge, T: Afraja. Nord. Roman. 4. Afl. (543) 8° Bresl. 02.
2 —; L. 3 — d
— dass., s.: Romane, klass., d. Weltlit.
— Der Vogt v. Sylt, s.: Erzählungen, klass. d. Weltlitt.
— Sam Wiebe, s.: Jugendschriften, Münch.
Muggenthaler, M, s.: Handbibliothek f. d. pfarramtliche Ge-
schäftsführg im Kgr. Bayern.
Mugica, P de: Sesión académica ideal. [S.-A.] (16) 8° Brnschw.,
G Westermann 05. — 30
Muhabed ben Schefakat: Im Thor d. Ostens. Oriental. Ge-
schichten. 3 Hefte. (Mit Abb.) 8° Frankf. a/M., Verl. Orient 01.
1. Der blut. Tag v. Furnus. (20) ∥ 2. Im Chan. (30) ∥ 3. Au d. „hl. Quelle"
im Euphrathtal, Eine armen. Hochzeit. (20)
Muhammad ibn aḥmad abulmutahhar alazdi: Abulkâsim,
e. bagdâder Sittenbild. Mit Anmerkgn hrsg. v. A Mez. (69,
146) 8° Hdlbg, C Winter, V. 02. 12 —
Muhammad ibn Dânijâl: Escorial-Codex. Textproben, m. 2
Lichtdr.-Taf. hrsg. v. G Jacob. (19) 8° Erl., (M Mencke) 02.
nn 2 —
Mubammadis 'Ubaidallahi F. dicti Sibt Ibn al-Ta'âwidhi carmina, ex codicib. Bodleianis ed. et vocalib. indicibusque in-
structa a. DS Margoliouth. (518) 8° Halle, R Haupt 05. nn 10 —
Muhammedaner-Mission. Monatsschrift z. Ausbreitg d. Evangeliums unter d. Völkern d. Islam. Hrsg. v. A Amirchan-
janz. 1. Jahrg. 1901. 12 Nrn. (Nr. 1—4.60) 8° Eisenach (Wörthstr. 8),
Geschäftsstelle. nn 1.50 d 6 H
Mühe u. Segen. 3 dramat. Bilder a. d. Leben e. Arbeiterin. Von
e. kathol. Geistlichen u. Mitgliedern d. kathol. Frauenbundes
zu M. Gladbach. (29) 8° Freibg i/B., Geschäftsstelle d. Charitas-
verbandes 05. — 20 d
Mühe, E, s.: Kosma.
— Die Leidensgesch. Jesu Christi, sowie s. Höllenfahrt u. glor-
reiche Auferstehg, erklärt in 15 Predigt-Vortr. 4. Afl. (151) 8°
Lpzg, E Ungleich 01. 2 —; geb. 3 — d
— Bibl. Merkwürdigk. I. u. VI. Edchn. 8° Ebd. Je 1.50;
kart. je 1.90; geb. je 2.50 d
I. 3. Afl. (172) 02. ∥ VI. Blätter v. Lebensbaume 3. Hl. schrift. (188) 02.
Mühe, W, H Rowoldt, A Hoppe, O Siedentopp: Liederb. f.
deut. Schulen. (In 4 Heften hrsg.) I—III. Heft. 8° Brnschw.,
JH Meyer. 2 — d
1. 2. Afl. (96) 04. Kart. — 50 ∥ II. 1. u. 2. Afl. (58 bezw. 92) 01.05. — 50
∥ III. I. (60) 04. (Jeder Teil ein, Heil.) — 60 ∥ III.5. (116) 02. — 60.
Muheim, O: Das 1. Jahrzehnt d. Ver. f. Gesch. u. Altertümer
v. Uri, s.: Neujahrsblatt, histor., hrsg. v. Ver. f. Gesch. u.
Altertümer v. Uri.
Mühl, A: Taxidermie. Lehre üb. Abbalgen u. Ausstopfen v.
Vögeln u. Säugetieren u. Skelettieren z. Selbst-
erlerng. (37 m. Abb.) 12° Bühl, (Konkordia) (01). nn — 40 d
Mühlan, A: La Bretagne et les Bretons, s.: Prosateurs franç.
— s.: Contours du jours. — Guerre, la, 1870/71.
— Sainte-Hélène, s.: Schulbibliothek französ. u. engl. Prosa-
schriften.
Mühlau, A: Grundr. d. Physik u. Wittergskde. Leitf. insbes.
f. landw. Lehranst. 2. Afl. (111 m. Abb.) 8° Lpzg, H Voigt
05. L. nn 1.30 d
— H Welzel: Deut. Leseb. f. landw. Wintersch., Ackerbausch.
u. ländl. Fortbildgssch. (343) 8° Bautz., E Hübner 04. Geb. 2.50 d
Muehlau, F, s.: Liber Genesis.
— Martinus Seusenius' Reise in d. hl. Land i. J. 1602. (35) 8°
Kiel, Lipsius & T. 02. 3 —
Mühlau, H v.: Beichte e. reinen Törin. 1. u. 2. Afl. (285) 8°
Berl., E Fleischel & Co. (05). 3.50; geb. 5 — d
Mühlau, J: Zur rogen in d. got. psalmenübersetzg. (58) 8° Kiel,
WG Mühlau 04. 1 —
Mühlbach, C (K Mundt), s.: Erinnerungsblätter.
— Friedrich d. Gr. u. s. Hof. 10. Afl. 3 Tle in 1 Bde. (160, 232
u. 201) 8° Berl., H Barsdorf 09. 4 —; geb. nn 7 — d
Mühlbacher (Tittelblatt irrtümlich Muhlbacher), F: Die literar.
Leistgn d. Stiftes St. Florian bis z. Mitte d. 19. Jahrh. (409)
8° Innsbr., (Wagner) 05. 5 —
— s.: Mittheilungen d. Instit. f. österr. Gesch.-Forschg.
— Regesta imperii, s.: Böhmer, JF.
Mühlbauer, M: Führt d. Kinder zu Maria! Hauptmittel z. Er-
leichterg u. Sicherg d. christl. Kindererziehg. (412) 8° Rgusbg,
Verl.-Anst. vorm. GJ Manz 05. 3 —; L. 4.50 d
— Die zwanzig Ziele d. ganz. Seelsorgetätigk. Lehrtätigk. 2. Afl. (588) 8°
Steyl, Missionsdr. 04. HF.4 — d
Mühlbaum, F: Zur Erde — ganz, s.: Reigen, Tanz.
Mühlberg, F: Geolog. Karte d. umr. Aarau-Reuss- u. Limmat-
Tales. Aus Siegfriedatlas übergedr. 1:25,000. [S.-A.] 74×37,5
cm. Farbdr. Bern, (A Francke) (05). 4.80
— Geolog. Karte d. Lagerstätte. Aus Siegfried-Atlas übergedr.
1:25,000. 50×72,5 cm. Farbdr. Mit Erläutergn. 8° Ebd. 4.80
— Zweck u. Umfang d. Unterr. in d. Naturgesch. an höh.
Mittelsch., s.: Sammlung naturwiss.-pädagog. Abhandlgn.
Mühlberg, H: Kl. Architekturen u. Details. Sammlg kl. Villen
u. Wohnhäuser. 8. Lfg. (II. Serie. 4. Lfg.) (45 Lichtdr.) 4° Berl.
(01). Lpzg, Baumgärtner. 10 —. (II. Serie vollst. in M. [40 —]
30 —) ∥ III. Serie. (100 Taf.) Lpzg 08. In M. 30—(I—III.:90 —)

Mühlberger, M: Vademecum f. Techniker. Mathematik. (53)
  12° Zitt. (W Fiedler) (03). 1 — d
Mühlbrecht, O: Bibliogr. d. BGB. f. d. Deut. Reich u. sr Nebenges. III. (Die Litt. bis Ende 1900.) (28) 8° Berl., Puttkammer & M. 01. — 50 (I—III.: 2.60)
— Erinnergn. Neue Folge. 1890—1903. (139 m. Bildnis.) 8° Ebd.
  03. L. d 6 H
— Uebersicht d. ges. staats- u. rechtswiss. Litt. d. J. 1900—4.
  33—37. Jahrg. (Buch-Ausg. d. Allg. Bibliogr. f. Staats- u.
  Rechtswiss.) 8° Ebd. 34 — (2—34. J. erm. Pr.: 86 —)
  1900. (32, 300) 01. 6 — ‖ '01. (32, 250) 02. 7 — ‖ '02. (32, 276) 03. 7 — ‖ '03.
  (32, 296) 04. 7 — ‖ '04. (32, 304) 05. 7 —
— Wegweiser durch d. neuere Litt. d. Rechts- u. Staatswiss.
  2. Bd., d. Litt. d. J. 1893—1900 nebst Nachtr. u. Ergänzgn zu
  Bd I (d. Litt. bis 1892). (651) 8° Ebd. 01. 28 —; HF. 30 —;
  Ldr 36 —; in 2 Ldr-Bdn u. durchsch. 40 —; wohlf. Ausg. auf
  dünnem Pap., L. 15 — (1 u. 2.: 53 —; HF. 58 —; Ldr 66 — u.
  durchsch. 76 —; wohlf. Ausg. 80 —)
Mühle, die. Wochenschrift f. d. Interessen d. deut. Mühlenin-
  dustrie. Red.: KW Kunis. 38—40. Jahrg. 1901—3 je 52 Nrn.
  (Nr. 1. 16 Sp. m. Abb.) Fol. Lpzg, M Schäfer. Je 10 — ‖ 41. u.
  42. Jahrg. 1904 u. 5. Red.: W Kunis. Je 4 —; einz. Nrn — 25 d
Mühlebach, A: Buchführg f. einf. bäuerl. Gutsbetriebe, s.:
  Hofer, M.
Mühleis, A, s.: Mennel u. Rieg's Almanach f. d. kathol. Geist-
  lichen d. Diöc. Rottenburg.
Mühleisen, W: Entwürfe f. moderne Stuckarbeiten zumeist
  Louis XVI — Empire — u. modernem Styl. (50 Lichtdr.) 41
  ×29 cm. Berl., M Spielmayer (05). In M. 45 —
Mühlemann, C: Untersuchgn üb. d. Entwicklg d. wirtschaftl.
  Kultur u. d. Güterverteilg im Kt. Bern, s.: Mitteilungen d.
  bern. statist. Bureaus.
Mühlen, d. unterird., od.: Die letzten Stunden d. Heidentums.
  Aus d. Ital. v. Werner u. Mehler. 2. Afl. (52) 8° Donaw., L
  Auer (04). 75 d
Mühlenbein, J: Üb. Choralgesang. (34 m. 1 Tab.) 8° Daun, A
  Scheider 01. nn 1.25
Mühlenblatt, Osnabrücker. Red.: H Schröder. 25. Jahrg. 1905.
  24 Nrn. (Nr. 2. 8) 4° Melle, FE Haag. nn 2.50 d
Mühlendorff, T: Die romant. Tante od. d. ungehorsamen Nich-
  ten. Lustsp. (20) 8° Mitau. (F Besthorn) 03. — 75 d
Mühlenfels, O v.: Hdb. f. d. Eisenb.-Güter-Verkehr, s.: Koch, W.
Mühlenhardt, K, s.: Geometer-Kalender, deut.
— Gott u. Mensch als Weltschöpfer. Philosoph. Betrachtgn.
  (341) 8° Berlin-Wilmersdf (Weimarschestr. 2), Landmesser
  Mühlenhardt 05. 3 — d
Mühlen-Kalender, deut. 1906. Hrsg. v. K Kunis. 27. Jahrg.
  (293 m. Abb. u. Schreibkalender.) 8° Lpzg, HAL Degener.
  L. 3 — ; in Brieftaschenldrbd 5 — d
— österr.-ungar. illustr. 29. Jahrg. 1906. Bearb. v. d. Red. v.
  Pappenheim's österr.-ungar. Müller-Zeitg. (200 u. Tageb.) 8°
  Wien, M Perles. L. 3 —
Mühler, M: Dein Glück. Dir, d. du dieses Buch in d. Hand
  nimmst, gewidmet v. deinem Freunde. 5—14. Taus. (640) 8°
  Mittw., (Polyt. Bh.) 02. L. 1.50 d
Mühlethaler, E: Der rationelle Gemüsebau. (140 m. Abb. u.
  1 Tab.) 8° Bern, KJ Wyss 02. Kart. 1.50 d
Mühlfeith, H: Verteilg d. Lehrstoffes d. Elementarkl., s.:List,H.
Mühlfeld, L: Die Genossin (L'associée'). Roman. Deutsch v.
  C Teja. (335) 8° Lpzg 03. Berl., H Seemann Nf. 4 — d
Mühlfeld, C: Kl. Gesang-Sch. f. Volks- u. Bürgersch. u. f. d.
  unt. Kl. d. Gymnasien u. Realsch. 3. Afl. 1. Heft. (34) 8° Hild-
  burgh., FW Gadow & S. 01. — 20 ‖ 2. Heft. (78) 04. — 30 d
— Die Musik im Gottesdienst. Vortr. (37) 8° Ebd. (04). — 25 d
— Musikalisch-liturg. Sätze z. mein. Gebrauch. 8° Ebd. 04. — 40 d
— Volksliederb. f. d. Schulgebr. (88) 8° Ebd. 04. — 20 d
Mühlhäusser, JL: Abschiedspredigt. (8) 8° Karlsr., Ev.Schriften-
  ver. 05. — 20 d
— s.: Aus d. Schatzkammer d. Apostel.
— 9 Predigten a. d. Trinitatiszeit. [S.-A.] (44) 8° Karlsr., Ev.
  Schriftenver. (05). — 80 d
Mühling, O: Reiseeindrücke e. Küstenfahrers. (136) 8° Hambg.
  (Hamburger „Neue Börsen-Halle") (01). 2 — d
Mühlmann's, G, lateinisch-deut. u. deutsch-latein. Handwrtrb.
  2 Thle. 40. Afl. v. H Windel. (692 u. 678) 8° Lpzg, P Reclam
  jun. (05). L. 2 — d
Mühlmann, R: Deut. Leseb. f. Elementarsch. u. Vorbereitgskl.
  1. Tl. 2. Schulj. (120 m. Abb.) 8° Riga, CJ Sichmann 1900.
  Kart. 1 — d
Muehlon, W: Die rechtl. Stellg d. Kirche auf d. Geb. d. bayer.
  Volksschulwesens. (59) 8° Straßb., JV Schweitzer V. 04. 1.80
Mühlsteff, JM, s.: Steff, JM.
Mühlthaler, E: Moderne Reproduktionstechnik f. Schwarz-
  u. Mehrfarben-Buchdruck, sowie Behandlg d. fert. Aetzplat-
  ten vor, währ. u. n. d. Drucklegg. Vortr. (32 m. Abb. u. 2 Taf.)
  8° Münch. (03). (Lpzg, G Hedeler.) — 80
Mühlwasser, O u. E Dworsak: 275 Ausflüge in d. Umgegend
  v. Brünn, umfassend d. Gebiete d. mähr. Schweiz, d. böhm.-
  mähr. Höhenzuges, d. Marsgebirges, d. Steinitzer Waldes
  u. d. Pollauer Gebirges. 2. Afl. (116) 8° Brünn, G & R Karafiat
  05. 1 — d
Mühmelt, O: Heimatskde d. Kreises Meseritz. (20) 8° Lissa,
  F Ebbecke 02. — 20; m. farb. Karte — 60 d
Hinrichs' Fünfjahrskatalog 1901—1905.

Mühmelt, O: Wandk. d. Kreises Meseritz. 1 : 37,500. 6 Bl. je
  58×49.5 cm. Farbdr. Lissa, F Ebbecke (01). 12 —; auf L. 15 —
Muhs, U: Die Kritik u. d. Stellg z. hl. Schrift. (28) 8° Gross-
  Lichterf., BW Gebel (05). — 50 d
— Aus d. Vergangenh. v. Giesensdorf u. Lichterfelde. (101 m.
  Abb.) 8° Ebd. 04. 2 — d
Muhsam, E: Ascona. (59) 8° Locarno, B Carlson (05). 1.60
— Die Homosexualität, s.: Zur Psychol. uns. Zeit.
— Die Psychol. d. Erbtante. Eine Tauthologie a. 25 Einzel-
  darstellgn als Beitrag z. Lösg d. Unsterblichk.-Frage. (101)
  8° Zür., C Schmidt 05. 1 — d
— Die Wüste. Gedichte. (99) 16° Gr.-Lichterf. 04. Berl., E Eisselt.
  2.40 d
Muhsam, P: Freiwill. Gerichtsbark., s.: Rechtsbücher f. d.
  deut. Volk.
Muhsam, E: Compendium d. Operations- u. Verbandstechnik,
  s.: Sonnenburg, E.
Muir, Sir W, s.: Erstlingsfrüchte d. hl. Schrift a. Syrien.
Mûlamadhyamakakârikâs (Mâdhyamikbsûtras) de Nâgârjuna,
  hrsg. v. L de la Vallée Poussin, s.: Bibliotheca buddhica.
Mülbe, v. d.: Das Garde-Füsilier-Regt. 2. Afl., fortgeführt u.
  neubearb. v. Offizieren d.Regiments. (627 m. Abb. u. 11 Kart.)
  8° Berl., R Eisenschmidt 01. Geb. 12 —; HF. 16 — d
Mülbe, WH v. d.: Sonne u. Nacht. Gedichte. (46) 8° Kref., (J
  Greven) 02. 2 —
Mülberger, MH: Wandtaf. z. allg. Biol., s.: Haecker, V.
Mulden, A: Die Macht d. Rechtes. Drama. (124) 8° Dresd., E
  Pierson 05. 1.50 d
Muldener, R: Entlarvt. Eine wahre Kriminal-Gesch. (128) 8°
  Berl., Norddeut. Verl.-Anst. L Hohenstein & Co. (05). — 1 d
— Insubordination, s.: Wulff, FW, m. d. Tode gesühnt.
— Märchen a. d. Orient. 1. Bd. 5. Afl. u. 2. Bd. 4. Afl. (156 u.
  152 m. Abb.) 8° Langens., Schulbb. (04.05). Kart. je 1.50 d
— Hinter geschlhoss. Toren. Kriminal-Roman. Die verhängnis-
  volle Station. (96) 8° Neuweissens., E Bartels (o. J.). 1 — d
— Die Religion — Weltliebe. Erlösg. Gottes Wort. Gott ist all-einig.
  (25) 8° Dresd., E Pierson 03. — 50 d
— s.: Religion — Weltliebe.
Mulert, H: Atlas z. Kirchengesch., s.: Heussi, K.
— Die Lehrverpflichtg in d. ev. Kirche Deutschlds. Zusam-
  menstellg d. Bestimmgn u. Formeln, d. e. Verpflichtg d.
  Geistlichen, theolog. Univ.-Lehrer u. Relig.-Lehrer auf be-
  kenntnismäss. Lehre enthalten, nebst Mitteilgn üb. d. Lehr-
  verpflichtg in d. deut. ev. Kirche d. Nachbarländer, bes. d.
  Schweiz. (99) 8° Tüb., JCB Mohr 04. 1.60 d
Mulertt, L: Der Dackel auf Reisen. Seine Reise-Erlebnisse,
  v. ihm selbst erzählt. Für d. Jugend bearb. (63 m. Abb.) 8°
  Wiesb., R Bechtold & Co. (04). Kart. 2 —
Mülhause, O, s.: Kriegserlebnisse e. Einj.-Freiwill. d. VI. Komp.
  d. III. hess. Inf.-Regts Nr. 83.
Mülich v. Prag: Lieder, hrsg. v. R Batka, s.: Denkmäler deut.
  Musik a. Böhmen.
Mülinen, E Graf v.: Die latein. Kirche im türk. Reiche. 2. Afl.
  (64) 8° Berl., HW Müller 03. 1.50
Mülinen, HF v.: Divico od. d. v. Caesar d. Ost-Galliern u.
  Süd-Germanen gegenüber vertret. Politik. 3. Afl. (4) 8°
  Bern, (H Körber) 05. — 90 (1—3.: 2.90)
Mülinen, WF v.: Daniel Pellenberg u. d. patriot. Gesellsch.
  in Bern, s.: Neujahrsblatt, hrsg. v. histor. Ver. d. Kt. Bern.
Muellenbach, E, s.: Lenbach, E.
— Aphrodite u. and. Novellen. (309) 8° Stuttg., JG Cotta Nf.
  02. 3 —; geb. 4 — d
— Franz Friedrich Ferdinand. s.: Volksbücher, Wiesbad.
— dass. u. Anderes. 2. [Tit.-]Ausg. (238) 8° Dresd., C Reissner
  [1897] 03. 2 —; geb. 3 — d
— Johannissegen, s.: Zehnpfennig-Unterhaltungshefte f. Na-
  tionalstenogr.
— dass. Die Silberdistel, s.: Volksbücher, Wiesbad.
— Maria. Roman. (233) 8° Berl. 01. Lpzg, B Elischer Nf. 4 —:
  L. 5 — ‖ 2. [Tit.-]Afl. Lpzg (04). 3.50; geb. 4.50 d
— auf d. Sonnenseite. Geschichten. 2. Afl. (174 m. Abb.) 8°
  Lpzg (01). Stuttg., Union. 1 —; geb. 2 — d
— u. L Muellenbach: Aus junger Ehe. Studien u. Skizzen.
  (113 m. Abb.) 8° Lpzg (02). Stuttg., Union. 1 —; L 2 — d
— A. (13) 8° Lpzg, F Leineweber 01. 1 — d
Müllenbach, H: Zur Frage d. natürl. Abwasserreinigg. [S.-
  A.] (13) 8° Leipz., F Leineweber 01. — 70
— Das gesunde Haus, s.: Kröhnke, G.
— Etwas v. Reizen. [S.-A.] (20) 8° Lpzg, F Leineweber 01. 1 —
  Ebd. 03.
— Der derzeit. Stand d. Abwasserreinigsfrage in Amerika.
  Nach d. Amerikan. d. „Engineering Review". [S.-A.] (48) 8°
  Ebd. 05. 1 —
Müllendorff, E: Aufg. a. d. Elektrotechnik nebst den Lösgn.
  (113 m. Fig.) 8° Berl., G Siemens 02. L. 2.50
Müllendorff, JA: Der Beichtvater, s.: Reuter, J.
— Das schönste Christgeschenk, d. Kommunion, s.: Blüten a.
  d. Himmelsgarten.
— Von d. Einen Notwendigen, s.: Rogacci, B.
— Das Leben Mariä, d. allersel. Jungfrau u. Mutter Gottes,
  in Betrachtgn m. d. Evangelien z. Erinnerg an d. Jubiläum
  d. unbefl. Empfängnis. (235 m. Titelbild.) 8° Innsbr., F Rauch
  04. 1.50; L. 2.40 d

Müllendorff, JA: Neoconfessarius, s.: Reuter, J.
— Sursum corda! Entwürfe zu Betrachtgn f. alle Zeiten d. Kirchenj, n. d. Methode d. bl. Ignatius v. Loyola. 1., 9—12. u. Schluss-Bdchn. 8° Innsbr., F Rauch. 9.70 (Vollst.: 22.80) d
 1. Die Bergpredigt. 2. Afl. (250) 02. 1.20
 9. Die Encharistie, d. himml, Brot d. Seele. 2. Afl. (294) 02. 1.45
 10. Gott mein Alles. Entwürfe zu Betrachtgn üb. Gott u. d. göttl. Vollkommenh. (288) 05. 2 —
 11. Sechs kürzere Reden Jesu. (236) 03. 1.70
 12. Das hl. Messopfer. (290) 03. 1.60
 Schlussbdchn. 25 nachträgl. Betrachtgn. Inhaltsverz. (266) 04. 1.80
Müllendorff, K: Illustr. Mässigkeits-Katech. 2. Afl. (51) 8° Freibg i/B., Geschäftsstelle d. Charitasverbandes 02. || 3. Afl. v. F Keller. (35) 05. Je — 30 d
Müllendorff, P: Staat n. kathol. Kirche in Frankr. u. Preussen, s.: Bibliothek f. Politik u. Volkswirtschaft.
Müllenheim v. Rechberg, Frhr H v.: Familienb. (Urkundenb.) d. Freiherren v. Müllenheim-Rechberg. II. Thl. 2. Abschn. (176 m. 22 [9 farb.] Taf.) 4° Strassbg, (JHE Heitz) 01. m 30 —
 (I u. II, 1.2.: nn 85 —) d
Müllenhoff, E: Abseits. Niederdeut. Heimatbilder. (1—4. Taus.) (191) 8° Lpzg, CF Amelang 05.06. 2 —; L. 3 — d
— Aus e. stillen Hause u. and. Geschichten f. besinnl. Leute. (1—6. Taus.) (88) 8° Ebd. 04.05. Kart. 1 — d
— Des Kindes Spielkameraden. (12 m. z. Tl farb. Abb.) 8° Nürnbg, T Stroefer (02). — 50 d
Müllenhoff, K: Leitf. f. d. Unterr. in d. Botanik, bezw. Zool., s.: Vogel, O.
Müllenhoff, K, s.: Gudrun.
— Schleswig-Holstein. Sagen. Ausw. a. M.'s Sagen, Märchen u. Liedern d. Herzogtümer Schleswig, Holstein u. Lauenburg. Zusammengest. v. H Lund. 1—3. Taus. (192) 8° Sieg., M Liebscher 01. Kart. 1.25; in Bibliotheksbd 1.50 d
Müllensiefen, J: Tägl. Andachten z. häusl. Erbaug. 19. Afl. 2 Tle. (20, 343 u. 352) 8° Halle, E Strien (05). Je 2.25; in 1 L.-Bd 6 —; m. G. 7 — d
Müllensiefen, P: Bibl. Leseb., s.: Schulz, O.
Müller Fz., S, JA Feith u. R Fruin Th. Az.: Anl. z. Ordnen u. Beschreiben v. Archiven. Für dent. Archivare bearb. v. H Kaiser. (136) 8° Lpzg, O Harrassowitz 05. 7 —
Müller, der. Organ f. d. ges. Mühlen-Industrie. 17—20. Jahrg. 1901—je 52 Nrn. (1901. Nr.1, 24 m. Abb.) 4° Berl., R Tessmer, Halbj. 2 — || 21. Jahrg. 1905. Halbj. 1.50 d
— dent. Zentral-Organ f. d. Interessen d. allg. Mühlenwerbes. Hrsg. u. red. v. T Fritsch. 21—25. Jahrg. 1901—5 je 52 Nrn. (Nr. 1, 8 m. Abb.) 4° Lpzg, T Fritsch. Viertelj. 1.50 d
Müller's Taschen-Fahrpl. Sommer 1902 u. Winter 1902/03. (01 u. 60) 12° Asch., M Flöck. Je — 20 d
Müller's Adressb. d. dent. Buchh. u. d. verwandten Geschäftszweige. 10. Jahrg. 1905. (967) 8° Lpzg, CF Müller. L. †8 — Bis z. 8. Jahrg, u. d. T: Adressbuch, neues, d. dent. Buchh.
Müller s.: Deutschlands Obstsorten.
Müller s.: Jahresbericht üb. d. chirurg. Abteilg uns. d. Spitals in Basel.
Mueller: Karte d. Kreises Kattowitz im Reg.-Bez. Oppeln. 1:20,000. 2 Bl. je 106×68 cm. Farbdr. Kattow., G Siwinna (1898). 10 —; auf L. m. St. 12 —
— Kreisk. v. Beuthen O.-S. 1:100,000. 21,5×25 cm. Farbdr. Ebd. (03). — 60
— dass. v. Kattowitz O.-S. 1:100,000. 22×32 cm. Farbdr. Ebd. (03). — 60
— dass. v. Tarnowitz O.-S. 1:100,000. 31×32 cm. Farbdr. Ebd. (03). — 60
— dass. v. Zabrze O.-S. 1:100,000. 25×19,5 cm. Farbdr. Ebd. (03). — 60
— Übersichtsk. (Umschl: Oberschles. Industrie-K.) d. Kreise Tarnowitz, Beuthen, Zabrze, Kattowitz. 1:100,000. 49×40,5 cm. Farbdr. Ebd. (03). — 60
Müller, v.: Die Entwickelg d. Ultramontanismus u. s. Stellg zu Deutschl. (61) 8° Kiel, Univ.-Bh. 04. 1 —
Müller's, A, Anl. z. geistl. Geschäftstil u. z. geistl. Geschäftsverwaltg. Hdb. f. d. ges. Pfarramtsverwaltg in Bayern. 9. Afl. v. KA Geiger. 2 Tle. (1269) 8° Rgnsbg, Verl.-Anst. vorm. GJ Manz 02.03. 11 —; HF. 15 — d
Müller, A: Jesus e. Arier. Beitrag z. völk. Erziehg. (74) 8° Lpzg, M Sängewald 04. 1 —
— Licht u. Finsternis im Wesen d. Menschh, Ein Schlüssel zu d. wichtigsten religiös-philosoph., soz., nationalen u.volks-erziehl. Fragen d. Gegenwart. (84) 8° Ebd. 03. 1.20 d
Müller, A: Bach, Gluck, Beethoven, Wagner. 4 Kunstblätter. Fol. Berl. (1900). Lpzg, Insel-Verl. I.M. 40 —; Luxusausg. 80 —
Müller, A v.: Perlen a. d. Nachfolge Christi v. Thomas v. Kempen. Neu gefasst. 2. [Tit.-] Ausg. (213 m. 1 St.) 16° Aach., J Schweitzer [1868] 02. — 60; L. — 90 d
Müller, A: Kl. Führer (Wegweiser) durch d. Fichtelgebirge, s.: Mayersberg, J.
Müller, A: Uns. Posaunenchöre. Referat. (16) 8° Dresd., Verbandsbh. (E Zacharias) (05). —15 d
Müller, A: Poesieranken. Gedichte. (244) 8° Dresd., E Pierson 05. 3 —; geb. 4 — d
Müller, A: Faust's Kampf u. Sieg. Tragödie. 3. Bearbeitg. (171) 8° Dresd., R Zinke 02. nn 1.50 d
— Hermann d. Cherusker. Schausp. (112) 8° Strassbg, Süddent. Merker 06. nn 1.50 d

Müller, A, u. K Müller: Aus Heimat u. Natur. Bilder f. d. deut. Familie u. Jugend. (204 m. Abb.) 8° Gotha, FA Perthes 06. L. 4 — d
Müller, A: Joh. Keppler, d. Gesetzgeber d. neueren Astronomie, s.: Stimmen a. Maria-Laach.
Müller, A: Ästhet. Kommentar zn d. Tragödien d. Sophokles. (517 m. 1 Lichtdr.) 8° Paderb., F Schöningh 04. 5.60; L. 6.60 d
Müller, A: Oberon d. Elfenkönig od. Ritter Hüons Abenteuer. Für d. Jugend erzählt. 5. Afl. (151 m. Abb. u. 4 Vollbildern.) 8° Lpzg, Abel & M. (08). Geb. 3 — d
Müller, A: Geschichtskerne in d. Evangelien n. modernen Forschgn. Marcus u. Matthäus. (144) 8° Giess., A Töpelmann 05. 3 — d
— Scheinchristentum u. Haeckels Welträtsel. Vergleich. (167) 8° Gotha, FA Perthes 01. 3 —
Müller, A, s.: Zentralblatt f. d. gewerbl. Unterr.-Wesen.
Müller, A: Das att. Bühnenwesen.. (117 m. Abb.) 8° Gütersl., C Bertelsmann 02. 2 —; geb. 2.80
— Jugendfürsorge in d. röm. Kaiserzeit. (28) 8° Hannov., O Meyer 03. 1 — d
Müller, A: Der Former u. Giesser. Prakt. Winke u. Ratschläge in d. Sand-, Masse-u. Lehmformerei, sowie f. d. Eisengiesserei, deren Anlagen u. Einrichtgn. (60 m. 1 Abb.) 8° Lössn. 01. (Annabg., A Wallisch.) 1.80
Müller, A: Zur Reinhaltg d. Städte. [S.-A.] (5) 8° Lpzg, F Leineweber 01. — 70
— Die Reinigg fäulnisfähiger Abwässer u. d. sekundäre Verpestg. [S.-A.] (7) 8° Ebd. 02. — 70
Müller, A v.: Der Befreigiskampf d. Buren 1900/1901, Zugl. Fortsetzg v. „d. Krieg in Süd-Afrika 1899/1900". 1. Tl. (54 m. 3 Skizzen.) 8° Berl., Liebel 01. 1.20 d 6 F
— Krit. Betrachtgn üb. d. Burenkrieg. I u. II. Vortr. (39 u. 84) 8° Ebd. 01. Je 1 — d
— Deutschl. z. See, s.: Weiland, B.
— Uns. Marine in China. Eingeh. Darstellg d. Tätigk. uns. Marine u. d. Seebataillone im 1. Abschnitt d. „China-Wirren". (291 m. Abb. u. Skizzen.) 8° Berl., A Weichert (01). L. 5 — d
— Die Wirren in China u. d. Kämpfe d. verbünd. Truppen. 2. u. 3. Tl. 8° Berl., Liebel 01. Je 2 —(1—3.: 6 —) d
 2. Die Kämpfe in u. um Tientsin. Der Entsatz v. Peking. Die Vorgänge in Peking vor d. Entsatz n. d. deut. Massnahmen z. Sicherg d. Etap. penlinie Taku-Peking. (70—170 n. 19 m. 6 Skizzen.)
 3. Ueberfahrt u. 1. Thätigk. d. deut. Marine-Expeditionskorps d. Kriegsschauplatze. Die Boxerbewegg in d. Mandschurei u. d. Gegenmass. regeln d. Russen. Das Oberkommando, Die Rüstgn d. Mächte, Die polit. Lage n. d. Einnahme v. Peking. Ueberfahrt u. 1. Thätigk. d. deut. ost. asiat. Expeditionskorps. (171—283 m. 4 Skizzen.)
— dass. 2 Bde. 8° Ebd. 02. 9.60; in I Bd (9—) 4.50; L. (11—) 6 — d
 1. Die Ereignisse im J. 1900 bis z. Eintreffen d. dent. Armee-Oberkommandos. Mit e. kurzen Rückbl. 2. Ausg. (268 n. 24 m. 1 Karte, 1 Pl. u. 5 Skizzen.) 6 —
 [2]. Zugl. IV. Tl.) Die Thätigk. d. Armee-Oberkommandos, d. ostasiat. Expeditionskorps u. d. verbünd. Truppen auf d. Kriegsschauplats in Petschili u. in d. Mandschurei. — Friedensschluss. (285—519 m. 16 Skizzen u. 3 Zeichngn.)
Müller, A: Bilder-Atlas z. Geogr. v. Österr.-Ungarn. (48 m. Abb. u. 29 S. Text.) 8° Wien, A Pichler's Wwe & S. 05. 2 —
Müller, A: Wie erhalten wir uns. Kinder gesund? s.: Müller, H.
— u. H Müller: Ratgeber f. Brautleute bei Errichtg d. neuen Hausstandes. (50) 8° Wien, G Szelinski 03. — 40
Müller, A: Tageb. d. 25. bayer. Pilgerzuges in hl. Land od. Reise durch Italien, Griechenl., Aegypten, Palästina u. Syrien im Frühling 1902. Red. v. H Geiger. (114 m. 1 Taf.) 8° Kempt., J Kösel 03. — 60 d
Müller, A (Br. Willram): Blütenstaub u. Blättergold. (144) 8° Innsbr., H Schwick 03. 1.50; geb. 2.50 d
— Heliotrop. Skizzen u. Bilder a. Italien. 1. Folge. (350) 8° Innsbr., Vereinsbh. u. Buchdr. (04). 4 — d
— In wachen Träumen! Gedichte. (160) 12° Brix., Pressver.-Bh. 01. 1.80; L. m. G. 3 — d
Müller, A: Die Verschwörg d. Frauen od. Die Preussen in Breslau, s.: Universal-Bibliothek.
Müller, A: Anl. z. Ausführg textil-chem. Untersuchgn. (163 m. Abb.) 8° Wien, A Hartleben 04. 3 —; geb. 3.80 d
— Bibliogr. d. Kolloide. [S.-A.] (32) 8° Hambg, L Voss 04. 1.20
— Die Theorie d. Kolloide. Übersicht üb. d. Forschgn, betr. d. Natur d. Kolloidalzustandes. (56) 8° Wien, F Denticke 03. 2 —
Müller, A: unter. Gesänge f. höh. Lehranst. Op. 38. [162] 8° Berl.-Gr. Lichterf., CF Vieweg (03). 1.20
Müller, A: Liederb. f. Buchgesellen. 150 Buchhändler-Lieder. (340) 16° Berl.-Rixdf, CMA Müller & Co. 01. L.nn — 80 d
Müller, A: Durchfall (Diarrhoe) u. chron. Stuhlverstopfg, s.: Müller's, W, Bibliothek f. Gesundheitspflege.
— Ihr sollt keusch u. züchtig leben! (Onanie). — So wirst du v. deiner Nervosität befreit!, s.: Müller's dent. Gesundheitspflege.
Müller, A: Ist d. kathol. Moraltheol. reformbedürftig? (73) 8° Fulda, Fuldaer Actiendr. 02. — 75
Müller, A: A travers la vie pratique, s.: Lagarde, L.
Müller, A, s.: Ibn Al-Qiffī's Ta'rīḫ Al-Ḥukamā'.
— u. E Kautzsch: The book of Proverbs, s.: Books, the sacred, of the Old Test.

Müller, A: Frauenfrage, höh. Mädchensch. u. Mädchenschul-
reform. Vortr. (42) 8° Pirmas., (Lützel & Co.) 04. 1 —
— Luther u. d. deut. Gegenwart. Festrede. (38) 8° Ebd. 04. 1 — d
Müller, A: Arbeitersekretariate u. Arbeiterversicherg in
Deutschl. (184) 8° Münch., G Birk & Co. (04). 3 —
Müller, A Frhr v.: Geschichtl. Entwickelg d. kgl. bayer. Pagerie
v. 1514 bis z. Gegenwart. (163 m. 9 Taf.) 8° Münch., J Lindaner
01. 3 — ; L. nn 4 — d
Müller, AV: Alfons v. Liguori u. d. Madonnenfetischismus gd.
d. „Relig." d. Romanismus. 1. u. 2. Afl. (35) 8° Halle, E Strien
02. — 80 d
— Das ultramontane Ordensideal n. Alphons v. Liguori. Seine
Kulturgefährlichk. u. s. Bekämpfg. (71) 8° Frankf. a/M., Neuer
Frankf. Verl. 05. 1 —
Müller, B: Deut. Sprachlehre u. Rechtschreibg, s.: Kahlo, M.
— Sprachübgn, s.: Bredendiek, K.
Müller, B: Liederb. f. Volkssch. 2 Hefte. 8° Hildburgh., FW
Gadow & S. — 75 d
1. Für Unter- u. Mittelkl. 13. Afl. (84) 05. — 25
2. Für Mittel- u. Oberkl. 12. Afl. (184) 04. — 50
Müller, B: Liederb. f. d. unt. Kl. u. Vorsch. höh. Lehranst.
(146) 8° Lpzg, Benger 03. Geb. 1.20 d
Müller, B: Ueb. Asepsis bei Operationen. [S.-A.] (7) 4° Berl.,
J Goldschmidt 05. 1 —
— Narkologie. Hdb. d. Wiss. üb. allg. u. lokale Schmerzbe-
täubg. (Narkosen u. Methoden d. lokalen Anästhesie) in 2 Bdn.
(In 12 Lfgn.) 1—8. Lfg. (1. Bd. 608 m. Abb.) 8° Berl., R Trenkel
03–05. Je 2 —
Lfg 1—3 erschienen in Lpzg-R.
Müller, B: Narreteien u. Kindes. Worte a. Liebe. (140) 8° Dresd.,
E Pierson 03. 1.50; geb. 2.50
Müller, B: Heimatkde d. Dorfes Sohland a. d. Spree u. sr Um-
gebg. (53 m. 4 Taf.) 8° Schirgisw. (01). (Bautz., Weller.)
Kart. 1.20 d
Müller, B: Feuerversicherg! Brandschaden-Regulierg durch
Sachverständige! (49) 8° Erf., C Villaret 04. — 80 d
Müller, C: Elektrizitätswerke, s.: Bermbach, W.
Müller-Schochwitz, C: Kaiser Wilhelm II. u. Kaiserin Auguste
Viktoria, s.: Schroedel, H.
Müller, C: Touristen-K. v. Sagorsch, Gnewau u. Neustadt.
1 : 25,000. 40,5×58 cm. Farbdr. Danz., AW Kafemann (03). — 50
Müller, C: Friedrich Fröbel, s.: Klassiker, d. pädagog.
— Grundr. d. Gesch. d. preuss. Volksschulwesens, s.: Bücher-
schatz, d., d. Lehrers.
— Die ungeteilte Unterr.-Zeit an Volkssch. (Der Vormittags-
unterr.) (72) 8° Berl., Gerdes & H. (02). 1.20
— Verordngn betr. d. gewerbl. u. ländl. Fortbildgsschulwesen
in Preussen. (132) 8° Wittnbg, R Herrosé 05. 2 — d
— Prakt. Wegweiser durch d. Gewerberecht. (116) 8° Ebd. 03.
1.50; geb. 1.75 d
Müller, C: Lanx satura. Gedichte (ep., lyr., satir., humorist.).
(150) 8° Dresd., E Pierson 04. 2 — ; geb. 3 — d
Müller, C, s.: Martin, C.
Müller, C: Haupt-Verz. f. Apotheken, s.: Glässner, G.
Müller v. Fauerbach, C: Die Schweiz in 14 Tagen genussreich
u. billig zu durchwandern. 2. Afl. (80) 16° Köln, (P Neubner)
(01). Geb. 1.60
Müller, C: Allg. Ackerbaulehre. 2. Afl. (211 m. Abb.) 8° Stuttg.,
E Ulmer 05. Geb. 2.60 d
Müller, C: Sturmlieder v. Meer. (88 m. Bildnis.) 8° Stuttg.,
JRW Dietz Nf. 01. L. 2 — d
Müller, C: Moloch Ehre, s.: Lebensfragen.
Müller, C: Deut. Volksdichtg in d. Oberlausitz. (21) 4° Lpz.,
(JG Walde) (01). 1 —
Müller, CF: Reuter-Lexikon. (175) 8° Lpzg, M Hesse (05). 3 —
L. 1.50 d
— Zur Sprache Fritz Reuters. (50) 8° Ebd. 02. — 80 d
— Der Mecklenburger Volksmund in Fritz Reuters Schriften.
Sammlg u. Erklärg volkstüml. Wendgn u. sprichwörtl. Redens-
arten im mecklenburg. Platt. (132) 8° Ebd. 02. 1.80; geb. 2.50 d
Müller, CH, u. O Presler: Leitf. d. Projektions-Lehre. Ausg. A:
Vorzugsweise f. Realgymnasien u. Oberrealsch. (320 m. Fig.)
8° Lpzg, BG Teubner 03. Geb. 2 —
— — dass. Ausg. B: Für Gymnasien u. östuf. Realanst. (138
m. Fig.) 8° Ebd. 03. Geb. 2 —
Müller, CH: Ein neues Weltsystem. 1. Bd. Was ist d. Sternhimmel? (54 m. 2 Taf.) 8° Charlottnbg, F Harnisch & Co.
(05). 1.50
Müller, CH, s.: Enzyklopädie d. mathemat. Wiss.
— Studien z. Gesch. d. Mathematik insbes. d. mathemat. Unterr.
an d. Univ. Göttingen im 18. Jahrh. Mit e. Einl.: Üb. Charakter
u. Umfang histor. Forschg in d. Mathematik. [S.-A.] (92) 8°
Lpzg, BG Teubner 04. 2 —
— dass., s.: Abhandlungen z. Gesch. d. mathemat. Wiss.
Müller, CO, u. F Wiesaler: Antike Denkmäler z. griech.Götter-
lehre. 4. Ausg. Begonnen v. K Wernicke, fortgeführt v. B Graef.
Denkmäler d. alten Kunst II. Tl. 4. Ausg. 3. Lfg. Apollon.
(263—378 m. 10 Taf. in 4°) 8° Lpzg, Dieterich 03. 8 —
(1.—3.: 18 —)
Müller, CT: Das Rätsel d. Todes, s.: Salz u. Licht.
— Standesehre u. Standespflichten d. Unteroffizierkorps, s.:
Mit Gott f. Kaiser u. Reich.
Müller, CT, u. T v Zwehl: Hdb. f. d. Einj.-Freiwill., d. Unter-
offizier, Offiziersaspiranten u. Offizier d. Beurlaubtenstandes

d. kgl. bayer. Infant. 9. Afl. v. T Frhr v. Malsen. 3 Tle. (Mit
Abb.) 8° Münch., R Oldenbourg 03. L. 9 — d
1. Heeresorganisation. (197) | 2. Dienstkenntnis. (723) | 3. Prakt. Dienst.
(308)
Müller, CW: Kampf u. Sieg. Geschichten a. d. Väter Tagen.
(201) 8° Herb., Bh. d. nass. Colportagever. 04. — 80 ;
geb. 1.20; eleg. 1.40 d
— Pechvogel. Eine Jugend-Erinnerg. (38) 8° Frankf. a/M., K
Brechert 03. — 40 d
Müller, D: Rechenb. f. Vorsch. 1. Heft. (1. u. 2. Schulj.) (Neue
Afl.) (86) 8° Brem., GA v. Halen 02. Geb. nn 1.25 d
Müller, D: Alte Gesch. f. d. Anfangsstufe d. histor. Unterr.
17. Afl. v. R Lange. (162 m. 4 Kart.) 8° Berl., Weidmann 04.
Geb. 2.20 d
— Gesch. d. deut. Volkes in kurzgef. übersichtl. Darstellg z.
Gebr. an höh. Unterr.-Anst. u. z. Selbstbelehrg. 18. Afl. v.
R Lange. Ausg. f. d. Schulgebr. (40, 514 m. 6 Kart. u. 1 Bild-
nistaf.) 8° Berl., F Vahlen 02. Geb. 6 — ; L. 7 — d
— Leitf. z. Gesch. d. deut. Volkes. 13. Afl. v. R Lange. (216
m. 6 Kart. u. 1 Bildnistaf.) 8° Ebd. 04. Geb. 2.50 d
Mueller, D: Analysis of commercial correspondence with an
abstract of commercial law. Textbook for commercial aca-
demies and Handelshochsch. With pocket enclosing : Sample
letter, envelop, consular invoice in original size, definitions
of technical terms and English-German vocabulary. (142 u.
64 m. Abb.) 8° Lpzg, BG Teubner 02. Geb. 4 — d
Müller, DH: Üb. d. Ges. Hammurabis. Vortr. (45) 8° Wien, A
Hölder 04. 1 — d
— Die Ges. Hammurabis u. ihr Verhältnis z. mosaischen Gesetzgebg sowie zu d. XII Tafeln. Text in Umschrift, deut.
u. hebr. Übersetzg, Erläuterg u. vergleich. Analyse. (286 m.
1 Fksm.) 8° Ebd. 03. 10 —
— Das syrisch-röm. Rechtsb. u. Hammurabi. [S.-A.] (50) 8°
Wien, A Hölder 05. 1.50
— Bibl. Studien. 2 Hefte. Neue [Tit.-]Ausg. 8° Ebd. 2 — ;
1898.] 04.
1. Ezechiel-Studien. (65) [1895.] 04. | 2. Strophenbau u. Response. (67)
[1896.] 04.
— s.: Zeitschrift, Wiener, f. d. Kunde d. Morgenl.
Müller, E: Üb. mehrdimensionale Räume, s.: Beilage, wiss.,
z. 17. Jahresbericht d. philosoph. Gesellsch. an d. Univ. zu
Wien.
Müller, E: Der Techniker. Die techn. Berufsarten u. ihre Er-
gebn. 4. Afl. (95) 8° Limb. (02), (Chemn., C Winter.) 1.25
Bei d. 1. Afl. lautete d. Bearb. 8° Müller.
— Die Entwickelg d. Arbeiterverhältn. auf d. staatl.
Steinkohlenbergwerken v. J. 1816 bis z. J 1903, s.: Stein-
kohlenbergbau, d., d. Preuss. Staates in d. Umgebg v. Saar-
brücken.
Müller, E: Der Chausseebau u. s. Hülfswiss. 2. Afl. (292 m.
Fig.) 8° Berl. 03. Jena, H Costenoble. 4 — d
Müller, E: „Und Alles war wieder gut". Singsp. (29 u. 7) 8°
Bern, KJ Wyss 05. 2 — d
Müller, E: d. Konfirmanden-Unterr. 5. Afl. (50) 8° Bern, Stümpfli
& Co. 04. Kart. nn — 50; geb. nn — 60 d
Müller, E: Handreichg f. kirchl. Katechisationen. Die Jahre
v. Reiche Gottes im Anschl. an d. altkirchl. Perikopen. (111)
8° Gütersl., C Bertelsmann 01. 1.20; geb. 1.50 d
— Die neuesten Zeugnisse d. theolog. Univ.-Lehrer geg. d. radi-
kale Theol. (159) 8° Halle, C Mühlmann's V. 06. 1 — d
Müller, E: Schuld u. Traum, Suggestion u. Hypnose. (61) 8°
Lpzg, Jäh & Schunke 03. — 50
— Die multiple Sklerose d. Gehirns u. Rückenmarks. Ihre
Pathol. u. Behandlg, klinisch bearb. (395 m. 5 Taf.) 8° Jena,
G Fischer 04. 10 —
Müller, E: Schwarz-Rot-Gold!, s.: Schultz-Stegmann, A.
Müller, E: Harzungs Geburtstag. Volksschausp. in Altenburger
Mundart. (52 m. 1 Bildnis u. Fksm.) 8° Schmölln, (R Bauer)
02. nn 1.50 d
Müller, E: Der Babelismus, d. Kaiser u. d. orthodoxe Theol.
(36) 8° Berl., Stuhr 03. — 1 d
— Das spiritist. Medium Anna Rothe e. echtes Medium u. wiss.
nicht entlarvt! (16) 8° Berl., F Schlosser 02. — 20
— Das Problem: „Wo ist d. Jenseits, da uns. Todten wandeln?"
(61 m. Bildnis.) 8° Ebd. 01. (1.50) — 75 d
Müller, E: Ein Bubenstreich. Franzls Geheimnis. — Die Fleisch-
bildchen. Das Milchmädchen v. Bergach. — Die Zirkuskinder,
s.: Kinderfreude.
Müller, E, s.: Bibliothek d. prakt. Wissens f. Militär-An-
wärter. — Bibliothek d. allg. u. prakt. Wissens f. längerdien.
Unteroffiziere. — Bibliothek d. allg. u. prakt. Wissens.
Müller, E: Die Portland-Zement-Fabrikation in d. Verein.
Staaten v. Amerika. (49 m. Abb.) 8° Berl., Tonindustrie-Zeitg
05. L. 5 —
Müller, E: Anschaug a. Bekanntnisse e. Eingeborenen. Aus
d. Hindi übers. u. m. Anmerkgn versehen. Selbstverf. Lebenslauf d. Seminaristen Santosh Mundu im Lande d. Kols in
Vorder-Indien. 2. Afl. (32 m. Abb.) 8° Friedenau-Berl., Bh. d.
Gossner'schen Miss. 05. — 25 d
— Schiffbrüchig auf d. Reise n. Ostindien. 2. Afl. (40) 8° Ebd.
02. 1 — d
Müller, E: Lehr- u. Übgsb. d. eb. Geometrie n. mes. Berücks.
d. Zusammenh. zw. Lehrsatz u. Konstruktionsaufg. f. Gymnasien u. Realsch. (173 m. Fig.) 8° Berl., Winckelmann & S. 03.
1.50; geb. 2.20 d

Müller, E: A Haufen dumma-Gunga-Straach', s.: Röder, E.
— Schnick-Schnack, s.: Kosmahl, A.
— Spass muss sei!, s.: Gedichte u. Geschichten in erzgebirg. Mundart.
Müller, E: Die Gast- u. Schankwirtschafts-Polizei in Preussen. 1. u. 2. Taus. (270) 8° Halle a/S. (Blumenthalstr. 23), Ammssekr. a. D. Müller (01). || Neue Afl. (266) 03. Kart. je 3 — d
— Die Privat-Vereine in Preussen. Hdb. üb. vereinspolizeil. u. vereinsrechtl. Fragen d. preuss. Gesellgkeits- u. Vergnügs-Vereine. (125) 8° Ebd. (01). Kart. 2 — d
— dass. Neue Afl. Hdb. f. Behörden, Vereine u. Wirte üb. polizei- u. privatrechtl. Fragen. (256) 8° Ebd. 04. Kart. 3 — d
Müller, E: Der Brand v. Kusel im J. 1794. (68) 8° Ludwigsh. 02. (Kaisersl., E Crusius.) 1 — d
— Grünstadt u. Umgebg. (208 m. Abb., 11 Vollbildern, 1 Stammtaf. u. 1 Tab.) 8° Grünst., J Schäffer 04. Geb. nn 2.50 d
Müller, E: Eine Wanderfahrt durchs Weistritztal. (42) 12° Schweidn., L Heege (03). — 20 d
Müller, E: Ges.-Inhaltsverz., s.: Zeitschrift f. bad. Verwaltg u. Verwaltgsrechtspflege.
Müller, E: Das Itinerar Kaiser Heinrichs III., s.: Studien, histor.
— Der schwäb. Dichterkreis. Gedichtsammlg f. Schule u. Haus. (142) 12° Lpzg, G Freytag 02. Geb. — 80 d
— Schiller. Intimes a. s. Leben, nebst e. Einl. üb. s. Bedeutg als Dichter u. e. Gesch. d. Schillerverehrg. (271 m. Abb. u. 8 Fksms.) 8° Berl., A Hofmann & Co. 05. L. 6 — d
— Schillers Bedeutg f. d. Gegenwart, s.: Sammlung gemeinnütz. Vortr.
— Schiller-Büchl. Hülfsb. f. Schule u. Haus. (164 m. Abb., 1 Fksm. u. 1 Bildnis.) 8° Wien, F Tempsky. — Lpzg, G Freytag 01. Geb. 2 — d
— Schiller-Büchl. f. Schule u. Haus. 3. Afl. 3. Abdr. (16—20. Taus.) (191 m. Abb. u. 2 Fksms.) 8° Ebd. 05. Geb. 1 — d
Müller, E: Hdb. d. mechan. Technol., s.: Karmarsch, K.
— u. A Hausner: Die Herstellg u. Prüfg d. Papieres. [S.-A.] (1249—1702 m. Abb. u. 1 Taf.) 8° Berl., W & S Loewenthal (05). 14 —
Müller, E: Das Reichsges. z. Bekämpfg d. unlaut. Wettbewerbes v. 27.V.1896. Commentar. 4. Afl. (272) 8° Fürth, G Rosenberg 04. L. 6.50 d
— Das deut. Urheber- u. Verlagsrecht. I. Bd.: 1. Tl: Das Reichsges. betr. d. Urheberrecht an Werken d. Lit. u. Tonkunst v. 19.VI.'01. 2. Tl: Die internat. Urheberrechtsbeziehgn d. deut. Reichs. 3. Tl: Das Reichsges. betr. d. Verlagsrecht v. 19.VI.'01. 4 Lfgn. (I. Bd. 425) 8° Münch., J Schweitzer V. 01. 7 —; in 1 Bd geb. 8.20 d
— u. J Prager: Das Reichsges. üb. d. privaten Versicherungs-Unternehmgn v. 12.V.'01, nebst d. einschläg. Vorschriften d. Gesetze. Texs-Ausg. m. Einl., Anmerkgn, ausführl. Sachreg. u. Anh., enth.: I. d. schweiz., II. d. österr. Gesetzgebg, III. d. zu § 98 erlass. Bekanntmachg d. Präsidenten d. Reichsaufsichtsamts v. 10.VII.'01. (306) 12° Fürth, G Rosenberg 01. L. 3.60 d
Müller, E: „E Samsatigabe imen-e Bärner Burehus" od., „Der Postheiri", s.: Sammlung schweiz. Theaterstücke.
Müller, E: Die Gross-Schmetterlinge d. Leipz. Gebietes, s.: Reichert, A.
Müller, E: Klausner-Zelle. Ritterschloss. Weberhäuschen, s.: Bibliothek vaterländ. Schausp.
Müller, E: Der echte Hiob. (40) 8° Hannov., F Rehtmeyer 02. 1.50
— Kaiser Flavius Claudius Julianus. Biographie, nebst Ausw. sr Schriften. (136) 8° Ebd. (01). 4 —; geb. 5 —
Müller, E., s.: Münster-Blatt, Strassburger. — Studien, Strassburger theolog.
Müller, E: La jeunesse des hommes célèbres. Im Ausz. f. d. Schulgebr, hrsg. v. A Mühlan. I. Tl: Einl. u. Text. II. Tl: Anmerkgn. (106) 8° Lpzg, G Freytag 01. Geb. u. geb. 1 —; Wrtrb. (38) — 40 d
Müller, EFK: Die Bekenntnisschriften d. reformierten Kirche. In authent. Texten m. geschichtl. Einl. u. Register hrsg. (71, 976) 8° Lpzg, A Deichert NF. 03. 22 —; geb. 24 —
— Beobachtgn z. paulin. Rechtfertigungslehre, s.: Studien, theolog.
— s.: Bibelfrage, d., in d. Gegenwart.
— Das Gebet im Namen Jesu. Vortr. (19) 8° Neukirch., Bh. d. Erziehgsver. 01. — 30 d
— Üb. relig. Toleranz. Rede. (30) 4° Erl., (T Blaesing) 02. 1.20
— Die Wahrheit üb. d. röm. Moral, s.: Flugschriften d. ev. Bundes.
Müller, EJ: Die Berjergard. Schwank. (28) 8° Frankf. a/M., P Kreuer 01. — 50 d
— Es lebe d. Kunst, s.: Dilettanten-Theater.
— Der Weihnachtsabend od. Ehrl. Arbeit seguet Gott, s.: Theater-Bibliothek.
Müller, EJL: Üb. d. Vogesen in d. Provence. Wandergn. (In 3 Tln.) 1. Abtlg: Rhön — Spessart — Odenwald. (64 m. Abb.) 8° Lpzg (02), Stötteritz, Baum's Vel. 1.30; kart. 1.50 d
— Weimar. Wandergn durch Vergangenh. u. Gegenwart. (223) 8° Wein., M Grosse 02. 2 —; geb. 3.40 d
Müller, EW: Das Wildschadensrecht in sr bezw. Gestalt unter Berücks. d. geschichtl. Entwicklg desselben. (93) 8° Erl. 03. (Lpzg, Bh. G Fock.) 2 — d
Müller, F: Auf Irrwegen u. anderes. — Das Waldhaus u. and. Erzählgn, s.: Pichler's Jugendbücherei.

Müller, F: Abgekürzte Titel v. Zeitschriften mathemat. Inhalts m. Erläutergn u. histor. Notizen. [S.-A.] (19) 8° Lpzg, BG Teubner 03. — 80
— Mathemat. Vokabularium französisch-deutsch u. deutschfranzösisch. 2. Hlfte. (133—315) 8° Ebd. 01. 11 — (Vollst.: 19 —; in 1 L.-Bd 20 —)
Müller, F, s.: Kunst, d., zu studieren.
Müller, F: Deut. Leseb. f. Bürgersch., s.: Jacobi, A.
— u. F Kemmler: Liedersammlg u. methodisch geordnete Übgn z. Erlerng d. Treffsingens f. österr. Volkssch. 2. Bdchn. (3. 4. u. 5. Schulj.) 2. Afl. (140) 8° Wien, Manz 04. Kart. — 64 d
Müller, F: Beitr. z. Kulturgesch. d. Stadt Demmin. (130) Fol. Demmin, W Gesellius 02. 1.80 d
Müller, F, u. H Diwald: Die Gewerbeordng, s.: Handausgabe d. österr. Ges. u. Verordnngn.
Müller, F: Uns. Pferdezucht. Bericht an d. eidgenöss. Landwirtschaftsdepartement. [S.-A.] (55 m. 3 Tab.) 8° Bern, KJ Wyss 01. (— 80) — 60 d
Müller, F: Obstbau-Regeln. (1 Bl.) 4° Graz, Leykam (01). — 50; auf Pappe 1 — d
Müller, F: Lehre v. Exterieur d. Pferdes od. v. d. Beurtheilg d. Pferdes nach sr äuss. Form. 6. Afl. (216 m. Abb.) 8° Wien, W Braumüller 01. 3.60
Müller-Münster, F: Ross u. Reiter in Sage u. Legende. — Stürmen u. Drängen, s.: Teuerdank.
Müller, F: Üb. d. Einfl. d. Seeklimas u. d. Seebäder auf d. Stoffwechsel d. Menschen, s.: Loewy, A.
— Üb. d. „Ferricyanid-Methode" z. Bestimmg d. Sauerstoffs im Blut ohne Blutgaspumpe. [S.-A.] (40 m. Fig.) 8° Bonn, M Hager 04. 2 —
Müller, F: Der russisch-japan. Krieg, s. Vorgesch., s. Ausbruch u. s. Folgergn. (47) 8° Berl., Herm. Walther 05. 1 —
Müller, F, u. M Müller: Liebe u. Eintracht. Gedichte. (197 m. Bildnis.) 8° Lpzg, (E Ungleich) 01. 1.50; L. m. G. (3.50) 2.50 d
Müller, F, s.: Kolportage-Kalender, deut.
Müller, F: Lyrische Gedichte. In Ausw. v. O Kohl. (40 m. 1 Fksm.) 8° Kreuzn., R Schmithals. 05. — 40 d
Müller, F, s.: Archiv, deut., f. klin. Medizin.
— Üb. Störgn d. Sensibilität bei Erkrankgn d. Gehirns, s.: Sammlung klin. Vortr.
— Taschenb. d. medizinisch-klin. Diagnostik, s.: Seifert, O.
Müller, F: Buchführg u. Kalkulationen f. d. Schreinergewerbe. (101) 8° Nürnbg, F Korn 03. 1 —; geb. 1.20
— Wirtschaftslehre u. Handelskde (handelsgesetzl. Bestimmgn, Überblick üb. d. Wertpapiere). Mit e. Anh.: Die gebräuchlichsten Fremdwörter im Handelsverkehre u. Gebührentarif f. d. Postverkehr. (35) 8° Ebd. 02. Kart. — 75
Müller, F: Üb. d. Lage d. Mittelohrs im Schädel. (35 m. 1 Abb. u. 17 Taf.) 47×34 cm. Wiesb., JF Bergmann 03. In M. 28 —
Müller, F, s.: Volkserzählungen, kleine.
Müller, F: v. Goethes Persönlichkeit. 3 Reden, geh. 1880 u. 32. Hrsg. u. eingeleitet v. W Bode. (91 m. 1 Bildnis.) 8° Berl., ES Mittler & S. 01. 1.25; geb. 2 — d
Müller, F: Gedichte. (212) 8° Jauer, O Hellmann (04). 2 —
— Liebe u. Tod. Erzählgn. (208) 8° Ebd. (04). 2.50; geb. 3.50 d
Müller, F: Höhenklima u. Bergwandergn, s.: Zuntz, N.
Müller, FC, s.: Archiv d. Balneotherapie u. Hydrotherapie.
— Gesch. d. organ. Naturwiss. im 19. Jahrh., s.: Jahrhundert, d. 19., in Deutschlds Entwicklg.
— s.: Praxis, deut.
Müller, F J Siebert: Jahrb. d. Therapie. Orig.-Referate a. d. medizin. Fachpresse 1904. (812) 8° Münch., Seitz & Sch. L. 4 —; auch in 4 Bdn zu 1.50 || 1905. 1—3. Viertelj.-Bd. (572) 4.50; f. Abnehmer d. „Deut. Praxis" unberechnet.
Müller, FM: Ausgew. Werke. 55—71. Lfg. 8° Lpzg, W Engelmann (1900). Je 1 — (Vollst.: 71 —)
Die Wiss. d. Sprache. Neue Bearbeitg d. 1861 u. 63 geh. Vorlesgn. Deutsch v. R Fick u. W Wischmann. In 2 Bdn. (II. Bd. 988—722) 1905.
Indien in sr weltgeschichtl. Bedeutg. Vorlesgn. Übers. v. C Cappeller. (335) 1904. Beitr. zu e. wiss. Mythol. Aus d. Engl. v. H Lüders. 2 Bde. (32, 408 u. 435) 1898.99.
— Aus meinem Leben. Fragmente zu e. Selbstbiogr. Übers. v. H Grosche. (261) 8° Gotha, FA Perthes 02. 5 —; geb. 6.50 d
— s.: Liebe, deut.
Müller, FWK: Handschriften-Reste in Estrangelo-Schrift a. Turfan, Chinesisch-Turkestan. [S.-A.] I. (5) 8° Berl., (G Reimer) 04. — 50 || 2. Tl. (117 m. 2 Taf.) 04. Kart. 7 —
Müller, G: Die im Reg.-Bez. Annaberg bestehh. Polizei-Verordngn, s.: Schaltenberg, W.
Müller, G., s.: Jahresbericht d. vogtländ. altertumsforsch. Ver. zu Hohenleuben.
Müller, G, s.: Vierteljahrsschrift d. astronom. Gesellsch.
— u. P Kempf: Photometr. Durchmusterg d. nördl. Himmels, s.: Publikationen d. astro-physikal. Observatoriums zu Potsdam.
— In einer veränderl. Stern v. aussergewöhnlich kurzer Periode. [S.-A.] (11) 8° Berl., (G Reimer) 03. — 50
Müller, G, u. CA Weber: Üb. e. fründiluviale u. vorglaziale Flora bei Lüneburg, s.: Abhandlungen d. kgl. preuss. geolog. Landesanst.
Müller, G: Sabbat u. Sonntag, e. Beitrag z. ev. Begründg d. christl. Sonntagsfeier. (52) 8° Brem., (J Morgenbesser) 1898. — 50 d
Müller, G: Das preuss. Ausführgsges. z. BGB., s.: Crusen, G.
Müller, G, s.: Gottes Wort f. d. christl. Volk.

Müller, G: Entwurf e. Lehrpl. f. d. Zeichnen in d. Volkssch. Württembergs. (18) 8° Stuttg., A Bonz & Co. 04. — 45 d
— Zeichnende Geometrie. 6.Afl. (172 m.Abb. u. 11 Taf.) 8° Ebd. 01. Geb. 2.20 d
— Übgsstoff f. d. geometr. Zeichnen. 12. Afl. (122. m. 22 L.) 8° Ebd. 04. Geb. 1.50
Müller, G: Der seligmach. Glaube, s.: Eichhorn.
Müller, G, s.: Urkundenbuch z. Gesch. d. Deutschen in Siebenbürgen.
Müller, G: Cursus d. Orthopädie f. prakt Ärzte. 10 Vorlesgn. (115 m. Abb.) 8° Berl. 02. Lpzg, G Thieme. 3.60; kart. 4.60
Müller, G: Fordern u. Bieten. 2 Brennpunkte im Schulleben. Ansprache. [S.-A.] (8) 8° Lpzg, A Hahn 05. — 20
— Katech. u. Katech.-Unterr. im Albertin. Sachsen. (48) 8° Lpzg, Dürr'sche Bh. 04. 2 —
— Sokrates in Sachsen währ. d. 18. Jahrh. Festrede z. Pestalozzifeier. [Erweit. S.-A.] (16) 8° Lpzg, F Brandstetter 02. — 30 d
Müller, G: Der kranke Hund, s.: Thaer-Bibliothek.
— Tierärztl. Rezeptier- u. Dispensierkde. 2. Afl. (310) 12° Berl., P Parey 01. L. 5.50
Müller, G: Die kommunale Sozialpolitik u. d. Handlgsgehülfen, s.: Denkschrift d. Verbandes deut. Handlgsgehülfen. — Fortschritt, soz.
Müller, G: Festpredigt z. 50. Stiftgsfeste d. akademisch-theolog. Ver. zu Berlin, s.: Wahrheit in Liebe.
— Der Hebräerbrief, ausgelegt in 34 Predigten f. d. festl. Hlfte d. Kirchenj. 2. Taus. [Tit.-Ausg.] (271) 8° Halle, CE Müller [1893] 03. 4 —; geb. 5 — d
Müller, G: Vom Kellnerlehrling z. Oberkellner. Prakt. Ratgeber f. d. Kellner in sr Ausbildgszeit. (80 m. 3 Taf. u. Bildnis.) 8° Lpzg, (PM Blüher) 05. L. nn 2 —
Müller, G: Im Lande d. 3 Burgen. Kurze illustr. Gesch. v. Bolkenhain u. Hohenfriedeberg, sowie d. Bolkoburg, Schweinhausburg u. Burg Nimmersatt. Zugl. Führer durch d. Kreis Bolkenhain. (75 m. 1 Karte.) 8° Bolkenh. 03. (Jauer, O Hellmann.) (1 —) — 75 d
Müller, G: Üb. multiple primäre Carcinome. (27) 8° Tüb., F Pietzcker 02. nn — 70
Müller, G: Die Stubenvögel, insbes. d. Kanarienvögel, Finken, Wellensittiche, Papageien etc. Ihre Pflege, Fütterg, Kennzeichen d. Geschlechter, Nistg etc., sowie ihre Krankh. u. deren Heilg, nebst Anl. z. Ankauf u. Sprechenlernen d. Papageien. 2. Afl. (84) 8° Berl., Deut. Verl. (02). 1 — d
Müller, G: Die chem. Industrie in d. deut. Zoll- u. Handelsgesetzgebg d. 19. Jahrh. (437) 8° Berl., Weidmann 02. 24 —
Müller, G: Entwicklg z. Werte d. Missionsarbeit in d. deut. Kolonien, s.: Beiträge z. Missionskde.
— s.: Kolonien, d. deut. — Studien, missionswiss.
Müller, G: Karte z. Berechng d. Grund- u. Bodenwertes in Berlin, Charlottenburg, Schöneberg, Weissensee, Wilhelmsberg, nebst e. Darstellg d. Wertes massiver Wohngebäude in d. verschiedenen Baustadien u. d. Wohngsmiethen. 9. Jahrg. 1904. 53×78 cm. Mit Text. (82) 8° Berl., Deut. Verl. In L.-Decke 10 — d
— dass. in d. Vororten v. Berlin. Ausg. '05- 3 Kart. in Farbdr. Mit Text. (69) 8° Ebd. In L.-Decke 19.50 ¦
alle 3 Kart. zus. in 1 L.-Decke 17 — d
Nördl. Vororte. 39×22 cm. 6 — ¦ Südöstl. u. östl. Vororte. 59×44,5 cm. 6 — ¦ Südwestl. u. südl. Vororte. 59×43 cm. 7.50.
— Grosse Spezialk. z. Berechng d. Grund- u. Bodenwertes in Berlin, innere Stadt m. d. eingezeichneten einz.Grundstücken u. ihren Hausnummern, umfassend d. Gebiet innerh. d. früh. Stadtmauer. 1:5700. 3. Jahrg. 1905. 68×96,5 cm. Farbdr. Mit Text. (61) 8° Ebd. In L.-Decke 20 — d
Müller, G: Spezialk. d. Kgr. Bayern, s.: Arendts, C.
— Specialk. v. Binz, Sellin, Göhren u. Umgebg (Granitz-Mönchgut)(in 4fachem Farbendr.). 2. Afl. 1:25,000. 42×54 cm. Stett., A Schuster (05). — 60
— Specialk. d. Umgegend v. Hildesheim. 1:75,000. 2. Afl. 47× 77,5 cm. Farbdr. Hildesh., Gerstenberg 03. 1.95; auf L. 2 —
— Wander-K. f. Jasmund auf Rügen (Crampass-Sassnitz, Stubbenkammer, Lohme). 1:25,000. 53×50,5 cm. Farbdr. Stett., A Schuster 05. — 75; auf L. 1.25
— Karte d. Ostseebäder Heringsdorf, Ahlbek, Swinemünde, Misdroy u. Umgegenden. 1:75,000. (Mit 3 Special-Pl. [Heringsdorf, Swinemünde, Misdroy.] 1:19,500) u. 1 Uebersichts-Karte.) 5 Afl. 45×49,5 cm. Farbdr. Swinem., W Fritzsche (02). — 80
— Touristenk. f. d. Ostsee-Gebiet Rügen-Swinemünde-Stettin. Nebst Übersichtskarte Berlin-Kopenhagen u. e. kolor. Flaggenkarte. 1:300,000. 2. Afl. 52×47 cm. Farbdr. Stett., A Schuster (01). — 75
— Raisek. d. Insel Rügen. 1:125,000. 5. Afl. 44,5×41,5 cm. Farbdr. Ebd. (05). — 60; auf L. 1.25
— Karte d. Ruhrgebietes zw. Dortmund u. Essen. (Umgebgskarte v. Bochum, Witten, Gelsenkirchen, Herne.) 1:50,000. 55×64,5 cm. Farbdr. Dortm., Koeppen 03. 2 —; auf L. 2 —; m. St. 4 —
— Specialk. d. Umgegend v. Saarbrücken u. Elsass. 1: 75,000. 2. Afl. 68×76 cm. Farbdr. Saarbr., C Schmidtkonz 03. 2.50
— Spezial-K. d. Umgegend v. Strassburg i. Els., umfassend d. Gebiet v. Hagenau-Laar u. v. Zabern-Oppenau (ca 60 ☐Meilen). 1:75,000. 2. Afl. 77×88,5 cm. Farbdr. Strassbg, Schlesier & Schw. 04. 2 —; auf L. 3.20
— Karte d. Kreises Teltow, zugl. Wanderk. d. Gegend südlich v. Berlin umfassend ca 20 ☐Meilen. 1:125,000. (Neue

Ausg.) 51×46,5 cm. Farbdr. Nebst Ortsverz. (8) 8° Berl. (04). (Gött., Peters.) 3 —
— Univ.-Eadsportkarten, s.: Wolf-Junghaus.
Müller, **GH** s.: Universal-Automobil-Karte.
Müller, G: Schülercommentar zu Sallusts Schriften. Für d. Schulgebr. hrsg. 2. Afl. (170) 8° Wien, F Tempsky. — Lpzg, G Freytag 1900. Geb. 1.40 ¦¦ 3. Afl. (128) 03. Geb. 1.25 d
Müller, G, u. G **Mekel**: Das bürgerl. Recht d. deut. Reichs. 2. Afl. 8 Lfgn. (984 u. 869) 8° Münch., J Schweitzer V. 04. 18 —; geb. 20 — d
Müller, **GA**: Die wilde Annsch. Ein heit. Künstlerroman. (298) 8° Berl.-Charlttnbg (02). Hannov., O Tobies. 3.50; geb. 5 — ¦¦ 2. Afl. (05.) 4 —; geb. 5 — d
— s.: Antiquitäten.
— Aschenbrödel. Roman. (249) 8° Bremerh., L v. Vangerow (04). 2.50; geb. 3.50 d
— Junges Blut. Eine Gesch. a. d. Bergen. (Aus Amors Reisemappe.) (104) 8° Lpzg, G Müller-Mann (05). 1 — d
— Die Braut v. Pikenholt. Geschichtl. Untersuchg d. oldenburg. Sage. (85 m. 2 Abb. u. 1 Fksm.) 8° Westerstede i/Oldenburg (02). Bremerh., L v. Vangerow. 1.20
— Brautnacht, s.: Eckstein's moderne Bibliothek.
— Als d. Brautnacht kam! Liebes-Roman. (161) 8° Bremerh., L v. Vangerow (02). 2 — d
— Führer durch Sessenheim u. Umgebg. 2. Afl. (46 m. 1 Abb.) 16° Bühl, Konkordia (03). 1 —
— Pater Fulgentius. Der Roman e. Leutnants. (213) 8° Berl., Verl. Continent (04). 3 —; geb. 4.50 d
— Gedichte. (59) 12° Kass., C Victor 03. 1 —; L. 1.50 d
— Als d. Götter starben. Roman. (277) 8° Berl., O Janke (02). 2 — d
— Das Grab am Rhein. Roman. (203) 8° Bremerh., L v. Vangerow 03. 3 —; L. 4 — d
— Juvenes dum sumus! 2 Studenten- u. Liebesgeschichten. (103) 8° Ebd. (04). 1 —; kart. 1.50 d
— Mit Kreuz u. Schwert. Roman a. d. german. Vorzeit. (183) 8° Stuttg., Nationaler Verl. (05). 2.50; geb. 3.50
— Ein Menschenkind. Der Roman d. Delila. (167) 8° Budap., F Sachs (04). 2.50
— Rom. Liebesopfer, s.: Eckstein's moderne Bibliothek.
— Ein Liebeswunder. Novelle. (Aus Amors Reisemappe.) (128) 8° Lpzg, G Müller-Mann (05). — d
— Der Mönch d. Höhlen- u. Pfahlbautenzeit. 2. [Tit.-]Afl. (v.: Vorgeschichtl. Kulturbilder a. d. Höhlen- u. ält. Pfahlbautenzeit". (145 m. 11 Taf.) 8° Bühl, Konkordia (1892)04.) 2 —
— Die Nachtigall v. Sessenheim. Goethes Frühlingstraum. Ein Liebessang v. Rhein. 5. Taus. (173 m. 9 Taf.) 8° Berl. (05). Hannov., O Tobies. L. m. G. 4.50 d
— Nausikaa. Ein Liebesspy. (Neue Afl.) (62) 8° Berl., Verl. Continent (05). 1 — d
— Der Pfeifer v. Dusenbach. Eine Liebesmär a. d. Elsass. 3. Afl. (79 m. 6 Vollbildern.) 8° Bremerh., L v. Vangerow 04. L. 4.50 d
— Stimmen toter Dichter. Briefe, Gedichte, Erinnergn. (105 m. 1 Bildnis u. Fksm.) 8° Hannov., O Tobies 04. 2.50; geb. 3.50 d
— Tochter d. Sünde, s.: Seemann's lit. Volksbibl. Novelle. (Aus Amors Reisemappe.) (124) 8° Lpzg, G Müller-Mann (05). — d
— Tochter d. Sünde, s.: Seemann's lit. Unterhaltgsbibliothek.
— Im Zauber d. Wartburg. Roman. (393) 8° Lpzg, G Müller-Mann (05). 6.50; geb. 8 — d
Müller, **GF**: Die Gesichtspunkte u. d. Tatsachen d. psychophys. Methodik. [S.-A.] (244) 8° Wiesb., JF Bergmann 04. 4.60
Müller, **GH** s.: Das Lehns- u. Landesaufgebot unter Heinrich Julius v. Braunschweig-Wolfenbüttel, s.: Quellen u. Darstellungen z. Gesch. Niedersachsens.
Müller, **GH**: Gesch. d. griech. Litt., s.: Kopp, W.
Müller, **GJ**: Ueb. d. Entwicklg u. d. derzeit. Stand d. Akinotherapie. [S.-A.] (21) 8° Berl., J Goldschmidt 05. 1.50
Müller, **H**: Deut. Fibel, s.: Dietlein, R.
— Uns. Stellg zu d. nationalliberal-konservativen Schulkompromiss. Vortr. (19) 8° Berl., F Zillessen (05). — 20 d
Müller, **H**: Das Jeverländer Rind, s.: Monographien landw. Nutztiere.
Müller, **H**: Generalreg., s.: Entscheidungen d. Reichsgerichts in Civilsachen.
Müller, **H**: Schloss Komburg. d. Wiege d. Vaters d. Königs Wilhelm H. v. Württemberg. Sr. kgl. Hoh. d. Prinzen Friedrich. 2. Afl. (88) 8° Schwäb. Hall, W German 02. Geb. 2 — d
Müller, **H**: Die preuss. Justirverwaltg. 5. Afl. 2 Bde. 8° Berl., R Kühn 01. 38 —; Einbde in HF. je nn 2 — d
I. Behörden u. Beamte. (1016) 16 — ¦ II. Geschäfte. (1017—2294) 22 —
Müller, **H**: Eisenb.-Karte v. Mittel-Europa m. Angabe sämtl. Bahnstationen. Haupttost- u. Dampfschiff-Verbindgn. 1: 1,800,000. 53. Afl. 80×94,5 cm. 2 Bl. Farbdr. Glog., O Flemming 05. 2.10; auf L. in L.-Kart. 4.80
Müller, **H**: Der menschl. Gesellschafter als Komiker. Nebst e. Vorwort: Wie trägt man vor? (128) 8° Lpzg (1900). Erf., F Bartholomäus. — 60 d
— s.: Vorträge, kom.
Müller, **H**: Der prakt. Hausarzt. (639 m. Abb., 32 [16 farb.] Taf. u. 5 anatom. Modellen.) 8° Lpzg (01). Dresd., Dresd. Verl. MO Groth. L. (12 —) 15 — d
Müller, **H** v.: Zur Lebensgesch. d. Generalpostdirektors Schmückert, gebg. 12.XI.1790; gest. 3.II.1862. (126 m. 3 Lichtdr.) 8° Berl., ES Mittler & S. 04. 3 — d

Müller, H v.: Die Thätigk. d. deut. Festgsartill. bei d. Belagergn, Beschiessgn u. Einschliessgn im deutsch-französ. Kriege 1870/71. 4. Bd. Die Artill.-Angriffe auf Paris u. Schlussbetrachtgn üb. d. Festgskrieg im Kriege v. 1870/71. (318 m. Skizzen, 1 Pl. u. 1 Taf.) 8° Berl., ES Mittler & S. 01. 6.50; L. nn 8 — d
— dass. Ergänzsheft. Zur Beschiessg v. Paris 1870/71. Zugl. e. erweit. u. berichtig. Nachtr. zu d. Belagerg v. Belfort u. zu d. Artillerieangriffen auf Paris. (40) 8° Ebd. 04. 1 —; geb. 1.80 (Hauptwerk u. Ergänzgsheft: 34.50; geb. nn 41.80) d
Müller, H: Carcinoma ventriculi kompliciert m. Pericarditis haemorrhagica u. Pachymeningitis chronica haemorrhagica interna. (19 m. 1 graph. Darstellg.) 8° Tüb., F Pietzcker 02. nn — 70
Müller, H: Buch d. Abenteuer. Novellen. (205) 8° Berl., E Fleischel & Co. 05. 3 —; geb. 4.50; Luxusansg. 7.50 d
— Dämmer. Verse a. d. J. 1899 u. 1900. (80) 8° Dresd., E Pierson 01. 1.50; geb. 2.50 d
— Der Garten d. Lebens. Eine bibl. Dichtg. (113) 8° Stuttg., JG Cotta Nf. 04. 2 —; L. 3 — d
— Die lock. Geige. Gedichtb. (109) 8° Münch., A Langen 04. 2 —; L. 3 — d
Müller, H: Der internat. Genossenschafts-Kongress in Budapest u. s. Resultate. (106 m. 1 Bildnis.) 8° Bas., (Basler Buch- u. Antiquariatsh. vorm. A Geering) 05. 1.90 d
Müller, H: Wodurch bereiten wir anderen e. Freude? od.: Quintus Horatius Flaccus, s.: Bloch's, E, Theater-Korrespondenz.
— Wenn man s. Tochter verborgt!, s.: Thalia.
Müller, H: Die Rechtsverhältn. d. bayer. Wirthes auf Grund d. Reichs- u. bayer. Landesgesetzgebg, sowie d. einschläg. Rechtsprechg, m. e. Anh.: d. Münch. Verhältnisse. (187) 8° Münch., J Schweitzer V. 02. Kart. 2 — d
Müller, H: Elementarb. d. latein. Sprache, s.: Bleske, F.
— De viris illustribus. Latein. Leseb. n. Nepos, Livius, Curtius f. d. Quarta höh. Lehranst. 6. Afl. (157) 8° Hannov., C Meyer 05. 1.20; geb. 1.50 d
Müller-Brauel, H, s.: Heidjer, d.
— Das 1. niedersächs. Volkstrachtenfest zu Scheessel, s.: Beiträge z. niedersächs. Volkskde.
Müller, H: Weihnacht im Reiche d. Unterirdischen, s.: Bloch's, L, Kinder-Theater.
Müller, H: 2 Fälle v. primärem Lungencarcinom. (50) 8° Freibg i/B., Speyer & K. 04. 1 —
Müller, H: Konzentration in konzentr. Kreisen, s.: Magazin, pädagog.
Müller, H: Geometrie d. Ebene, s.: Bosse, L.
— Die Mathematik auf d. Gymnasien u. Realsch. 2 Tle. Ausg. A: Für Gymnasien u. Progymnasien. 8° Lpzg, BG Teubner. Geb. 5 — d
1. Unterst. (Lehraufg. d. Kl. Quarta bis Untersekunda.) 3. Afl. (156 m. Fig.) 05. 2.60
2. Oberst. (Lehraufg. d. Kl. Ober-Sekunda u. Prima.) 2. Afl. (311 m. Fig.) 02. 3.40
— dass. Ausg. B: Für reale Anst. u. Reformsch. 1. Tl u. II. Tl, 2 Abtlgn. 8° Ebd. Geb. 7.40 d
I. Unterst. (Lehraufg. d. Kl. Quarta bis Unter-Sekunda.) 1—3. Afl. (199 m. Fig.) 02.03. 2.80
II, 1. Oberst. (Lehraufg. d. Kl. Ober-Sekunda u. Prima.) Unter Mitwirkg v. A Hupe. 1. Abtlg: Planimetrie, Algebra, Trigouometrie u. Stereometrie. 2. Afl. (223 m. Fig.) 02. 2.80
2. Dass. 2. Abtlg: Synthet. u. analyt. Geometrie d. Kegelschnitte. Darstell. Geometrie. 2. Afl. (178 m. Fig. u. 2 Taf.) 02. 2.40
Bearbeitg f. Seminare u. Präparandenanst., s.: Baltin, R, u. W Maiwald, kurzgef. Lehrb. d. Mathematik.
— Rechenb. f. Präparandenanst., s.: Baltin, R.
— u. M Kutnewsky: Sammlg v. Aufg. a. d. Arithmetik, Trigonometrie u. Stereometrie. Ausg. A, f. Gymnasien u. Progymnasien. 1. Tl. 3. Afl. (237) 8° Lpzg, BG Teubner 05. Geb. 2.20 d
‖ 2. Tl f. Gymnasien. (348) 02. Geb. 3.20; 2. Afl. (375) 05. Geb. 3.20 d
— dass. Ausg. B, f. reale Anst. u. Reformsch. 1. Tl. 3. Afl. (301) 8° Ebd. 04. Geb. 2.80 ‖ 2. Tl. (360) 02. Geb. 3.40 d
Bearbeitg f. Seminare u. Präparandenanst., s.: Baltin, R, u. W Maiwald.
— u. F Pietzker: Rechenb. f. d. unt. Kl. d. höh. Lehranst. Vorstufe zu d. Aufg.-Sammlgn v. Bardey u. Müller-Kutnewsky. Ausg. A: Für Gymnasien. (244 m. 1 Doppeltaf.) 8° Ebd. 04. geb. 2.40 d
‖ 2. Afl. Für Gymnasien u. Progymnasien. (254 m. 1 Doppeltaf.) 04.
— — dass. Ausg. B: Für reale Anst. u. Reformsch. (274) 8° Ebd. 03. geb. 2.40 d
— — dass. I—III. Abtlg. 2. Afl. 8° Ebd. 04. 2.60 d
I. Sexta. (80) — 80 ‖ II. Quinta. (91—149) 04. — 80 ‖ III. Quarta. (149—254 m. 1 Doppeltaf.) 1 —
— dass. Ergänzgsheft f. d. Mittelkl. d. Realscb. u. Anst. m. Ersatzunterr. (89) 8° Ebd. 05. 90 d
Bearbeitg f. d. Vorschule s.: Segger, F.
— u. O Schmidt: Rechenb. f. höh. Mädchensch. I, T), 4 Hefte; II. Tl u. III. T), 2 Hefte. 8° Ebd. Kart. u. geb. 6.60 d
I, 1. Für d. 4 unt. Kl. Bearb. v. H Güthlein u. F Segger. 1. Hefk. (50) 04. — 60 ‖ 2. Heft. (58) 04. — 60 ‖ 3. Heft. (50) 04. — 60 ‖ 4. Heft. (52) 04.) — 60
II. Für d. mittl. Kl. (116) 04. 1.40
III. Für d. ob. Kl. 1. Abtlg. (149) 04. 1.60 ‖ 2. Abtlg. (104) 04. 1.90

Müller, H: Fort m. d. Schulprogrammen! (32) 8° Berl., O Gerhardt 02. — 50 d
Müller, H: Ratgeber f. Brautleute, s.: Müller, A.
— Der Schauspieler u. Komiker im Verein. Sammlg leicht aufführbarer Einakter u. erprobter humorist. Vorträge. Musik v. C Weinstabl. Mit Abhandlgn: „Wie trägt man vor" u. „Wie schminkt man sich." (283) 8° Zür., C Schmidt 04. 3 — d
— Die Verstaatlichg d. Theater. Mit e. Anh.: Das Wiener Parktheater. (Ein Traumbild.) (11) Fol. Wien, Huber & L. Nf. 03. — 40 d
— u. A Müller: Wie erhalten wir uns. Kinder gesund? Volksb. üb. d. Kinderpflege. (54) 8° Lpzg, E Demme 01. 1 —
Müller, H: Moderne Möbel. 24 Bl. Entwürfe. 4° Lpzg, Seemann & Co. 05. in M. 6 —
Müller, H: Mein Begleiter. Kathol. Gebetb. m. kurzen Belehrgn. (222 m. 1 Abb., farb. Titel u. 1 Farbdr.) 16° Steyl, Missionsdr. 1900. Ldr m. G. 1 — d
— Führer z. Glück f. Jungfrauen od.: Hoher Wert d. jungfräul. Standes. (656 m. 1 Farbdr.) 16° Ebd. 05. L. 1.50 d
— dass. f. Jünglinge. (592 m. 1 Farbdr.) 16° Ebd. 04. L. 1.50 d
— Die gute Gattin u. Mutter. Kathol. Lehr- u. Gebetb. (542 m. Abb. u. 1 Farbdr.) 16° Ebd. 01. L. nn 1.30 d
— Das hl. Kaiserpaar Heinrich u. Kunigunde. In s. tugendreichen u. verdienstvollen Leben quellenmässig dargestellt. (448 m. Abb., farb. Titel u. 1 Farbdr.) 8° Ebd. 05. L. 4.50 d
— Himmelschlüssel. Kathol. Gebetb. (496 m. 1 Farbdr.) 16° Ebd. 04. L. nn 1.30 d
— Jesus, d. Kinderfreund. Gebet- u. Lehrbüchl. f. Kinder. (186 m. Abb.) 16° Ebd. 03. L. — 30 d
— Das hl. Messopfer od.: Die Quelle aller Gnaden, nebst e. Anh. d. gewöhnl. Gebete. Unter Zugrundelegg d. Erklärg. d. hl. Messopfers v. M v. Cochem. (634 m. 17 [1 farb.] Vollbildern.) 12° Ebd. 03. L. 1.75 d
— Der allerbeste Tröster. Kathol. Lehr- u. Gebetb. zu Ehren d. Bl. Geistes. 3. Afl. (256 m. Titelbild.) 16° Ebd. 03. L. nn — 65 d
— Der hl. Wendelinus. Lehr- u. Andachtsb. f. d. christl. Familie. 1—18. Taus. (588 m. Abb. u. farb. Titelbilde.) 16° Ebd. 02. L. nn 1.30 d
Müller, H: Sturm! Gedichte. (64) 8° Lpzg, Modernes Verl.-Bureau 04.
Müller, H: Unter d. Deckmantel d. Krankenpflege.
Müller, H: „Grundheil" od.: Wie Blutarme, Magen- u. Darmleidende, Nervenkranke u. Erholgsbedürftige wieder gesund werden. (61 m. Abb.) 8° Düben, H Müller 05. 1.50 d
Müller, H: Beitrag z. Embryonalentwickelg d. Ascaris megalocephala, s.: Zoologica.
— Hydrachniden, s.: Elb-Untersuchung, hamburg.
Müller, H: Leitf. z. Unterr. in d. elementaren Mathematik, s.: Zwerger, M.
Müller, H: Die verzauberte Prinzessin. Märchendichtg. Text u. Musik v. M. Op. 19. Vollständ. Textb. (22) 8° Lpzg, CFW Siegel (03). — 60 d
Müller, H: Engl. Lektüre-Kanon. Verz. aller bis z. 15.III.'02 v. Kanon-Ausschuss d. allg. deut. Neuphilologen-Verbandes f. brauchbar erklärten Schulausg. regl. Schriftsteller. [S.-A.] (30) 8° Marbg, NG Elwert's V. 02. — 50 d
Müller, H: Die Erzgänge d. Freiberger Bergrevieres, s.: Spezialkarte, geolog., d. Kgr. Sachsen.
Müller, H: Der feierl. Gottesdienst d. Karwoche. In latein. u. deut. Sprache. 3. Afl. (255) 8° Paderb., Junfermann 05. L. 1 — d
Müller-Thurgau, H: Der rote Brenner d. Weinstockes. [S.-A.] (38 m. 5 [1 farb.] Taf.) 8° Jena, G Fischer 03. 1.80 d
— Die Herstellg ungegorener u. alkoholfreier Obst- u. Traubenweine. 6. Afl. (66 m. Abb.) 8° Frauenf., Huber & Co. 02. 1 — ‖ 7. Afl. (71) 05. 1.20 d
Müller, H: Die Elemente d. Planimetrie. 9. Afl. (83 m. Fig.) 8° Mainz, G Scriba 04. 1.20; geb. 1.60 d
Müller, H: Anl. z. Momentphotogr. (80 m. Abb.) 8° Halle, W Knapp 04. Kart. 1 —
— Das Arbeiten m. Rollfilms. — Die Misserfolge in d. Photogr., s.: Enzyklopädie d. Photogr.
Müller, H: Das höh. Schulwesen Deutschlds am Anfang d. 20. Jahrh. (155) 8° Stuttg., C Belser 04. 2 —
Müller, HC: Bürgerlehre, s.: Wolff, E.
Müller, HF: Die hl. Dreikönige. Geistl. Weihnachtssp. n. e. Dichtg v. G Schwab, zur Aufführg m. leb. Bildern f. Soli u. gemischten Chor m. Clavierbegleitg. Op. 7. Dichtg nebst Text d. Gesänge. 7. Afl. (38 m. Bildnis.) 12° Fulda, A Maier 03. — 80 d
— Die hl. Elisabeth. Geistl. Festsp. f. Soli u. gemischten Chor m. Clavierbegleitg. op. 12. Dichtg u. Text d. Gesänge. 42. Afl. (32) 16° Ebd. 02. — 80 d
— Emmanuel. Neues Weihnachts-Festsp. f. Soli u. gemischten Chor m. Clavierbegleitg. Op. 28. (Zur Aufführg m. leb. Bildern.) Textb. (16 m. Bildnis.) 12° Ebd. (03). — 90 d
— Die Passion uns. Herrn Jesu Christi. Comp. v. M. Opus 16. Textb. (Neue Afl.) (28 m. Bildnis.) 12° Ebd. (05). — 90
— Der Weg z. Heil. 81 Betrachtgn üb. d. gr. Wahrh. d. Glaubens, nebst e. Gebetsanh. [S.-A.] (76 m. Titelbild.) 24° Frankf. a/M., P Kreuer (01). 1.50
— Weihnachts-Oratorium u. Worten d. hl. Schrift f. Soli u. gemischten Chor, u. Orch. m. leb. Bildern comp. op. 5. Textb. Neue Afl. (8) 16° Fulda, A Maier 09. 10
— u. B Widmann: Neue Trutz-Nachtigall. Ausw. volkstüml.,

geistl. u. weltl. Lieder zweistimmig u. dreistimmig m. e. kl. Chorgesangsch. f. kathol. Schulen u. Familien. 27. Afl. (186) 8° Fulda, A Maier 05.   nn — 40 d

Müller, HG: Posaunen-Abend, s.: Familienabend, d.

Müller, HJ: Latein. Schulgrammatik, vornehmlich zu Ostermanns latein. Übgsbb. 7. Afl. Ausg. A. (336) 8° Lpzg, BG Teubner 05.   Geb. 2.60 d
— dass. (Erweit.) Ausg. B. 4. Afl. (349) 8° Ebd. 05. Geb. 2.60 d
— Stilist. Übgn d. latein. Sprache, s.: Berger, E.
— Latein. Übgsbücher. — Lateinisch-deut. u. deutsch-latein. Wrtrb., s.: Ostermann, C.
— s.: Zeitschrift f. d. Gymnasialwesen.
— u. G Michaelis: Latein. Grammatik, Formen u. Satzlehre. Nach d. Ausg. B d. latein. Schulgrammatik v. HJ Müller z. Gebr. in Reformsch. bearb. (88 u. 229) 8° Lpzg, BG Teubner 04.   Geb. 3 — d
Hieraus einzeln: Formenlehre. (88) 05. Kart. 1 — || Satzlehre. (229) 04.   Geb. 2.20 d

Müller, HJ: Gesangb. f. Schule u. Haus. 3 Tle. 12° Aach., A Jacobi & Co. (02).   nn 1.35 d
1. Für d. Unterst. d. Volkssch. od. d. Vorsch. d. höh. Lehranst. (47) nn — 35
2. Für d. Mittelst. d. Volkssch. od. f. d. Serta d. höh. Lehranst. (58) — 55
3. Für d. Oberst. d. Volkssch. od. f. d. Quinta u. d. Knabenchor d. höh. Lehranst. (74) — 75; geb. 1 —
— Lehrb. d. Gesangunterr. in d. Volkssch. u. in d. unt. Kl. d. höh. Lehranst. Kommentar zu „Gesangb. f. Schule u. Haus". (131) 8° Ebd. 01.   1.60

Müller, J: Corpus juris civilis u. BGB. Ausgew. Stellen a. d. Corpus juris civilis. Übers. u. n. beiden Rechten erläut. (107) CL Hirschfeld 04.   2.20; geb. n. 2.70 d

Müller, J: Die 7 arithmet. Operationen. Zur Einführg in d. Arithmetik bearb. (40) 8° Lüb., Lübcke & N. 04.   — 40 d

Müller, J: Stoffe z. Belehg, Vertiefg u. Ergänzg d. Gesch.-Unterr. in d. Schulen Niedersachsens. 1. Heft. (81) 8° Hambg, HO Persiehl (01).   1 — d

Müller, J: Der Bau u. d. Thätigk. d. menschl. Körpers, nebst e. Anh.: Ueb. d. 1. Hilfe bei Unglücksfällen, f. Turnanst. zusammengest. (144 m. Abb.) 8° Berl., Mitscher & R. 01. Kart. 3 —

Müller, J, s.: Abhandlungen, Würzburger, a. d. Ges.-Geb. d. prakt. Medizin.
— Üb. d. Umfang d. Eiweissverdaug im menschl. Magen unter normalen u. patholog. Verhältnissen, sowie üb. d. Einfl. d. Mischg d. Nahrgsstoffe auf ihre Verdaulichk. [S.-A.] (22) Würzbg, A Stuber's V. 03.   — 80

Müller, J: Wegweiser f. d. Hohe Tatra. (66 m. Abb. u. 1 Karte.) 8° Bresl., (Müller & S.) 05.   Kart. 1 —

Müller, J: Die Bergpredigt verdeutscht u. vergegenwärtigt. 1. Zehntaus. (356) 8° Münch., CH Beck 06. 3 —; kart. 4 —; Ldr 5.50 d
— Der Beruf u. d. Stellg d. Frau. (100) 8° Lpzg 02. Münch., CH Beck. || 2. Afl. (170) 03. || Neue (Tit.-) Ausg. Münch. (04). Je 2 —; L. je 3 —; Ldr je 4 — || 3. Afl. (238) 06. 2 —; L. 3 —; Ldr 4.50 d
— s.: Blätter z. Pflege persönl. Lebens.
— Von d. Quellen d. Lebens. 7 Aufsätze. 1. u. 2. Afl. (364) 8° Münch., CH Beck 05.06.   3 —; L. 4 —; Ldr 4.50 d

Müller, J: Aufg. a. klass. Dichtern u. Schriftstellern zu deut. Aufsätzen u. Vorträgen in höh. Lehranst. 2. Afl. (344) 8° Berl., Weidmann 01.   3 —; geb. 3.40 d
— Gedächtnisrede auf Fritz Bischoff u. Karl Kempf, s.: Zur Gesch. d. Friedrichs-Gymnasiums (in Berlin).

Müller, J, s.: Jahresbericht d. Handelssch. d. Union (kaufm. Ver.), Bremen.

Müller, J: Osterode in Ostpreussen. Darstellgn z. Gesch. d. Stadt n. d. Amtes. (542 m. 1 Skizze, 3 Taf. u. 1 Pl.) 8° Osterode, H Riedel 05.   3.75; geb. nn 4.75 d

Müller, J: Der Verlagsvertrag n. schweiz. Recht, s.: Abhandlungen z. schweiz. Recht.

Müller, J: Die bischöfl. Diöz.-Behörden, insbes. d. bischöfl. Ordinariat, s.: Abhandlungen, kirchenrechtl.

Müller, J: Beitrag z. Beteiligg d. Auges an d. Pseudoleukämie (pseudoleukäm. Sehnerventumor). (49) 8° Freibg /B., Speyer & K. 03.   1.20
— Ein Beitrag z. Kenntnis d. Bipaliiden, s.: Arbeiten a. d. zoolog. Instit. zu Graz.
— Üb. neue Höhlenkäfer a. Dalmatien. Resultate d. im Sommer '03 unternomm. Forschen in dalmatin. Höhlen. [S.-A.] (20 m. 1 Fig.) 8° Wien, (A Hölder) 03.   — 50
— Die Koleopterengattg Apholeonus Reith. Beitrag z. Kenntnis d. dalmatin. Höhlenfauna. [S.-A.] (14 m. Fig. u. 1 Taf.) 8° Ebd. 03.   — 60

Müller, J: Das Bild in d. Dichtg. Philosophie u. Gesch. d. Metapher. 1. Bd: Theorie d. Metapher. — Indien, China, Chaldäa, Aegypten. (170) 8° Münch. 03. (Strassbg, C Bongard.) (2 —) 3 — d
— Clara. Novelle. (40) 8° Augsbg 01. Strassbg, C Bongard. 1 — d
— Dostojewski. Charakterbild. (196) 8° Münch. 03. (Strassbg, C Bongard.)   2 — d
— Das Leben e. Priesters in uns. Tagen. Selbstbiogr. (104 m. Bildnis.) 8° Würzbg 03. (Augsbg, Lampart & Co.) 1.50 d
— Das sexuelle Leben d. alten Kulturvölker. (148) 8° Augsbg (02). Lpzg, T Grieben.   2.50 d

Müller, J: Das sexuelle Leben d. christl. Kulturvölker. (238) 8° Lpzg, T Grieben 04.   4 —; L 4.80 d
— Das sexuelle Leben d. Naturvölker. (2. Afl.) (73) 8° Augsbg (01). Lpzg, T Grieben.   1.50 d
— Predigten. (166) 8° Münch. 02. (Strassbg, C Bongard.) 2 — d
— Reformkatholizismus im M.-A. u. z. Z. d. Glaubensspaltg. (82) 8° Augsbg 01. Strassbg, C Bongard.   1.50 d
— s.: Renaissance. — Renaissance-Broschüren.
— Apologet. Vorträge. (50) 8° Würzbg 03. (Strassbg, C Bongard.)   — 80 d
— Moralphilosoph. Vorträge. (52) 8° Würzbg, Ballhorn & Cr. Nf. 04.   1.20

Müller, J: Ein alter Bittgang auf Ennetmärcht. — Gesch. d. hl. Märtyrer Felix u. Regula, d. Patrone Zürichs, u. d. Ubertragg ihrer Häupter n. Ursern. — Geschichtl. Notizen üb. d. Pfarr-Gemeinde Spiringen, s.: Neujahrs-Blatt, hrsg. v. Ver. f. Gesch. u. Alterthümer v. Uri.

Müller, J: Unterr.-Blätter (Anl.) z. raschen u. leichten Erlerng d. Gabelsb.'schen Schnellschrift (Verkehrsschrift). Hierzu 9 Aufgabeblätter (in 4°). (48 m. Abb.) 8° Barm., (J Pertz) 03.   nn 1.25

Müller, J: Prosa u. Gedichte in Aachener Mundart. 1. u. 2. Bdchn. 8° Aach., G Schmidt.   Je — 80 d
1. Der Bamberg. Prötchern zu Versellchnre. Mit e. biograph. Skizze v. A v. Reumont. 4. Afl. (96 m. Bildnis.) 04.
2. Oern arme Bastian. (115 m. Abb.) 05.

Müller, J: Sie bekehren sich, aber nicht recht! Die engl. u. deut. Erweckgsbewegg im Lichte d. Wortes Gottes. (30) 8° Barm., (DB Wiemann) 05.   — 90 d

Müller, J: Hdb. f. d. Post-u. Telegr.-Verkehr nebst Ortschaftsverz. f. d. Herzogt. Altenburg u. f. d. angrenz. Bezirke. 5. Afl. (32) 8° Altnbg, (Schnuphase) 05.   — 60 d

Müller, J: Das Berliner Brockenhaus. Seine Bedeutg f. d. Volks-Wohlfahrt. (64 m. 1 Abb.) 8° Berl., L Frobeen 01.   — 59 d

Müller, J, v., s.: Handbuch d. klass. Altertums-Wiss.
— Latein.-Stilistik. — Übgn d. latein. Stils, s.: Naegelsbach, KF v.

Müller, JB: Zeremonienbüchl. f. Priester u. Kandidaten d. Priestertums. (204 m. Titelbild u. 1 Tab.) 8° Frelbg i/B., Herder 03. 2 —; L. 2.60 || 2. Afl. (221 m. Titelbild u. 1 Tab.) 04. 1.80; geb. 2.40 d

Müller, JC: § 111 d. allg. BGB. f. d. Kaisert. Österr. u. s. Folggen. 3. Afl. (13) 8° Graz, Leykam 04.   — 20

Müller, JD (1721—94): Das jüngste Gericht. Vortr. üb. Apostelgesch. 10, 42. In etwas veränd. Form neu hrsg. v. D Goebel. 2. Afl. (22) 8° Barm., (Elim) (04).   — 20 d

Müller, JE: Relig.-geschichtl. Bilder. I. Fetischismus u. Seelenverehrg bei Naturvölkern u. Chinesen. (31) 8° Brem., (Rühle & Schl.) (01).   — 60 d
— Moralunterr. Ein Progr. f. d. Befreig d. Schule. (32) 8° Berl., F Dümmler's V. 05.   — 60 d
— Zur Schulreform in Bremen. (14) 8° Brem., Rühle & Schl. 05.   — 20 d

Müller, JH, u. G Seibt: Ev. Gemeindeabende. (180) 8° Halle, E Strien 04.   L. 4 — d

Müller, JH: Der Sozialdemokrat Johs Wedde als litter. Grösse. (47) 4° Hambg, A Janssen 01.   — 1 d

Müller, JJ: Sempacher-Reigen f. Fest-Darstellg v. Turnver-n. höh. Schulkl. (12 m. Fig.) 8° Aarau. (Art. Institut Orell Füssli 05).   — 60

Müller, JJC: Elemente d. theoret. Physik, s.: Christiansen, C.
— Lehrb. d. Elektrotechnik. Mit bes. Berücks. d. elektr. Anlagen auf Schiffen. (393 m. Abb.) 8° Brnschw., F Vieweg & S. 03.   6.40; L. 7 —

Müller, JL: Abendmahls-Büchl. od. Selbstbetrachtgn f. ev. Kommunikanten, nebst Anh.: Zum Kommunikationstage. (134) 8° Halle, CE Müller 05.   Kart. — 75; L. M. G. 2 — d

Müller, JL, s.: Halden, A.

Müller's, JN, Volks-Predigten. Hrsg. v. L Widemayr. 1. Bd. Sonntags-Predigten. 2. Afl. (283) 8° Brix., A Weger 02. 4 — d

Müller, JP: Mein System. 15 Minuten tägl. Arbeit f. d. Gesundheit. Aus d. Dän. n. d. 5.8. v. M u. H Tillge. 1—10. Tans. (89 m. Abb. u. 1 Zelttaf.) 8° Kopenh., Tüllge 04. 3 —; geb. 3 — || Übgstaf., gezeichnet v. J Dorph. (1 Bl. m. Abb.) (05).   Auf Pappe — 60

Müller, JP: Hdb. üb. d. bad. Sparkassenrechngswesen. 2. Afl. unter Mitwirkg. v. J Riegger. (283) 8° Bonndf, Spachholz & Ehrath 1898.   L. nn 4.80 d

Müller, JP: Deut. Schulen u. deut. Unterr. im Auslande. (412 m. Abb. u. 9 Taf.) 8° Antwerp. 01. (Lpzg, T Thomas.) L. 12 — d

Müller, K: Anl. z. Schweinezucht u.-Haltg f. schwäb. Verhältnisse. (70 m. Abb.) 8° Aar., E Wirz 05.   Kart. 1.50 d

Müller, K, s.: Kalender, landw., f. d. Grossh. Hessen.

Müller, K, s.: Kurpfuscherei- u. Geheimmittelunwesen, d. im Herzogt. Oldenburg.

Müller, K: Das Wichtigste a. d. Gesch., s.: Beitlhauser, T.

Müller, K: Die bad. engl. in historisch-statist. Darstellg. (466 m. 1 Taf. u. 2 Kart.) 8° Hdlbg, Heidelb. Verl.-Anst. u. Druckerei 05.   12 — d

Müller, K: Die jungen deut. Auswanderer in Australien, s.: im Lande d. Rothaute.
— Die Indianerjung od. Abenteuer eines jungen Deutschen im fernen Westen, s.: Helden, 2, d. Indianervolkes.

Müller, K: Aus Heimat u. Natur, s.: Müller, A.

Müller, K: Ueb. d. Aciditätsdifferenz mehrbas. Carbonsäuren. (47) 8° Tüb., F Pietzcker 03. nn 1 —
Müller, K: Christenlehre z. Konfirmation. (32) 8° Wittenberge, T Gotthardt (03). — 25 d
Müller, K (Erlangen), s.: Müller, EFK.
Müller, K (Tübingen): Kirchengesch., s.: Grundriss d. theolog. Wiss.
— s.: Religion, d. christl.
Müller, K: Frauenbilder u. Frauendienst. 2. Afl. (196 m. Abb.) 8° Berl., Bh. d. ostdeut. Jünglingsbundes 02. 1.60; geb. 2.50 d
— Das Preussenbuch. Festschrift z. 200. Kröngsjubiläum d. preuss. Könige. 56—57. Taus. (48 m. Abb.) 8° Ebd. 01. — 20 d
Müller, K, s.: Tätigkeit, d., d. kgl. bayer. 3. Feld-Genie-Kompagnie währ. d. Feldzuges 1870/71.
— u. L Braun: Die Bekleidg, Ausrüstg u. Bewaffng d. kgl. bayer. Armee v. 1806 bis z. Neuzeit. 8—11. Lfg. Aug. I. (20 [8 farb.] Taf.) 4° Nebst Text. (315—645) 8° Münch., A Oehrlein 01-04. 39 —; Ausg. H. (28 farb. Taf.) 51 —; Künstlerausg. 163 — (1—11.: 102 —; bezw. 135 — u. 443 —)
Müller, K: Die Lebermoose, s.: Rabenhorst's, L, Kryptogamen-Flora.
Müller v. Halle, K: Antaeus od. d. Natur im Spiegel d. Menschh. Mit s. Lebensbilde v. Ö Taschenberg. (19, 185 m. Bildnis.) 8° Halle, Gebauer-Schwetschke 02. 5 —; geb. m. 3.60; Volksausg. 1.50 d
Müller, K: Die Gesch. d. Zensur im alten Bern. (309 m. 1 Tab.) 8° Bern, KJ Wyss 04. 2.50
Müller, K: Stummer Lehrmeister f. d. ges. Kunststeinbranche. 2. Afl. (317 m. Abb. u. 1 farb. Taf.) 8° Gommern 05. (Münch., E Pohl.) 3 — d
Müller, K: Die Bindg sonst stummer Endkonsonanten im französ. Sprachunterr., s.: Festschrift z. 11. deut. Neuphilologentage.
Müller, K, u. HO Reddersen: Erzählgn a. d. bibl. Gesch. 10. Afl. (158) 8° Brem., GA v. Halem 01. Geb. 1 — d
Müller, KA: Märchen, s.: Musäus, JKA.
— Rübezahl, d. Herr d. Riesengebirges. Für d. Jugend erzählt. 15. Afl. (271 m. H. u. 4 Farbdr.) 8° Lpzg, Abel & M. (04). Geb. 3 — d
Müller, KF: Im Kantonlande. Reisen u. Studien auf Missionspfaden in China. (258 m. Abb.) 8° Berl., Bh. d. Berliner ev. Missions-Gesellsch. (03). 3 —; L 4 — d
— Lebenskraft im Sterben. Schiffspredigt z. Totenfest 1900. (9) 8° Berl., ES Mittler & S. 01. nn — 25 d
— Schiffspredigten u. Reden a. bewegter Zeit. Bei bes. Gelegenh. im fernen Osten geh. (255) 8° Lpzg, Dyk 02. 2.50; .. 3.50 d
Müller, KF: Der Leichenwagen Alexanders d. Gr., s.: Beiträge z. Kunstgesch.
Müller, KJ: Üb. d. Gedankengang d. Apostels Paulus in s. Briefe an d. Kolosser. (48) 8° Bresl. (05).(Lpzg,Bh. G Fock.)1.50
— Theophilus. Kurze Predigten f. Zöglinge höh. Schulen. (444) 8° Freibg i/B., Herder 01. 4.50; HF. 6.40 d
Müller, KJ, s.: Julius, K.
Müller, L: Welche sollen z. Tisch d. Herrn gehen? Vortr. [S.-A.] (17) 8° Erl. 04. Elberf., Verl. d. Reformirten Schriften-Ver. — 20 d
Müller, L: Lebenserinnergn e. alten Kurhessen a. d. Zeit d. Königs Jerome v. Westfalen, d. Kurfürsten Wilhelms I. Wilhelms II. u. Friedrich Wilhelms 1806—70. Zugl. als Versuch e. Familienchronik. Bearb. u. hrsg. v. A Müller. (64) 8° Dresd., (v. Zahn & J.) 03. 1 — d
Müller, L: Bad. Landtagsgesch. HI. u. IV. Tl. 8° Berl., Rosenbaum & H. Je 4.50 (I—IV.: 18 —; Einbde je 1.50) d III. 1826—33. (165 m. 3 Bildnissen u. 1 Pl.) 02. § IV. 1833—40. (160 m. 3 Bildnissen.) 05.
— Die polit. Sturm- u. Drangperiode Badens. (In 10 Lfgn.) 1—3.Lfg. 1 Tl. 1840—48. (1—128 m. Bildnissen.) 8° Manuh., Dr H Haas 05. Je 1 — d
Müller, L: Erläutergn zu d. allg. Vorschriften f. d. Staatsrechngswesen d. Kgr. Sachsen in d. seit 1.XI.1900 gilt. Fassg u. 3. Afl. (A.R.V.) (34) 8° Dresd., W Baensch 01. — 75 d
Müller, L, u. H Blesi: Erzählgn u. Märchen in schweizer Mundart, f. Kinder v. 4—7 Jahren. 2. Afl. (130) 8° Zür., Art. Instit. Orell Füssli (01). Geb. 2 — d
Müller, L: Das Ges., betr. d. Kaufmannsgerichte, nebst e. Zusammenstellg d. gesetzl. Bestimmgn z. Gerichtsentscheidgn üb. d. kaufmänn. Dienst- u. Lehr-Verhältnis. (246) 8° Witten, L Müller 04. 1.20 d
Müller, L: Aus d. Tageb. e. Marburgers 1870/71. (84 m. Abb.) 8° Marbg, NG Elwert's V. 04. 1 — d
Müller, L: Karte v. Ansbach u. Umgebg. 1:100,000. 3.Afl. 33,5×46 cm. Farbdr. Ansb., F Seybold (01). — 60 d
Müller, L: Die Bronzewaaren-Fabrikation. 2.Afl. (231 m. Abb.) 8° Wien, A Hartleben 02. 3 —; geb. 3.80 d
Müller, LA v.: Das bayer. Ges. üb. d. Wahl d. Landtags-Abg. v. 4.VI.1848/21.HI.1881. Mit d. z. Vollzuge ergang. Anordng. Afl. d. v. K Krazeisen. (179) 8° Münch., CH Beck 05. 1.50 d
Müller, Lct, s.: Ludwig, H.
Müller, LT: Rechenb. f. gewerbl. Fortbildgssch. Unter Mithilfe v. Horn, Mensch u. Salzmann hrsg. 1—III. Heft. 8° Düsseldf, L Schwann. 2Hof d
1. [Unterst. Heft 1.] 2. Afl. (82) 03. — 40 § II. 3. Afl. (65) 04. — 40 § III. 3. Afl. (75 m. Fig.) 05. — 50 § V. (Oberst. Heft 1.) Theoret. Tl z. Selbstbelehrg f. Gesellen, Meister u. Lehrer. 2. Afl. (66) 01. 1 —
— dass. II. u. III. Heft. Auflösgn. (19 u. 31) 8° Ebd. 02. Je — 80 d

Müller, M, u. W Mattersdorff: Die Bahnmotoren f. Gleichstrom. Ihre Wirkgsweise, Bauart u. Behandlg. (418 m. Fig. u. 11 L.) 8° Berl., J Springer 03. L. 15 —
Müller, M: Kinderlied—Kinderspiel. Neue Spiele u. Lieder nebst e. Sammlg beliebter Spiele, Gedichte, Rätsel, Festsp., zu kleineren Aufführgn u.s.w. u. e. Zusammenstellg v. Freiu. Ordngsübgn. 3. Afl. (223 m. Fig.) 8° Lpzg, Jaeger (03). 2.20; geb. 2.80 d
Müller, M: Liebe u. Eintracht, s.: Müller, F.
Müller, M, s.: Volks-Erzählungen, kl.
Müller, M: Die Buchdruckerkunst, s.: Franke, CA.
Müller, M: Anl. z. unterrichtl. Behandlg v. Hirts Anschaugsbildern : „Die 4 Jahreszeiten". (Farb. Künstler-Steinzeichngn v. W Georgi.) (90 m. 4 Bildern.) 8° Bresl., F Hirt 04. 1 — d
Müller, M: Wortkritik u. Sprachbereicherg in Adelungs Wrtrb., s.: Palaestra.
Müller, M v.: Bayer. Ges. v. 8.VIII.1878 üb. d. Verwaltgsgerichtshof m. systemat. Einschaltg d. in Bd I—XXII d. Sammlg v. Entscheidgn d. Verwaltgsgerichtshofes veröffentl. Rechtsgrundsätze. Unter Mitwirkg v. C Buchert hrsg. 2. Afl. (28, 463) 8° Münch., CH Beck 02. L. 10 — d
Müller, M: Illustr. Hdb. d. neuesten prakt. u. wiss. Zuschneidekunst f. Herron-Kleidermacher. „System d. Zunkunft". 3. Afl. (360 m. Abb. u. Bildnis.) 4° Münch., M Müller & Sohn 1899. Geb. 15 — d
Müller, M: Das Landkapitel Mellrichstadt, s.: Franconia sacra.
Müller, M: Grammatik d. engl. Sprache. — Lehrb. d. engl. Sprache, s.: Uebe, F.
— Französ. Leseb., s.: Uebe, F.
Müller, M: Pfingstspiegel e. Kirchgemeinde. Predigt. (12) 8° Lpzg, LA Klepzig 02. — 15 d
Müller, M: Die Lit. üb. d. Thermen v. Aachen u. Aachen-Burtscheid seit d. Mitte d. XVI. Jahrh. Nach d. Beständen d. Stadtbibliothek zu Aachen bibliographisch bearb. 3. Afl. d. durch E Fromm veröffentl. Schrift. (71) 8° Aach., Biblioth. Dr. Müller 03. 1 — d
Müller, N: Irrtum u. Wahrheit im „Spiritismus" u. Gesundbeten. (53) 12° Lpzg 02. Berl., Verl. Hermes. — 50 d
Müller, N : Differenztheorie u. Börsengeschäfte. Aus d. Gesichtspunkten d. Praxis beleuchtet auf Grund d. gegenwärt. Rechtsprechg d. Reichsgerichts (Urtheile v. 4.I. u. 8.III.'02). (Die beiden Urtheile im Anh.) 2. u. 3. Afl. (50) 8° Berl., F Siemenroth 02. 1—
Die 1. Afl. e. unter d. Pseudonym: M Neander.
— Jurist. Lehrmeingn üb. Börsengeschäfte. Aus d. Gesichtspunkten d. Praxis beleuchtet. (41 m. 1 Tab.) 8° Berl., J Guttentag 03. 1—
Müller, N : Zur Digamie d. Landgrafen Philipp v. Hessen, s.: Archiv f. Reformationsgesch.
— s.: Jahrbuch f. brandenburg. Kirchengesch.
— Die Kirchen- u. Schulvisitationen im Kreise Belzig 1530 u. 34 u. Nachrichten üb. d. Kirchen- u. Schuldiener in d. Stadt u. d. Amt Belzig währ. d. Reformationszeit. [S.-A.] (549) 8° Berl., M Warneck 04. 8.50
Müller, O: Verannt. Novelle. (101) 8° Berl., A Goldschmidt 05. — 50; L. — 76 d
Müller, O, s.: Charité-Annalen.
Müller, O: St. Gall. Verwaltgsgesetzgbg. I—IH. Bd. 8° St. Gall., (A & J Köppel). nn 11 —; Einbde je nn 1.50 d
I. 1. Tl: Verfassgs. Organisator. Erlasse. Gemeindewesen. 2. Tl: Polizeiwesen. (740) 03. nn 5 —; einz. Tle 2.50
II. 3. Tl: Armen- u. Unterstützungswesen. 4. Tl: Volkswirtschftl. Angelegenh. 5. Tl: Öffentl. Werke. 6. Tl: Finanz- u. Steuerwesen. 7.Tl: Militärwesen. (559) 04. nn 3.50
III. 8. Tl: Erziehgswesen. 9. Tl: Konfessionelle Angelegenh. (396) 04. nn 2.50
Müller, O: Die Technik d. romant. Verses. (95) 8° Berl., E Ebering 02. 2.40
Müller, O: Die beiden Katechismen Luthers in Zusammenhang. ('02) 8° Gotha, EF Thienemann 01. — 60; geb. — 80 d
Müller, O: Anl. z. häusl. Krankenpflege. (45 m. Abb.) 8° Berl., M Harrwitz 03. 1.20
Müller, O: Münchhausen im Vogelsberg, s.: Volksbücher, Wiesbad.
Müller, O: Anl. z. Dichtkunst. Mit e. vollständ. Reimlexikon. 2. Afl. d. Werkes: „Die Kunst, Dichter zu werden", v. KE Schimmer. (212) 8° Wien, A Hartleben (04). 2 —; geb. 3 — d
— Neuster Briefsteller u. Rechtskonsulent f. Frauen u. Mädchen. 2. Afl. v. M v. Rübner. (175) 8° Ebd. (05). 1.35; geb. 2 — d
— Univ.-Gratulations-Buch. 8. Afl. (152) 8° Ebd. (05). 1.10; kart. 1.25 d
Müller, O: Die Kompensation im Verfahren vor d. Börsenschiedsgerichten. (48) 8° Wien, Manz 05. 1.30 d
Müller, O: Buchführg d. Uhrmachers. (28) 8° Essl., W Langguth 05. — 30 d
Müller, O: Kathol. Arbeiterinnen-Ver. — Kathol. Arbeiterver., s.: Tages-Fragen, soz.
— Die christl. Gewerkschaftsbewegg Deutschlds m. bes. Berücks. d. Bergarbeiter- u. Textilarbeiter-Organisationen, s.: Volksbildungsabende, s.: Tages-Fragen, soz.
Müller, O: Die Einkommensteuergesetzgebg in d. verschied. Ländern, s.: Sammlung nationalökonom. u. statist.Abhandlgn.
Müller, O, s.: Jahrbuch d. Erfindgn.
Müller, O, s.: Adressbuch, forstl., sämmtl. kgl. preuss. Oberförstereien.

Müller, O: Übgzb. z. Übers. a. d. Deut. ins Latein., s.:Tischer, G.
Müller, O: Gesch. d. kgl. sächs. 5. Infant.-Regts „Prinz Friedrich August" Nr. 104. 1701—1901. (112 m. Abb. u. 1 Karte.) gᵉ Berl., K Siegismund 01.   1.60 d
Müller, P: Um's Erbe d. Väter! Zeitgemässe Fragen an Liebhaber d. Kirche. I. (120) 8° Hannov., (H Feessche) 04. 1.50 d
Müller, P: Zusammenstellg der d. ev. Landeskirche d. Herzogt. Anhalt betr. Ges. u. Konsistorialverfüggn. (392) 8° Dess., C Dünnhaupt 04.   L. nn 6 — d
Müller, P: Aus d. Heimat, s.: Döring, H.
Müller, P: Heimatskde d. Grossh. Hessen. 11. Afl. (32) 8° Giess., E Roth 05. — 20; m. Wamser's Schulhandk. od. Wollweber's Schulk. v. Hessen — 40 d
— Rechenb., s.: Niepoth.
— Das Volksschulwesen im Grossh. Hessen, s.: Greim.
— u. JA Völker: Mineralkde u. Chemie. 3. Afl. (36 m. Abb.) 8° Giess., E Roth (05).   — 30 d
— — Rechenb. f. Fortbildgssch. (Heft XI v. Niepoths Rechenb.) 2. Afl. (100 m. Abb.) 8° Ebd. 02.   — 50;
Ausg. f. Lehrer. (119) 1 — d
— — V Funk: Deut. Fibel. Ausg. n. d. gemischten Schreiblese-Methode. 33. Afl. (108 m. Abb.) 8° Ebd. 03.   — 40;
HL. nn — 50; HLdr nn — 60 d
— — Leseb. f. Fortbildgssch., hrsg. v. P Müller u. JA Völker. 4. Afl. (454 m. Abb.) 8° Ebd. 03.   2 —; geb. nn 2.40 d
— — Hess. Leseb. f. Fortbildgssch. 4. Afl. (458 m. Abb. u. 1 Bildnis.) 8° Ebd. 03.   2 —; geb. nn 2.40 d
Müller, P: Das Gegenseitigkeitsprinzip im Versichergswesen, bes. in d. Lebensversicherg. (126 m. 6 Tab. u. 2 Taf.) 8° Berl., Puttkammer & M. 05.   Kart. 3 —
Müller, P: Zur Schlacht bei Chotusitz. (70) 8° Berl., E Ebering 05.   2 —
Müller, P: Hugo Wolf, s.: Essays, moderne.
Müller, P: Kompendium d. Anatomie d. Menschen, s.: Möller, J.
Müller, P: Arznei od. Gift? Ein aufklär. Wort geg. d. Alkoholmissbr. (32) 8° Gebhardsh., JH Maurer-Greiner Nf. (03).   — 40 d
— Dienet d. Herrn m. Freuden! Predigten im Anschl. an d. 1. Hauptstück. (120) 8° Berl., Vaterländ. Verl.- u. Kunstanst. (02).   1 —; L. 1.80 d
Mueller, P: Die Frauen im kirchl. Gemeindeleben. (24) 8° Hannov., H Feessche 04.   — 40 d
— u. A Stöcker: Rechte u. Pflichten d. Frau in d. kirchl. u. bürgerl.Gemeinde, s.: Hefte d.freien kirchlich-soz. Konferenz.
Müller, P: Neue Fibel f. Elsass-L. Nach phonet. u. heimatkundl. Grundsätzen m. bes. Berücks. d. Rechtschreibunterr. ausgearb. (80) 8° Strassbg, Strassb. Druckerei u. Verl.-Anst. (03).   Geb. nn — 40 d
— dass. Kathol. Ausg. v. N Gottesleben. (80) 8° Ebd. (03).   Geb. nn — 40 d
— Neues Leseb. f. d. 2. Schulj., s.: Gottesleben, N.
Müller, PG: Die Entwickelg d. subventionierten Reichs-Postdampferlinien. (42) 8° Lpzg, Luckhardt's Bh. f. Verkehrswesen 01.   1 — d
Müller, PJ: Die Entstehg d. Welt. Zeitgemässe Gedanken e. Naturforschers. (32) 8° Lpzg, JC Hinrichs' V. 05.   — 30 d
— Probleme u. Schwächen d. Darwinismus. (40) 8° Zitt., A Graun 01.   1 — d
— Schöpfg u. Auferstehg im Lichte d. neuesten naturwiss. Forschg. (58) 8° Berl., Vaterländ. Verl.- u. Kunstanst. 04. — 50 d
Müller, PJ: Untersuchgn üb. d. Einrichtg ländl. Volkssch. m. mehrsitz. u. zweisitz. Subsellien. (14 u. 8 m. Abb. u. 15 L.) Fol. Charlttnbg, PJ Müller & Co. 04.   3 —
Müller, PT: Üb. d. Einfl. erhöhter Aussentemperatur u. d. Röntgenstrahlg auf d. Antikörperproduktion. [S.-A.] (18) 8° Wien, (A Hölder) 05.   — 40
— Üb. d. Einfl. lokaler u. allg. Leukocytose auf d. Produktion d. Antikörper. [S.-A.] (19) 8° Ebd. 04.   — 40
— Üb. chem. Veränderg d. Knochenmarkes im Verlauf v. Immunisiersvorgängen. [S.-A.] (15) 8° Ebd. 04.   — 40
— Vorlesgn üb. Infektion u. Immunität. (252 m. Abb.) 8° Jena, G Fischer 04.   5 —; geb. 6 —
Müller, R: Buren-Reigen, s.: Kostüm-Reigen.
Müller, R: Deut. Sprachlehre u. Rechtschreibg, s.: Kahlo, M.
Müller, R: Elsass-lothring. Liederschatz, s.: Albrecht, F.
Müller, R: Das Saarbrücker Steinkohlengebirge, s.:Prietze, A.
Müller, R: Grossh. hess. Bad Bad-Nauheim bei Frankf. a/M, s. Kurmittel u. Wirkgn. 6. Afl. (56) 8° Friedbg, C Bindernagel 02.   1 —
Müller, R v.: Das sächs. Erzgebirge. (80 m. Abb. u. 1 Karte.) 8° Dresd., W Baensch 02.   2.50
Müller, R: A Zeerleder: Gerüstgn u.Baumethoden d. gewölbten Brücken auf d. IV. u. V. Baulos d.Albulabahn. (31 m. Abb.) 8° Zür., (Rascher & Co.) 04.   — 40
Müller, R: Beitr. z. Gesch. d. Schultheaters am Gymnasium Josephinum in Hildesheim. (70) 4° Hildesh., (A Lax) 01. 1.50
Müller, R, s.: Abhandlungen a. d. Gebieten d. Mathematik etc.
— Leitf. f. d. Vorlesgn üb. darstell. Geometrie a. d. herzogl. techn. Hochsch. zu Braunschwg. 2. Afl. (95 m. Abb.) 8° Brnschw., F Vieweg & S. 05.   2.50
Müller, R: Untersuchgn üb. Gips. (44) 8° Berl., Tonindustrie-Zeitg 04.   1 —
Müller, R: Die Entwässergs-Genossenschaft, s.: Arbeiten d. deut. Section d. Landesculturrathes f. d. Kgr. Böhmen.

Müller, R: Geschichtl. Leseb. Darstellgn a. d. deut. Gesch. d. 19. Jahrh., f. höh. Lehranst., Seminarien u. a. sowie z. eignen Studium ausgew. 2. wohlf. [Tit.-]Ausg. (319) 8° Gött., Vandenhoeck & R. [1898] 03.   2 —; geb. 2.40 d
Müller-Fulda, R, u. H Sittart: Der deut. Reichstag v. 1898—1903. Bericht üb. d. Tätigk. d. Centrumspartei in d. abgelauf. Legislaturperiode. 1. u. 2. Afl. (60) 8° Köln, JP Bachem 03.   — 80 d
Müller, R: Hinnerm Dunnerschberg. Dichtg in nordpfälzer Mundart. 2. Afl. (140) 12° Kaisersl., E Crusius 04.   2 —
— Fälzer Luscht un Lewe. 1. u. 2. Afl. (178) 8° Ebd. (02).06.   2 —; geb. 2.50 d
— Das Schneiderche vun Mackebach. Ein Dorfidyll in pfälzer Mundart. (91) 8° Ebd. 05.   1.50; geb. 2 — d
Müller, R: Liederstrauss. Sammlg 2-, 3- u. 4stimm. Lieder u. Gesänge f. Männerchor. (104) 8° Lpzg, CF Kahnt Nf. (1881).   — 80 d
Müller, R: Heinrich Eberhardt. Roman. (578) 8° Strassbg, JHE Heitz (04).   5 —; L. 6 — d
— Die Moorhexe. Eine Schwarzwald-Gesch. (Neue [Tit.-]Ausg. v.: „Rombach, M, wessen Schuld".) (65) 12° Freibg i/B., FP Lorenz (1899) (04).   — 40 d
— Wenn d. Träume erwachen. Eine Gesch. a. d. Jugend. (180) 8° Strassbg, JHE Heitz (04).   2 — d
Müller, R: Ueb. d. Verwendbark. u. Verwendg d. Murphyknopfes in d. Magendarmchirurgie auf Grund d. in d. Göttinger chirurg. Klinik v. Ostern 1898 bis Jan. 1903 gemachten Beobachtgn. (229) 8° Gött., (Vandenhoeck & R.) 03.   4 —
Müller, R: Biologie u. Tierzucht. Gedanken u. Tatsachen z. biolog. Weiterentwicklg d. landw. Tierzucht. (96) 8° Stuttg., F Enke 05.   2.40
— s.: Jahrbuch d. landw. Pflanzen- u. Tierzüchtg.
— Studien u. Beitr. z. Geogr. d. Wirtschaftstiere. 1. Bd. Die geograph. Verbreitg d. Wirtschaftstiere m. bes. Berücks. d. Tropenländer. (296 m. Abb.) 8° Lpzg, M Heinsius Nf. 03.   8 —; geb. 9 —
Müller, R, s.: Brüder-Kalender.
Müller, R: Untersuchgn üb. d. Namen d. nordhumbr. Liber Vitae, s.: Palaestra.
Müller, R: Seraph. Harfe f. d. Mitglieder d. 3. Ordens. (520 m. Titelbild.) 16° Freibg i/B., Herder 02.   1.20; L. 1.60 d
— Kampf um d. Palme d. Keuschheit. 7 Predigten, zunächst f. d. hl. Fastenzeit. (179) 8° Münst., Alphonsus-Bh. 02. 2 —; geb. 2.50 d
Müller, RO: Psalmenlieder. Ausgew. Psalmen zu deut. Weisen. 2. Afl. (148) 8° Lpzg, Dörffling & Fr. 05.   Geb. 1.75 d
Müller, S, s.: Karnack, O.
— Der Technicker, 2. Afl., s.: Müller, E.
Müller, S: Kleine Bibel. Bibl. Gesch. u. Relig.-Lehre, fortgeführt bis z. Ende d. jüd. Staates. Mit e. Anh.: Abriss d. Geogr. Palästinas, Bibelkde u. Zeittaf. (418 m. 1 Abb., 2 Kart. u. 1 Pl.) 8° Stuttg., JB Metzler 03.   nn 2.35; geb. nn 2.50 ll
   Ausg. B. (418) 04. Geb. nn 2.60 d
Erweit. Ausg. v.:
— Ein Buch f. uns. Kinder. Bibl. u. nachbibl. Gesch. in method. Bearbeitg z. Unterr. d. israelit. Jugend.3. Afl. (307 m. 1 Karte.) 8° Ebd. 02. Kart. nn 1.90 || 4. Afl. (342 m. 1 Karte.) 03. Kart. 1.75 d
Müller, S v.: Etwas üb. d. Reinhaltg v. Stockholm. [S.-A.] (16 m. 1 Fig.) 8° Lpzg, F Leineweber 01. — 70 || (6) 1900. — 50
Müller, S, s.: Militärorganisation, d., in Unter-Trullikon.
Müller, S, s.: Urgesch. Europas. Grundz. e. prähistor. Archäol. Deutsch v. OL Jiriczek. (204 m. Abb. u. 3 farb. Taf.) 8° Strassbg, KJ Trübner 05.   6 —; L. 7 —
Müller, S: Die Hausfrau auf d. Lande, s.: Landmann's, d., Winterabende.
— Das deiss. Hausmütterchen. Mitgabe f. d. prakt. Leben f. erwachs.Töchter.11. Afl., gleichzeitig ausführlichstes Kochb. f. d. Selbstkocher. (27,534 u. 188 m. Abb. u. Schnittbog.) 8° Zür. 02. Aar., E Wirz.   L. nn 6.50 d
Müller, T: „Seppl", „Der Einjähr. Müller" u. and. Humoresken, s.: Schreiber's humorist. Bibliothek.
Müller, T, s.: Handbuch d. Grundbesitzes im Deut. Reiche.
Müller, U: Lehrb. d. Holzmesskde. 2. u. 3. Tl. (Mit Abb.) 8° Lpzg, E Haberland.   Je 4 —
   (Vollst.: 12 —; in 1 Bd 11 —; L. 12.50) d
2. Die Inhaltsermittelg d. steh.Baumes. (117—239) 1900. || 3. Die Ermittelg d. Inhalts ganzer Bestände, d. Alters u. d. Zuwachses. (239—356) 01.
Müller, V : Der letzte Novize in Andechs. Erzählg. Neue, illustr. Ausg. (141) 8° Einsied., Verl.-Anst. Benziger & Co. 03. 1.80;
— geb. 2.50 d
Müller, W: Fachzeichnen u. Massskizzen, Mustern u. Modellen f. Glaser, s.: Lehrhefte f. d. Einzelunterr. an Gewerbe- u. Handwerkersch.
Müller, W: Die allg. Volkssch. Vortr. [S.-A.] (26) 8° Brnschw., E Appelhans & Co. 04.   — 40 d
Müller, W: Deut. Bau- u. Nachbarrecht unter bes. Berücks. d. preuss. Landesgesetzgebg. 2. Afl. d. „Baurechts in d. landrechtl. Gebieten Preussens". (143) 8° Berl., HW Müller 03.   Kart. 4 — d
Müller, W: Der Elementarunterr. im Rechnen unter Anwendg v. W Müllers verbess. Rechenkasten. (62 m. Fig.) 8° Lpzg, C Merseburger 02.   1 — d
Müller, W: Der Bau steinerner Treppen. (21 m. 28 Taf.) 4° Lpzg, BF Voigt 03.   In M. 7.50

Müller, W: Harzfahrt. Wandergn u. Träume. (113) 8° Berl. (08). Jena, H Costenoble.   1.50; geb. nn 2 —
Müller, W: Unlauterer Wechselverkehr. (45) 8° Berl., AW Hayn's Erben (04).   75 d
Müller, W: Buechnüssli v. Lindeberg. G'schichtli u. Gedichtli im Freiämter-Dialekt. (111 m. Bildnis.) 8° Aar., (HR Sauerländer & Co.) (08).   1.40 || 2. Afl. (121 m. Bildnis.) 04. 1.60 d
— Heublueme. Allerlei Gedichtli in Freiämter-Mundart. (93) 8° Einsied., Verl.-Anst. Benziger & Co. 06.   1.20 d
Müller, W: Abbildgn d. in Deutschl. u. d. angrenz. Geb. vorkomm. Grundformen d. Orchideen-Arten. Mit beschreib. Text v. F Kränzlin. (60 farb. Taf. m. 60 S. Text.) 8° Berl., R Friedländer & S. 04.   Kart. 10 —
— Die schönsten Stauden f. d. Schnittblumen u. Gartenkultur, s.: Hesdörffer, M.
Müller, W, s.: Sirach, Buch.
Müller, W: Die Schopfheimer 1848/49. (56) 8° Schopfh., (G Uehlin) (05).   — 60 d
Müller, W, s.: Landesgesetze, d., d. Herzogt. Kärnten.
Müller, W: Vergiss nicht! od. Christl. Merkb. (288) 8° Brem., Bh. u. Verl. d. Traktath. (03).   L. 2 —; feine Ausg. 2.50 d
Müller, W: Lieder eines Wankelmütigen, s.: Reigen, lyr.
Müller, W: Rechen-Aufg. f. Weberei-Fachsch., s.: Bär, F,
Müller, W: Die schöne Müllerin, s.: Schubert, F.
— Winterreise, s.: Jungbrunnen. — Schubert, F.
Müller, W: Deutschlds Einiggskriege 1864, 66 u. 70—71. 2. Afl. (513 m. Pl. u. 6 Vollbildern.) 8° Berl., Neufeld & H. (08). L. 8 — d
Müller, W: Die Francis-Turbinen u. d. Entwicklg d. modernen Turbinenbaues in Deutschl., d. Schweiz, Österr.-Ungarn, Italien, Frankr., Engl. u. d. Verein. Staaten v. Amerika. (383 m. Abb. u. 16 Taf.) 8° Hannov., Dr. M Jänecke 01. L. 18 — || 2. Afl. nebst Skandinavien u. Nord-Amerika. (469 m. 24 Taf.) 05. Geb. 24 —
— Hydrometrie. Prakt. Anl. z. Wassermessg. Neues Messverfahren, Apparate u. Versuche. (150 m. Abb., 15 Übersichten u. 3 Taf.) 8° Ebd. 03.   L. 7.50
— Wehranlage u. Elektrizitätswerk Untertürkheim. (29 m. Abb., Tab., 1 Pl. u. 3 Taf.) 8° Ebd. 02.   3 —
Müller, W: Flora v. Pommern. 2. Afl. (368) 8° Stett., J Burmeister 04.   L. 3.50
Müller, W: Urkundl. Beitr. z. Gesch. d. mähr. Judenschaft im 17. u. 18. Jahrh. (199) 8° Olm., L Kullil 03. (Lpzg, O Harrassowitz.)   (5 —) 6 —
— Gesch. d. k. k. Studienbibliothek in Olmütz n. Bibliotheksacten. [S.-A.] (85) 8° Brünn 01. (Olm., E Hölzel.)   1 —
— Um Sprache u. Glauben. Roman. (300) 8° Olm., L Kullil 05.   2.50 d
Mueller, W: Die physikal. Therapie im Lichte d. Naturwiss. (122) 8° Jena, G Fischer 04.   2.40
Müller v. Königswinter, W: Sie hat ihr Herz entdeckt, s.: Thalia. — Universal-Bibliothek.
— s.: Höllenfahrt v. Heinrich Heine.
Müller, WA: Die Erbang e. elektr. Bahn auf d. Zugspitze. (55 m. Abb.) 8° Berlin-Charlttnbg (5, Leonhardtstr. 17), Verl. d. Zeitschrift f. d. ges. Turbinenwesen.   1.90
— s.: Zeitschrift f. d. ges. Turbinenwesen.
Mueller, WF: Die Teilg d. Militärgewalt im deut. Bundesstaat. Die Militärhoheitsrechte in ihrer Verteilg zw. Kaiser u. Landesherrn. Mit bes. Berücks. d. Kgr. Sachsen. (84) 8° Lpzg, Veit & Co. 03.   2.20 d
Müller, WJ: Zur Passivität d. Metalle. [S.-A.] (9) 8° Freibg i/B. (04). (Tüb., JCB Mohr.)   1 —
Müller, WM: Die alten Ägypter als Krieger u. Eroberer in Asien. — Äthiopien, s.: Orient, d. alte.
— Der Bündnisvertrag Ramses' II. u. d. Chetiterkönigs. — Neue Darstellgn „myken." Gesandter u. phöniz. Schiffe in altägypt. Wandgemälden, s.: Mitteilungen d. vorderasiat. Gesellsch.
Müller-Amorbach, W: Schlitzohr. Eine Gesch. a. d. Spessart. (55 m. Titelbild.) 8° Aschaffbg, C Krebs 02.   2.50 d
— Windverweht. Gedichte. (194) 8° Dresd., E Pierson 05. 2.50; geb. 3.50 d
Müller v. Berneck, E: Sind Reformen f. Deutsch-Südwestafrika e. dring. Notwendigk.? (23) 8° Berl.-Charlttnbg, Deut. Kolonial-Verl. 05.
Müller-Bohn, H: Die Denkmäler Berlins in Wort u. Bild nebst d. Gedenktaf. u. Wohnstätten berühmter Männer. 7. Taus. (114 m. Abb.) 8° Berl., JM Spaeth (05). Geb. L. 4.50 d
— Königin Luise, s.: Volksabende.
— Die Königin Luise u. ihre Zeit, s.: Kittel's, P, Künstler-Lichtbildervorführgn a. d. vaterländ. Gesch.
— Der eiserne Prinz. Lebensbild d. Prinzen Friedrich Karl. (204 m. 3 Taf.) 8° Potsd., A Stein (02).   2 — d
— Die stumme Schuld. Geschichte n. d. Leben. (169 m. Abb.) 8° Lpzg, Abel & M. 01.   Geb. 3 — d
Mueller-Bonjour, E: Lehrb. d. französ. Sprache f. Handelssch., s.: Dinkler, R.
Müller-Breslau, HFB: Die neueren Methoden d. Festigkeitslehre u. d. Statik d. Baukonstruktionen, ausgehend v. d. Ges. d. virtuellenVerschiebgn u. d. Lehrsätzen üb. d. Formänderungsarbeit. 3. Afl. (342 m. Abb.) 8° Lpzg 04. Stuttg., JEngelhorn. HF. nn 10 —
— Die graph. Statik d. Baukonstruktionen. I. Bd u. II. Bd, 1. Abth. 8° Stuttg., A Kröner. 34—; Einbde in HF. je nn 2 —
I. Zusammensetzg u. Zerlegg d. Kräfte in d. Ebene. — Trägheitsmomente

u. Centrifugalmomente eb. Querschnitte; Spanngn in geraden Stäben.
— Theorie d. statisch bestimmten Träger m. Ausschl. d. Untersuchg d. Formändergn. 2. Afl. (554 m. Abb. n. 7 L.) Lpzg 01. § 4. Afl. (575 m. Abb. u. 7 L.) Stuttg. 05.   Je 18 —
II, 1. Formändergn eb. Fachwerke. — Untersuchg d. eb., statisch unbestimmten Fachwerks. 3. Afl. (480 m. Fig. u. 7 L.) Lpzg 03.   16 —
Müller-Breslau, HFB: Zur Theorie d. Windverbände eiserner Brücken. [S.-A.] (10 m. Abb.) 8° Berl., (G Reimer) 03.   — 50
Müller-Brunow: Tonbildg od. Gesangunterr.? Beiträge z. Aufklärg üb. d. Geheimnis d. schönen Stimme. I. Tonbildg od. Gesangunterr.? H. Tonbildg. Die richt. Erziehg d. menschl. Stimme z. Kunstgesange n. d. Grundsätzen d. primären Tones. 4. Afl. (71 m. Bildnis.) 8° Lpzg, C Merseburger 04.   2.25
A Kohler 05.   3.50 d
Müller-Ems, R: Otto Ludwigs Erzählgskunst. (128) 8° Berl., Kohler 05.   3.50 d
Müller-Erzbach, R: Die Grundsätze d. mittelbaren Stellvertretg a. d. Interessenlage entwickelt. (102) 8° Berl., J Guttentag 05.   2.50 d
Müller-Erzbach, R: Der Dampfdruck d. Wasserdampfes n. d. Verdampfgsgeschwindigk. [S.-A.] (6)8°Wien,(AHölder) 03. — 20
— Das Messen d. Dampfdruckes durch Verdunstg. [S.-A.] (18) 8° Ebd. 01.   — 40
— Üb. d. Wesen u. üb. Unterschiede d. Adsorption. [S.-A.] (13) 8° Ebd. 02.   — 40
Müller-Fraureuth, K: Aus d. Welt d. Wörter. Vortr. üb. Gegenstände deut. Weltforschg, (231) 8° Halle, M Niemeyer 04.   4 — d
Müller de la Fuente, E: Das Wildbad Schlangenbad u. s. Heilfactoren. (63) 8° Wiesb., JF Bergmann 01.   1 —
Müller-Fürer, T: Die Hypothekenbanken u. d. Sicherh. d. Hypotheken-Pfandbriefe. (147) 8° Berl., Herm.Walther 02. 2 — d
— Die Hypothekenbank-Prozesse u. d. deut. Kapitalist. (52) 8° Ebd. 04.   1.50 d
Müller-Gumperda, M: Der Kontokorrentvertrag, e. Blankovertrag. (30) 8° Berl., Struppe & W. 05.   — 80
Müller-Guttenbrunn, A, s.: Gerhold, FJ.
— s.: Bühnenwerke, verbot.
— Im Jahrh. Grillparzers. Lit.- u. Lebensbilder aus Oesterr. 3. Afl. Neue bill. [Tit.-]Ausg. (224) 8° Münch., G Müller [1895] 04.   2 —; geb. 3 — d
— Deut. Kulturbilder a. Ungarn. 2. Afl. Neue bill. [Tit.-]Ausg. (184 m. Abb.) 8° Ebd. [1896] 04.   2 —; geb. 3 — d
— Zw. 2 Theaterbdzügen. Neue dramaturg. Gänge. (227 m. Bildnis.) 8° Linz (02). Wien, J Deubler. 3 —; L. (3 —) 4 — d
Müller-Jahnke, O: Ich bekenne. Die Gesch. e. Frau. (218) 8° Gosl., FA Lattmann (04).   2.50; geb. 3 —
Müller-Kaempff, P: An d. Alster. — Bilder a. d. Haide. — Fahrten durch Marsch u. Geest, s.: Heimat.
Müller-Lublin, A: Back-Büchl. — Eierspeisen. — Eis-, Creme- u. Gelee-Speisen.—Fischküche.—Fleischspeisen.—Gemüseküche.—Heringsküche, s.: Spezial-Kochbücher f. d. prakt. Hausfrau.
— Alte Hof- u. Klosterküche, s.: Pröpper's, Lv., Spezial-Kochbh.
— Kartoffel-Küche.—Käseküche.—Krebsküche.—Pilzküche.
— Puddingküche. — Punsch- u. Bowlen-Büchl. — Resterküche.
— Salatküche. — Saucenküche, s.: Spezial-Kochbücher f. d. prakt. Hausfrau.
— Die Schlachtküche in 100 erprobten Rezepten, s.: Pröpper's, Lv., Spezial-Kochbh.
— Spargelküche. — Wildbret-Küche, s.: Spezial-Kochbücher f. d. prakt. Hausfrau.
Müller-Mann, G: Heiratsmakel. — Minne- u. Malerfahrten, s.: Eckstein's Miniaturbibliothek.
Müller-Meier, GA, s.: Hagen, FH v. d., Fibel u. Fabel.
Müller-Mittler, A: Jucunda Juventus. Gedichte. (111)8°Stuttg., (F Stahl) (03).   L. 2 — d
Müller-Müller, RS: Goldene Regeln f. d. Verkehr in d. guten Gesellschaft. 8—12. Taus. (103) 12° Zür., T Schröter 03. [Einbd., m. G. 1.60
Müller-Paland, M: Dornröschen's Lieder. (94) 8° Dresd., E Pierson 02.   2.50; geb. 3.50 d
Müller-Palleske, CF: Bayern u. Pfalz! Gott erhalt's! Volksfestsp. z. Feier d. 80. Geburtstags d. Prinzreg. Luitpold. (22) 8° Land., (GL Lang) 01.   — 60 d
Müller-Poullet's Lehrb. d. Physik u. Meteorol. 9. Afl. v. L Pfaundler. (In 3 Bdn.) 1. Bd. Neue Ausg. (d. 9. Afl.). (21, 896 m. Abb. u. z. Tl farb. Taf.) 8° Brnschw., F Vieweg & S. 02. 12 — — dass. 10. Afl. Hrsg. v. L Pfaundler. (4 Bdn.) 1. Bd. Mechanik u. Akustik v. L Pfaundler. 1. Abtlg. (544 m. Abb. u. z. Tl farb. Taf.) 8° Ebd. 05.   7 —
Müller-Poyritz, K: Max Burkert. Drama a. d. Arbeiterleben. (59) 8° Dresd., E Pierson 04.   1.50 d
Müller-Raabe, R, s.: Pegasus.
Müller-Reitlum u. Lange, H.
Müller-Reuter, T: Godolewa v. Edgar Tinel. Kl. Konzertführer, (31) 8° Lpzg, Breitkopf & H. (04).   — 10 d
Müller-Tissot, M: Erziehgsgesch. in schlichten Bildern f. Zöglinge d. Schullehrerseminars. (172 m. Bildnisen.) 8° Stuttg., JB Metzler 02.   2.25 d
— Gesch.-Bilder zu d. Gebr. d. Volksgesch. 35. u. 36. Afl. Ausg. f. Baden. (101) 8° Ebd. 03.   Kart. — 80 d
Müller-Waldeck, E:Siciliana. Auf Goethes Pfaden u. and. Essays. (79 m. 2 Abb.) 8° Zür., C Schmidt 04.   (2 —) 1 — d
Müller-Waldenburg, W: Das sind wir! Ohrenbeichten moderner Frauen. (103) 8° Berl., Moderner Berliner Verl. (03). 1—

Müller-Waldenburg, W: Reklame! Lebensbild. (19) 8⁰ Wiesbaden(01), Berl.-Lichtenbg(Friedrichstr. 24), W Müller. — 60 d
Müller-Weilburg, W: Im Lebenskampf Fallende. Skizzen. (160) 8⁰ Hambg (Feldstr. 32), AF Krüger 01. 1.50; geb. 2.50 d
— Stimmgsbilder u. Chansons. Hamburger Ueberbrett'l. (71) 8⁰ Hambg (Neuerwall 66), M Baumann (01).   1 — d
Müller v. d. Werra s.: Reichs-Commersbuch, allg., f. deut. Studenten.
Müller-Wunderlich, M: Für d. Fest- u. Gedenktage d. Lebens. 2 Tle. 8⁰ Lpzg, Jaeger (04).   Je 1.20 d
  1. Reichhalt. Sammlg v. Geburtstags-, Neujahrs- u. Jubiläumswünschen, Prologen, Festliedern, Begleitversen zu Geschenken, Widmgn, Stammbuchblättern, nebst kl. Geburtstags-, Weihnachts- u. Neujahrsliedern m. beigegeb. Melodien u. leichter Klavierbegleitg. Kl. Festreigen u. Festsp. f. Haus u. Garten. (139)
  2. Reichhalt. Sammlg v. Prologen, Kranz- u. Schleiergedichten, Polterabendscherzen, Aufführgn z. Hochzeit, Reigen u. Festsp. m. beigegeb. Melodien u. leichter Klavierbegleitg. Widmgsgedichte z. Silber- u. Goldhochszeit. (120)
— Zum Neujahrsfeste. Gedichte, Wünsche, Lieder. (65) 8⁰ Ebd. (04).   — 60 d
— Zum Weihnachtsfeste. Gedichte, Wünsche, Lieder, Begleit- u. Scherzverse zu Geschenken u. Julklappüberraschgn. (66) 8⁰ Ebd. (04).   — 60 d
Müllerhartung, C, A **Bräunlich**, AW **Gottschlag**: Neues vaterländ. Liederb. f. Volkssch. u. höh. Lehranst. 4 Hefte. 8⁰ Weim., H Böhlau's Nf.   2.45 d
  1. Unterkl. 19. Afl. (36) (03.) — 25 ǀ 2. Mittelkl. 25. Afl. (60) (04.) — 40 ǀ 3. Oberkl. 18. Afl. (28) (05.) — 80 ǀ 4. Für höh. Lehranst. 6. Afl. (126) (04.) 1 —
Müllerheim, R: Die Wochenstube in d. Kunst. (244 m. Abb.) 4⁰ Stuttg., F Enke 04.   Kart. 12 — d
Müllermeister, J: Vaterländ. Gesch. f. kathol. Volkssch. 4. Afl. (48) 8⁰ Aach., Cremer 05.   — 30 d
— s.: Schulzeitung, rheinisch-westfäl.
Müllers, K v.: Anl. z. klin. Blutuntersuchg m. bes. Berücks. d. Färbetechnik. (45 m. Abb.) 8⁰ Lpzg, M Müllern-Schönenbeck 04.   2 —
Müllers, HJ: Erklärg d. bibl. Gesch. Für d. Gebr. in kathol. Präparandensch. u. Lehrerseminarien. (356 m. 1 Karte.) 8⁰ Montab., W Kalb 05.   2.40; geb. 3 — d
Müller-Zeitung, österr.-ungar. Nebst: „Oesterr. Handels-Journal". Hrsg.: G Pappenheim. Red.: F Wolkenberg u., seit 1904, A Matti. 35—39. Jahrg. 1901—5 je 52 Nrn. (Nr. 1. 8) Fol. Wien, (M Perles).   Je nn 18 — d
Müllhaupt, F: Histor. Atlas d. Schweiz, s.: Poirier-Delay, L.
Müllner, J: Die Vereisg d. österr. Alpenseen in d. Wintern 1894/5—1900/1, s.: Abhandlungen, geograph.
Müllner, K: Ein Zweikampf. Roman. (187 m. Bildnis.) 8⁰ Dresd., E Pierson 05.   2.50; geb. 3.50 d
Mully v. Oppenried, R: Alters- u. Invaliditäts-Sparcasse als Uebergaug z. allg. Volksversorgg. [S.-A.] (32) 8⁰ Wien, A Hölder 01.   1 — d
Mülmann, V: Die Enthüllgsfeier d. Denkmals d. 79er bei Gorze. (2. Anh. z. kl. Gesch. d. 4. thür. Infant.-Regts Nr. 72.) (38 m. 3 Taf.) 8⁰ Torg., P Schnitze 03.   — 40 d
  Der 1. Anh., ist in d. kl. Regimentsgesch. selbst m. enthalten.
Mulock, Miss DM, s.: Craik, Mrs.
Mulot, R: Die Friedensbewegg, s.: Zeitfragen d. christl. Volkslebens.
— Die Hugenotten in Frankr. bis z. Aufhebg d. Edikts v. Nantes, s.: Wartburghefte.
— John Knox 1505—72, s.: Schriften d. Ver. f. Reformationsgesch.
Mulsow: Brombach im Wiesental. (306 m. Abb.) 8⁰ Lahr, M Schauenburg 05.   Kart. nn 2 — d
Maltatuli (ED Dekker). Ausw. a. s. Werken in Übersetzg a. d. Holl., eingeleitet durch e. Charakteristik-s. Lebens,' sr Persönlichk. u. Schaffens. Von W Spohr. 4. Afl. (388 m. Bildnissen u. Fksm.) 8⁰ Mind., JCC Bruns 02. 4.50; geb. 5.50
— Die Abenteuer d. kl. Walther. Aus d. Holl. v. W Spohr. 2 Bde. (24, 440 u. 547) 8⁰ Ebd. 01.02. 10 —; geb. 12 — d
— dass. — Die Braut, s.: Bibliothek d. Gesamtlitt.
— Kl. Erzählgn u. Skizzen, s.: Universal-Bibliothek.
— Frauenbrevier. Hrsg. v. W Spohr. (316) 8⁰ Frankf. a/M., Lit. Anst. 05.   4 —; L. 5 —; in Luxusbd 6.50
— Fürstenschule. Schausp. Aus d. Holl. v. W Spohr. (154) 8⁰ Mind., JCC Bruns 01. 2.25; geb. 3 — ǀ 3. Afl. Volksausg. (111) 05. 1 —; L. 1.50 (Volksausg. 2)
— dass., s.: Bibliothek d. Gesamtlitt. — Universal-Bibliothek.
— Max Havelaar (od.: Die Kaffeeversteigergn d. niederländ. Handelsgesellsch.) Aus d. Holl. v. W Spohr. 2. Afl. (355) 8⁰ Mind., JCC Bruns 01. 4.50; geb. 5.50 ǀ 3. Afl. Volksausg. (280) 03. 2 —; geb. 2.50 (Volksausg. 3)
— dass., s.: Meyer's Volksbb.
— Ideen. Aus d. Holl. v. W Spohr. 1. u. 2. Afl. (278) 8⁰ Berl., E Fleischel & Co. 03.   4 —; geb. 5.50
— Ideen u. Skizzen, s.: Bibliothek d. Gesamtlitt.
— Infam kassiert, s.: Hesse's, M, Volksbücherei.
— Liebesbriefe. Aus d. Holl. v. W Spohr. 2. Afl. (191) 8⁰ Mind., JCC Bruns 02.   3 —; geb. 3.75
— Millionen-Studien. — Minnebriefe. Zeige m. d. Platz, wo du gesaet hast, s.: Bibliothek d. Gesamtlitt.
— Minnebriefe u.Millionenstudien, s.:Hesse's, M,Volksbücherei.
— Walther in d. Lehre, s.: Bibliothek d. Gesamtlitt.

Maltatuli-Briefe. Hrsg. v. W Spohr. 2 Bde. (404 u. 288 m. 5 Bildern.) 8⁰ Frankf. a/M., Lit. Anst. 06.   10 —; geb. 14 —
Mülverstedt, GA v.: Ausgestorb. anhalt. Adel. — Ausgestorb. mecklenburg. Adel. — Ausgestorb. preuss. Adel d. Provv. Brandenburg, Ost- u. Westpreussen, Pommern u. Sachsen, s.: Siebmacher's, J, gr. u. allg. Wappenb.
— Des Geschlechts v. Kalckstein Herkunft u. Heimath. (48 m. 1 Stammtaf.) 8⁰ Mgdbg, E Baensch jun. 04.   3 — d
Mum, MI: Schntz geg. starke Verluste an öffentl. Spielbanken durch Analyse. (24) 12⁰ Zür., C Schmidt 04.   4 —
Mömling, T: Humorist. Erinnergn. Allerlei harmlose Geschichten. (112) 8⁰ Stuttg., Strecker & Schr. 04.   1.50 d
Mumm, E, s.: Christoterpe, neue.
— Kirchlich-soc. Chronik. [S.-A.] (40) 8⁰ Gütersl., C Bertelsmann (01).   — 50 ǁ '02- (23) — 30
— dass. '05- [S.-A.] (23) 8⁰ Hag., O Rippel (04). — 50 ǁ '04- (18) (05.) — 30
— s.: Führer durch d. kirchl. Berlin.
— Der neue Gewerkver. d. Heimarbeiterinnen f. Kleider- u. Wäschekonfektion, s.: Hefte d.freien kirchlich-soz.Konferenz.
— Die Polemik d. Martin Chemnitz geg. d. Konzil v. Trient. 1. Tl. Mit. Verz. d. geg. d.Konzil v. Trient gericht. Schriften. (104) 8⁰ Lpzg, A Deichert Nf. 05.   2 —
— s.: Reform d. Konfirmations-Praxis.
Mummel, A; Der gr. Krieg, s.: Sammlung leb. Bilder.
Mummenhoff, E: Der Handwerker in d. deut. Vergangenh., s.: Monographien z. deut. Kulturgesch.
— E **Reicke**, H **Tölke**: Die Pflege d. Dichtkunst im alten Nürnberg. Dramat. Szenen a. 3 Jahrh. (86 m. 3 Taf.) 8⁰ Nürnbg, (JL Schrag) 04.   3 — d
Münche Hausschatz. 1. u. 2. Bd. 12⁰ Charlttnbg, R Münch. Je nn — 50; geb. je nn — 85; m. G. je nn 1.40 d
  1. Dichtg, desd. d. Neuzeit. Gedichte, durch d. Dichter selbst ausgew. (320) (04.) ǀ 2. Volks- u. Scherzzabuch, deut. Skizzen u. Erzählgn durch d. Verf. selbst ausgew. (330) (04.)
Münch, F: Grammatik d. ripuarisch-fränk. Mundart. (214) 8⁰ Bonn, F Cohen 04.   4 —
— Die Phonetik im Dienste d. Leseunterr. (36) 8⁰ Köln, A Ahn 04.   — 60 d
Münch, H: Fahrdienst, Betrieb u. Verkehr. Taschenb. f. Eisenb.-Beamte. (4. Afl.) (256) 8⁰ Arnsbg, FW Becker 06. Kart. — 80 d
— Hdb. f. d. Stations- u. Abfertiggsdienst. Leitf., Hülfsmittel u. Orientirgs-Material f. Eisenb.-Beamte. 2.Afl.(283)8⁰ Marsbg, (A Studdenbrote) 06.   nn 2 — d
Münch,J: Der Gesangunterr.in d.6klassVolkssch.—Methodisch geordnete Sammlg v. Übgn u. Liedern, s.: Thoma, E.
Münch, O: Heiteres u. Buntes. Humoristisch-satir. Gedichte. (26) 8⁰ Dresd., E Pierson 04.   — 60; geb. 1.60 d
— Das Höhnchen. Satire, gewidmet allen Hypochondern u. denen, d. es werden wollen. (30) 8⁰ Diess., JC Huber 02.   1.20 d
— Der bayer. Klostersturm im J. 1803. (32) 12⁰ Nürnbg, J Münch. Volksschriftenverl. 03.   — 15 d
Münch, P: Relative Absoluta? (Persönlichk. Gottes? Individuelle Unsterblichk.?) Eine Auseinandersetzg Sören Kierkegaards m. d. Geiste d. Gegenwart. 2. Afl. (92) 8⁰ Lpzg 03. Grimmtschsha, R Wöpke.   1.80; geb. 2.00 d
— Die Angst u. Grundgedanken d. Philosophie Sören Kierkegaards in krit. Beleuchtg. (79) 8⁰ Dresd., CL Ungelenk 02. 1.50
Münch, W: Anmerkgn z. Text d. Lebens. 3. Afl. (233) 8⁰ Berl., Weidmann 04.   L. 4.60 d
— Didaktik u. Methodik d. französ. Unterr., s.: Handbuch d. Erziehgs- u. Unterr.-Lehre.
— Geist d. Lehramts. Hodegetik f. Lehrer höh. Schulen. (537) 8⁰ Berl., G Reimer 03.   10 —; geb. 11 — d
— Zukunftspädagogik. 3. Afl. Einführg in d. Berufsaufg. d. Lehrer an höh. Schulen. (546) 8⁰ Ebd. 04.   10 —; geb. 11 — d
— Allerlei Menschliches, s.: Bücher d. Weisheit.
— Aus Welt u. Schule. Neue Aufsätze. (276) 8⁰ Berl., Weidmann 04.   5 — d
— Zukunftspädagogik. Utopien, Ideale, Möglichk. (269) 8⁰ Berl., G Reimer 04.   4 —; geb. 4.80 d
Münch-Bellinghausen, EFJ Frhr v., s.: Halm, F.
München u. d. **Münchener**. Leute. Dinge. Sitten. Winke. (399) 8⁰ Karlsr. 05. Freibg i/B., J Bielefeld.   L. 4 —
Münchhausen, F: Das Bauwesen, s.: Handbuch d. Gesetzgbg in Preussen u. d. Deut. Reich.
Münchgesang, F: Ambros Dalfinger, d. Held v. Venezuela. Erzählg a. d. Zeit Kaiser Karls V. Für d. reif. Jugend. (188 m. 4 Farbdr.) 8⁰ Köln, JP Bachem (01).   Geb. 3 — d
— Derfflingers Hufschmied. Kulturhistor. Erzählg a. d. Zeit d. Gr. Kurfürsten. Für d. reif. Jugend. (188 m. 4 Farbdr. u. 1 Pl.) 8⁰ Ebd. (02).   Geb. 3 — d
— Der alten Dessauer. Kulturhistor. Erzählg a. d. Zeit d. span.Erbfolgekrieges. Für d.reif. Jugend. (145 m.4 Farbdr.) 8⁰ Ebd. (03).   Geb. 3 — d
— Karl d. Hammer (Karl Martell). Kulturhistor. Erzählg a. d. Merovingerzeit. Für d. reif. Jugend. (167 m. 4 Farbdr.) 8⁰ Ebd. (02).   Geb. 3 — d
— Sertorius, s. Anfstand u. Ende. Erzählg a. altröm. Zeit. Für d. reif. Jugend. (176 m. 4 Farbdr.) 8⁰ Köln, JP Bachem (01).   Geb. 3 — d
— Nürnberger Tand. Jugenderzählg a. d. Zeit d. 1. Hohen-

zollers in d. Mark. (117) 8° Gütersl., C Bertelsmann, Sep.-
Cto. 04. — 60 ; m. Titelbild, kart. — 70 ; geb. — 80 ; L. — 90 d
Münchgesang, R: Wer ist glücklich? — Demokedes. 2 kulturhistor. Jugenderzählgn f. Knaben. (132 m. 3 Farbdr.) 8° Würzbg, FX Bucher (04). Geb. 1.50 d
Münchhausen, d. Frhrn v., Reisen u. Abenteuer, n. GA Bürger
f. d. Jugend bearb. Mit Vorwort v. F Hoffmann. (156 m. Abb.
u. 4 Farbdr.) 8° Stuttg., K Thienemann (02). Geb. 3 — ;
kl. Ausg. (156) 8° Geb. 2 — d
— wunderbare Reisen u. Abenteuer zu Lande. Hrsg. v. d. Kunst-
sektion d. Schöneberger Lehrerver. Für d. Jugend v. 10. Jahre
ab. (63 m. Abb.) 8° Berl., J Räde (05). Kart. 1 — d
— wunderbare Reisen u. Abenteuer zu Wasser u. zu Lande,
wie er dieselben bei d. Flasche im Zirkel sr Freunde selbst
zu erzählen pflegte. Zuerst gesammelt u. englisch hrsg. v.
RE Raspe. Übers. u. erweit. v. GA Bürger. 15. Afl. d. Orig.-
Ausg. d. deut. Bearbeitg. (24, 160 m. Abb.) 8° Lpzg, Dieterich
04. Geb. 1.50 d
— dass., s.: Jungbrunnen.
Münchhausen, B Frbr v.: Balladen. (95) 8° Berl. 01. Gosl., FA
Lattmann. L. 4.50 d
— Juda. Gesänge. (90) 4° Gosl., FA Lattmann(1900). L. nn 8 — ;
numerierte Ausg. auf echt Chinapap. in Ldr 25 — d
— Ritterl. Liederb. (107) 8° Ebd. (03). L 4 — d
— s.: Musen-Almanach, Göttinger.
Münchhausen's, GA v., Berichte üb. s. Mission n. Berlin im
Juni 1740, hrsg. v. F Frensdorff, s.: Abhandlungen d. kgl. Ge-
sellsch. d. Wiss. zu Göttingen.
Münchhausen, M Frhr v.: Eckhart v. Jeperen. Roman. (260)
8° Dresd., C Reissner 05. 3 — ; geb. 4 —
— Nähkarline. (76) 8° Berl. (04). Lpzg, Verl. d. Funken, Sep.-
Kto. 1 — d
Münchmeyer, AFO: Gedenkb. f. Konfirmanden, od. Luthers
kl. Katech. m. kurzen Sätzen z. Erklärg desselben, als Leitf.
beim Konfirmanden-Unterr., nebst e. Anh.: d. nicen. u. athanas.
Bekenntnis u. d. 1. Tl d. augsburg. Konfession. 14. Afl. v.
Münchmeyer. (154) 8° Hannov., C Meyer 02. — 60 d
Münchmeyer, CF: Der deut. Erbnachweis. (351) 8° Hannov.,
C Meyer 04. 4.50 ; geb. 5 — d
— Gefahren in d. Zwangsversteigerg. Prüfg d. Hauptgrund-
sätze d. Reichs-Zwangsversteigergsges. (351) 8° Ebd. 01. 4 — d
Münchmeyer, R: In d. Fremde. Einige Zeugnisse u. d. Aus-
landsarbeit. (116) 8° Marbg, NG Elwert's V. 05. 1.80 ; geb. 3.40
Muncker, F, s.: Abhandlungen, germanist., Herm. Paul darge-
bracht.
— Dramat. Bearbeitgn d. „Pervonte" v. Wieland. [S.-A.] (12) 8°
Münch., (G Franz' V.) 04. nn — d
— s.: Briefe v. u. an GE Lessing. — Forschungen z. neueren
Litt.-Gesch.
— Die Graissage bei ein. Dichtern d. neueren deut. Litt. [S.-A.]
(58) 8° Münch., (G Franz' V.) 02. — 80
— Wielands „Pervonte". [S.-A.] (90) 8° Ebd. 03. 1.20
Mund, ED (v. Pochhammer): Freiherr v. Münchhausen; s.: Er-
zählungen, lust.
— Reisen u. Abenteuer d. Freiherrn v. Münchhausen, wie er
dieselben im Kreise sr Freunde selbst zu erzählen pflegte.
Für d. Jugend bearb. 12. Afl. (98 m. Abb. u. 6 Farbdr.) 8°
Stuttg., Loewe. (04). Geb. 3 — || 13. Afl. (150 m. Abb. u. 6 Voll-
bildern.) (04.) Geb. 1.20 || 12. Afl. (150 m. Abb. u. 10 (4 farb.)
Vollbildern.) (03.) Geb. 2.50 d
Mundarten, deut. Zeitschrift f. Bearbeitg d. mundartl. Ma-
terials. Hrsg. v. JW Nagl. 1. Bd. 4. Heft. (269—383 u. 2) 8°
Wien, C Fromme 01. 3.40 (1. Bd vollst.: 13.60)
Munde, C: 1. Unterr. im Engl. 1. Abtlg. 26. Afl. (208) 8° Lpzg,
J Klinkhardt 02. || 27. Afl. v. W Jeditschka. (208) 05. Je 1.50 ;
geb. je nn 1.85 d
Mündel, Q: Strassburger Ditsch m 4 Jahrh., s.: Volksschriften,
elsäss.
— Führer durch d. Vogesen. Kl. Ausg. d. Reisehdb. „Die Vo-
gesen". 4. Afl. (26, 304 m. Abb. u. 10 Kart. u. Pl.) 12° Strassbg,
KJ Trübner 05. Geb. 2.50
— Die Vogesen. Reisehdb. f. Elsass-L. u. angrenz. Gebiete. Auf
Grundl. v. Schrickers Vogesenführer neu bearb. Unter Mit-
wirkg v. J Euting u. O Bechstein. 10. Afl. (663 m. H., 12 Kart.,
3 Pl. u. 2 Panoramen.) 12° Ebd. 05. Geb. 6.51 ; geb. 5 —
Munderloh, HF, u. CH Kröger: Rechenb. 2. Tl. 14. Afl. v. J
Lueken. (192 u. 24 m. Fig.) 8° Oldnbg, Schulze 04. nn 1.30 d
— F Poppe, M Böcking f: Jugendfreund. Leseb. f. Mittelkl.
14. Afl. v. M Böcking, F Poppe, F Meyerholz, O Kröll. (378) 8°
Oldnbg, G Stalling's V. 05. nnn — 60 ; geb. nnn — 70 d
Mundhass, B: Die Anni v. Lindenhofe, s.: Theaterbibliothek,
Zwickauer.
Mündnich, J: Das Hospital zu Coblenz. (313 m. 16 Taf.) 8° Coblenz,
(W Groos. — J Schüth) (05). L. nn 4.50 d
Mundt, J: Fibel, s.: Büscher, PJ.
— Prakt. Fragen u. Aufg. üb. d. Arbeiter-Versicherg d. Deut.
Reiches. Für d. Oberst. d. Volksach., f. Fortbildgssch., f.
Arbeiter- u. Gesellenver. 25. Afl. (16) 8° Köln, JP Bachem 05.
nn — 15 d
Mundt, K, s.: Mühlbach, L.
Mundus novus. Ein Bericht Amerigo Vespucci's an Lorenzo
de Medici üb. s. Reise n. Brasilien, hrsg. v. E Sarnow u.
K Trübenbach, s.: Drucke u. Holzschnitte d. XV. u. XVI.
Jahrh.

Münger, F: Ueb. d. Tätigk. d. schweiz. hydrometr. Bureaus,
s.: Schär, O, d. Verstaatlichg d. schweiz. Wasserkräfte.
Munk, H: Üb. d. Ausdehng d. Sinnessphären in? d. Grosshirn-
rinde. 3. Mittheilg. [S.-A.] (35) 8° Berl., (G Reimer) 01. 2 —
(Vollst. 3.50)
— Üb. d. Folgen d. Sensibilitätsverlustes d. Extremität f. deren
Motilität. [S.-A.] (40) 8° Ebd. 03. 2 —
— Lernen u. Leisten. Rede. (27) 8° Berl., A Hirschwald 03. — 80
Munk, J: Lehrb. d. Physiol. d. Menschen u. d. Säugetiere. 7. Afl.
v. F Schultz. (700 m. H.) 8° Berl., A Hirschwald 05.. 14 —
Bisher u. d. T.:
— Physiol. d. Menschen u. d. Säugethiere. 6. Afl. (642 m. Abb.)
Ebd. 02. 14 —
—s.: Zentralblatt f. Physiol.
Munk, L: Das österr. Patentges. Kommentar zu d. Ges. v.
11.1.1897, betr. d. Schutz v. Erfindgn. (466) 8° Berl., C Heymann
01. 8 —
Munk, M: Die Hygiene d. Schulgebäudes. (177 m. Abb.) 8°
Brünn, Karafiat & Sohn 05. 2.50
— Die Schulkrankh. I. Heft. Die Schulkurzsichtigk. Verkrümmgn
d. Wirbelsäule. (57 m. Abb.) 8° Ebd. 05. 1.50
— Die Zahnpflege in Schule u. Haus. (12 m. 1 Abb.) 8° Ebd.
05. — 30
Munk, R: Das Vermächtnis e. nicht z. Erbschaft gehör. Gegen-
standes in gemeinem Recht u. BGB. (162) 8° Berl., E Ebering
04. 4.20
Munkácsi, B, s.: Revue orientale pour les études ouralo-al-
taïques.
Munkert, A: Die Normalfarben. Beitrag z. Technik d. Malerei.
(117) 8° Stuttg., F Enke 05. 4 — ; L. 5 —
Münnich: Wegweiser durch d. Harth u. ihre Umgebg. 20,5×26,5
cm. Farbdr. Zwenk., (E Stock) (02). — 20
Münnich, W: Mechanik u. Technik d. Pianoforte. (152) 8° Berl.,
Mor. Warschauer (1900). 3 — d
Munsch: Elsass-L., s.: Arnold, L.
Munsch, A: Die Sensation v. Monte Carlo. (69 m. Abb.) 8°
Münch., (C Haushalter 05. 3 —
Munscheid, E: Stimmen a. d. Erzgebirge, s.: Reichel, M.
Munsmann, C: Rittmeister Bruhn u. Frau, s.: Lutz' Kriminal-
u. Detektiv-Romane.
Münster, Graf zu: Teichwirtschaftl. Buchführg. (265) Fol. Lpzg,
RC Schmidt & Co. (02). Geb. 3.50 d
— s.: Petriball.
Münster, Graf zu: Pferdezucht-Notizen. (144) 8° Lpzg, RC
Schmidt & Co. (03). L. 3 — d
— Sachsens Landespferdezucht u. Zuchtziel. Vortr. (17) 8° Ebd.
04. — 60 d
Münster, K: Lehrg. d. engl. Sprache, s.: Plate, H.
— n. A Dageförde: Elementarb. d. französ. Sprache f. d. prakt.
Leben. 3. Afl. (260) 8° Berl., L Oehmigke's V. 03. 1.80 ;
kart. 2 — d
Münsterberg, C: 4 Märchen. (Grossmutters Wintermärchen.)
(62) 8° Danz., AW Kafemann 06. 1.50 ; geb. 2 — d
Münsterberg, E: Das ausländ. Armenwesen, s.: Schriften d.
deut. Ver. f. Armenpflege.
— s.: Aufgaben, d.. städt. Sozialpolitik. (Im Kat. 1896/1900).
— Bibliogr. d. Armenwesens. 1. Nachtr. (63) 8° Berl., C Heymann 02. 1.20 (Hauptwerk u. 1. Nachtr.: 4.20)
— Generalbericht üb. d. Tätigk. d. deut. Ver. f. Armenpflege
u. Wohltätigk. — Das Elberfelder System; s.: Schriften d.
deut. Ver. f. Armenpflege u. Wohltätigk.
— s.: Zeitschrift f. d. Armenwesen.
Münsterberg, H, s.: Terberg, H (Im Kat. 1896/1900).
— Die Amerikaner. 1—3. Afl. 2 Bde. 8° Berl., ES Mittler & S.
04. Je 5 — ; geb. je nn 6.25
1. Das polit. u. wirtschaftl. Leben. (484)
2. Das geist. u. soz. Leben. (386)
Münsterberg, O: Japanische Kunstgesch. I. (24, 136 m. Abb. u.
14 Taf.) 8° Brnschw., G Westermann (04). Kart. 9.75 ; Lieb-
haberausg., Ldr 20 — || II. (263 m. z. Tl farb. Abb. u. 33 z.
Tl farb. Taf.) (05.) Kart. 15 — ; Liebhaberausg., Ldr 25 —
Münster-Blatt, Strassburger. Schriftleitg: Wolff u. Müller.
1. Jahrg. 1903/04. (39 m. Abb. u. 3 Lichtdr.) 4° Strassbg, L
Beust. 3 — || 2. Jahrg. 1905. (32 m. Abb. u. 10 Lichtdr.) 5 —
Münsterblätter, Freiburger. Halbjahrsschrift f. d. Gesch. u.
Kunst d. Freiburger Münsters. Hrsg. v. Münsterbau-Ver.
1. Jahrg. 2 Hefte. (44 u. 48 m. 1 Taf.) 4° Freibg i/B., Herder
05. Je 5 —
Münstertal, d., v. Colmar bis Münster. Kurzgef. Geleitb., bearb.
v. ein. Vogesenfreunde. (40 m. 4 Kart.) 8° Freibg i/B., FP
Lorenz 04. — 60
Muntendorf, V : Defraudationsschntz.. Beitrag z. Kapitel 7 d.
Bureau-Organisation m. bes. Berücks. d. Kreditgenossensch.
(163) 8° Brünn, (CWinkler) 05. 4 — ; f. Deutschl.: Berl., H See-
mann Nf. 3.80
Munter, F: Im Spiegel. 1. Tl. (95) 8° Dresd., E Pierson 03. || 2. Tl.
Liebe! Skizzen f. charakterstarke Menschen. (121) 05. Je 1.50 ;
geb. je 2.50
Munthe, H: Die Holzbaukunst Norwegens, s.: Dietrichson, L.
Muntzer, T, m. d. hanser Abgeürschte emplöss g falschen
Glaubens d. ungetrewen welt durchs gezengnus d. Ev. Luce
vorgetr. d. elenden erbermi. Christenheyt z. innerg jres ir-
sals. Mülhausen 1524. Als Neudr. hrsg. v. Jordan. (30) 8°
Mühlh. i/Th., (Heinrichshofen) 01. nn — 60 d

Müntzer, D: Lebensmai: Neue Gedichte. (109) 8° Strassbg, J Singer 04.   2 —
— Varianten. Gedichte. (103) 8° Dresd., E Pierson 04.   3 —;
          geb. 3 — d
Muns, F: Verborg. Klippen od. Die weltl. Vergnügen in d. Wagschale d. christl. Gewissens. (128) 8° Konst., C Hirsch (04).   L. 1.50 d
— Der Krüppel v. Nürnberg, s.: Clark, FB.
Müns, B: Goethe als Erzieher. (118) 8° Wien, W Braumüller 04. 2 —
— Marie Eugenie delle Grazie als Dichterin u. Denkerin. (117 m. 1 Bildnis.) 12° Ebd. 02.   2.40; L. 4 —
— Literar. Physiognomien. (239) 8° Ebd. 03.   3.60
Müns, J: Rabbi Moses ben Maimon (Maimonides). Sein Leben u. s. Werke. 1. Thl. (155) 8° Mainz 02. Frankf. a/M., J Kauffmann.   2 — d
Müns, J: Die Voraussetzgn u. Wirkgn d. Notwehr, d. Notstandes u. d. Nothilfe im BGB. u. ihre Unterschiede. (56) 8° Münch., T Ackermann 03.   1.20 d
Müns, L: Ein Buch f. d. jüd. Ehefrau. Mit e. Beigabe: Lehren uns, Weisen üb. Erziehg d. Kinder. (77) 8° Frankf. a/M., AJ Hofmann 05.   — 80 d
Müns, P: Hdb. d. Ernährg f. Gesunde u. Magenkranke. Mit bes. Berücks. d. jüd. Speisegesetze. (188) 8° Mainz 01. Frankf. a/M., J Kauffmann.   2 —
Müns, P: Fragmente z. Schulaufsichtsfrage. Rückblicke u. Ausblicke m. bes. Berücks. d. preuss. Verhältn. (55) 8° Wiesb., (H Rauch) 05.   — 50
Müns, S: Moderne Staatsmänner. 1. u. 2. Afl. (305) 8° Berl., Allg. Ver. f. deut. Litt. 01.   5 —; L. od. HF. 6.75 d
Müns, W: „Es werde Licht!" Aufklärg üb. Bibel u. Babel. 1—4. Taus. (52) 8° Bresl., Koebner 03.   — 60 d
— Ritualmord u. Eid. Off. Brief an d. Reichstagsabg. Hrn Liebermann v. Sonnenberg. 5—15. Taus. (10) 8° Gleiwitz, Neumann's Stadtbuchdr. 02. il 4. Afl. (12) 02.   Je — 10 d
Münzblätter, Berliner. Begründet v. A Weyl. Neue Folge. Hrsg. u. Schriftleiter: E Bahrfeldt. 22—25. Jahrg. 1901—4 je 12 Nrn. (Nr. 1. 16 m. Abb.) Nebst Beibl.: Numismat. Correspondenz. Hrsg. v. R Kube. 18—21. Jahrg. 1901—4 je etwa 6 Nrn. (Nr. 205. 16) 8° Berl. (W. Kurfürstend. 17), Dr. E Bahrfeldt.   Je nn 6 —
— dass. Hrsg.: E Bahrfeldt. 26. Jahrg. 1905. 12 Nrn. Nebst Beibl.: Numismat. Correspondenz. Etwa 6 Nrn. (Nr. 37. 16 u. 32) 8° Ebd.   6.05
Münzel, G: Untersuchgn üb. d. Genfer Konvention. Darstellg u. Kritik d. in diesem Vertrage geelt. Landkriegsrechts, m. e. geschichtl. Überblick üb. d. Bestrebgn bis z. Abschl. d. Vertrages u. üb. d. Versuche zu s r Fortbildg. (189) 8° Freibg i/B., G Ragoczy 01.   2 —
Münzenberger, EFA: Weg z. Beharrlichk. Gebet-, Communion- u. Andachtsb. 3. Afl. v. J Braun. (496 m. 1 Farbdr.) 16° Frankf. a/M., P Kreuer (01).   L. 1.25 d
— u. S **Beissel**: Zur Kenntniss u. Würdigg d. mittelalterl. Altäre Deutschlds. 16—18. Lfg. (2. Bd. 169—240 m. 30 Taf.) Fol. Ebd. 01—04.   Je 6 — (1—18.: 108 —) d
Münzer, F: Die Historien u. Historien d. Tacitus. [S.-A.] (31) 8° Lpzg, Dieterich 01.   1.60
Münzer, G: Heinr. Marschner, s.: Musiker, berühmte.
— Wunibald Teinert, e. tragi-kom. Musiker- u. Kritikergesch. (227) 8° Lpzg, B Senff 05.   3 —; L. 4 — d
Münzer, K: Die Kunst d. Künstlers. Prolegomena zu e. prakt. Ästhetik. (112 m. 10 Taf.) 8° Dresd., G Kühtmann 05.   5 —;
          L. 6.50
Muenzer, O: Des deut. Landwirts Liederb.: 3. Afl. d. „Liederb.". f. Schüler landw. Lehranst." (139) 16° Lpzg, H Voigt 01.   nn (— 75) — 60 d
Münzer, R: Bausteine zu e. Lebensphilosophie. (172) 8° Lpzg, O Wigand 03.   3 —
— Das Cayenne-Whist (u. Bridge), s.: Bibliothek f. Sport u. Spiel.
— Starke Menschen. (145) 8° Lpzg, O Wigand 05. 2 —
Munzinger, C: Japan u. d. Japaner. (174) 8° Stuttg., D Gundert 04.   1.50; L. 2 — d
— Die Protestation. Histor. Schausp. 2. Afl. (96) 8° Kaisersl., E Crusius 01.   geb. 1.60 d
Munzinger, L: Die Entwicklg d. Inseratenwesens in d. deut. Zeitg. (90) 8° Hdlbg, O Winter, V. 02.   2.40 d
Münzkabinet, d. d. kgl. Museen zu Berlin. Gesch. u. Übersicht d. Sammlg, nebst Verz. d. ausgelegten Stücke. Kl. Ausg. Hrsg. v. d. Generalverwaltg. 21° (21² Berl., G Reimer 1890.   † — 70
Müns- u. Medaillen-Kabinet d. Freihrn Wilh. Knigge. (323) 8° Hannov., (M & H Schaper) 01.   L. (13 —) nn 15 —
Münzner, J: Koobb. f. d. einf. Haushalt zugl. Leitf. f. d. Haushaltgsunterr. in d. Schule. 3. Afl. (70) 8° Glauch., A Peschke 04.   Kart. — 60 d
Münztafel, österr. 100×50 cm. Farbdr. Korneubg, J Kühkopf (03).   Mit St. u. lackiert 4.40
Müns-Verkehr, Berliner. Periodisch erschein. Verz. verkäufl. Münzen u. Medaillen verschied. Länder; sowie numismat. Werke, hrsg. v. J Hahlo. Jahrg. 1901. 1—2 Nrn. (Nr. 30. 48) 8° Berl. (NW. 6, Albrechtstr. 15), S Hahlo.   nn 1.50
Münzwesen, d. preuss., im 18. Jahrh., s.: Acta borussica.
Müns-Zeitung, Frankfurter. Hrsg. v. P Joseph. 1—4. Jahrg. Apr. 1901—Dezbr 1904 je 12 Nrn. (je 184 m. Abb. u. 8, 9, 7

u. 9 Taf.) 8° Frankf. a/M.-Sachsenh. (Schifferstr. 88), P Joseph.   Je 6 —, il 5. Jahrg. 1905. 8 —
Muralt, J v.: Die parlamentar. Immunität in Deutschl. u. d. Schweiz m. Berücks. d. Entwicklg derselben in Engl. u. Frankr. (126) 8° Zür., Schulthess & Co. 02.   2.80
Muralt, L v.: Paulus Lebenserfahrgn. Erzählg f. d. reif. Jugend u. ihre Freunde. (235) 8° Zür., Art. Instit. Orell Füssli 04.   Geb. 4 — d
Muralt, L v.: Üb. moral. Irreseln (Moral insanity). Vortr. (Umschl.: 2. Afl.) (30) 8° Münch., E Reinhardt 03.   — 80
Murat, N: Dictionnaire franç.-turc en caractères latins et en caractères turc. (432) 16° Constant., (O Keil) 01. Kart. nn 1.80;
          geb. nn 2.50
— Dictionnaire turc-franç. en caractères turcs et latins, avec des exemples. (318) 16° Ebd. 03.   L. nn 2.50
Murawlin, D (Fürst DP Golizyn): Liebesirrtümer. Roman. Deutsch v. H Röhl. (584) 8° Lpzg, B Elischer Nf. (05). 3.50 d
Muret, E: Taschenwtrb. d. engl. u. deut. Sprache. 2 Tle. (Langenscheidt's Taschenwörterbücher.) 3. Bearbeitg. 44—55. Taus. (42, 496 u. 39, 452) 12° Berl.-Schönebg, Langenscheidt's V. 02.   L. je 2 —; in 1 L.-Bd. 3.50 d
   Bisher u. d. T.: Notwörterbuch d. engl. u. deut. Sprache.
— u. D **Sanders**: Encyklopäd. englisch-deut. u. deutsch-engl. Wtrrb. II. Tl. Deutsch-Englisch. A—E bearb. v. D Sanders, fortgeführt unter Mitwirkg v. C Stoffel v. I Schmidt. Gr. Ausg. 20—24. Lfg. (1825—2368 u. 43) 8° Ebd. (01). Je 1.50 (Vollst., 2 Tle je 36 —; in 4 HF.-Bdn je 21 —) d
— — dass. Hand-u. Schul-Ausg. (Auszug a. d. gr. Ausg.) 2 Tle. 8° Ebd.   Je 6.50; HF. je 8 —; in 1 Bd 13 —; geb. 15 —
   1. Englisch-deutsch v. B Klatt. 33—42. Taus. (32, 845) 02. § 2. Deutsch-
   engl. v. H Baumann. 19—28. Taus. (24, 889) 02. d
Mürioh, P: Auf, z. Tanz! Gr. neuer Waffentanz. Musik v. M Kayser. (16 m. Fig.) 8° Berl., M Böhm (01).
   Mit Duplikat (16) u. Klavierauszug (8) 4° 3 — d
Murillo: Die unbefleckte Empfängnis, s.: Meisterbilder fürs deut. Haus.
Murken, E: Die Grundl. d. Seeschiffahrt. (101) 8° Berl., ES Mittler & S. 04.   2.25 d
Murko, M: Vatroslav Oblak. Beitrag z. Gesch. d. neuesten Slavistik. (62) 8° Wien, A Hölder 02.   1.20
Murr, J, H **Zahn**, J **Pöll**: Hieracien, s.: Reichenbach, HGL, Deutschla Flora bezw. Icones florae.
Murray, A: Andersflügel. Deutsch v. G Holtey-Weber. (88) 8° Lpzg, LA Klepzig 03.   L. 1.20 d
— Der Auftrag d. Meisters. Die äussere Mission u. d. Notwendigk. d. Gebets. Übers. v. Gräfin E Groeben. (48) 8° Gotha, Missionsh. P Ott 05.   — 40 d
— Bleibe in Jesu. Gedanken üb. d. sel. Leben d. Gemeinschaft m. d. Sohne Gottes. Nach d. Engl. 10. Afl. (206) 8° Bas., Kober 03.   1.20; L. 2 — d
— Der Geist Jesu Christi. Gedanken üb. d. Innewohng d. hl. Geistes. 3. Afl. (307) 8° Ebd. 01.   1.30; L. 2 — d
— Nach Jesu Bild. Betrachtgn üb. d. sel. Leben d. Umgestaltg in d. Ebenbild d. Sohnes Gottes. Aus d. Engl. 5. Afl. (225) 8° Ebd. 01.   1.30; L. 2 — d
— Jesus heilt d. Kranken od. Heilg n. d. Worte Gottes. 3. Afl. (134) 8° Ebd. 04.   1 —; L. 1.80 d
— Jesus Selbst. 7. Neudr. (64) 16° Kass., E Röttger (05). — 40 d
— In d. Königs Dienst. Uebers. v. CF. (148) 8° Brem., Bh. u. Verl. d. Traktath. (03).   1 —; L. 1.50 d
— Das neue Leben. Worte Gottes f. d. jungen Kinder in Christo. Deutsch v. G Holtey-Weber. 2—4. Heft. (65—259) 8° Hag. O Rippel 1900.   Je 50 (Vollst.: 3 —; geb. 5 —) d
— Völlige Liebe. Deutsch v. G Holtey-Weber. (67) 8° Lpzg, LA Klepzig 03.   Kart. 1 — d
— Der Schlüssel z. Missions-Problem. Deutsch v. C F. (188) 8° Kass., E Röttger (03).   1.50; L. 1.80 d
— Die Schule d. Gebets. Frei n. d. Holl. 3. Afl. (200) 8° Strieg., R Urban 05.   1.20; L. 1.80 d
Murray, CA: Der Prairievogel, s.: Hoffmann, O. — Stein, W, Prairieblume unter d. Indianern.
Murray, DC: Die Jagd n. Millionen, s.: Engelhorn's allg. Roman-Bibliothek.
— Glänz. Laufbahn. Roman. Uebers. v. A Schultze. (382) 8° Köln, JP Bachem (03).   3.50; geb. 5 — d
— u. H **Murray**: Das verhängnisvolle Brecheisen. Kriminalnovelle n. d. engl. Gesellsch. Uebers. v. A Theinert. 2 Tle in 1 Bde. (128 u. 128) 8° Mülh. a/R., J Bagel (04).   — 60 d
Murray, JAH: Petite grammaire angl., s.: Mauron, A.
Murrell, W: Die Massage als Behandlgsmethode. Nach d. 4. Afl. d. Orig. v. O Roth. (Neue [Tit.-]Ausg.) (148) 8° Berl., Berlinische Verl.-Anst. [1890] (03).   3 —
Murset, H: Die neu. Seminarfrage. (64) 8° Bern, (A Francke) 04.   † — 70 d
Musäfia, BJ: Wie fördern wir uns. geist. Arbeitsfähigk.?, s.: Bibliothek soc. Bildg.
— Wie fördern wir uns. mentale u. psych. Arbeitsfähigk.?, s.: Bibliothek Goetz-Jahn.
Musäus, JCA: Dämon Amor, s.: Gabelsberger-Bibliothek.
— Legenden v. Rübezahl, s.: Schaffstein's Volksbb. f. d. Jugend.
— Märchen. Für d. Jugend erzählt v. KA Müller. 11. Afl. (386 m. H. u. 4 Farbdr.) 8° Lpzg, Abel & M. (05).   Geb. 3 — d
— Die Nymphe d. Brunnens, s.: Gerlach's, K, Jugendbücherei.
— Jungbrunnen.

Musäus, JCA: Rübezahl. Deut. Volksmärchen. Für d. Jugend
  bearb. v. L Thomas. 6.Afl.(136 m. H.) 8º Berl., HJ Meidinger(03).
  Geb. 3 — d
— dass., s.: Jugendhort.
— Rübezahl u. d. Hirschberger Schneiderlein, s.; Jungbrunnen.
— Volksmärchen. Für d. Jugend neu bearb. v. A Wagner. 2 Tle.
  (116 u. 120 m. Abb. u. je 2 Farbdr.) 8º Stuttg., G Weise (04).
  Geb. je 1.50; in 1 Bd 3 — d
— dass., s.: Schwab, G.
— Volksmärchen d. Deutschen. (226 m. Abb.) 4º Düsseldf(03).
  Berl., Fischer & Fr. L. 6 — d
— dass., s.: Hempel's Klassiker-Bibliothek. — Schaffstein's
  Volksbb. f. d. Jugend.
Musch, A: Die wichtigsten Bestimmgn d. Ges. üb. Pensionirg
  d. Reichspost- u. Telegr.-Beamten u. Unter-Beamten u. üb.
  d. Fürsorge f. d. Wittwen u. Waisen. (11) 8º Dresd. 02. (Berl.
  [S. 42, Wasserthorstr. 27], Berolina-Versand-Bh.) — 20 d
Musch, M: Konstruktion u. Handhabg elektromedizin. Appa-
  rate, s.: Zacharias, J.
Müschen, C: Haus-Choralb. m. e. Anh. geistl. Lieder. Hrsg.
  v. F Petersen. (130) 8º Schwer., F Bahn 05. Kart. 1.80;
  Geschenkausg. geb. 2.60
Muschi, JB, s. a.: Bernard, J.
— Der Marquis, s.: Weichert's Wochen-Bibliothek.
Muschka, M: Erzählb., s.: Ambros, J.
— Grüsse an d. Kleinen. Neue Gedichte f. Kindergarten u. Fa-
  milie. (86 m. Abb.) 8º Wien, A Pichler's Wwe & S. 04. 1.20 d
Muschner-Niederführ, G: Cäsar Flaischlen. (188 m. 1 Bildnis.)
  8º Berl., E Fleischel & Co. 03. 3 —; geb. 4 — d
— Carl Hauptmanns „Bergschmiede". (23) 8º Münch., GDW
  Callwey 05. — 50 d
— Das Riesengebirge. Hand- u. Reiseb. (351 m. Abb.) 8º Berl.,
  A Schall 04. 3.50 d
Musebeck, C: Anfangsgründe d. Trigonometrie u. Stereometrie.
  — Leitf. d. Elementar-Mathematik, s.: Lieber, H.
— Sammlg v. Aufg. a. d. Planimetrie, Trigonometrie u. Stereo-
  metrie, enth. Aufg. zu Tl I: Ausg. B f. Realsch. d. Leitf. d.
  Elementar-Mathematik v. H Lieber u. F v. Lühmann. (115)
  8º Berl., L Simion Nf. 05. Geb. 2 — d
Musebeck, E: Ernst Mor. Arndt u. d. kirchlich-relig. Leben sr
  Zeit. (100) 8º Tüb., JCB Mohr 05. 1.50; geb. nn 2.50 d
— Christentum,Kirche,Persönlichk.Gedenkbl.f.RudolfManger,
  stud. jur. (115) 8º Marbg, NG Elwert's V. 02. 1.50; geb. 2 — d
Musebeck, L: Die Zucht d. Bienenkönigin. (48 m. Abb.) 8º Lpzg,
  Leipz. Bienenzeitg (05). — 80 d
Musée du Luxembourg. 25 chefs-d'œuvre de l'école franç. con-
  temporaine. (25 Bl. in Photogr. m. 1Bl.Text.) Fol. Berl.,Photo-
  graph. Gesellsch. (02). In L.-M. 275 —
Museen, d., als Volksbildgsstätten, s.: Schriften d. Central-
  stelle f. Arbeiter-Wohlfahrtseinrichtgn.
Musehold, P: Die Pest u. ihre Bekämpfg., s.: Bibliothek v. Coler.
Musen-Almanach, Göttinger, f. 1905. Hrsg.: B Frhr v.Münch-
  hausen. (190) 8º Gött., L Horstmann (04). 3.50; geb. 4.50 d
— Hallescher. Hrsg. v. HE Luedecke. (166) 8º Halle, Paalzow
  & Co. (03). nn 1.50 d
— Hannov., f. 1905. Hrsg. v. K Oppermann u. C Gerdes. (106)
  8º Hannov., O Tobies (04). 2.50; geb. 3.50 d
— hess. Jahrb. f. hess. Kunst u. Art. Hrsg. v. K Neurath.
  1. Jahrg. 1. Lfg. (1—32) 8º Giess., A Frees (05). — 60 || 2. Lfg.
  (33—56 m. 1 Farbdr.) (05). — 80 d
— deut. Hochschüler 1904. (129) 8º Münch., Allg. Verl.-Ge-
  sellsch. 04. Kart. 2.50 d
— d. kathol. Studentenschaft Deutschlds 1902. Red.: L Krapp.
  (184 m. 1 Bildnis.) 8º Münch. (02). Rgnsbg, Verl.-Anst. vorm.
  GJ Manz. 2 — d
  2. Jahrg. u. d. T.:
— kathol. Studenten 1903. 2. Jahrg. (148 m. 1 Bildnis.) 8º
  Münch., G Schuh & Co. 2 —; geb. nn 3 — d
— Leipz.,1904. Hrsg. v. d. Leipz. Abteilg d. Leipz. freien Studentenschaft. (74 m. Abb.) 8º Gött., L Horstmann 04. 2.50
  geb. 3.50 d
— d. Hochschüler Münchens 1901. (Hrsg. v. H Holzschuher.)
  (105 m. Vignetten.) 8º Lpzg (03). Berl., H Seemann Nf. 2.50 d
  Fortsetzg u. d. T.:
— d. Münch. Hochsch. 1903. (Hrsg. v. H Holzschuher.) (122)
  8º Münch., E Koch 03. 2 — d
— Münsterscher, 1904. Hrsg. v. B Schmitz. (99) 8º Münst.,
  Alphonsus-Bh. 1.50 || 1905. (112) 1.80 d
— Musenklänge a. d. Karlsruher Künstlerjugend. (68) 8º
  Lpzg, R Voigtländer 02. Kart. — 80 d
— verfiebend. (126) 12º Lpzg, Verl.-Anst. M Minde (02). 2 — d
Muser, E: Bau-Unfallversicherungsges. v. 30.VI.1900 m. d. Voll-
  zugs- u. Ausführungsbestimmgn f. Baden. (704) 8º Karlsr., G
  Braun'sche Hofbuchdr. 01. L. 6.40 d
— Die bad. Gemeindeordngs-Anweisg., s.: Müller, JP.
— Gewerbe-Unfallversicherungsges. v. 30.VI.1900 m. d. Vollzugs-
  u.Aufführgsbestimmn f.Baden. (582) 8º Karlsr.,G Braun'sche
  Hofbuchdr. 01. L. 5 — d
— Krankenversicherungsges. (u. Hilfskassenges.) m. d. Vollzugs-
  u. Ausführgsbestimmgn f. d. Grossh. Baden. (622) 8º Berl.,
  L. 5.80 d
— Unfallversicherungsges. f. Land- u. Forstw. v. 30.VI.1900 m.
  d. Vollzugs- u. Ausführgsbestimmgn f. Baden. (686) 8º Ebd.
  03. L. 6.40 d

Muser, O: Der Kampf um d. Schule, s.: Flugschriften d. deut.
  Volkspartei.
— Die Trenng v. Staat u. Kirche. Der bad. Klosterstreit. Die
  Erziehgs- u. Schulfrage. (272) 8º Bambg, Handels-Dr. u. Ver-
  lagsh. (03). — 2 d
Museum, das. (Hrsg. v. H Landsberg.) 1—4. Bd. 8º Berl., Pan-
  Verl. Kart. 9.50 d
  Athenäum. Eine Zeitschrift v. AW Schlegel u. F Schlegel. Neu hrsg. v.
    F Baader. (290) (05.) [4.] 4 —
  Goethe, Annette. Neu hrsg., nebst e. Anh. a. d. „Leipz. Liederb.' v. H
    Landsberg. (13, 46 m. 1 Bildnis.) (05.) [3.] 1.50
  Herzen, A: Russlds soz. Zustände. Neu hrsg. v. H Landsberg. (14, 180)
    (05.) [2.] 2 —
  Streicher, A: Schillers Flucht. Mit Briefen Streichers u. Ausz. a. d. Auto-
    biogr. Hovens neu hrsg. (16, 6, 229) (05.) [1.] 2 —
— das. Anl. z. Genuss d. Werke bild. Kunst v. W Spemann.
  Hrsg. v. R Graul u. R Stettiner. 7—9. Jahrg. je 20 Hefte u.
  10.Jahrg. 1—8.Heft. (8. u. 9. Jahrg. Je 160 Taf. m 108 S. illustr.
  Text u. 10. Jahrg. 1—8. Heft. 64 Taf. m. 32 S. illustr. Text.)
  4º Berl., W Spemann 01-05. Je 1 —; d. Jahrg. geb. in L. 25 —
— german., zu Nürnberg. (25 Bl.) 33×43 cm. Nürnbg, S Soldan
  (02). 12 —
— d. hamburg., f. Kunst u. Gewerbe. Dargest. z. Feier d.
  25jähr. Bestebens v. Freunden a. Schülern J Brinckmanns.
  (456) 8º Hambg, (Boysen & M.) 02. 5 —
— d. neue patholog., d. Univ. zu Berlin. (Von R Virchow.)
  (15 m. 5 Grundr.) 8º Berl., A Hirschwald 01. 1 —
— pfälz. Monatsschrift f. heimatl. Litt. u. Kunst, Gesch. u.
  Volkskde. Hrsg. v. litterar. Ver. d. Pfalz. Schriftleiter: E
  Heuser u., seit 1905, FJ Hildenbrand. 18—22. Jahrg. 1901—5
  je 12 Nrn. (Nr. 1. 16) 8º Kaisersl., H Kayser. Je 4 — d
— rhein., f. Philol. Hrsg. v. F Buecheler u. H Usener u. ferner
  seit 1905 A Brinkmann. Neue Folge. 56—60. Bd je 4 Hefte.
  (56. Bd. 1. Heft. 160) 8º Frankf. a./M., JD Sauerländer 01-05.
  Je nn 16 —
— d. stereoskop. Red. v. S Lederer. 1—6. Serie. Je 10 Orig.-
  Aufnahmen. 8º Nebst erläut. Text. 8º Prag, B Koči. Je — 60
  Luxusausg. je 1.20
  1.2. Pompeji I u. II. Text v. A Mau. (Je 12) (04.) || 3. Die Schweiz. I. (Gott-
    hardstraase.) Text v. MW Meyer. (11) (04.) || 4. Dass. II. (Die Gletscher-
    welt d. Rhonetals.) Text v. MW Meyer. (12) (04.) || 5.6. Klass. Skulptur
    I u. II. Orig.-Aufnahmen n. d. Gips-Abgüssen d. Albertinum in Dresden
    v. S Lederer. Text v. A Mahler. (12 u. 11) (04.)
Museumsblätter, Lüneburger. Hrsg. v. W Reinecke. 1. Heft.
  (109 m. Abb. u. 1 Taf.) 8º Lüneba, (Herold & W.) 04. || 2. Heft.
  (97) (05.) Je nn 3.50
Museumskunde. Zeitschrift f. Verwaltg u. Technik öffentl. u.
  privater Sammlgn. Hrsg. v. K Koetschau. I. Bd. 4 Hefte.
  (1. Heft. 66 m. Abb.) 8º Berl., G Reimer 05. 20 —
Musgrave, CA: Die Deutschen u. d. Burenkrieg. — Das niederl.
  Engld, s.: Flugschriften, popuraren.
— Heidelberger Schöpfgs-Gesch.(42) 8º Berl.(W., Potsd. Str. 86),
  Verl. v. „The German Times" 02. 1 — d
Mushacke's dent. Schul-Kalender f. d. Schulj. 1905/6. 56. Jahrg.
  Oster- u. Michaelis-Ausg. (60, 205 u. 60, 207) 8º Lpzg, BG Teubner.
  Je 1 —; L. je 1.20
Mushacke, W: Krefeld z. Zt. d. preuss. Besitzergreifg. (54) 8º
  Kref., Kramer & B. (02). — 60
Mushard, L: Monumenta nobilitatis antiquae familiar, illu-
  strium, inprimis ordinis equestris inducatibus Bremensi & Ver-
  densi i. e. Denckmahl d. uhralten berühmten hochadel. Ge-
  schlechter insonderh. d. hochlöbl. Ritterschaft im Hertzogth.
  Bremen u. Verden. Bremen 1708. Anastat. Neudr. (20, 572 m.
  Abb.) 4º Berl., (H Barsdorf) 05. 50 —; geb. 55 — d
Musica sacra. Gegründet v. FX Witt. Monatsschrift f. Hebg
  u. Förderg d. kathol. Kirchenmusik. Hrsg. v. FX Haberl.
  Neue Folge 13. u. 14., als Fortsetzg 34. u. 35. Jahrg. 1901 u. 2
  je 12 Nrn. Mit 12 Musikbeil. (1901. Nr. 1. 12 u. 12) 8º Rgnsbg,
  F Pustet. Je 2 — || 15—17., bezw. 35.-37. Jahrg. 1903—5. Je 3 —;
  einz. Nrn, ohne Musikbeil. — 50
Musik, die. Leiter: B Schuster. 1. u. 2. Jahr. Oktbr 1901—
  Septbr 1903 je 24 Hefte. (1. Jahrg. 1 Heft. 104 m. Abb. u.
  15 Taf.) 8º Berl., Schuster & Loeffler. Je 10 —; viertelj. 3 —;
  einz. Hefte 1 — || 3—5. Jahr. Oktbr 1903—Septbr 1906. Je 15 —;
  viertelj. 4 —; einz. Hefte 1 —
— die. Sammlg illustr. Einzeldarstellgn. Hrsg. v. R Strauss.
  1—7., 9., 11., 12., 16. u. 17. Bd. 12º Berl., Bard, Marquardt & Co.
  Kart. je (1.25) 1.50; Ldr je (3.50) 3 —
  Bie, O: Intime Musik. (52 m. 10 Taf.) (04.) [7.] || Tanzmusik. (80 m. 14
    Taf.) (05.) [6.]
  Bischoff, H: Das deut. Lied. (117 m. 22 Taf. u. 14 Notenbl.) (05.)[16.17.]
  Bruneau, A: Gesch. d. französ. Musik. Übertr. v. M Graf. (65 m. 1 Fksm.
    u. 12 Taf.) (04.) [4.] || Die russ. Musik. Übertr. v. M Graf. (56 m. 18 Taf.)
    (05.) [12.]
  Göllerich, A: Beethoven. 1. u. 2. Afl. (88 m. Fksms u. 7 Taf.) (04.05.) [1.]
    Graf, M: Die Musik im Zeitalter d. Renaissance. (59 m. 12 Taf.) (05.)
    [13.] d
  Klatte, W: Zur Gesch. d. Programm-Musik. (66 m. 12 [1 farb.] Taf. u.
    4 Fksms.) (05.) [7.] d
  Rolland, R: Paris als Musikstadt. Übertr. v. M Graf. (71 m. 14 Taf.) (05.)
    [11.] d
  Weingarten, H v.: Bayreuth. (81 m. 1 Fksm. u. 21 Taf.) (04.) [5.] d || Wag-
    ner-Brevier. (66 m. Fksms u. 4 Taf.) (04.) [3.]
    Bd 8, 10 u. 13—15 sind noch nicht erschienen. — Die Ausg. geb.
    in Leinw. (bisher 1.50) wird nicht weiter geführt.
— f.Alle. Monatshefte z.Pflege volkstüml. Musik. Red.: H Zepler.
  1. u. 2. Jahrg. Novbr 1904—Septbr 1906 je 12 Nrn. (Nr. 1. 20 S.
  u. 4 Jahrg. Novbr 1906 je 12 Nrn. (Nr. 1. 20 S.
  u. 4 S. illustr. Text.) 4º Berl., Ullstein & Co. Viertelj. 1.50;
  einz. Hefte — 50 d

Musik, d., u. ihre **Klassiker** in Aussprüchen Rich. Wagners. 2. Afl. (110) 8° Lpzg, F Reinboth (02). 1.50 d

Musikbuch a. Österr. Ein Jahrb. d. Musikpflege in Österr. u. d. bedeutendsten Musikstädten d. Ausl. Red. v. R Heuberger. 1. u. 2. Jahrg. (297 u. 346) 8° Wien, C Fromme 04.05. Geb. je 3.75

Musikdirektoren-Zeitung, deut. Schriftleiter: A Oertel. 9. Jahrg. 1—3. Viertelj. Jan.—Septbr 1901. 39 Nrn. (Nr. 1. 8) Fol. Hannov., Lehne & Co. Viertelj. 1.25
Seit 1.X.'01 u. d. T.:

Musikdirigenten-Zeitung, deut. Schriftleiter: A Oertel u., seit 1904, F Neuendorf. 9. Jahrg. 4. Viertelj. Oktbr—Dezbr 1901. 13 Nrn. (Je 8) Fol. Hannov., Lehne & Co. ‖ 10—13. Jahrg. 1902—5 je 52 Nrn. Viertelj. 1.25; einz. Nrn — 20

Musiker, berühmte. Lebens- u. Charakterbilder, nebst Einführg in d. Werke d. Meister. Hrsg. v. H Reimann. 1., 10. u. 12—17. Bd. 8° Berl., „Harmonie". L. 36 — (1—17.: 67 —)
Abert, HH: Rob. Schumann. (112 m. Abb., 2 Taf. u. 4 Fksms.) 03. [15.] 4 —; in Liebhaberbd 6 —
Frimmel, T v.: Ludw. van Beethoven. 2. Afl. (108 m. Abb., 4 Taf. u. 4 Fksms.) 03. [13.] 6 —
Heuberger, R: Franz Schubert. (115 m. Abb., 3 Taf. u. 9 Fksms.) 02. [14.] 4 —; Sep.-Ausg. in Liebhaber-Bd 6 —
Leichtentritt, H: Frédéric Chopin. (145 m. Abb., 2 Taf. u 3 Fksms.) 05. [16.] 4 —; in Liebhaber-Bd 6 —
Münzer, G: Heinr. Marschner. (90 m. Abb., 1 Taf. u. 3 Fksms.) 01. [12.] 4 —
Procházka, R Frhr: Joh. Strauss. 2. Afl. (122 m. Abb., 4 Taf. u. 2 Fksms.) 03. [10.] 6 —; Ldr. 12 —
Reimann, H: Joh. Brahms. 3. Afl. (127 m. Abb., 2 Taf. u. 6 Fksms.) 03. [1.] 4 —: Sep.-Ausg. in Liebhaberbd 6 —; Liebhaberausg. in Saff. 12 —
Wolff, E: Fel. Mendelssohn-Bartholdy. (196 u. 8 m. Abb., Taf. u. Fksms.) 06. [17.] 4 —; Sep.-Ausg., in Liebhaberbd 6 —

Musiker-Biographien s.: Universal-Bibliothek.

Musikergeschichten. 1. Bd. 8° Bad Kissingen, F Weinberger. 1 — d
Romberg, M: Wanderjahre e. jungen Kapellmeisters! Ein Briefwechsel. (104) 05. [1.] 1 —

Musiker-Kalender, allg. deut., f. 1906. 28. Jahrg. 2 Tle. (154, 496 u. 35) 16° Berl., Raabe & Pl., V. L. u. geh. 2 —

Musiker-Zeitung, österr.-ungar. Begründet v. Ver. Wiener Musikerbund. II. Folge. 1893. Hrsg.: F Frank. Red.: H Fischer. 12. u. 13. Jahrg. 1904 u. 5 je 52 Nrn. (1904. 254) 4° Wien (VII/2 Bernardgasse 35), Administr. Viertelj. 2 — d

Musikfreund, der. Musikal. Ratgeber. 2. Jahrg. (88) 8° Lpzg, JH Robolsky 01. nn — 50

— der. Illustr. Zeitschrift f. volkstüml. Hausmusik. Red.: R Schott. 1. Jahrg. 1904. 24 Nrn. (Nr. 1. 4 u. Musikbeil. 8) Fol. Cöpenick-Berl., H Jenne. 1. Viertelj. 1.40; einz. Nrn — 25; 2—4. Viertelj. je 1 — ‖ 2. Jahrg. 1905. Viertelj. 1 —; einz. Nrn — 20

Musikführer, der. Nr. 160, 162—181, 183—185, 187—192, 195—214, 216—234, 236—241, 243, 246, 247, 249—256, 259—267, 269—273, 277, 278, 283, 284, 286, 289 u. 290. 12° (Lpzg u.) Berl., H Seemann Nf. Je — 20
Botstiber, H: L van Beethoven, Christus am Oelberge. Oratorium. (20) (02.) [277.] d ‖ A Dvořák, 2. Symphonie (D moll). Op. 70. (15) (02.) [272.] d ‖ R Schumann, Musik zu Byrons Manfred. (Op. 115.) (20) (01.) [217.18.] ‖ R Volkmann, Violoncell-Konzert A moll, op. 33. (11) (01.) [249.]
Brecher, G: H Berlioz, „Le carneval romain", Konzertouvertüre (op. 9). (16) (01.) [175.] ‖ R Strauss, Aus Italien. Symphon. Phantasie. (Op. 16.) (32) (01.) [180.]
Egel, HW: GF Händel, Josua. Nach d. Ausg. d. deut. Händelgesellsch. (Lieferg XVII). (18) (02.) [286.] d
Glück, A: JS Bach, Weihnachts-Oratorium. (40) (01.) [181.]
Grunsky, K: A Bruckner, 9. Sinfonie in D moll. (38) (03.) [283.] d
Hahn, A: C Goldmark, „Ländl. Hochzeit". (Op. 26.) (16) (01.) [198.99.] ‖ E Grieg, „Peer Gynt"-Suiten (Op. 46 u. 55). (16) (01.) [176.77.] ‖ R Wagner, Ouverture zu „Tannhäuser". (13) (01.) [178.]
Haken, M v.: A Klughardt, Oratorium Judith. (28) (02.) [259.]
Hebemann, M: JS Bach, d. Streit zw. Phöbus u. Pan. Dramma per musica. (15) (02.) [271.] d ‖ E Elgar, d. Traum d. Gerontius, f. Mezzosopran, Tenor- u. Bassolo, Chor u. Orchester. Op. 38. (34) (02.) [269.70.] d ‖ T Müller-Reuter, Hackelberends Begräbnis f. Chor u. gr. Orchester. Op. 24. (23) (02.) [266.]
Heym, G: F Gernsheim, 1. Symphonie in G-moll (op. 32). (11) (01.) [232.]
Jordan, W: F Liszt, Christus. Oratorium. (28) (01.) [189.90.] ‖ F Liszt, Graner Festmesse. (24) (01.) [200.]
Kühler, W: A Bruckner, Sinfonie No. VIII in C moll. (20) (02.) [262.]
Klatte, W: A Dvořák, 5. Symphonie, E-moll „Aus d. neuen Welt", op. 95. (19) (01.) [183.] ‖ R Strauss, Symphonie in F moll. Op. 12. (18) (01.) [179.] ‖ P Wolfrum, Weihnachts-Mysterium. Op. 31. (18) (03.) [278.] d
Kruse, GR: A Lortzing, Hymne u. Oratorium (d. Himmelfahrt Jesu Christi). (34) (01.) [202.3.]
Manke, W: R Strauss, 2 Gesänge f. 16stimm. gemischten Chor a capella. Op. 34 I u. II. Der Abend (F v. Schiller). — Hymne (F Rückert). (31) (04.) [188.] d ‖ R Strauss, 4 Gesänge f. 1 Singstimme m. Begleitg d. Orchesters. Op. 33. Verführg (JH Mackay). Gesang d. Apollopriesterin (E v. Bodmann). Hymnus (Schiller). Pilgers Morgenlied (Goethe). (39) (03.) [187.] d
Medak, H: L van Beethoven, gr. Septett. Op. 20. (16) (01.) [225.] ‖ C Goldmark's „Sakuntala" u. „Im Frühling". (33) (03.) [260.] d ‖ A Rubinstein, 4. Klavierkonzert. Op. 70, D moll. (19) (02.) [251.] ‖ F Schubert, Octett, F dur, op. 166. (22) (01.) [226.]
Niemann, W: JS Bach, Violinkonzerte in A moll u. E dur. (16) (02.) [237.] ‖ A Bruckner, Symphonie No. 3 (D moll). (28) (01.) [171.] ‖ A Bruckner, Symphonie No. 4 (romant.) (Es-dur). (24) (01.) [172.] ‖ A Bruckner, 7. Symphonie in E dur. (27) (01.) [224.] ‖ R Schumann, Pianoforte-Quintett, op. 44, Es-dur. (19) (01.) [248.] ‖ P Tschaikowsky, Mozartiana-Suite, op. 61. (18) (01.) [233.] ‖ P Tschaikowsky, Francesca da Rimini. op. 32. (Phantasie-Ouvertüre.) (19) (01.) [239.]
Nodnagel, EO: L van Beethoven, Koriolan-Ouverture. (16) (01.) [165.] ‖ L van Beethoven, Leonoren-Ouverturen. (30) (01.) [166.67.] ‖ G Bizet, L'Arlésienne. (20) (01.) [164.] ‖ F Liszt, 1. Klavierkonzert in Es dur. (15) (01.) [168.] ‖ F Liszt, 2. Klavierkonzert in A dur. (12) (01.) [182.] ‖ F Mendelssohn-Bartholdy, Violinkonzert in E-moll (op. 64). (16) (01.) [170.]
Pembaur, J: Die 84 Etuden v. JB Cramer, Anl. zu gründl. Studieren u. Analysieren derselben. (45) (01.) [252.53.] ‖ F Mendelssohn-Bartholdy, 48 Lieder ohne Worte. (20) (01.) [173.]
Pfohl, F: H Koessler, Symphon. Variationen f. gr. Orchester. (Den Manen J Brahms'.) (14) (01.) [256.]
Reuss, E: F Chopin Klavierkonzert in F moll (Op. 21). (22) (04.) [243.] d ‖ Dornröschen. Märchen v. EB Ebeling-Filhès. Musik v. E Humperdinck. (25) (04.) [284.] d
Riemann, H: L van Beethoven, Quartett in B-dur (op. 130) u. Quartett-Fuge in B-dur (op. 133). (28) (01.) [211.] ‖ L van Beethoven, Streich-Quartett op. 127 (Es dur). (20) (01.) [180.] ‖ L van Beethoven, Streich-Quartett Cis moll. Op. 131. (13) (01.) [228.] ‖ L van Beethoven, Streich-Quartett A moll. Op. 132. (11) (01.) [238.] ‖ R Schumann, 4. Symphonie in D-moll (op. 120). (12) (01.) [201.] ‖ R Volkmann, Symphonie No. 1, op. 44 (D moll). (12) (01.) [162.] ‖ R Volkmann, 2. Symphonie (B dur) Op. 53. (12) (01.) [163.]
Riemenschneider, G: E d'Albert, Konzert (C dur) f. Violincello m. Begleitg d. Orchesters. Op. 20. (22) (02.) [265.] ‖ J Frischen, 2 Orchesterstücke: 1. Herbstnacht. Op. 12. 2. Ein rhein. Scherzo. Op. 14. (19) (02.) [267.] ‖ B Godard, „Scènes poét." Suite f. Orchester. Op. 46. (22) (02.) [220.] d ‖ JL Nicodé, d. Meer, Symphonie-Ode f. Männerchor, Solostimmen, gr. Orchester u. Orgel. Op. 31. (16) (02.) [185.] ‖ P Tschaikowsky, d. Nussknacker, Suite f. gr. Orchester. Op. 71a. (23) (02.) [229.]
Sakolowski, P: A Becker, Selig a. Gnade. Oratorium. (36) (02.) [208.9.] ‖ F Liszt, 2 Episoden a. Lenau's Faust. (20) (01.) [205.6.] ‖ F Liszt, d. XIII. Psalm f. Tenorsolo, Chor u. Orchester. (15) (01.) [204.] ‖ Saint-Saëns, Le rouet d'Omphale. (Das Spinnrad d. Omphale.) (Op. 31.) (12) (01.) [174.] ‖ S Wagner, Ouverture z. Oper „Herzog Wildfang". (8) (01.) [246.]
Schiedermair, L: G Mahler, 1. Symphonie in D-dur. (19) (01.) [222.] ‖ G Mahler, 3. Symphonie. (Mit Text.) (21) (01.) [227.] ‖ M Schillings, Symphon. Prolog zu Sophokles' „König Oedipus". (11) (01.) [241.]
Schultze, A: S v. Hausegger, Barbarossa. Symphon. Dichtg. (19) (01.) [229.] ‖ A Reuss, symphon. Prolog f. gr. Orchester zu H v. Hofmannthals Dichtg: „Der Thor u. d. Tod". (Op. 10.) (13) (02.) [263.] ‖ R Schumann, Klavierkonzert in A moll, op. 54. (17) (02.) [273.] d
Segnitz, E: WA Mozart, Bläser-Serenaden. Nr. 10 in B dur f. 2 Oboen, 2 Klarinetten, 2 Bassethörner, 4 Waldhörner, 2 Fagotte u. Kontrafagott od. Kontrabass (Köch. Verz. Nr. 361). — Nr. 11 in E dur f. 2 Oboen, 2 Klarinetten, 2 Hörner u. 2 Fagotte (Köch. Verz. Nr. 375). (19) (04.) [236.] d
Smolian, A: E Humperdinck, Maur. Rhapsodie f. Orchester. (19) (01.) [216.] ‖ R Strauss, „Taillefer" (Ballade v. L Uhland) f. Chor, Soli u. Orchester. Op. 52. (12) (03.) [290.] d
Stier, E: L van Beethoven, Sonaten f. Pianoforte u. Violine. Op. 12, 23, 24, 30, 47 u. 96. (15) (03.) [289.] d
Teibler, H: G Bizet, Suite „Roma". (16) (01.) [247.] ‖ J Haydn, Symphonie in C-dur. (L'Ours.) (13) (01.) [234.] ‖ J Haydn, Symphonie in G-dur. (Militär-Symphonie.) (16) (01.) [184.] ‖ G Mahler, Symphonie No. 2 in C-moll (m. Text). (35) (01.) [207.] ‖ J Massenet, Scènes pittoresques. IV. Orchester-Suite. (13) (02.) [261.] ‖ H Röhr, Ekkehard. Dramat. Dichtg n. Scheffel v. W Schulte vom Brühl f. Soli, gemischten Chor u. Orchester. (36) (01.) [212.13.] ‖ R Strauss, Macbeth. Tondichtg f. gr. Orchester. (15) (02.) [210.] ‖ P Tschaikowsky, 1812. Ouverture f. gr. Orchester. Op. 49. (16) (02.) [254.] ‖ P Tschaikowsky, Capriccio italien. Für gr. Orchester. (13) (02.) [250.] ‖ P Tschaikowsky, Hamlet. (14) (01.) [214.] ‖ P Tschaikowsky, Romeo u. Julia. Ouverture-Fantasie n. Shakespeare. (14) (01.) [219.] ‖ P Tschaikowsky. 1. Suite, D moll, f. gr. Orchester. Op. 43. (19) (01.) [264.] ‖ P Tschaikowsky, 4. Symphonie, F moll, f. gr. Orchester. Op. 36. (24) (02.) [255.] ‖ R Wagner, Siegfried-Idyll f. kl. Orchester. (13) (02.) [197.] d
Volbach, F: E Bossi, d. hohe Lied. (19) (01.) [195.96.] ‖ WA Mozart, Gr. Messe in C moll. Nach Mozartschen Vorlagen vervollständigt v. A Schmitt. (20) (01.) [230.] ‖ G Verdi, Quattro pezzi sacri. (18) (04.) [192.] d
Witte, GH: A Rubinstein, Symphonie dramat. (No. 4, D moll) Op. 95. (14) (01.) [240.]
Witting, C: L van Beethoven, Kavierkonzert in Es-dur (op. 73). (13) (01.) [191.] ‖ M Bruch, Violin-Konzert in G moll. Op. 26. (13) (02.) [221.] ‖ E Mlynarski, Violinkonzert. op. 11. (14) (01.) [231.]

Musik- u. Kunst-Herold, Bremer, u. „Praeger & Meier's Konzert-Kalender" nebst „Bremer Kunst-Herold". Saison: 42. Oktbr 1905—März 1906. 6 Nrn. (Nr. 180. 40 m. 3 Taf.) 8° Brem., Praeger & Meier. 1 —; einz. Nrn nn — 25

Musik-Instrumenten-Zeitung. Fach- u. Anzeigebl. f. Fabrikation, Handel u. Export v. Musik-Instrumenten aller Art. Red.: C Baetz u., v. 14. Jahrg. an, P Berger. 12—16. Jahrg. Oktbr 1901—Septbr 1906. Je 52 Nrn. (Nr. 1. 22 m. Abb.) 4° Berl., Mor. Warschauer. Viertelj. 1.50

Musik-Mappe, die. Zeitschrift m. Noten-Beil. Red.: F Lederer-Pirna. 1. Bd. Oktbr 1904—Septbr 1906. 1—12. Heft. (1. Heft. 4 m. 1 Bildnis u. Musikbeil. 8) 4° Berl., W Vobach & Co. Viertelj. 1.20 ‖ 13—15. Heft. Oktbr—Dezbr 1905. 1.50; einz. Hefte — 60 d

Musikschule, d. pädagog., zu Dresden. Allg. Bericht v. R Kaden. Mit Anmerkgn v. P Hohlfeld u. Festrede auf Direktor R Kaden v. P Hohlfeld. (22) 8° Dresd., H Burdach 03. — 30

Musik-Welt, die. (Neue Folge d. Musikwoche.) Red.: L Hamann. Jahrg. 1905. 48 Hefte. (1. Heft. 8 u. Musikbeil. 21) 4° Berl.-Gr. Lichterf.-West, Verl. d. Musik-Welt. Viertelj. 4.80; einz. Hefte — 40
Bisher u. d. T.: Musik-Woche.

Musik- u. Theaterwelt, die. Populäre Musik- u. Theaterzeitg. Red.: M Adler u., seit 1903, J Scholtze. 4—6. Jahrg. 1901—3 je 52 Nrn. (1901. Nr. 1 u. 2. 24 m. Abb.) 4° Berl. (W. 50, Neue Ansbacher Str. 7), H Thiele & Co. Viertelj. 2.50; einz. Nrn — 30
Fortsetzg war nicht zu erhalten.

Musik-Woche, die. Moderne illustr. Zeitschrift. Verantwortlich: L Hamann. 1. u. 2. Jahrg. 1901 u. 2 je 48 Hefte. (1901. 382 m. Abb. u. Musikbeil. in 4° u. 16 in 8°) 4° Lpzg, Dresd., E Hoffmann. Viertelj. (3.60) 4.80; einz. Hefte — 40; n. Ablauf e. Viertelj. — 60 ‖ 3. Jahrg. 1903. 48 Hefte. ‖ 4. Jahrg. Jan.—Septbr 1904. 36 Hefte. Viertelj. 4.80; einz. Hefte — 40; n. Ablauf e. Viertelj. — 60; Weihnachtshefte — 60
1904. Teilausg.: Der Gesang. — Die Klavier-Musik. — Die Streich-Musik. Je 48 Hefte. (Je 1 Heft. 8 u. Musikbeil. 8) Viertelj. je 3 —; einz. Nrn — 25; n. Ablauf e. Viertelj. — 50
Heftausg. vergr. Nur d. einz. Musikstücke sind noch zu haben. — Fortsetzg u. d. T.: Musik-Welt, d.

Musik-Zeitung, allg. Wochenschrift f. d. Reform d. Musiklebens d. Gegenwart. Red.: O Lessmann. (Allg. deut. Musik-Zeitg.) 28—32. Jahrg. 1901—5 je 52 Nrn. ('02, 876 m. Abb.) 4º Charlttnbg, Verl. d. allg. Musikzeitg.   Viertelj. 3.50;
einz. Nrn nn — 30
— neue. Red.: E Ege. 22. Jahrg. 1901. 24 Nrn. (Nr. 1, 16 m. Abb. u. Musikbeil. 4) 4º Stuttg., C Grüninger. || 23. Jahrg. Jan.—Septbr 1902. 24 Nrn. || 24. Jahrg. Oktbr 1902—Septbr. 1903. 24 Nrn. (300) || 25—27. Jahrg. 1903/5. Schriftleitg: O Kühn.
Für je 6 Nrn 1 —; einz. Nrn — 30 d
— dass. Ausg. f. Oesterr.-Ungarn. Schriftleitg: O Kühn. Für Österr.-Ungarn: E Perles. 27. Jahrg. Oktbr 1905—Septbr 1906. 24 Nrn. (Nr. 1, 20 m. Abb. u. Musikbeigabe 4) 4º Stuttg., C Grüninger. (Wien, M Perles.)   Viertelj. 1.80 d
— rhein. Red.: K Wolff. 1. Jahrg. Oktbr—Dezbr 1900. 11 Nrn. (126) 4º Köln, H & F Schadstein. 2 — || 2. Jahrg. 1—3. Viertelj. Jan.—Septbr 1901. Begründet u. hrsg. v. W Seibert. Red.: K Wolff. 39 Nrn. Viertelj. 2 —
Fortsetzg s. u. d. T.: Musik- u. Theater-Zeitung, rhein.
— schweiz., u. Sängerblatt. Red.: K Nef. 41. u. 42. Jahrg. 1901 u. 3 je etwa 36 Nrn. Mit d. Beil.: Die Instrumentalmusik. 2. u. 3. Jahrg. je 12 Nrn. (Nr. 1. 12 u. 6 m. 1 Abb.) Fol. Zür., Rug & Co.   Je 4.50 || 43—45. Jahrg. 1903—5. Je 4.80; einz. Nrn
nn — 25
Musik- u. Literatur-Zeitung, neue. Hrsg. u. Chef-Red.: G Kühle. 1. Jahrg. März 1903—Febr. 1904. 24 Nrn. (Nr. 1, 12 m. Abb. u. Musikbeil. 2) 4º Lpzg, (O Dietrich).   Viertelj. 1 —;
einz. Nrn — 20 ö F
Musik- u. Theater-Zeitung, österr. Hrsg. v. A Cador. Red.: J Gansterer. 13. Jahrg. Juni 1902—Mai 1903. 24 Nrn. (Nr. 1, 15 m. Abb.) 4º Wien (VI., Mozartstr. 4), Administr.   nn —
halbj. 6 — ö H
— — rhein. Hrsg. v. W Seibert. Red.: K Wolff. 2. Jahrg. 4. Viertelj. Oktbr—Dezbr 1901. 13 Nrn. (Nr. 33. 16) 4º Köln, H & F Schaffstein. || 3. Jahrg. 1902. 46 Nrn. (502)   Viertelj. 2 —;
einz. Nrn — 25
— — dass. 4. Jahrg. 1903. Etwa 44 Nrn m. je 1 Musikbeil. (Nr. 1, 8 u. Musikbeil.) 4º Köln, Exp. || 5. Jahrg. 1904. Etwa 29 Nrn u. 1 Musikbeil. (514) || 6. Jahrg. 1905. 26 Nrn m. je 1 Musikbeil.   Viertelj. 3.50; einz. Nrn — 25
Bisher u. d. T.: Musik-Zeitung, rhein. — Erschien 1904 bis Nr. 6 wöchentlich, n. Nr. 7 an alle 14 Tage.
Musil, A: Bau d. Dampfturbinen. (235 m. Abb.) 8º Lpzg, BG Teubner 04.   4 —
— Grundl. d. Theorie u. d. Baues d. Wärmekraftmaschinen. Zugl. deut. Ausg. d. Werkes: The steam-engine and other heat-engines v. JA Ewing. (794 m. Fig.) 8º Ebd. 02.   12 —
— Die Parsons-Dampfturbine. Vortr. [S.-A.] (15 m. Abb.) 4º Brünn, C Winiker 04.   2 —
Musil, A: 7 samaritan. Inschriften a. Damaskus. [S.-A.] (11 m. Abb.) 8º Wien, (A Hölder) 08.   — 50
— *Ḳ083jr* Amra u. and. Schlösser östlich v. Moab. Topograph. Reisebericht. 1. Thl. [S.-A.] (51 m. Abb. u. 3 Pl.) 8º Ebd. 02. 2.60
Musiol, A: Gesangb. f. deut. Volkssch. Sammlg d. gebräuchlichsten Schul- u. Kirchenlieder. 6. Afl. — Kathol. Kirchenlieder. Sammlg. A Wilpert (04).   Kart. — 90 d
— Kathol. Kirchenlieder. Für Kirche u. Schule hrsg. 5. Afl. (84) 12º Ebd. (04).   — 10 d
— Liederb. f. d. deut. Volk. (176) 16º Ebd. (04). — 90; kart. 50 d
— Schulliederb. Sammlg v. 122 Liedern f. Volkssch. 7. Afl. (66) 12º Ebd. (01). || 9. Afl. 120 (72) (04).   Je — 10 d
— dass. In 2 Heften hrsg. 3. Afl. 8º Ebd. 04.   — 55 d
1. Für d. Unter- u. Mittelst. (66) — 25 || 2. Für d. Oberst. (72) — 30.
Musiol, R. u. R Hofmann: Grundr. d. Musikgesch., s.: Weber's illustr. Katech.
Muskat, Gd.: Üb. d. Plattfuss, s.: Klinik, Berliner.
Muskelrheumatismus u. Gelenkrheumatismus, s.: Miniatur-Bibliothek.
Muskete, die. Humorist. Wochenschrift. Hrsg. u. Red.: A Mossbäck. 1. Bd. Oktbr 1905—März 1906. 26 Nrn. (Nr. 1. 8 m. z. Tlfarb.Abb.) 4º Wien, Administr. Viertelj. 3.60; einz. Nrn — 30 ö
Musmacher, C: Kurze Biographien berühmter Physiker. (280) 8º Freibg 1/B., Herder 02.   1.80 d
— Lehrb. d. Geometrie f. Mittelsch. (58 m. Fig.) 8º Lpzg, Renger 05.   2 —
— Leitf. u. Aufg.-Sammlg f. d. propädeut. geometr. Unterr. (82) 8º Ebd. 05.   Kart. — 50
Musolff, FH: Prüf. Bemerkgn z. Bruchrechng m. Zahlen. 2.[Tit.-]Afl. (58) 8º Lpzg, Dürr'sche Bh. [1900] 01.   — 75 d
— Die Bruchrechng in Entwürfen zu schulmäss. Behandlg. Nach d. Grundsatzes e. sachl., entwick. Unterr. bearb. Zugleich Lehrer-Ausg. zu d. Schülerhefte: Erklärgs n. Aufg. f. d. Rechnen u. a. d. Raumlehre. (62) 8º Neisse, (J Graveur's F)01.   — 1 d
— dass.: Monatsblätter f. d. Schulaufsicht.
Musonii Ruf., C, reliquiae. Ed. O Hense. (88, 148) 8º Lpzg, BG Teubner 05.   3.30; geb. 3.80
Musprate's theoret., prakt. u. analyt. Chemie in Anwendg auf Künste u. Gewerbe. Encyklopäd. Hdb. d. techn. Chemie, begonnen v. F Stohmann u. B Kerl. 4. Afl., hrsg. v. H Bunte. 4. Bd. 3—28. Lfg. (Sp. 129—1752 m. Abb.) 8º Brnschw., F Vieweg & S. 01-05. Je 1.20 (3. Bd. vollst.: 33.60; 1—8.: 312 —; Einbde

in HF. je 2.60) || 10. Bd 1—4. Lfg. (256 Sp. m. Abb. u. 2 Taf.) 05.
Je 1.20 d
Der 9. Bd ist noch nicht erschienen.
Muss-Arnolt, W: Assyrisch-englisch-deut. Handwrtrb. 10—19. Lfg. (577—1153) 8º Berl., Reuther & R. 01-05.   Je 5 —
(Vollst.: 95 —)
Auch m. engl. Titel: A concise dictionary of the Assyrian language.
Mussafia, A: Zur Kritik u. Interpretation roman. Texte. [S.-A.] 5.Beitr. (27) 8º Wien, (A Hölder) 01.   — 70 || 6.Beitr. (64) 02. 1.50
(1—6.: 8 —)
— Italien. Sprachlehre in Regeln u. Beisp. 27. Afl. v. E Maddalena. (328) 8º Wien, W Braumüller 04. Geb. 3 — d || Schlüssel
v. E Maddalena. (55) 05. Geb. 1.50
Müssemeier, F: Untersuchg üb. d. Beziehgn zw. d. Tuberkulose d. Menschen u. d. Tiere, s.: Dammann, C.
Müssen d. Schwerhörigen unglücklich sein? Von einer Schwerhörigen. Mit e. Vorwort v. O Pank. (33) 8º Lpzg, JC Hinrichs'
V. 01.   — 40 d
Mussestunden, stenograph. Unterhaltgsbl. f. Stolzeaner. Beil. z. Stolzeschen Stenogr.-Zeitg. Red.: H Schneider. Jahrg. 1902. 12 Nrn. (Nr. 1. 8) Berlin-Schlachtensee. Charlttnbg (Kaiser Friedrichstr. 53), R Sperber. 2 —; m. d. Stolzeschen Stenogr.-Zeitg 4 — || Jahrg.1903.Jan.—Juni. 6 Nrn — 1 —; bezw. 2 — ö F
Musset, A de. Hrsg. v. M Hahn II. u. III. Tl. 8º Gosl., FA Lattmann.   7 — (I—III.: 11.50; Einbde in L, je — 50) d
II. Schauspiele, Deutsch v. M Hahn. (368) (05).   4.50
III. Novellen. Übers. v. EA Regener. (272) (04).   2.50
— Ausw., s.: Schulbibliothek, französ. u. engl.
— Beichte e. Kindes sr Zeit. Deutsch v. H Conrad. (334) 8º Lpzg, Insel-Verl. 08.   5 —; geb. 7 — d
— Man soll nichts verschwören. Komödie. Deutsch v. P Goldmann. (78) 8º Frankf. a/M., Lit. Anst. 02.   1.50 d
— Pages choisies, s.: Prosateurs franc.
— Peter u. Camilla. Deutsch v. JM Mohr. (105 m. Abb.) 12º Münch., A Schupp (01). (Lpzg, F Förster.)   L — 70 d
— Andrea del Sarto, s.: Brann, P.
Musset, P de: Monsieur le Vent, s.: Schulbibliothek, französ. u. engl.
Mussett, JA: Üb. d. Konstitution d. Kondensationsproduktes a. Orcin u. Acetessigester. (40) 8º Tüb., F Pietzcker 02. nn 1 —
Musshoff, H: Das Terrarium u. s. Bewohner, s.: Bibliothek f. Sport u. Naturliebhaberei.
Müssigbrodt, P: Anlage z. Einrichtg v. Operationssälen. [S.-A.] (20 m. Abb. u. 2 Taf.) 8º Berl., W Ernst & S. 03.   2 —
— E Schmitt u. P Spieker: Medizin. Lehranst. d. Univers. Techn. Laboratorien u. Versuchsanstalten. Sternwarten u. and. Observatorien, s.: Handbuch d. Architektur.
Müssle, A: Aufruhr. Drama. (54) 8º Strassbg, Süddeut. Merker (05).   1.50 d
— Herzensstürme u. Blüten. Gedichte. (180 m. Bildnis.) 8º Dresd., E Pierson 05.   1.50; geb. 2.50 d
Mussmann, A: Bunte Gesch. f. d. Kinderwelt! (100 m. z. Tl farb. Abb.) 8º Hannov., A Molling & Co. (03). Geb. 3 — d
Musste es sein? (Briefe v. Karl Wesendongan s. Pflegeschwester Ruth.) (Von J Jobst.) 1—4. Afl. (184) 8º Lpzg, F Rothbarth 04.05.   3 —; geb. 4 — d
Die 1 u. 2. Afl. erschienen noch in München.
Muster f. d. laut d. Verordng d. k. k. Eisenb.-Ministeriums v. 23.VIII.'04. betr. d. Eisenb.-Brücken, Bahnüberbrückgn u. Zufahrtsstrassenbrücken m. eisernen od. hölz. Tragwerken zu benütz. Behelfe u. Zusammenstellgn. (63) 4º Wien, (Hof-u. Staatsdr.) 05.   †1.80
— f. e. Fischerei-Pacht-Vertrag, entworfen v. d. Prov. Posen. (15) 12º Neud., J Neumann 02.   — 25 d
— amtl., z. Grundbuchdienstanweisg, s.: Vorschriften, d. landesrechtl., üb. d. Grundbuchführg im Grossh. Baden.
— z. Aufstellg v. Orts-(Zivils-)Statuten f. Kaufmannsgerichte auf Grund d. Kaufmannsgerichts-Ges. v. 6.VII.'04. (Veröffentlicht auf Anordng d. Ministers f. Handel u. Gewerbe.) (20 Bl.) 4º Berl., C Heymann 04.   1 — d
— dass. (197) 8º Berl., F Kortkampf 04.   1 — d
— ausgefüllte, d. Anlage 1—4. z. Pensionsgs-Vorschrift f. d. preuss. Heer. 8º Berl., ES Mittler & S. 1900.   †1.20 d
1. (s. u. 47) + 60 | 2. (s. u. 26) + 80 | 3. (s. u. 24) + 70 | 4. (s. u. 34) + 70.
Musteralphabet, deut. u. latein. Je 2 Taf. 8 u etwa 90×67.5 cm. Dortm., W Crüwell (05). nn 2 — Afl. m. St. u. Ohm nn nn 2 —
Musterblätter, graph., a. d. deut. Buch- u. Steindrucker. Vorl. f. Lithogr., Chemigr. u. Steindrucker. Bd A u. B. (Je 40 Bl. m. 2 S. Text.) 4º Berl., E Morgenstern (02.03).   Je 2.50
— f. Holzbrand. 6. Mappe. (Bl. 151—180.) 57,5×45,5cm. Münch., Mey & W (05).   In M. 12 —; einz. Bl. — 80
Die 5. Mappe s.: Lechleitner, F.
— internat., v. Porträt-Aufnahmen. Hrsg.: Neue photogr. Gesellsch. A.-G. Berlin-Steglitz. Sonderbeil. d. deut. Photographen-Zeitg. Jahrg. 1901—5 je 12 Hefte. (1901. 1. Heft. 5 Taf. m. 8. Text.) 8º Weim., Verl. d. deut. Photographen-Zeitg.   Viertelj. 3.60
— dass., s. a.: Photographen-Zeitung, deut.
Musterbuch f. d. Dekorateur. I. Moderne Fenster-Dekorationen v. H Riemer. (32 Taf. m. 15 Detailbl. u. 4 S. Text.) 8º Ravnsbg, O Maier (02).   In M. 5 — ö F
— f. Frauenarbeitssch. im Anschl. an d. .Anl. z. Handmaschinen- u. Kleidernähen f.Schülerinnen v. Frauenarbeits-

schulen sowie z. Selbstunterr., hrsg. v. d. Lehrerinnen d.
Frauenarbeitssch. in Hall". (73) Fol. Schwäb. Hall, W German (01).   Kart. 1.20
Musterbuch f. Kunstschlosser. Sammlgzeitgemässer Kunstschmiede-Arbeiten. Hrsg. v. Verl. d. illustr. Fachzeitschrift „Der Kunstschlosser". 1. u. 2. Afl. (100 Taf. m. 15 S. Text.) 4° Lüb., C Coleman (04).   In L.-M. 12 —
— einf. moderner Schlosserarbeiten im Maßstabe 1:10 u. m. Berechngn. I. Serie. Red. v. I Ritter u. L Fajer. 10 Hefte. (100 Taf. m. 31 S. Text.) 4° Lpzg 01.02. Budap., Techn. Verl.-Anst. Je 1.80; in M. 18 — II. Serie. (100 Taf. m. 32 S. Text.) (02.) In M. 18 —
— f. Stickerei. (36 Lichtdr.) Fol. Plauen, C Stoll (08).   In M. 20 —
Muster-Buchführung d. Landwirts hinter Pflug u. Egge. Enth. Inventurenb., Geld-Einnahmen u. Geld-Ausgaben, Quittgsblock, 3 Sammelmappen u. Lochapparat. Fol. u. 12° Bunzl., (G Kreuschmer) (03).   Kart. u. geb. nn 6.50 d
Musterkatalog f. Volksbibliotheken. Hrsg. v. gemeinnütz. Ver. zu Dresden. 5. Afl. (122) 8° Lpzg, O Spamer 05. 1 — d
Musterzeitung f. öffentl. Sparkassen d. Prov. Brandenburg. (19) 4° Pots⁴., E Stein (05).   1 — d
Musterung, d. ökonom., 5. Afl., s.: Musterung u. Bekleidung.
— u. **Bekleidung.** Prakt. Winke f. d. Kompagniechef. 5. Afl. d. Schrift „Die ökonom. Musterg". (35) 12° Berl., ES Mittler & S. 02.   — 60 d
Mustervorlagen f. weibl. Handarbeiten in natürl. Grösse. Oktbr 1902—Septbr 1904. Jährlich 12 Hefte. (1. Heft. 2) 84× 57,5 cm. Mit Text auf d. Umschl. 4° Berl., W Vobach & Co.   Vierteljj. — 40 : einz. Hefte — 20 d
— dass. Verantwortlich: M Backe u. S Hochstein. 3. u. 4. Bd Oktbr 1904—Septbr 1906 je 12 Hefte. (1. Heft. 2) 84×57 cm. Mit Text auf d. Umschl. 8° Ebd.   Vierteljj. — 60 ; einz. Hefte — 20 (In M. 2 — ; m. farb. Abb. 3 —) d
Muskat, A : Üb. Hüftgelenksresection bei Arthritis deformans. (35) 8° Freibg i/B., Speyer & K. 04.   — 80
Muszyński v. **Arenhorst**: Militär-topograph. Beschreibg d. Mandschurei. (103 m. 1 Karte.) 8° Wien, L Weiss 05.   2.50
Mutalammis, d., Gedichte, hrsg. v. K Vollers, s.: Beiträge z. Assyriol' u. semit. Sprachwiss.
Muth's neue Verkehrsk., 3. Afl., s.: Verkehrskarten, Muth'sche.
Muth, F : Die Tätigk. d. Bakterien im Boden. Vortr. (58 m. Abb.) 8° Karlsr., F Gutsch 03.   2.—
Muth, F : Beim Friseur Schneidig, s.: Pantomimen.
Muth, FA : Liederstrauss. Gedichte. 2. Afl. d. „Heideröslein". (80 m. Bildnis.) 12° Bresl., F Goerlich (02).   (— 50) — 30 j
     L. (— 80) — 60 ; m. G. 1 — d
Muth, J : Geräte- u. Maschinenkde. — Säen u. Ernten, s.: Landmann's, d., Winterabende.
Muth, JFS : Die Heilstat Christi als stellvertret. Genugtug. (237) 8° Egnsbg, Verl.-Anst. vorm. GJ Manz 04.   3 —
Muth, K, s.: Hochland.
Muth, R v.: Methodik d. deut. Rechtschreibg f. österr. Schulen. (66) 8° Wien, A Pichler's Wwe & S. 01.   1 — d
Muther, F : Gesch. d. ev.-deutsch-reformierten Burgkirchengemeinde in Königsberg Pr. (48 m. 3 Taf.) 8° Köngsbg, (W Koch) 01.   1 —
Muther, R : Lucas Cranach, s.: Kunst, d.
— Gesch. d. Malerei, s.: Sammlung Göschen.
— Gesch. d. engl. Malerei. (400 m. Abb.) 8° Berl., S Fischer 03.   12.50 ; geb. 14.50
— Francisco Goya, s.: Kunst, d.
— Ein Jahrh. französ. Malerei. (325 m. Abb.) 8° Berl., S Fischer 01.   L. 10.50
— Leonardo da Vinci, s.: Kunst, d.
— Die belg. Malerei im 19. Jahrh. (109 m. Abb.) 8° Berl., d.   Kart. in Halbschweinsldr 6 —
— JF Millet, s.: Kunst, d.
— Rembrandt. Ein Künstlerleben. 1. u. 2. Afl. (55 m. 24 Taf.) 8° Berl., F Fleischel & Co. 04.   3 — ; geb. 4.50
— Die Renaissance d. Antike, s.: Kunst, d.
— Stadien u. Kritiken. 2 Bde. 1900 u. 01. 1. u. 2. Afl. (417, 9 u. 200, 8) 8° Wien, Wiener Verl. (01.02).   Je 8 —
— Velasquez, s.: Kunst, d.
— : Zeit, d.
Müther, A : Tab. d. Schmelzpunkte d. Hydrazone u. Osazone d. Zuckerarten u. d. Hydrazide d. m. d. Zuckergruppe zusammenhäng. Säuren. (3 Tab. in Fol. m. 1 Bl. Text.) 8° Gött., Vandenhoeck & R. 03.   1 —
Muthesius, A : Das Eigenkleid d. Frau. (84 m. 13 Taf.) 12° Kref., Kramer & Baum 03.   2 —
Muthesius, H : Die engl. Baukunst d. Gegenwart. Beispiele neuer engl. Profanbauten. Mit Grundrissen, Textabb. u. erläut. Text. 2—4. Lfg. (82 Lichtdr. m. Text S. 69—174) 49× 37 cm. Lpzg, Cosmos (01-04).   In M. Subskr.-Pr. je 25 —
     Einzelpr. je 30 — (Vollst.: 100 —)
— Die neuere kirchl. Baukunst in Engl. Entwicklg, Bedingg u. Grundz. d. Kirchenbaues d. engl. Staatskirche u. d. Secten. [S.-A.] (176 m. Abb. u. 32 Taf.) 4° Berl., W Ernst & S. 01.   15 — ; HF 21 —
— Das engl. Haus. Entwicklg, Bedingg, Anlage, Aufbau, Einrichtg u. Innenraum. (In 3 Bdn.) 1. u. 2. Bd. 4° Berl., E Wasmuth. Subskr.-Pr. je 25 — ; Einzelpr. je 30 —; Einbde je 5 —
1. Entwicklg, (230) 04. || 2. Bedingg, gärtner. Umgebg, Aufbau u. gesundheitl. Einrichtgn d. engl. Hauses. (337 m. Abb.) 04.

Muthesius, H : Haus e. Kunst-Freundes, s.: Scott, B.
— Kultur u. Kunst. (155) 8° Jena, E Diederichs 04.   4 — ;   geb. 5 —
— s.: Landhaus, d. moderne.
— Stilarchitektur u. Baukunst. Wandlgn d. Architektur im XIX. Jahrh. u. ihr heut. Standpunkt. (67) 8° Mülh. a/E., K Schimmelpfeng 02.   L. 4.50
— dass. 2. Afl. (81) 8° Mülh. a. d. R. 03. (Dresd., Gewerbe-Bh.) 1.75
— Die Wohngs-Kunst auf d. Welt-Ausstellg in St. Louis 1904. [S.-A.] (19) 8° Darmst., Verl.-Anst. A Koch (04).   1 —
Muthesius, K : Altes u. Neues a. Herder's Kinderstube, s.: Magazin, pädagog.
— Die Bestimmgn üb. Immatrikulation u. Promotion Immaturer, insbes. d. Volksschullehrer, an d. deut. Univ. (15) 8° Langens., H Beyer & Söhne 05.   — 20
— s.: Blätter, pädagog., f. Lehrerbildg.
— Goethe, e. Kinderfreund. (230 m. 1 Taf.) 8° Berl., ES Mittler & S. 03.   2.50; geb. 3.60 d
— dass., s.: Goethe's Lebenskunst u. Lebensweisheit.
— Herders Familienleben. (79 m. 1 Bildnis u. 1 Fksm.) 8° Berl., ES Mittler & S. 04.   1.25; geb. 2.25 d
— Der 2. Kunsterziehgstag in Weimar, s.: Magazin, pädagog.
— Die Lehrpl. f. d. kgl. preuss. Präparandenanst. u. Lehrerseminare v. 1. VII.'01, eingeordnet d. method. Anweisgn v. gleichen Tage, d. Bestimmgn üb. d. Aufnahme in d. Lehrerseminars u. üb. d. Seminarentlassgs-Prüfg v. 15. XI.1872 m. d. Andergn derselben v. 1. VII.'01 zusammengest., d. Prüfgsordng f. d. 2. Lehrerprüfg u. d. Ordng d. Mittelsch.-Lehreru. d. Rektoren-Prüfg. (66) 8° Gotha, EF Thienemann 01.   1 — ; geb. nn 1.30 d
— Rechenb. f. Volkssch., s.: Heiland, F.
— Schulaufsicht u. Lehrerbildg, s.: Magazin, pädagog.
— u. Volksschullehrerbildg, s.: Beiträge z. Lehrerbildg
     u. Lehrerfortbildg.
Muthmann, W, u. F **Fraunberger**: Ueb. Passivität d. Metalle. [S.-A.] (41) 8° Münch., (G Franz' V.) 04.   — 60
Mutschelknaus, B : Der Führer z. Glück in Haus u. Familie. (287 m. Abb.) 8° Klagenf., Buch- u. Kunsth. d. St. Josef-Ver. 04.   — 75 ; geb. 1.25 d
— Heimatlos. Blind, s.: Volksschriften, Münch.
Mutter, die. Zeitschrift f. Verbreitg anerkannter Gesundh.- u. Erziehgslehren. Begründet unter Mitwirkg v. R Wehmer u. hrsg. v. Frau O Gebauer. Verantwortlich: J Gebauer. 3. Jahrg. 1905. 12 Nrn. (Nr. 1. 24 m. 1 Abb.) 8° Berl., E Staude. 3 — d
     Jahrg. 1 u. 2 sind im Selbstverl. v. Frau O Gebauer in Berl. erschienen.
— e. Eine wahre Gesch. 15. Afl. (16) 8° Bas., Kober 06. — nn 4 d
— d., Gedenkb. Ein Buch f. wicht. Aufzeichngn a. d. Familienleben, m. Sprüchen u. Aussprüchen f. jeden Tag, ges. v. d. Mutter. (370) 8° Berl., E Sutermeister 04.   L.4 — d
— meine. (3. Moses 20, 12.) 2. Afl. (22) 12° Bas., (Basler Missionsbh.) 1898.   — 15 d
— u. **Kind**. Wie man heikle Gegenstände m. Kindern behandeln kann. Nellie schrieb's holländisch, J Grimm hat es verdeutscht. (42) 12° Giess., A Töpelmann 04.   Geb. — 75 d
— Illustr. Halbmonatsschrift f. Kinderpflege, Erziehg u. Frauenhygiene. Hrsg. u. Red.: H Handler. 1. u. 2. Jahrg. 1905 Oktbr—Septbr 1906 je 24 Nrn. (Nr. 1. 24 m. 1 Taf.) 8° Wien, (R Coën).   Vierteljj. 2 — (1. Jahrg. d)
— u. **Sohn**. Vrörieles letzte Grüsse, s.: Goldkörner.
Mutterliebe s.: Christblumen.
— In e. Gebet- u. Lehrb. f. christl. Mütter. Mit e. Unterr. üb. d. christl. Mütterver. Von e. Priester d. Kapuziner-Ordens. 6. Afl. (572 m. 1 St.) 12° Rgnsbg, F Pustet 03. 1 — ; geb. 1.50;
     Ldr m. G. 2.40 d
„Mutterschutz". Zeitschrift f. Reform d. sexuellen Ethik. Hrsg. v. H Stöcker. 1. Jahrg. 1905/1906. 12 Hefte. (1. Heft. 48) 8° Frankf. a/M., JD Sauerländer. Halbj. 3 — ; einz. Hefte — 60
— 11. 19. Afl. 12° Ebd. — VIII. Tl. (Mit Abb.) 8° Ebd. Geb. 6.70 d
11. 19. Afl. (152) 04. nn — 70 || III. 17. Afl. (160) 04. nn — 70 || IV. 15. Afl. (224) 04. nn — 90 || V. 15. Afl. (274) 02. nn — 90 || VI. 17. Afl. (292) 04. nn — 90 || VII. 14. Afl. (216) 04. nn — 90 || VIII. 12. Afl. (348 m. 16) 04. nn — 1.50.
— dass. Ausg. B. Leseb. in 5 Tln. II.—V. Tl. (Mit Abb.) 8° Ebd. Geb. nn 4.60 d
II. 21. Afl. (132) 04. nn — 70 || III. 22. Afl. (260) 05. nn 1 — || IV. 20. Afl. (306) 04. nn 1 — || V. 16. Afl. (404 u. 16) 05. nn 1.50.
— dass. Ausg. B. Leseb. in 3 Tln. II. u. III. Tl. 8° Ebd. Geb. nn 2.90 d
II. 21. Afl. (305) 05. nn 1.10 || III. 24. Afl. (464 u. 40) 05. nn 1.80.
— dass., Anh., s.: Baron, M, f Junghanns u. H Schindler, Proben a. d. Werken neuerer Dichter.
Mutzbacher, C : Grundr. f. d. Unterr. in d. deut. Lit. in d. ob. Kl. höh. Lehranst. u. z. Selbststudium. (146) 8° Münch., CH Beck 06.   Geb. 2.20

128

Mütze: Unser Wohn- u. Heimatort Oberfriedersdorf. Nachrichten a. sr Vergangenh. (205 m. Abb., 1 Skizze u. 2 Taf.) 8° Lpzg, A Strauch 04. 2.50 d
Mütze, S: Elflein im Schnee. Märchen f. Deklamation u. f. Gesang z. Aufführg in Schule u. Familie. (16) 8° Schwarzenbg, (M Helmert) (04). — 25 d
Mütze, W: Friedrich Hüventhal. Göttinger Bilder a. d. Reformationszeit, m. e. Vorsp. Herzog Erich. (87) 8° Gött., L Horstmann (02). — 80 d
Mutzl, S, s.: Eichstätts Kunst.
Muus, N: Üb. d. sog. embryonalen Mischgeschwülste d. Niere, s.: Bibliotheca medica.
Muusmann, C: Gräfin Klara. Sneewittchen, s.: Vobach's illustr. Roman-Bibliothek.
Muža, ME: Prakt. Grammatik d. kroat. Sprache, s.: Kunst, d., d. Polyglottie.
Muzik, H: Lehr- u. Anschaugsbehelfe zu d. latein. Schulklassikern. (160) 8° Wien, C Fromme 04. 3.75
Muzzarelli, A: Neuer Mai-Monat. Mit Zugrundelegg d. alten Büchleins v. M. hrsg. v. J Praxmarer. 2. Afl. (208) 16° Mainz, Kirchheim & Co. 04. — 90'; L. 1.20 d
Mygind, E: Vom Bosporus z. Sinai. Erinnergn a. d. Einweihg d. Hamidié-Pilgerbahn d. Hedjas (Teilstrecke Damaskus-Ma'an). (93 m. Abb. u. 2 Kart.) 8° Konstantin., O Keil 05. 3 —
Mygind, H: Kurzes Lehrb. d. Krankh. d. ob. Luftwege. (252 m. Abb.) 8° Berl., O Coblentz 01. L. 8 —
Mylius u. **Isphording**: Der Wasserbau a. d. Binnenwasserstrassen. 1. Tl. Verwaltgs- u. Gesetzeskde. (215 m. Fig.) 8° Berl., W Ernst & S. 04. L. 5 —
— — dass. Anh. Leitf. f. d. Rechnen, f. Flächen- u. Körperlehre. (52 m. Fig.) 8° Ebd. 04. 1.20
Mylius, E: Der Apotheker als Geschäftsmann. (124) 8° Berl., J Springer 03. 2.40
— Kl. Ratgeber f. d. Apothekenkauf. 2. Afl. (74) 8° Ebd. 02. 1.40
— s.: Schule d. Pharmazie.
Mylius, F: Üb. wässr. Lösgn d. Magnesiumoxalats, s.: Kohlrausch, F.
Mylius, J: Baulichk. f. Kur- u. Badeorte usw., s.: Lieblein, J.
Mylius, O: Die Aufg. d. Jünglings. Eine Jünglings-Schule. Neu bearb. v. P Christaller. (364) 8° Riga, Jonck & P. 09. L. 4 — d
— Das Bäschen v. Lande, s.: Verein f. Verbreitg guter Schriften, Basel.
— s.: Volks-Erzählungen, kl.
— A v. **Winterfeld**. u. A: Heit. Geschichten a. d. Ehestandsleben. (110) 8° Mülh. a/R., J Bagel (02). — 30 d
— — dass. u. Spielmann, C: Leicht geschürzt. Laun.Geschichten (neue 6. Folge). (Umschl.: Mylius, O. u. C Spielmann) Glück bei Frauen.) (110 u. 104) 8° Ebd. (04). — 60 d
Mylius, O, s.: Deutschlands Liederschatz.
Myrbach, F Frhr v., s.: Ars nova. — Fläche, d.
Myrbach-Rheinfeld, F Frhr v.: Die Arbeit u. ihre Stellg in d. menschl. Wirtschaft, s.: Sammlung gemeinnütz. Vortr.
— Die Reform d. österr. Hauszinssteuer. Vortr. [S.-A.] (29) 8° Wien, W Braumüller 03. — 80 d
Myrdacz, P: Hdb. f. k. u. k. Militärärzte, s.: Publikationen, militärärztl.
Myriam, P: Comtesse Freda. Roman a. d. Gesellschaft. (179) 8° Gotha, Verl.-Anst. u. Dr. (H Bartholomäus) (05). 1 — d
Mysing, O (O Mora): Die Bildgsmüden, s.: Collection Tiefenbach.
— Das neue Geschlecht. Roman. (409) 8° Lpzg (02), Berl., Harmonie. 3 —; geb. 4 — d
— Eine Kaiserin. Roman a. d. Byzantiner Kaiserzeit. 3 Tle in 1 Bde. (293) 8° Berl., O Janke (03). (4 —) 2 — d
— Der Narr d. Zarin. Roman. (374) 8° Ebd. (04). 4 — d
Myslbek, Jos. V: Sein Leben u. s. Werke. (37 Taf. u. Bildnis.) Mit Text (v. KB Mádl). (35 m. Abb.) 45,5×33 cm. Lpzg, A Twietmeyer 02. 3 —
Mysteries, the, of the holy rosary. 2. ed. (72 m. Abb.) 16° Freibg i/B., Herder 05. L. — 50
Mysterium, d., d. Liebe. Ein Cyklus Gedichte v. Verf. v. „Götter-Moral". (177) 8° Lpzg, F Luckhardt 05. 1 — d
Mythographi graeci. Vol. II. Fasc. I. Suppl. vol. III. Fasc. II. 8° Lpzg, BG Teubner. 5.20; geb. 6 — (I, II. 1, Suppl. u. III, 1,2:) 09.
II, 1. Suppl. Partheni Nicaeni quae supersunt. Ed. E Martini. (107 m. 1 Taf.) 02. 2.40; geb. 3.60
III, 2. Palaephati περὶ ἀπίστων, Heracliti qui fertur libellus περὶ ἀπίστων, Excerpta vaticana (vulgo Anonymus de incredibilibus), Ed. N Festa. (88, 126) 02. 2.80; geb. 3.20
Mythologie d. Griechen u. Römer, s.: Miniatur-Bibliothek.
Naacke, M: Hosianna! 21 Gesänge. (32) 8° Hag. 01. Hameln, H Oppenheimer. 1 —; kart. 1.20
Naaf, AA, s.: Lyra, d.
Naamann, d.Syrer. Vollkommene Gnade. 6. Afl. (22) 8° Elberf., R Brockhaus (durch J Fassbender) 1530. — 08 d
Nabelek, F: Die Himmelsuhr. Prakt. Anl., d. gestirnten Himmel als Uhr u. als Kalender zu benützen. (22) 12° Kremsier, (H Gusek) (01). — 50
Naber, JWA: Alte u. moderne Klöppel- u. Spitzenarbeiten, (30 Lichtdr. m. 10 S. Text.) 49×36 cm. Haarl., H Kleinmann & Co. (03). 25 —
Naber, SA, s.: Mnemosyne.
Nabert, H: Das Deutschtum in Tirol, s.: Kampf, d., um d. Deutschtum.

Nabl, F: Noch einmal .... ! Ein letzter Akt. (25) 8° Wien, Das literar. Deutsch-Oesterr. 05. 1 — d
— Weihe. In 3 Handlgn. (182) 8° Wien, C Konegen 05. 2 — d
Nabl, J: Üb. d. elektrostat. Ladgn d. Gase, d. an d. **aktiven** Elektrode d. Wehnelt-Unterbrechers auftreten. [S.-A.] (9 m. 1 Fig.) 8° Wien, (A Hölder) 02. — 30
— Üb. d. Longitudinalschwinggn v. Stäben m. veränderl. Querschnitte. [S.-A.] (11) 8° Ebd. 02. — 80
Nabor, F (C Allmendinger): Der Kreuzzug d. Kinder. Erzählg a. d. 13. Jahrh. (944 m. Bildnis.) 8° Rgnsbg, Verl.-Anst. vorm. GJ Manz 03. 2 — ; L. 3 — d
— Mysterium crucis. Roman a. d. Zeit d. Kaisers Nero. (570) 8° Ebd. 02. 4 — ; geb. 5.20 d
— Der Vogt v. Lorch. Roman a. d. gr. Bauernkrieg. (309) 8° Ebd. 04. 3 — ; L. 4 — d
Nacatenus, W: Der himml. Palmgarten. Vollständ. Ausg. (Nr. I). Neu bearb. v. F Miller. Der ges. Ausg. 37. Afl. (756 m. Titelbild.) 12° Köln, JP Bachem (01). L. 4 — d
Nach 10jähr. **Bestehen**. Beitrag z. Orientierg üb. d. kathol. Lehrerver. in Bayern. (119) 8° Münch., V Höfling 03. — 50
— d. Dienst. Illustr. Wochenbl. f. Belehrg u. Unterhaltg. Red.: E Hülle u., seit 1902, v. Rohrscheidt. 11—15. Jahrg. 1901—5 je 52 Nrn. (Nr. 1. 12) 4° Berl., Schriftenvertriebsanst. Vierteljl. — 75 d
— Feierabend. (Illustr. Wochenschrift.) Red.: B Meyer u., seit 1902, A Pleissner. 3. u. 4. Jahrg. 1901 u. 2 je 53 Nrn. (Nr. 1. 8) 4° Lpzg, Bernh. Meyer. Vierteljl. 1.30; einz. Nrn. — 10 || 5. Jahrg. 1903. || 6. u. 7. Jahrg. 1904 u. 5. Red.: W Ruland. Je 52 Nrn je — 15 d
— d. Gesetz u. Zeugnis. Monatsbl. d. Bibelbundes. Hrsg. v. F Gaedke. 1—5. Jahrg. Apr. 1901—März 1905 je 12 Hefte. (1— 3. Heft. 96) 8° Brnschw., H Wollermann. Je 2.50; einz. Hefte — 25 d
Der 1. Jahrg. erschien in Treptow a/R.
— Ostasien, s.: Projections-Vorträge.
— d. Schicht. Zeitschrift. Unterhalgn. Belehrg f. d. werktät. Bevölkerg d. Saarreviers. Red.: J Schütz. Korrespondenzbl. d. kathol. Kolportage-Ver., Neunkirchen, Bez. Trier. Mit d. Beil.: Jugendblätter. Dezbr 1905. 4 Nrn. (Nr. 1. 16 m. Abb. u. 4 in 8°) 4° Neunkirchen, Bez. Trier (Bismarckstr. 19), A Schillo. (Auslieferg: Mainz, Druckerei Lehrlingshaus.) nn — 60 d
— Sonnenuntergang. (Gedichte v. EL v. Buchka.) (79) 8° Dresd., E Pierson 04. 1.50; geb. 2.50
— Steiermark! Jahrb. d. Landesverbandes f. Fremdenverkehr. Mit Nachweisg d. Sommerstationen in Steiermark. (174 m. Abb.) 8° Graz, (P Cieslar) 03. 1 — 80
— Subjaco in Arkansas. Reisebild, verf. v. e. Kandidaten O.S.B. (128) 16° Gossau, JG Cavelti-Hangartner 1892. 1 — d
Nachbar, der. Illustr. christl. Volksbl. f. Stadt u. Land. Hrsg. v. Behrmann. 55—57. Jahrg. 1901—5 je 52 Nrn. (Nr. 1. 8) 4° Hambg, HO Persiehl. Vierteljl. — 90 d
Auch in Ausg. f. Hessen, Mecklenbg, Lübeck, Oldenbg, Ost- u. Westpreussen, Kgr. Sachsen, Prov. Sachsen, Schleswig-H., Waldeck u. Pyrmont.
Nachbar-Kalender. Illustr. Familien-Kalender f.1906. 18.Jahrg. (96 u. 15 m. 1 Farbdr.) 8° Hambg, HO Persiehl. — 80 d
Nachbarskinder s.: Goldkörner.
Nachbildungen russ. Originale. (Von W V.) (Gedichte.) (107) 8° Berl., (Stuhr) 05. 4 —
Nachfolge. Von E. (15) 8° Strieg., R Urban (03). || 2. Afl. (12) 04. Je — 15 d
Nachklänge z. Buchholzer Stadt-Jubiläum. Geschichtl. Plauderei v. e. Buchholzer. (36 m. 1 Taf.) 8° Buchh., A Handreka (01). — 40
Nachmanson, E: Laute u. Formen d. magnet. Inschriften. (199) 8° Upps. 03. Lpzg, O Harrassowitz. nn 6 —
Nachod, O: Gesch. v. Japan, s.: Staatengeschichte, allg.
Nachricht, e. glückl. (In russ. Sprache.) (25) 8° Berl., H Steinitz (03). 1 —
Nachrichten üb. deut. Altertumsfunde, s.: Zeitschrift f. Ethnol.
— astronom. Hrsg.: H Kreutz. 155—170. Bd je 24 Nrn. (155. Bd. Nr. 1. 32 Sp.) 4° Kiel 01-05. (Hambg, W Mauke S.) 24 — d
— dass. General-Reg. d. Bde 121—150. Nr. 2881 bis 3600. Verf. v. A Stichtenoth. Red. u. hrsg. v. H Kreutz. (388 Sp.) 4° Ebd. 02. nn 25 —
Ergänzgshefte, s. u. d. T.: Abhandlungen, astronom.
— deutsch-brasil., s.: Monatsschrift d. deutsch-brasil. Ver.
— deutsche. Wochenschrift d. Deutschen im Ausl. Nebst: Industrielle Nachrichten. Techn. Export-Fachbl. f. europ. u. überseeisches Ausl., sowie „Dent. Offertenblatt" f. Ingenieure, Techniker, Maschinenfabriken etc. Red.: H Herold. Jahrg. 1901. 52 Nrn. (Nr. 1—14. 980 u. 96 m. Abb.) 4° Berl., JH Schorer. Vierteljl. 3 —
— dass. Nebst: Frauen-Nachrichten. Zeitschrift f. d. Ausg. legenh. d. deut. Frau u. Jugend-Nachrichten. Zeitschrift f. d. deut. Jugend im Ausl. Red.: P Vetter. Jahrg. 1902. 3 je 52 Nrn. (1902. Nr. 1. 58, 4 u. 4 m. Abb.) 4° Ebd. Vierteljl. 3 —
— dass. Nebst: Für Haus u. Hauswirtschaft. Nachrichten. Red.: P Vetter. Jahrg. 1904 u. 5 je 52 Nrn. (1904. 4 u. 4 m. Abb.) 4° Ebd. Vierteljl. 3 —
— statist., v. d. Eisenb. d. Ver. deut. Eisenb.-Verwaltgn f. d. Rechngsj. 1899—1903. Hrsg. v. d. geschäftsführ. Verwaltg

d. Ver. 50—54. Jahrg. (249, 255, 263, 269 u. 272) Fol. Berl., (A Nauck & Co.) 01-05.   Kart. je nn 12.50

Nachrichten, monatl., z. Regulierg d. Getreidepreise. Hrsg. v. G Ruhland. 2. Jahrg. Juli 1901—Juni 1902. 42 Nrn. (Nr. 1 16) 4° Berl., Verl. u. Exped. d. Getreidemarkt.   20 — O H

Erscheinen v. *Septbr 1901 ab wöchentlich u. d. T.: Getreidemarkt.*

— üb. Industrie, Handel u. Verkehr a. d. statist. Departement im k.k. Handelsministerium. 73.Bd, 12—14. Heft; 74. Bd; 75. Bd, 1. u. 2. Heft; 76. Bd, 13 Hefte; 77. Bd, 3 Hefte; 78. Bd, 3 Hefte; 79. Bd, 12 Hefte; 80. Bd, 12 Hefte; 81. Bd, 3 Hefte; 82. Bd, 12 Hefte; 83. Bd, 5 Hefte; 84. Bd, 1—10. Heft u. 85. Bd, 3 Hefte. 8° Wien, Hof- u. Staatsdr.   127 —

73. XII. XIII. Statist. Übersichten, betr. d. auswärt. Handel d. österr.-ungar. Zollgebietes im J. 1900. 12. u. 13. Heft. Ein- u. Ausfuhr im Novbr u. Decbr 1900. (Je 1932) 1900. § XIV. Dass. 14. Heft. Dass. im J. 1900. (193) 01.   Je 1.66

74. Jahresberichte d. k. u. k. österr.-ungar. Consulats-Behörden. 28. Jahrg. (1900) 1900.

75. I.II. Statist. d. Österr. Post- u. Telegr.-Wesens im J. 1899. Mit e. statist. Übersicht üb. d. Post u. d. Telegr. in Europa. (356) 1900. 5 — (Vollst. 7.40)

76. Statist. Übersichten, betr. d. auswärt. Handel d. österr.-ungar. Zollgebietes im J. 1901. Ein- u. Ausfuhr im Jan.—Decbr '01· (193, 193+)219, n. 222) 01.   Je 1.60

77. I.II. Statistik d. Österr. Post- u. Telegr.-Wesens im J. 1900. Mit e. statist. Übersicht üb. d. Post u. d. Telegr. in Europa. (372) 01. 5 — III. Berichte üb. d. Handelsbewegg sowie Bewertg d. im J. 1900 ein- u. ausgeführten Waren d. österr.-ungar. Zollgebiets. Zusammengest. v. d. k. k. Permanenz-Commission f. d. Handelswerte. (31, 314) 01. 2.40

78. I.II. Statistik d. österr. Post- u. Telegr.-Wesens im J. 1901. Mit e. statist. Übersicht üb. d. Post u. d. Telegr. in Europa. (376) 02. 5 — III. Berichte üb. d. Handelsbewegg, sowie Bewertg d. im J. 1901 ein- u. ausgeführten Waren d. österr.-ungar. Zollgebiets. Zusammengest. v. d. k. k. Permanenz-Commission f. d. Handelswerte. (67, 351) 02. 2.40

79. Statist. Übersichten, betr. d. auswärt. Handel d. österr.-ungar. Zollgebietes im J. 1902. 12 Hefte. Jan.—Decbr 1902. (193, 219, 219, 219, 222, 219, 219, 219, 219, 219 u. 223) 02.03.   Je 1.60

80. Statist. Übersichten, betr. d. auswärt. Handel d. österr.-ungar. Zollgebiets im J. 1903. 1—5 Hefte. (193, 218 u. 219) 03.   Je 1.60 Dass. 4—12. Heft. (219, 219, 221, 219, 219, 219, 219, 219 u. 221) 03.   Je 1 —

81. I.II. Statist. d. österr. Post- u. Telegr.-Wesens im J. 1902. Mit e. statist. Übersicht üb. d. Post u. d. Telegr. in Europa. (990) 03. 5 — III. Berichte üb. d. Handelsbewegg, sowie Bewertg d. im J. 1902 ein- u. ausgeführten Waren d. österr.-ungar. Zollgebiets. (56, 353) 03. 7 —

82. Statist. Übersichten, betr. d. auswärt. Handel d. österr.-ungar. Zollgebietes im J. 1904. 12 Hefte. 1904. (106) 04. 5 —

83. I.II. Statist. d. österr. Post- u. Telegr.-Wesens im J. 1903. (106) 04. 5 — III. Berichte üb. d. Handelsbewegg, sowie Bewertg d. im J. 1903 ein- u. ausgeführten Waren d. österr.-ungar. Zollgebiets.

84. 1—10. Statist. Übersichten, betr. d. auswärt. Handel d. österr.-ungar. Zollgebietes im J. 1905. 1—10. Heft. Jan.—Oktbr. (193, 219, 219, 219, 219, 219, 219, 219 u. 219, 219 u. 219) 05. III. Berichte üb. d. Handelsbewegg, sowie Bewertg d. im J. 1904 ein- u. ausgeführten Waren d. österr.-ungar. Zollgebiets.

— industrielle Wochenschrift f. Industrielle, Architekten, Ingenieure, Unternehmer u. Gewerbetreib. Red.: H Seehanssn. 5. Jahrg. 1901. 52 Nrn. (Nr. 1. 14) Fol. Berl., C Freyer. (?)   Viertelj. 6 —

— amtl., d. Landes-Versichergsanst. Schlesien. 1901—05 ['01—02 = Nr. 3—10; '03—05 10 Nrn]. (1901901). Nr. 1—4. 92) 8° Bresl., WG Korn.   Jährlich 1.50 d

— statist., a.d. Ges.-Gebiete d. Landwirthsch. Hrsg. v. d. k. k. statist. Zentral-Commission. 3—6. Jahrg. Apr. 1901— März 1905 je 24 Nrn. (Nr. 1. 12) 8° Wien, W Frick. || 7. Jahrg. Apr.—Dezbr 1905. 39 Nrn. (331) Je nn 4 —; postfrei je nn 5— d

— v. deut. Landwirthschaftsrath. Hrsg. v. Dade. 6. u. 7. Jahrg. 1901 u. 2 je 12 Nrn. (1901. Nr. 1. 40 Sp.) 4° Berl., (P Parey).   Je 12.80 d

Fortsetzg s. u. d. T.: Zeitschrift f. Agrarpolitik.

— a. d. ostafrikan. Mission. Red.: Trittelvitz u., seit 1902, Michaelis. 15—19. Jahrg. 1901—5 je 12 Nrn. (Nr. 1. 16). 8° Berl., (Oehmigke's S.).   Je 1.50 d

— betr. d. Anstellg v. verabschiedeten Offizieren, denen Allerh. Orts d. Aussicht auf Anstellg im Civildienst verliehen worden ist. Hrsg. v. kgl. preuss. Kriegsministerium. (47) 8° Berl., ES Mittler & S. 01.   †— 35; kart. †— 50 d

— amtl., üb. d. deut. Reichsschuldbuch. 2. Ausg. Nach d. Reichsges. v. 31.V.1891 u. d. Ausführgsbestimmgn d. Bundesrats v. 21.II.1892. (17) 8° Berl. (SW. 68, Oranienstr. 92/94), Hauptverwaltg d. Staatsschulden 03.   Unentgeltlich. d

— amtl., d.Reichs-Versichergsamts. 17—21.Jahrg. 1901—5 je 12 Nrn. (694, 734, 635, 714 u. 713) 4° Berl., A Asher & Co.   Je 8 — d

— dass., Beihefte. 1900, 1. u. 2. Heft; '01—04 je 2 Hefte u. '05· 1. Heft. Bearb. im Reichsversichergsamt. 4° Ebd. 04.   2 —

1900. 1. Statistik d. Unfallversicherg. Unfallversicherg f. d. in gewerbl. Betrieben beschäft. Personen. Unfallstatistik f. 1897. II. Thl. 1. Abth. (54 u. 188 m. 5 [4 farb.] Taf.) 1900.   10 —

2. Statistik d. Invalidenversicherg. Unfallversicherg d. in gewerbl. Betrieben beschäft. Personen. Unfallstatistik f. 1897. II. Thl. 2. Abth. (54 u. 188 m. 5 [4 farb.] Taf.) 1900.   [—3: 22 —]

'01. 1. Statistik d. Invalidenversicherg f. 1891—99. (177) 01.   5 — 2. Ausscheiden, d., d. Invalidenrentenempfänger a. d. Rentengenuss. (159) 01.   5 —

'02. 1. Heilbehandlg bei d. Versichergsanst. im J. 1900. 8 — Kasseneinrichtgn d. Invalidenversicherg f. d. J. 1897—1901. (129) 02.

2. Sammlg kratl. Obergutachten. Aus d. „Amtl. Nachrichten d. Reichs-Versichergsamts" 1897—1902. 1. Bd d. Buchausg. (200) 03. 4 —

'03. 1. Statistik d. Heilbehandlg bei d. Versichergsanst. u. zugelass.

Kasseneinrichtgn d. Invalidenversicherg f. d. J. 1896—1902. (148) 02.   4 — 2. Statistik d. Ursachen d. Erwerbsunfähigk. (Invaliditkt) n. d. In- validitkts- u. Altersversichergsges. f. d. J. 1896—99. (24, 291 m. 2 farb. Taf.) 04. '04. Statistik d. Unfallversicherg, Unfallstatistik f. Land- u. Forstw. 1901. 2 Tle. (63, 103 m. 6 farb. Taf. u. 175) 04.   Je 5 — '05. 1. Statistik d. Heilbehandlg bei d. Versichergsanst. u. zugelass. Kasseneinrichtgn d. Invalidenversicherg f. d. J. 1900—04. (147) 4 —

Nachrichten, amtl., d. Reichs-Versichergsamts. Ges.-Reg. f. d. Jahrg. 1885—1900. (416) 4° Berl., A Asher 01. 7.50 d

— üb. d. freiwll. Eintritt als Schiffsjunge in d. kais. Marine. (Mai 1905.) (?) 8° Berl., ES Mittler & S.   nn — 25 d

— f. Seefahrer. Hrsg. v. Reichs-Marine-Amt. 32—36. Jahrg. 1901—5 je 52 Nrn. ('04. 974 m. Fig.) 4° Berl., (ES Mittler & S).   Halbj. 1 —

— v. Siemens & Halske, A.-G. IV—VI. Jahrg. 1900—2. (Mit Abb.) Fol. Berl., (J Springer).   Je 3 — IV. (310) 01.] § V. (122 u. 54) (02.)] § VI. (174) 03. L.

Fortsetzg u. d. T:

— d. Siemens-Schuckertwerke, G. m. b. H. 1903. (65 m. Abb.) Fol. Ebd.   L. 3 —

— amtl., üb. d. preuss. Staatsschuldb. 7. Ausg. (43) 12° Berl. (SW. 68, Oranienstr. 92/94), Hauptverwaltg d. Staatsschulden 02.   (— 40) Unentgeltlich. d

— stenograph., f. Hessen u. Hessen-Nassau. Hrsg.: M Winkler. Mit d. Beil.: „Lese- u. Uebgsbl." Red: Fröhliger. 1. u. 2. Jahrg. 1903 u. 4 je 12 Nrn. (Nr. 1. 12) 8° Darmst. (Zimmerstr. 11), M Winkler.   Je 1.50 d

Fortsetzg s. u. d. T.: Schriftwart, d.

— üb. d. Einstellg in Unteroffiziersch. Oktbr '04· (4) 8° Berl., (ES Mittler & S).   †— 10 d

— f. Freiwll., d. in Unteroffiziersch. eingestellt zu werden wünschen. [S.-A.] (4) 8° Ebd. (01).   †— 10 d

— f. junge Leute, d. in Unteroffiziersch. einzutreten wünschen. [S.-A.] (4) 8° Ebd. (01).   †— 10 d

— üb. d. Eintritt in Unteroffiziervorsch. Oktbr '04· (4) 8° Ebd.   †— 10 d

— v. kgl. Gesellsch. d. Wiss. zu Göttingen. Geschäftl. Mittheilgn. mathematisch-physikal. u. philologisch-histor. Klasse u. Beiheft. Red.: E Ehlers u., seit 1903, F Leo. Jahrg. 1901—5. (1901. 1. Heft. 78, 99 u. 237 m. Fig. u. 1 Taf.) 8° Gött. Berl., Weidmann. Je 8 —; f. Abnehmer d. götting. gelehrten Anzeigen je 5 —

Hieraus einzeln:

Mathematisch-physikal. Klasse, nebst geschäftl. Mittheilgn. 1901—5 (1901. 1. Heft. 99 m. Fig. u. 1 Taf.)   Je 5 — Philologisch-histor. Klasse, nebst geschäftl. Mittheilgn. 1901—5. (1901. 1. Heft. 237 m. Fig.)   Je 5 —

Nachrichtsblatt d. deut. malakozoolog. Gesellsch. Red. v. W Kobelt. 33—35. Jahrg. 1901—3 je 12 Nrn. (192, 216 u. 218) 8° Frankf. a/M., R Diesterweg. || 36. u. 37. Jahrg. 1904 u. 5 je 4 Hefte. (218 u. 212 m. 5 u. 8 Taf.)   Je 6 —

Nachte, e., im Freiensand, s.: Gabelsberger-Bibliothek.

— heil., s.: Weihnachten.

— 1001. üebers. v. M Henning, s.: Universal-Bibliothek.

— n, Morgen in Oesterr., s.: Gustav-Adolf-Hefte, sächs.

Nacht, K: Turin 1902. 5 Lfgn. (50 [10 farb.] Taf. m. 2 S. Text.) 48,5x32,5 cm. Berl., E Wasmuth (02.03).   In T. je 6 —

Nachtarbeit, d. gewerbl., d. Frauen. Berichte üb. ihren Umfang u. ihre gesetzl. Regelg. Eingeleitet u. hrsg. v. S Bauer. (40, 400) 8° Jena, G Fischer 03. 6 —; französ. Ausg. (42, 384) 6 —

Nächte, d. 3. Liebeslieder v. Marie Madeleine (Baronin v. Puttkamer). 1—3. Taus. (126 m.Bildnis.) 8° Berl., Dr. M Sklarek & Co. (?) (01).   L. 3.50 d

Nachtgau, A.: Leichtfassl. Anl. z. Feldmessen u. Nivellieren, s.: Wüst.

— Beitr. z. Kenntnis, Theorie u. Beurteilg d. Mähmaschinen. [S.-A.] (122 m. Abb. u. 6 Taf.) 8° Berl., P Parey 04. 4 —

— Die Geräte u. Maschinen z. Bodenbearbeitg. (80 m. Abb.) 8° Lpzg, Auslander & Kühr 02.   Geb. 1.80 d

— Die Hauptprüfg d. Bindemäher 1902, s.: Arbeiten d. deut. Landw.-Gesellsch.

— Neueres auf d. Geb. d. Motoren in der Landw. Vortr. (41) 8° Lpzg, RG Schmidt & Co. 05.   — 60 d

— s.: Über Neuergn auf d. Geb. d. landw. Maschinenwesens.

Nachweise, monatl., üb. d. auswärt. Handel d. deut. Zollgebiets, nebst Angaben üb. Grosshandelspreise, sowie üb. d. Gewinng v. Zucker u. Branntwein. Hrsg. v. kais. statist. Amt. Jahrg. 1901—5 je 12 Hefte. (1901. 1. Heft. 14 u. 3—218) 8° Berl., Puttkammer & M.   Je 6 —

— monatl., d. Zwischenverkehres zw. d. im Reichsrate vertret. Königreichen u. Ländern u. d. Ländern d. ungar. Krone in d. J. 1901—04. Hrsg. v. k. k. österr.-ungar. statist. Amte im k. k. Handelsministerium. Jahrg. 1901—5 je 12 Hefte. (1. Heft. 105) 8° Wien, Hof- u. Staatsdr.   einz. Hefte 1 —

— dass., u. d. T.: Archiv, österr. wirtschaftspolit.

Nachweiser f. Berlin u. Umgebg n. Gemeinde-, Gerichts- u. Posteinteilg. 1. Strassenverz. 2. Behördenverz. III. Ortschaftsverz. Ges. v. 16.IX.1899, betr. d. Neuordng d. Gerichtsorganisation. Bearb. im Bureau d. Justizministeriums. (103 m. 1 Kart.) 8° Berl., R v. Decker 05.   — 50; L. — 75

Nachweisung üb. d. Betrieb d. grossh. bad. Eisenb., Fortsetzg, s.: Jahres-Bericht üb. d. Staatseisenb. u. d. Bodensee-Dampfschiffahrt im Grossh. Baden.

Nachweisungen, statist., üb. bemerkenswerthe; in d. J. 1890—99 vollendete Bauten d. Garnison-Bauverwaltg. VIII. Fortsetzg d. im J. '02 erschien. Nachweisgn üb. bemerkenswerthe, in d. J. 1890—99 vollendete Hochbauten d. Garnison-Bauverwaltg. [S.-A.] (83 m. Fig.) 4° Berl., W Ernst & S. 05.　　　　　　　　　　　　　　　　　　4 —
— statist., a. d. Forstverwaltg d. Grossh. Baden f. 1899—1903. 22—26. Jahrg. (119, 121, 133, 127 u. 141 m. eingedr. Kurven.) 4° Karlsr., CF Müller 1900-05.　　　　　Je 3 — d
— statist., betr. d. im J. 1896 u. '97 unter Mitwirkg d. Staatsbaubeamten vollend. Hochbauten d. Bearb. v. Wiethoff. XII. u. XIII. Abth. [S.-A.] (70 u. 80 m. Fig.) 4° Berl., W Ernst & S. 1899.1901. Je4 — || XIV. Abtlg. 1898 u. 99. (165 m. Fig.) 05. 6 —
Bei d. XIII. u. XIV. Abth. ist kein Bearbeiter genannt.
— statist., üb. bemerkenswerthe, in d. J. 1890—96 vollendete Hochbauten d. preuss. Garnison-Bauverwaltg. VII. Fortsetzg d. im J. 1898 erschien. statist. Nachweisgn üb. bemerkenswerthe, in d. J. 1891—95 im deut. Reiche vollend. Bauten d. Garnison-Bauverwaltg. [S.-A.] (51 m. Fig.) 4° Ebd. 1899. 3 —
— statist., a. d. Geb. d. landw. Verwaltg v. Preussen, s.: Jahrbücher, landw.
— statist., üb. ausgeführte Wasserbauten d. preuss. Staates. (Bearb. im Ministerium d. öffentl. Arbeiten.) [S.-A.] (II.) (31—78 m. Fig.) 4° Berl., W Ernst & S. 01. 4 — (III.) (79—108 m. Fig.) 04. 3 — (I.—III.: 10 —)
Nacke, C: Leseb. f. Bürgersch., s.: Lüben, A.
Nacke, P: Üb. d. sog. „Moral insanity", s.: Grenzfragen d. Nerven- u. Seelenlebens.
— Die Unterbringg geisteskranker Verbrecher. (57) 8° Halle, C Marhold 02.　　　　　　　　　　　　　　　　2 —
Näckler, A v., s.: Rundschau, pädagog.
Nackt. Pariser Geschichten. Deutsch v. E Berg. (133) 8° Berl., Berliner Verl.-Instit. (05).　　　　　　　　　　　2 ⊥ d
Nadal, H: Epistolae ab a. 1546 ad 77, nunc primum ed. et illustratae a patrib. soc. Jesu. [S.-A.] 3 tomi. (6, 5 u. 6 fasce.) (71, 876 ; 20, 732 u. 32, 912) 8° Matriti 1898.99.1902. (Freibg i/B., Herder.)　　　　　　　　　　　　　　　nn 34 —
Nadal, V: Die Trägheit, s.: Todsünden, d. sieben.
Nadal de Mariezcurrena, A: Deutsch-span. Handelskorrespondenz, s.: Göschen's kaufmänn. Bibliothek.
Nädelin: Method. Anl. z. Schön- u. Schnellschreiben, n. Carstairs'schen Grundsätzen bearb. 6. Afl. (32 m. 44 Bl. Vorl.) 8° Waldnbg, G Knorrn son. 01.　　　　　　　　　　4 — d
Näcke, E: Lehrb. d. engl. Sprache f. Mädchen-Lyzeen u. verwandte Lehranst. II. Tl. Engl. grammar with exercises. (224) 8° Wien, A Hölder 03.　　　　　　　　　　Geb. 2.80 d
Den 1 Tl s.: Nader u. Würxner.
— u. A Würzner: Lehrb. d. engl. Sprache. 2 Tle. 8° Ebd. Geb. 4.30 d
1. Elementarb. 6. Afl. (144) 04. 1.70 || 2. Grammatik, nebst Aufsatzübg u. deut. Übgsstücken. 3. Afl. (210) 02. 2.60.
— — dass. f. Lyceen u. and. höh. Mädchensch. 1. Tl. Elementarb. (152) 8° Ebd. 01.　　　　　　　　　　Geb. 2.10
— — Engl. Lesebb. f. höh. Lehranst. 5. Afl. (554 m. 1 Karte u. 1 Tf.) 8° Ebd. 02.　　　　　　　　　　Afl. 4.50
— — dass. f. Mädchen-Lyzeen u. and. höh. Töchtersch. 2 Tle. 8° Ebd.　　　　　　　　　　　　　　Geb. 5.50
1. (249 m. 1 Pl. u. 1 Karte.) 02. 2.50 || 2. Mit e. Abriss d. engl. Lit.-Gesch. u. sachl. Anmerkgn in engl. Sprache. Von Nader. (282 m. 1 Pl. u. 1 Karte.) 03. 2.90.
Nadolecmy: Berufswahl u. körperl. Anlagen, s.: Hahn, M.
Nadrowski, R: Beitr. z. deut. Wortforschg. (12) 8° Marienbg (04). (Lpzg, Bh. G Fock.)　　　　　　　　　　— 60
Näf, A: Düngerlehre, s.: Schellenberg.
Näf, A: Gesch. d. Volkes Israel u. sr Relig. Leitf. f. Mittel-, Sekundar- u. Realsch. 3. Afl. (49 m. 1 Karte.) 8° Zür., Schulthess & Co. 01.　　　　　　　　　　　　　　— 40 d
Näf, E: Kritik d. Motion Steiger. [S.-A.] (32) 12° Zür., Schulthess & Co. 03.　　　　　　　　　　　　　　— 40 d
— Zur Revision d. Gesetzgebg üb. d. Alkoholmonopol. [S.-A.] (26) 12° Ebd. 03.　　　　　　　　　　　　　— 40 d
— Tabakmonopol u. Bjerstemar, s.: Studien, züricher volkswirtschaftl.
Naef, E: Die soz. Lage d. Handels-Angestellten. (23) 8° Zür., (Bh. d. schweiz. Grütliver.) 04.　　　　　　　nn — 40
Naef-Blumer, E: Clubführer durch d. Glarner-Alpen. (228 m. Abb.) 8° Dl. Tschudy-Aebly 02. (Glarus, J Baeschlin.) 1.30; geb. 1.60
Naef-Huny, A: Margareth, s.: Kinderfreund, d.
Naeff, T: Freudvoll — Leidvoll. Erzähle f. junge Mädchen. Frei n. d. Holl. v. J Berger. (230) 8° Berl., Globus Verl. (05). Geb. † 1 —; L 1.40 d
Nagao, S: Der Weg zu Buddha. Deutsch v. KB Seidenstücker. (56 m. 1 Taf.) 8° Lpzg, Buddhist. Verl. (05).　　　　— 80
Nagaya, S: Higo Kinkorokn, deut. Bearbeitg, s.: Jacoby, G, d. Schwertzieraten d. Prov. Higo.
Nagel's Bibliothek illustr. Humoresken. 1—14. Bd. 8° Berl.-Schönebg, GE Nagel.　　　　　　　　　　Je — 50 d
Aus d. Jugendzeit. (63) (03.) [8.]
Brautwagen, d., u. Anderes. (63) (02.) [2.]
Fisimatenten. (63) (03.) [10.]
Geschichten, verteufelte. (63) (02.) [6.]
Giers, JH ; Stammtischgeschichten. Der neuen Münchhauseniade 1. Tl. (63) (03.) [3.]
's Leiterle u. and. Humoresken. (63) (03.) [7.]
Militärhumoresken. (63) (02.) [5.]
Patentsonnenschirm, d., u. and. Humoresken. (63) (02.) [4.]

Schlicht, Frhr v.., T v. Torn u. a.: Garnison u. Manöver. Militär-Humoresken. (130) (05.) [13.14.]
Stimmungsbild, e., a. d. Grossstadt u. and. lust. Gesch. (63) (03.) [9.]
Torn, T v.: In Liebeswinkeln. (128) (03.) [11.12.]
Zug, d., d. Herzens u. and. lust. Geschichten. (63) (02.) [1.]
Nagel's humorist. flieg. Blätter Heitere Welt. Illustr. Wochenschrift. Red.: E Nagel. 8. u. 9. Jahrg. 1903 u. 4 je 52 Nrn. (Je 16) 4° Berl.-Schönebg, GE Nagel.　　　Viertelj. 2 —; einz. Nrn — 15 d
Bisher u. d. T.: Welt, heitere.—Fortsetzg u. d. T.:
— lust. Welt. Red.: E Nagel. Jahrg. 1902. 4. Viertelj. Oktbr-Dezbr 13 Nrn. (Nr. 40. 16 m. Abb.) 4° Ebd. || Jahrg. 1903—5 je 52 Nrn.　　　　　　　Viertelj. 1.30; einz. Nrn — 10 d
Bisher u. d. T.: Welt, lust.
Nagel, A, s.: Jahresbericht üb. usw. Ophthalmol.
Nagel, A: Neuestes Hochzeit- u. Polterabendbuch. (64) 8° Köln (04), Berl., J Püttmann.　　　　　　　　　— 30 d
Nagel, E: Das Problem d. Erlösg. (350) 8° Bas., Helbing & L. 01.　　　　　　　　　　　　　　　　　　5.20
Nagel, F: Auf welcherlei Art suchen Schüler ihren Lehrer zu betrügen?, s.: Für d. Schule a. d. Schule.
Nagel, F: Unter d. roten Kreuz. Festsp. Leb. Bilder m. verbind. Dichtg u. Prolog. (28 m. Fig.) 12° Münch., Seitz & Sch. 03.　　　　　　　　　　　　　　　　　　1 — d
— Verrat u. Kriegslist, s.: Mehrakter, patriot.
Nagel, G: Der Zug d. Sanherib geg. Jerusalem. (124) 8° Lpzg, JC Hinrichs' V. 02.　　　　　　　　2.50 ; L 3.50
Nagel, H, s.: Jahrhundertfeier, d., d. AB v. Stettenschen Töchter-Instit.
Nagel's, J, Rechenbücher. 8° Berl., F Tempsky 02.
Rechnen an Sklass. (u. geteilten einklass.) Volkssch. Hrsg. v. J Vogel. 1. Heft. 1. Schulj. (62 m. Fig.) Geb. nn — 40 d
— dass. Ausg. f. 5class. Volkssch., in welchen jeder Cl. e. Schulj. entspricht. 5. Heft. 5. Schulj. 3. Afl. (40) 8° Ebd. 02. Geb. nn — 40 d
— Das Rechnen im Zahlenraume 1—10 u. 1—20, zugl. Anl. z. Gebr. d. 1. Rechenb. (64 m. Fig.) 8° Ebd. 02.　　　1 — d
— Das Rechnen im Zahlenraume 1—100, zugl. Anl. z. Gebr. d. 2. Rechenb. (62 m. Fig.) 8° Ebd. 02.　　　— 80 d
— Kirchenbüchl. f. preuss. Lutheraner. 3. Afl. (122) 8° Ebd. 1899.　　　　　　　　　　Kart. nn — 50 ; L. nn — 75 d
Nagel, L: Leitf. f. d. Unterr. in d. deut. Grammatik. — Deut. Leseb., s.: Meyer, AG.
Nagel, L: Die Gewährleistg beim Viehhandel, s.: Hirsch, R, insbes. Gebrechen u. Hauptmängel.
Nagel, SR: Die Hauptwerke d. deut. Lit. (176) 8° Wien, F Deuticke 04.　　　　　　　　　　　　　　　2 —
— Maturitätsfragen a. d. deut. Lit.-Gesch. (91) 8° Ebd. 02. 1.25
— Der tote Punkt. Bühnenstück. (70) 8° Dresd., E Pierson 01. 1.50 d
Nagel, V: Allg. christl. Mission. (20) 8° Friedbg 01. (Bonn, J Schergens.)　　　　　　　　　　　　　　— 25 d
— Mittheilungen a. d. Werke d. Herrn in Indien. Jahr 1901. (19) 8° Ebd. 02.　　　　　　　　　　　　　— 15 d
Nagel, W: Operative Geburtshülfe. (367 m. Abb.) 8° Berl., Fischer's med. Bh. 02.　　　　　　　　　　10 —
— Gynäkol. f. Ärzte u. Studierende. 2. Afl. (420 m. Abb. u. Taf.) 8° Ebd. 04.　　　　　　　　　　　　10 —
Nagel, W: Beethoven u. s. Klaviersonaten. 1. Bd. (247) 8° Langens., H Beyer & S. 03. 6 — || 2. (Schl.-)Bd. (412) 05. 10 —; Einbde je 1.75
— Zur Gesch. d. Musik am Hofe v. Darmstadt. [S.-A.] (79 u. Musikbeil. 8) 8° Lpzg, Breitkopf & H. 01.　　　2 —
— Goethe u. Beethoven. — Goethe u. Mozart, s.: Magazin, musikal.
Nagel, WA: Der Farbensinn d. Tiere. Vortr. (32) 8° Wiesb., JF Bergmann 01.　　　　　　　　　　　　— 80
— s.: Handbuch d. Physiol.-d. Menschen. — Zeitschrift f. Psychol. u. Physiol. d. Sinnesorgane.
Nagele, E: Eine Orientfahrt. Reiseskizzen u. Erinnergn v. d. Mittelmeerfahrt d. Dampfers „Kaiserin Maria Theresia" im März '04. (114 m. Abb.) 8° Stuttg., E Schweizerbart (05). Kart. d ô H
Naegeli, K: Bevormundg u. beschränkte Handlgsfähigk. im schweiz. Recht, s.: Abhandlungen z. schweiz. Recht.
Nägeli, Th: Der Wortschatz d. Apostels Paulus. (100) 8° Gött., Vandenhoeck & R. 05.　　　　　　　　　　2.80
Nägeli, W: Üb. Derivate d. p-Jodacetanilids m. mehrwert. Jod u. d. Darstellg e. Amidojodiniumverbindg. (35) 8° Freibg i/B., Speyer & K. 05.　　　　　　　　　　　　1 —
Naegeli, H: Üb. Meta- u. Para-Saccharin. (37) 8° Freibg i/B., Speyer & K. 05.　　　　　　　　　　　1.30
Nägelsbach's, KF v., latein. Stilistik. 9. Afl. v. I Müller. (242, 942) 8° Nürnbg, C Geiger 05.　　　　　13 — d
— Übg. d. latein. Stils f. reif. Gymnasialschüler. II. u. III. Heft in je 2 Abtlgn : Text u. Anmerkgn, bearb. v. I Müller. 8° Lpzg, F Brandstetter.　　　je 1.50 ; in je 2 Bde kart. 2 —
7. T. Afl. (66 u. 60) 03. § III. 8. Afl. (90 u. 80).
Nagelschmidt, F: Ueb. d. Immunität bei Syphilis nebst Bemerkgn üb. Diagnostik u. Serotherapie d. Syphilis. (70) 8° Berl., A Hirschwald 04.　　　　　　　　　　　1.80
Nagelschmitt, H, s.: Leichenreden, kurze u. erbaul.

Nagl, E, s.: Kommentar, kurzgef. wiss., zu d. hl. Schriften d. Neuen Test.
— Die nachdavid. Königsgesch. Israels. Ethnographisch u. geographisch beleuchtet. (356) 8° Wien, C Fromme 05.   8.50
Nagl, JW, s.: Mundarten, deut.
— Geograph. Namenkde, s.: Erdkunde, d.
— Deut. Sprachlehre f. Mittelsch. (248 m. 2 Abb.) 8° Wien, C Fromme 06.   Geb. 2.20
— u. J Zeidler: Deutsch-österr. Litt.-Gesch. 18—27. Lfg. (2.Bd. 1—10. Lfg. 1—480 m. Abb., 1 Taf. u. 2 Fksms.) 8° Ebd. 01-05.   Je 1 — d
Naegle, A: Ratramnus u. d. hl. Eucharistie, s.: Studien, theolog., d. Leo-Gesellsch.
Nagler, FL: Neue histor. Bibliothek. 2. Bd. Bilder a. d. Weltgesch. 2. Tl. Deut. Ausg. (347) 8° Brem., Bh. u. Verl. d. Traktath. 1899.   L. 2.30 (1 u. 2: 4.50) d
Nagler, GK: Neues allg. Künstler-Lexikon. 2. Afl. Unveränd. Abdr. d. 1. Afl. 1835—52. (In etwa 150 Lfgn.) 1—40. Lfg. (1—5. Bd. Je 560) 8° Linz, Zentraldruckerei vorm. E Mareis 04.05.   Je nn 1 —
Nagler, J: Das Strafgesetzb. f. d. Deut. Reich, s.: Binding K.
— Die Teilnahme am Sonderverbrechen. (170) 8° Lpzg, W Engelmann 03.   5 —
Nagour, P: Okkultismus u. Liebe, s.: Laurent, E.
Nagy, J, s.: Corpus juris hungarici.
Nacher, J: Bandenkmäler d. Deutherrenv. Müllenheim im Elsass. (32 Taf. m. 3 S. Text.) 2° Strassbg, J Noiriel 05.   L. 10 —
Nahlowsky, JW: Das Duell. Sein Widersinn u. s. moral. Verwerflichk. 2. Afl. (39) 8° Langens., H Beyer & S. 04.   — 60
— Allg. Ethik. Mit Bezugnahme auf d. realen Lebensverhältn. pragmatisch bearb. 3. Afl. (281) 8° Lpzg, Veit & Co. 03. 3—   L. 3.60
— Die eth. Ideen als d. walt. Mächte im Einzel- wie im Staatsleben, n. ihren verschied. Beziehgn beleuchtet. 2. Afl. (87) 8° Langens., H Beyer & S. 04.   1.20
Nähmaschinen-Bazar u. Fahrrad-Zeitung, Fortsetzg, s.: Nähmaschinen-Zeitung, deut.
Nähmaschinen-Markt, Fortsetzg, s.: Nähmaschinen-Zeitung, deut.
Nähmaschinen-Zeitung, deut. Hervorgegangen a. d. Vereinigg d. Fachblätter: „Deut. Nähmaschinen-Zeitg" Stuttgart, „Nähmaschinen-Bazar", Schöneberg, Berlin, „Lind's Nähmaschinen-Techniker", Berlin, u. „Nähmaschinen-Markt", Bielefeld. Red.: HW Lind u. G Riefenstahl. 26—30. Jahrg. 1901—5 je 12 Nrn. (1901. Nr. 1. 42 m. Abb.) 4° Bielef. (Dresd., GA Kaufmann's Bh.)   Je 6 —
— — Wiener. Gegründet v. C Repetti. Hrsg. u. Red.: A Berg. 18. Jahrg. 1901—Juni 1904. 12 Nrn. (Nr. 1. 22 m. Abb.) Fol. Wien (VII, Mariahilferstr. 28), Administr. 6 — || 19.Jahrg. 1904/5. Hrsg.: W Friedrich. Red.: E Goldanweiser.

Bisher u. d. T.:

Nähmaschinen-u. Velocipede-Zeitung, Wiener. Hrsg. u. Red.: C Repetty. 16. u. 17. Jahrg. Juli 1901—Juni 1903 je 12 Nrn. (16. Jahrg. Nr.2. 22 u.8 m. Abb.) Fol. Wien (VII, Mariahilferstr. 28), Administr.   Je 6 —
Nahmer, E v. d.: Vom Mittelmeer z. Pontus. 2. Afl. (324 m. Abb. u. 1 Karte.) 8° Berl., Allg. Ver. f. deut. Litt. 04. 5 —;   L. od. HF. 7.50 d
Nahmer, J v. d.: Gedichte. (41) 8° Münch.-Schwab., EW Bonsels 05|6.   3 — d
Nahor, P (E Leroux): Jesus. Roman. Aus d. Franz. v. W Bloch. 1—3. Afl. (26, 304) 8° Berl., B Behr's V. 05.   5 —; geb. 6.50
Nahrhaft, J: Latein. Übgsb. zu d. Grammatik v. A Goldbacher. 2 Thle. 8° Wien, Schworella & Heick.   Geb. 3.70 d
1. u. 2. (169) 02. 1.50 || II. 3. u. 4. (180) 03. 2.20.
Nahrungsmittelbuch, deut. Hrsg. v. Bunde deut. Nahrgsmittel-Fabrikanten u.-Händler E. V. (345) 8° Hdlbg, C Winter V. 05.   6.40; geb. 7.40
Nahrungsmittelgewerbe, uns.Berufskde f.Bäcker,Konditoren, Fleischer, Köche u. Kellner. Hrsg. v. Leipz. Fortbildgsesch.-Direktoren u. Lehrern. (104 m. Abb.) 8° Lpzg, A Hahn 04.   Kart. n 1.10; in Geschenkbd 1.40 d
Nahrungsmittel-Markt. Red.: A Steinhage. Mit illustr. Beil.: „Der Erzähler". Red.: T Ficker. 2. Jahrg. Jan.—Juni 1904. 24 Nrn. (Je 8 u. 4) 4° Lpzg (Königsplatz 9), A Neumann.   Viertelj. 1 — d o F
Najmajer, M v.: Nachgelassene Gedichte.(155) 8° Wien, W Braumüller 05.   2.50; geb. 4 — d
— Kaiser Julian. Trauersp. (134) 8° Wien, C Konegen 04. 1.70;   geb. 2.50 d
Nakamura, Shun- u.: Nozomi no hoshi (Sterne d. Hoffg). Aus d. Japan. v. A Wendt. (210) 8° Halle, Gebauer-Schwetschke 04.   Kart. 2 — d
Nakatenus, W: Geistl. Lieder. Hrsg. v. W Bremme. (153 m. Titelbild.) 8° Köln, JP Bachem 03.   2 — d
Nake, K: Lehrb. f. d. Koch- u. Haushaltgsunterr., s.: Friessner, C.
Nalbandian, W: Leop. v. Ranke's Bildgsj. u. Gesch.-Auffassg, s.: Studien, Leipz., a. d. Geb. d. Gesch.
Nalepa, A: Beitr. z. Systematik d. Eriophyiden. [S.-A.] (18 m. 3 Taf.) 4° Wien, (A Hölder) 04.   2.50
— Grundr. d. Naturgesch. d. Tierreiches f. d. unt. Kl. d.Mittelsch. u. verwandter Lehranst. Mit bes. Berücks. d. Beziehgn zw. Körperbau u. Lebensweise bearb. 1. u. 2. Afl. (218 m. H., 3

Farbdr. u. 1 Karte.) 8° Wien, (A Hölder) 02.04. || 3. Afl. (231 m. z. Tl farb. Abb. u. 1 Karte.) 05.   Geb. je 2.60
Nalepa, A: Landw.-Lehre, s.: Schneider, AR.
Nallino, CA, s.: Al-Battâni sive Albatenii opus astronomicum.
Namensverzeichnis d. Mitglieder d. Abgeordnetenh. XVII. Session. Apr. '05· (207 m. 1 Pl.) 8° Wien, (Hof- u. Staatsdr.) 05.   1 — d
— alphabet., d. k. u. k. österr.-ungar. Consularfunctionäre, sowie d. k. u. k. österr.-ungar. Consularämter. Zusammengest. im k. u. k. Ministerium d. k. u. k. Hauses u. d. Aeussern n. d. Stande v. 31.XII.'04. (39) 8° Ebd. 05.   — 40
Nandrup, H: Dogmengesch. d. Arten mittelalterl. Ehrenmindergn, s.: Festgabe f. Fel. Dahn.
Nandsen, F: Licht u. Wahrheit. Ein Sang f. alle, auf welche d. Ende d. Welt gekommen ist. (I. u. II. Tl.) (423) 8° Berl., Herm. Walther 03.   5 —; geb. 6.50 || III. (Schl.-)Tl. Leben.   — (228) 04. 3 — ; geb. 4 — d
Nani, GE: Der böse Blick (Malocchio). Schausp. Übers. v. E Wüst. (76) 8° Lahr, Gross & Schauenburg 1900.   1.50 d
Nann, J: Heidekraut. Gedichte. (120) 8° Brixen, (Pressver.-Bh.) 06.   1.60 d
Nannerini, A, s.: Lilie, d., v. Castiglione.
Nansen, F: Eskimoleben. Aus d.Norweg.v.M Langfeldt. 2.Zehntaus. (304 m. Abb.) 8° Berl., Bielefg & Lefson 03. 4 —; geb. 5 —
— In Nacht u. Eis. Die norweg. Polarexped. 1893—96. 2bearb. v. J Jennings. (In stenogr. Schrift.) 3. Afl. (98 m. Bildnis.) 8° Berl., Frz Schulze (03).   1.20; kart. 1.50
— s.: North Polar Expedition, the Norwegian.
— Norwegen u. d. Union m. Schweden. (71) 8° Lpzg, FA Brockhaus 05.   1 — d
Nansen, P: Eine glückl. Ehe. 5. Afl. (172) 8° Berl., S Fischer 05.   2 — ; geb. nn 3 —
— Die Feuerprobe. Novellen. 2. Afl. (158) 8° Ebd. 04.   2 —; geb. nn 3 —
— Gottesfriede. 5. Afl. (231) 8° Ebd. 04.   3 —; geb. nn 4 —
— Maria. Ein Buch d. Liebe. 6. Afl. (165) 8° Ebd. 05.   2 —; geb. nn 3 —
Nantenil, Frau v.: Kapitän, s.: Jugend- u. Volksbibliothek.
Naomi od. d. letzten Tage v. Jerusalem. Frei n. d. Engl. E v. Feilitzsch. (96 m. Abb. u. 4 Vollbildern.) 8° Konst., C Hirsch (04).   Kart. — 40 d
Napha. Zeitschrift f. d. Petroleum-Industrie u. Tiefbohrtechnik. Hrsg. v. R Zaloziecki. 9—13. Jahrg. 1901—5 je Nr. (1901. Nr. 1. 20) 4° Lembg. (Lpzg, JA Barth.)   Je 15 —
Napoleon I. 60 Lfgn. (Mit Abb.) 8° Lpzg, H Schmidt & C Günther (03).   Je — 30
Masson, F: Napoleon I. u. d. Frauen. Uebertr. v. O Marschall v. Bieberstein. 1900. d
Masson, F: Napoleon i. zu Hause. Der Tagesslauf in d. inneren Gemächern d. Tullerien. Uebertr. u. bearb. v. O Marschall v. Bieberstein. (303 m. 12 Taf.) d
Turquan, J: Die Generalin Bonaparte. Uebertr. u. bearb. v. O Marschall v. Bieberstein. (318) d
Turquan, J: Die Kaiserin Josephine. Uebertr. u. bearb. v. O Marschall v. Bieberstein. (324) 1896. d
Turquan, J: Caroline Murat, Königin v. Neapel. Nach Aeussergn ihrer Zeitgenossen. Uebertr. u. bearb. v. O Marschall v. Bieberstein. (236 m. 1 Taf.) 1897. d
Turquan, J: Die Schwestern Napoleons Elisa u. Pauline Borghese. Nach Aeussergn ihrer Zeitgenossen. Uebertr. u. bearb. v. O Marschall v. Bieberstein. (245 m. Abb. u. 1 Taf.) (1896.) d
Turquan, J: Die Königin Hortense. Nach d. Aussagen v. Zeitgenossen. Uebertr. u. bearb. v. O Marschall v. Bieberstein. 2 Bde. (211 u. 220 m. Abb.) 1897. d
Turquan, J: Das Liebesleben Napoleon I. Uebertr. u. bearb. v. O Marschall v. Bieberstein. 3. Afl. (266) 04. d
Laurent, O: Der König v. Rom. Uebertr. v. O Marschall v. Bieberstein. (348) 1899. d
Potocka, A: Gräfn, Memoiren. 1794—1820. Veröffentlicht v. C Stryienski. Nach d. 6. französ. Afl. bearb. v. O Marschall v. Bieberstein. n. 6. Taus. (291 m. Bildnis.) 99 04. d
Kaisenberg, M v.: Napoleon I. u. Eugénie Desirée Clary-Bernadotte, Roman a. d. Leben e. Königin. (425 m. 7 Taf.) 8° 01. d
Welschinger, H: Mirabeau in Berlin als geheimer Agent d. französ. Regier. Uebertr. u. bearb. v. O Marschall v. Bieberstein. (467 m. 1 Bildnis.) 8° 1900. d
Rosebery, Lord: Napoleon I. am Schluss s. Lebens. Uebertr. v. O Marschall v. Bieberstein. (378) 8° 01. d
Turquan, J: Welt u. Halbwelt unter d. Konsulat u. d. I. Kaiserreich. Uebertr. u. bearb. v. O Marschall v. Bieberstein. (334) 8° 1900. d
Turquan, J: Die Bürgerin Tallien. Ein Frauenbild a. Zeit d. französ. Revolution. Uebertr. v. O Marschall v. Bieberstein. (272) 8° 1900. d
Briefe Napoleons I. an s. Gemahlin Josephine u. Briefe Josephine's an Napoleon u. ihre Tochter, d. Königin Hortense. Uebertr., m. erläut. Anmerkgn v. O Marschall v. Bieberstein. (386) 8° 01. d
Jerôme Bonaparte, Mad. (E Patterson): Briefe. Deutsch v. H Perl. (216 m. Abb.) 8° 1900. d
Perl, H: Napoleon I. in Venetien. (243) 8° 01. d
Potocka: Memoiren. II. Thl (Schlussbd). Reise d. Gräfin Potocka-Wonsowicz n. Italien 1826—27. Hrsg. v. C Stryienski. Mit noch bisher unveröffentl. Briefen d. Königin Caroline v. Neapel, d. Königin Katharina v. Westphalen n. A. Uebertr. v. O Marschall v. Bieberstein. Mit Anh.: Das Tageb. d. Gräfin Franziska 1759—62. Veröffentlicht v. O Chodzko. Nach d. französ. Uebertragg bearb. v. K Fischer. (180 n. 29, 194) 8° 1900. d
Nikolaj Michajlowitsch, Grossfürst: Die Fürsten Dolgorukij, d. Anhänger Kaiser Alexanders I. in d. ersten Jahren sr Regierg. Aus d. Russ. (190) 8° 02.
Grand Carteret, J: Napoleon I. in d. Caricatur. Uebertr. v. O Marschall v. Bieberstein. (106) 4° (1899.)
— (1. u. 2. Bd.) Hrsg. v. J v. Pflugk-Harttung. 4° Berl., JM Spaeth

(01). Je (7.50) 10 —; L. je (8.50) 12 —; HF. je 15 —; auch in
je 20 Lfgn zu (— 40) — 50 d
1. Revolution u. Kaiserreich. 7. Taus. (558 m. Abb.)
2. Das Erwachen d. Völker. 1—7. Taus. (499 m. Abb. u. 3 Kart.)
Napravnik, F: Geometr. Formenlehre f. Mädchen-Bürgersch.
I. Tl. (I. Kl.). 9. Afl. (52 m. H. u. 2 Taf.) 8° Wien, F Tempsky
04.   Geb. — 80
— Geometrie u. geometr. Zeichnen f. Knaben-Bürgersch. 3 Tle.
(Mit Abb.) 8° Wien, A Pichler's Wwe & S.   Geb. 2.50 d
1. Für d. 1. Kl. 19. Afl. (60 m. 8 Taf.) 04. — 80 | 2. Für d. 2. Kl. 14. Afl.
(72 m. 8 Taf.) 04. — 80 | 3. Für d. 3. Kl. 10. Afl. (75 m. 3 Taf.) 04. — 80;
11. Afl. (75 m. 3 Taf.) 05. — 90.
— dass. 2. Afl. Ausg. in 1 Bde. (201 m. Abb. u. 23 Taf.) 8° Ebd.
04.   Geb. 2 — d
Narath, A, s.: Arbeiten a. d. Geb. d. klin. Chirurgie.
— Der Bronchialbaum d. Säugethiere u. d. Menschen, s.: Bibliotheca medica.
Narkissos: Der neue Werther, e. hellen. Passionsgesch. (98)
8° Lpzg, M Spohr (02).   2 — d
Narretei. Politisch-satyr. Halbmonatsschrift. Hrsg. u. Red.:
J Kögel. Juni—Dezbr 1904. 14 Nrn. (Nr. 1. 8 m. z. Tl farb.
Abb.) 8° Münch., T Heinrich. Viertelj. — 60; einz. Nrn — 10;
Nr. 1 u. 2 f. Abonnenten unberechnet. 4
Fortsetzg war nicht zu erhalten.
Narten, A: Masszeichnen u. Modellen f. Bauhandwerker, s.:
Lehrhefte f. d. Einzelunterr. an Gewerbe- u. Handwerkersch.
Naschiwin, I: Das hungr. Russl., s.: Bibliothek berühmter
Autoren.
Nasen-, Rachen- u. Kehlkopfkrankheiten, d. häufigsten, s.:
Miniatur-Bibliothek.
Naske, A: Denkschrift z. Feier d. 40jähr. Bestandes d. mähr.
Gewerbever, in Brünn am 12. V. '01. (177 m. 6 Taf.) Fol. Brünn,
(C Winiker. — C Winkler) 01.   nn 3 —
— Kunst, Stil u. Mode. 2 volksthüml. Vortr. (48) 8° Brünn,
F Irrgang 02.   — 60 d
Naske, C: Die Kalkbrennerei u. Cementfabrikation, s.: Heusinger v. Waldegg, E, d. Ton-, Kalk-, Cement- u. Gips-Industrie.
— Die Portland-Cement-Fabrikation. (302 m. Abb. u. 3 Taf.)
8° Lpzg, T Thomas 03.   10 —; L. 11.50
Nassauer, M: Der gute Doktor. Ein nützlich Bilderb. f. Kinder
u. Eltern. (Farb.) Bilder v. H Maison. (31) 4° Münch., Braun
& Schn. (05).   Geb. 3.50 d
— Doktorsfahrten. Ärztliches u. Menschliches. (139) 8° Stuttg.,
F Enke 02.   2.80; geb. 3.60 d
Nasse, D: Chirurgie d. unt. Extremitäten, s.: Borchardt, M.
Nasse, L: Führer durch d. Maschinen-, Eisen- u. Metallindustrieen, s.: Bürgel, HGM.
Nassovia. Zeitschrift f. nassauische Gesch. u. Heimatkde. Hrsg.
v. C Spielmann. 2.—6. Jahrg. 1901—5 je 24 Nrn. (1901. Nr. 1—7.
96) 4° Wiesb., P Plaum.   Viertelj. 1.20; einz. Nrn — 50 d
Nast, C: Litauisch Blut. Erzählgn a. Preussisch-Litauen. (75)
8° Berl., O Janke 01.   — 50 d
— Garde in Korzany. Roman a. d. litanisch-russ. Grenzleben.
2 Tle in 1 Bde. (171 u. 174) 8° Ebd. (02).   (4 —) 2 — d
— Spätes Glück. — Herzensirrgn. — Der Mann u. d. eisernen
Kette, s.: Weichert's Wochen-Bibliothek.
— Die Sängerin u. d. litauische Erzählgn. (84) 8° Berl., O
Janke (05).   — 50 d
— Die Schwalbe v. Naporow.—Potap d. Werwolf, s.: Weichert's
Wochen-Bibliothek.
— Familie Swetzow. Kulturbilder a. Russisch-Polen. (224) 8°
Stuttg., A Bonz & Co. 03.   2.40; L. 3.60 d
— Zigeunermischka u. and. Erzählgn, s.: Kürschner's, J, Bücherschatz.
Nast, K: Schnorrerschnurren! Plaudereien a. d. Lande d. Anandinne. (104) 8° Strassbg, J Singer 04.   2.—
Nataliens Unglück. (In russ. Sprache.) (27) 8° Berl., H Steinitz
(05).   1 —
Natge, H: „Ich bin e. Preusse!" Festmappe z. 200jahrfeier d.
Kgr. Preussen, verbunden m. d. Kaiser-Geburtstagsfeier in
d. dent. Kriegerver. u. and. patriot. Vereiniggn, sowie in d.
Schulen d. preuss. Monarchie. (68) 8° Berl., Dr. H Natge (1900).
2.50 d
Nath, M: Die Bildgzahlg. d. Mathematik im Lehrpl. d. höh.
Schulen. Vortr. [S.-A.] (16) 8° Berl., O Salle 04.   — 80
— Mathemat. Hauptsätze, s.: Bork, H.
— Deut. Leseb. f. höh. Lehranst., s.: Lehmann, R.
Nathan's System d. Ethik u. Moral. Zum 1. Male übers. u. m.
Anmerkgn versehen v. K Pollak. (143) 8° Budap. 05. (Frankf. a/M.,
J Kauffmann.)   3 —
Nathan, A: Chalomes. Klane Scherzlich. (131) 8° Fürth, (G Rosenberg) 05.   2 — d
Nathan, J: Vokabularium z. Pentateuch חומש, nebst Bieggs-Tab. d. hebr. Substantiva u. Verba. 13. Afl. v. Meisel. (174)
8° Frankf. a/M., J Kauffmann 04 —.   Geb. 1.50 d
Nathan, L: Die jurist. Konstruktion d. Verlöbnisses n. d. BGB.
(89) 8° Berl., Stuhr 02.   2 —
Nathan, NM: Ein anonymes Wrtrb. z. Mišna u. Jad Haḥazaḳa.
(46) 8° Berl., L Lamm 05.   2.50
Nathanael. Zeitschrift f. d. Arbeit d. ev. Kirche an Israel,
hrsg. v. HL Strack. 17.—21. Jahrg. 1901—5 je 6 Nrn. (Nr. 1.
32) 8° Berl., Schriftenvertriebsanst.   Je 1.25 d
Nathansohn, H: Der Existenzbegriff Hume's. (74) 8° Berl., E
Ebering 04.   2 —

Naether: Ein prognostisch wicht. Symptom bei Lungenentzündg. [S.-A.] (7) 8° Lpzg, B Konegen 05.   1 —
Näther, A: Bücherwart. Wegweiser durch d. stenograph. Lit.
I. Bd. 1. Heft. (48) 8° Dresd., W Reuter 06.   — 80
— Der Kollm. Kurze Beschreibg d. Berges u. sr Aussicht. (47
m. 1 Karte.) 12° Osch., (H Hackarath) 01.   — 50
Näther, M: Sächs. Stenographieb., s.: Döring, C.
Nathorst, AG: Beitr. z. Kenntnis ein. mesozoischen Cycadophyten. [S.-A.] (28 m. 1 Fig. u. 3 Taf.) 4° Stockh. 02. (Berl.,
R Friedländer & S.)   nn 4 —
— Zur fossilen Flora d. Polarländer. I. Tl. 2. u. 3. Lfg. [S.-A.]
4° Stockh.   nn 17 — (I, 1—3.: nn 32 —)
1, 2. Zur mesozoischen Flora Spitzbergens. Gegründet auf d. Sammlgn
d. schwed. Exped. (77 m. 6 Taf.) 1897.   nn 8 —
3. Zur Tobertdevon. Flora d. Bären-Insel. (60 m. 5 Fig. u. 14 Taf.) 02.
nn 9 —
Nathusius, A v.: Die Herrin auf Bronkow. Roman. (240) 8°
Berl., R Taendler (05).   3 —; geb. 4 — d
— Mann u. Weib. Geschichten u. Gedanken. (142) 8° Berl., R
Eckstein Nf. (01).   2 —; geb. 3 —
— Freie Worte! Lieder u. Skizzen. (176 m. Bildnis.) 8° Ebd. (02).
2 —; geb. 3 — d
Nathusius, E v.: Alte Märchen. Den Kindern neu erzählt. (90
m. Abb.) 8° Halle, Gebauer-Schwetschke (03).   Kart. 1.20 d
Nathusius, H v.: Gesch. d. uradl. Hauses Bary 1223—1903. Auf
Grund d. Vorarbeiten u. unter Mitwirkg v. FC Ebrard zusammengest. (308 m. 5 Stamm- u. 1 farb. Wappentaf.) 4° Frankf.
a/M., (Gebr. Knauer) 04.   L. 6 H
Nathusius, M v.: Die Dozenten. Die Kassette. 2 Erzählgn.
2. Afl. (80) 12° Berl., HJ Meidinger. (01).   Kart. — 60 d
— Elisabeth. Eine Gesch., d. nicht m. d. Heirat schliesst. 3 Tle
in 1 Bde. (215, 197 u. 246) 8° Lpzg, G Foeck V. (02). L. 3 — d
— Ges. Erzählgn in 10 Bdn. (288, 262; 198, 166; 215, 197, 246;
174, 156 u. 147) 8° Ebd. (02).   In 4 L.-Bdn 12 — d
— Ausgew. Erzählign. 2. Afl. (84) 12° Berl., HJ Meidinger (01).
Kart. — 60 d
— dass. 4 Tle in 1 Bde. (80, 91, 88 u. 88 m. 4 Bildern.) 8° Ebd.
(05).   L. 3 — d
— 6 Erzählgn f. d. Mädchenwelt. (223 m. 5 [3 farb.] Taf.) 8° Berl.,
E Gahl (02).   geb. 3. — d
— Die Geschichten v. Christfried u. Julchen. 8. (Min.-)(Tit.-]
Afl. (359) 12° Halle, R Mühlmann's V. [01] 05.   1 —
L. m. G. 1.50 d
— Langenstein u. Boblingen. Erzählg. 2. Afl. (225) 8° Herb.,
Bh. d. nass. Colportagever. 03.   — 70; geb. 1 —; L. 1.50 d
— Goldenes Mädchenbuch, s.: Gotthelf, J.
— Die beiden Pfarrhäuser. Der kl. Kurrendejunge. Die dumme
Anne. 3 Erzählgn. 2. Afl. (82) 12° Berl., HJ Meidinger (01).
Kart. — 60 d
— Aus d. Tageb. e. armen Fräuleins, s.: Universal-Bibliothek
f. d. christl. Haus.
— Vater, Sohn u. Enkel. Dorfgeschichte. 2. Afl. (88) 12° Berl.,
HJ Meidinger (01).   Kart. — 60 d
Nathusius, M v.: Ueb. d. Bedeutg christl. Erkenntnis, s.: Salz
u. Licht.
— Die wiss. u. relig. Gewissh., s.: Zeitfragen d. christl. Volkslebens.
— Hdb. d. kirchl. Unterr. u. Ziel, Inhalt u. Form. 3 Tle. 8°
Lpzg, JC Hinrichs' V. 4.80; Einbde je — 60; in 1 Bd geb. 5.80 d
1. Das Ziel d. kirchl. Unterr., od. d. Konfirmation in ihrer geschichtl.
Entwicklg u. ihrer Gestaltg in d. Gegenwart. (112) 03.   1.50
2. Die christl. Lehre n. Luthers kl. Katechismus. (171) 04.   2.20
3. Das pädagogisch-didakt. Verfahren. (57) 04.   — 80
— Christl. Liebe u. soz. Hülfe, s.: Hefte d. freien kirchlichsoz. Konferenz.
— Die Mitarbeit d. Kirche an d. Lösg d. soz. Frage. Auf Grund
e. kurzgef. Volkswirtschaftslehre u. e. Systems d. christl.
Gesellschaftslehre (Sozialethik) dargestellt. 3. [Tit.-]Ausg.
(503) 8° Lpzg, JC Hinrichs' V. [1897] 04.   5 —; L. 6 — d
— s.: Monatsschrift f. inn. Land.
Nathusius, S v.: Atlas d. Rassen u. Formen uns. Haustiere.
Nach Orig.-Zeichngn v. T v. Nathusius. I—III. Serie. 3° Stuttg.,
E Ulmer.   In L.-M. 19.50
1. Pferderassen. (24 Taf. m. 26 S. Text.)   6 —
II. Rinderrassen. (28 Taf. m. 25 S. Text.) 04.   7 —
III. Die Schweine-, Schaf- u. Ziegenrassen. (24 Taf. m. 21 S. Text.) 04. 6.50
— Messgn an Stuten, Hengsten u. Gebrauchspferden, s.: Arbeiten d. deut. Landw.-Gesellsch.
— Pferdezucht, s.: Schwarznecker.
— Die Pferdezucht unter bes. Berücks. d. betriebswirtschaftl.
Standpunktes. (228 m. Abb.) 8° Stuttg., E Ulmer 02.   3 —
geb. nn 3.80 d
— s.: Pferdezucht, deut.
— 4 Wandtaf. z. Beurteilg d. Pferdes. 44×56 cm. Mit Text.
(8) 8° Stuttg., E Ulmer 03.   In M 3 —
Nation, die. Wochenschrift f. Politik, Volkswirtschaft u. Litt.
Hrsg. v. T Barth. Red.: O Böhme u., v. 91. Jahrg. an, F Weinhausen. 19—23. Jahrg. Oktbr 1901—Septbr 1906 je 52 Nrn.
(19—21. J. je 832 u. 22. J. 848) 4° Berl., G Reimer.
Viertelj. 3.75; einz. Nrn — 30 d
Die „Zeit", Nationalsoz. Wochenschr., wurde hiermit vereinigt.
National-Bibliothek, allg. Neue Folge d. dest. National-Bibliothek. Von H Weichelt gegründet im J. 1882. Nr. 266—369.
8° Wien, T Daberkow.   Je — 20 d
Aus Nestroy. Eine kleine Erinnergsgabe. (Von L Rosner.) 5. Afl. (58 m.
1 Bildnis.) (02.) [312.16.]

National-Bibliothek, Fortsetzg.
Baumann, A: Das Versprechen hinterm Herd. Eine Scene a. d. österr. Alpen, m. Nationalgesängen. (32) (01.) [277.]
Bruun v. Braunthal: Faust. Tragödie. (94) (01.) [291.92.]
Fercher v. Steinwand's sämtl. Werke in 5 Bdn. Hrsg. v. J Fachbach, E v. Lohnbach. Mit 2 Einleitgn. v. F Christel u. W Madjera. 1. Bd: Dent. Klänge a. Österr. (1. u. 2. Tl). Johannisfenor. Grüne Seelenbrand. (100 m. Bildnis.) 05. [349.50.] ‖ 2. Bd: Dramen. (94) (04.) [340.41.] ‖ 3. Bd: Der Geisterzögling. Epische Gedichte. Kryptoforen. Abhandlgn. Aphorismen. (96) (05.) [351.] ‖ Abhandlgn. (199) (05.) [358—57.] ‖ Drahomira. Trauersp. (170) (05.) [380—84.] ‖ Epische Gedichte. (24) (06.) [352.] ‖ Johannisfenor. 2. Ausg. (120) (05.) [367—69.] ‖ Dent. Klänge a. Österr. [1. Tl.] Neue Folge samt Nachtr. Jugendblüten. (Aus d. Nachlasse.) (199—340) (04.) [342.] ‖ Kryptoforen. Ein poet. Sprach- u. Tageb. in 4 Tln. (71—256.) (04.) [335—339.] ‖ Ein Prometheus. Trauersp. (95) (05.) [356.59.] ‖ Grüne Seelenbrand. (369—450) (04.) [343.44.] ‖ Der Thronwechsel. (Trauersp.) (89) (05.) [365.66.]
Grillparzer, F: Die Ahnfrau. Trauersp. (110 m. Titelbild.) (03.) [318.] ‖ Ein treuer Diener s. Herrn. Trauersp. (92 m. Titelbild.) (03.) [323.] ‖ Das Meeres u. d. Liebe Wellen. Trauersp. (88 m. Titelbild.) (03.) [324.] ‖ Melusina. Romant. Oper. (40 m. Titelbild.) (03.) [326.] ‖ König Ottokars Glück u. Ende. Trauersp. (172 m. Titelbild.) (03.) [322.] ‖ Sappho. Trauersp. (42 m. Titelbild.) (03.) [319.] ‖ Der Traum e. Leben. Dramat. Märchen. (98 m. Titelbild.) (03.) [325.] ‖ Das gold. Vlies. Dramat. Gedicht. (186 m. Titelbild.) (03.) [330.31.] ‖ Weh d., d. lügt! Lustsp. (80 m. Bildnis.) (03.) [327.]
Hamerling, R: Ungedruckte Briefe. 4. Thl. (448 m. Bildnis.) (01.) [278—86.]   (Vollst. in 1 Bd geb.: 5 —)
Hebbel, F: Herodes u. Mariamne. Tragödie. (124) (02.) [307.8.]
Jókai, M: Kl. Geschichten. Aus d. Ung. v. L Rosner. (90) (01.) [305.6.]
Kaltenbrunner, KA: Gedichte. Mitgetheilt u. eingeleitet v. Fras H v. Radics-Kaltenbrunner. (68) (01.) [174.75.]
Kürnberger, F: Catilina. Drama. (98) (03.) [330.31.] ‖ Firdusi. Drama. (80) (02.) [301.2.] ‖ Das Pfand a. Treue. Bürgerl. Schausp. (84) (02.) [303.4.] ‖ Das Trauerspiel. Lustsp. (46) (02.) [299.]
Lenau, N: Die Albigenser. Freie Dichtgn. (104) (03.) [328.29.] ‖ Faust. Gedicht. (106) (01.) [272.73.]
Nestroy, J: Eulenspiegel od. Schabernack üb. Schabernack. Posse. (74) (05.) [332.33.] ‖ Glück, Missbr. u. Rückkehr od. Das Geheimnis d. grauen Hauses. Posse. (88) (01.) [270.71.] ‖ Einen Jux will er sich machen. Posse. (98) (01.) [289.90.] ‖ Das Mädl a. d. Vorstadt od. Ehrlich währt am längsten. Posse m. Gesang. (92) (01.) [266.67.] ‖ Der Zerrissene. Posse m. Gesang. (74) (01.) [268.69.]
Nussknacker u. Mausekönig. Weihnachtsspiel. Bearb. v. ETA Hoffmanns Erzählg. (20) (04.) [345.]
Radler, F v.: Auf d. Nestroy-Insel. Festsp. (76) (02.) [317.]
Rautenstrauch, J: Jurist u. Bauer. Lustsp. (54) (01.) [276.]
Saar, F v Österr. Festdichtgn. (46 m. Bildnis.) (03.) [334.]   L. 1 —
Stifter, A: Der Kuss v. Sentze. (86) (02.) [311.] ‖ Nachkommenschaften. (78) (01.) [287.88.] ‖ Prokopus. (76) (02.) [309.10.] ‖ Die 3 Schmiede ihres Schicksals. (36) (01.) [292.] ‖ Der fromme Spruch. (90) (02.) [313.14.] ‖ Der Waldbrunnen. (45) (01.) [294.] ‖ Aus d. bair. Walde. (36) (02.) [298.] ‖ Der Waldgänger. (112) (02.) [305—07.]
Vogl, JN: Schnadahüpfln. (31) (02.) [319.]

National-Denkmal, d., auf d. Kreuzberge bei Berlin. (32 u. 16 m. Abb. u. 1 Panorama.) 12⁰ Berl., D Reimer (01).   — 50
National-Galerie, d., in London. Vilém, dent. u. holländ. Schule. 4. Lfg. (2 Lichtdr. m. 9 Bl. Text.) Fol. Haarl., H Kleinmann & Co. (01).   10 — (Vollst. in M.: 50 —)
National-Kalender, eidgenöss., f. d. Schweizervolk f. 1906. 69. Jahrg. Oder d. Schweizerboten-Kalender 82. Jahrg. (96 m. Abb.) 8⁰ Aar., E Wirz.   — 40 d
Nationalmuseum, d. bayer., in München. 50 Orig.-Aufnahmen. Fol. Münch., Verl.-Anst. f Kunstwerk (03).   In M. 60 —
                        einz. Bl. 1 —; Album dazu 6 —
National-Oekonom, der. Zeitschrift f. Volkswirthschaft u. Statistik. Nebst Beibl.: Versichergs-Rundschau. Hrsg. u. Red.: B Irányi. 14. u. 15. Jahrg. 1901 u. 2 je 36 Nrn. (Nr. 1. u. 8) Fol. Wien, (J Eisenstein & Co.). Je 20 — ‖ 18—13.Jahrg. 1903—5.   Je nn 23 —
Nationalstenograph, der. Organ d. Bundes f. Nationalstenogr. Red. v. A A v. Kunowski. Nebst Unterhaltgsbeil.: Stenograph. Blätter. 4. u. 5. Jahrg. 1901 u. 2 je 12 Nrn. (1902. 90 u. 96) 8⁰ Bresl. Liegn., Dr. v. Kunowski.   Halbj. nn 1.50;
              Sten. Blätter allein jährlich nn 1.50
— dass. Red. v. F Wendler. Nebst Beil.: Stenograph. Blätter u. Der stenograph. Praktiker. 6. Jahrg. 1903. 12 Nrn. (Nr. 1. 16 u. 8 u. 4) 8⁰ Ebd.   Halbj. nn 1.25; Beil. allein je nn —
— dass. Nebst Beil.: Stenograph. Blätter. 7. u. 8. Jahrg. 1904 u. 5 je 12 Nrn. (Nr. 1. 16 u. 8) 8⁰ Ebd.   Je nn 3 —;
                      ohne Beil. nn 2.50; Beil. allein nn 1 —
National-Stenographen-Handbuch 1905. 2 Tle in 1 Bd. (56 u. 72) 8⁰ Liegn., Dr. v. Kunowski.   In L.-Tasche nn 1 —
  Bisher u. d. T.:
National-Stenographen-Kalender 1903. 4. Jahrg. (103) 16⁰ Liegn., Dr. v. Kunowski.   Geb. — 75 d
  Bis 1901 u. d. T.: Kalender f. National-Stenographen.
Natorp, A: Adolf Clarenbach, s.: Feierstunden.
— Martin Luther. Festsp. (106) 8⁰ Elberf., (Westdeut. Jünglingsbund) (05).   1 — d
Natorp, P, s.: Archiv f. Philosophie.
— Zum Gedächtnis Kants. 1804. 12.II.1904. [S.-A.] (23) 8⁰ Lpzg, J Klinkhardt 04.   — 50
— Was uns d. Griechen sind, s.: Reden, Marburger akadem.
— Logik (Grundlegg u. log. Aufbau d. mathemat. Naturwiss.) in Leitsätzen zu akadem. Vorlesgn. (57) 8⁰ Marbg, NG Elwert's V. 04.   1 —; kart. 1.20
— Allg. Pädagogik in Leitsätzen zu akadem. Vorlesgn. (79) 8⁰ Ebd. 05.   1.50; kart. nn 1.70
— Pestalozzi u. d. Frauenbildg. (47) 8⁰ Lpzg, Dürr'sche Bh. 05.   7.50
— Platos Ideenlehre. Einführg in d. Idealismus. (473) 8⁰ Ebd. 03.   7.50

Natorp, P: Philosoph. Propädeutik (allg. Einl. in d. Philosophie u. Anfangsgründe d. Logik, Ethik u. Psychologie) in Leitsätzen zu akadem. Vorlesgn. (69) 8⁰ Marbg, NG Elwert's V. 03.   1 —; kart. 1.20 ‖ 2. Afl. (68) 05. 1.20; kart. 1.40
Natorp, P: Allg. Psychol. in Leitsätzen zu akadem. Vorlesgn. (68) 8⁰ Marbg, NG Elwert's V. 04.   1 —; kart. 1.20
— Pädagog. Psychol. in Leitsätzen zu Vorträgen. (19) 8⁰ Ebd. 01.   — 40 d
— Sozialpädagogik. Theorie d. Willenserziehg auf d. Grundlage d. Gemeinschaft. 2. Afl. (24, 400) 8⁰ Stuttg., F Frommann 04.   8.80; geb. nn 7.80
— Ein Wort z. Schulantrag. [S.-A.] (48) 8⁰ Lpzg, J Klinkhardt 05.   — 50
Naetsch, E: Übgsb. z. Studium d. höh. Analysis, s.: Schlömilch, O.
Natter, O: Die Haftpflicht d. österr. Post- u. Telegr.-Anst. (136 m. Abb.) 8⁰ Berl., P Parey 05.   ·   L. 1.60 d
— Die Postanst. u. ihre Bediensteten, s.: Will, R.
Natterer: Kurze Darstellg d. preuss. Ges. betr. d. ärztl. Ehrengerichte, d. Umlegerecht u. d. Kassen d. Ärztekammern v. 25.XI.1899; giltig ab 1.IV.1900. Nebst e. Auszug a. d. Verordgn üb.: Die ärztl. Standesvertretg. (48) 8⁰ Lpzg, JA Barth 02.   — 80
Nattermüller, O: Obst- u. Gemüsebau. (Landw.Unterr.-Bücher.) 3. Afl. (136 m. Abb.) 8⁰ Berl., P Parey 05.   L. 1.60 d
Natur, die. Zeitg z. Verbreitg naturwiss. Kenntnis u. Naturanschaug f. Leser aller Stände. Begründet v. O Ule u. K Müller. Hrsg. v. H Behrens. 50. Jahrg. 1901. 52 Nrn. (Nr. 1. 12 m. Abb.) 4⁰ Halle, Gebauer-Schwetschke. ‖ 51. Jahrg. 1. Viertelj. Jan.—März 1902. 13 Nrn. Viertelj. 3.60; einz. Nrn —25; m. Buntdr.-Taf. nn — 65 d
  Mit „Naturwiss. Wochenschrift" vereinigt.
— u. Glaube. Naturwiss. Zeitschrift z. Belehrg u. Unterhaltg auf positiv-gläub. Grundl. Hrsg. v. JE Weiss. 4—6. Jahrg. 1901—3 je 12 Nrn. (Je 384) 8⁰ Leuth., J Bernklau. Je 3 —
                  ‖ 7. u. 8. Jahrg. 1904 u. 5. Je 4 — d
— u. Haus. Illustr. Zeitschrift f. alle Naturfreunde. Hrsg. v. M Hesdörffer. 10. Jahrg. Oktbr 1901—Septbr 1902. 18 Hefte. (384 m. 3 Taf.) 4⁰ Dresd., H Schultze. ‖ 11—14. Jahrg. Oktbr 1902—Septbr 1906 je 24 Hefte. (11—12. Je 384 m. 3 u. 1 Taf.)   Viertelj. 2 —; einz. Hefte — 50
  Seit 1.VII.'05 verschmolzen m. d. „Nerthus".
— u. Kultur. Zeitschrift f. Schule u. Leben. Schriftleiter u. Hrsg.: FJ Völler. 1—3. Jahrg. Oktbr 1903—Septbr 1906 je 24 Hefte. (768, 764 u. 764 m. Abb.) 8⁰ Münch. (Aschh., G Schmidt; 2. u. 3. Jahrg.: Einzelpr.: Lpzg, P Eberhardt.)   Viertelj. 2 — d
— u. Kunst. Fortsetzg v. Kunst u. Moral. Briefwechsel zw. William Shakespeare u. Madame Gâchas-Sarraute, Docteur en Médicine à Paris. Hrsg. v. H B. (311) 8⁰ Zür., C Schmidt 04.   3.75 (1 u. 2.; 4.95)
  Den 1. Bd s. u. d. T.: Kunst u. Moral.
— u. Offenbarung. Organ z. Vermittlg zw. Naturforschg u. Glauben f. Gebildete aller Stände. 47—51. Bd je 12 Hefte. (1. Heft. 64) 8⁰ Münst., Aschendorff 01-05.   Je 8 —
— u. Schule. Zeitschrift f. d. ges. naturkundl. Unterr. aller Schulen. Hrsg. v. B Landsberg, O Schmeil, B Schmid. 1. u. 2. Bd je 8 Hefte. (Je 504 m. Abb. u. 3 Taf.) 8⁰ Lpzg, BG Teubner 02.03. ‖ 3—5. Bd. Je 12 Hefte. (Je 568 m. Abb. 7.) 04-06.   Halbj. 6 —; in 1 Bd geb. je 13 —
— u. Staat. Beitr. z. naturwiss. Gesellschaftslehre. Hrsg. v. HE Ziegler in Verbindg m. Conrad u. Haeckel. 1—7. 8⁰ Jena, G Fischer.   Subskr.-Pr. 23.30; Einzelpr. 39.75;
                                        Einbde je 1 — d
Eleutheropulos, A: Soziologie. (396) 04. [6.]   2.60; bewz. 3.25
Hesse, A.: Natur u. Gesellschaft. Krit. Untersuchg d. Bedeutg d. Deszendenztheorie f. d. soz. Leben. (284) 04. [4.]   3 —; bewz. 4 —
Matrat, H: Philosophie d. Anpassg, s.: Ziegler, H, Eiul. zu d. Sammelwerke.
Michaelis, C: Prinzipien d. natürl. u. soz. Entwicklgsgesch. d. Menschen. (211) 04. [6.]   2.40; bewz. 3 —
Ruppin, A: Darwinismus u. Sozialwiss. (179) 03. [2.]   2.40; bewz. 3 —
Schaik, E: Der Wettkampf d. Völker, m. bes. Berugnahme auf Deutschl. u. d. Verein. Staaten v. Nordamerika. (96) 04. [7.]   3 —; bewz. 3.75
Schallmeyer, W: Vererbg u. Auslese im Lebenslauf d. Völker. (396) 03.   5 —; bewz. 6 —
Ziegler, HE: Einl. zu d. Sammelwerke Natur u. Staat, Beitr. z. naturwiss. Gesellschaftslehre. — Matrat, H: Philosophie d. Anpassg m. bes. Bezugnahme auf d. Deszendenztheorie u. d. Staaten. (24 u. 323) 03. [1.]   4.50; bewz. 6 —
Natura novitates. Bibliogr. neuer Erscheingn aller Länder auf d. Geb. d. Naturgesch. u. d. exacten Wiss. 23—27. Jahrg. 1901—5 je 24 Nrn. (734, 780, 752, 772 u. 688) 8⁰ Berl., R Friedländer & S.   Je 4 —
Naturarzt, der. Zeitschrift f. deut. Bundes d. Ver. f. naturgemässe Lebens- u. Heilweise (Naturheilkde). Red.: R Gerling. 29—33. Jahrg. 1901—5 je 12 Nrn. (Nr. 1. 28) 8⁰ Berl., (Bh. u. Verl. d. Naturarzt).   12 Nrn — 30
Natur- u. Volksarzt, der. Illustr. Centralbl. f. d. Ges.-Interessen d. arzneilosen Heilkde. Verantwortlich: Boden. 39. Jahrg. 1901. 12 Nrn. (Nr. 1. 16) Fol. Lpzg, M Voigt.   Halbj. 2 — d
  Fortsetzg s. u. d. T.: Blatt, freies hygien.
Naturaufnahmen, photograph., f. d. Anschaugs-Unterr. 1. Lfg. (7 Taf.) 75×75 cm. Wien, Allg. österr. Lehrmittelanst. (05).   4 —; in L.-Rand u. usen 5 —
Naturbeschreibung f. Elementarsch.Von prakt. Schulmännern. 14. Afl. (118 m. Abb.) 8⁰ Köln, H Theissing (05). Kart. — 60 d

Naturen, rätselhafte. 1. u. 2. Bd. 8° Coeth. Wien, FC Mickl. 3.50
1. Unger, F: Die Flagellanten. Beitr. z. Gesch. u. Psychol. d. histor. Flagellantismus u. d. Flagellomanie m. bes. Berücks. d. Werke v. G Frusta u. Boileau. (79) 02. 2 —
2. Unger, F: Sünden, d. man nicht verzeiht. Nach d. Franz. frei bearb. — Die Invaliden d. Geschlechtsverkehrs. Von Verus. — Die Frau u. d. Flagellantismus. Nach G Frusta. — Hecker, JFC: Die Tanzwut d. M.-A. (64) 02. 1.50
Fortsetzg s. u. d. T.: Collection „Rätselhafte Naturen".

Naturfreund, der. Naturwiss. Halbmonatsschrift f. alle Stände. Hrsg. v. W Lorch. 1. Jahrg. April 1902—März 1903. 24 Nrn. (Nr. 1. 16) 4° Witten. (Ruhr), W Hoppstädter. Halbj. 1.85 ‖ 2. Jahrg. Apr.—Septbr 1903. 12 Nrn. 2 — ô F

Naturgeschichte n. Lebensgemeinschaften. Für d. Volkssch. bearb. v. mehreren Lehrern. 1. u. 4—8. Heft. 8° Langens., Schulbh. 2.90 d
1. Haus, Hof u. Garten. 6. Afl. (62) 02. — 50 ‖ 4. Der Wald. 5. Afl. (84) 03. — 60 ‖ 5. Auf fremder Erde. 4. Afl. (59) 03. — 50 ‖ 6. Im Innern d. Erde. 3. Afl. (56) 01. — 40 ‖ 7. Der Mensch. 3. Afl. (56) 03. — 50 ‖ 8. Die Erde als Ganzes. 2. Afl. (52) 02. — 40.

— dass. Für d. Volks- u. Mittelsch. n. d. einz. Schulj. bearb. v. mehreren Lehrern. 9. Heft. (203) 8° Ebd. 01. Kart. 2 — (1—9.: 5.25) d

— lust., in lammfrommen Versen u. Bildern. Schildert d. Schöpfg, wie sie war vom Anfang, bis dass sie auf d. Hund kam. Von B Lämmchen. (56 m. Abb.) 4° Brnschw., Verl. Hercynia (02). 1.50 d

— d. 3 Reiche. (48 farb. Taf. m. Text auf d. Rücks. u. 1 S. Text.) Fol. Stuttg., G Weise (01). Geb. 6 — d

— d. Tierreichs. Gr. Bilderatlas m. Text f. Schule u. Haus. Mit e. allg. Einl. v. CB Klunzinger. 5. [Tit.-]Afl. (198 m. 80 farb. Taf.) Fol. Wien, Szelinski & Co. [1891] (03). Kart. 20 — d

Natur- u. Volksheilkunde. Hrsg. v. Verband d. Ver. f. Natur- u. Volksheilkde. Schriftleitg: E Lanzendorf. 11—15. Jahrg. 1901—5 je 12 Nrn. (1902. Nr. 1—9. 144) 8° Altnbg, R Hiller. Je 2 — d

Naturlehre f. Volks-, Mittel- u. Fortbildgssch. Von prakt. Schulmännern. 7. Afl. (96 m. Abb.) 8° Cöln, H Theissing (04). Kart. — 50 d

Naturwissenschaft u. **Technik** in gemeinverständl. Einzeldarstellgn. 1—3. Bd. (Mit Abb.) 8° Stuttg., Deut. Verl.-Anst. L. 14 — d
Jentsch, O: Unter d. Zeichen d. Verkehrs. (283) 04. [2.] 5 —
Pfaundler, L: Die Physik d. tägl. Lebens. (420) 04. [1.] 7.50 ‖ 2. Afl. (424) 06. 5 —
Santos-Dumont, A: Im Reich d. Lüfte. Uebers. v. L Holthof. (176 m. Bildnis.) 05. [3.] 4 —

Naturwissenschaftliches u. **Geschichtliches** v. Seeberg. Hrsg. v. naturwiss. Ver. zu Gotha. (146 u. 16 m. Abb., 3 Taf. u. 1 Karte.) 8° Gotha, EF Thienemann 01. nn 3 —; geb. nn 3.50

Natzmer-Trebendorf, G v.: Die Notlage uns. Landespferdezucht u. Vorschl. zu deren Abhülfe. (23) 8° Cottb. (04). (Lpzg, RC Schmidt & Co.) — 50 d

Natzohme s. a.: Marcus, E.
— Up Bruutschau of Thresken un Blässken, s.: Vereinstheater, neues.
— Hiärtens-Fennand off Buernsuohn un Küötterjunge, s.: Volksbühne, plattdeut.
— Jans Krax off dat aolle Schamiesken, s.: Vereinstheater, neues.
— De graute Kumeet of Weg met'n Dreck! Begiäbenheit in 1 Akt. (19) 8° Münst. 01. Ess., Fredebeul & K. — 50 d
— Lünings Lena off mien Een un Alles, s.: Vereinstheater, neues.
— Schnippsel v. Wege d. Lebens. Gereimtes u. Ungereimtes in Hoch u. Platt. (165 m. 2 Bildnissen.) 8° Ess., Fredebeul & K. (02). 1.50; L. 2 — d

Nau, JA: Die feindl. Kraft. Roman. Aus d. Franz. v. E Godwyn. 1—3. Taus. (366) 8° Wien, Wiener Verl. (01). 3 —; geb. nn 4.50 d

Naubert, C: Land u. Leute in Amerika, s.: Langenscheidt's Sachwrtrbb.

Naucke, K: Leitf. f. Konkursverwalter, s.: Handbibliothek, jurist.

Naudé, W, u. G **Schmoller**: Die Getreidehandelspolitik u. Kriegsmagazinverwaltg Brandenb.-Preussens bis 1740, s.: Acta borussica.

Naue, AW: Beitrag z. praehistor. Terminol. [Aus: „Die Denkmäler d. vorröm. Metallzeit im Elsass".] (73 m. Abb., 2 Kart. u. 32 Taf.) 8° Strassbg. 05. (Münch., Lit.-artist. Anst.) 5 —

Naue, J, s.: Blätter, prähistor.
— Die vorröm. Schwerter a. Kupfer, Bronze u. Eisen. (126 m. 45 Taf. in M.) 4° Münch., Piloty & L. 03. 15 —
— Wandbilder a. vorgeschichtl. Kulturperioden. (6 farb. Taf.) 111×79 cm. Nebst Erläutergn. (13 m. 6 Abb.) 8° Ebd. 04. 20 —; auf L. m. St. 30 —
— Worte u. Wirken v. Moritz v. Schwind. (Zur 100jähr. Geburtstagsfeier d. Meisters.) (39 m. 1 Abb., 1 Bildnis u. 2 Taf.) 8° Ebd. 04. 1 —

Naumann: Naturgesch. d. Vögel Mittel-Europa's. Neu bearb. Hrsg. v. CR Hennicke. (1. wohlf. Ausg.) 77—150. Lfg u. Lfg 149 a u. b u. 150 a u. b. (Schl.) (I. Bd. 46, 24, 164 u. 253; IV. Bd. 193—432; VIII. Bd. 276; IX. Bd. 408; X. Bd. 310; XI. Bd. 343 u. XII. Bd. 274 m. Abb. u. 219 [214] farb. Taf.) Fol. Gera-Untermh., FE Köhler (01-04). Je 1 —
— dass. I., IV. u. VIII—XII. Bd. Fol. Ebd. 81 —; geb. 123 — (Vollst.: 143 —; geb. 214 —)
I. Drosseln. (46, 164 u. 253 m. 32 [30 farb.] Taf.) 06. 12 —; geb. 18 —
IV. Stärlinge, Stare, Pirole, Rabenvögel, Würger, Fliegenfänger, Schwalbenvögel, Segler, Tagschläfer, Spechte, Bienenfresser, Eisvögel, Racken, Hopfe, Kuckucke. (432 m. 49 farb. Taf.) (01.) 16 —; geb. 22 —
VIII. Regenpfeifer, Stelzenläufer, Wassertreter, Strandläufer. (276 m. 28 farb. Taf.) 02. 10 —; geb. 16 —
IX. Wasserläufer, Schnepfen, Schwäne, Gänse. (408 m. 34 farb. Taf.) (02.) 12 —; geb. 18 —
X. Enten. (307 m. 29 farb. Taf.) 02. 10 —; geb. 16 —
XI. Pelikane, Fregattvögel, Tölpel, Fluss-Scharben, Tropikvögel, Möven. (343 m. 12 farb. Taf.) (03.) 12 —; geb. 18 —
XII. Sturmvögel, Steissfüsse, Seetaucher, Flügeltaucher. Anh.: Über d. Haushalt d. nord. Seevögel Europas. (274 m. 30 [27 farb.] Taf.) (03.) 9 —; geb. 15 —

Naumann: Die Raubvögel Mitteleuropas, s.: Kleinschmidt, O.

Naumann: Der Civilprozess, s.: Buch, d. prakt.

Naumann s.: Jahrbuch, klin.

Naumann, A: Zur Jahrh.-Feier d. Geburtstags Just. Liebigs am 12.V.'03. Akadem. Festrede u. eingeschalt. aktenmäss. Belege. (72 m. 1 Bildnis.) 8° Brnschw., F Vieweg & S. 03. 2 —

Naumann, A: Aufg. z. Geschäftsaufsatz, s.: Rasche, E.

Naumann, B: Karte d. Küste d. deut. Nord-See. 1:450,000. 18. Afl. 61×43,5 cm. Farbdr. Nord., H Braams (05). 1.25

Naumann, CF: Elemente d. Mineral. 14. Afl. v. F Zirkel. (807 m. Fig.) 8° Lpzg, W Engelmann 01. 14 —; HF. 17 —

Naumann, E: Herder. Ein Gedenkblatt. Vortr. (15) 8° Rawitsch, RF Frank 03. — 30 d

Naumann, F: Die polit. Aufg. im Industrie-Zeitalter. Nach e. Vortr. (22) 8° Strassbg, Schlesier & Schw. 04. — 25 d
— Briefe üb. Relig. (55) 8° Berl.-Schönebg, Verl. d. „Hilfe" (03). ‖ 2. Afl. (86) (03.) Kart. je 1.20 d
— Demokratie u. Kaisertum. Hdb. f. innere Politik. 4. Afl. (231) 8° Ebd. 05. 1.20; L. 2 — d
— Die Erziehg z. Persönlichk. im Zeitalter d. Grossbetriebes. Rede. (19) 8° Ebd. 04. nn — 25 d
— Die wirtschaftl. u. polit. Folgen d. Bevölkergsvermehrg. Vortr. (16) 8° Münch. (04). Berl.-Schönebg, Verl. d. Hilfe. — 25 d
— Die Frau im Maschinenzeitalter. Vortr. (15) 8° Ebd. (04). — 25 d
— Gotteshilfe. Ges. Andachten. 1., 3., 4., 6. u. 7. (Schl.-)Bd. 8° Gött., Vandenhoeck & R. Kart. je 1.40; L. je 1.80 d
1. Andachten a. d. J. 1895. 3. Afl. (120) 02. ‖ 3. Andachten a. d. J. 1897. 2. Afl. (115) 02. ‖ 4. Andachten a. d. J. 1898, einschl. 5 Andachten v. F Zimmer. Mit e. Vorwort: Relig. u. Kunst. 2. Afl. (102) 03. ‖ 6. Andachten a. d. J. 1900. (104) 01. ‖ 7. Andachten a. d. J. 1901. (104) 02.
— dass. Gesamtausg. d. Andachten a. d. J. 1895—1902. 1. u. 2. Afl. 1—6. Taus. (611) 8° Ebd. 02.04. L. 6 —; 7. Taus., feine Ausg. HF. 7.80 d
— s.: Hilfe, d. — Kirchen, d. ev., u. d. Staat.
— Die Kunst im Zeitalter d. Maschine. (Vortr.) [S.-A.] (16) 8° Berl.-Schönebg, Verl. d. Hilfe 04. — 25 d
— Kunst u. Volk. Vortr. (14) 8° Ebd. 02. — 10 d
— Liberalismus. Zentrum u. Sozialdemokratie. (Vortr.) (32) 8° Münch. (04). Berl.-Schönebg, Verl. d. Hilfe. — 25 d
— s.: Naumann-Buch. — Patria.
— Die Politik d. Gegenwart. Wiss. Vortr. (59) 8° Berl.-Schönebg, Verl. d. „Hilfe" 05. — 60 d
— Die Politik Kaiser Wilhelms II. (Vortr.) (23) 8° Münch. (04). Berl.-Schönebg, Verl. d. Hilfe. — 25 d
— Nationaler u. internat. Sozialismus. Vortr. (15) 8° Berl.-Schönebg, Verl. d. „Hilfe" 01. — 10 d
— Der Streit d. Konfessionen um d. Schule. (59) 8° Ebd. 04. — 60 d
— Neudeut. Wirtschaftspolitik. (113) 8° Ebd. 02. 1 —; geb. nn 1.50 d
— s.: Wohnungsfrage u. Volkswohl.
— Die Wohngsnot uns. Zeit, s.: Flugschriften d. deut. Mieterverbandes.
— s.: Zeit, d.
— u. H v. **Gerlach**: Fleischnot u. agrar. Gefahr. Vorträge m. Debatte. (24) 8° Berl.-Schönebg, Verl. d. „Hilfe" 02. — 20 d

Naumann, G: Die Wertschätzg d. Wunders im Neuen Test. (85) 8° Lpzg, Dürr'sche Bh. 03. 2.60

Naumann, G: Lotte. Ein Bekenntnisb. (304) 8° Lpzg (02). Berl., H Seemann Nf. 3 —; geb. 4 — d
— Wiederkunft. [S.-A.] (56) 8° Lpzg, H Haessel V. 01. — 75 d
— Zarathustra-Commentar. 4. Thl. (321) 8° Ebd. 01. 4 —; geb. 5 — (Vollst.: [18 —] 10 —; geb. [17 —] 15 —) d

Naumann, H: Üb. d. Anwendg d. Stomasans bei Gallenstein-Erkrankgn. [S.-A.] (4) 8° Lpzg, B Konegen 05. 1 —
— Herzleiden d. Menopause, ihre Natur u. Behandlg. [S.-A.] (4) 8° Ebd. 03. 1 —
— Üb. Tuberkulin als diagnost. Mittel. [S.-A.] (4) 8° Ebd. 02. 1 —

Naumann, H: Das Nobel-Lied! Geschrieben f. d. Volk. — Das Dynamit. (96) 8° Dresd., E Pierson 03. 2 —; geb. 3 —

Naumann, J: Wer soll kaufmänn. Fachwiss. lehren? Vortrag üb. d. Thema: Theorie u. Praxis in d. kaufmänn. Buchführg. (19) 8° Duisbg (Am Buchenbaum 28), Handelssch.-Vorst. Naumann (03). 1 — d

Naumann, J: Ist lebhaftes relig. Empfinden e. Zeichen geist. Krankh. od. Gesundh.? Vortr. (24) 8° Tüb., JCB Mohr 03. nn — 50 d

Naumann, J: Theoretisch-prakt. Anl. z. Besprechg u. Abfassg deut. Aufsätze in Regeln, Beisp., Entwürfen u. Stoffdarbietgn. Im Anschl. an d. Lektüre klass. Werke, sowie d. Natur u. d. tägl. Leben f. d. mittl. u. ob. Klassen höh. Schulen hrsg. 7. Afl. 3 Tle. 8° Lpzg, BG Teubner 03. Geb. 5 —; in 1 Bd 4.40 d
1. Einl. Histor. Aufsätze. (178) 1.50 ‖ 2. Philosophie u. rhetor. Prosa. (179—356) 1.50 ‖ 3. Vermischte Aufsatzstoffe u. Aufg. (357—580) 2 —

Naumann, L: Skizzen u. Bilder zu e. Heimatskde d. Kreises Eckartsberga. 3—5. Heft. 8° Eckartsb. bei Eckartsberga.(Lpzg, HG Wallmann.) nn 4.25 (1—5.: nn 6.75) d
3. (96) 02. nn 1 — ǀ 4. (124) 02. nn 1.50 ǀ 5. (160) 04. nn 1.75.
Naumann, M: Kornzoll u.Volkswirtschaft. (60) 8° Lpzg, Duncker & H. 01. — 80 d
Naumann, V. s.: Pilatus.
Naumann, W: Zur Wohngsfrage im Kgr. Sachsen, s.: Abhandlungen, volksw. u. wirtschaftsgeschichtl.
Naumann-Buch. Ausw. klass. Stücke a. F Naumanns Schriften, hrsg. v. H Meyer-Benfey. 1. u. 2. Afl. (187 m. Bildnis.) 8° Gött., Vandenhoeck & R. 03. Kart. 1.75; geb. 2.50 d
Naumburg's moderne Bibliothek. 1—4. Bd. 8° Kindelbr., Naumburg. Je 1.50
Blank, M: Spiegelbilder. (125) (03.) [4.]
Fiers, A: Kreuziget ihn! Geschichten u. Typen irr. Menschen. (235) (03.) [3.]
Strack, M: Nichts f. Backfische. (213) (02.) [2.]
Weissenthurn, M v.: Nemesis u. and. Novellen. (294) (02.) [1.]
Naundorff, E: Einführg in d. wichtigsten Verfassgs- u. Verwaltgsges. d. Deut. Reichs u. d. Kgr. Sachsen, insbes. f. d. Bureaubeamten im Geschäftsbereiche d. Ministeriums d. Innern z. Vorbereitg f. d. Assistenten- u. Sekretärprüfg. (23, 452) 8° Lpzg, Rossberg'sche Verl.-Bh. 04. L. 10 — d
— Hdb. f. d. Gemeindevorstände d. Kgr. Sachsen, s.: Handbibliothek, jurist.
Bildet Ersatz f.: Bosse, HA, Leitf. f. d. Gemeindevorstände ustc., d. nicht wieder erscheint.
— Rechtsgrundsätze d. kgl. sächs. Oberverwaltgsgerichts, s.: Wachler, P.
— Reichsges. üb.d. privatenVersicherungsunternehmgn, s.:Handbibliothek, jurist.
Naunyn, B, s.: Archiv f. experimentelle Pathol. u. Pharmakol.
— Ub. d. Beziehgn d. arteriosklerot. Hirnerkrankg z. Pseudosklerosis multiplex sclerescentium u. z. Abasia senestium, s.: Sammlung klin. Vortr.
— s.: Bibliotheca medica.
— Moderne Kliniken u. Krankenhäuser. Rede. (12) 8° Jena, G Fischer 02. — 50
— s.: Mitteilungen a. d. Grenzgeb. d. Medizin u. Chirurgie.
Naurouse, J : Les Bardeur-Carbansane. Hist. d'une famille pendant 100 ans. 5. parties. Für d. Schulgebr. hrsg. Je 2 Tle. I. Tl: Einl. u. Text. II. Tl: Anmerkgn. 8° Lpzg, G Freytag. Geb. u. geb. 6.75 ; Wrtrb. 3 — d
1. La mission de Philbert. Im Ausz. hrsg. v. T Engwer. (166) 1902. 1.60; Wrtrb. (72) — 70
2. Frères d'armes. Hrsg. v. K Roller. (114 m. 1 Karte.) 01. 1.20; Wrtrb. (51) — 60
3. A travers la tourmente. Hrsg. v. G Balke. (112) 02. 1.20 ; Wrtrb. (37) — 50
4. L'otage. In gekürzter Fassg hrsg. v. M Pfeffer. (102) 1900. 1.50 ; Wrtrb. (51) — 60
5. Séverine 1814—15. Hrsg. v. A Müller. (112) 02. 1.25; Wrtrb. (55) — 60
Nausester, W: Denken, Sprechen u. Lehren. I. Die Grammatik. (195) 8° Berl., Weidmann 01. 4 —
— Das Kind u. d. Form d. Sprache, s.: Sammlung v. Abhandlgn a. d. Geb. d. pädagog. Psychol. u. Physiol.
Nauss, E: Konstitutionspathol., d. Pathol. d. Zukunft. [S.-A.] (97) 8° Münch., Verl. d. ärztl. Rundschau 01. 2 —
Nautious s.: Jahrbuch f. Deutschbls Seeinteressen.
Nauwerck, C: Sektionstechnik f. Studierende u. Aerzte. 4. Afl. (264 m. z. Tl farb. Abb.) 8° Jena, G Fischer 05. 5 —; geb. 6 —
Navarra, B: China u. d. Chinesen. Auf Grund e. 20jähr. Aufenthaltes im Lande d. Mitte geschildert. 2 Bde. (24, 1184 m. Abb.) 8° Brem., M Nössler 1900.01. (15 —) 10 —; geb. (19 —) 13 — ǀ in 1 Bd 12 —; I. 5.50; geb. 7 —; II. 4.50; geb. 6 — d
Erschien in 24 Lfgn zu — 60.
— Chines. Sinnsprüche. (79) 8° Hdlbg, C Winter, V. (05). 1.20 d
Naveau, M, u. T Naveau: Spiele, Lieder u. Verse f. Kindergarten, Elementarkl. u. Familie. 10. Afl. (144) 8° Hambg, Hoffmann & C., V. (02). 2 — d
Navery, P de: Der Engel d. Bagno. — Ein Frauenherz, s.: Braun's Novellen- u. Roman-Sammlg.
Naville, E: Denkmäler a. Aegypten u. Aethiopien, s.: Lepsius, CR.
— Das Glaubensbekenntnis d. Christen. (Le credo des chrétiens.) Übers. v. S Giessler. (88) 8° Stuttg., M Kielmann 02. 1 —; geb. 1.80 d
Nawiasky, H: Die Frauen im österr. Staatsdienst, s.: Studien, Wiener staatswiss.
Nawratil, F: Formelle Führgsaufg. im Zuge. (149 durchgeführte Ubgn.) (132 m. Fig.) 8° Besztercze 05. (Wien, LW Seidel & S.) Kart. 2 —
— Taschenb. f. Infant.- u. Jäger-Subalternoffiziere. (143 m. Fig.) 16° Besztercze 03. (Wien, R Lechner's S.)
In Wachstuch nn 1 —
2. Afl. w. d. T:
— Taschenb. f. Infant.-u. Jägeroffiziere. 2. Afl. (156) Besztercze 04. (Wien, LW Seidel & S.) Kart. 1.50
Nawrocki, R: Das neue Geschlecht. Roman. (96) 8° Stuttg., Nationaler Verl. 01. 1.50; geb. 2.25 d
Nazareth-Kalender f. kathol. Familien f. 1905. 7. Jahrg. Hrsg. v. Stephan. (181 u. 15 m. Abb.) 8° Berl. (O. 17, Rüdersdorferstr. 45), Verl. Leo-Verlag. — 50 d
Nazl, d. gescheidte. od. Schuster, bleib bei deinem Leisten! Singsp. Zunächst f. Gesellenver., hand f. jede in christl. Sinne geleitete kleinere Bühne. 8. Afl. (117) 12° Augsbg, B Schmid 1899. — 90; Musik v. P Rampis. (32) 8° 1900. 1.40 d

Neale, JM: Glaubenstaten, s.: Zur Lehr u. Wehr.
— Die ägypt. Wanderer. Eine Gesch. f. Kinder u. Erwachsene a. d. Zeit d. 10. gr. Christenverfolgg. Aus d. Engl. (194) 8° Kass., JG Oncken Nf. 05. 2 —; L. 2.50; m. G. 3 — d
Neander, M: Differenztheorie u. Börsengeschäfte. (46) 8° Berl., F Siemenroth 02. 1 —
Spätere Afl. s.: Müller, N.
Neapel u. Umgebg, s.: Projections-Vorträge.
Nebe s.: Bundespredigten, ev.
— Festpredigt beim Festgottesdienst d. XV.Generalversammlg d. ev. Bundes. (14) 8° Lpzg, (C Braun) 02. nn — 10 d
Nebe, E: Zu alt. — Der Rabenwirt, s.: Arbeiterbühne.
Nebel, C: Das Realseminar. Ein pädagog. Zukunftsbild. (32) 8° Osterw., AW Zickfeldt 03. 60
— Vauvenargues' Moralphilosophie m. bes. Berücks. sr Stellg z. französ. Philosophie sr Zeit. (70) 8° Lpzg, Thüring. Verl.-Anst. 01. 1.50
Nebel, F: Die kgl. Militär-Turnanst. (55 m. Abb. u. 8 Lichtdr.) 8° Berl., ES Mittler & S. 02. 2 —; L. nn 3.25 d
Nebel, HC: Die Transvaalsphinx. Bilder a. d. südafrikan. Leben. (309 m. Abb.) 8° Berl., W Baensch 05. L. 5 — d
Nebelong, E: Maja Engell. Roman. (Übers. v. H Klepetar.) (260 m. Bildnis.) 12° Stuttg., A Juncker (03). 4 —
— Mieze Wichmann. Aus d. Leben e. jungen Dame uns. Zeit. Übersetzg. (135 m. Bildnis.) 8° Berl. 01. Stuttg., A Juncker. 2 —; geb. 3 — d
Nebelsieck, H : Reformationsgesch. d. Stadt Mühlhausen i. Th. [S.-A.] (248) 8° Halle, M Niemeyer 05. 3 —; geb. 4 — d
Nebengesetze z. BGB. I. Grundbuchordng. II. Ges. üb. d. Zwangsversteigerg u. d. Zwangsverwaltg. III. Ges. üb. d. Angelegenh. d. freiwill. Gerichtsbark. Textausg. m. Sachregz. 2. Afl. (150) 8° Münch., CH Beck 05. L. 1 — d
Nebenzahl, A : Die Leibeigenen. Bauern-Drama. (109) 8° Dresd., E Pierson 03. 1.50 d
Nebesky: Die Therapie an d. Innsbrucker Univ.-Frauenklinik, s.: Koch.
Nebinger, Frl. JH., s.: Haardt, J (im Kat. 1896/1900).
Nebukadnezar s.: Mars regiert d. Stunde.
Nechelput, F, u. E Reuten: Recueil de poèmes à l'usage de l'école allemande à Bruxelles. 1. partie. (75) 8° Lpzg, BG Teubner 01. Geb. 1.40 ǀ 2. partie. (120) 04. Geb. 2 —
Neckarsulmer, E: Aus d. Leben e. jungen Mannes. (117) 8° Strassbg, J Singer 05. 2.50 d
— Berliner Saison. Mädchentypen. (71) 8° Berl., R Schröder 02. 2 — d
Necker, N: Aus d. Werdezeit. Ein Jahr a. d. Leben e. jungen Mädchens. (263 m. Bildnis.) 8° Berl., Globus Verl. (04). Geb. 7.50 d
Necrologia Germaniae II. Dioec. Salisburgensis, ed. S Herzberg-Fränkel. — III. Dioec. Brixinensis, Frisingensis, Ratisbonensis, ed. FL Baumann, s.: Monumenta Germaniae hist.
Neerologismus, d., d. Klosters Clarenthal bei Wiesbaden, hrsg. v. F Otto, s.: Veröffentlichungen d. histor.Commission f.Nassau.
Nedden, z.: Gesch. d. 1. hannov. Infant.-Regts Nr. 74 u. d. vormal. kgl. hannov. 3. Infant.-Regts 1813—1903. (582 u. 70 m. Abb., Kart. u. Skizzen.) 8° Berl., ES Mittler & S. 03. 14 —
Nedderich, F: Gesch. d. deut. Landw., s.: Michelsen, E.
Nedderich, W: Wirtschaftsgeograph. Verhältnisse, Ansiedlgn u. Bevölkergsverteilg im ostfäl. Hügel- u. Tieflande, s.: Forschungen z. deut. Landes- u. Volkskde.
Nedeljko, F: Adelsberg, dessen berühmte Grotten u. Umgebg. (91 m. Abb. u. 5 farb. Taf.) 12° Laib., (I v. Kleinmayr & F Bamberg) 01. nn — 80
Neder, E: Beitr. z u d. Gesch. Herrnskretschens. (57) 8° Tetsch., (O Henckel) (02). nn 1 — d
Neeb, E, s.: Jahrbuch, statist., deut. Städte.
Neeff, M: Die Beschlüsse d. Konferenzen d. Vorstände statist. Ämter deut. Städte, s.: Kieseritzky, C.
Neeff, C: Zur Erinnerg an Ludw. Uhland.
Neeff, A: Ludw. Uhland, s.: Jugend- u. Volksbibliothek, deut.
Neeff, GA: Vom Lande d. Sternenbanners. Blumenlese deut. Dichtgn a. Amerika. (34, 239 m. Bildn.) 8° Hdlbg, C Winter, V. 05. L. 6 — d
Neels, H: Das Reich Gottes auf Erden. In Einzelgesch. f. d. Hand d. Schüler u. z. Answ. f. d. Untern. auf d. ober. Stufen bearb.(117) 8° Delmenh., L Horstmann & Sohn 05. Geb. nn — 50 d
— u. E Pleitner: Deut. Gesch. f. mittlere u. ob. Klassen höh. Schulen. (Mit e. Anh., d. Wichtigste a. d. alten Gesch. enth.) (134) 8° Delmenh., L Horstmann & Sohn 05. Geb. nn — 50 d
— u. E Pleitner: Deut. Gesch. f. mittlere u. ob. Klassen höh. Schulen. (Mit e. Anh., d. Wichtigste a. d. alten Gesch. enth.) (134) 8° Delmenh., L Horstmann & Sohn 05. Geb. nn 1 —
Neelsen, F: Die christl. Lehre auf d. Grundl. d. kl. Katech. Lutheri. In d. Konfirmanden-Vorbereitg vorgetr. (Neue [Tit.-]Ausg.) (94) 8° Sieg., M Liebscher [1898] (01). — 40 d
Neer, A van d.: Mondscheinlandschaft, s.: Meisterbilder.
Neera (Frau A Radice): Das Amulett, s.: Deva-Roman-Sammlung.
— Die unverstand. Frau, s.: Bibliothek berühmter Autoren.
— Das galante Jahrhundert. Studie üb. mehrere französ.Frauen d. 18. Jahrh. Aus d. Ital. v. M v. Berthof. (202 m. 4 Bildnissen.) 8° Dresd., C Reissner 03. 3 —; geb. 4 — d

129

Neera (Frau A Radics): Letzte Liebe u. and. Novellen, s.: Kürschner's, J, Bücherschatz.
— Der Roman d. Glückes. Roman. Bearbeitg. (372) 8° Dresd., E Pierson 05. 3 —; geb. 4 — d
Neesen, F: Kathoden- u.Röntgenstrahlen, sowie d. Strahlg aktiver Körper, s.: Bibliothek, elektrotechn.
— Die Physik in gemeinfassl. Darstellg f. höh. Lehranst., Hochsch. u. z. Selbststudium. 2. Afl. (384 m. Abb. u. 1 farb. Taf.) 8° Brnschw., F Vieweg & S. 05. 4 —; L. nn 4.50 d
Nef, K: Zur Gesch. d. deut. Instrumentalmusik in d. 2. Hifte d. 17. Jahrh., s.: Publikationen d. internat. Musikgesellsch.
Nef, W: Minister Arnold Roth. Lebensbild. [S.-A.] (116 m. 1 Bildn.) 8° Trogen, U Kübler 05. 1.20
Neff: Gedanken üb. Burenkämpfe u. Infanteriegefecht. (48) 8° Berl., Liebel 02. 1 — d
Neff, G: Neue.bürgerl. Wohnhäuser. Entwürfe zu freisteh. bürgerl. Einfamilien- u. Mietshäusern. (34 [4 farb.] Taf. m. 7 S. Text.) 43×30,5 cm. Dresd., G Kühtmann (05). In M. 90 — d
Neffgen, H: Grammatik d. samoan. Sprache, s.: Kunst, d., d. Polyglottie.
— Deutsch-samoan. Konversationsb. (64) 8° Lpzg 04. Hdlbg, O Ficker. 2.50
— Der Veterinär-Papyrus v. Kahun. (24 m. 1 Taf.) 8° Berl., (S Calvary & Co.) 04. 2 —
Nefflen, J: Die Albbauern, s.: Flüggen, C.
— Der Vetter a. Schwaben. Sittenbilder a. Altwürttemberg. 3 Tle. (Mit Abb.) 8° Stuttg., R Lutz (04). Je 1.20; in 1 L.-Bd 4.20 d
1. Schwabenstreiche. Metzelsuppe. Hauswäsche. Taufschmaus. (126 m. Bildnis.) § 2. Ein Aufschneider. Ein Gesell hilft d. andern. Baze Zahlg. Der Bauer im „König v. Engl." Heimkunft v. d. Kirche. Weihersturm. (174) § 3. Frauenviaite. Anmeldg im Pfarrhaus. Stiffgarst. Kirchenkonvent. (190)
Negelein, A v.: Die Volkssch., ihre Ziele u. deren Grenzen, (26) 8° Gotha, C Glaeser (04). 60 d
Negelein, J v.: Aberglauben auf d. Kur. Nehrg. [S.-A.] (24) 8° Brnschw..02. (Königsbg, Gräfe & U., Bh.) — 75
— Das Pferd im arischen Altertum, s.: Teutonia.
Neger, F: Pilze, s.: Hennings, P.
Neger, FW: Die Handelspflanzen Deutschlds, ihre Verbreitg, wirtschaftl. Bedeutg u. techn. Verwendg. (184 m. Abb.) 8° Wien, A Hartleben 04. 3 —; geb. 3.80 d
— u. L Vanino: Der Paraguay-Tee (Yerba Mate). Vorkommen, Gewinng, Eigenschaften u. Bedeutg als Genussmittel u. Handelsartikel. (56 m. Abb.) 8° Stuttg., F Grub 03. 2 —
Neger-Gruppen. 1. Heft. 8° Lpzg, Rauh & Pohle. 1.50
1. Liebera, G: 14 wirksvolle Gruppen in Negerkostümen u. zwar 5 Gruppen f. 2 Personen, 6 Gruppen f. 3 Personen, 3 Gruppen fr. 4 Personen. (14 Taf.) (04.) 1.50
Negri..: Mutterschaft. (Maternità.)Gedichte.Deutsch v. H.Jahn. 2. Afl. (150) 8° Berl., F Fontane & Co. 05. 3 —; geb. 4 — d
— Stürme. (Tempeste.) Gedichte. Deutsch v. H.Jahn. 3. Afl. (154) 8° Berl., A Duncker 03. 3 —; L. nn. G. 4 — d
Nehemia od.: Das Bauen d. Mauer. 2. Afl. (31) 8° Elberf., R Brockhaus (durch J Fassbender) 1897. — 12 d
Neher, A: Die kathol. u. ev. Geistlichk. Württembergs (1813—1901). (31) 8° Ravnsbg, F Alber 04. 1.20 d
Neher, H: 40 neue Marien- u. Weihnachtslieder. Zweistimm. Ausg. f. Volksandachten, Weihnachtsp., Familien, Schulen, Pensionate u. Jungfrauenver. (32) 8° Rgnsbg, J Coppenrath's V. 03. — 40 d
Nehlsen, R: Hamburg. Gesch. 2—34. Lfg. (1. Bd. 49—420 u. 2. Bd. 544 m. Abb.) 8° Hambg (Gänsemarkt 29), GCJ Süssmilch 1897. Je — 60 (Vollst.: L. 20 —) d
Nehmiz: Predigt bei d. Feier d. ev.-kirchl. Hilfsver. zu Bresl. (13) 8° Bresl., Ev. Bh. (03). — 20 d
Nehring: Die Stätte d. alten Harzburg u. ihre Gesch. (64 m. Abb.) 8° Harzbg, Harzburger Altertums- u. Geschichtsver. 03. (Nur dir.) — 60
Nehring, L: Bilder a. d. vaterländ. Gesch. Merk- u. Wiederholgsb. f. einf. Schulen d. Ostens d. Monarchie. 1. u. 2. Afl. (40 m. 1 Bildnis.) 8° Bresl., H Handel 05. — 30 d
— Vaterländ. Gesch. Merk- u. Wiederholgsb. f. einf. u. mehrgl. Schulen. 1—3. Afl. (40 m. 1 Bildnis.) 8° Ebd. 03.04. — 30 d
— dass. f. d. Volkssch. d. Ostens d. Monarchie. 2 Tle. 8° Ebd. nn — 55 d
I. Brandenb.-preuss. Gesch. 4. u. 5. Afl. (40 m. 1 Bildnis.) — 20 § II. Deut. Gesch. (32 m. Abb.) 04. nn — 15.
— Gesch.-Stoff f. d. einfachsten Volksschulverhältn. 1—4. Afl. (32 m. Abb.) 8° Ebd. 04.05. nn —15 d
— Kurzgef. Landeskde d. Prov. Ostpreussen. (8) 8° Brnschwg, E Bender 06. — 10; m. 1 Karte — 15 d
— dass. d. Prov. Posen. 1—7. Afl. (8) 8° Bresl., H Handel 03-05. — 06; m. 1 Karte — 13 d
— dass. d. Prov. Westpreussen. 1. u. 2. Afl. (8) 8° Ebd. 04.05. — 06; m. 1 Karte — 13 d
— Geograph. Merk- u. Wiederholgsb. f. d. Hand d. Schüler in 2sprach. Volkssch. 2 Tle. 8° Ebd. Je nn — 15 d
1. 1. Heimatkde, II. Preussen, III. Dentpchl. 1-4. Afl. (32) 03.04. 2. I. Europa (ausser Deutschl.), II. Die fremden Erdteile, III. Mathemat. Geogr. (36) 04.
— dass. f. d. Volkssch. d. Ostens d. Monarchie. 2 Tle 8° Ebd. 05. Je nn — 15 d
I. 1. Heimatkde, 2.Preussen, 3. Deutschl. 3. Afl. (32) § II. 1. Europa (ausser Deutschl), 2. Die fremden Erdteile, 3. Mathemat. Geogr. 4. Afl. (36)
— Kl. deut. Sprachlehre. Merk- u. Übgsb. f. d. Hand d. Volksschüler. (40) 8° Ebd. — 20 d
Nehring, W: Grammatik d. poln. Sprache, s.: Popliński, J.

Neidhardt, F, s.: Aus d. deut. Lit.
— Lese- u. Sprachheft in Schreibschrift, s.: Keller, M.
Neidhardt, F (F Netouschek): Bauernblut. Der Drahtbinder. — Geschichten a. d. Bergen, s.: Bücherei f. d. Jugend.
Neidhardt, K: Jesu Todesweg. [S.-A.] (39) 8° Hambg, Grefe & Tiedemann 01. — 30 d
Neidhart, B: Unterr. üb. Hippol. 5. Afl. (220 u. 8 m. 16 Taf.) 8° Wien, M Perles 03. 3.60
Neidtt, K: Verführt u. entsehrt. Die Presse im Dienste d. Mädchenhandels f (73) 8° Lpzg, H Hedwig's Nf. (04). 1 —; geb. 1.35 d
Nejedlý, Z: Das Verhältn. d. hussit. Gesanges zu d. vorhussit. Musik. Vortr. (14) 8° Prag, (F Řivnáč) 04. — 20
Neilos Doxapatres s.: Nilos.
Neimann, W: Grundr. d. Chemie. (20, 401) 8° Berl., A Hirschwald 05. 7 —
— Üb. e. in d. Leber gebild. stickstoffhalt. Kohlehydrat, s.: Seegen, J.
Neischl, A: Die Höhlen d. fränk. Schweiz u. ihre Bedeutg f. d. Entstehg d. dort. Täler. (96 m. 24 Taf.) 8° Nürnbg, JL Schrag 04. Geb. 6 —
Neisser, A, s.: Archiv f. Dermatolog. u. Syphilis.
— Stereoscop. medicin. Atlas. 38—52. Lfg. (Je 12 Taf.) 12° Lpzg, JA Barth. In Karton je 5 —
38. Otol. Red. v. O Brieger. 1. Folge, Erkrankg d. Gehörknöchelchen. Mitgeteilt v. O Brieger u. M Görke. (15 S. u. 12 Bl.) 01.
39. Gynäkol. Red. v. O Küstner. 9. Folge. Aus d. patholog. Instit. d. Dresdner Stadtkrankenh. Mitgetheilt v. Schmorl. (20) 01.
40. Dermatol. Red. v. A Neisser. 15. Folge. (20) 01.
41. Gerichtl. Medicin. 6. Folge. Red. v. A Lesser. Verletzgn ein. Unterleiborgane sowie Schwangerschafts- u. Wochenbett-Verändergn d. Gebärmutter, v. A Lesser. (27) 01.
42. Ophthalmol. Red. v. W Uhthoff. 3. Folge. Aus d. Augenklinik d. Univ. zu Greifswald. Mitgetheilt v. O Schirmer. (14) 01.
43. Gynäkol. Red. v. O Küstner. 10. Folge. Aus d. Univ.-Frauenklinik zu Kiel. (20) 01.
44. Ophthalmol. Red. v. W Uhthoff. 4. Folge. Aus d. Univ.-Augenklinik zu Breslau. Mitgetheilt v. O Eulenburg. (14) 01.
45. Dass. 5. Folge. Aus d. ophthalmolog. 1. Univ.-Klinik zu Wien. Mitgetheilt v. Elschnig. (29) 02.
46. Dass. 6. Folge. Aus d. Univ.-Augenklinik zu Breslau. Beitr. z. vergleich. u. entwicklgsgeschichtl. Hirntopogr. Zugl. e. stereo-photograph. Methode z. Lagebestimmg sich deck. Organe durch successive Aufnahme aer dieselbe Platte. Mitgetheilt v. Heine. (20) 02.
47. Dermatol. Red. v. A Neisser. 16. Folge. (20) 02.
48,49. Chirurgie. Red. v. J Mikulicz u. C Partsch. 7. u. 8. Folge. Aus d. chirurg. Univ.-Poliklinik in München. Vorstand: Klausner. (41) 02.
50. Dermatol. Red. v. A Neisser. 17. Folge. Aus d. dermatolog. Univ.-Klinik v. G Riehl in Leipzig. Mitgeteilt v. E Riecke. (41) 03.
51. Ophthalmol. Red. v. W Uhthoff. 7. Folge. Aus d. Univ.-Augenklinik zu Breslau. Mitgeteilt v. Knollis. (21) 03.
52. Gynaekol. Red. v. O Küstner. 11. Folge. Aus d. Univ.-Frauenklinik zu Breslau. Gynäkolog. Operationskurs. Mitgeteilt v. A Heyn. (18) 04.
— s.: Allgemeine medica.
— Geschlechtskrankh. u. Krankonkassen. [S.-A.] (9) 8° Berl.-Grunew., Verl. d. Arbeiter-Versorgg A Troschel 01. — 60 d
— s.: Krankheiten d. Haut. — Mitteilungen d. deut. Gesellsch. z. Bekämpfg d. Geschlechtskrankh. — Verhandlungen d. deut. dermatolog. Gesellsch. — Zeitschrift f. Bekämpfg d. Geschlechtskrankh.
Neisser, C: Individualitäten u. Psychose. Vortr. [S.-A.] (32) 8° Berl., A Hirschwald 06. — 60
Neisser, E, u. K Pollack: Tuberkulosebühl. d. Stettiner städt. Krankenh. [S.-A.] (29 m. 2 Abb. u. 3 Taf.) 8° Jena, G Fischer 04. 2.50
Neisser, EJ: Die wirtschaftl. Entwicklg, Lage u. Leistgsfähigk, v. Handel, Gewerbe u. Industrie im Bez. d. Handelskammer zu Potsdam (in s. Umfange bis J. 1901).(82 u. 51 m. 3 Kartogr. u. 8 Diagr.) Fol. Berl., C Heymann 03. 8 — d
Neisser, M, s.: Wohnngsfrage u. Volkswohl.
Neithardt, A: Ueb. d. Anrechng d. Untersuchgshaft (§ 60 R.-St.-G.-B.), (39) 8° Münch. 04. (Tüb., F Fues.) 2.40 d
Neitzel, O: Der Führer durch d. Oper d. Theaters d. Gegenwart. Text, Musik u. Szene erläuternd. I. Bd. Deut. Opern. 2. Afl. Abbig. Rich. Wagners Opern. 3. Afl. (332) 8° Stuttg., JG Cotta Nf. 04. 4 —; Hfr. 5 —
— Louise. Musik-Roman. Dichtg u. Musik v. G Charpentier. Einführg in Text u. Musik. (20) 8° Köln, A Ahn (02). — 30
Nekrassow, NA: Russ. Frauen, s.: Bibliothek d. Gesamtlitt.
— Gedichte, s.: Universal-Bibliothek.
Nekromantus, M, s.: Traumdeuter u. Wahrsager, d. morgenländ.
Nelardey, L: Welkes Laub. Verse. (35) 8° Strassbg, J Singer 04. 1 — d
Nelk, T: Die hl. Filomena, Jungfrau u. Märtyrin, d. Kundertäterin d. 19. Jahrh. Die wunderbare Auffindg ihrer Reliquien, d. Verbreitg ihrer Verehrg, ihre Wunder u. Offenbargn. 3. Afl. (222 m. Titelbild.) 8° Rgnsbg, Verl.-Anst. vorm. GJ Manz 01. — 75; L. 1.45 d
Nelken, F: Das Gewerberecht in Preussen, s.: Handbücher d. preuss. Verwaltgsrechts.
Nelken, F: Die deut. Handwerker- u. Arbeiterschutz-Ges. (Titel VII u. VII. d. Gewerbeordng in d. Fassg d. Bekanntmachg v. 26.VII.1900), nebst reichsrechtl.Ausführgsbestimmgn. (1176) 8° Berl., J Springer 01. 18 —; Lb. 20 d
Nell, AM: 5stell. Logarithmen d. Zahlen u. d. trigonometr. Functionen, nebst d. Logarithmen f. Summe u. Differenz zweier Zahlen, deren Logarithmen gegeben sind, sowie ein. and.Taf. 11.Afl. (20, 104)8°Darmst., A Bergsträsser04.Geb.1.80

Nell, JC: Dieser Ball war schön! Dramat. Zwiegespräch. (12) 8° Grüning., J Wirz (o. J.). — 60 d
Nelle, W: Nikolaus Decius, Herm. Bonnus u. and. ev. Sänger plattdeut. Zunge, s.: Kirchenliederdichter, uns.
— Gesch. d. deut. ev. Kirchenliedes, s.: Schloessmann's Bücherei f. d. christl. Haus.
— Katechese, s.: Predigten, 7, geb. bei d. 56. Hauptversammlg d. ev. Ver. d. Gustav Adolf-Stiftg.
— Unser Kirchenlied u. s. Dichter. (20) 8° Hambg, G Schloessmann (04).   nn — 10 d
— Friedr. Gottlieb Klopstock. — Mart. Luther, d. Wittenberg. Nachtigall, s.: Kirchenliederdichter, uns.
— Aus d. ev. Melodienschatze. 1. Tl. Die Festmelodien d. Kirchenj., charakterisiert. 2. Afl. (112) 8° Gütersl., C Bertelsmann 04.   1.60; geb. 2 — d
— Musica sacra, Volksgesang u. innere Mission. [S.-A.] (44) 8° Hambg, Agent. d. Rauhen H. (01).   60 d
— Joachim Neander, d. Dichter d. „Bundeslieder u. Dankpsalmen". — Philipp Nicolai, d. Dichter d. Wächter- u. Morgensternliedes. — Mart. Rinckart, d. Dichter v. „Nun danket alle Gott". — Fürstl. Sängerinnen. — Joh. Scheffler, d. Dichter d. „Cherubin. Wandersmannes", d. Sänger d. „Heil. Seelenlust", s.: Kirchenliederdichter, uns.
— Philipp Spitta, d. Sänger v. „Psalter u. Harfe". (18 m. Abb.) 8° Berl., Bh. d. ostdeut. Jünglingsbundes 01.   nn — 10 d
— dass., s.: Kirchenliederdichter, uns.
Nellenburg, B: Flinckfuss, d. Späher. Erzählg. (79) 8° Mülh. a/R., J Bagel (05).   Kart. — 30 d
Nellessen, J; Kommentar z. bibl. Gesch., s.: Gils, J van.
Nellie s.: Mutter u. Kind.
Nelly, poor, s.: Schulbibliothek, franzöš. u. engl. (B Mühry).
Nelscher, A: Prakt. Molkereibuchführg. (122) 8° Lpzg, M Heinsius Nf. 05.   L. 4 — d
Nelson, L, s.: Abhandlungen d. Fries'schen Schule.
— Die krit. Methode u. d. Verhältn. d. Psychol. z. Philosophie. [S.-A.] (69 m. 1 Fig.) 8° Gött., Vandenhoeck & R. 04. 1.60; geb. 2.40 d
Němec s. a.: Njemetz.
Němec, B: Ueb. schuppenförm. Bildng an d. Wurzeln v. Cardamine amara. [S.-A.] (14 m. Abb.) 8° Prag, (F Řivnáč) 01. — 40
— Ueb. ungeschlechtl. Kernverschmelzgn. [S.-A.] I—IV. Mitteilg. (6, 8, 11 u. 14) 8° Ebd. 03.04.   Je — 20
— Studien üb. d. Regeneration. (387 m. Abb.) 8° Berl., Gebr. Borntraeger 05.   9.50
Neményi, E: Ellen Key, s.: Essays, moderne.
Neményi, G: Ungarn u. d. Konversion d. Einheitl. Rente. Die Bezahlg des d. ungar. Jahresbeitrags entsproch. Kapitals. (76) 8° Budap., C Grill 04.   1 —
Nemens, R: Aus d. Leben d. Gemeinde Gross-Alisch, s.: Schuller, GA.
Németh, B v.: Gesch. d. Grossgemeinde Német-Bóly. (259 u. 11 m. 13 Taf., 1 Kartenskizze u. 1 Pl.) 8° Pécs 1900. (Fünfkirchen, Franziskanergasse, Selbstverl.)   3 —
Némethy, E: Die empfindl. Lösg d. Flugproblems. (25 m. Abb. u. 1 Taf.) 8° Lpzg, (JJ Weber) 03.   2 —
Némethy, F v.: Die Formularien d. Verfahrens ausser Streitsachen. (267) 8° Wien, Manz 02.   5 —
Nemirowitsch-Dantschenko, WJ: Irrlichter. Russ. Sitten-Roman. Deutsch v. C v. Gütschow. 2 Bde. (244, 179 u. 248) Lpzg, CF Tiefenbach (01).   6 —; geb. 8 —
Nemo s.: Auch Eine.
Nemo, D: Das böse Gewissen, s.: Theater f. d. weibl. Jugend.
Nemo, J (Frl. JT Connemann): Gottes Wege. Novelle. (148 m. Abb.) 8° Frankenroh. 04. Neu-Weissens., HWT Dieter. — 50 d
— Das Loch in d. Tischdecke, s.: Tpeater f. d. weibl. Jugend/
Nencki, M: Opera omnia. Ges. Arbeiten v. M Nencki. 2 Bde. (42, 840 u. 894 m. Abb., 15 Taf., 1 Bildnis u. 1 Fksm.) 8° Brnschw., F Vieweg & S. 04.   45 —
— s.: Jahres-Bericht üb. usw. Tier-Chemie.
Nentwig, A, s.: Bericht üb. d. X. Blindenlehrer-Kongress.
Nentwig, G: Maryanka, d. schöne Polin. Kriminal-Roman. (224) 8° Neuweissens., E Bartels (o. J.).   1.50 d
Nentwig, H: Das alte Buchwesen in Braunschweig, s.: Zentralblatt f. Bibliothekswesen.
— Kunigunde vom Kynast u. and. Kynastsagen. 2. Afl. (28 m. 5 Taf.) 8° Warmbr., M Leipelt (05).   — 40 d
— Lit. d. Landes- u. Volkskde d. Prov. Schlesien, umfassend d. J. 1900. Ergänzungsheft z. 81. Jahresberichte d. schles. Gesellsch. f. vaterländ. Cultur. (152) 8° Bresl., GP Aderholz 04.
— Schoff II. Gotsch gen., Fundator, s.: Mitteilungen a. d. reichsgräfl. Schaffgotsch'schen Archive.
— Silesiaca in d. reichsgräfl. Schaffgotsch'schen Majoratsbibliothek zu Warmbrunn. 1. Heft. (232) 8° Lpzg, (O Harrassowitz) 01.   nn — ∥ 2. (185)-Heft. (233—576) 02. nn 11 —
— Der Tallsachmarkt am Palmsonntage in Warmbrunn. [S.-A.] (22) 8° Hirschbg 01. (Warmbr., M Leipelt.)   — 40 d
Nentwig, S: Liedersammlg f. österr. Mittelsch., m. Schule. Berücks. d. österr. patriot. Liedes. 2. Afl. (56) 8° Wien, Manz 04.   — 1 d
Neuwert-Nowaczynski, A: Affenspiegel, s.: Novellen-Bibliothek, internat.

Neokosmos-Sprachbücher. Serie Brd. Broschüren. Nr. 1. 8° Münch. (01). Lpzg, H Dege.   — 50 d
Domizin, C d.: Wie lernt man Sprachen ? Mit e. Anh.: Wie lernt man Französisch ? — Italienisch ? — Spanisch ? — Englisch ? (16) [1.]
— dass. Serie Ld. Lehrbücher Nr. 1—3. 8° Ebd. (01). Je 1.50 d
Domizio, C d.: Englisch f. Anfänger, m. Anl. z. Selbstunterr. (Leitf.). (109 u. 34 in 12°) [3.] ∥ Dass. Französisch. (109 u. 34 in 12°) [2.] ∥ Dass. Italienisch. (106 u. 40) [1.]
— dass. Serie Sfd. Sprachführer. Nr. 1—4. Ebd. (01). Je 1.50 d
Domizio, C d.: Nach Mailand, Genua, Rom, Neapel einsteigen! Sprachführer durch Italien. (97) [1.]
— u. M Henry : Nach Brüssel, Paris, Lyon, Nizza einsteigen! Sprachführer durch Frankreich. (105) [2.]
— u. E Nombela y Campos: Nach Barcelona, Madrid, Sevilla einsteigen! Sprachführer durch Spanien u. Süd-Amerika. (87) [4.]
— u. CM Smith : Nach Dover, London, Southampton, New York — — einsteigen! Sprachführer durch England u. Amerika. (99) [3.]
Nepefny, B: Das kathol. Priestertum, s.: Handbibliothek, katechet.
Nequis s.: Über d. Synkretismus.
Nerese, M (Frl. M Wietholtz): Bi mi tau Hus, s.: Aus Pommern.
Nerger, K: Deut. Grammatik f. Ausländer, s.: Krause, K.
Nerling, F: Wesen u. Form d. Abendmahl-Konsekrationsaktes n. Schrift u. Bekenntnis. [S.-A.] (65) 8° Riga, (Jonck & P.) 04. 1.20 d
Nerlinger, T. u. K Bach: Der landw. Obstbau. Allg. Grundz. zu rationellen Betriebe. 6. Afl. v. K Bach. (255 m. Abb.) 8° Stuttg., E Ulmer 05.   Geb. 2.85 d
Nernst, W: Üb. d. Bedeutg elektr. Methoden u. Theorieen f. d. Chemie. Vortr. (26) 8° Gött., Vandenhoeck & R. 01. — 80
— Physikalisch-chem. Betrachtgn üb. d. Verbrennungsprozess in d. Gasmotoren. Vortr. [S.-A.] (36 m. Fig.) 8° Berl., J Springer 05.   1 —
— Theoret. Chemie v. Standpunkte d. Avogadroschen Regel u. d. Thermodynamik. 4. Afl. (750 m. Abb.) 8° Stuttg., F Enke 03.   16 —; L. 17.60
— u. d. Schönflies: Einführg in d. mathemat. Behandlg d. Naturwiss. Kurzgef. Lehrb. d. Differential- u. Integralrechng m. bes. Berücks. d. Chemie. 3. Afl. (340 m. Fig.) 8° Münch., R Oldenbourg 01. 10 —; geb. 11.50 ∥ 4. Afl. (370 m. Fig.) 04. 11 —; geb. 12.50
Nerong, OC: Willkürsbriefe u. Dorfsbeliebgn a. d. Kreise Flensburg. (152 m. 1 Fksm.) 8° Burchrug 1900. (Hambg, C Kirsten.)   L. 2.50 d
Nerrlich, P, s.: Jean Paul's Briefwechsel m. s r Frau u. Christian Otto.
— Ein Reformator als exakter Forscher. Vademecum f. Hrn Pfarrer Dr. Jos. Müller in Pasing bei München. (16) 8° Berl., Gose & T. 01.   — 60 d
Nerthus. Illustr. Wochenschrift f. Tier- u. Pflanzenfreunde, f. Sammler u. Liebhaber aller naturwiss. Zweige. Red.: H Bolau. Hrsg.: G Kreie u. E Adolff. 3. Jahrg. 1901. 52 Nrn. (Nr. 1, 20) 8° Altona-Ottensen, C Adolff.   Viertelj. 1.50 ∥ 4. Jahrg. 1902. Viertelj. nn 2 —
— dass. Illustr. Wochenschrift f. Freunde aller Zweige d. biolog. Naturwiss., f. Liebhaber v. Zimmer- u. Gartenpflanzen, Stubenvögeln, Aquarien u. Terrarien, f. Sammler aller naturwiss. Objekte. Red.: H Barfod. 5. Jahrg. 1903. 52 Nrn. (Nr. 1, 18 m. 1 Taf.) 8° Ebd.   Viertelj. nn 2 —
— dass. Illustr. Zeitschrift f. volkstüml. Naturkde, f. Liebhaber v. Aquarien u. Terrarien, v. Zimmer- u. Gartenpflanzen, Stubenvögeln, f. Sammler aller naturwiss. Objekte. Red.: H Barfod. 6. Jahrg. 1904. 26 Hefte. (1. Heft. 32 m. 1 farb. Taf.) 8° Ebd.   Viertelj. nn 1.25
— dass. Illustr. Zeitschrift f. volkstüml. Naturkde u. Naturliebhabererei aller Art. Red.: H Barfod. 7. Jahrg. Jan.— Juni 1905. 18 Hefte. Nebst Beil.: Naturkundl. Literaturbl. 1. Jahrg. 8 Nrn u. internat. Naturalienbörse. 1· Jahrg. (1. Heft. 24, 8 u. 4 m. 2 [1 farb.] Taf.) 8° Ebd.   Viertelj. 1.50; Literaturbl. allain halbj. 1 —
Einige Hefte erschienen in Rochlitz. — Am 1. VII. mit „Natur u. Haus" vereinigt.
Nerval, G de: Der Fürst d. Narren, s.: Liebhaber-Bibliothek, kulturhistor.
Nervenkrankh s.: Flugschriften, hygien.
Nervenkrankheiten, d. wichtigsten, in Einzeldarstellgn f. d. prakt. Arzt, hrsg. v. G Flatau. 1—5. Heft. 8° Lpzg, B Konegen 05.   4.80
Cassirer, R : Die multiple Sklerose. (43 m. Abb.) 05. [3.]   — 90
— Die Chorea (Veitstanz). (39) 05. [4.]   — 80
— Die Ischias. (40 m. 1 Abb.) 04. [1.]   — 80
— Die olioenyelitis anterior acuta. (spinale Kinderlähmg.) (76 m. 4 Taf.) (08.) [5.]   1 —
— Die Tabes dorsalis. (86 m. Abb.) 04. [2.]   1.40
Nervenleiden s.: Volks- u. Hausarzt, deut.
Nesmüller, JF: Die wilde Toni, s.: Thalia.
Nesper, E: Die drahtlose Telegr. u. ihr Einfl. auf d. Wirtschaftsverkehr unter bes. Berücks. d. Systems „Telefunken". Mit e. Verz. d. Patente u. Lit.-Angaben üb. drahtlose Telegr. (157 m. Fig.) 8° Berl., J Springer 05.   3 —
Nessel, Räuberhauptmann Gustav, d. Schädelspalter, u. s. Bande. (In 100 Heften.) 1—22. Heft. (1. Bd. 1—528 m. je 1 Vollbild.) 8° Neusalz, H Oeser (05).   Je — 10 d
Nesselmann, R: Luthers Katech. f. Schule u. Kirche ausgelegt. 13. Afl. v. CA v. Hase. (101) 8° Lpzg, G Reichardt 03.   Geb. — 55 d
Nesselrot, E v.: Das Fräulein v. Beer. Roman. (289) 8° Berl., F Fontane & Co. 05.   3 —; geb. 4 — d
— Ilse Salm. Roman. (448) 8° Ebd. 04.   5 —; geb. 6.50 d

Nestle, E, s.: Eusebius, d., Kirchengesch.
— Paul de Lagarde. [S.-A.] (13) 8° Lpzg, J C Hinrichs' V. 02. — 20 d
— s.: Testamentum, novum, graece. — Testamentum, novum, graece et germanice.
— Vom Textus receptus d. griech. Neuen Test., s.: Salz u. Licht.
Nestle, P: Lehrb. d. prakt. Geometrie, s.: Doll, M.
Nestle, U: Armenien. Land u. Leute, Greueltaten d. Muhammedaner u. Liebeswerk d. Christen. (47 m. 1 Karte.) 8° Stuttg., Bh. d. deut. Philadelphia-Ver. (05). — 30 d
Nestle, W: Euripides, d. Dichter d. griech. Aufklärg. (504 m. 1 Bildnis.) 8° Stuttg., W Kohlhammer 01. 15 —
— Untersuchng üb. d. philosoph. Quellen d. Euripides. [S.-A.] (100) 8° Lpzg, Dieterich 02. 8 —
Nestler, A: Städt. Anlagen u. Stadtluft, s.: Sammlung gemeinnütz. Vortr.
— Zur Kenntnis d. Symbiose e. Pilzes m. d. Taumellolch. [S.-A.] (18 m. 1 Taf.) 8° Wien, (A Hölder) 04. — 50
— Hautreiz. Primeln. Untersuchng üb. Entstehg, Eigenschaften u. Wirken d. Primelhautgiftes. (47 m. 4 Taf.) 8° Berl., Gebr. Borntraeger 04. nn 3.50
— Das Secret d. Drüsenhaare d. Gattg Primula m. bes. Berücks. sr hautreiz. Wirkg. [S.-A.] (23 m. 1 Taf.) 8° Wien, (A Hölder) 02. — 60
— Die Verfälschng d. Nahrgs- u. Genussmittel a. d. Pflanzenreich, s.: Sammlung gemeinnütz. Vortr.
Nestler, B: Landschaftliches a. d. Zschopau-Thale. (110 m. Abb. u. 1 Karte.) 8° Dresd. (01). (Annabg, Graser.) (3 —) 2.50
— Das Zschopauthal. 5 Tle. 8° Annabg, Graser 03. nn 5 —
1. Lage u. geolog. Aufbau. (54) nn 1.50 ‖ II. Oberflächenformen. (32) nn 1 — ‖ III. Klima. (36) nn 1 — ‖ IV. Bewässerg. (15) nn — 50 ‖ V. Das Pflanzenkleid. (33) nn 1 —.
Nestler, F: Dichtgn. (105) 12° Hambg, Herold 03. L. m. G. 2.50 d
Nestler, J: 12 Aufmärsche, s.: Gasch, R,
Nestler, M, s.: Polterabend-Scherze u. Hochzeitsfest-Dichtungen, 100 reiz.
Nestler, MJ: Der kursächs. Kapellmeister Naumann a. Blasewitz. (208 m. Abb. u. 2 Portr.) 8° Dresd., R Zinke 01. 9.50; geb. 3.50 d
Nestler, O: Anfg. f. d. Rechnen in d. Bäcker-Fachklasse. Für d. Hand d. Schüler in Fortbildgssch. u. Inngsfachsch. 9. Afl. (38) 8° Wittnbg, R Herrosé 04. — 25
Nestor, E: Eine Marggeschichte. Phantast. Träumereien. (82 m. Bildnis.) 8° Dresd., E Pierson 03. 1.50; geb. 2.50 d
Nestroy, J, s. a.: Aus Nestroy.
— Werke. 12 Thle in 2 Bdn. Eingeleitet v. L Rosner. Mit e. Anh.: Nestroy-Lexikon. (48, 56, 62, 64, 96, 74, 64, 92, 64, 74 u. 80, 64, 60, 72, 60, 104, 30, 60, 103 u. 44) 8° Berl., T Knaur Nf. (05). L. 3.50 d
— Eulenspiegel od. Schabernack üb. Schabernack. — Glück, Missbr. u. Rückkehr od. Das Geheimnis d. granen Hauses, s.: National-Bibliothek, allg.
— Wenn man Hausknecht war, s.: Böhm, M.
— Einen Jux will er sich machen. — Das Mädl a. d. Vorstadt, od. Ehrlich währt am längsten, s.: National-Bibliothek, allg.
— Tannhäuser.—Frühere Verhältnisse, s.:Universal-Bibliothek.
— Der Zerrissene, s.: National-Bibliothek, allg.
Neteler, B: Das Buch Genesis d. Vulgata u. d. hebr. Textes, übers. u. erklärt. (261) 8° Münst., Theissing 05. 5 —
— Die Bücher Samuel, d. Vulgata u. d. hebr. Textes, übers. u. erklärt. (285) 8° Ebd. 03. 5.40
Netoliczka, E: Gesch. d. deut. Lit. f. mittl. Lehranst., bes. f. Töchtersch. 8. Afl. (75) 8° Wien, A Pichler's Wwe & S. 05. Kart. — 80 d
— Gesch. d. österr.-ungar. Monarchie v. d. ält. Zeiten bis auf uns. Tage f. d. Oberkl. d. Volks- u. Bürgersch. 25. Afl. (68) 8° Ebd. 05. Kart. — 80 d
— Leitf. beim Unterr. in d. Geogr. Auf Grundl. d. neuesten Verändergn u. m. bes. Berücks. d. österr.-ungar. Monarchie f. d. Oberkl. d. allg. Volkssch. bearb. 38. Afl. (106 m. H.) 8° Ebd. 05. Kart. — 80 d
— Leitf. beim 1. Unterr. in d. Weltgesch. f. d. Oberkl. d. Volks- u. Bürgersch. 5. Afl. (119) 8° Ebd. 05. Kart. 1 — d
— Kurzgef. Mythol. d. Griechen u. Römer. Für Bürger- u. Töchtersch. 5. Afl. (102 m. Abb.) 8° Ebd. 04. Kart. 1.20 d
— Physik u. Chemie f. Bürgersch. In 3 konzentr. Kreisen n. modernen Grundsätzen neu bearb. v. J Steigl, E Kohl u. E Bichler. (Mit Abb.) 8° Ebd.
1. Für d. 1. Kl. d. Knaben-Bürgersch. 52. Afl. (100) 05. 1 — ‖ 2. Für d. 2. Kl. d. Knaben-Bürgersch. 55. Afl. (139) 03. 1.20 ‖ 3. Für d. 3. Kl. d. Knabenbürgersch. 73. Afl. (112) 01. 1.10.·
— dass. f. Mädchenbürgersch. 3 Stufen. (Mit Abb.) 8° Ebd. Geb. 3.30 d
1. Für d. 1. Kl. 53. Afl. (90) 05. 1 — ‖ 2. Für d. 2. Kl. 57. Afl. (129) 03. 1.20 ‖ 3. Für d. 3. Cl. 23. Afl. (106) 02. 1.10.

Netoliczka, O: Lehrb. d. Kirchengesch. 6. Afl. v. F Lohmanns Lehrb. d. Kirchengesch. Der Neubearbeitg 4.Afl. (206) 8° Gött., Vandenhoeck & R. 03. Geb. 2.20 d
— Was Schiller uns sein kann. Festrede. (10 m. 1 Taf.) 8° Kronst., H Zeidner 05. — 42 d
— u. H **Wolff:** Deut. Leseb. f. Mittelsch. 4. Tl. 5—8. Klasse. (19, 1076) 8° Nagysz. (Hermannst.), W Krafft 02. Geb. nn 8.50 d
— dass. 1. Kl. Ergänzgsbd. z. II. Tl. (79) 8° Ebd. 04. Geb. nn 1.20 (Vollst. m. Ergänzgsbd: 19.70) d
Netolitzky, A: Hdb. d. Schulhygiene, s.: Bürgerstein, L.
Netolitzky, F: Bestimmgsschlüssel u. mikroskop. Beschreibg d. einheim. Dikotyledonenblätter. — Kennzeichen d. Gruppe: Raphidenkristalle. (52) 8° Wien, M Perles 05. 1.50
Netopil, E: Der Pfalz-Erzherzog. Erzählg a. d. ersten Zeit d. Habsburger. (206 m.Abb.) 8° Berl., EJ Meidinger (03). Geb. 4 — d
Netouschek, F, s.: Neidhardt, F.
Netsch, AB: Guts Muths' pädagog. Verdienst um d. Pädagogik, s.: Geogr. u. d. Turnen. (112) 8° Hof, R Lion 01. 1.50
Netschajeff, A: Üb. Auffassg. — Üb. Memorieren, s.: Sammlung v. Abhandlgn a. d. Geb. d. pädagog. Psychol. u. Physiol.
Nettekoven, A, u. E Gelnitz: Die Salzlagerstätte v. Jessenitz in Mecklenburg, s.: Mitteilungen a. d. grossh. mecklenburg. geolog. Landesanst.
Netter, O: Das Prinzip d. Vervollkommng als Grundl. d. Strafrechtsreform. (357) 8° Berl., O Liebmann 1900. 6.50
Netto, E: Elementare Algebra. Akadem. Vorlesgn f. Studierende d. ersten Semester. (200 m. Fig.) 8° Lpzg, BG Teubner 04. L. 4.40
— Grundz. u. Aufg. d. Differential- u. Integralrechng, s.: Dölp, H.
— Lehrb. d. Combinatorik, s.: Teubner's, BG, Sammlg v.Lehrbb. auf d. Geb. d. mathemat. Wiss.
Netto, F: Die Briefmarkensprache in ihrer geschichtl. Entwickelg. (40) 8° Neuweissens., E Bartels (o. J.). 1 — d
— Bunzelwitz. Preuss. Soldaten-Festsp. v. 1761. (15) 8° Ebd. (o. J.). 1 — d
— Die holländ. Erbschaft. Kriminal-Roman. (96) 8° Ebd. (o. J.). 1 — d
— Der Kampf um Port Arthur. (40 m. Abb.) 8° Ebd. (05). — 50 d
— Mukden. Bilder a. d. Riesenkämpfen in Ostasien zw. Japanern u. Russen. (32 m. Abb.) 8° Ebd. (05). — 50 d
— Postkarten-Grüsse. Kurze Reime. (32) 16° Ebd. (o. J.). — 50 d
— 200 neue Postkarten-Grüsse in poet. Form. (32) 8° Ebd. (o. J). — 75 d
— Louis Schneider. Lebensbild zu s. 100. Geburtstage. (21 m. Abb.) 8° Berl., AW Hayn's Erben (05). 1 — d
— Volldampf voraus! Liedersammlg f. d. deut. Seemann. (160) 16° Neuweissens., E Bartels (o. J.). — 75 d
— u. F **Backschat:** Die lange Brücke zu Potsdam. Ein Stück Hohenzollern- u. Stadtgesch. (Zur Enthüllg d. brandenburg. Prov.-Denkmals Kaiser Wilhelms d. Gr. 1901.) (64 m. Abb.) 4° Berl., AW Hayn's Erben 01. 1 — d
Netuschill, F: Die astronom. Gradmessgsarbeiten d. k. u. k. militär-geograph. Instit. Die Breiten- od. Polhöhen-Bestimmgn. [S.-A.] (25 m. Abb.) 8° Wien, (R Lechner's S.) 01. nn — 80 Vergr.
Netzhammer, R: Das griech. Kolleg in Rom. [S.-A.] (58) 8° Salzbg, (A Pustet) 05. — 70
— Theophrastus Paracelsus. Das wissenswerteste üb. dessen Leben, Lehre u. Schriften. (174 m. Abb.) 8° Einsled., Verl.-Anst. Benziger & Co. 01. 4 —; L. 5 — d
Neu, H: Gesch. d. ev. Kirche in d. Grafsch. Wertheim. (130) 8° Hdlbg, C Winter, V. 03. 4 — d
Neuausgaben u. Uebersetzungen alt. freimaurer. Werke. 1. Bd. 4° Wiesb., C Ritter. Geb. 6 —
1. Constitutionenbuch, d., v. 1723. (The constitutions of the Free-Masons. (London 1723.) (92 m. Titelbild.) 1900. 4 — d
Neubarth's, J, fortgesetzter astronomisch-histor. u. Schreib-Kalender f. 1906. (96 m. Abb. u. 1 Farbdr.) 8° Berl., Trowitzsch & Sohn. — 50 d
Neubau, d., d. Musterschö. (Reform-Realgymnasium) in Frankfurt am Main. (36 m. Abb. u. Pl.) 8° Frankf. a/M., W Diesterweg 03. — 50 d
— d., d. bayer. Nationalmuseums in München. (88 m. Abb. u. 82 Taf.) 45×34 cm. Münch., Verl.-Anst. F Bruckmann 02. L. 70.—
Neubauer, s. Gedichte. (120) 8° Dresd., E Pierson 03. 2 — d geb. 3 —
Neubauer, F: Was ist deutsch? Kaisergeburtstagsrede. (30) 8° Halle, Bh. d. Waisenh. 03. 40 d
— Gesch.-Atlas zu d. Lehrb. d. Gesch. f. höh. Lehranst. Für d. Gesch.-Unterr. in Quarta—Untersekunda. (15 farb. Kartens. m. 2 S. Text.) 8° Ebd. 03. — 60
— Kanon geschichtl. Jahreszahlen. 1. 4. Afl. (30) 8° Ebd. 02.03. — 30 d
— Lehrb. d. Gesch. f. höh. Lehranst. 5 Tle. 8° Ebd. Geb. 11 — d
1. Gesch. d. Altertums f. Quarta. 4. Afl. (197) 04. 1.80 — ‖ 2. Deut. Gesch. f. d. mittl. Kl. 5. Afl. (253) 04. 2 — ‖ 3. Gesch. d. Altertums f. Prim[?]. 4. Afl. (199) 04. 2 — ‖ 4. Deut. Gesch. bis z. westfäl. Frieden (Untertertia). 5. Afl. (205) 04. 2 — ‖ 5. Vom westfäl. Frieden bis z. uns. Zeit (Oberprima). 6.3. Afl. (234) 05. 2.40
— Geschichtl. Lehrb. f. höh. Mädchensch. 2 Tle. 8° Ebd. Geb. 5.80 d
1. Gesch. d. Altertums. (112 m. 4 Kart. u. 8 Taf.) 2 —
2. Deut. Gesch. (302 m. 8 Kart. u. 5 Taf.) 3 —
— dass. Vorst., n. d. Normallehrpl. f. d. Kl. 6 u. 5 bearb. v. J Baltzer. (96 m. 17 Bildnissen.) 8° Ebd. 05. Geb. 1.40 d

Neubauer, F: Der Unterr. in d. Gesch. [S.-A.] (23) 8° Halle,
· Bh. d. Waisenh. 04. — 50 d
— u. B Seyfert: Lehrb. d. Gesch. f. sächs. Realsch. u. ver-
wandte Lehranst. 2 Tle. 8° Ebd. Geb. 3.60 d
I. Griech. u. röm. Gesch. Deut. Gesch. bis z. Ende d. M.-A. (162 u. 34
m. Abb. u. 3 Kart.) 05. 2.40
II. Deut. Gesch. d. Neuzeit. (236 u. 32 m. Abb. u. 6 Kart.) 06. 3.70
Neubauer, J, s.: Jahrbuch d. höh. Unterr.-Wesens in Österr.
Neubauer, J, s.: Arbeiter- u.Volkskalender, katbol. — Charitas-
Kalender f. d. Katholiken deut. Zunge.
Neubauer, R: Der Arbeitsmarkt in d. Presse zu Frankfurt
a. M., s.: Probleme d. Fürsorge.
Neubauer, R, s.: Luther, Mart.
Neubaur, F: Phrasien. Komödie. (118) 8° Lpzg 01. W.Jena,
Thüring. Verl.-Anst. 2 —; geb. 3 — d
Neubaur, P: Die Stellg Chinas im Welthandel im J. 1900. (55)
8° Berl., (W Süsserott) 01. 1.50 Vergr.
Neubaur, W: Die wichtigsten Magenkrankh. (Magenkrebs u.
Magengeschwür.) (117 m. Fig.) 8° Lpzg, W Schumann Nf.
03. Geb. 1.50 d
Neubauten in Berlin, s.: Städtebilder, moderne.
— d., d. kgl. sächs. techn. Hochsch. zu Dresden. (56 m. Abb.
u. 1 Taf.) 4° Dresd., (A Dressel) 05. 9 —
— in Nordamerika. Hrsg. v. d. Schriftleitg d. Blätter f. Architektur u. Kunsthandwerk. P Graef. 165 Lichtdr.-Taf. m. Grundrissen u. erläut. Text. Mit e. Vorwort v. K Hinckeldeyn. 8—
10. Lfg. (30 Taf. u. 3 Bl. Grundrisse.) 4° Berl., M Spielmeyer
(1899). Je 6 — ‖ H. Serie. 6 Hefte. (11—16. Heft d. ganzen
Sammlg.) (65 Taf. u. 2 Bl. Grundr. m. 7 S. Text.) (1900-05.)
39 — (Vollst. in 2 M.: 100 —)
— in Wien, Prag, Budapest. Façaden, Details, Haustore, Vestibule. Photograph. Aufnahmen auf 65 Taf. in Lichtdr. 41,5×
32 cm. Wien, A Schroll & Co. 04. In M. 40 —
— Wiener, im Style d. Secession u. and. moderner Stylarten
Façaden, Details, Hausthore, Vestibule. I—III. Serie. (Je 65 Bl.)
Fol. Ebd. 02-06. In M. je 40 —
Neubecker, FK: Der abstrakte Vertrag in s. histor. u. dogmat.
· Grundz. [S.-A.] (59) 8° Berl., C Heymann 03. 2 — d
— s.: Wechselordnung, russ.
Neuber, A: Wiss. Charakteristik u. Terminol. d. Bodengestalten
d. Erdoberfläche. (547) 8° Wien, W Braumüller 01. 10 —
Neuberg: Missionsanfänge unter d. Wahehe in Deutsch-Ost-
afrika, s.: Missionsschriften, neue. f. Kinder.
Neuberg, A, s.: Pastoralblätter f. Homiletik usw.
Neuberg, E, s.: Gasmotorentechnik, sowie d. Automobil- u.
mobil- u. Motorboot-Industrie.
— Statistik d. Gasmotoren. [S.-A.] (19) 4° Berl., Boll & P.
(04). 1 — d
Neuberg, J: Der internat. gewerbl. Rechtsschutz, s.: Samm-
lung Göschen.
Neuberg, MJ: Post-, Telegr.· u. Fernsprechgesetzgbg. (312)
8° Lpzg, Dieterich 03. Kart. 3.60 d
— Zusammenstellg sämtl. Reichsges. strafrechtl. Inhalts (m.
Ausnahme d. Strafgesetzb.). (448) 8° Ebd. 02. L 6 — d
Neuberger, J: Ueb. unschuldig erworb. Geschlechtskrankh.
Vortr. (19) 8° Münch., Seitz & Sch. (04). — 30 d
— Die Verhütg d. Geschlechts-Krankh., s.: Veröffentlichungen
d. deut. Ver. f. Volks-Hygiene.
Neuberger, J: Flora v. Freiburg im Br. (Südl. Schwarzwald,
Rheinebene, Kaiserstuhl.) 2. Afl. (24, 274 m. Abb.) 12° Freibg
i/B., Herder 03. Geb. 3 —
— Schulflora v. Baden. (24, 278 m. Abb.) 8° Ebd. 05. Geb. 2.50
Neubert's Jahrb. d. ges. Braunkohlen-Industrie. Neues Verz.
d. im Deut. Reiche beleg., im Betriebe befindl. Braunkohlen-
gruben, Nasspressen, Briketfabriken, Schwälereien, Mineral-
ölfabriken, Ziegeleien u. sonst. Nebenbetriebe. (129 u. 123) 8°
Halle, A Neubert 02. L 6 — d
Fortsetzg s. u. d. T.: Jahrbuch d. deut. Braunkohlen- u. Steinkohlen-
Industrie.
Neubert, A: Natur u. Kunst im Zeichenunterr., s.: Schwarz-
burger, G.
Neubert, F, s.: Zeitgenossenlexikon, deut.
Neubert, H: Die Sünde. Drama. (89) 8° Dresd., E Pierson 06.
2 — d
Neubert, R: De Taabn härn! Schwank. Nach Molnaox-Witt-
mann. Monologfrei in d. voigtländ. Mundart übertr. (Er-
innergs-Blätter an d. 19. mitteld. Bundes-Schiessen, Zwickau
'01.) (42) 8° Zwick., (CR Moeckel) (01). — 75 d
Neubert, R: Anl. z. Erlerng d. Gravierkunst, s.: Hanf, F.
Neubert-Drobisch, W: Moritz Wilh. Drobisch. Ein Gelehrten-
leben. (131 m. Bildnis u. 1 Taf.) 8° Lpzg, Dieterich 02. 2.80;
geb. 3.50 d
— Erlebtes u. Erdachtes. Gedichte. 1. u. 2. Afl. (119) 8° Halle,
Tausch & Gr. 05. Kart. 2 — d
Neuberth, E: Die Urbarmachg d. Heide. (16) 8° Hildesh., H
Olms 04. nn —20 d
Neubronner, J: Die Brieftaube im Dienst d. iol. Menschheit.
Beitr. z. Kapitel: „Die rasche Arzneimittel-Versorgg". (17 m.
Abb. u. Bildnis.) 8° Frankf. a/M., Gebr. Knauer 02. — 50
Neuburg, C: Der Einfl. d. Bergbaus auf d. 1. Entwicklg d.
Forstw. in Deutschl. [S.-A.] (36) 8° Lpzg, A Deichert Nf. 01. 1.20
— Polit. Ökonomie, s.: Lehr, J.
Neuburger, A: Anorgan. Chemie, s.: Hillger's illustr. Volksbb.
— s.: Kalender f. Elektrochemiker. — Zeitschrift, elektrochem.

Neuburger, M, s.: Abhandlungen z. Gesch. d. Medicin. — Handbuch d. Gesch. d. Medizin. — Mitteilungen z. Gesch. d. Medizin
u. d. Naturwiss.
— Schillers Beziehg z. Medizin. [S.-A.] (40) 8° Wien, W Braumüller 05. 1 —
— Die Vorgesch. d. antitox. Therapie d. acuten Infectionskrankh. Vortr. In erweit. Form. (67) 8° Stuttg., F Enke 01. 1.60
Neuburger, P: Der Schutz d. gutgläub. Pfandrechterwerbs.
(118) 8° Lpzg, Bh. G Fock 04. 1.50
Neuburger,W: Etiquettenliste(Sammlgsverz.) d. Grossschmetterlinge v. Europa incl. Transcaucasien, Armenien u. angrenz.
Gebiete, nebst sämmtl. Variationen, Aberrationen u. noth-
wend. Synonymen, sowie d. übr. hauptsächlich f. d. Sammler
in Betracht komm. Formen d. palaearct. Macrolepidopteren-
Fauna. (28) 8° Berl., (R Friedländer & S.) (01). 3 —
Neuburger, F: Der Meister in Wien. Eine Episode a. Rich.
Wagners Leben. Charakterbild. (79) 8° Berl., (H Steinitz) (05).
2 —; geb. 3 — d
— Der Reichskanzler in Kissingen. Roman. 2. [Tit.-]Afl. (543
m. 1 Bildnis.) 8° Berl., A Schall (1899) (01). 2 —; geb. 4 — d
Neuburger, F: Das Sonderrecht d. gemeinen Judenschaft zu
Fürth u. in dessen Amt im 18. Jahrh. I. Verfassgsrecht. (48)
8° Fürth, (G Rosenberg) 02. — 90
Neubüser, F: Pommern, heimatkundl. Lesestücke, s.: Hirt's,
F, deut. Leseb. —
Nedeck: Nelson. Schausp. (129) 8° Dresd., E Pierson 03. 2 — d
— Uns. Zeit. Roman. (298) 8° Ebd. 03. 4 —; geb. 5 — d
Nedeck, G: Das hl. Buch d. Technik. 3. Afl. (531 m. Abb.) 8°
Stuttg., Union (05). L ·4.80
— Die Dampfturbine. (89 m. Abb.) 8° Kiel, Univ.-Bh. 04. 2.80;
geb. 3 —
— Um d. Erde in Kriegs- u. Friedenszeiten. (226) 8° Ebd. 04.
5 —; L. 6 —
— Uns. Zeit. Antisozialdemokrat. Roman a. d. Gegenwart.
(298) 8° Ebd., J Fischer (05). 2 — d
— u. H Schröder: Das hl. Buch v. d. Marine. Hdb. alles Wis-
senswerten nebst verständl. Darstellg d. Seestreitkräfte d.
Auslandes. Neue Afl. 36—45. Taus. (480 m. Abb., 4 Kart. u.
4 farb. Taf.) 8° Kiel, Lipsius & T. 02. L 2 — ‖ 46—50. Taus.
(508 m. Abb., 4 Kart. u. 4 farb. Taf.) 8° Ebd. Geb. 2.50
Neudecker, D, S, Geistesschule f. Ordensleute. Neubearb. v. A
Zellner. 1. Tl. (388) 8° Berl., JJ Lentner 02. 2.40 ‖ 2.(Schl.-)
Tl. (562) 04. L — ; in 1 L.-Bd 7.80 d
Neudegger, MJ: Gesch. d. bayer. Archive. III a. Die organ.
Umgestaltg d. 3 Haupt-Archive in München seit 1799. (147—
238 m. 1 Taf.) 8° Münch., (T Ackermann) 04. L —
(I—V, III a u.b.: nn 30 —)
Neudrucke deut. Litt.-Werke d. XVI. u. XVII. Jahrh. Nr. 176—
211. 8° Halle, M Niemeyer. Je — 60
Eberlin v. Günzburg, J: Sämtl. Schriften, s.: Flugschriften a.d. Reforma-
tionszeit.
Fischart, J: Das glückhafte Schiff v. Zürich. (1577.) Hrsg. v. G Baesecke.
(38, 60) 01. [182.] d
Flugschriften a. d. Reformationszeit. XVIII. Eberlin v. Günzburg, J:
Sämtl. Schriften (d). 3. Bd. Hrsg. v. L Enders. (96, 402) 02. [183—84.]
Forster's, G. frische teut. Liedlein in 5 Tln (d). Abdr. u. d. ersten Ausg.
1539, 1540, 1549, 1556 u. d. Abweichgn d. späteren Drucke. Hrsg. v. ME
Marriage. (30, 278) 03. [203—6.]
Opitz, M: Teut. Poemata (d). Abdr. d. Ausg. v. 1624 m. d. Varianten d.
Einzeldr. u. d. spät. Ausg. Hrsg. v. G Witkowski. (46, 248) 02. [180—92.]
Rachel's, J. satyr. Gedichte (d). Nach d. Ausg. v. 1664 u. 1677 hrsg. v.
K Drescher. (40, 142) 03. [190—2.]
Sachs, H: Sämtl. Fabeln u. Schwänke. 4. u. 5. Bd. Die Fabeln u. Schwänke
in d. Meistergesängen (d), hrsg. v. E Goetze u. C Drescher. (36, 536 u.
508) 03.04. [198—99 u. 207—.]
Schwarzenberg, J v.: Das Büchl. v. Zutfinken (d), Hrsg. v. W Scheel. (13,
44) 1900. [178.]
Silesius, A: Heil. Seelenlust od. geistl. Hirtenlieder d. in ihren Jesum
verliebten Psyche. 1657. (1668.) (d) Hrsg. v. G Ellinger. (27, 312) 01.
[177—81.]
— frühneuengl. Grammatiken. Hrsg. v. R Brotanek. I. 8°
Halle, M Niemeyer. 4 —
Mason's, G, grammaire angloise, u. d. Drucken v. 1622 u. 33 hrsg. v.
R Brotanek. (32, 115) 05. [I.]
— Leipz. Drucke. Hrsg. v. G Wustmann. 3. Edbn. 8° Lpzg, JC Hinrichs' V. 1.50 (1—3 in 1 Bde: 3.50; 5.4 —)
3. [Heidecke, B]: Tableau v. Leipzig im J. 1783. Skizze. (156) 02. 1.50
— literarhistor. Selteah., hrsg. v. F v. Zobeltitz. Nr. 1—5,
7 u. 8. 8° Berl., E Frensdorff. 24 — d
Anthologie auf d. J. 1782. Abdr. d. in Buchdr. m Tobolsko. Hrsg. u. m.
e. Nachwort versehn v. F v. Zobeltitz. (12, 271 u. 27) (05.) [3.] 4 —
geb. 5.50
Brentano, C: Der Philister vor, in u. n. d. Gesch. Scherzhafte Abhandlg.
Fksm.-Dr. d. in Selbstverl. 1811 gedr. erschien. Orig., m. e. Vorwort v.
P Müller. (39 m. 1 Taf.) (05.) [7.] 3 —
geb. 4.50; Luxus-Ausg. 6 —
— Geschichte, meine, eh' ich geboren wurde. (Eine anständ. Posse v. Mann
verschwer Rocke.) Berlin 1795. Neudr., m. e. Bini. versehen
v. S Rahmer. (v. 356) (04.) [9.] geb. 3 —
— Höllenfahrt v. Heinr. Heine. (Von W Müller v. Königswinter.) Hrsg.
kommentiert u. eingeleitet v. S Anacker. (14 u. 199) (05.) [4.] 4 —;
geb. 5.50
Jungfrau, d., v. Orleans. Ein heroisch-kom. Gedicht in 16 Gesängen n.
Voltaire. Berlin u. Leipzig 1804. (Neudr.) Mit e. Vorbemerkg versehen
u. hrsg. v. F v. Zobeltitz. (7, 484) (04.) [1.] 2 —; geb. 3 —
Löwen's, JF, Gesch. d. deut. Theaters (1766) u. Flugschriften üb. d.
Hamburger Nationaltheater (1766 u. 67), im Neudr. m. Einl. u. Er-
läutergn hrsg. v. H Stümcke. (40, 104) (05.) [8.] 2 —; geb. 3 —
Nr. 6 ist noch nicht erschienen.
— v. Schriften u. Karten üb. Meteorol u. Erdmagnetismus,

hrsg. v. G Hellmann. Nr. 13—15. 8⁰ Berl., A Asher & Co. nn 57 —
(Vollst.: 130.50)
Beobachtungen, meteorolog., v. 14—17. Jahrh. Mit e. Einl. (76 u. 138 m.
4 Taf.) 01. [13.] nn 18 —
Denkmäler mittelalterl. MeteoPol. Mit e. Einl. u. e. Anh., enth. Ergänzgn
u. Berichtiggn zu früh. NummePa. (46, 260 u. 12) 04. [15.] nn 28 —
Optik, meteorolog. 1000—1836. Theodoricus Teutonicus, R Descartes,
I Newton, GB Airy, A de Ulloa, P Bonguer, J Hevel, T Lowitz, J Fraun-
hofsT, G Monge, W Scoresby, Albazen, J de MaiPan. Mit e. Einl. (14,
107 m. Fig. u. 6 Taf.) 02. [14.] nn 11 —
Neudrucke pädagog. Schriften. VIII, XVI u. XVII. 8⁰ Lpzg,
F Brandstetter. 2.80 (I—XVII.: 14.80)
Comenius', JA, MotterPchule (d). Mit e. Einl. hrsg. v. A Richter. 2. Afl.
(86) 01. [VIII.]
Herder's Abhandlg üb. d. Ursprg d. Sprache (d). Hrsg. u. m. e. Einl.
u. Anmerkgn versehen v. T Matthias. (153) 01. [XVI.] 1.20
Kinderffragen, d.: Der 1. deut. Katech. M.D. XXI. HPsg. u. m. e. Einl.
e. Abriss d. Brüdergesch. vePsehen v. A Kästner. (77) 02. [XVII.] — 80
Neue, F: Formenlehre d. latein. Sprache. 1. u. 4. Bd. 3. Afl. v.
C Wagener. 8⁰ Lpzg, OR Reisland. 48 —; geb. 52.40
(Vollst.: 101 —; geb. 109.80)
1. Das Substantivum. (1019) 02. 32 —; geb. 34.40 || 4. Register im. Zu.
akten n. Verbesserge. (397) 05. 16 —; geb. 18 —
Neueinführung, d., öffentl. Fronleichnamsprozessionen in über-
wiegend protestant. Orten. Materialien z. Beurteilg dieser
Angelegenh., ges. v. e. bayer. Theologen. (59) 8⁰ Nördl., CH
Beck 01. 1 — d
Neuendorff, B: Entstehgsgesch. v. Goldsmiths Vicar of Wake-
field. (107) 8⁰ Berl., Mayer & M. 03. 1 — d
Nenendorff, E: Die Turnlehrer an d. höh. Lehranst. Preussens
u. d. Geist d. Turnlehramts. (131) 8⁰ Berl., Weidmann 05. 2.40 d
Neuendorff, R: Gedenktafel. 3. Afl. 74,5×60 cm. Lissa, F Eb-
becke 02. — 75: auf L. m. St. 2 — d
— Vademekum d. Lehrer an Volkssch. im Reg.-Bez. Bromberg,
d. i. kurz gef. Anweisg z. vorschriftsmäss. Verwaltg d. Schul-
amts u. erprobte Ratschl. z. Erzielg guter Revisionsergeb-
nisse. (100) 8⁰ Ebd. 01. 1 — d
— Wegweiser f. d. neue Rechtschreibg. (1 Bl.) 43×34,5 cm.
Ebd. (03). — 25; auf Pappe od. auf L. m. Rand u. Osen — 70 d
Neuenhof, H: Die Höllenmaschine. — Ein Rendezvous. — Der
Smyrnateppich, s.: Liebhaber-Theater.
Neuens, N: Fortschritte Priessnitzens, Kneipps Rückschritte
im Aufbau u. Ausbau d. Naturheilmethode. Zugl. geschichtl.
u. sachl. Widerlegg d. Kritik d. Dr. Baumgarten betreffs d.
Systeme Priessnitz u. Kneipp. (397 m. 1 Bildnis u. 1 Flasm.)
8⁰ Diekirch 03. Bollendorf (Trier, Naturheilanstalt), Dir.
Neuens. 4 —
— Der wahre Kneipp bedeutet weder e. neue Erfindg noch e.
prinzip. Fortschritt im Wasserheilverfahren. Beleuchtg d.
Untersuchg u. Kritik d. Dr. Baumgarten betr. d. Systeme
Priessnitz u. Kneipp. [S.-A.] (24) 8⁰ Münch., (JJ Lentner) 01.
— 10 d
— Das Naturheilsystem, wiss. begründet. 2 Bde. 8⁰ Ebd. 01.
10 —; in 1 L.-Bd 12 — d
1. Gesch., GPundprinzipien, Heilfaktoren, Verfahren, Ergebnisse, naturP
gemässe Ernährg. (588)
2. ErzterPehre, GesundheitspPege, KinderpPege, Anatomie, Physiol.,
Diagnose, Pathol., TheTapie. (304 n. 20. 9 Taf.)
Neuert, F: Des Sängers Berater. Leicht fassl. Darstellg. d.
Wichtigsten a. d. allg. Musik- u. Gesanglehre. (37) 8⁰ Pforzh.,
E Birkner 02. 40 —; geb. 1 — d
Neuert, G: Vorz. d. Abhandlgn u. wichtigeren Artikel d. „Organ
f. Taubstummenanst." seit s. Erscheinen (1855). (87) 8⁰ Friedbg,
(C Bindernagel) 04. 1 —
Neuert, H: Almenransch u. Edelweiss. Oberbayer. Charakter-
gemälde m. Gesang u. Tanz. 4. Afl. (80) 8⁰ Augsbg, B Schmid
02. 1 — d
— D'Edelweiss-Vroni v. Tegernsee. Volksstück. (63) 8⁰ Ebd.
02. 1 — d
— Der Tiroler Franzl, s.: Universal-Bibliothek.
— Der Herrgottschnitzer v. Ammergau, s.: Ganghofer, L.
— s' Liserl v. Schliersee od.: Die Brautschau. Ländl. Gemälde
m. Gesang u. Tanz. Musik v. F Voith. 2. Afl. (84) 8⁰ Augsbg,
B Schmid 02. 1 — d
Neuerungen, d., d. neuen deut. Rechtschreibg. neue Ausg.,
s.: Abermals e. neue Orthogr. in Sicht!
— in d. Technik d. Handwerks. 1 Folge. [S.-A.] Zusammengest. u. bearb. v. W Bucerius. (342 m. Abb. u. 1 Taf.) 8⁰
Karlsr., G Braun'sche Hofbuchdr. 05. 2.40 d
— u. Fortschritte in d. Photographie, s.: Miniatur-Bibliothek.
„Neues u. Altes" (Matth. 13, 52). Ein Büchl. f. d. Jugend.
9—15. Bdchn. Hrsg. v. R B. & D. (120, 128, 132, 132, 128, 128
u. 124 m. Abb.) 8⁰ Elberf., R Brockhaus (durch J Fassbender)
1898-04. Kart. je — 50 d
Neue-Welt-Kalender, illustr., f. 1906. 30. Jahrg. (80 m. 5
[1 farb.] Taf.) 8⁰ Hambg, (Stuttg., P Singer.) 40 —
Neufeld's Sprachführer f. Haus u. Reise. 16⁰ Berl., Neufeld
& H. 1 —; geb. je 1.50 d
Böhmisch. Von P Váśa. (341) (05.) || Englisch. 11. Afl. v. G Glanz. (275)
(05.) || Französisch. 12. Afl. v. G Glanz. (32, 242) (05.) || Italienisch. 10. Afl.
v. H Roskoschny. (260 n. 40) (05.) || Polnisch. Von S Roskoschny. (284) (05.)
|| Ungarisch. Von M HoPfmann. (340) (05.)
— neue fremdsprachl. Taschenwrtrbb. Je 2 Tle in 1 Bd. 16⁰ Ebd.
Geb. d
Böhmisch-Deutsch u. Deutsch-Böhmisch. Von A Kunz. 12. Afl. (560 u.640 Sp.)
04; 12. Afl. v. P Váśa. (299 u. 397) (05.) Geb. je 3 — || Englisch-Deutsch u.
Deutsch-Englisch. Von B Klein. 15. Afl. (684 Sp. u. 819 S.) (OT.); 16. Afl.
v. G Glanz. (821 u. 819) (05.) Je 2 — || Französisch-deutsch u. deutsch-

französisch. Von B Klein. 18. Afl. (506 u. 612 Sp.) (03) || 16. Afl. v. G Glanz.
(292 S. u. 612 Sp.) (04.) Je 2 — || Italienisch-Deutsch u. Deutsch-Italienisch.
Von B Klein. 7. Afl. (694 u. 606 Sp.) (04.) 2 — || Russisch-Deutsch u. Deutsch-
Russisch. Von H Roskoschny. Mit e. Anh.: Terminol. d. Kriegswesens.
2. Afl. (664 u. 698 Sp.) (05.) 3 — || Spanisch-Deutsch n. Deutsch-Spanisch.
Von B Klein. 2. Afl. (838 u. 700 Sp.) (05.) 3 —
Neufeld's Unterr.-Briefe f. d. Selbststudium. 8⁰ Berl., Neufeld
& H. Je 7.50; L. je 8.50 d
Böhmisch. Von P Váśa u. C Syromý. (255) (04.) || Deutsch. Von G Glanz.
Neue Rechtschreibg. (292) 03. || Englisch. Von FH Bfendel. 7. Afl. (253)
(05.) || Französisch. Von G Glanz. 3. Afl. (263) (05.) || Italienisch. Von G
ZoPfan. 1. u. 2. Afl. (255) (01.04.) || Polnisch. Von C Pistory. (248) (05.)
|| Rechnen. Von AF Heilig. 7. Afl. (258) (02.)
Neofeld, A: Die führ. Nationalexportämter. Beitrag z. Frage
d. Errichtg z. Reichshandelsstelle. (244) 8⁰ Berl., F Siemen-
roth 05. 5 —; geb. 6 —
Neufeld, C: Staatsangelegenh. od. Privatsache? Beitrag z.
Lösg d. relig. Frage. (16) 8⁰ Berl., W Buchholz 04. — 25 d
Neufeld, CA: Illustr. Führer durch Bosnien u. d. Hercegovina,
s.: Hartleben's, A, illustr. Führer.
Neufeld, K: Unter d. Herrschaft d. Rebellen. Erzählg f. d.
reif. Jugend. (350 m. Abb.) 8⁰ Lpzg, Schmidt & Spr.(05). L. 3 — d
Neuffer, KI: Die neuesten Dunggs-Fragen. (160) 8⁰ Heilbr.,
(Dr. J Determann) 01. 2 — d
Neugebauer, E: Heimatkde d. Kreises Gnesen. (24) 8⁰ Lissa,
F Ebbecke 05. — 20; m. Karte — 60 d
Neugebauer, F V.: 103 Beobachtgn v. mehr weniger hochgrad.
Entwicketg e. Uterus beim Manne (Pseudohermaphroditismus
masculinus internus), nebst Zusammenstellg d. Beobachtgn
v. period. regelmäss. Genitalblutgn, Menstruation, vikariier.
Menstruation, Pseudomenstruation, Molimina menstrualia
u.s.w. bei Scheinzwittern. [S.-A.] (110) 8⁰ Lpzg, M Spohr 04. 3 —
— Interessante Beobachtg a. d. Geb. d. Scheinzwittertums,
[S.-A.] (176 m. Abb.) 8⁰ Groitzsch (02). (Lpzg, Bh. G Fock.) 6 —
— Chirurg, Überraschgn auf d. Geb. d. Hermaphroditismus f. d.
(220 m. Abb.) 8⁰ Lpzg, Bh. G Fock 03. 6 —
— Welchen Wert hat d. Kenntnis d. Hermaphroditismus f. d.
prakt. Arzt?, s.: Sammlung klin. Vortr.
— Zusammenstellg d. Lit. üb. Hermaphroditismus beim Men-
schen. [S.-A.] (198) 8⁰ Lpzg, M Spohr 05. 4 —
Neugebauer, PV: Genäherte Oppositions-Ephemeriden. — Tab.
z. Gesch. u. Statistik d. kl. Planeten, s.: Bauchinger, J.
— Abgekürzte Taf. d. Mondes nebst Taf. z. Berechng d. tägl.
Auf- u. Niedergänge d. Gestirne. — Abgekürzte Taf. d. Sonne
u. d. gr. Planeten, s.: Veröffentlichungen d. kgl. astronom.
Rechen-Instit. zu Berlin.
Neugestaltung, d., d. deut. Handelspolitik, s.: Zeitfragen,
volksw.
Neuhaus, E: Die Flottenfrage unter d. wirtschaftspolit. u.
techn. Voraussetzgn d. Gegenwart. (59) 8⁰ Lpzg, F Dietrich
04. 1 — d
Neuhaus, E: Was muss man v. deut. Staatsrecht wissen? (78)
8⁰ Berl., H Steinitz (01). 1 — d
Neuhaus, G: Die Handwerkskammer, ihre Organisation u.
ihre Aufg. (104) 8⁰ Lpzg, H Klasing 02. L. 3 —
— Inngn u. Inngsausschüsse. (143) 8⁰ Ebd. 02. L. 3 —
Neuhaus, L: Die Reichsverwesserschaft u. Politik d. Grafen
Heinrich v. Anjou, d. 2. Kaisers im Lateinerreiche zu Byzanz.
(51) 8⁰ Lpzg, Bh. G Fock 04. 1.20
Neuhaus, O: Geheimnisse d. Schnellrechnens, Rechnen e. Ver-
gnügen. 1.—3. Afl. (22 bezw. 32 u. 30) 8⁰ Papiermühle b. Roda,
Gebr. Vogt 02.03. Je 1 — d
— Rechenkünste n. Zahlenspr. z. Vortr. im Salon. (93 m. Fig.)
8⁰ Lpzg, Ernst (08). 1 — d
Neuhaus, R: Lehrb. d. Projektion. (124 m. Abb.) 8⁰ Halle,
W Knapp 01. 4 —
— s.: Rundschau, photograph.
Neuheiten. Kaufmänn. Zeitschrift f. d. Detail-, Engros- u.
Exporthandel. Mit d. Beibl. Eisenwaren-, Haus- u. Küchen-
geräte-Zeitg, sowie Rundschau üb. Kurz-, Galanterie- u. Spiel-
waren. Hrsg.: C König. Red.: E Fried. 8. Jahrg. 1905. 12 Nrn.
(Nr. 10. 16) 8⁰ Wien (3/2). Ländl. d.unähtlo? Postfrei 2 —
Neuhoff, O: Adiabat. Zustandsänderg feuchter Luft n. deren
rechner. u. graph. Bestimmg, s.: Abhandlungen d. kgl. preuss.
meteorolog. Instit.
Neuhold, E: Üb. d. bücherl. Behandlg v. Eisenb.-Grundstücken
vor ihrer Eintragg in d. Eisenb.-Buch. (27) 8⁰ Graz, U Moser
02. — 50 d
— Compendio di diritto tavolare austriaco, s.: Collezione di
opere processuali.
— Erläuterungn z. Verfahren d. Bezirksgerichte bei Ermittlg
v. Eisenb.-Grundstücken. 8⁰ (27) Ebd. 02. 8⁰ Graz, U Moser 04.
— Formularien f. Grundbuchsachen. 2. Thl.: Lastra, Eintragg n. Bestätigg. (132) 8⁰ Wien, Manz 1900. 3.60; geb. 4.80
(1 u. 2. 6.50; geb. 9 —)
— Das österr. Grundbuchswesen in gedrängter Darstellg. (355)
8⁰ Graz, U Moser 04. 5 —; geb. 6 — d
Neuhold, F: Messerklärg in Fragen u. Antworten. (25 m. Abb.)
16⁰ Graz, Styria 06. nn — 10 d
Neujahrsblatt, 96—100., d. Feuerwerker-Gesellsch. (Artill.-Kollegium) in Zürich f. 1901—5. 8⁰ Zür., (Fäsi & B.)
nn 14.40 d
Escher, C: Der Kriegszug d. Berner, Zürcher u. Grasbündner u. d. Veltlin im Aug. u. Septbr 1620. (49 m. 1 Portr. u. 1 Kafte.) (01.) [96.] nn 3 —
— Der Kriegszug d. Eidgenossen i. Mülhausen i. J.1587 (Finsingerhandel).
(23 m. 1 Pl. u. 1 Taf.) (04.) [99.] nn 3 —

Neumann, FJ: Die progressive Einkommensteuer im Staats- u. Gemeinde-Haushalt, s.: Schriften d. Ver. f. Sozialpolitik.
Neumann, FS: Die Reichstagssession 1900/3. — Sozial- u. Gewerbepolitik in d. Reichstagssession 1900/1903, s.: Bibliothek f. Politik u. Volkswirtschaft.
Neumann, G: Die Krankh. d. Nieren u. d. Blase, ihre Erscheinung u. ihre Behandlg. (75) 8° Berl., H Steinitz 02. 2 —
Neumann, G: Ende gut, alles gut, s.: Lustspiele, turner.
Neumann, G: Üb. d. plast. Deckg d. Augenhöhle, bes. d. Küstersche Methode. (35 m. 2 Abb.) 8° Freibg i/B., Speyer & K. 02. 1.20
Neumann, G: Die Orthogr. d. Paston letters v. 1422—61, s.: Studien, Marbarger, z. engl. Philol.
Neumann, G: Kommentar z. Exekutionsordng v. 27.V.1896. Unter Mitwirkg v. M Heller. 15 Lfgn. (23, 1254) 8° Wien, Manz 02-06. 30.40; geb. 23 — d
Neumann, G: Soll d. Staatsgebühr f. Patente n. d. daraus erzielten Gewinn berechnet werden, u. ist d. Patentdauer üb. 15 Jahre hinaus zu verlängern? (47) 8° Berl., G Siemens 05. 1.20
Neumann, H: Üb. d. Behandlg d. Kinderkrankh. Briefe an e. jungen Arzt. 5. Afl. (452) 8° Berl., O Coblentz 05. 9 —; geb. 10.50
Neumann, H: Das Reichsrecht, s.: Leander, A.
— Das Strafrecht, s.: Buch, d. prakt.
Neumann, H: Ein Beitr. z. Kenntnis d. induzierten Irreseins. (32) 8° Tüb., F Pietzcker 03. nn — 70
Neumann, H: Die Quintessenz d. cinf. u. dopp. Buchhaltg. Nebst e. Anh.: Gesetzl. Vorschriften, d. Handelsbücher betr. 3. Afl. (236) 8° Lpzg, GA Gloeckner 03. 2.50; geb. 3 — d
Neumann, H: Zur Gesch. d. jurist. Gesellsch. zu Berlin. [S.-A.] (36) 8° Berl., d. Liebmann 03. 1.20
— Handausg. d. BGB. f. d. Deut. Reich, unter Berücks. d. sonst. Reichsges. u. d. Gesetzgebg aller Bundesstaaten, bes. Preussens. 3 Bde. 3. Afl. (xl, 860; 29, 675 u. 562) 8° Berl., F Vahlen 03. 26 —; HF. nn 31 — || 4. Afl. (28, 891; 29, 668 u. 721) 05. 30 —; HF. nn 36 — d
— s.: Jahrbuch d. deut. Rechtes.
Neumann, H: Die öffentlich-rechtl. Stellg d. Aerzte. (138) 8° Berl., Struppe & W. 04. 3 —; geb. nn 4 — d
— Das Hohelied. (179) 8° Ebd. (01). 2 —; geb. nn 3 — d
— Das letzte Menschenpaar. 2. Afl. (196 m. Bildnis.) 8° Lpzg, H Lautenschläger 05. 1.50 d
— Saul. Epos. (91) 8° Ebd. (02). 1.50 d
Neumann's, J, Taschenb. d. Deut. Reich, unter Berücks. d. 1906. Schwache Ausg. A m. viertelseit. Tageanordng im Notizkalender. (250 m. 1 Karte.) 12° Ncud., J Neumann. Geb. 1.20; stärkere Ausg. B m. halbseit. Tageanordng im Notizkalender. (350 m. 1 Karte.) 1.60 d
Neumann, J, s.: Jahrbuch d. Berliner Börse.
— Jahrbuch f. d. Versichergswesen im Deut. Reiche. 1903 u. 4. (1. Bd: Lebens-, Renten-, Unfall- u. Haftpflicht-Versicherg. 2. Bd: Hagelversicherg.) 1. Bd. Hrsg. v. O Neumann. (740 u. 786 m. je 2 Tab.) 12° Berl., [ES Mittler & S.]. L. je 10 — Bisher u. d. T.: Jahrbuch f. d. deut. Versichergswesen. — Das Erscheinen d. 2.Bds ist noch unbestimmt.—Fortsetzg s.:Jahrbuch.
— s.: Vereins-Blatt f. deut. Versichergswesen.
— Die Versicherg m. Gewinn-Antheil bei d. Lebensversichergs-Gesellsch. d. Deut. Reiches, nebst tabellar. Uebersichten d. Vermögens- u. Geschäfts-Standes Ende 1899, sowie d. Prämien f. d. wichtigsten Versichergsformen. (233 m. 2 Tab.) 12° Berl., ES Mittler & S. 01. || Bis Ende '01- (251 m. 2 Tab.) 03. L. je 2 —
— s.: Zeitschrift f. Versichergswesen.
Neumann, J: Üb. d. an d. altperuan. Keramiken u. anthropomorphen Tongefässen dargestellten Hautveränderg, m. bes. Rücks. auf d. Alter d. Syphilis u. and. Dermatosen. [S.-A.] (11 m. 3 Taf.) 4° Wien, (A Hölder) 05. 1.70
Neumann, J: Pilgerbüchl. u. Reiseführer n. Lourdes. 3. Afl. (106 m. Abb. u. 2 Kart.) 16° M.-Gladb., (A Riffarth) 04. L. — 50 d
Neumann, J: Zur Reform d. Trinksitten. Die Mitarbeit d. deut. Katholikenversammlg an derselben. (63) 8° Köln, JP Bachem 08. 1.20 d
Neumann, J: Magdeburg vor 100 Jahren. (8 m. 16 Taf.) 4° Mgdbg, J Neumann 1900. (1 —) Kart. 2 — d
Neumann, K, s.: Busl, G, Predigten.
Neumann, KE, s.: Gotamo Buddho's Reden.
Neumann, KJ: L. Junius Brutus, d. 1. Consul, s.: Festschrift, Strassb., z. 46. Versammlg deut. Philologen u. Schulmänner.
— Hippolytus v. Rom in sr Stellg zu Staat u. Welt. Neue Funde u. Forschgn z. Gesch. v. Staat u. Kirche in d. röm. Kaiserzeit. 1. Abtlg. (1—144) 8° Lpzg, Veit & Co. 02. 4 —
Neumann, L: Basel—Frankfurt a. M. u. Mainz u. zurück, s.: Rechts u. links d. Eisenb.
— Landeskde d. Grossh. Baden. 5. Afl. (40 m. Abb.) 8° Bresl., F Hirt 02. Kart. — 50 d
— Lehrb. d. vergleich. Erdbeschreibg, s.: Pütz, W.
— Der Schwarzwald, s.: Land u. Leute.
— u. F **Dölker**: Der Schwarzwald in Wort u. Bild. Der bad. Schwarzwald v. N., d. württemberg. Schwarzwald v. D. 4. Afl. (226 m. 32 [2 farb.] Taf.) Fol. Stuttg., J Weise 08. L., M. Q. 25 —; and. in 30 Lfgn zu — 60 d
Neumann, L: Franz Neumann. Erinnergsblätter v. sr Tochter. Hinrichs' Fünfjahrskatalog 1901—1905.

(463 m. Abb., Fksms u. Titelbild.) 8° Tüb., JCB Mohr 04. 6 —; geb. 8 — d
Neumann, M: Wie vertrete ich meine Rechte vor d. Amtsgericht?, s.: Handbibliothek, jurist.
Neumann, M: Gedenkbl. an d. sonnige Italien. Eine Lehrerfahrt. Ostern '03- (48 m. Abb.) 8° Berl. (04). (Jauer, O Hellmann.) L. 2.50 d
Neumann, O: Die Grundz. d. Entwicklg d. Kriegssanitätsdienstes in Preussen. Mit e. Hinblick auf d. gegenwärt. Gestaltg u. auf d. Ausbau d. Kriegssanitätswesens in Deutschl. (48) 8° Berl. 02. Lpzg, G Thieme. 1.5?
— 4 Vorträge u. d. Geb. d. Militärsanitätswesens f. Offiziere, s.: Beiheft z. Militär-Wochenbl.
Neumann, P: Frühe u. d. Sonne wacht — —. Gedichte. (120) 8° Lpzg, M Spohr 02. 3 — d
Neumann, PH: Der 2. Cousin, s.: Album f. Liebhaber-Bühnen.
Neumann, R: Religionsb. f. ev. Schulen. Mittelst. 3. Afl. (143) 8° Greifsw., J Abel 01. Geb. — 80 d
Neumann, R: Die Behandlg d. Kursrechng f. Oberkl. d. Volksu. Fortbildgssch., sowie f. höh. Lehranst., nebst Anfg. u. Lösgn. (18) 8° Mit: Muster e. Staatsschuldscheines. Muster e. Actie (f. Schulzwecke). (2 lith. S.) Fol. Nebst: Auszug a. d. Kurszettel d. Berliner Börse v. 17.III.'02. Fol. Eberswalde 02. (Chaelttubg, Amelang.) Auf Pappe 1 — d
Neumann, R, s.: Blätter, period., f. Realienunterr. u. Lehrmittelwesen.
— Naturgesch. f. Bürgersch., s.: Pokorny.
— Physik u. Chemie f. Bürgersch., s.: Schindler, F.
Neumann, R: Goethe u. Fichte. (35) 4° Berl., Weidmann 04. 1 —
Neumann, R: Dictierb. f. d.Bürgersch. u. d. Obercl. d.Volkssch., wie auch f. Fortbildgssch. (In 3 Thln.) (61) 8° Wien, A Pichler's Wwe & S. 1900. — 80 d
Neumann, RO: Atlas u. Grundr. d. Bakteriol., s.: Lehmann, KB.
Neumann, W: Gesch. u. Kunstdenkmäler d. Stadt Reval, s.: Nottbeck, E v.
— Balt. Maler u. Bildhauer d. XIX. Jahrh. (178 m. Abb. u. Bildnissen.) 4° Riga, (F Deutsch) 02. (16 —) nn 14 —; geb. (nn 18 —) nn 16 — d
— Verz. balt. Goldschmiede, ihrer Merkzeichen u. Werke. (75 m. Fig.) 8° Riga, (G Löffler) 05. 2.20
Neumann, W: Üb. d. sog. Weichselzopf. (69) 8° Lpzg, B Konegen 04. 1.50; Weiteres darüber. (32) 05. — 40
Neumann, WA: Der Dom v. Parenzo. Mit 53 photograph. Taf. v. J Wlha. (28) 4° Wien, (JJ Plaschka) 02. In L.-M. nn 60 —
Neumann-Hofer, A: Die Entwicklg d. Sozialdemokratie bei d. Wahlen z. deut. Reichstage 1871—1903. Statistisch dargestellt. 3. Ausg. (52) 8° Berl., C Skopnik 03. 1 —
Neumann-Preussen, A: Tote Liebe. Roman. (311) 8° Köln, A Ahn (01). 3 — d
Neumann-Jödemann, E: Bühnenzauber. Eine Gesch. a. d. Theologenleben. (217) 8° Berl., A Michow (02). 4 — d
— dass. Roman. 2. u. 3. Afl. (320) 8° Berl., D Dreyer & Co. (03). (1 —) 2 — d
— Moderne Lumpe. Novellen. (219) 8° Ebd. (03). — 50 d
— Unter Tieren u. Menschen. Erzählgn. (161) 8° Dresd., E Pierson 03. 2 —; geb. 3 — d
— Zu Weihnachten. Dramat. Kinder-Märchen. (23 m. Abb.) 4° Berl., ES Mittler & S. 01. Kart. 1.50 d
Neumann-Oschekau, S: En Strehmel Ostpreiss'sch. Poesie u. Prosa. (189) 8° Dresd., E Pierson 04. 2 —; geb. 3 — d
Neumann-v. Schönfeld, A: Stärkere Nerven! Schule d. Willens u. d. Wach-Autosuggestion u. d. Naneyer Methode. 2. Afl. (80) 8° Zür., A Neumann 04. 4 — || 3. Afl. (80) 04. 1.80
— Üb. d. Stottern! Vortr. 3. Afl. (44 m. Abb.) 8° Ebd. 03. 1 — d
Neumann-Spallart, FX v., s.: Uebersichten d. Weltwirtschaft.
Neumann-Strela, K: Charakterbilder a. d. deut. Gesch. Von Friedrich d. Gr. bis auf uns. Tage. 2. Afl. (570 m. Abb.) 8° Lpzg, H Blömer (05).
— Festschrift z. Hochzeit d. Kronprinzen-Paares. Die Erziehg d. Hohenzollern v. Gr. Kurfürsten bis z. Gegenwart. (210 m. Abb.) 8° Oldnbg, G Stalling's V. 05. — 73;
Geschenkausg. 2 — d
— Aus d. Leben d. nord. Semiramis u. and. histor. Skizzen, s.: Zastrow, K.
— Wetten u. Wagen u. and. histor. Erzählgn, s.: Beneke, A.
Neumark, M: Lexikal. Untersuchgn z. Sprache d. jerusalem. Pentateuch-Targume. 1. Heft. (48) 8° Berl., M Poppelauer 05.
Neumaerker, C: Der Mensch, wie er sich selber findet, s.: Pfade, neue, z. alten Gott.
Neumayer, G v., s.: Anleitung zu wiss. Beobachtgn auf Reisen.
— Bestimmg d. Länge d. einfachen Sekundenpendels m. absolutem Wege, ausgeführt in Melbourne v. Juli–Oktbr 1862. [S.-A.] (78 m. Fig. u. 5 Taf.) 4° Münch., (G Franz' V.) 01. 3 —
— s.: Breusing's naut. Gesch.
— Auf z. Südpol! 45 Jahre Wirkens z. Förderg d. Erforschg d. Südpolar-Region 1855—1900. (485 m. 5 Kart. u. 2 Portr.) 4° Berl., Vita 01. geb. nn 13 —
Neumayer, H: Berufswahl u. körperl. Anlagen, s.: Hahn, M.
— Hygiene d. Nase, d. Rachens u. Kehlkopfes, s.: Bibliothek d. Gesundheitspflege.
Neumayer, L: Die Entwicklg d.Darmkanales, v.Lunge, Leber, Milz u. Pankreas bei Ceratodus Forsteri, s.: Denkschriften d. medic.-naturwiss. Gesellsch. zu Jena.

Neumayer, L: Die Korprolithen d. Perms v. Texas. [S.-A.]
(8 m. 1 Taf.) 4° Stuttg., E Schweizerbart 04. 2.50
Neumayer, VL: Die intraperitoneale Cholerainfektion bei Salamandra maculosa. Beitrag z. Kenntnis d. Phagocytose u. Immunitätsreaktion. [S.-A.] (26 m. 3 Taf.) 8° Wien, (A Hölder)
04. 1.10
Neumeister, A: ModerneFassaden. Preisgekrönte, angekaufteu.
ausgew. Entwürfe a. d. Wettbewerbe Seemann & Co., Leipzig.
2 Abtlgn. Fol. Lpzg, Seemann & Co. In M. je 36 —
1. 10-Meter-Fassaden. (45 s. Tl farb. Taf. m. 5 S. Text.) (01.)
II. 12- u. 16-Meter-Fassaden. (45 s. Tl farb. Taf. m. 6 S. Text.) (02.)
— dass,. s.: Fassaden, moderne.
— Deut. Konkurrenzen. XII. Bd, 4—12. Heft; XIII—XVIII. Bd
je 12 Hefte u. XIX. Bd, 1—7. Heft. Nr. 136—223. (Mit Abb.)
8° Lpzg, Seemann & Co. Einzelpr. je 1.80;
Subskr.-Pr. m. Beibl.: Konkurrenz-Nachrichten je 1.25
XII. 4. Ev. Kirche d. Dreifaltigkeitsgemeinde in Hannover. (32) 01. |
5.|Bade-Anst. f. Gelsenkirchen. (31) 01. | 6. Gymnasium f. Zehlendorff. (36) 01. | 7. Ev. Kirche f. Leipzig. (31) 01. | 8. Kreishaus f.
Arnsberg. (32) 01. | 9. Häuserblock in Bremen. (32) 01. | 10. Ev.
Kirchou f. Mannheim u. Zehlendorf. (32) 01. | 11.12. Volksbank f.
Mainz. (59) 01.
XIII. 1. Bebaug d. Thomaskirchhofs in Leipzig (39) 01. | 2.3. Rathaus
f. Dresden. (56) (01.) | 4. Bibliothek f. Cassel. (36) 01. | 5. Dienstgebäude f. d. Kreishauptmannsch. u. Amtshauptmannsch. in
Chemnitz. (35) 01. | 6. Siechenhaus f Rokittnitz. (39) 01. | 7.8.
Stadtparkhalle f. Remscheid. (64) 03. | 9.10. Rathaus u. Töchtersch.
f. Wilmersdorf. (56) 02. | 11. Töchtersch. f. Regensburg. (32) 02.
| 12. Beamtenwohnhäuser f. Hannover. (31) 02.
XIV. 1.2. Arbeiterwohng d. deut. Solvay-Werke in Befuburg. (56) 02.
| 3. Katbol. Kirche f. Bonn s/Rh. — Ev. Kirche f. Frankfurt s/M.
(32) 02. | 4. Hospital u. Wohnhäusef f. Cöthen. (31) 02. | 5. Museum
f. Münster. (32) 02. | 6. Sparkasse f. Elberfeld/wen. (31) 02. | 7.
Rathaus f. Hamborn. (32) 02. | 8. Töchtersch. f. Giessen. (32) 02.
| 9. Volksbank f. Koblenz. (32) 02. | 10. Gymnasium f. Bremen.
(31) 02. | 11.12. Bahnhofsempfangsgebäude f. Metz. (34) 02.
XV. 1. Damenstift in Horueff. (32) 02. | 2. Realvollanst. f. Bremen.
(31) 02. | 3.4. Rathaus f. Kassel. (64) 02. | 5. Pflegerinnenheim f.
Mains. (32) 03. | 6. Schwimmbad f. Pforzheim. (32) 03. | 7. Ev.-luth.
Kirche, Betaasl u. Pfarrhaus f. Dresden-Stiescon. (31) 03. | 8. 8.9.
Kollegiengebäude f. Freiburg i. B. (64) 03. | 10. Töchtersch. f.
Essen. (32) 03. | 11. Rathaus f. Eberswalde. (32) 03. | 12. Ev.
Kirche f. Münster am Stein. (32) 03.
XVI. 1. Landeshaus f. Wiesbaden. (32) 03. | 2. Bugenhagenkirche f.
Stettin. (32) 03. | 3. Krankenhaus f. Recklinghausen. (39) 03. | 4. Rathaus f. Ober-Schöneweide. (32) 03. | 5. Töchtersch. f. Emden. (32)
03. | 6. Realgymnasien f. Koblenz. (32) 04. | 7.8. Rathaus f. Dresden. II. Wettbewerb. 1. u. 2. Heft. (44 u. 29) 04. | 9. Töchtersch.
f. Esslingen. (32) 04. | 10. Fassaden f Frankfurt s. M. (32) 04. | 11.
11.12. Handelshochsch. f. Köln. (63) 04.
XVII. 1. Reformierte Obernewstädter Kirche u. Ev. Kirche f. Kassel. (32)
04. | 2.3. Justizgebäude f. Mainz. (64) 04. | 4. Friedhofanlage f.
Lahr. (31) 04. | 5.6. Rathaus f. Kiel. (64) 04. | 7. Festhalle f. Landau. (32) 04. | 8.9. Stadthaus f. Bremen. (64) 04. | 10. Waisenhaus f.
Dresden. (32) 04. | 11. Salvatorkirche f. Breslau. (32) 04. | 12. Gymnasium f. Rheine. (31) 04.
XVIII. 1. Albeital- u. Beamtenhäuser f. Eschweiler. 1. Tl. (32) 05. | 2.
Moofbad f. Schleis. (32) 05. | 3. Knappschaftslazarett f. Waldenburg. (32) 05. | 4.5. Albeital- u. Beamtenhäuser f. Eschweiler.
2. Tl. (39) 05. | 6. Friedhofahalle f. Minden i. W. (31) 05. | 7. Luther-kirche f. Chemnitz. (36) 05. | 8. Synagoge f. Frankfurt s. M. (32)
05. | 9.10. Bahnhofs-Empfangsgebäude f. Karlsruhe. (65) 05. | 11.12.
Hypothekenbank f. Darmstadt. (64) 05.
XIX. 1. Lutherhaus f. Planen i. V. (32) 05. | 2 Ev. Kirchen f. Horburg
u. Kronenburg. (32) 05. | 3.4. Häuserblock am Kaiser Wilhelmplatz in Bremen. (60) 05. | 5. Sparkasse f. Altenkirchen. (31) 05.
| 6. Realgymnasium f. Boxhagen-Rummelsburg. (32) 05. | 7. Gewerbehaus f. Metz. (34) 05.
— dass. 6—15. Ergänzgsheft. (Mit Abb.) 8° Ebd.
Subskr.-Pr. je 1.25; Einzelpr. je 1.80
6. Türme. (25) (01.) | 7. Giebel. (26) (01.) | 8. Thürme u. Giebel. (26)
01. | 9. Erker. (27) 02. | 10. Fassadenteile. (27) 02. | 11. Giebel u. Türme.
(26) 03. | 12. Wettbewerb. (34) 04. | 12. Giebel. (27) 04. | 13.14.
Säle. (27 u. 26) 04.05. | 15. Giebel. (25) 05.
— Moderne Villen. Ausgew. Entwürfe d. Wettbewerbs Villen
d. Heimstätten-A.-G. Berlin. (108 m. z. Tl farb. Abb.) 8° Ebd.
(01). 7.50
— u. E Häberle: Deut. Konkurrenzen. Beamten- u. Arbeiterwohnhäuser. (Zusammengest. a. Bd I, VII, X—XIV u. XVII.)
12 Hefte. 8° Ebd. 1892-1905. In L.-Kart. 18 —
— — dass. Kirchen. (Zusammengest. a. Bd II—IV, VI, VIII—
XII u. XIV—XVII.) 20 Hefte. 8° Ebd. 1894-1904. In L.-Kart. 20 —
— — dass Rathäuser. I. u. II. Serie. Je 12 Hefte. 8° Ebd. —
In L.-Kart. je 16 —
I. Für Städte üb. 100,000 Einwohner. (Zusammengest. a. Bd III, V—VIII
u. XIII.) 1894-1901. | II. Für Städte unter 100,000 Einwohner. (Zusammengest. a. Bd III, V, VI, IX, X, XII, XV u. XVI.) 1894-1905.
— — dass. Rathäuser. (Zusammengest. a. Bd I, III, V—VIII,
XIII u. XVI.) 20 Hefte. 8° Ebd. 1892-1905. In L.-Kart. 20 —
— — dass. Schulgebäude. (Zusammengest. a. Bd II, IV, VII
u. XIII—XVI.) 12 Hefte. 8° Ebd. 1893-1903. In L.-Kart. 16 —
— Neubauten. Sammlg neuerer ausgeführter Bauten zeitgenöss. Architekten: Wohn-u.Geschäftshäuser,Villen, öffentl.
Gebäude aller Art, heftweise nach Gebäudegattgn zusammengest. u. hrsg. v. B Kossmann. 7. u. 8. Bd je 12 Hefte. (7. Bd.
1—11. Heft je etwa 31 S. m. Abb.) 8° Ebd. 1900-03. || 9. Bd.
1—4. Heft. 03. Subskr.-Pr. je 1.25; Einzelpr. 1a. 80 à 5 ö F
Neumeister, G: Lieder u. Gedichte. (71) 8° Lpzg, F Luckhardt
09. 2 — d
Neumeister, M: Forstl. Cubirgstaf. s.: Pressler, MR.
— Die Forsteinrichtg, s.: Judeich, Fl.
— s.: Forst- u. Jagd-Kalender.
— Waldbüchl., s.: Willkomm, M.
Neumeister, P: Die Alluvial- u. Diluvialablagergn d. Regnitz-

tales südlich Erlangen. (126 m. Abb. u. 10 farb. Taf.) 8° Bambg,
Handels-Dr. u. Verlagsh. 05. nn 6 —
Neumeister, R: Betrachtgn üb. d. Wesen d. Lebenserscheingn.
· Beitrag z. Begriff d. Protoplasmas. (107) 8° Jena, G Fischer
03. 2 —
Neumeister, R: Erinnergn e. Diaspora-Geistlichen. (286 m.Abb.
u. Bildnis.) 8° Potsd., E Stein (01). (5 —) 3 —; geb. (6.50) 4.50
— Der v. St. Paulus verkünd. „unbekannte" u. doch.bekannte
Gott. (Apg. 17, 23—28.) Eine scheinbar pantheist., im Wesen
jedoch christlich-theist. Idee. (37) 8° Ebd. 01. 1 — d
— s.: Schatzkästlein, e., f. d. christl. Haus.
Neumeyer, K: Die gemeinrechtl. Entwickelg d. internat. Privatu. Strafrechte bis Bartolus. 1. Stück: Die Geltg d. Stammesrechte in Italien. (313) 8° Münch., J Schweitzer V. 01. 8 —
Neumiller, J: CPO. f. d. Deut. Reich. In d. Fassg d. R.-G. v.
17.V.1898 n. d. Bekanntmachg v. 20.V.1898. Handausg. m. Erläutergn unter bes. Berücks. d. bayer. Gesetzgebg u. Rechtspflege, nebste.Anh., enth. d. Gerichtsverfassgsges., d. Kostenges., u. sonst. wicht. Nebenges. 4 Lfgn. (705) 8° Münch.,
J Schweitzer V. 02.03. 15.50; Hf. 18 — d
Neuner, A: Abendstern. Gebetb. f. ält. Katholiken. (695 m. Abb.
u. 1 St.) 16° Einsied., Verl.-Anst. Benziger & Co. 03. L. 1.60
u. 1.80; Ldr m. G. 1.90 u. 3 — d
— Gott mein Trost. Katbol. Gebetb. (640 m. 1 St.) 16° Ebd. 04.
L. 1.20; m. G. 1.50 d
— Gottesdienst, s.: Moser, K.
Neuner, E: Rentier Pamperl, d. eingebild. Kranke od. Die
Dummen werden nicht alle, s.: Theater, kl.
Neuner-Prechtl: In's Stubai. Wegweiser. (35 m. 36 Vollbildern u. 1 Kart.) 16° Innsbr., Wagner (04). 1 —
— Zillertal du bist mei' Freud! Wegweiser f. Einheimische u.
Fremde. (76 m. Abb.) 8° Ebd. (05). 1 —; m. Karte 2 —
Neunzig, K: Hdb. f. Vogelliebhaber. — Der Wellensittich, s.:
Russ, K.
— s.: Welt, d. gefiederte.
Neu-Österreich! Von Austriacus. (119 m. 5 Beil.) 8° Dresd., E
Pierson 04. 2.50
Neupert sen., A: Planen i. V. Führer. (104 m. Abb., 1 Pl. u.
1 Karte.) 8° Plauen, (R Neupert jr.) (01). Kart. 1 — d
Neupert, K: Was fehlt d. Menschen noch z. Flug? (15) 8° Bambg,
WE Hepple 05. 50
Neuphilologen-Vademecum. 1. Bd. 1905. (208) 8° Halle, H Hellmers 05. L. 8 —
Neurath, K: Herzensklänge. Lyr. Gedichte. (142) 8° Dresd., E
Pierson 02. 2 —; geb. 3 —
— s.: Musen-Almanach, hess.
Neurath, R: Die nervösen Komplikationen u. Nachkrankh. d.
Keuchhustens. [S.-A.] (120) 8° Wien, F Deuticke 04. 3 —
Neurath, W: Elemente d. Volkswirtschaftslehre. 4. Aufl. (358)
8° Lpzg, GA Gloeckner 03. 4.50; geb. nn 5 — d
— Gemeinverständl. national-ökonom. Vorträge. Geschichtl.
u. letzte eig. Forschgn. Hrsg. v. EO v. Lippmann. (308) 8°
Brnschw., F Vieweg & S. 02. 3.60; L. nn 4.50 d
Neureiter, F: Die Verteilg d. elektr. Energie. 2. Aufl. (276 m.
Fig.) 8° Lpzg, O Leiner 03. 9 —; L. 10 —
Neureuter, F: Auf d. Fuchsjagd. — Die Wandergn d. Pfauzen, s.: Ausgabl u. Volksbibliothek, naturwiss.
Neusalz, RA: Neustadt a. O. u. Beobachtg z. gestirnten
Himmels u. sr Bewegan. 7. Aufl. (83 m. Abb.) 8° Frankf. a/M,
Deut. Lehrmittel-Anst. Kart.— 80 d
Neuschäfer, G: Rechenb. als Grundl. f. d. Kopfrechnen in Seminarien, s.: Brunner, A.
Neuschäfer, H: Frankfurter Leseb. f. Fortbildgssch. Unter
Mitwirkg v. A Dilcher, F Jaeger, C Preusser u. H Schmitz
bearb. (484) 8° Frankf. a/M., M Diesterweg 02. Geb. nn 2.20 d
— Leseb. f. Fortbildgssch im Main-, Rhein- u. Lahngeb. Unter
Mitwirkg v. A Dilcher, C Preusser u. H Schmitz. 1. u. 2. Aufl.
(376 bezw. 384) 8° Ebd. 04.05. Geb. nn 1.80 d
— Rechenb. f. Metallarbeiterklassen, s.: Guckes, W.
Neuse, G: Das erste Mittagessen. — Versuchsweise, s.: Liebhaber-Theater.
Neuse, R: Die Brit. Inseln als Wirtschaftsgeb., s.: Geographie, angewandte.
— Landeskde d. Brit. Inseln. (163 m. Abb. u. 8 Taf.) 8° Bresl.
03, Lpzg, GJ Göschen. (4.—) 1.80; geb. (4.60) 2.50 II Neue [Tit.-]
Ausg. Lpzg (05). 1.80; geb. 2.50
Neusee, MV: Kurzer Abriss d. Kunstgesch. 3. Aufl. (196) 8°
Innsbr., H Schwick 05. L.—5 Tl.
— Deut. Leseb. f. österr. Privat-Mädchenbürgersch. 1—8. Tl.
3. Afl. 8° Ebd. Geb. 6.90 d
1. (314) 04. 2 — || 2. (363) 04. 2.40 || 3. (406 m. Titelbild.) 05. 7.50.
Neusel, O: Geschichten e. Zigeuners. (83) 8° Dresd., E Piorson 04. 1.50; geb. 2.50 d
Neuss, C, u. J Kaiser: Chronik d. Wiener ev. Gemeinde Augsburger Bekenntnisses v. Zeitpunkte ihrer Entstehg bis auf
d. Gegenwart. 1781—1863 v. N. Fortgesetzt v. J. 1864—1905
v. K. (115) 8° Wien, T Daberkow 04. 1.50 d
Neusser, E: Angew. Kapitel d. klin. Symptomatol. u. Diagnostik. (168 m. Abb.) 8° Wien, W Braumüller. 2.40
1. Bradycardie. — Tachycardie. (94) 04. 1.40 || 2. Angina pectoris. (51—
84) 04. 1 —
**Neustadt an d. Orla m. sr näh. u. ferneren Umgebg. Führer
v. HW. (46 m. Abb.) 8° Neust. a. d. Orla, Hartel 04. 1 —
Neustadtel, A: Die allg. Wechselsiordng, in kurze Verse u. theil-

weise auch in Reime gebracht. (54) 8° Eger, J Kobrtsch & Gschihay 02.   2 —
Neustätter, O: Die Reform d. Frauenkleidg auf gesundheitl. Grundl. (111 m. Abb. u. 1 Taf.) 8° Münch., Dr. FP Datterer & Co. (03).   2 —
Neutralitätserlasse 1854—1904, s.: Marine-Rundschau.
Neuweiler, E: Die prähistor. Pflanzenreste Mitteleuropas m. bes. Berücks. d. schweiz. Funde, s.: Exkursionen, botan.. u. pflanzengeograph. Studien in d. Schweiz.
Neuwirth, J: Cistercienserkunst in Österr. während d. M.-A. Rektoratsrede. (35) 8° Wien, (Gerold & Co.) 03.   1 —
— Gesch. d. Baukunst, s.: Borrmann, R.
— Hdb. d. Kunstgesch., s.: Springer, A.
— Die Stellg Wiens in d. baugeschichtl. Entwicklg Mitteleuropas. Vortr. (20) 8° Wien, (Gerold & Co.) 03.   1.20
— Adalb. Stifter u. d. bild. Kunst, s.: Sammlung gemeinnütz. Vorträge.
Neuwirth, L: Zur Frage d. Erforschg d. Umfanges d. Arbeitslosigk., s.: Veröffentlichungen d. statist. Seminars d. Univ. Graz.
Neuzeit, die. Ausgeführte Entwürfe d. neueren Zeit. (Hrsg.: O Listemann.) Künstler. Leiter: F Drechsler. 1. Abtlg. 4 Lfgn. (100 Lichtdr. m. 6 S. Text.) 45×33,5 cm. Lpzg, Baumgärtner 02.03.   Je 10 —; in L.-M. 40 —
Neuzeit, KE: Mechanik d. Aethers. Geg. d. Irrlehren d. Copernicus u. d. materialist. Weltanschaug. (31 m. 1 Taf.) 8° Lpzg, (R Uhlig) (01).   80
— Die Schöpfg od. d. Walten d. Natur. (207) 8° Ebd. 01. 3 —
Neve, J: Deut. Fibel. 1. Tl. Für d. Schreib- u. Lese-Unterr. n. d. Schreiblesemethode bearb. 64. Afl. (72) 8° Friedrichsh.-Berl., MC Neve (03).   Geb. nn — 50 d
— Rechenbuch. Heft I—IV u. V A. 8° Neubrandenbg, C Brünslow.   nn 1.05 d
   I. 12. Afl. (32) 06. — 80 ‖ II. 12. Afl. (32) 04. — 20 ‖ III. 11. Afl. (36) 04. — 20 ‖ IV. 11. Afl. (40) 04. — 20 ‖ V A. 2. Afl. (53) 04. nn — 25.
Neve, JL: Das Amt, das d. Versöhng predigt. 3 Ordinationspredigten. (36) 8° Burlington (02). (Lpzg, HG Wallmann.) — 30 d
— Charakterzüge d. amerikan. Volkes. (93) 8° Lpzg, (HG Wallmann) (09).   1 — d
— Die Freikirche im Vergl. m. d. Staatskirche. (57) 8° Burlington (01). (Lpzg, HG Wallmann.)   — 80 d
— Kurzgef. Gesch. d. luther. Kirche Amerikas. (205) 8° Ebd. 04.   L. 3 — d
— Ist zw. d. Unierten Amerikas u. d. Landeskirche Preussens wirklich kein Unterschied? (S.-A.) (27) 8° Ebd. (02). — 30 d
Neveérel, A: Ein Mahnruf z. Reform d. Ehescheidgsrechtes. [S.-A.] Ergänzt durch e. Wiedergabe d. Gesetzesstextes a. d. deut., französ., rumän. u. ungar. Rechte, sowie a. d. schweiz. Zivilgesetzentwurfe. (43) 8° Czernow., (R Schally) 04.   — 50
— s.: Richter-Zeitung, österr.
Nevermann s.: Veröffentlichungen a. d. Jahres-Veterinär-Berichten d. beamt. Tierärzte Preussens.
Nevole, J: Vegetationsverhältn. d. Ötscher- u. Dürrensteingeb. in Niederösterr., s.: Abhandlungen d. k. k. zool.-botan. Gesellsch. in Wien.
Nevole, M, s.: Zeitschrift f. Zuckerindustrie in Böhmen.
Nevolus, BE, s.: Wie wird man schnell reich?
Newberry, PE: The tomb of Thoutmôsis IV, s.: Carter, H.
Newbery, FH, s.: Ausstellung, I. internat., f. moderne dekorative Kunst in Turin.
Newcomb-Engelmann's populäre Astronomie. 3. Afl. v. HC Vogel. (748 m. Abb. u. 12 Taf.) 8° Lpzg, W Engelmann 05.   L. 18 —
— Taschenwörterbücher u. Sprachführer, prakt.
— Engl. Sprachführer, s.: Sprachführer, kl.
Newest, T: Einige Weltprobleme. 1. u. 2. Tl. 8° Wien, C Konegen.   2.75
   1. Die Gravitationslehre ... e. Irrtum! (98) 06. 1.25 ‖ 2. Geg. d. Wahrvorstellg v. beissen Eřdinnern. 1—5. Taus. (91) 06. 1.50.
Newton, I, s.: Optik, meteorolog.
Nexö s.: Andersen-Nexö.
Ney, C: Das deut. Wechselrecht m. erläut. Formularen. 3. Afl. m. d. Text d. allg. deut. Wechselordng. (339) 8° Berl., H Bahr, V. 01.   4.50; geb. 5 — d
Ney, C: Sammlg leicht ausführbarer Theaterstücke ernsten u. laun. Inhalts, z. Gebr. f. gesell. Kreise, namentlich kathol. Gesellen-Ver. 3., 5., 13., 14., 17—21., 24., 26. u. 34. Heft. 12° Paderb., F Schöningh.   4.05 d
   3. Die Zaubernuss. Vaterländ. Schausp. 8. Afl. (32) (02.) — 50
   5. Im Dachstübchen. Weihnachtsbild. 11. Afl. (31) (04.) — 30
   13. Der dumme August. Posse. 11. Afl. (24) (05.) — 25
   14. Er betet. Schausp. 4. Afl. (44) (03.) — 30
   17. Der Herr Direktor. Schwank. 9. Afl. (24) (05.) — 25
   18. Der Mohr v. Venedig. Bufleske. 3. Afl. (24) (02.) — 25
   19. Der Vetter v. Lande. Schwank. 4. Afl. (34) (04.) — 30
   20. Das Landhaus an d. Heerstrasse. Schwank u. Kotzebue. (Umarb. 9. Afl.) (26) (05.) — 25
   21. Sie kümmt! Posse. 6. Afl. (32) (01.) — 30
   24. Thomas Morus. Histor. Trauersp. 4. Afl. (72) (04.) — 50
   26. Inkognito. Bufleske. 7. Afl. (28) (02.) — 30
   34. Pech-Peter. Anekdotenposse. 3. Afl. (28) (02.) — 30
Ney, CE: Forstl. Dummheiten. Basspredigt f. uns. Grünrocks. (287) 8° Neud., J Neumann (01).   4 —; L. 5 — d
— Reimereiog d. alten Grünrocks a. d. Pfalz. 3. Folge. Hochdeutsch u. in mein. Mundart. (255) 8° Strassbg, KJ Trübner 03.   2 — (1—4.: 8 —; Einbde in L. je — 50) d

Ney, F v.: Anl. z. Erlerng d. ungar. Sprache f. d. Schul- u. Privatunterr. (HG Ollendorff's Methode.) 27. Afl. (512) 8° Budap., R Lampel 03. Geb. 3.75; Schlüssel. (66) 1897. Kart. — 80 d
Ney, O: Bilder a. d. ev. Kirche Lothringens. Vortr. (14) 8° Lpzg, (C Braun) 04.   nn — 10 d
— Das Evangelium in d. Diaspora d. In- u. Ausl., s.: Geest, F.
Neye, L: Die Ackerbaulehre. 3. Afl. (236 m. Abb.) 8° Hildesh., H Olms 01. Geb. nn 2.40 ‖ 4. Afl. (247 m. Abb. u. 1 Karte.) 8° Ebd. nn 2.50 d
— Die Pflanzenbaulehre. (176 m. 10 farb. Taf.) 8° Ebd. 03.   Geb. nn 2.50 d
Nibelunge, die. (Schrift, [farb.] Vollbilder u. Buchschmuck v. J Sattler. Text d. Hohenems-Münch. Handschrift A d. Nibelungenliedes n. d. Ausg. v. K Lachmann.) Hrsg. v. d. Reichsdruckerei. (315) 57×40 cm. Berl., JA Stargardt 04. Auf holländ. Büttenpap. in Kart. nn 450 —; L. nn 480 —; Ldr nn 495 —; auf japan. Pap. nn 600 —; L. nn 630 —; Ldr nn 645 —; auf Perg. nn 2500 —
— s.: Nibel. in Ausw., hrsg. v. W Golther, s.: Sammlung Göschen.
— d., Noth u. d. Klage. Nach d. ält. Überliefrg hrsg. v. K Lachmann. 12. Abdr. d. Textes. (297) 8° Berl., G Reimer 01.   1.50; geb. 1.80
Nibelungenlied, das. Schul-Ausg. m. e. Wrtrb. v. K Bartsch. 5. Afl. (299) 8° Lpzg, FA Brockhaus 05.   2 —; geb. nn 2.50
— das. Nach d. Lachmannschen Handschrift A im Ausz. m. Wrtrverz., erläut. Anmerkgn u. e. kurzen Grammatik d. Mhd. hrsg. v. Bieger. (39, 199) 8° Lpzg, OR Reisland 04.   1.60; geb. 2 —
— das. Neu übertr. v. G Legerlotz. 2. [Tit.-]Afl. (226) 8° Bielef., Velhagen & Kl. [1892] (05).   Geb. 3 — d
— d., übers. v. K Simrock. 56. Afl. (38, 384 m. 1 Bildnis.) 8° Stuttg., JG Cotta Nf. 02.   (3.50) 2.40; L. (4.50) 3 — d
— das. (Übersetzg in d. Handschrift A.) Ausw. Für d. Schulgebr. hrsg. v. O Henke. 3. Afl. (183) 8° Lpzg, G Freytag. — Geb. 1 — d
— dass., neu übertr. v. K Rehorn, s.: Meisterwerke d. deut. Litt.
— d., in Ausw. m. verbind. Texte, s.: Schöningh's Textausg. alter u. neuer Schriftsteller.
— das. Nach d. ältesten Überliefrg u. d. entsprech. Abschnitten d. Weisungensage, erläut. v. G Bötticher u. K Kinzel, s.: Denkmäler d. ält. deut. Lit.
— dass., übertr. u. hrsg. v. G Legerlotz, s.: Velhagen & Klasing's Sammlg deut. Schulausg.
— d., in d. ält. Gestalt. A Holtzmann's Schulausg. m. Wrtrb. neu bearb. v. A Holder. 4. Afl. (376) 12° Stuttg., JB Metzler 01.   2 — d
— dass. In d. Oktave nachgedichtet v. A Schroeter. 2. Afl. (24, 259) 12° Berl. 02. Jena, H Costenoble.   3 —; L. nn 4 — d
— u. Gudrun. Nach mhd. Übersetzgn im Ausz. f. höh. Mädchensch. bearb. v. K Wacker. 1—3. Afl. (116) 8° Münst., H Schöningh 01-05.   1.60 d
— übertr. u. hrsg. v. G Legerlotz, s.: Velhagen & Klasing's Sammlg deut. Schulausg.
Nibler, A: Kurzer, prakt. Braut-Unterr. 3. Afl. (116) 12° Kempt., J Kösel 04.   60; L. — 90 d
Niborn, R: Sage u. Sein v. Deut. Reich. Vaterländ. Schausp. (3) 8° Lpzg, Moderner Verl.-Bureau 04.   — d
Nicholson, JS: Thoth. — Toxar, s.: Bibliothek d. Gesamtlitt.
— Not Oberleitg od. Akkumulatorenbetrieb, sondern Oberleitg od. unterird. Stromzuführg d. Strassenb. im Innern d. Stadt Hannover, v. EW. (12) 8° Lpzg, Hachmeister & Th. 01. — 50 d
— rasten n. nicht rosten! Jahrb. d. Scheffelbundes f. 1899, 1900, '02 u. '04. Geleitet v. O Pach. (Mit Abb. u. je 1 Taf.) 8° Wien (XII, Franzenheimg.sse 3), Scheffelbund-Verl.   L. 14 — d
   1899. (12) 1900. 8.— Vergr. ‖ 1900. (225) (01.) 4 —; ‖ N.F. (Für '02.) (164) 02. 5 —; ‖ '04. (192) 05. 4 —
Nichtsmutz, Bürschchen, s.: Erzählungen a. d. Unterhaltsgbl. f. Stenogr. (Stolze-Schrey).
Nick: Instruktion üb. Korporalschaftsführg., s.: Sasse.
— Der gute Kamerad, s.: Klass, v.
— s.: Taschen-Kalender f. d. Einj.-Freiwill. d. Infant.
Nick, F, s.: Haupt-Register z. Regiergs-Bl. f. d. Kgr. Württemberg.
Nick, G: Capitola, s.: Veltheim, H v.
Nick, W: Aus sturmbewegter Heldenzeit, s.: Macke, K.
Nick, W: Die bibl. Gesch. alten u. neuen Test. in ausgeführten Katechesen, f. d. Oberst. bearb. 2 Tle. 8° Bresl., C Dülfer.   5.60; Einbde in L. je — 60; in 1 HF.-Bd nn 6.50 d
   1. Altes Test. (238) 01. 2.40 ‖ 2. Neues Test. (327) 02. 3.20.
Nickel: Die Gesundheitspflege auf d. Lande, s.: Veröffentlichungen d. deut. Ver. f. Volks-Hygiene.
Nickel, AF: Am fremden Joch, Jünger Jesu Christi?, s.: Predigt-Hausschatz, ev.
Nickel, W: Ausgeführte Kalkulationen, s.: Hardt, H.
Nickenday, T: Der perfekte Konditor. (52 u. 22 m. Abb.) 8° Freibg (Hdt.) (05). (Lpzg, F Schneider.)   3 — d
Nicklas, C, s.: Martha-Kalender. — Volksbote, d. deut.
Nicklas, J: Abriss d. deut. Grammatik in Beisp. 3. Tl. (Lehrstoff d. 3. Klasse.) 3. Afl. Anh. z. 3. Tle d. deut. Leseb. v. Zettel-Nicklas. (37) 8° Münch., J Lindauer 02.   — 30 d
— dass. 5. Afl. (94) 8° Ebd. 06.   nn — 70; kart. nn — 90 m. erklär. Anh. f. d. 19. u. 191 Kart. 1 —; Anh. allein — 30 d
— Deut. Leseb. f. höh. Lehranst., s.: Zettel, K.
Nicklès, C: La chartreuse du val Ste Marguerite à Bâle. (360

m. 18 Taf.) 8° Porrentruy 03. (Bas., Basler Buch- u. Antiquariatsh. vorm. A Geering.) 6 —
Nicklisch, H: Handelsbilanz u. Wirtschaftsbilanz. (131 m. 2 graph. Taf.) 8° Tüb., (W Kloeres) 03. 3 —
Nickol, J: Till Eulenspiegel's Streiche, s.: Jungbrunnen-Bücherei.
Nicoladoni, A: Zur Verfassgs- u. Verwaltgsgesch. d. österr. Herzogthümer m. bes. Berücks. Oberösterr. L M.-A. (125) 8° Linz a/D., Museum Francisco-Carolinum (1901). (Nur dir.) — 50; Fortsetzg (1903). (126—227) — 85; Fortsetzg (1905). (151—527) 1 —
Nicoladoni, C: Anatomie u. Mechanismus d. Skoliose, s.: Bibliotheca medica.
Nicolai s. a.: Scharling, H.
— Meine Frau u. ich, s.: Bibliothek d. Gesamtlitt.
— Jövik. Erzählg. Ushers. v. G Johanns. (367) 8° Schwer., F Bahn 05. 4 —; geb. 5 — d
— Zur Neujahrszeit im Pastorat zu Nöddebo. Erzählg. Aus d. Dän. v. PJ Willatzen. Volksausg. 6—10. Taus. (203) 8° Lpzg, M Heinsius Nf. 01. 1.50; L. 2 — d
— dass. Meine Frau u. ich. 2 Erzählgn. Aus d. Dän. v. PJ Willatzen. 2 Bde. (374 u. 336 m. Abb.) 8° Ebd. (02). Je 4 —; geb. je 5 —; auch in 12 Lfgn zu — 45 d
Nicolai, A: Takt. Briefe an e. jungen Kameraden. (382 m. Abb. u. 2 Taf.) 8° Berl., R Eisenschmidt 05. 5.60; geb. 6.80 d
— Die Feldkunde u. militär. Gelände-Darstellg. 7. Afl. v. Kossmann, d. Terrainlehre, Terraindarstellg u. d. militär. Aufnehmen. (256 m. Abb.) 8° Potsd. (04). Berl., R Eisenschmidt. 5 —; geb. 6 —
— Der Infant.-Leutnant im Felde. (270 m. Abb.) 8° Berl., R Eisenschmidt 06. Kart. 3 — d
Nicolai, B: Gallerie berühmter Frauen. 1—3. Heft. 12° Berl. (01). Nowawes-Neuendf., G Goldstein. Je — 20 d
1. Sibylle v. Neitschütz, Gräfin v. Rochlitz. — Aufors, Gräfin v. Königsmark. (50) 2. Röm. Kaiserfrauen. 1. Drusilla Livia Augusta, Gemahlin d. Cäsar Augustus. — II. Julia I u. II. (94 m. 1 Taf.) 3. Frauen d. französ. Revolution: I. Madame Roland. II. Madame Tallien (Therese Cabarus). (63)
Nicolai, C: Das Buch d. Frau, s.: Kratz, T.
Nicolai, HF: Der Kaffee u. s. Ersatzmittel. [S.-A.] (93 m. Kurven.) 8° Brnschw., F Vieweg & S. 01. 2 —
Nicolai, OFO: Der kl. Katechismus Luthers. Mit kurzen Erläutergu u. e. Ausw. v. Bibelsprüchen. 12. Afl. (111) 8° Weim., H Böhlau's Nf. 05. nn — 45 d
— dass. Sep.-Ausg. f. Gymnasien u. and. höh. Schulen. 3. Afl. (158) 8° Ebd. 02. Geb. nn 1 — d
Nicolaides, C: Macedonien. Die geschichtl. Entwicklg d. macedon. Frage im Altertum, im M.-A. u. in d. neueren Zeit. Neue [Tit.-]Ausg. (201 m. 1 Karte.) 8° Berl., S Calvary & Co. [1899] 03. 4 —
— Die neueste Phase d. macedon. Frage. Eine Kulturaufg. d. Gegenwart im Spiegel d. Vergangenh. u. Zukunft. (66) 8° Ebd. 03. 1 —
Nicolaier s.: Psychiatrie etc.
Nicolas, M: Nouv. grammaire allemande. — Lectures allemandes, s.: Otto, E.
Nicolaus, C: Pilatus. Drama. (53) 8° Stuttg., Strecker & Schr. 04. 1 —; geb. 1.80
Nicolaus, F, s.: Wechselordnung, d. russ.
Nicolaus, M, s.: Runze, FW.
Nicolay, W: Elementarb. d. französ. Sprache f. Handels- u. kaufmänn. Fortbildgssch. (183) 8° Wiesb. 01. Lpzg, O Nemnich. II 2. u. 3. Afl. (187) 03.04. Geb. je 2.50 II 4. u. 5. Afl. (200) 05. Geb. 2.90
Nicolin, E: Anl. z. Schnittzeichnen u. Zuschneiden d. wichtigsten Wäschegegenstände, f. d. Bedürfnisse d. allg. Volks- u. Bürgersch. f. Mädchen zusammengest. 39—46. Afl. (32) 4° Wien, A Pichler's Wwe & S. 04. — 40
Nicolle, M: Grundz. d. allg. Mikrobiol. Deutsch v. H Dünschmann. (305 m. Fig.) 8° Berl., A Hirschwald 01. 5 —
Nicolson, JT: Zylinderkondensation u. Lässigkeitsverluste, s.: Gerbel, M.
Nida, CA v.: Kurzer Lehrg. d. geraden Parallelprojektion u. Axonometrie f. Gewerbe- u. Fortbildgssch. sowie z. Selbstunterr. (40 m. Fig. u. 51 L.) 8° Stade, A Pockwitz 01. 2 — d
Nidlef s.: Ellison Edler v. Nidlef.
Niebecker, T: Dent. Sprachsch. Übgn f. richt. Sprechen u. Schreiben, Ausg. f. Lehrer. (154) 8° Arnsbg, J Stahl 05. Geb. 2 — d
— dass. Ausg. f. Schüler. 3 Hefte. 8° Ebd. 05. — 80 d
I. 3. u. 4. Jahrg. 7. Afl. (32) — 20 § II. 5. u. 6. Jahrg. od. 5—8. Jahrg. (50) — 30 § III. 7. u. 8. Jahrg. (44) — 30.
Niebelschütz, S v.: Den Aufrichtigen lässt Gott es gelingen, s.: Goldkörner.
— Das arme Bärbel. 2 Weihnachtsabende. 2 Erzählgn f. d. Jugend. Neue Ausg. (87 m. 4 Farbdr.) 8° Reutl., Ensslin & L. (01). Geb. — 50 d
— Der erste Christbaum. Der alte Birnbaum. 2 Erzählgn f. d. Jugend. Neue Ausg. (94 m. 4 Farbdr.) 8° Ebd. (01). Geb. —50 d
— dass. Das arme Bärbel. 2 Weihnachtsabende. 2 Erzählgn f. d. Jugend. Neue Ausg. (94 u. 87 m. 8 Farbdr.) 8° Ebd. (01). Geb. 1.20 d
— Das Glück d. Heimat. Die Waldfrau. 2 Erzählgn f. d. weibl. Jugend. (231 m. 8 z. Tl farb. Bildern.) 8° Ebd. (05). Geb. 2.50 d
— Gott fährt alles herrlich hinaus, s.: Gott. — Schmidt-Lindemann, H.
— s.: Gott schütze dich.

Niebelschütz, S v.: Gottes Kraft ist in d. Schwachen mächtig, s.: Goldkörner.
— Grösser als d. Helfer ist d. Not ja nicht, s.: Blumen u. Sterne.
— Für Herz u. Gemüt. 7 Erzählgn f. d. Jugend. (Neue Afl.) (176 m. 4 Farbdr.) 8° Reutl., Ensslin & L. (05). Geb. 1.20 d
— 3 gute Kameraden. Erzählg. (135 m. 1 Bild.) 8° Altnbg, S Geibel 04. Geb. 1.60 d
— Der Kaninchenberg. Erzählg f. d. Jugend. Neue Ausg. (52) 8° Reutl., Ensslin & L. (04). — 15; kart. — 20 d
— Herrn Norberts Laufbursche u. and. Gesch. f. Knaben u. Mädchen. (96 m. 4 Farbdr.) 8° Ebd. (04). Geb. — 50; m. Niebelschütz, in d. Taubenhöhle in 1 Bd m. 8 Farbdr., geb. 1.50 d
— Ruths Lieblingswunsch. Erzählg f. d. weibl. Jugend. (213 m. Abb.) 8° Ebd. (01). Geb. 2.50 d
— In Sturm u. Sonnenschein. 6 Erzählgn f. d. Jugend. (Neue Aufl.) (256 m. 4 Farbdr.) 8° Ebd. (05). Geb. 3 — d
— In d. Taubenhöhle u. and. Erzählgn f. d. Jugend. Neue Ausg. (94 m. 4 Farbdr.) 12° Ebd. (02). Geb. — 50 d
— dass. s.: Abenteuer zweier kl. Knaben.
Nieberding's Schulgeogr. 23. u. 24. Afl. v. W Richter. (288 bezw. 271) 8° Paderb., F Schöningh 1900.05. 1 —; geb. 1.35 d
Nieberding, W: Üb. d. Behandlg d. Versioflexionen d. Uterus, s.: Abhandlungen, Würzburger, a.d.Ges.-Geb.d.prakt.Medizin.
Nieberg-Wagner, M: Im Freundeskreise. Dramat. Festsp. u. Gelegenheitsscherze f. Jung u. Alt. (166) 8° New-York, GE Stechert & Co. (02). Geb. 3 — d
Niebergall: Gesch. d. Feldsanitätswesens in Umrissen unter bes. Berücks. Preussens, s.: Beiheft z. Militär-Wochenbl.,
Niebergall, F: Ueb. d. Absolutheit d. Christenthums. — Troeltsch: Ueb. histor. u. dogmat. Methode d. Theol. (Besprechg zu d. Aufsatze „Ueb. d. Absolutheit d. Christenthums" v. Niebergall.) [S.-A.] (41 u. 22) 8° Tüb., JCB-Mohr 1900. 2 —
— Die paulin. Erlösgslehre im Konfirmandenunterr. (92) 8° Ebd. 03. 1.60 d
— Die Kasualrede, s.: Handbibliothek, praktisch-theolog.
— Ein Pfad z. Gewissheit. (45) 8° Tüb., JCB Mohr 02. 1 — d
— Wie predigen wir d. modernen Menschen? Untersuchg üb. Motive u. Quietive. (181) 8° Ebd. 02. 3 — d
— dass. 2. Afl. 1. Tl. Eine Untersuchg üb. Motive u. Quietive. (180) 8° Ebd. 05. 3 —; geb. nn 4 — d
— Die moderne Predigt. (Vortr.) [S.-A.] (69) 8° Ebd. 05. 1.20 d
— Welches ist d. beste Rellg.?, s.: Volksbücher, rellg.-geschichtl.
Nieberle, C: Die Schweinesenche, s.: Grips, W.
Nieborowski, P: Alexander. Historisch-bibl. Tranersp. (84) 8° Paderb., Junfermann 04. — 60: Musikbeil. (4) — 30 d
— Des Bettelkindes Weihnachtstraum. Weihnachtsdrama. (35) 8° Paderb., Bonifacius-Dr. (04). — 50 d
— Die Revolution v. Rummelsburg, s.: Theater, kl.
— Weihnachten im Himmel. Weihnachtsdrama. (32) 8° Paderb., Bonifacius-Dr. (04). — 45 d
Niebour, H: Taf. z. Ermittelg d. Invaliden- u. Altersrenten, s.: Beckmann, A.
Niebuhr, C (C Krug): Die Amarna-Zeit, s.: Orient, d. alte.
— Forschg u. Darstellg, s.: Ex Oriente lux.
— s.: Weltgeschichte.
Niebuhr, K: Leitf. d. deut. Grammatik. 2. Afl. (88) 8° Hannov., Hahn 04. Geb. 1 — d
Nieden, HW z.: Die Kirche zu Hagen. [Zum Tl S.-A.] (156) 8° Gütersl., C Bertelsmann 04. 2 —; geb. 2.50 d
Nieden, J: Dent. Gedichte z. Answendiglernen u. Vortragen nebst e. Anh. v. Sprüchen u. Sprichwörtern. 5. Afl. (239) 8° Lpzg, PE Lindner 04. Geb. 1.30 d
— Hilfsb. z. Unterr. in d. Gesch. d. Pädagogik, s.: Velhagen & Klasing's Sammlg pädagog. Schriftatelier.
— Kirchenlieder u. Psalmen z. Answendiglernen. Bes. Ausg. d. Hilfsbüchl. beim ev. Relig.-Unterr. (64) 8° Strassbg, JHE Heitz 03. Geb. — 40 d
— Allg. Pädagogik auf psycholog. Grundl. u. in systemat. Darstellg. 5. Afl. (219 m. 2 Taf.) 8° Strassbg, Strassb. Druckeru. Verl.-Anst. 05. 2.50; L. nn 3 — d
— Dent. Poetik in kurzem Abriss. 2. Afl. (26) 8° Strassbg, F Bull 02. — 40 d
Niedenführ, G: Frau Eva. Das Buch uns. Liebe. (251) 8° Lpzg 01. Berl., H Seemann Nf. 4 — d
Niedenführ, H: Das bürgerl. Recht, s.: Türcke, R.
Nieder m. den d. Menschh. erdrück. Idean d. Sozialismus! Von s. wahrheitslieb. Deutschen (A Kellermann). (48) 8° Grossenh., Starke & Sachse (05). — 50 d
Nieder: Ges., betr. d. Ablösg d. Realgemeinderechte u. ähnl. Rechte. Vom 28.XI.1900. (308) 8° Ellw. 02. Stuttg., J Hessel 6 —; L. 7.20 d
— Wasserges. f. Württemberg. (744) 8° Ebd. 02. 12 —; HF.14 — d
Nieder, G: Rechenb. f. 6- bis 8klass. Schulen in 6 Heften. 8° Halle, H Schroedel 03. 1.85 d
1. (22) — 20 § 2. (20) — 20 § 3. (40 u. 2) — 25 § 4. (45) — 30 § 5. (56 u. 2) — 35 § 6. (94 u. 2 m. Fig.) — 50.
— dass, f. Volks- u. Bürgersch. in 3 bezw. 4 Heften. Ausg. A. Heft 1 bis III f. 1- bis 8klass. Schulen.; Heft IV f. d. 1. Kl. 6. 8klass. Volkssch. 8° Ebd. 1.25 d
1. (22) 04. — 20 § 2. (19) — 20 § 3. (63) 04. — 30 § 4. (75) 04. — 45.
Niederberger, B: Tugendschule, s.: Albert d. Grosse.
Niederegger, P: Hilfstab. z. Schnell-Calculation d. Garnhe-

darfes baumwollener Gewebe m. Berücks. d. Einwebens. (65)
8° Eningen u. A. (03). (Lpzg, G Weigel.)   L. 2 —
Niedergesäss, R: Aus d. Jugendzeit, s.: Pichler's Jugend-
bücherei.
— Lehr- u. Wanderjahre, s.: Pichler's Jugendbücherei. — Volks-
u. Jugend-Bibliothek, österr.
— Was man d. kl. Volke erzählt, s.: Pichler's Jugendbücherei.
Niederhuber, JE: Die Lehre d. hl. Ambrosius v. Reiche Gottes
auf Erden, s.: Forschungen z. christl. Lit.- u. Dogmengesch.
Niederjagd. (10 Photograv.) 8° Münch., Verein.Kunstanst. (1898).
      In M. 10 —
Niederley, W: Des deut. Knaben Handwerksb., s.: Barth, E.
Niedermann, A: Künstlernovellen. 2. u. 3.Bd. 8° Lpzg, H Haessel
V.   Je 2.80 (1—3.: 8.40; Einbde je 1 —) d
   2. Der Marinemaler. Novelle a. d. 16. Jahrb. (237) (02.) (1. u. 2 in 1 Bd 5.60;
                       geb. nu d.50)
   3. Um d. Druidenbaum. Novelle. (205) 05.
— Ranward Schönau. Novelle. (166) 8° Frauenf., Huber & Co.
(05).   Kart. 2.40 d
Niedermayer, G: Das 25jähr. Doktorjubiläum. Singsp. Musik
v. F Schaller. (39) 8° Münch., Kallenb.   — 90 d
(05).   — 90 d
— Ein Pagenstreich. Lustsp. (31) 8° Ebd. (05).   — 90 d
— Staberl in China od. Der Sohn d. Himmels. Histor. Singsp.
nebst Totschlag. (37) 8° Ebd. (05).   — 90 d
Niedermayr, H: Leitf. z. Erlerng d. Karambol-Spiels m. bes.
Berücks. d. Serie-Spiels. (96 m. Abb.) 8° Münch., (C Haas-
halter) 03.   3 —; geb. 4 —; neue [Tit.-]Ausg. '05. 1 —; geb. 1.50
Niedermeyer: Liederb., s.: Stoffregen, HA.
Niedermeyer, G: Die sel. gute Betha v. Reute. Gebet- u. Er-
bauungsbüchl. f. d. kathol. Volk. 4. Afl. v. K Dolfinger. (355 m.
1 Farbdr.) 16° Freitbg i/B., Herder 04.   1.10; L. 1.40 d
Niedermöller, H: Bebel, Ladenburg, Dammann, e. gefahrdroh.
Allianz! (Konferenzvortr.) 1—3. Afl. (17) 8° Bielef. 04. Dahle,
Pfr. H Niedermöller.   — 30 d
Niederrhein, der. Wochenschrift f. Schiffahrt, Industrie u.
Handel. Unter Leitg v. Arnecke red. v. P Stabmann, A Woltmann u. K Prohaska. 1. Jahrg. Oktbr—Dezbr 1902. 13 Nrn.
(Nr. 1—4. 96) Fol. Düsseldf, E Lintz. 3 — || 2. u. 3. Jahrg. 1903
                 u. 4 je 52 Nrn. Viertelj. 4 —
— dass. Wochenschrift f. d. ges. Rheinschiffahrt. Schriftleitg:
P Stabmann. Red.: K Prohaska. 4. Jahrg. 1905. 52 Nrn. (Nr. 1
u. 2. 20) 4° Ebd.   Viertelj. 4 —
— dass. Sondernummer, ausg. z. IV. ordentl. Hauptversammlg
d. Ver., Crefeld '04. 2 Tle. (118 S. u. 32 Pl. m. 6 S. Text.) 4°Ruhr-
ort 04. (Düsseldf, E Lintz.)   6 —
Niedersachsen. Halbmonatsschrift f. Gesch., Landes- u.
Volkskde, Sprache, Kunst u. Litt. Niedersachsens. Red.: H
Heiberg u. F Freudenthal u. v. 9. Jahrg. an, H Pfeiffer u.
F Freudenthal. 7—9. Jahrg. Oktbr 1901—Septbr 1904 je 24 Nrn.
(7. Jahrg. Nr. 1. 18 m. Abb. u. 1 Taf.) 4° Brem., C Schünemann. Viertelj. 1.50; einz. Nrn — 50; d. Jahrg. geb. nn 8 — d
— dass. Illustr. Halbmonatsschrift f. niederdeut. Leben, niederdeut. Kultur, Kunst u. Litt. Red.: H Pfeiffer u. F Freudenthal. 10—11. Jahrg. Oktbr 1904—Septbr 1906 je 24 Nrn. (Nr. 1.
20) 4° Ebd. Viertelj. 1.50; einz.Nrn — 50; d.Jahrg. geb. nn 8 — d
Niedieck, P: Mit d. Büchse in 5 Weltteilen. 1. u. 2. Afl. (427
m. Abb., 32 Vollbildern u. 1 Karte.) 8° Berl., P Parey 05.06.
                       L. 12 — d
Niedling, A: Goth. Möbel. Neue Orig.-Entwürfe f. Gebrauchs-
möbel im goth. Style m. architekton. u. ornamentalen Details
in vergrössertem Maassstabe. 5 Lfgn. (40 Taf. m. 2 Bl. Text.)
Fol. Berl., B Hessling (01.02).   Je 8 —; in 1 M. 40 —
— Kirchl. Schreinwerk. Im roman., got. u. Renaissance-Stil.
(In 4 Lfgn.) 1. u. 2. Lfg. (Je 8 Taf.) 46×31,5 cm. Berl., M Spiel-
meyer (05).   Je 7.50
Niedner, A: Das Einführgsges. z. BGB., s.: Kommentar z. BGB.
u. s. Nebenges.
— Ges. betr. d. Zwangsversteigerg u. d. Zwangsverwaltg, s.:
Gesetze, d., d. Deut. Reiches in kurzgef. Kommentaren.
Niedner, F: Carl Michael Bellman, d. schwed. Anakreon. (398
m. 1 Bildnis.) 8° Berl., Weidmann 05.   8 — d
Niedner, F: Beitrag z. Berechng v. Schiffbrücken. (50 m. Fig.
u. 1 Taf.) 8° Lpzg, W Engelmann 04.   5 —
Niedner, H: Stille Einkehr. Dichtgn. (131) 8° Lpzg, Modernes
Verl.-Bureau 05.   2 —; geb. 3 —
— Wider d. Strom. Gedichte. (136) 8° Dresd., E Pierson 01.
                     1.50; geb. 2.50
Niedner, J: Die Ausg. d. preuss. Staats f. d. ev. Landeskirche
d. ält. Provinzen, s.: Abhandlungen, kirchenrechtl.
— Grundz. d. Verwaltgsorganisation d. altpreuss. Landes-
kirche. [S.-A.] (127) 8° Berl., C Heymann 02.   2.40 d
Niedner, M: Das Buch d. Selbst-Schneiderei. — Das Buch d.
Wäsche, s.: Hochfelden, B.
— s.: Kinder-Moden, prakt. deut.
— Die Putzmacherin (Directrice), s.: Frauen-Berufe.
— Zur Reform-Mode, s.: Hochfelden, B.
— Die Schneiderin, s.: Frauen-Berufe.
— u. H Weber: Sonnen-Spitzen (Teneriffa-Arbeit). (40 m. Abb.
u. 6 Taf.) 8° Lpzg, Voel.   "Deut. Moden-Zeitg" (05). 1.25 d
Niedner, O: Die Kriegsepidemien d. 19. Jahrh. u. ihre Bekämpfg,
s.: Bibliothek v. Coler.
Niedurny, M: Leb. Bilder a. d. Bergmannsleben, s.: Vereins-
theater, neues.

Niedurny, M: Unser Kronprinz. Gedenkb. f. Deutschlds Volk
u. Jugend. (111 m. Abb.) 8° Kattow., C Siwinna 05. L. 3.50 d
— Der Osterhase. Märchen f. brave Kinder. (32) 16° Paderb.,
Bonifacius-Dr. 03.   — 10 d
— Allerlei Weisen f. Schlägel u. Eisen. Sammlg v. Bergmanns-
Vaterlands-, Volks- u. Gesellschafts-Liedern. (101) 16° Tarnow.,
A Kotha (03).   — 15 d
Niehaus, H: Si tacuisses! Abwehr d. Angriffe d. Pastoren Handt-
mann u. Kretzer auf d. Apostol. Gemeinde. (39) 8° Iserl. (03).
(Lpzg, P Stiehl.)   — 50 d
Niehoff, R, s.: Lesebuch nebst fachkundl. Anhängen f. Fort-
bildgs-, Fach- u. Gewerbesch.
Niehus, P: Die Elemente d. Arithmetik u. d. Algebra. Für
Baugewerbesch., Maschinenbausch., Handwerkersch. u. sonst.
Berufsanst. (112) 8° Mgdbg, C Friese 01. Kart. 2 — || Auflösgn
d. Aufg. Nebst Hinweisen zu d. Lösgn. (31) 01. 1 —
— Neuergn in d. Methodik d. elementaren Geometrieunterr.,
s.: Magazin, pädagog.
Niekammer's Güter-Adressbuch. 3. u. 4.Bd. 8° Stett., P Niekammer.
                   21 —; Einbde in L. je 1 —
   3. Güter-Adressbuch, ostpreuss. (39, 354) 05.   10 —
   4. Güteradressbuch f. Mecklenburg-Schwerin u. -Strelitz. 2. Ausg. (210
      u. 63) 05.   11 — || Nachtr. z. Adressb. v. 1=96. (65) 03. — 4 d
   Bd 1 u. 2 bilden: Güteradressbuch, pommersches u. westpreuss.
Nieland, W: Der Kampf um d. Jugendschriften, s.: Sammlung
pädagog. Vortr.
Nielk, O: For'n Kreizer Allerhand! Gedichte in Wiesbad. Mund-
art. (2. Bdchn.) (76) 8° Wiesb., H Giess 05.   1 — (1 u. 2.: 2 —) d
Nielkaj, JA: Roentgen-Strahlen f. Roulette- u. Trente-et Qua-
rante-Spieler. Der Winter an d. Riviera auf Kosten d. Bank
v. Monte-Carlo. Eine absolut neue Spiel- u. Progression-
Methode. 3. Taus. (19) 8° Nizza, (L Gross) (04).   3 —
Nielsen's, O, Anschangabilder. Nr. 1—6. Je 67×93 cm. Farbdr.
Kopenh. (03). Lpzg, KF Koehler. Je 2.50; auf Pappe m. Rand
                u. Ösen je 4 —; auf L. m. St. je 4.50
   1. Aus e. gr. Stadt. || 2. Ansicht auf e. Stadt. || 3. Im Dorfe. || 4. Auf d.
   Lande. || 5. Am Strande. || 6. Im Walde.
Nielsen, C: Taf. z. Bestimmg d. Drainröhrenweite f. 10 ver-
schied. Wasserführgn, nebst kurzgef. Anl. z. Röhrendrai-
nage f. Culturtechniker u. Landwirthe. [S.-A.] (28 m. 3 Taf.)
8° Bresl., F Vieweg & S. 01.   2 — d
Nielsen, D: Die altarab. Mondrelig. u. d. mosaische Ueber-
lieferg. (223 m. Abb.) 8° Straesbg, KJ Trübner 04.   5 —
Nielsen, K: Die Quantitätsverhältn. im Polmaklappischen, s.:
Mémoires de la soc. finno-ougrienne.
Nielsen, N: Hdb. d. Theorie d. Cylinderfunktionen. (408) 8°
Lpzg, BG Teubner 04.   L. 14 —
Nielsen, Y: Norwegen, s.: Ruge, S.
— Norwegen, Schweden u. Dänemark, s.: Meyer's Reisebb.
Niemann: 24 litthauische Choräle, s.: Bülow v. Dennewitz, C
Graf.
Niemann, A: Die Bedeutg d. kirchl. Ortsgesch. z. Weckg u.
Vertiefg d. kirchl. Sinnes. Vortr. (20) 8° Berl., KJ Müller 02.
                       — 25 d
Niemann, A: 2 Frauen. Roman. (190) 8° Dresd., E Pierson 01.
|| 2—4. Afl. (208) 01.   Je 2 —; geb. je 3 — d
— Hans Jakob Graf v. Garsebach, d. Garde-Panzerreiter. Humo-
rist. Roman. (229) 8° Brnschw. 04. Lpzg, R Sattler.   3 —;
                       geb. 4 — d
— Das Geheimnis d. Mumie. Kulturgeschichtl. Erzählg. 3. Afl.
(359 m. 6 Farbdr.) 8° Berl., W Vobach & Co. (05).   L. 4.50 d
— Gwendolin. Roman. (288) 8° Stuttg., A Bonz & Co. 04. 3 —;
                       L. 4 — d
— Liebesquadrille, s.: Eckstein's illustr. Romanbibliothek.
— Der Mahatama. Gesch. e. Offenbarg. (136) 8° Lpzg, Lotus-
Verl. 02.   2.40; geb. 3 — d
— Pieter Maritz, d. Burensohn v. Transvaal. 7. Afl. (558 m.
Abb., 16 Tonbildern u. 1 Karte.) 8° Bielef., Velhagen & Kl. 03.
                       Geb. 9 — d
— Immer vernünftig. Die schwarze Messe, s.: Kürscher's,
J, Bücherschatz.
— Der Weltkrieg. Deutsche Träume. Roman. (386) 8° Berl.,
W Vobach & Co. (04).   5 —; geb. 6 — d
Niemann, C: Grundr. d. Veterinär-Hygiene. (418
m. Abb.) 8° Berl., L Marcus 03.   10 —; geb. nn 11.50
Niemann, G: Grundr. d.Pflanzenanatomie auf physiolog.Grundl.,
z. Selbstunterr., sowie z. Vorbereitg auf d. Mittelschullehrer-
u. Oberlehrerinnenprüfg. (194) 8° Mgdbg, Creutz 05. 3.20;
                       geb. 4 —
— Das Mikroskop u. s. Benutzg im pflanzenanatom. Unterr.
Zugl. Erläuterg zu d. Pflanzenanatom. Taf. in Farbig ausgeführte
Sternstein. (76 m. Abb. u. 6 Taf.) 8° Ebd. 04.   1.75
— d. C Sternstein: Pflanzenanatom. Tafeln. Farbig ausgeführte
Zeichngn mikroskop. Präparate. In Lfgn je 70,5×86,5 cm. Ebd.
(04).   10 —; auf L. m. St. nn 19 —; einz. Taf. 2 —;
                       auf L. m. St. 3.50
   1. Die Zelle u. ihre Bestandteile. || 2. Bestandteile d. Zelle u. Zellpro-
   dukte. || 3. Oberhaut u. Oberhautgebilde. || 4. Die Leitgebahnen d. Pflan-
   zenkörpers. || 5. Die Leitbahnen d. Bäume u. d. Aufbau d. Holzes. || 6.
   Gewebe d. Stoffwendig. -aufnahme u. -ausscheidg.
Niemann, G: Hdb. d. Linear-Perspektive f. bild. Künstler. 2. Afl.
(83 m. Fig. u. 18 S.) 4° Stuttg., Union (02).   Geb. 10 — d
Niemann, G: Die Dialoglit. d. Reformationszeit n. ihrer Ent-
stehg u. Entwicklg, s.: Probefahrten.
— Rich. Wagner u. Arnold Böcklin od. Üb. d. Wesen v. Land-
schaft u. Musik. (80) 8° Lpzg, J Zeitler 04.   1.80

Niemann, J: „Ajax". Roman. (249) 8º Dresd., C Reissner 05.
3 —; geb. 4 — d
— O Freiheit! Novellen. (170) 8º Ebd. 02. 2.50; geb. 3.50 d
— Die Nachtigall. Roman. (217) 8º Ebd. 04. 2.50; geb. 3.50 d
Niemann, M: Die Versorgg d. Städte m. Leuchtgas, s.: Tiefbau, d. städt.
Niemann, R: Des Paulus Brief an d. Römer, f. höh. Schulen ausgelegt. (127) 8º Gütersl., C Bertelsmann 05. 2 — d
— Des Paulus Epistel an d. Römer. Abdr. d. revid. Übersetzg Luthers u. Auslegg f. Gymnasialprima. (Schülerheft.) (51) 8º Ebd. 05. — 50 d
Niemann, W: Die Ästhetik d. Klavierspiels, s.: Kullak, A.
— JS Bach's Violinkonzerte in A moll u. E dur, s.: Musikführer, d.
— Üb. d. abweich. Bedeutg d. Ligaturen in d. Mensuraltheorie d. Zeit vor Johannes de Garlandia, s.: Publikationen d. internat. Musikgesellsch.
— A Bruckner's Symphonie No. 3 (D-moll). — A Bruckner's Symphonie No. 4 (romant.) (Es-dur). — A Bruckner's VII. Symphonie in E dur, s.: Musikführer, d.
— Musik u. Musiker d. 19. Jahrh. bis z. Gegenwart, in 20 farb. Taf. dargest. (8, 5 S. Text.) 4º Lpzg, B Senff 05. Kart. 6 —
— R Schumann's 'Pianoforte-Quintett. — F Tschaikowsky's Mozartiana-Suite. — P Tschaikowsky's Francesca da Rimini, s.: Musikführer, d.
Niembsch, Edler v. Strehlenau, N, s.: Lenau, N.
Niemeier, A: Untersuchgn üb. d. Beziehgn Albrechts I. zu Bonifaz VIII., s.: Studien, histor.
Niemetschek, F: WA Mozart's Leben. Fcsm.-Druck d. 1. Ausg., m. d. Lesarten u. Zusätzen d. 2. v. J. 1808 u. Einl. v. E Rychnovsky. (88) 8º Prag, I Taussig (05). 3.60; kart. 4.20 d
Njemets s. s.: Němec.
Njemetz: Russl. u. d. Friede. (24) 8º Berl., Herm. Walther 04. — 50
Njemetzki: Die Industrialisierg d. Landw. Nebst e. Antwort auf d. Frage: Brotzoll od. Handelsverträge? (50) 8º Berl., E Hofmann & Co. 01. 1.25
— Die Überwindg d. Getreidebrot-Krisis durch ländl. Bäckerei-Genossensch. (50) 8º Ebd. 01. 1.50
Niemeyer's, AH, Grundsätze d. Erziehg u. d. Unterr., s.: Schriften hervorrag. Pädagogen f. Seminaristen u. Lehrer.
Niemeyer, E Lessings Minna v. Barnhelm. Historisch-krit. Einl., nebst fortlauf. Kommentar. 3. Afl. (120) 8º Dresd., C Damm 01. 1.50 d
Niemeyer, H: Aus d. Leben Jahns, s.: Sammlung isb. Bilder.
Niemeyer, HOE, s.: Missionsharfe, grosse.
Niemeyer, T: Recht u. Sitte. Rede. (16) 8º Kiel, (Lipsius & T.) 02. 1 —
— s.: Zeitschrift f. internat. Privat- u. Straf- bezw. öffentl. Recht.
Niemirower, IJ: Sichron Nahum. Festpredigten, Casualreden u. a. synagogalen Vortr. entstand. Zeitgsartikel. (130) 8º Jassy 03. (Berl., M Poppelauer.) 1.60
Niemöller, F, u. P Dekker: Arithmet. u. algebr. Unterrichtsb. Für d. mathemat. Unterr. in d. Mittel- u. Oberst. höh. Lehranst. (In 4 Heften.) 3. u. 4. Heft. 8º Bresl., F Hirt. Kart. 3.90 (Vollst.: 5.50) d
3. Pensum d. Oberschunda. (96) 01. 1.25; neue Afl. Pensum d. Oberschunda u. d. beiden Primen d. Gymnasiums. (96) 02. Kart. 1.40
4. Pensum d. beiden Primen d. Realgymnasiums u. d. Oberrealsch. (188 m. Fig.) 04. 2.50
Niemöller, H: Die Propheten Israels, u. ihre Bedeutg f. uns. Zeit, s.: Weg, d., göttl. Zeugnisse.
— Schicket euch in d. Zeit! Predigt. (14) 8º Elberf., Bh. d. ev. Gesellsch. 03. — 20 d
Niemöller, W: Neuer Lehrg. d. Gabelsb.'schen Stenogr. — Lese- u. Diktierb. z. Wiederholg u. Fortbildg in d. Gabelsb.'schen Stenogr., s.: Reuter's Bibliothek f. Gabelsb.-Stenogr.
— u. H Meinberg: Neuer Lehrg. d. deut. Einheitsstenogr. „Gabelsb." — Neuer Lehrg. d. Gabelsb.'schen Stenogr., s.: Reuter's Bibliothek f. Gabelsb.-Stenogr.
Nienaber, H: Die Anstellgsgrundsätze, s.: Hahn, H.
Niendorf, A: Lehrb. d. ev. Katech.-Unterr. f. Konfirmandenunterr. u. Schule. 2 Tle in 1 Bd. (408) 8º Spaatz (04). Lpzg, Krüger & Co. (5.50) 4.50; geb. (6.50) 5 — d
Niendorf, C: Leitf. d. deut. Grammatik, s.: Damm, H.
Niendorf, O: Miethrecht u. d. neuen BGB. 6. Afl. (324) 8º Berl., C Duncker 01. Kart. 4.50 d
Niethaus, H: Merkwürdig. aller Länder u. Völker d. Erde. Unterhalt. u. belehr. Volksb. f. alte u. junge Leute, bes. f. Lehrer d. Volkssch. z. Belebg d. geograph. Unterr. (352 u. 4) 8º Krefeld, C Busch-du Fallois Soehne 02. (Nur dir.) 2 — d
Nienkemper, F: Wahl-Wegweiser od. d. Kern d. Wahlisaus. Wahlrede ohne Umschweife, geh. 1—5. Afl. (100) 16º Köln, JP Bachem 03. — 25 d
Niepmann: Der Ortler, s.: Gipfelführer, alpine.
Niepoth's Rechenb. Neubearbeitg v. P Müller u. JA Völker. Ausg. A f. mehrklass. Schulen. I.—V., VII. u. VIII. Heft. 8º Gless., E Roth. 1.60 d
I. 17. Afl. (32) 04. — 20 ‖ II. 18. Afl. (32) 03. — 20 ‖ III. 19. Afl. (32) 03. — 20 ‖ IV. 19. Afl. (32) 04. — 20 ‖ VII. 18. Afl. (48) (01.) — 20 ‖ VIII. 17. Afl. (80) 01. — 40.
— dass. Ergebnisse z. 2—5., 7. u. 8. Heft. 8º Ebd. 2 — d
2.5. (12) (04.) — 40 ‖ 4. (16) (04.) — 40 ‖ 5. (12) (04.) — 40 ‖ 7. (18) (01.) — 40 ‖ 8. (24) (01.) — 40.

Niepoth's Rechenb. Neubearbeitg v. P Müller u. JA Völker. Ausg. A f. mehrklass. Schulen. XI. Heft, s.: Müller, P, u. JA Völker, Rechenb. f. Fortbildgssch.
— dass. Ausg. B f. einfachere Schulverhältn. I.—V. Heft. 8º Ebd. 1.60 d
I. 22. Afl. (56 m. Fig.) 03. — 25 ‖ II. 22. Afl. (56) 03. — 25 ‖ III. 20. Afl. (68) 01. — 30. ‖ IV. 19. Afl. (80) 02. — 40 ‖ V. Aufg. a. d. Raumlehre u. Naturlehre. 17. Afl. (40 m. Massstab u. 2 Winkelmessern.) 04. — 40.
— dass. 4. Heft. (19. Afl.) Ergebnisse. (26) 8º Ebd. 02 — 40 d
Nieremberg, E: Beweggründe z. Liebe Jesu. Bearb. v. E Bierbaum. 3. Afl. (172) 8º Freibg i/B., Herder 05. 1.20; L. 1.80 d
— Die Herrlichk. d. göttl. Gnade, s.: Scheeben, MJ.
Nierenkrank s.: Flugschriften, hygien.
Nieritz, G: Erzählgn. 12º Gütersl., C Bertelsmann, Sep.-Cto. Je — 60; m. Titelbild, kart. je — 70; geb. je — 80; L. je — 90 d
Der kleine Bergmann od. Glück im Magnton. 15. Afl. (119) (03.) ‖ Elcha od. Das Schaf d. Aſmen. 3. Afl. (72) (04.) ‖ Die Flegatte od. Der sonderbare Schüssel. 5. Afl. (127) (04.) ‖ Das 4. Gebot od. Die ungleichen Brüder. 7. Afl. (121) (01.) ‖ Die Grossmutter. Erzählg. 4. Afl. (129) (01.) ‖ Der Hüftenkumbe u. s. Hund od. Vergebet, so wird euch vergeben. 5. Afl. (135) (03.) ‖ Die Runnenschlacht. Geschicht. Erzählg a. d. 10. Jahrh. 5. Afl. (190) (01.) ‖ Der Keſkermeister v. Norwich od. Das 7. Gebot. 4. Afl. (128) (04.) ‖ Liebet euch untereinander. Erzählg a. d. tägl. Leben. 3. Afl. (111) (03.) ‖ Die Nachbarn. 4. Afl. (119) (04.) ‖ Prinzessin u. Dienerin. Geschicht. Erzählg a. d. 1. Viertel d. 18. Jahrh. 3. Afl. (127) (01.) ‖ Der Quarantänefrand. 2. Afl. (123) (04.) ‖ Die Söhne König Edvards IV. v. Engl. od. Das 5. Gebot. 7. Afl. (115) (05.) ‖ Stera, Stab u. Pfeife. 3. Afl. (127) (04.)
— Der kl. Trommelschläger, s.: Witzleben, M v., kl. russ. Lehrbibliothek.
Nierstrass, HF: Die Chitonen d. Siboga-Exped. (Siboga-Expeditie. XLVIII.) (114 m. 8 Taf.) 4º Leid., Bh. u. Dr. vorm. EJ Brill 05. nn 10.50
— Das Herz d. Solenogastren. [S.-A.] (52 m. 3 Taf.) 8º Amsterd., J Müller 03. nn 1.50
Nies, A, u. E Düll: Handb. d. Mineral. u. Geol. f. d. Unterr. an höh. Lehranst. u. z. Selbstunterr. I. Tl: Mineral., v. N. H. Tl: Gesteinslehre u. Grundl. z. Erdgesch., v. D. 1. u. 2. Afl. (218 u. 106 m. Abb. u. 20 Farbdr.) 8º Stuttg., F Lehmann 05. Geb. 3 —; Geschenkausg., L. 5 —
Nies, K: Aus westl. Weiten. Neue Gedichte. (100 m. Bildnis.) 8º Grossenh., Baumert & R. 05. 2 —; geb. 3 — d
Nieschke, A: Leitf. f. d. hausw. Unterr. (167 m. 2 Taf.) 8º Naumbg., (A Schirmer, S.) (1900). 2 — d
Niese, B: Gesch. d. griech. u. makedon. Staaten seit d. Schlacht bei Chaeronea, s.: Handbücher d. alten Gesch.
— Grundr. d. röm. Gesch., s.: Handbuch d. klass. Altertums-Wiss.
Niese, C: Erst du — dann ich!, s.: Schneeflocken.
— Allerlei Gedanken üb. Geschenke u. über's Schenken, s.: O du fröhl. usw. Weihnachtszeit.
— Georg, s.: Macht, d., d. Liebe.
— Die Klabunkerstrasse. Roman. (404) 8º Lpzg, FW Grunow 04. L. 5 — d
— Meister Ludwigsen. Herrn Meiers Hund, s.: Meyer's, U, Bücherei.
— Der Orgelpeter, s.: O du fröhl. usw. Weihnachtszeit.
— Pingdy Reiffs Schicksale u. and. Geschichte. Erzählgn. f. d. Volk. (56) 8º Hambg, Ev. Bh. 04. Geb. 1 — d
— Revenstorfs Tochter u. and. Erzählge. (368) 8º Lpzg, FW Grunow 05. L. 5 — d
— Monarch Steffen, s.: Schneeflocken.
— Vergangenheit. Erzählg. a. d. Emigrantenzeit. (565) 8º Lpzg, FW Grunow 02. 6.50; L. 7 — d
— Weihnachtswunder, s.: O du fröhl. usw. Weihnachtszeit.
— Um d. Weihnachtszeit, s.: Volksbücher, Wiesbad.
— Aus däm. Zeit. Bilder u. Skizzen. Gesamtausg. 3. Afl. (489) 8º Lpzg, FW Grunow 03. 1 — nn 1.50 d in 2 Bdn 5.50 d
Niese, E: Wie wird man glücklich?" Predigt. (7) 8º Flensbg, (G Soltau) (04). — 20 d
Niese, H: Zur Gesch. d. deut. Soldrittertums in Italien. [S.-A.] (36) 8º Rom, Loescher & Co. 05. 1.20
— Die Verwaltg d. Reichsgutes im 13. Jahrh. (346) 8º Innsbr., Wagner 05. 9 —
Niesert, E, s.: Handweiser, literar.
Niesiolowski-Gawin v. Niesiolowice, V Ritter: Ausgew. Kapitel d. Technik m. bes. Rücks. aut militär. Anwendgn. Vortlesgn üb. Naturwiss. 1. Bd. (22, 395 m. Fig.) 8º Wien. (LW Seidel & S.) 04. L. (10 —) nn 8 — ‖ 2. Bd. (24, 464 m. Fig. u. 13 [1 farb.] Taf.) 04. Geb. nn 8 —
— Üb. d. Problem d. Luftschiffahrt. Vortr. [S.-A.] (24 m. Abb.) 8º Wien, (E Beyer) 01. — 60
Niesko, A: Vorschriften f. Haus u. Hof, Küche u. Keller. 80jähr. Lesefrüchte a. deut. Zeitgn. (365) 8º Brnschw., A Limbach 02. 2.50; L. 3 — d
Niess, B: Die Baumwollspinnerei in ihren Teilen, 3. Afl., s.: Johannsen, O, Hdb. d. Baumwollspinnerei.
Niessen, H: Gesch. d. Kreises Saarlouis. 2. Bd. Die Stadt Saarlouis. (197) 8º Saarl., (W Winklay)1897. 2 — (Vollst.: 4.50) d
— Marschall Ney. Lebensbild. (130 m. 1 Bildnis, 2 Taf. u. 1 Stammtaf.) 8º Saarl., (W Winklay) 04. — 1 — d
Niessen, J: Jubiläumsbüchl. 1904. Belehrgn u. Gebete zu Ehren d. unbefleckt empfang. Jungfrau. (64) 11×7,3 cm. Aach., I Schweitzer 04. — 10; L. — 25 d
— Maria, d. hl. Jungfrau u. Gottesmutter, s.: Emmerich, AK.

Niessen, J.: Die beliebtesten Blumen- u. Zierpflanzen, s.: Bibliothek, kl.
— Blumenlese a. meinem biolog. Herbar. — Kunsthandwerker im Tierreich, s.: Jugend- u. Volksbibliothek, naturwiss.
— Naturgeschichtl. Lebens- u. Charakterbilder f. d. Volkssch. 2. u. 3. Tl. 3. Afl. 8° Düsseldf, L Schwann.　　2.90 d
2. (5. u. 6. Schulj.) (04) 02. — so J 3. (7. u. 5. Schulj.) (216 m. Abb.)'02. 2 —
— Leseb. f. gewerbl. Fortbildgssch., s.: Keller, V.
— Im Reiche id. Blumen, s.: Jugend- u. Volksbibliothek, naturwiss.
— Joh. Mich. Sailer, s.: Klassiker, d. pädagog.
— Der Weltbau u. s. Meister, s.: Jugend- u. Volksbibliothek, naturwiss.
— u.W Wessel: Heimatkundl. Anschaugs-Unterr. f. d. 3. Schulj. 2. Afl. (89) 8° Mettm., A Frickenhaus (01).　　Geb. 1.60 d
Niessen, M v.: Andiatur et altera pars! zu Prof. v. Behring's Immuniaiergsversuchen geg. Tuberkulose. [S.-A.] (34) 8° Dresd., LC Engel 03.　　— 60
— Ärztl. Geschäftsb. Verein. Buchführg f. d. pract. Arzt. Mit Raum f. Anamnese, Status, Verlauf, therapent. Notizen u. Anderes. (39 Doppels. u. 26 S.) Fol. Würzbg, Stahel's V. (02).　　Kart. 6.20 u. in Decke 7.70
— Womit sind d. ansteck. Geschlechtskrankh. als Volksseuche im Dtsch. Reiche wirksam zu bekämpfen? (40) 8° Hambg, Gebr. Lüdeking 03.　　1.50
— Gründe z. Beseitigg d. Impfzwanges. (36) 8° Dresd., LC Engel 03.　　— 60
— Pestbazillen im Pestserum. Reflexionen üb. Isotherapie. (60 m. Abb. u. 2 Lichtdr.) 8° Hambg, Gebr. Lüdeking 04.　　1.50
Niessen, P v.: Gesch. d. Neumark im Zeitalter ihrer Entstehg u. Besiedlg. (Von d. ält. Zeiten bis z. Aussterben d. Askanier.) (611 m. Abb., Kart. u. Pl.) 8° Landsbg, (F Schaeffer & Co.) 05.　　10 — d
Niessl, G v.: Bahnbestimmg d. gr. Feuerkugel v. 3.X.'01. [S.-A.] (58) 8° Wien, (A Hölder) 02.　　1.10
— Bahnbestimmg d. gr. Meteors v. 11.III.1900. [S.-A.] (34) 8° Ebd. 01.　　— 60
— Bahnbestimmg d. Meteors v. 27.II.'01. [S.-A.] (40) 8° Ebd. 03.　　— 80
— dass. v. 2.XI.'03. [S.-A.] (39) 8° Ebd. 05.　　1 —
— Üb. d. Frage gemeinsamen kosm. Abkunft d. Meteoriten v. Stannern, Jonzac u. Juvenas. [S.-A.] (59) 8° Ebd. 04.　　1.10
Nieten, O: Christian Dietrich Grabbe. (43) 8° Berl., B Behr's V. 02.　　— 60 d
Niethammer, F: Die elektr. Bahnsysteme d. Gegenwart, s.: Abhandlungen, techn.
— Berechng z. Entwurf elektr. Maschinen, Apparate u. Anlagen. (In 5 Bdn.) I. Bd, 2 Hiften u. III. Bd. (Mit Abb.) 8° Stuttg., F Enke.　　32 —; L 35.20
I, 1. Berechg u. Konstruktion d. Gleichstrom-Maschinen u. -Motoren. (284) 03.　　8 —
I. Hlfte. Elektr. Berechg d. Gleichstrom-Maschinen u. Motoren. (284) 03.　　8 —
2. Dass. 2. Hlfte. Mechan. Entwurf v. Gleichstrommaschinen. (285—376) 04.　　— ; in 1 Bd geb. 17.60
III. Elektr. Schaltanlagen u. Apparate samt Gfmndl. z. Projektierg elektf. Anlagen. (572 m. Abb. u. 19 Taf.) 05.　　16 — ; geb. 17.60
Der II. Bd ist noch nicht erschienen.
— Die Dampfturbinen, s.: Abhandlungen, techn.
— Einrichtg u. Betrieb elektrotechn. Fabriken, s.: Handbuch d. elektrotechn. Praxis.
— Moderne Gesichtspunkte f. d. Entwurf elektr. Maschinen u. Apparate. (192 m. Abb.) 8° Münch., R Oldenbourg 05. L 8 —
— Magnetismus. [S.-A.] (61 m. Abb.) 8° Stuttg., F Enke 01.　　2.40
— Elektrotechn. Praktikum. (370 m. Abb.) 8° Ebd. 02. 9 —; L. 10 —
— Wechselstrom-Kommutatormotoren, s.:Abhandlungen, techn.
— u. E Schulz: Elektromotoren u. elektr. Arbeitsübertragg, s.: Handbuch d. Elektrotechnik.
Niethammer, GD: Ein vortreffl. Büchl. üb. d. Bekehrg n. Jos. Alleine. (132) 8° Stuttg., (Christl. Verlagshaus) (05).　　— 60 d
Nietman, W: Eisenb.-Atlas f. Deut. Reich, Luxemburg, Schweiz, Oesterr.-ungar. Monarchie u. angrenz. Gebiete. Schweiz u.Oesterr.-Ungarn verb. v.K Schönfelder u. ESchütze. 18. Afl. (33 farb. Kartens.) 4° Nebst Text. (33) Fol. Lpzg, (Amthor) 02. Geb. in Fol., HL nn 9 —; HLdr 10.80; in 2 Bds geb., 1. Bd. (Deutschl. u. Luxemburg) HL nn 5 —; HLdr 6 —; 2. Bd. (Oesterr.-Ungarn u. Schweiz) HL. nn 4.50; HLdr 5.40
Nietner, a: Bericht üb. d. 2. Versammlg d. Tuberkulose-ärzte. — Stand, d., u. Aufgaben d. Tuberkulose-Bekämpfg. — Zur Tuberculose-Bekämpfg.
Nietner, T: Gartenb., s.: Schmidlin.
Nietschmann, H, s.: Stein, A.
Nietzki, A: D. Joh. Jak. Quandt, s.: Schriften d. Synodalkommission f. ostpreuss. Kirchengesch.
Nietzki, R: Chemie d: organ. Farbstoffe. 4. Afl. (338) 8° Berl., J Springer 01.　　L. 8 —
— Die Entwickelgsgesch. d. künstl. organ. Farbstoffe. [S.-A.] (30) 8° Stuttg., F Enke 02.　　1.20
Nietzky, A: Wie werde u. bleibe ich gesund? — Die junge Mutter, s.: Wissen, eigenes.
Nietzold, J: Die Ehe in Ägypten z. ptolemäisch-röm. Zeit. Nach d. griech. Heiratskontrakten u. verwandten Urkunden. (108) 8° Lpzg, Veit & Co. 03.　　3.50
Nietzsche's, F, Werke. I. Abth. 6. u. 7. Bd. 8° Lpzg, CG Naumann.　　nn 18.50; geb. 22 —
6. Also sprach Zarathustra. Ein Buch f. Alle u. Keinen. 36—40. Taus. (531 m. Bildnis u. 5. faksm. S.) 04.　　10 —; geb. 12 —

7. Jenseits v. Gut u. Böse. Zur Geneal. d.Moral. 16. u. 17. Taus. d. Jenseits v. Gut u. Böse. 12. u. 14. Taus. d. Geneal. d. Moral. (484 u. 16 m. 1 Fksm.) 03.　　nn 4.50; geb. 16 —
Nietzsche's, F, Werke. 9—15. Bd. (1—7. Bd d. II. Abth.) 8° Lpzg, CG Naumann.　　64 —; Einbde in HF. je 2 —
9. Nachgelassene Werke. Aus d. J. 1869—72. 2. Ausg. L u. 2. Taus. (474) 05.　　9 —
10. Dass. Aus d. J. 1872/73—75/76. 2. Ausg. 1. u. 2. Taus. (528) 03.　　9 —
11. Dass. Unveröffentlichtes a. d. Zeit d. Menschl., Allzumenschl. u. d. Morgenröthe. (1875/76—1880/81.) 2. Ausg. 1. u. 2. Taus. (472) 01.　　9 —
12. Dass. Unveröffentlichtes a. d. Z. d. fröhl. Wiss. u. d. Zarathustra. (1881—86.) 2. Ausg. 1. u. 2. Taus. (437) 01.
13. Dass. Unveröffentlichtes a. d. Umwerthgszeit. (1882/83.) 1. u. 2. Taus. (383) 03.　　9 —
14. Dass. Unveröffentlichtes a. d. Umwerthgszeit. (1882/83—88.) 1. u. 2.Taus. (443) 04.
15. Dass. Der Wille zur Macht. Versuch e. Umwertg aller Werte. (Studien u. FFragmente.) (22, 541) 01.　　10 —
— dass. I. Abth. 1—3. u. 6—8. Bd. 8° Ebd.　　39.50;
Einbde in L. je 2 —
1. Die Geburt d. Tragödie. Unzeitgemässe Betrachtgn. 1—4. Stück. 9./10. Taus. d. Geburt d. Tragödie. Unzeitgemässe Betrachtgn. 9./10. Taus.
2. d. 5 ersten Stücke. 10./11. Taus. d. 4. Stückes. (617 m. Bildnis.) 03. 9 —
2. Menschliches. Allzumenschliches. Ein Buch f. ffreie Geister. 1. Bd. 10 —12. Taus. (451) 03.　　6 —
3. Dass. 3. Bd. 10—12. Taus. (397) 04.　　6 —
5. Also sprach Zarathustra. Ein Buch f. Alle u. Keinen. 41—45. Taus. (478 u. 18 m. Bildnis.) 04.　　4.50
7. Jenseits v. Gut u. Böse. — Zur Geneal. d. MoFal. 14. u. 15. Taus. d. Jenseits v. Gut u. Böse. 11. u. 13. Taus. d. Geneal. d. Moral. (484 u. 16)' 02.　　6.50
8. Der Fall WagneF. Götzen-Dämmerg. Nietzsche contfa Wagner. Umwertg aller Werthe. (I. Buch : Der Antichrist.) Dichtgn. 11, 12. u. 13. Taus. d. Fall Wagner u. d. Götzen-Dämmerg; 9, 10. u. 11. Taus. v. Nietzsche contfa WagneF: 7, 8. u. 9. Taus. d. Umwertg allefWerte 1; 12., 13. u. 14. Taus. d. Dichtgn. (470) 04.　　6.50
— dass. 9—15. Bd. (1—7. Bd d. II. Abth.) 8° Ebd.　　47 —;
Einbde in L. je 2 —
9. Nachgelassene Werke. Aus d. J. 1869—72. 2. Ausg. 3. u. 4. Taus. (21, 474) 05.
10. Dass. Aus d. J. 1872/73—75/76. 2. Ausg. 3. u. 4. Taus. (532) 03. 7 —
11. Dass. Unveröffentlichtes a. d. Zeit d. Menschl., Allzumenschl. u. d. Morgenröthe. (1875/76—1880/81.) 2. Ausg. 3. u. 4. Taus. (421) 01. 6.50
12. Dass. Unveröffentlichtes a. d. Zeit d. fröhl. Wiss. u. d. Zarathustra. (1881—86.) 2. Ausg. 3. u. 4. Taus. (436) 01.　　6.50
13. Dass. Unveröffentlichtes a. d. Umwerthgszeit. (1882/83—88.) 3. u. 4. Taus. (383) 03.　　6.50
14. Dass. Unveröffentlichtes a. d. Umwerthgszeit. (1882/83—88.) 3. u. 4. Taus. (443) 04.　　6.50
15. Dass. Der Wille z. Macht. Versuch e. Umwertg alleFWerthe. Studien u. Fragmente.) 3. u. 4. Taus. (22, 541) 01.　　7 —
— Unzeitgemässe Betrachtgn. 1. Bd. 1. Stück: David Strauss, d. Bekenner u. Schriftsteller. 2. Stück: Vom Nutzen u. Nachtheil d. Historie f. d. Leben. 3. u. 4. Stück: Schopenhauer als Erzieher. (214) 8° Ebd. 04.　　4.50; geb. 5.75
— ges. Briefe. 3 Bde. 8° Berl., Schuster & Loeffler. Je 10 —;
L. je 11 —; HF. je 12 —
I. Briefe an Pinder, Krug, Deussen, Frhrn v. Gersdorff, Carl Fuchs, FFau Baumgartnef, FFau Louise O., FrhFn v. Seydlitz u. A. Hrsg. v. E FörsteF-Nietzsche u. P Gast. (331 — 671 m. 1 Bildnis.) 01.
II. Briefwechsel -m. Erwin Rohde. HFsg. v. E FörsteF-Nietzsche u. F Schöll. 2. Afl. (28, 629 m. 1 Taf.) 02.
III. 1. Briefwechsel m. F Ritschl, J Burckhardt, H Taine, G Keller, Frhrn v. Stein, G Brandes. Hrsg. v. E FöFsteF-Nietzsche u. C Wachsmuth. (330 m. 1 Bildniataf.) 04.　　5 —; L. 6 —; HF. 7 —
2. Briefwechsel m. H v. Bülow, H v. Wagner, Malwida v. Meysenbug. HFsg. v. E FöFster-Nietzsche u. P Gast. (331—671 m. 1 Bildnis.) 05.　　5 —; L. 6 —; HF. 7 —
— Gedichte u. Sprüche. 9—11. Taus. (218) 12° Lpzg, CG Naumann 01.　　4 —; L. nn 5 —; Ldr 6 —; in Pergament 6.50 d
— Jenseits v. Gut u. Böse. Vorsp. e. Philosophie d. Zukunft. Einzeldr. 13. Taus. (281) 8° Ebd. 01.　　5 —; geb. 6.25
— Also sprach Zarathustra. Ein Buch f. Alle u. Keinen. 34—37. Taus. (Min.-Ausg.) (488) 12° Ebd. 05.　　6 —; L 7 —;
Ldr 8 —; in Pergament m. G. 8.50 d
Nieuwbarn, MC: Die VerheFrlichg d. hl. Dominikus in d. Kunst. 32 Kunstbläter. Text v. N., (39) 4° M.-Gladb., B Kühlen 06.　　In M. 20 —
Nieuwenhoff, W van: Das hlst. Herz Jesu, d. Sonne d. 20. Jahrh. Übertr. u. m. e. Anh. v. durchlöchlosten Andachten versehen v. e. Ordensmitgliede. (225 m. Titelbild.) 16° Rgnsbg, J Habbel 02.　　— 50; Ldr 1 —
— Pater Le Cocq d'Armandville v. d. Gesellschaft Jesu. Skizzen a. d. Missionsleben v. niederl. Ostindien. Aus d. Holl. v. MS. (239 m. Abb. u. 2 Kart.) 8° Ebd. 02.　　L. 3 — d
— Die Schule d. hlst. Herzens Jesu, s.: Handbibliothek, ascet.
Nieuwenhuis, AW: Quer durch Borneo. Ergebnisse u. Reisen in d. J. 1894, 96—97 u. 98—1900. Unter Mitarbeit v. M Nieuwenhuis — v. Uxküll-Güldenbandt. (2 Tle.) 1. Tl. (495 m. 97 Abbildgn. u. 2 Kart.) 8° Leid., Bh. u. Druckerei vorm. EJ Brill 04.　　Für vollst., I. u. nn 42 —
— Lokalisation u. Symmetrie d. parasitären Hautkrankh. im indl. Archipel. [S.-A.] (16 m. 8 Lichtdr.) 8° Amsterd., J Müller 05.　　8 —
— Anthropometr. Untersuchgn bei d. Dajak. Bearb. durch JHF Kohlbrugge. [S.-A.] (17 m. 3 Taf., 1 Karte u. 8 Tab.) 4° Haarl., H Kleinmann & Co. 03.　　3.50
Nieuwenkamp, WOJ: Alte holländ. Städte u. Dörfer an d. Zuidersee, s.: Veldheer, JG.
Nievert, H: Was d. Westwind erlebte. Skizzen. (122) 12° Halle, H Gesenius 03.　　1 —; L. 1.50 d

Nigetiet u. **Voltz:** Rechenb. f. 1klass. Volkssch. (Ausg. A), bearb. v. Pollner u. Gasser. 3 Tle, nebst Antworten z. II. u. III. Tl. 8⁰ Metz, P Even. 5.30 d
I. 28. Afl. (20) 03. Kart. — 40 ‖ II. Mittelst. 31. Afl. (76) 03. Kart. — 50; Antworten (27) — 90 ‖ III. Oberst. 29. Afl. (114 m. Fig.) 03. Kart. — 60; Antworten. (40) — 90.
— — Rechenb. f. mehrklass. Volkssch. (Ausg. B), bearb. v. Pollner u. Gasser. 4 Tle nebst Antworten z. II—IV. Tl. 8⁰ Ebd. 4.90 d
I. Unterst. 3. Afl. (20) 03. Kart. — 40 ‖ II. 3. Afl. (102) 03. Kart. — 60; Antworten. (42) 02. — 90 ‖ III. 3. Afl. (104 m. Fig.) 03. Kart. — 60; Antworten. (38) 02. — 90 ‖ IV. (96) 02. Kart. — 60; Antworten. (29) 02. — 90.
Nigg, Frl. M: Blumenreigen. Gedichte. 2. Afl. (86 m. 1 Bild.) 12⁰ Korneubg, Selbstverl. 02. (Nur dir.) — 60 d
— Blütenlese a. d. Werken d. in Chicago prämierten österr. Dichterinnen u. Schriftstellerinnen. (82) 8⁰ Ebd. 1898. — 85
— s.: Frauen-Werke.
— Jubiläums-Almanach. Hrsg. v. N. (78) 8⁰ Korneubg, Selbstverl. (1898). — 56
— s.: Streublumen auf d. Lebensweg.
— Trient. (16 m. 1 farb. Abb.) 8⁰ Korneubg, Selbstverl. 02. — 60
Niggl, A: Grundz. d. Statistik, m. bes. Berücks. d. Wirtschafts- u. Handelsstatistik. (178) 8⁰ Lpzg, Verl. d. mod. kaufm. Bibliothek (01). 2.75
Niglutsch, J: Brevis commentarius in S. Pauli apostoli epistolam ad Romanos. (183) 8⁰ Trient, J Seiser 03. 2 —
— Brevis explicatio psalmor. Ed. III. (348) 8⁰ Ebd. 05. 4 —
Nijhoff, GC: Fünflingsgeburten, s.: Blécourt, JJ de.
Nijhoff, W: L'art typograph. dans les Pays-Bas. (1500—40.) Reproduction en facsimile des caractères typographs., des marques d'imprimeurs, des gravures sur bois et autres ornements employés dans les Pays-Bas entre les années MD et MDXL. Avec notices crit. et biograph. (In 15—20 Lfgn.) 1—6. livr. (Je 12 Bl.) 4⁰ Haag, M Nijhoff. — Lpzg, KW Hiersemann (03-05). Subskr.-Pr. je nn 12.50
— Nederlandsche Schiller-Bibliogr., s.: Schillerfeier to 's-Gravenhage.
Nikaschinovitsch, B: Bosnien u. d. Herzegovina unter d. Verwaltg d. österr.-ungar. Monarchie u. d. österr.-ungar. Balkanpolitik. (In 4 Bdn.) 1. Bd: Berliner Kongress 1878 u. d. Agrarfrage. (171) 8⁰ Berl., (Thormann & G.) 01. 5 —
— 35 Millionen Mark deut. Kapital in Bosnien u. d. Lpzg. Bank, nebst d. Kasseler Trebertrocknngs-Gesellsch. u. d. Elektrizitäts-Aktien-Gesellsch. vorm. Schuckert & Co. in Nürnberg. (48) 8⁰ Ebd. 01. — 50 d
Nikel, A, s.: Ordo divini officii dicendi etc. Dioec. Wratislaviensis.
Nikel, J: Babel u. Bibel, s.: Volksaufklärung.
— Genesis u. Keilschriftforschg. (261) 8⁰ Freibg i/B., Herder 03. 5 —
— Die Reichsges. üb. d. Kranken-, Unfall- u. Invaliden-Versicherg, s.: Charitas-Schriften.
— Zur Verständig üb. „Bibel u. Babel". (104) 8⁰ Bresl., F Goerlich 03. 1 —
Nikel, W: Grabgesänge. [S.-A.] (36) 8⁰ Bresl., F Goerlich (4). — 60 d
Niklaus, FH: Eine Amerikafahrt im J. 1834, s.: Verein f. Verbreitg guter Schriften, Bern.
Nikodemus, C: Das Werk d. Versöhng u. Erlösg u. d. Aneignig d. gewissen Gnade Jesu Christi. (109) 8⁰ Düsseldf, C Schaffnit (04). 1 —
Nikolaj Michajlowitsch, Grossfürst: Die Fürsten Dolgorukij, d. Mitarbeiter Kaiser Alexanders I. in d. ersten Jahren ar Regierg. Aus d. Russ. (190 m. 12 Portr.) 8⁰ Lpzg, H Schmidt & C Günther 02. 6 —; geb. nn 8 —
— dass., s.: Napoleon I.
Nikolaus I. Fürst v. Montenegro: Fürst Arvanit. Dramat. Dichtg. Deutsch v. C Amico. (76) 8⁰ Augsbg, (M Rieger) (05). 1 —
— Die Balkankaiserin. Histor. Drama. Deutsch v. H Marck. (109) 8⁰ Berl., H Steinitz (01). 3 —
Nikolay, F: Ungeratene Kinder. Psycholog. u. pädagog. Studie. Nach d. 18. Afl. übers. v. G Pletl. (510) 8⁰ Rgnsbg, Verl.-Anst. vorm. GJ Manz 04. 4 —; HF. 5.50 d
Nikoljski, AW: Üb. tuberkulöse Darmstenose, s.: Sammlung klin. Vortr.
Nikutowski, E: Bilder v. Rhein, s.: Steinzeichnungen deut. Maler.
— dass. u. a. d. Eifel, s.: Meyer, KT.
Nilkes, P: Schutz- u. Trutzwaffen im Kampfe geg. d. modernen Unglauben. 2 Tle. 8⁰ Berl., Buxton & Bercker. Je — 60 d
I. 9. Afl. (136) 04. ‖ II. 1—6. Afl. (123 bezw. 144) 01-05. in 1 L.-Bd 1.75 d
Nilos (Neilos) **Doxapatres,** d., ταξις των πατριαρχικων θρονων, armenisch u. griechisch hrsg. v. FN Finck. (46) 4⁰ Tiflis 02. (Marbg, NG Elwert's V.) 2.50
Nilson, B: Die Flechtenvegetation v. Kullen. [S.-A.] (30) 8⁰ Stockh. 03. (Berl., R Friedländer & S.) 1 —
Nilssen, A: Schneeschuhe (Ski). [S.-A.] (15 m. Abb.) 8⁰ Münch., G Lammers 06. — 90 d
Nimm mich mit. Ein illustr. Blatt f. Alles u. Alle. Red.: E Schubert. 1. Jahrg. Nr. 1. Oktbr 1905. (16) 4⁰ Berl., Verl.-Anst. Buntdruck. — 05 d
— dass. Ein buntes Blatt f. Alle u. Alle. Red.: E Schubert u. T Blum. 1. u. 2. Jahrg. Septbr 1904—Aug. 1906 je 52 Nrn. (Nr. 1—5. Je 16) 4⁰ Ebd. Viertelj. — 65; einz Nrn — 05 d

Nimm mich mit, es reut dich nit! Reim- u. Bilderbüchl. f. alle braven Kinder. 4. Afl. (126) 16⁰ Einsied., Verl.-Anst. Benziger & Co. (01). L. 1.20 d
— u. lies! Gute Botschaft f. Jedermann in Stadt u. Land. Red.: G Ihloff. 8—12. Jahrg. 1901—5 je 52 Nrn. (Nr. 1. 4) 4⁰ Neumünst., Vereinsbh. G Ihloff & Co. Je nn — 50 d
Wird nicht unter 6 Stück abgegeben.
Nina's Missionsarbeit nebst ein. and. Gesch., s.: Kornblumen.
Ninck, C: Auf bibl. Pfaden. Reisebilder a. Agypten, Palästina, Syrien, Kleinasien, Griechenl. u. d. Türkei. 6. Afl. (416 m. Abb., 2 Kart. u. 1 Panorama.) 4⁰ Lpzg, Verl. Deut. Kustfreund (03). 7 —; L. nn 10 —; m. G. nn 10.50 d
Ninck, J: Die Bibel in Rätseln. Reimrätselreihen. 1—5. Taus. (135) 12⁰ Stuttg., M Kielmann 02. Kart. 1.20; L. 2 — d
— s.: Goldfäden. — Kinderfreund, deut.
— Simon Petrus, d. Fischer a. Galiläa u. Apostel Jesu Christi. Ein Lebensbild fürs Leben. 2. Afl. (112 m. Abb.) 4⁰ Lpzg, Verl. Deut. Kinderfreund (03). L. m. G. 4.50 d
— Ludwig Richter. Ein deut. Maler u. Hausfreund. (32 m. Abb.) 8⁰ Konst., C Hirsch (04). 15 d
Nion, F de: Der Reisegefährte u. and. Novellen. Aus d. Franz. v. L Landau. (188 m. Abb.) 8⁰ Münch., A Langen 01. 3 —; geb. 4 — d
— Tünche. Roman a. d. Pariser vornehmen Welt. Übers. v. M Schoeman. 2 Tle in 1 Bd. (199 u. 168 m. Abb.) 8⁰ Berl.-Gr.-Lichterf.-Ost, Dr. P Langenscheidt (04). L. 5.50
Niox, G: Hist. de la guerre franco-allemande 1870—71. Für d. Schulgebr. hrsg. v. H Bretschneider. (107 m. 2 Kartenskizzen.) 8⁰ Lpzg, G Freytag 02. Geb. 1.20; Wrtrb. (69) — 75 d
Nippold, F: Die Anfänge d. christkathol. Bewegg in d. Schweiz u. d. Los-v.-Rom-Bewegg in Oesterr. Vorträge. (58) 8⁰ Bern, KJ Wyss 02. — 80 d
— Bischof v. Anzer, d. Berliner amtl. Politik u. d. ev. Mission. (Beigabe z. 2. u. 5. Bde d. Hdb. d. neuesten Kirchengesch.) (98) 8⁰ Berl., CA Schwetschke & S. 05. 1.80 d
— Das deut. Christuslied d. 19. Jahrh. (389) 8⁰ Lpzg, E Wunderlich 03. 3 —; geb. 4 — d
— Der Entwicklgsgang d. Lebens Jesu im Wortlaut d. 3 ersten Evangelien. Vom Beginn d. öffentl. Auftretens bis z. Beginn d. Leidensgesch. Neue [Tit.-]Ausg. (26, 229) 8⁰ Berl. [1895] 01. Lpzg, M Heinsius Nf. 4 — d
— Der relig. Friede d. Zukunft u. s. Anbahng durch d. altkathol. Kirche. Vortr. Mit e. Anh. üb. d. Vor- u. Nachsp. d. Liguorischen Kontroverse. (42) 8⁰ Lpzg, (C Braun) 01. — 50 d
— Meine Gutachten vor Gericht in Sachen d. Liguorischen Moral, d. Grasmannschen Auszüge daraus u. d. Verteidigsversuches d. Prinzen Max v. Sachsen. (14, 86) 8⁰ Halle 03. Jena, HW Schmidt. 1 — d
— Hdb. d. neuesten Kirchengesch. 3. Afl. Neue [Tit.-]Ausg. 4 Bde. 8⁰ Berl. 01. Lpzg, M Heinsius Nf. 46.40 d
I. Einl. in d. Kirchengesch. 18. Jahrh. (577) [1880.] 19 —
II. Gesch. d. Katholizismus seit d. Restauration d. Papstthums. (42, 650) [1883.] 15 —
III. 1. Gesch. d. Protestantismus seit d. deut. Befreigskriege. 1. Buch: Gesch. d. deut. Theol. (625) [1890.] 9 —
2. Dass. 2. Buch: Interkonfessionelle Zeitfragen u. Zukunftsaufgaben. (746) [1895.] 8.40
IV. Amerikan. Kirchengesch. seit d. Unabhängigkeiterklärg d. Verein. Staaten. (272) [1892.] 6.60
— dass. 3. Afl. 5. Bd. Gesch. d. Kirche im deut. Protestantismus d. 19. Jahrh. 1—6. Lfg. (1—480) 8⁰ Ebd. 03-05. Je 2 — d
— Der Kurfürst-Konfessor Johann Friedrich. Rede. (29) 4⁰ Jena, (G Neuenhahn) 02. 1.60
— Die internat. Lage d. Protestantismus. Vortr. (45) 8⁰ Lpzg, (C Braun) 05. — 80 d
— Prinz Max v. Sachsen u. Prälat Keller in Wiesbaden als Vertheidiger d. Liguorischen Moral. Vortr. 1—5. Afl. (Je 48) 8⁰ Ebd. 01. — 60 d
— Kollegiales Sendschreiben an Ernst Häckel. Mit d. Antrittsrede in Jena am 10.V.1884: Die naturwiss. Methode in ihrer Anwendg auf d. Relig.-Gesch. (58) 8⁰ Berl., CA Schwetschke & S. 01. 1.20 d
Nippold, O: Ein Blick in d. europafreie Japan. (56) 8⁰ Frauenf., Huber & Co. 05. 1.20 d
— Die Entwicklg Japans in d. letzten 50 Jahren. (42) 8⁰ Bern, KJ Wyss 04. — 80 d
Nippold, O: Das warme Bad zu uns, lieben Frauen auf d. Sande, auch Gnade Gottes genannt, unter d. Wolkenstein im Erzgebirge. (54) 8⁰ Freibg, Gerlach'sche Buchdr. 01. 1 —
Nippold, WKA: Oliver Cromwell — Wilhelm III. u. ihre Feinde v. heute. Litterar. Anh. zu Wilhelm III. Prinz v. Oranien, Erbstatthalter v. Holland, König v. Engl. (85) 8⁰ Berl., CA Schwetschke & S. 01. 2 —
— Der Letzten Wende. Drama. (Ausg. f. d. Buchhandel.) Vorspiel u. 1 Thl. (348) 8⁰ Ebd. 4.80
Nippoldt jun., A: Der Erdmagnetismus, Erdstrom u. Polarlicht, s.: Sammlung Göschen.
— Die tägl. Variation d. magnet. Deklination, e. Untersuchg üb. d. periodisch. Charakter, s.: Analyse. [S.-A.] (28 m. Abb.) 8⁰ Hambg, (L Friederichsen & Co.) 03. nn 2 —
Nirschl, J: Die Univ.-Kirche in Würzburg. Historisch u. architektonisch beschrieben. (60 m. Abb. u. 1 Grundr.) 8⁰ Würzbg 1891. Lpzg, Woerl's Reisebücher-Verl. 1 —
Nirutaka: Der Akazuki vor Port Arthur. Aus d. Kriegstageb. (96 m. Abb.) 8⁰ Heilbr., E Salzer 04. 1 — d
Nisius, JB: Die unbefleckte Jungfrau. Festgabe z. Immacu-

lata-Jubiläum (1854—1904). Predigten. Anh.: Eine neuntäg. Andacht z. unbefleckten Empfängnis. (175 m. 1 Abb.) 8° Wien (04), Ravensbg, F Alber.   1.40 d

Nisle-Klein, C: Der Mann m. d. Pferdekopf. (189) 8° Wien, Wiener Verl. 01.   3 — d

Nissel, F: Ein Nachtlager Corvins, s.: Handbibliothek, Cottasche.

Nissen, G: 100 Ausflüge in Hamburgs Umgegend. — Der Harz. — Ost-Holstein, s.: Richter's Führer.

Nissen, H: Italische Landeskde. II. Bd. Die Städte. 2 Hlftn. (100q) 8° Berl., Weidmann 02.   15 — (I u. II.: 23 —)

Nissen, J: Unterredgn üb. d. bibl. Gesch. Hdb. f. Schullehrer. Neu hrsg. v. d. Niedersächs. Gesellsch. z. Verbreitg christl. Schriften. 2 Bde, 8° Hambg, Ev. Bh.   3.30; geb. 4.40 d
1. Altes Test. (4°2) 03. 1.70; geb. 2 — ‖ 2. Neues Test. Mit e. Anh. Festnaterredgn. (4°2) 01 (Umschl. 02). 1.50; geb. 2 —

Nissen, P: James Shirley. (26) 4° Hambg, (Herold) 01.   2 —

Nissen, R: Kaufmänn. Schnellrechnen. Mit bes. Berücks. d. Rechng m. d. engl. Währg. zw. Nervenzelle. Mit bes. Berücks. d. (64) 8° Hambg (Treskowstr. 4), Selbstverl. 05.   1.30 d

Nissen, W: Der verzauberte Philister u. and. Erzählgn. (225) 8° Berl., O Janke 05.   3 — d

Nissmann, H, s.: Berichte üb. einz. Geb. d. angewandten physikal. Chemie.
— Einrichtgn v. elektrolyt. Laboratorien unter bes. Berücks. d. Bedürfnisse d. Hüttenpraxis, s.: Monographien üb. angewandte Elektrochemie.

Nissl, F, s.: Arbeiten, histolog. u. histopatholog., üb. d. Grosshirnrinde.
— Die Neuronenlehre u. ihre Anhänger. Beitrag z. Lösg d. Problems d. Beziehgn zw. Nervenzelle, Faser u. Grau. (478 m. 2 Taf.) 8° Jena, G Fischer 03.   12 —

Nist, J : Das 6. Gebot Gottes Du sollst nicht Unkeuschh. treiben, in ausgeführten Katechesen f. d. 3. Schulj. bearb. [S.-A.] (27) 8° Paderb., F Schöningh 05.   —.25 d
— Ausgeführte Katechesen üb. d. Gebote Gottes f. d. 3. Schulj. (137) 8° Ebd. 05.   1.50 d

Nistler, G : Practica. Eine auf langjähr. Erfahrg begründete Anweisg, sich durch Selbstunterr. in kurzer Zeit e. gewandte u. schöne Handschrift anzueignen. (8 m. 4 Taf.) 8° Lpzg 04. (Naunh., Schäfer & Schönfelder.)   — 60

Nithack-Stahn, W : Die Christen. Schausp. 2.Afl. (97) 8° Halle, J Fricke's V. 02.   1 — d
— Denifles Luther, s.: Flugschriften d. Ev. Bundes.
— Üb. d. Leben u. d. Tode. Fragen u. Antworten. (32) 8° Halle, J Fricke's V. 04.   — 50 d
— Predigt z. Einweihg d. Lutherkirche in Görlitz. (23) 8° Ebd. 01.   — 20 d
— Der Prozess d. röm. Kirche geg. Galileo Galilei, s.: Flugschriften d. Ev. Bundes.
— Schiller-Predigt. (8) 8° Halle, J Fricke's V. 05.   —15 d

Nitobé, I: Bushido, d. Seele Japans. Darstellg d. japan. Geistes. Deutsch v. E Kaufmann. (141) 8° Tokyo 2563 (1903). (Wien, CW Stern.)   3.50

Nitsch, A: Harzer Heimaths-Lieder, sowie e. Sammlg Verse u. Gedichte. (A. 54) 8° Osterode (01). (Lpzg, B Franke.)   — 50 d

Nitsch, G: Rette deine Seele. 70 Sendschreiben üb. Errettg u. Heiligg. 200 Jahre n. d. 1. Erscheinen in neuer Bearbeitg aufs neue gesendet durch GA Kaiser. (32, 320) 8° Frankf. a/M. 1900. Bonn, J Schergens.   geb. 2.50 d
— dass. 2. Afl. (32, 320) 8° Hdlbg 03. (Gotha, Missionsbh. P Ott.)   L. 2.50 d

Nitsch, H, s. a.: Hesdin, H.
— Dummheiten. Lachende Märchen. (104) 8° Dresd., E Pierson 05.   1.50; geb. 2.50 d

Nitsche, A: Aus v. Übgsb. d. Arithmetik f. d. I—IV. Gymnasialkl. 8° Wien, F Deuticke.   Geb. 3.60
I.II. (121) 02. 1.80 ‖ III.IV. (136) 04. 1.80.

Nitsche, O : Das Gymnasial-Pensum d. Chemie. (25) 8° Kiel, K Cordes (03).   Kart. — 60

Nitsche, P: Der Import v. leb. Fischen. Rathschläge u. Winke f. d. Einführg v. Reptilien, Amphibien, Seewasserthieren u. Wasserpflanzen f. Aquarien- u. Terrarienzwecke. (103) 8° Berl., (F Pfenningstorf) (01).   L. 2 —
— Das Wichtigste a. d. Heimatkde d. Kreises Brieg. (16) 8° Glog., C Flemming (05).   — 10 d

Nitschke, A: Volksmärchenspiele f. Haus, Schule u. Kindergarten. (45 m. Melodien.) 8° Wien, A Fichler's Wwe & S. 04.   — 70 d
— Die Weihnachtsfeier im Kindergarten in Gesang u. Declamation, nebst Anhang f. Kindergarten. Vorwort u. Melodien v. F Seidel. 2. Afl. (58) 8° Ebd. 01. 1 — ‖ Neue Folge. (84) 02. 1.50 ; Einbde je — 40; in 1 Bd geb. 3 — d

Nitschke, K: Einkommen u. Vermögen in Preussen u. ihre Entwicklg seit Einführg d. neuen Steuern m. Nutzanwendg auf d. Theorie d. Einkommenstwicklg. (124) 8° Jena, G Fischer 02.   2.50 d
— Schlesien bleibt deutsch! (55) 8° Bresl., A Langewort (01).   —

Nitschke, M: Der Vorbereitgskurs. Beitrag z. Methodik d. 1. Unterr. in d. Elementarkl. (28) 8° Lpzg, A Hahn 05.   — 50 d

Nitschl, C: Bilanz-Bogen. Die ges. doppo. Buchführg nebst leichtfassl. Bilanztab. auf e. Bogen Papier! (3 m. Text auf d. Umschl.) 34×61 cm. Tepl.-Schönau, P Günther (04).   1 —

Nitschmann, T: Das neue Leben. Gedanken u. Bilder. (144) 8° Bas., F Reinhardt 05.   L. 2.40 d

Nitze, M, s.: Chirurgie d. Unterleibes. — Zentralblatt f. d. Krankh. d. Harn- u. Sexual-Organe.

Nitzelnadel, E, s.: Jahrbuch, therapeut.

Nitzsche: Üb. d. griech. Grabreden d. klass. Zeit. I. (20) 4° Altnbg, (Schnuphase) 01.   1 — d

Nitzsche, G: Fibel (Hülfschulfibel). (48) 8° Dresd., Bleyl & K. 05.   — 60; kart. — 75

Nitzsche, H: Formular- u. Musterheft f. d. Unterr. im Geschäftsaufsatz an gewerbl. Lehranst., Fach- u. Fortbildgssch. (50) 4° Dresd., Bleyl & K. (01).   1.30
— Formulartaf. Nr. 1 u. 2. Je 97×159 cm. Dresd., A Müller-Fröbelhaus (04).   Auf L. m. St. je nn 15 —
— Die neue dent. Rechtschreibg in 3 Lektionen. (60) 8° Dresd., H Schultze 03.   — 40 d

Nitzsche, M: Die handelspolit. Reaktion in Deutschl., s.: Studien, Münch. volkswirtschaftl.

Niveler, P: Der Freischütz od. Der Kugelguss um Mitternacht. — Wenn man sich nicht versteht, s.: Heidelmann's, A, Theaterbibliothek.

Nix, HI: Cultus ss. cordis Iesu et purissimi cordis b. v. Mariae. Ed. III. (235) 8° Freibg i/B., Herder 05.   2 —; L. 2.60

Nixdorf, CJ : Der Schriftsetzer-Lehrling, s.: Koepper's, G, Handwerkerbibliothek.

Nixdorf, J: Prinz Karneval. Prakt. Hdb. z. Leitg v. Karnevals-Sitzgn, Maskenzügen u. Kostüm-Aufführgn usw. (134) 8° Mühlh. i/Th., G Danner (04).   1.30 d

Noa, M: Die Destillation, Weinkelterei u. Brauerei im Haushalte. Prakt. Anl. z. kinderleichten Selbst-Bereitg. Auf Kaltem Wege unter Anwendg v. Noa's Orig.-Extracten. 10. Afl. (112) 8° Berl. (SW. 42, Wasserthorstr. 27), (Berolina-Versand-Bh.) (03).   1.50

Noack, C: Aufg. f. d. Rechenunterr. in Landsch. 3 Hefte. 8° Berl., Mickisch & Co. (03).   nn — 75 d
1. Unterr. 10. Afl. (32) nn — 20 ‖ 2. Mittelst. 11. Afl. (48) nn — 33 ‖ 3. Oberst. 5. Afl. (56) nn — 40 —
— Aufg. f. d. Rechenunterr. in dent. Schulen. 5 Hefte. 8° Ebd.   nn 2.50 d
I. 116. Afl. (24) 03. nn — 15 ‖ II. 112. Afl. (36) 03. nn — 20 ‖ III. nn — 20 ‖ (48) (03.) nn — 25 ‖ IV.72. Afl. (48) (03.) nn — 30 ‖ IV.A. (45) 1899. nn — 30 ‖ V A. (Für höh. Schulen.) 22. Afl. (112) (03.) nn — 30 ‖ V B. (Für Mädchen.) 8. Afl. (88) (05.) nn — 40 ‖ V C. (Für Knaben.) 8. Afl. (72) 1899. nn — 40.
— Aufg. f. d. Rechenunterr. in 7- u. 8stuf. Schulen. Ausg. C in 7 Heften. 8° Ebd. (03).   nn 2.65 d
I. 1. u. 2. Schulj. (32) nn — 70 ‖ II. 3. Schulj. (32) nn — 20 ‖ III. 4. Schulj. (40) nn — 25 ‖ IV. 5. Schulj. (52) nn — 50 ‖ V. 6. Schulj. (72) nn — 35 ‖ VI.A. (Für Knaben.) 7. u. 8. Schulj. (116) nn — 50 ‖ VI B. (Für Mädchen.) 7. u. 8. Schulj. (100) nn — 50 ‖ VII. (Ergänzgsheft zu VI A.) 7. u. 8. Schulj. (48) nn — 25 ‖

Noack, E: Hoftheater-Erinnergn. Ausless hervorrag. Theatervorstellgn u. Concerte a. e 13000 Gesamtaufführgn d. kgl. Theaters zu Hannover. (91) 8° Hannov., M & H Schaper 02.   1 — d
— Intime Plaudereien a. d. Vergangenh. d. kgl. Hoftheaters zu Hannover. (175 m. Bildnis.) 8° Ebd. 03.   2 — d

Noack, E, s.: Leitfaden z. Selbststudium f. Lehrlinge d. Zimmerhandwerks.

Noack, E: Lungengymnastik u. Atmgskunst im Schulturnen. (31 m. Abb.) 8° Lpzg, F Brandstetter 04.   — 50

Noack, F: Homer. Paläste. (104 m. Abb. u. 2 Taf.) 8° Lpzg, BG Teubner 03.   2.80

Noack, K: Das Stapel- u. Schiffahrtsrecht Mindens v. Beginn d. preuss. Herrschaft 1648 bis z. Vergl. m. Bremen 1769, s.: Quellen u. Darstellungen z. Gesch. Niedersachsens.

Noack, K: Aufg. f. physikal. Schülerübgn. (170 m. Fig.) 8° Berl., F Springer 05.   Geb. 3 —

Noack, K: Hülfb. f. d. ev. Relig.-Unterr. in d. ob. Kl. höh. Schulen. Ausg.A. 33.Afl. (169 m. 1 Karte.) 8° Berl., Nicolai's V. 03.   Geb. 1.80 d
— dass. in d. mittl. u. ob. Kl. höh. Schulen. Ausg. B. (Nach d. preuss. Lehrpl. v. 1892 u. 1901 umgearb.) 15. Afl. (198 m. 1 Karte.) 8° Ebd. 03.   Geb. 2 — ‖ 20. Afl. (198 m. 1 Karte.) 05. Geb. 2.40 d
— Schulergangsb nebst Katech. u. Spruchb. 3. Afl. (24, 130) 8° Frankf. a/O., G Harnecker & Co. 02.   Geb. — 80 d

Noack, P: Moderne Geschäfts-Einrichtgn m. Details in natürl. Grösse. Für d. prakt. Tl: W Hoenselaars. 4 Lfgn. (64 m. [1 farb.] Taf. m. 5 Detailbog.) Fol. Nebst Preisberechng. (119) 4° Düsseldf, F Wolfrum (02).   Je 10 —; in 1 M. 40 —

Nobbe, F: d. Obstbau, s.: Thaer-Bibliothek.
— u. G Büttner: Führer durch d. akadem. Forstgarten zu Tharandt. (66 m. 1 Pl.) 8° Berl., J Parey 05.   1 —

Nobel, J: Kasualreden. Hrsg. v. e. Freunde u. Verehrer. (142) 8° Lpzg, MW Kaufmann 04.   2 — d
— Sabbath- u. Festpredigten. (50) 8° Frankf. a/M., J Kaufmann 02.   1.50 d

Noebel: Zur Methodik d. lokalen Anästhesie in d. ob. Luftwegen. (16) 8° Halle, C Marhold 02.   — 40

Noebels, F: Haustelegr. u. Privat-Fernsprechanlagen m. bes. Berücks. d. Anschl. an d. Reichsfernsprechnetz. (20, 490 m. Abb.) 8° Lpzg, S Hirzel 05.   L. 5 —
— A Schunkebier, O Jentsch: Hdb. z. Vorbereitg auf d. Prüfgn d. Postbeamten in d. Telegr. (insbes. d. Postassistenten- u. Postsekretärprüfg). 2. Afl. (488 m. Abb.) 8° Ebd. 02.   L. 12 — d

Noll's, FC, Naturgesch. d. Menschen (Anthropol.), nebst Hinweisen auf d. Pflege d. Gesundheit, f. d. Gebr. an höh. Lehranst. u. Lehrerbildgsanst. 5. Afl. v. H Reichenbach. (120 m. Abb., 2 farb. Taf. u. 1 Karte.) 8° Bresl., F Hirt 05. Geb. 1.50 d
Noll, F: Das Kommunalabgabenges. v. 14.VII.1893, nebst Ausführgsanweisg v. 10.V.1894. 4. Afl. (557) 8° Berl., C Heymann 02. ‖ 5. Afl. v. F Freund. (558) 05. Je 10 — geb. je 11 — d
Nollau, H: Pompejan. Religionen. Dichtgn. (72) 8° Lpzg 01. Crimmitschau, R Wöpke. 5 — d
Nolle, L: The catechist in the infant school and in the nursery. (109) 8° Freibg i/B., Herder 05. L. 1.75
Noelle, O: Das Ges. üb. d. Fürsorgeerziehg Minderjähriger 'v. 2.VII.1900 nebst d. Ausführgsbestimmgn v. 18.XII.1900. (161) 8° Berl., F Vahlen 01. ‖ 2. Afl. (171) 01. Kart. je 3 — d
Noelpp, W: Das Fachzeichnen f. Bautischler, s.: Spetzler, O.
— Das Fachzeichnen f. Möbeltischler. 1. u. 2. Tl. 8° Wittmbg, R Herrosé. 3 — d
1. Die Einzelverbindgn u. Möbelteile. Die vorkomm. Hölzer u. deren Behandlg. (12 m. Abb. u. 12 Taf.) 03. 1.70 ‖ 2. Einf. Möbel. (8 m. Abb. u. 12 Taf.) 05. 1.80.
Noltenius, EA: Zur Erinnerg an Prof. WC Sanders u. s. Zeit. Beitrag z. brem. Schulgesch. (78 m. 1 Taf.) 8° Brem., J Morgenbesser 02. 1 — d
— Zur Gesch. d. Fürsorge f. Blinde in d. neuesten Zeit. (34) 8° Ebd. 03. — 20 d
Nolting, P: Lukrative Landw. durch zeitgemässes Wirtschaftssystem u. künstl. Beregng. (16 u. 12) 8° Bielefeld, Ph. Nolting (03). 1 —
Noelting, B: Schiller, üb. d. ästhet. Erziehg d. Menschen. Vortr. (31) 8° Riga Jonck & P. 05. — 80 d
Noelting, E, u. A Lehne: Anilinschwarz u. s. Anwendg in Färberei u. Zeugdruck. 2. Afl. (178 m. Abb. u. 4 Taf.) 8° Berl., J Springer 04. L. 8 —
Noelting, J: Boothauer Friedrich. Novelle. (264) 8° Hambg, C Boysen 03. 2.50; L. 3.50 d
— Hoch un Platt un vun Horazen ook noch wat. 2. Afl. (79) 8° Hambg-Eimsb., O Kaven (05). 1 — d
Nömaier, J: 2 Freunde od. Das Wiederfinden in d. Christnacht, s.: Schul- u. Vereinsbühne, christl.
Nombela y Campos, E: Novelas amenas. einsteigen, s.: Domizio, C di.
Nonii Marcelli de compendiosa doctrina libros XX Onionslanis copliis usus ed. WM Lindsay. 3 voll. 8° Lpzg, BG Teubner 03. 17.20; Einbde je — 60
I. LL. I—III, argumentum, indicem siglor. et praefationem continens. (42, 544) 6 — ‖ II. L. IV, continens. (545—680) 5.60 ‖ III. LL. V—XX et indices continens. (681—997) 5.60.
Nonne, M: Stellg u. Aufg. d. Arztes in d. Behandlg d. Alkoholismus. Ueb. Trinkerheilstätten. [S.-A.] (52 m. Abb.) 8° Jena, G Fischer 04. 1.20
— dass., s.: Handbuch d. soz. Medizin.
— Syphilis u. Nervensystem. 17 Vorlesgn. (458 m. Abb.) 8° Berl., S Karger 02. 14 —; geb. 15.60
Nonne, T: Zinseszins- u. Rentenberechng m. Hilfe graph. Darstellg. (14 m. 1 Skizze u. 1 Taf.) 4° Berl., R Eisenschmidt 03. — 80 d
Nonnemann, F: Christentums Ende? 2. [Tit.-]Afl. (145) 8° Gross-Lichterf., BW Gebel [1898] 05. 3 — d
— Das Gebet. (57) 8° Ebd. 05. auf L. 4.50 d
Nonnen, E: Gottes Auge wacht. Erzählg f. d. Jugend. Aus d. Schwed. v. F E. (96 m. 4 Farbdr.) 8° Reutl., Enslin & L. (04). Geb. — 50; m. Stöber, ausgew. Erzählgn in 1 Bd m. 8 Farbdr., geb. 1.50 d
Nonnenmacher, F, s.: Übersichten d. a. d. deut. Reichsgeb. erfolgten Verweisgn v. Ausländ.
Nonnos: Die Scholien zu 5 Reden d. Gregor v. Nazianz, s.: Manandian, A.
Noorden, C v.: Ueb. d. Behandlg d. acuten Nierenentzündg u. d. Schrumpfniere, s.: Sammlung klin. Abhandlgn üb. Pathol. u. Therapie d. Stoffwechsel- u. Verdaugs-Krankh.
— s.: Zentralblatt f. Stoffwechsel- u. Verdaugs-Krankh.
— Die Zuckerkrankh. u. ihre Behandlg. 3. Afl. (317) 8° Berl., A Hirschwald 01. 8 —
— u. u Dapper: Ueb. d. Schleimkolik d. Darms (Colica mucosa) u. deren Behandlg, s.: Sammlung klin. Abhandlgn üb. Pathol. u. Therapie d. Stoffwechsel- u. Ernährgsstörgn.
Noordhoff, R: Die Länder Europas. 12 kolor. stumme Wandk. (in Reliefmanier) f. d. Volkssch., physikalisch m. rot gezeichn. polit. Grenzen. Je 83×59 cm. Amsterd. (01). (Lpzg, KF Koehler.) 30 —; auf L. 45 —; m. St. 50 —; einz. Bl. 3 —; auf L. 4.50; m. St. 5 —
Balkan-Staaten. 1:1,800,000. ‖ Belgien. 1:450,000. ‖ Dänemark. 1:500,000 (m. Island. 1:1,800,000.) ‖ Deutschl. 1:1,800,000. ‖ Frankreich. 1:1,800,000. ‖ Gross-Britannien u. Irland. 1:1,800,000. ‖ Italien. 1:1,800,000. ‖ Oesterr.-Ungarn. 1:1,800,000. ‖ Russl. 1:5,000,000. ‖ Schweiz. 1:500,000. ‖ Skandinavien. 1:2,200,000. ‖ Spanien. 1:1,800,000.
— Der Rhein. Gr. Wandk. (in Reliefmanier) d. ganzen Stromgebietes d. Rheines. 1:500,000. 4 Bl. Je 87,5×68 cm. Farbdr. Ebd. (01). 17 —; auf L. m. St. 25 —
Noorduijn, CLW: Die Farben- u. Gestaltskanarien, nebst Beschreibg aller verschied. Kanarien-Rassen, deren Entstehg, Form- u. Farbeveränderg, Bastardzucht u. Farbenfütterg. (152 m. Abb.) 8° Mgdbg, Creutz (05). 2 —; geb. 2.60 d
Noort, G van: Tractatus de Deo creatore. (203) 8° Amsterd., CL van Langenhuysen 03. 3 —

Noort, G van: Tractatus de Deo redemptore. (208) 8° Amsterd., CL van Langenhuysen 04. nn 2.50
— Tractatus de ecclesia Christi. (231) 8° Leiden (Steenschuur 9), GF Théonville 02. 3 —
— Tractatus de vera religione. (207) 8° Ebd. 01. 2.20
— Tractatus de sacramentis ecclesiae. Fasc. I, comprehendens doctrinam de sacramentis in genere, baptismo, confirmatione, ss. eucharistia. (412) 8° Amsterd., CL van Langenhuysen 05. nn 5 —
Noortwyck, A: Diphtherie, deren Erkenng u. sichere Heilg. 27. Afl. (32 m. Bildnis.) 8° Berl. (SW. 42, Wasserthorstr. 27), (Berolina-Versand-Bh.) 1899. — 20 d
Nopcsa jun., F Baron: Dinosaurierreste a. Siebenbürgen. (II u. III.) [S.-A.] 4° Wien, (A Hölder). 6.70 (I—III.: 12.90)
II. (Schädelreste v. Mochlodon.) Mit e. Anh.: Zur Phylogenie d. Omithopodiden. (27 m. Fig. u. 2 Taf.) 02. 2.70
III. (Weit. Schädelreste v. Mochlodon.) (35 m. Fig. u. 2 Taf.) 04. 4 —
— Notizen üb. cretacische Dinosaurier. [S.-A.] (22 m. 1 Fig. u. 1 Taf.) 8° Ebd. 02. Im 5 —
Nora, A De: Stürmisches Blut. 100 Gedichte. (175) 8° Lpzg, L Staackmann 05. 2.50; geb. 3.50 d
— Sensitive Novellen. (180) 8° Ebd. 05. 2.50; L. 3.50 d
Norberg, L: Unter d. Direktorium. 3 Novellen. (248 m. Abb.) 8° Zür., C Schmidt 03. 3 — d
— Fräulein Kapellmeister, s.: Romane u. Novellen, kulturgeschichtl.
— Künstlerblut, s.: Krauss, FS.
— Millionenwahnsinn, s.: Romane u. Novellen, kulturgeschichtl.
Norbert (N Stock): Die Sachsenklemme. (24 m. 2 Abb.) 12° Brix., A Weger 02. — 20 d
„**Nord u. Süd**". Illustr. Familien-Kalender f. 1906. (113 u. 25 m. Abb. u. 2 [1 farb.] Taf.) 8° Bresl., Schles. Buchdr. usw. — 50 d
— — Eine deut. Monatsschrift. Hrsg.v.P Lindau. 97—112. Bd od. 25—28. Jahrg. Apr. 1901—März 1905 je 12 Hefte. (Der Bd etwa 414—525 m. Abb. u. 3 Radiergr.) 8° Ebd. Viertelj. 6 —;
— — dass. Begründet v. P Lindau. Red.: S Bruck. 113—116. Bd od. 29. Jahrg. Apr. 1905—März 1906. 12 Hefte. (Der Bd etwa 414—525 m. 3 Radiergr.) 8° Ebd. Viertelj. 6 —;
— — dass. Gener.-Reg. Bd 1—100. Apr. 1877—März 1902. (Jahrg.1—25.)Zusammengest.v.E Weiland. (683) 8° Ebd.02.1 — d
Nord, W du: Admiral Wilh. v. Tegetthoff, s.: Helden, uns.
Nordafrika. Organ d. marokkan. Gesellsch. in Berlin. Hrsg. v. P Mohr. März—Dezbr 1903. 10 Nrn. (128) 8° Berl., F Siemenroth. Viertelj. 1.50 d
— dass. Deut. Monatsschrift f. Kolonialpolitik u. Kolonisation. Organ d. marokkan. Gesellsch. in Berlin. Hrsg. v. P Mohr. 2. Jahrg. 1. Halbj. Jan.—Juni 1904. 6 Nrn. (Nr. 1 u. 2. 32) 8° Berl., Ö Koobs. 3 —
Fortsetzg u. u. d. T.: Monatsschrift, deut., f. Kolonialpolitik u. Kolonisation.
Nordau, M: Drohnenschlacht. Roman. Bill. [Tit.-]Ausg. 2 Bde. (378 u. 404) 8° Berl., C Duncker [1898] (03). 4 — d
— Entartg. Bill. [Tit.-]Ausg. 2 Bde. (428 u. 560) 8° Ebd. [1896] (03). 6 — d
— Zeitgenöss.Franzosen. Litt.-geschichtl. Essays. (357) 8° Berl., E Hofmann & Co. 01. 5.50; geb. 6.80 d
— Doktor Kohn. Bürgerl. Trauersp. a. d. Gegenwart. 3. Afl. (200) 8° Ebd. 02. 2.40; L. 3.50 d
— Die Krankh. d. Jahrh. Roman. 6. Afl. (388) 8° Lpzg, B Elischer Nf. (02). 4 —; L. 5 — d
— Der Krieg d. Millionen. Schausp. 2. Afl. (134) 8° Ebd. (04). 2.50; L. 3.50 d
— Von Kunst u. Künstlern. Beitr. z. Kunstgesch. (308) 8° Ebd. (05). 5 —; L. 6 — d
— Die conventionelle Lügen d. Kulturmenschheit. 19. Afl. (350) 8° Ebd. (03). 4 —; L. 5 — d
— Mahá-Rög u. and. Novellen. (274) 8° Berl., A Schall (05). 3 —; geb. 4 — d
— Morganatisch. Roman. (540) 8° Berl., C Duncker (04). geb. 7 — d
— Paradoxe. 7. Afl. (363) 8° Lpzg, B Elischer Nf. (01). 4 —; L. 5 — d
— Seelenanalysen. Novellen. 2. Afl. (254) 8° Berl., A Schall (03). 3 —; geb. 4 — d
— Der Zionismus. (18) 8° Brünn, Verl. Jüd. Volksstimme (02). — 40 d
Nordeck, E v.: Soldatenelend in d. Fremden-Legion. 3. Afl. (40) 8° Berl., H Schildberger 03. 1 —; geb. 2 —
— Die Kreuzschwestern Brautjahre. Erzählg f. d. Mädchenwelt. (256 m. 4 Vollbildern.) 8° Berl., A Weichert(02). Geb. 6 — d
Norden, A (J Hinnius): Schlagende Wetter. Erzählg a. Mainzer alten Tagen. 2 Tle in 1 Bd. (184 u. 209) 8° Berl., O Janke (01). (6 —) 3 — d
Norden, C: Prinzesschen. Erzählg. (Bibliothek f. junge Mädchen [im Alter v. 12—16 Jahren].) (86 m. Abb. u. 3 Vollbildern.) 8° Würzbg, FX Bucher (04). Geb. 1.20 d
Norden, D: Bilanz d. Jahrh. 2. [Tit.-]Afl. (134) 8° Lpzg, O Wigand [1896] 03. 2 — d
— Marotten. Kulturhistorisches u. Aktuelles. (155) 8° Ebd. 03. 2 — d
Norden, E, s.: Literatur u. Sprache, d. griech. u. latein.
Norden, E, s.: Eitner, M.
— Das Kreuz, s.: Osterglocken.

Norden, J: David Deutsch (1810—73); Rabbiner in Myslowitz u. Sohrau O.-S. Lebensbild. (45) 8° Myslowitz, Ver. f. jüd. Gesch. u. Litt. 02. — 70 d
Norden, J (J Hasselblatt): Berliner Künstler-Silhouetten. (153) 8° Lpzg 02. Berl., H Seemann Nf. 2.50
— s.: Manzel, L, Skulpturen.
— Die Silberhochzeit. Komödie. (107) 8° Dresd., E Pierson 02. 1.50 d
Norden, W: Das Papsttum u. Byzanz. Die Trenng d. beiden Mächte u. d. Problem ihrer Wiedervereinig bis z. Unterg. d. byzantin. Reichs (1453). (764) 8° Berl., B Behr's V. 03. 16 —
Nordenflycht, G Frhr v.: Niederjagd, s.: Diezel.
— Der Vorstehhund, s.: Oswald, F.
Nordenholz, A: Allg. Theorie d. gesellschaftl. Produktion. (392) 8° Münch. 02. Schlachtensee-Berl., Verl. d. Archiv-Gesellsch. 7 —
Nordenskiöld, E: Hydrachniden a. Süd-Amerika. [S.-A.] (4 m. Fig.) 8° Stockh. 04. (Berl., R Friedländer & S.) — 60
Nordenskjöld, O, s.: Ergebnisse, wiss., d. schwed. Exped. n. d. Magellansländern.
— JG **Andersson,** CA **Larsen** u. C **Skottsberg:** „Antarctic". 2 Jahre in Schnee u. Eis am Südpol. Nach d. Schwed. übertr. v. M Mann. 2 Bde. (23, 373 u. 411 m. Abb., Skizzen u. 4 Kart.) 8° Berl., D Reimer 04. L. 12 —
Nordensvan, G: Schwed. Kunst d. 19. Jahrh., s.: Geschichte d. modernen Kunst.
Nordermann, H: Fastnachtsfreuden od. d. Stiefzwillinge. Der Komödie „Johannisfeuer" v. H Sudermann II. Tl. Litterarisch-ästhetisch-dramatisch-moralisch-realistisch-analitisch-parodistisch-satir. Katzenjammer in 1 Acte. (45) 8° Dresd., E Pierson 01. || 2. Afl. (47) 01. Je — 75 d
Nordhausen, G: Die Malerei auf alle Arten v. Stoff m. d. Haliosfarben (Helios-Malerei), s.: Liebhaberkünste, d., in Einzelabhandlgn.
Nordhausen, R, s.: Gegenwart, d.
— Vestigia Leonis. Die Mär v. Bardowieck. 4. Afl. (355) 8° Hannov., O Tobies 05. L. 5 — d
Nordheim, M, s.: Mensch, H.
— Vademecum f. Zeitgsleser. Erklärg d. in Zeitgn vorkomm. Fremdwörter n. Ausdrücke im Verkehrsleben. (101) 12° Hannov., Dr. M Jänecke 02. Geb. 1 —
Nordheim, H (H v. Schorn, geb. Freiin v. Stein): Gedanken a. Franken. Hrsg. v. A v. Schorn. 2 Bde. (304 u. 304) 8° Berl. 02. Münch., G Müller. || Neue [Tit.-]Ausg. Münch. 04. Je 5 —; geb. je 7 — d
Nordlund, K: Die schwedisch-norweg. Krise in ihrer Entwickelg aktenmässig dargestellt. (115) 8° Upsala, Almqvist & Wiksell. — Halle, Gebauer-Schwetschke (05). 1.50
Nordmann, R (Frau M Langkammer): Der blaue Bogen. Ein Stück a. d. Volksleben. (170) 8° Berl., E Fleischel & Co. 02. 2 —; geb. 3 — d
— Gefallene Engel, s.: Universal-Bibliothek.
— Ewig d. Weibliche. Novellen. (388) 8° Berl., E Fleischel & Co. 04. 5 —; geb. 6.50 d
— Ein Komtessenroman. 1—3. Afl. (358) 8° Ebd. 02-04. 5 — d; geb. 6.50 d
Noreen, A: Abriss d. altisländ. Grammatik, s.: Sammlung kurzer Grammatiken german. Dialekte.
— Gesch. d. nord. Sprachen. 2te 2. Afl. 2. Abdr. [S.-A.] (139) 8° Strassbg, KJ Trübner 05. 4 —; L. 5 —
— Altnord. Grammatik I. Altisländ. u. altnorweg. Grammatik. II. Altschwed. Grammatik, s.: Sammlung kurzer Grammatiken german. Dialekte.
— Altschwed. Leseb. m. Anmerkgn u. Glossar. 2. Afl. (184) 8° Stockh. 04. Halle, M Niemeyer.
Norén, CO: Üb. d. Befruchtg bei Juniperus communis. Vorläuf. Mitteilg. [S.-A.] (11 m. Fig.) 8° Stockh. 04. (Berl., R Friedländer & S.) nn — 70
Norikus, F: Der katbol. Mann. Neue Folge v. „Klarh. u. Entschieden.". Weckrufe u. Winke. (74) 8° Münch., G Schuh & Co. 03. 1 — d
— Die Organisation d. Gesellsch. in Vergaugenh. u. Gegenwart. Darlegg d. soz. Organisationsformen u. Organisationsfragen. (154) 8° Stuttg. 01. Münch., J Roth. 1.50 d
— Politik u. internat. Grosskapital. [S.-A.] (52) 8° Freibg (Schweiz), Univ.-Bb. (05). 1 —
— Gegen d. Strom! Moderner Parlamentarismus od. berufeständ. Vertretg? — Weckrufe z. katbol. Reformbewegg, s.: Broschüren, Frankf. zeitgemässe.
Normal-Alphabet, Bayreuther. Deutsch u. lateinisch. (Je 1 Bl.) 4° Bayr., H Heuschmann jun. (03). Je — 03; zusammen — 05 d
Normalbedingungen f. d. Lieferg v. Eisenkonstruktionen f. Brücken- u. Hochbau, aufgest. v. d. Verbande deut. Architekten- u. Ingenieur-Ver. etc. 6. Afl. (18) Fol. Hambg, O Meissner's V. 01. — 60
Normalien f. elektr. Maschinen u. Transformatoren, hrsg. v. Verband deut. Elektrotechniker. Mit Erläuterg v. G Dettmar. Taschenformat. (90) 12° Berl., J Springer 02. Kart. — 90
— f. Hausentwässerugs-Leitgn u. deren Ausführgn, s.: Denkschriften d. Verbandes deut. Architekten- u. Ingenieur-Ver.
— zu Rohrleitgn f. Dampf v. hoher Spanng, aufgest. v. Ver. dent. Ingenieure im J. 1900. (16 m. 2 Taf. u. 1 Tab.) 8° Hambg, Boysen & M. 02. — 50

Normalien-Sammlung f. d. polit. Verwaltgsdienst. 3 Bde in 40 Lfgn. 8° Wien, Manz 01-03. Je 1 —; Einbde je nn 2.50 d 1. (1020) 18 — || 2. (1140) 14 — || 3. (1044) 13 —
Normal-Kalender, neuer dent., f. 1903. (80 m. Abb.) 8° Berl., J Harrwitz Nf. — 20 d ö F 1902 u. d. T.: Normal- u. Notix-Kalender.
— f. d. Kgr. Sachsen nebst Marktverz. f. Sachsen u. d. Nachbargebiete f. 1906. Hrsg. v. kgl. sächs. statist. Bureau Anfang März 1905. (103) 8° Dresd., (C Heinrich). 1 — d Bisher u. d. T.: Kalender f. d. Kgr. Sachsen.
Normal- u. Notiz-Kalender als Jahrb. f. 1902. (71 m. Abb.) 8° Berl., J Harrwitz Nf. — 20 d Fortsetzg s.: Normal-Kalender.
Normallehrgang f. d. Papparbeits-Unterricht. Aufgestellt v. W Götze, F Groppler, F Jessen, Kahl, E Meyer. Gez. v. F Lindemann. II. Afl. v. A Pabst. (13 Taf. m. eingeklebten farb. Mustern u. 17 S. Text.) 8° Lpzg, Frankenstein & Wagner (03). 3.75
Normal-Lehrplan f. höh. Mädchensch. in Preussen, s.: Sammelmappe, pädagog.
— f. d. württemberg. Volkssch. Neuer Abdr. (74) 8° Stuttg., C Grüninger 02. — 40; kart. — 60 d
Normal-Lehrpläne f. d. Volks- u. Bürgersch. in Nieder-Österr. Auf Grund d. Ges. v. 2.V.1883 u. d. Verordng d. k. k. Unterr.-Ministeriums v. 8.VI.1883 rev. u. festgest. durch Beschluss d. k. k. n.-ö. Landesschulrathes v. 11.VI.1884. 4. Afl. (100) 8° Wien, A Pichler's Wwe & S. 05. 1 — d
Normal-Modelle, neueste, d. Taillenschnittes einschl. d. Schoosstaille f. alle Körpergrössen. 20 bequeme Zeichenvorl. nebst Erläuterg. (10 Bl.) 8° Dresd., F Klemm (03). — 90
Normalnull-Höhen in Württemberg, s.: Höhenbestimmungen.
Normal-Obstsortiment f. d. Prov. Westpreussen, zusammengest. v. westpreuss. Prov.-Obstbau-Ver., nebst d. v. deut. Pomologenver. empfohl. Stachel-, Johannisbeer- u. Haselnusssorten. (16) 8° Danz., (John & Rosenberg) (01). — 20
Normalschreibschule, württ. 7 Hefte. (1—5. Deut.; 6. u. 7. Latein. Schrift.) (Je 32) 4° Horb, P Christian (02). Je — 10 d
Normal-Ubungsordnung f. d. Feuerwehren d. Prov. Sachsen, s.: Förderung, d., d. Feuerlöschwesens u. d. Feuersicherh. in d. Prov. Sachsen.
Norman, Graf v.: Im Sattel u. im Stall. Die Grundl. d. Reitkunst u. Pferdepflege. (182 m. Abb.) 8° Berl., P Parey 05. L. 3 — d
Norman, FB: Theoret. u. prakt. engl. Konversations-Grammatik. 5. Afl. (345) 8° Wien, A Hölder 04. Geb. 3 — d
Norman-Neruda, M: Bergfahrten v. Norman-Neruda. (345 m. 1 Gravure.) 8° Münch., Verl.-Anst. F Bruckmann (01). 7 —; geb. 8 —
Normand, C: Empire. Ornamente, Möbel, Geräte etc. a. d. Zeit Napoleons I. Lichtdr. n. d. im J. 1803 u. d. T.: „Nouveau recueil en divers genres d'ornaments et autres objects propres à la décoration" in Paris erschien. Werkes. 2. Afl. (36 Taf. m. 5 S. Text.) 41,5×30 cm. Berl., B Hessling (04). In M. 18 —
Normann, W: Neuer, illustr. Fremden-Führer durch Wiesbaden u. Umgegend. (86 m. 1 Pl. u. 1 Karte.) 8° Wiesb., Moritz & M. 04. 1 —; engl. Ausg. Translated by CD Zilch. 1905/06. (84) 1.90
Normann-Friedenfels, E v.: Dictionnaire de marine.
— Don Juan de Austria als Admiral d. hl. Liga u. d. Schlacht bei Lepanto. (78 m. Abb., 1 Portr., 5 Diagr. u. 1 Kartenskizze.) 8° Pola 02. (Wien, C Gerold's S.) 5 —
Normen d. dent. Acetylenver. f. stationäre Acetylenapparate. (1 Bl.) 4° Halle, C Marhold (01). — 15
— f. leistgs-Versuche an Dampfkesseln u. Dampfmaschinen, aufgest. v. Ver. deut. Ingenieure etc. im J. 1899. (18) 8° Hambg, Boysen & M. 1900. — 80
— d. „Internat. Verbandes d. Dampfkessel-Überwachgs-Ver.", nebst Anhängen. (239 m. Fig., 2 Taf. u. 1 Tab.) 8° Ebd. 02. L. 5 —
— Hamburger, s.: Grundsätze f. d. Berechng d. Materialstärken neuer Dampfkessel.
— f. d. einheitl. Benenng, Klassifikation u. Prüfg d. hydraul. Bindemittel, hrsg. v. d. schweiz. Materialprüfgs-Anst. in Zürich. 4. Afl. (21) 8° Zür., (E Speidel) 01. 1 —
— f. d. einheitl. Lieferg v. Prüfg v. Portland-Cement. Runderlass v. 28.VII.1887, 23.IV.1897 u. 19.II.'02. (10) 8° Berl., Ernst & S. 02. — 50
— f. d. Train-Ausrüstg d. k. u. k. Heeres. III. Th. Gebirgs-Train. (103 m. 14 Taf.) 8° Wien, (Hof- u. Staatsdr.) 01. 3 — III.: 15.80) d
— dass. d. k. k. Landwehr u. d. k. k. Landsturmes. (365 m. 35 Taf.) 8° Ebd. 04. 10 — d
— Würzburger, s.: Grundsätze f. d. Prüfg d. Materialien z. Ban v. Dampfkesseln.
Normentafeln z. Entwicklgsgesch. d. Wirbelthiere. Hrsg. v. F Keibel. 3—5. Heft. 4° Jena, G Fischer. nn 54 —
(1—5.: nn 94 —)
Minot, CS, and E Taylor: Normal plates of the development of the rabbit (Lepus cuniculus L.). (98 m. Fig. u. 9 Taf.) 05. [5.] nn 26 —
Peter, K: Entwicklgsgesch. u. Entwicklgsgesch. d. Zauneidechse (Lacerta agilis). (166 m. Fig. u. 4 Taf.) 04. [4.] nn 30 —
Semon, R: Normentaf. z. Entwicklgsgesch. d. Ceratodus forsteri. (38 m. Fig. u. 3 Taf.) 01. [3.]
Nörner, C: Anl. z. Beurteilg d. Rinder. (293 m. Abb.) 8° Stuttg., E Ulmer 04. 5 —; geb. nn 6 — d

Nörner, C: Das ungar. Staatsgestüt Mezehögyes. (24 m. Abb.) 8° Lpzg, RC Schmidt & Co. 02. — 80 d
— Das Pferd. Gemeinfassl. Belehrg üb. d. f. d. verschied. Gebrauchszwecke geeignetsten Körperformen d. Pferde. (399 m. Abb.) 8° Berl., E Freyhoff 05. 9 —; L. nn 10 —
— Prakt. Rindviehzucht. Nebst e. Anh.: Der Rindviehstall, s. Anlage u. Einrichtg. Von Schubert. (719 m. Abb.) 8° Neud., J Neumann 03. 12 —; L. 14 — d
Norrenberg, J: Gesch. d. naturwiss. Unterr. an d. höh. Schulen Deutschlds, s.: Sammlung naturwiss.-pädagog. Abhandlgn.
Norrenberg, F: Frauenarbeit. — Das Lichterfest, s.: Dramen u. Deklamationen f. kathol. Jungfrauen-Ver.
Norris, CB: Aus Bayreuth. Intime Briefe — Sommer 1904. (70) 8° Berl., F Schneider & Co. 05. 1 — d
Norris, F: The Octopus. — The pit. The epic of the wheat, s.: Collection of Brit. auth.
Norris, WE: Barham of Beltana. — The credit of the county. — His own father. — Lord Leonard the luckless, s.: Collection of Brit. auth.
— Der unheiml. Mensch, s.: Sammlung interess. Criminal- u. Detectiv-Romane.
— Natures comedian. — Nigel's vocation, s.: Collection of Brit. auth.
Norrmann, N: Bernhard Rotter. Roman. (467) 8° Dresd., E Pierson 05. 4 —; geb. 5 — d
Norrmann, T (Frau N Loesche): Auf d. Bergen, s.: Taschenbibliothek, allg.
— Frau Sophie Loesche. Beitrag z. Gesch. d. inneren Mission. (222 m. Abb. u. 1 Bildnis.) 8° Wolfenb., J Zwissler 61. 3 — d
— Der Pfarrer im Tal. Schausp. (96) 8° Ebd. 04. 2 —; geb. 3 — d
Norst, A: Der Verein z. Förderg d. Tonkunst in d. Bukowina 1862—1902. (68 u. 34 m. Bildnissen.) 4° Czernow., (H Pardini) 03. nn 5 —
Norström, G: Der chron. Kopfschmerz u. s. Behandlg m. Massage. Nach d. 2. engl. Aufl. v. H Fischer. (71) 8° Lpzg, G Thieme 03. 1.80
Nortbertus, abbas Iburgensis: Vita Bennonis II., episcopi Osnabrugensis, s.: Scriptores rer. Germanicar.
North Polar-Expedition, the Norwegian. 1893—96. Scientific results, ed. by F Nansen. Vol. II—IV and VI. Published by the F Nansen fund for the advancement of science. 4° Christiania. Lpzg, FA Brockhaus, L. nn 119 — [—IV u. VI.: nn 159 —] II. (60, 136, 196 m. 90 m. 17 Taf. u. 2 Kart.) 01. nn 30 — | III. (427 u. 88 m. 32 [s. Tl farb.] Taf. u. Kart.) 01. nn 35 — | IV. (74, 16 u. 232 m. 32 Taf. u. 5 Kart.) 04. nn 21 — | VI. (209 m. 292 Taf.) 04. nn 36 —
Vol. V ist noch nicht erschienen.
Norwegen, d. Land d. Mitternachtssonne. (Hrsg. v. Ver. z. Hebg d. Fremdenverkehrs in Norwegen unter Mitwirkg v. Y Nielssen. Orig.-Text v. R Tank. Aus d. Norweg.) (34 m. Abb., 4 [1 farb.] Taf. u. 2 Panoramen u. 1 Karte.) 4° Christiania, A Cammermeyer (05). (Lpzg, KF Koehler.) 2 —; kart. 2.75
Noser, F: Katechetik. Kurze Anl. z. Erteilg d. Relig.-Unterr. in d. Volksschule, f. Priesterseminarien u. Lehrerbildgsanst. 3. Aufl. (213) 8° Freibg i/B., Herder 01. 1.80; geb. 2.50 d
Noesgen, KF: Das Eigenartige d. Christentums als Relig. (48) 8° Halle, R Mühlmann's V. 02. 1.20 d
— Der hl. Geist, s. Wesen u. d. Art s. Wirkens. (259) 8° Berl., Trowitzsch & S. 05. 5.50
— Der Schriftbeweis f. d. ev. Rechtfertigslehre aufs neue dargelegt. (253) 8° Halle, R Mühlmann's V. 01. 6 —; HF. 8 — d
— Der Text d. Neuen Test., s.: Zeit- u. Streitfragen, bibl.
Noshirvan Gustasp: Das Stockholz. Seine früh. u. jetz. Bedeutg in Deutschl., u. d. Maschinen zu dessen Gewinng in Theorie u. Praxis. (133 m. 1 Taf.) 8° Giess., E Roth (03). 4 — d
Nösselt, F: Weltgesch., s.: Meisterwerke f. d. Schulpraxis.
Nossig, A: Die Bilanz d. Zionismus. Kritik u. Reform. Vortr. (46) 8° Bas., B Wepf & Co. 03. — 80
— Die Erneuerg d. Dramas. 1. Tl. (190) 8° Berl., Concordia 05. 3.50; geb. 4.50
— Die Hochstapler. Schausp. (132) 8° Lpzg 02. Berl., H Seemann Nf. 2 —
— Das jüd. Kolonisations-Programm. [S.-A.] (44) 8° Berl.-Charlttnbg, Jüd. Verl. 04. 1 —
— Göttl. Liebe. Drama. 2. Afl. (105) 8° Berl., Concordia 03. 1.50 d
— JJ Paderewski. (31 m. 4 Bildnissen.) 8° Lpzg (01). Berl., Harmonie. 1 —
— s.: Palaestina.
— Revision d. Socialismus. 1. u. 2. Bd. 8° Lpzg, R Lipinski. 13 —; HF. 18 —
1. Das System d. Socialismus. 1. Tl. (29, 277) Berl. 01. 6 —; geb. 6 —
2. Daas. 2. Tl. (587) Berl. 02. 9 —; geb. 12 —
— s.: Statistik, jüd.
— Die Tragödie d. Gedankens. Drama. (139) 8° Berl., Concordia 04. 2 —; geb. 3 — d
Noszke, K: Klin. Studien üb. Wesen u. Verwendbark. d. Intubation, s.: Sammlung klin. Vortr.
Nostitz, H v., d.: Gedächtnis, d., König Alberts v. Sachsen.
— Grundz. d. Staatssteuern im Kgr. Sachsen. (344) 8° Jena, G Fischer 03. 8 —
Notariats-Zeitschrift f. Elsass-L., hrsg. v. A Keller. 21—25. Jahrg. 1901—05 je 12 Nrn. (21—24. J. 384, 384, 380 u. 371) 8° Strassbg, (W Heinrich). J. 6 —
Notar-Zeitschrift, bad. Hrsg. v. bad. Notarver. Leiter: Meckel. 1. Jahrg. 1905. 4 Nrn. (Nr. 1. 52 m. 1 Tab.) 8° Karlsr., G Braun'sche Hofbuchdr. nnn 5 — d 6 H

Nothurga. Hrsg.: L Auer. Red.: M Friedl. 25—29. Jahrg. 1901 —5 je 26 Nrn. (Nr. 1. 16) 12° Donauw., L Auer. Halbj. — 50; einz. Nrn nn — 05 d
Nothurga-Kalender f. 1906. 28. Jahrg. (96 m. Abb. u. Titelbild.) 16° Donauw., L Auer. — 20 d
Nötel: Hdb. f. d. Verwaltg d. Prov.-Verbandes Posen. 1. Bd. (Hauptbd.) (1194) 8° Pos., (E Rehfeld) 02. L. 7 — d
Noth. . . . s.: Not . . .
Noth: Noch einmal e. Weihnachten! Abschiedspredigt. (12) 8° Schneebg, BF Goedsche 03. — 25 d
Noth, G: Erweiterg — Beschränkg, Ausdehng — Vertiefg d. Lehrstoffes, s.: Magazin, pädagog.
— Die Konzentrationsidee. — Univ. u. Volksschullehrer, s.: Bausteine, pädagog.
Noether, M: Zur Erinnerg an Karl Georg Christian v. Staudt. (S.-A.) (24) 8° Lpzg, A Deichert Nf. 01. — 80
Nothhardt, J: Volksvermögen u. Volkseinkommen in Württemberg. (49) 8° Leonberg, Kammerverwalter Nothhardt. (††) †1.50 d
Nöthling, E: Der Bauratgeber, s.: Tormin, R.
— Die Baustofflehre, s.: Handbuch, d., d. Bautechnikers.
— Kalk, Zement u. Gips, s.: Tormin, R.
Nothnagel, A: Vernunft u. Mode in d. Kunst. (236) 8° Lpzg, L Fernau 05. 4 — d
Nothnagel, H: Die Erkrankgn d. Darms u. d. Peritoneums, s.: Pathologie u. Therapie, spec.
— s.: Untersuchungen, chem. u. medicin.
Nothnagel, W., s.: Verzeichnis d. in d. Handels-Register d. kgl. Amtsgerichts I zu Berlin eingetrag. Einzelfirmen.
Nothols O: Wegenlieder un Kinnerreime. Ek will jäi wat tau raen uppeben, Reigen, d. v. d. schaumbarg-lipp. Schülmädchen gesungen u. gesprungen werden. Achtg: Schaumborglippsche Buernweisheit! (88) 8° Bückebg, (G Frommhold) 01. 1.50 d
Notice sur la cathédrale de Strasbourg. 21. éd. (39 m. Abb.) 8° Strassbg, F Bull 04. — 50
Notisblatt d. kgl. botan. Gartens u. Museums zu Berlin, sowie d. botan. Centralstelle f. d. deut. Kolonien. Hrsg. v. A Engler. Nr. 25—36. (3. Bd. 85—274 m. 1 Taf. u. 7 Kart. u. 4. Bd. 1—187) 8° Lpzg, (W Engelmann) 01—40. 14.10
— dass. Appendix XII—XVI. 8° Ebd. 11 —[I—XVI.: 13.40] Engler, A.: Erläutergn zu d. Nutzpflanzen d. gemäss. Zonen im kgl. botan. Garten zu Dahlem. (36) 04. [XIV.] — 60
— Th. d. Frühlingsflora d. Tafelberges bei Kapstadt (Vortrag), nebst Bemerkgn üb. d. Flora Südafrikas u. Erläutergn z. pflanzengeograph. Gruppe d. Kapslanden im kgl. botan. Garten zu Dahlem-Steglitz bei Berlin. (59 m. Abb.) 03. [XI.] 1.50
— Führer durch d. biologisch-morpholog. Abteilg d. kgl. botan. Gartens zu Dahlem. (86 m. Abb. u. 2 Pl.) 05. [XVI.] 1.90
— Die pflanzengeograph. Gliedrg Nordamerikas, erläut. an d. nordamerikan. Anlage d. neues kgl. botan. Gartens zu Dahlem-Steglitz bei Berlin. (90 m. 1 Karte u. 1 Pl.) 02. [XII.] 2.40
— Die Pflanzen-Formationen u. d. pflanzengeograph. Gliedrg d. Alpenkette, erläut. an d. Alpenanlage d. neues kgl. botan. Gartens zu Dahlem-Steglitz bei Berlin. 1. u. 2. Afl. (96 m. 2 Kart.) 01.06. [VII.] 2.40
Harms, H: Vorarbeit. z. Ergänzg d. Liste d. nomenclature botan. de 1867", d. in Wien '05 tag. Nomenclatur-Kongress u. Annahme empfohlen. (37) 04. [XXII.] 1 —
Index seminum in horto botanico reg. Berolinensi a '01 collector. (16) 02. [VIII.] | '02- (15) 03. [IX.] | '03- (30) 04. [XII.] | '04. (26) 05. [X.] Je — 40
— d. Ver. f. Erdkde u. d. grossh. geolog. Landesanst. zu Darmstadt. Hrsg. v. R Lepsius. IV. Folge. 21—24. Heft. [Mit Bildl. d. Mitteilgn d. grossh. hess. Zentralstelle f. d. Landesstatistik.] 8° Darmst., (A Bergsträsser). Je 3 —
21. (105 u. 304 m. 5 Taf.) Pingl. § 22. (50 u. 332 m. 2 Taf.) 01. u. 02. | 23. 24. 336 m. 7 Taf.) 03. § 24. (48 u. 270 m. 3 Taf.) 05.
— ethnolog. Hrsg. v. d. Dir. d. kgl. Museums f. Völkerkde in Berlin. II. Bd. u. 3. Heft u. III. Bd., 1—3. Heft. (Mit Abb.) 8° Berl., A Haack. 39 —
II,2. (108) 01. — § 3. (113 m. 4 Lichtdr.) 01. 5 — (Vollst.: 22 —) [III,1. 1-3 m. 5 Kart.) 01. 7 —. § 2. (227) 02. 8 —. § 3. (119 m. 4 Taf.) 03. 6 —
Notisbuch, tägl., f. Comptoir f. 1906. (288 m. 3 Kart.) 35,5× 11,5 cm. Düsseldf, A Bagel. Kart. 2 —
— tägl., f. Kontore, Bureaus u. jedes Geschäft f. 1906. (208 u. 190 m. 1 Karte.) 35×11,5 cm. Elberf., S Lucas. Kart. 2 —
— f. Lehrer u. Lehrer an Fortbildgsschl. Jahrg. 1906. Hrsg. v. A Booss. Ausg. L f. Lehrer. (215) 8° Gosl., FA Lattmann.
— dass. Ausg. S f. Schulleiter. (256) 8° Ebd. L. 1.50
— statist., f. d. Stadt Leipzig. Bearb. im statist. Amte. (77) 8° Lpzg, Duncker & H. 03. — 30 d
— f. Musikdirigenten f. 1906. 23. Jahrg. 9 Tle. (306 u. Musikbeil. 59) 8° Berl., A Parrhysius. Ldr u. geb. 7.50
— pfarramtl., f. Taufen, Traugn u. Beerdiggn. 3 Hefte. (Je 98) 8° Berl., G Nauck (03). Je nn — 50 d
1. Taufen. § 2. Traugn. § 3. Beerdiggn.
— prakt., u. Haushalts-Kalender f. 1906. 22. Jahrg. (24, 238) 8° Wien, M Perles. Kart. 1.50 d
Notizbüchlein f. Älteste etc. v. Baptisten-Gemeinden, s.: Notiz-Kalender.
Notizen e. Laien a. d. Litt. d. Geisteswiss., in 7 Fragestücke geordnet. (74) 8° Berl., S Cronbach 01. 1 — d
— geschichtl. z. Kirchenbau Merenschwand (v. B Villiger), m. Auszug a. d. Kirchenbaurechng. (27 m. 2 Taf.) 8° Aarau, (HR Sauerländer & Co.)(02). nn 1.30 d
Notiz-Kalender pro 1906. 30. Jahrg. (91 u. Tageb. m. 1 Karte.) 16° Wien, M Perles. L. 2.40; Ldr 3.60
— f. Älteste, Prediger, Missionsarbeiter u. Sonntagschul-Lehrer

u. a. d. Baptisten-Gemeinden f. 1905. (192) 8° Cass., JG Oncken Nf. L. † — 80 d
Bis 1900 u. d. T.: Notizbüchlein f. Älteste etc.

Notiz-Kalender, 1906 z. Gebr. in allen Zweigen d. Bauwesens. Hrsg. v. C Lemcke. 2 Tle. (189, 56 u. 97) 16° Wilmersdf b/Berl. (Bingerstr. 17), Archit. Lemcke. L. u. kart. 2 —

— f. Chemigraphen u. Reproduktionstechniker. 1902. Hrsg. v. C Fleck. (130 m. 1 Karte.) 12° Halle, W Knapp. L. 1.50 ô F

— f. deut. Förster 1906. 11. Jahrg. Hrsg. v. d. Wochenschrift f. deut. Förster. (257) 8° Berl., (O Nahmmacher). L. nn 1.30 d

— Friedrichswerther, f. 1906 m. landw. Bücherei. 2. Bd: Pferdezucht. (239 u. 144 m. 1 Bildnis.) 8° Friedrichswerth i. Thür. (Gotha, Thienemann's Hofbh.) Geb. u. geh. nn 2 — d

— kleiner, f. 1906. (Schreibkalender u. 16) 16° Düsseldf, A Bagel. L. — 80; Ldr als Brieftasche 2 —

— kleiner, f. 1906. (Schreibkalender.) 16° Elberf., S Lucas. L. — 80; Ldr als Brieftasche 1.80 d

— f. Landwirte u. Gewerbetreib. 1906. (230) 8° Stade, A Pockwitz. L. 1 — d

— landw., f. 1906. (Schreibkalender, 32, 16 u. 4 m. 1 Karte.) 8° Düsseldf, A Bagel. L. 1.20

— f. Österr. Lehrerinnen, Fortsetzg, s.: Brunner, P.

— photograph., f. 1905. Unter Mitwirkg v. A Miethe hrsg. v. F Stolze. (390 m. Abb. u. 1 Karte.) 8° Halle, W Knapp. L. 1.50

— f. Österr. Professoren u. Lehrer, Fortsetzg, s.: Brunner, P.

— schweiz. Taschen-Notizb. Hrsg. v. d. Red. d. „Schweiz. Gewerbe-Zeitg". 14. Jahrg. 1906. (156 m. 2 Kart.) 8° Bern, Büchler & Co. L. 1.20 d

— f. d. weibl. Jugend. Taschenb. f. Schülerinnen an Bürger-, Mittel- u. Fachsch. u. Präparandien in Österr.-Ungarn. Für d. Studienj. 1906. 32. Jahrg. (95 m. Titelbild u. Agenda.) 16° Wien, M Perles. Kart. 1 —; L. 1.60

Notiz- u. Buchführungs-Kalender, landw., 1906. 9. Jahrg. Hrsg. v. G Kühn. 2 Tle. (13, Schreibkalender, 174 u. 416 m. Abb., 1 Bildnis, 1 Karte u. 1 Zentimetermass.) 8° Nebst Wochen-Abreisskalender. Berl., R Kühn. L. u. geh. m. $^1/_2$ S. pro Tag 2.50; m. $^1/_1$ S. 3 —; Ldr m. $^1/_2$ S. pro Tag 3 —; m. $^1/_1$ S. 4 —; ganz dünn m. $^1/_2$ S. pro Tag L. 2.50; Ldr 3 —

— — f. Landw.-Beamte 1905. 8. Jahrg. Hrsg. v. G Kühn. 2 Tle. (Schreibkalender, 168 u. 357 m. Fig. u. 1 Bildnis.) 8° Nebst Wochen-Abreiss-Kalender. Ebd. L. u. geh. 2.50

Notiz-Taschenbuch, schleswig-holstein., f. Beamte, Landwirte u. Geschäftsleute jeden Berufs f. 1906. 40. Jahrg. (256) 8° Gard., H Lühr & Dircks. L. 1.50 d

Noetling, F, s.: Durch Asien.

— Die Dyas, s.: Frech, F.

— Die asiat. Trias, s.: Lethaea geognostica.

Notschrei a. d. Mittelgebirge. Beitrag z. Quebrachozollfrage. (32) 8° Köln, (JP Bachem) (02). — 20 d

Nottbeck, A: Gut Tod-Büchl. od. Erwäggn u. Gebete z. Vorbereitg auf e. glückselig Stündlein. 3. Afl. (160 m. Titelbild.) 16° Münst., Alphonsus-Bh. 06. L. — 50 d

Nottbeck, E v., u. W **Neumann**: Gesch. u. Kunstdenkmäler d. Stadt Reval. 3. Lfg. Reval währ. d. Schwedenherrschaft. Reval unter russ. Herrschaft (v. A v. Gernet). Die Profankunst. (1. Bd. 101—238 u. 2. Bd. 181—230 m. Abb. u. 6 Taf.) 8° Rev., F Kluge 04. 7 — (Vollst.: 20 —; L. 22 —)

Nottebohm, E: Üb. d. Einwirkg v. unterbromigsaurem Natron auf primäre Amine. (34) 8° Freibg i/B., Speyer & K. 01. 1 —

Nottebohm, T: Der Herr ist mein Licht u. mein Heil. Predigten. (88) 8° Mgdbg, Ev. Bh. 04. 1.50; geb. 2.20 d

Notthafft, A Frhr v.: Epilog z. 2. Kongress d. deut. Gesellsch. z. Bekämpfg d. Geschlechtskrankh. am 17. u. 18. III. in München. [S.-A.] (11) 8° Lpzg, Verl. d. Monatsschrift f. Harnkrankh. 05. — 60

— Die Gonorrhoe d. Mannes in d. Praxis d. Nichtspezialisten. (75) 8° Münch., Seitz & Sch. 05. 1.50

— Taschenb. d. Untersuchgsmethoden u. Therapie f. Dermatologen u. Urologen. 4. Ausg. Mit 12 Monatsheften: Aerztl. Notizkalender 1905. (264) 8° Ebd. L. u. geh. (5 —) 4 —

Notton, M: Wendelinus-Büchl. Das Leben d. bl. Wendelinus. Mit e. Anh. v. Gebeten. 3. Afl. (158 m. Titelbild.) 16° Saarl., F Stein Nf. 02. — 45; L. — 50 d

Nottrott, EMM, geb. Hartmann: Pundiji u. Belong. Eine Gesch. a. Indien. 2. Afl. (54) 8° Berl.-Friedenau, Bh. d. Gossnerschen Miss. 05. — 25 d

Nottrott, L: Versuch e. röm. „Reformation" vor d. Reformation, s.: Schriften f. d. deut. Volk.

Notwendigkeit, d., d. christl. Gemeindesch. f. d. christl. Familie, d. Kirche u. d. Staat. (39) 8° St. Louis, Mo. (01). (Zwick., Schriften-Ver.) — 25 d

— d., d. Reïnkarnation, s.: Strahlen, theosoph.

Notwendigste, d., a. d. Verkehrskde f. Fortbildgs- u. Feiertagssch. sowie z. Gebr. in d. Oberkl. d. Werktagssch. Bearb. v. e. Lehrer u. e. Verkehrsbeamten. (40 m. Formularien.) 8° Münch., R Oldenbourg (04). nn — 40 d

Not-Wörterbuch d. neuen deut. Rechtschreibg. (31) 16° Lpzg, W Fiedler (03). 10 Stück 1 — d

— d. engl. u. deut. Sprache, 2. Bearbeitg, s.: Muret, E, Taschenwrtrb. d. engl. u. deut. Sprache.

— d. französ. Sprache, 2. Bearbeitg, s.: Villatte, C, Taschenwrtrb. d. französ. u. deut. Sprache.

Notz, F v.: Nachtr. z. Gesch. d. Kaiser Franz Garde-Grenadier-Regts Nr. 2. (36) 8° Berl., P Parey 1900. — 80 (Hauptwerk u. Nachtr.: 8.80) d
Das Hauptwerk s.: Puttkamer, E v. (im Kat. 1891/95).

Nouveautés en confection 1905. (Frühj.) (19 Taf. u. 1 Moden-Panorama.) 4° Berl., C Heinemann. ‖ 1905/6. (Herbst-Saison.) (18 Taf. u. 1 Moden-Panorama.) Je 10 —

Nouvel, M: Haushaltgsunterr. Leitf. f. d. Hand d. Schülerinnen. 2. Afl. (106) 8° Bresl., F Hirt 02. Kart. 1.25; m. Speisevorschriften. (136 m. Abb.) 1.50 d

— Wirtschaftstagebuch, hrsg. im Anschl. an d. Haushaltgsunterr. 4 Hefte. (Je 40 S. Formulare.) Nebst Beigabe: Küchenämter, welche alle 3 Wochen gewechselt werden. (Für 3, 4, 5 u. 6 Gruppen.) (Je 4) 8° Ebd. (05). Je nn — 20 d

Nouvelles maritimes des bords d'Adriatique. Par M H...... (Komtesse Harrach). (175) 8° Wien, (C Gerold's S.) 02. 3 —

— 4, modernes, annotées par B Hubert, s.: Reformbibliothek, neusprachl.

Novalis' (F v. Hardenberg) sämmtl. Werke. (4. Bd.) Ergänzgs-Bd, auf Grund d. litterar. Nachlasses hrsg. v. B Wille. (426) 8° Lpzg 01. Jena, E Diederichs. 2.50; L. 3.50 (Vollst. geb.: 11 —) d

— ausgew. Werke in 3 Bdn. Hrsg. u. m. Einl. versehen v. W Bölsche. (48, 168, 159 u. 216 m. 2 Bildnissen u. 1 Fksm.) 8° Lpzg, M Hesse (03). 1.50; in 1 Bd geb., L. 2 —; feine Ausg. in HF. 3 —; Luxus-Ausg. in Liebh.-HF. 4 — d

— Fragmente. Ausgew. v. H Simon. (109) 8° Münch., A Langen 05. 2 —; geb. 3 — d

— Gedichte, s.: Bibliothek d. Gesamtlitt.

— sämtl. Gedichte. — Heinrich v. Ofterdingen, s.: Hesse's, M, Volksbücherei.

Novalis (Friedrich v. Hardenberg) (v. T Schmidt), s.: Kirchenliederdichter, uns.

Novella, la, di duo preti et un cherico inamorati d'una donna. Fksm. e. um 1500 in Florenz hergestellten Druckes im Besitze d. kgl. Univ.-Bibliothek zu Erlangen. (Hrsg. v. H Varnhagen.) (8 u. 8 m. 2 Abb.) 8° Erl., F Junge 02. — 80

Novellen, altitaliän. Ausgew. u. übers. v. P Ernst. 2 Bde. (304 u. 266) 8° Lpzg, Insel-Verl. 02. Je 3 —; geb. je 4 —

Novellen-Bibliothek, internat. 13 Bde. 12° Münch. Berl., Globus Verl. 20 —; Einbde je — 25 d

Bracco, R: Wirklichkeit u. Schein. Deutsch v. O Eisenschitz. (271) 03. [6.] 1.50
Bunin, I: Erzählgn. Deutsch v. G Polonskij. (255) 03. [5.] 1.50
Dadone, C: Nino Maraldis Irrsinn. Deutsch v. C Brenning. (186) (04.) [12.] 1.50
Gorki, M, W Weressajeff, L Andrejew: Jung-Russl. Neue Novellen. Aus d. Russ. (196) (04.) [13.] 1.50
Korolenko, W: Ein gewöhnl. Fall u. and. Erzählgn. Deutsch v. G Polonskij. (212) 03. [3.] 1.50
Neuwert-Nowaczyński, A: Affenspiegel. Satir. Erzählgn. Uebers. v. J Tenner. (223) (03.) [8.] 1.50
Przerwa-Tetmajer, K: Aus d. Tatra. Übers. v. J v. Immendorf. (260) 03. [2.] 1.50
Sieroszewski, W: Sibir. Erzählgn. Übers. v. M Sutram. (243 m. Abb.) 03. [4.] 2 —
Skitaletz: Spiessruten. Deutsch v. A Scholz. (198) 03. [1.] 1.50
Uspenskij, G: Novellen. Deutsch v. G Polonskij. (222) (04.) [11.] 1.50
Weressajeff, W: Die Kolossows. Uebers. v. G Polonskij. (310) 03. [9.] 1.50
Zeromski, S: Den Raben u. Geiern z. Frass. Uebers. v. M Sutram. (202) 03. [10.] 1.50
Zeyer, J: Geschichten u. Legenden. (246) (03.) [7.] 1.50

Novellenbuch s.: Hausbücherei d. deut. Dichter-Gedächtnis-Stiftg.

— modernes französ., a. d. Franz. v. M Kohn, s.: Meyer's Volksbb.

— klass. (392) 8° Osnabr., B Wehberg 02. 1 —; geb. 1.50 d

— österr. 2 Sammlgn. 4° Wien, C Fromme. Je 3.50; geb. je 4.75 d

1. Enth. Beitr. v. F v. Saar, S Milow, A Hagenauer, A Renk, F Himmelbauer, A Schwayer u. H Fraungruber, sowie e. Begleitwort v. M Morold. (20, 183) 03.
2. Enth. Beitr. v. E Ertl, RM Rilke, H Greinz, H v. Schullern, R Hawel u. H Weber-Lutkow. (202) 03.

— südslav., übers. v. L v. Kulpin, J Veličković u. F Vever, s.: Romanbibliothek, südslav.

Novellenkranz. Hrsg. v. F Dasbach. 25. Bdchn. 8° Trier, Paulinus-Dr. — 75; geb. 1 — d

Haupt, A: Die Tochter d. Alamannenkönigs. Histor. Roman a. d. letzten Zeit d. gallisch-röm. Kaiserreiches. 3. Afl. (208) 04. [25.]

Bisher unter: Dasbach's, F, Novellenkranz aufgenommen.

Novellenschatz d. Auslandes. Hrsg. v. P Heyse u. H Kurz. (Neue Ausg.) 14 Bde. (318, 342, 333, 298, 308, 282, 319, 289, 322, 320, 299, 293, 318 u. 303) 8° Berl., Globus Verl. (03). Je — 50; L. je 1 — d

— deut. Hrsg. v. P Heyse u. H Kurz. (Neue Ausg.) 24 Bde. (312, 322, 348, 362, 344, 356, 332, 309, 304, 295, 310, 295, 318, 300, 291, 335, 319, 277, 326, 238, 280, 287, 295 u. 279) 8° Ebd. (03). Je — 50; L. je 1 — d

— neuer deut. Hrsg. v. P Heyse u. L Laistner. (Neue Ausg.) 24 Bde. (254, 231, 239, 237, 239, 240, 252, 238, 242, 244, 226, 231, 248, 235, 246, 253, 226, 223, 253, 206, 264, 247, 234 u. 238) 8° Ebd. (03). Je — 50; L. je 1 — d

Nover, J: Nordisch-german. Götter- u. Heldensagen f. Schule u. Volk. Unter Mitwirkg v. W Wägner hrsg. 3. Afl. (230 m. Abb. u. Titelbild.) 8° Lpzg, O Spamer 01. 1.60; geb. 2 — d

— dass., s.: Spamer's, O, neue Volksbb.

Novicow, J: Die Föderation Europas. Uebers. v. AH Fried. (738) 8° Berl., Dr. J Edelheim 01. (Lpzg, CF Fleischer.) 6 —; geb. 8 —

Novitäten, chem. Bibliograph. Monatsschrift f. d. neuerschein. Litt. auf d. Ges.-Geb. d. reinen u. angewandten Chemie u.

d. chem. Technol. 1. u. 2. Jahrg. Oktbr 1904—Septbr 1906 je
12 Nrn. (1. Jahrg. Nr. 1. 32) 8° Lpzg, Bh. G Fock.   Je 2.50
Novitäten, jurist. Internat.Revue üb. alle Erscheing d. Rechts-
u. Staatswiss., nebst Referaten üb. interessante Rechtsfälle u.
Entscheidgn. 7—11. Jahrg. 1901—5 je 12 Nrn. (Je 192) 8°
Lpzg, JA Barth.   Viertelj. nn — 60
— medizin. Internat. Revue üb. alle Erscheing d. medizin.
Wiss., nebst Referaten üb. wicht. u. interessante Abhandlgn
d. Fachpresse. 11—14. Jahrg. 1902—5 je 12 Nrn. (Je 192) 8°
Ebd.   Viertelj. nn — 60
Novisiatsandenken. Aus d. Franz. 7. Afl. (240 m. Titelbild.)
8° Rgnsbg, Verl.-Anst. vorm. GJ Manz 04.   1 —; L. 1.50 d
Novotny, F: Das trigonometr. Netz d. Katasters im Geb. d.
kgl. Hauptstadt Prag: Bemerkgn z. Abhandlg d. k. k. Hofr.
A Broch. [S.-A.] (5) 8° Prag, (F Řivnač) 03.   — 60
— Versuch, d. geograph. Koordinaten d. k. k. Sternwarte in
Prag geodätisch abzuleiten. [S.-A.] (21 m. 2 Fig.) 8° Ebd.
05.   — 30
Nowack, A: Die Reichsgrafen Colonna, Freiherrn v. Fels, auf
Gross-Strehlitz, Tost u.Tworog in Oberschlesien.(152 m.1 Taf.)
8° Gross-Strehl., A Wilpert 02.   2 —
Nowack, H: Das moderne Monogramm. 676 Entwürfe. (26 Taf.)
4° Wien, F Schenk (03).   In L.-M. 15 —
Nowack, H: Method. Anl. z. Schreib- u. Lese-Unterr. Im Anschl.
an d. Neubearbeitg v. F Hirt's Deut. Fibeln, Ausg. A bis D u.
F u. G hrsg. 4. Afl. (56 m. Abb.) 8° Bresl., F Hirt 03. — 50 d
— Geogr., s.: Hirt's, F, Realienb.
— Relig.-Büchl. f. d. Kinder d. Unterst. 5. Afl. (40) 8° Bresl.,
F Hirt 04.   Kart. — 50 d
— Der ev. Relig.-Unterr. in d. Volkssch. Veranschaulichg d.
unterrichtl. u. prüf. Verfahrens in d. Relig.durch Lehrproben
u. Entwürfe f. d. verschied. Zweige u. Unterr.-Stufen, nebst
method. Anweisgn u. Stoffpl. 4. Afl. (264) 8° Ebd. 02.
                                                   geb. 3 — d
— Schreibschule, s.: Hirt, F.
— Deut. Sprachlehre u. Rechtschreibg. Für d. ob. Kl. mehrklass.
Stadtsch., sowie f. d. unt. Kl. höh. Lehranst. bearb. 11. Afl.
(104) 8° Bresl., F Hirt 04.   Kart. — 60 d
— Sprachstoffe f. d. Volkssch. z. Übg im richt. Sprechen u.
Schreiben. Ausg. A in 1 Hefte: Für einf. Schulverhältn. 12.Afl.
(48) 8° Ebd. 04.   — 25 d
— dass. Ausg. B in 3 Heften: Für mehrklass. Schulen. 8° Ebd.,
                                                        — 66 d
1. Unterst. 13. Afl. (34) 04. — 16. | II. Mittelst. 13. Afl. (32) 04. — 20 | III.
Oberst. 12. Afl. (64) 04. — 30.
— dass. Ausg. C in 2 Heften: Für weitergeb. Bedürfn. einf.
Schulverhältn. 8° Ebd.   — 45 d
I. 6. Afl. (32) 04. — 20 | II. 6. Afl. (48) 05. — 25.
— dass. Ausg. D in 2 Heften: Im Anschl. an F Hirts Lesebb.
Ausg. A, C u. G bearb. 8° Ebd.   — 45 d
I. Mittelst. 1. u. 2. Afl. (32) 02.03. — 20 | II. Oberst. (48) 02; 2. Afl. (54)
03. 04 — 25.
— dass. Ausg. E in 5 Heften: Im Anschl. an F Hirts Lesebb.
Ausg. B, D u. F bearb. 8° Ebd.   1.20 d
1. Schulj. [Leseb., 2. Tl.] (36) 02. — 20 | II. 3. Schulj. [Leseb., III. Tl.]
(32) 02. — 20 | III. 4. Schulj. [Leseb., IV. Tl.] (44) 02. — 25 | IV. 5. u.
6. Schulj. [Leseb., V. Tl.] (48) 02. — 25 | V. Oberst., 1. Abtlg. [Leseb.,
VI. Tl.] (56) 03. — 30.
— dass. Neue Afl. 8° Ebd.   1.20 d
1. Unterst. [Leseb., II. Tl.] 2. u. 3. Afl. (26) 03.04. — 20 | II. Mittelst.,
2. Abtlg. [Leseb., III. Tl.] 2. u. 3. Afl. (32) 03.04. — 20 | II. Mittelst.,
1. Abtlg. [Leseb., IV. Tl.] 2. u. 3. Afl. (44) 03.04. — 25 | IV. Oberst.,
2. Abtlg. [Leseb., V. Tl.] 2. u. 3. Afl. (48) 03.04. — 25 | V. Oberst., 1. Abtlg.
[Leseb., VI. Tl.] 2. Afl. (56) 04. — 30.
— dass. Ausg. F in 1 Hefte: Im Anschl. an F Hirts Lesebb.
Ausg. A, C u. G f. einf. Verhältn. bearb. 1. u. 2. Afl. (64) 9°
Ebd. 03.03.   — 30 d
— dass. Für ein-, zwei- u. mehrklass. Schulen in 6 Ausg. Lehrerheft: Ebensolange. nebst Anweisg z. Benutzg d. Schülerhefte
u. weit. Übgsmaterial. 8. Afl. (115) 8° Ebd. 03.   Kart. 1.25 d
— Der Unterr. im Deut. auf Grundl. d. Leseb. 1., 2. u. 4.5. (Er-
gänzgs-)Tl. 8° Ebd.   6.50 d
1. Unterst. (1.—3. Schulj.) 9. Afl. (96 m. Abb.) 03. 1 — | 2. Mittelst. 9. Afl.
(144 m. Abb.) 04. 1.25. | 4. Erläuterg literar. Lesestücke f. d. Mittel- u.
Oberst. 7. Afl. (396) 04. 2.25 (1—4 in 1 HF.-Bd 04. 7.75) | 5. Ambrassat, A:
Erläuterg poet. Stücke f. mittl. u. ob. Kl. gehob. Schulen. (172) 04. 2 —
— Wandfibel in Druckschrift. 16 Wandtaf. z. Übg im Lesen u.
Rechtschreiben. 3. Afl., angepasst F Hirts neuen deut. Fibeln,
Ausg. A bis D u. F u. G. (Neue Ausg.) 7×57 cm. Nebst Be-
gleitwort. (17) 8° Ebd. (03).   In Papphülse 3 — d
— dass. in Schreibschrift. 24 Wandtaf. z. Übg u. Wiederholg im
Schreiblesen. 4. Afl. (Neue Ausg.) 70×90 cm. Ebd.
                                                 In Papphülse 5 — d
— u. K Palm: Method. Anl. z. Erteilg d. Schreibunterr. Zugl.
e. Anweisg z. Benutzg d. Hirtschen Schreibschule. 2. Afl. (64)
8° Ebd. 05.   — 80 d
— JG **Faust,** H Sieber u. F Steinweller: Der Unterr. in d. Realien. Method. Anweisg m. Lehrproben f. d. verschied. Zweige
d. realist. Unterr. in d. Volkssch. 1.—4. Tl. 8° Ebd.   3.30 d
1. Nowack, H : Geogr. 5. Afl. (90 m. Fig.) 03.   — 75
2. Sieber, H : Gesch. 4. Afl. (90 m. 2 Abb.) 03.   — 75
3. Faust, JG, u. F Steinweiler: Physics. u. Tierkde. 4. Afl. (119) 03. 1 —
4. Faust, JG : Physik, Chemie u. Mineral. 4. Afl. (90) 04.   — 80
Nowack, W: Die kl. Propheten. — Die Bücher Samuelis, s.:
Hand-Kommentar z. Alten Test.
— Die Zukunftshoffngn Israels in d. assyr. Zeit, s.: Abhandlungen, theolog.

Nowacki, A: Anl. z. Getreidebau. — Prakt. Bodenkde, s.: Thaer-
Bibliothek.
Nowak, R, s.: Entscheidungen d. k. k. Obersten Gerichts- als
Kassationshofes. — Entscheidungen d. k. k. Obersten Ge-
richtshofes in Zivil- u. Justizverwaltgssachen.
Nowakowski, A: Die verlorene Armee. Ein Panorama a. d.
Leben d. deut. Deserteure. (147) 8° Zür., C Schmidt 05. 2 — d
Nowatzki, H : Graphognost. Untersuchgn. Vortr. (32 u. 4) 8°
Wolfenb., Heckner 01.   nn — 60
Nowicki, F: Flüssige Luft. Die Verflüssiggsmethoden d. Gase
u. d. neueren Experimente and d. Geb. d. flüss. Luft gemein-
verständlich dargestellt. (34 m. Abb.) 8° Mähr. Ostr., R Papauschek 05.   1 — d
Nowopacký, J: Alpine Kunstblätter. (40 farb. Bilder a. Oesterr.
u. Deutschlds Alpen.) 10 Lfgn. (4 S. Text.) 4° Prag, B Koči
(03).   In M. 30 —
Nowotny, F: Die Therapie an d. Univ.-Klinik d. Prof. Pieniazek
f. Nasen-, Rachen-u. Kehlkopfkrankh. in Krakau, s.: Therapie,
d., an d. österr. Univ.-Kliniken.
Nowotny, FO: Deutschvölk. Wohlfahrtspflege u. Schutzarbeit
im Stadt u. Land. (96) 8° Olm. 1900. (Wien, F Schalk.) 1.20 d
— Aktenmäss. Darstellg d. Ulmer Wallniederlegg. (88) 8° Ulm,
Gebr. Nübling 02.   — 80 d
Nübling, E, s.: Beckmann's Führer durch Ulm u. Neu-Ulm.
— Die Handelswege d. M.-A. Beitrag z. Frage d. deut. Welt-
politik. [S.-A.] (50) 8° Ebd. 01.   — 4 d
— Was d. Kaufmann v. d. Währgsfrage u. ihrer Gesch. wissen
muss. (130 m. 1 Karte.) 8° Lpzg, Verl. d. mod. kaufm. Bi-
bliothek (03).   L. 2.75
— Ulm unter Kaiser Karl IV. (1347—78.) (116, 310) 8° Ulm, Gebr.
Nübling 02.   7.50 d
— Zur Währgsgesch. d. Merkantilzeitalters. (90, 179) 8° Ebd.
03.   5 — d
Nübling, W: Bist Du bekehrt? (16) 12° Barm., Wuppertaler
Traktat-Gesellsch (01).   — 10 d
Nuck, E: In England, s.: In d. Fremde.
— Üb. Leben u. Werke v. Thomas Southerne. (29) 4° Berl.,
Weidmann 04.   1 —
Nüdling, L: Ixhäuser Geschichten. (99 m. Abb.) 8° Fulda, Ful-
daer Actiendr. 1900.   Geb. 1.20 d
— Passionsblumen. Ein Kranz a. Nachklängen u. Erinnergn
an d. Aufführgn d. „Passion" v. Domkapitular Müller in Fulda
1901. (32 m. 5 Taf.) 8° Fulda, A Maier (04).   — 30 d
— Rhönmärchen, s.: Kinder-Bibliothek, kathol.
Nüesch, E: Allerlei interessante Beobachtgn. Eine in ausge-
führten Beisp. gegeb. prakt. Anl., d. Jugend zu recht vielseit.
genauen Beobachtgn anzuregen. 2. Afl. (154) 8° Frauenf.,
Huber & Co. 05.   2 — d
Nüesch, J: Der Dachsenbüel, e. Höhle a. früh-neolith. Zeit, bei
Herblingen, Kanton Schaffhausen. Mit Beitr. v. J Kollmann,
O Schötensack, M Schlosser u. S Singer. [S.-A.] (136 m. Fig.
u. 6 Taf.) 4° Zür. (03). (Bas., Georg & Co.)   7 — d
— Das Kesslerloch, e. Höhle a. paläolith. Zeit. Neue Grabgn
u. Funde. Mit Beitr. v. T Studer u. O Schötensack. [S.-A.]
(113 m. Fig. u. 34 Taf.) 8° Ebd. 04.   1 — d
— Das Schweizersbild, e. Niederlassg a. palaeolith. u. neolith.
Zeit, s.: Denkschriften, neue, d. allg. schweiz. Gesellsch. f.
d. ges. Naturwiss.
Nielsen, JL: Die Bedeutg d. Evangeliums Johannes f. d. christl.
Lehre, s.: Hefte f. ev. Weltanschaug u. christl. Erkenntnis.
Nuntiaturberichte a. Deutschl. nebst ergänz. Actenstücken.
II. Abth. 1560—72. Hrsg. v. d. histor. Commission d. kais.
Akad. d. Wiss. k. Bd. Nuntius Delfino 1562—63. Bearb. v. S
Steinherr. (58, 553) 8° Wien, (A Hölder) 08.   26 — (1 u 3.: 50 —)
Der 2. Bd ist noch nicht erschienen.
— dass. III. Abth. 1572—85. 4. Bd. Die süddeut. Nuntiatur d.
Grafen Bartholomäus v. Portia. (2. Jahr 1574/75.) Bearb. v.
K Schellhass. Hrsg. durch d. k. preuss. hist. Instit. in Rom
u. d. kgl. preuss. Archiv-Verwaltg. (112, 528) 8° Berl., A Bath
05.   — (III., 1 u 4. IV, 1.3.: 142 —)
— dass. 1585 (84)—90. Germanico Malaspina u. Filippo Sega
(Giovanni Andrea Caligari in Graz), bearb. v. R Reichenberger
s.: Quellen u. Forschungen a. d. Geb. d. Gesch.
Nur nichts geg. d. Regierg!! Vom Otto Honigmund, Geh. Ober-
beschwichtigsgratz. D. (24) 8° Berl., Schwetschke 04. — 50 d
— selig. Erzählg a. d. Leben v. A v. S. (3, Afl.) (274) 8° Barm.
(02), Bas., E Finckh.   3 —; geb. 4 — d
Nürnberg. Dieschönsten Bauwerke,Denkmäler,Ansichten u.s.w.
(Städte-Bilder.) (41 Bromsilber-Photogr.) 8° Berl., Neues
photograph. Gesellsch. 04.   In L.-M. 20.50; mini. B.— 50
Nürnberg, H: Progressiv u. systematisch geordnetes Vers. d.
hervorragendsten Erscheingn. d. Klavierlitt. f. d. Studium u.
d. Vortr. im Klavierspiel. [S.-A.] (4) 4° Zür., GA Gassmann
(01).   — 50
Nürnberg, L, u. A Masskow: Der relig. Unterr.-Stoff f. ev.
Schulen. 1. Die bibl. Gesch. m. e. kirchengeschichtl. Anh.
(40 m. 1 Karte.) 8° Neubrandnbg, C Brünslow 05.
                          Geb. — 75; Stettiner Ausg. (193) nn — 85 d
Nürnberger, AJ: Zum 200jähr. Bestehen d. kathol. Theologen-
Fakultät an d. Univ. Breslau. [S.-A.] (99) 8° Bresl., Müller &
S. 03.   1 — d
— Das Epitaph d. P. Andreas Faulhaber. [S.-A.] (37) 8° Ebd.,
belschw., Franke 02.   — 70
Nurock, AB, s.: Maimonides' Commentar z. Tractat Kidduschin.

Nurrer, A: Anl. z. Erklärg u. Verwertg d. Lesestücke d. deut. Leseb., s.: Suchomel, V.
Nuschitsch s.: Nušić.
Nušić (Nuschitsch), BG: Knez od Semberije, Bearbeitg, s.: Roda-Roda, d. Gespan v. Semberia.
— Um hohen Preis! — Auf uferloser See, s.: Bibliothek ausgew. serb. Meisterwerke.
Nussbaum's Wohngs-Anzeiger v. Czernowitz, s.: Kalender, Termin- u. Vormerkbuch.
Nussbaum, A: Die Novelle z. Börsenges. Kritik u. Vorschläge. (39) 8⁰ Berl. 04. Charlttnbg, Plutus Verl. 1 —
Nussbaum, E v.: Kurzgef. Gesch. d. Infant.-Regts Graf Bose (1. thüring.) Nr. 31. (47 m. Abb.) 8⁰ Hamsbg 04. (Alt., J Harder, Sort.) — 20 d
Nussbaum, HC: Bau u. Einrichtg v. Kleinwohngn, s.: Schriften d. Centralstelle f. Arbeiter-Wohlfahrtseinrichtgn.
— Die Bauart d. bescheid. Einfamilienhauses. [S.-A.] (15) 8⁰ Weim., R Wagner Sohn 04. — 50 d
— Die Feuchtigkeit im Hause, d. Erkennen u. d. Beseitigg ihrer Ursachen. [S.-A.] (14 m. Abb.) 4⁰ Ebd. (04). — 50 d
— Gesundheitslehre f. d. Kaufmann. Grundz. d. Hygiene m. bes. Berücks. d. Handels- u. Beamtenstandes. (112 m. Abb.) 8⁰ Lpzg, Verl. d. mod. kaufm. Bibliothek (03). L. 2.75
— Leitf. d. Hygiene. (601 m. Fig.) 8⁰ Münch., R Oldenbourg 01. L. 16 —
Nussberger, G: Beitrag z. Kenntnis d. Entstehg v. Mineralquellen im Bündnerschiefergebiete. (58) 4⁰ Chur, F Schuler (01). 1 —
Nussberger, M: „Der Landvogt v. Greifensee" u. s. Quellen. EineStudie zu Gottfr.Kellers dichter.Schaffen.(226) 8⁰Frauenf, Huber & Co. 03. 3 — d
Nussknacker u. Mausekönig, s.: National-Bibliothek, allg.
Nüssle, E: Bilder u. Beitr. a. u. z. kirchl. Gesch. d. Stadt Mannheim, s.: Bilder a. d. ev.-protest. Landeskirche d.Grossh. Baden.
Nüsslin, O: Leitf. d. Forstinsektenkde. (454 m. Abb. u. Bildnissen.) 8⁰ Berl., P Parey 05. L. 10 —
Nützel, H, s.: Katalog d. oriental. Münzen in d. kgl. Museen zu Berlin.
Nyári, A(S): Le couvent des Ermites de St. Paul à Czenstochowa et ses monuments d'art hongrois. (In ungar. u. französ. Sprache.) (83 m. Abb. u. 29 Taf.) 4⁰ Budap., Athenaeum 01. 10 —
Nyblom, H: Es war einmal. Märchen. Aus d. Schwed. v. M Sommer. (249) 8⁰ Münch., A Langen 05. 3.50; geb. 4.50 d
— Ein Junggesellenleben, s.: Verein f. Verbreitg guter Schriften, Bern.
Nydegger, H: Eine Pfarrwahl in Rumpelbach. — Die Herren v. Stein. s.: Erzählungen a. d. Unterhaltgsbl. f. Stenogr.
Nyholm, KW: Finnlds Stellg im russ. Reiche. (In russ. Sprache.) (125) 8⁰ Berl., J Räde 01. 2 —
— Die Stellg Finnlds im russ. Kaiserreich. Aus d. Dän. (116) 8⁰ Lpzg, Duncker & H. 01. 2.80
Nyrén, M, et A Ivanof: Observations faites au cercle vertical, s.: Publications de l'observatoire central Nicolas.
— B Wanach et S Kostinsky: Observations faites à l'instrument des passages établi dans le premier vertical, s.: Publications de l'observatoire central Nicolas.
Nyrop, K: Grammaire histor. de la langue franç. Tome I. 2 éd. (551) 8⁰ Copenh. 04. Lpzg, O Harrassowitz. nn 8 —
— Das Leben d. Wörter. Aus d. Dän. v. R Vogt. (265) 8⁰ Lpzg, E Avenarius 03. 3 —; geb. 4 —
Nyst, J: Die Kontrolle bei d. Aktien-Gesellsch. [S.-A.] (6) 8⁰ Linz, Zentraldruckerei vorm. E Mareis 04. — 50
Nyström, A: Elsass-L. u. d. Möglichk. e. deutsch-französ. Allianz. Mit e. Vorwort v. A Millerand. (168) 8⁰ Berl., Herm. Walther 04. 1 —
— Das Geschlechtsleben u. s. Gesetze. 1—4. Afl. (288) 8⁰ Ebd. 04-06. 5 — d
Nyström-Hamilton, L: Ellen Key, s.: Biographieen bedeut. Frauen.
O, diese Bankdirektoren! Ein lust. Vademekum f. jeden Aktionär. Von Mirza-ben-Schaffy d. Jüngsten. (43) 8⁰ Lpzg, Ficker's Verl. 02. — 50 Vergr.
— diese Confectioneusen! (64 m. Abb.) 8⁰ Berl., Verl. „Das kleine Witzblatt" (01). — 50
— diese Dackel! Allerlei Lustiges a. d. Leben uns. kl. stummbein. Freunde. (88 m. Abb.) 4⁰ Münch., Braun & Schn. (01). — 30 d
— Haupt voll Blut u. Wunden! Passionslieder. (24 m. Abb.) 8⁰ Hambg, Agent. d. Rauhen H. (03). — 10 d
— „ Land, Land, Land, höre d. Herrn Wort!" Beispiele v. d. raft göttl. Wortes. (78) 12⁰ Elberf., Bh. d. Erziehgs-Ver. (01). — 30 d
— du fröhl., o du sel., gnadenbring. Weihnachtszeit. 1—30. Heft. Neue Ausg. (Je 16) 8⁰ Konst., C Hirsch (03.04). Je — 08 d
Both. Kraszbkrn v. T Artopé, A Bachofner, O Bayer, N Fries, M Geruer, M Inger, C Niese, F Oldenberg, D Schlatter, E Schöne, C Werner. Vgl. a.: Weihnachtszeit.
Oebbecke, K: Taf. z. Bestimmg d. Mineralien, s.: Kobell, F v.
Obdachlos s.: Weihnachten.
Oberbach, J: Kl. Wirtschafts- usw. Geogr., s.: Keuchel, E.
Oberbeck, H: Taschenb. z. Abstecken v. Kreisbögen, s.: Sarrazin, O.
Oberchristl, F: Der got. Flügelaltar u. d. Kirche z. Kefermarkt O. O. (70 m. Abb.) 8⁰ Linz, (Pressver.) 04. 2 —

Oberdieck, M: Balsamindel. Gedichte u. Erzählgn in schles. Mundart. (151) 16⁰ Bresl. 02. Berl., E Trewendt 02. L. (2 —) 1 — d
— Sonnenwende. Gedichte. (77) 8⁰ Berl., E Trewendt 06. Kart. 1 — d
— Summer- u. Wintersoaat. Erzählgn u. Gedichte in schles. Mundart. (192) 16⁰ Ebd. 03. L. (2 —) 1 — d
Oberdörffer, HJ: Die erfolgreiche Behandlg d. Zuckerkraukh. n. hygienisch-diätet. Grundsätzen. (38) 8⁰ Lpzg-C., Dent. Reform-Verl. (04). 3 — d
— Welche Heilmethode ist die richtige? (31) 8⁰ Lucka (03). (Godesbg, J Schugt.) 1 —
— Hygien. Lebensregeln, bes. f. Nervenleidende u. chronisch Kranke. (23) 8⁰ Godesbg, J Schugt (05). — 50
— Die Naturheilg. Das Grundprinzip d. wahren Heilkde. (43) 8⁰ Ebd. (01). — 50 || 5. Taus. (31) 03. — 50
— Diätet. Ratgeber f. Nervenkranke. (96) 8⁰ Ebd. (01). 1.50
Oberer, F: Prakt. Hdb. f. Katecheten, enth. d. v. österr. Gesammtepiscopat approb. „gr. Katech." m. kurzen Wort- n. Sacherklärgn. 6. Afl. 2 Bde. 8⁰ Graz, U Moser 02. 7.50 d
Oberfeld's Grundz. d. mathemat. Geogr. u. d. Astronomie f. mittl. u. höh. Schulen, insonderh. f. Lehrerbildgsanst. u. Lehrer. 5. Afl. v. H Brammer. (142 m. Fig. u. 1 Karte.) 8⁰ Grossenh., Baumert & R. 04. nn 1.50; geb. 2 — d
Oberg, H: Die Bedeutg d. Märchens f. Erziehg u. Unterr., s.: Abhandlungen, pädagog.
— s.: Geschäftsaufsatzheft f. gewerbl. Fortbildgssch.
— Ratgeber f. d. Unterr. im Briefschreiben, im Post-, Telegr.- u. Eisenbahnverkehr. (56 u. Post- u. Telegr.-Nachrichten 32) 8⁰ Hilchenb. (05). Arnsbg, J Stahl. Kart. 1.20 d
— Wie kann d. Volksschule e. möglichst grosse Rechenfertigk. erzielen?, s.: Abhandlungen, pädagog.
Oberhey, C: Der Gottesbrunnen d. Menschheit. Zur Einführg ins Johannesev. (126) 8⁰ Brnschwg., JH Meyer 02. 1.80 d
— Lebensbilder. Gedichte. (104) 16⁰ Ebd. 01. 1.50 d
Oberhof u. Umgebungen. (Neuer Reiseführer v. J Perthes.) (98 m. Abb., Kärtchen, 1 Pl. u. 3 Kart.) 8⁰ Gotha, J Perthes 04. Geb. 1.50
Oberhoffer, A: Sammlg ausgezeichneter ält. u. neuerer Kompositionen f. 4stimm. Männerchor zunächst f. d. Gebr. an Lehrerseminaren, Gymnasien u. and. Anst. u. f. Gesangver. 11. Afl. (338) 8⁰ Paderb., F Schöningh (05). 1.60; geb. 2 — d
Oberholzer, A: Gesch. d. Stadt Arbon. (75 m. 9 Taf.) 8⁰ Arbon 02. (St. Gall., W Hausknecht & Co.) Kart. nn 1.80 d
— Prakt. Rechnen f. Oberkl. v. Mädchensch. u. weibl. Fortbildgssch. 324 Aufg., a. d. Geb. d. Haushalts u. d. Geschäftslebens. 3. Afl. (54) 8⁰ Frauenf., Huber & Co. 02. nn — 55 d
Oberhummer, E: Die Insel Cypern. Landeskde auf histor. Grundl. 1. Tl: Quellenkde u. Naturbeschreibg. (488 m. 8 Kärtchen u. 4 Kart.) 8⁰ Münch., T Ackermann 03. 12 —
— s.: Jahresbericht d. geograph. Gesellsch. in München.
— Karte d. Insel Cypern 1:500,000. Auf Grund d. trigonometr. Aufnahme v. 3H Kitchener hrsg. 33×46 cm. Farbdr. Mit e. Übersicht d. Zahlgsergebnisse v. 1.IV.-VI. (arf d. Umschl.). [S.-A.] Münch., T Ackermann 03. 1.20
— Konstantinopel unter Suleiman d. Gr., s.: Lorichs, M.
— Die Stellg. d. Geogr. zu d. histor. Wiss. Antrittsvorlesg. (31) 8⁰ Wien, Gerold & Co. 04. — 90
Oberländer: Specialk. v. Oberlande d. Fürstenth. Reuss j. L., 3. Afl., s.: Brossmann, E, Karte.
Oberländer (C Rehfus): Die Dressur u, Führg d. Gebrauchsbundes. 5. Afl. (448 m. Abb.) 8⁰ Berl., J Neumann 04. L. 6 — d
— Eine Jagdfahrt n. Ostafrika. Mit d. Tageb. s. Elefantenjägers. (23, 406 m. Abb.) 8⁰ Berl., P Parey 08. L. 15 — d
— Quer durch deut. Jagdgründe. Aus d. Mappe e. philosophier. Jägers. 2.Afl. (439 m. Abb.) 8⁰ Neud., J Neumann (01). HF. 15 — d
— Jagdverwaltgs-Bücher. Aufgestellt n. d. im „Lehrprinzen" gegeb. Anweisgn. 3 Bücher. 4⁰ Ebd. (02). L. je 6 — d
i. Wildvrerechsgsb. (209) || 2. Cassa-Buch. (101 Doppela.) || 3. Budi F. Einzelrechngn. (209)
— Das Jägerhaus am Rhein. Jugenderinnergn e. alten Waidmannes. (312 m. Abb.) 8⁰ Ebd. 05. L. 8 — d
— Im Lande d. braunen Bären. Jagd- u. Reisebilder a. Russl. (362 m. Abb.) 8⁰ Ebd. 05. L. 14 — d
Oberländer, A, s.: Oberländer-Album.
— Photogravüren n. Gemälden. (16 Taf. m. 1 Bildnis.) 55×48 cm. Münch., Braun & Schn. (03). In L.-M. 35 —
Oberlaender, FM: Die chron. Gonorrhoe d. männl. Harnröhre. 1. Thl. Nach d. Lehrb. d. Urethroskopie v. FM Oberländer u. d. Werke v. de Keersmaecker u. Verhoogen umgearb. in Gemeinsch. m. A Kollmann. (172) 8⁰ Lpzg, G Thieme 01. 6 — Schluss u. d. T.:
— u. A Kollmann: Die chron. Gonorrhoe d. männl. Harnröhre u. ihre Komplikationen. 2. Thl. (250 u. 181 m. Abb. u. 8 (4 farb.) Taf.) 8⁰ Ebd. 05. 1 — (Vollst. in L.: 21.50)
— s.: Zentralblatt f. d. Krankh. d. Harn- u. Sexual-Organe.
Oberländer, H: Organ-Übgn f. dramat. Unterr. (25) 8⁰ Münch., F Bassermann 03. — 60 d
Oberländer, H: Dramat. Scenen f. d. Unterr. 1. Thl. 3. Afl. (102) 8⁰ Münch., F Bassermann 01. 1.80 d
— Uebgn z. Erlernen e. dialektfreien Aussprache. 6. Afl. Mit n. Anh.; „Uebgn in d. richt. Anwendg d. Tonfarben", „Regeln f. d. Vortrag". (224 m. Bildnis.) 8⁰ Ebd. 04. 2.80 d

Oberländer, S, A Reiniger u. A Werner: Lehrb. d. französ.
. Sprache. I—III. Tl. 8° Wien, F Tempsky. Geb. 6.10 d
I. 2. Afl. (82) 98. 1.60] II. 1. Abth.: Texte, Grammatik, Übersetzgsstücke.
I. Abth.: Präparat. u. Wörterverz. (142) 1900. 2.10] III. (156 m. 1 Karte.)
9°. 4.40.
Oberländer-Album. 12. Thl. (50 Bl. m. Abb.) Fol. Münch., Braun
& Schn. (01). Kart. 5 — (Je z in 1 Bd geb. d. Doppelbd: 11 —) d
Oberle. E: Wird Frankr. a. d.Reihe d. leit.Völker verschwinden?
(47) 8° Strassbg, J Singer 05. ` 1 —
— Frühlingswogeu. (232) 8° Ebd. 05. 2.50 d
Oberle. E: Univ.-Handelskorrespondenz in 7 Sprachen (deutsch,
französisch. euglisch, italienisch, spanisch, portugiesisch u.
russisch). Partie franç. (168) 8° Lpzg, Verl. d. mod. kaufm.
Bibliothek (04). L. 2.75
Oberle, J: Lehrpl. d. Turnunterr. f. 9klass. Mittelsch. in Bayern
auf Grund d. Ministeri.-Entschliessg f. d. Turnunterr. an
hum. u. Realgymnasien in Bayern v. 19.VII.1893. (43) 8°
Schweinf., (E Stoer) 05. 1 —
Oberle, M: Haupt-Register, s.: Finanz-Ministerialblatt f. d.
Kgr. Bayern.
Oberlin, Joh. Friedrich, Pfarrer in Steinthal, s.: Jugend- u.
Volksbibliothek, deut.
Oberländober, H: Anlage u. Leitg v. Kriegsspielen. (184 m. 6
Kartenskizzen.) 8° Oldnbg, G Stalling's V. 04. 3.60; geb.4.80 d
Obermayer, A v.: Das Fliessen fester Körper unter hohem
Drucke insbes. d. Eises, s.: Vorträge d. Ver. z. Verbreitg
naturwiss. Kenntnisse in Wien.
— Ein Satz üb. d. schiefen Wurf im luftleeren Raume. [S.-A.]
(6 m. 1 Fig.) 8° Wien, (A Hölder) 01. — 20
— Die Veränderlichk. d. tägl. Barometeroscillation auf d. Hohen
Sonnblick im Laufe d. Jahres. [S.-A.] (45 m. Fig. u. 3 Taf.)
8° Ebd. 01. 2 —
— Versuche üb. d. Ausfluss fester Körper, insbes. d. Eises,
unter hohem Drucke. [S.-A.] (56 m. Fig.) 8° Ebd. 04. 1.20
Obermayer, PE: Ein Buch d. Erinnerg, eingeleitet v. s. Jugend-
freunde. (27, 190 m. Bildnis.) 8° Wien, (W Braunmüller) 1900.
2.50 d
Obermeyer, W: Illustr. Gesch. v. Württemberg, s.: Streich, TF.
— Naturgesch. f. d. Schulgebr. (72) 8° Stuttg., A Bonz & Co.
02. — 40 d
Oberndorfer, S, s.: Beiträge z. patholog. Anatomie.
Oberndorff, C Graf, s.: Erinnerungen e. Urgrossmutter.
Oberneck, H: Die Angelegenh. d. freiwill. Gerichtsbark., s.:
Schultze-Görlitz, R.
— Die Eigenthümerhypothek im Lichte d. Praxis, s.: Veröffent-
lichungen d. Berliner Anwalt-Ver.
— s.: Formularbuch f. d. freiwill. Gerichtsbark.
— Das Reichsgrundbuchrecht unter Berücks. d. Ausführgsbestimmgn sämtl. Bundesstaaten, insbes. derjenigen Preussens.
3. Afl. 2 Bde. (48, 1033 u. 598) 8° Berl., C Heymann 04. 30 —]
geb. 33 —
Oberosler, G: Nuovo dizionario tascabile tedesco-italiano e
italiano-tedesco. (28, 424 u. 14, 380) 16° Milano 01. (Lpzg,
FA Brockhaus' S.) Kart. (2 —) 2.75
Oberosler, G: Illustr. Führer durch Trient u. Umgebg. Ausflüge
n. d. Caldonazzo-, Toblino-, Caravia- u. Molveno-See. Berg-
partien. (51 m. Abb. u. 1 Taf.) 8° Trient, G Oberosler (05). nn 1 —
— s.: Guide illustrate del Trentino.
Oberösterreicher, der. Oberösterr. Amtskalender, Auskunfts-
u. Geschäftsbch. f. 1906. 52. Jahrg. (39, 323 u. 191) 8° Linz,
V Fink. Kart. nn 2.60 d
Oberschlesien. Zeitschrift z. Pflege d. Kenntnis u. Vertretg
d. Interessen Oberschlesiens. Hrsg. u. red. v. E Zivier. 1—
4. Jahrg. Apr. 1902—März 1906 je 12 Hefte. (1. u. 2. Jahrg. 874
u. 864) 8° Kattow., Gebr. Böhm. Geb. je nn 14 —; vierteljl. 3 —]
einz. Hefte 1.25 d
Oberschulte, L, u.H Wegele: Vorarbeiten f.Eisenb. u.Strassen.
Bauleitg, s.: Handbuch d. Ingenieurwiss.
Oberst, M: Die Fracturen u. Luxationen d. Finger u. d. Carpus,
d. Fracturen d. Metacarpus u. d. Vorderarmknochen, s.: Fortschritte auf d. Gebiete d. Röntgenstrahlen.
Obersteiner, H: Anl. beim Studium d.Baues d. nervösen Central-
organe im gesunden u. kranken Zustande. 4. Afl. (630 m. Abb.)
8° Wien, F Denticke 01. 17 —
— s.: Arbeiten a. d. neurolog. Instit. an d. Wiener Univ.
Obert's, F. deut. Leseb. u. bearb. v. E u. W Morres. I., II.
u. IV. Tl. 8° Brassó (Kronst.), H Zeidner. Geb. 4.10 d
I. 2. Schulj. 4., d. Neubearbeitg 2. Afl. (164 m. Abb. u. 1 Bildnis.) 01.
II. 8. u. 4. Schulj. 3., d. Neubearbeitg 2. Afl. (355) 09. 1.25 d
IV. 6. u. 7., resp. 8. Schulj. 2., d. Neubearbeitg 3. Afl. (414) 04. 1.90.
Oberwinder, H: Die Weltkrise u. d. Aufg. d. Deut. Reichs. (192)
8° Dresd., W Baensch 05. 3 — d
Obex, K: Streifzüge am Rhein. Wanderbilder. 2. Heft. 5 Tage
auf d. Nahe durch Holland. 2. Afl. (74 m. 1 Karte.) 8° Bonn,
P Hauptmann (05). — 50 d
Obkircher: Das Friedrichsbad in Baden-Baden. Festschrift z.
25jähr. Jubiläum. (50 m. 2 Tab.) 8° Bad.-B., C Wild 02. — 80
Obras, algunas, raras sobre la lengua camanapota. Publicada
de nuevo por J Platzmann. Vol. 1. 8° Lpzg, B Teubner (04).
nn 6 — (I—V erm. Pr.: nn 24 —)
I. Tauste, F de: Arte, bocabulario, doctrina christiana y catecismo de
la lengua de Cumana. Ed. facsimilar. (187) 1888. nn 6 —
Obrist, H: Neue Möglichk. in d. bild. Kunst. (170 m. 1 Taf.)
8° Lpzg 03. Jena, E Diederichs. — ; geb. 4 —
Hinrichs' Fünfjahrskatalog 1901—1905.

Obser, K: Erinnergn a. d. Hofleben, s.: Freystadt, Freiin K v.
— s.: Korrespondenz, polit., Karl Friedrichs v. Baden.
— Voltaires Beziehgn zu d. Markgräfin Karoline Luise v. Baden-
urlach u. d. Karlsruher Hofe. [S.-A.] (49) 8° Hdlbg, C Winter,
D. 03. — 80
Observations des ascensions internat. simultanées et des
stations de montagne et de nuages, s.: Beobachtungen m.
bemannten, unbemannten Ballons usw.
Obst, A: Landen u. Stranden. Erzählgn v. d. Wasserkante.
(110) 8° Brem., C Schünemann 04. 1.20; geb. 2 — d
Obst, B: Heimatkde d. Kreises Filehne. (20) 8° Lissa, F Ebbecke
04. — 20; m. Kreisk. — 60 d
Obst, F: Das Wichtigste a. d. Heimatkde d. Kreises Bolken-
hain. (16) 8° Glog., C Flemming (05). — 10 d
Obst, G: Was muss d. Aktionär wissen? Gemeinverständl. Dar-
stellg d. wichtigsten Bestimmgn d. Aktienrechts, d. verschied.
Kategorien d. Aktien, d. beim Verkehr in Aktien übl. Handels-
gebräuche etc. 1—5. Taus. (104) 8° Stuttg. 01. Lpzg, Poeschel
& K. 1 —; L. 1.50
— s.: Buch, d., d. Kaufmanns.
— Der Depositen- u. Kontokorrentverkehr, s.: Ratgeber in Geld-
u. Rechtsfragen.
— Die Fachbildg d. Bankbeamten u. d. Fachkurse d. Ver. d.
Bankbeamten in Berlin. Vortr. (20) 8° Lpzg, Poeschel & K.04. — 50
— Geld-, Bank- u. Börsenwesen, s.: Sammlung kaufmänn.
Unterr.-Werke.
— Kapital-Anlage u. Wert-Papiere, Ratgeber bei Ankauf, Ver-
waltg u. Aufbewahrg v. Wert-Papieren. Mit s. Anh.: Die Börse
u. ihre Geschäfte. 6. Afl. (87) 8° Stuttg. 02. Lpzg, Poeschel
& K. 1 —; geb. 1.50
— Soll ich Kaufmann werden? Fordergn, welche an d. kaufm.
Geschäftsmann u. s. Ausbildg gestellt werden. Anh.: Der
zukünft. Kinj.-Freiwill. u. allg. Bestimmgn üb. d. Wehr- u.
Militärpflicht. (151 m. Abb.) 8° Lpzg, Verl. d. mod. kaufm.
Bibliothek (03). L. 2.75
— Notenbankwesen in d. Verein. Staaten v. Amerika. (104) 8°
Lpzg, Poeschel & K. 03. 2.40
— Organisation d. Zahlgsverkehrs. 2. Afl. (49) 8° Stuttg. 01.
Lpzg, Poeschel & K. — 80; geb. 1.30
Obst, G: Der perfekte Rechner. Anl. z. kaufmänn. u. bürgerl.
Rechnen. (124) 8° Berl., S Mode (05). 1.50 d
— Was spielen wir? Sammlg d. schönsten u. beliebtesten
Jugendsp. (80) 8° Berl., S Mode (05). 1 — d
Obst, H: Ein Museum f. Länderkde. Vortr. zu Alphons Stübels
Gedächtnis. [Erweit. S.-A.] (24 m. 1 Bildnis.) 8° Lpzg (Königs-
platz), (Museum f. Völkerkde) 05. Unentgeltlich. d
Obst, J: Die Destillation im Hause. Prakt. Anl. z. Herstellg
aller modernes Liköre, Aquavite, Kognaks, Rum, Arrak u.
and. Getränke. (103) 8° Berl., Gebr. Radetzki (04). 1 —
— Geschäftskniffe (Geschäftsklugheit) od. Der moderne, in-
telligente Kaufmann in d. richt. Beurteilg u. Ausnützg uns.
neuzeit. geschäftl. Verhältnisse u. Gründgn. Mit Anh.: Ueb.
Geschäfts- u. Fabrikations-Geheimnisse. (96) 16° Stuttg., E
Leupoldt (05). 1 — d
— Wie lerne ich richtig schreiben? (80) 8° Berl., H Steinitz
(05). 1 — d
— Wie u. wo verdiene ich am meisten? Das Einkommen aller
Berufsarten. (178) 8° Berl., E Freyhoff 05. 1.20 d
Obst, JG: Wie erkennt man d. Alter d. Pferde, Rinder u.
Schafe?, s.:
— Ansprache z. 100jähr. Todestage Schillers. (16) 8° Mind., A
Hufeland 05. — 40 d
— Die häusl. Arbeiten im Dienste d. Unterr., s.: Lehrer-Prü-
fungs- u. Informations-Arbeiten.
— Barrys Verantwortns. Aus d. hinterlass. Papieren e. Bern-
hardiners. (50) 8° Lpzg 01. Berl., H Seemann Nf. 1.50 d
— Gold. Buch d. Erziehg. Wegweiser z. Pflege d. gesunden
u. kranken Kindes v. zartesten Alter an, insbes. f. d. Aus-
bildg d. Geisteskräfte. Nebst Winken f. d. Berufswahl d.
Knaben u. Mädchen, Auskünften üb. d. Lebrlingswesen, d.
Staatsdienst, d. Gehälter, sowie üb. alle d. Militäranwärtern
vorbehalt. Stellen. (325) 12° Bresl., F Goerlich (03). 1.50:
L. 2 —; m. G. 3 —
— Fabrikbesitzer u. Fabrikarbeiter, Handwerksmeister u. Ge-
selle, ihre Rechte u. Pflichten. (56) 8° Lpzg, G Weigel (02).
— 50 d
— Psycholog. Grundsätze, welche d. d. Elementarschulunterr.
massgebend sind. — Welche Mittel hat d. Lehrer anzuwenden, um d. Interesse d. Unterr. d. Gesch.-Unterr. zu
wecken u. zu beleben?, s.: Lehrer-Prüfungs- u. Informations-Arbeiten.
— Handwerk hat gold. Boden! Wegweiser f. junge Handwerker z. Festig d. Charakters u. Fortbildg ihrer Kenntnisse. (191) 8° Berl., S Mode (04). 1 — d
— Das Hausschwein. Seine Aufzucht, Pflege u. Mästg, nebst
e. Anh.: Die Behandlg d. Schweines bei vorkomm. Krankh.
(32) 8° Lpzg, Ernst (03). — 60 d
— Mitgift f. uns. Kinder. Wegweiser f. d. zeitgemässe Ausbildg d. Knaben u. Mädchen in Bezug auf deren künft. Beruf. (167) 8° Berl., S Mode (04). 1 — d
— Wodurch u. wie verschafft man sich e. Nebenerwerb? (64)
8° Berl., H Steinitz (03). 1 — d
— Was soll ich in d. Obst-, Wein- u. Beerenkultur, Frucht-
verwertg in d. Küche, Obst- u. Beerenweinkelterei, Bereitg

132

d. Fruchtsäfte, sowie Obst- u. Weinessig-Fabrikation wissen? (94) 8º Berl., H Steinitz (02). 1.— d

Obst, JG: Das Pferd, unser edelstes Haustier. Seine Pflege u. Behandlg in gesunden u. kranken Tagen. (53) 8º Lpzg, Ernst (02). — 60 d

— Welche Pflichten u. Rechte hat d. preuss. Steuerzahler? (111) 8º Berl., H Steinitz (02). 1 — d

— Ratgeber, s. Einkommen zu erhöhen. 115 Nebenerwerbe. (115) 8º Lpzg, Leipz. Verl.-Comptoir 03. 1.50 d

— Welche Rechte u. Pflichten haben stille u. tätige Teilhaber, Kommanditisten u.s.w. bei aller Art v. Geschäften? (135) 8º Berl., H Steinitz (03). 2 — d

— Rind, Schaf, Ziege u. Schwein. Prakt. Winke üb. Aufzucht, Pflege, vorteilhafteste Fütterg u. gewinnbringendste Verwendg. (41) 8º Lpzg, Ernst (02). — 60 d

— Deut. Sprachlehre m. neuester Schreibweise, entwickelnder Darbietg u. Aufg. Nebst ausführl. Wrtrverz. (139) 8º Lpzg, G Gräbner (02). (1.50) 1 — d

— Die rationelle Tierwirtschaft in Hans u. Hof, Garten, Feld, Wald, Fluss u. Teich, e. Quelle d. Wohlstandes. (169) 8º Lpzg, Ernst (02). 1.50 d

— Aller Unterr. soll auf Anschaug beruhen, s.: Lehrer-Brüfungs- u. Informations-Arbeiten.

— Was soll ich werden? Mitteilgn üb. d. Entstehg d. dent. Handwerks, sowie Schilderg d. Art u. Leistgsfähigkeit jedes einz. Gewerbes als Beitrag z. Berufswahl. (115) 8º Lpzg, H Klasing 02. L. 2.50

— Kaiser Wilhelm II. u. Kaiserin Auguste Viktoria. Erzählgn u. Schildlergn a. d. Regierngszeit Sr. Maj. (362 m. Abb.) 8º Bresl., Schles. Buchdr. usw. 04. 3 —; geb. 4 — d

— Wie komme ich auf e. grünen Zweig? Ratgeber f. Männer u. Frauen um Vermögen zu erwerben u. zu mehren. (183) 8º Berl., S Mode (04). 1.80 d

Obstbau, der. Eine kurze Anleitg f. alle Stände, wie er rentabel betrieben werden soll. Von e. langjähr. Praktiker. (54) 8º Lissa, F Ebbecke 05. — 50 d

— der. Monatsschrift f. Pomol. u. Obstkultur. Hrsg. unter d. Red. v. K Gussmann. 21—25. Jahrg. 1901—5 je 12 Nrn. (1901. Nr. 1. 16) 8º Stuttg., (W Kohlhammer). Je 6 — d

Obst-, Gartenbau- u. Bienenzucht-Kalender f. 1906. 4.Jahrg. Hrsg. v. G Ries. (139) 8º Ansb., M Prögel. L. — 85 d

Obstbaum-Ertragsbuch. (40) Fol. Wiesb., R Bechtold & Co. (03). — 85 d

Obstfelder, GA: Üb. 1500 männl. u. weibl. Personennamen. 2. Afl. (21) 8º Langens., Schulbh. (03). — 40 d

Obstfelder, S: Pilgerfahrten. Aus d. Nachlass d. Dichters. (178) 8º Stuttg., A Juncker 05. 3 —; geb. 4.50 d

— Tageb. e. Priesters. Aus d. Norweg. v. L Wolf. (129 m. Bildnis.) 8º Wien, Wiener Verl. 01. 2 — d

Obst- u. Gemüsegärtner, der. Zeitschrift f. d. Gesamtinteressen d. Obst- u. Gartenbanes. Hrsg. v. P Englert. Jahrg. 1902—5 je 12 Nrn. (Nr. 1. 16) 8º Frankf. a/M., Englert & Schlosser. Je 1.50 d

Obst- u. Gemüseverwertung, die. Hrsg. v. T Echtermeyer. April—Dezbr 1905. 10 Nrn. (Nr. 1. 8) 4º Berl., Paul Parey. 3 — d

Obweger, J: Jesus, uns. Heiligg u. Glorie. Vollständ. Gebetb. f. gebildete Katholiken. (680) 16º Salzbg, A Pustet (01). Geb. 2 —; nn 2.25; nn 2.50 u. 3.50 d

— Kreuzespfade d. Christen. Gebet- u. Betrachtgsb. (610 m. 1 St.) 16º Ebd. (03). 1.80; 2.40; 2.80; 3.10 u. 4.40 d

— Leo XIII. u. d. Gegenwart. Festpredigt. (18) 4º Ebd. (03). 1 — d

— Die christl. Tochter. Ein Spiegel f. d. weibl. Jugend, nebst d. gewöhnl. Andachtsübgn. 2. Afl. (500 m. Titelbild.) 16º Ebd. (05). 1.20; geb. von 1.60 bis 3.30 d

— Die Wahrh. üb. d. Beicht. 7 Kanzelvortr. (144) 8º Ebd. (04). 2 — d

d'Ocagne, MM: Construction de la tangente d'une certaine courbe. (Extrait d'une lettre adressée à M. A Sachraro à Brno. [S.-A.] (2 m. 1 Fig.) 8º Prag, (F Řivnáč) 02. — d

Oechelhaeuser, A v.: Aus Anselm Feuerbachs Jugendjahren. (196 m. 8 Taf.) 8º Lpzg, EA Seemann 05. 4 —

— Gesch. d. grossh. bad. Akad. d. bild. Künste. Festschrift z. 50jähr. Stiftgsfeste. (173 m. Abb. u. 15 Taf.) 4º Karlsr., G Braun'sche Hofbuchdr. 04. L. 10 —

— Das Heidelberger Schloss. Bau- u. kunstgeschichtl. Führer. 2. Afl. (196 m. Abb. u. 1 Pl.) 8º Hdlbg, J Hörning 02. 1 —

— Die Kunstdenkmäler d. Amtsbezz. Buchen u. Adelsheim (reis Mosbach), s.: Kunstdenkmäler, d., d. Grossh. Baden.

— s.: Ueber d. Erhaltg d. Heidelberger Schlosses.

— Der kunstgeschichtl. Unterr. an d. deut. Hochsch. Festrede. (35) 8º Karlsr., G Braun'sche Hofbuchdr. 02. — 80

Ochs, H, s.: Pyramiden f. Turner.

Ochs, H, u. R **Haecker**: Prakt. Kochb. f. einf. bürgerl. Küche. 2. Afl. (143) 8º Stuttg., E Ulmer 04. 2.40 d

Ochs, T: Prakt. Chorgesangsch. Op. 5. 2. Afl. (72) 8º Berl.-Gr. Lichterf., CF Vieweg (05). 1 —

— Solfeggien. Zum Gebr. in Präparanden-Anst., Seminaren u. höh. Schulen. [S.-A.] (48) 8º Ebd. (05). — 60

Ochsenbein, W: Die Aufnahme Lord Byrons in Deutschl. u. s. Einfl. auf d. jungen Heine, s.: Untersuchungen z. neueren Sprach- u. Lit.-Gesch.

Ochsenwadel, G: Erdkarte in Mercator-Projektion. Aequatorial-Massstab 1:15,500,000. 6 Bl. 2 Bl. je 86×111,5 cm u.

4 Bl. je 85,5×79 cm. Farbdr. Stuttg., Holland & J. (04). 10 —; aufgez. 20 —; Bl. I u. II, Amerika, allein 4 —; aufgez. 8.50; Bl. III—VI, Alte Welt u. Australien, allein 7 —; aufgez. 13 —

Ochser, S: Judentum u. Assyriol. 3 volkstüml. Vortr. (63) 8º Berl., S Calvary & Co. 04. 2 —

Oechslen, R: Ueb. cykl. asymmetr. Ammoniumsalze m. bes. Berücks. d. Isomeriefrage u. d. Doppeldissoziation. (68) 8º Tüb., F Pietzcker 02. nn 1.20

Oechsler, H: Predigten auf alle Sonntage d. Kirchenj., s.: Venedien, H.

Oechsli, W: Bilder a. d. Weltgesch. Lehr- u. Leseb. f. Gymnasien, Lehrerseminarien u. and. höh. Schulen, sowie z. Selbstunterr. 1—3. Tl (I. u. H. Hlfte). 4. Afl. 8º Winterth., A Hofster. Kart. nn 7.10 d
1. Einl. u. alte Gesch. (302 u. 5) 04. nn 2.50 | 2. u. 3. (I. Hlfte): Mittl. u. neuere Gesch. (314 u. 5) 03. nn 2.60 | 3. (II. Hlfte): Neueste Gesch. bis z. Gegenw. (7, 180 u. 4) 05. nn 2 —

— Gesch. d. Schweiz im 19. Jahrh., s.: Staatengeschichte d. neuesten Zeit.

— Quellenb. z. Schweizergesch. 2. Afl. 2—4. Lfg. (161—875) 8º Zür., Schulthess & Co. 01. Je 1.60 (Vollst.: 6.40) d

— Urgesch. Graubündens, s.: Heierli, J.

— u. J **Baldamus**: Schulwandk. z. Gesch. d. Schweiz, s.: Sammlung histor. Schulwandk.

Oechsner, M: Lehr- u. Leseb. f. d. weibl. deut. Feiertags- od. Fortbildgs-Sch. 29. Afl. (196) 8º Münch., R Oldenbourg (05). Kart. nn — 80 d

Ockel, H: Bayer. Gesch., s.: Sammlung Göschen.

Ockert, C: Jagd-Album. 30 Skizzen a. d. Leben in d. Natur (in Lichtdr.). 4º Münch., F Hanfstaengl (etwa 1900). In L.-M. 90 —

Octavarium romanum sive octave festorum: Lectiones secundi scilicet et tertii nocturni singulis dieb. recitandae infra octavas sanctor. titularium, vel tutelarium ecclesiar., aut patronor. locor. a sacra rituum congregatione ad usum totius orbis ecclesiar. approbatae. Accedit suppl. in quo octavae novissimae inveniuntur cum textu ab eadem s. congregatione approbato. Ed. II. (492 in Rot- u. Schwarzdr. m. 1 Farbdr.) 8º Rgnsbg, F Pustet 03. 4 —; geb. 5.40; 7.50 u. 8.50

Oczeret, H: Klein Jöta. (94) 8º Lpzg, Insel-Verl. 05. 1.50; geb. 2 —

Odd-Fellow, der. Organ f. d. Interessen d. Oddfellow-Ordens. Schriftleitg: A Lotthammer. 25—29. Jahrg. 1901—5 je 24 Nrn. (Nr. 1. 8) 4º Lpzg, T Leibing. Halbj. 3 —

Odd-Fellow-Adressbuch f. d. Termin 1904—05. Bearb. v. T Leibing. 29. Jahrg. (439) 12º Lpzg, T Leibing. Kart. nn 2.50 d
Wird nur an Odd-Fellow-Logen u. deren Mitglieder direkt geliefert.

Odebrecht, L: Meine Tiroler Reise! (34) 8º Harzbg, (R Stolle) (01). — 50 d

Oedekoven, A: „Gegengift". — Hereingefallen. — Des Soldaten Freud u. Leid, s.: Theater, kl.

Oediga, P: Erläuterngn zu d. Mittel- u. Oberst. v. F Hirts deut. Leseb., s.: Feist, F.

— s.: Volksschule, d. zweisprach.

Odenwälder (LFH Piekenbrock): Der gerechte Jäger. Prakt. Leitf. z. Erlerng d. Jagdbetriebes u. d. Schiesskunst. (271) 8º Neud., J Neumann (01). 3 —; L. 4 — d

Oder, E, s.: Hermerl, C, mulomedicina Chironis.

Oder, M: Betriebskosten d. Verschiebebahnhöfe. [S.-A.] (68 m. Abb. u. 1 Taf.) 8º Berl., J Springer 05. 2 —

— u. O **Blum**: Abstellbahnhöfe (Betriebsbahnhöfe f. d. Personenverkehr). (54 m. 4 Taf.) 8º Berl., W Ernst & S. 04. 4 —

Odermann's, CG, prakt. Anl. z. einf. u. dopp. Buchhaltg, m. e. Anh. üb. amerikan. Buchhaltg. 8. Afl. v. A Adler. (243) 8º Lpzg, JA Barth 04. L. 5 —

— Ausw. deut. Handelsbriefe. — Lehrb. d. Kontorwiss., s.: Schiebe, A.

Odermatt, E: Die Deminution in d. Nidwaldner Mundart. Abhandlungen, hrsg. v. d. Gesellsch. f. deut. Sprache in Zürich.

Odermatt, F: Hartes Holz. Erzählg a. d. Bergen d. Urschweiz. (153) 8º Zür., A Bopp 06. 2 —; geb. 3 — d

Oderwald, H, s. a.: Thielscher, H.

— Achilles. Zigeunerliesel. 2 Dorfgesch. in schles. Mundart. (153) 8º Opp. 03, Schweidn., L Heege. 1.60; geb. 2.50 d

Odescalchi, Prinzessin, s.: Rudolf, Kronprinz, u. d. Verbrechen d. Vetsera.

Oedheim, H v.: Ein Strauss französ. Liederdichtg. Aus 5 Jahrh. ausgew. u. übertr. (Neue Ausg.) (204) 12º Stuttg., (JB Metzler) (o. J.). 1.50 d

Odier, H: Essai d'analyse psycholog. du mécanisme du language dans la compréhension, s.: Studien, Berner, z. Philosophie.

Odin, Kampfblatt f. Alldeutschl. Mit d. Beil.: „Oestarr. Beschlagnahmgn" u. „Volksruf". Schriftleitg: WFluhrer.3.Jahrg. 1901. 36 Nrn. (Nr. 1. 8 u. 2) Fol. Münch., J Kutschera & Co. (?) 6 — d

Nur etwa 9 Nrn sind erschienen, Fa ist erloschen.

Odkolek, A Freih. v., u. K Freih. v. **Lempruch**: Die Gebürennovelle v. 18.VI.'01. 3. Afl. (235) 8º Wien, Manz 01. 2.80; kart. 3 — d

Oefele, A v.: Das Schachspiel d. Bataker. (63 m. Fig.) 8º Lpzg, Veit & Co. 04. 2 —

Oefele, F Frhr v.: Der Aberglaube in d. Krankenstube, s.: Volksbücherei, medizin.

Oefele, F Frhr v.: Die Angaben d. Berliner Planetentafel P 8279
vergl. m. d. Geburtsgesch. Christi im Berichte d. Matthäus,
s.: Mitteilungen d. vorderasiat. Gesellsch.
— Zur Bedeutg d. systemat. Kotanalyse f. d. Praktiker u. Weiteres z. Bedeutg d. systemat. Kotanalyse f. d. Praktiker.
[S.-A.] (15) 8° Lpzg, B Konegen 01.   1 —
— Butter als Arzneimittel bei Leber- u. Gallenkranken. 5. Afl.
(32) 8° Bad Neuenahr 03. (Lpzg, Fritzsche & Schmidt.) — 60
— Allg. Diätfragen f. Zuckerkranke. (32) 8° Ebd. 01. † — 30
‖ 4. Afl. (47) (03.) — 80
— Meine Diätordng bei nierenkranken Kurgästen. (14) 8° Ebd.
04.   — 40
— Deut. Ersatz f. d. Bordeauxweine am Krankenbette. [S.-A.]
(16) 8° Berl., J Goldschmidt 03.
— Das Horoskop d. Empfängnis Christi m. d. Evangelien ver-
glichen, s.: Mitteilungen d. vorderasiat. Gesellsch.
— Mangelhaftes Kauen u. d. Eigenschaften d. Faeces. [S.-A.]
(11) 8° Lpzg, B Konegen 01.   1 —
— Keilschriftmedicin, s.: Abhandlungen z. Gesch. d. Medicin.
— Keilschriftmedizin in Parallelen, s.: Orient, d. alte.
— Luftwechsel bei Atemnot u. Erkrankgn d. Luftwege. (7) 8°
Bad Neuenahr 01. (Lpzg, Fritzsche & Schmidt.) † — 30 ‖ Neudr.
(12) 02. — 20
— Materialien z. Bearbeitg babylon. Medicin, s.: Mitteilungen
d. vorderasiat. Gesellsch.
— Ausführl. Untersuchg d. menschl. Kotes. 3. Afl. (11) 8° Bad
Neuenahr 04. (Lpzg, Fritzsche & Schmidt.)   — 25
— Statist. Vergleichstab. z. prakt. Koprologie bei fieberlosen
Patienten. (180) 8° Jena, G Fischer 04.   4 —
— Zweck d. systemat. Kotuntersuchg. (7) 8° Bad Neuenahr 02.
(Lpzg, Fritzsche & Schmidt.)   — 10
Oefele, FX: Das Gewerbe-Unfallversicherugsges. u. d. Bau-Un-
fallversicherugsges. n. d. Ges., betr. d. Abänderg d. Unfall-
versicherugsges. v. 30.VI.1900. 3 Lfgn. (447) 8° Münch., J
Schweitzer V. 02.   8.80; L. 19 — d
Ofenheim, A Ritter v.: Ofenheim contra Lueger! 3 Strafan-
träge geg. Dr. Karl Lueger. (32) 8° Wien, Dr. R v. Ofenheim
(durch R Lechner & S.) 01.   — 50
— Ofenheim contra Lueger! Das besteuerte Wasser. Gesetzl.
Beitrag d. communalen Wassergebühren. [Rev. S.-A.] (32)
Ebd. 01.   — 50
— Die Vergütgszinsen v. rückgezahlten Steuerbeträgen n. Lan-
deszuschlägen. [Verm. S.-A.] (16) 8° Wien, Manz 04. — 40
Ofen-Industrie. Spezial-Organ f. Ofenfabrikation. Ofenbau u.
d. ges. Heiztechnik. Red.: A Tänzer. 1. Jahrg. Febr—Dezbr
1901. 48 Nrn. (Nr. 1. 16) 4° Lpzg, A Duncker. Monatlich — 70
‖ 2. Jahrg. 1902. 52 Nrn. Viertelj. 3 —
Erschien bis Ende Juni 1902 in Nürnberg. — Fortsetzg u. d. T.:
Ofen-Industrie- & Töpfer-Zeitung. Fachzeitschrift f. thon-
industrielle Anlagen. Red.: E Steiger. Jahrg. 1903. 26 Nrn.
(Nr. 1. 20) 4° Ebd.   Viertelj. 3 —
— dass. Fachbl. f. d. ges. Tonwaren-Industrie. Red.: E Steiger. 28. Jahrg. 1904. 20 Nrn. (540 m. Abb. u. Taf.) 4° Ebd.
Viertelj. 3 — ‖ 29. Jahrg. 1905. Viertelj. 2 —
Offen, H: Martin Gasreck. Lose Blätter. 50 Jahre Lehrerleben.
(96) 12° Hambg, A Lefevre Nf. 01.   1 —; L. 1.25 d
Offenbacher, M: Konfession u, soz. Schichtg, s.: Abhandlungen,
volksw., d. bad. Hochsch.
Offenbarung, Wunder u. **Geheimnisse,** s.: Volksaufklärung.
Offenbarungen, göttl., nns, zust. u. deren Uebereinstimmg m.
d. Bibel. Hrsg. v. christlich-theosoph. Ver. Lindau i. Bayern.
(15) 8° Lorch, K Rohm 03.   — 90 d
Offenberg, L: Das Waldschutzges. v. 6.VII.1875, Zusammen-
legg u. Enteigng u. and. Mittel z. Anforstg, Walderhaltg u.
Waldpflege im privaten Wald- u. Ödlandsbesitz. Ges.-Kom-
mentar u. Darstellg. (245) 8° Berl., P Parey 01. Kart. 3.50 d
Offenhuber, F: Grundbuchs-Prüfg. Die gesetzl. Bestimmgn üb.
Grundbuchsführg in Fragen u. Antworten. (226) 8° Wien, M
Perles 02.   3 —; geb. 3.80 d
Offermann, A Frhr v.: Parlamentarismus u. Kirche. [S.-A.]
(84) 8° Wien, (St. Norbertus) 04.   1 — d
— Das Verhältnis zu „Österr." (158) 8° Wien, W Braumüller 02.   4.20
Offermann, H: Der Fluch d. Unglücklichen od. Im Tode versöhnt. — Die Heldin v. Transvaal, s.: Heidelmann's, A,Theater-
bibliothek.
Offermanns, C: Der hl. Petrus, s.: Zimmermann, J.
Offert-Blatt f. Bijouterie-, Gold- u. Silberwaaren-Handlgn.
15—19. Jahrg. 1901—5 je 24 Nrn. (Nr. 7. 8) Fol. Berl., Berlinische Verl.-Anst.   Viertelj. 1 —
— d. Kälte-Industrie. Red.: J Göttsche. 1. Jahrg. Oktbr—Dezbr
1904. 8 Nrn. (4) 4° Altona. (Hambg, J Kriebel.) — 50
Fortsetzg s. u. d. T.: Kälte-Industrie, d.
— f. d. kathol. Klerus Oesterr.-Ungarns u. d. Schweiz. Mit
Lit.-Beil. Red.: J Häusle. 5. Jahrg. 1904. 12 Nrn. (4) 4°
Feldk., F Unterberger.   nnn 1.20 d 0 H
Fortsetzg s. u. d. T.: Custos.
— internat., f. Philatelie (zugl.: „Philatelist. Börsenbl."). Red.
v. H Mylius. 6—9. Jahrg. 1901—4 je 36 Nrn. (1901. Nr. 1. 8)
4° Sonnebg (Sachsen-Mein.), CA Mylius. ‖ 10. Jahrg.1905.24 Nrn.
Je 1.50
— u. **Fachorgan,** allg., f. Friseure, Friseurinnen, Barbiere,
Perrückenmacher, Heilgehilfen u. verwandte Branchen. Red.:
C Lehsten. 5. Jahrg. 1902. 24 Nrn. (Nr. 1. 8 m. 1 Taf.) 4°

Elberfeld, Herm.Finkenwirth. (Nur dir.) Viertelj. 1 — ‖6.Jahrg.
1903. Red.: R Mertig. Viertelj. 1.20 ‖ 7. u. 8. Jahrg. 1904 u. 5.
Viertelj. postfrei 1.40 d
Offhauss, A: Eine einf. Buchführg f. Landwirte. Unter Mitwirkg v. A Görlach. (86) 8° Gotha, R Schmidt 03. Kart. 1.50;
3 Kontobücher dazu. (12, 32 u. 24) Fol. nn 1.50 d
Officia propria mysterior. et instrumentor. passionis d. n. J.
C. juxta breviarium romanum cum psalmis et precibus in
extenso. (In Rot- u. Schwarzdr.) (204) 12° Rgnsbg, F Pustet
03. ‖ Ed. VI. (159) 8° 05. Je 1.50; L. je 1.90; Ldr m. G. je 3 —
— propria dioec. Osnabrugensis a sacra rituum congregatione approbata et concessa ac jussu et auctoritate
Huberti, episcopi Osnabrugensis, edita. 4 Tle in 1 Bde. (22,
58, 2; 61; 40, 2 u. 54) 8° Osnabr., G Pillmeyer 05. nn 3.50;
geb. von nn 4.50 bis nn 6 —
— propria dioec. Paderbornensis. (Ad breviarium romanum.)
4 voll. (67, 62, 43 u. 32) 12° Paderb., (Junfermann) (01). nn 4 —
— dass. (Ad horas diurnas.) (39) 16° Ebd. (01). — 50
— propria ad usum dioec. Seccoviensis. (156 in Rot- u. Schwarzdr.) 12° Ratisb. 1896. Graz, U Moser.   (1.80) 1.50
— votiva per annum pro singulis hebdomadae feriis a ss. d.
n. Leone PP. XIII. per decretum urbis et orbis die 5.VII.1883
concessa, cum psalmis et precibus in extenso. Ed. V. (216
in Rot- u. Schwarzdr.) 8° Rgnsbg, F Pustet 03. 1.50; L.1.90;
Ldr m. G. 3 —
Officium s. a.: Offizium.
— in festo S. Bedae venerabilis conf. et eccl. Doct. Duplex.
Die 27. maji. Ed. II. (4 in Rot- u. Schwarzdr.) 8° Kempt., J
Kösel (01).   — 10
— parvum sacri cordis Jesu. Kl. Officium d. hlst. Herzens
Jesu. Lateinisch u. deutsch. (64 m. Titelbild.) 16° Steyl, Missionsdr. 02.   L. — 25 d
— dass. (m. Titelbild.) 16° Wien, St. Norbertus (01). — 50 :
— dass., ed. redactio „Nuntii Ss. Cordis Jesu". (23) 16° Innsbr,.
F Rauch (01).   nn — 15
— parvum sacri cordis Mariae. Kl. Officium d. hlst. Herzens Mariä. Lateinisch u. deutsch. (64 m. Titelbild.) 16° Steyl,
Missionsdr. 02.   L. — 25 d
— in festo corporis Christi et infra octavam neo non officium sacr. cordis Jesu, juxta breviarium et missale romanum additis commemorationib. sanctor. quae occurrere pos-
sunt. (In Rot- u. Schwarzdr.) 8° (ca. 45) 12° Rgnsbg, F Pustet
01.   — Ldr 3 —; nn 0.20 u. 2.20
— defunctor. Choramt f. d. Abgestorbenen. Lateinisch u.
Deutsch. 6. Afl. (101) 16° Paderb., F Schöningh (03). — 50 d
— defunctorum et pro exsequiar pro adultis et parvulis una
cum missa et absolutione defunctorum. Ex ed. s. r. c. typica
ritualis, missalis, gradualis, breviarii et pontificalis romani
depromptum. (Ausg. 1901 in Schwarzdr.) (86) 8° Rgnsbg, F
Pustet.   — 80; L. — 90
— dass. Ausg. 1901 in Rot- u. Schwarzdr. (86) 8° Ebd. — 90 ;
L. 1.20
— festor. nativitatis et epiphaniae Domini eorumque octa-
var. necnon festor. eo tempore occurrentium ex breviario et
missali romano pro majori recitantium commoditate digestum. Ed. II. (278 u. 14) 12° Ebd. 02.   1.60;
Ldr 2.60; m. G. 3.60
— majoris hebdomadae a dominica in palmis usque ad sab-
batum in albis juxta ordinem breviarii, missalis et pontificalis romani cum cantu ex editionib. authenticis, quas curavit sacror. rituum congregatio. (Neue Ausg. 1902 in Rot-
u. Schwarzdr.) (452) 8° Ebd. 3.80 ‖ In Schwarzdr. (452) 14 d
HChagr. 3.40; Ldr m. G. 4.40
— dass. (In Rot- u. Schwarzdr.) (490) 8° Ebd. 04.   2.70;
HChagr. 3.40; Ldr m. G. 4 —
— dass. Sine cantu. (Ausg. in Rot- u. Schwarzdr.) Ed. III. (386
u. 34 m. Abb. u. Titelbild.) 8° Ebd. 05. 2 —; Ldr 3 —; m. G. 4 —
— in festo beatae Crescentiae Höss, virg.III.Ord. Div 7.aprilis.
(3 in Rot- u. Schwarzdr.) 8° Kempt., J Kösel 01.   nn — 50
— propter beatae Mariae Virginis. Das kl. Choramt od. d.
kl. Tagzeiten v. Uns. lieben Frau. Lateinisch u. Deutsch.
Nebst e. kurzen Erklärg u. e. Anh. verschied. Gebete. 9. Afl.
(490) 12° Paderb., F Schöningh (04).   1.50; geb. 3.20 d
— dass. m. deut. Rubriken u. e. Anl., wie dasselbe zu beten
ist, f. Ordenspersonen u. Laien. 2. Afl. (204 m. 1 Farbdr.) 16°
Wien, St. Norbertus (04).   1.40; L. 2 —
— dass. et officium defunctor. cum psalmis gradualib. et 7
psalmis poenitentialib. ac litaniis sanctor. Ed. VIII. (196 m.
Abb.) 16° Rgnsbg, F Pustet 05.   — 80; Ldr m. G. 1.50
— dass. et officium defunctor cum psalmis poenitentialib.
et litaniis sanctor. Ed. VII. (In Rot- u. Schwarzdr.) (13, 156)
16° Ebd.   L. — 1.40; Ldr m. G. 1.50
— dass. m. d. deut. Tagzeiten f. allersel. Jungfrau Maria u.
d. Tagzeiten f. d. Abgestorbenen. (288 m. Titelbild.) 12° Steyl,
Missionsdr. 02.   L. 1.50
— dass. cum psalmis poenitentialib., gradualib. et litaniis,
additis aliis precibus. Ed. V. (Ad ed. brev. rom. typicam.)
(84, 143 m. Abb.) 16° Augsbg, Lit. Instit. v. Dr. M Huttler 01.
L. nn 1 —
— **Marianum.** Tagzeiten d. allersel. Jungfrau Maria. In
deut. Uebersetzg n. d. röm. Brevier. 2. Afl. (162) 16° Mainz,
Kirchheim & Co. 04.   L. — 60 d

Officium in festo Pentecostes et per totam octavam se-
sundum missale. et breviarium romanum. (112 in Rot- u.
Schwarzdr.) 12° Rgnsbg, F Pustet01, 1 —; Ldr 2 —; m. G. 2.30
— in festo S. Joannis Baptistae de la Salle conf. Duplex. Die
15. maji. (4 in Rot- u. Schwarzdr.) 8° Kempt., J Kösel (01).
— 10
— et missa defunctor. atque ordo exsequiar. pro adultis et
parvulis. Volksausg. Nach d. v. d. S. Rituum Congregatio
besorgten Ed. d. Rituale u. Graduale Romanum in Violinschlüssel u. weisse Noten übertr. 6. Ausg. (76) 12° Rgnsbg,
F Pustet 1900. — 20; kart. — 30
Offinger u. Engelbrecht: Inbegriff d. Notwendigsten u. Ge-
meinnützigsten a. d. Natur u. d. Menschenleben. Hilfsb. z.
Unterr. in Sprache, Realien u. Rechnen f. Land-, Stadt- u.
Fortbildgesch. 1. Abtlg: Sprache. 19. Afl. (170) 8° Bambg, CC
Buchner's V. 01. 1.20 d
Offinger, H: Deutsch-englisch-französisch-italien. technolog.
Taschenwrtrb. (Einbd: Technolog. Wrtrb. in 4 Sprachen.)
1., 2. u. 4. Bd. 8° Stuttg., JB Metzler. L. 10.20
1. Deutsch voran. 3. Afl. (264) (03.) 3.80 | 2. Engl. voran. 3. ed. (350) (05.)
4.30 | 4. Italiano prima. 2. ed. (350) (02.) 3.30.
Oeffinger, H: Die Kurorte u. Heilquellen d. Grossh. Baden:
10. Afl., deren mediz. Einl. durchgesehen v. Thomas. (116,
376 m, Abb.) 8° Bad.-B., E Sommermeyer 05. L. m. G. 4 —
Offizierblatt, deut. Allg. Anzeiger f. d. Offiziere d. Armee u.
Marine. Mit d. Beil.: Die prakt. Offizierfrau. Red.: K Holz-
amer. 5. Jahrg. 1901. 52 Nrn. (Nr. 14, 14) 4° Oldenbg, G Stalling's V. Viertelj. nn — 60 ô H
Offizier-Schreib-Mappe f. 1906. 20. Jahrg. (44 u. 24 m. Theaterpl., Löschpap. u. Linienbl.) 4° Berl., R Eisenschmidt. L 3 —
Offiziersehre u. Ehrengerichte. Ein Blick hinter d. Kulissen
v. e. Eingeweihten. 1—5. Taus. (32) 8° Brnschw. 04. Lpzg, R
Sattler. — 60 d Vergr.
Offizium s. a.: Officium.
— d., od. d. Tagzeiten f. d. Abgestorbenen. Mit e. „Allg. Mess-
andacht". (142) 16° Rgnsbg, Verl.-Anst. vorm. GJ Manz 04.
— 50; L. nn — 75 d
— d. kl., d. sel. Jungfrau Maria f. d. 3 Zeiten d. Jahres n. d.
röm. Brevier. Latein. Text m. deut. Rubriken u. Vorbemer-
kgn. (In Rot- u. Schwarzdr.) (310 un. Titelbild.) 8° Rgnsbg,
F Pustet 04. 1.20; Ldr 2.30
Offner, FX: Die sel. Maria Crescentia Höss v. Kaufbeuren.
Dichtg zu Lob u. Lehr. (48 Bl. Text m. 32 Taf.) 4° Kempt.,
(J Kösel) 01. L. m. G. 12 — d
— Die sel. Cresszentia Höss v. Kaufbeuren, e. Tugend-Heldin
d. Schwabenlandes. 2. Afl. (79 m. 1 Abb. u. 1 Bildnis.) 12°
Ebd. 1900. — 40 d
— Die Schule d. sel. Franziskanerin Maria Kreszentia Höss
v. Kaufbeuren. (138 m. Abb.) 12° Ebd. 01. L. 2.20 d
Offner, J: Volkswirtschaftl. Betrachtgn. 2. (Tit.-)Afl. (520) 8°
Lpzg, O Mutze (1897) (03). 6 —; geb. 8 —
Offner, M: Willensfreih., Zurechng u. Verantwortg. Begriffl.
Untersuchg a. d. Grenzgeb. d. Psychol., Ethik u. Strafrecht.
(104) 8° Lpzg, JA Barth 04. 3 —
Öffnung, d., d. Kaisergräber im Dome zu Speier, s.: Gabels-
berger-Bibliothek.
Oficio parvo de la santissima virgen, rito de las exequias, sal-
mos penitenciales y letanias. Conforme al rito de la exequias,
iglesia romana en latin y castellano, con un apéndice de
varias oraciones. 4. ed. Revisada por los monjes benedicti-
nos de Santo Domingo de Silos. (438 m. Titelbild.) 16° Freibg
i/B., Herder 04. 2.20; L. 2.72
Oefler, R: Die Reklame d. Maschinenfabriken, s.: Handbuch
d. modernen Reklamewesens.
Ofner, J: Das Recht d. Andern erläut. am Schutz d. Dritten.
(40) 8° Wien, A Hölder 02. — 50
Ofterdinger, L: Katech. d. Maschinenelemente, s.: Weber's
illustr. Katech.
Oeftering, M: Heliodor u. s. Bedeutg f. d. Litt., s.: Forschun-
gen, litterarhistor.
Ogilvie, E: Cronjes Siegen u. Sinken. Ein Sang a. Buren-
lande. (52) 8° Dresd., E Pierson 01. 1.50; geb. 2.50 d
— Gedichte. (80) 8° Ebd. 01. 1.50; geb. 2.50 d
Ohagen, A: Die Sobotenburg. Dichtg v. Zobten a. Schlesiens
slawisch-german. Heldenzeit. (204) 8° Bresl., (C) Dülfer) 05.
2 —; geb. 4 — d
O'Hara, F: Die Uebertragg d. Grundrenta an d. Gesellschaft.
(Kapitel I, V u. VI.) (71) 8° Berl., E Ebering 04. 2 —
Ohd s.: Techniker-Jahrbuch, deut.
Ohl, H: Luther, d. deut. Mann. Vortr. (28) 8° Ratzebg, M Schmidt
04. — 40 d
Ohl, L: Der Tourist im Wasgau. Was ich hörte! (115) 12° Strassbg,
FX Le Roux & Co. 1900. — 75 d
Ohle, H: Der kl. Krieg in Afrika. Aus d. Erinnergs- u. Bilder-
Mappe e. Offiziers d. französ. Frem'ten-Legion. (141 m. 31
Taf.) 8° Berl., W Baensch 05. nn 3.50; L. nn 4.50 d
Ohlemann, M: Die neueren Augenheilmittel. (171) 8° Wiesb.,
JF Bergmann 02. 3.60
— Einiges üb. konstitutionelle Erkrankgn u. Augenleiden. (27)
8° Lpzg, B Konegen 05. — 60
Ohlenburger, A, u. J Würsdörfer: Rechenb. in 4 Heften.
Ausg. A. 8° Wiesb., E Behrend. Je — 40; kart. je — 50 d
I. 1. u. 2. Schulj. 5. Afl. (96) 06. § II. 3. u. 4. Schulj. 5. Afl. (64) 05. § III.
5. u. 6. Schulj. 5. Afl. (79) (05.) § IV. 7. u. 8. Schulj. 5. Afl. (91) (05.)

Ohlenburger, A, u. J Würsdörfer: Rechenb. in 3 Heften. Ausg. B.
8° Wiesb., E Behrend. 1.05; Kartonnagen je — 10
I. 4. Afl. (56 m. Fig.) 05. — 80 § II. 6. Afl. (61) 06. — 35 § III. 4. Afl. (78
m. Fig.) 04. — 40.
Ohlendorff, H v.: Die Behandlg d. Pferdes. (77) 8° Berl., P
Parey 02. L. 1.50 d
Ohlenschlager, F: Röm. Ueberreste in Bayern. 1. u. 2. Heft.
(192 m. Abb., 1 Pl. u. 6 Kart.) 8° Münch., J Lindauer 02.03.
Subskr.-Pr. je 4 —; Einzelpr. je 5 —
Ohler: Die kulturalleo u. soz. Verhältn. Chinas u. ihre Be-
deutg f. d. Mission. Referat. (15) 8° Bern (Münzrain 3), Gene-
ralsekretariat d. christl. Studentenkonferenz (04). nn — 25
Ohler, AK: Ermahnng im Beichtstuhle, s.: Cajetanus Maria v.
Bergamo.
Ohler, P: Schweigen. Familien-Schausp. (71) 8° Strassbg, Süd-
deut. Merker (05). 1.50 d
Oehler: Das Militär-Pensions- u. Unterstützgswesen f. Unter-
offiziere u. Mannschaften sowie deren Hinterbliebene. (148)
8° Siegbg 04. (Bonn, P Hanstein.) 2 — d
Oehler, H: Bleibe in dem, d. du gelernet hast. Konfirmations-
gabe. 2. Afl. (32) 12° Stuttg., Bh. d. ev. Gesellsch. 01. Kart.
— 20; m. „Neuem Test." u. „Psalmen". (32, 309 u. 72) 16° Kart.
— 40 d
Öhler, H: Die hl. Ehe. Lebenskomödie. (94) 8° Ebersw. (01).
Lpzg, CF Tiefenbach. 2 — d
— Hetären. (60) 8° Lpzg, Modernes Verlagsbureau 04. 1 — d
Oehler, L: Die relig. Bewegg in Wales. Nach d. Schildergn v.
Angenzeugen. (107) 8° Stuttg., D Gundert 05. 1 —; L. 1.50 d
— Bilder a. Japan. Land, Leute u. Mission d. japan. Insel-
reichs. 4. Afl. (60m. Abb.) 8° Bas., Basel Missionsbh. 04. — 20 d
— Im Dienst d. Liebe. Aus d. Leben v. Irene Petrie. (38 m.
Abb.) 8° Ebd. 03. — 20 d
— s.: Dorfgeschichten, schott.
— Die Frauenmission in d. Heidenländern. (207) 8° Bas., Basel
Missionsbh. 03. 1.80; geb. 2.40 d
— Im Sumpf d. Hafenstadt. Aus d. Leben v. Vater Dolling.
(126) 8° Stuttg., D Gundert 04. 1.20; L. 1.80 d
— Tamate. Aus d. Leben d. Bahnbrechers u. Märtyrers d. Neu-
guinea-Mission James Chalmers, s.: Familienbibliothek, Cal-
wer.
Oehler, R, s.: Baumann, Ernst. Aus d. Seelenleben eines jungen
Deutschen.
— Friedr. Nietzsche u. d. Vorsokratiker. (168) 8° Lpzg, Dürr-
sche Bh. 04. 3.50
Oehler, T: Welche Aufg. stellt d. Erziehg d. Heidenchristen
z. kirchl. Selbständigk. an d. ev. Mission? — Üb. d. Bezeich-
tigg d. Unterscheid zw. wahrer u. falscher Relig. — Die
Mission u. d. Zukunft d. Reiches Gottes. — Monotheismus
u. Offenbargsrelig. — Enthält d. Neue Test. bind. missions-
method.Vorschriften? Vortrag u. Reichsregierg Gottes,
s.: Missions-Studien, baseler.
Ohlert, A: Französ. Gedichte f. d. Oberst. d. höh. Mädchensch.
3. Afl. (82) 8° Hannov., C Meyer 02. Geb. 1 —
— Lese- u. Lehrb. d. französ. Sprache. Ausg. B f. höh. Mädchensch. 5. Afl. (945) 8° Ebd. 04. Geb. 2.40
— u. I. John: Schulgrammatik d. französ. Sprache. Ausg. B ob.
Kl. höb. Mädchensch. Ausg. B f. höh. Mädchensch. 4. Afl.
(205) 8° Ebd. 05. Geb. 2.25 d
Oehlke, A: Herm. Settegast. Sein Leben, Wollen u. Wirken.
(165 m. 1 Bildnis.) 8° Berl., A Unger 04. 3.50; geb. 4.50 d
Oehlke, W: Bettina v. Arnims Briefromane, s.: Palaestra.
Oehlkers, F: Vademecum f. d. Samariter. Anweisg z. Hilfe
bei plötzl. Unglücksfällen. (50 m. 1 Taf.) 12° Hannov., Hahn
01. L. — 90
Oehlmann, C: Im Banne d. Schuld, s.: Bibliothek, interess.
Oehlmann, E: Berlin—Bremen—Ostfries. Bäder u. zurück, s.:
Rechts u. links d. Eisenb.
— Geogr., s.: Seydlitz, E v.
— Hamburg—Frankfurt a. M. üb. Bebra u. zurück. — Hamburg—
Frankfurt a. M. üb. Cassel u. zurück, s.: Rechts u. links d.
Eisenb.
— Die deut. Kolonien. Für Schule u. Haus bearb. 3. Afl. (72 m.
Abb. u. 6 Kart.) 8° Bresl., F Hirt 04. — 80 d
Oehlmann, H: Leseb. f. d. Oberst. d. ev. Volkssch. d. Herzogt.
Oldenbg, s.: Kümoldt, B.
Oehlschläger, JC: Prakt. Lehrg. z. schnellen u. leichten Er-
lerng d. engl. Sprache, s.: Ahn, F.
Öhlschläger, O. u. A Bernhardt: Ges. betr. d. Forstdieb-
stahl, 5. Afl. v. J Peltzer u. W.Schultz, s.: Forst- u. Jagd-
gesetze, d. preuss.
Ohly, A., s.: Gaben, mannichfalt. u. Ein Geist. — Pniel.
— Text-Verz. z. Kasualreden, s.: Stöcklicht, W.
Ohly, C: Die Aufg. d. Christen im Geistesleben u. Glaubens-
kampf d. Gegenwart. Vortr. [S.-A.] (36) 8° Berl., Vaterländ.
Verl.- u. Kunstanst. 04. — 80 d
— Kirche u. Gemeinschaft. Vortr. [S.-A.] (24) 8° Hambg, Agent.
d. Rauhen H. 04. — 40 d
— Vom Werden d. christl. Persönlichk. Referat. [S.-A.] (11) 8°
Berl. (Bh. d. ostdeut. Jünglingsbundes) 01. nn 25 d
Ohly, CA: Rheingold. Ges. Dichtgn. (216) 12° Stuttg. 05. Wiesb.
Allg. Verl.-Gesellsch. 2 —
Ohly, E: Krankenb. Sammlg v. Gebeten, Bibellektionen, Lie-
dern u. Formularen f. d. Seelsorge am Kranken- u. Sterbe-
bette. 2. Afl. (115) 8° Stuttg., Greiner & Pf. 04. L. 1.50 d
— s.: Pfarr-Bibliothek.

Ohmann, F: Architektur u. Kunstgewerbe d. Barockzeit, d. Rococo u. Empires a. Böhmen u. and. österr. Ländern. 5—10. Lfg. (60 Lichtdr. m. 3 S. Text.) Fol. Wien, A Schroll & Co. (01.02). Je 10 — (Vollst. in M.: 100 —)
— Barock. Eine Sammlg v. Plafonds, Cartouchen, Consolen, Gittern, Möbeln etc. zumeist in kais. Schlössern, Kirchen, Stiften u. and. Monumentalbauten Österr. a. d. Epoche Leopold I. bis Maria Theresia. 3. Afl. (52 Lichtdr.) 43,5×29,5 cm. Ebd. 04. In M. 40 —
Ohmann, K: Schwartau bei Lübeck. Soolbad, Moorbad, Sommerfrische u. klimat. Kurort. (32 m. Abb. u. 1 Karte.) 16° Schwartau (03). (Lüb., R Quitzow.) — 30
Ohmann, O: Chemisch-mineralog. Kurs. Leitf. f. d. Unterr. in d. Chemie u. Mineral. an Gymnasien, Realsch. u. and. höh. Lehranst. 3. Afl. (168 m. Abb. u. 1 farb. Taf.) 8° Berl., Winckelmann & S. 04. 1.80; geb. 2.20 d
— Zoolog. Zeichentaf., s.: Vogel, O.
Oehmcke, T: Gesundh. u. weiträum. Stadtbebaug. Insbes. hergeleitet a. d. Gegensatze v. Stadt zu Land u. v. Miethaus zu Einzelhaus, samt Abriss d. städtebaul. Entwicklg Berlins u. sr Vororte. [S.-A.] (69 m. Abb. u. 1 Pl.) 8° Berl., J Springer 04. 2 —
— Üb. Luft u. Lüftg d. Wohng u. verwandte Fragen. [S.-A.] (35) 8° Münch, R Oldenbourg 04. — 80
— Mitteilgn üb. d. Luft in Versammlgssälen, Schulen u. in Räumen f. öffentl. Erholg u. Belehrg, sowie einiges üb. Förderg d. Ventilationsfrage in techn. Beziehg u. durch gesetzgeber. Massnahmen. (68) 8° Ebd. 01. 2.50
Oehme, A, s.: Lesebuch, deut., f. sächs. Gymnasien.
Oehmen, T: Die wahre Lösg d. soz. Frage, s.: Tillmanns, J.
Ohmeyer, C Edler v.: Die österr. Exekutionsordng, s.: Fellner v. Feldegg, P Frhr.
Oehmichen, G: Grundr. d. reinen Logik. Entwurf e. Nengestaltg. (56) 8° Berl., Reuther & R. 01. 1 —
Oehmichen, P: Nützl. u. schädl. Kleintiere d. Feld-, Obst- u. Weinbaues. (88 m. H.) 8° Lpzg, Landw. Schulbh. 03. Kart. 1.20 d
— u. **Scholtz**: Einf. landw. Buchführg f. kl. u. mittl. Güter. (96) Fol. Görl., H Tzschaschel (03). Kart. 2.25 d
Oehmke, H: Heimgefunden. Roman. (234) 8° Bresl., Schles. Buchdr. usw. 02. 2 —; geb. 3 — d
Ohmstede, A: Kl. Grammatik d. deut. Sprache, s.: Fischer, FWR.
Ohne Lüge. Phantasie v. OP M. (65) 8° Strassbg, J Singer (01). 1.50 d
Ohnefurcht, F, s.: Alldeutschland's Auferstehg od. Untergang?
Ohneland, H: Worauf warten wir, Proletarier?! Od.: Junker, Wirtschaftskrise u. Weltkrieg. (71) 8° Berl., Verl. Lebensreform 02. nn — 30
— Verbrechen od. Wahnsinn? Prinz Prosper v. Arenberg. (47) 8° Dresd., Verl. d. „Sachsenstimme" (04). nn — 50
Ohnesorge, A: Edmund Liebheit. Lebensbild. (11) 4° Berl., Weidmann 02. 1 — d
Ohnesorge, F: Zur Quellenkde d. Geschichte v. Grünberg i. Schl., s.: Festschrift usw. d. Friedrich-Wilhelms-Realgymnasiums zu Grünberg in Schl.
Ohnet, G: Le chant du cygne, s.: Auters franç. modernes (H Saure).
— Die Dame in Grau, s.: Kürschner's, J, Bücherschatz.
— Die lichtscheue Dame, s.: Engelhorn's allg. Roman-Bibliothek.
— Der Gifthändler. Roman. Deutsch v. L Wechsler. (434) 8° Berl.-Charlttnbg, Verl. Continent (03). 4 —; geb. 5 — d
— Beste Romane. Mit Illustr. 3—6. Bd. 8° Stuttg., J Engelhorn. L. je 4.50; auch in 80 Lfgn zu — 25 (Vollst.: 27 —) d
3. Lise Fleuron. Uebers. v. J Linden. — Sie will. Uebersetzg. (602) (1900.) [4. Letzte Liebe. Uebers. v. E Becher. — Doktor Rameau. Uebers. v. E Becher. (625) (01.)] 5. Sergius Panin. Uebers. v. W Henckel. — Im Schuldbuch d. Hasses. (616) (01.) 6. Die Seele Pierres. Uebers. v. E Becher. — Der Pfarrer v. Favières. Uebers. v. F Mangold. — Das Recht d. Kindes. Uebers. v. V. Sacher-Masoch. (774) (01.)
— Der Schritt z. Liebe, s.: Engelhorn's allg. Roman-Bibliothek.
— Sink. Sonnen, s.: Auswahl v. Werken zeitgenöss. Schriftsteller.
— 2 Väter. Roman. Aus d. Franz. v. M v. Weissenthurn. (396) 8° Langen 02. 3 —; geb. 4 — d
Oehninger, F: Gesch. d. Christentums in s. Gang durch d. Jahrhunderte. 3. Afl. (541 m. Abb. u. 1 Taf.) 8° Konst., C Hirsch (02). L. 4 — d
— Das Leben Jesu. (1—10. Taus.) (477 m. Abb. u. Taf.) 8° Ebd. (02). L. 5 — d
Ohorn, A: Die Brüder v. St. Bernhard. Schausp. (96) 8° Berl., Vita (05). 2 — d
— Unter deut. Eiche. 8 Geschichten, erzählt f. d. reif. Jugend. (186 m. 8 Bildern.) 8° Stuttg., Loewe (05). Geb. 3 — d
— Deut. Erbe. Roman a. d. nationalen Verhältnissen Böhmens. (255) 8° Lpzg, CF Tiefenbach (02). 3 — d
— Altdeut. Humor. Beitr. z. Kenntnis d. ält. deut. Litt. (191) 8° Berl., A Hofmann & Co. 02. 1 —
— Klosterzögling. Roman eines Wissenden. 3. Afl. (257) 8° Jena, H Costenoble 05. 4 —
— Das deut. Lied. Eine Gesch. a. d. nationalen Verhältnissen Böhmens. 2. Afl. (77) 12° Weim. 01. Zittau, H Lüsenöder. — 80; geb. 1.40 d
— Los v. Rom. Eine Gesch. a. d. Leben. 2. Afl. 20 Lfgn. (448 m. je 1 Vollbild.) 8° Stuttg., C Weber & Co. (03). Je — 25; in 1 L.-Bd 5 — || 4. Afl. (393 m. Abb.) (05.) 4 —; L. 5 — d
Die 1. Afl. erschien u. d. T.: „Das neue Dogma".

Ohorn, A: Lützows wilde Jagd. Geschichtl. Erzählg. 3. Afl. (214 m. 8 Vollbildern.) 8° Lpzg, Abel & M. (02). Geb. 4 — d
— In d. Neujahrsnacht 1814. — Philister üb. Dir, s.: Sammlung gemeinnütz. Vorträge.
— Rußland. Gedichte. (5. Folge.) (152) 8° Lpzg, T Leibing 04. 2 —; L. 2.80 d
— Aus Tagen deut. Not, s.: Lohmeyer's, J, vaterländ. Jugendbücherei.
— Ein Totenfest im Urwald. Wetterpropheten, s.: Blätter u. Blüten.
— Im Zeichen d. Sturmes. Geschichtl. Roman. (317) 8° Lpzg, CT Tiefenbach (03). 3 —
Ohr, W: Die Kaiserkröng Karls d. Gr. (155) 8° Tüb., JCB Mohr 04. 3.60
Oehr, G: Ländl. Verhältn. im Herzogt. Braunschweig-Wolfenbüttel im 16. Jahrh., s.: Quellen u. Darstellungen z. Gesch. Niedersachsens.
Ohrem, H: Aus Spaniens gr. Zeit. Histor. Erzählg in 20 Gesängen. 1—3. Afl. (303) 8° Bonn, P Hauptmann (04.05). L. 4 —
Ohrenheilkunde, d., d. Gegenwart u. ihre Grenzgebiete. Hrsg. v. O Körner. II—VI. 8° Wiesb., JF Bergmann. 35.80 (I—VI.:42.80) Denker, A: Die Otosklerose. (135 m. Abb. u. Diagr.) 04. [IV.] 4.60 Friedrich, EF: Die Eiterg d. Ohrlabyrinths. (136 m. Abb. u. 25 Taf.) 05. [VI.] 9.60 Körner, O: Die otit. Erkrankgn d. Hirns, d. Hirnhäute u. d. Blutleiter. 3. Afl. (218 m. 1 Abb. u. 5 Taf.) 02. [III.] 7 — Passow, A: Die Verletzgn d. Gehörorganes. (276 m. Abb. u. 4 Taf.) 04. [V.] 9.80 Röpke, F: Die Berufskrankh. d. Ohres u. d. ob. Luftwege. (147) 02. [II.] 5 —
Ohrenkrank s.: Flugschriften, hygien.
Ohrtmann, O, s.: Jahrbuch üb. usw. Mathematik.
Oidtmann, H: Gesch. d. schweiz. Glasmalerei. [S.-A.] (303 m. Abb. u. 14 Taf.) 8° Lpzg, A Duncker 05. L. 10 —
O'Kane, J: Neu-roman. Ornamentik. Bildhauerarbeiten an modernen Gebäuden in Städten d. Nordamerikan. Union. (20 Lichtdr. m. 5-S. Text.) 4° Berl., B Hessling (02). In M. 12 —
Okanowitsch, SM: Interesse u. Selbstthätigkeit, s.: Magazin, pädagog.
Oker-Blom, M: Beim Onkel Doktor auf d. Lande. Ein Buch f. Eltern. Übers. v. L Burgerstein. (39) 8° Wien, A Pichler's Wwe & S. 05. — 85
Oekinghaus, E: Das ballist. Problem auf Grundl. d. Versuche u. d. Integrabilität (innere Ballistik). [S.-A.] (148 m. 1 Taf.) 8° Wien, A Hölder 1900. 2.80
Oekinghaus, E: Licht- u. Nachtbilder. Gedichte. (112) 12° Köngsbg, Hartung 01. 2 — d
Oekonomie, s.: Kürschner's, J, Bücherschatz.
Oekonom, der. Illustr. landw. Zeitg. Hrsg.: R u. HH Hitschmann. Red: W Marx. Verantwortlich: A Lill. 24—28. Jahrg. 1901—5 je 24 Nrn. (Nr. 1. 12) 8° Wien, (C Gerold's S.). Je 9 — d
Oktroi-Reglement d. Stadt Strassburg v. 1.IV.'05 ab. (38) 8° Strassbg, Strassb. Druckerei u. Verl.-Anst. 05. nn — 50
Oktroi-Tarif d. Stadt Strassburg v. 1.IV.'05 ab. (28) 8° Strassbg, Strassb. Druckerei u. Verl.-Anst. (05). nn — 50
Olaf, MD: Ist d. gewerbsmäss. private Speditionswesen f. d. Handelsstand e. Notwendigkeit? (95 u. 23 m. 5 Taf.) 8° Lpzg, Luckhardt's Bh. f. Verkehrswesen (03). 3 — d
Olberg, O: Das Weib u. d. Intellectualismus. (118) 8° Berl., Dr. J Edelheim 02. (Lpzg, CF Fleischer.) 2 —; L. 3 —
Olbert, E: Seelenabgründe. (69) 8° Berl., H Steinitz 04. 1 — d
Olberts, J: Musterblätter d. Bindekunst. 1. Folge. (50 Taf.) 4° Erf. 02. (Lpzg, H Voigt.) Geb. 5 —; bes. Ausg., in M., nn 10 — (Hauptwerk u. 1. Folge: 16 —; bezw. nn 20 —)
Olbrich, G: Spezial-K. d. Kreises Waldenburg. 5. Afl. 1:75,000. 43×40,5 cm. Farbdr. Berl., E Wasmuth & Meltzer (04). — 60; auf L. 1.25
Olbrich, J, u. G **Schreier**: Lernbüchl. d. Geogr. f. d. Hand d. Schüler d. Volks- u. Bürgersch. in Tirol u. Vorarlberg z. häusl. Wiederholg u. Einübg d. geograph. Lehrstoffes. Mit e. Anh. d. Verfassgslehre. (56) 8° Sternbg, AR Hitschfeld 04. — 22 d
Olbrich, S, s.: Garten-Kalender, schweiz.
— Der Rose Zucht u. Pflege. (261 m. Abb.) 8° Stuttg., E Ulmer (03). 4 —; geb. nn 5 — d
Oelckers, D: Der Autographensammler u. s. Neffe, s.: Hesse's, M, Volksbücherei.
Oleott, HS: Der buddhist. Kateck. 35. (2. deut.) Ausg. Übersetzg nebst Erläutergn v. E Bischoff. (143) 8° Lpzg, T Grieben 02. 1.60; L. 2.90
Olden, H: Aus d. Mannschaftsstube. (87) 8° Berl., H Seemann Nf. (05). 2 — d
Olden, O: Eine brillante Idee. Die Versöbng. — Die Musterehe. Lohnender Nebenverdienst. Schmidtchen, s.: Universal-Bibliothek.
Olden, H: Die 1. Krawatte u. and. Gesch., s.: Engelhorn's allg. Roman-Bibliothek.

Olden, H: Hermann u. Walther Soltau. Roman. (432) 8° Stuttg,
 Union (04). 4 —; L. 5 — d
— Tannhäuser. Novelle. (110 m. Abb.) 8° Lpzg (02). Stuttg.,
 Union. 1 —; L. 2 — d
Oldenberg, F: Der alte Bekannte. — Auf d. Lande, s.: Pletsch, O.
— Ein Weihnachtsbrief, s.: O du fröhl. usw. Weihnachtszeit.
Oldenberg, H: Buddha. Leben, Lehre, Gemeinde. 4. Afl. (444)
 8° Stuttg., JG Cotta Nf. 03. 9 —; HF. 10.80
— Die Lit. d. alten Indien. (299) 8° Ebd. 03. 5 —; HF. 6.80
— Vedaforschg. (115) 8° Ebd. 05. 2.50
Oldenberg, K, s.: Festgaben f. Adolph Wagner.
— u. G Staake: Arbeiterschutz in Gast- u. Schankwirtschaf-
 ten, s.: Schriften d. Gesellsch. f. soz. Reform.
Oldenberg, M, s.: Kinderkalender, neuer.
Oldenbourg's techn. Handbibliothek. 3—5. Bd. 8° Münch., R
Oldenbourg. L. 33.50 (1—5.: 52.50)
 Roose, H: Warmwasserbereitgsanlagen u. Badeeinrichtgn. Leitf. u. Be-
 rechnen u. Entwerfen v. Warmwasserbereitgs- u. Verteilgsanlagen
 öffentl. Badeanst., Bädern in Wohn- u. Krankenhäusern, Militärbädern,
 Arbeiterbädern u. Schulbädern. (299 m. Abb.) 05. [5.] 7 —
 Schäfer, A: Einrichtg u. Betrieb e. Gaswerkes. (373 m. Abb. u. 6 Taf.)
 03. [3.] 9 —
 Vianello, L: Der Eisenbau. Hdb. f. d. Brückenbauer u. d. Eisenkonstruk-
 teur. Mit z. Anh.: Zusammenstellg aller v. deut. Walzwerken herge-
 stellten I- u. [-Eisen. Von G Schimpff. (601 m. Abb.) 05. [4.] 17.50
 Bd I u. II s. u. d. T.: Handbibliothek, techn.
Oldenburg: Rheinlds Pferdezucht im Lichte d. Statistik. [S.-
 A.] (31 m. 3 Kart.) 8° Berl., P Parey 02. 2 —
— Die Rindviehzucht d. Rheinprovinz. (88 m. Abb., 1 Taf. u.
 1 Karte.) 8° Lpzg, EC Schmidt & Co. 02. 1.60 d
Oldenburg, F: Anl. z. Pferdezucht im landw. Betriebe, s.:
 Thaer-Bibliothek.
— Rathschläge u. Winke f. rhein. Pferdezüchter. (52 m. 2 Taf.)
 8° Bonn, (C Georgi) 02. L. 1 — d
Oldenburg, L: Nu man to, Jan! Erzählgn u. ∆. niedersächs.
 u. oldenburg. Volksleben. (273) 8° Berl., E Hofmann & Co.
 (03). 3.50; geb. 4.50 d
Oldenburg, N v.: Gedichte. (172) 8° Grossenh., Baumert & R.
 03. 2 —; geb. 3 — d
Oldenburg, SF, s.: Sammlung v. Spösswüttgn v. Buddha-Statuen.
Oldenburger, E: De oraculor. Sibyllinor. elocutione. (54) 8°
 Rost., H Warkentien 03. 1.20
Oelenheinz, ES: Traum-Zeiten. (56) 8° Stuttg., A Juncker (05).
 Kart. 3 — d
Olep, H: Die deut. Süssstoffgesetzgebg namentlich d. Süss-
 stoffges. v. 7.VII.'02. (92) 8° Tüb., H Laupp 04. 2 —
Olfers, M v.: 3 Märchen. 2. Afl. (42 m. 6 farb. Bildern.) 8°
 Berl., B Behr's V. 04. Kart. 1.50 d
Olfers, S v.: Was Marilenchen erlebte! Ein neues Bilderb.
 (10 farb. Bl. m. Text.) 8° Essl., JF Schreiber (05). Kart. 1.50;
 auf Pappe 2.80 d
Olinger, P: Premier livre de lecture et d'écriture, s.: Buzon, L.
Oliphant, Mrs: Agnes Hopetoun's schools and holidays, s.:
 Schulbibliothek, französ., u. engl. (E Taubenspeck).
Oliphant, WE: Das Leben v. Catherine Booth, Mutter d. Heils-
 armee. (324 m. Abb. u. 1 Bildnis.) 8° Berl., Heilsarmee-
 Grundstücksgesellsch. 02. 2 —
— Das Leben Oberlins, s.: Gottesstreiter, gekrönte.
— Winke f. besond. Feldzüge. (Salutismus) Prakt. Winke f.
 Seelenretter.) (78 m. Abb.) 8° Berl., (Heilsarmee-Grundstücks-
 gesellsch.) (01). — 50; L. — 75 d
Oliven, A: Die bei d. deut. Aerzte-Studienreise besuchten
 Bäder, s.: Gilbert, WH.
Oliven, F, s.: Rideamus.
Oliver, GAS: Unterr.-Briefe z. Selbststudium neuer Sprachen
 u. origineller Methode m. humorist. Übgastoff. Englisch.
 20 Briefe. (392 u. Schlüssel 53) 8° Nebst Gratisbeil. u. ersten
 Brief: Flaxman, R, Hdb. d. engl. Umgangssprache. (22, 584)
 12° Stuttg. 01.02. Essl., P Neff. 4 —
 [1895] (04). Kart. 4 — d
— u. A Hartmann: Neue span. Grammatik f. Kaufleute u. Ge-
 werbetreibende, u. ∆. (262) 8° Lpzg, GA Gloeckner 03. 5.50;
 geb. m. 4 — d; Schlüssel. (32) 1.20
Olivier, E, u. R Sigismund: Französisch f. Mediziner. Mit
 Anh.: Französ. Leben, Mitteilgn üb. Land u. Leute Frankreichs,
 v. P v. Melingo. (Neue [Tit.]Ausg.) (208) 8° Lpzg, JA Barth
 04. Kart. 4 —
Olivier, J: Gesch. d. Schwester Oratonia. (183) 8° Lpzg 03.
 Berl., H Seemann Nf. 2 —
Olivier, J v.: Was ist Raum, Zeit, Bewegg, Masse? u. daß ist
 Erscheinungswelt? 2. Afl. (155) 8° Münch., L Finsterlin 02. 2 —
Olivier, U: Les deux neveux. — L'Ouvrier, s.: Schriften d.französ.
 Schulausg.
— Raimund d. Pflegling, s.: Ver. f. Verbreitg guter Schriften,
 Bern.
Olivieri, A, s.: Catalogus cod. astrologor. graecor.
Ollech, v.: Gesch. d. Berliner Invalidenhauses, Fortsetzg, s.:
 Lorenzen.
Ollech, v.: Ueb. Zölle u. kl. Mittel z. Hebg d. Landw. (39) 8°
 Berl., Herm. Walther 01. — 50 d
Olendorff, HG: Neue Methode, e. Sprache in 6 Monaten lesen,
 schreiben u. sprechen zu lernen. Für d. Franzõs., z. Gebr. d.
 Deutschen bearb. 15. Orig.-Ausg. (549) 8° Altbng, HA Pierer
 01. Geb. 4 — d; Schlüssel. 10. Orig.-Ausg. (124) 04. 1.50
— dass. Für d. Engl. bearb. 10. Orig.-Ausg. (525) 8° Ebd. 01.
 Geb. 4 — d; Schlüssel. 8. Ausg. (123) 04. Kart. 1.50

Oeller, J: Atlas selt. ophthalmoskop. Befunde. Zugl. Ergänzgs-
 taf. zu d. Atlas d. Ophthalmoskopie. — Atlas of rare ophthalmo-
 scopic conditions. The text translated by T Snowball. 2—
 4. Lfg. (15 farb. Taf. m. 22, 22 u. 20 S. Text.) 41×30,5 cm.
 Wiesb., JF Bergmann 03-05. Je 8 — (1—4.: 32 —)
— Orbitalphlegmone u. Sehnervenatrophie. [S.-A.] (24) 8° Lpzg,
 A Deichert Nf. 01. — 80
Oloff, F: 20 Jahre Kolonial-Politik. Ein notwend. Systemwechsel
 u. d. Reichstag. (32) 8° Berl., W Süsserott 05. nn — 50 d
Oloff, R: Die Religionen d. Völker u. Gelehrten aller Zeiten.
 Laien-Brevier. 2 Tle (in 1 Bde). (318) 8° Berl., Herm. Walther
 04. 3 —; geb. nn 4 — d
Olpp, E: Moderne Skizzen f. montierten u. couranten Gold- u.
 Silberschmuck. 1. u. 2. Jahrg. je 6 Hefte. (Je 3 farb. Taf.) 41×
 31,5 cm. Calw, Selbstverl. (04-06). Das Heft 3 —
Olpp, J: Und d. war e. Hottentott, s.: Missions-Traktate, kl.
Oelrichs, H: Die Domänen-Verwaltg d. Preuss. Staates. 4. Afl.
 v. P Günther. Mit e. Nachweisg v. sämtl. Domänen d. Preuss.
 Staates u. deren Pachtverhältn. am 1.VII.'04. (530) 8° Bresl.,
 JU Kern 04. L. 12 — d
Oels, F: Der Wotan-Kult, s. Recht u. Unrecht, s.: Christentum
 u. Zeitgeist.
Oels, W: Lehrb. d. Naturgesch. 1. Tl. Der Mensch u. d. Tier-
 reich. (19, 470 m. z. Tl farb. Abb. u. 36 [9 farb.] Taf.) 8° Brnschw.,
 F Vieweg & S. 03. 4.50; geb. 5 — d
Oelschläger: Das Oberamt Leonberg. Für d. ev. Volksschüler
 beschrieben. (16 m. Abb. u. 1 Karte.) 8° Essl., W Langguth
 03. — 20 d
Olsen, B: Die Arbeiten d. hamburg. Goldschmiede Jacob Mores,
 Vater u. Sohn, f. d. dän. Könige Fredirek II. u. Christian IV.
 (40 m. Abb.) Fol. Hambg 03. Berl., KW Mecklenburg. 7.50
Olshausen, A: Die Fürsorge f. Ausländer in Deutschl., s.:
 Schriften d. deut. Ver. f. Armenpflege.
— Hdb. d. Gast- u. Schankwirtschaftsgewerbes, enth. d. sämtl.
 in d. Stadt Hamburg f. d. Gast- u. Schankwirtschaftsgewerbe
 u. d. Kleinhandel m. Branntwein u. Spirtuis gelt. Bestimmgn,
 nebst e. Anh., enth. d. f. d. Kleinhandel m. Bier u. f. d. Gewerbe d. Speisewirte gelt. Vorschriften. (134) 8° Hambg,
 Meissner's V. 03. L. 2 — d
— Die Strassenordng v. 10.VII.'02 nebst d. übr. d. öffentl. Verkehr in Hamburg reg. Vorschriften, insbes. d. rev. Omnibus-
 Regulativ v. 1860, d. Strassenb.-Regl. v. 29.4.95, d. Pol.-Regl.
 betr. d. Stellwagen v. 18.1.97, d. Fahrrad-Verordng v. 30.9.98,
 d. Verordng betr. d. Kraftfahrzeuge v. 8.8.'02 u. d. Droschkenordng v. 18.12.'02, (183) 8° Ebd. 05. 3 —; geb. 4 — d
— u. W Heiling: Das Verhältn. d. Armenverbände zu d. Versichergsanst., s.: Schriften d. deut. Ver. f. Armenpflege.
Olshausen, H: Baupolizei-Ges. d. Stadt Hamburg v. 23.VI.1882.
 Textausg. m. Einfügg d. nachträglich erlass., m. d. Baupolizei-
 Ges. im Zusammenh. steh. Verordn. Anmerkgn, nebst Sachreg. u. Anh. (191) 8° Hambg, O Meissner's V. 02. 3.40;
 geb. 3 — d
Olshausen, J: Geschwindigk. in d. organ. u. anorgan. Welt
 bei Menschen, Tieren, Pflanzen, Maschinen, Fahrzeugen, Ge-
 schossen, Gasen, Flüssigk., Wasserläufen, Meeresströmg,
 Gletschern, beim Erdboden, d. Atmosphäre, bei Himmels-
 körpern u. Naturkräften. (488) 8° Hambg, Boysen & M. 03.
 9 —; L. 10 —
Olshausen, J: Kommentar z. Strafgesetzb. f. d. Deut. Reich
 einschl. d. Strafbestimmgn d. Konkursordng. 7. Afl., neubearb. unter Mitwirkg v. Zweigert. 1. Bd, 2 Hiften u. II. Bd,
 1. Hifte. (1136) 8° Berl., F Vahlen 04.05. 24.50 d
— Kommentar zu d. Strafges. d. Deut. Reichs. 1. u. 2. Bd. Kommentar z. Strafgesetzb. f. d. Deut. Rich. 6. Afl. 2. Bd. 2. Hifte
 (1093—1443) 8° Ebd. 01. 5.50 (1 u. 2.: 30 —; geb. nn 35 —) d
— Kommentar z. Uebertretgsgesetzbetriff d. Strafgesetzb. f. d.
 Deut. Reich. 2. Afl. [S.-A.] (111) 8° Ebd. 01. 2.75; geb. 3.50 d
— Die Strafgesetzgebg d. Deut. Reichs. Textausg. m. Anmerkgn
 u. Sachreg. 1—9. Bd. 16° Ebd. L. 20.40 d
 1. Strafgesetzb. f. d. Deut. Reich, einschl. d. Strafbestimmgn d. Konkursordng. 8. Afl. (206) 03. 1.30
 2. StrPO. Nebst d. Ges. v. 20.V.1898 u. e. Anh., enth. d. Gerichtsverfassgsges., d. Gerichtskostenges. u. d. Gebührenordng f. Zeugen u.
 Sachverständige, sowie f. Rechtsanwälte, nebst d. Anhang. (307) 01. 1.80 f
 2. Afl. Gerichtsverfassgsgesetz u. StrPO. f. d. Deut. Reich. Nebst d.
 Ges. v. 20.V.1898 u. 14.VII.'04 u. e. Anh.: enth. d. Gerichtskostenges. u. d. Gebührenordng f. Zeugen u. Sachverständige, sowie f.
 Rechtsanwälte, im Auszuge. (327) 05. 2 —
 3. Reichs-Militärstrafgesetzgebg. (344) 02. 1.20
 4. Die Reichs-Straf-Nebenges. — m. Ausschluss eins. Materien. 2. Afl. (216) 05.
 02. 4 — f
 5. Reichs-Ges. betr. d. geist. u. gewerbl. Eigenthum. 2. Afl. (216) 05. 4 —
 6. Die Reichs-Ges. betr. d. Gewerbewesen u. d. Arbeiterrecht. (402) 3 —
 7. Die Reichs-Ges. betr. d. Abgabenwesen. (492) 03. 1 —
 8. Die Auslieferigs- u. Konsularverträge d. Deut. Reichs. Nebst e. Anh.,
 enth. d. Auslieferigsverträge d. deut. Bundesstaaten m. ausländ. Staaten.
 (244) 03. 2.40
 9. Die Reichs-Strafgesetzgebg f. d. deut. Konsulargerichtsbezirke u. Schutzgebiete. Nebst e. Anh., enth. Vorschr. üb. d. Verf. vor d. Schutz-
 gebiets. Bänden, sowie chronolog. Gesetzesregister z. ganzen Sammlg.
 (147) 05. 1.50
Olshausen, R, s.: Medizin, gerichtl. — Zeitschrift f. Geburtshülfe u. Gynäkol.
— u. Veit: Lehrb. d. Geburtshülfe m. Einschl. d. Wochen-
 bettskrankh. u. d. Operationslehre. 5. Afl. (986 m. Abb. u. 1 Taf.)
 8° Bonn, F Cohen 02. 16 —; geb. 18 — d

Olshausen, W: Friedrich v. Hardenbergs (Novalis) Beziehgn zur Naturwiss. sr Zeit. (76) 8° Lpzg, Dr. Seele & Co. 05. 1 —
Oelsner, GH: Die deut. Webschule. Mechan. Technol. d. Weberei. 8. Afl. 16—30. Lfg. (481—942 m. Abb. u. Mustern.) 8° Altona. A Send 1900-02. Je — 75 (Vollst.: 22.50; geb. 24.50) d
Oelsner, L: Volkswirtschaftskde. Leitf. f. Schulen u. z. Selbstunterr. (236) 8° Frankf. a/M., M Diesterweg 01. 2.30; geb. 2.60 d
Oelsnitz, AC v. d.: Gesch. d. k. preuss. 1. Infant.-Regts, Schluss, s.: Gallandi, Gesch. d. Grenadier-Regts Kronprinz.
Olsson, O: Üb. d. Bewegg fester Körper in Flüssigk. [S.-A.] (54) 8° Stockh. 04. (Berl., R Friedländer & S.) nn 1.80
Oissewski, J: Bureaukratie. (303) 8° Würzbg, A Stuber's V. 04. 4.80; geb. 5.80
Oltmanns, F: Morphol. u. Biol. d. Algen. 2 Bde. 8° Jena, G Fischer. 32 —
1. Spez. Tl. (783 m. z. Tl farb. Abb.) 04. 20 — ‖ 2. Allg. Tl. (443 m.Abb. u. 3 Taf.) 05. 12 —
s.: Zeitung, botan.
Oltmanns, J: Form u. Farbe. (212) 8° Hambg, A Janssen 01. 2 —
Oelwein, A: Der gegenwärt. Stand d. Wasserstrassenfrage in Österr., s.: Versands-Schriften d. deutsch-österr.-ungar. Verbandes f, Binnenschiffahrt.
Oelwein, A: 19 Märchen. (147) 8° Linz (02). Wien, J Deubler. L. 4 — d
Olympia. (Wandtafel, gez. v. C Schuster.) 51×67 cm. Nebst Erläutergn v. H Luckenbach. (31 m. Abb.) 8° Münch., R Oldenbourg 04. nn 5 —
Olympiodori prolegomena et in categorias commentarium, s.: Commentaria in Aristotelem graeca.
Oel- u. Fett-Zeitung. Zeitschrift f. d. Oel- u. Fett-, Harz- u. Wachsindustrie, Seifenindustrie, f. Petroleumgewinng u. Verwertg. Red.: B Lüdecke. 1. u. 2. Jahrg. 1904 u. 5 je 24 Nrn. (1904. 236) 4° Berl., (Polyt. Bh. A Seydel). Viertelj. 2.50
Ölzelt-Newin, A: Kleinere philosoph. Schriften. Die metaphys. Voraussetzgn jederEntwicklgslehre u.d.Wahrscheinlichkeitsbeweise f. u. geg. d. Teleol. — Naturnotwendigk. u. Gleichförmigk. d. Naturgeschehens als Postulate. — Die Teilbark. d. Psychischen. — Zur Psychol. d. Seesterne. (90) 8° Wien, F Deuticke 03. 2.50
Oelstak: Aus d. Garten d. Lebens. Lieder u. Skizzen. (43) 8° Strassbg, J Singer 05. 1 — d
Omar-Pascha: Haremsgeheimnisse, s.: Fünfzig-Pfennig-Bibliothek, illustr. humorist.
Omar Chajjam: Sprüche, s.: Bibliothek d. Gesamtlitt.
Omar Chijam: Strophen, deutsch v. AF Grafen v. Schack, s.: Handbibliothek, Cotta'sche.
Vierzeilen, s.: Hesse's, M, Volksbücherei.
O'Meara, BE: Napoleon I. in d. Verbanng od. e. Stimme v. St. Helena. Meingn u. Aeussergn Napoleon's üb. d. wichtigsten Ereignisse s. Lebens in s. eig. Worten. Uebertr. u. bearb. v. O Marschall v. Bieberstein. 3 Bde. (48, 267; 459 u. 135 m. 3 Taf.) 8° Lpzg, H Schmidt & C Günther 02. 15 —
n u. — m. G. je 18 — d
Omer, S: Gnadenreiche 9täg. Andacht z. hl. Gerard Majella, Laienbruder a. d. Redemptoristen-Qrden. (62 m. 1 Abb. u. farb. Titelbild.) 16° M.-Gladb., B Kühlen 05. — 20 d
Oemisch, W: „Ein Leben". Ges. Nachlass. Hrsg. v. M Fahr. (180 m. Bildnis.) 8° Lpzg, Modernes Verl.-Bureau 04. 3 —
Vom Leben u. v. Lieben. Lieder eines Zukunftslosen. (64) 8° Dresd., E Pierson 01. 1.50; geb. 2.50 d
Omlin, L: Bruder Klausen-Büchlein od. s. sel. Nikolaus v. Flüe lebrreiches u. wunderbares Leben. (400 m. Abb. u. farb. Titelbild.) 16° Einsied., Verl.-Anst. Benziger & Co. 04. L. 1 — m. G. 1.35; in Ldr m. G. 1.80 d
Ommer, EM: Freundschaft. Nach d. 4. Afl.d.französ.Orig.hrsg. v.EM Hamann.(206) 12° Münst.,Alphonsus-Bh.02. L. m. G. 3.60 d
Selbstliebe — Egoismus. (70) 8° Boz., Tyrolia 03. — 85 d
Ommerborn, JCJ: Oeffentl. Anklage perfder Handlgn d. eig. Frau, ihrer Freunde, m. Hülfe v. 2 Rechtsanwälten u. d. Dir. d. Frankf. Irrenanst. Zeitbild d. wahrbeitsgetrenen Erlebnisse d. Landwirtes Adolph Horneck, n. d. Prozessaktenmaterial u. d. Aufzeichngn desselben. 1. Bd. (117) 8° Niederhöchstadt b/Frankf. a/M., A Horneck (04). (Nur dir.) 2 — d
Aphorismen z. Erziehg e. stolzen Menschentums. 1. Heft. (32) 8° Barmen (03). Cörne b/Dortmund (Hellweg 16), Selbstverl. (03). — 50 d
Sensationell. Die Leiden e. hochachtbaren Dame unter d. Büreaukratie preuss. Gerichtsbarkeit — weil sie ihr Recht suchte. (28) 8° Cörne bei Dortmund, Selbstverl. 03. — 50
Ommerborn, K, s. a.: Remmo.
Ges. üb. d. Fürsorgerziehg Minderjähriger v. 2.VII.1900, sowie die d. Schule u. d. Erziehern u. Schulmann nahesteh. Kreisen daraus erwachs. Aufgaben. (104) 12° Bresl., F Goerlich (01). — 60 d
Leitsterne. — Leuchtkugeln, s.: Himmelstein, FX.
Omnia mecum porto. Manöver-Kalender d. d. Infant., zugl. f. Übgsreisen, Übgsritte, Kriegspiel u. takt. Arbeiten. 13. Jahrg. 1901. (155) 16° Metz, G Scriba. Kart. 1.75; m. Tasche 2.50 d
O'Monroy, R: Tolles Leben. Novellen. Uebers. v. J v. Immendorf. (238) 8° Berl., J Gnadenfeld & Co. (03). 3 — d
Soldatenliebe. Übers. v. J v. Immendorf. (316) 8° Budap., G Grimm 02. 3 — d
Omont, H, s.: Miniatures du psautier de S. Louis.

Ompteda, G Frhr v.: Deut. Adel um 1900. 3 Tle. Romane. 8° Berl., E Fleischel & Co. Je 10 —; geb. je 12 — d
1. Sylvester v. Geyer. 2 Bde. 11. Afl. (360 u. 476 m. 1 Taf.) 05. ‖ 2. Eysen. 12. Afl. 2 Bde. (372 u. 297) 05. ‖ 3. Cäcille v. Sarryn. 2 Bde. 1—6. Afl. (293 u. 336) 02.03.
Maria da Caza. Roman. 5. Afl. (324) 8° Ebd. 04. 3.50; geb. 5 — d
Drohnen. Moderner Roman. 6. Afl. (284) 8° Ebd. 03. 3.50; geb. 5 — d
Freilichtbilder. Novellen u. Skizzen. 2. Afl. (178) 8° Ebd. 01. 2 —; geb. 3 — d
Die 7 Gernopp. Eine lust. Gesch. 5. Afl. (184) 8° Ebd. 04. 2 —; geb. 3 — d
Das schönere Geschlecht. Novellen. 1—4. Afl. (414) 8° Ebd. 02.03. geb. 7.50 d
Heimat d. Herzens. Roman. 1—6. Afl. (439) 8° Ebd. (04). 6 —; geb. 7.50 d
Herzeloide. Roman. 1—5. Afl. (352) 8° Ebd. 05. 5 —; geb. 6.50 d
Aus gr. Höhen. Alpenroman. 1—6. Afl. (249) 8° Ebd. 03. 3.50; L. 5 — d
Unter uns Junggesellen. Freie Geschichten. 6. Afl. (253) 8° Ebd. 04. 3.50; geb. 5 — d
Vom d. Lebensstrasse u. and. Gedichte. Neue [Tit.-]Ausg. (216) 8° Ebd. [1889] 1895. 3.50; geb. 5 — d
In 1. Ausg. unter d. Pseudonym G v. Egestorff erschienen.
Der Major. Ein Weihnachtsabend. Das Schützenfest, s.: Volksbücher, Wiesbad.
Weibl. Menschen. Novellen. 5. Afl. (324) 8° Berl., E Fleischel & Co. 03. 3.50; geb. 5 — d
Monte Carlo. Roman. 1—6. Afl. (373) 8° Ebd. 01-04. 5 —; geb. 6.50 d
Denise de Montmidi. Roman. 1—5. Afl. (338) 8° Ebd. 03. 5 —; geb. 6.50 d
Nerven. Novellen. 1—5. Afl. (391) 8° Ebd. 03.04. 5 —; geb. 6.50 d
Philister üb. dir! Das Leiden e. Künstlers. Roman. 5. Afl. (327) 8° Ebd. 01. 3.50; geb. 5 — d
Die Radlerin. Gesch. zweier Menschen. 4. Afl. (290) 8° Ebd. 1900. 3.50; geb. 5 — d
Unser Regiment. Reiterbild. 7. Afl. (411) 8° Ebd. 05. 5 —; geb. 6.50 d
Die Sünde. Geschichte e. Offiziers. 7. Afl. (290) 8° Ebd. 05. 3.50; geb. 5 — d
Traum in Süden. (1—4. Afl.) (166) 8° Ebd. 02.03. 2 — d
Der Zeremonienmeister. Roman. 5. Afl. (307) 8° Ebd. 03. 3.50; geb. 5 — d
Omura, J: Tokio—Berlin. Von d. japan. z. deut. Kaiserstadt. (229 m. Abb.) 8° Berl., F Dümmler's V. 04. 4 —; geb. 5 — d
Oncken, A, s.: Beiträge, Berner, z. Gesch. d. Nationalökonomie. — u. Stend. z. Nationalökonomie, s.: Hand- u. Lehrbuch d. Staatswiss.
Was sagt d. Nationalökonomie als Wiss. üb. d. Bedeutg hoher u. niedr. Getreidepreise? [S.-A.] (95) 8° Berl., (W Issleib) (01). 1.50
Oncken, H: Lassalle, s.: Politiker u. Nationalökonomen.
Oncken, JG: Licht u. Recht. Predigten u. Reden. (259) 8° Cass., JG Oncken Nf. 01. 2.50; L. 3 — d
Oncken, W, s.: Häusser, L, Gesch. d. Zeitalters d. Reformation.
Ondracek, J: Analyt. Geometrie eb. Kurven in Büschel-Koordinaten. 1. Heft. Eb. Kurven in Normalen-Koordinaten 1. Art. (32 m. Fig.) 8° Wien, (C Gerold's S.) 03.‖ 1.20
Onions, CT: French conversation-grammar, s.: Otto, E.
A French reader. (Method Gaspey-Otto-Sauer.) (70 m. 1 Karte u. 1 Pl.) 8° Hdlbg, J Groos 05. Geb. 3 —
Oniromantie od. Traumdeutekunst. (Umschl.: Egypt. Traumb.) 16. Afl. (32) 8° Neuweissens., E Bartels (o. J.). — 30 d
Onkel Jean. Prakt. Ratgeber f. Jedermann. Red.: M Impertro. 1. Jahrg. Septbr—Dezbr 1905. 17 Nrn. (Nr. 1. 20 m. Abb.) 4° Neust. a. d. H., Pfälz. Verl.-Anst. Viertelj. — 45 d
u. Tante od. Übertrumpft, v. H v. P., s.: Heidelmann's, A, Theaterbibliothek.
Onodi, A: Die Anatomie u. Physiol. d. Kehlkopfnerven. (179 m. Abb.) 8° Berl., O Coblentz 02. 6 —
Die Nebenhöhlen d. Nase. Nach photograph. Aufnahmen. 124 Präparate, in natürl. Grösse dargestellt. (124 Taf. m. je 1 Bl. Erklärgn u. 7 S. Text.) 4° Wien, A Hölder 05. 20 —
Onslow, Mr: Ein weibl. Geheimpolizist, s.: Aus Vergangenh. u. Gegenwart. — Weichert's Criminal-Bibliothek.
Oordt, M van: Die Freiluft-Liegebehandlg des Nervösen, s.: Sammlung klin. Vortr.
Oort, ED van: Beitrag z. Kenntniss v. Halitherium, s.: Sammlungen d. geolog. Reichs-Museums in Leiden.
Oostveen, D van: Spreekt Gij Hollandsch?, s.: Booch-Arkossy, F.
Holländisch f. Deutsche. (73) 8° Middelbg, FB den Boer 01. Kart. 2 —
Opalka, L: Beitrag z. Vorkommen d. Trichinen beim Menschen, s.: Arbeiten a. d. hygien. Instit. d. kgl. tierärztl. Hochsch. zu Berlin.
Oparowsky, E v.: Hdb. d. deut. u. russ. Umgangs-Sprache, nebst e. kurzgef. Grammatik u. Lautlehre. 2. Afl., neu bearb. n. Courrier-Fuchs' Hdb. (408) 12° Stuttg. 05. Essl., P Neff. Geb. 4 — d
Die 1. Afl. erschien u. d. T.: Fuchs, P, Hdb. d. deut. u. russ. Conversationssprache.

Opderbecke, A: Der innere Ausbau, s.: Handbuch, d., d. Bautechnikers.
— Der Bau hölzerner Treppen, s.: Behse, WH.
— Die Bauformenlehre, s.: Handbuch, d., d. Bautechnikers.
— Dachausmittelgn m. bes. Berücks. d. bürgerl. Wohnhauses. 24 Taf. m. erläut. Text. (7) 4° Lpzg, BF Voigt 02. 6 —
— Die Dachschiftgn. [8.-A.] (26 m. Abb. u. 1 Doppeltaf.) 8° Ebd. 02. — 75
— Die darstell. Geometrie, bearb. f. d. Unterr. an techn. Fachsch: sowie f. d. Selbstunterr. 2. [Tit.-] Afl. (16 m. 24 Taf.) 4° Höxt., O Buchholtz [1892] 05. In M. 4 — d
— Angewandte darstell. Geometrie f. Hochbau- u. Steinmetz-Techniker. (32 Taf. m. 16 S. Text.) 4° Lpzg, BF Voigt 04. 6.75
— Der Maurer, s.: Handbuch, d., d. Bautechnikers.
— Stadt- u. Landkirchen. (24 Taf. m. 8 S. Text.) 4° Lpzg, BF Voigt 03. 6 —
— Das Veranschlagen im Hochbau. — Der Zimmermann, s.: Handbuch, d., d. Bautechnikers.
— u. H Wittenbecher: Der Steinmetz, s.: Handbuch, d., d. Bautechnikers.

Operation, d. letzte, d. Nordarmee 1866. Vom 15. VII. bis z. Eintritt d. Waffenruhe. Fortsetzg v.: Die krit. Tage v. Olmütz im Juli 1866. Bearb. v. e. Generalstabsoffizier. (20, 528 m. Skizzen u. 4 Beil.) 8° Wien, LW Seidel & S. 05. 10 — Vgl.: Tage, d. krit., v. Olmütz im Juli 1866.

Opernführer. Textl. u. musikal. Erläutergn. Nr. 34, 35, 37, 42, 43, 45—51, 53—76, 78—81, 83, 86, 89, 90, 92, 94, 95, 98, 101—105, 108 u. 109. 8° Lpzg, Berl., H Seemann Nf. Je — 50 d
Balfe, M: Die 4 Haimonskinder od. d. verkaufte Braut. ¶ (Prodaná nevěsta.) Kom. Oper. (37) (01.) [55.] ¶ F Smetana's d. Kms. Volks-Oper v. E Kraszohrská. (23) (02.) [102.] ¶ G Weis' d. poln. Jude. Volks-Oper v. A Brito. (31) (01.) [64.] ¶ CM v. Weber's d. 3 Pintos. Kom. Oper. (32) (01.) [90.]
Heinemann, M: J Massenet's Werther. Lyr. Drama. (Dichtg v. E Blau, P Milliet u. G Hartmann. Für d. debt. Bühne bearb. v. M Kalbeck.) (30) (02.) [98.]
Jordan, V: R Strauss' Gontram. Musikdrama. (47) (02.) [58.]
Karpath, L: S Wagner's Kobold. (44) (02.) [106.]
Kleefeld, W: G Charpentier's Louise. Musikroman. Deutsch v. O Neitzel. (36) (02.) [75.] ¶ G Donizetti's Don Pasquale. (29) (01.) [61.] ¶ G Rossini's d. Barbier v. Sevilla. Kom. Oper. Historisch-krit. Studie. (39) (01.) [63.]
Manke, W: L Thuille's Gugeline. Bühneop. Dichtg v. OJ Bierbaum. (46) (01.) [53.]
Merian, H: R Wagner's Tannhäuser u. d. Sängerkrieg auf Wartburg. (86) (01.) [34.35.]
Pfohl, F: R Wagner's d. flieg. Holländer. Romant. Oper v. R Wagner. (55) (01.) [57.] ¶ R Wagner's Parsifal. Bühnenweihfestsp. (78) (01.) [69.70.] ¶ R Wagner's Tristan u. Isolde. 2. Afl. (109) (04.) [71.72.]
Raabe, P: C Saint-Saën's Samson u. Dalila. Oper v. F Lemaire. (29) (01.) [46.]
Sakolowski, P: G Kulenkampff's König Drosselbart. Märchenoper. Dichtg v. A Delmar. (23) (01.) [49.] ¶ S Wagner's Herzog Wildfang. (44) (01.) [59.60.] ¶ H Zoellner's d. versunk. Glocke. Musikdrama n. G Hauptmanns Märchen-Dichtg. (30) (01.) [43.]
Schiedermair, L: A Bruneau's Messidor. Lyr. Drama. Text v. E Zola. (28) (01.) [62.]
Schmidt, L: CW v. Gluck's Orpheus u. Eurydike. (55) (02.) [48.]
Segnitz, E: CM v. Weber's Oberon. Romant. Oper. Nach d. Engl. v. J Planché u. T Hell. (50) (02.) [94.]
Seiffert, K: A Lortzing's kom. Oper Die beiden Schützen u. Der Wildschütz od. Die Stimme d. Natur. (56) (02.) [74.] ¶ A Lortzing's d. Waffenschmied. Kom. Oper. (35) (01.) [51.]
Smolian, A: E d'Albert's Improvisator. Historisch-romant. Volks-Oper. (45) (02.) [76.] ¶ LA Coerne's Zenobia. Oper. Nach e. Dichtg v. O Stein. (36) (05.) [100.] ¶ R Strauss' Feuersnoth. Singgedicht v. E v. Wolzogen. (35) (01.) [79.] ¶ R Wagner's Rienzi, d. letzte d. Tribunen. Grosse trag. Oper. Mit e. Einl. "R Wagners früheste dramatisch-musikal. Versuche". (56) (05.) [83.] ¶ R Wagner's Bühnenfestsp. "Der Ring d. Nibelungen". I. Das Rheingold. Mit e. d. Werdegesch. u. Bedeutg d. Trilogie beband. Einl. (34 u. 6) (01.) [65.] ¶ II. Die Walküre. (42 u. 12) (01.) [66.] ¶ III. Siegfried. (40 u. 17) (01.) [67.] ¶ IV. Götterdämmerg. (42 u. 32) (01.) [68.]
Teibler, H: J Massenet's Manon. Text v. H Meilhac u. P Gille. (Deutsch v. F Gumbert.) (34) (03.) [100.] ¶ E Wolf-Ferrari's Aschenbrödel. (Cenerentola.) Musikal. Märchen. Deutsch v. J Schweitzer. (56) (05.) [95.]
Wenisch, J: W Kienzl's d. Evangelimann. Musikal. Schausp. (36) (01.) [54.]

Opern-Renaissance. Sammlg alt. Opern in zeitgemässer Neubearbeitg d. Textes u. d. Musik. Hrsg. v. W Kleefeld. Nr. 1 u. 2. 8° Berl., Schlesinger'sche Bh. — 90 d
Donizetti, G: Don Pasquale. Kom. Oper. Neue Verdeutschg v. OJ Bierbaum. (47) (02.) [1.] — 50
Paër, F: Der Herr Kapellmeister od. Antonius u. Kleopatra. Oper. Neufassg v. H Brenner u. W Kleefeld. (Textb.) (24) (05.) [2.] — 40

Opet, O, u. W v. Blume: Das Familienrecht, s.: Kommentar z. BGB. u. s. Nebenges.

Opfermann, R: Archive, s.: Handbuch d. Architektur.

Opitz, A: Jesus mein Alles! Gebet- u. Erbaugsb. 6. Afl. (456 m. Titelbild.) 16° Warnsdf, A Opitz 1899. L. — 70 d
Opitz, C: Eisenb.- u. Verkehrs-Taschen-Atlas v. Deutschl. m. d. anlieg. Grenzgeb. v. Frankr., Schweiz, Österr., Russl., Belgien, Holland, Dänemark u. Schweden. Nebst e. Stations- u. Ortsverz. v. ca 38000 deut. Orten. 1:800,000. Verkleinerte Ausg. aus W Koch u. C Opitz, Eisenb.- u. Verkehrs-Atlas v. Europa (Abt. Deutschl.). Ausg. 1904/1905. (48 farb. Kart. u. 1 Übersichts-Pl. in 4° u. 31, 360 S. Text.) 8° Lpzg, JJ Arnd. L. 3 —
— s.: Spezialkarte v. Fichtelgebirge u. d. Steinwald. — Verkehrsatlas v. Europa. — Verkehrs-Karte v. Kgr. Bayern.
Opitz, E: Die Arten d. Rustikalbesitzes u. d. Laudemien u. Marktgroschen in Schlesien, s.: Untersuchungen z. deut. Staats- u. Rechtsgesch.
Opitz, H: Die 7 Edelsteine im Brautgeschmeide d. wahren Kirche Jesu Christi, s.: Broschüren, Wiener.
— Unterm Lilienbanner d. marian. Kongregation. Wesen u. Wirken, Gesch. u. Einrichtg d. marian. Kongregation. 1.— 4. Taus. (300) 16° Wien, (Austria, F Doll) (04.) L. 1.20 d
— Petrus in d. Leidensgesch. Relig. Vortr. (71) 8° Wien (04.) (Ravensbg, F Alber.) — 50 d
— Hin zu Rom!, s.: Sammlung zeitgemässer Broschüren.
— Am letzten Weg. Gedichte. 4. Afl. (104) 16° Wien, "Austria" F Doll 03. L. m. G. 1 — d
Opitz, H: Das Bekenntnis meines guten Gewissens, Evangelischen u. Katholiken z. Selbstprüfg empfohlen. (45) 8° Dresd., Verl. d. Saxonia-Buchdr. 03. — 40 d
— William Shakespeare als Charakter-Dichter, z. Anregg edeln Kunstsinnes dargestellt. I. Hamlet, Prinz v. Dänemark. II. König Lear. III. Othello, d. Mohr v. Venedig. (74) 8° Dresd., OV Böhmert 02. 1.50 d
Opitz, HG: Grundr. e. Seinswissenschaft. 2. Bd. Wesenslehre. (233) 8° Lpzg 04. Sachsa, H Haacke. 7 — (Vollst.: 21 —)
Opitz, HRG: Üb. d. 1. Problem d. Dioptrik. (26 m. Fig.) 4° Berl., Weidmann 03. Geb. — 75 d
— Studie üb. d. Radioschen Flächen. (24) 4° Ebd. 01. 1 —
Opitz, M: Tent. Poemata, s.: Neudrucke deut. Litteraturwerke d. XVI. u. XVII. Jahrb.
Opitz, W: Die Helden d. Deutschtums. I. Folge: Die Eroberer v. Ostdeutschl. (234 m. Abb. u. 1 Taf.) 8° Lpzg, F Brandstetter 05. Geb. 3.50 d
Oepke, S: Lehrb. d. engl. Sprache. 1. Tl. 8° Brem., G Winter. Geb. 2 — d
1. Unterr. (Im Anschl. an d. Verf. Engl. Lesebuch, Tl. I.) Grammat. Ergebnisse d. engl. Lautlehre nebst Übgsstücken. 5. Afl. (160) 02. 7 —
— Engl. Leseb. 1. Tl. Unterst. 6. Afl. (168) 8° Ebd. 03. Geb. 3.50 d
— Kl. engl. Vorsch. 4. Afl. (32) 8° Ebd. 03. Geb. — 75 d
Oppel, A: Lehrb. d. vergleich. mikroskop. Anatomie d. Wirbeltiere. 4—6. Tl. 8° Jena, G Fischer. 58 — (1—6.: 122 —)
4. Ausführapparat u. verdaungsdrüsen d. mänzl. Geschlechtsorgane. Von R Disselhorst. (423 m. Abb. u. 7 L.) 04. 20 —
5. Die Parietalorgane. Von FK Studnička. (256 m. Abb. u. 1 L.) 05. 8 —
6. Atmungsapp. Von A Oppel. (749 m. Abb. u. 7 L.) 05. 24 —
— Taschenb. d. mikroskop. Technik, s.: Böhm, A.
Oppel, A: Die Baumwolle n. Gesch., Anbau, Verarbeitg u. Handel, sowie n. ihrer Stellg im Volksleben u. in d. Staatswirtschaft. (745 m. Abb. u. Kart.) 8° Lpzg, Duncker & H. 04. 20 —
— Bilderschatz z. Länder- u. Völkerkde, s.: Hirt, F.
— s.: Blätter, deut. geograph.
— Natur u. Arbeit. Eine allg. Wirtschaftskde. 2 Tle in je 9 Lfgn. (352 u. 458 m. Abb., 23 Kart. u. 24 z. Tl farb. Taf.) 8° Lpzg, Bibliogr. Instit. 04. Je 1 — ; 2 Einbde in L. je nn 1 — d
Oppel, K: Bilder a. d. alten Mustersch. Dem Realgymnasium Mustersch. in Frankfurt a. M. zu sr Hundertjahrfeier am 16. IV.'03 gewidmet. (126 m. Bildnis u. 2 Abb.) 8° Frankf. a/M., FB Auffarth 03. —
— Das Buch d. Eltern. Prakt. Anleitg z. häusl. Erziehg d. Kinder v. frühesten Alter bis z. Selbständigkeit. 5. Afl. m. e. Lebensbilde d. Verf. v. J Ziehen. (891) 8° Frankf. a/M., M Diesterweg 05. 3 — ; geb. 4 — d
— Das alte Wunderland d. Pyramiden. Geograph., polit. u. kulturgeschichtl. Bilder a. d. Vorzeit, d. Periode d. Blüte sowie d. Verfalls d. alten Ägyptens. 5. Afl. (497 m. Abb., Kart. u. 4 farb. Taf.) 8° Lpzg, O Spamer 00. 7 — ; L. 8.50 d
Oppeln-Bronikowski, F v.: Fesseln u. Schranken, Dichtg u. Wahrh. a. d. Offizierleben. (431) 8° Berl., Hüpeden & Merzyn 05. geb. 5.50 d
— Militaria. Novellen. (152) 8° Dresd., E Pierson 05. 1.50; geb. 2.50 d
— Aus d. Sattel geplaudert. 2. Afl. (121) 8° Berl., Hüpeden & Merzyn 05. 2 — ; geb. 3 — d
Oppelt, R: Lehrb. d. organ. Chemie u. chem. Technol. f. höh. Handelssch., s.: Lehrbuch d. Chemie, chem. Technol. usw.
— Trattato di chimica inorganica e organica e tecnologia chimica, s.: Trattato di chimica ecc.
Oppelt, R: Kl. anorgan. Leseb., s.: Eckert, K.
Oppenheim, G: Christoph Heinzelin, churfürstlich-brandenburg, Rat u. Bibliothekar. (32) 4° Berl., Weidmann 04. 1 —
Oppenheim, H: Beitr. z. Diagnostik d. Tumor cerebri u. d. Meningitis serosa. [S.-A.] (126 m. 2 Taf.) 8° Berl., S Karger 04. 3 —
— Die syphilit. Erkrankgn d. Gehirns. 2. Afl. (200 m. Abb.) 8° Wien, A Hölder 03. 5.50

Oppenheim, H: Die Geschwülste d. Gehirns. 2. Afl. (347 m. Abb.) 8° Wien, A Hölder 02. 8.60; geb. nn 11.10
— **Lehrb.** d. Nervenkrankh. 8. Afl. (1220 m. Abb.) 8° Berl., S Karger 02. 27 —; geb. nn 29.50 || 4. Afl. 2 Bde. (1447 m. Abb.) 05. 30 —; geb. nn 33 —
— Zur Prognose u. Therapie d. schweren Neurosen, s.: Sammlung zwangl. Abhandlgn a. d. Gebiete d. Nerven- u. Geisteskrankh.
— Die ersten Zeichen d. Nervosität d. Kindesalters. Nach s. Vortr. (38) 8° Berl., S Karger 04. — 80
Oppenheim, M: Beitr. z. Geol. v. Kamerun, s.: Esch, E.
Oppenheim, M: Kurzes Repetitorium d. Pathol. u. Therapie d. vener. Krankh., s.: Breitenstein's Repetitorien.
Oppenheim, M: Wie erhält u. behält man Stelle? (122) 8° Berl. (05). (Lpzg, H Hedewig's Nf.) L. 3 —
Oppenheim, M Frhr v.: Rabeh u. d. Tschadseegebiet. (199 m. 1 farb. Karte.) 8° Berl., D Reimer 02. 4 —
Oppenheim, M: Bilder a. d. altjüd. Familienleben. Mit Einführg u. Erläutergn v. L Stein. (Neue Afl.) (20 Lichtdr. m. 15 S. Text.) Fol. Frankf. a/M., H Keller 01. L. m. G. 25 —
Oppenheim, N: Die Entwicklg d. Kindes. Vererbg. u. Umwelt. Nach d. engl. Original übers. v. B Gassner. (199 m. Abb.) 8° Lpzg, E Wunderlich 05. 3 —; geb. 3.80
Oppenheim, O: Die Gefahren d. Fleischgenusses u. ihre Verhütg. (95) 8° Lundenbg 02. (Lpzg, C Cnobloch.) 1.70 d
Oppenheim, P: Ueb. d. Fossilien d. Blättermergel v. Theben. [S.-A.] (22 m. 1 Taf.) 8° Münch., (G Franz' V.) 03. — 40
— Zur Kenntnis alttertiärer Faunen in Aegypten, s.: Palaeontographica.
Oppenheimer, C, s.: Enzyklopädie d. Hygiene.
— Die Fermente u. ihre biolog. Bedeutg, s.: Bibliothek, moderne ärztl.
— Die Fermente u. ihre Wirkgn. 2. Afl. (430) 8° Lpzg, FCW Vogel 03. 12 —; geb. 13.25
— Grundr. d. anorgan. Chemie. 2. Afl. (156 m. Fig.) 8° Lpzg, G Thieme 01. || 3, Afl. (163 m. Fig.) 04. Kart. je 3.50
— Grundr. d. organ. Chemie. 4. Afl. (128) 8° Ebd. 05. Geb. 2.40
— Üb. natürl. u. künstl. Säuglingsernährg. (32) 8° Wiesb., JF Bergmann 04. — 80
— Toxine u. Antitoxine. (225) 8° Jena, G Fischer 04. 6 —
— s.: Zentralblatt, biochem. — Zentralblatt f. d. ges. Biol.
Oppenheimer, EH: Theorie u. Praxis d. Augengläser. (200 m. Abb.) 8° Berl., A Hirschwald 04. 5 —
Oppenheimer, J Frhr v.: Die Wiener Gemeindeverwaltg u. d. Fall d. liberalen Regimes in Staat u. Kommune. (95) 8° Wien, Manz 05. 1.50 d
— Engl. Imperialismus. (54) 8° Ebd. 05.
Oppenheimer, F: Das Grundges. d. Marxschen Gesellschaftslehre. Darstellg u. Kritik. (143) 8° Berl., G Reimer 03. 3 —; L. 3.75
— s.: Wohnungsfrage u. Volkswohl.
Oppenheimer, H, s.: Fracastor's, G, Gedichte v. d. Syphilis.
— Hutten's, U v., üb. d. Heilkraft d. Guaiacum u. d. Französenseuche.
Oppenheimer, Z: „Bewusstsein — Gefühl", s.: Grenzfragen d. Nerven- u. Seelenlebens.
Oppenhoff, T: Die Ges. üb. d. Resortverhältn. zw. d. Gerichten u. d. Verwaltgsbehörden in Preussen. 2. Afl. v. J Oppenhoff. (584) 8° Berl., G Reimer 04. 12 —
— Das Strafgesetzb. f. d. Deut. Reich, nebst d. Einführgs-Ges. v. 31.V.1870 u. d. Einführgs-Ges. f. Elsass-L. v. 30.VIII. 1871, fortgeführt v. T Oppenhoff. 14. Ausg. v. H Delius. (1028) 8° Ebd. 01. 18 —; Hlf. 20 — d
Oppenried s.: Mully v. Oppenried.
Oppermann, A, u. C Lassmann: Haushaltgsb. f. d. kleinbürgerl. Haushalt. (80) 8° Lpzg, J Klinkhardt 05. — 60 d
Oppermann, E: Schulhandb. v. Palästina. — Schul-Wandk. v. Palästina, s.: Gaebler, E.
Oppermann, E: Friedr. Wilh. Dörpfeld, s.: Männer d. Wiss. — Aug. Herm. Niemeyer, s.: Klassiker, d. pädagog.
Oppermann, G, H Häntschke u. F Schneider: Hdb. f. Konsumver., s.: Handbijbliothek f. d. deut. Genossenschaftswesen.
Oppermann, H, a. Olper: Treue Bauern in Nöthen d. Fremdherrschaft. Erinnergn, neu hrsg. v. L Hänselmann. (23, 126) 8° Brnschw., W Scholz 03. 2 —; geb. 3 — d
Oppermann, HW: Methodik d. Schreibunterr. (63 m. 1 Schrifttaf.) 8° Hannov., C Meyer 04. 1 — d
Oppermann, K, s.: Musenalmanach, Hannov.
— Welt u. Seele. (Gedichte.) (95) 8° Stuttg., Strecker & Schr. (05). 1.50; geb. 2.50 d
Oppermann, KFW: Die sicilian. Vesper. Trauersp. (132) 8° Dresd., E Pierson 02. 1.50 d
Oppermann, O: Neue Gedichte. (103) 8° Dresd., E Pierson 04. 2 —; geb. 3 — d
Oppermann, P: Der verheiratete Junggeselle, s.: Vereins-Theater.
— Der Meisterringer v. Schafshausen, s.: Danner's, G, Theater-Abend.
— Der Soldatenfeind, s.: Vereins-Theater.
Oppert, E: Ostasiat. Wandergn. Skizzen u. Erinnergn a. Japan, Korea, China u. Indien. Wohlf. [Tit.-]Ausg. (221) 8° Stuttg., Strecker & Schr. [1898] (04). 1.50 d
Oppert, G: Tharshish u. Ophir. [S.-A.] (87) 8° Berl., J Springer 03. 2 —

Oppikofer, R: Die in d. Südschweiz vorkomm. Bienenkrankh. — Die Feinde d. Biene. — Der deut. Imker in Tessin, s.: Schmidtz, C v.
Oppolzer, ER v.: Erdbewegg u. Äther. [S.-A.] (11 m. 2 Fig.) 8° Wien, (A Hölder) 02. — 30
— Zur Theorie d. Scintillation d. Fixsterne. [S.-A.] (14) 8° Ebd. 01. — 40
Oppolzer, T v., s.: Arbeiten, astronom., d. k. k. Gradmessgs-Bureau.
Oprawil, AF (A Flinsch): Herbstblumen. Gelegenheitsgedichte. (252) 8° Lpzg, FW Grunow 04. 3 — d
Optik s.: Miniatur-Bibliothek.
— meteorolog., 1000—1836 (Theodoricus Teutonicus, R Descartes, I Newton, GB Airy, A de Ulloa, P Bouguer, J Hevel, T Lowitz, J Fraunhofer, G Monge, W Scoresby, Alhazen, J de Mairan), s.: Neudrucke v. Schriften u. Karten üb. Meteorol. u. Erdmagnetismus.
Oer, S v.: Uns. Schwächen. Plaudereien. 1—4. Afl. (240) 8° Freibg i/B., Herder 03. L. 2 — || 5. Afl. (286) 05. 1.40; L. 2.20 d
Oracula Sibyllina. (Weissaggn d. 12 Sibyllen.) Nach d. einz., in d. Stiftsbibliothek v. St. Gallen aufbewahrten Exemplare hrsg. v. P Heitz. Mit e. Einl. v. WL Schreiber. 24 Taf. u. 1 Textillustr. (26) 4° Strassbg, JHE Heitz 03. 20 —
— dass., hrsg. v. J Geffcken, s.: Schriftsteller, d. griech. christl., d. ersten 3 Jahrh.
Oranss, M: Grado u. s. Heilkräfte, nebst Anl. z. Kurgebr. (74) 8° Triest, (FH Schimpff) 05. 1.50
— Nieder-Oestr. 200 Tourenbeschreibgn f. Radfahrer u. Automobilisten. Tour 95—124, 131, 132, 141,1, 147—149, 153,1, 171, 176, 180, 184, 188, 193, 199 u. 200. (32 Bl.) 4° Wien, (R Lechner's R.) 1899.1900. Gebr. in 8° jedes Bl. — 10
— Ob.-Oestr. u. Salzburg m. d. anlieg. Gebieten v. Bayern, Böhmen, Steiermark u. Tirol f. Radfahrer u. Automobolisten. Tour 228, 228 a, 237, 247, 248/249, 254, 255/255 a, 257, 257 a, 257 b, 289 u. 290. (32 Bl.) 4° Ebd. (1899-1901). Gebr. in 8° jedes Bl. — 10
— dass. Verz. d. 90 Tourenbeschreibgn, sowie Erklärg d. Zeichen u. Abkürzgn. (1 Bl.) 4° Ebd. 1899.1900. Gebr. in 8° — 10
— Auf d. Rade durch Kroatien, Dalmatien, d. Herzegowina u. Bosnien. Führer f. Radfahrer u. Automobilisten. (280 m. Abb., 2 Kart., 53 Profilen u. 1 Pl.) 8° Wien, (L Steckler) 03. L. 5 —
Oratio uffic. exiguum v.: Kursbuch, offiz. schweiz.
Orate fratres! Libellus precum in usum inventutis litterar. studiosae. (492 m. Titelbild.) 16° Kempt., J Kösel 01. 2 — Ldr 3.20
d'Orbigny, H: Coprophagen d. Ausbeute d. Hrn Prof. Dr. Y Sjöstedt, s.: Felsche, C.
Orbis pictus. Schatzkästlein. Internat. literar. Unternehmen d. oberösterr. Lehrerhaus-Ver. in Linz a/D. Kuvert Nr. 1—10. (Je 15 Bl.) 8° Linz, Orbis Pictus-Verl. (04). Je — 10 d
Ordemann, L: Aus d. Leben u. Wirken v. Katharina Klafsky. (90 m. 1 Bildnis.) 8° Hameln, T Fuendeling (03). 1.20 d
Orden, d. h., u. hl. Franziskus. Andachtsbüchl. f. Tertiaren. 7. Afl. Ausg. m. d. Tageszeiten d. allersel. Jungfrau Maria. (230 m. 1 Farbdr.) 16° Freibg i/B., Herder 02. — 50; L. — 80; ohne Tageszeiten. (122) — 30; L. — 55 d
— u. **Ehrenzeichen**, d. Gegenwart. (11) 8° Rudolst., Müller 01. — 30 d
Oerden, G: Angeführt, s.: Liebhaber-Theater.
Ordens-Almanach, deut. Hdb. d. Ordensritter u. Ordens-Damen deut. Staatsangehörigk. Hrsg. v. d. deut. Ordens-Almanach-Gesellsch. Jahrg. 1904/1905. (86, 1322 m. 4 [1 farb.] Taf.) 8° Berl. (05). (Lpzg, JJ Arnd.) L. 13 — d
Ordinans provisoria del consiglio scolastico provinciale tirolese risquardante la frequentazione della scuola, s.: Verordnung, provisor., d. Tiroler Landesschulrathes betr.d.Schulbesuch.
Ordinarium missae. Volksausg. Nach d. v. d. S. Rituum Congregatio beogergten Ed. d. Graduale Romanum in Violinschlüssel u. weisse Noten übertr. Ster.-Ausg. 1902. (82 m. 1 Abb.) 8° Rgnsbg, F Pustet. — 20; kart. — 30
— missae sive cantiones missae communes pro diversitate temporis et festorum per annum, excerptae ex graduali romano, cura et auctoritate s. rituum congregationis deprom. (Ausg. in Rot- u. Schwarzdr.) Ed. III. (116) Fol. Ebd. 01. Ausg. f. auf Maschinenpap. m. — ; HLdr 12.40; Ausg. II auf italien. Handpap. 12 —; HLdr 15.40
— dass., quod curavit s. rituum congregatio. Ed. ster. (Ausg. in Schwarzdr.) (76) 8° Ebd. 02. — 40; L. — 70
— dass., quod curavit s. rituum congregatio. Ed. ster. (Ausg. 1901 in Rot- u. Schwarzdr.) (57) 8° Ebd. — 60; L. — 90 d
Ordnung f. d. Verwaltg d. Arbeitskassen bei d. Gefängnissen d. Justizverwaltg v. 3.III.'04. Amtl. Ausg. (103) 8° Berl., R v. Decker 04. 1.50 d
— f. d. Bekleidg u. Lagerg d. Gefangenen in d. Gefängnissen d. Justizverwaltg. (23) 8° Ebd. 02. 1.50 d
— betr. d. Anschluss an d. Kanalisation u. d. Erhebg v. Kanalisationsgebühren in d. Stadt Berlin v. 20./22.III.'02. Anh. Polizei-Verordng betr. d. Kanalisirg d. Stadt Berlin v. 14.VII. 1874. (14) 12° Berl., Polyt. Bh. A Seydel 02. 25 — d
— f. d. Verwaltg d. Kassen bei d. Justizbehörden v. 31.III. 1900 nebst d. allg. Verfügg. betr. d. vereinf. Kosteneinziehgsverfahren in grösseren Städten. 2. Afl. m. durch d. allg. Verfügg v. 16.XII.'01 bezw. v. 11.XII.1900 bewirkten Abänderngn. (157) 8° Berl., A Nauck & Co. 05. 1.60; kart. 1.80 d

Ordnung d. Reifeprüfg an d. 9staf. höh. Schulen (Gymnasien, Realgymnasien u. Oberrealsch.) in Preussen 1901. (20) 8° Halle, Bh. d. Waisenh. 01. — 40 d
— dass. 2. Abdr. ergänzt durch d. Ordng d. Prüfg v. Extranern u. ein. Ministerial-Erlasse. (29) 8° Ebd. 03. — 50 d
Ordo divini officii recitandi sacrique peragendi juxta ritum breviarii et missalis s. romanae ecclesiae ad usum dioc. Argentinensis pro a. MCMV. (152 u. 124) 8° Strassbg, FX Le Roux & Co. nn 1 —
— divini officii recitandi missaeque celebrandae a clero archi-dioec. S. Ludovici et Milwaukiensis, atque dioec. Kansa-politanae, S. Josephi, Leavenworthensis, Wichitaensis, Lin-colniensis, Crossensis et Marquettensis. Juxta rubricas breviarii ac missalis romani, a. 1905. (116) 16° St.Louis, Freibg i/B., Herder. L. u. durchschn. 2.50
— divini officii dicendi et sacrum faciendi ab universo clero dioec. Wratislaviensis juxta ritum breviarii et missalis romani ac proprii Wratislaviensis pro a. D. 1906, compositus a A Nikel. (120) 8° Bresl., (GP Aderholz). 1.50
Bis 1902 hrsg. v. A Sambale.
— et modus rei divinae faciendae in usum dioec. Argentinensis, pro a. d. 1903, pascha incidente in diem XII aprilis. Nebst: Schematismus dioec. Argentinensis. (134 u. 114) 12° Strassbg, (FX Le Roux & Co.). nn 1 —
Ordonnance concernant l'établissement et le fonctionnement des chaudières a vapeur, s.: Verordnung, betr. d. Anlage u. d. Betrieb v. Dampfkesseln.
Ordre de bataille d. k. u. k. Heeres, d. k. k. u. d. k. u. Land-wehr im Frieden u. d. Garnisonswechsel im Frühj. 1905. (Ab-geschl. am 30.IV.'05.) (98) 4° Wien, (Hof- u. Staatsdr.) 05. †1 —
Oréans, K: Die Leygues'sche Reform d. franzôs. Syntax u. Orthogr. u. ihre Berechtigg. (30) 8° Karlsr. 01. Freibg i/B., J Bielefeld. — 60 d
Orel, J: Erbsünden. Erzählg. (115) 8° Tropp., (O Gollmann) 05. nn 1 — d
Orelli, C v.: Der Prophet Jeremia; der Prophet Jesaja, s.: Kommentar, kurzgef., zu d. hl. Schriften Alten u. Neuen Test. — Sebst, welch e. Liebe! Ein Wort d. Erinnerg an d. Kon-firmation. 7. Afl. (48 m. Titelbild.) 12° Bas., Kober 03. — 25; kart. — 35; L. — 60 d
Orelli, J: Lehrb. d. Algebra f. Industrie- u. Gewerbesch., so-wie z. Selbstunterr. 5. Afl. in 2 Thln. 3. (anastat.) Abdr. (304 u. 286) 8° Zür., C Schmidt 01. 10 —
Orelli, Frau S: Die alkoholfreien Wirtschaften d. Frauenver. f. Mässigk. u. Volkswohl in Zürich. (3—4. Tags.) (19 m. 1 Taf.) 8° Bas., Schriftstelle d. Alkoholgegnerbundes (durch F Rein-hardt) 04. — 10 d
Orendi, G: Ev. Relig.-Buch f. d. unt. Kl. d. Mittelsch. u. f. höh. Volkssch. (292) 8° Hermannst., F Michaelis 01. L. u. — d
Orestano, F: Der Tugendbegriff bei Kant. (128) 4° Palermo, A Reber 01. 3.20
Organ f. d. Fortschritte d. Eisenb.-Wesens in techn. Be-ziehg. Begründet v. E Heusinger v. Waldegg. Unter Mitwirkg von v. Borries u. A Frank hrsg. v. G Barkhausen. 55. Jahrg. Neue Folge. 37. Bd. 1900. Ergänzgsheft. 4° Wiesb., CW Kreidel. 4 —
Hanger, O: Bericht üb. d. Belastg d. eisernen Ueberbaues d. Erlenbach-brücke bei km 195/4 d. bayer. Schwarzwaldbahn bis z. Eintreten d. Bru-ches. — Bork: Die elektr. Zugförderg auf d. Wannseebahn. (315—346 m. 2 Taf.) 1900. 4 —
— dass. 55—56. Jahrg. Neue Folge. 38—40. Bd. 1901—3 je 12 Hefte. (1901. 1. Heft. 28 u. 4 m. 2 Abb., 3 Zusammenstellgn, 3 Taf. u. 4 Doppeltaf.) Ebd. Je 25 —|| 59. u. 60. bezw. 41. u. 42. Bd. 1904 u. 5. Je 28 —
— dass. Ergänzgshefte. 4° Ebd. 8 —
57. Jahrg. Neue Folge. 39. Jahrg. 1902. (350—506 m. Abb., 10 Taf. u. 1 Doppeltaf.) 4 — || 261—342 m. Abb., 9 Taf. 1904. (701—848 m. Abb. u. 12 [10 Doppel-]Taf.) 4 —
— dass. 58. Jahrg. Neue Folge. 40. Bd. 1903. Beil. 4° Ebd. 5.40
Uebelacker, H: Untersuchg üb. d. Bewegg v. Lokomotiven m. Drehge-stellen in Bahnkrümmgn. (26 m. Abb. u. 5 Taf.) 03. 5.40
— dass. 13. Ergänzgsbd. 4° Ebd. 18 —
13. Fortschritte d. Technik d. dtsch. Eisenb.-Wesens in d. letzten Jahrzu. 7. Abtlg. (409 m. Abb.) 03. 18 —
— dass. Neue u. Namen-Verz. Jahrg. 1894—1903 od. Neue Folge Bd 31—40, Ergänzgsbd 12 u. 13 u. 6. Beil. Bearb. v. Brügg. (76) 4° Ebd. 04. 6 —
— vum Elsässer-Theater Mülhse, s.: E. T. M.
— d. militär-wiss. Ver. Hrsg. v. Ausschusse d. militär-wiss. Ver. in Wien 52—69. Bd. Hrsg. v. je etwa 10 Hefte. (62. Bd. 1. Heft. 80 u. 16 m. 2 Taf.) 8° Wien, Mayer & Co. Je 20 —
Fortsetzg war nicht zu erhalten.
— f. d. Oel- u. Fetthandel, d. Seifen- u. Lichte-Fabrika-tion, d. Oel-, Harz- u. Theerproducten-Industrie, sowie d. Wachswaaren- u. Parfümerie-, d. Mineralöl- u. Paraffin-, d. Degras- u. Schmiermaterialien-Fabrikation. Red.: P Mayer-Besselich u., seit 1903, M Heins. 34—37. Jahrg. 1901—4 je 36 Nrn. (1901. Nr. 13 u. 14. 4 u. 2) Fol. Trier, N Besselich. (Nur dir.) || 38. Jahrg. 1905. Nr. 1. Viertelj. postfrei 3 — (bis 1904 d)
— f. Schornsteinfegerwesen. Schriftleiter: P Rahn. 28—31. Jahrg. 1901—4 je 24 Nrn. (Nr. 1. 16) 4° Berl., (GBC Rahn). Viertelj. 1.50; m. d. Unterhaltgsbeil.: „Der schwarze Kehr-könig" u. „Zick-Zack" (24 Nrn) u. d. monatl. Gratis-Beil.:

„Mode u. Heim".Viertelj. 2 —; einz. Nrn — 30; m. Beil. — 40 d
Fortsetzg war nicht zu erhalten.
Organ d. Taubstummen-Anst. in Deutschl. u. d. deutschred. Nachbarländern. (Begründet v. Matthias.) Im Ver. m. W Hirzel u. K Finckh hrsg. v. J Vatter. 47. Jahrg. 1901. 12 Hefte. (1. Heft. 32) 8° Friedbg, C Bindernagel. 7 —|| 48—51. Jahrg. 1902—5. Je 8 —
Organisation. Zeitschrift f. Industrie u. Handel. Hrsg. v. CJ Gladitz. Red.: G Bassler. 5. Jahrg. 1903. 24 Nrn. (Nr. 1. 16) 4° Berl., HT Hoffmann. Viertelj. 1.25; einz. Nrn — 40
— dass. Fachbl. d. leit. Männer in Handel u. Industrie. Hrsg. v. CJ Gladitz. Red.: H Huke u. M Koch. 6. u. 7. Jahrg. 1904 u. 5 je 24 Nrn. (Nr. 1. 16) 4° Ebd. Je 5 —; einz. Nrn — 75; f. Abonnenten — 40
— d., d. Exports. [S.-A.] (78) 8° Stuttg., Deut.Verl.-Anst.(04). 1 —
— d. Kriegssch. (16) 8° Wien, (Hof- u. Staatsdr.) 05. † — 15 d
— d. Landwehr-Stabsoffizierskurs, in Wien v. J. 1904, s.: Taschen-ausgabe d. Vorschriften d. k. k. Landwehr.
— d., d. Lehranst. u. d. Berechtiggn d. Schulzeugnisse d. höh. Lehranst. (Von H Lorenz.) (8) 12° Tegel-Berl. (01). (Berl., O Nahmmacher.) — 20 d
— d. Unterr. im Riemann-Conservatorium zu Stettin. (Von B Knetsch.) (96 m. 1 Pl.) 8° Stett., (Keimling & Gr.) 03. 3 —
Organisations, les, ouvrières dans l'industrie du livre, s.: Ge-hilfen-Organisationen, d., im Buchdruckergewerbe.
Organist, der. Red.: J Rodenkirchen. Nr. 18—28. (257—428) 8° Köln (Brückenstr. 6), (Buchdr. Greven & Bechtold) (01-04). Je nn — 30 ô F
Orgel-Buch z. Brixner Diöz.-Gesangb. 3 Tle. (96, 140 u. 67) 8° Innsbr., F Rauch 05. nn 12 —; in 1 Bd geb. nn 14 —
Orgler, N, s.: Hammelirennen n. Canossa!
Oeri, J, s.: Burckhardt, J, griech. Kulturgesch.
Oeri, JJ: Die Sophokleische Responsion. Verteidigg. Berichtiggn. Folgergn. (45) 4° Bas., (B Wepf & Co.) 03. 2 —
Orienta christianus. Röm. Halbjahrhefte f. d. Kunde d. christl. Orients. Hrsg. v. Priestercollegium d. deut. Campo Santo unter d. Schriftleitg v. A Baumstark. 1—4. Jahrg. je 2 Hefte. (1. Jahrg. 1. Heft. 214) 8° Rom 01-04. (Lpzg, O Harrassowitz.) Je nn 20 —
Orient, der. (In deut. u. franzôs. Sprache.) Red.: H Bothmer. 4. u. 5. Jahrg. Mai 1901—Apr. 1903 je 12 Nrn. (Nr. 1. 4. 288) 8° Berl. (N.W. 40, Lehrter Bahnhof), Administr. Je 4 —|| 6.Jahrg. Winter 1904. (20 m. Abb.) Unberechnet.
— der. Jahrb. d. „Deutsch-östern. Orientklubs". Hrsg. v. H Both-mer. VI. u. VII. Jahrg. 8° Berl.-Charlttnbg (Weimarerstr. 35), Deutsch-östern. Orientklub. Je 1.50
VI. 1904.5. (137 m. Abb.) (04.) || VII. 1905.6. Bothmer, H; Serbien unter König Peter I. (114 m. Abb. u. 1 Bildnis.) (05.)
— der. Vortr. u. Abhandlgn z. Kenntn. u. Kulturgesch. d. Län-der d. Ostens, hrsg. v. H Grothe. 1—3. Heft. 8° Halle, Ge-bauer-Schwetschke 05. Je — 45
Berlepsch-Valendás: Das künstler. Leben d. Japaner. Vortr. (16) [2.]
Courády, A: 8 Monate in Peking. Eindrücke u. Studien a. d. Zeit d. chines. Wirren. Vortr. (19) [1.]
Günther, S: Die geograph. Erschliessg Japans. Vortr. (18) [3.]
— d. alte. Gemeinvrständl. Darstellgn, hrsg. v. d. vorder-asiat, Gesellsch. VII. Jahrg. je 4 Hefte u. VH. Jahrg. 1—4. Heft. 8° Lpzg, JC Hinrichs' V. Je — 60;
— f. d. Jahrg. v. 4 Heften 2 —; geb. 3 — d
Billerbeck, A: Der Festungsbau im alten Orient. 3. Afl. (32 m. Abb.) 05. [1,4.]
Jeremias, A: Hölle u. Paradies bei d. Babyloniern. 2. Afl. Unter Berücks. d. bibl. Parallelen u. m. Verz. d. Bibelstellen. (44 m. Abb.) 03. [1,3.]
Landau, W Fzbr: Die Phönizier. 1. u. 2. Afl. (32) 01.03. [I,4.]
Meissner, B: Aus d. althabylon. Recht. (32 m. Abb.) 05. [VII,1.]
Messerschmidt, L: Die Entzifferg d. Keilschrift. (32 m. Abb.) 03. [V,2.]
— Die Hettiter. (32 m. Abb.) 02; 2. Afl. (35 m. Abb.) 05. [IV,1.]
Müller, WM: Die alten Ägypter als Krieger u. Eroberer in Asien. (22 m. Abb.) 05. [V,1.] || Äthiopien. (20) 04. [VI,2.]
Niebuhr, C: Die Amarna-Zeit. Ägypten u. Vorderasien um 1400 v. Chr. n. d. Thontafelfunde v. El-Amarna. 2. Afl. (32 m. Abb.) 03. [I,2.]
Oefele, F Frhr v.: Keilschriftmedizin in Parallelen. 1. u. 2. Afl. (31 m. 1 Taf.) 02.04. [IV,2.]
Sauda, A: Die Aramäer. (32) 02. [IV,3.]
Weber, O: Arabien vor d. Islam. (35) 01; 2. Afl. (36) 04. [III,1.] § San-herib, König v. Assyrien 705—681. (29) 05. [VI,3.]
Weissbach, FH: Das Stadtbild v. Babylon. (36 m. 3 Pl. u. 1 Skizze.) 04. [V,4.]
Wiedemann, A: Magie u. Zauberei im alten Ägypten. (32) 05. [VI,4.] § Die Toten u. ihre Reiche im Glauben d. alten Ägypter. 2. Afl. (36) 02. [II,4.] § Die Unterhaltglit. d. alten Ägypter. 1. u. 2. Afl. (32) 02.05. [III,4.]
Winckler, H: Die polit. Entwicklg Babyloniens u. Assyriens. 2. Afl. (32) 08. [II,1.] § Die Euphratländer a. d. Mittelmeer. (32 m. Abb.) 05. [VI,2.] § Gesch. d. Stadt Babylon. (48) 04. [VI,1.] § Die Gesetze Hammurabis, Königs v. Babylon, um 2250 v. Chr. Das älteste Gesetzb. d. Welt. Übers. v. W. (43 m. 1 Abb.) 02. [I,4.] (44 m. 1 Abb.) 03. 3. Afl. (46 m. 1 Abb.) 05. [VII,4.] § Himmels- u. Weltenbild d. Babylonier als Grundl. d. Welt-anschaug u. Mythol. aller Völker. (68 m. 2 Abb.) 01; 2. Afl. (68 m. 2 Abb.) 03. [III,2.3.] § Die Völker Vorderasiens. 2. Afl. (36) 03. [I,1.]
Zimmern, H: Babylon. Hymnen u. Gebete in Ausw. (32) 05. [VII,3.] § Bibl. u. babylon. Urgesch. 3. Afl. (32 m. 40) 01.03. [III,3.]
— dass. I. Ergänzgsbd. 8° Ebd. 2 —; L. 3 —
Spiegelberg, W: Gesch. d. ägypt. Kunst bis z. Hellenismus. Im Abriss dargest. (88 m. Abb.) 03. [I.]
— d. christl. Monatsschrift d. deut. Orientmission. Hrsg: Lep-sius. 1—6. Jahrg. 1900—5 je 12 Hefte. ('01—05': 192, 195 u. 192 m. Abb.) 8° Berl.-Gr.-Lichterf., Deut. Orient-Mission. (V.) Je je 2 —; 1900—3: geb., erm. Pr. je 1.50 d
Orientierungskarte d. Umgebg v. Sonthofen u. Hindelang im Allgäu. 1:40,000. 68×56 cm. Farbdr. Sonth. 05. (Hindelang, M Kaufmann jun.) (Nur dir.) †2 —

Orientierungs-Plan v. Köln. 45×63,5 cm. Farbdr. Mit Strassenverz. (6) 8° Köln, Kölner Verl.-Anst. u. Dr. (03).   — 40
— v. Wiener-Neustadt. Samt d. neu genehmigten Gassen u. zu eröffn. Strassenzügen. 1:4000. 93×65 cm. Farbdr. Mit Strassenverz. (8) 8° Wr. Neust., A Folk 03.   3 —
Orient-Mission, deut. 3.Heft. 8°Berl.-Gr.-Lichterf.,Deut.Orient-Miss.   nn — 15 d Vergr.
   2. Bekehrung u. Leiden glnbig geword. Mohammedaner u. d. Gesch. d.
   Märtyrers Mirza Ibrahim. 2. Afl. (72) 01.   nn — 15
   Heft 1 u. 2 sind a. d. Handel gezogen.
Origenes: Werke, hrsg. v. E Klostermann u. E Preuschen, s.: Schriftsteller, d. griech. christl., d. ersten 3 Jahrh.
— Homilie X üb. d. Propheten Jeremias, s.: Texte, kl., f. theolog. Vorlesgn u. Übgn.
Original-Holzschnitte (in Aquarelldruck) d. Vereinigg graph. Kunstler, München.(10 Bl. m. 2 Bl. Text.) 64×48,5 cm. Münch., (R Piper & Co.) (03).   In M. 30 —
Originalstenogramme. Sammlg v. Orig.-Stenogrammen v. Praktikern d. Schule Stolze-Schrey. Hrsg. v. Verbande nichtkorporativer akadem. Stenographenver. (System Stolze-Schrey). (81) 8° Berl., Frz Schulze 05.   1.40
l'**Origine** alsacienne des soc. de gymnast. de France. [S.-A.] (16 m. Abb.) 8° Strassbg i/E. (Brandg. 2), Verl. d. illustr. elsäss.-Rundschau 01.   — 50
l'**Origine**, A de: ,—Denn d. Menschen Sohn kommt zu e. Stunde, da ihr's nicht vermutet". 1. u. 2. Afl. (75) 8° Ascona, C v. Schmidtz (03.05).   L 2 — d
Orleth, K: Gedichte u. Skizze. (40) 12° Dresd., E Pierson 03.   — 1 —; geb. 2 — d
Orlipski, E: Die Frage d. Wertg d. Anamnese in d. Syphilis-Diagnose. [S.-A.] (15) 8° Lpzg, Verl. d. Monatsschrift f. Harnkrankh. 04.   — 80
— Syphilis, Syphilisheilg, Syphilisschutz. (107) 8° Lpzg, Modern-medizin. Verl. (04).   2 — d
Orloff, NA: Die Eroberg d. Mandschurei durch d. Transbaikal-Kasaken im J. 1900. Deutsch v. Ullrich. Kurze Darstellg d. Exped. d. Chailar-Detachements, sowie d. Lebens in d. Mandschurei. (205 m. Skizzen u. 1 Karte.) 8° Strassbg, Wolstein & Teilhaber 04.   3.50; geb. 5 —
Orloff, P: Zur Nicolaus II., s. Umgebg u. s. Ratgeber, s.: Freiheits-Bibliothek, russ.
Orlopp, R: Welt, Wald u. Wanderg. (206) 8° Dresd., E Pierson 04.   3 —; geb. 3 — d
Orlopp, W: Engl. Handelskorrespondenz f. Anfänger. (80) 8° Lpzg, GJ Göschen 04. Kart. nn 1.30; Schlüssel. (56) 1.90 d
— Sammlg kaufmänn.Formulare f.Handels(lehrlings)sch. 2Tle. 8° Lpzg, GA Gloeckner 05.   Kart. 3.70
   I. (114) 1.50 II. (43) 1.90.
— Winke z. Benutzg d. deut. Leseb. f. Handelssch. v. L Voigt. Stoffverteilg f. 3klass. Handels(lehrlings)sch. (12) 8° Dresd., A Huhle 04.   — 40
Ornament. Zeitschrift f. angewandte Kunst. Schriftleitg: F Feuerhand u., seit 1904, F Eppler. 7—10. Jahrg. 1902—5 je 12 Hefte. (1902. 1. Heft. 8 m. Abb. u. 2 Taf.) 4° Berl., K Koch-Krauss.   Je 10 —; einz. Hefte 1 —; seit 1905 1.50
Ornamentik d. Gegenwart. I. u. II. Serie. (Je 36 Lichtdr.) 4° Plauen, C Stoll (05).   In M., Subskr.-Pr. je 30 —;
   auch in je 6 Lfgn Einzelpr. je 6 —
Orostini: Belichtgstab. f. photograph. Aufnahmen f. Trockenplatten v. 18—26° W. 6. Afl. (4) 8° Halle, H Peter (02).   — 40
L'Orsani, A: Katinka u. and. Novellen. (200) 8° Göding, A Weinberger 05.   3 —
Orschansky, J: Die Vererbg im gesunden u. krankhaften Zustande u. d. Entstehg d. Geschlechts beim Menschen. (347 m. Abb.) 8° Lpzg, F Enke 03.   9 —
Orschler, J: Plan v. Aschaffenburg. 1:10,000. 35×27 cm. Farbdr. Mit Strassenverz. a. d. Seiten. Nebst kurzem Führer. (3) 12° Aschaffnbg, C Krebs 03.   — 30
Oraj, P: Ein altchristl. Hypogeum, s.: Führer, J.
Orsi, P: Das moderne Italien. Gesch. d. letzten 150 Jahre bis z. Ende d. 19. Jahrh. Übers. v. F Goetz. (380) 8° Lpzg, BG Teubner 02.   5.60 d
Oertel, H: Karl Theodor Körner. Lebensbild a. d. Zeit d. deut. Freiheitskampfes f. d. deut. Jugend u. d. deut. Volk. 1. Afl. 2. Abdr. (214 m. Abb.) 8° Altnbg, S Geibel 04.   Kart. 2 — geb. — 75 d
Oertel, K: Münch. Transparent-K. v. nördl. Sternhimmel, s.: Osenberg, K.
Oertel, MJ: Die Terrain-Kurorte z. Behandlg v. Kranken m. Kreislaufs-Störgn, insbes. als Winter-Stationen in Süd-Tirol, Meran-Mais, Bozen-Gries, Arco. 2. Afl. v. B Mazegger. (40 m. 2 Kart.) 8° Lpzg, FCW Vogel 04.   3 —
Oertel, O: Amerika. Betrachtgn f.d. geograph. Unterr. Topogr., physikal. u. polit. Geogr., Landschaftsschilderg. (80) 8° Lpzg, C Merseburger 01.   1.20 d
— Amerika. Schildergn f. d. geograph. Unterr. Anschlg. f. d. Landschaftsschilderg in d. Schule. (75) 8° Ebd. 01.   1.20 d
— Das gr. Drama. Eine Weltgesch. (96) 8° Brnschw. 01. Lpzg, R Sattler.   1 — d
— Der Volkscultur. Drama.(79) 8° Dresd.-Blasew., R v.Grumbkow 03.   2 — d
Oertel, O: Die Städte-Ordng f. d. 6 östl. Provr. d. Preuss. Monarchie v.30.V.1853. 4. Afl. (616) 8° Liegn., H Krumbhaar 05.   10 — d
,**Oertel**, P: Im Pensionat, s.: Lustspiele, turner.

Oertel, R: Entwicklg u. Bedeutg d. Grundsatzes anteil. Gläubigerbefriedigg im ält. deut. Rechte. (83) 8° Lpzg, Veit & Co. 01.   3.20
Oertel, W: Die Bekämpfg d. Schwindsuchtsgefahr. (23) 8° Flöha, A Peitz & S. 05.   — 50 d
— Das Personenstandsges. u. d. im Kgr. Sachsen gelt. Ausführgsbestimmgn zu demselben. 1. Tl, enth. d. Text d. Personenstandsges. u. d. Ausführgsbestimmgn, sowie e. Ges.- u. Sachregr. (272) 8° Ebd. 03.   Geb. 5 — d
— Das Personenstandsrecht in kurzer systemat. Darstellg z. Einführg d. Standesbeamten u. deren Stellvertreter in d. ihnen oblieg. Geschäfte. [S.-A.] (39) 8° Lpzg, Rossberg'sche Verl.-Bh. 04.   1.40 d
— Die Verordng d. kgl. Ministerien d. Innern u. d. Finanzen, d. Verkehr m. Fahrrädern auf d. öffentl. Wegen betr., v. 2.IV.'01. Text-Ausg., m. ausführl. Anmerkgn u. e. Sachverz. (49) 8° Flöha, A Peitz & S. 01.   1 — d
— Die gesetzl. Vorschriften üb. d. Unfallfürsorge d. sächs. Staates f. d. Beamten sr Civilverwaltg. [S.-A.] (22) 8° Dresd., W Baensch 03.   — 50 d
Oertel, W, s. a.: Horn, WO v.
— Das Jawort, s.: Volksschriften, Münch.
Oertel, W: Der Cylinderhut. Sein Leben, s. Taten u. Leiden, geschildert in Reim u. Bild. 2. Afl. (85) 8° Lpzg, H Beyer (05).   1.50 d
Oerter, mittl., v. 622 Sternen f. 1902—04. Mit Anh., enth. vorläuf.Verbessergn d.Oerter d.Fixstern-Verz.im Jahrb.S.149ff. f. 1902,0—1904,0. [S.-A.] (Je 20 u. 8) 8° Berl., F Dümmler's Verl. 1900-03. || 1905—07 ohne Anh. (Je 20) 03-05.   Je — 50
— dass. u. scheinbare Oerter v. 450 Sternen, nebst Reductions-Taf. f. 1902—06. Mit Anh., enth. vorläuf. Verbessergn d. Oerter d. Fixstern-Verz. im Jahrb. S. 149 ff. f. 1902,0—1906,0. [S.-A.] (Je 197 u. 8) 8° Ebd. 1900-04.   Je nn 8 —
— dass. u. scheinbare Örter v. 449 Sternen, nebst Reductions-Taf. f. 1907. [S.-A.] (187) 8° Ebd. 05.   nn 6 —
Orth, CL: Der schmerzhafte Rosenkranz. Zugl. Passionsbüchl. Mit Anh. d. biblr. Leidens u. Sterbens Jesu Christi. (56) 16° Münst., Alphonsus-Bh. 04.   — 50 d
Orth,J: Gefühl u. Bewusstseinslage, s.: Sammlung v. Abhandlgn a. d. Geb. d. pädagog. Psychol. u. Physiol.
Orth, J: Aufg., Zweck u. Ziele d. Gesundheitspflege, s.: Bibliothek d. Gesundheitspflege.
— Erläuterg zu d. Vorschriften f. d. Verfahren d. Gerichtsärzte bei d. gerichtl. Untersuchgn menschl. Leichen. (99) 8° Berl., A Hirschwald 06.   1.50 d
— Lehrb. d. spec. patholog. Anatomie. 9—11. Lfg. (Ergänzgsbd I. 2—4. Lfg.) (Auge v. R Greeff.) 1. Hälfte u. II. Hälfte. 1. u. 2. Thl. (616 m. Abb. u. 7 L.) Ebd. 02.03.05.   18 — (1—11.: 95 —)
— Die Stellg d. patholog. Anatomie d. Medizin u. d. pathologisch-anatom. Unterr. Festrede. (22) 8° Ebd. 04.   — 60
— s.: Virchow's, R, Archiv f. pathol. Anatomie u. Physiol.
Orth, K: In d. Minen, s.: Goldschmidt's Bibliothek f. Haus u. Reise.
Orth, O: Unheilbar!, s.: 1 Mark-Bibliothek Continent.
Orth-Steinberg, A, s.: Reform-Moden-Album.
Orthmann, EG: Leitf. f. d. gynaekolog. Operationskurs m. Berücks. d. Operationen an d. Lebenden. 2. Afl. (163 m. z. Tl farb. Abb.) 8° Lpzg, G Thieme 05.   L. 4.50
Orthmann, GD: Ärztl. Standesehre, Schulmedizin, Naturheilmethode. (46) 8° Lpzg-B., A Hoffmann 01.   — 60 d
Orthographie des noms des communes polit. de la Suisse, s.: Schreibweise d. Namen d. schweiz. polit. Gemeinden.
Orthographieblätter f.d.Hand d. Schüler. 22.Afl. (31)8°Gumb., C Sterzel 05.   nn — 15 d
Orti y Lara, JM: Vida compendiada de la venerable Madre Baraš, fundadora de la soc. del sagrado corazón de Jesus. 3. ed. (316 m.1Bildnis.) 12° Freibg i/B., Herder 02. 2.10; L.3.50
Ortleb, A: All Heil! Neueste Sammlg v. Radierliedern, Sprüchen u. Scherzgedichten. Neue Ausg. (160) 16° Reutl., Ensslin & L. (01).   — 40; geb. — 50 d
— Das Buch d. Spiele. Mit Anh.: Das Tennisspiel. Neue Ausg. (96 u. 32 m. 2 Pl.) 8° Ebd. (02).   — 75 d
— Zum Erntefeste. Sammlg v. Gedichten, Ansprachen, Vorträgen, Bindesprüchen f. Erntefeiern, s.: Erntekranzgedichten & Erwidergn aller Art. Nebst e. Anh. v. Ernte- u. Tafelliedern. Neue Ausg. (96) 8° Ebd. (03).   — 50
— Geheimsprachen f. Liebende. Neue Ausg. (80) 16° Ebd. (01).   — 35 d
— Zur silb. u. gold. Hochzeitsfeier. Neue Ausg. (96) 8° Ebd. (01).   — 50 d
— Guter Rat, sich e. Einkommen zu schaffen u. s. Einnahmen zu vermehren. (331) 8° Berl., S Mode (03).   1.80 d
— Wolfsrahn, d. Siouxhäuptling. Erzählg a. d. wilden Westen Nordamerikas. Für d. reif. Jugend hrsg. 3. Afl. (198 m. Farbdr.) 8° Stuttg., Loewe (01).   Geb. 1.50 d
— Die Zeichenschule. (48 m. Abb.) 16° Reutl., Ensslin & L. (05).   — 15 d
— u. G Ortleb: Die Kaninchenzucht. (50 m. Fig.) 8° Reutl., Mode (01).   — 50 d
— — Kulturgesch. d. Aegypter. — Kulturgesch. d. alten Griechen. — Kulturgesch. d. alten Römer, s.: Miniatur-Bibliothek.
— — Kl. herald. Lexikon-d. Hdwrtrb. d. mehr od. weniger gebräuchl. herald. Ausdrücke u. ihrer kurzgefassten Erklärg.

133*

(114 u. 48 m. Abb.) 8° Kahla (01). Papiermühle b/Roda, Gebr.
Vogt.   3 —; L. 3.50 d
Ortleb, A, u. G Ortleb: Der Naturaliensammler. (147 m. Abb.)
8° Berl., S Mode (01).   Geb. 2.25 d
— — Der emsige Naturforscher u. Sammler. Nr. 1, 5, 11—13
u. 16. (Mit Abb.) 12° Ebd.   Kart. je — 60 d
    1. Das Süsswasseraquarium u. Terrarium. Anl. z. Herstellg v. Aquarien
    u. Terrarien, Springbrunnen, Laubfrosch- u. Goldfischgläsern, nebst
    Beschreibg d. dazu gehör. Tiere u. Pflanzen. 8. Afl. (27) (02.)
    5. Das Fangen, Präparieren u. Sammeln d. Schmetterlinge, nebst Be-
    schreibg derselben. 8. Afl. (64) (02.)
    11. Die Zucht u. Pflege kl. Haustiere. Nebst Anl. z. Anfertigen v. Tier-
    zwingern u. Käfigen. 5. Afl. (69) (03.)
    12. Das Ausstopfen- u. Skelettisieren v. Säugetieren u. Vögeln. 8. Afl.
    (63) (02.)
    13. Das Herbarium nebst Samen- u. Holz-Sammlg. 5. Afl. (51) (03.)
    16. Der Mineralien- u. Petrefakten-Sammler. 5. Afl. (63) (03.)
— — Die Seidenraupenzucht im Zimmer, nebst e. Anh. üb. d.
Zucht d. weissen Maulbeerbaums. (83 m. Abb.) 8° Ebd. (01).
                              1 — d
Ortleb, G: Der unentbehrl. Ratgeber beim Arrangieren v. Be-
lustigen u. Festlichk. jegl. Art. (132 m. Abb.) 8° Berl., A
Weichert (01).   1 — d
Ortlepp, T: Stoff u. Gang f. d. Unterr in Bäckerfachkl. ge-
werbl. Fortbildgssch., s.: Gerhardt, W.
Oertli, E: Handarbeiten f. d. Elementarsch. 7—9. Altersj. 8°
Zür., Art. Instit. Orell Füssli.   à 3.30
    7. (I. Kl.) 4. Afl. (44 m. z. Tl farb. Abb.) 03. 1 — | 8. (II. Kl.) 2. Afl. (44
    m. z. Tl farb. Abb.) 03. 1 — | 9. (III. Kl.) (43 m. Abb.) 03. nn 1.30.
Ortlieb, G: Einig u. dingl. Vertrag. Studie z. Sachenrecht
d. BGB. (86) 8° Berl., Struppe & W. 04.   2 —
Ortlieb, JM: Der Weinbau, spez. im Elsass. (50) 8° Gebw., J
Boltze 05.   — 60
Ortlieb, W: Moderner Schmuck. (16 farb. Taf. m 3 S. Text.)
8° Berl., K Koch-Krauss (02).   Geb. 3 — d
Ortlieb, W: Die gewerbl. Buchführg, Kalkulation u. Wechsellehre. (304 m. Fig.) 8° Bresl., F Hirt 02.   4 —; geb. 4.50 d
— — dass. 1. u. 2. Ergänzg. Die Durchbuchgn zu d. „Lehrgängen
f. Tapezierer u. Dekorateure u. f. Schuhmacher". 8° Ebd.
                              Je — 80 d
    1. Prakt. Buchführg f. Tapezierer u. Dekorateure. (48) 03.
    2. Prakt. Buchführg f. Schuhmacher. (48) 03.
— Geschäftsvorfälle z. gewerbl.Buchführg f. d. Hand d. Schüler.
1—10. Heft. 8° Ebd.   Je nn —15 d
    1. Lehrg. f. Tischler. (5) 02. nn — 10 | 2. Afl. (16) 04. nn —15 | 3. Lehrg. f.
    Schlosser. (10) 02. nn —10 | 2. Afl. (16) 04. nn — 15 | 3. Lehrg. f. Tape-
    zierer u. Dekorateure. (16) 03. nn — 15 | 4. Lehrg. f. Schuhmacher. (16)
    03. nn — 15 | 5. Lehrg. f. Bäcker u. Konditoren (Pfefferktehler). (16) 05.
    nn — 15 | 6. Lehrg. f. Fleischer u. Wurstmacher. (16) 05. nn — 15 | 7.
    Lehrg. f. Schneider. (16) 05. nn — 15 | 8. Lehrg. f. Maler, Anstreicher
    u. Lackierer. (16) 05. nn — 15 | 9. Lehrg. f. Mechaniker, Optiker u.
    Elektromechaniker. (16) 05. nn — 15 | 10. Lehrg. f. Schmiede u. Stell-
    macher (Wagenbauer). (16) 05. nn — 15.
— u. M **Dolezych**: Die Meisterprüfg. Theoret. u. prakt. Anl.
in Buchführg, Kalkulation u. Wechsellehre m. d. wichtigsten
Bestimmgn a. d. Gewerbeordng, Arbeiterversicherg u. d. Ge-
nossenschaftsrecht. I. Tl: Theorie.(96) 8° Ebd. 04. Geb. nn 1.25 d
— — dass. II. Tl: Praxis. 8° Ebd.   Je — 80 d
    Ortlieb, W! Prakt. Buchführg f. Bäcker u. Konditoren (Pfefferküchler);
    f. Mechaniker, Optiker u. Elektromechaniker; f. Schmiede u. Stellmacher
    (Wagenbauer); f. Fleischer u. Wurstmacher; f. Maler, Anstreicher u.
    Lackierer; f. Schneider, Schuhmacher, Tapezierer u. Dekorateure; f.
    Tischler; f. Töpfer u. Ofenbauer. (Je 48) 04./05.
Ortloff: Die Landsverhältn. an d. Küste Deutsch-Südwest-
afrikas, s.: Verhandlungen d. deut. Kolonial-Gesellsch.
Ortloff, H: Hdb. z. Nachschlagen d. im Grossh. Sachsen-Wei-
mar-Eisenach gelt. Landes- u. Verwaltungsreichsges., s.:
Bock, W.
— Invaliden- u. Altersversicherg in vorübergeh. Beschäftiggn.
(60) 8° Halle, Bh. d. Waisenh. 03.   1 — d
— s.: Kandidatur d. Herzogs Karl August v. Sachsen-Weimar
f. d. ungar. Königsthron. — Karl August v. Sachsen-Wei-
mar u. d. Univ. Jena.
— Deut. Konsumgenossensch. im Neuen Zentralverband u. d.
Hamburger Grosseinkaufs-Gesellsch. (78) 8° Lpzg, Jäh &
Schunke 06.   1 — d
— Das Magyarentum in Ungarn im Kampfe um d. National-
staat. (246) 8° Lpzg, F Eckardt 04.   5 — d
— Recht u. Staat. Ein Organismus. Zur Einführg in d. Studium d. Rechts- u. Staatswiss. (63) 8° Weim., M Grosse 03. 1 —
— Das Studium d. Rechts- u. Staatswiss. Vorbereitg u. Ein-
richtg. (96) 8° Halle, Bh. d. Waisenh. 03.   1.50
— Zwischenprüfg od. Zwischenzeugnis im Rechtsstudium? (77)
8° Weim., H Böhlau's Nf. 02.   1.30
Ortmann, E: Gliederfüssler: Arthropoda, s.: Bronn's, HG, Klas-
sen u. Ordngn d. Tier-Reichs.
Ortmann, FJ: Formen u. Syntax d. Verbs bei Wycliffe u. Pur-
vey. (95) 8° Berl., Mayer & M. 02.   2.40
Ortmann, R, s. a.: Brenkendorf, L.
— Das Andere Weib, s.: Kürschner's, J, Bücherschatz.
— Fürstin Baranow. Der Einbrecher. — Das Diadem d. Mar-
quise. Unehrlich Volk, s.: Weichert's Wochen-Bibliothek.
— Der Ehre geopfert. Roman. (302) 8° Mannh., J Bensheimer's
V. (01).   4 — d
— Der Elsabrunnen, s.: Weichert's Wochen-Bibliothek.
— Gesprengte Fesseln. Roman. (344) 8° Berl., H Steinitz (1900).
                              4 — d
— Friedel d. Zwerg, s.: Schmidt u. Spring's Volks- u. Jugend-
bibliotheken.

Ortmann, R: Das Geheimnis d. Kakadus, s.: „Daheim". Stenogr.-
Bibliothek in vereinf. deut. Stenogr.
— Das höhere Gesetz. Novelle. — Zu wohltät. Zweck. Humo-
reske. (100) 8° Berl., A Goldschmidt 05.   — 50; L. — 75 d
— Ein Geständnis. — Des Herzogs Werbg. 2 Novellen. (112)
8° Ebd. 04.   — 50; L. — 75 d
— Die Göttin d. Glücks. Roman. (349) 8° Berl., H Steinitz (01).
                              4 — d
— Heimweh. Roman. (293) 8° Mannh., J Bensheimer's V. (05).
                              3 — d
— Heinr. Heine. [S.-A.] (29) 8° Berl., A Weichert (02). 1 — d
— Harte Herzen, s.: Weichert's Wochen-Bibliothek.
— In d. Höllengrund. Roman. Fräulein Doktor, s.: Kürschner's, J,
Bücherschatz.
— Das gold. Kalb, s.: Weichert's Wochen-Bibliothek.
— Der gute Kamerad, s.: Goldschmidt's Bibliothek f. Haus u.
Reise.
— Der Herr Kompagnon, s.: Unterhaltungsbücher, neue, f.
Stenogr.
— Aus Leidenschaft, s.: Deva-Roman-Sammlung.
— Blinde Liebe, s.: Weichert's Wochen-Bibliothek.
— Malves Mitgift, s.: Vobach's illustr. Roman-Bibliothek.
— Maren v. Westerland, s.: Weichert's Wochen-Bibliothek.
— Die Mims d. toten Mannes. Der Schnellmaler v. Dawson-
City. — Starke Nerven. Nellys Verlobg, s.: Kürschner's, J,
Bücherschatz.
— Im eig. Netz gefangen, s.: Sammlung interess. Criminal-
u. Detectiv-Romane.
— Die Prinzessin. Roman. (278) 8° Mannh., J Bensheimer's V.
(05).   3 — d
— Wider d. Recht, s.: Weichert's Criminal-Bibliothek.
— Ein Rezept. Ums tägl. Brot, s.: Kürschner's, J, Bücherschatz.
— Gespenst. Schatten. oman. 2 Tle in 1 Bde. (132 u. 112) 8°
Berl., Globus Verl. (03).   † — 60 d
— Schatten d. Vergangenh. Roman. (Neue [Tit.-]Ausg.) (343)
8° Stuttg., Deut. Verl.-Anst. [1896] (01). 1.50; kart. 1.75 d
— Die Schätze d. alten Hauses, s.: Weichert's Criminal-Bi-
bliothek.
— Der Schmetterling, s.: Goldschmidt's Bibliothek f. Haus u.
Reise.
— Auf ererbter Scholle. Roman. (298) 8° Berl., H Steinitz (01).
                            3 — d
— Um alte Schuld. Roman. (222) 8° Ebd. (02).   3 — d
— Verschwiegene Schuld, s.: Sammlung interess. Criminal- u.
Detectiv-Romane.
— Moderne Sklavinnen, s.: Weichert's Wochen-Bibliothek.·
— Der Teufelswalzer, s.: Universal-Bibliothek.
— Theaterblut. Roman. (162) 8° Berl., Globus Verl. (05). † — 30 d
— Vaterlandsverrat, s.: Weichert's Wochen-Bibliothek.
— Stumme Verräter, s.: Weichert's Criminal-Bibliothek.
— Verspielt u. and. Novellen. (144) 8° Berl., Globus Verl. (03).
                             † — 30 d
— Dunkle Wege. Roman. (327) 8° Berl., H Steinitz (03). 3 — d
— Wer wird siegen? Zeit-Roman. 2 Bde. (275 u. 288) 8° Mannh.,
J Bensheimer's V. (04).   5 — d
— Zu fein gesponnen, s.: Weichert's Criminal-Bibliothek.
Ortmann, R: Deut. Leseb. f. d. österr. Mädchen-Lyceen. 1—
5. Tl. 8° Wien, C Graeser & Co.   Geb. nn. 15.30 d
    1. (249) 01. nn 8.80 | 2. (274) (04.) 2.70 | 3. (256) (04.) 3 — | 4. (245) (04.)
    3 — | 5. (270) (04.) 3.90.
Ortmann, W: Im Fluge durchs alte, romant. Land. Italien.
Reise- u. and. Skizzen. (138) 8° Lpzg, H Buschmann 03. 3 —;
                              geb. 3.75
Oertmann, P, s.: Archiv f. bürgerl. Recht.
— Das Civilprozessrecht, s.: Rechtsbücher f. d. deut. Volk.
— Bayer. Landesprivatrecht, s.: Dernburg, H, d. bürgerl. Recht
d. Deut. Reichs u. Preussens.
— Die rechtl. Natur d. Arbeitsordng. [S.-A.] (21) 8° Berl., F
Vahlen 05.   60
— Die Vorteilsausgleichg beim Schadensersatzanspruch im
röm. u. deut. bürgerl. Recht. (320) 8° Berl., J Guttentag 01.
                          7.50; L. 8.50 d
— u. R **Sohm**; Die soz. Bedeutg d. Erbbaurechts, s.: Streit-
fragen, soz.
Ortmanns, A: Der fränk. Königshof Büllingen. (372) 8° Aach.,
G Schmidt 04.   Kart. 3.50 d
Ortmüller, G: Schwester Erika u. and. Novellen. (105) 8° Berl.,
Dr. H Kopje 05.   2 — d
Ortner, H: Straubing in sr Vergangenh. u. Gegenwart. (104
m. 1 Pl. u. 1 Karte.) 8° Straub., H Appel 02.   1.40
Ortner, M: Kant in Österr. u. Vincenz Ed. Milde. Zugl. e. Beleuchtg d. Methode d. Hrn Prof. Dr. Wotke u, e. Antwort
auf dessselben: „Ein letztes Wort üb. Kant in Österr." (24)
8° Klagenf., J Heyn 04.   — 60 d
Ortner, N: Zur Klinik d. Angiosklerose d. Darmarterien (Dyspragia intermittens angiosclerotica intestinalis), nebst e. Beitr.
z. Klinik d. intermittir. Hinkens u. d. Stokes-Adam'schen
Symptomenkomplexes, s.: Sammlung klin. Vortr.
— Vorlesgn üb. spec. Therapie innerer Krankh. Mit e. Anh.
v. F Frühwald. 4. Afl. (946) 8° Wien, W Braumüller 02. 22 —
                               HF. 95 —
Ortsbaugesetz f. d. Gemeinde ... Nebst Erläuterungsbericht
u. Begründg z. Bebangspl. u. Ortsbauges. f. d. Gemeinde ...
(74 u. 47) Fol. Dresd., (H Burdach) (03).   7.50 d

Ortsbauordnung f. d. Stadt Leipzig. Gültig v. 1.VII.'03. (46 u. 4) 8° Lpzg, S Schnurpfeil (05). — 50 d
— dass. I. Tl. (40) 8° Lpzg, (H Matthes) (03). — 1 — d
Ortschaften-Verzeichnis d. Kgr. Bayern, s.: Beiträge z. Statistik d. Kgr. Bayern.
— allg., d. im Reichsrathe vertret. Königreiche u. Länder n. d. Ergebnissen d. Volkszählg v. 31.XII.1900. Hrsg. v. d. k. k. statist. Central-Commission in Wien. (678) 8° Wien, Hof- u. Staatsdr. 02.   9 —; HF. nn 10.60
Ortschaftsverzeichnis d. Grossh. Oldenburg. Hrsg. v. grossh. statist. Bureau. (259) 8° Oldnbg, A Littmann 01.   Kart. 1.25
— sohles. Alphabet. Verz. sämmtl. Städte, Flecken, Dörfer u. sonst. Ortschaften u. Wohnplätze d. Prov. Schlesien. 5. Afl. (330) 8° Bresl., WG Korn 01.   4 —; L. 5 — d
Ortsentfernungskarte d. Reichsl. Elsass-L. 1:200,000. 120× 89 cm. Farbdr. Strassbg, Strassb. Druckerei & Verl.-Anst. (02).   nn 7 —; auf L. nn 8 —; m. St. nn 10 —
Ortsentfernungstafel (v. Amtsbez. Bruchsal) nach Kilometer. 50,5×18 cm. Bruchs., O Katz (1897).   — 50 d
Ortskarte d. Kgr. Sachsen. 1:250,000. Rev. 1905. 65,5×97,5 cm. Farbdr. Dresd., A Urban (05).   4 —
— dass. Rev. 1900. Ausg. f. d. Zoll- u. Steuerverwaltg. 65,5× 97,5 cm. Farbdr. Ebd. 1900.   5 —
Ortsrecht d. Stadt Mainz (ausser Baurecht). (736) 8° Mainz, (I Quasthoff) 05.   L. nn 3.50 d
Orts-Register v. Elsass-L., enth. d. Gemeinden u. Aussenorte m. Angabe ihrer Kreise, Kantone, Postbestell- u. e. Amtsgerichts-Bezirke sowie d. Einwohnerzahlen. [S.-A.] (75) 8° Berl., D Reimer 04.   L. 1.40
Ortsstatut, d. Errichtg e. Freibank betr. (Entwurf.) (5) Fol. Flöha, A Peitz & S. (01).   — 30 d
Orts-Verzeichnis, alphabet., d. Kreise Graudenz, Kulm, Schwetz, Marienwerder, Strasburg, Briesen, m. Angabe d. Post-Bestellanstalten u. d. Amtsgerichtsbezirke, nebst e. Verz. d. Rechtsanwälte d. Ober-Landesgerichtsbez. Marienwerder etc. 4. Afl. (55 m. 1 Pl.) 12° Danzig, J Gaebel 02.   — 75 d
— m. Entfernugs-Tab. d. Prov. Ostpreussen. 2. Afl. (479) 4° Königsbg, Bon's Bh. 04.   Kart. nn 12 —
— v. Grossh. Sachsen, Herzogth. Sachsen-Altenburg u. d. Fürstenth. Schwarzburg-Sondershausen, Schwarzburg-Rudolstadt, Reuss Aelt. u. Jüng. Linie au Grund d. Volkszählg v. 1.XII.1900. Hrsg. v. statist. Bureau vereinigter Thüring. Staaten in Weimar. (75) 8° Weim., (L Thelemann) 02. nn 1.50 d
— m. Entfernugs-Tab. d. Prov. Westpreussen. 2. Afl. (285) 4° Königsbg, Bon's Bh. (04).   Kart. nn 8 —
Ortúzar, Don C: Devocionario del cristiano. Nueva ed. (216 m. Abb.) 18° Freibg i/B., Herder (04).   — 40; L. — 84
Ortvay, T: Gesch. d. Stadt Pressburg. Deut. Ausg. II. Bd. 4. Abtlg: Das Familienleben u. d. materielle, intellektuelle u. religiös-sittl. Leben d. Bevölkerg d. Stadt in d. Zeit v. 1300—1525. (539) 8° Pressbg 03. (Budap., Stampfel.) nn 5 —
   (I.—III.: nn 30 —) d
Ortwein, F: Von d. Tagenbären zu d. Malabaren. Reiseskizze. (144 m. Abb.) 8° Bielef., Velhagen & Kl. 05.   L. 1.50 d
Ortwirth. F: Kl. deut. Grammatik, ganz a. Beisp. entwickelt, f. höh. Mädchensch., f. d. unt. Kl. v. Gymnasien u. Realsch., sowie f. landw. Lehranst. etc. 1. Tl: Wortlehre. (145) 8° Wiesb. 04. Lpzg, O Nemnich.   Kart. 1 — d
Oertzen, A v.: Kriegserinnergn e. Schwedter-Dragoners. 1870— 71. (107) 8° Berl., ES Mittler & S. 05.   1.50 d
— Die Unterwerfg Galliens durch Cäsar verglichen m. d. Bezwingg Frankreichs durch d. deut. Armee im Feldzuge 1870/71. (43) 8° Rost., (Stiller) 04.   — 50 d
Oertzen, D v.: Der Deutsche im Ausl., m. bes. Berlcks. d. Schweiz, s.: Zeitfragen d. christl. Volkslebens.
— Jasper v. Oertzen, e. Arbeiter im Reiche Gottes. Lebensbild. (168 m. 16 Taf.) 8° Hag., O Rippel (04). 2.50; geb. 3.50 d
— die deut. Schaubühne als moral. Anstalt, s.: Zeitfragen d. christl. Volkslebens.
— Si omis — Aus d. christl. Hospiz. 2 Novellen. (113) 8° Hag., O Rippel (03).   1.50 d
— u. F **Behrens:** Patriarchal. Verhältn. u. modernes Arbeitsrecht, s.: Hefte d. freien kirchlich-soz. Konferenz.
Oertzen, E v. (geb. v. Thadden): Entenrike u. and. hinterpommersche Geschichten. 1. u. 2. Afl. (267) 8° Wolfenb., J Zwissler 01.02. | 3. u. 4. Afl. (254) 02.03.   2 —; L. 3 — d
— Meine Kuh u. and. hinterpommersche Geschichten. (392) 8° Ebd. (03).   2 —; L. 3 — d
— Der Strandbauernhof. 1. u. 2. Afl. (126) 8° Ebd. 02.03. 1.20;
   L. 1.80 d
Oertzen, G v.: Vom Heimwege. Ritornelle. (160) 8° Hdlbg, C Winter, V. 02.   2 —; L. 3 — d
— Zwischen Runen u. Rosen. Lyrik. (207) 8° Metz, G Scriba 02.   3 —; L. m. G. 4 — d
— Symphonien d. Windes. (132) 8° Freibg i/B., G Ragoczy 02.   1.50; geb. 2 — d
— Es war e. Traum ... (186 m. Bildnis.) 16° Metz, G Scriba 02.   2 —; Ldr nn 3.50
Oertzen, H v.: Das Leben u. Wirken d. Staatsministers Jasper v. Oertzen. (363 m. 1 Bildnis.) 8° Schwer., F Bahn 05. 5 —;
   geb. 6.50 d
Oertzen, M v. (M v. O.), s.: Bibelwinke, kurze, f. d. Alte Test.
— Bruders, deines, Blut. — Eigentum, s.: Er ist uns. Friede.
— Er kann. — Im kleinen treu. — Im Sonnenschein. —

Inselprinz, d. — Schwach u. doch stark. — Wenn ich Ihn nur habe.
Oertzen, M v.: Blaustrumpfabenteuer, s.: Kürschner's, J, Bücherschatz.
— Doppel-Liebe, s.: Frauen-Bibliothek, moderne.
— Ein tön. Erz u. and. Novellen, s.: Kürschner's, J, Bücherschatz.
— Frei f. d. Ehre!, s.: Engelhorn's allg. Roman-Bibliothek.
— Auf d. grünen Gotteserde. Roman a. d. 16. Jahrh. (251) 8° Hdlbg, C Winter, V. 02.   3 —; L. 4 — d
— Eine glückl. Hand, s.: Engelhorn's allg. Roman-Bibliothek.
— Herzfeuer u. Herzschnee, s.: Kürschner's, J, Bücherschatz.
— Die Insel d. Friedens. Roman. (363) 8° Einsied., Verl.-Anst., Benziger & Co. 02.   3.20; L. 4 — d
— Irrlichter, s.: Engelhorn's allg. Roman-Bibliothek.
— Nordlandsgeschichten, s.: Kürschner's, J, Bücherschatz.
— Die Republik d. Menschen. Roman. (399) 8° Einsied., Verl.-Anst, Benziger & Co. 02.   3.20; L. 4 — d
— Blonde Versuchg. Roman. (344) 8° Lpzg (02). Berl., H Seemann Nf.   3 —; geb. 4 — d
— Der Welt Sünde ... Erzählg. (112) 8° Ess., Fredebeul & K. 05.   2 —; L. 2.60 d
Oertzen, O: Die mecklenburg. Münzen d. grossh. Münzkabinets. II. Tl. Die Wittenpfennige. (49—114 m. Abb. u. 4 Lichtdr.) 4° Schwer., (Bärensprung'sche Hofbuchdr.) 02. 4 — (I u. II.: 8 —)
Osann, HPT: Methodik d. chem. u. mikroskop. Untersuchung am Krankenbette. (127 m. Abb. u. 9 Taf.) 8° Wiesb., JF Bergmann 06.   L. 3.60
Osawa, G: Beitr. z. Anatomie d. japan. Riesensalamanders. [S.-A.] (206 m. 44 Taf.) 4° Tokio 02. (Berl., R Friedländer & S.)   nn 20 —
Osborn, M: Der Holzschnitt, s.: Sammlung illustr. Monographien.
— s.: Jahresberichte f. neuere deut. Litt.-Gesch.
— Die deut. Kunst im 19. Jahrh., s.: Jahrhundert, d. deut., in Einzelschriften.
— s.: Kunst, d., im Leben d. Kindes. — Meister, 100, d. Gegenwart in farb. Wiedergabe. — Moderne Plastik. — Moderne Porträtmalerei, s.: Kunst, d., im Leben d. Kindes.
— s.: Struck, H, Radiergn.
Osbourne, L: Baby Bullet, the motor of destiny, s.: Collection of Brit. auth.
Osburg, W: Deut. Gesanglehre. 2 Tle. 8° Lpzg, M Hesse. — 90 d
   I. Für Präparandensch. u. Lehrerseminare, Gymnasien, Mädchensch. u. Lehrerinnenseminare. Anl. zu richt. Vokalisation, Artikulation u. Deklamation. 3. Afl. (81 m. Abb.) 04.   90
   II. Für Präparandensch. u. Lehrerseminarien. Gesangl. Tl. Elementarübgn f. Stimmbildg, Anregung d. Stimmregister, Treffsicherheit. Volkslieder. Volkslieder, Solfeggien. 3. Afl. (132) 02.   90
— Theoretisch-prakt. Harmonielehre. — Allg. Musiklehre, s.: Heinze, L,
— u. J **Gloger:** Der Chorsänger. Ausw. v. Kirchenliedern, geistl. u. weltl. Chören f. Präparandensch. (188) 8° Bresl., H Handel 03.   1.40; geb. nn 1.70 d
Oscar, C: Vom Menschen z. Tyrannen. Drama. (114) 8° Lpzg, O Mutze (02).   2 — d
Oschatz u. Umgebung. Führer. (35 m. 1 Pl.) 12° Oschatz, H Hackbarth 02.   1 — d
Oschatz, s.: Ahresbericht d. vereinigt. alterthumsforsch. Ver.
— 19. Jahrh. im Spiegel Fieldingscher Komödien. (19) 4° Berl., Weidmann 02.   1 —
Oschmann, R: Special-K. d. Altmark. 1:150,000. 55×68,5 cm Autogr. u. Farbdr. Stendal, (Franzen & Grosse's V.)(01). (Nur dir.)   1 —
— Specialk. d. weit. Umgegend v. Bremen etc. 1:200,000. 80× 75,5 cm. Farbdr. Brem., S Schünemann (03).   1 —
— Plan d. Stadt Gera. 1:6250. 47,5×67 cm. Farbdr. Gera, K Bauch (02).   1 — Vergr.
— Spezial-K. d. Stadt- u. Landkreises sowie d. weit. Umgebg v. Köln a. Rhein. 1:80,000. 2. Afl. 69,5×81 cm. Farbdr. Köln, M DuMont-Sch. (04).   1 — d
— Spezial-K. d. Reg.-Bez. Stade od. d. Herzogtümer Bremen u. Verden u. d. Landes Hadeln. 1:200,000. 2. Afl. 71×65,5 cm. Farbdr. Hambg, Kramer's (03).   — 50
Oschwald-Ringier, F: Us d. Burestube. Öppis z. Uffüehre, in Aargauer Mundart. 3. Afl. (72) 8° Aar., HR Sauerländer & Co. 05.   1.40 d
— E gföhrlichi Chranket. Schwank. 2. Afl. (30)8° Ebd. 05. — 80 d
— Aller Gattig Lüt. 2. Afl. (176) 8° Ebd. 02. 2 —; geb. 2.60 d
— Guter Wille od. Gretchen in Verlegenheit. Solospiel f. e.

Dame z. Aufführen beim Polterabend, Verlobgs- od. Hoch-
zeitsfest. (16) 8° Aar., HR Sauerländer & Co. 02. — 50 d
Oschwald-Ringier, F: Strubi Zyte. (115) 8° Aar., HR Sauer-
länder & Co. 04. 1.60 d
Osel, H: Die Handelsverträge in ihrem Zusammenh. m. d. Zoll-
tarif u. Zollverkehr. (79) 8° Münch., J Lindauer (03). — 60 d
Osen, A: Kurzer Abriss d. Kirchengesch. f. Bürgersch. 2. Afl.
(111) 8° Prachatitz im Böhmerwald, Katechet Osen 1898.
Geb. nn — 91 d
Osenberg, E: Münch. Transparent-K. v. nördl. Sternhimmel,
geprüft v. K Oertel. 2. Afl. 70×83 cm. Münch., Münch. Lehr-
mittelhandlg W Flessmann (04).
Auf Pappe m. L.-Rand u. Oesen nn 6.50
Oeser, G, u. H **Reichel**: Übgsb. z. Übers. a. d. Deut. in d.
Französ. f. d. ob. Kl. d. Realsch. (48) 8° Lpzg, Dr. P Stolte
03. — 50 d
Oeser, H: Ein Hausb. a. deut. Dichtg u. Prosa f. d. Zwecke
d. Frauenbildg, insbes. f. Lehrerinnenseminare. 2. Afl. (548)
8° Bas., Helbing & L. 01. L. 5 — d
— Midaskinder. 2. Afl. (179) 8° Ebd. 04. 2 — d
— Aus d. kleineren Zahl. Novellen. (327) 8° Ebd. 04. 3 — d
— u. G **Jenner**: Kunst u. Künste, s.: Dürr's deut. Bibliothek.
Oeser, M: Führer durch Mannheim-Ludwigshafen, s.: Beckmann.
— Gesch. d. Stadt Mannheim. 20 Lfgn, (676 m. Abb. u. 90 Taf.)
8° Mannh., J Bensheimer's V. (02.03). Je — 50; in 1 L.-Bd 12.50 d
Bildet zugl. e. Neubearbeitg d. Gesch. d. Stadt Mannheim v. H
, Feder.
— Katalog d. Ausstellg v. Kupferstichen Mannheimer Meister
d. 18. Jahrh., s.: Schriften d. Mannheimer Altertumsver.
— Aus d. Kunststadt Karl Theodors. Heimathl. Studien üb. d.
Kunstleben Mannheims. (148) 8° Mannh., J Bensheimer's V.
01. 3 — d
Oeser, R, s.: Glaubrecht, O.
Oeser, R: Wie stellen wir uns zu d. Kartellen u. Syndikaten,
s.: Flugschriften d. deut. Volkspartei.
Osiander's, A, Schrift üb. d. Blutbeschuldigy. Wiederaufge-
funden u. im Neudr. hrsg. v. M Stern. (20, 44) 12° Kiel 1893.
Charlttnbg, Dr. M Stern. 2 —
Osiander, ON v., s.: Dichter, röm. in neuen Uebersetzgn. —
Prosaiker, griech. u. röm., in neuen Uebersetzgn.
Osman-bey: Die Frauen in d. Türkei. (256) 8° Lpzg, Deut.
Verl.-Instit. (04). 2 —
Osmin, M: Musik u. Musiker im Lichte d. Humors u. d. Satire.
2. Afl. (88) 8° Berl., Ries & E. 1900. 1 —
Osmond, F: Mikrograph. Analyse d. Eisen-Kohlenstofflegiergn,
a. d. Franz. v. L Heurich. (36 m. Abb. u. 10 Taf.) 8° Halle,
W Knapp 06. 3 —
— Die Metallogr. als Untersuchgsmethode. (Französisch u.
deutsch.) [S.-A.] (22 m. Fig. u. 10 Taf.) 4° Stuttg. 1897.98.
(Freibg i/B., J Bielefeld.) 5 —
Osner, R: Neue Schreib-Lese-Fibel. Nach phonet. u. prakt.
Grundsätzen bearb. 7. Afl. (94 u. 4 m. Abb.) 8° Altnbg, HA
Pierer 03. Geb. nn — 60 || 8. u. 9. Afl. (84 m. Abb.) 04.
Geb. nn — 55 d
Osowicki, A: Das Huzulenpferd, s.: Pferde, unis.
Ossen, HF v. (Frau H Schildberger): Lieder e. Vagantin. 1—
5. Afl. (112 m. Bildnis.) 12° Berl., H Schildberger (01-04).
1.50; geb. 2.50 d
— s.: Männer, bedeut., a. Vergangenh. u. Gegenwart.
Ossenbrunner, E: Die Irrfahrten d. Odysseus. Travestie. (176)
12° Augsbg, L Ossenbrunner 1900. (Nur dir.) 1.50; kart. 2 — d
Ossipow, A: Erzählgn, s.: Tolstoj, LN, 3 Parabeln.
Osswald: Italien im Lichte d. Evangeliums, s.: Festschriften
f. Gustav Adolf-Ver.]
Osswald: Leitf. d. Genossenschaftsrechts f. d. Gebr. d. Hand-
werkergenossenschaften. (39) 8° Stuttg., W Kohlhammer 04.
— 50 d
Osswald, A: Deut. Sprachsch., s.: Hähnel, K.
Osswald, C: 50 Jahre Missionsarbeit in Keta, s.: Missions-
Schriften, Bremer.
Osswald, E: Tierzeichnen, s.: Zeichen-Kunst.
Osswoboschdenje. (Die Befreig.) Hrsg. u. red. v. P v. Struve.
(In russ. Sprache.) 1—3. Jahrg. Juli 1902—Dezbr 1905. 79 Nrn.
(Nr.1. 16) 4° Stuttg. (Paris, A Schulz.) Viertelj. 5 —; einz. Nrn
— 80; auf India-Bible-Pap. in Kouvert 5.50; einz. Nrn — 90 ö F
Ost u. **West**. Illustr. Monatsschrift f. modernes Judentum.
Hrsg. v. (D Trietsch u.) L Winz. Red.: L Winz. 1—5. Jahrg.
1901—5 je 12 Hefte. (1902. 1—5. Heft. 360 Sp.) 4° Berl., Verl.
Ost u. West. Halbj. 3.50; einz. Hefte — 60
Der 1. Jahrg. kostete d. Berlin halbj. 5 —
Ost: Bericht üb. d. Typhus-Epidemie in Bern im Sommer 1904.
(33 m. 3 Tab. u. 2 graph. Taf.) 8° Bern, (A Francke) 04. 1.20
Ost, H: Lehrb. d. chem. Technol. Mit e. Schlussabschnitt „Me-
tallurgie", bearb. v. F Kolbeck. 5. Afl. (731 m. Abb.) 8°
8° Hannov., Dr. M Jänecke 03. HF. 15 —
Ost, L: Vademecum, s.: Othmer.
Ostade, A van: Die Künstlerwerkstatt, s.: Meisterbilder fürs
deut. Haus.
Ost-Asien. Monatsschrift f. Handel, Industrie, Politik, Wiss.,
Kunst etc. Chefred.: K Tamai. 4—8. Jahrg. April 1901—März
1906 je 12 Nrn. (Nr.1. 44) 8° Berl. (SW.11, Kleinbeerenstr. 9),
K Tamai. Je 10 —; einz. Nrn 1 —
Osten, der. Literar. Monatsblätter, hrsg. v. Ver. „Breslauer

Dichterschule". Red.: L Sittenfeld u. KW Goldschmidt. 1. Jahrg.
1901. 12 Hefte. (1. Heft. 16) 8° Bresl. Görl., R Dülfer.
Halbj. 1.80; einz. Hefte — 30 d
Bildet d. Fortsetzg zu Monatsblätter. Organ d. Ver. „Breslauer
Dichterschule".
Osten, der. Literar. Monatsschrift, hrsg. v. Ver. „Breslauer
Dichterschule". Red.: AF Krause. 2. u. 3. Jahrg. 1902 u. 3 je
12 Hefte. (1. Heft. 16) 8° Görl., R Dülfer. Je 3.60;
einz. Hefte — 30 d
— dass. Red.: J Reinelt (Philo v. Walde). 4. Jahrg. 1904. 12 Hefte.
(1. Heft. 20) 8° Bresl. (I, Ohlauerstr. 8), H Fleischmann. ||
5. Jahrg. 1905. Hrsg. v. P Barsch u. J Theodor. Red.: P Barsch.
Viertelj. — 90; einz. Hefte — 30 d
— d. ferne. Illustr. Zeitschrift z. Verbreitg d. Kenntnis ostasiat. Kultur u. Verhältnisse. Hrsg. v. C Fink. 1. u. 2 Bd je
4 Hefte. (2. Bd. 386 m. Abb. u. Taf.) 8° Shanghai 02-04. Berl.,
Exp. d. ostasiat. Lloyd. Das Heft nn 3 —
— dass. Illustr. Zeitschrift z. Verbreitg d. Kenntnis d. Kultur
u. d. Verhältn. Ostasiens. Hrsg. v. C Fink. 3. Bd. 12 Hefte.
(1. Heft. 40 m. 1 Taf.) 8° Ebd. 05. nn 12 —
Osten, v. J.: Uebersichts-K. aller Schlachten u. Gefechts, Belagergn, Einschliessgn u. Kapitulationen d. deutsch-französ.
Kriegs 1870/71, zugl. Uebersicht aller Karten u. Skizzen d.
deut. Generalstabswerkes. 51×92 cm. Lith. Nebst Text. (26)
8° Stuttg. (Silberburgstr. 123), (WC Rübsamen) 05. Kart. 2 —
Osten, G v., d.: Gesch. d. Landes Wursten. 2. Tl. (139 u. 21) 8°
Bremerh., Schipper, Mocker & Co. 02. 4 —
(Vollst. 8 —; Einbde je 1 —) d
Osten, H v., s. a.: Dequede, E v.
— Die Freundinnen, s.: Ziegler, H v., uns. Lockenköpfchen.
— Fromm u. treu, s.: Sprengel, K, d. 1. April.
— Militärfromm. Roman. (103) 8° Berl./Globus Verl. (03). ·
†— 30 d
— Deut. Vergeltg u. and. Erzählgn a. gr. Zeit f. d. Jugend.
(208 m. 10 Farbdr.) 8° Lpzg, E Kempe (03). Geb. 5 — d
Osten-Sacken-Rhein, O Frhr v. d.: Deutschlds nächster Krieg,
s.: Zeitfragen, militär.
— Der Feldzug v. 1813. Gesch. d. russisch-französ. Krieges.
(343 m. 1 Karte u. 5 Skizzen.) 8° Berl., Vossische Bh. 01.
8 —; geb. 10 — d
— Militärisch-polit. Gesch. d. Befreigskrieges im J. 1813. Bd I.
(342 m. Abb.) 8° Ebd. 02. 28 —; Einbde je 2 — d
1. (Vorgesch.) Vom Njemen bis a. Elbe. (554 m. 7 Karten u. 4 Skizzen.)
03. 19 — || II a. Der Frühjahrsfeldzug. Gross-Görschen. (501 m. 8 Kart.)
8 Pl. u. 5 Skizzen.) 04. 16 —
— Napoleon bei Bautzen, s.: Wisserz d. Militärwochenbl.
Osten, G, u. A **Frühling**: Die Wasserversorgg d. Städte, s.:
Handbuch d. Ingenieurwiss.
Ostenfeld, A: Techn. Statik. Vorlesgn üb. d. Theorie d. Trag-
konstruktionen. Deutsch v. D Skouge. (457 m. 33 Taf.)
Lpzg, BG Teubner 04. L. 13 —
Oster: Exkursion in d. Stadtwald v. Eschweiler z. Besichtigg
d. Hüttenrauchbeschädiggn, s.: Wieler, A, Untersuchgn üb.
d. Einwirkg schwefl. Säure auf d. Pflanzen.
Oster: A: Gebete u. Tugendübgn auf d. 6 Aloysiussonntage. Rev,
v. O. (16 m. 1 Bildnis.) 16° Einsied., Verl.-Anst.
Benziger & Co. 02. 08 d
Oster, J.: Cours de grammaire franç. à l'usage des écoles
allemandes. (In 2 Tln.) 1. partie. 8° Dresd., G Kühtmann. 1.20;
geb. 1.50 d
1. Cours élémentaire franç. particulièrement à l'usage
des écoles normales allemandes par E Mollenhauer. (173) 04. 1.20
Osterberg-Verakoff, M: Baby-Buch. Jahr- u. Tageb. (48) 8°
Stuttg., (Glaser & Sulz) (1898).
Oestären, FW v.: Domitian. Trag. Dichtg. (184) 8° Dresd., C
Reissner 01. 2.50
— Schatten im Walde, e. Dichtg. (111) 8° Ebd. (02). 4 —;
geb. 5 — d
— Die Wallfahrt. Erzähg a. Galizien. (176) 8° Dresd. 03. Berl.,
E Fleischel & Co. 2 —; geb. 3 — d
— Wir. Zeichngn v. K Schönberger. (124) 8° Dresd., C Reissner
3 —; geb. 4 — d
Osterfeste, 3, s.: Osterglocken.
Oestergaard, PJ: Neue grosse, Wandk. v. Europa. Verkehrs-K.
115,350,000. 80×106 cm. Farbdr. Mit Text am Rande. Berl.,
PJ Oestergaard (03). Mit Hängevorrichtg nn 1 —
Osterglocken. Sammlg v. Ostererzählgn. 11—30. (Schl.-)Heft.
(Je 16) 8° Berl., Bh. d. ostdeut. Jünglingsbundes (01-03).
Je nn — 10; je 10 Hefte 1 —. (Je 16) Je 160) Je 150 d
Enth. Erzählgn v. H Berthold, W Domansky, J Dose, M Eitner, Pred.
v. Ell, H Groschke, A Gründler, F Hermann, H Lamprecht, B Mas,
E Norden, L Sauber, R Zarnack.
Ostergren, PA: Das gesetzl. Pfandrecht d. Vermieters u. Ver
pächters u. röm. Recht. (138) 8° Lpzg, A Deichert Nf. 05. 2.6
Oesterheld, E: Schattenspiele d. Seele. Poet. Prosaskizzen u
Gedankenfragmente. (95) 8° Berl., A Kohler 05. 2 —
Osterhorn: Kl. deut. Sprachb., s.: Meyer, J.
Oesterlin, H: Untersuchgn üb. d. Energieverlust d. Wasser
in Turbinenkanälen. (75 m. Fig. u. 5 L.) 8° Berl., J Springe
03.
Osterloh: Oberlehrer Gesenius. Roman. (Neue [Tit.-]Ausg.
(320) 8° Stuttg., Deut. Verl.-Anst. [1986] (01). 1.50; kart. 1.75
Ostermai, O: Bibl. Gesch., s.: Berthelt, A.
— s.: Kalender d. sächs. Festalozzi-Ver..

Ostermann's, C, latein. Übgsb. 1—4. Tl, neue Ausg. v. HJ
Müller, 5. Tl u. Anh. z. 4. Tl. 8° Lpzg, BG Teubner. Geb. 12.40 d
1. Sexta. 9. Afl. (920) 01. 1.60 ‖ 2. Quinta. 6. Afl. (508 m. 3 Kart.) 01. 2.20
‖ 3. Quarta. 7. Afl. Ausg. A (m. grammat. Anh.). (349 m. 3 Kart.) 01;
Ausg. B (ohne Anh.). 7. Afl. (322 m. 2 Kart.) 01. Je 2.40 ‖ 4. Tertia u.
Unter-Sekunda. 8. Afl. (298 m. 1 Kart.) 01. 2.20; Anh. z. Afl. (110) 1900.
— ‖ 5. Ober-Sekunda u. Prima, verf. v. HJ Müller. 5. Afl. (396) 04. 2 —
— dass. 1—3. Tl. Ausg. A u. B. 8° Ebd.   Geb. 6.20 d
1. Sexta. 13. Afl. Ausg. A (m. Formenlehre). (220) 05; Ausg. B (ohne
Formenlehre). (192) 05.   Je 1.80
2. Quinta. 10. Afl. Mit 2 Karten. Ausg. A (m. Formenlehre). (312) 05. 2.20;
Ausg. B (ohne Formenlehre). (260) 05. 2 —
— 3. Quarta. Mit 3 Karten. 10. Afl. Ausg. A (m. grammat. Anh.). (354) 05;
Ausg. B (ohne grammat. Anh.). (334) 04.   Je 2.40
— dass. IV. Tl. 2 Abtlgn. 8° Ebd.   Geb. 4.40 d
1. Unter-Tertia u.Ober-Tertia. (Tertia u.Unter-Sekunda d.Realgymnasien.)
. 11. Afl. (324 m. 1 Karte.) 05.   2.40
2. Unter-Sekunda. (271) 03. ‖ 2. Afl. (297) 04.   Je 2 —
— dass. 1. Tl: Sexta. Ausg. C, bearb. v. HJ Müller u. G Michaelis. Mit Abriss d. Formenlehre im Anh. (192) 8° Ebd. 05.
    Geb. 1.80 d
— dass. Ausg. f. Reformschulen. Bearb. v. HJ Müller u. G
Michaelis. (328 m. Abb., 2 Taf. u. 2 Kart.) 8° Ebd. 03. Geb.
3 — ‖ II. Tl: Aufg. z. Übers. ins Latein. (188) 04. Geb. 1.80 d
— dass. Ausg. B. (225 u. 88 m. 2 Kart.) 8° Ebd. 05. Geb. 3 —;
ohne Formenlehre. (225 m. 2 Kart.) Geb. 2.40 ‖ II. Tl: Aufg.
z. Übers. ins Latein. (159) 05. Geb. 1.80 d
— latein. Übgsbücher. Neue Ausg. v. HJ Müller. 14—22. Ergänzgsheft. 8° Ebd.   3.80 (1—22: 7.40) d
14. Im Anschl. an Livius Buch 22—25. (96) (01.) — 40 ‖ 15. Im Anschl. an
Livius Buch 26—28. (276) (01.) — 40 ‖ 16. Im Anschl. an Livius Buch 29
u. 30. (272) (01.) — 40 ‖ 17. Im Anschl. an Cicero s 1. u. 2. philipp. Rede.
(76) (01.) — 40 ‖ 18. Im Anschl. an Tacitus' Germania. (72) (01.) — 40
‖ 19. Im Anschl. an Tacitus Agricola. (94) (09.) — 40 ‖ 20. Im Anschl. an
Sallust's katil. Verschwörg. (76) 05. — 40 ‖ 21. Im Anschl. an Livius
1. Dekade. (Buch 1 u. 2.) (58) 02. — 50 ‖ 22. Im Anschl. an Curtius Rufus
(46) (03.) — 50.
— Wrtrb. (Lateinisch-Deutsch u. Deutsch-Lateinisch) zu d.
Übgsbb. f. Sexta bis Unter-Sekunda dess. Verf. Neue Ausg.
v. HJ Müller. 4. Afl. (205) 8° Ebd 04.   Geb. 1.40 d
Ostermann, L: Untersuchgn zu Ratis Raving u. d. Gedicht
The thewis of gud women. s.: Beiträge, Bonner, z. Anglistik.
Ostermann, W: Pädagog. Leseb. f. Lehrerseminarien. 1. Afl.
(662) 8° Oldenbg, Schulze 01.   5 — d
— u. L **Wegener**: Lehrb. d. Pädagogik. 1. Bd, 2 Tle u. 2. Bd.
8° Ebd.   9.30; geb, nn 11.40 d
1.Tl. 12. Afl. (74, 234) 02. 3 —; geb. nn 3.70 ‖ 1.II. 12. Afl. (176) 02. 2.30;
geb. 3 — ‖ 2. 12. Afl. (396) 02. 4 —; geb. nn 4.70
Ostermayer, A: Leistgszucht u. Leistgskontrolle unter bes.
Berücks. d. Milchviehs. (101) 8° Lpzg, M Heinsius Nf. 05. 2 — d
Ostermeyer, K: Das Büchl. v. Gottes Gaben, u. wie junge
Seelen dafür danken. (71) 8° Elberf., Bh. d. ev. Gesellsch. 05.
    — 50; L. — 90 d
Ostern, A: Die strafrechtl. u. civilrechtl. Natur d. Klagen
erklärgn, s.: Abhandlungen, strafrechtl.
Osterode am Harz. Ein kl. Führer durch d. Stadt u. ihre näh.
Umgebg. Hrsg. v. Harzklub-Zweigver. Osterode. (10 m. Abb.)
8° Osterode, (A Sorge) (02).   — 30
Österreich vor d. Zusammenbruch. Im Lichte d. Wahrh. dar-
gest. (20) 8° Zür., T Schröter (05).   — 50 d
— **Österreich**s Heil. Gedanken e. österr. Patrioten. 2.[Afl. (71)
8° Prag, F Řivnáč 05.   nn 1 —
— Herrscher a. d. Hause Habsburg. (25 Bildn. m. 43 Bl. u. 8.
Text u. 4 Bl. Titel u. Reg.) 70×55 cm. Wien, Hof- u. Staatsdr.
04.   In M. 100 —; Prachtausg. 150 —
— Illustr.Zeitg. Modernes Familienbl.Red.: M Bandler.14.Jahrg.
Oktbr 1904—Septbr 1905. 52 Hefte. (1. Heft. 30) 4° Wien, J
Philpp.   Viertelj. 4.50 d
— deut. Jugend. Hrsg. v. deut. Landeslehrerver. in Böhmen.
Geleitet v. F Rudolf. 17—20. Jahrg. 1900—3 je 12 Hefte. (1.
Heft. 26 m. Abb. u. 1 Farbdr.) 8° Reichenbg. (Wien, Sall-
mayer'sche Bh.) Halbj. 2 —; einz. Hefte — 40 (Vollst. geb.)
    · je 5.65) d
Fortsetzg war nicht zu erhalten.
Oesterreicher, R: Gummiradler, s.: Universal-Bibliothek.
Osterrieder, X: Monopol od. Konkurrenz. (115 m. 6 Tab.) 8°
Münch., C Beck (L Haile) 03.   1.50
Osterrieth, A, s.: Anschluss, d., d. Deut. Reichs an d. inter-
nat. Union f. gewerbl. Rechtsschutz.
— Bemerkgn z. Entwurf e. Ges. betr. d. Urheberrecht an
Werken d. Photographie. (110) 8° Berl., C Heymann 03. 2 —
— s.: Entscheidungen, d. patentamtl. u. gerichtl., in Patentsachen.
— Die Patent-, Muster- u. Markenschutzges. d. Erdballs, s.:
Patentgesetzgebung.
— s.: Rechtsschutz, gewerbl., u. Urheberrecht.
— Die Urheberrechtsvorlage u. d. Beschlüsse d. XI. Reichs-
tags-Kommission (I. Lesg). Vortr. (59) 8° Berl., C Heymann
01.   1 —
— u. A **Axster**: Die internat. Übereinkunft z. Schutze d. gewerbl. Eigentums v. 20.III.1883 (Pariser Konvention) nebst
d. übr. Verträgen d. Deut. Reichs üb. d. gewerbl. Rechtsschutz. (38, 254) 12° Berl., C Heymann 03.   L. 7 —
Osterroth, C: Verz. d. zu Eisenb.-Güter-Sendgn erforderl. Be-
gleitpapiere n. d. verschied. Staaten u. Ländern. 10. Afl. (24)
8° Offenb., JP Strauss 05.   — 30
Ostersetzer, A: Die Aufnahme d. Barzahlgn in Österr.-Ungarn.
Vortrag. (46) 8° Wien, Volkswirtschaftl. Verl. A Dorn 03. — 70

Ostertag, R: Bibliogr. d. Fleischbeschau. Zugl. Ergänzg z. Hdb.
d. Fleischbeschau d. Verf. (446) 8° Stuttg., F Enke 05. 13 —;
    L. 14.60
— s.: Ergebnisse d. allg. Pathol. u. patholog. Anatomie. — Ergebnisse d. allg. Pathol. u. patholog. Anatomie d. Auges.
— Hdb. d. Fleischbeschau f. Tierärzte, Ärzte u. Richter. 4. Afl.
(896 m. Abb. u. 1 farb. Taf.) 8° Stuttg., F Enke 02. 20 — ‖
8. Afl. (789 m. Abb. u. 1 farb. Taf.) 04. 18.40; L. 20 —
— Krankh. d. Zähne, s.: Handbuch d. thierärztl. Chirurgie u.
Geburtshülfe.
— Leitf. f. Fleischbeschauer. 1. u. 2. Afl. (213 m. Abb.) 8° Berl.,
R Schoetz 03. ‖ 3. u. 4. Afl. (217 m. Abb.) 03. ‖ 5. u. 6. Afl. (229
m. Abb.) 03. L. je 6.50 ‖ 7. u. 8. Afl. (314 m. Abb.) 04. L. je 7.50 d
— Die sanitätspolizeil. Regelg d. Milchverkehrs. [S.-A.] (8) 4°
Ebd. 05.   — 90
— Wandtaf. z. Fleischbeschau. (6 Taf.) 82,5×113 cm. Ebd. (05).
    20 —
— s.; Zeitschrift f. Fleisch- u. Milchhygiene. — Zeitschrift f.
Infektionskrankh. usw. d. Haustiere.
— **Breidert, Kaestner, Krautstrunk**: Untersuchg üb. d. klin.
u. bakteriolog. Feststellg d. Tuberkulose d. Rindes, s.: Ar-
beiten a. d. hygien. Instit. d. kgl. tierärztl. Hochsch. zu
Berlin.
Osterwald, W: Sang u. Sage. Erzählgn a. Deutschlds Vorzeit.
5. Afl. (355) 8° Berl., Neufeld & H. (04).   Geb. 2.80 d
— (Afl. (355) 8° Berl., Neufeld & H. (04).   Geb. 2.80 d
— auch i. d. Jugendbibliothek, deut.
Oesterwitz, H, s.: Enzian.
— Illustr. Führer durch Dessau u. Umgegend. 2. (Umschl. 3.)
Afl. (109 m. 4 Pl. u. 1 Karte.) 12° Dess., Anhalt. Verl.-Anst.
(04). (?) (Lpzg, R Hoffmann.)   — 60
— Warum darf u. soll man in d. Lotterie spielen? Antwort
auf d. Broschüre: „Das Glück in d. Lotterie". 3. Taus. (24)
8° Ebd. (01).   — 25 d
— Lotterie-Poesien. Gereimtes u. Ungereimtes. 12—18. Taus.
(22) 8° Dess. 01. Lissa, F Ebbecke.   — 50 d
— Was sind Odd-Fellow-Brüder u. was wollen sie? 2. Taus.
(22) 8° Dess. 01. Lissa, F Ebbecke.   — 50 d
— Wie lernt man sparen? u. d. Spargelder zu 10—50 Prozent
gut u. sicher anlegen? (15) 16° Dess., Anhalt. Verl.-Anst.
(01). (?) (Lpzg, R Hoffmann.)   — 15 d
— Toaste u. Tischreden. 1—5., 8. u. 9. Heft. 8° Dess. Lissa, F
Ebbecke.   4.30 d
1. Für patriot. u. Kriegerfeste. (29) (01.)² — 50 ‖ 2. Für Wasser-, Ruder-,
Schwimm-, Eis- u. Schneesportfeste. (40) (02.) — 50 ‖ 3. Für Feuerwehr-
vereine. (72) (02.) — 50 ‖ 4. Für Gesangver. (26) (03.) — 50 ‖ 5. Für Vater-
ver. (52) (02.) — 50 ‖ 8. Für Marine- u. Flottenver. (44) (03.) — 50 ‖ 9.
Für Sanitätskolonnen u. alle unter d. Zeichen d. Roten Kreuzes steh.
Ver. [S.-A.] (32) (03.) — 50.
— u. W **Stork**: Gott schütze d. Marine. Material f. d. Feste
u. Versammlgn d. dent. Marine- u. Flottenver. (204) 8° Dess.,
Anhalt. Verl.-Anst. (03). (?) (Lpzg, R Hoffmann.)   2.80 d
— Hoch Kaiser u. Reich! Material f. d. Versammlgn u.
Feste d. deut. Kriegerver. (184) 8° Ebd. (03).   3 — d
— Unter d. Roten Kreuz. Material f. d. Feste u. Versammlgn
d. Sanitäts-Kolonnen, d. Samariterver., d. dent. Frauen-Ver.
u. aller d. Ver. unter d. Zeichen d. Roten Kreuzes. (294)
8° Dess. (05). (Gotha, FA Perthes.)   3.50 d
Ostheider, K. s.: Senffert's, JA, Blätter f. Rechtsanwendg.
Osthoff, G: Kosten-Berechngn f. Bauingenieure. 5. Afl. v. E
Jastrzemski. (24, 784) 8° Lpzg, JJ Arnd 02. 18 —; geb. 20 —
— Schlachthöfe f. kl. u. mittelgr. Städte. 5. Afl. v. M Fischer.
(54) 8° Lpzg, C Scholtze (02).   1.20
— Schlachthöfe u. Viehmärkte. 2. Afl. v. M Fischer. (601 m. Abb.
u. Taf.) 8° Ebd. 03.   10 —; geb. 11 — d
Osthoff, H: Etymolog. Parerga. 1. Tl. (378) 8° Lpzg, S Hirzel
01.   9 —
Ostini, F v.: Biedermeier m. ei. Lieder e. Zeitgenossen. (156)
8° Stuttg., A Bonz & Co. 04.   L. 3.60
— **Böcklin**. — (Ed.) **Grützner**, s.: Künstler-Monographien.
— s.: Grützner, Meister. — Lenbach, F v., Schönheit-Ideale.
— Meister, 100. d. Gegenwart in Farb. Wiedergabe.
— Arme Seelen. Geschichten u. Schnurren. (344) 8° Stuttg., A
Bonz & Co. 05.   3.60; L. 4.80
— (Fritz v.) Uhde, s.: Künstler-Monographien.
— Ernst v. Zimmermann. [S.-A.] (20 m. Abb. u. 6 Taf.) 4° Münch.,
F Hanfstaengl (02).   4 —
Ostini, P: Ein objektives Hörmass u. s. Anwendg. (75 u.
11 m. 9 Taf.) 8° Wiesb., JF Bergmann 03.   5 —
— Hörprüfgs- u. Empfindlichk.-Tab. d. schwerhör. Ohres unter
Zugrundelegg meines objektiven Hörmasses. (26) 8° Ebd. 04.
    nn 1.30; engl. u. franzö. Ausg. (26) Je nn 1.30
Ostmark, d., Fortsetzg, s.: Deutsch-Oesterreich, d. literar.
Ostmarken-Kalender, deut., f. 1906. Hrsg. v. dent. Ostmarken-
Ver. Red. v. V Schonltz. (74 m. Abb. u. 1 Taf.) 8° Berl., W
Issleib.   — 50 d
Ostoja: Polnisches, s.: Konopnicka, M.
Ostpreussen. Land u. Volk. 16 Tle. 8° Stuttg., Hobbing & B.
Je 2 —; auch in 64 Lfgn zu — 50; in 5 Bde geb. 43.50 d
Armstedt, R: Gesch. d. Stadt Königsberg in Pr. (354 m. Abb., 2 Pl. u.
2 Taf.) 1899.   8 —; geb. 9.50; m. G. 10 —
— 2. Abt.: Oberland, Ermeland, Natangen u. Barten. (339 m. Abb. u.
1 Karte.)   8 —; geb. 10.20
Zweck, A: Litauen. (452 m. Abb., 8 Kartenskizzen u. 1 Karte.) 149⁰.
8 —; geb. 9.50 ‖ Masuren. (357 m. Abb. u. 3 Kart.) 1900. 7 —; geb. 8.50
‖ Samland, Pregel- u. Frischingthal. (160 m. Abb. u. 3 Pl.) 02. 4 —;
    geb. 5.50
Oestreich, Reinicke u. **Roloff**: Prakt. Ratgeber f. d. mo-

Oswald, O: Die oberbad. Rindviehzucht-Genossensch., s.: Abhandlungen, volksw., d. bad. Hochsch.
O'Swald, T: Goldne Jugendzeit. 6 Erzählgn f. uns. liebe Jugend. (115 m. 6 Farbdr.) 8° Stuttg., Loewe (05). Geb. 3 — d
Oswald's v. Wolkenstein Gedichte, hrsg. v. J Schatz. 3. Ausg. -d. Textes. (312) 8° Gött., Vandenhoeck & R. 04. 8 —; L. 6.60
Oswald, H: Unter'm Märchenbaum. Allerlei Märchen, Geschichten u. Fabeln in Reimen u. Bildern. 7. Afl. (82 farb. Bl.) 4° Frankf. a/M., Lit. Anst. (01). Kart. 5 — d
Oswalt, H: Vortr. üb. wirtschaftl. Grundbegriffe. (182) 8° Jena, G Fischer 05. 2.50
Otavský s.: Herrmann Edler v. Otavský.
Öthalom s.: Ungard Edler v. Öthalom.
Othmer's Vademecum. Zusammenstellg d. wissenswürdigsten Erscheingn auf d. Gebiete d. schönwiss. Litt. 4. Afl. v. C Georg u. L Ost. (Neue [Tit.-]Ausg.) (668) 8° Lpzg, J C Hinrichs' V. [1891] (01). 4 —; HF. 5 — d
Neue Afl. u. d. T.:
— Vademecum d. Buchhändlers u. Bücherfreundes. Die wichtigsten Erscheingn d. schönwiss. Lit. Deutschlds u. d. Ausl. m. biograph. u. and. Vermerken. 5. Afl. v. FJ Kleemeier. Nebst Nachtr. (896) 8° Ebd. 03. 10 —; L. 11.50 ‖ 2. Ausg., m. Ergäuzgn bis Ende '03· (770) 04. 10.50; geb. 12 —; Ergäuzgn allein. (691— 770) † — 50 d
Othmer, W: Die rechtl. Wirkg d. Vormerkg n. Reichsrecht, s.: Studien z. Erläuterg d. bürgerl. Rechts.
Oetinger's, FC, Predigten üb. d. Sonn- u. Feiertags-Evangelien. III. Bd. Das Murrhardter Predigtbuch. 5. Ausg., ges. u. hrsg. v. KCE Ehmann. (565) 8° Stuttg., JF Steinkopf 02. 4 —; geb. 5 — d
Oetken, F: Zur französ. Pferdezucht. (Berichte üb. Land- u. Forstw. im Ausl. Mitgeteilt v. auswärt. Amt.) (166) 8° Berl., (P Parey) 02. 2 — d
Oetker's Magazin. Zeitschrift f. Küche u. Haus. Hrsg. u. Red.: A Oetker. 1. Jahrg. Apr.—Dezbr 1901. 9 Nrn. (304) 8° Mülh. a/R., (J Bagel). Viertelj. — 60; einz. Nrn — 20 õ F
Oetker, F, s.: Gerichtssaal, d.
— Üb. Notwehr u. Notstand n. d. §§ 227, 228, 904 d. BGB. (81) 8° Lpzg, A Deichert Nf. 03. 2 — d
Ott, A, s.: Pathologie, d. chem., d. Tuberculose.
Ott, A: Die Arbeiterversicherungsges. Zur Behandlg in Fortbildgs- u. Gewerbesch. usw. 3. Afl. (63) 8° Emmend., Druck- u. Verl.-Gesellsch. vorm. Dölter 04. — 40 d
— Atlas f. Volkssch. 8. Afl. (10 farb. Kart. m. 20 S. Text.) 4° Bonsdf, Spachholz & Ebrath (o. J.). nn — 40 d
— Bestimmgn f. d. Geschäftsverkehr durch d. Post u. d. Eisenb. (28 m. 40 Formularen.) 8° Ebd. 03. 2.80
— dass. Lehrerheft. (28 m. 30 Formularen.) 8° Ebd. 03. 2.80
— Elemente d. Volkswirtschaftslehre. (74) 8° Emmend., Druck u. Verl.-Gesellsch. vorm. Dölter (02). — 75 d
— Der Geschäftsaufsatz in d. gewerbl. Fortbildgssch. u. Gewerbesch. (55) 8° Ebd. 01. — 80 d
— Was d. Handwerker v. Rechnen wissen soll. Rechenbuch. I—XII. 2. Afl. 8° Ebd. Je — 35 d
Der Schlosser. (48) 04. ‖ II. Der Bäcker. (48) 05. ‖ III. Der Schreiner. (52) 05. ‖ IV. Der Maler. (48) 05. ‖ V. Der Tapezier. (47) 05. ‖ VI. Der Buchbinder. (46) 05. ‖ VII. Der Drechsler. (48) 05. ‖ VIII. Der Schuhmacher. (42) 05. ‖ IX. Der Bäcker. (36) 05. ‖ X. Der Buchdrucker. (48) 05. ‖ XI. Der Friseur. (48) 05. ‖ XII. Der Lohnarbeiter. (41) 05.
— s.: Verfassung, d. Deut. Reiches usw.
Ott, A, s. a.: Flodatto.
— Aus 2 Häusern. Münchner Roman a. d. 70er Jahren. (530) 8° Stuttg., A Bonz & Co. 05. 4 —; L. 5 — d
— Die Hexe v. Garmisch. Roman a. d. „Werdenfelser Land". 1. u. 2. Afl. (491 m. Abb.) 12° Ebd. 04. 4 —; L. 5 — d
— Memento mori! Roman a. d. Hochgebirge. 1. u. 2. Afl. (383 m. Abb.) 12° Ebd. 02. 3.60; L. 4.80 d
— Die Schuld. Hochgebirgsroman. 1. u. 2. Afl. (854) 12° Ebd. 04. 3 —; L. 4 — d
— Der Schürzenbauer, s.: Kürschner's, J, Bücherschatz.
— Wildfeuer. Roman a. d. Hochgebirg. (210) 8° Berl., R Taendler (01). 2 —; geb. 3 — d
Ott, A: Das Budgetrecht d. deut. Reichstages, s.: Broschüren, Frankf. zeitgemässe.
Ott, A: Fest-Drama z. 4. Jahrh.-Feier d. Eintritts Schaffhausens in d. Bund d. Eidgenossen. (Musik v. K Flitner.) 5. Afl. (96) 8° Schaffh., (C Schoch) 01. Kart. 1.30 d
— Gedichte. (200 m. Bildnis.) 8° Berl., E Fleischel & Co. 02. 4 —; geb. 5 — d
— Karl d. Kühne u. d. Eidgenossen. Schweiz. Volksschausp. Bühnenausg. 3. Afl. (156) 8° Zür., F Amberger 04. nn 1.20 d
— St. Helena. Schausp. Bühnen-ausg. (132) 8° Ebd. 04. nn 1.20 d
Ott, E: Die Relig.-Philosophie Hegels, in ihrer Genesis dargest. u. in ihrer Bedeutg f. d. Gegenwart gewürdigt. (126) 8° Berl. 04. Lpzg, M Heinsius Nf. 3 —
Ott, E: Anatom. Bau d. Hymenophyllaceenrhizome u. ieren Verwertg z. Unterscheidg d. Gattgn Trichomanes u. Hymenophyllum. [S.-A.] (47 m. Fig. u. 3 Taf.) 8° Wien, (A Hölder) 02. 2.30
— Untersuchgn üb. d. Chromatophorenbau d. Süsswasser-Diatomaceen d. dessen Beziehgn z. Systematik. [S.-A.] (33 m. 5 Taf.) 8° Ebd. 02. 2.30
Ott, F: Wie treibt man s. Aussenstände in d. Schweiz ein? (64) 8° Berl., H Steinitz (04). 1 — d

Ott, F: Die Eintreibg v. Schuldfordergn in d. Schweiz. (32 m. 6 Formularen.) 8° Zür., A Bopp 05. 1 — d
Ott, G: Ave Maria! Gebetbüchl. f. fromme Mädchen. 6. Afl. (192 m. Titelbild.) 16° Rgnsbg, F Pustet 05. — 24; L. — 40 d
— Gertrudenb. od. Gebete, Andachten u. Belehrgn z. Gebr. römisch-katbol. Christen, ges. a. d. Schriften u. Offenbargn d. beiden hl. Schwestern Gertrudis u. Mechtildis. 7. Afl. (512 m. 1 St.) 12° Ebd. 02. 1.40; geb. 1.90 u. 2.30 d
— Jesus, mein Alles! Kommunionb. f. alle Sonn- u. Festtage d. ganzen Kirchenj. 4. Afl. (528 m. 1 St.) 8° Ebd. 06. 2.10; HF. 2.70 d
— Legende v. d. lieben Heiligen Gottes. 2 Tle. 3. Afl. d. Oktav-Ausg. (1174 m. Abb. u. 17 St.) 8° Ebd. 02. 8 —; HChagr. 11 — d
— Maienblüten od. Betrachtgn u. Gebete, d. hohen Himmelskönigin Maria z. Feier d. Mai-Andacht geweiht. 10. Afl. (436 m. 1 Farbdr.) 16° Ebd. 03. 1.20; L. 1.70; Ldr m. G. 2.60 d
— Vade mecum f. Priester am Kranken- u. Sterbebette, m. Belehrgn, Gebeten u. Zusprüchen. 10. unter Berücks. d. Rituale Rom. umgearb. Afl. (384 m. 1 St.) 8° Ebd. 03. 1.60; L. 2.10 d
Ott, H: Der prakt. Kaninchenzüchter! (32) 8° Veitshöchh.-Würzbg, Administr. d. allg. bayer. Thierfreund (04). — 40 d
Ott, K v.: Taf. d. Logarithmen u. and. beim mathemat. Unterr. unentbehrl. Zahlenwerte f. Mittelsch. 5. Afl. (22, 160) 8° Prag, JG Calve 05. Kart. 1.80
Otte: Briefsammlg, s.: Demme.
Otte: Der preuss. Gemeindevorsteher, Amts- u. Gutsvorsteher. Ursprünglich hrsg. v. O. Mit e. Geschäftskalender, enth. d. in d. einz. Monaten zu erstatt. Bericht pp. 9. Afl. v. Brandt. (465 n. 32) 8° Lpzg, CEM Pfeffer 03. 5 —;
L., Geschäftskalender kart. 5.25 d
Ottel, K: Handels- u. Wechselkde f. kaufmänn. Fortbildgssch., Mädchen-Handelssch. u. z. Selbstunterr. (104) 8° Wien, A Hölder 04. Geb. 1.25
— dass. f. höh. Handelslehranst. 2. Afl. (165) 8° Ebd. 04. Geb. 9.10
Otten, A: Zons am Rhein. (144) 8° Düsseldf, L Schwann (03). 1.60 d
Otten, F: Ein Spiel d. Harmlosen. Kriminal-Roman. (95) 8° Neuweissees., E Bartels (o. J.). 1 — d
Ottenstein, S: Das Nutenfeld in Zahnarmaturen u. d. Wirbelstromverluste in massiven Armatur-Kupferleitern. [S.-A.] (48 m. Abb.) 8° Stuttg., F Enke 03. 1.20
Ottenthal, E v.: Julius v. Ficker. † 10.VII.1902. Rede. (20 m. 1 Bildnis.) 8° Innsbr., (Wagner) 03. — 40 d
— Das k. k. Instit. f. österr. Gesch.-Forsch 1854—1904. Festschrift. (96) 8° Wien, (A Holzhausen) 04. 1.30
— Das Memoirenhafte in Gesch.-Quellen d. früh. M.-A. Vortr. (27) 8° Wien, (A Hölder) 05. — 50
— u. O Redlich: Archiv-Berichte a. Tirol, s.: Mitteilungen d. 8.-Archiv-Section d. k. k. Central-Commission z. Erforsch u. Erhaltg d. Kunst- u. histor. Denkmale.
Otterfels, G v.: Die Hüttenjagd. (111) 8° Klagenf., J Leon seni 02. L. 2 —
Ottermann u. K Fechner: Leitf. z. Vorbereitg f. d. Prüfgn auf d. Geb. d. Gesetzgebg u. d. allg. Wissens, s.: Fechner's, K, Gesetzgebgs-Bibliothek.
Ottermann, C: Düsseldorfer Bürgerb. Sammlg d. Ortsstatuten, Polizeiverordnung, Regulative u. sonst. d. Gemeindesatzn. u. -Einrichtgn d. Stadt Düsseldorf betr. Bestimmgn. (22, 915) 8° Düsseldf, L Schwann 05. 8 —; L. 9 — d
Ottersbach, Frau M, s.: Fromberg, H.
Ottersberg, A: Eure Lindigk. lasset kund werden allen Menschen. (Weihnachts-Gespräch f. 4 Personen.) (11) 8° Hambg, Bundesbh. (1896.97). 20 d
— Der blaue Montag. (Gespräch f. 6 Personen.) (20) 8° Ebd. (1896.97). 25 d
— Ein Weihnachtsbild a. d. Mission. (Weihnachts-Gespräch f. 4 Personen.) (8) 8° Ebd. (1896.97). 15 d
Otterström, A: Uebersicht üb. d. Seefischerei in d. dän. Gewässern innerh. Skagens, s.: Publications du circonstance du conseil permanent internat. pour l'exploration de la mer.
Ottesen, M: Deutsch-Dänisch, Norwegisch, s.: Sprachführer f. d. Reise.
Ottfried, R: Im Hause d. Verderbens. — Das Verbrechen im Haus, s.: Sammlung interess. Criminal- u. Detectiv-Romane.
Ottilie, Frau A: Die Seuchenfrage u. d. Frauen-Frage. (Die Lösg d. Frauenfrage in Deutschl. II. Thl.) Denkschrift. (Neue [Tit.-]Ausg.) Nebst: Erneute Eingabe an d. deut. u. an d. preuss. Gesetzgebg. (114 u. 30) 8° Berl. (Christinenstr. 25). Selbstverl. [1899.1900] (05). 1.50 (I u. II.: 2 —) d
Otting, F: Auf anderen Stern. (269) 8° Dresd., E Pierson 04. 3 —; geb. 4 — d
Oettingen, A v.: Luther. Dogmatik. 2. Bd: System d. christl. Heilswahrheit. 2. Tl: Die Heilsverwirklichg. (752) 8° Münch., CH Beck 02. 12.50; HF. 14.50 (Erm. Pr. 2. Bd. 12 —; geb. 16 —; vollst.: 16 —; geb. 18 —) d
— Die Heilsvollendg (Eschatol.). [S.-A.] (109) 8° Ebd. 02. 1.80 d
— Das Lebensproblem u. d. „Moderne". Literar. Streiflichter. [S.-A.] (15) 8° Riga, (Jonck & P.) 03. — 60 d
Oettingen, AJ v.: Elemente d. geometrisch-perspektiv. Zeichnens. (177 m. Fig.) 8° Lpzg, W Engelmann 05. 2 —; geb. 3 — d
— Biographisch-literar. Hdwrtrb., s.: Poggendorff, JC.
Oettingen, B v.: Stutb. d. kgl. preuss. Hauptgestüts Beberbeck, Fortsetzg, s.: Stutbuch.
Oettingen, Ev.: Unter d. Roten Kreuz im russisch-japan. Kriege. (248 m. Abb. u. 1 Karte.) 8° Lpzg, W Weicher 05. 4 —; L. 5 —

134

Oettingen, M v.: Festschrift d. deut. Centenar-Sportfestes. (127 m. Abb.) 4° Berl., M Oldenbourg 1897.   L. 4— d
Oettingen, W v., s.: Gesellschaft; kunsthistor., f. photograph. Publikationen.
— Das Gesetz in d. Kunst. Rede. (20) 8° Berl., ES Mittler & S. 03.
     — 60
— Projektions-Vorträge. I. Serie. Nr. 1—7. 8° Berl. (N. W. 21), Dr. F Stoedtner (03).   Je 1.50
   1. Die Kunst d. Phidias. (21) § 2. Pompeji. (22) § 3. Raffael. (24) § 4. Albrecht Dürer. (23) § 5. Rembrandt. (21) § 6. Von Boucher zu David. (50 Jahre französ. Malerei.) (22) § 7. Arnold Böcklin. (18)
— Die Schicksale d. Künstler. Festrede. (20) 8° Berl., ES Mittler & S. 05.   — 75
— s.: Türmer's Bilderschatz.
Oettinger, K.: Der Begriff Unwirksamk. im BGB. (76) 8° Berl., Struppe & W. 05.   1.50 d
Oettinger, W: Das Komische bei Molière. (72) 8° Strassbg, (JHE Heitz) 01.   2.50
Oettli, M: Beitr. z. Ökol. d. Felsflora, s.: Exkursionen, botan., u. pflanzengeograph. Studien in d. Schweiz.
Oettli, S: Amos u. Hosea, s.: Beiträge z. Förderg christl. Theol.
— Die Gesch. Israels. 1. Tl. Gesch. Israels bis auf Alexander d. Gr. (566) 8° Calw u. Stuttg., Vereinsbh. 05. 6 —; HF. 8 — d
   Den 2. Tl s. u. d. T.: Geschichte, d., Israels.
— Das Gesetz Hammurabis u. d. Thora Israels. (88) 8° Lpzg, A Deichert Nf. 03.   1.60
— Ist d. Gott d. Alten Test. unser Gott? Oeffentl. Vortr. [S.-A.] (30) 8° Berl., Vaterländ. Verl.- u. Kunstanst. 03.   — 20 d
— Der Kampf um Bibel u. Babel. Vortr. (32) 8° Lpzg, A Deichert Nf. 02.   — 80
— dass. 4. Afl., m. Berücks. d. 2 Vortrages v. F Delitzsch. (41) 8° Ebd. 03.   — 80
— Die Propheten als Organe d. göttl. Offenbarg. Vortr. [S.-A.] (34) 8° Berl., Vaterländ. Verl.- u. Kunstanst. 04.   — 30 d
— Der relig. Wert d. Alten Test. Vortr. (19) 8° Potsd., Stiftgsverl. 03.   — 60 d
— Wir haben geglaubt u. erkannt. 12 Predigten.(131) 8° Gütersl., C Bertelsmann 02.   1.80; geb. 2.40 d
Ottmann, V: Von Marokko n. Lappland, s.: Bücher d. Reisen.
— Streifzüge in Toskana, an d. Riviera u. in d. Provence. 2. [Tit.-]Afl. (478 m. Abb.) 8° Berl., A Schall [1895] (02).   5.50; geb. 4.50 d
— Rund um d. Welt. (186 m. Taf. u. 1 Karte.) 8° Berl., A Scherl 05.   Kart. 2 — d
Ottmar, W: Schatten. Drama. (91) 8° Weim., W Hoffmann 01.
     1.60 d
Ottmer, F (Frau O Franzos): Schweigen. Erzählg. (156) 8° Berl., Concordia 02.   2.50; geb. 3.50 d
Otto, v.: Gesch. d. herzogl. braunschweig. Infant.-Regts Nr. 92 1867—77, 2. Afl., s.: Kortzfleisch, H v., Gesch. d. braunschweig. Infant.-Regts Nr. 92 u. sr Stammtruppen.
Otto, v.: Gesch. d. 2. schles. Jäger-Bataillons Nr. 6 u. sr Stammtruppen, d. schles. Schützen-Bataillons u. d. schles. National-Schützen- u. Jäger-Kompagnien. (310 m. Abb., Kart. u. Pl.) 8° Berl., ES Mittler & S. 02.   9 —; geb. nn 10.75 d
Otto: Künstl. Unfruchtbark. d. Weibes. 6. Afl. (79) 8° Lpzg, M Spohr 1900.   2 —
Otto, A: Das 'Riesengebirge usw. — Die hohe Tatra, s.: Grieben's Reiseführer.
— Touristen-K. d. Hohen Tatra. 1:50,000. 31×55,5 cm. Farbdr. Bresl., WG Korn (04).   2 —
Otto, A: Aufg. z. Zifferrechnen, s.: Blümel, J.
— Bilder a. d. neueren Litt. 4. Heft: Wilh. Heinr. Riehl. (21) 8° Mind., C Marowsky (01).   1.20 (1—4.: 4.40) d
— Ang. Herm: Francke, s.: Albrecht, d. pädagog.
Otto, B, s.: Archiv f. Altersmundarten u. Sprechsprache.
— Der Leipziger Bankkrach, s.: Hauslehrer-Schriften.
— Beitr. z. Psychol. d. Unterr. (342) 8° Lpzg, KGT Scheffer 03.   8 —; geb. 9 — d
— Uns. Besuch im Kieler Kriegshafen, s.: Hauslehrer-Schriften.
— Fürst Bismarcks Lebenswerk. Den Kindern u. d. Volke erzählt. 2. [Tit.-]Afl. (70) 8° Lpzg, KGT Scheffer [1898] (01). 1 — || 3. Taus. (94 m. 2 Taf. u. 1 Bildnis.) Kl. L. 1.40 d
— Leichte Erlerng d. Latein. 2—6. Heft. [S.-A.] (9—124, 23 u. 20) 4° Ebd. (02-04).   4 —; geb. 6 — d
   Das 1. Heft (8) wird unentgeltlich abgegeben. — Fortsetzg s.: Erlernung.
— Ein innerer Feind (Tuberkulose), s.: Hauslehrer-Schriften.
— s.: Hauslehrer, d.
— Hauslehrerbestrebgn. Altersmundart u. ihre Gegner. Streitschrift. (63) 8° Lpzg, KGT Scheffer 05.   1 — d
— Kind u. Politik. (23) 8° Grosslichterf., Verl. d. „Hauslehrers" 04.   — 50 d
— Mütterfibel. Anl. f. Mütter, ihre Kinder selbst lesen zu lehren. 1. u. 2. Taus. (128) 8° Lpzg, KGT Scheffer 03.   L. nn 3.40 d
— Polen u. Deutsche, s.: Hauslehrer-Schriften.
— Das Recht auf Arbeit u. d. Arbeiterinteressen. Socialpolit. Skizzen, m. e. einleit. Artikel üb. Bismarck u. d. Recht auf Arbeit v. Scheffer. 2. Afl. (60) 8° Lpzg, KGT Scheffer 02. — 75 d
— Die Sage v. Doktor Heinr. Faust, Der Jugend u. d. Volke erzählt. (259) 8° Ebd. 02.   4 — d
— Warum feiern wir Schillers Todestag? 1—30. Taus. (46 m. Bildnis u. 2 Abb.) 8° Halle, Bh. d. Waisenh. 05.   — 20 d

Otto, B: Die Schulreform im 20. Jahrh. Vortr. 2. Afl. (36) 8° Lpzg, KGT Scheffer 01.   — 60
— Tirocinium Caesarianum. Liber I. (63) 8° Ebd. 03. Geb. — 90
— Vorlesebuch. (139) 8° Ebd. 03.   Geb. 1.20 d
— Die Zukunftsschule. Lehrg., Einrichtgn u. Begründg. 1. Tl. Lehrg., nach psycholog. Experimenten m. Eltern, Erzieher u. Lehrer dargest. (219) 8° Ebd. 01.   4 —; geb. 5 — d
Otto, C, s.: Jean Paul's Briefwechsel m. sr Frau u. Christian Otto.
Otto, E: Deut. Frauenleben im Wandel d. Jahrhunderts. — Das deut. Handwerk in sr kulturgeschichtl. Entwickelg, s.: Aus Natur u. Geisteswelt.
Otto, E: Pflanzer- u. Jägerleben auf Sumatra. (185 m. Taf.) 8° Berl., W Süsserott 03.   L. 5 —
Otto, E: French conversation-grammar. 13. ed., by CT Onions. (Method Gaspey-Otto-Sauer.) (408 m. 1 Karte u. 1 Pl.) 8° Hdlbg, J Groos 05.   Geb. 4 —; key. 8. ed. (77) Kart. 1.60
— German conversation-grammar. 28. ed. by F Lange. (Method Gaspey-Otto-Sauer.) (418 m. 2 Schrifttaf., 1 Karte u. 1 Pl.) 8° Ebd. 01.   Geb. 5 —
— Kl. deutsch-französ. Gesprächb. z. Gebr. f. d. Jugend. 106. Afl. (196) 16° Strassbg, Strassb. Druckerei u. Verl.-Anst. (05).   — 60 d
— Neues englisch-deut. Gesprächb. z. Schul- u. Privatgebr. 13. Afl. (116) 8° Stuttg., JB Metzler (04).   Kart. 1 — d
— Neues französisch-deut. Gesprächb. z. Schul- u. Privatgebr. 34. Afl. (124) 8° Ebd. (04).   Kart. 1— d
— Französ. Gespräche (conversations franç.) od. französ. Konversations-Schule. 8. Afl. v. H Runge. (Methode Gaspey-Otto-Sauer.) (140) 8° Hdlbg, J Groos 05.   Geb. 2.40 d
— Gramática elemental de la lengua alemana. Reformada por E Ruppert. (Método Gaspey-Otto-Sauer.) 5. ed. por E Runge. (222 m. 1 Schrifttaf., 1 Karte u. 1 Pl.) 8° Ebd. 02. || 6. ed. (232 m. 1 Schrifttaf., 1 Karte u. 1 Pl.) 04.   Geb. je 2 —
— Nouv. grammaire allemande. (Méthode Gaspey-Otto-Sauer.) 2 Tle in 1 Bde. 17. ed. par M Nicolas. (176 u. 119 u. 37 m. 1 Schrifttaf., 1 Karte u. 1 Pl.) 8° Ebd. 02.   Geb. 3.60; corrigé des thèmes. (94) Kart. 1.60
— Petite grammaire allemande. 9. éd. par P Verrier. (Méthode Gaspey-Otto-Sauer.) (192 m. 1 Karte, 1 Pl. u. 1 Schrifttaf.) 8° Ebd. 03.   Geb. 2 —
— Elementary German grammar. 8. ed. by J Wright. (Method Gaspey-Otto-Sauer.) (196 m. 1 Schrifttaf., 1 Karte u. 1 Pl.) 8° Ebd. 04.   Geb. 2 —
— Französ. Konversations-Grammatik z. Schul- u. Privatunterr. 27. Afl. v. H Runge. (Methode Gaspey-Otto-Sauer.) 2 Tle in 1 Bde. (187, 147 u. 54 m. 1 Karte u. 1 Pl.) 8° Ebd. 03. Geb. 3.60 d
— Lectures allemandes. (Méthode Gaspey-Otto-Sauer.) 2.partie. Versions allemandes, accompagnées de notes explicatives et d'un vocabulaire. 5. éd. par P Verrier et M Nicolas. (190 u. 50 m. 1 Karte u. 1 Pl.) 8° Ebd. 03.   Geb. 2 — d
— Franzôs. Leseb. m. Konversations-Übgn f. Mädchensch. u. and. weibl. Bildgsanst. 5. Afl. v. H Runge. 1. Kurs. f. d. unt. u. mittl. Kl. (Methode Gaspey-Otto-Sauer.) (317 m. 1 Karte u. 1 Pl.) 8° Ebd. 05.   Geb. 2.40 d
— Materials for translating Engl. into German. (Method Gaspey-Otto-Sauer.) Key. 5. ed. (110) 8° Ebd. 03.   Kart. 1.60
— The German reader. (Method Gaspey-Otto-Sauer.) 2 Tle. 8° Ebd. 01.   Geb. je 2.40
   1. A selection of readings in German lit., with explanatory notes and a vocabulary in 3 parts. Revised by J Wright. 1. part. Anecdotes, fables, descriptions, fairy-stoires, parables, tales and easy poems. 7. ed. (205 m. 1 Karte u. 1 Pl.)
   2. Revised by H Runge. 2. part. Select readings in German lit., with explanatory notes and a complete vocabulary. 5. ed. (219 m. 1 Karte u. 1 Pl.)
— y G K ordgien: Gramática sucinta de la lengua francesa. 4. ed por F Tanty. (Método Gaspey-Otto-Sauer.) (210 m. 1 Karte u. 1 Pl.) 8° Ebd. 04.   Geb. 2 —
— e P Motti: Grammatica elementare della lingua tedesca. (Método Gaspey-Otto-Sauer.) 5. ed. (196 m. 2 Schrifttaf., 1 Karte u. 1 Pl.) 8° Ebd. 01.   Geb. 2 —
— u. H Runge: Kl. engl. Sprachlehre, bes. f. Elementarkl. v. Real- u. Töchtersch., sowie f. erweit. Volks-, Fortbildgs- u. Handelssch. 6. Afl. (Methode Gaspey-Otto-Sauer.) (318 m. 1 Pl.) 8° Ebd. 01.   Geb. 1.60 d
— Kl. französ. Sprachlehre, bes. f. Elementarkl. v. Real- u. Töchtersch., sowie f. erweit. Volks-, Fortbildgs- u. Handelssch. 7. Afl. (Methode Gaspey-Otto-Sauer.) (918 m. 1 Karte u. 1 Pl.) 8° Ebd. 01.   Geb. 1.80 d
Otto, E: Typ. Motive in d. weltl. Epos d. Angelsachsen. (90) 8° Berl., Mayer & M. 02.   3.60 d
Otto, F, s.: Necrologium, d., d. Klosters Clarenthal.
Otto, F: Auw. deut. Gedichte f. d. Mittel- u. Oberst. höh. Mädchensch. 3. Afl. (235) 8° Berl., FA Herbig 05. Geb. 3 — d
— Rechenanleit. f. höh. Mädchensch. Auf Grund d. Rechenaufgaben v. A Büttner u. E Kirchhoff bearb. 7 Hefte. 8° Lpzg, C Hirt & S.   2.60 d
   1. (1. Schul.) 1—90. Taus. (39 m. Fig.) 05. — 90 § II. (2. Schul.) 16—20. Taus. (32) 05. — 90 § III. (3. Schul.) 21—25. Taus. (48) 05. — 80 § IV. (4. Schul.) 21—25. Taus. (48) 05. — 90 § V. (5. u. 6. Schul.) 21—25. Taus. (72) 04. — 90 § VI. (7. Schul.) 05. — 60 § VI. (7. Schul.) 19—20. Taus. (40) 04. — 90 § 21—25. Taus. (48) 05. — 30 § VII. (8. u. 9. Schul.) 11—15. Taus. (197 m. Fig.) (03.) Kart. — 80; 17—21. Taus. (144 m. Fig.) (04.) Kart. — 80.
— dass. VII. Heft. Fazitb. (48) 8° Ebd.   — 35 d
Otto, F: Autler Schwenicke, s.: Glaser's, O, Theater-Bibliothek.

Otto, F (FO Spamer): Neuere deut. Geschichten v. d. Reformation bis z. gold. Zeitalter d. deut. Dicht- u. Tonkunst. 5. Afl. (320 m. Abb.) 8° Lpzg, O Spamer 01. 3.50; geb. 4.50 d
— Neueste deut. Geschichten a. d. 19. Jahrh. bis z. Wiederaufrichtg d. Deut. Reichs. 6. [Tit.-]Afl. (448 m. Abb.) 8° Ebd. [1898] 05. 3.50; geb. 4.50 d
— Der Jugend Lieblings-Märchenschatz. 7. Afl. (480 m. Abb. u. 8 Farbdr.) 8° Ebd. (04). 6 —; geb. 7 — d
— Der gr. König u. s. Rekrut. Lebensbilder a. d. Zeit d. 7jähr. Krieges. Für Volk u. Heer, insbes. f. d. reif. Jugend bearb. 13. Afl. (388 m. Abb. u. 16 [8 farb.] Vollbildern.) 8° Ebd. 06. 5 —; geb. 6 — d
— Männer eigner Kraft. Vorbilder v. Hochsinn, Thatkraft u. Selbsthilfe f. Jugend u. Volk. 7. [Tit.-]Afl. v. R Roth. (283 m. Abb.) 8° Ebd. [1899] 04. || 8. Afl. (Ohne Angabe e. Bearb.) (302 m. 8 Vollbildern.) 06. je 5 —; geb. je nn 6 — d
— Der Sohn d. Schwarzwaldes, neue Ausg., s.: Hebel, JP, Geschichten a. d. rhein. Hausfreunde.
— Das Tabakskollegium. Eine Gesch. a. d. Zeit d. Zopfes f. d. deut. Volk u. d. reif. Jugend unter Benutzg d. Erzählg v. MA Niendorf „Der König e. Maler". 6. [Tit.-]Afl. (310 m. 8 Farbdr.) 8° Ebd. [1900] 04. 3.50; geb. 4.50 d
Otto, F: Armee-Remontierg u. Pferde-Anhang. Vorschläge z. Bildg e. Kriegs-Reserve v. Militärpferden. 2. Afl. (34) 8° Lpzg, F Luckhardt 03. 1 — d
— Branznöde Heeresfragen. (226) 8° Ebd. 05. 1 — d
Otto, F: Der Gebr. d. Substantivums an Stelle and. Konstruktionen im Französ. (153) 8° Hannov. 03. (Gött., Vandenhoeck & R.) 3 —
Otto, F: Anl., d. Leseb. als Grundl. u. Mittelpunkt e. bild. Unterr. in d. Muttersprache zu behandeln. 9. Afl. v. HO Zimmermann. (304) 8° Lpzg, CF Amelang (01). 2.40 d
Otto, FA: Die Auflösg d. Gleichgn m. Berücks. d. neuesten Fortschritte. 4. Afl. (63) 8° Düsseldf 04. Essen, FA Otto. Kart. (3 —) 2 —
— Ein Problem d. Rechenkunst. Allg. Verfahren z. Bildg u. Auflösg v. Gleichgn m. e. Unbekannten. (Beliebiger Grad u. jede Form.) 3. Afl. (56) 8° Ebd. 02. (— 50) 1 —
Otto, FW: Entwickelg. Woher? Wohin? — Ist d. Mensch frei?, s.: Zeitfragen d. christl. Volkslebens.
Otto, G (GO Kellerbauer): Simon Petrus. Gedichte. (48) 12° Zwick., J Herrmann 02. 1 —; L. m. G. 1.50 d
Otto, H: Die ländl. Fortbildgsschule. Mit e. Anh.: Ministerialerlasse f. d. ländl. Fortbildgsschulwesen. (61) 8° Berl., P Paray 05. 1.20 d
— Lehrpl. f. gewerbl. Fortbildgssch. (31) 8° Lpzg, J Klinkhardt 01. — 60 d
— Leseb. f. ländl. Fortbildgssch. Mit Anh. Fortbildgsschulleseb. v. Kälker u. Rodig. (348) 8° Lpzg, H Voigt 05. L. nn 2.20 d
— Rechenb. f. ländl. Fortbildgssch., s.: Knak, P.
Otto, H: Ein anderes besseres Wahlrecht, d. Forderg aller gut völkisch denk. Deutschen! Off.Eingabe an d. deut.Reichstag. (10) 8° Dresd., A Arnold & Gröschel (03). — 40
Otto, H: Im Dorfe, s.: Steinzeichnungen deut. Maler.
Otto, H: Äneis. In d. Sprache d. Zehnjährigen erzählt. (130) 8° Lpzg, KGT Scheffer 04. Geb. 2 — d
— Ilias. In d. Sprache d. Zehnjährigen erzählt. 1—3. Taus. (114 m. 6 Bildern.) 8° Ebd. 04. Geb. 2.25 d
— Die Nibelungensage. In d. Sprache d. Zehnjährigen erzählt. 2 Bde. 1—3. Taus. 8° Ebd. 04. Geb. je 2 — d
   1. Sigfridsage. (110) || 2. Hildebrantsage. (108)
— Odyssee. In d. Sprache d. Zehnjährigen erzählt. 1—3. Taus. (102 m. 10 Bildern.) 8° Ebd. 03. Geb. 2.25 d
— Sagen u. Märchen, in d. Sprache d. Achtjährigen erzählt. (119 m. Abb.) 8° Ebd. 04. Geb. 2.50 d
Otto, H, s.: Luise Henriette Kurfürstin v. Brandenburg.
— Im Wald u. auf d. Heide. Bilder a. d. heim. Natur. (135 m. Abb.) 8° Mörs, JW Spaarmann (04). 1.50 d
Otto, HC: Schreibmaschine. Geschäftsaufsätze 1—3, v. E Horn. Berl., M Rockenstein (03). nn — 75 d
   1. (64) 4° — 10 || 2. (40) 4° nn — 25 || 3. (40) Fol. nn — 30.
— dass. Rockenstein's Rundschriftheft. (32) 4° Ebd. (03). — 20;

Ergänzungsheft s. u. d. T.: Zedler, P, Postheft.

— Neue Berliner Schreibhefte. Heft 1—13, 13a, 14, 14a, 15, 15a, 16, 16a u. 17—30. 8° Gebw., J Boltze 00. nn 2.60 d
   13, 13a, 14, 14a, 15a, 16a. (20) nn — 10 || 16. (32) — 20 || 18. Geschäftsaufsätze. (20) nn — 10 || 19. Geschäftsaufsätze u. abgekürzte Bezeichngn d. Münzen, Masse u. Gewichte d. Deut. Reiches. (28) — 20 || 30. Geschäftsaufsätze III. (20) nn — 10.
— Schreibschule f. Schule u. Haus. 16 Schulhefte (m. Vorschrif. ten u. Anweisgn.) (Je 24) 8° Ebd. (04). Je nn — 15 d
— dass. Rundschrift. I. (32) 4° Ebd. (01). — 25 || Übgsheft (32) — 30 || II. (32) (02.) — 30 || Übgsheft (32) nn — 25
Otto, HW, s. a.: Saltarino, S.
— s.: Artisten-Kalender, internat.
Otto, J: Sprachlehre u. Rechtschreibg f. d. Mittelst. Lehrerheft. 1. u. 2. Afl. (52) 8° Gebw., J Boltze 00. 1.30; Schülerheft. (52) — 40 d
— dass. f. d. Oberst. Lehrerheft. (126) 8° Ebd. 04. Kart. 1.50 d
Schülerheft s. u. d. T.: Sprachlehre u. Rechtschreibung.
Otto, K: Fibel u. 1. Leseb. f. d. Schulen Deutsch-Südwest-Afrikas. (76 m. Abb.) 8° Berl., C Heymann 01. Geb. 1.50 d

Otto, K: Das bürgerl. Recht d. deut. Reiches auf d. Grundl. v. Pöhlmanns Gedächtnislehre gemeinverständlich erläutert, s.: Pöhlmann's jurist. Handbb.
Otto, KH: Die Harmonie d. Gegensätze als Grundl. d. Kunst im Leben. (50) 8° Darmst. 02. Wiesb., Hauskunst-Verl. J Köstler. 1.50 d
— Feige Väter — Herzlose Mütter. Mahnworte u. befreiende Worte, (80) 8° Ebd. 02. 1 —
Otto, L: Enderweck d. Menschh.-Daseins. (63) 8° Berl., (L Simion Nf.) 04. 1 —
Otto, LE: Rosa Violetta. Humoristisch-trag. Erzählg. (143) 8° Dresd., E Pierson 01. 2.50; geb. 3.50 d
Otto, M: Erika. Roman. (174) 8° Dresd., E Pierson 04. 2 —; geb. 3 — d
Otto, P: Reg., s.: Creizenach, W, Gesch. d. neueren Dramas.
Otto, R: Prüfgstechn. Erfahrgn bei d. Wertbestimmg d. Tuberkulins. [S.-A.] (6) 8° Jena, G Fischer 04. — 50
— Ueb. d. Lebensdauer u. Infektiosität d. Pestbazillen in d. Kadavern v. Pestratten, s.: Festschrift z. 60. Geburtstage v. Rob. Koch.
Otto, R: Leben u. Wirken Jesu nach historisch-krit. Auffassg. Vorträge. 1—3.Afl.(76)8°Gött.,Vandenhoeck & R. 02. Kart. 1.35 || 4. Afl. (86) 05. 1 — d
— Naturalist. u. relig. Weltansicht, s.: Lebensfragen.
Otto, T: Ein Pensionsstreich, s.: Universal-Bibliothek.
Otto, W: Neues französisch-deut. u. deutsch-französ. Taschenwrtrb., s.: Wessely, JE.
Otto, W: Priester u. Tempel im hellenist. Ägypten. 1. Bd. (418) 8° Lpzg, BG Teubner 05. 14 —; geb. 17 —
Otto-Arndt, M: Tot sein heisst — leben! Der Menschh. zuger. (158) 8° Lpzg, O Mutze (05). 1 —; geb. 2 — d
Ottsen, O: Wesen u. Bedeutg d. Helfersystems in d. Schulen, s.: Abhandlungen, pädagog.
Ottsen, C: Telemann als Opernkomponist, s.: Studien, naturwiss.
Otzen, J: Ausgeführte Bauten. 8. Lfg. (20 lith. u. Lichtdr.-Taf. m. Text. 2. Bd. 5 u. 7) 49,5×33 cm. Berl., E Wasmuth (04). In M. 25 — 1—8.: 200 —)
— Das Moderne in d. Architektur d. Neuzeit. Rede. (26) 8° Berl., ES Mittler & S. 04. — 80
Otzbert, A: Arbeitsbedingg bei Submissionen. Übers. v. T Hauptvogel. (161) 8° Lpzg, Dieterich 02. 3 —; geb. 3.80 d
Ouckama, G, s. a.: Knoop, GO.
— Outsider. Novellen. (160) 8° Dresd., E Pierson 01. 2.50; geb. 3.50 d
Ouida (Mad. L de la Ramée): Bebée. Die schöne Favette, s.: Kürschner's, J, Bücherschatz.
— Farnmor, s.: Erzählungen, klass., d. Weltlitt.
— Gardereiter, s.: Weichert's Wochen-Bibliothek.
— Zwei Novellen. 1. u. 2. Bdchn. 2. Afl. (96 m. Titelbild u. 125) 8° Berl., Neufeld Verl.-Anst. (03). Je — 50 d
— The Nürnberg stove, s.: Authors modern Engl. (H Saure).
— Ruffino, s.: Kürschner's, J, Bücherschatz.
— 2 Sünder, s.: Engelhorn's allg. Roman-Bibliothek.
— Street dust and other stories. — Critical studies, s.: Collection of Brit. auth.
— Syrlin. Roman. (Neue [Tit.-]Ausg.) 2 Bde. (379 u. 424) 8° Stuttg., Deut. Verl.-Anst. [1891] (02). 1.50; geb. 2 — d
— Treu bis in d. Tod. Ein regner. Juni, s.: Kürschner's, J, Bücherschatz.
— Fürstin Zouroff, s.: Universal-Bibliothek.
Ovári, C, s.: Corpus juris hungarici.
Oven, v.: Takt. Ausbildg d. Sanitäts-Offiziere. 2. Afl. (112 m. Skizzen, 1 farb. Taf. u. 2 Kart.) 8° Berl., R Eisenschmidt 01. 3 — d
Overbeck: Wie kam Metz zu d. Wassernot? (85 m. 2 Kartenskizzen.) 8° Metz, P Müller 03. 1.50 d
Overbeck, A: Brüderchen u. Schwesterchen, s.: Goepfart, O.
Overbeck, A Frhr v.: Das Strafrecht d. französ. Encyklopädie, s.: Abhandlungen, Freiburger, a. d. Geb. d. öffentl. Rechts.
Overbeck, F: Ueb. d. Christlichk. uns. heut. Theol. 3. Afl. (217) 8° Lpzg, CG Naumann 03. 3.50; L. 4.50
Overbeck, J: Ein Liederstrauss. (144) 8° Dortm., Koeppen 04. 1.50; geb. 2 — d
Overberg, BH. Bearb. v. A Knöppel, s.: Gressler's, FGL, Klassiker d. Pädagogik.
— Anweisg z. zweckmäss. Schulunterr., s.: Sammlung d. bedeutendsten pädagog. Schriften. — Schriften hervorrag. Pädagogen.
Overmann, A: Die Abtretg d. Elsass an Frankr. im westfäl. Frieden. [S.-A.] (121) 8° Karlsr., G Braun'sche Hofbuchdr. 05. 2.40
— Die ersten Jahre d. preuss. Herrschaft in Erfurt, 1802—06. (Festschrift z. Feier d. 100jähr. Zugehörigk. Erfurts zu Preussen.) (145 m. Abb.) 8° Erf., Keyser 02. 2 — d
— Die Stadtrechte v. Naumn u. Lippstadt, s.: Veröffentlichungen d. histor. Kommission f. Westfalen.
Overton, E: Studien üb. d. Narkose, zugl. e. Beitr. z. allg. Pharmakol. (195) 8° Jena, G Fischer 01. 4.50
— 39 Thesen üb. d. Wasserökonomie d. Amphibien u. d. osmot. Eigenschaften d. Amphibienhaut. (Vorläuf. Mitteilg.) [S.-A.] (19) 8° Würtzbg, A Stuber's V. 04. — 80
d'Ovidio, F, u. W Meyer-Lübke: Grammatik d. italien.Sprache. 2. Afl. v. W Meyer-Lübke. [S.-A.] (75) 8° Strassbg, KJ Trübner 05. 1.60; geb. 2.50

Ovidius Naso, P, s.: Dichter, latein.
— Opera omnia. Textum ad cod. Lips. aldinarumque fidem accurate recogn. CH Weise. Nova ed. ster. C Tauchnitiana. Tom. I. Heroides. Amores. Ars amatoria. Remedia amoris. Halieuticon Fr. consolatio ad Liviam. Nux elegia. Sabini epistolae tres. Nova impressio. (350) 16° Lpzg, O Holtze's Nf. 02. — 90
— Werke. 5., 11., 12., 14—16., 20., 22., 23., 25—28., 31. u. 32. Lfg. 8° Berl.-Schöneberg, Langenscheidt's V. Je — 35 d
5.11. Metamorphosen. Deutsch im Versmasse d. Urschrift. Übers. u. erläutert v. E Suchier. 5. Lfg. 5 Afl. u. 11. u. 12. Lfg. 4 Afl. (3. Bd. 1—82 u. 97—141) (04.02.) | 14—16. Festkalender. Deutsch im Versmasse d. Urschrift. Übers. u. erläut. v. E Klussmann. 2. u. 3. Lfg. 5. Aft. u. 4. Lfg. 4. Afl. (17—166) (1900.25.03.) | 20. Klagelieder. Deutsch im Versmasse d. Urschrift v. A Berg. 3. Lfg. 4. Afl. (91—196) (03.) | 22. Briefe a. Pontus, Halieutika, Ibis. Deutsch im Versmasse d. Urschrift v. A Berg. 2. u. 3. Lfg. 3. Afl. (2. Bd. 33—126) (02.05.) | 25—27. Liebesgesänge. Deutsch im Versmasse d. Urschrift v. A Berg. 1—3. Lfg. 3. Afl. (1—130) (03.) | 28. Kunst zu lieben. (Ars amandi.) Deutsch im Versmasse d. Urschrift. Übers. u. erläut. v. A Berg. 1. Lfg. 4. Afl. (1—48) (05.) | 31.32. Briefe d. Heroiden. Deutsch im Versmasse d. Urschrift v. A Berg. 1. u. 2. Lfg. 3. Afl. (1—96) (01.02.)
— de arte amatoria libri tres. Erklärt v. P Brandt. 2 Abtlgn in 1 Bde. (23, 255) 8° Lpzg, Dieterich 02. 8 —; HF. 10 —; 1. Abtlg. Text u. Kommentar. (1—199) allein 6.40; 2. Abtlg. Anh.; Zusätze u. Ausführgn z.Kommentar.(201—255)allein1.60
— Carmina selecta. Für d. Schulgebr. hrsg. v. J Golling. 4. Afl. (271) 8° Wien, A Hölder 04. Geb. 2 —
— Gedichte. Ausw. Textausg. f. d. Schulgebr. v. O Stange. (278) 8° Lpzg, BG Teubner 05. Geb. 2 —
— dass. Ausw. Von Tegge. I. u. II. Tl. Text u. Kommentar. 8° Berl., Weidmann. Geb. 8.40
I. Text. (183) 02. 1.60 | Kommentar. (216) 03. 2 —
II. Text. (216) 04. 2.20 | Kommentar. (274 m. 1 Pl.) 04. 2.60
— Ansgew. Gedichte. Für d. Schulgebr. hrsg. v. HS Sedlmayer. 6. Afl. (30, 220 m. Abb.) 8° Lpzg, G Freytag 02. Geb. 1.80 d
— Kunst zu lieben. In freier metr. Übertragg v. H Blümner. (187) 8° Berl., Concordia 02. 3 —
— Metamorphosen. 1. Bd. Buch I—VII. Erklärt v. M Haupt. Nach d. Bearbeitgn v. O Korn u. HJ Müller in 8. Afl. besrg. v. R Ehwald. (363) 8° Berl., Weidmann 03. 4 —
— dass. Ausw. f. d. Schulgebr., bearb. u. erläut. v. F Harder. (Neudr.) Text. (164) 8° Bielef., Velhagen & Kl. 05.
Kart. (1.30) 1.50; Kommentar. (185) Kart. 1.50
— dass. (in Ausw.). Nebst e. Reihe v. Abschnitten a. s. übrg. Dichtgn hrsg. v. M Fickelscherer. Text B. 4. Afl. (22, 154) 8° Lpzg, BG Teubner 03. Kart. 1.35
— dass. Kommentar. 4. Afl. (165) 8° Ebd. 05. Kart. 1.40;
m. d. Hilfshefte in 1 Bd geb. 2.20
— dass. Nach Text u. Kommentar getrennte Ausg. (b) f. d. Schulgebr. v. H Magnus. II. Edebn. Buch VI—X. 2 Hefte. 2. Afl. (114 u. 76) 8° Gotha, FA Perthes 03. 1.80
— dass. Für d. Schulgebr. ausgew. u. erklärt v. J Meuser. 8. Afl. v. A Egen. (255) 8° Paderb., F Schöningh 03. 1.60;
geb. 2 —
— Metamorphoses. Ausw. f. Schulen. Mit Anmerkgn u. e. mythologisch-geograph. Register. 2 Hefte. 8° Lpzg, BG Teubner.
Je 1.50; geb. je 2 —
1. Buch I—IX. Nach J Siebelis u. F Polle in 17. Afl. besorgt v. O Stange. (267) 04. | 2. Buch X—XV u. d. mythologisch-geograph. Reg. enth., v. J Siebelis. In d. bis 13. Afl. besorgt v. F Polle. 14. Afl. besrg v. O Stange. (178) 02.
— dass., s.: Wächter's Schülerfreund.
— Verwandlgen, s.: Bibliothek, kl.

Owiglass: Der saure Apfel, s.: Bibliothek Langen, kl.

Owyjannikow, P: Das Rückenmark u. d. verlängerte Mark d. Neunauges. [S.-A.] (32 m. 1 Taf.) 4° St. Pétersbg 03. (Lpzg, Voss' S.) 2 —

Oxenden, A: Der aufrichte. Kommunikant. Vorbereitg auf d. hl. Abendmahl. Uebers. v. H Medem. 3. Afl. (47) 8° Berl., Schrifteuvertriebsanst., (03). L, m. G. — 70 d

Oyen, PA: Versuch e. glacialgeolog. Systematik. [S.-A.] (30) 8° Christiana, (J Dybwad) 04. — 40

Oeynhausen, (J:) Während Mamas Badereise u. and. Gesch. f. d. Jugend. (174) 8° Hanau, Clauss & Feddersen 03. Geb. 3 — d

Oxrot Chajim. Katalog d. Michael'schen Erben, hrsg. v. Michael'schen Erben. Nebst e., vielfache Berichtiggn z. Excerpte enth. Register z. Verz. d. Handschriften v. M Steinschneider in e. Vorworte v. L Zunz. Hambg1848. (Berl., L Lamm.) 1.50

Paal, K: Zur Kenntnis d. Albuminpeptone. [S.-A.] (24) 8° Lpzg, A Deichert Nf. 01.

Paalzow, H: Zur Polenfrage. Der dpol. d. poln. Sprache in polit. Versammlgn. — Die poln. Postadressen. 2 Rechtsgutachten. (84) 8° Berl., O Liebmann 02. 1.60 d

Paap, WA: Königsrecht. Drama. (186) 8° Mind., JCO Bruns 03. 2.50; geb. 3 —

Paar, E (L Gies): Auf d. Jagd n. d. Glück. Roman. 2. Afl. (206) 8° Lpzg, F Luckhardt 01. 2 —; geb. 2.80 d
— Das Pflegekind d. Hagestolzen. Roman. 4. Afl. (229) 8° Ebd. 01. 2 —; geb. 2.80 d
Beide in 1, Afl, unter d. Pseudonym L Gies erschienen.

Paar, J: Leitf. d. Retonche d. photograph. Bildes. 3. Afl. (92 m. Abb. u. 8 Beil.) 8° Lpzg, E Liesegang 04. 2.50
— Natur, Wahrheit u. Schönheit. Materialistisch-spiritualist. Betrachtgn. (67) 8° Lpzg, O Mutze (02). 1.20 d

Paasch, H: ,,Vom Kiel z. Flaggenknopf". Illustr. Marine-Wrtrb. in Englisch, Französisch u. Deutsch. 3. Afl. (613 u. 88 m. 109 Taf., 109 Bl. Erklärgn u. Bildnis.) 8° Hambg, Eckardt & M. 01. L. 24 —

Paasch, R: Michael Servetus. Trauersp. 1. u. 2, Afl. (160) 8° Berl., L Oehmigke's V. 02. 3 — d

Paasche, H: Die Zuckerproduktion d. Welt. Ihre wirtschaftl. Bedeutg u. staatl. Belastg. (338) 8° Lpzg, BG Teubner 05. 7.40; L. 8 —

Paasche, W, s.: Greiner & Pfeiffer's Eisenb.-Karte v. Deutschl.
— Greiner & Pfeiffer's Uebersichtsk. d. Eisenb.-Direktionsbezz. Deutschlds.
— Stuttgarter Ausflugskarte, s.: Peip, C.
— Wander- u. Touristenkarten. Wander- u.Touristenk. d. Odenwaldes in 2 Bl. Je 34,5×50,5 cm. 1 : 100,000. Farbdr. Mit Routenverz. u. Entferngsangabe. (Je 9 Bl.) 8° Stuttg., W Nitzschke
— A Brettinger (02). Je 1.30; auf L. je 1.80;
m. Stäbchen z. Aufhängen 5 —
1. Darmstadt. (Odenwald,nördl.Tbl.) | 2.Heidelberg. (Odenwald, südl.Tbl.)

Paasonen, H : Die sog. Karataj-Mordwinen od. Karatajen. [S.-A.] (51) 8° Helsingf. 02. (Lpzg, O Harrassowitz.) na 2 —
— Mordvin. Lautlehre, s.: Journal de la soc. finno-ougrienne.

Paban, C, s.: Raymundiana.

Pabst s.: Jugend, gesunde.

Pabst: Grundr. zu Vortr. üb. d. allg. Lehren d. bürgerl. Rechts in vergleich. Darstellg m. d. röm. u. gemeinen Recht. (181) 8° Halle, JM Reichardt 05. 4 —; L. u. durchsch. 5 —
— dass. üb. d. allg. Lehren d. Schuldverhältn. in vergleich. Darstellg m. d. röm. u. gemeinen Rechte. (112) 8° Ebd. 06. 3.75; L. u. durchsch. 4.50
— dass. üb. d. einz. Schuldverhältn. d. bürgerl. Rechts in vergleich. Darstellg m. d. röm. u. gemeinen Rechte. (121) 8° Ebd. 05. 3.75; L. u. durchsch. 4.50 d
— Die allg. Lehren d. Strafrechts. Nach Vortr. (96) 8° Ebd. 05. 2.75; L. u. durchsch. 3.50

Pabst, A: Anfangsgründe d. Physik. — Grundr. d. Physik. — Schulphysik, s.: Sumpf, K.
Pabst, A, s.: Normallehrgang f. d. Papparbeits-Unterr.
Pabst, F: Damaschke u. d. ,,Hausagrarier". Antwort auf d. Steuerprop. d. Bodenreform v. e. Hausbesitzer. (21) 8° Dresd., E Pierson 03. — 50 d
Pabst, FR: Zur Kenntnis d. Derivate d. 2-Jod-5-Nitro-p-Xylols m. mehrwert. Jod. (28) 8° Freibg i/B., Speyer & K. 01. 1 —
Pabst G : 2 Dutzend Lügen e. Pamphlets geg. d. katbol. Kirche, s.: Flugschriften, kathol., z. Wehr u. Lehr'.
Pabst, H, s.: Landeskunde d. Herzogt. S.-Gotha.
Pabst, W: Abbildg u. kurze Beschreibg d. Tierfährten a. d. Rotliegenden Deutschlds. 1. Lfg. (12 Taf. m. 16 S. Text.) 8° Gotha, FA Perthes 04. 1.20
— Grundz. d. Mineral. u. Gesteinskde. — Grundz. d. allg. Wittergskde, s.: Hillger's illustr. Volksbb.
Pacak, F: Vergleich. Zusammenstellg solcher Wörter, welche durch d. neueste Orthogr. veränd. Schreibweise haben. 4. Afl. (8) 8° Wien (III, Erdbergstr. 3), (Gesellschafts-Buchdr. Brüder Hollinek) 02. na — 05 d
Pacchioni, G: Corso di diritto romano. Vol. I. La costituzione e le fonti del diritto. (548) 8° Innsbr. 05. Turin, Unione tipograf. editrice torinese. 14 —
Pace, Graf A : Hilfs-B. f. d. polit. Verwaltgsdienst, s.: Mayrhofer, E.
Pach, O (FJ Prochaska), s.: Festschrift z. 50. Geburtstag d. ostmärk. Dichters Anton August Naaff.
— Schlimme Kinder. (40)8° Wien, QSzelinski 1900. 1 — d Vergr.
— s.: Literaturbilder, deut., a. alter u. neuer Zeit. — Nicht rasten u. nicht rosten!
Paech: Der Leistgsverzug, e. Studie z. BGB. (189) 8° Berl., F Vahlen 02. 4 — d
Pachaly, P: Aufg. üb. d. relig. Unterr.-Stoff d. höh. Schulen. 1. Bdchn. 8° Lpzg, W Engelmann. Kart. 1 — d
1. Aufg. üb. d. Alte Test. (92) 03.
— Erläutergn zu Grillparzers ,,Abnfrau", ,,Gastfreund u. Argonauten", ,,Medea" u. ,,Sappho", s.: König's, W, Erläutergn zu d. Klassikern.
Pache, A: Naturgefühl u. Natursymbolik bei Heinr. Heine. (164) 8° Hambg, L Voss 04. 3.90
Pache, G: Neue Fibel f. d. 1. Leseunterr. 2 Tle. 8° Strassbg, Strassb.Druckerei u.Verl.-Anst. 03. — 90; Einbde je nn — 10 d
1. 13. Afl. (88 m. Abb.) — 40 | II. 4. Afl. (126) — 30.
pache, L: Hausmädchen, Stubenmädchen, Köchin, Zofe, s.: Frauen-Berufe.
Pache, M, s.: Beiträge z. Vertiefg d. kirchl. Unterweisg.
Pache, O, s.: Fortbildungsschule, d. höh.
— Hdb. d. deut. Fortbildgsschulwesens. 6. u. 7. Tl. (161 m. Bildn. u. 200) 8° Wittenbg, R Herrosé 02.05. Je 4 (1—7. 37 —) d
— s.: Kalender f. Lehrer an Fach- u. Fortbildgssch.
— Die Lehre v. d. Gesellschaft, s.: Erläutergn f. d. Unterr. in d. Fortbildgssch.
— u. H **Walther**: Gesetzeskde u. Volkswirtschaftslehre. 1. Tl: Die Gesetzeskde. 2. Tl. Abschn. Lehrb. f. d. Fortbildgssch. u. Lehrb. d. Fortbildgssch. (170) 8° Lpzg, F Reimboth (1900). 1.20 d
Pachelbel, JF: Vor 100 Jahren im Würzburg. Ein Zeitbild a. d. Anfang d. 19. Jahrh. m. bes. Berücks. d. Wiedererstehens e. protestant. Gemeinde im J. 1803. (75 m. Abb.) 8° Würzbg (J Kellner) 03.
Pacher, C (v.): Die Lehensweckg d. Wiener Stadtbahn. Vortr. (27 m. 1 Pl.) 8° Wien, R Lechner's S. 03. 1 —
— s.: Umgestaltung, d., d. Verkehrs d. Wiener Stadtbahn.
Pacher, P: Das Flugproblem wiedereinmal ,,endgiltig gelöst". Mit Reflexlicht auf F Ritter v. Loessl's Luftwiderstandsges.

u. and. Wunderlichk. d. Fluggelehrten. (74) 8° Salzbg (Nonnberg 16), Selbstverl. 03.　　　1 — d
Pacher, P, s.: Politik.
— Der klägl.Versuch, Eug.Dühring totzuschweigen. 1.—10.Taus. (123) 8° Salzbg (Nonnberg 16), Selbstverl. 04. || 2. Afl. (124) 04.
　　　Je — 20 d
Pacher v. Theinburg, G: Bericht üb. e. einheitl. intern. Unfallstatistik, s.: Kögler, K.
Pachinger, AM: Wallfahrts- u. Weihe-Münzen d. Erzh. Österr. ob. d. Enns. (31) 8° Linz, (Zentraldruckerei vorm. E Mareis) 04.　　　1.60
Pachner-Eggenstorf,A v.:Der österr.Zivilstaatsdienst.Sammlg d. auf d.Anstellg u. d. Rechtsverhältn. d. Zivilstaatsbeamten u. -Diener Bezug hab. Vorschriften. (In etwa 24 Lfgn.) 1—15. Lfg. (1—720) 8° Wien, Manz 04.05.　　　Je — 75 d
Pachnicke u. Frhr v. Berlepsch: Die Errichtg e. Reichsarbeitsamtes, s.: Schriften d. Gesellsch. f. soz. Reform.
Pachtler, M: Die Ziele d. Sozialdemokratie u. d. liberalen Ideen, s.: Frage, d. soz., beleuchtet durch d. Stimmen a. Maria-Laach.
Pachtrevier, d., d. Ebene u. s. Behandlg. Vom langen Doktor (ECW Sandré), Verf. v.: Die Jagd m. Lockinstrumenten. (67) 8° Münch., E Pohl 02.　　　1 — d
Pack, H: Deut. Fibel f. russ. Kinder. 3. Afl. (86) 8° Mosk., J Deubner 1900.　　　Kart. 1.20 d
Packetposttarif. Bearb. im Reichs-Postamt. Amtl. Ausg. (468) 4° Berl., R v. Decker 01.　　　Kart. 6 —
— Vgl. Paketpost-Tarif.
Packung d. Brodsackes im Felde. Zusammengest. v. A B. 70,5× 46 cm. Farbdr. Wien, G Freytag & B. (05).　　　— 80
— d. Patronentornisters. Zusammengest. v. A B. 70,5×46 cm. Farbdr. Ebd. (05).　　　— 80
— d. Tornisters im Felde. (Kalbfelltornister f. Infant.) Zusammengest. v. A B. 70,5×46 cm. Farbdr. Ebd. (05).　　　— 80
— dass. im Frieden. Zusammengest. v. A B. 70,5×46 cm. Farbdr. Ebd. (05).　　　— 80
Pacyna, K: Zeichenhefte, s.: Meyer, K.
Paczkowski, S: Die Autointoxication (Selbstvergiftg d. Körpers) als Grundl. zu Erkrankgn. 2. Afl. (127) 8° Lpzg, E Demme 03.　　　1 — d
— Behandlg d. Geschlechts-Krankh. u. -Schwächen. 2. Afl. (132 m. Abb.) 8° Ebd. 03.　　　5 —
— Die chron. Darmschwäche, s.: Willst du gesund werden.
— Frauenleiden, Unterleibsleiden, Migräne etc. Ursachen, Verhütg u. naturgemässe Behandlg, zugl. ärztl. Ratschläge üb. Erzielg e. leichten Entbindg. [S.-A.] (15) 8° Lpzg, E Demme 03.　　　— 25
— Wie man am einfachsten, natürlichsten u. gründlichsten n. hygiein. Grundsätzen Gonorrhoe (Ausfluss) behandelt. [S.-A.] (46 m. Abb.) 8° Ebd. 03.　　　1 —
— Die Hämorrhoiden u. ihre Heilg durch e. erprobtes Blutreiniggsverfahren. 2. Afl. (33) 8° Ebd. 04.　　　— 80
— s.: Jeder s. eig. Kräuterarzt.
— Die schädl. Nebenwirkgn mancher Arzneimittel. (90) 8° Lpzg, E Demme (01).　　　— 80
— Wie erlangt man gesunden Schlaf, heit. Stimmg u. Arbeitsfreudigkeit. (39) 8° Ebd. (02).　　　— 60
Pädagog, d.lach. Red.: J Maerchner jun. 1. Jahrg. April—Dezbr 1904. 29 Nrn. (Nr. 1. 8) 8° Münch., Der lach. Pädagog. || 2. Jahrg. 1905. Red.: A Wihr. 52 Nrn. Viertelj. 1.20; einz. Nrn — 10 d 0 f
Pädagogik d. experimentelle. d. Arbeitsgemeinschaft f. experimentelle Pädagogik m. bes. Berücks. d. experimentellen Didaktik u. d. Erziehg schwachbegabter u. abnormer Kinder. Begründet u. hrsg. v. WA Lay u. E Meumann. 1. u. 2. Bd je 4 Hefte. (258 u. 256) 8° Lpzg, O Nemnich. Je 6.50 ;
　　　Einzeljr. je 8 —; einz. Hefte 2 —
Heft 1 u. 2 erschienen noch in Wiesbaden.
— d. moderne. Philosophisch-pädagog. Studie v. Schumann. (72) 8° Trier, Paulinus-Dr. 03.　　　— 60 d
Padberg, A v.: Holzzucht auf mittl. u. kl. Landgütern, s.: Landmann's, d., Feierstunden.
Padderats, F: Die Gesch. d. Heimatprovinz im Unterr. d. Lehrerbildgsanst., s.: Für d. Schule a. d. Schule.
— Sammlg v. Briefen f. d. Unterr.-Gebr. an höh. Lehranst. bes. an Lehrerseminaren. (184) 8° Halle, H Schroedel 03. 1.50 d
— Üb. d. bild. Wert d. Heimatgesch. Festrede. [S.-A.] (8) 8° Gotha, EF Thienemann 04.　　　— 40
Padel, W, s.: Strafprozessordnung, d. ottoman.
Padeur, A : Anl. z. einf. Untersuchg d. Kesselspeisewassers. (8) 8° Teplitz-Schönau, A Becher (02).　　　1 — d
Paar, F: Der Herr Kapellmeister od. Antonius u. Kleopatra, s.: Opern-Renaissance.
Padrath, K, s.: Sammlung, systemat., d. in Elsass-L. gelt. Ges.
— **u. Grossmann** : Das BGB. m. d. dazu gehör. Nebenges. f. Elsass-L. BGB., Ges. üb. d.Angelegenh. d. freiwill. Gerichts. bark., Grundbuchordng, Ges. üb. d. Zwangsversteigerg u. d. Zwangsverwaltg nebst d. Einführgsges. u. d. f. Elsass-L. erlass.Ausführgsges. [S.-A.](848) 12° Strassbg, KJ Trübner 01.
　　　4.50 ; HF, 6 — d
Paganetti-Hummler : Aus meiner Welt! Novellen u. Skizzen. (111 m. Bildnis. bo Wr.-Neust., K Blumrich 01.　　　4 — d
Pagani, S: Der Wolkenkönig. (Aping il Savio.) Tragödie. Aus d. Ital. v. G Locella. (132) 8° Dresd., C Reissner 03.　　　1.50 d
Pagat, H: Der Tischgast, s.: Universal-Bibliothek.

Pagel, A : Chemie u. landw. Nebengewerbe. Als Leitf. f. d. Unterr. an landw. Lehranst. bearb. 9. Afl. v. G Meyer. (175 m. Abb.) 8° Lpzg, H Voigt 05.　　　Geb. 2 — d
Pagel, F, s.: Jugendfürsorge, d.
— Deut. Lesb. f. städt. u. gewerbl. Fortbildgssch., s.: Ernst, A.
— u. F Wende : Rechenb. f. Handwerker- u. gewerbl. Fortbildgssch. Ausg. A in 4 Heften. 8° Lpzg, BG Teubner 03. 3.30
— — dass. Sonderausg. d. Aufg. z. Kranken-, Unfall-, Invaliditäts- u. Altersversicherg. (89—116) 8° Ebd. 03.　　　nn — 25
— — dass. Sonderausg. d. gewerbl. Buchführg. (51—88) 8° Ebd. 03.　　　nn — 25
— — dass. Sonderausg. d. Flächen- u. Körperberechng. (69—134 m. Fig.) 8° Ebd. 03.　　　— 50
— — dass. Ausg. B in 3 Heften. 8° Ebd. 04.　　　2.80
— 1. (112) 1 — | 2. (108 m. Fig.) 1 — | 3. (90) — 60.
— — dass. Ausg. C in 2 Heften. 8° Ebd.　　　1.80
— 1. (94) 04. — 70 | 2. (114 m. Fig.) 04. — 90.
Pagel, J, s.: Aerzte-Zeitung, deut.
— Zur Gesch. d. Ver. Berliner Armenärzte. (47) 8° Berl., A Hirschwald 04.　　　1 —
— Grundr. e. Systems d. medizin. Kulturgesch. Nach Vorlesgn. (112) 8° Berl., S Karger 05.　　　2.80
— s.: Handbuch d. Gesch. d. Medizin.
Pagenstecher : Die Unteroffiziersch. in Marienwerder 1879— 1904. (116 m. 4 Lichtdr.) 8° Berl., ES Mittler & S. 04. L 3.50 d
Pagenstecher, A : Beitr. z. Lepidopteren-Fauna. d. malayischen Archipels. XIV. Üb. d. Gattg Nyctemera Hübn. u. ihre Verwandten. [S.-A.] (85 m. 1 Taf.) 8° Wiesb., JF Bergmann 01.
　　　3.60 (I—XIV.: 37.80)
— Callidulidae, s.: Tierreich, d.
— Gicht u. Rheumatismus, s.: Weber's illustr. Katech.
— s.: Jahrbücher d. nassauischen Ver. f. Naturkde.
— Libytheidae, s.: Tierreich, d.
— Die Ornithoptera Goliath Obthr. [S.-A.] (10) 8° Wiesb., JF Bergmann 03.　　　— 80
— Sphingidan u. Bombyciden. [S.-A.] (30 m. 1 Taf.) 8° Ebd. 03.　　　1.60
— Tagfalter. (Wiss. Resultate d. Reise d. Freiherrn C v. Erlanger durch Süd-Schoa, d. Galla- u. Somaliländer in 1900 u. 01.) [S.-A.] (92 m. 1 farb. Taf.) 8° Ebd. 02.　　　3.60
(494) 8° Berl., F Vahlen 05.　　　10 —
Pagenstecher, M: Zur Lehre v. d. materiellen Rechtskraft.
Pagès, H : Die hl. Agnes, s.: Erzählungen f. Schulkinder.
— Festsp. z. Jubelfeier, z. Namensfeste e. Lehrerin, s.: Theater f. d. weibl. Jugend.
— Gelobt sei Jesus Christus! — Theodor Körner, s.: Erzählungen f. Schulkinder.
— Das Märchen, s.: Theater f. d. weibl. Jugend.
— Martha's Tagebuch. (160) 12° Münst., Alphonsus-Bh. 02.
　　　Kart. (1 —) — 80 || 3. Afl. (160) 04. Geb. — 80 d
— Das hässl. Nesserl. — Am Sylvester, s.: Erzählungen f. Schulkinder.
Pagnier, M, s.: Wörterbuch Deutsch-Esperanto.
Pahde, A: Erdkde f. höh. Lehranst. 1. u. 3—5. Tl. 8° Glog., C Flemming 01.　　　Geb. 8.70 (Vollst.: 10.50) d
— Landeskde d. preuss. Rheinprovinz. 4. Afl. (56 m. Abb. u. Kart.) 8° Bresl., F Hirt 04.　　　Kart. — 80 d
Pahlavi version, the, of Yasna IX. Ed. with the collation of mss., a literal translation into Engl. explanatory and philological notes and an introduction by MB Davar. (64) 8° Lpzg, O Harrassowitz 04.　　　3 —
Pählmann, JM v.: Anweisg z. Schreibmethode „Mentor". (43 m. Fig.) 8° Berl.-Schönebg, Langenscheidt's (V, Gebr.). — 75 d
— Die Schreibmethode „Mentor". Nach d. System d. Gebr. Pählmann. Deutsche u. latein. Schrift. Je 6 Hefte 8° Ebd. (04).　　　Je — 10 d
Pahnke,KH: Willibald Beyschlag. Gedenkbl. z. 5jähr. Wiederkehr s. Todestages. Auf Grund v. Tagebüchern, Briefen u. eig. Erinnergn. (191 m. 6 Abb.) 8° Tüb., JCB Mohr 05. 3 —;
　　　geb. n 4 — d
— Idealisten u. Idealismus d. Christentums. Allerlei a. vergang. Tagen f. d. Zeit v. heute. (195) 8° Ebd. 04.　　　2.80 ;
　　　geb. 3.80 d
— Pförtner Schulpredigten. (102) 8° Ebd. 05. 1.50; geb. 2.30 d
Pahner: Schulwandergn. (21) 8° Lpzg, Dürr'sche Bh. 05. — 50 d
Pajeken, FJ: Bob d. Fallensteller. Erzählg a. d. Westen Nordamerikas. Für d. Jugend. 4. Afl. (175 m. Abb.) 8° Lpzg, F Hirt & S. (05).　　　3 — ; geb. 4 — d
— Bob d. Millionär. Erzählg a. d. Westen Nordamerikas. Für d. reif. Jugend. 3. Afl. (192 m. Abb.) 8° Ebd. (04).　　　3 — ;
　　　geb. 4 — d
— Bob d. Städtegründer. Erzählg a. d. Westen Nordamerikas. Für d. Jugend. 4. Afl. (174 m. Abb.) 8° Ebd. (04).　　　3 — ;
　　　geb. 4 — d
— Ein Held d. Grenze. Erzählg a. d. Westen Nordamerikas. Für d. reif. Jugend bearb. 3. Afl. (191 m. Abb.) 8° Ebd. 04.
　　　geb.4 — d
— Ein Held wider Willen. Erzählg a. d. Westen Nordamerikas für d. reif. Jugend. (228 m. Titelbild.) 8° Berl., Globus Verl. (04).　　　Geb. 2.25 d

(721—986) 8° Samaden 02. (Basel, Basler Buch- u. Antiquariatsh. [vorm. A Geering].) 5 —' (Vollst.: 90 —')

Pallmann s.: Gesellschaft, kunsthistor., f. photograph. Publikationen.

Palm, C: Method. Leseb. f. Nationalstenogr. — Stenograph. Schnellschreibkurs, s.: Kunowski, v.

Palm, E: Aus 2. Hand. Drama. (118) 8° Hambg. (04). Berl., KW Mecklenburg. 3 —

Palm, E: Was muss man v. Sozialismus wissen? (104) 8° Berl., H Steinitz (01). 1 — d

Palm, E: Method. Anl. z. Erteilg d. Schreibunterr., s.: Nowack, H

Palm, R: Unter deut. Flagge, s.: Jugendbibliothek, deut.
— Kurze russ. Schreib- u. Leseschule. Nebst kl. Sprachführer f. Reisende u. Militairs. (89) 12° Berl., R Eisenschmidt 04. 1 — d

Palm, W: Rückenmarksleiden u. Rückenmarksschwäche. Mit bes. Berücks. d. Folgen geschlechtl. Krankh. u. Verirrgn. (79) 8° Lpzg, Ernst (01). 1 — d

Palma Vecchio: Violante, s.: Meisterbilder.

Palmaer, W: Üb. d. Auflösg v. Metallen, s.: Ericson-Aurén, T.

Palme u. **Schwert.** Glaubens-Lieder. (146) 8° Berl., L Frobeen (04). 1.50; geb. 2 — d

Palme, A: JG Sulzers Psychol. u. d. Anfänge d. Dreivermögenslehre. (63) 8° Berl., Fussinger 05. 1.50

Palmé-Paysen, H (Frau HO Paysen): Doktor M. Burgländer, s.: Kürschner's, J, Bücherschatz.
— Ein Hochzeitstag. Roman. (347) 8° Berl., A Taendler (03). 4 —'; geb. 5 — d
— Das Rätsel am Mälarsee. Roman. (232) 8° Berl., A Goldschmidt 04. 1 —; L. 1.50 d
— Nur e. Tänzerin. Roman. (358) 8° Berl., R Eckstein Nf. 03. (3 —) 2 —; geb. (n4 —) 3 —

Palmer, J: D'Mölerna. (110) 8° Stuttg., M Kielmann 02. Kart. 1 — d
— D'Neujohrsnacht ond and. G'schichta. (109) 8° Ebd. 05. Kart. 1.20 d

Palmer, O: Familie Mucker. Humoristisch-satir. Zeitgedicht. (41 m. Abb.) 8° Stuttg., P Mähler 04. 1 — d

Palmgren: Emden. Deutschlds neues Seethor im Westen, s. Seebedeutg einst u. jetzt. (140 m. Abb. u. Kart.) 8° Berl., W Haynel 01. 3 — d

Palmgren, KE: Erziehgsfragen, s.: Bibliothek, internat., f. Pädagogik.

Palmié: s.: Rufus. Erzählg a. d. 1. Jahrh. n. Christi Geburt. 4. Afl. (306) 8° Halle, H Peter (03). 3.50; geb. 5 — d

Palmieri, J: Die Polemik d. Islam. Aus d. Ital. v. V Holzer. (139) 8° Salzbg, A Pustet 02. 1.80

Palmzweige. Erzählgn f. Christenkinder. Begründet v. W Ziethe. Nr. 431—456. (Je 16) 16° Berl., Hauptver. f. christl. Erbauungsschriften (02-04). Je — 06;
je 12 Nrn in 1 Bd kart. je 1.30; geb. je 1.60 d

Die früheren Nrn s. u.: Ziethe, W.

— v. ostind. Missionsfelde. Grössere Serie. Nr. 17—23. (Mit Abb.) 8° Lpzg, Verl. d. ev.-luther. Mission. Je — 10 d
Gehring, A : Erinnerga. a. d. Leben e. Tamulenmissionars. 1. Reihe. Aus bes. Ostasien. Dazu als Anh.: Ein Blick auf d. ind. Missionsfeld. (32) 05. [19.] || 2. Heft. Lehr- u. Wanderj. e. Tamulenmissionars. (33) 05. [20.] || 3. Heft. 2 einsame Jahre in Birma. (30) 05. [21.] || 4. Heft. 2 Jahre im Tondimanalande. (36) 05. [22.] || Das Seminar zu Trankebar. (36) [18.] 02.
Zehme, S: Ein Monat auf Missionspfaden. Ein Blick in d. Missionsarbeit auf d. Station Mojāverem u. ihren Landpastoraten Panampalli u. Manelmōdu. (37 m. 1 Karte.) 01. [17.]
— dass. Kleine Serie. Nr. 14—17. 16° Ebd. Je nn — 05 d
Hänsch, J: Heidennacht u. Christentrost im letzten Stündlein. (21) 1900. [15.]
Schad, F : Ein Festbesuch in Pallūrei. (30) 1908. [14.]
Zehme, S: Heidnisches u. Christliches a. Kidātaleimōdu. (17 m. Abb.) 04. [16.] || Die Kindernot an Kallikadu. (16 m. Abb.) 04. [17.]

Palomeque, TJM: El ángel de la inocencia. (257 m. 1 Farbdr.) 8×11,5 cm. Freibg i/B., Herder (05). L. 1.04

Palsson, G : Grausame Geschicke, s.: Universal-Bibliothek.

Paltauf, R, s.: Zeitschrift f. experimentelle Pathol. u. Therapie.

Palten, H, v. d.: Kunst u. Proletariat. (32) 8° Dresd., E Pierson 01. 1 —

Palten, R, s. a.: Plattensteiner, R.
— Empfundenes. Liebe, Lieder u. Gedichte. (90) 8° Diessen 02. Lpzg, Modernes Verl.-Bureau. || 2. Afl. (104 m. Bildn.) 03. Je — 2; geb. 3 —
— Vom „Dr. Hons" u. and. Wiener G'schichteln. Gedichteln f. alle Freunde echten Wiener Humors. 2 Bde. (89 u. 84) 8° Lpzg, Modernes Verl.-Bureau 05. 3 —; geb. 5 —
— Kunst, Leben u. Natur. Lieder u. Gedichte. (91 m. Bildnis.) 8° Ebd. 05. 2 —
— Lautes u. Leises. Ein Liedarb. (97 m. Bildnis.) 8° Ebd. 05. 2 —

Paltzow: Die Gefahren d. Alcohols u. deren Bekämpfg. Vortr. (24) 8° Düsseldf, (C Schaffnit) (01). — 40 d

Panaotovič, JP : Sammlg deut. Reichspatente. Klasse 1, 1a, 1b u. 2, 2a—c. 8° Berl., Dr. Panaotovič. Je 9 —
1 a u. b. Aufloreitg v. Erzen u. Brennstoffen 1877—1901. (312 m. Diagr.) 02. b. 2a—c. Bäckerei. (1877—1901.) (158 m. Diagr.) 05.

Pancatantram, das. (Textus ornatior.) Altind. Märchensammlg, z. 1. Male übers. v. R Schmidt. 3 Hefte. (326) 8° Lpzg 01. Berl., K Singer & Co. Je 4 —; in 1 HF.-Bd 15 —

Panecke, O: Ein tön. Apparat, wodurch im Gesangunterr. auf anschaul. Grundk. Notenkenntnis u. Sicherh. im Singen n. Noten zu erreichen ist. (15) 8° Mgdbg, Creutz 02. — 40 d

Panik in Russl. Kulturskizzen v. Russophob. (25) 8° Berl., O Dreyer (05). — 30 d

Panitz, K: Leitf. f. d. Unterr. in d. Grammatik d. deut. Sprache. Für vielklass. Bürgersch. in 5 konzentr. Kreisen bearb. 8° Lpzg, J Klinkhardt. Je — 20 d
I. 3. Schulj. 21. Afl. (33) 03. || II. 4. Schulj. 20. Afl. (30) 03. || III. 5. Schulj. IV. 4. Afl. (38) 03. || IV. 6. Schulj. 19. Afl. (35) 03. || V. 7. Schulj. 13. Afl. (32) 02.

Panitza, M v. (M v. Pentz): Die Betglocke, s.: Rosen-Knospen.
— Der Drache vor d. gold. Leiter, s.: Himmelsblumen.
— Deut. Edelsteine, s.: Vergissmeinnicht-Erzählungen.
— Einer traute ihm, s.: Himmelsblumen.
— Glücksgüter. — Die neue Hausdame, s.: Rosen-Knospen.
— Ein gutes Herz, s.: Vergissmeinnicht-Erzählungen.
— Der Hütejunge, s.: Kinderfreund, d.
— Ich will's versuchen, s.: Rosen-Knospen.
— RiekeKöstermacht Ernst,s.: Vergissmeinnicht-Erzählungen.
— Treue im Kleinen, s.: Waldesrauschen — Waldesfrieden.
— Ein fremder Vogel im Nest, s.: Vergissmeinnicht-Erzählungen.
— Weltklugheit od. Glaubenseinfalt, s.: Jugendheim.

Pank, O: Das Evangelium Matthäi, s.: Evangelien, d. 4, in Predigten u. Homilien ausgelegt. —
— Gedächtnispredigt f. König Georg v. Sachsen. (16) 8° Halle, CE Müller 04. — 30 d
— Das Geheimnis d. Gleichgewichts d. Seele. Predigt. (13) 8° Lpzg, JC Hinrichs' V. 01. — 20 d Vergr.
— Das zeitl.Leben im Lichte d.ewigen Wortes. Predigten. 12.Afl. (857) 8° Halle, CE Müller 05. 4 —; geb. 5.20 d
— Predigt am Reformationsfeste 1905 üb. Galater 4, 11. 12. (12) 8° Ebd., (05). — 20 d
— „Seid fleissig zu halten d. Einigk. im Geist durch d. Band d. Friedens." Eröffngsansprache bei d. 55. Hauptversammlg d. ev. Ver. d. Gustav-Adolf-Stiftg. (16) 8° Lpzg, JC Hinrichs' V. 03. —15 d
— s.: Zum Gedächtnis d. 10jähr. Bestehens d. christl. Ver. junger Männer zu Leipzig.

Pank, O: Was jedermann v. d. Gustav-Adolf-Ver. wissen sollte. 1—4. Taus. (228 m. Abb. u. 3 Fksms.) 8° Lpzg, A Strauch 04. 1.60; geb. 2.50 d
— Ich bin bei euch alle Tage. Ein christl. Lebensb. in Bild u. Lied. 1—14. Afl. Volksausg. (287 m. Titelbild u. 15 Autotype.) 4° Lpzg, Jacobi & Quillet 02-05. L. 10 —; Reiseausg. 12 —; Orig.-Prachtausg., m. Titelbild u. 15 Heliograv., HF. m. G. 22 —; Reiseausg. 24 — d

Pank, CL: Matrose Till. Seine Erlebnisse währ. d. Dienstzeit als Matrose bei d. kais. Marine. (83) 8° Kiel, Deut. Marine-Zeitg (1898). — 50 d

Pann, H, u. C **Lorenz**: Aufg. f. d. Rechenunterr. Heft I a b, II—IV, IV/V, VI a b u. VII. 8° Güstr., (Opitz & Co.). 1 a. 10. Afl. (32) (03.) nn — 15 || I b. 12. Afl. (40) (05.) — 25 || II. 14. Afl. (40) (05.) — 50 || III. 4. Afl. (36) (05.) — 30 || IV. 3. Afl. (24) (03.) — 40 || IV/V. 11. Afl. (27) (05.) — 35 || VI a. 8. Afl. (64) (03.) — 50 || VI b. 8. Afl. (64) (05.) — 50 || VII. 4. Afl. (98) (05.) 1 —
— dass. Resultate zu Heft III, VI a b u. VII. 8° Ebd. (05). 1.10 d I b. (16) — 20 || VI a. (16) — 30 || III. (12) — 20 || VII. (14) — 20.

Pannekoek, JJ: Geolog. Aufnahme d. Umgebg v. Seelisberg am Vierwaldstättersee, s.: Beiträge z. geolog.Karte d.Schweiz.
— Geolog. Karte d. Umgebg v. Seelisberg. 1:25,000. [S.-A.] 25,5×40 cm. Farbdr. Bern, (A Francke) (05). 3.20

Pannenberg, G: Die Rechtswirkgn d. Enteigng im Falle d. Einigg d. Betheiligten. [S.-A.] (43) 8° Berl., J Springer 01. 1 —

Pannewitz, A v.: Das deut. Wohnhaus in Grundrissvorbildern. 2 Bde. (147 Taf.) 4° Mit Text. (124) 8° Dresd., G Kühtmann 04. 10 —; geb. 12 —

Pannewitz, E v.: 2 Bauernmädchen, s.: Danner's, G, Damen-Scenen.
— Ehemannspflichten anno 2000, s.: Bloch's, L, Sammlg v. Zwie-u. Dreigesprächen.
— Das freiadlige f. junge Damen. Neue Ausg. (64) 18° Reutl., Ensslin & L. (05). — 35 d
— Der 1. Zwist, s.: Bloch's, L, Sammlg v. Zwie- u. Dreigesprächen.

Pannier, K: Die anhalt. Ausführgsbestimmgn zu d. Schlachtvieh- u. Fleischbeschaugges., nebst d. Schlachthausgesetz. (64) 8° Dessau, Anhalt. Buchdreiverordng. — Das anhalt. Ausführgsges. z. Reichsges. üb. d. Schlachtvieh- u. Fleischbeschau, nebst d. Reichsges. selbst u. d. wichtigsten Ausführgsbestimmgn d. Bundesrats, s.: Sammlung anhalt. Ges.
— CPO. d. Deut. Reich. — Gerichtsverfassgsges. f. d. Deut. Reich. — BGB. f. d. Deut. Reich, s.: Universal-Bibliothek.
— Die anhalt. Ges. üb. d. Handels-, Landw.- u. Aerztekammer, nebst d. Ges., betr. d. ärztl. Ehrengerichte, s.: Sammlung anhalt. Ges.
— Gewerbegerichtsges. f. d. Deut. Reich. — Gewerbeordng f. d. Deut. Reich, nebst d. Ges. üb. d. Beschlagnahme d. Arbeitslohnes usw. — Handelsgesetzb. f. d. Deut. Reich, nebst d. Reichsbaftpflichtges. u. d. Einführgsges. — Das Inhaberpapiere m. Prämien. — Konkursordng f. d. Deut. Reich. — Die Preussges., nebst d. Ges. üb. d. Urheberrecht u. d. Musterschutz, sowie d. Berner Lit.-Konvention. — Deut. Reichsges. üb. d. Angelegenh. d. freiwill. Gerichtsbark., nebst d. Bestimmgn d. Bundesraths üb. d. Vereins- u. Güterrechts-

register. — Deut. Reichsges., betr. Kaufmannsgerichte. — Reichsgesetze, betr. d. privatrechtl. Verhältn. d. Binnenschiffart u. d. Flösserei. — Die Reichsges. üb. d. Verlags- u. Urheberrecht, nebst d. Lit.-Übereinkommen zw. d. Reiche u. Oesterr.-Ungarn. — Strafgesetzb. f. d. Deut. Reich. — Strafprozessordng f. d. Deut. Reich, nebst d. Ges., betr. d. Entschädigg d. im Wiederaufnahmeverfahren freigesproch. Personen, u. f. unschuldig erlitt. Untersuchgsbaft. — Die Verfassg d. Deut. Reichs, nebst d. Wahlges., Wahlreglement usw. — Allg. deut. Wechselordng, nebst d. Wechselstempelsteuerges. u. d. Reichsstempelges., s.: Universal-Bibliothek.

Pannwitz, G, s.: Bericht üb. d. 1. Versammlg d. Tuberkulose-Ärzte.
— Entstehg u. Bekämpfg d. Lungentuberkulose, s.: Jacob, P,
— s.: Schriften d. Ver. v. Rothen Kreuz.
— Der Stand d. Tuberkulose-Bekämpfg im Frühj. 1903. Geschäfts-Bericht d. deut. Central-Komite z. Errichtg v. Heilstätten f. Lungenkranke. (215 m. Abb., 1 Karte u. 1 farb. Taf.) 4° Berl. (W. 9, Eichhornstr. 9), Geschäftsstelle v. Central-Komite. ö H
— s.: Tuberculosis. — Tuberkulose-Konferenz, d. 1. internat.
Pannwitz, M: Der alte Fritz. Nach WO v. Horn d. deut. Jugend erzählt. 1—4. Afl. (104 m. 2 Abb. u. 1 Farbdr.) 8° Stuttg., Loewe (01-04). Geb. 1.80 d
— Grosse Kriegshelden. Der alte Fritz. Prinz Eugen, d. edle Ritter. Blücher, d. Marschall Vorwärts. Geschichtl. Erzählgn f. d. Jugend u. d. Volk, n. WO v. Horn bearb. (220 m. 7 [1 farb.] Bildern.) 8° Ebd. (01). Geb. 3—d
— Neues Märchenb., s.: Bechstein, L.
— Sigismund Rüstig. Eine Robinsonade. Für d. Jugend bearb. Komplette Ausg. (55 m. Abb., 1 Pl. u. 4 Buntbildern.) 8° Stuttg., Loewe (03). Geb. 2.50 || Volksausg. (166 m. Abb. u. 1 Pl.) (03.) Geb. 1.20 d
Pannwitz, R, s.: Charon.
— Landschaftsmärchen a. Crossen a. d. Oder. (84) 8° Cross., R Zeidler 02. 1.25 d
— Prometheus. (71) 8° Marbg, (K Kraatz Nf.) 02. 2 —
Panofsky, H: Zur Gesch. d. Anst. (Leibniz-Gymnasium zu Berlin) in d. J. 1876—1901. (40) 4° Berl., Weidmann 01. 1 —
Panorama d. Herrenmoden. Photograph. Brusttaschenjournal in Cabinet-Format. Jahrg. 1902—5 je 12 Bl. 8° Dresd., Exp. d. europ. Modenzeitg. In L.-Decke f. d. Bl. 8 —
— v. Inselberg. Orig.-Zeichng v. C Zetzmann. 31×32 cm. Lith. Berl., A Goldschmidt (03). In M. — 50
— v. d. Kuhgratspitze (in d. Drei Schwestern-Gruppe) aus. 2124 m. Gezeichnet v. P Balzer. 10,5×238 cm. Garbl 04. Glfrk. F Unterberger.) nn 1.25
— v. d. Schneekoppe. Orig.-Zeichng v. C Zetzmann. 32×32 cm. Lith. Berl., A Goldschmidt (03). In M. — 30
— d. Welgschmid. Mitrrläut. Text v. M v. Reymond. (In 50 Heften.) 1—6. Heft. (72 m. 6 [5 farb.] Taf.) 4° Berl.-Schönebg, Internat. Weltverl. (05). Je — 40 d
Panorama-Album, schweiz. 3 Serien. Je 24 Lfgn. (288 u. 388 m. Text.) 30×40,5 cm. Neuchâtel (02.03). (Lpzg, KF Koehler.) Die Lfg — 70; d. Serie in L. 20 —
Panse, R: Schwindel. [S.-A.] (66 m. Abb.) 8° Wiesb., JF Bergmann 02. 1.20 —
Panske, J, s.: Pfahlburg, J L v.
Pansy: Die Gesegneten. Erzählg f. d. christl. Welt. Aus d. Amerikan. v. E v. Feilitzsch. (212) 8° Lpzg, M Költz (05). 2 —; kart. 2.50; L. 3 — d
— s.: Ried, Esther.
Panten, F: Bau u. Leben d. Pflanzen. (140 m. Abb.) 8° Bresl., F Hirt 02. 1.50 d
— Tierkde, s.: Paust, EG.
Pantenius, TH: Der falsche Demetrius, s.: Monographien z. Weltgeschich.
Pantenius, W: Das M.-A. in Leonh. Wächters (Veit Webers) Romanen, s.: Probefahrten.
Pantocsek, J: Die Bacillarien d. Balatonsees, s.: Resultate d. wiss. Erforschg d. Balatonsees.
— Beitr. z. Kenntnis d. fossilen Bacillarien Ungarns. (Nach d. ungar. Mscr.) 3. Afl. 3 Tle. (77 n. 123 m. 102 Taf. u. 120 Bl. Erklärgn.) 8° Berl., W Junk 03. nn 250 — d
— Beschreibg neuer Bacillarien, welche in d. Pars III d. „Beitr. z.Kenntniss d. fossilen Bacillarien Ungarns" abgebildet wurden. (118) 8° Pozsoni 05. (Berl., W Junk.) 8 —
— Beschreibg u. Abbildg d. fossilen Bacillarien d. Andesittuffes v. Szllács in Ungarn. (20 m. 2 Taf.) 8° Pozsony 05. Berl., R Friedländer & S. nn 7 —
Pantomimen. Nr. 7—9. 8° Mühlh. i/Th., G Danner. 2.75 d
[7.] u. [8.]
Pantwich, K: Wie man d. Lernanfänger m. Hilfe v. Pantwichs Rechenapparat (Zahlenbildertaf., Rechenbrillen u. Rechenleiter) m. leichter Mühe bald so tücht. Rechnern macht. (16 m. Abb.) 8° Dortm., FW Ruhfus 01. 2 —
Pantz, A v.: Beitr. z. Gesch. d. Innerberger Hauptgewerkschaft, s.: Veröffentlichungen d. histor. Landes-Kommission f. Steiermark.
Pantz, F Ritter v.: Die Bauernlegg in d. Alpentälern Niederösterr. (29) 8° Wien, Manz 05. — 70 d

Panzer, F, s.: Abhandlungen, germanist., Herm. Paul dargebracht. — Albrecht v. Scharfenberg, Merlin.
— Deut. Heldensage im Breisgau, s.: Neujahrsblätter d. bad. histor. Kommission.
— Hilde-Gudrun. Eine sagen- u. literargeschichtl. Untersuchg. (451) 8° Halle, M Niemeyer 01. 12 —
— Märchen, Sage u. Dichtg. (56) 8° Münch., CH Beck 05. 1 — d
— Das altdeut. Volksepos. Vortr. (34) 8° Halle, M Niemeyer 03. 1 — d
Panzerschiffe u. **Kreuzer,** d., d. 5 grössten Seemächte am 1.I.'03. Nach Lebensalter, Deplacement u. Armirg dargestellt unter Benutzg d. Angaben d. „Nauticus" 1902 u. d. Marine-Rundschau.(Beil. z.Marine-Rundschau.)Plakat.101,5×87,5cm. Berl., ES Mittler & S. (03). 1 —
Panzer, F: Die Prüfg. — 3 Strafanträge, s.: Arbeiterbühne.
Paoli, B (B Glück): Ausgew. Gedichte, s.: Handbibliothek, Cottasche.
Paoli, C: Grundr. zu Vorlesgn üb. latein. Palaeogr. u. Urkundenlehre. I. Latein. Palaeogr. 3. Afl. Aus d. Ital. v. K Lohmeyer. (108) 8° Innsbr., Wagner 02. 2.50
Papadimitriu, S: Taschenwrtb. d. russ. u. neugriech. Sprache, s.: Derewitzki, A.
Papageienbuch, d. pers., s.: Liebhaber-Bibliothek, kulturhistor.
Pape, F: Ein Stündchen im Gasthause. — Der Zirkus auf d. Bühne, s.: Turner-Pantomimen.
Pape, J: Moderne Wohngseinrichtgn d. Neuzeit. Complete Zimmerausstattgn zu e. vollständ. Wohngseinrichtg. Details in natürl. Grösse. 35 Bl. in Chromodr., Lichtdr. u. Lithogr. (3 S. Text.) 51,5×38,5 cm. Lpzg, C Scholtze (03). In M. (50 —) 95 —
Pape, P: Sammlg v. Rechen-Aufg. f. Bürgersch. 7. Afl. v. K Decker. 1.—3. Heft. (87, 84 u. 100) 8° Wien, Manz 04. Geb. je — 80 d
Pape, P: Die Synoden v. Antiochien 264—269. (15) 4°.Berl., Weidmann 03. 1.20 d
Pape, R: Beitr. z. Lösg d. Frage: Handwerk od. Fabrik? (139) 8° Insterbg, (J Krauss Nf.) 05. 1.20 d
— Die prakt. Durchführg d. Handwerkernovelle v. 26.VII.1897. (118) 8° Lpzg, H Klasing 02. 2.20
— Meistertitel u. Meisterprüfg (m. d. 1.X.'01). Laufbahn u. Ausbildg d. Handwerkers bis z. Meisterstufe. (108) 8° Ebd. 01. L. 2 — d
— Die Regelg d. Lehrlings- u. Gesellenprüfgswesens im Handwerk. (119) 8° Ebd. 02. L. 2.50
— Märchen u. Sagan. Monograph. Studie z. Gesch. d. deut. Handwerks. (57 m. Abb.) 8° Königsbg, Akadem. Bh. v. Schubert & S. 1900. 1.50 d
— Der prakt. Schuh- u. Schäftemacher. (176 m. Abb.) 8° Stuttg., EH Moritz (03). L. 2 — d
Papenbrock, O: Evangelischl bis ins Mark! Festpredigten f. uns. Zeit. (103) 8° Kass., F Lometsch 04. 1.50; geb. 2.50 d
Papencordt, K: Des Fegfeuers Schlüssel u. Schild, um d. armen Seelen zu erlösen u. uns geg. d. Fegfeuer zu schützen. 7. Afl. (376 m. 1 St.) 16° Paderb., Bonifacius-Dr. (04). — 75 d
Papendick, H: Der Schuster Noagel önne Heilsarmee. (4) 8° Königsbg, Braun & W. (03). — 20 d
Papenhausen, H: Üb. d. Bedinggn d. Farbstoffbildg bei d. Bakterien. [S.-A.] (37) 8° Wiesb. 03. Lpzg, O Nemnich. 1.20
Papier-Adressbuch v. Deutschl. 3. Afl. (20, 796) 8° Berl., C Hofmann 04. L. nn 15 —
Papiere, Bernstorffsche. Ausgew. Briefe u. Aufzeichngn, d. Familie Bernstorff betr., a. d. Zeit 1789—1835. Hrsg. v. A Friis. 1. Bd. (19, 818 u. 98 m. 3 Bildnissen.) 8° Kopenh., Gyldendal 04. nn 15.50
— dass. 1. Bd. Nachträge. Enth. e. deut. Übersetzg d. in dän. Sprache verf. Bemerkgn v. A Graf v. Bernstorff. (78) 8° Berl., W Süsserott 05. 1.50 d
Papier-Fabrikant, der. Zeitschrift f. d. Papier-, Pappen-, Zellu. Strohstoff-Fabrikation. Chefred.: F Bohlmann, (1 Kayser). 19 u. 20 Lfrtes. Jahrg. 1903 u. 4 je 12 Hefte u. 50 Nrn. (1.Bd. 84 m. Abb.) 4° Berl., O Elsner. Viertelj. 2.50; einz. Monatshefte — 60; einz. Nrn — 20 || 3. Jahrg. 1905. Unter Leitg Bohlmann u. Franck hrsg. 52 Hefte. (1. Heft. 52 m. Abb.) Viertelj. 5 —; einz. Hefte —
Papier- u. Schreibwarenhandel, d. österr.-ung. Hrsg. v. J Stern. Red.: AW Müller. 11—15. Jahrg. 1901—5 je 36 Nrn. (Nr. 1 u. 2. 20) 4° Wien, Mich. Stern's Zeitgsverl. Je einz. d
Papier-Industrie-Kalender 1905. Taschenb. d. Ver. deut. Papierfabrikanten. Verf. v. P Klemm. 9. Jahrg. 2 Tle. (Schreibkalender, 183 m. 175 m. Abb. u. 1 Bildnis.) 12° Lpzg, Böhmschmidt & S. L. u. geb. 2.50; Ldr u. geb. 5 — d
Papier-Kalender d. Papierf. v. W Pfaff, bis 14. Jahrg. fortgeführt v. H Lohnes. 19. Jahrg. 1905. 2 Tle. (218, Schreibkalender u. 238) 8° Dresd., H Henkler. L. u. kart. 3 — d
Papier-Markt, der. Ein modernes Angebot. Hrsg. v. C Döbler. 4. Jahrg. 1903. 12 Hefte. (1. Heft. 18) 4° Frankf. a/M. (Buchgasse 12), A Weisbrod. nnn 2 — d
Papier-Woche. Red. f. d. Ansichtskarten, Papier- u. Schreibwaren-Handel u.-Industrie usw. Neue Folge d. „Illustr.Zeitschrift. f. d. Papier-, Schreibwaren- u. Buchhandel", geg. 1898 Wien. Chefred.: R Lutz. Für Österr.-Ungarn Hrsg.: Schwarz, Red.: F Fried. Septbr 1902—Septbr 1905. 58 Nrn. (Nr. 1. 16) 4° Germbach b/Baden-Baden, J Winkel Nf. (Ustr dir.) Viertelj. — 50 ö H
Fortsetzg erscheint nicht bei W.

Papier-Zeitung. Fachbl. f. Papier- u. Schreibwaren-Handel u.
-Fabrikation, Buchbinderei, Druck-Industrie, Buchhandel,
sowie f. alle verwandten u. Hülfsgeschäfte. Hrsg. v. C Hof-
mann. 26—30. Jahrg. 1901—5 je 104 Nrn. (1901. Nr. 1. 36 m.
Abb.) 4° Berl., C Hofmann.　　　　　　　　Viertelj. 1 —
Papier- u. Schreibwaren-Zeitung. Nebst: Buchbinderei- u.
Kartonnagen-Zeitg m. Einschl. d. Album-, Mappen-, Porte-
feuille- u. Etui-Fabrikation. Hrsg. v. I Tenger. Red.: A Klin-
ger. 7—11. Jahrg. 1901—5 je 24 Nrn. (1901. Nr. 1. 16 u. 4) 4°
Wien, (O Möbius).　　　　　　　　　　　　　Je 6 —
— — deutsche. Red.: C Baetz u., seit 1904, P Berger. 6—10.
Jahrg. 1901—5 je 52 Nrn. (Nr. 1. 14) 4° Berl., Mor. Warschauer.
　　　　　　　　　　　　　　　Viertelj. 1.50; einz. Nrn — 90
Papius, K Frhr v.: Das Radium u. d. radioaktiven Stoffe. Unter
bes. Berücks. d. photograph. Beziehgn. (90 m. Abb.) 8° Berl.,
G Schmidt 05.　　　　　　　　　　　　　　　　　　2 —
Papke, K: Uns. Feste. Aufführgn f. Jungfrauenver. 1. u. 2. Heft.
(56 u. 62) 8° Barm., Wuppertaler Traktat-Gesellsch. (05).
　　　　　　　　　　　　　　　　　　Geb. je — 60 d
Päpke, W: Präparat. zu Cäsars bellum gallicum. 7 Hefte. 8°
Gotha, FA Perthes.　　　　　　　　　　　　　　2.80 d
1. Buch I. 3. Afl. (31) 04. — 40 | 2. Buch II. 2. Afl. (22) 1900. — 35 | 3.
Buch III. 2. Afl. (20) 01. — 35 | 4. Buch IV. (25) 02. — 35 | 5. Buch V.
(26) 05. — 40 | 6. Buch VI. (19) 04. — 35 | 7. Buch VII. (26) 05. — 40.
Papp, C v.: Heterodelphis leiodontus nova forma a. d. mio-
cenen Schichten d. Comitates Sopron in Ungarn, s.: Mittei-
lungen a. d. Jahrb. d. kgl. ungar. geolog. Anst.
Pappafava, V: Das Notariat in Japan. (Übers. v. A Simon.)
(24) 8° Innsbr., Wagner 05.　　　　　　　　　　nn — 80
Pappenheim, A: Neues Dekamerone a. d. Gerichtssaale. (215)
8° Wien, M Perles 04.　　　　　　4 — (1 u. 2.: 6 —) d
Der 1. Bd erschien u. d. T.: Barreau, d. Wiener.
Pappenheim, A: Atlas d. menschl. Blutzellen. (In 2 Lfgn.)
1. Lfg. (85 m. 12 Taf.) 8° Jena, G Fischer 05.　　　16 —
— s.: Folia haematologica.
Pappenheim, B, u. S **Rabinowitsch:** Zur Lage d. jüd. Bevöl-
kerg in Galizien. Reise-Eindrücke u. Vorschläge z. Besserg
d. Verhältnisse. (98) 8° Frankf. a/M., Neuer Frankf. Verl. 04.
　　　　　　　　　　　　　　　　　　　　1 — d
Pappenheim, E, s.: Comenius, Joh. Amos.
Pappenheim, G: Populäres Lehrb. d. Müllerei. 4. Afl. (663 m.
H. u. 42 Taf.) 8° Wien, M Perles 03.　　　　　　16 — d
— s.: Mühlen-Kalender, österr.-ungar. illustr.
Pappenheim, M: Die Revisionsbedürftigk. d. deut. Seehandels-
rechts. Rede. (19) 8° Kiel, Lipsius & T. 01.　　　　1 —
Papperitz, E: Ueb. d. wiss. Bedeutg d. darstell. Geometrie u.
ihre Entwickelg bis z. systemat. Begründg durch Gaspard
Monge. Rede. (24) 8° Freibg, Craz & G. 01.　　　　1 —
— Üb. d. Entwickelg d. Freiberger Bergakad. seit ihrer Be-
gründg im J. 1765. Antrittsrede. (26) 8° Ebd. 05.　　— 75
— Lehrb. d. darstell. Geometrie, s.: Rohn, K.
Pappers, J: „In cruce sola salus!" Roman. (108) 12° Aach.,
(Cremer) 01.　　　　　　　　　　　　　　　1.50 d
Paprits, A: Die Errichtg v. Wöchnerinnenheimen u. Säug-
lingsasylen — e. soz. Notwendigk., e. nationale Pflicht, s.:
Fortschritt, soz.
— Die gesundheitl. Gefahren d. Prostitution, s.: Flugschriften,
abolitionist.
— Herrenmoral. 1—4. Afl. (24) 8° Lpzg 03. Berl., Verl. d. „Frauen-
Rundschau".　　　　　　　　　　　　　　nn — 30 d
— Die wirtschaftl. Ursachen d. Prostitution. (24) 8° Berl., Herm.
Walther 03.　　　　　　　　　　　　　　　— 50 d
— u. K **Scheven:** Die positiven Aufg. u. Ziele d. Föderation,
s.: Flugschriften, abolitionist.
Paprits, R, s.: Lesebuch, deut., f. höh. Lehranst.
Papst, A: s.: Volksaufklärung.
Papst-Kalender. 4. Jahrg. 1906. (192 Sp. u. 18 S. m. Abb. u.
1 Farbdr.) 8° Paderb., Bonifacius-Dr.　　　　　　— 50
Papukinder, d., in d. Schule, s.: Missions-Traktate.
Papyri graecae musei Britannici et musei Berolinensis ed. a
G Kalbfleisch. (116 m. 2 Lichtdr.) 4° Rost., H Warkentien 02. 2 —
— griech., ausgew. u. erklärt v. H Lietzmann, s.: Texte, kl.,
f. theolog. Vorlesgn u. Übgn.
— griech., medizin. u. naturwiss. Inhalts, bearb. v. K Kalbfleisch u. H Schöne, s.: Klassikertexte, Berliner.
Papyrus, hierat., a. d. kgl. Museen zu Berlin. Hrsg. v. d.
Generalverwaltg. 4—9. Heft. (I. Bd, 4. Heft; II. Bd, 5—8. Heft
u. III. Bd, 1. Heft) 44×54,5 cm. Lpzg, JC Hinrichs' V. 32 —
　　　　　　　　　　　　　　　　　　(I—III, 1: 47 —)
4. (I.) P. 5014 u. 5052. Ritual f. d. Kultus d. Mut. S. 16—31. (4 S. u. Taf.
49—62) 01.　　　　　　　6 — (I vollst.: 71 —)
5—8. (II.) Hymnen an verschied. Götter. Zusatzkapitel z. Totenb. (4 S.
u. 53 Bl.) 05.　　　　　　　　　　　　　　14 —
9. (III.) Schriftstücke d. VI. Dynastie a. Elephantine. (25 Bl.) 05.　8 —
Paquet, A: Lieder u. Gesänge, s.: Lyriker, neue deut.
— Schutzmann Mentrup u. Anderes. (152) 8° Köln, JG Schmitz
03.　　　　　　　　　　　　　　　　　　1 — d
„**Parabellum**" automatic pistol, the, its construction, its manipulation and its use. (36 m. Abb. u. 5 Taf.) 8° Berl., (R
Eisenschmidt) 02.　　　　　　　　　　　　　　1.50
Paracelsus, T: Das Buch Paragranum. Hrsg. u. eingeleitet
v. F Strunz. (112 m. Bildnis.) 8° Lpzg 03. Jena, E Diederichs.
　　　　　　　　　　　　　　　　　geb. 5 — d
— Volumen Paramirum u. Opus Paramirum. Hrsg., eingeleitet
u. m. Anmerkgn v. F Strunz. (16, 402) 8° Jena, E Diederichs
04.　　　　　　　　12 —; geb. 14 —; Luxusausg. 30 — d

Paradies, d., d. Erde. Eine unerwartete Lösg, s.: Gabelsber-
ger-Bibliothek.
Paradiesesfrüchte. Monatsblätter z. Preise d. allerhlst. Altars-
ssacramentes. Hrsg. v. d. Benediktiner-Abtei St. Meinrad.
St. Benedikts-Panier", 13. Bd. Neue Folge: 7. Bd. 1901. Nebst
Beil.: St. Meinrads-Raben. 14. Jahrg. 12 Nrn. (Nr. 1. 32 u. 4)
8° St. Meinrad, Ind., Benediktiner-Abtei.　　nn 3 — d ö H
Paragraph, d., Nr. 175, u. d. männl. Prostitution in München
u. Berlin. 3. Afl. Beleuchtg e. dunklen Punktes grossstädt.
Lebens, v. H A . . . (15) 8° Münch. 09. (Lpzg, W Besser.) — 30
Paraguay-Rundschau. Red. : Wochenschrift f. Paraguay.
7. Jahrg. 1901. 52 Nrn. (Nr. 1. 8) 4° Asuncion, G v. Kaufmann.(?)
　　　　　　　　　　　　　　　　　　Viertelj. nn 4.50
Parall, J: Kriegswiss. u. Philosophie. Untersuchg z. Klarlegg
d. Begriffe „Militär. u. allg. Bildg". (59) 8° Graz, (Leuschner & L.) 02.　　　　　　　　　　　　　　　1 — d
Pardall, H, L **Thiele** u. F **Blessmann:** Wolfenbüttler Schulliederb. in 5 Heften f. 7stuf. mittl. Bürgersch. I—III. u. V. Heft.
8° Hildburgh., FW Gadow & Sohn.　　　　　　　1.90 d
1. 1—3. Schulj. 2. Afl. (32) 04. — 40 | II. 4. Schulj. 3. Afl. (34) (04.) — 50
| III. 5. Schulj. 3. Afl. (37) (02.) — 40 | V. 7. u. 8. Schulj. 2. Afl. (134)
(04.) — 50.
Pardo-Bazan, E: Um e. Königsthron, s.: Vobach's illustr. Roman-Bibliothek.
Pardon, JJ: Kurzabgef. Hdb. d. Buchhaltgswiss. f. prakt.
Kaufleute, Comptoiristen, Buchhalter u. Studierende. 2. Afl.
(219 u. 2 m. 1 Tab.) 8° Wien, (V Cetter) 02.　　　Kart. 4 —
Parent-Duchâtelet: Die Prostitution in Paris. Bearb. u. bis
auf d. neueste Zeit fortgeführt v. G Montanus.(262) 8° Freibg i/B.,
FP Lorenz 03.　　　　　　　　4.50; geb. 5.50
Paresseux, le petit, brsg. v. M Mühry, s.: Schulbibliothek,
französ. u. engl.
Paret: Leidensgesch. d. reformirten Gemeinde Ludwigsburg,
s.: Geschichtsblätter d. deut. Hugenotten-Ver.
Paret, F: Kunsterziehg u. Volkssch., s.: Zeitfragen d. christl.
Volkslebens.
Parey, K: Die Rechtsgrundsätze d. kgl. preuss. Ober-Ver-
waltgsgerichts, s.: Kunze, F.
— s.: Selbstverwaltung, d.
Parey, M: Durch Schatten z. Licht. (108) 8° Greifsw., (J Abel)
02.　　　　　　　　　　　　　　　　Geb. 2 — d
Paris sous la commune, hrsg. v. A Krause, s.: Prosaeurs franç.
— d. lachende. Sammlg v. Meister-Humoresken erster Pariser
Autoren. Deutsch v. W Thal. (115 m. Abb.) 8° Wiesb. (01).
Dtsch-Eylan, H Priebe & Co. || 2. Afl. (96 m. Abb.)(01.) Je 1 — d
Parise, Mme V: Vieille fille ou une vie utile, s.: Gerhard's fran-
zös. Schulausg.
Pariserinnen. Neue Beitr. z. Naturgesch. d. Französin v. Gyp,
L Xanrof, E Chavette, C Foley u. Q ve Beaurepaire. Deutsch
v. W Thal. (85) 8° Wiesb. 02. Dtsch-Eylan, H Priebe & Co. 1 — d
Parisien, le. Journal des modes et de l'art de l'atelier. (In
französ. u. deut. Sprache.) Red.: R Tässler. 34—37. année
1902—5 je 12 nrs. (1902. Nr. 1. 4 u. 10 m. Abb., 8 ?[farb.]
Modebildern, Reduktionsschema u. Schnittmuster.)Fol.Dresd.,
Exped. d. europ. Modenzeitg.　　　　　　　Viertelj. 2.40;
　　　　gr. Ausg. m. 3 [3 farb.] Modebildern 3.60
— le. Revue instructif. Chefred.: V Graf v. Ségur-Cabanac.
4—5. Jahrg. 1902 u. 3 je 24 Nrn. (412 u. 408) 8° Würzbg,
O Tzschaschel.　　　　　　　　Viertelj. 2 — ö F Vergr.
Parisienne, la. Journal special pour modèles de Paris et Vienne.
Oktbr 1904—Septbr 1905. 12 Hefte. (1. Heft. 8 m. Abb., 7 farb.
Taf. u. 1 Schnittbog.) 43,5×33,5 cm. Wien, B Finkelstein &
Bruder.　　　　　　　　　17 —; halbj. 9 —
Fortsetzg s. u. d. T.: Couturière, la.
— la. moderne. Mode-Journal Die elegante Damenwelt. Red.:
H Worrings. 8. u. 9. Jahrg. 1901 u. 2 je 24 Nrn. (Nr. 1. 8
m. Abb., 1 farb. Modebild u. 1 Schnittmusterbog.) Fol. Frankf.
a/M., Worrings. || 10—12. Jahrg. Oktbr 1903—Septbr 1906 je
12 Nrn. (Nr. 1. 12 m. Abb., 3 [3 farb.] Modebildern u. 1 Schnittmusterbog.)　　　　　　　　　　　Viertelj. 2.50
Bisher u. d. T.: Damenwelt, d. elegante.
Parisius, A: Guido Hauck, s.: Lampe, E.
— s.: Zeit- u. Streitfragen, genossenschaftl.
— u. H **Crüger:** Das Reichsges., betr. d. Erwerbs- u. Wirtschaftsgenossensch., u. d. Genossensch'g v Sammlg deut. Reichsges.
— — dass. Kommentar. 4. Afl. v. H Crüger. (724) 8° Berl., J Guttentag 03.　　　　　　　　　14 —; L. 15 — d
— — Das Reichsges., betr. d. Gesellsch. m. beschr. Haftg. Vom
20.IV.1892 in d. auf Grund d. durch Artikel 13 d. Einführgsges. z. Handelsgesetzb. v.10.V.1897 erfolgten Ermächtigg
v. Reichskanzler bekannt gemachten Fassg. 3. Afl. v. H Crüger.
(380) 8° Ebd. 01.　　　　　　　　8 —; L. 9 — d
— dass., s.: Guttentag's Sammlg deut. Reichsges.
Paris-Modes. Publication de modèles artist. Journal spécial
inédit de robes de Paris. Ed. G Lyon. 41. Jahrg. 1905. 12 Nrn.
(Nr. 69. 8 u. Übersetzgsbell. 2 m. Abb., 10 [9 farb.] Taf. u.
1 Schnittbog.) 43×33 cm. Berl., A March Modenzeitgn.
　　　　　　　　　　　26 —; halbj. 15 —
Parität, d., in Elsass-L. Statist. Untersuchg bezügl. d. konfession d. reichsländ. Beamten. (72) 8° Strassbg, (Agent. v.
B Herder) 01.　　　　　　　　　　　　　　— 80 d
Paritua, M V.: Ich will's versuchen, s.: Rosen-Knospen.
Park, J: Cyanide process of gold extraction, freie Bearbeitg,
s.: Victor, E, d. Cyankalium-Laugg v. Golderzen.

　　　　　　　　　　　　　　　　　　　　　135

Parker, G: Donovan Pasha and some people of Egypt, s.: Collection of Brit. auth.
— The right of way, s.: Library, the Engl.
— The seats of the mighty, s.: Collection of Brit. auth.
Parlament, d. österr., n. d. Verfassgskrisis. Studie e. ehemal. Abgeordneten. (59) 8° Wien, Manz 01. 1 — d
Parlamentsreden, engl. Für d. Schulgebr. hrsg. v. P Aronstein. (140) 8° Lpzg, G Freytag 03. Geb. 1.50
Parlow, H: Um Danebrog u. Schwarz-Weiss-Rot. See-Roman. (278) 8° Berl., Boll & Pickardt 05. 4 — ; L. nn 5 — d
— Die Kaptaube. Seeromann. (340) 8° Dresd., C Reissner 02. 4 — ; geb. 5 — d
Parmentier, J: Kurze Gesch. d. deut. Litt. v. e. Franzosen. (361) 8° Paris (VI, Rue de la Sarbonne 6), H Didier 1894. nn 4.80
Parnicke, A: Die maschinellen Hilfsmittel d. chem. Technik. 3. Afl. (505 m. Abb.) 8° Lpzg, M Heinsius Nf. 05. L. 14 —
Parodie-Theater. Nr. 1 u. 2. 8° Weim., M Grosse. — 80 d
Daghofer, F: Der Stromer. (Nicht Halbes, sondern ganz naturalist. Drama.) (14) (04.) [1.] — 50; 2. Afl. (14) (04.) — 40
Kieser, AJ: Faust. Ein Suffspiel, frei n. Goethe. (11) (05.) [2.] — 40
Paroissien, petit, des enfants. (115 m. Abb.) 9×6 cm. Einsied., Eberle, Kälin & Co. (03). Geb. nn — 56; nn — 76; nn 1.20 u. nn 2.40
Parole. Deut. Krieger-Zeitg. Hrsg. v. Vorst. d. deut. Krieger-Bundes. Red.: H Natge. 25—27. Jahrg. 1901—3 je 52 Nrn. (Nr. 1. 16) 4° Berl., (W Moesar). Viertelj. 1 — d ô H
Parow, E: Der Stärkezucker u. s. Bedeutg f. d. Nahrgsmittel-Industrie. (31) 8° Berl., (P Parey) 05. †1.40 d
Parow, W: Die Grundz. d. Verfassg Englds in organ. Entwicklg. (39) 4° Berl., Weidmann 01. 1 —
— Das Gymnasium als Hindernis d. Schulreform. Erwiderg auf d. Vortr. v. Harnack: Die Notwendigk. d. Erhaltg d. alten Gymnasiums in d. modernen Zeit. (23) 8° Brnschw. 05. — 60 d
Lpzg, B Sattler.
— Die Notwendigk. d. Einheitsschule. (36) 8° Ebd. 04. — 80 d
— Res, non verba! Bildgsideal u. Lebensbedinggn d. Oberrealsch. im Vergl. m. d. altklass. Gymnasium. (65) 8° Ebd. 03. 1.20 d
Parpart, G v.: Professors Barbiertag, s.: Lustspiele.
— Radlerliebe, s.: Lustspiele f. Radfahrer.
Parr, MJ (Frau M ap): Magdalenens Erinnergn. Roman. 2. Afl. (308 u. 23) 8£Köln, JP Bachem (02). 3 — ; geb. 4.50 d
Parr, WA: Chronolog. Übersicht üb. d. Entwickelg d. Musik. Tabellarisch zusammengestellt. 38×48,5 cm. Berl., A Stahl 03. nn — 50
Parreidt, J: Hdb. d. Zahnersatzkde. 3. Afl. (487 m. Abb.) 8° Lpzg, A Felix 03. 15 — ; HF. 16.60
— s.: Monatsschrift, deut., f. Zahnheilkde.
Parrhysius, A, s.: Militär-Musiker-Adressbuch f. d. Dent. Reich.
Parrot, C, s.: Jahresbericht d. ornitholog. Ver. München.
— Materialien z. bayer. Ornithol. II u. III. Zugl. 2. u. 3. Beobachtgsbericht a. d. J. 1899—1902. Unter Mitwirkg v. LFrhrn v. Besserer u. J Gengler bearb. [S.-A.] 8° Münch. (Jena, G Fischer.) nn 9 — (I—III.: nn 10.50)
II. 3. Bericht a. d. J 1899 u. 1900. (236) I. nn 4 —
III. 3. Bericht a. d. J '01 u. '02. (246) 05. 5 —
— Ornitholog. Wahrnehmgn auf e. Fahrt n. Aegypten. [S.-A.] (50) 8° Ebd. 05. 1.50
Parry, L: Die analyt. Bestimmg v. Zinn u. Antimon. Autoris. Ausg. durch E Victor. (78 m. Fig.) 8° Lpzg, Veit & Co. 06. 2 —
Parseval, O v.: Leitf. f. d. Unterr. d. Infanteristen u. Jägers d. kgl. bayer. Armee. 37. Afl. v. T Frh. v. Malsen. (224 m. Abb., 1 Titelbild u. 9 Farbentaf.) 8° Münch., R Oldenbourg (01). Kart. nn — 85 || 38. Afl. (224 m. Abb., 1 Titelbild u. 9 Farbentaf.) (02.) Kart. nn — 75 d
Parsons, CR: Stets erhörtes Gebet. Unterredg m. William Quarrier. Uebers. v. A Spörri. (16 m. Abb.) 8° Frankf. s/M. (01). Bonn, J Schergens. — 10 d
Parteitag, nationalliberaler, f.Westf., Bochum '04· Stenograph. Bericht. (51) 8° Berl., A Duncker (04). — 60 d
Partenheim, W v. (C Frhr v. Wallbrunn): Schloss Hohenstetten. Kriminal-Erzählg. (194) 8° Lpzg, O Mutze 04. 5 — d
Partheil, A: Kurzgef. Lehrb. d. Chemie f. Mediziner u. Pharmazeuten. Anorgan.Tl. 1.Abtlg: Nichtmetalle. (278 m. Abb.) 8° Bonn, C Georgi 01. || 2. Abtlg: Metalle. (279—580) 03. Je 5 — ; in 1 Bd geb. 11.50
Partheil, G: Sammelsport in d. Schule. (24) 8° Karlsr., J Velten 1899. — 30 d
— Die drahtlose Telegr. Nach s. Vortr. allg. verständlich dargestellt. (47) 8° Berl., Gerdes & Hödel 02. 1.20 ; geb. 1.50 d
— u. W Probst: Die neuen Bahnen d. naturkundl. Unterr. 9. Afl. (58) 8° Ebd. 04. — 60 d
— — Naturkde f. Mittelsch., höh. Mädchensch. n. verwandte Anst. Ausg. A. I. u. III. Heft. (Mit Abb.) 8° Ebd. Geb. 2.80 d
I. (Kurs. 1 u. 2.) 3.Afl. (84) 05. — 80 || III. (Kurs. 5.) 3.Afl. (187) 04. — 60
— — dass. f. Bürgersch. u. gehob. Volkssch. Ausg. B. 3. Heft. (Kurs. 3 u. 4.) 2. Afl. (84 m. Abb.) 8° Ebd. (02). — 60 ; geb. — 75 d
Partheil, V: Ein Gang durch d. Zerbster Kirchhöfe. [S.-A.] (61 m. Abb.) 8° Dess., C Dünnhaupt (02). 1 — d
Parthenay, T: Im Gedränge. (69) 8° Dresd., E Pierson 05. 1.50; geb. 2.50 d
Parthenii Nicaeni quae supersunt, s.: Mythographi graeci.
Parthey, R: Magnetismus, Hypnose, Snggestion, Somnambulismus z. Krankenheilg. Vortr. (21) 8°, Lpzg (Scharnhorststr. 4 p.), Selbstverl. (04). — 60

Partikular-Examen od. Die bes. Gewissenserforschg n. d. bl. Ignatius v. Loyola v. A W. 7. Afl. (38) 12,2×7,7 cm. Augsbg, Lit. Instit. v. Dr. M Huttler 04. nn — 15 d
Partsch, O, s.: Bericht d. Poliklinik f. Zahn- u. Mundkrankh. — Lehrb. d. Zahnärztl. Instit. d. kgl. Univ. Breslau. — Neisser, A, stereoskop. medizin. Atlas. — Taschenkalender, medizin.
Partsch, J: Ägyptens Bedeutg f. d. Erdkde. Antrittsvorlesg. (39) 8° Lpzg, Veit & Co. 05. — 80
— Berlin—Breslau u. zurück. — Breslau—Leipzig(—Halle) u. zurück, s.: Rechts u. links d. Eisenb.
— Heinr. Kiepert. Ein Bild s. Lebens u. sr Arbeit. [S.-A.] (40) 8° Lpzg, BG Teubner 01. 1 —
— Landeskde d. Prov. Schlesien. 5. Afl. (40 m. Abb. u. Kartenskizzen.) 8° Bresl., F Hirt 04. Kart. — 50 d
— Mitteleuropa. Die Länder u. Völker v. d. Westalpen u. d. Balkan bis an d. Kanal u. d. Kur. Haff. (463 m. Textkart., Diagr. u. 16 Kart.) 8° Gotha, J Perthes 04. 10 —; L. 11.50
— Schlesien. Landeskde f. d. deut.Volk auf. wiss. Grundl. II. Tl. Landschaften u. Siedlgn. 1. Heft: Oberschlesien. (186 m. Abb. u. 2 Kart.) 8° Bresl., F Hirt 03. 5 — (I u. II, 1.: 14 —)
— Schlesien an d. Schwelle u. am Ausg. d. XIX. Jahrh. Festrede. (14) 8° Bresl., (WG Korn) (04). — 25 d
Partsch, J: Die Schriftformel im röm. Provinzialprozesse. (122) 8° Bresl. 05. (Lpzg, Bh. G Fock). 1.50
Parvus s.: Handelskrisis, d., u. d. Gewerkschaften.
Parylak, P: Polnisch-deut. u. deutsch-poln. Taschenwrtb. 6. Afl. (536 u. 924 Sp.) 16° Berl., Neufeld & H. (04). L. 3 — d
Parzer-Mühlbacher, A: Der moderne Amateur-Photograph. (106 m. Abb. u. 8 Taf.) 8° Wien, A Hartleben (01). 2 —
— Die modernen Sprechmaschinen (Phonograph, Graphophon u. Grammophon), deren Behandlg u. Anwendg. (113 m. Abb.) 8° Ebd. (02). L. 3 —
— Photograph. Unterhaltgsb. (212 m. Abb. u. 16 Taf.) 8° Berl., G Schmidt 05. 3.30; geb. 4.50
Pascal: Das sexuelle Problem in Kunst u. Leben, 5. Afl., s.: Berg. L.
Pascal: Das Kindesalter unter d. Gesichtspunkten d. Reinkarnations-Idee. Aus d. Franz. v. O Boltz. (13) 8° Lorch, K Rohm 04. — 10 d
Pascal, B: Gedanken (pensées). (Übers. u. eingeleitet durch B v. Herber-Rohow. Mit Einführg v. R Eucken.) 9 Bde. (40, 170 u. 263) 8° Jena, E Diederichs 05. 6 —; in 1 Bd geb. 8 — Liebhaberausg. 20 —
Pascal, E: Repertorium d. höh. Mathematik (Definitionen, Formeln,Theorie, Lit.). Nach e. neuen Bearbeitg d. Originals v. A Schepp. Analysis u. Geometrie. II. Thl: Geometrie. (712) 8° Lpzg, BG Teubner 02. L. 12 — (Vollst.: 22 —)
Pasch, S: Das neueste Würfel-Reglement. (Umschl.: v. Max u. Moritz.) (32) 8° Neuweissens., E Bartels (o. J.). — 25 d
Paschali s. a.: Weick, G.
— Grenzkapitän Bernhard. Erzählg. (138 m. Titelbild.)8° Strassbg, F Bull 02. 2.40 ; L. geb. 3 —
— Die silberne Glocke. Märchen f. Jung u. Alt. 3. Afl. (52 m. 4 Bildern.) 8° Ebd. 04. 1.40; geb. 1.80 d
— Die Heimatlosen. Ein neues Epos. (155) 8° Ebd. 05. 2.40 d; L. 3 — d
Pasche, O: Der Standpunkt d. modernen Röntgen-Technik. [S.-A.] (29) 8° Berl., Aus d. Haas., Soc. suisse d'édition. 1 — **Paschen**, C: Die Flotte Italiens, s.: Heere u. Flotten, d., d. Gegenwart.
Paschen, F: Üb. d. Strahlg d. Quecksilbers im magnet. Felde. — Üb. d. Zerlegg einander entsprech. Serienlinien im magnet. Felde, s.: Runge, C.
Paschen, R: Der Schiefwuchs d. Kinder. I. Die Skoliose. Entstehg u. Heilg derselben vermittels persönlich erdachter u. konstruierterApparate. (84 m. Abb., 1 Tab. u. 2 Taf.) 8° Dess. Anhalt. Verl.-Anst. 09 (?). Lpzg, R Hoffmann. 15 —
Paschen, K: Das Lokalbahnwesen in Österr., s.: Schriften f. Verkehrswesen.
Paschen, K: Panorama vom Arber. 18,5×139 cm. Lith. Nebst Führer auf d. Arber. (7) 8° Pilsen (1898). Eisenstein, Wald vereinssection.
Paschke-Diergarten, M: Blumen am Wege. Gedichte. (148 m. Bildnis.) 16° Lüdensch., W Crone jr. (02). L. m. G. 1.50
— Herbststürme. Gedichte. 3. Afl. (176 m. Bildnis.) 8° Bresl. L. m. G. 3.50
Paschke, P: Der Gröditzberg u. s. Bedeutg f. Niederschlesien. (51 m. Abb.) 8° Bresl., M Woywod 05. — 50
Paschke, W: Die Förderg d. Handwerks. Studie üb. d. preuss. Abgeordnetenb. angenommene Amtsgew. Erl. u. Crüger. 1. u. 2. Afl. (34) 8° Bresl., (F Hirt) (04). — 30
— Kosmetik f. Ärzte. 3. Afl. (335) 8° Ebd. 05. 6.80; geb. nn 8.40
Paschkis, H: Agenda therapeutica (1901 u. 3). Neuere Medicamente u. Arzneiverordnngn. (106 u. 108 u. Notizblätter.) J 3 — Wien, A Hölder 01.09.
Paschkis, M: Quinten. Dichtgn. (76) 8° Lpzg 1898. Berl., Wunder. 2 —; L. 3 —
Paschleben, R: Leitf. d. Handelslehre nebst Kontorarbeiten f. kaufmänn. Fortbildgs- u. Handelssch. u. Selbstunterr. (216) 8° Lpzg, GA Gloeckner 05. 2.40; L. nn 2.80 d
Paschwitz, E v.: Die in d. Armeen benutzten Entferngsmesser-Systeme u. d. Telemeter Paschwitz, Modell 1887, u. 1902. (12 m. Abb.) 8° Berl., Administr. d. Fachzeitschr. „Der Mechaniker" 03. 1 —

Paschwitz, T v.:Versunken Eiland, s.:Weber's moderne Bibliothek.
— Unser Oberndorf. Eine Gesch. f. junge Mädchen. (251 m. Abb.) 8° Dresd., E Pierson 05.   3 —; geb. 4 — d
Pasie, H: Enthüllgn üb. uns. Apotheker-Gewerbe f. d. Volk. 1. u. 2. Afl. (28) 8° Hannov., F Rethmeyer (1898). nn — 30 d
Pasig, J : Bismarck im deut. Liede. Lieder u. Gedichte. (116 m. 1 Bildnis.) 8° Frieden.-Berl., W Wohlthat 01.   1 —; geb. 1.50 d
Pasig, P, s.: Festgabe d. Stadt Ilmenau z. XVII. Generalversammlg d. Goethe-Gesellsch.
— Goethe u. Ilmenau. Mit e. Beigabe: Goethe u. Corona Schröter (gest. am 23.VIII.1802 in Ilmenau). Festgabe d. Stadt Ilmenau z. 17. Jahres-Versammlg d. Goethe-Gesellsch. 3. Afl. (27) 8° Ilmen., (A Schröter) 02.   1 —
Pasinati, C: Einf. farb. Flachornamente, entwickelt a. Pflanzen u. Blüten. Vorlagewerk f. dekorative Malerei u. textiles Musterzeichnen. (48 farb. Taf. m. 3 Bl. Text.) 51×36 Cm. Parma(04). (Weissenbg i/B., V Stoll.)   30 —; in M. 31.50;   auch in 6 Lfgn zu 5 —
Paslack, HE: Exeget.Bemerkgn zu Matth. 6,9—13 u.Luk.11,2—4. Vortr. (51) 8° Strassbg, JHE Heitz 05.   2 —
Pasqué, E: Es steht e. Baum im Odenwald. Erzählg v. d. Bergstrasse. 3. Afl. (61 m. Abb.) 8° Bensh., Lehrmittelanst. J Ehrhardt & Co. (05).   — 80 d
— Das Dombaufest zu Köln. Erzählg a. d. Octobertagen d. J. 1880. (401) 8° Bresl., Schles. Buchdr. usw. 01. + —; geb. 5 — d
— Das Öde Haus, s.: Goldschmidt's Bibliothek f. Haus u. Reise.
— Hans Kleeberg, s.: Kürschner's, J, Bücherschatz.
— Aus vergang. Tagen. Erzählgn. (232) 8° Bresl., Schles. Buchdr. usw. 04.   3 —; geb. 4 — d
— Wer hat dich, du schöner Wald . . .?, s.: Volksbücher, Wiesbadener.
Pasquino (J Wertheimer), s.: Jahr, e., unter d. neuen Aera.
Passarelli, F: Klin. Beitrag z. Kenntnis d. therapeut. Wirksg d. Gonosans. [S.-A.] (8) 8° Lpzg, Verl. d. Monatsschrift f. Harnkrankh. 05.   — 60
Passarge, F: Ehre sei Gott in d. Höhe, s.: Habermas.
— Präparat. zu 40 Kernliedern u. 10 geistl. Liedern a. d. neueren u. neusten Zeit d. ev. Kirche, s.: Bibliothek, pädagog.
Passarge, L: Dalmatien u. Montenegro. Reise- u. Kulturbilder. (541) 8° Lpzg, B Elischer Nf. (04).   6 —; L. 7 —
— Ein ostpreuss. Jugendleben. Erinnergn u. Kulturbilder. (235) 8° Ebd. 03.   3 — d
— 3 nenpers. Lustsp., s.: Bibliothek d. Gesamtlitt.
— Marienburg, s.: Rehfues, PJ v.
— Sommerfahrten in Norwegen. Reiseerinnergn, Natur- u. Kulturstudien. 3. Afl. 2 Bde. (288 u. 302) 8° Lpzg, B Elischer Nf. (01).   8 —; L. 10 —
— Aus Spanien u. Portugal. Reisebriefe. 2. Afl. 2 Bde. (278 u. 306) 8° Ebd. (05).   8 —; L. 10 —
Passarge, R: Die Königin Luise-Gedächtniskirche, s.: Augath, FW.
— Die freiwill. Versicherg u. d. Invalidenversichergses. v. 13.VII.1899. 1—10. Taus. (48) 12° Königsbg, Ostpreuss.Druckerei u. Verl.-Anst. 05.   — 40 d
Passarge, S: Die Kalahari. Versuch e. physisch-geograph. Darstellg d. Sandfelder d. südafrikan. Beckens. (823 m. Abb., 3 Taf. u. 21 Kart. in Mappe.) 8° Berl., D Reimer 04.   80 —
Passero, H: Die zeitgenöss. Geisterseherin v. Cöln, s.: Schnütgen, F.
Passau, Stadt, u. ihre nähere Umgebg. 7. Afl. (76 m. Abb. u. 1 Pl.) 8° Passau, M Waldbauer (05).   — 50
Passer, A v. d.: Claudia Porticella. Ein Sang a. d. Trentino. (2. Afl.) (151 m. Abb.) 8° Lpzg, J v. Schalscha-Ehrenfeld 05.   3 —; geb. 3.80
Passio s. Theclae virginis. Die latein. Übersetzgn d. Acta Pauli et Theclae, hrsg. v. O v. Gebhardt, s.: Texte u. Untersuchungen z. Gesch. d. altchristl. Lit.
Passiones vitaeque sanctor. aevi Merovingici, ed. B Krusch, s.: Monumenta Germaniae historica.
Passionsandachten f. Gemeinde, kurze, f. Ostern u. Himmelfahrt. Neubearb. n. B Schmolks Passionsseufzern. (86 m. Titelbild.) 8° Karlsr., JJ Reiff 02.   L. — 75 d
Passionsbüchlein. Liturg. Andachten f. d. Passionszeit u. d. Karfreitag-Nachmittag. Im Anschl. an d. erneuerte Agende f. d. ev. Landeskirche v. 1895. 3. Afl. (55) 12° Königsbg, E Rautenberg 1897.   + 15 d
Passionschöre. (12) 8° Stuttg., Christl. Verlagshaus(04).   — 20 d
Passon, M: Die Bekömmlichk. d. gebräuchlichsten Kraftfuttermittel. (186) 8° Lpzg, M Heinsius Nf. 05.   3 — d
— Die Beurteilg u. Begutachtg landw. wicht. Hilfsstoffe, s.: Thaer-Bibliothek.
— Düngekatech. f. ländl. Fortbildgsschüler. (30) 8° Stuttg., E Ulmer 04.   — 25 d
— Häb.d.Düngewesens. (335) 8° Lpzg, M Heinsius Nf. 02.   6 — d
— Katech. d. Agrikulturchemie (7. Afl. d. E Wildt'schen Katech.), s.: Weber's illustr. Katechismen.
— Die Pflanzennährstoffe. Taschenb. f. rationelle Düngg. (83) 8° Lpzg, M Heinsius Nf. 1900.   2 — d
— Die Praxis d.Agrikulturchemikers. (295 m. 5 Taf.) 8° Stuttg., F Enke 05.   6 —; L. 7 —
— Die Töchter Rübezahls. Sang a. d. Riesengebirge. (176) 8° Dresd., E Pierson 04.   2 —; geb. 3 — d

Passow: Wie d. Mark christlich wurde, s.: Hefte z. märk. Kirchengesch.
Passow, A: Die Verletzgn d. Gehörorganes, s.: Ohrenheilkunde, d., d. Gegenwart.
Passow, H, s.: Mitteilungen a. d. chemisch-techn. Versuchsstation v. Dr. H Passow.
Passow, R: Die Kreditgefährdg d. § 187 St.-G.-B., s.: Abbandlungen, strafrechtl.
— Das Wesen d. Ministerverantwortlichk. in Deutschl. (79) 8° Tüb., H Laupp 04.   1.50
Passy, W: Studien z. Parthenon, s.: Untersuchungen, philolog.
assy, P : Abrégé de prononciation franç. (phonét. et orthoépie) Avec un glossaire des mots contenus dans le Franç. parlé. 2. éd. (51) 8° Lpzg, OR Reisland 01.   Kart. 1 —
— Choix de lectures franç. phonét. [S.-A.] (62) 8° Cöth., O Schulze V. 04.   — 80
— Elementarb. d. gesproch. Englisch, s.: Beyer, F.
— Le franç. parlé. Morceaux choisis à l'usage des étrangers avec la prononciation figurée. 5. éd. (122) 8° Lpzg, OR Reisland 01.   Kart. 1.80
— Französ. Unterr.-Briefe, s.: Haberland.
Passyrion üb. Deutschl. Beobachtgn u. Kritiken e. Marsbewohners. Aus d. Marsischen übers. v. Intrus. 1. u. 2. Afl. (183) 8° Rost., CJE Volckmann 05.   2.50; L. 3.50 d
Pastarini, G: Leben d. ehrwürd. Dienerin Gottes Maria Christina, Königin beider Sizilien. Aus d. Ital. (93) 12° Münch., J Pfeiffer 02.   — 50 d
Pasteur's Totenlisten. 2209 trotz od. infolge d. Schutzimpfg eingetret. Todesfälle. Bis z. 1.I.'05 rev. u. als Suppl. zu d. Zoophilist and Animals' Defender (Tierfreund u. Verteidiger d. Tiere) am 1.III.'05 hrsg. v. d. National Anti-Vivisection Society in London. Aus d. Engl. übers. u. m. e. Einl. versehen v. E Staudinger. (49) 4° Berl., H Bermahler 05.   1.50
Pasteur, Louis. Gesch. e. Gelehrten, erzählt v. einem Ungelehrten. Uebers. v. N v. Monbart. (392) 8° Strassbg, JHE Heitz (02).   5 — d
Pastor bonus. Zeitschrift f. kirchl. Wiss. u. Praxis, hrsg. v. P Einig. 14—18. Jahrg. Oktbr 1901—Septbr 1906 je 12 Hefte. (14—17. J.: 584, 584, 576 u. 584) 8° Trier, Paulinus-Dr. Je 4 —;   einz. Hefte je 50 d
Pastor, G: Gebet- u. Messbüchl. f. d. Kleinen. (56 m. Titelbild.) 16° Paderb., F Schöningh (02).   L. — 50 d
Pastor, L, s.: Akten, ungedr., z. Gesch. d. Päpste. — Erläuterungen u. Ergänzungen zu Janssens Gesch. d. deut. Volkes.
— Gesch. d. Päpste seit d. Ausg. d. M.-A. I. u. II. Bd u. IV. Bd, 1. Abtlg. 8° Freibg i/B., Herder.   31 —
   I.—IV., 1.: 43 —; Einbde in HF. je 2 — d
   I. Zeitalter d. Renaissance bis z. Wahl Pius II. u. s. Afl. (48, 699) 01. 12 —
   II. Zeitalter d. Renaissance v. d. Thronbesteigg Pius II. bis z. Tode Sixtus' IV. 3. u. 4. Afl. (60, 816) 04.   11 —
   III.—IV.: Zeitalter d. Renaissance v. d. Glaubenspaltg v. d. Wahl Leos X. bis z. Tode Klemens' VII. (1513—34.) 1. Abtlg : Leo X. 1—4. Afl. (600) 06.   8 —
— Gesch. d. deut. Volkes, s.: Janssen, J.
Pastor, W: Die Erde in d. Zeit d. Menschen, s.: Leben u. Wissen.
— Gust. Theodor Fechner u. d. durch ihn erschloss. Weltanschaug, s.: Blätter, grüne, f. Kunst u. Volkstum.
— Gust. Theodor Fechner u. d. Weltanschaug d. Alleinslehre, s.: Vorträge u. Aufsätze a. d. Comenius-Gesellsch.
— Im Geiste Fechners. 5 naturwiss. Essays. (149) 8° Berl. 01. Münch., G Müller.   2.50 d
— Natur, s.: Dichtung, d.
— Lebensgesch. d. Erde, s.: Leben u. Wissen.
— Natur u. Geist. Gedichte. (98) 8° Berl. 01. Münch., G Müller.   2.50 d
— Novalis, s.: Dichtung, d.
— Im Reich d. Krystalls. Schausp. (72) 8° Berl. 01. Münch., G Müller.   2 — d
— Der neue Stern. Drama. (84) 8° Ebd. 01.   2 — d
— Studienköpfe. 20 essayist. Porträts. (211) 8° Ebd. 02. 3 — d
Pastoral-Blatt d. Bisth. Eichstätt. Für d. nichtamtl. Thl verantwortlich: FX Herb. 48—52. Jahrg. 1901—6 je 26 Nrn. (Nr. 1, 4) 4° Eichst., (P Brönner).   Je 4 — d
— Unter Mitwirkg e. Ver. v. Curatgeistlichen d. Erzdiöc. Köln hrsg. v. Berrenrath u. Vogt. 35—39. Jahrg. 1901—5 je 12 Nrn. (Je 384 Sp.) 4° Köln, (JP Bachem).   Je 3.60 d
— hrsg. v. mehreren kathol. Geistlichen d. Bisth. Münster hrsg. v. H Joeppen. 39. u. 40. Jahrg. 1904 u. 05 je 52 Nrn. (Nr. 1, 16) 4° Münst., Regensberg. Je 2.50 ll 41—43. Jahrg. 1903—5. Je 3 — d
— hrsg. v. mehreren kathol. Geistlichen d. Bisth. Münster, Red.: W Färber. 35—39. Jahrg. 1901—5 je 12 Nrn. (Je 192) 4° Münst., Regensberg.   Je 2.50 d
— oberrhein. Vormals Freiburger katbol. Kirchenbl. Red.: E Käser. Mit d. Beil.: Anzeigebl. Red.: Erzb. Kanzlei. 3—7. Jahrg. 1901—5 je 26 Nrn. (Nr. 1. 16 u. 4. u. 4 in 4) 8° Freibg i/B., (Herder).   Je n 6 —; ohne Anzeigebl. je nn 4 —;   Anzeigebl. allein je nn 3 — d
— schles. Red. v. C Seltmann. 22—36. Jahrg. 1901—5 je 24 Nrn. (1901. Nr. 1, 10) 4° Bresl., GP Aderholz.   Halbj. 2 — d
Pastoralblätter f. Homiletik, Katechetik u. Seelsorge. Begründet v. G Leonhardi u. C Zimmermann. Hrsg. v. W v. Langsdorff u., v. 45. Jahrg. ab, A Neuberg. 44—48. Jahrg. Oktbr 1901—Septbr 1906 je 12 Hefte. (1. Heft. 80) 8° Dresd., CL Ungelenk.   Halbj. 4 —; einz. Hefte 1 — d
Erschien bis Anfang 1902 in Leipzig.

Epistulae Pseudoignatii, Ignatii martyris, fragmenta Polycarpiana, Polycarpi vita. (73. 552)   4 —

Patria. Jahrb. d. „Hilfe" 1902—5. Hrsg. v. F Naumann. (187, 174, 176 u. 225 m. Fig.) 8° Berl.-Schönebg, Verl. d. „Hilfe". L. je 3 — ‖ 06. (225 m. 8 Tab.) L. 4 — d

Patriot, der. Mitteilgn d. deut. Patriotenbundes z. Errichtg e. Völkerschlacht-Denkmals bei Leipzig. Schriftleitg: C Thieme. 7. Jahrg. Novbr 1900—Oktbr 1901. 24 Nrn. (Nr. 1. 8) 4°
Lpzg (Blücherstr. 11), Geschäftsstelle d. deut. Patriotenbundes, ‖ 8—12. Jahrg 1901/6 je 12 Nrn. L. 2 — d
— d. beste. Gespräch z. Aufführg in christl. Jünglingsvereinen am Grossherzog-Jubiläum. In anspruchslosen Reimen v. HV. (9) 12° Karlsr., JJ Reiff 05.   — 20 d

Patrouillendienst, d., im Felde, unter bes. Berücks. russ. Verhältn. Zusammengest: v. Frhr v. T. 2. Afl. (30 m. Abb. u. 7 farb. Taf.) 8° Berl., Liebel 03.   1 — d

Patrum s. a.: Patres.
— apostolicor. opera. Textum ad üdem codicum et graecor. et latinor. adhibitis praestantissimis editionib. recens, O de Gebhardt, A Harnack, T Zahn. Ed. V minor. (232) 8° Lpzg, JC Hinrichs' V. 06.   1.50; L. 2 —

Patrzek, H: Die Naturschönh. d. Astenberges u. 87 nächsten Umgebg. (32 m. 1 Karte.) 8° Arnsbg, J Stahl 01.   — 50

Patsch, O: Das Sandschak Berat in Albanien, s.: Schriften d. Balkankommission.
— Vorläuf. Bericht üb. e. archäolog. Exped. n. Kleinasien, s.: Jüthner, J.
— s.: Zur Kunde d. Balkanhalbinsel.

Patschke, A: Lösg d. Welträtsel durch d. einheitl. Weltgesetz d. Kraft. (162 m. Fig. u. Bildnis.) 8° Münch., Seitz & Sch. (05).   6 —; L. 7.20
— Der Sturz d. Anziehgsgesetzes u. d. Entdeckg d. einheitl. Weltgesetzes d. Kraft. (33) 8° Ebd. (05).   1.50
— Transversal-Dampfturbinen f. elast. Kraftmittel: Wasserdampf, Luft, schwefl. Säure, Kraftgas u. dergl. (73 m. 16 Taf.) 8° Mülh. a/R., (M Röder) 04.   2.75

Patschovsky, W: Führer durch d. Altvater-Gebirge u. d. im Bereiche desselben geleg. Kurorte u. Sommerfrischen. 3. Afl. (97 u. 4 m. 2 Kart.) 12° Schweidn., G Brieger 03.   — 60
— Führer durch d. Eulengebirge m. bes. Berücks. v. Schweidnitz u. d. Weistritztalbahn, sowie v. Reichenbach u. d. Eulengebirgsbahn. (43 m. 1 Karte.) 8° Ebd. 05.   — 50
— Führer durch d. Grafsch. Glatz u. d. Eulengebirgs. 3. Afl. (201 m. 3 Kart.) 12° Ebd. (02).   1 —
— Führer durch Bad Landeck u. Umgebg. 2. Afl. (64 m. 2 Kart.) 12° Ebd. 02.   — 50
— Führer durch Stadt u. Bad Reinerz u. Umgebg. 2. Afl. (48 m. 1 Karte.) 12° Ebd. (02).   — 50
— Führer durch d. Riesen- u. Isergebirge. 5. Afl. (196 m. 3 Kart.) 12° Ebd. (04).   — 50
— Verz. d. Sommerfrischen im Riesen- u. Isergebirge. (136 m. Abb.) 8° Ebd. (04).   — 50

Patté s.: Eisenbahn-Technik, d., d. Gegenwart.

Patterson, E, s.: Jerôme Bonaparte, Mad.

Patton, E: Beitrag z. Berechng d. Nebenspanngn infolge starrer Knotenverbindgn bei Brückenträgern, m. 5 Zusammenstellgn u. Zeichngn, z. Gebr. beim Entwerfen eiserner Brücken. (52 m. Fig.) Fol. Hannov. 02. (St. Petersbg. KL Ricker.) nn 4 —

Patuschka, A: Unterredgn üb. d. I—III. Hauptstück d. luther. kl. Katech. Hdb., f. Lehrer an Volksschuloberkl. u. Fortbildgssch. m. Einführg sozialpolit. Lehrstoffes. (384) 8° Lpzg, E Wunderlich 01.   3 —; geb. 3.80 d

Paetz, F, s.: Landeskunde d. Herzogt. S.-Gotha.

Paetz, OA: Eine rote Regierg . . . Beitrag z. Lösg soz. Fragen d. Gegenwart. (61) 8° Kiel, Lipsius & T. 04.   1 — d

Patzak, B: Friedr. Hebbel's Epigramme, s.: Forschungen z. neueren Litt.-Gesch.

Patzak, JK: Schule u. Schülerkraft. Statist. Versuche üb. d. Arbeitsleistg an höh. Lehranst. Nach Erhebgn an e. k. k. Staats-Obergymnasium, an e. k. k. Staats-Oberrealsch. u. e. öffentl. 3klass. Handelsakad. (83 m. 116 farb. graph. Taf.) 8° Wien, A Pichler's Wwe & S. (04).   10 —

Patzauer, H: Ges., Staatsverträge u. Verordngn betr. d. Binnenschiffahrtswesen in Österr., s.: Taschenausgabe, Manzsche, d. österr. Ges.

Patzig, CA, s.: Bibliothek f. Politik u. Volkswirtschaft.

Patzig, R: Dent. Sprachlich. — Zur Wortbildg u. Wortbedeutg, s.: Hähnel, E.

Patzig, V: Viehzucht. (Landw. Unterrichtsbb.) 5. Afl. (199 m. Abb.) 8° Berl., P Parey 05.   L. 1.60 d

Patzmer, CGL: 200 Dispositionen zu pädagog. Aufsätzen. 7. Afl. (264) 8° Langens., Schulbb. 04.   2.50 d
— Pädagog. Goldkörner. Sammlg pädagog. Sentenzen f. Lehrer u. Erzieher. 10. Afl. (298) 12° Ebd. 05. nn 1.70; geb. nn 2.30 d
— 100 Themen zu pädagog. Aufsätzen. 5. Afl. (368) 8° Ebd. 02.   3.30 d

Patzold, M: Camellien, s.: Radetzki, gärtner. Kultur-Anweisgn.

Patzold, W: Gedichte. Schulfeierlichk. (157) 8° Lpzg, H Schlag Nf. (04).   Geb. 2 —
— Der schriftl. Verkehr d. Lehrers m. d. sächs. Schulbehörden, amtl. Bücher u. and. amtl. Schriftstücke. 3. Afl. (72) 8° Glauch., A Peschke 02.   — 80 d
— Der junge Volksschullehrer. Briefe an e. jungen Lehrer u. Ratschläge f. Abfassg amtl. Schriftstücke. (160) 8° Lpzg, J Klinkhardt 05.   1.50; geb. nn 1.80 d

---

Paetzoldt, H: Was muss d. Kindergärtnerin wissen? (80) 8° Berl., H Steinitz (02).   1 — d

Pauckinger s.: Tanzschule, Wiener.

Paudler, A: Der neue Kammweg v. Jeschken z. Rosenberge. (251 m. 1 Taf. u. 1 Karte.) 8° Leipa, (J Hamann) 04.   3.50; geb. 4.50 d
— s.: Mitteilungen d. nordböhm. Exkursions-Klubs.

Pauer, L: Vinzenz, d. Köblerbub, s.: Jugendschriften, hrsg. v. Lehrerhausver. f. Oberösterr.

Pauker, W, u. J Langer: Gesangb. z. Gebr. beim kathol. Gottesdienste an Mittelsch. (92) 8° Wien, H Kirsch 02.   geb. 1.50

Paukert u. Wilner: Ungarisch. Lehrbehelf f. d. Gebr. an k. u. k. Militär-Bildgs- u. Erziehgsanst. I. Tl. (133) 4° Wien, LW Seidel & S. 03.   3.80 ‖ Schlussheft. (135—234) 05. 3.60 d

Paukert, F: Die Zimmergotik in Deutsch-Tirol. VII. u. VIII. Sammlg. (Je 32 Taf. m. 7 S. Erläutergn.) 42×39,5 cm. Lpzg, EA Seemann 03.04.   In M. je 12 — (I—VIII.: 96 —)

Paul: Wie schützen wir uns vor d. Genickstarre u. wie behandeln wir sie am erfolgreichsten? (32) 8° Lpzg, O Borggold (05).   — 50

Paul, A, s.: Krischna's Weltengang.

Paul, A: Die Doppelgänger-Komödie. (114) 8° Hambg, A Janssen 03.   2 —
— Harpagos, Schausp. Neue deut. Orig.-Ausg. (90) 8° Lpzg, Breitkopf & H. 03.   3 —; geb. 4 — d
— Heroische Komödien. 1. Folge. David u. Goliath. — Der Fall Voltaire. — Der Tiger. (132) 8° Ebd. 02.   3 — d
— König Kristian II. Schausp. Neue deut. Orig.-Ausg. (132) 8° Ebd. 03.   4 — d
— Die Madonna m. d. Rosenbusch. Eine alt-lübsche Gesch. (278) 8° Hambg, A Janssen 03.   4.50; L. 5 —
— Karin Månstochter. Schausp. Deut. Orig.-Ausg. (87) 8° Lpzg, Breitkopf & H. 03.   2 —; geb. 3 — d   1.50; geb. 2.50 d

Paul, A: Wie sollen wir geistig arbeiten? Hygiene u. Aesthetik d. geist. Arbeit. 1—9. Afl. (69) 8° Berl., P Nitschmann 03.04.   1 —
— Wie empfindet, denkt u. handelt d. geniale Mensch? Eine Psychol. d. Genies. 1—3. Afl. (88) 8° Ebd. 04.   1 —

Paul, A: Die Feuerwehr, s.: Bloch's, L, Galerie leb. Bilder.

Paul, AT: George Sand u. ihre Auffassg v. Liebe u. Ehe. (129) 8° Berl. 04. Lpzg, Verl. d. Funken, Sep.-Kto.   2 —

Paul, C: Was tut d. ev. Deutschl. f. s. Diaspora in überseeischen Ländern? (58) 8° Lpzg, A Strauch (03).   1.20
— Die Mission in uns. Kolonien. 3. Heft: Deutsch-Südwestafrika. (167 m. Abb. u. 1 Karte.) 8° Dresd., CL Ungelenk 05.   1.50 (1—3.: 8 —) d
— Missionsstunden, s.: Dietel, RW.
— s.: Studien, missionswiss.

Paul, C: Das Leben. Skizzen. (107) 12° Lpzg (02). Berl., H Seemann Nf.   2 —

Paul, CA (WEM): Das bin ich!, s.: Thalia.
— Aus d. Hausfrauen-Verein, s.: Bloch's, L, Damen-Bühne.

Paul, E: So Jungen hat geholfen!, s.: Esser's, J, Sammlg leicht aufführbarer Theaterstücke.

Paul, E: Gegen d. Hereros od. Freiwillige vor. — Der schöne Oscar, s.: Theater-Album, militär.

Paul, E: Der Gelenkrheumatismus u. s. schnelle u. sichere Heilg. (37 u. 10) 16° Lpzg, (A Cavael) 1895.   — 40 d
— Gesundheits-Bibliothek. 2—5. Bdchn. 16° Graz. (Lpzg, A Cavael.)   Je — 40 d
  > 2. Gegen Kneipp. Ernste Betrachtgn üb. d. Nachtheile u. Gefahren d. Kneipp-Cur u. üb. irrgn Kneipps. Von e. Sachverständigen. (79) 1897.
  > 3. Apostel inealer Gesundheits-Pflege u. Natur. I. Thl. (228 m. Bildnisst.) 1897.
— Die Hautpflege als Mittel z. Verhütg u. Heilg vieler Krankh., sowie z. Kräftigg u. Verschönerg d. Körpers. (89 u. 10) 16° Lpzg, (A Cavael) 1895.   1 — d
— Die Heilmittel d. Blutarmut u. Bleichsucht. (14) 8° Ebd. 1895.   — 50 d
— Die Heilmittel d. Zuckerharnruhr. (42 u. 10) 16° Ebd. 1895.   1 — d
— Aus d. Hochburg d. Irredentismus. Paduaner Sittenbilder. (58) 8° Mgdbg, E Zacharias (05).   1 — d
— Gegen Kneipp. Ernste Betrachtgn üb. d. Nachtheile u. Gefahren d. Kneipp-Cur u. üb. irrgn u. Uebertreibgn Kneipps. 3. Afl. (52) 16° Graz (1894). (Lpzg, A Cavael.)   — 50 d
— s.: Vita sexualis.
— Winke f. Eheleute. 4. Afl. (105) 12° Lpzg, A Cavael (02).   — 50 d
— Der verkaufte Bart od. Der gr. Treffer d. Hamburger Lotterie, s.: Theater, Bz.

Paul, G: Der österr. Gerichtssanit. (544 m. Abb. u. 1 Taf.) 8° Wien, F Deuticke 04.   7 —
— Lehrb. d. Somatol. u. Hygiene f. Lehrer- u. Lehrerinnenbildganst. u. verwandte Instit. (196 m. Abb.) 8° Ebd. 04.   Geb. 2.50
— dass. f. Lehrgang a. verwandte Instit. (175 m. Abb.) 8° Ebd. 04.   Geb. 2.40
— Der Nutzen d. Schutzpocken-Impfg. Vortr. [S.-A.] 1—4. Afl. (18) 8° Wien, (J Šafář) 01-03.   — 20 d

Paul, Frau H: Die Überschätzg d. Jungfernschaft. Beitrag z. modernen Frauenfrage. (32) 8° Dresd., HL Diegmann (05).   1 — d

Paul, H, s.: Beiträge z. Gesch. d. deut. Sprache u. Lit.
— Mhd. Grammatik, s.: Sammlung kurzer Grammatiken german. Dialekte.
— s.: Grundriss d. german. Philol.
— Deut. Metrik. 2. Afl. [S.-A.] (102) 8° Strassbg, KJ Trübner 2.50
—[0]:: Textbibliothek, altdeut.
— Die Umschreibg d. Perfektums im Deut. m. haben u. sein. [S.-A.] (50) 4° Münch., (G Franz' V.) 02. 1.30
Paul, H: Der kl. Anton, s.: Pruss, E.
— Der Leierkastenmann. Aus d. Russ. Ein verfehltes Leben. (96) 8° Neuweissens., E Bartels (o. J.). 2 — d
— Der einfält. Michel. Aus d. Russ. Und anderes. (96) 8° Ebd. (o. J.). 2 — d
Paul, J: Wer bittet, empfängt. Gedanken üb. d. Gebet. [S.-A.] (32) 8° Elmsh., Gebr. Bramstedt 03. — 35 d
— Das Buch Gottes. Eine Prüfg d. Bibel, Alten u. Neuen Test., gegenüber d. Zweifeln d. Gegenwart, in allg. verständl. Form. Zugl. e. Übersicht üb. d. Entstehg d. Bibel. (88) 8° Berl., Deut. ev. Buch- u. Tractat-Gesellsch. 01. — 80 d
— Daniels Weissaggn u. ihre Erfüllg. Zeugnis a. Babel f. d. Bibel. (79) 8° Elmsh., Gebr. Bramstedt 03. — 80 d
— Glaube u. Heilsgewissheit. 4. Afl. (15) 8° Strieg., R Urban 03. — 15 d
— Durch d. Glauben. Betrachtgn üb. d. Art d. Glaubens. [S.-A.] (52) 8° Elmsh., Gebr. Bramstedt 03. — 45 d
— Ihr sollt heilig sein! Grundgedanken üb. d. Heiligg. [S.-A.] (95) 8° Elmsh., Gebr. Bramstedt 03. — 80 d
— Heilsgewissheit, -s.: Wie kommt's z. wahren Frieden d. Seele?
— Ein wicht. Hilfsmittel, um z. Freih., z. Frieden u. z. Freudigk. zu gelangen. 2. Afl. (68) 8° Berl., Deut. ev. Buch- u. Tractat-Gesellsch. 01. || 3. Afl. (68) (05.) Je — 50 d
— In Jesu Händen, Beiträge zu 2. Mos. 15, 26 : Ich bin d. HErr dein Arzt. [S.-A.] (98) 8° Elmsh., Gebr. Bramstedt 03. — 80 d
— In Jesu Nachfolge. 3. Afl. v.: Ein Leben in d. ach lge Jesu. (101) 8° Strieg., R Urban 04. 1 — L 250 ;
in 10 Heften zu — 10 d
Die gänzl. Abhängigk. v. HErrn. (8) || Die Arbeit f. Jesu. (12) || Aufersteheherrlichk. (11) || Die Fusstapfen Jesu. (12) || Der Gebetsumgang m. Gott! (8) || Geistesleistg. (8) || Die Gemeinschaft d. Leiden. (11) || Jesu Sinn n. Geist. (12) || Der Wandel im Gehorsam. (8) || Der schmale Weg. (8)
— Komm heim! 100 zweiseit, Traktate m. Bildern. 1. u. 2. Afl. 8° Ebd. (04). — 50 d
— Erst prüfen, dann urtheilen!, s.: Für dich.
— Wie kommst du z. Ruhe? Wegweiser v. d. Rechtfertigg z. Heiligg. 2. Afl. (92) 8° Strieg., R Urban (01). 1.20 d
— Am Scheidewege. — Der Schlüssel d. Erkenntniss, s.: Für Dich.
— Zur Selbst- u. Gotteserkenntnis. [S.-A.] (32) 8° Elmsh., Gebr. Bramstedt 03. — 25 d
— Innewohn. Sünde u. Erlösg. [S.-A.] (54) 8° Ebd. 03. — 50 d
— Zum Ziel hin! Gedanken üb. d. Durchheiligg d. Kinder Gottes. [S.-A.] (106) 8° Ebd. 03.
Paul, J: Lucis. Eine Dichtg in Briefen u. Tagebuchblättern. (107) 8° Dresd., E Pierson 02. 2 — ; geb. 3 — d
Paul, JFF : Ein wahrer Freund in d. Not ! Ratgeber bei Zahlgsstockgn, Moratorien, Akkorden, Konkursen, freiwill. u. Zwangs-Vergleichen. (58) 8° Lpzg, S Schnurpfeil 03. 1 — d
— Verkehrs-Handbücher. I—VII. (Mit Kart. u. Pl.) 12° Lpzg, O Regel. Je — 20 d
I. Rosenlöcher, O: Mentor f. d. Leipz. Verkehr. Sommer-Ausg. 1903. 7. Afl. (70)
II. Mentor f. d. Dresdner Verkehr. Sommer-Ausg. 1901. (72)
III. Rosenlöcher, O: Mentor f., d. Hallenser Verkehr. Sommer-Ausg. 1903. 4. Afl. (68)
IV. Mentor f. d. Düsseldorfer Verkehr. Sommer-Ausg. 1902. (74)
V. Mentor f. d. Wiesbad. Verkehr. Sommer-Ausg. 1902. (77)
VI. Mentor f. d. Wiesbad. Verkehr. Sommer-Ausg. 1902. (57)
VII. Gottschalk, R: Mentor f. d. Sächs.-Schweiz. 20 Touren links u. rechts d. Elbe. Sommer-Ausg. 1902. (45)
— u. J Lehmann: Hülfsb. bei Herstellg u. Preisberechng v. Druckwerken. 4. Afl. v. JFF Paul. (188 m. Abb.) 8° Lpzg, J Paul 04. L. 10 —
Paul, K: Aufg. f. d. Rechenunterr., s.: Becker, JC.
Paul, L: En terre sainte. Nach d. Verf. „Journal de voyage" f. d. Schulgebr. bearb. v. H Michaelis. (Tit.-)Afl. (96 m. 1 Karte.) 8° Berl., Gerdes & Hödel [1899] (02). 1 — d
Wrtrb. (22) — 35
Paul, M: Der Glaube, d. Offenbarg Gottes u. d. Relig. a. d. Lichte d. Bewussten, 2. Afl., s.: Kressner, PH, d. Relig. im Lichte d. Bewussten.
Paul, M: Pariser Wasserversorgg u. Beleuchtgswesen, s.: Reiseberichte üb. Paris.
Paul, M: Für Herz u. Gemüt d. Kleinen. 55 bibl. Gesch. f. d. ersten 4 Schulj. in erzählend darstell. Form auf Grund Wundtscher Psychol. 1. u. 2. Afl. (207) 8° Lpzg, E Wunderlich 04.06. 2.40 ; geb. 3 — d
— Wie macht man s. Testament m. d. BGB.? 2. Afl. (135) 8° Ebd. (04). 1.50 ; geb. 1.80 d
Paul, T: Die Aufg. d. heut. wiss. Pharmacie. Vortr. [S.-A.] (29) 8° Berl., Gebr. Borntraeger 02. 1 —
— Die Bedeutg d. Jonentheorie f. d. physiolog. Chemie. Vortr. (36) 8° Tüb., F Pietzcker 01. 1.20

Paul, T: Entwurf z. einheitl. Wertbestimmg chem. Desinfektionsmittel. Mit bes. Berücks. d. neueren physikalisch-chem. Theorien d. Lösgn. [S.-A.] (54) 8° Berl., J Springer 01. 1.40
— Namen- u. Sachregister, s.: Zeitschrift f. physikal. Chemie.
— Die chem. Untersuchgsmethoden d. deut. Arzneib. [S.-A.] (73) 8° Tüb., F Pietzcker 02. 2.50
— u. A Günther: Untersuchgn üb. d. Säuregrad d. Weines auf Grund d. neueren Theorien d. Lösgn. [S.-A.] (72) 8° Berl., J Springer 05. 4 —
Paul, W: In Kiaotschan od. Schöne Seelen finden sich. — Ein gebild. Schlächtermeister, s.: Theater-Allerlei.
Paula, M, s.: Betrachtungen f. d. monatl. Exerzitien d. Ordensfrauen.
— Der hl. Franziskus v. Assissi. — Die kleine Geigenfee, s.: Erzählungen f. Schulkinder.
— Gelegenheitsgedichte (m. e. Anh. v. Liedern) f. relig. Genossensch. (159) 8° Rgnsbg, J Habbel (05). — 90 ; L. 1.20 d
— Gesch. d. Insel Nonnenwerth. (192 m. Abb. u. Titelbild.) 8° Ebd. 04. L. 5 — d
— Der göttl. Jesusknabe, s.: Erzählungen f. Schulkinder.
— Für d. lieben Kleinen! (Gedichte, Plaudereien, dramat. Szenen, Geschichten u. Märchen f. Kindergärten.) 4.—7. Bdchn. 8° Rgnsbg, J Habbel. Je — 90 ; geb. je 1.20 d
4. Schneeglöckchen. Geschichten u. Märlein. (144) (01.)
5. Christkindlein kommt ! Christkindlein ist da ! Gedichte, Gespräche u. dramat. Spiele f. d. hl. Weihnachtszeit. (220) (01.).
6. Wir gratulieren! Gelegenheitsgedichte f. kl. u. gr. Kinder. (228) (03.)
7. Gespräche, Szenen u. dramat. Spiele. (195) (04.)
— Leo XIII., d. gr. Jubelpapst, s.: Erzählungen f. Schulkinder.
— Tante Lisbeth's Erzählgn u. Plaudereien. 1. Bd. Aus d. gold. Kinderzeit. (109 m. Abb.) 8° Rgnsbg, J Habbel (01). Geb. 1.50 d
— Maiglöckchen u. Flieder. Erzählgn f. junge Mädchen. (312) 8° Ebd. (04). Geb. 1.20 d
— Märzveilchen. Geschichten, Märchen u. Plauderein f. liebe Kinder. (196 m. 1 Farbdr.) 8° Ebd. (04). Geb. 1.20 d
— Die hl. Monika. — Giovanni Battista Pergolese, d. Sänger d. Stabat Mater, s.: Erzählungen f. Schulkinder.
— Für trauts Stunden! Märchenbilder. (192 m. Abb.) 4° Rgnsbg, J Habbel (01). Geb. 3 — d
— Weihnachtsgruss f. fromme Kinder, bes. f. d. lieben Kommunionkinder. (164 m. 1 Farbdr.) 16° Ebd. (02). Geb. — 40 d
— O du wundervsel. Weihnachtszeit! Tante Lisbeths Weihnachtsb. f. kl. u. gr. Kinder. (173 m. Abb. u. 1 Farbdr.) 4° Ebd. (01). Geb. 4 — d
Pauloke, W: Geolog. Beobachtgn im Antirhätikon. [S.-A.] (42 m. 1 Kartenskizze.) 8° Freibg i/B. (04). (Tüb., JCB Mohr.) 1 —
— Der Skilauf. Seine Erlerng u. Verwendg im Dienste d. Verkehrs, sowie zu tourist., alpinen u. militär. Zwecken. 2. Afl. (189 m. Abb. u. 8 Taf.) 8° Freibg i/B., F Wagner 03. 2 —; geb. 2.50 || 3. Afl. (201 m. Abb. u. 4 Taf.) 05. 2.50; geb. 3 —
Pauli: Die Einrichtg d. Familien-Wohng. Vortr. (39) 8° Brem, G Winter (02).
Pauli, A: Sind wir Christen v. heute, was wir sein sollen? Predigt. (13) 8° Würzbg, A Herzer 05. — 25 d
Pauli, C: Der Kolonist d. Tropen als Häuser-, Wege- u. Brückenbauer, s.: Süsserott's Kolonialbibliothek.
Pauli, C, s.: Corpus inscriptionum etruscar. — Weltgeschichte.
Pauli's, G, Hdb. d. Radfahrer Sachsens 1902. (62 m. 1 Karte.) 8° Demitz-Thumitz u/S., Selbstverl. 1 —
— Eine Morgenfahrt d. Radfahrerklubs „Geölter Blitz", s.: Radfahrer-Pantomimen.
Pauli, G : Hans Sebald Beham, e. krit. Verz. sr Kupferstiche, Radiergn u. Holzschnitte, s.: Studien z. dent. Kunstgesch.
— Gainsborough, s.: Künstlermonographien.
— Gemälde alter Meister im brem. Privatbesitz. Erinnerg an d. Ausstellg in d. Kunsthalle zu Bremen Oktbr u. Novbr '06. (64) 8° Brem., F Leuwer 05. 2.40 d
— Venice, s.: Art cities, famous.
Pauli, H: Kurze Vor- u. Zwischensp. üb. Choralmotive f. d. Orgel. (77) 16×26 cm. Trier, (JB Grach) (04). 3 —
Pauli, J, u. J Wickram: Aus „Schimpf u. Ernst" u. a. d. Rollwagenbüchl.", neu bearb. v. A Plattner, s.: Volksbücherei.
Pauli, R: Vor Ankauf wird gewarnt u. and. Humoresken, s.: Bibliothek, illustr., d. Humors.
— Die Doppelgänger. Kriminalroman. (184) 8° Einsied., Verl.-Anst. Benziger & Co. 03. 1.80 ; L. 2.40 d
— Das Gebetb. u. and. Humoresken, s.: Bibliothek Eros.
— Josef u. s. Brüder. Ein Bl. a. d. Tageb. e. Schmieren-Komödianten u. and. Theater-Humoresken. (70) 8° Berl., C Messer & Co. (02). — 50
— Ein zweiter Salomo, s.: Bloch's, L, Herren-Bühne.
— Der Vorschussehr u. and. Theater-Humoresken. (68) 8° Berl., C Messer & Co. (08). (?) — 50
Pauli, R, s.: Chemikalien-Zeitung.
— Die Synthese d. Azofarbstoffe auf Grund e. symbol. Systems, unter Berücks. d. dent. Patentschriften No. 1—140000 d. Kl. 8, 12 u. 22, desgl. and. Quellen. (28, 528) 8° Lpzg, JA Barth 05. 30 — ; L. 32 — —
Pauli, W: Joh. Friedr. Reichardt, s. Leben u. s. Stellg in d. Gesch. d. deut. Liedes, s.: Studien, musikwiss.
Pauli, W: Pharmakodynam. Studien. I. Beziehgn d. physiolog. Ester- u. Salzwirkg. [S.-A.] (26 m. 2 Taf.) 8° Wien, (A Hölder) 04.
— Wandlgn in d. Pathol. durch d. Fortschritte d. allg. Chemie. Festvortr. (39) 8° Wien, M Perles 05. 1.90

Pauli, W: Der kolloidale Zustand u. d. Vorgänge in d. lebend. Substanz. Vortr. [S.-A.] (32) 8° Brnschw., F Vieweg & S. 02.
  — 50

Paulig, A: Die neue Zeichenmethode in d. Praxis d. Volksseh. (32) 8° Düsseldf, L Schwann 04.
  — 50 d

Paulig, FR: Familiengesch. d. bohenzollernschenKaiserhauses. 3. u. 5. Bd. 8° Frankf. a/O., F Paulig. Je 3 —; L. je 4 — d
8. Friedrich d. Gr., König v. Preussen. Neue Beitr. z. Gesch. s. Privat-lebens. z. Hofes u. sr Zeit. 4. Afl. (385) 02.
5. Friedrich Wilhelm III., König v. Preussen. (1770—1840.) Sein Privat-leben u. s. Regierg. 2. Afl. (349) 05.

Paulin, A : Beitr. z. Kenntnis d. Vegetationsverhältn. Krains. 1. u. 2. Heft. (214) 8° Laib., O Fischer 01.02. Je 4 —
— dass. 3. Heft. (215—308) 8° Laib., (I v. Kleinmayr & F Bamberg) 04.
  4.80

Paulisch, F: Hand-Fibel. 1. Tl. Übgsb. z. grundleg. Lese-Schreib-, Recht- u. Schönschreibe-Unterr. in d. Unterkl. d. Volksseh. Zugl. als Einführg in d. poet. u. pros. Lesestücke d. Hand-Fibel v. O Schulz. 39. Afl. (48 m. Abb.) 8° Berl., L Oehmigke's V. 02.
  — 25; geb. nn — 35 d

Pauls, E : Geleitsrechte d. Herzogs v. Jülich im Jülichschen u. in Aachen. Festschrift. (80 m. 1 Taf.) 8° Aach., Cremer 04.
  2 —

Paulsen: Ueb. d. Wirkg v. Paulsens Syphilisheilserum, s.: Appel.

Paulsen, F: Einl. in d. Philosphie. 8. Afl. (464) 8° Berl. 01. Stuttg., JG Cotta Nf. || 13. Afl. (466) Stuttg. 04. Je 4.50; 01. je 5.50; HF. je 6 — d
— Zur Ethik u. Politik, s.: Bücherei, deut.
— s.: Grundlagen, d. allg., d. Kultur d. Gegenwart. — Handbuch d. Deutschtums im Ausl.
— Immanuel Kant, s.: Frommann's Klassiker d. Philosophie.
— Der höh. Lehrerstand u. s. Stellg in d. gelehrten Welt. [S.-A.] (16) 8° Brnschw., F Vieweg & S. 02.
  — 40 d
— Philosophia militans. Geg. Klerikalismus u. Naturalismus. 5 Abhandlgn. 1. u. 2. Afl. (Je 192) 8° Berl., Reuther & B. 01.
  2 —; geb. 3 — d
— Schopenhauer. Hamlet. Mephistopheles. 3 Aufsätze z. Naturgesch. d. Pessimismus. 2. Afl. (261) 8° Stuttg., JG Cotta Nf.
  2.40; geb. 3 — d
— Die höh. Schulen u. d. Univ.-Studium im 20. Jahrh. (34) 8° Brnschw., F Vieweg & S. 01.
  — 80 d
— Die höh. Schulen Deutschlds u. ihr Lehrerstand in ihrem Verhältnis z. Staat u. z. geist. Kultur. [S.-A.] (31) 8° Ebd. 04.
  2 —
— System d. Ethik m. e. Umriss d. Staats- u. Gesellschafts-lehre. 2 Bde. 6. Afl. (465 u. 653) 8° Stuttg., JG Cotta Nf. 03.
  14 —; L. 16 —; HF. 17 — d
— Die deut. Univers. u. d. Univ.-Studium. (575) 8° Berl., A Asher & Co. 02.
  6 —; L. 7.20

Paulsen, H: Bibl. Gesch., s.: Hamann, C.

Paulsen, J: Ueb. Frühsyphilis, Spätsyphilis m. Einschl. d. malignen u. experimentellen od. Tiersyphilis. [S.-A.] (8) 8° Berl., J Goldschmidt 04.
  1 —

Paulsen, J: Bibelstunden üb. d. Apostelgesch. St. Lucä. (168) 8° Kropp, Bh.-Eben-Ezer' 1884.
  L. 1.50 d
— dass. üb. d. Pastoralbriefe. (87) 8° Ebd. 1885.
  L. 1.25 d
— Predigten üb. d. Sonn- u. Festtags-Episteln d. Kirchenj. 3. Afl. (630) 8° Ebd. 04.
  L. 8 — d
— dass. üb. freigew. Texte auf alle Sonn- u. Festtage d. Kir-chenj. (548) 8° Ebd. 1884.
  L. 5.50 d

Paulsen, P: Das Leben n. d. Tode. 2. Afl. (81) 8° Stuttg., C Belser (05).
  1.50 d
— dass., s.: Zeitfragen d. christl. Volkslebens.
— Der moderne Pantheismus u. d. christl. Weltanschaug. (66) 8° Halle. R Mühlmann's V. 06.
  1 — d

Paulsen's, W, kurze Winke f. Eisenb -Betriebsbeamte u. solche, d. es werden wollen. Dienstanweisg in Knittelverson. (39) 16° Altona, FL Mattig 02.
  — 60 d

Paulsiek, K :Deut.Leseb.f.höh. Lehranst.,s.:Hopf,J.—Lesebuch.
— Deut. Leseb. f. Vorsch. höh. Lehranst. Neu bearb. v. C Muff. 2 Abtlg. 11. Afl. d. neuen Bearbeitg. 8° Berl., G Grote 05.
  Geb. 3.30 d
L. (Für Oktava.) (205) 1.50 || 2. (Für Septima.) (252) 1.60.

Paulus, I: Alcibiades prior qeo tiem vulgo tribuatur Platoni, s.: Dissertationes philologae Vindobonenses.

Paulus, C, s.: Festgabe, usw. Heinr. Finke gewidmet.
— Welt- u. Ordensklerus beim Ausg. d. XIII. Jahrh. im Kampfe um d. Pfarr-Rechte. (87) 8° Ess., (Fredebeul & K.) 1900.
  1.50

Paulus, E: Ges. Dichtgn. 3. (Tit.-)Afl. (454 m. Bildnis.) 8° Stuttg., J Frommann [1892] 03.
  L. 2 — d
— Heimatkunst. Neue Lieder u. Elegieen. (94) 8° Stuttg., JG Cotta Nf. 02.
  1.20 ; L. 2 — d
— Die Kunst- u. Altertums-Denkmale im Kgr. Württemberg. Fortsetzg, s.: Kunst- u. Altertums-Denkmale, d., im Kgr. Württemberg.
— Aus orient u. Occident. Kulturhistor. Märchen f. jung u. alt. Dichtgn. (168) 8° Glog. 01. Berl., Schreiter. L. m. G. 3 — d
— Wolkenschatten. Neue Lieder u. Sonette. (155) 8° Stuttg., A Bonz & Co. 04.
  L. 3 — d

Paulus, H: Hadschi Yesvese, e. Vortr. d. türk. Meddah's Nasif Efendi, n. d. Original in armen.Lettern lateinisch umschrieben, u. 1. Mal in's Deut. übertr. u. m. Anmerkgn hrsg. (23, 67) 8° Erl., M Mencke 05.
  1.20

Paulus, J: An Gottes Hand. Gelegenheits-Gedichte. (117) 8° Frankf. a/M. (05). (Neumünst., Vereinsbh. G Ihloff & Co.) — 50 ;
  L. 1 — d
— Sein Wort, mein Hort! Gedichte. (160) 12° Frankf. a/M. (02). (Bonn, J Schergens.)
  L. 1.30 d

Paulus, N: Die deut. Dominikaner im Kampfe geg. Luther (1518—68), s.: Erläuterungen u. Ergänzungen zu Janssens Gesch. d. deut. Volkes.
— Luther u. d. Gewissensfreiheit, s.: Glaube u. Wissen.

Paulus, P: Beate Paulus, geb. Hahn, od. was e. Mutter kann. EineselbstmiterlebteFamiliengesch. 4. Afl. (516 m. 1 Bildnis.) 8° Stuttg., C Belser 04.
  L. 3 — d

Paulus, W: Vom Lachen, Küssen u. Weinen. Gedichtb. (100) 8° Berl., Herm. Walther 01.
  1.50 d

Paulus, W: Kl. deut. Sprachlehre f. Polen. (Methode Gaspey-Otto-Sauer.) (151 m. 1 Karte u. 1 Pl.) 8° Hdlbg., Groos 02.
  .Geb. 2 — d

Paulus Damascenus s.: Philosoph, d., als Einjähriger.

Paulus Helladicus: Epistola, s.: Anecdota byzantina.

Pauly's Real-Encyclop. d. class.Altertumswiss. Neue Bearbeitg. Hrsg. v. G Wissowa. 54—75. Lfg. (4. Bd. Sp. 1587—2872 u. 5. Bd. Sp. 1—2864) 8° Stuttg., JB Metzler 1900-05.   Je 2 —;
  auch in Hbbdn zu 15 —
— dass. Suppl. 1. Heft. (Sp. 1—374) 8° Ebd. 03.
  5 —

Pauly, A, s. a.: Kirstein, PA.
— Aphorismen. (79) 8° Münch., G Müller 05.   2 —; geb. 3 — d
— s.: Bayersdorfers, A, Leben u. Schriften.
— Darwinismus u. Lamarckismus. Entwurf e. psychophys. Teleol.(335m.Fig.)8° Münch.,E Reinhardt 05.   7 —; geb. 8.50 d
— Wahres u. Falsches an Darwins Lehre. Vortr. (18) 8° Ebd. 02.
  — 80 d

Pauly, M: Die Feuerbestattg, s.: Weber's illustr. Katech.

Pauly, T: Der blaue Domino. Schlittenrecht, s.: Ensslin's Roman- u. Novellenschatz.
— Mosaik. — Vierklee, s.: Pichler's Jugendbücherei.

Pauly, W: Rechtsbdb. d. Kaufmanns. Darstellg d. Pflichten d. Rechte d. Kaufmanns n. d. neuen deut. Handelsrecht u. d. damit zusammenhäng. Bestimmgn d. BGB. (146) 8° Lpzg 03. Berl., Dr. W Rothschild.
  3 —; L. 3.75

Paungarten, Reichsfrhr F v.: Sterne u. Irrlichter. Ausgew. Gedichte. (47m.Bildnis.) 8° Wien, Verl.-Anst. Neuer Lit. u. Kunst (04).
  2 —

Paupie, E: Lastenübernahme u. Schätzgswert. — Die Lehre v. Beiritt. (138) 8° Wien, C Konegen 01.
  1.50 d

Paur, H: „Heimatschutz".Vortr. [S.-A.] (18) 8° Burgh., W Trinkl 05.
  — 25 d

Pausanias' Beschreibg v. Griechenl. Übers. v. JHC Schubart. 10—12.Lfg. 3.Afl. (3.Bd. 441—580) 8° Berl.-Schönebg, Langen-scheidt's V. 01.
  Je — 35 d
— Gesch. d. messen. Kriege, s.: Universal-Bibliothek.
— Graeciae descriptio. Ed., graeca emendavit, apparatum crit. adiecit H Hitzig, commentarium germanice scriptum cum tabulis topographicis et numismaticis add. H Hitzig et H Bluemner. Vol. II, 2 partes. (Auch m. deut. Titel.) 8° Lpzg, OR Reisland.   88 —; geb. 42 — (I u. II: 78 —; geb. 84 —)
1. Liber IV: Messeniaca, Liber V: Eliaca I. (442 m. 3 Taf.) 04. 36 —; geb. 42 — || 2. Liber VI: Eliaca II. Liber VII: Achaica. (331—846 m. 1 Taf.) 04. 18 —; geb. 20 —
— dass. Recogn. F Spiro. 3 voll. 8° Lpzg, BG Teubner 03. 7.60;
  geb. 9 —

I. Libros I—IV continens. (21, 420)	2.80; geb. 3.40
II. Libros V—VIII continens. (392)	2.90; geb. 2.90
III. Libros IX et X et indicem continens. (357)	2.40; geb. 2.90

Pauss, C: Dreizehnlinden-Festspiel. Nach FW Weber's „Drei-zehnlinden" u. M v. Arndt's Liedern f. Soli u. gemischten Chor m. Klavier- od. Orchesterbegleitg. Zur Aufführg m. 9 leb. Bildern bearb. Textb. 4. Afl. (48) 12° Paderb., J Esser (09).
  — 20 d

Paust, JG: Erläuterung zu d. Mittel- u. Oberst. d. Ausg. D v. F Hirts deut. Leseb., s.: Schocke, O.
— Naturgesch. f. Mädchensch. — Naturlehre f. Mädchensch. — Physik. Chemie u. Mineral., s.: Birt's, F, Realienb. — Nowack, H, d. Unterr. in d. Realien.
— Tierkde. Synthet. Darstellg d. Tierreiches f. Lehrerbildgs-anst. 7. Afl., neu bearb. im Verein m. F Panten. (504 m. Abb., 4 farb. Taf. u. 1 Karte.) 8° Bresl., F Hirt 05.   Geb. 4.50 d
— u. F Steinweller: Pflanzen- u. Tierkde, s.: Birt's, F, Rea-lienb. — Nowack, H, d. Unterr. in d. Realien.

Pautsch, J: Das Wichtigste a. d. Heimatkde d. Kreises' Lan-deshut. (16) 8° Glog., C Flemming (05).
  — 10 d

Pautsch, O: Grammatik d. Mundart v. Kieslingswalde, Kr. Habelschwerdt,s.:Mitteilungend.schles.Gesellsch.f.Volkskde.

Pautsch, O: Der Berliner Lehrerver. Festschrift z. 50jähr. Jubiläum. (304) 8° Berl., (Schnetter & Dr. Lindemeyer) (05).
  1.50

Pavelwitz, A v.: 100 neue Rätsel in Gedichtform. (Für d. Winterabende.)(107)8° Herford, W Menckhoff (05). Geb. 1.50 d

Pavia, L: Grammatica sucinta de la lengua inglesa. s.: Método Gaspey-Otto-Sauer.

Pavía, L: (Método Gaspey-Otto-Sauer.) (187 m. 2 Kart.) 8° Hdlbg, J Groos 04.
  Geb. 2 — d
— Grammatica della lingua inglese. 4. ed. (Metodo Gaspey-Otto-Sauer.) (401 m. 2 Kart.) 8° Ebd. 05.   Geb. 3.60
— Grammatica elementare della lingua inglese. (Metodo Gas-pey-Otto-Sauer.) 2. ed. (198 m. 2 Kart.) 8° Ebd. 02. Geb. 2 —;
  Chiave. 2. ed. (119) 03. Kart. 1.60

Pavía, L: Gramática sucinta de la lengua italiana. 3. ed. (Método-Gaspey-Otto-Sauer.) (191 m. 1 Karte u. 1 Pl.) 8° Hdlbg, J Groos 04.   Geb. 2 —
— Grammatica della lingua spagnuola. (Metodo Gaspey-Otto-Sauer.) 3. ed. (422 m. 2 Kart.) 8° Ebd. 01.   Geb. 4.60
— Grammatica elementare della lingua spagnuola. (Metodo Gaspey-Otto-Sauer.) 2. ed. (205 m. 2 Kart.) 8° Ebd. 01. Geb. 2 —
Pavoni, L: In d. Welt d. Sichtbaren. Beitrag z. Studium d. spiritist. Phänomene. Einl. v. P Blaserna. Deutsch v. J De-lids. (234) 8° Zür., C Schmidt 03.   3 — d
Pawel-Rammingen, A Frhr: Gedanken e. deut. Edelmannes üb. d. Judenfrage. (47) 8° Berl., H Walther 04.   1 — d
Pawelsz, R v., s.: Gruben, R v. d.
Pawelz', GH, zahntechn. Reform. Internat. Revue f. operative u. techn. Praxis. Red.: GH Pawelz. 21—24. Jahrg. 1902—5 je 24 Nrn. (1902. Nr. 1—3. 33 m. Abb.) 4° Berl. (W. 30, Hohen-staufenstr. 22), G Ehrke.   Je 7 —
Bisher u. d. T.: Reform, zahntechn.
— Terminologia dentaria. Verdeutschg d. in d. zahnärztl. u. zahntechn. Fachlit. vorkomm. techn. Fremdausdrücke. 2. Afl. (108) 8° Berl., Berlinische Verl.-Anst. (05).   5 —
Pawiecki, J: Dichterstimmen a. d. deut. Lehrerwelt. 4. Afl. (423) 8° Lpzg, BG Teubner 02.   L. 4 — d
Pawlikowski, O v., s.: Korsa, d. Land d. Morgenröte.
— Napoleon I., s.: Projections-Vorträge.
Pawlinoff, C: Der Sauerstoffmangel als Bedingg d. Erkrankg u. d. Ablehens d. Organismus. (84) 8° Berl., A Hirschwald 02. 2 —
Pawlowski, JN: Fremdenführer durch Danzig u. Umgegend m. Beschreibg d. Sehenswürdigk. u. e. Uebersicht d. Gesch. Danzigs. 3. Afl. (72 m. Abb. u. 1 Pl.) 8° Danz., F Axt 01. nn —60
— Realienb., s.: Krüger, KA.
Pax, F: Aceraceae, s.: Pflanzenreich, d.
— Führer durch d. kgl. botan. Garten d. Univ. Breslau. 2. Afl. (63 m. 1 Pl.) 8° Bresl., F Hirt 03.   — 50
— Lehrb. d. Botanik, s.: Prantl, K.
— u. R Knuth: Primulaceae, s.: Pflanzenreich, d.
Paxmann, EH: Die Kali-Industrie. Betrachtgn zu ihrer neueren Entwicklg. (54) 8° Berl., J Guttentag 03. ‖ 2. Afl. (90) 04. Je 2 —
Payer, A: Zur Lehre v. d. Selbstentwicklg, s.: Sammlung klin. Vorträge.
Payer, OW: Mehrarbeit u. Mehrwert, s.: Lichtstrahlen.
Payn, C: Dictionary of the Engl. and French languages, s.: James, W.
— Pocket dictionary of the Engl. and French; bezw. Italian and Spanish languages. — Neues englisch-deut. u. deutsch-engl. Taschenwrtrb., s.: Wessely, JE.
Payne's illustr. Familien-Kalender. 50. Jahrg. 1906. (120 m. Taf., Karten, Portemonnaie- u. Wandkalender.) 8° Lpzg, AH Payne.   50 d
Auch in Ausg. f. Amerika, Bayern, Hamburg-Altona, Celt. u. Westl. Preussen, Russl., Südwestdeutschl. erschienen.
Payot, J: Die Erziehg d. Willens. Nach d. 11. Afl. d. französ. Ausg. v. T Voelkel. 1. u. 2. Afl. (315) 8° Lpzg, R Voigtländer 01./03.   3 —; geb. 4 — d
Paysen, Frau HO, s.: Palmé-Paysen, H.
Paz, A dal, s.: Taschenkalender f. Weinbau u. Kellerwirtschaft.
Paz, Infanta Doña Maria de la: Mi peregrinación á Roma. (65 m. Abb. u. Titelbild.) 8° Freibg i/B., Herder 03.   Geb. 2.40
Paz de Borbón: Buscando las huellas de Don Quijote. (96) 8° Freibg i/B., Herder 05.   1.60; L. m. G. 2.40
— Poesias. (67) 12° Ebd. 04.   1.20; L. m. G. 1.80
Paz y Mélia, A, s.: Methode Toussaint-Langenscheidt Spanisch.
— Taschenwrtrb. d. span. u. deut. Sprache. 2 Tle. 12° Berl.-Schöneberg, Langenscheidt's V. (05).   L. je 2 —; in 1 Bd 3.50
1. Spanisch-Deutsch. (525) ‖ 2. Deutsch-Spanisch. (466)
Paes, P: Historias Aethiopiae, s.: Rerum aethiopicar. scrip-tores occidentales inedit.
Pazaurek, GE: Moderne Gläser, s.: Monographien d. Kunst-gewerbes.
— Die Gläsersammlg d. nordböhm. Gewerbe-Museums in Rei-chenberg, s.: Sammelmappe, ornamentale u. kunstgewerbl.
— Franz Anton Reichsgraf v. Sporck, e. Mäcen d. Barockzeit, u. s. Lieblingsschöpfg Kukus. (32 m. 30 Lichtdr.) Fol. Lpzg, KW Hiersemann 01.   nn. 60 —
Pazdírek, F, s.: Tonkünstler- u. Verleger-Almanach d. Musik-literar. Blätter. — Universal-Handbuch d. Musiklit.
Pázolt, T: Die seel. Hemmgserscheinngn d. Stotterns. (27) 8° Lpzg, (Kössling) 03.   2 — d
Peabody: Mrs. Eddy. Lebensbild a. d. Engl. (Umschl.: Mrs. Eddy, d. Begründerin d. christl. Wiss., e. falsche Prophetin.) (32) 8° Sieg., Westdeut. Verl.-Anst. 03.   — 50 d
Peabody, FG: Abendstunden. Relig. Betrachtgn. Übers. v. E Müllenhoff. (160) 8° Giess., A Töpelmann 02.   Geb. 2.50 d
— Der Charakter Jesu Christi. Übers. v. E Müllenhoff. (31) 8° Ebd. 05.   — 60
— Akadem. Gegenseitigk. Antrittsvorlesg. (Übersetzg.) (39) 8° Ebd. 05.   — 60
— Jesus Christus u. d. soz. Frage. Übers. v. E Müllenhoff. (328) 8° Ebd. 03.   5 —; L. 5 —
— Die Relig. eines Gebildeten. Übers. v. E Müllenhoff. (80) 8° Ebd. 05.   — 1.50; L. 2.20
Péan, J-B: Le petit mathématicien, s.: Prosateurs franç.
Peard, FM: Number one and number two. — The ring from Jaipur, s.: Collection of Brit. auth.

Pears, E: Tales of the sea, s.: Kingston, EHG.
Pecci, J, s. a.: Leo XIII., Papst.
— Die Uebg d. Demuth. Aus d. Ital. v. JA Zöller. 5. Afl. (99 m. Bildnis.) 16° Freibg i/B., Herder (03).   — 50; geb. — 80; L. m. G. 1.20 d
Pecci, Graf L: Leo XIII., s.: Schneider, N.
Pech, R: Üb. Modulargleichgn ellipt. Funktionen. (10) 4° Gross-Strehl., (A Wilpert) 03. ‖ Fortsetzg. (10) 04.   Je 1 —
Pech, T: Die Zensur in Russl. Nach d. Russ. [S.-A.] (32) 8° Lpzg, (Schmaler & Pech) 03.   1 — d
Pecham, J: Anl. z. Ablegg d. Heizerprüfg (Prüfg d. Dampf-kesselwärter). 3. Afl. (87) 8° Wien, F Deuticke 02. Kart. 1.50 d
— Leitf. d. Dampfbetriebes f. Dampfkesselheizer u. Wärter stationärer Dampfmaschinen. 5. Afl. (481 m. Fig. u. 8 Taf.) 8° Ebd. 01.   6 —
Pechel, J: Die Umgestaltg d. Verfassg v. Soest im Zeitalter Friedrich Wilhelms I. u. Friedrichs II. 1715—52. (109) 8° Gött., Vandenhoeck & R. 05.   2.40 d
Pechmann, A v.: 8 Theaterstückchen f. Mädchen in Pensionaten, Familien, Kinder-Bewahranst. 1. u. 2. Afl. (142) 12° Donau-wörth, L Auer 02.05.   — 75 d
Pechmann, H v.: Anl. z. qualitativen chem. Analyse f. Studie-rende d. Medizin, rev. v. O Piloty. 4. Afl. (98) 8° Münch., (M Rieger) 1900.   † nn 2.50
— Anl. z. quantitativen chem. Analyse nach C Zimmermann. 10. Afl. (90) 8° Ebd. 01.   † 2.50
— Taf. z. qualitativen chem. Analyse, rev. v. O Piloty. 11. Afl. (40) 8° Ebd. (05).   † 1.50
— Volhard's Anl. z. qualitativen chem. Analyse. Rev. durch: KA Hofmann u. O Piloty. 11. Afl. (120) 8° Ebd. 04.   † 2.70
Pechstein, M, s.: Echo-Jahrbuch.
Peckelsheim s.: Spiegel v. u. zu Peckelsheim.
Peckham, G, u. E Peckham: Instinkt u. Gewohnh. d. solitären Wespen. Aus d. Engl. v. W Schoenichen. (194 m. Abb.) 8° Berl., J Parey 04.   5 —
Pecnik, C: Prakt. Lehrb. d. slovan. Sprache; s.: Kunst, d., d. Polyglottie.
Pecnik, C: Ramleh, s.: Woerl's, L, hand-book of travel. — Woerl, L, manuels de voyage.
Pedanios Dioskurides, s.: Dioskurides.
Pedantius, a latin comedy formerly acted in Trinity college, Cambridge, ed. by GCM Smith, s.: Materialien z. Kunde d. ält. engl. Dramas.
Pedersen, HV: Durch d. ind. Achipel. Eine Künstlerfahrt. (303 m. Abb. u. 8 farb. Taf.) 4° Stuttg., Deut. Verl.-Anst. 02. L. 25 —
Pedersen, RH: Experimentelle Untersuchgn d. visuellen u. akust. Erinnergsbilder, angest. an Schulkindern, s.: Samm-lung v. Abhandlgn z. psycholog. Pädagogik.
Pederzani-Weber, J: Unter d. Adlern Napoleons. Geschichtl. Erzählg a. d. J. 1812. Der reif. Jugend gewidmet. (196 m. 3 farb. Bildern u. 1 Bildnis.) 8° Berl., R Gaebl (02). Geb. 5.50 d
— Das Thorner Blutgericht. Erzählg a. d. Zeit d. Polenherr-schaft in Preussen. (171 m. Abb.) 8° Berl., HJ Meidinger (03). Geb. 4 — d
— Die geheime Feme. Kulturbild a. d. deut. M.-A., d. reif. Jugend geschildert. 5. Afl. (224 m. 9 Bildern.) 8° Lpzg, Abel & M. (03).   Geb. 4.50 d
— Das Goldland am Klondike. Erlebnisse eines Deutschen in Alaska. Nach dessen Briefen d. reif. Jugend erzählt. 2. [Tit.-] Afl. (152 m. 6 H.) 8° Lpzg, F Hirt & S. [01] (02). 2.25; L. 3 — d
— Goetz v. Berlichingen m. d. eisernen Hand. Kulturgeschichtl. Erzählg f. d. reif. Jugend. 6. Afl. (190 m. 10 Bildern.) 8° Lpzg, Abel & M. (04).   Geb. 4.50 d
— Junge Helden. 4 Erzählgn a. d. Jugendwelt. (107 m. 4 Farbdr.) 8° Stuttg., Loewe (04).   Geb. 3 — d
— Die Hussiten in d. Mark, s.: Trewendt's Jugendbibliothek.
— Treu f. Kaiser u. Reich. Unter Landknechten. Erzählg f. d. Jugend. (143 m. 4 Farbdr.) 8° Berl., HJ Meidinger (02). Geb. 3 — d
Pedewitz, IF, († 1705): Historia ecclesiastica ecclesiae paro-chialis z. Jacobi Neisse. Mit e. Reg. versehen u. hrsg. v. B Rufferi. [S.-A.] (192) 8° Neisse, (J Graveur) 05.   2 —
Pedrotti, M: Der Gips u. s. Verwendg. (259 m. Abb.) 8° Wien, A Hartleben 01.   4 —; geb. 4.80 d
Peege, B: Die deut. Eisenb.-Ges., sowie d. Einrichtgn d. Eisenb. Deutschlds u. d. Ver. deut. Eisenb.-Verwaltgn. 3. Afl. (186 m. 1 Taf.) 8° Dresd., C Heinrich 01.   L. 2 — d
Peerdt, E to: Berufg. Volksdichtg. (79) 8° Strassbg, JHE Heitz 01.   2 — d
— „Ersatz-Pickel". Kunst-Monogr. (38) 8° Ebd. 01.   1.50 d
Péerons, P: Gedichte. (60) 8° Dresd., E Pierson 04. 1 —; geb. 2 — d
Peers, RE: Kurzgef. Anl. z. Untern. am Landsch., zu Zugrund-legg d. Lehrg. f. d. ungeteilte einclass. Volkssch. (44) 8° Innsbr., (Vereinsbh. u. Buchdr.) 01.   — 1 —
— Ein Tag, a. Jahr im Leben d. Kaisers. 2. Afl. (23 m. 1 Bildnis.) 8° Laib., (I v. Kleinmayr & F Bamberg) 04.   nn — 80 d
— Der kürzeste u. sicherste Weg im Rechenunterr. d. Volkssch. (57) 8° Innsbr., (Vereinsbh. u. Buchdr.) 01.   1 —
Peets, A: Hdb. d. operativen Zahnkunst. 2. Afl. (350 m. Abb. u. 2 Taf.) 8° Berl., Berliner Verlag (05).   L. 15 —
Restvorräte an H Neusser in Berlin.
Peez, A v.: Erlebt. Erwandert. III. Blicke auf d. Entstehg d. Ostmark u. Karl d. Gr. als Neubegründer d. deut. Volks-thums. (172 m. 1 Karte.) 8° Wien, C Konegen 02. 5 —[I.—III.: 7 —]

Pegasus. Zeitschrift f. dramat. Kunst, Lit. u. Musik. Hrsg.:
H Müller-Raabe. Jahrg. 1904. 14 Nrn. (Nr. 11. 24 m. 1 Bildnis.)
8° Berl., (H Schildberger). Viertelj. 1 —; einz. Nrn — 20
Pertzétag s. u. d. T.: Rundschau, moderne.
Pehersdorfer, A: Botan. Terminol., alphabetisch geordnet.
2. Afl. (105) 16° Stuttg., KG Lutz 01. Geb. 1 —
Peip, C: Stuttgarter Ausflugsk. Neubearbeitg v. W Paasche.
1 : 75,000. (2.Afl.) 44×54 cm. Farbdr. Nebst: Stuttgarter Wan-
derbüchl. (47) 12° Stuttg., Holland & J. 03. 1 — d
— Eisenbahn-K. v. Deutschl., s.: Ravenstein.
— Deut. Kartenwerk, s.: Kürschner, J.
— Reise- u. Eisenbahnk. v. Deutschl., s.: Ravenstein, H.
— Taschen-Atlas üb. alle Teile d. Erde. In 36 Haupt- u. 70
Nebenk. (in Farbdr.). Mit geographisch-statist. Notizen v. O
Weber. (80) 8° Stuttg., Deut. Verl.-Anst. 04. L. 2.50
— Taschenatlas v. Berlin u. weit. Umgebg. Neue Afl. 21 Kart.
m. 2 Textbeigaben : 1. Märk. Landschaft. Skizze v. W Kirch-
bach. 2. Führer durch d. Umgebg Berlins. Von P Linden-
berg. (51) 12° Stuttg., Hobbing & B. 03. L. 2 —
— Taschen-Atlas v. Mittelrhein-Gebiet. Neue Ausg. 1904.
16 (farb.) Kart. (1 :150000) n. Beschreibg dazu (auf d. Rücks.)
m. Übersichtsk., 2 Ansichten, 1 Lagenskizze d. Hauptsehens-
würdigk. v. Frankfurt a. M. u. 1 Pl. d. Prätoriums auf d.
Saalburg. (4 S. Text.) 4° Stuttg. Frankf. a/M., L Ravenstein.
L., gebr. in 12° 1 —
Peiper, E : Der Arzt. Einführg in d. ärztl. Berufs- u. Standes-
fragen. In 16 Vorlesgn. Anh.: Gesetz, betr. d. Bekämpfg übertragbarer Krankh. (254) 8° Wiesb., JF Bergmann 06. 5 —
— Tier. Parasiten, s.: Mosler, F.
Peiser, s.: Festschrift d. Handwerkskammer zu Danzig.
Peiser, FE: Das Gräberfeld v. Moythienen, s.: Hollack, E.
— Der Prophet Habakuk, s.: Mitteilungen d. vorderasiat. Ge-
sellsch.
— s.: Hammurabi's Gesetz. — Literatur-Zeitung, orientalist.
— Studien z. orientai. Altertumskde, s.: Mitteilungen d. vorder-
asiat. Gesellsch.
— s.: Urkunden a. d. Zeit d. 3. babylon. Dynastie.
Peiser, G : Üb. Friedrichs d. Gr. burleskes Heldengedicht „La
guerre des confédérés". [S.-A.] (52) 8° Pos., (J Jolowicz) 03. 1.20
Peiser, H: Hdb. d. Testamenterechts, s.: Recht, d., d. BGB. in
Einzeldarstellgn.
Peisker, M : 3 Bühnenstücke. (263) 8° Bresl., Schles.Buchdr. usw.
05. nn 1.50
— In Freud'u. Leid. Gedichte. (224) 8° Ebd. 05. 2 —; geb. 3 — d
— Aus Herz u. Leben. Roman. 3 Bde. (243, 251 u. 187) 8° Ebd.
05. 9 —; geb. 12 — d
— Polterabend. Ernstes u. Heiteres. Mit e. Anh. v. Rätseln
u. Scharaden. (127) 8° Ebd. 05. 2 —; geb. 3 — d
— Schuld u.Schicksal. 3 Novellen. (348) 8° Ebd.05. 3 —; geb. 4 — d
Peithmann, ECH : Die metaphys. Bibel-Auslegg. (16) 8° Bitterf.
03. Schmiedebg, FE Baumann. — 35
— Christl. Geheimlehre d. ersten 2 (christl.) Jahrh. (Gnost.
Katech.) 3. Heft. Was istd. Mensch? (71) 8° Schmiedebg, FE
Baumann 05. 1 —
Heft 1 u. 2 u. d. T.:
— Gnost. Katech. Die hl. Lehren d. gnost. Kirche in d. ersten
beiden Jahrh. (Umschl.: Die christl. Geheimlehre d. ersten
2 (christl.) Jahrh.) 1. u. 2. Heft. 8° Bitterf. 04. Schmiedebg,
FE Baumann. 2.50
1. Die Allerheiligate u. d. Heilige. (62) 1 — | 2. Der Vorhof. (96) 1.50.
— Aeltere griech. Philosophen. Heraclit; Parmenides; Empe-
docles; Anaxagoras; Demokrit. — Gnost. Väter. Basilides;
Justinus u. Simon Magus; Die Marcosier; Markus; Die Naasse-
ner, d. Peraten u. Sethianer, d. Schöpfsystem; Die Valen-
tinianer, s.: Biographia antiqua.
Peitz, R: Allg. Bau-Ges. f. d. Kgr. Sachsen v. 1.VII.1900, nebst
Ausführgs-Verordng. (204) 8° Flöha, (H Kaden) 03. Kart. 1 —
— Enteignsges. f. d. Kgr. Sachsen v. 24.VI.'02 u. d. Ausführgs-
Verordng v. 24.XI.'02, nebst d. Entstehg d. Ges. (130) 8° Ebd.
03. Kart. 2 — d
— Vom sächs. Erzgebirge n. Konstantinopel. Eine Reise zu
Rad u. Eisenb. (95) 8° Ebd. 04. nn 1.50
— Kgl. sächs. Ges., d. Errichtg e. Adelsb. u. d. Führg d. Adels
u. d. Adelszeichen betr. v. 19.IX.'02 nebst Ausführgs-Ver-
ordng u. Gebühren-Ordng v. 12.III.'03. (34) 8° Ebd. 03. 1 — d
— Kgl. sächs. Ges., d. Aufhebg d. m. Apothekengerechtigk.
verbund. Verbietgsrechte betr., v. 24.VII.'02 nebst 8. Verz.
d. Apotheken im Kgr. Sachsen. (20) 8° Ebd. 02. — 75 d
— Ges. üb. d. Aneigng v. 2.VII.'02 im Kgr. Sachsen.
(67) 8° Ebd. 02. Geb. 1 — d
— Kgl. sächs. Ges. d. Ausdehng d. Verwaltgsrechtspflege n.
d. Ges. v. 19.VII.1900 auf kirchl. Anlegenh. betr., v. 22.V.'03.
Nebst e.Verz. d. Kirchen im Kgr. Sachsen. (35) 8° Ebd. 02. 1 — d
— Kgl. sächs. Ges. d. Zwangsvollstreckg wegen Geldleistgn
in Verwaltgssachen v. 18.VI.'02, nebst Ausführgs-Verordng
v. 19.IX.'02. (67) 8° Ebd. 02. nn 1.50
— Die kgl. sächs.Jagd-Ges. einschl.Wildschaden- u.Kaninchen-
Ges., nebst d. Reichsgesetzen betr. Reichs-Ges. (70) 3° Ebd.
02. Kart. nn 1.25 d
— Deut. Reichs-Ges. betr. Kinder-Arbeit in gewerbl. Betrieben
v. 30.III.'03. (43) 8° Ebd. 03. — 75 d
— Reichsges. üb. d. privaten Versicherungsunternehmg v. 12.V.
'01, sowie Verordng, betr. d. Verfahren u. d. Geschäftsgang
Hinrichs' Fünfjahrskatalog 1901—1905.

d. kais. Aufsichtsamts f. Privat-Versicherg v. 23.XII.'01, in
Kraft getreten am 1.I.'02. (102) 8° Flöha, A Peitz & Sohn 02.
Kart. 1.50 d
Peitz, R: Verordngn v. 2. u. 3.IV.'01 d. Verkehr m. Fahrrädern
u. Kraftfahrzeugen im Kgr. Sachsen. (35) 8° Flöha, A Peitz
. & Sohn 01. — 75 d
— Verordngn üb. d. Gemeinde-Waisen-Rat im Kgr. Sachsen.
(52) 12° Ebd. 02. Kart. 1 — d
— Verz. sämtl. im Kgr. Sachsen beleg. Städte u. Ortschaften
sowie d. einzeln lieg. Wohnplätze m. Angabe d. Postanst.
u. d. Amtsgerichtsbez. u. d. Anzahl d. Einwohner nach d.
vorläuf. Volkszählgsergebnis v. 1.XII.1900. (153) 8° Ebd. 01.
Kart. 1.50
Pekár, (G J): Aus Evas Reich, s.: Wick, A.
— Die Romanze d. blinden Mädchens u. and. Erzählgn, s.:
Kürschner's, J, Bücherschatz.
Pekař, J: Eine unbekannt gebliebene Abhandlg üb. d. Echth.
Christians. [S.-A.] (22) 8° Prag, (F Řivnáč) 05. — 40
Pekelmann, C: Adam. Dramencyclus. I—III. 8° Czernow., H
Pardini. 2.70
*I. Das Recht auf Reinheit. Prolog. (31) 01. — 60 | II. Die Trene. Drama.
(34) 02. — 60 d | III. Die Spitzen. Drama. [S.-A.] (69) 02. 1.50. d*
— Aus d. Bukowina. Versuch e. Provinzkritik. 1—3. Bd. 8°
Ebd. 4.70
1. (73) 02. 1.20 | 2. (80) 04. 2 — | 3. (80) 05. 1.50.
Pekotsch, L, s.: Tschelebi, M.
Pekrun, A: Anzucht u. wirklich rationeller Schnitt aller Obst-
baumformen. Pfirsichschnitt u. Weinschnitt. [S.-A.] (118 m.
Abb.) 8° Erf, JC Schmidt (02). 1 — d
— Wie d. Kunst gesund u. glücklich zu leben u. Krankh.
zu verhüten. Rede. Aus d. Holl. v. A Rosenstein. [S.-A.] 1. u.
2. Afl. (32) 8° Jena, G Fischer 02. — 50
Pelet-Narbonne, G v.: Friedrich Wilhelm, d. Gr. Kurfürst v.
Brandenburg, s.: Erzieher d. preuss. Heeres.
— Gesch. d. brandenb.-preuss. Reiterei v. d. Zeiten d. Gr. Kur-
fürsten bis z. Gegenwart. 2 Bde. (27, 405 u. 26, 465 m. Abb.,
38 Taf. u. 71 Pl.) 8° Berl., ES Mittler & S. 05. 12 —;
geb. 16 — d
— Improvisieren od. Organisieren ? s.: Zeitfragen, militär.
— Mehr Kavallerie. Mahnruf im Interesse v. Deutschlds Landes-
verteidigg. [S.-A.] (30 m. 2 Kart.) 8° Berl., A Bath 03. 1 —
— Der Kavalleriedienst. 2 Bde in 3 Thln. 8° Berl., ES Mittler
& S. 18.50; Einbde in L. je nn 1 — d
*I. Die Ausbildg im Frieden. 3. Afl. (466 m. Abb. u. 9 farb. Taf.) 01. 8.50
II, 1. Der Kavalleriedienst im Kriege. 1. Thl. Kavall. in d. Vorbewegg.
Verfolgg u. Aufklärg, dargest. an d. Vormarsch d. deut. Reiterei v.
d. Saar üb. d. Mosel in d. Tagen v. 7.—15.VIII.1870. 2. Afl. (27,
254 m. 14 Kartenskizzen u. 1 Karte.) 01. — 8 —
2. Dass. 2. Tl. Kavall. im Sichergsdienst v. d. 2. Schlacht, dargest.
an d. Erengnissen v. Cootmiers im Spätherbst 1870. (139 m. 3 Kart.
u. 1 Kartenskizze.) 03. 4 —*
— Der Kavall.-Unteroffizier im innern Dienst d. Eskadron, s.
Pflichten, Rechte u. Gebührnisse. Unter Mitwirkg e. aktiven
Offiziers hrsg. 3. Afl. (115) 8° Ebd. 04. 1.20; kart. nn 1.30 d
— s.: Löbell's, v., Jahresberichte üb. usw. Militärwesen.
— General Carl v. Schmidt, s.: Beiheft z. Militär-Wochenbl.
— Verfolgg u. Aufklärg d. deut.Reiterei am Tage n. Spicheren
(7.VIII.1870). Zugl. e. Richtigstellg n. Voransgabe d. 2. Afl.
d. Schrift: Die Reiterei d. 1. u. 2. deut. Armee in d. Tagen
v. 7.—15.VIII.1870. (29 m. 2 Kart.) 8° Berl., ES Mittler & S.
01. 1 — d
— Die Vorbedinggn d. Erfolges f. d. Reiterei im nächsten
europ. Kriegs, s.: Beiheft z. Militär-Wochenbl.
— u. E v. Pelet-Narbonne: Leitf. f. d. Kavalleristen, s.: Mi-
tras, v.
Pelican, B: Leben d. Erzherzogin Maria v. Steiermark, Mutter
Kaiser Ferdinands II. (133 m. 1 Bildnis.) 8° Wien, H Kirsch
03. 1.80 d
Pelikan, A: Beitr. z. Kenntnis d. Zeolithe Böhmens. [S.-A.]
(14 m. Fig.) 8° Wien, (A Hölder) 02. — 40
— Petrographe. Untersuchgn v. Gesteinen d. Inseln Sokotra.
'Abd el Kuri u. Sémha. [S.-A.] (29 m. 2 Taf.) 4° Ebd. 02. 3.10
Pelikan, G Edler v.: Relief-Umgebgs-K.v.Salzburg(m. Berchtes-
gaden, Lofer, Reichenhall, Traunstein). 1 : 100,000. Mit Höhen-
schichten zu 100 M.' 2. Afl. 55,5×51 cm. Farbdr. Salzbg, E
Höllrigl 02. 1.70; auf L. 2.70
— Reliefk. d. Salzkammerguts (in 2 Bl.). 1 : 100,000. 1. Bl.:
Nördl. Tl. 2. Afl. 54×36,5 cm. Photolith. Ebd. (03). 1.50;
auf L. 2.20
Pelissier, E: Zur Topogr. u. Gesch. d. linksmain. Landwehren
d. Reichsstadt Frankfurt. (63 m. 2 Taf.) 4° Frankf. a/M., (J
Jügel 01. 1.60
Pelka, O: Altchristl. Ehedenkmäler, s.: Zur Kunstgesch. d.
Auslandes.
Pelli, G, s.: Monats-Schrift, theologisch-prakt.
Pellan, D: Der Pantograph. 1603. 1903. Vom Urstorchschnabel
z. modernen Zeichenmaschine. [S.-A.] (20 m. Abb.) 8° Berl.,
(D Reimer) 03. 1 —
Pellnitz, M: Der Lithograph u. Steindrucker, einschl. d. Kar-
tographen. — Der Schriftsetzer u. Buchdrucker, s.: Beruf,
mein künft.
— Wegweiser auf d. Geb. d. Technik d. Buchdrucks u. d. ge-
schäftl. Verkehrs f. Buchdrucker u. Buchhändler. (195) 8°
Lpzg, H Beyer (05). L. + 4 —
Pelman u. **Finkelmburg:** Die verminderte Zurechnugsfähigk.
Vorträge. (31) 8° Bonn, Röhrscheid & K. 03. — 80 d

Pelser-Berensberg, F v.: Mittheilgn üb. alte Trachten u. Hausrath, Wohn- u. Lebensweise d. Saar- u. Moselbevölkerg. (45 m. 5 [1 farb.] Taf.) 4° Trier, (F Lintz) 01.   4 —
Pelser-Fürnberg, K v., s.: Protokolle d. Enquete betr. d. Reform d. österr. Eherechts.
Peltasohn, W, u. B **Peltasohn**: Rentenguts- u. Anerbenrechts-Gesetzgebg in Preussen, s.: Guttentag's Sammlg preuss. Ges.
Peltz, E: Afrikan. Lederstrumpf. Erzählg a. d. Amatolas im Kaffernlande. Für d. Jugend bearb. (160 m. 9 [5 farb.] Bildern.) 8° Stuttg., Loewe (01).   Geb. 3 — d
Peltzer, A: Anthoni, d. Meister v. Ottheinrichsbau zu Heidelberg. (25) 8° Hdlbg, C Winter, V. 05.   — 80
— Die ästhet. Bedeutg v. Goethes Farbenlehre. (47) 8° Ebd. 03.   1.20
— Albr. Dürer u. Friedrich II. v. d. Pfalz, s.: Studien z. deut. Kunstgesch.
— Heidelberg in d. Kunstgesch. d. 19. Jahrh. (46) 8° Hdlbg, C Winter, V. 05.   1 —
— Üb. Malweise u. Stil in d. holländ. Kunst. (179) 8° Ebd. 03. 5 —
Peltzer, J: Ges. betr. d. Forstdiebstahl, s.: Öhlschläger, O v.
— Das Verfahren in Auseinandersetzgsangelegenh., s.: Glatzel, A.
Pelz, A: Die Geol. d. Heimat. Gezeigt am sächs. Erzgebirgssystem m. bes. Betong d. weit. Umgegend v. Chemnitz. (26 m. Abb. u. 3 farb. Taf.) 8° Jausg, E Wunderlich 03.   1 —; geb. 1.20
— Geol. d. Kgr. Sachsen in gemeinverständl. Darlegg. (152 m. Fig. u. 1 Karte.) 8° Ebd. 04.   '3 —; geb. 3.60
Pelz, H: Schles. Kochb. f. bürgerl. Haushaltgn. 8. Afl. v. H Roesler. (224) 8° Bresl., WG Korn 02.   L. 1.50 d
Pelzl, F: Hdb. f. d. ausüb. Postdienst in Oesterr., s.: Bartl, J.
Pelzwaren-Zeitung, neue. Modernes Spezialbl. f. d. ges. Rauchwarenbranche u. Pelz-Konfektion. Red.: E Brass. Hrsg. u. Chef-Red.: L Korach. 2. Jahrg. 1905. 18 Nrn. (Nr. 34. 20 m. Abb.) 37,5×25 cm. Berl., Zeitgsverl. d. Einkäufer.   3 — d
Pembaur, J: Beisp. u. Aufg. z. Harmonie- u. Melodielehre. (33) 4° Lpzg (03), Berl., H Seemann Nf.   2 —
— Die 84 Etuden v. JB Cramer, s.: Musikführer.
— Harmonie- u. Melodielehre. 4. Afl. (59) 4° Lpzg (01). Berl., H Seemann Nf.   4 —
— F Mendelssohn-Bartholdy's 48 Lieder ohne Worte, s.: Musikführer, d.
Pemberton, M: Mid the thick arrows. — Beatrice of Venice. — I crown thee king. — The footsteps of a throne. — The giant's gate. — The house under the sea, s.: Collection of Brit. auth.
— The Insel d. Geächteten, s.: Vobach's illustr. Roman-Bibliothek.
— Durch Nacht u. Eis, s.: Kürschner's, A J, Bücherschatz.
— Pro patria. — Red morn. — The gold wolf. — Doctor Xavier, s.: Collection of Brit. auth.
Peña, Don B: A la immaculada concepción de Maria. (84 m. Titelbild.) 8° Freibg i/B., Herder 05.   1.50 d
Penck, A, s.: Abhandlungen, geograph.
— Der Bodensee. — Üb. d. Karstphänomen, s.: Vorträge d. Ver. z. Verbreitg naturwiss. Kenntnisse in Wien.
— Neue Karten u. Reliefs d. Alpen. Studien üb. Geländedarstellg. [S.-A.] (112) 8° Lpzg, BG Teubner 04.   2.80
— Die Physiogr. als Physiogeogr. in ihren Beziehgn zu and. Wiss. Vortr. [S.-A.] (20) 8° Ebd. 05.   — 80
— u. E **Brückner**: Die Alpen im Eiszeitalter. 1—7. Lfg. (1—784 m. Abb., Taf. u. Farbdr.) 8° Lpzg, CH Tauchnitz 01-05.   Je 5 —
Pendl, E: Geograph, Charakterbilder a. Österr.-Ungarn, s.: Gerasch, A.
Penn-Lewis, J, s. a.: Lewis, JP.
— Von Angesicht zu Angesicht. Blicke in d. innere Leben Mosis. Aus d. Engl. (91) 12° Bas., Kober 01.   — 80
— Gekreuzigt m. Christo. Aus Ansprachen. 1. u. 2. Afl. (81 bezw. 71) 8° Frankf. a/M., Verl. Orient 05.   — 75 d
— Das Kreuz auf Golgatha. Betrachtgn. Deutsch v. G Holtey-Weber. (188 m. 1 Tab.) 8° Barm., E Müller (04).   1.80; geb. 2.50
— Die verborg. Quellen d. Erweckg in Wales. (86) 8° Freienw. 05. (Bonn, J Schergens.)   — 75 d
Penndorf, B: Katech. f. d. theoret. Gesellen- u. Meisterprüfg. (52) 8° Lpzg, H Voigt 03.   nn — 75 d
Pennell, J: Die moderne Illustration. Aus d. Engl. v. L u. K Burger. (362 m. Abb.) 8° Lpzg (01). Berl., H Seemann Nf.   7.50; geb. 9 —
Penner, E, s.: Methode Schliemann z. Selbsterlerng d. engl. Sprache.
Pennerstorfer, I: Lehrb. d. Gesch. f. Bürgersch. 3 Tle. (Mit Abb.) 8° Wien, Manz.   Geb. 4 — d
    1. Bilder a. d. alten, mittl. u. neueren Gesch. Für d. I. Cl. 3klass. Bürgersch. 6. Afl. (156 m. 4 Kart.) 07.
    2. Bilder a. d. mittl. u. neueren Gesch. Für d. II. 3klass. Bürgersch. 4. Afl. (150 m. 3 Kart. u. 7 Tab.) 03.
    3. Dass. Für d. III. Kl. 3klass. Bürgersch. 6. Afl. (156 m. 5 Kart.) 03. 1.20
— dass. Einteil. Ausg. Bilder a. d. alten, mittl. u. neueren Gesch. 1. u. 2. Afl. (228 m. Abb., 5 Kart. u. 6 Tab.) 8° Ebd. 02.05.   Geb. 2.30 d
Pennewiss, G: Neuer Leitf. f. d. Rechtschreib-Unterr. in deut.

Schulen. In 2 Schülerheften u. 1 Lehrerheft. I. u. II. Heft. 8° Halle, H Schroedel 02.   Je nn — 20 d
    II. 1. u. 2. Stufe: Methodisch geordnete Wrtrgruppen. 11. Afl. (27)
    II. 3. Stufe: Ergebnisse d. Rechtschreib-Unterr. Nebst ausführl. Wrtrverz. 7. Afl. (50)
Penning, L: Auf Burenkommando. Gespräch z. Gebr. f. Jünglingsvereine. (20) 12° Elberf., Westdeut. Jünglingsbund (02).   — 20 d
— Unter d. Fahne d. Freistaaten. Erzählg a. d. gegenwärt. Burenkrieg. Uebertr. v. G Holtey-Weber. 2. Afl. (248) 8° Hag., O Rippel 02.   L. 3 — d
— Der Held v. Spionkop. Erzählg a. d. Boerenkriege. (Fortsetzg d. „Löwen v. Modderspruit".) Uebers. v. G Piepersberg. (178) 8° Berl., F Zillessen (01). 1.50; geb. nn 1.80 u. nn 2.25 d
— Der Kundschafter v. Christian de Wet. Erzählg a. d. Boerenkrieg. Uebers. v. G Piepersberg. (153) 8° Ebd. (02):   1.50; geb. nn 1.80 u. nn 2.25 d
Pennrich, A: Die Urkundenfälschgn d. Reichskanzlers Kaspar Schlick, nebst Beitr. zu s. Leben. (87 m. 1 Tab.) 8° Gotha, FA Perthes 01.   1.20
Penschke, FJ: Jesus Christus Rettg u. Ruhe. Schriftgemässe Predigten üb. d. neuen (Eisenacher) Evangelien. (Trinitatiszeit.) (323) 8° Gross Lichterf.-Berl., E Runge 04. 4 — || Advent bis Pfingsten. (418) 05. 5 — d
— Zuchthausbilder u. Anderes. Nach d. Leben gezeichnet. Neue (Tit.-)Ausg. v. „Wie Mörder sterben". (163) 8° Ebd. [1900] (04).   1 — d
Pensen-Verteilung f. d. Relig.-Unterr. in d. Mittel- u. Oberst. v. einklass. u. Halbtagssch. (28) 4° Ling., R van Acken 06. 1 — d
— f. d. Volkssch. Unterkl. (Zusammengest. v. P Widdem u. N Lackas im Anschl. an d. v. denselben verf. Anl. z. Anf.-Unterrig d. Pensenverteilg.) (16) Fol. Trier, F Lintz 04.   — 80 d
— dass. Ober- n. Mittel-St. (24) Fol. Ebd. 04.   — 60 d
— f. Volksschulen. (56) Fol. Ebd. 03.   1 — d
Pensionat, das. Allg. Anz. f. Fremden-Pensionen, Pensionate, Privat-Hotels, Casinos, Cantinen u. Privat-Speisehäuser unter bes. Berücks. d. Nahrpsmittelbranche. 7. u. 8. Jahrg. 1904 u. 5 je 26 Nrn. (Nr. 1. 8) 4° Lpzg, FA Körner. Viertelj. — 40
Pensionierungs-Vorschrift f. d. bayer. Heer. (P. V.) (89) 8° Münch., (Lit.-artist. Anst.) 1900.   Kart. — 90 :
    ausgefüllte Muster d. Anl. 1—4. (190) 4° Ebd. Kart. 1.20 d
Pensions-Ansprüche, d. gesetzl., d. preuss. Staatsbeamten u. ihrer Familien-Angehörigen. 7—9. Ausg. (51 bezw. 59) 8° Elberf., A Martini u. Gr. 03-04.   — 50 d
Pensions-Versicherung, staatl. od. private, d. Agenten? [S.-A.] (48) 8° Berl., Industrieller Verl. (04).   — 25
Pensions- u. **Reliktenwesen**, d., d. Arbeiter u. nied. Angestellten, s.: Schriften d. Centralstelle f. Arbeiter-Wohlfahrtseinrichtgn.
Pensutti, V: Ueb. e. neues System e. universalen klin. Schrift (Klinographie). [S.-A.] (2 m. Fig.) 4° Berl., J Goldschmidt 05.   — 45
Penther, A: Zur Kenntniss d. Arachnidenfauna Südafrikas (Scorpiones). [S.-A.] (11) 8° Wien, A Hölder 1900.   — 60
— Eine Reise in d. Geb. d. Erdschias-Dagh (Kleinasien) 1902. Mit Beitr. v. E Zederbauer u. I Tschamler. [S.-A.] (48 m. 5 Taf. u. 1 Karte.) 8° Wien, R Lechner's S. 05.   nn 6 —
Pentz, E: Bennos Wunsch, s.: Immergrün.
Pentz, M v., s.: Panitza, M v.
Penzias, A: Die Metaphysik d. materialist. Gesch.-Auffassg. (57) 8° Wien, CW Stern 05.   1.25
Penzig, O: Flora pyrenaea, s.: Bubani, P.
— u. FA Saccardo: Icones fungor. javanicor. 2 voll. (124 m. 80 m. z. Tl farb. Taf.) 8° Leid., Bu. Druckerei vorm. EJ Brill 04.   nn 48 —
Penzig, R: Ernste Antworten auf Kinderfragen. Ausgew. Kapitel a. e. prakt. Pädagogik fürs Haus. 3. Afl. (973) 8° Berl., F Dümmler's V. 04.   2.80; geb. 3.60 d
— s.: Kultur, eth.
— Zum Kulturkampf um d. Schule. (152) 8° Berl., L Simion Nf. 05.   2 — d
— Laienpredigten v. neuem Menschentum. Sonntagsvorträge. (8) 8° Hoffngn beim Jahreswechsel. (16) 8° Gottesdg od. (Berl., Verl. f. eth. Kultur.)   — 80 d
— Massenstreik u. Ethik. (44) 8° Frankf. a/M., Neuer Frankf. Verl. 05.   — 50 d
— Die weltl. konfessionslose Schule. (28) 8° Berl., Kampf-Verl. 05. (?) (Lpzg, O Maier.)   — 50 d
Penzler, J: Fürst Bismarck als Christ. Vortr. (44) 8° Lpzg 05, Dresd., CL Ungelenk.   — 60 d
— s.: Bismarck's, Fürst H v., polit. Reden.
— Graf Wilhelm Bismarck. Lebensbild. (349 m. 20 Bildern.) 8° Berl. 01. Stuttg., W Spemann.   10 —; geb. 11.50 d
— s.: Hochschulstreit, d., ih. akadem. Freih. u. konfessionelle Verbindgn. — Ritter's geographisch-statist. Lexikon.
Penzoldt, E: Elemente d. Physik, s.: Reis, P.
Penzoldt, F, s.: Handbuch d. Therapie innerer Krankh.
— Lehrb. d. klin. Arzneibehandlg. 6. Afl. (24, 879) 8° Jena, G Fischer 04.   6.50; geb. 7.50
— Die Magenverdauung d. Menschen unter verschied. physiolog. Einflüssen. [S.-A.] (18) 8° Lpzg, A Deichert Nf. 01.   — 60
Peper: Rechenb. — Übgsb. f. d. Rechenunterr., s.: Heuer, F.
Peper, W: Üb. alsthm. Physik, s.: Magazin, pädagog.
Peppert, F: 5 Zyklen Fastenvorträge. Hrsg. v. G Daxenbichler. (372) 8° Graz, U Moser 04.   2.50; L. 3.70 d

Perbandt, C v., G **Richelmann** u. R **Schmidt:** Herm. v. Wissmann, Deutschlds grösster Afrikaner. Sein Leben u. Wirken, unter Benutzg d. Nachlasses dargest. unter Mitwirkg v. Becker u. Steuber. (579 m. Abb., Kart. u. Fksms.) 8° Berl., A Schall 06.   8.50; L. 10 —
Perdisch, A: Der Laubacher Barlaam. Vorstudien zu e. Ausg. (138) 8° Marbg, NG Elwert's V. 04.   2.40
Peregrin, P: Anf d. Lebenspfade. Gedichte u. Gedanken. (69) 8° Grossenh., Baumert & R. (02).   1 —; geb. 1.20 d
Peregrina, C (C Schmid, geb. Wöhler), s. a.: Wöhler, C.
— Voll Dank empfunden in stillen Stunden, s.: Blüten a. d. Himmelsgarten.
— Feierglocken zu hl. Freudentagen. 2. Afl. (267 m. 1 St.) 12° Würzbg, Göbel & Sch. 04.   L. m. G. 3 — d
— Friedhofs-Blüten z. Erinnerg an uns're teu'ren Toten. 2.Afl. (197) 16° Münch., J Pfeiffer 05.   — 80; L. 1.20 d
— Die Gesch. d. hl. Nothburga v. Rottenburg. Poetisch erzählt. 3. Afl. (158) 8° Innsbr., F Rauch 04.   2 — d
— Es ist d. Herr! (4 m. 1 aufgeklebten Abb.) 16° Münch., J Pfeiffer (02).   100 Stück 5 — d
— Mit Jesus auf Gethsemane, — Kommt, lasst uns anbeten, s.: Blüten a. d. Himmelsgarten.
— St. Krescentia-Büchl. Leben u. Verehrg d. sel. Krescentia v. Kaufbeuren. 3. Afl. (256 m. 1 Bildnis.) 16° Münch., J Pfeiffer 02.   L. — 75; Ldr 1.20; m. G. 1.40 d
— Aus Lebens Liebe, Lust u. Leid, e. Pilgersang z. Abendzeit. 2. Afl. (38, 359 m. Bildnis.) 12° Innsbr., F Rauch 02.   2 — d
— Was d. ewige Licht erzählt. Gedichte üb. d. allerhlst. Altarssacrament. 14. Afl. (26, 350 m. 1 St.) 12° Ebd. 02.   2 —; geb. 3.20 ‖ 15. u. 16. Afl. (22, 354 bezw. 50, 360 m. 1 St.) 04.05.   L. m. G. 3.20 d
— Marienrosen, entsprossen zu Füssen uns'rer lieben Frau. 2.Afl. (27, 240 m. 1 St.) 8° Münst., Alphonsus-Bh.04. L. m. G. 3.60 d
— Der gottgeweihte Monat in 32 Liedern v. „Wert d. Zeit im Hinblick auf d. Ewigk." 3. Afl. (110 m. Titelbild.) 16° Münch., J Pfeiffer (02).   L. — 60 d
— Was wir uns. lieben hl. Schutzengel danken, s.: Blüten a. d. Himmelsgarten.
Peregrinus: Was muss man v. d. Freimaurerei wissen? 1. u. 2. Afl. (80) 8° Berl., H Steinitz (01.05).   1 — d
Peregrinus (P Grundner): Dichtgn. (135) 8° Dresd., E Pierson 02.   2 —; geb. 3 — d
Pereira, v.: Antwort auf d. v. Pfarrer Segnitz in d. Protestversammlg d. ev. Bundes geh. Vortr. (21) 8° Dresd., Verl. d. Saxonia-Buchdr. 03.   10 d
Pereles, J: Leitf. z. Selbstunterr. in d. Kunstbügelei, Stickbereitg, Brillant-Glanzbügelei, Vorhang-Appretur u. im Goufrieren od. Kräuseln. 3. Afl. (67 m. Abb.) 8° Lpzg, BF Voigt 03.   1.50 d
Pereles, P: Schule d. reis. Kaufmannes. 2. Afl. (98) 8° Lpzg, G Weigel (02).   1.50; geb. 1.80 d
Perels u. W **Strecker:** Ratgeber bei Wahl u. Gebr. landw. Geräte u. Maschinen, s.: Thaer-Bibliothek.
Perels, E: Die kirchl. Zehnten im karoling. Reiche. (93) 8° Berl., E Ebering 04.   2.50
Perels, s.: Seerecht, d. allg. öffentl., im Deut. Reiche.
— Das internat. öffentl. Seerecht d. Gegenwart. 2. Afl. (358) 8° Berl., ES Mittler & S. 03.   8 —; L. nn 9.50
Perels, K: Das autonome Reichstagsrecht. Die Geschäftsordng u. d. Observanz d. Reichstages in systemat. Darstellg. Mit e. Anh.: Die Geschäftsordng f. d. Reichstag in krit. Bearbeitg. (136) 8° Berl., ES Mittler & S. 03.   5 —; geb. 4 — d
Perels, L: Die Seemannsordng v. 2. VI. '02 u. ihre Nebenges., s.: Seerecht, d. allg. öffentl., im Deut. Reiche.
Perez, JL: Ausgew. Erzählgn u. Skizzen. Aus d. Jüd. v. M Acher. (383 m. Bildnis.) 8° Berl.-Charltnbg, Jüd. Verl. 05.   3.75; L. 5.25
Perfall, A Frhr v.: Die Achenbacher. Roman. Neue (Tit.-]Ausg.) (307) 8° Stuttg., Deut. Verl.-Anst. (1897](02). 1 —; geb. 1.25 d
— Der Almschreck u. and. Geschichten. 1. u. 2. Afl. (237 m. Abb.) 12° Stuttg., A Bonz & Co. 03.   4 —; L. 4.20 d
— Der Bauer v. Wald, s.: Goldschmidt's Bibliothek f. Haus u. Reise.
— Aus Berg u. Thal. Jagdgeschichten. 1. u. 2. Afl. (185 m. Abb.) 12° Stuttg., A Bonz & Co. 02.   4.40; L. 3.60 d
— Er lebt v. er Frau, s.: Bibliothek moderner deut. Autoren.
— Faiful, s.: Eckstein's illustr. Romanbibliothek.
— Die Finsternis u. ihr Eigentum, s.: Lutz' Kriminal- u. Detektiv-Romane.
— Das Gesetz d. Erde. Roman. (401) 8° Stuttg., A Bonz & Co. 05.   4.50; L. 5.60 d
— Die Hexe v. Norderoog, s.: Bibliothek Langen, kl.
— Münchner Kindeln. Roman. (374) 8° Lpzg, P List (04). 4 —; geb. 5 — d
— Klippen. König Lear d. Sümpfe, s.: Vobach's illustr. Roman-Bibliothek.
— Kraft u. Liebe. Roman. (436) 8° Stuttg., A Bonz & Co. 04.   4.50; L. 5.60 d
— Der Kroatersteig. Roman a. d. Hochgebirg. (433 m. Abb.) 8° Ebd. 05.   4.80; L. 5.80 d
— Die Krone, s.: Romane, deut.
— Künstlerblut, s.: Eckstein's moderne Bibliothek.
— Die Landstreicherin, s.: Ecksein's Miniaturbibliothek.
— Allerhand Lebendiges. 1. u. 2. Afl. (270 m. Abb.) 8° Stuttg., A Bonz & Co. 04.   3.40; L. 4.50 d

Perfall, A Frhr v.: Die Malschule, s.: Bibliothek Langen, kl.
— Der Nachtfalter. Orig.-Roman. 1—3. Afl. (200) 8° Berl., A Goldschmidt 06.,   4 —; L. 4 — d
— Schächterchen. Roman. (Neue [Tit.-]Ausg.) (287) 8° Stuttg., Deut. Verl.-Anst. [1896] (01).   1 —; kart. 1.25 d
— Aus d. Schule d. Ehe, s.: Eckstein's moderne Bibliothek.
— Die Sünde, s.: Eckstein's Miniaturbibliothek.
— An d. Tafel d. Lebens. Roman. (455) 8° Stuttg., A Bonz & Co. 02.   4.80; L. 6 — d
— Die Uhr, s.: Reclam's Unterhaltgs-Bibliothek.
— Lebendige Wasser. Roman. (359) 8° Lpzg, P Reclam jun. (05).   3 —; geb. 4 — d
— KönigWiglaf. Ep.Erzählg. (259)8°Bresl.,Schles. Buchdr. usw. 01.   3 —; geb. 4 — d
Perfall, K v.: Bittersüss. Roman. 1—3. Afl. (293) 8° Berl., E Fleischel & Co. 05.   4 —; geb. 5.50 d
— Das Königsliebchen. Roman. 3. Afl. (233) 8° Köln, K Ahn (04).   2 — d
— Loras Sommerfrische. Roman. 1. u. 2. Afl. (312) 8° Berl., E Fleischel & Co. 02.   4 —; geb 5.50 d
— Sein Recht. Die Gesch. e. Leidenschaft. Roman. 6—10. Afl. (239) 8° Köln, A Ahn (05).   2 — d
— Frau Sensburg. Roman. 1—4. Afl. (306) 8° Berl., E Fleischel & Co. 04.   4 —; geb. 5.50 d
— Ein Verhältnis. Roman. Mit e. Vorrede: „Bemerkgn üb. d. erot. Problem". 9. Afl. (303) 8° Köln, A Ahn (04).   2 — d
— Der schöne Wahn. Roman. 1—5. Afl. (350) 8° Berl., E Fleischel & Co. 05.   4 —; geb. 5.50 d
Pergen, A v.: Die schöne Melusine. Dichtg zu M v. Schwinds Bilderzyklus. (75 m. 11 Taf.) 8° Wien, CW Stern 05.   2.50 d
Pergens, E: Pemphigus d. Auges. (74) 8° Berl., S Karger 01.   2 —
Perger, A: Der Jesuitenorden, s.: Flugschriften, kathol.
— Kreuz u. Altar. 7 Predigten üb. d. Opfer d. Neuen Bundes. 3. Afl. (128) 8° Paderb., Bonifacius-Dr. 04.   90 d
— Homilet. Predigten üb. d. sonn-u. festtägl. Evangelien. 2 Bde. 3. Afl. 8° Ebd.   8.40 d
    1. Üb. d. sonntägl. Evangelien. (26, 466) 02. 4.80 ‖ 2. Üb. d. festtägl. Evangelien. (332) 03. 3.60.
— Predigten auf d. Festtage, auch als Lesg v. Laien zu benutzen. (414) 8° Ebd. 01.   4 — d
Perger, J: Der Weg z. deutsch-österr. Zollver. (21) 8° Münch., JB' Lehmann's V. 01.   90 d
Pergmayr, J: Gründl. Erwägg ew. Wahrh. f. geistl. Exercitien. Neu hrsg. v. e. kathol. Geistlichen. 3. Afl. (358) 8° Rgnsbg, Verl.-Anst. vorm. GJ Manz 05.   1.80 d
— Die Oberin u. d. Herzen Gottes. (40) 16° Rgnsbg, F Pustet 02.   — 30 d
— Die Oberin u. d. Herzen Gottes. (40) 16° Ebd. 02.   — 30 d
Perič, B: Die Echinokokkenkrankh. in Dalmatien, s.: Klinik, Wiener.
Perigrin, L: Die ehem.Prämonstratenser-Abtei, Himmelspforte bei Wyhlen a/Rh. (103 m. Abb. u. 1 Pl.) 8° Bas. (03).(Lpzg, C Beck.) ‖ 2. Afl. (119 m. Abb. u. 1 Pl.) (04.)   Je —30 d
Perikopen, d. neuen, d. Eisenacher Konferenz. Exegetischhomilet. Hdb., hrsg. v. G Mayer. 3 Bde. 8° Lpzg, A Deichert Nf.   35.50; Einbde in HF. je nn 2 d
    1. Reyländer, O: Epistol. Perikopen. (565) 01. 11 — ‖ 2. Alt. 10 Lfgn. (°11) 03.   10.50
    2. Mayer, G: Ev. Perikopen. (1021) 02.   13 —
    3. Pfeiffer, A: Alttestamentl. Perikopen. (979) 02.   12 —
— d. v. 1. Advent '01 ab zu gebrauch., d. weimar. Landeskirche. (1 Bl.) Fol. Weim., H Böhlau's V. 03.   — 30 d
Peril and heroism, hrsg. v. J Klapperich, s.: Schriftsteller, engl. u. französ., d. neueren Zeit.
Perin, G: Die Pseudobulbär- u. Bulbärparalysen d. Kindesalters. (232 m. Abb.) 8° Berl., S Karger 02.   6 —
Perkins, J: Fragmenta florae Philippinae. Contributions of the flora of the Pilippine islands. Fasc. I u. II. (1—152 m. 3 Taf.) 8° Lpzg, Gebr. Borntraeger 04.   Subskr.-Pr. nn 9 —
    ‖ Gilg: Monimiaceae, s.: Pflanzenreich, d.
Perkins-Stetson, C: Mann u. Frau. (Women and economics.) Die wirtschaftl. Beziehg d. Geschlechter als Hauptfaktor d. soz. Entwicklg. Uebers. v. M Stritt. (286) 8° Dresd., H Minden (01).   5 —; geb. 4 — d
Perkmann, R: Christus natus est nobis! Eine Sammlg v. Ansprachen bei Weihnachtsbeschergn. (95) 8° Wien, H Kirsch 03.   1 — d
Perkowski: Gesch. d. niederschles. Train-Bataillons Nr. 5. (50 m. Abb.) 8° Berl., ES Mittler & S. 03. 3.50; geb. nn 5 — d
Perl, a.: Blätter f. Rechtspflege im Bez. d. Kammergerichts.
Perl,a.: Durch d. Urwälder Südamerikas. (235 m. Abb. u. 1 Karte.) 8° Berl., D Reimer 04.   10 —
Perl, H: Napoleon I. in Venetien. (243 m. 1 Abb.) 8° Lpzg, H Schmidt & C Günther 01.   3.60; geb. 4 — d
— a.: Napoleon I.
Perl, J: Die Tuberkulose u. ihre Bekämpfg, s.: Broschüren, zwanglose. — Volksaufklärung.
Perlbach, M, s.: Aus alten Büchern d. Hallischen Univ.-Bibliothek.
Perlberg, F: Palästina-Album. 10 Aquarell-Ansichten. 8° Münch., C Andelfinger & Co. 04.   1 —; geb. 2 — d
Perlen. Kleine Geschichten f. jung u. alt. Nr. 14. Zur Konfirmation. 3. Afl. (16) 16° Zwick., J Herrmann (05). nn — 05 d
— a. Ida Gräfin Hahn-Hahn's Werken. (Habbel'sche Ausg.,
                                                            136*

Regensburg.) Ges. v. J G. (90) 8º Rgnsbg, J Habbel (05). — 50;
           L. — 80 d
Perles, F: Bousset's Relig. d. Judentums im neutestamentl.
  Zeitalter, kritisch untersucht. (133) 8º Berl., W Peiser 03. 2.50
— Zur Erklärg d. Psalmen Salomos. [S.-A.] (56) 8º Ebd. 02. 1 —
— Das Gebet im Judentum. (Vortr.) (23) 8º Frankf. a/M., J
  Kauffmann 04.   — 50
— Babylonisch-jüd. Glossen. [S.-A.] (36) 8º Berl., W Peiser 05.
                               — 75
— Was lehrt uns Harnack? (35) 8º Frankf. a/M., J Kauffmann
  02.   — 60
— Was n. d. Herrn Missionsprediger Juden u. Christen v. mir
  lernen können. (8) 8º Köngsbg, Ostdeut. Bh. 02.   — 25
Perles, M, s.: Adressbuch f. d. Buch-, Kunst-, Musikalien-
  handel usw. d. österr.-ungar. Monarchie.
— Spezialk. d. russisch-japan. Kriegsschauplatzes. 1:4,500,000.
  41,5×61 cm. Farbdr. Wien, M Perles 04.   1 —
Perles, R: Ein moderner Erlöser d. Judenthums. Vortr. (16)
  8º Köngsbg, Ostdeut. Bh. 01.   — 80 d
Perlewitz, P: Versuch e. Darstellg d. Isothermen d. Deut.
  Reichs, nebst Untersuchgn üb. regionale therm. Anomalieen,
  s¹: Forschungen z. dent. Landes- u. Volkskde.
Perlia, R: Stereoskop. Bilder f. Schielende, s.: Kroll.
Perlitzki s.: Bericht d. Poliklinik f. Zahn- u. Mundkrankh. d.
  zahnärztl. Instit. d. kgl. Univ. Breslau.
Perlmutter, S: Karl Menger u. d. österr. Schule d. National-
  ökonomie, s.: Studien, Berner, z. Philosophie u. ihrer Gesch.
Perls, A: Reichs- u. Staats-Bürgerb., s.: Ullstein's Sammlg
  prakt. Hausbb.
— Tom Zopfz. Schnurrbartbinde. Von Jena bis Löhning. Kultur-
  geschichtliches u. Zeitgeistiges. (48) 8º Berl., Herm. Walther
  02.   — 50 d
Permanent-Album f. Postwertzeichen. Ausg. A (auf weissem
  Karton). 30 Kartons. 4º Chemn., P Kohl (01). Geb. 12.50; 40
  Kartons 14.50; 50 Kartons 16 —; 60 Kartons 18.30; Ausg. B,
  auf farb. Kartons 14 —; 17 —; 19.50 u. 21.50
— dass. Ausg. C. Papierausg. 120 Bl. 4º Ebd. 01.   Geb. 15 —
— dass. Mignon-Ausg. 30 Bl. 4º Ebd. 01. Geb. 11 —; 40 Bl. 12.50;
               50 Bl. 14 —; 60 Bl. 15.50; 70 Bl. 17 —
  Prachtausg. s. u. d. T.: Kohl's Permanent-Album f. Postwert-
  zeichen.
Permane, F: Zur Erinnerg an d. Konsekration u. Inthroni-
  sation d. Bischofs Dr. Maximilian Lingg. Begrüssgsrede.
  (8) 8º Augsbg, Kranzfelder (02).   — 10 d
— Erinnerngn an Papst Leo XIII. I. Ansprache a. Anlass d.
  Papstjubiläums Leo's XIII. an d. kathol. Schuljugend Augs-
  burgs. — II. Ansprache, geh. bei d. Trauerfeierlichk. f. Papst
  Leo XIII. (9 u. 10) 8º Ebd. (03).   — 20 d
— Trauer-Reden. (272) 8º Ellw. 02. Stuttg., J Hess. 3.60; L. 4.80
Fernauhm, FG: Der junge Kurt. (174) 8º Berl. (04). Lpzg, Verl.
  d. Funken, Sep.-Kto.   3 —
Perner, J: Gastéropodes, s.: Barrande, J, sytème silurien du
  centre de la Bohéme.
Pernerstorfer, E: Friedrich Schiller. Gedenkrede. (26) 8º Wien,
  Wiener Volksbh. 05.   — 70 d
— s.: Worte, deut.
Pernice, A, s.: Zeitschrift d. Savigny-Stiftg f. Rechtsgesch.
Pernice, E, u. F Winter: Der Hildesheimer Silberfund d. kgl.
  Museen zu Berlin. (74 m. Abb. u. 46 Lichtdr.) Fol. Berl., G
  Reimer) 01.   L. 50 —
Pernin: Schatzkästl. fürs Priesterherz. Das geistl. Direktorium
  d. hl. Franz v. Sales z. Gebr. f. d. Priester. Aus d. Franz.
  (214 m. 1 Bildnis.) 16º Linz, Pressver. 06.   .4 — d
Pernot, A: Enseignement par l'aspect. Méthode Bernot. Leçons
  de choses et grammaire. (143 m. Abb.) 8º Essl., JF Schreiber
  (03).   Geb. 3 —
— and FE Akehurst: Teaching by picture. The Bernot method.
  Object lessons and grammar. (143 m. Abb.) 8º Ebd.   Geb. 3 —
Pernt, M: Taf. z. Abstecken v. Kreis- u. Übergangsbögen durch
  Polarkoordinaten. Mit Gebrauchsanleitgn v. A Birk. (129 m.
  Fig.) 8º Wien, A Hartleben 03.   L. 3.60
Pernter, JM: Erklärg d. fälschlich „weisser Regenbogen" be-
  nannten Bouguer'schen Halos. [S.-A.] (27 m. Fig.) 8º Wien,
  (A Hölder) 05.   — 70
— Voraussetzgslose Forschg, freie Wiss. u. Katholicismus.
  (32) 8º Wien, W Braumüller 02.   1.20
— Bes. Gattgn gefürcht. Winde bei uns u. anderwärts. — Die
  scheinbare Gestalt d. Himmelsgewölbes u. d. scheinbare
  Grösse d. Gestirne. — Luftspiegelgn u. Fata Morgana. — Aller-
  lei Methoden, d. Wetter zu prophezeien, s.: Vorträge d. Ver.
  z. Verbreitg naturwiss. Kenntnisse in Wien.
— Meteorolog. Optik. 1 u. 2 Abschn, (212 m. Fig.) 8º Wien,
  W Braumüller 02.   8 —
— Psychrometer-Taf., s.: Jelinek.
— Zur Theorie d. v. e. kreisförm. Lichtquelle erzeugten Regen-
  bogens. [S.-A.] (17 m. Fig.) 8º Wien, (A Hölder) 05.   — 50
— Untersuchgn üb. d. Polarisation d. Lichtes in trüben Medien
  u. d. Himmelslichtes m. Rücks. auf d. Erklärg d. blauen
  Farbe d. Himmels. [S.-A.] (28) 4º Ebd. 01.   1.90
— Die tägl. telegraph. Wetterprognose in Österr. (61 m. 8 Kart.)
  8º Wien, W Braumüller 06.   — 50 d
— Das moderne Wetterschiessen. [S.-A.] (16) 8º Stuttg. (01.)
  Münch., J Roth.   — 40 d
Fernwerth v. Bärnstein, F: Die Dampfschiffahrt auf d. Boden-

see u. ihrs geschichtl. Entwicklg währ. ihrer 1. Hauptperiode
  (1824—47), s.: Wirtschafts- u. Verwaltgsstudien.
Perowskaja, Sophie, v. *„*. (In russ. Sprache.) (58) Berl., H
  Steinitz 03.   1.20
Perpiñá, Bonifacius u, Possevin, d. Jesuiten, ausgew. päda-
  gog. Schriften, s.: Bibliothek d. kathol. Pädagogik.
Perrault: La Barbe-Bleu. — Cendrillon, s.: Prosateurs franç.
Perregaux, C: Führer durch d. Kt. Neuenburg, s.: Diacon, M.
Perrett, W: The story of King Lear from Geoffrey of Mon-
  mouth to Shakespeare, s.: Palaestra.
Perrin v. Angicourt, d. Troveors, Lieder, hrsg. v. G Steffens,
  s.: Bibliothek, roman.
Perron, P, s. u.: Riecke, O.
— Die Kunstreiterin. Roman. 4. Afl. (308) 8º Erf. (01), Gotha,
  Verl.-Anst. u. Dr. (H Bartholomäus). 1.50 ‖ Neue Afl. (232)
                           Gotha (05). 1 — d
Perrot, K: Köln als Rhein-, See- u. Industrie-Hafen in Bezug
  auf d. bevorsteh. Stadterweiterg nebst Versuch e. Gesch. d.
  Seeschiffahrt auf d. deut. Rhein. (83) 8º Köln, (JG Schmitz)
  03.   1 — d
Perry, J: Höh. Analysis f. Ingenieure. Deutsch v. R Fricke
  u. F Süchting. (425 m. Fig.) 8º Lpzg, BG Teubner 02. L. 12 —
— Drehkreisel. Volkstüml. Vortr. Übers. v. A Walzel. (125 m.
  Abb. u. Titelbild.) 8º Ebd. 04.   L. 3.80
— Prakt. Mathematik. Zusammenfassg v. 6 Vortr. Bearb. v.
  G Lenke. (133 m. Fig.) 8º Wien, (L Weiss) 03.   3.40
Perry, N: Das Problem d. conformen Abbildg f. e. spec. Kurve
  v. d. Ordng 3 n. [S.-A.] (12) 8º Münch., (G Franz' V.) 03.   — 40
Perschmann, S: 180 Spaziergänge u. Ausflüge in d. näh. u.
  weit. Umgebg v. Koblenz, Ehrenbreitstein, Andernach, Bop-
  pard, Ems, Kochem, Königswinter, Neuwied, Vallendar usw.
  3. Afl. (24, 120 m. 1 Karte.) 8º Kobl., W Groos 04. Kart. 1.80
— Wegek. d. Umgebg v. Koblenz. 1:125,000. 51,5×53,5 cm.
  Farbdr. Ebd. 02.   — 75; auf d. L. 1.25
Persii Flacci, A, satirae. Ed., adnotationibus exegeticis et
  indice verbor. instruxit G Némethy. (390) 8º Budap., Verl.-
  Bureau d. ungar. Akad. d. Wiss. 03.   8 —
— saturar. liber. Recens. S Consolii. Ed. minor. (30) 8º Rom.
  Loescher & Co. 05.   nn — 80
— dass. Recens., adnotatione critica instruxit, testimonia us-
  que ad saeculum XV addidit S Consolii. Ed. maior. (256) 8º
  Ebd. 05.   nn 4 —
Personal, d. medizinal- u. veterinärärztl., u. d. dafür besteh.
  Lehr- u. Bildganst. im Kgr. Sachsen am 1.1.'05- (296) 8º
  Dresd., H Burdach 05.   2,40 d
Personalist u. Emancipator. Halbmonatsschrift f. actions-
  fähige Geistesshalt u. geg. corrupte Wiss. Red.: U Dühring.
  Jahrg. 1901—5 je 24 Nrn. (Nr. 55). A 4º Nowawes-Neuendorf
  bei Berl., U Dühring. (Nur dir.) Vierteljj. postfrei nn 1.70
Personal-Katalog d.Bist.Rottenburg im J.1904.(119) 8º Rottnbg,
  (W Bader).   nn 1.40 d
Personalstand d. Beamten z. Evidenzhaltg d. Grundsteuer-
  katasters sowie d. techn. Beamten im k. k. lithograph. Instit.
  d. Grundsteuerkatasters. Stand v. 1.VII.'05. (78) 8º Wien,
  (Hof- u. Staatsdr.).   —50
— d. Säkular- u. Regular-Geistlichk. d. Diöz. Gurk in Kärnten
  im J. 1906. (317) 8º Klagenf., (Buch- u. Kunsth. d. St. Josef-
  Ver.).   †2.70; L. †3.40 d
— d. Säkular- u. Regular-Geistlichk. d. Erzbist. Salzburg f.
  1905. (240) 8º Salzbg, (A Pustet).   †2—
Personalstatus d. ev.-luther. u. d. reform. Kirche in
  Russl. (Von G Pingond.) (136) 12º St. Petersbg, Eggers & Co.
  1900.   3 —
Personal-Verzeichnis d. kgl. preuss. Bergwerksverwaltg.
  (Am 1.I.'05.) [S.-A.] (34) 4º Berl., W Ernst & S.   1.50
— d. kgl. sächs. Staats-Forstverwaltg f. 1905. (60) 8º Dresd., C
  Heinrich.   — 75 d
Personal- u. Pfarreien-Verzeichnis d. Diöz. Trier pro 1905.
  (10 u. 18) 8º Trier, Paulinus-Dr.   — 50
Persuhn, W: Hülfsb. bei Revision u. Leitg e. Postamts f. Post-
  aufsichtsbeamte u. Postamtsvorsteher. 6. Afl. (263) 8º Münch.,
  R Oldenbourg 01.   L. 2.50 ‖ 7. Afl. (258) Münch. 3.20
Pert, G: Käuflich. Aus d. Franz. v. P v. Stetten. (226) 8º Lpzg,
  CG Naumann (04).   Wrtb. (19) — 90
Pertev Bey: Unter Graf v. Haeseler. Persönl. Erinnergn. (296
  m. 1 Bildnis.) 8º Berl., ES Mittler & S. 05. 3.50; geb. 5 — d
Perthes' Schulausg. engl. u. französ. Schriftsteller. Nr. 18 B,
  21, 28—30, 31 a b, 33, 33, 34 A B, 35—41, 42 A B, 43, 43 B, 44—
  47, 47 B u. 48—52. 8º Gotha, FA Perthes.   Geb. 41.40
  Augier, E: Le gendre de Monsieur Poirier. En collaboration avec J San-
    deau. Bearb. v. E Mayer. (133) 01. [98.]   1.80 | Wrtrb. (19) — 90
  Barrau, TH: Hist. de la révolution franç. de 1789—92. Bearb. v. H Beck.
    (157 m. 8 Pl.) 01. [99.]   1.90 | Wrtrb. (28) nn — 50
  Boissonnas, Mme R: Une famille pendant la guerre 1870—71. Im Ausz.
    bearb. v. E Weaver. (96 m. 3 Kart.) 03. [97.]   Wrtrb. (33) — 60
  Brown's Tom, schooldays, by an old boy (T Hughes). Hrsg. v. C Reichel.
    (30, 114) 03. [47.] m. engl. Anmerkgn. (19, 130) 04. [47 B.]   1.80
  Burnett, FH: Little Lord Fauntleroy. Erklärt v. A Stoeriko. (108) 01.
    [84.] | Ausg. B m. engl. Anmerkgn. (129) 03. Je 1 —; Wrtrb. (19) — 90
  Byron, Lord: Ausgew. Dichtgn. Hrsg. v. H Jantzen. (15, 146) 06. [56.]
                                     1.20 | Wrtrb. (27) — 60
  Corneille: Le Cid. (1636.) Bearb. v. H Dreas. (96, 124) 01. [52.] 1.80 |
                                       Wrtrb. (37) — 80
  Daudet, A: Tartarin de Tarascon. (1872.) Ausgew. Text m. Erklärgn v.
    O Thoene. (107) 02. [36.]   Wrtrb. (20) — 90
  Duruy, V: Règne de Louis XIV. Aus: Hist. de France. Bearb. v. L Klin-
    ger. (150 m. 1 Karte, 1 Skizze u. 1 Tab.) 03. [44.] 1.80 | Wrtrb. (29) — 60

Jerome, JK: Three men in a boat (to say nothing of the dog). Erklärt v. H Schmitz. 3. Ausg. (99 m. 1 Karte.) 03. [21.] 1.30; Wrtrb. (21) — 20
Laughton, JK: Drake — Blake — Hawkes. From Howard to Nelson. Bearb. v. F Wilkens. (126) 05. [51.]   1.30; Wrtrb. (40) — 60
Macaulay, TB: Lord Clive. Mit Einl. u. Anmerkgn hrsg. v. K Köhler. (146 m. 1 Karte.) 04. [40.]   1.40; Wrtrb. (42) — 60
Marbot, Baron de: Campagne de 1809. Aus d. „Mémoires". Bearb. v. P Steinbach. (197 m. 2 Pl.) 05. [42.]   1.50; Wrtrb. (36) — 50
Mérimée, P: Colomba. Bearb. v. A Sturmfels. (155 m. 1 Karte.) 04. [50.]   1.30; Wrtrb. (49) — 60
Mignet, AFA: Hist. de la révolution franç. depuis 1789 jusqu'en 1814. Bearb. v. J Mosheim. (175 m. 3 Pl.) 02. [41.]   1.40; Wrtrb. (34) — 20
Molière: L'Avare. Comédie (1668). Bearb. v. A Diebler. (26, 127) 01. [22.]   —; Wrtrb. (19) — 20
— Le misanthrope. Comédie. Bearb. v. F Meder. (30, 119) 02. [99.] 1 —; Wrtrb. (27) — 70
Morley, J: Oliver Cromwell. Bearb. u. erklärt v. K Pusch. (135 m. 1 Karte.) 02. [43.] m. engl. Anmerkgn. (154 m. 3 Skizzen.) 05. [46 B.] Je 1.50; Wrtrb. (35) — 90
Sandeau, J: Mademoiselle de la Seiglière. (1861.) Bearb. v. K Engelke. (121) 02. [40.] Ausg. B m. franzö. Anmerkgn. (122) Je 1.60; Wrtrb. (15) — 90
Scribe, E: Le verre d'eau on les effets et les causes. Comédie. (1840.) Erklärt v. O Theene. (101) 02. [57.]   1 —; Wrtrb. (23) — 30
Ségur, Comte de: Incendie de Moscou et retraite de la grande armée jusqu'au Niémen. Bearb. v. P Steinbach. (147 m. 2 Pl.) 02. [98.] 1.20 ; Wrtrb. (38) — 70
Shakespeare, W: Macbeth. Erklärt v. G Wack. (30, 131) 01. [83.] 1.20; Wrtrb. (39) — 40
Sheridan: The school for scandal. Erklärt v. H Hartmann. (131) 03. [46.] Je 1.20; Wrtrb. (39) — 40
Slocum, J: Sailing alone around the world. Hrsg. v. R Blume. (99 m. 1 Abb. u. 1 Karte.) 02. [42.] Ausg. B m. engl. Anmerkgn. (92 m. 1 Pl. u. 1 Karte.) 03.   Je 1.70; Wrtrb. (26) — 20
Souvestre, E: Ausgew. Erzählgn a. Au coin du feu. Erklärt v. C Reichel. (109) 01. [55.]   1.20; Wrtrb. (29) — 70
Thiers, A: Hist. de l'expéd. d'Égypte. Éd. annotée par C Beckmann. (112 m. 1 Karte.) 03. [163.]   1.30; Wrtrb. (36) — 30
Unrah, F: Sammlg franzö. Gedichte. Proben a. d. Lyrik d. XIX. Jahrh., nebst e. Anh. v. Fabeln. Mit beigefügter Verteilg u. Klassen hrsg. n. erklärt. 1. Tl.: Kanon. Metr. Vorbemerkgn. Texte. Litterarhistor. Übersicht. (22, 214) 01. [31a.] } 2. Tl. Anmerkgn u. Wrtrb. (183) 05. [31b.] 1.50; Sonderwrtrb. (32) — 50

Perthes, G: Briefe a. China. (147 m. Abb.) 8° Gotha, J Perthes 03.   L. 3 — d

Perthes, H: Latein. Formenlehre z. wörtl. Auswendiglernen. Mit Bezeichng sämtl. langen Vokale v. G Löwe. 6. Afl. v. H Jungblut. (92) 8° Berl., Weidmann 03.   Kart. 1 — d
— dass. f. Schulen m. d. Frankf. Lehrpl., 3. Afl., s.: Gillhausen, W.
— Latein. Wortkde im Anschl. an d. Lektüre. Für Gymnasien u. Realgymnasien. 1. Kurs. Für Sexta. Das Wort nach sr grammat. Endg. A. u. d. T.: Vocabularium im Anschl. an Perthes' latein. Leseb. f. Sexta. Mit Bezeichng sämtl. langen Vokale v. G Löwe. 6. Afl. v. H Jungblut. (86 u. latein. Leseb. 80) 8° Berl., Weidmann 03.   1.60

Perthes', J, alldtsch. Atlas. Bearb. v. P Langhans. Mit Begleitworten : Statistik d. deut. u. d. Reichsbewohner. 3. Afl. (5 farb. Kart. m. 4 S. Text.) 4° Gotha, J Perthes 05.   — [Text d.]
— Atlas antiquus. Taschen-Atlas d. alten Welt v. A van Kampen. 24 (farb.) Kart. in Kpfrst. m. Namenverz. u. e. Abrisse d. alten Gesch. 7. Afl. (32 u. 60) 8° Ebd. 05.   L. 2.80
— Atlas portátil. Arreglado y traducido de la 41a edición alemana de H Habenicht por B Domann. 28 mapas coloridos. Con noticias geográfico-estadísticas por H Wichmann. 3. Afl. (34) 8° Ebd. 04.   L. 3 —
— Gesch.-Atlas. Taschen-Atlas z. mittl. u. neueren Gesch. v. A Schulz. 24 Kart. m. e. Abrisse d. deut. Gesch. u. d. Gesch. d. wichtigsten deut. Staaten. 2. Afl. (68) 8° Ebd. 04.   L. 2.40
— See-Atlas. Entworfen u. bearb. v. H Habenicht. 24 kolor. Kart. in Kpfrst. (in 4°) m. 127 Hafenpl. Mit naut. Notizen u. Tab. v. E Knipping. 6. Afl. (48) 12° Ebd. 03. Ln in 12° 2.40
— Staatsbürger-Atlas. 94 (farb.) Bl. m. üb. 100 Kart., Diagr. u. Abb. z. Verfassg u. Verwaltg d. Deut. Reichs u. d. Bundesstaaten. Mit Begleitworten. Von P Langhans. 4. Afl. (34) 8° Ebd. 05.   L. 2 —
— Taschen-Atlas. 40. Afl. v. H Habenicht. 24 kolor. Kart. in Kpfrst. Mit geograph.statist. Notizen v. H Wichmann. (82) 8° Ebd. 05.   L. 2.40

Perthes, O: Der Gedächtnisstoff im Relig.-Unterr. Beitr. zu sr Ausw. u. sr Behandlg. Nebst: Entwurf zu e. Spruchsammlg. (443 u. 98) 8° Bielef., O Fischer 03.   2.50 ; geb. -3.20 d

Perthun, J: Ein Kinderpl. f. Wahrheit u. Recht. Dichtg m. 6 leb. Bildern, arrangirt v. A Hoffmann u. B Schröder. (7) 8° Berl., A Hoffmann (01).   — 10;
m. Bildervorl., Chor u. 50 Texten 7.20

Perz, W: Die Diagnose chirurg. Erkrankgn vermittelst d. Röntgenstrahlen. (68) 8° Freibg i/B., Speyer & E. 02.   2 — d

Peruche, T: Elsass-lothring. Ges., Verordngn u. Verfüggn, z. Ausführg d. BGB. u. d. damit im Zusammenh. steh. Reichsges. 3. Afl. (547) 12° Strassbg, W Heinrich 03.   L. 4.50 d

Perwow, P, s.: Methode Toussaint-Langenscheidt (Russisch). — Das russ. Zeitwort, s.: Garbell, A.

Perzager, NN: Maria Magdalena, d. gr. Sünderin u. Büsserin. Sitten- u. Lebensbild a. d. Zeit Christi. 2. Afl. y. L Leitgeb. (700 m. 4 Taf.) 8° Innsbr., F Rauch 04.   4 — ; L. 5 — d

Peryzski, F: Der japan. Farbenholzschnitt, s.: Kunst, d. — Hokusai, s.: Künstler-Monographien.
— Weltstadtseelen, s.: Bibliothek Langen, kl.

Pescatore, G: Die Wahlschuldverhältnisse, s.: Abhandlungen z. Privatrecht u. Zivilprozess d. Deut. Reiches.

Pesch, C: Praelectiones dogmaticae. Tom. I et IX. 8° Freibg i/B., Herder.   11.40; Einbde in HF. je 1.60
I. Institutiones propaedeuticae ad sacram theologiam. I. De Christo legato divino. II. De ecclesia Christi. III. De locis theologicis. Ed. III. (35, 415) 03.   5.90
IX. De virtutib. moralib. De peccato. De novissimis. Tractatus dogmatici. Ed. II. (413) 02.   5.60
— Theolog. Zeitfragen. 3. Folge. (123) 8° Ebd. 02.   1.60 (1—3.: 5.60) d
— dass., s.: Stimmen a. Maria-Laach.

Pesch, H: Lehrb. d. Nationalökonomie. 1. Bd. Grundlegg. (485) 8° Freibg i/B., Herder 05.   10 — ; L. 11.50
— Liberalismus, Socialismus u. christl. Gesellschaftsordng. 3 Tlle in 2 Bdn. 2. Afl. (772, 395 u. 601) 8° Ebd. 01.   14 — d
— dass., s.: Frage, d. soc., beleuchtet durch d. „Stimmen a. Maria-Laach".

Pesch, T: The catholic's manual. A prayer-book. (23, 708 m. 1 St.) 16° Freibg i/B., Herder (04).   2 — ; L. 2.50
— Christ od. Antichrist?
— Das relig. Leben. Begleitbüchl. m. Ratschl. u. Gebeten zunächst f. d. gebild. Männerwelt. 12. Afl. (20, 570 m. 1 St.) 16° Freibg i/B., Herder 03.   1 — ; L. 1.50 d
— Christl. Lebensphilosophie. Gedanken üb. relig. Wahrheiten. 9. Afl. (607) 12° Ebd. 06.   3.50; HL. 4.70 d
— Regel- u. Gebetb. z. Gebr. d. marian. Männer-Congregationen. 3. Afl. v. F Miller. (136) 16° Ebd. (02).   — 35 ; L. — 65 d

Peschel, A: Hilfsb. f. d. Montage elektr. Leitgn zu Beleuchtgszwecken. 2. Afl. (340 m. Abb.) 8° Lpzg, O Leiner 03. 6 — ; L. 7.50

Peschel, C, s.: Kinderengel, d.

Peschkau, E: Leidenschaft. Löwenherz. — Ein moderner Märtyrer. Schlosszauber, s.: Kürschner's, J, Bücherschatz.
— Die Stadtfraubas. Roman. (221) 8° Lpzg, P Reclam jun. (02).   3 — ; geb. 4 — d
— Traumdeutg, s.: Unterhaltungsbücher, neue, f. Stenogr.

Peschke, B: Die Feuerversicherg (Mobiliarversicherg), s.: Mager's Bibliothek d. Praxis.

Peschke, E: Kaufmänn. Buchführg. Dopp. Buchhaltg. (72 u. Formulare.) Fol. Neutitsch., E Hölzel's Nf. (08).   1.30

Peschke, P: Eine Pillenafäire, s.: Theater, kl.

Peschmann, M, s.: Waldenburg, M.

Pesendorfer, FJ: Goldenes Alphabet f. christl. Jünglinge. 7. Afl. (173 m. farb. Titelbild.) 8° Linz, Pressver. 02.   L. 1.40
feine Ausg. 2.40 d
— dass. f. christl. Mädchen. 14. Afl. (128 m. Titelbild.) 8° Ebd. 03.   L. 1.40; feine Ausg. 2.40 d
— Vom Donaustrand ins hl. Land. Gedenkb. an d. H. oberösterr. Pilgerzug n. Jerusalem '04• (502 m. Abb., 1 Farbkart. u. 1 Karte.) 8° Ebd. 05.   L. 5.85 d
— Grabschriften u. Sprüche f. Sterbebilder. — Der Inschriftendichter, s.: Fest- u. Gelegenheitsgedichte.
— u. F Bühler: In d. Siebenbügelstadt. Erinnergn an d. Romfahrt d. Wiener Pilgerzuges im März 1903. (186 m. Abb. u. 2 Titelbildern.) 8° Linz, Pressver. 03.   2.50 d

Pesis, P: Die Stadt Dubno u. ihre Rabbiner. Kurze Biographien sämmtl. Rabbiner dieser Stadt v. J. 5360 (1600) bis z. Gegenwart. (in hebr. Sprache.) (36) 8° Krakau 02. (Frankf. a/M., J Kauffmann.)   1 —

Pessl, V: Postkartenvers'ln, meist in österr. Mundart. Neue Ausg. (32) 32° Reutl., Ensslin & L. (02).   — 10 d

Pessler, M, geb. Büttner: Das Pfarrhaus in Sottrum im J. 1813. (111 m. 2 Taf.) 8° Hannov., (H Feeschs) 03. L. nn 2 — d
— dass. (154 m. 2 Taf.) 03.   1.50; geb. 2 — d

Pessler, F: Zur Feststellg d. Geisteszustandes d. Beschuldigten im Strafverfahren d. 8 St.-R.-St.-G.-B.; 81 Str.-Pr.-O.). (157) 8° Braschw., JH Meyer 05.   2.40 d
— Das Jagdrecht u. d. Jagdges. d. Herzogt. Braunschweig. 3. Ergänzgsheft : Enth. d. Erhebgn üb. d. Beschluss d. Landesversammlg v. 25.III.1896, betr. Vorlage e. neuen Jagdordng u. d. auf d. Beschluss erfolgte Entschliessg d. herzogl. Landesregierg, d. d. 13.I.'04• sowie jagdrechtl. Entscheidgn braunschweig. Gerichte. (52) 8° Ebd. 04.   1 — d
(Hauptwerk u. 1—3. Ergänzgsheft: 6.05) d

Pestalozza, A Graf v.: Der Begriff d. Mentalreservation im Sinne d. 1 116 BGB. (57) 8° Münch., J Schweitzer V. 04. 1.80 d

Pestalozzi, C: Das zürcher. Kirchengut in sr Entwicklg z. Staatsgut. (111) 8° Zür., Fäsi & B. 03.   2 — d
— Die älteste Magnus-Kirche in St. Gallen währ. 1000 Jahren. 898—1898. 2. Afl. (180 m. Abb.) 8° St. Gall., Bh. d. ev. Gesellsch. 02.   90 ; kart. 3.30 d

Pestalozzi, J: Vertiefte Gottes-, Welt- u. Selbst-Erkenntnis, d. gr. Bedürfnis d. Christenheit u.'d. Kirche uns. Tage. (227) 8° Stuttg., M Kielmann 02.   3 — d

Pestalozzi, JH, bearb. v. P Natorp, s.: Gressler's, FGL, Klassiker d. Pädagogik.
— Sämtl. Werke. Hrsg. v. LW Seyffarth. 6., 7. u. 9—12. Bd. 8° Liegn., C Seyffarth. 32.50 (Vollst.: 60.60; Einbde je nn 1.50) d 6. (449) 01. 4.98 | 7. (519) 01. 5 — | 9. (508) 01. 5.70 | 10. (555) 01. 6 — | 11. (566) 02. 6 — | 12. (591) 02. 5.70.
— Ausgew. Werke, s.: Bibliothek pädagog. Klassiker.
— Wie Gertrud ihre Kinder lehrt, s.: Bibliothek d. Gesamtlit. — Bibliothek pädagog. (A Richter). — Sammlung d. bedeutendsten pädagog. Schriften (KA Beck). — Velhagen & Klasing's Sammlg pädagog. Klassiker (R Lehmann).
— Lienhard u. Gertrud, s.: Sammlung d. bedeutendsten pädagog. Schriften (FW Bürgel). — Velhagen & Klasing's Sammlg pädagog. Schriftsteller (A Thorbecke).

Pestalozzi, L: Die christl. Lehre in Beispielen, z. Gebr. f. Kirche, Schule u. Haus. 3. Afl. (359) 8° Zür., Fäsi & B. 01. ‖ Neue Folge. 2. Afl. (384) 01. Je 3.50; geb. je 4.40; ‖ 3. (Schl.-) Sammlg. (283) 02. 2.80; geb. 3.60 ₰

Pestalozzi, S: Die Bauarbeiten am Simplontunnel. [S.-A.] (38 m. Abb.) 4° Zür., Rascher & Co. 02.   1.60

Pestalozzi-Kalender s.: Kalender d. sächs. Pestalozzi-Ver.

Pestalozzi-Studien. Monatsschrift f. Pestalozzi-Forschg, Mitteilg u. Betrachtgn. Hrsg. v. LW Seyffarth. 6—8. Jahrg. 1901—3 je 12 Nrn. (3. J. 176) 8° Liegn., C Seyffarth. Viertelj. — 60 ₰ F

Pester, CO: Anfangsgründe f. Schriftsetzerlehrlinge, s.: Popiel, L.

Petak, A: Grabschriften a. Österr., s.: Zeitschrift f. österr. Volkskde.

Petényi, JS v.: Ornitholog. Fragmente a. d. Handschriften. Deutsch v. T Csörgey. Mit e. Einl. v. O Herman. (36, 400 m. Abb. u. 1 Bildnis.) 8° Gera-Unterm., FE Köhler 05.   10 —

Peter: Was kann geschehen, um d. Gemeinde im kirchl. Bekenntnis zu stärken?, s.: Schutz- u. Trutz-Schriften d. christl. Kolportage-Ver.

Peter, A, s.: Käserei- u. Molkerei-Kalender, schweiz.
— Milchkenntnis u. Milchuntersuchg. — Milchwirtschaft, s.: Wyssmann, E.

Peter, A: Beitr. z. Anatomie d. Vegetationsorgane v. Boswellia Carteri Birdw. [S.-A.] (24 m. Fig. u. 3 Taf.) 8° Wien, (A Hölder) 03.   1 —

Peter, A: König Laurin. Oper v. H Görlich. Musik v. P. (Textb.) (47) Karlsr., H Feller 01.   — 50 ₰

Peter, A: Flora v. Südhannover nebst d. angrenz. Gebieten. 2 Tle. (323 u. 137 m. 1 Karte.) 8° Gött., Vandenhoeck & R. 01. Geb. (9.25) 6 —
— Botan. Wandtaf. Taf. 23—50 (Schl.). Je 70×90 cm. Farbdr. Nebst Text zu Taf. 21—50. (37—93) 8° Berl., P Parey 01. Je m 2.50

23. Solanaceae. ‖ 24. Hippocastanaceae. ‖ 25. Borraginaceae. ‖ 26. Compositae. ‖ 27. Caryophyllaceae. ‖ 28. Cyperaceae. ‖ 29. Passifloraceae. ‖ 30. Ranunculaceae. ‖ 31. Euphorbiaceae. ‖ 32. Rafflesiaceae. ‖ 33. Vitaceae (Ampelideae). ‖ 34. Hydrocharitaceae. ‖ 35. Cruciferae. ‖ 36. Umbelliferae. ‖ 37. Oxalidaceae, Balsaminaceae. ‖ 38. Campanulaceae. ‖ 39. Nymphaeaceae. ‖ 40. Droseraceae. ‖ 41. Ericaceae. ‖ 42. Scrophulariaceae. ‖ 43. Lythraceae. ‖ 44. Lentibulariaceae. ‖ 45. Rosaceae. ‖ 46. Orchideae. ‖ 47. Caryophyllaceae: Alsineae, Paronychieae. ‖ 48. Malvaceae. ‖ 49. Oleaceae. ‖ 50. Papilionaceae.

Peter, B: Beobachtgn am 6zöll. Repsoldschen Heliometer d. Leipz. Sternwarte, s.: Abhandlungen d. kgl. sächs. Gesellsch. d. Wiss.
— Katech. d. Kalenderkde, s.: Weber's illustr. Katech.

Peter, C: Das Tentamen physicum, Anl. z. Studium d. Anatomie, Physiol., Physik, Chemie, Zool., Botanik. 5. Tl: Zool. (128 m. 1 Tab.) 8° Berl., S Calvary & Co. (01).   2 —
(1 u. 4—6.: 8.40; Einbde je 1.20)

Peter, CW: Deut. Leseb., s.: Clemen, CFW.
— (Die) Tierwelt im Lichte d. Dichtg. (309 m. Abb.) 8° Lpzg (01). Berl., H Seemann Nf.   3 —; geb. 4 — ₰

Peter, E: Die Zugspitze, s.: Gipfelführer, alpine.

Peter, G: Wechsel u. wechselähnl. Papiere unter spec. Berücks. d. schweiz. Gesetzgebg. (46 m. 7 Formularen.) 8° Biel, E Kuhn 01.   1.20

Peter, H: Assanierung, d., v. Zürich.

Peter, H: Albert, König v. Sachsen, s.: Ecce, afran. — Ecce, Grimmaisches.
— Der Brief in d. röm. Litt., s.: Abhandlungen d. kgl. sächs. Gesellsch. d. Wiss.

Peter's, H, physikal. Musterbog. Anl. z. Selbstherstellg betriebsfähiger Modelle n. Zeichngn in natürl. Grösse. I. Serie. Nr. 1—6. (Mit Text auf d. Umschl.) Farbdr. Halle, H Peter (04).   Je — 80 ₰
1. Elektromotor. 30,5×43,5 cm. ‖ 2. Flachring-Dynamomaschine. 43,5×42,5 cm. ‖ 4. Induktions-Apparat. 30,5×45 cm. ‖ 5. Morse-Schreibtelegraph. 30,5×48 cm. ‖ 6. Batterie z. Betriebe ob. Modelle. 31×45,5 cm.

Peter, H: Eisenachs Bewohner v. 1630—40. — Die alte Stadtbefestigg Eisenachs, s.: Beiträge z. Gesch. Eisenachs.

Peter, J: Im tiefen Keller, Dorfgeschichten a. d. niederösterr. Weinlande. (207) 8° Linz (02). Wien, J Doubler. 2 —; geb. 3 — ₰
— Der Schelm a. d. Böhmerwalde. Ein lust. Buch. (198) 8° Grossenh., Baumert & R. (03).   1.60; geb. 2.50 ₰

Peter, JR: Was Angerbächlein fabuliert. (16 Tl. Titelbild.) 8° Wien, Verl.-Anst. neuer Lit. u. Kunst (02).   (2 —) — 1 — ₰

Peter, K: Normentaf. z. Entwicklgsgesch. d. Zauneidechse (Lacerta agilis), s.: Normentafeln z. Entwicklgsgesch. d. Wirbeltiere.
— Untersuchgn üb. individuelle Variationen in d. tier. Entwicklg. [S.-A.] (6 m. Fig.) 8° Berl., (G Reimer) 05.   — 50 ₰

Peterka, O: Das Wasserrecht d. Weistümer. (123) 8° Prag, JG Calve 05.   3 —

Peterlspiel, d, Höttinger. Beitrag z. Charakteristik d. Volkstums in Tirol. Hrsg. v. AR Jenewein. (123) 8° Innsbr., Wagner 03.   1.60 ₰

Petermann: Anl. z. Behandlg, Reinigg u. Ausbesserg d. Feldflaschen n. Kochgeschirre a. Aluminium. 4. Afl. (15) 16° Lpzg 01. Berl., Zuckschwerdt & Co.   — 30 ₰

Petermann's, A, Mitteilgn a. Just. Perthes' geograph. Anst. Hrsg. v. A Supan. 47—49. Bd. 1901—3 je 12 Hefte. (290, 208, 188; 292, 224, 192 u. 288, 226 m. 21, 21 u. 24 Kart.) 4° Gotha, J Perthes. Das Heft 2 — ‖ 50. u. 51. Bd. 1904 u. 5 je 12 Hefte. (296, 226 u. 288, 226 m. 21 Kart.) Je 24 —; einz. Hefte 2.50

Petermann's, A, Mitteilgn a. Just. Perthes' geograph. Anst. Hrsg. v. A Supan. 134—152. Ergänzungsheft. 8° Gotha, J Perthes. 137 —

Arctowski, H: Die antarkt. Eisverhältnisse. Auszug a. meinem Tageb. d. Südpolarreise d. „Belgica" 1898—99. (121 m. Abb. u. 1 Karte.) 02. [144.] 7 —
Blum, R: Die Entwicklg d. Verein. Staaten v. Nordamerika. Nach d. amtl. Berichten üb. d. Volkszählgn d. Verein. Staaten v. 1890, 1900 u. 1900 u. z. Tl zurück bis 1790. (106 m. 1 Taf.) 03. [142.]   8 —
Fischer, T: Der Ölbaum. Seine geograph. Verbreitg, s. wirtschaftl. u. kulturhistor. Bedeutg. (87 m. 1 Karte.) 04. [147.]   5 —
Fitzner, R: Niederschlag u. Bewölkg in Kleinasien. (90 m. 1 Karte u. 1 Taf.) 02. [146.]   3 —
Futterer, K: Geograph. Skizze d. Wüste Gobi zw. Hami u. Su-tschou. (35 m. 1 Karte.) 02. [139.]   3.20
— Geograph. Skizze v. Nordost-Tibet. Begleitworte z. Kartenaufnahme d. Reisewegen v. Küke-nur üb. d. ob. Hoang-ho u. durchs Thao-Tal u. Min-tschou. (96 m. 2 Kart.) 03. [43.]   4.40
Halbfass, W: Beitr. z. Kenntnis d. Pommerschen Seen. (131 m. 6 Kart. u. 1 Taf.) 01. [136.]   9 —
Machaček, F: Der Schweizer Jura. Versuch e. geomorpholog. Monographie. (100 m. Abb., 1 Taf. u. 1 Kartenskizze.) 05. [150.]   9 —
Merker, M: Rechtsverhältn. u. Sitten d. Wadschagga. (41 m. Fig. u. Taf.) 02. [138.]   4 —
Merabacher, G: Vorläuf. Bericht üb. e. in d. J. 1902 u. '03 ausgeführte Forschgsreise in d. zentralen Tian-Schan. (100 m. 1 Karte u. 2 Panoramen.) 04. [149.]   4 —
Philippson, A: Beitr. z. griech. Inselwelt. (172 m. 4 Kart.) 01. [134.] 10 —
Sapper, K: Üb. Gebirgsbau u. Boden d. südl. Mittelamerika. (82 m. 1 Kart. u. 2 Profiltaf.) 05. [151.]   8 —
Schaffer, FX: Cilicia. (110 m. 8 Kart.) 03. [141.]   4 —
Spitaler, R: Die period. Luftmassenverschiebgn u. ihr Einfl. auf d. Lagenänderg d. Erdachse (Breitenschwankgn). (51 m. 1 Karte.) 01. [137.] 4 —
Stavenhagen, W: Skizze d. Entwicklg u. d. Standes d. Kartenwesens d. ausserdeut. Europa. (28, 376) 04. [144.]   16 —
Supan, A: Die Bevölkerg d. Erde. Period. Übersicht üb. neue Arealberechngn, Gebietsveränderng, Zählgn u. Schätzgn d. Bevölkerg auf d. ganz. Erdoberfläche (begründet v. E Behm u. H Wagner). XI. Asien u. Australien samt d. Südsee-Inseln. (107) 01. [133.] 5.40 ‖ XII. Amerika, Afrika u. Polarländer. Bevölkerg d. Erde um d. Jahrh.-Wende. (138 m. 1 Karte.) 04. [145.]   6 —
Thorodden, T: Island. Grundr. d. Geogr. u. Geol. I. (101 m. Fig. u. 1 Karte.) 05. [152.]   10 —
Voss, EL: Beitr. z. Klimatol. d. südl. Staaten v. Brasilien. I. Der Staat São Paulo. II. Die Staaten Paraná, Santa Catharina u. Rio Grande do Sul. (48 m. 1 Karte.) 03. [145.]   4 —

Petermann, A: Bachmüllers Liebesabenteuer, s.: Karnevals-Bühne.

Petermann's, E, Hdb. d. Mehlspeisen, s.: Blüher's Sammel-Ausg. v. Gasthaus- u. Küchen-Werken.

Petermann, K: Aufg. z. Tafelrechnen. — Bibl. Gesch. — Lebensbilder, s.: Berthelt, A.
— Rechenschule, s.: Berthelt, A.
— s.: Muttersprache, d.

Petermann, RE: Wandergn in d. östl. Niedern Tauern. Führer im Gebiete d. gr. Bösensteins bis z. Seckaner Zinken nebst e. Anh. üb. d. Zeyritzkampel. (173 m. Abb.) 12° Wien, A Amonesta 03.   Geb. nn 4.50

Petermann, T: Die Gelehrtensch. u. d. Gelehrtenstand, s.: Zeit- u. Streitfragen, neue.
— s.: Grossstadt, d.

Peters: Bau-Polizei-Verordngn u. ortsstatutar. Bestimmgn in Banangelegenh. f. d. Gemeindebez. d. Stadt Magdeburg. (79 m. 1 Pl.) 8° Mgdbg, Creutz 05.   L. 2.80 ₰

Peters, A: Die Entstehg d. Amtsverfassg im Hochstift Hildesheim (ca 1290—1330). [S.-A.] (64) 8° Hannov., Gebr. Jänecke 05. (Nur dir.)   1.80 ₰

Peters, A: Jugendklänge. Gedichte. (148) 8° Berl., CA Schwetschke & S. (05).   2 —; geb. 3 — ₰

Peters, A: Rembrandt, s.: Projections-Vorträge a. d. Kunstgesch.

Peters, C, s.: Peters, K.

Peters, C: Zur Anwendg d. Adrenalin u. ähnl. Nebennierenpräparate in d. Gynäkol. [S.-A.] (12) 8° Lpzg, B Konegen 04. 1 —
— Die operative Behandlg d. Retroflexio uteri, m. bes. Berücks. d. Alexander-Adams'schen Operation. Nach e. Vortr. (20) 8° Dresd., G Tamme 02.   1 —

Peters, E: Macht z. Glück! Ein Richtweg zu harmon. Entwicklg, Lebenskraft u. Lebensgenuss. (29) 8° Brem., (O Melchers) 04.   nn — 40 ₰
— Die Wahrheit üb. d. 3. Geschlecht! 1. u. 2. Afl. (37) 8° Kphd. 05.   — 60 ₰

Peters, ED: Flammenofenpraxis im amerikan. Kupferhüttenbetrieb. [S.-A.] (21) 8° Halle, W Knapp 05.   1 — ₰

Peters, F: Das junge Mädchen v. der Verkehre m. d. Welt u. (158) 16° Mainz, Kirchheim & Co. 03.   L. 1.30 ₰

Peters, F: Ziegler's engl. Briefsteller d. trigonomet. Funktionen, nebst Tafeln z. Konstruktion bestimmter Winkel z. Linien. (210 m. Fig. u. 6 Taf.) 8° Wiesb., CW Kreidel 03. L. 5 ₰

Peters, FJ: z. Zentralblatt f. Accumulatoren-, Elementen- u. Accumobilenkde. — Zentralblatt f. Accumulatoren-Technik.

Peters, FJ: St. Michael u. s. Verehrg m. bes. Berücks. d. Erzdiöz. Köln. (16) 8° Köln, JP Bachem (02).   — 20 ₰

Peters, G: Die Graphol. Darstellg ihres Wesens u. ihrer Regeln als Leitf. f. d. Sammeln, Vergleichen u. Beurteilg v. Handschriften. (80 m. Fksms.) 12° Mülh. a/R., J Bagel (1900). 1 — ₰

Peters, H: Allg. Bedürfnis u. bes. Aufg. d. ländl. Fortbildungssch. im Zusammenh. m. d. Volkssch. (59) 8° Lpzg, H Voigt 04. 1 — ₰
— Theorie u. Praxis d. ländl. Fortbildgssch. im Zusammenh

m. d. Volkssch. (157 m. 3 Tab.) 8° Hildesh., Gerstenberg 05.
2 — d
Peters, H: Lehrb. d. Mineral. u. Geol. f. Schulen u. f. d. Hand
d. Lehrers; zugl. e. Leseb. f. Naturfreunde. 2. Afl. d. „Bilder
a. d. Mineral. u. Geol." (266 m. Abb. u. 1 Kart.) 8° Kiel, Lip-
sius & T. 05.   3 —; L. 4 — d
Peters, H: Die neuesten Arzneimittel u. ihre Dosirg inkl.
Serum- u. Organtherapie in alphabet. Reihenfolge. 3. Afl.
(496) 12° Wien, F Deuticke 02. L. 6 — ǀǀ 4. Afl. (692) 04. Geb. 7 —
Peters, HT: Die Heteroceren-Raupen (u. -Puppen) d. P.'schen
Manuskriptwerkes: Biolog. Beitr. z. brasilian. Schmetter-
lings-Fauna. (12 m. 10 Taf.) 8° Neud., J Neumann (1898)-01.
Kart. 5 —
Peters, J: Leitf. f. d. Unterr. in d. Mineral. etc., s.: Lübstorf,W.
— Spruchverz. z. mecklenb.-schwerinschen Landes-Katech.
6. Afl. (28) 8° Parch., H Wehdemann 05.   — 25 d
Peters, J, s.: Herdbuch, ostpreuss.
— Das belg. Pferd u. s. Zucht. Mit kurzen Notizen üb. d. Wiesen-
u. Weideverhältn. in Belgien. (78 m. Abb.) 8° Lpzg, RCSchmidt
& Co. 01.   2.50; geb. 3 — d
Peters, JB: Einführg in d. französ. kaufmänn. Briefwechsel.
4. Afl. (160) 8° Lpzg, Aug. Neumann 05.   Geb. 2 — d
— Materialien z. Übers'. a. d. Deut. ins Franz. Für Oberkl.
höh. Lehranst. 3. Afl. (128) 8° Ebd. 05.   1.50; geb. 1.80 d
— u. A Gottschalk: Kurzer Lehrg. d. französ. Sprache f. kauf-
männ. Schulen u. ähnl. Anst. m. beschränkter Kursusdauer.
(221) 8° Ebd. 05.   Geb. 2.80
Peters, JL: Vorlageb. f. d. Kontor-Arbeiten. 2. Afl. (108) 4°
Hambg, (J Kriebel) (02).   2 —; Einbd nnn — 50;
Schlüssel. (88) 8° 1.60
Peters, K, s. a.: Peters, C.
Peters, K: Die Geheimschreibekunst od. Kryptographik. (51)
16° Müln. a/R., J Bagel (05).   — 25 d
Peters, K: Mr. Chamberlains Zollreform u. Deutschl. Vortr.
(20) 8° Hannov., Hahn 04.   — 25
— Engl. u. d.Engländer. 1.—5.Taus. (285) 8°Berl.,CASchwetsche
& S. 04. ǀǀ 2. Afl. (284) 05.   Je 5 —; geb. je 6 — d
— Im Goldland d. Altertums. Forschgn zw. Zambesi u. Sabi.
(408 m. Abb., 1 Taf. u. 2 Kart.) 8° Münch., JF Lehmann's V.
02.   — L. 16 —
—, Sonne u. Seele. (60) 8° Lpzg, A Pries 03.   1.80
Peters, K: Notiz üb. d. Vorkommen v. Radium im Monazit-
sand, s.: Haitinger, L,
Peters, L: Erzählgn zu d. 7 Seligpreisgn d. Bergpredigt. (192)
16° Eisl., Christl.Ver. im nördl.Deutschl. 03. — 70; geb. 1 — d
Peters, M: Die Entwicklg d. deut. Reederei seit Beginn d.
19. Jahrh. bis z. Begründg d. deut. Reiches, s.: Peters, O.
— Mitte d. 19. Jahrh. bis z. Begründg d. Deut. Reiches. (236) 8°
Jena, G Fischer 05.   6 — (Vollst.: 10.50)
Peters, N: Die ält. Abschrift d. 10 Gebote, d. Papyrus Nash,
untersucht. (51 m. 1 Taf.) 8° Freibg i/B., Herder 05.   1.50
— s.: Liber Iesu filii Sirach.
— Die grundsätzl. Stellg d. kathol. Kirche z. Bibelforschg od.
Die Grenzen d. Bibelkritik n. kathol. Lehre. (84) 8° Paderb.,
F Schöningh 05.   .1 — d
— Der jüngst wiederaufgefund. hebr. Text d. Buches Ecclesia-
sticus untersucht, hrsg., übers. u. m. krit. Noten versehen. (92,
447) 8° Freibg i/B., Herder 02.   10 —
Peters, O, u. J **Hauri**: Davos. Zur Orientierg f. Aerzte u.
Kranke. 2. Afl. (167) 8° Chur, F Schuler 05.   2.40
Peters, O: Beitrag z. Strassenreiniggsfrage m. Bezug auf d.
Verhältn. d. Stadt Magdeburg. [S.-A.] (14 m. 1 Pl.) 8° Lpzg,
F Leineweber 01.   — 70
— Magdeburg u. s. Baudenkmäler. Zugl. Führer zu Magde-
burgs alten Bauten. (224 m. Abb., Pl. u. farb. Titelbild.) 8°
Mgdbg, Faber'sche Buchdr. 02.   6 —; geb. 7.50; L. 9 — d
Peters, P: Kalif Storch. — Das Waldhaus, s.: Bloch's, L, Kin-
der-Theater.
Peters jun., P: Bliemchen als Ehestifter, s.: Liebhaber-Theater.
— Das vertrazl. „Du". — Ein modernes Geheimnis, s.: Ver-
einstheater.
Peters, R: Schillers Braut v. Messina, s.: Klassiker, d. deut.
erläut. u. gewürdigt f. höh. Lehranst.
Peters, R: Anl. z. qualitativen chem. Analyse, f. Zollbeamte
unter Berücks. d. Zolltarifges. v. 25.XII.'02. nebst zugehör.
Zolltarife u. d. Entwurfs zu e. Anl. f. d. Zollabfertig bearb.
(75) 8° Dresd. 04. (Annabg, Graser.)   2.50
Peters, T, M **Salomon**, O **Meyer**: Chem. Experimente. Handreichg f. Lehrer u. Seminaristen. (247 m. Flg.) 8° Halle, Gebauer-Schw. 03.   Geb. 2.80
Peters, W: Die ZPO. f. d. Deut. Reich. (In d. Fassg d. Ges.
v. 17.V.1898.) Nebst e. d. Zivilprozessverfassgsges. u. d. Kostenges., auth. Anh. 4. Afl. v. K Elsner v. Gronow. (708) 8° Berl.,
HW Müller 03.   L. 5 — d
Peters, W: Die Klagenkonkurrenz im röm., gemeinen u. neuen
bürgerl. Rechte. (74) 8° Berl., O Häring 02.   1.50 d
Peters, W: Die Wirkg d. Ges. v. 26.VII.1897 auf d. Randmark,
s.: Grünenberg, A.
Peters, W: Die Geschäftsordng f. d. Gerichtsschreibereien d.
preuss. Amtsgerichts. 3. Afl., umb. d. Geschäftsordng f. d.
Gerichtsschreibereien d. Amtsgerichte v. 26.XI.1899. Bearb.
v. W Peters u. W Boschan. 7.—9. Lfg. (28 u. 481—708) 8° Berl.,
F Siemeroth 01.   Je 1.50 (Vollst.: 15 —; HF. 17 —) d
— s.: Rufsbücher f. d. gerichtl. Praxis.

Peters, W: Prozessverschleppg, Prozessumbildg u. d. Lehren
d. Oesch. (266) 8° Berl., O Häring 04.   5 — d
Petersdorff, H v.: Friedrich d. Gr. Ein Bild s. Lebens u. sr
Zeit. 1. u. 2. Afl. (576 m. Abb., Fksms, Beil. u. Pl.) 4° Berl.,
A Hofmann & Co. 02.04. L. 16 —; auch in 18 Lfgn zu — 75 d
— Königin Luise, s.: Frauenleben.
Petersdorff, R: Germanen u. Griechen. Übereinstimmgn in
ihrer ält. Kultur im Anschl. an d. Germania d. Tacitus u.
Homer. (135) 8° Wiesb., CG Kunze's Nf. 02.   2.60
Petersdorff, W, s.: Arbeits-Statistik d. deut. Gewerkver.
Petersen: Knud Laward, Herzog v. Schleswig. Histor. Schausp.
m. e. Vorsp.: Die Wenden in Schleswig. 2. Afl. (100 m. Bild-
nis.) 8° Flensbg, (G Soltau) 04.   1 — d
Petersen: Preussisch-deut.Gesetz-Sammlg 1806—1904, s.: Grote-
fend, GA.
Petersen, A: Chronik d. Stadt Luckau, s.: Vetter, J.
Petersen, A: Beitr. z. patholog. Anatomie d. graviden Tube. (84)
8° Berl., S Karger 02.   3 —
Petersen, C: Prakt. Lehrg. d. vereinf. deut. Stenogr., s.:
Ahrens, L.
Petersen, CGJ: How to distinguish between mature and immature plaice throughout the year, s.: Publications de circonstance du conseil permanent internat. pour l'exploration
de la mer.
Petersen, F: Ara pacis Augustae, s.: Sonderschriften d. österr.
archäolog. Instit. in Wien.
— dass. Sonderausg. d. Illustr. f. Zwecke archäolog. Seminarübgn. (25 S. u. 8 Taf. Abb. m. 9 S. Text.) 4° Wien, A Hölder 02.   Geb. 12 —
— Comitium. Rostra. Grab d. Romulus. (42 m. Abb.) 8° Rom,
Loescher & Co. 04.   nn 11.60
— Trajans dak. Kriege. Nach d. Säulenrelief erzählt. II. Def
2. Kriege. (152 m. Abb. u. 1 Taf.) 8° Lpzg, BG Teubner 03.
3 — (I u. II.: 4.80)
— Ein Werk d. Panainos. (36 m. Abb.) 4° Lpzg, EA Seemann
05.   2.50
Petersen, F: Haus-Choralb., s.: Müschen, C.
— Licht u. Recht a. Gottes Wort. Luther. Hausandachtsb. (489)
8° Schwer., F Bahn 01.   L. 1.20; m. G. 2.40 d
Petersen, GP: Beowulf. Ält. deut. Heldendichtg, n. d. Angel-
sächs. erzählt. (96 m. 6 Bildern.) 8° Stuttg., Loewe (05).
Geb. 2 — d
— Till Eulenspiegel, s.: Erzählungen, lust.
— Till Eulenspiegels lust. Streiche. Für d. Jugend neu bearb.
11. Afl. (94 m. Abb. u. 6 Farbdr.) 8° Stuttg., Loewe (05). Geb. 3 —
ǀǀ 9. Afl. (193 m. Abb. u. 7 (4 farb.) Vollbildern.) (04.) Geb. 2.50
ǀǀ 7. Afl. (150 m. Abb. u. 7 Vollbildern.) (05.) Geb. 1.20 d
— Kleiniawelt. Plattdeut. Familienb. Sammlg v. Wiegenlie-
dern u. Kinderreimen, Rätseln, Spielen u. Sprichwörtern,
Märchen u. Gedichten in allen niederdeut. Mundarten. (216
m. z. Tl farb. Abb.) 4° Dresd., G Kühtmann 05.   Geb. 6 — d
— Mütterchen, erzähl laus was! Erzählgn, Gedichte, Lieder,
Spiele, Rätsel u. Sprüche, f. Kinderstube u. Kindergarten.
2 Bde. 2. Afl. 8° Hambg, O Meissner's V. 02.
In 1 od. 2 Bde geb. 4 — d
1. Frühling u. Sommer. (189) ǀ 2. Herbst u. Winter. (207)
— Reinhart Rotfuchs. Die deut. Tiersage f. Jung. u. alt erzählt.
8.. [Tit.-]Afl. (290 m. 6 Vollbildern.) 8° Lpzg, Ö Spamer [1892]
06.   2.50; L. 3 — d
Petersen, H, G **Koken**, R **Gleich**, A **Bock** u. E **Dellinghausen**:
Pompeji u. s. Ausgrabgn. Rundgemälde. Photographirt n. d.
Originale. 8° 3. Afl. Münch., F Hanfstaengl 1892.
In L.-Decke 6 —
Petersen, H: Aus meinem Leben. III. Ein Fünfundachtziger.
(236) 8° Eckernf., C Heldt 05.   Geb. 4 — d
I u. II sind noch nicht erschienen.
Petersen, J: Der Alkohol. Kurzgef. übersichtl. Darstellg d.
Alkoholfrage m. bes. Berücks. d. Bedürfnisse d. Schule. (24
m. Abb. u. 1 Taf.) 8° Kiel, (R Cordes) 05.   40 d
Petersen, J: Ergebnisse d. petrograph. Untersuchg d. im zen-
tralen Tiën-schan u. dsungar. Ala-tau währ. d. Saposchni-
kow'schen Exped. im Sommer '02 v. M Friederichsen ges.
krystallinen Gesteine. [S.-A.] (98 m. 4 Lichtdr. u. 3 Kart.) 8°
Hambg, L Friederichsen & Co. 04.   7.50
Petersen, J: Naturforschg u. Glaube, s.: Volksbücher, relig.-
geschichtl.
Petersen, J: Richard III., s.: Sammlung gemeinverständl. wiss.
Vortr.
Petersen, J: Korfitz Lind. Tragödie. (113) 8° Gard., H Löhr &
Dircks (04).   1.20 d
Petersen, J: Die CPO. f. d. Deut. Reich in d. Fassg d. Ges.
v. 17.V.1898 nebst d. Einführgsges. Erläut. unter Mitwirkg
v. E Anger. 4. Afl. II. Bd. 4.—8. Lfg. (21—134 u. 465—795) 8°
Hambg, S Dachnaenburg 01.   9.20 (Vollst.: Subskr.-Pr. 42 —)
— dass. 5. Afl. v. E Remelé u. E Anger. (In 12 Lfgn.) 1—11. Lfg.
(1. Bd. 880 m. Bd. 1—80) 8° Ebd. 03-05.   32 —
(1. Bd vollst.: 17 —; HF. m. 20.50)
— Das Deutschtum in Elsass-L., s.: Kampf, d., um d. Deutschtum.
— Willensfreiheit, Moral u. Strafrecht. (355) 8° Münch., JF
Lehmann's V. 05.   5 —; geb. 6 —
— u. G **Kleinfeller**: Konkursordng f. d. Deut. Reich nebst
d. Einführgsges., d. konkursrechtl. Bestimmg d. Genossen-

schaftsges. u. d. Anfechtgsges. 4. Afl. v. G Kleinfeller. 2. Hlbbd.
(349—846) 8° Lahr, M Schauenburg 01.   14 —
          (Vollst.: 24 —; geb. nn 27.50)
Petersen, J: Schiller u. d. Bühne; s.: Palaestra.
Petersen, M: Ges. betr. d. Gründg neuer Ansiedlgn, s.: Taschen-
Gesetzsammlung.
Petersen, M: Prinzessin Ilse, s.: Hesse's, M, Volksbücherei.
— Jugendschriften, hrsg. v. Lehrerhausver. f. Oberösterr.
— Reuter's Bibliothek f. Gabelsb.-Stenogr.
— dass. — Die Irrlichter. 6. Afl. (226) 12° Halle, H Gesenius
(02).   L. m. G. 2 — d
— Die Irrlichter, s.: Hesse's, M, Volksbücherei.
Petersen, T: Das Krankenversichergsges. v. 15.VI.1883 in d.
Fassg d. Ges. v. 10.IV.1892, v. 28.VII.1897 u. v. 30.VI.1900,
nebst d. Ges. üb. d. eingeschrieb. Hilfskassen v. 7.IV.1876
in d. Fassg d. Ges. v. 1.VI.1884 u. d. in d. Unfallversichergsges. v. 6.VII.1884, 5.V.1886 u. v. 30.VI.1900, sowie in d. Invalidenversichergsges. v. 13.VII.1899 enth., d. Krankenversicherg betr. Bestimmgn. 4. Afl. 6 Lfgn. (812) 8° Hambg,
Grefe & Tiedemann 02.   Je 2 — d
— dass., Ergänzgsheft. Das Krankenversichergsges. in d. Passg
d. Ges. v. 25.V.'03. (160) 8° Ebd. 03.   1.80 d
Petersen, T: Narayana od. d. Bekehrg e. Hindu, s.: Missionsschriften, kl. Hermannsburger.
Petersen, W, s.: Jahresbericht d. Heidelberger chirurg. Klinik.
Petersen, W: Lepidopteren-Fauna v. Estland m. Berücks. d.
benachbarten Gebiete. [S.-A.] (217) 8° Rev., F Kluge 02. 4 —
— Die Morphol. d. Schmetterlinge u. ihre Bedeutg f. d. Art-
bildg. [S.-A.] (84 m. Fig.) 4° St. Petersb. 04. (Lpzg, Voss'
S.)   3 —
Petersen, W: Amt u. Stellg d. Volksschullehrers. (64) 8° Berl.,
Gerdes & H. (03).   1 —
— Geograph. Tab. in 3 Tln. 3. Afl. 8° Ebd.   Je — 40 d
1. Deutschl. (36) (02.) || 2. Europa m. Ausschluss Deutschlds. (40) (05.) || 3.
Asien, Afrika, Amerika, Australien, nebst e. Anh., enth. d. Wichtigste
a. d. mathemat. Geogr. (39) (05.)
Petersen-Wagner's, J, Stickmuster-Zeitg. Vorl. f. Bunt- u.
Weissstickerei. Deut. Ausg. 14—18. Jahrg. Nach d. 27—81.
Jahrg. d. dän. Orig.-Ausg. Oktbr 1901—Septbr 1906 je 24 Nrn.
(Nr. 1. 1 Bog.) 86,5×63 cm. Kopenh. (Lpzg, Kössling).
          Viertelj. 1 —
Petersilie, A: Textl. Darstellg d. öffentl. u. privaten Volks-,
Mittel- u. höh. Mädchensch., sowie d. sonst. nied. Unterr.-
Anst., s.: Statistik, preuss.
— Mitteilgn z. deut. Genossenschaftsstatistik, s.: Zeitschrift
d. kgl. preuss. statist. Bureaus.
— u. E Petersilie; s.: Taschenkalender f. Verwaltgsbeamte.
Petersilie, E: Untersuchgn üb. d. Kriminalität in d. Prov.
Sachsen, s.: Gerichtssaal, d.
Petersmann, J, s.: Spamer's illustr. Weltgesch.
Petersson-Kinberg, W: Wie e. moderne Teerdestillation m.
Dachpappenfabrik eingerichtet sein muss. (232 m. Abb. u. 1
Taf.) 8° Wien, A Hartleben 04.   4 —; geb. 4.80 d
Petersson, FC: Von d. Teufelsbank. (151) 8° Bresl., Schles.
Buchdr. usw. (01).   — 75; geb. 1 — d
Petiscus, AH: Der Olymp od. Mythol. d. Griechen u. Römer.
Mit e. Anh.: Die nordisch-german. Götterlehre. 21. Afl. v. E
Anthes. (268 m. Abb., 16 Vollbildern.) 8° Lpzg, CF Ame-
lang 05.   L. 3 — d
Petetin: Erforschg üb. d. Ordenstugenden z. Gebr. d. Kloster-
frauen währ. d. hl. Exercitien. (169) 16° Strassbg, FX Le
Roux & Co. (08).   — 40 d
— Monat d. hl. Rosenkranzes. Gebete (latein. Text m. deut.
Übersetzg.) nebst 3 Methoden z. Anbetg d. Rosenkranzes. (51)
8° Ebd. (04).   — 40 d
Péteut, P: Was d. Grossmutter erzählt. Märchensp. in Ton,
Wort u. Bild. Deutsch v. Frl. M Garraux. Musik v. W Renne-
fahrt. (68 m. 8 Taf.) 8° Bern, G Grunau 05.   Kart. 2 —
          Lieder m. Klavierbegleitg daraus. (43) 1.20
Petit, H: Preisgekröntes illustr. Kochb., s.: Kurth, H.
Petition d. Vertrauenspersonen d. bangewerbl. Arbeiter im
Kgr. Preussen an d. Haus d. Abgeordneten. 1902. (46) Fol.
Hambg (5), Zentralkommission f. Bauarbeiterschutz G Heinke
(02).   — 50 d
Petöfi's, A, poet. Werke. Deutsch v. J Steinbach. 1. u. 2. [Tit.-]
Afl. (34, 1108 m. Bildnis.) 8° Bresl., Schles. Buchdr. usw. 02/05.
Petr, K: Bemerkg zu e. Gauss'schen Formel üb. d. Thetafunk-
tionen. [S.-A.] (64) 8° Prag, [F Řivnáč] 05.   — 20
Petr, W: Liedersammlg f. d. Oberkl. höh. Mädchensch. (179)
8° Lpzg, G Freytag 03.   Geb. 1.80 d
Petrakakos, DA: Die Toten im Recht n. d. Lehre u. d. Normen
d. orthodoxen morgenländ. Kirchenrechts-u. d. Gesetzgebg
Griechenlands. (19, 248) 8° Lpzg. A Deichert Nf. 05.   6 —
Petran, E: Das Gewissen', s.: Lehr u. Wehr für's deut. Volk.
— Herr, lehre uns beten! Anl. z. fruchtbaren Gebr. d. 7 Bitten
d. hl. Vaterunsers, z. Vertiefg u. Bereicherg d. Gebetslebens.
[S.-A.] (30) 8° Bresl., E. Bh. (03).   — 50 d
— Samenkörner d. Gebets. 8 Predigten üb. d. hl. Vaterunser.
2. Afl., verm. durch e. Anh.: „Anl. z. fruchtbaren Gebr. d.
7 Bitten". (138) 8° Ebd. (02).   Kart. 1.40 d
Petrarca's, F, poet. Briefe. In Versen übers. u. m. Anmerkgn
hrsg. v. F Friedersdorff. (272) 8° Halle, M Niemeyer 05. 6 —
— Sonette u. Kanzonen. (Ausw., Übersetzg u. Einl. v. B Ja-

cobson.) (300 m. Titelbild.) 8° Lpzg, Insel-Verl. 04.   3.50;
          geb. 5.50
Petrarca, F: Aus Petrarcas Sonettenschatz. Freie Nachdichtgn
v. J Kohler. (115) 8° Berl., G Reimer 02. || 2. Sammlg. (126) 03.
          L. je 3 —
— I trionfi. Testo critico per cura di C Appel. (132) 8° Halle,
M Niemeyer 02.   1 —
— Die Triumphe. In krit. Texte hrsg. v. C Appel. (44, 476 m.
6 Tab.) 8° Ebd. 01.   14 —
Petraris, K: Lehrb. d. neugriech. Volks- u. Umgangssprache.
(Methode Gaspey-Otto-Sauer.) (269) 8° Hdlbg, J Groos 03.
          Geb. 3 — d
Petrasch-Wohlmuth, E: Die Kunst d. Darstellg, n. E Legouvé,
C Coquelin, Dupont-Vernon, Samson, Langlois-Fréville frei
bearb. 2. Afl. (84 m. Bildnis.) 8° Wien, M Perles 04.   2 —;
          geb. 3 — d
Petraschek, KO: Die rechtl. Natur d. Bergwerkseigentumes
n. österr. Rechte unter Berücks. d. deut. u. französ. Gesetz-
gebg. (136) 8° Wien, Manz 05.   3.10
Petrenz, A: Ostpreuss. Dichterb. (172) 8° Dresd., C Reissner
05.   2 —; geb. 3 — d
Petrenz, O: Die Entwicklg d. Arbeitsteilg im Leipz. Gewerbe
v. 1751—1890, s.: Forschungen, staats- u. socialwiss.
Petreus', J, Schriften üb. Nordstrand, hrsg. v. R Hansen, s.:
Quellensammlung d. Gesellsch. f. schleswig-holstein. Gesch.
Petri u. Wegner: Gebührenordng, 3. Afl., s.: Wegner, O.
Petri, A: Übersicht üb. d. im J. 1896 auf d. Geb. d. engl. Philol.
erschien. Bücher, Schriften u. Aufsätze, s.: Anglia.
Petri, C, s.: Petri, K.
Petri, C, s.: Lehr- u. Lesebuch f. Gewerbe-Lehrlingssch.
Petri, E: Joh. Hus od. d. Martyrium v. Konstanz. Geschichtl.
Festsp. (42) 8° Brnschw., J Neumeyer 03.   — 50 d
Petri's, FE, Hdb. d. Fremdwörter in d. deut. Schrift- u. Um-
gangssprache. 23. [Tit.-]Afl. d. 13. Afl. v. E Samostz. (948)
8° Lpzg, C Grumbach [1899] 02. L. 4 —; HF. 5 —|| 25. Afl. v.
          W Erbt. (1194) (03.) Geb. 5 — u. 7.50 d
Petri, H: Grundleg. Übgn in d. Rechtschreibg f. d. 1. u. 2. Schulj.
(30) 8° Dortm., W Crüwell 05.   — 15 d
Petri, J: Apostata, s.: Bücherei, deut.
Petri, K: Monogr. d. Coleopteren-Tribus Hyperini. (210 m. Fig.
u. 5 Taf.) 8° Berl., [R Friedländer & S.] (08).   7 —
Petri, K: Das landw. Genossenschaftswesen. (70) 8° Lpzg, H
Voigt 03.   — 80 d
— Der Guts-Sekretär. Prakt., durch Beispiele erläut. -
Abfassg aller schriftl. Arbeiten d. Landwirts in Beruf u. Ver-
waltg. 2. Afl. (344 u. 453) 8° Berl., P Parey 08.   L. 10 — d
— Handelskde f. d. Landwirt. — Das Schriftwerk d. Land-
wirts, s.: Thaer-Bibliothek.
— Taxationslehre. (Landw. Unterr.-Bücher.) 2. Afl. (150) 8°
Berl., P Parey 01.   L. 1.60 d
— Das landw. Versicherungswesen. (32) 8° Lpzg, H Voigt 04. — 40 d
— Volkswirtschaftslehre. (Landw. Unterr.-Bücher.) (108) 8°
Berl., P Parey 01.   L. 1.20 d
Petri, M: Ulachammal, s.: Lotosblumen, ind.
Petri, M: Durch Kampf u. Not. Erzählg a. d. alten Wolfen-
büttel. (114 m. Abb.) 8° Brnschw., H Wollermann 05.   2 —;
          L. 2.40 d
— Marienblumen. Erzählgn. 11—15. Heft. (Mit Abb.) 8° Berl.
(02).   Je — 20; je 5 Nrn in 1 Bd kart. 1.50 (1—15.: 3 —)
11. Eine wahre Gesch. (40) || 12. Das Erbteil. (32) || 13. Bruder u.
Schwester. (32) || 14. Abendfrieden. (20) || 15. Der bunte Wagen. (24)
Petri, RJ, s.: Brehmer's, H, Aetiol. u. Therapie d. chron. Lungen-
schwindsucht. — Veröffentlichungen, Görbersdorfer, a. Dr.
Brehmer's Heilanst. f. Lungenkranke.
— Wie ist im Winter d. Lungenschwindsucht z. behandeln?
[S.-A.] (8) 8° Berl., J Goldschmidt 02.   1 —
Petri, W: Heimatkde d. Prov. Westfalen, s.: Giesseler, A.
— u. Giesseler: Warum u. wie sind d. Kinder z. selbsttätig.
Bilden u. Lösen d. Rechenaufg., welche ihnen d. spätere Leben
stellt, anzuhalten? (135) 8° Hilchenb. (08). Arnsbg, J Stahl.
          Kart. 1.40 d
— — Der Rechenunterr. in landw. Fortbildgssch. (196) 8° Arnsbg,
J Stahl 05.   Geb. 2 — d
— — In welcher Weise hat d. Rechenunterr. d. Fortbildgssch.
d. Bedürfnisse d. prakt. Lebens zu berücksichtigen? (173) 8°
Hilchenb. od. Arnsbg, J Stahl.   Geb. 1.60 d
Petrich, H: Vater Blume od. Was e. pommerscher Dorflehrer
f. Gottes Reich u. Missionswerk getan hat. (35 m. Abb.) 8°
Friedenau-Berl., Bh. d. Gossner'schen Miss. 04. nn — 15 d
— Das Buch v. deut. Kaiserpaar im Jubeljahr. (80 m. Abb.) 8°
Berl., Schriftenvertriebsanst. 06.   50 d
— Caspar Cruciger, Luthers Freund u. Leipzigs Reformator.
(16 m. 2 Abb.) 8° Hambg, Agent. d. Rauhen H. (04).   — 10 d
— Herzog Ernst d. Fromme. Nach s. Leben u. Wirken dargest.
(16 m. Abb.) 8° Ebd. (01.)   — 10 d
— dass., s.: Hausfreund, neuer.
— Herzog Ernst d. Fromme. e. Pionier d. Gustav-Adolf-Ver.
u. e. Prophet d. ev. Kirchenbundes, s.: Schriften f. d. Gustav-Adolf-Ver.
— Deut. Frauen. Erzählgn f. jung u. alt im lieben deut. Vaterland. 12 Hefte. (Mit Abb.) 8° Hambg, Agent. d. Rauhen H.
03.   Je — 10; in 1 Bd. (192) 1.50; L. 2.50 d
1. Das Lied v. d. Treue. (Gudrun.) (16) || 2. Die Magd m. d. Krone.
(Königin Mathilde.) (16) || 3. Der Liebe Leid. (Agnes Bernauerin.) (16)
|| 4. Die Frau Magister. (Melanchthons Gattin.) (16) || 5. Mutter Andreä.

(15) ¶ 6. Die Schwestern. (Amilie Juliane u. Ludämille Elisabeth v. Schwarzberg-Radolstadt.) (16) ¶ 7. Goethes Mutter. (16) ¶ 8. Die gute Luise. (Luise Scheppler.) (16) ¶ 9. Ein Stern in d. Nacht. (Prinzessin Wilhelm. v. Preussen.) (16) ¶ 10. Müde bin ich, geh' z. Ruh'. (Luise Hensel.) (16) ¶ 11. Die Tabea v. Stellenbosch. (Christiane Kühler, geb. Maess.) (16) ¶ 12. Die Diakonissin im Purpur. (Kaiserin Auguste.) (16)

Petrich, H: Heimat u. Fremde. 12 deut. Männer. Erzählgn f. jung u. alt. (247 m. Abb.) 8° Altona 01. Potsd., Stiftgsverl.
    1.20; geb. 2 — d
— Wilh. Licht, s.: Missionsschriften, neue.
— Deut. Männer. Erzählgn f. jung u. alt. Nr. 37, 38 u. 40—48. (Je 16 m. Abb.) 16° Altona (01). Potsd., Stiftgsverl. Je — 08 d
37. Kaiser Rotbart. ¶ 38. Columbus d. Zweite. (Alex. v. Humboldt.) ¶ 40. Ein Maler n. d. Herzen d. deut. Volkes. (Ludw. Richter.) ¶ 41. Ein Leben f. Afrika. (Missionar Dr. Krapf.) ¶ 42. Deutschl. in Afrika. (Dr. Gust. Nachtigal.) ¶ 43. In allen meinen Thaten. (Paul Fleming.) ¶ 44. Durch Sturm u. Strand z. Vaterland. (Josch. Nettelbeck.) ¶ 45. Gai-hau, Chinas Freund. (Karl Gützlaff.) ¶ 46. Ein Fürst d. Technik. (Werner v. Siemens.) ¶ 47. Dein Reich komme. (Missionar Hugo Hahn.) ¶ 48. Kaiserreisen. (Kaiser Wilhelm II. 1. Heft.)
— Pastor Meinhof, s.: Missionsschriften, neue.
— Friedrich v. Schiller. Gedenkbl. zu s. 100. Todestage. 1—98. Taus. (16 m. Abb.) 8° Hambg, Agent. d. Rauhen H. (05). — 1.50
— Friedrich v. Schiller. Sein Leben u. Dichten. 1—13. Taus. (96 m. Abb.) 8° Ebd. (05).   — 30 ; L. m. G. 1.50 d
— Zwiefach gekrönt, d. i.: Lebensgesch. d. erstan preuss. Königin Sophie Charlotte. (16) 13° Altona 01. Potsd., Stiftgsverl. — 08 d
Petrick, W: Brandenburg, s.: Jander, E.
Petriheil. Teichwirthschaftl. Kalender f. 1906. Hrsg. v. Graf zu Münster. (208) 8° Lpzg, RG Schmidt & Co. L. 2.50 d
Erschien bis 1902 in Dresden.
Petritsch, L: Zur Lehre v. d. Überwälzg d. Steuern m. bes. Beziehg auf d. Börsenverkehr. (85) 8° Graz, Leuschner & L. 05.   2 —
— Die Theorie v. d. sog. günst. u. ungünst. Handelsbilanz. (203) 8° Ebd. 02.   3 —
Petroff's, JA, neuer russ. Dolmetscher f. Deutsche. 7. Afl. (199) 8° Riga, CJ Sichmann 05.   Geb. 2 — d
Petroff, N: Üb. e. physikal. Verfahren z. Bestimmg d. Eigenschaften e. Schmiermittels. (Definitive Resultate d. hydrodynam. Theorie üb. Reibg geschmierter Flächen, d. nötig sind, um f. e. ggeb. Schmiermittel e. pass. Versuchsmodus ausfindig zu machen.) (Deutsch u. französisch.) [S.-A.] (16) 4° Stuttg. 1899. (Freibg i/B., J Bielefeld.)   1 —
Petroleum. Zeitschrift f. d. ges. Interessen d. Petroleum-Industrie u. d. Petroleum-Handels. Hrsg. u. Red.: P Schwarz. 1. Jahrg. Oktbr 1905—Septbr 1906. 24 Nrn. (Nr. 1. 40 m. Abb.) 8° Berl., Berliner Union Verl.-Gesellsch.   bar 34 — ;
    einz. Nrn 1.50
Petroleum-Hafen, d., in Hamburg. Hrsg. v. Bureau f. Stromu. Hafenbau, Hamburg. 1:3000. 33,5×53,5 cm. Farbdr. Hambg. (O Meissner's S.) 04.   — 80 d
Petronievics, B: Principien d. Metaphysik. I. Bd. 1. Abth. Allg. Ontol. u. d. formalen Kategorien, m. e. Anh.: Elemente d. neuen Geometrie. (31, 447 m. 1 Taf.) 8° Hdlbg, C Winter, V. 04.   15 —
Petronius: Begebenh. d. Enkolp, s.: Bibliothek litterar. u. culturhistor. Seltenh. — Heinse, W, sämtl. Werke.
— Satirae et liber priapeor. IV. ed. F Buecheler. Adiectae sunt Varronis et Senecae satirae similesque reliquiae. (524) 8° Berl., Weidmann 04.   5 —
Petrovic, A: Die serb. Jahrh.-Feier u. d. Blutnacht v. 11./VI.'03. (47) 8° Berl., Herm. Walther 04.   1 — d
— Mazedonien u. d. Lösg s. Problems. (161) 8° Ebd. 04. 2 — d
— Abb.) 8° Ebd. 04.
— Der russ. Umsturz u. d. Sozialdemokratie. (84) 8° Ebd. 05. 2 — d
Petrovitch, MM: Sur une classe d'équations différentielles du premier ordre. [S.-A.] (20) 8° Prag, (J Řivnáč) 01.   — 30
Petrovits, E: Alpenrosi u. and. Erzählgn, s.: Bücherei f. d. Jugend.
Petrow, GS: Das Evangelium als Grundl. d. Lebens. Aus d. Russ. v. A v. Mickwitz. (150) 8° Hambg, Agent. d. Rauhen H. (04).   1.80 d
— Russlds Dichter u. Schriftsteller. Übers. v. A v. Mickwitz. (199) 8° Halle, Bb. d. Waisenh. 05.   3 — d
— Auf d. Wege zu Gott. Betrachtgn üb. Gott u. d. göttl. Worte. Aus d. Russ. v. A v. Mickwitz. (100) 8° Hambg, Agent. d. Rauhen H. 05.   1.20 d
Petrow, N: Üb. e. neuen, roten Farbstoff bild. Bacillus. [S.-A.] (19 m. 1 farb. Taf.) 8° Wiesb. 02. Lpzg, O Nemnich. 2.50
Petrunkewitsch, A: Gedanken üb. Vererbg. (83) 8° Freibg i/B., Speyer & K. 04.   1.80
— Kunst, Parthenogenese, s.: Jahrbücher, zoolog.
Petrus: Der Neujahrswunsch m. Hindernissen. Vorspruch zu Paillers Krippenspiel. — Das Waldkreuz, s.: Schul- u. Vereinsbühne, christl.
Petrus, A: Philagia, s.: Bonifazius.
— Sind Rom u. s. Priester im Auslande Totengräber deut. Art u. Sitte? (48) 8° Paderb., Bonifacius-Dr. 03.   — 40 d
Petrus, J: Eif Königskind, s.: Erzählungen f. Schulkinder.
— Ein gefang. Königskind. Erzählg f. d. Jugend. [S.-A.] (80) 13° Donauw., L Auer 02/04.   Kart. — 50 d
Petrus de Alcantara a S. Maria s.: Theresia v. Jesu, d. hl., sämtl. Schriften.
Petrus Ibn Rahib: Chronicon orientale, ed. L Cheskho, s.: Corpus scriptor. christianor. orientalium.

Hinrichs' Fünfjahrskatalog 1901—1905.

Petrusch, C: Erzählgn u. Märchen z. Nutzanwendg fürs Leben f. Knaben u. Mädchen v. 6—14 Jahren. (132) 8° Dresd., E Pierson 04.   1.50 ; geb. 2.50 d
— Lust u. Leid in goldner Jugendzeit. Humoristisch erzählt a. s. Leben. (150) 8° Ebd. 04.   2 — ; geb. 3 — d
Petruschky, J: Bericht üb. d. im J. 1898 u. 99 angestallte Schulenquete. (27) 8° Lpzg, F Leineweber 01.   1 —
— Kurzer Bericht üb. d. Thätigk. d. hygien. Untersuchgsanst. d. Stadt Danzig in d. J. 1896—1901. [S.-A.] (4) 8° Ebd. 01. — 70
— Bericht üb. meine Informationsreise z. Studium d. Wohngs-Desinfektion mittels Formaldehyd in Halle, Berlin, Dresden, München, Breslau u. Posen, s.: Kampf, d., geg. d. Infektionskrankh.
— Koch's Tuberkulin u. s. Anwendg beim Menschen, s.: Klinik, Berliner.
— Kriterien u. Kontrolle d. Heilg d. Lungentuberkulose, s.: Festschrift z. 60. Geburtstage v. Rob. Koch.
— Der Notschrei d. rhein. Städte. [S.-A.] (4) 8° Lpzg, F Leineweber 1900.   — 50
— Die Pestgefahr u. ihre Abwehr einst u. jetzt, s.: Kampf, d., geg. d. Infektionskrankh.
— Die Sommersterblichk. d. Säuglinge u. ihre Verhütg. [S.-A.] (7) 8° Lpzg, F Leineweber 03.   — 50
— Der gegenwärt. Stand d. Tuberkulin-Behandlg, s.: Über Heilstützen- u. Tuberkulin-Behandlg.
— Vorträge üb. Tuberkulose. Neue Folge. Die Heilg bei Tuberkulose, ihre Feststellg u. Nachprüfg. (19) 8° Lpzg, F Leineweber 04.   — 70 (I u. II.: 2.20)
— M. M. Kriebel: Experimental-Untersuchgn üb. d. Ursachen d. Sommersterblichk. d. Säuglinge u. d. Möglichk. ihrer Verhütg. (75 m. 1 Kurve.) 8° Ebd. 04.   1.50
Petry, M: Illustr. Führer durch Nancy. (35 m. 1 Pl.) 16° Metz, P Müller 03.   — 80
Petry, O: Die wichtigsten Eigentümlichk. d. engl. Syntax (m. Berücks. d. franzö. Sprachgebr.), nebst zahlreichen Übgsbeisp. z. Übers. a. d. Deut. ins Engl. 9. Afl. (183) 8° Remsch., H Krumm 05.   1.50 ; geb. 1.90 d
Petsch, R: Freiheit u. Notwendigk. in Schillers Dramen, s.: Goethe- u. Schillerstudien.
— Ibsens „Brand". Erklärg d. Werkes, zugl. e. Einführg in d. Weltanschaug d. Dichters. (75) 8° Würzbg, J Frank 02.   1.50 ; geb. 2 —
— Heinr. v. Kleist's Prinz Friedrich v. Homburg. — Otto Ludwigs Makkabäer, s.: Dichter, deut., d. 19. Jahrh.
— Vortr. üb. Goethes „Faust", s.: Hochschulvorträge, Würzburger.
— Rich. Wagner's Die Meistersinger, s.: Dichter, deut., d. 19. Jahrh.
Petschar, M: Empirismus, Sprachgefühl u. Grammatik im altklass. Unterr. (34) 8° Klagenf., (K Hanel) 03.   nn — 90
— Die Reformbewegung im altklass. Unterr. (47) 8° Stockerau 02. (Wien, W Braumüller.)   — 90
Petschek, G: Die Abfindg d. materiellen Klagsanspruchs n. österr. Civilprozessrecht. [S.-A.] (55) 8° Wien, Manz 05. 1 — d
— Die Zwangsvollstreckg in Fordergn n. österr. Rechte. 1. Thl: Einl., Voraussetzgn d. Zwangsvollstreckg, Pfändgsverfahren. (348) 8° Ebd. 04.   6.60
Petschel, J: Nicht d. Schule, sondern d. Leben. Üb. d. Verhältnis d. Volkssch. u. ihrer Arbeit zu d. wesentlichsten u. wichtigsten Überzeugg d. sittl. Lebens. (48) 8° Mörs, JW Spaarmann (04).   — 30 d
Petschke, E: Mädchen a. aller Welt. Für deut. Mädchen erzählt. (64 m. Abb.) 8° Bas., Basler Missionsbh. 05. — 30 d
Petschow, A: Das amerikan. Zollges. u. d. deut. Handel. (34 m. Bildnis.) 8° Lpzg, RG Scheffer 04.   2 —
Petschull: Die Typhusepidemie in Ems währ. d. Sommers 1904. [S.-A.] (8) 8° Jena, G Fischer 05.   — 50
Pettendorfer, A: Gas im Hause. Wissenswertes üb. Einrichtgn z. Verwendg d. Gases f. Beleuchtgs-, Koch- u. Heizzwecke. (34) 8° Münch., V Höfling (05).   1 — d
Pettenkofer, M v., s.: Archiv f. Hygiene.
— Üb. Olfarbe u. Conservirg d. Gemälde-Galerien durch d. Regenerations-Verfahren. 2. Afl. (183) 8° Brnschw., F Vieweg & S. 05.   3 —
Pettermann, A: Gedanken üb. menschl. Kultur u. Kunst, angeregt durch d. Brand d. Basler Stadttheaters (7.X.'04), ausgespr. am darauffolg. Sonntag. (12) 8° Bas., Georg & Co. 05.   — 90 d
Petters, H: Der Gardasee u. s. nächste Umgebg. 1:100,000. Erinnergsbl. u. Touristenk. (Ausg. 1903.) 57,5×47 cm. Farbdr. Münch. (Erhardtstr. 29a). H Petters.   2 —
— Karte v. Garden-See a. Umgebg. 1:50,000. 51,5×31 cm. Farbdr. Münch., (J Lindauer) (01).   1 —
— Karte d. Alpen v. Bodensee bis Wien u. v. München bis Verona. 1:850,000. 42,5×69 cm. Farbdr. Innsbr., A Edlinger (05).   1 —
— Karte v. Tirol. (Neue Ausg.) 1:850,000. 42×41,5 cm. Kpfrst. u. Farbdr. Münch., J Lindauer (01).   1.50
Petters, O: Plan d. Heidelberger Stadtwaldgn n. d. Stand v. '02· 1:16,000. 3. Afl. 41,5×43,5 cm. Farbdr. Hdlbg, O Petters.   1 — ; auf L. 1.80
Pettersson, O: Beschreibg d. Bißlar-Strommessers, s.: Publications de circonstance du conseil permanent internat. pour l'exploration de la mer.

137

Pettmann, G: Aus d. Wasser gezogen od.: Der Findling v. Treiagan, s.: Daheim u. Auswärts.
Pettoello, C: Korrespondenz f. Fabrik- u. Exportgeschäfte, s.: Meister, E.
Petutschnigg, M, u. M Brandais: Kl. Geogr. f. österr. Volkssch. 4. Heft. Das Herzogth. Kärnten. (16) 8° Graz 1899. (Klagenf., J Heyn.) — 40 d
Das 2. u. 3. Heft s. u.: Brandais, M.
Petzel, Frl. M, s.: Redeatis.
Petzenburger, A: Elektr. Schnellb. Berlin-Hamburg 286 km. (19) 8° Hambg, F Grabow (01). — 50 d
Petzendorfer, L: Schriften-Atlas. Sammlg v. Alphabeten, Initialen & Monogrammen. Neue Folge. 18 Hefte. (144 Taf. m. 8 S. Text.) 4° Stuttg., J Hoffmann (03-05). Je 1 —
Petzet, C: Die Blütezeit d. deut. polit. Lyrik v. 1840—50. (519) 8° Münch., JF Lehmann's V. 03. 9 —; L. 10 — d
Petzet, E.: Üb. d. Heidelberger Bruchstück d. Jüngeren Titurel. [S.-A.] (34 m. 2 Taf.) 8° Münch., (G Franz' V.) 03. — 80
— Paul Heyse als Dramatiker. (103) 8° Stuttg., JG Cotta Nf. 04. 1.50 d
— s.: Platen, A Graf v., Tagebb.
Petzholdt, J: Katech. d. Bibliothekslehre, Neubearbeitg, s.: Graessel, A, Hdb. d. Bibliothekslehre.
Petzl, H: Hdb. f. d. Gemeinden Mährens. Erläuterg d. Gemeinde-Ordng, Gemeinde-Wahlordng u. d. Contributionsfondsges. 2. Aufl. 3 Bde. (379, 724 u. 216) 8° Brünn, F Irrgang 02. 19 —; geb. 20.50
— Die neuere Berliner Gabelsb.'sche Systemurkunde kritisch beleuchtet. (31) 8° Brünn (03). (Wien, Manz.) † — 70
— s.: T.:
— u. A Kahler: Die neue Berliner Gabelsb.'sche Systemurkunde kritisch beleuchtet. 3. Aufl. (51) 8° Ebd. (03). — 75 d
Petzold, E: Die kl. deut. Köchin, d. beste Kochb. f. einf. Küche. 5. Aufl. (128) 8° Kirchbg, E Schneider (02). — 60; geb. — 75 d
Petzold's, EH, Auskunftsregister z. Einholg v. Geschäfts- u. Kreditauskünften direkt bei d. Gewährsleuten. 4. Jahrg. (102) 8° Bischofsw., EH Petzold 06. 1.50
— Gemeinde- u. Ortslexikon d. Deut. Reichs. 14—26. Lfg. (2. Bd 537—1165) 8° Ebd. 01. Je — 50 (2. Bd L.: 7.50: vollst.: 15 —)
‖ 1. Nachtr. Abgeschl. am 1.III.'04. (47) (04.) — 50 d
— Städte-Lexikon d. Deut. Reichs. (24, 129) 8° Ebd. 01. L. 3 — d
— Verkehrs- u. Auskunfts-Kalender f. d. Deut. Reich. 4. Jahrg. 1906. (302) 8° Ebd. Geb. 2 —
Petzold, W: Atlas f. höh. Lehranst., s.: Lehmann, R.
Petzoldt, J: Einführg in d. Philosophie d. reinen Erfahrg. 2. Bd. Auf d. Wege z. Dauernden. (341) 8° Lpzg, BG Teubner 04. 8 — (1 u. 2.: 16 —)
— Sonderschulen f. hervorragend Befähigte. [S.-A.] (51) 8° Ebd. 05. 1 — d
Petzoldt, K: Deut. Liederb., s.: Güssow, A.
Peucker, K: Karte v. Bulgarien m. Ostrumelien u. türk. Thrakien. 1:864,000. Mit kartograph. u. statist. Beitr. z. Verständnis d. oriental. Krise. 61×82,5 cm. Farbdr. Wien, Artaria & Co. 05. 1.80
— Karte v. Makedonien, Altserbien u. Albanien. 1:864,000. Mit kartograph., histor. u. statist. Beil. z. Verständn. d. makedon. Frage (am Fusse). 1—3. Aufl. 66,5×64 cm. Farbdr. Ebd. 03.04. 1.50
— Kl. Orts-Lexikon v. Österr.-Ungarn. 2 Tle. 3. Aufl. 8° Ebd. 2.20; in 1 L.-Bd 2.30
1. Österr. n. d. Zählg v. 31.XII.1900. (90) 03. — 90
2. Kgr. Ungarn u. Okkupationsgebiet m. Anh.: Die Nachbarländer d. Monarchie, insbes. d. Deut. Reich. (61—148 u. Nachtr. '00: 4) 04. 1.30
Die 2. Ausg. war bearb. v.: K Grissinger u. K Peucker.
— Plan v. Wien, s.: Artaria
— Übersichts-K. d. Mittelsch. in Österr., s.: Pitsch, J.
— Übersichtsk. v. Ost-Asien m. 14 Beikarten in gr. Massstäben u. a. Ansicht. [Mit histor. u. statist. Tab.] 1:5,000,000. 71,5× 92,5 cm. Farbdr. Wien, Artaria & Co. 04. 1.40; auf L. 3 —
— dass. (Umschl.: 2. Aufl.) Mit Beikarte: Umgebg v. Lianyang-Mukden-Tieling. 1:1,000,000. 24×15 cm. Farbdr. Ebd. 04. 1.40; auf L. 3 —
— Übersichtsk. d. kommerz. Unterr.-Anst. in Österr., s.: Gelcich, E.
— Umgebg v. Lianyang-Mukden-Tieling. 1:1,000,000. 24× 15 cm. Farbdr. Wien, Artaria & Co. 04. — 35
Peuker, WJ: Vorträge f. d. studier. Jugend. 2. Bd. Neue Folge. (346) 8° Insbr., F Rauch 02. 3 — (1, 2 u. neue Folge: 7.90) d
Pey-Ordeix, S: Paternidad. Span. Jesuitendrama. Bearb. v. H Conrad. (152 m. Bildnis.) 8° Frankf. a/M., Neuer Frankf. Verl. 02. 3 — d
Peyer, G: François Coillard, a. Apostel z. Sambesi-Mission. (128 m. Abb. u. 2 Kart.) 8° Bas., Basler Missionsbh. 05. 1.20 d
Peypers, HFA, s.: Janus.
Peyron, B, s.: Codices italici manu exarati, qui in bibliotheca Taurinensi Athenaei asservabantur.
Pezold, L v.; Schattenrisse a. Revals Vergangenh. 2. Aufl. (390) 8° Rev., F Kluge 01. 6 — d
Pezold, W v.: Wenn man jung ist. Gedichte. (100) 12° Strassbg, J Singer 04. 2 —
Pezzoli, K, u. A Porges: 12.000 Fälle v. Haut- u. Geschlechtskrankh. Bericht a. Prof. Fingers Ambulatorium f. Haut- u. Geschlechts-Krankh. im k: k. allg. Krankenhause in Wien. (101) 8° Wien, F Deuticke 03. 3 —

Pfade, neue, z. alten Gott. Hrsg. v. F Gerstung. 9 Bde. 8° Freibg i/B., P Waetzel. L. 19.60 d
Gerstung, F: Die Welt an sich — f. mich. (100) (01.) [2.] 2 —
Greue, D: Die Relig. d. Geistes. Wie d. Gebildete denkend zu ihr Stellg nimmt. (114) 03. [6.] 2 —
Hering, O: Persönl. Christentum. Das Eine, was uns not ist. (96) 05. [9.] 2 —; geb. 1.60
König, A: Jesus, was er uns heute ist. (128) 02. [5.] 2 —
König, K: Gott. Warum wir bei ihm bleiben müssen. (154) 01. [1.] 2 —
Neumann, A: Jesus, wer er geschichtlich war. (206) 04. [4.] 2.20
Neumaerker, C: Der Mensch, wie er sich selber findet. (176) (01.) [3.] 2 —
Ragaz, L: Du sollst. Grundz. e. sittl. Weltanschaug. 1 u. 2. Aufl. (181) 04. [7.] 2.40
Wohlfarth, G: Beten u. moderner Mensch sein, wie sich d. Beides zusammenreimt. (176) 02. [8.] 2 —
Die früheren Subskr.-Preis sind erloschen.
Pfaff, F: Neues allg. Sachreg. zu d. ält. grossh. hess. Verordnus usw., Fortsetzg, s.: Regierungsblatt, grossh. hess.
— Verein. Sachreg. zu d. Bundes- bezw. Reichs-Gesetzbl., Fortsetzg, s.: Becker, H.
Pfaff, F, s.: Alemannia.
— Die gr. Heidelberger Liederhandschrift. In getreuem Textabdr. hrsg. 4. Abtlg. (Sp. 961—1280) 8° Hdlbg, C Winter. V. 03. 5 — (1—4.: 20 —)
Pfaff, H: Landeskde d. Grossh. Hessen. 3. Aufl. (36 m. Abb.) 8° Bresl., F Hirt 05. Kart. — 80 d
Pfaff, H v., u A v. Reisenegger: Das bayer. Ges. üb. d. Gebührenwesen in d. Fassg d. Bekanntmachg v. 11.XI.1899. Nachtr. z. 4. u. 5. Aufl., enth. d. Gebühren in Nachlass- u. Teilgissachen in d. Fassg d. Ges. v. 9.VIII. '02: d. Nachlasswesen betr. (63) 8° Münch., CH Beck 04. — 50
(Hauptwerk m. Nachtr.: 4 —) d
Pfaff, I: Tabellio u. Tabularius. Beitrag z. Lehre v. d. röm. Urkundspersonen. (60) 8° Wien, Manz 05. 1.40
Pfaff, JF: Allg. Methode partielle Differentialgleichgn zu integrieren, s.: Ostwald's, W, Klassiker d. exakten Wiss.
Pfaff, K: Heidelberg u. Umgebg. 2. Aufl. (427 m. Abb., 3 Pl. u. 1 Karte.) 4° Hdlbg, J Hörning 02. L. m. 4.80
— Latein. Lese- u. Übgsbb., s.: Kantzmann, P.
Pfaff, L, s.: Sammlung v. zivilrechtl. Entscheidgn d. k. k. obersten Gerichtshofes.
— System d. österr. allg. Privatrechts, s.: Krainz, J.
Pfaff, M: Das christl. Kirchenj. In Fragen u. Antworten f. Schule u. Christenlehre. Nebst e. Anh., relig. Lieder f. d. Festzeiten enth. 11. Aufl. (118 m. farb. Titelbild.) 16° Freibg i/B., Herder (03). — 25; geb. geb. kart. — 40 d
— Sammlg v. Gebeten u. Kirchenliedern f. Gymnasien u. höh. Bürgersch. Mit Berücks. d. Lehrpl. f. d. kathol. Relig.-Unterr. an Mittelsch. 4. Aufl. (98) 8° Ebd. (03). Kart. — 40 d
Pfaff, W: Die Alkoholfrage v. ärztl. Standpunkt. Vortr. (35) 8° Tüb., F Pietzcker 04. — 80
Pfaff, W, s.: Papier-Kalender.
Pfaff-Bader, O: Malerisches a. Salzburg, s.: Graf-Fbg, O.
Pfaffenbach, O: Kurzgef. Grammatik d. span. Sprache. 2. Aufl. (105) 8° Remsch., H Krumm 02. 1.50 d
Pfaffenpeitsche. (8 m. 1 farb. Taf.) 4° Wien, Wiener Volksbh (05). — 90 d
Pfafferoth, C: Preuss. Beamten-Gesetzgebg, s.: Guttentag's Sammlg preuss. Ges.
— Die Gebührenordng f. Rechtsanwälte in d. Fassg v. 20.V. 1898, nebst Landesgebührengesetzen. 4. Aufl. (316) 8° Berl., J Moeser 05. L. 7 — d
— Die deut. Gerichtskostengesetze, s.: Taschen-Gesetzsammlung.
— Das deut. Gerichtskostenwesen, enth. d. Gerichtskostenges. u. d. Gebührenordng f. Zeugen u. Sachverständige, sowie f. Gerichtsvollzieher in d. Fassg v. 20.V.1898. 3. Aufl. (452 m. 4) 8° Berl., C Heymann 03. 7.50; geb. 9 —
Pfahlburg, JL v. (JL Panske): Wer ist Herr im Hause? (64) 8° Berl., O Janke 04. — 40 d
Pfahler, A: Abschiedspredigt. (10) 8° Freudenst., Schlosser (04). — 10 d
— Der deut. Volksaberglaube. (45) 8° Ebd. 03. — 80 d
Pfalz, A: Die Franzosen in Wien. J. 1805, s.: Flugschriften, hrsg. z. Besten d. Kriegerdenkmalfonds in Deutsch-Wagram.
— Sammlung histor. Schriften.
— Die Marchfeldschlachten v. Aspern in. Deutsch-Wagram im J. 1809. 2. Aufl. (95) 8° Korneubg, J Kühkopf) 1906. 2 —
— Sammlg. Krieger- u. Wehrmannschaften a. d. J. 1809. — Schlacht bei Dürnkrut am 26.VIII.1278, s.: Flugschriften, hrsg. z. Besten d. Kriegerdenkmalfonds in Deutsch-Wagram.
— Sammlung histor. Schriften.
Pfalz, E: Method. Hdb. f. d. ges. naturwiss. Unterr., s.: Kiesling, F.
Pfalz, F: Tabellar. Grundr. d. Weltgesch. f. Unter- u. Mittel-höh. Bildgsanst. 4 Hefte. (Mit je 2 Kart.) 8° Lpzg, J Klinkhardt.
1. Alte Gesch. 13. Aufl. (47) 02. — 50 ‖ 2. Griech. Gesch. 11. Aufl. (36) (90) 05. — 70
3. Neuere Gesch. 7. Aufl. (60) 02. — 90 ‖ 4. Neueste Gesch. 6. Aufl.
— Ein Knabenleben vor 60 Jahren. Pädagog. Betrachtg eigner Erlebnisse. 2 Bde. 8° Lpzg, Stuttg., C Belser. 3.50; L. u. 4.75 d
1. Kindheit. (140) 01. 1.80; geb. 2.50 ‖ 2. (119) 02. 1.50; geb. 2.25.
— Fritz Spalteholz, d. junge Volksschullehrer. Plaudereien a. d. Sturm- u. Drangzeit. (316) 8° Ebd. 05. 3 —; L. 4 — d

Pfänder, A: Einführg in d. Psychol. (423) 8° Lpzg, JA Barth 04.   L. 6 —
Pfaender, H: Leute v. Turf. Roman a. d. Sportleben. (171) 8° Berl., Verl. Continent (04).   2 —; geb. 3 — d
— Die Renn-Wette. (100) 8° Lpzg, Grethlein & Co. (05). L. 1.60
Pfanhauser, W: Die Galvanoplastik. — Die Herstellg v. Metallgegenständen auf elektrolyt. Wege u. d. Elektrogravüre, s.: Monographien üb. angewandte Elektrochemie.
Pfannenschmid, B: Auf nach Hardenberg! Wallfahrtsbüchl. z. unbefleckt empfang. Gnadenmutter v. Hardenberg. 12. Afl. (74 m. Titelbild.) 12° Ess., Fredebeul & K. 1900. — 30 d
Pfannenschmidt, Frau, s.: Burow, J.
Pfannenstiel, J, s.: Verhandlungen d. deut. Gesellsch. f. Gynäkol. — Verhandlungsbericht d. mittelrhein. Gesellsch. f. Geburtshülfe u. Gynäkol.
Pfannkuche: Die Katastrophe d. J. 1803. Eine hannoversche Säkularerinnerng. (58) 8° Hannov., M & H Schaper 03. 1 — d
Pfannkuche, A: Freie öffentl. Bibliotheken u. Lesehallen, s.: Fortschritt, soz.
— Nietzsche als Prophet. [S.-A.] (15) 8° Osnabr., (Rackhorst) 02.   — 50 d
Pfannmüller, G: Die kirchl. Gesetzgebg Justinians hauptsächlich auf Grund d. Novellen. (94) 8° Berl. 02. Lpzg, M Heinsius Nf.   3.60
Pfannschmidt, E: 30 Konfirmations-Gedenkblätter. Hrsg. v. R Bürkner. I. Reihe, vielfarbig. Ausg. A m. Raum f. handschriftl. Eintragg d. Bibelspruchs; Ausg. B m. eingedr. Bibelspruch. 3. Afl. Fol. Gött., Vandenhoeck & R. 04. In Umschl. je 3 — d
Pfannschmidt, M: Bilder a. d. Gesch. d. bild. Künste, s.: Schloessmann's Bücherei f. d. christl. Haus.
Pfannschmidt-Beutner, R: Abendfrieden, s.: Waldesrauschen — Waldesfrieden.
— Annuschkas Heimat, s.: Ans lichten Höhen.
— Der gr. Bruder, s.: Grüss Gott.
— Stiller Dienst. — Elfriedes Tagebuch. — Grossmutter Franks Enkelin, s.: Schneeflocken.
— 2 gute Freunde, s.: Grüss Gott.
— 2 Genesene, s.: Schneeflocken.
— Gieb dem, d. dich bittet, s.: Aus lichten Höhen.
— Das beste Gut, s.: Schneeflocken.
— Des Kindes Segensmacht. — Eine Sommerreise, s.: Aus lichten Höhen.
— Im Sturm gewonnen, s.: Waldesrauschen — Waldesfrieden.
— Was e. Tannenbaum erlebte, s.: Schneeflocken.
Pfannstiel, F: Leitsätze f.d.biolog.Unterr.,s.: Magazin,pädagog.
Pfarr-Almanach f. Berlin u. d. Prov. Brandenburg. Hrsg. v. H Bleeser u. A Schöneberg. 4. Afl. (385) 8° Berl. (Schützenstr. 36), Rechngär. A Schöneberg 01.   L. an 3.50 d
— od. d. ev. Geistlichen u. Kirchen d. Prov. Sachsen, d. Grafsch. Wernigerode, Rossla u. Stolberg. Hrsg. n. d. Tode v. Haase v. Hilbert. 20. Jahrg. (323, 176 u. 34) 8° Magdbg, (Heinrichshofen's S.) 05.   L. nn 6 — d
Pfarr-Bibliothek. Sammlng v. Predigten u. Reden, begründet v. E Ohly u. gegenwärtig hrsg. v. W Rathmann. 2., 8—13. 27., 28. u. 45—48. Bd. 8° Lpzg, (G Strübig. Je 1.50: L. je 1.75 d
2. „Dein Kind lebet!" Reden an Kindergräbern. Unter Red. v. E Ohly. I. Bd. 4. Afl. v. W Rathmann. (215) 06.
8.9. „Dein Gott, mein Gott!" Traureden. Unter Red. v. E Ohly. 4. Afl. v. W Rathmann. (473) 04.
10.11. „Was soll ich predigen? Grabreden u. Leichenpredigten, unter Red. v. E Ohly. I. Grabreden u. Leichenpredigten m. Berücks. seltenerer Fälle. 4. Afl. v. W Rathmann. (366) 06.
12.13. Dass. II. Grabreden u.Leichenpredigten vorwiegend allgemeinerer Fälle. Red. v. E Ohly. 4. Afl. v. W Rathmann. (369) 05.
27.28. „Meine Zeit stehet in deinen Händen". Sylvester- u. Neujahrspredigten. Unter Red. v. W Thiel. 2. Afl. v. W Rathmann. (369) 05.
45. „Lasset d. Kindlein zu mir kommen!" Schulreden, Ansprachen in Lehrer-Konferenzen etc. Hrsg. v. W Rathmann. (182) 07.
46. „Land, höre d. Herrn Wort!" Soc. Predigten, hrsg. v. W Rathmann. (169) 02.
47. Habt Salz bei euch! Gelegenheitsreden f. Geistliche, hrsg. v. W Rathmann. (134) 05.
48. König im Geist. Sammlg v. Reden in Männer-, Jünglings-, Frauen- u. Jungfrauen-Ver. Hrsg. v. W Rathmann. (162) 03.
Pfarrbote, Monatsschrift f. d. kathol. Clerus. Hrsg. v. L Stingl. Apr. 1901—März 1902. 12 Nrn. (Nr. 1. 16) 4° Pass., (M Waldbauer).   — ô F
Pfarrer, e. soz. Aus d. Leben d. Schotten Norman Macleod. (230) 12° Stuttg., D Gundert 02.   L. 2 — d
Pfarrer's, d., Flüegling, s.: Gabelsberger-Bibliothek.
Pfarr-Haus. Hrsg. v. F Blanckmeister. 17—22. Jahrg. 1901—5 Je 12 Nrn. (Nr. 1. 16 u. 8 m. Abb.) 4° Dresd., CL Ungelenk.   Je 3 — d
Erschien bis 1902 z. Tl noch in Leipzig.
Pfarrius, G: Bastel Jakob. — Die Klause am Salmenbach, s.: Hausbücherei, rhein.
Pfättisch, J: Abt Maurus Xaverius Herbst, O.S.B., v. Flankstetten. (111 m. 1 Bildnis.) 8° Eichst., P Brönner 04. Kart. 1 — d
Pfau, C, s.: Pfau, WC.
Pfau, F: Warenzeichen-Rolle d. Papier- u. Schreibwaren-Industrie. Nebst „Verz. d. Freizeichen" u. als Anh.: „Das Warenzeichenges.". (I. Tl d. Papier-Lexikon.) (90 u. 34 m. 1 Bildnis.) 8° Schöneßg-Berl. (Albertstr. 10), F Pfau (03). 2.40; geb. 3 — d
3 Nachtr. 04. (41) 1 —
Pfau, J: Anschaul. Behandlg d. Gleichgn in d. Bürgersch. In 2 Tln. I. Untersuchgn üb. d. Wesen d. entgegengesetzten

Zahlen. II. Ausgeführte Lektionen nebst 235 Ziffer- u. Textaufg. u. deren Lösg. (54 m. Fig.) 8° Wien, A Pichler's Wwe & S. 05.   1.50 d
Pfau, KF (Seriosus), s. a.: Blum, E. — Brandner, E.
— Die Buchführg d. Buchhändlers (f. Sortiment u. Verlag) n. d. neuen Handelsges. (18) 8° Stuttg., E Leupoldt (03).   nnn — 60 d
— Der Buchhändler. Encyklop.d.buchhändler.Wissens. 10 Lfgn. (305) 8° Lpzg, Nestmann & Wittig (03.04). Je nnn — 40: in 1 Bd geb. nnn 4.50
— s.: Buchhändler-Akademie, internat.
— Biograph. Buchhändler-Lexikon. 2. Afl. Mit Unterstützg v. E Schmidt hrsg. (In ca 25 Lfgn.) 1. Lfg. (1—32) 8° Lpzg, KF Pfau 01.   — 75 d
— Entwurf e. Programms behufs Bildg v. Stadt- u. Prov.-Reisebuchhandel-Verbänden. [S.-A.] (5) 8° Lpzg, H Beyer 01.   nnn 1 —
— Kaufmann. Fachbibliothek. 1. u. 2. Bd. 8° Lpzg, KF Pfau.   Kart. 2.50
1. Der Kaufmannslehrlng. (56) (02.) 1.50 ‖ 2. Der junge Kommis. (40) (04.) 1 —
— s.: Gehülfen, uns. Herren, im Buchhandel.
— Hdb. d. kaufmänn. Organisation. 3 Bde. (314, 352 u. 252 m. 1 Tab.) 8° Lpzg, F Zocher (01).   Je 5 — ; L. je 6 —: auch in 30 Lfgn zu — 50
— dass. 2. Afl. 3 Bde. (292, 318 u. 254 m. Formularen.) 8° Ebd. (04).   L. 22 —
— s.: Lehrlinge u. Volontäre im Buchhandel.
— Luise, Königin v. Preussen. Lebensbild d. unvergessl. Fürstin. Nach Hudson's Life and times of Louisa, Queen of Prussia selbstständig bearb. 3. Afl. (460 m. 5 Bildern u. 1 Bildnis.) 8° Lpzg, B Blömer (01).   L. m. G. 7 — d
In 1. u. 2. Afl. unter Hudson aufgenommen.
— Der Schuster Gottlob Range, s.: Bürger-Bibliothek, deut.
— Der Reisebuchhandel u. d. Sortiment d. Gegenwart. (7) 8° Lpzg, H Beyer (01).   nnn — 60
— Der Spediteur. Hand- u. Nachschlagewerk. 10 Lfgn. (319) 8° Lpzg, KF Pfau (03).   Je — 30; in 1 Bd geb. 4 — d
— Prakt. Winke f. Neu-Etablirende im Buchhandel. (14) 8° Lpzg, H Beyer (01).   nnn — 75
— u. E Schirmer: Korrespondenz d. Buchhändlers in deut., engl. u. franz. Sprache. 1. Lfg. (1—32) 8° Ebd. (05). nnn — 40 *Diese Ausg. ist zurückgezogen u. erscheint nicht weiter.*
— dass. in deut., engl., französ. u. italien. Sprache. (In ca 20 Lfgn.) 1. u. 2. Lfg. (1—64) 8° Ebd. (05). Je nnn — 40
Pfau, WC: Bilder a. d. Volkleben d. Rochlitz-Mittweidaer Gegend z. Z. d. 16. u. 17. Jahrh. Vortr. [S.-A.] (39) 8° Rochl., (B Pretzsch Nf.) (1899).   — 30 d
— Einzelh. a. d. Gesch. d. Rochlitzer Gesch. 1—3. Lfg. [S.-A.] 8° Ebd.   Je 1 —
1. (55) 01. ‖ 2. Grundz. d. ält. Gesch. d. Dorfes Seelitz u. sr Kirche. (67) 02. ‖ 3. (64 m. 1 Tab.) 02.
— Gesch. d. Töpferei in d. Rochlitzer Gegend, s.: Mitteilungen d. Ver. f. Rochlitzer Gesch.

Pfaundler, L: Üb. e. Bumerang zu Vorlesgszwecken. [S.-A.] (2 m. 1 Fig.) 8° Wien, (A Hölder) 05.   — 26
— Lehrb. d. Physik u. Meteorol., s.: Müller-Pouillet.
— Die Physik d. tägl. Lebens, s.: Naturwissenschaftl. u. Technik in gemeinverständl. Einzeldarstellgn.
— Üb. d. dunklen Streifen, welche sich auf d. n. Lippmann's Verfahren hergestellten Photographien sich überdeck. Spektren zeigen (Zenker'sche Streifen). [S.-A.] (15 m. Fig.) 8° Wien, (A Hölder) 04.
Pfaundler, M: Üb. Stoffwechselstörgn bei magendarmkranken Säuglingen. Mit bes. Bezugnahme auf d. Czerny-Keller'sche Säurevergiftgshypothese. [S.-A.] (90) 8° Berl., S Karger 01. 3.50
Pfeffer, G: Synopsis d. oegopsiden Cephalopoden. [S.-A.] (52) 8° Hambg, (L Gräfe & S.) 1900.   — 50
Pfeffer, J: Leichtsinn. Schwank. (160) 8° Strassbg, J Singer 04.   1.50
Pfeffer, P: Beitr. z. Kenntnis d. altfranzös. Volkslebens, meist auf Grund d. Fabliaux. 1—3. Tl. (31, 33 u. 45) 4° Karlsr. 1898. 99.01. (Lpzg, Bb. G Fock.)   Je 1.20
Pfeffer, R: Felddienstaufg. f. d. applikator. Studium d. Dienstreglements II. Tl. 3. Afl. (208 m. 3 Taf.) 8° Wien, LW Seidel 04.   4 —
Pfeffer, W, s.: Jahrbücher f. wiss. Botanik.
— Pflanzenphysiol. Hdb. d. Lehre v. Stoffwechsel u. Kraftwechsel in d. Pflanze. 2. Afl. II. Bd. Kraftwechsel. 2 Hälften. (986 m. Abb.) 8° Lpzg, W Engelmann 01.04. 30 —; HF. 33 —
(Vollst.: 50 —; geb. 54 —)
Pfeffer, W: Das Projekte e. Thalsperre im Tyrathale. [S.-A.] (15) 8° Lpzg, F Leineweber 1900.   — 50
Pfefferkorn: Realienb., s.: Lettan, H.
Pfeffermann, R: Der Pilzkenner. Prakt. Führer beim Sammeln d. Pilze, nebst Pilzküche. (41 m. 12 farb. Taf.) 8° Hainich. (04). Lpzg, Jahn & Sohn.   — 70; kart. — 80 d
— Pilzschen-Kalender f. 1906. (152) 16° Rumbg, H Pfeifer.   L. 1.50 d
Pfeifer, A: Abendpsalter. Lieder f. d. Hausandacht. (72) 8° Stuttg., Bb. d. deut. Philadelphia-Ver. 1900. — 50; geb. — 80 d
Pfeifer, B: Präparat. d. d. Unterr. in d. Wechsellehre. (56) 8° Eibenst. (1899). (Hanau, Clauss & F.)   1 —
Pfeifer, E: Frau Eugenie. Heitere Geschichten. (128) 8° Berl., Concordia 02.   2 —; geb. 3 — d

Pfeifer, F: Prakt. Zinstaf. f. Tageszinsen, d. Jahr zu 365 Tagen zu 3, 3¹/₂, 4, 4¹/₂, 5, 5¹/₂, 6 u. ³/₄ Prozent. 2. Afl. (109) 8° Stuttg., Fleischhauer & Sp. 05. Geb. 1 — d
Pfeifer, H: Die Formenlehre d. Ornaments, s.: Handbuch'd. Architektur.
Pfeifer, H: Zur Behandlg d. Evangeliums n. Johannes. 1. Tl: Umschau u. Aufgabe. 2. Tl: Zur Behandlg ausgew. Abschnitte. (172) 8° Lpzg, A Hahn 03. 2 —; L. 2.50 d
— Zur inneren Reform d. Relig.-Unterr. A. Der Relig.-Unterr. u. d. heut. Strömgn in d. Theol. B. Zum Katech.-Unterr. (52) 8° Ebd. 02. — 80 d
— Der christl. Relig.-Unter. im Lichte d. modernen Theol. 2. Afl. (260) 8° Ebd. 01. 3 —; L. 3.50 d
Pfeifer, J: Empfehlenswerte Bücher u. Schriften f. kathol. Töchter, s.: Rohr, G.
Pfeifer, M: Kleines Volk. In Bildern u. Reimen. (12 m. z. Tl farb. Abb.) 4° Wes., W Düms (03). — 40; (11 S. auf Pappe.) geb. — 80 d
Pfeifer, V: Die Anzeigen u. Gegenanzeigen f. d. Curgebr. in Wildbad-Gastein. (29 m.1 Taf.) 8° Wien, W Braumüller 03. 1 —
Pfeiffer, W: Einrichtgs-, Lehr- u. Stoffpl. f. 3klass. Volkssch. (175) 8° Halle, H Schroedel 05. 3.50 d
— Lernstoff d. ev.-christl. Relig.-Unterr. (f. d. Schulen d. Prov. Sachsen) in lehrplanmäss. Anordng. 2. Ausg. (57 m. 1 Bildnis.) 8° Halle, H Schroedel 03. Kart. — 80 d
— Die Theorie u. Praxis d. einklass. Volkssch. Mit e. Anh.: Über d. Einrichtg u. Führg v. Schul- u. Gemeindechroniken durch d. Lehrer. 2. Afl. (130) 8° Gotha, EF Thienemann 01. 2 —; geb. 2.50 d
— Das Wichtigste a. d. Rechtschreibg u. Sprachlehre, s.: Kehr, C.
— Steger u. Wohlrabe: Fibel-Leseb. f. d. 2. Lessabteilg in Halbtagssch., 1-, 2-, 3- u. 4klass. Schulen. D. (Im Anschl. an Fibel CI v. Steger u. Wohlrabe bearb.) 3. Afl. (140 m. Abb.) 8° Halle, H Schroedel 03. Geb. nn — 70 d
— u. Wohlrabe: Einrichtgs-, Lehr- u. Stoffpl. f. Halbtags-1klass. u. 2klass. Schulen. 3. Afl. d. Lehrpl. v. W Roehl. (167) 8° Ebd. 05. 3.50 d
Pfeifer, W: Die Disziplin in d. gewerbl. Fortbildgssch. Vortr. [S.-A.] (15) 8° Meiss., HW Schlimpert (02). — 30
Pfeifer, W: Lehrb. f. d. Gesch.-Unterr. an höh. Lehranst. 4 Tle. 8° Bresl., F Hirt. Geb. 6.15 d
 I. Lehranfg. d. Quarta. Griech. Gesch. bis z. Tode Alexanders d. Gr. Röm. Gesch. bis z. Tode d. Augustus. (62) 04. 1 —
 II. Lehranfg. d. Unter- u. Obertertia. Die Blütezeit d. röm. Reiches unter d. gr. Kaisern. Deut. u. preuss. Gesch. bis 1740. (159) 04. 1.80 —
 III. Lehranfg. d. Untersekunda. Preuss.-u. deut. Gesch. v. Regierungsantritt Friedrichs d. Gr. bis z. Gegenwart. (80) 04. 1 —
 IV. Lehranfg. d. Obersekunda. Die Hauptereignisse d. griech. Gesch. bis z. Tode Alexanders d. Gr. u. d. röm. Gesch. bis Augustus m. e. Bilderanh. z. Kunst- u. Kulturgesch., zusammengest. u. erläut. v. F Brandt. (140 u. 48 m. 1 farb. Taf.) 04. Geb. nn 1 —
— Deut. Leseb. f. höh. Lehranst., s.: Lehmann, R.
Pfeifenberger, K: Des Kindes 1. Schulb. 161. Afl. (106 m. Abb.) 8° Mannh., J Bensheimer's V. (02). Kart. — 60 d
Pfeiffer's Dienstunterr. f. d. kgl. bayer. Kavall. 16. Afl. (144 m. 6 Taf. u. 1 Bildnis.) 8° Bambg, Schmidt 06. — 60 d
Pfeiffer: Kurzer Auszug a. d. Experimentalphysik. 2. Afl. v. Quitteck. (80 m. Fig.) 8° Jena, F Doebereiner 1900. 2.40; durchsch. 2.80 d
— Stallmist-Konservierg u. Superphosphatgips, Kainit u. Schwefelsäure, s.: Arbeiten d. deut. Landw.-Gesellsch.
Pfeiffer: Calculator, s.: Stade, G.
Pfeiffer, A, s.: Jahresbericht üb. usw. Hygiene.
Pfeiffer, A: Die neuen alttestamentl. Perikopen d. Eisenacher Konferenz. 2—12. Lfg. (81—979) 8° Lpzg, A Deichert Nf. 02. Je 1 —; (Vollst.: 12 —); HF. nn 14 —; d
— dass., s. Perikopen, d. neuen, d. Eisenacher Konferenz.
Pfeiffer, A, s.: Humanität, d.
Pfeiffer, B: Die Oberlausitzer Mundart, wie sie in Oppach u. Umgegend gesprochen wird. (8) 8° Neusalza, (H Oeser) (01). 90 d
Pfeiffer, B, s.: Schickhardt, H, Handschriften u. Handzeichngn.
Pfeiffer, C: Otfrid, d. Dichter d. Evangelienharmonie, im Gewande sr Zeit. (134) 8° Gött., Vandenhoeck & R. 05. 2.60; L. 3.40 d
— Die dichter. Persönlichk. Neidharts v. Reuenthal. (98) 8° Paderb., F Schöningh 03. 1.50 d
Pfeiffer, C: Die Organisation e. Landgutswirtschaft, erl. e. prakt. Beisp. erläut. (137 m. 4 Taf.) 8° Wien, C Fromme 05. 1 —
Pfeiffer, C: Die Verpflanzg d. Eierstocks. (41) 8° Tüb., F Pietzcker 01. nn 1 —
Pfeiffer, E: Pocken u. Impfg, s.: Volksbücherei, medizin.
Pfeiffer, E: Führer f. Madonna di Campiglio. (Neue Afl.) (170 m. Abb., 2 Panoramen u. 2 Kart.) 8° Stuttg., (Greiner & Pf.) 04. Geb. 3.50
Pfeiffer, E: Physikal. Praktikum f. Anfänger. (150 m. Abb.) 8° Lpzg, BG Teubner 03. L. 3 d
Pfeiffer, E: Das Mineralwasser v. Fachingen. 6. Afl. (16) 8° Wiesb., JF Bergmann 05. — 50
— s.: Verhandlungen d. Gesellsch. f. Kinderheilkde. — Verhandlungen d. Kongresses f. innere Medizin.
Pfeiffer, E: Die Revureisen Friedrichs d. Gr. bes. d. schles. n. 1768 u. d. Zustand Schlesiens v. 1763—86, s.: Studien, histor.

Pfeiffer, E: Des Kindes Sterben. Trostbüchl. 3. Afl. (40) 12° Hambg, Ag. d. Rauhen H. (03). — 20; geb. m. Silberschn. — 50 d
Pfeiffer, F, s.: Klassiker, deut., d. M.-A.
Pfeiffer, G: Kurz gef. Erklärg d. kl. Katech. Luthers nebst e. Übersicht üb. d. Gesch. d. Kirche u. d. geistl. Liedes u. e. anh. v. geistl. Liedern u. Gebeten. 7. Afl. (152) 8° Glog., C Flemming (04). Geb. — 60 d
Pfeiffer, G: Leitf. d. Physik. 3. Afl. Für Unterr.-Zwecke d. kgl. Oberfeuerwerkersch. gedr. (275 m. 69 Taf.) 8° Berl., Vossische Bh. 01. Kart. 4 — d
Pfeiffer, G: Die neugerman. Bestandteile d. französ. Sprache. (108) 8° Stuttg., (Greiner & Pf.) 02. 2 —
Pfeiffer, GW: Klänge u. Bilder a. Frankfurt u. Sachsenhausen. Neuer Abdr. Mit e. Einl. v. F Rittweger. (166) 8° Frankf. a/M., J Strauss 04. 1 — d
Pfeiffer, H: Die weisse Taube od. Schicksale e. Auswandererfamilie. (343 m. 8 Bildern.) 8° Elberf., S Lucas (03). Geb. 3 — d
Pfeiffer, H: Kloster Godenkron. Erzählg a. d. Hussitenzeit. (215 m. Abb.) 8° Wien, Gerlach & Wiedling 04. 4 —; geb. 5 — d
Pfeiffer, J, A Markow u. S Mandelkern: Taschenb. d. Handelskorrespondenz in russ. u. deut. Sprache, s.: Taschenbücher d. Handelskorrespondenz.
Pfeiffer, K: Bibl. Gesch. f. Volkssch. 7. Afl. (202) 8° St. Gall., Fehr 02. Geb. 1.80 d
Pfeiffer, K: Die Aufg. d. Volksschul-Leseb., s.: Für d. Schule a. d. Schule.
Pfeiffer, KWT: Ein ernstes Wort üb. e. ernste Sache. Für Jünglinge. 6. Afl. (20) 12° Bas., (Basler Missionsbh.) 1895. — 10 d
— s.: Wort, e. ernstes, üb. e. ernste Sache f. erwachs. Mädchen.
Pfeiffer, L: Der Anschl. d. Aerzte an d. freiwill. staatl. Alters-, u. Invalidenversicherg. (28) 8° Weim., R Wagner Sohn 05. — 60
— Die Impfzahlansln in d. Weltpolicen d. Lebensversicherungs-Gesellsch., s.: Veröffentlichungen d. deut. Ver. f. Versicherungs-Wiss.
— s.: Korrespondenz-Blätter d. allg. ärztl. Vereins v. Thüringen.
— Regeln f. d. Wochenstube u. Kinderpflege. 1. Thl: Die Pflege d. Wöchnerin u. d. Neugeborenen. 4. Afl. (67) 12° Weim., H Böhlau's Nf. 01. Geb. — 50 d
— Regeln f. d. Pflege v. Mutter u. Kind. III. u. IV. Tl. 107—110. Taus. d. Ausgb. (72 u. 68) 12° Ebd. 05. Kart. je 1.50 d
 III. Regeln f. d. Spielalter (2—7. Lebensj.). (91 m. 2 Schnittmusterbog.)
 IV. Regeln f. d. Schulalter (7—14. Lebensj.). (87)
Pfeiffer, M: Mosaik. (Vereinsgabe d. deut. Lit.-Gesellsch.) (66) 8° Münch., (JJ Lentner) 01. — 75
Pfeiffer's, O, Adressb. f. d. Gartenbau u. d. verwandten Zweige in Oesterr.-Ungarn. 4. Ausg. (225) 8° Wien (XVII/1, Bergsteiggasse 9), Selbstverl. 05. Kart. 10 —
Pfeiffer, O: Zur Bestimmg d. spezif. Gewichts v. Leuchtgas. Eine Taf. m. erläut. Text (auf d. Rücks.). [S.-A.] 46×47 cm. Münch., R Oldenbourg 05. — 50
Pfeiffer, S, s.: Berichte üb. d. Wertbestimmg d. Pariser Pestserums. — Enzyklopädie d. Hygiene.
— Zur Theorie d. Virulenz, s.: Festschrift z. 60. Geburtstage v. Rob. Koch.
Pfeiffer, R: Gesch. u. Ortsbeschreibg v. Sulzbach u. Umgebg. (70 m. 3 Abb. u. 1 Karte.) 8° Sulzb., JE v. Seidel (03). 1 —
Pfeiffer, T: Stickstoffsammelnde Bakterien, Brache u. Raubbau. [S.-A.] (58) 8° Berl., P Parey 04. — 50
Pfeiffer, W: Operationskursus f. Tierärzte u. Studierende. 3. Afl. (104 m. Abb.) 8° Berl., R Schoetz 03. Geb. 5.50
Pfeiffer, W: General-Reg., s.: Verhandlungen d. Congresses f. innere Medizin.
Pfeiffer, W: Üb. Fouqués Undine. Nebst e. Anh. enth. Fouqués Operndichtg Undine. (169) 8° Hdlbg, C Winter, V. 03. 2.40
Pfeiffer, W, u. A Kull: Bilder f. d. Anschauungs-Unterr. z. d. Hey-Speckterschen Fabeln. Mit Text v. C Kehr u. A Kleinschmidt. 5. Lfg. (3 farb. Taf.) 8° Esslg., FA Pardon (03). 6 —; auf L. m. St. an 11 —; geb. 7l. 9.40; auf L. nn 4.10 d
 22. Vogel am Fenster. [23. Hund u. Igel.] 24. Hirsch.
Pfeiffer, W, s.: Mission, d. innere, in Berlin.
Pfeiler, W: Zur Kenntnis d. Desinfektion infizierten Düngers durch Packg, s.: Arbeiten a. d. hygien. Instit. d. kgl. tierärztl. Hochsch. zu Berlin.
Pfeil: Die Aufforstg, s.: Schultze.
Pfeil, E, E Wolfhagen u. R Groh: Pädagog. Studien, u. Sammelmappe, pädagog.
Pfeil, H: Gute Kinder, brave Menschen. Schule d. Weisheit u. Tugend in Beisp. a. d. Leben. 6. Afl. v. R Roth. (203 m. 9 Farbdr.) 8° Lpzg, O Spamer (01). 3.90; geb. 4 — d
Pfeil, J Graf v.: Deutsch-Südwest-Afrika jetzt u. später. — Warum brauchen wir Marokko?, s.: Flugschriften d. Alldeut. Verbandes.
Pfeil, T: Der Todestag u. d. letzte Passamahl Jesu. Beitrag z. Lösg d. Frage: Harmonie od. 4 Evangelien. (15) 8° Jurj. (Dorp.) (J Anderson) 05. 1 —
Pfeil u. Klein-Ellguth, R Graf v.: Das Ende Kaiser Alexanders II. Meine Erlebnisse in russ. Diensten 1878—81. 1 —. Taus. (210 m. Abb.) 8° Berl., ES Mittler & S. 05. 4 —; L. 5.50 d
— An d. fleiss. Puppenmütterchen. I. u. II. Reihe. Mit je 12 Musterbg. 8° Stuttg., (Holland & J.) 04. In Kuvert 1.60 d
 I. 2. Afl. (7) — 60 | II. (7) — nn 1 —
— 12 Schnittmusterbog. z. Anl. z. Anfertig v. Weisswäsche, s.: Bröm, L.

Pfeneberger. J: Katholisch- od. Protestantisch? — Wahrheit, Freiheit, Bildg od.: Der grösste Ehrenname, s.: Volksbroschüre, kathol.
— Trennug v. Kirche u. Schule? Zeitgemässe Vortr. (79) 8° Linz, Pressver. 05. — 90 d

Pfennigsdorf, E: Christus im modernen Geistesleben. Christl. Einführg in d. Geisterwelt d. Gegenwart. 5. Afl. (323) 8° Schwer., F Bahn 02. 4 —; L. 4.80 ‖ 8. Afl. (340) 05. 4.20; L. 5 —;
m. G. 5.50 d
— Fromm u. frei! Wahre Worte f. tapfere Jünglinge. 2. Taus. (118) 8° Dess. 1900. Schwer., F Bahn. 1.60; L. 2.40 d
— Gesch. d. Stadt Harzgerode. (72 m. Abb.) 8° Harzgerode, T Truelsen 01. (Nur dir.) 1 — d
— Friedrich Nietzsche u. d. Christentum. Vortr. (16) 8° Dess., (A Haarth) 02. — 30 d
— Persönlichkeit. Christl. Lebensphilosophie f. moderne Menschen. (365) 8° Schwer., F Bahn 06. 4.20; geb. 5 —; m. G. 5.50 d
— Römisch od. Evangelisch? Kurzgef. protestant. Polemik f. Gebildete. (32) 8° Dess. 1900. Schwer., F Bahn. — 40 d

Pfennigsdorf, O: Prakt Christentum im Rahmen d. kl. Katech. Luthers. 3. Tl. 4. u. 5. Hauptstück. 3. Afl. (93) 8° Dess. 1900. Schwar., F Bahn. 1.50; geb. 2.30 d
— Was ist Glaube?, s.: Lehr u. Wehr fürs deut. Volk.
— s.: Maria u. Martha.
— Christl. Ratgeber f. Konfirmierte. (32) 8° Dess., A Haarth (03). — 20 d
— Die hl. Taufe u. d. hl. Abendmahl im Konfirmandenunter. Ein kurzer Leitf. f. Konfirmanden. 2. Afl. (24) 8° Schwer., F Bahn 03. — 20 d

Pfennigwerth, O: Beitrag zu d. „Lehrg. f. d. Zeichenunterr. in Volkssch." v. FO Thieme. (30 m. 12 Taf.) 8° Dresd., A Huhle 03. — 80 d
— Kolonial-Wandbilder, s.: Wünsche, A.
— Lehrg. f. d. Zeichenunterr. in Volkssch., s.: Thieme, FO.

Pfenning, M: Vollstänl. Darstellg d. ges. Geschlechtslebens. Jugend-Sünden, deren Folgen u. Behandlg. (80 m. Bildnis.) 8° Grossjena 03. (Oranienbg, Orania-Verl.) 1.50
— dass. 2. Afl. (96 m. Bildnis.) 8° Grossjena 04. Stuttg., Verl. „Reform". 1.50
— Die Kunst d. Lebens froh zu werden, s.: Hartmann, PK.
— Ursache, Verhütg u. Behandlg d. Nerven-, Lungen-, Verdaungs- u. Kehlkopf-Leiden. (42 m. Bildnis.) 8° Halle (05). Stuttg., Verl. „Reform". 1 —

Pfennings, A: Goethes Harzreise im Winter. (106) 8° Münst., II Schöningh 04. 1.80 d

Pfenningstorff, F, s.: Hausgeflügel, uns. — Kalender f. Geflügelzüchter.

Pferd, das. Zentralbl. f. Pferde-Zucht, -Handel u. -Pflege. 1. Jahrg. Juni—Dezbr 1904. 27 Nrn. (Nr. 1. 12 m. Abb.) 4° Hannov. (Nicolaistr. 43), FO Butz. Viertelj. 2 — ‖ 2. Jahrg. 1905. 24 Nrn. 4 — d
— d., in Russl. Organ f. Pferdezucht u. Rennsport. Hrsg. u. Red.: A Plates. 11. Jahrg. 1905. 52 Nrn. (Nr. 1. 8 m. 1 Abb.) 4° Riga, E Plates. an 20 — 0 F

Pferde im Frieden. Deutschl. 1901. Hrsg. v. d. Red. d. „Start". Wochen- u. Monats-Ausg. f. Flach- u. Hinderniss-Reunen. (54) 16° Berl., (H Steinitz). nn 2 —
— unsere. Sammlg zwangloser hippolog. Abhandlgn. 14—32. Heft. 8° Stuttg., Schickhardt & E. 25.20 (1—32.: 40.70)
Arbeit, d., d. jungen Remonte v. Juli bis Anfang Oktober. Von MH B. (40 m. Abb.) 02. [22.] 1.30
Dünkelberg, F: Nordamerikan. Pferde. (43) 01. [14.] 1.20
— Aus d. Renncampagne d. J. 1902. Auf Grundl. d. Zuchtwahl bearb. (96) 02. [25.] 2 —
Maubeck, Frhr HA v.: Jagdpferde. Zusammengewürfelte Gedanken üb. Jagd u. Zucht. (47) 04. [30.] 1 —
— Der Offizier als Reitlehrer d. Rekruten. (32) 03. [27.] 1 —
Gallus, C.: Woran krankt uns. Herrensport? Hat d. Rennreiten prakt. Wert? u. and. lose Betrachtgn. (35) 02. [21.] 1 —
Geheimnis, d., d. Sitzes. Vom Hengist Horsa. (35 m. Abb.) 02. [20.] 1 —
Haerdtl, JCAW Frhr v.: Die Pferderassen d. niederländisch-ind. Archipels. (36) 03. [26.]
Manning, R: Ueb. Leistgn d. engl. Vollblutpferdes. (44) 02. [24.] 1.90
Laufer: Vergleich. Würdigg d. Reitsysteme v. Baucher, Fillis, Plinzner u. d. Instruktion z. Reituntrr. f. d. Kavall. v. 21.VIII.1882. (40) 01. [18.]
Osowicki, A: Das Huzulenpferd. (54 m. Abb. u. 1 Pl.) 04. [31.] 1.50
Scuden, v.: Verschied. Mängel in d. Ausbildg v. Reitpferden. (51) 01. [18.]
Uns. Pferde im Kriege. (51) 01. [17.]
Schoenbeck, E: Aphorismen u. Analogien, Charakteristik u. Kultur d. Pferdes. (33 m. Abb.) 02. [23.]
Spohr: Die Logik in d. Reitkunst. 1. Tl. Üb. d. Beziehgn d. Reit. u. Dressurhilfen zu einander. Mechanik d. Pferdes. (112) 05. [28.] 3.60 ‖ 2. Tl. Die elementare Reitdressur auf Grund d. m. d. Mechanik d. Pferdes übereinstimm. Hilfen. (84 m. Abb.) 04. [32.] 3 —
Unger, W v.: Georg Engelhardt v. Löhneysen, e. Meister deut. Reitkunst d. 16. Jahres. (58) 04. [29.] 1.50
Waldow: Artilleristi. Ausbildg v. Reiter u. Pferd. Verbessergsvorschläge. (69) 02. [19.]
Welz, v.: Das Pferd u. d. Automobil. (37) 02. [18.] 1 —

Pferde-Aushebungs-Vorschriften (Pfr. A. V.) v. 1.V.'02. (36) 8° Arnsbg, FW Becker (02). — 40 d
— dass. (20) 4° Schlesw., (J Ibbeken) (02). — 29 d
— dass., Nebst Ausführgsbestimmgn. (53 u. 7) 8° Berl., ES Mittler & S. 02. — 35; kart. † — 55 d
— dass., vervollständigt durch d. Deckblätter Nr. 1—13. (48) 8° Bielef.-Gadderb., W Bertelsmann (05). — 65 d

Pferdefreund, der. Fachschrift f. Pferdezüchter u. Pferdelieb-

haber. Verantwortlich: A Schmekel. 17—21. Jahrg. 1901—5 je 36 Nrn. (Nr. 1. 8.) 4° Berl., AW Hayn's Erben. Viertelj. 1.50 d

Pferdegeldvorschriften (Pflg. V.) v. 27.XI.'02. (D. V. E. No. 290.) (33) 8° Berl., ES Mittler & S. 02. † — 30; kart. † — 40 d
— f. d. kais. Marine. (Mar. Pf. V.) (D. E. Nr. 374.) (40) 8° Ebd. — 30; kart. nn — 45 d

Pferde-Markt, deut. Deut. Pferdehändler-Zeitg. Verantwortlich: F Puch. Juni—Dezbr 1904. 31 Nrn. (Nr. 1. 10 m. 1 Abb.) 4° Lpzg, W Weisske & Co. (7) ‖ 2. Jahrg. 1905. 52 Nrn. Viertelj. 3 —; d. Juninummern 1904 unentgeltlich. Vergr. 1905 Nr. 51 u. 52 sind bei Brückner & N. in Lpzg zu haben.

Pferdesport, der. Das gold. Buch d. Henn-, Reit- u. Traber-Sports. I. Thl: Das Vollblut. H. Thl: Campagne- u. Herrenreiten. III. Thl: Der Traber. Hrsg. v. e. Red.-Comité v. Fachmännern. (80, 36 u. 110 m. Abb. u. 19 [1 farb.] Taf.) 39.5×46 cm. Wien 05. Lpzg, Bibliograph. Anst. A Schumann. L. 90 —

Pferdezucht, deut. Zeitschrift f. Zucht, Aufzucht, Verwertg, Dressur, Behandlg u. Gebr. d. Pferdes. Hrsg. v. S v. Nathusius. 1. u. 2. Jahrg. Apr. 1904—März 1906 je 24 Hefte. (1. Jahrg. 1 Heft. 12 m. Abb.) 8° Stuttg., E Ulmer. Je 8 — 0 F

Pfetten-Arnbach, T Frhr v.: Das kgl. bayer. 1. schwere Reiter-Regt. 2. Bd, s.: Farmbacher, H.

Pflugstädter, d. Hans. Geschichtsver. 1. Blatt. 1905. 8° Lpzg, Duncker & H. 1 —
1. Stein, W: Die Hanse u. Engl. Ein hansisch-engl. Seekrieg im 15. Jahrh. (31) 05. 1 —

Pfister, A: Jesus mein Hirt. Kathol. Gebetb. (476 m. farb. Titelbild.) 24° Freibg i/B., Herder (01). — 70 d
— Die Nachfolge Christi, s.: Thomas v. Kempen.
— Die Skapulierbruderschaft. Unterr.- u. Erbaugsbüchl. 5. Afl., hrsg. v. e. Priester d. Diöc. Rottenburg. (74) 8° Biber., Dorn 01. Geb. — 50 d

Pfister, A v.: Dragoner-Regt „Königin Olga" (1. Württ.) Nr. 1. 1875—1900
— Feldartill.-Regt „Prinzregent Luitpold v. Bayern" (1. Württ.) Nr. 29. — Grenadier-Regt „Königin-Olga" (1. kgl. württ. Nr. 119), s.: Achsellkappe, d.
— Heinr. Hansjakob. Aus seinem Leben u. Arbeiten. (192 m. Abb. u. 1 Bildnis.) 12° Stuttg., A Bonz & Co. 01. 1.80; L. 2.80 d
— Infant.-Regt „Kaiser Wilhelm" König v. Preussen (2. württ.) Nr. 120, s.: Achsellkappe, d.
— Pfarrers Albert. Fundstücke a. d. Knabenzeit. (190 m. Titelbild.) 8° Stuttg., Union 01. Geb. 3 — d
— Die amerikan. Revolution 1775—83. Entwicklgsgesch. d. Grundl. z. Freistaat wie z. Weltreich unter Hervorhebg d. deut. Anteils. 2 Bde. (400 u. 429 m. 2 Kart.) 8° Stuttg., JG Cotta Nf. 04. 12 —; L. 14 — d
— Deut. Zwietracht. Erinnergn a. meiner Leutnantszeit 1859—69. (357) 8° Ebd. 09. 5 —; L. 7 — d

Pfister, B: Die Bürgersch. Lehr- u. Leseb. f. d. bürgerl. Fortbildgssch. 4. Afl. (252) 8° Aar., HR Sauerländer & Co. 04. Geb. 2 — d; Resultate d. Aufg. f. d. schriftl. Rechnen. (4) — 40

Pfister, C: Führer durch Nancy. Aus d. Franz. (98 m. Pl. u. Panorama.) 16° Metz. R Lupus 01. — 60

Pfister, F: Die Anwendg v. Beruhigsmitteln bei Geisteskranken, s.: Sammlung zwangl. Abhandlgn a. d. Geb. d. Nerven- u. Geisteskrankh.
— Strafrechtlich-psychiatr. Gutachten als Beitr. z. gerichtl. Psychiatrie. (379) 8° Stuttg., F Enke 02. n 9 —

Pfister, O: Die Willensfreiheit. (405) 8° Berl., G Reimer 04. 8 —

Pfister, R: Orientiergs-Pl. v. Bielitz-Biala. 1:10,000. Ausg. 1904. 52.5×82.5 cm. Viertafl. Bielitz, W Fröhlich. 2 — d

Pfister-Schwaighausen, H v.: Alt-Englds Ansprüche, geschichtl.. staatsrechtl., völkstüml., völk. Abhandlgn. (41) 8° Wiesb., W Bröcking 02. — 90 d 0 H
— Alldeut. Stammeskde n. Mundarten u. Geschichten, m. genauen Grenzen aller Stämme. 2. Afl. (128) 8° Lpzg, F Luckhardt (05). 2 — d
Die 1. Afl. s.: Luckhardt's zeitgeschichl. Bibliothek.

Pfitzer, E: Wilh. Hofmeister, s.: Professoren, Heidelberger. a. d. 19. Jahrh.
— Orchidaceae-Pleonandrae, s.: Pflanzenreich, d.
— Übersicht d. natürl. Systems d. Pflanzen. 2. Afl. (40 Bl.) 8° Hdlbg, C Winter (01). 1 —

Pfitzinger, Kanig, Brutzer, Gerhold: 8 Kamba-Märchen, s.: Lichtstrahlen im dunkeln Erdteile.

Pfitzner, E, s.: Posselt, Wilhelm, d. Kaffern-Missionar.

Pfitzner, H: Die elektr. Starkströme, ihre Erzeugg u. Anwendg. 4. Afl. (182 m. Fig.) 8° Dresd., T Jentsch 05. nn 3.50 d

Pfitzner, P: Die Prüfgn d. Baptisten zu Littleville. (160) 8° Mind., JCO Bruns (01). 1 —
— Wayward City. Amerikan. Kulturbilder in Scherz u. Ernst. (287) 8° Ebd. (05). 3 —; geb. 3.50 d

Pflans: Verlassen, nicht vergessen. Das hl. Land u. d. deutsch-ev. Liebeswerk. Zum 50jähr. Jubelfest d. Jerusalem-Ver. (239 m. Abb.) 8° Neu-Ruppin 03. (Lpzg, HG Wallmann.) 1.50 d L. 2 — d

Pflans, E: Mit Camera u. Feder durch d. Welt, s.: Schroeder, O.

Pflans, J: Gute Art, böse Art. — Kinderfrühling. — 3 Monate unterm Schnee. — Die Uferkolonisten, s.: Kinderfreude.

Pflanzen-Atlas zu Seb. Kneipp's Schriften, enth. d. naturgetreue bildl. Darstellg v. d. dortselbst besproch., sowie noch ein. and. v. Volke vielgebr. Heil-Pflanzen. Ausg. III (in Holzschn.). 4. Afl. (40) 8° Kempt., J Kösel 02. — 80; geb. 1.20 d

Pflanzen-Heilkunde. Blätter f. naturgemässe Heilkunst u. Lebensweise. Schriftleitg: F Schubert. 8. u. 9. Jahrg. 1904

u. 5 je 12 Nrn. (1904. Nr. 1. 12) 4° Berl., (O Nahmmacher).
Halbj. 2.50 d
Pflanzen-Ornamente, neue, a. d. Atelier Filters. 24 Taf. 52×
39 cm. Plauen, C Stoll (04). In M. 28 — d
Pflanzenreich, das. Regni vegetabilis conspectus. Hrsg. v. A
Engler. 4.—23. Heft. (Mit Fig.) 8° Lpzg, W Engelmann. 185.50
(1—23.: 195.50)
Brand, A: Symplocaceae. (100) 01. [6 (IV,342).]
Buchenau, F: Scheuchzeriaceae, Alismataceae u. Butomaceae. (80 u. 12)
03. [16 (IV,14—16).] 5 —
— Tropaeolaceae. (36) 02. [10 (IV,181).] 1.80
Engler, A: Araceae-Pothoideae. (330) 05. [21 (IV,23 B).] 16.50
Grosser, W: Cistaceae. (161) 03. [14 (IV,193).] 8.90
Koehne, E: Lythraceae. (326) 03. [17 (IV,216).] 16.40
Mez, C: Myrsinaceae. (435) 02. [9 (IV,236).] 22 —
— Theophrastaceae. (48) 03. [15 (IV,236a).] 2.40
Pax, F: Aceraceae. (89 m. 2 Kart.) 02. [8 (IV,163).] 5 —
— u. R Knuth: Primulaceae. (386 m. 2 Kart.) 05. [22 (IV,237).] . . 19.30
Perkins, J, u. E Gilg: Monimiaceae. (122) 01. [4 (IV,101).] 6 —
Pätzer, E: Orchidaceae-Pleonandrae. (132) 03. [12 (IV,50).] 6.80
Pilger, R: Taxaceae. (124) 03. [18 (IV,5).] 6.20
Rendle, AB: Najadaceae. (21) 01. [7 (IV,12).] 1.20
Ruhland, W: Eriocaulaceae. (294) 03. [13 (IV,30).] 14.80
Schindler, AK: Halorrhagaceae. (133) 05. [23 (IV,225).] 5.80
Schumann, K: Marantaceae. (184) 02. [11 (IV,48).] 9.20
— Zingiberaceae. (458) 04. [20 (IV,46).] 23 —
Solms-Laubach, H Graf zu: Rafflesiaceae u. Hydnoraceae. (19 u. 9) 01.
[5 (IV,75.76).] 1.40
Winkler, H: Betulaceae. (149 m. 2 Kart.) 04. [19 (IV,61).] 7.50
Pflanzl, O: Auf da Hausbänk. Allerhand dumme u. g'scheide
Sochan, in da hoamatlich'n Sprach z'sammgreimt u. auss-
geb'n. (120 m. Bildnis.) 8° Salzbg, E Höllrigl 04. L. 2.50 d
— Auf da Ofnbänk. Allerhand dumme u. g'scheite Sochan, in
da hoamatlich'n Sprach z'sammgreimt u. aussageb'n. 2. Afl.
(175 m. Bildnis.) 12° Ebd. (02). L. nn 2 — || 3. Afl. (165 m. Bild-
nis.) 04. Geb. 2.50 d
Pflaum, R: Nach Norwegen u. Spitzbergen. Nordlandfahrt in
d. Land d. Fjorde u. z. ewigen Eise. (98 m. Abb.) 8° Berl.,
H Steinitz 02. 2 —
Pflaume, MVR: Ein Liebesmahl, s.: Thalia.
Pflaumer, C: Beschreibg u. Ertragsberechng zweier Güter im
niederrhein. Industriegeb., s.: Kloepfer, E.
Pflege, d., d. Kindes. 10 Briefe an e. junge Frau v. e. prakt.
Ärzt. (152) 8° Mannh., J Bensheimer's V. (02). 1 —
— verletzter u. lahmer Pferde, Massage, Hülfeleistg bei Kolik.
Anl. z. Unterr. d. Fahnenschmiede. (135 m. Abb.) 12° Berl.,
ES Mittler & S. 02. 1.40; geb. nn 1.60 d
Pfleger, FJ: Die Güterzertrümmerg in Bayern u. d. Vorschläge
z. Bekämpfg d. Güterhandels. (94) 8° Münch., J Schweitzer
V. 04. 2.80 d
Pfleger, J: Die ersten Lectionen im Zitherspiel. Mit Anh.,
enth. prakt. Winke f. Zitherspieler, sowie e. Abhandlg üb.:
Ist d. Zither musikbildend? (24 m. 4 S. Abb. u. Musikbeisp.)
8° Berl. (S. 42, Wasserthorstr. 27), (Berolina-Versand-Bh.)
02. 1.50
Pfleghart, A: Die Elektrizität als Rechtsobjekt. I. Allg. Tl.
(91) 8° Strassbg, JHE Heitz 01. 2 — || II. Spez. Tl. (436) 02. 6 —
Pfleiderer, H: Mitteilgn a. meiner 10jähr. operativen Land-
praxis. (111) 8° Tüb., P Pietzcker 03. 2.80
Pfleiderer, O: Das Christusbild d. urchristl. Glaubens in relig.-
geschichtl. Bedeutg. Vortr. (116) 8° Berl., G Reimer 03. 1.60 d
— Die Entstehg d. Christentums. (255) 8° Münch., JF Lehmann's
V. 05. 4 —; L. 5 —; HF. 6 —
— Herder. Rede. (31) 8° Berl., G Reimer 04. — 50 d
— Das Urchristentum, s. Schriften u. Lehren in geschichtl.
Zusammenh. beschrieben. 2. Afl. 2 Bde. (696 u. 714) 8° Ebd.
02. 24 —; HF. 28 —
— Vorbereitg d. Christentums in d. griech. Philosophie, s.:
Volksbücher, relig.-geschichtl.
Pfleiderer, R: Baustätte u. Gründg d. Münsters. — Die Bild-
werke d. Südwestportals, s.: Mitteilungen d. Ver. f. Kunst
u. Altertum in Ulm u. Oberschwaben.
— s.: Christenbuch, d.
— Bibl. Gesch. d. Alten u. d. Neuen Test. Der heil. Schrift
nacherzählt f. Kinder u. Kinderfreunde. (Mit 2. Tl farb. Abb.)
(71 u.72) 4° Nürnbg, T Stroefer (02). Kart. je 3 —; in 1 L.-Bd 5.50 d
— Das Münster zu Ulm u. s. Kunstdenkmale. (56 Sp. m. Abb.
u. 48 Taf.) 51,5×37,5 cm. Stuttg., K Wittwer (05). In L.-M. 40 — d
Pfleiderer, W: Gullivers Reisen, s.: Swift, J.
Pfleger, G: Üb. Corpus-luteum-Cysten. (27) 8° Freibg i/B.,
Speyer & K. 04. — 80
Pfleger, W: Elementare Planimetrie, s.: Sammlung Schubert.
Pflug, H: Wirtschaftsgeogr. Deutschlds, s.: Wolff, A.
Pflug, SK: Anno 1903 in Freilichtmalerei. 1—3. Afl. (149) 8°
Wien, J Eisenstein & Co. (04). 2 — d
Pflugbeil, HJ: Arznei u. d. Tode. 5 Novenen zu Gunsten d.
armen Seelen. (259) 8° Kempt., J Kösel 05. 2 —; L. 2.60 d
— Die geheimnisvolle Rose. 8 Oktaven f. d. Rosenkranzfest
nebst e. Serie f. alle Tage d. Rosenkranz-Monates. (308) 8°
Dülm., A Laumann 03. 2.40; geb. 3.50 d
— St. Thomas-Büchl. f. d. 6 Sonntage zu Ehren d. Engels d.
Schule d. hl. Thomas v. Aquin. 4.d. (176 m. Titelbild.)
12,5×8 cm. Ebd. 04. L. — 65 d
Pflüger, A: Smaragdinseln d. Südsee. Reiseeindrücke u. Plau-
dereien. (244 m. Abb., 8 Taf. u. 6 Kart.) 8° Bonn (01). Stuttg.,
A Kröner. 9 —; L. 10 — d
Pflüger, EFW, s.: Archiv f. d. ges. Physiol.

Pflüger, EFW: Das Glykogen u. s. Beziehgn z. Zuckerkrankh.
(18, 528) 8° Bonn, M Hager 05. 10 —
Pflüger, HH: Ciceros Rede pro Q. Roscio comoedo rechtlich
beleuchtet u. verwertet. (160) 8° Lpzg, Duncker & H. 04. 3.60
Pflüger, M: Friedrich v. Gentz als Wiedersacher Napoleons I.
(59) 8° Reichenb., (Haun & Sohn) 04. 1.15 d
Pflüger, P: Wahl e. Berufes f. Töchter, m. bes. Berücks. d.
Verhältnisse in Zürich. [S.-A.] (17) 8° Zür., T Schröter (01).
— 20 d
Pflüger, RE: Aufg. z. Zifferrechnen, s.: Blümel, J.
— Übgsb. f. mündl. u. schriftl. Rechnen, neue Bearbeitg, s.:
Räther, H.
Pflug, G: Die Übertreibg im sprachl. Ausdruck, s.: Magazin,
pädagog.
Pflugk-Harttung, J v.: Abukir, s.: Schulze's Zehnpfennigbb.
— Die Bullen d. Päpste bis z. Ende d. 12. Jahrh. (427) 8° Gotha,
FA Perthes 01. 14 —
— s.: Heere u. Flotten, d., d. Gegenwart. — Napoleon I.
— Trafalgar, s.: Schulze's Zehnpfennigbb.
— Vorgesch. d. Schlacht bei Belle-Alliance. Wellington. (378
m. 1 Bildnis.) 8° Berl., R Schröder 03. 9 — d
Pflügl, R v.: Lieder eines Unmodernen. 1—5. Afl. (121) 8° Wien,
JJ Plaschka (02.03). 2 —
Pfohl, E: Correspondance commerciale. Leitf. d. franzöls. Han-
delskorrespondenz. (173) 8° Wien, A Pichler's Wwe & S. 04.
2.40 || Neue [Tit.-]Ausg. 05. 1.85 d
— Wiederholgs- u. Übgsb. d. franzöls. Konversation z. Gebr.
an höh. Handelssch. (Handelsakademien) sowie f. d. Privat-
u. Selbstunterr. (160) 8° Ebd. 05. 2.30 d
Pfohl, F: West-östl. Fahrten an Bord d. „Prinzessin Viktoria
Luise". (296) 8° Lpzg 01. Berl., H Seemann Nf. 3.50; geb. 4.50 d
— Hans Koessler's symphon. Variationen f. gr. Orchester, s.:
Musikführer, d.
— R Wagner's flieg. Holländer, Parsifal u. Tristan u. Isolde,
s.: Opernführer.
Pfordten, H Frhr v. d.: Handlg u. Dichtg d. Bühnenwerke
Rich. Wagners u. ihren Grundl. in Sage u. Sachs. Der Buch-
ausg. 3. Afl. (394) 8° Berl., Trowitzsch & S. 03. Geb. 6 — d
Pfordten, O v. d.: Das off. Fenster. Roman. (358) 8° Hdlbg,
O Winter, V. 04. L. 5 — d
— Friedrich d. Gr. Histor. Drama. (187) 8° Ebd. 02. 2 — d
— Die Osterlinge. Histor. Drama. (188) 8° Ebd. 03. 2 — d
— Werden u. Wesen d. histor. Dramas. (907) 8° Ebd. 01. 3.60 d
HF. 5.60 d
Pfordten, T v. d.: Anl. f. d. Beisitzer d. Kaufmannsgerichte.
Mit Abdr. d. wichtigsten gesetzl. Bestimmgn. (95) 8° Münch.,
J Linck '04. Kart. 1.50 d
— Die Behandlg d. Nachlasses v. Ausländern. Mit bes. Rücks.
auf d. bayer. Verhältn. (56) 8° Münch., J Schweitzer V. 04. 1.30 d
— Feldschadenges. Bayer. Ges. v. d.III.'02, d. Ersatzgeld u. d.
Pfändgsrecht u. d. Verfolgg v. Ersatzansprüchen a. Feldpolizei-
übertretgn betr. (114) 12° Münch., CH Beck 02. L. 1.30 d
— Die Gebührenordng f. Rechtsanwälte, Notare, Gerichtsvollzieher u. Gebrauchsgegenständen, v. 14.V.1879, nebst d. Ges. v. 26.VI.
1887 üb. d. Verkehr m. blei- u. zinkhalt. Gegenständen, v.
5.VII.1887 üb. d. Verwendg gesundheitsschädl. Farben bei d.
Herstellg v. Nahrgsmitteln etc. u. v. 15.VI.1897, betr. d. Verkehr m. Butter, Käse, Schmalz u. deren Ersatzmitteln (Margarineges.). (130) 12° Ebd. 01. L. 2.— d
— Ges., betr. d. Verkehr m. Wein, weinhalt. u. weinähnl. Getränken v. 24.V.'01, nebst d. Ausführgsbestimmgn v. 2.VII.'01
üb. d. Verkehr m. Wein, weinhalt. u. weinähnl. Getränken
u. v. 2.VII.'01, Vorschriften f. d. chem. Untersuchg d. Weines.
(88) 12° Ebd. 01. L. 2 — d
— Das bayer. Ges. betr. d. Zwangserziehg v. 10.V.'02 nebst d.
Ausführgsbestimmgn. (125) 8° Münch., J Schweitzer V. 03.
L. 2 — d
— Kommentar zu d. Ges. üb. Zwangsversteigerg u. Zwangsverwaltg v. 24.IV.1897. 3 Lfgn. (599) 8° Münch., CH Beck 04.
11 —; geb. 12.50 d
— dass., Anh.: Die bayer. Ausführgsvorschriften, unter Mitwirkg
v. O Klimmer bearb. (110) 8° Ebd. 06. 2.40; L. 3.20 d
— Die Rechtsbehelfe d. in Zahlgsschwierigk. gerat. Kaufmanns
(Ah. Anh., enthalt. Konzepte d. diesbezügl. Briefe u. Forma-
lare hiezu.) (39) 8° Münch., J Linck (03). 1 — d
— Der Staatskonkurs. Anl. f. Rechtspraktikanten. (29) 8° Münch.,
J Schweitzer V. 03. 1 — d
— Die Vorschriften f. d. Praxis d. geprüften Rechtspraktikanten
in Bayern, enth. d. kgl. Allerh. Verordng v. 4.I.'01 üb. d.
Ministerial-Bekanntmachg v. 7.I.'01, d. Praxis d. Bewerber
um Anstellg im höh. Justizstaatsdienste betr., nebst e. Anh.
d. kgl. Allerh. Verordng v. 20.VIII.1868, d. Vorbereitg d.
Staatsdienstadspiranten betr. (72) 8° Ebd. 01. Kart. 1 — d
— s.: Zeitschrift f. Rechtspflege in Bayern.
Pförtner, H: Gedichte. (48) 8° Dresd., E Pierson 04. 1.—;
geb. 2 — d
Pforzheim als Ausgangspunkt d. Höhenweges Pforzheim-Basel.
Führer durch d. Stadt nebst e. Zusammenstellg empfehlens-
werter Ausflüge u. e. Beschreibg d. Höhenweges. Bearb. v.
e. städt. Commission. (120 m. Abb., 1 Pl., 2 Kart. u. 1 Pano-
rama.) 12° Freibg i/B., FP Lorenz 02. 1 — d
Ptosch, H: Geschäftsaufsätze u. Handelsbriefe, s.: Dittmar, J.
Pfudel, F: Wie Hüttenmüllers Komödie spielten. — In d., etwas
Weinkneipe', s.: Theater-Bibliothek (f. Ver. u. Dilettanten-
Bühnen).

Pfuhl, E: Ergebnisse e. erneuten Prüfg ein. Kieselgur- u. Porzellanfilter auf Keimdichtigk., s.: Festschrift z. 60. Geburtstage v. Rob. Koch.

Pfuhl, E: Papierstoffgarne (Zellstoffgarne, Xylolin, Silvalin, Licella), ihre Herstellg, Eigenschaften u. Verwendbark. (143 m. 6 Taf.) 8° Riga, G Löffler 04. 5 —

Pfuhl, E: Der archaische Friedhof am Stadtberge v. Thera. [S.-A.] (290 m. Abb., 5 Taf. u. 40 Beil.) 8° Athen, Beck & Barth 03. 6 —

Pfuhl, F: Der Unterr. in d. Pflanzenkde durch d. Lebensweise d. Pflanze bestimmt. (223) 8° Lpzg, BG Teubner 02. Geb. 2.80 d

Pfuhl, H: Beitr. z. unterrichtl. Behandlg d. französ. Syntax. (30) 4° Berl., Weidmann 01. 1 —

Pfuhl, T: Post-Taschen-Atlas v. Deutschl. 1 : 500,000. 2. Afl. (24 farb. Bl.) Nebst Ortsverz. (114) 8° Berl. (NW. 21, Stephanstr. 39), Ob.-Postassist. Pfuhl 04. L. nn 2.50

Pfuhl-Brodowska, JA: Die Bombe platzt od.: Nur e. Turner, s.: Album f. Liebhaber-Bühnen.

Pfui Chamberlain! Traurige „Helden" im Lichte d. Karikatur. (96 m. Abb.) 8° Berl., Verl. d. „Lust. Blätter" (02). 1 —

Pfülf, O: Der Wirkl. Geh. Ober-Regiergsrat Josef Linhoff, d. letzte Veteran d. „Kathol. Abteilg". [S.-A.] (79 m. 2 Portr.) 8° Freibg i/B., Herder 01. 1 — d

— Herm. v. Mallinckrodt. Die Gesch. s. Lebens. 2. Afl. (571 m. Abb. u. 1 Bildnis.) 8° Ebd. 01. 8 —; L. 9.80 d

Pfundt, O: Welche Anforderungen stellt d. neuere Rechenmethodik an d. Gestaltg d. Rechenbuches?, s.: Sulzbacher, A.

— Raumlehre, s.: Terlinden.

— Rechen-Aufg. a. d. Kranken-, Unfall- u. Invalidenversicherg, s.: Salzbacher, A.

— Rechenb. f. 1- bis 8klass. Volkssch., s.: Terlinden.

Pfungst, A: Ein deut. Buddhist (Oberpräsidialrat Theodor Schultze). Biograph. Skizze. 2. Afl. (52 m. 1 Bildnis.) 8° Stuttg., F Frommann 01. — 75 d

— Neue Gedichte. 3. Afl. (123) 8° Berl., F Dümmler's V. 03. 2 —; geb. 3 — d

— Aus d. ind. Kulturwelt. (202) 8° Stuttg., F Frommann 04. 2.60; geb. 3.40

Pfurtscheller, P: Zoolog. Wandtaf. 1—16. Taf. Je 138×128 cm. Farbdr. Mit Text. 8° Wien, A Pichler's Wwe & S. (03-05). Je 5 —; auf Pap. m. St. je nn 6.50; auf Lw. m. St. je nn 8.50 1. Anthozoa, Korallentiere. Polyactinia = Vielarm. Korallentiere. (2) || 2. Lamellibranchiata, Muscheltiere. (Unio, Malermuschel.) (2) || 3. Gastropoda, Bauchfüsser (Schnecken). Pulmonata, Lungenschnecken. (2) || 4. Salachii (Plagiostomi), Haie. (2) || 5. Echinoideae. Seeigel. (3 m. 1 Abb.) || 6. Hydromedusae. Hydra. (3 m. 1 Abb.) || 7. Cephalopoda, Kopffüsser. (Sepia officinalis.) (3 m. 1 Abb.) || 8. Mollusca (Mantelfülldg.) (2) || 9. Cestodes, Bandwürmer. (Taenia solium, d. Bandwurm d. Menschen.) (3 m. 1 Abb.) || 10. Anthozoa (Octactina). (4 m. 1 Abb.) || 11. Asteroideae. Astropecten aurantiacus. (4 m. 1 Abb.) || 12. Spongiae (Porifera). Spongilla. (4 m. 1 Abb.) || 13. Hymenoptera. Apis mellifica. I. (4 m. 1 Abb.) || 14. Spongiae (Porifera) II. Euspongia officinalis. (3 m. 1 Abb.) || 15. Thoracostraca. Astacus fluv. I. (Flusskrebs.) (3 m. 3 Abb.) || 16. Hirudinei. Hirudo medicinalis, Blutegel. (4 m. 1 Abb.)

Pfütze, A: Die landw. Produktiv- u. Absatzgenossensch. in Frankreich, s.: Zeitschrift f. d. ges. Staatswiss.

Pfützner, M: Der Fiskus als gesetzl. Erbe. (46) 8° Dresd., Holze & Pahl 05. 1 —

Pfyffer v. Altishofen, E: Blumenparterre-Album. Sammlg neuer Entwürfe zu Teppichbeeten u. Blumenparterres m. Bepflanzgsangaben, Konstruktionszeichngn u. Anl. z. Uebertragen d. Entwürfe aufs freie Land. 4—6. Lfg. (30 m. Abb. u. 5 Taf.) 4° Carlsb.-Berl., H Friedrich 01. Je 1 — (Vollst., kart.: 5 —)

— Die Chemie d. Gärtners u. Landwirts, s.: Schule, d., d. Gärtners u. Landwirts.

— s.: Landschaftsgärtnerei u. Gartenarchitektur.

— Unterr.-Briefe f. gärtner. Planzeichnen. 5. u. 6. Brief. (Je 8 m. Abb.) 4° Carlsb.-Berl., H Friedrich 1900.01. Je — 40

Pharmacopoea croatico-slavonica. (in kroat. u. latein. Sprache.) Ed. II. (21, 1035) 8° Agram, (G Trpinac) 01. †18.70; HF. †22 —

Pharus-Atlas deut. Städte. Mit beigefügten Strassen-Verz. u. vielen ortsbezügl. Angaben. Gruppe I. Pharuspläne v. Berlin, Hamburg, München, Leipzig, Breslau, Dresden, Cöln, Frankfurt a. M., Nürnberg, Hannover (in Farbdr.). In je 4°. Mit Text. (22) 40×28 cm. Berl., Pharus-Verl. (03). 5 —; 65 cm. MitText. (22) 40×28 cm. Berl., Pharus-Verl. (03). 5 —; L. 7 —; Ldr m. G. 10 —; Verkehrsausg., farb. 8 —

Vgl.: Pharus-Städte-Atlas.

Pharus-Buch Berlin m. Vororten. (24, 287 u. 11 m. Abb., farb. Taf. u. 1 Pl.) 8° Berl., Pharus-Verl. (02). — 50

Pharus-map. World's fair St. Louis 1904. 94×36,5 cm. Farbdr. Mit Text an d. Seite. Berl., Pharus-Verl. (05). 1 —

— and guide. London. 1 : 15,300. 71×93 cm. Farbdr. Nebst Text. (73) 8° Ebd. (04). 2 —

Pharus-Plan Berlin. 70×86 cm. Nebst: Führer. (49) 8° Berl., Pharus-Verl. (02). 1.50

— dass. 58,5×74,5 cm. Farbdr. Nebst: Führer. (47) 8° Ebd. (04). 1.50

— dass. Kl. Ausg. 34×51 cm. Mit Strassenverz. (14) 8° Ebd. (02). — 30

— dass. (Schulausg.) Entworfen v. CC Loewe. 34,5×51 cm. Farbdr. Mit Strassenverz. auf d. Rücks. Ebd. (04). — 20

— dass. m. Vororten. Mittel-Ausg. 58×73,5 cm. Farbdr. Nebst: Verz. d. Strassen. (48) 8° Ebd. (o. J.). 1 —

— West- u. Südwest-Vororte v. Berlin. 1 : 23100. 52×73,5 cm. Farbdr. Nebst: Führer. (12) 8° Ebd. (o. J.). 1 —

— Geltungsbereich d. Baupolizeiverordngn f. Berlin u. Umgebg. 1 : 30,000. 73,5×119 cm. Farbdr. Mit Text am Fusse. Ebd. (03).

7 —; auf L. in L.-Umschl. 10 —; auf L. od. Pappe m. Leisten u. Oesen 11 —

Pharus-Plan Bremen. Entworfen v. CC Loewe. 1 : 8400. 70×87.5 cm. Farbdr. Gr. Ausg. Mit Führer. (17 u. 17 m. Abb. u. 1 Entferngstaf.) 8° Berl., Pharus-Verl. (o. J.). 1 —

— dass. Kl. Ausg. 37×50 cm. Nebst: Führer. (17) 8° Ebd. (o. J.). — 75

— Breslau. 1 : 10500. 70×86,5 cm. Farbdr. Mit illustr. Führer. (Neue Ausg.) (28, 25 m. 1 Entferngstaf.) 8° Ebd. (o. J.). 1 —

— dass. Kl. Ausg. 37×50 cm. Nebst: Führer. (23 m. 2 Theaterpl.) 8° Ebd. (o. J.). — 50

— Cassel. 1 : 8515. 65,5×84,5 cm. Farbdr. Nebst: Führer. (12) 8° Ebd. (o. J.). 1 —

— Cöln. 1 : 8000. 66,5×87 cm. Farbdr. Gr. Ausg. Mit illustr. Führer. (Neue Ausg.) (30, 23 m. 1 Entferngstaf.) 8° Ebd. (o. J.). 1 —

— dass. Kl. Ausg. 1 : 10100. 37×49 cm. Nebst: Führer. (20) 8° Ebd. (o. J.). — 50

— Dresden. 1 : 11700. 68,5×91 cm. Farbdr. Gr. Ausg. Mit illustr. Führer. (20, 29 m. 1 Entferngstaf.) 8° Ebd. (o. J.). 1 —

— dass. Kl. Ausg. 37×50 cm. Farbdr. Nebst: Führer. (27) 8° Ebd. (o. J.). 50

— Düsseldorf. 69×91 cm. Farbdr. Gr. Ausg. Mit illustr. Führer. (Neue Ausg.) (24, 17 m. 1 Entferngstaf.) 8° Ebd. (o. J.). 1 —

— dass. Kl. Ausg. Entworfen v. CC Loewe. 1 : 10000. Nebst: Wissenswerte Angaben. (17) 8° Ebd. (o. J.). — 50

— Ausstellg Düsseldorf 1904. 17,5×32,5 cm. Farbdr. Ebd. (04). — 30

— Frankfurt a/M. 1 : 10200. 69,5×87,5 cm. Farbdr. Gr. Ausg. Mit illustr. Führer. (Neue Ausg.) (22, 19 m. 1 Enferngstaf.) 8° Ebd. (o. J.). 1 —

— dass. Kl. Ausg. 37,5×50 cm. Farbdr. Nebst: Führer. (19) 8° Ebd. (o. J.). — 50

— Frankfurt a/O. nebst Umgebg. 1 : 14,300. 51×74 cm. Farbdr. Nebst Führer. (11) 8° Frankf. a/O., Trowitzsch & S. (05). — 75

— Gross-Berlin. 1 : 23,100. 90×119,5 cm. Farbdr. Nebst: Führer durch Berlin, sämmtl. Vororte im Nachbarpostbezirk u. Ortschaften d. weit. Umgebg. Grösste Ausg. (28) 8° Berl., Pharus-Verl. (03). 3 —; L. 6 —; m. Leisten u. Oesen 7 —

— Grunewald. 1 : 23100. 53×39 cm. Farbdr. Ebd. (o. J.). — 50

— Hamburg. 1 : 14,700. 67,5×88,5 cm. Farbdr. Nebst: Führer durch Hamburg, Altona u. Wandsbek. (32) 8° Ebd. (02). 1 —

— dass. Kl. Ausg. 38×50 cm. Farbdr. Nebst: Führer durch Hamburg, Altona u. Wandsbek. (32) 8° Ebd. (03). — 50

— Hannover. 1 : 10,300. 65×67 cm. Farbdr. Nebst: Führer. (15) 8° Ebd. (03). 1 —

— dass. Kl. Ausg. 1 : 10200. 37×56 cm. Farbdr. Nebst: Führer. (15) 8° Ebd. (o. J.). — 50

— Kiel. 1 : 8,500. 66×78 cm. Farbdr. Nebst Text. (13) 8° Ebd. (04). 1 —

— Leipzig. 1 : 13175. 70×91,5 cm. Farbdr. Gr. Ausg. Mit illustr. Führer. (Neue Ausg.) (24, 23 m. 1 Entferngstaf.) 8° Ebd. (o. J.). 1 —

— dass. Kl. Ausg. 38×50 cm. Farbdr. Nebst: Führer. (24) 8° Ebd. (08). — 50

— Magdeburg. 1 : 9,700. 68×95,5 cm. Farbdr. Nebst Text. (15) 8° Ebd. (04). 1 —

— München. 69×91 cm. Farbdr. Gr. Ausg. Mit illustr. Führer. (Neue Ausg.) (26, 22 m. 1 Entferngstaf.) 8° Ebd. (o. J.). 1 —

— dass. Kl. Ausg. 38×50 cm. Farbdr. Nebst: Führer. (22) 8° Ebd. (03). — 50

— Münster i/W. (Gr. Ausg.) 1 : 7,200. 62×69 cm. Farbdr. Nebst Führer. (7) 8° Münst., Coppenrath (04). 1.75

— dass. Kl. Ausg. 33×42 cm. Farbdr. Nebst: Führer. (7) 8° Ebd. (04). — 80

— Nürnberg. 1 : 8400. 67,5×91,5 cm. Farbdr. Gr. Ausg. Mit illustr. Führer. (Neue Ausg.) (28, 22 m. 1 Entferngstaf.) 8° Berl., Pharus-Verl. (o. J.). 1 —

— dass. Kl. Ausg. 37,5×50 cm. Farbdr. Nebst: Wissenswerte Angaben. (13) 8° Ebd. (o. J.). — 75

— Oldenburg. 1 : 8,900. 48,5×36 cm. Farbdr. Berl. (04). (Oldnbg, Schulze.) — 75

— Spandau-Tegel. 1 : 23100. 53×39 cm. Farbdr. Berl., Pharus-Verl. (o. J.). — 50

— Stettin. Entworfen v. CC Loewe. 1 : 11,500. 87,5×50 cm. Farbdr. Nebst: Text. (11) 8° Ebd. (04). — 60

— Stuttgart u. Cannstatt. Entworfen v. CC Loewe. 1 : 11,000. 43×77 cm. Farbdr. Nebst Text. (17) 8° Ebd. (04). — 75

— Wien. 1 : 17,000. 75,5×88,5 cm. Farbdr. Gr. Ausg. Mit illustr. Führer. (Neue Ausg.) (75) 8° Ebd. (o. J.). — 75

— Wiesbaden. 1 : 8550. 37,5×50,5 cm. Farbdr. Nebst: Führer. (75) 8° Ebd. (05). 1.70

— dass. Kl. Ausg. 38×50 cm. Farbdr. Nebst: Führer. (75) 8° Ebd. (o. J.). — 60

Pharus-Städte-Atlas, enth. d. Pharus-Pläne v. 1. Berlin, 2. Potsdam, 3. Bremen, 4. Breslau, 5. Cassel, 6. Cöln a. Rh., 7. Dresden, 8. Düsseldorf, 9. Frankfurt a. M., 10. Hamburg, 11. Hannover, 12. Kiel, 13. Königsberg i. Pr., 14. Leipzig, 15. Magdeburg, 16. München, 17. Nürnberg, 18. Stettin, 19. Stuttgart, 20. Wiesbaden m. Auffindgsvermerken. Verkehrsausg. 1905/06. (191) 40,5×28,5 cm. Berl., Pharus-Verl. L. 8 —

Vgl.: Pharus-Atlas.

Pharus-Touristenkarte. Oberspree, Grünau, Müggelsee, Friedrichshagen. Entworfen v. CC Loewe. 1 : 23,100. 36×50,5 cm. Farbdr. Berl., Pharus-Verl. (03). — 75

Philae carmina s.: Philes.

Philalethes, AJ: Die histor. Wahrh. üb. Luther's Ausgang. (177 m. 1 Bildnis.) 8° Wien, (H Kirsch) 01. 2 —
Philalethes, P, s.: Liguori, d. Geburtshelfer d. Unfehlbarkeitsdogmas.
Philander s.: Hopf, L.
Philatelisten-Adressbuch, internat. Almanach philatelic internat. — Internat. philatelic directory. (188 u. 7) 8° Lpzg, (H Dege) (02). 3 —
Philatelisten-Korrespondenz, Wiener. Unterhaltgs- u. Offertenbl. f. d. Briefmarken-Sammelsport. Hrsg. u. Red.: J Gergel. Oktbr 1901—Septbr 1902. 24 Nrn. (Nr. 1. 16) 12° Wien (II/3, Gr. Sperlgasse 1), R Tambour. 2 —; einz. Nrn — 10
Fortsetzg war nicht zu erhalten.
Philatelisten-Zeitung. (Früher: Mitteldeutsche.) 18.Jahrg.1905. 11 Nrn. (Nr. 1—6. 104 m. Abb.) 8° Gössnitz, AE Glasewald. 3.50
Bisher u. d. T.:
— mitteldeut., m. Beibl. „Fälschgs-Nachrichten". 14—17.Jahrg. 1901—4 je 12 Nrn. (Nr. 1. 24 m. Abb.) 8° Ebd. Halbj. 1.50
Philes. Philae, M, carmina inedita: Ex cod. C, VII, 7 bibliothecae nationalis Taurinensis et cod. 160 bibliothecae publicae Cremonensis ed. Ae Martini. (240) 4° Neapel, (Detken & R.) 1900. 8 —
Philhind s.: Was braucht Indien?
Philipot, T: A phylosophical essay, treating of the most probable cause of that grand mystery of nature, the flux and redux: Or, flowing and ebbing of the sea, s.: Facsimile-Edition.
Philipp d. Grossmütige. Beitr. z. Gesch. s. Lebens u. sr Zeit. Hrsg. v. d. histor. Ver. f. d. Grossh. Hessen. (610 m. Abb. u. 11 Taf.) 8° Marbg, (NG Elwert's V.) 04. 10 —; geb. 12 —
Philipp, H, s.: Arkadien.
— Ver sacrum. Gedichte. (99) 12° Berl. 02. Stuttg., A Juncker. (2 —) 1 —
Philipp, J, s.: Arkadien. — Stimmen d. Gegenwart.
Philipp, K: Deutsch-engl. u. englisch-deut. Forstwrtrb. (107) 8° Neud., J Neumann (01). 5 —
Philipp, O: Der deut. Zola? Entbüllgn. (73) 8° Wien 05. (Helitz, W Fröhlich). +3.40 d Verboten
Philipp, P, s.: Ziegenfuss, A.
Philippi, A, u. C Griebel: Elektr. Schnellbahnen z. Verbindg gr. Städte. (34) 8° Berl., Polytechn. Bh. A Seydel 01. — 80
Philippi, A: Kunstgeschichtl. Einzeldarstellgn. VI. Bd. 1. u. 2. Buch. Der ganzen Folge Nr. 13 u. 14. 8° Lpzg, EA Seemann. Je 5 — (I—VI.: 42.50) d
13. VI. Bd. Die Blüte d. Malerei in Holland. 1. Buch. Frans Hals, Rembr. u. ihr Kreis. (240) 01.
14. Dass. 2.Buch. Die Landschafter u. Kabinettmaler. (241—449) 01. 5 — (15 u. 14 in 1 Bd geb., L. 12 — ; HF. 13 —)
— Florenz, s.: Art cities, famous. — Kunststätten, berühmte.
— Hdb. d. Kunstgesch., s.: Springer, A.
— Die Kunst d. Renaissance in Italien. 2. Afl. 2 Bde. (478 u. 424 m. Abb.) 8° Lpzg, EA Seemann 05. 16 —; geb. 20 — d
— s.: Meister, alte.
Philippi, C: Frachtwesen u. Spedition, s.: Barth, H.
Philippi, E: Die Ceratiten d. ob. deut. Muschelkalkes, s.: Abhandlungen, paläontolog.
— Geologisch-paläontolog. Sammlg im Museum f. Naturkde, s.: Führer, volksthüml., durch d. kgl. Sammlungen in Berlin.
— Trias, s.: Frech, F.
Philippi, F, s.: Jahre, 100, preuss. Herrschaft im Münsterlande.
Philippi, F: Das Erbe. Schausp. 2. Afl. (178) 8° Bresl., Schles. Buchdr. usw. 03. 2 —; geb. 3 —
— Das grosse Licht. Schausp. 1—3. Taus. (223) 8° Ebd. 03.04. 2 —; geb. 3 — d
— Das dunkle Thor. Schausp. 1. u. 2. Afl. (187) 8° Ebd. 03.04. 2 —; geb. 3 — d
— Der grüne Zweig. Schausp. (165) 8° Ebd. 04. 2 —; geb. 3 — d
Philippi, F: Unter d. langen Dächern. Neue Erzählgn v. Westerwald. (247) 8° Heilbr., E Salzer 06. 3 —; geb. 4 — d
— Hasselbach u. Wildendorn. Erzählgn a. d. Westerwälder Volksleben. (196) 8° Ebd. 02. 2.40; geb. 3.20 d
— Jeremia. Dramat. Dichtg. (120) 8° Ebd. 05. 2 — d
— Aus d. Stille. Lieder. (96) 8° Ebd. 01. L. 2 — d
Philippi, FA: Kirchl. Glaubenslehre. VI. Die Vollendg d. Gottesgemeinschaft. 2. Afl. (240) 8° Gütersl., C Bertelsmann 01. 4 —; geb. m 4.60 d
Philippi, G: Deutschl., wohin steuerst Du? Die Einwirkgn d. agrar. Fordergn auf uns. Staat. (16) 8° Lpzg, RC Schmidt & Co. (02). 1 —
— Grundbedinggn z. zeitgemässen u. rentablen Bewirtschaftg e. Landgutes u. bess. Mittelboden. Die bereoht. u. unberecht. Wünsche u. Fordergn. uns. Landw. u. Staate. (16) 8° Ebd. 01. — 40 d
— Der Zusammenhang uns. Regierg m. d. göttl. Führg. (11) 8° Ebd. 03. — 80 d
Philippi, H: Der Schleppvertrag d. Binnenschiffahrt. (48) 8° Dresd., C Weiske 05. 1 —
Philippi, S: Das Amtsgeheimnis, s.: Vereinstheater.
— Das Fest d. Handwerker, s.: Angely, L.
— Die Fuchsfalle, s.: Vereinstheater.
— Gegengift, s.: Theater, kl.
— Gott sei Dank, d. Tisch ist gedeckt, s.: Thalia.
— Die fidelen Handwerksburschen, s.: Danner's, G, Herren-Bühne.
— Die Herren d. Schöpfg, s.: Vereinstheater.

Philippi, S: Der geprellte Hirsch, s.: Danner's, G, Herrenbühne.
— Blanke Knöpfe, s.: Vereinstheater.
— Der Herr Kommissionsrat, s.: Teich's Vereinstheater.
— Die Kraniche d. Ibykus, s.: Thalia.
— Robert u. Bertram, d. lust. Vagabunden, s.: Vereinstheater.
— Silvesterball, s.: Angely, L.
— Ein Sonntag in Podejuoh, s.: Mehrakter.
— Das Stiftsgfest, s.: Danner's, G, Theater-Abend.
— Sylvestermacht. — Der Weihnachtsengel, s.: Aufführungen f. Weihnachten u. Neujahr.
Philippi, W: Elektr. Kraftübertragg. (386 m. Abb. u. 4 Taf.) 8° Lpzg, S Hirzel 05. 16 —; geb. 18 —
Philippovich, E v.: Grundr. d. polit. Oekonomie. 1. u. 2. Bd. [S.-A.] 8° Tüb., JCB Mohr. 17.60; Einbde je nn 1 — d
1. Allg. Volkswirtschaftslehre. 5. Afl. (408) 04. 9.80 ‖ 2. Volkswirtschaftspolitik. 1. Bd. 3. Afl. (365) 05. 8 —
— dass., s.: Handbuch d. öffentl. Rechts.
— Studien, Wiener staatswiss.
Philipps, (A): Stammliste d. Offiziere usw. d. Infanterie-Regts Vogel v. Falckenstein, s.: Schmid.
Philippsen, H: Kultur- u. Naturbilder v. Föhr. (68 m. Abb. u. 1 Karte.) 8° Föhr, Dr. med. Gmelin 02. (Nur dir.) — 75
— u. C Sünksen: Führer durch d. Dannewerk. (31 m. 4 Taf. u. 1 Karte.) 8° Hambg, Grefe & Tiedemann 03. 1 —; dän. Ausg. (30) 1 —
Philippsen, HAC, s.: Schnittger's, CN, Erinnergn e. alten Schleswigers.
Philippson, A: Beitr. z. Kenntnis d. griech. Inselwelt, s.: Petermann's, A, Mitteilgn.
— Europa. 2. Afl. d. v. A Philippson u. L Neumann verf. Werkes. (761 m. Abb., 14 Kart. u. 22 z. Tl farb. Taf.) 8° Lpzg, Bibliogr. Instit. 06. HF. 17 —; auch in 15 Lfgn zu 1 — d
— Das Mittelmeergebiet, s. geograph. n. kulturelle Eigenart. (268 m. Abb. u. 15 Taf.) 8° Lpzg, BG Teubner 04. 6 —; L. 7 —
Philippson, L: Vermeintl. Probleme in d. Pathol. Die allg. Pathol. v. Standpunkte d. Arztes a. beurteilt. (194) 8° Wien, W Braumüller 04. 4 —
Philippson, L: Haben wirklich d. Juden Jesum gekreuzigt? 2. Afl. (12 u. 48) 8° Lpzg, MW Kaufmann (01). 1 —
— s.: Schrift, d. hl.
— Siloah. (Neue Folge.) Ausw. v. Predigten. Aus d. handschriftl. Nachlasse hrsg. v. M Kayserling. (173) 8° Lpzg, MW Kaufmann (04). 2.50 d
— s.: Zeitung, allg., d. Judentums.
Philippson, M: Der gr. Kurfürst Friedrich Wilhelm v. Brandenburg. II. u. III. Tl. 8° Berl., S Cronbach. Je 7.50 (Vollst.: 22.50; Einbde in HF. je 2.50)
II. 1660—79. (442) 02. ‖ III. 1680—88. (514) 03.
Philippsthal: Gesch. d. Ver. f. neuere Sprachen in Hannover seit sr Gründg am 10.II.1880—10.II.'05. [S.-A.] (22) 8° Hannov., C Meyer 05.
Philips, FC: Eliza Clarke, Governess and other stories. — An unfortunate blend. — If only, etc. — Marriage, and other sketches. — Schoolgirls of to-day and other sketches, s.: Collection of Brit. auth.
Philipsen, K: Die Vormerkg n. BGB. (77) 8° Berl., Struppe & W. 03. 1 —
Philler, O: Handausg. d. deut. Grundbuchordng, nebst e. systemat. Darstellg d. materiellen Liegenschaftsrechts u. d. preuss. Ausführgsbestimmgn. (245) 8° Berl., O Liebmann 01. L. 5 — d
Phillips, S: Herodes. Tragödie. Deut. Ausg. (147) 8° Mettm., H v. d. Heyden 02. 3.50; geb. 4.50
— The striking hours, s.: Collection of Brit. auth.
— Marpessa. Deut. Umdichtg v. G Noll. (41) 8° Lpzg, Insel-Verl. 04. Geb. nn 4 —
— Die Sünde Davids. Deut. Ausg. (64) 8° Mettm., H v. d. Heyden (05). 1.50 d
Phillpotts, E: The farm of the Dagger. — The good red earth. — Sons of the morning, s.: Collection of Brit. auth.
Philo vom Walde s.: Kubelka, EV.
Philo vom Walde (J Reinelt): Schles. Dichterb., s.: Krause, AF.
— s.: Familien-Kalender, allg. — Schlesinger, d. gemütl.
— Sonntagskinder. Lieder u. Gedichte a. Schlesien. (230 m. Bildnis.) 8° Grossenh., Baumort & R. (04). 1.50; geb. 2.50 d
Philologie novitates. Bibliogr. neuer Erscheinge aller Länder a. d. Sprachwiss. u. deren Grenzgebieten. 1. Jahrg. März-Dezbr 1905. 12 Nrn. (264) 8° Lpzg, O Ficker. 3.60
Erschien bis Ende Juni in Leipzig.
Philologus. Zeitschrift f. d. class. Alterthum. Begründet v. FW Schneidewin u. E v. Leutsch, hrsg. v. O Crusius. 60—64. Bd. (Neue Folge. 14—18. Bd.) Je 4 Hefte. (60—63: 650, 646, 648 u. 644) 8° Lpzg, Dieterich 01—04. Je 14 —
— dass. VIII. u. IX. Suppl.-Bd je 4 Hefte u. X. Suppl.-Bd 1. Heft. 8° Ebd. 58.90
VIII. (456 m. Abb. u. 3 Taf.) 1900.01. 21 — ‖ IX. (844 m. 1 Tab.) 04.06. 27 — ‖ X, 1. (268) 05. 10.20.
Philonis Iudaei (Alexandrini) opera omnia ad libror. optimor. fidem ed. Ed. star. Tom. V. De mercede meretricis. De specialib. legib. lib. II. De septenario. De festo cophini. De parentib. colendis. De specialib. legib. lib. III et IV. De iudice et de concupiscentia.) De iustitia (de constitutione s. creatione principum). De trib. virtutib. (de fortitudine, de humanitate s. caritate, de poenitentia). De praemiis et poenis. De exsecrationib. De nobilitate. Quod omnis probus liber (s.

quod liber sit quisquis virtuti studet). De vita contemplativa.
(350) 16° Lpzg, O Holtze's Nf. 01. 1.50
Philonis Iudaei(Alexandrini) opera quae supersunt, edd. L Cohn
et P Wendland. (Ed. maior). Vol. IV. Ed. C. (34,307) 8° Berl.,
G Reimer 02. 10 — (I—IV.: 37 —)
— dass. Recogn. L Cohn et P Wendland. Ed. minor. Vol. IV.
Recognovit C. (13, 254) 8° Ebd. 02. 2 — (I—IV.: 7.50)
Philoponus, I: In Aristotelis analytica priora commentaria.
— In Aristotelis meteorologicor. librum primum commen-
tarium, s.: Commentaria in Aristotelem graeca.
Philosoph, d., als Einjähriger. Memoiren e.schlechten Soldaten.
Hrsg. v. Paulus Damascenus (A Zacher). (348) 8° Brnschw. 04.
Lpzg, R Sattler. 4 —; geb. 4.80 d
Philosophie, d., im Beginn d. 20. Jahrh. Festschrift f. Kuno
Fischer, unter Mitwirkg v. B Bauch, K Groos, E Lask, O Lieb-
mann, H Rickert, E Troeltsch, W Wundt hrsg. v. W Windel-
band. 1. Bd. (186) 8° Hdlbg, C Winter, V. 04. 5 — || 2. Bd. (200)
05. 5.40; in 1 HF.-Bd 12.40
Philostrati minoris imagines et Callistrati descriptiones. Re-
cens. C Schenkl et A Reisch. (58, 82) 8° Lpzg, BG Teubner
02. 2.40; geb. 2.80
Philotheus s.: Kehrt d. Sündflut wieder.
Phokylides: Mahngedicht, s.: Theognis, Elegieen.
Phönix, der. Monatl. Berichterstatter üb. neueste deut., französ.
u. engl. Herrenmoden. Red.: R Tissler. 58. Jahrg. 1902. 12 Nrn.
(Nr. 1. 4 u. 10 m. Abb., 2 [1 farb.] Modebildern u. Reduktions-
schema.) Fol. Dresd., Exp. d. europ. Modenzeitg. Viertelj. 1.75 d
Fortsetzg s. u. d. T.: Moden-Telegraph.
Phönix-Bibliothek. 1—3. Bd. 8° Kattow., C Siwinna. Geb. je 4.50 d
De Wet's, C, d. Kampf zw. Bur u. Brite. Für d. Jugend frei bearb. v.
ÄO Klassemann. (Neue Afl.) (392 m. Abb. u. Kart.) (03.) [1.]
Klaussmann, AO: Mit Büchse, Spaten u. Ochsenstrick in Südwest-Afrika.
Für d. reif. Jugend. (300 m. Abb., 1 Farbdr. u.1 Kartenskizze.) (03.) [2.]
[Heiss Flagge u. Wimpel. (318 m. Abb. u. 1 Farbdr.) (03.) [3.]
Den 4. Bd bildet: Knötel, P, d. Kampf um d. Heimat.
Phönix-Kalender f. Schüler u. Schülerinnen höh. Lehranst.
Ausg. A. Bearb. v. Mensch. Ostern 1905—Ostern 1906; Michae-
lis 1905—Jan. 1907 u. Jan. 1906—Ostern 1907, (430, 416 u. 415)
16° Kattow., C Siwinna. Geb. je 1 —
— f. Schüler höh. Lehranst. Ausg. B. Bearb. v. Mensch.
Ostern 1905—Ostern 1906; Michaelis 1905—Jan. 1907 u. Jan.
1906—Ostern 1907. (Je 128 u. Schreibkalender.) 16° Ebd.
Geb. je — 50
— kl., f. Schüler u. Schülerinnen. Ostern 1905—Ostern 1906 u.
Michaelis 1905—Michaelis 1906. (52 u. 61) 16° Ebd. Je + —10
Photii, patriarchae Constantinopoleos, orationes et homiliae
LXXXIII, e codicib. Athonis, Edelbergae, Genevae, Hiero-
solymor., Monaci, Mosquae, Parisior., Romae, Venetiae, Vin-
dobonae, etc. ed. S d'Aristarchi. 2 tomi. (In griech. Sprache,
auch m. griech. Titel.) (184, 490 u. 592 m. 1 Bildnis.) 4° Con-
stantinop. 1900 (01). (Halle, R Haupt.) nn 30 —
Photo-Börse s.: Industrie, d. photograph.
Photographen-Bibliothek, deut. VIII—X. Bd. 8° Weim., Verl.
d. deut. Photographen-Zeitg. L. 11.50 (I—X.: 35.80)
[Meyer, B: Zur Frage d. Photogr.-Schutzes. (12, 63) 08. [X.] 2.50
— Sachverständige u. D.R.P. 64406. (90) 09. [VIII.] 3 —
— Das neue photograph. Schutzges. n. d. Regiergs-Entwurfe. Kritisch be-
leuchtet. (219) 09. [IX.] 6 —
Photographen-Kalender, deut. f. 1906. Hrsg. v. K Schwier.
25. Jahrg. 2 Tle. (184, 102 u. 354 m. 1 Karte u. 4 Beil.) 8° Weim.,
Verl. d. deut. Photographen-Zeitg. L. u. geb. 3 —]
Einzelpr. je 2 —
— schweiz., f. 1906. Bearb. v. C Krüsi. 1. Jahrg. (197) 8° Zür.,
T Schröter. L. nn 1.50
Photographen-Zeitung, allg. Zeitschrift f. künstler. Fach-
Photogr. m. d. monatl. Beil. „Photograph. Motivenschatz".
Red.: GH Emmerich. 8. Bd. Apr. 1901—März 1902. 52 Nrn.
(Nr. 1. 30 u. 30 m. Abb. u. 13 Taf.) 8° Münch., GDW Callwey.
Halbj. 5 —; ohne Motivenschatz 3 —; einz. Nrn. nn —25,
d. Motivenschatzes 1 —
— dass. Red.: A Miethe. 9. Bd. Apr. 1902—März 1903 je 52 Nrn.
(Nr. 1. 16 u. 8 m. Abb. u. 3 Taf.) 4° Halle, W Knapp. || 10. Jahrg.
Apr.—Dezbr 1903. 39 Nrn. Viertelj. 2.50
Mit „Atelier d. Photographen" vereinigt.
— deut. Red.: K Schwier. 25—29. Jahrg. 1901—[5 je 52 Nrn.
(′03—05: 832, 910 u. 828 m. Abb. u. Taf.) 8° Weim., Verl. d.
deut. Photogr.-Zeitg. Viertelj. 2.50; einz. Nrn — 90, m.
Kunstbeil.—50; monatl. Sonderbeil. dazu: Internat. Musterblätter v. Porträt-Aufnahmen, viertelj. 3.60; einz. Nrn 1.50
Photographie, d. bildmäss. Sammlg v. Kunstphotographieen
m. begleit. Text in deut. u. holländ. Sprache v. Mart. Ma-
thias-Masuren u. WH Idzerda. (Deut. Ausg.) 1904/6. 4 Hefte.
(90 m. Abb. u. 77 Taf.) 4° Halle, W Knapp. Subskr.-Pr. je 4 —;
Einzelpr. je 5.50
Photographies de modes parisiennes. Jahrg. 1902. 12 Hefte.
(Je 10 Bl. m. 10 Bl. Text in französ., deut. u. engl. Sprache.)
Fol. Steglitz-Berl., Neue photograph. Gesellsch. 100 —;
einz. Hefte 10 —; einz. Bl. 1.50 ö F
Heft 1 u. 2 erschienen noch u. d. T.: Mode-Photographien, Pariser.
Pianta della città di Pola. 1:5000. 57×59,5 cm. Farbdr. Mit
Text an d. Seiten. Pola, Schrinner 04. 4 —
Piat, C: Die Bestimmg d. Menschen. Deutsch v. E Prinz zu
Oettingen-Spielberg. (279) 8° Lpzg, J Habbel 03. 2.50 |
L. 3 — d
— Sokrates, Seine Lehre u.. Bedeutg f. d. Geistesgesch. u. d.
Hinrichs' Fünfjahrskatalog 1901—1905.

---

christl. Philosophie. Deutsch v. E Prinz zu Öttingen-Spiel-
berg. (311) 8° Egnsbg, Verl.-Anst. vorm. GJ Manz 03. 3 — d
Piave, FM: Amelia. — Ernani. — Rigoletto. — La Traviata,
s.: Verdi, G.
Piave, GMD: Libro di lettura per le scuole popolari italiane
dal Litorale. (Ed. in 5 parti.) 1. u. 2. Tl. 8° Triest, FH Schimpff
05. Geb. nn 1.35
[3. (180 m. Abb.) nn — 70 || 2. (184) nn — 65.
Piaz, A dal: Die Konservierg v. Traubenmost, Fruchtsäften
u. d. Herstellg alkoholfreier Getränke. (176 m. Abb.) 8° Wien,
A Hartleben 02. 3 —; geb. 3.80 d
— s.: Taschenkalender f. Weinbau u. Kellerwirtschaft.
Piazzi, G: Praecipuar. stellar. inerrantium positiones mediae,
s.: Facsimile-Edition.
Piber, J: Schule d. Treffsingens (Quintenraum-Methode.) 2. Afl.
(72) 8° Wien, Manz 05. Kart. — 58 d
Picard, E: Der Geschworene. Aus d. Franz. v. B Delcroix.
(82) 8° Berl. (04). Lpzg, Verl. d. Funken, Sep.-Kto. 2.50 d
Pichinot, A: Unterr.-Briefe n. synthet. Methode in dopp. Buch-
führg. (22) 8° Jägersbr. b/Reinbek, R Pichinot 02. — 75 d
— Zahlgschwierigk. im Handelsgewerbe. Winke u. Ratschläge
üb. Zahlgsunfähigk., Zahlgseinstellg, Unterbilanz, Liquida-
tion, Moratorium, Akkord, Konkurs, Zwangsvergl. (30) 8°
Ebd. 01. (2 —) 1 —
Pichler's Jugendbücherei. 1—25. Bdchn. Mit je 1 Titelbild. 16°
Wien, A Pichler's Wwe & S. Geb. je 1 — d
Biller, E: Die Höhlen d. Radhost. Eine mähr. Sage. (57) (04.) [7.]
Böhm, W: Onkel Hermann. (100) (04.) [3.] || Fritz Heinhold. (110) (04.) [1.]
Bowitsch, L: Rübenahl. Märlein f. Klein u. Gross. (87) (04.) [25.]
Fischdl, M: Aus der y. Tal. Lehrreiche Erzählgn. (82) (04.) [23.]
Frisch, F: Kaiser Josef II. (58) (04.) [34.]
Gertler, J: Allerlei Schwank. Heitere Erzählgn, Schwänke, Märchen,
Fabeln. I. (75) (04.) [13.] || Der Sohn d. Vogelstellers. (65) (04.) [5.]
Glock, M: Flut u. Ebbe od. Die 3 Brüder. (54) (04.) [9.] || Martin Gotthelf.
(72) (04.) [29.]
Kobányi, FL: Bärwolf, Die älteste deut. Heldensage. (80) (04.) [19.]
Mach, J: Hans. (57) (04.) [14.]
Müller, F: Auf Irrwegen u. anderes. (92) (04.) [13.] || Das Waldhaus u.
and. Erzählgn. (119) (04.) [7.]
Niedergesäss, E: Aus d. Jugendzeit. (84) (04.) [20.] || Lehr- u. Wander-
jahre. Erzählg a. d. Handwerkerleben. (90) (04.) [16.] || Was man d. kl.
Volke erzählt. (70) (04.) [18.]
Pauly, T: Mosaik. Sagen u. Erzählgn. (86) (04.) [8.] || Vierklee. Erzählgn.
(80) (04.) [11.]
Rappold, J: Im Walde. Zwei Schwestern. Ein Geburtstagswunsch. (77)
(04.) [12.]
Schylig, H: Quer durch d. Sudan. Aus d. Reiseerlebnissen d. berühmten
Afrikaforschers deut. Nachtigal. (90 m. 1 Kartenskizze.) (04.) [4.]
Seidel, F: Lemuel Gullivers Reise n. Brobdingnag, d. Land d. Riesen.
(85) (04.) [6.]
Steigl, J: Treue Freundschaft. (102) (04.) [17.] || Palm-Sepp. (102) (04.) [21.]
Wendt, FM: Vergelt's Gott tausendmal! Selig sind d. Barmherzigen. Zwei
Erzählgn f. Mädchen v. 12—15 Jahren. (72) (04.) [10.]
Pichler, A: Ges. Werke. (In etwa 100 Lfgn.) 1—90. Lfg. 8° Münch.,
G Müller. Je — 50 d
1. Bd. Zu meiner Zeit. Schattenbilder a. d. Vergangenh. 2. Afl. Mit e. biograph. Einl. v. SM Prem. (51, 397) 05.
2. Bd. Zu meiner Zeit. Schattenbilder a. d. Vergangenh. 2. Afl. Mit e. biograph.
Einl. v. SM Prem. (51, 397) 05. 3. Bd.
3. Bd. Aus Tagebüchern 1850—99. Der autobiograph. Werke Bd III. (376) 03.
— dass. 1—3., 6., 7. u. .10. Bd. 8° Münch., G Müller. Subskr.-Pr. 21.50:
Einzelpr. 24.50; Einbde je 1 — d
1. Zu meiner Zeit. Schattenbilder a. d. Vergangenh. 2. Afl. Mit e. biogr.
Einl. v. SM Prem. (51, 397) 05.
2. Das Sturmjahr. Erinnergn a. d. März- u. Oktobertagen 1848. Der autobiograph. Werke 2. Bd. (181) 05.
3. Aus Tagebüchern 1850—99. Der autobiograph. Werke 3. Bd. (376) 05.
4 —; bezw. 5 —
6. Letzte Alpenrosen. Erzählgn a. d. Tiroler Bergen. 4. Afl. (364) 03.
7. Kreuz u. quer. Streifzüge. 4. Afl. (303) 06. 3 —; bezw. 2.50
10. Allerlei a. Italien. Aus d. Nachlasse. (346) 06. 4.50; bezw. 5 —
— Der Einsiedler, s.: Volksbücher, Wiesbad.
— Tiroler Geschichten u. Wandergn. 1—5. Sammlg. 8° Münch.,
G Müller. 17 —; Einbde je 1 — d
1. Allerlei Geschichten a. Tirol. 6. Afl. (413) 04. 3 —
2. Jochraster. Neue Geschichten a. Tirol. 4. Afl. (462) 04. 4 —
3. Aus d. Tiroler Bergen. Wanderb. 4. Afl. (311) 04. 3 —
4. Kreuz u. quer. Streifzüge. 3. Afl. (303) 06. 3 —
5. Letzte Alpenrosen. Geschichten a. Tirol. 2. Afl. (284) 06. 3 —
— In Lieb u. Hass. Elegieen u. Epigramme a. Tirol. 3. Afl.
(192) 8° Berl. 1900, Minch., G Müller. L. 7 — d
— Das Sturmjahr. Erinnergn a. d. März- u. Oktobertagen 1848.
(Aus d. Nachlass.) (181) 8° Ebd. 03. 2.50; geb. 4 — d
Pichler, A: Charitas. Weihnachtsep. 2. Afl. (54) 12° Münst., Al-
phonsus-Bh. (02). L 2 — d
— Gottesminne. Dem hl. Alphonsus nachgedichtet. 3. Afl. (122)
8° Ebd. 04. L 2 — d
— Lucian v. Antiochien. Fronleichnamssp. (54) 8° Ebd. (04.)
— 75 d
— Prinzipienkämpfe. I. Unzeitgemässes. (136) 8° Ebd. 05. 1.20 d
Pichler, A: Nachhilfe ist gut leben u. gut sterben. (40 m.
Titelbild.) 16° Münch., CA Seyfried & Co. (02). — 10 d
— „Kommet alle zu mir!" Herz-Jesu-Buch f. d. christl. Haus.
(590 m. Abb. u. farb. Titelbild.) 8° Ebd. (05). L. 1.50 d
— Das wahre Marienkind. Büchl. üb. d. Kunst, glücklich zu
sein. 4. Afl. (136 m. 1 Farbdr.) 11×7 cm. Ebd. (04). L. — 80 d
— Geist. Pilgertag in Lourdes. 3. Afl. (68 m. Abb.) 16° Wien
02. Salzburg, Relig.-Lehr. Pichler. — 20 d
— Wir ziehen z. Mutter d. Gnade. Hdb. f. wirkl. u. geistl.
Lourdespilger. (448 m. Abb., 2 Taf. u. 1 farb. Titelbild.) 16°
Einsied., Verl.-Anst. Benziger & Co. 04. L. 1.60;
Ldr m. G. 2.40; Kalbldr m. G. 4.40 d

Pichler, F: Austria romana. 1:1,800,000. 57×74 cm. Farbdr. Lpzg, E Avenarius (03). Auf L. m. St. nn 7 —
— dass., geograph. Lexikon, s.: Quellen u. Forschungen z. alten Gesch. u. Geogr.
Pichler, H (Frau H Felsing): Der Nordstern u. anderes. 8 Seenovellen. 2. Afl. (347) 8º Stuttg., A Bonz & Co. 02. 3.50; L. 4.80 d
Pichler, JE: Kathol. Volksschul-Katechesen f. d. Mittel- u. Oberst. 1- u. 2klass. u. f. d. Mittelst. mehrklass. Schulen. 1. Tl. Glaubenslehre. (168) 8º Wien, St. Norbertus 05. 2 — d
— u. W Pichler: Lehrpl. f.d. kathol. Relig.-Unterr. an d. Volksu. Bürgersch. Österr. (251) 8º Ebd. 04. 2.50 d
Pichler, K: Quintin Messis, s.: Verein f. Verbreitg guter Schriften, Basel.
Pichler, KJ: Verse. (66) 8º Linz (03). Wien, J Deubler. 3 —; geb. 4 — d
Pichler, L: Histor. Erzählgn f. d. Jugend. 13., 38. u. 43. Bd. (Mit je 1 Titelbild.) 12º Lpzg (02). Einbeck, A Oehmigke. Kart. je — 75 d
13. Das Hünenschloss. Erzählg a. d. Zeit Karls d. Gr. 4. Afl. (112)
38. Ein Grenadier d. grossen Fritz. 3. Afl. (126)
43. Das eiserne Kreuz. Erzählg a. d. Zeit Kaiser Wilhelms I. 3. Afl. (104)
Pichler, M: Das gold. Märchenb. (384 m. Abb.) 8º Berl., Enslin & L. (04). Geb. 3.50; m. Farbdr. 4 — d
Pick, A: Faust in Erfurt. (48) 8º Lpzg, Bh. G Fock 02. 1 — d
— Schillers Reise n. Berlin im Jahre 1804, s.: Schriften u. Ver. f. d. Gesch. Berlins.
Pick, A: Üb. d. Einfl. verschied. Stoffe auf d. Pepsinverdaug. [S.-A.] (67 m. Fig.) 8º Wien, (A Hölder) 03. 1.50
Pick,A: Üb. ein.„bedeutsame Psycho-Neurosen d. Kindesalters, s.: Sammlung zwangl. Abhandlgn a. d. Geb. d. Nerven- u. Geisteskrankh.
— Studien üb. motor. Apraxie u. ihr nahesteh. Erscheingn; ihre Bedeutg in d. Symptomatol. psychopath. Symptomenkomplexe. (129 m. Abb.) 8º Wien, F Deuticke 05. 3.50
Pick, A J: Die elementaren Grundl. d. astronom. Geogr. 3. Afl. (173 m. H. u. 2 Sternk.) 8º Wien, Manz 01. 3 — d
Pick, C: Kurzgef. prakt. Hydrotherapie. (188) 8º Berl. 03. Wien, W Braumüller. L. 6 — ||2. Afl. (191) Wien 05. L. 5.60
Pick, F: Sport u. Gesundheit, s.: Sammlung gemeinnütz. Vortr.
Pick, FJ, s.: Archiv f. Dermatol. u. Syphilis.
Pick, G: Üb. lineare Differentialgleichgn in invarianter Darstellg. [S.-A.] (12) 8º Wien, (A Hölder) 03. — 30
Pick, G: Lehrb. d. Civilprozessrechts. — Das bürgerl. Recht d. Deut. Reichs, s.: Heilfron, E.
Pick, G: Die Tuberkulose als Volkskrankh., s.: Sammlung gemeinnütz. Vortr.
Piek, H: Assyrisches u. Talmudisches. Kulturgeschichtl. u. lexikal. Notizen. (33) 8º Berl., S Calvary & Co. 03. 1.50
Pick, J: Der Messias n. Weissagg u. Erfüllg. 2. Afl. v. P Gordon. (72) 8º Lpzg, (Ev.-luth. Zentralver. f. Mission unter Israel) 01. — 50
Pick, L: Üb. Hyperemesis gravidar., s.: Sammlung klin. Vortr.
— Die Marchand'schen Nebennieren u. ihre Neoplasmen, nach Untersuchgn üb. glykogenreiche Eierstocksgeschwülste. [S.-A.] (168 m. 2 L.) 8º Berl., A Hirschwald 01. 5 —
Pickartz, J: Syntaxis latina ad usum scholar. germanicar. accommodata. (341) 8º Galopiae 01. (Aach., I Schweitzer.) 3.20
Pickel's, A, Geometrie d. Volksssch. I. Tl. Ausg. I u. II u. II. Tl. Ausg. I—III. 8º Dresd., Bleyl & K. (01). 3.70 d
I. Formenkde. Von E Wilk. Ausg. I. Aufl. I. Lehrer u. s.„Gebr. in„Seminarien. (48 m. Fig.) — 80 || Ausg. II. Ergebnis u. Aufgabenheft f. d. Hand d. Schüler. (37 m. Fig.) — 40
II. Formenlehre. Von E Wilk. Ausg. I. Anl. f. Lehrer u. s.„Gebr. in„Seminarien. 9. Afl. (95 m. Fig.) 1.50 || Ausg. II. Ergebnis u. Aufgabenheft f. d. Hand d. Schüler. 29. u. 30. Afl. (47 m. Fig.) — 40
Geometr. Rechenaufg. f. d. Hand d. Schüler. 21. u. 22. Afl. (31 m. Fig.) — 30
— Theorie u. Praxis d. Volksschulunterr., s.: Rein, W.
Picker, W: Üb. Konzentration, s.: Magazin, pädagog.
Pickersgill, W: Lasthebemaschinen. Hand- u. Hilfsb. f. d. Konstruktionstisch. (324 m. 32 Taf.) 8º Stuttg., K Wittwer 05. Text 10 —; L. 11.50; Atlas, HL. 6.50
Pickert, G: Der Kinderarzt im Hause. 2. Afl. (88 m. Abb.) 8º Lpzg, O Borggold (02). 1 — d
Pickert, G: Vater Morgana, s.: Universal-Bibliothek.
Pickert, H: Der Frauenarzt im Hause. Ratgeber f. d. leid. Frauenwelt.(70 m.Abb.)8º Lpzg,O Borggold 01. 1 —; geb. 1.50 d
Pickhan, H: Kaufmänn. Briefe z. Abfr. in Fortbildgsasch. I. u. II. Heft. 8º Arnsbg, J Stahl. nn 1.95
I. Unterst. (11, 30) 05. — 50 || II. Mittelst. (66) 04. nn — 75.
Pico della Mirandola, G: Ausgew. Schriften. Übers. u. eingeleitet v. A Liebert. (294 m. Bildnis.) 8º Jena, E Diederichs 05. 8 —; geb. 10 —
Pictet, R: Die Theorie d. Apparate z. Herstellg flüss. Luft m. Entspanng. (86) 8º Wien, C Steinert 03. 1.60
— Zur mechan. Theorie d. Explosivstoffe. (84) 8º Ebd. 02. 1.60
Picturae, ornamenta, complura scripturae specimina codicis Vaticani 3867, qui codex Vergilii romanus audit, s.: Codices Vaticani selecti.
Pidal, RM, s.: Leyenda, la, del abad Don Juan de Montemayor.
Piecsynska, E: Reinheit. Wegweiser. Aus d. Franz. (304 m. Abb.) 8º Lpzg, T Grieben 01. 3 —
Piehl, K: Inscriptions hiéroglyph., recueillies en Europe et en Egypte. III. série. II. Commentaire. (83) 4º Lpzg, JC Hinrichs' V. 03. 18 — |III. série: 43 —; vollst.: [175 —] 200 —)

Piehl, K: s.: Sphinx.
Piekenbroik, LFH, s.: Odenwälder.
Piel, P: Harmonie-Lehre. Unter bes. Berücks. d. Anfordergn f. d. kirchl. Orgelspiel zunächst f. Lehrer-Seminare. 7. Afl. Op. 64. (335) 8º Düsseldf, L Schwann (02). nn 3.50; geb. nn 4 —
— Lehrg. f. d. Gesang-Unterr. in d. Volkssch. (n.d. in d. Seminar-Übgssch. zu Boppard befolgten Methode). 11. Afl. (42) 8º Ebd. 02. — 80 d
— Lumen cordium, s.: Liessem, HJ.
Pielsticker, W: Unentbehrl. Ratgeber in Militär-Angelegenh. f. sämtl. jungen Leute im Alter v. vollendeten 17. Lebensj. bis z. endgült. Entscheidg üb. ihr Militärverhältnis. (45) 12º Düsseldf, F Wolfrum 02. — 50 d
Pieniczkowski, V Ritter v.: Die Freiheit z. Anrufg d. Verwaltgsgerichtshofes in Österr. (Art. 15 d. Staatsgrundges. v. 21.XII. 1867). 2 Tle. 8º Wien, F Tempsky 04. 14 —
1. (194 m. 2 Taf.) 6 — ||2. (357) 8 —
— Die Mission d. österr. Verwaltgsgerichtshofes. (48) 8º Wien, M Perles 05. 1.50
— Österr.'s Verwaltgsgerichtshof, wie er durch d. Ges. v. 22.X. 1875 errichtet worden ist. (142) 8º Wien, F Tempsky 03. 6 —
— Der Verwaltgsgerichtshof im Lichte d. österr. Staatsidee. Erläuterg d. Zuständigk. d. Verwaltgsgerichtshofes an d. Hand d. gegenständl. Gesamtjudikatur. (715) 8º Wien, M Perles 05. 20 —
Pienázek: Die Verengerg d. Luftwege. (505) 8º Wien, F Deuticke 01. 12 —
Piening, E: Am Geburtstage d. Kaisers, s.: Bloch's, L, Militär-Festmappe.
— Der Walsen Weihnachtsengel, s.: Bloch's, L, Kinder-Theater.
Piening, J: Uns. Glaube in lebend. Lehre. (375) 8º Berl., Lichterf.-Berl., E Runge (03). 3.25; geb. 4.25 d
— Gottestrost in Krankh. u. Todesleid. (70) 8º Berl., Lichterf.-vertriebsanst.) 05. Kart. m. G. — 60 d
— Herzensfriede, s.: Weckstimmen.
— Lebensb. Mitgabe s. d. Lebens — für's Leben — z. Leben. (278) 8º Gr.-Lichterf.-Berl., E Runge (01). 2.75; L. 3.50 d
Piening, T: Mein 1. spiritist. Versuch u. and. humorist. Gesch., s.: Universal-Bibliothek.
Pieper, A: Die alte Univ. Münster 1773—1818. Mit e. Verz. d. Univ.-Lehrer v. Bahlmann. (98) 8º Münst., Regensberg 02. 1.50 d
— s.: Zeitschrift f. vaterländ. Gesch. u. Altertumskde (Westfalen).
Pieper, A: Mässigkeitsbestrebgn. — Volksbildgsbestrebgn, s.: Tages-Fragen, soz.
— u. H Simon: Die Herabsetzg d. Arbeitszeit f. Frauen u. d. Erhöhg d. Schutzalters f. jugendl. Arbeiter in Fabriken, s.: Schriften d. Gesellsch. f. soz. Reform.
Pieper, C: Die Totengräber uns. Bedürfn. unter d. Gesetzgebern. (30) 8º Berl., Hermann Walther (05). 1.20 d
Pieper, E: Erinnergn u. Betracht. a. d. Leben eines Vogelkundigen. (24) 8º Danz., (AW Kafemann) 03. — 50 d
Pieper, F: Die Grunddifferenz in d. Lehre v. d. Bekehrg u. Gnadenwahl. Vortr. Nebst e. Appell an alle Lutheraner, die sich üb. d. Lehrstreit in d. americanisch-luther. Kirche e. Urtheil bilden wollen. (48) 8º St. Louis, Mo. 05. (Zwick., Schriften-Ver.) 1 —
— Das Wesen d. Christenthums. Vortr. (16) 8º Ebd. 05. — 40 d
Pieper, H: Der märk. Chronist Andreas Engel (Angelus) a. Strausberg. 1. Tl. Engels Leben. (29) 4º Berl., Weidmann 02. 1 —
Pieper, H: Die Unverantwortlichk. d. Regenten. (60) 8º Berl., Struppe & W. 01. 1.30 d
Pieper, J: Das Reichsbeamtenges., s.: Guttentag's Sammlg deut. Reichsgesg.
Pieper, J: Felix Molmann od. d. Leben u. Wirken e. christl. Mustererziehers vor 100 Jahren, s.: Sammlung d. bedeutendsten pädagog. Schriften.
Pieper, L: Die Lage d. Bergarbeiter im Ruhrrevier, s.: Studien, Münch., volksw.
Pieper, M: Preisgekrönt, s.: Kühling's, A, Theater-Specialität.
Pieper, M: Mathemat. Erdkde. Anh. zu K Sumpf's „Schulphysik" u. „Grundr. d. Physik". 3. Afl. (89 m. H.) 8º Hildesh., A Lax 01. —
Pieper, R, s.: Allerlei a. China.
— Chines. Bilderb. Beschrieben u. erklärt f. Kinder. (32 m. z. Tl farb. Abb.) 4º Steyl, Missionsdr. 01. 1.50 d
Piepers, MC: Mimicry, (Sensu generali), auf d. 5en internat. zoolog. Kongres vorgetr. (402) 8º Leid., Bh. u. Dr. vorm. EJ Brill 03. nn 9 —
Pierantoni-Mancini, G: Costanza, s.: Weichert's Wochen-Bibliothek.
Piering, O: Ueb. Massage bei Frauenkrankh., s.: Wander-Vorträge, medizin.
Pierleoni, G: Metror. Horatianor. synopsis in usum tironum. (1 Bl.) 70,5×50,5 cm. Wien, F Deuticke & Co. 05. — 80
Pierre, L: Üb. Festsitzende u. Zugvögel. Causerie f. Studierende u. Liebhaber d. franzö. Sprache. (Prakt. Beitrag z. Studium d. neueren Philol.) (38) 8º Lpzg, J Klinkhardt 06. — 50 d
Pierre y Peñy, d. Reisfelds, s.: Rosen-Knospen.
Pierry, W: Spec. Anl. zu geist. Höchstleistgn. 1. u. 2. Afl. (216) 8º Lpzg, Modern-medizin. Verl. (02.03). 3 —; L. 4 — d

Pierry, W: Anl. z. Steigerg d. geist. Fähigk. Mit Unterstützg v. Gebhardt u. Hartmann. 10 Briefe. (156) 8° Lpzg, Modern-medizin. Verl. (02).   In L.-M. 6.50 d
— dass. (insbes. z. Erlangg e. guten Gedächtnisses). Mit Unter-stützg v. Gebhardt u. Hartmann. 4. Aufl. (158) 8° Ebd. (05). 5.50 d
Piersig, R: Hydrachnidae, s.: Tierreich, d.
Pierson, E: Bis ins 3. Glied, s.: Berlepsch, L Freifrau v., Ro-manbibliothek.
Pierson, W: Preuss. Gesch. 8. Afl. v. J Pierson. 2 Bde. (542 u. 634 m. Bildnis u. 1 Karte.) 8° Berl., Gebr. Paetel 03.
— Leitf. d. preuss. Gesch. 15. Afl. v. J Pierson. (202 u. 32 m. Abb., 1 Karte u. 1 Tab.) 8° Berl., L Simion Nf. 02.   1.40;
     geb. nn 1.70 d
Pierstorff, J: Ernst Abbe als Sozialpolitiker. [S.-A.] (43) 8° Münch. 05. (Jena, G Fischer.)   — 75 d
— s.: Abhandlungen d. staatswiss. Seminars zu Jena.
Pieschkow, AM, s.: Gorki, M.
Piesiński, H: Zusammenstellg d. im Reg.-Bez. Bromberg gelt. Polizei-Ges. u. Verordngn. 2. Nachtr.. 1896—1900. (386) 8° Brombg, Mittler 01. 3.75; geb. nn 4.75 (Hauptwerk m. 1. u. 2. Nachtr., erm. Pr.: 10 —; geb. nn 12 —; 1. u. 2. Nachtr. in 1 Bd 6 —; geb. nn 7.50 d
Pieth, F: Die Feldzüge d. Herzogs Rohan im Veltlin u. in Graubünden. (19, 170 m. 8 Skizzen.) 8° Bern, KJ Wyss 05. 4 —
Pietrkowski, A: Was muss man v. d. Fabrikation d. Leime u. Lacke wissen? (54) 8° Berl., H Steinitz (01).   1 — d
Pietrsikowski, E: Die Begutachtg d. Unfallverletzgn. Allge-meiner Thl. (238) 8° Berl., Fischer's medic. Bh. 04.   4.50
Pietsch, C: Katech. d. Feldmesskunst, s.: Weber's illustr. Katech.
Pietsch, G: Gedächtniskunst, s.: Kothe, H.
Pietsch, L: Von Berlin bis Paris. Kriegsbilder (1870—71). Volks-Ausg. (344) 8° Berl., F Fontane & Co. 04.   3 —; geb. 4 — d
— Aus d. Heimat u. d. Fremde. Erlebtes u. Geschehenes. 2 Afl. (324) 8° Berl., Allg.Ver. f. deut. Litt. 03. 5 —; L. od. HF. 6.50 d
— Herkomer, s.: Künstler-Monographien.
— Aus jungen u. alten Tagen. Erinnergn. (345) 8° Berl., F Fon-tane & Co. 04.   5 —; geb. 6.50 d
Pietsch, L: Zu korpulent. Die rationelle Bekämpfg d. Korpu-lenz ohne Einschränkg d. Ernährgsweise auf chem. Wege. Nach Vorschrift u. Dr. Rasia. 16. Afl. (86) 8° Dresd.-N. (03). (Berl. [SW.43,Wassertborstr.27],Berolina-Versand-Bh.) — 80
Pietsch, M: Katech. d. Chemikalienkde, 2. Afl. d. G Heppe'schen Katech., s.: Weber's illustr. Katech.
Pietsch, W: Die Eisenb.-Gesetzgebg d. Deut. Reichs, s.: Gutten-tag's Sammlg deut. Reichsges.
— Der Eisenb.-Gütverkehr (deutsch u. internat.). Rathgeber f. Spediteure, Kaufleute u. Eisenb.-Beamte. (160) 8° Berl., M Pasch 01.   4 —
Pietsch, W: Die Konkurrenzklausel. Wichtig f.: Handelsan-gestellte, Geschäfts-Inhaber, Juristen. (Umschl.: Eine Rechts-frage.) (16) 8° Hag. i/W. (03). (Lpzg, Fritzsche & Schmidt.)   nn 1.50
Pietschmann, F: Die gebräuchlichsten Reagenzien u. zusam-mengesetzten Farbstoffe f. medizin. Chemie u. Mikroskopie m. Angabe d. Autoren. (78) 16° Wien, W Braunmüller 06.   Kart. 1.20
Pietzcker, E: Die Glocken v. St. Marien. Stimmgn. Mit e. histor. Vorwort v. E Blech. (95) 4° Danz., L Saunier 01.   Kart. nn 4 — d
Pietzcker, H: Die Manöver d. I. Armeekorps 1903 u. d. III. Armee-korps 1904, s.: Militärzeitung, allg. schweiz.
Pietzker, F: Anl. z. Auflösg eingekleideter algebr. Aufg. — Arithmet. Aufg. — Aufgabensammlg, s.: Bardey, E.
— Einführg in d. Chemie u. Mineral. Als Anh. zu Crüger-Hilde-brands Lehrb. d. Physik bearb. (46 m. Fig.) 8° Lpzg, CF Amelang 01.   — 60
— Elemente d. mathemat. Erdkde. Als Anh. zu Crüger-Hilde-brands Lehrb. d. Physik bearb. (62 m. Fig.) 8° Ebd. 01.   — 60
— Algebr. Gleichgn, s.: Bardey, E.
— Rechenb. f. d. unt. Kl. d. höh. Lehranst., s.: Müller, H.
— s.: Unterrichtsblätter f. Mathematik u. Naturwiss.
Pietzmann, G: Die Beobachtgn d. Lufttemperatur währ. d. to-talen Sonnenfinsternis v. 22.I.1898 in Indien, s.: Acta, nova, acad. usw. naturae curiosor.
Pietzner, H: Landschaftl. Friedhöfe, ihre Anlage, Verwaltg u. Unterhaltg. (10 m. Abb., Pl. u. 3 Formularen.) 8° Lpzg, C Scholtze 04.   6 —; geb. 7.20
Pietzsch, H: Die Trompete als Orchester-Instrument u. ihre Behandlg in d. verschied. Epochen d. Musik. (19 u. 145) 4° Heilbr., CF Schmidt (01).   10 —; in 2 Bdn je 6 —
Pietzsch, M: Architekten-Mappe. Skizzen u. Reise-Studien. (50 Taf.m.4 S.Text.) Fol. Dresd., G Kühtmann (01). L.-M.28 —
Pietzsch, R: Die Entwicklg d. deut. Hauses. Vortr. (37 m. Abb. u. 8 Lichtdr.) 8° Cobg, A Seitz 02.   2 — d
Pietzsch, T: Aus Natur u. Leben. Ernstes u. Heiteres f. uns, Kleinen. (58) 8° Stotternh., R Intran (04).   — 50 d
Piffl, H: Aufgaben-Sammlg a. d. Algebra, m. Berücks. kul-turhistor., geograph. u. naturwiss. Daten nebst Anwendg v. Gleichgn zu Flächen- u. Körperberechngn. 2. Afl. Im Anh.: Zirkel: Arithmet. Epigramme d. griech. Anthol. (137) 8° Wien, F Stöck 1897.   — 85; Auflösgn. Fol. u. — 50
Piffl, O: Ueb. acute Mittelohrentzündg u. ihre Behandlg, s.: Wander-Vorträge, medicin.

Piger, FP: Kinderreime u. Kindersprüche a. d. Iglauer Sprach-Insel, s.: Zeitschrift f. österr. Volkskde.
Pigge, H, s.: Festgabe, usw. Heinr. Finke gewidmet.
Piggott, HE: Die Grundz. d. sittl. Entwicklg u. Erziehg d. Kindes, s.: Beiträge z. Kinderforschg.
Piiper, F, s.: Primitiae pontificiae.
Pikanterien. Blätter z. Bekämpfg d. öffentl. u. geheimen Miss-stände. Red.: J Jellinek. Juli 1901—Juni 1902. 52 Nrn.‖ Red.: J Holzmann. Juli—Dezbr 1902. 26 Nrn. (Nr. 79, 16) Fol. Berl., A Dressel.   Viertelj. 1.25; einz. Nrn — 10 d
Fortsetzg s. u. d. T.: Kampf.
Pikettspiel, d., s.: Miniatur-Bibliothek.
Pikler, J: Physik d. Seelenlebens m. d. Ergebn. d. Wesens-gleich. aller Bewusstseinszustände. Allgemeinverständl. Skizze e. Systems d. Psychophysiol. u. e. Kritik d. herrsch. Lehre. (40) 8° Lpzg, JA Barth 01.   1.20
Pilati v. Thassul zu Daxberg, E Graf: Etikette-Planderereien. (419) 8° Berl., Deut. Druck- u. Verl.-Haus (04).   Geb. 3 — d
Pilatus (V Naumann), s.: Jesuitismus, d. — Quos ego! — Was ist Wahrheit?
Pilatus, I (Schulz), s.: Was verlangen wir v. Richterstande? d. Alkoholismus.
— Die period. Geistesstörgn. (210 m. Kurven.) 8° Jena, G Fischer 01.   5 —
— Lehrb. d. spez. Psychiatrie. (249) 8° Wien, F Deuticke 04. 5 —
Pilcz, EM: Die Wiener Presse! [S.-A.] (16) 8° Wien, C Teufen's Nf. 02.   1 — d Vergr.
Pilecka, V: Deut. Leseb., s.: Jacobi, A.
Pilger, der Zuckerhandel, s.: Zuckerindustrie, d.
Pilger, der. Erbaugsbl. f. ev.-reformirte Gemeinden. Schrift-leitg: Kolfhaus u., seit 1902, Buchholz. 12—16. Jahrg. 1901—5 je 52 Nrn. (1901. Nr. 1—6. 48) 8° Elberf., Verl. d. Reformirten Schriftenver.   Viertelj. — 50 d
— der. Ev. Kalender f. Dorf u. Stadt f. 1905. (12 m. Abb.) 8° Aschersl. (Lage, H Welchert).   — 80 d
— d., unter d. Gemeinden d. Herrn. Hrsg.: H Brucker. 41. u. 42. Jahrg. 1904 u. 5 je 12 Nrn. (Nr. 1. 16) 8° Kass., (JG Oncken Nf.).   Je 1.80 d
— d., der. Heimath. Christl. Familienbl. z. Erbaug u. Unter-haltg. Red.: Schnackenberg. 19—23. Jahrg. 1901—5 je 52 Nrn. (Nr. 1.8 m.1 Abb.) 4° Bremerh., Krause & R. Viertelj. nn — 50 d
— d., a. Sachsen. Christl. Volksbl. Red.: Jahrg. 1. Viertel. Jan.—März 1901. 13 Nrn. (Nr. 1. 8) 4° Lpzg, F Jansa. 1 — ‖ 2—4. Viertelj. Apr.—Dezbr 1901. 39 Nrn. II 68—71. Jahrg. 1902—5 je 52 Nrn. Viertelj. — 50 d
Ausg. f. Leipzig m. d. Zusatz: Leipz. Sonntagsblatt.
— d., a. Schaffhausen. Kalender f. 1905. 58. Jahrg. (76 m. Abb. u. 1 Taf.) 8° Schaffhausen, K Bachmann. (Nur dir.) — 40 d
Pilger, E: Daheim, s.: Himmelsblumen.
— Das Geburtstagskind, s.: Vergissmeinnicht-Erzählungen.
— Die Sonne bringt es an d. Tag, s.: Immergrün.
— Ein wunderbarer Tag, s.: Edelweiss.
— Der Taler, s.: Vergissmeinnicht-Erzählungen.
— Die Verwaltersbuben, s.: Himmelsblumen.
Pilger, R: Taxaceae, s.: Pflanzenreich, d.
Pilgerführer z. Aachener Heiligthumsfahrt. Die Heiligthümer zu Burtscheid u. Cornelimünster. (24 m. Titelbild.) 16° Aach., I Schweitzer (02).   — 10 d
Pilgergrüsse. Nr. 1—10. 12° Lpzg, F Jansa (01).   Je — 15 d
Allenburg, G v.: Hast du e. Sonntag? (16) [2.]
Burkhardt, G: Aus Verbrechen u. Zuchthaus z. Gnade bei Gott u. z. Ge-meinschaft d. Erlösten. (11) [10.]
Conrad, H: Der Birkenidiot. (12) [5.]
Prenssen, G: Eine Hand voll Gold. (16) [4.]
Haass, B: Etwas, wofür man lebt. Aus d. Schwed. (15) [3.]
Kali-Reuissanz, O: Entstehg u. Betrieb e. Boorenfarm. (16) [5.] ‖ Aus d.
Volksleben d. Boeren.[10] [7.]
Renatus, J: Das Haus in d. Harmoniestrasse. Erzählg. (16) [1.] ‖ Meine
4 Liebsten. Lebenserinnergn. (12) [6.]
Telsenhoff: Heimwärts! Ein Beisp. opferfreud. Nächstenliebe a. Sibirien.
Nach d. Russ. v. B Haass. (16) [9.]
Pilgrim, L: Ein. Aufg. d. Wellen- u. Farbenlehre d. Lichts. (69 m. Fig. u. 2 farb. Taf.) 4° Cannst., (H Reitzel) 01. nn 3 —
— Versuch e. rechner. Behandlg d. Laterproblems. [S.-A.] (92 m. 1 Taf.) 8° Stuttg. 04. (Cannst., H Reitzel.)   nn 4 —
Pilgrim, N: Christlich. Roman. (397) 8° Lpzg, Lotus-Verl. 01.   5 —; geb. 6 — d
Pillet, A: Das Fableau v. 3 Trois Bossus Ménestrels u. ver-wandte Erzählgn früher u. später Zeit. (101) 8° Halle, M Niemeyer 01.   2.80
Pillichody, A, s.: Que fanti-il fare?
Pilling, F: Geschäftsgänge f. d. Unterr. in d. gewerbl. Buch-führg f. Konditoren, s.: Förster, R.
Pillmann, W: Blumengrüsse. Lieder u. Gedichte. (248) 16° Bruschw., J Neumeyer 03.   L. m. G. 2 — d
Pillmeyer's Express. Posthdb. in Registerform m. seitlich ab-gesetzten Stichwörtern z. Erleichterg d. Nachschlagens. Bearb. v. H Walfort. Ausg. f. Leipzig. (100) 8° Lpzg, MW Kaufmann.   Geb. 1.50
— dass. Ausg. f. Osnabrück. 1. Jahrg. (232 m. 1 Tab.) 8° Osnabr., G Pillmeyer 02.   1 — 0 d
Pilote, d., neue Folge: Beitr. z. Küstenkde. (Hrsg. v. d. deut. Seewarte, Hamburg.) 1903. 8 Hefte. (692 m. 17 Taf.) 8° Hambg, (Eckardt & M.).‖ 1905—5, 9—13. u. 15—80. Heft. (2. u. 3. Bd. 464 u. 462 u. 4. Bd. 1—325 m. Abb., 1 Tab. u. 28 Taf.) Je — 50

Pilote, der. Beitr. z. Küstenkde. (Hrsg. v. d. deut. Seewarte; Hamburg.) 14. Heft. Neue F., 2. Bd. Beiheft. 8⁰ Hambg, (Eckardt & M.). 2.50
14. Lübeke, C: Dampferwege durch d. Magellan-Strasse u. d. Smyth-Kanal. Auweisg f. Dampfer-Kapitäne. (904 m. Abb. u. 2 Kart.) 03. 1.50
Piloty, O: Anl. z. qualitativen chem. Analyse. — Taf. z. qualitativen chem. Analyse. — Volhard's Anl. z. qualitativen chem. Analyse, s.: Pechmann, H v.
Piloty, R: Arbeiterversicherges. Textausg. m. Einl., Anmerkgn u. d. wichtigsten Ausführgsvorschriften. 2. Afl. 2, u. 3. Bd. 12⁰ Münch., CH Beck. L. 8 — (Vollst.: 11.50) d
2. Unfallversicherges v. 30.VI.1900 in d. Fassg d. Bekanntmachg. d. Reichskanzlers v. 5.VII.1900 (m. Ausschl. d. See-Unfallversicherges.). (21, 604) 02. 4.50
3. Krankenversicherges. v. 15.VI.1883/10.IV.1892 m. d. Novellen v. 30. VI. 1900 u. v. 25.V.'93, d. Abschn. B d. Ges. v. 5.V.1886 u. d. Hülfskassenges., unter Berücks. d. Ausführgsbestimmgn d. grösseren Bundesstaaten. 3. Afl. u. W Redenbacher. Mit e. Einl.: Das Recht d. Arbeiterversicherg in kurzgef. Darstellg v. R Piloty. (486) 04. 3.50
— Autorität u. Staatsgewalt. [S.-A.] (32) 8⁰ Tüb., JCB Mohr 05. — 60
— s.: Handbuch d. öffentl. Rechts d. Gegenwart.
— Max v. Seydel. Nachruf. [S.-A.] (24) 8⁰ Münch., CH Beck 01. — 60 d
Pilters, J: Neue Blumen-Formen. (20 Lichtdr.) 52×57,5 cm. Plauen, C Stoll (03). In M. 28 —
— Neuzeitl. Flächenmuster, s.: Enger.
— Das moderne Ornament. (24 Taf.) 4⁰ Plauen, C Stoll (05). In M. 28 —
— s.: Pflanzen-Ornamente, neue.
Piltz: Was berühmte Männer üb. d. Bibel sagen, s.: Lehr u. Wehr für's deut. Volk.
— Eine Wolke v. Zeugen f. d. Bibel. Aussprüche, Geschichten u. Lieder üb. d. Hl. Schrift. (152) 8⁰ Annabg, Graser (02). 1.30; geb. 2 — d
Piltz, E: Aufg. u. Fragen f. Naturbeobachtg d. Schülers in d. Heimat. 5. Afl. (88 m. 1 L.) 8⁰ Weim., H Böhlau's Nf. 02. — 70 d
— Kleine anorgan. Chemie. (104) 8⁰ Halle a/S. (Geiststr. 28), RP Nietschmann 01. Geb. 1.50
— dass. 2. Afl. (166) 8⁰ Jena, HW Schmidt 05. Geb. 1.60
— Eisenach, s.: Grieben's Reiseführer.
— s.: Entfernungsbüchlein f. Wanderer in Jena.
— Führer durch Jena u. Umgegend. 5. Afl. v. Ritters Führer. (128 m. 1 Pl., 2 Kart. u. 2 Taf.) 8⁰ Jena, Frommann'sche Hofbh. (05). — 80
Bis z. 4. Afl. s.: Ritter.
— Führer durch Klosterlausnitz u. s. weit: Umgebg. Altenburger Holzland. (64 m. Abb., 1 Pl. u. 2 Kart.) 8⁰ Papierm. b. Roda, Gebr. Vogt (04). — 80
— Thüringen, s.: Grieben's Reiseführer.
Piltz, O: Gardasee-Führer. 2. Afl. (201 m. Abb. u. 6 Kart.) 8⁰ Gard. Riviera 04. (Berl., Touristen-Magazin H Mues.) 1.50
— Sommernächte am Gardasee. Skizzen u. Novellen. (123) 8⁰ Salò 02. (Berl., Touristen-Magazin H Mues.) 1.50
Pilz, C, s.: Cornelia. — Freimaurer-Zeitung.
— Haus u. Schule Hand in Hand, d. einzig richt. Weg z. wahren Jugenderziehg. 2. Afl. (61) 8⁰ Lpzg, HJ Naumann (01). — 75 d
— Was Kinder gern hören. 52 heit. u. ernste Geschichten f. Kinder v. 7—10 Jahren. 3. Afl. (147 m. 8 Farbdr.) 8⁰ Lpzg, O Spamer 04. 2.50; geb. 3 — d
— Die kl. Reisenden od. fröhl. Wandergn durch Deutschl. in Briefen u. Erzählgn. Ein Buch f. 12—14jähr. Kinder. Natur- u. Landschaftsbilder. 2. Afl. (120 m. 8 Abb.) 8⁰ Lpzg, Picknick-Verl. (04). Geb. 1.80 d
— dass. Städtebilder. (156 m. 10 Abb.) 8⁰ Ebd. (04). Geb. 2 — d
— Die kl. Tierfreunde. 56 kurzweil. Erzählgn a. d. Tierwelt. 8. Afl. (198 m. Abb. u. farb. Titelbild.) 8⁰ Lpzg, O Spamer 03. 2 —; geb. 2.50 d
Pilz, C: Method. Anl. z. Unterr. im Franzos. (32) 8⁰ Lpzg, J Klinkhardt 04. — 40 d
— Lehrb. d. französ. Sprache. — Französ. Leseb. insbes. f. Seminare, s.: Boerner, O.
— u. H Pilz: Französ. Lehrb. f. Volkssch. u. Privatunterr. n. d. Bestimmgn v. 26.II.'01 üb. französ. Rechtsschreibg. I. Tl. Lehrerausg. (32, 80 m. Abb.) 8⁰ Lpzg, J Klinkhardt 01. 1 —; kart. 1.20; Schülerausg. (80 m. Abb.) 7 Lpzg. kart. — 80 || 2. u. 3. Tl. (96 m. Abb. u. 96 m. Abb. u. 1 Karte.) 03. Kart. je 1 — 2. Afl. u. d. T.:
— — Lehrb. d. französ. Sprache f. n. Volks-, Mittel- u. Töchtersch. u. f. d. Privatunterr. I. Tl. 2. Afl. (80) 8⁰ Ebd. 05. Kart. — 80
— — Französisch-deut. Wrtrverz. z. H. u. III. Tl d. französ. Lehrb. (48) 8⁰ Ebd. 03. — 35
Pilz, E: Bewusstes Deutschtum. Weg z. bodenständ. Kultur. Bausteine u. Streiflichter. (126) 8⁰ Lpzg, E Wunderlich 05. 1.40; geb. 1.80 d
— Bodenständ. Pädagogik. Essays u. Aphorismen üb. d. Schöpfg. u. Erziehg d. Vollmenschen. (230 m. 16 [8 farb.] Taf.) 8⁰ Lpzg, A Hahn 03. 3.60; L. 4.90 d
Pilz, H: Wie verfolgt d. Bäcker & Konditor s. Recht? (128) 8⁰ Reutl., R Bardtenschlager (03). Kart. 1 — d
— Wie verfolgt d. Gärtner s. Recht? (299) 8⁰ Lpzg-B, J Thalacker (durch Thalacker & Schöffer, Inselstr. 12) 03. 2 —; L. 2.50 d
— Wie gründet u. leitet man e. Verein?, s.: Ullstein's Sammlg prakt. Hausbb.
Pilze, d. am häufigsten vorkommenden essbaren, bezw. gift., s.: Mück's prakt. Taschenbb.

Pilzmerkblatt. Die wichtigsten essbaren u. schädl; Pilze. Bearb. im kais. Gesundheitsamte. (8 m. 1 farb. Taf.) 8⁰ Berl., J Springer (04). nnn — 10; 50 Stück nn 4 — d
Pimmer, V, s.: Vierteljahrsschrift f. körperl. Erziehg.
Pinardi u. Schiavi: Die italien. Arbeitskammern. Nebst e. Anh. üb. d. Arbeitskammern in d. Schweiz u. d. Arbeiteräte in Frankr.; s.: Schriften d. Gesellsch. f. soz. Reform.
Pincus, L: Atmokausis u. Zestokausis. Die Behandlg m. hochgespanntem Wasserdampf in d. Gynaekol. Nebst e. Anh.: Atmokausis u. Zestokausis in d. Chirurgie u. Rhinol. (410 m. Abb. u. Taf.) 8⁰ Wiesb., JF Bergmann 03. 10.50
— Die Bedeutg d. Atmokausis u. Zestokausis f. d. allg. Praxis, s.: Klinik, Berliner.
— Belastgslagerg. Grundz. e. nichtoperativen Behandlg chronisch-entzündl. Frauenkrankh. u. ihrer Folgezustände. (152 m. Abb.) 8⁰ Wiesb., JF Bergmann 05. 3.60
— Praktisch wicht. Fragen z. Nagel-Veit'schen Theorie. — Zur Praxis d. „Belastgslagerg", s.: Sammlung klin. Vortr.
Pindar's Siegesgesänge. Verdeutscht v. CF Schnitzer. 1. u. 2. Lfg. 3. Afl. (1. Bd. 1—64) 8⁰ Berl.-Schönebg, Langenscheidt's V. (01.05). nn — 35 d
— τὰ σωζόμενα μετὰ μεταφράσεων σημειώσεων καὶ πίνακος τῶν λέξεων εἰς ἕκαστα Κ ὑπὸ Α Ἀλιώτου. 5 Völl. (31, 457; 517, 371, 317 u. 340) 8⁰ Triest, (FH Schimpff) 1886.87. +7 —
Pinder: Olbernhau, s.: Grohmann, M, d. Obererzgebirge.
Pinder, W: Zur Rhythmik roman. Innenräume in d. Normandie. — Einleit. Voruntersuchg zu e. Rhythmik roman. Innenräume in d. Normandie, s.: Zur Kunstgesch. d. Ausl.
Pindor, J: Die ev. Kirche Kroatien-Slavoniens in Vergangenh. u. Gegenwart. (138) 8⁰ Essek (Slavonien), Pfr. Lic.. Pindor 02. 2.30
Pindter, R, s.: Katalog d. fürstl. Dietrichstein'schen Fideicommiss-Bibliothek in Schlosse Nikolsburg.
Pindur, J: Einführg in d. Praxis d. modernen Zeichnenunterr. (25 m. Abb.) 8⁰ Bielitz, W Fröhlich 04. — 90
Pineles, F: Üb. d. Funktion d. Epithelkörperchen. (I. Mitteilg.) [S.-A.] (40) 8⁰ Wien, (A Hölder) 04. — 70
Pineles, HM: Das Recht d. ersten Nacht u. and. Federzeichngn. (60) 8⁰ Wien, M Breitenstein 04. 1 — d
Pinelli, Frat A., s.: Günther v. Freiberg.
Pingler, G: Die Syphilis. Ihr Wesen u. gründl. Heilg auf kürzestem Wege. 6. Afl. (172) 8⁰ Berl., H Steinitz (06). 3 —
Pingund, G, s.: Personalstatus d. ev.-luther. u. d. ev.-reform. Kirche in Russl.
Pini: Predigt üb. Matth. 11, 25—30. Dem Verewigten z. Gedächtnis brsg. v. geistl. Ministerium zu Braunschweig. (7) 8⁰ Brnschw., (J Neumeyer) (04). nn — 10 d
Pini, G: Die Sarkome u. Sarkoide d. Haut, s.: Bibliotheca medica.
Piniński, L Graf: Begriff u. Grenzen d. Eigenthumsrechts n. röm. Recht. (118) 8⁰ Wien, Manz 02. 2.80
Pinkenburg, G: Der Lärm in d. Städten u. s. Verhinderg. [S.-A.] (26 m. Abb.) 8⁰ Jena, G Fischer 03. 1 —
— dass., s.: Handbuch d. Hygiene.
Pinkerton, A: Das Geheimnis d. Falschspieler, s.: Detectiv-Romane, amerikan.
Pinkus, F: Leukaemie etc., s.: Ehrlich, P.
Pinkus, F: Studien z. Wirtschaftsstellg d. Juden. (55) 8⁰ Berl., L Lamm 05. 1 —
Pinkus, G, s.: Truth.
Pinkus, LF: Die moderne Judenfrage. Von d. Grundl. d. jüd. Wirtschaftsgesch. u. d. Zionismus. (48) 8⁰ Bresl., Koebner 03. 1 —
— Palästina u. Syrien. Grundzüge z. Wirtschaftspolitik. (23, 194) 8⁰ Genf 05. (Brünn, Verl. „Jüd. Volksstimme".) 5 —
Finn, H: Prakt. Hülfsb. f. Beamte d. Telegr. u. Telephonie z. Gebr. an internat. Leitgn sowie z. Abfassg v. Amts-Telegrammen. Deutsch-französisch u. französisch-deutsch. 3. Afl. (119) 16⁰ Berlin (N. 58, Hagenauerstr. 2) Telegr.-Beamter Pinn. 01. Kart. — 90
Pinner: Die Krebskrankh. Ihre Ursachen, ihr Wesen u. Verlauf. 2. Afl. (48) 8⁰ Berl., H Steinitz 04. 1 —
Pinner, A: Repetitorium d. organ. Chemie. 11. Afl. (348) 8⁰ Hannov., Dr. M Jänecke 01. 7.50; geb. 8 —
Pinner, A: Das Reichsges. z. Bekämpfg d. unlaut. Wettbewerbs v. 27.V.1896 nebst d. ergänz. Bestimmgn d. BGB. Kommentar. (183) 8⁰ Berl., J Guttentag 03. 5 —; L. 6 — d
— Die Revision d. Börsenges., s.: Veröffentlichungen d. Berliner Anwalt-Ver.
Pino s.: Belli de Pino.
Pino, M del: Selb. d. span. Umgangssprache, s.: Ramshorn, M.
Pinsker, L: Autoemanzipation. Mahnruf an s. Stammesgenossen v. e. russ. Juden. (31) 8⁰ Brünn, (Verl. „Jüd. Volksstimme") 03. — 80
Pinski, D: Eisik Scheftel. Ein jüd. Arbeiterdrama. Aus d. jüd. Mskr. v. M Buber. (105) 8⁰ Berl., (-Charlttnbg), Juncker 03. 2 —; geb. 3 —
Pintner, T: Einiges üb. Regeneration im Tierreiche. — Die Grubenwurmkrankh. u. ihr Erreger (Ankylostoma), s.: Vorträge d. Ver. z. Verbreitg naturwiss. Kenntnisse in Wien.
— Studien üb. Tetrarhynchen nebst Beobachtgn an and. Bandwürmern. (III. Mitteilg.) 2 eigentüml. Drüsensysteme bei Rhynchobothrius adenoplurius n. u. histolog. Notizen üb. Anthocephalus, Amphilina u. Taenia saginata. [S.-A.] (57 m. 4 Taf.) 8⁰ Wien, (A Hölder) 05. 1.70 (I—III.: 5.10)

Pinus, AL: Gärtners Frühlingstraum. Szen. Darstellgn a. d. deut. Gärtner-Vereinsleben m. 2 leb. Bildern u. e. Prolog: Widmg an Deutschlds Gärtner. (24) 8° Berl., Verl.-Bh. d. allg. deut. Gärtner-Ver. 1900.   — 30 d
Pinzke, H: Das Bewegspiel, s.: Trapp, E.
Pionier. Organ d. schweiz. permanenten Schulaustellg. in Bern. Red.: E Lüthi. 22—25. Jahrg. 1901—4 je 12 Nrn. (Nr. 1. 8) 8° Bern, Gymn.-Lehr. Lüthi.   Je 2 — ∥ 26. Jahrg. 1905. 2.30 ∂ H
Piorkowska, J : Die gestohl. Familiendiamanten. Kriminal-Roman n. d. Engl. — Köhler, H : Amerikan. Justiz. Aus d. amerikan. Leben. (239) 8° Neuweissens., E Bartels (o. J.).   1.50 d
Piotrowski, R: Erlebnisse auf d. Flucht a. Sibirien, s.: Jugend- u. Volksbibliothek.
Piotter, A: Berlin. Leseb., s.: Schulz, O.
Piper, H: Die Entwicklg v. Leber, Pankreas u. Milz bei d. Vertebraten. (93 m. 1 Tab.) 8° Freibg i/B., Speyer & K. 02. 2.50
Piper, KA: Der Burschenschafter. Drama a. d. J. 48. (168) 8° Berl., Herm. Walther 03.   2 — d
Piper, O: Abriss d. Burgenkde, s.: Sammlung Göschen.
— Österr. Burgen. 1—3. Thl. (247, 268 u. 252 m. Abb.) 8° Wien, A Hölder 02.03.   Je 7.20 d
— Burgenkde. Bauwesen u. Gesch. d. Burgen zunächst innerh. d. deut. Sprachgeb. 2. Afl. 1. Hälfte. (388 m. Abb.) 8° Münch., R Piper & Co. 05.   14 —
— Schloss Tirol. [S.-A.] (38 m. Abb.) 4° Wien, A Hölder 02.   1 — d
— Die angebl. Wiederherstellg d. Hohkönigsburg. (60 m. Abb.) 4° Münch., C Haushalter 02.   1.50 d
Pipeta, G : Der hl. Abend.Weihnachtssp. m. Liedern f. d. Jugend. — Der brave Karl. Weihnachtssp. f. d. Jugend. (32 m. Musik-beil. 8) 8° Graz (Rosenbergergürtel 12). Lehr. Pipetz. — 85 d
— Hdb. f. Taubstummen- u. Blindenlehrer m. statist. Nach-richten üb. d. Taubstummen- u. Blinden-Anst. in Österr.-Ungarn. (63 u. Notizblätter.) 8° Ebd. 01.   Geb. nn 1.70
Pipgras, C : Von Johannesburg bis Ragama-Camp. Erlebnisse e. kriegsgefang. Schleswig-Holsteiners a. d. Boeren-Armee. (25 m. Abb.) 8° Itzehoe, C Bachmann & Petersen 01. — 50 d
Pirani, M v.: Moderne Temperaturmessg. [S.-A.] (7 m. Fig.) 8° Berl., Administr. d. Fachzeitschrift „Der Mechaniker" (04).   — 75
Pirch, H : Vergleich. Darstellg d. Gemeindewahlordng f. d. Erzherzogt. Österr. unter d. Enns; Gemeindewahlordng f. Wien; Landtagswahlordng d. Erzherzogt. Österr. unter d. Enns u. d. Reichsratswahlordng, nebst Ausz. a. d. Gemeinde-ordng f. d. Erzherzogt. Österr. unter d. Enns u. a. d. Ge-meindestatute f. Wien, s.: Gesetz-Ausgabe, Manz'sche.
Pircher, J : Üb. d. Haarhygrometer. [S.-A.] (34) 4° Wien, (A Hölder) 01.   2.90
Pirckmayer, F: Notizen z. Bau- u. Kunstgesch. Salzburgs. [S.-A.] (150) 8° Salzbg, (E Höllrigl) 08.   nn 3 — d
Pire, C: Eulogius Schneider. Dramat. Dichtg. (75) 8° Strassbg, (FX Le Roux & Co.) 01.   nn — 75 d
Firenze, H: Gesch. Belgiens, s.: Staatengeschichte, allg.
Pirig, J: Übgsb. u. Vorl. z. Übers. ins Latein. f. d. VI. (Obersekunda, Unterprima, Oberprima), vorwiegend im An-schl. an d. Lektüre. (184) 8° Glog., C Flemming 02. Kart. 2.40
Pirko, F v., s.: Bericht d. niederösterr. Landesausschusses sb. s. Amtswirksamk.
Pirotta, R: Phytosophicar, tabular. pars I, s.: Caesius, F.
Pirquet, C Frhr v., u. B **Schick**: Die Serumkrankh. (144 m. Kurven.) 8° Wien, F Deuticke 05.   4.—
Pirres: Der russ. Handlgsgehilfe. I. Lehrb. d. gesproch. u. geschrieb. Russisch f. kaufmänn. Schulen. (210) 8° Berl., ES Mittler & S. 03.   2.50; geb. 3 — d
— Russ. Namen-Verz. in deut. Anordng u. Umschrift m. e. Abhandlg üb. d. russ. Aussprache. (I. Tl.) (14) 8° Lpzg, 04. (Rixdf., Bickhardt.)   1.50
— Der hl. Russe. Hilfsmittel z. weiteren Vervollkommng in d. russ. Sprache. Nach Kron's Le petit Parisien u. En France verf. (In russ. Sprache.) (231 m. 1 Pl.) 8° Karlsr. 05. Freibg i/B., J Bielefeld.   L. 3 —
Pirscher, R v.: Ingenieur u. Pioniere im Feldzuge 1870—71. Belagerg v. Strassburg (v. 11.VIII.—28.IX.1870). (52 m. Abb.) 3 Pl. u. 3 Bildern.) A Schall (05). 3.50; geb. 4.50 d
Pirson, J : La langue des inscriptions latines de la Gaule. (328) 8° Bruxelles 01. (Münch., A Buchholz.)   nn 8 —
Pisano, V : Die Brüder v. Santa Gallen. Schausp. frei n. Scheffel. (180) 8° Wien, Wallishausser (05).   2 — d
Pisch, A: Vorlagen-Sammlg d. mähr. u. ungarisch-slovak. Ornaments. (45 Taf. m. 19 S. illustr. Text.) Fol. Olm., R Promberger 02.   In M. 10 —
Pischek, H: Hilfsb. f. d. deut. Unterr., s.: Mayr, R.
Pischel s illustr. Führer f. Döbeln u. Umgegd. 2. Ausg. (52 m. 1 Karte u. 1 Taf.) 12° Döb., (H Schmidt) (01).   — 40 d
Pischel, R: Bruchstücke d. Sanskritkanons d. Buddhisten a. Idykutsari, Chinesisch-Turkestan. [S.-A.] (21 m. 3 Taf.) 8° Berl-, (G Reimer) 04. 1 — ∥ Neue Bruchstücke. (8 m. 3 Taf.)   04. — 50
— Elementarb. d. Sanskrit-Sprache, s.: Stenzler, AF.
— Gedächtnisrede auf Albr. Weber. [S.-A.] (8)4° Berl., G Reimer 06.   — 50
— Die Inschrift v. Paderiya. [S.-A.] (11) 8° Ebd. 03.   — 50
— Kaschgar u. d. Kharosthi, s.: Franke, O.

Fischel, R: Materialien z. Kenntnis d. Apabharamśa, s.: Ab-handlungen d. kgl. Gesellsch. d. Wiss. zu Göttingen.
— Der Ursprg d. christl. Fischsymbols. [S.-A.] (27) 8° Berl., (G Reimer) 05.   1 —
— u. KF Geldner: Vedische Studien. 3. Bd. (215) 8° Stuttg., W Kohlhammer 01.   7 — (1—3.: 29.50)
Pischinger, A: Der Vogelzug bei d. griech. Dichtern d. klass. Altertums. 2. Beitrag z. Würdigg d. Naturgefühls in d. an-tiken Poesie. (80) 8° Eichst. 04. (Lpzg, Bh. G Fock.) 1 —
Pischinger, F : Üb. Bau u. Regeneration d. Assimilations-apparates v. Streptocarpus u. Monophyllaea. (25 m. 2 Taf.) 8° Wien, (Hölder) 02.   — 90
Pischinger, Æ: Kassandra. Drama. (88) 8° Wien, L Weiss 03.   2 — d
Piskaček, L: Lehrb. f. Schülerinnen d. Hebammenkurses u. Nachschlageb. f. Hebammen. 3. Afl. (28, 228 u. 43 m. Abb.) 8° Wien, W Braumüller 02.   L. 6 — d
Fisko, I: Geol. d. Obstruction. Mahng an d. Wähler d. österr. Abgeordneten. (15) 8° Wien, M Breitenstein 01.   — 35 d
Fisko, J : Die Südhalbkugel im Weltverkehr. Reise als handels-polit. Fachreferent d. k. k. österr. u. k. ung. Handelsmini-steriums. (245 m. Abb., 2 Bildnissen u. 1 Karte.) 8° Wien, A Hölder 04.   L. 8.50
Fisko, O : Die ausserstreit. Gerichtsbark. in Handelssachen. [S.-A.] (26) 8° Wien, M Breitenstein 1900.   — 75 d
— Das allg. Handelsgesetzb., s.: Taschenausgabe, Manz'sche, d. österr. Ges.
— Kommentar z. allg. deut. Handelsgesetzb., s.: Staub, H.
Pissin, R: Otto Heinrich Graf v. Loeben (Isidorus Orientalis). Sein Leben u. s. Werke. (326 m. 1.Bildnis.) 8° Berl., B Behr's V. 05.   8 — d
— Frank Wedekind, s.: Essays, moderne.
Pistner, J : Übgsb. z. Übersetzen a. d. Griech. in d. Deut. u. a. d. Deut. in d. Griech. 2 Tle. 3. Afl. v. O Lang. 8° Münch., J Lindauer.   3.70; Einbde je nnn — 30 d
1. Das Nomen u. regelmäss. Verbum auf ω (m. Anschl. d. Verba liquida). (203) 01. 1.50 ∥ 2. Verba liquida, Eigentümlichk. v. Verben auf ω, Verba auf μι, Verba anomala, unregelmäss. Verba auf ω. (219) 02. 2.20.
— u. A Stapfer: Kurzgef. griech. Schulgrammatik. 1. Tl: For-menlehre. (95) 8° Ebd. 05.   .1.30; geb. 1.60 d
Pistolhkors, M v., s.: Delicz, I.
Pistole, d. automat., System G Roth. (Muster II.) (38 m. 10 Taf.) 8° Wien, LW Seidel & S. 04.
Pistolet, le, automat. „Parabellum", construction, maniement, emploi. (38 m. Abb. u. 5 Taf.) 8° Berl.,(R Eisenschmidt) (02). 1.50
Pistor, E : Durch Sibirien n. d. Südsee. Wirtschaftl. u. unwirt-schaftl. Reisestudien a. d. J. 1901 u. 02. (533 m. 20 Taf.) 8° Wien, W Braumüller 05.   5 —; L. 6.60
Pistor, H : Für d. Siegerländer. Beitr. z. Heimatkde v. Kreise Siegen. (133 m. Abb. u. 1 Karte.) 8° Siegen, Westdeut. Verl.-Anst. 05.   Geb. 1.30 d
Pistor, M : Die Behandlg Verunglückter bis z. Ankunft d. Arztes. (Neue Afl.) (Buchausg.) (18 m. Abb.) 8° Berl., R Schoetz (02). (Neue Afl.) (Plakat 57,5×83,5 cm. — 50; 2seitig. 55×37,5 cm in Etui — 50 d
— dass., s.: Granier, E, Lehrb. f. Heilgehilfen.
— s.: Vierteljahrsschrift, deut., f. öffentl. Gesundheitspflege.
Pistorius, F : Pekajah, d. Wyandot-Häuptling. (Neue Ausg.) (79) 8° Mülh., a/R., J Bagel (05).   Kart. — 90 d
— Die Pirateninsel im Huron-See. (Neue Ausg.) (127) 8° Ebd. (05).   — 40 d
— s.: Volkserzählungen, kl.
Pistorius, F: Doktor Fuchs u. seine Tertia. Heitere Bilder v. d. Schulbank. (234) 8° Berl., Trowitzsch & S. 05. 2.40 d
— Primanerzeit. Skizzen u. Stimmgsbilder. (267) 8° Berl., HJ Meidinger (04).   L. 4 — d
— Tertianerzeit. Heit. Erinnergn u. ernste Betrachtgn f. alle, d. Jungen waren, sind u. d. Jungen haben. (270) 8° Ebd. (02).   L. 3 — d
Pistorius, T: Ges. betr. d. Einkommensteuer f. d. Kgr. Württem-berg nebst Ausführgsbestimmgn u. m. Abb. verand. u. d. Kapital-steuer. 3 Lfgn. (18, 278 u. 221) 8° Ravnsbg, O Maier (08).   3 — ; L. 4 — ; in 1 Bd 3.80 d
Pistory, C: Polnisch, s.: Neufeld's Unterr.-Briefe f. d. Selbst-studium.
Pitaval, d., d. Gegenwart. Almanach interessanter Straffälle. Hrsg. v. R Frank, G Roscher u. H Schmidt. 1. u. 2. Bd je 4 Hefte. (359 u. 344 Taf.) 8° Lpzg, CL Hirschfeld 03-05.   Je 4 —; geb. je 7.35; elnz. Hefte 1.60
Pitcairn, L, u. M Bennegger: Conversational books about the mountains of Hoelzel. (9 e 12 m. 1 farb. Taf.) 8° Wien, E Hölzel (08).   Je — 50
1. Spring.│2. Summer.│3. Autumn.│4. Winter.│5. The farm-yard.│6. The mountain.│7. The forest.│8. The town.│9. London.
Piton, O : Der Buddhismus in China. — Konfuzius, d. Heilige Chinas, s.: Missions-Studien, Basler.
Pitreich, A: Das allg. Grundbuchsges., d. Vorschriften üb. Grundb.-Bücher, Bergbb. u. Naphthabb. usw., s.: Taschen-ausgabe, Manz'sche, d. österr. Ges.
Pitsch, J : Übersichtsk. d. Mittelach. in Österr. Gez. u. red. v. K Feucker. 1: 1,700,000. 65×82 cm. Farbdr. Wien, Artaria & Co. 03.   In Kart. 3 —
Pitsch, J : Üb. d. Zusammenh. d. spezif. Volumina e. Flüssigk.

u. ihres gesättigten Dampfes. [S.-A.] (12) 8° Wien, (A Hölder)
04. — 30
Pitschel, E: Einführg in d. französ. Sprache anf lautl. Grundl.
Im Anschl. an d. Vorsch. zu Lehr- u. Leseb. d. französ. Sprache
v. X Ducotterd verf. (31) 8° Frankf. a/M., C Jügel 01. — 60 d
Pits, H: 4stell. Logarithmentaf. 3. Afl. (18 u. 2) 16° Giess., E
Roth 02. — 40
Pitzer, E: Deut. Leseb. f. Realsch., s.: Wollinger, J.
Piur, P: Studien z. sprachl. Würdigg Christian Wolffs. (112)
8° Halle, M Niemeyer 03. 2.80
Pius IX.: Encyklika u. Syllabus, s.: Aktenstücke, kirchl.
Pius X. s.: Rundschreiben.
Pius X. Von O L. Aus d. Franz. (32 m. Abb.) 16° Strassbg, FX
Le Roux & Co. 04. — 10 d
— s. Handlgn u. s. Absichten. Gedanken u. Anmerkgn e. Be-
obachters. Aus d. Ital. (54) 8° Rgnsbg, Verl.-Anst. vorm. GJ
Manz 05. 1 —
Pivl, A: Die Berufswahl im Staate, s.: Moll, F.
Piwonka, W Ritter v.: Schädlinge d. Deutschtums. Betrachtgn
üb. d. korrumpier. Tätigk. gewisser verjudeter Kreise. (32)
8° Wien, (H Kirsch) 02. — 20 d
Pizzighelli, G: Anl. z. Photogr. 11. Afl. (306 m. Abb. u. 24 Taf.)
8° Halle, W Knapp 01. || 12. Afl. (414 m. Abb. u. 24 Taf.) 04.
L. je 4 —
— Hdb. d. Photogr. f. Amateure u. Touristen. II. Bd. Die photo-
graph. Processe. 3. Afl. v. C Mischewski. (539 m. Abb.) 8° Ebd.
03. 8 —
Pizzo, G: Italien. Briefe, s.: Breitinger, H.
Placht, K: Wo d. Knödel wachsen, u. d. Weisswurst blüht!
Heitere Reimereien. (28 m. Abb.) 8° Münch., C Beck (L Halle)
02. — 25 d
Placzek, B: Nachruf, geh. an d. Bahre Hieronymus Lorm's. (4)
8° Brünn, B Epstein & Co. 02. — 20 d
Placzek, S, s.: Jahresbericht d. Unfallheilkde etc.
— Ein deut. gerichtsärztl. Leichenöffgsverfahren. Reform-
gedanken. [S.-A.] (80) 8° Berl., Fischer's med. Bh. 04. 1.50
Plagemann, A: Der Chilesalpeter. (Umschl.: Die Düngstoff-
Industrie und d. Welt. Hrsg. v. T Waage.) (75 m. Abb. u. 1 Karte.)
4° Berl. (05). (Hambg, GW Seitz Nf.) 6 —
Plagge: Die Städteordng v. 30.V.1853, 2. Afl. v. B Schulze, s.:
Gesetzsammlung.
Plambeck, EO: Juanita. — Um e. Mannes Willen. — Die Neben-
buhler, s.: Kaufmann's moderne Zehnpfennig-Bibliothek.
Plan v. Albertstadt-Dresden m. Uebgs-Plätzen. Bearb.
im topograph. Bureau d. kgl. Generalstabes 1893. Nachgetr.
im Frühjahr '01. 1:8000. 57,5×73,5 cm. Lith. Dresd., (E Engelmann's Nf.) (01). nn 1.20
Neue Ausg. s: Plan Dresden.
— dass. 1:12,500. 36,5×49,5 cm. Lith. Ebd. (02). nn — 60
— v. Altona. Bearb. im Stadtbauamt. 1:4000. 3 Bl. je 82,5×
51,5 cm u. 3 Bl. je 68,5×51,5 cm. Lith. Alt., (J Harder, V.)
04. 8 —
— v. A m b e r g m. Strassen-Verz. u. Häusernummerierg. 1:8000.
42×42 cm. Photolith. Ambg, F Pustet 02. (1.50) 1 —
— v. A s c h a f f e n b u r g, v. J Orachler. 1:10,000. 49×58,5 cm.
Farbdr. Aschaffenbg, C Krebs (05). — 50
— v. B e r l i n m. Umgebg. 1:18,000. [S.-A.] 41,5×56,5 cm. Farbdr.
Mit Strassenverz. (15) 16° Berl., A Goldschmidt 01. — 30
— dass. m. nächster Umgebg. 1:18000. [S.-A.] 41×79 cm. Farbdr.
Mit Strassen-Verz. (20) 16° Ebd. 04.05. In M. — 50
— v. B o r n a nebst Altstadt-Borna u. Gnandorf. 1:8000. 40,5×
38 cm. Farbdr. Mit e. Anh.: Aus Borna's Vergangenh. v. Wenck.
(8) 8° Borna, R Noske (04). — 50
— v. B o z e n, Gries u. Umgebg. Aufgenommen u. gez. v. R Hölzl.
1:6450. 35×48 cm. Lith. Boz., F Moser (02). — 80
— v. B r a u n s c h w e i g. Bearb. v. d. Vermessgs-Abth. d. städt.
Bauverwaltg. 1:10,000. 25. Afl. 54,5×49,5 cm. Farbdr. Mit
Strassenverz. usw. am Fusse. Brnschw., JH Meyer 04. — 50
— v. B r e s l a u. 35,5×53 cm. Farbdr. Mit Führer. 3. Afl. (40)
12° Schweidn., G Brieger (01). — 50 d
— v. B r e s l a u u. dessen Vororten. Abdr. v. 1903. 1:10,000. 77×
87 cm. Farbdr. Nebst Strassenverz. etc. (8) 8° Bresl., E Morgenstern, V. — 50
— v. B u d a p e s t. [S.-A.] 1:18,000. 38×38 cm. Farbdr. Berl., A
Goldschmidt 04.05. In M. — 50
— v. B u r g (Bez. Magdeburg), m. e. Verz. sämmtl. Strassen
u. dgl. (auf d. Rücks.) 1:5000. 39×55,5 cm. Farbdr. Burg, C
Schulze (01).
— v. C h e m n i t z. 1904. 7. Afl. Bearb. v. Stadtbauamt. 1:10,000.
98×83 cm. Farbdr. Chemn., (M Bülz). 2 —
— dass. 5. Afl. 7½ auf Umschl. Mit Strassenverz. am Fusse.
Chemn., B Troitzsch Nf. (02). — 35
— v. D a n z i g. (Von M Block.) 1:5000. 54×87,5 cm. Farbdr.
Mit Strassenverz. aufd. Umschl. Danz., A W Kafemann 04. — 50
— dass. 1:10,000. 34×38 cm. Farbdr. Mit Strassenverz. auf d.
Rücks. Ebd. (04). — 50
— v. D i l l e n b u r g. 34,5×43,5 cm. Lith. Dillenbg, Gebr. Richter
(03). — 50
— v. D o r t m u n d. 1:10,000. (2. Afl.) 62×67 cm. Farbdr. Nebst
Strassenverz. (18) 8° Dortm., CL Krüger (05). — 75
— v. D r e s d e n. 1:12,500. 67,5×70,5 cm. Farbdr. Mit Strassenverz. auf d. Umschl. Dresd., A Müller-Fröbelhaus 03. nn — 25
— dass. 1905. 19. Afl. Bearb. v. Vermessgsamte d. Stadt Dresden. 1:10,000. 87×109,5 cm. Farbdr. Dresd., (GA Kaufmann's
PP.). 1.50

Plan v. D r e s d e n nebst Vororten. 1:20,000. 50×59 cm. Farbdr.
Nebst Strassenverz. (10) 8° Dresd., Albanus 05. — 75
— d. A lbertstadt D r e s d e n m. Ubgs-Plätzen. Bearb. v. d. Abteilg
f. Landesaufnahme d. kgl. Generalstabes 1903. Hrsg. 1904.
1:8000. 58,5×79,5 cm. Lith. Dresd., (E Engelmann's Nf.).
nn 1.20; auf L. nn 2.20
— dass. 1:12,500. 37,5×51 cm. Lith. Ebd. nn — 60; auf L. nn 1.20
— d. D r e s d e n e r Ubgsplatzes. Bearb. v. d. Abteilg f. Landes-
aufnahme d. kgl. Generalstabes 1903. Hrsg. 1904. 1:8000. 47×
46 cm. Lith. Ebd. nn — 80; auf L. nn 1.55
— dass. 1:12,500. 30×29,5 cm. Lith. Ebd. nn — 40; auf L. nn — 80
— v. E r f u r t. 1:10,000. 34×40,5 cm. Mit: Umgebgsk. 1:130,000.
(Auf d. Rücks.) Farbdr. Nebst Strassenverz. v. Thüringerwald-Ver. Zweigver.
Erfurt. (Neue Afl.) Nebst Text. (18) 8° Zür., Art. Instit. Orell
Füssli (03). nn — 30
— v. E s s e n. 1:7500. 49×49 cm. Farbdr. Ess., Günther & Schwan
(01). 1 —
— v. F r a n k e n b e r g. 1:4,100. 54×41 cm. Farbdr. Frankenbg,
CG Rossberg (02). nn — 50
— v. F u l d a. 1:8000. 26,5×33,5 cm. Farbdr. Mit Eisenbahnk.
auf d. Rücks. Fulda, G Nehrkorn 01. nn — 35
— v. G e l s e n k i r c h e n. Taschenausg. d. amtl. Stadtpl. 1:17,500.
50,5×60 cm. Farbdr. (05). — 75
— v. G e l s e n k i r c h e n u. Rotthausen. 1:10,000. 66×54,5 cm.
Farbdr. Mit Strassenverz. usw. (42) 8° Gelsenk., W Maske
(03). 1 —
— v. G e r a u. Umgebg. 41×43 cm. Farbdr. Gera, H Kanitz, V.
(02). 1 —
— v. G r a u d e n z. 1:10,000. 23,5×48,5 cm. Farbdr. Graud., J
Gaebel (02). — 60
— dass. Ergänzt u. berichtigt bis z. J. 1902 durch d. Stadt-Bauamt. 1:6666. 35×55,5 cm. Farbdr. Mit Strassenverz. am Fusse.
Graud., A Kriedte (02). — 30
— v. G r a z u. nächster Umgebg. Vom Stadtbauamt überprüft.
1:10,000. 61×48,5 cm. Farbdr. Mit Verz. d. Strassen etc. (12)
12° Graz, Leykam (02). In Kart. 1.70
— dass. 1:12,000. 60×43,5 cm. Farbdr. Mit e. Hinweis auf alle
öffentl. Gebäude usw. (6) 8° Graz, Styria 04. — 80 || 2. Afl.
(11) 15. — 1 d
— dass. 1:14,400. 17,5×40,5 cm. Farbdr. Mit e. Verz. sämmtl.
Strassen usw. (43) 16° Graz, P Cieslar 04. Kart. (1.30) 1 —
— e. Corpus d. griech. Urkunden d. M.-A. u. d. neueren
Zeit. (Bestimmt z. Vorlage bei d. 2. allg. Sitzg d. Association
internat. des académies, London 1904.) Hrsg. v. d. kgl. Akad.
d. Wiss. (124) 4° Münch., (G Franz' V.) 05. 4 —
— v. H a l l e a. S. m. d. Vororten, im Stadtbauamt bearb. 71×
40,5 cm. Nebst e. Karte d. Umgegend (auf d. Rücks.). 1:100,000.
31×40 cm. Farbdr. 9. Afl. m. Strassenverz. (an d. Seite). Halle,
L Hofstetter, V. 01. — 50
— amtl., v. H a m b u r g. Hrsg. v. d. Bandeputation. 1:1000.
Je etwa 57×86 cm. Kpfrst. Hambg, (O Meissner's S.) (01-05).
Je 5 —
— v. H a m b u r g, Altona u. Wandsbek. 1:20,000. [S.-A.] 44×
53 cm. Farbdr. Mit Strassenverz. (15) 16° Berl., A Goldschmidt
04.05. In M. — 50
— v. H a m b u r g nebst Altona-Ottensen u. Wandsbek m. Anschl.
d. ges. Freihafengebietes u. d. Ortschaften Langenfelde,
Stellingen, Lockstedt, Gross-Borstel, Hinschenfelde u. Schiff-
bek. 1:14,000. 9. Afl. 64×38 cm. Farbdr. Mit e. Verz. d. Strassen
usw. (15) 8° Hambg, CHA Kloss (04). — 50
— v. H a n n o v e r u. Linden. 1:10,000. Neue Revision. 43,5×
53,5 cm. Farbdr. Mit Strassenverz. an d. Seiten. Hannov.,
Schmorl & v. S. Nf. (05). — 50
— dass. m. Karten d. Eilenriede. Verkehrsk. d. weit. Umgebg
Hannovers (auf d. Rücks.). (Mit Text am Rande). 50×40 cm.
Farbdr. Mit kurzer Beschreibg d. Stadt Hannover. (32) 12°
Hannov., Wolff & H. Nf. 02. — 40
— v. H a n n o v e r, nebst Linden u. Eilenriede. 38×57 cm. Farbdr.
Mit Strassenverz. usw. auf d. Rücks. Hannov., (A Kiepert)
(01). — 40
— v. H i l d e s h e i m u. Moritzberg. 1:5000. 64×80 cm. Lith.
Nebst Strassenverz. (1 Bl.) Fol. Hildesh., F Borgmeyer (01).
— 8 —
— v. H o f. 1:5000. 81,5×66 cm. Farbdr. Hof, GA Graa & Co. 05. 1.20
— v. H ö x t e r. 1:7,500. 33,5×44 cm. Lith. Höxt., O Buchholz
(01). — 50
— d. neue, f. d. jurist. Studium in Preussen u. s. Bedeutg
f. d. Zukunft d. Univers. u. d. Justizwesens, v. Ignotus. (32)
8° Lpzg, T Grieben 02. — 60
— v. K a r l s r u h e. 1:10,000. 33×60,5 cm. Mit Strassenverz. an
d. Seiten. Karlsr., G Pillmeyer (01). — 50
— v. K i e l, nebst d. Vororten. 1:10,000. 57×68 cm. Farbdr.
Nebst Verz. d. Strassen. (16) 8° Kiel, WG Mühlau (04). — 60

Plan d. Luftkurortes **Klosterlausnitz**. 1:3,000. 41×41 cm. Farbdr. Klosterlausnitz, Verkehrsausschuss (04). (Nur dir.) — 40
— v. **Köln**. 23,5×35,5 cm. Farbdr. Mit kurzem Führer u. vollständ. Strassenverz. (11) 8° Köln, Hoursch & Bechstedt (05). — 30
— v. **Köln** u. Vororten. 1:12,000. 44×58 cm. Farbdr. Nebst Strassenverz. (12) 8° Köln, JG Schmitz (03). — 25
— v. **Königsberg**. 1904. 38×41 cm. Lith. Mit Strassenverz. (4) 8° Königsbg, Bon's Bh. — 50
— dass. 38×41 cm. Lith. Nebst Strassenverz. etc. (4) 8° Köngsbg, Hartung 01. — 40
— v. **Königsberg** u. d. anlieg. Gemarkgn. Angefertigt durch d. Bureau f. d. Entwässerg u. Neumessg d. Stadt. 1:10,000. 48×69 cm. Farbdr. Mit Strassenverz. (4) 8° Köngsbg, (W Koch) 03. nn 1—
— v. **Kreuznach**. 1:5000. 47×50,5 cm. Lith. Kreuzn., W Pullig — 75
— d. Unterweser-Städte **Lehe**, Bremerhaven u. Geestemünde. 1:10,000. 59×107 cm. Farbdr. Bremerh., L v. Vangerow (05). nn 1.50
— v. **Leipzig**. 1:12,500. 38×31,5 cm. Farbdr. Berl., A Goldschmidt (03). In M. — 30
— dass., bearb. v. d. Vermessgsabtlg d. Tiefbauamtes. 1:10,000. 3. Ausg. 1905. 121,5×89,5 cm. Kpfrst. u. Lith. Mit e. Verz. d. Strassen etc. (8) 8° Lpzg, JC Hinrichs' S. 3—;
    auf L. in Taschenform 4.50; m. St. 4.86
— dass. Detailblätter u. d. Neuaufnahme f. d. Verjüngg. 1:500, hrsg. v. Stadtvermessgsamte. II. Abth. 21 c, bi a—c, 61 a.b.d.; III. Abth. 1 c.d., 2 b.c, 11 c.d, 12 a—c, 13 a—c, 14 d, 41 a.b, 51 a.b; IV. Abth. 31 a.b.d, 32 d. Je etwa 60×82 cm. Kpfrst. u. Lith. Ebd. 01-05. je nn 2—
— dass., f. d. Verjüngg. 1:1000. III. Abth. 22, 32, 42, 51, 52, 61, 71; IV. Abth. 14, 44, 45, 56 u. 57. Je etwa 60×82 cm. Ebd. 01-05. Je nn 2—
— v. **Linz** u. d. Stadt Urfahr. Rev. v. O Ulbrich. 1:10,000. 54×78 cm. Farbdr. Nebst: Strassenschema. (8) 8° Linz, Zentraldruckerei vorm. E Mareis 04. nn 2.40
— v. **Magdeburg**. 1:11,000. 53,5×74,5 cm. Autogr. u. kol. Mgdbg, K Goeritz (03). — 40
— v. **Mainz**. 1:10,000. 25×41,5 cm. Farbdr. Nebst Verz. d. Strassen usw. (4) 8° Mainz, V v. Zabern (02). — 40
— v. **Mülhausen** i. E. 1:12,000. 41,5×31 cm. Farbdr. Mit Strassenverz. (9) 12° Mülh. i/E., C Ehrmann 01. — 30
— dass., v. d. Stadtbauamte vervollständigt u. richtig gestellt. 1:5000. In 2 Ausg. Je 2 Bl. je 81,5×52 cm. Farbdr. Ebd. 03. Jede Ausg. nn 2.50
— v. **München**. [S.-A.] 1:14,000. 41×40,5 cm. Farbdr. Berl., A Goldschmidt 05.06. In M. — 75
— v. **Münster** i. W. 1:10,000. 47×59 cm. Farbdr. Mit Strassenverz. auf d. Seite. Münst., H Mitsdörffer (02). 1.20
— dass. 1:20,000. 23,5×26 cm. Lith. Mit Strassenverz. auf d. Rücks. Ebd. (02). — 50
— v. **Nürnberg** 1901. 1:15,000. 51,5×84 cm. Farbdr. Mit Text an d. Seiten. Nürnbg, (JL Schrag). 2.50
— v. **Nürnberg**, m. sämtl. Vorstädten u. Vororten. 7. Afl. 1:9000. 37×52,5 cm. Farbdr. Mit Umgebgsk. auf d. Rücks. Mit e. Verz. d. Strassen etc. (7) 8° Nürnbg, JP Raw's V. (01). — 50
— v. **Paris**. 24×30,5 cm. Farbdr., nebst Orientirgspl. u. e. Strassenverz. (Neue Ausg.) (8) 12° Berl., Friedberg & M. (01). — 50
— v. **Peking**. Aufgenommen 1900/01 v. d. Feldtopogr. d. deut. ostasiat. Exped.-Korps. Hrsg. v. d. kartograph. Abth. d. kgl. preuss. Landes-Aufnahme. 1:17,500. 64×38 cm. Farbdr. (R Eisenschmidt) 03. nn 2.50
— d. Gesandtschaftsviertels in **Peking**. Zusammengest. n. d. Baupl. d. einz. Gesandtschaften in d. kartogr. Abteilg d. kgl. preuss. Landes-Aufnahme. 1:3000. 34×66 cm. Farbdr. Ebd. 03. nn — 75
— v. **Pforzheim**. 1:12,000. 23,5×24,5 cm. Farbdr. Mit Strassenverz. am Rande. Freibg i/B., FP Lorenz (02). nn — 30
— v. **Pilsen**. 1:28 920. 34×42 cm. Farbdr. Mit Strassenverz. usw. an d. Seiten. Pils., C Maasch (02). — 50
— v. **Plauen** i/V. Bearb. v. städt. Vermessgsamte Dez. 1902. H Hartmann. 1:10,000. 80×41 cm. Farbdr. Plauen, (A Kell) (03). 2—
— v. **Pola**, s.: Harusanto.
— v. **Posen**. 1:7,500. 39×43 cm. Autogr. Pos., (J Jolowicz) — 20
— d. Umgegend v. **Potsdam**. 1:25,000. 56×76,5 cm. Farbdr. Berl., R Eisenschmidt (03). nn 1.50; auf L. nn 2.50
— v. **Prag** u. Vororten. 1:14,400. 45,5×55 cm. Farbdr. Nebst Verz. d. Strassen usw., hrsg. v. deut. Ver. in Prag, (39) 8° Prag, C Bellmann 04. — 60
— v. **Remscheid**. 22×26 cm. Farbdr. Mit Strassenverz. (1 Bl.) 12° Remsch., W Witzel (01). — 30
— v. **Rendsburg**. 1:10,000. 43,5×25 cm. Farbdr. Rendsbg, Coburg (02). — 50
— v. **Riga** u. Umgebg. 1:37,800. 45×42 cm. Farbdr. Mit Strassenverz. usw. (11) Fol. Riga, N Kymmel's S. 03. 1.80
— v. **Rostock**. 26×38 cm. Farbdr. Mit Theaterpl. auf d. Rücks. Mit Strassenverz. (17 m. 1 Abb.) 8° Rost., H Koch 04.05. — 50
— v. **Saaz**. 1:5000. 46×38 cm. Farbdr. Saaz, A Ippoldt's Nf. (03). — 50
— v. **Salzburg**. [Ausschnitt a. Kerber's Stadtpl.] 1:6250.

46,5×45,5 cm. Farbdr. Mit Verz. sämtl. Sehenswürdigk. etc. (am Rande). Salzbg, E Höllrigl (03). — 60
Plan v. **Schierke** i/Harz u. Umgebg. 1:25,000. 56×51 cm. Lith. Blankenbg a/H., Höfer (o. J.). — 60
— v. **Schwelm**. 1:5000, 55,5×59 cm. Farbdr. Nebst. Verz. d. Strassen usw. (an d. Seite). Schwelm, M Scherz (04). nn 1.25
— v. **Stettin** u. Umgegend. 1:10,000. 66,5×49 cm. Farbdr. Nebst Aufführg d. Strassen etc. (8) 8° Stett., P Niekammer 01. 1 — || Neue Afl. (33) 05. — 50
— v. **Strassburg**. 1:7,500. 13. Afl. 40,5×66 cm. Farbdr. Nebst Strassenverz. (7) 12° Strassbg, W Heinrich 03. — 50;
    m. Umgebgst. 1:125,000. 23×26 cm. — 75
— dass. Gr. Ausg. m. d. Hafengeb. u. e. Teile d. Vororte. 1:7,500. 57×93,5 cm, sowie a. Umgebgskärtchen. 1:250,000, 23×26 cm. Farbdr. 5. Afl. Nebst Strassenverz. (8) 8° Ebd. (03). 1 —
— v. **Triest**. 2. Afl. 1:9000. 28×39,5 cm. Farbdr. Wien, A Hartleben (02). In L.-Decke — 75
— v. **Tübingen**. 1:5000. 52×54,5 cm. Farbdr. Mit Strassen etc. an d. Seite. Tüb., JJ Heckenhauer (04). — 30
— v. **Wien**. [S.-A.] 45×49 cm. Farbdr. Berl., A Goldschmidt 05.06. In M. — 50
— dass. 1:15,000. 40,5×51 cm. Farbdr. Nebst Strassen-Verz. (11) 12° Wien, R Lechner's S. (01). — 50; auf L. 1.20
— dass. Hrsg. unter Mitwirkg d. Wiener Stadtbauamtes. 1:5000. I.—XII. Bez. Ebd. (1900.01). 47.50; Farbdr. 57 —;
    Aufzüge auf L. in M. 28.50

I. Innere Stadt. 60,5×50 cm. Schwarzdr. 2.50; Farbdr. 3 —; Aufzüge 1.50
II. Leopoldstadt. 4 Bl. je 61×78 cm. Schwardr. 10 —; Farbdr. 12 —;
    Aufzüge 6 —
III. Landstrasse. 67×90 cm. Schwarzdr. 2.50; Farbdr. 3 —; Aufztge 1.50
IV. Wieden. V. Margarethen. VI. Mariahilf. 63,5×78 cm. Schwarzdr. 5.50;
    Farbdr. 6 —; Aufzüge 3 —
VII. Neubau. VIII. Josefstadt. 64,5×46,5 cm. Schwarzdr. 2.50; Farbdr.
    3 —; Aufzüge 1.50
IX. Alsergrund. 61×50 cm.   2.50; Farbdr. 3 —; Aufzüge 1.50
X. Favoriten. 4 Bl. zu 62×77 cm.   Schwardr. 10 —; Farbdr. 12 —;
    Aufzüge 6 —
XI. Semmering. 4 Bl. zu 62×77 cm.   Schwarzdr. 10 —; Farbdr. 12 —;
    Aufzüge 6 —
XII. Meidling. 2 Bl. zu 81,5×54 cm.   Schwarzdr. 5 —; Farbdr. 6 —;
    Aufzüge 3 —

— v. **Wien** m. d. neuen Bezirks-Einteilg. 1:14,500. 3. Afl. 63×78 cm. Farbdr. Mit Strassenverz. usw. (16) 12° Wien, A Hartleben (03). 1.50
— dass. m. Angabe d. neuen Bezirkseintheilg. 1:15,000. 11. Afl. 48×60 cm. Farbdr. Mit Strassenverz. (16) 12° Wien, Ebd. In Kart. — 75
— v. **Wien** m. Angabe d. neuen Bezirkseinteilg. 1:16,000. 52×53,5 cm. Farbdr. Wien, Szelinski & Co. (03). — 50
— dass. u. d. früh. Gemeindegrenzen. 1:20,000. 12. Afl. 80,5×95 cm. Farbdr. Mit Strassenverz. etc. (16) 8° Wien, A Hartleben 03. In Kart. 1.80
— dass. 22. Afl. 71×51 cm. Farbdr. Mit Verz. sämtl. Strassen etc. (16 m. 1 Ansicht.) 12° Ebd. (05). — 50
— v. d. inneren Bezirke v. **Wien**. 1:10,000. 56,5×74 cm. Farbdr. Nebst Strassen-Verz. (14) 12° Wien, R Lechner's S. (02). In L.-Decke 1.20; auf L. in L.-Decke 2.40
— v. **Wilhelmshaven**. 1:10,000. 27,5×41 cm. Farbdr. Mit Strassenverz. auf d. Rücks. Wilhelmsh., F Schmidt (03). — 60
— v. **Würzburg**. (Umschl.: Taschenplan. 6. Afl.) 1:7,500. 44×57 cm. Farbdr. Nebst: Verz. d. Strassen etc. (4) 8° Ebd. (04). — 50
— v. **Zürich**. 1:12,000. 19. Afl. 37×52 cm. Farbdr. Mit Strassen-Verz. (12) 8° Zür., Art. Instit. Orell Füssli (04). — 50
— v. **Zürich**. 18×40,5 cm. Farbdr. Zür., Rascher & Co. (03). — 50
— u. kurzer **Führer** durch **Mannheim-Ludwigshafen**. 39×48 cm. Farbdr. Nebst Text. (6) 12° Mannh., A Bender (02). — 50
— u. **Führer** durch Wien u. nächste Umgebg. 23. Afl. (158) 8° Wien, B Lechner's S. 04. Geb. 1.80; m. 12 Lichtdr. 3—
— u. **guide**, the newest, to Vienna and environs. S. ed. (144) 8° Ebd. 04. Geb. 2.40; m. 12 Lichtdr. 3.60
— et **guide** de Vienne et de ses environs. 4. éd. (142 m. 2 Pl. u. 1 Karte.) 12° Ebd. (01). Geb. 2.40
— u. **Wegweiser** v. Kopenhagen. 40,5×52 cm. Farbdr. Nebst Text. (12) 8° Rost., CJE Volckmann 05. — 60

Planck, E: Lieder u. Idyllen. (75) 8° Dresd., E Pierson 01. 1.50; geb. 2.50 d
Planck, E: Auf stillen Wegen. (76) 8° Winterth., Geschw. Ziegler 06. 1.25 d
Planck: BGB. nebst Einführgsges., erläut. in Verbindg m. A Achilles, F André, M Greiff, F Ritgen, O Strecker, K Unzner. 14—23. Lfg. u. 2. Afl. 8° Berl., J Guttentag.
    (Vollst.: 82 —; HF. nn 95.50) d
3. Bd: Sachenrecht. (14 u. 129—780) 01.02. [16.19.21.]   14.70
       (Vollst.: 17.50; geb. nn 19.50)
4. Bd: Familienrecht. (15 u. 513—667) 01. [15.]   4.50
       (Vollst.: 15 —; geb. nn 17 —)
5. Bd: Erbrecht. (15 u. 379—707) 01.02. [17.22.]   6.40
       (Vollst.: 16.50; geb. nn 18.50)
d. Einführgsgesetz. (411) 01. [14.18.20.]   9 —; geb. nn 11 —
Wort- u. Sachregister, H Jaisow. (142) 02. [23.]   3.70; geb. nn 4.70
— dass. 3. Afl. Erläut. in Verbindg m. A Achilles, F André, M Greiff, F Ritgen, O Strecker, E Strohal, K Unzner. I. Bd: II. Bd, 1. u. 2. Lfg; III. Bd, 1. u. 2. Lfg; IV. Bd, 1. u. 2. Lfg; VI. Bd. 8° Ebd. 59.80 d
    (Forts. u. allg. Tl. [392] 03.   10 —; HF. nn 12 —
II.1, II. Buch: Recht d. Schuldverhältn. (Abschn. 1—Abschn. 7 Titel.1. (420) 04.   10 —
III.1.2. III. Buch: Sachenrecht. 1. u. 2. Lfg. (748) 04.   15 —

IV,1.2. IV. Buch: Familienrecht (Abschn. 1, Titel 1–16, Abschn. 2, Titel 1–3). (440) 04. 10.80
VI. Einführgsgesetz. (466) 05. 11.50; HF. 13.50
Planck, H: Ausgew. Stücke a. d. 3. Dekade d. Livius, s.: Jordan, W.
— Urbis Romae viri illustres, s.: Lhomond.
Planck, H, s.: Luther, M, 70 Predigten.
— Predigt am 14. Sonntag n. Trinitatis. (10) 8° Essl., W Langguth 05. — 10 d
Planck, KC: Deut. Gesch. u. deut. Beruf. Aufsätze u. Reden. Zur Erinnerg an d. 25. Wiederkehr s. Todestages, 7.VI.1880, hrsg. u. eingeleitet v. R Planck. (24, 181) 8° Tüb., JCB Mohr 05. 2.50; geb. nn 3.50 d
Planck, M: Normale u. anormale Dispersion in nichtleit. Medien v. variabler Dichte. [S.-A.] (13) 8° Berl., (G Reimer) 05. — 50
— Üb. d. Extinction d. Lichtes in e. optisch homogenen Medium v. normaler Dispersion. [S.-A.] (11) 8° Ebd. 04. — 50
— Üb. irreversible Strahlgsvorgänge. [S.-A.] 5. Mitteilg. (41) 8° Ebd. 1899. 2 — ‖ Nachtr. (Schl.) (12) 01. — 50 (I, III—V u. Nachtr.: 5 —)
— Zur˙ elektromagnet. Theorie d. selectiven Absorption in isotropen Nichtleitern. [S.-A.] (19) 8° Ebd. 03. 1 —
— Zur elektromagnet. Theorie d. Dispersion in isotropen Nichtleitern. [S.-A.] (25) 8° Ebd. 02. 1 —
— Vorlesgn üb. Thermodynamik. 2. Afl. (256 m. Fig.) 8° Lpzg, Veit & Co. 05. L. 7.50
Planck's, W, Volks-Märchen. Die Gänsemagd. — Die 7 Raben. — Tischlein deck dich, Esel streck dich, Knüppel a. d. Sack. Märchen v. W u. J Grimm. (Je 12 m. 5 farb. Vollbildern.) 4° Stuttg., G Weise (05). Je — 60 d
Plancy, Baronne de, née Baronne **Oppenheim:** Contes sentimentaux. (69) 8° Berl., A Ahn 03. 2 —
Planer, HP: Ein Fall v. freier Wassersucht bei Nieren-Entzündg, geheilt durch Anwendg d. Bauchschnitts (Laparotomie). (3) 8° Dresd., C Weiske (03). — 80
— Die Leber-Theorie. Ätiolog. Studie z. Behandlg d. Brightschen Nierenerkrankg in ihren Beziehg z. Stoffwechsel u. zu d. Herzerkrankgn u. hierauf basier. krit. Betrachtg d. wichtigsten Nahrgs- u. Genussmittel. (34) 8° Wien, Urban & Schw. 05. 1 —
— 3 Monographien. Mitteilgn a. d. gynäkolog. Privatklinik. A. Ein Fall v. freier Wassersucht bei Nieren-Entzündg, geheilt durch Anwendg d. Bauchschnitts (Laparotomie). — B. Spindelzelliges, hydropisch degeneriertes Sarkom d. Ligamentum latum u. d. Harnblase. Heilg per laparotomiam u. Resektion d. Harnblase. — C. Vereitertes adhärentes Ovarialzystom. Heilg per laparotomiam u. Totaldrainage d. Bauchhöhle. [S.-A.] (16) 8° Ebd. 05. — 80
Planer, O, u. C **Reissmann:** Joh. Gottfr. Seume. Gesch. s. Lebens u. sr Schriften. Neue [Tit.-]Ausg. (724 m. 1 Bildnis.) 8° Lpzg, GJ Göschen (1898) 04. 4 —; HF. 6 — d
Planert, W: Häb. d. Nama-Sprache in Deutsch-Südwestafrika. (6 u. 104) 8° Berl., D Reimer 05. L. 5 —
Planheim s.: Weezerzik Edler v. Planheim.
Planitz, E Edler v. d.: Denkschrift d. Baronin Helene v. Vetsera üb. d. Katastrophe in Mayerling u. d. dabei erfolgten Tod ihrer Tochter Mary Vetsera. 1–5. Afl. (155 m. Abb. u. 1 Fksm.) 12° Berl., A Piehler & Co. (01-03). 1 — d
— Der Dragoner v. Gravelotte. Ein Reiterlied a. herrl. Zeit. 9. Afl. (696 m. Titelbild.) 12° Ebd. (02). 1 — d
— Gebet im Sturm. Melophantasma. Musik v. O Möricke. (31) 12° Ebd. (02). 1 — d
— Grossmama's Weihnachten. Lebensbild. (22) 12° Ebd. (02). 1 — d
— Ein Königs-Märchen. 6. Afl. (96 m. Abb.) 12° Ebd. (03). 2 — d
— Der letzte Königsumritt. Red. u. hrsg. n. d. öffentl. Vorträgen v. G Gernss v. A v. Kentzing. (24 m. Abb.) 12° Ebd. (03). 1 — d
— Meine ersten Liebschaften. Erzählgn e. Don Juan. 4. Afl. (71) 12° Ebd. (03). 1 — d
— Die Lüge v. Mayerling. Antwort an d. Prinzessin Odescalchi auf ihre „Enthüllg“ üb. Kronprinz Rudolf u. d. Verbrechen d. Vetsera. 6. Afl. (197 m. Abb.) 12° Ebd. (03). 2 — d
— Das Melophantasma. Melodr. neue Kunstform. (89 m. Abb.) 12° Ebd. (01). — d
— Der graue Reiter. Melophantasma. Regieb. Musik v. O Möricke. (30 m. Abb.) 12° Ebd. (03). — d
— Der Roman d. Prinzessin Luise v. Coburg. Ein Fürstenschicksal ohne Schleier. 1. u. 2. Afl. (109 m. Abb.) 12° Ebd. (03). 1 — d
— Der Sturm auf Vionville. Red. u. hrsg. n. d. öffentl. Vorträgen v. G Gernss v. A v. Kentzing. (25 m. Abb.) 12° Ebd. (03). 1 — d
— Thronflüchtig. Liebesfeld u. Liebesleid e. Kronprinzessin. 1–4. Afl. (132) 12° Ebd. (03). 1 — d
— Die volle Wahrheit üb. d. Tod d. Kronprinzen Rudolf v. Österr. 2 Bde. 48. Afl. (480 u. 511 m. Abb.) 12° Ebd. (03). Je 3 —; geb. je 4 — d
— Die Weihe d. Reiches. Melophantasma. Musik v. O Möricke. (31 m. Abb.) 12° Ebd. (02). 1 — d
Plank, F: Lehrb. d. polit. Arithmetik, f. d. Gebr. an höh. Lehranst. u. z. Selbstunterr. (172 u. 2) 8° Lpzg, Verl. d. mod. kaufm. Bibliothek (01). L. 2.75

Plank, F: Leitf. d. kaufmänn. Rechnens f. 2klass. Handelssch. (546) 8° Wien, F Tempsky 04. Geb. 3.60
Plankton, nord. Hrsg. v. K Brandt u. C Apstein. 1–4. Lfg. (Mit Abb.) 8° Kiel, Lipsius & T. 29.60
1. (21, 15, 30, 32 u. 52) 01. 6 — ‖ 2. (7, 29 u. 40) 03. 3.80 ‖ 3. (60 u. 146) 05. 10 — ‖ 4. (216) 05. 10 —
Plan-Pharus Paris. 1 : 14,000. 69,5×92 cm. Farbdr. Nebst: Guide de Paris. (61) 8° Berl., Pharus-Verl. (05). 1.60
Plansbeck, EO, s. richtig: Plambeck, EO.
Plant, F: Der Freiberg u. Vöron bei Meran. (26 m. Titelbild.) 12° Meran, Plant 1890. — 80
— Neuer Führer durch Meran u. Umgebg. Mit e. medizin. Beitr. v. R Hausmann. 8. Afl. (127 u. 148 m. 1 Karte u. 1 Pl.) 12° Ebd. 04. Geb. 2.40; tourist. Tl allein. (148 m. Karte u. Pl.) 1.60
— Panorama v. Bozen-Gries. 19,5×164,5 cm. Ebd. (02). In Umschl. 3 —
— Panorama v. Meran. 21×161 cm. Ebd. (04). In Umschl. 3 —
— Plan v. Meran u. Umgebg. 8. Afl. 33,5×36 cm. Lith. Ebd. 1898. 1 —
— Das geheimnisvolle Wandgemälde in d. Durchgangshalle d. Meraner Pfarrturmes. Kunstgeschichtliches a. Brandenburg u. Tirol. (34 m. Abb.) 8° Ebd. 05. — 60 d
Planta, P v.: Nachtrag z. Chronik d. Familie v. Planta 1892. Ergänzgn u. Nachweise. (67) 8° Zür., Art. Instit. Orell Füssli 05. 1.50 (Hauptwerk u. Nachtr.: 7.50)
Planta, PC: Mein Lebensgang. (234 m. Bildnis.) 8° Chur, (J Rich) 01. 3 — d
Plarre, E: Die fidele Imkerversammlg. Schwank. (21) 8° Gera (04). [Lpzg, Leipz. Bienenzeitg.] — 75 d
Plaschke, O: Von wiedergewonnenem Augenlicht. Aus eig. Erlebnissen. (132) 8° Lpzg, B Konegen 02. 2.50
Plaeschke, M: Gedichte. 4. Afl. (214) 8° Krefeld, (M Plaeschke) (03). 1 — d
Plaseller, J: Compendium stenographiae latinae juxta systema Gabelsbergerianum. Ed. revisa cura C Suter. (68 m. 55 Taf.) 8° Innsbr., Wagner 02. — 40
Plason de la Woestyne, A de, s.: Recueil de traités et conventions conclus par l'Antriche-Hongrie.
Plass, F: Gesch. d. Assecuranz u. d. hanseat. Seeversicherungsbörsen Hamburg, Bremen, Lübeck, mitbearb. v. FR Ehlers. (790 m. Abb., Titelbild u. 3 Fksms.) 8° Hambg, L Friederichsen & Co. 02. L. 20 — d
Plass, L: Die deut. orchestrale Tonkunst in Gefahr. Denkschrift. (36) 12° Berl., A Parrhysins 01. — 30 d
Plassmann, J: Beobachtgn veränderl. Sterne. 5—7. Tl. 8° Münst., (Aschendorff). 5.50 (1—7.: 14.30)
5. (36) 1900. 9 — ‖ 6. (26) 01. 3 — ‖ 7. (14) 05. 1.50.
— Mathemat. Geogr., s.: Hoffmann, A.
— Ist Mars e. bewohnter Planet?, s.: Broschüren, Frankf. zeitgemässe.
— Untersuchgn üb. d. Lichtwechsel d. Granatsterns μ Cephei. (71 u. 112 m. 1 Kurventaf.) 8° Münst., (Aschendorff) 04. 6 —
— Weltenstod, s.: Broschüren, Frankf. zeitgemässe.
Plastik, die. Illustr. Zeitschrift f. originale u. reproduzier. Bildhauerkunst. Hrsg. v. d. A.-G. vorm. H Gladenbeck & Sohn. Red. v. Lewy. Schriftleitg: P Hildebrandt. Jahrg. 1903/1904. 4 Hefte. (1. Heft. 18 m. Abb.) 8° Berl., Verl. d. illustr. Kunstzeitschrift „Die Plastik“. 2 —; einz. Hefte — 50
Fortsetzg war nicht zu erhalten.
— florentin., d. 15. Jahrh. im Kunstver. (zu Heidelberg). Führer f. d. Besichtg d. Ausstellg. (21) 8° Hdlbg, (vorm. Weiss'sche Univ.-Bh.) (03). — 50
Plate, A: Die Geschäftsordng d. preuss. Abgeordnetenh., ihre Gesch. in ihrer Anwendg. Unter Berücks. d. Geschäftsordng u. d. Gewohnh. d. deut. Reichstages. Mit Textabdr. d. Geschäftsordngn d. deut. Reichstages u. d. preuss. Herrenh. 2. Afl. (337) 8° Berl., M Pasch 04. 5 —; L. 6 — d
— Vorläuf. Geschäftsübersicht d. Hauses d. Abgeordneten in d. Session 1904. (Sessions-Abschn. v. 16.I.—4.VII.'04.) (135) 8° Berl., (W Moeser) 04. 2.70 d
— s.: Geschäftsübersicht d. preuss. Hauses d. Abgeordneten.
— Handbuch f. d. preuss. Abgeordnetenh.
Plate(-Kares,) H, s. a.: Kares, O.
— Lehrg. d. engl. Sprache. I. u. II. Tl. 8° Dresd., L Ehlermann 05. 4.20; Einbde je — 60 d
1. Unterst. 81. Afl. v. G Tanger. (271) 1.80 ‖ II. Mittelst. Method. Lesebu. Übgsb. an beigefügter Sprachlehre. 61., Neubearbeitg 8. Afl. v. K Mühlster. (568) 3.40.
— Kurzer Lehrg. d. engl. Sprache m. bes. Berücks. d. Konversation. 2 Tle. 8° Ebd. Geb. 5.90 d
1. Unterst. 10. Afl. v. G Tanger. (209 m. 1 Karte.) 05. 1.80; geb. 2.40 ‖ 2. Oberst. zu d. Lehrgängen v. Plate-Kares u. Plate. 3. Afl. v. G Tanger. (332 m. 1 Pl.) 04. 3.80.
— Engl. Unterr.-Werk, Lehrg. d. engl. Sprache, II. Tl. Oberst. zu d. Lehrgängen v. Plate-Kares u. Plate. Neu bearb. v. G Tanger. (344 m. 1 Pl.) 8° Ebd. 02. 2.90; geb. 3.80; m. Anh.: Kurze systemat. Formenlehre d. engl. Sprache. (52 u. 344) 2.40; geb. 3.20 (1 u.2.: 4 —; geb. 5.20; bezw. 4.40; geb. 5.60); Schlüssel (nur a. Lehrer). (48) 02. Geb. 1.30 d
Plate, L: Die Abstammgslehre, s.: Vorträge u. Abhandlungen, gemeinverständl. darwinist.
— Üb. d. Bedeutg d. Darwin'schen Selectionsprincips u. Probleme d. Artbildg. 2. Afl. (247 m. 2 Fig.) 8° Lpzg, W Engelmann 03. 5 —
— s.: Fauna Chilensis.

Platen, A Graf v.: Dramen. — Gedichte. — Gesch. d. Kgr. Neapel.
Kleine polit. Schriften, s.: Hempel's Klassiker-Bibliothek.
— dramat. Nachlass, s.: Literaturdenkmale, deut., d. 18. u. 19.
Jahrh.
— Tagebücher, hrsg. v. E Petzet, s.: Fruchtschale, d.
Platen, E: Seemoos, s.: Schulze's Zehnpfennigbücher in ver-
einf. deut. Stenogr.
Platen, E v., geb. v. Burgsdorff: 4 Märchen. Meinen Enkel-
kindern erzählt. (108) 8° Brnschw. (01). Lpzg, R Sattler. L. 3 — d
— Novellen. (198) 8° Ebd. 02.   3 —; L. 4 — d
Platen, M: Die neue Heilmethode. Lehrb. d. naturgemässen
Lebensweise, d. Gesundheitspflege u. d. arzneilosen Heil-
weise. 196—215. Taus. 2 Bde. (1951 m. Abb., 24 Chromotaf.,
Bildnis u. 7 Modellen.) 8° Berl., Deut. Verlagshaus Bong & Co.
(01).   L. 12.50 d
— dass. Suppl. 91—106. Taus. (888 m. Abb., 15 Chromotaf. u.
1 Modell d. weibl. Körpers.) 8° Ebd. (01).   L. 10 — d
Platen, P: Der Ursprg d. Rolande. (148 m. Abb.) 8° Dresd., v.
Zahn & J. 03.   1.50 d
Plath: Wie ist d. geringe Teilnahme d. gebild. Männerwelt
am kirchl. Leben u. insonderh. an d. Gottesdiensten d. Kirche
zu erklären u. was kann z. Besserg dieses Zustandes seitens
d. Kirche geschehen? Vortr. (31) 8° Köngsbg, (Gräfe & U,
Bh.) 05.   — 50 d
Plath, G: Karl Plath, Inspektor d. GossnerschenMission. Lebens-
bild. (359 m. 1 Bildnis.) 8° Schwer., F Bahn 04. 3 —; geb. 3.60 d
Plath, J: Gesch. d. Pädagogik, s.: Schorn, A.
— Lehrb. d. Mathematik z. Vorbereitg auf d. Mittelschullehrer-
Prüfg u. auf d. Abiturientenexamen am Realgymnasium. Im
Anschl. an d. Baltin-Malwaldsche Seminaraisg. d. Müller-
schen Lehrb. u. 1 Heilmethode m. Müller f. d. Selbstunterr.
bearb. (236 m. Fig.) 8° Lpzg, BG Teubner 06. 3.50; geb. 4 — d
Plath, W: Briefe e. Arztes an e. junge Mutter. 8. Afl. v. A
Rossmann. (342) 8° Brnschw., F Vieweg & S. 05.   L. 3 —;
                         m. G. 3.75 d
Platner, G: Die Mechanik d. Atome. (97) 8° Berl., M Krayn
01.   2.50
Platner, W: Die Goldindustrie am Witwatersrand in Transvaal. (208 m. Fig., 15 Taf. u. 1 Karte.) 8° Bremen (Rheinstr. 41), (Dr. Spiecker) 04.   20 —
Plato, F: Tar z. Umrechng d. Volumenprozente in Gewichts-
prozente u. d. Gewichtsprozente in Volumenprozente bei
Branntweinen. 2. Afl. (19, 12) 8° Berl., J Springer 01. Kart. 1 — d
Plato, I: Reflexionen üb. „Babel u. Bibel“. Zugl. e. psycholog.
u. histor. Vertiefg d. gais. Handschreibens. 4 off. Briefe an
3° Delitzsch. 8° Hambg. (Berl., KW Mecklenburg.) 1.15 d
1.2. (36) 03. — 40 || 3. (48) (04.) — 60 || 4. Vom 19. III. '03. (4) (03.) — 15.
Platonis opera omnia. Ad fidem optimor. libror. denuo recogn.
et una cum scholiis graecis emendatis ed. G Stallbaumius.
Nova ed. ster., O Tauchnitiana. Tom. IV. Alcibiades I. II.
Charmides. Laches, Lysis. Hipparchus. Menexenus, Politicus.
Minos. Nova impressio. (311) 16° Lpzg, O Holtze's Nf. 01. 1 —
— Werke. 5—11., 13—15., 17—19., 24. u. 34—39. Lfg. 8° Berl.,
Schönebg, Langenscheidt's V.   Je — 35 d
   5.6. Phädon. Deutsch v. K v. Prantl. 1. u. 2. Lfg. 4. Afl. (1—92) 01.
   7—11.13—15. Der Staat. Deutsch v. K v. Prantl. 1. u. 2. Lfg. 4. Afl. 3—5. u.
     7—9. Lfg. 3. Afl. (1—256 u. 259—426) (05.02.04.)
   17. Apologie od. Verteidigsrede d. Sokrates. Deutsch v. K v. Prantl.
     2. Lfg. 7. Afl. (39—50) (04.)
   18.19. Eutyphron u. Kriton. Deutsch v. E Eyth. 1. Lfg. 5. Afl. u. 2. Lfg.
     6. Afl. (1—46) (03.05.)
   24. Protagoras u. Laches. Deutsch v. E Eyth. 3. Lfg. 4. Afl. (65—119) 01.
   34—37. Üb. d. Gesetze. Deutsch v. E Eyth. 8—11. Lfg. 2. Afl. (166) (02.01.)
   38. Charmides. Deutsch v. W Gaupp. 3. Afl. (1—36) (05.)
   39. Menon. Deutsch v. W Gaupp. 3. Afl. (38—79) (05.)
— ausgew. Schriften. Für d. Schulgebr. erklärt. I. Tl u. III. Tl,
2. Heft. 8° Lpzg, BG Teubner.   1.60
   I. Verteidigsrede d. Sokrates u. Kriton. Erklärt v. C Cron. 11. Afl. v.
     H Uhle. (154) 01.   1 —; geb. 1.40
   III, 2. Eutyphron. Erklärt v. M Wohlrab. 4. Afl. (50) 1900.   — 50
— Apologie d. Sokrates, s.: Bibliothek, kl.
— dass, u. Kriton, m. Stücken a. d. Symposion u. d. Phaidon.
Zum Gebr. f. Schüler hrsg. v. A v. Bamberg. Text. (Neudr.)
(123) 8° Bielef., Velhagen & Kl. 03.   Geb. 1.30;
                Kommentar. (Neudr.) (37) 04. Geb. — 70
— dass. nebst d. Schlusskapiteln d. Phaidon. Für d. Schulgebr.
hrsg. v. AT Christ. 3. Afl. (77 m. Titelbild.) 8° Lpzg, G Freytag. — Wien, F Tempsky 03.   — 80 d
4. Afl. u. 03.
— dass. nebst d. Schlusskapitel d. Phaidon u. d. Lobrede d.
Alkibiades auf Sokrates a. d. Symposion. Für d. Schulgebr.
hrsg. v. AT Christ. 4. Afl. (118 m. Titelbild.) 8° Lpzg, G Freytag. — Wien, F Tempsky 04.   Geb. 1 —;
— dass. nebst Abschnitten a. d. Phaidon u. Symposion. Hrsg.
v. F Rösiger. Text. (90) 8° Lpzg, BG Teubner 02. Geb. — 80
|| Kommentar. (80) 03. — 80 || Hilfsheft. (99 m. Bildnis.) 05. 1 —
— Euthyphron. Für d. Schulgebr. erklärt v. H Bertram. 2. Afl.
v. J Nusser. Afl. A, Kommentar unterm Text. (42) 8° Gotha,
FA Perthes 03. — 60 || Ausg. B, Text u. Kommentar getrennt
             in 2 Heften. (18 u. 19) 03. — 60
— dass. Für d. Schulgebr. hrsg. v. AT Christ. 4. Afl. (16, 35)
8° Lpzg, G Freytag. — Wien, F Tempsky 03.   — 60 d
— dass., s.: Bibliothek, kl.
— Gastmahl. Deutsch v. R Kassner. (84 m. 1 Taf.) 8° Lpzg 03.
Jena, E Diederichs.   2 —; geb. 3 —
— Das Gastmahl (Gespräch üb. d. Liebe), s.: Bibliothek d. Gesamtlitt. — Bibliothek, kl.
Hinrichs' Fünfjahrskatalog 1901—1905.

Platon's Gorgias. Für d. Schulgebr. erklärt v. L Koch. Ausg. A,
Kommentar unterm Text. (193) 8° Gotha, FA Perthes 04. 2.40;
Ausg. B, Text u. Kommentar getrennt in 2 Heften. (89 u. 100)
               04. 2.40; Einbd — 30
— Gorgias, s.: Bibliothek, kl.
— Ion, Lysis, Charmides. Deutsch v. R Kassner. (126) 8° Jena,
E Diederichs 05.   2.50; geb. 4 —
— Kriton, s.: Bibliothek, kl.
— Laches. Für d. Schulgebr. erklärt v. H Bertram. 2. Afl. v.
J Nusser. Ausg. A, Kommentar unterm Tert. (55) 8° Gotha,
FA Perthes 03. — 60; Ausg. B, Text u. Kommentar getrennt
             in 2 Heften. (25 u. 29) 03. — 60
— dass. Für d. Schulgebr. hrsg. v. AT Christ. (12, 47) 8° Lpzg,
G Freytag 04.   — 50
— dass. Scholar. in usum ed. I Král. Ed. II. (10, 36) 8° Lpzg,
G Freytag 02.   — 50
— dass., s.: Bibliothek, kl.
— dass. u. Euthyphron. Zum Gebr. f. Schüler hrsg. v. A v.
Bamberg. Text. (86) 8° Bielef., Velhagen & Kl. 03. Geb. 1 —;
           Kommentar. (32) Geb. — 50
— Lysis, s.: Borchardt, R, d. Gespräch üb. Formen.
— Phädon. Für d. Schulgebr. erklärt v. K Linde. Ausg. A,
Kommentar unterm Text. (118) 8° Gotha, FA Perthes 02.
1.20; Ausg. B, Text u. Kommentar getrennt in 2 Heften.
            (64 u. 54) 1.20; Einbd — 30
— Phaidros. Deutsch v. R Kassner. (96) 8° Jena, E Diederichs
04.   2 —; geb. 3 —; Luxusausg in Perg. 20 —
— Phaedrus. — Protagoras, s.: Bibliothek, kl.
— Verteidiggsrede d. Sokrates u. Kriton. Für d. Schulgebr.
erklärt v. H Bertram. 4. Afl. v. E Fritze. Ausg. A, Kommen-
tar unterm Text. (104) 8° Gotha, FA Perthes 1898.   1 —;
Ausg. B, Text u. Kommentar getrennt in 2 Heften. 5. Afl.
            (37 u. 75) 03. 1 —
Platow, H: Die Personen v. Rostands Cyrano de Bergerac in
d. Gesch. u. in d. Dichtg. (112) 8° Erl., F Junge 02.   2.10
Platt, W: Männer, Frauen u. d. Zufall. Aus d. Engl. (96) 8°
Neuweissens., E Bartels (o. J.).   2 — d
Plattensteiner, R, s. a.: Palten, R.
— Franz Stelzhamer z.s. 100. Geburtstag. (62 m. 6 Bildnissen.)
8° Wien, A Hartleben 03.   1 — d
Plattner, J: Grundlehren d. Nationalökonomie. Krit. Einführg
in d. soz. Wirtschaftswiss. (588) 8° Berl., J Guttentag 03.
                11 —; L. 12 —
Plattner, JC: Schützenhauptmann Georg Hatzl. Lebensbild a.
d. Tiroler Freiheitskriegen. (38) 12° Innsbr., Wagner 01. — 80 d
— Raut'n u. Rosmarin. Geschichten u. Skizzen a. Tirol. 2. Afl.
(215) 8° Innsbr., A Edlinger 04.   3 —; geb. 4 — d
Plattner, A: Herbergsucheu u. hl. Nacht, s.: Esser's, J, Sammlg
leicht aufführbarer Theaterstücke.
— Neue Mannschaft fürs alte Narrenschiff, od. neuzeitl. Ver-
irrgn u. Torheiten, s.: Sammlung, Moser'sche, zeitgemässer
Broschüren.
— Aus „Schimpf u. Ernst“, s.: Pauli, J.
— Lustigste Streiche Till Eulenspiegels u. Münchhausens Land-
abenteuer. (112 m. Abb.) 8° Graz, (Styria) 01.   nn — 35 d
— Die kathol. Univ. in Salzburg, e. Sache d. kathol. Volkes,
s.: Broschüren, zwanglose.
Plattner, M: Maria, d. Typus d. Kirche. Predigtzyklus f. d.
Festoktav d. unbefleckten Empfängnis Mariä. (112) 8° Graz,
U Moser 04.   1.20 d
— Marienpreis. Predigten f. d. Muttergottesfeste. (491) 8° Ebd.
05.   4.50 d
— Der Unbefleckten Ruhmeskranz. Jubelgabe. Predigtzyklus.
(170) 8° Ebd. 04.   1.80 d
Plattner, P: Anthologie des écoles. Sammlg franzôs. Gedichte
f. d. Schule in 3 Tln m. erklär. Anmerkgn. II. Tl: Mittl.
Klassen. 2. Afl. (112) 8° Karlsr. 05. Freibg i/B., J Bielefeld.
                     Geb. — 80
— Elementark. d. franzôs. Sprache. 6. Afl. (264) 8° Ebd. 02.
                     Geb. 2.20 d
— Ausführl. Grammatik d. franzôs. Sprache. II. Tl, 3. Heft u.
HI. Tl, 1. Heft. 8° Ebd. Geb. 6.80; geb. 7.80 (I—II, 2 u. III, 1 1—14 —;
                     geb. 15.60) d
   II. Ergänzg. 2. Heft: Formenbild u. Formenwechsel z. franzôs. Ver-
    bums. Regelmäss. u. unregelmäss., unvollständ., unpersönl. u. reflexi-
    ves Verbum, transitiver, intransitiver u. absoluter Gebr., Rektion. (127)
    02. 3.20; geb. 3.60 || III. Ergänzgn. 1. Heft: Das Nomen in franzôs.
    Artikels. (231) 05. 3.60; geb. 4 —
   II, 3 ist noch nicht erschienen.
— Lehrg. d. franzôs. Sprache. I. u. II. Tl. 8° Ebd. Geb. 6.80 d
   I. 17. Afl. (304) 05. 2.80 || II. 6. Afl. (422) 02. 4 —
— Leitf. d. franzôs. Sprache. I. u. II. Tl. 8° Ebd. Geb. 5.40 d
   I. (275) 05. 2.40 || II. (316) 04. 3 —
— dass., Übersetzg d. in Tl I u. II enth. Stücke. Als Schlüssel
f. d. Hand d. Lehrers. (89) 8° Ebd. 05.   nn 3 — d
   Wird nur an Lehrer abgegeben.
— Paris et autour de Paris. II. et III. partie. (32 u. 14) 4° Berl.,
Weidmann 01.02.   Je 1 — (I—III.: 3.60)
— Kurzgef. Schulgrammatik d. franzôs. Sprache. Mit e. Lese-
u. Übgsb. in zusammenhäng. Lesestücken, Umbildgn u. Über-
setzsaufg. 4. Afl. (397) 8° Karlsr. 03. Freibg i/B., J Bielefeld.   Geb. 4 — d
— Übgsb. z. franzôs. Grammatik im Anschl. an d. Verf. „Kurzgef. Schulgrammatik“ u. „Ausführl. Grammatik“. 3. Afl. (240)
8° Ebd. 04.   Geb. 2.25 d

Plattner, P: Übgsb. z. franzős. Grammatik im Anschl. an d. Verf. „Kurzgef. Schulgrammatik" u. „Ausführl. Grammatik". Übersetzg d. Stücke. Als Schlüssel f. d. Hand d. Lehrers. (101) 8° Karlsr. 05. Freibg i/B., J Bielefeld. nn 3 — d
Wird nur an Lehrer abgegeben.
— u. J **Heaumier**: Franzős. Unterr.-Werk. II. Tl. 2. Heft. 8° Ebd. Geb. 1.60 d
II. Lese- u. Übgsb. d. franzős. Sprache u. d. analyt. Methode m. Benützg d. natürl. Anschaug. 2. Heft. 3. u. 4. Schulj. 2. Afl. (192) 01. 1.60
— — dass. Schlüssel. Enth. e. Wiedergabe d. Sätze a. d. grammat. Übgn d. 3 Tle, sowie Umformgn z. Mehrzahl d. Lesestücke d. I. u. II. Tls. Für d. Hand d. Lehrers. (53) 8° Ebd. 05. nn 2.50
— u. J **Kühne**: Unterr.-Werk d. franzős. Sprache. Nach d. analyt. Methode m. Benützg d. natürl. Anschaug im Anschl. an d. neuen Lehrpl. bearb. 2 Tle. 8° Ebd. Geb. je 1.50 d
1. Grammatik. (152) 04. | 2. Lese- u. Übgsb. f. d. 2—3 ersten Unterr.-Jahre. (184) 05.
Plattner, S: Jürg Jenatsch. Histor. Trauersp. (55) 8° Davos 01. Chur, F Schuler. — 80 d
Platz, E, s.: Majestäten, alpine, u. ihr Gefolge.
Platz, L: Wie macht man e. Testament?, s.: Ratgeber, kl., f. Müller.
Platzbecker, H: Der Wahrheitsmund (Bocca della verità). Operette. Text v. A Osterloh u. d. Komponisten. Text d. Gesänge. (64) 8° Lpzg, E Eulenburg (01). — 50
Platzer, H: Gesch. d. ländl. Arbeitsverhältn. in Bayern, s.: Forschungen, althayer.
Platzhoff-Lejeune, E: Handschuhmoral. (22) 8° Berl., Verl. d. Frauen-Rundschau (05). — 30 d
— Paul de Lagarde, s.: Essays, moderne.
— Lebenskunst. 12 Studien a. d. Vorhof d. Philosophie f. Gebildete. 1. Reihe. (146) 8° Stuttg., Strecker & Schr. 05. 1.80 ; geb. 3.60 d
— Relig. geg. Theol. u. Kirche. Notruf e. Weltkindes. (80) 8° Giess., A Töpelmann 05. 1.40
— Werk u. Persönlichk. Zu e. Theorie d. Biogr. (247) 8° Mind., JCC Bruns 03. 3 — ; geb. 4 — d
Platzmann: Die Getreidehandelspolitik in alter u. neuer Zeit u. d. Entwurf e. neuen Zolltarifges. Vortr. (24 m. 3 Tab.) 8° Dresd. 02. Lpzg, G Schönfeld. — 60 d
Platzmann, J, s.: Dobrizhoffer, d. M, Auskunft üb. d. abipon. Sprache.
— Amerikanisch-asiat. Etymologien via Behring-Strasse „from the east of the west". (112 m. 1 Karte.) 8° Lpzg, O Harrassowitz 1871. nn 4 —
— s.: Obras, algunas, raras sobre la lengua cumanagota.
— Der Sprachstoff d. patagon. Grammatik d. Theophilus Schmid. (130 m. 1 Karte.) 4° Lpzg, O Harrassowitz 03. 10 —
— Das anonyme Wrtrb. Tupi-Deutsch u. Deutsch-Tupi. (32, 642 m. 1 Karte.) 4° Ebd. 01. (30 —) nn 20 —
Platsweg, P: Die christl. Familie. Predigten, hrsg. v. A Andelfinger. (204) 8° Stuttg. 01. Hamm, Breer & Th. 2 — d
Plaudereien a. d. Tageb. d. Theaterdirectors Fritz Unger, hgl. Hofschauspieler bei d. Schmiere. (144) 8° Berl. (SW. 42, Wasserthorstr. 27), (Berolina-Versand-Bh.) (02). 2 — d
Plaut, H: Japanese conversation-grammar with numerous reading lessons and dialogues. (Method Gaspey-Otto-Sauer.) (305 m. 2 Kart.) 8° Hdlbg, J Groos 05. L. 6 —; key. (66) Kart. 2 —
— Japan. Konversations-Grammatik m. Lesestücken u. Gesprächen. (Methode Gaspey-Otto-Sauer.) (376 m. 2 Kart.) 8° Ebd. 04. L. 6 —; Schlüssel. (69) Kart. 2 — d
Plaut, T: Das Fieber. (119 m. Fig.) 8° Lpzg, W Schumann Nf. 03. Geb. 1.50 d
— Die Verdaug einschl. d. Anatomie u. Physiol. d. ges. Verdaugsapparates. (136) 8° Ebd. 02. Geb. 1.50 d
Plauti, TM, comoediae. Ex recens. G Goetz et F Schoell. Fasc. II. Bacchides, Captivos, Casinam complectens. Ed. II. (18, 161) 8° Lpzg, BG Teubner 04. 1.50; geb. 1.90
— dass., recens, instrumento critico et prolegomenis auxit F Ritschelius, sociis operae adsumptis G Loewe, G Goetz, F Schoell. Tomi I fasc. II. Epidicus. Iterum recens. G Goetz. (129) 8° Ebd. 02.
— ausgew. Komödien. Für d. Schulgebr. erklärt v. J Brix. 4. Bdchn: Miles gloriosus. 3. Afl. v. M Niemeyer. (173) 8° Ebd. 01. 1.80; geb. 2.30
— Lustspiele. Übers. v. W Binder. 2., 7., 8. u. 29. Lfg. 8° Berl., Schönebg, Langenscheidt's V. Je — 35 d
2. Die Zwillingsbrüder. (Menaechmi.) 2. Lfg. (1. Bd. 49—80) (05). 7.8. Der Schatz. (Trinummus.) 1. u. 2 Lfg. 3. Afl. (3. Bd. 110) (05). 22. Die Kriegsgefangenen. (Captivi.) 2. Lfg. 2. Afl. (2. Bd. 49—88) (01).
— Der Schatz. Die Zwillinge, s.: Bibliothek d. Gesamtlitt.
— Schiffbruch (Rudens), s.: Bibliothek d. Gesamtlitt.
Plawina, O: Aus Zeit u. Leben. Gedichte. (81) 8° Tuntschendf bei Neurode 05. (Lpzg, Fritzsche & Schmidt.) 1 — d
Plaser, V Ritter v., s.: Gierer's neueste u. modernste Touren-Führer.
Plebanus, E (F Meurin): Plusquamperfektum, Erinnergn u. Plaudereien. 2. Afl. (177) 8° Cobl., J Schuth 04. L. 1.80 d
Plechanow, G: Anarchismus u. Sozialismus. (2. Afl.) (84) 8° Berl., Bh. Vorwärts 04. — 40 d
— Beitr. z. Gesch. d. Materialismus. I. Holbach. II. Helvetius. III. Marx. 2. [Tit.-]Afl. (264) 8° Stuttg., JHW.Dietz Nf. [1906] 03. 3.50; geb. 4 —
Plehn, A: Die Malaria d. afrikan. Negerbevölkerg., bes. m. Bezug auf d. Immunitätsfrage. (51 m. 1 L.) 8° Jena, G Fischer 02. 2.50

Plehn, A: Weiteres üb. Malaria, Immunität u. Latenzperiode. (81 m. 3 [1 farb.] Taf.) 8° Jena, G Fischer 01. 5 —
Plehn, Frau A, s.: Augusti, B.
Plohn, AL: Der Smyrna-Teppich. Seine Herkunft, Technik u. deren Umgestaltg in Europa. [S.-A.] (20 m. Abb. u. 3 Farbdr.) 8° Darmst. 05. Wiesb., Hauskunst-Verl. v. J Köstler, 1 —
Plehn, B: Begründg, Betrieb u. Verwaltg d. Molkereigenossensch. u. ihre wirthschaftl. Bedeutg. (178) 8° Lpzg, M Heinsius Nf. 02. 3.60 d
— Butter, ihre Bereitg, ihr Wesen, ihre Ersatzmittel u. deren Gebrauchswert. [S.-A.] (24) 8° Ebd. 03. — 60 d
— Die landw. Genossensch. — Die Gewinng u. d. Vertrieb hygienisch einwandfreier Milch, s.: Schriften d. deut. milchwirtschaftl. Ver.
— Der staatl. Schutz geg. Viehseuchen. Anh.: Die wichtigsten Viehseuchen, v. Froehner. (483 u. 66) 8° Berl., A Hirschwald 03. 8 —
Plehn, F: Anl. z. Brillenbestimmg in einf. Fällen f. Optiker u. Mechaniker. (58 m. Fig.) 16° Berl., Administr. d. Mechaniker 03. 1 —
Plehn, F: Tropenhygiene m. spec. Berücks. d. deut. Kolonien. Arztl. Ratschläge. 20 Vortr. (283 m. Abb. u. 5 Taf.) 8° Jena, G Fischer 02. 5 —; geb. 6 —
Plehn, F: Ortsgesch. d. Kreises Strasburg in Westpreussen. Festschrift. 2. 25jähr. Jubiläum d. histor. Ver. f. d. Reg.-Bez. Marienwerder. (150) 8° Königsbg 1900. Marienwerder (Westpr.), Histor. Ver. f. d. Reg.-Bez. Marienwerder. (Nur dir.) 3 —
Plehn, K: Ev. Relig.-Buch f. d. Vorsch. höh. Lehranst. sowie d. unt. Kl. d. höh. Mädchensch. u. d. Mittelsch. (92 m. Abb.) 8° Halle, Bh. d. Waisenh. 04. Geb. 1.90 d
Plein-Air s.: Studien, krit.
Pleissner, A: Kommandier. Generäle? Der Roman e. Zeitgeschreibers. (251) 8° Lpzg, Deut.Kampf-Verl. (04). 3.50; geb. 5 — d
— s.: Kampf, deut.
— Vor Los! Eine moderne Studentennovelle. 2. Afl. (86) 8° Lpzg, Deut. Kampf-Verl. (04). 1.50
Pleitner, E: Deut. Gesch., s.: Neels, H.
— Heil Dir, o Oldenburg! Aufsätze u. Gedichte zu e. würd. Ausgestaltg d. Feier v. Grossherzogs Geburtstag u. z. Belebg d. Unterr. in d. Heimatkde. (168) 8° Oldnbg, G Stalling's V. (01). 1.40 d
— Leseb. f. d. Oberst. d. ev. Volkssch. d. Herzogt. Oldenburg, s.: Künoldt, C.
— Oldenburg im 19.Jahrh. 2.Bd. Von 1848—1900. (360) 8° Oldnbg i/Gr., B Scharf 1900. (Nur dir.) 5 — (Vollst.: 10 —)
— Oldenburg, Quellenb. (111) 8° Oldnbg, H Nonne 04. 1.50
Plemelj, J: Üb. d. Anwendg d. Fredholm'schen Funktionalgleichg in d. Potentialtheorie. [S.-A.] (24) 8° Wien, (A Hölder) 03.
— Üb. lineare Randwertaufg. d. Potentialtheorie. [S.-A.] (73) 8° Tesch. (04). (Wien, J Eisenstein & Co.)
— Zur Theorie d. Fredholm'schen Funktionalgleichg. [S.-A.] (36) 8° Ebd. (04).
Plener, E v., s.: Zeitschrift f. Volkswirtschaft, Socialpolitik u. Verwaltg.
Plenge, J: Gründg u. Gesch. d. Crédit Mobilier. 2 Kapitel z. Anlagebanken. e. Einl. in d. Theorie d. Anlagebankgeschäftes. (156) 8° Tüb., H Laupp 03. 4 —
— Das System d. Verkehrswirtschaft. Probevorlesg. (36) 8°
Pleschner v. Eichstett, A: Das Evangelium d. Kaufmanns od. d. Handelsgesetzb. in zierl. Reime gebracht u. reich illustrirt. (202) 8° Wien, G Szelinski 04. 2.50
Pleskot, R: Die nähergsweise Berechng d. Kompensationspendel. (2 m. Abb.) 8° Lpzg, M Oldenbourg 05.
Plessen, E: Das Steinkreuz am Ostseestrand, s.: Sammlung interessanter Criminal- u. Detectiv-Romane.
Plessen, R: Die Grundl. d. modernen conditorie, s.: Studien, Rostocker rechtswiss.
Plessis, P du: Die Bukanier, s.: Roman-Perlen.
— Die Buren in d. Kapkolonie im Kriege m. England, s.: Wet, A.
Pleteršnik, M: Slovenisch-deut. Wrtrb. (Mit sloven. Titel.) 2 Bde. (888 u. 978 u. 9) 8° Laib., (I v. Kleinmayr & F Bamberg) 1894. 95. nn 30 —; geb. 36 —
Pletsch, O: Der alte Bekannte. Eine Maler-Reise in Bildern. Mit Reimen v. F Oldenburg. Volksausg. 7. Afl. (91 Bl.) Stuttg., Loewe (04). Geb. 1.50 d
— Blatt f. Blatt. Bilderb. f. kl. Leute. Text v. C Lechler. 3. [u. 4.] Afl. (24 m. Abb. u. 6 Farbdr.) 8° Stuttg., JF Schreiber (02). Geb. 3 — d
— s.: Es war einmal.
— Gute Freundschaft. Eine Gesch. f. Damen, aber f. kleine. Text in Versen v. A Wolff. (57 m. z. Tl farb. Abb.) 8° Stuttg., Loewe (01). Geb. 2 — || Volks-Ausg. (m. schwarzen Bildern) (94 Bl.) (02.) Kart.
— Wie's im Hause geht n. d. Alphabet. Volksausg. (34 Bl. Abb.) 8° Ebd. (04). Geb. 1.50 d
— dass., s.: Lechler, C.
— Auf d. Lande. Orig.-Zeichngn. Mit alten, lieben Reimen v. J Lohmeyer u. F Oldenberg. 4. Afl. (26 u. 27 m. Abb. u. 8 Farbdr.) 8° Stuttg., Loewe (05). Geb. 2.50 d
— Allerlei Schnick-Schnack. Alte, liebe Reime f. uns. Kleinen. 7. Afl. (48 m. Abb. u. 6 Farbdr.) 8° Ebd. (08). Geb. 1.50 || Volks-Ausg. (25 Bl. m. H.) (03.) Geb. 1.50 d
— Springinsfeld. Alte, liebe Reime f. uns. Kleinen v. F Olden...

berg u. A. 5. Afl. (48 m. Abb. u. 6 Farbdr.) 8° Stuttg., Loewe (02).   Geb. 3 — ‖ Volksausg. (23 Bl.) (05.) Geb. 1.50 d
Pletschacher, OJ: Der 1. Relig.-Unterr. (36) 8° Münch., R Oldenbourg 05.   nn — 85 d
Pletscher, A: Randen-Gestalten u. Randen-Geschichten. (154 m. 3 Bildn.) 8° Schleith. 05. (Schaffh., C Schoch.)   — 80 d
Plettke, F, s.: Aus d. Heimat — f. d. Heimat.
Pleyel, J v.: Die Schulsammlg. Ihre Anlage, Ausgestaltg u. Erhaltg. (120 m. Abb.) 8° Wien, A Hartleben (03).   3 —;   geb. 4 — d
Pleyte, CM: Die Buddha-Legende in d. Skulpturen d. Tempels v. Böró-Budur. 12 Hefte. (183 m. Abb.) 4° Amsterd., JH de Bussy (01.02).   Je nn 1 —; Einbd nn 3 —
Plinius Caecilius Secundus, d. C, Briefe. Übers. v. E Klussmann u. W Binder. 7.Lfg.2.Afl. (3.Bd.1—48) 8° Berl.-Schöneberg, Langenscheidt's V. (04).   — 35 d
— dass., s.: Meisterwerke d. Griechen u. Römer in kommentierten Ausg.
— Die geograph. Bücher d. naturalis historia, hrsg. v. D Detlefsen, s.: Quellen u. Forschungen z. alten Gesch. u. Geogr.
— Epistular. libri novem. Epistular. ad Traianum liber. Panegyricus. Recogn. CFW Mueller. (392) 8° Lpzg, BG Teubner 03.   2.80; geb. 3.40
Plinke, AH, u. H **Binder**: Kindertage in Lust u. Plage. (16 Bl. m. farb. Abb.) 4° Langens., H Beyer & S. (08).   Geb. 2 — d
Plinzner, P: Das Gymnasium d. Pferdes, s.: Steinbrecht, G.
Plitt, F: Vor 30 Jahren (1870—1900), Rückerinnergn a. Dreiundachtzigers. 3. Afl. (180 m. 1 Karte u. 5 Bildnissen.) 8° Kassel, Frz Plitt 03.   1.60; geb. 2.25 d
Plitt, G: Grundr. d. Symbolik—Konfessionskde. 4. Afl. v. V Schultze. (175) 8° Lpzg, A Deichert Nf. 02. 2.80; geb. nn 3.60 d
Ploch, A: Grabbes Stellg in d. deut. Lit. (224) 8° Lpzg, KGT Scheffer 05.   2 —
Plöhn, R: Madonna Eva. (63) 8° Wien (I, Fleischmarkt 8), Dr. Rob. Plöhn 04.   — 60 d
— Im Feuerzauber d. Leidenschaft. — Das Problem d. Glückes u. and. Novellen. — Wienerinnen, s.: Weber's moderne Bibliothek.
Plokhooy, C: Mit d. Mausergewehr. Persönl. Erlebnisse im Burenkrieg. Frei a. d. Holl. v. E K. (179) 8° Herb., Bh. d. nass. Colportagever. 02.   — 80; in Bibliotheksbd 1.20;   eleg. geb. 1.50 d
Ploen, H: Dominik Dietrich, Ammeister d. Stadt Strassburg, s.: Lebensbilder, ev., a. d. Elsass.
Ploner, I: Die Fortgangs-Classe in d. Mittelsch.-Zengnissen (16) 8° Boz., A Auer & Co. 01.   — 20 d
Plönies, W: Die Bedeutg d. perkutor. Empfindlichk. f. d. Diagnose u. d. Therapie, m. bes. Berücks. d. Krankh. d. Abdomen, s.: Sammlung klin. Vortr.
— Die Reizgn d. Nervus sympathicus u. Vagus beim Ucus ventriculi m. bes. Berücks. ihrer Bedeutg f. Diagnose u. Therapie. (54) 8° Wiesb., JF Bergmann 02.   1.20
Ploompuu, J, u. O **Kann**: Prakt. deutsch-estn. Wrtrb. (805) 8° Rev., (F Wassermann) 02.   7.50 d
Ploss, H: Das Weib in d. Natur- u. Völkerkde. Anthropolog. Studien. 7. Afl. v. M Bartels. 18 Lfgn. (90, 867 u. 851 m. Abb. u. 11·L.) 8° Lpzg, T Grieben 01.02. 28 —; in 2 HF.-Bdn 33 — ‖ 8. Afl. 20 Lfgn. (32, 939 u. 880 m. Abb. u. 12 L.) 04.05. 30 —;   in 2 HF.-Bdn 35 —
Flotho, W Frhr v.:Irmgard v.Hammerstein.Geschichtl.Schausp. (128) 8° Brnschw. 02. Lpzg, R Sattler.   2 — d
Flothow, A: Das Buch d. Frau. Ratgeber f. d. deut. Frau. Volks-[Tit.-]Ausg. (1043) 12° Lpzg, EHF Reisner [01] 01.   L. 3 — d
— dass. Mit illustr. Hdb. d. Damenschneiderei, illustr. Hdb. d. Damenschneiderei, illustr. Hdb. d. Putzmacherei, illustr. Stickmuster- u. Häkelbuch. Pracht-Ausg. 50 Lfgs. (768 u. 196 m. 69 Taf.) 8° Ebd. 01-03.   Je — 29 d
Flotin: Enneaden. In Ausw. übers. u. eingeleitet v. O Kiefer. 2 Bde. (24, 289 u. 308) 8° Jena, E Diederichs 05. 14 —; geb. 18 —
Plotke, E: Fabrik u. Handwerk. Ihre Trennng in d. deut. Reichs-Gewerbeordng. d. Ausführgsanweisgn d. Zentralbehörden u. d. gerichtl. Entscheidgn. (114) 8° Berl., (Polytt. Bh. A Seydel) 05.   1.60 d
Plotke, J: Die rumän. Juden unter d. Fürsten u. König Karl. (44) 8° Frankf. a/M., Mablau & W. 01.   — 50
Plotz, E: Universal-Briefmarken-Album. (44) 4° Lpzg, Verl. d. Univ.-Briefmarken-Album (04).   4 —; geb. 7.50; auf Kartonpap. 5 —, geb. 8.50; in Halbsaff. m.   G. 12.50
— dass. Europa apart. (218) 4° Ebd. (04). 7.50; auf Kartonpap. 15 —; L. 12.50; auf Kartonpap. 20 —; HF. m. G. 15 —,   Kartonpap., in HF.-Decken 40 —
Ploetz, A, s.: Archiv f. Rassen- u. Gesellschafts-Biol.
Ploetz, G: Schulgrammatik d. franzö. Sprache, s.: Ploetz, K.
— Engl. vocabulary. Method. Anl. z. englisch Sprechen. 5. Afl. (316) 8° Berl., FA Herbig 04.   2.60; geb. 3 — d
— u. O **Kares**: Kurzer Lehrg. d. französ.Sprache. Elementarb. Verf. v. G Ploetz. Ausg. A. (196) 8° Ebd. 04. 1.40;   geb. 1.90 d
— — dass. Ausg. B. Für Gymnasien u. Realgymnasien. 5. Afl. (299) 8° Ebd. 02. 1.70; geb. 2.10 ‖ 7. u. 8. Afl. (240) 03.05. 1.80;   geb. 2.30 d ‖ Schlüssel. 2. Afl. (64) 02. 1 —
— — dass. Ausg. C (f. Real- u. Oberrealsch.). 6. Afl. (342) 8°

Berl., FA Herbig 01. 1.80; geb. 2.30 ; 7. u. 8. Afl. (267) 02.05. 2 —:   geb. 2.50 d ‖ Schlüssel. 3. Afl. (77) 02. 1 —; geb. nn 1.30
Ploetz, G, u. O **Kares**: Kurzer Lehrg. d. französ. Sprache. Elementarb. Verf. v. G Ploetz.(Unter Mitwirkg v. Kares.) Ausg. D (f. Mädchensch.) 7. Afl. (307) 8° Berl., FA Herbig 05.   2.40;   geb. 2.90 d ‖ Schlüssel. 2. Afl. (88) 05. 1.25
— — dass. Ausg. E. Neue Ausg. f. Gymnasien. Bearb. n. d. Lehrpl. v. '01. 1. u. 2. Afl. (235) 8° Ebd. 02.03. 1.80; geb. 2.30 d
— — dass. Ausg. F. Neue Ausg. f. Realgymnasien. Bearb. n. d. Lehrpl. v. '01. 1. u. 2. Afl. (270) 8° Ebd. 02.05. 2 —; geb. 2.50 d
— — dass. Ausg. E. F. Schlüssel. (75) 8° Ebd. 05.   1.20
— — dass. Material zu Sprechübgn üb. Vorkommnisse d. tägl. Lebens. Sonderabdr. d. Anh. z. Übgsb. (Ausg. E). 1. u. 2. Afl. (44) 8° Ebd. 04.05.   — 40 d
— — dass. Sprachlehre. Auf Grund d. Schulgrammatik v. K Ploetz bearb. 9. Afl. (20, 140) 8° Ebd. 04. 1.20; geb. 1.60 d
— — dass. Übgsb. v. G Ploetz. Ausg. A. 1. u. 2. Heft. 8° Ebd. 1.90: Einbde je — 40 d ‖ Schlüssel. 2. Afl. (167) 05. 2.50
  1. Abschl. d. Formeslehre. 7. Afl. (106) 04.   1 —
  2. Syntax. (Worstellg u. Verbum.) 6. Afl. (88) 05.   — 90
— — dass. Ausg. B (f. Gymnasien u. Realgymnasien). 7. Afl. (296 m. 1 Karte.) 8° Ebd. 04.   2.25; geb. 2.75 d
— — dass. Ausg. C (f. Real- u. Oberrealsch.). 6. Afl. (375 m. 1 Karte.) 8° Ebd. 05. 2.80; geb. 3.30 d ‖ Schlüssel. 2. Afl. (197)   02. 2 —; geb. nn 2.30
— — dass. Gekürzte Ausg. C. In genauem Anschl. an d. Lehrpl. v '01. (352 m. 1 Karte.) 8° Ebd. 06.   2.60; geb. 3.10 d
— — dass. Ausg. D. Für Mädchensch. Verf. v. G Ploetz u. O Kares. 4. Afl. (279 m. 1 Pl.) 8° Ebd. 04. 2.30; geb. 2.80 d
— — dass. Ausg. E. Neue Ausg. f. Gymnasien. Bearb. n. d. Lehrpl. v. '01. Verf. v. G Ploetz. (298 m. 1 Pl.) 8° Ebd. 05.   2.25; geb. 2.75 d
— — dass. Ausg. F. Neue Ausg. f. Realgymnasien, bearb. n. d. Lehrpl. v. '01· Verf. v. G Ploetz. (333 m. 1 Pl.) 8° Ebd. 06.   2.50; geb. 3 — d
— — dass. Alphabet. Wrtrverz. z. Übgsb. (Ausg. A, B u. C). Verf. v. G Ploetz u. O Kares. 6. Afl. (52) 8° Ebd. 04. — 50;   kart. — 60
Ploets, K, s.: Indianer-Bücher.
Ploetz, K: Conjugaison franç. 2. Stufe. Für d. französ. Unterr. in Mädchensch. Mit e. Leseb. u. Vokabular. 19. Afl. (186) 8° Berl., FA Herbig 02. 1 —; kart. 1.30; Anh. 6. Afl. (20) (05.)   nn — 15 d
— Elementarb. d. französ. Sprache. 44. Afl. (228) 8° Ebd. 02.   1.40; geb. 1.80 d
— Elementarb. u. Elementargrammatik d. französ. Sprache. Anh. 8. Afl. (32) 8° Ebd. (05).   — 20 d
— Elementar-Grammatik d. französ. Sprache. 21. Afl. (243) 8° Ebd. 04.   1.50; geb. 1.90 d
— Latein. Grammatik. (Fortsetzg d. latein. Vorsch.) 4. Afl. v. O Höfer. Nebst Wrtrverz. (407 u. 63) 8° Berl. 01. Lpzg, AG Ploetz.   Geb. u. kart. 3.50
— Guide des institutrices. Hülfsb. f. d. Unterr. n. d. Syllabaire, d. Conjugaison franç. u. Petit vocabulaire. 5. Afl. (146) 8° Berl., FA Herbig 02.   2 —; geb. nn 2.50 *Wird nur an Lehrer abgegeben.*
— Hauptdaten d. Weltgesch. 15. Afl., bearb. im Anschl. an K Ploetz ,Auszug a. d. alten, mittleren u. neueren Gesch.* (102) 12° Berl. 01. Lpzg, GA Ploetz.   Kart. — 70
— Manuel de litt. franç. 12. éd. (48., 810) 8° Berl., FA Herbig 03.   4.50; geb. 5.30
— Schlüssel zu d. Elementarb. u. zu d. Schulgrammatik. 8. Afl. (325) 8° Ebd. 02.   2.60; geb. 3 —
— Schulgrammatik d. französ. Sprache. 35. Afl. (590) 8° Ebd. 03.   2.70; geb. 3.20 d
— — dass. In kurzer Passg hrsg. v. G Ploetz u. O Kares. 6. Afl. (411) 8° Ebd. 03.   2.60; geb. 3.10
— — dass. Für Mädchensch. umgearb. v. O Kares u. G Ploetz. 7. Afl. (408) 8° Ebd. 02.   2.60; geb. 3.10
— Syllabaire franç. 1. Stufe f. d. französ. Unterr. in Töchtersch. 25. Afl. (124) 8° Ebd. 04.   Kart. 1 —
— Übgn z. Erlerng d. französ. Syntax f. d. Sekunda u. Prima v. Gymnasien u. Realgymnasien. 11. Afl. (198) 8° Ebd. 03.   1.25; geb. 1.65
— Petit vocabulaire franç. Kleines Vokableb. m. 1. Anh. z. franzsch Sprechen. 30. Afl. (64) 12° Ebd. 04. — 40; kart. — 50 d
— Voyage à Paris. Sprachführer f. Deutsche in Frankreich. 16. Afl. (126) 12° Ebd. 03.   1 —; geb. 1.40 d *Die Schlüssel zu sämtl. G u. K Ploetz'schen Lehrbb. werden nur an Lehrer abgegeben.*
Ploetz, L v.: Das Jauchzen d. Geigen. Roman. (350) 8° Berl., E Fleischel & Co. 04.   geb. 6.50· d
Ploetz, RA: The traveller's companion. Sprachführer f.Deutsche in Engl. 7. Afl. (160) 12° Berl., FA Herbig 01. 1.30; geb. 1.70
Plötzensee. Bilder a. d. Berliner Centralgefängnis. Von •♦•. 1—15: Taus. (184) 8° Berl., Ullstein & Co. (04).   — 50 d
Plötzinde. Weite Fahrten u. Lebensergeignisse d. Hrn Plötz, so sich d. Bergwerks beflissen, u. v. Amerika bis in China hinein manch löbl. Bergwerk bracht' auf d. Bein! Verf. v. Unbek.(idhuber), illustr. v. Sch., in Kapitel getheilt v. Sch. u. Druck verurtheilt durch C. 4. Afl., m. Anmerkgn v. C Treptow. (40) 8° Lpzg, A Felix (09).   1.30·;   m. Bildnis v. H Schmidhuber 2 — d
Plücker, J: On the spectra of ignited gases and vapours, s.: Hittorf, JW.

Plüddemann, M, s.: Flotten-Kalender, illustr. deut.
— Modernes Seekriegswesen. (298 m. Abb. u. 8 Taf.) 8° Berl.,
ES Mittler & S. 02.   6 —; geb. nn 7.50
Plügge, T: Vierstimm. Choralb. z. schleswig-holstein. u. z.
lauenburg. Gesangb. f. Kirche, Schule u. Haus. (125) 4° Flensbg,
A Westphalen 01.   4.50 d
— Choral-Melodieenb., enth. sämtl. Melodieen d. schleswig-
holstein. Gesangb, sowie d. gebräuchl. d. lauenburg. Ge-
sangb. u. d. f. d, Einübg in d. Seminaren vorgeschrieb. Me-
lodieen d, Militär-Gesangb. Neue Ausg. (115) 8° Ebd. 01. — 80 d
Plümer, Haupt u. Bachmann: Deut. Leseb. f. höh. Mädchensch.
Neubearb. v. K Leimbach, K Bojunga, A Lentz, W Tesdorpf.
8 Tle. 4., -d. Neubearbeitg 1. Afl. 8° Frankf. a/M., Kesselring.
                                                      Geb. nn 19 — d
I. 2. Schulj. (144) 03. nn 1.20 ‖ II. 3. Schulj. (244) 04. nn 1.80 ‖ III. 4.Schulj.
(226) 03. nn 1.80 ‖ IV. 5. Schulj. (317) 04. nn 2.40 ‖ V. 6. Schulj. (561) 04.
nn 2.80 ‖ VI. 7. Schulj. (308) 04. nn 2.40 ‖ VII. Gedichtsammlg f. d. Oberst.
(7—10. Schulj.) (29, 456) 05. nn 3.60 ‖ VIII. Prosa. 8., 9. u. 10. Schulj. (390)
05. nn 8 —
Plüschke, P : Schulrecht u. Schulgesetze. 1—11. Heft. 8° Berl.,
L Oehmigke's V. 05.   Kart. 11.45 d
1. Der Relig.-Unterr. u. d. konfessionellen Verhältnisse d. Volkssch. im
Lichte d. Schulrechts. (92) 1 — ‖ 2. Der Kantor u. s. Amt in schulrechtl.
Hinsicht. (109) 1 — ‖ 3. Die Steuerfreih. u. Steuerpflicht d. Lehrers hinsichtlich d. Kommunal-, Kirchen- u. Staatssteuern. (36) — 60 ‖ 4. Schul-
beheizg u. Feuergaentschädig. (48) — 60 ‖ 5. Die Pensionierg d. Lehrer
u. Lehrerinnen im Lichte d. Schulrechts. (82) — 80 ‖ 6. Die Fürsorge d.
Staates f. d. Hinterblieb. d. Volksschullehrer. (40) — 80 ‖ 7. Landrat,
Kreis- u. Bez.-Ausschuss u. Volkssch. (50) — 80 ‖ 8. Der Hausgarten u.
d. Landdotation d. Lehrers. (36) 1 — ‖ 9. Dienstwohng u. Mietenentschädig.
(130) 1.25. ‖ 10. Der erkrankte Schüler u. d. kranke Lehrer im Schutze
d. Schulrechts. (93) 1 — ‖ 11. Schulurkunden u. ihr gesetzl. Schutz. (284) 2.80.
Plüss, B: Uns. Bäume u. Sträucher. Anl. z. Bestimmen uns.
Bäume u. Sträucher n. ihrem Laube, nebst Blüten- u. Knospen-
Tab. 6. Afl. (138 m. Abb.) 8° Freibg i/B., Herder 05. (145 —1.40 d
— Blumenbüchl. f. Waldspaziergänger. 2. Afl. (196 m. Abb.) 8°
Ebd. 04.   Geb. 2 — d
— Uns. Gebirgsblumen. Als Ergänzg z. „Blumenbüchl. f.Wald-
spaziergänger" hrsg. (200 m. Abb.) 8° Ebd. 02. Geb. 3 — d
— Leitf. d. Naturgesch. Zool. — Botanik — Mineral. 8. Afl.
(272 m. Abb.) 8° Ebd. 04.   2.50; geb. 3.90 d
— Rätsel a. Naturgesch. u. Geogr. (80) 16° Rgnsbg, Verl.-Anst.
vorm. GJ Manz 05.   — 50; geb. — 75 d
Plüss, T: Das Jambenbuch d. Horaz im Lichte d. elg. u. uns.
Zeit. (141) 8° Lpzg, BG Teubner 04.   4 —
Plutarch's Biographieen. Deutsch v. E Eyth. 9., 10., 12., 13.
u. 39. Lfg. 12° Berl.-Schönebg, Langenscheidt's V. Je — 35 d
9.10. III. 45. u. V Uhle. (5. Bd. 102) (04.) ‖ 12. II. Afl. (6. Bd. 49—100) (02.)
‖ 13. III. Afl. u. V Uhle. (7.Bd. 1—48) (04.) ‖ 39. II. Afl. v. H Uhle. (20. Bd.
1—46) (05.)
— vitae parallelae. Nova ed. ster. C Tauchnitiana. Tom. VI et
VII. Nova impressio. 16° Lpzg, O Holtze's Nf.   Je — 90
VI. Agesilaus, Pompeius, Alexander M. (237) 05.
VII. CI Caesar, Phocion, Cato Minor, Agis, Cleomenes. (247) 05.
Plutte, W: Bibl. Gesch. (158 m. Abb. u. 1 Karte.) 8° Riga, CJ
Sichmann 1900.   Kart. 1 — d
Plutus. Krit. Wochenschrift f. Volkswirtschaft u. Finanzwesen.
Hrsg.: G Bernhard. 1. u. 2. Jahr. 1904 u. 5 je 52 Nrn. (No 1.
18) 4° Berl.-Charlttnbg, Plutus-Verl.   Viertelj. 3.50;
                                              einz. Hefte — 80 d
Pniel. Kasualreden-Bibliothek f. Prediger. Hrsg. v. A Ohly.
32. (Schl.-)Bd. Gebete bei Beerdiggn. (190) 12° Stuttg., Greiner
& Pf. 01.   L. 1.50 d
Pobedonoszew's, KP, Sammlg moskowit. Studien üb. d. polit.
u. geist. Leben d. Gegenwart, im Bezug auf Russl. Deutsch
n. d. 4. Afl. v. CE Wohlbrück. (342) 8° Dresd., E Pierson 04.
                                                 4 —; geb. 5 —
Pöch, R: Phonograph. Aufnahmen in Indien u. Neu-Guinea,
s.: Exner, FM.
— Bericht v. meiner Reise n. Neu-Guinea üb. d. Zeit v.
6.VI.'04—25.III.'05. [S.-A.] (17 m. Fig.) 8° Wien, (A Hölder)
05.   — 50
— Wie steht heute d. Frage n. d. Abstammg d. Menschen?
(8) 8° Wien, Wiener Volksbh. 03.   — 50 d
Poeche, I: Eine frohe Botschaft f. jedermann zugl. e. Rettgs-
anker f. alle Kranken. (11) 8° Lpzg, E Demme (04). — 50 d
— Wie soll ich geistig arbeiten? (135) 8° Berl., C Georgi (05).
                                                     1.50 d
— Das Geschlechtsleben d. Menschen, s. Verirrgn u. Leiden.
(240) 8° Hambg, J Zaruba & Co. 02.   4 — d
— Hygiene d. geist. Arbeit. (135) 8° Lpzg, E Fiedler 01. 1.80 d
— Mann, Weib u. Kind od. d. Geschlechtsleben d. Menschen,
s. Verirrgn, Leiden — Vorbeugg u. Heilg. 4. Afl. (148) 8°
Lpzg, E Demme 04.   2.10
— Geschlechtl. Neurasthenie u. and. sexuell-nervöse Schwäche-
u. Erschöpfungszustände, ihr Wesen, ihr Ursachen u. natur-
gemässe Heilg. (395) 8° Lpzg, E Fiedler (02).   2.40 d
— Die sexuelle Neurasthenie, geschlechtlich-nervöse Schwäche-
zustände, ihr Wesen, ihre Ursachen u. naturgemässe Be-
handlg. 1. u. 2. Afl. (87) 8° Lpzg, E Demme 01.03.   1.50
— Der Schlaf u. d. Schlafzimmer. Hygienisch-diätet. Hdb. (Neue
[Tit.-]Ausg.) (107) 8° Berl., Berlinische Verl. (01) (03).
                                                     1.50 d
— Der sexuelle Selbstmord d. Unkeuschheit. Ursachen, Vorbeugg u. Heilg d. Onanie. 1. u. 2. Afl. (134) 8° Lpzg, E Demme
01.03.   1.50
— Sünden geg. d. VI. u. IX. Gebot. Geschlechtl. Ausschweifgn,

bes. Onanie, Vorbeugg u. naturgemässe Heilg ihrer verderbl.
Folgen. (155) 8° Lpzg, E Fiedler 01.   2 — d
Pochhammer, v., s.: Mund, ED.
Pochhammer, A : Musikal. Elementar-Grammatik. (215) 8° Lpzg
(01). Berl., H Seemann Nf.   L. 4 —
— Rich. Wagner's Der Ring d. Nibelungen. Erläutert. 2. Afl.
(139) 8° Ebd. (03).   L. 2 —
Pochhammer, M: Die Gesch. d. Eltern, s.: Frauen-Bibliothek,
moderne.
Pochhammer, P : Ein Dantekranz a. 100 Blättern. Führer durch
d. „Commedia". Mit 100 Federzeichngn v. F Stassen u. 3 Pl.
(In 3 Lfgn.) 1. Lfg. (1—96) 8° Berl., G Grote 05. Kart. 4 — d
Poeck, W: De Herr Innehmer Barkenbusch u. and. Gesch. v.
d. Waterkant. (185 m. Abb.) 8° Hambg, Gutenberg-Verl. Dr.
E Schultze 06.   2 —; geb. 3 — d
— Islandzauber. Erzählg. (191) 8° Hambg, A Janssen 04.
                                                2 —; L. 3 —
— Schicksale. Novellen. (190) 8° Ebd. 01.   2 —; L. 3 —
Pockels, F: Gust. Rob. Kirchhoff, s.: Professoren, Heidelberger,
a. d. 19. Jahrh.
Pockels, KA: Wie erlange ich gute Manieren? (165) 8° Brnschw.
(03). Lpzg-Co., Deut. Reform-Verl.   5 — d
Pockwitz, L, s.: Termin- u. Geschäfts-Notizbuch, Hannov.
Poëta, P : Üb. d. Anfangskammer d. Gattg Orthoceras Breyn,
[S.-A.] (0 m. 1 Taf.) 8° Prag, (F Řivnáč) 02.   — 40
— Anthozoaires et Aleyonaires, s.: Barrande, J, système situa-
rien du centre de la Bohême.
— Der Boden d. Stadt Prag. [S.-A.] (35 m. 2 Fig. u. 1 Taf.) 8°
Prag, (F Řivnáč) 05.   — 70
— Geolog. Karte d. weit. Umgebg Prags, s.: Archiv d. natur-
wiss. Landesdurchforschg Böhmens.
Poesmizla, A : Festzeitg anlässl. d. 50jähr. Jubiläums d. frei-
will. Feuerwehr Leobschütz 1854—1904. (16) 8° Leobsch., (G
Schnurpfeil) 04.   † — 30
Pogoro, V : Der Relig.-Unterr. an d. Volkssch. Method. u.
didakt. Vortr. f. Lehrer- u. Lehrerinnen-Bildgsanst. (96) 8°
Flagenf., Buch- u. Kunsth. d. St. Josef-Ver. 04.   1.90
Podivinsky, J : Die alten Classiker u. d. Bibel in Citaten. (67)
8° Brix., A Weger 01.   — 80
Podlaha, A : Die Bibliothek d. Metropolitankapitels in Prag.
s.:Topographie d. histor. u. Kunst-Denkmale im Kgr. Böhmen.
— Ein deut. Theatersp. a. d. J. 1662. [S.-A.] (28) 8° Prag, (F
Řivnáč) 01.   — 40
— Topogr. d. histor. u. Kunst-Denkmale in d. polit. Bezz. Melnik, Přibram u. Rokytzan, s.: Topographie u. dsw. Denkmale
im Kgr. Böhmen.
— u. E Sittler : Der Domschatz in Prag. — Topographie d.
histor. u. Kunstdenkmale in d. polit. Bezz. Karolinenthal u.
Mühlhausen, s.:Topographie d. dsw. Denkmale im Kgr. Böhmen.
Podlaha, W: Erzählgn d. Pfarrers v. Kirchtal. Neu hrsg. u.
m. e. Lebensbilde d. Verf. versehen v. K Landsteiner. 8. Afl.
(22, 187 m. 6 Abb.) 8° Dillingen, Donauwörth 05. Kart. — 70 d
Poe's, EA, Werke in 10 Bdn. Hrsg. v. H A Moeller-Bruck.
10 Bde. 8° Mind., JCC Bruns.   Je 2 —; geb. Je 3 —
                            auch in 5 Doppelbdn zu 5 —
1. Poe's Leben u. Schaffen. (215, 4 u. n Abb.) (04.)
2. Gedichte u. Anderes. Der Dichtga 1. Reihe. (222) (04.)
3. Heureka u. Anderes. Der Dichtga 2. Reihe. (240) 01.
4. William Wilson. Der Novellen 1. Reihe. (240) 01.
5. Der Geist d. Bösen. Der Novellen 2. Reihe. (367) 01.
6. Mesmer.Enthüllgn. Der Novellen 3.Reihe. (224) 01.
7. Hans Pfaals Mondfahrt. Der Novellen 4. Reihe. (256) (02.)
8. Die Abenteuer Gordon Pyms. Roman. (251) (01.)
9. Der Teufel im Glockenstuhl. Der Humoresken 1. Reihe. (240) (01.)
10. Der Engel d. Wunderlichen. Der Humoresken 2. Reihe. (240) (01.)
— The bells, The raven, Annabel Lee, and To one in paradise,
s.: Authors, modern Engl.
— Unheiml. Geschichten, s.: Lutz' Kriminal- u. Detektiv-Romane.
Poesie im Zuchthause. Gedichte v. Verbrechern. Ges. u. hrsg.
v. J Jäger. (26, 227) 8° Stuttg., M Kielmann 05. 3 —; L. 3.50
Poetarum graecor. fragmenta. Auctore O de Wilamowitz-Moellendorff collecta et ed. Vol. III fasc. I. 8° Berl., Weidmann. 10 —
                                        (III, 1, Vol. VI, 1.: 90 —
III,1. Poetar. philosophor. fragmenta ed. H Diels. (270) 01.   10 —
— philosophor. fragmenta ed. H Diels, s.: Poetarum graecor.
fragmenta.
Poètes franç. Ausg. A m. Anmerkgn z. Schulgebr. unter d. Text.
Ausg. B m. Anmerkgn in e. Anh. 1., 2., 4. Lfg. (Neudr.)
6. Lfg. 8° Bielef., Velhagen & Kl.   Geb. —
Héranger : Aune v. 50 Liedern. Hrsg. v. J Sarrazin. (126 u. 26) 04. [2.] (5.)
Engwer, T: Anthologie des poètes franç. Sammlg franzö. Gedichte. 2.
bearb., verm. u. bis auf d. neueste Zeit fortgeführte Afl. v. Benecke u.
Sammlg franzö. Gedichte. (306 un. Bildnissen). 03. [4.]
                            Anmerkgn u. Wrtrb. (128 u. 69) 05. [2.]
— Choix de poésies franç. Sammlg franzö. Gedichte. (810 m. an-
nisen.) 05. [6.]
La Fantaisie : 60 Fabeln. Hrsg. v. J Sarrazin. Ausg. A. (120) 1900. [1.]
Ausg. B. (77 u. 29) 03.
Pogatscher, A, s.: Beiträge, Wiener, z. engl. Philol.
Pogge, G: Frühe Wanderg. Gedichte. (91) 8° Kiel, Lipsius &
Ti. 01.   1.20 d
Poggendorff's, JC, biographisch-literar. Hdwrtrb. z. Gesch.
d. exacten Wiss. 4. Bd. (bis J. 1883 bis z. Gegenwart um-
fassend.) Hrsg. v. AJ v. Oettingen. 24 Lfgn. (1718) 8° Lpzg,
JA Barth 09-04.   79 —; Pf. 76 — (1—4.: 157 —; geb. 171 —)
Poggio Bracciolini, d. Florentiners Gian-Francesco, Schwänke
u. Schnurren, s.: Meistererzähler, roman.

Pognon, H: Une version syriaque des aphorismes d'Hippocrate. 2 parties. 4° Lpzg, JC Hinrichs' V. 03.   Je 12 —
1. Texte syriaque. (40, 32) § 2. Traductions. (20, 67)

Pohl, A: Schlesien. Präparat. f. d. heimatkundl. Unterr. (68 m, 13 Kart. u. Skizzen.) 8° Bunzl., G Kreuschmer 01. 1.25 d

Pohl, C: Mal-Vorlagen in neuzeitl. Geschmack. 1—3. Heft. (Je ô farb. Lichtdr.) Fol. Planen, C Stoll (01-04).   Je 6 —

Pohl, Frl. C, s.: Justran, E.

Pohl, E: Lygia. Drama. Mit freier Benutzg d. Romans „Quo vadis". (118) 8° Stuttg. 01. Feldk., F Unterberger.   — 80 d

Pohl, E: Aus d. Anfängen uns. Breklumer Mission. (152 m. Abb.) 8° Brekl., (Christl. Bh.) 02. — 75; geb. 1 —‖ 2. Afl. (168 m. Abb.) 03. Kart. 1.20 d

— Jesus nimmt d. Sünder an (Paul Chinnayah in Salur), s.: Morgenrot in Indien.

Pohl, H: Krit. Rundschau üb. ält. deut. Ansiedlgn in d. Tropen z. Feststellg d. Bedeutg v. Togo, Kamerun u. Deutsch-Ost-afrika f. d. deut. Auswanderg. (Umschl.: Zur Besiedelg uns. Schutzgebiete im trop. Afrika.)(136) 8°Bonn, H Behrendt 05. 1.50

Pohl, H: Die Montage elektr. Licht- u. Kraftanlagen. (272) 8° Hannov., Dr. M Jänecke 03.   L. 4.40

— dass., s.: Bibliothek d. ges. Technik.

— u. B **Boschinski**: Die Leitgs, Schalt- u. Sicherheitsapparate f. elektr. Starkstromanlagen, s.: Handbuch d. Elektrotechnik.

Pohl, H: Die Entstehg d. belg. Staates u. d. Norddeut. Bundes, s.: Abhandlungen a. d. Staats-, Verwaltgs- u. Völkerrecht.

Pohl, J: Das Haar. Die Haarkrankh., ihre Behandlg u. d. Haar-pflege. 5. Afl. (178 m. 1 Tab.) 8° Stuttg., Deut. Verl.-Anst. 02.
   2.50; L. in 3.50 d

Pohl, J, u. JE **Thausing**: Buchführg f. Bierbrauereien nach einf. u. dopp. System. 2. Afl. (210) 8° Lpzg, JM Gebhardt 01.
   6 —; geb. nn 6.50 d

Pohl, J, s.: Hauskalender, ermländ.

— Jubelgold. Kränze um d. Tiara. 4. Afl. (240 m. 1 Bildnis.) 12° Rgnsbg, Verl.-Anst. vorm. GJ Manz 03. L. m. G. 3 — d

Pohl, O: Basalt. Ergussgesteine v. Tepler Hochland, s.: Archiv f. d. naturwiss. Landesdurchforschg v. Böhmen.

Pohl, O: Üb. d. Einwirkg v. Thiophenolen auf d. Nitroderivate d. Anthrachinons. (30) 8° Freibg i/B., Speyer & K. 04. — 80

Pohl, O: Der Arbeiter im kapitalist. Staat u. in d. socialist. Gesellsch. (15) 8° Wien, Wiener Volksbh. 02.   — 10 d

Pohl, O: Kl. Schulgrammatik d. latein. Sprache, s.: Fromm, AH.

Pohl, R: Rich. Wiegand. Episoden a. d. Leben e. gr. Meisters. Nach Aufzeichngn hrsg. v. L Pohl. (355) 8° Brnschw. 04. Lpzg, R Sattler.   3.50; geb. 4.50 d

Pohl, R: Ueb. magnet. Wirkgn d. Kurzschlussströme in Gleich-stromankern. [S.-A.] (62 m. Abb.) 8° Stuttg., F Enke 05. 1.20

Pohl, R: Heimatkde d. Stadt u. d. Kreises Landsberg a. W. (73) 8° Landsbg, Volger & Kl. 01.   — 50 d

Pohl, R, s.: Taschenkalender f. Geflügelzüchter.

Pohl, W: Die jurist. Natur d. Bierliefergsvertrages. Ist d. Bier-liefergsvertrag inhaltlich erlaubt, u. wie ist bei Übergang d. Geschäfts e. Partei auf e. Dritten durch Rechtsgeschäft unter Lebenden d. Eintritt diess Dritten in d. Bierliefergs-vertrag z. Sicherg d. and. Partei zu erreichen? (86) 8° Bonn, H Behrendt 04.   1.60

Poehl, A v., Fürst J v. **Tarchanoff** u. P **Wachs**: Rationelle Organotherapie m. Berücks. d. Urosemiologie. Aus d. Russ. 1. Hlfte. (342 u. 23 m. Abb.) 8° Berl., (Urban & Schw.) 05. 6 —

Pohle: Relig. u. Freiheit, s.: Fischer, M.

Pohle [s.]: Volksschulen, d., d. Reg.-Bez. Merseburg.

Pohle, E: Dekorations-Radfahrer-Reigen f. 16 Herren. (6 m. 1 Taf.) 16° Lpzg, Rauh & Pohle (04).   1 — d

— Dekorations-Verwandlgs-Reigen, s.: Kostüm-Reigen.

— Keulenreigen, s.: Reigensammlung.

— Pyramiden. (16 Taf.) 8° Probsth. (02). Lpzg, Rauh & Pohle. 1 —

— Radfahrer-Reigen f. 6 Damen u. 6 Herren. (4 m. 1 Taf.) 16° Lpzg, Rauh & Pohle (04).   1 — d

— 5 Reigen. (54 m. Fig.) 16° Probsth. (03). Lpzg, Rauh & Pohle.
   1 — d

— Schneeball-Reigen, s.: Kostüm-Reigen.

— Stab-Reigen. — Stab- u. Gruppiesrgreigen, s.: Reigensamm-lung.

— Die Wunderteufel, s.: Kostüm-Reigen.

Pohle, H: Heimatkde v. Plauen i. V., u. geograph. Einheiten. f. d. Unterr. bearb. (88 m. 1 L.) 8° Plauen, A Kell (02). 1.60

Pohle, J: Lehrb. d. Dogmatik, s.: Handbibliothek, wiss.

— s.: Religion, d. christl.

P. Angelo Secchi. Lebens- u. Kulturbild a. d. 19. Jahrh. 2. Afl. (288 m. Abb., 1 Taf. u. 1 Bildnis u. Flxsm.) 8° Köln, JP Bachem 04.   4 —; geb. nn 5.30 d

— Die Sternenwelten u. ihre Bewohner. Zugl. als 1. Einführg in d. moderne Astronomie. 3. Afl. (484 m. Abb. u. 17 (5 farb.) Taf.) 8° Ebd. 02. ‖ 4. Afl. (504 m. Abb. 16 (4 farb.) Taf. u. 1 Karte.) 04.   Je 8 —; geb. je 10 —

Pohle, L: Bevölkergsbewegg, Kapitalbildg u. period. Wirt-schaftskrisen. Betrachtg d. Ursachen u. soz. Wirkgn d. mo-dernen Industrie- u. Handelskrisen m. bes. Berücks. d. Kartell-frage. Erwit. Ausg. e. Vortr. (92) 8° Gött., Vandenhoeck & R. 02.   1.60 d

— Deutschl. am Scheidewege. Betrachtgn üb. d. gegenwärt. volksw. Verfassg u. d. zukünft. Handelspolitik Deutschlds. (342) 8° Lpzg, BG Teubner 02.   4.80; geb. 5.60 d

— Die neuere Entwicklg d. Kleinhandels. Vortr. [S.-A.] (62) 8° Dresd., v. Zahn & J. 1900.   1 — d

Pohle, L: Die Entwicklg d. deut. Wirtschaftslebens im 19. Jahrh., s.: Aus Natur u. Geisteswelt.

— Die neuere Entwicklg d. Wohngsverhältn. in Deutschl. Er-weit. Ausg. d. Referats auf d. I. allg. deut. Wohngskongresse, m. e. Nachwort üb. Sozialreform u. Wiss. (34) 8° Gött., Vanden-hoeck & R. 05.   1.40 d

Pohle, P: Von d. Heimatkde z. Erdkde. Beitrag z. spez. Me-thodik d. erdkundl. Unterr., theoretisch begründet u. prak-tisch dargest. an d. n. landschaftl. Einheiten gegliederten Vogtlande. (111 m. 24 Skizzen u. 2 Abb.) 8° Lpzg, E Wunder-lich 05.   2 —; geb. 2.50

Pohle, R, u. G **Brust**: Berliner Schulatlas, auf Grund d. 50. Afl. v. Keil u. Riecke: deut. Schulatlas bearb. (47 farb. Kartens.) 4° Lpzg, BG Teubner (03). nn 1 —; kart. nn 1.20; L. nn 1.50

Pöhler, A: Liedersammlg f. Realsch., s.: Friedenberg, R.

Pohlhammer, F: Griech. Altertumskde, s.: Maisch, K.

Pohlhausen, A: Berechng, Ausführg u. Wartg d. deut. Dampf-kessel-Anlagen. 3. Afl. (In etwa 18 Lfgn.) 1—14. Lfg. (1—168 m. Abb. u. 28 Taf.) 4° Mittw., Polyt. Bh. 05.   Je 1 —

— Berechng u. Konstruktion d. Maschinenelemente, s.: Reb-ber, W.

— Berechng, Konstruktion u. Anlage d. Transmissions-Dampf-maschinen. In 2 Bdn. 2. Afl. (341 m. Abb. u. 50 Taf.) 4° Mittw., Polyt. Bh. 01.   HF. 30 —

— Berechng, Konstruktion u. Ausführg d. wichtigsten Flaschen-züge, Winden, Krane u. Aufzüge m. bes. Berücks. d. elek-trisch betrieb. Hebezeuge dieser Art. 25 Lfgn. (303 m. Abb. u. 50 Taf.) 4° Ebd. 02-04.   Je 1.10; in 2 Bde geb. 32.50

— s.: Fehland's Ingenieur-Kalender.

Pohlidal, Frau H, s.: Dahl, H.

Pohlig: Petrus Silitonga, e. früh vollendeter Batak, s.: Mis-sionsschriften, rhein.

Pohlmann, A: Die vergess. Grundrente, s.: Streitfragen, soz.

— s.: Zuwachssteuer, d.

Pohlmann, A: Sagen a. d. Wiega Preussens u. d. deut. Reiches. d. Altmark. (252) 8° Stendal, Franzen & Grosse's V. 01. (Nur dir.)   3 — d

Poelmann, CL, s.: Formenlehre, latein.

— Jurist. Handbücher. I. 1—5. Lfg. 8° Münch. (Lpzg, Jordan & S.)   16.65 d
Otto, K: Das bürgerl. Recht d. dent. Reiches auf d. Grundl. v. Pöhlmanns Gedächtnistabelle gemeinverständlich erläutert. 1—3 Taus. 1. Lfg. (1. Buch. 87) 04. [1.] 2.50‖ 2. u. 3. Lfg. (2. Buch. 774 m. 6 Tab.) 04.05. 4.95‖ 4. u. 5. Lfg. (1. Buch. 87—344) 05. 7.20

— s.: Schule, d., d. Zukunft.

Pöhlmann, H: Rud. Kuckens Theol. m. ihren philosoph. Grundl. dargest. (93) 8° Berl., Runge & R. 03.   1.50

Pöhlmann, R: Griech. Gesch. im 19. Jahrh. Festrede. (37) 4° Münch., (G Franz' V.) 02.   — 60

— Zur Gesch. d. antiken Publicistik. [S.-A.] (77) 8° Ebd. 04. 1 —

— Grundr. d. griech. Gesch., s.: Handbuch d. klass. Alter-tums-Wiss.

Poehn a.: Zeitschrift, jurist., f. d. Reichsl. Elsass-L.

Pöhn, E: Grundr. z. Einführg in d. operative Zahnkunst. (77 m. Abb.) 8° Berl., (H Meusser) (03).   2.50

Pohonô, M: Im Schatten d. Kreuzes. Predigten üb. freigew. Texte. (146) 8° Lpzg, A Deichert Nf. 04.   2.50 d

Poincaré, H: Wiss. u. Hypothese. Deut. Ausg. m. erläut. An-merkgn v. F u. L Lindemann. (342) 8° Lpzg, BG Teubner 04.
   L. 4.80

Poirier-Delay, L, u. F **Müllhaupt**: Histor. Atlas d. Schweiz m. erklär. Text z. Gebr. f. Sekundarsch. u. and. Lehranst. (15 farb. Kartons. m. 16 S. Text.) 4° Bern, H Boneff (1900). (Nur dir.)   1.60

Pokomo-Katechismus. (Kunza Na Kwambukuya Kwo Njia Ya Muungu.) (23) 16° Neukirch., Missionsbh. Stursberg & Co. 02.
   — 80

Pokorny's Naturgesch. f. Bürgersch. in 3 Stufen. Bearb. v. J Gugler. I. u. II. Stufe. 8° Wien, F Tempsky 03. Geb. 1.60 d
I. 13. Afl. (142 m. Abb. u. 1 farb. Taf.) ‖ II. 11. Afl. (184 m. Abb.)

— dass. In Lebensbildern neu bearb. v. E Neumann. 1. Stufe. 13. Afl. (1. Afl. d. Neumannschen Bearbeitg.) (126 m. Abb. u. 4 farb. Taf.) 8° Lpzg, G Freytag 02.   Geb. 1.50 d

— dass. 2. Aufl. v. F Noë. 20. Afl. (164 m. Abb., 1 Karte u. 3 (2 farb.) Taf.) 8° Ebd. 02.   Geb. 1.60

— dass. Für 3. Kl. d. Gymnasien bearb. v. F Noë. 21. Afl. (62 m. Abb., 1 Karte u. 3 (2 farb.) Taf.) 8° Wien, F Tempsky 05.   Geb. 1.60 d

— Naturgesch. d. Pflanzenreiches, f. höh. Lehranst. bearb. v. M Fischer. 21. Afl. (274 m. Abb.) 8° Lpzg, G Freytag 02.
   Geb. 3 —

— dass. Ausg. B. (234 m. Abb. u. 36 farb. Taf.) 8° Ebd. 03.
   Geb. 4.60

— dass. Bearb. v. K Fritsch. 22. Afl. (262 m. Abb. u. 36 farb. Taf.) 8° Ebd. 05.   Geb. 4 —

— Naturgesch. d. Tierreiches, f. höh. Lehranst. bearb. v. M Fischer. 25. Afl. (372 m. z. Tl farb. Abb. u. 5 farb. Taf.) 8° Ebd. 01.   Geb. 3.60 d

— dass. Ausg. A. 26., nach biolog. Gesichtspunkten umgearb. Afl. (309 m. z. Tl farb. Abb. u. 5 farb. Taf.) 8° Ebd. 05. Geb. 3.60

— dass. Ausg. B. 26., nach biolog. Gesichtspunkten umgearb.

Afl. (293 m. z. Tl. farb. Abb. u. 29 farb. Taf.) 8° Lpzg, G
Freytag 05. Geb. 4.60
Pokorny's Naturgesch. d. Tierreiches. Für höh. Lehranst. neu
bearb. v. R Latzel. 36., nach biolog. Gesichtspunkten umge-
arb. Afl. (233 m. Abb., 24 farb. Taf. u. 1 Karte.) 8° Lpzg, G
Freytag 03. Geb. 4.—
— dass. Ausg. B. 27. Afl. (233 m. Abb., 24 farb. Taf. u. 1 Karte.)
8° Ebd. 04. Geb. u. kart. 4.—
— Pflanzenkde f. höh. Lehranst. Ausg. B. Bearb. v. K Fritsch.
24. Afl. (208 m. Abb. u. 36 farb. Taf.) 8° Ebd. 06. Geb. u. kart. 3.60
Pokorny, F: Stiftg d. Vorstadtkirche „z. hl. Leopold" in Wr.-
Neustadt durch e. vormal. türk., darnach getaufte Familie.
(98 m. 7 Bildern.) 8° Wr.-Neust., (A Folk) 03. 2 —
Pokorny, H, s.: Weber-Lutkow, H.
Pokorny, I: Gemeinverständl. Abhandlgn üb. d. Wohlgefallen
am Schönen, d. Pathos u. d. Komik. [S.-A.] (74) 8° Langens.,
H Beyer & S. 03. 1.20
— Beitr. z. Logik d. Urtheile u. Schlüsse. (171) 8° Wien, F
Deuticke 01. 4 —
— Üb. d. Einschränkg d. s d. Mehrzahl. Zunächst m. Bezng
auf d. österr. Regeln f. d. deut. Rechtschreibg. [S.-A.] (23)
8° Wien, A Hölder 03. — 60
Pol, H: Die Vorbedinggn zu e. richt. Verständnis Schillers.
Festrede. (24) 8° Groning., P Noordhoff (05). nn — 80
Polack, F, s.: Aus deut. Lesebb.
— Brosamen. Erinnergn a. d. Leben e. Schulmannes. (Neue
[Tit.-]Ausg.) i. Lfgn. 8° Wittnbg, R Herrosé [1889,90] 01.
Je — 50 d
1. Bd. Jugendleben. 6. Afl. (235) ‖ 2. Bd. Amtsleben auf d. Lande. 6. Afl.
(472) ‖ 3. Bd. Amtsleben in d. Stadt. 7. Afl. (486)
— s.: Brosamen, pädagog.
— Gesch.-Bilder a. d. allg. u. vaterländ. Gesch. Ausg. A. Leitf.
f. mittl. u. höh. Schulen. 19. Afl., hrsg. unter Mitwirkg v. H
Zander. (473 m. Abb. u. 8 Kart.) 8° Lpzg, BG Teubner 05.
Geb. 2.40 d
— dass. Ausg. B. Leitf. f. mittl. u. höh. Mädchensch. 19. Afl.
(463 m. Abb. u. 8 Kart.) 8° Ebd. 03. Geb. 2.40 d
— Das 1. Gesch.-Buch. Lehr- u. Leseb. f. d. 1. Gesch.-Unterr.
im Anschl. an d. Heimatkde. 6. Afl. (136 m. Abb.) 8° Ebd. 03.
Kart. nn — 90 d
— 1. Gesch.-Buch f. einf. Schulverhältn. Lehr- u. Leseb. f. d.
1. Gesch.-Unterr. (80) 8° Ebd. 03. nn — 50 d
— Gesch.-Leitf. f. Bürger- u. Mittelsch. 16. Afl. (352 m. Abb.)
8° Ebd. 04. Geb. 2 — d
— Kantor Grobe u. and. Leute. Ges. Erinnergn a. d. Zeitschrift „Pädagog. Brosamen". (136) 8° Wittnbg, R Herrosé
02. 1.30; geb. 1.50 d
— 200 Jahre preuss. Königtum. Volks- u. Jugendschrift z.
200jähr. Jubelfeier d. preuss. Königstums. (Neue Afl.) (316
m. Abb.) 8° Duisbg, Dietrich & Hermann. (01). Geb. — 85 d
— Lehrpl. m. Pensenverteilg, Lehrbericht, Lektionsplänen u.
Schulchronik f. 1- bis 3klass. Volkssch. Nach d. Grundsatze
d. Stoffzusammengehörigk. aufgest. 5. Afl. (78) Fol, Lpzg,
BG Teubner 02. 1.20; geb. 1.50 d
— dass. Für kathol. Schulen bearb. v. H Kellner. 4. Afl.(78) Fol.
Ebd. 01. 1.20; geb. 1.50 d
— s.: Lesebuch f. ländl. Fortbildgssch. — Liedertexte f. Schule
u. Haus.
— Illustr. Naturgesch. d. 3 Reiche in Bildern, Vergleichgn u.
Skizzen, in neuer Bearbeitg v. G Melinat. 2 Kurse (m. Abb.). 8°
Wittnbg, R Herrosé. Geb. nn 3.70; in 1 Bd nn 3.50 d
1. Vertreter d. 3 Reiche. (Zugl. abgeschloss. Leitf. f. einf. Schulverhältn.)
(m.: Naturkde in Gruppenbildern. 12. Afl. (272) 01. nn 1.60
2. Vergleichg v. Vertretern u. systemat. Behandlg d. Naturgesch. 10. Afl.
(248) nn 2.10
— dass. 13. Afl. im Anschl an d. v. G Mellinat hrsg. 12. I. Kurs.:
Vertreter d 3 Reiche. Anh.: Naturkde in Gruppenbildern.
(282 m. Abb.) 8° Ebd. 03. nn 1.60 d
— Vater Pestalozzi. Bilder a. d. Leben d. gr. Erziehers. Ju-
gend- u. Volksschrift. (87 m. Abb.) 8° Ebd. 02. — 40; geb. — 60 d
— Illustr. Realienb. Leitf. f. Gesch. (108. Afl.), Geogr. (107. Afl),
Naturgesch. u. Naturlehre (110. Afl.). (104, 72 u. 144 m. Abb.
u. Kart.) 8° Lpzg, BG Teubner (02). Geb. nn 1 — d
— Kl. Realienb. Für einf. Schulverhältn. bearb. 145. Afl. (176
m. Abb. u. Kart.) 8° Ebd. 04. Kart. nn — 80 d
— Unser Schiller. 171—210. Taus. (144 m. Abb.) 8° Liegn., C
Seyffarth 05. 30; geb. — 50 d
— u. P Polack: Ein Führer durchs Leseb. Erläutergn zum u.
pros. Lesestücke a. deut. Volkssch.-Lesebb. 2 Tle. 4. Afl. 8°
Lpzg, BG Teubner. 7 —; geb. 8.10 d
1. (726) 03. 2 —; geb. 2.50 ‖ II. 2 Lfgn. (616) 02.05. 5 —; ‖ in 1 Bd geb. 5.60.
Polack, P, s.: Aus deut. Lesebb.
— Hdb. d. deut. Sprache, s.: Lyon, O.
Polaczek, E, s.: Denkmäler d. Baukunst im Elsass.
— Das Elsass u. s. Stellg in d. kunstgeschichtl. Entwicklg.
Vortr. (17) 8° Strassbg, KJ Trübner 05. — 50 d
Polak, AJ: Die Harmonisierg ind., türk. u. japan. Melodien.
(108) 8° Lpzg, Breitkopf & H. 05. 3.50; L. 4.50
— Üb. Ton-Rhythmik u. Stimmenführg. Neue Beitr. z. Lehre
v. musikal. Hören. (263) 8° Ebd. 02. 3 —
Poland, F: Die hellen. Kultur, s.: Baumgarten, F.
Polano, O: Ub. d. Entwicklg u. d. jetz. Stand d. Lehre v. d.
Blasenmole u. d. sog. malignen Deciduom, s.: Sammlung
klin. Vortr.
— Der Magenkrebs in s. Beziehgn z. Geburtshülfe u. Gynäkol.,

s.: Abhandlungen, Würzburger, a. d. Ges.-Geb. d. prakt. Me-
dizin.
Polaschek, A: Zur Berechtiggsfrage an d. Realsch. [S.-A.] (12)
8° Wien, (C Konegen) 02. — 20 d
— Schulwrtrb. zu Cäsars bellum gallicum, s.: Prammer.
— Studien z. grammat. Topik im corpus Caesarianum. (23) 8°
Floridsdf 02. (Wien, C Konegen.) — 40
Poletsek's neuer Landbote-Kalender, s.: Landbote, neuer.
Poelchau, A: Die livländ. Gesch.-Lit. in d. J. 1900 u. '01. (124)
12° Riga, N Kymmel's V. 02. 1 — d
Fortsetzg s.: Feuerreisen, A.
Polec, J: Materialien z. Lehre v. d. Rehabilitation, s.: Delaquis, G.
— s.: Jahrbuch d. Bukowiner Landes-Museums.
— Weinhandel u. Weinbau in d. Bukowina. [S.-A.] (16) 8° Czer-
now., (H Pardini) 04. — 50
— Das armen. Kloster Zamka bei Suczawa in d. Bukowina.
[S.-A.] (19 m. 1 Abb.) 8° Ebd. 01. 1 —
Polemica des s.s. eucharistiae sacramento inter Bartholomaeum
Arnoldi de Usingen O. E. S. A. ejusque olim in univ. Erphur-
diana discipulum Martinum Lutherum anno 1530. Manuscripto
„De sacramentis ecclesiae" extracta ac introductione variisque
commentariis necnon imagine illustrata a DFXP Duijnstee.
(98 m. Titelbild.) 8° Würzbg, Stahel's V. 03. 2.50
Polentz, E: Die Funktionen d. französ. Relativpronomens lequel.
1. u. 2. Tl. (43 u. 31) 4° Berl., Weidmann 01.02. Je 1 —
— Französ. Relativsätze als prädikative Bestimmgn u. ver-
wandte Konstruktionen. (55) 4° Ebd. 03. 1 —
— Die relative Satzverschmelzg im Französ. (54) 4° Ebd. 04. 1 —
Polenz, W v.: Der Büttnerbauer. Roman. 4. Afl. (427) 8° Berl.,
F Fontane & Co. 02. 6 —; geb. 7.50 ‖ 6. Afl. (427) 04. 5 —
geb. 6.50 d
— Erntezeit. Nachgelass. Gedichte. (110) 8° Ebd. 04. 2 —; geb. 3 —
— Das Glück d. „Riegels v. Petersgrün", s.: Zehnpfennig-Unter-
haltungshefte f. Nationalstenogr.
— Der Grabenhäger. Roman in 2 Bdn. 3. Afl. (406 u. 344) 8°
Berl., F Fontane & Co. 03. 10 —; geb. 12 — d
— Junker u. Fröhner. Dorftragödie. (173) 8° Ebd. 01. 3 —
geb. 4 — d
— The land of the future. Translation by L Wolffsohn. (302) 8°
Ebd. 04. 4 —; geb. 5 —
— Das Land d. Zukunft. 1—4. Afl. (419) 8° Ebd. 05. ‖ 5. Afl. (490)
04. Je 6 —; geb. 7.50
— Liebe ist ewig. Roman. 3. Afl. (412) 8° Ebd. 04. 5 —; geb. 6.50 d
— Thekla Lüdekind. Die Gesch. e. Herzens. 2 Bde. 3. Afl. (387
u. 360) 8° Ebd. 02. 10 —; geb. 12 — d
— Laginsland. Dorfgeschichten. 1—3. Afl. (87) 8° Ebd. 01.05.
geb. 4 — d
— Glückl. Menschen. Roman. 1—5. Afl. (276) 8° Ebd. 05.
3 —; geb. 4 — d
— Der Pfarrer v. Breitendorf. Roman in 2 Bdn. 3. Afl. (302 u.
. . .) 8° Ebd. 01. 8 —; geb. 10 — d
— Wurzellocker. Roman in 2 Bdn. 1. u. 2. Afl. (281 u. 282) 8°
Ebd. 02. 8 —; geb. 10 — d
Polhöhe, d., v. Potsdam, s.: Veröffentlichung d. kgl. preuss.
geodät. Instit.
Polich-Plan v. Leipzig a. d. Vogelschau verbunden m. Schnell-
finder d. elektr. Bahnen. 35×50 cm. Farbdr. Nebst Text. (2)
8° Lpzg, Verl. d. „Deut. Moden-Zeitg". — 3
Polifka, J: Cölibat od. Priesterehe? [S.-A.] (54) 8° Münst.,
Alphonsus-Bh. 04. — 30
— Der Ehestand u. d. christl. Familie. Vereinsvorträge. (192)
12° Ebd. 02. 1.50
— Frauentugenden. (181) 12° Ebd. 02. 1.20
— Der hl. Gerard Majella, Profess-Laienbruder d. Kongregatio
d. allerheil. Erlösers. (69 m. 1 Bildnis.) 10,7×7 cm. Linz
Pressver. 04. 25
— Priestertreid u. d. schwarze Gefahr. (228) 8° Münst., Al-
phonsus-Bh. 04. 1.50
— Verleumdgn d. kathol. Kirche, widerlegt. (282) 12° Ebd. C.
1.90
— 4 Waffen d. kathol. Österreichers. Zum V. allg. österr. Ka-
tholikentage! (80) 8° Wien, H Kirsch 04. — 28
Polis, P: Ergebnisse d. Luftdruck-Registriergn v. Aachen. I.
Wärme- u. Niederschlagsverhältn. d. Rheinprovinz. [S.-A.]
(21 m. Fig.) 4° Karlsr., (G Braun'sche Hofbuchdr.) 05. — 3
— Ergebnisse d. Niederschlags-Registriergn v. Aachen. [S.-A.]
(19 m. Fig.) 4° Ebd. 03. — 3
— Die Gewitterböe in d. Rheinprov. am 26.VII.'02. [S.-A.] (25
m. Fig.) 4° Ebd. 03. — 3
— Das neuerbaute meteorolog. Observatorium zu Aachen. [S.-
(21 m. Abb. u. 10 Taf.) 4° Ebd. 01. 1
— s.: Veröffentlichungen d. meteorolog. Observatoriums Aach
— Die Wärme-u. Niederschlagsverhältn. d. Rheinprovinz. [S.-
(5 m. Fig.) 4° Karlsr., (G Braun'sche Hofbuchdr.) 05. —
— Die Wettervorhersage, s.: Projectionen-Vorträge.
— Die Wind- u. Gewitterverhältn. v. Aachen. [S.-A.] (12 m. Fig
4° Karlsr., (G Braun'sche Hofbuchdr.) 05.
Pólit, MM: La familia de Santa Teresa en América y la prim
carmelita americana. (383 m. 1 Fksm.) 8° Freibg i
Herder 05. 3.60; L. 4
Politik, Hrsg. v. P Pacher. Bausteine zu e. Lehrb. f. polit. Di
ker. Schriftleiter: G Holaubek. Juli 1905—Juni 1906. 12 He
(492) 8° Salzbg (Nonnberg 16), P Pacher. 2.4

Politiker u. Nationalökonomen. Sammlg biograph. System-
u. Charakterschildergn, hrsg. v. G Schmoller u. O Hintze. II.
8° Stuttg., F Frommann.   5 —; geb. nn 6 — (I u. H.: 7.50;
                       geb. nn 9 —)
    Oncken, H: Lassalle. (450) 04. [II.]   5 — : reb. nn 6 —
Politikus.: Aufgaben. d., d. liberalen Bürgertums. — Bismarck
od. Lassalle? — Marx od. Lassalle! — Wert, welchen, hat
d. preuss. Verfassg f. unser Volk?
Politzer, A, s.: Archiv f. Ohrenheilkde.
— Atlas u. Grundr. d. Ohrenheilkde, s.: Brühl, G.
— Lehrb. d. Ohrenheilkde. 4. Afl. (710 m. Abb.) 8° Stuttg., F
Enke 01.   17 —; L. 18.40
Polixa, A: Telegr.- u. Fernsprechverkehr. Die wichtigsten Be-
stimmgn f. das d. Reichs-Telegr. u. d. Fernsprecheinrichtgn
benutz. Publikum. (96) 8° Lpzg, Verl. d. mod. kaufm. Bibliothek (05).   L. 2.75
Polizei, die. Zeitschrift f. Polizeiwiss., -dienst u. -wesen m.
d. Beil. Der Dienst hund u. Die Familie. Schriftleitg: Gersbach.
1. u. 2. Jahrg. Apr. 1904—März 1906 je 26 Nrn. (Nr. 1. 24) 8°
Berl., Kameradschaft.   Vierteljahr. 1.50 d
— polit., u. Spitzelwirtschaft. Hrsg. v. d. sozialdemokrat.
Fraktion d. Zürcher Kantonsrates. (Verhandlgn d. Zürcher
Kantonsrates üb. d. polit. Polizei u. d. Bundesanwaltschaft.)
(71) 8° Zür., Bh. d. schweiz. Grütliver. 05.   — 50 d
Polizeibeamten-Zeitung, preuss. Wochenschrift f. d. Interessen
d. Exekutivbeamten im kgl. preuss. Polizeidienste. Hrsg.: H
Schlichting. Jahrg. 1901. Mai—Dezbr. 32 Nrn. (Nr. 1. 8) 4°
Berl., H Schlichting.   1.20; f. Mai u. Juni — 60 d ò H.
Polizei-Bureaubeamte, der. Vorbereitg z. Annahme, z. weit.
Ausbildg u. Prüfg. Methode Rustin. Selbst-Unterr.-Briefe.
(Red. v. C Dzrig.) 23—146. Lfg. (3858 m. Abb., 1 Tab. u. 15 Kart.)
8° Potsd., Bonness & H. (01-05).   Subskr.-Pr. je — 90;
                     Einzelpr. je 1.25 d
Polizeihund, der. Zeitschrift z. Förderg z. Zucht, Dressur u.
Verwendg v. Hunden im öffentl. Sicherheitsdienst. Beil. z.
Zeitschrift: „Die Polizei". Schriftleiter: F Gersbach. Mit-
schriftleiter: Frhr v. Kleinsorgen. April 1905—März 1906.
13 Nrn. (Nr. 13 u. 14. 8 m. 1 Abb.) 8° Berl., Kameradschaft. 3 — d
    Erschien bisher nur als Beilage zu: „Die Polizei".
Polizei-Kalender, österr., f. Kommunal-Sicherheitswachor-
gane f. 1903. Hrsg. v. S Schade. (320 m. 1 Abb.) 16° Wien,
Derflinger & Fischer.   L. nn 2 — ò F
— preuss., f. 1906. Hrsg. v. F Retzlaff. 14. Jahrg. (30, 496 m.
2 farb. Taf.) 8° Recklingh. (Lpzg, O Maier.)   L. 3 — d
Polizeirecht, d. formelle, in .Preussen. (116) 8° Bresl. 1898.
Lpzg, R Lipinski.   — 75 d
Polizei-Verordnung betr. d. Einrichtg u. d. Betrieb v. Auf-
zügen (Fahrstühlen), m. Erläutergn. Gebührenordng u.
Dienstvorschriften, nebst Anweisg z. Berechng d. Seile u.
Prüfg d. Aufzüge. 2. Afl. (36) 16° Hag., O Hammerschmidt
02.   Kart. — 50 d
— dass. Nachtrag, nebst Ministerial-Erlass v. 20.IV.'03. (8) 12°
Frankf. a/M.-Bockenheim, A Kullmann (03).   — 10
               (Hauptwerk u. Nachtr.: — 50) d
    Das Hauptwerk s. u. d. T.: Vorschriften betr. d. Einrichtg, Be-
    aufsichtigg u. d. Betrieb v. Aufzügen.
— dass., u.: Ministerial-Erlass betr. Einrichtg u. Betrieb v.
Aufzügen.
— üb. d. Bauten in d. Städten d. Reg.-Bez. Oppeln v. 1.IV.'03.
(59) 8° Berl., AW Hayn's Erben 03.   L. 1.50 d
— üb. d. Bauten f. d. Städte u. d. platte Land d. Prov. Pommern
v. 7.III'03. [S.-A.] (Einbd: Baupolizei-Ordng f. d. Städte u. d.
platte Land d. Prov. Pommern.) (36) 8° Ebd. 03.   L. 1.20 d
— betr. d. Bauwesen in d. Städten d. Reg.-Bez. Merseburg
m. Ausnahme d. Stadt Halle a. S. v. 31.III.1884. 3. Afl. (70) 8°
Mersebg, F Stollberg 05.   — 80 d
— betr. d. Bauwesen auf d. platten Lande in d. Prov. Sachsen
v. 29.IV.1898. In d. Fassg v. 15.XI.1900. 4. Afl. (32) 8° Ebd.
02.   — 40 d
— üb. Bierdruck-Vorrichtgn (f. d. Reg.-Bez. Düsseldorf).
(15) 8° Barm., (DB Wiemann) (04).   — 15 d
— Bullenkörung f. d. Prov. Westfalen. (Vom 30.VII.'01.) (12)
8° Arnsbg, FW Becker 02.   — 20 d
— betr. d. Verkehr m. Fahrrädern auf öffentl. Wegen, Strassen
u. Plätzen im Herzogth. Anhalt. (Umschl.: Radfahrer-Recht
im Herzogth. Anhalt.) (37) 32° Dess., C Dünnhaupt (01). — 20 d
— betr. d. Verkehr m. Fuhrwerken auf öffentl. Wegen, Strassen
u. Plätzen. (Vom 12.III.'05.) (8) 8° Arnsbg, (FW Becker)
                          nn — 15 d
— üb. d. Verkehr m. Kraftfahrzeugen. (8) 8° Berl., AW
Hayn's Erben (02).   — 10 d
— dass. f. d. Landespolizei-Bez. Berlin. (15) 18° Berl. (S. 43,
Wasserthorstr. 97), (Berolina-Versand-Bh.) 01.   — 12 d
— betr. d. Verkehr m. Kuhmilch u. Sahne. (8) 8° Berl., (AW
Hayn's Erben) (01).   — 20 d
— üb. d. Meldewesen f. d. Vororte Berlins v. 27.IX.'04. (11)
8° Ebd. (04).   — 10 d
— betr. d. Verkehr v. Schiffen u. Flössen an d. Ausmündg
d. kl. Rheins bei Strassburg. (7) 8° Strassbg, Strassb. Druckerei
u. Verl.-Anst. 04.   — 20 d
— f. d. mehr als 10,000 Einwohner zähl. Städte d. Reg.-Bez.
Arnsberg sowie f. d. Landkreis Gelsenkirchen üb. d. Ausführg d. Schornsteine. (Vom 11.V.'05.) (7) 8° Arnsbg, FW
Becker (05).   — 10 d

Polizei-Verordnung betr. d. Untersuchg v. Schweinen, Wild-
schweinen u. Hunden auf Trichinen u. Finnen. Vom 17.II.'04.
(23) 8° Mersebg, F Stollberg 04.   — 20 d
— betr. d. Verkehr m. Sprengstoffen v. 14.IX.'05. (26)
Arnsbg, FW Becker (05).   — 25 d
— dass. (16) 8° Ess., GD Baedeker 05. — 20; Plakatausg. — 50 :
                       auf Pappe 1.20 d
— betr. d. Zwangsanschl. d. Grundstücke in d. Stadt Trier
an d. städt. Strassenkanäle. (16) 8° Trier, (Paulinus-Dr.)
(01).   nn — 10 d
— u. **Betriebs-Vorschrift** f. Privat-Anschlussbahnen. Auszug
a. Stück 35 d. Amtsbl. d. kgl. Regierg. Ausg. Arnsberg, 30.VIII.
'02· (20) 8° Arnsbg, (FW Becker) 03.   — 60 d
Polizei-Verordnungen f. d. Bergwerksbetrieb im Oberbergamtsbez. Dortmund m. Erläutergn u. allg. auf d. Bergbau
bezügl. gesetzl. Bestimmgn u. Bekanntmachgn. Hrsg. v. e.
prakt. Bergbeamten. Anh.: 1. Das Oberbergamt zu Dortmund.
2. Bergrevierfastellg f. d. Oberbergamtsbez. Dortmund. 3.
Einheitl. Bezeichng d. westfäl. Flöze etc. nebst e. Tab. (196
m. 1 farb. Taf.) 8° Ess., GD Baedeker 05.   Kart. 1.20 d
— statutar. u. sonst. Bestimmgn im Stadtbez. Minden n. d.
Stande v. 1.VII.'02. (216) 12° Mind., J CC Bruns 02. L. nn 1.75 d
Polka, A: Aus d. Ferne in d. Ferne. 225 Grüsse, Sprüche u.
Wünsche f. Postkarten. 4. Afl. (66) 16° Neutitsch., R Rosch
(01).   — 50 d
Polko, E: Dichtergrüsse. Neuere deut. Lyrik. 17. Afl. (520 m.
25 Taf.) 8° Lpzg, CF Amelang 04.   L. m. G. 6 — d
— Ein Familienideal. Roman. 2. [Tit.-]Afl. (463) 8° Bresl.,
Schles. Buchdr. usw. [1880] 06.   3 —; geb. 4 — d
— Klingende Geschichten. (Neue [Tit.-]Ausg.) (400) 8° Stuttg.,
Deut. Verl.-Anst. [1894] (01).   1.50; kart. 1.75 d
— Lavinia. Roman. Die engl. Bohème a. d. Zeit Georgs I.
2 Bde. (267 u. 268) 8° Lpzg, A Schumann's V. 03.   10 — d
— Musikal. Märchen, Phantasieen u. Skizzen. Neue Ausg. in
2 Bdn. (Mit je 1 Titelbild.) 12° Lpzg, JA Barth 04.
                          L. m. G. je 6 — d
    I. 25. Afl. (454) ‖ II. 13. Afl. (450)
— Umsonst. Roman. 3. Afl. (423) 8° Bresl., Schles. Buchdr.
usw. 04.   3 —; geb. 4 — d
Poll, A: Frivolität u. Anderes, s.: Collection Tiefenbach.
Pöll, J: Hieracien, s.: Murr, J.
Pollack, B: Die Färbetechnik f. d. Nervensystem. 3. Afl. (158)
8° Berl., S Karger 05.   3.50
Pollack, E, s.: Ecce, afran.
Pollack, K: Tuberkulosebüchl. d. Stettiner städt. Krankenh.,
s.: Neisser, E.
Pollack, P: Von kathol. Marienverehrg, s.: Flugschriften d.
Ev. Bundes.
Pollack, R, s.: Lehrbuch f. d. österr. Schiffersch. an d. Elbe.
— Schiffahrts-Kalender f. d. Elbe-Gebiet.
Pollack, W, s.: Volksbühne, niederdeut.
Pollaczek, M: Der Assessor, s.: Weber's moderne Bibliothek.
— Der 2. Doktor. Dr. Wholestone. Lord Robert's Reise. Sterns
Gedichte. — Geläutert, s.: Kürschner's, J Bücherschatz.
— Vor d. Gesindebad, s.: Universal-Bibliothek.
— Die Marracher-Partie. Erzählg. (100) 8° Berl., O Janke (08).
                            — 50 d
Pollak, E: Kritisch-experimentelle Studien z. Klinik d. puer-
peralen Eklampsie. (172) 8° Wien, F Deuticke 04.   4 —
Pollak, F: Österr. Künstler. Pettenkofen, Hörmann, Daffinger,
Amerling, Canon, Makart, GR Donner. (89) 8° Wien, L Weiss
05.   2.50
Pollak, F : „Liebe ist d. Inbegriff". Gedichte. (100) 8° Strassbg,
J Singer 05.   2 — d
Pollak, H: Gesch. Israels, s.: Wolf, G.
Pollak, J: 30 Jahre ärztl. Praxis. Therapeut. Lexikon f. prakt.
Aerzte. (584) 8° Greifsw., J Abel 02.   6.50; geb. 7.50
— Das Kind bis Ende d. 14. Lebensj. Lesebuch f. Eltern. (192)
8° Langens., Schulbh. 03.   2 —; geb. 2.60 d
Pollak, K, s.: Nathan's System d. Ethik u. Moral.
Pollak, K, s.: Universum. Lexikon in Loseblatt-Form a. Eu-
ropa.
Pollak, L: Klassisch-antike Goldschmiedearbeiten im Besitze
Sr. Exc. AJ v. Nelidow, kais. russ. Botschafter in Rom. (198
m. Abb. u. 20 farb. Taf.) 4° Lpzg, KW Hiersemann 03.
                         L. nn 80 —
— Jos. v. Kopf als Sammler. Biograph. v. ihm hinterlass.
Sammlg. (107 m. 30 Taf.) 4° Rom, Loescher & Co. 05. nn 12 —
Pollak, M, s.: Gesetzentwurf e. ungar. GPO.
Pollak, R: Zur Lehre v. d. Stoffsammlg im Erkenntnisver-
fahren d. Civilprocesses. [S.-A.] (25) 8° Wien, Manz 01. — 60 d
— Die jüngste Rechtsprechg d. österr. Obersten Gerichtshofes
auf Grund d. Konkursordng v. 25.XII.1868 u. d. Anfechtgs-
ges. v.16.III.1884 in d J. 1898—1901. [S.-A.](50)8° Ebd. 04. 1.20
— System d. österr. Zivilprozessrechtes m. Einschluss d. Exe-
kutionsrechtes. 1. Tl. (24, 468) 8° Ebd. 05.   8 —; geb. 9.20 d
Polland, F: Die hellen. Kultur, s.: Baumgarten, F.
Pollath, J: Sonntags-Evangelien u. gerettet, s.: Sonntagsbibliothek.
Poellath, K: Der Arbeiterschutz, s.: Volksbücher d. Rechts-
u. Staatskde.

Pollatschek, A: Die therapent. Leistgn d. J. 1900—4. 12—16.
Jahrg. 8⁰ Wiesb., JF Bergmann. 41.80
1900. (31, 395) 01. 3 — ‖ '01- (29, 320) 02. 8 — ‖ '02- (32, 348) 03. 8.60 ‖ '03.
(38, 356) 04. 8.60 ‖ '04- (35, 252) 05. 8.60.
Polle, F: Wie denkt d. Volk üb. d. Sprache? Plaudereien üb.
d. Eigenart d. Ausdrucks- u. Anschaungsweise d. Volkes.
3. Afl. v. O Weise. (112) 8⁰ Lpzg, BG Teubner 04. Geb. 1.80 d
Pollhammer, J: Donaulieder. 3. Afl. (52) 8⁰ Wien, (C Gerold's
S.) 02. 1 — d
Polligkeit, W: Strafrechtsreform u. Jugendfürsorge, s.: Bei-
träge z. Kinderforschg u. Heilerziehg.
Pöllmann, A, s.: Gottesminne.
— Kl. Lieder. (128) 8⁰ Münst., Alphonsus-Bh. 04. L. 2.40 d
— Rosegger u. s. Glaube. (127) 8⁰ Ebd. 03. 1 — d
— Was ist uns Schiller? (38 m. 1 Bildnis.) 8⁰ Kempt., J Kösel
05. — 70 d
— Der luther. Pastor Theodor Schmidt u. d. sel. Kreszentia
v. Kaufbeuren. Randglossen. (111) 8⁰ Rgnsbg, Verl.-Anst.
vorm. GJ Manz 03. 1 — d
— Sonnenschein. Gedichte. (109) 12⁰ Münst., Alphonsus-Bh. 02.
L. m. G. 2.50 ‖ 2. Afl. (134) 04. Geb. 2.50 d
Pöllmann, H: Leitf. f. d. Unterr. d. Kanoniers, s.: Merkl.
Pollner: Rechenb., s.: Nigetiet.
Pollock, H: Zur Tecknik d. Endoskopie. [S.-A.] (8 m. 1 Abb.)
8⁰ Lpzg, Verl. d. Monatsschrift f. Harnkrankh. 05. — 50
Pollwein, M: Bayer. Ges. v. 30.III.1850, betr. d. Ausübg d.
Jagd, nebst d. einschläg. Ges., Verordngn u. sonst. Bestim-
mgn, sowie e. Anh., enth. d. Ges., betr. d. Ersatz d. Wild-
schadens. 5. Afl. (276) 12⁰ Münch., CH Beck 01. L. 2.50 d
Polo, M: El Libro. Aus d. Vermächtnis d. H Knust u. d. Ma-
irider Handschrift hrsg. v. R Stuebe. (26, 114) 8⁰ Lpzg, Dr,
Seele & Co. 02. 6 —
Polonskij, G: Priester Georgij Gapon. (Der Führer d. russ.
Arbeiterschaft.) (48) 8⁰ Halle, Gebauer-Schwetschke 05. — 60
— Gesch. d. russ. Lit., s.: Sammlung Göschen.
Polonskij, JP: Gedichte. — Ein einfl. Kauz, s.: Universal-
Bibliothek.
Folscher, A: Eine Gabe an d. deut. Zahnkünstler. (67) 8⁰ Opp.
02. Salzbrunn, G Maske. (?) 1 —
— Neues u. Wahrh. üb. Plombiergold, Ledergold, kohäsives
Gold. (19) 8⁰ Ebd. 02. — 80
Polster, L: Ines de Castro. Dramat. Gemälde. (110) 8⁰ Bresl,
Schles. Buchdr. usw. 03. 1.50; geb. 2.50 d
Polster, O: Zur Gesch. u. Entwickelg d. Kohlenhandels, s.:
Veröffentlichungen d. Centralverbandes d. Kohlenhändler
Deutschlds.
— Kalender f. Kohlen-Interessenten. 6. Jahrg. 1906. (528 m.
Fig. u. Schreibkalender.) 8⁰ Lpzg, HAL Degener. L. 4 —
in Brieftaschenldrbd 5 —
*Der 1. Jahrg. erschien u. d. T.: Polster's Taschenb. f. d. deut.
Kohlen-Industrie; d. 2. u. d. T.: Kalender f. Kohlen-Interessenten.*
Polstorff, K: Leitf. d. qualitativen Analyse u. d. gerichtlich-
chem. Analyse. (144) 8⁰ Lpzg, S Hirzel 01. 2 —; geb. 2.50
Polstorff, W: Die ollen Griechen, s.: Daumier, H.
Poltèra, J: Zur Lehre v. Rückfall m. bes. Berücks. d. schweiz.
Strafgesetz-Vorentwurfes. (112) 8⁰ Chur, (A Keel-Gut) 04.
m. 2.50
Polterabend u. **Hochzeit**. 1. u. 2. Bd. 8⁰ Mühlh. i/Th., G Banner.
2.50 d
1. Sammlg neuer origineller dramat. Aufführgn f. 2 u. mehr Personen.
2. Afl. (187) (05.) 1.50 ‖ 2. Hertwig, R: Sammlg neuer origineller Vorträge
u. Aufführgn f. e. Person. 2. Afl. (180) (05.) 1 —
— — Vorträge u. Aufführgn. 9. u. 24—26, Bd. 8⁰ Berl, A Bock.
Je 1.20 d
9. Silber- u. Gold-Myrtc. Gedichte, Vorträge u. Aufführgn z. silb. u.
gold. Hochzeit. 2. Afl. (34) (02.) ‖ 24. Amors Pfeile. Kom. Soloscenen, Gedichte u. Aufführgn. (101) (01.) ‖ 25. Ehestands-Lektionen. Lust. Hoch-
zeitskomödien I. 4—5 Personen. (130) (04.) ‖ 26. Lustige Hochzeit, der
Humorist. Solosceuen u. Aufführgn. (148) (04.)
Folter-Abende, fröhl. (192) 8⁰ Neuweissens., E Bartels (o. J.)-
1.50; geb. 2 — d
— lustige, (82) 8⁰ Ebd. (o. J.). — 25 d
Polterabend-Scherze, neueste, f.Damen. 2.Heft. (48) 8⁰ Landsbg,
Volger & Kl. (04). — 30 d
— dass. f. Damen u. Herren. 1. Heft. (48) 8⁰ Ebd. (02). — 30 d
— u. Hochzeitsfest-Dichtungen, 100reiz. Text-Rev.: M Nestler.
4. Afl. (112) 8⁰ Kirchbg, E Schneider (02). — 65; geb. — 80 d
Polterabend-Vorträge ernsten u. heit. Inhalts. 2.—8 Personen. 9. Afl. (191) 8⁰ Berl, S Mode (03). — 75 d
Polybios, d., Gesch. Deutsch v. A Haakh u. K Kraz. 2—4., 14.,
20. u. 21. Lfg. 8⁰ Berl.-Schönbg, Langenscheidt's V. Je — 35 d
2. IV. Afl. (1. Bd. 33—80) 05. ‖ 3.4. III. Afl. (1. Bd. 81—172) (03.05.) ‖ 14.
21.22. II. Afl. (4. Bd. 07—132 u. 6. Bd. 81—114) (03-05.)
— historiae. Ed. a L Dindorfio curatam retractavit et instru-
mentum criticum addidit T Büttner-Wobst. Vol. I, IV et V.
8⁰ Lpzg, BG Teubner. (Vollst.) 20.60; geb. 13.60
1. Ed. II. (50, 801) 05. 4.40; geb. 5 — ‖ IV. (36, 582) 04. 5 —; geb. 5.60 ‖ V.
Appendix. Indices et historiarum comperndium continens. (251) 04. 2.40;
geb. 3 —
Polycarpi Smyrnaei epistolae et martyria, s.: Ignatius An-
tiochenus.
Polz, A: Hdb. d. Pastoraltheol., s.: Schüch, I.
Polz, F: Der moderne Rationalismus u. s. Bestrebgn auf d.
Geb. d. Schulunterr. [S.-A.] (12) 8⁰ Berl., F Zillessen (02). — 10 d
Polzer, A, s.: Südmark-Kalender.

Polzin, A: Studien z. Gesch. d. Deminutivums im Deutschen,
s.: Quellen u. Forschungen z. Sprach- u. Culturgesch. d.
german. Völker.
Pölzl, FX: Der Weltapostel Paulus. Nach s. Leben u. Wirken
geschildert. (28, 684 m. 3 Taf. u. 1 Karte.) 8⁰ Rgnsbg, Verl.
Anst. vorm, GJ Manz 05. 9 —; L. 11.40 d
Pölzl, I: Leitf. f. d. deut. Unterr. an Handelssch. 2 Thle. 8⁰Wien,
A Hölder. Kart. 3 — d
1. Der Sprachunterr. (44) 01. — 84 ‖ 2. Afl. (47) 04. — 80
2. Einführg in d. Lit. (92) 01. 1.40 ‖ 2. Afl. (92) 04. 1.20
— Deut. Leseb., s.: Haymerle, F Ritter v. — Lampel, L.
— Österr. Vaterlandskde, s.: Hannak, E.
Pomerans, R: Im Lande d. Noth. (306) 8⁰ Bresl., Schles. Buch-
dr. usw. 01. 3 —; geb. 4 — d
Pomerhanz, K, u. O **Jegeri**: Die „Herren" Buben, s.: Schreiber's
humorist. Bibliothek.
Pommer, E, s.: Jahres-Bericht üb. usw. Landw.
Pommer, J: Lieders. f. d. Deutschen in Österr. 5. Afl. (408) 8⁰
Wien, (A Pichler's Wwe & S.) 05. Geb. nn 2 — d
— Oberschefflenzer Volkslieder, s.: Bender, A.
— Volksmusik d. deut. Steiermark. I. 444 Jodler u. Juchezer
a. Steiermark u. d. steirisch-österr. Grenzgeb. 4 Lfgn. (386
u. 14) 8⁰ Wien, A Robitschek (02). (4 —) 5 — d
Pommer, M: Mietwohng od. Eigenhaus? Beitrag z. Reform d.
Wohngsfrage in Sachsen. (10) 8⁰ Lpzg, Jäh & Schunke (01).
nn — 25 d
Pommer-Esche, E v.: Die Canar. Inseln, s.: Süsserott's Kolo-
nialbibliothek.
— Madeira, d. Wald-Insel. (42 m. Abb.) 8⁰ Berl., Herm. Walther
02. 1 — d
— Tage in südl. Sonne. (72 m. Abb.) 8⁰ Ebd. 03. 1.50 d
Pommeret, L: The Pommeret method for teaching the Engl.
language by conversation and grammar. 1.book. (110) 8⁰ Berl.,
L Pommeret (05). Geb. 2 —
— Méthode Pommeret. Méthode pour l'enseignement direct du
Franç. par la conversation et la grammaire. 1. partie. (92)
8⁰ Ebd. (04). Geb. 2 — ‖ 2. partie. (357) (05.) Geb. 3.10
— Tableau des verbes irréguliers. 39,5×54,5 cm. Ebd. (04). — 10
Pommrich, A: Die Gottes- u. Logoslehre d. Theophilus v. An-
tiochia u. Athenagoras v. Athen. (61) 8⁰ Lpzg, Dieterich 04. 1.80
— Kaiser Wilhelm, d. Persönlichkt, jeder Deutsche e. Persön-
lichkeit. Pestansprache (7) 8⁰ Dresd., CL Ungelenk 05. — 20 d
— dass. — Lola Montez. (70 u. 80) 8⁰ Ebd. (05). 1 —
Pompecki, B: Heine u. Geibel, 2. deut. Lyriker. (78) 8⁰ Paderb.,
Junfermann 01. 1 — d
— Weichselrauschen. Lieder e. Westpreussen. (127) 8⁰ Stuttg.,
W Kohlhammer 05. 2.50; geb. 3 — d
Pompeckj, JF, s.: Jahresbericht d. geograph. Gesellsch. in
München. — Palaeontographica.
— Karl Alfred v. Zittel. 26.IX.1839—5.I.'04- Nachruf. [S.-A.]
(28 m. 1 Bildnis.) 4⁰ Stuttg., E Schweizerbart 04. 3 —
Pomtow, H: Delph. Chronologie. [S.-A.] (118 Sp.) 8⁰ Stuttg.,
JB Metzler 01. 1.50
Pondaven, B: Grammaire franç. d'après la méthode intuitive.
Cours élémentaire. (132 m. Abb.) 8⁰ Riga, N Kymmel's S. 04.
Kart. 2 —
Ponfick, E: Topograph. Atlas d. medizinisch-chirurg. Dia-
gnostik. 5 Lfgn. (65 [31 farb.] Taf. m. 174 S. Text je in einf.
engl. u. franz. Sprache.) 4⁰ Jena, G Fischer 01-05. Je 12 —
— Beitrag z. Lehre v. d. Fettgewebs-Nekrose, s.: Bibliotheca
medica.
— s.: Verhandlungen d. deut. pathol. Gesellsch.
Pongs, W: Entwürfe zu Lektionen üb, d. wichtigsten An-
wendgn d. Galvanismus. Für d. Oberkl. d. Volkssch., Mit-
telsch u. Mädchensch. (24) 8⁰ Lpzg, Dürr'sche Bh. 02. — 40 d
Ponsard: L'honneur et l'argent, s.: Théâtre franç. (K Bandow).
Ponsens, L: Der Drechsler-Lehrling, s.: Eisenach, J.
Poenagen, O, s.: Hammacher-Festschrift, Berliner jungliberale.
Ponson du Terrail: Das Geheimnis d. Arztes. — Eine Ju-
gendsünde. — Das Muttermal, s.: Roman-Perlen.
Pont-Jest, R de: Fürstin Olsdorf, s.: Weber's moderne Bi-
bliothek.
Ponte, L da: Don Juan. — Die Hochzeit d. Figaro, s.: Mo-
zart, WA.
Pontifikats-Bilder. Festgabe d. „Schweiz. Kirchenzeitg" z.
Papstjubiläum Leos XIII., s.: Brosohüren-Sammlung d.
„Schweiz. Kirchenzeitg".
Pontinus, M: Mitgeliitten u. mitgestritten! Erlebnisse e. deut.
Mitkämpfers im Burenkriege. (108) 8⁰ Lpzg 01. Berl., H See-
mann Nf. 1.50 d
Pontonir-Vorschrift. (P. V.) Entwurf. (140 m. Abb.) 12⁰ Berl.,
ES Mittler & S. 02. †1 —; geb. 1.40 ¶
Pontoppidan, H: Der Eisbär. Eine Liebesgesch., s.: Kürsch-
ner's, J, Bücherschatz.
— Rotkäppchen. Übers. v. M Mann. (215) 8⁰ Bresl., Schles.
Buchdr. usw. 04. 2 —; geb. 3 — d
— Die Sandinger Gemeinde. Novelle. Aus d. Dän. v. M Mann.
(168) 8⁰ Berl., Hüpeden & Marzyan 05. 2.50; geb. 3.50 d
Pontoppidan, M: Niemals versagen. Ein Wort d. Aufmunterg
f. Sonn- u. Wochentage. Aus d. Dän. v. H Prehn. (199) 8⁰
Bas., E Finckh 06. 1.80; geb. 2.80
Poore, GV: Essays üb. Hygiene auf d. Lande. 2. Afl. Aus d.

Engl. durch A v. W., verb. durch P Mittermaier. (260) 8⁰ Wiesb., R Bechtold & Co. (01).   3.50 d

Popek, A: Übgsb. z. Einübg d. latein. Satzlehre, s.: Strigl, J.

Popert, HM: Alkohol u. Strafges. Vortr. (24) 8⁰ Flensbg, Deutschlds Grossloge II 03.   25 d
— Hamburg u. d. Alkohol. (39) 4⁰ Hambg, L Gräfe 03. 2 —
    || 3. Afl. Volksausg. (39) 03. — 50 d
— Wir u. d. Alkoholkapital. Vortr. (8) 8⁰ Flensbg, Deutschlds Grossloge II (04).   nn — 15 d

Popescu, SD: Wirtschaftsgeograph. Studien a. Grossbritannien. (178) 8⁰ Lpzg, (H Lorenz) 03.   3 —

Popiel, L: Anfangsgründe f. Schriftsetzerlehrlinge, 3. Afl. v. CO Pester, s.: Klimsch's graph. Bibliothek.

Popig, H: Die Stellg d. Südostlausitz im Gebirgsbau Deutschlds, s.: Forschungen z. deut. Landes- u. Volkskde.

Popken, J, Fibel, s.: Prüfer, E.
— Prakt. Sprachlehre. 3. Heft d. „Prakt. Sprachlehre v. Büggeln. 2. Afl. (176) 8⁰ Veges., (JF Rohr) 1898. Geb. nn — 75 d
— Das Mass- u. Gewichtswesen in Deutschl., im bes. in Preussen. (30) 8⁰ Cassel (Luisenstr. 4), Schmorl u. Poplawsky (04).   — 80 d

Poplinski, A: Elementarb. d. poln. Sprache f. d. Schulgebr. u. z. Selbstunterr. 19. Afl. (154) 8⁰ Lpzg, FA Brockhaus 05.   1.25; kart. 1.50 d
— Grammatik d. poln. Sprache. 8. Afl. v. W Nehring. (243) 8⁰ Thorn, E Lambeck 01.   3 —

Popofsky, A: Acantharia, s.: Ergebnisse d. usw. Plankton-Exped. d. Humboldt-Stiftg.

Popovici, G: Beitrag z. Kenntniss d. rumän. Petroleum's (Erdoel). (33 m. 1 Taf.) 8⁰ Bukar. 04. (Wien, W Frick.)   1.50

Popovici, J: Rumän. Dialekte. I. Die Dialekte d. MuntenĬ u. Fădurenĭ im Hunyader Komitat. (166) 8⁰ Halle, M Niemeyer 05.   4 —

Popowicz, E: Ruthenisch-deut. Wrtrb. (319) 8⁰ Czernow., (I Rechenberg & Co.) 04.   5 —; geb. 6 —

Popowski, J: Considérations sur la nécessité d'un programme de polit. coloniale franç. (31) 8⁰ Wien, W Frick 02.   1 —

Popp! Das Kastell Dambach. Mit Benutzg d. Aufzeichngn v. Köhl. [S.-A.] (22 m. Abb. u. 4 Taf.) 4⁰ Hdlbg, O Petters 01. 3.60

Popp, H, s.: Führer z. Kunst.
— Maler-Aesthetik. (432) 8⁰ Strassbg, JHE Heitz 02.   8 —

Popp, J, s.: Jahres-Mappe d. deut. Gesellsch. f. christl. Kunst.
— Martin Knoller. Zur Erinnerg an d. 100. Todestag d. Meisters 1795—1804. [S.-A.] (139 m. 1 Abb. u. 33 Taf.) 8⁰ Innsbr., Wagner 05.   5 —
— s.: Ratgeber, literar.

Popp, M: Die Schönheitspflege. (40) 8⁰ Lpzg, Ficker's V. (04). 1 — d

Poppe & Neumann's Hôtel-Adressb. für's Deut. Reich in Ausl.: Hotels d. Ausl. u. Bezugsquellen-Verz. 6. Afl. Ausg. 1905/6. (799) 8⁰ Dresd., (E Weise).   L. nn 20 —

Poppe, E, s.: Landeskunde d. Herzogt. S.-Gotha.

Poppe's, F, Bibliothek f. Kaninchen-Züchter. 1—6. Bd. 8⁰ Lpzg, Dr. F Poppe (05).   Js — 65 d
   Barth, E: Das engl. Widder-Kaninchen in Wort u. Bild. (63 m. Bildn. [1.]
   Grünewald, A: Der holländ. Kaninchen. (14 m. Abb. u. Bildn.) [2.]
   Heinta, J: Das belg. Hasen-Kaninchen. (32 m. Abb.) [4.] || Das belg. Land-kaninchen. (29 m. Abb.) [5.] || Das engl. Schecken-Kaninchen. (83 m. Abb. u. Bildn.) [3.]
   Rotloff, D: Das Black und tan-Kaninchen. (48 m. Abb. u. Bildn.) [6.]
— s.: Kanarien-Kalender.

Poppe, F: Zwischen Ems u. Weser. Land u. Leute in Oldenbg u. Ostfriesl. 2. [Tit.-]Afl. (472 m. Titelbild.) 8⁰ Oldnbg, Schulze [1888] 02.   6 —; geb. 7 —
— Jan un Hinnerks ges. Werke. 1—3. Bdchn. Bill. Volksausg. (Mit Abb.) 8⁰ Oldnbg, G Stalling's V.   Je 1 — d
   1. Vadderaack twischen Jan u. Hinnerk. (128) (01.) || 2. Geschichten, Döntjetas, Komödien etc. (136) (08.) || 3. Marsch u. Geest. Gedichte humorist. u. ernsten Inhalts in niederdeut. Mundart. 2. Afl. (118 m. Bildn.) (03.)
— Jugendfreund, s.: Munderloh, HF.

Poppe, H: Antrittspredigt bei s. Ordination u. Einführg in d. Amt e. Pastors an d. Hauptkirche St. Petri in Hamburg. (19) 8⁰ Hambg, L Gräfe 03.   — 30 d

Poppe, SA: Ueb. d. Mäuseplage im Geb. zw. Ems u. Elbe u. ihre Verhinderg, s.: Abhandlungen, separate, d. Ver. f. Naturkde an d. Unterweser.

Poppe, T, s.: Auch e. Philosophie d. Relig.?
— s.: Beckmann's Führer durch Frankfurt a/M.
— Friedr. Hebbel, s.: Essays, moderne.
— Die Tragoedia v. Vincenz Fettmilch. In 5 Aufzügen. (138) 8⁰ Münch., G Müller 05.   2 — d

Poppelauer's, M, Berliner Volkskalender f. Israeliten f. 5666 (1906). 46. Jahrg. (40, 48 u. 10) 16⁰ Berl., M Poppelauer. — 50 d
   ohne Märkte — 30 d

Poppelreuter, H: Deut. Schulgrammatik, s.: Willmanns, O.

Poppelreuter, J: Der anonyme Meister d. Poliphilo, s.: Zur Kunstgesch. d. Ausl.

Poppen, JJW v.: Nachrichten üb. d. Geschlecht der v. Poppen. (80 m. 2 Taf. u. 1 Stammtaf.) 8⁰ St. Petersbg, (KL Ricker) 98.   nn 6 — d

Poppenberg, F: Bibelots. (374) 8⁰ Lpzg, J Zeitler 04. 5 —; geb. 6.50 d
— Maeterlinck, s.: Essays, moderne.
— Nord. Porträts u. 4 Reichen, s.: Literatur, d.

Popper's, A, Adressb. Bielitz-Biala u. Umgebg. 1. Jahrg. (127) 8⁰ Bielitz, (W Fröhlich) (04).   Geb. 6 — d

Hinrichs' Fünfjahrskatalog 1901—1905.

Popper, F: Der Vorkonkurs in d. Praxis. (23) 8⁰ Wien, Manz 05.   — 50 d

Popper, H: Die Fabrikation d. nichttrüb. äther. Essenzen u. Extrakte. 2. Afl. v. A Gaber. (242 m. Abb.) 8⁰ Wien, A Hartleben 05.   3.25; geb. 4.05 d

Popper, J (Lynkeus): Die techn. Fortschritte n. ihrer ästhet. u. kulturellen Bedeutg. 2. [Tit.-]Ausg. (70) 8⁰ Dresd., C Reissner [1888] 01.   1 —
— Fundamente e. neuen Staatsrechts. (86) 8⁰ Ebd. 05.   2 —
— s.: Phantasieen e. Realisten (im Kat. 1896/1900).
— Das Recht zu leben u. d. Pflicht zu sterben. Anknüpfend an d. Bedeutg Voltaire's f. d. neuere Zeit. 3. Afl. (245) 8⁰ Dresd., C Reissner 03.   3 —; geb. 4 —
— Voltaire. Charakteranalyse, in Verbindg m. Studie z. Aesthetik, Moral u. Politik. (391) 8⁰ Ebd. 05.   6 —; geb. 7 —

Popper, W: Die Fahne hoch! Ein Buch f. Knaben. (99) 8⁰ Dresd., E Pierson 02.   Kart. 1.20 d
— Fratres sumus. Novellen. (148) 8⁰ Ebd. 03. 2 —; geb. 3 — d
— Fünfe a. e. Hülse. Novellen. (99) 8⁰ Wien, CW Stern 04. 2 — d
— Gegen d. Strom. Novellen. (172) 8⁰ Dresd., E Pierson 02.   2.50 ; geb. 3.50 d

Poradowska, M: Die Stimme d. Blutes (Pour Noëmi), s.: Engel-horn's allg. Roman-Bibliothek.

Porath, R: Die Brennerei in d. Praxis. (57) 8⁰ Kyritz 05. (Bunzl., G Kreuschmer.)   3 — d

Poray s.: Madeyski v. Poray.

Porcelli: Untersuchgn üb. d. physiolog. u. therapeut. Wirkg d. Ichthalbins bei chron. Darmkatarrhen. (Aus d. Ital. v. Mohr.) [S.-A.] (7) 8⁰ Lpzg, B Konegen 03.   1 —

Porchat, J-J : Les deux auberges (l'ours et l'ange). — Le berger et le proscrit. — L'Ours et l'ange, s.: Schulbibliothek, französ. u. engl.

Porger, G: Neueres deut. Epos, s.: Dürr's deut. Bibliothek.
— Leitf. f. d. deut. Sprachunterr., s.: Engelien, A.
— s.: Prosa, deut. — Schatzkästlein moderner Erzähler.

Porges: Bibelkunde u. Babelfunde. Krit. Bespruchg v. F Delitzsch's Babel u. Bibel. (108) 8⁰ Lpzg, (MW Kaufmann) 03. 1.20

Porges, A: 12.000 Fälle v. Haut- u. Geschlechts-Krankh., s.: Pezzoli, K.

Porges, A, s.: Erbfolge-Krieg, österr.

Porges, E (Frau E Bernstein), s. a.: Rosmer, E.
— Johannes Herkner. Schausp. (155) 8⁰ Berl., S Fischer 04.   2.50 ; geb. nn 3.50 d

Porges, K: Deut. Handelskorrespondenz, s.: Bibliothek d. Handelswiss.
— Die Kontrolle bei d. Manipulation u. Buchführg in Banken, Kredit-Instituten, Sparkassen, Genossensch. u. allen öffentl. Unternehmgn. (105) 8⁰ Wien, L Weiss 03.   1.70
— Materialien f. d. Unterr. in d. kaufmänn. Arithmetik. 4. Afl. (195) 8⁰ Ebd. 03.   4.20 d

Poritzky, JE: Die da müde sind . . . (Neue [Tit.-]Ausg. v.: Skizzen.) (187) 8⁰ Münch. [03] (04). Berl., Globus Verl. 1.50 d
— Heine, Dostojewski, Gor'kij. Essays. (130) 8⁰ Lpzg 02. Crimmitschau, R Wöpke.   1.50; geb. 2.50 d
— Skizzen, s.: P., die da müde sind.
— Die Studentin. (Novelle.) (187) 8⁰ Berl., Herm. Walther 01.   2 — d

Porosz, M: Ueb. d. Folgen d. Onanie. [S.-A.] (22) 8⁰ Lpzg, Verl. d. Monatsschr. f. Harnkrankh. 05.   1 —

Porrentruy, LA de : Der hl. Paschalis Baylon, Patron d. eucharist. Vereine. Uebers. v. M Paula. (455 m. Abb.) 8⁰ Egasbg, J Habbel (02).   3 —; L. 4 — d

Porsch, O: Der österr. Galeopsisarten d. Untergattg Tetrahit Reichb., s.: Abhandlungen d. k. k. zool.-botan. Gesellsch. in Wien.
— Illustr. Hdwrtrb. d. Botanik, s.: Schneider, CK.
— Zur Kenntnis d. Spaltöffnungsapparates submerser Pflanzenteile. [S.-A.] (49 m. 3 Doppeltaf.) 8⁰ Wien, (A Hölder) 03. 1.80
— Der Spaltöffnungsapparat im Lichte d. Phylogenie. (196 m. Abb. u. 4 Taf.) 8⁰ Jena, G Fischer 05.   6 —

Pörschel, O: Das deut. Gerichtskostenges., d. Gebührenordng f. Gerichtsvollzieher u. Gebührenordng f. Zeugen u. Sachverständige, s.: Handbibliothek, jurist.
— Der Gerichtsschreiber bei d. sächs. Amtsgerichten. 3. Afl. 10 Lfgn. (984) 8⁰ Lpzg, Rossberg'sche Verl.-Bh. 02. Je 1.50: in 1 Bd geb. 17 — || Nachtr. (61) 04. 1 — d
— Der sächs. Gerichtsvollzieher. (257) 8⁰ Ebd. 04.   L. 7 — d
— Die Vorbereitg auf d. Expedientenprüfg im Geschäftsbereiche d. kgl. sächs. Justizministeriums, s.: Handbibliothek, jurist.

Porsild, E: Schul-Wandk. d. brandenb.-preuss. Gesch. 5. Afl. 1:700,000. 4 Bl. 70×85,5 cm. Farbdr. Elberf., E Loewenstein (04).   auf L. m. St. 16.50

[Porst, J.] — Was v. d. Kirche, Gemeinschaften u. Sekten zu halten sei od. von d. Versuchg z. Separation (Absonderg) n. Porst, gest. 1728. (16) 8⁰ Köngsbg, (Ev. Bh. d. ostpr. Prov.-Ver. f. inn. Miss.) 04.   nn — 05 d

Port, C: Chirurgie d. Mundhöhle, s.: Kaposi, H.
— Hygiene d. Zähne u. d. Mundes, s.: Bibliothek d. Gesundheitspflege.
— s.: Index d. deut. zahnärztl. Lit.

Port, J: Kriegsverbandschule. Anl. z. Selbstherstellg v. Apparaten f. d. Transport d. Schwerverwundeten u. f. d. Behandlg eiternder Knochenbrüche. (62 m. Abb.) 8⁰ Stuttg., F Enke 04.   1.20; kart. 1.80

Port, J: Zur Reform d. Kriegssanitätswesens. (32 m. Abb. u. Bildn.) 8° Stuttg., F Enke 06. · 1 —
Porta linguar. orientalium. Sammlg v. Lehrbb. f. d. Studium d. oriental. Sprachen. I, IV, V, XIV, XV, XVII, XIX u. XX. 8° Berl., Reuther & R. 79.50; L. nn 85.50
 Brockelmann, C: Syr. Grammatik m. Litt., Chrestomathie u. Glossar. (110 u. 190) 1890. [V.] 7 —; geb. nn 7.80 ▐ 2. Afl. m. Paradigmen, Lit., Chrestomathie u. Glossar. (144 u. 198) 05. 8 —; geb. 8.80
 Erman, A: Ägypt. Chrestomathie. (72, 156 u. 78) 04. [XIX.] 12.50; geb. nn 13.30
 — Aegypt. Glossar. Die häufigeren Worte d. ägypt. Sprache. (160) 04. [XX.] 13 —; geb. nn 13.80
 — Ägypt. Grammatik m. Schrifttafel, Litt., Lesestücken u. Wrtrverz. 2. Afl. (288 u. 20) 02. [XV.] 16 —; geb. nn 16.50
 Socin's, A, arab. Grammatik. Paradigmen, Lit., Übgsstücke u. Glossar. 5. Afl. v. K Brockelmann. (176 u. 156) 04. [IV.] 7 —; geb. nn 7.80
 Steindorf, G: Kopt. Grammatik m. Chrestomathie, Wrtrverz. u. Lit. 2. Afl. (20, 242 u. 104) 04. [XIV.] 14 —; geb. nn 14.80
 Stenernagel, C: Hebr. Grammatik m. Paradigmen, Lit., Übgsstücken u. Wrtrverz. 1. u. 7. Afl. (148 u. 120; bezw. 154 u. 142) 05.05. [1.] 8.50; geb. 4 —
 Zimmern, H: Vergl. Grammatik d. semit. Sprachen. Elemente d. Laut. u. Formenlehre. (194 m. 1 Schrifttaf.) 1898. [XVII.] 5.50; geb. nn 6.30
Portal, R: Moderne Liebe. Familien-Drama. (34) 8° Dresd., E Pierson 01.
Portali, L v.: Die Fürsten v. Hohencammern.— Beslegt! 2 Novellen. (184) 8° Brnschw. 03. Lpzg, R Sattler. 2 — d
Portefée, H: Heimat. Plattdüt. Gedichte in sleswig-holsteensche Mundort. (208) 8° Charlttnbg 02. (Wesselb., R Schulz.) 1 — d
Porten, AM: Novellen u. Anderes. (180) 8° Dresd., E Pierson 04.
Porth, M: Der Hohn d. Liebe, s.: Unterhaltungsbibliothek, moderne.
Porth, W: Freimüth. Friedensmanöver-Gedanken. (75) 8° Wien, LW Seidel & S. 01. 1.80
Portheim, L Ritter v.: Üb. d. Einfl. d. Schwerkraft auf d. Richtg d. Blüten. [S.-A.] (10 m. 1 Fig. u. 3 Taf.) 8° Wien, (A Hölder) 04. — 80
 — Üb. d. Nothwendigk. d. Kalkes f. Keimlinge, insbes. bei höh. Temperatur. [S.-A.] (45) 8° Ebd. 01. — 90
 — Wiesner u. a. Schule, s.: Linsbauer, K.
Portig, G: Die Grundz. d. monist. u. dualist. Weltanschaung unter Berücks. d. neuesten Standes d. Naturwiss. [S.-A.] 1—3. Taus. (105) 8° Stuttg., M Kielmann 04. 2 —; geb. 3 —
 — Das Weltgesetz d. kleinsten Kraftaufwandes in d. Reichen d. Natur u. d. Geistes. 1. u. 2. Bd. 8° Ebd. 18 —; Einbde je 2 —
 1. In d. Mathematik, Physik u. Chemie. (832) 09.
 2. In d. Astronomie u. Biol. (562) 04.
Portiunkula-Fest, d., u. d. gr. Ablass, d. man dabei gewinnen kann. Von e. geistl. Mitgliede d. III. Ordens d. hl. Vaters Franziskus. (82) 16° Würzbg, FX Bucher (03). — 20 d
Portius, KJS: Katech. d. Schachspielkunst, s.: Weber's illustr. Katech.
Portmann, A: Katechismus, s.: Thomas v. Aquin.
 — Das System d. theolog. Summe d. hl. Thomas v. Aquin. 2. Afl. Mit Anmerkgn u. Erklärg d. scholast. Ausdrücke n. e. Anh. üb.: Die Prinzipien d. thomist. Philosophie'. (24, 470) 8° Luz., Räber & Co. 05. 4 —; geb. 5.80 d
Portmann, Alois v.: Liebstadt im 19. Jahrb. (96 m. 1 Lichtdr.) 8° Altnbg 1900. Liebstadt (Sachsen), Pfr. Portmann. †2 — d
Pörtner, B, s.: Grabsteine u. Denksteine, ägypt., u. süddeut. Sammlgn.
 — Der gute Kamerad. Wegweiser·f.·d. Militärdienstzeit. 5. Afl. (72) 16° Mainz, Kirchheim & Co. 05. — 25 d
 — Das bibl. Paradies. [S.-A.] (36 m. Abb.) 8° Mainz, F Kirchheim 01. — 70 d
Portrait-Gallerie, schweiz. 69. u. 70. Heft. (Je 8 Taf.) 8° Zür., Art. Instit. Orell Füssli (02.05). Je 1 —
Porträts, griech. u. röm. Nach Ausw. u. Anordng v. H Brunn u. P Arndt hrsg. v. F Bruckmann. 52—70. Lfg. (Je 10 Phototyp.) 50×39,5 cm. Münch., Verl.-Anst. F Bruckmann 01-04. Je nn 20 —
Portugali, A v.: Friedr. Fröbel, s.: Aus Natur u. Geisteswelt.
Pörtzgen, PJM: Besuchsn d. allerhst. Altarssakramentes, s.: Liguori, A.
 — Das Herz d. Gottmenschen im Weltenplane. 3. Afl. (300 m. 1 Farbdr.) 8° Trier, Paulinus-Dr. 04. 2 —; geb. 2.80 d
Porzellan-Marken, Meissner, — Vieux Saxe — v. 1704—1870, sowie a. berühmtesten Marken and. alten Fabriken Europas. (Von Kratza.) (18 m. Fig.) 8° Dresd. (P Alicke) (05). Geb. 2 —
Posaune, d., d. hl. Kreuzes. Organ d. Wächter d. hl. Grabes in Jerusalem u. d. Palästina-Pilgerver. d. Diöcz. Wien u. u. Brixen. Red. v. FS Angeli. 10. Jahrg. 1901, 6 Hefte. (1. Heft. 40 m. 1 Abb.) 8° Wien, (H Kirsch). 2.50 d ô F
Posaunen, d., v. Medingen, s.: Missionsschriften, neue.
Pösche, H: Uns. Haustiere. Charakterzüge, Schildergn u. Anekdoten a. d. Tierwelt f. d. Jugend. 2 Bde. 3. Afl. (242 u. 278 m. Abb.) 8° Lpzg, O Spamer 06. Je 3.20; L. je 4 —
Poeschel, CE: Zeitgemässe Buchdruckkunst. (79) 8° Lpzg, Poeschel & Tr. 04. Kart. †1.40
Pöschel, J: Taschenb. d. deut. Rechtschreibg. (168) 14×8 cm. Lpzg, Pöschel & Kippenberg 02. L. 1 — d
Poscharieder, P: Bilderbuch, Gössnitzer.
Poscharieder, P: Bau u. Instandhaltg d. Oberleitgn elektr. Bahnen. (200 m. Abb. u. 6 Taf.) 8° Münch., R Oldenbourg 04. 9 —
Poschinger, H v.: Bausteine z. Bismarck-Pyramide. Neue Briefe u. Konversationen d. Fürsten Otto v. Bismarck. (236) 8° Berl., G Stilke 04. 3 —; geb. 4 — d

Poschinger, H v.: Fürst Bismarck u. d. Bundesrat. 5. Bd. Der Bundesrat d. Deut. Reichs (1881—1900). (384) 8° Stuttg., Deut. Verl.-Anst. 01. 8 — (Vollst.: 40 —; Einbde in HF. je 2 —) d
 — Bismarck u. d. Bundestag. Neue Berichte Bismarcks a. Frankfurt a. M. 1851—59. (20, 384) 8° Berl., E Trewendt 06. 4.50; geb. 5.50 d
 — Fürst Bismarck u. s. Hamburger Freunde. (260) 8° Hambg 03. Berl., KW Mecklenburg. 5 —; L. 6 — d
 — Bei Robert v. Keudell. Ein Bismarck-Interview. (55 m. 1 Bildnis.) 8° Berl., B Paul 02. — 50 d
 — Gottfried Kinkels 6monatl. Haft im Zuchthause zu Naugard. (77) 8° Hambg 01. Berl., KW Mecklenburg. 1.50 d
 — s.: Manteuffel, O Frhr v., Denkwürdigk.— Preussens auswärt. Politik 1850—58. — Scharlach, koloniale u. polit. Aufsätze u. Reden.
 — Auf d. Wege z. Künstlerin. (88) 8° Lpzg, G Müller-Mann (05). 1 — d
 — Aus allen Welten. Diplomat. Streiflichter, Interviews u. Erinnergn. (199) 8° Berl., Verl. Continent (04). 3 —; geb. 4 — d
 — Aus gr. Zeit. Erinnergn an d. Fürsten Bismarck. (192) 8° Berl., E Trewendt 05. 3.60; geb. 4.60 d
 — u. F Schik: Bei Fürst Bismarck. Schausp. (32) 8° Ebd. 05. — 50 d
Poschinger, M v., s.: Friedrich's, Kaiser, Tagebb.
 — Life of the Emperor Frederick, s.: Whitman, S.
Poschl, H: Die Praxis d. Ges. z. Bekämpfg d. unlaut. Wettbewerbes. (246) 8° Berl., O Liebmann 03. 3.50; geb. 4.20 d
Poschmann, J: Das kgl. Schullehrerseminar zu Hildesheim. Festschrift. (96 m. Abb.) 8° Hildesh., (F Borgmeyer) 05. nn 1.50 d
Poeschmann, KM: Das Wertproblem bei Fries. (41) 8° Altnbg, HA Pierer 05. — 50 d
Posener, P: Bundesstaat u. Staatenbund, s.: Le Fur, L.
 — Corpus-iuris-Exegese. (79) 8° Berl., J Guttentag 02. Geb. 3 — d
 — Examensfragen f. Rechtskandidaten. I. Abtlg u. II. Abtlg. 2 Hefte. 12° Bresl., Koebner. Je — 80 d
 I. Bürgerl. Recht u. Handelsrecht. (58) 02.
 II, 1. Prozessrecht u. Strafrecht. (52) 02.
 2. Staatsrecht, Verwaltgsrecht, Völkerrecht, Kirchenrecht. (54) 02.
 — Grundr. d. ges. deut. Rechts in Einzelausg. 1—16., 18., 19. u. 21—27. Bd. 8° Berl., J Guttentag.
 Kart. u. m. Schreibpap. durchsch. je — 90 d
 1. Bürgerl. Recht. (Allg. Tl.) 2. Afl. (58) 05. ▐ 2. Dass. (Schuldverhältn.) 2. Afl. (207) 05. ▐ 3. Dass. (Sachenrecht). 2. Afl. (47) 05. ▐ 4. Dass. (Familienrecht). 2. Afl. (32) 05. ▐ 5. Dass. (Erbrecht). 2. Afl. (39) 05. ▐ 6. Handelsrecht. (38) 01. ▐ 7. Wechselrecht. Seerecht. (31) 01. ▐ 8. Röm. Zivilprozess. (38) 01. ▐ 9. Reichszivilprozess. (49) 05. ▐ 9. Reichszivilprozess. 2. Afl. (55) 05. ▐ 10. Zwangsvollstreckg. Konkurs. Freiwill. Gerichtsbark. (32) 01. ▐ 11. Staatsrecht. Verfassgsrecht. (35) 01. ▐ 12. Verwaltgsrecht. (35) 01. ▐ 13. Völkerrecht. Internat. Recht. (30) 01. ▐ 14. Kirchenrecht. (54) 01. ▐ 16. Strafrecht. (36) 01. ▐ 16. Strafprozess. (27) 01. ▐ 18. Röm. Rechtsgeschichte. (31) 01. ▐ 19. Deut. Rechtsgesch. (31) 01. ▐ 21. Preuss. Privatrecht. (45) 05. ▐ 22. Landwirtschaftsrecht. (32) 04. ▐ 23. Wasserrecht. (36) 04. ▐ 24. Eisenbahnrecht. (37) 05. ▐ 25. Allg. Volkswirtschaftslehre. (37) 05. ▐ 26. Besondere Volkswirtschaftslehre. (35) 04. ▐ 27. Finanzwiss. (27) 04.
 — Der junge Jurist. Anl. zu wiss. Arbeiten unter Erörterg d: Grundl. d. Vorbildgswesens, d. Rechtsstudiums u. d. Prüfgsordng. (200) 8° Bresl., JU Kern 04. Kart. 3 — d
 — Die Verfassg d. Deut. Reiches, s.: Handbibliothek, deut.
Poser, CE: Phonetisch-orthoep. Sprech- u. Lese-Übgn f. Sänger u. Redner, s.: Zanten, C van, Lehrf. z. Kunstgesang.
Poser u. Gross-Naedlitz, V v.: Die rechtl. Stellg d. deut. Schutzgebiete, s.: Abhandlungen a. d. Staats- u. Verwaltgsrecht.
Posert, F v.: Deut., französ. u. engl. Kartenspiele. 9. Afl. (178 m. Fig.) 8° Lpzg, Ernst (01). 1.50 d
Poske, F, s.: Abhandlungen z. Didaktik u. Philosophie d. Naturwiss.
 — Hauptsätze d. Arithmetik, s.: Bork, H.
 — Hilfsb. z. Naturlehre. — Hilfsb. z. Physik. — Naturlehre. — Physik, s.: Höfler A.
 — Bernh. Schwalbe. Gedächtnisrede. Nebst e. Verz. sr Veröffentlichgn. (36 m. 1 Bildnis.) 8° Berl., J Springer 01. 1 —
 — Heinr. v. Steph. u. s. Weltanschaug, s.: Chamberlain, HS.
 — Unterstarfe d. Naturlehre (Physik nebst Astronomie u. Chemie). Nach A Höflers Naturlehre f. d. unt. Kl. d. österr. Mittelsch. f. deut. Lehranst. d. deut. Reiches bearb. (246 m. Abb. u. 1 Taf.) 8° Brnschw., F Vieweg & S. 05. 2.40; geb. 2.80
 — s.: Zeitschrift f. d. physikal. u. chem. Unterr.
Posnanski, A: Schiloh. Beitrag z. Gesch. d. Messiaslehre. 1. Tl. Die Auslegg v. Genesis 49,10 im Altertume bis zum Ende d. M.-A. (33, 512 u. 76) 8° Lpzg, JC Hinrichs' V. 04. 11 —; geb. 16 —
Posner, C: Diagnostik d. Harnkrankh. 10 Vorlesgn z. Einführg in d. Pathol. d. Harnwege. 3. Afl. (182 m. Abb.) 8° Berl., A Hirschwald 02. 4 —
 — s.: Jahresbericht üb. neue Anatomie u. Physiol. — Jahresbericht üb. usw. d. ges. Medicin. — Medizin, deut., im 19. Jahrb.
 — Therapie d. Harnkrankh. Vorlesgn. 3. Afl. (213 m. Abb.) 8° Berl., A Hirschwald 04. 4 —
 — s.: Wochenschrift, Berliner klin.
 — u. FM Blumenthal: Die klin. Ausbildg d. Aerzte in Russl. II. Die militär-medizin. Akad. zu St. Petersburg. [S.-A.] (11) 8° Jena, G Fischer 04. 1.50
 Der I. Tl ist nur im klin. Jahrb. erschienen.
Posner, T: Lehrb. d. synthet. Methoden d. organ. Chemie. (32, 436) 8° Lpzg, Veit & Co. 05. L. 10 —

Pospischil, M: Volkstüml. Erklärg v. Goethes Faust 1. u. 2. Tl. (266) 8° Hambg (Alterwall 70), E Hirt 02. 1.75 d
Possanner, B Frhr v.: Systemat. Darstellg d. österr. Staatscassen- u. Verrechngswesens. (354) 8° Wien, A Hölder 02. 4.80; geb. 5.80 d
— Die Pensionen u. Provisionen d. k. k. österr. Zivilstaatsbediensteten u. Staatsarbeiter sowie d. Versorgsgenüsse ihrer Hinterbliebenen. 1. Ergänzgsbd. (987—1342) 8° Wien, Manz 04. 5.40; L. 6.60; HF. 7.40
(Hauptwerk u. 1 Ergänzgsbd: 24.20; HF. 28.60) d
— Das Tabakverschleisswesen in Österr. (244) 8° Ebd. 04. 4.40 d
Possart, E v.: Der Lehrg. d. Schauspielers. (88) 8° Stuttg., W Spemann (01). 3 — d
— Schiller u. d. Theater. Festrede. (35) 8° Köln, A Ahn (05). — 80
— Die Separat-Vorstellgn vor König Ludwig II. Erinnergn. [S.-A.] (65) 8° Münch., CH Beck 01. 1.20 d
— Welches System d. Scenerie ist am besten geeignet f. d. Darstellg verwandlgsreicher klass. Dramen, insbes. d. Shakespeare'schen? Festvortr. (40) 8° Ebd. 01. 1.20 d
Posse, O, s.: Codex diplomaticus Saxoniae regiae.
— Die Siegel d. Adels d. Wettiner Lande bis z. J. 1500. 1. Bd. Grafen v. Käfernburg-Schwarzburg — Vögte v. Weida, Plauen u. Gera. — Adel Buchstabe A. (65 m. 50 Taf.) 4° Dresd., Unger & Hoffmann 03. 90 —
Possel, A: Die Lehrerpersönlichk. in d. Erziehg, s.: Abhandlungen, pädagog.
Pössel, P: Der Gustav-Adolf-Ver. e. Wegbereiter d. Herrn. Festrede. (12) 8° Weissenf., M Lehmstedt 04. 25 d
Posseldt: Das preuss. Gesindrecht, 6. Afl., s.: Lindenberg, C.
Posselt, **Wilhelm**, d. Kaffern-Missionar. Lebensbild a. d. südafrikan. Mission, v. d. Missionar selbst beschrieben u. in s. Jahresberichten ergänzt u. fortgeführt. Hrsg. v. E Pfitzner u. Wangemann. 4. Afl. (210 m. Abb.) 8° Berl., Bh. d. Berliner ev. Missionsgesellsch. (05). L. 2.25 d
Possevin: Ansgew. pädagog. Schriften, s.: Perpiñá.
Possner, A: Im Vorhof. Ein Jahrg. alttestamentl. Predigten üb. d. v. d. Eisenacher Konferenz deut. ev. Kirchenregiergn festgestellten Perikopen. (448) 8° Halle, E Strien 05. 4. 6 — d
Post, die. Univ.-Anzeiger f. Briefmarken-Sammler. Zngl. illustr. Nachr.-Bl. z. Univ.-Briefmarken-Album. Red.: P Lietzow. 8—10. Jahrg. 1901—3 je 12 Nrn. (1901. Nr. 1—3. 48, 19 u. 49) 4° Lpzg, Verl. d. Univ.-Briefmarken-Albums. Je 4 —; ohne Nachtr.-Bl. 1 —; Nachtr.-Bl. allein 3 — || 11. u. 12. Jahrg. 1904 u. 05. 5. Je 1.25

Das Nachtragsblatt erscheint seit 1904 nicht mehr.

— deut. Wochenschr f. Post- u. Telegr.-Unterbeamte. Red.: P Dumstrey. u. a. 5. Jahrg. 1904 u. 5 je 52 Nrn. (1904. Nr. 1. 10) 4° Berl., H Klokow. Viertelj. — 80 d
— f. Fremdenverkehr. Fachzeitschrift f. d. Verkehrs- u. Verwaltgs-Angelegenh.d.Bäder, Luftkurorte, Sommerfrischen usw. 1.Jahrg. April—Dezbr 1902. 18 Nrn. (1. 12) 4° Lpzg, E Stegelmann (01). Viertelj. 1.50
— neue. Mit Unterhaltgsbl., "Fürs deut. Haus". Red.: H Albrecht u., seit 1904, U Meyer. 4—8. Jahrg. 1901—5 je 52 Nrn. (1901. Nr. 1. 12 u. 8 m. Abb.) 4° Berl., C Heymann. Viertelj. — 80; einz. Nrn — 10 d
— pharmazeut. Gegründet v. AP Hellmann. Hrsg.: H Heger. 34—37. Jahrg. 1901—4 je 52 Nrn. (1901. Nr. 1. 12) 4° Wien, (M Perles). Je nn 14 —; m. Beibl.: Österr. Chemiker-Zeitg je nn 24 — || 38. Jahrg. 1905 nn 15 —
— d., reis. Kaufleute Deutschlds. Schriftleitg: H Pilz. 11— 15. Jahrg. 1901—5 je 52 Nrn. (1901. 1—24. 384) Fol. Lpzg, (FE Fischer). Viertelj. 1.60 d
— u. Telegraph. Fach-Organ f. d. Post- u. Telegr.-, d. Eisenb.- u. Schiffahrts-, sowie d. ges. Speditions- u. Verkehrswesen. Hrsg.: GA Ungar-Szentmiklósy. Red.: I Jecho. 30—34. Jahrg. 1901—5 je 26 Nrn. (Nr. 1. 16 m. Fig.) 8° Wien (IV, Heugasse 62), Administr. Viertelj. 3 —
Post: Gesch. d. Stadt Mülhausen, s.: Städte u. Burgen in Elsass-L.
Post, H: Reform d. protestant. Kirchengemeindegessanges in Deutschl. (27) Nebst: Rhythm. Nengestaltg d. protestant. Choräle. (12) 4° Berl., Schuster & Loeffler 04. 1 —
Post, J, s.: Concordia.
Post, K: Johs Müllers philosoph. Anschaugs, s.: Abhandlungen z. Philosophie u. ihrer Gesch.
Post, T v.: Lexicon generum phanerogamar. inde ab anno 1737 cum nomenclatura legitima internat. et systemate inter recentia medio aevum. Opus revisum et auctum ab O Kuntze. (48, 714 S. u. 3 Bl.) 8° Stuttg., Deut. Verl.-Anst. 04. L 10 —
Pösta, B: Archaeolog. Studien auf russ. Boden, s.: Forschungsreise, 3. asiat., d. Grafen Eugen Zichy.
Post-Almanach. Fortsetzg, s.: Post-Kalender, deut.
Postanstalten, d. fremden, in d. Türkei. Von H A. (36) 8° Mersebg, (F Stollberg) 01. 1 — d
Postassistent u. Postadjunkt, der. Vorbereitg auf d. Postassistenten- u. Postadjunktenprüfg, Methode Rustin. Selbst-Unterr.-Briefe in Verbindg m. eingeh. Fernunterr. (Red. v. C Dzig.) 20—137. Lfg. (3808 m. Abb., 1 Tab. u. 15 Kart.) 8°

Potsd., Bonness & H. (01-05). Subskr.-Pr. je — 90; Einzelpr. je 1.25 d
Postbote, deut. Schriftleitg: E Remmers. 7—9. Jahrg. 1901—3 je 52 Nrn. (1901. Nr. 1—14. 176) 4° Berl. (Lpzg, S Schnurpfeil.) Viertelj. 1 —; einz. Nrn — 15 || 10. Jahrg. 1904. 13 Nrn. Viertelj. — 60; einz. Nrn — 20 d ö F
A. u. d. T.: Reichspost, deut.
Postbuch f. Augsburg, s.: Verzeichnis d. Postanst. d. Deut. Reiches.
— f. d. Grossh. Baden, d. hess. Amtsgerichtsbez. Wimpfen u. d. hohenzollernschen Lande. Hrsg. im Auftr. d. kais. Ober-Postdirektion zu Karlsruhe (Baden). 11. Ausg. Novbr 1903. (112) 8° Karlsr., CF Müller 03. — 70
— f. Württemberg. 13. Jahrg. 1905/6. (133 u. 16 m. 1 Karte u. 1 Pause.) 8° Stuttg., Greiner & Pf. 2 —
Post-Course, Fortsetzg, s.: Post-Kurse.
Postdampfschiffverbindungen n. aussereurop. Ländern. (Beil. z. Post- u. Telegr.-Verordngsbl.) 1905. 5 Nrn. (5. Ausg. 40) 8° Wien, (Hof- u. Staatsdr.). Je † — 30 d
Postel, E: Bibelkde. Hilfsb. f. Lehrer- u. Lehrerbildgsanst. sowie f. Freunde d. Bibellesens. 15. Afl. (2. Afl. d. Neubearbeitg v. E Clausnitzer.) (24, 507 m. Titelbild u. 8 Bl. Kart. u. Fl.) 8° Langens., Schulbh. 03. 4.50; geb. 5.25 d
— Deut. Lehrerkalender f. 1906. Hrsg. v. R Hantke. 33. Jahrg. 2 Tle. (256 u. 80 m. 1 Bildn.) 16° Bresl., F Hirt. Geb. u. geh. 1 — d
Postelberg, E, u. M **Modern**: Das reformirte österr. Heimatrecht. (80) 8° Wien, M Perles 01. 1 —; geb. 1.80
Postformularbuch, kleines. Anl. f. d. Publikum, d. im Postverkehr vorkomm. Formulare richtig auszufüllen. [S.-A.] (34) 8° Stuttg., Hobbing & B. (02). nn — 25
Postformular-Heft f. d. Schulgebr. (32) 8° Stuttg., Hobbing & B. (02). nn — 25
— "Stephan" f. d. Schulunterr. (24 m. 1 Frachtbrief.) 4° Berl., (P Endemann) (04). nn — 20 d
Postgate, JP, s.: Corpus poetar. latinor.
Post-Hand-Buch f. d. Geschäftswelt f. d. ges. Inland- u. Ausland-Verkehr. Bearb. v. H Hettler. Ausg. f. d. Reichspostgebiet. 13. Jahrg. 1905/6. (133 u. 5 m. 1 Karte u. 1 Pause.) 4° Stuttg., Greiner & Pf. 2 —
— dass. Ausg. f. Bayern. Hrsg. v. G Jäger. 13. Jahrg. 1905/6. (133. 16 m. 1 Karte u. 1 Pause.) 4° Ebd. 2 —
Posthorn, das. Illustr. Zeitschrift z. Belehrg u. Unterhaltg. Red.: L Hubert. 2—4. Jahrg. 1903—5 je 24 Hefte. (1903. 1—13. Heft. 312) 4° Berl., (O Elsner). Viertelj. 1.50; einz. Hefte — 20 d
Postillon, süddent. (Red.: E Fuchs.) 20—24. Jahrg. 1901—5 je 26 Nrn., Nr. 1. 8 m. z. Tl farb. Abb.) 4° Münch., M Ernst. Viertelj. — 65; einz. Nrn — 10 d
Postina, A: Der Karmelit Eberhard Billick, s.: Erläuterungen u. Ergänzungen zu Janssens Gesch. d. deut. Volkes.
Poestion, JC: Island. Dichter d. Neuzeit in Charakteristiken u. übersetzten Proben ihrer Dichtg. Mit e. Übersicht d.Geisteslebens auf Island seit d. Reformation. (2. [Tit.-]Ausg.) (528) 8° Langens., G Müller [1897] (05). — 20; — ; geb. 23 —
— Eislandblüten. Sammelb. neu-isländ. Lyrik. Mit e. kulturu. literarhistor. Einl. u. erläut. Glossen. (44, 229) 8° Ebd. 04. 5 —; geh. 6 —
— Zur Gesch. d. isländ. Dramas u. Theaterwesens, s.: Vorträge u. Abhandlungen, hrsg. v. d. Leo-Gesellsch.
— Norweg. Leseb., s.: Kunst, d., d. Polyglottie.
Post-Kalender, deut., süddent. d. Verbandes dent. Post-u. Telegr.-Assistenten f. 1906. 12. Jahrg. (337) 8° Berl., Verband deut. Post- u. Telegr.-Assistenten. 1 —
Der VI. Jahrg. erschien u. d. T.: Post-Almanach. — Preis bis 1901: 1.50.
— neuer, f. 1906. Jahrg. (Schreibkalender u. 207 m. Titelbild.) 8° Berl., C Heymann. L. — 80 d
Postkarte, die. Red.: E Richter. 1. Jahrg. 1905. 52 Nrn. (Nr. 1 8 m. Abb.) 4° Lpzg-Stötteritz, Gust. Jährig. Viertelj. 1 —
Postkarten: (Malbuch. Hänsel u. Gretel u. Rotkäppchen, gez. v. R Scholz.) (3 [4 farb.] Bl.) 8° Mainz, J Scholz (05). 5 — 50
— au d. schweiz. Familien-Wochenbl., Zürich. (Preisausschreiben.) (32) 12° Zür., T Schröter (01). — 40 d
Postkarten-Dichter, d., in d. Westentasche. (64) 64° Reutl., Ensslin & L (01). — 10 d
Postkarten-Malbuch. (8 [4 farb.] Bl.) Fol. Nürnbg, T Stroefer (02). — 75 d
— drolliges. (16 [8 farb.] zweimal ausziehbar.) 8° Ebd. (05). 1 — d
— f. d. Jugend. (20 [10 farb.] Bl.) Fol. Ebd. (02). 1.50 d
— f. kl. Künstler. (12 [6 farb.] Bl.) Fol. Ebd. (02). 1 — d
Postkartenmarkt. (8 [4 farb.] Bl.) 8° Mainz, J Scholz (05). — 50 d
— d. kl. (8 farb. m. gedrungt. Text.) 8° Duisbg, JA Steinkamp (o. J.). Kart. † — 50 d
Postkarten-Markt, der. Fachbl. f. d. Postkartenhandel u. d. Postkarten-Industrie. 1. Jahrg. Juli—Dezbr 1904. 6 Nrn. 1 — 14 m. Abb.) 4° Lpzg, Kassel, Hess. Verl.-Anst. † — 70
— dass. 3. Jahrg. 1905. Nebst Beiblatt: Blätter f. angewandte Photogr. unter bes. Berücks. d. Postkarten-Industrie. 12 Nrn. (Nr. 1. 16 u. 4 m. Abb.) 4° Ebd. †1.40
Postkarten-Verse. Heitere Dichtgn v. Sch. (32) 16° Reutl., R Bardtenschlager (04). — 10 d
Postkarten-Zeitung, internat. Monatsschrift f.Ansichtskarten-Sammler. Red.: M Reingruber. 4. Jahrg. 1901. 12 Nrn. (Nr.

140*

1—6. 48) 4° Nürnbg, F Schiller. Viertelj. — 50 ‖ 5. Jahrg.
    1902. Halbj. 1.50
Fortsetzg war nicht zu erhalten.
Post-Kurse. Red. im Post-Kursbureau d. k. k. Handelsmini-
    steriums. Winter-Ausg. 1904—5 u. Sommerausg. 1905. Je Nr.
    I—X. 8° Wien, R v. Waldheim.   Je 4.30
    I. Österr. unter d. Enns. A. Wiener Lokal-Post-Kurse einschl. d.
        Wiener Stadtb. B. Land-Post-Kurse, nebst d. Postämtern d. Wie-
        ner Lokalrayons, welche Influenz zu in denselben einbezog.
        Eisenb.-Stationen bezw. Tramwayhaltestellen haben. (77, 70 u. 68,
        71 m. je 1 Karte.)   Je — 50
    II. Oesterr. ob. d. Enns u. Salzburg. (46 u. 45 m. je 1 Karte.) Je — 40
    III. Tirol u. Vorarlberg u. Liechtenstein. (Je 51 m. 1 Karte.) Je — 40
    IV. Steiermark u. Kärnten. (Je 55 m. 1 Karte.)   Je — 40
    V. Krain u. Küstenl., nebst e. Anh., enth. d. Linien d. Österr. Lloyd
        u. d. z. Posttransporte benützten Schiffs-Kurse im adriat. Meere. (Je
        44 m 1 Karte.)   Je — 40
    VI. Dalmatien, nebst d. Linien d. Österr. Lloyd u. d. z. Posttransporte
        benützten Schiffskursen im Adriat.Meere m. e. Anh., enth. d. Mili-
        tär-Post-Kurse in Bosnien, d. Herzegovina u. d. Limgebiete. (Je 38
        m. 1 Karte.)   Je — 40
    VII. Böhmen. (Je 131 m. 1 Karte.)   Je — 70
    VIII. Mähren u. Schlesien. (67 u. 68 m. je 1 Karte.)   Je — 50
    IX. Galizien. (Je 84 m. 2 Kart.)   Je — 50
    X. Bukowina. (Je 12 m. 1 Karte.)   Je — 20
Bisher u. d. T.: Post-Course.
Postl, K. s.: Sealsfield, C.
Postleitkarte, bearb. im Kursbureau d. Reichs-Postamts. 1:
    450,000. Ausg. im Mai 1904. 10 Bl. je etwa 70×56,5 cm. Farbdr.
    Berl., Berliner lith. Instit.   Je — 60
    1. Königsberg, Gumbinnen. ‖ 2. Cöslin, Danzig, Bromberg, (Posen). ‖ 3.
    Breslau, Oppeln, (Posen, Liegnitz). ‖ 4. Stettin, Potsdam, Berlin, (Schwe-
    rin, Frankfurt [Oder]). ‖ 5. Dresden, Leipzig, Chemnitz, (Frankfurt [Oder],
    Halle, Liegnitz). ‖ 6. Kiel, Hamburg, Bremen, (Hannover, Schwerin). ‖ 7.
    Minden, Braunschweig, Magdeburg, Cassel, Erfurt, (Hannover, Halle,
    Darmstadt, Chemnitz). ‖ 8. Oldenburg, Münster, Düsseldorf, (Dortmund,
    Minden). ‖ 9. Aachen. Cöln, Coblenz, Frankfurt(Main), (Dortmund, Trier,
    Darmstadt). ‖ 10. Metz, Strassburg, Karlsruhe, Konstanz, (Darmstadt,
    Trier).
Postler: Erster Relig.-Unterr., s.: Materne.
Postler, E: Um e. Pflaume, s.: Blumen u. Sterne.
— Ein Volksliederabend m. leb. Bildern, s.: Handreichungen
    f. Volks- u. Familien-Abende.
Postlexikon f. d. Kgr. Bayern. Hrsg. v. d. General-Dir. d. k.
    bayer. Posten u. Telegr. (1903 u. Nachtr. 8 u. 22) 8° Münch.,
    (Piloty & L.) 05.06.   L. nn 8 —
Postolka, A: Lehrb. d. allg. Fleischhygiene, nebst e. Sammlg
    einschläg. Normalien. (544 m. Abb.) 8° Wien, W Braumüller
    03.   12 —; HF. 14 —
Postsekretär, der. Vorbereitg z. Ablegg d. Postsekretärprüfg.
    Methode Rustin. Selbst-Unterr.-Briefe in Verbindg m. ein-
    geh. Fernunterr. 1—124. Lfg. (4705 m. Abb.) 8° Potsd., Bon-
    ness & H. (03-05).   Subskr.-Pr. je — 90; Einzelpr. je 1.25 d
Post- u. **Telegraphenwesen** s.: Bibliographie d. schweiz. Lan-
    deskde.
Postzeitung, deut. Organ d. Verbandes deut. Post- u. Telegr.-
    Assistenten. Red.: L Hubrich. 12—16. Jahrg. 1901—5 je Nr.
    (Nr. 1. 32) 4° Berl., Verl. d. Verbandes deut. Post- u. Telegr.-
    Assistenten.   Viertelj. 2 —; einz. Nrn — 35 d
Post-Zeitungsliste I. u. II, f. 1906. Bearb im k. k. Postzeitgs-
    amte I in Wien. 8° Wien, R v. Waldheim.   3 —
    I. Österr., (interner Dienst), enth. d. im Inlande erschein. Zeitgn u.
        Zeitschriften, deren Bestellg durch Vermittlg d. Postämter erfolgen
        kann. (120)   — 60
    II (internat. Dienst), enth. d. ip d. Österr.-ungar. Monarchie u. im Ausl.
        erschein. Zeitgn u. Zeitschriften. (323)   2.40
Bisher u. d. T.: Preis-Verzeichniss d. usw. Zeitgn.
Potain u. Huchard: Herzleiden u. ihre diätetisch-physikal. Be-
    handlg, s.: Bücherei, freie hygien.
Potapenko, JN: Vater Ambrosius. Die Erde, s.: Kürschner's,
    J, Bücherschatz.
— Ein Auserwählter. Roman. (Neue Tit.-]Ausg.) (252) 8° Stuttg.,
    Deut. Verl.-Anst. [1893] (02.),   1 —; geb. 1.25 d
— Eine Familiengesch., s.: Kürschner's, J, Bücherschatz.
— s.: Garschin, W, e. kl. Gespräch.
— Ein Kampf auf Tod u. Leben. Aus d. Russ. in verkürzter
    Form übers. v. H Paul. Und Anderes. (96) 8° Neuveisseus,
    E Bartels (o. J.).   2 —
— Der Pfarrer zo Lugowoje. Erzählg a. d. russ. Priesterleben.
    Deutsch v. B Haass. (214) 8° Lpzg, F Jansa 06.   Geb. 2 — d
— Das Recht auf Glück. — Kluge Berechng. 2 Erzählgn. Aus
    d. Russ. v. LA Hauff. (74) 8° Berl., O Janke (04).   — 50 d
— Sie schämen sich. — Zu spät. Erzählgn. Aus d. Russ. v.
    LA Hauff. (69) 8° Ebd. (04).   — 50 d
— Eine Scheinehe in ihre Folgen. Roman. (277) 8° Berl., J Räde
    (02).   1.50 d
— Ein Stern. Roman. (127) 8° Berl., R Taendler 04.   2 —;
— 2 Wege, s.: Kürschner's, J, Bücherschatz.
Poten, B v.: Militär. Dienstunterr. f. d. Kavall., 10. Afl., s.:
    Maltzahn, Frhr v.
— Die Generale d. kgl. hannov. Armee u. ihrer Stammtruppen,
    s.: Beiheft z. Militär-Wochenbl.
— Hdb. f. d. Einj.-Freiwill. usw. d. Kavall., s.: Glasenapp, v.
— Das Königs deut. Legion 1803—16. — Das Misslingen d. Zuges
    d. hannov. Armee n. d. Süden im Juni 1866, s.: Beiheft z.
    Militär-Wochenbl.
Pöthig, H: Rechenb. f. Volkssch., s.: Möbius, H.
Poths-Wegner: Capri-Venedig. 2. [Tit.-]Afl. (184) 8° Lpzg, P
    List [1899] (03).   2 — d

Poths-Wegner: Dalmatien, Montenegro u. Albanien. 2. [Tit.-]
    Afl. (256) 8° Lpzg, P List [1899] (03).   3 —
— Deutschlds Einigg u.Kaiser Wilhelm II. Geschichtl. Erzählg.
    (412 m. 15 Bildnissen.) 8° Ebd. 03.   3 —; L. 4 — d
— Korsika. 2. [Tit.-]Afl. (158) 8° Ebd. [1897] (03).   2 — d
— Kreuz- u. Querfahrten. 3 Bde. 8° Berl. 01. Lpzg, P List.
                                                (5 —) 7 —
    I. Korsika. 2. [Tit.-]Ausg. (158) [1897.]   (1.50) 2 — d
    II. Capri. — Venedig. (Neue [Tit.-]Ausg.) (184) [1898.]   (1.50) 2 — d
    III. Dalmatien, Montenegro u. Albanien. (Neue [Tit.-]Ausg.) (256) [1899.]
                                                (2 —) 3 —
Neue Titel-Ausg. s. u. d. Einzeltiteln.
— Lola Montez. Histor. Roman. (224) 8° Lpzg, P List (02). 3 —;
                                                geb. 4 — d
— Neu-Hellas. Roman. (338) 8° Ebd. (01).   3 —; geb. 4 — d
Potjan, H: Leitf. f. Samariterinnen. (194) 12° Münch., Seitz &
    Sch. 04.   1.50; L. 2 — d
Potkoff, OD: Joh. Friedr. Löwen, d. 1. Direktor e. deut. Na-
    tionaltheaters. Sein Leben, s. literar. u. dramat. Tätigk. (152)
    8° Hdlbg, C Winter, V. 04.   3 —
**Potocka, d. Gräfin, Memoiren. 1794—1820. Veröffentlicht v. C
    Stryienski. Nach d. 6. franzö. Afl. bearb. v. O Marschall
    v. Bieberstein. 4—6. Taus. (260 m. Abb. u. Bildnis.) 8° Lpzg,
    H Schmidt & C Günther 04.   7.50; geb. 10 — d
— dass., s.: Napoleon I.
Potocki, FA: Mówisz pan po polsku? (Sprechen Sie polnisch?),
    4.Afl. v. M Elsner, s.: Koch's Sprachführer.
Potoènjak, F: Aus d. Lande d. Rechtslosigk. u. Demoralisation
    od. d. Statthalter d. Königs — e. gemeiner Betrüger. (28) 8°
    Laib., (I v. Kleinmayr & F Bamberg) 02.   nn — 40
Potonié, H: Abbildgn u. Beschreibgn fossiler Pflanzen-Reste
    d. palaeoz. u. mesoz. Formationen. 1. u. 2. Lfg. 8° Berl., (S
    Schropp).   In M. je nn 3.50
    1. (IV, 5; 2 m. 1 Taf., 2, 3, 2, 5, 2, 5, 5, 4, 5, 5, 2, 6, 2, 7 m. 1
        Taf., 6, 2, 4, 5, 6, 2, 2 m. 1 Taf., 5, 7, 5, 6, 12, 2, 7.
        2, 16, 4, 13, 15, 2 u. 4) 04.
— Ein Blick in d. Gesch. d. botan. Morphol. u. d. Pericaulom-
    Theorie. [Erweit. S.-A.] (45 m. Abb.) 8° Jena, G Fischer 03. 1 —
— Ueb. d. fossilen Filicales im Allg. u. d. Reste derselben zwei-
    felhafter Verwandtschaft: Sphenophyllales; Calamariales;
    Lepidophyteae; Cycadofilices u. Reste bes. zweifelhafter
    Stellg, s.: Engler, A, u. K Prantl, d. natürl. Pflanzenfamilien.
— Die Silur- u. d. Culm-Flora d.Harzes u. d. Magdeburgischen,
    s.: Abhandlungen d. kgl. preuss. geolog. Landesanst.
— s.: Wochenschrift, naturwiss.
— et C Bernard: Flore dévonienne de l'étage H de Barrande.
    Suite de l'ouvrage: Système silurien du centre de la Bohême
    par J Barrande. (68 m. Fig.) 4° Prag (03). (Lpzg, R Gerhard.)
                                                L. nn 16 —
Potpourri. Geschichten a. d. Gesellschaft u. einem Einge-
    weihten. 1—3. Taus. (207) 8° Berl., R Eckstein Nf. (05). 2 —;
                                                geb. 3 —
Pötsch, J: Bleibe fromm u. gut! — Christoph Columbus u. d.
    Entdeckg Amerika's, s.: Kinder-Bibliothek, kathol.
— Durch eig. Kraft. Lebensbilder f. jung u. alt. (328 m. Abb.)
    8° Kempt., J Kösel 09.   3 —; L. 4 — d
— Leo XIII. Ein Lebensbild, s.: Koneberg, H.
— Das Pontifikat Leos XIII. (122) 8° Augsbg, B Schmid's V.
    03.   1.40 d
— s.: Vorträge u. Abhandlungen, pädagog.
Pötschka, J: Das Gerättürnen a. d. Volks- u. Bürgersch. (108,
    160) 8° Wien, A Pichler's Wwe & S. 04.   1.85 d
Pötschke, H: Die Rundschrift. Lehrg. u. Übgsvorl. (14) 8°
    Lpzg, L Viergutz 03.   — 50
Pott, E: Hdb. d. tier. Ernährg u. d. landw. Futtermittel. 2. Afl.
    d. Landw. Futtermittel". 1. Bd. Tier, Ernährg. Allg. Futter-
    mittellehre, Futterzubereitg u. Futterverabreichg. (339) 8°
    Berl., P Parey 04.   L. 9 — d
— u. **Schwewe:** Kontrollvereine f. Milchleistgn, s.: Arbeiten
    d. deut. Landw.-Gesellsch.
Pott, FWA, s.: Jahrbuch d. Ver. f. Orts- u. Heimatskde in d.
    Grafsch. Mark.
Pottag, A: Die begründend-vergleich. Erdkde, s.: Bausteine,
    pädagog.
— Schule u. Lebensauffassg, s.: Magazin, pädagog.
Pottecke, A: Anl. z. prakt. Kanincheuzucht. 2. Afl. (34 m. Abb.)
    8° Berl., Deut. Verl. (04).   — 50
Potter, Paulus 1625—64. 30 Orig.-Abbildgn, sr vorzüglichsten
    Handzeichngn u. Gemälde. 1. u. 2. Lfg. (8 Lichtdr.) 42×32,5 cm.
    Haarl., H Kleinmann & Co. (05.05).   Jo 5 —
— Kopf d. jungen Stieres, s.: Meisterbilder.
Poetter: Ev. Losgn auf alle Tage d. Jahres. (189) 8° Labg,
    (04). (Berl., G Nauck. — Stett., J Burmeister.)   L. 1 —
Poetter, A: Arzteordng f. d. Kgr. Sachsen, s.: Tänzler, W.
Poetter, A v.: Oster-Gedanken e. Buchhandlgs-Reisenden (ge-
    lernten Buchhändler) üb. d. Kartell d. Reisebuchhandlg a
    üb. d. jetzg. wie zukünft. Lage d. Bücher-(Lexikon-)Reisenden.
    (16) 8° Stuttg., (E Leupoldt) 01.   nn — 20 d
Pottgeisser, J: Predigten auf d. Sonn- u. Festtage d. Kirchen-
    m. e. Anh. v. Sakraments- u. Fastenpredigten. 5. Afl. (318)
    8° Paderb., Bonifacius-Dr. 04.   4.60 d
Potthoff, H: Die Bekämpfg d. Trinksitten an deut. Hochsch.
    (12) 8° Berl., Mässigkeits-Verl.   — 10 d
— s.: Blätter, volkswirtschaftl.
— Handelspolitik u. Wehrkraft. (51) 8° Berl., F Siemenroth 06.
                                                1.90 d

Potthoff, H: Die Organisation d. Privatbeamtenstandes. Die staatl. Pensions- u. Hinterbliebenen-Versicherg d. Privatangestellten. Die Statistik d. Privatangestellten. (35) 8° Berl., (F Siemenroth) 04. 　— 25 d
— Die Vertretg d. Angestellten in Arbeitskammern, s.: Schriften d. Gesellsch. f. soz. Reform.
— s.: Zolltarif, d. neue niederländ.
— H Sybel, K Kuntze: Die Störgn in d. deut. Textilindustrie währ. d. J. 1900 ff., s.: Schriften d. Ver. f. Socialpolitik.
Pötting, H Gräfin: Um e. Buch, s.: Kürschner's, J, Bücherschatz.
Potz, L: Directiven üb. Masse u. Gewichte, m. Zuhilfenahme d. besteh. Ges., Verordngn u. Aichvorschriften zusammengest. [S.-A.] (2. Afl. Im Anh. Ergänzg bis 1901.) (84) 12° Pils., C Maasch 1900. 　1 — d
Potz, R: Die Wunder Jesu in d. Schule. Randglossen zu d. Abhandlg v. B Otto. [S.-A.] (28) 8° Berl., F Zillessen (02).
　— 30 d
Pötzl, E: Eingeborene. Wiener Skizzen, ges. in diesem Jahr. (166) 16° Wien, R Mohr 03. 　1.50; geb. 2 — d
— Moderner Geschnas u. and. Wiener Skizzen. 5. Afl. (174) 16° Ebd. 01. 　1.50; L. 2 — d
— Heuriges. Skizzen a. Kunst u. Leben. 4. Afl. (153) 16° Ebd. 02. 　1.50; geb. 2.50 d
— Das weltl. Kloster. 4. Afl. (138) 16° Ebd. 04. 1.50; geb. 2 — d
— Launen. 3. Afl. (149 m. Abb.) 16° Ebd. 06. 1.50; geb. 2 — d
— Stadtmenschen. Ein Wiener Skizzenb. 3. Afl. (141) 16° Ebd. 03. 　1.50; geb. 2 — d
— Wiener. Skizzen a. d. Vaterstadt. 1. u. 2. Afl. (148) 16° Ebd. 04. 　1.50; geb. 2 — d
— Wiener Tage. (157) 16° Ebd. 06. 　1.50; geb. 2 — d
— Zeitgenossen. Satiren u. Skizzen a. Wien. (165) 16° Ebd. 05. 　1.50; geb. 2 — d
Pötzl, W., s.: Jahrbuch d. höh. Unterr.-Wesens in Österr.
Poetzsch, H: Die rechtl. Stellg d. unehel. Kinder n. BCB. §§ 1705 —18. (110) 8° Lpzg, O Wigand 05. 　1.50
Poulin, L: Auf d. Wege z. Ewigk. Übers. v. F Mersmann. (240) 8° Trier, Paulinus-Dr. 04. 　2 —; geb. 2.50 d
Poulsen, F: Die Dipylongräber u. d. Dipylonvasen. (138 m. Abb. u. 3 Taf.) 8° Lpzg, BG Teubner 05. 　6 — d
Pound, L: The comparison of adjectives in Engl. in the XV. and XVI. century, s.: Forschungen, anglist.
Poysal, L Frhr v.: Was z. Lachen, s.: Bloch's, E, Orig.-Deklamatorium.
Pozděna, W, s.: Scheffel, JV v., Blätter d. Erinnerg. usw.
Poezl, W: Anfangsgründe d. darstell. Geometrie, enth. d. geradlin. eb. Gebilde, z. Schulgebr. zusammengest. 2. Afl. (58 m. Fig.) 8° Münch., T Ackermann 02. 　1.30; geb. 1.40
— Elemente d. darstell. Geometrie f. höh. Lehranst. 2 Tle. 2. Afl. 8° Ebd. 02. 　Je 2 —; geb. je 2.40
　1. Geradlin. Gebilde. (112 m. Fig.) § 2. Krummfläch. Gebilde. (111 m. Fig.)
— Lehrb. d. Arithmetik, s.: Steck, FX.
— Lehrb. d. analyt. Geometrie d. Ebene f. d. Gebr. an Mittelsch. u. z. Selbststudium. (123 m. Fig.) 8° Münch., J Lindauer 04. 　2.40; geb. 2.80 d
— u. G Ebert: Lehrb. d. allg. Arithmetik u. Algebra f. Gymnasien u. Realsch. 4. u. 5. Afl. (261) 8° Ebd. 04. 3.20; geb. 3.60 d
Poznan, J: Das Frauen-Geschlecht bei d. Balkan-Christen. (48) 8° Budap., (F Kilian's Nf.) 01. 　2 — d
Poznanski, S, s.: Abū Zakarjā Jaḥja (R. Jehūda) ibn Bal'ām. — Zur jüdisch-arab. Litt. S.-A. d. Besprechg v. M Steinschneider's „Die arab. Litt. d. Juden". (88) 8° Berl., W Peiser 04. 1.50
— Schechter's Saadyana. [S.-A.] (23) 8° Frankf. a/M., J Kaufmann 04. 　1.50
Pösony, AO v.: Leutnants a. D. Humorist. Militär-Roman. (221) 8° Lpzg (04). Erf., F Kirchner. 　1.50 d
— Franz Liszt u. Hans v. Bülow. Künstler-Roman. (431 m. 3 Bildnissen.) 8° Münch. (03). Lpzg, F Rothbarth. 　4.20; geb. n.5.40 d
— Offiziers-Ehen. Roman. Neue Afl. (293) 8° Brnschw. 04. Lpzg, R Sattler. 　3.50; geb. 4.50 d
— Der Roman Rich.Wagners. Herzensgeschichten d. Kompositeurs. (425) 8° Lpzg (03). Berl., Verl. d. „Frauen-Rundschau".
Pozzoli, R: Parla italiano?, s.: Miniatur-Bibliothek 　3 — d
Pracht-Album, illustr. d. sächs. Bäder u. Kurorte. Album illustré balnéaire. — Illustrated healthresorts. (34) 4° Dread. (E Engelmann's Nf.) (04). 　(2.50) 1.50
Praechter, K: Hierokles d. Stoiker. (159) 8° Lpzg, Dieterich 01. 　5 —; geb. n. 6.25
Praed, Mrs C: Nyria, s.: Unwin's library.
Pradel, F: De praepositionum in prisca latinitate vi atque usu. [S.-A.] (112) 8° Lpzg, BG Teubner 01. 　4.40
Pradels, MD: Emanuel Geibel u. d. französ. Lyrik. (170) 8° Münst., H Schöningh 05. 　2.80
Prag u. seine Umgebg. (91. Afl. Mit 1 Pl. u. Strassen- u. Platteverz.) (16, 68) 8° Prag, C Bellmann 04. 　(1.90) 1 —
Praga, M: Hinter d. Kulissen. Heiteres u. ernstes a. d. Welt d. Schminke. (222) 8° Berl., Vita (02). 　2 — d
Pragenau, s.: Landwehr v. Pragenau.
Prager, E: Lieder eines Frühverstorbenen. (75) 8° Münch., C Haushalter 05. 　2 —; geb. 3 — d
Prager, F: Blutarmut u.Bleichsucht, s.:Hausbibliothek, medizin.
— s.: Busen, d. weibl., in Kunst u. Natur.

Prager, F: Kinderlose Ehen, deren Ursachen u. Verhütg, nebst Anh.: Ueb. d. verschied. Verfahren z. Vermeidg d. Empfängnis, s.: Hausbibliothek, naturärztl.
— Die Erkenng v. Krankh. (Diagnosen). (137 m. Abb. u. 4 farb. Taf.) 8° Oranienbg, Orania-Verl. (04). 　4 — d
— Die sanitäre Erziehg erblich belast. Kinder od. wie kräftigen wir kranke u. kränkl. Kinder. (48) 8° Lpzg, R Rossberg (02). 　1 — d
— Die Geschlechtskrankh. Syphilis u. Prostitution, deren Gefahren u. Bekämpfg. (Neue [Tit.-]Ausg. v. „Syphilis u. Prostitution".) (45) 8° Wien, Szelinski & Co. (1900) 04. 　1 —
— Das Geschlechtsleben d. Mannes als Ursache d. Nervosität. (24) 8° Lpzg, R Rossberg (02). 　1 — d
— Das moderne Geschlechtsleben u. s. Gefahren v. Standpunkte d. Ethik u. Hygiene. (34) 8° Langens. (05). Mellenbach, Verl. Gesundes Leben. 　1 — d
— Kopfvorkehmerz u. Schlaflosigk. u. deren Selbstbehandlg. (50) 8° Oranienbg, Orania-Verl. (03). 　1 — d
— Die Krankh. d. Ehelebens, s.: Bibliothek d. Seelen- u. Sexuallebens.
— Die Leiden d. Frauen vor, währ. u. n. d. Niederkunft, s.: Hausbibliothek, naturärztl.
— Männerkrankh. u. Frauenleiden. Vortr. 2. Afl. (27) 8° Lpzg, E Demme (02). 　1 —
— Die Störgn d. Periode u. d. Beschwerden d. Frauen in d. Wechseljahren. — Die Verlagergn u. Geschwülste d. weibl. Unterleibsorgane, s.: Hausbibliothek, naturärztl.
— Wie d. Wasser heilt! Ratgeber z. Anwendg aller Wasserkuren in gesunden u. kranken Tagen. (140 m. Abb.) 8° Lpzg, T Grieben (03). 　2.40; geb. 3 — d
— Der Weissfluss d. Frauen u. Jungfrauen unter bes. Berücks. d. Entzündgn d. weibl. Unterleibsorgane, s.: Hausbibliothek, naturärztl.
Prager, J: Das Reichsges. üb. d. privaten Versichergs-Unternehmgn, s.: Müller, E.
Prager, L: Die Lehre v. d. Vollendg aller Dinge a. d. hl. Schrift begründet u. verteidigt. (140) 8° Lpzg, A Deichert Nf. 04. 　2.40
— Das tausendjähr. Reich sowie Christi sichtbare Wiederkunft z. Weltgericht u. z. Vollendg d. Reiches Gottes. Beitrag z. Lehre v. d. letzten Dingen, n. d. hl. Schrift dargest. (96) 8° Ebd. 03. 　1 — d
Prager, M: Prakt. Anl. z. Bestimmg d. Deviation. (36 m. 1 Taf.) 8° Hambg, Eckardt & M. (02). 　2.80
— Die deut. Dampfer-Exped. z. Nyassa-See. [S.-A.] (435) 8° Kiel, Deut. Marine-Ztg. (01). 　4 — d
— Reisen durch d. Inselwelt d. Südsee. (143 m. 1 Skizze.) 8° Ebd. (1900). 　1.50 d
Prager, RL: Die amerikan. Gefahr. — Die Mittelstandsfrage. — Die Reichsbankidee in d. Verein. Staaten v. Amerika, s.: Zeitfragen, sozialwiss.
Prager, RL: Die „Ausschreitgn d. Buchhandels". Antwort auf d. Denkschrift d. akadem. Schutzver. [S.-A.] (142) 8° Berl., RL Prager 05. 　1.20 d
— s.: Bibliothek d. Volkswirtschaftslehre.
— Die Organisation d. deut. Buchhandels. Die Verleger-Erklärg u. d. Rechtsprechg. Wiss. u. Buchhandel. [S.-A.] (163) 8° Berl., RL Prager 05. 　1 — d
— Das Recht am eig. Bilde. — Bibliotheken, Bibliothekare u. Buchhandel. — Die Bibliothek d. Börsenver. [S.-A.] (44) 8° Ebd. 03. 　1 — d
— Warenhäuser u. Buchhandel. [S.-A.] (8) 8° Ebd. 01. — 40 d
Prager, W: Gemeinde- od. Privatbetrieb. Beitrag z. Münch. Trambahnfrage. (37) 8° Münch., L Finsterlin 05. 　1 — d
Prager, O: Nur s. v. Militär od. Der Strohwitwer, s.: Theater-Album, militär.
— Die Schützenbrüder, s.: Volger's Vereins-Bühne.
— Der Strohwitwer od. Nur s. v. Militär, s.: Liebhaber-Bühne, neue.
Praekelt, M: Muster-Vorl. f. Kunstschmiede-Arbeiten. (132 m. z.Tl farb. Abb.) Fol. Mit Preisliste. (27) 8° Bunzl., (G Kreuschmer) (01). nn 7.50; kl. Ausg. 4° (96) n. Preisliste 8° (12) 3 — II (2. Afl.) (130) 41×28 cm. Mit Preisliste. (26) 8° 04. nn 7.50
Prakta, Ed: Die, doppelte italienisch-amerikan.Buchführg f. Fabrikgeschäfte, unter bes. Berücks. d. Verwaltg derselben. (126 S. u. Doppels.) 8° Lpzg, O Regel 05. 　1 —
Praktiker, d., im Feld- u. Gartenbau sowie in d. Fischzucht. Red.: H Jünemann. 16. Jahrg. 1904. 24 Nrn. (Nr. 24. 4) 4° Hannover. (Erl., F Lang.) 　2 — d 5 F
— d. kleine. Taschen-Stenogr.-Kalender 1905. Hrsg. v. H Bebie. (56) 7,7×5,7 cm. Wetzik, Zürich, JH Robolsky.) 　nn — 25
Bis 1902 u. d. T.: Bebie's, H, Taschen-Stenogr.-Kalender.
— d. stenograph. Red. v. A v. Kunowski. 1—3. Jahrg. 1903—5 je 12 Nrn. (Nr. 1. 4) 8° Lign., Dr. v. Kunowski. Je nn 1 —; als Beil. d. Nationalstenogr. od. d. Jugendwarte nn — 60
Prall, A, s.: Schriften, pädagog., d. Wolfgang Ratichius u. sr Anhänger.
— Der Schulmethodus d. Herzogs Ernst d. Frommen, s.: Schriften hervorrag. Pädagogen.
Pralle, H: Der Lederschnitt als Kunsthandwerk u. häusl. Kunst. (59 m. Abb.) 8° Halle, W Knapp 03. 　3 —
Prammer's Schulwrtrb. zu Cäsar's bellum gallicum. 3. Afl. v. A Polaschek. (237 m. Abb. u. Kart.) 8° Lpzg, G Freytag 03. 　Geb. 2 — d
Prammer,F:Chorgesangsch.—Österr.Liederquell,s.:Brunner,F.

Prandtl, L: Kipp-Erscheingn. Ein Fall v. instabilem elast. Gleichgewicht. (75 m. Abb. u. 2 Taf.) 8° Nürnbg, (C Koch) (01). 2.40 Vergr.

Prang's Lehrg. f. d. künstler. Erziehg unter bes. Berücks. d. Naturzeichnens. Nach d. Engl. v. R Bürckner u. K Elssner. 1. u. 2. Afl. (472 m. Abb.) 4° Dresd., A Müller-Fröbelhaus 02.03. 10 —; geb. 11 — || 3. Afl. (396 m. Abb.) 05. Geb. 8 —

Prange, E: Die armen kl. Dinger. Novellen. (127) 8° Frankf. a/M., F Eifert 01. (?) (Lpzg, KF Koehler.) 2.50 d
— Die Schutzlosen. Novellen. (130) 8° Frankf. a/M., F Eifert 01. (?) (Lpzg, KF Koehler.) 2.50 d
— dass., s.: Eckstein's Miniaturbibliothek.

Prange, O: Krit. Betrachtgn zu d. Entwurf e. Ges. üb. d. Versicherungsvertrag. zugl. e. Darstellgd. herrsch. Feuerversicherungspraxis. (342) 8° Lpzg, Rossberg'sche Verl.-Bh. 04. 5 —
— Die Theorie d. Versicherngswertes in d. Feuerversicherg, s.: Sammlung nationalökonom. u. statist. Abhandlgn.

Prantl's, K, Lehrb. d. Botanik. 12. Afl. v. F Pax. (479 m. Fig.) 8° Lpzg, W Engelmann 04. L. 6 —
— Die natürl. Pflanzenfamilien, s.: Engler, A.

Präparand, der Vorbereitg z. Aufnahmeprüfg in e. Seminar. Methode Rustin. Selbst-Unterr.-Briefe, in Verbindg m. eingeh. Fernunterr. Red. v. C Ilzig. 18—157. Lfg. (4486 m. Abb., 1 Tab., 1 Farbdr. u. 15 Kart.) 8° Potsd., Bonness & H. (01-05). Subskr.-Pr. je — 90; Einzelpr. je 1.25 d

Präparationen f. d. Unterr. in d. gewerbl. Fortbildgesch. Hrsg. v. H Siercks u. F Lembke. 4 Bde. 8° Kiel, Lipsius & T. 12 — d
Lembke, F: Bürger- u. Rechtskde d. Handwerkers. f. d. Mittelst. (133 m. 1 Tab. u. 1 Formular.) 04. [III.] 4 —
— Spez. Gesetzeskde d. Handwerkers. Präparat. f. d. Kl. I (Oberst.). (190) 04. [IV.] 5 —
Siercks, H, u. F Lembke: Lokale Geschäftsk- u. Bürgerkde d. Handwerkers. Präparat. f. d. Kl. III (Unterst.) d. gewerbl. Fortbildgsch. Mit e. Anh. üb. d. Unterr. in d. Vorst. gewerbl. Fortbildgsch. u. m. e. Sachreg. üb. d. ganze Werk. (201 u. 15) 05. 3 —
— f. d. Schullektüre griech. u. latein. Klassiker, s.: Krafft u. Ranke's Präparat. f. d. Schullektüre.
— nebst Übersetzung zu Cäsars Bürgerkrieg. Von e. Schulmann. 1. Buch. 1. Tl. Kap. 1—40. (92) 12,2×7,7 cm. Düsseldf., L Schwann (05). — 50 d
— — zu Ciceros Cato d. Ältere od. Vom Greisenalter. Von e. Schulmann. (112) 12,2×7,7 cm. Ebd. (04). — 50 d
— — zu Ciceros 1. Rede geg. Katilina. Von e. Schulmann. (70) 12,2×7,7 cm. Ebd. (03). — 50 d
— — zu Ciceros Laelius od. Üb. d. Freundschaft. Von e. Schulmann. (118) 12,2×7,7 cm. Ebd. (05). — 50 d
— — zu Ciceros Rede f. d. Gesetzvorschlag d. Manilius od. üb. d. Imperium d. Pompejus. (Geh. im Aufange d. J. 66 v. Chr.) Von e. Schulmann. (94) 12,2×7,7 cm. Ebd. (02). — 50 d
— — zu Horaz' Oden in Auswahl. Buch 1—3. Von e. Schulmann. (116, 84 u. 104) 12,2×7,7 cm. Ebd. (05). — 50 d
— — zu Livius. Von e. Schulmann. Buch 21 (II). Kapitel 53—63 u. 22 (I—III). Kapitel 1—61. (119, 77, 80 u. 87) 12,2×7,7 cm. Ebd. (01.02). Je — 50 d
— — zu Lysias' Rede geg. d. Eratosthenes. Von e. Schulmann. (67) 12,2×7,7 cm. Ebd. (08). — 50 d
— — zu Sallust. Von e. Schulmann. 1. u. 2. Heft. Die Verschwörg d. Catilina. Kapitel 1—61. (80 u. 103) 12,2×7,7 cm. Ebd. (02.03). Je — 50 d
— — zu Sallusts „Jugurthin. Krieg". Von e. Schulmann. 1. u. 2. Edchn. (Kapitel 1—38—70.) (100 u. 127) 12,2×7,7 cm. Ebd. (08). Je — 50 d
— — zu Tacitus Agricola. Von e. Schulmann. (125) 12,2×7,7 cm. Ebd. (02). — 50 d
— — zu Tacitus Germania. Von e. Schulmann. (106) 12,2× 7,7 cm. Ebd. (02). — 50 d
— — zu Xenophons Hellenika. Von e. Schulmann. 1.-6. Buch. (90, 96, 96, 120, 112 u. 119) 12,2×7,7 cm. Ebd. (04.05). Je — 50 d

Prasad, G: Constitution of mather and analytical theories of heat, s.: Abhandlungen d. kgl. Gesellsch. d. Wiss. zu Göttingen.

Prasch, A: Die elektr. Beleuchtg d. Eisenb.-Züge. [S.-A.] (78 m. Abb.) 8° Stuttg., F Enke 01. 2.40
— Das elektr. Blocksignal. System Křižik. [S.-A.] (84 m. Abb.) 8° Ebd 01. 2.40
— Die elektr. Einrichtgn d. Eisenb., s.: Bauer, R.
— Die Fortschritte auf d. Geb. d. drahtlosen Telegr. [S.-A.] I—III. (Mit Abb.) 8° Stuttg., F Enke. 18 —
I.-II. (156 u. 156) 03.04. Je 6 — || III. (276) 05. 6 —
— Die Telegr. ohne Draht. (268 m. Abb.) 8° Wien, A Hartleben 02. L. 5 —

Prasch, A: Dornröschen. Kindermärchen m. Gesang u. Tanz. 3. Afl. (84) 8° Berl., H Steinitz (02). — 30 d
— Rotkäppchen. Kindermärchen in 5 Bildern. (53 m. Abb.) 8° Ebd. (03). — 30 d
— Struwwelpeter. Märchensp. (56) 8° Ebd. (02). — 30 d

Praschma, H Graf: Das Kürassier-Regt v. Driesen (westfäl.) Nr. 4. 1717—1900. (47) 8° Münst., H Schöningh 01. — 60 (kart. nn — 70; geb. 1.60 d

Práŝek, JV: Die ersten Jahre Dareios' d. Hystaspiden u. d. altpers. Kalender. [S.-A.] (25) 8° Lpzg, Dieterich (01). 1.25
— Sanheribs Feldzüge geg. Juda, s.: Mitteilungen d. vorderasiat. Gesellsch.

Práxil, F; Ueb. Flüssigkeitsbeweggn in Rotationsbohlräumen. [S.-A.] (11 m. Fig.) 4° Zür., Rascher & Co. 03. — 80
— Die Turbinen u. deren Regulatoren an d. Weltausstellg in Paris 1900. [S.-A.] (34 m. Fig.) 4° Ebd. 01. 2 —

Prasse, EA: Wegweiser durch d. sächsisch-böhm. Erzgebirge, s.: Berlet, B.

Pratesi, M: Venezian. Erinnergn. Aus d. Ital. v. E Müller-Röder. (105) 8° Berl., Hüpeden & Merzyn 05. 1.80; geb. 2.80 d

Prato, K (Edle v. Scheiger): Die süddeut. Küche. 54. Afl. v. V v. Leitmaier. (839 m. Abb., Bildnis u. 3 Farbdr.) 8° Graz, Styria 03. 4 — ; L. 5 — || 35. Afl. (800 m. Abb., Bildnis u. 4 farb. Taf.) 04. Geb. 5.50
— dass. 4. ed. italiana. Riveduta ed accresciuta da O Aparnik. (651 m. Fig. u. 3 farb. Taf.) 8° Ebd. 02. L. 5 —

Praetorius: Milch u. Milchuntersuchg. [S.-A.] (18) 8° Lpzg, F Leineweber 05. — 50

Praetorius, E: Die Mensuraltheorie d. Franchinus Gafurius, s.: Publikationen d. internat. Musikgesellsch. Zürich.

Praetorius, F: Üb. d. Herkunft d. hebr. Accente. (54) 8° Berl., Reuther & R. 01. 4 —
— Die Übernahme d. früh-mittelgriech. Neumen durch d. Juden. Nachwort zu: Üb. d. Herkunft d. hebr. Accente. (22) 8° Ebd. 02. 1.50

Prattes, M: Die christl. Frau. Unterr.- u. Erbaugsb. f. christl. Ehefrauen u. Mütter. (312 m. Titelbild.) 16° Graz, U Moser (02). L. 1.80 d
— Die christl. Jungfrau. Unterr.- u. Erbaugsb. f. christl. Jungfrauen. 6. Afl. (517 m. Titelbild.) 16° Ebd. (09). L. 1.80 d
— Der Priester in d. Einsamkeit. Exerzitien f. Priester. (348) 12° Münst., Alphonsus-Bh. 01. 1.50 d

Praun, E: Wie erhält man s. Augen gesund u. leistgsfähig? (26) 8° Darmst., J Waitz 04. — 20 d

Praun, J: Jagdbilder a. alter u. neuer Zeit. Aus d. Poin. bearb. (187) 12° Lpzg 02. Berl., H Seemann Nf. || Neue Folge. (305) Lpzg 03. Je 3 — ; geb. je 3 — d

Prausnitz, W: Ueb. d. Bereitg u. Beurtheilg v. Most (Apfelwein) unter bes. Berücks. d. steir. Verhältn. (24) 8° Graz, (Leuschner & L.) 01. — 60 d
— Grundz. d. Hygiene unter bes. Berücks. d. Gesetzgebg d. Deut. Reichs u. Oesterr. 6. Afl. (545 m. Abb.) 8° München, JF Lehmann's V. 03. 7. Afl. (565 m. Abb.) 05. Je 8 — ; L. je 9 —
— Physiolog. u. sozial-hygien. Studien üb. Säuglings-Ernährg u. Säuglings-Sterblichk. (126 m. Abb. u. Tab.) 8° Ebd. 02. 3 —

Praxis, die. Blätter f. d. Feinmechn. u. d. Redeschrift u. 2. Fortbildg in derselben, m. n. Silben abgezählten Diktier- u. Übertragsstoff. Geleitet v. E Schaible. 1.-3. Jahrg. 1903—5 je 12 Nrn. (1903). Nr. 1. 16) 8° Wolfenb., Heckner. Je nn 2 —
— d. ärztl. Zeitschrift f. d. wiss. u. prakt. Interessen d. Arztes. Hrsg. v. H Schlesinger. 14—16. Jahrg. 1901—5 je 24 Nrn. (1901. Nr. 1. 14) 4° Berl., Vogel & Kr. || 17. u. 18. Jahrg. 1904 u. 5. Hrsg. von v. Noorden, Schleich, Nagel, Silex, Red.: M Pickardt. Viertelj. 2.50; einz. Nrn — 50
— d. Bienenzucht. Red.: O Junger. Apr.-Dezbr 1903. 9 Nrn. (Nr. 1. 16) 8° Berl.-Charlttnbg, E Prager. (?) 2.25 || 2. Jahrg. 1904. 12 Nrn. — 80 d
— deut. Zeitschrift f. prakt. Aerzte. Mit d. Beibl. Medizin. Neuigkeiten (51—53. Jahrg.) Hrsg. v. A Nobiling (u. G Honigmann). Red.: Nobiling. 10—12. Jahrg. 1901—3 je 24 Nrn. (204, 192; 760, 206 u. 774, 272) 8° München, Seitz & Sch. || 54. Jahrg. 1904. Hrsg. v. FC Müller u. F Siebert. (372 u. 188) Halbj. 6 — || 14. Jahrg. 1905. (768) Halbj. 4 —; einz. Nrn — 80
Bildet zugl. d. Fortsetzg d. „Zeitschrift f. prakt. Aerzte", deren Jahrg.-Bezeichng auf d. deut. Praxis übertragen wurde.
— d. Erziehgsschule. Hrsg. v. K Just. 15—19. Bd. 1901—5 je 6 Hefte. (239, 240, 240, 239 u. 248) 8° Altnbg, HA Pierer. Halbj. 2 — d
— grapholog. Red.: HH Busse. 1. Jahrg. 1901. 7 Nrn. (88) 8° München, Exp. d. grapholog. Monatshefte. (Nur dir.) 3 — 5. Jahrg. 1902—5 je 6 Nrn. (82, 81, 82 u. 80) je 2 —
— kommunale. Zeitschrift f. Kommunalpolitik u. Gemeindesozialismus. Hrsg. v. S Adekum. 1. u. 3. Jahrg. 1901. u. 3 je 24 Nrn. (1901. Nr. 1—10. 176 Sp.) 4° Dresd., Kaden & Co. || 3. Jahrg. 1—3. Viertelj. Jan.—Septbr 1903. 18 Nrn. Viertelj. nn 1 — ; einz. Nrn nn — 90 || 3. Jahrg. Viertelj. Oktbr—Dezbr 1903. 6 Nrn. 1.50; einz. Nrn nn — 85 d
— dass., Nebst Beibl.: Kommunal-Technik. Hrsg. u. Red.: Südekum. 4. Jahrg. 1904. 24 Nrn. (Nr. 1, 20 Sp.) 4° Ebd.; einz. Nrn nn — 25 d
— dass., Nebst Beibl.: Sächs. Gemeinde-Politik. Mitteilgn d. Zentral-Komitees d. sozialdemokrat. Partei Sachsens. Red.: Pollender. 5. Jahrg. 1905. 1. Halbj. 12 Nrn. (Nr. 1. 32 Sp.) 4° Ebd. || 9. Halbj. 26 Nrn. Viertelj. nn 2 — ; einz. Nrn nn — 25
— d., d. Landschule. (Ratgeber f. Volksschullehrer.) Monatsschrift f. Lehrer an ein- u. mehrklass. Volksschn. Mit d. Gratisbeil.: Pädagog. Magazin. Hrsg. v. K Haese. 10—14. Jahrg. Juli 1901—Juni 1906 je 12 Hefte. (1. Heft. 64 u. 16) 8° Lpzg, R Daneh. Viertelj. 1.50; einz. Hefte — 60 d
Erschien bis 1.X.'01 noch in Osterburg.
— d. literar. Fachzeitg u. Offertenbl. f. Journalisten, Schriftsteller, Zeichner u. Verleger. Red.: H Rösch. 3. Jahrg. 1901. 12 Nrn. (Nr. 1. 16) 4° Berl.-Friedenau, Verl. d. literar. Praxis. Halbj. 2 — d
— dass. Wochenausg. Separatabzüge d. Rubrik: „Angebot u. Nachfrage". Jahrg. 1901. 40 Nrn. (Nr. 1. 1) 4° Ebd. Viertelj. nnn 1 — d

Praxis, d. literar. Fachzeitg u. Offertenbl. f. Journalisten, Schriftsteller, Zeichner u. Verleger. (Nebst d. Beibl.: „Das Recht d. Feder".) Red.: H Rösch. 3. Jahrg. 1902. 12 Nrn. (Nr. 1. 20) 4° Berl.-Friedenau, Verl. d. literar. Praxis. Viertelj. 1 — d
— dass. (Gesamtausg. d. verein. Fachschriften: „Das Recht d. Feder", „Die literar. Praxis", „Der Autor".) Fachzeitg u. Offertenbl. f. Journalisten, Schriftsteller, Zeichner u. Verleger. Hrsg. u. Red.: H Rösch. 4. Jahrg. 1903. 12 Nrn. (Nr. 1. 12) 4° Ebd. Viertelj. 1 — ‖ 5. u. 6. Jahrg. 1904 u. 5 je 36 Nrn. Viertelj. 1.50 d

Erschien bis Ende April 1903 in Erfurt.
— **pharmazeut.** Hrsg. u. geleitet v. J Longinovits. 1. Jahrg. Apr.—Dezbr 1902. 9 Hefte. (1. u. 9. Heft. 64 m. Abb.) 8° Wien, F Deuticke. 4.50 ‖ 2. Jahrg. 1903. 12 Hefte. 6 — ‖ 3. u. 4. Jahrg. 1904 u. 5. ('04. 520) Je 10 —
— **soziale.** Zentralbl. f. Sozialpolitik. Neue Folge d. „Blätter f. soz. Praxis" u. d. „Sozialpolit. Centralbl." Hrsg.: E Francke. 11—15. Jahrg. Oktbr 1901—Septbr 1906 je 52 Nrn. (11—14. J. 1376, 1376, 1400 u. 1376) 4° Lpzg, Duncker & H. Viertelj. 2.50: einz. Nrn nn — 30 d

Der 13. Jahrg. m. d. Monatsbeil.: „Reichs-Arbeitsblatt".
— **neue stenograph.** Monatbl. f. Debattenschrift, System Stolze-Schrey. 1. u. 2. Jahrg. 1904 u. 5 je 12 Nrn. (Nr. 1. 8) 8° Berl., Frz Schulze. Je 1.50; f. Abnehmer v. „Schulze's illustr. Unterhaltsblättern", „Merkur" u. „Flieg. Blättern" je 1 —
— d. **stenograph. Unterr.** in Schule u. Verein. System Gabelsberger. Hrsg. v. H Joosten. Nebst Beil.: Stenograph: Unterhaltgs- u. Übgsbl. 1—3. Jahrg. Oktbr 1902—Septbr 1905 je 12 Nrn. (Nr. 1. 16, 8 u. 2) 8° Osterw., AW Zickfeldt. Je 3 — d
— d., d. **aargauischen Obergerichts** in Steuersachen. [S.-A.] (42) 8° Aar., HR Sauerländer & Co. 03. — 80 d
Fortsetzg. s. u. d. T.: Spruchpraxis, d. u. Abteilg f. Civilsachen am Obergericht in Steuersachen.
— d. **Volksschule,** s.: Schroedel.
— d., d. **Volksschule.** Gratisbeil. z. „Magazin f. Pädagogik". 8. Jahrg. 1901. (10 Bog.) 8° Spaich., M Kupferschmid. 1.20 d o F
— d.kath.**Volksschule.**Blätter f.Methodik u. Magazin f.Lehr- u. Lernmittel. 11—14. Jahrg. 1902—5 je 24 Nrn. (194, 200, 192, 198 u. 196) 4° Bresl., F Goerlich. Viertelj. — 75; einz. Nrn — 25 d

Praxmarer, J: Neuer Maul-Monat, s.: Muzzarelli, A.
— **Studenten-Gebetbüchl. 8. Afl.** (400 m. Titelbild.) 11,5×7,2 cm. Donauw., L Auer (05). L. 1 — d

Praxmarer, J: Bilder a. d. Tiroler Volksleben. I, II, IV u. V. 8° Boz., A Auer & Co. 6.50 (I—V.: 10.50; kart. 13 — ; L. 16.40) ½d
I. Der Auswanderer a. d. Zillerthale. 3. Afl. (32, 304) 1900. 2 — ; kart. 2.50 ; geb. 3 — ‖ II. Die Festkapelle im Gaixtale. Orig.-Erzählg. 2. Afl. (416) 04. 2.50; kart. 3 — ; L. 5 ‖ IV. Der Dentschhütteler. Erzählg a. d. Tiroler Volksleben. 2. Afl. (316) 01. 2 — ; kart 2.50: L. 3 — ‖ V. Der Dorfschulmeister od. Harte Köpfe — weiche Herzen u. and. Erzählge. (220) 06. 2 — ; kart. 2.50 ; L. 3.50.
— Aus d. Flegeljahren in d. Mannesjahre. Erzählg a. d. Tiroler Volksleben. 3. Afl. (547) 8° Innsbr., H Schwick 02. 1.70; geb. 2.50 d
— Die Räuber am Glockenhofe. 2. Afl. — Gertraud Angerer, d. Märtyrin d. Unschuld. Im Anh.: Der Glückstraum d. Mehrerbauern. 2. Afl. (136 u. 84) 8° Innsbr., Vereins-Bh. u. Buchdr. 03. 1.50; geb. 2 — d
— Das sel. Märtyrlein Andreas v. Rinn. 2. Afl. (233) 8° Ebd. 02. 1.50; geb. 2 — d
— Die Verbrecher d. Hochstrasse od. 2 Märtyrer a. Tirol. 4 Erzählge a. Tirols Vergangenh. (1. Das sel. Märtyrlein Andreas v. Rinn. 2. Die Räuber am Glockenhofe. 3. Gertraud Angerer, d. Märtyrin d. Unschuld. 4. Der Glückstraum d. Mehrerbauern.) 2. Afl. (232, 136 u. 84) 8° Ebd. 02. 2.60; geb. 3.50 d

Preces Gertrudianae sive vera et sincera medulla precum potissimum ex revelationibus BB. Gertrudis et Mechtildis excerptarum. Ed. nova a monacho ordinis S. Benedicti congr. Beuronensis. (275 m. Titelbild.) 16° Freibg i/B., Herder 03. L. 2 —
— ante et post missam pro opportunitate sacerdotis dicendae. Accedunt hymni, litaniae, aliaeque preces in frequentiorib. publicis supplicationib. usitatae. Ed. IX. (136) 16° Egnsbg, F Pustet 01. — 80; L. m. G. 1.40; Ldr m. G. 1.80
— dass. (In Rot- u. Schwarzdr.) Ed. X. (96) 8° Ebd. 04. 1 — ; L. m. G. 1.80; Ldr m. G. 2.30

Precht, J: Üb. d. magnet. Zerlegg d. Radiumlinien, s.: Runge, C.
Prechtl, H: Am Brenner, s.: Taschenbibliothek, allg.
Precsang, E: Im Hinterhause. Drama. (128) 8° Münch., Etzold Co. (03). 1.50
— Lieder eines Arbeitslosen. 2. Afl. (31) 8° Berl., O Koselowski (03). — 20 d

Predari, C: Die Grundbuchordung, s.: Kommentar z. BGB. u. s. Nebenges.
Prediger u. **Katechet**, der. Prakt. kathol. Monatschrift, bes. f. Prediger u. Katecheten auf d. Lande u. in kl. Städten. Hrsg. v. JP Brunner u., v. J 1905 an, FX Abele. 52—56. Jahrg. 1909—6 je 12 Hefte. Mit Zugabe: Gelegenheitsreden. (52—54: 940, 886, 922, 918 u. Beil. 289—432 u. 1—16) 8° Rgnsbg, Verl.-Anst. vorm. GJ Manz. Je 5.75 d
— dass. Inhalts-Verz. z. 43—54. Jahrg. (1893—1904 inkl.). Zusammengest. v. FX Aich. (227) 8° Ebd. 05. 1.50 d

Predigt auf d. Fest d. hl. Alphonsus. Der Kampf d. h. Alphonsus geg. d. Sünde. (26) 12° Warnsdf., A Opitz (02). — 15 d
— d., d. Kirche. Neue Folge. Die ev. Predigt an d. Schwelle d. 20. Jahrh. Hrsg. v. FJ Winter. 1. u. 2. Bd. 8° Dresd., CL Ungelenk. Je 1 — ; L. je 1.50 d
Arbeiterpredigten. Hrsg. v. FJ Winter. (130 m. 1 Taf.) ('04.) [2.]
Keßler, S : Ausgew. Predigten. Mit e. Vorwort „Unser Predigen". Hrsg. v. FJ Winter. 5. Taus. (136) (04.) [1.]
— dass. Abt. VI, 6 u. VII, 3. 8° Ebd. 2.50 d
VI, 6. Wesley, J : Ausgew. Predigten. Mit e. einleit. Monogr. v. JC Nuelsen. (32, 141) 05. 1—
VII, 3. Prediger d. Gegenwart. 3. Bd. Apologet. Predigten. Hrsg. v. FJ Winter. (19, 153) (04.) 1.50
Erschien bisher nicht nach Abtlgn geordnet.
— d., in d. Schenke. Die sing. Missionarin. Ein Engel, doch nicht erkannt, s.: Daheim m. Auswärts.
— d. sonntägl. Ein Jahrg. Volkspredigten a. d. Kirchenj. 1906/1905. Hrsg. v. Stöcker. 8° Berl., Vaterländ. Verl.- u. Kunstanst. Je 1 — ; geb. je 1.50 d
1906/01. 1 1901/02. Die alttestamentl. Texte n. d. neuen Eisenacher Ordng. (440) 02. 1 1902/03. Freie Texte n. d. neuen Eisenacher Ordng. (440) 03. 1 1903/04 üb. d. Evangelien (alte Perikopenreihe). (440) 04. 1 1904/05. Episteln (alte Perikopenreihe). (440) 05.
— anläßlich d. Trockenheit u. Dürre geh. v. 6. Weltpriester. (20) 8° Habelschw., Franke 04. — 10 d
Die 2. Afl. s. u.: Reinelt, P.
Predigt-Bibliothek, moderne. I—III. Serie, 4 Hefte u. IV. Serie, 1. Heft. 8° Lpzg, Gött., Vandenhoeck & R. Je 1.20: geb. je 1.80; f. d. Serie v. 4 Heften 4 — ; geb. 4.80 d
Bonhoff, C : Leben, Licht, Liebe. 3 Predigten. (96) 05. [IV.,1.]
Bornemann, W : Bete u. arbeite ! (104) 04. [III,1.]
Frommel, O : Vom Reich d. Kraft. (96) 03, [III,4.]
Gottschick, J : Dein Glaube hat dir geholfen. (118) 04. [III,2.]
Kirms, P : Die christl. Hauptfeste. (102) 03. [II,3.]
König, E : Wahre Lebenskraft. 3 Predigten. (76) 02. [I,4.]
Köster, A : Neue Menschen. (164) 03. [II,3.]
Kügelgen, C v.: Aufklärg u. Verkiärg. Metaphysikfreie Predigten. (82) 03.
Ludwig, E : 5 Brote z. Seelenspeise. (89) 02. [I,1.]
Mehlhorn, P ; Aus Höhen u. Tiefen. (104) 02. [I,1.]
Meyer, F : Kampf u. Sieg d. Christen. (104) 04. [III,3.]
Schulze, H : Für d. Wahrheit. Undogmat. Predigten. (75) 02. [I,2.]
Weingart, H : Suchen u. Finden. Predigten f. Kopf u. Herz. (111) 04. [III,4.]
Predigten, ausgew., s.: Texte, kl., f. theolog. Vorlesgn u. Übgn.
— üb. d. epistol. Lektionen f. d. Sonn- u. Festtage d. Kirchenj. Hrsg. v. ev. Ver. z. Hannover. (456) 8° Hannov., (H Feesche) 03. Geb. nn — 2 d
— bei d. 53—57. Hauptversammlg d. ev. Ver. d. Gustav-Adolf-Stiftg. 8° Lpzg, (JC Hinrichs' V.). 2.60 d
53. Königsberg 1900. 3 Predigten v. Haupt, Kaweran, Zimmermann. u. 2 Ansprachen in d. Kindergottesdiensten v. Schawaller u. Stengel. (48) 1900. — 50
54. Köln '01. 2 Predigten v. Rogge, Beck u. e. Ansprache im Kindergottesdienst v. C Böhrig. (36) 01. — 50
55. Cassel '02. 3 Predigten von v. Weitbrecht, Lahusen u. Dibelius u. 2 Predigten in d. Kindergottesdiensten v. Zaulek u. Warner. (50) 02. — 50
56. Hamburg '03. 7 Predigten v. Haupt, Schols, Kaftan, Antonius, Schenkel, Dryander u. Veenhuysen u. Dryander u. 2 Katechesen in d. Kindergottesdiensten v. Nelle u. Meinhold. (96) 03. — 50
57. Heidelberg '04. 4 Predigten v. Drews, Kessler, Witz-Oberlin, Hagenau u. e. Katechese in d. Kindergottesdienst v. Zaulek. (52) 04. — 50
1905 fand keine Hauptversammlg statt.
— ausserhalb d. Kirche, v. d. Verf. v. John Halifax usw. (Mrs Craik [Miss DM Mulock]). Übers. von V. v. (196) 8° Dresd., E Pierson 01. 2.50; geb. 3.50 d
— ev., f. Taubstumme, geh. v. H Gocht, H Schulz, A Stock, Trautmann, Zobel u. B. Ges. u. hrsg. v. H Gocht. (112) 8° Lpzg, H Dude 06. L. 3 — d
Predigt-Hausschatz, ev. Nr. 35—45. 12° Halle, E Strien. Je — 10 d
Conrad : Der Herr ist mein Hirte ! (12) (01) [36.]
Friedrich, H : Am Abend d. Totenfestes. (12) (03.) [45.]
Horn, F : Niemals herzlos u. gedankenlos ! (12) (03.) [44.] ‖ Die Sonne, d. mir lachet, ist mein Herr Jesus Christ. Predigt üb. d. Himmelfahrt Christi. (12) (01) [32.]
Nickel, AF : Am fremden Joch, Jünger Jesu Christi ? (12) (03.) [43.]
Wächtler, A : Das Evangelium v. d. mitteid. Hohenpriester. (12) (02.) [41.] ‖ Von G. Leben, das d. Tod Christi in uns weckt. (12) (03.) [42.]
Witte, L : Von d. Geheimnissen d. Reiches Gottes. (12) (01.) [31.] ‖ Hus u. Savonarola. (16) (01.) [37.] ‖ Hast du d. köstliche Perle. Reformationsfestpredigt. (12) (02.) [39.]
Preger, T, s.: Scriptores originum Constantinopolitanar.
Preger, W: Abriss d. bayer. Gesch. Leitf. d. 1. Unterr. an d. Mittelsch. 13. Afl. v. T Preger. (68 m. 1 Karte.) 8° Lpzg, Teubner 03. — 80 d
— Lehrb. d. bayer. Gesch. 16. Afl. v. T Preger. (160 m. 3 Kart.) 8° Ebd. 04. — 2 d
Pregl, F: Üb. Isolierg v. Desoxycholsäure u. Cholalsäure a. frischer Rindergalle u. üb. Oxydationsproducte dieser Säuren. [S.-A.] (48) 8° Wien, (A Hölder) 02. — 90
Prehn, AR: Otto Borngräbers König Friedwahn. Vortr. (52) 8° Schkeud., W Schäfer 05. 1 — d
— Die Jahreszeiten. Ein Leben in Stimmgn. (71 m. Abb.) 8° Ebd. 05. 2 — ; geb. 3 — d
Prehn, H, s.: Heiberg, Johanna Luise.
Prejawa, M: Kochbüchl. f. d. Haushaltgssch. (48) 8° Hersf., (Glebi) 05. — 50 d
Preibisch, E : Wetterlehre. Hausschatz f. d. ges. Landw. Deutschlds u. d. angrenz. Länder. (95 m. Abb.) 8° Berl., (Weller) 05. L. 2.40 d
Preil, P: Neueste Sammlg Orig.-Couplets, Parodien u. Lieder. (34) 8° Lpzg, P Schirmer (04). — 50 d

Preime, A: Die Frau in d. altfranzös. Schwänken. (171) 8º
Cass. 01. Berl.-Charlttnbg, TG Fisher & Co.   2 —
Prein, O: Aliso bei Oberaden. (79 m. 1 Taf. u. 1 Karte.) 8º
Münst., Aschendorff 06.   1.50 d
— Beitr. z. Schulgesch. d. Grafsch. Mark, veranschaulicht an
d. Schulgesch. d. Gemeinde Methler, s.: Abhandlungen, pä-
dagog.
Preindlsberger-Mrasovic, M: Bosn. Volksmärchen. (132 m.
Abb.) 8º Innsbr., A Edlinger 05.   4 —; geb. 5 — d
Preiz, mein erster. Zeichenb. (16 m. Abb. u. Pausen.) 8º Han-
nov., A Molling & Co. (01).   — 25 d
Preis, MB: Passionsblumen, s.: Griesbacher, P.
Preische, E: Gewinnvortrag u. Tantièmeberechng f. Vorstand
u. Aufsichtsrat deut. Aktiengesellsch. (46) 8º Berl., Haude &
Sp. 02.   1 — d
Preise, ortsübl., f. Maurer-, Steinmetz- u. Zimmerer-Arbeiten
u. Materialien f. 1905. Hrsg. v. d. Inng d. Bau-, Maurer-,
Steinmetz- u. Zimmermeister in München. (30) 8º Münch.,
L Finsterlin.   1 — d
Preisendanz, K, u. F **Hein:** Hellen. Sänger in deut. Versen.
(64 m. Abb.) 8º Hdlbg, C Winter, V. (04).   4 —
Preiser, R: Aufg. z. Übersetzen ins Latein., s.: Wulff, J.
Preisigke, F: Städt. Beamtenwesen im röm. Ägypten. (75) 8º
Halle, M Niemeyer 03.
Preis-Liste d. Baugewerbe in Württemberg. (Neue Afl.) Hrsg.
v. F Kerndter. (340) 8º Stuttg., K Wittwer 04.   L. 4 —
— d. Maler- u. Lackierer-Inng zu Hamburg. (29) 8º Hambg,
(Boysen & M.) 05.   L. 1 —
— d. durch d. kais. Postzeitgeamt in Berlin u. d. kais. Post-
anst. d. Reichs-Postgeb. im J. 1905 zu bezieh. Zeitgn, Zeit-
schriften u. s. w. Mit Nachträgen. (504 u. Nachtr. I, II, IIa
u. III 16, 8, 20 u. 11) 4º Berl, (Lpzg, G Wittrin). Kart. †6.80
Preiss: Der Feld-Kanonier, Fortsetzg, s.: Batsch-Zwenger:
Leitf. f. d. Unterr. u. d. Ausbildg d. Kanoniere u. Fahrer d.
Feldartill.
Preiss, G : Es fiel e. Stern . . . Erzählgn. Aus d. Böhm. v. F
Farár. (203) 8º Prag, J Otto 02.   2 —
Preiss, M: Zur Frage üb. d. Beschaffenh. d. sibir. Kuhbutter v.
chemisch-hygien. Standpunkte. (29) 8º Berl., M Günther 01. — 50
Preiss, P: Cetonidae. (Wiss. Resultate d. Reise C Freiherrn
v. Erlanger's durch Süd-Schoa, Galla u. Somaliländer.) [S.-A.]
(19 m. 1 farb. Taf.) 8º Wiesb., JF Bergmann 02.   1.30
— Neue Cetoniden a. Deutsch-Ostafrika. [S.-A.] (14 m. 1 farb.
Taf.) 8º Ebd. 04.   1.40
— Verz. d. v. Hauptm. Holz im J. 1899 auf Ost-Java ges. Cetoniden. [S.-A.] (12) 8º Ebd. 03.   — 80
Preisschriften, gekrönt u. hrsg. v. d. fürstl. Jablonowski-
schen Gesellsch. zu Leipzig. (Nr. 15 d. mathematisch-naturwiss. u. 24 d. historisch-nationalökonom. Section.) 37 u. 39.
8º Lpzg, BG Teubner.   26 —
Neumann, ER: Studien üb. d. Methoden v. C Neumann u. G Robin z.
Lösg d. beiden Randwertaufg. d. Potentialtheorie. (23, 194 m. Fig.) 05.
[37.]   10 —
Schaumkell, E: Gesch. d. deut. Kulturgesch.-Schreibg v. d. Mitte d.
18. Jahrh. biz z. Romantik im Zusammenh. m. d. allg. geist. Entwicklg.
(320) 05. [39.]   16 —
38 ist noch nicht erschienen.
— u. **Sonderabdrücke** d. Deut. landw. Presse. Nr. 18. 8º Berl.,
P Parey.   — 50 d
Kellner, O: Die Wirkg d. eins. Nährstoffe bei d. Mast d. erwachs. Rindes.
(20) 03. [18.]
Preisner, JD: Die durch Theorie erfund. Praxis od. gründ-
lich verf. Regeln, deren man sich als o. Anl. zu Zeichen-
Werken berühmter Künstler bedienen kann. Neu red. v. A
Freytag. (Anatomie d. Maler.) (98 Taf. m. 7, 6, 4 u. 4 S. Text.)
Fol. Zür., M Kreutzmann (03).   In M. 82 —
Preissler, K : Deut. Leseb. f. kaufmänn. Fortbildgsch., s.: Hay-
merle.
Preis-Tarif, städt., u. Stadt Wien. 2 Tle. Giltig f. d. v. d. Ge-
meindeverwaltg bestellten Arbeiten u. Liefergn. (Mit je 11 S.
„Bedingnissen".) 4º Wien, (Gerlach & Wiedling) 04.
     Bd. je un 25 — d
I. Nr. 1—96. Baugewerbe. ‖ II. Nr. 97—54, Verschied. Arbeiten u. Liefergn.
Hieraus einzeln: 1. Erd- u. Baumeister-Arbeiten. (47 m. Abb.) un 6 — ‖ 2.
Deichgräber-Arbeiten. (9) un 1.50 ‖ 3. Stukkatur-Arbeiten. (4) un — 50
‖ 4. Steinmetz-Arbeiten. (13) un 1.50 ‖ 5. Zimmermanns-Arbeiten. (20)
un 1.50 ‖ 6. Bauspengler-Arbeiten. (9) un 1.50 ‖ 7. Ziegeldecker-Arbeiten.
(5) un 1 — ‖ 8. Schieferdecker-Arbeiten. (4) un 1 — ‖ 9. Kupferschmied-
Arbeiten. (4) un 1 — ‖ 10. Bautischler-Arbeiten. (15) un 2 — ‖ 11.
Schlosser-Arbeiten. (29) un 4 — ‖ 12. Anstreicher-Arbeiten. (6) un 1 — ‖
13. Glaser-Arbeiten. (6) un 1 — ‖ 14. Tonöfen. (6) un 1 — ‖ 15. Asphalt-
tierer-Arbeiten. (6) un 1 — ‖ 16. Zimmermaler-Arbeiten. (4) un — 50
‖ 17. Tapezierer-Arbeiten. (8) un 1 — ‖ 18. Holzgianosien. (3) un — 50
‖ 19. Holzstöckel-Pflastergn. (7) un 1 — ‖ 20. Pflasterer-Arbeiten. (8)
un 1 — ‖ 21. Tonwaren. (10) un 1.50 ‖ 22. Brunnenmeister-Arbeiten. (8)
un 1 — ‖ 23. Wasserleitungs-Arbeiten. u. Anbohrgs-Arbeiten. (12) un 2 —
‖ 24. Gasrohrlegs- u. Gaseinrichtgs-Arbeiten. (14) un 2 — ‖ 25. Schrift-
giesser-Arbeiten. (4) un — 50 ‖ 26. Schriftenmaler-Arbeiten. (4) un — 50
‖ 27. Rauchfangkehrer-Arbeiten. (6) un 1 — ‖ 28. Gärtner-Arbeiten.
(4) un — 50 ‖ 29. Möbeltischler-Arbeiten. (28) un 2.50 ‖ 30. Schuttabfuhr. (4)
un — 50 ‖ 31. Binder-Arbeiten. (7) un 1 — ‖ 32. Galanteriespengler-
Arbeiten. (26) un 3 — ‖ 33. Wagner-Arbeiten. (9) un 2 — ‖ 34. Schmiede-
Arbeiten. (26) un 5 — ‖ 35. Maschinenschlosser-Arbeiten f. d. Brunnen-
pflege. (10) un 1.50 ‖ 36. Buchbinder-Arbeiten. (8) un — 50 ‖ 37. Bürsten-
binder-Arbeiten. (5) un — 50 ‖ 38. Riemer-Arbeiten. (6) un 1 — ‖ 39.
Taschner-Arbeiten. (5) un — 50 ‖ 40. Turnsaal-Einrichtgn u. awar 1. Tischlerarbeiten. II. Schlosserarbeiten. III. Sellerarbeiten. IV. Riegnerarbeiten.
V. Matratzen). VI. Jugendspielmittel. (19) un 2.50 ‖ 41. Töpferwaren. (4)
un — 50 ‖ 42. Eisenwaren. (18) un 2 — ‖ 43. Maschinisten-Arbeiten. (17 m.
1 Tab.) un 3 — ‖ 44. Möbel a. gebog. Holze. (4) un — 50 ‖ 45. Eisenmöbel.

(4) un 1 — ‖ 46. Hölzerne Werkzeuge. (6) un 1 — ‖ 47. Wäscheerforder-
nisse. (3) un — 50 ‖ 48. Bettwaren. (4) un — 50 ‖ 49. Kotzen u. Pferde-
decken. (3) un — 50 ‖ 50. Sellér-Arbeiten. (6) un 1 — ‖ 51. Schuhmacher-
Arbeiten. (3) un — 50 ‖ 52. Buchdrucker-Arbeiten. (7) un 1 — ‖ 53. Lösch-
u. Rettggeräte. (22) un 4 — ‖ 54. Stampiglien. (5) un 1 —
Preis-Verzeichniss d. in d. österr.-ungar. Monarchie u. im Ausl.
erschein. Zeitgn u. period. Druckschriften f. 1904. Bearb. v.
d. k. k. Post-Zeitgs-Amte I. in Wien. (347) 4º Wien, R v. Waldheim.   2.40
Fortsetzg s. u. d. T.: Post-Zeitungsliste.
Preiswerk, E: Die Gesch. Simsons u. was wir daraus lernen
können. (24) 12º Bas., (Basler Missionsb.) 1897.   — 15 d
Preiswerk, G: Lehrb. u. Atlas d. Zahnheilkde m.-Einschl. d.
Mundkrankh., s.: Lehmann's medizin. Handatlanten.
Preitz, H: Ein Beitrag z. Kenntnis d. angebor. Cystenniere.
(34) 8º Lpzg, B Konegen 06.   1 —
Prel's, C du, ausgew. Schriften. 17—19. Bd. 8º Lpzg (01). Berl.,
Verl. Hermes.   Je 2 — (Vollst.: 38 —)
17. Die Planetenbewohner u. d. Nebularhypothese. Neue Studien z. Entwicklggesch. d. Weltalls. (175) 1880.
18.19. Entwicklggesch. d. Weltalls. Entwürf e. Philosophie d. Astronomie.
3. Afl. v. : Der Kampf ums Dasein am Himmel. (378) 1882.
— Das Kreuz am Ferner. Hypnotisch-spiritist. Roman. 3. Afl.
(547) 8º Stuttg., JG Cotta Nf. 05.   5 —; L. 6 — d
— Studien a. d. Geb. d. Geheimwiss. 2. Afl. (Aus d. Nachlass er-
gänzt.) I. u. II. Bd je 5 Lfgn. 8º Lpzg, M Altmann 05. Je — 80;
der Bd 4 —; geb. 5.50 d
I. Tatsachen u. Probleme. (278) ‖ II. Experimentalpeychol. u. Experimental-
physik. (292)
— Der Tod, d. Jenseits, d. Leben im Jenseits. 2. Afl. (179) 8º
Jena, H Costenoble 01.   5 —; geb. 6 —
Prell, M: Erinnergn a. d. Franzosenzeit in Hamburg 1806—14.
Hrsg. v. HF Beneke. 4. Afl. (124) 8º Hambg, Herold 02. L. 1.25;
vollständ. Ausg. m. allen Vorworten u. Anhängen. (134 u. 8)
Geb. 3 —
Prell, H. Fresken, Skulpturen u. Tafelbilder d. Meisters. Mit
Text v. G Galland. (64 Taf. u. 41 S. Text m. Abb. u. 1 Bildnis.)
58×43,5 cm. Charlttnbg, Amelang (04).   In Ldr-M. 250 —
Preller: Die Massage, 2. Afl. v. R Wichmann, s.: Weber's illustr.
Katech.
Preller d. Ä., F: Bilder z. Odyssee. Gemälde im Museum zu
Weimar. Nach d. farb. Kopien F Prellers d. J. hrsg. v. Kunst-
wart. (16 Bl. m. 4 S. Text.) Fol. Münch., GDW Callwey (04). 5 —
— Künstlerisches a. Briefen Friedrich Prellers d. Älteren. Zu
s. 100. Geburtstage hrsg. v. W Witting. (83 m. 1 Farbdr.)
8º Weim., H Böhlau's Nf. 03.   3.40; geb. 3.60
— Nord. Landschaften. Nach d. Originalen hrsg. v. Kunstwart.
(9 Taf. u. 3 S. Text in 2 Abb.) Fol. Münch., GDW Callwey (04). 3 —
Preller d. J., F: Bilder z. Ilias. Nach d. Orig.-Zeichngn hrsg.
v. Kunstwart. (12 Bl. m. 3 S. Text.) Fol. Münch., GDW Callwey
(04).
— Tagebücher d. Künstlers, hrsg. u. biographisch vervollstän-
digt v. M Jordan. (311 m. z. Tl farb. Abb.) 8º Münch., Verein.
Kunstanst. 04.   L. un 10 —
Preller, T: Der Vilm, d. Maler-Insel. Studien v. F Preller d. J.
(25 m. Abb.) 8º Dresden-Blasewitz, FE Boden 05. (Nur dir.) 1.50
Prellwitz, G: Michel Kohlhas. Trauersp. (180) 8º Freibg i. B.,
FE Fehsenfeld 05.   2 —; geb. 3 —
— Der relig. Mensch u. d. moderne Geisteswentwicklg. 7 Vortr.
(147) 8º Berl., CA Schwetschke & S. 05.   3 —; geb. 4 —
Prellwitz, M, u. C **Meineke:** Lehrb. f. d. Handarbeitsunterr.
m. bes. Berücks. d. Arbeiten f. d. Handarbeitslehrerinnen-
Examen, nebst Ausführg u. Zusammenstellg d. versch. Methoden
u. ein. Lehrproben. 2. Afl. (152 m. H. u. 11 Taf.) 8º Berl.,
Oehmigke's V. 05.   4 —; L. 4.80
Prellwitz, R: Kommet mit! Tägl. Andachten. (591) 8º Tils.,
Reyländer & S.) 03.   L. un 3 —; un 3.50
Prellwitz, W, s.: Beiträge z. kde d. indogerman. sprachen.
— Etymolog. Wrtrb. d. griech. Sprache. 2. Afl. (24, 584) 8º Gött.,
Vandenhoeck & R. 05.   10 —; Hfz 11 —
Prels, M: Jugend-Ernte. (82) 8º Eberaw. (01). Lpzg, CF Tietze
bach.   2 —
— Juris utriusque Doctor u. anderes. Novellen u. Skizzen. (161)
8º Dresd., E Pierson 05.   2 —; geb. 3 —
Prem, SM : Üb. Berg u. Thal. Schildereien aus Nordtirol. Neu-
ausg. (Titelausg.) (236 u. 1 Kärtchen.) 8º Münch., J Lindauer
[1899] 04.   L. 2.50
— Adolf Pichler, d. Dichter u. Mensch. [S.-A.] (100 m. 1 Bild-
nis.) 8º Innsbr., Wagner 01.   2 —
— Adolf Pichlers Leben u. Schaffen, s.: Blätter, grüne, f. Haus
u. Volkstum.
Premerstein, A v.: Anicia Juliana im Wiener Dioskorides-
Kod.: Jahrbuch d. kunsthistor. Sammlgn d. allerh. Kaiser-
hauses.
— s.: Dioscurides, codex Aniciae Iulianae.
Premschitz, RA: Meine Erlebnisse als Fremdenlegionär in Al-
gerien. (181 m. Bildnis.) 8º Metz, P Müller 04. 1.50; geb. 2.40
Prenner, J: Das Recht d. Zelle, s.: Sammlung, Moser'sche, ge-
meinsaeer Broschüren.
Prenner, JB: Der gewerbl. Arbeitsvertrag n. deut. Recht. (155)
12º Münch., CH Beck 02.   L. 1 —
— Ges., betr. Kaufmannsgerichte. — Gewerbegerichtsges., s.:
Menzinger, L.
Prenzlau, E. v., s. A.: Zastrow, K.
— Ein amerikan. Duell, s.: Stavenow, B, u. E Mochow, d. Ge-
spenst im Küraß.

Prenzlau, K v.: Ein modernes Duell, s.: Tempsky, E v., e. guter Rat.
— Ernstes u. Heiteres a. d. Theaterwelt, s.: Zastrow, K.
Presber, R: Die Diva u. and. Satiren. (168) 8° Berl., Verl. d. „Lust. Blätter" (02). 1.50 d
— Dreiklang. Ein Buch Gedichte. 1. u. 2. Afl. (210) 8° Stuttg., JG Cotta Nf. 04.05. 3 —; L. 4 — d
— Das Fellhorn u. and. Satiren, s.: Universal-Bibliothek.
— Das Fellahmädchen u. and. Novellen. 2. Afl. (188) 8° Berl., E Fleischel & Co. 03. 2 —; geb. 3 — d
— Herbstzauber, s.: Theater-Bibliothek, bunte.
— Aus d. Lande d. Liebe. Gedichte. 3. Afl. (187) 8° Stuttg., JG Cotta Nf. 03. 3 —; L. 4 — d
— Von Leutchen, d. ich lieb gewann. Ein Skizzenb. 1. u. 2. Afl. (258) 8° Berl., Concordia (05). 3.50; geb. nn 4.50 d
— Media in vita. 1. u. 2. Afl. (187) 4° Stuttg., JG Cotta Nf. 02.03. 2.50; L. 3.50 d
— Vom Theater um d. Jahrh.-Wende. 12 Kapitel. (230) 8° Stuttg., Greiner & Pf. 01. 3 —; L. 4 — d
— Der Untermensch u. and. Satiren, s.: Universal-Bibliothek.
Presch, B: Die physikalisch-diätet. Therapie in d. ärztl. Praxis. 6 Lfgn. (646) 8° Würzbg, A Stuber's V. 02.03. 13 —; HF. 15 —
Prescher: Das Kastell Heidenheim. [S.-A.] (11 m. Abb. u. 3 Taf.) 4° Hdlbg, O Petters 1900. 2.40
Prescher, J, u. V **Rabs**: Hilfsb. f. d. Apothekenlaboratorium. (160 m. Abb. u. 1 Tab.) 8° Würzbg, A Stuber's V. 04. 3.60; geb. 4.20
— — Bakteriologisch-chem. Praktikum f. Apotheker u. Studierende. Kurze Anl. z. Untersuchg v. Harn, Blut, Magen- u. Darminhalt, Auswurf, Wasser, Milch, Butter u. Margarine. (112 m. Abb., 3 Taf. u. 2 Tab.) 8° Ebd. 03. 2.80; geb. u. durchsch. 3.60
Prescott, WH: Hist. of the conquest of Mexico. Für d. Schulgehr. hrsg. v. J Leitritz. 2 Bde. (126 u. 122) 8° Lpzg, G Freytag 05. Geb. je 1.50; Wrtrb. v. F Kleikamp, (60) — 60
— dass., s.: Klassiker-Bibliothek, französisch-engl. (GA Stoll).
Preseren, F: Deut. Gedichte. (46) 8° Laib., I v. Kleinmayr & F Bamberg 01. 1 — d
— Poesien. In deut. Übertragg zus. u. hrsg. v. F Vidic. (196 u. 6) 12° Wien, (A Hölder) (01). 2 —; auf Büttenpap. 3 —
Presinsky, F: Engl. Kugel- u. Ballspiele, s.: Weber's illustr. Katech.
Presler, O: Arithmet. Aufg. — Aufg.-Sammlg, s.: Bardey, E.
— Leitf. d. Projektionslehre, s.: Müller, CH.
Presler-Flohr, J: Gedichte. (169) 8° Dresd., E Pierson 01. 2.50; geb. 3.50 d
Presse, d. jüd. Organ f. d. Ges.-Interessen d. Judenthums. Hrsg. v. H Hildesheimer. Nebst Illustr. Feuilleton-Beil. „Sabbat-Stunden" u. wiss. Beil.: Israelit. Monatsschrift, hrsg. v. E Biberfeld. 32—36. Jahrg. 1901—5 je 52 Nrn. (1902. Nr. 1. 12 u. 4) 4° Berl., (E Rosenstein), Viertelj. 3 — d
— deut. landwirtschaftl. Red.: OH Müller. 28—32. Jahrg. 1901—5 je 104 Nrn m. jährlich 12 Farbdr.-Taf. (855, 848, 896, 878 u. 864 m. Abb.) 46×38,5 cm. Berl., P Parey. Viertelj. 5 — d
— Dresdner landwirtschaftl. Red.: ... Viertelj., postfrei 4 — d
— deut. medizin. Zeitschrift f. d. Ges.-Gebiet d. Heilkde m. bes. Berücks. d. wirtschaftl. u. Standes-Interessen d. Aerzte. Red.: K Gumpertz. 5—9. Jahrg. 1901—5 je 24 Nrn. (1901. Nr. 1. 12 m. Abb.) 4° Berl., J Goldschmidt. Viertelj. 1 —
— neue medicin. Red.: M Birnbaum. 1—3. Jahrg. 1901—5 je 24 Nrn. (1901. Nr.1—3. 36) 4° Berl., E Pilger Nf. Viertelj. 1.50 [01.02 d] ö F
— ungar. medizin. Centralbl. z. Vermittlg d. ungar. medizin. Forschg m. d. Ansl. Red. v. O Tuszkai. 6—8. Jahrg. 1901—4 je 52 Nrn. (1901. Nr. 1. 32 Sp.) 4° Budap. (VII, Kerepesistr. 34), Administr. || 10. Jahrg. 1905. 36 Nrn. Je 10 —; halbj. 6 —
— Wiener medizin. Red. v. A Bum. 42—46. Jahrg. 1901—5 je 52 Nrn. (2440, 2400, 2588, 2528 u. 2620 Sp.) 4° Mit Beil.: „Allg. militärärztl. Zeitg (32, 64, 73, 80 u. 80) u. „Wiener Klinik". Wien, Urban & Schw. Je 20 —; einz. Wiener Klinik 16 —; Wiener Klinik allein 8 —
— neue musikal. Hrsg. u. Red.: C Kratochwill. 10. u. 11. Jahrg. 1901 u. 2 je 52 Nrn. (Nr. 1. 16) 4° Wien, Bosworth & Co. Halbj. postfrei 8 —; nn Nrn — 20
— dass. Halbmonatsschrift f. Konzert, Oper, Unterr.-Wesen u. Musik-Lit. Red.: (A Smolian;) f. Österr.-Ungarn F Motz. 12—14. Jahrg. 1903—5 je 24 Nrn. je 1 Musikbeil. (1903. Nr. 1 —4. 72) 8° Lpzg, Bosworth & Co. Viertelj. 1.50; einz. Nrn — 30
Buch. Papier. Berliner graph. Lokal-Anzeiger. Wochenschrift f. Druck-, Buch- u. Papierindustrie usw. Hrsg. u. Red.: E Morgenstern. 2—6. Jahrg. 1901—5 je 52 Nrn. (Nr. 1. 8) 8° Berl., E Morgenstern. Viertelj. 1 —
ressel, F v.: Aus Alt-Ulm, s.: Mitteilungen d. Ver. f. Kunst u. Altertum in Ulm.
ressel, W: Die Fischzucht im Kleinbetrieb. (69 m. Abb.) 8° Stuttg., E Ulmer 02. Kart. 1 —
Priscilla an Sabina. Briefe e. Römerin an ihre Freundin a. d. J. 30—33 n. Chr. Geburt. Neue Geschenkausg. (408 m. Abb.) 8° Hambg, Agentur d. Rauhen H. 05. 4 —; L. 4.80 d
— In d. Welt, doch nicht v. d. Welt". Geleitsworte f. uns. Konfirmanden. (40) 12° Stuttg., M Kielmann 03. — 30 d
Hinrichs' Fünfjahrskatalog 1901—1905.

Pressel, W v.: Les chemins de fer en Turquie d'Asie. Projet d'un réseau complet. (90 m. 1 Karte.) 8° Zür., Art. Instit. Orell Füssli 02. 2.90
Pressensé, Frau v.: Arm u. doch reich. Erzählg f. d. Volk. Nach d. Franz. v. J Severin. 2. Afl. v. „Der arme Wilhelm". (154) 8° Hermannsbg, Missionshandlg 03. 1.50; geb. 2 — d
— Le petit Marquis, s.: Prosateurs franç.
— Petite mère, s.: Bibliothèque franç.
Pressentin-Reutter, B v.: Die Jagd m. Lockinstrumenten, s.: Bierl, A.
Presser, E: Ländl. Gedichte a. d. Hegau. (2. Lfg.) (68 m. Bildnis.) 8° Engen 02. Sing., T Schneider. — 50 d
Die I. Lfg, bei Erscheinen nicht eingesandt, ist vergriffen u. wird nicht wieder gedruckt.
Pressgesetz, d. neue. Regierugsvorlage. (40) 12° Wien, Manz 02. — 30 d
Pressler, MR: Forstl. Cubirgstaf. 12. Afl. v. M Neumeister. (132) 8° Wien, M Perles 05. Kart. 5 —
— Forstl. Hülfsb. f. Schule u. Praxis in Taf. u. Regeln z. Ausführg holzwirthschaftl. u. technisch verwandter Messgs-, Schätzgs-, Rechngs- u. Betriebsarbeiten. 1. Thl: Das Tafelwerk. 6. (metr.) Afl. (2. Abdr.) (16, 200 m. Abb.) 8° Ebd. 02. L. 8 — d
Press-Prozesse, d., geg. d. Redakteure deut. Zeitgn in Süd-Ungarn. (29) 8° Berl., Herm. Walther 02. — 50 d
Pressvereins-Kalender, oberösterr., 1904. 25. Jahrg. Hrsg. v. kathol. Pressver. Red. v. M Hiegelsperger. (144 u. 48 m. Abb.) 8° Linz, Pressver. — 70 d
— kl. oberösterr., f. 1906. Hrsg. v. kathol. Pressver. d. Diöc. Linz. 16. Jahrg. (51 m. Abb.) 8° Wels. (Linz, Pressver.) — 20 d
Prestel, J: Die Baugesch. d. jüd. Heiligthums u. d. Tempel Salomons. — Des Marcus Vitruvius Pollio Basilika zu Fanum Fortunae, s.: Zur Kunstgesch. d. Auslandes.
Prestele, C, s.: Kinderfreund, d.
Presting, B: Zur Reform d. Volkssch. (27) 8° Hambg, G Schloessmann (02). — 60 d
Pretzel, CLA: M v. Egidy, s.: Egidy, M v., Jugendblätter.
— A Rupnow, J Tews: Deut. Sprachb. f. Berliner Schulen. (In 7 Heiten.) 1—5. Heft. 8° Berl., Schnetter & Dr. Lindemeyer. nn 1 — d
I. (43) 02. — 22 [2. (82) 02. — 30 [3. (72) 02. — 30 [4. (62) 02. — 30 [5. (3. Kl.) (96) 03. nn — 90.
— — dass. f. Berlin u. Vororte. (In 7 Heften.) 6. u. 7. Heft. 8° Ebd. 04. nn — 75 d
— — Deut. Sprachb. (Ausg. B.) In 6 Heften. Nach d. Bestimmgn d. Grundlehrpl. f. d. Berliner Gemeindesch. bearb. 8° Ebd. (05). nn 1.75 d
I. (7. Kl.) (96) — 20 [2. (6. Kl.) (48) nn — 25 [3. (5. Kl.) (64) nn — 30 [4. (4. Kl.) (64) nn — 30 [5. (3. Kl.) (80) nn — 30 [6. (2. u. 1. Kl.) (72) nn — 40.
— — dass. (Ausg. C.) Für Thüringen u. Sachsen bearb. v. E Kornrumpf. 6 Hefte. 8° Ebd. 05. nn 1.75 d
I. (2. Schulj.) (36) nn — 20 [2. (3. Schulj.) (48) nn — 25 [3. (4. Schulj.) (64) nn — 30 [4. (5. Schulj.) (64) nn — 30 [5. (6. Schulj.) (80) nn — 40 [6. (7. u. 8. Schulj.) (116) nn — 40.
Pretzell, C: Zur Kenntnis d. isomeren Säuren d. Formel: $C_6H_6O_4$. (51) 8° Freibg i/B., Speyer & K. 04. 1 —
Pretzsch, E: Inaug.-D. d. Breslauer Univ.-Schriften 1811—85. Mit e. Anh., enth. d. ausserordentl. u. Ehrenpromotionen sowie d. Diplomerneuergn. (387) 8° Bresl., WG Korn 05. nn 22.50
Preu, F: Beitr. z. Kenntnis d. Bornylamine. (78) 8° Lpzg, A Warnecke 02. nn 1.30
Preuschen, E: Antilegomena. Die Reste d. ausserkanon. Evangelien u. urchristl. Ueberlieferg, hrsg. u. übers. (175) 8° Giess., A Töpelmann 01. 3 — [2. Afl. (216) 05. 4.40
— s.: Eusebius' Kirchengesch. Buch VI u. VII.
— Kirchengesch. f. d. christl. Familie. (568 m. Abb. u. Taf.) 4° Reutl., Ensslin & L. (05). L. 6 — d
— Leitf. d. bibl. Geogr. (74 m. 6 Taf.) 8° Giess., E Roth 04. 1 —
— Mönchtum u. Sarapiskult. 2. Ausg. (68) 8° Giess., A Töpelmann 03. 1.40
— s.: Zeitschrift f. d. neutestamentl. Wiss.
Preuschen, H v.: Astartenlieder. (58) 8° Zür., CSchmidt (02). 1.50
— Flammenmal. (154 m. 7 Taf. u. Bildnis.) 8° Berl., Verl Continent (03). L. (4 —) 6 — d
— Halbweiber, s.: 1 Mark-Bibliothek „Continent".
— Lebensmai, s.: Eckstein's Miniaturbibliothek.
Preuschen, J: Palästina-Bilder. Anschaugsmittel f. d. Unterr. in d. bibl. Gesch. n. Orig.-Entwürfen, hrsg. v. E Preuschen. 1. Serie. 6 farb. Taf. Je 48×67 cm. Mit 6 Bl. Text in deut., franzö. u. engl. Sprache. Fol. Giess., E Roth (03). In M. 7.50; auf Kart. in M. nn 10 —
Preuss' Album-Collection Universum. I. 8° Berl., Preuss' Instit. Graphik.
I. Münchee u. Umgebg. 166 Photos. (126) (04.) 6 —
Preuss, A: Lehrb. d. Flintenschiessens. Nebst Anl. z. Herstellg v. Flintenschiessständen. (304 m. Abb. u. 4 Taf.) 8° Neud., J Neumann 05. L. 15 — d
Preuss, AE: Bibl. Gesch. f. Schulen u. Familien. Neue Bearbeitg, m. e. kirchengeschichtl. Anh. v. R Triebel. 7. Afl. (232 u. 8 m. Abb. u. Kart.) 8° Köngsbg, JH Bon's V. 05. — 75; geb. 1 — d

141

. Frankf. a/M., Kesselring 01. ‖ 2. u. 3. Afl. (112) 02.03. ‖ 4—6. Afl.
(140) 04.05.   Geb. je nn 1.80 d
Prigge, E: Deut. Satz- u. Formenlehre. Ausg. C. (99) 8° Frankf.
a. M., Kesselring 04.   Geb. nn 1.20 d
Prigge, P, s.: Mitteilungen d. deut. Haftpflicht- u. Versicherungs-
Schutzverbandes.
— Die Volksversicherg als Zweig d. Lebensversicherg. (61) 8°
Frankf. a/M., Dr. E Sehnapper 02.   1.60
Prigge-Brook, M (Frau M Brook): Entehrt, s.: Collection Tie-
fenbach.
— Um d. Kindes willen. Roman. (243) 8° Lpzg, H Lauten-
schläger (01).   (2.50) 1.50; geb. (3.50) 2.50 d
— Ihre Schuld, s.: Weichert's Criminal-Bibliothek.
— Familie Turbilius. Roman. (293) 8° Mannh., J Bensheimer's
V. (04).   . 3 — d
Frill, J: Einführg in d. hebr. Sprache f. d. Schulgebr. 2. Afl.
(159) 8° Bonn, P Hanstein 02.   2 —; geb. 2.50
Prim, J v. (J Maas): Der Charakter sr Zukünftigen, s.: Dilet-
tanten-Theater.
Primer, FW: Aaron. Amerikan. Sittenbild. (175) 8° Dresd., E
Pierson 02.   2 —; geb. 3 — d
— Erzählgn a. d. amerikan Volksleben. 1. u. 2. Bd. 8° Jena,
H Costenoble.   Je 2 — d
  * 1. Das Prairiemädchen. Aus d. Jäger- u. Grenzerleben Amerikas. (333)
  (04.) ‖ 2. Verschollen. (295) (05.)
— Der Polizeidirektor. Bürgerl. Trauersp. (59) 8° Dresd., E
Pierson 03.   1.50 d
— Der Pulsschlag e. Grossstadt. Amerikan. Sittenbild. (166)
8° Ebd. 04.   2 —; geb. 3 — d
Primitiae pontificiae, theologor. neerlandicor. disputationes
contra Lutherum, inde ab a. 1519 usque ad a. 1526 promul-
gatae. Collegit, denuo ed., commentariis praeviis necnon ad-
notationib. instruxit F Pijper. (642) 8° Haag, M Nijhoff 05.
     nn 13.50
Primitien v. Julia-Virginia. (167) 8° Berl., Verl. Continent (03).
     L. 3 — d
Primke, H: Anl. z. prakt. Ausführg d. landw. Arbeiten. IV.
Die Meierei. (66) 12° Berl., P Parey 01. — 50 (1—4: nn 2 —) d
Prince, JD: The Abu Habba Cylinder of Nabuna'id, s.: Lan, BJ.
— Materials for a Sumerian lexicon, s.: Bibliothek, assyriolog.
Prince, M, geb. v. Massow: Eine deut. Frau im Innern Deutsch-
Ostafrikas. Nach Tagebuchblättern erzählt. (208 m. Abb.,
Titelbild u. 1 Karte.) 8° Berl., ES Mittler & S. 02. ‖ 2. Afl.
(312 m. Abb., Titelbild u. 1 Karte.) 05. Je 3.50; geb. je 4.50 d
Pringsheim, A: Der Cauchy-Goursat'sche Integralsatz u. s.
Übertragg auf reelle Kurven-Integrale. [S.-A.] (10) 8° Münch.,
(G Franz' V.) 04.   — 40
— Ueb. z. Convergenz period. Kettenbrüche. [S.-A.] (26) 8°
Ebd. 1900.   — 40
— Ueb. d. Divergenz gewisser Potenzreihen an d. Convergenz-
grenze. [S.-A.] (20) 8° Ebd. 02.   — 40
— Ueb. e. Fundamentalsatz a. d. Theorie d. period. Functionen.
[S.-A.] (12) 8° Ebd. 01.   — 20
— Zur Theorie d. ganzen transcendenten Funktion. [S.-A.] (30)
8° Ebd. 02.   — 40 ‖ Nachtr. (10) 02. — 20
— Zur Theorie d. ganzen transcendenten Funktionen v. endl.
Range. [S.-A.] (30) 8° Ebd. 03.   — 40
— Ueb. Wert u. angebl. Unwert d. Mathematik. Festrede. (44)
8° Ebd. 04.   1.20
Pringsheim, N, s.: Jahrbücher f. wiss. Botanik.
Prins, E: Singen n. Noten. (22) 8° Berl., Gerdes & H. 05. — 60
Prins, G: Die Fauna d. ält. Jurabildgn im nordöstl. Bakony,
s.: Mitteilungen a. d. Jahrb. d. kgl. ungar. geolog. Anst.
Pritz, P: Deut. Dichterbain. Auslese deut. Gedichte f. Schule
u. Haus. Mit e. Nachtr. auf Grund d. Seminar-Lehrpl. v. 1.VII.
'01. (305) 8° Habelschw., Franke 01.   [8 —] 4.75:
     geb. nn (8.75) 5.50 d
— Deut. Leseb. f. kathol. höh. Mädchensch. 6. Tl. 7. Schulj.,
III. Kl. (536 m. Titelbild.) 8° Paderb., F Schöningh 02. 3 —]
     geb. 3.50 (Vollst.: 10.60; geb. 13.40) d
— Deut. Prosa. Leseb. f. kathol. Lehrerseminare. 2 Tle. 8°
Habelschw., Franke.   8.50; Einbde je nn — 60 d
  1. Unterkurs. (346) 02. 4 —] ‖ 2. Mittel- u. Oberkurs. (452) 04. 4.50.
Prinsborn, K: Üb. d. finanzielle Führg kaufmänn. Geschäfte
u. Unternehmgn. (83) 8° Berl., L Simion (01).   L. 1.50
Prinzipienlosigkeit, d. polit., d. Herrn SJ v. Witte. Geheime
Cirkulare u. Berichte. (In russ. Sprache.) (128) 8° Berl., H
Steinitz 03.
Prinzregent, unser, u. sein Haus. 35 Momentbilder u. Auf-
nahmen v. J Bühlar. 4° Münch., Verein. Kunstanst. 01.
     In L.-M. 18 —
Priscilla. Eine Gesch. a. Indien. 5. Afl. (15) 12° Frieden.-Berl.,
d. Gossner'schen Miss. (01).   nn — 05 d
Pritchard, U, s.: Zeitschrift f. Ohrenheilkde.
Prittwitz, H v.: Humoresken. (128) 8° Dresd., E Pierson 03.
     1.50; geb. 2.50 d
Prittwitz u. Gaffron, W v.: Der Preusse. Lehrb. f. Schule u.
Haus. 15. Afl. (16 m. 1 Bildnis.) 12° Berl., Liebel 01. nn — 10 d
Pritz, FX: Ueberbleibsel a. d. hohen Alterthume im Leben u.
Glauben J. Bewohner d. Landes ob d. Enns. 2. Afl. (94) 8°
Linz a/D., Museum Francisco-Carolinum 1854. (Nur dir.) — 50
Pritzel, E: Lycopodiales: Lycopodiineae, Psilotineae, s.: Eng-
ler, A, u. K Prantl, d. natürl. Pflanzenfamilien.
Pritzl, J: Formularb. f. d. bayer. Notariat. (107) 8° Münch.,
CH Beck 01.   Kart. 2 — d

Pritzlaff, J: Der Goldschmied. Hand- u. Hilfsb. f. d. Juwelier,
Gold- u. Silberschmied, sowie verwandte Gewerbe. 5. Afl.
(133) 8° Lpzg, H Schlag Nf. 03.   L. 3 — d
Privatbeamte, der. Zentralorgan f. d. Interessen d. Angestellten
in d. kaufmänn. u. gewerbl. Betrieben Deutschlds, insbes. f.
d. gesetzl. Regelg d. Pensions- u. Hinterbliebenen-Versicherg
d. Privatbeamten im Deut. Reich. Red.: JF Schräer. 2. Jahrg.
1904. 36 Nrn. (Nr.1—11.94) 4° Kempten, Verl. d. Privatbeamten.
     Viertelj. — 80 d
  *Der 1. Jahrg. erschien u. d. T.: Zeitschrift f. d. gesetzl. Regelg
  d. Pensions- u. Hinterbliebenen-Versicherg d. Privatangestellten
  im Deut. Reich.*
— dass. Zentralorgan f. d. Interessen d. Angestellten aller
Berufe, insbes. n. d. Beschl. d. v. sozialpolit. Ausschusse
d. österr. Abgeordnetenh. am 5.V.'05 eingesetzten u. a. d.
Abg. Albrecht, Eldersch, Fort, Marchet, Ryba, Graf Szep-
tycki u. Graf KM Zedtwitz besteh. Unterausschusses. (32) 8°
Düsseldf (05). (Berl., RL Prager.)   — 25 d
Privatbeamten-Zeitung, allg.österr.Red.:RPölti.6.(9.)Jahrg.
1905. 12 Nrn. (Nr. 1.4) 4° Linz a. D. (Altstadt 221), Administr.
     Halbj. nnn 2 — o d
Privat-Bühne. Zeitschrift f. Dilettanten, Freunde d. Theater-
u. Vortragswesens. Red.: F Hennig. 9.Jahrg. Jan.—Juli 1901.
5 Nrn. (Nr. 1. 8) 4° Berl. (O. 27, Blumenstr. 37), (RF Funcke).
nn — 50 ‖ 10. u. 11. Jahrg. Oktbr 1901—Septbr 1903 je 9 Nrn.
     Halbj. nn — 50 d ö H
Privateisenbahn-Beamte, der. Central-Organ f. d. Interessen
aller deut. Privateisenb.-Beamten. Red.: E Pfort. 3. Jahrg.
1901. 24 Nrn. (Nr. 1—16. 128) 4° Berl., H Klokow.
     Viertelj. 1 —; einz. Nrn — 20 d ö F
Privatgärtner, der. Red.: Friedemann-Francke. 1. Jahrg. Juli
1902—Juni 1903. 24 Nrn. (Nr. 1—19. 250 m. Abb.) 8° Halle,
Gebauer-Schwetschke.   Viertelj. nn — 65 d ö F
Privathandelsschulwesen, d. u. s. gesetzl. Regelg in d. deut.
Bundesstaaten. Mit e. Anh.: Das Privathandelsschulwesen
in d. wichtigsten Staaten d. Ausl., s.: Veröffentlichungen d.
deut. Verbandes f. d. kaufmänn. Unterr.-Wesen.
**Privatlehrer, d.: Des Mikado Träume zu Beginn d. russisch-japan.
Krieges, wiedererzählt. (32) 8° Dresd., HL Diegmann (05).
     — 50 d
Privatlehrer, der. Zeitschrift f. d. Privatlehrertum deut. Zunge
u. f. Reformpädagogik. Hrsg.: A Meyer-Wellentrup. 1. Jahrg.
1901. 12 Nrn. (Nr. 1. 16) 8° Münch., Wenger. (?)   — 40 d
Privatschule, d. deut. Zeitschrift f. d. ges. deut. Privatschul-
wesen im In- u. Ausl., einschl. d. Pensionate. Hrsg. v. CW
Debbe. 2. u. 3. Jahrg. Oktbr 1901—Septbr 1903 je 12 Hefte.
1. Jahrg. R Voigtländer.   Je 4 —:
     einz. Hefte — 40 d ö F
Probe, e., auf Leben u. Tod, s.: Gabelsberger-Bibliothek.
Probeblätter v. geograph. Karten, Plänen etc. d. Anst. Leipziger
Orell Füssli, kartograph. Anstalt, Zürich (Schweiz), (Speci-
mens de plans et cartes topograph. et géograph.) (18 z. Tl
farb. Bl. u. 1 Bl. in 8°) 4° Zür., Art. Instit. Orell Füssli (01). 4 —
Probefahrten. Erstlingsarbeiten a.d.deut. Seminar in Leipzig.
Hrsg. v. A Förster. 1—8. Bd. 8° Lpzg, R Voigtländer. 38.60 d
  Dreschern, M : Die Quellen zu Hauffs „Lichtenstein". (144) 05. [5.]   4.80
  Eysen, G : Die Rudolstädter Lehrpläne v. 1656—67 u. ihre Dichter.
  (215) 04. [1.]   6.—
  Kaulfuss-Diesch, CH: Die Inszenierg d. dÉut. Dramas an d. Wende d.
  16. u. 17. Jahrh. (296 m. 2 Abb.) 05. [7.]   8.—
  Niemann, O: Die Dialogkit d. Reformationszeit in ihrer Entstehg u. Ent-
  wicklg. (92) 08. [3.]   3.60
  Pantenius, W: Das M.-A. in Leonh. Wächters (Veit Webers) Romanen.
  (192) 04. [4.]   5.—
  Reclam, E : Joh. Béaj. Michaēlis. Sein Leben u. s. Werke. (160) 04. [3.] 4.90
  Schulze, F: Die Gräfin Dolores. Beitrag z. Erkenntn. d. deut. Gefelschafts
  im Zeitalter d. Romantik. (101) 04. [2.]   8.—
  Soergel, A : Ahasvēr-Dichtgn seit Goethe. (172) 05. [6.]   4.60
Proben d. latein. Novellistik d. M.-A. Ausgew. u. m. Anmerkgn
versehen v. J Ulrich. (217) 8° Lpzg, Renger 06.   4 —
Problem, d. österr. Von e. alten Soldaten. (112) 8° Wien (IX/3,
Alserstr. 26), Buchdr. Industrie 04.
Probleme d. Fürsorge. Untersuchgn im Auftr. d. Centrale f.
private Fürsorge in Frankfurt a. M. Hrsg. v. CJ Klumker.
1. Bd. 8° Dresd., OV Böhmert.   3.20 d
  Feig, W: Die Findelpflege u. ihr Abbau d. Prozeß zu Frankfurt a. M. v. I.V.
  1900—30.IX. '01, nebst e. Erhebg üb. d. gleichzeit. Tätigk. d. privaten
  u. gemeinnütz. Instit. f. Arbeitsvermittlg. (130 m. 67) 05. [1.]   3.50
— dass. Abhandlgn d. Centrale f. private Fürsorge in Frankfurt am Main. 2. u. 3. Bd. 8° Ebd.   6.40 d
  Feig, W: Die Kindkt d. in Frankfurt arbeit. Frauen u. ihre Verpflegg. m.
  bes. Berücks. d. Criminalitaetaner Arbeiterinnen. [97] 05. [2.]   2 —
  Spann, O: Untersuchgn üb. d. unehel. Bevölkerg in Frankfurt am Main.
  (179 m. 97 Tab.) 05. [3.]   4.40
Probst, d. Herr, u. s. Leute. Erinnergn an d. Kloster U.L. Frauen
zu Magdeburg u. d. 5oer u. 60er Jahren d. 19. Jahrh. Von e.
alten Alumnus. (109 m. 1 Bildnis.) 8° Mdbg, Creutz 05. 1.75 d
Probst, E: Erzählgn z. Basler Bundesfeier. 1501, 13.VII.,1901.
(64) 8° Bas., Helbing & L. 01.   — 80 d

Probst, F: Receptarium f. Photogr., s.: Lechner's photograph. Bibliothek.
— Wien u. Umgebg, s.: Grieben's Reiseführer.
Probst, F: Der Fall Otto Weininger, s.: Grenzfragen d. Nerven- u. Seelenlebens.
Probst, G, s.: Handbuch d. ges. Landw.
Probst, H: Der junge Künstler. Bilderb. f. kl. Maler. (48) 4° Münch., Braun & Schn. (03).   1.50 d
— Die Mitschüler. Festsp. (67 m. 1 Taf.) 8° Bambg, (C Hübscher) (05).   1.90 d
— Deut. Redelehre, s.: Sammlung Göschen.
— Der Schnellmaler. Ein neues Bilderb. (36 m. z. Tl farb. Abb.) 4° Münch., Braun & Sohn. (01).   1.50 d
Probst, J: Himml. Segensquelle. Erbaugsb. z. Beförderg christl. Sinnes. (480 m. Titelbild.) 11×7 cm. Einsied., Eberle, Kälin & Co. (03).   , Geb. nn — 96; nn 1.12; nn 1.60 u. nn 3.20 d
Probst, J: Hinaus in d. Welt. Ein Wort an d. Jungen. (Ansprache.) (27) 12° Bas., Kober 03.   —25 d
Probst, M: Zur Anatomie u. Physiol. d. Kleinhirns. [S.-A.] (86 m. 3 L.) 8° Berl., A Hirschwald 02.   4 —
— Gehirn u. Seele d. Kindes, s.: Sammlung v. Abhandlgn a. d. Geb. d. pädagog. Psychol. u. Physiol.
— Zur Kenntnis d. Grosshirnfaserg u. d. cerebralen Hemiplegie. [S.-A.] (102 m. 7 Taf.) 8° Wien, (A Hölder) 03.   3.50
— Zur Kenntnis d. amyotroph. Lateralsklerose in bes. Berücks. d. klin. u. pathologisch-anatom. cerebralen Veränderg, sowie Beitr. z. Kenntnis d. progressiven Paralyse. [S.-A.] (142 m. Fig.) 8° Ebd. 03.   3.40
— Weitere Untersuchgn üb. d. Grosshirnfaserg u. üb. Rindenreizversuche n. Ausschaltg verschied. Leitgsbahnen. [S.-A.] (140 m. Fig.) 8° Ebd. 05.   3.20
Probst, OF: Breslaus maler. Architekturen. Begleit. Text v. H Lutsch. 2—10. (Schl.-)Lfg. (56 Taf. m. 22 Sp. Text.) Fol. Breslau (Breitestr. 26), Archit. Probst 1899.1900. J e 3 —
          (Vollst. in M.: nn 33 —)
Probst, W: Die neuen Bahnen d. naturkundl. Unterr. — Naturkde, s.: Partheil, G.
Proebst, M v: Die Verfassg d. Deut. Reichs v. 16.IV.1871 in ihrer derzeit gelt. Gestalt nebst verfassgsrechtl. Nebengss., Verträgen etc. Mit Anmerkgn u. Sachreg. 3. Afl. (281) 8° Münch., CH Beck 05.   L 2 — d
Pröbster, E, s.: Ibn Ginnis Kitab al-Maḡtaṣab.
Prochaska, FJ, s.: Foch, F.
Prochaska's, K, neue Ausg. (d.) Eisenb.-Karte v. Österr.-Ungarn 1905. 74. Afl. 1:1,250,000, 80×109,5 cm. Farbdr. Nebst Stationen-Verz. (38 m. 1 Pl. auf d. Umschl.) 8° Tesch., K Prochaska.   2 —
— Familien-Kalender f. 1906. (193 m. Abb.) 8° Ebd. Kart. — 85 d
— s.: Jahrbuch, illustr., d. Erfindgn.
— Stationen-Verz, d. Post-, Eisenb.-, Telegr.-, Telephon- u. Dampfschiff-Verkehrs in Österr.-Ungarn. 34. Jahrg. 1905.99.Afl. v. A Edlen v. Manussi-Montesolo. (179) 8° Tesch., K Prochaska.   1.35 d
Prochazka, R Frhr: Christus. Das Mysterium d. Leidens. Geistl. Melodrama. (64) 8° Prag, Rohlíček & Sievers 01.   1 —
— Joh. Strauss, s.: Musiker, berühmte.
Prochazka, VJ: Das ostböhm. Miocän, s.: Archiv d. naturwiss. Landesdurchforschg v. Böhmen.
Procksch, O: Gesch.-Betrachtg u. geschichtl. Überlieferg bei d. vorexil. Propheten. (170) 8° Lpzg, JC Hinrichs' V. 02.   5.50

Procli Diadochi in Platonis rem publicam commentarii. Ed. Gu (W) Kroll. Vol. II. (476) 8° Lpzg, BG Teubner 01.   8 —
          (I u. II.: 13 —; Einbde je — 60)
— in Platonis Timaeum commentaria. Ed. E Diehl. I. (54, 476) 8° Ebd. 03.   10 —; geb. 10.80 || II. (334) 04. 8 —; geb. 8.60
Procopii Caesariensis opera omnia. Recogn. J Haury. Vol. I et II. 8° Lpzg, BG Teubner 05.   Je 12 —; geb. je 13.60
    I. De bellis libri I—IV. (04, 552) || II. De bellis libri V—VIII. (05)
Procter, J, s.: Lebensbeschreibungen, kurzgef., d. Heiligen u. Seligen d. Dominicanerordens.
Prodinger, K: Jakob d. Letzte. Trauersp. n. d. gleichnam. Roman P Roseggers. (79) 8° Wien, JJ Pischka 04.   2 — d
Profanbau, der. Zeitschrift f. Geschäftshaus-, Industrie- u. Verkehrs-Bauten. Schriftleitg: B Haas. 1. Jahrg. Dezbr 1905. 10 Hefte. (192 m. Abb.) 4° Lpzg, JJ Arnd.   8 —
Profanbauten alt Hildesheimer Orig.-Aufnahmen u. Lichtdr. v. FH Bödeker. 1. u. 2. Heft. (Je 8 Taf.) 42×31,5 cm. Hildesh, (A Lax) (04).   J e 4.50; cinz. Taf. nn — 70
Profé, A: Üb. d. bei operativer Behandlg v. Hirntumoren auftret. Hirnhernien, s.: Bibliotheca medica.
Profé, O, s.: Fortschritte d. Veterinär-Hygiene.
— Grundr. d. Veterinär-Hygiene, s.: Niemann, F.
Professor, d., a. Kalau auf d. internat. Kunstausstellg verbunden m. gr. Gartenbau-Ansstellg zu Düsseldorf 1904, in Knittelversen n. dito Prosa v. Graf Steno. (79) 8° Düsseldf, (Schmitz & Olbertz) (04).   — 80
Professor's Höllenfahrt. Humorist. Epos v. x+y. (14) 8° Wien, (T Daberkow) (04).   — 40 d
Professoren, Heidelberger, d. a. 19. Jahrh. Festschrift d. Univ. z. Zentenarfeier ihrer Erneuerg durch Karl Friedrich. 2 Bde. (405 u. 479) 8° Hdlbg, C Winter, V. 03.   10 —
    Hiefraus einzeln:
    Bekker, El: 4 Pandektisten. (70)   1.80
    Cantor, M: Ferd. Schweins u. Otto Hesse. (22)   — 60

Cuftios, T: Vikt. Meyer. (30)   1 —
Czerny, V: Maximilian Jos.v. Chelius. Carl OttoWeber. Gust.Simon. (24) — 90
Erb, W: Nikolaus Friedreich. (25)   1 —
Fürbringer, M: Friedrich Arnold. (110 m. 1 Bildnis.)   2.80
— Carl Gegenbaur. (76 m. 2 Bildnissen.)   2 —
Jellinek, G: Die Staatsrechtslehre u. ihre Vertreter. (30)   1 —
Köhrer, FA: FA May u. d. beiden Naegele. (20)   — 60
Löher, T: Die Gründg d. (Heidelberger) Univ.-Augenklinik u. ihre ersten Direktoren. (15)   — 40
— Willy Kühne. (14)   — 40
Lenzne, L: Die Vertreter d. systemat. Theol. (57)   1.60
Lilienthal, K v.: Heidelberger Lehrer d. Strafrechts im 19. Jahrh. (50) 1.40
Marcks, E: Ludw. Häusser u. d. polit. Geschichtschreibg. (72)   2 —
Merz, A: Die morgenländ. Studien u. Professoren an d. Univ. Heidelberg vor u. bes. im 19. Jahrh. (74)   2 —
Pfitzer, E: Wilh. Hofmeister. (94)   2.40
Porfela, F: Gust. Rob. Kirchhoff. (21)   — 60
Professoren-Stimmen üb. d. geist. Getränke. (4) 8° Barm., Elim (02).   100 Stück 1 — d
Prögel's Praxis d. Gemeindeschreiberei. Prakt. Anl. z. korrekten Anfertig aller im Wirkgskreis d. Bürgermeister, Gemeindeschreiber, Kassiere usw. vorkomm. Schreibereien. 2. Afl. v. e. kgl. Verwaltgsbeamten. 5 Bde. (735, 782, 827, 712 u. 782) 8° Ansb., M Prögel 03.04.   L. je nn 8.50;
          auch in Lfgn zu 1 — d
Programm, 61. u. 63—65., z. Winckelmannsfeste d. archäolog. Gesellsch. zu Berlin. 4° Berl., G Reimer.   17 —
    Bürckhardt, A: Anaktylprieia. (27 m. Abb. u. 2 Taf.) 04. [64.]   4 —
    Kekulé v. Stradonitz, R: Üb. e. Bildnis d. Perikles in d. kgl. Museen. (23 m. Abb. u. 3 Taf.) 01. [61.]   4 —
    — Echelos u. Basilé, ett. Relief a. Rhodos in d. kgl. Museen. Mit e. Beitr. v. F Frhr Hiller v. Gaertringen. (23 m. Abb. u. 3 Taf.) 05. [65.]   4 —
    Watzinger, C: Das Relief d. Archelaos v. Priene. (25 m. Abb. u. 2 Taf.) 03. [63.]   4 —
    Das 62. Programm ist noch nicht erschienen.
— um Leeder tor süllwern Hochtid v. 'n plattdüt. Vereen, fiert am 24.II.'04. 1. Kommersleeder. 2. Slüngelleeder. (22) 16° Hannov., W Otto (04).   20 d
Progredior: Soz. Vervollkommng. Beitrag z. Lösg d. gr. soz. Aufg. d. Gegenwart, Vereinheitlichg u. Vorallgemeinerg d. Arbeiterversicherg, Durchführg d. Rechts auf Arbeit. (64) 8° Berl., C Heymann 02.   1.50 d
Progymnasium, das. Vorbereitg z. Aufnahme in d. Obersekunda d. Gymnasiums od. z. Ablegg d. Abschlussprüfg an d. Progymnasium. Methode Rustin. Selbst-Unterr.-Briefs in Verbindg m. eingeh. Fernunterr. Red. v. C Ilzig. 18—221. Lfg. (6748 m. Abb., 2 Taf., 2 Tab. u. 12 Kart.) 8° Potsd., Bonness & H. (01.-05).   Subsk.-Pr. je — 90; Einzelpr. je 1.25 d
Prohassel, P, u. J Wahner: Aufg. a. d. deut. Prosalektüre d. Prima. 2. u. 3. Bdchn. 8° Lpzg, W Engelmann. Kart. 8 —
          (1—3.: 5 —) d
    2. Wahner: Aufg. a. Schiller's Prosa. (84) 01.
    3. Wahner: Aufg. a. Goethes Prosa. (76) 02.
Prohmann, F: Dampfkessel-Nietgn. (8) 8° Hambg, Boysen & M. 02.   — 30
Projections-Vorträge (zu Lichtbildern). 21—23., 26., 27., 29—30., 36., 38., 44., 51—56., 61—67. u. 69—72. Heft. 8° Düsseldf. (Lpzg, E Liesegang).   88.50
    Auf d. hl. Nil. Reise durch d. Wunderland Aegypten. (08) 1899. [26.] 1 —
    Behncke, P: Palästina. Reise durch d. gelobte Land. (131 m. Abb.) 1898. [21.]   1 —
    Christ, C: Scenen a. d. gr. französ. Revolution 1789. (27) 03. [46.]   1 —
    Durch Spanien. (43) 03. [44.]   1 —
    Ewald, O: Für uns. lieben Kleinen. Märchen u. lust. Gesch. (8) 05. [55.]   — 50 d
    Fégére, J: Nansens Nordpol-Exped. (28) 02. [52.]   1 —
    Feitl, WA: Uns. Kriegsflotte in Wort u. Bild. (27) 04. [51.]   1 —
    — Auf d. Spur d. deut. Kaisers im maler. Norwegen. (94) 04. [45.]   1 —
    Gogarten, A: Ein Ausflug in d. Umgebg London's, in d. Themsethal. (41) 01. [36.]   1 —
    Jankau, L: Die Röntgen-Photogr. (21) 1898. [21.]   1 —
    In d. ew. Stadt: Rom u. d. Vatikan. (51) 1897. [21.]   1 —
    Kaufmann, O: Bangkok, d. Venedig d. Ostens. (30) 04. [53.]   1 —
    Korea, d. Land d. Morgenröte. (Von O v. Pawlikowski.) (25) 04. [63.]   1 —
    Kramer, R: Die deut. Nordsee. (31) 04. [55.]   1 —
    Krause, H: Eine Wanderg durch Siciliens Naturschönheiten u. Kunststätten. (24) 05. [65.]   1 —
    Meyer, J: Tirol. (24) 03. [44.]   2 —
    Mit d. dent. Troppen n. Paris (2017). (25) 04. [72.]   1 —
    Nach Ostasien. Eine Reise zu uns. Kolonie im fernen Osten. (24) 04. [66.] 1 —
    Neapel u. Umgebg. (52) 02. [38.]   1 —
    Pawlikowski, O v.: Neapolis. (24) 05. [67.]   1 —
    Polis, P: Die Wettervorhersage. (87 m. Abb. u. 1 Karte.) 05. [71.]   2 —
    Rösé, e., durch Italien. (44) 04. [70.]   1 —
    — a., durch d. Wetterraum. (73) 05. [?]   1 —
    Rheinreise, e. Von Köln bis Mainz. (30 m. 1 Taf.) (o. J.) [36.]   — 50
    Rosmann, W: Deutsch-Südwestafrika. (27) 04. [70.]   1 —
    — Togo, Land, Bewohner u. wirtschaftl. Bedeutg. (14) 05. [66.]   1 —
    Rumland, A: Japan. (54) 02. [29.]   1 —
    Seyffert, B: Ein Ausflug n. Moskau. Zwei Städtebilder a. d. Zarenreich. (21) 04. [56.]   1 —
    Stiergefecht, e., in Madrid. (28) 03. [47.]   1 —
    Zuckschwerdt, O: Durch d. Sternheimmels, erläut. an Königstuhl-Aufnahmen. (26) 04. [58.]   1 —
    Die fehl. Hefte sind nicht im Handel.
— a., d. Kunstgesch. 5. u. 6. Heft. 8° Ebd.   3 — (1—6.: 10 —)
    Daun, B: Der französ. Realismus, Impressionismus u. Idealismus in d. modernen Malerei. (46) 01. [5.]   1 —
    Peters, A: Rembrandt. (29) 04. [6.]   1 —
Projekt d. Kanalisation, Abwasserreinig u. Müllverbrenng f. d. Stadt Königshütte, O. S. Erläuterungsbericht. Bearb. durch d. allg. Städtereiniggs-Gesellsch. m. b. H., Wiesbaden. (28 Bl. m. 8 Taf.) Fol. Lpzg, F Leineweber 04.   3 — d

Prokop: Gothenkrieg. Nebst Ausz. a. Agathias, sowie Fragmenten d. Anonymus Valesianus u. d. Johannes v. Antiochia. Übers. v. D Coste. 2. Afl. (398) 8⁰ Lpzg, Dyk 03. 3 —; L. 4 — d
Prokop, A: Die Markgrafsch. Mähren in kunstgeschichtl. Beziehg. 4 Bde. (51, 1493 m. Abb., Taf. u. 1 Karte.) 4⁰ Wien, (A Schroll & Co.) 04.   nn 170 —
Proksch, JK: Beitr. z. Gesch. d. Syphilis. (54) 8⁰ Bonn, P Hanstein 04.   1.50
— Die Nothwendigk. d. Gesch.-Studiums in d. Medicin. (34) 8⁰ Ebd. 01.   1.—
Proletarier-Liederbuch, österr. Lieder f. d. arbeit. Volk. 3. Afl. v. V Stein. (127 m. 1 Bildnis.) 16⁰ Wien, Wiener Volksbh. (05).   Kart. — 25 d
Pröll, K: Moderner Totentanz. Kohlen-Skizzen. 6. Afl. (180) 8⁰ Lpzg, Jaeger (02).   2 —; geb. 3 — d
— Auf ferner Wacht. Heerrufe u. Heimgrüsse. (95) 8⁰ Dess., Anhalt. Verl.-Anst. 02. (?) (Lpzg, R Hoffmann.)   1.50 d
Pröll, L: Ein Triennium an d. Salzburger Benediktiner-Univ. (1658—61), s.: Beiträge z. österr. Erziehgs- u. Schulgesch.
Proell's, R, Rechentafel „System Proell". (3 Bl.) Nebst: Gebrauchsanweisg. (15) 18⁰ Dresd. (01). (Berl., J Springer.)
In L.-Futteral (2 —) 3 — || Neue Afl. (03.) 3 —
— Thermodynam. Rechentaf. (f. Dampfturbinen). 38,5×49 cm. Nebst Gebrauchsanweisg. (15) 8⁰ Ebd. 04.   nn 2.50
— Üb. d. hydraul. Wirkggrad v. Turbinen bei ihrer Verwendg als Kraftmaschinen u. Pumpen. (28 m. Fig. u. 3 Taf.) 8⁰ Berl., J Springer 04.   1.60 Vergr.
Pröll, R: Zur Bühne. Eindrücke. (27) 8⁰ Frankf. a/M., Kesselring (02).   — 50 d
Proell, W: Prakt. Beurteilg v. Regulatoren u. Reguliergsfragen. Gemeinverständl. Mitteilgn a. d. Praxis f. Maschineningenieure u. Elektrotechniker. (59 m. Fig.) 8⁰ Lpzg, Hachmeister & Th. 02.   2 —
Proeller, B: Oberpfarrer u. Diakonus. Ein Wort z. Verständigg üb. e. Reform im geistl. Amt d. ev. Kirche. (19) 8⁰ Berl., Vaterländ. Verl.- u. Kunstanst. 1893.   — 20 d
Prolog u. **Festrede** z. Geburtstage d. Kaisers, d. 27.I.'05, '04 u. '06. (Je 4) 8⁰ Landsbg a/W., Volger & Kl. (02-05). Je — 75 d
Prologe —1—7. Heft. 8⁰ Mühlh. i/Th., G Danner.   Je — 60 d
  1. Für Weihnachtsfeste, Armen- u. Christbescheergn. Weihnachtsgedichte f. Kinder. Vortragsgedichte f. d.Nikolaustage. (28) (04.) || 2. Für Silvester u. Neujahr. (24) (04.) || 3. Für Wohltätigk.-Veranstaltgn. (28) (04.) || 4. Für Veranstaltgn d. Dilettantenvereine. (24) (04.) || 5. Für Kaisers Geburtstag. (27) (04.) || 6. Zu Stiftgsfesten (in Vereinen). (32) (04.) || 7. Zur Fahnenweihe. (36) (05.)
— u. **Festgedichte** f. Arbeiter-Turnver. (56) 8⁰ Probsth. (02). Lpzg, Rauh & Pohle.   1 — d
Proelss, H, u. E Seel: Die Dienstverhältn. d. deut. Militärapotheker. Unter Mitwirkg v. Syrée, Varges, Milch bearb. (396) 8⁰ Stuttg., F Enke 03.   7 —; L. 8 —
Proelss, J: Das Bild d. Königin. Roman. (240) 8⁰ Stuttg, A Bonz & Co. 04.   2 —; L. 3 — d
— Deutsch-Capri in Kunst, Dichtg, Leben. Histor. Rückblick u. poet. Blütenlese. (188 m. Abb.) 8⁰ Oldnbg, Schulze (01).   L. 3 — d
— Er soll dein Narr sein. Eine Buchdrucker- u. Ehestandsgesch. a. alter Zeit. (99) 12⁰ Stuttg, A Bonz & Co. 03. 2 —; L. 3 — d
— Die schönste Frau. Novellen. (97 m. Abb.) 12⁰ Ebd. 04.   L. 2.50 d
— Modelle, s.: Universal-Bibliothek.
— Scheffel. Ein Dichterleben. Volksausg. (400 m. 1 Bildnis.) 12⁰ Stuttg., A Bonz & Co. 02.   2.40; geb. 3.60 d
— Friedr. Stoltze u. Frankfurt am Main. Zeit- u. Lebensbild. (380 m. 3 Bildnissen u. 1 Fksm.) 8⁰ Frankf. a/M., Neuer Frankf. Verl. 05.   4 —; geb. 5 —
Prölss, O: Erlebt u. Geglaubt. Worte an frag. junge Christen. (99) 8⁰ Stuttg., M Kielmann 03.   L. 2 — d
Prölss, R: Ästhetik, s.: Weber's illustr. Katech.
— Von d. ält. Drucken d. Dramen Shakespeares u. d. Einfl., den d. damal. Londoner Theater u. ihre Einrichtgn auf diese Dramen ausgeübt haben. (141) 8⁰ Lpzg, FA Berger 05. 2.25; geb. 3 —
Prombor, M, s.: Mädchenbuch, neues.
Prombor, O, s.: Knabenfreund.
— Aus d. Märchenland d. Tiere. Heit. Geschichten a. d. Tierleben. (173 m. Abb. u. 4 Farbdr.) 8⁰ Stuttg., Loewe (05). Geb. 3 — || Volksausg. (173 m. Abb.) Geb. 1.80 d
Promenaden-Plan, Karlsbader, m. Umgebg. 1:15,000. 6. Afl. 47,5×45 cm. Farbdr. Karlsb., H Jakob (02).   Auf L. 2.50
Prometheus. Illustr. Wochenschrift üb. d. Fortschritte in Gewerbe, Industrie u. Wiss., hrsg. v. ON Witt. 13—17. Jahrg. Oktbr 1901—Septbr 1906 je 52 Nrn. (13—16. J. 842, 841, 840 u. 841 m. Abb.) 4⁰ Berl., R Mückenberger.   HF. je nn 20 —; viertelj. 4 —; einz. Nrn — 40; auch in je 13 Heften zu 1.25
Prommer, E: Die zrw. d. Reisenden u. s. Hause sich ergeb. Korrespondenz, sowie d. auf dieses Verhältnis bezügl. Vorbuchgn, s.: Bibliothek moderner Buchhaltungswerke.
— Ueberlebens-Assoziationen. (33) 8⁰ Linz, (Zentraldruckerei vorm. E Marcis) 06.   1 —
— Verbuchg e. Obligationen-Einlösg üb. pari. (12) 8⁰ Ebd. 05. 1 — d
Promnitz, J: Illustr. Hdb. d. Zimmermannskunst. 6. Afl. v. F Berghauer, G Ebe, H Locher, O Schmidt. (696 m. 20 farb. Taf.) 8⁰ Lpzg, EHF Reisner 03.   L. 18 — d
  5. Afl. u. d. T.:

Promnitz, J: Der prakt. Zimmermann. 5. [Tit.-]Afl. v. H Altendorff. 30 Lfgn. (565 m. Abb., 35 Taf. u. 1 Modell.) 8⁰ Lpzg, EHF Reisner [1900] 01-03.   Je — 50 d
Promotions-Ordnung f. d. medizin. Fakultät d. kgl. Albertus-Univers. zu Königsberg i. Pr. (11) 8⁰ Königsbg, Gräfe & U., Bh. 01.   — 30 d
Promptuarium sacerdotis. Continens orationes ante et post missam aliasque preces, varias benedictionum formulas, ordinem administrandi sacramenta poenitentiae, communionis, extremae unctionis, ritum benedictionis apostolicae et commendationis animae (203) 10,6×6,8 cm. Kevel., Butzon & B. 04. || Ed. II. (249) 05.   L. je 1.10; Ldr. m. G. je 1.40; Bocksaff. m. G. je 2.25 d
Promus, C: Die Entstehg d. Christentums. (69) 8⁰ Jena, E Diederichs 05.   1 — d
Pronberger's, L, Flächenornamente. Angewandte Motive a. dessen „Selt. Naturformen". 4 Lfgn. (40 Taf. m. 3 S. Text.) 54×41 cm. Dresd., G Kühtmann (02-04).   In M. 50 —; einz. Lfgn 12.50
— Selt. Naturformen. 8 Lfgn. (40 farb. Taf. m. 3 S. Text.) Fol. Ebd. (01.02).   In M. 80 —; einz. Lfgn 10 —
Proömien, 3, uns. Freunde Wilh. Gurlitt überreicht z. 7.III.'04. (24) 4⁰ Graz, (Leuschner & L.) (04).   †1.40
Propertius: Carmina. — Ausgew. Dichtgn, s.: Catullus.
Prophet, der. Das gr. älteste egypt. Traumb. v. J. 1204, sammt Glücks-Würfel-Tabellen u. cabalist. Berechngn. 5. Afl. (132 u. 15 m. Abb.) 8⁰ Wels, J Haas 1880.   — 40 d
Proposch, W: Humor u. Ernst a. d. Leben Kaiser Friedrichs. 2. Afl. (147) 8⁰ Berl., R Kühn 04.   1.50; L. 2.50 d
— Phedora. Erzählg f. d. Jugend. (120 m. 1 Bildnis.) 8⁰ Dresd., H Jaenicke (04).   Geb. 1 — d
Propper, EJ, s.: Bauschule, d., am Technikum Biel.
— Das alte Biel u. s. Umgebg. Text v. H Türler. Unter Mitwirkg v. E Lanz-Bloesch u. A Bähler. (32 Lichtdr. m. 38 S. Illustr. Text.) 40×30 cm. Biel, E Kuhn 02. In L.-M. nn 25 —
— Propper, J: Das Einmachen d. Früchte in 500 erprobten Rezepten. 5. Afl. v. M Breithaupt (Tornow). (80) 8⁰ Frankf. a/O., Trowitzsch & S. 05.   Geb. 1 — d
— Hänsl. Konditorei. Rezepte z. Herstellg v. Torten, Kuchen u. Cakes, nebst Anweisg z.Vorbereitg f. dieselbe. Neu bearb. v. M Breithaupt. (107) 8⁰ Ebd. 04.   Geb. 1 — d
— Das Obst in d. Küche. 520 erprobte Rezepte z. Verwertg d. verschiedensten Obstsorten. 2. Afl. v. M Breithaupt-Tornow. (156) 8⁰ Ebd. 05.   L. 2 — d
— Spezial-Kochbücher. VII u. VIII. 8⁰ Lpzg, Jaeger. Kart. je 1 — (I—VIII. 8 —) d
Müller-Lubitz, A: Alte Hof- u. Klosterküche. 225 auserw. Rezepte a. d. reichholt. Schatze d. berühmtesten mittelalterl. Kochkunst. (92 m. 1 Abb.) Frankf. a/M. (01). [VII.]
— Die Schlachtküche in 100 erprobten Rezepten. (96 m. Abb.) 02. [VIII.]
Propriété, la, industrielle. Organ officiel du bureau internat. de l'Union pour la protection de la propriété industrielle. Tables générales des années 1885—1900. (189) 8⁰ Berne 02. (Lpzg, G Hedeler.)   †4.50
— dass. Organe mensuel du bureau internat. de l'Union pour la protection de la propriété industrielle. Avec un suppl.: Les marques internat. Recueil des marques de fabrique enregistrées en vertu de l'arrangement du 14.IV.1891. 17me année 1901—5 je 12 nrs. (1901. Nr. 1. 20 u. 4 m. Abb.) 4⁰ Berne 01.   Je † 5.90
Proprium festor. dioec. Seccoviensis juxta rescriptum s. r. c. die 4.II.1893. (40 in Rot- u. Schwarzdr.) 16⁰ Graz, U Moser 1895.   (— 50) — 40
Prorealgymnasium, d., s.: Realprogymnasium, d.
Prosa, deut., hrsg. v. G Porger, H Windel u. J Wychgram, s.: Velhagen & Klasing's Sammlg deut. Schulausg.
Prosaiker, griech., in neuen Uebersetzgn. Hrsg. v. GLF Tafel, CN v. Osiander u. G Schwab. 58. Bdchn. 12⁰ Ulm, H Kerler.   — 50 d
  Lucian's Werke, übers. v. A Pauly. 10. Bdchn. 2. Afl. (1185—1290) 07. [58.]
— röm., in neuen Uebersetzgn. Hrsg. v. CN v. Osiander u. G Schwab. 82. Bdchn. 12⁰ Ebd.   — 50 d
  Cicero's, MT, Werke. 32. Bdchn. Reden, übers. v. CN v. Osiander. 6. Bdchn. 2. Rede geg. Verres. 3. u. 4. Absig. A. (669—789) 04. [82.]
Prosa-Schriftsteller, engl., a. d. 17., 18. u. 19. Jahrh., hrsg. v. HF Haastert, s.: Authors, Engl.
Prosateurs français. Ausg. A m. Anmerkgn z. Schulgebr. unter d. Text. Ausg. B m. Anmerkgn in e. Anh. Lfg 1—4, 7, 10, 12, 14, 16, 18—20, 23—25, 27, 29, 31, 34, 36, 41, 44—46, 50, 54—57, 59, 61, 63, 66—69, 71, 72, 74—79, 84—88, 90—93, 95—97, 99, 101, 105, 106, 108—118 (Tornow). In Ausz. neu bearb. v. F Hartmann. Ausg. A. (160 m.1 Karte.) 97 u. Ausg. B. (176 u.33 m.1 Karte.) 05. [97.] Geb.   Geb.
  Bawr, Mme de: Michel Perrin. — La pièce de cent sous, s.: Récueil de contes et récits.
  Bellê, la, et la bête, s.: Récueil de contes et récits.
  Bérquin: La fôret du chapeau, s.: Récueil de contes et récits.
  Berthoud: L'Eglise du vêfrê d'éau, s.: Récueil de contes et récits.
  Beorgét, P: Monique. Hrsg. v. A Krause. Ausg. B. (176 u. 47) 02.04. [144.] 1.20
  Bruno, G: Les enfants de Marcel. In Ausz. hrsg. v. H Strohmeyer. Ausg. B. (176 u. 36 m. Abb.) 98. [116.] 1.20
  — Livre de lecture et d'instruction pour l'adolescent. Im Ausz. hrsg. v. F Asbl. Ausg. B. (123 u. 18 m. Abb.) 05. [115.] 1.10
  — Le tour de la France par 2 enfants. Im Ausz. neu bearb. v. F Hartmann. Ausg. A. (180 m.1 Karte.) 97; Ausg. B. (176 u.33 m.1 Karte.) 05. [97.] 1.10
  Canivét, C: Enfant de la mer. Hrsg. v. P Schlösingé. Ausg. B. (110 u. 42) 05. [141.] 1.20
  Cérvantés: Don Quichotte de la Manché. Traduit par Florian. Im Ausz. hrsg. v. J Wychgram. Ausg. B. (140 u. 26) 1900. [71.] 1.10

Prosateurs français. Fortsetzg.

Chailley-Bert, J: Pierre, le jeune commerçant. Für d. Gebr. in d. höh. Kl. d. Realanst., Realgymnasien u. Handelslehranst. im Ausz. hrsg. v. J Kammerer. Ausg. B. (100 u. 36) 02. [128.] 1 —

Chateaubriand, F de: Itinéraire de Paris à Jérusalem. Im Ausz. hrsg. v. O Ritter. 1. Tl. Voyage de la Grèce, de l'Archipel, de l'Anatolie et de Constantinople. Ausg. A. (187) 01. [18.] 1.10 ‖ 2. (Schl.-)Tl. Voyage de Rhodes, de Jaffa, de Bethlém, de la Mer Morte et de Jérusalem. Ausg. A. (187) 02. [44.] 1.20

Choix de nouvelles modernes. Erzählgn zeitgenöss. französ. Schriftsteller. 1. Bdchn. A Daudet. H de Bornier. A Theuriet. G de Maupassant. P Arène. Ausgew. u. hrsg. v. J Wychgram. Ausg. B. (74 u. 16) 05. [84.] — 80 ‖ 2. Bdchn. Daudet. Theurié. Legouvé. Maupassant. Rod. Hrsg. v. J Wychgram. Ausg. B. (152 u. 31) 05. [87.] 1.10 ‖ 3. Bdchn. About. Collas. Coppée. Féval. Gourdon de Genouillac. Moret. Mueller. Révillon. Richebourg. Hrsg. v. J Wychgram. Ausg. B. (112 u. 24) 05. [95.] — 80 ‖ 4. Bdchn. François, Mme H: Un voyage forcé. Hrsg. v. B Breest. Ausg. B. (133 u. 33) 04. [123.] 1.10 ‖ 5. Bdchn. François, Mme H: Fantaisies et contes. Hrsg. v. B Breest. Ausg. B. (59 u. 19) 04. [124.] — 75 ‖ 6. Bdchn. Mérimée, P: La Vicomtesse du Peloux. Hrsg. v. Grube. Ausg. B. (76 u. 20) 04. [125.] — 80

Coppée, F: Pariser Skizzen u. Erzählgn a. Les vrais riches, Contes tout simples, Contes en prose u. Vingt contes nouveaux. In Ausz. hrsg. v. A Krause. Ausg. B. (101 u. 44) 04. [99.] 1.10

Daudet, A: Le petit chose. Im Ausz. hrsg. v. A Krause. Ausg. A. (150) 05; Ausg. B. (116 u. 35) 05. [96.] Je 1.10

— 11 Erzählgn a. Lettres de mon moulin u. Contes du lundi. In Ausz. hrsg. v. J Wychgram. Ausg. A. (115) 03; Ausg. B. (78 u. 34) 04. [74.] Je — 90

— Tartarin de Tarascon. Ausgew. Kapitel, hrsg. v. Gassmeyer. Ausg. B. (95 u. 26) 05. [122.] 1 —

Dhombres et Monod: Biogr. histor. Hrsg. v. E Wolter. Ausg. B. (81 u. 44) 03. [110.] 1 —

Dumas (Père), A: La tulipe noire. Hrsg. v. E Wentscher. Ausg. B. (116 u. 22) 05. [127.] 1 —

— et A Dauzats: Quinze jours au Sinaï. Im Ausz. hrsg. v. A Meyer. Neue Ausg. v. Hartmann. Ausg. B. (126 u. 36) 01. [72.] 1.20

Duruy, G: Biogr. d'hommes célèbres des temps anciens et modernes. Im Ausz. hrsg. v. G Franz. Ausg. B. (95 u. 25) 02. [105.] 1.10

Duruy, V: Hist. de France. 1. Bdchn (bis z. J. 1431). In Ausz. hrsg. v. E Grube. Ausg. B. (108 u. 27) 01. [76.] — 90

Neue Ausg. u. d. T.:

— Hist. de France. Von d. ersten Anfängen bis z. J. 1715. In Ausz. hrsg. v. E Grube. Ausg. B. (150 u. 50) 05. [76.] 1.30

Erckmann-Chatrian: La campagne de Mayence en 1792/93. Récit histor., tiré de l'hist. de la révolution franç., racontée par un paysan. Im Ausz. Hrsg. v. K Bandow. Ausg. B. (155 u. 56 m. 1 Karte.) 01. [34.] 1.40

— 4 Erzählgn a. Contes populaires u. Contes des bords du Rhin. Hrsg. v. K Bandow. Ausg. B. (93 u. 32) (03.) [25.] — 80

— L'Ami Fritz. Im Ausz. hrsg. v. A Krause. Ausg. B. (100 u. 18) 02. [98.] 1.10

— Hist. d'un conscrit de 1813. In Ausz. hrsg. v. K Bandow. Ausg. A. (211) 03; Ausg. B. (169 u. 46 m. 1 Karte.) 04. [1.] Je 1.10

— L'Invasion. In Ausz. Hrsg. v. K Bandow. Ausg. B. (157 u. 55 m. 1 Karte.) 03. [50.] 1.40

— Waterloo, suite du conscrit de 1813. Im Ausz. hrsg. v. J Sahr. Ausg. B. (115 u. 48 m. 2 Kart.) 05. [85.] 1.20

Essais, ausgew., hervorrag. französ. Schriftsteller d. 19. Jahrh. Hrsg. u. erklärt v. M Fuchs. Ausg. B. (109 u. 32) 04. [142.] 1.10

Fénelon: Aventures de Télémaque. (In 3 Tln.) In Ausz. hrsg. v. G Jaep. 1. Tl. Ausg. B. (118 u. 59) 01. [16.] 1.20

— Le traité de l'education des filles. Für Lehrerbildgsanst. bearb. v. R Weniger. Ausg. B. (88 u. 35) 02. [133.] 1.10

Feuillet, O: Le roman d'un jeune homme pauvre. Im Ausz. hrsg. v. A Benecke. Ausg. B. (118 u. 26) 04. [86.] 1.60

Foa, Mme: L'Abbé de l'Epée. — L'Aveugle de Clermont, s.: Recueil de contes et récits.

France, A: Le crime de Sylvestre Bonnard. Hrsg. v. K Schmidt. Ausg. B. (120 u. 21) 04. [146.] 1.60

François, H: Fantaisies et contes, s.: Choix de nouvelles modernes.

— A travers les journaux français. (Ausg. B.) (153 u. 49) 04. [155.] 1.40

— Un voyage forcé, s.: Choix de nouvelles modernes.

Fuchs, M: Anthologie des prosateurs franç. Hdb. d. französ. Prosa v. 17. Jahrh. bis auf d. Gegenwart. (Ausg. B.) (384 m. Bildnissen.) 05. [158.] 2.50

— Tableau de l'hist. de la litt. franç., composé d'après les meilleurs auteurs franç. Ausg. B. (1. Afl. u. Neudr.) (228 u. 32 m. Abb.) 04.05. [150.] 1.60

Galland, A: Hist. d'Aladdin. Hrsg. v. E Schmid. Ausg. B. (159 u. 24) 01. [69.] 1.40

— Hist. d'Ali Baba. Bearb. v. E Schmid. Ausg. A. (72) 04. [54.] — 70

— Hist. de Sindbad le marin. (Mille et une nuits. Contes arabes.) Bearb. v. E Schmid. Ausg. B. (60 u. 15) 04. [29.] — 70

Gassmeyer, M: La révolution franç. Morceaux tirés de Barrau, Lamartine, Lameth etc. Ausg. B. (1. Afl. u. Neudr.) (126 u. 33 m. 1 Karte.) 03.04. [147.] 1.20

Girardin, J: La tante Dorothée. — Le Savoyard et son ami, s.: Recueil de contes et récits.

Gréville, H: Aline. Hrsg. v. F Erler. Ausg. B. (112 u. 14 m. Bildnis.) 02. [130.] 1.30

— Dosia. Hrsg. v. L Wespy. Ausg. B. (146 u. 24 m. Bildnis.) 04. [129.] 1.60

Guerre de 1870/71. Récits mixtes. Par Chuquet, Hérisson, Bézier, Halévy, Mme Boissonnas, Doussaint. In Ausz. hrsg. v. A Krause. Ausg. B. (118 u. 46 m. 1 Kärtchen.) 04. [114.] 1.10

Guizot, Mme: Cécile et Nanette, s.: Recueil de contes et récits.

Guizot, F: Récits histor. tirés de l'hist. de France, racontée à mes petits-enfants. (In 2 Tln.) In Ausz. Bearb. v. K Bandow. I. Tl. Ausg. B. (92 u. 28) 05. [10.] — 80

Halévy, L: L'Abbé Constantin. Hrsg. v. L Wespy. Ausg. B. (129 u. 26) 03. [143.] 1.60

— L'Invasion, souvenirs et récits. In Ausz. hrsg. v. E Tournier. Ausg. B. (119 u. 36 m. 1 Karte.) 01. [101.] 1.60

d'Hérisson, Comte: Journal d'un officier d'ordonnance. Im Ausz. hrsg. v. A Krause. Ausg. B. (134 u. 62 m. 2 Kart.) 04. [108.] 1.20

Keutel, G: Choix de récits bibliques. Ausg. B. (95 u. 16) 02. [126.] — 80

Krause, A: A travers Paris. Aus Orig.-Texten zusammengest. u. hrsg. Ausg. B. (193 u. 77 m. Abb., 1 Pl. u. 1 Kärtchen.) 04. [111.] 1.40

Lamartine: Procès et mort de Louis XVI. Im Ausz. hrsg. v. P Voelkel. Ausg. B. (130 u. 40 m. Abb. u. 1 Pl.) 05. [88.] 1.20

Lanfrey, P: Campagne de 1806—7. Ausz. a. Hist. de Napoléon Ier. Hrsg. u. erklärt v. K Beckmann. (122 u. 47 m. 6 Kart.) 05. [161.] 1.30; Wrtrb. (49). — 20

Prosateurs français. Fortsetzg.

Lanfrey, P: Expéd. d'Égypte et campagne de Syrie. Ausz. a. Hist. de Napoleon Ier. Hrsg. v. E Paetsch. Ausg. B. (84 u. 24 m. 1 Karte.) 04. [63.] 1 —

Laurie, A: Mémoires d'un collégien. Im Ausz. hrsg. v. E Wolter. Ausg. B. (130 u. 83) 03. [148.] 1.40

Lavergne, Mme J: Fantaisie tourangelle. Pauvre Jacques, s.: Recueil de contes et récits.

Lectures pédagog. Ausgew. u. hrsg. v. J Wychgram. Ausg. B. (155 u. 30) 04. [151.] 1.30

Le Sage: Hist. de Gil Blas de Santillane. In Ausz. hrsg. v. L Feller. Ausg. A. (186) 05. [60.] 1.20

Loti, P: Pêcheur d'Islande. Hrsg. v. H Engelmann. Ausg. B. (129 u. 33) 04. [121.] 1.60

Lucy, Mme la Comtesse de: Hist. d'un pièce d'or, s.: Recueil de contes et récits.

Maistre, Comte X de: La jeune Sibérienne. Hrsg. v. F d'Hargues. Ausg. B. (79 u. 16) 03. [7.] — 70

Malot, H: Sans famille. Vitalis et Remi. In Ausz. hrsg. v. M Benecke. Ausg. B. (168 u. 26) 03. [106.] 1.30

Margueritte, P, et V Margueritte: Poum. Aventures d'un petit garçon. In Ausz. hrsg. v. A Mühlan. Ausg. B. (76 u. 18) 03. [139.] — 75

Maryan, Mme: Un plan matrimonial. Une soirée, s.: Recueil de contes et récits.

Memoiren d. Revolutionszeit. In Ausz. hrsg. v. G Hanauer. Ausg. B. (104 u. 14) 04. [149.] — 90; Wrtrb. (37) (03.) — 20

Mérimée, P: Colomba. Im Ausz. hrsg. v. G Franz. Ausg. B. (134 u. 25) 03. [109.] 1.10 ‖ Neue Ausg. v. T Engwer. (158 u. 32) 04. 1.30

— La Vicomtesse du Peloux, s.: Choix de nouvelles modernes.

Michaud: Hist. des croisades. (In 2 Tln.) In Ausz. hrsg. v. E Paetsch. 1. Tl. Première croisade. Ausg. B. (194 u. 40 m. 1 Karte.) 03. [20.] ‖ 2. Tl. Troisième croisade. Ausg. B. (150 u. 39 m. 1 Karte.) 04. [45.] Je 1.20

Mignet: Hist. de la révolution franç. depuis 1789 jusqu'en 1793. Im Ausz. hrsg. v. A Krause. Ausg. B. (196 u. 84 m. Abb. u. 2 Kart.) 04. [27.] 1.60

Monod, A: Hist. de France. (Ausg. B.) (224) 05. [160.] 1.60

Montesquieu: Lettres persanes. Im Ausz. hrsg. v. O Josupeit. Ausg. A. (119) 03. [77.] 1 —

Mühlau, A: La Bretagne et les Bretons. Ausg. B. (108 u. 32 m. Abb. u. 1 Karte.) 02. [137.] 1.20

Musset, A de: Pages choisies. In Ausz. hrsg. v. EB Russell. (Ausg. B.) (105 u. 20) 05. [157.] 1 —; Wrtrb. (26) — 20

Paris sous la commune. Scènes et épisodes. Par Montrevel, Du Camp, Évrard, de Lano, A Daudet, d'Hérisson, Mendès, etc. In Ausz. hrsg. v. A Krause. Ausg. B. (98 u. 42 m. 2 Kart.) 03. [118.] 1 —

Péan, J-B: Le petit mathématicien, s.: Recueil de contes et récits.

Perrault: La Barbe-Bleue. — Cendrillon, s.: Recueil de contes et récits.

Pressensé, Mme de: Le petit Marquis, s.: Recueil de contes et récits.

Rambaud: Hist. de la civilisation en France. In Ausz. hrsg. v. H Müller. Ausg. B. 1. Bd. Depuis les origines jusqu'à la fin du moyen âge. (82 u. 78) 04. [135.] 1.30 ‖ 2. Bd. Depuis Louis XIV jusqu'à nos jours. 5 ausgew. kulturgeschichtl. Kapitel. (82 u. 69 m. 1 Pl. u. 1 Karte.) 02. [136.] Je 1.20

Reclus, É: La Belgique. Bearb. v. E Vogel. Ausg. B. (124 u. 55 m. Abb. u. 1 Karte.) 04. [154.] 1.40

Recueil de contes et récits pour la jeunesse. 1. Bdchn. (La pièce de cent sous, par Mme de Bawr. — L'Aveugle de Clermont, par Mme Foa. — Le cousin Pierre, par É Souvestre.) Hrsg. v. J Wychgram. Ausg. B. (109 u. 20) 05. [90.] — 90; Wrtrb. v. M Ramdohr. (41) (01.) — 30 ‖ 2. Bdchn. (Michel Perrin, par Mme de Bawr. — Le Savoyard et son ami, par J Girardin. — La rente du chapeau, par Berquin. — La tante Dorothée, par J Girardin. — Cendrillon, par Perrault.) Hrsg. v. E Tournier. Ausg. B. (54 u. 18) 04. [91.] — 90 ‖ 3. Bdchn. (Le petit Marquis, par Mme de Pressensé. — L'abbé de l'Épée, par Mme Foa. — L'Église du verre d'eau, par Berthoud. — La Barbe-Bleue, par Perrault.) Hrsg. v. E Tournier. Ausg. B. (67 u. 19) 04. [92.] — 90 ‖ 4. Bdchn. (Le petit mathématicien, par J-B Péan. — La belle et la bête. — Hist. d'une pièce d'or, par Mme la Comtesse de Lucy. — Cécile et Nanette, ou La voiture versée, par Mme Guizot. Hrsg. v. W Wüllenweber. Ausg. B. (98 u. 31) 04. [93.] — 90 ‖ 5. Bdchn. Maryan, Mme: Un plan matrimonial. — Une soirée. — Lavergne, Mme J: Fantaisie tourangelle. — Pauvre Jacques. Im Ausz. hrsg. v. B Schmidt. Ausg. B. (88 u. 30) 02. [134.] — 90

Rousseau, J-J: Morceaux choisis des oeuvres. Ausgew. v. K Rudolph. (Ausg. B.) (128 u. 32 m. Bildnis.) 05. [159.] 1.20; Wrtrb. (17) — 20

Saintes, A-E de: Thérèse ou la petite soeur de charité. Im Ausz. hrsg. v. B Klatt. Ausg. B. (82 u. 23) [78.] — 70; Wrtrb. (67) (01.) — 30

Saint-Hilaire, Mlle Rosseuw de (J de Vèze): La fille du braconnier. In Ausz. hrsg. v. H Strohmeyer. Ausg. B. (108 u. 40) 04. [117.] 1 —

Saint-Pierre, B de: Paul et Virginie. Hrsg. v. O Schaumann. Ausg. B. (137 u. 46) 01. [14.] 1.10

Sandeau, J: Madeleine. Hrsg. v. Ziegler. Ausg. B. (133 u. 21) 03. [145.] 1.20

— La roche aux mouettes. (Der Möwenfels.) Im Ausz. hrsg. v. K Strüver. Ausg. A. (84) 05; Ausg. B. (60 u. 25) 04. [113.] Je — 80

Ségur, le Comte de: Hist. de Napoléon et de la grande-armée pendant l'année 1812. In Ausz. hrsg. v. O Schmager. Ausg. B. (176 u. 59 m. 1 Karte.) 04. [31.] ‖ 2. Tl. Buch VIII u. XI. Ausg. B. (170 u. 56 m. 1 Karte.) 04. [46.] Je 1.40

— Moscou u. Le passage de la Bérézina. Im Ausz. a. Hist. de Napoléon et de la grande-armée. Hrsg. v. K Strüver. (114 u. 46 m. 1 Karte.) 02. [120.] 1.20

Sevigné, Mme de: Lettres. Ausw., hrsg. v. O Kabisch. Ausg. B. (97 u. 47) 01. [100.] 1.10

Souvestre, É: Au bord du lac. Ausw. v. 2 Erzählgn. Hrsg. v. P Huot. Ausg. B. (114 u. 27) 1900. [119.] 1 — ‖ Neue Afl. v. T Engwer. (114 u. 27) 04. 1.10

— 5 Erzählgn a. Au coin du feu. Hrsg. v. P Huot. Ausg. A. (151) 03; Ausg. B. (124 u. 32) 04. [4.] Je 1 —

— 6 Erzählgn a. Au coin du feu u. a. Les clairières. Hrsg. v. P Huot. Ausg. B. (95 u. 28) 04. [23.] — 90

— Un philosophe sous les toits ou Journal d'un homme heureux. Hrsg. v. G Stern. Ausg. B. (170 u. 44) 04. [19.] 1.40

— Le cousin Pierre, s.: Recueil de contes et récits.

— Sous la tonnelle. Ausw. v. 4 Erzählgn. Hrsg. v. P Huot. Ausg. B. (79 u. 23) 04. [24.] — 80

Staël, Mme de: De l'Allemagne. Im Ausz. hrsg. v. G Franz. Ausg. A. (190) 03; Ausg. B. (153 u. 35) 03. [75.] Je 1.20

Stahl, PJ: Maroussia. D'après une légende de Markowovzok. Hrsg. v. L Wespy. Ausg. B. (140 u. 14) 04. [153.] 1.10

Taine, H: Les origines de la France contemporaine. I. L'ancien régime. Hrsg. v. A Sturmfels. (Ausg. B.) (138 u. 64) 04. [156.] 1.40; Wrtrb. (35) — 20 ‖ III. Régime moderne. Napoléon Bonaparte. In Ausz. hrsg. v. J Sahr. Ausg. B. (82 u. 79 m. 1 Bildnis.) 04. [112.] 1.20

Theuriet, A: Ausgew. Erzählgn. Hrsg. v. K Falck. Ausg. B. (91 u. 39) 03. [132.] 1 —

Prosateurs français. Fortsetzg.
Theuriet, A: Raymondö. Im Ausz. hrsg. v. K Schmidt. Ausg.B. (144 u. 24)
02. [151.]   1.90
Thiers, A: Campagne d'Italie en 1800. Aus Hist. du consulat et de l'empire. Im Ausz. hrsg. v. K Bandow. Ausg. B. (142 u. 44 m. 2 Kart.) 02.
[12.]
— Exped. d'Égypte. Im Ausz. a. Hist. de la révolution u. a. Hist. du consulat et de l'empire. Hrsg. v. E Grubé. Ausg. B. (124 u. 34 m. ? Kart.)
05. [79.]   1.10
— Napoléon à Sainte-Hélène. Ausz. a. Hist. du consulat et de l'empirè. Hrsg. v. G Steĥn. Ausg. B. (131 u. 48) 04. [61.]   1.10
— Waterloo. Ausz. a. Hist. du consulat et de l'empirè. Hrsg. v. F Fischer. Rev. v. Schmidt. Ausg. B. (157 u. 29 m. 1 Karte.) 01. [36.]   1.90
Töpffer, R: Nouvelles genevoises. Hrsg. v. K Bandow. 1. Tl. La bibliothéque de mon onclè. Ausg. B. (190 u. 51) 1900. [55.] 1.20 ∥ 2. Tl. 2 Erzählgn. (Le Lac de Gers. — Le Col d'Anterne. — Le grand Saint-Béŕnaŕd.) Ausg. A. (104) 04; Ausg. B. (74 u. 30) 03. [56.] Je — 50 ∥ 3. Tl. 2 Erzählgn. (La vallée de Trient. — La peur.) Ausg. A. (73) 1900. [57.] — 75
Vérué, J: Le tour de monde en 80 jours. Im Ausz. bearb. v. K Bandow. Ausg. B. (151 u. 58) 03. [41.]   1.40
Vigny, A de: 2 Erzählgn a. Sérvitude et grandeuŕ militaires. Ausgew. u. bearb. v. B Bröest. Ausg. B. (82 u. 24) 04. [152.] — 80; Wrtrb. (11) — 20
Voltairè: Hist. de Charles XII. In 2 Tln. Hrsg. v. O Ritter. 1. Tl. Ausg. B. (195 u. 83 m. Abb., Pl. u. 1 Karté.) 04. [2.] 1.40 ∥ 2. Tl. Ausg. B. (156 u. 39 m. 1 Karté.) 1900. [3.] 1.10
— dass. Ausz. in l Bde. Hrsg. v. O Ritter. Ausg. A. (184 m. l Karté.) 1900;
Ausg. B. (151 u. 35 m. 1 Karté.) 1900. [65.]   Je 1.10
— Le siéclè de Louis XIV. Im Ausz. hrsg. v. O Schmager. 1. Vom Tode Mazarins bis z. Friedĕn v. Ryswick. (Kap. VII—XVII.) Ausg. B. (167 u. 47) 02. [86.] ∥ II. Der span. Erfolgekrieg. (Kap. XVII—XXIII.) Ausg. B. (150 u. 44 m. 1 Tab.) 04. [67.]   Je 1.40
— Diderot, Rousseau. Morceaux choisis. Hrsg. v. P Voelkel. Ausg. B. (148 u. 40) 04. [131.]   1.30
Zola, E: La débâcle. In Ausz. hrsg. v. L Wëspy. Ausg. B. (135 u. 68 m. 2 Kart.) 03. [122.]   1.50
— modernes. 3. u. 20. Bd. 8° Wolfenb., J Zwissler. Kart. 1.55
l'Histoire de France depuis 1328 jusqu'en 1871 par E Lavisse, Aulard, Bruno, Blanchet, Dbombres et Monod, Ducoudray, Humbeŕt Magnet, JA Fleuŕy u. a. Für d. Schulgebr. bearb. (69 u. 56 m. 1 Karté u. 1 Pl.)
05. [70.]   — 60; kart. — 50
Lavisse, E: Récits et entrétiens familiérs sur l'hist. de France jusqu'en
1328. Für d. Schulgebr. bearb. v. H Bretschneider. 3. Afl. (50 u. 32 m. 1 Karté.) 03. [3.]   Kart. u. geh. — 75
Als 18. u. 19. Bd d. Sammlg gelten: Corneille's Cinna u. Corneille's Polyeucte (im Kat. 1881/85).

Prosawitz, R: Das IX. Gebot. Du sollst nicht begehren deines Nächsten Hausfrau. Ein Münch. Sittenbild. Moderne Ehebrecherinnen! (19) 8° Münch., O Mitterlein) 05.   — 30
Prosch, F: Gesch. d. deut. Dichtg z. Gebr. an österr. Lehranst. u. f. d. Selbststudium. 1. u. 2. Tl. 8° Wien, K Graeser & Co.   Geb. 5 — d
1. Von d. Urzeit bis an Gottes Rückkehr a. Italiĕn. 3. Afl. (249) 03. 2.60
2. Schiller, Goethĕ u. Schilĺer's Zusammenwirken, Romantik. 2. Afl. (161) 04.   2.40
— s.: Heldensage, d. deut.
— u. F Wiedenhofer: Deut. Leseb. f. österr. Mittelsch. 1—4. Bd. 8° Wien, K Graeser & Co.   Geb. nn 9.90 d
1. (Für d. 1. Kl.) 5. Afl. (260) 03. nn 2.20 ∥ 2. (Für d. 2. Kl.) 3. Afl. (298) 04. nn 2.40 ∥ 3. (Für d. 3. Kl.) 2. Afl. (324) 05. nn 2.40 ∥ 4. (Für d. 4. Kl.) 2. Afl. (366) 04. nn 2.90.
— dass. f. österr. Obergymnasien. 1. Tl. (Für d. 5. Kl.) 2. Afl. (424) 8° Ebd. 05.   Geb. 2.20 d
Prosch, W: Englds Verbrechen an Transvaal u. M. Chamberlains Verleumdg d. deut. Kriegführg. (20) 8° Offenb., JP Strauss (02).   — 20 d Vergr.
Proschko's, Fl, ges. Schriften. Hrsg. v. H Proschko. 1—4. Bd. (Mit Abb.) 8° Warnsdf, A Opitz.   Kart. je 1 — d
1. Für Volk u. Jugend. (224 m. Bildnis.) 01.
2.3. Erzählgn n. Gedichte f. Jugend u. Volk. (222 u. 208) 02.
4. Erzählgn u. Gedichté f. Jugend u. Volk. (208) 04.
— Erasmus Tattenbach. Histor. Roman. (214 m. 6 Bildern.) 8° Graz, Styria 05.   L. 1.20 d
Proschko, H: Ges. Erzählgn u. Gedichte. 1—4. Bd: Jugendschriften. (224, 208, 207 u. 207 m. Abb. u. Bildnis.) 8° Warnsdf, A Opitz 01-03.   Geb. je 1 — d
Proschwitzer, F: Der Katholik auf d. Leidensweg d. Herrn. 8 Fastenpredigten nebst e. Karfreitagspredigt. (94) 8° Graz, Styria 05.   1 — d
— Das Leben d. Christen in d. ersten 3 Jahrhunderten. 32 Katakombenbilder. 2. Afl. v. A de Waal. (312 m. Abb.) 8° Regensb., Buch- u. Kunsth. d. St. Josef-Ver. 02.   — 84 d
— Pfingstrosen. Andachtsübgn z. Verehrg d. hl. Geistes, bes. f. d. hohe Pfingstfest u. d. Empfang d. hl. Firmg. (209 m. Abb. u. Titelbild.) 16° Warnsdf, A Opitz 04.   L. — 70 d
Prosen, liturg., d. M.-A. (Sequentiae ineditae), hrsg. v. HM Bannister, s.: Analecta hymnica medii aevi.
Prosiegel, D: Die Handschriften zu Lydgate's Book of the gouernaunce of Kynges and of Prynces (Secreta secretorum). Einleit. Kapitel zu. e. text-krit. Untersuchg. (33 m. 1 Fig.) 8° Münch., Luitpold-Kreis-Realsch. 03.   — 75
Prosit Neujahr! Sammlg ausgew. Neujahrsglückwünsche u. -Gedichte. Nebst e. Anh. v. Gedichten u. Aufführgn f. Sylvester u. Neujahr. Neue Ausg. (32) 8° Reutl., Ensslin & L. (04).   — 20 d
Proskauer, B, s.: Enzyklopädie d. Hygiene.
— u. F Croner: Die Kläranlagen f. d. Kolonie u. Arbeitsstätten d. Berliner Maschinenbau-A.-G. vorm., L Schwartzkapf in Wildan bei Berlin, s.: Festschrift z. 50. Geburtstage v. Rob. Koch.
— u. M Elsner: Die neue Berliner Wohngsdesinfektion, s.: Festschrift z. 50. Geburtstage v. Rob. Koch.
Proske, A: Die Unterschiede zw. e. gemeinschaftl. Testament u. e. Erbvertrage. (66) 8° Berl., Struppe & W. 05.   1.60

Prösler, E: Mein Zwinger! Prakt. Zwingerb. (132) Fol. Frankf. a/M., Kern & Birner (03).   Geb. 5 —
Promis, A: Compendium d. Musikgesch. 1. Bd. Bis z. Ende d; 16. Jahrh. (Vorgesch. Alte Gesch.) 2. Afl. (167) 8° Wien, A Hölder 01.   3.10
Prosopographia attica. Ed. I Kirchner. Vol. I. (603 m. 2 Tab.)
8° Berl., G Reimer 01. 24 — ∥ ∥ Vol. II. (Schl.) (600) 03. 28 —
Prössdorf, C: Physikalisch-photometr. Untersuchgn d. in Deutschl. gegenwärtig hauptsächlich gehandelten Petroleum. Leucht-Petroleumarten auf d. gegenwärtig in Deutschl. gebräuchlichsten Petroleum-Brennern. (184) 8° Altenbg, O Bonde 05.   3 —
Prössl, JB: Normalwörterbel n. phonet. Grundsätzen. (75 m. Abb.) 8° Münch., R Oldenbourg (03).   Kart. nn — 50
Prost, J: Die Sage v. ewigen Juden in d. neueren deut. Lit. (167) 8° Lpzg, G Wigand 05.   3 —
Protest, d., d. Deutschen geg. d. engl. Barbarei im Burenkriege. (59) 8° Münch., Verl. d. Complemente zu Reisebüchern M v. Hartung (02). (Lpzg, R Friese.)   — 50 d
Protestant. der, Ev.Gemeindebl. Red.: W Staerk. 5. Jahrg. 1901. 52 Nrn. (Nr. 1, 16 Sp.) 4° Berl., G Reimer.   Viertelj. 1.50; cinz. Nrn — 20 d

Fortsetzg s.u. d. T.: Protestantenblatt.
— d. österr. Monatsschrift f. d. ev. Kirche Oesterr. Hrsg. v. R Johne u. M Modl. Schriftleiter: R Bertschinger u., seit 1903, A Klingendrath. 26—30. Jahrg. 1901—5 je 12 Nrn. (Nr. 1, 32 S.) 8° St. Veit an d. Glan. (Klagenf., J Heyn.)   Je 4 — d
Protestantenblatt. Wochenschrift f. d. deut. Protestantismus. 35. Jahrg. d. „deut. Protestantenblattes". 6—9. Jahrg. d. „Protestant". Hrsg. durch R Emde u. J Schmeidler u., seit 1903, M Fischer 1902—5 je 52 Nrn. (1902. Nr. 1, 8) 4° Brem., C Schünemann.   Viertelj. 1.50 d
Bildet d. Fortsetzg xu: Protestant, d., u. Protestantenblatt, deut. (der.) Hrsg. durch O Veeck u. R Emde. 34. Jahrg. 1901. 52 Nrn. (Nr. 1, 8) 4° Ebd. 01.   Viertelj. 1.50; cinz. Nrn — 90 d
— schweiz. Hrsg.: A Altherr, H Andres, W Bion, JG Birnstiel, O Brändli (A Steiger). 24—28. Jahrg. 1501—5 je 52 Nrn. (Nr. 1, 8) 8° Bas. (Bern, H Körber.)   Je 5.40 d
Protestantismus, d., in d. Gegenwart. Geschildert v. e. Protestanten. (Krogh-Tonning.) Aus d. Norweg. v. P P. 2. Afl. (80) 8° Berl., Germania 01.   3 — d
— d., am Ende d. 19. Jahrh. in Wort u. Bild. Hrsg.: C Werckshagen. 4—50. Lfg. (73—122) 4° Berl., Verl. Wartburg (01.02).   Je 1 —; in 2 L.-Bdn je 30 — d
Protestversammlung, d. Rixdorfer, u. d. ev. Beweggingsterr., m. e. Vortr. v. Bräunlich, s.: Flugschriften d. Ev. Bundes.
Protivenski, F: Grundz. d. Daktyloskopie. (15 m. Abb. u. 3 Taf.) 8° Prag, (JG Calve) (04).   1 —
Protokoll d. Verhandlgn d. deut. Arbeiterkongresses in Frankfurt a. M. '03- (83) 8° Hag., O Rippel (04).   — 50 d
— üb. d. am 27. u. 28. VI. abgeh. Conferenz, betr. d. Ausgestaltg d. Arbeitsvermittlgs-Statistik u. d. Project d. Angliederg e. Wohngs- u. Werkstätten-Vermittlg an d. allg. Arbeitsnachweis-Anstalten. Hrsg. v. k. k. arbeitsstatist. Amt im Handelsministerium. (125) 8° Wien, A Hölder 01.   1 —
— stenographb., d. im k. k. arbeitsstatist. Amte durchgeführten Vernehmg v. Auskunftspersonen üb. d. Arbeitszeit in Banken, Kredit- u. Versichergsanst. (45 Sp.) 4° Ebd. 05.   — 50
— dass. in Fabrikniederlagen. (34 Sp.) 4° Ebd. 05.   — 50
— dass. im Schuhmachergewerbe. (34 S.,1266 Sp. u. 68) 4° Ebd. 04.6—
— dass. im Speditionsgewerbe. (140 Sp.) 04. Ebd. 05.   1 —
— d. Sitzg d. ärztl. Zentralausschusses im Grossh. Hessen. 4° Darmst., (G Jonghaus).   Je 1 — d
34.VI.'01.(01.)[22.VI.'02.(14 m.4)(02.)∥17.XII.'03.(11,6,4,5 u.3)(04.)
— d. Verhandlgn d. 2. deut. Bauarbeiterschutz-Kongresses Berlin in '03- (Einbdtitel: Bauarbeiterschutz.) (266) 8° Hambg (5), Zentralkommission f. Bauarbeiterschutz, (G Heinke 05).   Geb. 1.50 d
Die Protokolle üb. d. 1. Kongress s. u. d. T.: Bauarbeiterschutz-Kongress, l.
— d. Verhandlgn d. 1. Gehilfentages d. Buch-, Kunst- u. Musikalienhandels in Oesterr. Wien 1902. (12) 8° Wien, (Wiener Volksbh.) 03.   — 40 d
— d. 45—55. Sitzg d. Central-Moor-Commission. 8° Berl., P Parey.   108 — d
45. 11—19.VII.1900. (36 m. 3 Kart.) 1900. 9 — ∥ 46. 10—12.XII.1900. (204 u. 70—11 m. 19 Taf. u. 3 Kart.) 01. 12 — ∥ 47. 24—29.VI.'01. (99) 02. 1 — ∥ 48. 13, 14. u. 15.XII.'01. (271 m. 11 Taf.) 02. 15 — ∥ 49. 7—11.VII.'02. (13 m. 1 Kart.) 02. 3 — ∥ 50.9—14.XII.'02. (369 m. 200 m. 9 Taf.) 03. 15 — ∥ 51. 15—19.VI.'03. p. 113—177 m. 4l Taf. u. 1 Karté.) 04. 12 — ∥ 52. geh. — 60. ∥ 52. 7 u.8.I.'04. 4 — ∥ 52.13—17.XII.'03. (325 m. 16 Taf.) 04. 10 — ∥ 53.4—6.VII.'04. (72 m. 9 Taf.) 05. 4 — ∥ 54. 7—9.XII.'04. (386 m. 5 Taf.) 05. 15 — ∥ 55. 17—20.VI.'05. (90 m.4 Taf.) 05. 3 —
— d. 30. u. 31. Delegierten- u. Ingenieur-Versammlg d. internat. Verbandes d. Dampfkessel-Ceberwachgs-Ver. 8° Barm. (Berl., Polyt. Bh. A Seydel.)   Je 3 —
30. May '01- (110 m. 10 m. Abb.) 01. ∥ 31. Zürich '02. (198 u. 15 m. Abb. u. 5 Taf.) (03.)
— dass. 32. u. 33. Versammlg. 8° Hambg, (Boysen & M.). 7 — ∥ 32. Brüssel '03. (164. [12 u. 12) Barm. (03). 3 — ∥ 33. Barmen-Elberfeld '04. (298 u. 5 m. Abb., 11 Taf. u. 7 Tab.) Wien (05).   4 —
— d. Kongresses z. Bekämpf d. Farben- u. Malmaterialien-Fälschgn München '05- (78) 8° Münch., (E Reinhardt) 05.   1.50
— üb. d. Verhandlgn d. II. Genossenschaftskongresses,

s.: Jahresbericht, 2., v. Vorstand u. leit. Ausschuss d. schweiz. Genossenschaftsbundes.

Protokoll d.Verhandlgn d.4.Kongresses d.Gewerkschaften Deutschlds. Stuttgart '02· (288 m. 1 Tab.) 8° Hambg (02). Berl., Generalkommission d.Gewerksch.Deutschlds(C Legien).1 — d
— stenograph., d. Plenarversammlg d. Zentralstelle d. verein. Handels- u. Gewerbekammern u. d. Zentralverbandes d.Industriellen Österr. z.Vorbereitg d.Handelsverträge, s.: Mitteilungen d. Zentralstelle usw. z. Vorbereitg d. Handelsverträge.
— d. Verhandlgn d. 1. allg. Heimarbeiterschutz-Kongresses. Berlin '04. (228 m. 1 Tab.) 8° Berl., Generalkommission d. Gewerksch. Deutschlds. 04.   — 60 d
— üb. d. Verhandlgn d. 2. österr. Krankenkassentages. Wien '04· (22, 175) 8° Wien, (Wiener Volksbh.) 04.   nn 2 —
— d. Verhandlgn d. Wahlver. d. Liberalen zu Berlin '05· (61) gs Berl.-Schönebg, Verl. d. „Hilfe" (05).   — 50 d
— üb. d. 3. Versammlg d. internat. Kommission f. wiss. Luftschiffahrt. Berlin '02. (157) 8° Strassbg, (KJ Trübner) 03. 4 —
— üb. d. Verhandlgn d. nationalsoz. Ver· (5. Vertretertagt. Leipzig 1900. (160) 8° Schönebg-Berl., Verl. d. „Hilfe" (1900).   — 50 d
— d.Enquête üb.Personalkredit u.Wucher. Vorsitzender; K v. Pelser-Fürnberg. (Mitteilgn d. kulturpolit. Gesellsch. in Wien.) (29, 20, 24, 26, 23, 31, 22, 28 u. 20) 8° Wien, (M Perles) 04.   9 —
— stenograph., d. Enquete üb. d. Pressgesetzentwurf (eingebr. in d. Sitzg d. Abgeordnetenh. am 11.VI.'02), veranstaltet v. Journalisten- u. Schriftstellerver. „Concordia". (129) 8° Wien, (Manz) 03.   1.60
— üb. d. Verhandlgn d. Parteitages d. deut. sozialdemokrat. Arbeiterpartei in Oesterr. Aussig '02· (140) 8° Wien, Wiener Volksbh. 02.‖Salzburg '04· (184) 04.   Je 1 — d
— üb. d. Verhandlgn d. Ges.-Parteitages d. sozialdemokrat. Arbeiterpartei in Oesterr. Wien '01· (204) 8° Ebd. 01.   1 — d
— dass. (Samt Anh., d. Protokoll üb. d. Verhandlgn d. 2. sozialdemokrat. Frauenkonferenz.) Wien '03· (237) 8° Ebd. 03.   1 — d
— üb. d. Verhandlgn d. Parteitages d. sozialdemokrat. Partei Deutschlds. 1901—5. 8° Berl., Bh. Vorwärts.   3.35 d
'01·Lübeck. (319) 01. — 60 ‖ '02· München. Mit m. Abb. u. Beilicht üb. d. 2. Frauenkonferenz in München. (212) 02. — 60‖'03· Dresden. (448) 03. — 75; geb. 1 — ‖ '04· Bremen. (334) 04. — 70 ‖ '05· Jena. (380) 05. — 70; kart. 1 —
— dass. Preussens. Berlin '04. (136) 8° Ebd. 05.   — 30 d
— dass. d. schweiz. sozialdemokrat. Partei. '04 u. 5. 8° Zür., (Bh. d. schweiz. Grütliver.).   1.40 d
'04. Zürich. Anh.: Prinzipienerklärg u. Arbeitsprogramm d. sozialdemokr. Partei d. Schweiz. (24) 05. — 80 ‖ '05· Lausanne. (58) 05. — 60.
— d. internat. Steinarbeiter-Kongresses. Zürich '03· (32) 8° Zür., (Bh. d. schweiz. Grütliver.) (03).   — 25
— d. VI. allg. deut. Tonkünstler-Kongresses, Leipzig '05· (58) 8° Lpzg, (H Dude) (05).   1.50
— stenograph., üb. d. Enquête, betr. d. Reform d. börsenäss. Terminhandels m. landw. Producten. 3 Bde m. Reg. (30; 648; 675, 784 u. 56 m. 12 Diagr.) 8° Wien, (W Frick) 01. 20 — d
— stenograph., d. Expertise üb. d. Grundz. e. neuen Weingesetzes. Veranstaltet v. Weinkulturausschusse '05· (135) 8° Wien, (Hof- u. Staatsdr.) 05.   1 — d
— stenograph., d. Verhandlgn d. V. Zionisten-Congresses, Basel '01· (469) 8° Wien (01). (Brünn, Verl. Jüd. Volksstimme.)   † 2.40
Protokolle üb. d. Verhandlgn d. Beirats f. Arbeiterstatistik, s.: Drucksachen d. Beirats f. Arbeiterstatistik.
— üb. d. Verhandlgn d. Kommission f. Arbeiterstatistik u. Bericht üb. d. Erhebgn betr. Sonntagsruhe bei d. Binnenschiffahrt, s.: Drucksachen d. Kommission f. Arbeiterstatistik.
— d. Enquete betr. d. Reform d. österr. Eherechts ('05) unter d. Vorsitz v. K v. Peiser-Fürnberg. (256) 8° Wien, (Manz) 05.   3 —
— üb. d.Sitzgn d.Ver. f. d.Gesch.Göttingens im 9—13. Verdeinsj., geführt v. A Tecklenburg. (2. Bd, 4. u. 5. Heft, 3. Bd, 1—3. Heft.) 8° Gött., (R Peppmüller).   nn 7.80 d
IX. 1900/1. (210) 01. 2 — ‖ X. '01/2. Mit m. Abb. (160 m. 5 Taf.) 04. nn 2 — ‖ XI. '02/3· (160) 03. 1.50 ‖ XII. '03/4. (100 m. 3 Taf.) 04. nn 2 — ‖ XIII. '04/5. (121) 05. nn 1.60.
— d. Gesamtsitzgn d. Landwirtschaftskammer f. d. Prov. Hannover. 3. u. 4. Heft. 8° Hannov., Selbstverl. 5.50 (1.—4.; 8.50) d
III. 22—24.I.'01. (160) 01. 2.50 ‖ IV. 21—23.I.'02. (204) 02. 3 —
— d. allg. Missionskonferenz f. d. Arbeit d. ev. Kirche an Israel, s.: Schriften d. Institutum judaicum in Berlin.
— d. Kommission f. d. Reform d. Strafprozesses. Hrsg. v. Reichs-Justizamte. 2 Bde. (518 u. 631) 8° Berl., J Guttentag. 05.   7.30; HF. nn 10.30 d
Protze, H: Sammlg ausgew. Choräle u. geistl. Lieder f. stimm. gemischten Chor. (Neue Afl.) (50) 8° Lpzg, H Frotze (03). Geb. 1.25
Prout, E: Elementar-Lehrb. d. Instrumentation. Übers. v. B Bachur. 3. Afl. (144) 8° Lpzg, Breitkopf & H. 04. 3 —; geb. 4 —
— Das Orchester. I. Bd. Technik d. Instrumente. Deutsch v. O Nikitis. (365) 8° London, Augener Ltd. (05).   5 —
Prout, J: Lohn. Ackerbau ohne Vieh. Aus d. Engl. v. A Küster-ɂ Afl. Mit Anh.: Üb. d. Nutzvieh-losen Landw.-Betrieb in

allg. u. s. Dauer im besond. (84 m. 2 Pl.) 8° Berl., P Parey 01.   1.50 d
Proviantamts-Assistent, der. Vorbereitg z. Annahmeprüfg als Anwärter u. zu weit. Fachexamina. Methode Rustin. Selbst-Unterr.-Briefe. (Red. v. C Ilzig.) 15—104, Lfg, (2089 m. Abb., 1 Tab. u. 15 Kart.) 8° Potsd., Bonness & H. (01-05).
Subskr.-Pr. je — 90; Einzelpr. je 1.25 d
Provins, M: Ehestunden. Novellen. Aus d. Franz. (v. H u. A Moeller-Bruck). (190) 8° Berl. 04. (Lpzg, G Fock, V.)
Kart. 3 — d
— Der letzte Flirt. — Liebesbriefe, s.: Bibliothek Bard.
— Der Spezialarzt. Novellen. Aus d. Franz. (v. H u. A Moeller-Bruck). (142) 8° Berl. 04. (Lpzg, G Fock, V.)   Kart. 2 — d
Provinzial-Museum, d. märk., d. Stadtgemeinde Berlin v. 1874 —99. Mit e. Anh. betr. d. Königsgrab v. Seddin, Kreis West-Prignitz. Hrsg. v. d. Museums-Direktion. (98 m. Abb. u. 21 Taf.) 4° Berl., P Stankiewicz 01.   5 —
Provinzialrecht d. Ostsee-Gouvernements. III. Thl. (Nichtoffizielle Ausg.) 8° Jurj. (Dorp.), (JG Krüger).   4.50
III. Broecker, H v.: Liv-. est- u curländ. Privatrecht, nach d. Ausg. v. 1864 u. d. Fortsetzg v. 1890 hfsg. (51, 506) 02.   5 —
Der I. u. II. Thl sind nicht in deut. Übersetzg erschienen.
Provinzialverfassung, d. projektierte livländ., nebst Erläutergn. (24) 8° Riga, (N Kymmel's Sort.) 05.   — 80
Prowazek, S, s.: Bericht üb. d. wiss. Leistgn in d. Naturgesch. d. nied. Thiere.
— Die Entwicklg v. Herpetomonas, e. m. d. Trypanosomen verwandten Flagellaten.(Vorläuf.Mittellg.) [S.-A.] (9 m. Abb.) 8° Berl., J Springer 04.   1 —
— Zur positiven Naturanschaung. (39) 8° Halle, Gebauer-Schwetschke 01.   — 75
— Studien üb. Säugetiertrypanosomen. [S.-A.] I. (45 m. Abb. u. 6 farb. Taf.) 8° Berl., J Springer 05.   7 —
Prox: Rückblicke a. schles. Geistlichen auf s. 43jähr. Amtszeit. (99) 8° Halle, R Mühlmann's V. 04.   1.60 d
Prozell, H: Ein. Bilder a. d. Frauenmissionsarbeit in Madura, s.: Lotosblumen, 1nb.
Prozess, d., Hilger-Krämer vor d. Strafkammer Trier '05. (242 n. 5) 8° Trier, (Lintz-Dr.) 05.   — 50 d
Prozessbeschleunigung ohne Gesetzesveränderg. Ein Vorschlag. Von Celerius. (47) 8° Hannov., Helwing 04.   1 — d
Prtökl, A: Unter Disteln u. Dornen. — Hermelin u. Betelstab. — Am Kreuzweg. — Das Rubinenkreuz. — Fatale Verwechslg od. Fräul. v. Schul- u. Vereinsbühne, christl. (189) 8° Berl., Schul- u. Vereinsbühne, christl.
Pruckner, K: Üb. Ton-u. Wortbild in Fragen u. Antworten z. Selbstunterr. [S.-A.] (32) 8° Berl., J Hainauer 04.   1 —
Prude, A: Eine kl. Garnison in Bildern. (88 Bl.) 8° Budap., G Grimm 04.   5 —
Prudhomme's, S, Gedichte, in deut. Versen v. J Schnitzler, m. e. franzis.Vorrede v. S Prudhomme. (99) 8° Berl., P Ollendorff (03).   2 — d
Prüfer, A: Sebastian Bach u. d. Tonkunst d. 19. Jahrh. Antrittsvorlesg. Geändert u. erweitert. (23) 8° Lpzg, (G Schloessinger) 02.   — 60
Prüfer, E, u. J Popken: Fibel. 2 Tle. 8° Hannov., Norddeut. Verl.-Anst.   Kart. nn 1.30 d
I. 5. Afl. (80 m. Abb.) 02; 7. u. 8. Afl. v. J Popken. (80 m. Abb.) 03/04. 94 — nn — 50 ‖ II. Leseb. f. d. Unterst. 4. Afl. (120) 02; 4. Afl. v. J Popken. (119) 03. 94 — nn —
Prüfet alles, behaltet d. Beste! Freimüt. Gedanken u. heilsame Anreggn u. Aufklärgn üb. allerlei Dinge u. Verhältnisse. (Aberglauben, Relig., wahre u. falsche Glücksgüter u. Lebenswerte, Erziehg u.Unterr., soz. Fragen, Staatsreformen, Krieg.) Von e. Quellsucher. (180) 8° Zür., C Schmidt 05.   2.40 d
Prüfordnung f. elektr. Messgeräthe u. Vorschriften f. d. Ausrüstg d. elektr. Prüfämter nebst Erläutergn. Hrsg. v. d. physikalisch-techn. Reichsanst. Amtl. Ausg. (32) 8° Berl., J Springer 02.   — 60 d
Prüfungs-Aufgaben, 100, z. Reserveoffizieraspiranten- u. Reserveoffizierprüfg. Bearb. f. Einj.-Freiwill. u. Reserveoffizieraspiranten d. Infant. (208) 12° Stuttg. 01. Lpzg, F Engelmann.   2 — d
Neue Afl. u. d. T.:
— 100. Bearb. f. Einj.-Freiwill. u. Reserveoffizieraspiranten d. Infant. 1. u. 2. Thl. 12° Ebd.   L. 5 — d
1. Vorbereitg u. schriftl. Reserveoffizieraspiranten- u. Reserveoffizierprüfg. 2. Afl. (273) 02.   3 —
2. Vorbereitg f. d. prakt. u. mündl. Offizier-Aspiranten- u. Reserveoffizierprüfg. (121 m. 5 Taf.) 04.   2 —
S. Afl. s.: Klemm u. Beckmann.
— theolog., f. d. Predigt- u. Pfarramtskandidaten d. ev.-luther. Kirche Bayerns in d. J. 1891—1901 in systemat. Zusammenstellg. Aufnahms- u. Anstellungsprüfg. (89) 8° Nürnbg, F Banckwitz 02.   1.80 d
„Prüfungskandidat, der". I—VII. 12° Wien, M Kuppitsch Wwe.   Je 1.50

Hartl, K: Prüfaufragen u. Antworten a. d. allg. u. österr. Staatsrecht. (140) 05. [IV.]
— dass. a. d. Verwaltgslehre u. d. österr. Verwaltgsrecht. (144) 04. [II.]
Puta, C: Prüfaufragen u. Antworten a. d. Kirchenrecht. (160) 05. [I.]
Schwarz, G Edl. v.: Prüfaufragen u. Antworten a. d. bürgerl. Recht. I. Allg. Tl u. Sachenrecht. (137) 05. [VI.] ‖ II. Obligationen-, Familien-
ɂ. Erbrecht. (184) 05. [VII.]
— dass. a. d. Handelsrecht. Mit Berücksicht. d. deut. Handelsrechts. (160) 04. [III.]
— dass. a. d. Volkswirtschaftslehre, Volkswirtschaftspolitik u. Finanzwiss. (160) 05. [V.]

Prüfungsordnung f. Apotheker v. 18.V.'04. (12) 8° Berl., Selbstverl. d. deut. Apotheker-Ver. (04). — 30
— dass. Amtl. Handausg. (23) 8° Darmst., (G Jonghaus) 04. nn — 80 d
— dass. v. 18.V.'04. Textausg. m. Anmerkgn. (51) 8° Stuttg., W Kohlhammer 04. — 80 d
— f. Aerzte. Vom 28.V.'01. (32) 8° Darmst., G Jonghaus 02. nn — 30 d
— f. Aerzte. Bekanntmachg. betr. d. Prüfgsordng f. Aerzte v. 28.V.'01. (20) 4° Berl., C Heymann (01). — 60 d
— d. neue, f. Aerzte v.28.V.'01. I. Aerztl. Vorprüfg. II. Aerztl. Prüfg.III.Prakt. Jahr.(32)8° Freibg i/B., Speyer & K.02. — 50
— f.Ärzte f. d. Deut. Reich v.28.V.'01. (45) 8° Tübgn, F Pietzcker 01. — 50 d
— f. d. Baugewerksch. [S.-A.] (13) 4° Berl., C Heymann (02). — 50 d
— behufs Erlangg d. Befähigg z. Ånstellg als Kreisarzt v. 30.III.'01. (11) 8° Berl., A Hirschwald 01. — 30
— f. d. Kandidaten d. höh. Lehramts in Preussen. — Ordng d. Prüfg f. d. Lehramt an höh. Schulen v. 5.II.1887. Bemerkgn zu d. Ordng d. Prüfg f. d. Lehramt an höh. Schulen. Ordng d. Prüfg f. d. Lehramt an höh. Schulen in Preussen v. 12. IX.1898, m. d. Ministerial-Erlassen v.26.II.'01. Ordng d. prakt. Ausbildg d. Kandidaten f. d. Lehramt an höh. Schulen in Preussen v. 15.III.1890. Ministerial-Erlass betr. d. colloquium pro rectoratu v. 21.II.1867. Ordng f. d. pädagog. Ausbildg d. Kandidaten f. d. landw. Lehramts in Preussen v. 2.VI.'01. Prüfgs-Ordng f. Zeichenlehrer an höh. Schulen v. 23.IV.1885. (85) 8° Halle, Bh. d. Waisenh. 01. 1 —; kart. 1.25 d
— dass. Ordng d. Prüfg f. d. Lehramt an höh. Schulen in Preussen v. 12.IX.1898 m. d. Ministerial-Erlassen. Ordng d. prakt.Ausbildg d.Kandidaten f. d.Lehramt an höh.Schulen in Preussen v. 15.III.1890 m. d. Ministerial-Erlassen. Ministerial-Erlass betr. d. colloquium pro rectoratu v. 21.II.1867. Ordng f. d. pädagog. Ausbildg d. Kandidaten d. landw. Lehramts in Preussen v. 2.VI.'01. Prüfgs-Ordng f. Zeichenlehrer an höh. Schulen v. 31.I.'02. Prüfgs-Ordng f. Turnlehrer v. 15.V.1894. Die Aufnahme in d. Kandidatenliste u. Einberufg z. dienstl. Verwendg. Anstellgsgrundsätze. Bes. Bestimmgn f. Kandidaten u. Hilfslehrer. 2. Afl. (107) 8° Ebd. 03. 1.20; kart. nn 1.45 d
— f. d. Lehramt an höh. Schulen. Vom 12.IX.1898. Ordng d. prakt. Ausbildg d. Kandidaten f. d. Lehramt an höh. Schulen. Vom 15.III.1890, Erlasse d. Unterr.-Ministers, betr. d. Meldg, amtl. Verwendg u. Besoldg d. Kandidaten d. höh. Lehramts. 3. Afl. (74) 8° Berl., Weidmann 01. 1 — d
— f. d. Lehramt an humanist. u. techn. Unterr.-Anst. Bayerns. Kgl. Allerh. Verordng v. 31.I.1895. 3. Abdr. (42) 8° Münch., M Rieger 01. — 60 d
— f. d. höh. Lehranst. d. Grossh. Sachsen '03. (22) 8° Weim., (H Böhlau's Nf.) 03. — 50 d
— f. Zeichenlehrer u. Zeichenlehrerinnen in Preussen v. 31.I.'03 m. d. Ausführgsbestimmgn. (12) 8° Halle, Bh. d. Waisenh. 02. — 15 d
— dass., s.: Abhandlungen pädagog.

Prüfungs-Ordnungen, jurist., f. d. verein. Thüring. Staaten. Neues Regulativ, d. jurist. Prüfg. u. d. Vorbereitg z. höh. Justizdienste betr., nebst d. Einführgs-Verordng d. z. Oberlandesgericht zu Jena verein. Thürig. Staaten. — Die Bedinggn z. Erlangg d. jurist. Doktorwürde bei d. Juristen-Fakultät d. Univ. Jena. (2. Afl.) (24) 8° Jena, O Rassmann 04. 1 — d
— f. Lehrerinnen in Preussen. Nebst d. Bestimmgn üb. d. Lehrerinnenbildg u. üb. d. Mädchenschulwesen. (107) 8° Halle, Bh. d. Waisenh. 01. 1.20 d
— d. in Preussen gelt., f. Lehrerinnen, nebst e. Lehrpl. f. d. höh. Mädchensch. (Neue Afl.) (48) 8° [Bonn, A Marcus u. Weber 02. — 80
— f. d. ev. Theologen, Juristen (einschl. Notariat u. Forstverwaltg), Aerzte u. Zahnärzte, Lehrer an d. höh. Schulen, Apotheker u. Nahrgsmittelchemiker in Elsass-L. Nebst e. Anh., betr. Zulassg an d. Univ. Strassburg, Aufnahme ins Thomasstift, Stipendien u. Benutzg d. Univ.- u. Landesbibliothek. (214) 8° Strassbg, Strassb. Druckerei u. Verl.-Anst. (01). 2.50 d

Prugawin, AS: Die Inquisition d. russisch-orthodoxen Kirche. Die Klostergefängnisse. (123) 8° Berl.-Charltnbg, F Gotthainer 05. 2 — d

Prühhäusser, K: Detaillk. d. Bayer. u. Böhmer-Waldes. 1: 100,000. 9 Bl. je 15×20,5 cm. Farbdr. Pass., M Waldbauer (03). 1.50
— Umgebgskarte v. Passau. 1:100,000. 41×46 cm. Farbdr. Ebd. (05). 1.50
— Wage- u. Routenk. f. d. bayer. Wald. 1:200,000. 2 Bl. 45×38 u. 48×36 cm. Farbdr. Ebd.(02). In Tasche (2 —) 1.50

rüll, H: Der Anschaugs- u. Sprachunterr. im 2. u. 3. Schulj. Präparat. u. Konzentrationsdurchschnitte. (162 m. 1 Tab.) 8° Lpzg, E Wunderlich 01. geb. 2.50 d
— Deutschl. in natürl. Landschaftsgebieten, a. Karten- u. Typenbildern dargest. u. unter Berücks. d. bewährtesten Grundsätze d. Pädagogik bearb. 2. Afl.(195) 8° Ebd. 03. geb. 2 — d
— 5 Hauptfragen a. d. Methodik d. Geogr. (71) 8° Ebd. 03. — 80 d
— Die Heimatkde als d. Grundl. f. d. Unterr. in d. Realien u. allen Klassenstufen. Nach d. Grundsätzen Herbarts u. Ritters.

dargetan an d. Stadt Chemnitz u. ihrer Umgebg. Ausgeführt in 18 Lektionen. Ausg. A. 3. Afl. (109 m. 13 Kart.) 8° Lpzg, E Wunderlich 02. 1.60; geb. 2 — d
Prümer, K: Westfäl. Charakterbilder. (228 m. Abb.) 8° Dortm. CL Krüger 02. (4 —; geb. 4.50) 1.50; geb. 2 — d
— De westfölsche Hasfrönd. 1. Bd. Allerlei Spinnstuowengeschichten. 2. Afl. (180) 8° Lpzg, O Lenz 04. 2.25; geb. 3.25 d
— Unter d. alten Linde. Deut. Weisen. (137 m. Bildnis.) 8° Brem., C Schünemann (02). 2 —; geb. 3 — d
— Was sich d. niederdeut.Volk erzählt, s.: Humor, Dortmunder.
Prümers, A: Silcher od. Hegar? Ein Wort üb. d. deut. Männergesang u. s. Lit. (15) 12° Lpzg 03. Berl., H Seemann Nf. — 50 d
Prümers, s.: Zeitschrift d. histor. Gesellsch. f. d. Prov. Posen.
Prümers, W: Die Hirtenbriefe d. römisch-katbol. Bischöfe Deutschlds f. d. Fastenzeit 1902, s.: Aktenstücke, kirchl.
Pruner, E: Wespen-Nester. Humoreske. (48 m. Abb.) 8° Münch., A Schopp (01). [Lpzg, F Förster.] — 50 d
Pruner, JE: Lehrb. d. Pastoraltheol., s.: Handbibliothek, wiss.
— Katbol. Moraltheol. 3. Afl. 2 Bde. (596 u. 562) 8° Freibg i/B., Herder 02.03. Je 7.80; HSafl. je nn 10 — d
Prus Kobierski, R Ritter v.: Das Nutzgeflügel. Reich Illustr. Anl. z. Verbesserg u. Verwertg uns. Wirtschaftsgeflügels. (91) 8° Lpzg 02. (Kornenbg, J Kühkopf.) Kart. 3 — d
Pruschanski, N: Ein Blatt a. d. Chronik uns. Stadt. Roman. (318) 8° Berl., S Cronbach 03. 4 —; geb. 5 — d
Prüsmann: Vergleich v. Schleusen u. mechan. Hebewerken. [S.-A.] (27 m. 2 Taf.) 4° Berl., W Ernst & S. 05. 3 —
Pruss, E: Der kl. Anton. Aus d. Poln. in d. Russ. übers. v. FW Dombrowsky, a. d. Deut. ins Deut. übers. v. H Paul. Und Anderes. (96) 8° Neuweissens., E Bartels (o. J.). 2 — d
Pruss, H: Die Autonomie d. Templerordens. [S.-A.] (48) 8° Münch., (G Franz' V.) 03. — 80
— Bismarcks Bildg, ihre Quellen u. ihre Äussergn. (247) 8° Berl., G Reimer 04. 3 —; L. 3. 80 d
— Ueb. d. Gautier v. Compiègne „Otia de Machomete". Beitrag z. Gesch. d. Mohammedfabeln im M.-A. u. z. Kulturgesch. d. Kreuzzüge. [S.-A.] (51) 8° Münch., (G Franz' V.) 03. 1 —
— Germania, s.: Scherr, J.
— Preuss. Geschichte. 4. Bd. Preussens Aufsteigen z. deut. Vormacht (1512—88). (524) 8° Stuttg., JG Cotta Nf. 02. 8 —
(Vollst.: 32 —; Einbde in HF. je 2 —) d
— Die exemte Stellg d. Hospitaliter-Ordens. [S.-A.] (93) 8° Münch., (G Franz' V.) 04. 1.20
Pruts, Ro: Buch d. Liebe u. and. ausgew. Gedichte, s.: Bibliothek d. Gesamtlitt.
Prütz, G: Polizeilz. Bestimmgn f. d. Polizeibez. Kiel. [S.-A.] (108) 8° Kiel, WG Mühlau 05. Kart. 1.20 d
— Die Bestimmgn üb. d. Tagegelder, Reise- u. Umzugskosten f. d. preuss. Staatsbeamten d. Verwaltg d. Innern. (82) 8° Ebd. 05. nn — 75 d
— Sammlg d. wichtigsten landespolizeil. Verordngn f. Schleswig-H. u. sämtl. ortspolizeil. Verordngn f. d. Polizeibez. Kiel. (394) 8° Ebd. 05. Kart. nn 8 — d
Prütz, G: Die Arten d. Kropftauben (Col. strumosae). ihre Naturgesch., Züchtg u. Pflege. (89 m. 13 Taf.) 8° Berl., W Werner (04). 3.50 d
— Die europ. u. oriental. Möventauben (Col. collares). (58 m. Abb.) 8° Lpzg, Exped. d. „Geflügel-Börse" 03. 1.50 d
Prym, E: Die Konkurrenz d. Anspruchs a. d. Vertrage m. d. Ansprüche a. unerlaubter Handlg u. d. Rechte d. BGB. f. d. Deut. Reich. (94) 8° Berl., J Guttentag 06. 2 — d
Przedak, AG: Gesch. d. deut. Zeitschriftenwesens in Böhmen. (248) 8° Heidlbg, C Winter, V. 04. 6.40 d
Przerwa-Tetmajer, K: Melancholie. Deutsch v. J v. Immendorf. (242) 8° Münch., Etzold & Co. 04. (3 —) 2 — d
— Aus d. Tatra, s.: Novellen-Bibliothek, internat.
Przibilla, F: Die bibl. Anschaugsbilder u. ihr Gebr. in d. Volkssch., nebst e. Anh. d. bibl. Geogr. Für Seminare u. Volkssch. verf. (71 m. Abb.) 8° Lissa, F Ebbecke 05. 1.20 d
— Hilfsb. z. Behandlg d. bibl. Gesch. in d. zweisprach. Volkssch. Zum Gebr. f. Seminaristen u. Lehrer. (263) 8° Ebd. 02. 2.50; geb. 3 — d
— Kaiser Geburtstags- u. Sedan-Feier in d. 2sprach. Volkssch. (75) 8° Ebd. 03. 1 — d
— Prakt. Leitf. f. d. Unterr. in d. Rechtschreibg u. Sprachlehre m. bes. Berücks. d. 2sprach. Volkssch. 2. Afl. 1. Tl: Mittelst. (76) 8° Gross-Strehl., A Wilpert 04. — 75 d
— Ausgeführte Lektionen f. d. deut. Sprachunterr. auf d. Unterst. 2sprach. Schulen. 2. Afl. (119) 8° Ebd. 05. 1 — d
— Der ges. deut. Sprachunterr. in d. 2sprach. Volkssch. (m. 3 Tin.) 3. Tl: Oberst. (91) 8° Pos. 01. Lissa, F Ebbecke. 1 — (Vollst.: 3.20) d
— Theorie u. Praxis d. Aufsatzunterr. in d. Volkssch. (95) 8° Gross-Strehl., A Wilpert 03. 1.50 d
— Unter-Stoffe a. d. prakt. Lesen z. Gebr. in Volkssch. (99, 79 u. 91) 8° Lissa, F Ebbecke 04. In 1 L.-Bd 3 — d
Przibram, s.: Přibram.
Przibram, Hans v.: Walter, H.
Przibram, H: Experimentelle Biol. d.Echinodermen, s.:Bronn's, HG, Klassen u. Ordngn d. Thier-Reichs.

Przibram, H: Einl. in d. experimentelle Morphol. d. Tiere. (142) 8° Wien, F Denticke 04.   ..   4 —
Przibram, K: Üb. d. Büschelentladg. [S.-A.] (17) 8° Wien, (A Hölder) 04.   40
— Üb. d. disruptive Entladg in Flüssigk. [S.-A.] (14 m. 2 Fig.) 8° Ebd. 04.   40
— Üb. d. Leuchten verdünnter Gase im Teslafeld. [S.-A.] (30 m. Fig.) 8° Ebd. 04.   90
— Photograph. Studien üb. d. elektr. Entladg. [S.-A.] (4) 8° Ebd. 01.   nn — 10
Przybyszewski, S: Erdensöhne. Roman in 3 Tln. (219) 8° Berl., F Fontane & Co. 05.   3 —; geb. 4 —
— s.: Flaum, Franz.
— De profundis. (Poln. Ausg.) (92) 8° Berl., F Fontane & Co.   2 —; geb. 3 —
— Satans Kinder. Roman. 2. Afl. (261) 8° Ebd. 05. 3 —; geb. 4 —
— Schnee. Drama. (164) 8° Münch., Etzold & Co. (03).   2 —
— Die Synagoge d. Satan. Ihre Entstehg, Einrichtg u. jetz. Bedeutg. (64) 8° Berl., F Fontane & Co. 1897.   2.50 d
— Totentanz d. Liebe. 4 Dramen. (290) 8° Ebd. 02. 4 —; geb. 5 —
— Vigilien. 3. Afl. (64) 8° Ebd. 01.   1.50; geb. 2.50
Przygode, A, u. E **Engelmann**: Griech. Anfangsunterr. im Anschl. an Xenophons Anabasis. 1. u. 2. Tl. 8° Berl., FA Herbig.   Geb. 5.60 d
 1. Unter-Tertia. (184) 04. 2.40 § 2. Ober-Tertia. (190) 05. 3.20.
Psalmen, die. Aus d. Urtext übers. Taschenausg. (2. Afl.) (124) 16° Elberf., R Brockhaus (durch J Fassbender) 1899. — 30 d
— die. Sinngemässe Uebersetzg u. d. hebr. Urtext. (254) 12° Münch. 03. Freibg i/B., Herder. il Neue (Tit.-)Ausg. Freibg (05).   Je 1.80; L. je 2.40; Ldr je 3 — d
— auf d. Namen d. glorwürd. hl. Vaters Joseph. 27. Afl. (24 m. Titelbild.) 16° Augsbg, Kranzfelder 05.   — 15 d
Psalmenklänge. Monatsschrift f. christl. Poesie. Schriftleitg: J Rothfeld. Jahrg. 1905. 12 Nrn. (Nr. 1—4. 36) 8° Neudietendf, Eifert & Scheibe.   nn 2.50; viertelj. — 65 d
 Bildet d. Fortsetzg zw: Sänger, d.
Psalter, der. (336) 8° Bas., (Basler Missionsbh.) 1866. — 40;   L. 1.20 d
Psalteria Wessofontana, s.: Analecta hymnica medii aevi.
Psenner, L: Die Rettg a. d. soc. Elend. 2. Thl. Die Schulreform. 7. Afl. (45) 8° Wien, Bh. „Reichspost" 02.   — 40 d
— Die Umwandlg d. Welt. Vortr. (14) 8° Wien (VIII/1, Langegasse 39), Dr. Psenner 05.   — 30 d
Pserhofer, A: Die Diplomatin. Lustsp. (64) 8° Berl., Harmonie (03).   2 —; geb. 3 — d
— 4 Einakter. — Sträfl. Einfälle, s.: Brettl- u. Theater-Bibliothek, bunte.
Pseudacronis scholia in Horatium vetustiora. Recens. O Keller. Vol. I et II. 8° Lpzg, BG Teubner.   21 —; Einbde je 1 —
 I. Schol. AV in carmina et epodos. (480) 02. 8 —
 II. Schol. in sermonds, epistulas artemque poeticam. (512) 04. 12 —
Pseudo-Jonathan (Thargum Jonathan ben Usiel z. Pentateuch). Nach d. Londoner Handschrift (Brit. Mus. add. 27031) hrsg. v. M Ginsburger. (21, 366) 8° Berl., S Calvary & Co. 03.   8 —
Psilander, AA: 681 Sternörter, s.: Angström, F.
Psychiatrie. Infektionskrankheiten. Zoonosen. Vergiftungen, bearb. v. Brieger, Dehio, Finlay, Harnack, Marx, E Mendel, Nicolaier, Reiche, Rumpf, J Schwalbe, Sticker, Unverricht u. A Wassermann, s.: Handbuch d. prakt. Medicin.
Ptolemaeus: Brief an d. Flora, s.: Texte, kl., f. theolog. Vorlesgn.
Ptolemaei, C, opera quae exstant omnia. Vol. I. Syntaxis mathematica. Ed. JL Heiberg. Pars II, libros VII—XIII continens. (608 m. Fig.) 8° Lpzg, BG Teubner 03. 12 —; geb. 13 — (I u. II.: 20 —; geb. 20.80)
— geographia. E codicib. recogn., prolegomenis, annotatione, indicib., tabulis instruxit C Müllerus. Vol. I pars I et II. (1025) 8° Paris, Firmin Didot & Co. 1883.01. Je 12 —; 36 farb. Kart. dazu. Fol. (3 S. Text). Geb. 60 —
— **Publication de l'association internat. pour la recherche légale des travailleurs**, s.: Schriften d. internat. Vereinigg f. gesetzl. Arbeiterschutz.
— **Publications de la commission internat. pour l'aérostation scientif.**, s.: Veröffentlichungen d. internat. Kommission f. wiss. Luftschiffahrt.
— de circonstance du conseil permanent internat. pour l'exploration de la mer. No.1—27 u. 13 B. 8° Kopenh., (AF Höst & S,).   nn 23.50
 1. Petersen, CGJ: How to distinguish betw. mature and immature plaice throughout the year. (7 m. 1 Taf.) 03.   nn 1.15
 2. Knudsen, M: On the standard-water used in the hydrograph. research until July '03. (19 m. Fig.) 03.   nn — 60
 3. LitzPatof, d., il 10 wichtigsten Nutzfische in d. Nordsee in monograph. Darstellg. (112 m. 10 Taf.) 05.   nn 3.40; engl. Ausg. nn 3.40
 4.5. Knudson, M: Ueb. d. Gebr. v. Stickstoffbestimmgn in d. Hydrogr.-Gefrierpunkttab. f. Meerwasser. (13) 05.   nn — 85
 6. Kylø, HM: On a new form of the ground. (10 m. Fig.) 05. nn — 60
 7. Brennen, PJ van: Ueb. d. Vorkommen v. Oithona sans Giesbr. in d. Nordsee. (24 m. 1 Karte) 05.   nn 1.15
 8.9. Fulton, TW: On the spawning of the Cod (Gadus morrhua L.) in autumn in the North Sea. — A new mode for fish. (14 m. 1 Karte.) 04.   nn 1.15
 10. Sars, GO: On a new (planktonic) species of the genus Apherusa. (4 m. 1 Taf.) 04.   nn — 60
 11. Knudson, M: OfTab. Anh. zu d. hydrograph. Tab. (32) 04.   nn — 85
 12. Catalogue des poissons du nord de l'Europe, avec les noms vulgaires dont on se sert dans les langues de cette région. (76) 04.   nn 1.15
 13. Osten-Fischerei, d., in ihrer jetz. Lage. (1. Tl.) I. Otterström, A.: Uebersicht üb. d.Seefischerei in d. Gewässern innerh. Skagens. — II. Trybom, F, u. A Wollebaek: Uebersicht üb. d. Seefischerei Schwedens an d. süd- u. östl. Küsten dieses Landes. (59 m. 6 Taf.) 04.   nn 1.70
 13 B. Dass. (2.Tl.) III. Fischer, E: Uebersicht üb. d.Seefischerei Deutschlds in d. Gewässern d. Ostsee. Unter Mitwirkg v. H Henking bearb. (79 —140 m. Fig. u. 6 Taf.) 05.   nn 2 —
 14. Everdingen, E van, u. CH Wind: Oberflächentemperaturmessgn in d. Nordsee. (10 m. Fig. u. 1 Taf.) 05.   nn 1.15
 15—20. Stenius, S: Ein Versuch z. Untersuchg d. hydrograph. Veränderg in d. nördl. Ostsee sowie im Finn. u. Bottn. Meerbusen. Vorläuf. Mit.teilg. — Stenius, S: Graph. Berechng v. zu e. gr. — Robertson, AJ: Scottish hydrogr. research durin 1903. — Sandström, JW: Einfl. d. Windes auf Dichte u. d. Bewegg d. Meerwassers. — Helland-Hansen, B: Zur Ozeanogr. d. Nordmeeres. Resumé s. Vortr. — Ruppin, E: Ueb. d. Oxydierbark. d. Meerwassers durch Kallum permanganat. (5, 6, 6, 8 u. 9 m. Fig. u. 6 Taf.) 04.   nn 1.70
 21. Fox, JJ: On the determination of the atmospheric gases dissolved in sea-water. (24 m. Fig. u. 1 Taf.) 05.   nn 1.15
 22. Damas, D: Notes biolog. sur les Copépodes de la mer norvég. (34 m. 1 Karte.) 05.   nn 1.15
 23. Ekman, VW: On the use of insulated water-bottles and reversing thermometers. (98 m. Fig. u. 2 Taf.) 05.   nn 1.15
 24—26. Ekman, VW: Kurze Beschreibg e. Propallstrommessers. — Petterson, O: Beschreibg d. Bidliar-Strommessers. — Roosendaal, AM van, u. CH Wind: Prüfg v. Strommessern u. Strommessgsversuche in d. Nordsee. (4, 6 u. 10 m. 4 Taf.) 05.   nn 1.70
 27. Communications du laboratoire central à Christiania No. 4: Ekman, VW: An apparatus for the collection of bottom-samples. (6 m. Fig.) 05.   nn — 60
— **Publications de l'observatoire central Nicolas sous la direction de O Backlund.** Série II. Vol. IX, 1—4; X; XII; XIII; XVII, 1 et XVIII, 1. 4° St.-Pétersbg. (Lpzg, Voss' S.) 114 —
 Belopolsky, A: Nova Persei. Bearbeitg d. in Pulkowo erhalt. Spectrogramme. (116 m. 31 m. 1 Taf.) 03. [XVII,1.]   8 —
 Kowalski, J: Die Rectascensionen d. Pulkowoer Hauptsterne a. d. Catalogen 1845.0, 1865.0 u. 1885.0 abgeleitet a. auf d. Epoche 1900.0 bezogen. (85) 03. [IX,2.]   4 —
 Nyrén, M, et A Ivanof: Observations faites au cercle vertical. Rédigées par M Nyrén. (18 u. 467) 03. [XIII.]   32 —
 B Wanach et S Kostinsky: Observations faites à l'instrument des passages établi dans te premier vertical. Rédigées par M Nyrén. (40 u. 480) 03. [X.]   32 —
 Seyboth, J: Catalog v. 781 Zodiacalsternen f. Aequinoctium u. Epoche 1855.0 n. Beobachtgn v. M Dückhaus. (148) 05. [IX,8.]   4 —
 Sokoloff, a, et S Lobedef: Observations faites à la grande lunette méridienne. (268) 05. [VII.]   14 —
 Struve, H: Mikrometermessgn v. Doppelsternen, ausgeführt am 30-zöll. Refractor zu Pulkowo. (216) 01. [XII.]   14 —
 Wittram, T, u. F Renz: Telegraph. Längenbestimmg zw. Pulkowo u. Potsdam. (41 u. 31 m. 1 Taf.) 03. [VII.]   4 —
 Zeipel, H v.: Durchgangsbeobachtgn v. Zodiacalsternen. (28) 04. [IX,4.] 4 —
— de la section orientale de la soc. ethnograph. hongroise. I. 8° Budap. (Lpzg, O Harrassowitz.)   4 —
 Sulejman Efendi's, d. faqutaj-ossan. Wrtrb. Vertürate u. m. deut. Übersetzg verseh. Ausg. bearb. v. I Künos. (201) 02. [I.]   4 —
— de la soc. suisse des traditions populaires, s.: Schriften d. schweiz. Gesellsch. f. Volkskde.
— de l'association internat. pour la protection légale des travailleurs, s.: Schriften d. internat. Vereinigg f. gesetzl. Arbeiterschutz.
Publicus, J: Die moderne Schandpresse, s.: Volksaufklärung.
Publikationen d. astrophysikal. Observatoriums Königstuhl-Heidelberg (astrophysikal. Abteilg d. grossh. bad. Sternwarte). Hrsg. v. M Wolf. 1. Bd. (192 m. Fig. u. 4 Taf.) 4° Karlsr., G Braun'sche Hofbuchdr. 02.   20 —
— d. astrophysikal. Observatoriums zu Potsdam. (Hrsg. v. HC Vogel.) Nr.41,44 u. 47—50. 4° Potsdam. (Lpzg, W Engelmann.)   48 —
 Lohse, O: Funkenspectra ein. Metalle. (106 m. Abb.) 09. [41.]   7 —
 Ludendorff, H: Der gr. Sternhaufen im Herkules Messier 13. (50) 05. [50.]   4 —
— Untersuchg üb. d. Koplen d. Gitters Gautier Nr. 47 u. üb. Schichtverzerrgn auf photograph. Platten. (97) 03. [40.]   6 —
 Müller, G, u. P Kempf: Photometr. Durchmusterg d. nördl. Himmels, enth. alle Sterne d. B.D. bis z. Grösse. 7.5. III. Thl. Zone +40° bis +50° Declination. (440) 03. [44.]   20 — (I—III.: 50 —)
 Scheiner, J, u. J Wilsing: Untersuchgn in d. Spektren d. helleren Gasnebel, angestellt am gr. Refraktor. (59) 05. [47.]   4 —
 Wilsing, J: Üb. d. Einfl. d. spätr. Absorptiva d. Wellenfläche auf d. Lichtstärke v. Fernrohrobjektiven. (91 m. Fig.) 05. [48.]   7 —
 Nr. 45 u. 46 sind noch nicht erschienen.
— dass. Photograph. Himmelskarte. Zone +31° bis +40° Declination. 2. u. 3. Bd. 4° Ebd.   Je 25 — (1—3.: 75 —)
 Scheiner, J: 20048 scheinbare rechtwinkl. Coordinaten v. Sternen bis z. 11. Grösse nebst zugehör. Oertern f. 1900.0. (405) 01. [3.]
 — 20923 scheinbare rechtwinkl. Coordinaten v. Sternen bis z. 11. Grösse nebst genäherten Oertern f. 1900.0. Nach Aufnahmen v. A Schwassmann u. H Clemens u. Ausmessgn v. A Everett. (470) 03. [3.]
— des Office internat. de bibliogr. Conspectus methodicus et alphabet. numeror. classificationis bibliographici auctoritate instituti bibliographici internat. Bruxellensis aeditus a concilio bibliographico. 55., 56 d., 57 d. u. 58 d. 8° Zür., Concilium Bibliographicum 02.   4.99;
 engl. u. französ. Ausg. zu gl. Preisen
 55. Palaeontologica. (30) 1.10 § 56 d. Biologia generalis. — Microcephia. (12) — 44 § 57 d. Zoologica. (41) 1.10 § 58 d. Palaeontologica. — Biologia generalis. — Microcephia. — Zoologica. 56—57. (90.) 2.15.
— d. statist. Bureaus v. Budapest, s.: — — u. d. J.1900—05. [87.] 85 [87.] 4 —
 31; 32; 33, 8 Hefte; 34; 35; II. Thl 1—9. Heft u. 37. 8° Berl., Puttkammer & M.   80 —
 Körösy, J v.: Die Armenpflege v. Budapest in d. J.1900—05. [87.] [50.] 4 —
— Die Bauthätigk. in Budapest in d. J. 1896—1900. (67 u. 20 m. 1 Taf.) 05. [33.]   2 —
— Die finanz. Ergebn. d. Actiengesellsch. währ. d. letzten Vierteljahrh. (1874—98). 1. Heft. (93) 01. [29.] 1.50 § 2. Heft, (13, 93—241 u. 111 m. 2 Taf.) 01. 3.50

Körösy, J v.: Die Sterblichk. in Budapest in d. J. 1891—95 u. deren Ursachen. I. Thl. (216) 01. [31.] 4 — ‖ II. (tabellar.) Thl. 1—3. Heft. 1901—3. (Ungar. u. deutsch.) (44, 67 u. 69) 02-05. [36.] 1 — ‖ 1896—1900. (206) 04. 4 —
— u. G Thirring: Die Hauptstadt Budapest im J. 1901. Resultate d. Volkszählg u. Volksbeschreibg. 1. Bd. 2 Hftn. (94 u. 96 m. 4 Pl. u. 1 Fig.) 03.04. [33.] 5 — ‖ 2. Bd. (168 u. 111 m. 11 Taf.) 05. 5 —

Publikationen a. d. kgl. ethnograph. Museum zu Dresden. Hrsg. v. AB Meyer. XIV. Bd. 46×34,5 cm. Dresd., Kunstanst. Stengel & Co. Kart. 120 — (I—XIX.: nn 610 —)
Meyer, AB, u. O Richter: Celebes I: Sammlg d. Herren Dr. P u. Dr. F Sarasin a. d. J. 1893—96. Anh.: Die Bogen-, Strich-, Punkt- u. Spiralornamentik v. Celebes. (140 m. Abb., 29 Taf. u. 1 Karte.) 03. [XIV.] 120 —

— d. Export-Akad. d. k. k. österr. Handels-Museums. 4. Bd. 8° Wien, Manz. — 80 (1—4.: 12.20)
Schmid, A: Das Übgs-(Muster-)Comptoir an kaufmänn. Lehranst. [S.-A.] (55) 01. [4.] — 80

— d. Ver. f. schleswig-holstein. Kirchengesch., Fortsetzg, s.: Schriften.

— d. kön. ung. Reichsanst. f. Meteorol. u. Erdmagnetismus. (Ungarisch u. deutsch.) 2—6. Bd., 4° Budap., (L Toldi). Je 4 —
Karvázy, S v.: Wolkenbeobachtgn in O-Gyalla im J. 1898. (69 m. Abb. u. 8 Lichtdr.) 1900. [2.]
Konkoly jr., NT: Die Methoden u. Mittel d. Wolkenhöhenmessgn. (64 m. Fig. u. 1 Taf.) 02. [5.]
Róna, S: Der jährl. Gang d. Temperatur in Ungarn. (133 m. 2 Abb.) 1900. [3.]
— u. L Fraunhoffer: Die Temperaturverhältn. v. Ungarn. (155 m. 5 Kart.) 04. [6.] 4 —
Szalay, L v.: Die Blitzschläge in Ungarn in d. J. 1890—1900. (129 m. 1 Karte u. 1 Graphikon.) 01. [4.]
Der 1. Bd ist vergriffen.

— militärärztl. Nr. 54—94. Wien, J Šafář. 115.75
Aufgaben-Sammlung z. applicator. Studium d. Feld-Sanitätsdienstes. (129 m. 45 Skizzen.) 8° 01. [55.] 5 —
Beykovsky, S: Sehschärfe- u. Refraktions-Bestimmgn v. prakt. Standpunkte d. Truppenarztes. (46) 8° 05. [85.] — 90
Beziehungen d. Feld-Sanitätsdienstes z. Felddienste. (Von Cron u. Wolff.) (141 m. Fig.) 8° [58.] 3.20
Buraczyński, A: Leitf. f. Blessiertenträger. Mit Zugrundelegg d. „Leitf. z. fachtechn. Unterr. d. k. u. k. Sanitäts-Hilfspersonals“ u. d. „Leitf. f. Blessiertenträger“ v. P Myrdacz. (48 m. Fig.) 8° 03. [74.] — 70
— dass. Böhm. Übersetzg v. R Fibich. (44 m. Fig.) 8° 03. [75.] — 70
— dass. Kroat. Übersetzg v. E Jovanović. (46 m. Fig.) 8° 05. [93.] — 70
— dass. Ungar. Übersetzg v. A Mayer. (46 m. Fig.) 8° 05. [88.] — 70
Cron: 10 Beispiele a. d. Geb. d. Gefechts-Sanitätsdienstes. Kritisch besprochen im Gelände. Mit 21 Skizzen. 1. u. 2. Heft. (Enth. je 5 Beispiele.) (319 m. Fig.) 8° 02. [62.67.] Je 3.20
— 3 Monographieen a. d. Geb. d. Feld-Sanitätsdienstes. I. Zur Verwendg d. Sanitätsformationen im Gefechte. II. Die Gliederg e. Infant.-Divisions-Sanitätsanst. III. Ein. Winke betr. d. Maassnahmen d. Chefarztes e. selbständig operier. Infant.-Truppen-Division gelegentlich länger dauernder Ruhestellgn u. bei Reisemärschen. (92 m. 35 Skizzen.) 8° 02. [65.] 2.20
— Studie üb. d. Gefechts-Sanitätsdienst im Rahmen e. Korps. Entwickelt an d. Hand d. militär. Ereignisse bei d. Westpartei im Treffen v. Náchod am 27.VI.1866. 2 Hefte. (283 m. 9 Skizzen.) 8° 04. [78.79.] 6.40
Drastich, B: Leitf. d. Verfahrens bei Geisteskrankh. u. zweifelhaften Geisteszuständen f. Militärärzte. I. Allg. Tl. (83) 8° 04. [80.] 2.25 ‖ II. Spez. Tl. (204) 8° 05. [84.] 4.75
Einführung in d. Heerwesen d. österr.-ungar. Monarchie im Felde. Vom Standpunkte d. Sanitätsdienstes speciell bearb. f. Militärärzte. 2. Afl. (134 m. 2 Tab.) 8° 01. [54.] 3 —
Gelände- u. Feld-Sanitätsdienst. Compendium d. Terrainlehre f. Militärärzte. (128 m. Fig.) 8° 01. [57.] 4 —
Herz, L: Der Sanitätsdienst bei d. engl. Armee im Kriege geg. d. Buren. (104 m. 2 Beil.) 8° 02. [68.] 2.25
Boen, M Ritter v.: Vorsch. z. Lösg sanitäts-takt. Aufg. 1. Heft. (92 m. 1 Karte.) 8° 02. [69.] 2.25 ‖ 2. Heft. (93—261 m. 2 Kart.) 8° 02. [70.] 4.50 ‖ 3. (Schl.-)Heft. (263—533 m. 2 Kart. u. 12 Skizzen.) 8° 03. 7.25
Jerzabek, A: Samariterb. f. d. Angehörigen d. bewaffneten Macht. Gemeinverständl. Darstellg d. ges. Nothhilfeleistg bei plötzlich auftret. Erkrankgn u. Unglücksfällen im Frieden u. im Kriege. (240 m. Abb.) 8° 02. [60.] 3.60; L. 4.50
— Das Verbandspäckchen u. s. Anwendg auf d. Schlachfelde. (20 m. Abb.) 12° 02. [59.] — 30
— Wandtaf. f. d. Unterr. im Sanitätshilfsdienste. 219 Fig. auf 12 Taf. m. (untergedr.) erklär. Text. 36,5×46 cm. 03. [76.] 4.50; auf Pappe in Kart. 10 —
Kamen, L: Anl. z. Durchführg bakteriolog. Untersuchgn f. klinisch-diagnost. u. hygien. Zwecke. (311 m. Fig. u. 12 Taf.) 8° 03. [73.] 8.40; L. 9.60
— Die Infektionskrankh. rücksichtl. ihrer Verbreitg, Verhütg u. Bekämpfg. (In etwa 7 Lfgn.) 1—4. Lfg. (1—256) 8° 05. [83.87.94.] 6 —
Myrdacz, P: Hdb. f. k. u. k. Militärärzte. I. Bd. Systematisch geordnete Sammlg d. in Kraft steh. Vorschriften, Zirkularverordngn, Reichskriegsministerial-Erlässe usw. üb. d. k. u. k. Militärsanitätswesen u. d. persönl. Verhältn. d. Militärärzte, als Ergänzg z. Reglement f. d. Sanitätsdienst d. k. u. k. Heeres. 4. Afl. (1056) 8° 05. [90—92.] 16.50; L. 19 —
— dass. X. Nachtr. f. 1900. (II. Nachtr. z. 3. Afl. d. 1. Bds.) (Abgeschl. m. 10.I.'01.) (88) 8° 01. [50.] 1.60 ‖ XI. Nachtr. f. 1901. (III. Nachtr. z. 3. Afl. d. 1. Bds.) (Abgeschl. m. 31.XII.'01.) (92) 8° 02. [61.] 1.80 ‖ XII. Nachtr. f. 1902. (IV. Nachtr. z. 3. Afl. d. 1. Bds.) (Abgeschl. m. 31.XII.'02.) (92) 8° 03. [77.] 1.80 ‖ XIII. Nachtr. f. 1903. (V. Nachtr. z. 3. Afl. d. 1. Bds.) (Abgeschl. m. 31.XII.'03.) (100) 8° 04. [81.] 2 —
Senft, E: Taschenb. f. prakt. Untersuchgn d. wichtigsten Nahrgs- u. Genussmittel. Nach d. v. F Kratschmer geh. Vortr. zusammengest. (77 m. 5 Taf.) 8° 03. [72.] 1.80; L. 2.70
Sprachführer f. d. Verkehr d. Arztes m. d. Kranken u. d. Wärter in deut., böhm., italien., kroat. (serb.), poln., rumän., ruthen. u. ungar. Sprache. Mit bes. Rücks. auf d. militärärztl. Gebr. zusammengest. u. übers. v. k. k. Militärärzten. (87) 8° 05. [82.] L. 2.20
Taussig, S: Behelf z. Lösg v. Aufg. a. d. operativen Sanitätsdienste u. d. Sanitätstaktik. (112 m. Fig.) 8° 02. [63.] 1.60; L. 2.20 ‖ Berichtiggn u. Nachträge dazu v. S Taussig u. G Frühauf. (7 Bl., S. 49—51 u. 113—119 m. Fig.) 8° 05. [86.] — 60 ‖ Neue Ausg. m. Berichtiggn u. Nachtr. (119 m. Fig. u. 7 Bl. Verbessergn.) 8° 05. 2.20; L. 2.70
Teich, M: Einführg in d. schriftl. Dienstverkehr d. bei d. Truppe eingeteilten Militärärztes. (256 m. 8 Beil.) 8° 02. [66.] 4.50; L. 5.40
Von d. Leber weg. Ein Gespräch m. d. jungen Truppenarzte. Von e. alt. Kameraden. (47) 8° 05. [89.] — 80 d

Zur Ausgestaltg d. Marodenzimmer d. k. u. k. Heeres. Nach d. Erfahrgn e. Truppenarztes. (26) 8° 02. [64.] — 60

Publikationen d. internat. Musikgesellsch. Beihefte. I. Folge, 10 Hefte u. II. Folge, 1. u. 2. Heft. 8° Lpzg, Breitkopf & H. 47.50
Einstein, A: Zur deut. Lit. f. Viola da Gamba im 16. u. 17. Jahrh. (120) 05. [II,1.] 3 —
Hirschberg, E: Die Encyklopädisten u. d. französ. Oper im 18. Jahrh. (145) 03. [I,10.] 3 —
Istel, E: Jean-Jacques Rousseau als Komponist sr lyr. Scene Pygmalion, s.: Studien z. Gesch. d. Melodramas.
Körte, O: Laute u. Lautenmusik bis z. Mitte d. 16. Jahrh. Unter bes. Berücks. d. deut. Lautentabulatur. (164) 01. [I,3.] 5 —
Kroyer, T: Die Anfänge d. Chromatik im italien. Madrigal d. XVI. Jahrh. (160) 02. [I,4.] 6 —
Kuhn, M: Die Verziergs-Kunst in d. Gesangs-Musik d. 16—17. Jahrh. (1535—1650). (150 m. 1 Taf.) 02. [I,7.] 4 —
Nef, K: Zur Gesch. d. deut. Instrumentalmusik in d. 2. Hlfte d. 17. Jahrh. Mit Anh.: Notenbeispiele in Ausw. (79) 02. [I,5.] 3 —
Niemann, W: Üb. d. abweich. Bedeutg d. Ligaturen in d. Mensuraltheorie d. Zeit vor Johannes de Garlandia. Beitrag z. Gesch. d. altfranzös. Tonschule d. XII. Jahrh. (160) 02. [I,6.] 6 —
Praetorius, E: Die Mensuraltheorie d. Franchinus Gafurius u. d. folg. Zeit bis z. Mitte d. 16. Jahrh. (132) 05. [II,2.] 4 —
Ramis de Pareia, B: Musica practica. Bononiae impressa opere et industria ac expensis magistri Baltasaris de Hiriberia 1482. Nach d. Orig.-Drucken d. Liceo musicale hrsg. v. J Wolf. (116 m. Fig.) 01. [I,2.] 4 —
Schröder, H: Die symmetr. Umkehrg in d. Musik. Beitrag z. Harmonie- u. Kompositionslehre m. Hinweis auf d. hier technisch notwend. Wiedereinführg antiker Tonarten im Style moderner Harmonik. (128) 02. [I,8.] 5 —
Studien z. Gesch. d. Melodramas. I. Istel, E: Jean-Jacques Rousseau als Komponist sr lyr. Scene „Pygmalion“. (90) 01. [I,1.] 1.50
Werner, A: Gesch. d. Kantorei-Gesellschaften im Geb. d. ehemal. Kurfürstent. Sachsen. (84) 02. [I,9.] 3 —

— a. d. k. preuss. Staatsarchiven. Veranlasst u. unterstützt durch d. k. Archivverwaltg. 76—79. Bd. 8° Lpzg, S Hirzel. 92 —
Archiv, polit., d. Landgrafen Philipp d. Grossmütigen v. Hessen. Inventar d. Bestände, hrsg. v. F Küch. 1. Bd. (55, 885) 04. [78.] 28 —
Briefe d. Königin Sophie Charlotte v. Preussen u. d. Kurfürstin Sophie v. Hannover an hannov. Diplomaten. Mit e. Einl. hrsg. v. R Doebner. (22, 293) 05. [79.] 12 — d
Granier, H: Preussen u. d. kathol. Kirche seit 1640. Nach d. Acten d. geheimen Staatsarchives. 8. Thl. Von 1797—1803. (863) 02. [76.] 28 — ‖ 9. Thl. Von 1803—07. (666) 02. [77.] 24 — (Vollst.: 175 —)

— d. Gesellsch. f. rhein. Gesch.-Kde. XII. Geschichtl. Atlas d. Rheinprov. 6. Karte. Bonn, (H Behrendt). 18 —
6. Fabricius, W: Kirchl. Organisation u. Verteilg d. Confessionen im Bereich d. heut. Rheinprovinz um d. J. 1610. 1:250,000. 4 Bl. je 67×45 cm. Farbdr. 02.03. 18 —

— dass. XII., Erläutergn z. geschichtl. Atlas. 3. u. 4. Bd. 8° Ebd. Je 4.80; L. je 5.80 (Atlas 1—6 u. Erläutergn z. 1—4. Bd: nn 98.10)
3. Das Hochgericht Rhaunen v. W Fabricius. (99 m. 6 Kart.) 01. 4.80; geb. 5.80
4. Forst, H: Das Fürstent. Prüm. (144 m. 3 Kart.) 03. 4.80; geb. 5.80

— dass. XIII. 4. Lfg u. Text. Lüb., J Nöhring 02. 52 — (Vollst.: 172 —)
Scheibler, L, u. C Aldenhoven: Gesch. d. Kölner Malerschule. 131 Lichtdr.-Taf. 4. Lfg. (31 Taf.) Fol. In M. 40 —; m. erklär. Text v. C Aldenhoven. (453) 8° 12 —

— dass. XIX. 8° Bonn, H Behrendt. 6 —
Tille, A, u. J Krudewig: Übersicht üb. d. Inhalt d. kleineren Archive d. Rheinprovinz. 2. Bd. (385) 04. 6 — (1 u. 2.: 14 —)

— dass. XX. 8° Ebd. 18 —
Urbare, rhein. Sammlg v. Urbaren u. and. Quellen z. rhein. Wirtschaftsgesch. 1. Bd. Die Urbare v. S. Pantaleon in Köln. Hrsg. v. B Hilliger. (28, 104, 725) 02. 18 —

— dass. XXI. 4° Bonn, P Hanstein. Kart. 22 —
Regesten, d., d. Erzbischöfe v. Köln im M.-A. 2. Bd. 1100—1205. Bearb. v. R Knipping. (26, 400) 01. 22 —
Der 1. Bd d. Regesten ist noch nicht erschienen.

— dass. XXIII. 1—3. Bd. 8° Ebd. 46.50; Einbde in L. je 1 —; in HF. je 2.50
Urkunden u. Regesten z. Gesch. d. Rheinlande a. d. vatikan. Archiv. Ges. u. bearb. v. HV Sauerland. 1. Bd. 1294—1326. (19, 20, 491) 02. 14 — ‖ 2. Bd. 1327—42. (21, 647) 05. 17 — ‖ 3. Bd. 1342—52. (75, 503) 05. 15.50

— dass. XXIV. 8° Bonn, (H Behrendt). 25 —; geb. 26 —
Voullième, E: Der Buchdruck Kölns bis z. Ende d. 15. Jahrh. Beitrag z. Inkunabelbibliogr. (32, 134, 543) 03. 25 —; geb. 26 —

— dass. XXV. Düsseldf, L Schwann. In L.-M. 75 —
Clemen, P: Die roman. Wandmalereien d. Rheinlande. (64 z. Tl farb. Taf. m. 2 S. Text.) 64×50 cm. 05. 75 —

— dass. XXVI. 8° Bonn, P Hanstein. 18 —; L. 19 —
Konsistorial-Beschlüsse, köln. Presbyterial-Protokolle d. heiml. köln. Gemeinde 1572—96. Hrsg. v. E Simons. (32, 510) 05. 18 —; L. 19 —

— a. d. steiermärk. Landesarchive. Abth. A. Kataloge. II. Landschaftl. Archiv. 1. Abth. 8° Graz, U Moser. nn — 50 d
1. Luschin, A v.: Katalog d. landschaftl. Urkunden. Für d. Archiv bearb. von v. L., f. d. Hrsg. v. A Kapper. (24) 1899. nn — 50

— d. v. Kuffner'schen Sternwarte in Wien. Hrsg. v. L de Ball. VI. Bd. 1—4. Tl. 4° Wien, W Frick. 15 — (I—VI, 4.: 110 —)
1. (98) 02. 5 — ‖ 2.3. (47 u. 37) 03.04. Je 3 — ‖ 4. (47) 04. 4 —

— d. Sternwarte d. eidg. Polytechnikums zu Zürich. Hrsg. v. A Wolfer. 3. Bd. 4° Zür., (Schulthess & Co.). 12 — (1—3.: 36 —)
Wolfer, A: Beobachtgn d. Sonnenoberfläche in d. J. 1893—95. (121 m. 15 Taf.) 02. [3.] 12 —

— wirtschaftl., d. Zürcher Handelskammer. 1. u. 2. Heft. 8° Zür., A Bopp. 2.80
Steuerreform im Kt. Zürich. Kritik d. Vorschläge d. Kantonsrates u. Gegenvorschläge. (56) 05. [1.] 1 —
Thomann, E: Die Baumwollspekulation u. ihre Bekämpfg. (55) 05. [2.] 1.80

Publikum, d., im Verkehr m. d. Eisenb. bei d. Personen- u. Reise-Gepäckbeförderg. (47) 12° Lpzg, F Schneider 02. — 20 d

Publishers Journal. Katalog d. engl. u.-amerikan. Lit. Red.:

O Gantzer. Vol. 1. März 1903—Febr 1904. 12 Nrn. (Nr. 1. 10) Fol. Berl., O Gantzer. 6 —; einz. Nrn — 50 ò F
Puchas, F: Papst Pius X. Kurze Lebensskizze. (32 m. 1 Bildnis.) 12° Graz, U Moser 03. — 12 d
Puchner, H: Untersuchng auf d. Geb. d. landw. Maschinenwesens, ausgeführt v. d. kgl. bayer. Maschinenprüfgsstation Weihenstephan. (216 m. Abb.) 8° Münch., CA Seyfried & Co. (03). 3.80 d
Puchner, J: Grammatik d. Weltsprache Nuove-Roman. (72) 8° Linz, R Puchner (05). 1.20
Puchner, R: Anna Ruland. Sittenbild a. d. Westen d. Verein. Staaten. (279) 8° Dresd., E Pierson 03. 5 —; geb. 6 — d
Puchstein, O: Führer durch d. Ruinen v. Ba'albek. (40 m. Abb., 2 Taf. u. 1 Kartenskizze.) 8° Berl., G Reimer 05. 1.80
— u. Tv. Lüpke: Ba'albek. 30 Ansichten d. deut. Ausgrabgn. (30 Bl. m. Unterschriften in deut., engl. u. französ. Sprache.) 8° Ebd. 05. 2.40
Puchta, A: Till Eulenspiegel. Für d. Jugend bearb. 1—4. Taus. (78 m. 5 farb. Bildern.) 8° Stuttg., G Weise (02). Geb. — 60 d
— Leben u. Abenteuer d. Robinson Crusoe, s.: Defoe, D.
— Lichtenstein, s.: Hauff, W.
— Paul u. Virginie, s.: Saint-Pierre, B de.
— Schatzkästlein, s.: Hebel, JP.
— Joseph Schwarzmantel, s.: Salzmann, CG.
Puck, little. Illustr. engl. Witzbl. f. deut. Leser z. Forthildg in d. engl. Sprache. Red.: H Paustian. 1. u. 2. Jahrg. Oktbr 1904—Septbr 1906 je 24 Nrn. (Nr. 1. 8 S.) 4° Hambg, H Paustian. 1.20; einz. Nrn — 20
Pückler, H Graf: Gesang u. Kunst. Off. Brief. (9) 8° Schweidn., (L Heege) (02). — 30 d
— Sdielano (es ist geschehen). (9) 8° Ebd. (05). — 40
Pückler-Limpurg, S Graf: Die Nürnberger Bildnerkunst um d. Wende d. 14... u. 15. Jahrh., s.: Studien z. deut. Kunstgesch.
Pückler-Muskan, Fürst v.: Andeutgn üb. Landschaftsgärtnerei, verbunden m. d. Beschreibg ihrer prakt. Anwendg in Muskau, s.: Klassiker d. Gartenkunst.
Pudor, C: Touristen-K, v. d. Haffküste zw. Elbing u. Cadinen. 1:25,000. 62,5×55,5 cm. Lith. Elb., P Ackt 1900. 2 —; auf L. in Futteral 3 —
— Pudor, H: Babel-Bibel in d. modernen Kunst. (59 m. 28 Abb.) 8° Berl., O Baumgärtel 05. 2 —; kart. 2.50
— s.: Dokumente d. modernen Kunstgewerbes.
— Der Finfl. d. Lichts auf d. menschl. Organismus. (40) 8° Langens. 05. Mellenbach, Verl. Gesundes Leben. — 50 d
— Die neue Erziehg. Essays üb. d. Erziehg z. Kunst u. z. Leben. (339) 8° Lpzg. 02. Berl., H Seemann Nf. 4 —; geb. 5.50
— Fideikommis-Schutz in Deutschl. versus Landarbeiterheim-Schutz in Dänemark. Zur Agrarpolitik in Dänemark u. Deutschl. (52) 8° Lpzg, F Dietrich 05. 1.50
— Die Frauenreformkleidg. Beitrag z. Philosophie, Hygiene u. Aesthetik d. Kleides. (58 m. Abb.) 4° Lpzg (05). Berl., H Seemann Nf. 3.50 d
— Das landw. Genossenschaftswesen im Auslands. 1. Bd. In d. skandinav. Ländern. (153) 8° Lpzg, F Dietrich 04. 7.50
— s.: Kultur d. Familie. — Kunstbandwerk.
— Laokoon. Kunsttheoret. Essays. (252) 8° Lpzg 02. Berl., H Seemann Nf. 6 —; geb. 7.50
— Neues Leben. Essays. (165) 8° Dresd., C Reissner 02. 3 —;
— Das Moderne in Kunst u. Kunstgewerbe. I—III. 8° Lpzg Berl., H Seemann Nf. 3.50
   I. Secessionsstil u. modérnes Kunstgewerbe. (58) 03. 1 —
   II. Die néue Architékt. (54) 03. 1 —
   III. Die bild. Kunst in d. skandinav. Ländêrn. (101) 04. 1.50
— Das Rauschbedürfnis im Menschen, s.: Diskussjonen, Zürcher.
— Die Selbsthilfe d. Landw. Beitrag z. Zolltarifvorlage. (151) 8° Berl.-Schönebg, Verl. d. „Hilfe" 02. 1.50
Puff, L, u. R Heberer: Lehrg. f. d. Projektionszeichnen. (32 m. Abb.) 8° Halle, Bh. d. Waisenh. 04. — 80 d
— — Lehrg. f. d. Zirkelzeichnen. (15 m. Fig.) 8° Ebd. 02. — 40 d
— u. E Stark: Lehrb. d. vereinf. deut. Kurzschrift. (Einiggssystem Stolze-Schrey). 11. Afl. (50) 8° Mgdbg, A Rathke (05). — 80 d
      Schlüssel. (17) — 50
— — Leseb. f. Stenogr. (System Stolze-Schrey.) 4. Afl. (48) 8° Ebd. 04. — 70
— — Methodisch-geordneterUebgsstoff f. d. Unterr. in d.Stenogr. (System Stolze-Schrey). 3. Afl. (47) 8° Ebd. 02. nn — 40
Pughe, FH: Föhr. Dichter im Zeitalter d. Königin Viktoria. (104) 8° Wien, C Konegen 04. 1.50
— Studien üb. Byron u. Wordsworth, s.: Forschungen, anglist.
Pugnator s.: Triumph d. Liebe.
Puhallo u. Králíček: Taktikaufg. Nr. 1—12 m. 28 Beil. [S.-A.] (160) 8° Wien, LW Seidel & S. 04. 3 —
Puhl, H: Dorfgesch. v. Klein-Drensen unter Zugrundelegg d. dort. Schulmuseums. (18 m. 2 Taf.) 8° Lissa, F Ebbecke 05. nn — 50 d
Puhm, J: Schira, s.: Für Hütte u. Palast.
Pulcinella s.: Laternenlieder, Bonner.
Pulitzer, J: Beitrag z. Methodik d. Heimatkde (f. d. Unterr. in d. Volksch.). (111 m. Abb. u. Kartenskizzen.) 8° Linz, Zentraldruckerei vorm. E Mareis 03. 2 — d
Pulkowski: Hdb. f. Unteroffiziere, Obergefreite u. Gefreite d.

Fussartill. 6. Afl. v. Pulkowski. 2 Bde. (Mit Abb. u. 1 Taf.) 8° Berl., R Eisenschmidt 05. 3.60; geb. 4.40 d
   1. (24[d]) 2 —; geb. 2.40 ‖ 2. (155) 1.60; geb. 2 —
Pulkowski: Leitf. f. d. Unterr. d. Kanoniere d. Fussartill. 17. Afl. (200 m. Abb., 1 Bildnis, 3 farb. Taf. u. 1 Anl.) 8° Berl., R Eisenschmidt 03. Kart. nn — 75 d
   Neue Afl. v. d. T.:
— Leitf. f. d. Unterr. d. Kanoniere u. Fahrer d. Fussartill. 19. Afl. v. Pulkowski. (194 m. Abb. u. 3 farb. Taf.) 8° Ebd. 05. — 65; kart. nn — 75 d
— Leitf. f. d. Unterr. d. Unteroffiziere d. Fuss-Artill. 5. Afl. (168 m. Abb. u. 1 Schema.) 12° Ebd. 03. Kart. nn 1.10 d
Puls, A: Leseb. f. d. höh. Schulen Deutschlds. I—III. Tl, IV. Tl, Ausg. A u. B u. VII. Tl, Ausg. A u. B. 8° Gotha, EF Thienemann. Geb. 17.10 d
   I. Sexta. 2. Afl. (290) 05. 2 — ‖ II. Quinta. 2. Afl. (294) 03. 2.60 ‖ III. Quarta. 2. Afl. (416) 04. 2.70 ‖ IV. Prosaleseb. f. Untertertia u. Vollkost. od. Klasse III d. Realsch. 2. Afl. Ausg. A f. ev. Schulen. (352) 06; Ausg. B (352) 05. Je 2.40 ‖ VII. Gedichtsammlg f. UIII—UII d. Vollanst. od. Kl. III—I d. Realsch. 2. Afl. Ausg. A. Für ev. Schulen. (39, 576) 03; Ausg. B. (39, 576) 03. Je (4 —) 2.30.
— Deut. Leseb. f. Lehrerbildgsanst., s.: Girardet, F.
Pult-Kalender f. 1904. (Schreibkalender u. 122 m. 1 Karte.) Fol. Lahr, M Schauenburg. Geb. 1.30
Pülts, J: Die Grundz. d. Verfassgs- u. Gesetzeskde f. Seminaristen u.Schuldienstexspektanten hrsg.2.Afl.(151)8° Nürnbg (F Korn) 02. 1.50 ‖ 3. Afl. (154) 06. Kart. 1.60 d
Pulnj, J: Elektrizitätswerk Hohenfurth d. Firma Ignaz Spiro in Krummau. (32 m. Abb. u. 8 Taf.) 8° Prag, JG Calve 04. nn 3.40
Pulvermacher, G, s.: Bericht üb. d. V. internat. Kongress f. angewandte Chemie.
Pulvermacher, N: Berliner Vornamen. 1. u. 2. Tl. (31 u. 29) 4° Berl., Weidmann 02.03. Je 1 —
Pulvervros, H: Wat en pommersche Jäger vertellen kann! (124 m. Abb.) 8° Neud., J Neumann (01). 2 —; L. 3 — d
Punga, F: Das Funken v. Kommutatormotoren. Mit bes. Berücks. d. Einphasen-Kommutatormotoren. (145 m. Abb.) 8° Hannov., Dr. M Jänecke 05. 4 —; geb. 4.60
Pungur, J: Der Herbstzug d. Rauchschwalbe in 1898 in Ungarn. Mit Widmg v. O Herman u. Das Wetter z. Z. d. massenhaften Wegzuges d.Rauchschwalbe in J.1898;v.J Hegyfoky. (Deutsch u. ungarisch.) [S.-A.] (257 m. 2 farb. Taf.) 8° Budap., (FKilián's Nf.) nn 10 —
Pünjer, J: Grammaire franç. zu Lehr- u. Lernb. d. französ. Sprache. 2. Tl. (24) 8° Hannov., C Meyer 04. — 30
— Lehr- u. Lernb. d. französ. Sprache. I. u. II. Tl. 8° Ebd. Geb. 4.80 d
   I. 5. Afl. (154) 03. 1.80; 7. Afl. (170) 05. 2 — ‖ II. 5. u. 6. Afl. (277) 04. 2.90.
— u. H Heine: Lehrb. d. engl. Sprache f. Handelssch. Kl. Ausg. (Ausg. B.) (119 m. 8 Taf.) 8° Ebd. 03. 1.20; geb. nn 1.70; 2. Afl. (126 m. 14 Beil.) 05. Geb. 2 — ‖ Übgssätze dazu f. d. 1. Kapitel. (16) 03. — 20 d
— Lehrb. d. französ. Sprache f. Handelssch. Kleine Ausg. (Ausg. B.) (140 m. 10 Beil.) 8° Ebd. 04. 1.40; geb. nn 1.85; Übgssätze dazu, (15) 04. — 20 d
— — Lehr- u. Lernb. d. französ. Sprache f. Handelssch. (Unter Mitwirkg v. H Treillard.) (254) 8° Ebd. 01. 2.25; geb. nn 2.75 d
— — dass. Gr. Ausg. (Ausg. A.) 2. Afl. (340 m. 10 Formularen.) 8° Ebd. 04. Geb. 3.60 d
— — Lehr- u. Leseb. d. engl. Sprache f. Handelssch. Gr. Ausg. (Ausg. A.) 2. Afl. (314 m. 13 Formularen.) 8° Ebd. 04. geb. 3.40 d
— u. FF Hodgkinson: Lehr- u. Leseb. d. engl. Sprache. Ausg. B in 2 Tln. 1. Tl. 2. Afl. v. J Pünjer. (124) 8° Ebd. 02. 1.30; L. 1.60; 3. Afl. (140) 05. Geb. nn 2 — d
— u. W Kahle: Lehrb. d. französ. Sprache f. Lehrerbildgsanst. 2 Tle. 8° Ebd. 05. Geb. 6.05 d
   1. Für Präparandenanst. (258) 2.50 ‖ 2. Für Seminare. (392 m. Kartenskizze u. 1 Pl.) 3.25.
Punkt, e. streit. — Aus d. Chronik e. Kirchensprengels. (In russ. Sprache.) (29) 8° Berl., H Steinitz (03). 1 —
Punktierbuch od. d. entschleierte Zukunft. (58) 12° Berl., W Frey (o. J.). — 20 d
— d.vollständ.,m.Anweisg z.Kartenlegen nebst Monatsplaneten v. d. arab. Weisen Omar ben Hasched. (48) 8° Neuweissens, E Bartels (o. J.). — 50 d
Punktierbüchlein, neuestes, nebst Planeten f. beide Geschlechter. (32) 8° Neuweissens., E Bartels (05). — 25 d
Punktierkunst, vollkommene. 12. Afl. (24) 10° Wien, T Daberkow (03). — 15 d
Punkttabelle I u. II. (Addition. — Subtraktion.) (Von Hergott). Je 71×89,5 cm. Gebw., J Boltze 04. nn 4.50
Punschel: Ev. Choral-B. zunächst in Bezug auf d. deut., lett. u. estn. Gesangb. d. russ. Ostsee-Provinzen. 12. Afl. Z.Afl. (293) 4° Rev., F Kluge 1900. 8 —
Punsch-Kalender, Wiener, f. 1906. Hrsg. v. C Schönwald. 37. Jahrg. (109 m. Abb.) 8° Wien, (M Perles). — 80 d
Puntigam, A: Pater Barbarič, e. Jüngling n. d.'Herzen Gottes. Lebensbild. (201 m. Abb.) 8° Innsbr., F Rauch 01. 2 — d
— Bete u. arbeite, s.: Blüten a. d. Himmelsgarten.
Punzirungsgesetze. (Kais. Verordng v. 26.V.1866, womit e. Ges. üb. d. Feingehalt d. Gold- u. Silberwaren u. dessen Überwachg in Wirksamk. gesetzt wird. Ges. üb. d. Feingehalt d. Gold- u. Silberwaren u. dessen Überwachg. Erlass d. Finanz-

ministeriums v. 30.XI.1866, weg. Vollziehg dieses Ges.) (28 m. Abb.) 4° Wien, (Hof- u. Staatsdr.) (02). — 40 d
Pupikofer, O: Die Reform d. Volksschul-Zeichenunterr. Im Lichte Pestalozzis. (79) 8° St. Gall., (Fehr) 04. 1 —
— dass. (Umschl.: 2. Afl.) (79) 8° Lpzg, M Sängewald 04. 1 —
— Wegleitg f.d.Volksschulzeichnen. (104 m.Abb.) 8° Ebd.05. 1.60
Pupovac, D, s.: Arbeiten a. d. Geb. d. klin. Chirurgie.
Puppe. G: Der beamtete Arzt, s.: Rapmund, O.
— s.: Medizin, gerichtl.
Puppel, M: Hagel- u. Insektenschäden. (40 Taf. m. 20 S. Text.) 8° Berl., P Parey 04. L. 4 —
Puppen-Malbuch. (20 m. z. Tl farb. Abb.) 8° Nürnbg, T Stroefer (04). 1.20 d
Puppenschneiderei, die. 10 Hefte m. je 1 Schnittbog. in Fol. u. 1 Bl. Text. 8° Mit Messrädchen. Dresd., Exp. d. europ. Modenzeitg (01). In Kart. 2 —; m. Puppe 4.50 d
Pürckhauer, T: Predigt am Jahresfeste d. bayer. Hauptver. d. Gustav-Adolf-Stiftg Fürth 1901. (11) 8° Nürnbg, F Bankwitz 01. — 20 d
Purger: Immaculata. Gebetbüchl. z. 50jähr.Jubiläum d.Dogmas d. unbefl. Empfängnis Mariens. (48 m. Titelbild.) 8° Donnauw., E Mager (04). — 15 d
Purits, L: Handbüchl. turner. Ordngs-, Frei-, Hantel- u. Stabübgn. 5. Afl. (217 m. H.) 8° Hof, R Lion 04. Geb. 3 — d
— Merkbüchl. f. Vorturner in ob. Kl. höh. Lehranst. u. in Turnver. 13. Afl. (24, 331 m. H.) 12° Hannov., Hahn 05. L. 1 — d
— Hannov. Tourist. Führer f. Wanderer u. Radfahrer bei Ausflügen in d. niedersächs. u. nordwestfäl. Hügelland sowie in d. Lüneburger Heide. 10. Afl. v. O Reissert. (278 m. 13 Kart.) 12° Hannov., Schmorl & v. S. Nf. 01. Geb. 3 — d
— s.: Pyramiden f. Turner.
Purlitz, F: Illustr. Führer f. d. Dampfer d. Norddeut. Lloyd, Bremen. (30) 8° Bremerh., Schipper, Mocker & Co. (04). — 35 —
— Das deut. Lotsenwesen. (167) 8° Bremerh., L v. Vangerow 03. L. 3 —
— Deut. Seemannsordng. Ges. v. 2.VI.'02, nebst Ges. betr. d. Verpflichtg deut. Kauffahrteischiffe z. Mitnahme hilfsbedürft. Seeleute u. Ges. betr. Stellenvermittelg f. Schiffsleute v. 2.VI.'02, sowie Zusammenstellg d. Bestimmgn üb. d. Militärverhältn. d. seemänn. u. halbseemänn. Bevölkerg u. d. Anmusterg als Schiffsmann. (71) 8° Ebd. 02. — 60 d
— dass. 2. Afl. in d. Fassg v. 23.III.'05, nebst Bundesratsverordng betr. Strafverfahren vor d. Seemannsämtern v. 13.III.'03. (80) 8° Ebd. 03. — 60 d
Purpus, H: Was d. Handwerker v. d. Gesetzen wissen muss. 3. u. 4. Afl. (33 bezw. 38) 8° Augsbg, (Lampart & Co.) 05. Kart. 1. — d
Bisher u. d. T.:
— Die theoret. Meisterprüfg in Frage u. Antwort. (51) 8° Ebd. 04. Kart. — 80 d
— Die freiwill. Versicherg d. selbständ. Gewerbetreib. u. Unternehmer in d. Alters- u. Invaliden-Versichergs-Ges. f. d. Deut. Reich vom 13.VII.1899. (17) 8° Ebd. 04. — 50 d
Purpus, W: Die Dialektik d. sinnl. Gewissh. bei Hegel, dargest. in ihrem Zusammenh. m. d. Logik u. d. antiken Dialektik. (57) 8° Nürnbg, (JL Schrag) 05. 1 —
Pursche: Verkehrs-Störgn im Organismus. (18) 8° Münch., Verl. d. ärztl. Rundschau 02. — 80 d
Pursche, H: Hdb. z. Militär-Transport-Ordng u. z. Militärtarife sowie zu d. zugehör. Dienstvorschriften d. Eisenb. unter bes. Berücks. d. Zusatzbestimmgn f. d. kgl. sächs. Staatseisenb. (85) 8° Dresd., C Heinrich (05). 1.50 d
Purschke, R: Die Verhütg d. Tuberkulose. (49) 8° Warnsdf (05). (Olm., F Grosse.) — 50 d
Purtscheller, L: Üb. Fels u. Firn. Bergwandergn. Hrsg. v. H Hess. (362 m. Abb., Taf. u. Bildnis.) 8° Münch., Verl.-Anst. F Bruckmann 01. 18.50; L. 20 —; HF. 22.50
— Führer durch Salzburg u. Umgebg m. Ausflügen in Berchtesgaden-Königssee u. Bad-Reichenhall. 14. Afl. v. H Gruber. (80 m. 1 Pl.) 12° Salzbg, H Dieter 02. 1.50. Afl. (ohne Angabe e. Hrsg.) (80 m. 1 Pl.) 05. Je 1 —
Bis z. 13. Afl. u. d. T.: Führer durch Salzburg.
— Wegweiser auf d. Salzburg-Tiroler (Gisela-)Bahn m. d. Anschl. an Süd- u. Kronprinz Rudolfbahn unter bes. Berücks. d. im Bereiche dieser Bahnstrecken lieg. Gebirgstouren in Salzburg, Tirol, Steiermark u. Baiern. 7. Afl. v. H Gruber. (62 m. 1 Karte.) 12° Ebd. 02. 1 —
— Wegweiser auf d. Salzkammergut-Local- u. Salzkammergut-Staatsbahn, unter bes. Berücks. d. im Bereiche dieser Bahnstrecken lieg. Gebirgstouren. 2. Afl. v. H Gruber. (34 m. 1 Karte.) 12° Ebd. 02. — 60
— u. H **Hess**: Der Hochtourist in d.Ostalpen, s.:Meyer's Reisebb.
Pury, Soeur Sophie de. Au service du Maitre. (132 m. Bildnis.) 8° Strassbg, Bh. d. ev. Gesellsch. 04. 1.60; L. 2.40
Pusarin, S: Etymolog. Wrtrb. d. rumän. Sprache, s.: Sammlung roman. Elementarbb.
Pusch, F, u. E **Imgardt**: Wie klagt man am zweckmässigsten s. Aussenstände ein? 7. Afl. (63) 8° Wiesb., R Bechtold & Co. (09). — 75 d
Pusch, F: Das Bäckerbuch. Bdo d. Bäckerei aller Länder. 9—20. Lfg. (385—954 m. Abb. u. 12 Taf.) 8° Stuttg., F Krais (01). Je — 60 (Vollst.: 12 —; L. 15 —) d
Pusch, G: Lehrb. d. allg. Tierzucht. (388 m. Abb.) 8° Stuttg., F Enke 04. 11 —; L. 12.20

Pusch, G: Wandtaf. z. Beurteilg d. Rindes. 18 Lith. 130×170 cm. 2. u. 3. (Schl.-)Abtlg. (Je 6 Taf.) Berl., P Parey (02). Je nn 30 —
Pusch, H: Die staatl. Ueberwachg v. Privat-Kur- u. Krankenanst. v. Standpunkte d. öffentl. Gesundheitspflege. [S.-A.] (66) 8° Lpzg, F Leineweber 05. 1.20
Pusch, L v.: Der Armenarzt. Hydropathie. 5. Afl. (7) 8° Lpzg, W Besser 01. — 20
— Intuitive Diagnose a. d. Gesichtszügen. Aus d. Kraft d. höh. Magnetopathie. 5. Afl. (17) 8° Ebd. 01. — 20
— Kl. Katech. d. weissen Internationale als Erläuterg d. christl. Katech. z. Vereinigg d. Seele m. d. Gottheit. (32) 8° Schweidn., P Frömsdorf 02. — 75
— Die Obsteur. 5. Afl. (7) 8° Lpzg, W Besser 01. — 20 d
— Die Obstheilkräfte (magnetopath.). 5. Afl. (9) 8° Ebd. (01). — 20 d
— Innere Religion. Klärg d. jetz. kirchl. Religionen. (224 m. Bildnis.) 8° Schweidn., P Frömsdorf 02. 3 —
Püschel, K: James Beattie's „Minstrel". (79) 8° Berl., Mayer & M. 04. 1.60
Püsching: Tapfere Kämpfer. Seliges Sterben. (8) 12° Frieden.-Berl., Bh. d. Gossner'schen Miss. (01). nn — 05 d
— Paulus v. Diangkel, e. Streiter (Christi) unter d. Kols. (16) 12° Ebd. (01). nn — 05 d
— Verirrt u. heimgekehrt. (16) 12° Ebd. (01). nn — 05 d
Püschkin, AS: Gabriliade. (Gedicht in e. Gesangs.) (In russ. Sprache.) (27) 8° Berl., H Steinitz (04). 1 —
— s.: Gedichte, revolutionäre.
— Die Hauptmannstochter, s.: Sammlung russ. Schriftsteller.
— Zar Nikita. Die 1. Brautnacht. Das 10. Gebot. An X. Epigramme. (In russ. Sprache.) (24) 8° Berl., H Steinitz 04. 1 —
— Sammlg z. verbot. Gedichte. (In russ. Sprache.) 19. Ausg. (184) 16° Lpzg, EL Kasprowicz (02). 1 —
— u. Lermontow: Verbot. Gedichte. (In russ. Sprache.) (74) 8° Berl., H Steinitz 03. 1.20
Püschi, C: Üb. Fortpflanzg d. Lichtes durch Körpersubstanz. [S.-A.] (10) 8° Wien, (A Hölder) 02. — 30
— Üb. d. Gesetz v. Dulong u. Petit. [S.-A.] (15) 8° Ebd. 03. — 40
— Üb. d. specif. Wärme v. Lösgn. [S.-A.] (11) 8° Ebd. 1900. — 30
— Üb. d. Wärmezustand d. Gase. [S.-A.] (28) 8° Ebd. 02. — 60
Puschmann, T, s.: Handbuch d. Gesch. d. Medizin.
Püschmann, P: Die drei d. Herrn m. Frauden! Mitgabe fürs Leben an junge Christen z. Erinnerg an d. Konfirmationstag. 1 —
5. Afl. (48 m. Titelbild.) 12° Dresd., Niederl. d. Ver. z. Verbreitg christl. Schriften (01-04). nn — 15 d
— Der Gustav-Adolf-Frauenver. in Dresden. Festschrift. (40) 8° Ebd. (04). — 80 d
— Klopstock, d. Sänger d. „Messias". Lebensbild u. Ausw. a. s. Dichtgn. (92 m. Abb.) 8° Ebd. (03). — 75 d
— Namenbuch. Erklärg d. Taufnahmen nebst Ratschläge f. Taufe u. Namengebg. (Anh.: Erklärg d. bibl. Namen.) (40) 8° Ebd. (03). — 15 d
— s.: Wegweiser, bibl.
Püse, H: Unter Kannibalen auf Samosir, s.: Missions-Traktate, rhein.
— s.: Sang-Ling: Chines. Novellen, s.: Meyer's Volksbb.
Putlitz, zu v. Gegensmeinnicht. Eine Arabeske. 20. Afl. (79) 12° Berl., Gebr. Paetel 03. 2 —; L. m. G. 3 — d
— Was sich d. Wald erzählt. Märchenstrauss. 50. Afl. (100) 12° Ebd. 1900. 2 —; L. m. G. 3 — d
Pütter u. a **Kayserling**: Die Errichtg u. Verwaltg v. Auskunfts- u. Fürsorgestellen f. Tuberkulöse. (63) 8° Berl., A Hirschwald 05. 1.50
Pütter, E: Trunksucht u. städt. Steuern. Aus d. Praxis e. grosseren Prov.-Stadt. 2. Afl. (23) 8° Halle, Bh. d. ev. Stadtmiss. (04). 1 —
— Das Ziehkinderwesen, s.: Schriften d. deut. Ver. f. Armenpflege u. Wohltätigk.
Puttkamer, A v.: D'Annunzio, s.: Dichtung, d.
— Jenseit d. Lärms. Dichtgn. (168) 8° Berl., Schuster & Loeffler 04. 3 —; geb. 4 —
— Leb' wohl, mein Elsass! Abschiedsgruss. (4 m. 1 Abb.) 4° Strassbg, (Schlesier & Schw.) (01). — 50 d
— Die sara Mantenfel. Federzeichngn a. Elsass-L. Unter Mitwirkg v. M v. Puttkamer. (188) 8° Stuttg., Deut. Verl.-Anst. (04). 5 —; geb. 6 — d
Puttkamer, E v.: Gesch. d. kgl. preuss. Kaiser Franz Garde-Grenadier-Regts Nr. 2. Afl. (287 m. 1 Taf. u. 10 Pl.) 3° Berl., P Parey 02. L. 8 — d
Nachtr., s.: Notz, F v.
Puttkamer, J v.: Die Schönen v. Vineta. Eine humorist. Strandgesch. (119) 8° Lpzg, G Müller-Mann (05). 1 — d
Puttkamer, Baronin MM, s.: Marie-Madeleine.
Puttkamer-Schickerwitz, A Freifrau v.: Die Gänse in ihrem Werte. (35) 8° Lpzg, Fritzsche & Schmidt 02. — 80 d
Puttkammer, P: Was muss man v. d. Bienenzucht wissen? (79) 8° Berl., H Steinitz (03). 1 — d
— Was muss man v. d. Fahrkunst wissen? (88) 8° Ebd. (01). 1 — d
— Was muss man v. d. Fischzucht u. Teichwirtschaft wissen? (64) 8° Ebd. (04). 1 — d
— Was muss man v. d. Geflügelzucht wissen? (88) 8° Ebd. (04). 1 — d

Puttkammer, P: Wie mache ich meine kranken Haustiere gesund? (109) 8° Berl., H Steinitz (05). . . . 1 — d
— Wie mache ich e. kranken Hund gesund? (73) 8° Ebd. (05).
1 — d
— Was muss man v. d. Pflege u. Dressur d. Hundes wissen?
3. Afl. (88) 8° Ebd. (05). 1 — d
— Was muss man v. d. Obstbaumzucht wissen? (80) 8° Ebd.
03. 1 — d
Püttmann: Der Offizier als franzöz. Dolmetscher. Militär.
. Lese- u. Übgsb. 5. Afl. Nebst e. Anh., enth.: Eine Sammlg
v. Beisp. u. Mustern f. d. Abfassg v. Maueranschlägen, Veröffentlichgn u. a. in Feindesland z. Vorbereitg f. d. Dolmetscherprüfg v. Meier. (Lehrg. d. franzöz. Sprache v. Püttmann u. Rehrmann. 2. Tl.) (215 u. 16·m. 1 Karte.) 8° Berl.,
. ES Mittler & S. 03. nn 3.50; geb. 4 —
— u. **Meier:** Der Offizier als engl. Dolmetscher. (245) 8° Ebd.
05. 4 —; geb. 4.60
— u. **Rehrmann:** Lehrg. d. franzöz. Sprache. 2. Tl. 8° Ebd.
3 —; geb. nn 3.50
2. Püttmann: Franzöz. Lese- u. Übgsb. Unter bes. Berücks. d. Kriegswesen. 5. Afl. (215 m. 1 Kartenskizze) 02. 3 —; geb. nn 3.50
Püttner, E: Kl. Führer durch Danzig u. durch Westpreussen.
— Führer durch d. Luftkurort Oliva. — Zoppot, s.: Städte
u. Landschaften, nordostdeut.
Püttner, J: Italienisches Novellenb. (152) 8° Dresd., E Pierson 02. 3 —; geb. 4 — d
Putz, C: Jurist. Prüfgsfragen m. concisen Antworten, f. Candidaten d. rechtshistor. Prüfgn systematisch bearb. 2. Afl.
I. Abth. 2 Bdchn u. II. Abth. 3 Bdchn. 12° Wien, R Friedlaender 02. je 1.50 d
1. Aus d. röm. Institutionen-Rcht. 1. Allg. Tl, Sachenrecht, Obligationenrecht. (127) || 2. Familienrecht, Erbrecht, Legisactionen u. Formularprocess. (156 m. 1 Tab.)
II. Aus d. Pandekten. 1. Allg. Tl, Civilprocess, Sachenrecht. (207) ||
2. Obligationen u. Pfandrecht (151) || 3. Familienrecht, Erbrecht. (153)
— Prüfgsfragen u. Antworten a. d. Kirchenrecht, s.: Prüfungskandidat, d.
Putz, T. H. P **Hochstetter:** Die Formen d. Uebertritts. I. Im
Deut. Reich. Von P. II. In Oesterr. Von H. [S.-A.] (16)
Münch., JF Lehmann's V, (05). — 40 d
Putz, O, s.: Lichtstrahlen a. F Klasens Werken.
Putz, Gebr. f. gewerbl. Lebrtätign. u. z. Selbstunterr.
6. Afl. (168) 8° Halle, L Hofstetter, V, 02. 1.50; kart. nn 1.60 d
Pütz, E v.: Neue Tiroler Dorfgeschichten. (227) 8° Brix., Pressver.-Bh, 03. 2 —; L. 3.20 d
— Das Ende v. Lied. Novellen. (258 m. Bildnis.) 8° Ebd. 02.
3 —; geb. 4 — d
— Von Fesseln befreit, u.: Aus Vergangenh. u. Gegenwart.
— Geschichten a. Tirol. (156 m. Abb.) 8° Einsied., Verl.-Anst.
Benziger & Co. 06. 2 —; L. 3 — d
— Die Tochter d. Marquis. Erzählg f. junge Mädchen. 2. Afl.
(166 m. 4 Bildern.) 8° Köln, JP Bachem (01). L. 3.50 d
Pütz, H: Führer f. Heimbach u. Umgegend. (66 m. 2 Vollbildern
u. 1 Karte.) 8° Trier, H Stephanus 04. — 60
— Die Urftsperre in d. Eifel. Ihre Entstehg, Bedeutg u. Umgebg. (58 m. 8 Vollbildern u. 1 Karte.) 8° Bad.-B., P Weber
05. — 75
Pütz, H: Der Bacillus pyogenes u. s. Beziehgn z. Schweineseuche, s.: Arbeiten a. d. hygien. Instit. d. kgl. tierärztl.
Hochsch. zu Berlin.
Pütz, W: Grundr. d. Geogr. u. Gesch. d. alten, mittl. u. neueren
Zeit f. d. ob. Kl. höh. Lehranst. 2. Tl: Das M.-A. u. d. Zeit
d. Reformation (476—1648). (Ausg. f. Preussen.) 19. Afl. v. H
Cremans. (192 m. 2 Kart.) 8° Lpzg, K Baedeker 01. 2 —;
Einbd nnn — 25
— dass. (Ausg. f. Süddeutschl.) 19. Afl. (204 m. 1 Karte.) 8°
Ebd. 1900. 2 —; Einbd nnn — 25
— Lehrb. d. vergleich. Erdbeschreibg f. d. ob. Kl. höh. Lehranst. u. z. Selbstunterr. 17. Afl. v. F Behr. (580) 8° Freibg i/B.,
Herder 01. || 18. Afl. v. I Neumann. (392) 05. Je 3 —; geb. 3.60 d
— Leitf. d. vergleich. Erdbeschreibg. 26. Afl. v. F Behr. (296)
8° Ebd. 02. 1.60; Einbd nnn — 40 d
Putzel, J: 2 Ehen. Schausp. (60) 8° Dresd., E Pierson 02. 1 — d
Putzer, N, s.: Dominicus-Kalender.
Puzyr, FW: Gymnasial- u. Realsch.-Atlas, s.: Andree, R.
— Histor. Schul-Atlas z. alten, mittl. u. neuen Gesch. In 234
Haupt- u. Nebenk. (in Farbdr.). Bearb. u. hrsg. v. A Balbamus u. E Schwabe. 29. Afl. (16 S. Text.) 8° Bielef., Velhagen & Kl. 05. 2.30; kart. 2.80; geb. 3 —
— dass. in 52 Haupt- u. 61 Nebenk. (in Farbdr.) f. d. höh. u.
mittl. Unterr.-Anst. Österr.-Ungarns. Hrsg. v. A Baldamus
u. E Schwabe. 27. Afl. (118 S. Text.) 8° Wien, A Pichler's Wwe
& S. 05. Geb. 3.60
— KL Gäbler u. KE Rasche: Deut.Leseb. f.gegliederte Volkssch.
Hrsg. in 3 Tln. Ausg. B. Hrsg. v. A Pichler u. J Neumann.
II: 1—4. Schulj. (379) 03. 1 —; geb. 1.30 || I: 5. u. 6. Schulj. (390 m.
Abb.) 03. 1.35; geb. 1.50 || III.: 7. u. 8. Schulj. (447 m. Abb.) 03. 1.55 ||
geb. 1.70.
— u. KE **Rasche:** Deut. Leseb. f. einf. Volkssch. Hrsg. in
2 Tln. Mit e. Vaterlandskde fürs Kgr. Sachsen v. Gäbler.
Ausg. A. 8° Ebd. 2.15; geb. nn 2.70 d
I.: 2—4. Schulj. 3. Afl. (240) 03. — 80; geb. nn 1.10 || II. 5.—8. Schulj.
(449 m. Abb.) 03. 1.35; geb. nn 1.60.

Putzig u. Sehnurrig. Malb. f. fröhl. Kinder. (20 z. Tl farb.
S. m. Text.) 8° Nürnbg, T Stroefer (05). . 1.20 d
Putzig, J: Das angriffsweise Gefecht im Geiste d. takt. Vorschriften f. d. k. u. k. österr.-ungar. Armee. (25) 8° Wien,
. LW-Seidel & S. (04). 1 — d
Puy-Fourcat, G: Le franç. prat., s.: Knörk, O.
Pyramiden, 40. (24 Bl.) 8° Lpzg, Rauh & Pohle (02). 1 —
— f. Radfahrer. I. u. II. Heft. 8° Ebd. 2.50
I. 16 Pyramiden f. 3—9 Radfahrer m. 1—3 Rädern. (Von Liebers.) (8 m.
Abb.) Probeth. (93).
II. 16 Pyramiden f. 8, 12 u. 16 Radfahrer m. 5 u. 8 Niederrädern unter Verwendg v. Flaggen u. Guirlanden. (16) (05.) 1.50
— f. Turner. Entworfen v. JC Lion, L Puritz u. A. I—VI. Heft.
(Je 24 farb. Taf.) 8° Hof, R Lion. Je 1.20
I. 72 Pyramiden ohne Geräte v. JC Lion. 6. Afl. (05.) || II. 72 Pyramiden
ohne Geräte u. m. Stäben v. JC Lion. 5. Afl. (04.) || III. 24 Leiter- u.
Stuhl-Pyramiden v. JC Lion u. L Puritz. 4. Afl. (04.) || IV. 36 Pyramiden
ohne u. m. Geräten v. JC Lion, H Ochs, H Schlieder u. L Schütner. 4. Afl.
(01.) || V. 34 Pyramiden m. Leitern v. JC Lion u. JG Grota. 3. Afl. (04.)
|| VI. 16 Sturmgruppen u. 6 Gruppen am seukrechten Gegenbarren,
v. JG Grota. 4 Pyramiden am gekreuzten Doppelbarren, nach Andeutgn
v. JC Lion entworfen v. JG Grota. 2 Afl. (04.)
Pythagoras: Gold. Sprüche, s.: Theognis, Elegieen.
Quaas, A: Beitr. z. Kenntniss d. Fauna d. obersten Kreidebildgn in d. lib. Wüste (Overwegischichten u. Blätterthone),
s.: Palaeontographica.
Quaas, L: Allg. deut. Kochb., s.: Scheibler, SW.
Quabeck, P: Der Gewerbetreib. u. Handwerker als Kaufmann.
(60) 8° Münst. (04). Berl., E Eisselt. 1 — || 2. Afl. (94) Berl.
(05). 1 —; geb. 1.30 d
Quack, R: 10 Predigten v. e. Früh-Vollendeten. Mit e. Lebensgang. (65 m. Bildnis.) 8° Berl., P Quack (04). L. 1.25 d
Quade, P: Bilder a. Belzigs u. Sandbergs Vergangenh. u. Gegenwart. (172) 8° Berl., (G Nauck) (03). nn 3 — d
— Die Huldigg d. Provinzen. Festsp. z. Feier d. 18.I.'01 in
preuss. Volkssch. (16) 8° Langens., H Beyer & S. 01. — 25 d
— u. G **Donat:** Der Aufsatz als Ergebnis d. Unterr. in d. Litt.
u. d. Realien. 240 Anfsätze in Gliederg u. Ausführg f. d.
Oberst. d. Volks- u. Mittelsch., sowie f. Fortbildgssch. 1. u.
2. Afl. (250) 8° Ebd. 01.02. || 3. Afl. (236) 05. Je 2.60 d
Quadrupani, KJ: Anl. f. fromme Seelen z. Lösg d. Zweifel
im geistl. Leben. Aus d. Ital. übers. u. m. Anmerkgn versehen v. E Bierbaum. 7. Afl. (176) 12° Freibg i/B., Herder 02.
1 —; L. 1.50 d
— Anweisg z. Beruhigg ängstl. Seelen. Aus d. Ital. v. JB Berger. 5. Afl. (170) 8° Rgnsbg, Verl.-Anst. vorm. GJ Manz 04.
— 80 d
Quadt, J Gräfin: D'Loni u. and. Erzählgn, s.: Volksbibliothek,
kathol.
— Stella. (190) 8° Augsbg, Lit. Instit. v. Dr. M Huttler 02. 1.50;
L. 2.40 d
Quandt, C: Die Polen in Danzig. Histor. Erzählg. 5. Afl. (268
m. Abb.) 8° Brnschw., H Wollermann 03. 3.60; L. 4.80 d
Quandt, FK: Die schlichte Sichergsbypothek n. neuem deut.
Reichsrecht. (187) 8° Berl., Siemenroth & W. 04. 4 — d
Quante, H: Die Ergebn. d. Viehstatistik in d. wichtigsten
europ. Ländern m. bes. Berücks. d. deut. Staaten. (121) 8°
Bonn, C Georgi 01. 3 — d
Quanter, R: Bibliothek mittelalterl. Rechtspflege. (In 20 Lfgn.)
1. Lfg. 1. Die Leibes- u. Lebensstrafen. (1—48) 8° Lpzg, Leipz.
Verl. (05). 1 —
— Wider d. 3. Geschlecht. Ein Wort z. Aufklärg üb. d. konträre Sexualempfindg u. d. Abschaffg d. § 175 d. R.St.G.B.
n. Frau M Anderson. 2. Afl. (104) 8° Berl., H Bermühler
(04). 1.50
Die 1. Afl. s. unter: Anderson, M.
— Jesuiten-Ränke. 1. u. 2. Afl. (31) 8° Dresd., (P Dienemann
Nf.) 03. — 50 d
— Die Leibes- u. Lebensstrafen bei allen Völkern u. zu allen
Zeiten. 10 Lfgn. (470 m. Abb.) 8° Dresd. (01.) Lpzg, Leipz.
Verl. 12.50; geb. 14 — d
— Die Sittlichkeitsverbrechen im Laufe d. Jahrhunderte u. ihre
strafrechtl. Beurteilg. (428 m. Abb.) 8° Berl., H Bermühler
04. 10 —; geb. 11.50 d
— Deut. Zuchthaus- u. Gefängniswesen. 10 Lfgn. (455 m. Abb.
u. Taf.) 8° Lpzg, Leipz. Verl. (04.05). 10 —
Quarch, EW: Zur Gesch. u. Entwicklg d. organ. Methode d.
Sociol., s.: Studien, Berner, z. Philosophie.
Quaerite Dominum! Gabet- u. Gesangb. f. d. Mittelsch. 2. Afl.
(318 m. 1 St.) 8° Olmütz, F Grosse 04. Geb. 1.80 d
Quaritsch: Compendium d. Nationalökonomie. 6. Afl. (148) 8°
Berl., W Weber 01. 3 —; L. 4 — d
— Kompendium d. deut. Strafprocesses. 10. Afl. v. C Goesch.
(175) 8° Ebd. 04. 3 —; L. 4 — d
— Kompendium d. deut. Strafrechts. 9. Afl. v. C Goesch. (128)
8° Ebd. 02. 3 —; L. 4 — d
— Compendium d. europ. Völkerrechts. 3. Afl. v. C Goesch.
(155) 8° Ebd. 01. 3 —; L. 4 — d
— Institutionen u. Rechtsgesch. Kompendium d. röm. Privatrechts u. Zivilprozesses. 8. Afl. v. C Goesch. (515) 8° Ebd.
04. 10 —; geb. 11 — d
Quartal, hygien. Vierteljahrsschrift f. naturgemässe Lebensu. Heilweise. Schriftleitg: O Zachommler. 2. Jahrg. MärzDezbr 1901. 4 Hefte. (1. Heft. 66) 8° Lpzg, O Borggold. 3 —;
einz. Hefte 1 —

Fortsetzg s. u. d. T.: Ratgeber, hygien.

Quartalblätter d. histor. Ver. f. d. Grossh. Hessen. Neue Folge. Hrsg.: G Nick u. i.V.: B Müller. Jahrg. 1901—3. 3. Bd. 12 Hefte. (Nr. 1. 36) 8° Darmst.; Histor. Ver. f. d. Grossh. Hessen. (Nur dir.) Je 4 Hefte 2 —

Quartalschrift, röm., f. christl. Alterthumskde u. f. Kirchengesch. Hrsg. v. A de Waal u. S Ebses.· 15—19. Jahrg. 1901 — 5 je 4 Hefte. (434, 436, 424, 408 u. 440 m. 3, 4, 1, 3 u. 0 Taf.) ‖ ꝑ 95. Rom. (Freibg i/B., Herder.)   Je 16 —
— dass. 13. u. 14. Suppl.-Heft. 8° Ebd. . . .   11 —
   Caesarius v. Heisterbach: Die Fragmente d. Libri VIII Miraculor. Hrsg. v. A Meister. (43, 221) 01. [13.]
   Wittig, J: Papst Damasus I. Quellenkrit. Studien zu s Gesch. u. Charakteristik. (111) 02. [14.]
— f. Erziehg u. Unterr., Beil. z. „Vereinsboten", Organ d. kath. Volksschullehrerver. in Württemberg. Red. v. F Raf. 36. Jahrg. 4 Hefte. (3. Heft. 60) 8° Horb, (P Christian) 01.   †5.50 d
— theolog. Hrsg. von v. Funk, v. Schanz, Belser, Vetter, Koch, Sägmüller. 83. u. 84. Jahrg. 1901 u. 2 je 4 Hefte. (Je 640) 8° Tüb., H Laupp jr. Je (9 —) 4 —; einz. Hefte nn (3 —) 2.80 d
   Jahrg. 1901 erschien noch in Ravensbg, 1902 in München.
— dass. 85. u. 86. Jahrg. 1903 u. 4 je 4 Hefte. (542 m. 1 Taf. u. 656) 8° Ebd. Je (9 —) 7 — ‖ 87. Jahrg. 1905. (656) 9 —; einz. Hefte 2.80 d
— theologisch-prakt. Red.: M Hiptmair u. M Fuchs. 54—58. Jahrg. 1901—5 je 4 Hefte. (995, 984, 1000, 983 u. 978) 8° Linz, (Q Haslinger).   Je † — d

Quast, L: Kernworte d. Hohenzollern u. 600 Denksprüche grosser Männer. (43) 8° Potsd., (E Stein) (03).   — 50 d
— Die Nibelungenfresken am Marmorpalais bei Potsdam. (Mit Benutzg e. Riehl'schen Broschüre v. 1850.) (32) 8° Potsd., Riegel (01). (?)   — 50 d
— Deut. Rechtschreibg. (23) 8° Ebd. (02).   — 50 d
— Spaziergang durch Park Sanssouci bei Potsdam. (30) 8° Ebd. (01).   — 50

Quast, O: Der Begriff d. Belief bei David Hume, s.: Abhandlungen z. Philosophie.

Quaternus de excadenciis et revocatis capitinatae de mandato imp. maiestatis Frederici II. Nunc primum ex cod. Casinensi cura et studio monachor. ordinis sancti Benedicti archicoenobii Montis Casini in lucem profertur. (17, 121 m. 2 Taf.) 4° Mons Casinus 03. (Rom, F Pustet.)   Je 12 —

Quayain, H: Premiers essais. Lectures dédiées aux premières classes de franç. des écoles sup. de jeunes filles, avec un vocabulaire franç.-allemand. 3. éd. (104) 8° Stuttg., A Bonz & Co. 01.   Kart. 1.40
— Premières lectures à l'usage des écoles sup. de jeunes filles, avec un vocabulaire franç.-allemand et faisant suite aux „Premiers essais" du même auteur. 4. éd. (204) 8° Ebd. 04.   1.30; geb. 2 —
— Au seuil de la litt. et de la vie litt. faisant suite aux premiers essais et aux premières lectures du même auteur à l'usage des écoles sup., des gymnases, des écoles normales et des cours de perfectionnement de jeunes filles. (256) 8° Ebd. 02.   Geb. 2.70

Que faut-il boire? (Par A Pillichody.) (11) 8° Basel, Schriftstelle d. Alkoholgegnerbundes (durch F Reinhardt) (o. J.). — 05

Quedenfeldt, G: Lumpenlies'l, s: Bloch's, E, Theater-Korrespondenz.

Quednau, W: Kommentar z. preuss. Stempelsteuerges. nebst Tarif v. 31.VII.1895. Mit d. ges. (ergänzten u. bericht.) Ausführgsbestimmungn, Tab., d. Erbschaftssteuerges., d. neuen Reichsstempelsteuerges. nebst Ausführungsbestimmgn, d. Wechselstempelsteuerges. u. e. Anh.: Das preuss. allg. Landrecht u. d. Code civil in bezt. Gestalt, m. Erläutergn u. Hinweisen. 11. Afl. (791) 8° Charlottenbg (Kantstr. 98), Selbstverl. 02.   L. 6 — d

Quehl: Verordngn betr. d. Volksschulwesen im Reg.-Bez. Düsseldorf, sowie d. Mittel-, höh. Mädchen-, Fortbildgs- u. Privatsch. Neue Sammlg im Anschl. an d. Werke v. Altgelt, Giebe u. Hildebrandt. 2 Tle. (27, 13, 1272) 8° Düsseldf, A Bagel 02.   18 —; Hf 2 —

Queiros s.: Eça de Queiroz.

Queisner, AH: Beitrag z. operativen Behandlg d. Retroflexio uteri, s: Sammlung zwangl. Abhandlgn a. d. Geb. d. Frauenheilkde u. Geburtshilfe.

Queisser, J: Die Mädchen-Fortbildgssch. Vortr. (19) 8° Lpzg, E Wunderlich 03.   — 50

Queling, T: Dreistimm. Chöre, f. d. Gesangunterr. an Lehrerinnen-Seminarien u. Mädchensch. methodisch geordnet u. hrsg. (190) 8° Paderb., J Esser (01).   Geb. 1.50 d

Quelle, die. Hrsg. v. M Gerlach. I—VI. Mappe. 4° Wien, Gerlach & W.   250 —
   Benirschke, M: Buchschmuck u. Flächenmuster. (30 Bl.) (02.) [2.] (10 —)
   Czeschka, CO: Allerlei Gedanken in Vignettenform. (50 Bl.) [1.] (16.50) 20 —
   Gerlach, M: Formenwelt a. d. Naturreiche. Photograph. Naturaufnahmen. Mikroskop. Vergrösserg. v. H Hinterberger. 12 Lfgn. (70 Lichtdr. m. 3 S. Text.) (02-04.)   In M. 60 —
   — Volkstüml. Kunst Ansichten v. alth heimatl. Bauchform, Land, Bauernhäusern, Höfen, Gärten, Wohnräumen, Hausrat etc. (137) (04.) [VI.]   L. 40 —
   — Das Thierleben in Schönbrunn. Naturaufnahmen. 2—11. Lfg. (59 Lichtdr. m. 9 S. Text.) (03-04.) [IV.]   J e 5 —; M. nn 1.60 (Vollst. in M.: 60 —)
   Dus I. Lfg s.: Schuster, AK.
   Moser, K: Flächenschmuck. (50 Bl.) (02.) [3.]   (20.50) 40 —
   Schustel, AK: Das Thierleben in Schönbrunn. Naturaufnahmen. (In 10 Lfn.) 1. Lfg. (6 Lichtdr.) (02.) [IV.1.]   5 —

Quelle d. Gnaden. Gebet- u. Andachtsb. (444 m. 1 Farbdr.) 16° Prankt. a/M., P Kreuer (01).   L. 1.20 d

Quelle, F: Göttingens Moosvegetation. (163) 8° Nordh., F Eberhardt 02.   3 —

Quellen z. Gesch. d. Zeitalters d. franzöś. Revolution. Hrsg. v. H Hüffer. I. Tl. 2. Bd. 2. Heft. 8° Lpzg, BG Teubner. 18 — (I, 1 u. 2.; 44 —)
   I. Quellen z. Gesch. d. Krieges v. 1799 u. 1800. Hrsg. v. H Hüffer. 2. Bd. Quellen z. Gesch. d. Krieges v. 1800. 2. Heft. (191—599 m. 1 Pl. u. 1 Tab.) 01.   18 —
— z. Gesch. d. kais. Haussammlgn u. d. Kunstbestrebung d. allerdurchlauchtigsten Erzhauses, s.: Jahrbuch d. kunsthistor. Sammlgn d. allerh. Kaiserhauses.
— d. ält., d. oriental. Kirchenrechts, s.: Texte u. Untersuchungen z. Gesch. d. altchristl. Lit.
— z. Gesch. d. kirchl. Unterr. in d. ev. Kirche Deutschlds zw. 1530 u. 1600. Eingeleitet, hrsg. u. zusammenfassend dargestellt v. J M Reu. I. Tl: Quellen z. Gesch. d. Katech.-Unterr. 1. Bd. Süddeut. Katechismen. (847) 8° Gütersl., C Bertelsmann 04.   16 —; geb. 18 —
— z. lothring. Gesch. — Documents de l'hist. de la Lorraine. Hrsg. v. d. Gesellsch. f. lothring. Gesch. u. Altertumskde. I. u. II. Bd. 8° Metz, G Scriba.   22 —
   Urkunden u. Regesten, vatikan., z. Gesch. Lothringens. Ges. u. bearb. v. HV Sauerland. 1. Abtlg: Vom Anfange d. Pontifikats Bonifaz VIII. bis z Ende d. Pontifikats Benedikts XII. (74.XII.1294—25.IV.1342.) (441) 01. [I.]   10 — ‖ Vom Anfange d. Pontifikats Clemens VI. bis z. Ende d. Pontifikats Urbans V. (20.V.1342—24.XII.1370.) (373) 03. [II.]   12 —
— neue, z. Gesch. d. latein. Erzbist. Patras; ges. u. eräut. v. E Gerland, s.: Scriptores sacri et profani.
— z. pommerschen Gesch. Hrsg. v. d. Gesellsch. f. pommersche Gesch. u. Alterthumskde. IV. 4° Stettin, L Saunier. 10 — (I—IV.; nn 32.50)
   Bugenhagen, J, v. Pomerania. Hrsg. v. O Heineman. (39, 181) 1900. [IV.]
— z. schweiz. Reformationsgesch., hrsg. v. Zwingliver. in Zürich unter Leitg v. E Egli. I u. II. 8° Basel, Basler Buch- u. Antiquariatsh. vorm. A Geering.   9.50
   Bullinger's, H, Diarium (Annales vitae) d. J. 1504—74. Zum 400. Geburtstag Bullingers hrsg. v. E Egli. (145) 04. [II.]   4 —
   — Wyss, d. B, Chronik 1519—90. Hrsg. v. G Finsler. (25, 167) 01. [I.]   5.50
— z. Gesch. d. römisch-kanon. Processes im M.-A. Hrsg. v. L Wahrmund. I. Bd. 1—3. Heft. 8° Innsbr., Wagner. 9 —
   1. Die Summa libellor. d. Bernardus Dorna. (24, 104) 05.
   2,3. Die Summa minor. d. Magister Arnulphus. — Der „Curialis". (19, 28, 55, 11, 63) 05.   5 —
— z. Gesch. d. Bist. Schleswig, hrsg. v. R Hansen u. W Jessen, s.: Quellensammlung d. Gesellsch. f. schleswig-holstein. Gesch.
— z. schweizer Gesch., hrsg. v. d. allg. geschichtforsch. Gesellsch. d. Schweiz. 15. Bd. II. Tl u. 19—24. Bd. 8° Basel, Basler Buch- u. Antiquariatsh. vorm. A Geering.   100.20
   12—24.; 274.50)
   Akten, d., d. Jetzerprozesses nebst d. Defensorium. Hrsg. v. R Steck. (40, 679) 04. [22.]   14 —
   Aktenstücke z. Gesch. d. Schwabenkriegs nebst e. Freiburger Chronik üb. d. Ereign. v. 1499. Hrsg. v. B Rück. (66, 655) 01. [20.]   10 —
   Bullen u. Breven a. italien. Archiven 1116—1623. Hrsg. v. C Wirz. (113, 360) 02. [21.]   15 —
   Bullinger's Korrespondenz m. d. Graubündnern. 1. Tl. Jan. 1533—April 1557. Hrsg. v. T Schiess. (91, 492) 04. [23.] 11 — ‖ II. Tl. Apr. 1557—Aug. 1566. Hrsg. v. T Schiess. (74, 740) 05. [24.]   10 —
   Rélations, les, diplomat. de la France et de la Répübl. Hrsg. v. 1798—1803. Récueil des documents tirés des archives de Paris. Publié par E Rott. (186, 708) 01. [19.]   10 —
   Urbar, d. habsburg. Bd. II. 2. Register, Glossar, Wertangaben, Beschreibg. Gesch. u. Bedeutg d. Urbars. Von P Schweizer v. W Glättli. (661 m. 1 Taf.) 04. [15.II.]   14.60 (Vollst.: 40.60)
— z. Gesch. d. Stadt Wien. Hrsg. v. d. Alterthums-Ver. zu Wien. I. Abth. 4. Bd. u. II. Abth. 3. Bd. 4° Wien, (C Konegen) 56 —
   (I, 1—4, II, 1—3 u. III, 1; 212 —)
   I. Regesten u. v. urkund. Archiven, m. Annahme d. Archivs d. Stadt Wien. 4. Bd. Red. v. A Mayer. (393) 01.   20 —
   II. Regesten a. d. urkund. Archiven. 3. Bd. Verz. d. Orig.-Urkunden d. städt. Archivs. 1458—93. Bearb. v. K Uhlirz. (560) 04.   36 —
— u. Abhandlungen z. Gesch. d. Abtei u. d. Diöz. Fulda. Hrsg. v. G Richter. I. u. II. 8° Fulda, Fuldaer Actiendr.   8.50
   Krämer, J: Beitr. z. Gesch. d. klüsterl. Niederlassgn Eisenachs im M.-A. Im Anh.: Chronica conventus ordinis fratrum minor. ad s. Elisabeth prope Isenacum. Hrsg. v. M Bihl. (191 m. 3 Abb.) 05. [II.]   3.50
   Statuta maioris Ecclesiae Fuldensis. Ungedr. Quellen z. kirchl. Rechts- u. Verfassungsgesch. d. Benediktinerabtei Fulda. Hrsg. v. G Richter. (99, 118) 04. [I.]   5 —
— u. Beiträge z. Gesch. d. deutsch-ev. Militärseelsorge v. 1564—1814, hrsg. v. K Schneider. (194 m. 2 Abb.) 8° Halle, Bh. d. Waisenh. 06.   3.50
— u. Darstellungen z. Gesch. Niedersachsens. Hrsg. v. histor. Ver. f. Niedersachsen. 5—23. Bd. 8° Hannov., Hahn. 155.90 (1—23.; 180.90)
   Annalen u. Akten d. Brüder d. gemeinsamen Lebens im Lüchtenhofe zu Hildesheim. Mit e. Einl. Hrsg. v. R Doebner. (46, 446) 03. [9.]   10 —
   Baasch, E: Der Kampf d. Hauses Braunschweig-Lüneburg m. Hamburg um d. Elbe v. 16.—18. Jahrh. (206 m. 1 Karte) 01. [6.]   4 —
   Bär, M: Abr. e. Verwaltungsgesch. d. Reg.-Bez. Osnabrück. (241) 01. [5.]   4.50
   Brielwechsel zw. Stüve u. Detmold in d. J. 1848—50. Hrsg. v. G Stüve u. Eini. v. G Kaufmann. (49, 600) 03. [13.]   10 — d
   Cordemann: Die hannov. Klöster. Hilfsb. mit Schicksalsfr. (11) 8° Hannov., Meyer 01. [II.]   8 —
   — — — — — — — —
   Hüscher: Die Gesch. d. Reformation in Goslar, nach d. Bericht d. Aktus im städt. Archive dargest. (192) 03. [7.]   3.60 d
   Krätzschmar, J: Gustav Adolfs Plane u. Ziele in Deutschl. u. d. Herzogtümer. (Probe einer größeren Darstellung.) (526) 04. [17.]   10 —
   — zu Braunschweig u. Lüneburg. (526) 04. [17.]   10 —

Längenböck, W: Die Politik d. Hauses Braunschweig-Lüneburg in d. J. 1640 u. 41. (263) 04. [18.] — 5 — d
Lüneburgs litt. Stadtb. u. Verfestgeregister. Hrsg. v. W Reinecke. (101, 446 m. 3 Taf.) 03. [8.] 11 —
Maßlog, J: Diöz.-Synoden u. Domkefro-Generalkapitel d. Stifts Hildesheim bis z. Anf. d. XVII. Jahrh. (127) 05. [29.] 3.50 d
Merkel, J: Der Kampf d. Fremdrechtes m. d. einheim. Rechte in Braunschweig-Lüneburg. (24) 04. [19.] 2.40 d
Müller, GH: Das Lehns- u. Landesaufgebot unter Heinrich Julius v. Braunschweig-Wolfenbüttel. (619) 05. [23.] 12 — d
Noack, G: Das Stapel- u. Schiffahrtsrecht Mindens v. Beginn d. preuss. Herrschaft 1648 bis z. Vergl. m. Bremen 1769. (100) 04. [16.] 2.40 d
Ochr, G: Ländl. Verhältn. im Herzogt. Braunschweig-Wolfenbüttel im 16. Jahrh. Nach Akten d. herzogl. lüneburg. Landeshauptarchivs zu Wolfenbüttel u. d. Stadtarchivs zu Braunschweig. (119) 05. [12.] 2.50 d
Schütz v. Brandis: Übersicht d. Gesch. d. hannov. Armee v. 1617—1866. Von e. hannov. Jäger. AlsMskr.-Ausztg. umfassend d. Zeit v. 1617—1809 bearb. v. J Ffarv. Reitzenstein. (362) 02. [14.] 6 — d
Urkundenbuch d. Stiftes u. d. Stadt Hameln. 2. Tl. 1408—1576. Mit e. geschichtl. Einl. v. E Fink. (80, 809) 03. [10.] 16 — (1 u. 2.: 32 —)
— d. Hochstifts Hildesheim u. sr Bischöfe. Bearb. v. H Hoogeweg. 2. Thl. 1221—60. (694 m. 10 Taf.) 01. 14 — (3. Tl. 1260—1310. (949 m. 9 Taf.) 03. [11.] 18 — ∥ 4. Tl. 1310—40. (962 m. 6 Taf.) 05. [22.] 19 — (1—4.: 73 —)
Der 1. Thl d. Urkundenbuches erschien in d. Publikationen a. d. k. preuss. Staatsarchiven.
Quellen u. Darstellungen z. Gesch. Westpreussens. Hrsg. v. westpreuss. Geschichtsver. II. Bd. 3. Lfg. u. III. Bd. 8° Danz., L Saunier. nn 11.50 (I—III.: nn 27 —)

Lfg 1 u. 2. wurden unter d. Einzeltiteln aufgenommen.
Simson, P: Gesch. d. Danz. Willkür. (307) 04. [III.] 5 —
— u. Erörterungen z. bayer. u. deut. Gesch. Neue Folge, I. Bd; II. Bd, 1. Abtlg u. IV. Bd. Hrsg. durch d. histor. Kommission bei d. kgl. Akad. d. Wiss. 8° Münch., M Rieger. 39 —
Andräs v. Regensburg: Sämtl. Werke. Hrsg. v. G Leidinger. (120, 752) 05. [I.] 16 —
— — V: Die Traditionen d. Hochstifts Freising. I. Bd (744—926). (108, 792 m. 1 Taf.) 05. [IV.] 7 —
Eltas v. Wildenberg, d. Ritters H, Chronik v. d. Fürsten z. Bayern. Hrsg. v. F Roth. (67, 200 m. 2 Stammtaf.) 05. [II.,1.] 6 —
— u. Forschungen z. alten Gesch. z. Geogr., hrsg. v. W Sieglin. 1—4. Heft. 8° Lpzg, E Avenarius. 18.90
Detlefsen, D: Die Beschreibg Italiens in d. Naturalis Historia d. Plinius u. ihre Quellen. (69) 01. [1.] 1.60
Fichler, F: Austria romana. Geograph. Lexikon aller zu Römerzeiten in Öst. genannten Berge, Flüsse, Häfen, Inseln, Länder, Meere, Postorte, Seeen, Städte, Strassen, Völker. 1 u. II. (448 m. 1 Karte.) 02.03. [2.4.] 17.30
— dass. 5—10. Heft. 8° Berl., Weidmann. 26.80
Detlefsen, D: Die Entdeckg d. german. Nordens im Altertum. (65) 04. [6.] 2.40
Geyer, F: Topogr. u. Gesch. d. Insel Euboia. 1. Bis z. pelopones. Kriege. (124) 03. [6.] 5 —
Hölscher, G: Palästina in d. pers. u. hellenist. Zeit. (99) 03. [5.] 3 —
— Plinius Secundus, C: Die geograph. Bücher (II, 242—VI Schluss) d. naturalis historia m. vollständ. krit. Apparat hrsg. v. D Detlefsen. (290) 04. [9.] 8 —
Schmidt, L: Gesch. d. deut. Stämme bis z. Ausg. d. Völkerwanderg. I. Abtlg. A.B., 1. Buch. (102) 04. [7.] 3.60 ∥ 2. u. 3. Buch. (108—231 m. 2 Kart.) 05. 5.60
— — z. braunschweig. Gesch. Hrsg. v. d. Geschichtsver. f. d. Herzogt. Braunschweig. 1. Bd. 8° Wolfenb., (J Zwissler). 3 — ; geb. 4 —
Meier, H: Die Strassennamen d. Stadt Braunschweig. (144 m. 1 Pl.) 04. [1.] 3 — ; geb. 4 —
— — z. deut. insbes. hohenzoller. Gesch. (Neue Folge d. „Hohenzoller. Forschgn." I—VII Jahrg.) Hrsg. v. C Meyer. 2. u. 3. Jahrg. (2. Jahrg. 1. Halbbd. 194) 8° Münch. (Fürstenfelder Str. 9), Staatsarchiv. a. D. Dr. C Meyer 04.05. Je 15 — d
Bisher u. d. T.: Forschungen, hohenzoller. — Der 2. Hlbbd d, 8. Jahrg. erschien bereits unter d. neuen Titel als 1. Jahrg. 2. Hlbbd.
— — z. Sprach- u. Culturgesch. d. german. Völker. Hrsg. v. A Brandl, E Martin, E Schmidt. 87—96. Heft. 8° Strassbg, KJ Trübner. 62.50 (1—98.: 402.70)
Beyer, V: Die Begründg d. ersten Ballade durch GA Bürger. (113) 05. [97.]
Brisch, W: Die Verfasser d. Epistolae obscurorum viror. (25, 368) 04. [95.] 10 —
Bürger, O: Beitr. z. Kenntnis d. Teuerdank. (174) 02. [92.] 4.50
Dellmayr, V: Die Sprache d. Werner Gartners. (109) 03. [94.] 3 —
Gill's, A, logonomia anglica. Nach d. Ausg. v. 1621 diplomatisch hrsg. v. OL Jiricsek. (70, 228) 03. [90.] 8 —
Hofs, W: Untersuchgn z. neuengl. Landesgesch. (105) 05. [98.] 7.50
Kock, A: Die alt- u. neuschwed. Accentuierung unter Berücks. d. and. nord. Sprachen. (298) 01. [87.] 7.50
Koeppel, E: Spelling-Pronunciations: Bemerkgn üb. d. Einfl. d. Schriftbildes auf d. Laut im Engl. (71) 01. [89.] 4 —
Kraft, F: Heinr. Steinhöwels Verteutschg d. Historia Hierosolymitana d. Robertus Monachus. (206) 05. [96.] 8 —
Moorman, FW: The interpretation of nature in Engl. poetry from Beowulf to Shakespeare. (244) 05. [95.] 6.50
Polain, A: Etudes d. l. Deminutivum im Deut. (116) 01. [88.] 3 —
Schönfeld, ED: Der isländ. Bauernhof u. s. Betrieb z. Sagazeit. (292) 02. [91.] 8 —
— — a. d. Geb. d. Geschichte. In Verbindg m. ihrem histor. Instit. in Rom hrsg. v. d. Görres-Gesellsch. VIII—X. Bd. 8° Paderb., F Schöningh. 45 — (1—X.: 154.20)
Annaten, d. päpstl. in Deutschl. währ. d. XIV. Jahrh. Hrsg. v. E Göller. 1. Bd: Johann XXII. bis Innocenz VI. (56, 544) 03. [IX.] 13 —
Nuntiaturberichte u. Deutschl. nebst ergänz. Aktenstücken. 1585(1584)—90. 3. Abtlg: Die Nuntiatur am Kaiserhofe. 1. Hälfte: Germanico Malaspina u. Filippo Sega. (Giovanni Andrea Caligari in Graz.) Bearb. v. hrsg. v. R Reichenberger. (50, 492) 05. [X.] 20 — (I u. II,1.: 57 —)

Schlecht, J: Andrea Zamometić u. d. Basler Konzilsversuch v. J. 1482. 1. Bd. (170 u. 163) 03. [VIII.] 12 —
Quellen u. Forschungen a. italien. Archiven u. Bibliotheken, hrsg. v. kgl. preuss. histor. Instit. in Rom. 4—8. Bd. je 2 Hefte. (4—6. Bd. 324, 319, 445 u. 7. Bd. 375 m. 2 Taf.) 8° Rom, Loescher & Co. 01-05. Je nn 10 —
— — z. österr. Kirchengesch., hrsg. v. d. österr. Leo-Gesellsch. in Wien. I. Serie. Acta Salzburgo-Aquilejensia. Quellen z. Gesch. d. ehemal. Kirchenprovinzen Salzburg u. Aquileja. I. Bd. 1. Abtlg. 8° Graz, Styria. 10 —
Urkunden, d., üb. d. Beziehgn d. päpstl. Kurie z. Prov. u. Diöz. Salzburg (m. Gurk, Chiemsee, Seckau u. Lavant) in d. Avignon. Zeit: 1316—78. Ges. u. bearb. v. A Lang. 1. Abtlg: 1316—52. (91, 377 m. 1 Karte.) 03. [1.] 10 —
— — z. Gesch., Litt. u. Sprache Österr. u. sr Kronländer. Durch d. Leo-Gesellsch. hrsg. v. J Hirn u. JE Wackernell. VII—X. Bd. 8° Innsbr., Wagner. 44.50 (I—X.: 94 —)
Bacher, J: Die deut. Sprachinsel Lusern. Gesch., Lebensverhältn., Sitten, Gebräuche, Volkssagen, Sagen, Märchen, Volkssprächlgn u. Schwänke, Mundart u. Wortbestand. (440) 05. [X.] 9 —
Heiren, Fhr v.: Kaiser Franz I. v. Österr. u. d. Stiftg d. lombardovenetian. Königr. im Zusammenh. m. d. gleichzeit. allg. Ereignissen u. Zuständen Italiens. (30, 643) 01. [VII.] 13 —
Kaindl, RF: Das Ansiedlgswesen in d. Bukowina seit d. Besitzergreifg durch Österr. Mit bes. Berücks. d. Ansiedlg d. Deutschen. Mit Benutzg d. urkundl. Materialien a. d. Nachlasse v. FA Wickenhauser. (587) 02. [VIII.] 12.50
Wackernell, JE: Beda Weber 1798—1858 u. d. tirol. Litt. 1800—40. (426) 03. [IX.] 8 —
— n. Studien z. Verfassgsgesch. d. Deut. Reiches in M.-A. u. Neuzeit. Hrsg. v. K Zeumer. I. Bd, 1. Heft. 8° Weim., H Böhlau's Nf. 3.40; Einzelpr. 4.20 d
Traktat üb. d. Reichstag im 16. Jahrh. Eine offiziöse Darstellg a. d. kurmainz. Kanzlei. Hrsg. u. erläut. v. K Rauch. (122) 05. [1,1.] 3.40; benzw. 4.20
— — u. Untersuchungen z. Gesch. d. Hauses Hohenzollern. Hrsg. v. v. E. Berner. I—VIII. Bd. 8° Berl., A Duncker. 59 —;
Einbde in HF. je 2 — d
Aus d. Briefwechsel König Friedrichs I. v. Preussen u. sr Familie. Hrsg. v. E Berner. (463) 01. [1.] 12 —
Berner, E: Der Regierge-Anfang d. Prinz-Regenten v. Preussen u. s. Gemahlin. (291) 02. [III.] 10 —
Briefwechsel zw. Heinrich Pfinz v. Preussen u. Katharina II. v. Russl. Von R Krauel. (152) 03. [VI.] 6 —
Höckendorff, P: Sans-Souci z. Z. Friedrichs d. Gr. u. heute. (164 m. 17 Taf.) 03. [VI.] 5 —
Krauel, R: Prinz Heinrich v. Preussen als Politiker. (299) 02. [IV.] 10 —
Seraphim, A: Eine Schwester d. Gr. Kurfürsten Luise Charlotte, Markgräfin v. Brandenburg, Herzogin v. Kurland (1617—76). (192) 01. [II.] 4 —
Spannagel, K: Konrad v. Burgsdorff. Ein brandenburg. Kriegs- u. Staatsmann a. d. Zeit d. Kurfürsten Georg Wilhelm u. Friedrich Wilhelm. (488) 03. [V.] 15 —
Vols, GB: Die Erinnergn d. Prinzessin Wilhelmine v. Oranien an d. Hof Friedrichs d. Gr. (1751—67). (93 m. 2 Abb.) 03. [VII.] 3 —
— — z. latein. Philol. d. M.-A., hrsg. v. L Traube. I. Bd. 1. Heft. 8° Münch., CH Beck. 8.50; Subskr.-Pr. f. Bd I 15 —
Hellmann, S: Sedulius Scottus. I. Sedulius Scottus, Liber de rectorib. Christianis. II. Das Kollektaneum d. Sedulius Scottus in d. Kodex Cusanus C14 nunc 37. III. Sedulius u. Pelagius. (302) 06. [1.] 8.50
Quellenbuch z. Gesch. d. Gymnasiums in Zittau, bearb. v. T Gärtner, z. Veröffentlichung z. Gesch. d. gelehrten Schulwesens im albertin. Sachsen.
Quellensammlung zu Schillers Wilhelm Tell. (Von E v. Sallwürk.) (54) 8° Karlsr., F Gutsch (04). nn — 50 d
— d. Gesellsch f. schleswig-holstein. Gesch. V. u. VI. Bd. 8° Kiel, (Univ.-Bh.). 16 — (I—VI.: 37.75)
Petreus', J (+ 1603), Schriften üb. Nordfriesland. Hrsg. v. R Hansen. (314 m. 1 Faes. u. 1 Karte.) 01. [V.] 6 — d
— — d. deut. Gesch. Schleswig. Hrsg. v. R Hansen u. W Jessen. (447 m. 1 Karte.) 04. [VI.] 10 —
Quellensammlung z. Staats-, Verwaltgs- u. Völkerrecht, Hrsg. v. H Triepel. 1—3. u. 6. Bd. 8° Lpzg, CL Hirschfeld. 28.70; Einbde je 1 — d
Rehm, H: Quellensammlg z. Staats- u. Verwaltgsrecht d. Kgr. Bayern. (362) 02. [6.] d.50
Stöngel, K Fhr v.: Quellensammlg z. Verwaltgsrecht d. Deut. Reiches. (558) 02. [2.] 8.20
Triepel, H: Quellensammlg z. deut. Reichsstaatsrecht. (342) 01. [1.] 5 —
Zeumer, K: Quellensammlg z. Gesch. d. deut. Reichsverfassg in M.-A. Neuzeit. 1. Thl. Von Heinrich IV. bis Friedrich III. (724) 04. [3.] 5 —
2. Thl. Von Maximilian I. bis 1800. Anh. (379) 04. [3.Tl.] 5.60; (I u. II.: 11 —)

Bd 4 u. 5 sind noch nicht erschienen.
Quellenschriften z. hamburg. Dramaturgie, s.: Literaturdenkmale, deut. d. 18. u. 19. Jahrh.
— f. Kunstgesch. u. Kunsttechnik d. M.-A. u. d. Neuzeit. Begründet v. R Eitelberger v. Edelberg. Nach d. Tode A Ilg's fortgesetzt v. C List. Neue Folge. X—XIII. Bd. 8° Wien, C Graeser & Co. — Lpzg, BG Teubner. 48.20 (I—XIII.: 119.20)
Doering, O: Des Augsburger Patriciers Philipp Hainhofers Reisen n. Innsbruck u. Dresden. (300 m. 1 Taf.) 01. [X.] 7.30
Hampe, T: Nürnberger Ratsverlässe üb. Kunst u. Künstler im Zeitalter d. Spätgotik u. Renaissance (1449) 1474—1618 (1633). I. Bd (1449) 1474—1570. (344, 618) 04. [XI.] u. II. Bd: 1571—1618 (1633). (341) 04. [XII.] 18 — ∥ III. Personen-, Orts- u. Sachreg. (137) 04. [XIII.] 5 —
— — z. Gesch. d. Protestantismus. Zum Gebr. in akadem. Übgn hrsg. v. J Kunze u. C Stange. 1. u. 2. Heft. 8° Lpzg, A Deichert Nf. Je 1.60
Artikel, d. Wittenberger, v. 1536. (Artikel d. christl. Lehr, v. welchen d. Legatten a. Engelland m. d. Herrn Doctor Martino gehandelt zum 1536.) Lateinisch u. deutsch u. 1. Male hrsg. v. G Mentz. (70) 05. [2.]
Disputationen, d. alt. eth., Luthers. Hrsg. v. C Stange. (15, 74) 04. [1.]

Quellenwerke d. altind. Lexicogr. Hrsg. im Auftr. d. kais. Akad. d. Wiss. in Wien. IV. Bd. 8° Bombay. Wien, A Hölder. 16 — (Vollst.: 41.70)
IV. Remachandra: Der Dhâtupâṭha. Mit d. selbstverf. Commentare d. Autors. Hrsg. v. J Kirste. (16, 288, 121 u. 34) 1890. 16 —

Quellwasser. Erzählgn f. d. Jugend v. J Baierlein, K Dorn, F Dornbtüth u. a. (284 m. 10 Farbdr.) 8° Lpzg, E   m   (03).
Heb.pa — d
- fürs deut.Haus. Red.: O Schultze. 26—29.Jahrg. Oktbr 1901— Septbr 1905 je 52 Nrn. (Nr. 1. 16 m.Abb.) 8° Lpzg, G Wigand. Viertelj. 1.50; einz. Nrn — 20; auch in je 17 Heften zu — 40
ll 30.Jahrg. Oktbr 1905—Septbr 1906. Viertelj. 1.80; einz. Nrn — 20; auch in 12 Heften zu — 80 d

Quensel, H: Geht es aufwärts? Eine ideal-philosoph.Hypothese z. Entwicklg d. menschl. Psyche auf naturwiss. Grundlage. (188) 8° Cöln, (JG Schmitz) 04. 4 —
- Missbr. d. geist. Getränke u. d. student. Trinkzwang. Vortr. [S.-A.] (15) 8° Lpzg, F Leineweber 01. — 50

Quensel, P: Das Altar. Kleinstadt-Komödie. (136) 8° Stuttg., Greiner & Pf. 03. 2 —; geb. 3 — d
- s.: Bildersaal deut. Gesch.
- Meisterbilder u. Schule. Anreggn zu prakt. Versuchen. (49) 8° Münch., GDW Callwey 05. — 75 d

Quensell, L: Der kranke Hand. Anl. z. Erkenng, Behandlg u. Heilg d.Handskrankh.unter Angabe d.bewährtestenHeilmittel. 2. [Tit.-]Afl. (79) 8° Lpzg, RC Schmidt & Co. [1888] 03. L. 1 — d

Quenstedt, F: Üb. Venenthrombose bei Chlorose. (30) 8° Tüb., F Pietzcker 02. nn — 70

Quentel, E: Sammlg der d. Verfassg u. Verwaltg d. Bez.-Verbandes d. Reg.-Bez. Wiesbaden betr. Ges., Verordngn, Statuten,Reglements u. sonst. Bestimmgn. 3. Afl. (608) 8° Wiesb., H Staadt 05. L. nn 8.50 d

Quentin-Mahlau's Fahrplanb. f. d. Eisenb.- u. Dampfschiff-Verkehr in Deutschl.,Holland,Oesterr. u. d.Schweiz. 55.Jahrg. 1901. 6 Nrn. (Nr.1. 552 m. 1 Karte.) 12° Frankf. a/M., Mahlau & W. Je 1 — 5 d
- Taschen-Fahrpl. f. Hessen-Nassau, Hessen-Darmstadt, d. Rhein,d.Pfalz etc.m.Frankfurt a.M.als Mittelpunkt. Sommer 1995 u. Winter 1905/6. (Je 107 m. 1 Karte.) 8° Ebd. Je — 25

Quervain, A de: Taf. z. barometr. Höhenberechng, s.: Angot, A.

Quervain, F de, s.: Enzyklopädie d. gess. Chirurgie.
- Die akute, nicht eiter. Thyreoiditis u. d. Beteiligg d. Schilddrüse an akuten Intoxikationen u. Infektionen überhaupt, s.: Mitteilungen a. d. Grenzgeb. d. Medizin u. Chirurgie.

Quevedo, Don FG de: Gesch. u. Leben d. Spitzbuben Paul v. Segovia, s.: Liebhaber-Bibliothek, kulturhistor.

Quidam s.: Gott, d. alte, u. d. XX. Jahrh. — Haupt- u. Nebengeleise.

Quidam, J, s.: Kampf u. Staub, d. gr., in Dresden.

Quincke f. d.: Doppelbrechg d. Gallerte beim Aufquellen u. Schrumpfen. [S.-A.] (8) 8° Berl., (G Reimer) 04. — 50

Quincke, J, s.: Hylaeaus, J.

Quistmeyer, KH: Franz Wilh. Metz, Vorkämpfer f. alle Leibesübgn, Bahnbrecher u. Organisator d. Turnwesens in d. Prov. Hannover. (59 m. 3 Abb.) 8° Hannov., Hahn 02. 1 — d

Quiller-Couch, AT: The adventures of Harry Revel. — Fort Amity, s.: Collection of Brit. auth.

Quilling, F: Die Nauheimer Fund e d. Hallstatt- u.Latène-Periode in d. Museen zu Frankfurt a. M. u. Darmstadt. Ausgrabgs-Bericht, auf Grund d. G Diefenbach'schen Protokolle verf. Inhalt. 2. Afl. m. Abb. u. 16 Taf.) 4° Frankf. a/M., (Schirmer & Mahlau) 03. 16 —
- Katalog d. Drucksachen-Ausstellg (Ausstellg v. Erzeugnissen d. vervielfält. Künste) Hanau 1903, kgl. Zeichenakad. (84 u. 35) 8° Hanau, (Clauss & Feddersen) 03. +1.40 d

Quilling, P: Humorist. Allerlei a. Sachsenhausen, m. e. Anh.: Sagen a. Sachsenhausen. 4. Afl. (112) 8° Frankf. a/M.,(FB Auffarth) (o. J.). 1 — d
- Humoresken. (Humorist. Allerlei a. Sachsenhausen. 5. Afl. — Schnulle un Flanse. 4. Afl. — Lust. Sammelsurium a. Frankfurt, Sachsenhausen u. drum herum. 3. Afl. — Kenterburst. 2. Afl. — Schnick-Schnack. — Militär. Humoresken. — Verloren u. Gefunden. (12, 104, 102, 96, 82, 80 u. 135) 8° Ebd. (o. J.). Geb. 6 — d
- Militär. Humoreskén. (80) 8° Ebd. (o. J.). 1 — d
- Krethi u. Plethi. Humoresk a. d. Frankfurter u. Sachsenhäuser Leben. (87) 8° Ebd. (o. J.). 1 — d
- Lust. Sammelsurium a. Frankfurt, Sachsenhausen u. drum herum. 3. Afl. (124) 8° Ebd. (04). 1.20 d
- Schnick-Schnack. Altes u. Neues a. Frankfurt u. Sachsenhausen. (89) 8° Ebd. (o. J.). 1 — d
- Schnulle un Flanse v. heute, driwwe un drausse. 4. Afl. 104) 8° Ebd. (o. J.). 1 — d

Quincey, T de: Bekenntuisse e. Opiumessers. Aus d. Engl. v. 3 u. A Möller-Bruck. (231) 12° Berl., S Fischer, G Fock V. Kart. 3 —

Quincke, G: Üb. unsichtbare Flüssigkeitsschichten u.d. Oberflächenspanng flüss. Niederschläge bei Niederschlagmembranen, Zellen, Colloiden u. Gallerten. [S.-A.] (17) 8° Berl., (G Reimer) 01. 1 —

Quincke, H: Grundr. d. Lungenchirurgie, s.: Garrè, C.
Die Technik d. Lumbalpunction. (15 m. Abb.) 8° Wien, Urban & Schw. 02. — 50
Quintiliani quae feruntur declamationes XIX: Maiores. Ed. Lehnert. (32, 490) 8° Lpzg, BG Teubner 05. 12 —; geb. 12.60

Quistorp, B v.: Gesch. d. Familie Quistorp. Mittl. Hauptlinie seit 1718; abgeschl. am 8.III.1862. (443 m. 1 Bildnis u. 2 Taf.) 8° Berl., ES Mittler & S. 01. 12 —

Quistorp, W: Die Organisation d. Heiden-Missionsarbeit in d. heimatl. Gemeinde m. bes. Berücks. d. Berliner Missionsgesellschaften. (28) 8° Berl. 02. Lpzg, Krüger & Co. (— 30) — 10 d
- s.: Rundschau, luther.
- Die Zukunft d. ev. Kirchen in Deutschl. (98) 8° Ankl., F Krüger 03. 1.30 d

Quitt, J: Ursprg u. Sieg d. altbyzantin. Kunst, s.: Diez, E.

Quittsek: Kurzer Auszug a. d. Experimentalphysik, s.: Pfeiffer.

Quos ego! Fehdebriefe wider d. Grafen Paul Hoensbroech, v. Pilatus (V Naumann). (497) 8° Rgnsbg, Verl.-Anst. vorm. GJ Manz 03. 6 —; HF. 8 — d

Raab, C v.: Das Amt Pausa bis z. Erwerbg durch Kurfürst August v. Sachsen im J. 1569 u. d. Erbbuch v. J. 1506. (Beil. zu d. Mitteilgn d. Altertumsver. zu Plauen i. V. 16. Jahresschrift f. 1903/04.) (116) 8° Plauen, (R Neupert jr.) 03. nn 2.40
- Das Amt Plauen im Anfang d. 16. Jahrh. u. d. Erbbuch v. J.1506. Beil. zu d. Mitteilgn d. Altertbmsver. zu Plauen i. V., 15. Jahresschrift. (332) 8° Ebd. 02. nn 4 —

Raab, CJC: Special-K. d. Eisenb.-, Post- u. Dampfschiff-Verbindgn Mittel-Europa's. 1:1,250,000. 89. Afl. 118,5×137 cm. 4 Bl. Farbdr. Mit Ortsweiser. (58) 8° Glog., C Flemming 05..
5.10; auf L. 9 —; m. St. 11.50; poliert 12.50
— dass. Mit östl. Anschlussbl. (49) 8° Glog. d. osteurop. Eisenbahnnetz. 39. Afl. 118,5×205,5 cm. 6 Bl. Farbdr. Mit Ortsweiser. (58 u. 11) 8° Ebd. 05. 8 —; auf L. in M. 15 —; m. St. 18 — poliert 21 —; Anschlussbl. allein 118,5×68,5 cm. 2 Bl. 26. Afl. Mit Ortsweiser. (11) 8° 3 —; auf L. in M. 6 —; m. St. 7.50; poliert 9 —

Raab, G: Die neuesten Bestimmgn üb. d. Beitreibg u. Sieberg d. Gemeindeausstände m. Erläutergn u. Zusätzen nebst e. Anh. üb. d. Beitreibg d. Beiträge z. Arbeiterversicherg. (69) 8° Ettl. 03. (Karls., M Schöber.) Kart. — 80 d

Raab, GF: Eisenbahnk. v. Russl. 1:4,800,000. 28. Afl. 58,5× 54,5 cm. Farbdr. Glog., C Flemming 05. 1 —

Raab, H: Die Apothekenfrage im Deut. Reiche. Krit. Studien üb. d. Wesen d. Apothekenfrage u. Vorschl. z. Entwurfe e. Apothekenreform. (71) 8° Münch., Verl.-Anst. vorm. GJ Manz 04. 1 —

Raab, P: Was man wissen muss, ehe man sich bei e. Serienlosgesellsch. beteiligt. (8) 8° Kirchheimbol. 03. Mannheim (Pfalz), Philipp Raab. (?) — 30
Raabe, E: Anl. z. Buchführg u. Preisberechng f. Handwerker. (48 m. Fig.) 8° Ess., GD Baedeker 02. 1 — d
- Das Rechtzeichnen f. Klempner. 2 Tle. 4° Wittnbg, R Herrosé. 3.40 d
1. Allg. (19 m. 10 Taf.] 03. 1.60 || 2. Bauarbeiten. (28 m. Fig. u. 8 Taf.) 04. 1.80.
- Das Handwerkers Ratgeber in allen wicht. Geschäftsangelegenh. (124) 8° Ess., GD Baedeker 03. Geb. 1.80 d
- 25 Jahre im Gewerbeschuldienst. Rückblick auf d. Tätigk. d. Hrn Reg.- u. Gewerbeschulr. Oskar Spetzler zu Posen. (29) 8° Pos., Merzbach 01. — 60 d
- Leitf. f. d. Fachunterr. d. Schlosser. I. Tl: Gewerbekde. II. Tl: Fachzeichnen. Anh.: Materialienta. u.Preisberechng. (57 m. Fig. u. 8 Taf.) 8° Ess., GD Baedeker 03. 1.50 d
- Gebundenes Zeichnen. Zirkelzeichnen u. geometr. Darstellun v.Körpern z.Gebr.in Handwerkersch., gewerbl.Fortbildgssch., Inngsfachsch. u. d. ob. Kl. v. Volks- u. Bürgersch. (3 Bl. m. 8 S. Text.) 4° Lpzg, J Klinkhardt 01. Kart. — 80

Raabe, E: Gesch. von d.ür Stadt Hamm. Pläseierlik vertallt. 2 Dle. (196 u. 278 m. Abb.) 8° Lpzg, O Lenz (03.04). 3 —;
- Gloria in excelsis Deo! Die erste Weihnachtsfeier in d. christl. Familie, in Schulen usw. Dichtg f. Deklamation u. Gesang. Im Anh. Texte v. bekannten Weihnachtsliedern. (48) 8° Hamm, Breer & Th. (04). — 50
- Der Krugwirt v. Burgthal, s.: Theater, kl.
Raabe, F: Der Gemeindewaiserat. Reformvorschläge — d. Praxis. (30) 8° Lpzg, Lk Klepzig (03). — 40 d
Raabe, O: Die Akten d. Vogelsangs. 3. Afl. (230) 8° Berl., O Janke 04. 3 — d
- Die Chronik d. Sperlingsgasse. Neue Ausg. 29. Afl. (193 m. Abb. u. Bildnis). 8° Berl., G Grote 03. || 33. [d. Reihe nach 37.] Afl. (228 m. Abb. u. Bildnis.) 03. Je 3 —; L. je 4 — d
- Im alten Eisen. Erzählg. 4. Afl. (344) 8° Ebd.01. 3 —; geb.4 —
- Elsev.d.Tanne. Im Siegeskranze, s.: Ecksteind.neueren Lit.
- Ges. Erzählgn. 4 Bde. 3. Afl. (304, 407, 403 u. 414) 8° Berl., O Janke 01.03. 7 — d
- Fabian u. Sebastian. Erzählg. 2. Afl. (228) 8° Ebd. 03. 3 — d
- Prinzessin Fisch. Erzählg. 4. Afl. (217) 8° Ebd. 03. 3 — d
- Ein Frühling. 4. Afl. (224) 8° Ebd. 03. 3 — d
- Die schwarze Galeere, s.: Volksbücher, Wiesbad.
- Stadenbeck. Erzählg. 2.Afl. (216) 8° Berl., O Janke 02. 3 — d
- Uns. Herrgotts Kanzlei. Erzählg. 5. Afl. (396) 8° Mgdbg, Creutz 04; 1.60.
- Horacker. 10.000 (300 m. H.) 8° Berl., G Grote 03. —; L. 4 — d
- Wie Markus Horn heimkehrt u. zu Hause empfangen wird, s.: Jacht's, O, Stenogr.-Bibliothek.
- Das Horn v. Wanza. Erzählg. 3.Afl. (218) 8° Berl., O Janke 03. 3 — d

Raabe, W: Der Hungerpastor. 22. Afl. (397) 8° Berl., O Janke 04.   :   4 — d
— Die Kinder v. Finkenrode. 5. Afl. (290) 8° Berl., G Grote 05.   3 — ; L. 4 — d
— Nach d. gr. Kriege. Eine Gesch. in 12 Briefen. 4. Afl. (180) 8° Ebd. 02.   3 — ; geb. 3.50 d
— Der Lar. Eine Oster-, Pfingst-, Weihnachts- u. Neujahrsgesch. 3. Afl. (324) 8° Berl., O Janke 03.   3 — d
— Die Leute a. d. Walde, ihre Sterne, Wege u. Schicksale. 3. Afl. 2 Bde. (308 u. 304 m. Bildnis.) 8° Brnschw., G Westermann 01.   6 — ; geb. 8 — d
— dass. Roman. 5. Afl. (363) 8° Berl., O Janke 03.   4 — d
— Kloster Lugau. 2. Afl. (310) 8° Ebd. 02.   3 — d
— Halb Mähr, halb mehr. 2 Erzählgn. Jubiläums-Ausg. 9. Taus. (126 m. Abb.) 12° Berl., G Grote 02. Kart. 1.50; geb. 2.20 d
— Dent. Not u. deut. Ringen. Aus R.'s Werken ausgew. v. Prüfgsausschuss f. Jugendschriften zu Braunschweig. 1—3.Afl. (113) 8° Brnschw., A Hafferburg 02.03. Geb. — 90 d
— Alte Nester. 2 Bücher Lebensgeschichten. 3.Afl. (294) 8° Berl., O Janke 03.   4 — d
— Pfisters Mühle. Ein Sommerferienheft. 1—3. Afl. (205) 8° Ebd. 03.   3 — d
— Villa Schönow. Erzählg. 2. Afl. (205) 8° Ebd. 03.   3 — d
— Der Schüddernmp. 5. Afl. (334) 8° Ebd. 05.   4 — d
— Abu Telfan od. d. Heimkehr v. Mondgebirge. Roman. 5. Afl. (327) 8° Ebd. 04.   4 — d

Raaben, E (E Wrany): Zwisch'n Gut u. Bös. Volksstück. (Nach L Anzengrubers Erzählg „Der Hoisel-Loisel".) (123) 8° Dresd., E Pierson 03.   1.50 d
— Die Kuenringer. Drama a.Österr.Gesch. (211) 8° Ebd.04. 1.50 d
— Carola Steinz. Schausp. (87) 8° Ebd. 02.   1.50 d

Raabs an d. Thaya, Sommerfrische, u. Umgebg. (205 m. Abb. u. Taf.) 8° Raabs 01. (Wien, Kubasta & Voigt.)   2 — d

Raaf, H de: Die Elemente d. Psychol. Anschaulich entwickelt auf d. Pädagogik angewandt. Aus d. Holl. v. W·Rheinen. 2. Afl. (192) 8° Langenns., H Beyer & S. 01.   1.60
Raamot, J: Untersuchg d. Milch verschied. Tierarten. (56) 8° Boan, O Georgi 01.   1 —
Raape, L: Besitzerwerb ohne Besitzwillen n. d. BGB. (88) 8° Rasse, H: Die Schlacht bei Salamis. (53 m. 1 Karte.) 8° Berl., H Warkentien 04.   1.50
Raatz, F: Entwurf e. Ges. betr. d. Sicberg d. Bauglänbiger. (32) 8° Berl., (Deut. Verl.) 03.   — 75 d
Raatz, P: Die·theosoph. Bedeutg d. Geburt Jesu. — Allg. Bruderschaft. — Die esoter. Erklärg d. Gleichnisses v. verlorenen Sohn. — Die Karmalehre u. ihre prakt. Anwendg. — Die 7fache Konstitution d. Menschen, theosoph.
— s.: Leben, theosoph.
Rabanus Maurus: De institutione clericor. libri tres, s.: Veröffentlichungen a. d. kirchenhistor. Seminar München.
Rabatt-Berechner f. Buchhändler. (23) 8° Lpzg (03). Stuttg, E Leupoldt.   nnn — 75 d
Raband, E: Der beidn. Ursprg d. katbol. Kultus. Deutsch v. · G Lüttgert. (79) 8° Giessen., C Bertelsmann 03.   — 80 d
Rabbinowics, H: Toratb Chajim. Hebr. Vortr. f. d. Trauerhaus. Nebst anh.: Hebr. Grabinschriften. (59) 8° Frankf. a/M., J Kauffmann 02. 1.20; m. deut. Übersetzg. (59 u. 74) 02.03. 2 — d
Rabbinowicz, J: Der Mörder. Erzählg a. d. russ. Dorfleben. (137) 8° Dresd., E Pierson 06.   2 — ; geb. 3 — d
Rabe, A, s. a.: Ludwig, A.
— Schnaken, d. Schnurren 2. Tl. Heit. Geschichten in Thüringer Mundart. (56) 8° Weim., L Thelemann (04).   — 50 d
— Schnärzchen. Heit. Geschichten in Thüringer Mundart. (Umschl.: 3. Afl.) (56) 12° Erf.(02). Weim.,L Thelemann. — 50 d
— Schnozeln, d. Schnaken 2. Tl. Heit. Geschichten in Thüringer Mundart. (56 m. Bildnis.) 8° Weim., L Thelemann (05). — 50
   (4 Tle in 1 Bd geb.: 3 —) d
— Schnurren, d, Schnärzchen 2. Tl. Heit. Geschichten in Thüringer Mundart. (1. u. 2.[Umschl.-]Afl.) (56) 12° Ebd. (02). — 50 d
Rabe, E: Gewerbeordng f. d. Deut. Reich. Mit d. f. Elsass.-L. erlass. Ausführgsbestimmgn u. Vollzugsvorschriften. 3. Afl. (700) 12° Gebw., J Boltze 03.   L. 10 — d
Rabe, E: Warum Wörishofen? (30 m.Abb.) 8° Wörish., Buchdr, u. Verl.-Anst. 04.   — 50 d
Rabe, F: Der Wert d. Odd-Fellow-Tage, s.: Weiss, A, ideales u. prakt. Odd-Fellowtum.
Rabe, F·v: Selbstlaut. (99 m. 1 Fig.) 8° Lorch, K Rohm 05. 1 —
Rabe, HW: Mahng n. Trost am Kranken- u. Sterbebette. (66) 12° Warsaw 1900. (Zwick., Schriften-Ver.)   Kart. 1 — d
Rabe, O: 40 Jahre Brotgetreidebau. Beitrag z. d. Praxis z. Frage d. Kornzölle. (52 m. graph. Darstellgn.) 8° Berl., P Parey 05.
— Die Kornhausgenossensch., e. G. m. b. H., zu Halle a. S. (35 m. 1 Abb.) 8° Halle 01. (Berl., P Parey.)   nnn — 50 d
Rabe, S: Haupt-Reg., s.: Finanz-Ministerialblatt f. d. Kgr. Bayern.
Rabel, J: Die Haftpflicht d. Arztes. Gutachten. (87) 8° Lpzg, Veit & Co. 04.   2.40
— Die Haftg d. Verkäufers wegen Mangels im Rechte. 1. Tl. Geschichtl. Studien üb. d. Haftgserfolg. (355) 8° Ebd. 02. 10 —
Rabelais, F: Gargantua. Verdeutscht v. E Hegaur u. Owiglass. 1. u. 2. Taus. (300) 8° München., A Langen 05.06. 3.50; geb. 4.50 d
Raben, d, 7. Zaubermärchen. (52) 8° Berl., H Steinitz 04. — 30 d

Rabener, F: Knallerbsen od. Du sollst u. musst lachen. Sammlg v. Anekdoten u. Schwänken. Nebst e. Ausw. v. kom. Vorträgen. 23. Afl. (156) 8° Lpzg, Ernst (04).   1 — d
Rabenhorst's, L, Kryptogamen-Flora v. Deutschl., Oesterr. u. d. Schweiz. 2. Afl. v. A Allescher, A Fischer, E Fischer u. A· 1. Bd. Pilze. 76—98. Lfg. 8° Lpzg, E Kummer. ·   Je 2.40
   76—91. Allescher, A: Fungi imperfecti: Gefärbt-spor. Sphaerioideen, sowie Nectrioideen, Leptostromaceen, Excipulaceen u. Familien d. Ordng d. Melanconieen, m. Hauptreg. d. VI. u. VII. Abth. (7 Abth. 55—1072 m. Abb.) 01-03.   (7. Abth. vollst.: 47.50)
   92—96. Lindau, G: Fungi imperfecti. (Hyphomycetes.) (VIII. Abtlg. 1—432 m. Abb.) 04.05.
— dass. 4. Bd. 36—41. (Schl.-)Lfg. 8° Ebd.   Je 2.40
   36—41. Limpricht, KG: Die Landmoose Deutschlds, Oesterr. u. d. Schweiz. Unter Berücks. d. übr. Länder Europas u. Sibiriens. 36—41. Lfg. III. Abth. Hypnaceae u. Nachtr., Synonymen-Reg. u. Litt.-Verz. Abschl. m. Hauptreg. u. d. 3. Bd. (3. Abth. vollst.: 36 —)
— dass. 6. Bd. (In 15—18 Lfgn.) 1. Lfg. 8° Ebd.   2.40
   1. Müller, K: Die Lebermoose (Musci hepatici) (unter Berücks. d. übr. Länder Europas). (1—64 m. Abb.) 06.
Rabenhorst, M: Quellenstudien z. naturalis historia d. Plinis. 1. Tl. Die Zeitangaben varron. u. capitolin. Aera in d. naturalis historia. (71) 8° Berl., E Ebering 05.   2.40
Rabenlechner, MM: Der Bauernkrieg in Steiermark (1525), s.: Erläuterungen u. Ergänzungen zu Janssens Gesch. d. deut. Volkes.
— Hamerling, s.: Literaturbilder d. Gegenwart.
— Rosegger, d. Didaktiker, s.: Literaturbilder fin de siècle.
Rabensteiner, E: Neue Wiener Tanzschule. 1. u. 2. Afl. (10 m. Fig.) 8° Berl., Neufeld & H. (01.05).   1.25
Räber, A: Himmelwärts! Gebet- u. Gesangbüchl. f. kathol. Christen. (192) 16° Luz., (Räber & Co.) 01.   L. — 80
— Karwochenbüchl. f. d. Jugend u. d. kathol. Volk. 7. u. 8. Afl. (144) 8° Ebd. 05.   60; L. — 95
Räber, J: Ultra montes. Erinnergn an d. Schweizer Romfahrt im April 1902. (158 m. Abb.) 8° Luz., Räber & Co. (03).   3 —
Räber, S: Die Konstante d. inneren Reibg d. Ricinusöls, s.: Kahlbaum, GWA.
Raberti, R: Kunst. Romandichtg. (278) 8° Bresl., Schles. Buchdr usw. 03.   3 — ; geb. 4 — d
Rabich, E, s.: Blätter f. Haus- u. Kirchenmusik. — Magazin, musikal.
Raebiger, H: Ueb. d. Verbot d. Impfg geg. d. Lungenseuche d. Rinder, s.: Arbeiten d. Landw.-Kammer f. d. Prov. Sachsen.
Rabinowitsch, S: Zur Lage d. jüd. Bevölkerg in Galizien, s.: Pappenheim, S.
— Die Organisationen d. jüd. Proletariats in Russl., s.: Abhandlungen, volkswirtschaftl., d. bad. Hochsch.
Rabitsch-Bey, J: Die Gemütsverwandtschaften. Roman. (307) 8° Dresd., E Pierson 04.   3 — ; geb. 4 — d
Rabitz, H: Uferbefestigun u. Böschun u. Kanälen, s.: Verbands-Schriften d. deutsch-österr.-ungar. Verbandes f. Wasserwirtschaft.
Rabius, W: Das Gesetz. Drama. (90) 8° Dresd., E Pierson 02.   2 —
Rabl, C: Die Entwicklg d. Gesichtes. Taf. z. Entwicklgsgesch. d. äusseren Körperform d. Wirbeltiere. 1. Heft. Fol. Lpzg, W Engelmann.   In M. 10 —
   1. Das Gesicht d. Säugethiere. I. (Kaninchen, Schwein, Mensch.) (58 m. 21 S. Text.) 02.
— Üb. d. zücht. Wirkg funktioneller Reize. Rektoratsrede. (23) 8° Ebd. 04.   — 80
Rabl, H: Üb. oreeïnophiles Bindegewebe. [S.-A.] (10 m. 1 Taf.) 8° Wien, (A Hölder) 01.   1 —
Rabl, J, Alpenführer, s.: Amthor, E.
— Illustr. Führer durch Salzburg u. d. Salzkammergut. — Führer auf d. Tauernbahn, s.: Hartleben's, A, illustr. Führer.
— 600 Wiener Ausflüge v. 3 Stunden bis zu 2 Tagen. 4. Afl. (125 m. 1 Karte) 8° Wien, A Hartleben 04.   Geb. 1.50
Rabl, W: Es waren 2 Königskinder. Symphon. Dichtg. f. gr. Orch., s.: Arbos, F.
Volbach. Kl. Konzertführer. (7) 12° Lpzg, Breitkopf & H.   — 50

— Liane, s.: Ernst, WE.
Räbner, Mv.: Neuester Briefsteller u.Rechtskonsulent f.Frau u. Mädchen, s.: Müller, O.
Rabow, S: Arzneiverordng z. Gebr. f. Klinicisten u. prakt. Aerzte. 36. Afl. (124 m. 1 Bildnis u. 1 farb. Taf.) 8° Strassb., L u. d. prakt. Arzt 05.   L. u. durch 05.
— s.: Monatshefte, therapent.
— u. E Wilezek: Die officinellen Drogen u. ihre Präparate. Unter Mitwirkg v. RA Reiss. (In deut. u. französ. Spr.) (284 m. 43 Lichtdr.) 8° Strassbg, L Beust 05.   L. 15 —
Raby, V: Hilfsb. f. d. Apothekenlaboratorium. — Bakteriologisch-chem. Praktikum, s.: Prescher, J.
Rabusson, H: Modern, s.: Kirschner's, J, Bücherschatz.
Raccolta di leggi ed ordinanze della monarchia Austriaca Vol. VI e VIII. 12° Innsbr., Wagner. 11.80; Einbde in L. je 1.
   VI. I. Regolamento sul notariato. II. Esecutorietà di transazioni pulate davanti agli uffici comunali di conciliazione. — III. Segnali industriali. — IV. Procedimento concorsuale. 2. ed. (476) 05.
   VIII. Manuale del codice civile generale austriaco, contenente: I. nali industriali. — IV. Procedimento concorsuale. 2. ed. (476) 05.
officiale, le leggi ed ordinanze publicate a complemento o dificazione di esso o riferibili a materie in esso contemplate, l'indice officiale secondo l'ordine dei paragrafi. Ed. nuova. (c. 250) 02.
Rache, d, d. Banditen. Kriminal-Roman. — Das Drama

. **Breos-Castel**, Kriminal-Fall. — Am Hochzeitstage, Kriminal-Novelle. (96) 8° Neuweissens., E Bartels (o. J.).   1 — d
Rache, d., d. Indianers. Sage a. Nord-Mexiko. Für d. reif. Jugend bearb. (121 m. 3 Farbdr.) 8° Berl., Globus Verl. 02.
     Geb. † — 60 d
Raché, H: Das Gasthaus z. deut. Michel. Roman. (210) 8° Berl., Schuster & Loeffler 05.   3 — d
— Liebe, s.: Eckstein's Miniaturbibliothek.
— Nocturno. Patholog. Liebesgeschichten. (156) 12° Berl.; Schuster & Loeffler 02.   2 — d
— Die Scham. Geschichte zweier Ehen. (216) 8° Ebd. 03. 3 —;
     geb. 4 — d
— s.: Forschungen, staats- u. sozialwiss.
Rachel, H: Der Gr. Kurfürst u. d. ostpreuss. Stände 1640—88, s.: Forschungen, staats- u. sozialwiss.
Rachel's, J, satir. Gedichte, s.: Neudrucke deut. Lit.-Werke. d. XVI. u. XVII. Jahrh.
Rachel, L: Karte v. Württemberg, Baden & Hohenzollern. 1: 450,000. 29. Afl. 60×52 cm. Lith. u. kol. Stuttg., A Müller 01.   1 —; auf L. in Kart. 2 —
Rachel, P: Gedichte a. alter u. neuer Zeit. Für Handels-, Real- u. Mittelsch. zusammengest. (166) 8° Lpzg, Dieterich 05.
     Geb. 1.40 d
— Die Dresdner Handelsinng 1654—1904. Festschrift. (196) 8° Dresd., (H Burdach) 04.   L. † 4 —
— s.: Lippe, Fürstin P z., u. Herzog Friedrich Christian v, Augustenburg. — Recke, Elisa v. d.
Rachel, W: Verwaltzorganisation u. Ämterwesen d. Stadt Leipzig bis 1627, s.: Studien, Leipz., a. d. Geb. d. Gesch.
Rachfahl, F: Deutschl., König Friedrich Wilhelm IV. u. d. Berliner Märzrevolution. (319) 8° Halle, M Niemeyer 01. 7 —
Racine, J: Andromaque (G Stern). — Athalie (A Benecke. — v, Jarochowski). — Britannicus (W Scheffler). — Esther (W Scheffler). — Iphigénie (G Stern). — Mithridate (G Stern), s.: Théâtre franç.
— Phèdre, s.: Schulbibliothek, franzôs. u. engl. (A Kressner).
— Théâtre franç. (v. Jarochowski. — C Rauch).
— Les plaideurs, s.: Théâtre franç. (D Rohde).
Racke, K: Grundz. d. Beredsamkeit, s.: Schleiniger, N.
Racke, N: Festrede z. Feier d. Jubiläums d. unbefl. Empfängnis Mariä. (18) 8° Mainz, Druckerei Lehrlingshaus 05. — 25 d
— Katholiken wacht auf! Rede z. Abwehr d. neuesten Angriffe auf d. kathol. Kirche. 21—30. Taus. (16) 8° Mainz (01). (Münch., H Kitz.) (?)   — 10 d
— dass. (32) 16° Warnsdf, A Opitz (01).   — 08 d
— Katholiken a. Wehr! Hoch uns. Fahne! 3 Reden z. Abwehr d. neuesten Angriffe auf d. kathol. Kirche. Als Anh.: Text d. Urteils d. Nürnb. Landgerichts in Sachen R Grassmann u. Blütenlese a. d. Werken d. gr. Gelehrten v. Stettin. 1. u. 2. Afl. (117) 8° Kevel., Butzon & Bercker 01.04.   — 75 d
Racke: Die transitor. Bewusstseinsstörgn d. Epileptiker. (178) 8° Halle, C Marhold 05.   3.80
Rackham, A: Rip van Winkle, s.: Irving, W.
Rackl, J: Der Nürnberger Buchhändler Joh. Philipp Palm, e. Opfer napoleon. Willkür. (176 m. Abb.) 8° Nürnbg, C Koch (05).   2.50; L., 3 — d
Rackwitz, M: Philipp II., Bischof v. Speier. I. Tl bis z. J. 1518. (34) 4° Berl., Weidmann 04.   1 —
Rackwitz, R, s.: Bericht üb. d. X. Blindenlehrer-Kongress in Breslau.
Rackwitz, R: Im Neuen Reich. 10 vaterländ. Festsp. f. Kaisers-Geburtstag u. Sedan, nebst e. Anh. v. 43 Gedichten z. Feier vaterländ. Gedenktage. 3. Afl. (200) 8° Nordh., F Eberhardt 1890.   4 — d
Rad u. Motor. Illustr. Wochenschrift f. moderne Verkehrsmittel. Fachbl. f. d. Ges.-Interessen d. Fahrrad-, Motorfahrzeug- u. Luftschiffindustrie u. deren Hilfs- u. Nebenbranchen. Hrsg. u. Red.: O Wenzel. 1. Jahrg. Jan.—Septbr. 1901. 38 Nrn. (Nr. 1. 12) 4° Dresd., (H Hackarath).   Viertelj. 1.50 0 F
Rad, O v., s.: Sitzungsberichte d. ärztl. Ver. Nürnberg.
Radaković, M: Bemerkgn z. Theorie d. ballist. Pendels. [S.-A.] (8) 8° Wien, (A Hölder) 01.   — 20
— Üb. d. Berechng d. erzwung. Schwingen e. materiellen Systems. [S.-A.] (17) 8° Ebd. 05.   — 40
Radakovits, J: Ionisierg d. Gase durch galvanisch glüh. Drähte. [S.-A.] (25 m. Fig.) 8° Wien, (A Hölder) 05. — 90
Radbert, K: Soldatengeschichte. Ein kl. Festsp. v. grossen Kriege 1870/71. 2. Afl. 5 Scenen. 8° Dresd., Verbandsbh. (E Zacharias) (04).   Je — 30 d
   1. In d. Bauerstube an Fröschweiler. (12) § 2. Im Lazaret v. Gravelotte. (10) § 3. Vor Sedan am 2.IX.1870. (12) § 4. In Versailles am 18.I. 1871. (12) § 5. Auf d. Bahnhofe zu Eindenhofen. (8)
Radbruch, G: Der Handlgsbegriff in sr Bedeutg f. d. Strafrechtssystem. (147) 8° Berl., J Guttentag 04.   3 —
— Die Lehre v. d. adäquaten Verursachg, s.: Abhandlungen d. kriminalist. Seminars an d. Univ. Berlin.
— Verbrechen u. Vergehen wider d. leben usw., s.: Liszt, F v.
Radde, AG: Die Champignon-Zucht. (45 m. Abb.) 8° Berl., P Parey 01.
Radde, G: Botanik, s.: Sammlungen, d., d. kaukas. Museums (in Tiflis).
Rade, E, s.: Volksbühne, niederdeut.
Rade, M(P Martin), s.: Briefwechsel zw. d. Bischof v. Rochester u. d. Hrsg. d. Christl. Welt Prof. Dr. Rade.
— Unbewusstes Christentum, s.: Hefte z. Christl. Welt.
— Die Leitsätze d. 1. u. d. 2. Afl. v. Schleiermachers Glaubens-

lehre nebeneinandergestellt, s.: Sammlung ausgew. kirchen-u. dogmengeschichtl. Quellenschriften.
Rade, M (P Martin): Doktor M Luthers Leben, Thaten u. Meingn. — 3 Bde. (Neue (Tit.-)Ausg.) (772, 746 u. 770) 8° Tüb., JCB Mohr (1883) 01.   (13.50) 8 —; geb. (nn 18 —) nn 19.50 d
— Erachien in 1. Ausg. unter d. Pseudonym "P Martin".
— s.: Welt, d. christl.
Radeck, R: Jotham u. s. Söhne. Schausp. a. d. Zeit d. Propheten (750 v. Chr.). (85) 8° Stuttg., Strecker & Schr. 05. 1.50 d
Radeke, A: Des Technikers Ratgeber in Geschäfts- u. einf. Rechtsfragen. 3. Afl. (224) 8° Mittw., Polyt. Bb. 02. Kart. 3 —
Rades, MC, s.: Jahrbuch Deutschlds Bergwerke u. Hütten.
Rademacher, A: Die übernatürl. Lebensordng u. d. paulin. u. johanneischen Theol., s.: Studien, Strassb. theolog.
Rademacher, K: Aus Deutschlds Urzeit u. Vorzeit, s.: Bilder a. Deutschlds Werdezeit.
— Als ich klein war, s.: Volksbücher f. Jung u. Alt.
— Die gewerbl., haus- u. landw. Kinderarbeit in d. Rheinprovinz, s.: Abhandlungen, pädagog.
— Aus d. Zeit d. Völkerwanderg, s.: Bilder a. Deutschlds Werdezeit.
—u. T Scheve: German. Vorzeit, s.: Bilder a. Deutschlds Werdegang.
Rademacher, O, s.: Bischofschronik, d. Merseburger.
Rademann, A: Übgsstücke z. Übers. a. d. Deut. ins Latein. im Anschl. an Ciceros Rede f. Sulla. (56) 8° Glog., C Flemming (01).   Kart. 1.20
Rader, F: Die ev. Mission, s.: Gundert, H.
Raeder, H: Znr Gesch. d. höh. Schule in Grünberg in Schl., s.: Festschrift usw. d. Friedrich-Wilhelms-Realgymnasiums zu Grünberg in Schl.
Raeder, H: Platons philosoph. Entwickelg. (435) 8° Lpzg, BG Teubner 05.   8 —; geb. 10 —
Radermacher, J: Függn u. Führgn od. Der verlor. Sohn. Schuld u. Sühne od. Die feindl. Brüder, s.: Heidelmann's, A, Theaterbibliothek.
— Vereinsbühne. 1—13. Heft. 8° Bonn, J Radermacher. 14.60 d
   Fredow, R: Am Grabe d. Mutter. Volkschausp. (43) (04.) [4.]   1.30
   — Unentbehrl. Taschenb. f. Theaterspieler d. Vereinsbühne, nebst Anh. f. diejenigen, d. es werden wollen. (45) (04.) [1.]   2 —
   — (Clmeehl.: A Frey!) Das Waisenkind. Weihnachtssp. (23) (04.) [5.] 1 —
   — Vetrwist. Schausp. (33) (04.) [1.]   — 90
   Fröhlich, C: Mathilde, e. deut. Frauenherz. Schausp. (83) (05.) [10.] 1.90
   Baden u. Bêtrum. Orig.-Schwank. (60) (05.) [6.]   1.10
   Groenewald, C: Der Falkenhändler. Ritterschausp. (68) (04.) [6.]   1.20
   — Der Fünt kommt. Posse. (19) (04.) [3.]   — 90
   — Der Weltuntergang. Studentenposse. (16) (04.) [2.]   — 80
   Warnsdf, Lustsp. (27) (05.) [9.]   — 80
   Schostacel&fre, C: Else, d. Soldatenbraut. Militkr-Schausp. (51) (05.) [1.] 1.15
— Hans d. verliebte Offziiersbursche. Militkf. HumorPökt. (34) (05.) [12.] 1 —
— Das Zugstück, s.: Heidelmann's, A, Theaterbibliothek.
Radermacher, L: Das Jenseits im Mythos d. Hellenen. (153) 8° Bonn, A Marcus & E Weber 03.   5 —
Räderscheidt, W, u. H Vordemfelde: Lehrb. d. vereinf. deut. Stenogr.(Einigssystem Stolze-Schrey).(51) 8° Cöln, P Neubner (05).   Kart. 1 —
Radestock, CG, u. CF Richter: Fibel u. 1. Leseb. u. d. Schreiblesemethode. 22. Afl. (120 m. Abb.) 8° Lpzg, B Tauchnitz 4.
     — 30 d
Radestock, H: Wie schliesst man e. Vertrag? Die Vorschriften d. BGB. üb. Entstehg, Inhalt u. Form d. Verträge. (77) 8° Berl., H Steinitz (01).   1 — d
Radetzki: Gärtner. Kultur-Anweisgn. 1—25. Heft. 8° Berl., Gebr. Radetzki.   17.50
   Baofél, F, u. H Becker: Reseda. Tuberosen. Citrus. 2.Afl. (12)(04.)[7.] — 50
   Dtubá, C: Veilchen. 2. Afl. (14) (04.) [14.]   — 50
   Friedlaander, W, u. A Schloifer: Bouvardien. Calla. (12) (04.) [6.] — 50
   Godické, J: Amaryllis. Primel. Kulturf d. Amaryllis vittata u. derun Hybrl. den sowie d. gefüllten Primel. 2. Afl. (17) (04.) [4.]   — 50
   Grubert, B: Cyclamen. 4. Afl. (11) (04.) [10.] § Maiblumen. Vorkultur u.
   Treiberei. 2. Afl. (5) (04.) [13.] § Rémont.-Nelken. 2. Afl. (10) (04.) [5.]
   § Rosen. Treiberei in Töpfen u. ausgepflanzt, sowie Vorkultur. 4. Afl.
   (12) (04.) [11.]   Je — 50
   Hanse, F: Hortensien, s.: Lindsnsf, G, Eucharis.
   Heinricy: Flieder. 2. Afl. (11) (04.) [3.]   — 50
   Hönnings, F: Azaléen. (Azaléa indica L.) Felsentrauch. (15) (04.) [18.]
   § 1 — Ferne. Moderne Schnitt- u. Handéls-Farneb. (15) (04.) [20.] — 50
   § Rhododendron. (L. Alpenroseh.) (14) (04.) [8.] 1 —
   Krëll, C: Champignons. 2. Afl. (12 m. Abb.) (04.) [5.]   — 50
   Matschke, W: Ficus elastica. — Hortulé, F: Hortensie. (14) (04.) [21.] — 50
   Matschke, W: Ficus elastica, s.: Nobody, F, Bougainvillea.
   Nobody, F: Bougainvillea Sand. gl. — Matschke, W: Ficus elastica. (12)
   (04.) [19.]   — 50
   Pfänzel, M: Camellien. (14) (04.) [13.]   — 50
   Radetzki, A: Die Anwendg künstl. Düngemittel im Gartenbau u. in d.
   kl. Landw. (90) (04.) [25.] — 80 § Das grossblum. Chrysanthemum. Chry-
   santhemum indicum (Curt.). (Syn. Chrys. Japonicum (Thbg.)). (28)
   (04.) [1.] 1 — Der gärtner. Pachtvertrg. (16) (04.) [24.] 1 —
   Schúde, J: Ananas. (12) (04.) [9.]   — 50
   Scheis jun., r: Gurken. Winkef f. GefKon-Treiberei im Hans u. ins Beet.
   2. Afl. (16) (04.) [16.]   — 50
   Ulrich, A: Erica. 2. Afl. (11) (04.) [17.]   1 — § Myrthen. (15) (04.) [15.] — 50
   Voigt, R: Die Blumezwiebél-Kultur in ihrem ganzn Umfang umfre bes.
   Berlcks. derjen. Zwiebéln u. Knollén, welché sowohl ala Topfpflanze,
   wie als Schnittblume werthvoll sind. (41) (04.) [23.] 1.50 § Orhidéén.
     Kultur u. Blumennachzuht. (40) (04.) [22.] 1 —
Radetzki, A: Die Anwendg künstl. Düngemittel im Gartenbau u. in d. kl. Landw. — Das grossblum. Chrysanthemum. — Der gärtner. Pachtvertrag, s.: Radetzki, gärtner. Kultur-Anweisgn.

Ragaz, L: Selbstbehauptg u. Selbstverlengng. Vortr. (40) 8°
Bas., CF Lendorff 04. 1 — d
— Zeitkultur, Bildgsideal, Schule. (38) 8° Bas., B Wepf & Co.
05. — 50 d
Ragg, M: Die Schiffsbodenfarben. (68) 8° Wiesb. 01. Lpzg, O
Nemnich. 2.50; geb. 3.20
Ragionenbuch, schweiz., 1905. Verz. d. eingetrag. Firmen.
10. Ausg. (Annuaire suisse du registre du commerce.) (16,
1131, 20, 34 u. 527) 8° Zür., Art. Instit. Orell Füssli. Geb. 10 —
Rahden, Baronin J v.: Der Roman d. Schulreiterin. (199 m.
Abb.) 8° Paris, C Eitel 02. 3 —
Rahel. (R Varnhagen, geb. Levin.) Ein Buch d. Andenkens f.
ihre Freunde, hrsg. v.H Landsberg, s.:Renaissance-Bibliothek.
Rahlenbeck, H: Abschieds-Predigt in d. Apostel Paulus-Kirche
zu Schöneberg-Berlin. (13) 8° Berl., Vaterländ. Verl.- u. Kunst-
anst. 01. — 20 d
Rahlfs, A: Die Berliner Handschrift d. sahid. Psalters, s.:
Abhandlungen d. kgl. Gesellsch. d. Wiss.
— Studien zu d. Königsbüchern, s.: Septuaginta-Studien.
Rahlmann, E: Ueb. Farbensehen u. Malerei. (55 m. 6 farb.
Taf.) 8° Münch., E Reinhardt 01. 2 —
— „Üb. d. Technik d. alten Meister d. klass. Zeit, beurteilt
u. mikroskop. Untersuchgn v. Bruchstücken ihrer Gemälde“.
Vortr. (6) 8° Ebd. 05. — 30
— Üb. Trachom, s.: Beiträge z. Augenheilkde.
Rahm, C: Ist d. Bibel d. Wort Gottes? (51) 8° Rendsbg, H
Möller 03. — 50 d
— Wie dünket euch um Christus, wess Sohn ist Er? (38) 8°
Ebd. 03. — 50 d
Rahm, JJ: Herr Pfarrer i chume mit! Dialekt. Charakterbild.
(87) 12° Aar., HR Sauerländer & Co. 01. — 70 d
— Regen u. Sonnenschein. Burleske. (18) 8° Ebd. 06. — 50 d
Rahm, PJ: Gesch. d. Wallfahrt n. Eberhards-Clausen. (49)
16° Saarl., F Stein Nf. 01. — 15 d
Rahmer, M: Hebr. Gebetb. f. d. israelit. Jugend, z. Übersetzen
eingerichtet n. m. Vokabularium u. grammat. Vorbemerkgn
versehen. 2. Kurs., 7. Afl. (96 u. 46) 8° Frankf. a/M., J Kauf-
mann 04. Geb. 1 — d
— Die hebr. Traditionen in d. Werken d. Hieronymus. Durch
Vergleichg m. d. jüd. Quellen u. alt. Versionen kritisch be-
leuchtet. Die Commentarii zu d. 12 kl. Propheten. 1. Hlfte.
II Hefte. 8° Berl., M.Poppelmann 02. nn 5 —; in 1 Bd geh. nn 4.50
I. Hosea, Joël, Amos. (47, 19 u. 48) nn 2.50; Hosea allein nn 1.50;
Joël allein nn — 75; Amos allein nn 1.25
II. Obadja, Jona, Micha. (60) nn 1.50
Rahmer, S.: Geschichte, meine, eh' ich geboren wurde.
— Heinr. Heines Krankh. u. Leidensgesch. (81) 8° Berl., G
Reimer 01. 1.20 d
— s.: Kleist-Bibliothek.
— Das Kleist-Problem auf Grund neuer Forschgn z. Charak-
teristik u. Biogr. Heinr. v. Kleists. (182) 8° Berl., G Reimer
03. 3 — d
Rahn, E (W Licht): Eltern! Habt Acht! Die Quelle d. Wohl-
standes im deut. Buchhandel, d. d. König v. Eldorado in
d. arme Heinrich. (118) 8° Zwick., F Badstübner. (01). (?)
(Lpzg, LA Kittler.) †1.40 d
— s.: Stadtvertretung, d., Danzigs u. d. Schwarzen.
Rahn, H: Contes et nouvelles, s.: Bibliothèque franç.
— Héditha, neues Lehr- u. Leseb. d. franzö. Sprache f. höh.
Mädchensch. u. verwandte Anst. 3 Tle. 8° Lpzg, GR Reisland.
Geb. nn 5.50 d
1. Mit Anh.: Blancheneige, Comédie v. L Kophamel. 3. Afl. (108) 01.
nn 1.40 § 2. 3. Afl. (250) 04. nn 2 — § 3. (243) 01. nn 2.10.
— dass. I &II. Einbänd.Ausg. d. neuen Lehr- u. Leseb.d. franzö.
Sprache f. höh. Mädchensch. u. verwandte Anst. (312) 8° Ebd.
04. Geb. nn 2 — d
1903 u. d. Bezeichng Breslauer Ausg.
— Lehrb. d. franzö. Sprache f. höh. Mädchensch. u. verwandte
Anst. 3 Tle. 8° Ebd. Geb. nn 5.80 d
1. 13. Afl. (243) 04. nn 1.40 § II. 9. Afl. (204) 04. nn 1.40 § III. Systemat.
Schulgrammatik d. franzö. Sprache m. zusammenhäng. franzö. u. deut.
Übgsstücken. 7. Afl. (278) 02. nn 2.50.
— Leseb. f. d. franzö. Unterr. auf d. unt. u. mittl. Stufe höh.
Lehranst. z. Einführg in Land, Art u. Gesch. d. fremden
Volkes. Ausg. f. Mädchensch. 6. Afl. (353 m. 1 Ansicht, 1 Pl.
u. 1 Karte.) 8° Ebd. 02. Geb. nn 2.70 d
Rahn, H: Sagen d. Harzes. Die Mägdesprungsage. Ep. Gedicht.
2. Afl. (83) 8° Harzgerode, Th. Truelsen (1878). (Nur dir.)
nn — 50 d
Rahn, JR: Die Bauten u. Wandgemälde d. Dominikanerinnen-
klosters Töss, s.: Mitteilungen d. antiquar. Gesellsch. in
Zürich.
— u. H Zeller-Werdmüller: Das Fraumünster in Zürich, s.:
Mitteilungen d. antiquar. Gesellsch. in Zürich.
Rahn, MA: Gedichte u. Erzählgn. (183 m. Bildnis.) 8° Dresd.,
E Pierson 05. 2 —; geb. 3 — d
— Silvester. Schauspiel. (98) 8° Ebd. 05. 1.50 d
Rahn, P: Hdb.f.Schornsteinfeger u. solche, d. es werden wollen.
6. Ausg. (556 u. Nachtr. 28 u. 55 m. H. u. Bildnis.) 8° Berl.,
GBC Rahn 1895. L. 6 — d

Rahnfeld, F: Mein Studenten-Pass. (30 Bl.) 8° Lpzg, (P Beyer)
(05). Geb. 1 —
In allg. Ausg. u. in Ausg. f. Burschenschaften, Corps, Forstaka-
demien u. Turnver. erschienen.
Rahnheld, P, s. a.: Lehnhard, PR.
— Wir Eisenbahner, s.: Danner's, G, Theater-Abend.
— Jettes Landsleute in d. Küche, s.: Vereinstheater.
— Kantinen-Ulk, s.: Danner's, G, Herren-Bühne.
— Die Krone d. Hauses, s.: Danner's, G, Theater-Abend.
— Liebesgeschichten, s.: Vereinstheater.
— Nulpe im Verhör, s.: Danner's, G, Herren-Bühne.
— In d. Pfandleihe, s.: Vereinstheater.
— Die Räuberhöhle, s.: Danner's, G, Herren-Bühne.
— Talent-Probe in d. Küche, s.: Danner's, G, Damen-Bühne.
— Zimmer zu vermieten, s.: Vereinstheater.
Rahter, C: Frau Neptun. Ein poet. Turnier. (319) 8° Dresd.,
E Pierson 03. 4 —; geb. 5 — d
— s.: Beiträge z. Bauwiss.
Rahtgens, H: S. Donato zu Murano u. ähnl. venezian. Bauten,
s.: Beiträge z. Bauwiss.
Rahtgens, F: Grünau — Malente, d. Schauplatz v. Voss' Luise.
2. Afl. (35 m. 1 Bildnis.) 8° Malente, Stegelmann & Roelz
(04). — 30 d
Raich, JM, s.: Broschüren, Frankf. zeitgemässe. — Katholik, d.
— Paradies d. christl. Seele. Vollständ. Gebet- u. Andachtsb.
f. Katholiken. 9. Afl. (432 m. farb. Titel u. 1 Farbdr.) 10,2×
6,5 cm. Kevel., Butzon & B. (05). L. m. G. 1.10 d
Raich, M: Fichte, s. Ethik u. s. Stellg z. Problem d. Individualismus. (195) 8° Tüb., JCB Mohr 05. 4 —
Raidt, F: Das Kind n. d. Herzen Jesu. Lehr- u. Gebetbüchl.
f. Kinder d. mittl. u. ob. Schulj. 7. Afl. (256 m. 1 Farbdr.)
16° Donauw., L Auer 04. L. — 50 d
Raif, TL: Unter blau-weiss-roter Fahne! Sammelbilder a. d.
französ. Fremdenlegion, Eig. Erlebnisse. (89) 8° Strassbg, J
Singer 05. 1.50 d
Raiffeisent-Kalender, Neuwieder, 1906. 12. Jahrg. Hrsg. v. d.
Generalverb., ländl. Genossensch. Raiffeisenscher Organisation f. Deutschl. Schriftleitg: J Petry. (104 u. 16 m. Abb.
u. 1 Taf.) 8° Neuw. (Lpzg, H Haessel, Comm.-Geschäft.)
nn — 50 d
Raikin, J: Selbstunterr.-Briefe z. Erlerng d. russ. Sprache,
s.: Haeusser, E.
Railing, A: Ueb. Kommutierngsvorgänge u. zusätzl. Bürsten-
verluste. [S.-A.] (58 m. Abb.) 8° Stuttg., F Enke 03. 1.30
Railton, GS: Das Leben d. Oberstleutnant Junker, s.: Gottes-
streiter, gekröntes.
Raimann, E: Alkohol u. Geisteskrankh., s.: Vom österr. Kampf-
platz geg. d. Alkoholismus.
— Die hyster. Geistesstörgn. (395) 8° Wien, F Deuticke 04. 9 —
Raimon Vidal v. Bezaudun: Abrils issī' e mays intrava. Lehr-
gedicht. Krit. Text m. Einl., Übersetzg u. Kommentar v.
W Bohs. [S.-A.] (114) 8° Erl., F Junge 05. 2.80
Raimond, CE, s.: Robins, E.
Raimund's, F, sämtl. Werke in 3 Tln. Mit e. Einführg u. An-
merkgn. Hrsg. v. E Castle. (126, 570 m. Abb. u. Fksm.) 8°
Lpzg, M Hesse (03). In 1 L.-Bd 1.50; auf bess. Pap. in 1 HF.-
Bd 2.40; Luxusausg. in 1 Liebh.-HF.-Bd 3.20 d
— dramat. Werke in 3 Büchern. Mit biograph. Einl. v. A v. Auers-
wald. (152, 164 u. 228 m. 2 Bildern.) 8° Berl., A Weichert (05).
In 1 L.-Bd 1.75 d
— dass. in 3 Bdn. Mit Einl. v. L Rosner. (12, 221; 243 u. 210)
8° Berl., T Knaur Nf. (03). In 1 L.-Bd 1.60 d
— Die unheilbring. Krone, s.: Universal-Bibliothek.
— Der Verschwender. Schausp. m. Gesang. Neu bearb. u. f.
Männerrollen eingerichtet. Musik f. Männerstimmen n. Piano-
fortebegleitg v. K Deigendesch. (56) 8° Rgnsbg, A Coppenrath's V. (05). — 70 d
Rainer, L: Neueste colorirte Ausflugs-, Touristen- u. Weg-
markirgs-K. d. Wiener Waldes in 12 Bl. Je 13×15,5 cm.
Mit alphabet. Ortsreg. u. e. Zusammenstellg v. Ausflügen.
(15) 16° Wien, Szelinski & Co. (02). — 80 d
Rainer, N: Gesch. d. ehemal. kärntner. Hauptstadt St. Veit
an d. Glan. (65) 8° St. Veit an d. Glan. (Klagenf., K Hanel.)
nn — 40 d
Rainfurt, A: Zur Quellenkritik v. Galens Protrepticus. (50)
8° Freibg i/B., Herder 05. 1.50
Rais: Das Karzerbuch, s.: Weit.
Rais, KV: Kalba's Verbrechen, s.: Romanbibliothek, slav.
Raitknecht, hester n. sicherster Weg zur d. Rechngsfaulenzer.
(15. Afl.) (181) 16° Wels, J Haas (02). Kart. — 80 d
— neuester, od. Rechngs-Faulenzer. 24. Afl. (341) 16° Klagenf.,
Ig. v. Kleinmayr 04. Kart. — 80 d
Rak, T: Ein österr. General (Feldzeugmeister Leop. Herr v.
Unterberger), s.: Für Hütte u. Palast.
— Sappho. — Die Sparsamk., s.: Bücherei, allg.
Rákosi, E: Asop. Lustsp. Aus d. Ung. v. E Triebnigg. (157)
8° Strassbg, J Singer 05. 2.50
Rákosi, V: Mein Dorf u. and. heit. Gesch., s.: Reclam's Unter-
haltgs-Bibliothek.
Rakow, M, s.: Aufgabensammlung f. See-Dampfschiffs-Ma-
schinisten.
Rakus, A, u. CE v. Scheidlin: Prakt. Unterweisg in d. Massen-
kultur d. ldw. Fischnährtiere u. d. Wasser- u. Landfauna
z. rationellen Aufzucht aller Nutzfischgattgn. (35) 8° Wien,
(C Vetter) 02. — 50

Rakusin, MA: Anl. z. Verarbeitg d. Naphtha, s.: Kwjatkowsky, NA.
Ramann, E: Bodenkde. 2. Afl. (431 m. Abb.) 8° Berl., J Springer 05. 10 —; L. 11.20
Rambach-Peters, H: Wo d. Nordseewellen rauschen. Bilder a. d. Heimat. (173) 8° Dresd., E Pierson 06. 2 —; geb. 3 — d
Rambaldi, K Graf v.: Gesch. d. Pfarrei Aufkirchen am Würmsee. Festschrift z. 400jähr. Jubiläum d. Pfarr- u. Wallfahrtskirche. Unter Beihilfe v. J Jost. (204 m. 2 Taf.) 8° Starnbg (1900). (Münch., H Lukaschik.) L. 3 — d
Rambats, JG: Bericht d. Vereinsausschusses d. Architekten- u. Ingenieurver. zu Hamburg betr. d. Arbeiterwohngsfrage. (68) 8° Hambg, O Meissner's V. 02. 1.40 d
Ramband: L'Empire 1805—09 u. 1813—15, s.: Lavisse, E.
— Hist. de la civilisation en France, s.: Prosateurs franç.
Ramberg, A (H Hammer): Auf d. grauen Strasse. Ein Schicksal in Versen. (66) 8° Dresd., E Pierson 05. 1.50; geb. 2.50 d
Ramberg, G: Öffentl. Kunstpflege — e. Stückchen Sozialpolitik. (56) 8° Wien, Manz 04. 1.20
Rambke, K: Kanon geschichtl. Jahreszahlen f. Real- u. Oberrealsch. 2 Hefte. 8° Düsseldf, Schaub 03. — 50 d
— (Für Quarta—Untertekunda.) (15) — 20 | 2. (Für Obertekunda u. Prima.) (17) — 30.
Rambles through London streets, s.: Authors, Engl. (H Engelmann). — Velhagen & Klasing's Sammlg franzÖs. u. engl. Schulausg. (MH Ferrars).
Rambousek, J: Üb. 1. Hilfe bei gewerbl. Unfällen, m. e. kurzen Abriss üb. d. Lehre v. menschl. Körper (Somatol.), ferner üb. Unfallverhütg u. Gewerbekrankh., z. Gebr. an gewerbl. Lehranst. (52 m. Abb.) 8° Wien, A Hölder 03. Geb. 1.05 d
— Lehrb. d. Gewerbe-Hygiene. (135 m. Abb. u. 3 Taf.) 8° Wien, A Hartleben 06. 5 —; geb. 6 —
— Luftverunreinigg u. Ventilation m. bes. Rücks. auf Industrie u. Gewerbe. (252 m. Abb. u. 1 Taf.) 8° Ebd. 04. 6 —; geb. 7.50
Rambuteau, Gräfin v.: Die hl. Franziska Romana. Nach d. franzÖs. Original übertr. v. F Freifrau v. Loë, geb. Gräfin v. Hatzfeldt. (224 m. 1 Farbdr.) 8° Rgnsbg, F Pustet 02. L. 3 — d
Ramdohr, E: Friedrich II., d. Hohenstaufe. 2. Afl. (116 m. 3 Abb.) 8° Gütersl., C Bertelsmann, Sep.-Kto (04). — 70; kart. — 70; geb. — 80; L, — 90 d
Ramdohr, H: Grundr. f. d. Studium d. deut. Privatrechts, n. d. Legalordng d. BGB. f. d. Deut. Reich systematisch dargest. 2 Bde. Pos. Bresl., M & H Marcus. 14 —; geb. 15.85 d
1. Allg. Thl. u. Recht d. Schuldverhältn. (464) 01. 6 —; geb. 6.85
2. Sachenrecht, Familienrecht, Erbrecht. Sachreg. (685) 02. 8 —; geb. 9 —
Neue Tit.-Ausg. u. d. T.:
— Grundr. d. bürgerl. Rechts, systematisch dargest. (Neue [Tit.-]Ausg.) 2 Bde. 8° Bresl., M & H Marcus (05). L. 9 — d
1. (464) [01.] 4 — | 2. (685) [02.] 5 —
Rameau, J: Die Hexe, s.: Universal-Bibliothek.
— Die Nadelprinzessin, s.: Engelhorn's allg. Roman-Bibliothek.
— Der Roman e. Arztes. Ushers. v. L Wechsler. (205) 8° Lpzg, Lit. Anst. 01. 2.50 d
Rameau, R: Der Erfolg im Leben u. d. Macht d. persÖnl. Einflusses. (Der persÖnl. Erfolg. — Menschl. Macht. — Die Macht d. Hypnotismus. — Austibg d. menschl. Magnetismus. — Energie. Gedankenkraft. — Heilg aller Krankh.) 1—5. Tausd. (125) 8° Dresd., F Casper & Co. (05). 3 — d
Ramée, Mme ML de, s.: Ouida.
Ramhorst, F: Das Versichergswesen, s.: Buch, d. prakt.
Ramin, F: Wir haben e. festes, prophet. Wort. Predigten üb. freie Texte f. alle Sonn- u. Festtage d. Kirchenj. (355) 8° Gross-Lichterf., BW Gebel 03. L. 3.50 d
Ramis de Pareia, B: Musica practica, hrsg. v. J Wolf, s.: Publikationen d. internat. Musikgesellsch.
Ramm, A: Göteborg's Bestrebgn für's Gemeinwohl. (53 m. 1 Abb.) 8° Götebg, (Wettergren & Kerber) 02. nn 1.65
— Statist. Mitteilgn betr. Gothenburgs Handel, Schiffahrt, Transport-, Geld- u. Versichergs-Wesen 1875—1900. (In norweg. u. deut. Sprache.) (124) 8° Ebd. 02. 2 —
Ramm, E: Die Arten u. Rassen d. Rindes. 2 Tle. (283 u. 3 m. Abb., 3 Kart. u. 32 farb. Rassebildern.) 8° Stuttg., E Ulmer 01. Geb. u. in M. 20 —; geb. in M. —
— s.: Milch-Zeitung.
— Wandtaf. farb. Abbildgn d. Rinderrassen. (Gezeichnet v. CH Votteler.) 2 Taf. je 52×69 cm. Nebst Text. (16) 8° Stuttg., E Ulmer 01. 12 —; auf L. in M. 14.40
— u. H Baer: Nachrichten a. d. hervorragendsten Pferdezuchtgebieten d. In- u. Ausl. Statistik d. Pferdezucht u. -Haltg, Gestütswesen, Organisation d. ZüchtervereinigUng, Einrichtg d. Statbücher u. sonst. Fördergsmittel d. Pferdezucht. (In m. Abb.) 8° Lpzg, RC Schmidt & Co. 01. L. 10 — d
Ramm, J: Prakt. Kochb. f. d. bürgerl. u. feine Küche, nebst Speisezettel f. d. einz. Jahreszeiten. 4. Afl. (32, 530 m. 8 farb. Taf.) 8° Berl., H Schild (04). Geb. 4 — d
Ramm, W: Jean-Jacques Ampéres lyr. Dichtgn. (22) 4° Berl., Weidmann 04. 1 — d
— Zur Lehre v. d. Ideen in Schopenhauers Ästhetik. (42) 8° Ebd. 05. 1 — d
Rammelsberg, CF: Leitf. f. d. quantitative Analyse, 6. Afl., s.: Friedheim, C.
Ramming s.: Handbuch d. Schulstatistik f. d. Kgr. Sachsen.
Rammstedt s.: Chirurgie d. Unterleibes.

Ramón y Cajal s.: Cajal.
Rampacher; Die Gewährleistg wegen Mängel beim Handel m. Vieh. Nach d. BGB. f. d. Deut. Reich u. d. kais. Verordng v. 27.III.1899. (17) 8° Ulm, J Ebner 1900. — 40 d
Rampendahl, R: Deutsch-Englisch. Hilfsb. f. Deutsche z. leichten Erlerng u. prakt. Anwendg d. engl. Sprache. 13. Afl. v. Burckhardt, d. kl. Engländer. (160) 8° Lpzg, CF Amelang 01. Geb. 1.50 d
Rampis, P: Der gescheidte Nazl, s.: Dilettantenbühne, kathol.
Ramsau bei Schladming in Steiermark. (64 m. Abb., 1 Taf. u. 1 Kartenskizze.) 8° Wien, H Kirsch 05. — 80
Ramsauer, H: Das Weidwerk in Oesterr., s.: Volkmann, H.
Ramsauer, O: „Es war lauter Sonntag", s.: Kinderfreund, d.
Ramsauer, P: Aus d. Tagbe. e. Chinakriegers. (104 m. Abb.) 8° Wolfenb., Heckner (04). nn 2 — d
Ramsay, W, u. LH Borgström: Der Meteorit v. Bjurböle bei Borgå. (28 m. Fig.) 8° Helsingf. 02. (Lpzg, M Weg.) nn 1 —
Ramsay, Sir W: Einige Betrachtgn üb. d. period. Ges. d. Elemente. Vortr. (29 m. 1 Abb.) 8° Lpzg, JA Barth 03. 1 —
— Moderne Chemie. 2 Tle. Deutsch v. M Huth. 8° Halle, W Knapp. 5 —; Einbd in L. je — 50
I. Theoret. Chemie. (151 m. Abb.) 05. 2 — | II. Systemat. Chemie. (156 —396) 06. 3 —
Ramseyer, JU: „Der siebefach Präsident od. „Wi mes tribt, so geit's". — Unter d. Wettertanne od. Wie e. Surnibel kuriert wird, s.: Sammlung schweiz. Theaterstücke.
Ramshorn, M: Kurz gef. u. leicht verständl. Grammatik d. italien. Sprache. — Kurz gef. u. leicht verständl. Grammatik d. span. Sprache. — Spanisch-deut. Handels-Correspondenz, s.: Miniatur-Bibliothek.
— u. M del Pino: Hdb.d.span. Umgangssprache. (704) 12° Stuttg., O. Essl., P Neff. Geb. 4 —
Ramstedt, GJ: Üb. d. Konjugation d. Khalkha-Mongolischen. [S.-A.] (119) 8° Helsingf. 02. (Lpzg, O Harrassowitz.) nn 3.50
— dass., s.: Mémoires de la soc. finno-ougrienne.
— Das Schriftmongolische u. d. Urgamundart. Phonetisch verglichen. [S.-A.] (55) 8° Helsingf. 02. (Lpzg, O Harrassowitz.) 1 —
— Bergtscheremiss. Sprachstudien, s.: Mémoires de la soc. finno-ougrienne.
Randa, A Ritter v.: Das Österr. Handelsrecht m. Einschl. d. Genossenschaftsrechtes. Deutsch bearb. unter Beihilfe v. B Wolf. 1. Bd. (243) 8° Wien, Manz 05. 4.80 | 2. (Schl.-Bd.) 05. 6.80 d
Randal, ES: Dem Wahren, Schönen, Guten! Novelle. (90) 8° Dresd., E Pierson 05. 2 —; geb. 3 — d
Randau, P: Die farb., bunten u. verzierten Gläser. Anl. z. Darstellg. (347 m. Abb.) 8° Wien, A Hartleben 05. 5 —; geb. 5.80 d
Randegger's, J, Reisek. d. Schweiz. 1:600,000. (Neue Afl.) 41.5× 59 cm. Farbdr. Zür., J Meier 04. 1.90; auf L. 2 —
Randglossen z. dtsch. allg. Gesch. Der Lit.-Bilder. 8—10. Hefte. Hrsg. v. A Breitner. 12° Wien, Dorfmeister (03). Je 1.50 d
8. Widmann, H: Marie Eugenie delle Grazie. — Sieglerschmidt, H: Ludwig Anzengruber. (64, 56, 48 u. 37 m. 3 Autogr.)
9. Sturm, B: Josef Lauff. (30, 148 m. Autogr.)
10. Widmann, H: Moderne Naugburger Dichter. (31, 111) (04.)
Bisher u. d. T.: Literaturbilder d. Gegenwart. — Das 6. Bdch. fehlt in. d. Reihe, d. Inhalt bildet: Breitner, A, belletrist. Arschöol. 1898.
Randow, H, s.: Assecuranz-Almanach, repertor.
Randow, H v.: Saalburg. Roman. (404) 8° Lpzg, P List (05). 3 —; geb. 4 — d
Ranft, G: Dekorations-, Frei- u. Stabübgsreigen, s.: Reigensammlung.
Ranft, M: Die Insel Wollin u. d. Seebad Misdroy. Histor. Studien. (43) 8° Misdr., R Schück 01. — 75
Rang: Vaterländ. Gesch., s.: Rudolph, A.
Rangabé, C: Kaiser Heraklios. Drama. Deutsch v. Cu. F Birnbaum. (88 m. Abb.) 4° Berl. (W. 15, Nachodstr. 18), Direktor LG Schrecker 1900. 3 — d
— Aus dunklen Tiefen. Dichtgn. Aus d. ᾿Απγ᾿ metrisch übertr. v. K Macke. (31, 159 m. Abb. u. Bildnis.) 8° Bresl., Schlet. Buchdr. usw. 05. 4 — d
Range, d. Berliner. Ein Tiratur, Geschmacks-Barometer. — Hypotinos. 1—20. Taus. (47) 8° Berl., Fussinger (01). — | d
Rangger, L: Kriegserlebnisse d. Banersmannes in RTirol gen. Stubacher v. Völs bei Innsbruck, in d. J. 1796—1814. Nach d. Orig.-Mskr. im Pfarrarchiv v. Völs hrsg. v. F v. Sorg. (103 m. Bildnis.) 8° Innsbr., Wagner 00. 2 — d
Rangliste d. Baubeamten. Enth.: 1. Reichs-Baubeamte. II. kgl. preuss. Baubeamte. III. Regiergs-Baumeister. (Nach Begründet v. F Woas. (250) 12° Wiesb. Marbg, K Cauer. 3.50 d
— d. preuss. u. Reichs-Baubeamten. Begründet v. F Woas. XI. Ausg. 1905. (243) 8° Marbg, K Cauer. 3.50 d
— d. kais. deut. Marine f. 1905. Red. im Marine-Kabinet. (333) 8° Berl., ES Mittler & S. 2.50; L. nn 3.25 | Nachtr. (20?) 1.50 d

Vgl. a.: Rang- u. Quartierliste.
— v. Beamten d. kais. deut. Marine f. 1905. Red. im Reichs-Marine-Amt. (240) 8° Ebd. 2 —; L. 2.60 d
— d. Offiziere d. Beurlaubtenstandes d. kgl. preuss. Armee n. Waffengattgn getrennt, n. d. Stande v. 1.X.'03 v. Radzicki.

jewski. 3. Afl. 2 Tle. 8° Berl., Herm. Walther 03.04. Geb. je
　　　　4.50; in 1 Bd geb. 6.50 d
　1. Infant. m. Marineinfant. u. Jägêr. (315)
　2. Kavall., Feldartill., Fussartill., Pioniere, Verkehrstruppen, Train. (240)
Rangliste d. Offiziere d. Beurlaubtenstandes d. kgl. preuss.
　Armee u. Waffengattgen getrennt n. d. Stande v. 1.X.'04 zu-
　sammengest. v. Radziejewski. Jahrg. 1905. 2 Bde. 8° Berl.,
　Verl. Dr. Wedekind & Co.　　　　Geb. je nn 4.50;
　　　　　　　　　　　　in 1 Bd geb. nn 6.50 d
　1. Infant. m. Marineinfant. u. Jägêr. (372)
　2. Kavall., Feldartill., Fussartill., Pioniere, Verkehrstruppen, Train. (246)
— d. kgl. preuss. Armee u. d. XIII. (kgl. württemberg.) Armee-
　korps f. 1905. Mit d. Dienstalterslisten d. Generalen. d. Stabs-
　offiziere u. s. Anh., enth. d. Reichsmilitärgericht, d. ostasiat.
　Besatzgs-Brigade. d. Marine-Infant., d. kais. Schutztruppen.
　d. Gendarmerie-Brigade in Elsass-L. Red.: Kriegsministe-
　rium, Geh. Kriegs-Kanzlei. (26,1380) 8° Berl., ES Mittler & S.
　nn 7.50; in Pappbd nn 8.50; u. durchsch. nn 10.50; L. nn 9 — d
— d. höh: Reichs-Post- u. Telegr.-Beamten. Verz. d.
　Beamten d. Reichs-Postverwaltg, welche d. höh. Verwaltgs-
　Prüfg bestanden haben, nebst Alterslisten & Stationsverz.
　5. Jahrg. (123) 8° Wiesb., R Bechtold & Co. 05.　　　2 —
　Bisher u. d. T.: Heideprim, H, Verz. d. deut. Reichs-Post- u. Te-
　legr.-Beamten.
— d. kgl. sächs. Armee f. 1905. (499) 8° Dresd., (CHeinrich).
　　　　Kart. 4 — || 1. u. 2. Nachtr. (2 Bl.) — 10 d
— kleine, d. kgl. sächs. Armee (XII. u. XIX. Armeekorps d.
　deut. Heeres). 1904. 19. Ausg. (48) 8° Lpzg, FW v. Bieder-
　mann.　　　　　　　　　　　　　　　　　— 50 d
— d. Schutztruppe f. Südwestafrika u. d. Marine-Expedi-
　tionskorps. Nach d. Stande v. Juni '04. (8) 8° Berl., ES Mittler
　& S.　　　　　　　　　　　　　　　　　— 20 d
　Fortsetzg nur in d. Rangliste d. preuss. Armee.
— d. süddeut. u. sächs. Staats-Baubeamten. Hrsg. v. A
　Eckhardt. II. Ausg. 1905.06. (144) 8° Marbg, K Cauer.　1.50
— d. XIII. (kgl. württemberg.) Armee-Korps f. 1905. Mit d.
　Dienstalters-Listen d. Offiziere, Sanitätsoffiziere u. Beamten
　d. Aktiven- u. Beurlaubtenstandes sowie Angabe d. nicht im
　Armeekorps-Verband befindl. Offiziere, Militärbehörden etc.
　(192) 8° Stuttg., JB Metzler. 8° kart. 2.50; L. m. G. nn 5 — d
　Bis 1901 u. d. T.: Rang- u. Quartierliste.
— d. mittl. Laufbahn d. kgl. pr. Zoll- u. Steuerverwaltg
　f. 1905, hrsg. v. A Struck. (96) 8° Berl., E Schneider 05. 1.25
　Bisher u. d. T.: Stand- u. Rangliste d. kgl. preuss. Vercaltg d.
　Zölle u. indirekten Steuern, II. Tl.
Rang- u. Diensttalters-Liste d. Offizierskorps d. Inspektion d.
　Jäger u. Schützen (einschl. Reserve- u. Landwehr-Offiziere,
　sowie Fähnriche) u. d. Reit. Feldjägerkorps. 1900. Zusam-
　mengest. im Geschäftszimmer d. Inspektion. Geschlossen am
　28.XI.1'00. (53) 8° Berl., ES Mittler & S. 1900.　1 — d ö H
Rang- u. Einteilungsliste d. k. u. k. Kriegs-Marine. Richtig
　gestellt bis 12.VI.'03. (392) 12° Wien, (Hof- u. Staatsdr.). 1.40
　Bisher u. d. T.: Rangs- u. Einteilungsliste.—*Fortsetzg s. Ein-
　teilungsliste.
Rang- u. Quartier-Liste d. 3. Armee-Korps u. Geneal. d.
　deut. Kaiserhauses. Berichtigt bis 10.X.'04. (15 m. Abb.) 8°
　Berl., H Muskalla 04.　　　　　　　　　　　— 15 d
— — d. Offiziere, Sanitäts-Offiziere u. Militär-Beamten in
　Breslau. 10. Jahrg. (30) 8° Bresl., Hirt's S. 05.　　†— 75
— d. Garde-Korps u. Geneal. d. deut. Kaiserhauses. Be-
　richtigt bis 10.X.'04. 27. Jahrg. (15 m.1Abb.) 8° Berl., H Mus-
　kalla 04.　　　　　　　　　　　　　　　— 15 d
— — d. kais. deut. Marine f. 1902. Nach d. Stande v.1.V.'02.
　Red. im Marine-Kabinet. (285) 8° Berl., ES Mittler & S. 2.50;
　　　　　　　　　　　　　　　　　L. nn 3.25 d
　Vgl. Rangliste.
— — d. XIII. (kgl. württemberg.) Armee-Korps f. 1901. Mit
　d. Dienstalters-Listen d. Offiziere, Sanitätsoffiziere u. Be-
　amten d. Aktiven- u. Beurlaubtenstandes, sowie Angabe d.
　nicht im Armeekorps-Verband befindl. Offiziere, Militärbe-
　hörden etc. (176) 8° Stuttg., JB Metzler.　　Kart. 2.90:
　　　　　　　　　　　　　　L. m. G. nn 5 — d
　Fortsetzg s. u. d. T.: Rangliste.
Rang- u. Wohnungsliste f. sämtl. Kommandobehörden, Trup-
　penteile u. Militär-Verwaltgsbehörden XV. Armeekorps. Hrsg.
　v. NHartfuss. 5. Jahrg. 4. Hefte. (1. Heft. 95 m. 1 Bildn.)
　8° Strassbg, Schlesier & Schw.　　　　　　Je — 50 d
Ranglisten d. Offiziere d. aktiven Dienststandes d. kgl. bayer.
　Armee. Zusammengest. v. M F. 14. Afl. Nach d. Stande v.
　15.III.'02. (111) 8° Münch., (T Ackermann. — Lit.-artist. Anst.
　— J Lindauer).　　　　　　　　　　　　†2.80 d
　Fortsetzg u. d. T.:
— d. aktiven Offiziere d. kgl. bayer. Armee. Verf. u. d. Stande
　v. 26.IV.'04. (142) 8° Münch., (T Ackermann)(04). Kart. †1.80 d
Rangs- u. Einteilungsliste d. k. u. k. Kriegs-Marine. Richtig
　gestellt bis 1.I.'03. (212) 12° Wien, (Hof- u. Staatsdr.). 1.40
　Fortsetzg s. u. d. T.: Rang- u. Einteilungsliste.
Ranisch, W, s.: Eddalieder. — Eddica minora.
Rank, E: Die Eisenb.-Tariftechnik, s.: Schriften für Ver-
　kehrswesen.
— **Rank**, J: Bartel, d. Knechtlein. — Die Nachbarn z. Rechten
　u. Linken, s.: Verein z. Verbreitg guter Schriften z. Zürich.
— Neues Taschenwrtrb. d. böhm. u. deut. Sprache. 2 Tle. 16°
　Prag, A Haase.　Je (8 —) 8.80; Einbde je nnn (1.20) 1 — d
　1. Böhmisch-deut. Tl. 7. Afl. (1136) (04.) || II. Deutsch-böhm. Tl. 6. Afl.
　(1076) (01.)

Ranke, F: Präparat. zu Homers Odyssee, s.: Ranke, JA.
— u. J **Ranke**: Präparat. zu Cäsars gall. Kriege. — Präparat.
　zu Ovids Metamorphosen, s.: Kraft u. Ranke's Präparat. f.
　d. Schullektüre.
— u. C **Wernerus**: Präparat. zu Cäsars gall. Kriege, s.: Kraft
　u. Ranke's Präparat. f. d. Schullektüre.
Ranke, H: Die Personennamen in d. Urkunden d. Hammurabi-
　dynastie. (52) 8° Münch., H Lukaschik 02.　　　2.80
Ranke, J. s.: Archiv f. Anthropol. — Beiträge z. Anthropol. u.
— Urgesch.Bayerns.—Sammlungen, d. anthropolog.,Deutschlds.
— Die dopp. Zwischenkiefer d. Menschen. [S.-A.] (7 m. Abb.)
　8° Münch., (G Franz' V.) 02.　　　　　　　　— 20
Ranke, J: Präparat. zu Ovids Metamorphosen, s.: Ranke, F.
Ranke, JA: Präparat. zu Homers Odyssee, neue Aufl. v. F
　Ranke u. H Reiter, s.: Kraft u. Ranke's Präparat. f. d. Schul-
　lektüre.
Ranke, JF: Die Erziehg u. Beschäftig kl. Kinder in Klein-
　kindersch. u. Familien. 10. Afl. (338) 8° Elberf., A Martini &
　Gr. 03.　　　　　　　　　　　3 — ; geb. 3.60 d
— Christl. Lieder f. Schule u. Haus. 2. Heft. 13. Afl. (48) 8°
　Ebd. 02.　　　　　　　　　　　　　　　— 40 d
— Geistl. liebl. Lieder f. Schule u. Haus m. 2- u. 3stimmig
　gesetzten Melodieen. Der christl. Lieder f. Schule u. Haus
　III. Heft. 11. Afl. (32) 8° Bielef., Velhagen & Kl. 03.　— 30 d
— Naturkde f. kl. Kinder. Stoffe f. Anschaugs- u. Sprechübgn
　in Unterkl. d. Volkssch. u. Unterhaltgn m. Kindern in d.
　Kleinkindersch. I. Tl. 5. Afl. (251) 8° Elberf., A Martini & Gr.
　03.　　　　　　　　　　　　　　　　　1.80 d
— Aus d. Praxis f. d. Praxis in Kinderstube u. Kleinkindersch.
　L 2. Afl. (148) 8° Ebd. 04.　　　　　　　　1.50 d
[**Ranke**, L v.] — Gesch.-Bilder a. L v. Rankes Werken. Zu-
　sammengest. v. MHoffmann. (399 m. Bildnis.) 8° Lpzg,Duncker
　& H. 05.　　　　　　　　　　　6 — ; L. 7 — d
Ranke, LF, s.: Klopstock's Messias.
— Luther als Bibelübersetzer. Vortr. (19) 8° Lüb., Lübcke &
　N. 05.　　　　　　　　　　　　　　　— 25 d
Ranke, O v., s.: Zentenarfeier f. Hofpred. Prof. Dr. theol. Otto
　v. Gerlach.
Rankow, R: Aus Stille u. Sturm. (126) 8° Lpzg, Modernes
　Verl.-Bureau 05.　　　　　　　　　　　　2 —
Ranzleben, E: Der Haidenhof. Märchen. (20) 8° Kiel, Elisab.
　Ransleben 05.　　　　　　　　　　　　— 75 d
Ransdohf, P: Die Hinterlegg z. Zwecke d. Schuldbefreig u.
　gemeinem Rechte u. d. Rechte d. BGB. (154) 8° Gött., (Van-
　denhoeck & R.) 01.　　　　　　　　　　　3.20
Ransome, C: Short studies of Shakespeare's plots, s.: Ha-
　mann's, A, Schulausg. (K Meier).
Räntsch, L: Die Wunder d. Sympathie. Die Kunst, durch Be-
　sprechg allerlei Krankh. zu heilen, nebst e. Anzahl sym-
　pathet. Mittel u. d. Anwendg d. animal. Magnetismus. 3. Afl.
　(54) 12° Berl., E Freyhoff 01.　　　　　　　— 50 d
Rantzau, A: Feuer. Erzählg. (218) 8° Berl., A Goldschmidt 02.
　　　　　　　　　　　　　　　3 — ; 3.50 d
Rantzau, A Gräfin zu: Hans Kamp. Roman. (289) 8° Berl., H
　Warneck 06.　　　　　　　　　　　　3 — ; L. 4 — d
Rantzau, AL Gräfin zu: Die Chronik v. Pronstorf. Beitrag z.
　schleswig-holstein. Adels- u. Kirchspielgesch. (299) 8° Lüb.,
　　　　　　　　　　　　　　　　　1.50 d
Rantzau, N v.: Lichtfunken! Aphorismen. (64) 8° Bitterf. (03).
　Schmiedebg, FE Baumann.　　　　　　　　— 75 d
Raphael, Illustr. Zeitschrift f. d. reif. Jugend u. d. Volk. Hrsg.:
　L Auer. Red.: J Schmidinger. 23—27. Jahrg. 1901—5 je 52 Nrn.
　(Nr. 1.) 4° Donauw., L Auer. Halbj. 1.25; einz. Nrn — 05 d
Raphael-Kalender f. d. junge Arbeiter f. 1905. Zusammengest.
　v. JM Schmidinger. 15. Jahrg. (95) 16° Donauw., L Auer.
　　　　　　　　　　　　　　　Geb. — 30 d öF
Rapke, K: Die Perspektive u. Architektur auf d. Dürer'schen
　Handzeichngn, Holzschnitten, Kupferstichen u. Gemälden,
　s.: Studien z. deut. Kunstgesch.
Rapmund, O: Der beamtete Arzt u. ärztl. Sachverständige.
　Mit bes. Berücks. d. deut. Reichs- u. preuss. Landesgesetz-
　gebg. Unter Mitarbeit v. A Cramer, G Puppe u. Th Weyl.
　3—10. Lfg. (1. Bd. 193—516 u. 2. Bd. 536 m. 1 farb. Taf.) 8°
　Berl., Fischer's med. Bh. 04.　　　　　　　　Je 2 —
　　　　　　　　　　　（Vollst., erh. Pr. 26 — ; geb. 30 —)
— Das öffentl. Gesundheitswesen, s.: Hand- u. Lehrbuch d.
　Staatswiss.
— s.: Kalender f. Medizinalbeamte.
— seit. deren preuss. Vorschriften v. 4.I.'05 f. d. Verfahren d.
　Gerichtsärzte bei d. gerichtl. Untersuchgn menschl. Leichen.
　Mit Erläutergn. [S.-A.] (48) 8° Berl., Fischer's med. Bh. (05).
　　　　　　　　　　　　　　　　　nn 1 —
— s.: Zeitschrift f. Medizinalbeamte.
Rapp, — : Memoiren d. General Rapp, Adjutanten Napoleon I.
　Uebertr. v. O Marschall v. Bieberstein. (164 m. 1 Bildnis.) 8°
　Lpzg, H Schmidt & C Günther 02.　　6 — ; geb. nn 7.50 d
Rapp, C: Zur Casuistik d. direkten Verletzgn d. Sehnerven in
　d. Augenhöhle. (28) 8° Tüb., F Pietzcker 03.　　nn — 70
Rapp, F: Die CPO. als Leitf. im Studium u. z. prakt. Gebr.
　f. d. Gerichtsschreiber. 13. Afl. (186) 8° Lpzg, O Liebeck.
　　　　　　　　　　　　　　　　　Kart. 1.80 d
— Hdb. d. gerichtl. Prozess-Verfahrens f. d. Bürger- u. Ge-
　schäftsmann. Mit e. Anh. v. Mustern. 9. Afl. (198) 8° Ebd. 03.
　　　　　　　　　　　　　　　　　Kart. 1 — d

Rapp, G: Eisenb.-, Militär- u. and. Geschichten. (114) 8° Dresd.,
E Pierson 01.   2 —; geb. 3 — d
Rapp, L: Topographisch-histor. Beschreibg d. Generalvikaria-
tes Vorarlberg. IV. Bd. Anh. z. Dekanat Bregenz. Dekanat
Dornbirn. — Dekanat Bregenzerwald. 1. Abth. 6—8. Heft.
(481—768) 8° Brix., A Weger 01.02. Je 1.20 (I—IV, 8.: 39.60) d
— Hippolytus Guarinoni, Stiftsarzt in Hall. Tirol. Kulturbild
a. d. 17. Jahrh. (40) 8° Ebd. 03.   — 80 d
Rapp, Frau M, s.: Parr, MJ.
Rappaport, A: Die Einrede a. d. fremden Rechtsverhältnis.
Untersuchg auf d. Geb. d. gemeinen, sowie d. deut. u. österr.
bürgerl. Rechts. (274) 8° Berl., J Guttentag 04.   6 — d
Rappaport, B: Hat Zosimus I, c. 1—46 d. Chronik d. Dexip-
pus benutzt? [S.-A.] (16) 8° Lpzg, Dieterich 02. — 80
Rappaport, F, s.: Rundschau, Wiener.
— Die Verwandlgn d. Diónysus. In 6 Bildern. Mit e. Vorspiel.
(9 Licht-Ton-Bilder m. 4 Bl. Text.) Fol. Münch., Verl.-Anst.
F Bruckmann 1900.   In M. 18 — d
app , T: Üb. Pflege, Erziehg u. Unterr. schwachsinn. (idiot.)
R Kinder. Aus d. Schwed. v. I Hansen. (90 m. Bildnis.) 8° Kiel,
Lipsius & T. 04.   1.80
Rappold, J: Aufg. zu latein. Stilübgn, s: Süpfle, KF.
— Chrestomathie a. griech. Classikern. 2. Afl. (163) 12° Wien,
C Gerold's S. 01.   Kart. 2 —
— Chrestomathie a. latein. Classikern. 2. Afl. (193) 8° Ebd. 01.
       Kart. 2 —
— Die Vorbereitg f. d. Aufnahmsprüfg d. Gymnasien u. Realsch.
a. d. deut. Sprache u. d. Rechnen. Mit Schlüssel, d. Beant-
wortg d. gestellten Fragen u. Aufg. enth. 3. Afl. (50 u. 41)
8° Wien, A Pichler's Wwe & S. 04. 1.80; Schlüssel allein.
       3. Afl. (41) 01. — 80 d
Rappold, J : Im Walde. 3 Schwestern. Ein Geburtstagswunsch,
s.: Pichler's Jugendbücherei.
Rapport du bureau fédéral des assurances sur les entreprises
privées en matière d'assurance en Suisse, s.: Bericht d. eidg.
Versicherungsamts usw.
Rapports des gouvernements cantonaux sur l'exécution de la
loi fédérale concernant le travail dans les fabriques, s.: Berichte d. Kantonszregiergn üb. d. Ausführg d. Bundesges. betr.
d. Arbeit in d. Fabriken.
— des inspecteurs fédéraux des fabriques et des mines, s.: Berichte d. eidg. Fabrik- u. Bergwerkinspektoren.
— et procès-verbaux du conseil permanent internat. pour
l'exploration de la mer. Vol. III. Éd. allemande. Ges.-Be-
richt üb. d. Arbeit d. Periode Juli 1902—Juli 1904. (17, 10, 39,
8, 21, 12, 41, 29, 49, 56, 11, 139 u. 63 m. Fig., 10 Taf. u. 7 Kart.)
8° Kopenh., (AF Høst & Søn) 05.   nn 17 —
Vol. I u. II sind nur in franz. Sprache erschienen.
Rapsilber, M: Ernst Moritz Geyer u. s. künstler. Schaffen,
s.: Koch's Monographien.
— Alfred Grenander. — Melchior Lechter, s.: Architektur-Welt,
s.: Zeitschrift f. Baukunst.
Rasch, E: Fortschrittl. Prinzipien d. Lichttechnik. [S.-A.] (39
m. Fig.) 8° Potsd., (Geschäftsstelle d. Zeitschrift f. Elektro-
technik u. Maschinenbau) 03.   1 —
Rasch, F, s.: Herdbuch, westpreuss.
— Das westpreuss. Rind, s.: Monographien landw. Nutztiere.
Rasch, F: Latein. Übersetzgn deut. Gedichte, m. Bemerkgn.
(Lateinisch u. deutsch.) (84) 8° Stade, F Schaumburg 04. 1.50
Rasch, H: Die Zündgn durch verdichteten Sauerstoff u. d. Ex-
plosionsgefahr d. Stickoxyduls. (86 m. Abb.) 8° Weim., C
Steinert 04.   1.80
Rasch, K: Die CPO. f. d. Deut. Reich, s.: Struckmann, J.
Rasch, M: Die hl. Elisabeth. Ein schlichtes Lebensbild zu d.
Wandgemälden M v. Schwind's im Elisabethgang d. Wart-
burg. (31 m. 5 farb. Abb. u. 7 farb. Taf.) 8° Lpzg, F Jansa
05.   1.50
— In d. Hofapotheke. Erinnergn e. alten Eisenacher Kindes.
(82 m. 2 Taf.) 8° Ebd. 05.   — 80 d
— Im Schloss. Erinnergn e. alten Eisenacher Kindes. Neue
Folge. (64 m. Titelbild.) 16° Ebd. 05.   Kart. — 80 d
Rasch, P, s.: Aliscans.
Raschdorf, O, s.: Palast-Architektur v. Oberitalien u. Toscana.
Rasche, E: Aufg. z. Geschäftsaufsatz u. z. Buchführg nebst
Kalkulationen in Fortbildgs- u. Gewerbesch. f. d. Hand d.
Schüler. 1—28. Heft. 2. u. 3. Monat. 8° Meiss., H Schlim-
pert (05).   Je — 05 d
   1. Tischlergewerbe. (6) ‖ 2. Zimmermannsgewerbe. (6) ‖ 3. Steinmacher-
   gewerbe. (4) ‖ 4. Schmiedegewerbe. (6) ‖ 5. Schlossergewerbe. (6) ‖ 6.
   Klempnergewerbe. (6) ‖ 7. Mechanikergewerbe. (4) ‖ 8. Maurergewerbe.
   (6) ‖ 9. Steinmetzgewerbe. (6) ‖ 10. Malergewerbe. v. A Naumann. (6) ‖ 11.
   gewerbe. (6) ‖ 11. Tapeziergewerbe. (4) ‖ 12. Schuhmachergewerbe.
   Bearb. v. A Naumann. (6) ‖ 13. Riemer- u. Sattlergewerbe. (6) ‖ 14. Deko-
   rationsmalergewerbe. (6) ‖ 15. Buchbindergewerbe. (6) ‖ 16. Fleischergewerbe. (6) ‖ 17. Bäckergewerbe. Bearb. v. A Naumann. (6) ‖ 18.
   Produktenhändlergewerbe. (6) ‖ 19. Spirituswarengewerbe. (4) ‖ 20. Kaffee-
   nagengewerbe. (6) ‖ 21. Posamentenfabrikation. (6) ‖ 22. Strumpfwirker-
   gewerbe. (6) ‖ 23. Musikinstrumentenmachergewerbe. (6) ‖ 24. Buchdruckergewerbe. (6) ‖ 25. Uhrmachergewerbe. Bearb. v. A Naumann. (6)
   ‖ 26. Schnittwarenhändlergewerbe. (6) ‖ 27. Gärtnergewerbe. (6) ‖ 28.
   Glasergewerbe. Bearb. v. A Naumann. (6)
— dass. 29—40. Heft. Dreimonat. Geschäftsgang. 8° Ebd. (05).
       Je — 15 d
   29. Holzbildhauergewerbe. Bearb. v. A Naumann. (10) ‖ 30. Restaurateur-
   gewerbe. (10) ‖ 31. Brauergewerbe. (10) ‖ 32. Barbier- u. Friseurgewerbe.
   (10) ‖ 33. Gerbergewerbe. Bearb. v. A Kaul. (12) ‖ 34. Böttchergewerbe.
   (10) ‖ 35. Kürschnergewerbe. Bearb. v. A Naumann. (16) ‖ 36. Bürsten-

machergewerbe. Bearb. v. A Naumann. (18) ‖ 37. Gewerbe s. Landwirtsch.
(10) ‖ 38. Töpfergewerbe. Bearb. v. A Naumann. (18) ‖ 39. Korbmacher.
gewerbe. Bearb. v. A Naumann. (16) ‖ 40. Photographengewerbe. (10)
Rasche, E: Der deut. Aufsatz als Mittelpunkt e. einheitl. Sprachunterr. in d. Volkssch. 2. Afl. v.: Die Erzählg im Aufsatzunterr. d. Volkssch. (170) 8° Dresd., A Huhle 05. Kart. 2 — d
— Die Elemente d. Gesetzeskde a. Volkswirtschaftslehre.Ausg. A.
Leitf. f. d. Unterr. in sächs. Fortbildgssch. u. z. Selbstunterr.
auf Grund d. offiz. Lehrpl. f. d. Fortbildgssch. d. Kgr. Sachsen.
1. Tl: Das Wichtigste üb. Verfassg, Gesetzgebg u. Verwaltg
d. Kgr. Sachsen u. d. Deut. Reiches. 2. Tl: Volkswirtschaftl.
Lehren. 5. Afl. (40) 8° Lpzg, Dürr'sche Bh. (05). nn — 90 d
— Der Geschäftsausatz u. d. Buchführg in d. Fortbildgssch.
Muster-Buch zu d. Arbeitsheften f. Fortbildgssch. 2. Afl. 3. Tl.
(Für d. 3. Jahrg.) Aus d. Geschäftsgange d. Tischlermeisters.
(30 m. eingeklebten Formularen.) 4° Meiss., HW Schlimpert
1900.   1 —; Arbeitsheft dazu nn — 50
— dass. Für d. Fortbildgssch. d. Grossh. Hessen unter Mitarbeit v. A Lucius hrsg. 3. Tl. (Für d. 3. Jahrg.) Aus d. Geschäftsgange e. Tischlermeisters. (30 m. eingeklebten Formularen.) 4° Ebd. 1900. 1 —; Arbeitsheft dazu nn — 50
— Der Geschäftsaufsatz als Konzentrationsstoff f. d. Fortbildgsschulunterr., sowie Lehrstoffe a. d. Geschäftsgängen
v. 18 Gewerbetrieben. (118) 8° Ebd. 02.   1.50 d
— Der Geschäftsaufsatz u. d. Buchführg als Konzentrationsstoff f. d. Fortbildgsschulunterr., sowie Lehrstoffe a. d. Geschäftsgängen v. 12 weit. Gewerbetrieben). 2. Nachtr. (Buchführg. e. 3 monat. Lehrg. umfassend, m. Kalkulation), sowie
f. d. bisher erschienenen 28 Gewerbe e. 2. u. 3. Monat d. Buchführg. Lehrer-Ausg. (311) 8° Ebd. 05.   3 — d
— Kl. Handelsgeogr. f. Handelssch., kaufmänn. u. gewerbl.
Fortbildgssch., sowie z. Selbstunterr. u. verwandte Lehranst. 10. u.
11. Afl. (164 m. 8 Kart.) 8° Lpzg, F Hirt & S. 04. Geb. 2 — d
— Produktion u. Handel m. bes. Berücks. d. Verhältn. d. deut.
Reiches. (86) 8° Frankf. a/M., Kesselring (02). 1.20 d
— Die notwendigsten Regeln u. Merksätze f. d. deut. Sprachunterr. in d. Volkssch. 2. Afl. (48) 8° Lpzg, Dürr'sche Bh.
03.   — 30 d
— u. O **Flechsig**: Die neue deut. Rechtschreibg. Regelb. u.
Wrtrverz. nebst kurzen Erläutergn d. gebräuchl. Fremdwörter. (60) 8° Ebd. 04.   nn — 25 d
— u. K **Mischke**: Die Elemente d. Gesetzeskde u. Volkswirtschaftslehre. Ausg. B f. d. Unterr. in preuss. Fortbildgssch.
u. z. Selbstunterr. 1. Tl: Das Wichtigste üb. Verfassg, Gesetzgebg u. Verwaltg d. Kgr. Preussen u. d. Deut. Reiches,
2. Tl: Volkswirtsch. Lehren. 2. Afl. (45) 8° Ebd. (03). nn 80 d
Rasche, KE: Deut. Leseb. f. einf., bezw. gegliederte. Volkssch.,
s.: Putzger, FW.
Rascher, ME: Liebesrosen a. Süd u. Ost. Neue Gedichte. (111
m. Bildnis.) 8° Bambg, (C Hübscher) (01). 2 —; geb. 2.75 d
Raschi s. a.: Salomo ben Isaac.
— Der Kommentar d. Salomo B. Isak üb. d. Pentateuch. Nach
Handschriften, selt. Ausg. u. d. Talmud-Kommentar d. Verf.
m. bes. Rücks. auf d. Masora hrsg. kritisch bearb.
v. A Berliner. 2. Afl. (29, 452) 8° Frankf. a/M., J Kauffmann
05.   nn 10 —; geb. nn 12 —
Raschid Bey, Frau Al, s.: Böhlau, H.
Raschke, H: Lehrb. d. Gesch. d. Altertums u. d. Neuzeit f.
Oberkl. d. Mittelsch., s.: Hannak, E.
Raschke, M: Die strafrechtl. Behandlg d. Kinder u. Jugend-
lichen. (21) 8° Berl., Verl. d. Frauen-Rundschau (04). — 50
— Das Eherecht, s.: Rosenfeld, K.
— Die Vernichtg d. keim. Lebens (§ 218 R.Str.G.B.). (23) 8°
Berl., Verl. d. Frauen-Rundschau (04).   — 50
— Das Vormundschaftsrecht, s.: Rechtsbücher f. d. deut. Volk.
— s.: Zeitschrift f. populäre Rechtskde.
Raschke, W: Naturgeschichtl. Taf. f. Schule u. Haus. Nr. 1,
3 u. 4. Farbdr. Annabg, Graser.   3.50
   1. Tafel Gesberel Pilze. 3. Afl. 54×88 cm. (05.)   —.80
   3. Tafel einheim. Schmetterlinge. 45,50×76 cm. (02.) —.60
   4. Tafel einheim. Käfer. 3. Afl. 45,50×76 cm. (02.) —.60
   Bisher u. d. T.: Tafeln, naturgeschichtl.
Räschke, E: Aus d. Keilschrift in d. Keilschrift. Allen, die
d. Apostrof lieben, z. warng geschrieben. (34) 8° Rost., (Stiller)
04.   — 50
Raseohke, F: Übgsb. f. d. Unterr. in d. deut. Rechtschreibg
u. Sprachlehre. Für Kapitulantensch., Volkssch. u. z. Selbstunterr. 2. Afl. (79) 8° Potsd., A Stein (01). Geb.— 50 d
Rasensport, der. Zeitschrift f. Lawn-Tennis, Fussball, Ra-
sport, Athletik usw. Red. F Belien. April—Dezbr 1905. 39 Nrn.
(Nr. 31, 16) 4° Berl. (S.W. 48, Friedrichstr. 231), R Jacobs.
‖ 2. u. 3. Jahrg. 1904 u. 5. Je 52 Nrn. Vierteljl. 1.50
Raesfeld, F v.: Das Rehwild. Naturbeschreibg, Hege u. Jagd
d. Rehe in freier Wildbahn. (550 m. Abb.) 8° Berl., P Parey
04.   Geb. 15 — d
Raesfeld, K v.: Im Banne d. Geheimnisses. Roman a. d. Engl.
(400) 8° Hamm, Breer & Th. 1900.   Geb. 6 — d
Rasfeldt, A Frein v.: Viel Glück z. Feste! Dichtgn. (232)
8° Münch., L Finsterlin 05.   Geb. 2.50 d
Rasi, E: Die Duse. Übertr. v. M Gagliardi. (235 m. Abb.) 8°
Berl., S Fischer 04.   3 —; geb. nn 4 — d
Ráski, D: Die Bakteriurie, s.: Klinik, Wiener.
Rásky: Die Wehrmacht d. Türkei. (187 m. 3 Skizzen.) 8° Wien,
(LW Seidel & S.) 05.   6 —

Rasmussen, E: Jesus.Vergleich. psychopatholog.Studie.Übertr.
u. hrsg. v. A Rothenburg. (24, 167) 8° Lpzg, J Zeitler 05. 2.50
Rasp, K v.: Kommentar z. Krankenversicherungsges. v.15.VII,1883
in d. Fassg d. Novellen v. 10.IV.1892, 30.VI.1900 u. 25.V.'03,
nebst s. Nebenges. u. d. Vollzugsvorschriften f. d. Kgr. Bayern.
2. Afl. v. K Meinel. (489) 8° Münch., CH Beck 03.   L. 5.50 d
— Kommentar z. Unfallversicherungsges. f. Land- u. Forstw.
v. 30.VI.1900 nebst s. Nebenges. Unter Zugrundelegg d. Kommentars z. Ges. v. 5.V.1886, betr. d. Unfall- u. Krankenver-
sieberg d. in land- u. forstw. Betrieben beschäft. Personen
von v. R., in 2. Afl. m. bes. Berücks. d. Verhältn. in Bayern
neubearb. v. K Meinel. (520) 8° Ebd. 02.   L. 7 — d
Raspe, RE, s.: Münchhausen, d. Freih. v., wunderbare Reisen
u. Abenteuer.
Raspe, T: Die Nürnberger Miniaturmalerei bis 1515, s.: Studien
z. deut. Kunstgesch.
Räss, A, u, N Weis: Leben d. Heiligen Gottes. Neu bearb. v.
J Holzwarth. 1. Bd. 13. Afl. (806) 8° Mainz, F Kirchheim (03).
|| 2. Bd. 10. Afl. (756) 01.   Je 3.50; HLdr je 5 — d
Raess, Mgr André, et l'oeuvre de la propagation de la foi.
(157) 8° Rixh. 03. (Strassbg, FX Le Roux & Co.)   1 —
Rassehunde. EineSammlg naturgetreuerAbbildgn v.40 höchst-
prämiierten Rassehunden (a. Schuster „Hundefreund", 3. Afl.)
(18 Taf.) 8° Lpzg, Fritzsche & Schmidt (01).   In M. 2.20
Rassek, R.: Warum erteilt e. Teil d. oberschles. Klerus d.
Reicht- u. Communion-Unterr. in deut. Sprache? Erwiderg
auf d. Schrift d. Pfarrers Skowronski: „In welcher Sprache
muss d. Relig.-Unterr. erteilt werden?" 2. Afl. (38) 8° Gleiw.,
B Mittmann (02).   — 25
Rassekennzeichen d. Hunde. 3. Afl. (256 m. Abb.) 8° Münch.,
J Schön 05.   4 —
— d., d. Hunde. Reich illustr. v. R Strebel. 2. Afl. (115 m. 50
Taf.) 8° Münch. (05). Frankf. a/M., Kern & Birner.   3 — d
Die 1. Afl. war bearb. v. O Grashey.
Rassfeld, F, s.: Wie erzieht u. bildet d. Gymnasium uns.
Söhne?
Rassfeld, K, u. H Wendt: Bilder a. d. Gesch. d. Erziehg. Er-
gänzg zu d. Grundr. d. Pädagogik. (52) 8° Lpzg, BG Teubner
05.   — 60 d
— — Grundr. d. Pädagogik f. Lehrerinnen-Bildgsanst. u. z.
Selbstunterr. (310) 8° Ebd. 03.   L. 3.60 d
Rassmann, E: Leitf. beim Unterr. in d. deut. Grammatik f.
unt. u. mittl. Kl. höh. Lehranst. 19. Afl. v. J Treuge. (162)
8° Münst., Coppenrath 03.   Geb. 1.20 d
— Deut. Leseb. f. unt. Kl. höh. Lehranst. 5. Afl. v. J Treuge.
(530) 8° Ebd. 04.   Geb. 3.20 d
Rassow s.: Beiträge z. Erläuterg d. deut. Rechts.
— Reichsgerichtsentscheidgn a. d. Beitr. z. Erläuterg d. deut.
Rechts (Red.: Bassow, Küntzel u. Eccius) Bd. 24—43 (1880
—1900), soweit sie f. d. gelt. Recht v. Bedeutg sind, zusammen-
gest. 2 Bde. (2551) 8° Berl., F Vahlen 02. 26 —; geb. nu 30 — d
Rassow, B, s.: Zeitschrift f. angewandte Chemie.
Rassow, F: Barabbas. Dramat. Bild. — 2 Frauen. Relig. No-
velle. (88) 12° Hdlbg, Heidelb. Verl.-Anst. u. Druckerei 02.
L. 1.50 d
— Mutter Grün. Schausp. (64) 8° Brem., C Schünemann 01. 1.20 d
— Marlene. (86) 8° Lpzg, Insel-Verl. 04.   3 —; geb. nu 4.50 d
— Morgen u. Abend. Gedichte. (134) 12° Hdlbg, Heidelb. Verl.-
Anst. u. Druckerei 02.   1.50 d
— Die Sünderin ohne Schuld. Novelle in dramat. Form. (201)
4° Brem., GA v. Halem (03).   5 —
Rassow, H: Deutschlds Seemacht 16. Afl. Ausg. E in Heftform
(40 m. 1 Fig.) 8° Elberf., A Martini & Gr. 05.   — 10; Plakat-
ausg., einseitig bedr., auf weissem Karton 01. — 80; zwei-
seitig bedr., 10 Stück nu 10 d
Rastburg s.: Arbesser v. Rastburg.
Rast d. deut. Familie. Nachschlageb. fürs prakt. Leben. Ärzt-
lich revidirt. (117) 8° Münch., M Rid Nf.02.(?) (Lpzg, O Weber.)
Kart. 1.50 d
— u. Hülfe bei eintret. Krankh. d. landw. Viehbestandes, sowie
Belehrg üb. Ankauf u. Zucht. (340) 8° Bad Wildung. (05).
Lpzg, R Streller.)   1.— d
Ratgeber, ärztl., f. Aachener Thermalkuren unter Berücks.
v. Kuren in d. Heimat. Verf. v. e. Aach. Badearzte. (36 m.
Abb. u. 1 Pl.) 12° Aach., JA Mayer (04).   — 50
— f. Amateur-Photographen. 10—14. Jahrg. 1901—5 je
24 Nrn. (1901. Nr. 1. 16) 8° Halle, H Peter.   Viertelj. — 80
Jahrg. 1903 m. d. Bei.: „Der Phonographen-Freund". 12 Nrn.
— f. Arbeiter. Zusammenstellg d. wichtigsten Bestimmg
a. d. Arbeiter-Versicherungsges. u. d. bürgerl. Gesetzgebg. Im
Anh.: Programm d. sozialdemokrat. Partei Deutschlds u. d.
Wahlges. f. d. deut. Reichstag. (308) 12° Lpzg, Kaden & Comp.
03.   Geb. 1.25 d
— d. ärztl., in Bild u. Wort. Atlas u. Hausbuch f. Gesunde
u. Kranke. Hrsg. v. F Siebert. (1024 m. Abb. u. 74 farb. Taf.)
8° Münch., JF Lehmann's V. (05). L. 22 —; in 2 Bde geb. 24 — d
— ärztl. Nachrichten a. d. use. Medizin in populärer Darstellg. Hrsg. v. P Höckendorf. 3. u. 4. Jahrg. Oktbr 1901—
Septbr 1905 je 24 Nrn. (3. Jahrg. Nr. 1. 10) 4° Naunhof, Verl.
d. ärztl. Ratgebers. Viertelj. 1 —; einz.Nrn —15 || 5.u.6.Jahrg.
Oktbr 1903—Septbr 1905 je 52 Nrn. Viertelj. 1 —; einz. Nrn —15
|| 7. Jahrg. 1905/6. 26 Doppelnrn. Viertelj. 1 — d
Erschien bis Ende Septbr '04 in Friedenau-Berlin, bis Septbr '05
in Lpzg.

Ratgeber, chemisch-techn. Zeitschrift f. d. gewerbl. u.
wirtschaftl. Interessen d. Inhaber u. Leiter chemisch-techn.
Unternehmgn usw. (Deut. chem. Wochenschrift.) 6. Jahrg.
1905. 24 Nrn. (Nr. 1—7. 56) 4° Berl., (Polytt. Bh. A Seydel).
nn 5 —
Bisher u. d. T.: Wochenschrift, deut. chem.
— f. d. ges. Druckindustrie, Buchbinderei u. verwandte
Gewerbe. Red.: M Pollnitz. 6. u. 7. Jahrg. 1901 u. 2 je 26 Nrn.
(1901. Nr. 1. 20 m. Abb. u. 3 Taf.) 4° Lpzg, E Herfurth. || 8.Jahrg.
1. Viertelj. Jan.—März 1903. 12 Nrn.   Viertelj. nn 1 — ö F
— beim Fabrikbetriebe. 1. Bd. 8° Lpzg, M Schäfer. L. 3 — d
Köppe, F: Die Triebwerke (Getriebe, Transmissionen). Erfahrgssätze u.
Tab. z. Verwandg bei Anlage, Veränderg u. Instandhaltg d. Triebwerke.
(102 m. Abb.) 02. [1.]   3 —
— christl., f. junge Frauen u. Mädchen, welche sich in d.
Fremde ihr Brot verdienen u. e. Liste d. helf. „Freundinnen",
Heimaten, Mägde-Herbergen, Heimat- u. Jungfrauen-Ver.,
Stellenvermittelgn, Hospize, Erholgshäuser u.s.w. (109) 12°
Berl. (W. 9, Köthenerstr. 43), Bureau d. deut. National-Vor-
standes 05.   Kart. † — 30 d
— in Geld- u. Rechtsfragen. 2., 7. u. 8. Bd. 8° Lpzg, CE Poe-
schel.   Je 1 —; geb. je 1.50
Fuchs, T: Der Kaufmann a. s. Angestellten. (92) 05. [7.]
Graef, W: Die Kaufmannsgerichte, ihre Verfassg u. ihr Verfahren. (95)
04. [8.]
Obst, G: Der Depositen- u. Kontokorrentverkehr. 5. Afl. (78) 05. [2.]
Bisher unter d. Einzeltiteln aufgenommen.
— gemeinnütz. Prakt. Wochenbl. f. Haus u. Küche, Gesundheitspflege, Land- u. Forstw., Gartenbau, Tierzucht etc. Red.:
T Kelen. 4. u. 8. Jahrg. 1901—5 je 52 Nrn. (Nr. 1. 16) Fol. Ess.,
Fredebeul & K.   Viertelj. — 50 d
— kurze, f. Gesunde u. Kranke. In leichtverständl. Darstellg hrsg. v. d. Frauenhülfe d. Synode Beichlingen. Nr. 1 u. 2.
8° Potsd., Stiftgsverl. (05).   Je — 10 d
1. Wochenpflege. (15) || 2. Säuglingspflege. (16)
— d. prakt., f. gesunde u. kranke Tage, s.: Sammlung kl.
Volksschriften.
— gewerblich-techn. Zeitschrift f.Unfallverhütg, Gewerbe-
hygiene u. Arbeiterwohlfahrt sowie f. (Genehmigg, Feuersicherh.) Einrichtg u. Betrieb gewerbl. Anlagen. Hrsg. v. W
Heffter. 1. Jahrg. Juli 1901—Juni 1902 12 Hefte. (310 m.Abb.) 4°
Berl., A Seydel. Viertelj. 1.50; einz. Hefte — 50 || 2.—4. Jahrg.
Juli 1902—Juni 1905 je 24 Hefte. Viertelj.3.50 || 5.Jahrg.1.Halbj.
Juli—Dezbr 1905. 12 Hefte. Viertelj. 3 —
2. Jahrg. hrsg. v. G Fischer; 3. Jahrg. v. O Kamecke; 4. u. 5. Jahrg.
v. L Kolbe.
— f. Hausbesitzer. Sammlg v. Ratsverordng, Polizeiver-
fügn u. Ges.-Bestimmgn, d. Hausbesitzer betr., bes. f. Leipzig
u. Umgebg. Hrsg. v. allg. Hausbesitzer-Ver. zu Leipzig. (74)
8° Lpzg (Riemannstr. 40), Allg. Hausbesitzer-Ver.02. || Mit Kalender
f. 1905. (133) 05.   Je — 75 d
— bei Anschaffg v. Haus- u. Familienbüchern. Verz. d.
besten kathol. Haus- & Familienbücher nebst Familien-Zeit-
schriften. (24) 8° Münch., J Pfeiffer (03).   — 15 d
— häusl. Prakt. Wochenbl. f. alle deut. Hausfrauen. 1—
19. Jahrg. 1901—5 je 52 Nrn. (Nr. 1. 20 m. Abb.) 4° Berl., R
Schneeweiss.   Viertelj. 1.40; einz. Nrn — 10;
m. Schnittbog. — 15 d
Auch in Aug. f. Österr.-Ungarn.
— hygien., (vorm. hygien. Quartal). Organ f. naturgemässe
Lebens-, Erziehgs- u. Heilweise. Schriftleitg: O Zschommler.
3. Jahrg. 1902. 9 Nrn. (Nr. 1. 32 m. Abb.) 8° Lpzg, O Borggold.
|| 4. u. 5. Jahrg. 1903 u. 4 je 12 Nrn. (Nr. 1. 16) Je 1.50 (Bis 1903 ö)
Bisher u. d. T.: Quartal, hygien.
— dass. Blätter f. naturgemässe Gesundheitspflege u. Erziehg.
Schriftleitg: O Zschommler. 6. Jahrg. 1905. 12 Nrn. (Nr. 1. 12)
4° Lpzg (Johannisg. 10), Karl Schmidt, Buchdr.   1.50 ö F
— jurist., f. alle Verhältnisse im bürgerl. Leben, sowie f.
Industrie, Gewerbe, Handel u. Landwirtschaft. Red. v. Heinrich. Jahrg. 1904. Jan.—Septbr. 18 Nrn. (Nr. 1. 8) 4° Ebersw.,
H Langewiesche.   — 15 d
— z. Einführg d. erstzl. Knabenhandarbeit. Hrsg. v. deut.
Ver. f. Knabenhandarbeit. (120) 8° Lpzg, (Frankenstein & W.)
09.   — 75 d
— f. Konservativen im Deut. Reich. Hrsg. im Auftr. u.
unter Mitwirkg d. Leitg d. konservativen Partei. (160) 12°
Berl. (03). Berl., R Hobbing.   Kart. — 60 d
— d. prakt., f. d. Kranken-, Unfall- u. Invaliden-Versicherg. Hrsg. v. H Schneider. 1. Jahrg. Juli—Dezbr 1903.
12 Nrn. (Nr. 1 u. 2. Je 4) 4° Siegen, H Schneider. Halbj. 1.25
|| 2. Jahrg. 1904. 34 Nrn. 1. Halbj. 1.25; 2. Halbj. 1.75 || 3. Jahrg.
1905. Halbj. 1.75 d
— prakt., f. Land- u. Hausw. Verf. f. d. Mitglieder d.St.Josefs-
Bücherbruderschaft v.e.Fachmanne. (256 m.Abb.) 12° Klagenf.,
Buch- u. Kunsth. d. St. Josef-Ver. 1896.   — 80 d
— literar., hrsg. v. Kunstwart. 7. Jahrg. 1905. Hrsg.: F Avenarius. (172 m.Abb. u. 7 Taf.) 8° Münch., GDW Callwey. 1—0 ö F
— literar., f. d. Katholiken Deutschlds. 4. Jahrg. Hrsg.: Weihnachten 1905. Hrsg. v. J Popp. (156 m. 8 Taf.) 8° Münch.,
Allg. Verl.-Gesellsch. 05.   † — 70 d
— literar.,f.d.kathol.Schüler höh. Lehranst. (67) 8° World.,
Kath. Zentralbh. J Biesemann) (05).   — 20 d
— f. Lungenkranke, s.: Hausbücher, medizin.
— f. d. Eintritt in d. kais. Marine, m. Beschreibg sämmtl.
Laufbahnen u. d. Rang-, Gehalts- resp. Löhnsgsverhältn. (36)
8° Kiel, „Deut. Marine-Zeitg" (01).   — 75 d

Ratgeber in Militär-Angelegenh. (32) 8° Budweis (Reichs-
· str.20), Verl.-Anst. Moldawia (08). — 50 d
— kl., f. Müller. Hrsg.: T Fritsch. II. 16° Lpzg, T Fritsch.
— 50 (I u. II.: 1 —) d
II. Plats, L: Wie macht man e. Testament? Bes. f. Müller-Kreise bearb.
(54) 05. — 50
I s.: Fritsch, T.
— d. prakt., im Obst- u. Gartenbau. Red.: J Böttner. 16—
20. Jahrg. 1901—5 je 52 Nrn. (1901. Nr. 1. 12 u. 8 m. Abb.) 4°
Frankf. a/O., Trowitzsch & S. Viertelj. 1 —; einz. Nrn — 15;
m. Kunstbeil. — 30 d
— prakt., f. Jedermann. Apr.—Dezbr 1905. 39 Nrn. (Nr. 1. 8)
8° Lpzg (Ranstädter Steinweg 44), H Hornig. Viertelj. 1 —;
einz. Nrn — 15
— bei Ausw. v. Sommerwohngn im Geb. d. Sektionen d. Gebirgsver. f.d.sächs.Schweiz. Hrsg. im Auftrage d. Zentral-
Ausschusses. 15. Jahrg. 1905. (70) 8° Dresd., H Henkler. — 20 d
— f. Schülerbüchereien. Verz. geeigneter Jugendschriften
m. Angabe d., f. d. Bücherwart wissenswerte Bemerkgn.
Hrsg. v. d. Lehrkörpern d. Volks- u. Bürgersch. in Leipa.
2. Afl. (40) 8° Leipa, J Hamann 05. — 70 d
— beim An- u. Verkauf sowie Abschätzg v. Sortiments-
buchhandlgn, v.CC. (15) 8° Brem.,(Ev.Masars) 02. nn 1 —
— bei Ausw. v. Sommerfrischen u. Sommerwohngn im Geb.
d. Thüringerwald-Ver. Bearb. Mai 1905. (119 m. Abb.)
8° Lpzg-Sch., Graph. Instit. Gebr. Arnold. — 50 d
— Rath II: Das Notverordngsrecht d. preuss. Landes- u. d.
deut.Reichsstaatsrechts. (72) 8° Bonn, Röhrscheid & E. 04. 1.50
Rath, MG: Marian. Ehrenkrone. Festgruss u. vollständ. Ge-
bethüchl. zu Ehren d. unbefleckten Empfängnis Mariä. (216 m.
Titelbild.) 16° Mainz, Druckerei Lehrlingshaus 04. L. — 60 d
Rath, P, s.: Hessel, P v. d.
Rath, SH: Zur Frauenfrage. Populär geh. Erwiderg auf d.
„Habituellen Schwachsinn d. Mannes" v. Heberlin. (56) 8°
Dresd., E Pierson 05. 1 —
Rath, W: Hans Distelfink. Lustsp. (108) 8° Köln, A Ahn 1900.
2 — d
Rathausneubau, d., d. Stadt Bielefeld, veröffentlicht zu dessen
Einweihg am 12.X.'04. (12 m. Abb. u. 30 Taf.) 4° Bielef.,
Velhagen & S. '04. B — d
Rathenau, F: Sach- u. Schlagwortverz., s.: Kohler, J, Hdb.
d. deut. Patentrechts.
Rathenau, W: Impressionen. (256) 8° Lpzg, S Hirzel 02. ||
2—4. (257) 02. Je 3 —; geb. je 4.50 d
Räther, H: Theorie u. Praxis d. Rechenunterr. 3 Tle. 3. Afl.
8° Bresl., E Morgenstern, V. 04. 5.50; in 1 L.-Bd nn 7.25 d
1. Die Zahlreihen 1 bis 10, 1 bis 20 u. 1 bis 100. (120) 1.20
2. Die Zahlreihen 1—1000 u. 1—1 000 000 u. d. mehrfach benannten Zahlen.
(207) 1 —
3. Die Bruchrechng im Zusammenh. u. d. bürgerl. Rechengarten. (386
Fig.) 2.50
— f. Wohl: Übgsh. f. mündl. u. schriftl. Rechnen. (6
Heften. Gröss. Ausg. (A). Neue Bearbeitg v. Pflügers Übgsh.
2. Afl. 8° Ebd. (08). 1.40 d
1. (Für Kl. 6.) 86—90. Taus. (24) nn — 15 || 2. (Für Kl. 5.) 290—292. Taus.
(32) nn — 15 || 3. (Für Kl. 4.) 262—291. Taus. (48) — 25 || 4. (Für Kl. 3.)
(56) 175—194. Taus. — 25 || 5. (Für Kl. 2.) 175—194. Taus. (56) — 30 || 6. (Für
Kl. 1.) 135—189. Taus. (64) — 30.
— dass. Neue Ausg. A in 7 Heften. 8° Ebd. 08. 1.65 d
1. Der Ausg. A u. F 86—100. Taus. (24) nn — 15 || 2. Der Ausg. A u. F
227—251. Taus. (32) nn — 15 || 3. Der Ausg. A u. F 379—308. Taus. (48)
— 25 || 4. Der Ausg A u. F. 227—251. Taus. (48) — 25 || 5. Der Ausg. A u. F
185—204. Taus. (56) — 30 || 6. Der Ausg. A u. F 140—169. Taus. (56) — 25
|| 7. 1—10. Taus. (64) — 30.
— — dass. 3—7. Heft. Ergebnisse. 8° Ebd. 08. 1.80 d
3. (16) — 30 || 4. (23) — 40 || 5. (30) — 40 || 6. (16) — 30 || 7. (22) — 40.
— — dass. in 6 Heften. Kl. Ausg. (B). 8° Ebd. Je nn — 15 d
1. 51—70. Taus. (16) 08.) || III. 119—137. Taus. (32) (08.) || III. 150—150. Taus.
(32) (03.) || IV. 86—100. Taus. (32) (08.) || V. 74—86. Taus. (56) '04. || VI.
39—45. Taus. (40) (03.)
— — dass. Ausg, C in 7 Heften. 6. u. 7. Heft. 8° Ebd.
Kart. — 60 d
6.7. (f. d. Oberkl. d. Mittelsch.). 9. Afl. (112) (02.) — 60.
— — dass. Ausg. C f. höh. Schulen in 7 Heften. 8° Ebd. 2 — d
1.' 90—94. Taus. (24) (04.) — 15 || II. 91—55. Taus. (32) — 15 || III.
37—81. Taus. (56) (03.) — 15 || IV. 37—81. Taus. (56) (03.) — 15 || V. 29—
55. Taus. (56) (03.) — 40 || VI. 22—99. Taus. (54) (03.) — 15 || VII. 12—18.
Taus. (76) (03.) — 40/
— — dass. (Neue) Ausg. D. Ausg. f. höh. Mädchensch. in 7
Heften. 8° Ebd. 2.10 d
1. (24) (04.) — 15 || II. (32) (03.) — 15 || III. 9. Afl. (42) (02.) — 25 || IV. (48)
(02.) — 15 || V. (42) (03.) — 15 || VI. (40) (03.) — 25 || VII. 9. Afl. (32) (05.)
(03.) Kart. — 30.
— — dass. (Neue) Ausg. E in 3 Heften. 8° Ebd. nn — 55 d
1. 3. u. 2. Afl. (48) (01.03.) nn — 15 || II. u. 2. Afl. (32) (01.03.) nn — 15 || III.
(5°) (01.) — 20.
— — dass. Ergebnisse z. 2. u. 3. Hefte. (Je 28) 8° Ebd. (01).
Je — 30 d
Zum 1. Heft sind Ergebnisse nicht erschienen.
— — dass. Ausg. F in 7 Heften. 8° Ebd. 1.55 d
1. (24) nn — 15 || 2. (32) nn — 15 || 3. (40) — 30 || 4. (40) — 20 || 5. (48) — 25
|| 6. (56) — 30 || 7. (80) — 30.
— — dass. 3—7. Heft. Ergebnisse. 8° Ebd. 04. 1.80 d
3. (12) — 30 || 4. (16) — 30 || 5. (22) — 40 || 6. (20) — 40 || 7. (22) — 40.
Rathgeber, E: Neuestes Tanz-Album. Anordng, Kommandos
u. Touren d. modernen Salon-Tänze. (54) 16° Berl.,
S Mode (03). — 75

Rathgen, K, s.: Abhandlungen, volksw., d. bad. Hochsch. —
Festgabes f. Adolph Wagner.
— Die Japaner u. ihre wirtschaftl. Entwickelg, s.: Aus Natur
u. Geisteswelt.
Rathje, CFH: Deut. Aufsätze f. d. ob. Kl. v. Volks-, Mittel-
u. höh. Mädchensch., f. Fortbildgssch. wie auch z. Selbst-
unterr. (159) 8° Kiel, R Cordes 05. 2 — d
Rathke's, A, Bibliothek f. Zucker-Interessenten. 1. u. 12. Bd.
8° Mgdbg, A Rathke. L. 7 —
Mittelstadt, O: Aus d. Praxis d. Zuckerindustrie. 3. Afl. (95) 02. [12.]
Verzeichnis d. Rübenzuckerfabriken u. Zucker-Raffinerien im Deut. Reiche,
sowie in Oesterr.-Ungarn, Pfankr., Russl. (im Finnl.), Belgien, d.Niederl.,
Dänemark, Schweden, Engl., Italien, Spanien, Rumänien, Bulgarien,
Serbien, Türkei u. Nordamerika. 27. Jahrg. Campagne 1903/6. (29, 480)
05. [1.]
Rathke, G: De Romanor. bellis servilibus capita selecta. (100)
8° Berl., G Nauck 04. 2.80
Rathlef, E: Gesundheit u. Trost f. Schwindsüchtige. 20 Jahre
Erfahrg an mir u. anderen. (328) 8° Stuttg, A Zimmer 02.
3 — d
— Goethe — pathologisch. [S.-A.] (20) 8° Riga, (Jonck & P.) 04.
— 80 d
Rathlef, G: Zur Frage n. Bismarcks Verhalten in d. Vor-
gesch. d. deutsch-französ. Krieges. (208) 8° Jurj. (Dorp.,)
Anderson 05. 5 — d
Rathlef, H v.: Coleoptera Baltica. Käfer-Verz. d. Ostseeprov.
u. d. Arbeiten v. Ganglbauer u. Reitter. (186 Bl. u. S. 188—
191) 8° Jurj. (Dorp.) 05. (Lpzg, KF Koehler.) 3 — d
Rathmann, W, s.: Amts-Tagebuch f. ev. Geistliche. — Bot-
schaft d. Heils. — Dienet einander. — Literatur-Bericht f.
Theol.
— Dent. Perikopenb. Predigtdispositionen zu d. Texten sämtl.
22 deut. Perikopensysteme. 14 Lfgn. (639) 8° Lpzg, G Strübig
01—05. Je — 60; in 2 Bdn je 4 —; geb. je nn 5 —
— s.: Pfarr-Bibliothek.
Rathner, L: Kurzer Auszug a. d. Gesch. Steyrs. (16) 8° Steyr,
(C Linti) 05. nn — 50 d
Rathsack, W: Die mecklenburg. Küche. 2. Afl. (214) 8° Berl.,
W Süsserott (03). Geb. 2.50 d
Rathsburg, A: Geomorphol. d. Flöhagebietes im Erzgebirge,
s.: Forschungen z. deut. Landes- u. Volkskde.
Ratichius, W (W Ratke), s.: Schriften, pädagog., d. Wolfg.
Ratichius u. sr. Anhänger.
Ratichiusse, T: Antworten auf d. Fragen e. Israeliten uns.
Zeit. Übers. v. F Eudler. 2. Afl. (32) 8° Rgnsbg, Verl.-Anst.
vorm. GJ Manz 05. — 80
Ratke s.: Ratichius, W.
Ratkowsky, M: Die Lösg d. soz. Frage. Vortr. 2. Afl. (29)
Wien (Vll, Schönbrunnerstr. 62), Bildgs- u. Gesellschaftsverl.
„Gesunde Menschen" (05). 1 —
Ratschläge f. d. Abkochen am Lagerfeuer. [S.-A.] (15) 16°
Berl., ES Mittler & S. 02. † — 10 d
— üb. Arbeit u. Erholg, s.: Gewerbe-Bibliothek.
— an prakt. Ärzte wegen Mitwirkg an d. Massnahmen geg
d. Verbreitg d. Cholera. Anlage 1 d. Anweisg d. Bundesrats
z. Bekämpfg d. Cholera v. 28.1.'04. (Amtl. Ausg.) (3) 8° Berl.,
R Schoetz (05). 1000 Stück † 30 — d
— kurze, f. d. Verwaltg v. Volks-Bibliotheken. (16)
Berl., Schriftenvertriebsanst. 04. † — 30 d
— u. Winke f. junge Volksschullehrer. Von e. Lehrerfreund.
(48) 8° Mind., O Marowsky (03). — 60 d
Rätsel, e. dunkles. Kriminal-Roman frei n. d. Engl. (104) 8°
Neuweissens., E Bartels (o. J.). 1 —
Rätsel-Buch, neuestes. (32) 16° Neuweissens., E Bartels (o.J.).
— 25 d
Ratsherr, d. stumme, s.: Jugendbibliothek, stenograph.
Ratskeller, d. Leipz. (87 m. Abb.) 8° Lpzg, (Rossberg'sche Buchh)
04. nn 1 — d
Ratzeburg, H, u. F Lichtenstein: Die naturwiss. Fächer Che-
mie, Physik, Zool., Botanik in 750 Fragen u. Antworten f. d.
Tentamen physicum. 4 Tle. 8° Münch.,TAckermann 05. 7 — d
1. Chemie. (92) || 2. Physik. (93) || 3. Zool. (71) || 4. Botanik. (64)
Ratzel, F: Kl. Schriften. Ausgew. u. hrsg. durch H Helmolt.
Mit e. bibliogr. u. e. Namenverz. (54) 05. 531 m. Bildn. u. 4
Taf.) 8° Münch., R Oldenbourg 06. 12 —; geb. 14.50
— Die Erde u. d. Leben. Eine vergleich. Erdkde. 2 Bde. (mit
u. 702 m. Abb., 46 z. Tl farb. Taf. u. 21 Karten) 8° Lpzg, Biblio-
graph. Instit. 01.02. HF. je 17 —; auch in 30 Lfgn zu 1 —
— s.: Festgaben f. Alb. Schäffle.
— Polit. Geogr. od. d. Geogr. d. Staaten, d. Verkehres u. d.
Krieges. 2. Afl. (838 m. 40 Kartenskizzen.) 8° Münch., R Olden-
bourg 03. 18 —; L. 20 —
— Glücksinseln u. Träume. Ges. Aufsätze a. d. Grenzboten.
(515 m. Bildnis.) 8° Lpzg, FW Grunow 05. 8 —
HF. 10 — d
— s.: Grossstadt, d.
— Der Lebensraum. Biogeograph. Studie. [S.-A.] (87) 8° Tüb.,
H Laupp 01. 2.50 d
— Üb. Naturschildergn. (394 m. 7 Bildern.) 8° Münch., R Olden-
bourg 04. Geb. 7.50 d
Ratzenhofer, G: Positive Ethik. Die Verwirklchg d. Sittlich-
Seinsollenden. (387) 8° Lpzg, FA Brockhaus 01. geb. 9.50 d
— Die Kritik d. Intellects. Positive Erkenntnistheorie. (166 m.
1 Fig.) 8° Ebd. 02. 4 —; geb. 5.50 d

Rätzsch, H: Lehrg. d. Stenogr. (Verkehrs- u. Redeschrift) n. FX Gabelsb.'s System. 80. u. 81. Taus. v. R Fuchs. (135) 8° Dresd., F Jacobi 04.   1.50; geb. nn 1.80
Rätzsch, R: Militär. Fachausdrücke u. Lesestücke n. d. Gabelsb.'schen System. 3. Afl. v. R Fuchs. (42) 8° Dresd., P Jacobi 05.   — 80
Rau, A: Bibel u. Offenbarg. Mit bes. Bezugnahme auf F Delitzschs Vortr.: Babel u. Bibel. (58) 8° Delitzsch, CA Walter 03.   1 — d
— Harnack, Goethe, D Strauss u. L Feuerbach üb. d. Wesen d. Christentums. (49) 8° Ebd. 03.   1 — d
— Der moderne Panpsychismus. Summar. Kritik d. Idealismus u. sr neuesten Entwickelgsphase. (16) 8° Berl., Gose & T. 01.   — 80 d
— Reformation u. Renaissance. Beitrag z. Gesch. d. Los v. Rom-Bewegg. (116) 8° Delitzsch, CA Walter (03).   2 — d
Rau, F: Die 3 letzten Schuljahre. (Methodisch-prakt. Hdb. f. d. Volksschul-Unterr.) 2. Afl. (406) 8° Wien, A Pichler's Wwe & S. 02.   4 — d
Rau, H, s. a.: Sper, A.
— Beitr. z. e. Gesch. d. menschl. Verirrgn. 1. Bd. Die Verirrgn in d. Relig. (456) 8° Lpzg, Leipz. Verl. (05).   10 —
— Der Geschlechtstrieb u. s. Verirrgn. (118) 8° Berl., H Steinitz (03).   2 —
— Die Grausamk. m. bes. Bezugnahme auf sexuelle Faktoren. (248 m. Abb.) 8° Berl., H Barsdorf 03.   4 —; L. 5 —
— Franz Grillparzer u. s. Liebesleben. (256 m. Bildnissen.) 8° Ebd. 04.   5 —; L. 6 —
— Liebesfreiheit! Urninge u. Tribaden. (28) 8° Oranienbg, Orania-Verl. 03.   — 50 d
— Was muss man v. d. Phrsnol. wissen? (72 m. Abb.) 8° Berl., H Steinitz (03).   1 — d
— Der Sadismus in d. Armee. (64) 8° Berl., H Bermühler 04.   1 —
— Sadismus u. Erzieher. Der Fall Dippold. (68) 8° Berl., H Barsdorf 04.   1 — d
— Wollust u. Schmerz, s.: Bibliothek d. Seelen- u. Sexuallebens.
— Kl. medizirisch-hygien. Wrtrb., s.: Gerling, A.
Rau, H: Beethoven. Ein Künstlerleben. Kulturhistorisch-biographisch geschildert. 4. Afl. 2 Bde. (349 u. 405. u. 1 Bildnis.) 8° Lpzg, T Thomas (03).   7.50; geb. 9 — d
Rau, K: Die Brachiopoden d. mittl. Lias Schwabens m. Anschl. d. Spiriferinen, s.: Abhandlungen, geolog. u. paläontolog.
Rau, O: Der alte Gott lebt noch, s.: Blumen u. Sterne.
Rau, T: Wissensstoff d. hl. Schrift. (32) 8° Lpzg, F Jansa 01.   — 30 d
Rauber, A: Atlas d. Krystallregeneration. 6. Heft: Entwickelg d. Torso. (24 Taf. m. 8 S. Text.) 8° Lpzg, G Thieme 1900.   In M. nn 25 — (1—6.: nn 130 —)
— Weibl. Auswanderg u. ihr Verhältn. z. e. biologisch begründ. Bevölkergspolitik. 4. Beitr. z u e. naturgemässen Lösg d. Frauenfrage. (167 m. Fig.) 8° Ebd. 01.   5 —
— Lehrb. d. Anatomie d. Menschen. 6. Afl. 2 Bde in je 2 Abtlgn. (Mit z. Tl Farb. Abb.) 8° Ebd.   35 —; in 2 Bde geb. 39 —
   I, 1. Allg. Tl, Lehre v. d. Knochen, Bändern u. Muskeln. (604) 02. 10 —
   I. Lehre v. d. Eingeweiden. (605—921) 02. 7 — (in 1 Bd geb. 19 —)
   II, 1. Lehre v. d. Gefässen. (262) 03.   6 —
   2. Lehre v. d. Nerven, Sinnesorganen u. Leitgsbahnen. (263—966) 03. 12 — (in 1 Bd geb. 20 —)
— Vergiftg d. Mutterlauge. Beitrag z. Erforschg d. Lebens. (22 m. 25 photograph. Taf.) 8° Ebd. 02. In M. nn 25 — § 2. Tl. (44 m. 35 photograph. Taf.) 04. In M. nn 30 —
— Wirkgn d. Alkohols auf Tiere u. Pflanzen. (96 m. Abb.) 8° Ebd. 02.   3 —
Räuber, die. Ein Schausp. Frankfurt u. Leipzig 1781. Im Fksm.-Neudr. nebst d. unterdrückten ursprüngl. Fassg u. e. litterar-historisch-krit. Anh. hrsg. v. C Schüddekopf. (Zu Schillers Gedächtnis 9. V.'05.) (222 u. 60) 8° Lpzg, A Weigel 05.
   Auf Büttenpap. kart. 30 —; auf Japanpap. 50 — d
Räuber, H: Die Bestimmgn üb. d. Verkehr m. Giften, Geheimmitteln u. Arzneimitteln ausserh. d. Apotheken. (84) 8° Düsseldf, L Schwann 04.   Kart. nn — 75
Rauch, A: Warenkde. Für cinf. Verhältn. dargest. (Für Fortbildgskurse.) 2. Afl. (36) 8° Klagenf., J Leon sen. 05.   — 80 d
Rauch, C: Englisch repetitional grammar. Engl. Repetitions-Grammatik. 17. Afl. (120) 8° Berl., L Oehmigke's V. 05. 1.20; kart. 1.45 d
Rauch, C: Führer durch Fritzlar. Mit e. statist. Anh. v. CJ Böschen. (36 m. 10 Ansichtsk.) 8° Fritzl., M Ehrhardt 05. (Lpzg, P Stiehl.)   nn — 75 d
   s.: Hessen-Kunst.
Rauch, E: Fortuna, s.: Klinghoff, A.
Rauch, E v. (A Bobolsky): Anl. f. d. Croquet-, Golf-, Boccia- u. Mailspiel. (38) 8° Berl., H Steinitz (05).   1 — d
— Anl. f. d. Lawn Tennis-, Cricket-, Fussball-, deut. Ball- u. Base-Ball-Spiel. (99 m. Fig.) 8° Ebd. (05).   1 — d
— Das gr. Buch d. Bewegsspiele im Freien. (221 m. Fig.) 8° Ebd. (01).   1.50 d
— Das gr. Buch d. Gesellschafts-Spiele. 3. Afl. (175) 8° Ebd. (04).   1.50 d
— Das gr. Buch d. Kinderspiele. (160) 8° Ebd. (04).   1.50 d
— Das gr. Buch d. Tanzkunst. (187) 8° Ebd. (02).   1.50 d

Rauch, F: Zur Frage d. geistl. Schulaufsicht. (12) 8° Köngsbg, Gräfe & C., Bh. 04.   — 30 d
— Aus d. Fremde in d. Heimat. 7 Predigten a. d. Zeit d. Neubanes d. Kirche St. Bartholomäi zu Liebemühl. (55 m. 1 Taf.) 8° Lpzg, G Strübig 01.   nn — 75; geb. 1 — d
Rauch, K, s.: Traktat üb. d. Reichstag im 16. Jahrh.
Rauchberg, H: Die Berufs- u. Gewerbezählg im Deut. Reich v. 14. VI. 1895. (422) 8° Berl., C Heymann 01.   8 —
— Der nationale Besitzstand in Böhmen. 3 Bde. (701, 415 u. 7 m. 22 Taf. u. 1 Karte.) 8° Lpzg, Duncker & H. 05.   23 — d
— Sprachenkarte v. Böhmen. 1 : 500,000. Mit 4 Eckkartons. 1 : 200,000. 58,5×71 cm. Farbdr. Nebst Text. (4) 8° Wien, R Lechner's S. (04).   L. 4.50; Karte auf L. 6 —
— Steuererklärg u. Steuerauflage auf d. Geb. d. directen Personalsteuern in Oestr. (78) 8° Wien, Manz 01.   1.80 d
Rauchenberger, M: Die Ehwendg a. d. Rechte Dritter u. geg. Dritte. (65) 8° Münch., J Schweitzer V. 04.   2 — d
Rauchenegger, B: Schwäb. Frauen. Festsp. (28 m. Abb. u. Bildnis.) 8° Münch., (J Lindauer) (04).   — 50 d
— Das kgl. Hofbräuhaus in München, s.: Schäfer, K.
— Humoresken. (132 m. Abb.) 12° Münch., Braun & Schn. (03).   Geb. 1.50 d
Rauda, F: Die mittelalterl. Baukunst Bautzens. (99 m. Abb. u. 6 Taf.) 8° Görl., (H Tzschaschel) 05.   4 — d
Raudnitz, J: Die österr. Währgsages, s.: Handausgabe d. österr. Ges.
Raudnitz, J: Horch! Horch! d. Lerch!, s.: Friedrich's, L, Einakter-Sammlg.
Raudnitz, RW: Ueb. ein. Ergebnisse d. Harnuntersuchg bei Kindern, s.: Wander-Vorträge, medicin.
— Sammelreferat üb. d. Arbeiten a. d. Milchchemie in d. J. 1903 I. u. II. Sem.; 1904 I. u. II. Sem. u. 1905 I. Sem. [S.-A.] (22, 24, 32, 26 u. 31) 8° Wien, F Deuticke 03-05.   Je 1 —
— u. K Basch: Chemie u. Physiol. d. Milch. [S.-A.] (187) 8° Wiesb., JF Bergmann 03.   5 —
Rauch, S: Christus als Lehrer u. Erzieher. 2. Afl. (416) 8° Freibg i/B., Herder 02.   3.20; L. 4 — d
— Die götti. Liebe in Glaube u. Leben. 6 Betrachtgn. (31) 8° Ebd. 03.   1 —; geb. 1.60 d
Rauenbusch, L: Atlas d. orthopäd. Chirurgie, s.: Hoffa, A.
Rauh, J: 2. v. d. Armen. Erzählg. 1. u. 2. Afl. (272) 8° Berl., O Janke (04).   3 — d
Rauh, K: Führer f. Plauen u. d. vogtländ. Schweiz. (24 u. 5 m. 1 Pl. u. 10 Ansichtspostk.) 16° Plauen, R Neupert jr. (02).   — 75 d
Rauhut, H: Zeichenhefte f. Volkssch. Ausg. A. 1—3. Heft. 45. Afl. (Je 20) 4° Habelschw., Franke (01).   Je — 15
   1. Netzzeichnen. § 2. Freies Zeichnen nach Gebilde. § 3. Freies Zeichnen nach d. Körperl. Gegenständen.
— dass. Ausg. B. 2 Hefte. 45. Afl. (Je 20) 4° Ebd. (01). Je — 10
   1. Netzzeichnen. § 2. Freies Zeichnen nach Gebilde.
— Zeichenhefte f. Volkssch. m. Punktnetz. 1. u. 2. Heft. 45. Afl. (Je 20) 4° Ebd. (01).   Je — 15
   1. Netzzeichnen. § 2. Mit Punktnetz v. 2 cm Weite. § 2. Mit Punktnetz v. 1 cm Weite.
Raumer, K v.: Gesch. d. Pädagogik v. Wiederaufblühen klass. Studien bis auf uns. Zeit. 1. Thl. 7. Afl. (368 m. Bildnis.) 8° Gütersl., C Bertelsmann 02.   3.50 d
Raumer, S v.: Heimat. Beitrag z. Gesch. d. Erlanger Landschaft in u. ausserh. d. Stadt. 2 Tln. (83 m. Abb. u. 1 Pl.) 8° Erl., M Mencke 04.   1 — d
Raunau, E: „Ich will dir viel Schmerzen schaffen!" Eine Liebesgesch. (160) 8° Berl., O Janke (05).   1 — d
— Die letzte Tat u. and. Gesch. (143) 8° Ebd. (04).   1 — d
Raunig, AG: Der Zolltarif u. d. Reciprocitäts-Verträge d. Verein. Staaten v. Amerika. (40) 8° Wien (I, Nibelungengasse 18), Industrieller Club 01.   †1.50
Raupp, E: Hfb. d. Malerei, s.: Weber's illustr. Katech.
Raupp, O: Ehre sei Gott in d. Höhe! Kinder-Weihnachtsfeier. (16) 8° Hdlbg, Ev. Verl. 06.   — 20 d
   s.: Wegweiser, d.
Rausch, A: Ausw. deut. Gedichte, s.: Echtermeyer, T.
— Die Gastfreundschaft im Altertum. Ansprache. [S.-A.] (13) 8° Halle, E Strien 05.   25 d
— Schülervereine. Erfahrgn u. Grundsätze. (112) 8° Halle, Bb. d. Waisenh. 04.   1.50 d
— Ein Schulbeth u. Kant. Ansprache. [S.-A.] (20) 8° Halle, E Strien 04.   — 25 d
Rausch, E: Die Sonneberger Spielwaren-Industrie u. d. verwandten Industrieen d. Griffel- u. Glasfabrikation, insbes. Berücks. d. Verhältn. d. Hausindustrie. (170) 8° Sonnebg (01), (Berl., F Siemenroth.)   2 — d
Rausch, E: Gesch. d. Pädagogik u. d. gelehrten Unterr. im Abrisse. 2. Afl. (192) 8° Lpzg, A Deichert N (.05. 3.30; geb. n 3.80
— Weltgesch. u. Kirchen im Lichte griech. Forsch. (197) 8° Ebd. 03.   2.80 d
Rausch, F: Lautfat. z. Gebr. beim deut. u. fremdsprachl. Sprech-Schreiblese-Unterr. n. phonet. Grundsätzen, sowie beim Gesangunterr., beim Redekunstunterr., beim Artikulationsunterr. Taubstummen, beim Sprechleseunterr. Ertaubter u. beim Sprachheilunterr. Sprachgestörter. 20 Taf., 46,5× 68 cm, auf Pappe. Nebst Text. (11) 8° Nordhausen (Töpferstr. 1), R Schiewek 03.   30 —; f. d. Mundöffner (9 Taf.) 18 —; einz. Taf. 1.60 d
Rausch, P: Führer durch d. städt. Museum in Nordhausen, s.: Festschrift z. 25jähr. Jubelfeier d. städt. Museums in Nordhausen.

Rauschel, P: Führer durch d. beliebtesten Ausflugs- u. Badeorte Oberschlesiens sowie d. angrenz. Gebiete. (36 m. 1 Karte.)
12⁰ Kattow., G Siwinna 03. — 30 d
Rauschen, G, s.: Florilegium patristicum.
— Die wichtigeren neuen Funde a. d. Geb. d. ält. Kirchen-
gesch. (56) 8⁰ Bonn, P Hanstein 05. — 80
— Grundr. d. Patrol. m. bes. Berücks. d. Dogmengesch. (231)
8⁰ Freibg i/B., Herder 03. 2.90; L. 2.70 d
— Das griechisch-röm. Schulwesen z. Z. d. ausgeb. Heiden-
tums. (86 m. 1 Abb.) 8⁰ Bonn, F Cohen 01. 1.60
Rauschenbusch, A: Leben u. Wirken, angefangen v. ihm selbst,
vollendet u. hrsg. v. W Rauschenbusch. (274 m. Bildnis.) 8⁰
Cass., (JG Oncken Nf.) 01. 2.90; geb. 2.70 d
Rauschenfels, A v.: Atlas f. Bienenzucht. Anatomie — Histol.
— Pathol. — bienenfeindl. Tiere. 30 kolor. Taf., gezeichnet
v. F Clerici n. mikroskop. Präparaten d. Grafen G Barbò.
Erklär. Text. (Deut. Ausg.) (30 Bl.) 8⁰ Berl. 01. Lpzg, RC
Schmidt & Co. 9—
Rauscher s.: Andacht zu Ehren d. 12 Geheimnisse d. hlst.
Kindh. Jesu.
Rauscher, E: Ein Dämon. Dramat. Scherz. (48) 8⁰ Klagenf.,
F v. Kleinmayr 04. 1.20 d
Rauscher, J: In stiller Stunde. Lieder u. Gedichte. (103) 8⁰
Nürnbg, C Koch (04). 1.20 d
Rauscher, U: Erläutergn zu Shakespeares „König Lear", s.:
König's, W, Erläutergn zu d. Klassikern.
Rauschmaier, A: Französ. Vokabularium auf etymolog. Grund-
lage, m. e. Anh. f. Mittelsch. u. z. Privatgebr. 3. Afl. v. G
Buchner. (110) 8⁰ Münch., R Oldenbourg 02. Geb. 1.60 d
Rauschmayr, JS: Beitrag z. Vertiefg d. geograph. Unterr. an
Volks- u. Mittelsch., s.: Für d. Schule u. d. Schule.
Rautenstrauch, J: Jurist u. Bauer, s.: National-Bibliothek,
allg.
Rautenstrauch, J: Die Kalandbrüderschaften, d. kulturelle
Vorbild d. sächs. Kantoreien. (45) 8⁰ Dresd., Ramming 03. 1—
Rauter, G: Die Betriebsmittel d. chem. Technik, s.: Biblio-
thek d. Betriebsleiters.
— Die Ges., Verordngn u. Vertr. d. Deut. Reiches betr. d.
Schutz d. gewerbl., künstler. u. literar. Urheberrechte. (23,
455) 8⁰ Hannov., Dr. M Jänecke 05. L. 3—
— Anorgan. chem. Industrie. — Die Industrie d. Silikate, d.
künstl. Bausteine u. d. Mörtels, s.: Sammlung Göschen.
— Das deut. Patentges. u. d. Vorschl. d. deut. Ver. f. d.
Schutz d. gewerbl. Eigentums. [S.-A.] (84) 8⁰ Stuttg., F Enke
04. 2.40
— Der gegenwärt. Stand d. Schwefelsäureindustrie. [S.-A.]
(46) 8⁰ Ebd. 03. 1.20
— Allg. chem. Technol. — Das deut. Urheberrecht an literar.,
künstler. u. gewerbl. Schöpfgn, s.: Sammlung Göschen.
Rauter, JM: Das gnadenreiche Prager Jesukind. Kurze Be-
schreibg nebst Gebetsanh. (46 m. 1 Farbdr.) 16⁰ Münch., J
Pfeiffer 02. — 20 d
— Das gnadenreiche Jesukind, wie es in d. Kirche zu St. Maria
de Victoria in Prag z. öffentl. Verehrg ausgesetzt wird.
(208 m. Titelbild.) 11,4×7,9 cm. Ebd. (05). L. — 50 d
— Maria-Empfängnis-Büchl. (184 m. 1 Farbdr.) 16⁰ Ebd.
L. — 50 d
Rautert, A: Vorschl. z. Erhöhg d. Sicherh. in Theatern. (22)
8⁰ Mainz, (H Quasthoff) 04. — 40
Rautner, H: Georg Lillo's the Christian Hero u. dessen Rival
Plays. (39) 8⁰ München, Luitpold Kreis-Realsch. 1900. — 75
Ravano, A: Styptol, s.: Chiappe, G.
Raven: Der Offizier als Dolmetscher. Übgsstücke f. d. Vor-
bereitg z. Dolmetscherprüfg in russ., französ., engl. u. italien.
Sprache. 1. Tl. Russisch. (243 m. Abb.) 8⁰ Berl., R Eisen-
schmidt 05. L. 4.50
Raven, B, s.: Geschäfts- u. Schreibkalender f. Geistliche d.
hannov. Landeskirche.
— Übersicht d. Besetzg d. kirchl. Behörden u. Pfarrstellen
d. hannov. ev. luther. Landeskirche. 1905. (96) 8⁰ Hannov.,
H Feesche. 1 — d
Ravenegg, A, geb. Gräfin Lichtenberg: Die erprobte Honig-
Köchin, s.: Rothschütz, B, illustr. Bienenzuchtsbetrieb f. An-
fänger.
Ravensburg s.: Goeler v. Ravensburg.
Ravensburg, J: Lehrb. d. wiss. Graphol. (192) 8⁰ Lpzg, J
Mutze 05. 8—; geb. 5— d
Ravenstein's, FA, Radfahrerk. d. Umgegend v. Frankfurt am
Main. Mit Entfernungsangaben u. Tourenverz. 1:100,000. 6. Afl.
50×61,5 cm. Farbdr. Frankf. a/M., L Ravenstein (02). Auf L. 3—
Ravenstein's, H, Eisenb.-K. v. Deutschl. Nach Entwürfen v.
H Ravenstein gezeichnet v. C Peip. 1:1,250,000. 78,5×97 cm.
Farbdr. Nebst Stations-Verz. (39) 8⁰ Frankf. a/M., L Raven-
stein (04). In Kart. 2—; auf L. in Taschenformat 3—; m. St. 5—
— Radfahrer- u. Automobilk. d. badisch-württemberg. Ver-
kehrscentren. (Schwarzwald u. Schwäb. Alb.) 1:300,000. 80×
70 cm. Farbdr. Ebd. (05).
— dass. v. Herzogth. Braunschweig, Reg.-Bez. Hildesheim u.
d. Harz m. angrenz. Gebieten. 1:300,000. 52×59,5 cm. Farbdr.
Ebd. (02). Auf L. 2.50
— dass. f. d. Umgegend d. freien Stadt Bremen, d. Grossh.
Oldenburg, sowie d. Reg.-Bez. Stade u. Aurich nebst angrenz. Gebieten. 1:300,000. 64×88,5 cm. Farbdr. Ebd. (03).
Auf L. in Futteral 3—

Ravenstein's, H, Radfahrer- u. Automobilk. f. d. Reg.-Bez.
Breslau m. d. schles. Gebirgen. 1:300,000. 69×64 cm. Farbdr.
Frankf. a/M., L Ravenstein (05). Auf L. in Futteral 3—
— dass. f. d. Reg.-Bez. Bromberg. 1:300,000. 53×62 cm. Farbdr.
Ebd. (03). Auf L. in Futteral 2.50
— dass. f. d. Reg.-Bez. Coblenz u. Wiesbaden m. Rheingebiet v. Worms bis Köln a. Rhein. 1:300,000. 57,5×51,5 cm.
Farbdr. Ebd. (02). Auf L. 2.50
— dass. v. Elsass-L. (Vogesen). 1:300,000. 83×64,5 cm. Farbdr.
Ebd. (05). Auf L. 3—
— dass. f. d. Reg.-Bez. Erfurt u. d. Thüring. Staaten. 1:300,000.
61,5×74,5 cm. Farbdr. Ebd. (02). Auf L. in Futteral 3—
— dass. f. d. Reg.-Bez. Frankfurt a. d. Oder. Oestl. Bl. d. Radfahrerk. v. Brandenburg. 1:300,000. 75×65 cm. Farbdr. Ebd.
(03). Auf L. 3—
— dass. f. d. Reg.-Bez. Gumbinnen. 1:300,000. 78,5×52 cm.
Farbdr. Ebd. (03). Auf L. in Futteral 3—
— dass. f. d. Umgegend d. freien Städte Hamburg u. Lübeck.
1:300,000. 62×70 cm. Farbdr. Ebd. (03). Auf L. in Futteral 2.50
— dass. d. Prov. Hessen-Nassau, d. Prov. Oberhessen u. d. Fürstenth. Waldeck. 1:300,000. 65×68 cm. Farbdr. Ebd. (02).
Auf L. 3—
— dass. f. d. Reg.-Bez. Köln, Düsseldorf u. Aachen. 1:300,000.
69×47 cm. Farbdr. Ebd. (02). Auf L. 2.50
— dass. f. d. Reg.-Bez. Königsberg. 1:300,000. 81,5×58,5 cm.
Farbdr. Ebd. (03). Auf L. 3—
— dass. f. d. Reg.-Bez. Köslin. 1:300,000. 68,5×80,5 cm. Farbdr.
Ebd. (03). Auf L. in Futteral 3—
— dass. d. Umgegend v. Leipzig, Halle, Merseburg u. Naumburg. 1:300,000. 54×74 cm. Farbdr. Ebd. (05).
Auf L. in Futteral 2.50
— dass. f. d. Reg.-Bez. Liegnitz sowie d. Umgegend v. Görlitz u. Zittau. 1:300,000. 79,5×65,5 cm. Farbdr. Ebd. (05).
Auf L. in Futteral 3—
— dass. f. Lothringen u. angrenz. Länderteile. 1:300,000. 54,5×
61,5 cm. Farbdr. Ebd. (05). Auf L. 2.50
— dass. d. mittelrhein. Verkehrszentren. Weite Umgegend v.
Frankfurt v. M. 1:300,000. 54,5×81 cm. Ebd. (02). Auf L. 3—
— dass. d. Moselgebietes (Reg.-Bez. Trier) v. Coblenz bis Die-
denhofen. 1:300,000. 54×38 cm. Farbdr. Ebd. (03) Auf L. 2—
— dass. f. d. Reg.-Bez. Oppeln, sowie Teile d. Sudeten-Ge-
birges. 1:300,000. 53,5×65 cm. Farbdr. Ebd. (05).
Auf L. in Futteral 2.50
— dass. f. d. Reg.-Bez. Posen. 1:300,000. 64×75 cm. Farbdr.
Ebd. (03). Auf L. in Futteral 3—
— dass. f. d. Reg.-Bez. Potsdam u. Berlin m. Angabe d. Fahr-
beschränkgn f Radfahrer. Westl. Bl. d. Radfahrerk. v. Brandenburg. 1:300,000. 69×73 cm. Farbdr. Ebd. (02). Auf L. 3—
— dass. f. d. Reg.-Bez. Stettin m. Insel Rügen. 1:300,000. 68×
70 cm. Farbdr. Ebd. (03). Auf L. 3—
— Special-K. v. Mittel-Europa, s.: Liebenow, W.
Ravenstein's, L, Führer z. Gordon Bennett-Rennen 1904 m.
Karte v. Taunus u. d. Rennstrecke 1:300,000. Bearb. v. MR
Zechlin u. H Ravenstein. (26 m. 2 Kart. u. 4 Pl.) 8⁰ Frankf
a/M., L Ravenstein (04). 1—
— Führer f. Rad- u. Automobilfahrer in Deutschl. u. d. angrenz. Ländern. Bearb. v. EL Richter. m 1 Karte. (58, 448 u. 5 u. 72,
489—1088 u. 5) Geb. je 5—
Geb. je 1.50; in 2 Bde geb. m. 1 Karte. (58, 448 u. 5 u. 72,
489—1088 u. 5) Geb. je 5—
1. Schleswg-H., Mecklenbg, Hannover, Oldenbg, Westfalen, Schaumbg-
Lippe, Teile v. Holland u. Rundfahrt in d. Niederl. (170 m.1 Karte.) (05.)
2. Pommern, West- u. Ostpreussen, Posen, Brandenbg nebst Rügen, u.
Teil v. Russl., sowie d. Rundfahrt durch Norwegen. (94 u. 171—286 m.
1 Karte.) (05.)
3. Prov. u. Kgr. Sachsen; Thüringen, Schlesien u. Teile v. Hessen-Nassau,
sowie Rundfahrten im Harz, Thüringen, Sächsisch-böhm. Schweiz,
Riesengebirge, Erzgebirge u. s. w. (28 u. 289—488) (05.)
4. Rheinl. südlich bis a. Mosel, Teile v. Westfalen u. Hessen-Nassau,
Hessen, Bayern, Baden u. Württemberg (Eifel, Taunus, Odenwald,
Tauber- u. Neckargebiet), nebst Rundfahrten in d. Rheinstädten, Eifel,
Sauerland, Lahngebiet, Nahetalu.Taunus. (74 u.489—662 m. 1 Karte.)(04.)
5. Rheinl. südlich d. Mosel, Rheinhessen, bayr. Pfalz, Elsass-L. (Vogesen),
Baden, Württemberg (Schwarzwald) Schweiz, nebst Teilen v. Frankr.
u. Rundfahrten im Schwarzwald, Schweiz u. um d. Bodensee. (98 u.
665—896 m. 1 Karte.) (04.)
6. Bayern, Tirol, Salzburg, Steiermark, Kärnten, Ober- u. Niederösterr.,
Böhmen, Mähren u. Rundfahrt durch Tirol, Steiermark u. Kärnten.
(29 u. 897—1088 m. 1 Karte.) (04.)
— Karte d. Ostalpen. 1:250,000. Bl. I u. IV. Je 49×74,5 cm.
Farbdr. Ebd. (01). Je in 5 —; auf L. in L.-M. je in 6 —
I. Bair. u. algäuer Alpen. 3.Afl. § IV. Westtiroler u. Engadiner Alpen. 6.Afl.
— Radfahrer-K. d. Gaues Danzig (Westpreussen) d. deut. Rad-
fahrer-Bundes. 1:300,000. 68×76 cm. Farbdr. Ebd. (05).

— Radfahrer- u. Automobilk. d. Ostalpen. Radtourist. TV.
H Ravenstein. 1:500,000. Östl. u. westl. Bl. Je 53×57 cm.
Farbdr. Ebd. (01). Auf L. je 3—
— dass. v. Schleswig-H. (Bearb. v. H Ravenstein m. Zugrundelegg d. W Liebenow'schen Karte v. Mittel-Europa.) 1:300,000.
61,5×77 cm. Farbdr. Ebd. (01). Auf L. 3—
— Radtouristen-K. d. Main- u. Rheinthal-Waldgn zw. Frankfurt a/M. u. Darmstadt m. Angabe fahrbarer Waldwege.
1:50,000. 58×66 cm. Farbdr. Ebd. (02). Auf L. 3—
— Touristenk. d. Rhön u. d. nordwestl. Thüringer Waldes.
Volks-Ausg. 1:170,000. 65×54 cm. Farbdr. Ebd. (05).
— dass.v.Taunus m.Rhein-u. Lahn-Thal.Volks-Ausg.1:170,000.
44,5×56 cm. Farbdr. Ebd. (05). 1—
— Touristen- u. Schutzhütten-K. v. Tirol u. Vorarlberg u. an-

grenz. Tln d. Schweiz u. Oberitalien. Bernina, Adamello-gruppe u. Dolomiten. (Karte d. Ostalpen 1:500,000 in 2 Bl.) Westl. Bl. Aug. 1900. 53×64,5 cm. Farbdr. Frankf. a/M., L Ravenstein.   2 —; auf L. 3 —

Ravsb, HO: Manien u. Halluzinationen. Sonette u. Phantasien. (196) 8º Strassbg, J Singer 05.   2.50

Rawitz, B: Urgesch., Gesch. u. Politik. (362) 8º Berl., L Simion Nf. 03.   8 —; geb. 10 —; auch in 8 Lfgn zu 1 —

Raydt, E: Die vorläuf. Vollstreckbarkeit. (112) 8º Lpzg, Veit & Co, 04.   3 —

Raydt, H, s.: Jahresbericht d. Handelshochsch. zu Leipzig.
— Deut. Leseb. f. d. mittl. Kl. höh. Lehranst., s.: Lorenz, H.
— Spielnachmittage. (101) 8º Lpzg, BG Teubner 05.   1.60 d
— Volks- u. Jugendspr., s.: Hüliger's illustr. Volksbb.
— u. R Rössger: Deut. Leseb. f. Handelssch. u. verwandte Anst. (544) 8º Lpzg, R Voigtländer 02.   Geb. 2.80 d

Rayle: Die militär. Gelände-Beurteilg, s.: Rüdgisch, v.

Rayle, M: Das Briefkastenteufelchen u. and. Nachfischgeschichten. (175) 8º Mülh. a/R., J Bagel (01).   L 4 — d
— Elses Lehrjahre, s.: Herzog, L.

Raymond, G: René Chevalier. Uebers. v. M Dammermann. (386) 8º Stuttg., JF Steinkopf 04.   4 —; L. 5 — d

Raymond, JB: Geheime Zaubermittel, Talismane u. sympathet. Künste, Liebe einzuflössen od. zu zerstören. Nebst ausführl. Darstellg aller abergläub. Gebräuche u. Vorbedeutgn im Liebesleben beider Geschlechter. (72) 8º Lpzg, AF Schlöffel (1).   1.50 d

Raymond, V: Petit paroissien romain Nouv. éd. (228 m. Titelbild.) 9×6 cm. Einsied., Eberle, Kälin & Co. (03). Geb. nn — 56; nn — 76; nn 1.20 u. nn 2.40

Raymundiana seu documenta quae pertinent ad S. Raymundi de Pennaforti vitam et scripta, collegerunt, edd. F Balme, C Paban et J Collomb, s.: Monumenta ordinis fratrum praedicator. opera.

Raymundi Antonii instructio pastoralis. Iterum aucta et emendata. Ed. V. (24, 620) 8º Freibg i/B., Herder 02.   8 —; HF. 10 —

Raynouard's lexique roman, Berichtiggn u. Ergänzgn, s.: Levy, E, provenzal. Suppl.-Wörtb.

Read, O: Ein Yankee d. Westens. Roman. Aus d. Amerikan. v. A Gröning. (217) 8º Stuttg., Strecker & Schr. 04.   3 — d

Reade, C: Kloster u. Herd. Eine Gesch. a. d. M.-A. Deutsch v. M Jacobi. 2 Bde. (339 u. 361) 8º Stuttg., R Lutz 01. 5 —; geb. 6.50 d

Reader, Engl. I. Mit Anmerkgn f. d. Schulgebr. hrsg. v. E Armack. 3º Flensbg, A Westphalen.   — 50
I. Walten, EM: A seaside story. — Nursery rhymes and poetry. (64 u. 2) 05.   — 50

Reading book in the Tshi (Chwee) language for the 2. and 3. year in the vernacular schools in the Gold Coast and inland countries. (8. ed.) (64 n. 138) 12º Bas., Basler Missionsbb. 01.   In 1 Bd geb. 1.40

Reading exercises for students of shorthand after the system Gabelsb.-Geiger, s.: Lesebuch z. Übg in engl. u. franzö. Stenogr.

Real-Encyclopädie d. class. Altertumswiss., s.: Pauly.
— d. ges. Heilkd e. Medicinisch-chirurg. Handwrtrb. f. prakt. Aerzte. Hrsg. v. A Eulenburg. 2. Afl. 311—340. Lfg. (32—34. Bd. Encyclopäd. Jahrbücher. 10—13. Bd. Neue Folge. 1—3. Jahrg.) (676, 700 u. 598 m. Abb.) 8º Wien, Urban & Schw. 03—05.   Der Bd 15 —; HF. nn 17.50
— dass. 3. Afl. 251—264. Lfg. (26. Bd. 992 m. H.) 8º Ebd. 01. Je 1.50 (1—25. Bd: Je 15 —; 26. Bd 21 —; Einbde je nn 2.50) ‖265—304. Lfg. (27—30. Bd. Encyclopäd. Jahrbücher. 10—13. Bd. Neue Folge. 1—4. Jahrg.) (576, 700, 598 n. Abb.) 03—05.   Der Bd 15 —; HF. 17.50
— d. ges. Pharmazie. Handwrtrb. f. Apotheker, Ärzte u. Medizinalbeamte. Begründet v. E Geissler u. J Moeller. 2.Afl. Hrsg. v. J Moeller u. H Thomas. (In etwa 10 Bdn.) 1—6. Bd. (720, 720, 728, 720, 724 u. 712 m. Abb.) 8º Ebd. 04.05. Je 18 —; HF. nn je 20.50
— f. protestant. Theol. u. Kirche. Begründet v. JJ Herzog. In 3. Afl. hrsg. v. A Hauck. 87—166. Heft. (9. Bd. 481—812; 10—16. Bd. 882, 865b—875b n. 877b—; 762, 820, 804, 808, 820, 812 u. 17. Bd. 1—480) 8º Lpzg, JC Hinrichs' V. 01-05. Subskr.-Pr. je 1 —; Einzelpr. je 2 —(Der Bd 10 —; HF nn 12 —) d

Realienbuch. Leitf. f. d. Unterr. in d. Naturgesch., Naturlehre, Geograph. u. Gesch. an allg. Volkssch. 8º Wien, A Fichler's Wwe & S. (04).   Geb. 3 — d
Rothé, K: Grundr. d. Naturgesch. 5. Afl. v. K Rothé, J Frank, J Sttigl. (360) 04. ‖ Sttigl, J, E Kohl u. K Bichler: Grundr. d. Naturlehre. 1 u. 2. Afl. (71 m. Fig.) 1904. 05. ‖ Busch, G: Grundr. d. Geogr. 3. Afl. (129 m. Afl. ‖ Busch, G: Grundr. d. Gesch. 4.-5. Afl. (106 m. Abb.) 1899-1904.
— Berliner. Hrsg. v. Berliner Lehrerver. 2 Tle. 8º Berl., Schnetter & Dr. Lindemeyer 03.   nn 2.80 d
I. (131) nn 1 — ‖ 2. (464) nn 1.60.
— f. einf. Schulverhältn. Hrsg. v. G Debus, O Kruse, K Finckh u. J Warnecke. 2. Afl. Ausg. B f. kathol. Schulen. Heft H Schur. I. Naturgesch. II. Naturlehre. III. Geogr. IV. Gesch. (70, 45, 73, 61 u. 8 m. Abb.) s.: Schlesw., J Bergas V. 01. Geb. 1.50; Gesch. allein (61 u. 3 m. Abb.) 8º — 50 d
A. u. d. T.: Realienbuch f. Taubstummen-Anst.
— f. Taubstummen-Anst., s.: Realienbuch f. einf. Schulverhältn.
— f. Volks-. Bürger- u. Töchtersch., enth. Geogr., Gesch., Gesundheitslehre, Naturgesch. u. Naturlehre. Nach d. Bestimmgn

---

d. bad. Lehrpl. bearb. v. Karlsruher Lehrern. 9. Afl. (364 m. Abb.) 8º Bühl, Konkordia 04.   nn 1.05; geb. nn 1.30 d

Realienbücher f. österr. allg. Volkssch, hrsg. v. JM Hinterwaldner. I—IV, (Mit Abb.) 8º Wien, F Tempsky. Geb. nn 5.70 d
I. May, V, A Böipöl u. JM Hinterwaldner: Geogr. (58) 02.   nn 1 —
II. Braedis, E, u.JM Hinterwaldner: Gesch. m. e. Anh. „Gemeinnütziges". (58) 03.   nn 1 —
III. Arnhart, L, W Bauhofer u. JM Hinterwaldner: Physik, Chemie u. Mineral. (146) 02.   1.40
IV. Frank, F, W Bauhofer u. JM Hinterwaldner: Tier- u. Pflanzenkde nebst e. Anh.: „Der menschl. Körper u. dessen Pflege". (236) 02. nn. 2.30

Real-Lexikon, franzöz. Hrsg. v. C Klöpper. 22—30. Lfg. (3. Bd. 97—929) 8º Lpzg, Renger 01.02.   Je 2 — (Vollst., 3 Bde: Je 20 —; HF. je 22 —) d

Realprogymnasium, das. Vorbereitg z. Aufnahme in d. Obersekunda e. Realgymnasiums od. z. Abiegg d. Abschlussprüfg an e. Realprogymnasium. Methode Rustin. Selbst-Unterr.-Briefe in Verbindg m. eingeh. Fernunterr. Red. v. C Ilzig. 28—222. Lfg. (6589 m. Abb., 2 Tab., 3 [1 farb.] Taf. u. 17 Kart.) 8º Potsd., Bonnese & H. (01-05).   Subskr.-Pr. je — 90; Einzelpr. je 1.25 d
Zum T. a. u. d. T.: Prorealgymnasium.

Realschule, die. Vorbereitg z. Ablegg d. Reifeprüfg an e. lateinlosen Realsch. Methode Rustin. Selbst-Unterr.-Briefe in Verbindg m. eingeh. Fernunterr. Red. v. C Ilzig. 20—206. Lfg. (6133 m. Abb., 2 Tab., 3 [1 farb.] Taf. 16 Kart.) 8º Potsd., Bonness & H. (01-05).   Subskr.-Pr. je — 90; Einzelpr. je 1.25 d

Realsteuerstatistik f. 1901 u. 02. (147) 8º Wien, (Hof-u.Staatsdr.) (04).   †1.40

Réan, A: Die lust. Ecke od.: 100 kurze Gesch., d. etwas z. Lachen bieten. (252) 8º Brix. 02. (Innsbr., H Schwick.) 2.10 d

Rebayoli, G: Lehrb. d. italian. Sprache. I. Stufe u. H. Stufe 4. Lfg. 8º Münch., T Ackermann 04.   3.90 (I u. II.: 6.50) d
I. 2. Afl. d. „Grammatik". (67) 04. 1.50; geb. 2 — ‖ II 4. 25—35. Lektion. (49—68 u. 113—196) 01. 1.40 (II vollst. 3.40; geb. 4 —).

Rebay, F, u. O Keller: Josef Lanner, s.: Bilder a. d. Leben österr. Tonkünstler.

Rebber, W, u. A Pohlhausen: Berechng u. Konstruktion d. Maschinenelemente. 6. Afl. v. A Pohlhausen. (148 Bl. u. S. m. z. Tl farb. Abb. u. 7 S. Text.) 4º Mittw., Polyt. Bh. 05. L. 16 —

Rebe, M (Frau M Michel): Fallend Laub. — Vogesengrün, s.: Volksschriften, elsäss.

Rebe, W: Richt. Deutsch. Anl., um richtig deutsch sprechen zu lernen u. z. Beispiel stets mir od. mich richtig zu setzen. (96) 12º Berl., W Frey (o. J.).   — 20 d
— 64 gedieg. u. wirksame Gedichte, Vorträge u. Aufführgr f. Polterabende. (79) 12º Ebd. (o. J.).   — 20 d
— Der kl. Gratulant. Sammlg v. Glückwünschen. (79) 12º Ebd. (02).   — 20 d
— Zur grünen Hochzeit. 54 ausgew. Gedichte u. Aufführgn nebst e. Lustsp. (80) 12º Ebd. (o. J.).   — 20 d
— Zur silbernen u. gold. Hochzeit. Gedichte, Vorträge u. Aufführgn. (80) 12º Ebd. (o. J.).   — 20 d
— 125 gereimte Postkartengrüsse. (32) 12º Ebd. (o. J.).   — 20 d
— Guter prakt. Rechnen. Leichtfassl., gemeinverständl. Anl. f. d. Selbst-Unterr. (64) 12º Ebd. (o. J.).   — 20 d
— Die Rechtschreiblehre(Orthogr.). (40) 12ºEbd. (o. J.).   — 20 d
— Stammbuch-Dichtgn. (79) 12º Ebd. (o. J.).   — 20 d
— Der gute Ton. (72) 12º Ebd. (o. J.).   — 20 d
— Orthograph. Wrtrverz. d. deut. Sprache in d. amtl. (neuen) Rechtschreibg. m. Sacherklärgn u. Verdeutschgn d. weniger gebräuchl. Fremdwörter. (74) 12º Charlittabg (o. J.).   [Berl., W Frey]   — 20 d

Rebec, T: Katech. d. registr. Hilfscassen in Oesterr. (128) 8º Brünn, Karafiat & S. 01.   1.50
— Meister-Unterstützgscassen. Katech. d. registr. Hilfscassen in Österr. (128) 8º Ebd. 01.   1.50

Rebek, F: Hilfsb. z. „System d. österr. allg. Privatrechtes" v. Krainz-Pfaff-Ehrenzweig. Spez. Tl. 3—4. Buch. 8º Wien, Manz 05.   2 —
2. Obligationsrecht. (97) 1 — ‖ 3.4. Familien- u. Erbrecht. (132) 1.40.
Das 1. Buch ist noch nicht erschienen.

Rebekka, e. treues Hereromädchen, s.: Missions-Traktate, kl.

Rebel, B: Familie Wickelwackal. Heit. Tageb. e. Münchnerin in d. Sommerfrische. (80 m. Abb.) 4º Münch., C Haushalter 02.   Kart. (1.30) 1 — d

Rebel, H: Zur Biol. d. Blüten, s.: Vorträge d. Ver. z. Verbreitg naturwiss. Kenntnisse in Wien.
— Catalog d. Lepidopteren d. palaearct. Faunengebietes, s.: Staudinger, O.
— Ueb. eine. neue v. Hrn M Korb in Westasien ges. Lepidopterenformen. [S.-A.] (3) 8º Wien, A Hölder 01.   — 40
— 2 neue Saturniiden a. Deutsch-Ostafrika. [S.-A.] (16 m. Abb. u. 2 Taf.) 8º Ebd. 04.   — 40
— Studien üb. d. Lepidopterenfauna d. Balkanländer. L u. II. Tl. [S.-A.] 8º Ebd.   25 —
I. Bulgarien n. Ostrumelien. (225 m. 1 farb. Taf.) 03.   12 —
II. Bosnien u. Herzégowina. (261 m. 2 farb. Taf.) 04.   16 —

Rebele, K, s.: Kinderfreund, d.
— Lehrstoff f. Anschauungsunterr. u. Heimatkde. 2. Afl. Neu bearb. v. mehreren Lehrern. (239 m. Abb., 5 Pl., 1 Karte u. 1 farb. Taf.) 8º Augsbg, Schwäb. permanente Schulausstellg 04.   Geb. nn 3.25 d
— u. O Langer: Aufsätze f. d. Unterkl. d. Volkssch. 3. Afl. (52) 8º Ebd. 02.   Geb. — 70 d

Rebell, H: In ·d. Bädern v. Bajae. Übers. v. P Langenscheidt. (148 m. Abb.) 8° Berl.-Gr. Lichterf.-Ost, Dr. P Langenscheidt. (04).   1—; L.—
— Die Nichina. Ungedr. Memoiren d. Lorenzo Vendramin. Aus d. Franz. v. Morizeau. (519 m. Abb.) 8° Prag, A Hynek (05). 5 —d
Rebennack, RA: Der Radtourist f. Südwestdeutschl. Führer f. Rad- u. Automobilfahrer v. Bingen bis Basel u. v. Nancy bis Stuttgart, Odenwald. Schwarzwald, Hunsrück, Elsass-L., Pfalz, franz. Vogesen. (212 m. 7 Kart.) 8° Strassbg, F Bull 04.   Geb. 6 —
Reber: Der bewährte Haustierarzt. Neue Ausg. (127 m. Abb.) 8° Reutl., Ensslin & L. (04).   — 75 d
Reber, F v.: Die byzantin. Frage in d. Architekturgesch. [S.-A.] (41) 8° Münch., (G Franz' V.) 03.   60
— s.: Katalog d. Gemälde-Sammlg d. kgl. ält. Pinakothek in München.
— Die Korrespondenz zw. d. Kronprinzen Ludwig v. Bayern u. d. Galeriebeamten G Dillis. [S.-A.] (59 m. 1 Taf.) 8° Münch., (G Franz' V.) 04.   1.20
Reber, M, s.: Jahresbericht d. Kinderspitals in Basel.
Reber, O, s.: Schweitzer's Terminkalender f. d. bayer. Juristen.
Reber, P: Hie Basel — hie Schweizerboden! Bilder a. d. Leben d. Eidgenossen. (40 m. Abb.) 8° Bas., B Schwabe 01. — 80 d
Rebhann, A : Lehrb. d. allg. Gesch. f. d. ob. Kl. d. Realsch. u. and. verwandter Lehranst. 2. u. 3. Tl. Nach d. Lehrb. A Zeehes· f. Gymnasien bearb. 8° Laib., J v. Kleinmayr & F Bamberg.   Geb. 4.60 (Vollst.: 7 —)
2. M.-A. u. Neuzeit bis z. Ende d. 30jähr. Kriegs. (294 m. 3 Stammtaf.) 01. 2.60 || 3. Neuzeit seit d. westfäl. Frieden. (151 m. 2 Tab.) 02. 2 —
Den 1. Tl bildet: Rebhann, A, Lehrb. d. Gesch. d. Allertbums (im Kat. 1896/1900).
— Lehrb. d. Gesch. d. Altertums, d. M.-A. u. d. Neuzeit, s.: Hannak, E.
Rebholz, H: Anl. z. Obstbau m. spez. Berücks. d. Spalierzucht. Der Obstbaum, s. Erziehg, Pflanzg u. Pflege, s. Freunde u. Feinde, sowie d. Verwertg sr Ernten. 3. Afl. (205 m. Abb.) 8° Wiesb., R Bechtold & Co. (05).   2.50 d
Rebiček, H : Neue abgekürzte rationelle Güterbuchführg in Doppelposten m. bes. Berücks. d. Personaleinkommensteuervorschriften. (264) 8° Prag, JG Calve 03.   1 —
Rebmann, E: Der mensch. Körper, s.: Sammlung Göschen.
Rebracha, C Edler v., s.: Erbfolge-Krieg, österr.
Rebs, A: Anl. z. Lackiren v. Streichinstrumenten, sowie z. Herstellg d. dabei zu verwend. Beizen, Firnisse u. Lacke. 2. Afl. (46) 8° Lpzg, P de Wit 09.   1 —
Rebuffat, O: Studien üb. d. Zusammensetzg d. hydraul. Cemente. (Aus d. Ital.) [S.-A.] (18) 4° Stuttg. 1899. (Freibg i/B., J Bielefeld.) ·   2.50
Recensement fédéral de la population du 1er XII. 1900, s.: Volkszählung, eidgenöss.
Recept . . s.: Rezept . . .
Rech, MKH: Das Rechtsverhältnis. (79) 8° Bonn, H Behrendt 1.   1.20
Rechberg, A: Plastiken u. Kartons. (14 Taf.) Mit erläut. (Von P Kühn.) (8 m. 1 Bildnis.) 4° Lpzg, (JJ Weber) 0 Text In M. 6 — d
Rechberger, H: 1. Relig.-Büchl. f. Taubstumme. (59 m. Abb.) 8° Linz, (Pressver.) 05.   Kart. nn — 50 d
Reche, H: Wie soll man Krebse kochen? Wie soll man Krebse essen? (15) 8° Kattow., G Siwinna (04).   — 75
Rechenberg, E v.: Üb. Einschränkg d. Getreidebaues zu Gunsten d. Viehhaltg. (77) 8° Neisse 02. (Dresd., v. Zahn & J.) 3 —
Rechenberger, O: Wie fasst man Bewerbgsbriefe ab? 4. Afl. (29) 8° Wism. 02. (Berl., S. 42; Wasserthorstr. 27, Berolina-Versand-Bh.)
Rechenbuch, Bochumer. Ausg. A (in 4 Heften nebst e. Rechenfibel u. e. Antwortenheft), Rechenfibel u. 1.—IV. Heft u. Anh. z. IV. Heft. 8° Boch., (F Endemann).   nn 1.80 d
Rechenfibel. (110—129. Taus.) (39) 04./nn — 15; geb. nn — 25 || I. (3. Schulj.) (170—180. Taus.) (40) 04. nn — 20 || II. (3. u. 4. Schulj.) 192.—190. Taus. (78) 04. nn — 40 || III. (5. u. 6. Schulj.) (150—160. Taus.) (104 m. Fig.) 05. nn — 50 || IV. (7. u. 8. Schulj.) 13. Afl. (107) 04. nn — 60; Anh. Die Invalidit.-, Alters-, Kranken- u. Unfall-Versicherg. (Früher § 7 d. Rechenb.) (15) 01. nn — 05.
— **Essener,** f. Volkssch. Hrsg. v. Essen-Werden-Mülheimer Lehrer-Ver. II. u. III. Heft. 8° Ess., GD Baedeker.   Geb. je nn — 30 d
II. (Für Unterkl.) 04. Afl. (52) 03. § III. 21. Afl. (43) 05.
— **f. Kapitulantensch.** Zum Dienstgebr. ausg. v. kgl. preuss. Kriegsministerium. (314 m. Fig.) 8° Berl., ES Mittler & S. 03.   nn 1 —; geb. nn 1.30 d
— **Kölner.** Hrsg. v. Kölner Lehrer-Ver. 4 Tle. 8° Cöln, M Du Mont-Sch. 05.   Geb. nn 2.85 d
I. 1. Heft. 39. Afl. (56) nn — 55 || II. 2. Heft. (152) nn — 55 || III. 3. Heft. 27. Afl. (127) nn — 55 || IV. 7. Heft. 21. Afl. (90 m. Fig.) nn — 60.
— **f. landw. Wintersch.** sowie f. ländl. Fortbildgsch. u. ähnl. Lehranst. Hrsg. auf Veranlassg d. landw. Ver. f. Rheinpreussen. 2. Afl. (90) 8° Bonn, F Cohen 1900.   Geb. 1.80 d
— **f. Mädchen-Fortbildgsch.,** höh. Mädchensch., Töchterpensionate, Haushaltgssch. etc. Hrsg. v. e. Schulinspektor u. ein. Lehrern: (79) 8° Stuttg., Muth 02.   Kart. nn — 45 d
         Lehrerausg. (90) Kart. nn 1.30 d
— **f. Mädchensch.** II., III. u. V. Stufe. 8° Hildburgh., FW Gadow & Sohn.   — 85 d
II. 7° Afl. (48) 05. — 95 || III. 8. Afl. (52) 05. — 95 || V. 9. Afl. (68) 01. — 85.

Rechenbuch f. Volkssch. Ausg. A. Hrsg. v. pädagog. Ver. zu Chemnitz. 6 Hefte. 7. Afl. 8° Chemn., (JCF Pickenhahn & S.) 03.   1.55 d
I. (40) — 20 || II—IV. (Je 56) Je — 25 || V. VI. (Je 64) Je — 30.
— dass. Ausg. B. I.—IV. Heft. 8° Ebd.   1.10 d
I. 8. Afl. (45) 05. — 25 || II. 4. Afl. (64) 05. — 30 || III. 3. Afl. (56)' 04. — 25 || IV. 3. Afl. (64) 04. — 30.
— dass. Aneg. B. Lösgn z. III. u. IV. Heft. (32 u. 31) 8° Ebd. 04.   Je — 50 d
— f. Volkssch. (In 5 Heften.) Bearb. v. Dresdner Schulmännern. I. u. V. Heft. 8° Dresd., Bleyl & K. nn — 60 (Vollst.: nn 1.40) d
I. 30—45. Taus. (46) 02. nn — 25 || V. 1.—12. Taus. (80) 01. nn — 35.
— dass. Lehrerheft u. Lösgn. 2 Tle. 8° Ebd.   Je nn 1.20 d
1. Heft 1 bis 8. (79) 1900. § 2. Heft 4 u. 5. (79) 01.
— f. Volkssch. Hrsg. v. Schulmännern d. Vogtlandes. 1. u. 2. Heft. 8° Plauen, A Kell.   nn — 45 d
1. (36) 05. nn — 20 || 2. (48) 05. nn — 25.
— f. Volks-, Mittel- u. höh. Mädchensch. Hrsg. v. württ. ev. Lehrer-Unterstützgsver. 3 Tle. Lehrerausg. 8° Stuttg., A Bonz & Co.   Kart. nn 6.70 d
I. Unterst. (118) 03. 1.50 || II. Mittelst. (212) 02. nn 2.70; 2. Afl. (186) 05. nn 2.50 || III. Oberst. 2. Afl. (200) 05. nn 2.70.
— dass. Schülerausg. 3 Tle. 8° Ebd.   nn 1.10 d
I. Unterst. (40) 05. nn — 25 || II. Mittelst. 1.—3. Afl. (80) 02.03 | 4. Afl. (72) 05. Je nn — 35 || III. Oberst. 6. Afl. (127 m. Fig.) 05. Kart. nn — 50.
— dass. Lehrerausg. zu d. kl. Schülerausg. 3. Afl. (112) 8° Ebd.   Kart. nn 1.40 d
— dass. Schülerausg. f. einf. Schulverhältn. III. Tl: Oberst. 8. Afl. (63 m: Abb.) 8° Ebd. 05.   nn — 30 d
— dass. Schülerausg. f. mehrklass. Schulen. III. Tl: Oberst. 5. Afl. (127) 8° Ebd. 05.   Kart. nn — 50 d
— u. **Anleitung** z. einf. Buchführg f. d. Metzgergewerbe m. bes. Berücks. d. Münch. Verhältn. (80) 8° Münch., (M Kellerer) 02.   nn 1 — d
Rechenheft z. Gebr. in psychiatr. Kliniken. (Von Kraepelin.) (20) 4° Hdlbg, J Hörning (01).   nn — 50
Rechenhelfer, gr., bei Ein- u. Verkauf v. 1 Pfennig bis 3 Mark u. zwar v. 1/16 bis zu 3000 Stück, Meter, Kilogramm, Schicht, Tag od. sonst etwas. (300) 12° Kattow., G Siwinna (02).   Kart. 2 — d
— zuverlässiger. Tab. z. genauen Ermittlg d. Kostenbetrages v. 1 bis 1000 Stück, deren Einzelpreis 1 Pfennig bis 300 Mark beträgt. 8. Afl. (432) 12° Lpzg, BF Voigt 04.   Kart. 2 — d
Rechenknecht, d. schnelle u. zuverläss., f. d. Ein- u. Verkauf belieb. Stückzahl v. 1—3000 Stück. (136) 8° Neuweissens., E Bartels (o. J.).   Kart. 2 — d
Rechenschule f. einfachere Schulverhältn. Hrsg. v. hess. Volksschullehrer-Ver. Ausg. A in 3 Heften. 8° Cass., Hess. Schulbh. R Röttger.   nn — 80 d
I. 4. Afl. (32) 05. nn — 20 || II. 3. Afl. (45) 02. nn — 30 || III. 2. Afl. (56) 02. nn — 30.
— Hrsg. v. hess. Volksschullehrer-Ver. Ausg. B in 5 Heften. 2. Afl. 8° Ebd.   nn 1 — d
I. (20) 02. nn — 15 || II. (24) 02. nn — 15 || III. 2. Afl. (32) 03. nn — 20 || IV. 3. Afl. (32) 03. nn — 20 || V.
Rechentafel 1—3. (Von Ullrich.) Je 68×100,5 cm. Bunzl., G Kreuschmer (03).   Je 1 — d
— z. Lohnberechng v. 1—70 Stunden zu 5—70 Pf, nebst Einstab. (8 S. auf Pappe.) 4° Halle, L Hofstetter, V. (01).   In·L.-M. 3 —
Rechentafeln. 40 Bl. je 100×77 cm. Donauw., L Auer (01).   Mit Hängevorrichtg nn 36 —
Rechholtz: Ein. wicht. Fragen a. d. Geb. d. Schulgesundheitspflege. Vortr. (10) 8° Flöha, A Peitz & S. 03. || 2. Afl. (21) 04.   Je — 25 d
Rechinger, K: Die Vegetationsverhältn. v. Aussee im Obersteiermark, s.: Favarger, L.
— Verz. d. gelegentlich e. Reise im J. 1897 in d. rumän. Karpathen v. K Loitlesberger ges. Phanerogamen. [S.-A.] (18) 8° Wien, (A Hölder) 04.
Rechnen, kaufmänn. Bearb. u. d. 5. Tl d. Hamburger Schulrechenb. Hrsg. v. d. Gesellsch. d. Freunde d. vaterländ. Schul- u. Erziehgswesens. 2. Afl. (112) 8° Hambg, (C Boysen) 04.   Geb. 1.20 d
Rechner, AF, s.: Zum Gedächtnis usw. d. Pfarrers GJ Rechner.
Rechnungen, d. d. Kirchenmeisteramtes v. St. Stephan zu Wien. Hrsg. v. K Uhlirz. 2 Abtlgn. 8° Wien, (Gerlach & W.)   nn 27 —
I. Ausgaben auf d. Steinhütte währ. d. J. 1404, 07, 15—17, 20, 22, 26, 27, 29, 30, 1535. (296 m. 1 Lichtdr.) 01.
II. Einnahmen u. Ausgaben auf d. J. 1404, 07, 08, 15—17, 20, 22, 26, 27, 29, 30, 76, 1535. Einl., Beil., Sach- u. Ortsverz. (48 u. 341—570) 02.
Recht, das. Rundschau f. d. deut. Juristenstand. Hrsg. u. red. v. HT Soergel. 5. Jahrg. 1901. 24 Nrn. (20, 628) 4° Hannov., Helwing. Viertelj. 3 — || 6—9. Jahrg. 1902—05. 24 Nrn. (ca. 640) Je 4 — || 6. Jahrg. (48, 688) Viertelj. 3.50; einz. Nrn — 70
— dass. Gesamtreg. zu d. Jahrgängen 1900—2. Bearb. v. P Winter. (68) 4° Ebd. 03.   3 —
— das. Volkstüml. Zeitschrift f. österr. Rechtsleben. Hrsg.: J Ingwer u. J Rosner. 1. u. 2. Jahr. Juli 1902—Juni 1904. 12 Nrn. (300 u. 296) 8° Wien, (Wiener Volksbh.). Je nn 4 — einz. Nrn nn — 15 || 3. u. 4. Jahrg. 1904/5 je 24 Nrn. (384 u. 382) Je 4.80; einz. Nrn — 30
— dass. Separatausg. Nr. 1 u. 2. 8° Ebd.   nn 27 —
Ingwer, J: Der Fall Hartmann. Zur Gesch. d. Unabhängigk. d. österr. Rechtspreche. (76) 05. [5.]
Rosner, J: Der Kollektivvertrag. (15) 03. [1.]

Recht, d., d. bürgerl. Gesetzb. in Einzeldarstellgn. I. Bd,
1 u. 2; IV. u. VI. Bd; IX. Bd, 2. Lfg; XII. u. XIII. Bd. 8° Berl.,
J Guttentag. 42 — d
Buhl, H: Das Recht d. bewegl. Sachen. (130) 01. [XII.] 3 — ; L. nn 3.75
Peiser, H: Hdb. d. Testamentsrechts m. zahlreichen Beisp. u. Formularen.
(422) 02. [XIII.] 8 — ; L. 9 —
Schollmeyer, F: Das Recht d. einz. Schuldverhältn. 2. Afl. (241) 04. [IV.]
5 — ; L. 6 —
Siméon, P: Die Reichsgrundbuchordng u. ihre landesrechtl. Ergänzgn.
Einführg in d. Grundbuchwesen d. Deut. Reichs m. bes. Berücks.
Preussens. 2. Afl. (125) 01. [VI.] 3 — ; L. nn 3.75
Spahn, P: Verwandtschaft u. Vormundschaft. 2. Lfg. (137—291) 01. [IX.]
3 — (Vollst.: 6 — ; L. nn 6.75)
Strohal, E: Das deut. Erbrecht. 2. Afl. (598) 01. [I.] 12 — ; L. 13 — ; 3. Afl.
- 1. Bd. (551) 03. 11 — ; geb. 12 — ; 2. (Schl.)Bd. (467) 04. 9 — ; geb. 10 —
- d. ges. deut., f. d. deut. Volk in leicht fassl. Darstellg.
verbunden m. umfangreicher Anl. u. Mustern z. Erledigg d.
schriftl. Verkehrs. Bearb. v. A Leander, H Neumann, K Naumann u. a. 1—37. Lfg. (1727) 8° Potsd., Bonness & H. (05).
Subskr.-Pr. je — 70; Einzelpr. je 1 — d
- d., d. Feder, s.: Praxis, d. literar.
- d. Grundeigentums. Amtl. Handausg. 1. u. 2. Heft. 8°
Darmst., G Jonghaus. Je — 20 d
Gesetz, d. Familien-Fideikommisse betr. v. 13.IX.1858, in d. Fassg d.
Bekanntmachg v. 30.IX.1899. (8) 05. [2.]
Instruktion f. d. Feldgeschworenen d. Grossh. Hessen v. 23.II.1853 unter
Berücks. d. inzw. verordn. Aendergn, nebst e. Anh., enth.: Die Ges.,
d. Feststellg u. Erhaltg d. inneren Grenzen betr., v. 23.X.1850 u. 14.VIII.
1867. (19) 05. [1.]
- d. d. Handlsgehilfen. Kurze Erläuterg üb. d. 6. Abschn. d. Handelsgesetzb. unter Berücks. d. BGB., d. Gewerbeordng u. d. übr. einschläg. Ges., nebst Sachreg. 5 Afl. (94)
8° Hambg, Deutschmeister Handlsgehilfen-Verband 03.
— 50 d
- d., österr. Euth. e. Sammlg aller d. Verfassg, Verwaltg,
d. Finanzwesen, sowie d. Justizgesetzgebg, d. Industrie, d.
Handel u. d. Gewerbe betr. Reichsges. u. Verordngn, m. Erläutergn u. e. erschöpf. Formularb. Bearb. u. hrsg. v. E Friedmann, A Saudig u. J Wach. 3 Bde. (1488, 1560 u. 1347, Formulare 168 u. Sachreg. 76) 8° Berl., Deut. Verlagshaus Bong &
Co. L. 42.50 d
— verlangen wir, nichts als Recht! Ein Notschrei d. deut.
Zivilmusiker. Hrsg. v. Präsidium d. Allg. deut. Musiker-Ver-
bandes. (159) 8° Berlin (N., Chausseestr. 123), Allg. deut. Mu-
siker-Verband 04. — 50 d
Rechte, uns. kirchl. Wegweiser f. d. erwachs. Glieder d. ev.-
luther. Landeskirche, bes. auch f. Kirchenvorsteher. (30) 8°
Hannov., H Feesche 04. — 50 d
Rechtfertigungslehre, kathol. u. protestant., s.: Sammlung
zeitgemässer Broschüren.
Rechting, F: Systemat. einf. Buchführg z. Selbstunterr. (48
m. 1 Formular.) 8° Unna, G Hornung (02). 1 — d
Rechts u. links d. Eisenb.! Neue Führer auf d. Hauptb. im
Deut. Reiche. Hrsg. v. F Langhans. 1—65. Heft. (Mit je 2 Kart.)
8° Gotha, J Perthes. Je — 50 d
Aachen—Berlin üb. Holaminden u. Soest u. zurück. Von J Langenbeck.
(31 u. 32) (04.) [20.19.]
Basel—Frankfurt a. M. (linksrheinisch) u. zurück. Von R Langenbeck.
(Je 31) (05.) [50.49.]
Basel—Frankfurt a. M. u. Mainz (rechtsrheinisch) u. zurück. Von L Neu-
mann. (Je 32) (05.) [48.47.]
Berlin—Bremen—Ostfries. Bäder (Borkum, Juist, Norderney u. a. u.
zurück. Von E Oehlmann. (31 u. 32) (05.) [57.58.]
- Berlin—Breslau üb. Sagan od. Kohlfurt od. Glogau u. zurück. Von J
Partsch. (Je 32) (05.) [53.56.]
Berlin—Cöln üb. Hannover u. zurück. Von F Lampe. (Je 32) (04.) [11.12.]
Berlin—Kydllahnen üb. Dansig—Königsbarg—Memel u. zurück. Von
W Schjerning. (Je 30) (04.) [15.16.]
- Berlin. (Je 31) Frankfurt a. M. üb. Eisenach u. zurück. Von H Fischer. (Je 31)
(05.) [1.]
Berlin—Frankfurt a. M. üb. Giesen—Sangerhausen—Cassel u. zurück.
Von W Sievers. (30 u. 79) (04.) [13.14.]
Berlin—Görlitz—(Glatz)—Breslau u. zurück. Von W Schjerning. (Je 32)
(05.) [51.52.]
Berlin—Kopenhagen üb. Warnemünde u. zurück. Von R Hansen. (30 u.
31) (04.) [9.10.]
Berlin—Nordseebäder (Sylt, Föhr, Amrum, Röm) üb. Hamburg u. zurück.
Von R Hansen. (31 u. 30) (04.) [3.4.]
- Berlin—Prag üb. Zossen, Dresden u. Bodenbach u. zurück. Von W Schjer.
ning. (Je 31) (04.) [17.18.]
- Berlin—Stettin—Ostseebäder (Heringsdorf, Misdroy, Kolberg, Sassnitz
u. a.) u. zurück. (Je 30) (05.) [35.36.]
Berlin—Stralsund—Rügen (Nordbahn)—Trelleborg [Schweden] m. Anschl.
u. zurück. Von E Lentz. (30 u. 79) (05.) [53.54.]
Bodensee—Arlberg—Innsbruck—München u. zurück. Von E Lentz. (31 u.
32) (05.) [29.31.]
Breslau—Leipzig—(Halle) üb. Dresden—Riesa, Dresden—Meissen, Kohl.
furt—Ellenborg u. zurück. Von J Partsch. (30 u.
32) (05.) [60.59.]
Cöln—Rh.—Bremen—Hamburg u. zurück. Von F Lampe. (31 u. 30)
(05.) [64.63.]
Düsseldorf—Cöln—Frankfurt a. M. (rechtsrheinisch) u. zurück. Von F
Lampe. (Je 32) (05.) [27.28.]
Düsseldorf—Cöln—Frankfurt a. M. (linksrheinisch) u. zurück. Von E Lampe.
(Je 32) (05.) [30.29.]
Cöln—München üb. Würzburg—Ansbach u. zurück. Von F Regel. (Je 32)
(05.) [43.44.]
Frankfurt a. M.—Hamburg üb. Bebra u. zurück. Von E Oehlmann. (Je 31)
(04.) [6.5.]
Frankfurt a. M.—Hamburg üb. Cassel u. zurück. Von E Oehlmann. (Je 31)
(04.) [5.7.]
Frankfurt a. M.—Passau u. zurück. Von W Halbfass. (Je 32) (04.) [23.24.]
Giessen—Nancy üb. Coblenz—Trier—Metz u. zurück. Von W Sievers.
(Je 32) (04.) [25.26.]
Halle—Saalfeld—Nürnberg—München u. zurück. Von W Uhle. (30 u. 32)
(05.) [61.62.]
Hamburg—Kiel—Kopenhagen u. zurück. Von R Hansen. (30 u. 32) (05.)
[39.40.]
Ischl—Salzburg—München m: Anschl. v. Aussee, Gmunden, Gastein u.
Berchtesgaden u. zurück. Von E Lentz. (31 u. 34) (05.) [34.33.]
Leipzig—München üb. Hof u. Eger-Regensburg u. zurück. Von J Zetam-
rich. (30 u. 79) (05.) [37.38.]
Luzern—Zürich—Lindau—München u. zurück. Von E Lentz. (30 u. 31)
(05.) [46.45.]
München—Strassburg üb. Stuttgart u. zurück. Von W Halbfass. (Je 32)
(04.) [22.21.]
Norddeutsdorf—Würzburg—Stuttgart u. zurück. Von F Regel. (Je 32)
(05.) [41.42.]
Stockholm—Linköping—Nässjö—Malmö—Trelleborg. Von A Kempe. (31)
(05.) [65.]

Rechtsanwalt, der. Für Nichtjuristen praktisch erläutert v.
e. Juristen. (184) 8° Neuweissens., E Bartels (o. J.). 1.50 d
- d., im Hause, s.: Grethlein's prakt. Hausbibliothek.
Rechtsbuch, armen. Ediert u. kommentiert v. J Karst. 2 Bde.
4° Strassbg, KJ Trübner 05. 70 —
1. Kodex, Sempádacher, a. d. 13. Jahrh. od. Mittelarmen. Rechtsb. Nach
d. Venediger u. d. Etschmiedziner Version unter Zurückführg auf e.
Quellen hrsg. u. übers. (32, 224)
2. Kodex, Sempádacher, a. d. 13. Jahrh. in Verbindg m. d. grossarmen.
Rechtsb. d. Mechithar Gosch. (a. d. 12. Jahrh.). Unter Berücks. d. jüng.
abgeleiteten Gesetzbb. erläutert. (424)
- thurgauisches. Gerichtl. Abtlg. Sammlg v. Ges. u. Verordngn
d. Kt. Thurgau m. grundsätzl. Entscheiden a. d. Rechenschafts-
berichten d. Obergerichtes. d. Kt. Thurgau 1862—99, d. Re-
gierungsrates 1869—99 u. den d. thurgau. Recht betr. Entscheiden
d. schweiz. Bundesgerichtes 1874—99. (628)8° Frauenf., (Huber
& Co.) 02. L. 2.40
Rechtsbücher f. d. deut. Volk. Hrsg. v. M Raschke. 7 Bde. 8°
Berl., E Ebering. 11.80 d ö F
Brühl, L: Das Mietrecht. (121) 01. [3.] 2 —
Liszt, F v., u. P Duensing: Die Zwangsvollstr. n. d. im Anschl. an d. BGB.
erfolgten Neuregelg durch d. Landesges. (60) 01. [2.] 1 —
Mühsam, P: Freiwill. Gerichtsbark. (48) 02. [5.] — 60
Oertmann, P: Das Civilprozessrecht. (144) 02. [6.] 2.50
Raschke, M: Das Vormundschaftsrecht. (104) 01. [1.] 1.80
Rosenfeld, K, u. M Raschke: Das Eherecht. (149) 02. [4.] 2.20
Weymann, K: Das Invalidenversicherungsges. v. 13.VII.1899. (86) 03. [7.] 1.50
- vollständiuml., s.: Bibliothek d. prakt. Wissens.
Rechtschaffen, F: 6 Fastenpredigten üb. d. Leben d. hl. Mar-
garetha v. Cortona. [S.-A.] (47) 8° Wien, H Kirsch 01. — 60 d
- Der „neue Herr“. Erzählg. 2. Afl. (105) 8° Ebd. 01. 2 — d
Rechtschreibung, deut., n. d. im Auftr. d. kgl. Kultusministe-
riums hrsg. Büchl. elementarisch bearb. m. d. Übgsaufg., e.
Zeichensetzgslehre u. e. Wrtrverz. versehen v. e. prakt. Schulmanne. 26. Afl. (40) 8° Dortm., W Crüwell 03. nn — 15 d
- d. deut. Nach d. neuen amtl. Regelb. bearb. f. d. Hand d.
Schülers u. e. prakt. Schulmanne. (16) 8° Trier, F Lintz 02.
ll 3. Afl. (15) 05. Je — 15 d
- d., im Beisp., Regeln u. Anfg. Lern- u. Übgsb. f.d. Volkssch.
u. d. unt. Kl. höh. Lehranst. v. e. prakt. Schulmanne. 4. Afl.
(32) 8° Bielef., A Helmich 03. nn — 25 d
- neue. Die wichtigsten Andergn d. neuen amtl. Rechtschreibg
· f. jedermann. (2)* 4° Nordhorn 02. (L z , R Streller.) — 02;
(1. Bl.) Fol. — 02; auf Pappe — 10
- d. neue. (Von O Wilpert.) Plakat. 54×96cm. Gross-Strehl',
A Wilpert (08). — 30 d
- neue deut. Übersicht d. Neuergn z. Schul- u. Dienstgebr.
(8) 8° Stuttg., W Kohlhammer (05). — 10 d
- d. neue deut. Wrtrverz. n. d. amtl. Regeln. (16) 8° Zab., A
Fuchs 03. — 30 d
- d. neue deut., aber f. d. Bl. dargest. durch 100 d. wichtigsten
Wörter. 4° Wien, M Perles (02). — 10; Visitkartenformat, 18°,
— 06 d
- d. neue deut.; (nach Duden). Amtlich f. d. Schweiz, sowie f. d.
ges. übr. deut. Sprachgebiet. Hrsg. v. ein. Lehrern. (32) 16°
Zür., Fäsi & B. (04). — 12 d
- u. Sprachlehre in Beisp., Regeln u. Übgn f. Elementarsch.
Hrsg. v. Lehrer-Ver. z. Cöln. 15. Afl. (84) 8° Cöln, M Du Mont-
Sch. 05. Geb. nn — 50 d
Rechtsfrage, e., od.: Die geheime Schuld. Erzählg v. M v. P.
(40) 8° Brem., Bh. u. V. prakt. u. Tractath. (05). — 30 d
Rechtsfragen. 4 Hefte. 8° L z , F Dietrich 05. Je — 50 d ö F
Bre', S: Leben Alimentationsklage mehr! Schutz d. Mütter! (31) [2.] d
Rennert, M: In d. menschl. Dschungeln. Wie deut. Mädchen im Ausl.
rechtlos sind. (24) [4.] d
Schirmacher, K: Die Frauenarbeit im Hause, ihre Ökonom., rechtl. u.
soz. Werg. (29) [3.]
Tren, M: Strafjustiz, Strafvollzug u. Deportation. (96) [1.]
Rechtshandbücher f. jedermann. Nr. 1. 12° Mülh. a/R., J Bagel.
— 60 d
Deicke: Der Vormund n. d. BGB. (66) (04.) [4.] — 60 d
Bisher u. d. T.: Sammlung volkstüml. Rechtsbücher.
Rechtshandschriften, d., d. Univ.-Bibliothek in Innsbruck. Zu-
sammengest. auf Anregg u. Vorstehg dieser Bibliothek. [S.-A.]
(41) 8° Innsbr., Wagner 04. — 50
Rechtshort. Unabhäng. Zeitschrift z. Einleitg e. neuen Re-
formation durch Germanisierung d. Rechts. Hrsg. v. Hans-
Hohenberg. 1. Jahrg. 1905. 24 Nrn. (Nr. 1. 16) 8° Weim., Verl.
d. „Rechtshort“. Viertelj. 1 —; einz. Nrn — 30 d
Rechts- u. Finanzkalender, schweiz., f. 1906. 5. Jahrg. (335)
8° Zür., Schulthess & Co. 2 —
Rechtskonsulent, der. s. Zeitschrift f. d. Interessen d. Rechts-
konsulenten. Red.: R Schneider-Blankenburg. 1. Jahrg. Febr.
1902. 1 Nr. (8) 4° Ankl., M Negelein. Halbj. 2 — d
Nur Nr. 1 (8) erschienen.
Rechtskunde, kl., f. Münch. Kellnerinnen. Verf. v. e. Juristen,

hrsg. v. Münch. Kellnerinnenver. Mit e. Anh., enth.: d. bayer. Ministerialbekanntmachg v. 29.V.'01 (Stellenvermittlg) u. d. Bundesratsverordng v. 23.I.'02 (Arbeitszeit). (92) 8º Münch., C Beck 02. Kart. 1 — d
Rechtspflege. Amtl. Handausg. 1. Heft. 8º Darmst., G Jonghaus. — 80 d
Kostengesetzgebung, d., im Grossh. Hessen u. zwar 1. Gebührenordng f. d. grossh. Notare, 2. Ges., d. Gerichtskosten betr., beide v. 30.XII. '04: nebst zugehör. Bekanntmachgn. (60) 05. [1.] — 80
Rechtspraxis, bad., hrsg. v. van Akon, B Baumstark, B Betzinger, E Dorner, Glockner, L Mainhard, Nicolai, K Siegrist, Trefzer, Annalen d. grossh. bad. Gerichte 67—71. Jahrg [Red.: R Knittel. Jahrg. 1901—5 je 26 Nrn. (30, 344: 35, 356; 33, 552; 30, 332 u. 16, 372) 4º Karlsr., G Braun'sche Hofbuchdr. Halbj. 5 —; einz. Nrn — 50 d
—'pfälz., hrsg. v. Mayer. 1. u. 2. Jahrg. Oktbr 1903—Novbr 1905 je 9 Nrn. (1. J. 98) 8º Frankenthal, L Göhring & Co. Je 5 — d
Rechtsprechung, hess. Hrsg. v. Keller, Buff, Dornseiff, Nees, Lahr. Red.: KA Diemer u., 1905, R Keller. 2—6. Jahrg. Apr. 1901—März 1906 je 24 Nrn. (Nr. 1. 8) 4º Mainz, J Diemer.
Postfrei je n 7.12 d
— d., d. Oberlandesgerichte auf d. Gebiete d. Civilrechts. Hrsg. v. B Mugdan u. R Falkmann. 2. u. 3. Jahrg. (2—5 Bd.) 1901 u. 2 je 52 Nrn. (531, 464, 512 u. 496 u. je 20) 8º L z , Veit & Co. Halbj. 6 —; geb. 7 — || 6—11. Bd. (Jahrg. 1903—5.) Je 26 Nrn. (30, 528; 20, 496; 20, 464; 20, 480; 18, 448 u. 18, 446) Für d. Bd 4.50; geb. 7.50 d
— dass. Beihefte. 1. Heft. 8º Ebd. Subskr.-Pr. 1.50;
Einzelpr. 3 — d
1. Materialien zu d. Ges. v. 5.VI.'05 betr. Ändergn d. ZPO. (290) 05. 1.50;
bezw. 3 —
— d. Oberlandesgerichts Colmar i. Els. in Strafsachen. Begonnen v. Franz. 4. Heft: Jan. 1896—Ende 1900, nebst Ges.-Inhaltsverz. f. d. Zeit v. 1.X.1875—Ende 1900. Bearb. v. Vogt. (113) 8º Strassbg, Strass. Druckerei u. Verl.-Anst. 03. 2.50 d
Bisher durch v.: Franz.
— d., d. k. k. Obersten Gerichtshofes in Zivil-, Handels-, Wechsel-, Marken-, Musterschutz- u. Privilegionsachen, einschliessl. d. Advokaten- u. Notariatsordng, nebst e. Anh.: Die Entscheidgn d. deut. Reichsgerichtes in Strafsachen. Hrsg.: E Links. 16—20. Bd. Entscheidgn a. d. Wechselsachen. Hrsg.: E Links. 16—20. Bd. Entscheidgn a. d.; 1900—04. (1. Heft. 32 u. 8) 8º Wien, F Deuticke 01-05. Je nn 12 —
— d., d. kgl. preuss. Oberverwaltungsgerichts in systemat. Darstellg. Hrsg. v. B v. Kamptz, P Freytag, S Genzmer, E Barre, A Germershausen, M Dirksen. 1. Ergänzgsbd. (646) 8º Berl., C Heymann 01. || 2. Ergänzgsbd. Von B v. Kamptz. (691) 03. Je 10 —; HF. je 12 — d
Rechtsquellen, d., d. Kt. Aargau, s.: Sammlung schweiz. Rechtsquellen.
— d., v. Höngg. Bearb. v. U Stutz. (81) 8º Bag., Helbing & Lichtenhahn 1897. 0 H
— d., d. Kt. St. Gallen, hrsg. v. M Gmür, s.: Sammlung schweiz. Rechtsquellen.
Rechtsschutz, gewerbl., u. Urheberrecht. Unter Mitwirkg v. P Schmidt u. J Kohler hrsg. v. A Osterrieth. 6—10. Jahrg. 1901—5 je 12 Nrn. ('04. 372) 4º Berl., C Heymann. Halbj. 15 —;
einz. Nrn 3.50
— d. Jugend. Populäre Abhandlgn in Fragen u. Antworten üb. d. wichtigsten Punkte d. neuen soz. Bewegg. 1. 8º Wien, (C Fromme). — 20
Wolfring, L v.: Was ist Kinderschutz ? Mit e. Anh.: Schutz d. Kindes durch d. österr. Justizverwaltg. (59) 05. [1.] — 20
Rechts-Student, der. Lehrbl. f. junge Juristen. Hrsg. v. W Schaufuss u. F Vogel. 1. Jahrg. April—Dezbr 1905. 20 Nrn. (Nr. 1. 10) 8º Cöln, (Bonn, Röhrscheid & E.) Viertelj. 2 —;
einz. Nrn — 40 d 0 F
Rechtsverfolgung, d., im internat.'Verkehr. Hrsg. v. F Leske u. W Loewenfeld. III. Bd., 1. Tl u. IV. Bd. 8º Berl., C Heymann. 41 —; geb. 46.50 (I—III, 1 u. IV.: 96 —; geb. 107.50)
III, 1. Civilprozessrecht, d. österr., (neue Bearbeitg v. R Rybra v. Cantria), d. Civil- u. Konkursrecht d. Niederl. (neue Bearbeitg v. RI Asser). (608 u. 37) 05. 14 —; geb. 16.50
IV. Rhbn, J: Das Eherecht d. europ. Staaten u. ihrer Kolonien. (508, 272) 05. 27 —; geb. 80 —
Bisher u. d. T.: Leske, F, u. W Loewenfeld. — Der 2. Thl d. III. Bds ist noch nicht erschienen.
Rechtsverhältnis, d., zw. Arbeitgeber u. Arbeitnehmer in Handels- u. Gewerbebetrieben. (55) 8º Berl., Kaufmänn. Verband f. weibl. Angestellte 04. — 75 d
— d. k. k. Postanst. zu d. Eisenb. in Österr. Bearb. im Post-Kurs-Bureau d. k. k. Handels-Ministeriums. 6. Afl. (46, 384) 8º Wien, (Hof- u. Staatsdr.) 04. — 2
Rechts- u. **Dienstverhältnisse** d. preuss.Eisenb.-Beamten. (464) 8º Berl., E Klokow 05. Kart. 2 —
Beck, G: Der Garda-See u. s. Umgebg. (100 m. Abb. u. 1 Karte.) 8º Innsbr., A Edlinger 05. 1.30
Becke, Elisa v. der. I u. H. Hrsg. v. P Rachel. 8º L z , W Weicher 02. Je 8 —; Je 10 — d
I. Aufzeichngn u. Briefe a. ihren Jugendtagen. 2. Afl. (46, 487 m. Abb. u. 1 Weppentaf.)
II. Tagebb. u. Briefe a. ihren Wanderjahren. (448 m. Abb.)
Beckendorf, J.: Nachal. Taschen-Fremdwvrtb., s.:Brunner,CT.
Beckendörfer, F, s.: Neubau-Kalender, österr.
Beckenhaus, R v.: Die Albulabahn, s.: Vorträge d. Ver. z. Verbreitg naturwiss. Kenntnisse in Wien.
Becknagel, G : Ueb. Abkühlg geschloss. Lufträume durch

Wärmeleitg u. üb. Erwärmg geschloss. Lufträume. [S.-A.] (32) 8º Münch., (G Franz' V.) 01. — 60
Recknagel, G: Das Amtsgeheimnis. Lustsp. (74) 8º Augsbg, Lampart & Co. 03. 1 — d
— Zur Berechtiggsfrage. Vortr. [S.-A.] (18) 8º Münch., T Ackermann 03. — 40
— Herzgeboppelte Dingelcher. Rheinfränk. Humoresken, vornehmlich in d. Mundart d. Untermains. Nach d. Erinnergn d. Hrn Schorsch Röder aufgezeichnet. (116 m. Abb.) 8º Aschaffenbg, C Krebs 02. L. 2 — d
Recknagel, H, s.: Kalender f. Gesundheits-Techniker.
Reckzeh, P: Berliner Arznei-Verordngn m. Einschl. d. physikalisch-diätet. Therapie. Nach d. 4. Ausg. d. Arzneib. f. d. Deut. Reich zusammengest. (227) 8º Berl., S Karger 05. L. 3 —
Reclam u.:'Universal-Bibliothek.
— Universum. (Illustr. Wochenschrift.) Red.: E Peschkau. 18—22. Jahrg. Aug. 1901—Juli 1905 je 52 Hefte: (1. Heft. 24 u. 12 u. Romanbibliothek 16) 8º Lpzg, P Reclam jun. Viertelj. 3.50;
einz. Nrn — 30 d
— Unterhaltgs-Bibliothek f. Reise u. Haus. 31—50. Bd. 16º Geb. je 20 d 16º
Adlersfeld-Ballestrem, E v.: Windbeutel u. and. heit. Geschichten. —
Bötticher, G: Alfanzereien. Mit biograph. Skizze v V Blüthgen. (91 u. 88 m. 2 Bildnissen.) (01.) [48.]
Anstey, F : Der Mann v. Blankley u. and. Humoresken. Aus d. Engl. v. F Maro. (95) (01.) [43.]
Balzac, H d.: Die Bärische. Das Haus s. ballspiel. Katze. Die Mundtodterklärg. Erzählgn. Deutsch v. H Denhardt. (264) (1900.) [39.]
Bereznik, A v.: Ehestandsgesch. u. and. Humoresken. Aus d. Magyar. v. A Kohut. — Rákosi, V: Mein Dorf u. and. heit. Gesch. (103 u. 109 m. 1 Bildnis.) (1899.) [23.]
Björnson, B: Das Fischermädchen. Aus d. Norweg. v. W Lange. (195) (01.) [41.]
Bötticher, G: Alfanzereien, s.: Adlersfeld-Ballestrem, E v., Windbeutel.
Brink, J ten: Jeannette v. Juanito, s.: Glaser, A, Schloss Kattenheim.
Carlssen, E: Die Töchter v. Wiedenau. Roman. — Sienkiewicz, H: Die Dritte. Lux in tenebris lucet. Eine heit. u. e. ernste Erzählg a. d. Künstlerleben. Aus d. Poln. v. H Majdańska. (149: u. 92) (1899.) [42.]
Colombi, Marchesa: Italienische Kleinstädter u. and. Erzählgn. Aus d. Ital. v. A Courth. (190) (1899.) [28.]
Caiky, G: Alte Sünden. Roman a. d. Ung. (190) (1900.) [38.]
Doroschenko, F: Wer ist es? Kriminalgesch. Aus d. Russ. v. M v. Posnoll. — Dygasiński, A: Auf d. Edelhofe. Novelle. Übers. v. Ruhe u. A Grabowski. (188 u. 74) (1899.) [37.]
Dumas, A: Die schwarze Tulpe. Histor. Roman. Deutsch v. H Meerholz. (264) (01.) [44.]
Dygasiński, A : Auf d. Edelhofe, s.: Doroschenko, F, wer ist es?
Erckmann-Chatrian: Madame Therese. Deutsch v. FF Rückert. (204) (1900.) [24.]
Eckar, C: Arme Leute. Erzählgn. Aus d. Dän. v. H Denhardt. (162) (1900.) [37.]
Farina, S: Blinde Liebe. Laurina's Gatte. 2 Novellen. Aus d. Ital. v. W Lange. (210) (1900.) [34.]
Franzos, KE: Die Hexe. Novelle. 9. Afl. — Wichert, E: Für todt erklärt. Erzählg. (91 u. 132) (1900.) [33.]
Friedmann, A: Der letzte Schuss. Die Erzählg d. Henkers v. Bologna. Ein Kind zur Zeit. 3 Novellen. 6. Afl. (187) (01.) [42.]
Fritz, S (F Singer): Voran d. Liebe. Roman. 3. Afl. — Keller, G : 3 Novellen. Den Holl. nacherzählt v. A Glaser. (95 u. 155) (1899.) [39.]
Glaser, A: Schloss Kattenheim. Novelle. — Brink, J ten: Jeanette u. Juanito. Aus d. Holl. v. A Glaser. (103 u. 192) (1899.) [30.]
Goncourt, E. u. J v. Goncourt: Renée Mauperin. Roman. Deutsch v. H Meerholz. (240) (1900.) [36.]
Grossvater, R v: 3 Criminalnovellen. Der 79. Die gold. Kugel. — Neue Kriminalnovellen. Aus e. Faden. Ermordet? (109 u. 116) (1900.) [44.]
Gross, F: 3 Geschichten. 2 ernste u. 1 heitere. (92) (01.) [45.]
Heigel, K: Der Theaterteufel. Roman. — Jahn, ER: Die beiden Engländer. Humoresken. (123 u. 94) (1899.) [26.]
Jahn, ER: Die beiden Engländer, s.: Heigel, K, d. Theaterteufel.
Keller, G : 3 Novellen, s.: Fritz, S, Voran d. Liebe. 3. Novelle. Liebe.
Kielland, AL: Novelletten. — Neue Novelletten. Aus d. Norweg. v. M v. Borch. (104 u. 84) (1899.) [26.]
Lie, J: Lebenslänglich verurteilt. Erzählg. Aus d. Norweg. v. M v. Borch. (186) (1899.) [21.]
Malet, H : Cara. Pariser Sittenbild. Bearb. v. F Perron. (275) (1900.) [31.]
Mikszáth, K: Der wunderbkt. Regenschirm. Erzählg. Aus d. Ung. v. M Kalman. (294) (1900.) [34.]
Moltke, H v.: Die beiden Freunde, s.: Spielhagen, F, d. Dorfkokette.
Perfall, A Frhr v.: Die Uhr. Erzählg. — Telmann, K: Unfehlbar. Novelle. (77 u. 100) (01.) [46.]
Rákosi, V: Mein Dorf, s.: Bereznik, A v.: Ehestandsgesch.
Rovetta, G: Unter d. Wasser. Erzählg. Aus d. Ital. v. B v. N Arnous. (186) (01.) [49.]
Sienkiewicz, H: Die Dritte. Lux in tenebris lucet, s.: Carlssen, E, d. Töchter v. Wiedenau.
Spielhagen, F: Die Dorfkokette. Novelle. — Moltke, H v.: Die beiden Freunde. Erzählg. Hrsg. v. H Herzog. (70 u. 84 m. 1 Bildnis.) (01.) [50.]
Telmann, K: Unfehlbar, s.: Perfall, A Frhr v., d. Uhr.
Trinius, A: Alte Amule u. and. Gesch. — Ebner, E: Die Prinzessin Übermut. Im Schiffbruch. 3 Gesch. (103 u. 104) (1900.) [32.]
Wichert, E: Für todt erklärt, s.: Franzos, KE, d. Hexe.
Zola, E: Das Fest im Coquevilie u. and. Novellen. Aus d. Franz. m. e. Einl. v. H Dávidé. (181 m. 2 Portr.) (01.) [47.]
Reclam, E: Joh. Benj. Michaelis, s.: Probefahrten.
Reclus, E: La Belgique, s.: Prosateurs franç.
Reclus, O : En France, s.: Schulbibliothek französ. u. engl. Prosaschriften.
Recouly, R: 10 Kriegsmonate in d. Mandschurei. Eindrücke e. Augenzeugen. Uebersetzg. (236 u. 4) 8º Bremerh., L v. Vangerow (05.) nn 3.50
Régnis, C: Incunabula et Hungarica antiqua in bibliotheca S. Moutis Pannoniae. (Lateinisch u. Ungarisch.) 2 Tle in 1 Bde. (240 u. 215 m. 3 Taf.) 8º Budap. 04. Lpzg, KW Hiersemann. nn 8.50
Rectus-Briefe. An d. Olmützer Erzbischof Dr. Th. Kohn. (Von J Hofer.) Aus d. Böhm. (37) 8º Brünn, A Piša 03. — 30 d

Recueil de c o n t e s récits pour la jeunesse, hrsg. v. B Schmidt, J Wychgram, E Tournier u. W Wüllenweber, s.: Prosateurs franç.
— de chants m a ç o n n., s.: Liederbuch f. schweiz. Freimaurer-Logen.
— des lois et arrêtés cantonales sur la n a t u r a l i s a t i o n, s.: Sammlung d. kantonalen Ges. u. Verordngn üb. d. Einbürgerg.
— général de la législation et des traités concernant la p r o p r i é t é i n d u s t r i e l l e. Brevets d'invention. — Dessins et modèles de fabrique. — Marques de fabrique et de commerce.
— Nom commercial. — Fausses indications de provenance. Concurrence déloyale. — Usurpation de récompenses industrielles. Publié par le bureau internat. de l'union pour la protection de la propriété industrielle avec le concours de jurisconsultes de divers pays. Tome IV et dernier. 1. partie: Législation (suppl.). — 2.partie: Conventions internat. Appendice. Table générale alphabét. des matières. (45, 961) 8° Berne 01. (Lpzg, G Hedeler.) nn 12 — (Vollst.: nn 48 —)
— des traités, conventions, arrangements, accords, etc. conclus entre les différents états en matière de p r o p r i é t é i n d u s t r i e l l e. Reproduits en langue franç. et dans celles des langues originales qui peuvent être imprimées en caractères romains. (918) 8° Ebd. 04. 12 —
— des conventions et traités concernant la p r o p r i é t é l i t t. et artist. publiés en franç et dans les langues des pays contractants avec une introduction et des notices par le Bureau de l'Union internat. pour la protection des oeuvres litt. et artist. (32, 876) 8° Ebd. 04. 13 —
— nouveau, général de t r a i t é s et autres actes relatifs aux rapports de droit internat. Continuation du grand recueil de GF de Martens, par F Stoerk. 2. série. Tome X X V I—X X X I à 3 livrs et tome X X X I I, 1. et 2. livr. 8° Lpzg, Dieterich. 351.70
X X V I. (1012) 01. 4— | X X V I I. (996) 01.02. 45 — | X X V I I I. (776) 03. 36.60
| X X I X. (710) 03. 33 — | X X X. (725) 03.04. 33.60 | X X X I. (758) 04.05. 35.40
| X X X I.1.2. (496) 05. 23.30.
— des t r a i t é s et conventions conclus par l'Autriche-Hongrie avec les puissances étrangères. Par A de Plason de la Woestyne. Nouv. suite. Tome X I V—X I X. (Tome 20—25 de la série complète du recueil édité jusqu'ici par L Baron de Neumann et A de Plason de la Woestyne.) (596, 584, 588, 592, 549 u. 596) 8° Wien, C Fromme 03.03. Je 28 — (1—25.: 411 —)
— des t r a i t é s et conventions, conclus par la Russie avec les puissances étrangères. Publié d'ordre du ministère des affaires étrangères par F de Martens. Tome XIII. 8° St.Petersbg, (A Zinserling.) 12 — (I—XIII.: 156 —)
XIII. Traités avec la France. 1717—1807. (94, 382) 02.

Reda, TU : Moderne Anzeigen, s.: Zur Psychol. uns. Zeit.
Redaktion, die. Fachzeitschrift f. Redakteure, Journalisten, Schriftsteller u. Verleger. Hrsg. v. R Wrede. Red.: J Jellinek. 1. Jahrg. 1. Halbj., April—Septbr 1902.6 Nrn. (Nr. 1. 16) 8° Berl., Dr R Wrede. Viertelj. — 75; einz. Nrn — 30 || 3. Viertelj. Oktbr—Dezbr 1902. 6 Nrn. 1.25; einz. Nrn — 25 d
— dass. Mit d. Beibl.: „Vereinszeitg", „Der moderne Geistesarbeiter" u. „Journalist. Praxis". Hrsg.: R Wrede. Red.: F Hauser u. E Rüf. 2. Jahrg. 1—3. Viertelj. 1903, 18 Nrn. (Nr. 1. 16) 8° Ebd. Viertelj. 1.25; einz. Nrn — 25 || 4. Viertelj. 18 Nrn || 3. u. 4. Jahrg. 1904 u. 5 je 12 Nrn. Viertelj. 1.50; einz. Nrn — 25 d
Redard, C, s.: Vierteljahrsschrift, schweiz., f. Zahnheilkde.
Reddersen, HO: Erzählgn a. d. bibl. Gesch., s.: Müller, K.
Rede, welche bei d. Beisetzsfeier Sr. Maj. d. Königs Albert v. Sachsen in d. kathol. Hofkirche zu Dresden geh. wurde. (Von Brendler.) (11) 8° Dresd., (Holze & Pahl) (02). — 10 d
Redeatis (Frl. M Petzel): Allerlei Gesch. f. junge Knaben u. kl. Mädchen, s.: Kinder-Bibliothek, kathol.
— Gut verzinst. — Der Berggeist. — Onkel Eduard. (Bibliothek f. junge Mädchen [im Alter v. 12—16 Jahren].) (Neue Ausg.) (119 m. Abb. u. 3 Vollbildern.) 8° Würzbg, FX Bucher (01). Geb. 1.20 d
— Trudel. Erzählg f. d. Volk. (48 m. Titelbild.) 8° Frankenst, 03. Neu-Weissensee, HWT Dieter. — 15 d
— Verschlungene Wege. Erzählg. (113 m. Abb.) 8° Ebd. 03. — 40 d
Rädel, E, s.: Grundbesitz, d. ungar.
Reder, H. u. W Pütz: Der Gesinngs-Unterr. im 1. u. 2. Schulj. 2. Afl. (149) 8° Dresd., Bleyl & K. 03. 1.80; L. 2.25 d
Redelien, M v., s.: Hausfrauen-Kalender, Eigascher.
Reden, ausgew., s.: Reuter's Bibliothek f. Gabelsb.-Stenogr.
— bei d. Einweihg d. Doms zu Berlin. (15) 8° Berl., ES Mittler & S. 05. — 30 d
— geh. in d. öffentl. Sitzgn u. Beschlüsse d. 48. General-Versammlg d. Katholiken Deutschlds, Osnabrück '01. (223 m. Bildnissen.) 8° Osnabr., F Schöningh 01. 1 — d
— geh. in d. öffentl. Versammlng d. 51. Generalversammlg d. Katholiken Deutschlds, Regensburg '04. Mit e. Bild.: Gedenkblätter an d. 51. Generalversammlg. (182 u. 16 m. Abb.) 8° Rgnsbg, J Habbel 04. 1 —; gebt. 1.50 d
— Marburger akadem. Nr. 4—14. 8° Marbg, NG Elwert's V. 7.20 (1—14.: 8.70)
André, F : Verträge zw. Eltern üb. d. Erziehg ihrer Kinder. (36) 05. [14.] — 60 d
Birt, T : Laienortheil üb. bild. Kunst bei d. Alten. Ein Capitel a. antiken Aesthetik. (46) 02. [7.] — 60 d
— Schiller u. Bismarck. 2 Ansprachen. (34) 05. [12.] — 60 d
Budde, K : Die Schätzg d. Königthums im Alten Test. (38) 03. [8.] — 60
Cohen, H : Rede bei d. Gründfeier d. Univ. Marburg u. 100. Wiederkehr d. Todestages v. Immanuel Kant. (31) 04. [10.] — 60
Elster, E : Schiller. (36) 05. [13.] — 60

Jülicher, A : Moderne Meinugsverschiedenh. üb. Methode, Aufg. u. Ziele d. Kirchengesch. (34) 01. [5.] — 50 d
Mirbt, C : Der Zusammenschluss d. ev. Landeskirchen Deutschlds. (36) 03. [9.] — 50
Natorp, P : Was uns d. Griechen sind. (26) 01. [4.] — 66 d
Ribbert, H : Ueb. Vererbg. (32) 02. [6.] — 60
Varrentrapp, C : Landgraf Philipp v. Hessen u. d. Univ. Marburg. (47) 04. [11.]

Reden, S, z. Gedächtnis d. kgl. Gymnasialdir. a. D. Dr. Joh Zahn. Geb. v. K Horn, H Wegener u. O Jaeger. (22 m. 1 Bildnis.) 8° Moers, A Steiger (05). — 25
— u. **Ansprachen** d. 19. Allianz-Konferenz z. Vertiefg d. Glaubenslebens, Allianzhaus in Blankenburg in Thür. '04. (139) 8° Blankenbg i/Th., Ev. Allianzhaus (04). 1 — d
Die früh. Konferenzen s. u. d. T.: Bericht d. Allianz-Konferenz.
— u. **Verhandlungen** d. 1. u. 2. allg. Tages f. deut. Erziehg in Weimar zu Pfingsten '04 u. 5. (132 u. 127) 8° Friedrichsh., Verl. d. Blätter f. deut. Erziehg (05). Je 1.20 d
Reden, v., s.: Anschussbuch f. Gewehre 88 u. 91. — Anschussbuch f. Karabiner 88 bezw. Gewehre 91.
— Offizier-Stammliste d.Grenadier-Regts Prinz Karl v.Preussen (2. Brandenburg.) Nr. 12. (338) 8° Oldenbg, G Stalling's V. 01. nn 8.25; geb. nn 10.50 d
Reden, v.: Die Aufzucht u. Arbeit d. Schweisshundes. [S.-A.] (29) 8° Trier, J Lintz 01. — 50 d
Reden, P : Tab. d. Festigk. f. Stäbe v. 15,4—16,7 m/m; 19,4—20,7 m/m u. 24,4—25,7 m/m Durchmesser u. Contraction derselben v. 16,6—8,0 m/m; 20,6—12,0 m/m u. 25,6—16,0 m/m Durchmesser. (Deutsch u. französisch.) (2 Doppels.) 8° Strassbg, Strassb. Dr. u. Verl.-Anst. (05). Kart. 1.50 d
Redenbacher, W : Des engl. Kapitäns Cook berühmte 3 Reisen um d. Welt. Für d. Jugend. 9. Afl. (218 m. Abb. u. Titelbild.) 8° Essl., JF Schreiber (01). Kart. (9 —) 1.20 d
Redenbacher, W : Das Invalidenversicherungsges. v. 13.VII.1899 in d. Fassg d. Bekanntmachg d. Reichskanzlers v. 19.VII. 1899 nebst d. wichtigeren Vollzngsvorschriften f. d. Deut. Reich u. d. Kgr. Bayern. 2. Afl. (518) 8° Münch., CH Beck 05. L. 5 — d
— Krankenversichergsges., s.: Piloty, R, Arbeiterversichergsges.
Reder, A v.: Im alldeut. Reich! Zukunftsstudie. (23) 8° Berl., Thormann & G. 01. — 50 d
Reder, B, s.: Jahrbuch f. Militär-Aerzte.
Redern, H v. (H v. R.), s.: Bibelwinke, kurze, f. d. Alte Test.
— Bis dass er's findet!, s.: Weihnachten.
— Die Freudenbüchse, s.: Aus lichten Höhen.
— s.: Freund, d., d. Kinder.
— Heilig Kreuz, s.: Aus lichten Höhen.
— Heilig Kreuz. (Heilig Kreuz. — Gold.) (99) 8° Lengerich, Bischof & Klein 04. — 80; L. 1.25 d
— Aus d. Leben e. Dichters. (Karl Joh. Philipp Spitta.) (74 m. 1 Bildnis.) 8° Ebd. (05). Kart. — 50 d
— s.: Lieder, schlichte.
— Ein barmherz. Samariter, s.: Aus lichten Höhen.
— Ein Streiter Jesu Christi. Franz v. Assisi's Leben im Lichte v. Zeit u. Ewigk. (208 m. 2 Taf.) 8° Schwer., F Bahn 06. 2.50; geb. 3 — d
— s.: Tour u. Eisen.
Redhardt's Reiseführer. Der Rhein u. s. Nebentäler. (145 m. 5 Taf. u. 2 Kart.) 8° Cobl., (J Schuth) 05. 1 —
Leoben, L : Das Wichtigste a. d. Elektrotechnik, s.: Gewerbe-Bibliothek.
Redlich, C: Multiplikations-Tab. f. Fruchtkäufe. (209) 8° Brünn, C Winiker 05. L. 4 —
Redlich, CC, s.: Briefe an Lessing.
Redlich, CG : 1. Joh. 3, 16. Antritts-Predigt bei sr Einführg in d. Amt e. Pastors zu St. Jacobi in Hamburg u. Einführgs-rede v. A v. Broecker. (26) 8° Hambg, L Gräfe 01. — 50 d
Redlich, J : Engl. Lokalverwaltg. Darstellg d. inneren Verwaltg Englds in ihrer geschichtl. Entwicklg u. ihrer gegenwärt. Gestalt. (22, 835) 8° Lpzg, Duncker & H. 01. 20 —
— Recht u. Technik d. engl. Parlamentarismus. Die Geschäftsordng d. House of Commons in ihrer geschichtl. Entwicklg u. gegenwärt. Gestalt. (30, 881) 8° Ebd. 05. 20 —
Redlich, J : Ein Einblick in d. Geb. d. höh. Geodäsie, s.: Magazin, pädagog.
Redlich, KA : Anl. z. Löthrohranalyse. 2. Afl. (213 m. 12° Leoben, L Nüssler 03. 1 —
— Die Kiesbergbaue d. Flatschach u. d. Feistritzgrabens bei Knittelfeld. — Der Kupferbergbau Radmer an d. Hasel, d. Fortsetzg d. steir. Erzberges. — Eine Kupferkieslagerstätte im Hartiesgraben bei Kaisersberg in Steiermark. — Die Kupfer-vererbg u.Kiesbergbau bei Oblarn, s.: Beiträge z. Geol. Steiermarks.
Redlich, O : Archiv-Berichte a. Tirol, s.: Ottenthal, E v.
— Grillparzers Verhältnis z. Gesch. Vortr. (32) 8° Wien, (A Hölder) 01. — 70
— s.: Mitteilungen d. Instit. f. österr. Gesch.-Forschg. — Regesta Habsburgica.
— Rudolf v. Habsburg. Das deut. Reich n. d. Untergange d. alten Kaisertums. (811 m. 1 Bildnis.) 8° Innsbr., Wagner 03. 14 —
Redlich, OH : Anl. z. Zeitschrift d. Berg. Geschichtsver.
Redlich, R: Empedokles. Trauersp. (54) 8° Schmargendf-Berl., Verl. „Renaissance" 02. 2 — d
Redlich, W: Vorträge e. Hofnarren. (124) 8° Budap., C Grill 03. 3 — d

Reform-Kalender, Hamburger, f. 1906. 46. Jahrg. (96 m. Abb.)
  8° Hambg, CHA Kloss.   — 90 d
  Die 1904 u. d. T.: Reform-Kalender, neuer Hamburger.
Reform-Moden-Album. I, III u. IV. Sammlg v. je 36 Modellen f. Reformkleider aller Art u. f. jedes Alter. Bearb.
  v. D Kiesewetter u. E Orth-Steinberg. (44, 46 u. 43 m. Abb.)
  4° Berl., W Vobach & Co. (02.93.05).   Je 1 — d
  Die II. Sammlg bildet:
— dass. Ergänzgs-Heft. Prakt. Tl. Ausführl. Anl. z. Zuschneiden
  u. Nähen v. Reformkleidern aller Art u. f. jedes Alter, auf
  anatom. Grundl. v. C Content-Duitz. 5. Afl. (43 m. Abb.) 4°
  Ebd. (03).   1 — d
Reform-Schneiderei, die. Leitf. f. prakt. Herstellg gut pass.
  Reform-Kostüme. (55 m. Abb.) 4° Dresd., (Exp. d. europ.
  Modenzeitg) (03).   In M. 1 —; m. 3 Schnittbog. 2.50
Reform-Zeitung, ärztl. Halbmonatsbl. f. prakt. Heilkde u.
  Vertretg d. Interessen d. ärztl. Standes. Hrsg.: A Gruss.
  Schriftleiter: J Gratzl. 4—7. Jahrg. 1903—5 je 24 Nrn. (Nr. 1.
  10) 4° Wien (IV, Grosse Neugasse 1). Verwaltg.   Je nn 6 —
Regel, E: Eiserner Bestand. Das Notwendigste a. d. engl.
  Syntax in Beisp. z. Repetition an höh. Schulen u. militär.
  Vorbereitgs-Anst. 2. Afl. (37) 16° Lpzg, A Langkammer 02.
       Kart. — 70
— Lesestücke u. Übgn z. Einübg d. Syntax, enth. in Gesenius-Regel, engl. Sprachlehre. (63) 8° Halle, H Gesenius 01.
       Kart. — 80 d
— Engl. Sprachlehre. — Kurzgef. engl. Sprachlehre, s.: Gesenius, FW.
Regel, F: Bericht üb. d. neuere Lit. z. deut. Landeskde, s.:
  Kirchhoff, A.
— Elm—München u. zurück, s: Rechts u. links d. Eisenb.
— Landeskde d. Iber. Halbinsel, s.: Sammlung Göschen.
— Landeskde v. Thüringen. 3. Afl. (56 m. Abb.) 8° Bresl., F
  Hirt 05.   Kart. — 60 d
— Neudietendorf—Würzburg—Stuttgart u. zurück, s.: Rechts
  u. links d. Eisenb.
— Die Nordpolarforschg, s.: Hillger's illustr. Volksbb.
Regel-Büchlein d. Brüder v. d. göttl. Liebe — „Graue Brüder"
  genannt. (Von H Dietmann.) (79) 12° Leutk. (02). Cöln a/Rh.
  (Balthasarstr. 35 I), H Dietmann. (?)   1 — d
— neuestes, f. d. Mitglieder d. 3. Ordens d. hl. Vaters Franziskus. Von e. Priester d. Kapuziner-Ordens. 7. Afl. (183) 16°
  Mainz, Kirchheim & Co. 03.   — 30; geb. — 50 d
— dass. Mit d. Tagzeiten d. allersel. Jungfrau Maria (Ausg. II).
  11. Afl. (343) 16° Ebd. 03.   — 50; geb. — 75 d
— f. Ministranten. 13. Afl. (63 m. Abb.) 16° Freibg i/B., Herder
  (03).   — 15; geb. — 25 d
Regeli, P: Das Riesen- u. Isergebirge, s.: Land u. Leute.
Regelmann, C, s.: Höhenbestimmungen, trigonometr. u. barometr., in Württemberg. — Übersichtskarte, geolog., v.
  Württemberg u. Baden.
Regeln, allg., f. d. Anpflanzg u. Unterhaltg v. Bäumen in
  Städten, nebst e. Verz. d. f. Strassenpflanzgn verwendbaren
  Baumarten, s: Schriften d. Ver. deut. Gartenkünstler.
— f. d. deut. Rechtschreibg nebst Wrtrverz. Amtl. Ausg. auf
  Grund Beschlusses d. Bundesrates v. 18.XII.'09. (56) 8° Brem.,
  C Schünemann 03.   nn — 15 d
— dass. Hrsg. v. kgl. bayer. Staatsministerium d. Innern f.
  Kirchen- u. Schulangelegenh. Neue Bearbeitg. (1—4. Afl.)
  (76) 8° München., R Oldenbourg 03-05. nn — 15; geb. nn — 25 d
— dass. Nach d. amtl. Bestimmgn z. T Matthias' vollständ.,
  kurz gef. Wrtrb. d. deut. Rechtschreibg zusammengest. (79)
  8° Lpzg, M Hesse 02.   — 20 d
— dass. Hrsg. im Auftr. d. kgl. preuss. Ministeriums d. geistl.,
  Unterr.- u. Medizinal-Angelegenh. Neue Bearbeitg. (38) 8°
  Berl., Weidmann 02.   nn — 15; 10 Stück 1.50 d
— dass. Im Auftr. d. kgl. sächs. Ministeriums d. Kultus u.
  öffentl. Unterr. hrsg. Generalverordng v. 21.X.'02. (92) 8°
  Dresd., A Hahle 03.   — 30 d
— dass. Hrsg. v. herzogl. sächs. Ministerium, Abteilg f. Kultus-Angelegenh., zu Altenburg. (72) 8° Altenbg, (S Geibel) 03.
       nn — 15; kart. nn — 25 d
— dass. Mit e. Anh. üb. d. Satzzeichen. Hrsg. im Auftr. d.
  kgl. württemberg. Ministeriums f. Kirchen- u. Schulwesen.
  Neudr. (66) 8° Stuttg., JB Metzler 04.   nn — 20 d
— 50, z. schnellen u. sicheren Erlerng d. deut. Rechtschreibg.
  Neubearbeitg n. d. v. kgl. preuss. Kultusministerium angeordneten neuen Rechtschreibg. (16) 8° Bresl., E Morgenstern, V. 02.   — 10 d
— d. Ver. v. d. bl. Elisabeth. (24) 12° Köln, JP Bachem (1900).
       — 20 d
— welche, muss ich wissen, um gute latein. Extemporalien
  machen zu können?, s.: Hilf dir selbst.
— f. d. Durchführg v. Lawn-Tennis-Turnieren. Deut. v.
  d. Vorstande d. deut. Lawn-Tennis-Bundes festgestellte amtl.
  Ausg. (16 m. 1 Tab.) 8° Hambg., E Sommermeyer 04.   — 50
— 25 gold., f. Lungenkranke. (10) 11,5×7,8 cm. Lpzg, KF
  Pfau (03).   — 10 d
— f. d. Unterr. im Rechnen, in d. Arithmetik u. Algebra.
  (18) 8° Limbg, HA Herz 1899.   — 25 d
— d. zoolog. Nomenklatur u. d. Beschlüssen d. V. internat.
  Zoologen-Congresses, Berlin 1901. [S.-A.] (88) 8° Jena, G
  Fischer 02.   1 — d
— u. Gebete d. Ver. d. hl. Elisabeth f. d. Diöz. Paderborn.
  (23) 12° Paderb., F Schöningh (03).   — 20 d

Regeln u. **Wörterverzeichnis** f. d. deut. Rechtschreibg, zugl.
  verdeutsch. Fremdwrtrb. z.Gebr. in d. k.u.k. Militär-Erziehgs-
  u. Bildgs-Anst. (7. Afl.) Hrsg. v. d. 6. Abth. d. k. u. k. Reichs-
  Kriegs-Ministeriums. (913) 8° Wien, (LW Seidel & S.). — 90;
  geb. 1.50 || (8. Afl.) (167) 05. 1 —; geb. 1.70 d
Regelsberger, F: Civilrechtsfälle ohne Entscheidgn. — Jahrbücher f. d. Dogmatik d. bürgerl. Rechts, s.: Ihering, R v.
Regelung, d., d. Notstandsarbeiten in deut. Städten, s.: Beiträge z. Arbeiterstatistik.
Regely, A: Der Handelsstand. Vortr. f. Lehrer u. Lehrerinnen an kaufmänn. Fortbildgssch. (47) 8° Berl., O Häring
  05.   — 60 d
Regen, J: Physiolog.Untersuchgn üb.Tierstimmen, s.: Kreidl, A.
Regenbogen, d., s.: Hakeschreth.
Regenbogen, O: Compendium d. Arzneimittellehre f. Thierärzte. 1. u. 2. Afl. (597 bezw. 402) 8° Berl., A Hirschwald
  01.06.   8 —
Regenbogenbibel u.: Books, the sacred, of the Old Test.
Regener s, E. Jagtmethoden u. Fanggeheimnisse. 10. Afl., hrsg.
  v. d. Red. d. „Deut. Jäger-Zeitg". (450 m. Abb.) 8° Neud.,
  J Neumann (02).   5 —; L. 6 — d
Regener, EA: Riccarda Huch. (87) 8° Lpzg, J Zeitler 04. 1.80
— Iffland, s.: Theater, d.
— EM Lilien. (232 m. Abb. u. 1 Bildnis.) 8° Gosl., FA Lattmann 05.   L. 8 — d
— Wilh. v. Scholz. (58) 8° Berl. (04). Lpzg, Verl. d. Funken.
  Sep.-Kto.   — 50 d
Regener, F: Aristoteles als Psychologe, s.: Magazin, pädagog.
— Elemente d. Logik. (192) 8° Bresl., F Hirt 05. 2.25; geb. 2.80 d
— Luthers kl. Katech. Für d. Schulunterr. erläut. (305) 8° Lpzg,
  BG Teubner 02.   2.40; geb. 2.80 d
— Skizzen z. Gesch. d. Pädagogik. 2. Afl. (288) 8° Langens.,
  H Beyer & S. 04.   3.20; geb. 4.20 d
— Allg. Unterr.-Lehre. Im Grundr. dargest. 2. Afl. (203) 8° Lpzg,
  BG Teubner 02.   2.80; L. 3.20 d
— Besond. Unterr.-Lehre. Im Grundr. dargest. 2. Afl. (408 m.
  Fig.) 8° Gera 01. Lpzg, BG Teubner. 3.50; geb. 4 — || 3. Afl.
  (432 m. Fig.) Lpzg 05. geb. 4.20 d
Regeneration. Central-Organ d. Ver. f. Regeneration. Hrsg.
  u. red. v. Damm. Jahrg. 1901. 12 Nrn. (Nr. 1. 4) 4° Berl.,
  Dr. A Damm's Selbstverl.   nn 3 — || 1902. nn 5 — d
— dass. Monatsschrift. Hrsg. v. A Damm. Jahrg. 1904. 12 Nrn.
  (Nr. 1 u. 2. 32) 8° Brem., O Melchers.   Halbj. nn 2.50 d
  Jahrg. 1901 u. 1903 sind nicht erschienen. — Bildet zugl. d. Fortsetzg zu: Volkskraft. — 1905 wieder: Volkskraft.
Regenhardt's, C, Fachadressbücher. Adressb. f. Fabrräder u.
  Nähmaschinen m. allem Zubehör u. d. damit in Verbindg
  steh. Geschäftszweigen unter Berücks. d. Motor- u. Automobil-Industrie f. d.Deut.Reich,Oesterr.-Ungarn u.d.Schweiz.
  4—10. Lfg. (145—478) 8° Berl., C Regenhardt 01.   Je 1 —
       (Vollst.: L. 12 —) d
— dass. Adressb. f. Getreide u. Mühlen, einschl. d. Brau- u.
  Brennereien, sowie d. grösseren Gutsbesitzer. 2. Afl. 25 Lfgn.
  (1010, 9 n. 96) 4° Ebd. 01-03.   Je 1 — ; in 1 Bd geb. 28 —
— Geschäftskalender f. d. Reichsverkehr. 1906. 28. Jahrg. (318
  u. Schreibkalender.) 12° Ebd.   Geb. 2 —
— dass. f. d. Weltverkehr. 1906. 31. Jahrg. (678 u. Schreibkalender.) 12° Ebd.   Geb. 3 —
— internat. guide for merchants, manufacturers & exporters.
  1905. 30. ed. (628) 12° Ebd.   Geb. 4 —
— tägl. Notizb. f. Kontore. 1906. 24. Jahrg. (200 u. 55 m. 1 Karte.)
  34,5×12 cm. Ebd. Kart. 1.20; m. Löschpap. durchsch. 2.50;
  m. 1 S. f. d. Tag. (368 u. 55 m. 1 Karte.) 2.50; m. Löschpap.
       durchsch. 4 —
— Pultmappe f. 1906. 24. Jahrg. (68 S. u. 94 Sp. m. 1 Karte.)
  4° Ebd.   Geb. 4 —
— Tageb. f. 1906. 26. Jahrg. (48 u. Schreibkalender.) 8° Ebd.
       Geb. — 60; in Wachstuch 1 —
Regeniter, R: Karl Franz Romanus. Beitrag z.Entwicklgsgesch.
  d. deut. Geistigkeiten im 18. Jahrh. (67) 8° Berl., Mayer & M. 01. 1.80
Regensberg, F: 1870—71. (In etwa 40 Abtlgn.) 1. Abtlg. Die
  Vorgesch. d. Krieges. (Revanche f. Sadowa. Die span. Bombe.
  Die Emser Depesche.) (112 m. 1 Kartr.) 8° Stuttg., Franckh
  (05).   2.50; geb. 3.50 d
— Custoza u. d. Verteidigg v. Südtirol 1866. 1—4. Afl. (196 m.
  Abb. u. 2 Kart.) 8° Ebd. 04.   1 —; geb. 2 — d
— Von Dresden bis Münchengrätz. 1—4. Afl. (78 m. Abb. u. 2
  Kart.) 8° Ebd. 05.   1 —; geb. 2 — d
— Gitschin 1866. 1—5. Afl. (80 m. Abb. u. 2 Kart.) 8° Ebd. 05.
       1 —; geb. 2 — d
— Königgrätz. Schlachtenbild. 1—10. Afl. (96 m. Abb. u. 2 Kart.)
  8° Ebd. 05.   1 —; geb. 2 — d
— Nachod-Skalitz-Trautenau 1866. 1—2. Afl. (80 m. Abb. u. 1 Karte.) 8°
  Ebd. 05.   1 —; geb. 2 — d
Regensburg, J: Welche sind d. Pflichten u. Aufg. e. modernen
  russ. Staatsrabbiners u. unter welchen Voraussetzgn u. Bedinggn ist e. fruchtbare, erfolgreiche Thätigk. desselben
  möglich? Rede. (22) 8° Riga, (Jonck & P.) 06.   nn — 70
— Vom Wissen z. Glauben. Vortr. (15) 8° Riga, E Bruhns 01.
       1.10 d
Regenspursky u. Régeny: Die takt. Lehren d. Exercier-Reglements f. d. k. u. k. Fusstruppen v. J. '01. (138) 8° Wien, LW
  Seidel & S. 02.   1.50; geb. 2 — d
— dass. v. J. 1903. (185) 8° Ebd. '04.   1.50; geb. 2 — d

Regenstein, C, s.: Römer, A.
Regent: Ges. üb. d. Fürsorgeerziehg Minderjähr. v. 2.VII.1900, nebst d. Ausführgsbestimmgn u. d. dazu ergang. Ministerialverfüggn. (112) 12° Heiligenst., FW Cordier 01. 1 — d
Régeny s.: Regenspursky v. Régeny.
Reger's, A, Dienstb. f, bayer. Staatsverwaltgs- u. Gemeinde-Beamte. Bearb. v. J Windstosser. 24. Jahrg. 1905. (304) 8° Ansb., C Brügel & S. L. 1.50 d
— s.: Entscheidungen d. Gerichte u. Verwaltgsbehörden.
— Handausg. d. bayer. Ges. üb. d. öffentl. Armen- u. Krankenpflege v. 29.IV.1869 in d. Fassg d. Bekanntmachg v. 30.VII.1899 u. unter d. Berücks. d. Novelle v. 10.V.'02. Mit Erläutergn u. d. einschläg. Vollzugsvorschriften sowie unter Beidr. d. Zwangserziehgsges. v. 10.V.'02 hrsg, 5. Afl. (180) 8° Ansb., C Brügel & S. 04. L. 3.20 d
— Handausg. d. Gewerbeordng f. d. Deut. Reich in d. Fassg d. Reichskanzler-Bekanntmachg v. 26.VII.1900. 3. Afl. v. T Stöhsel. 2 Bde. 8° Ebd. L. 9.10 d
1. (24) 01. 5.50 || 2. Vollzugsvorschriften d. Reichs u. d. Kgr. Bayern, d. preuss. techn. Anl. beagl. d. Genehmigg gewerbl. Anlagen. Auszug a. d. neuen Gewerbegerichtsges. u. alphabet. Gesammtreg. (283) 02. 3.60.
— dass. m. d. Reichsges. v. 30.III.'03 betr. Kinderarbeit in gewerbl. Betrieben (Kinderschutzges.), Auszug a. d. bayer. Gewerbeges. v. 30.I.1868, d. Gewerbegerichtsges., d. Kaufmannsgerichtsges. sowie d. Vollzugsvorschriften d. Reichs u. d. Kgr. Bayern. 4. Afl. v. T Stöhsel. 1. Bd. (650) 8° Ebd. 05. L. 6 — d
— Handausg. d. Krankenversicherngsges. Mit d. Abänderngsges., d. bayer. Ausführgsges. v. 26.V.1892, d. bayer. Vollzugsvorschriften, d. Statut-Entwürfen u. e. Anh., enth. Auszüge a. and. Versicherngsges. u. Abdr. d. Hilfskassenges. 7. Afl. v. J Henle. (528) 8° Ebd. 04. L. 5.50 d
— Handausg. d. in Bayern gült. allg. Polizeistrafgesetzgebg. 3. Afl. v. K Dames. (545) 8° Ebd. 05. L. 5.50 d
— Handausg. d. bayer. Verwaltgsgerichtsges. Mit d. neuen Vollzugsvorschriften, sonst einschläg. Bestimmgn u. eingeh. Erläutergn. 3. Afl. v. A Dyroff. (493) 8° Ebd. 02. L. 5.50 d
— Militärdienstgesetzgebg d, Deut. Reiches. Mit d. f. d. Reich u. d. Kgr. Bayern gült. Vollzugsbestimmgn. 3. Afl. v. J Jolas. (508) 8° Ebd. 05. L. 5.50 d
Reger, L: Rechtsbeistand beim Viehkauf, s.: Miniatur-Bibliothek.
Reger, M: Beitr. z. Modulationslehre. (54) 8° Lpzg, CF Kahnt Nf. 03. L 1 —
— dass. Traduit par M-D Calvocoressi. (54) 8° Ebd. 04. L 1 —
— dass. Translated by J Bernhoff. (50) 8° Ebd. 04. L 1 —
Reger, P: Hans Sachs, s.: Lortzing, A.
Regesta episcopor. Constantiensium. Regesten z. Gesch. d. Bischöfe v. Constanz, v. Bubulcus bis Thomas Berlower, 517—1496. Hrsg. v. d. bad. histor. Commission. II. Bd. 1293—1383. Bearb. v. A Cartellieri. Mit Nachtr. u. Reg. v. K Rieder. 4—7. (Schl.-)Lfg. (237—608) 8° Innsbr., Wagner 01.02-05. 9 — (I u. II.: 56 —)
— Habsburgica. Regesten d. Grafen u. d. Herzöge v. Österr. a. d. Hause Habsburg. Hrsg. v. Instit. f. österr. Geschichtsforschg unter Leitg v. O Redlich. I. Abtlg. Die Regesten d. Grafen v. Habsburg bis 1281. Bearb. v. H Steinacker. (148 u 1 Stammtaf.) 8° Ebd. 05. nn 1 —
— regni Hierosolymitani (1097—1291). Additamentum, ed. R Röhricht. (136) 8° Ebd. 04. 4.50
(Hauptwerk u. Additamentum : 18.10)
— diplomatica necnon epistolaria historiae Thuringiae. III. Bd. 1. Tl. (1228—47.) Bearb. v. O Dobenecker. (340) 4° Jena, G Fischer 04. nn 15 — (I—III, 1.: nn 75 —)
Regesten v. Urkunden u. Acten a. d. Schlossarchive Aurolzmünster. Von V Frhr v. Handel-Mazetti. (149) 8° Linz a/D., (Museum Francisco-Carolinum) 1900. (Nur dir.) 1 —
— d. Markgrafen v. Baden u. Hachberg 1050—1515. Hrsg. v. d. bad. histor. Commission. Bearb. v. H Witte. II. Bd, 2. Lfg u. III. Bd, 1—4. Lfg. 4° Innsbr., Wagner. 19.20
(I—II, 2 u. III, 1.: nn 64.80)
II. Regesten d. Markgrafen v. Hachberg v. 1422—1503. 2. Lfg. (97—160) 02. 3.20 (1 u. 2.: 8 —)
III. Regesten d.Markgrafen v.Baden v.1431—58. 1—4. Lfg. (1—321) 02.04. 16 —
— z. deut. Gesch. a. d. Zeit d. Pontifikats Innocenz' X. (1644—55.) Mitgeteilt v. W Friedensburg. (Artikel 1—5.) [S.-A.] (52, 67, 18, 30 u. 20) 8° Rom, Loescher & Co. 02-04. nn 5.60
— z. Gesch. d. Juden im fränk. u. deut. Reiche bis z. J. 1273. Bearb. unter Mitwirkg v. A Dresdner u. L Lewinski v. J Aronius. 6. Lfg. (321—370) 4° Berl., L Lamm 02. Subskr.-Pr. nn 3.20 (Vollst.: [24 —] 30 —)
— d., d. Erzbischöfe v. Köln im M.-A., bearb. v. R Knipping, s.: Publikationen d. Gesellsch. f. rhein. Geschichtskde.
— z. schles. Gesch. 1327—53, hrsg. v. C Grünhagen u. K Wutke, s.: Codex diplomaticus Silesiae.
— d. Urkunden d. herzogl. Haus- u. Staatsarchivs zu Zerbst a. d. J. 1401—1500. Hrsg. v. Wäschke. 1—6. Heft. (1—288) 8° Dess., (C Dünnhaupt) 03-05. Je 1 — d
Regestrum Varadinense examinum ferri candentis ordine chronologico digestum, descripte effigie editionis a 1550 illustratum sumptibusque capituli Varadinensis lat. rit. curis et laboribus J Karácsonyi et S Borovszky editum. (Ritus explorandae veritatis, quo hungarica natio in dirimendis controversiis ante annos trecentos & quadraginta usa est, & eius testimonia plurima, in Sacrario sumi tepli Varadien. reperta. Colosuarij 1550.) (161, 376) 8° Budap., (Verl.-Bureau d. ungar. Akad. d. Wiss,) 03. 15 —
Reggio, IS: Epistulae ad Samuelem David Luzzato, s.: Scriptum probitatis.
Regierung, d. russ., vor d. Richterstuhle Europas. „Der Königsberger Prozess". Von Asiate. 1. Tl. (In russ. Sprache.) (140) 8° Berl.-Charitinbg, F Gottheiner 05. 2 —
Regierungsblatt, grossh. hess. Jahrg.1901—4. (762, 596, 406 u. 488) 4° Darmst., (G Jonghaus). Je †8 — || 1905. (337) †6 — d
— dass. Beilagen. Jahrg. 1901—5. (241, 292, 280, 284 u. 298) 4° Ebd. Je †3 — d
— dass. Neues allg. Sachreg. Die Jahrgänge v. Anfang 1896 bis Ende 1901 umfassend. 4. Tl v. H Becker. (22) 4° Mainz, J Diemer 02. 2.40 (1—4.: 11.40) d
1—3 sind v. F Pfaff.
— f. Mecklenburg-Schwerin. Jahrg. 1901—4. (1901. Nr. 1. 41) 4° Schwer., (Bärensprung'sche Hofbuchdr.). Je †3.50; nach Erscheinen je †5.40 || 1905. †4 —; einz. Bog. † — 15 d
— f. d. Grossh. Sachsen. Jahrg. 1904 u. 5. (23, 252 u. 24, 290) 4° Weim., (H Böhlau's Nf.). Je nn 2.50 d
Bisher u. d. T.:
— f. Sachsen-Weimar-Eisenach. Jahrg. 1901—3. (22, 288; 18, 246 u. 21, 260) 4° Ebd. Je nn 2.50 d
— f. Württemberg. Jahrg. 1901. (Nr.1. 10) 4° Stuttg., (F Stahl). nn 5 — || 1902. 4 — || 1903—5. Je nn 6 — d
Register s.: Haupt-Register, Nick'sches.
Regierungs-Jubiläum, 50jähr., d. Grossh.Friedrich.|Festvortr. v. Ansprachen, geh. z. Jubelfeier in d. Aula d. techn. Hochsch. Fridericiana am 1.V.'02. (32) 8° Karlsr., (G Braun'sche Hofbuchdr.) 02. — 80
Regiments-Officierschulen d. Train-Truppe. (Im VII. Thle d. Instruction f. d. Truppenschulen d. k. u. k. Heeres als neuer VI.Abschn. einzuschalten.)(97—111)8° Wien,(Hof-u.Staatsdr.) (01). — 20 d
Reginus, J: Gedichte. (112) 8° Strassbg, L Beust 05. 1.80; geb. 2.50 d
Régisseur d., Fortsetzg, s.: Hell, CF van.
Register, the English and American. An illustr. weekly newspaper. Vol. XVI—XIX. Novbr 1901—Dezbr 1905 je 52 nrs. (Nr. 739. 8) 55,5×38,5 cm. Berl., H Steinitz. Viertelj. 2 —; einz. Nrn — 20
— geograph., z. Wiederholg n. D Ebes' Schulatlas f. d. mittl. Unterr.-Stufen. 5. Afl. (52) 8° Neust. a. d. H., J Witter 01. Kart. — 75 d
— z. Jahrb. 1856—61 u. zu d. Mitteilgn 1856—1902 d. k. k. Zentral-Kommission f. Kunst-u. histor. Denkmale. 1. Heft. Autorenreg. (34) 4° Wien, (A Schroll & Co.) 05. nn 1.20
— d. Auszügen a. d. Patentschriften, s.: Verzeichnis d. v. d. kais. Patentamt ertheilten Patente.
Registrator s.: Freiheit, Gleichheit, Brüderlichkeit.
Registrum Slavorum, d. vollständ., hrsg. v. L Helmling u. A Horcicka, s.: Urkunden, d., d. kgl. Stiftes Emaus in Prag.
Regius-Psalter, d. altengl., hrsg. v. F Roeder, s.: Studien z. engl. Philol.
Réglement sur les constructions pour la ville de Metz. 1.II. '03. (71) 8° Metz, (R Lupus) (03). nn 1 —
— betr. Bestimmgn üb. Handlgsreisende u. d. Gebr. v. Warenmustern u. Modellen in Rumänien, gültig v. 1.IX.'04 an. (14) 8° Wien, (W. 57, Potsdamerstr. 83), Gesellsch. f. Rechtsverfolgg im Ausl. 04. — 50
— f. d. Pferderennen in d. Schweiz. (24) 8° Bern, (A Francke) 03. nn — 25
— f. d. Sanitätsdienst d. k. u. k. Heeres. I—IV. Thl. 8° Wien, (Hof- u. Staatsdr.). 9.40 d
I. Sanitätsdienst bei d. Militär-Behörden, Commanden, Truppen- u. Heeres-Anstalten. (296 m. 5 Taf.) 01. 1.40
II. Militär-Sanitäts-Anstalten, stabile. 2 Tle. (442 u. Beil. 586) 02. 3 —
III. Militär-Medicamenten-Anstalten. (205) 02. 1 —
IV. Sanitätsdienst im Kriege. 2 Bde. (239 u. 485 m. Abb.) 04. 4 —
Regler, W: Herbarts Stellg z. Eudämonismus. (60) 8° Dresd., CL Ungeloenk 01. 1 —
Regling, K: Zur histor. Geogr. d. mesopotam. Parallelogramms. [S.-A.] (34) 8° Lpzg, Dieterich 02. 2 —
Reglow, A: Ja, treu ist d. Soldatenliebe!, s.: Theater-Album, militär.
Regnal, A: Schles. Dorfgesch. (284) 8° Schweidn., L Heege (04). 2 —; geb. 2.50 d
Titel-Aufl. v.:
— Schles. Teufeleien. Geschichten a. Schlesien. (284) 8° Lpzg (02). Schweidn., L Heege. 2 —; geb. 2.50 d
Regnard, JF: Die Erbschleicher. Komödie in Versen. (1708.) Übers. u. f. d. deut. Bühne bearb. v. T Rehbaum. (91) 8° Wiesb., R Bechtold & Co. (04). 1.50 d
Régnier, H de: In doppelten Banden. (La double maitresse.) Roman. Aus d. Franz. v. F v. Oppeln-Bronikowski. (404) 8° Stuttg., Deut. Verl.-Anst. 04. 5.50; geb. nn 4.50 d
— Solisame Liebschaften, s.: Deva-Roman-Sammlung.
Regula antiqua fratrum et soror. de paenitentia seu tertii ordinis sancti Francisci. Nunc primum et P Sabatier. (13, 30) 8° Paris, W Fischbacher 01. 1.20
Reh, Heyer u. Gros: Gesetz-Sammlg f. d. Grossh. Hessen 1819—1905. I—III. 8° Mainz, J Diemer. L. 42.80 d
I. 1819—74. (710) 04. 10 — || II. 1875—96. (960) 05. 14.40 || III. 1899—1904. (1087) 05. 17.80.

Reh, E: Blumen am Wege. Dichtgn. (215) 8° Brnschw. 02. Lpzg, R Sattler.   2 —; L. 3 — d
Reh, L: Ueb. Aspidiotus ostreaeformis Curt. u. verwandte Formen. [S.-A.] (13 m. 1 Abb.) 8° Hambg, (L Gräfe & S.) 1900. — 50
— Phytopatholog. Beobachtgn, m. bes. Berücks. d. Vierlande bei Hamburg. Mit Beitr. z. Hamburger Fauna. [S.-A.] (113 m. 1 Karte.) 8° Ebd. 02.   4 —
— Hdb. d. Pflanzenkrankh., s.: Sorauer, P.
— s.: Jahresbericht d. Sonderausschusses f. Pflanzenschutz.
— Ueb. ein. europ. u. an eingeführten Pflanzen ges. Lecanien, s.: King, GB.
— Zucht-Ergebnisse m. Aspidiotus perniciosus Comst. [S.-A.] (21 m. 1 Abb.) 8° Hambg, (L Gräfe & S.) 1900. — 50
Reh, P, s.: Akten u. Urkunden d. Univ. Frankfurt a. O.
Rehbein, A, s.: Rhein, uns., v. Mainz bis Düsseldorf.
— Aus d. Sennelager u. and. Humoresken. (148 m. Abb.) 8° Köln, Kölner Verl.-Anst. u. Dr. 02.   (1.50) 1 — d
Rehbein, E: Einrichtg u. Behandlg d. Dynamo-Maschine. (19 m. Abb.) 8° Lpzg, S Schnurpfeil (02).   — 50
— Grundgesetze d. Mechanik u. ihre Anwendg in d. Maschinen-Technik. (128 m. Abb.) 8° Lpzg, M Schäfer (03).   2 —
Rehbein, H: Das BGB. m. Erläuterg. 4—6. Lfg. (2. Bd. 500) 8° Berl., HW Müller 02,03.   11 —; HF. 12.50
    (1 u. 2. Bd: 18 —; geb. 21 —) d
— Allg. deut. Wechsel-Ordng m. Kommentar in Anmerkgn u. d. Wechselprozess u. d. Reichs-Justizges. 7. Afl. (224) 8° Berl., HW Müller 04.   Kart. 4 — d
Rehbein, LHP: Gott in d. Natur. Vorbereitgsh. auf d. Unterricht in d. Kde d. Halbgräser m. Juncaceen, Gräser u. aller Kryptogamengruppen. 3 Tle in 1 Bde. (313) 8° Oldenbg i/H. (03). (Naunh., Schäfer & Sch.)   2.80 d
— Gott in d. Natur. Ein Wort z. Beherzigg. (15) 8° Ebd. (04).   — 30 d
Rehbein, W: „Heimwärts!" Gedichte. (155) 8° Kass., E Röttger (1900).   Kart. 1.20; geb. 2 —; m. G. 3 — d
Rehberg, F: Untersuchgn üb. d. Adenome d. Niere u. ihre Entwickelg. (41 m. Fig.) 8° Freibg i/B., Speyer & K. 02. 1.20
Rehberg-Behrns, A, s.: Gabriel, H.
Rehbinder, B: Fauna u. Alter d. cretaceischen Sandsteine in d. Umgebg d. Salzsees Baskuntschak. (In deut. u. russ. Sprache.) [S.-A.] (163 m. 4 Taf.) 4° St. Petersbg 02. (Lpzg, M Weg.)   nn 5.20
Rehbock, T: Deutschlds Pflichten in Deutsch-Südwestafrika. (44) 8° Berl., D Reimer 04.   — 80
— s.: Wasserbau, d.
Re-Heiligtum, d., d. Königs Ne-Woser-Re (Rathures). Hrsg. v. FW v. Bissing. (1. Bd. 89 m. Abb. u. 6 [1 farb.] Taf.) 41,5 ×39,5 cm. Berl., A Duncker 05.   Kart. Subskr.-Pr., f. vollst. nn 100 —
Reher, AC: 142 humorist. u. ernste Solo-Polterabend-Vorträge; s.: Albers, JH.
Rehfeld, E: Leitf. f. d. propädeut. Kurse in Stereometrie u. Trigonometrie an Realsch. (88 m. Fig.) 8° Berl., Reuther & R. 02.   1.20; geb. 1.60
Rehfeld, F, s.: Sang u. Klang im 19. Jahrh.
Rehfeld, G: Kascha. Roman in 2 Bdn. (Je 168) 8° Mannh., J Benzheimer's V. (1900).   4.50 d
Rehfus, C, s.: Oberländer.
Rehfues, J v.: Marienburg, m. e. Vorsp., Die Schlacht bei Tannenberg. bearb. v. L Passargo, s.: Bibliothek d. Gesamtlitt.
Rehling, K: Die Buchhaltg im Schlossergewerbe. (226 m. Fig.) 8° Wien, A Pichler's Wwe & S. 03.   Kart. 2.65 d
— dass. im Schneidergewerbe in 2 Tln. (269) 8° Ebd. 03.   Kart. 2.65 d
— dass. im Schuhmachergewerbe in 2 Tln. (262) 8° Ebd. 03.   Kart. 2.65 d
— dass. im Tischlergewerbe. (178) 8° Ebd. 03.   Kart. 2.65 d
Rehm, A: Parapegmenfragmente a. Milet, s.: Diels, H.
— Weiteres zu d. miles. Parapegmen. [S.-A.] (8) 8° Berl., (G Reimer) 04.   — 50
Rehm, H: Die Bilanzen d. Aktiengesellsch. u. Gesellsch. m. b. H., Kommanditgesellsch. auf Aktien, eingetrag. Genossensch., Versichergsver. auf Gegenseitgk., Hypotheken- u. Notenbanken u. Handelsgesellsch. überhaupt n. deut. u. österr. Handels-, Steuer-, Verwaltgs- u. Strafrecht. (20, 938) 8° Münch., J Schweitzer V. 03.   27 —; HF. 30 —
— Modernes Fürstenrecht. (476) 8° Ebd. 04. 12.50; geb. 14 —
— Das landesherrl. Haus, s. Begriff u. d. Zugehörigkeit zu ihm. [S.-A.] (36) 8° Lpzg, A Deichert Nf. 01.   1.20
— Prädikat- u. Titelrecht d. deut. Standesherren. (359) 8° Münch., J Schweitzer V. 05.   11.50
— Quellensammlg z. Staats- u. Verwaltgsrecht d. Kgr. Bayern, s.: Quellensammlungen z. Staats-, Verwaltgs- u. Völkerrecht.
— Die Reichsfinanzreform, ihre Gründe u. ihre Durchführg. (41) 8° Münch., J Schweitzer V. 03.   1 — d
— Reichsges. üb. d. privaten Versichersunternehmgn v. 12. V. 01. (228) 12° Münch., CH Beck 01.   L. 3 — d
— Die staatsrechtl. Stellg d. Hauses Wittelsbach in Bayern in Vergangenh. u. Gegenwart. Festrede. (32) 8° Erl., F Junge 01.   — 45
— Oldenburger Thronanwärter. (72) 8° Münch., J Schweitzer V. 05.   2 —
Rehm, HS: Das Buch d. Marionetten. Beitrag z. Gesch. d. Theaters aller Völker. (307 m. Abb. u. 130 Taf.) 8° Berl., E Frensdorff (05).   15 —; geb. 20 — d

Rehm, P: Schlaf u. Schlaflosigk., s.: Volksbücherei, medizin.
Rehme, P: Gesch. d. Münch. Grundbuches, s.: Festgabe f. Herm. Fitting.
— Die Lübecker Grundbauern. Beitrag z. Rechtslehre v. d. Reallasten. (69) 8° Halle, M Niemeyer 05.   2.40
Rehme, W: Die Architektur d. neuen freien Schule. 100 Taf. in Lichtdr., nebst einleit. Text. 4 Lfgn. (20) 42×31,5 cm. Lpzg, Baumgärtner (02).   Je 13 —; (in 1 L.-M. 52 — d
Erschien z. Tl noch in Berlin.
— dass. I. u. II. Ergänzgsbd. (Je 100 Taf. m. 8 S. Text.) 4° Ebd. (02).   In L.-M. 48 — d
   I. Ausgeführte moderne Bautischler-Arbeiten.   2 —
   II. Ausgeführte moderne Kunstschmiede-Arbeiten.   2.50
— s.: Möbelarchitekt, d. — Modelleur, d.
— Das Wohnhaus, s: Buch, d. prakt., f. jedermann.
— Moderne Wohn- u. Geschäftshäuser. I. Serie. 4 Lfgn. (100 Taf. m. 6 S. Illustr. Text.) 4° Lpzg, Baumgärtner (02). Je 10 —;
    in 1 M. 40 — d
Rehmke, J: Die Erziehgssch. u. d. Erkenntnissch. Versuch d. Einteilg uns. Schulen n. ihrer Bestimmg. (31) 8° Frankf. a/M., Kesselring 03.   — 60 d
— Lehrb. d. allg. Psychologie. 2. Afl. (547) 8° Ebd. 05.   10 —
— Die Seele d. Menschen, s.: Aus Natur u. Geisteswelt.
— Wechselwirkg od. Parallelismus? [S.-A.] (58) 8° Halle, M Niemeyer 02.   1.60
Rehnert, A, s.: Riesen-Gebirge, d., in Bildern.
Rehorn, S: Method. Lehrg. f. d. Unterr. in d. deut. Grammatik. 5. Afl. (55) 8° Frankf. a/M., M Diesterweg 04. Kart. — 50 d
— Dent. Leseb., s.: Paldamus, FC.
— Leseb. z. Einführg in d. deut. Lit. Musterstücke deut. Poesie u. Prosa. Für höh. Lehranst. 6. Afl. (676) 8° Frankf. a/M., M Diesterweg 05.   Geb. nn 4.75 d
— s.: Nibelungenlied, d.
Rehorst, C: Festdekorationen d. Stadt Halle a. S. anlässlich d. Kaiserbesuches am 6.IX.'03. (27 [2 farb.] Taf. m. 13 S. Text.) 4° Halle, L Hofstetter, V. 04.   Geb. 12.50
Rehren, L v. (Frau L Heymer): Aazo u. Linda. Geschichte a. Livlds Vergangenh. (88 m. 5 Vollbildern.) 8° Riga, E Plates (03).   — 60 d
— Vom Baume d. Erkenntnis, s.: Eckstein's moderne Bibliothek.
— Drei aus e. Nest u. and. Gesch., s.: Kürschner's, J, Bücherschatz.
— Moderne Nonnen, s.: Eckstein's moderne Bibliothek.
— Reinheit. Die Fraude, s.: Kürschner's, J, Bücherschatz.
Rehrmann: Lehrg. d. französ. Sprache, s.: Püttmann.
Rehrmann, A: Die Christol. d. hl. Cyrillus v. Alexandrien systematisch dargest. (403) 8° Hildesh., F Borgmeyer 02. 5 —
— Die wahre Kirche Christi im Lichte d. hl. Schrift, s.: Kirchen-Gesch. u. d. log. Denkens. 1—5. Tans. (174) 8° Heiligen-FW Cordier (04).   — 50 d
— Der hochsel. Bekenner-Bischof Dr. theol. Conr. Martin. (32 m. Abb. u. 1 Bildnis.) 8° Ebd. (04).   — 50 d
Rehse, A: Einfachste Buchführg f. Landwirte u. Gewerbetreib. Nebst Anh.: Die Vorteile d. Übersichtsbuchführg. (86 m. 2 Tab.) 8° Hannov., A Sponholtz V. 05.   L. 1.40
Rehse, H: Arwäinn', s.: Bibliothek, plattdeut.
— Knack'n u. Plüm'n. Plattdeut. Gedichte u. Humoresken in mecklenburg. Mundart. (91) 8° Berl., W Süsserott 01.   1 — d
— Leitf. z. Vorbereitg auf d. Zahlmeister-Prüfg. Durchgesehen u. vervollständigt v. e. ält. Fachmanne. (105) 8° Berl., A Bath 03.   7 — d
Rehse, Frau L: Bratbüchl. z. Herstellg nahrhafter u. wohlschmeck. Bratspeisen ohne Fleisch. 6. Afl. (68) 8° Hannov., (A Sponholtz V.) (04).   — 50 d
Rehtwisch, T: Gustav Frenssen, d. Dichter d. „Jörn Uhl". Biographisches u. Litterarisches. 1—4. Afl. (40 m. Abb., 1 Bildnis u. Fksm.) 8° Berl., A Duncker 02.   1 — d
Rehtz, A: Poesie d. Weltalls. Naturwiss. Gedichte. (1. u. 2. [Umschl.-] Afl.) (119) 8° Lpzg, G Vogt (04.05).   2.50 d
Reiber, JB: Monita secreta. Die geheimen Instruktionen d. Jesuiten vergleichen m. d. amtl. Quellen d. Ordens. (52) 8° Augsbg, Lit. Instit. v. Dr. M Huttler 02.   — 90 d
— Der Papst, d. Vater d. Christenh., s.: Volksbibliothek, kathol.
Reibling, A: Des Lebens Licht- u. Schattenseiten. Roman a. d. Leben. (213) 8° Brnschw. 02. Lpzg, R Sattler. 2 —; L. 3 — d
Reibnitz, K Frhr. v: Der öffentl. Glauben d. Grundbuchs in Vergl. m. d. öffentl. Glauben d. Grundbuchs. (86) 8° Berl., Struppe & W. 02.   2.80
Reibnitz, P Frhr v: Gesch. d. Herren u. Freiherren v. Reibnitz. 1241—1901. (397 m. Abb., 13 Stamm- u. 4 Übersichtstaf.) 8° Berl., ES Mittler & S. 05.   15 —; geb. n 17 — d
Reibrach, Dr: Das neue Schönheit. Roman in 4 Tln. Aus d. Franz. v. W Reinhard. (387) 8° Stuttg., Deut. Verl.-Anst. 05.   3.50; geb. 4.50 d
Reich, d., Christl. Monatsschrift (Zeitschrift) f. Verständnis u. Verkündigg d. Evangeliums. Hrsg.: J Lepsius. 4. u.5. Jahrg. 1901 u. 2 je 12 Nrn. (Nr. 1, 32 Sp.) 8° Berl., Lichterf.-West, Tempel-Verl. Je 5 —; viertelj. 1.50; einz. Nrn nn — 60 d 6—8. Jahrg. 1903—5. (8. J. 593) Je 6 —; viertelj. 2 —; einz. Nrn   1 — d
Erschien bis März 1904 in Berlin.

Reich, D e in, komme! Predigten f. d. Sonn- u. Festtage d. Kirchenj. Hrsg. v. Ver. f. innere Mission in Schleswig-H. (Gemein-
  schaftsver.). 10 Lfgn. (540) 8º Neumünst., Vereinsbh. G Ihloff
  & Co. 01.02.   Je — 40; in 1 L.-Bd 5 — d
— d., d. E r f ü l l g. Flugschriften z. Begründg e. neuen Weltanschaug, hrsg. v. H n. J Hart. 2. Heft. 8º Jena, E Diederichs.   1 — (1 u. 2.: 2 —) d
  Hart, H, J Hart, G Landauer, F Holländer: Die neue Gemeinschaft, s.
  Orden v. wahren Leben. Vorträge u. Ansprachen. (88) Lpzg 01. [2.] 1 —
— d. ewige, uns. HErrn J e s u C h r i s t i. Verhandlgn d. 9. allg.
  deut. Gnadauer Pfingstkonferenz, Schönebeck a. E. '04- Hrsg.
  v. Sartorius. (141) 8º Stuttg., Bh. d. deut. Philadelphiaver.
  04.   — 80 d
  Die Verhandlgn d. 8. Konferenz s. u. d. T.: Verhandlungen.
— d., d. L i e b e. Mit e. Karte (auf d. Umschl.), enth. u. a.:
  Seufzerflur — Küssfeld — vergnügtes Hölzchen — Schwelger-
  fluss — Land d. Lüste etc. 2. Afl. (4) 8º Lpzg, Dyk (03). — 25 d
— d., d. Ü b e r s i n n l i c h e n. Monatl. Litt.-Berichte. Red. v. F
  Unger. 2. u. 3. Jahrg. 1901 u. 2 je 12 Nrn. (Nr. 1 u. 2. 32) 8º Münch.
  Wien, FC Mickl. || 4. Bd. März—Dezbr 1903. 8 Nrn. Je 2 — 0 H
Reich, A: Das Meliorationswesen. (107 m. Abb.) 8º Lpzg, W
  Engelmann 05.   4 — ; L. 5 —
Reich, E: Grundsätze betr. einheitl. gesetzl. Regelg d. Ver-
  kehrs m. Milch. Entwurf, welcher dazu bestimmt ist, bei d.
  Erlass e. allg. Milch-Ges. als Material verwendet zu werden,
  u. welcher auch solche Erläutergn umfasst, d. nicht in d.
  Ges., sondern in d. gleichzeitig zu erlass. Ausführgs-Be-
  stimmgn hineingehören. (36) 8º Berl., G Siemens 04. — 60 d
Reich, E: Henrik Ibsens Dramen. 20 Vorlesgn. 4. Afl. (515) 8º
  Dresd., E Pierson 03.   3 — ; geb. 4 — d
— Kunst u. Moral. (248) 8º Wien, Manz 01.   4.40 d
Reich d. J., E, s.: Streiflichter z. Gesch. d. Buchbandels.
Reich, F: Präparat. zu Ovids Metamorphosen, 1. u. 2. Heft.
  8º Gotha, FA Perthes 02.   1 — d
  1. I. u. II. Buch. (57) — 60 | 2. III. Buch. (Kadmus. Peutheus n. Bacchus.)
  (29) — 40.
Reich, H: Der König m. d. Dornenkrone. [S.-A.] (31 m. 5 Abb.)
  8º Lpzg, BG Teubner 05.   1 —
— Der Mimus. Litterar-entwicklgsgeschichtl. Versuch. 1. Bd.
  2 Tle. (900 m. 1 Tab.) 8º Berl., Weidmann 03.   24 —
Reich, J: Liturg. Wandtaf., s.: Swoboda, H.
Reich, M: Loeben. Wandergn durch Stadt u. Umgebg nebst
  geschichtl. Streifzügen. (130 m. 1 Pl.) 8º Leoben, L Nüssler
  01.   1 —
Reich, O: Liebesvariationen. (99) 8º Dresd., E Pierson 02.
                                  2 — ; geb. 3 —
— 20 Skizzen u. Erzählgn. (218) 8º Ebd. 01.   3.50; geb. 4.50 d
Reich, O: Karl Ernst Adolf v. Hoff, d. Bahnbrecher moderner
  Geologie. (144) 8º Lpzg, Veit & Co. 05.   4 —
Reich, R: Christbaum-Lieder. Dichtgn v. G Weikert. Für e.
  Singstimme m. Begleitg d. Pianoforte komp. v. R. (2. Afl.)
  (30) 8º Bas., Kober 02.   — 30 d
Reich, W : "Misrachiah", Nach Ostern! Eine jüd. Gesellschafts-
  reise n. Palästina. Reisebericht. (60) 8º Frankf. a/M., J Kauff-
  mann 05.   1 — d
Reichard, A: Üb. Cuticular- u. Gerüst-Substanzen bei wirbel-
  losen Tieren. (46) 8º Hdlbg, G Koester 03.   1 —
Reichard, B: Bruder Ino. Lustsp. (24) 8º Dresd., (OV Böhmert)
  03.   — 20 d
— Deut. Pioniere. Schausp. (25) 8º Ebd. 03.   — 20 d
— Ein schwaches Werkzeug. Drama. (22) 8º Ebd. 02.   — 20 d
Reichard, G: Falkenauge. — Lederstrumpf, s.: Cooper, JF.
— Onkel Toms Hütte, s.: Beecher-Stowe, H.
— Der Wildsteller, s.: Cooper, JF.
Reichard, M, s.: Kunsttheater, d.
— Festpredigt. Geh. anlässlich d. XIV. Generalversammlg d.
  ev. Bundes. (11) 8º Lpzg, (C Braun) (01).   nn — 10 d
Reichardt, M, s.: Felddienst-Ordnung, russ.
Reichardt, G: Generalregi., s.: Zeitschrift, elektrotechn.
Reichardt, M: Ein toller Ehemann. — Der Hausdrache. —
  Der Mann m. d. 3 Frauen. — Bei Pannemanns ist Hochzeit,
  s.: Album f. Liebhaber-Bühnen.
Reichardt, O: Widukind d. Sachsenherzog. Drama. (89) 8º
  Berl. 02. Jena, H Costenoble.   1 — d
Reichardt, W: Predigt, geh. bei d. Festgottesdienste z. 50jähr.
  Regiergsjubiläum d. Herzogs Ernst v. Sachsen-Altenburg.
  (8) 8º Altnbg, O Bonde 03.   — 25
Reichau, W: Die Kommanditgesellschaft auf Aktien u. d.
  „rechtsfäh. Verein". (72) 8º Berl., Struppe & W. 03.   2 —
Reiche, A: Üb. abnorme paralyt. Kontrakturen an d. unt. Ex-
  tremität n. spinaler Kinderlähmg. (16) 8º Lpzg, B Konegen
  05.   — 50

—º0º: Psychiatrie usw.

Reiche, G: Der Ausstopfer, s.: Miniatur-Bibliothek.
Reiche, J: Berliner Mädel. Kl. böse Geschichten u. Lieder.
  (36) 8º Gr. Lichterf., W Donny & Sohn (04).   1 —
Reiche, Frau L, s.: Frei, L.
Reiche-Grosse: Empfängnistab. (§1592, §1717 BGB.) (1 Bl.) 29,5×
  39 cm. Dresd., Holze & Pahl (04). — 60; auf Pappe — 80 d
Reichel's Volkskalender f. 1906. (48 u. 16 m. Abb.) 8º Augsbg,
  Gebr. Reichel.   — 25 d
Reichel, A: Das Bundesges. üb. Schuldbetreibg u. Konkurs,
  s.: Weber, L.

Reichel, A: Kreuzwegandacht, welche uns. Vorsätze auf d.
  Haltg d. 10 Gebote hinlekt. 2. Afl. (16) 16º Bresl., (GP Ader-
  holz) (03).   — 20 d
— Die Lehre d. kathol. Kirche in 150 Fragen u. gereimten
  Antworten. (21, 152 m. Abb.) 8º Steyl, Missionsdr. 03. L. 1.20 d
Reichel, E: Der Turbinenbau auf d. Weltausstellg in Paris
  1900. [S.-A.] (44 m. Fig.) 4º Berl., J Springer 02. 2 — Vergr.
  Neue Bearbeitg s. u. d. T.: Wagenbach, W, neuere Turbinenan-
  lagen.
Reichel, Frl. E, s.: Rüst, E.
Reichel, E: Allein durch d. Glauben. Predigten. (225) 8º Herrnh.,
  Missionsbh. (03).   1.80; geb. 2.50; m. G. 3 — d
— Bekehrg. 2 Predigten. I. Die Bekehrg z. Gotteswerk. II. Der
  Gehorsam d. Glaubens. (24) 8º Ebd. (02).   — 25 d
— Unser Zeugenberuf. Predigt. (16) 8º Ebd. (02).   — 15 d
Reichel, E: Gottsched. Ein Kämpfer f. Aufklärg u. Volksbildg,
  s.: Sammlung gemeinverständl. wiss. Vortr.
— Gottsched d. Deutsche. (115 m. 1 Bildnis.) 4º Berl., Gottsched-
  Verl.   12 — ; geb. 20 — d
— s.: Gottsched-Halle.
— Kl. Gottsched-Wrtrb. (94) 8º Berl., Gottsched-Verl. 02. 5 — d
Reichel, G: Carte de France, d'après la carte murale de Sydow-
  Habenicht adaptée à l'enseignement du franç. 1 : 750,000. 9 Bl.
  je 49,5×56 cm. Farbdr. Gotha, J Perthes (02).   10 — ;
                          auf L. in M. 15 — ; m. St. 18 — u. lackiert 21 —
Reichel, G: Aug. Gottlieb Spangenberg, Bischof d. Brüder-
  kirche. (291) 8º Tüb., JCB Mohr 06.   5 — ; geb. nn 6.50 d
— grundbuchrecht. (59) 8º Lpzg, CL Hirschfeld 05.   1.80
Reichel, H: Freimarerei, Christentum, Theosophie. (141) 8º
  Schweidn., P Frömsdorf 03.   1.80
Reichel, H: Der menschl. Körper u. s. Pflege. 5. Afl. (32 m.
  Abb. u. 2 farb. Taf.) 8º Dresd., CC Meinhold & S. (04). — 20 d
Reichel, K, s.: Übgsb. z. Übers. a. d. Deut. in d. Franzõs., s.:
  Oeser, G.
Reichel, K, u. M Blümel: Lehrg. d. engl. Sprache. Lese- u.
  Übgsb. (254 m. 1 Pl. u. 1 Karte.) 8º Bresl., Trewendt & Gr.
  05.   Geb. 3 — d
— — dass. Schulgrammatik. (210) 8º Ebd. 05.   Geb. 2 — d
Reichel, M: Der Automobil-Löschzug d. Berufsfeuerwehr Han-
  nover. (86 m. Abb.) 8º Berl., J Springer 03.   Kart. 3 —
Reichel, M: Stimmen a. d. Erzgebirge. Poesien, m. Illustr.
  (Orig.-Steinzeichngn) v. E Munscheid. (16 m. 6 Taf.) 4º Altenbg
  (04). (Dresd., C Weiske.)   L. 3.50 d
Reichel, O: Jolantha. (103) 8º Dresd., E Pierson 02.   2 — ;
                                      geb. 3 —
Reichel, O: Vorstufen d. höh. Analysis u. analyt. Geometrie.
  (111 m. Fig.) 8º Lpzg, BG Teubner 04.   L. 2.40
Reichel, P, s.: Chirurgie d. Extremitäten.
— Chirurgie d. unt. Extremitäten, s.: Borchardt, M.
Reichel, W: Die Verwendg d. Drehstroms insbes. d. hoch-
  gespannten Drehstroms f. d. Betrieb elektr. Bahnen. (158 m.
  Abb. u. 7 Taf.) 8º Münch., R Oldenbourg 03.   L. 7.50
Reichel, W: Vernunft u. Regel. Beitrag z. Lehre v. d. steno-
  graph. Gesetzgebg. (12) 8º Lpzg, E Zehl 04. 2 — ; geb. nn 2.50
Reichel, W: Homer. Waffen. Archäolog. Untersuchgn. 2. Afl.
  (172 m. Abb.) 4º Wien, A Hölder 01.   7 —
Reichelt, J: Aus Heimat u. Fremde. Tierkde z. Vorbereitg f.
  Lehrer u. Seminaristen, bes. beim Gebrauche v. Meinholds
  Wandbildern. (264 m. Abb.) 8º Dresd., CC Meinhold & S. 04.
                                      Geb. 3.90 ¶

Reichenau, s.: Entscheidungen d. kgl. preuss. Oberverwaltgsgerichts.
Reichenau, v.: Die wachs. Feuerkraft u. ihr Einfl. auf Taktik, Heerwesen u. nationale Erziehg. (147) 8º Berl., Vossische
  Bh. 04.   4.50
— d. Schilde auf d. Entwickelg d. Feldartill.-Materials
  u. d. Taktik. (69) 8º Ebd. 02.   1.60;
    Ergänz. Versuchs-Ergebnisse. (82) 02. 2.25
— Die Munitionsausrüstg d. modernen Feldartill. (73) 8º Ebd.
  05.   2 —
— Stahlgeschosse u. Schutzschild. Eine neue Phase in d. Entwickelg d. Feldgeschützes. (51) 8º Ebd. 02.   1 —
— Neue Studien üb. d. Entwickelg d. Feldartill. (76) 8º Ebd.
  03.   2 —
Reichenau, W v.: Judentum n. Deutschtum. Ueb. d. Einfl. d.
  jüd. auf d. deutsche materielle u. bes. höh. Kultur. (32) 8º
  Stuttg., Süddeut. Verlagsbh. 02.   nn — 50 d
Reichenau, W v.: Eine neue fossile Bären-Art Ursus Denin-
  geri mihi a. d. fluviatilen Sanden v. Mosbach. [S.-A.] (11)
  8º Wiesb., JF Bergmann 04.   — 60
— Einiges üb. d. Macrolepidopteren uns. Gebietes, unter Aufzählg sämtl. bis jetzt beobacht. Arten, zugl. als Ergänz. v.
  „Die Schuppenflügler (Lepidopteren) d. kgl. Reg.-Bez. Wies-
  baden u. ihre Entwicklgsgesch. v. A Rössler". 1. u. 2. Tl. [S.-
  A.] 8º Ebd.   5.40
  1. Die Tagfalter, Schwärmer u. Spinner. (61) 04.   1.60
  2. Die Eulen u. Spanner. (84) 05.   1.60
— Die Schädel d. Hyaena arvernensis Croizet et Jobert a.
  d. Mosbacher Sande. [S.-A.] (8 m. 1 Taf.) 8º Ebd. 05. _1 —
Reichenbach s.: Stromer v. Reichenbach.
Reichenbach, Frhr v.: Odischmagnet. Briefe. Hrsg. u. red. v.
  A Weber. (169) 8º Lpzg, Jaeger (04).   3 —

Reichenbach, E: Kasperl u. s. Frau. (15 m. z. Tl farb. Abb.)
4° Nürnbg, T Stroefer (01).   — 75 d
— Uns. Kindes Guckkasten. Verse v. R. (15 m. Abb. u. 5 farb.
Drehbildern.) 4° Ebd. (02).   Geb. 2 — d
— Im Kreis herum. Ein neues Bilderb. m. Versen. (16 m. Abb.
u. 6 farb. Drehbildern.) 4° Ebd. (01).   Geb. 3 — d
— Der Pfadfinder am Binnensee, s.: Cooper, JF, Lederstrumpf-
Erzählgn.
— Das Pferde-Bilderb. (15 m. farb. Abb.) 4° Nürnbg, T Stroefer
(02).   1.50 d
— Die Spielkameraden. (12 m. z. Tl farb. Abb.) 4° Ebd. (01).
                                                      Geb. — 60 d
— Unser Zeitvertreib. Mit Versen. (16 m. Abb. u. 5 farb. Zieh-
bildern.) 4° Ebd. (01).   Geb. 2 — d
Reichenbach, F: Üb. Gasmaschinen. [S.-A.] (13 m. Fig.) 4°
Berl., Boll & Pickardt 05.   1.50
Reichenbach, H: Grundr. d. Naturgesch., s.: Schilling, S.
— Naturgesch. d. Menschen, s.: Noll, FC.
Reichenbach, H: Zur Frage d. Tageslichtmessg. [S.-A.] (12) 8°
Jena, G Fischer 05.   — 50
— Die Tageslichtmessg in Schulen, s.: Gottschlich, F.
Reichenbach, H: Hochwasser. Drama. (94) 8° Hambg, Weit-
brecht & Marissal (08).   2 — ; geb. 3 — d
Reichenbach, HGL, u. HG **Reichenbach** fil.: Deutschlds Flora
m. höchst naturgetreuen, characterist. Abbildgn in natürl.
Grösse u. Analysen. Fortgeführt v. G Ritter Beck v. Mannagetta. Wohlf. Ausg., halbcolor. 240—257. Heft. (1. Serie. 15. Bd,
24—33. Lfg u. 17. Bd, 1—8. Lfg.) (Text 89—112, 121—290 u.
1—64 m. 117 Taf.) 8° Gera, F v. Zezschwitz 01-05.   Je 3 —
                                        (15. Bd, 2. Tl vollst.: 40 —)
— — dass. Bd 19 II. 1—5. Lfg. Des ganzen Werkes Nachtr. 1—
5. Lfg. Ergänzg d. Hieracien, bearb. v. J Murr, H Zahn, J
Böll. (1—40 m. 40 Taf.) 8° Ebd. (04.05).   Je 3 — d
— Icones florae germanicae et helveticae simul terrar. ad-
jacentium ergo mediae Europae. Opus continuatum auctore
G Equite Beck de Mannagetta. Tom. XXII, Lfg. 24—33 u.
XXIV 1—8. (Deut. od. latein. Text 105—230 u. 1—64 m. 117
Taf.) 8° Ebd. (01-05).   Mit schwarzen Taf. je 4 —;
m. kolor. Taf. je 6 — (XXII, 2. Tl vollst.: 50 —; kol. 70 —)
— — dass. Tom. XIX, 2.1—5. Lfg. Hieracium II auctorib. J Murr,
H Zahn, J Pöll. (Deut. od. latein. Text 1—40 m. 40 Taf.) 8°
Ebd. (04.05). Mit schwarzen Taf. je 4 — ; m. kolor. Taf. je 6 —
Reichenbach, M Gräfin v.: Arndt u. Follen. Zeitgemälde a. d.
deut. Befreigskriege. 2. Afl. hrsg., v. neuen Dresdner Tier-
schutz-Verein Dresden. (276) 8° Dresd., E Pierson 05. 2 —
                                        geb. 3 — ; Geb. 4 — d
Reichenbach, M v., s. a.: Bethusy-Huc, V Gräfin.
— Die Ballnacht v. Roditz. Roman. (222) 8° Berl., E Trewendt
04.   3.60; L. 4.60 d
— Oberschles. Dorfgeschichten, s.: Universal-Bibliothek.
— Nach stillen Inseln. Roman. (229) 8° Berl., O Janke (03). 3 — d
— Der Roman e. Bauernjungen, s.: Universal-Bibliothek.
— Sie liebten sich. (Mit Blut verschrieben. Wilma), s.: Kürsch-
ner's, J, Bücherschatz.
— Wanderndes Volk. Schles. Adelsroman. (274) 8° Bresl. 03.
Berl., E Trewendt.   2 — ; L. 3 — d
Reichenberger, R, s.: Nuntiaturberichte a. Deutschl.
— Wolfg. v. Salm, Bischof v. Passau (1540—55), s.: Studien
u. Darstellungen a. d. Geb. d. Gesch.
Reichenhart, E: Die latein. Schule zu Roth a. Sand unter d.
markgräfl. Regierg. (50) 8° Nürnbg, (JL Schrag) 03. nn 1.30
Reichenow, A, s.: Journal f. Ornithol.
— Die Kennzeichen d. Vögel Deutschlds. Schlüssel z. Bestim-
men, dent. u. wiss. Benenngn, geograph. Verbreitg, Brut-
u. Zugzeiten d. deut. Vögel. (150 m. 8 Taf.) 8° Neud., J Neu-
mann 02.   3 — ; L. 4 — d
— s.: Monatsberichte, ornithol.
— Uebersicht d. auf d. dent. Tiefsee-Exped. ges. Vögel, s.:
Ergebnisse, wiss., d. deut. Tiefsee-Exped.
— Die Vögel Afrikas. I. Bd, 2. Hfte u. H. u. III. Bd je 2 Hlftn.
(2—6. Halbbd.) 8° Neud., J Neumann.   270 —
                                           (Vollst.: 320 —; HF. 350 —)
I.2. (221—706) 01. 50 — ∥ I.1.2. (752 u. 43 m. 3 Kart. u. 11 farb. Taf.) 01.
100 — ∥ III.1.2. (266 m. 19 farb. Taf.) 04.05. 120 —
— u. P **Matschie**: Die Kennzeichen d. deut. Enten-, Schnepfen-
u. Raubvögel. [S.-A.](16) 8° Naumbg 1890. (Neud., J Neumann.)
                                                          — 50
Reichenstein, AG: „Beherrsche dich selbst!" Beitrag z. Sitt-
lichkeitsfrage. (30) 8° Hdlbg, (Ev. Verl.) 1900.   — 50
Reicher, H: Die Fürsorge f. d. verwahrloste Jugend. 1. Tl:
1—8. 8° Wien, Manz 04.   Je 2.50 d
I, 1. Deut. Reich. Die Zwangserziehg im Grossh. Baden. (182)
Reichermann, W: Op e Doktor öss kein Verloat. Plattdeut.
Bauernposse. (26) 8° Königsbg, Bon's Bh. (03).   1 — d
— Doktraptökersch Suh! (7) 8° Ebd. (03).   nn — 60 d
— Ut Noatange, Plattdt. Spoasskes. I—IV. u. VI—XI. Bandke.
8° Köngsbg, F Beyer.   Je — 60 (I—XI.: 6.50) d
I.—6. Oppl. (68) (01.) ∥ II. 6. Aufl. (60—140) (04.) ∥ III. 6. Aufl.(141—212) 04.
∥ IV. 6. Oppl. (213—293) (02.) ∥ VI. 3. Aufl. (361—430) 04. ∥ VII. 3. Aufl. (431
—502) 05. ∥ VIII. 1. u. 2. Afl. (65) (01.) ∥ IX—XI. (11,1.2) (207) (02.05.)

Reichert: Gesch. d. schles. Train-Bataillons Nr. 6. (107 m. 1
...Bildnis.) 8° Berl., ES Mittler & S. 03.   3 —; geb. nn 4.50 d
Reichert, A: Die Gross-Schmetterlinge d. Leipz. Gebietes.
3. Afl. v. M Fingerling u. E Müller. (81) 8° Lpzg, (M Oelsner)
1900.   nn 1.50
Reichert, BM, s.: Acta capitular. generalium ordinis Praedi-
cator.
Reichert, CH, s.: Kegel-Ordnung, neneste.
Reichert, F: Die Bedentg d. sexuellen Psychopathie d. Menschen
f. d. Tierheilkde. (56) 8° Münch., H Hugendubel 03.   1.50
Reichert, M Ritter v.: Das kgl. bayer. 2. Infant.-Regt „Kron-
prinz" 1682—1902. (277 m. Abb.) 8° Münch., (J Lindauer) 02.
                                        Kart. nn 1.40; L. nn 2 — d
Reichert, W: Wohlf. Ein- u. Zweifamilienhäuser u. Landhäuser
in moderner Bauart. 10 Lfgn. (87 [3 farb.] Taf.) 4° Ravnsbg,
O Maier (05).   Je 2 —; Mappe 1 — d
Reiches, d. Deut., Wappen, Flaggen, Orden u. Ehrenzeichen.
(9 farb. Taf.) 8° Wien, G Freytag & B. (03).   — 50
Reichesberg, J: Die Arbeiterwohngsfrage u. d. Vorschläge zu
ihrer Lösg. [S.-A.] (29) 8° Bern, Scheitlin, Spring & Co. 01.
                                                          — 80
— Zur Frage d. Arbeiterschutzes bei öffentl. Submissionen.
[S.-A.] (39) 8° Ebd. 02.   — 80 d
Reichesberg, N: Bestrebgn u. Erfolge d. internat. Vereinigg
f. d. gesetzl. Arbeiterschutz u. d. internat. Arbeitsamtes, s.:
Vereinigung, schweiz., z. Förderg d. internat. Arbeiter-
schutzes.
— s.: Blätter, schweiz., f. Wirtschafts- u. Sozialpolitik. —
Handwörterbuch d. schweiz. Volkswirtschaft usw.
Reichgottesarbeiter, der. Organ d. Vereinigg d. Reichgottes-
arbeiter in Deutschl. Hrsg. v. G Ihloff. 1. u. 2. Jahrg. 1904
u. 5 je 13 Nrn. (Nr. 1. 20) 8° Neumünst., Vereinsbh. G Ihloff
& Co.   Je 3 — d
Reich-Gottes-Bote. Gemeinschaftsbl. d. ev. Ver. f. innern Mis-
sion augsburg. Bekenntnisses in Baden. Red.: G Stern. 57—
60. Jahrg. 1901—04 u. 52 Nrn. (Nr. 1. 4) 4° Karlsr., (JJ Reiff).
                                        Je 2 — ∥ 61. Jahrg. 1905. 2.60 d
Reichhardt, M: Der Schlangenmensch, s.: Schmasow, A.
Reichhardt, R: Rübezahl. Deut. Volksmärchen v. Berggeist
u. Herrn d. Riesengebirges. Für d. Jugend bearb. (206 m.
5 Farbdr.) 8° Berl., Globus Verl. (02).   Geb. — 80 d
— Sigismund Rüstig od. d. Schiffbruch d. „Pacific". Nach
Marryat f. d. deut. Jugend bearb. (240 m. 5 Farbdr. u. 1 Pl.)
8° Ebd. (04).   Geb. †1.50 d
— Die schönsten Sagen d. klass. Altertums. Nach G Schwab
ausgew. u. f. d. Jugend bearb. (240 m. 5 Abb.) 8° Ebd. (03).
                                        Geb. †—80; L. †1.40 d
— Deut. Volkssagen. Nach G Schwabs deut. Volksbüchern f.
d. Jugend bearb. (255 m. 5 Abb.) 8° Ebd. (03). Geb. †—80;
                                                    L. †1.40 d
Reichhardt, R: Der Pflanzenschmuck d. Altars u. d. Grabes,
s.: Heinemahn, FC.
Reichhold, K: Griech. Vasenmalerei, s.: Furtwängler, A.
Reichlin v. **Meldegg**, Frbr v., s.: Geschichte d. Husaren-
Regts Landgraf Friedrich H. v. Hessen-Homburg.
Reichling, D: Appendices ad Hainii-Copingeri repertorium
bibliographicum. Additiones et emendationes. (206) 8° Münch.,
J Rosenthal 05. ∥ Fasc. II. (203) 06.   Je 6 — d
Reichmann, E: Gedichte. (142) 8° Dresd., E Pierson 03. 2.50;
                                                    geb. 3.50 d
Reichmann, E: Percussor. Auscultation, Phonendescopie u.
Stäbchenauscultation, s.: Klinik, Berliner.
Reichmann, H: Rieselrauschen. Gedichte. (76) 8° Dresd., E
Pierson 05.   1 — ; geb. 2 — d
Reichmann, M: Der Zweck heiligt d. Mittel, s.: Stimmen a.
Maria-Laach.
Reichner, K (Frau K Jochner): Märchen a. 1001 Nacht, s.:
Goebel, F.
— Auch e. Schatzkästlein. 50 Erzählgn f. Kinder v. 6—11 Jahren.
6—8. Taus. (130 m. 4 Farbdr.) 8° Stuttg., G Weiss (03).
                                                    Geb. 2 — d
Reichner, M: Die Hexe. Trauersp. (96) 8° Zitt., A Graun 02.
                                        1.50; geb. 2 — d
Reichs-Adressbuch, dent., f. Industrie, Gewerbe u. Handel.
Hrsg. v. R Mosse. 2 Bde. (112, 4492, 800, 120, 344 u. 92)
Berl., Verl. d. deut. Reichs-Adressb. 06.   L. je n —
— dass. Sonderbd I—VIII. 8° Ebd. 06.   L. je nn 7.50
    I. Brandenbg,Anhalt, Mecklenb.-Schw.,Mecklenb.-Str.(20,565,348 u.244)
    II. Pommern, Posen, Ostpreussen, Westpreussen, Schlesien. (50, 636,
       348 u. 244)
    III. Lippe-Detmold, Schaumbnrg-Lippe, Kgr. Sachsen, Thür. Staaten,
       Waldeck. (70, 550, 348 u. 244)
    IV. Braunschw., Bremen, Hamburg, Lübeck, Hannover, Schleswig-H.,
       Kolonien d. deut. Reiches. (23, 570, 348 u. 244)
    VI. Oldenburg, Rheinprenssen. (24, 533, 348 u. 244)
    VII. Bayern, Grossh. Hessen. (36, 816, 348 u. 244)
    VIII. Baden, Elsass-L., Hohenzollern, Württemberg. (24, 528, 348 u. 244)
Reichs-Arbeitsblatt. Hrsg. v. kais. statist. Amt, Abteilg f.
Arbeiterstatistik. 2. Jahrg. April 1903—März 1904. 12 Nrn.
(Nr. 1. 80) 4° Berl., C Heymann. nn 1 — ∥ 2. Jahrg. Apr—Dezbr
1904. 9 Nrn. u. — 75 ∥ 3. Jahrg. 1905. 12 Nrn.   nn 10 — d
   Beiheft s.: *Atlas u. Statistik d. Arbeiterversicherg d. Deut. Reichs.*
                                                    einz. Nrn — 10 d
Reichsbank, die. (Historisch-biograph. Blätter. Industrie, Han-
del u. Gewerbe. Hrsg. u. Red.: J Eckstein.) (12 m. 3 Heliogr.)

Fol. Berl. (W. 9, Königgrätzerstr. 22), Eckstein's biograph. Verl. 01. 5 —
Reichsbank, d., 1876—1900. (485 m. 1 Karte.) 4° Berl. (01). (Jena, G Fischer.) . 10 — d
Reichsbankbeamte, der. Vorbereitg z. Annahme u. Prüfg bei d. Reichsbank. Methode Rustin. Selbst-Unterr.-Briefe. (Red. v. C Ilzig.) 28—194. Lfg. (5860 u. Formulare 200 m. Abb., 1 Tab. u. 14 Kart.) 8° Potsd., Bonness & H. (01-05).
Subskr.-Pr. je — 90; Einzelpr. je 1.25 d
Reichsbankblätter, dent. Illustr. Monatsschrift f. Bank- u. Münzwesen.Hrsg.v.P Grotowsky.1—3.Jahrg.1903—5 je 12 Nrn. (1903. Nr. 1—7. 112) 8° Lpzg, (E Lucius). Halbj. 3 —
Reichsbehörden,d.deut.,s.:Vorträge f.Gesetzeskde u.Verwalte.
Reichsbote, deut. Kalender f. 1906. Ausg. A—E. (Je 79 m. Abb. u. 1 Farbdr.) 8° Berl., Schriftenvertriebsanst. Je — 40 d
— dass. Ausg. F f. Russl. 32. Jahrg. (16 u. 79 m. Abb. u. 1 Farbdr.) 8° Ebd. — 40 d
— neuer dent. 1906. Gr. Ausg. (100 m. Abb, 2 Taf. u. 1 Farbdr.) 8° Meiss., HW Schlimpert. — 50 || Mittle Ausg. (84 m. Abb. u. 2 Taf.) — 40 || Kl. Ausg. (68 m. Abb.) — 20 d
Reichsbücherschatz, e., d. Germanen in d. freien Reichs- u. Hansestadt Lübeck. (Von W Gläser.) (40) 8° Lübeck (Augustenstr. 9), W Gläser (04). 1 —
Reichs-Commersbuch, allg., f. deut. Studenten. Begründet v. Müller v. d. Werra. Unter Mitwirkg v. M Rauprich neu hrsg. v. F Dahn u. C Reinecke. 10. Afl. (628 m. Titelbild.) 8° Lpzg, Breitkopf & H. 04. 3 —; geb. 4 —; m. Biernägeln 4.25 d
Reichs-Gesetz betr. d. Beschäftigg v. Gehülfen u. Lehrlingen in Gast- u. Schankwirtschaften u. d. Bekanntmachg v. 23. I.'02 u. d. Reden im deut. Reichstage in d. Sitzg v. 31.I.'02. (20) 8° Flöha, A Peitz & Sohn 02. — 25 d
— deut., üb. d. Schaumwein-Steuer v. 9.V.'02. Textausg. nebst Einl. u. Inhaltsverz. (19) 8° Ebd. 02. 1.60 d
— betr. d. Schlachtvieh- u. Fleischbeschau. Vom 3.VI.1900. Textausg. m. Ausführgsvorschriften, Einl. u. Sachreg. (190) 12° Ansb., C Brügel & S. 02. Kart. — 90 d
— dass. m. d. Ausführgsbestimmg d. Bundesrats in d. abgeänd. Fassg v. 27.III.'03 u. d. preuss. Ausführgsbestimmung v. 20.III.'03 nebst allen zugehör. Materialien. 13. Afl. (381) 16° Berl., C Heymann (03). 1.50 d
— dass. nebst d. Ausführgsbestimmg d. Bundesraths u. d. preuss. Ausführgsgeses. (196) 8° Berl., M Zuelzer & Co.(03).1.30 d
— dass. nebst d. Ausführgsbestimmgn d. Bundesrats u. sämtl. f. Elsass-L. erlass. Verordngn. (211) 8° Strassbg, Strassb. Druckerei u. Verl.-Anst. 03. L. 8 — d
— deut., z. Schutz d. Warenbezeichnen. Vom 12.V.1894. Nebst Verordngn, Bestimmgn üb. d. Anmeldg v. Warenzeichen u. Verz. d. Einteilg d. Warenklassen. (24) 8° Schönebg-Berl. (Albertstr. 10), F Pfau (03). — 50
— u. Durchführungs-Verordnung betr. d. Militärvorspann im Frieden. Ges. v. 22.V.'05, betr. d. Militärvorspann im Frieden. (Redaktionelle Beil. d. kärntner. Gemeindebl. v. Juli '05.) (18) 8° Klagenf., (J Heyn) (05). — 50 d
Reichs-Gesetzblatt. Hrsg. im Reichsamt d. Innern. Jahrg. 1901—5. (507, 25; 441, 28; 320, 15; 450, 20 u. 798, 24) 4° Berl., (Puttkammer & M.). Je † nn 3.50 d
Reichs-Gesetzbuch, deut., f. Industrie, Handel u. Gewerbe, einschl. Handwerk u. Landw. Bearb., u. hrsg. v. d. Red. d. Reichs-Gesetzb. f. Industrie, Handel u. Gewerbe, W Maraun, E Grünewald. Mit e. einleit. Wort v. C Bornhak. 2 Bde. 39. Afl. (24, 1849 u. 29, 904 Formulare 184 u. 278 u. Reg. 324 u. 22) 8° Berl., Bruer & Co. 05. HF. 25 —; 4 u. 4 Tln 30 —; ohne Formulare 15 — || Nachtr. 1899—1900. (460) 1900. HL. 4 — || Nachtr. 1900. (855) 1900. HL. 3 — || Nachtr. '01. (395 u. 49) 02. HL. 3.50 || Nachtr. '02. (907 u. 18) 03. Geb. 3 — || Nachtr. '03/4. (189 u. 26) 04. Geb. 3 — d
— dass. 3. Bd. Preuss. Gesetzb. Sammlg d. neben d. Reichsrechte Anwendg find. preuss. Ges., Verordngn, ministeriellen Ausführgsanweisgn, Erlasse etc. 14. Afl. d. preuss. bürgerl. u. öffentl. Gesetzbuches. (36, 1830 u. Formulare 173) 8° Ebd. 02. HF. 15 — || Nachtr. '01- (258 u. 17) 02. HL. 3 —
Vgl.: Gesetzbuch, preuss.
Reichsgesetze, d. deut., einschl. d. deut. Reichsverfassg. Sammlg aller f. d. Kgr. Bayern gült. Ges. d. deut. Reichs sammt u. in Bayern ergang. Gesetzen, Verordngn u. Instructionen. [S.-A.] 28. Bd, enth. d. im J. 1899 ergang. Reichs- u. Landesges., Verordngn u. Ministerial-Anordngn. 13—16. Lfg. (961—1284) 8° Bambg, CC Buchner's V. 01. || 29. Bd. 1900. 20 Lfgn. (1606) 01. || 30. Bd. '01- 14 Lfgn. (1084) 02. || Nachtr. u. Sachreg. z. 17. Lfgn. (22, 1393) 02.03. 17.70 d
Mit „Bayern's Gesetze u. Gesetzbücher" vereinigt.
— v. 19.VI.'01 betr. d. Urheberrecht an Werken d. Lit. u. d. Tonkunst u. üb. d. Verlagsrecht. (36) 8° Nürnbg, JP Raw's V. 01. 1 —
— d., üb. d. Urheber- u. Verlagsrecht, s.: Meyer's Volksbb.
Reichsgesetzgebung, d., auf d. Geb. d. Arbeiter-Versicher. Erläutert u. m. d. f. d. Reich u. f. Bayern gült. Vollzugsbestimmgn hrsg. v. bayer. Verwaltungsbeamten. 3 Bdchn. 8° Ansb., C Brügel & S. L. 5 — d
Truter, K: Das Unfallversicherungsges. f. Land- u. Forstw., nebst d. Ges., betr. d. Abänderg d. Unfallversichergsges. v. 30.VI.1900, u. d. Ges., betr. d. Ausfführg d. Reichsges. v. 5.V.1886, üb. d. Unfall- u. Krankenversichergsverf. d. in land- u. forstw. Betrieben beschäft. Personen v. 5.IV.1888. 3. Afl. v. J Keidel. (542) 04. [8.] 5 — d

Reichsharfe. Liederb. f. Gemeinschafts- u. Evangelisationsversammlgn, Missions- u. Bibelstunden, Jünglings- u. Jungfrauenver., Sonntagssch. u. häusl. Gebr. (306) 8° Strieg., (R Urban) (01). nn — 50 d
Reichsheer, d. deut., u. d. kais. Marine. Nebst Anh.: Die ostasiat. Besatzga-Brigade, d. kais. Schutztruppen f. Deutsch-Ostafrika, Deutsch-Süd-Westafrika u. Kamerun. Bearb. v. Ecke. XIII. Jahrg. (Abgeschl. am 13.V.'02.) (154) 8° Kass., Gebr. Gotthelft 02. 1.50 ô F
Reichs-Kalender, neuer deut., f. 1906. (48 u. 16 m. Abb. u. 1 Farbdr.) 8° Dresd.-Blasew., Gustav Adolf-Verl. — 50 d
Reichs-, Historien- genealogischer u. Haushaltungs-Kalender, allg., f. 1906. (70 m. Abb.) 8° Hildesh., Gerstenberg. — 25; durchschl. — 50 d
Reichs-Kursbuch. Übersicht d. Eisenb.-, Post- u. Dampfschiff-Verbindgn in Deutschl., Österr.-Ungarn, Schweiz, sowie d. bedeutendsten Verbindgn d. übr. Teile Europas u. d. Dampfschiff-Verbindgn m. aussereurop. Ländern. Bearb. im Kursbureau d. Reichs-Postamts. 1905. 8 Nrn. (Nr. 1. 96, 159, 205, 150, 64, 157 u. 172 m. Kart.) 8° Berl., J Springer. Je 2 —
Reichsland, das. Monatsheft f. Wiss., Kunst u. Volkstum, hrsg. v. G Koehler. 1. Jahrg. April 1902—März 1903. 12 Hefte. (887) 8° Metz, R Lupus. (Viertelj. 2.50; einz. Hefte 1 —)
4 —; geb. 6 — ô F
Reichs-Lieder f. Evangelisation u. Gemeinschaftspflege. Auch f. Sonntagssch., Jünglings- u. Jungfrauenver. (Textausg.) 29. Afl. (150) 12° Neumünst., Vereinsbh. G Ihloff & Co. (02).
— dass., nebst e. Anh., hrsg. v. d. Gemeinschaftsbund f. Posen u. Westpreussen. (266) 12° Ebd. (02). In Wachstuch nn — 50 d
Reichs-Medizinal-Anzeiger. Schriftleitg: F Schilling. 26—30. Jahrg. 1901—5 je 26 Nrn. (1901. Nr. 1. 20) 4° Lpzg, B Konegen. Je 4 —; einz. Nrn — 40
Reichs-Medizinal-Kalender f. Deutschl. f. 1906. Begründet v. P Börner. Hrsg. v. J Schwalbe. 2 Tle, nebst 2 brosch. Heften. (Schreibkalender, 270 u. 100 u. 105 m. Abb. u. 1 Taf., 172 u. 928) 8° Lpzg, G Thieme. Ausg. A. Normal-Kalender. Kalendertafel in 4 brosch. Heften z. Einhängen, Text d. I. u. II. Tls Ldr 5 —; Ausg. B. Normal-Kalender. Beide Tle geb. 5 —; Ausg. C. 1. Tl in 5 brosch. Abteilgn z. Einhängen in Etui, 2. Tl geb. 7 —; Ausg. D. 1. Tl in 5 brosch. Abteilgn z. Einhängen in Etui m. Instrumententasche, 2. Tl geb. 7.50;
Ausg. E. 1. Tl in 5 brosch. Abtign, 2. Tl geb. 4 —
Reichsmünzen, d. deut. Folge zu A Kummer's gleichnam. Münzwerk. Red.: R Diller. 1—5. Jahrg. Septbr 1901—Aug. 1906 je 6 Nrn. (Nr. 1—4. 32 m. Abb.) 8° Dresd. (Johannesstr. 9), R Diller. Je † nn 2.50; einz. Nrn † nn — 80
Reichspost, deut. Organ f. d. Unterbeamten d. Reichs-Post- u. Telegr.-Verwaltg. Red.: E Remmers. 4—6. Jahrg. 1901—3 je 52 Nrn. (1901. Nr. 1. 12) 4° Berl. (Lpzg, S Schnurpfeil.) Viertelj. 1 —; einz. Nrn — 10 ô F
Auch u. d. T.: Postbote, deut.
Reichs-Postkalender, deut., f. 1904. Hrsg. v. E Remmers. 8. Jahrg. (245) 12° Berl. (Lpzg, S Schnurpfeil.) L. — 75
Fortsetzg wird nicht zu erhalten.
Reichsrecht, d., in Einzeldarstellgn. Sammlg kurzgef. Lehrbücher z. Vorbereitg f. d. 1. jurist. Prüfg. I—V. 8° Berl., P Nitschmann. L. 23.50 d
Hahn, W: Das deut. Handels- u. Seerecht m. Einschl. d. Ges. u. Schutze d. gewerbl. Eigentums u. d. Versichergsrechts. 2. Afl. (476) 05. [II.] 6 —
— Das deut. Wechselrecht. Die allg. deut. Wechselordng nebst d.Wechselprocess, m. d. Reichs-Justizges. u. d. Wechselstempelsteuerges. dargest. (193) 03. [IV.] 4 —; durchschl. 5 —
Hirschfeld, G: Der Reichscivilprocess. Darstellg b. CPO. u. Gerichtsverfassgsges. 3. Afl. 02. [I.] 4.50; durchschl. 5.50 || 4. Afl. (371) 05. 6 —; durchschl. 7 —
— Der Reichsstrafprocess. Darstellg u. StrPO. u. Gerichtsverfassgsges. (207) 01. [III.] 3.60
— Das deut. Strafrecht. Darstellg unter bes. Berücks. d. geschichtl. Entwickelg. (248) 03. [V.] 4.—; durchschl. 5 —
Reichstag, deut. Biographieen-Album f. Mitgl., begründet v. J Kürschner. 1903—5. XI. Legislaturperiode. Hrsg. v. H Hillger. (415 m. Bildnissen.) 9><d cm. Berl., H Hillger (03). — 50 |
geb. 1 — d
Reichstagsakten u. Reichstag v. deut. durch d. histor. Commission bei d. kgl. Acad. d. Wiss. 12. Bd. 8° Gotha, FA Perthes. 26 —
(1—10, I, 11 u. 12: 551.50)
12. Deut. Reichstagsakten unter Kaiser Sigmund. 6. Abtlg. 1. Hälfte. 1485 —37. Hrsg. v. D Beckmann. (98, 381) 01. 25 — (1—4, I, 5 u. 6.: 160.50)
— das. Jüngere Reihe. 4. Bd. 8° Ebd. — dass. Deut. Reichstagsakten unter Kaiser Karl V. 4. Bd. Bearb. v. A Wrede. (828) 05. 40 —
Reichstags-Faulpelze od. brauchen wir überhaupt noch e. Reichstag? Von Ebenezer Bitterklee. (24) 8° Lpzg-Schl., Alldeut. Verl. (02). — 30 d
Reichstags-Handbuch, amtl. 11. Legislaturperiode 1903/8. Abgeschl. am 31.XII.'03. Hrsg. v. Reichstags-Bureau. (435 m. 1 Bildnis.) 8° Berl., Reichsdruck. u. Verl.-Anst.) 03.
L. 3 — d
Reichstags-Session d., 1899/1900. 10. Legislaturperiode. I. Session. 2—4. Heft. 8° Berl., Puttkammer & M. 01. 3.50 (1—4.: 4.50) d
2. (158—250) 1 — || 3. (255—427) 1.50 || 4. (429—516) 1 —
— d., 1900/03 u. '03/4, s.: Bibliothek f. Politik u. Volksw.
Reichstagsstenogramme. Musterkürzgn f. angeh. u. fortgeschritt. Stenographen. Red.: C Zander. 7. u. 8. Jahrg. 1901 u. 2 je 12 Nrn. (Je 190) 8° Berl., Verl. Gabelsberger. Je 2 —;
m. Bibliothek Gabelsberger je nn 4.50

Reichstagsstenogramme. Musterkürzgn f. angeh. u. fortgeschritt. Stenographen. Red.: C Zander. (Wiener Beschlüsse.) 9. Jahrg. 1903. 12 Nrn. (190) 3⁴ Berl., Verl. Gabelsberger.
3 —; m. Bibliothek Gabelsberger nn 4.50; u. m. Stenographenblock 6 — 6 F
— dass. Red.: A Nenpert. (Berliner Beschlüsse.) 9. Jahrg. 1903. 12 Nrn. (190) 8⁴ Ebd. 3 —; m. Bibliothek Gabelsberger nn 4.50 6 F
Reichstags-Stichwahlen, d., am 25.VI.'03· (14) 12⁴ Lpzg (Nürnb. Str. 35), C Milde (03). — 10 d
Reichstagswahl, freie! Beleidiggs-Prozess d. kgl. Bergwerks-Direktion Saarbrücken geg. C Lehnen, Redakteur d. Neunkirchener Zeitg, v. 30. u. 31.X.'03. (62) 8⁴ Trier, Paulinus-Dr. 03. — 15 d
— u. Reichsverfassung. Enth. Wahlges. v. 31.V.1869. Wahlreglement v. 28.V.1870 in d. Eassg v. 28.IV.'03 u. sonst. Vollzugsvorschriften z. Wahlges. Reichsverfassg v. 16.IV.1871. Bearb. v. e. Verwaltgsbeamten. (62) 8⁴ Ansb., M Prögel 08.
Kart. — 90 d
Reichstagswahlen, d., seit 1871, s.: Bibliothek f. Politik u. Volksw.
Reichstags-Wahlgesetz v. 31.V.1869 u. Wahlreglement in d. Fassg d. Bekanntmachg v. 28.IV.'03, nebst d. Anlagen u. d. Bericht d. Wahlprüfgs-Kommission üb. d. Ergebnisse d. Wahlprüfgn in d. Legislaturperiode 1893—98. (90) 16⁴ Münch., CH Beck 03. Kart. — 60 d
— dass. nebst d. Reglement z. Ausführg d. Wahlges. usw. v. 28.IV.'03, s.: Handbibliothek, jurist.
— deut., v. 31.V.1869 nebst Wahl-Reglement v. 28.V.1870/28.IV. '03· Mit Anmerkg versehen entsprechend d. v. d. Wahlprüfgskommission d. Reichstags aufgest. Grundsätzen a. d. Ergebnissen d. Wahlprüfgn in d. 9. Legislaturperiode v. 1893—98. (27) 8⁴ Stuttg., W Kohlhammer 03. — 15 d
Reichstags-Wahlrecht. Wahlverfahren. Wahlprüfgn. Zusammenstellg d. sämtl. gesetzl. Bestimmgn hierüber, nebst d. Grundsätzen d. Wahlprüfgskommission betr. d. Gültigk. u. Ungültigk. v. Wahlen u. a. m. (53) 8⁴ Berl., A Duncker 03. 1 — d
Reichsverordnungen, deut., v. 2.VI.'02. 1. Die Seemannsordng. 2. Ges., betr. d. Verpflichtg d. Kauffahrteischiffe z. Mitnahme heimzuschaff. Seeleute. 3. Ges., betr. d. Stellenvermittelg f. Schiffsleute. 4. Ges., betr. Abänderg seerechtl. Vorschriften d. Handelsgesetzb. 5. Zusammenstellg d. Bestimmgn üb. d. Militärverhältn. d. seemänn. u. halbseemänn. Bevölkerg u. d. Anmusterg als Schiffsmann. In d. Fassg v. Juli 1896. 6. Abänderg d. Seemannsordng u. d. Handelsgesetzb. v. 12.V.'04. 7. Die Speiserolle. Text-Ausg. nebst Sachreg. (56) 8⁴ Hamburg, Eckardt & M. 05. 1.50 d
— d. deut., 1. z. Verhütg d. Zusammenstossens d. Schiffe auf See, v. 9.V.1897, 2. betr. d. Lichter- u. Signalführg d. Fischerfahrzenge u. d. Lootsendampffahrzenge v. 10.V.1897, 3. üb. d. Verhalten d. Schiffer nach e. Zusammenstosse v. Schiffen auf See, v. 15.VIII.1876, nebst Ergänzg chart. v. 29.VII.1889, 4. in Betr. d. Noth- u. Lootsen-Signale f. Schiffe auf See u. in d. Küstengewässern v. 14.VIII.1876. Nachtr. zu d. Vorschriften d. Deut. Reichs üb. d. Seestrassenrecht. 4. Afl. (27) 8⁴ Ebd. 02. — 40
Reicke, E: Lehrer u. Unterr.-Wesen in d. deut. Vergangenh., s.: Monographien z. deut. Kulturgesch.
— Die Pflege d. Dichtkunst im alten Nürnberg, s.: Mummenhoff, E.
Reicke, G: Die grüne Hulu. Roman. 1—3. Afl. (473) 8⁴ Berl. Schuster & Loeffler 02.03. 5 —; geb. 6 — d
— Märtyrer. 3 Einakter. (138) 8⁴ Ebd. 03. 2 —; geb. 3 — d
— Schusselchen. Tragikomödie. (141) 8⁴ Ebd. 05. 2 —; geb. 3 —
— Im Spinnenwinkel. Roman a. e. kl. Stadt. 1—3. Afl. (322) 8⁴ Ebd. 03. 3.50; geb. 4.50 d
— Winterfrühling. Gedichte. (136) 8⁴ Ebd. 01. 2 —
Reicke, R, s.: Monatschr. d. altpreuss. altpreuss.
Reicke, V: Unter d. Pawnee's. — Eine gute Tat findet ihren Lohn, s.: Schmidt & Spring's Volks- u. Jugendbibliotheken.
Reid, M: Die Skalpjäger, s.: Pajeken, FJ.
Reidel, CJ: Die kathol. Kirche in Grossh. Hessen. Die Ges. f. Kirche u. Schule. (276) 8⁴ Faderb., F Schöningh 04. L. 3.50 d
Reidelbach, H, s.: Abriss d. deut. Grammatik. — Abriss d. deut. Sprachlehre. — Leseb. f. höh. Lehranst.
— Ludwig, Prinz v. Bayern. Lebens- u. Charakterbild. (99 Abb.) 8⁴ Münch., E Pohl 05. Kart. 2 — d
Reidenbach, P: Die Faulbrut od. Bienenpest, ihre Entstehg, Verhütg u. Heilg. (57 m. Abb.) 8⁴ Rehborn (02). (Lpzg, RC Schmidt & Co.) 1.50 d
Reidinger, J: sstell. Logarithmen-Taf., s.: Močnik, F Ritter v.
Reidt, F: Aufg.-Sammlg z. Arithmetik u. Algebra. 8. Afl. (340) 8⁴ Berl., G Grote 05. Geb. nn 3.25 d
— Einl. in d. Trigonometrie u. Stereometrie f. d. Unter-Sekunda höh. Lehranst. (z. neuen preuss. Lehrpl.). 5. Afl. (32 m. Fig.) 8⁴ Ebd. 01. — 30 d
— Die Elemente d. Mathematik. Hilfsb. f. d. mathemat. Unterr. an höh. Lehranst. 2—4. Tl. 8⁴ Ebd. Geb. 5.25 d
2. Planimetrie. 17. Afl. (238 m. Fig.) 05. 2.75 || 3. Trigonometrie. 11. Afl. v. H Schotten. (142 m. Fig. 03). 1.60 || 4. Trigonometrie. 17. Afl. Ausg. b. d. Lehrpl. f. preuss. Gymnasien. (76 m. Fig.) 03. 1.40.
Reidt, JP: Die Heiligen u. d. Tierwelt in e. Sammlg v. Beisp. bearb. u. dargest. (174) 8⁴ Dülm., A Laumann 02. L. 1.50 d
Reiger, Q: Das Pflichtteilsrecht d. Enkel n. d. BGB. (50) 8⁴ Berl., F Vahlen 04. 1.20 d

Reif, H: Das österr. Bergschadenrecht. (112) 8⁴ Wien, Manz 04. 2.40 d
Reif, H: Gedichte. (68) 8⁴ Dresd., E Pierson 03. 1 —; geb. 2 — d
Reiff: Die Wissenschaftlichk. d. Dr. Schüsslerschen Biochemie. 1—5. Taus. (27 m. 1 Bildnis.) 8⁴ Oldenbg|/Gr. 05. (Lpzg, Fritsche & Schmidt.) — 50 d
Reiff, A: 's Preislied. Schwäb. Lustsp. (52) 8⁴ Stuttg., (C Grüninger) 04. — d 0 H
— "Bose'stock, Holderblüet!" Schwäb. Gedichte. 1. u. 2. Afl. (110 m. 12 Vollbildern.) 8⁴ Stuttg., R Lutz (03). Kart. 1.60 d
Reiff, F: Wahre Jugendideale. 3. Afl. (32) 8⁴ Elberf., Westdeut. Jünglingsbund 1900. — 25 d
Reiff, H: Neue allg. Banordng f. d. Kgr. Württemberg m. d. Vollzugsbestimmgn u. weit. auf d. Bauwesen sich beziehl. Ges. Verordnn u. sonst. Vorschriften. (564) 8⁴ Stuttg., W Kohlhammer 02. (4 —) 4.50; geb. (4.70) 5.20 d
Reiff, M, W Seytter u. E Burkhardt: Übgssch. f. d. Unterr. in d. deut. Sprache. I. u. III. Stufe. 2. Afl. 8⁴ Stuttg., A Bonz & Co. 1.10 d
I. Von M Reiff. (65) 05. — 50 || III. Von E Burkhardt. (118) (05.) — 60.
Reifferg: Die Bedeutg d. Jünglings-Liebe f. uns. Zeit. (24) 8⁴ Lpzg, M Spohr 02. — 60 d
Reifenstein, CT: 32 [2 farb.] Ansichten a. d. alten Frankfurt. (5 S. Text.) 4⁴ Frankf. a/M., C Jügel 02. L. nn 30 — d
Reifenstuel, K, s.: Bauten, moderne' kl., f. Stadt u. Land X. Serie.
Reifingen: Doktor Schwips, s.: Album f. Liebhaber-Bühnen.
Reigen, lyrischer. 1—7.Bd. 8⁴ Lpzg, Modernes Verl.-Bureau. 10.50
Ficker, L v.: Inbrunst u. Sturm. Ein Reigen Verse. (47) 04. [7.] 1 —
Lichtastedt, E: Bunte Fantasien. (77) 04. [4.] 1 —
Mentz, L v.: Gedichte. (56) (03.) [2.] 1.50
Mühlbaum, F: Der Erde — ganz. (64) 04. [5.] 1 —
Müller, W: Lieder eines Wahnsinnitigen. (85) 04. [6.] 1.50
Verse, letzte, vom armen Kurti. (112) (03.) [1.] 2.50
Weichberger, K: Schorlemerle. Sundenzegebichte. (62) (03.) [3.] 1 —
— f. Turnerinnen. (31 m. Fig.) 16⁴ Probsth. (03). Lpzg, Rauh & Pohle. 1 — d
— 7, f. Turnver. u. Schulen. (52 m. Fig.) 16⁴ Ebd. (03). 1 — d
Reigensammlung. I. Serie. Nr.1—4 u. 6—10. Reigen f. Turner. 8⁴ Lpzg, Rauh & Pohle. Je — 50 d
Amberg, A: Reigen-Aufführg verbanden m. Stüttel-, Stab-, Frei- u. Keulenübgn. (59) (03.) [4.] || Stabübgn m. Kreiselwingen v. elektrisch beliebigen Schülern. t. 8 Turnern auszuführen. (63) (04.) [1.]
Bründett, C: Eisenstab-Reigen f. 8 Turner. (9 m. 1 Taf.) (03.) [7.]
Pohle, E: Keulenreigen m. Schloss-Pyramide f. 8 Turner. (6 m. Fig.) Probsth. (02). [3.] || Stab- u. Gruppierzreigen f. 8 Turner. (9 m. Fig.) Probsth. (02). [1.]
Sittig, E: Fahnen-Reigen f. 8 Turner. (8 m. 1 Taf.) (03.) [10.]
Thomas, K: Freiübgs-Reigen f. 12 Turner. (16 m. 1 Taf.) (03.) [8.] || Langstab-Reigen f. 32 Turner. (12 m. 1 Taf.) (03.) [9.] || Stabübgsreigen m. Wertbewegg. f. 8 Turner. (8 m. 1 Taf.) (02.) [6.]
Nr. 5 ist noch nicht erschienen.
— dass. II. Serie. Nr. 1 u. 3—6. Reigen f. Turnerinnen. 8⁴ Ebd. Je — 50 d
Bründett, C: Fahnen-Reigen. (8 m. 1 Taf.) (04.) [3.] || Tanz-Reigen (Rheinländer). (8 m. 1 Fig.) (04.) [4.]
Pohle, E: Stab-Reigen. (9) (04.) [5.]
Thomas, K: Ballspiel-Reigen f. 16 Turnerinnen. (8 m. 1 Taf.) (04.) [6.] || Walzer-Reigen f. 8 Damen. (6 m. 1 Taf.) Probsth. (04.) [1.]
Nr. 2 ist noch nicht erschienen.
— dass. III. Serie. Nr. 1. Reigen f. Turnerinnen u. Turner. 8⁴ Ebd. — 50 d
Ranft, G: Dekorations-, Frei- u. Stabübgsreigen f. 16 Turnerinnen u. 16 Turner. (16 m. Fig.) Probsth. (04). [1.]
— dass. IV. Serie. Nr. 1. Reigen f. Kinder. 8⁴ Ebd. — 50 d
Hunger, M: Flaggen-Reigen f. 64 Kinder im Alter v. 10—14 Jahren. (4 m. Taf.) (04.) [1.]
Reil: Schulordng u. Lehrpl. f. d. 2- u. 4klass. einf. Volkssch. d. Schulaufsichtsbez. Oschatz. (108) 8⁴ Osch., (H Hackerath) 03. nn 1.50 d
Reil, J: Die frühchristl. Darstellgn d. Krenzigg Christi, s.: Studien üb. christl. Denkmäler.
Reil, O: Jugendfreund, s.: Munderloh, HF.
Reile, B, s.: Kneipp, S, d. gr. u. kl. Kneipp-Buch. — Kneipp-Kalender, illustr. Wörishofener.
Reim, C: Schriftl. Chgn f. d. tägl. Gebr. in d. 4 ersten Schulj. 2, Afl. (55) 8⁴ Bresl., F Hirt 05. — 60 d
Reimann, A, s.: Bücherei, deut.
Reimann, A: Kleinplastik. (40 Taf. m. 10 S. Text.) 4⁴ Berl., B Hessling (03). In M. 24 —
Reimann, C: Die Pflege d. Heimats- u. Vaterlandsliebe durch d. Schule. — Der heimatkundl. Unterr. in d. Volkssch., s.: Lehrer-Prüfungs- u. Informations-Arbeiten.
Reimann, E: Liebhaberkünste, s.: Grethlein's prakt. Hausbibliothek.
Reimann, E: Prinzenerziehg in Sachsen am Ausg. d. 16. u. 17. Jahrh. (163) 8⁴ Dresd., W Baensch 04. 3 —
Reimann, H: Johs Brahms, s.: Musiker, berühmte.
Reimann, M: Der Durchbruch d. d. Waldenburger-Gebirge. — Salzbrunn, Fürstenstein u. d. Waldenburger-Gebirge.
Reimann, M: Die Färberei d. Federn als einz. Federn, Flügel od. Federfelle, d. Bleichen, Dengraben d. Federn u. Appretiren derselben. (Deutsch u. französisch.) (19) 4⁴ Berl. o. J. (Lpzg, Bh. G Fock.) 1.10 d
— Die Färberei u. Druckerei d. Halbwolle u. Halbseide in Garnen u. Stoffen, m. bes. Bertcks. d. Färberei d. Vigogne, halbwollenen Doubles, halbwollenen Filze u. getragg. Kleider (Lappen), wie deren Druckerei u. Bleicherei. (Deutsch u. französisch.) (80) 4⁴ Berl. 1884. 10 — d

146

Reimann, M: Die Färberei d. Leders in allen Sorten, nebst e. Beschreibg d. Herstellg u. Gerbg v. Glacé-Leder, Saffian-sämisch-- u. fettgarem (Maschinen-Riemen-)Leder, nebst e. Darstellg d. Wäscherei u. Färberei d. Glacé-Handschuhe. (Deutsch u. französisch.) (42) 4° Berl. o. J. (Lpzg, Bh. G Fock.)
6 — d
— Die Färberei d. Seide als Garn, lose Seide u. Stücke in Schwarz, Couleuren u. Weiss, d. Beschwergn in Farben, wie in Schwarz, Braun u. Weiss. (Deutsch u. französisch.) (42) 4° Ebd. o. J. 10 — d
— Die Färberei d. Steinnussknöpfe u. deren Herstellg. Fabrikation d. Steinnussknöpfe, deren Behandlg u. Färbg in e. Farbe, wie in mehreren; d. Darstellg v. Horn- u. Schildpattimitation durch Färbg. (Deutsch u. französisch.) (16) 4° Ebd. o. J. 6 — d
— Färber-Zeitg. Hrsg. v. M Reimann's Erben. Red.: O Reimann. 32. u. 33. Jahrg. 1901/1902 u. 03 je 48 Nrn. (Nr. 1. 12) 8° Ebd. Je 20 — d ô F
— s.: Journal de teinture.
— Musterkarte d. Baumwoll-Färberei. (12 Taf.) 8° Berl. 1892. (Lpzg, Bh. G Fock.) Auf L. in Kart. 12 —
— Musterkarte d. Wollenfärberei. (8 Taf.) 8° Ebd. 1892.
Auf L. 15 —
Reimann, M: Die Schwindsucht, ihre Bekämpfg u. Abwehr. (72) 8° Kiel, Lipsius & T. 01. 1.20
Reimann, R: Ev. Relig.-Buch f. d. Unterst. (Ausg. f. d. Prov. Schlesien.) (46) 8° Dresd., (A Müller-Fröbelhaus) (05).
Kart. — 40 d
Reimann, W: Welche Anfordergn sind an d. Frage zu stellen, wenn sie d. Zwecken d. Unterr. entsprechen soll. — Der Nachahmgstrieb u. s. Behandlg durch Erzieher u. Lehrer, s.: Lehrer-Prüfungs- u. Informations-Arbeiten.
Reimann, W: Liturg. Feier d. Christnacht in Schule, Kirche, Haus u. Kindergarten. (80 u. 10) 8° Neu-Weisstein (05). (Lpzg, Siegismund & V.) 1.25 d
— Führer durch d. Waldenburger u. Eulen-Gebirge, sowie durch Waldenburg, Salzbrunn, Fürstenstein, Charlottenbrunn, Görbersdorf, durch d. Weistritztal, Schlesiertal, Reimsbachtal u. d. Adersbacher u. Weckelsdorfer Felsen. 11. Afl. (218 m. 1 Karte.) 8° Schweidn., G Brieger (05). — 75 d
— Das Wichtigste a. d. Heimatskde d. Kreises Hoyerswerda. 2. Afl. (12) 8° Glog., C Flemming (05). — 10 d
Reimarus jun.; Babel u. Bibel. Resultate d. neuesten Bibelforschg als Widerlegg u. Antwort auf d. Brief d. Kaiser Wilhelm II. an Admiral v. Hollmann. (24) 8° Lpzg, P Schimmelwitz (03). — 50
Reime, schles., cf. mittelschles. Mundoart. Von Theo am Bober. (72) 8° Schweidn., G Brieger (04). — 80 d
Reimer s.: Archiv, trier.
Reimer, E: Mährens deut. Dichter d. Gegenwart. I. Der Olmützer Dichterkreis. (16) 8° Sternbg (Mähren). 04. (Lpzg, J Werner.) — 85
Reimer, H: Leitf. f. d. Unterr. in d. deut. Rechtschreibg, s.: Buth, L.
Reimer, J: Lebensfreude: Ein Gedenkb. (368) 8° Münch., CH Beck (04). L. 4.80 d
Reimer, JL: Ein pangerman. Deutschl. Versuch üb. d. Konsequenzen d. gegenwärt. wiss. Rassenbrachtg f. uns. polit. u. relig. Probleme. (403) 8° Lpzg, Thüring. Verl.-Anst. 05. 6 —; geb. 8 —
Reimer, K, s.: Festschrift z. 100jähr. Jubiläum d. I. Bürgersch. in Leipzig.
— Robinson Krusoe, s.: Campe, JH.
Reimer, M: Das Wirtshaus an d. Lahn. 100 neue Verse. (27) 12° Berl., W Frey (o. J.). — 50
Reimer, V: Die Erbschaft. — Ein Experiment, s.: Theater, neues Wiener.
Reimerdes, EE: Kling. Akkorde. Gedichte. (181) 8° Dresd., E Pierson 01. 2 —; geb. 3 —
— Die Nacht d. Todes. Berliner Geschichten. (122) 8° Lpzg, Modernes Verl.-Bureau 06. 2 —; geb. 3 —
— Schicksalskampf. Gedichte u. Aphorismen. (130) 8° Dresd., E Pierson 04. 2 —; geb. 3 —
Reimers, E: Eine Krisis. (105) 8° Brem., C Schünemann (05). 2 —; geb. nn 6 —
Reimers, H: Die Bedeutg d. Hanses Cirksena f. Ostfriesl., s.: Abhandlungen u. Vorträge z. Gesch. Ostfrieslds.
Reimertshofer, A: Münch. Prüfgs-Aufg. f. d. Relig.-Freiwill.-Dienst. (67) 8° Münch., M Kellerer 02. || Schlüssel. (57)
Kart. je 1.40 d
Reimesch, F: Heimatkde f. d. ev. Volkssch. A. B. d. Burzenlandes. (40 m. Abb., 1 Taf., 1 Pl. u. 1 Karte.) 8° Brassó 04.?, H Zeidner 05. nn — 50 d
— s.: Karte d. Komitates Brassó.
— Schönschreibhefte. 4 Hefte. (Je 24) 8° Brassó (Kronst.), H Zeidner (02). Je — 10
1. Die deut. Schrift in Doppellinien. d ‖ 2. Die latein. Schrift in Doppellinien. ‖ 3. Die deut. Schrift auf einf. Linien. d ‖ 4. Die latein. Schrift auf einf. Linien.
— Taschenmerkb. f. d. siebenb.-sächs. Lehrer. 2. Afl. (152 m. 1 Bildnis.) 8° Ebd. 04. geb. nn 1 — d
— Vaterlandskde f. d. Volks-, Elementar- u. Bürgersch. d. ev. 'Landeskirche A. B. d. siebenbürg. Landesteile Ungarns. 2. Afl. (54 m. Kartenskizzen.) 8° Ebd. 04. Kart. — 60 d

Reimmichl s. a.: Rieger, S.
— Der Frauenbichler. Eine Tiroler Gesch. (356) 8° Brix., Pressvereins-Bh. 05. 2 —; L. 3 — d
— Aus d. Tiroler Bergen. Lust. u. leid. Geschichten. 2. Afl. (448) 8° Ebd. (04). 2 —; L. 3 — d
— dass., s.: Volksbücherei.
Reimregeln üb. d. Geschlecht d. latein. Substantiva. In Anlehng an d. Elementarb. v. Lanzinger. (4) 8° Nürnbg, C Koch 02. — 10 d
Rein s.: Verhandlungen, d., d. 14. Turnlehrer-Versammlg.
Rein, IE: De Aeaco quaestiones mythologicae. (103) 8° Helsingf. 03. (Münch., A Buchholz.) 2 —
— Aiakos in d. Unterwelt. (40) 8° Ebd. 03. 1.80
— Sagengeschichtl. Untersuchgn üb. Aiakos. (50) 8° Ebd. 04. 2 —
— Zu d. Verehrg d. Propheten Elias bei d. Neugriechen. (33) 8° Ebd. 04. 1 —
Rein, G: Paolo Sarpi u. d. Protestanten. (229) 8° Helsingfors (Regeringsg. 10), (A.-G. Lilius & Hertzberg) 04. 4 —
Rein, JJ: Japan n. Reisen u. Studien. 1. Bd. Natur u. Volk d. Mikadoreiches. 2. Afl. (750 m. 2 Abb., 26 Taf. u. 4 Kart.) 8° Lpzg, W Engelmann 05. 24 —; L. 30 —
Rein, W, s.: Aus d. pädagog. Univ.-Seminar zu Jena. — Beiträge z. Weiterentwicklg d. christl. Relig.
— Ethik u. Volkswirtschaft, s.: Streitfragen, soz.
— Die eth. Fordergn in ihren Beziehgn z. wirtschaftl. Leben d. Gegenwart. Vortr. (65) 8° Halle, Gebauer-Schwetschke (04). — 85 d
— Grundr. d. Ethik, s.: Bücherschatz, d., d. Lehrers.
— s.: Handbuch, encyklopäd., d. Pädagogik.
— Kirche, Staat u. Schule, s.: Zeitfragen, moderne.
— Bild. Kunst u. Schulé. Studie z. Innenseite d. Schulreform. (112 m. 3 Tab.) 8° Dresd., E Haendcke 02. 2 —; L. nn 2.50 d
— Pädagogik im Grundriss, s.: Sammlung Göschen.
— Pädagogik in systemat. Darstellg. (In 2 Bdn.) 1. Bd. Die Lehre v. Bildgswesen. (680) 8° Langens., H Beyer & S. 02. geb., nn 12 —
— Stimmen z. Reform d. Relig.-Unterr., s.: Magazin, pädagog.
— s.: Studien, pädagog. — Zeitschrift f. Philosophie u. Pädagogik.
— A Pickel u. E Scheller: Theorie u. Praxis d. Volksschulunterr. n. Herbart. Grundsätzen. I u. HI. 8° Lpzg, H Bredt. 8 —
I. Das 1. Schulj. 7. Afl. (464 m. 4 Tab.) 03. 5 —
III. Das 3. Schulj. 4. Afl. (235 m. 1 Tab.) 01. 3 —
Reinach, A v: Schildkrötenreste a. d. ägypt. Tertiär. [S.-A.] (64 m. 17 Taf.) 4° Frankf. a/M., (M Diesterweg) 05. 15 —
— Schildkrötenreste im Mainzer Tertiärbecken u. in benachbarten, ungefähr gleichalter. Ablagergn, s.: Abhandlungen, hrsg. v. d. Senckenberg. naturforsch. Gesellsch.
— Üb. d. z. Wassergewinng im mittl. u. östl. Taunus angelegten Stollen, s.: Abhandlungen d. kgl. preuss. geolog. Landesanst.
Reinach, A: Üb. d. Ursachenbegriff im gelt. Strafrecht. (69) 8° Lpzg, JA Barth 05. 1.80
Reinach, J: Gesch. d. Affaire Dreyfus. „Der Prozess v. 1894". Deutsche Ausg. 1. u. 2. Afl. (415 m. Abb.) 8° Lpzg, G Brauns 01, 6 — d
Reinbach, G: Das israelit. Krankenhaus zu Breslau, s.: Sandberg, G.
Reinbeck, C: Das Recht d. bäuerl. Grundbesitzes im Herzogt. Braunschweig. (259) 8° Wolfenb., J Zwissler 03. 5 — d
Reinbeck, E: Die Haftg d. Versichergsfordergg f. Hypotheken u. Grundschulden. (139) 8° Münch., CH Beck 05. 4.50 d
Reinberg, A: Dann 2. Stadttheater in Riga. (14 m. Abb. u. 13 Taf.) 4° Riga, (N Kymmel's S.) (05). 2 —
Reinberger, M: Zerstörtes Leben. Roman. (124) 8° Dresd., E Pierson 03. 2 —; geb. 3 —
Reinboth's Ideal-Briefmarken-Album. Auszug a. d. gr. Ausg. Enth. ca 11500 Markenfelder. (280 m. Abb. u. 2 Taf.) 4° Lpzg, F Reinboth (02). Geb. 3 —
— dass. Enth. ca 14500 Markenfelder. (368 m. Abb. u. 2 Taf.) 4° Ebd. (02). Geb. 4 —
Reinbrecht, A: Polyhymnia, s.: Bösche, K.
Reincke, O: Die Verfassg d. Deut. Reichs nebst Ausführgsges. Mit bes. Beziehg auf Preussen, erläutert. (336) 8° Berl., HW Müller 06. 5 —; geb. nn 6 — d
— Die deut. ZPO. 5. Afl. (920 m. Nachtr. 15) 8° Lpzg, (C H HF, nn 22 — d
Reindel, Wilhelm, d. Scharfrichter v. Magdeburg u. d. Opfer d. Schafotts. Zeitroman n. Aufzeichng u. Mitteilg d. Scharfrichters W Reindel. 150 Hefte. (2406 m. je 1 Vollbild.) 8° Berl., A Weichert (08). Je — 10
Reindl, J: Beitr. z. Erdbebenkde v. Bayern. [S.-A.] (33 m. Fig.) 8° Münch., (G Franz' V.) 03. — 40
— Ergänzung u. Nachtr. zu V. Gümbels Erdbebenkatalog. [S.-A.] (38 m. 1 Taf.) 8° Ebd. 04. — 60
— Die schwarzen Flüsse Südamerikas, s.: Studien, Münch. geograph.
— Seismolog. Untersuchgn, s.: Günther, S.
Reindl, M: Das Reichshauptpflichtgesez. v. 7.VI.1871 in d. Fassg d. Einführgsges. z. BGB. (253) 12° Münch., CH Beck 01. L. 3 — d
Reineboth, E: Die physikal. Diagnostik d. Lungentuberkulose, s.: Klinik, Berliner.
— s.: Zeitschrift f. Krankenpflege.
Reineck, EM, s.: Monatsschrift, deut. botan.

Reineck, T: Die gebräuchlichsten Firmen-Schriften in einfacher Ausführg. 28 Grossfol.-Taf. 3. Afl. (4 S. Text.) Fol. Lpzg, BF Voigt 02. 8 —
— Moderne Plakat- u.Reklameschriften. 30 Foliotaf. in Schwarz-u. Farbendr. (3 S. Text.) 4° Ebd. 03. 6.75
— Moderne Schriften. 25 Fol.-Taf. in Farbendr. (3 S. Text.) 4° Ebd. 02. 6 —
— Zierschriften in altdeut.Renaissance- u. Barockstil. 24 Grossfol.-Taf. in meist farb. Ausführg. 2. Afl. (4 S. Text.) 46×30,5 cm. Ebd. 04. 9 —
Reinecke, A, s.: Heimdall.
— Deut. Wiedergeburt. Grundleg. Baustücke z. jungdeut. Bewegg. (258) 8° Lindau, A Thoma 01. 3 — d
Reinecke, C: Blanch-Neige. Conte dramatisé par F Roeber. Traduction franç. de C Ecklin. Musique de R. Op. 133. Texte complet. (14) 8° Lpzg, CFW Siegel (01). — 60
— Die Beethoven'schen Clavier-Sonaten. Briefe an e. Freundin. 4. Afl. (129) 8° Lpzg, Gebr. Reinecke 05. 3 —; L. 4.50
— 15 vierstimm. Kinderlieder. 15 zwei- u. dreistimm. Canons f. Schule u. Haus. (36) 8° Lpzg, JH Zimmermann (04). — 40 d
— Meister d. Tonkunst. Mozart. Beethoven. Haydn. Weber. Schumann. Mendelssohn.(480) 8° Stuttg., W Spemann 03. 7 —; geb. 9 — d
— s.: Reich's-Commersbuch, allg., f. deut. Studenten.
Reinecke, F, s.: Deutschland, d. überseeische.
— Die wirtschaftl. Entwicklg Samoas. [S.-A.] (26) 8° Berl., W Süsserott 02. 1.50 d
— Samoa, s.: Süsserott's Kolonialbibliothek.
Reinecke, F: Taschen-Signalb. (117 m. z. Tl farb. Abb.) 12° Hannov., (Hahn) 01. L. 2 — || 2. Afl. (221 m. z. Tl farb. Abb.) 02. Geb. 2.50
Reinecke, H: Die allg. Bestimmgn d. kgl. preuss. Ministers d. geistl., Unterr.- u. Medizinal-Angelegenh. betr. d. Volks-u. Mittelsch. v. 15.X.1872, sowie d. Präparanden-Anst. u. d. Lehrer-Seminare v. 1.VII.'01, nebst d. Schulaufsichtsges., d. Prüfgsordngn f. Lehrer u. d. Inhaltsangabe d. wichtigsten dazu erlass. Mintsterial-Verfüggn. 6. Ausg., weitergeführt bis z. 1.VIII.'01 v. G Schöppa. Ausg. f. Volkssch. (170) 8° Lpzg, Dürr'sche Bb. 01. Kart. 1.50; geb. 1.75 d
Neue Afl. u. d. T.:
— Die Bestimmgn d. kgl. preuss. Ministers d. geistl., Unterr.-u. Medizinal-Angelegenh. betr. d. Volks-u. Mittelsch., d. Lehrerbildg u. d. Prüfgn d. Lehrer, nebst d. Ges. üb. d. Beaufsichtigg d. Unterr.- u. Erziehgswesens, sowie d. wichtigsten dazu erlass. Ministerial-Verfüggn. 9. Ausg., weitergeführt bis z. 1.VIII.'04 v. G Schöppa. (170) 8° Ebd. 05. Kart. 1.50; geb. 1.75 d
— Bilder a. d. Kirchengesch. f. d. Schulgebr. neu bearb. v. G Guden. 7. Afl. (40) 8° Hannov., C Meyer 05. — 25 d
— Der Brief Pauli an d. Galater, f. d. ev. Volksschullehrer unter Hinzufügg e. genauen Übersetzg u. d. Urtexte nach wiss. Quellen ausgelegt. 2. Afl. (28) 8° Lpzg, Dürr'sche Bb. 01. — 60 d
— Der Brief Pauli an d. Römer. Für d. ev. Volksschullehrer unter Hinzufügg e. genauen Übersetzg a. d. Griech. u. wiss. Quellen ausgelegt. 3. Afl. (115) 8° Ebd. 04. 1.80 d
— Bibl. Gesch. f. d. Mittel- u. Oberst. 8. Afl. v. G Guden. Mit e. kirchengeschichtl.Anh. (254) 8° Hannov., C Meyer 01. Geb. 1.30 d
— Bibl. Gesch. f. d. Unterst. Ausg. A ohne Bilder. 6. Afl. v. G Guden. (48) 8° Ebd. 1900. — 30; kart. — 45 d
— Gesch. d. Pädagogik, s.: Kehr, C.
— Berliner Leseb., s.: Berthold, L.
Reinecke, H: Vollständ. u. zuverlāss. Rechenhelfer od. Tab. f. d. Ein- u. verkauf dron. Reichswährg v. 1 Pfennig aufsteigend bis 100 Mark. Nebst e. Anh., enth. a. Zinstab. v. ⅛ ⁶⁄₈—6% f. Tag, Monat u. Jahr; b. Stempeltarif bei Wechseln in Reichsmarkwährg. 20. Afl. (145) 16° Harbg, G Elkan (04). Geb. m. Schieferstift 1 — d
Reinecke, JCM: Die Feier d. Verdienstes, s.: Universal-Bibliothek.
Reinecke, O: Das Enjambement bei Wolfram v. Eschenbach. (83) 8° Rudolst. 01. (Lpzg, Bh. G Fock.) 1.50
Reinecke, W, s.: Lüneburgs ält. Stadtb. — Museumsblätter, Lüneburger.
Reinecker, F: Ueb. Vogel- u. Menschengesang. Krit. Stimmen unter Anlehng an Voigt's „Excursionsb." (41) 8° Köngsbg, Braun & Weber 01. — 1 d
Reineke d. Fuchs. Ea d. Urtexte übertr. v. DW Soltau, s.: Hempel's Klassiker-Bibliothek.
Reinelt: Aufg., gestellt in d. Aufnahmeprüfg f. d. Kriegsakad. im J. 1905, m. sämtl. Lösgn. Zugl. Nachtrag 1905 zu: Die Aufnahmeprüfg f. d. Kriegsakad. Von A Kuhn. 4. Afl. (67) 8° Berl., Liebel 05. 1.20
Den vorhergeh. Nachtr. s. u.: Kuhn, A.
— Lösgn v. Aufg. a. d. Geb. I. d. Befestiggslehre, II. d. Waffenlehre, III. d. formalen Taktik. Hülfsmittel f. d. Vorbereitg z. Aufnahmeprüfg f. d. Kriegsakad. u. f. d. Offizierersprüfg. I, II u. Nachtr. zu III. 8° Ebd. 4.75 d
I. Befestiggslehre. 2. Afl. (106) 02. 2 — || II. Waffenlehre. 2. Afl. (78) 02. | III. Formale Taktik. Nachtr. 1900 (Deckblätter). (41 m. Fig.) 1.75; x. Hauptwerk unentgeltlich.
Reinelt, E: Deut. Leseb. f. österr. Knaben-Bürgersch. 1. Tl. 4. Afl. (140. m. Abb.) 8° Wien, F Tempsky 03. Geb. 1.40 d
— Leseb. f. österr. allg. Volkssch. 1. Tl. Fibel. 1. Schulj. 8. Afl. Ausg. A: Ohne latein. Druckschrift. (96 m. Abb.) 8° Ebd. 03.

Geb. nn — 60; Ausg. B: Mit latein. Druckschrift. (100 m. Abb.)
Geb. nn — 70 d
Reinelt, E: Leseb. f. österr. allg. Volkssch. Ausg. f 1-, 2- u. 3klass. Volkssch. II. u. III. Tl. (Mit Abb. u. je 1 Titelbild.) 8° Wien, F Tempsky. nn 3.10 d
I. 3. Afl. (172) 04. nn 1.20 | III. 2. Afl. (384 m. 10 Kart.) 02. nn 1.90.
— dass. Ausg. f. 5klass. Volkssch., in welchen jeder Kl. e. Schulj. entspricht. II—V. Tl. (Mit Abb. u. je 1 Titelbild.) 8° Ebd. 03.
Geb. nn 4.80 d
I. (2. Schulj.) 5. Afl. (90) nn — 80 | III. (3. Schulj.) 3. Afl. (106) nn — 90 || IV. (4. Schulj.) 5. Afl. (164 m. 1 Karte.) nn 1.30 || V. (5. Schulj.) 4. Afl. (248 m. 10 Kart.) nn 1.80.
— Lese- u. Sprachb., s.: Heinrich, J.
— Rechenb., s.: Močnik, F Ritter v.
— Sprachb. f. allg. Volkssch. I—IV. Heft. 4. Afl. 8° Lpzg, G Freytag 05. 1.55 d
I. (1. Schulj.) (28) — 25 | II. (2. Schulj.) (36) — 30 | III. (4. Schulj.) (29) — 50 | IV. (5. Schulj.) (30) — 50.
Reinelt, J, s.: Philo vom Walde.
Reinelt, P: Die Maria-Hilf-Kapelle in Voigtsdorf bei Habelschwerdt. Mit einleit. Bemerkgn üb. d. Bedeutg d. Berge in d. hl. Schrift. (19) 8° Habelschw., Franke 05. — 40 d
— Passionsbilder. Als Ergänzg d. hl. Kreuzweges u. f. d. Betrachtg a. d. Schriften d. Kirchenväter zusammengest. (117) 16° Ebd. 04. Geb. — 50 d
— Predigt, anlässlich d. Trockenh. u. Dürre geh. 2. Afl. (30) 8° Ebd. 04. — 10 d
Die 1. Afl. erschien ohne Angabe d. Verf.
— Studien üb. d. Briefe d. hl. Paulinus v. Nola. (103) 8° Bresl., GP Aderholz 04. 1.50
Reinemann, P: Welche Anfordergn stellt d. neuere Rechenmethodik an d. Gestaltg d. Rechenb.?, s.: Sulzbacher, A.
— Raumlehre, s.: Terlinden.
— Rechenaufg. a. d. Kranken-, Unfall- u. Invalidenversicherg, s.: Sulzbacher, A.
— Rechenb. f. 1- bis 3klass. Volkssch., u.: Terlinden.
Reiner, J: Maibilten f. d. Jugend. (39) 16° Augsbg, Lit.Instit. v. Dr. M Huttler (01). nn — 05 d
Reiner, J: Der Buddhismus. Für gebild. Laien geschildert. (77) 4° Lpzg 02. Berl., H Seemann Nf. 2 —
— Darwin u. s. Lehre. (94) 8° Ebd. 02. 2 —
— Üb. Erziehg. Leitsätze f. Eltern u. Lehrer. (283) 8° Hannov., O Tobies 06. 5 —; geb. 6 —
— Für u. wider d. Frauen. Beitr. z. Frauenfrage. (128) 12° Lpzg 03. Berl., H Seemann Nf. 2 — d
— Was muss man v. d. Geogr. wissen? (109) 8° Berl., H Steinitz (02). 1.50 d
— Grundr. d. Gesch. d. Philosophie. (145) 8° Hannov., O Tobies 05. — 2; geb. nn 2.50 d
— Herm. v. Helmholtz, s.: Klassiker d. Naturwiss.
— Friedr. Nietzsche. Für gebild. Laien geschildert. (76) 8° Lpzg 01. Berl., H Seemann Nf. 2 —
— Was muss man v. d. Philosophie wissen? 2. Afl. (96) 8° Berl., H Steinitz (1900). 1 —
— Jean Jacques Rousseau. — Voltaire. s.: Männer, bedeut.
— Aus d. modernen Weltanschaug. Leitmotive f. denk. Menschen. (282) 8° Hannov., O Tobies 05. 5 —; geb. 6 —
Reiner, JJ: Bibl. Gesch. in Fragen f. Familien u. Schulen, namentlich f. Sonntagssch. (240) 8° Bas., Kober 02. 1.60
geb. 2.40 d
— Liederkranz f. d. Jugend, namentlich f. Sonntagssch., m. 224 sowohl f. 2- als auch f. 3stimm. Gesang eingericht. Liedern. 23. Afl. (232) 12° Ebd. 05. Geb. — 45; L. 1 —; m. G. 1.20 d
Reiners, A: Eucharist. Liturgien, Feste, Prozessionen, Offizien, Bruderschaften, Orden, Vereine, Andetgsfestlichk., Ablassgebete, Paramente, Gefässe, liturg. Vorschriften etc. (40) 8° Kemp., Thomasdr. & Bh. 04. — 50 d
— Das Weltheiligtum Lourdes zu Anfang d. 25. Jahrh. Die Lourdes-Grotte wird z. Weltheiligtume (1862—80). (64) 8° Ebd. 04. — 50 d
— Maria-Hilf-Büchlein. Gebet- u. Bruderschaftsbüchl. 8. Afl. (100 m. farb. Titelbild.) 16° Münst., Alphonsus-Bh. 05. L. — 50 d
— Das hl. Messopfer in sr histor. Entfaltg bis z. 4. Jahrh. (32) 8° Kemp., Thomasdr. u. Bh. 04. — 50 d
— Das hl. Messopfer in s. Geheimnissen u. Wundern. (530 m. Abb. u. 16 [8 farb.] Taf.) 8° Stuttg., Kathol. Bücher- u. Schriftenverl. (04). L. 12 — d
— Der wahre Ursprg u. Geist d. Spring-Prozession zu Ehren d. hl. Glaubensbote Willibrord †739 im Abteistädtchen Echternach (Luxemburg). (20 m. Abb.) 8° Echternach, MJ Speck (03). (Nur plir.) — 25) — 15; m. Umschl. (— 30) — 20 d
— Der hl. Willibrord (657—739), Glaubensbote am Niederrhein & Holland, Gründer d. Abtei & Stadt Echternach u. s. Verehrg im Luxemburger Lande. (24) 8° Ebd. 05. — 60 d
— Die vornehmsten historisch beglaubigten Wunder d. hl. Eucharistie v. d. Apostelzeit bis z. 20. Jahrh. 1.Bdchn. (50) 8° Kemp., Thomasdr. u. Bh. 04. — 50 d
— Die Wunder v. Lourdes vor d. Richterstuhle d. gebild. Welt, s.: Volksaufklärung.
Reinert, A: Naturgemässe Heilg d. Blutarmut u. Bleichsucht (Anämie u. Chlorosa) od. Eisenpräparate od. Naturheilmethode? (36) 8° Kiel, (E Marquardsen) (01). (?) — 40 d
Reinert, E: Zum Andenken an Carl v. Liebermeister. [S.-A.] (50 m. 1 Bildnis.) 8° Tüb., F Pietzcker 02. 1.80

Reinert, H: Wegweiser f. Militärpflichtige u. deren Angehörige,
Vormünder usw. (96) 8° Berl.; A Michow 03. 1 — d
Reinfelder, D: Der Artikulationsunterr. in Hilfasch. [S.-A.]
(12) 8° Berl., L Oehmigke's V. 05. — 30 d
Reinglass, A: Hinter d. Kulissen e. Grossstadt. Roman. (160)
8° Duisbg, M Schwenzer (05). 2.50
— Und so musste d. Prinz heiraten! (13) 8° Ebd. (05). — 40
Reinhard: Der gute Kamerad, s.: Klass, v.
— Mit d. II. Seebataillon n. China! 1900—01. (168 m. Abb.) 8°
Berl., Liebel 02. L. 3.60 d
Reinhard, A: Herzenstöne. Gedichte. (56) 8° Stuttg., Strecker
& Schr. 04. 1 — d
Reinhard, A: Etwas v. Harmonium m. e. Ergänz: Das Har-
monium v. heute. [S.-A.] 2.Afl. (14) 8° Berl., C Simon 03.
10 Stück — 80
Reinhard, C: Vollständ. Privat- u. Geschäfts-Briefsteller. (64)
12° Reutl., R Bardtenschlager (02). — 20 d
Vgl. auch: *Reinhardt, C.*
Reinhardt, ET, u. WGM Jensen: Choralb. z. ev. Gesangb. f.
Ost- u. Westpreussen. Neu bearb. u. verm. v. C Graf Bülow
v. Dennewitz. (214) 4° Köngsbg, Gräfe & U., Bh. 01. 5.50;
geb. 7 —
I. Anh. s. u. d. T.: Bülow v. Dennewitz, C Graf, 24 lithawische
Choräle.
Reinhard, F: ,Auf n. Bethlehem' z. Hause d. Brotes. Dichtgn
üb. d. bl. Eucharistie, a. d. Nachlasse. (162) 8° Münst., Alphonsus-Bh. (04). L. 2.50 d
— Emanuel. Das Gotteskind v. Bethlehem, d. verheiss. u. er-
sehnte Welterlöser. Dichtgn u. bibl. Betrachtgn. Aus d.
hinterlass. Manuskripten zusammengest. 2. Afl. (416 m. 7 Taf.)
12° Heiligenst., FW Cordier 01. L. m. G. 5.50 d
Reinhard, J: Welchen Segen bringt es, wenn wir d. natürl.
Güter als Gaben Gottes ansehen? Erntedankfestpredigt. (13)
8° Grimma, G Gensel, S. 05. — 30 d
Reinhard, L: 3 Jahre als Kaufmann im Hinterl. Kameruns.
(23 m. Abb.) 8° Lpzg (Grimmaischestr. 19), Leipz. Publika-
tionsbureau v. R Mancke. — 50
Reinhard, P: Das Zwangsverersteigerungses. m. d. zugehör. Ein-
führgses. 1. Bd. (494) 8° Lpzg, Rossberg'sche Verl.-Bh. 01.
12 — || 2. Bd. (410) 01. 10 —; auch in Lfgn zu 2 —; in l HF.-Bd.
24 — d
Reinhard, P: Cours prat. de langue franç. — Grammaire et
lectures franç., s.: Banderet, P.
— Mündl. Rechngn a. d. Rekrutenprüfgn. Serie B (Note 3). 4. Afl.
(In deut. u. französ. Sprache.) (30 Bl.) 8° Bern, A Francke
(05). nn — 35 d
— dass. Serie C (Note 2). (In deut. u. französ. Sprache.) 4. Afl.
(30 Bl., n. 3 Bl. Auflösgn.) 16° Ebd. (05). nn — 35 d
— dass. Serie D (Note 1). 4. Afl. (In deut. u. französ. Sprache.)
(32 Bl.) 16° Ebd. (05). nn — 35 d
— Schriftl. Rechngn a. d. Rekrutenprüfgn. Serie D (Note 1).
4. Afl. (In deut. u. französ. Sprache.) (32 Bl.) 8° Ebd. (05).
nn — 35 d
— Rechngsmethode. Schema. (In deut. u. französ. Sprache.)
(2 m. 1 Abb.) 12° Ebd. (03). 12 Stück — 40 d
— Rechngstab. Tableau de calcul. 3. Afl. (2) 74×76 cm. Ebd.
(04). Auf L. m. St. 5 —
— dass. Deut. u. französ. Ausg. (Je 2) 8° Ebd. (04). Je — 05 d
— Text u. Auflösgn z. Rechngstab. 3. Afl. (32 u. 2) 8° Ebd. (05.)
— 50 (d); französ. Ausg. — 50
— Deut. Übgsstücke z. Übers. ins Französ., s.: Banderet, P.
— Vaterlandskde. Fragen, gestellt an d. Rekrutenprüfgn. 2. Afl.
(16) 8° Bern, A Francke (03). nn — 35
Reinhard, R: Pässe u. Strassen in d. schweiz. Alpen. (208) 8°
Luz., E Haag (03). 4 —
— Topographisch-histor. Studien üb. d. Pässe v. Strassen in d.
Walliser, Tessiner u. Bündner Alpen. (90) 4° Ebd. 01. nn 1.20
Reinhard, R: Die wichtigsten deut. Seehandelsstädte, s.: For-
schungen z. deut. Landes- u. Volkskde.
Reinhard, W: Unter d. Bakel. Erzählgn. (206) 12° Dresd. 03.
Lpzg, Leipz. Verl. 3 — d
Reinhard, W, s.: Hilfskalender f. Helfer u. Helferinnen an ev.
Sonntagsschuln.
Reinhardstöttner, K v.: Vom Bayerwalde. 4 kulturgeschichtl.
Erzählgn. 2. u. 3. Folge. 2. Afl. (312 u. 374) 12° Berl., H Ber-
mühler 02. Je (3 —) 1.50; geb. je (4 —) 2.30 d
— s.: Forschungen z. Gesch. Bayerns.
— Portugies. Litt.-Gesch., s.: Sammlung Göschen.
Reinhardt, A v.: Off. Brief üb. d. Ziele d. Freimaurerel an
Solche, welche sich f. d. Freimaurerbund interessieren. 12.Afl.
(31) 11.6×7,5 cm. 16° H Kerler (05). — 50 d
— Die Humanität im Kriege. Die kodifizierten humanitären
Vereinbargn d. Kulturstaaten im Kriege. (108) 8° Berl.,
Unger 05. 2 — d
— Die Pflege d. reinen Menschentums. 1. u. 2. Afl. (95) 8° Ebd.
04.06. 2 —; L. 3 — d
Reinhardt, C: Vollständ. Briefsteller f. d. Geschäftsverkehr
sowie f. d. Privatgebr. (96) 8° Reutl., R Bardtenschlager (08).
— d
— Vollständ. leichtfassl. Briefsteller f. d. Privat- u. Geschäfts-
verkehr. (96) 12° Ebd. (02). — 40 d
Vgl. auch: *Reinhard, C.*
Reinhardt, F: Geschäftsgeheimnisse u. deren Bewahrg. (90)
8° Lpzg 04. Berl., Dr. W Rothschild. — 60 || 2. Afl. (16) 05. 1 —
Reinhardt, G: Die Huter'sche Psycho-Physiognomik u. ihre

Beziehg z. Krankenbehandlg v. wiss. Standpunkte aus. (20
m. Abb., 1 Bildnis u. 2 Taf.) 8° Wiesb. 1900. (Brem. [Am Wall 194],
A Heitmann.) — 50 d
Reinhardt, A: Schillers Flucht. Histor. Stück. (81) 8° Dresd.,
O Damm 05. — 80 d
Reinhardt, G: Heimatkde d. thüring. Staaten. 3. Afl. v. L
Schmidt. (28 m. Bildnissen, 1 Profil u. 1 Karte.) 8° Gotha,
R Schmidt 05. — 40; ohne Karte — 20 d
Reinhardt, H, s.: Studien, Freiburger histor.
Reinhardt, J: Bibl. Gesch. f. d. Unter- u. Mittelst., s.: Bass, J.
Reinhardt, J: Pyramiden. 5. Heft. 100 Frei-Pyramiden. (56) 8°
Lörr., (CR Gutsch) (04). nn 2.50 (1—5.); nn 8.90)
— 10 Reigen u. 10 Reigentänze. H. u. III. Buch. Charakter- u.
Waffentänze. (80 u. 78 m. Abb.) 8° Schopfh. 01.04. (Lörr., CR
Gutsch.) Je nn 2 — d
— Wiener Volksleben. Tanz-Reigen. Charaktertanz f. 12 Per-
sonen. (16 m. Abb.) 8° Ebd. 01. nn 1 — d
Reinhardt, K: Latein. Satzlehre. 2. Afl. v. J Wulff. (194) 8°
Berl., Weidmann 01. || 3. Afl. v. E Bruhn. (202) 04. Geb. Je 2.40 d
Reinhardt, L: Die Gottesherrschaft als welternenerndes
Lebensurlinzip. (96) 8° Münch., E Reinhardt 01. 1 — d
Reinhardt, L: Im Kampfe geg. d. Alkohol. (107) 8° Neuw.,
Heuser's V. 05. 1 —
— Die Malaria u. deren Bekämpfg, s.: Abhandlungen, Würzb.,
a. d. Ges.-Geb. d. prakt. Medizin.
— Der Mensch z. Eiszeit in Europa u. s. Kulturentwicklg bis
z. Ende d. Steinzeit. (504 m. Abb.) 8° Münch., E Reinhardt
05. 7 —; geb. 8.50 d
Reinhardt, M: Schall u. Rauch. 1. Bd. 1—10. Taus. (235) 16°
Berl., Schuster & Loeffler 01. 1 — ö F
Reinhardt, O: Der Entwurf B a. Reichsges.: Die Sicherg d. Bau-
fordergn betr., m. Bezug auf d. voranssichtl. Wirkgn in d.
Praxis, sowie ein. Vorschlägg. z. Ergänzg desselben, nebst
Anh.: Die Verluste d. Baulieferanten durch d. Zwangsver-
steigergn. (54) 8° Dresd., C Weiske 02. — 80 d
— Prakt. Ratgeber bei Herstellg d. Druckleitgn a. Steinzeug-
rohren f. kleinere Wasserleitgn. (23 m. 1 Taf.) 12° Ebd. 02.
— 60 d
Reinhardt, O: Mecklenburg. Heimatkde f. d. Schulgebr. (22 m.
2 Kart.) 8° Neubrandnbg, O Nahmmacher 01. nn — 35 d
Reinhardt, R v.: Baulichk. f. Kur- u. Badeorte usw., s.: Lieb-
lein, J.
— Die Gesetzmässigk. d. griech. Baukunst, dargest. an Monu-
menten verschied. Bauperioden. 1. TI: Der Thesenstempel in
Athen. (14 S. illustr. Text.) 57,5×39 cm. Nebst 13 Taf. je
57,5×77,5 cm. Stuttg., A Kröner 03. In M. 30 —
Reinhart, E: Die Cluniacenser-Architektur in d. Schweiz v.
X—XIII. Jahrh. (106 m. Grundrissen.) 8° Zür., Schulthess &
Co. 04. 3 — d
Reinhart, H: Frührot. Heimatkde. (120) 8° Zür. (02). (Berl., E
Goldschmidt.) 2.50; Kart. 4 —
— Alfred Mombert d. Denker. (36 m. 1 Bildnis.) 8° Lpzg, Verl.
A. Funken, Sep.-Kto 03. — 50 d
Reinhart, J: Heimelig Lüt. Gschichte f. z. Obesitz. (315) 8°
Bern, A Francke 05. 3.50; geb. 4.50 d
— Mariann, d. Franell, s.: Verein f. Verbreitg guter Schriften,
Bern.
— D'r Meitligrantzler, E G'schicht abem Land. (137) 8° Aar.,
HR Sauerländer & Co. — Bern, A Francke 06. 2.40; geb. 3.20 d
Reinheimer, A: Kurzgef. Beschreibg d. Essay-Sammlg v. Mar-
tin Schroeder, Leipzig, zusammengest. in d. J. 1893—1902.
(59 m. 72 Lichtdr.) 4° Lpzg, (CE Poeschel 03. In M. 8 —;
französ. Ausg. (54 m. 72 Lichtdr.) 03. Geb. nn 9 —
Reinherts, C: Geodäsie, s.: Sammlung Göschen.
— Hdb. d. Vermesgskde., s.: Jordan, W.
— s.: Zeitschrift f. Vermessgswesen.
Reinhold, A: Fröhl. Wanderlust. Ferienreise v. Fels z. Meer.
Bilderb. f. Knaben u. Mädchen. (9 Bl. m. farb.Abb.) 4° Ravnsbg,
O Maier (04). Geb. 1 — d
Reinhold, D: Abrahams Opfer, s.: Schul- u. Vereinsbühne, christl.
Reinhold, G: Die Gottesbeweise u. ihr neuester Gegner. Wür-
digg d. v. Mach geg. diese Beweise vorgebr. Bedenken. (59)
8° Stuttg. 05. Münch., J Roth. — 60 d
— Praelectiones de theologia fundamentali. 2 partes. 8° Wien,
H Kirsch 05. 7.20
  I. Tractatus de existentia Dei, de relig. et revelatione in genere ac de
  relig. christiana. (347) 4 —
  II. Tractatus de traditione, sacra scriptura et ecclesia. (242) 3.20
— Die Welt als Füharin z. Gottheit. Kurze Darstellg d. v. d.
  senera Apologetik vorgelegten Gottesbeweise. (211) 8° Stuttg.
  02. Münch., J Roth. 2 — d
— Das Wesen d. Christentums. Entgegnug auf Harnack's gleich-
  nam. Buch. (96) 8° Ebd. 01. 1.20 d
Reinhold, H: Register, s.: Jahrbuch d. kais. deut. archäolog.
  Instit.
Reinhold, H: Gesänge eines Einsamen. (78) 8° Berl., J Harrwitz
  Nf. 04. 1.50
Reinhold, KT: Der Weg d. Geistes in d. Gewerben. Grund-
  linien zu e. modernen Lehre v. d. Gewerben, insbes. v. Handel.
  1. Bd. Arbeit u. Werkzeug. (392) 8° Lpzg, CL Hirschfeld 01.
  6.60; geb. 8 — d
Reinick, R: Erzählgn u. Lieder. Für d. Jugend hrsg. v. R Lo-
  renz. (132 m. Abb. u. 2 Farbdr.) 8° Berl., Verl. Jugendhort
  (04). Geb. 1.40 d
— Gedichte, s.: Vademecum f. d. deut. Jugend.
— Gedichte, Erzählgn u. Märchen. Mit Bildern L Richters u.

sr Schule. Ausgew. v. C Kretschmar u. O Ostermai. 2 Bdchn.
8⁰ Dresd., A Köhler.   Kart. je — 70 d
   1. Für Kinder v. 7 Jahre an. (75) 04. ‖ 2. Für Kinder v. 11 Jahre an.
(80) 04.
Reinick, R: Lieder, s.: Universal-Bibliothek.
— Märchen. Für d. Jugend hrsg. v. R Lorenz. (124 m. Abb. u.
   4 Farbdr.) 8⁰ Berl., Verl. Jugendhort (04).   Geb. 1.40 d
— Märchen, Erzählgn u. Lieder. Durchgesehen u. hrsg. v. R Lo-
   renz. (124 u. 132 m. Abb. u. 6 Farbdr. 8⁰ Ebd. (04). Geb. 2.25;
                                     L. 3 — d
— Märchen u. Lieder f. d. Jugend. (123 m. 3 Farbdr.) 8⁰ Berl.,
   Globus Verl. (02).   Geb. † — 80 d
— Märchen, Lieder u. Geschichten. (234 m. 5 [3 farb.] Taf.) 8⁰
   Berl., R Galil (02).   Geb. 3 — d
— Märchen- u. Geschichtenb., s.: Gressler's, FGL, neue Jugend-
   bücherei.
— Märchen-, Lieder- u. Geschichtenb. 14. Afl. (214 m. Abb.) 4⁰
   Bielef., Velhagen & Kl. 05.   Kart. 5 — d
— Die Schilfinsel. Die 3 Schwestern. (32) 16⁰ Bas., Ver. f. Ver-
   breitg guter Schriften 04.   nn — 05 d
— Spitzenchristel, s.: Jugendmärchen, Münch.
— Auch e. Todtentanz, s.: Rethel, A.
Reinicke: Prakt. Ratgeber f. d. modernen Handwerker, s.:
   Oestreich.
Reinicke, L: Weihnachten im Zauberwald, s.: Danner's, G,
   Jugendbühne.
Reiniger, A: Lehrb. d. französ. Sprache, s.: Oberländer, S.
Reiniger, M: Pädagog. Abhandlgn u. Vorträge. Nach Herbart-
   Zillerschen Grundsätzen bearb. (150) 8⁰ Langens., Schulbb.
   04.   1.50 d
— Bibl. Gesch. f. d. Unterst. 2sprach. Schulen. Unter Zngrunde-
   legg d. „Lehrpl. f. d. Relig.-Unterr. d. ev. 2sprach. Schüler
   in kathol. Schulen" bearb. (31) 8⁰ Lissa, F Ebbecke 04. — 90 d
— Konzentr. Kreise u. Konzentration, s.: Sammlung pädagog.
   Vortr.
— Friedr. Eberh. v. Rochow, d. Reformator d. preuss. Land-
   schulwesens. (72 m. 1 Bildnis.) 8⁰ Langens., Schulbb. 05. — 80 d
— Heimatkundl. Unterr. Zugl. e. methodisch-krit. Studie üb.
   d. neuesten Konzentrationsbestrebgn. (45) 8⁰ Berl., A Köhler
   04.   1 — d
Reiniger, O: China ist offen. Ein Rückblick, e. Einblick u. e.
   Ausblick. Vortr. (24) 8⁰ Berl., Bh. d. Berliner ev. Missions-
   gesellsch. 04.   — 25 d
— Die Macht d. Aberglaubens in China. Vortr. (16) 8⁰ Ebd. 04.
                                    — 15 d
— Ein Tag inmitten chines. Dörfer. (20) 8⁰ Ebd. (04).   — 25 d
— Ein Tag inmitten südchines. Dörfer. [S.-A.] (16) 8⁰ Ebd. (04).
                                    — 25 d
Reinigung d. Gewehres 88 n. d. Schiessen im Standort (auf
   d. Schiessstand) u. auf d. Truppenübgsplatz. (Leitf. betr.
   d. Gewehr 88 u. s. Munition, Nr. 117.) 1—4. Afl. Plakat. 100×
   68,5 cm. Bunzl., G Kreuschmer (02-04).   nn — 50 d
— dass. d. Gewehrs 98. (Leitf. betr. d. Gewehr u. Seitengewehr
   98, Nr. 110.) Plakat. 100×68,5 cm. Berl./01). (Bunzl., G Kreuschmer.)   — 75 ‖ 2. Afl. Bunzl. (02). nn — 50 d
— gewöhnl., u. gründl. **Reinigung** d. Gewehrs 88 im Standort (auf d. Schiessstand) n. auf d. Truppenübgsplatz. (Leitf.
   betr. d. Gewehr 88 u. s. Munition, Nr. 115 u. 116.) 1—4. Afl.
   Plakat. 102×68,5 cm. Bunzl., G Kreuschmer (02-04). nn — 50 d
— dass. d. Gewehrs 98. (Leitf. betr. d. Gewehr u.Seitengewehr
   98, Nr. 102.) 2. Afl. Plakat. 100×58,5 cm. Ebd. (02). nn — 50 d
Reininghaus, F: Gerechtigk. u. wirksamen Rechtsschutz
   schaffe d. österreich. Zivilges. f. d. ausserehel. Mutter u. ihr
   Kind. Unzulänglichk. d. 8. Titels d. bundesrätl. Gesetzes-
   vorl. v. Gesichtspunkte f. e. neuen Entwurf. (75) 8⁰ Zür.,
   (Art. Instit. Orell Füssli) 05.   1.40
— Verpflichtg d. Staates, d. ausserehel. Vaterschaft festzu-
   stellen. (20) 8⁰ Ebd. 05.   — 50; französ. Ausg. (13) — 50 ;
                          italien. Ausg. (20) — 50
Reininghaus, H v., s.: Astura, M.
Reinisch, L: Der Dschäbärtidialekt d. Somalisprache. [S.-A.]
   (116) 8⁰ Wien, (A Hölder) 04.   2.60
— Die Somali-Sprache, s.: Expedition, südarab.
— s.: Zeitschrift, Wiener, f. d. Kde d. Morgenl.
Reinisch, M, s.: Kalender f. Vermessgsbeamte.
Reinisch, R: Mineral, u. Geol. f. höh. Schulen. (104 m. Abb.,
   2 farb. Taf. u. 1 Karte.) 8⁰ Lpzg, G Freytag 03.   Geb. 2 —
   ‖ 2. Afl. (131 m. Abb., 2 farb. Taf. u. 1 Karte.) 05. Geb. 2.40
— Petrograph. Praktikum. 1 u. 2. Tl. 8⁰ Berl., Gebr. Borntraeger.
                                L. nn 9.40
   1. Gesteinbild. Mineralien. (135 m. Fig.) 01. nn 4.20 ‖ 2. Gesteine. (180
   m. Fig.) 04. 5.20.
— Petrogr., s.: Zirkel, F.
Reinitz, M: Rücklösg u. Heimfall d. österr. Eisenb. [S.-A.]
   (44) 8⁰ Wien, Manz 03.   — 80 d
Reinke: Hilfsb. f. d. Lese-Unterr., s.: Wacker, K.
Reinke, Loewentraut u. **Brunslow**: Bibl. Gesch. Ausg. C d.
   Religionsb. f. ev. Schulen. (119 m. 1 Karte.) 8⁰ Berl., Nicolai's V. (05).   Geb. — 60 d
— — — Kirchengesch. f. ev. Schulen. (II. Tl d. Religionsb.)
   (57) 8⁰ Ebd. (04).   — 40 d
— — — Religionsb.f.ev.Schulen.Ausg.A(f. mehrklass.Schulen,
   m. d. f. d. Berliner Gemeinde-Sch. vorgeschrieb. Lehrstoff).
   1. u. 2. Afl. (224 u. 4 m. 1 Karte.) 8⁰ Ebd. (02.05). Geb. 1 — d

Reinke, Loewentraut u. **Brunslow**: Religionsb. f. ev. Schulen.
   Ausg. A (f. mehrklass. Schulen m. d. f. d. Prov. Brandenburg
   vorgeschrieb. Lehrstoffe. (224 m. 1 Karte.) 8⁰ Berl., Nicolai's
   V. (04).   Geb. 1 — d
— — — dass. m. d. f. d. Prov. Sachsen vorgeschrieb. Lehrstoffe. (226 u. 4 m. 1 Karte.) 8⁰ Ebd. (03).   Geb. 1 — d
— — — dass. Ausg. B (ohne Lernstoff). (19, 176 m. 1 Karte.)
   8⁰ Ebd. (05).   Geb. nn — 90 d
Reinke, C, u. E **Lissau**: Jugendchöre, d. HErrn z. Ehre!
   Liedersammlg z. Sonntagssch.- u. Hausgebr. (92) 16⁰ Barm.,
   Verl. „Des Königs Botschaft" (01).   Kart. — 25 d
Reinke, E: Die Vermögensverwaltg d. Berufsgenossensch. (342)
   8⁰ Grünew.-Berlin, Verl. d. Arbeiterversorgg A Troschel 03.
                                   (8—) 1 — d
Reinke, F: Grundz. d. allg. Anatomie. Zur Vorbereitg auf
   d. Studium d. Medizin n. biolog. Gesichtspunkten bearb. (32,
   339 m. Abb.) 8⁰ Wiesb., JF Bergmann 01.   7.60
Reinke, J: Einl. in d. theoret. Biol. (637 m. Abb.) 8⁰ Berl.,
   Gebr. Paetel 01.   16 —; HF. 18 —
— Die Entwickelgsgesch. d. Dünen an d. Westküste v. Schles-
   wig. [S.-A.] (15 m. Abb.) 8⁰ Berl., (G Reimer) 03.   — 50
— Philosophie d. Botanik, s.: Bibliothek, natur- u. kultur-
   philosoph.
— Studien z. vergleich. Entwicklgsgesch. d. Laminariaceen.
   (67 m. Abb.) 8⁰ Kiel, Lipsius & T. 03.   1 —
— Die Welt als That. Umrisse e. Weltansicht auf naturwiss.
   Grundl. 2. Afl. (504) 8⁰ Berl., Gebr. Paetel 01. ‖ 3. Afl. (491)
   05. ‖ 4. Afl. (505 m. Abb. u. 1 Bildn.) 05. Je 10 —; HF. je 12 —
Reinke, S: Wandergn in Gottes Natur. Lebenbilder f. d. Ju-
   gend u. ihre Freunde. 2. Afl. (304 m. Abb. u. Titelbild.) 8⁰
   Münst., H Schöningh 05.   1.60 ; geb. 2.25 d
Reinkens, JH: Relig. Reden. (150 m. Bildnis.) 8⁰ Gotha, FA
   Perthes 02.   1.60; geb. 2.25 d
Reinöhl, W v.: Einige Gedanken üb. d. kriegsmäss. Ausbildg
   d. Infant., s.: Braumüller's militär. Taschenbb.
— dass., im Geiste d. modernen Feuertaktik, m. Progr. f. d.
   Rekrutenausbildg. (74 m. Formularen.) 12⁰ Komot. 05. (Wien,
   LW Seidel & S.)   1.50 Vergr.
— dass., neue Afl., s.: Braumüller's militär. Taschenbb.
Reinsch, A: Entwurf e. Polizeiverordng f. d. Verkehr m. Milch,
   nebst Protokoll üb. d. öffentl. Besprechg derselben in d. Ver-
   sammlg d. Abteilg E (Milchgesetzgebg) d. allg. Ausstellg
   f.hygien.Milchversorgg in Hamburg, am 5.V.'03.(48) 8⁰ Hambg,
   C Boysen 03.   1 — d
— Die gesetzl. Regelg d. Milchverkehrs in Deutschl., insbes.
   in d. grösseren deut. Städten. (48) 8⁰ Ebd. 05.   1.50 d
Reinsch, M: 100 Geschäfts- u. Reklamewagen. (100 Taf. m. 20 S.
   Text.) 8⁰ Ravnsbg, O Maier (01).   In M. 12 —
— Der Wagenkasten n. s. Plan. Anl. z. Planzeichnen u. vor-
   teilhaften Arbeiten n. d. Plan. 2. Afl. 20 Foliotaf. nebst er-
   läut. Text. (24) 4⁰ Lpzg, BF Voigt 04.   5 — d
Reinshagen, C: Die Konkurrenzklausel d. Handlgsgehilfen.
   (48) 8⁰ Lpzg, CL Hirschfeld 03.   1.40
Reinstadler, S: Elementa philosophiae scholasticae. 2 voll.
   8⁰ Freibg i/B., Herder 04. 5.40 : Einbde in HF. je 1.20 ‖ Ed. II.
                    (29, 432, 518, 448) 04. 6 —; geb. 8.80
   I. Logica, ontologia, cosmologia. (23, 425)   2.50
   II. Anthropologia, Theologia naturalis, ethica. (362)   3.60
Reinstein, H: Scherz u. Ernst. (Lustsp., inb. Bühnen usw.) Den
   Kameraden d. deut. Feuerwehren gewidmet. III. Heft 5. Afl.
   u. IV. Heft 3. Afl. (32 u. 39) 8⁰ Plauen i/V. (o. J.). Lpzg, Rauh
   & Pohle.   Je 1 — d
Reinstorf, E, s.: Geschichte, bibl., f. Schule u. Haus.
Reinthaler, P: Das Lehrerkollegium d. Erfurter Gymnasium
   1848—58. (39) 8⁰ Halle, Bh. d. Waisenh. 05.   1 — d
Reinthaler, S: Georg Held. Kurzes Lebensbild e. würd. Prie-
   sters d. neuesten Zeit. (56 m. Abb. u. 1 Fksm.) 8⁰ Rgnsbg,
   Verl.-Anst. vorm. GJ Manz 05.   — 50 d
Reinwarth, J: Dr.Ant.Ohorn, s.: Sammlung gemeinnütz.Vortr.
Reiny: In bs. Hubertl Namen, s.: Astura, M. St. Hubertus.
Reis, F: Zur Kenntnis d. Condensationsprodukte d. α-Keton-
   säuren u. ihrer Umwandlgsprodukte. (56) 8⁰ Strassbg, J Singer
   09.   1 — d
Reis, JG: Kurze Gesch. Österr. 3. Afl. (88 m. 1 Bildnis n. 4
   Stammtaf.) 8⁰ Graz, U Moser 04.   — 50 d
Reis, O, s.: Karte, geognost., d. Kgr. Bayern.
Reis, P: Elemente d. Physik, Meteorol. n. mathemat. Geogr.
   Lehrb. f. d. Unterr. an höh. Lehranst. 7. Afl. v. E Penzold.
   (419 m. Fig.) 8⁰ Lpzg, Quandt & H. 05.   4.80 d
Reis, R: BGB. f. d. Dent. Reich, nebst d. Einführgsges. v. 18.
   VIII.1896, unter eingeh. Berücks. d. Handelsgesetzb., d. Kon-
   kursordng. d. Ges. üb. d. Angelegenh. d. freiwill. Gerichts-
   bark., d. Ges. üb. d. Zwangsversteigerg u. d. Zwangsver-
   waltg. d. Grundbuchordng, sowie d. sonst. hierauf bezügl.
   rechtl. Nebenges. üb. bürgerl. Recht in gemeinverständl.
   Weise erläutert. (686) 8⁰ Reutl., Ensslin & L. (02). L. 5 — d
— Lehrb. d. Familien- u. Erbrechts, s.: Mayer, H.
Reisberger, L, s.: Maler-Kalender, illustr. deut.
— Spruchweisheit. Sammlg v. fast 2400 Sprüchen u. Inschriften
   u. nlt. ernsten Inhaltes. (160) 8⁰ Münch., GDW Callwey (03).
                                    3.50 d
— Das Wasserglas u. dessen Verwendg im Malergewerbe, s.:
   Flugblätter, techn. d. Mappe u. dent. Malerzeitg.
Reisch, O: Der hl. Kreuzweg. Franziskaner-Text. (48) 16⁰ Breal.,
   F Goerlich (01). ‖ 16—18. Taus. (51 m. Abb.) (03.) Je — 10 d

Reisch, E, s.: Abhandlungen d. archäologisch-epigraph. Seminars d. Univ. Wien.
Reisch, R: Das Ges. v. 25.X.1896 betr. d. direkten Personalsteuern, samt Vollzngsvorschriften u. Nebenges. Mit Beihilfe v. P v. Möraus hrsg. (Gr. Ausg.) 2 Bde. (21, 618 u. 21,
330) 8° Wien, Manz 05.   10.40; geb; 12 — d
Reisch, R: Aus d. Gesch. d. Parochie Tauche. (130) 8° Beesk.
1898. (Berl., G Nauck.)   2 — d
Reischke, R: Spiel u. Sport in d. Schule, s.: Magazin, pädagog.
Reischle, M: Die Bibel u. d. Volksleben. Vergleiche v. röm.
u. ev. Bibelgebr. Vortr. (29) 8° Lpzg, (C Braun) 02. nn — 10 d
— Christl. Glaubenslehre in Leitsätzen, f. e. akadem. Vorlesg
entwickelt. 2. Afl. (158) 8° Halle, M Niemeyer 02.   2 — d
— Jesu Worte v. d. ew. Bestimmg d. Menschenseele in relig.-
geschichtl. Beleuchtg. [S.-A.] (90) 8° Ebd. 02.   — 80
— Theol. u. Relig.-Gesch. 5 Vorlesgn. (105) 8° Tüb., JCB Mohr
04.   . 1.80 d
— s.: Zeitfragen.
Reise um d. Erde. Hrsg. v. K Tanera u. P Gisbert. Leiter d.
Illustr.: B Esch. 36 Hefte. (424 u. 424) 4° Berl.-Schönebg,
Internat. Weltverl. 04.05.   Je — 50; in 2 Bde geb. je 12.50 d
— e., durch Italien, s.: Projections-Vorträge.
— e., durch d. Weltenraum, s.: Projections-Vorträge.
Reise-Adressbuch, neues, f. Mittel-Europa. (20, 91) 16° Münch.
04. (Brix., Pressver.-Bh.)   — 60
Reise-Album, internat. illustr. Auskunftsb. f. Reise u. Ver-
kehr. 8. u. 9. Jahrg. (214 u. 160) 4° Münch., C Andelfinger &
Co. (02.03).   L. je 6 —
Reisebegleiter f. d. Schweiz, s.: Bürkli's, D, Kursbuch.
Reisebekanntschaften, uns. Erinnerungsblätter an frohe Tage.
Mit e. Geleitwort v. J Wolff. (79) 8° Lpzg, W Möschke (03).
                                                    L. m. G. 3 —
Reise-Beobachtungen, erdmagnet., s.: Veröffentlichungen d.
hydrograph. Amtes d. k. u. Kriegs-Marine zu Pola.
Reise-Berichte d. Comités z. Veranstaltg ärztl. Studienreisen
in Bade- u. Kurorte. 1—3. Bd. 8° Berl. Halle, C Marhold. 18 —
1. Gilbert, WH, P Meissner u. H Oliven: Die bei d. 1. deut. Aerzte-
Studienreise besuchten Nordsee-Bäder. (178 m. Abb., 2 Taf. u. 1 Karte.)
02.   6 —
2. — — Die bei d. 2. deut. Aerzte-Studienreise besuchten rhein.,
bölim. Bäder. (348 m. Abb., 5 Taf. u. 1 Karte.) 03.   8 —
3. — — Die bei d. 3. deut. Aerzte-Studienreise besuchten rhein., hess.,
lipp. u. waldeckschen Bäder. (340 m. Abb., 3 Taf. u. 1 Karte.) 04. 6 —
— tabellar., n. d. meteorolog. Schiffstagebüchern. Hrsg. v. d.
Deut. Seewarte. 11. Bd. Eingänge d. J. 1903. (184) 8° Berl.,
ES Mittler & S. 04.   3 —
— üb. Paris, erstattet v. d. nachsteh. Beamten d. Stadtbauamtes. I. Verkehrswesen. Von P Kortz. — II Marktwesen,
Schulen, Bäder. Von H Beranek. — III. Stadtregulierg u.
Gartenwesen. Von H Goldemund. — IV. Baupolizei, Theater
etc. Von A Greil. — V. Canalisationswesen u. Berieselgs-
anlagen. Von J Reiss. — VI. Strassenbau u. Strassengebäge.
Von A Swetz. — VII. Wasserversorgg u. Beleuchtgswesen.
Von M Paul. (372 m. Abb. u. 4 Taf.) 8° Wien, (Gerlach & W.)
01.   nn 10 —
Reisebilder a. Egypten u. Palästina. Ihren Sonntagsschul-
kindern erzählt v. M v. O. 2. Afl. (40 u. 48 m. Abb.) 8° Schwer.,
F Bahn 03.   Kart. — 75 d
Reisebuch d. deut. Lehrervereins pro 1904/5. Verz. v. Reise-
Erleichtergn f. d. Mitglieder desselben. Hrsg: v. geschäfts-
führ. Ausschuss. 13. Aug. (148) 12° Lpzg, J Klinkhardt.
                                                     nnn — 50
Nur f. Mitglieder d. Lehrervar.
— d. Verbandes deut. Post- u. Telegr.-Assistenten f. 1904.
Bearb. v. Berghoff. 1. Jahrg. (164) 8° Berl., Verl. d. Verb.
deut. Post- u. Telegr.-Assistenten.   — 60 d
Reisebücher, Thüringer. Eisenach u. Umgebg v. H Wettig.
(2. Afl.) (79 m. Abb. u. 2 Kart.) 8° Gotha, Stollberg (1898). 1 —
— dass. Bad Elgersburg u. Umgebg v. Barwinski. 10. Afl. (138
m. Abb., 2 Kart.) 8° Ebd. (1900).   1 —
— dass. Friedrichroda u. Umgebg v. R Roth. 17. Afl. (104 m.
Abb. u. 2 Kart.) 8° Ebd. (01).   1 —
— dass. Georgenthal-Tambacher Wegweiser v. G Schneider.
(65 m. Abb., 1 Pl. u. 1 Kart.) 8° Ebd. (1896).   1 —
— dass. Auf z. Heldrastein! (32 m. Titelbild u. 2 Kart.) 8° Ebd.
(1894).   — 60
— dass. Luisenthaler Wegweiser (nördl. Oberhofer Gebiet) v.
G Schneider. (40 m. Abb., 1 Bildnis u. 1 Karte.) 8° Ebd.
(1895).   1 —
Reiseführer, billige. Nr: 1 u. 5. 8° Linz, Zentraldruckerei vorm.
E Mareis.   3.10
1. Führer (Umschl.: Kursführer) durch Venedig. (60 m. 1 Pl.) (04.) — 50
5. Heimfelsen, J. u. E Juckenack: Neuer illustr. Reise-Führer durch Süd-
tirol u. d. Gardasee, Oberitalien bis Mailand, Verona, Venedig. (220
m. Abb., 20 Vollbildern, 2 Pl. u. 1 Karte.) 05/6.   2.50
Nr. 2—4 sind noch nicht erschienen.
— nationale. Hrsg. v. Landesverband Baden d. a. d. Schul-
ver. z. Erhaltg d. Deutschtums im Ausl. Nr. 2 u. 3. 8° Freibg
i/B., C Troemer.   Je — 50 (1—3.: 1.25) d
Groos, W: Wanderfahrten durch d. Niederl. u. Rhein. 2. Sprachgrenze im
Belgien u. Luxemburg. (40 m. 1 Karte.) 02. [2.]   1 —
Rohmeder, W: Das Fersenthal in Süd-Tirol. (47 m. 1 Kartenskizze.) 01.
                                                        1 —
Reise-Handbuch f. d. christl. Familie. 10. Afl. (158) 8° Berl.,
Vaterländ. Verl.- u. Kunstanst. 04.   Geb. 1 — d
— f. Radfahrer. Tourenbuch d. „Gau 14" (Bamberg—Hof) d.
D. R. B. Führer in d. Geb. d. Fichtelgebirges, d. Franken-

u. Thüringer-Waldes, d. Vogtlandes, d. Erzgebirges, d. Dup-
pauer- u. Teplergebirges, d. Kaiser- u. Böhmerwaldes u. d.
fränk. Jura. Zusammengest. v. Radfahrer-Ver. Eger. (366
m. 1 Karte.) 8° Eger, (S Kobrtsch & Gschihay) (03). Geb. nn 3.50
Reise-Karte v. Mecklenburg. [S.-A.] 1:450,000. 37×51,5 cm.
  Farbdr. Berl., A Goldschmidt 05.06.   In M. — 50
— neueste, d. österr.-ungar. Monarchie u. d. angrenz. Länder
m. Angabe sämmtl. Eisenb.- u. Dampfschiff-Stationen. 1:
2,250,000. 64. Afl. 47,5×70,5 cm. Farbdr. Wien, M Perles (04). 1.20
— d. sächsisch-böhm. Schweiz. Umfassend d. Städte: Pirna,
Schirgiswalde, Tetschen-Bodenbach. 1:125,000. 33×36 cm.
  Farbdr. Neusalza, H Oeser (01).   — 40
Reisen, kein, ist ohn' Ungemach! Reise-Erlebnisse e. Missio-
narin. Ges. u. hrsg. v. C Seher. (47) 8° Elmsh., Gebr. Bram-
stedt 1899.   — 30 d
Reisen, JP: Der Erstkommunikant in sr Vorbereitg auf d. hl.
Kommunion. (325 u. 32 m. 1 Farbdr.) 16° Kevel., J Thum 02.
                                                      L. — 80 d
— Vorbereitg auf d. hl. Firmg. (80) 16° Ebd. (03).   — 20 d
Reisenbichler, G: Der Automobilschrecken u. s. Bekämpfg.
(16) 8° Taucha, G Gohlke (04).   — 80 d
Reisenegger, A v.: Gerichtskostenges., 3. Afl., s.: Schmidt, H.
— Das bayer. Ges. üb. d. Gebührenwesen, s.: Pfaff, H v.
Reise-Notiz-Kalender f. Versichergsbeamte. Hrsg. v. C Keller.
  3. Jahrg. 1905. (250) 8° Lpzg, Eisenschmidt & Sch. L. 2 —
Reise-Onkel, der. Illustr. Familien-Kalender f. 1906. (25 n. 6
  m. 1 Farbdr.) 8° Berl., A Weichert.   — 50 d
— illustr. Für 1906. 26. Jahrg. (48 m. 1 Taf.) 8° Neuweissens.,
E Bartels.   — 50 d
Reiseonkel's humor. Bibliothek. 1. Bd. Alte u. neue Kalauer.
Hrsg. v. B Mikosch jun. (61) 8° Essl., W Langguth (03). — 50 d
Reiseordnung f. d. Personen d. Soldatenstandes. (R. O.) (21.10.
'04.) (D. V. E. No. 159.) (120) 8° Berl., ES Mittler & S. 04.
                                           †1 —; kart. †1.20 d
Reiser: Zusammenstellg d. nachbarrechtl. Bestimmgn in Be-
zug auf: Gebäude u. and. Bauwesen; Beschaffenh. d. Ein-
friedigng an d. Grenze; d. Abstände d. Einfriedigng u. Pflan-
zenanlagen. (Baumsatz.) (20) 8° Essl., W Langguth (01). — 20 d
Reiser, A: Sancta Cäcilia, s.: Dilettantenbühne, kathol.
Reiser, A: Der Geiger v. Gmünd, s.: Miller, E.
— Wintersonnenwende. Melodramat. Spinnstuben-Märchen. Ge-
dichtet v. MM Schenk. Musik v. R. Textb. (31) 8° Berl.-Gr.-
Lichterf., CF Vieweg (03).   — 60 d
Reiser, E: Vergleich. Untersuchgn üb. d. Skelettmuskulatur
v. Hirsch, Reh, Schaf u. Ziege. [S.-A.] (42 m. 4 Taf.) 8° Berl.,
P Parey 03.   3 —
Reiser, H: Der Amtsgerichtsbez. Sesslach u. s. Umgebg. (80
m. Titelbild.) 12° Bambg, Handels-Dr. u. Verlagsh. 03. — 70 d
Reiser, KA: Sagen, Gebräuche u. Sprichwörter d. Allgäus.
19—21. Heft. (2. Bd. 577—764) 8° Kempt., J Kösel (01.02).
Je 1 — (2. Bd: 12 —; vollst. [21—] L. od. Hfz. 25 —]; geb. 10 —) d
Reiser, N: Beidrechte u. and. Anstausch- od. Reformgewebe
z. Gebr. an. Webesch. u. f. Praktiker. 3. Afl. (212 m. Abb.
u. 42 Stoffmustern.) 8° Lpzg, A Felix 05.   6.60
— Die Betriebs- u. Warenkalkulation f. Textilstoffe, unter
bes. Berücks. d. wollenen Waren. (124 m. Abb. u. 2 Taf.) 8°
Ebd. 03.   6 —
— Die Dichtstellg d. Kette f. alle Arten v. Geweben, unter
bes. Berücks. d. Wollen- u. Halbwollen-Waren-Fabrikation.
(56 m. Abb. u. 10 Tab.) 8° Aach. 01. (Münch., GDW Callwey.) 3.60
— Lehrb. d. Spinnerei, Weberei u. Appretur, s.: Weber's illustr.
Katechismen.
In 1 u. 2. Afl. u. d. T.: „Grothe, H, Katech. d. Spinnerei usw.",
in 3. Afl. u. d. T.: „Ganswindt, A, Katech. d. Spinnerei usw."
— u. J Spennrath: Hdb. d. Weberei. 2. Afl. v. N Reiser. II. Bd.
Die Kompositionslehre. (In etwa 11 Lfgn.) 1—9. Lfg. (1—864
m. Abb.) 8° Lpzg, A Felix 04.05.   Je 3 —
Der I. Bd ist in 2. Afl. noch nicht erschienen.
Reisensiegle, 50, v. einem Vielgereisten. (Deutsch u. volapük.)
(11) 8° Konst., JM Schleyer's Weltsprache-Zentralbüro 05.
(Nur dir.)   — 20
Reisert, K, s.: Kommersbuch, deut. — Kommers-Lieder, 50
d. beliebtesten.
— Liederb. f. d. deut. Volk. (160) 16° Offenbg, H Zuschneid
(03). (Nur dir.)   — 50 d
— Kl. Liederschatz f. d. deut. Jugend, bes. an höh. Lehranst.
(171) 12° Freibg i/B., Herder (01). 2. Afl. (176) (03). Kart. je 1 — d
Reisert's, K, stenograph. Lehrmittel. 1. u. 2. Tl. 8° Würzbg, E
Mareis.   Geb. 3.20 d
1. Lehr- u. Übgsb. d. Gabelsb.'schen Stenogr. Mit e. geschichtl. Einl. 1. Tl:
Verkehrsschrift. (144) 04. 2. Tl: Debattenschr. (74) 03. 2. Tl: Redaschr. (77) 03.
— Griech. Schönschreibhaft m. Schriftvorl. 3. Afl. (36). 8°
Ebd.   nn — 40
— Taschenb. d. deut. üb. höh. Unterr.-Anst. f. d. Schulj.
1905/1906. 17. Jahrg. Mit Beil.: Personalstatist. d. Gymnasien,
Progymnasien, Lateinsch., Industriesch., Realsch. u. Land-
wirtschaftssch. im Kgr. Bayern n. d. Stande v. 1. IX. '05. (180
u. 102) 8° Münch., J Lindauer.   L. u. geb. 1.50
Reise-Taschen-Notizbuch 1905. (Schreibpap. u. 22 S. Text m.
1 Karte.) 8° Lpzg-N., A Henze.   — 90 d
Reise-Wegweiser d. deut. Alpenzeitg. Schriftleitg: G Platt.
1. Jahrg. Apr. 1904—März 1905. Etwa 24 Nrn. (Nr. 1. 8 m. Abb.)
4° Münch., G Lammers.   5 —; einz. Hefte — 25 d
Nicht mehr allein zu haben.

Reisewinke f. Reiselustige. Von e. Wanderfreund. 2. [Tit.-]Afl. (137). 8° Lnzg [1896] 01. Zür., T Schröter.   1.20 d
Reise- u. Bäder-Zeitung, illustr. Zeitschrift f. d. Bäderwesen u. d. Fremden-Verkehr. Chefred.: am Ende. Für d. balneolog. Tl: Willrich, 1902, J Kleinpaul u. Röchling: 16. u. 17. Jahrg. 1901 n. 2 je 36 Nrn. (1902. Nr. 1. 56 m. Abb.) 4° Dresd.-Blasew., Elbgau-Buchdr. Viertelj. 2.50 || 18—20. Jahrg. 1903—5. Für d. balneolog. Tl: Röchling u. 1904 M Ebeling. Hrsg. u. Red. f. Österr.-Ungarn: A Berg. Viertelj. 1.50; einz. Nrn — 20 d
Reishauer, H: Höhengrenzen d. Vegetation in d. Stubaier Alpen u. in d. Adamello-Gruppe, s.: Veröffentlichungen, wiss., d. Ver. f. Erdkde zu Leipzig.
— Der Militärdienst d. Volksschullehrer. Gesetzl. Bestimmgn u. Erlasse nebst Vorschlägen z. finanz. Vorbereitg f. d. einjähr. Dienst. 7. Afl. (64) 8° Lpzg, J Klinkhardt 05.   — 60 d
— Rechtl. Stellg d. militärpflicht. u. militärentlass. Volksschullehrer im Kgr. Preussen. (56) 8° Ebd. 06.   — 60 d
Reishaus, T: Ueb. Nietzsche's Also sprach Zarathustra. Briefe a. Thüringen. (37) 8° Strals., Bremer 01.   1 — d
Reising, E: Das Leseb. als Stoffquelle f. d. Aufsatz. Ausgeführte Musterbeisp. (100) 8° Mainz, Kirchheim & Co. 03.   1.80; geb. 2.20 d
Reizinger, H: Quadrille franç. u. Sechsschritt-Walzer, s.: Tanzschule, Wiener.
Reiske, F: Rat u. Hilfe f. Frauen. Beseitigg v. Gram u. Not durch Aufklärg. (50) 12° Berl. (01). Nowawes, G Goldstein.   — 50 d
— Das Weib. Aufklärg d. Weibes üb. d. geheimsten Sorgen ihres Geschlechts. (47 m. Abb.) 8° Ebd. (1900). 1.50 || 2. [Umschl.-] Afl. (01.) 1 — d
Reismann-Grone u. v. E. Liebert: Überseepolitik od. Festlandspolitik?, s.: Flugschriften d. alldeut. Verbandes.
Reisner, GA: The Hearst medical papyrus. Hieratic text in 17 facsimile plates in collotype with introduction and vocabulary. (University of California publications, Egyptian archaeology, vol. 1.) (48) 4° Lpzg, JC Hinrichs' V. 05.   L. 25 —
— Tempelurkunden a. Telloh, s.: Mitteilungen a. d. oriental. Sammlgn d. kgl. Museen zu Berlin.
Reisner, V v.: Heisser Boden. Roman. (333) 8° Berl., A Schall (01).   3 —; geb. 4 — d
— Tolle Chosen! Satir. Zeitbilder. (128 m. Abb.) 8° Berl., Verl. f. moderne Lit. (05).   2 —; kart. 3.50
— Slavon. Dorfgesch. (318) 8° Ebd. 02.   3 — || Neue [Tit.-]Ausg.) 04. 2 —; geb. 3 — d
— Ein angenehmes Erbe. Humorist. Roman. (477) 8° Berl., C Duncker (05).   5 — d
— Mama Leichtsinn. Roman. (347) 8° Berl., Ver. f. moderne Lit. (04).   3 —; geb. 4 — d
— Die Unschuld, s.: Eckstein's moderne Bibliothek.
Reisner, W: Die Wohnverzahl deut. Städte in früh. Jahrhunderten, m. bes. Berücks. Lübecks, s.: Sammlung nationalökonom. u. statist. Abhandlgn.
Reisner Frhr v. Lichtenstern: Die Macht d. Vorstellg im Kriege u. ihre Bedeutg f. d. Friedens-Ausbildg, s.: Zeitfragen, militär.
— Takt-Probleme. [S.-A.] (47) 8° Berl., A Bath 03.   1 —
— Schiesstaktik d. Infant., s.: Zeitfragen, militär.
Reiss, C: Die Natur-Heilmethode bei Gallen-, Nieren-, Blasen- etc. Steinleiden; bei d. Geschlechtskrankh.; bei Hämorrhoidalleiden; bei Magen- u. Darmkrankh. (Verdauugsstörgn); bei sexueller Neurasthenie; bei d. Zuckerkrankh., s.: Bibliothek d. ges. Natur-Heilkde.
Reiss, E: Der Berechnungskoefficient d. Blutserums als Indikator f. d. Eiweissgehalt. (31) 8° Strassbg, J Singer 02.   1 —
Reiss, F, u. C Lechler: Der Nussknacker, in farb. Bildern v. R. m. Text v. L. (2. [Umschl.-]Afl.) (14) 4° Essl., JF Schreiber [1900] (02).   Geb. 1.50 d
Reiss, M: Kurzer liturg. Unterr. üb. Kirche, Gottesdienst u. kirchl. Geräte. 5. Afl. (105 m. farb. Titelbild.) 16° Freibg i/B., Herder 03.   25; kart. — 40 d
Reiss, O: Reichsgewerbeordng m. d. wichtigsten Ausführgsbestimmgn f. d. Deut. Reich u. d. Grossh. Baden nebst Kinderschutzges. v. 30.III.'03. (913) 8° Karlsr., Macklot 05.   L. nn 9 —
Reiss, R, s.: Wanderkarte v. Braunschweig u. Umgebg.
Reiss, RA: Die officinellen Drogen, s.: Rabow, R.
— Die Entwicklg d. photograph. Bromsilbertrockenplatte u. d. Entwickler, s.: Enzyklopädie d. Photogr.
— Einiges üb. d. signalet. Photogr. (System Bertillon) u. ihre Anwendg a. d. Anthropol. u. Medizin, s.: Abhandlungen, zwangl., a. d. Geb. d. medizin. Photogr. usw.
Reiss, W: Ecuador 1870—74. Petrograph. Untersuchgn. 1. Heft. (116) 4° Berl., A Asher & Co. 01.   8 — || 2. Heft. (117—304 m. 1 Taf.) 04. 14 —
— u. A Stübel: Reisen in Süd-Amerika. Das Hochgebirge d. Republik Ecuador. II. Petrograph. Untersuchgn. 2. Ost-Cordillere. 2. Lfg. (61—356 m. 4 Taf.) 4° Ebd. 02.   20 — (Vollst.: 54 —; d. ganze Werk: 118 —)
Reisse, GE: Wiss. Kurpfuscherei. Öffentl. Kritik d. Schulmedizin als Heilkunst. Zugleich an d. Denunziationskommission d. Ärztekammern. (74) 8° Berl., F Schlosser 04.   — 75
Reisser, O: Sturz d. Starke. Sammlg ausgeführter Pfadens a. nagelbarem Trockenhartstück. 1—4. Serie. (Je 20 Taf.) Fol. Stuttg., K Wittwer (03-05).   In M. je 7.50

Reissert, A: Lehrb. d. organ. Chemie, s.: Meyer, V.
Reissert, O: Hannov. Tourist, s.: Puritz, L.
Reissig, A, s.: Handbuch f. d. preuss. Herrenhaus.
Reissig, C: Das ärztl. Hausb. f. Gesunde u. Kranke. (992 m. Abb. u. 27 meist farb. Taf.) 8° Lpzg, FCW Vogel 04.   L. 15 — d
— Medizin. Wiss. u. Kurpfuscherei. 2. Afl. (145) 8° Ebd. 01.   2 —
Reissig, H, s.: Budwiński's Sammlg d. Erkenntnisse d. k. k. Verwaltgsgerichtshofes. — Judikatenbuch d. Verwaltgsgerichtshofes.
Reissmann, A: Ludw. van Beethoven. — Rich. Wagner, s.: Männer, bedeut.
Reissmann, C: Joh. Gottfr. Seume, s.: Plauer, O.
Reissmann, O: Ueb. d. Gas.-Entwurf betr. ergänz. Vorschriften üb. d. Dienstvertrag f. Krankenpflege, Unterr., Erziehg u. and. höh. häusl. od. persönl. Dienstleistgn. (58) 8° Wien, M Breitenstein 03.   1 — d
Reissmüller, R: Die sächs. Fleischschauges. m. d. Dienstanweisg f. d. Fleischbeschauer, nebst d. Schlachtviehversichergsges. u. Regulativ d. staatl. Versichergsanst. (74) 8° Chemn., K Reissmüller 01.   Kart. 1 — d
— s.: Taschentagebuch f. deut. Fleisch- u. Trichinenschauer.
— Die f. d. Kgr. Sachsen gült. Trichinenschauges. u. Vorschriften. (32) 8° Chemn., K Reissmüller 03.   — 60 d
Reisner, A: Die Zwangsunterbringg in Irrenanst. u. d. Schutz d. persönl. Freiheit. (86) 8° Wien, Urban & Schw. 03.   2.40
Reissner, M: Beitr. z. Kenntnis d. Wärmestarre. (14 m. 1 Taf.) 8° Würzbg, F Freudenberger 05.   2 —
Reiswitz, W Frhr v.: Heitere Gesellen, s.: Eckstein's Miniaturbibliothek.
— „Ich hatt' e. Kameraden —". (115) 8° Hambg, Schröder & Jeve (02).   1 — d
Reiswitz, WGH Frhr v.: Gründet Arbeitgeberverbände!, s.: Zeitfragen, sozialwirtschaftl.
— Ca'canny. (Nur immer hübsch langsam!) Ein Kapitel a. d. modernen Gewerkschaftspolitik. 1. u. 2. Afl. (98) 8° Berl., O Elsner 02.   1 — d
— Generalstreik? Rückblick auf d. Hafenarbeiter-Streik in Marseille. (14) 8° Ebd. 05.   1.25
Reitemeyer, A: Kurorte u. Bäder in Algerien, s.: Archiv d. Balneotherapie u. Hydrotherapie.
Reitemeyer, E: Beschreibg Ägyptens im M.-A., a. d. geograph. Werken d. Araber zusammengest. (236) 8° Lpzg, Dr. Seele & Co. 03.
Reiter, A: Wiedergefunden. Volksschausp. m. Gesang. (80) 8° Berl., K Siegismund 05.   1.20 d
Reiter, H: Präparat. zu Herodot, s.: Krafft u. Ranke's Präparat. f. d. Schullektüre.
— dass. zu Homers Odyssee, s.: Krafft u. Ranke's Präparat. f. d. Schullektüre. — Ranke, JA.
Reiter, J: Der christl. Arbeiter. Belehrgs- u. Erbaugsb. f. d. Arbeiterstand. m. e. vollständ. Gebetb. f. kathol. Christen. (463 m. farb. Titelt.) 12° Heiligenst., FW Cordier (01). L. 1.50 d
— Die alleinseligmach. Kirche od. Katholizismus u. Seligkeit. Zeitgemässe populäre Abhandlgn üb. d. kathol. Kirche. (54) 8° Paderb., Bonifacius-Dr. 02.   — 60 d
— Liberalismus u. Katholizismus, s.: Volksbibliothek, kathol.
— Der hl. Schutzengel unser Freund u. Geleiter üb. e. Erbaugsb. (Neue [Tit.-]Ausg.) (228 m. Titelbild.) 16° Feldk., F Unterberger [1899] (04).   L. — 50 d
— Vademekum f. christl. Arbeiter. Belehrgs- u. Erbaugs-Buch f. d. Arbeiterstand. (366 m. farb. Titelbild.) 16° Mainz, Druckerei Lehrlingshaus 04.   L. 1 — d
Reiterer, K: Alpierblut, s.: Für Hütte u. Palast.
— Illustr. Führer durch d. obersteir. Murtal u. Umgebg. (47 m. 7 Taf.) 8° Leoben, JH Prosl (05). (Nur dir.)   — 60 d
Reith, AB: Wilde n. halbwilde Fasanerie, deren Anlage u. Betrieb. (23) 8° Wien, W Frick 01.   nn — 80 d
Reithoffer, M: Der Drehstrom. — Elektr. Licht, s.: Vorträge d. Ver. z. Verbreitg naturwiss. Kenntnisse in Wien.
Reitkunst, natürl. Nach d. Papieren e. passionirten Reitlehrers. Hrsg. v. *.*. (232) 8° Berl., ES Mittler & S. 01. || 2. Afl. (240) 05.   Je 3.50; L. je 4.50 d
Reitlechner, G: Patrocinien-Buch z. Verehrg d. Schutzheiligen d. Kirchen u. Kapellen d. Erzdiöc. Salzburg, d. meisten v. Brixen, Seckau, Gurk, Oberrösterr. u. d. benachbart. Gegenden. (674 m. 1 Lichtdr.) 16° Salzbg, A Pustet 01. 1.40; geb. 1.80 d
— Briefe v. Verbrechern. Ein Buch f. Denker u. Menschenfreunde. (193) 8° Ebd.   2 —; geb. 3 — d
Reitmair, O: Bericht üb. d. m. Winterhalmfrucht im Herbste 1900 eingeleit. u. 1901 z. Abschl. gebr. Phosphat-Dünggs-Versuche. (100 m. 1 Taf.) 8° Wien, (W Frick) 02.   1.60
— Unter welchen Umständen wirkt e. Kalldüngg bestreuter u. bestrauter auf d. Baugerste? [S.-A.] (84) 8° Kornenbg, (J Kühkopf) (05).   1.20
Reitmayr, J: Wirkgskreis d. Feldgeschworenen, s.: Stadelmann.
Rejtö, A: Rationelle Durchführg d. Materialprüfg auf Grund d. Kraftvermittlg u. d. inneren Reibg. (Aus d. Ung.) (Deutsch, französ. u. engl.) [S.-A.] (53 m. Abb.) 4° Stuttg. 01. (Freibg i/B., J Bielefeld.)   6 —

Reitter, E: Das Insektensieb, dessen Bedeutg beim Fange v. Insekten, insbes. Coleopteren u. dessen Anwendg. 2. Afl. (17) 8° Pask. 05. (Berl., R Friedländer & S.) nn 1—
— s.: Zeitung, Wiener entomolog.
Reitterer, FX: Böhmens Steuerleistg od.: Wie verhalten wir uns z. geplanten Erhöhg d. Landesumlagen? (32) 8° Budweis (Reichstr. 20), Verl.-Anst. Moldavia 04. — 50 d
— Die neuen Reichsrathsabgeordneten u.ihre Gegenkandidaten. (Zusammenstellg d. Reichsraths-Wahlresultate a. d. J. 1897 u. 1900/1901 m. Angabe d. Stimmenverhältn.) (76) 8° Ebd. 01.
— 60 d
Reitz, v.: Die Reserve-Offiziers-Prüfg. Wiederholgsb. z. Vorbereitg auf d. am Schlusse d. Uebg A stattfind. theoret. Reserveoffiziersprüfg d. Infant. u. Jäger. (110) 8° Frankenth., L Göhring & Co. 05. Geb. 1.20 d
Reitzel, A: Les poètes franç. du XIXᵉᵐᵉ siècle. Anthologie pour l'école et la famille. (351 u. 8 m. Bildnissen.) 8° Heilbr., E Salzer 1898. 2.50; geb. 3—; in Geschenkbd 3.50
Reitzel, H: Das Rechnungswesen v. Gemeinden, Kirchen u. Stiftgn in Grossh. Hessen. Nachtr. (118) 8° Mainz, J Diemer 05. 2.20 (Hauptwerk u. Nachtr.: 10.20) d
Reitzenstein, J Frhr v.: Übersicht d. Gesch. d. hannov. Armee, s.: Schütz v. Brandis.
Reitzenstein, K Frhr v.: Gesch. d. kurbayer. Heeres, s.: Staudinger, K.
Reitzenstein. R: 2 relig.-geschichtl. Fragen n. ungedr. griech. Texten d. Strassb. Bibliothek. (149 m. 2 Lichtdr.) 8° Strassbg, KJ Trübner 01.
— Poimandres. Studien z. griechisch-ägypt. u. frühchristl. Lit. (382) 8° Lpzg, BG Teubner 04. 12—; geb. 15—
— Scipio Aemilianus u. d. stoische Rhetorik, s.: Festschrift, Strassb., z. 46. Versammlg deut. Philologen u. Schulmänner.
— M. Terentius Varro u. Johannes Mauropus v. Euchaita.Studie z. Gesch. d. Sprachwiss. (97) 8° Lpzg, BG Teubner 01. 3.60
Reitzer, A: Rebbach. Rituelle Scherze, Lozelech, Maisses u. koschere Schmonzes f. unsere Leut. (111) 8° Pressbg (01). (Wien, J Deubler.) 2—
— Solem Aléchem. Nix f. Kinder, E Waggon feiner, vescher, saft. Lozelech, Schmonzes takef pickfeiner Schmüs f. unsere Leit. (112) 8° Ebd. (02). 2—
Reitzner, V V: Sitnationszeichnugsschule f. Reserve-, Landwehr- u. Landsturm-Offiziersaspiranten. (16 m. 48 Taf.) 8° Wien, LW Seidel & S. 03. 2—d
Reizenhofer, E (Frl. E Foykmajer): Die Diamanten d. Frankenbergs. Der Stein d. Weisen, s.: Ensslin's Roman- u. Novellenschatz.
Rekittke, H: Das Leben gabs. Gedichte. (102) 8° Dresd., E Pierson 02. 1.50; geb. 2.50 d
Reklame, moderne. Zeitschrift f. d. Reklame-, Inseraten-, Plakat- u. Zeitgswesen. Hrsg.: P Friesenhahn, E Growald. Verantwortlich: E Growald. 1. Jahr. März—Dezbr 1902. 12 Hefte. (224 m. Abb.'u. 1 farb. Taf.) 4° Berl., Verl. d. „Modernen Reklame" (H Bergmann). 10—; einz. Hefte 1—
Fortsetzg war nicht zu erhalten.
Reko, V A: Prinzessin Seele. Lyr. Studien. (86) 8° Stuttg., A Juncker 04. 2—; geb. 8—d
Rekrutenlehrer, der, Enth. d. Rekrutenpensum a. Exerzir-Reglement, Felddienst-Ordng, Schiess-, Turn- u. Bajonettir-Vorschrift. Von e. Kompagniechef. (143) 12° Stuttg., Strecker & Schr. 02. L. nn — 75 d
Rektoratswechsel an d. Akad. f. Sozial- u. Handelswiss. zu Frankfurt a.M. am 21.X.'03. I. Rede v. Morf. — II. Rede v. K Burchard. (36) 8° Jena, G Fischer 03. — 60
— dass. am 21.X.'05. I. Rede v. K Burchard. — II. Rede v. L Pohle. (40) 8° Ebd. 05. — 80
Rektorik, S: Praeparata pharmaceutica (composita) quor. dispensatio — jussu minist. rerum intern. die 17.XII.1894 (1. 1. a. num. 239, art. 1.) absque medici praescriptione pharmacopolis licita est. Omnib. officinalib. pharmacopoeis europ. et tribus editionib., quae novissimam pharmacopoeam austriacam praecedent, adhibitis composuit R. (Mit latein., deut., tschech. u. poln. Titel.) (144) 8° Wien, J Šafář 03. 3.40; L. 4—
Rektorreden, Hallische, III. 8° Halle, M Niemeyer. 2—
Suchier, H: Molières Kämpfe um d. Aufführgsrecht d. Tartuffe. (22) 02. [III.]
Rektorys, J, s.: Forst- u. Jagdkalender.
Relais-Anordnungen f. automat. Ausschalter in Wechselstrom-Anlagen, s.: Maximal- u. Rückstromrelais, d. automat.
Relations, les, diplomat. de la France et de la Républ. Helvét. 1798—1803, publié par E Danant, s.: Quellen z. Schweizer Gesch.
Relbin, M: Lust u. Leid d. Backfischzeit, s.: Lankau, JM.
Religion, d. christl., m. Einschl. d. israelitisch-jüd. Relig. Von J Wellhausen, A Jülicher, A Harnack, N Bonwetsch, K Müller, FX Funk, E Troeltsch, J Pohle, J Mausbach, C Krieg, WHerrmann, R Seeberg, W Faber, HJ Holtzmann, s.: Kultur, d., d. Gegenwart.
— d. christl., in kurzen Grund- u. Hauptzügen od. christl. einzigwahre Weltanschaug. Hrsg. v. Konstanz, JM Schleyer's Weltsprache-Zentralbüro (05). (Nur dir.) — 08
— d., d. Geistes, Fortsetzg, s.: Einsicht, d.
— d., d. Menschheit. Monatsschrift z. Verbreitg d. positiven Weltanschaug. Hrsg.: H Molenaar. 1. Jahrg. 1901. 12 Nrn. (Nr. 1—3. 64 m. 1 Bildnis.) 8° Münch. Lpzg, R Uhlig. Vierteljr. —75; einz. Hefte — 30
— dass. 2. Jahrg. 1902. 12 Nrn. (Nr. 1. 20 m. 1 Bildnis.) 8° Lpzg,

R Uhlig. 4— ‖ 3. Jahrg. 1903. 9 Nrn. 3—; einz. Nrn — 40
Fortsetzg s. u. d. T.: Weltanschauung, positive.
Religion, Weltliebe. Von e. Christen (Mulert). 1. n. 2. Afl. (47) 8° Dresd., E Pierson 02.04. 1— d
Religionsbuch f. d. ersten 3 Schulj. d. ev. Volkssch. Vorstufe zu d. Relig.-Buche v. A Falcke u. Förster. (68) 8° Halle, H Schroedel 05. Geb. nn — 60 d
Religions-Büchlein, Berliner. Nach d. Grundlehrpl. d. Berliner Gemeindesch. hrsg v. Berliner Lehrerver. Neubearbeitg. 1—3. Afl. (72 m. 1 Karte.) 8° Berl., Schnetter & Dr. Lindemeyer 02. ‖ 4. u. 5. Afl. (71 m. 1 Karte.) 03.04. · Je — 20 d
Religionsphilosophie in Einzeldarstellgn. Hrsg. v. O Flügel. 5 Hefte. 8° Langens., H Beyer & Söhne. 7.10
Flügel, O: Die Relig.-Philosophie d. Schule Herbarts. Drobisch u. Hartenstein. (88) 05. [9.] 1.50
Thilo, CA: FH Jacobis Relig.-Philosophie u. Thilo. (20, 54) 05. [2.] 1.20
— Kants Relig.-Philosophie. (65) 05. [1.] 1.20
— Die Relig.-Philosophie d. absoluten Idealismus. Fichte, Schelling, Hegel u. Schopenhauer u. Thilo. (72) 05. [4.] 1.70
— Schleiermachers Relig.-Philosophie n. Thilo. (128) 06. [5.] 2—
Religionsunterricht od. nicht? Denkschrift d. brem. Lehrerschaft. (16) 8° Brem., (G Winter) 05. — 25 d
— ev. Grundlegg u. Präparat. Hrsg. v. A Reukauf u. E Heyn, 2—4. u. 6—9. Bd. 8° Lpzg, E Wunderlich. 26.40; geb. 30—
(1—9.; 31.60; geb. 36,40) d
Bauer, G: Urgeschichten, Mose- u. Josuageschichten. Präparat. f. d. ev. Relig.-Unterr. in d. Mittelkl. d. Volkssch. u. d. Unterkl. höh. Schulen. 1. Tl. 2. Afl. (10, 10, 237) 04. [4.] . 3.20; geb. 3.60
Bittorf, W: Methodik d. ev. Relig.-Unterr. in d. Volkssch. (176) 04. [2.] 2—; geb. 2.40
Döll, G: Geschichten a. d. Leben Jesu. Präparat. f. d. ev. Relig.-Unterr. in d. Mittelkl. d. Volkssch. u. d. Unterkl. höh. Schulen. 3. Tl. 1. u. 2. Afl. (466 bezw. 451) 02.05. [4.] 5.50; geb. 5. 40
Heyn, E: Gesch. d. alten Bundes. Präparat. f. d. ev. Relig.-Unterr. in d. Oberkl. d. Volkssch. u. d. Mittelkl. höh. Schulen. 2. Tl. 1. u. 2. Afl. (343 bezw. 329) 02.05. [7.] 4.40; geb. 5—
— Gesch. Jesu. Präparat. f. d. ev. Relig.-Unterr. in d. Oberkl. d. Volkssch. u. d. Mittelkl. höh. Schulen. 3. Tl. 1. Afl. (19, 391) 04. [8.] 4—; geb. 4.60
Hofmann, J: Josuageschichten, u. W Bittorf: Ersvätergeschichten. (Präparat. f. d. ev. Relig.-Unterr. in d. Unterkl. d. Volkssch., hrsg. v. A Reukauf. Tl. 1. 2. Afl. (26, 182) 03. [2.] 5—; geb. 5.40
Reukauf, A, u. E Winzer: Gesch. d. Apostel. Präparat. f. d. ev. Relig.-Unterr. in d. Oberkl. d. Volkssch. u. d. Mittelkl. höh. Schulen. 3. Tl. (997) 03. [9.] 5—; geb. 5.50
— d., d. ersten Schulj. n. d. Katechesen v. G Mey.'(Neudr.) (50) 12° Freibg i/B., Herder (04). — 20; kart. nn — 25 d
Reling, H: Deut. Leseb. f. Lehrerbildgsanst., s.: Girardet, F.
— Die Privatlektüre in d. Präparandenanst. u. ihrer Stoffausw. u. Einrichtg. (142) 8° Gotha, EF Thienemann 02. — 30 d
— Vorbereitg zu d. bibl. Gesch. d. alten u. neuen Test. 2. Afl. (465) 8° Ebd. 03. Geb. 4.80 d
— u. J Bohnhorst: Uns. Pflanzen n. ihren deut. Volksnamen, ihrer Stellg in Mythol. u. Volksglauben, in Sitte u. Sage, in Gesch. u. Lit. 4. Afl. (416) 8° Ebd. 04. 4.60; geb. 5.50 d
Rellstab, L: Das Fernsprechwesen, s.: Sammlung Göschen.
— s.: Schwachstromtechnik, d., in Einzeldarstellgn.
— d. elektr. Telegr., s.: Sammlung Göschen.
Rellum (LJ Müller) s. a.: Ludwig, H.
— Humorist. Erzählgn a.d. Jägerleben.(294) 8° Mgdbg,(Lichtenberg & Bühling) 01. . 4.50 d
Relly, E, s.: Allesch, E.
Rema, E: Interviews, s.: Brottl- u. Theaterbibliothek, bunte.
Remark, O: Pfadfinder redivivus. Lose Betrachtgn m. unterhalt. Ratschlägen f. junge Fischer. (63) 8° Mgdbg. (Berl., Gerdes & H.) — 80; geb. (1.20) 1—
— Weihnachts- n. Neujahrs-Lieder. Zum Mitsingen, nebst e. Anh.: Weihnachts-Gedichte z. Deklamieren. (48) 12° Charlottnbg (o. J.). Berl., W Frey. — 30 d
Rembo, AC: Diamant, Tratostaz, Fortsetzg, s.: Totentanz, afrikan.
Rembrandt(Hermansz van Rijn). 26 Photograv. n. d. schönsten Gemälden d. Ausstellg in London Jan.—Febr. 1899 u. Amsterdam Sept.—Oct. 1898 (Suppl.). Mit erläut. Text v. C Hofstede de Groot. 4 Lfgn. (1. Lfg. 7 Taf.) Fol. Amsterd., Scheltema & Holkema (01). In Luxusausg. je 130—;
in Luxus-M. je 192.50
— Die Anatomie. — Bildnis e. alten Dame. — Die Erweckg d. Lazarus. — Faust. — Der Gelehrte, s.: Meisterbilder fürs deut. Haus.
— Gemälde, m. Einl. v. A Rosenberg, s.: Klassiker d. Kunst.
— Die Jünger v. Emmaus. — Die Kreuzabnahme (m. d. Fackel), s.: Meisterbilder fürs deut. Haus.
— Kopf e. „Stahlmeisters", s.: Meisterbilder.
— Die 3 Kreuze. — Die Landschaft m. d. 3 Bäumen. — Phantast. Landschaft, s.: Meisterbilder fürs deut. Haus. —
— Meisterwerke. Orig.-Aufnahmen in Lichtdr. (10 Bl. m. 1 Bl. Text.) 40,5×35 cm. Lüb., B Nöhring (02). 8—
— Predigt Johannes d. Täufers, s.: Meisterbilder fürs deut. Haus.
— 38 Radiergn. (Hrsg. v. P Schubring.) (24) 4° Berl., (Edm. Meyer) (04). 2—
— Die schönsten Radiergn in Nachbildgn. (20 Taf. m. 2 S. Text u. Text auf d. Rücks.) 42×31 cm. Berl., Fischer & Fr. (01). In M. (10 —) 7— d
— Der Raub d. Proserpina. — Selbstbildnisse, s.: Meisterbilder fürs deut. Haus.

Rembrandt (Hermansz van Rijn). Jan Six. — Jan Six am Fenster. — Die „Stahlmeister", s.: Meisterbilder.
— Hendrickje Stoffels. — Der Tod d. Maria. — Die Verkündigg an d. Hirten, s.: Meisterbilder fürs deut. Haus.
— Zeichngn, in Lichtdr. nachgebildet. Hrsg. unter d. Leitg v. F Lippmann im Ver. m. W Bode, S Colvin, FS Haden u. JP Heseltine. 4 Lfgn. (Je 50 Taf. m. 4 S. Text.) Fol. Berlin-Lond. 1888—90 u. 93. Lpzg, KW Hiersemann. In L.-M. 720 —
— Die Zimmermannsfamilie, s.: Meisterbilder fürs deut. Haus.
Rembrandt als Erzieher. Von e. Deutschen (J Langbehn). 46. Afl. (356) 8° Lpzg, CL Hirschfeld 03.   2 — d
Rembrandt-Album. 90 Reproduktionen sr berühmtesten Werke. (30) 4° Berl., Globus Verl. (03).   Geb. †1.20
Rembrandt-Mappe. Hrsg. v. Kunstwart. (14 Bl. m. 8 S. Text u. Titelbl. m. Bildnis.) Fol. Münch., GDW Callwg (03).
   3 —; Vorzugs-Ausg. 5 —
Remec, B: Üb. d. specif. Doppelbrechg d. Pflanzenfasern. [S.-A.] (34 m. Fig.) 8° Wien, (A Hölder) 01.   — 60
Remelé, E: Die CPO. f. d. Deut. Reich, s.: Petersen, J.
Remer, H: Uns. Herren Rechtsanwälte, wie sie zu d. hohen Einkünften kommen. Werdegang, Leben u. Treiben d. Rechtsanwälte. (64) 8° Lpzg, Verl.-Anst. „Cliché" 04. (?)   1 — d
Remer, P: Das Ährenfeld. (57) 8° Berl., Schuster & Loeffler 04.   Kart. 5 —; Luxusausg. 20 — d
— Das Buch d. Sehnsucht. Sammlg deut. Frauendichtg. (295 m. 8 Bildnissen.) 12° Ebd. 1903.   L.5 — d
— Detlev Liliencron, s.: Dichtung, d.
— Osterglocken. Schausp. (59) 12° Berl., Schuster & Loeffler 01.   2 —; geb. 2 — d
— Unterm Regenbogen. Märchenb. f. Grosse. 2—4. Taus. (36) 8° Ebd. 01.   Geb. 2 —; in Japanbd 3 — d
Remigii Antissiodorensis in artem Donati minorem commentum. Ad fidem cod. manu scriptor. ed. W Fox. (100) 8° Lpzg, BG Teubner 02.   1.80; geb. 2.20
Remmers, E, s.: Reichs-Post-Kalender, deut.
Remmo s.: Ummerborn, K.
— Nur e. Magd. Aus d. Tiroler Bergen. (Bibliothek f. junge Mädchen.) (126 m. Abb.·u. 4 Taf.) 12° Würzbg, FX Bucher (02).   Geb. 1.20 d
Remol, H: Wer will's hören? Neue Kasperlstückchen f. Kinder. (32) 12° Lpzg, F Brandstetter (03).   — 60 d
Rémon, G: Moderne Möbel. Moderne Innenräume. 4. u. 5. Abth. (20 z. Tl farb. Taf. m. 8 S. Text.) Fol. Berl., E Wasmuth 1900.   In M. je 20 —
Rempe Wwe, Frau: Diätet. Kochb. f. Zuckerkranke u. Anwendg v. Ergon-Mehl. (163) 8° Bad Neuenahr, Frau Dr. Rempe Wwe 01. (Nur dir.)   2 — d
Remppis s.: Beschreibung d. Oberamtsbez. Heilbronn.
Remschteark, E, s.: Volksbücher, neue.
Remsen, I: Einl. in d. Studium d. Chemie. Deutsch v. K Seubert. 3. Afl. (462 m. Abb. u. 2 Taf.) 8° Tüb., H Laupp 04.
   6 —; geb. 7 —
Remus, K: Die Naturkde als Kräftelehre. Ein Wort üb. d. einheitl. Gestaltg d. naturkundl. Unterr. (106) 8° Ostrowo, (H Hayn) 02.   1.50
— Das dynamolog. Prinzip, s.: Sammlung naturwiss.-pädagog. Abhandlgn.
Remy, T: Männl. Hopfenpflanze, Plakat. 46×38 cm. Farbdr. Berl., P Parey (1899).   nn — 50 d
Renaissance. Zeitschrift f. Kulturgesch., Relig. u. Belletristik. Hrsg.: J Müller. 2. Jahrg. 1901. 12 Hefte. (384) 8° Münch., Dr. Jos. Müller.   4 — d
— dass. Monatsschrift f. Kulturgesch., Relig. u. schöne Lit. Hrsg.: J Müller. 3—6. Jahrg. 1902—5 je 12 Hefte. (3—5, J. je 768) 8° Ebd.   Viertelj. 2 —; einz. Hefte — 75 d
Erschien zuerst in Augsburg, dann in München, Strassburg, dann wieder in Augsburg u. München.
Renaissance-Bibliothek. Hrsg. v. H Landsberg. 3 Bde. 8° Berl., L Simion Nf.   8 —; Einbde in L. je 1 — 0 d
Byron's Tagebücher u. Briefe. Von E Engel. 4. Afl. (196 m. Bildnis.) 04. [1.]
[1.]
Dürer's, A, schriftl. Vermächtnis. Familienchronik — Briefe — Heime. Tageb. d. niederländ. Reise. Aus d. theoret. Schriften. Ausgew. u. eingeleitet v. M Osborn. (78, 150) 05. [3.]
Rakel. Ein Buch d. Andenkens f. ihre Freunde. Bearb. u. eingeleitet v. H Landsberg. (256 m. 1 Bildnis.) 04. [2.]   2 —
Renaissance-Broschüren. Hrsg. v. J Müller. Nr. 5. 8° Münch. (Augsbg, Lampart & Co.)   — 75 d ö F
Schell, H': Das Christentum Christi. Krit. Studie zu Harnacks „Wesen d. Christentums". [S.-A.] (94) 02. [5.]   75
Nr. 1—4 bilden: Müller, J: Das sexuelle Leben d. Naturvölker. — Das sexuelle Leben d. alten Kulturvölker. — Reformkatholizismus im M.-A. — Clara.
Renan, E: Das Leben Jesu. (228) 8° Berl., H Steinitz (01). 1 — d
— dass., s.: Meyer's Volksbb. — Volksbibliothek, wiss.
— dass. Aus d. Franz. v. J M. (In russ. Sprache.) 5. u. 6. Afl. (382) 8° Berl., B Behr's V. 01.   5 —
Renard, E: Die Kunstdenkmäler d. Kreise Erkelenz u. Geilenkirchen, s.: Kunstdenkmäler, d., d. Rheinprovinz.
— dass. d. Kreises Jülich, s.: Franck-Oberaspach, K.
— dass. d. Kreises Mülheim am Rhein, s.: Clemen, P.
s.: Kunstschatz, d..
Renatus, J, s. a.: Wagner, J Frhr v.
— Dresden, wie·es leibt u. lebt. Kleine Lebensstudie. (143) 8° Dresd., Holze & P. 05.   1.75; geb. 2.50 d
— Das Haus in d. Harmoniestrasse, s.: Pilgergrüsse.

Renatus, J: Heidekraut u. Centifolien. Eine Gesch. a. d. Heide. 2. Afl. (363) 8° Lpzg, E Ungleich 04.   4 —; geb. 5 — d
— Lebensskizzen a. ernsten u. heit. Tagen. 7. Afl. 2 Bde. (228 u. 197) 8° Dresd., v. Zahn & J. 02.   5 —; in 1 L.-Bd 4 — d
— Meine 4 Liebsten, s.: Pilgergrüsse.
— Die letzten Mönche v. Oybin. Eine Gesch. a. d. 16. Jahrb. 4. Afl. (216) 8° Lpzg, E Ungleich (05).   2.60; geb. 3.50 d
— Konrad Nesen. Lebens- u. Geschichtsbild a. d. 16. Jahrh. (294 m. 1 Abb.) 8° Berl., A Schall (03).   3 — d
— Die Vorstandswahl. Deklamatorium. 10. Afl. (16) 8° Dresd., Verbandsbb. (E Zacharias) (04).   — 20 d
— Dreierlei Wege z. Ziele. Lebensbilder. (302) 8° Lpzg, M Spendig (05).   3 —; L. 4 — d
Renaud, T (T Vulpinus): Legenden. (136 m. Titelbild.) 8° Strassbg, F Bull 05.   L. 3 — d
Renauld, Edler v. Kellanbach, J Ritter v.: Beitr. z. Entwicklg d. Grundrente u. Wohngsfrage in München. (210 m. 1 Karte.) 8° Lpzg, CL Hirschfeld 04.   6.40
— Die finanzielle Mobilmachg d. deut. Wehrkraft. (112) 8° Lpzg, Duncker & H. 01.   2.60
Renaut, MJ, u. S Jaccoud: Der Bronchialkatarrh u. s. physikalisch-diätet. Behandlg, s.: Bücherei, freie hygien.
Renburg, WH: Wie mache ich mein Testament? (124) 8° Berl., Vgl. Continent (05).   — 50 d
Rendatsein, J: Die Natur. Dramat. Gedicht. (88) 8° Dresd., E Pierson 05.   1.50 d
Rendle, AB: Naiadaceae, s.: Pflanzenreich, d.
Rendtorff, FM: Die schleswig-holstein. Schulordngn v. 16. bis z. Anfang d. 19. Jahrh., s.: Schriften d. Ver. f. schleswig-holstein. Kirchengesch.
— Die Taufe im Urchristentum im Lichte d. neueren Forschung. (55) 8° Lpzg, JC Hinrichs' V. 05.   1.20
— Zur deut. Volkstum in Böhmen. (Vortr.) (18) 8° Kiel, R Cordes 05.   — 50 d
René, C: Kamerun u. d. deut. Tsádsee-Eisenb. Unter Mitarbeit v. F Wohltmann. (251 m. Abb., 22 Taf. u. 3 Kart.) 8° Berl., ES Mittler & S. 05.   6.50
— Russl. u. d. ostasiat. Frage. (135) 8° Berl., Puttkammer & M. 05.   1.60
René, G, s. a.: Schätzler-Perasini, G.
— Die Falle — ! — Der verschwund. Kopf, s.: Sammlung interess. Criminal- u. Detectiv-Romane.
— Das Gespenst im Kaiserschloss, s.: Collection Geister- u. Gespenster-Romane.
— Die schwarze Kassette, s.: Sammlung interess. Criminal- u. Detectiv-Romane.
— Die St. Andreasnacht. — Das geheimnisvolle Schlosszimmer, s.: Collection Geister- u. Gespenster-Romane.
Renesse, A v.: Das gold. ABC d. Landw., od. Ratschläge f. e. zweckmäss. Fütterg u. Düngg. 4. Afl. Mit e. Anh. üb. d. am häufigsten vorkomm. Krankh. d. Haustiere. (192, 12 u. 29) 8° Osnabr., B Wehberg 04.   2 — d
— Erkenng d. Alters beim Pferde. (15 m. 34 farb. Taf.) 12° Münst., Coppenrath 03.   Kart. 2 — d
— Die Krankh. d. Hundes u. ihre Behandlg, s.: Bibliothek, Leipz. landw., Gartenbau- u. Weinbau-Bibliothek.
— Die Ziegenzucht. Krankh. d. Ziegen, deren Heilg u. Verhütg. (39) 8° Münst., Theissing 01.   — 50 d
Rengelduwen 2. Heft, s.: Schmachtenberg, C.
Renger, F: Der berühmte Besuch. Singsp. Op. 22. Text v. Komponisten. Vollständ. Text-u. Regieb. (32) 12° Lpzg, CFW Siegel (02).   — 60 d
— Ekkehard. Märchendichtg v. J Gersdorff. Musik v. R. Op. 21. Vollständ. Textb. (14) 8° Ebd. (01).   — 60 d
— O wir Mädchen. Operette. Text u. Musik v. R. Op. 14. Text-u. Regieb. (44) 12° Ebd. (01).   — 60 d
Renger-Patzsch, E: Der Eiweiss-Gummidruck u. and. Modifikationen d. Gummidruck-Verfahrens. (68 m. 5 Taf.) 8° Dresd., Unger & Hoffmann 04.   2.50
Rengers, Baron, s.: Walderen Baron Rengers, E van.
Renickel, N: Nach de erste 6 Woche. Lustsp. (24) 8° Aar., HR Sauerländer & Co. 02.   — 50 d
Renisch: Überblick üb. d. Gesch. d. Vereins „Bismarck-Warte" währ. s. 5jähr. Bestehens 1899—1904, m. bes. Berücks. d. Grundsteinlegg u. d. Einweihg d. Bismarck-Warte auf d. Müggelbergen. (47 m. Abb. u. 3 Taf.) 8° Cöpen., (R Schön) 04.
   — 50 d
Renk, A: Ueb. d. Firnen, unter d. Sternen. Gedichte. (206) 8° Linz (02). Innsbr., Arth v. Wallpach. (Nur dir.)   2 — ;
   geb. 2.50 d
— Kraut u. Ruebn. Kl. Geschichten a. Tirol. 1. u. 2. Afl. (249) 8° Linz, O.-ö. Buchdr.- u. Verl.-Gesellsch. 04.   2 — d
— Tiroler u. Euren. 8° (51) Innsbr. (01). Wien, Verwaltg d. Scherer.   — 85 d
Renk, F: Arbeiten a. d. kgl. hygien. Institut. zu Dresden, s.: Arbeiten a. d. kgl. hygien. Institut zu Dresden.
Renker, F: Der Arzt wider Willen. — Barbier u. Seifensieder, s.: Liebhaber-Bühne, neue.
— Der falsche Baron od. Ein unerwarteter Schwiegersohn, s.: Theater-Album, militär.
— Die Brüder, s.: Danner's, G, deut. Volksbühne.
— Der Buttermann ist da. — Der Herr Disponent. — Der Ehrenkreuzhof. — Eifersucht macht blind, s.: Teich's Vereinstheater.
— Eifersucht u. Ansichtskarten, s.: Für frohe Stunden.

Renker, F: Ein schöner Empfang od. 2 Eifersüchtige, s.: Volger's Vereinsbühne.
— Die 2. Frau, s.: Theater, kleines.
— Freigesprochen, s.: Teich's Vereinstheater.
— Der Geheimschreiber, s.: Barthel's, K, Theater-Bühne.
— Eine krit. Gesch. od. Wenn d. Frau verreist ist, s.: Für frohe Stunden.
— ewitter-Regen. — Auf d. Hochzeitsreise. — Der 1. Junge, sg Teich's Vereinstheater.
— Lachpillen! Humorist. Solo- u. Gesamt-Vorträge. (96) 8° Reutl., R Bardtenschlager (05). — 40 d
— Major's Rieke auf Wache, s.: Vereinstheater.
— Mietzis Entführg, s.: Theater, kleines.
— Bursche Pfiffig als Kriegsgott, s.: Theater-Album, militär.
— Üb. alles d. Pflicht. — Der neue Präsident, s.: Teich's Vereinstheater.
— Die Rehkeule u. Der 3. Mann z. Skat, s.: Für frohe Stunden.
— Die Schlummerrolle, s.: Teich's Vereinstheater.
— Sozialistentöter, s.: Arbeiterbühne.
— Eine fidele Spritzenprobe, od.: Der abgekühlte Freier, s.: Volger's Vereins-Bühne.
— Der Herr Stadtbaumeister. — Steinemanns Geschäftsreise, s.: Teich's Vereinstheater.
— Bursche Stümper od. Nur auf Besuch, s.: Theater-Album, militär.
— Das verhängnisvolle Telegramm, s.: Für frohe Stunden.
— Tippel im Schlafrock, s.: Theater-Album, militär.
— Der Trotzkopf, s.: Jugendbühne, d.
— Freie Turner, s.: Lustspiele, turner.
— Der Weiberfeind od. Amor siegt, s.: Teich's Vereinstheater.
— Ein frohes Weihnachtsfest, s.: Aufführungen f. Weihnachten u. Neujahr.
Renkewitz, E: Die mich frühe suchen, finden mich. Kinderstunden a. d. Brüdergemeine. (74) 8° Lpzg, F Jansa 05. 1—; geb. 1.60 d
Renkewitz, TG: Die Gehilfensch. d. Brüdergemeine in Gnadenthal, Süd-Afrika. (34 m. 37 Taf. u. 1 Tab.) 8° Neuw., (Heuser's Erben) (05). L. 1.50 d
Renn, E, s.: Verzeichnis d. Programme u. Gelegenheitsschriften, welche an d. bayer. Lyceen usw. erschienen sind.
Renne, F: Der Vogel u. s. Leben, s.: Altum, B.
Rennecke, P: Liebes, Loses u. Lustiges v. kl. Volk. Ges. f. erwachs. Leute. (90 m. Titelbild.) 8° Dresd., E Pierson 05. 1.50; geb. 2.50 d
Rennefahrt, H: Die Allmend im Berner Jura, s.: Untersuchungen z. dent. Staats- u. Rechtsgesch.
Renner: Die Beziehg. d. Seeschiffahrt z. Binnenschiffahrt, s.: Verbands-Schriften d. deutsch-österr.-ungar. Verbandes f. Binnenschiffahrt.
Renner: Realienbuch f. Volkssch. — Weltkde, s.: Hüttmann, JF.
Renner, G: Ausgeknifen, s.: Lustspiele, turner.
— Ellis Geburtstag, s.: Heidelmann's, A, Theaterbibliothek.
— Die neue Feuerwehr od. Blinder Lärm, s.: Lustspiele f. Feuerwehren.
— Meisels Brautfahrt, s.: Lustspiele, turner.
Renner, G: Ahasver. Dichtg. (Neue [Tit.-]Ausg.) (120 m. Bildnis.) 8° Gr.-Lichterf.-Berl. [02] 04. (Lpzg, LA Kittler.) 2.90; geb. 3 — d
— Gedichte. Gesamtausg. (174) 8° Ebd. 04. 2.50; geb. 3.50 d
— Merlin. Tragödie. (224) 8° Ebd. 04. 3.50 d ô H
Renner, H: Das Wichtigste a. d. Heimatkde d. Kreises Militsch-Trachenberg. (12) 8° Glog., C Flemming (05). — 10 d
Renner, H: Das Wesen d. Philosophie u. d. Kultur. Prolegomena zu e. System d. positiven Kritizismus. (77) 8° Lpzg, H Rohde 05. 1.20
Renner, J: Gesangfibel. 1. Gesangunterr. Op. 28. 8. Afl. (90) 8° Rgnsbg, F Pustet 02. — 15 || 9. Afl. (90 u. 32) 04. — 40 d
Renner jun., J: Moderne Kirchenmusik u. Choral. Abwehr. (21) 8° Lpzg, FEC Leuckart 02. — 50 d
Renner, K: Prakt. Notiz- u. Nachschlageb. f. Baumeister u. Baugeschäfte. 3. Afl. (168) 12° Münch., (E Scherzer) (01). L. nn 1.50 Vergr.
Rennerstorfer, A: Der steinere Jäger. —
— Die böse Schlossfrau. — Der Spitalbau od.: Der Haderlump! —
— Die Teufelsmühle am Spielberg od. Die Schwarzen sind an Allem Schuld, s.: Schul- u. Vereinsbühne, christl.
Rennert, M: In d. menschl. Dachungeln. Wie deut. Mädchen im Ausl. rechtlos sind, s.: Rechtsfragen.
Rennert, R: Die Rechte u. Pflichten d. freiwill. Feuerwehren in Preussen. (118) 8° Berl., Mayer & M. 02. 2 — d
Renn-Gesetze d. Union-Klub. Reglement f. d. Flachrennen u. Rennen m. Hindernissen n. allg. auf d. Rennen bezügl. Bestimmgn d. Union-Klub. (129) 8° Berl., (WH Kühl) 05. †4.80
— u. Kampfregeln f. d. leichte Athletik. Festgesetzt v. österr. Sportausschuss f. leichte Athletik. (10) 8° Wien, (Verl. d. allg. Sport-Zeitg.) 02. — 20
Renold, W: Das schweiz. Bundesverwaltgstrafrecht, s.: Beiträge, Zürcher, z. Rechtswiss.
Rensz, A: Touristen-K. v. Nieder-Österr. u. angr. Gebiete. 1:375,000. 6. Afl. 53×57 cm. Farbdr. Wien, A Hartleben (05). In L.-Decke 1.10
Rentebuch d. 2. Kieler, hrsg. v. M Stern, s.: Mitteilungen d. Gesellsch. f. kieler Stadtgesch.
Renthe gen. **Fink,** W v.: Gesch. d. Kaiser Alexander Garde-Grenadier-Regts Nr. 1, s.: Kries, A v.

Rentner, A: Die Verfassg f. d. Verein. Staaten v. Amerika. Uebers. u. kurz erläut. (184) 8° Tüb., JCB Mohr 01. 3 —; geb. nn 4 — d
Rentsch, A: Gewerbkde f. gewerbl. Fortbildgssch. Holzarbeiter. (34 m. Abb.) 8° Nürnbg, F Korn 04. || Metallarbeiter. (31 m. Abb.) 04. Je — 40 d
Rentsch, F: Talks about English life. Hilfsmittel z. Erlerng d. engl. Umgangssprache. 1. u. 2. Afl. (391) 8° Cöth., O Schulze V. 02.05. Geb. 3 — d
Rentsch, H: Sammlg v. Aufsätzen u. Aufg. a. d. Orthogr., Grammatik u. Arithmetik für d. Aufnahmsprüfgn in d. oberfr. Latein- u. Realsch. 3. Afl. (96) 8° Bayr., H Heuschmann jun. (01). nn — 90; geb. 1.20 d
Rentschka, P: Die Dekalogkatechese d. hl. Augustinus. (178) 8° Kempt, J Kösel 05. 3.50
Rentzsch, H: Die dopp. Buchführg. 2. Afl. (32) 8° Zwick. 05. Oelsnitz i/V., A Rentzsch. — 60
— Das Kaufmanns A-B-C. Erläuterg. Verdeutschg u. Erklärg d.gebräuchlichsten Fremdwörter, Abkürzgn u. Fachausdrücke d. Handelssprache. (86) 8° Ebd. 04. 1.50 d
— Mentor f. Kaufleute, Bankbeamte, Rentiers etc. 5. Afl. (92) 12° Ebd. (04). 1—
— Der Wechsel u. s. Abrechng, nebst Wechselbestimmgn, Wechselstempeltarife u. Angabe d. Bankplätze v. sämtl. europ. Staaten, sowie Beispiele v. Wechsel-Abrechngn auf fremde Orte. (117) 8° Ebd. 05. 1.50
Renz, B [H Behrens]: Die poln. Gefahr u. and. Novellen. — Im Gertraudenhof, s.: Kürachner's, J, Bücherschatz.
— Hamburger Geschichten. (Neue [Tit.-]Ausg.) (384) 8° Stuttg., Deut. Verl.-Anst. [1896] (01). 1.50; kart. 1.75 d
Renz, BK, s.: Völkerschau.
Renz, C: Rechenb. f. gewerbl. Fortbildgssch. — Übgsstoff f. d. gewerbl. Geschäftsaufsatz. — Der schriftl. Verkehr d. Landwirts, s.: Krauss, A.
Renz, F: Jean Bodin, s.: Untersuchungen, geschichtl.
Renz, FS: Die Gesch. d. Messopfer-Begriffs od.d. alte Glaube u. d. neuen Theorien üb. d. Wesen d. unblut. Opfers. 2 Bde. 8° Freis., (Dr. FP Datterer & Co.). Je 10 —; geb. je nn 13.50 1. Altertum u. M.-A. (816) 01. § 2. Neuzeit. Kirche. (506 u. 19) 02.
Renz, T: Telegraph. Längenbestimmgn zw. Polkowo u. Potsdam, s.: Wittram, T.
Renzer, JS: Die Hauptpersonen d. Richterbuches in Talmud u. Midrasch. I. Simson. (44) 8° Berl., S Calvary & Co. 02. 1.50
Repeater, the. An instructive and entertaining journal. Ed. by W Wright. 11—15. Jahrg. 1901—[5] je 24 Nrn. (Nr. 1. 8 u. 4) Viertelj. 1 —
Repères, les, du nivellement de précision de la Suisse, s.: Fixpunkte, d., d. schweiz. Präzisionsnivellements.
Repertoire d. sächs. Marionettentheaters. Nach alten Überliefergn hrsg. v. E Trommer. Nr. 1 u. 2. 8° Zwick., CR Moeckel. Je 1 —
Genovefa, d. Pfalzgräfin zu Trier. Ritterschausp. (60) (05.) [1.]
Trommer, E: Der sächs. Prinzenraub. Vaterländ-histor. Ritterschausp. Nach e. alten Makr. v. 1825 bearb. (70) (04.) [2.]
Repertorium d. Staatsarchivs zu Basel. — (68, 834 u. 8 Taf.) 8° Bas., Helbing & L. 04. 32 —
— bibliograph. Veröffentlich. d. deut. bibliograph. Gesellsch. 1. u. 2. Bd. 8° Berl., B Behr's V. Kart. 72 —
Houben, HH: Die Sonntagsbeilage d. Voss. Zeitg. 1858—1903. — Das d. Reichs d. Witzes. 1751. (23 S. u. 1070 Sp. u. 8 S. in Phot.) 04. [2.] 40 —
— Zeitschriften d. Romantik. 1. Jahrgang m. OF Walzel hrsg. (18, 30 S. u. 524 Sp.) 04. [1.] 37 —
— d. neueren Kriegsgesch. Von ** *. (176) 8° Oldbng, G Stalling's V. (03). 4 —
— f. Kunstwiss. Red. v. H Thode u. H v. Tschudi. 24. Bd. 6 Hefte. (496 u. 153 m. Abb.) 8° Berl., GReimer 01. Je — 50; Hefte 4 — || 25—28. Bd. (482, 155; 535, 144; 578 u. 547) 02-05. Je 30 —; einz. Hefte 6 —
— d. prakt. Medizin. Monatsschrift f. prakt. Ärzte. Hrsg. u. red. v. L Jankau. Apr.—Dezbr 1904. 9 Nrn. (Nr. 1. 45) 8° Lpzg-G., HEngelmann (04). || 3. Jahrg. 1905. 12 Hefte. Halbj. 2.50; einz. Hefte — 50
Der 1. Jahrg. erschien in Frankf. a/M.
— d. Pädagogik. Organ d. Erziehg, Unterr. u. pädagog. Lit. Begründet v. FX Heindl, fortgesetzt v. JB Heindl. Hrsg. u. geleitet v. JB Schubert. 50—58. Jahrg. 1902—[4] je 12 Hefte. (1. Heft 64) 8° Ulm, J Ebner. Je 5.40; einz. Hefte nn — 50 d
— moravic. species. regni vegetabilis — Centralbl. f. Sammlg u. Veröffentlichg v. Einzeldiagnosen neuer Pflanzen —zeichnisse. F Fedde. 1. Jahrg. 3 Bde in 53 Nrn. (I. Bd. 202) 8° Berl., Gebr. Borntraeger 05. 10 —; einz. Nrn 1 —
— d. techn. Journal-Litt. Hrsg. im kais. Patentamt. Jahrg. [Jahrg. ...]
1900. (34, 1010 Sp.) 01. 24 — || *01. (42, 1060 Sp.) 02. 24 — || *02. (44, 1906 Sp.) 03. 28 — || *03. (44, 1676 Sp.) 04. 28 — || *04. (72, 1946 Sp.) 05. 40 —
Repetier-Gewehr M. 95. Längenschnitt, geschloss. Verschluss m. Abgabe d. Schusses, Schnitt, Leder bez. 71×98 cm. Farbdr. Wien, G Freytag & B. (03). — 90
Répétiteur, le. Journal instructif et amusant. Fondateur: C Oudin. 18—22. Jahrg. 1901—[5] je 24 Nrn. (Nr. 1. 8 u. 4) 8° Rennbaum & R. Viertelj. 1 —
Repetitions-Büchlein. (Auch s. Selbstunterr.) 2. Bdchn: Die kathol. Sittenlehre. 2. Afl. (128) 8° Kempt, J Kösel 01. nn — 35 d

Repetitionsfragen a. d. Landw.-Lehre. I. Ackerbaulehre. 2. Afl. (40.) 8° Helmst., F. Richter 05.   Durchsch. 1 — d
Repetitorien d. Elektrotechnik. Hrsg. v. A Königswerther. I., III., IV. u. XI. Bd. 8° Hannov., Dr. M Jänecke. 12.40; L. 14.80
Königswerther, A: Physikal. Grundl. d. Gleich- u. Wechselstromtechnik. (218 m. Abb.) 05. [I.]   2.60; geb. 3.20
Sartter, G; Elektr. Traktion. (158 m. Abb. u. 1 Taf.) 05. [XI.] 3.60; geb. 4.20
Wiekelmann. W: Gleichstromerzeuger u. -Motoren. Ihre Wirkgsweise, Berechng u. Konstruktion. (124 m. Abb.) 05. [III.] 2.90; geb. 3.40
— Synchronmaschinen f. Wechsel- u. Drehstrom, ihre Wirkgsweise. Berechng u. Konstruktion. (168 m. Abb.) 05. [IV.]   3.40; geb. 4 —
Bd II u. V—X sind noch nicht erschienen.
— **jurist.** 11., 18., 21. u. 30. Bd. 8° Lpzg, Rossberg'sche Verl.-Bh.   L. 12.20 d
Anerwald, H : Repetitorium d. neuen Handelsrechts. (342) 1906. [21.] 4 —
— Der allg. Tl d. BGB. in vergleich. Darstellg m. d. röm. Rechts. (231) 04. [30.]   3.60
Kulow, A: Repetitorium d. Konkursrechts. (89) 06. [18.]   1.60
— Repetitorium d. Zivilprozessrechts. (184) 05. [11.]   3 —
Repetitorium, kurzes, d. Anatomie. — Patholog. Anatomie. — Topograph.. Anatomie. — Normale Histol. — Medizin. Terminol. — Physiol. — Zool., s.: Breitenstein's Repetitorien.
Repke, J: Tolstoi u. d. Patriotismus, s.: Zeitfragen d. christl. Volkslebens.
Report of the 1st internat. congress on school hygiene, s.: Bericht üb. d. I. internat. Kongress f. Schulhygiene.
Reporter. Illustr. Welt-Blatt. Red.: M Schoenau. 7. Jahrg. 1901. 52 Nrn..(Nr. 1, 10) Fol. Berl. (S.W., Lindenstr. 16/7), M Windbichler. (?) || 8. Jahrg. Jan.—Septbr. 1902. 39 Nrn.
     Viertelj. 1.30; einz. Nrn — 10 ô F
Rerum aethiopicae, scriptores occidentales inediti a saeculo XVI ad XIX, curante C Beccari. Vol. II. 8° Romae. (Lpzg, O Harrassowitz.)   Subskr.-Pr. nn 16 —; Einzelpr. nn 20 —
Faes, P: Historia Aethiopiae. Liber I et II. (41, 544 m. 7 Taf.) 06. [II.]   nn 16 — ; berw. nn 20 —
Vol. I bildet: Beccari, C, notizia e saggi di opere e documenti inediti rigguardanti la storia di Etiopia.
Resa, F: Nathaniel Lees Trauersp. Theodosius, s.: Forschungen, literarhistor.
— Theolog. Studium u. pfarramtl. Examen in Cleve-Mark. Beitrag z. Bildsgesch. d. 18. Jahrh. (56) 8° Bonn, Röhrscheidt & E. 05.   1.25 d
Resa, T (Frau T Gröbe): Durch's Sprachrohr od. d. Kronjuwel, s.: Liebhaber-Bühne, neue.
— Der „Taugenichts" u. and. Humoreskan, s.: Schreiber's humorist. Bibliothek.
Resch, A: Siebenbürg. Münzen u. Medaillen v. 1538 bis z. Gegenwart. (259 m. 86 Taf.) 8° Hermannst., (F Michaelis) 01. 10 —
Resch, A: Das luther. Einiggswerk, beleuchtet. (16, 30) 8° Gotha 02. Arnst., Verl.-Bureau.   1 — d
— Der Paulinismus u. d. Logia Jesu in ihrem gegenseit. Verhältnis untersucht, s.: Texte u. Untersuchungen z. Gesch. d. altchristl. Lit.
Resch, G : Das Aposteldecret u. sr ausserkanon. Textgestalt untersucht, s.: Texte u. Untersuchungen z. Gesch. d. altchristl. Lit.
Resch, M : Weckstimmen. (104 m. Titelbild.) 8° Gütersl., C Bertelsmann Sep.-Cto (05). — 60; kart. — 70; geb. — 80; L. — 90 d
Reschenhofer, A: Relig. Schausp. f. kathol. Jungfrauenver., Apostolate u. Patronagen. 2. Der Schatz d. wahren Glaubens. II. Die Himmelspförtnerin. (103) 8° Wien, H Kirsch 04. 1.80 d
Reschreiter, M: Aus leucht. Nächten. Gedichte. (46) 8° Augsbg, (Lampart & Co.) 04.   1 — d
Reschreiter, R : Panorama v. Taubenberg (895 Meterüb. d. Meere). 17,5×164 cm. Lith. Münch., J Lindauer (02).   nn — 30
— Rundschau v. Herzogstand (1731 Meter). 20×179,5 cm. Photo-lith. Ebd. (01).   — 80
— s.: Taschenpanorama der d. u. ö. Alpen.
— Wandergn im Isar- u. Loisachtal, s.: Halbe, A.
Resek's mähr.-schles. Conducteur. Sommer- u. Winter-Ausg. 1905 f. Mähren u. Schlesien. (Je 65 m. 1 Karte.) 8° Brünn, C Winkler.   Je — 27
— Taschenfahrpläne. Course sämtl. Eisenb., Schiffahrten u. Fahrposten m. angrenz. Anschlüssen. Sommer- u. Winter-Ausg. 1905. (212 bezw. 213 m. je 1 Karte.) 8° Ebd.   Je — 40
Resetar, M: Die serbokroat. Betong südwestl. Mundarten, s.: Schriften d. Balkancommission.
Residenz-Kalender, Dresdner, f. 1906. Neue-Folge. 98. Jahrg. (88 u. 100 m. 2 Wappentaf.) 16° Dresd., H Burdach. 1.60
     L. 2.25 d
Ress, L: Gesch. u. Beschreibg d. Veste Heldburg. 3.-Afl. (40 m. 8 Taf. u. 1 farb. Panorama). 16° Hildburgh., FW Gadow & S. (01).   — 50
Ressel, E: Deut. Kämpfe. — Walas Kunde. Dichtgn. (80) 12° Rumbg, H Pfeiffer 02.   — 85 d
Ressel, GA: Hdb. z. Führg d.. Amtsgeschäfte d. Schulleitgn an Volks- u. Bürgersch. 3. Afl. (417) 8° Wien, A Pichler's Wwe & S. 1900.   Geb. 4 — d
— Der junge Herr. Lebensbild. (120) 8° Linz (02). Wien, J Deubler.   2 — d
— Rare Leut'. Neue Wiener Geschichten. (258) 8° Ebd. (08).
     3.50; geb. 4 — d
Ressel, W : Der Elbestrand im Lied. (Von Schreckenstein bis Meissen.) Neue Gedichte. (61) 8° Dresd., E Pierson 05. 1 —;
     geb. 2 — d

Ressmi Effendi, A: Eine türk. Botschaft an Friedrich d. Gr., s.: Mitteilungen d. deut. Exkursions-Klubs in Konstantinopel.
Restaurations-Kochbuch, gr. Hervorgegangen a. e. Preisausschreiben d. internat. Verbandes d. Köche, Sitz Frankfurt am Main. (618) 8° Frankf. a/M., (C Blažek) 05.   HF. 12 —
Reste-Kochbuch d. Fröbel-Oberlin-Ver. (Umschl.: 23—35. Taus.) (273) 8° Berl.-Südende, Fröbel-Oberlin-Verl. 06.   2.50 d
Restif de la Bretonne, s.: Rétif de la Bretonne.
Restle, R, s.: Bezirk, d. hl., v. Delphi.
Resultate d. wiss. Erforschg d. Balatonsees. Hrsg. v. d. Balaton-Commission d. ungar. geograph. Gesellsch. I. Bd. Phys. Geogr. d. Balatonsees u. sr Umgebg. 5. Thl: Physikal. Verhältn. d. Wassers d. Balatonsees. I. Sect. 4° Wien, (E Hölzel).   2.60
Báringer, J: Temperaturverhältn. d. Balaton-Wassers. (56 m. Fig. u. 27 Tab.) 01.   2.60
— dass, II. Bd. Die Biol. d. Balatonsees. 2. Thl : Die Flora. L Section. Anh. 4° Ebd.   12.50
     (I, 3, 4, 5, 6; II, 1 u. 2 1 nebst Anh. u. III, 4.: 52.80)
Pantocsek, J : Die Bacillarien d. Balatonsees. (113 m. 17 Taf. u. 1 Textfg.) 02.   4 Bl. Je
— dass. Topograph. u. geolog. Atlas. I. Thl. Ebd.   5 —
Lóczy, L v.: Spezialk. d. Balatonsees u. sr Umgebg. 1:75,000. 4 Bl. Je 43.000×64 cm. Farbdr. 03.   5 —
— d. Prüfg eln. bad. u. ausserbad. Baumaterialien. Bearb. v. d. grossh. Baudirektion u. d. amtl. Prüfgn d. Materialprüfgsanst. d. techn. Hochsch. Berlin-Charlottenburg, München, Stuttgart, Karlsruhe u. Zürich. III. Abth. (10) 8° Karlsr., (Macklot) 02.   — 50 (I—III.: 3 —) d
— d. Forstverwaltg im Reg.-Bez. Wiesbaden. Jahrg. 1901 u. 2. Hrsg. v. d. kgl. Regierg zu Wiesbaden. (Je 12 u. 54.) 4° Wiesb., P Plaum 08.04.   Je 2 — d
Résultats définitifs du recensement fédéral de la population, s.: Ergebnisse, gült., d. eidg. Volkszählg.
Retelé, Die Zeugg u. d. Geschlechtsleben d. Menschen, s.: Kress.
Retelle's, Sir J (Gödsche), historisch-polit. Romane. Durchgesehen u. hrsg. v. E Goetz. L Serie. 68 Lfgn. 8° Berl., Verl.-Gesellsch. Berlin.   Je — 30;
     auch in Bdn zu (2 —) 3 —; L. (3 —) 4 — d
Neus Sahib od. Die Empörg in Indien. 3 Bde. (606, 584 u. 596)(05.04.) || Villafranca od. Die Kabinete u. d. Revolutionen. 4 Bde. (508, 519, 576 u. 419) (04.) || 10 Jahre! (II. Abtg v. Villafranca.) 4 Bde. (422, 432, 446 u. 424) (04.05.) 4 Serie. || Sebastopol u. Solferino. III. Abtg v. „Villafranca". 4 Bde. (437, 448, 446 u. 605.)
— dass. II. Serie. (In 62 Lfgn.) 1—26. Lfg. 8° Ebd. (05). Je — 30;
     auch in Bdn zu 3 —; L. 4 — d
Poebia od. d. Schatz d. Ynkas. 3 Bde. (448, 444 u. 440) || Biarritz. (1. Bd. 446 u. 2. Bd 1—298)
Rethel, A: Die Genesg. — Otto III. in d. Gruft Karl d. Gr., s.: Meisterbilder fürs deut. Haus.
— Sieg d. Todes, s.: Meisterbilder.
— Auch e. Totentanz. Hrsg. v. Kunstwart. (6 Taf. u. 2 S. Text m. Bildnis.) Fol. Münch., GDW Callway (04).   1.50
— dass. Mit erklär. Text v. E Reinick. 13. Afl. (6 H. m. 8 S. Text.) 4° Lpzg, B Elischer Xf. (02).   Kart. 3.50 d
Rethfeld, A : Prov. Posen. — Die Rheinprov., s.: Landes- u. Provinzialgeschichte.
Réthi, L: Die Krankh. d. Kehlkopfes. 2. Afl. (152 m. H.) 8° Wien, F Deuticke 01.   3.60 d
— Die sekretor. Nervenzentren d. weichen Gaumens. [S.-A.] (7 m. 1 Taf.) 8° Wien. (A Hölder) 04.   — 60
— Untersuchgn üb. d. Innervation d. Gaumendrüsen. [S.-A.] (30 m. 1 Fig.) 8° Ebd. 04.   — 50
Rethwisch, C, s.: Jahresberichte üb. d. höh. Schulwesen.
— R Lehmann, G Bäumer : Die höh. Lehranst. a. d. Mädchenschulwesen im Deut. Reich, s.: Unterrichtswesen, d., im Deut. Reich.
Rethwisch, E: Gedichte. (320) 8° Berl., F Schneider & Co. 05.
     2 — d
— Heldra. Altnord. Erzähl. (115) 8° Ebd. 1900.   1 — d
— Rurik od. Die Gründg Russlds. Schausp. (158) 8° Ebd. 02. 1 — d
— Schwarzwaldzauber u. anderes. (48 m. Abb.) 8° Lpzg, A Strauch (05).   2 — d
Réthy, M : s.: Bolyai de Bolya, I, appendix.
Rettegi, F: Weltanschaug e. Freidenkers, s.: Volksschriften z. Umwälzg d. Geister.
Réti, S: Sexuelle Gebrechen, deren Verhütg u. Heilg. Vom Standpunkte d. prakt. Arztes beleuchtet. 2. Afl. (148) 8° Halle, C Marhold 04.   2 —
Rétif de la Bretonne: L'An deux-mille, s.: Bibliotheca romanica.
— Monsieur Nicolas. (Das enthüllte Menschenherz.) In 6 Bdn. 1., 2. u. 6. Bd. 8° Siena, J Eichenberg 05. Je 6 —; L. 7 —
1. Deutsch v. J Nestler. (22, 385) || 2. Frei übertr. v. A Schurig. (376) || 6. Liebesbekenntnisse eines Flufundviersigjährigen. Übertr. v. A Schurig. (345) od. Bildnis.) 05. Subskription auf das ganze Werk.
Im Deut. Reiche verboten. — Bd 3—5 sind noch nicht erschienen.
Retius o : Soll ich heiraten?
Retlaem, O: Ein Heiratsantrag. Plauderei in 1 Aufzug. (22) 8° Hambg, L Gräfe & S. 06.   1 —
Rettberg s.: Entfernungskarten d. Reg.-Bez. Minden.
Rette, A: Andachtsglöcklein f. kathol. Christen. Neu bearb. V. M Hausen. (234 m. Titelbild.) 9,9×7 cm. Saarl., F Stein Xf. 03.   — 30 ; L. m. G. — 40 d
— Maria, meine Zuflucht. Gebetbüchl. f. d. Verehrer Mariä. Neubearb. v. M Hausen. (234 m. Titelbild.) 9,9×7 cm. Ebd. 03.   — 30 ; L. m. G. — 40 d

Rettelbusch, E: Die Bautischlerei modern. 4. u. 5. Abtlg. (Je 30 Taf.) 44,5×29,5 cm. Mit Textheft: Zeit- u. Material-Auszüge. (36 u. 27) 8º Nürnbg (01.03). (Lpzg, G Hedeler.)
Je 15 — (1—5.: 69 —) d
— Hand-Lexikon f. d. Bautischlerei. (307 m. Abb. u. 8 Taf.) 8º Ebd. (04). Kart. 15 —
— Laden-Einrichtgn. (Taf. 37—60.) 44×29,5 cm. Ebd. (03).
15 — (1—60.: 35 —)
— Moderne Möbel-Entwürfe. VI. Abtlg. (32 farb. Taf.) 44×29,5 cm. Nebst Text: Zeit- u. Material-Auszüge. (50) Ebd. (04).
16 — (I—VI.: 78 —) (Text d)
— Möbel-Lexikon (Nachschlageb.). (281 m. Abb.) 8º Ebd. (04). Kart. 15 —
— Die Möbeltischlerei-modern. — L'Ébénisterie-moderne. 5. Abth. (32 farb. Taf.) Fol. Nebst Text: Zeit- u. Material-Auszüge. (46) 8º Ebd. (01). 15 — (1—5.: 62 —) d
Die früheren Lfgn erschienen u. d. T.: Rettelbusch, E, Offerten-Material.
— Motiven-Mappe. 2. Abtlg. (32 Taf.) Fol. Ebd. (02). 18 —
(1 u. 2.: 30 —)
Die 1. Abtlg bildet Rettelbusch, E, Offerten-Material. Motive zu allerlei Tischlerarbeiten (im Kat. 1891/95).
— Offerten-Material f. d. Fenster-Fabrikation. (45 Taf.) 4º Ebd. (05). 15 —
— Vorlagen-Lexicon f. d. Tischler-Handwerk. Kirchenmöbel. (15 Taf.) 4º Ebd. (01). 12 —
— Zeit- u. Material-Auszüge z. Handlexikon f. d. Bautischlerei. (80) 8º Ebd. (05). 1.50
Rettet euer Vaterland! Worte d. Einkehr f. jeden Österreicher v. e. Dichter, d. s. Vaterland liebt. (23) 8º Wien, Szelinski & Co. (05). —40 d
Karl Rettich-Album. Eine Ausw. hervorrag. Werke d. Künstlers. (24 Lichtdr. m. 8 S. Text.) 40,5×30 cm. Lüb., B Nöhring (05). In L.-M. 30 —| in 3 Heften (je 8 Taf.) je 5 — d
Rettig: Plan v. Metz, s.: Schwabenland, Z.
Rettig, E: Ameisenpflanzen — Pflanzenameisen. Beitrag z. Kenntnis d. v. Ameisen bewohnten Pflanzen u. d. Beziehgn zw. beiden. (34) 8º Jena, G Fischer 04. — 80
Rettig, H, s.: Jahrbuch, kirchl., d. reformierten Schweiz.
Rettig, W: Die stille Gesellsch. d. Handelsgesetzb. im Verhältnis zu d. Gesellsch. d. BGB. (48) 8º Berl., Struppa & W. 02. 1.50
Rettung. Deut. Zentralbl. f. Enthaltsamkeitsbestrebgn. Hrsg.: E Wulff. Red.: E Wulff u. W Wawrenock. 1. Jahrg. Septbr 1905—Aug. 1904. 12 Nrn. (Nr. 1. 4 m. 2 Bildnissen.) 49×38,5 cm. Düben a/d. Mulde (Ritterstr. 168), E Wulff.
Vierteljj. nnn — 50; einz. Nrn nnn — 10 d ð H
Rettungsversuch, e., s. d. Praxis d. Fürsorge-Erziehg, s.: Abhandlungen, pädagog.
Retzbach, A: Die Erwerbstätigk. d. Kinder in Dentschl. [S.-A.] (32) 8º Freibg i/B., Herder 03. — 50 d
— Die soz. Frage. (296) 8º Freibg i/B., Verband d. kath. Arbeitervereine d. Erzdiöz. Freiburg (05.) (Nur dir.) 2.50 d
— Wie kann d. Genossenschaftsgess. f. d. Handwerker nutzbar gemacht werden, s.: Ausgestaltung, d. prakt., d. Handwerker-Inngn. — Tages-Fragen, soz.
— Das Kinderschutzges., s.: Charitas-Schriften.
— Leitf. f. soz. Praxis. 2—4. Afl. v. „Die soz. Frage". (320) 8º Freibg i/B., Verband d. kath. Arbeitervr. f. d. Erzdiöz. Freiburg 06. (Nur dir.) 3 — d
Retzius, G: Crania suecica antiqua. Darstellg d. schwed. Menschen-Schädel a.d.Steinzeitalter, d.Bronzezeitalter u.d.Eisenzeitalter, sowie e. Blick auf d. Forschgn üb. d. Rassencharaktere d. europ. Völker. (182 m. Abb. u. 100 Taf.) Fol. Stockh. 1900. (Jena, G Fischer.) —
— Biolog. Untersuchgn. Neue Folge. IX—XII. 4º Ebd. Kart. 124 —
(I—XII.: 308 —)
IX. (117 m. 28 Taf.) 1900. 40 —| X. (79 m. Abb. u. 19 Taf.) 03. 70 —| XI. (109 m. 33 Taf.) 04. 28 —| XII. (116 m. 30 Taf.) 05. 98 —
— u. JM Fürst: Anthropologia suecica. Beitr. z. Anthropol.-d. Schweden. (301 m. Abb., 130 Tab., 14 Kart. u. 7 Proportionstaf. in Farbdr.) Fol. Ebd. 02. 95 —
Retzlaff, F: Das Feld- u. Forst-Polizei-Ges. v. 1.IV.1880 u. d. Ges., betr. d. Forstdiebstahl v. 15.IV.1878. (63) 8º Recklingh., F Retzlaff (05). Kart. — 85 d
— s.: Polizei-Kalender, preuss.
— Tagegelder u. Reisekosten d. Staats- u. Kommunal-Beamten nebst Ausführgsbestimmgn v. 11.XI.'06. (23) 8º Recklingh., F Retzlaff (04). — 25 d
— Die Verbreitg v. Druckschriften, and.Schriften u.Bildwerken. 3. Afl. (20) 8º Ebd. (06). — 45 d
— Vorschriften üb. d. Geschäftsbetrieb d. Immobilien-Makler, d. Trödler, Kleinhändler m. Garnabfällen etc., d. Gesindevermiether u.Stellenvermittler, d.Rechtsconsulenten, d. Theater-Agenten, d. Auctionatoren (Versteigerer). (56) 8º Ebd. (03). — 45 d
Retzlaff, F: Astronom. Geogr. Vorbereitgn f. d. beiden Lehrst. d. geograph. Unterr. in d. 3—8stuf. Volkssch. (182) 8º Potsd., A Stein (04). 2 —; geb. 2.50 d
— Astronom. Geogr. in d. 8-stuf. Volkssch. (Schülerheft.) (44) 8º.Ebd. (04). — 50; kart. — 60 d
— Lehrpl. f. d. ev. Relig.-Unterr. e. 8stuf. Volkssch. (48) 8º Lpzg, Dürr'sche Bh. 03. — 80 d
Retzlaff, M, s.: Forst- u. Jagd-Kalender.

Reu, JM: Erklärg d. kl. Katech. Luthers. 3. Afl. (160) 8º Chicago, Wartburg Publishing House (05). Geb. 1.30 d
— Die alttestamentl. Perikopen n. d. Ausw. v. Thomasius, exegetisch-homiletisch ausgelegt.Festl.Hlfte.(593)8ºGütersl., C Bertelsmann 01. 7 —; geb. 8 —| Festlose Hlfte. (292) 05.
4 —; geb. 4.75; in 1 HF.-Bd 13 — d
— s.: Quellen z. Gesch. d. kirchl. Unterr. in d. ev. Kirche Deutschlds.
Reu, R: Einfache Möbel im neuen Stil, s.: Wedegärtner, J.
Reubold, W: Geschichtl. Notizen üb. Gerichts- u. Gefängnis-Lokale zu Würzburg. [S.-A.] (37) 8º Würzbg, Stahel's .gl. 1.20 d
Reuchlin: Hilfsbüchl. f. d. französ. Komposition. 2. Afl. (25) 8º Lpzg, Renger 05. Kart. — 60 d
Reukauf, A: Zur Lehrpl.-Theorie d. geschichtl. Stoffe im Relig.-Unterr. in d. Volkssch., s.: Zur Pädagogik d. Gegenwart.
— u. E Heyn: Ev. Relig.-Buch. 3 Tle. 8º Lpzg, E Wunderlich. 1.40; Einbde je — 20 d
1. Bibl. Gesch. f. d. Mittelst, gegliedt. Schulen. (110 m. 1 Karte.) 05. — 40
2. Leseb. a. d. Alten Test. f. d. Oberst. gegliedt. Schulen. (95) 03. — 40
3. Leseb. a. d. Neuen Test. f. d. Oberst. gegliedt. Schulen. (138) 03. — 60
— dass. 4. Tl, Ausg. A. 1. u. 2. Leseb. z. Kirchengesch. f. höh. Lehranst. u. z. Selbststudium. 2 Bde. 8º Ebd. 04. 2 —;
geb. 2.80 d
1. Bis z. Reformation. (176) 04. 1.20; geb. 1.60| 2. Reformation. (109) 06.
— 80; geb. 1.20.
— u. H Winzer: Gesch. d. Apostel, s.: Religionsunterricht, ev.
Reuleaux, C: Schriften. Op. 22. Das Buch d. Rätsel. Neueste Folge. (113 m. Titelbild.) 8º Lpzg, B Franke 01. 2 — d
— Cypressen. Dichtgn. 2. Afl. (78 m. 1 Abb.) 8º Ascona, C v. Schmidtz (05). Geb. 1.75 d
— Fabeln, Romanzen u. Balladen. 4. Afl. (240 m. Abb.) 8º Ebd. (05). Geb. 2.75 d
— Lenze! Liebesgedichte. 2. Afl. (109 m. Abb.) 8º Ebd. (05). Geb. 2.50 d
— Märchen f. gr. Kinder. (160 m. Abb.) 8º Ebd. (05). Geb. 1.75 d
— Raketen u. Ullische. Gedichte. 3. Afl. (224 m. Abb.) 8º Ebd. (05). Geb. 2 — d
— Ges. Sonette. 3. Afl. (336 m. Abb.) 8º Ebd. (05). Geb. 2.50 d
— „Ein Tag in d. Hölle" od. Ugolino u. Roger. Dichtg in 150 Gesängen. Pracht-Ausg. 1. u. 2. Taus. (92 m. Abb.) 4º Münch. 01.02. (Ascona, C v. Schmidtz.) (3 —) 2.50 d
— dass, Dichtg in 55 Gesängen. 3. Afl. (191 m. Abb.) 8º Ascona, C v. Schmidtz (05). Geb. 1.75 d
Reuleaux, F: Abriss d. Festigkeitslehre f. d. Maschinenbau. Aus: „Der Konstrukteur". 5. Afl. (129 m. Abb.) 8º Brnschw., F Vieweg & S. 04. 4 —; L. 4.80
— Aus Kunst u. Welt. Vermischte kleinere Schriften. 2. Afl. (313 m. Abb., 8 Taf. u. Bildnis.) 8º Berl., Allg. Ver. f. deut. Litt. 01. 6 —; L. od. HL. 7.50 d
— Die Sprache am Sternenhimmel u. Ost, West, Süd, Nord. 2 Abhandlgn. [S.-A.] (27 m. Abb.) 4º Berl., CA Schwetschke & S. 01. 1.20
Reulecke, A: Der Leuthener Schwerenöter, Erzählg a. d. 7jähr.-Kriegs. 2. Afl. (283) 8º Wolfenb., J Zwissler 01. 2 —; L. 3 — d
— Im Tode treu, s.: Meyer's, U, Bücherei.
Reuling, CG: Der Retter. Drama. (125) 8º Berl., E Bloch (01).
2 — d
— Der Schatzgräber. Bauernkomödie. (94) 8º Ebd. (02). 2 — d
Reuling, W: Die Grundl. d. Lebensversicherg. (67) 8º Berl., ES Mittler & S. 01. 2 —
Reum, A: Französ. Übgsb. f. d. Unterr., s.: Buchner's Lehrmittel f. d. französ. Unterr.
Reuper, J: Helden zur See. Seefahrten u. Abenteuer v. d. ersten Umsegelg Afrikas bis auf d. neueste Zeit. 2. Afl. (302 m. 7 [1 farb.] Bildern.) 8º Stuttg., Union 05. Geb. 4.50 d
— Im hohen Norden. AE Nordenskiölds Entdeckgsfahrten, s.: Universal-Bibliothek f. d. Jugend.
— Ein Ostindienfahrer. Scharnhorst, s.: Horn, WO v.
— Die beiden Sträflinge, s.: Gerstäcker, F.
Reuss: Die Tage d. gr. Gerichts in d. dent. Sozialdemokratie. (Glossen e. Unbeteiligten üb. d. Dresdner Parteitag.) (In russ. Sprache.) (94) 8º Berl.-Charlttnbg, F Gottheiner 04. 1.80
Reusch, A: Ein Schulausenthalt in Engl. (143) 8º Marbg, NG Elwert's V. 02. 1.80; L. 3.25
Reusch, J: Planimetr. Konstruktionen in geometrograph. Ausführg. (84 m. Fig.) 8º Lpzg, BG Teubner 04. 1 —
Reuschel, K: Volkskundl. Streifzüge. 12 Vortr. üb. Fragen d. deut. Volkskde. (366) 8º Dresd., CA Koch 03. 4 —; geb. 5.50
Reuschert, E: Einführg in d. bürgerl. Leben, s.: Burckhardt, H.
— Kl. Erzählgn f. Anschauungs-Kinder. 1. u. 2. Heft. (48 u. 48?) 8º Berl., Dierig & Siemens) 02.03. Je — 40 d
— Friedr. Mor. Hill, d. Reformator d. deut, Taubstummen-unterr. (185 m. 1 Bildnis.) 8º Berl. (M. 37, Templinerstr. 13), Taubst.-Lehr. Reuschert 05. 4 —
Reumer, M v.: Gemeinwohl u. Absolutismus. (142) 8º Berl.-Charlttnbg, F Gottheiner 04. 1.50
— Die russ. Kämpfe um Recht u. Freiheit. (215) 8º Halle, Gebauer-Schwetschke 05. 2.20 d
— Wiener u. Breitscheid: Deutschl. u. d. Vorgänge in russ. Reich. Vortr. (25) 8º Berl.-Schöneb., u. d. „Hilfe" 05. — 50 d
Reuss, s.: Lesebuch f. Bürgersch.
Reuss, A Ritter v.: Üb. d. Blindh. u. ihre häufigsten Ursachen, s.: Vorträge d. Ver. z. Verbreitg naturwiss. Kenntnisse in Wien.

Reuss, A Ritter v.: Das Gesichtsfeld bei functionellen Nerven-
 leiden. (119 m. Fig.) 8⁰ Wien, F Deuticke 02. 4 —
— Die Kosmetik in d. Augenheilkde, s.: Vorträge d. Ver. z.
 Verbreitg naturwiss. Kenntnisse in Wien.
Reuss', E. Briefwechsel m. s. Schüler u. Freunde Karl Heinr.
 Graf. Zur Hundertjahrfeier sr Geburt hrsg. v. K Budde u.
 HJ Holtzmann. (661 m. 2 Bildnissen.) 8⁰ Giess., A Töpelmann
 04. 12 —; Hf. nn 14.50
Reuss, E: F Chopin's Klavierkonzert in F moll. — E Humper-
 dinck's Dornröschen, s.: Musikführer, d.
Reuss, E Fürstin: Die 7 Sendschreiben (d. Offenbarg St. Jo-
 hannis). Lieder. 2. Afl. (61) 8⁰ Kaisersw., Bh. d. Diakonissen-
 anst. (04). 1.20; geb. 2 —
— Aus herbstl. Zeit. Gedichte. (150) 8⁰ Berl., M Warneck 01.
 (2 —) nn 1 — d
Reuss j. L., Prinz Heinrich XXVIII.: Der korrekte Kutscher.
 3. Afl. (87 m. Abb.) 8⁰ Berl., P Parey 05. L. 3 — d
Reuss j. L., Prinz Heinrich XXXIII.: Der brit. Imperialismus.
 (168) 8⁰ Berl., O Häring 05. 4 —
Reuss, H: Ueb. d. nachtheil. Einflüsse naturwidrig-misshan-
 delnder Pflanzmethoden auf d. Bestandesзukunft m. spec.
 Bezugnahme auf d. Fichte. (45 m. Abb.) 8⁰ Wien, (W Frick)
 (01). 2 —
— Zur Illustr. d. Folgenachtheile d. Schälbeschädigung durch
 Hochwild im Fichtenbestande. (47 m. Abb. u. 4 Tab.) 8⁰ Ebd.
 01. 2 —
Reuss, R; Idylle norvégienne d'un jeune négociant strasbour-
 geois. Épisode des souvenirs inédits de Jean-Everard Zetzner
 (1699—1700). [S.-A.] (65) 8⁰ Strassbg, J Noirel 05. 1 —
Reuss, Z v.: Doktors Bescheerg u. and. Novellen, s.: Universal-
 sal-Bibliothek.
— Die Frau d. Gegenwart in Umgang u. Verkehr, s.: Frauen-
 buch, d. prakt.
— Grobbrot u. Feinbrot. Erzählgn. (327 m. Bildnis.) 8⁰ Berl.
 (03), Oranienbg, W Möller. 2 —; geb. 3 — d
— Irene, s.: Weber's moderne Bibliothek.
— Silbersegen, s.: Gabelsberger-Bibliothek.
Reuter's Bibliothek f. Gabelsb.-Stenogr. 2., 5., 6., 8., 11., 25.,
 32., 38., 43—45., 50., 53., 54., 57., 58., 70., 82., 90., 98., 103.,
 111., 150—165., 167—169., 171., 172., 174. u. 180. Bd. Dresd.,
 W Reuter. 57 —
 Amru bin Nasur: Und dies ist d. Gesch. meiner Reise n. Berlin. [S.-A.]
 (25) 8⁰ (05.) [169.] Ldr m. G. — 40 d
 Baum, G: Amors Schutzmänner. Lustsp. f. Stenogr. aller Systeme. (42)
 8⁰ 04. [160.] — 90 d
 Bendel, A v.: Der Christ im Gebete. Sammlg v. Gebeten f. kathol. Christen.
 (Übertr. v. K Kittel.) (287) 24⁰ 02. [135.] 2.25
 Bethühtlein, kathol. Anzw. frommer Gebete a. d. Schriften d. Väter, d.
 hl. Gertrudis u. Mechtildis u. a. d. Messbüchern d. hl. Kirche. (Neue Afl.)
 (183) 64⁰ (03.) [98.] 1.50; geb. 1.20; 2.40. u. 2.60 d
 Dandet, A: Montagsgeschichten. Aus d. Franz. v. O Reuter. Übertr. v.
 R Preuss. (90) 8⁰ (03.) [151.] — 75 d
 Dickens, C: The drunkard's death. Varieties. Transcribed into graphic
 shorthand (System Gabelsb.-Richter) by A Subke. (30) 12⁰ 03. [141.] — 50
 — The Thugg's at Ramasgate. — Misplaced attachment of Mr. John Dounce.
 2 stories. Transcribed into graphic shorthand (System Gabelsb.-Richter)
 by A Subke. (52) 12⁰ 03. [141.] 1 —
 Ebner-Eschenbach, M v.: Komtesa Muschi. Die Totenwache. 2 Erzählgn.
 2. Afl. Übertr. v. R Preuss. (46) 8⁰ (05.) [57.] — 75; geb. 1.25
 Eckstein, E: Maria la Brusca. Novelle. Übertr. v. A Trachbrodt. (94) 8⁰
 (04.) [163.] 1.25; geb. 1.90 d
 Aus d. Tageb. e. jungen Frau. Karnevalsgesch. 2. Afl. Autogr. v. A
 Trachbrodt. (47 m. Abb.) 8⁰ (03.) [58.] — 60 d
 Eijbendorff, J Frhr v.: Das Schloss Durande. Novelle. 2. Afl. Autogr. v.
 A Trachbrodt. (46) 8⁰ (03.) [11.] — 75 d
 Freier, zwei. Schwank f. Stenogr. aller Systeme v. Dresdensius. (49) 8⁰
 03. [158.] — 50 d
 Gerstäcker, F : Die Flucht üb. d. Cordilleren. Erzählg. (45) 8⁰ (05.) [164.]
 — 75; geb. 1.35 d
 — Der Freischütz. Humoreske. Übertr. v. A Trachbrodt. (32) 8⁰ (02.)
 [156.] — 50 d
 — Zacharias Hassemeiers Abenteuer. Humoreske. 2.Afl. Übertr. v. A Trach-
 brodt. (32) 8⁰ (04.) [33.] — 50 d
 — Jagdbilder a. Tirol. Übertr. v. R Preuss. (43) 8⁰ (03.) [153.] — 75
 — Madame Kaudel's Gardinenpredigten. Nach D Jerrold. Übertr. v. R
 Preuss. (46) 8⁰ (03.) [157.] — 75
 — Die letzte Nacht vor Strassburg. Kriegsbilder a. 1870. Übertr. v. R
 Preuss. (46) 8⁰ (05.) [159.] — 75 d
 Grillparzer, F: Das Kloster bei Sendomir. Erzählg. (45) 8⁰ (05.) [172.]
 — 75; geb. 1.35 d
 — Der arme Spielmann. Erzählg. Übertr. v. A Trachbrodt. (46) 8⁰ (04.)
 [161.] — 75; geb. 1.35 d
 Hertelis, H ; Kurzgef. Lehrg. d. Gabelsb.'schen Stenogr. Verkehrsschrift.
 (68) 8⁰ 03. [151.]
 Kaul, R : Lehrb. d. Gabelsb.'schen Stenogr. f. Kaufleute. (73) 8⁰ 06. [150.]
 geb. 1.50
 — Die Stenogr. im Dienste d. Kaufmanns. (14) 8⁰ 05. [155.] — 50 d
 Kolping, A: Geschichten a. d. Volk. Übertr. v. A Schöttner. 3. Heft. Der
 Geldteufel. (28) 8⁰ (01.) [139.] — 50 d 4. Heft. Südendeutsch. Übertr.
 v. A Schöttner. — 50 d
 — Walter d. kl. Porzellanhändler. Erzählg. Übertr. v. R Preuss. (30) 8⁰
 [147.] — 50 d
 Kumpert, L: Gottes Annehmerin. Erzählg a. d. Ghetto. (60) 8⁰ (05.) [165.]
 1 —; geb. 1.60 d
 Kramme, F: Lehrg. d. Stenogr. Gabelsb.'s, n. d. Beschlüssen d. Berliner
 Stenogr.-Tages bearb. (49) 8⁰ 05. [150.] — 60 d
 Krumbein, E : Entwickelgsgesch. d. Schule Gabelsb.'s, m. 78 Lebens-
 Ausgaben n. s. Geschichte, u. a. Hülfsb. f. d. unterr. Stenogr.-Lehrer.
 Prüfg. (370) 8⁰ 01. [155.] — 90 d
 — Leben u. Wirken Franz Xaver Gabelsberger's. (16) 8⁰ 01. [181.] — 70
 — Vom Dresd. Stenogr.-Tage bis z. Gegenwart. Nachtr. z. "Entwicklgs.
 gesch. d. Schule Gabelsbergers. Umfassend d. J. 1900 II. Sem.,'01 u.'02.
 (44) 8⁰ 03. [155.] — 60

Lektüre, franzö.. 4. Saenger, R: Quatre morceaux de lectures. En sténogr.
 Gabelsberger-Raumer. (32) 12⁰ 05. [129.] — 80
Lichtenauer, H, u. A Witurig: Stenograph. Leseb. f. höb. Lehranst., z.
 Gebr. im Vereinen u. z. Selbstudium. Autogr. v. R Preuss. 5. Afl. (92)
 8⁰ 05. [42.] 1.25
Liederbuch f. Gabelsb.'sche Stenogr. Zusammengest. v. Stenographenver.
 zu Flöha (Sachsen). 2. Afl. Mit e. Anh.: Lieder v. E Krumbein. (44) 14⁰
 02. [137.] — 90 d
Moltke, Graf: Ausgew. Reden. In Debattenschrift übertr. v. R Preuss.
 Mit e. Anh.: Erklärg d. Kürzgn. 2. Afl. (32) 8⁰ (01.) [5.] — 60 d
Niemöller, W: Neuer Lehrg. d. Gabelsb.'schen Stenogr. n. d. entwickeln
 den Methode. Ausg. A. Mit Fragen u. Anl. im Entwickeln. 1. Tl. (Ver.
 kehrs-(früher Korrespondenz-)Schrift. Nach Berl. Beschlüssen. 9.Afl. (⁴²)
 8⁰ 05. [35.] 1.55; geb. 1.55 § 2. Tl. Redeschrift. 5. Afl. (31 u. 11) 8⁰ 04.
 [34.] — 75; geb. 1.05
— u. H Meinberg: Neuer Lehrg. d. Gabelsb. Stenogr. n. d. entwickeln
 den Methode. Ausg. A. Mit Fragen u. Anl. im Entwickeln. 1. Tl. Korrespondenzschrift. 7. Afl. (92) 8⁰ 01. [35.] 1.35; geb. 1.55 § II. Tl. Debattenschrift. 4. (Tit.-)Afl. (90) 8⁰ [1896]([1900]). [54.] — 75
— — dass. Ausg. B. Ohne Fragen. 1. Tl: Verkehrs-(bisher: Korrespon-
 denz-)Schrift. 16. u. 17. Afl. (74) 8⁰ 06. [70.] 1.10; geb. 1.40
— — Neuer Lehrg. d. kont. Einheitsstenogr. Gabelsberger n. d. ent.
 wickelnden Methode f. d. Vereins-, Schul- u. Selbstunterr. Kurzgef.
 Ausg. C. 1. Tl.: Verkehrs-(bisher: Korrespondenz-)Schrift. Nach Berl.
 Beschlüssen bearb. 9. u. 10. Taus. (42) 8⁰ 05. [90.] — 80; geb. — 90
— Lese- u. Diktierb. z. Wiederholg u. Fortbildg in d. Gabelsb.'schen
 Stenogr. 1. u. 4. Afl. (47 u. 40) 8⁰ 04. [103.] 1 —
Petersen, M : Prinzessin Ilse. Märchen a. d. Harzgebirge. 3. Afl. Autogr.
 v. A Trachbrodt. (32) 8⁰ [5.] (03.) — 50 d
Preuss, R : Theoretisch-prakt. Anl. z. Erlerng d. Gabelsb.'schen Rede-
 schrift. 3. Afl. (70) 8⁰ 04. [44.] 1.90; Schlüssel. (94) 8⁰ 04. [127.] — 90
— Theoretisch-prakt. Anl. z. kaufmänn. Korrespondenz n. Gabelsb.'s
 System. Mit e. kurzen Vers. kaufmänn. Fremdwörter. 3. Afl. (109) 8⁰
 05. [44.] 1.90; geb. 2.10
Reden, ausgew. Zusammengest., übertr. u. autogr. v. R Preuss. 1. u. 2. Heft.
 (Je 46) 12⁰ (03.) [145.46.] Je — 15 d
Rosegger, P : Dem Anderl a. Tabakgeld u. anderes. 6 heit. u. ernste Ge-
 schichten. Übertr. v. R Preuss. (92) 8⁰ (02.) [144.] 1 — d
— Vom Kickel, d. eingesperrt gewesen ist n. anderes. 2. Afl. Übertr. v.
 A Trachbrodt. (31) 8⁰ (04.) [95.] — 50 d
— Der Schelm a. d. Alpen. (Auszug.) Übertr. v. R Preuss. (61) 12⁰ (02.)
 [148.] 1 —; geb. 1.60 d
Salex, hl. F v.: Himmelsbrot. Gebete u. Andachten f. alle frommen Katho-
 liken. (In stenogr. Schrift.) (385) 24⁰ 02. [140.] 2.00
— Philothea. Nach d. Übersetzg. v. F Permanne. Für Gabelsb.-Stenogr.
 gekürzt v. E Stoehr. (3. Afl.) (192) 12⁰ (04.) [111.] L. 2.30
Saenger, R: 4 morceaux de lectures, s.: Lektüre, franzö.
Sapbir, MG : Ausgew. Humoresken. 5. Afl. Übertr. v. A Trachbrodt. (3⁴)
 8⁰ (04.) [2.]
Schmid, E: Diktate f. Elementarkurse in d. Gabelsb.'schen Stenogr.,
 _progressiv zusammengest. (106) 12⁰ 05. [143.] 1.10; in Schnüld 1.⁵⁰
 geb. 2.10 d
Schmidt, K : Stenograph. Repetitorium. 19⁰. Tl. Kurzgef. Darstellg d. innern
 Entwickelgsgesch. d. Gabelsb.'schen Stenogr.-Systema. (45) 8⁰ 01. [35.]
 — 75; geb. 1.35 (1 u. 2: 1.50; geb. 2.55)
Schrader, H: Schers u. Ernst in d. Stenogr. f. Gabelsb.'s u. andere Worte.
 II. Kraftanabrücke. Übertr. v. A Trachbrodt. (54) 8⁰ 04. [141.]
 geb. 1.60 d
Schwebel, O : Altdeut. Bürgertum zur festl. Zeit. Kulturbilder. (34) 8⁰
 (05.) [167.] — 50 d
— Aus d. Tagen deut. Bürgerherrlichk. 1. Die Fugger. 2. Die Welser. —
 Stilles Leben im deut. Bürgertum. Kulturbilder. (46) 8⁰ 05. [165.] — 15;
 geb. 1.60 d
Spindler, C: Ritter u. Bürger. Eine Frankfurter Gesch. a. d. 15. Jahrh.
 Autogr. v. A Trachbrodt. (46) 8⁰ (03.) [157.] — 50 d
Stifter, A: Granit. Erzählg. Übertr. v. A Trachbrodt. (46) 8⁰ (04.) — 50 d
— Der Kondor. Erzählg. Übertr. v. A Schöttner. (30) 8⁰ (01.) [134.] — 50 d
— Aus d. Mappe meines Urgrossvaters. (34) 8⁰ (05.) [141.] — 50 d
— Aus d. bair. Walde. Erzählg. Übertr. v. R Preuss. (46) 12⁰ (02.) [149.]
 — 75 d
Taschenliederbuch f. Gabelsb.-Stenogr. (30) 16⁰ 02. [135.] — 15 d
Trömel, M : Lehrg. d. Stenogr. (System Gabelsb.), n. systematisch-kal-
 kulier. Methode. 8. Afl. (31, 79 u. 16) 8⁰ 02. [43.] 1.25; geb. 1.55
— Lese- u. Übgsb. bei Erlerng d. Gabelsb.'schen Stenogr. 4. u. 5. Afl.
 (46) 8⁰ 04. [35.] — 70
— Sigel u. Kürzgsbeisp. f. Gabelsb.'sche Stenogr. Ausg. A. 7. Afl. n. d.
 Berl. Beschlüssen. (46) 05. [38.] — 60; geb. — 85
 Bd 166 w. 173 s. u. d. T.: Reuter-Bibliothek.
Reuter's Portemonnaie-Kalender f. Gabelsb.-Stenogr. f. 1906.
 (63 m. 1 Bildnis.) 7×4,8 cm. Dresd., W Reuter. Kart. — 25
— dass. Ausg. n. Wiener Beschlüssen. (64 m. 1 Bildnis.) 7×
 4,8 cm. Kart. — 25
Reuter, s.: Milch-Speisen u. Getränke.
Reuter: Paulus Ndumbane, s.: Missionsschriften f. Kinder.
Reuter, A: Ein Besuch in Kapernaum jetzt u. einst. 5 relig.
 Betrachtgn üb. e. Tag Christi u. d. Tage d. Christen. (42)
 8⁰ Brstl., Christl. Bh. 03. — 50 d
Reuter, C: Die Schule d. Tapezierers. 4. Afl. (143 m. 32 Taf.)
 8⁰ Lpzg, BF Voigt 06. 7.50 d
— Bad Ems u. s. Heilmittel. (90 m. 1 Tab.) 12⁰ Ems,
 A Pfeffer 01. Je — 20 d
Reuter, C: Schelmuffsky, s.: Angermann's Bibliothek f. Bi-
 bliophilen.
— Schelmuffsky's wahrhaft., kuriöse u. sehr gefährl. Reisebe-
 schreibg zu Wasser u. zu Lande, s.: Universal-Bibliothek.
Reuter, E: Skizzen u. Studien a. Lübeck. (24 Bl: m. 3 S. Text.)
 4⁰ Lüb., R Nöhring 04. In 3 Heften (je 8 Bl.) je 3.50
Reuter, F, s.: Handwerker-Kalender f. Hessen.
Reuter, F, s. a.: Fritz Reuter-Album.—Fritz Reuter-Bibliothek.
— Werke. Volks-Ausg. Hrsg. v. H Reincke. Mit Einltg. v. H
 Brandes. (in 100 Lfgn.) 1—68. Lfg. 8⁰ Berl., R Eckstein
 Nf. (05). Je — 10 d
 1—3. Bd. Ut mine Stromtid.·3 Tle. (261, 256 u. 370) § 4. Bd. Olle Kamel-
 len. 1. Tl. Zwei Inst. Oesch. 1. Woans läst me du to rsz kamm. 2. Ut de
 Franzosentid. (216) § 5. Bd. Dass. 2. Tl. Ut mine Festgtid. (240) § 6.Bd.

Reuter, M: Katech. d. Schlachtvieh- u. Fleischbeschau. Mit hrsg. v. K Rogner. (179) 12ᵃ Ansb., C Brügel & S. 04. Kart. 1.50 d
— Der Vorstehhund, s.: Oswald, F.
Reuter, O: Der Chor in d. französ. Tragödie, s.: Studien, roman.
— Heilwig Ronnenberg. Schausp. (190) 8° Berl., E Ebering 05.
     2 —; geb. 3 — d
Reuter, W: Kurz gef. u. leicht verständl. Grammatik d. engl. Sprache. — Englisch-deut. Handels-Correspondenz, s.: Miniatur-Bibliothek.
Reuter, W: Leseb. z. Unterr.-Buch d. deut. Einheits-Stenogr. u. Gabelsb.'s System. 7. Afl. durch H Koss. (34) 8° Aach., A Jacobi & Co. 01.   — 50
— Unterr.-Buch d. deut. Einheits-Stenogr. u. Gabelsb.'s System.
   1. Tl.: Schul- u. Verkehrsschrift (Correspondenzschrift). 31. Afl. durch H Koss. (55) 8° Ebd. 03.   1 —; geb. 1.50
Reuter, W: Litt.-Kde, enth. Abriss d. Poetik u. Gesch. d. deut. Poesie. Für höh. Lehranst., Lehrerbildganst., höh. Mädchensch. u. z. Selbstunterr. 17. Afl. v. L Lütteken. (289) 8° Freibg i/B., Herder 02. 1.40; geb. 1.90 ‖ 18. Afl. (295) 05. 1.50;
     geb. 2 — d
— Poetik. Vorsch. f. d. Gosch. d. deut. Litt. u. d. Lektüre d. Dichter. Für höh. Lehranst., Lehrerseminarien, Töchtersch. u. z. Selbstunterr. 3. Afl. v. L Lütteken. (169) 8° Ebd. 02.
     1.50; Einbd nnn — 30 d
Fritz Reuter-Album. (21 Heliograv.) Nebst: Text zu d. Illustr. a. Reuter's Werken, nebst e. Biogr. d. Dichters. Von R de Witt u. E Kolbe. (48) 4° Berl., PJ Oestergaard (04).
     In L.-M. 15 — d
Reuter-Bibliothek. 166. u. 173. Bd. 8° Dresd., W Reuter. 1.60 d
   Meyer, CG: Jedermann Stenograph! Lustsp. f. Stenogr. aller Systeme.
     (48) 06. [166.]   — 80
   Schmid, J: O, diese Mütter! Lustsp. f. Stenogr. aller Systeme. (44) 06.
     [173.]   — 80
   Weiters Bde s. u. d. T.: Reuter's Bibliothek f. Gabelsb.-Stenogr.
Fritz Reuter-Bibliothek. 15 Bde. 8° Berl., A Weichert (05).
     Je — 50 d
   1. Hanner Nüte un de Hütte Pudel. 'Ne Vagel- un Minschen-Geschicht.
     (179) ‖ 2. Ut mine Festgewitt. (300) ‖ 3.4. Läuschen un Rimels. Plattdeut.
     Gedichte heit. Inhalts in mecklenburgisch-vorpommerscher Mundart. (Je
     156) ‖ 5. Woans de tau 'ne Fru kamm. — Ut de Franzosentit. Twei Inzs.
     Gesch. (179) ‖ 6. Kein Hüsung. — Urgeschicht v. Mekelnborg. (155 u.
     75) ‖ 7—9. Ut mine Stromtit. (195, 190 u. 288) ‖ 10. De Reis' nah Belligen.
     Poet. Erzählg in niederdeut. Mundart. (176) ‖ 11. De mekelnbörgschen
     Montecchi un Capoletti od. De Reis' nah Konstantinopel. (221) ‖ 12. Dörch-
     läuchting. (701) ‖ 13. Schurr-Murr. (216) ‖ 14. Ein graß. Geburtstag u.
     and. humorist. Erzählgn. Lustspiele. (90 u. 96) ‖ 15. Jahnke, H: Fritz
     Reuter. Sein Leben u. s. Warke. (139)
Reuther, R, s.: Willst Du gesund werden?
Reutlinger's, J, Taschenb. f. Seiler. 3. Afl. (107 m. Bildnis.)
   12° Offenb. 01. [Frankf. a/M., A Detloff.]   Kart. 2.80
Reutter, F: Im Laboratorium. Am Kongo. — Die Tochter d. Ringkämpfers. Der japan. Kupferschmied. Der Rikischa-Kuli, s.: Ensslin's Roman- u. Novellenschatz.
Reutter, F: Was trage ich vor? 125 humorist. Vorträge. 1. u. 3. Afl. (148) 8° Berl., Neufeld & H. (01.02).   1 — d
Reutter, L: Der Brahmanensohn. Erzählg a. d. ind. Missionsleben. (87) 8° Gütersl., C Bertelsmann 05.   1 —; geb. 1.50 d
Reutter, O: Orig.-Couplets u. Vorträge. (135) 8° Mühlh. i/Th.,
   G Danner (04).   Je 1 — d
— dass. Text-Ausg. 2. u. 3. Bd. (132 u. 131) 8° Lpzg, O Teich
   (04.05).   Je 1 — d
Reval, S: Grundbedinggn d. gesellschaftl. Wohlfahrt. (31, 692)
   8° Lpzg, Duncker & H. 02.   14 —
Reval's Handel u. Schiffahrt, s.: Beiträge z. Statistik d. Revaler Handels.
Reval, P: Treu bis in d. Tod, s.: Weber's moderne Bibliothek.
Revel, HA: Ave Maria! Roman. (304) 8° Berl., C Duncker (03).
     3.50
— Aus d. schwarzen Bergen. Novellen a. d. Hercegovina u. Montenegro. (173) 8° Stuttg. 04. Berl.-Schönebg, Unterborn.
     2 —; geb. 3 — d
— Witwe Dalila, s.: Kriminal-Romane „Continent".
— Dirnen. Sozial-psycholog. Skizzen. (204) 8° Berl., Verl. Continent (03).   2 — d
— Er, Sie u. — d. Andere. — 3. Taus. (152) 8° Berl., Berliner Verl.-Instit. (04).   2 —
— Im Exil. Militärhumoresken a. d. Hercegowina. (166) 8° Stuttg. 04. Berl.-Schönebg, P Unterborn.   2 —; geb. 3 — d
— Die rote Laterne. II. Serie d. „Dirnen". 2. Afl. (204) 8° Berl., Verl. Continent (04).   2 —
— Der Mönch v. Almissa. Roman. (225) 8° Bremerh., L v. Nawgerow (05).   3 —
— Thanatos. Myst. Tragödie. (218) 8° Dresd., E Pierson 01.
     2.50 d
— Variété-Schönheiten, s.: Flugbogen.
— Vergewaltigt. Grossstadtskizzen. 1—3. Taus. (144) 8° Berl., Berliner Verl.-Instit. (04).   2 —
— Die Viper. Kriminal-Roman (freɪ̄n. d. Franz.). (303) 8° Berl., Verl. Continent (05).   2 — d
Reventlow, Graf E, s.: Almanach, deutsch-naut.
— Deutschl. in d. Welt voran? Zwanglose Betrachtgn z. Flottenfrage. 1—3. Taus. (79 bezw. 76) 8° Berl., Boll & Pickardt 05.06.
— Die deut. Flotte. Ihre Entwickelg u. Organisation. (300 m. Abb. u. 53 [51 farb.] Taf.) 8° Zweibr. 01. Stuttg., F Lehmann.
     L. 3 — d
— Die deut. Flotte u. ihre Aufg., s.: Hillger's illustr. Volksbb.

Reventlow, Graf E, s.: Heimat, deut.
— Der russisch-japan. Krieg. Nebst e. Beschreibg v. Japan, Korea, Russioh-Asien u. s. Gosch. dieser Länder v. H Döring. 1—48. Heft. (1. u. 2. Bd. 374, 208; 470, 88 u. 3. Bd. 1—224 m. Abb., 105 [47 farb.] Taf. u. 1 Karte.) 8° Berl.-Schönebg, Internat. Welt-Verl. (04.05).   Je — 40; 1. u. 2. Bd geb. je 12 — d
Reventlow. F Gräfin: Ellen Olestjerne. Eine Lebensgesch. 1. u. 2. Afl. (327) 8° Münch. 05.04. Berl., K Schnabel. 4 —; geb. 5 —
— Viragines od. Hetären? s.: Diskussionen, Zürcher.
Review, geological, s.: Zentralblatt, geolog.
— internat. theological. s.: Revue internat. de théol.
Réville, J: Modernes Christentum. Uebers. v. H Buck. (145) 8° Tüb., JCB Mohr 04.   2.50
— Relig. Reden. Übersetzg. (285) 8° Berl. 02. Lpzg, M Heinsius Nf.   Kart. 4 — d
Revillon, T, s.: Conteurs modernes.
Revision, d., d. Liberalismus. Mit e. Anh.: Selbstinteresse u. Gemeinwohl. Von Julianus. (61) 8° Berl., Herm. Walther 03,
     1.20 ₰
Revisionen, polizeil., d. Gast- u. Schankwirthschaften. Gratisbeil. zu Schrader „Taschenb. f. polizeil. Bevisonen". (47) 12° Dess. (03). Berl., Kameradschaft.   — 30 d
Revisionsbuch f. e. Aufzug. (17) Fol. Hag., O Hammerschmidt 01.   — 75 d
Revisions-Ingenieur u. Gewerbe-Anwalt. Schriftleitg: W Heffter. Mit d. Bleibl.: Organ d. Prüfgs- u. Überwachgs-Anst. f. elektr. Anlagen. — Prüfstelle f. Missständen im Ausstellgswesen. 1. Jahrg. April—Dezbr 1902. 13 Hefte. (1—7. Heft. 162 m. Abb.) 4° Berl. Lpzg, CA Fischer.
     Viertelj. 1 — d
     Fortsetzg u. d. T.:
Revisions-Ingeniör. Revisions-Ingeniör u. Gewerbe-Anwalt. Arbeitgeber-u. Arbeit-Nehmer. Technisch-gewerbl. Zeitschrift. Schriftleiter: W Heffter. 2. Jahrg. 1903. 24 Hefte. (1. Heft. 20 m. Abb.) 4° Berl. Lpzg, CA Fischer.   Viertelj. 1 —
     Fortsetzg s. u. d. T.: Zeitschrift, technisch-gewerbl.
Revue d'Alsace. (Suppl.) Documents inédits pour servir à l'hist. d'Alsace. Tome I et II de la collection. 8° Colm., H Hüffel.   Je tu 4 —
   Hoffmann, C: Les anciens règlements municipaux d'Ammerschwir (156)
     —63). Publiés pour la première fois avec quelques notes et éclaircisse-
     ments. (299) 03. [I.]
   Boldt, VMA: Journal du palais du conseil souverain d'Alsace. Publié
     par A Ingold. Tome I. (171 m. Bildnis.) 03. [II.]
— alsacienne illustrée, s.: Rundschau, illustr. elsäss.
— internat., üb. d. ges. Armeen u. Flotten. Begründet v. F v. Witzleben-Wendelstein. Chef-Red.: E v. Witzleben. 18. Jahrg. 5. Viertelj. Oktbr—Dezbr 1900. 3 Hefte. (513—547 m. 2 Taf., Suppl. 19—21. S. 481—578 m. Fig. u. 3 Taf. u. Beiheft 13—15. 48, 24 u. 72 m. 2 Kart.) 8° Dresd., E v. Witzleben. ‖ 19—23. Jahrg. 1901—5 je 12 Hefte. Viertelj. 6 —; einz. Hefte 2.50; Suppl.-Hefte allein je 1 —; Beihefte allein je 1.50
— mensuelle internat. contre la boisson, s.: Monatsschrift, internat., z. Erforschg d. Alkoholismus usw. — Monatsschrift, internat., z. Bekämpfg d. Trinksitten.
— chem., üb. d. Fett- u. Harz-Industrie. (Begründet v. J Klimont, fortgeführt v. R Henriques.) Hrsg. u. red. v. L Allen. 8—12. Jahrg. 1901—5 je 12 Hefte. (J. 04.05: 292 u. 312 m. Fig.) 4° Hambg, Dr. Maschke, Wallenstein & Co.   Je 12 —;
     einz. Hefte 1.50
     Erschien bis Dezbr 1902 in Berlin.
— des demoiselles bi-mensuelle instructive et amusante. Dir.: F Lotsch et E de Sauzé. 2. année. Oktbr 1903—März 1904. 12 Nrn. 8° Lpzg, Renger.   Halbj. 3 — ô F
     Bisher u. d. T.: Journal des demoiselles.
— deut. Hrsg. v. R Fleischer. Red.: A Löwenthal. 25—30. Jahrg. 1901—5 je 12 Hefte in 4 Bdn. (Der Bd 380) 8° Stuttg., Deut. Verl.-Anst.   Viertelj. 6 —; einz. Hefte 2 — d
— de la droguerie, s.: Rundschau, drogist
— mensuelle pour le droit administratif et le notariat du canton de Berne, s.: Monatsschrift f. bern. Verwaltgsrecht u. Notariatswesen.
— de l'électricité, s.: Blätter, schweiz., f. Electrotechnik.
— suisse de l'enseignement professionel, s.: Blätter f. d. Zeichen- u. gewerbl. Berufsunterr.
— financielle, s. Assecuranz-Revue. Gegründet u. hrsg. v. GJ Wischniowsky. (Red.: J Bazzanella.) 10—12. Jahrg. 1902 —4 je 24 Nrn. (1902. Nr. 1. 12) Fol. Wien (VIII, Piaristengasse 36), Administr. Je 21.50 ‖ 13. Jahrg. 1905. 20 — d
— franco-allemande. Deut-französ. Rundschau. Hrsg.: M Henry. Red. d. deut. Abtlg: L Greiner. Red. franc.: A Lantoine. 3. Jahrg. 1. Viertelj. Jan.—März 1901. 3 Nrn. (Nr. 49. —4) je 24 Nrn. (1902. Nr. 1. 12) Fol. Wien (VIII, Piaristengasse 36), Administr. Je 21.50 ‖ 13. Jahrg. 1905. 20 —
     Viertelj. Apr.—Dezbr 1901. Red. d. deut. Abtlg: EA Regener.
     9 Nrn. Halbj. 5 —; viertelj. 3 —; einz. Nrn 1 — ô F
— géolog., s.: Zentralblatt, geolog.
— d. Gerichtspraxis im Gebiete d. Bundescivilrechts.
   Revue de la jurisprudence au matière de droit civil fédéral.
   18—22. Bd. Berl., Zeitschrift f. schweiz. Recht. Neue Folge.
   19—23. Bd. (179, 152, 175, 167 u. 159) 8° Bas., Helbing & L.
   1900—04.   Je 6 —
— de l'imprimerie. Publication mensuelle de l'imprimerie et des industries connexes. (Red.: G Ficker.) Tome I et II. 1901—3 à 12 nrs. (1901. Nr. 1. 16 m. 11 Beil.) 8° Lpzg-St., J Maeser.   Je 9.60; einz. Nrn — 80 d

Revue, internat. Internat.illustr. Zeitg. Deutsch, französisch, englisch. Hrsg.: J Laurencic. Red. f. Oesterr.: O Lechner. Jahrg. 1904. 12 Nrn. (Nr. 1. 16) 41×31 cm. Paris, Verl. d. internat, Revue. 12 —; einz. Nrn 1 — 0 F
— internat., f. Kunst, Kunstgewerbe u. Technik. Hrsg. u. Chefred.: D Joseph. 2—6. Jahrg. 1901—4 je 12 Nrn. (1901. Nr. 28. 20 Sp.) 4° Berl., (H Steinitz). Je 3.60
— dass., f. Kunst, Kunstgewerbe u. Bautechnik nebst Berliner Kunst-Zeitg. Hrsg. u. Chefred.: D Joseph. 7. Jahrg. 1905. 12 Nrn. (Nr. 76. 16 Sp.) 4° Ebd. 3.60
— de la jurisprudence en matiére de droit civil fédéral, s.: Revue d. Gerichtspraxis im Geb. d. Bundescivilrechts.
— kathol. Organ d. kathol. Press- u. Lit.-Ver. f. d. Länder deut. Zunge. Red.: P Siebertz. 2.Jahrg. 1901. 12 Nrn. (Nr. 1—8. 128) 4° Kempten (Sandstr. K. 94), Gen.-Sekr. Siebertz. 3 — d
Fortsetzg war nicht zu erhalten.
— üb. d. kaufmänn. Bildgswesen aller Länder. Hrsg. v. Stegemann. (In deut., französ. u. engl. Sprache.) Nr. 1—3. (60, 55 u. 46) 8° Lpzg, BG Teubner 03. Je 1.40
— des modes parisiennes. Illustr. Journal f. elegante u. pract. Pariser Moden. Grosse Ausg. 35—37.Jahrg. 1901—3 je 24 Nrn. (1901. Nr. 2. 12 m. Abb., 1 Schnittmuster u. 3 farb.' Modekpfrn.) Fol. Lpzg, Hoffmann & O. || 38. Jahrg. 1. Viertelj. Jan.—März 1904. 6 Nrn. Viertelj. 4 —; einz. Nrn. — 80 d 0 F
— dass. Kleine Ausg. 22—24. Jahrg. 1901—3 je 24 Nrn. (1901. Nr. 2. 12 m. Abb., 1 Schnittmuster u. 2 farb. Modekpfrn.) Fol. Ebd. || 25. Jahrg. 1. Viertelj. Jan.—März 1904. 6 Nrn. Viertelj. 2 —; einz. Nrn — 60 d 0 F
— des nouveautés. (In französ. u. deut. Sprache.) Jahrg. 1903. 12 Nrn. (Nr. 1. 11'm. Abb.) 42×33 cm. Berl., W Schurich. Ausg. I m. Schnittmuster u. 4 farb. Taf. 18 —; halbj. 9.50; Ausg. II m. Schnittmuster, 3 farb. u. 1 schwarzen Taf. 15 —; halbj. 8 —; Ausg. III m. Schnittmuster, 2 farb. u. 2 schwarzen Taf. 12 —; halbj. 6.50
Fortsetzg war nicht zu erhalten.
— trimestrielle suisse d'odontol., s.: Vierteljahrsschrift, schweiz., f. Zahnheilkde.
— österr.-ungar. Hrsg. u. red. v. A Mayer-Wyde. Red.: E Kotek. (15. Jahrg.) 28. u. 29. Bd je 6 Hefte. (28. Bd. 428 m. Taf.) 8° Wien, (CW Stern) 01.02. Der Bd 8 — d
— dass. Monatsschrift f. d. ges. Kulturinteressen d. österr.-ung. Monarchie. Red.: J Habermann. 30. u. 31. Bd je 6 Hefte. (418 u. 348) 8° Ebd. 03.04. Je 8 —; einz. Hefte 3 — d
— dass. 32. Bd. 6 Hefte. (1. Heft. 64) 8° Wien, Manz 04. 8 —; einz. Hefte 2 — d
Fortsetzg war nicht zu erhalten.
— orientale pour les études ouralo-altaïques. Rédigée par I Kunos et B Munkácsi. (Mit ungar. u. franzöş. Titel.) 2—5. Jahrg. 1901—5 je 4 Hefte. (1901. 1. Heft. 80) 8° Budap. (Lpzg, O Harrassowitz.) Je n u 8 —
— ungar. pädagog. Revue pédagog. hongroise. Chefred.: F Kemény. Red.: E Szöllösi. Oktbr 1901—Septbr 1902. 8 Doppelnrn. (Nr..1 u. 2. 40) 8° Budap., (R Lampel). || 2. Jahrg. Oktbr 1902—Septbr 1903. 12 Hefte. (1. Heft. 16) || 3. u. 4. Jahrg. 1904 u. 5 je 10 Hefte. Je 6 —
— pénale suisse, s.: Zeitschrift, schweiz., f. Strafrecht.
— politisch-anthropolog. Monatsschrift f. d. soz.u. geist. Leben d. Völker. Hrsg.: L Woltmann (u. HKE Buhmann). Red.: L Woltmann. 1—4.Jahrg. Apr. 1902—März 1906 je 12 Nrn. (1. Jahrg. Nr. 1. 80) 8° Eisen. Lpzg, Thüring. Verl.-Anst. Viertelj. 3 —; einz. Nrn 1 —
— ruthen. Hrsg.: BR v. Jaworskyj, A Kos, R Sembratowycz. Red.: R Sembratowycz. 2. Jahrg. 1904. 24 Nrn. (Nr. 1—21. 604) 8° Wien (XVIII|/1, Antonsg. 15). Administr. d. ukrain. Rundschau. Halbj. 3 — || 3.Jahrg.1905.(548 m.1 Bildn.)Halbj.4 —
— soziale. Zeitschrift f. d. soz. Fragen d. Gegenwart. Hrsg. v. J Burg. 1—5. Jahrg. 1901—5 je 4 Hefte. (566, 592, 632, 576 u. 592) 8° Ess., Fredebeul & K. Je 4 —; einz. Hefte 1.20 d
Der 1. Jahrg. ist vergriffen.
— internat. de théol. Internat. theolog. Zeitschrift. Internat. theological review. Publiée sous la direction d' E Michaud. 9—13. année. 1901—5 à 4 nrs. ('03.04. 808 u. 716) 8° Bern, (Stämpfl & Co.). Je 12.80; einz. Nrn 3.30
— theolog. Rev. v. F Diekamp. 1—4. Jahrg. 1902—5 je 10 Nrn. (640 u. 3×624 Sp.) 4° Münst., Aschendorff. Halbj. 5 —
— ungar. Einz. deut. Zeitschrift Ungarns f. Belletristik, Kunst, Lit., Wiss. u. soc. Interessen. Familienmonatsschrift. Chefred. u. Hrsg.: JE Kun. Red.: Omikron. 2. Jahrg. 1905. 12 Hefte. (1—4. Heft. 54 u. 40) 8° Budap. (VI, Teréz-körut 42—43), Administr. 7 —; einz. Hefte — 60 d

Rex, E, n. s. a.: Langenschuldt, P.
— Fremdwrtrb. (Neue Ausg.) (313) 16° Berl., H Steinitz (01). Geb. 1.50 d
— Wem bring' ich wohl d. 1 Glas? Ernste u. heit. Orig.-Tischreden. (Neue Ausg.) (24, 303) 16° Ebd. (01). Geb. 2 — d
Rex, FW: 4stell. Logarithmen-Taf. Schul-Ausg. 2. Afl. (29) 8° Stuttg., JB Metzler 05. — 60
— 4stell. Logarithmen-Taf.1.Heft: Taf.I—III. Die Logarithmen d. Zahlen u. d. goniometr. Funktionen. 2. Afl. (95 u. 2) 8° Ebd. 04. 1.30
Rey, A: Armées modernes et modernes. (414) 8° Wien, Lehmann & S. 05. 5 —; geb. 6 —
— La France industrieuse et littéraire. Lectures choisies pour les élèves des écoles sup. de commerce. (606) 8° Wien, F Deuticke 05. Geb. 5 —

Rey, A: Glanes litt. pour les classes ·supérieures des lycées de jeunes filles. (440) 8° Wien, F Deuticke 03. Geb. 4.20
Rey, E: Die Eier d. Vögel Mitteleuropas. 9—30. Lfg. (127—681 m. 93 farb. Taf.) 8° Gera-Untermh., FE Köhler (05). Subskr.-Pr. je 2 — (Vollst. in 2 HF.-Bdn: 56.50)
Rey, G: Das Matterhorn. Geolog. Erläuterg v. V Novarese. Deutsch v. O Hauser. (258 m. Abb.) 4° Stuttg., Deut. Verl.-Anst. 05. 13 —; geb. 20 —
Reyberlein, FA: Das Reformheer od. Auf n. Sedan! Ein Überroman a. d. Mitte d. 20. Jahrh. (102) 8° Cass., G Dufayel 04. 1 — d
Reychler, A: Physikalisch-chem. Theorieen. Nach d. 3. Afl. bearb. v. B Kühn. (389 m. Abb.) 8° Brnschw., F Vieweg & S. 05. 9 —; L. 10 —
Reydsmân, L: Das Entstehen u. Vergehen d. Weltenkörper. (31 m. Abb.) 8° Lpzg, Jaeger·(04). — 50
Reyer, E: Fortschritte d. volkstüml. Bibliotheken. (180 m. Abb.) 8° Lpzg, W Engelmann 03. 3 —
— Stadt. Leben im 16. Jahrh. Kulturbilder a. d. freien Bergstadt Sahlackenwald. (129) 8° Ebd. 04. 3 —
— Krit. Studien z. volkstüml. Bibliothekswesen.d. Gegenwart, s.: Blätter f. Volksbibliotheken u. Lesehallen.
Reyher, H: Die Christblüte. Sammlg ält. u. neuerer Weihnachtslieder. 5. Afl. v. W Boderke. (23) 8° Ebersw., P Wolfram (01). — 25 d
Reylaender, M: Die Beurteilg d. Konfirmation v. prinzipiellen Standorte aus. (97) 8° Gütersl., C Bertelsmann 02. 1.20 d
— Der homilet. Gebr. d. ev.-altkirchl. Perikopen; n. e. Publikum v. Steinmeyer. (171) 8° Lpzg, A Deichert Nf. 02. 2.80; geb. nn 3.60
Reyländer, O: Die neuen epistol. Perikopen, s.: Perikopen, d. neuen, d. Eisenacher Konferenz.
Reymann s.: Spezialkarte, topograph., v. Mittel-Europa.
Reymann, F: Der kl. Katechismus Luthers m. d. f. d. Schule unentbehrlichsten Erläutergn. 22. Afl. (108) 8° Bresl., C Dülfer 01. — 40: geb. nn — 50 d
Reymann, R: Gesch. d. Stadt Bautzen. (930) 8° Bautz., (Weller) 02. L. 9 — d
Reyme, P (F Meyer): Auf d. Landstrasse. Leiden u. Freuden e. fahr. Landmessers. 1. Tl. 2. Afl. u. 2. Tl. (149 u. 155) 8° Liebenw., (R Reiss) 03.01. Je nn 1.80 d
Reymond, E: Chirurgie d. Herzens, s.: Terrier, F.'
Reymond, H v.: Eier, s.: Bibliothek, kulinar.
Reymond, M v.: Herr Ippel, d. Pianist, s.: 1 Mark-Bibliothek "Continent".
— Lachtäubchen u. Anderes. (109) 8° Berl., Globus Verl. (05). †— 90 d
— Illustr. Länder- u. Völkerkde. (738 m. Abb.·u. 6 Kart.) 8° Berl. (1898). (Lpzg, G Fock V.) Geb. 14 —; in Liebh.-Bd 15 — d
— s.: Panorama d. Weltgesch.
— Das Weltall. Eine illustr. Entwicklegsgesch. d. Natur. (726 m. 4 Kart.) 4° Berl. (1899). (Lpzg, G Fock V.) Geb. 14 —; in Liebh.-Bd 15 — d
Rezept-Taschenbuch, klin., f. prakt. Aerzte. 26. Afl. (319) 16° Wien, Urban & Schwarzenb. L. 2 —
Rezeptur-Taxe d. in d. Apotheken Oesterr.-Ungarns gangbar üblichsten Arzneimittel u. Artikel. Hrsg. v. Direktorium d. allg. österr. Apotheker-Ver. (239) ·8° Wien, (W Frick) 04. L. nn 4 —
Reznicek, F v.: Gse. Reznicek-Album. 4—6. Taus. (32 farb. Bl.) 4° Münch., A Langen 04. L. 6 —
— Der Tanz. Album. (32 farb. Bl.) 4° Ebd. 06. L. 6 —
— Galante Welt. Album. (32 farb. Bl. m. untergedr. Text.) 4×30.5 cm. Ebd. 04. L. 6 —
Resold, JR: Die russ. Dunkelmänner od. d. geheime Salt. Macht. Verteidiggsschrift. (93) 8° Berl., (H Steinitz) 01. 1 — d
Rham, F: Ratgeber beim Hauskauf. Kurzgef. Anl., gute u. schlechte Eigensch. d. Wohnhäuser zu ermitteln; nebst Andeutgn zu dauerhaften, geschmackvollen u. sinn. Dekorationen u. Anweisg z. Reinigen derselben. (28) 8° Neuw., Heuser's Erben. 01. 1 — d
Rhamm, K: Ethnograph.Beitr.z.germanisch-slav.Altertumskde. 1. Abtlg. Die Grosshufen d. Nordgermanen. (853) 8° Brnschw., (F Vieweg & S.) 05. 24 —
Rhan, C: Das gold. Buch d. Landwirtes üb. Pflege, Ernährg u. Zucht, sowie Entstehg, Verhütg ·u. naturgemässe Heilg d. Krankh. uns. Haustiere. 2 Bd. 4. Afl. (741 u. 668 m. Abb., 12 farb. Taf. u. 3 Modellen.) 8° Berl., Deut. Verlagshaus Bong & Co. (01). 24 —
Rhapsode, der. Ernste u. heit. Vortragsdichtgn. Hrsg. v. G Gernss. 1—3. Jahrg. Febr. 1903—Dezbr 1905 je 12 Hefte. (384, 388 u. 384 je 1 Bildn.) 8° Gera. W-Jena, Thüringer Verl.-Anst. Subskr.-Pr. je — 50; Einzelpr. je — 75; d. Jahrg.geb.4.50
Rhätia. Bündner Familienbl. Beitr. z.bündner Gesch., Agesch.- u. Volksk. Red.: Bär. 1. Jahrg. Juli 1904—Juni 1905. 12 Nrn. (88) 8° Schiers. (Lpzg, C Beck.) 3.50 d
Rheden, J:DefinitiveBahnbestimmg d.Kometen 1890 III (Coggia). (S.-A.] (49) 8° Wien, (A Hölder) 04. — 90
— Photograph. Belichtgs-Tab., s.: Lechner's photograph. Bibliothek.
Rheden, P: Chinesisch-deut. Gedichte. 1. Tl: Lit.-Verz.; Allg.: Auszüge a. Tscheng Ki Tong. (59) 8° Brix. 03. (Lpzg, Bh. G Fock.) 1.50

Rhein, d., entlang. Liederb. (119) 4° Zür., Verl. d. Lesezirkels Hottingen 02. Geb. 4 — d
— unser, v. Mainz bis Düsseldorf. 30 d. schönsten Punkte d. Rheines. (32) 8° Köln, Hoursch & Bechstedt (03). (2 —) 1 —; Prachtausg. (30 Bl. m. 6 S. Text.) L. 4 —
— dass. (Neue Ausg.) Mit Berücks. v. Heidelberg, Frankfurt, Wiesbaden. 39 d. schönsten Punkte d. Rheines. (Neue Ausg.) (36 m. 4 Farbdr.) 8° Ebd. (05). 2 —; (Prachtsusg.) Bagleit. Text v. A Rehbein. (64 m. 4 Farbdr.) Geb. 5 —
— unser, v. Mainz bis Köln. 22 d. schönsten Punkte d. Rheines in Autotypie. (22) 8° Ebd. (02). 2 —
Rhein, E vom: Hans Taugenichts u. s. Schwesterlein Ilse, s.: Schneeflocken.
Rhein, W: Die Frauen Chinas, s.: Missionsschriften, neue.
— Lebenslauf e. vornehmen Chinesen in Wort u. Bild. (32) 8° Berl., Bh. d. Berliner ev. Missionsgesellsch. (02). — 30 d
Rhein-Ansichten. (200 Bromstilberphotogr.) 8° Berl.-Stegl.,Neue photograph. Gesellsch. (04). In 4 L.-M. 100 —; einz. Bl. — 50
Rheinau, C (Frl. C Siebert): Dagos Erlebnisse, n. AF Johnston a. d. Engl. übertr., s.: Bachem's Jugend-Erzählgn.
— Gefesselt. — Ein dunkles Geheimnis, s.: Aus Vergangenh. u. Gegenwart.
— Ernste Stunden f. junge Mädchen. Mit Einführg u. Schlusswort v. G Rohr. 1. u. 2. Afl. (360) 12° Köln, JP Bachem (02). L. M. G. 4 — d
Rheinbaben, P v.: Die preuss. Disziplinarges. (571) 8° Berl., F Vahlen 04. 14 —; geb. nn 16 — d
Rheinberg, J: The common basis of the theories of microscopic vision treated without the aid of mathematical formulae. [S.-A.] (35 m. Abb.) 8° Lpzg, S Hirzel 02. 1.50
Rheinboldt, J: Das Reichsfinanzwesen, s.: Bücherei, burschenschaftl.
Rheinen: Deut. Sprachübgn, s.: Meyer, J.
Rheiner, G: Wie wird dein Kind gross, stark, gesund? Prakt. Ratgeber üb. Kinderernährg in gesunden u. kranken Tagen. 2. Afl. (82) 8° Zür., T Schröter 03. 1.20 d
Rheinhafen, d. städt., Karlsruhe. Festschrift z. Eröffngsfeier 1902. (111 m. Abb. u. 16 Taf.) 4° Karlsr., (G Braun'sche Hofbuchdr.) 02. nn 12 —
Rheinhard, A, s.: Kalender f. Strassen- & Wasserbau- u. Cultur-Ingenieure.
Rheinhard, W: Der Mensch als Thierrasse u. s. Triebe. Beitr. zu Darwin u. Nietzsche. (235) 8° Lpzg, T Thomas (02). 3 — d
— Schönheit u. Liebe. Beitrag z. Erkenntnis d. menschl. Seelenlebens. (150) 8° Ebd. 04. 3 —; geb. 4 — d
Rheinhardt, PG, s.: Biographien d. Wiener Künstler u. Schriftsteller.
Rheinisch, R: Was hast du an der. Kirche? Beantwortg d. Preisanfg. gestellt v. „Centralvorstand d. ev. Bundes". Luthers, Calvins u. and. Protestanten Werken. 3. Afl. (183) 16° Berl., Germania 03. || II. Tl: Die alleinseligmach. Bibel. (219) 04. Je — 50 d
— Wirksamk.d.Feuermaurerei auf relig.Gebiet, s.:Flugschriften, kathol.
Rheinland, W (FW Stuckert): Das Kommen d. HErrn f. d. Seinen. 3. Afl. (168) 8° Neumünst., Vereinsbb. G Ihloff & Co. (04). 1 —; L. 1.50 d
— Das Kommen d. Herrn, zuerst f. d. Seinen u. hernach m. d. Seinen. (44) 8° Ebd. (03). — 20 d
Rheinlande, die. Monatsschrift f. deut. Kunst. Hrsg. durch W Schäfer. 2. Jahrg. Oktbr 1901—Septbr 1902. 12 Hefte. (1. Heft. 94 m. Abb. u. 20 Taf.) 4° Düsseldf., Verl. d. Rheinlde. Halbj. 12 —; einz. Hefte 2.50 || 3. Jahrg. 1902/3. Halbj. 6 —; einz. Hefte 1.25
— dass. Düsseldorfer Monatshefte f. deut. Art u. Kunst. Hrsg. durch W Schäfer. Den musikal. Tl besorgt F Koegel. 4. Jahrg. Oktbr 1903—Dezbr 1904. 15 Hefte. (1. u. 2. Heft. 116 u. 4 m. z. Tl farb. Abb. u. Taf.) 4° Ebd. || 5. Jahrg. 1906, 12 Hefte. Vierteljl. 3 —; einz. Hefte 2 — d
A. u. d. T.: Monatshefte, Düsseldorfer.
Rhein-Panorama, v. Mainz bis Köln. 150×21,5 cm. Farbdr. Nebst Text (in deut., engl. u. französ. Sprache). (19) 8° Köln, Hoursch & Bechstedt (08). In Decke 2 —
Rheinreise, e. Von Köln bis Mainz, s.: Projections-Vorträge.
Rheinschiffahrts-Acte, d., v. 17.X.1868, nebst d. Polizeiverordng f. d. Schiffahrt u. Flösserei auf d. Rhein v. 3.VII.1897 u. Ergänzg dazu v. 18.VII.1899, 12.XII.1899 u. 28.VI.1900. (75) 8° Düsseldf, L Voss & Co. 02. 1 —
Rhein-Weinbau-Karte f. d. Strecke Bingerbrück/Rüdesheim —Coblenz. Angefertigt im Bureau d. kgl. Regierg zu Coblenz. 1 : 50,000. 2 Bl. je 52×59,5 cm. Farbdr. Cobl., W Groos 03 —
— f. d. Strecke Coblenz-Bonn einschl. d. Ahrthales, Angefertigt im Bureau d. kgl. Regierg zu Coblenz. 1 : 50,000. 2 Bl. 51×95 bezw. 49,5×95 cm. Farbdr. Ebd. 04. 3 —
Rhenanus s.: Gewerkschaften, christl. — Kraus, FX, u. d. Ultramontanismus.
Rhenanus, MF: Der hl. Chrysostomus. Histor.Schausp. f.kathol. Bühnen. (29) 12° Paderb., Junfermann 03. — 50 d
Rhenius: Wo bleibt d. Schulreform? Ein Weckruf an d. Volk d. Denker. (156) 8° Lpzg, F Dietrich 04. 1.50
Rheno, A : Ep. Dichtgn. (1. Cäsar an d. Rheingrenze. 2. Armin d. Retter d. Vaterlandes.) (195) 8° Odenk. ca. Brackwede, Dr. W Breitenbach. (3.60) 2.50; L. (nn 4,20) 3 — d
Rhenstaedt, A : Margarethe, s.: Kürschner's, J, Bücherschatz.

Hinrichs' Fünfjahrskatalog 1901—1905.

Rheude, F: Lösgn zu d. mathemat. Absolutorialaufgaben d. bayer. Realsch. (1875—1900 incl.) 2. Afl. (211 m. Fig. u. 7 Taf.) 8° Münch., M Kellerer 01. 2.30; geb. 2.60 d
Rheude, LV: Bibliothekzeichen. 32 Exlibris. Mit e. Vorwort v. L Gerster. (31 z. Tl farb. Taf. m. 14 S. Text.) 8° Zür., F Amberger 02. In M. 4 —
Rheumatismus s.: Volks- u. Hansarzt, deut.
Rheuse, L: Prakt. Malthusianismus! Sichere Anl. z. Erreichg e. idealen Ehe u. ernährbaren Familie. (26) 8° Lpzg, M Schmitz (05). — 50
Rhiel, W, s.: Schick, A, kurze Anl. z. Verwaltg d. Busssacramentes.
Rhiem, C: Deut. Glaubenslieder n. bekannten Melodien. 3. Afl. (16) 8° Strieg., R Urban 04. — 15 d
Rhiem, H : Jeschoda. Eine ind. Gesch. a. d. Pestzeit. (123) 8° Braschw.02. Schwer., F Bahn. 1.80; L. 2.50 || Neue [Tit.-]Ausg. Schwer. 03. 1.20; geb. 2 —
— Hinter d. Mauern d. Senana. 2. Afl. (154 m. Abb.) 8° Berl., M Warneck 02. 1.50; geb. 2 —
— Eine gerettete Retterin. Pandita Ramabai a. ihr Rettgswerk. 1. u. 2. Afl. (24 m. Abb.) 8° Bas., Basler Missionsbh. 02.04. — 10 d
— Senana-Gestalten. 2 Erzählgn. (58) 8° Ebd. 04. — 40 d
Rhiem, HE: Blicke in d. Tagesarbeit e. Senana-Arbeiterin. 2. Afl. (24 m. Abb.) 8° Bas., Basler Missionsbh. (08). — 10 d
Rhode, P: Die Königsberger Schützengilde in 550 Jahren. (308) 8° Königsbg, (Gräfe & U., Bh.) 03. 3 — d
Rhoden, E v.: Lenchen Braun. Eine Weihnachtsgesch. f. Kinder v. 10—12 Jahren. 11. Taus. (90 m. 4 Farbdr.) 8° Stuttg., G Weise (03). Geb. 3 — d
— Das Musikantenkind. Erzählg f. Kinder v. 11—14 Jahren. 12. Taus. (114 m. 4 Farbdr.) 8° Ebd. (03). Geb. 3 — d
— Der Trotzkopf. Eine Pensionsgesch. f. erwachs. Mädchen. Wohlf. Ausg. 43. Afl. (265 m. Abb.) 8° Ebd. (05). Geb. 3 — d
— Trotzkopfs Brautzeit. Aus d. Nachlasse. Wohlf.Ausg. 28.Afl. (265 m. Abb.) 8° Ebd. (05). Geb. 3 — d
Fortsetzg s. u. d. T.: Wildhagen, E, a. Trotzkopfs Ehe.
Rhodius, R: Ueb. γ-Chlor u. γ-Bromchinolin. (43) 8° Freibg i/B., Speyer & K. 01. 1.20
Rhodokanakis, N : Al-Hansā' u. ihre Trauerlieder. [S.-A.] (123) Wien, (A Hölder) 04. 1 —
—88.: 'Ubaid-Allāh Ibu Kaisar-Rukaijāt, d. Dīwān.
Rhoidis, E : Päpstin Johanna. Aus d. Neugriech. v. P Friedrich. (26, 271) 8° Lpzg, J Zeitler 04. 5 —; geb. 6 —
Rhotert, J : Die Schönh. d. kathol. Kirche, s.: Rippel, G.
Rhousopoulos, RA : Wrtrb. d. neugriech. u. deut. Sprache, m. e. Verzeichnisse griech. Eigennamen. (1080) 8° Athen 1900. (Lpzg, E Haberland.) 10 —
Rhumbler, L: Zellenmechanik u. Zellenleben. Vortr. (43) 8° Lpzg, JA Barth 04. 1 —
Rhya, Mrs O: Michels Liebeswerben, s.: Hausschatz-Bibliothek.
— The wooing of Sheila, s.: Collection of Brit. auth.
Ribaux, A : Zarte Fäden, s.: Verein z. Verbreitg guter Schriften, Basel.
— Rache (Liebe), s.: Kürschner's, J, Bücherschatz. — Verein f. Verbreitg guter Schriften, Basel.
— Silberhochzeit. Das Testament. Weihnachtsblumen, s.:Verein f. Verbreitg guter Schriften, Basel.
Ribbe, C: 2 Jahre unter d. Kannibalen d. Salomo-Inseln. Reiseerlebnisse u. Schildergn v. Land u. Leuten. Unter Mitwirkg v. H Kalbfus. (352 m. Abb., 14 Taf., 10 L. u. 3 Kart.) 8° Dresd., Blasew., Elbgau-Buchdr. 03. L. 12 —
— Muschelgeld-Studien, s.: Schneider, O.
Ribbe, S: Kochb. f. einf. Küche u. z. Gebr. an Koch- u. Haushaltgesch. f. Volksschülerinnen. (31) 8° Dresd., A Köhler (2. Kart. — 50 d
Ribbeck, K: Gesch. d. Essener Gymnasiums, s.: Beiträge z. Gesch. v. Stadt u. Stift Essen.
— Die Vereinigg d. Stiftes u. d. Stadt Essen m. d. preuss. Staate. Festschrift. (37) 8° Ess., (Fredebenl & K.)(02). — 10 d
Ribbeck, Otto: Ein Bild s. Lebens a. s. Briefen 1846—95 (352 m.2 Bildnissan.) 8° Stuttg., JG Cotta Nf. 01. 5 —; geb. 6 — d
Ribbentrop, R : Mit d. Schwarzen n. Frankreich hinein! Erinnergn e. braunschweig. Officiers a. d. Kriege 1870/71. Bearb. v. A Engelbrecht. (171 m. Abb.) 8° Berl., O Salle 01. 2 —; kart. 2.50 d
Ribbert, H : Die Bedeutg d. Entzündg. (88) 8° Bonn, F Cohen 05. 1.20
— Die Entstehg d. Carcinomes. (56) 8° Ebd. 05. 1.20
— Geschwulstlehre. (662 m. z. Tl farb. Abb.) 8° Ebd. 04. 20 —; geb. 23 —
— Die Grundl. d. Krankh. (41) 8° Ebd. 04. — 80 d
— Lehrb. d. patholog. Histol. 2. Afl. (499 m. Abb. u. 6 farb. Taf.) 8° Ebd. 01. 12 —; geb. 14 —
— Lehrb. d. allg. Pathol. u. d. allg. patholog. Anatomie. (640 m. z. Tl farb. Abb.) 8° Lpzg, FCW Vogel 01. 12 d. Abb. (658 m. z. Tl farb. Abb.) 05. 16 —; geb. nn 15.80
— Lehrb. d. spec. Pathol. u. d. spec. patholog. Anatomie. (802 m. Abb.) 8° Ebd. 02. 18 —; geb. 20 —
— Vererbg, s.: Volksbücherei, medizin.
— Ueb. Vererbg, s.: Reden, Marburger akadem.
Ribbing, S : sexuell-hygien. Abhandlgn. Deutsch v. O Reyher. I. Die sexuelle Hygiene u. ihre eth. Konsequenzen. Vorträge. Neuer Abdr. (36—40. Taus.). — Gesunde Ehen. Ein Kapitel a.

148

d. Sozial-Hygiene. Vortr. Neuer Abdr. (6—10. Taus.) d. früher „Wen darf ich heiraten?" betitelten Abhandlg. (198 u. 40) 8° Stuttg., P Hopping 03. L. 2 —
Ribbing, S: Gesundes Geschlechtsleben u. s. Folgen f. d. Sittlichk. Neue wohlf. Afl. (40—50. Taus.) d. Schrift: Die sexuelle Hygiene u. ihre eth. Konsequenzen. 3 Vorlesgn. Deutsch v. O Reyher. (198 m. Bildnis.) 8° Stuttg., P Hopping (05). 1.30; geb. 1.60
— Die sexuelle Hygiene u. ihre eth. Konsequenzen. 3 Vortr. Deutsch v. O Reyher. Neuer Abdr. (33—35. Taus.) (215 m. Bildnis.) 8° Ebd. 02. L. 2 — || 36—40. Taus. (198 m. Bildnis.) 08. L. m. G. 2.50
Ribera, A: Die Intriguen d. Seele. Phantast. Roman. Deutsch v. PAE Andrae. (325) 8° Kattow., G Siwinna 05. 4 —; geb. 5 — d
— Das zweite Leben. (Die geheimnisvolle Villa.) Phantast. Roman. Deutsch v. PAE Andrae. (305) 8° Ebd. 05. 4 —; geb. 5 — d
Ribera, F de: Leben d. hl. Theresia. Nach d. v. M Bouix besorgten Ausg. v. J. 1868 übertr. v. JJ Hansen. (458 m. 1 Bildnis.) 8° Paderb., Bonifacius-Dr. 03. 3.60 d
Ribera, J de: Die hl. Agnes, s.: Meisterbilder fürs deut. Haus.
Ribi, D: Aufg. üb. d. Elemente d. Algebra, methodisch geordnet u. in engem Anschl. an d. „Leitf." v. MZwicky. III. Heft. 8. Afl. v. G Wernly. (32) 8° Bern, A Francke 04. — 50 d
— dass. Auflösungn. Rev. v. G Wernly. 1. Heft. (Zu Heft 1 u. 2 d. Aufg.) 4. Afl. (63) 8° Ebd. 03. 1.10
Ribot, T: Psychol. d. Gefühle, s.: Bibliothek, internat., f. Pädagogik u. deren Hilfswiss.
— Die Schöpferkraft d. Phantasie (L'imagination créatrice). Deutsch v. W Mecklenburg. (254) 8° Bonn 02. Stuttg., A Kröner. 5 —; geb. 6 — d
RibHd, T: Exekution auf Aktivitäts- u. Ruhebezüge d. Offiziere, Staatsbeamten u. am im öffentl., sowie auch im Privatdienste Angestellten u. deren Hinterbliebenen, dann Exekutionen auf Geldfordergn d. Schuldners. (51) 8° Prag, C Bellmann 04. — 80
— Gläubiger u. Schuldner. Ratgeber bei d. Einklagg u. zwangsweisen Eintreibg v. Geldfordergn durch Execution auf d. bewegl. Vermögen. (85) 8° Prag, (G Neugebauer) 03. 1.80 d
— Das Pfandrecht d. Hansherrn an d. Sachen d. Mietpartei u. d. Aftermieters z. Sicherg d. Mietzinsfordergr, dann Mietzinsklagen, Aufkündigng, Delogiergn, u. d. Mietverhältnis d. Hausbesorgers. (44) 8° Prag, C Bellmann 04. — 80
Ricard, X de: Der Zorn, s.: Todsünden, d. 7.
Ricardo's, D, kleinere Schriften. I. Schriften üb. Getreidezölle, s.: Sammlung sozialwiss. Meister.
— Grundzes. d. Volkswirtschaft u. Besteuerg. 2. u. 3. Bd. Sozialwiss. Erläutergn. 2. Afl. v. K Diehl. 2 Tle. 8° Lpzg, W Engelmann 05. 19.60; L. 21.60 (Vollst.: 23.80) 2. (427) 8.60; geb. 9.60 || 3. (329) 11 —; geb. 12 —
— Grundsätze d. Volkswirtschaft u. Besteuerg, s.: Sammlung sozialwiss. Meister.
Ricardus Anglicus: Anatomia (c. a. 1242—52). Ad fidem codicis ms. n. 1634 in bibliotheca Palatina Vindobonensi osservati primum ed. Ritter R Tóbly. (50 m. 1 Taf.) 4° Wien, J Šafář 02. 8 —
Ricoabona, A Frh.: Zeremonien-Büchl., s.: Leiter, A.
Ricci, C, s.: Kunstland, d., Italien.
Rice, AH: Witwe Klix a. d. Laubenkolonie. Aus d. Engl. „Mrs Wiggs of the Cabbage-Patch" frei übertr. v. M S. (196 m. 6 Vollbildern.) 8° Berl., Deut. u. Buch- u. Traktat-Gesellsch. (04). L. 3 — d
Rice, LG: Im Banne d. gold. Wachau. Reisebilder u. Skizzen. (78 m. Abb.) 8° Melk, (H Aigner) 05. 1.20 d
Richard, C: Die Touren d. veredelten Kanarienvögel u. deren Ausartgn. (24) 8° Duderst. (1891). Göttingen, F Haensch. (Nur dir.) — 30 d Vergr.
— Die Zucht d. deut. Kanariensängers. (97) 8° Ebd. (1894). 1.90 d
Richard, E: Die kaufm.-prakt. Ausbildg d. Handelslehrer, s.: Gesellschaft, schweiz., f. kaufm. Bildgswesen.
— Vorschl. z. Revision d. Staatssteuerges. d. Kt. Zürich. (172) 4° Zür., (A Müller's V.) 01. nn 5 — Vergr.
Richard, R: Die männl. Impotenz u. d. gründl. Heilg aller Folgen d. geschlechtl. Jugendsünden u. d. Ausschweifg. 13. Afl. (95) 8° Lpzg, Ernst 02. L. 1.50
Richard, R: Verwehte Klänge. Gedichte. (48) 8° Strassbg, J Singer 05. 1 —
Richards: Captain Jennery, freie Bearbeitg, s.: Koch, H, Vater Jansens Sonnenschein.
Richardson's method, a new method for learning, quickly and thoroughly, the Engl. language. 2 books. 8° Berl.-Schönebg (02). (Berl. [S.42, Wasserthorstr.27], Berolina-Versand-Bh.) 7 — 1. 3. ed. for Germany. (99) 2 — || II. (212) Geb. 5 —
— Méthode. Nouv. méthode enseignant, en peu de temps et d'une manière approfondie, la langue franç. Livre 1er. (92) 12° Ebd. (02). 2 —
Richardson, Mrs A: A drama of sunshine, s.: Unwin's library.
Richarz, F: Üb. d. ferromagnet. Eigensch. v. Legiergn unmagnet. Metalle, s.: Heusler, F.
— Neuere Fortschritte auf d. Geb. d. Elektrizität. 2. Afl. (128 m. Abb.) 8° Lpzg, BG Teubner 02. L. 1.50
— u. R **Schenck:** Üb. Analogien zw. Radioactivität u. d. Verhalten d. Ozons. [S.-A.] (5) 8° Berl., (G Reimer) 03. — 50

Richberg, G: Was uns. heut. Relig.-Unterr. not tut. Vortr. (32) 8° Cass., Hess. Schulbh. R Röttger 04. nn — 50
Richebourg, E, s.: Conteurs, modernes.
Richelmann, G: Herm. v. Wissmann, s.: Perbandt, C v.
Richème, E: Das Schwingen, s.: Dessauges, G.
Richepin, J: Cesarine. Übers. v. L Heinz. (290) 8° Mind., JCC Bruns (08). 3.50; geb. 3 — d
Richert, C: Die Anfänge d. Irregularitäten bis z. 1. allg. Konzil v. Nicäa, s.: Studien, Strassb. theolog.
Richert, H: Schopenhauer, s.: Aus Natur u. Geisteswelt.
Richert, P: Die Physik, s.: Maser, H.
Richter's Führer. 100 Ausfl. in Hamburgs Umgegend. 13. Afl. v. A Thamm. Mit Angaben u. Ratschl. f. Radfahrer v. G Nissen. (107 m. 14 Kart.) 12° Hambg, CHA Kloss 08. Kart. 1.50
— Führer durch Hamburg-Altona u. Umgegend. 37. Afl. (78 m. Pl. u. 2 Kart.) 12° Ebd. 05. 1 —
— dass. Der Harz. 7. Afl. v. AS Thamm. Angaben u. Ratschl. f. Radfahrer v. G Nissen. (275 m. 18 Kart. u. 2 Panoramen.) 12° Ebd. 02. Kart. 2 — || 8. Afl. (Ohne Angabe e. Bearb.) (275 m. 12 Kart. u. 2 Panoramen.) 04. Geb. 2 —
— dass. Ost-Holstein. Touristenführer durch d. östl. Holstein. 3. Fürstent. Lübeck, Herzogt. Lauenburg u. d. Städte Lübeck u. Kiel. 15. Afl. v. AS Thamm. Angaben u. Ratschl. f. Radfahrer v. G Nissen. (131 m. 5 Kart. u. 1 Pl.) 12° Ebd. 04. Geb. 2 —
— guide-books. Hamburg and its environs. 4° ed. (49 m. Pl. u. Kart.) 12° Ebd. (08). 1.30
Richter: Der stündl. Jüngling unter d. Fahne Christi. Gabet- u. Lehrb. (544 m. 8 Vollbildern.) 16° Einsied., Verl.-Anst. Benziger & Co. 04. L. 1.60; Ldr m. G. 2.40 d
— Die Ordensjungfrau in d. Tagen d. Geisteserneuerg. (702 m. Abb. u. 1 St.) 16° Ebd. 05. L. 2.90; Ldr 8 — d
Richter: Empfiehlt sich d. Anstellg besond. Berufsarbeiterinnen d. inneren Mission z. Gewinng u. Sammlg namentlich d. Töchter mittl. u. höh. Stände? Referat. [S.-A.] (7) 8° Berl., (Bh. d. ostdeut. Jünglingsbundes) (03). (— 25) — 15 d
Richter, A: Die Balkenstrahlg d. menschl. Gehirns n. frontalen Schnitten d. rechten Hemisphäre e. 7 Jahre alten Schussverletzg. (48 m. Abb.) 8° Berl., Fischer's med. Bh. 03. 2 —
Richter, A: Blüh. Pflanzen. Künstler. Studien. 2 Lfgn. (Je 10 Taf. m. Text in deut., franzős. u. engl. Sprache auf d. Umschl.) 51,5×35,5 cm. Darmst. 02.08. Wiesb., Hauskunst-Verl, J Köstler. Je 6 — 5 F
— Der Tiefbrand. Anl. z. Ausführg d. Tiefbrenntechnik. 2. Afl. (41 m. 25 Taf.) 8° Ravnsbg, O Maier (04). 2.50 d
— 12 Bog. Vorlagen f. d. Tiefbrenn-Technik, s.: Liebhaber-Künste.
Richter, A: Der Drehstrom-Motor. (7 m. H. u. 1 zerlegbaren Modell.) Fol. Fürth, G Löwensohn (04). Kart. 3 — d
Richter, A: Physiologisch-anatom. Untersuchgn üb. Luftwarzeln m. bes. Berücks. d. Wurzelhaube, s.: Bibliotheca botanica.
Richter, A, s.: Aus d. deut. Lit.
— Deut. Frauen. Kulturgeschichtl. Lebensbilder. 2. Afl. (445 m. Titelbild.) 8° Lpzg, F Brandstetter 05. 4 —; L. nn 5 — d
— Lust. Geschichten a. alter Zeit. 2. Afl. (184 m. Abb.) 8° Ebd. 02. Kart. 2 — d
— Götter u. Helden. Griech. u. deut. Sagen. Als Vorst. d. Gesch.-Unterr. bearb. 3. Bdchn. 5. Afl. (231) 8° Ebd. 06. 1.40; L. nn 1.75 d
— Deut. Heldensagen d. M.-A. 2 Bde. (416 u. 366 m. je 1 Taf.) 8° Ebd. 02. 6 —; in 1 L.-Bd nn 7.50 d
— Quellenb. Für d. Unterr. in d. deut. Gesch. zusammengest.
— Deut. Sagen. Kaiser Otto m. d. Barte. — Der gute Gerhard. — Herzog Ernst. — König Rother. — Der Graf im Pfluge. — Herzog Adelger. — Roland. — Wartburgkrieg. Tannhäuser. — Lengrin. 5. Afl. (283 m. Titelbild.) 8° Ebd. 06. 2 —; L. 3.50 d
Richter, A: Aufgabenb. zu EF Richters Harmonielehre. 19. Afl. (54) 8° Breitkopf & H. 04. 1 —; geb. 1.50; L. 2 — || Schlüssel. 3. Afl. (239) 04. 3 —; geb. 3.50; L. 4 —
— dass. zu EF Richters Lehrb. d. einfachen u. doppelten Contrapunkts. 3. Afl. (64) 8° Ebd. 02. 3 —; geb. 3.50; L. 2.50
— Die Elementarkenntnisse d. Musik. Als Einl. z. Harmonielehre u. m. prakt. Übgn verbunden. 4. Afl. (116) 8° Ebd. 01. 2 —; geb. 2.50; L. 3 —
— Die Lehre v. d. Form in d. Musik. (181) 8° Ebd. 04. 4 —; geb. 4.50; L. 5 —
Richter jr., A: Relig. u. Naturwiss., s.: Volksaufklärung.
Richter, C: Sammlg deut. Gedichte. — Schul-Leseb., s.: Wetzel, F.
Richter, C: Kl. Hdb. d. deut. Synonymen u. synonym. Redeweisen. 2. Afl. (362) 8° Paderb., F Schöningh 02. 2 —; geb. 2.50 d
— Wörterb. d. deut. Sprache, zu tun, um e. gute Schuldisziplin herzustellen u. zu erhalten?, s.: Lehrer-Prüfungs- u. Informations-Arbeiten.
Richter, CF: Fibel, s.: Hausbuch, CG.
Richter, E, s.: Zentralblatt f. Chirurgie.
Richter, E: Hauptdaten d. Weltgesch., sowie Aufg. u. Fragen a. d. Weltgesch. Hilfsmittel beim Gesch.-Unterr. in d. Präparandie, im Seminar u. bei d. Vorbereitg f. d. Lehrerprüfgn. 9. Afl. (106) 8° Bresl., H Handel 02. — 70 || 10. Afl. (151) 03. 1 — || 11. Afl. (154) 04. Kart. 1 — d

Richter, E: Naturlehre(Physik u.Chemie)f. d.Oberst. mehrklass. Schulen. 9. Afl. (56) 8° Bresl., F Goerlich (05). — 25 d
— Physik f. Lehrerbildungsanst., s.: Busemann, L.
— Realienb., s.: Hübner, M.
— 12 denkwürd. Schlachten d. preuss. Armee. 2. Afl. (88 m. 14 Kart.) 8° Bresl., F Goerlich (04). 3 —; geb. 3.50 d
— Wiederholgsb. z. Unterr. in d. Chemie u. Mineral. Für d. Gebr. in Lehrerseminaren bearb. 3. Afl. (180 m. Abb.) 8° Freibg i/B., Herder 02. 2 —; Einbd nnn — 40 d
Richter, E, s.: Burgklebner's, M, tirol. Landschaften.
— Lehrb. d. Geogr., s.: Lehrbuch d. Geogr. f. d. unt. Kl. d. Mittelsch.
— Lehrb. d. Geogr. f. höh. Lehranst. 5. Afl. (266 m. Abb. u. 2 Kart.) 8° Lpzg, G Freytag 02. Geb. 3 —
Richter, E: Ab im Romanischen. (120) 8° Halle, M Niemeyer 04. 3 —
— Zur Entwickelg d. roman. Wortstellg a. d. latein. (175) 8° Ebd. 03. 4.40
Richter, E: So jeht's in de Welt! Plauderei in Dessauer Mundart. (70) 12° Dess., C Dünnhaupt 02. 1 — d
Richter's, E, Adress-Buch d. im Deut. Reiche, in d. österr.-ungar. Monarchie, d. Schweiz, in d. Königr. Dänemark, Schweden, Norwegen, Rumänien, in Russl., Bulgarien, Serbien u. im ges. Orient in selbständ. Praxis thät. Zahnärzte, im Ausl. diplomirt. Dentisten, Zahnkünstler u. Zahntechniker. (Zahnärztl. Adressb. f. d. europ. Kontinent. XIV. Jahrg. Als Fortsetzg d. Dental-Kalenders f. Deutschl., Oesterr.-Ungarn u. d. Schweiz.) Ausg. f. 1904/05. I. u. II. Thl. 8° Berl. (N. 4, Chausseestr. 1a), Dr. E Richter jun. L. 7 — 6 d
I. Deutschl. (344) 3 — II. Oesterr.-Ungarn, d. Schweiz u. d. nicht roman. Länder d. Continents. (126) 4 —
— s.: Journal f. Zahnheilkde.
Richter, E: Xenophon in d. röm. Lit. (24) 8° Berl., Weidmann 05. 1 —
Richter's, **Eugen**, Sozialistenspiegel. Die Wahlfälschgn d. A.-G. Fortschritt. (64) 8° Berl., Bh. Vorwärts 03. — 20 d
Richter, EF: Exercices pour servir á l'étude de l'harmonie prat. (S.-A.) Traduit et annoté par G Sandré. 4. éd. (46) 8° Lpzg, Breitkopf & H. 01. 1 —; L. 4 — d
— Die prakt. Studien z. Theorie d. Musik. In 3 Lehrbüchern bearb. 2. Bd. 8° Ebd. 4.50; geb. 5 —; L. 5.50
2. Lehrb. d. einf. u. dopp. Kontrapunkts. 11. Afl. v. A Richter. (341) 04. 4.50; geb. 5 —; L. 5.50
— De practische studiën in de theorie d. muziek. (In 3 leerboeken.) 1. deel. 8° Ebd. 5 —; geb. 6 —
1. Leerboek der harmonie. Met kanttekeningen voorzien door A Richter. Vrij bewerkt volgens de 19. duitsche uitg. door J Hartog. 2. uitg. (348) 03. 5 —; geb. 6 —
— Traité de fugue, précédé de l'étude des imitations et du canon. Traduit d'après la 6 éd., revue par A Richter, par G Sandré. (192) 8° Ebd. 02. 4.80
— Traité d'harmonie théor. et prat. Traduit par G Sandré. 6ième éd. (200) 8° Ebd. 02. 4 —; geb. 5 —
— Tratado de armonía teórico y práctico. 2. ed. español por F Pedrell. 2. ed. (246) 8° Ebd. 01. 6 —; geb. 7 —
Richter, EL: Führer f. Rad- u. Automobilfahrer in Deutschl,. s.: Ravenstein, L.
Richter, ER, s.: Lesebuch, deut., f. Realsch.
Richter, F: Im Reiche d. Mormonen. Kriminal-Roman a. d. Amerikan. (96) 8° Neuweissens., E Bartels (o. J.). 1 — d
Richter, F, s.: Bericht d. niederösterr. Landesausschusses üb. s. Amtswirksamk.
Richter, G: Deut. Leseb., s.: Haesters, A.
Richter, G: Vater Gossner. (32 m. Abb.) 8° Frieden.-Berl., Bh. d. Gossner'schen Miss. 03. — 20 d
Richter, G: Beitr. z. Gesch. d. Grabeskirche d. hl. Bonifatius in Fulda, s.: Festgabe z. Bonifatius-Jubiläum.
— Der französ. Emigrant Gabriel Henry u. d. Entstehg d. kathol. Pfarrei Jena-Weimar. (1795—1815.) (33) 8° Fulda, Fuldaer Actiendr. 04. — 50 d
— Die adel. Kapitulare d. Stifts Fulda seit d. Visitation d. Abtei durch d. päpstl. Nuntius Petrus Aloysius Carafa. (1627—1802.) [S.-A.] (48) 8° Ebd. 04. — 60 d
— s.: Quellen u. Abhandlungen z. Gesch. d. Abtei u. d. Diöz. Fulda.
Richter, G: Physikal. Karte v. Asien. 1:7,000,000. 6 Bl. je 78× 66,5 cm. Farbdr. Ess., GD Baedeker (04). 20 —; auf L. m. St. 32 —
— Wandk. v. Elsass-L. u. d. Bayer. Pfalz. 1:175,000. 4 Bl. je 79,5×63,5 cm. Farbdr. Ebd. (01). 12 —; auf L. m. St. 17 —
— Wandk. v. Pommern f. d. Schulgebr. 1:200,000. 2 Afl. 6 Bl. je 58,5×63 cm. Farbdr. Lpzg, G Lang (01). 8 —;
auf L. m. St. 12 —
— Wandk. v. Schlesien f. d. Schulgebr. 1:250,000. 3 Afl. 6 Bl. je 59,5×56 cm. Farbdr. Ebd. 10 —; auf L. m. St. 15 —
— Wandk. v. Schleswig-H. 1:150,000. 4 Bl. je 85×67 cm. Farbdr. Ess.-, GD Baedeker (02). 12 —; auf L. m. St. 18 —
Richter, G: Karte d. ostasiat. Kriegsschauplatzes. 1:5,000,000. 57×56 cm. Farbdr. Berl., Berliner lith. Instit. (04.)
m. Metallrä. 1.25
Richter, G: Zur Erinnerg an Carl Alexander, Grossh. v. Sachsen, u. d. grossh. Haus. 4 Schulreden. (75) 8° Jena, O Rassmann (01). 1.50 d
— Grundr. d. allg. Gesch. f. d. ob. Kl. v. Gymnasien u. Realgymnasien. An Stelle d. Grundr. v. R Dietsch. 3. Tl: Neuere Gesch. 3. Afl. (164) 8° Lpzg, BG Teubner 01. Geb. 1.80

Richter, G: Grundr. d. allg. Gesch. f. Mittel- u. Oberkl. v. Gymnasien u. Realgymnasien. 2. Tl: M.-A. 3. Afl. v. H Kohl. (208) 8° Lpzg, BG Teubner 05. Geb. 1.80
— Jena u. s. Gymnasium. Festrede. (78) 8° Jena, O Rassmann 02. 1 — d
— s.: Lehrprobeu u. Lehrgänge a. d. Praxis d. Gymnasien u. Realsch.
— Krit. Untersuchgn zu Senecas Tragödien. (47) 4° Jena 1899. (Lpzg, BG Teubner.) 1.50
Richter, H: Um e. Haar, s.: Daheim, Stenogr.-Bibliothek in vereinf. deut. Stenogr.
— Die Rache ist mein. Kriminal-Roman a. d. Engl. (96) 8° Neuweissens., E Bartels (o. J.). 1 — d
— Meine 1. Wache, s.: Unterhaltungsbücher, neue, f. Stenogr.
Richter, H, s.: Wichtiges a. d. Geb. d. Waldbaues usw.
Richter, H: Aufg. a. d. bürgerl. Geschäftsleben, insbes. d. einf. Buchführg. 5. Afl. (48) 8° Döb., C Schmidt's V. (01). — 30 d
— dass. 1. Heft. Geschäftsaufsätze u. Briefe. 6. Afl. (24) 8° Ebd. (05). — 20 d
— dass. 2. Heft. Einf. Buchführg u. Wechsel. Von Richter u. H Böttcher. 5. Afl. (32) 8° Ebd. (05). — 30 d
— Gröss. Leseb. f. Fortbildgssch. in Stadt u. Land. 8. Afl. (384) 8° Ebd. (01). 1.75; geb. nn 2.05 d
Richter, HF, s.: Sammlung ausgeführter Stilarbeiten.
Richter, I: Anfangsgründe d. Naturlehre f. d. Unterr. an zweiklass. Handelssch. 2. Afl. (152 m. H.) 8° Wien, A Hölder 05. Geb. 1.40 d
Richter, J: Heiteres in d. Mundart d. Leipz. Gegend. (128) 8° Lpzg, Kühnel 05. 2 — d
Richter, J: Üb. d. habituelle Adhärenz d. Placenta. (15) 8° Tüb., F Pietzcker 04. nn — 60
Richter, J: Lehrb. d. Kirchengesch. f. Bürgersch. (107) 8° Wien, Bh. „Reichspost" 03. 1 — d
Richter, J: Ferd. Dorn, e. Pionier d. deut. Handels in Ostasien. 1—5. Taus. (264) 8° Hambg, H Seippel 05. 3 —; L. 4 — d
Richter, J: Der Aufbau uns. südafrikan. Missionskirche. — Die Mission u. d. nichtchristl. Völker, s.: Beiträge z. Missionskde.
— Die deut. Mission in Südindien. Erzählgn u. Schildergn v. e. Missions-Studienreise durch Ostindien. (275) 8° Gütersl., C Bertelsmann 02. 3 —; geb. 3.60 d
— Der Missionar als Missionsagent in d. Heimat, s.: Beiträge z. Missionskde.
— s.: Missionen, d. ev.
— Nordind. Missionsfahrten. Erzählgn u. Schildergn v. e. Missions-Studienreise durch Ostindien. (325) 8° Gütersl., C Bertelsmann 03. 3 —; geb. 3.60 d
— Frederik Salomo Oppermann, s.: Missionsschriften, neue.
— Die Organisation d. heimatl. Missionswesens, s.: Beiträge z. Missionskde.
— s.: Saat u. Ernte auf d. Missionsfelde.
— Vergleidng d. Berliner Transval- u. d. Gossnerschen Kols-Mission, s.: Beiträge z. Missionskde.
— s.: Studien, missionswiss.
Richter, J: Die messian. Weissagg u. ihre Erfüllg m. bes. Beziehg auf ihre Behandlg in d. Schule. (90) 8° Giess., A Töpelmann 05. 1.80
Richter, J: Unser König Friedrich August. Lebensbild. d. sächs. Schulen dargeboten z. Feier d. Geburtstages Sr. Maj. Mit zwei Beitr. v. Jacob. Anh.: Vorschläge f. d. Schülervortr. bei d. Schulfeier. 1. u. 2. Taus. (24) 8° Lpzg, A Hahn 05. — 50 d
— Die pädagog. Lit. in Prankr. währ. d. 16. Jahrh. A. Religsittl. Bildg. I. Die Katechismen. Mit e. Verz. d. Katechismen deut. Ursprgs. (152) 8° Lpzg, J Klinkhardt 04. 3.50 d
Richter, JPF, s.: Jean Paul.
Richter, JWO, s.: Golmen, O v.
— Der aufstreb. Aar. 4 geschichtl. Erzählgn a. d. Jugendzeit d. Gr. Kurfürsten. Mit d. bei d. Enthüllg d. Denkmals d. Gr. Kurfürsten auf d. Sparenberge bei Bielefeld v. d. Autor gehalt. Rede. 2. (Tit.-)Afl. (266 m. 20 Bildern.) 8° Gotha, FA Perthes [01] 03. L. 4 — d
— Atlas f. höh. Schulen. 23. Afl. v. JWO Richter u. C Schulteis. 45 Kart. m. 40 Nebenk. (3 S.-Text.) Fol. Glog., C Flemming 01. Geb. 5 —
— Berlin-Kölln. Zeit- u. Kulturbilder a. d. ält. Gesch. d. Reichshauptstadt u. d. Mark. Landes. (169 m. Abb.) 4° Berl., Cludius & Gaus 02. Geb. (5 —) 2.50 d
— Kaiser Friedrich III. (333 m. Abb. u. Taf.) 4° Berl., A Schall 01. L. (10 —) 9 — d
— Hans Holbein d. Jüng. Eine altdeut. Künstlergesch. (357 m. Abb.) 8° Ebd. (01). 4 —; geb. 5 — d
— Benjamin Raule, d. General-Marine-Direktor d. Gr. Kurfürsten. Vaterländ. Zeit- u. Charakterbild a. d. 2. Hälfte d. 17. Jahrh. (171 m. Abb. u. 1 Karte.) 4° Berl., Cludius & Gaus 01. 2 —; (L. 5 —) 2.50 d
— Prov. Sachsen, s.: Landes-, u. Provinzial-Geschichte.
— Deut. Sagenschatz. 3. Bd. Sagenschatz a. Norddostdeutschl. Ausw. d. schönsten Sagen a. d. preuss. Provv. Brandenburg, Schlesien, Posen, Pommern, West- u. Ostpreussen. (343 m. 4 Abb.) 8° Glog. (01). Berl., Schreiter. L. 3 — (1—3.: 2.50) d
— Deut. Seebildernei. Erzählgn a. d. Leben d. deut. Volkes z. See. Für Jugend u. Volk. 1—3. Bd. (Mit je 1 farb. Voll-

148*

bild.) 8° Altnbg, S Geibel. Kart. 10.50; geb. 13.30; in Geschenkbd 14.50 d
1. Dänenherrschaft u. ihr Ausgang (1901—27). (124) 04. Kart. 1 —;
geb. 1.35 u. 1.50
2. Wismar, Rostock u. Stralsund im Kampfe m. d. Dänenkönige Erich Menved u. s. Verbündeten (1310—17). (182) 04. Kart. 1.50;
geb. 1.85 u. 2 —
3. Die Hansa u. König Waldemar Atterdag. (171) 04. Kart. 1.50;
geb. 1.85 u. 2 —
4. Vom Schiffsjungen bis z. Kommodore e. modernen Schnelldampfers. (194) 04. Kart. 1.50; geb. 1.85 u. 2 —
5. Stralsund z. Z. d. Seeräuber. Eine hans. Bürgermeistergesch. a. d. Wende d. 14. u. 15. Jahrh. (120) 05. Kart. 1 —; geb. 1.35 u. 1.50
6. Ein deut. Seemann a. d. Zeit Friedrichs d. Gr. Erzählg n. d. Mitteilgn J Nettelbecks. (175.) (05.) Kart. 1.50; geb. 1.85 u. 2 —
7. Sr. Maj. Kanonenboot „Iltis" im Auslandsdienste bis z. Untergange — in Kampf u. Sieg. (110) (05.) Kart. 1 —; geb. 1.35 u. 1.50
8. Von Bremen hinaus in d. Welt. Nach Mitteilgn e. alten Kapitäns d. Seeschiffervereins „Weser" u. d. 1. Offiziers e. deut. Reichspostdampfers. (183) (05.) Kart. 1.50; geb. 1.85 u. 2 —
Richter, JWO, s.: Wanderungen durch d. deut. Land.
Richter, K: Plantae europaeae. Enumeratio systematica et synonymica plantar. phanerogamicar. in Europa sponte crescentium vel mere inquilinarum. Operis a R. incepti tom. II. Emendavit edidit que M Gürke. Fasc. III. (321—480) 8° Lpzg, W Engelmann 03. 5 —? (I—II, 3.: 25.)
Richter, K: Der Anschaugsunterr. in d. Elementarkl. Nach sr Aufg., sr Stellg u. s. Mitteln, sowie n. sr geschichtl. Entwickelg dargest. 4. Afl. (20, 379) 8° Lpzg, F Brandstetter 03.
4.50; geb. 5 — d
— s.: Bibliothek, pädagog.
Richter, L: Wie errichtet man e. Gesellsch. m. beschränkter Haftg u. welche Rechte u. Pflichten haben deren Mitglieder? (66) 8° Berl., S Mode (05). 1 — d
— Welche Rechte u. Pflichten haben d. Mitglieder e. eingetrag. Genossenschaft? (51) 8° Ebd. (05). 1 — d
— Was muss man v. Vereins- u. Versammlgswesen wissen? (60) 8° Ebd. (05). 1 — d
Richter, L, s.: Es war einmal.
— Für's Haus. Gesamtausg. d. „Jahreszeiten". 4. Afl. (15, 15, u. 15 Bl.) 4° Lpzg, A Dürr (03). L. m. G. 02 — d
—½.: Kinderengel.
— Kinderleben in Bild u. Wort. Mit Reimen v. J Sturm. (Neue Afl.) 2 Bde. (Je 4 S. u. 40 Bl.) 8° Lpzg, F Riehm 04.
Kart. je 2 — d
— s.: Luther's, M, Brief an s. Söhnlein Hänsigen. — Richter-Buch. — Richter-Gabe. — Richter-Mappe.
— Schiller's Lied v. d. Glocke in Bildern. (Neue wohlf. Volksausg.) (16 Bl. m. 1 Bl. Text.) Fol. Lpzg, A Dürr (04).
In M. 4 — d
— Der Sonntag in Bildern. (Neue Volks-Ausg.) (10 Bl. u. 1 Bl. Text.) 4° Ebd. (01). In M. 3 — d
— Überfahrt am Schreckenstein, s.: Meisterbilder.
— an Georg Wigand. Ausgew. Briefe a. d. J. 1836—58. Hrsg. v. E Kalkschmidt. (203) 8° Lpzg, G Wigand (03). 3.50;
geb. 4.50 d
Richter, LM: Siena, s.: Kunststätten, berühmte.
Richter, M: Gedichte. 2. Afl. (187) 8° Dresd., E Pierson 03.
2.50; geb. 3.50 d
Richter, M: Ev. militärkirchl. Dienstordng. (E. M. D.) Textausg. m. d. Ausführgsbestimmgn d. Kriegsministeriums u. m. Anmerkgn. (94) 8° Berl., ES Mittler & S. 03. 1.80;
kart 2 — d
— u. H Vollmar: Kathol. militärkirchl. Dienstordng. (K. M. D.) Textausg. m. d. Ausführgsbestimmgn d. Kriegsministeriums u, m. Anmerkgn. (104) 8° Berl., Germania 04. Kart. 2 — d
Richter, M: Das Ganze d. Linearzeichnens, s.: Weishaupt, H.
— Prakt. Rechnen f. Realsch., s.: Löwe, M.
Richter, M, s.: Sammlung v. Rechenaufg. f. höh. Lehranst.
Richter, M: Deutsch-Horschowitz, s.: Festschriften f. Gustav-Adolf-Vereine.
— Stoffdarbietgn f. d. Relig.-Unterr. in d. Fortbildgssch., s.: Scherffig, P.
Richter, M: Gerichtsärztl. Diagnostik u. Technik. (304 m. Abb.) 8° Lpzg, S Hirzel 05. 7 —; geb. 8 —
Richter, M: Methodik d. stenograph. Unterr. in Vereinen u. Schulen, s.: Stein's Handbb. f. Lehrer.
Richter, MM: Lexikon d. Kohlenstoff-Verbindgn. I—III. Suppl. 8° Hambg, L Voss. 44.60; HF. 55 —
(Hauptwerk m. I—III. Suppl.: 114.80; geb. 133 —)
I. Litt.-Zeit v. 1.IV.1899—31.XII.1900. (377) 01. 10 —; geb. 13 —
II. Litt.-Jahre 1901 u. 02. (499) 03. 16 —; geb. 20 —
III. Litt.-Jahre 1903 u. 04. (570) 05. 14 —; geb. 22 —
Richter, O: Celebes. — Ethnograph. Miszellen, s.: Meyer, AB.
Richter, O: Untersuchgn üb. d. Magnesium in s. Beziehg z. Pflanze. (1. Thl.) [S.-A.] (48 m. Fig.) 8° Wien, (A Hölder)
02. — 90
Richter, O: Seine Alte od. Ein glänz. Reinfall. — Die weisse Dame. — Er sucht seine Brille od. Überführt. — Ein prakt. Geschenk. — Ich danke, Herr Franke! Od.: Das Käsekirchen. — Ich heirathe meinen Mann. — Ein dummer Junge. — Der Kapitän(Der Alte v. d. Klippe). — Im Krug z. grünen Kranze. — Das verhängnisvolle Liebesgedicht od. Graphol. — Mensch bezahle Deine Schulden. — Ein Menschenkenner od. Er hat Schwein. — Eine vergnügte Nacht. — Sein Patent od.: Die Diebesfalle. — Der Polacke od.: Zum gemütl. Emil. — Das Schwalbennest. — Siegel siegelt Alles od. Sein einz. Patent.

— Wir brauchen keine Männer mehr, s.: Album f. Liebhaber-Bühnen.
Richter, O: Gesch. d. Stadt Dresden in d. J. 1871—1902. Werden u. Wachsen e. deut. Grossstadt.(270 m. Abb., 24 Taf. u. 1 Pl.) 8° Dresd., v. Zahn & J. 03. 10 —; geb. 12 — d
— dass. 2. Afl. (Bill. Ausg.) (189) 8° Dresd. (Breitestr. 9), Buchdr. d. Dr. Güntzschen Stiftg 04. Geb. 1.50 d
Richter, O: Musikal. Programme m. Erläutergn, f. d. Mitglieder u. helf. Freunde d. städt. Singver. u. d. freiw. Kirchenchores zu St. Andreas in Eisleben gesammelt. 2. Afl. (180) 8° Eisl. 02. Brnschw., H Wollermann. an 1.90
— Musikal. Programme m. Erläutergn f. Volkskirchenkonzerte. 2. Afl. (Neue Ausg.) (180) 8° Brnschw., H Wollermann 03. 2 —
— Volkskirchenkonzerte u. liturg. Andachten in Stadt u. Land. Referat. [S.-A.] (26) 8° Lpzg, (Breitkopf & H.) 04. — 40 d
Richter, O: Die nationale Bewegg u. d. Problem d. nationalen Erziehg in d. deut. Gegenwart, s.: Magazin, pädagog.
Richter, O: Latein. Leseb. I—III. Tl. 8° Berl., Nicolai's V.
I. Sexta. 10. Afl. (116) 05. nn 1.25 ⅓ II. Quinte. 9. Afl. (281) 05. nn 2.25
⅗ III. Quarta. 5. Afl. (274) 04. nn 2.75.
— Topogr. d. Stadt Rom, s.: Handbuch d. klass. Altertums-Wiss.
Richter, P: Bannerträger d. Evangeliums in d. Heidenwelt. 2 Bde. (220 u. 204 m. Vollbildern.) 8° Stuttg., JF Steinkopf 05. L. je 2.50; in 1 Bd. 4.50 d
— Neuere Bestrebgn auf d. Geb. d. weibl. Diakonie. Vortr. (32) 8° Görl., R Dülfer 02. — 50 d
— s.: Saat u. Ernte auf d. Missionsfelde. — Studien, missionswiss.
Richter, P: Die Entwickelg d. Dermatol. in Berlin. (47) 8° Berl., A Hirschwald 04. 1 —
— Ueb. Hautpflege, s.: Volksschriften, hygien.
— Ueb. Pemphigus neonator. [S.-A.] (106) 8° Berl., S Karger 02. 2.50
Richter, P: Beitr. z. Flora d. ob. Kreide Quedlinburgs u. sr Umgebg. I. Tl. Die Gattg Credneria u. ein. seltnere Pflanzenreste. (18 m. 6 Taf.) 4¹×30,5 cm. Lpzg, W Engelmann 05. 8 —
Richter, PE: Litt. d. Landes- u. Volkskde d. Kgr. Sachsen. 4. Nachtr. (290) 8° Dresd., (A Huhle) 03. 5 —
— dass, u. Gesch. d. Kgr. Sachsen a. d. J. 1903 u. 4. 5. Nachtr. [S.-A.] (76) 8° Dresd., W Baensch 05. 1.50
(Hauptwerk m. 1—5. Nachtr.: 11.90)
Richter, PF: Functionelle Nierendiagnostik, s.: Casper, L.
— Herzcrankh. u. Stoffwechselkrankh. Einführg in d. Studium d. Physiol. u. Pathol. d. Stoffwechsels. (389) 8° Berl., A Hirschwald 06. 8 —
Richter, R: Einführg in d. Oper v. R Wetz, Das ewige Feuer. (15) 8° Lpzg, E Eulenburg (05). — 50
— Kant-Aussprüche. (110) 8° Lpzg, E Wunderlich 01. 1.20;
geb. 1.60
— Friedrich Nietzsche. Sein Leben u. s. Werk. 15 Vorlesgn. (288) 8° Lpzg, Dürr'sche Bh. 03. 4 —
— Philosophie u. Relig. Vortr. (23) 8° Lpzg, E Wunderlich 05. — 40
— Der Skeptizismus in d. Philosophie. 1. Bd, (34, 364) 8° Lpzg, Dürr'sche Bh. 04. 6 —
Richter, R: Hdb. d. Handelswiss., s.: Braune, A.
Richter, R, s.: Jahrbücher, neue, f. d. klass. Altertum etc.
Richter, R: Schule u. Aufsätze. (347 m. Bildnis.) 8° Lpzg, BG Teubner 02. 5 —; L. 6 — d
Richter, S: Das landw. Ver- u. Genossenschaftswesen (in Österr.). [S.-A.] (147) 8° Wien, (M Perles) 02. 1 —
Richter's, V v., Chemie d. Kohlenstoff-Verbindgn od. organ. Chemie. Neu bearb. v. L Anschütz in Gemeinschaft m. G Schroeter. 2 Bde. 8° Bonn, F Cohen. 31.50; geb. 34.50
1. Die Chemie d. Fettkörper. 10. Afl. (20, 746 m. Fig.) 03. 15 —; geb. 16.50
2. Chemie d. heterocycl. Verbindgn. 9. Afl. (19, 909) 03. 14 —; geb. 15.50
⅚ 10. Afl. (71, 904) 05. 16.50; geb. 18 —
— Lehrb. d. anorgan. Chemie. 11. Afl. (26, 740 m. Fig.) 03. 13 —; geb. 14.50
u. 1 Taf.) 8° Ebd. 01. 9 —; HF. 10 —
Richter, W: Für d. Paul Gerhardt-Denkmal in Lübben, s.: Flugschriften d. Ev. Bundes.
— Für Gottsuchen. Eine Handreichg f. Kleingläubige, e. Stärkg f. Schwache u. s. Wegweiser f. Suchende in Predigten. (264) 8° Gr.-Lichterf.-Berl., E Runge (04). 3.75; geb. nn 4.75 d
— Psalm 90 u. 65. 3 Sylvesteransprachen um d. Jahrh.-Wende. (19) 8° Bresl., Hirt's S. 01. — 40 d
Richter, W: Gesch. d. Stadt Paderborn, 2. Bd. (Bis Ende d. 30jähr. Krieges.) (28, 308) 8° Paderb., Junfermann 03. 3.75
u. geb. 2. 8.25; Einbde in L. je — 75 d
— Preussen u. d. Paderborner Klöster u. Stifter 1802—6. (173) 8° Paderb., Junfermann 03. 2.20 d
— Schulgeogr., s.: Nieberding.
Richter, W: Kunst u. Schule, s.: Abhandlungen, pädagog.
Richter, W: Der Parodos u. d. Stasima in Sophokles' Trachinierinnen. (113) 8° Ebd. 01. 1 — d
Richter v. Binzenthal, F: Die Rosenschädlinge- a. d. Tierreiche, deren wirksame Abwehr u. Bekämpfg. (392 m. Abb.) 8° Stuttg., E Ulmer 03. 6 —
Richter-Arnold, K: Vom Strome d. Lebens. (195) 8° Dresd., E Pierson 01. 3.50; geb. 4.50
Ludwig Richter-Buch. Für Kinder u. Kinderfreunde. 62 Zeichngn v. L Richter m. Geschichten u. Reimen v. J Siebe. (82) 8° Lpzg, G Wigand (04). Geb. 3 — d

Ludwig-**Richter-Gabe.** Auslese a. d. Werken d. Meisters, m. Text v. F Avenarius. Hrsg. v. Leipz. Lehrer-Ver. 1—15. Afl. (16 Bl. m. 7 S. Text.) 4° Lpzg, A Dürr 03-05. 1.— d
Richterich, J: Papst Nikolaus I. (34.IV.858—13.XI.867.) (900) 8° Bern, Stämpfli & Co. 03. (2.40) † 4.—
Richter-Mappe, 1. u. 2. Hrsg. v. Kunstwart. (Je 6 Bl. u. 3 S. Text m. Bildnis.) 4° Münch., GDW Callwey (02.03). Je 1.50
Richter-Zeitung, österr. Hrsg. v. A Nevečeřel. 1. Jahrg. 1904. 12 Nrn. (Nr. 1. 18, 4, 4, 4, 4 u. 4) 4° Czernow., Landesger.-R. Nevečeřel. Viertelj. nnn 4.50 6 H
Richthofen, F Frhr v.: Ergebnisse u. Ziele d. Südpolarforschg. (29 m. 1 Karte.) 8° Berl., D Reimer 05. 1 —
— Führer f. Forschgsreisende. Anl. zu Beobachtgn üb. Gegenstände d. phys. Geogr. u. Geol. Neudr. d. Afl. v. 1886. (734) 8° Hannov., Dr. M Jänecke 01. 12 —; geb. nn 13.50
— Karte d. nordöstl. China. 1:3,000,000. [S.-A.] Kriegskarte III. 39,5×57,5 cm. Farbdr. Berl., D Reimer 1900. 1 —
Kriegskarte [*u. II s. u. d. T.: Bozer-Aufstand in China (im Kat. 1896|1900).*
— Geomorpholog. Studien a. Ostasien. II—V. [S.-A.] 8° Berl. (G Reimer). 2 —
II. Gestalt u. Gliederg d. ostasiat. Küstenbogen. (27) 01. 1 —
III. Die morpholog. Stellg v. Formosa u. d. Riukiu-Inseln. (32 m. 1 Taf.) 02. 1 —
IV. Üb. Gebirgskettgn in Ostasien, m. Ausschl. v. Japan. V. Gebirgskettgn im Japan. Bogen. (92) 02. — s.: Veröffentlichungen d. Instit. f. Meereskde usw.
I bildet: Üb. Gestalt u. Gliederg e. Grundlinie in d. Morphol. Ost-Asiens.
Richthofen, Frhr W v.: Chrysanthemum u. Drache. Vor u. währ. d. Kriegszeit in Ostasien. Skizzen a. Tagebüchern. (288 m. 16 Taf. u. 1 Karte.) 8° Berl., F Dümmler's V. 02. 6 —; geb. 7 —
Richtung, d. moderne, u. d. Kunst. Von Eremita (G Lasson). (267) 8° Gr. Lichterf.-Berl., E Runge (01). 3 —; geb. 4 — d
Richwaldt, A: Sokrates. Trauersp. (134) 8° Dresd., E Pierson 05. 2 — d
Rick, K: Das Maifest d. Benediktiner u. and. Erzählgn. 2. Afl. (329) 8° Hambg, Gutenberg-Verl. Dr. E Schultze 04. 3 —; geb. 4.— d
Rick, W: Im stillen Tal d. Friedens. Ein Dorfidyll in 12 Gesängen. (180) 8° Kornenbg, J Kühkopf 03. †2.80; L. 4.40
Ricken, W: Beschreibg d. Hölzelschen Jahreszeitenbilder in französ. Sprache als Grundl. f. d. Unterr. 3. Afl. (30) 8° Berl., Chemn., W Gronau 02. 1 —
— Neues Elementarb. d. französ. Sprache f. Gymnasien u. Realgymnasien. 6. Afl. (167) 8° Ebd. 04. Geb. 3 —
— La France, le pays et son peuple. Récits et tableaux du passé et du présent. 3. éd. (338 m. Abb., Titelbild u. 1 Pl.) 8° Chemn., W Gronau 05. Geb. 3 —
— Grammatik d. französ. Sprache f. deut. Schulen. 4. Afl. (131) 8° Berl. 03. Chemn., W Gronau. Geb. 1.50 d
— Französ. Gymnasialb. f. d. Unterr. bis z. Abschl. d. Untersekunda. (197) 8° Ebd. 03. Geb. 2.80 d
— Lehrg. d. französ. Sprache f. d. ersten 3 Jahre d. Franzos. Unterr. an Realsch. jeder Art u. an höh. Mädchensch. usw. I—III. Jahr. 8° Ebd. Geb. 2.80 d
I. 3. Afl. (110) 05. 1 — | II.III. Ausg. f. Knabensch. 3. Afl. (186) Berl. 04. 1.80; Ausg. f. Mädchensch. 4. Afl. (160) Berl. 02. 1.80.
— Kl. französ. Leseb. nebst Gedichtsammlg. 3. Afl. (181) 8° Ebd. 04. Geb. 2.60
— Französ. Schulgrammatik f. Lehrerseminare. Fortsetzg z. „Lehrg d. französ. Sprache" f. Präparandenanst. (194 m. 1 Karte.) 8° Ebd. 03.
— dass. f. höh. Mädchensch. (Oberst.) Fortsetzg z. Lehrg. 1. Jahr u. Lehrg. 2./3. Jahr f. höh. Mädchensch. 3. Afl. (194 m. 1 Karte.) 8° Ebd. 04. Geb. 2 — d
— Le tour de la France en 5 mois. Nach G Bruno's „Le tour de la France par 2 enfants" f. d. deut. Schuljugend bearb. 8. Afl. (73 m. 1 Karte.) 8° Ebd. 04. Kart. — 80
— Übgsb. z. Übers. ins Französ. f. d. mittl. u. ob. Stufe. 6. Afl. (148) 8° Chemn., W Gronau 05. Geb. 1.40 d
Ricker, G: Entwurf e. Relationspathol. (84) 8° Jena, G Fischer 05. 7 —
Rickert, H: Der Gegenstand d.Erkenntnis. Einführg in d.Transzendentalphilosophie. 2. Afl. (244) 8° Tüb., JCB Mohr 04. 4 —
— Die Grenzen d. naturwiss. Begriffsbildg. Log. Einl. in d. histor. Wiss. 2. Hfte. (305—743) 8° Ebd. 02. 9 — (Vollst.: 15 —)
Rickert, M, s.: Indianer-Bücher.
Rickmers, CJ: Gesch. d. Kirchspiels Satrup bis z. J. 1800. (222) 8° Gettorf (02). (Brandl., Christl. Bh.) L. 3.—d
Rickmers, WE: Die Beherrschg d. Luft. [Erweit. S.-A.] (16) 8° Wien, E Beyer 03. — 75
— Einführung in d. alpine Literatur. [S.-A.] (23) 8° Münch., Verl. d. deut. Alpenzeitg 04. — 50
Rickmeyer, M, s. a.: Winter, C.
— Frau Katharinchen, s.: Aus lichten Höhen.
Rid, H: Klimalehre d. alten Griechen n. d. geographica Strabos. (62) 8° Kaisersl., E Crusius 04. 1 —
Ridder, L de (K Hauptmann): Späte Erkenntnis. Roman. (Umschl.: 3. Afl.) (276) 8° Bonn, P Hauptmann (03). 2 —
— Lysa v. Drachenfels. Histor. Roman. (Umschl.: 3. Afl.) (237) 8° Ebd. (02). 2 —
Rideamus (F Oliven) s.: Bälle, Berliner. — Hugdietrich's Brautfahrt. — Lenz u. Liebe. — Willis Werdegang.

Ridley, G: Engl. Sprachquetscher. 3. Afl. (160) 16° Wien, A Reitinger 1893. — 80 d
Riebandt, J: Präparat. f. d. erdkundl. Unterr. in Volkssch., f. Seminarzöglinge u. Lehrer. Mit bes. Berücks. d. Kulturgeogr. I. Bd: Das Deut. Reich u. s. Kolonien. (296) 8° Paderb., F Schöningh 03. 3 —; geb. 3.70 d
Riebel, P: Waldwertrechng u. Schätzg v. Liegenschaften. (465 m. 3 Diagr. u. 1 Taf.) 8° Wien, C Fromme 05. 13 —
Riebel, P, s.: Jahrbuch d. preuss. Forst- u. Jagdgesetzgebg. — Zeitschrift f. Forst- u. Jagdwesen.
Riebeling, T: Elternpflicht u. Kindesrecht. Beitrag z. freien Heiratswahl. (66) 8° Lpzg 03. Berl., Verl. d. „Frauen-Rundschau". 1 — d
Rieber, J: Zum Babel-Bibel-Streit in d. Jüngsten Zeit, s.: Sammlg gemeinnütz. Vortr.
— Der moderne Kampf um d. Bibel. Rektoratsrede. (43) 8° Prag, JG Calve 05. — 80
Riebes, W: Üb. d. Leukocyten bei d. Säuglingsatrophie nebst eig. Leukocytenzählgn an 2 atroph. Kindern. (34) 8° Freibg UB., Speyer & K. 05. 1 — d
Riebler, F: Andachts-Büchl. z. Ehren d. hl. Apostels Judas Thaddäus, d. Schutzpatrons in schwier. Lagen d. Lebens. Aus d. Franz. (128 m. 1 Lichtdr.) 10,9×7,3 cm. Ravnsbg, F Albar (05). L.— 60 d
Rieche, H: Hilfsb. z. Berechng v. Evolventenverzahngn. (16 m. Fig.) 8° Cass., G Dufayel 04. (2 —)— 80
Riechers, A: Die Geige u. ihr Bau. 3. Afl. (47 m. 4 L.) 8° Berl., F Wunder (04). 1.50
Riechmann, H: Allerlei Bilder a. meinem Missionarsleben, s.: Missions-Traktate, rhein.
— Unter d. Zwartboois auf Franzfontain, s.: Missions-Schriften, rhein.
Rieck: Die Heilg d. Schwindsucht. [S.-A.] (53) 8° Berl., E Grosser 02. 1 —
Rieck, ME, geb. Woch: Psyche, s.: Danner's, G, Damen-Bühne.
Riecke, E: Bedeutg u. Gefahren d. Geschlechtskrankh. (Nach e. Vortr.) (22) 8° Stuttg., EH Moritz 04. — 20 d
— Hygiene d. Haut, Haare u. Nägel, s.: Bibliothek d. Gesundheitspflege.
— s.: Neisser, A, stereoskop. medizin. Atlas.
Riecke, E, s.: Beiträge, neue, z. Frage d. mathemat. u. physikal. Unterr. an d. höh. Schulen.
— Bettr. z. Frage d. Unterr. in Physik u. Astronomie, s.: Behrendsen, O.
— Lehrb. d. Physik zu eig. Studium u. z. Gebr. bei Vorlesgn. 2 Bde. 2. Afl. (Mit Fig.) 8° Lpzg, Veit & Co. 02. 24 —; Einbde in L. je 1 —
1. Mechanik u. Akustik. Optik. (554) 11 — | 2. Magnetismus. Elektrizität. Wärme. (666) 13 —
— dass. 3. Afl. 2 Bde. 8° Ebd. 05. 25 —; L. 27 —
1. Mechanik, Molekularerscheingn u. Akustik. Optik. (576 m. Fig.) | 2. Magnetismus u. Elektrizität. Wärme. (696 m. Fig.)
— s.: Zeitschrift, physikal.
Riecke, F: Deut. Schulatlas, s.: Keil, W.
— Kl. Schul-Atlas f. mittl. Volkssch. 23 Haupt- u. 21 Nebenk. in Farbdr. Gratisbeigabe: Heimatkarte. 10. Afl. Mit Text auf d. Umschl. 4° Lpzg, BG Teubner 02. — 50; kart. — 60
Riecke, G: Was sagt d. hamburg. Kirchenrecht zu d. Gleichberechtigg d. Richtgn? Referat. (16) 8° Hambg, Gebr. Lüdeking 03. — 30 d
Riecke, O, s. a.: Perron, P.
— HansWitt u. s. Braut, s.: Bloch's, E, Theater-Korrespondenz.
Ried, Herbert: Erzählg f. d. christl. Frauenwelt. (Von Pansy.) Aus d. Amerikan. v. E v. Feilitzsch. Volksausg. (226) 8° Düsseldf, C Schaffnit 01. 1.50 d
Riedberg (E Frau H Greef): Allerleirauh. Lust. u. Trauriges. (154) 12° Hdlbg, Heidelb. Verl.-Anst. u. Druckerei 03. 7 —; geb. 4 — d
— Es war einmal. Roman. (213 m. Bildnis.) 8° Lpzg (02). Berl., H Seemann Nf. 2.50; geb. 3.50 d
— 3 Frauenleben. Roman. (199) 8° Ebd. (01). 4 —; geb. 5 — d
— Heidheimat. Skizzen a. d. Lüneburger Heide. (167) 8° Ebd. (02). 3 —; geb. 4 — d
— Ein Sonntagskind. Roman. (308) 8° Ebd. (02). 2.50; geb. 3.50 d
Riedel's kl. Naturlehre. 12. Afl. v. A Mang. (53 m. Abb.) 8° Hdlbg, vorm. Weiss'sche Univ.-Bh. 05. Kart. — 55 d
— Riedel: Kontrole d. Zu- u. Abgänge bei d. Einkommensteuer u. Ergänzgssteuer. (Staatssteuer-Kontrole). (43) Fol. Culm (1895). (Schwetz, W Moeser.) 1 — d
Riedel's, Frhrn v., Kommentar z. Polizeistrafgesetzb. f. d. Kgr. Bayern v. 26.XII.1871. 6. Afl. v. CA v. Sutner. (426, 690) 8° Münch., CH Beck 02. M 8.— d
Riedel, A: Entwurf e. Schemas z. Bearbeitg f. d. Bezirksärzte d. Kgr. Bayern vorgeschrieb. Jahresberichtes für d. Sanitätsverwaltg im Amtsbez. [S.-A.] (8 m. 1 Formular.) 8° Münch., Seitz & Schauer 05. 1 — d
Riedel, A: Kanlala od. d. Salomonen. Epos n. oriental. Sagen. (551) 8° Dresd., E Pierson 03. 6 —; geb. 7 —
— Weltmänne. Gedichte. (137) 8° Ebd. 02. 2 —; geb. 3 — d
Riedel, B: Die Pathogenese, Diagnose u. Behandlg d. Gallensteinleidens. [Erweit. S.-A.] (145 m. Abb.) 8° Jena, G Fischer 03. 3.60
Riedel, B, s.: Wie wir uns. Heimat sehen.

Riedel, E: Die Schulsparkasse, ihre Einrichtg u. Bedeutg. (24) 8° Elbing, P Ackt (05). 1 — d
Riedel, E: Katech. d. .prakt. Arithmetik, s.: Weber's illustr. Katechismen.
Bisher bearb. v. E Schick.
Riedel, H: Was ist Spiritismus? Ein Wort d. Warng. (8) 12° Stuttg., Bh. d. .deut. Philadelphia-Ver. (1900). nn — 05 d
Riedel, J: Der Kaiser Wilhelm-Kanal u. s. bisher. Betriebs-ergebnisse. [S.-A.] (20 m. Fig. u. 5 Tab.) 8° Wien, (Gerold & Co.) 03. — 80
— Das Verhältn. zw.Niederschlag u.Abfluss. [S.-A.] (6 m. 2 Taf.) 8° Ebd. 03. nn 1 —
— Die Wasserversorgg Wiens. [S.-A.] (11 m. 2 Taf.) 8° Ebd. 04. †1.50
Riedel's, L, ges. Werke. 18—23. Bd. 12° Plauen, R Neupert jr. Je 1.20; kart. je 1.50; L. je 1.80 (1—19 in 4 Bdn : 12 —; geb.16 —) d
18. Der Aasiedel u. ein. kleinere humorist. Erzählgn in vogtländ. Mundart. 3. Afl. (13) 01. ∥ 19. Zeschen u. Büchele. Ein Lustsp. u. kleinere Erzählgn in vogtländ.Mundart. 1—3. Taus. (125 m. 4 Vollbildern.) 01. ∥ 20. Af d. Ufenbank. Ernste u. heit. Erzählgn u. Gedichte in vogtländ. Mundart. (12? m. Titelbild.) (02.) ∥ 21. Der Rutkopf u. ein kleinere humorist. Er-zählgn u. Gedichte im vogtländ.Mundart. 1—3. Afl. (124) (03.) ∥ 22. Blas-blestle u. Garbah. Erzählg, sowie ernste u. heit. Gedichte in vogtländ. Mundart. 1. u. 2. Afl. (194) (04.) ∥ 23. Gehannesfünkele. Gedichte u. kl. Erzählgn lu vogtländ. Mundart. (125) (05.) .
Riedel, R: Beitrag z. Kenntnis d. Hirnabscesse [excl. d. oto-u. rhinogenen]. (127) 8° Gött., (Vandenhoeck & R.) 03. 2.40
Riedel, W: Alttestamentl. Untersuchgn. 1. Heft. (103) 8° Lpzg, A Deichert Nf. 02. 2 —
Rieder, H: Sammlg d. usw. im I. Abschn. d. Lehramtsprüfg gestellten Aufg., s.: Geiger, W.
Rieder, H: Die bisher. Erfolge d. Lichttherapie. (Vortr.) (28) 8° Stuttg., EH Moritz 04. — 75
— Körperpflege durch Wasseranwendg, s.: Bibliothek d. Ge-sundheitspflege.
— Die Röntgogr. in d. inneren Medicin, s.: Ziemssen, H v.
Rieder, I, s.: Bibel d. alten u. neuen Test. in 50 (farb.) Bildern.
— Kurze Gesch. d. Landes Salzburg. (156) 8° Salzbg, A Pustet 05. 1.30; L. 1.75 d
Rieder, J: Ein Blättlein Liebe. Glossen z. Sittlichkeitsbewegg. (54) 8° Lpzg, W Röhmann Nf. 04. 1.25 d
Rieder, J: Mit „Ihr". Techn. Phantasien. (115) 8° Wien, A Hart-leben 05. — 60
— 2 Pfarrer u. and. Bilder a. d. Erwerbsleben. (121) 8° Genf, H Robert (03). 1 — d
Rieder, K, s.: Festgabe, usw. Heinr. Finke gewidmet.
— Der Gottesfreund v. Oberland. Eine Erfindg d. Strassburger Johannisterbruders Nikolaus v. Löwen. (23, 369 u, 368 m, 12 Taf.) 8° Innsbr., Wagner 05. 24 —
— s.: Regesta episcopor. Constantiensium.
Rieder, R, s.: Betrieb, d. moderne, in d. ges. Gerberei usw.
Rieder Pascha, R: Pür d. Türkei. Selbsterlebtes u. Gewolltes. I. u. II. Bd. 8° Jena, G Fischer. 24 —
I. Das Krankenhaus Gülhane. (367 m. Abb. u. 2 Pl.) 03. 10 —
II. I. Die neue Militärmedizinalschule Haidar-Pascha. 2. Bericht üb. d. Krankenhaus Gülhane 1903. 3. Wiss. Arbeiten a. d. Krankenhause Gülhane. (32, 509 m. Abb., 14 Fl. u. 4 L.) 04. 14 —
Riedinger, A: Leitf. d. allg. theoret. Wissens im Schneider-beruf. In Form v. Frage u. Antwort. (63) 8° Dresd., Exp. d. europ. Modenzeitg (04). — 85 d
Riedinger, F: Die Behandlg d. Empyeme, s.: Abhandlungen, Würzburger, a. d. Ges.-Geb. d. prakt. Medizin.
— s.: Chirurgie d. Halses usw.
Riedinger, J, s.: Archiv f. Orthopädie usw.
— Die ambulator. Behandlg d. Beinbrüche, s.: Abhandlungen, Würzburger, a. d. Ges.-Geb. d. prakt. Medizin.
— Morphol. u. Mechanismus d. Skoliose. (83 m. Abb.) 8° Wiesb., JF Bergmann 01. 4 —
Riedinger, P: Der Besitz an gepfänd. Sachen. Zugl. e. Bei-trag z. Lehre v. d. rechtl. Stellg d. Gerichtsvollziehers. (103) 8° Bresl., Koebner 03. 2 —
— Die Staatsverleumdg, s.: Abhandlungen, strafrechtl.
Riedl, CC: Lindauer Kochbuch, f. guten bürger. u. feineren Tisch. 14. Afl. (800 m. 8 Taf.) 8° Lind., JT Stettner 04. 3.50; geb. 4.40 ; L. 4.80 d
Riedl's, M, Herrschafts-Küche. (44, 520) 8° Zür., C Schmidt 03. 7 —; L. 8 — d
Riedl, P: Federzeichngn. Gedichte u. Prosa. (88) 8° Prag, (JG Calve) (02). 1.50
— Karlsbad. Tanzmärchen. In Musik gesetzt v. R Reny. (15 m. 1 Taf.) 12° Ebd. 02. — 60 d
Rieder, A: Gross-Gasmaschinen. (193 m. Abb.) 4° Münch., R Oldenbourg 05. 10 —
— Der Schutz d. Ingenieurtitels, s.: Löschner, H.
Riedlinger, R: Untersuchgn üb. d. Bau v. Stylopsis grossularia d. Ostsee, s.: Acta, nova, acad. etc. naturae curiosor.
Riedt, L: Einst u. jetzt od. e. Kriegsfahrt im J. 1860 u. e. Jubiläumsfahrt im J. 1900. (140) 8° Ravnsbg 01. Münch. (Maris-hilfpl. 32), A Killer. ∥ 2. Afl. (121) 01. Je 1.30 ; L. je 1.75 d
Riefenstahl, G: Prakt. Reitunterr., s.: Krüger, A.
Riefler, S: Projekt e. Uhrenanlage f. d. kgl. belg. Sternwarte in Uccle. (27 m. Abb. u. 2 Taf.) 8° Münch., T Ackermann 04. 2 —
Rieg, B: Gedenkblätter a. d. Leben u. schriftl. Nachlasse d. Domkapitulars Paul Stiegele, s.: Stiegele, P.
Rieg, IK, s.: Almanach f. d. kathol. Geistlichen d. Diöc. Rotten-burg.

Riegel: Neuzeitl. Möbel. — Moderne. Sshnitzereimotive, s.: Franke.
Riegel, E: Der schriftl. Geschäftsverkehr. 30 .Geschäftsanf. sätze, 7 Eingaben an Behörden, 22 Geschäftsbriefe u. einf. Buchführg, nebst vielen Aufgaben in 65 Orig.-Handschriften. 11. Afl. Für Fortbildgssch. (64) 8° Hdlbg, vorm. Weiss'sche Univ.-Bh. 01. — 50 d
— Deut. Gesch. Hilfsmittel in d. Hand d. Schüler; 18. Afl. v. H Itachner. (90) 8° Ebd. 05. Kart. nn — 65 d
Bisher u. d. T.:
— Kurzgef. deut. Gesch. in 73 zusammenhäng. Bildern f. d. Hand d. Schüler. Ergänzt v. PA Büchler. 17. Afl. d. „1. ge-schichtl. Unterr." (80) 8° Ebd. 01. Kart. nn — 55 d
Riegel, F: Die Erkrankgn d. Magens. I. Tl. Allg. Diagnostik u. Therapie d. Magenkrankh. 2. Afl. (336 m. Abb.) 8° Wien, A Hölder 03. 9.60
Riegel, J : Pädagog. Betrachtgn e. Neuphilologen. Beitrag z. Schulreform. (52) 8° Cöth., O Schulze V. 03. — 80 d
Riegelmann, G: Ausgeführte Ornamente. 2—5. Lfg. . (Je 16 Lichtdr.) 49×33 cm. Berl., E Wasmuth (01-05). In M. je 12 —
Rieger, E: Übertragg d. Verstandes- u. Werturteile. (124) 8° Freibg 03. Spey. er K. 05. 1 — d
Rieger, F: Schlachten u. Kämpfe bei Kronstadt. Vortr. [S.-A.] (44 m. 2 Taf.) 8° Wien 01. (Kronst., H Zeidner.) nn — 80
Rieger, J: Der „ges. Kinderschutz". Ausg. A. (1 Bl.) 42.5× 53,5 cm. Tarnowitz, J Rieger (04). (Nur dir.) — 20 ;
Ausg. B.(?) 42,5×27 cm. — 10 d
— Schülerk. d. Stadt- u. Landkreises Beuthen O.-S. 1 : 66,667. 29×37 cm. Farbdr. Tarnow., A Kothe (04). — 15
Rieger's, J, graph. Taf. z. Berechng gewalzter, genieteter u. hölzerner Träger. (2 Bl. auf Karton.) Nebst Text. (4 m. 1 Fig.) 52×24,5 cm. Brünn (03). (Wien, Lehmann & W.) 3 — d
Rieger, P: Hillel u. Jesus. (11) 8° Hambg, (C Boysen) 04. — 50
Rieger, S, s. a.: Reimmichl.
— Bergschwalben. Geschichten. (243 m. 12 Lichtdr.) 8° Innsbr. 2.50 ; L.' 3.75 d
H Schwick 02.
— Im Tirol drinn'. Neue Geschichten a. d. Bergen. 2. Afl. (374) 8° Brix., Pressver.-Bh. 04. 2 —; L. 3 — d
Rieger, WL: Weltkorrespondenz auf Grundl. d. Ziffern-Gram-matik. 2. [Tit.-]Afl. (v. „Ziffern-Grammatik") (196 m. 1 Tab.) 8° Graz, Styria [03] 05. 2.50
1. Afl. u. d. T.:
— Ziffern-Grammatik, welche m. Hilfe d. Wörterbücher' e. mechan. Übersetzen a. e. Sprache in alle anderen ermöglicht. (196 m. 1 Tab.) 8° Ebd. 03. 4 —
Rieger, J: Hdb. üb. d. bad. Sparkassenwesen, s.: Müller, JP.
Rieger, J: Das Duell, nach ganzlich neuen Gesichtspunkten bearb. (206) 8° Saulg., J Riegger (02). 2 — d
Riegl, A: Der moderne Denkmalkultus, s. Wesen u. s. Ent-stehg. (65) 4° Wien, W Braumüller 03. nn 1.60
— Das holländ. Gruppenporträt, s.: Jahrbuch d. kunsthistor. Sammlgn d. allerh. Kaiserhauses.
— s.: Jahrbuch d. k. Zentral-Kommission f. Erforschg u. Erhaltg d. Kunst- u. histor. Denkmale.
— Die spätröm. Kunst-Industrie u. d. Funden in Österr.-Un-garn. 1. Thl. Die spätröm. Kunst-Industrie n. d. Funden in Österr.-Ungarn im Zusammenh. m. d. Ges.-Entwicklg d. bild. Künste bei d. Mittelmeervölkern. (223 m. Abb. u. 23 z. Tl farb. Taf.) Fol. Wien, Hof- u. Staatsdr. 01. · L. 120 —
Riegler, F: Wie erlangt man e. Ebefähigkeits-Zeugnis (Tauu-glichkeits) seitens d. kgl.-ungar. Justiz-Ministers? (78) 8° Graz, Styria 02. 1.20 ∥ 2. Afl. (104) 04. Kart. 1.50
— Ungarn staatl. Matrikelämter samt zugestellten Ortschaften m. ihren ungar., deut., slav. u. rumän. Benenngn. (352) 8° Ebd. 04. L. 4.20
Riehemann, J: Osnabrücker Dichter u. Dichtgn. Anthol. in hoch- u. niederdeut. Sprache. (256) 8° Osnabr., F Schöningh 05. — ; geb. 2.50 d
— Der Humor in d. Werken Justus Mösers. [S.-A.] (106) 8° Ebd. 02. 1 — d
Riehl, A: Zur Einführg in d. Philosophie d. Gegenwart. 8 Vortr. (258) 8° Lpzg, BG Teubner 03. ∥ 2. Afl. (274) 04. Je 3 g; L. je 3.50
— Rudolf Haym. Rede. (25) 8° Halle, M Niemeyer 02. — 50
— Herm. v. Helmholtz in s. Verhältnis zu Kant. [S.-A.] (48) 8° Berl., Reuther & R. 04. 1 —
— Immanuel Kant. Rede. (30) 8° Halle, M Niemeyer 04. — 80
— Friedr. Nietzsche, s.: Frommann's Klassiker d. Philosophie.
— Plato. Populär-wiss. Vortr. (35) 8° Halle, M Niemeyer 05. — 80
Riehl, A, s.: Spruch-Praxis, d.
Riehl, B: Augusburg u. s. Baudenkmäler. s. berühmte.
— Gesch. d. Stein- u. Holzplastik in Ober-Bayern v. 12. bis z. Mitte d. 15. Jahrh. [S.-A.] (76 m. 5 Taf.) 4° Münch., (G Franz' V.) 02. 3 —
— Wilh. v. Kaulbach. [S.-A.] (44 m. Abb. u. 11 Taf.) 4° Münch., · J Hanfstaengl (05). 8 —
— s.: Kunstdenkmale, d., d. Kgr. Bayern.
— Die Münch. Plastik in d. Wende v. M.-A. z. Renaissance. [S.-A.] (83 m. 8 Taf.) 8° Münch., (G Franz' V.) 04. 4 —
Riehl, J: Vinschgauer u. Fernbahn in Bieziehg z. Scharnitzer-Linie. Vortr. (31 m. 1 Karte u. 1 Taf.) 8° Innsbr., (Wagner) 05. 1 — d
Riehl, WH: Am Feierabend. 6 neue Novellen. 4. Afl. (337) 8° Stuttg., JG Cotta Nf. 02. 4 —; L. 5 — d

Riehl, WH: Geschichten a. alter Zeit. 1. u. 2. Reihe. 3. Afl. 6. Abdr. (268 u. 313) 8° Stuttg., JG Cotta Nf. 04. Je 3 —;
L. je 4 — d
— Kulturstudien a. 3 Jahrhunderten. 6. Afl. (445) 8° Ebd. 03.
4 —; L. 5 — d
— Land u. Leute. Schulausg. m. e. Einl. u. Anmerkgn v. T Matthias. 2. Afl. (180) 8° Ebd. 02. Geb. 1.20 d
— Die Naturgesch. d. Volkes als Grundl. e. deut. Sozial-Politik. 3. u. 4. Bd. 8° Ebd. Je 5 —; L. je 6 — d
3. Die Familie. 12. Ad. (321) 04. | 4. Wanderb. als 2. Tl zu „Land u. Leute". 4. Ad. (402) 05.
— Kulturgeschichtl. Novellen. 5. Afl. (454) 8° Ebd. 02. 4 —;
L. 5 — d
— 6 Novellen. Schulausg. m. e. Einl. u. Anmerkgn v. T Matthias. (239 m. 1 Skizze.) 8° Ebd. 02. Geb. 1.20 d
— Ovid bei Hofe, s.: Handbibliothek, Cotta'sche.
Riehm, G: Schöpfg u. Entstehg d. Welt. Darwinismus u. Christentum. 2 Vortr. [S.-A.] 9. u. 10. Taus. (32) 8° Gött., Vandenhoeck & R. 03. — 40 d
— Hat d. christl. Weltanschaug d. Naturwiss. zu fürchten? Vortr. (24) 8° Potsd., Stiftsverl. 04. — 60 d
Riehm, G: Buntes a. d. Chinesenreiche, s.: Unterhaltungs-Bibliothek, Steyler.
Riehm, H: Bibl. Real-u. Verbal-Handkonkordanz, s.: Büchner, G.
Riehn, R: Das Konsumvereinswesen in Deutschl., s.: Studien, Münch, volksw.
— Die Umsatzsteuer im Herzogt. Braunschweig, s.: Volksbücher, genossenschaftl.
— u. J Giesberts: Arbeiterkonsumver., s.:Schriften d. Gesellsch. f. soz. Reform.
Rieker, K: Sinn u. Bedeutg d. landesherrl. Kirchenregiments. Vortr. (34) 8° Lpzg, Dörffling & Fr. 02. — 40 d
Rieker, P: Jack u. ich, s.: Rosen-Knospen.
Rieks, J: Emmerich-Brentano. Heiligsprechg d. stigmatisierten Augustiner-Nonne AK Emmerich u. deren 5. Evangelium n. Clemens Brentano. (425 m. 1 Bildnis.) 8° Lpzg 04. Gött., Vandenhoeck & R. 3.50 d
— Röm. Vorstösse d. Bonifatiusver. u. Bischof Strossmayer. Vortr. (17) 8° Zeitz, C Brendel (05). (Nur dir.) — 30 d
— Das Zentrum u. d. Protestanten, s.: Zeitfragen d. christl. Volkslebens.
Bieländer, A: Das Paroophoron. (116 m. Abb. u. 1 Taf.) 8° Marbg, NG Elwert's V. 05. 2.80
**Riem's Rechentab. f. Multiplikation. 2. Afl. (99 Doppels.) 8° Münch, E Reinhardt 01. 6 —; geb. nn 7.50
**Riemann's, B, ges. mathemat. Werke. Nachträge, hrsg. v. M Noether u. W Wirtinger. (116 m. Fig.) 8° Lpzg, BG Teubner 02. 6 — (Hauptwerk u. Nachtr.: 24 —)
— Vorlesgn üb. partielle Differentialgleichgn, 4. Afl., s.: Weber, H.
Riemann, E: Das schles. Auenrecht. (24) 8° Bresl., (Maruschke & B.) 02. 1 — d
— dass. 2. Afl. (99) 8° Bresl., WG Korn 04. Kart. 1.60 d
— Das Wasserrecht d. Prov. Schlesien. (126) 8° Ebd. 06. Kart. 2 — d
Riemann, FW: Die Getreuen in Jever. Von e. Getreuen. 2. Afl. (97 m. Abb.) 8° Oldnbg, Schulze (05). Geb. 1.50 d
— Wangeroog, d. Insel u. d. Seebad, in Vergangenh. u. Gegenwart. (45 m. Abb. u. Kartenskizzen.) 8° Ebd. (05). — 60 d
Riemann, G: Die Nachbarskinder. Das Gesangbuch, s.: Erzählungen f. Taubstumme.
— Schwerhörige, Ertaubte u. Taubstumme. Prakt. u. pädagog. Ratgeber f. Ohrenleid. u. deren Angehörige. 3. Afl. (64 m. Abb.) 8° Lpzg, T Grieben 03. 1 — d
— Psycholog. Studien an Taubstumm-Blinden. (35) 8° Berl., T Fröhlich's Nf. 05. 1 — d
Riemann, H: Anl. z. Generalbass-Spielen (Harmonie-Übgn am Klavier). — Anl. z. Partiturspiel, s.: Hesse's, M, illustr. Katech.
— L van Beethoven's Quartett in B-dur u. Quartett-Fuge in B-dur: Streich-Quartett in A-moll; Streich-Quartett op. 127 (Es-dur); Streich-Quartett Cis moll op. 131, s.: Musikführer, d.
— Grundr. d. Kompositionslehre (musikal. Formenlehre), s.: Hesse's, M, illustr. Katech.
— Hdb. d. Musikgesch. 1. Bd. 2 Tle. 8° Lpzg, Breitkopf & H. 14 —; L. 17 —
I.1. Altertum. (256) 04. 5 —; geb. 6.50 | 2. M.-A. (bis 1450). (310 m. Notentaf.) 06. 9 —; geb. 10.50.
— Katech. d. Musikdiktats (Systemat. Gehörsbildg). — Katech. d. Musikgesch. — Katech. d. Musikinstrumente (Kl. Instrumentationslehre). — Katech. d. Orchestrierg (Anl. z. Instrumentieren). — Katech. d. Orgel (Orgellehre), s.: Hesse's, M, illustr. Katech.
— Gr. Kompositionslehre. 1. u. 2. Bd. 8° Berl. Stuttg., W Spemann. je 14 —; geb. je 16 — d
1. Der homophone Satz (Melodielehre u. Harmonielehre). (581) 02. 2. Der polyphone Satz (Kontrapunkt, Fuge, Kanon.) (446) 08.
— Die Lehre v. d. musikal. Komposition, s.: Marx, AB.
— Manuel de l'harmonie. Traduit sur la 3. éd. allemande. (248) 8° Lpzg, Breitkopf & H. 02. 6 —; L. 7 — d
— Wie hören wir Musik? Grundlinien d. Musik-Asthetik. — Allg. Musiklehre, s.: Hesse's, M, illustr. Katech.
— Musik-Lexikon. 6. Afl. 24 Lfgn. (20, 1506) 8° Lpzg, M Hesse 04.05. 12 —; geb. 14.50 d
— Präludien u. Studien. Ges. Aufsätze z. Aesthetik, Theorie u. Gesch. d. Musik. 3. Bd. (228) 8° Lpzg (01). Berl., H Seemann Nf. 4 —; geb. 5 — (1—3.: 12 —; geb. 15.50)

Riemann, H: Das Problem d. harmon. Dualismus. [S.-A.] (36) 8° Lpzg, CF Kahnt Nf. 05. — 60
— R Schumann's 4. Symphonie in D-moll, s.: Musikführer, d.
— System d. musikal. Rhythmik u. Metrik. (316) 8° Lpzg, Breitkopf & H. 03. 7.50; geb. 8.50; L. 9 —
— Textbook of simple and double counterpoint including imitation or canon. Translated by SH Lovewell. (208) 8° Ebd. 04. 5 —; geb. 6 —
— R Volkmann's Symphonie No. 1, op. 44 (D moll) u. 2. Symphonie (B-dur) Op. 53, s.: Musikführer, d.
Riemann, L: Einstimm. Chorb. Ausw. v. Volks-, volkstüml. u. Kunstliedern f. höh. Lehranst., Seminarien, Männergesangver. u. gesell. Kreise. (77) 8° Lpzg, Breitkopf & H. (03). Kart. 1 —
Riemann, O: Der lebend. Jesus Christus. Eine Ausw. Predigten. 2, durch e. Abschiedspredigt verm. Ausg. (247) 8° Berl., Schriftenvertriebsanst. 04. 2.40; geb. 3 — d
— Die christl. Lebensgewissheit angesichts d. Todes. Predigt. (12) 8° Ebd. 04. — 30 d
— Für d. Lebensweg. Gedenkblätter z. Erinnerg an d. Konfirmationstag. 2. Afl. (109 m. 1 Lichtdr. u. 6 farb. Spruchbildern.) 8° Ebd. 06. 1 — d
— Leitf. f. d. ev. Relig.-Unterr., e. Darstellg d. Inhaltes uns. christl. Glaubenslebens auf d. Grundlage d. hl. Schrift u. im Anschl. an Luthers kl. Katech. 5. Afl. (220) 8° Ebd. 03. Kart. 1.50 d
— Mein Lied. Kl. Gedichte. (87) 12° Berl., ES Mittler & S. 01. Mit 0. 1.50 d
— Luther u. d. letzte deut. Katholikentag. Ansprache. (16) 8° Berl., Schriftenvertriebsanst. 01. — 25 d
— Ein anfklär. Wort üb. d. Spiritismus auf Grund prakt. Erfahrgn u. wiss. Studien. 2. Afl. (28, 97) 8° Berl., KJ Müller 01. 1.20 d
Riemann, P: Einheitl. Religionsb., s.: Franke, K.
Riemann, R: Björn d. Wiking, German. Kulturdrama. (76) 8° Lpzg (01). Berl., H Seemann Nf. 2 — d
— Gottfried Aug. Bürger, s.: Universal-Bibliothek.
— Goethes Romantechnik. (416) 8° Lpzg 02. Berl., H Seemann Nf. 6 —; geb. 7.50
Riemasch, O: Die Episode. Schausp. (119) 8° Lpzg (01). Berl., H Seemann Nf.
Riemenschneider: Verordng betr. d. Schulwesen d. Reg.-Bez. Arnsberg, s.: Sachse.
Riemenschneider, G: E d'Albert's Konzert (Cdur) f. Violincello m. Begleitg d. Orchesters. — J Frischen's 2 Orchesterstücke „Herbstnacht" u. „Ein rhein. Scherzo". — B Godard's Scénes poét. — JL Nicode's d. Meer. — P Tschaikowsky's Nussknacker, s.: Musikführer, d.
Riemer, E: Der Relig.-Unterr. an höh. Schulen. Mit bes. Berücks. d. Schulverhältn. Russlds. (109) 8° St. Petersbg, (Eggers & Co) 05. 1 — d
— Die Selbsttätig. d. Schüler im Unterr. (35) 8° Ebd. 04. 1 —
Riemer, H: Moderne Fenster-Dekorationen, s.: Musterbuch f. d. Dekorateur.
Riemer, J: Das Schachtabteufen in schwierigen Fällen. (135 m. Abb. u. 19 Taf.) 8° Freibg, Craz & G. 05. 6 —
Riemer, M: Gesch. d. Kirchgemeinde Badeleben (Aus d. Vergangenh. meiner Heimat), s.: Kirchengalerie d. Prov. Sachsen.
Rienhardt, A: Der höh. württembg. Staatsdienst. Die Vorschriften üb. d. Befähigg f. d. Justiz-, Verwaltgs- u. Finanzdienst u. d. Verwendg v. höh. Justiz- u. Verwaltgsbeamten im Reichsdienst (Marine-, Konsulats- u. Kolonialdienst), nebst e. Anh.: Anl. z. Studium d. Rechtswiss., Aufg. bei d. ersten höh. Justizdienstprüfgn 1899/1903, Promotionsbestimmgn d. jurist. u. staatswiss. Fakultät d. Univ. Tübingen. (109) 8° Tüb., G Schnürlen 04. 1.80 d
— Die Vorschriften üb. d. Ausbildg f. d. realist. Lehramt in Württemberg auf Grund d. Verfügg d. k. Ministeriums d. Kirchen- u. Schulwesens v. 12.IX.1898 unter Beifügg d. einschläg. Bestimmgn, insbes. üb. Ergänzgs-Prüfgn d. Realabiturienten, Vorbereitgsdienst u. Stipendien. (41) 8° Ebd. 05. — 90 d
Riepenhausen, FJ: Pius-Buch. Lebensbild Papst Pius X. 1—3. Taus. (128 m. Abb. u. 1 Farbdr.) 12° Heiligenst., FW Cordier (04). 1 —
Ries, B: Von d. Zeichng z. Nadelarbeit. Versuch e. inneren Verbindg v. Zeichen- u. Handarbeits-Unterr. an Mädchen- u. Frauenarbeitsch. 1. Hefte. 51×36 cm. 4 m. Stuttg., K Wittwer (03). 15 —
1. (12 Lichtdr. m. 4 S. Text.) 6 — | 2. (14 [3 farb.] Lichtdr. m. 4 S. Text.) 9 —
Ries, C: Die Gefahren d. allg. Volkssch. (Einheitssch.). (72) 8° Frankf. a/M., Kesselring (01). 1 — d
— Zum Kampf um d. allg. Elementarsch. (40) 8° Ebd. 4. Text.) 9 —
Ries, F: Führer durch d. Stadtgarten zu Karlsruhe. 2. Taus. (126 u. 8 m. Abb. u. 1 Pl.) 12° Karlsr., Macklot 02. nn — 60
— Die Gartenkunst, s.: Meyer, FS.
**Ries, G, z.: Obst-, Gartenbau- u. Bienenzucht-Kalender.
Ries, J: Apoth.-Sammlg f. d. Unterr. im kaufmänn. Rechnen. 3. Afl. (70) 8° Nürnbg, Heerdegen-Barbeck 05. 1 — d
Ries, K: Üb. unverschuld. gerichtl. Erkrankgn. Vortr. (31) 8° Stuttg., F Enke 03. 1 —
— Üb. Nervenheiltg., s.: Monatsschrift f. Harnkrankh., 05. — 80
— s.: Monatsschrift f. Harnkrankh. u. sexuelle Hygiene.

Ries, M: Ein Schiddach a. Liebe. (Eine Liebesheirat.) Humoreske a. d. jüd. Volksleben. 2. Afl. (125) 8° Frankf. a/M., J Kauffmann 04. — 1 — d
Riese, d., ohne Herz, s.: Schulbibliothek Stolze-Schrey.
Riesebieter, O; Das BGB. nebst Einführgsges. m. d. v. Reichsgericht in d. amtl. Entscheidgn in Zivil- u. Strafsachen ausgesproch. Rechtssätzen in Kommentarform. (772) 8° Oldnbg, G Stalling's V. 05. L. 7 — d
— Das Handelsgesetzb. v. 10.V.1897, nebst Einführgsges. unter Ansschl. d. Seerechts m. d. Rechtsprechg d. Reichsgerichts in Kommentarform. (278) 8°-Ebd. 05. L. 4.25 d
— Die Rechtsprechg d. Reichsgerichts z. BGB. nebst Einführgsges. n. d. amtl. Entscheidgn d. Reichsgerichts in Zivil- u. Strafsachen. Kommentarweise zusammengestellt. Ausg. 1905. (212) 8° Ebd. 05. L. 3.60 d
Riesen, Frau G, s.: Wiesen, V.
Riesen, P; Das schlüssellose Noten-System d. Zukunft. Mit e. Anh. v. 5 im neuen System ausgeführten Musikplécen.(Umschl.: Revolte od. Reform?) 1. u. 2. Afl. (21) 8° Dresd., Calebow & Co. 02. (?) — 90
Riesenfeld, C-E: Die Anstellg v. Handels- u. Schiffahrts-Sachverständ. durch d. amtl. kaufmänn. Interessenvertretgn in Preussen. (226) 8° Berl., Weidmann 01. Kart. 4 —
Riesenfeld, S; Das Wechselrecht in Frage u. Antwort. (141) 8° Berl., A W Hayn's Erben 02. 2 — d
Riesengebirge, d., in 24 Bildern. Nach Orig.-Aufnahmen v. A Rehbert. (Neue [Tit.-]Ausg.) 8° Warmbr., M Leipelt [1899](01). Geb. 1.20; in 50 Bildern 1.80; in 75 Bildern 2.40; in 100 Bildern. (04.) 3 —
Riesengebirgs-Nüsse, 20. Vorgelegt u. geknackt v. X Y. Scherz-u. Denkfragen f. müss. Stunden. (16) 12° Reichenbg, P Sollors Nf. (03). — 30 d
Riesenthal, O v.: Die Stiefel d. Herrn Oberforstmeisters, d. verrückte Keiler sowie and. lust. u. ernste Gesch. u. Gedichte a. d. Leben e. alten Forstmannes. (131 m. Bildnis.) 8° Neud., J Neumann 03. 2 — d
Rieser, J: Pannerherr Kollin od. Die Schlacht bei Arbedo, s.: Bibliothek vaterländ. Schausp.
Rieser, M: Ferienstunden, s.: Jugendbibliothek, deut.
Riess, A: Die Mitwirkg d. gesetzgeb. Körperschaften bei Staatsverträgen u. deut. Staatsrechte, s.: Abhandlungen a. d. Staats-u. Verwaltgsrecht.
Riess, C: Auswärt. Hoheitsrechte d. deut. Einzelstaaten, s.: Abhandlungen a. d. Staats- u. Verwaltgsrecht.
Riess, E: Der Anspruch d. Berechtigten a. Rechtshandlgn e. Unberechtigten (§ 816 BGB). Zugl. e. Beitr. z. Lehre v. d. ungerechtfert. Bereicherg. (96) 8° Bresl., M & H Marcus 02. 2.40
Riess, L: Allerlei a. Japan, s.: Bücherei, deut.
Riess, P: Der Antrag d. Herrn Baron, s.: Glaser's, C, Theater-Bibliothek.
Riesser: Zur Aufsichtsratsfrage. [S.-A.] (34) 8° Berl., O Liebmann 03. 1.20
— Die Entwicklgsgesch. d. deut. Grossbanken m. bes. Rücks. auf d. Konzentrationsbestrebgn. Vorträge. (284) 8° Jena, G Fischer 05. 7 —; geb. 8 —
— Die Nothwendigk. e. Revision d. Börsenges., s.: Zeitfragen, volksw.
Riesser, P: Das Buch Daniel, s.: Kommentar, kurzgef. wiss., zu d. hl. Schriften d. Alten Test.
Rietdorf, P: Methodisch geordn. Sammlg v. Aufg. f. d. kaufmänn. Rechnen. 1—4. Afl. (64) 8° Berl., L Oehmigke's V. 02-05. — 60; Resultate. (68) 02. 1 — d
Rieth, F: Skizzen u. prakt. Fälle bezügl. d. Erb- u. Pflichtheilrechtes, sowie d. ebel. Güterrechtes. (44) 8° Nürnbg (04), (Fürth, G Rosenberg.) 1 — d
Rieth, H: Praedicate. Anl. f. d. Kanzel, moderner Anforderg entsprechend. (97) 8° Bresl., G P Aderholz 05. 1.20 d
Rieth, O: Skizzeu. Architekten u. dekorative Studien u. Entwürfe. 2. u. 3. Folge. Je 30 Bl. Handzeichngn in Lichtdr. 2. Afl. (5 u. 7 S. Text.) 42,5×28 cm, Lpzg, Baumgärtner (04). L, je 20 —
Riether, G: Unser Kind. Ein Vormerkbüchl. (Lebensb.) üb. d. Gedeihen u. d. Entwicklg d. Kindes, nebst d. wichtigsten Vorschriften üb. d. Ernährg u. Pflege hauptsächlich f. d. 1. Lebensj. (47 m. Abb.) 8° Wien, A Hölder 02. 1 — d
— Therapie im Säuglingsalter, s.: Handbibliothek, medizin.
Riethmüller, F: Rechenb. f. höh. Mädchensch., s.: Högemeyer, G.
Rietmann, J: [S.-A.] 2. Tl. 8° Lpzg, E Strauch. Kart. 9.10 d
1. 91 Charakter- u. Waffentänze. 3. Afl. (348 m. Abb.) (01.) 2.80
2. Reigen u. Reigentänze, enth. 18 Frei- u. Stabübgsreigen u. 23 Reigentänze. 3. Afl. (328 m. Abb.) (05.)
3. Reigen u. Reigentänze f. Schulen u. Turnver. (262 m. Abb.) (01.) 5 —
Rietmann, H: D' Wasserversorgig. Lustsp. (in 1. Musikbeil. 2) 12° Aar., HR Sauerländer & Co. 04. — 40 d
Rietsch, H: Die deut. Liedweise. Ein Stück positiver Ästhetik d. Tonkunst. Mit e. Anh.: Lieder u. Bruchstücke a. e. Handschrift d. 14/15. Jahrh. (256) 8° Wien, C Fromme 05. 5 — d
Rietsch, J: Die nachevangel. Geschicke d. bethan. Geschwister u. d. Lazarusreliquien zu Andlau. (59) 8° Strassbg, FX Le Roux & Co. 02. — 90
Rietsch, KF: Hdb. d. Urkundenwiss. (550) 8° Bas., Basler Buch- u. Antiquariatsh. vorm. A Geering 03. 16 — d
— dass. 2. Afl. (24, 848) 8° Berl., Struppe & W. 04. 20 —; HF. 22.50 d

Rietsch, KF: Der besond. Voraussetzgstatbestand beim Vergleich. (132) 8° Berl., Struppo & W. 06. 2 — d
Rietschel's, E, Jugenderinnergn, s.: Hesse's, M, Volksbücherei.
— Volksbücher, Wiesbad.
Rietschel, G: Die Frage d. komm. Pfingstfestes beim Schluss d. Synodalarbeit.: Ist d. Reich Gottes inwendig in euch? Predigt. (16) 8° Dresd., v. Zahn & J. 01. — 25 d
— Gedächtnisrede bei d. akadem. Trauergottesdienst d. Univ. Leipzig. z. Andenken an König Albert v. Sachsen. (12) 8° Lpzg, (A Edelmann) (02). — 40 d
— Wie verhält sich d. ev. Kirche d. soz. Frage gegenüber, insbes. wie haben sich d. Geistlichen dieser Kirche als deren Diener in soz. u. wirtschaftl. Fragen zu verhalten? Rede. (34) 8° Ebd. (04). — 60 d
— Weihnachten in Kirche, Kunst u. Volksleben, s.: Sammlung illustr. Monographien.
Rietschel, H: Leitf. z. Berechnen u. Entwerfen v. Lüftgs- u. Heizgs-Anlagen. 3. Afl. 2 Thle.-(462 u. 211 m. Fig. u. 28 Taf.) 8° Berl., J Springer 02. L. 20 —
Rietschel, S: Das Recht am eig. Bilde. [S.-A.] (55) 8° Tüb., JCB Mohr 03. 1.20 d
— Untersuchgn z. Gesch. d. deut. Stadtverfassg, (In 2 Bdn.) 1.Bd. Das Burggrafenamt u. d. hohe Gerichtsbark. in d. deut. Bischofsstädten währ. d. früh. M.-A. (344) 8° Lpzg, Veit & Co. 05. 10 —
Riezler, E: Kommentar z. BGB. f. d. Deut. Reich, s.: Kommentar. — Staudinger, J. v.
Riezler, S: Gesch. Baierns, s.: Staatengeschichte, allg.
— Das glückliche Jahrh. bayer. Gesch. 1806—1906. (59) 8° Münch., CH Beck 06. Kart. 1 — d
— Kriegstagebücher a. d. ligist. Hauptquartier 1620.. [S.-A.] (134) 4° Münch., (G Franz' V.) 03. 4 —
— Nachtselden u. Jägergeld in Bayern. Im Anh: Jägerbücher d. Herzogs Ludwig im Bart v. Bayern-Ingolstadt (1418 u. flgd. J.). [S.-A.] (95) 8° Ebd. 05. 3 —
— Die Chronik bei Alerheim, 3.VIII.1645. [S.-A.] (72) 8° Ebd. 01. 1 —
— u. KT v. Heigel: Zur Erinnerg an d. 80. Geburtstag d. Prinzreg. Luitpold v. Bayern. 2 Festreden. (35) 8° Münch., CH Beck 01. — 80 d
Rifari, LA: Neueste Auslese frapanter Scherzfragen, s.: e. Unterschied? 3. Afl. (32) 8° Lpzg, AF Schöffel (05). — 60 d
Riff, J: Bieje — awer nit breche!, s.: Volksschriften, elsäss.
— D'r Erbunkel. Lustsp. (34) 8° Strassbg, (J Singer) 03. nn — 50 d
— D'r Parisler. Elsäss. Volksstück m. Gesang u. Tanz. Gesangseiul. v. J Heyberger u. J Pache. (45, 21 u. 1 m. 1 Abb.) 8° Schiltigh., (Bartl & Reimann) 04. 1 — d
— D'r Pfetter vum Land od'r e Kindtauf m. Hindernisse. — Telegraphie ohni Droht, s.: Volksschriften, elsäss.
Riffarth, H: Helioguvidae, s.: Stichel, H.
Riffel, A: Schwindsucht u. Krebs im Lichte vergleichend-statistisch-genealog. Forschg. 2 Tle. (80 u. 41) 8° Karlsr., F Gutsch 05. 5 —
— Weit. pathogenet. Studien üb. Schwindsucht u. Krebs u. ein. und. Krankh. (107 m. 35 Taf.) 8° Frankf. a/M., J Alt 01. In M. 16 —
Riffert, J: Huttens erste Tage. (Dramat. Gedicht.) Luthers Abschied v. d. Wartburg. (Dramat. Gedicht.) (100) 8° Langens., Schmlbh. 05. 1.20 d
— Das Spiel v. Fürsten Bismarck od. Michels Erwachen, s.: Meyer's Volksbb.
Riga u. s. Bauten. Hrsg. v. Rigaschen techn. Ver. u. v. Rigaschen Architekten-Ver. (22, 458 m. Abb.) 4° Riga, (Jonck & P.) 03. HF. 26 —
Riga's Handel u.Schiffahrt, s.: Beiträge z. Statistik d.Rigaschen Handels.
Rigault, H: Das Duell. Uebers. v. H v. Samson-Himmelstjerna. (19) 8° Jurj. (Dorp.), J Anderson 03. — 80 d
Rigert, L: Bundesges. betr. d. Erwerbg d. Schweizerbürgerrechtes u. d. Verzicht auf dasselbe (v. 25.VI.'03). (64) 8° Zür., Schulthess & Co. 05. 1.40 d
Riggauer, H: Ueb. d. Entwicklg d. Numismatik u. d. numismat.Sammlgn im 19. Jahrh. Festrede. (24) 4° Münch., (G Franz' V.) 1900. — 80
Riggenbach, E: Die Auferstehg Jesu, s.: Zeit- u. Streitfragen, bibl.
— Die relig. u. sittl. Erziehg heidenchristl. Gemeinden u. d. Korintherbriefes, s.: Missions-Studien, Basler.
— Wie haben wir am e. Evangelium? Vortr. (26) 8° Neukirch., Bh. d. Erziehgsver. 03. — 35 d
— Unbeachtet geblieb. Fragmente d. Pelagius-Kommentars zu d. Paulin. Briefen, s.: Beiträge z. Förderg christl. Theol.
— Die heilsame Gnade Gottes. 8 Predigten. (134) 8° Basel, Missionsbh. 04. 1.20 d
— Matth. 26, 9 bei Origenes. — Der trinitar. Taufbefehl Matth. 28, 19 n. sr ursprüngl. Textgestalt u. sr Authentie untersucht. — Versuch e. neuen Deutg d. Namens Barkochba, s.: Beiträge z. Förderg christl. Theol.
Righetti, C: Adjustierungsblätter d. k. u. k. österr.-ungar. Heeres, d. Kriegsmarine u. d. beid. Landwehren. (29 Bl. Farbdr.) Fol, Lpzg, M Ruhl 01.
Righi, A: Die moderne Theorie d. physikal. Erscheinng (Radioaktivität, Ionen, Elektronen). Aus d. Ital. v. B Dessau. (152 m. Abb.) 8° Lpzg, JA Barth 05. Kart. 2.80

Righi, A: u. B Dessau: Die Telegr. ohne Draht. (481 m. Abb.)
8° Brnschw., F Vieweg & S. 03.   12 —; L. 13 —
Rignano, E: Los v. d. Erbschaft. Nach d. französ. Ausg. d.
A Landry übers. v. O Südekum. (100) 8° Lpzg, Modernes Verl.-
Bureau 05.   1 —
Rigomer-Episode, d. Turiner, König Artu's u. Lanselots Abenteuer in d. Male Gaudine u. in Quintefuelle. Zum 1. Male
hrsg. v. E Stengel. (20) 8° Greifsw., L Bamberg 05.   3 —
Rigutini, G: Pocket dictionary of the Engl. and Italian languages, s.: Wessely, JE.
Rühs, E: Franzb. Lehr- u. Leseb. f. Bürgersch. 3 Stufen. (Mit
Abb.) 8° Wien, F Tempsky.   Geb. 3.40 d
I. 6. Afl. (36) 04. 1 — ǁ II. 3. Afl. (75) 03. 1 — ǁ III. 3. Afl. (118 m. 4 Kart.)
04. 1.40.
— dass. Einteil. Ausg. (164 m. Abb.) 8° Ebd. 04.   Geb. 1.80 d
Rijnhart, SC: Wandergn in Tibet, s.: Familienbibliothek,
Calwer.
Rikli, A: Abschiedsworte an meine verehrten Kollegen u. Gesinnungsgenossen! (12 m. 1 Bildnis.) 8° Graz (04). (Lpzg, T
Grieben.)   — 25 d
— Bett- u. Theil-Dampfbäder. 5. Afl. (40 m. 1 L.) 8° Lpzg, T
Grieben 1900.   1.40 d
Rikli, M: Botan. Exkursionen im Bedretto-, Formazza- u. Bosco-
Thal, s.: Schröter, C.
— Botan. Reisestudien auf e. Frühlingsfahrt durch Korsika.
(140 m. Abb.) 8° Zür., Fäsi & B. 03.   4.50
Riko, AJ: Hdb. z. Ausübg d. Magnetismus. d. Hypnotisms,
d. Suggestion, d. Biol. u. verwandter Fächer. Nach d. 3. holländ.
Orig.-Ausg. (167) 8° Lpzg, M Altmann 04.   2 —; geb. 2.80 d
Rilke, RM: Das Buch d. Bilder. (88) 8° Berl. (02). Stuttg., A
Juncker.   Geb. 3.50
— Geschichten vom lieben Gott. (Neue Ausg.) (168) 8° Lpzg,
Insel-Verl. 04. ǀ   3 —; geb. 4 —
— Vom lieben Gott u. Anderes. An Grosse f. Kinder erzählt.
(119) 8° Berl. 1900. Lpzg, Insel-Verl.   Kart. 4.50 d
— s.: Kunst-Ausstellung, nordwestdeut., Oldenburg 1905.
— Das tägl. Leben. Drama. (85) 8° Münch., A Langen 02. 2 —;
  geb. 3 — d
— Die Letzten. Im Gespräch. Der Liebende. Die Letzten. (75)
12° Berl. 02. Stuttg., A Juncker.   Kart. 2.50
— Auguste Rodin, s.: Kunst, d.
— Worpswede, F Mackensen, O Modersohn, F Overbeck, H
am Ende, H Vogeler, s.: Künstler-Monographien.
Rille, JH: Lehrb. d. Haut- u. Geschlechtskrankh. (1. Abtlg.
176 m. Abb.) 8° Jena, G Fischer 02.   Für vollst. 4.50
— Ueb. Leucoderma syphiliticum. [S.-A.] (10) 8° Münch., Seitz
& Sch. 1900.   1 —
Rimbach, A: Historia natural destinada á las escuelas 2° colegias. 2. ed. (244 m. Abb.) 8° Freibg i/B., Herder 02. 2 —;
  kart. 2.23; L. 2.80
Rimbach, E: Grundz. d. theoret. Chemie, s.: Meyer, L.
— Chem. Praktikum f. Mediziner. (90) 8° Bonn, F Cohen 03. 2 —
— Uebgn in d. wichtigeren physikalisch-chem. Messmethoden.
(61) 8° Ebd. 04.   nn 2 —
Rimini, Baron v. (Griscelli): Monarchenschutz. Memoiren. Neue
deut. Ausg., besorgt v. S Jolowicz. (168) 8° Berl., J Gnadenfeld & Co. 02.   1.50 d
Rimm, K: Freie Gedanken üb. Befestigng. deren Angriff u. Verteidigg. (52 m. 5 Taf.) 8° Wien, LW Seidel & S. 03.   1.80
Rimpau, W: Beitrag z. aktiven Immunisierg d. Menschen geg.
Typhus, s.: Bassenge, R.
Rimpler, E: Gesangsch. f. höh. Knabensch. 2 Tle. 8° Berl.,
Weidmann.   1.80 d
I. Sexta. (33) 05. — 60 ǁ 2. Quinta u. Quarta. (65) 03. 1.30.
Rimrich, A, s.: Theater-Almanach, Wiener.
Rimsky-Korssakow, N: Das Märchen v. Zar Saltan, s. Sohne,
d. berühmten u. mächtigen Helden Guidon u. d. schönen
Prinzessin Schwanhilde. Oper. Russ. Buch v. WJ Bjelski.
Deutsch v. A Bernhard. Musik v. R.-K. (Textb.) (64) 8°
St. Petersbg (01). (Lpzg, Breitkopf & H.)   1 —
— Schneeflöckchen. (Ein Frühlingsmärchen.) Oper. Musik v.
R.-K. Text v. Komponisten. Deutsch v. A Bernhard. (Textb.)
(69) 8° Ebd. (01).   1 —
Rinaldini, T Frhr v.: Commentar z. Betriebsregl. f. d. Eisenb.
d. im Reichsrathe vertret. Königr. u. Länder. Mit Berücks.
d. internat. Uebereinkommen üb. d. Eisenb.-Frachtverkehr,
d. Betriebsregl. f. d. Verkehr zw. Deutschl., Österr.-Ungarn,
Serbien, Bulgarien u. d. Türkei (Orientverkehr), sowie. (444)
8° Wien, Manz 03.   12 —; geb. 13.60 d
Rinder-Rassen, d. österr. Hrsg. v. k. k. Ackerbau-Ministerium.
I. Bd, 6. Heft. II. Tl u. III. Bd. 2. Heft. 8° Wien, W Frick.
23 — (I, 1—6; II, 1, u. 2; III, 1—3 u. Y, 1, u. 2.: 85 —)
Kaltenegger, F: Rinder d. österr. Alpenländer. 6. Heft. Salzburg, Kärnten, Steiermark. II. (Specc.) II. (795 m. 7 Tab.) 04. [I,6.II.]   4 —
Redovsky, J: Die Rindviehzucht in d. Markgrafsch. Mähren. (306 m. 6
Kart.) 04.   13 —
Rindfleisch, E v.: Scirrhus ventriculi diffusus. [S.-A.] (18 m.
1 farb. Taf.) 8° Würzbg, A Stuber's V. 05.   1 —
Rindfleisch, FX: Die Requiemsmessen u. d. gegenwärt. liturg.
Rechte. 1. u. 2. Afl. (72) 8° Rgnsbg, F Pustet 01.   — 80
Rindfleisch, H: Feldbriefe 1870—71. Hrsg. v. E Ornold. 6. Afl.
(256 m. Bildnis u. 1 Karte.) 8° Gött., Vandenhoeck & B. 05.
  3 —; L. 4 — d
Rindfleisch, W, s.: Bibliographie, altpreuss.
Ring, E: Die Versorgg. d. Grossstädte m. Milch u. d. Kampf
Hinrichs' Fünfjahrskatalog 1901—1905.

um d. Milchpreis. Vortr. (30) 8° Lpzg, RC Schmidt & Co. 05.
  — 60 d
Ring, M: Einfl. d. Verdaug auf d. Drehsvermögen v. Serumglobulinlösg. [S.-A.] (15) 8° Würzbg, A Stuber's V. 02. — 60
Ring, M: Erinnergn. Neue [Tit.-]Ausg. 2 Tle in 1 Bd. (272 u.
244) 8° Berl., Concordia [1896] 05.   4 —; geb. 5 — d
— Frauenherzen, s.: Romane, moderne, aller Nationen.
— Gift!, s.: Kaufmann's moderne Zehnpfennig-Bibliothek.
Ring, V, s.: Archiv f. bürgerl. Recht.
— s.: Handelsgesetzb. f. d. Deut. Reich, s.: Lehmann, K.
— s.: Jahrbuch f. Entscheidgn d. Kammergerichts.
Ring-Zborów, JF v.: Enthüllgn z. Sternberg-Prozess u. d.
Oberstaatsanwalt. Die Staatsbürger-Zeitg bei d. Arbeit. (15)
8° Berl., H Schildberger (1900).   — 50
Ringbüchlein. Abriss deut. Weltansicht. (28) 8° Weim., Verl.
d. Iduna 04.   — 50 d
Ringel's, (F), Blitzrechner. (100 Sp.) 8° Dresd., G Kühtmann
(05).   1.80; L. 2.40
Ringel, T: Kriegserfahrgn a. d. südafrikan. Kriege, s.: Flockemann, A.
Ringer, M: Ingo. Dramat. Sittenbild a. deut. Vergangenh.
Nach G Freytags Roman bearb. (96) 8° Wien, Verl.-Anst.
neuer Lit. u. Kunst (04).   2.50 d
Ringhols, O: Gesch. d. fürstl. Benediktinerstiftes U. L. F. v.
Einsiedeln, sr Wallfahrt, Propsteien, Pfarreien u. übr. Besitzgn. I. Bd. (Vom hl. Meinrad bis z. J. 1526.) 10 Lfgn. (755
m. Abb., 3 Kart. u. 9 [6 farb.] Taf.) 4° Einsied., Verl.-Anst.
Benziger & Co. 02-04.   28.60; L. 35 —; Ldr 40 — d
— Meinrads-Büchlein. Das Leben u. d. Verehrg d. Märtyrers
v. Einsiedeln. (302 m. 8 Vollbildern u. 2 Farbdr.) 16° Ebd. 05.
  L. — 80; Ldr m. G. 1.50 d
Ringier, JE: Der Abbé de Saint-Pierre, e. Nationalökonom d.
XVIII. Jahrh. (136) 8° Karlsr., G Braun'sche Hofbuchdr. 03. 2.80
Ringler, A: Deut. Burgen u. Schlösser m. ihrer interessanten
Architektur. (In 6 Heften.) 1. Heft. (6 Taf.) 46×35,5 cm. Münch.
(02). (Berl., B Hessling.)   5 — ô F
Ringmann, M (Philesius Vogesigena): Grammatica figurata,
hrsg. v. FR v. Wieser, s.: Drucke u. Holzschnitte d. XV. u.
XVI. Jahrh.
Ringseis, B, s.: Grimm, H, u. G Grimm, Briefe.
Ringseis, E: Der Königin Lied. Dichtg in 3 Büchern. 1. Buch:
Magnitacat. 2. Afl. (339) 8° Freibg i/B., Herder 01. 3.50; L. 5 — d
Rinhart, K. s.: Zitelmann, E.
Rink, JF: Moderne kl. Wohnhäuser h. Villen. 1. Serie. Ebenerd.,
Hochparterre u. einstöck. eingebaute u. Eckhäuser in Façaden, Grundrissen u. Schnitten 1:100, m. Façaden-Details 1:25.
8—12. Heft. (Je 8 Taf.) Fol. Budap., Techn. Verl.-Anst. (01).
  Je 5.20 (Vollst.: 52.40)
— dass. II. Serie. Ebenerd., Hochparterre u. einstöck. Villen u.
Familienhäuser in Façaden, Grundrissen u. Schnitten 1:100.
8—12. Heft. (Je 8 Taf.) Fol. Ebd. (01).   Je 5.23 (Vollst.: 52.40)
Rink, S, s.: Kajakmänner.
Rinkel, M, s.: Denkschrift z. Eröffng d. Ziederthalb. Landesinst-Altbendorf.
Rinn, H: Deut. Leseb., s.: Schauenburg.
— u. J Jüngst: Kirchengeschichtl. Leseb. f. d. Unterr. an höh.
Lehranst. Schülerausg. (176) 8° Tüb., JCB Mohr 05.   1.50;
  geb. nn 2 — d
— — dass. u. z. Selbststudium. (310) 8° Ebd. 04. 5.50; geb. 4.50
Rinne, A: Zw. Filipinos u. Amerikanern auf Luzon. (81 m. Abb.)
8° Hannov., Dr. M Jänecke 01.   1.50
— Gesteinskde f. Techniker, Bergingenieure u. Studier. d. Naturwiss. (306 m. Abb. u. 4 Taf.) 8° Ebd. 01.   L. 9.60
2. Afl. u. d. T.:
— Prakt. Gesteinskde f. Bauingenieure, Architekten u. Bergingenieure usw. 2. Afl. (385 m. Abb. u. 3 Taf.) 8° Ebd. 05. 11 —;
  geb. 12 —
Rinne, JKF: Prakt. Dispositionslehre in neuer Gestaltg u. Begründg od. kurzgef. Anweisg z. Disponieren deut. Aufsätze
nebst zahlreichen Beisp. u. Materialien z. Geist. f. Lehrer
u. Schüler d. ob. Kl. höh. Lehranst. 6. Afl. (276) 8° Hannov.,
E Geiger 02.   3.20; geb. 3.65 d
— O du fröhliche! — Warum?, s.: Schneefiocken.
Rinneberg, F: Hdb. d. ev. Relig.-Lehre, s.: Fauth, F.
Rinneberg, A: Berufsgegrund u. Berufsgantrag nach d. neuen
österr. Civilprocessrecht. (129) 8° Wien, Manz 02.   2.80 d
— Execution auf Sachen in fremder Gewahrsame u. auf Leistgsansprüche. [S.-A.] (86) 8° Ebd. 05.   1.80 d
— Die einstweil. Verfügg. Untersuchg a. d. österr. Rechte. (320)
8° Ebd. 05.   5 — d
Rintelen, V: Die kirchenpolit. Ges. Preussens u. d. Deut.
Reiches in ihrer gegenwärt. Gestaltg (1903). (82) 8° Paderb.,
F Schöningh 03.   Kart. 1 — d
— Das Konkursrecht, nebst Anh., betr. d. Anfechtg v. Rechtshandlgn e. Schuldners ausserhalb d. Konkursverfahrens.
Systemat. Kommentar. 2. Afl. (356) 8° Halle, Bh. d. Waisenh.
02.   9 —; geb. 10 — d
Riotte, H: Die schöne Griechin. Der Amateur-Photograph, s.:
Marnet-Bibliothek.
— Ges. Novellen. 3 Bde. (184, 208 u. 192) 8° Mainz, Druckerei
Lehrlingshaus 05.   3 —; in 1 Bd geb. 3.50 d
— Die Sühne e. Königin, s.: Braun's Novellen- u. Roman-Sammlg.
Riotte, H: Die neue Aera. Lustsp. m. Benutzg d. Schausp.

    149

„Die neue Durchlaucht" v. E Böcker. (103) 8° New York, The
Internat. News Compagny 04.　　　　　2 — d
Riotte, H: Die Frauentugend. Novelle in Versen a. d. Reformationszeit. (58) 12° Berl., Deut. Selbstverl. 02. (Lpzg, P Eberhardt.)　　　　　—90 d
— Die Herrin v. Aosta. Romant. Drama. (78) 8° Lpzg 02. Ebd.
　　　　　1.50 d
— Lebenswogen. Dichtgn a. 2 Weltheilen. (163) 12° Ebd. 01.
　　　　　2 —; geb. nn 2.50; m. G. nn 3 — d
— Soll u. Haben in Amerika. Selbstbekenntnisse e. Fälschers,
d. Engl. nacherzählt. (351) 8° Berl., Deutsch-amerikan. Verl.
05.　　　　　4 —; geb. 5 —; Ausg. in 3 Bdn 4.50; geb. 6 — d
Ripcke, L: Der Schmid v. Ruhla, s.: Sammlung vaterländ. u.
geschichtl. Schausp. zu Schüler-Aufführgn an Mittelsch.
Ripetitore, il, periodico d'esercizi, per coloro, che vogliono
imparare praticamente l'italiano. Red.: Marchese RB di San
Giorgio. 10—14. Jahrg. 1901—5 je 24 Nrn. (Nr. 1. 3 u. 4) 8°
Berl., Rosenbaum & H.　　　　　Viertelj. 1 —
Ripke, G, u. F Liebetanz: Der prakt. Maschinenbauer. Hand-
u. Lehrb. üb. d. modernen Maschinenbau, sowie üb. d. Wesen
d. Elektrizität u. ihre Anwendg in d. Industrie, insbes. im
Maschinenbau. 40 Lfgn. (947 m. Abb., 37 Taf. u. 7 Modellen.)
8° Lpzg, JJ Arnd (03).　　　　　Je — 50; in 1 Bd geb. 25 — d
Ripke, L: Balders Tod. Götterdrama. (71) 8° Schwer., E Herberger (02).　　　　　— 75 d
Rippel, G: Die Schönheit d. kathol. Kirche, dargest. in ihren
äusseren Gebräuchen in u. ausser d. Gottesdienstes f. d. Christenvolk. Neu bearb. (420 m. Abb.) 8° Mainz, Druckerei Lehrlingshaus 02.　　　　　Geb. 2 — d
— dass. Neu bearb. u. hrsg. v. H Himioben. 26. Afl. (479) 8°
Mainz, Kirchheim & Co. 03.　　　　1 —; geb. 1.25; HLdr 1.50 d
— dass. Nach d. Bearbeitg v. Himioben neu hrsg. u. verb. v.
J Rhotert. Der bill. Volksausg. 4. Afl. (528) 8° Osnabr., B Wehberg 03.　　　　　L. 1.50 d
Rippel, J: Leitf. d. Chemie u. Mineral. f. Mädchenlyzeen. (156
m. Abb.) 8° Wien, C Graeser & Co. 03.　　　　Geb. 2.60
Rippel, O, u. E Hartwig: Rechtsauskunftstellen u. Volksbureaus,
s.: Hefte d. freien kirchlich-soz. Konferenz.
Rippert, P: Allg. u. spez. Tierzuchtlehre, s.: Sammlung Göschen.
— u. E **Langenbeck**: Ackerbau- u. Pflanzenbaulehre, s.: Samm-
lung Göschen.
Rippmann, F: Führer durch d. Reichs- u. Landesgesetzgebg.
(156) 8° Stuttg., W Kohlhammer 01.　　　　1.60; geb. 2 — d
Rippmann, W: Leitf. f. d. 1. Unterr. im Deut., s.: Alge, S.
Rippner, B: Predigten, Betrachtgn u. ausgew. Gebete. Aus
s. Nachlass zus. e. Andachtsb. f. d. Synagoge u. d. israelit.
Haus zusammengest. v. B Jacob. (671 m. Bildnis.) 8° Berl.,
M Zuelzer & Co. 01.　　　　　L. 8 — d
Riquer, A de: Ex-libris. 1903. (64 Bl. m. 11 S. Text in franzós.
Sprache.) 8° Lpzg, KW Hiersemann 04.　　　　Kart. 20 —
Ris, F: Odonaten, s.: Ergebnisse d. Hamburger Magalhaens.
Sammelreise.
Ris, F: Neue schweiz. Gesetzesvorschriften üb. Mass u. Ge-
wicht, s.: Gewerbe-Bibliothek.
Risch, P: Friedrich d. Gr., s.: Kittel's, P, Künstler-Lichtbilder-
vorführgn a. d. vaterländ. Gesch.
— 50 Jahre in Coepenick. Festsp. (30) 8° Berl., Hilfsver. deut.
Lehrer (01).　　　　　— 75 d
— Am Müggelstrande. Dramat. Volksbilder a. d. märk. Heimats-
leben. Wahrheit u. Dichtg. (84) 8° Friedrichsh.-Berl., MC Neve
03.　　　　　nn — 50 d
— Schiller-Gedenkbuch. Orig.-Komposition f. 5stimm. Chor v.
M Wiedemann. 2 Tle in 1 Bde. (I.: Schiller, s. Leben u. Wirken.
II.: Unter d. Schiller-Linde. Festsp. z. Schiller-Feier.) (104
m. Abb.) 8° Berl., P Kittel 05.　　　　　— 50 d
Risch, R: Auf neuen Wegen. Anl. z. Unterr. in d. deut.-Sprach-
lehre. (57) 8° Berl., Gerdes & H. (05).　　— 70; geb. 1 — d
Rischbieter, W: Erläuterung u. Beisp. f. Harmonieschüler. (72)
8° Berl., Ries & Erler (03).　　　　　1.50 d
— Der Harmonieschüler. 1. Tl. Aufg. u. Regeln. 2. Tl. Er-
läutergn u. Beisp. 19. Afl. (82 u. 72) 8° Ebd. (05).　　2 — d
Rische, A: Bemerkgn zu einz. Urkunden d. mecklenburg. Ur-
kundenb. Bd. I—IV, nebst chronolog. Einordng d. nachträg-
lich gedr. Urkunden. (79) 8° Ludwigsl., (Hinstorff) 05.　1 —
— Gesch. Mecklenburgs v. Tode Heinrich Borwins I. bis z.
Anfang d. 16. Jahrh., s.: Geschichtsb. f. Mecklenburg.
Rische, B: Ein Neudruck uns. Landeskatech. Entwurf. (55) 8°
Schwer., F Bahn 04.　　　　　— 60 d
Rischer, A: Das Glasieren d. Ziegel. (444 m. Abb.) 8° Berl.,
Tonindustrie-Zeitg 04.　　　　　1.50
Risel u. Schnackenburg: Die Gesundheitskommission. Be-
leuchtet v. ärztl. u. hygien. Standpunkte durch R. u. v. Stand-
punkte d. Juristen u. Verwaltgsbeamten v. Sch. [S.-A.] (31)
8° Lpzg, F Leineweber 03.　　　　　1 —
Risel, H: Üb. Nierenhypoplasie. (30) 8° Freibg i/B., Speyer &
K. 03.　　　　　1.20 d
Risel, W: Üb. d. maligne Chorionepitheliom u. d. analogen
Wuchergn in Hodenteratomen, s.: Arbeiten a. d. patholog.
Instit. zu Leipzig.
Risop, A: Begriffsverwandtschaft u. Sprachentwickelg (Beitr.
z. Morphol. d. Französ.). (39) 4° Berl., Weidmann 03.　1 —
Rissart, P: Der Hypnotismus, s. Entwicklg u. s. Bedeutg in
d. Gegenwart. (70) 8° Paderb., Junfermann 01.　　　1.25
Rissmann, P: Lehrb. f. Wochenbettpflegerinnen. (70 m. Abb.)
8° Berl., S Karger 01.　　　　　Durchsch. 1.60 d

Rissmann, R, s.: Schule, d. deut.
Rissom: Militärstrafrecht, Disziplinarstrafgewalt, Ehrenge-
richte im deut. Heere. (35) 8° Berl., A Schall (03).　1.65 d
Rist, M: Die deut. Jesuiten auf d. Schlachtfeldern u. in d.
Lazaretten 1866 u. 70/71. Briefe u. Berichte. (18, 324) 8° Freibg
i/B., Herder 04.　　　　4.40; L. 5.60 d
Ristow, AM: Übgsb. zu Dr. W Knörichs französ. Lese- u. Lehrb.
2 Tle. 8° Hannov., C Meyer. Kart. 1.50; Lehrerheft.(32) 04. 1 — d
I. 1. Schulj. (32) 03. — 50 ‖ II. 2. u. 3. Unterrichtsj. (85) 04. 1 —
Rita: The jesters. — Queer Lady Judas. — The masquera-
ders. — Souls, s.: Collection of Brit. auth.
— Vanity! The confession of a coast modiste, s.: Unwin's library.
Riter, R: Ein Durchschnittsmensch. Drama. (43) 8° Dresd., E
Pierson 05.　　　　　1 — d
Ritgen, F: BGB., s.: Achilles, A. — Planck, G.
Ritgen, O v.: Üb. d. Feuersicherheit d. Bauten. Vortr. [S.-A.]
(28) 8° Berl., W Ernst & S. 01.　　　　　— 80
— Der Schutz d. Städte vor Schadenfeuer. [S.-A.] (108 m. Abb.)
8° Jena, G Fischer 02.　　　　　3.50
— dass., s.: Handbuch d. Hygiene.
Ritschl, A: Die christl. Lehre v. d. Rechtfertigg u. Versöhng.
1. Bd. Die Gesch. d. Lehre. 4. Afl. (Anastat. Druck.) (656) 8°
Bonn, A Marcus & E Weber 03.　　　　　12 — d
— Die christl. Vollkommenheit. Vortr. — Theol. u. Metaphysik.
Zur Verständigg u. Abwehr. 3. Abdr. (95) 8° Gött., Vanden-
hoeck & R. 02.　　　　　1.60 d
Ritschl, O: Die Causalbetrachtg in d. Geisteswiss. (138) 8°
Bonn, A Marcus & E Weber 01.　　　　　2 —
— Wiss. Ethik u. moral. Gesetzgebg. Grundgedanken e. Kritik
d. gegenwärt. Ethik. (43) 8° Tüb., JCB Mohr 03.　. 1 —
— Die freie Wiss. u. d. Idealismus auf d. deut. Univers. Akadem.
Festrede. (39) 8° Bonn, A Marcus & E Weber 06.　　　— 80
Ritsema, IC: Beitr. z. Kenntnis d. Akridins. (45) 8° Freibg
i/B., Speyer & K. 03.　　　　　1.50
Ritsert, T: Darmstädter Namenbüchl. I. Strassen u. Plätze. —
II. Aus d. Umgebg. (166) 8° Darmst., HL Schlapp 05.　2 —
　　　　　geb. 3 — d
Rittau, B (G Trautmann): Bilder a. d. brandenb.-preuss. Gesch.
in schulgemässer Form. 2. Afl. (56) 8° Berl., Gerdes & H. (05).
　　　　　— 30 d
Rittberg, H Gräfin v.: Függn. (Erzählgn f. junge Mädchen.)
2. Afl. (176) 8° Glog. 01. Berl., Schreiter.　　Geb. 2 — d
Rittelmeyer, F: Friede u. Kraft. 7 Predigten. (75) 8° Würzbg,
A Herzer 02.　　　　　1 — d Vergr.
— Friedrich Nietzsche u. d. Erkenntnisproblem. (109) 8° Lpzg,
W Engelmann 03.　　　　　1.50
— Friedrich Nietzsche u. d. Relig. 4 Vortr. 1. u. 2. Taus. (95)
8° Ulm, H Kerler 04.　　　　　1.80 d
— Tolstois Relig. Bedeutsch. dargest. u. beurteilt in 4 Vortr.
(148) 8° Ebd. 05.　　　　　2 — d
Rittener, T: Etude géolog. de la Côte-Aux-Fées et des en-
virons de Ste-Croix et Baulmes, s.: Matériaux pour la carte
géolog. de la Suisse.
Ritter, d., v. Adlerstein, s.: Saat u. Ernte.
— arme! Roman v. Marie-Madeleine. 2—6. Taus. (225) 8° Berl.,
Verl. Continenti (04).　　　3.50; geb. 5 — d
— d., d. kgl. preuss. Hohen Ordens v. Schwarzen Adler u. ihre
Wappen. (1701—1901.) (Neue Afl.) (Nach d. Stande v. 1.I.'01.)
(86 m. 90 Taf.) Fol Berl., W Moeser 01.　　　　60 — d
Ritter's geographisch-statist. Lexikon. 9. Afl. Unter Red. v.
J Penzler. (In etwa 42 Lfgn.) 1. Bd. 22 Lfgn u. 2. Bd. 8. Lfg.
(1248 u. 1—448) 8° Lpzg, O Wigand 04./05.　　　Je 1 —
　　　　　(1. Bd geb. 25 —)
Ritter's Führer durch Jena u. Umgegend. 4. Afl. v. E Piltz.
(106 m. 1 Pl., 2 Kart., 1 Profil u. 1 Taf.) 8° Jena, Frommann-
sche Hofbh. (01).　　　　— 80; geb. 1 —
　　5. Afl. s.: Piltz, E.
Ritter s.: Blätter f. höh. Schulwesen.
Ritter, A: Bettags-Predigt 1905 üb. Matthäus 16, 26. (14) 8° Zür.,
Fäsi & B. 05.　　　　　— 30 d
— Predigt üb. 1. Korinther 15, 34. (15) 8° Ebd. 04.　— 30 d
Ritter, A: Christus d. Erlöser. (303) 8° Linz 03. Wien, A Jedek.
　　　　　(7.50) 4.50
— Jones Very, d. Dichter d. Christentums. (96) 8° Ebd. 03.
　　　　　(3 —) 2 —
Ritter, A: Die Kaisergeburtstags-Bowle, s.: Festspiele zu
Kaisers Geburtstag.
— Liederb. f. Militär-Ver. (231) 16° Mühlh. i/Th., G Danner (01).
　　　　　—40 d
— Der Raubmörder, s.: Vereinstheater.
— Im Reiche d. Prinzen Carneval, s.: Karnevals-Bühne.
— Waldlieschen, s.: Vereinstheater.
Ritter, A: Umstart. Culturdrama. (91) 8° Wien, W Braumüller
02.　　　　　2 — d
Ritter, A: Neue Gedichte. 9. Afl. (275) 8° Stuttg.,
JG Cotta Nf. 04.　　　　L. m. G. 3.50 d
— Gedichte. 19. Afl. (299 m. Bildnis.) 8° Ebd. 05.　L. m. G. 3 — d
— Margherita. Novelle. (110 m. Abb.) 8° Lpzg (02). Stuttg.,
Union.　　　　　— 1 —; L. 3 — d
Ritter, A: Ueb. d. Berechng eiserner Dach- u. Brücken-Con-
structionen, s.: Meyer, C., d. Wölbg d. Gerdaubrücke bei
Uelzen.
— Elementare Theorie u. Berechng eiserner Dach- u. Brücken-
Konstructionen. 6. Afl. (388 m. Abb.) 8° Lpzg 04. Stuttg.,
Kröner.　　　　　10 —; HF. nn 12 —

Ritter, B: Der deut. Unterr. in d. höh. Mädchensch. Lehrstoffe, Lehrgänge u. Lehrmethode. 2. Bd. Lehrstoffe, Lehrgänge u. Lehrbeispiele f. d. 4—6. Schulj. (503) 8° Lpzg, BG Teubner 02.
L. 8 — (1 u. 2.: 14 —) d
Ritter, C: Die ges. Kunstschmiede- u. Schlosser-Arbeit. Muster- u. Nachschlageb. 2. Afl. 26 Taf. m. 321 Abb. u. erklär. Text. (16) 8° Lpzg, BF Voigt 05. In M. 4.50
Ritter, C: Platons Dialoge. Inhaltsdarstellgn I. d. Schriften d. spät. Alters. (220) 8° Stuttg., W Kohlhammer 03. 4.50
Ritter, E: Die Dilettantenbühne. Prakt. Winke f. Leiter u. Spieler. (56) 8° Paderb., F Schöningh (04). — 80 d
Ritter, E: Wie komme ich zu meinem Geld bei säum. u. böswill. Schuldnern? (144) 8° Berl., Bruer & Co. 04. Kart. 1.80 d
Ritter, GA: Das Buch d. Entdeckgn. Populäre Schilderg d. Erschliessg d. Erdballs v. d. ält. Zeiten bis z. Gegenwart. 34. Afl. (1008 m Abb. u. Kart.) 8° Berl., W Herlet 06. L. 4 — d
— Deutschlds Wunderhorn. Geschichten, Legenden u. Historien a. alten Ritterburgen, Schlössern, Klöstern, Städten, ferner Volkssitten, Volksgebräuche usw. (676 m. z. Tl farb. Abb.) 8° Ebd. (05). L. 4 — d
— Illustr. Länder- u. Volkerkde. (676 m. z. Tl farb. Abb.) 8° Ebd. 04. L. 4 — d
— Deut. Sagen. (65. Taus.) (678 m. z. Tl farb. Abb.) 8° Ebd. (05). Geb. 4 — d
Ritter, H: Mit Meissel u. Pinsel. Erzählgn a. d. Leben bedeut. Künstler. Für d. reif. Jugend. (182 m. 4 Farbdr.) 8° Köln, JP Bachem (03). Geb. 3 — d
— Der Polenflüchtling. Die Kinder d. Malers. Steppenblume, s.: Bachem's Jugend-Erzählgn.
Ritter, H: Jugend- u. Turnspiele. 3. Afl. (88 m. Fig.) 8° Bresl., F Goerlich (01). — 60; kart. — 75 d
Ritter, H: Godelind v. Reifferscheid. Eine Eifeler Gesch. a. d. 14. Jahrh. (139) 8° Hellenth. (01). (Dresd., E Pierson.) 2 — d
— Aus Rheinlds Gauen. Trierer Bilder u. Skizzen. (160) 8° Trier, F Lintz 06. 2.25; L. 3 — d
— Eifeler Skizzen u. Erzählgn. 1. u. 2. Bd. 8° Dresd., E Pierson. 5.50; Einbde je 1 — d
1. Von d. Höhe. (207) 03. 3 — | 2. Berg u. Thal. (294) 04. 2.50.
Ritter, H: Allg. üb. Streichinstrumente, sowie Ideen üb. e. neues Streichquartett: Soprangeige (Violine), Altgeige (Viola alta), Tenorgeige (Viola tenore), Bassgeige (Viola bassa od. Violoncello) n. d. Intentionen u. d. Modell v. Prof. H Ritter. [S.-A.] (14) 8° Lpzg, B Senff 05. 2 — d
— Im Alpenglühen. Gebirgsstück m. Gesang u. Tanz. (47) 8° Bambg, Handelsdr. u. Verlagsb. (03). 1 — d;
Klavier-Auszug. (24) 4° 1.50
— Das gold. Buch d. Lebensweisheit. Gedanken, Anschaugn u. Betrachtgn üb. Natur u. Leben, üb. Kunst u. Wiss. in Aussprüchen v. Dichtern, Philosophen, Künstlern, Schriftstallern u. a. d. Volksmunde, als Beitr. z. e. Lebenslehre. 19 Lfgn. (584 u. 632 m. Abb., Bildnis u. 30 Taf.) 4° Lpzg, M Schmitz (04.05). Je 1 —; in 2 L.-Bdn je 12 —
— Allg. illustr. Encyklopädie d. Musikgesch. 6 Bde. (181, 178, 187, 223, 218 u. 240 u. 16) 8° Ebd. (01.02). L. je 4.50
— Üb. d. materielle u. soz. Lage d. Orchestermusikers. (39) 8° Münch., M Foessl 01. — 60
Ritter, H: Der Bien u. ich. Allerlei Neuigk. a. d. Honigreiche. Ernst u. Scherz in Prosa u. Poesie. (96 m. Abb.) 8° Lpzg, RO Schmidt & Co. 03. 1.80 d
Ritter, I, s.: Bauten, moderne kl., f. Stadt u. Land VII. Serie. — Musterbuch einf. moderner Schlosserarbeiten.
Ritter, J: Stellg u. Aufg. d. Arztes in d. Volksheilstätten f. Lungenkranke. [S.-A.] (66) 8° Jena, G Fischer 04. 2 —
— dass., s.: Handbuch d. soz. Medizin.
Ritter, JGA: Taschenb. f. d. Dreher u. Schlosser d. Maschinenbanes, m. e. ausführl. Anl. z. Berechnen d. Wechselräder beim Gewindeschneiden. 7. Afl. (224 m. Abb.) 12° Landesh. i/Schl., P Schultze 02. L. 2.30 d
Ritter, IH: Gesch. d. jüd. Reformation. 4. (Schl.-)Tl. Die jüd. Reformgemeinde zu Berlin u. d. Verwirklichg d. jüd. Reform. ideen innerhalb derselben. Hrsg. a. m. biograph. Einl. versehen v. S Samuel. (108) 8° Berl., E Apolant 02. 2.50 d
Ritter, L, u. E Schön: Naturformen in Umrise u. Farbe als Vorsch. f. d. Unterr. im Freihandzeichnen. 24 Bl. in Farbendr. 1. Serie m. 10 Bl. (1 Bl. Text.) 84,5×65,5 cm. Stuttg., M Seeger (05). In M. 16 — d
Ritter, L: Nürnberg. Orig.-Radirgn. (10 Bl.) 4° Nürnbg, JA Stein (1900). In L.-M. (25 —) 20 —
Ritter, M: Neuro-dynam. Therapeutik im Anschl. an Studien u. Erfahrgn üb. d. photo-dynam. Wirkg v. Fluorescenz- u. Luminescenz-Stoffen auf Zellengebiete u. Nervenendiggn. (59) 8° Lpzg, B Konegen 05. 2 —
Ritter, M: Deut. Gesch. im Zeitalter d. Gegenreformation u. d. 30jähr. Krieges (1555—1648). II. Bd. 1. Hlfte: Gesch. d. 30jähr. Krieges, 1. Tl. (320) 8° Stuttg., JG Cotta Nf. 01. 4 —
(I—III, L.: 18 —) d
— dass., s.: Bibliothek deut. Gesch.
Ritter, O: Neue Quellenfunde zu Rob. Burns. (30) 8° Halle, M Niemeyer 03. — 80
— Quellenstudien zu Rob. Burns, s.: Palaestra.
Ritter, O: Anl. z. Abfassg v. engl. Briefen, m. zahlreichen engl. Mustern n. deut. Übgn. 5. Afl. (187) 8° Berl., L Simion Nf. 02. 1.50; geb. 1.80
Ritter, P: Neue Leibniz-Funde. [S.-A.] (47) 8° Berl., (G Reimer) 04. 2 —

Ritter, P: Üb. d. Gleichg d. Sättiggscurve u. d. durch dieselbe bestimmte maximale Arbeit. [S.-A.] (7) 8° Wien, (A Hölder) 02. — 29
Ritter, P: Der üble Mundgeruch, s. Ursachen u. s. Behandlg. (12) 8° Halle, C Marhold 02. — 40
— Rechte, Pflichten u. Kunstfehler in d. Zahnheilkde, zugl. e. Wegweiser f. d. zahnärztl. Behandlg bei öffentl. Anst., Krankenkassen u. s. w. (573) 8° Berl., Berlinische Verl.-Anst. 03. 9 —
— Zahn- u. Mund-Hygiene im Dienste d. öffentl. Gesundheitspflege, s.: Handbuch d. Hygiene.
— Zahn- u. Mundleiden m. Bezug auf Allg.-Erkrankgn. 2. Afl. (376 m. 4 Taf.) 8° Berl., Fischer's med. Bh. 01. 6.50; geb. 7.50
Ritter, P: Die Entschädiggsfordergn d. d. Eisenb.-Frachtrecht. (90) 8° Lpzg, F Luckhardt 05. Kart. 2 —
Ritter, R: Eine Schulfeier am Denkmale Friedr. Rückerts, s.: Magazin, pädagog.
Ritter, R: Prakt. Anl. z. Durchführg e. besond. Gemeinde-Grundsteuer n. d. gemeinen Werthe d. Grundbesitzes, gemäss §§ 23, 24 d. Communal-Abgaben-Ges. (14 m. 13 Formularen.) 8° Düsseldf, L Schwann 02. 1 — d
Ritter, R: De Varrone Vergilii in narrandis urbium populorumque Italiae originib. auctor, s.: Dissertationes philologicae Halenses.
Ritter, W: Die Bauweise Hennebique. Neue Ausg. [S.-A.] (9 m. Abb.) 4° Zür., Rascher & Co. 04. 1.40
Ritter-Záhony, C v.: Duell u. Liga. (31) 8° Wien, CW Stern (03). — 50
— Einmal nur d. Rose! Schausp. (62) 8° Ebd. 04. 2 — d
— Die Sprachenfrage v. gross-österr. Standpunkt. (28) 8° Ebd. 05. — 50
Rittershaus, A: Die neuisländ. Volksmärchen. (50,457) 8° Halle, M Niemeyer 02. 12 —
— Ziele, Wege u. Leistgn uns. Mädchensch. u. Vorschl. e. Reformsch. (42) 8° Jena, G Fischer 01. 1 —
Rittershaus, E: Gedichte. 10. Afl. (446) 8° Berl., E Trewendt 06. L. m. G. 6 — d
Rittland, K (Frau E Heinroth): Die d. Leben lieben. Roman. (380) 8° Dresd., C Reissner 01. 4.50; geb. 5.50 d
— Leidensgefährten. — Kampfmüde. 2 Novellen. (246) 8° Ebd. 05. 3 —; geb. 4 — d
— Die 1. Liebe meiner Frau, s.: Frauen-Bibliothek, moderne.
— Ein Moderner. Roman. (257) 8° Berl. 02. Dresd., C Reissner. 5 —; geb. 6 — d
— Anna Priszewska. Tageb. e. Weltkindes. Roman. (310) 8° Dresd., C Reissner 03. 3.50; geb. 4.50 d
— Auf neuen Wegen. Frauenroman. (420) 8° Ebd. 04. 5 —; geb. 6 — d
Rittlingen, L(Frl. L Gibara): Gedichte. (39) 8° Dresd., E Pierson 01. 1 —; geb. 2 — d
Rittmann, O: Das deut. Gerichtskostenges. 3. Afl. (577) 8° Mannh., J Bensheimer 5. V. 06. 10.50; HF. 12.50 d
— Gerichtskostenges., f. Elsass-L. Vom 6. XII. 1899. (326) 12° Strassbg, W Heinrich 02. L. 4 — d
— Der Wert d. Streitgegenstandes. 2. Afl. (478) 8° Strassbg, Strassb. Dr. u. Verl.-Anst. 05. 8 — d
Rittweger, KFM: Gesch. d. württemberg. Trainbataillons Nr. 13 u. d. Traindepots XIII. (kgl. württ.) Armeekorps. (156 m. Abb., 1 Bildnis, 3 Taf u. 1 Kte.) 8° Ludwigsbg, (R Wieland) 01. L. 13.50 d
— Schmerzenskinder d. Armee. (81) 8° Lpzg, G Müller-Mann (04). 1 — d
Rittner, R: Lehrg. d. französ. Sprache f. Bürgersch. (216) 8° Wien, JL Pollak 03. 1 — d
Rittner, O: Wiederfinden. Schausp. (147) 8° Berl., B Cassirer 01. 2 — d
Rittstieg: Die Tuberkulose n. Wesen, Bedeutg u. Heilg, m. bes. Berücks. d. Lungenschwindsucht. (58) 8° Halle, C Marhold 01. 1.50
Rittweger, B: Aus d. Kleinstadt. Skizzen. (150) 8° Wolfenb., J Zwissler 02. 1.50; L. 2.25 d
— s' Oberstüble u. and. Erzählgn u. Skizzen. (338) 8° Ebd. 03. 2 —; L. 3 — d
Rittweger, F, s.: Gebäulichkeiten, d. ehemal., d. Dr. Senckenberg. Stiftg.
Rituale, kathol., z. Gebr. d. altkathol. Gemeinden d. Deut. Reiches. (195) 8° Bonn, Verl. d. bischöfl. Kanzlei (o. J.). 3 — d
— d. Fronleichnams-Prozession zu Fulda. Lateinisch u. deutsch. 2. Afl. (17 m. 1 Abb.) 8° Fulda, A Maier 04. — 30 d
— parvum continens sacramentor. administrationem, infirmor. curam et benedictiones diversas, ad sacerdotum usum ari-nar. agendum usum commodiorem ex rituali romana excerptas. Ed. V. (224) 16° Regensbg, F Pustet 01. 1.30;
L. 1.60; Ldr m. G. 2 —
— romanum Pauli V. pontificis maximi jussu ed. a Benedicto XIV. aactam et castigatum, cui novissima accedit benedictionum et instructionum appendix. Ed. VII. Lpzg edita. (In Schwarz- u. Rotdr.) (402 u. 296 m. Abb. u. 1 Fardr.) 8° Ebd. 4 —; geb. v. 5.20 bis 7.50
— dass. Ed. VIII. tppe typicam. (In Rot- u. Schwarzdr.) (374 u. 264 m. Abb.) 16° Ebd. 05. 3 —; geb. v. 3.70 bis 5.40
Ritus consecrationis altaris n. d. röm. Pontificale f. d. Gebr. d. assistier. Klerus. (48) 8° Rgnsbg, F Pustet 05. — 20;
L. — 40
— consecrationis ecclesiae n. d. röm. Pontificale f. d. Gebr. d. assistier. Klerus. (71) 8° Ebd. 05. — 30; L. — 56

Ritus benedictionis et impositionis primarii lapidis pro ecclesia aedificanda, consecrationis ecclesiae et altarium et benedictionis signi vel campanae ex pontificali romano depromptus. (In Rot- u. Schwarzdr.) Ed. IV juxta ed. typicam. (148, 12 u. 8) 8° Rgnsbg, F Pustet 03. 2 —; HChagr. 2.50
— dass. Juxta editionem typicam. (Neue Afl.) (In Rot- u. Schwarzdr.) (248) 12° Ebd. 03. 1.80; HChagr. 2.30
— explorandae veritatis, quo hungarica natio in dirimendis controversiis ante annos trecentos & quadraginta usa est, s.: Regestrum Varadinense.

Ritz, A: Der Bodensee u. s. Ufer. Führer. (62 m. Abb. u. 1 Karte.) 8° Cannst., G Hopf 02. Kart. 1 — d

Ritz, L: Die ält. Gesch. d. Vestes u. d. Stadt Recklinghausen. (184) 8° Ess., GD Baedeker 03. 4 —; geb. 4.80

Ritzengruber, F: Ueb. Schüler-Wandergn, s.: Abhandlungen, pädagog.

Ritzenthaler, E: Gedächtnisrede auf d. geistl. Rat Dr. Friedrich Wörter, o. ö. Prof. zu Freiburg i. Br. (16) 8° Freibg i/B., Herder 02. — 40 d

Ritzerow, F, geb. Burmeister: Mecklenb. Kochb. 11. Afl. (422 m. Abb.) 8° Wism., Hinstorff's V. 04. L. 3.75 d

Ritzmann: Das Forststrafges. d. Pfalz, nebst Vollzugsvorschriften in d. gegenwärt. Fassg. Textausg. m. Erläutergn u. e. Anh. enth. d. Bestimmgn üb. d. Wildschaden. (119) 8° Kaisersl., E Crusius 01. Kart. 1.80 d
— Hdb. d. Forststraf- u. Forstpolizeirechts d. Pfalz, m. e. Anh. betr. d. Wildschadenersatz in d. Pfalz. (384) 8° Frankenth., L Göhring & Co. 04. 6 —; geb. nn 6.50 d

Riviera-Zeitung, illustr. österr. Organ f. d. kurörtl. u. wirtschaftl. Interessen v. Dalmatien, Istrien u. Trient. Hrsg. u. Chefred.: FJ Weiss. Verantwortlich: F Stěpánek. 1. Jahrg. Apr.—Dezbr 1904. 39 Nrn. (Nr. 1. 12) 4° Pola. Abbazia, FJ Schmid. Viertelj. nn 5.50 || 2. Jahrg. 1905. 52 Nrn. nn 21 —; einz. Nrn nn — 50 Vorl. ô F

Rivista dell' emigrazione italiana in Europa. Bollettino trimestrale, ed. dal L Werthmann. Red.: E Druetti. 1. anno. Oktbr 1905—Septbr 1906. 4 Nrn. (Nr. 1. 24) 8° Freibg i/B., (Geschäftsstelle d. Charitasverbandes f. d. kathol. Deutschl.). 1.20; einz. Nrn — 40

Rivulet, H, s. a.: Schlippenbach, Freifr. G v.
— Ein Mutterherz. Ehre Vater u. Mutter. Unser 1. Weihnachtsbaum, s.: Volksbücher, neue.

Risor, W: Untersuchgn üb. d. Verhalten d. in doppelt unterbund. Gefässen enth. Blutelemente. (27) 8° Tüb., F Pietzcker 03. nn — 80

Röbbelen, H: Die Bibel u. ihre göttl. Eingebg, s.: Wort, d., sie sollen lassen stahn!

Roeber, F: Blanche-Neige, s.: Reinecke, C.

Röber, O: Lust'ge Braunschweiger in Kriegs- u. in Friedenskreuten. I. Die Jäger d. Todes. II. Wie d. Einj.-Freiwill. August Schwenkendiek zu sr 1. Belobg kam. 2 Erzählgn. 2. Afl. (127) 8° Bruschw., (W Scholz) (04). 1 — d

Robert, d. kl. Von E v. W., .: O du fröhl. usw. Weihnachts-Zeit.

Robert, C, s.: Hermes.
— Niobe, d.Marmorbild a. Pompeii, s.: Winckelmannsprogramm, Hallisches.
— Die antiken Sarkophag-Reliefs. Mit Benutzg d. Vorarbeiten v. F Matz hrag. u. bearb. III. Bd. Einzelmythen. 2. Abth. Hippolytos-Meleagros. 169—372 m. Abb. u. 59 Taf.) 45,5×35 cm. Berl., G Grote 04. Kart. 200 — (II u. III: 585 —) *Der I. Bd ist noch nicht erschienen.*
— Studien z. Ilias. Mit Beitr. v. F Bechtel. (591) 8° Berl., Weidmann 01. 13 — d

Robert, E: Bildet d. histor. Protestantismus d. letzte Stadium in d. Entwickelg d. christl. Kirche? (20) 8° Frankf. a/M., (R Ecslin) 1900. nn — 50 d

Robert, F, s. a.: Ehlers, FR.
— Frau Amanda u. ihre Kinder. Ein Buch f. d. Intimste d. Eltern. (884) 8° Berl., H Bermühler 03. 3 —; geb. nn 4 — d
— Aus d. Nichts z. Glauben. Ein Saatkorn f. d. Glaubensbekenntnis uns. Kinder. 3. Afl. (202) 12° Ebd. 03. 2 —; geb. 3 —

Robert, O: Anl. z. Herstellg u. Benützg e. Schattentheaters, s.: Spiel u. Arbeit.
— Das Bilderb. v. 19. Jahrh. Mit Merkversen f. d. Jugend. (10 m. 10 farb. Taf.) Fol. Ravnsbg, O Maier (01). Kart. 1.50 d
— Germania. Vaterländ. Bilderb. f. d. deut. Jugend. (10 m. 10 farb. Taf.) Fol. Ebd. (01). Kart. 1.50 d
— s.: Schattenfiguren z. Ausschneiden fürs Schattenspiel. — Spielbücher. — Sprachführer, kleine. — Taschenwörterbücher u. Sprachführer, neue.

Robert v. Brügge: Katech. f. d. Tertiaren d. hl. Franziskus v. Assisi. Uebersetzg. (322) 16° Saarl., F Stein Nf. 06. — 80; L. 1 — d

Robert-Milles, S: Die Pariser Börse, ihre Usancen u. Operationen. (201) 8° Lpzg, O Spamer 03. 1 — d

Robert-tornow, W: Gefügg. Worte, s.: Büchmann, G.

Roberti, A: „Was in mir war verborgen". Gedichte u. Aphorismen. (160) 8° Bruschw. (04). Lpzg, R Sattler. 3 —; L. m. G. 4 — d

Robertino (R Bertin), s.: Zur Kurzweil.·

Roberts, A Baron v.: Aus Mitleid. Neue Novellen u. Skizzen. 2. [Tit.-]Afl. (404) 8° Berl., A Schall [1891] (02). 5.50 d
— Um d. Namen, s.: Universal-Bibliothek.
— Schwiegertöchter, s.: Engelhorn's allg. Roman-Bibliothek.

Roberts, F: Die Schlaftänzerin Madeleine G. Ein Protest geg. d. Missbr. d. Wiss. (24) 8° Münch., G Birk & Co. (04). — 20 d

Roberts, S: Ratgeber f. d. Haushalt, s.: Hoffmann's Hausbaltgsb.

Roberts of Kandahar, Feldmarschall Lord: 41 Jahre in Indien, v. Subaltern-Offizier bis z. Oberbefehlshaber. Übers. v. Ritter v. Borosini. 2 Bde. (580 u. 384 m. Bildnis, Kart. u. Pl.) 8° Berl., K Siegismund 04. 12 —; L. 15 — d

Robertson, AJ: Scottish hydrographic research, s.: Publications de circonstance du conseil permanent internat. pour l'exploration de la mer.

Robertson, FW: Relig. Reden. In deut. Übersetzg, m. e. Vorwort v. A Harnack. 10. Afl. (215) 8° Lpzg, JC Hinrichs' V. 06. 3 — || N. F. 9. Afl. (166) 06. 2 —; Einbde in L. je — 80; in 1 Bd geb. 6 —

Robertson, J: Die alte Relig. Israels vor d. 8. Jahrh. v. Chr. n. d. Bibel u. n. d. modernen Kritikern. Uebersetzg. 2. Afl. v. Cv. Orelli. (367) 8° Stuttg., JF Steinkopf 05. 4.20; geb. 5 — d

Robertson, JG: Method. engl. Sprechschule, s.: Harnisch, A.

Robertson, W: My wife's diary, s.: Theatre, modern Engl. comic (A Diezmann).

Robicsek, O: Richtet nicht. Roman. (220) 8° Dresd., E Pierson 05. 3 —; geb. 4 — d

Robida, J: Der Huchen u. s. Fang m. d. Angel. (121 m. Fig.) 8° Laib., I v. Kleinmayr & F Bamberg 02. L. 3 —

Robins, E (CE Raimond): A dark lantern. — The magnetic north, s.: Collection of Brit. auth.

Robinson, BH: Der maler. Effekt in d. Photogr., neue Bearbeitg, s.: Matthies-Masuren, F, bildmäss. Photogr.

Robinson, JG: Welche Bücher man lesen soll. Robinson's literary guide. Literar. Wegweiser f. d. Studium d. deut., engl. u. französ. Sprache. (15) 12° Berl., E Beyer 04. (— 50) 1 —

Robinson, FW: Jung-Nin, s.: Engelhorn's allg. Roman-Bibliothek.
— Wrayfords Mündel, s.: Ensslin's Roman- u. Novellenschatz,

Robischung, FA: Der Köhler a. d. Blumental. Erzählg a. d. Vogesen. (148 m. Titelbild.) 8° Strassbg, F Bull 04. 1.80; L. 2.20 d

Robitschek, N: Hochkirch. (93 m. 1 Karte.) 8° Wien, C Teufen's Nf. 05. 1.25 d

Robl, T: Der Radrennsport, s.: Bibliothek f. Sport u. Spiel.

Robolski, H: Das Ges. betr. d. Schutz v. Gebrauchsmustern. — Das Patentges., s.: Gesetzsammlung.

Robolsky, A, s.: Rauch, E v.

Robolsky, H: Französ. u. engl. Handelskorrespondenz. Ges. Originale. Hrsg. v. F Meissner. 2 Tle. 8° Lpzg, Renger. Je 2.40; geb. je nn 3 —
I. Französisch. 5. Afl. (164 u. 77) 06. || II. Englisch. 4. Afl. v. J Montgomery. (151 u. 77) 01.
— s.: Taschenbücher d. Handelskorrespondenz.

Robolsky, K: Was muss man v. d. neuen deut. Rechtschreibg wissen? (71) 8° Berl., H Steinitz (03). 1 — d
— u. K Kasting: Kl. Taschenwrtrb. d. deutsch-dän. u. dänischdeut. Sprache. Mit e. Anh.: Gespräche u. norweg. Wörter. (267) 12° Ebd. (02). L. 2 — d

Robrade, D: Der Maurer, s.: Behse, WH.
— Taschen. f. Hochbautechniker u. Bauunternehmer. 4. Afl. (22, 348 m. Abb.) 8° Lpzg, BF Voigt 02. L. 4.50 d
— Der Zimmermann, s.: Behse, WH.

Robran, P: Kampf ums Glück. Roman. (340) 8° Lpzg (01). Stuttg., Union. 3 —; L. 4 — d

Rocco, E: Der Umgang in u. m. d. Gesellschaft. 9. Afl. (400) 8° Halle, O Hendel (05). 3 —; L. 4 — d

Roch, F: Moderne Fassadenentwürfe. (24 Taf. m. 3 S. Text.) 4° Lpzg, BF Voigt 04. In M. 7.50

Roch, P: Baukle f. Berg- u. Hüttenleute. (386 m. Abb.) 8° Freibg, Craz & G. 01. 12 —

Rocheflamme: Maria v. Magdala. Historisch-romant. Erzählg. Uebers. v. M Dietze. 3 Tle in 1 Bd. (86, 169 u. 75) 8° Lpzg, A Cavael (03). 3 —; geb. nn 5.50 d

Rochefoucauld, G de la: Der Liebhaber u. d. Arzt. Roman. Uebersetzg. (354) 8° Budap., G Grimm 05. 3 — d

Rochelle, E, s.: Delmas, G, Hilfsbilder z. prakt. Unterr. d. modernen Sprachen.

Rochelt, E: Meran u. Umgebg, s.: Ellmenreich, FW.

Rochen, R, u. P Haustein: Form u. Farbe im Flächenschmuck. 6 Hefte. (24 farb. Taf.) 46×33,5 cm. Stuttg. (03). Berl.-Schönebg, Ch. Sauer & Bufleb. In M. 28 —

Rochlitz, F: Freiheitssang u. Bürgertreue, s.: Siegemund, R.
— Tage d. Gefahr. (Die Völkerschlacht bei Leipzig.) (Tagerbuchblätter.) Bearb. u. hrsg. v. R Siegemund. 1—9. Taus. (71 m. Abb.) 8° Dresd., A Köhler 04.05. Kart. — 75 d

Rocholl, H: Allein m. Gott. Gebetb. f. junge Christen. (63) 16° Lpzg, G Strübig (01). Kart. nn — 25 d
— Anna Alexandria, Herrin zu Rappoltstein, e. ev. Edelfrau a. d. Zeit d. Reformation im Elsass, s.: Schriften f. d. deut. Volk.
— Friede auf Erden! Ein Jahrg. Predigten üb. freie Texte. 2. Afl. (In ca 10 Lfgn.) 1. Lfg. (1—64) 8° Lpzg, G Strübig 05.
— s.: Heil, uns., In d. gekreuz. u. auferstand. Christus.
— Konfirmation — welch' e. Feier! Festgabe an d. christl. Jugend. 3. Afl. (48) 8° Lpzg, G Strübig (05). nn — 50; kart. m. G. u. Titelbild 1 — d

Rocholl, H: Die Reformation im Elsass, s.: Festschriften f. Gustav-Adolf-Ver.
— Die Treue bis in d. Tod, s.: „Mit Gott f. Kaiser u. Reich".
Rocholl, R: Bessarion. Studie z. Oesch. d. Renaissance. (239) 8° Lpzg. A Deichert Nf. 04. 4.—
— Christophorus. Altes u. Neues a. Wald u. Heide. 5. Afl. (312) 8° Hannov., C Meyer 04. 2.50; geb. m. G. 4.— d
— s.: Fest z. Fahne.
— Wie kann d. luther. Kirche d. dent. Volke erhalten werden? Vortr. (34) 8° Lpzg, A Deichert Nf. 05. — 50
— Luginsland. (35) 8° Ebd. 03. — 75 d
— Weltgesch. — Gottes Werk. (68) 8° Ebd. 05. 1.30 d
Rocholl, T: 4 Orig.-Steinzeichngn, s.: Steinzeichnungen dent. Maler.
— Das dent. Ross, s.: Devens, FK.
Rochow's, E v., pädagog. Schriften, s.: Schriften hervorrag. Pädagogen f. Seminaristen u. Lehrer.
Rochow, G v., geb. v. Pachelbl-Gehag: Erlebt, erdacht u. mitempfunden. Gedichte. (282 m. Bildnis.) 8° Lpzg, P List (02). 3.—; geb. 4.— d
Rochs, H: Anleit. Vorlesgn f. d. Operations-Cursus an d. Leiche, s.: Bergmann, E v.
Rochus, J : Diktier- u. Übgsb. f. Gabelsb.'sche Stenogr. (44) 8° Wolfenb., Heckner (02). nn — 60 d
— Leitf. z. Erlerng d. Gabelsb.'schen Stenogr. I. Tl: Verkehrsschrift. (32) 8° Ebd. 02. (Umschl. 03). nn — 75 o F
— s.: Schüler-Bibliothek, stenogr.
Rochus, W: Schnurren in fränk. Mundart. (95 m. Abb.) 8° Bambg, Handels-Dr. u. Verlagsh. (05). — 60 d
Rock, W: Leitf. d. Somatol. u. Hygiene f. Mädchenlyzeen. (83 m. Abb.) 8° Wien, A Pichler's Wwe & S. 02. Geb. 1.40
Rück, H: Der unverfälschte Sokrates, d. Atheist u. „Sophist" u. d. Wesen aller Philosophie u. Relig., gemeinverständlich dargest. (542) 8° Innsbr., Rauch 05. 10.30
Rocke: Die Schäden d. Leihhäuser f. d. Uhren- u. Goldwaren-Handel. (21) 8° Lpzg, W Diebener 05. nn — 30
Rocke, G. G **Röger** u. F Wolf: Aufgaben f. schriftl. Rechnen. Ausg. A. In 4 Heften. 8° Lpzg, Dürr'sche Bh. nn — 95 d
  I. 13. Afl. (48) 04. nn — 25 II. 13. Afl. (32) 04. nn — 15 III. 12. Afl. (64) 04. nn — 25 IV. 12. Afl. (80 m. Fig.) 04. nn — 30.
— dass. 2. Vorst. 5. Afl. (46) 8° Ebd. 01. nn — 25 d
Böckel, R : Liederb. — Deut. Liederschatz, s.: Stoffregen, HA.
Bockelmann, M : Spezial-K. v. Bad Steben u. Umgebg. 1: 50,000. 43,5×51 cm. Lith. Hof, R Lion 02. 1.—
Rockenstein's Rundschriftheft, s.: Otto, HC.
Rockinger, L v.: Deutschenspiegel, sog. Schwabenspiegel, Bertholds v. Regensburg deut. Predigten in ihrem Verhältnisse zu einander. [S.-A.]. 1. Eifte. (90) 4° Münch., (G Franz' V.) 03. 3 — II 2. Hfte. (52) 05. 2 —
— Üb. d. Familienangehörigk. d. sog. Krafftschen Handschrift d. kais. Land- u. Lehenrechts. [S.-A.] (33) 8° Ebd. 05. — 60
— Zu Handschriften d. jüngeren Gestalt d. kais. Land-u. Lehenrechtes. [S.-A.] (28) 4° Ebd. 02. 1.—
— Geb. d. sog. Schwabenspiegel in e. Rechtshandschriftenbande a. d. 15. Jahrh. im Haus- u. Staatsarchive in Zerbst. [S.-A.] (16) 8° Ebd. 03. — 20
Rückl, S : Ludwig II. u. Rich. Wagner. 1864.65. (161) 8° Münch., CH Beck 03. Kart. 2.50 d
— Was erzählt Rich. Wagner üb. d. Entstehg s. Nibelungengedichtes u. wie dentet er es? 1853.1903. (38) 8° Lpzg, Breitkopf & H. 03. — 75 d
— Was erzählt Rich. Wagner üb. d. Entstehg sr musikal. Komposition d. Ringes d. Nibelungen? (31) 8° Ebd. 04. — 75
Rockstroh, H : Buch d. Schmetterlinge u. Raupen. 7. Afl. v. EL Taschenberg. (135 m. 10 farb. Taf.) 8° Halle, H Gesenius 01. L. 6 — d
Rockstroh, J, s.: Lesebuch f. ländl. Fortbildgssch.
Rockwell, WW: Die Doppelehe d. Landgrafen Philipp v. Hessen. (20, 374) 8° Marbg, NG Elwert's V. 04. 7 —; geb. 8.20
Rod, E: Die verlassene Frau. Roman. Aus d. Franz. u. E Godwyn. 2. Taus. (330) 8° Wien, Wiener Verl. 05. 3 —; geb. nn 4.50 d
— Das Privatleben d. Michel Teissier. Roman. Deutsch v. J Sachs. (299) 8° Dresd., H Minden (05). 3.50 d
— Ein Sieger. Übers. v. M Toussaint. (445) 8° Berl., Hüpeden & Merzyn 05. 4 —; geb. 5 — d
— Auf halbem Wege, s.: Pantheon's allg. Roman-Bibliothek.
Roda-Roda (AML Roda): Der Gespan v. Semberija. Drama. Bearbeitg d. „Knez od Semberije" BG Nušchitschs. (15) 8° Wien, C Konegen 03. (— 85) — 50 d
— Frau Helenes Ehescheidg. (183) 8° Ebd. 04. 1.80 d
— Der gemüthskranke Husar u. and. Militärhumoresken, s.: Bibliothek, militär-belletrist.
— Dieser Schurk', d. Matkowitsch! (183) 8° Wien, C Konegen 04. 1.80 d
— Soldatengeschichten. 1. u. 2. Bd. 8° Wien, LW Seidel & S. Je 1.80 d
  1. Der Mann m. d. eisernen Finger. (178) 04. | 2. Soldaten. (168) 04.
Rodank, A v. (A Graf Wolkenstein-Rosenegg): Tiroler Romane. VII u. VIII. 8° Innsbr., Wagner. 4.90
  VII. Clementine v. Polen. Zeitbild a. d. J. 1718 u. 19. (310) 02. 2.40
  VIII. Sabina Jäger. Zeit- u. Lebensbild a. d. Anf. d. 19. Jahrh. (349) 03. 2.50
Rodari, P: Grundr. d. medikamentösen Therapie d. Magenu. Darmkrankh. einschl. Grundzüge d. Diagnostik. (178) 8° Wiesb., JF Bergmann 04. 3.60

Rodari, P: Die Verdaugsorgane u. ihre Krankh. 1. u. 2. Afl. (50) 8° Münch., Verl. d. ärztl. Rundschau 04.05. 1.40; geb. 2.20
Roedder, OC: Die elektrotechn. Einrichtgn moderner Schiffe. (346 m. Abb. u. 2 Taf.) 8° Wiesb., CW Kreidel 02. 8.60
Rode, AC: Erlebnisse e. Deserteurs. Mahnwort an d. reif. Jugend. Bearb. v. H Hofmann. 4. Taus. (93 m. 2 Bildern.) 8° Wiesb. 02. (Lpzg, R Uhlig.) Geb. 1.50 d
Rode, E: Margarete. Eine Liebesehe m. Zwischenspiel. Erkenntnisse u. Geständnisse. (123) 8° Berl., E Vormann 05. 1.80 d
Rode, H (S Walther-Locher): Epheuranken. Gedichte. (84) 8° Dresd., E Pierson 04. 1.50; geb. 2.50
Rode, K: Zur neuen Zollvorlage. (15) 8° Weim., M Grosse (02). — 50 d
Rode, L: Wachsamk. geht üb. List, s.: Verein f. Verbreitg guter Schriften, Bern.
Rode, T: Leitf. I f. d. theoret. u. 1. Gesang-Unterr. auf höh. Lehranst. 1. Elementar-Theorie d. Musik, 2. 21 Choralmelodien m. Text, 3. 53 1stimm. Lieder u. Gesänge. 8. Afl. v. R Schmidt. (64) 8° Berl., HW Müller 01. — 80; kart. — 90 d
— Leitf. III f. d. Gesangunterr. auf höh. Unterr.-Anst. Enth.: 1. Vorübgn in Dur u. Moll z. 3stimm. Choral- u. Liedgesange, 2. d. gebräuchlichsten Choräle u. 3. Volks- u. Kernlieder, wie Gesänge verschied. Inhalts in 3stimm. Bearbeitg f. e. Sopran u. zwei Alte. 5. Afl. v. R Schmidt. (96) 8° Ebd. 04. Kart. 1.15 d
Rodegast, B: Die Fussbekleidgskunst. 2. Afl. (189 m. 22 L.) 8° Lpzg, BF Voigt 05. 7.50 d
Roedel, H, s.: Helios.
Roedel, S: Deut. Leseb. f. techn. Mittelsch., s.: Drechsel, W.
Rodemann, KJ: Die Erbarmgslose. Novellen. (72 m. Bildnis.) 8° Berl.-Schönebg (Kaiser-Friedrichstr. 8), Selbstverl. 01. — 50 d
— Die Experimentiertante, s.: Siedenburg's Sammlg v. Einaktern.
Rodemeyer, A: Dr. Martin Luthers Leben u. Wirken in Wort u. Bild. Für d. Jugend bearb. (104) 8° Brem., Bh. u. Verl. d. Tractath. (1888). Geb. 1.— d
Roden, L v. d. (Gräfin Posadowsky-Wehner): Die letzten Blätter e. Tagebuchs u. and. Skizzen. (61) 8° Wien, CW Stern 05. 2 — d
Rodenbach, G: Das tote Brügge, s.: Sammlung merkwürdl. Bücher d. Weltlit.
— Die stille Stadt. Schausp. — Der Schleier. Dramat. Gedicht. Übers. v. S Trebitsch. (145) 8° Wien, Wiener Verl. 02. 2 —; geb. nn 3 — d
— Im Zwielicht. Nachgelassene Novellen. Eingeleitet u. übers. v. T v Oppeln-Bronikowski. (226 m. Bildnis.) 8° Dresd., C Reissner 05. 3 —; geb. 4 —
Rodenberg, J: Lieder u. Gedichte. 6. Afl. (194) 8° Berl., Gebr. Paetel 01. 2 —; L. 3 — d
— s.: Rundschau, deut.
Rodenstein, M: Ges. Gedichte. 1. Tl. (111) 8° Dresd., E Pierson 03. 2 —; geb. 3 — o F
Roder, C: Stadtrecht v. Villingen, s.: Stadtrechte, oberrhein.
Roder, JG († 1850): Bregenz vor 50 Jahren. [S.-A.] (63) 12° Breg., JN Teutsch 02. 2 — d
Röder: Wie kuriere ich meinen kranken Magen? (137) 8° Erf., F Bartholomäus (01). 1 — d
Röder: Die Wirkg d. Tuberkulins u. s. Werth als Erkenngsmittel d. Tuberkulose uns. Hausthiere. Vortr. (23) 8° Dresd., 01. Lpzg, G Schönfeld. — 60 d
Röder, C: Der Neunersbruch. Humorist. Epos a. d. Gymnasialleben. (75) 8° Dresd., E Pierson 04. 1 —; geb. 2 — d
Röder, C: Glossen z. Schulreform. (15) 8° Darmst., (E Roedxer) 04. — 50
Röder, E: Schnick-Schnack, s.: Kosmahl, A.
— 'N' Ward sei Sänger-Raas' nooch Hamborg, s.: Gedichte u. Geschichten in erzgebirg. Mundart.
— Dembnnel, Wanckel, R Müller: A Haufen dumma-Gunga-Straach', s.: Gedichte u. Geschichten in erzgebirge Mundart.
Röder, E: Auserles. Choräle f. gemischten Chor, m. Rücks. auf höh. Lehranst. Gesangunterr. (52) 8° Lpzg, FEC Leuckart (04). 1 — d
Röder, F v.: Blutende Blumen. Verse. (56 m. Bildnis.) 8° Wien, Verl.-Anst. neuer Lit. u. Kunst (04). 2 — d
Roeder, F: Das Dresdner Hoftheater d. Gegenwart, neue Ausg., s.: Theater d. Dresdner.
Roeder, F, s.: Regius-Psalter, d. altengl.
Röder, H: Die Gleichgn, gelöst durch Reihen. Für Schulen u. z. Selbstunterr. (40 u. 4) 8° Offenb. 1900. (Darmst., L Saeng.) nn — 75 d
Roeder, O: Synthese d. Thymins, s.: Fischer, E.
Roeder, H: Dem Gedenken e. deut. Frau. Gedichte. (139 m. 1 Bildnis.) 8° Berl., Herm. Walther 05. 3 — d
— Die Relig. verdirbt d. Charakter. Mahnruf. (54) 8° Ebd. 02. 1.50 d
— Worte f. Menschen z. Entgegng auf Chamberlains Worte f. Christi. (79) 8° Ebd. 05. 2 — d
Röder, H: Ub. d. Hautkrankh. im Säuglingsalter, s.: Neter, E.
Roeder, H: Elementar-Mathematik, s.: Kambly, L.
— Der Koordinatenbegriff u. ein. Grundeigenschaften d. Kegelschnitte. Zum Gebr. an Gymnasien bearb. 2. Afl. (64 m. Fig.) 8° Bresl., F Hirt 02. Kart. — 60 d

Roeder, H: Trigonometr. u. stereometr. Lehraufg. d. Unter-Sekunda. (Prima d. Realsch.) [S.-A.] 3. Afl. (52 m. Fig.) 8° Bresl., F Hirt 02. — 60 d
— Lehrsätze u. Aufg. a. d. Planimetrie. 3. Afl. (102) 8° Ebd. 03. Kart. 1 — d
— Planimetrie. — Trigonometrie, s.: Kambly, L.
Roeder, J: Medicin. Statistik d. Stadt Würzburg, Fortsetzg, s.: Statistik.
Roeder, K: Choral-Übgsheft f. d. Hand d. Schüler. Bes. z. Gebr. in Präparandenanst. u. Seminarien. (36) 8° Ess., GD Baedeker 04. — 50 d
— Chorlieder-Sammlg f. Präparandenanst. Ausgew. u. bearb. f. e. Knabenstimme, Tenor u. geteilten Bass. 1—3. Heft. (19, 16 u. 16) 8° Quedlnbg (02.04). Gr. Lichterf., CF Vieweg. Je — 20 d
— Einführg in d. Theorie d. Tonkunst. Zum Gebr. bei d. musikal. Vorbildg v. Präparanden u. Lehrerinnen, sowie beim Privat-Musikuntert.3.Afl.(78)8°Nenw.,Heuser'sErben 02. 1.60 d
— Das Klavierspiel im preuss. Schulhause, s.: Für d. Schule a. d. Schule.
— Volksschul-Liederb., s.: Becker, K.
— Vorbereitgn auf d. Gesangstunde. Anl. z. fruchtbring. Behandlg d. Volkslieder. (184) 8° Quedlnbg (03). Gr. Lichterf., CF Vieweg. 2 —; geb. 2.50
— Vorschule z. Kunstgesang. Zum Gebr. in Lehrer- u. Lehrerinnen-Bildgsanst. (69 m. Abb.) 8° Arnsbg, J Stahl 03. Geb. 2 —
Röder, L: Franzö8. Gespräche f. Anfänger. 2. Afl. (75) 12° Nürnbg, C Koch 04. Geb. — 80 d
Röder, O: Chirurg. Operationstechnik f. Tierärzte u. Studierende. (154 m. Abb.) 8° Berl., P Parey 04. L. 5 —
— Die Schweineseuchen u. deren Bekämpfg. Vortr. (25) 8° Dresd. 03. Lpzg, G Schönfeld. — 60 d
Röder, P: Mieter u. Vermieter, ihre Rechte u. Pflichten, s.: Wissen, gek.
Roeder, V: Der Somnambulismus. (16) 8° Lpzg, O Mutze (03). — 40 d
Röder v. Diersburg, H Frhr: Zur Klosterfrage in Baden. (113) 8° Lahr, M Schauenburg 02. 1.20 d
Roderfeld, A: Anßerdgn d. Arzneib. f. d. Deut.Reich, IV. Ausg., gegenüber d. III. Ausg. (60) 12° Berl., Selbstverl. d. deut. Apotheker-Ver. 01. — 75
— Ausbildg d. jungen Pharmazeuten, s.: Schlickum.
Rödertz, J: Der Krieg geg. d. Hereros od. Tünnes in Afrika, s.: Heidelmann's, A, Theaterbibliothek.
Rodt, J: Berechng d. Leitgn f. Mehrphasenströme. Übers. v. M Lachmann. 2. Afl. (55 m. Fig.) 8° Lpzg, O Leiner 05. 2.75
Rodewald, H: Untersuchgn üb. d. Fehler d. Samenprüfgn, s.: Arbeiten d. deut. Landw.-Gesellsch.
Rodig, E: Leseb. f. landw. Fortbildgsesch. — Leseb. f. landw. Lehranst. im Kgr. Sachsen, s.: Kälker, G.
Rödiger, K, s.: Von d. Schiller-Feier 1905 in Plauen.
Roediger, M: Die Bedeutg d. Suffixes ment. (128) 8° Berl., Mayr & M. 04. 2 —
Roediger, PC: Die Patentges. v. Deutschl. usw., s.: Fischer, L.
Rodler, E: Der Geist v. Maju. (Roman.) (246) 8° Dresd., E Pierson 05. 3 —; geb. 4 — d
Rodlo, W: Held u. Holdin. Improvisation. (79) 8° Lpzg, Modernes Verl.-Bureau 05. 2 —
Rodrigues, A: Uebg d. christl. Vollkommenh. Neu übers. v. C Kleybold. 3 Bde. 5. Afl. (490, 480 u. 393) 8° Mainz 01. Rgnsbg, J Habbel. 10 — ‖ 7. Afl. (490, 480 u. 397) Rgnsbg 05. 5 — d
Rodriguez, A: Das Versprechen. Erzählg. Aus d. Portugies. v. Lehmann. (51 m. Abb.) 8° Frankenst. 03. Neu-Weissens., HWT Dieter. — 20 d
Rodriguez, T: Elementos de quimica moderna. Obra declarada de texto en la mayor parte de los seminarios y varios institutos de España. 3. ed. (191 m. Fig.) 8° Freibg i/B., Herder 01. 1.20; kart. 1.44; L. 2 —
Rodt, C V.: Reise e. Schweizerin üb. d. Welt. (715 m. Abb.) 8° Neuenbg, F Zahn 04. (Basel, Schweiz. National-Bb. [Nur dir.]) 16 —; L. 20 —; auch in 15 Lfgn zu 1 — d
Rodt, E v.: Bern im 15. Jahrh. (182 m. Abb.) 8° Bern, A Francke 05. 5 —; geb. 6.50 d
— Bern im 16. Jahrh. (156 m. Abb. u. Fksms.) 8° Ebd. 04. 5 —; L. 6.50 d
— Bern im 17. Jahrh. (144 m. Abb.) 8° Ebd. 03. 5 —; geb. 6.50 d
Rodziewicz, M: Dewajtis. Roman. Aus d. Poln. (Neue [Tit.-]Ausg.) (380) 8° Stuttg., Deut. Verl.-Anst. [1894] (02). 1.50; geb. 1.75 d
— Das Märchen v. Glück, s.: Universal-Bibliothek.
— Sie. Roman. (Neue [Tit.-]Ausg.) (269) 8° Stuttg., Deut. Verl.-Anst. [1892] (02). 1 —; geb. 1.50 d
Roëll, P v., u. G **Epstein**: Bismarcks Staatsrecht. Der Stellenahme d. Fürsten Otto v. Bismarck zu d. wichtigsten Fragen d. deut. u. preuss. Staatsrechts. (488) 8° Berl., F Dümmler's V. 03. 7.50; geb. 9 — d
Roffhack, A: Gedichte. 2. Afl. (188 m. Abb.) 8° Bresl., Schles. Buchdr. usw. 02. L. a — d
Rogacci, B: Von d. Einen Notwendigen. Anl. z. Liebe Gottes. Nach d. v. FX Lierheimer übers. Orig. frei bearb. u. in 2 gekürzter Afl. hrsg. v. J Müllendorff. (859 m. 1 Bt.) 8° Rgnsbg, Verl.-Anst. vorm. GJ Manz 01. 7 —; geb. 9 — d
Rogalski, P: Vom Wege. Gedichte. (54) 8° Berl., (W Vobach & Co.) 05. 1.50 d
— Unter d. Weihnachtsbaum, s.: Sammlung leb. Bilder.
Rogatyn, B, s.: Erzähler, poln.

Rogau, P: Die einflussreichste Frage d. menschl. Lebens u. d. wahre Antwort darauf. (53) 8° Lpzg, T Rother 1900. — 50 d
Roge, A: Das Liebesmahl. Schausp. (64) 8° Tetsch., O Henckel (02). 1 — d
Rogel, F: Das Rechnen m. Vorteil. (38) 8° Lpzg, BG Teubner 05. — 80
— Üb. d. graph. Zusammensetzg v. Kräften. [S.-A.] (26 m. Abb.) 8° Prag, (F Řivnáč) 05. — 40
Röger, G: Aufgaben f. schriftl. Rechnen, s.: Rocke, G.
Roeger, J: Musterblätter f. d. Unterr. im militär. Planzeichnen u. Krokieren an d. kgl. Kriegssch. Nebst d. Zeichen-Erklärgn f. d. bayer. Karten u. d. Karte d. deut. Reiches. 3. Afl. (5 m. 28 z. Tl farb. Taf.) 8° Münch., Lit.-artist. Anst. 02. Kart. nn 5 — d
Rogers, S: Ginevra Orsini, s.: Authors, modern Engl. (H Saure).
Rogez, P, u. MD **Berlitz**: Litt. franç. avec extraits et exercices. Ed. europ., 3me tirage. (246) 8° Berl., S Cronbach 03. 2 — d
Rogge: Stammtaf. sämtl. Feldartill.-Regimenter u. Batterien d. preuss. Armee, m. e. geschichtl. Überblick üb. d. Entwickelg d. Gliederg d. Feldartill. (188) 8° Oldnbg, G Stalling's V. 04. 10 —; geb. nn 11.75 d
Rogge, B: Der Ablass in d. römisch-kathol. Kirche, s.: Streitschriften, freundschaftl.
— Deutsch-ev. Charakterbilder. 2. Afl. (230 m. 18 Bildnissen.) 8° Altnbg, S Geibel (03). 2.25; L. 3 — d
— Friedrich III., deut. Kaiser u. König v. Preussen. Lebensbild. 5. Afl. (159 m. Abb. u. 1 Bildnis.) 8° Lpzg, F Hirt & S. (04). 2.25; geb. 3 — d
— Johann Friedrich, Kurfürst v. Sachsen, gen. „d. Grossmütige". Gedenkschrift. (125 m. Bildnis.) 8° Halle, E Strien 03. 1.60; L. 2.25 d
— Unser Kaiserpaar. Eine Festgabe u. Gedenkb. (162 m. Abb.) 8° Gosl., R Danehl 05. — 80; Geschenkausg., L. 3.50 d
— Ein falsches u. e. echtes Lutherbild, s.: Flugschriften f. Gustav-Adolf-Ver.
— Lutherbüchl. f. d. deut. Volk. 12. Afl. (72 m. H. u. 1 Zeittaf.) 8° Lpzg, G Reichardt 05. — 40 d
— s.: Predigten, 2, bei d. 54. Hauptversammlg d. ev. Ver. d. Gustav-Adolf-Stiftg geb.
— Der gr. Preussenkönig, s.: Bilder a. Deutschlds Vorzeit.
— Generalfeldmarschall Graf Albr. v. Roon, kgl. preuss. Kriegsminister. Lebensbild. (79 m. Abb.) 8° Hannov., C Meyer 05. — 50 d
— Ein selig Volk. Reich, s.: Bilder a. Deutschlds Werdezeit.
Rogge, C: Aussichten u. Aufgaben. Betrachtgn üb. d. Lage d. Christentums in d. geist. Krise d. Gegenwart. (85) 8° Stuttg., Greiner & Pf. 03. 1 — d
— s.: Christoterpe, neue.
— Tapfere Männer u. fröhl. Geber. 2 Weihereden. (14 m. 1 Abb.) 8° Kiel, Lipsius & T. 02. — 30 d
— Deut. Seesoldaten bei d. Belagerg d. Gesandtschaften in Peking im Sommer 1900. 1. u. 2. Afl. (75 m. Abb., Titelbild u. 2 Kartenskizzen.) 8° Berl., ES Mittler & S. 02.05. 1 — d
— Wir heissen euch hoffen! Predigten u. Skizzen. (118) 8° Kiel, Lipsius & T. 05. 1.60; L. 2.50 d
Roggenhofer, G: Die Wäscherei in ihrem ganzen Umfange. (233 m. Abb.) 8° Wittenbg, A Ziemsen 03. 4 —; L. 5 — d
Roggenkämper, E: Unterr.-Briefe z. Studium d. Bergwerksbetriebes u. d. darauf bezügl. gesetzl. u. polizeil. Vorschriften. (64 m. Abb.) 8° Lpzg, (E Bredt) 01. 2 — d
— dass. d. einf. u. dopp. Buchführg. d. Wechselordng u. d. Konkursverfahrens. (76) 8° Ebd. (01). 2 — d
— dass. d. deut. Sprache u. Rechtschreibg. d. Abfassens v. Aufsätzen u. Briefen. (80) 8° Ebd. (01). 2 — d
— dass. d. bürgerl., kaufmänn. u. gewerbl. Rechnens. (68) 8° Ebd. (01). 2 — d
Rogister, L v.: Zur Lehre v. d. Staatennachfolge: Gibt es e. stillschweig. Eintritt in Staatsverträge? (98) 8° Berl., E Ebering 03. 2.80
Rogivue, H: Französisch-deut. u. deutsch-franzö8. Taschenwrtrb. In 2 Tln. (452 u. 484) 8° Lpzg, O Holtze's Nf. 03. — 2 —; in 1 Bd geb. 3 —; in 1 HF.-Bd 3.75
Rögl, F: Maria-Zell in Steiermark. Entwurf e. Monogr. d. berühmten Wallfahrtsortes. Mit e. Anh.: Führer durch Maria-Zell u. Umgebg. (147) 8° Wien, W Braumüller 03. 4 — d
Rogner, K: Katech. d. Schlachtvieh- u. Fleischbeschau, s.: Keuter, M.
Roh, P: Die Grundirrtümer uns. Zeit. 6. Afl. (116) 8° Freibg i/B., Herder 03. — 70 d
— Vorträge. 2. u. 3. Folge. 8° Ravnsbg, F Alber 05. 3.15 (Vollst.: 4.50) d
2. Prakt. Christentum. (115) 1.35 ‖ 3. Vortr., geb. in d. Eberhardskirche zu Stuttgart im April 1868. (172) 1.50
1. s.: Katholisches f. Jedermann.
Rohacek, F: Die Grundsteuervorschreibg in Mähren u. d. Berufsgenossensch. d. Landwirte, s.: Sammlung agrar.-polit. Schriften.
Rohde's Schweinezucht. 5. Afl. v. H Schmidt. (399 m. Abb. u. 31 Rassebildern.) 8° Berl., P Parey 05. L. 12 — d
Rohde s.: Auszug, kurzer, a. d. Entscheidgn d. kgl. preuss. Oberverwaltungsgerichts in Staatssteuersachen.

Rohde, A: Eine Sammlg v. prakt. Lehrproben a. d. einz. Unterr.-Gegenständen. 2. Afl. 10 Lfgn. (485) 8° Gosl., R Danehl 03.
Je — 60 d
— Eine Sammlg v. Reden u. Ansprachen a. d. Schul-, Konferenz- u. Familienleben d. Lehrers u. bei sonst. Gelegenh. (112) 8° Osterbg 01. Gosl., R Danehl. 1.20; geb. 1.60 d
— Eine Sammlg wicht. u. zeitgemässer pädagog. Vorträge u. Aufsätze. 2. Afl. 1. Lfg. Neudr. (1—64) 8° Gosl., R Danehl 02. — 60 d
— Die Schulfeste in d. Volkssch. 2. Afl. (207) 8° Osterw., AW Zickfeldt 04. 1.50 d
Rohde, A: Christenlehre. Handreichg f. d. Konfirmandenunterr. u. d. Relig.-Unterr. höh. Stufe, e. Geleitbuch f. konfirmierte Christen. 3. Afl. (76) 8° Lpzg, R Voigtländer 02. Kart. — 80 d
— Gott befohlen! Abschiedspredigt. (14) 8° Chemn., O May 04. — 25 d
Rohde, E: Kl. Schriften. 2 Bde. 8° Tüb., JCB Mohr 01. 24 —
1. Beitr. z. Chronol., Quellenkde u. Gesch. d. griech. Litt. (31, 436) | 2. Beitr. z. Gesch. d. Romans u. d. Novelle, z. Sagen-, Märchen- u. Altertumskde. (481)
— Briefwechsel m. Nietzsche, s.: Nietzsche, F.
— Nekyia. [S.-A.] (38) 8° Tüb., JCB Mohr 02. 1.30
— Friedrich Nietzsche's „Die Geburt d. Tragödie a. d. Geiste d. Musik". [S.-A.] (12) 8° Ebd. 02. — 40
— Paralipomena. [S.-A.] (31) 8° Ebd. 02. 1 —
— Psyche. Seelencult u. Unsterblichkeitsglaube d. Griechen. 3. Afl. 2 Bde. (329 u. 448) 8° Ebd. 03. 20 —; geb. in 22.50
— Die Relig. d. Griechen. [S.-A.] (26) 8° Ebd. 02. — 80
— Zum griech. Roman. [S.-A.] (34) 8° Ebd. 02. 1 —
Rohde, EW: Die Verdienste Herbart-Zillers, Biedermanns u. Dörpfelds um d. heut. Gosch.-Unterr. (31) 8° Gotha, R Schmidt 01. — 50 d
Rohde, F, s.: Flugblätter, protestant.
— Aus Zeit u. Ewigk. Predigten f. d. christl. Gemeinde uns. Tage. (239) 8° Tüb., JCB Mohr 06. 3 —; geb. n4 — d
Rohde, G: Das Buch d. Propheten Hosea in 22 Bibelstunden f. d. Gemeinde ausgelegt. (196) 8° Harb., Bh. d. nass. Colportagever. 04. 1.40; geb. 1.80 d
Rohde, G: Das Chromylchlorid u. d. Etardsche Reaktion. [S.-A.] (69) 8° Stuttg., F Enke 01. 2.40
Rohde, H: Entwürfe f. Gast- u. Logirhäuser, s.: Kühn, A.
Rohde, K: Die Lösg d. Wohngsfrage. (34) 8° Lpzg, Bh. G Pock 01. — 60 d
Rohde, T, s.: Collection Ernst Fürst zu Windisch-Grätz.
Rohde, W: Das kgl. Waisenhaus zu Königsberg i. Pr. 1701—1901. (102 m. 2 Bildnissen 1 Ansicht, 2 Grundr. u. 1 Pl.) 8° Bresl., F Hirt 01. 2 — d
Rohden, v., s.: Herhudt v. Rohden.
Rohden: Das gold. Buch d. Gesundheit. Volkswohlfahrt. (in 26 Heften.) 1. Heft. (1—32) 8° Cass., Buchdr. Gutenberg 02.
Fortsetzg war nicht zu erhalten.
Rohden, G v.: Gesch. d. rheinisch-westfäl. Gefängniss-Gesellschaft. Festschrift. (184 m. 1 Tab.) 8° Düsseldf, Rheinisch-westfäl. Gefängniss-Gesellsch. 01. (Nur dir.)
— s.: Jahresbericht d. rheinisch-westfäl. Gefängnis-Gesellsch.
— Lehrpl. f. d. pfarramtl. Relig.-Unterr. Aufgest. n. d. Beschlüssen d. 26. rhein. Prov.-Synode v. 1902. Bemerkgn u. Erläutergn. [S.-A.] (31) 8° Güters., C Bertelsmann 04. — 90 d
— s.: Schulblatt, ev.
— Die rhein. Synoden u. d. geistl. Ortsschulaufsicht. [S.-A.] (31) 8° Güters., C Bertelsmann 04. — 90 d
— Das Wesen d. Strafe im eth. u. strafrechtl. Sinne. [S.-A.] (22) 8° Tüb., JCB Mohr 05. 1 —
— Ein Wort z. Katech.-Frage, s.: Beiträge z. Lehrerbildg u. Lehrerfortbildg.
Roehdanz, F: Erie's Rekord. Roman. (173) 8° Dresd., E Pierson 04. 2.50; geb. 3.50 d
Rohe, E: Bibl. Charakterbilder, s.: Moody.
Roheisen, d., unter Mitberücks. zr weit. Verarbeitg. I. Tl: Die einz. Produktionsländer. Hrsg. v. k. k. Handelsministerium. 1. u. 2. Lfg. [S.-A.] (760) 8° Wien, Manz 03.04. 8 —
Roehl, A: Der schöne Hederich. — Pension Völkerling, s.: Kürschner's, J, Bücherschatz.
Roehl, H: Entlassgsreden. (58) 8° Lpzg, BG Teubner 04. 1 — d
— Die wichtigsten Gesch.-Zahlen, zusammengest. f. höh. Mädchensch. (16) 8° Lpzg, M Woywod 01. nn — 15 d
Roehl, H: Der Befähigsnachweis. Seine geschichtl. Entwicklg u. s. Durchführbark. (130) 8° Lpzg, H Klasing 02. L. 2.75
Roehl, W: Stoff-, Lehr- u. Lektionspl. f. Halbtagssch. 3. Afl., s.: Pfeifer, W, u. Wohlrabe, Einrichtgs-, Lehr- u. Stoffpl. f. Halbtags- usw. Sch.
Rohland, P: Üb. d. Frage n. d. Konstitution d. Portland-Cements. [S.-A.] (3) 4° Stuttg. 01. (Freibgi/B., J Bielefeld.) 50 —
— Üb. Hydratation d. Calciumsulfates. II. Mitteilg. [S.-A.] (6) 4° Ebd. 01. — 80 (I vergr.)
— Üb. d. Hydratation d. Gipses. [S.-A.] (3) 4° Ebd. 01. — 50
— Üb. d. Hydratation im Portlandcement. [S.-A.] (9) 4° Ebd. 1900. 1 —
— Der Portland-Zement v. physikalisch-chem. Standpunkte. (98 m. Abb.) 8° Lpzg, Quandt & H. 03. 2.80; geb. 3.60
— Üb. ein. Reaktionen d. Portland-Cements. [S.-A.] (6) 4° Stuttg. 1900. (Freibg i/B., J Bielefeld.) — 80
— Der Stuck- u. Estrichgips. Physikalisch-chem. Untersuchgn. (74) 8° Lpzg, Quandt & H. 04. 2.25; geb. 3 —

Rohland, W v., s.: Abhandlungen, Freiburger, a. d. Geb. d. öffentl. Rechts.
— Die Kausallehre d. Strafrechts. (61) 8° Lpzg, Duncker & H. 03. 1.60 d
— Strafprozessfälle u. Entscheidgn z. akadem. Gebr. (139) 8° Ebd. 04. Kart. 2.50 d
— Strafrechtsfälle. Zum akadem. Gebr. (145) 12° Ebd. 0r. L. 2.80 d
— Die Willensfreiheit u. ihre Gegner. (171) 8° Ebd. 05. 4 — d
— Willenstheorie u. Vorstellgstheorie im Strafrecht. (24) 8° Freibg i/B., C Troemer 04. — 80 d
Rohleder, HO: Die Masturbation. 2. Afl. (23, 336) 8° Berl., Fischer's med. Bh. 02. 6 —; geb. 7 —
— Der Neomalthusianismus. Die facultative Sterilität in d. ärztl. Praxis. [S.-A.] (27) 8° Lpzg, Verl. d. Monatsschrift f. Harnkrankh. 05. 1.20
— Die Prophylaxe d. functionellen Störgn d. männl. Geschlechtsapparates, s.: Handbuch d. Prophylaxe.
— Üb. medicamentöse Seifen bei Hautkrankh., s.: Klinik, Berliner.
Rohleder, T: Die Kulturaufg. d. Freimaurerei u. deren Vernachlässigg. (47) 8° Stuttg., A Lung (05). — 75
Rohlena, J: Additamenta in floram peninsulae Athoae, s.: — 1—4. Beitrag z. Flora v. Montenegro. [S.-A.] 8° Prag, (F Rivnaŕ). 2.90
1. (29) 02. — 40 | 2. (37) 02. — 70 | 3. (71 m. Abb.) 04. 1.20 | 4. (106 m. 2 Abb.) 05. — 80.
Rohling, A: Die ewige Alleinherrschaft d. Glaubens auf Erden. Eine Inschrift a. Damaskus, erklärt u. erläut. (88) 8° Münch., G Schuh & Co. 03. 1.30
— Das Judentum nach neurabbin. Darstellg d. Hochfinanz Israels. (120) 8° Ebd. 03. 1.50
— Die Lösg d. soz. Frage durch d. Boden- u. Geldreform. (26) 8° Wien (V, Schönbrunnerstr. 62), Bildgs- u. Gesellgskts.-Ver. „Gesunde Menschen" 05. — 50 d
— Auf nach Zion! od. d. gr. Hoffng Israels u. aller Menschen. (219) 8° Kempt., J Kösel 01. 3 —; L. 3.80
Rohling, H: Ein werde nicht sterben, sondern leben! Festpredigt a. Anlass d. 41. Jahresversammlg d. niederösterr. Zweigver. d. Gustav Adolf-Stiftg. (11) 8° Graz, (F Pechel) 03. — 25 d
Rohlwes, JN: Allg. Vieharzneib. (328 m. 1 Taf.) 8° Berl., H Schild (02). L. 6 — ‖ Neue Ausg. (336 m. 1 Taf. u. 2 colorirte Modellen.) (04.) L. 5 — d
Rohm, K, s.: Lebens-Spuren.
Rohm, PJ: Leitf. z. wirksamen Ausübg d. Menschen-Heil-Magnetismus. Anh. üb. Lage u. Funktion d. wichtigsten menschl. Körperteile. 6. Afl. (122 m. Abb. u. 7 Taf.) 8° Wiesb. (1900). (Lpzg, W Besser.) Kart. 5 — d
— Der Student, s.: Kerning, JB.
Röhm, O: Massaanalyse, s.: Sammlung Göschen.
— Ueb. Polymerisationsprodukte d. Akrylsäure. (34) 8° Tüb., F Pietzcker 01. — 80
Röhm, P: Rechenb., s.: Haesters, A.
Rohmann, A, s.: Romuald, A.
Rohmann, L: Die alten Gesch., s.: Universal-Bibliothek.
— Geg. d. Strom, s.: Vobach's Illustr. Roman-Bibliothek.
Rohmeder, F: Anl. z. chem. Arbeiten f. Mediciner. 2. Afl. (98 m. Abb.) 8° Berl., S Karger 04. L. 4 —
Rohmeder, A: „Seid barmherzig!" Predigt. (12) 8° Münch., M Kosieckl 01. (Nur dir.) — 20 d
Rohmeder, AF: Die Einbeziehg d. kaufmänn. Personals weibl. Geschlechtes bei Neugestaltg d. kaufmänn. Fortbildgssch. in München u. bei Errichtg od. Neugestaltg kaufmänn. Fortbildgssch. in and. Städten. (32) 8° Münch., M Kellerer 05. — 60
— Die Errichtg e. nied. Handelssch. in München. (20) 8° Ebd. 05. — 40
— Deut. Leseb. f. kaufmänn. Fortbildgssch., s.: Loessl, V.
— München als Handelsstadt in Vergangenh., Neuzeit u. Gegenwart. 2 Vortr. (220) 8° Münch., M Kellerer 05. 4 —
Rohmeder, W: Das Fersenthal in Süd-Tirol, s.: Reiseführer, nationaler.
Rohmer, O: Das Kinderschutzges. Reichsges. v. 30.III.'03, betr. Kinderarbeit in gewerbl. Betrieben. (103) 16° Münch., CH Beck 03. L. 1.20 d
— Kommentar z. Gewerbeordng, s.: Landmann, R v.
Rohn, F: Stille Geschichten. (185) 8° Nürnbg, E Nister (05). 1 —; geb. 2.50 d
Rohn, F: Robert, od. Eine misslung. Feuerwehrvorstellg, s.: Rohn, K.
Rohn, K, u. F Papperitz: Lehrb. d. darstell. Geometrie. (In 2 Bdn.) 1. Bd. 2. Afl. (418 m. Fig.) 8° Lpzg, Veit & Co. 01. 12 —; L. 13 —
Rohn, RA: Gesch., s.: Hirt's, F, Realienb.
— Regeln d. deut. Sprachlehre f. Schulen. 42. Afl. (32) 8° Lpzg, Dürr'sche Bh. 04. nn — 25 d
Rohn, A: Gedichte u. Lieder. (160 m. Bildnis.) 8° Berl., O Rohkohl 03. L. 1.20 d
Rohne, H: Das gefechtsmäss. Abteilgsschiessen d. Infant. u. d. Schiessen m. Maschinengewehren. 4. Afl. (125 m. Abb.) 8° Berl., ES Mittler & S. 05. 2.25; geb. nn 3.50 d
— Zur Artilleriefrage, s.: Zeitfragen, militär.
— Die franzős. Feldartill. Organisation, Bewaffng, Ausbildg, Schiessen, Gefecht n. d. Reglement v. 16.XI.'01 dargestellt

u. kritisch beleuchtet. (125 m. Abb.) 8º Berl., ES Mittler & S.
02. 2.50; L. nn 3.50 d
Rohne, H : Üb. d. Feuerwirkg d. modernen Feldartill., s.: Zeitfragen, militär.
— Üb. d. Führg v. Kolonialkriegen. — Die Mitwirkg d. Artill. beim Angriff e. befestigten Feldstellg, s.: Beiheft z. Militär-Wochenbl.
— Studie üb. d. Schnellfeuergeschütze in Rohrrücklaufaffete. [S.-A.] (40 m. Abb. u. 4 Taf.) 8º Berl., ES Mittler & S. 01. 1 —
Rohnert, W: Die Dogmatik d. ev.-luther. Kirche. Mit Berücks. d. Dogmengeschichtlichen zunächst d. bekenntnistreuen Geistlichen u. d. Theologie-Studier. dargeboten. (646) 8º Brnschw., H Wollermann 02. 12 —; HF. 14 — d
— Uns. Kirchenliederdichter. Beigabe z. Gesangb. f. d. ev.-luther. Kirche. (226) 8º Elberf., Luther. Bücherver. 05. L. 2.25 d
— Die Lehre v. d. letzten Dingen. [S.-A.] (66) 8º Brnschw., H Wollermann 02. 1 — d
Röhnick, G : Was muss d. angeh. Beamte wissen? (75) 8º Dresd., H Schultze 03. 1 — d
Rohon, JV : Beitr. z. Anatomie u. Histol. d. Psammosteiden. [S.-A.] (31 m. Fig. u. 2 Taf.) 8º Prag, (F Řivnáč) 01. — 96
Rohr, E : Krieg im Frieden! Erzählng a. d. Manöverzeit f. Knaben u. Mädchen. (72 m. 4 Bildern.) 12º Bas., Kober 02. — 50 d
Rohr, F : Taschenb. z. Gebr. bei takt. Ausarbeitgn, Kriegsspielen, takt. Übgsritten, Manövern u. im Felde, s.: Braumüller's militär. Taschenbb.
Rohr, G : Empfehlenswerte Schriften f. kathol. Töchter (u. Frauen). Mit e. Abh.: Französ. u. engl. Lit. v. P Küchler u. J Pfeifer. 4. Afl. (90 m. 4 Taf.) 8º Hamm, Breer & Th. 05. — 30 d
Rohr, K : Ein Wort d. Liebe an Neukonfirmierte. 20. Afl. (80) 8º Bas., Kober (05). — 25; kart. — 35 d
Rohr, M : Am Niagara. Gedichte. (112 m. Titelbild.) 8º Münch., J Roth (05). 2 —; L. m. G. 3 — d
Rohr, M v., s.: Bilderzeugung, d., in opt. Instrumenten.
— Grundz. d. Theorie d. opt. Instrumente n. Abbe, s.: Czapski, S.
— Die opt. Instrumente, s.: Aus Natur u. Geisteswelt.
— Die Logarithmen d. Sinus u. Tangenten f. 0°—5° u. d. Cosinus u. Cotangenten f. 85°—90° v. tausendstel zu tausendstel Grad. Als Ergänzg zu C Bremiker's 5stell. Logarithmentaf. hrsg. (20) 8º Berl., Weidmann 1900. — 50 d
Röhr's, W, Strafgesetzgebg in Bezug auf d. Zuwiderhandlgn geg. d. Zoll- u. Steuer-Ges. u. Anweisg z. Buchführg in Abschlüssen f. d. Hauptzoll- u. Hauptsteuerämter sowie d. Steuerämter zu Sigmaringen u. Hechingen. 2. Ausg. d. 4. Afl. v. G Lehmann. (404) 8º Bresl., JU Kern 03. L. 7.50 d
Rohracher, F : Ursula v. Lienz. Ein v. Juden gemartertes Christenkind. (24 m. Abb.) 8º Brix., Pressver.-Bh. 05. — 40 d
Rohrbach, A : Bibl. Gesch., s.: Busch, JDRC.
Rohrbach, C : 4stell. logarithmisch-trigonometr. Taf. nebst ein. physikal. u. astronom. Taf., f. d. Gebr. an höh. Schulen. 4. Afl. (36 m. 1 Fig.) 8º Gotha, EF Thienemann 04. Kart. — 90
Rohrbach, P : Im vorderen Asien. Polit. u. and. Fahrten. (142 m. Abb. u. 1 Karte.) 8º Berl.-Schönebg, Verl. d. „Hilfe" 01. L. 4 — d
— Die Bagdadbahn. (61 m. 1 Karte.) 8º Berl., Wiegandt & Gr. 02. 1 —
— Die wirtschaftl. Bedeutg Westasiens, s.: Geographie, angewandte.
— Deutschl. unter d. Weltvölkern. Materialien z. auswärt. Politik. (200) 8º Berl.-Schönebg, Verl. d. „Hilfe" 03. 2.50; L.3.50 d
— Deutsch-Südwest-Afrika e. Ansiedlgs-Gebiet? (35) 8º Ebd. (05). — 50 d
— Das Finanzsystem Witte. [S.-A.] (71) 8º Berl., G Stilke 02. 1 — d
— „Geboren v. d. Jungfrau". Das Zeugnis d. Neuen Test. geg. d. Lehre v. d. übernatürl. Geburt Jesu Christi. 5. [Tit.-]Afl. (49) 8º Frankf. a/M., Neuer Frankf. Verl. (1898) (05). — 75 d
— Vom Kaukasus z. Mittelmeer. Eine Hochzeits- u. Studienreise durch Armenien. (224) 8º Lpzg, BG Teubner 03. 5 —;
— In Lande Jahwehs u. Jesu. Wandergn u. Wandlgn v. Hermon bis z. Wüste Juda. (432) 8º Tüb., JCB Mohr 01. 6 —; geb. nn 7 — d
— Persien u. d. deut. Interessen, s.: Verhandlungen d. deut. Kolonial-Gesellsch.
— Die russ. Weltmacht in Mittel- u. in Westasien, s.: Monographien z. Weltpolitik.
Rohrbeck, F : Durchs Herz. Gedichte. (144 m. Bildnis.) 8º Zür., C Schmidt 01. 2 — d
Rohrecke, B : Müllabfuhr u. Müllbeseitigg. Beitrag z. Städtehygiene. (Vervollständigt durch T Weyl's Aufsatz „Die Müllfrage in Paris".) Mit Anh.: Abth. I : Verordngn, Verträge u. Bedingen f. d. Vergebg d. Abfuhr u. Sammlg d. Hausmülles. Abth. II : Gefässe u. Geräthe z. Sammlg, Wagen u. Schiffe z. Transport d. Hausmülles. (227 u. 102 m. Abb., Kart. u. Pl.) 8º Berl., (HR Mecklenburg) 01. 12 —
Rohrer, E : Rentiert d. Geflügelhaltg? Die volksw. Bedeutg d. Hühnes f. uns. schweiz. Verhältn. (66 m. Abb.) 8º Bern, EJ Wyss 01. Kart. — 80 l) 2. Afl. (84 m. Abb.) 8º Ebd. 05. Kart. 1.20 d
Rohrer, RM, s.: Fromme's österr. Feuerwehr-Kalender.
— Kalender-Hdb. 1906. (166) 31.5×13.5 cm. Brünn, RM Rohrer. Kart. 1.20 d
In Ausg. f. Böhmen, Mähren u. Schlesien, Nieder-Oesterr. u. Oesterr.-Ungarn.

Roehrich, Mme E : Fleurs et sapins des Vosges. Poésies. (232) 8º Strassbg, Bh. d. ev. Gesellsch. 05. 2.80; L. 3.60
Röhrich, W: Der Handel in Wesen, Richtgn u. Formen. (90) 8º Lpzg, GA Gloeckner 05. Kart. 1 — d
— Üb. 200 deut. Handelsbriefe f. junge Kaufleute, nebst Angabe d. z. Übers. in d. Französ. u. Engl. wichtigsten Wörter u. Fachausdrücke in diesen Sprachen. 3. Afl. (116) 8º Ebd. 03. Geb. nn 1.80 d
Röhricht, A; Das menschl. Personenleben u. d. christl. Glaube n. Paulus. (155) 8º Gütersl., C Bertelsmann 02. 2.40; geb. 3 — d
Röhricht, B : Uns. Lieder f. Kinder u. Kinderfreunde. 20. Afl. (64) 8º Berl., Wiegandt & Gr. (05). nn — 13 d
Röhricht, R : Gesch. d. 1. Kreuzzuges. (268) 8º Innsbr., Wagner 01. 6 —
— s.: Regesta regni Hierosolymitani.
Röhrig, C : Ansprache im Kindergottesdienst, s.: Predigten, 2. bei d. 45. Hauptversammlg d. ev. Ver. d. Gustav Adolf-Stiftg geh.
— Das 2. Buch d. Chronika d. ev. Gemeinde Honnef am Rhein. (64 m. 8 Taf.) 8º Bonn, (J Schergens) 04. 1 — d
— Nur getreu! Nur getrost. 4 Predigten. (62) 8º Berl., Rehtwisch & Langewort 1895. — 75 d
— Gustav Adolf in d. Dichtg. Zugl. e. Deklamations-Buch f. Gustav-Adolf-Feste. (221) 8º Lpzg, A Strauch 05. L. 2 — d
— Reminiscere! 50 Jahre d. Rettgsanst. auf d. Schmiedel. 18? 1.— 1901. Denkschrift. (175 m. Abb.) 8º Simmern 01. (Bonn, A Falkenroth.) 1 — d
— Die röm. Volksmissionen. (71) 8º Lpzg, A Strauch (05). 1 —
— Kl. Züge a. d. Diaspora d. Rheinlandes, s.: Festschriften f. Gustav Adolf-Ver.
Röhrig, F : 75 kaufmänn. Briefe. Ges. moderne Originale aller Arten. (16) 4º Burgstädt (Sachs.), Selbstverl. (04). 1.25 d
— Die amerikan. od. Kolonnen-Buchführg. 3. Afl. (14 m. 1 Formular u. 1 Tab.) 8º Ebd. (02). 1.40
— Die einf. gesetzl. Buchführg z. Selbst-Erlernen. 3. Afl. (15 m. 2 Formularen.) 8º Ebd. (02). 1 — d
— Graph. Darstellg d. Quintessenz aller existier. Buchführgs-Arten. Nebst e. prakt. Anl., welche in 2 bis 3 Stunden e. umfass. Verständnis d. Hauptschwierigk. d. einf., dopp. u. amerikan. Buchführg ermöglicht. 6. Afl. (3 Bl.) 43×52 cm. Nebst Text. (15) 8º Ebd. (04). 1.35
— Der Kern d. Buchführg (Buchen u. bes. Abschliessen), in leichtfassl. Weise bildlich dargestellt. Nebst e. prakt. Anl., welche in 3 bis 3 Stunden e. umfass. Verständnis d. Hauptschwierigk. d. einf., dopp. u. amerikan. Buchführg ermöglicht. 5. Afl. (14 m. 2 Formularen.) 8º Ebd. (02). 1 —
Röhrig, JA : Studio Bummel. — Die Diebe in d. Falle od. Der gestohl. Lotteriegewinn. — Der Herren Diener od. Nette Zustände in d. Wohng d. Herren v. Höchst u. v. Weissenfeld, s.: Heidelmann's, A, Theaterbibliothek.
Röhrig, K : Uns. Könige, C.
Röhrig, W : Die Bedeutg d. Werke n. d. Schrift, s.: Weg, d., göttl. Zeugnisse.
— Gesch. d. Entstehg u. Entwickelg d. ev. Kapelle in Heidelberg. (44) 8º Hdlbg, C Winter, V. 01. nn — 50 d
Röhrke, K : Musik im Allg. Anh. zu Tonbildg u. Aussprache. (16) 8º Stett. (01). (Berl., RM Schimmel.) — 50
— Tonbildg u. Aussprache. (24) 8º Ebd. (01). 1 —
Rohrmann, A : Geogr., s.: Seydlitz, E. v.
Rohrmüller, M : Präparat. auf d. Unter. in C v. Schmids Bibl. Geschichte f. kathol. Volkssch. n. A Werfers Neubearbeitg. 2 Tle. 2. [Tit.-]Afl. 8º Münch., M Kellerer [1896] 01. nn 2.60 d 1. Altes Test. (104) nn 1 — 2. Neues Test. (172) nn 1.60.
Röhrs, H : Leitf. d. Geometrie, s.: Falcke, A.
Röhrs, W : Hilfsb. zu d Striens Elementarb. d. französ. Sprache. Ausg. A. (100) 8º Bren., Rühle & Schl. 03. 1.50 d
Rohrscheidt, K v.: Burenlieder zu leb. Bildern. (11) 8º Halle, (Gebauer-Schw.) 02. — 40 d
— Das Fleischbeschauges., s.: Hirschfeld's Taschen-Gesetzsammlg.
— s.: Gewerbearchiv f. d. Deut. Reich.
— Die Gewerbeordng f. d. Deut. Reich in d. Red. v. 26.VII.1900 m. sämmtl. Ausführgsbestimmgn f. d. Reich u. f. Preussen. 6 Lfgn. (1410) 8º Lpzg, CL Hirschfeld 01. (23.80) 23.50 d HF. 26.50 d
— dass. Nachtr. Umfassend d. seit d. Juli '01 ergang. Ges., Ausführgsbestimmgn, Erlasse u. Entscheidgn. (176) 8º Ebd. 04. 4.40; geb. 6 — d
— Reichsges., betr. Bekämpfg d. unlaut. Wettbewerbes v. 30.III.'03. Mit Einl., Beschäftiggstab. u. Sachregister. (97) 16º Berl., F Vahlen 03. Kart. 1 — d
— s.: Volksschularchiv, preuss.
Röhsler's Coursb. 42. Serie. Winter-Fahrpl. 1904/5. (Russisch u. deutsch.) (198 m. 1 Karte.) 16º Riga, (Jonck & P.). 1.20 43. Serie. Sommer '05- (206 m. 1 Karte.) — 60
Rohte, O : Uns. Kasualsätze im Französ. (119) 8º Gött., (Vandenhoeck & R.) 01. 3.20
Rohweder, J : Uns. Schnepfen. Die 3 europ. Sumpfschnepfen od. Bekassinen Gallinago major, gallinago, gallinula u. d. Waldschnepfe, Scolopax rusticula in Wort u. Bild. [S.-A.] (63 m. 5 farb. Taf.) Fol. Gera-Untermh., FE Köhler Kart. 5 —
Roi, I de le: Nichtsündigen u. Sündigen d. Wiedergeborenen n. d. 1. Johannesbrief. Vortr. (37) 8º Bas., Kober 1900. — 30 d

Rokitansky, M v.: Die österr. Küche. Sammlg selbsterprobter Kochrezepte f. d. einfachsten u. d. feinsten Haushalt, nebst Anl. z. Erlerng d. Kochkunst. 3. Afl. (598 m. Abb. u. 6 Taf.) 8° Innsbr., A Edlinger 03. L. 5 — d

Rokos, A: Das Liebesmahl. Schausp. (82) 8° Wien, JJ Plaschka 05. 2 — d

Roland. Organ f. freiheitl. Pädagogik, hrsg. v.e. Vereiniggbrem. Lehrer. Red.: E Sonnemann. 1.Jahrg.Juni—Dezbr 1905. 6 Hefte. (1. Heft. 16) 8° Brem. Hambg, A Janssen. 1.50; einz. Hefte — 30
— der. Zeitschrift f. brandenb.-preuss. u. niederdeut. Heimatkde. Hrsg.: C Kühns. 1. Jahrg. Oktbr 1902—Septbr 1903. 52 Nrn. (Nr 1—27. 380 m. Abb.) 4° Berl., F Zillessen. Viertelj. 2.50 d
— dass. Wochenschrift f. Heimatkde. Hrsg. u. Schriftleiter: C Kühns. 2. Jahrg. 1. Halbj. Oktbr 1903—März 1904. 26 Nrn. (Nr. 1. 16 m. Abb.) 4° Ebd. Viertelj. 1.50; einz. Nrn — 15 d
— dass. Halbmonatsschrift f. Heimatkde. Hrsg. u. Schriftleiter: C Kühns. 2. Jahrg. 2. Halbj. April—Septbr 1904. 12 Nrn. (Nr. 27. 24 m. Abb.) 8° Ebd. Viertelj. 1.50; einz. Nrn — 30 d ò F
— d., v. Berlin, e. Wochenschrift f. d. Berliner Leben. Hrsg. u. Red.: L Leipziger. 1. Jahrg. Oktbr—Dezbr 1903. 13 Hefte. (1. Heft. 30) 8° Berl., Verl. d. Roland v. Berlin. II 2. u. 3. Jahrg. 1904. n. 5 jè 52 Hefte. Viertelj. 2 — ; einz. Hefte — 20 d

Roland, Ad.: Um Liebe. Die Gesch. e. jungen Mädchens. (143) 8° Dresd., E Pierson 03. 2 — ; geb. 3 — d

Roland, E, s. a.: Lewald, E, geb. Jansen.
— Gedichte. Neue Folge. (95) 8° Oldnbg, Schulze (01). 1.60; geb. 2.50 (1 u. 2.: 3.60; geb. 5.50) d
— Unsre lieben Leutnants. — Mut z. Glück, s.: Eckstein's Miniaturbibliothek.
— Das Schicksalsbuch u. and. Novellen. (296) 8° Berl., F Fontane & Co. 04. 3 — ; geb. 4 — d

Roland, H, s. a.: Hertwig, R.
— Der Markttag zu Klatschenhausen, s.: Hochzeits-Album.
Roland, M J: Die Stockfischprinzessin, s.: Esser's, J, Sammlg leicht aufführbarer Theaterstücke.
Roland v. Berlin (L Leipziger) s.: Aus e. Narren Tageb. — Knipke. — Lametta, Gräfin.
Roland vom Hochplateau s.: Roller, H.
— s.: Für d. Herren-Abend.
Roland-Holst, H: Generalstreik u. Sozialdemokratie. (19, 163) 8° Dresd., Kaden & Co. 05. 1.20
Rolf: Circe. Ein Tag a. d. Leben e. Sängerin. (79) 8° Dresd., E Pierson 04.
Rolf, A: Vollständ. Sammlg v. Vor- u. Taufnamen, s.: Schnack, HC.

Rolf, F: Liberal od. orthodox? (Flugschrift d. deut. Protestantenver.) (35) 8° Hdlbg, (Ev. Verl.) 02. — 25 d
Rolf, R: Wie Leutnant v. Ballhorn Schiller verzapft. (Eine luftg. Gesch. in e. Pro-, Dia- u. Epilog.) (32 m. 4 Abb.) 8° Berl.-Schönebg (05). Gr. Lichterf.-West, Verl. d. Musikwelt. 1 — d
Rolfes, E, s.: Aristoteles, d., Schrift üb. d. Seele.
Rolffs, E: Die deut. Abstinenzbewegg u. d. moderne Kultur. [S.-A.] (26) 8° Hambg 01. Flensbg, Deutschlds Grossloge II. nn — 10 || 2. Afl. (30) Flensbg 04. nn — 25 d
— Harnack's Wesen d. Christentums u. d. relig. Strömgn d. Gegenwart. (64) 8° Lpzg, JC Hinrichs' V. 02. — 80 d
— Persönl. Leben. Predigten. (189) 8° Tüb., JCB Mohr 05. 2.50; nn 3.50 d
Rolfs, CE: Taler De Dansk, Norsk? Sprechen Sie dänisch, norwegisch? (156) 12° Müllh. afR., J Bagel (01). geb. 1.20 d
— ¡Habla V. Español? Sprechen Sie spanisch? (162) 12° Ebd. (03). — 80; geb. 1.20 d
— Spreekt U Hollandsch? Sprechen Sie holländisch? (138) 12° Ebd. (1900). — 80; geb. 1.20 d
Rolfs, F: Holzner: Französ. Briefe, s.: Handelsbriefe, moderne.
— Illustr. map of London. 9 Bl. je 42×58,5 cm. Farbdr. Mit alphabet. Namens-Verz. (4) 8° Lpzg, Renger (01). 16 —; auf L. m. Ringen 22 — ; m. Ringen u. Stäben 24 —
— dass. (K]. Ausg.) 32,5×42 cm. Farbdr. Mit Namens-Verz. (4) 8° Ebd. (01). 60
— u. T van Haag: Paris. Kommentar zu Rolf's plan pittoresque in plan monumental de la ville de Paris. (180 m. 1 Pl.) 8° Ebd. 02. 3.70; geb. 4 —
Rolfs, W: Neapel, s.: Kunststätten, berühmte.
Rolfus, H: Vollständ. Erklärg d. Gebote Gottes u. d. Kirche, s.: Girardey, F.
— Erklärg d. 12 Glaubensartikel. (352 m. 12 Bildern.) 8° Einsied., Verl.-Anst. Benziger & Co. 02. L. 1.80 d
Roll, G, u. E Trautwein: Fibel u. Werkzeuge zu d. weibl. Handarbeiten. Für Mädchenschl. bearb. 4. Afl. (32 m. Fig.) 16° Berl. 02. Lpzg, J Klinkhardt. — 20 d
Roll, J: Uns. essbaren Pilze, in natürl. Grösse dargest. u. beschrieben. m. Angabe ihrer Zubereitg. 6. Afl. (46 m. 15 farb. Taf.) 8° Tüb., H Laupp 03. 2 —
Röll, L: Erfurt in Thüringen. Mit: A Overmann „Die alt.Kunst-denkmäler Erfurts". (124 u. 20 m. Abb., 2 Kart. u. 2 Pl.) 8° Erf., (H Güther) 04. — 50
— Die Schwarzathal-Bahn, s.: Thüringerwald-Bahnen.
Röll, V: Oesterr. Steuerges., s.: Taschenausgabe, Maut u. d. österr. Ges.
Roll, W: Der Asbest u. s. Bedeutg bezw. Verwendg zu Bau-u. Industriezwecken. Vortr. (11) 8° Geestem., (JH Henke) 01. — 75

Rolland, R: Paris als Musikstadt, s.: Musik, d.
Roller, A, s.: Fläche, d.
Roller, A: Alphabet. Generalreg., s.: Annalen d. bad. Gerichte.
Roller, C: Lieder u. Balladen. Neue Folge. Mit Anh. in Prosa. (192) 12° Heilbr., (Dr. J Determann) 1900. L. 1.80 d
Roller, E, s.: Herzog, d. kl.
Roller, E: Lectures rasses. — Russian reader, s.: Werkhaupt, G.
Roller, H, s. a.: Roland vom Hochplateau.
— Ausführl. Lehrg. d. einf., in wenigen Stunden erlernbaren Roller'schen Welt-Kurzschrift. 60 — 64. Taus. (16 u. 16) 8° Berl. 04. (Lpzg, JH Robolsky.) 1.20
— Vollständ. Lehrg. e. einf., in wenigen Stunden erlernbaren Stenogr. 57. Taus. (16 m. 16 Taf.) 8° Nebst Schlüssel, bearb. v. K Tolle. (16 u. 8) 8° Lesebog. (Schiller's Lied v. d. Glocke) (8) 8° u. Schreibübgs-Heft (24) 8° Ebd. 01. 3 — ; einzeln: Lehrg. 1.90; Schlüssel 1 —; Lesebog. — 30; Schreibübgs-Heft. — 50
— Leitf. z. Erlerng d. ebenso einf. wie prakt. Roller'schen Stenogr. (15) 16° Berl. (N. Liesenstr. 3), Selbstverl. 01. — 10
— Welt-Kurzschrift anwendbar f. alle Sprachen. Stenogr. Lehr- u. Lese-Buch unter bes. Berücks. d. kaufmänn. Berufslebens. (50) 8° Lpzg, Verl. d. mod. kfm. Bibliothek (05). L. 2.75
Roller, HB: Für junge Christen. Wegweiser f. Heilssuch. u. Neubekehrte. Uebers. v. JH Horst. (100) 8° Brem., Bb. u. Verl. d. Traktath. (05). — 75 d
Roller, J: Technik d. Radierg. Anl. z. Radieren u. Ätzen auf Kupfer. 4. Afl. (135) 8° Wien, A Hartleben 03. 3 — ; geb. 3.80 d
Roller, JE: Chorgesangsch. Zunächst f. Lehrer- u. Lehrerinnenbildgsanstalten. 3. Afl. (100) 8° Wien, Manz 03. 1 — d
— Lieder-Schatz. Eine Auswahl. stimmten. Lieder f. Volks- u. Bürgersch. 4 Hefte. 8° Ebd. — 98 d

1. Lieder f. d. 1. u. 2. Schulj. 10. Afl. (50) 05.		— 16
2. Lieder f. d. 3. u. 4. Schulj. 10. Afl. (60) 03.		— 24
3. Lieder f. d. 5. u. 6. Schulj. 10. Afl. (96) 02.		— 24
4. Lieder f. d. 7. u. 8. Schulj. 10. Afl. (126) 03.		— 38

Roller, K: Das Bedürfnis n. Schulärzten f. d. höh. Lehranst. (52) 8° Hambg, L Voss 02. — 80
— s.: Jugend, gesunde.
Roller, OK: Ahnentaf. d. letzten regier. Markgrafen v. Baden-Baden u. Baden-Durlach. (12 Taf.) Fol. Nebst Text. (214, 153) 8° Hdlbg, C Winter, V. 02. 20 —
— Zur Charakteristik d. Grossh. Karl Friedrich. Genealog. Versuch. [S.-A.] (33 m. 1 Stammtaf.) 8° Ebd. 03. — 60
— Eberhard v. Fulda u. s. Urkundenkopien, s.: Zeitschrift d. Ver. f. hess. Gesch. u. Landeskde.
Rollet, J (J Rolletschek): Wie sich d. Blumen erzählen u. anderes. (83) 8° Lpzg, Modernes Verl.-Bureau 04. 1.60
Rolletschek, J, s.: Rollet, J.
Rollett, A: Die wiss. Medizin u. ihre Widersacher v. heute. (28) 8° Graz, Leuschner & L. 03. — 70
Rollett, H: Begegnungen in Baden. 2. Afl. (24 m. 2 Taf.) 8° Wien, C Gerold's S. 02. 1 — d
— Begegnugn. Erinnergsblätter (1819—99). (212) 8° Wien, L Rosner 03. 4.50 d
Rollier, M: Carte tecton. des environs de Bellelay (Jura bernois). Report de l'atlas topogr. de la Suisse. 1 : 25,000. Sujet 71,5 cm. Farbdr. Bern, (A Francke) (02). 4.80
— Carte tecton. des environs de Delémont (Delsberg). 1 : 25,000. [S.-A.] 51,5×71,5 cm. Farbdr. Ebd. (05). 4.80
— Carte tecton. d'Envelier et du Weissenstein. 1 : 25,000. [S.-A.] 49,5×36,5 cm. Farbdr. Ebd. (05). 4.80
— Carte tecton. des environs de Moutier (Jura bernois). Report de l'atlas topogr. de la Suisse. 1 : 25,000. 50×71,5 cm. Farbdr. Ebd. (02). 4.80
Rollier, S: Die kl. Fee. Eine Gesch. f. Knaben u. Mädchen. Übers. v. M Stöber. (155 m. Abb.) 8° Ravnsbg, O Maier (03). geb. 3 — d
Rollinger, L, u. F Holzner: Notizen f. d. Dienst in d. Festgs-Artill. 7. Afl. (64 m. Fig.) 8° Wien, (LW Seidel & S.) 03. 1.50
Roloff: Prakt. Ratgeber f. d. modernen Handwerker, s.: Oestreich.
Roloff, G: Europ. Geschichtskalender, s.: Schulthess.
— Probleme a. d. griech. Kriegsgeschi., s.: Studien, histor.
— s.: Staatsarchiv, d.
Roloff, M: Genügt d. chem. Analyse als Grundl. f. d. therapeut. Beurteilg d. Mineralwässer? (46) 8° Halle, C Marhold 02.
— Elektr. Fernschnellbahnen. (67 m. Abb.) 8° Halle, Gebauer-Schw. 02. 1.35 d
— Die Theorie d. elektrolyt. Dissociation. [S.-A.] (84) 8° Berl., J Springer 02. 1.20
— u. P Berkitz: Leitf. f. d. elektrotechn. u. elektrochem. Seminar. (296 m. Fig.) 8° Stuttg., F Enke 04. 6 — ; L. 7 —
Roloff, W: Inhalts-Verz., s.: Zeitschrift f. Bauwesen.
Rom. (Moderne Cicerone.) 1 u. III. 12° Stuttg., Union. 1.50
(Vollst., 3 Bde : 12.50)

1. Antike Kunst. Holtzinger, H : Die Ruinen Roms. v. d. ältest. Antiken-Sammlgn. (479 m. Abb. n. 3 Pl.) (04.)		5.50
II s.: Burckhardt. O.		
III s. : Die Umgebg. (150 m. Abb. u. 1 Karte.) (03.)		2.50

— u. d. Universitäten, v. Austriacus, s.: Sammlung zeitgemässer Broschüren.
Rom, NC: Prakt. Einführg in d. Knaben-Handarbeit f. Lehrer u. Lernende. 2 Tle. 2 [Tit.-]Afl. (316 u. 299) 8° Lpzg, O Spamer (1889) 02. Je 3 — ; L. je 3.50 d
Rom, H: Rosa Rolan. Drama. (78) 8° Metz, R Lupus (05). 1.20
Rom, T v. (Frau T v. Rommel), s. a.: Goldmar, J v.

Rom, T v. (Frau T v. Rommel): Heinz Arnold's Frauen, s.: Eckstein's illustr. Roman-Bibliothek.
— Man lebt so hin, s.: Engelhorn's allg. Roman-Bibliothek.
Romacker, G: Ratgeber f. d. Stadtbez. Kiel. (70) 8° Kiel, (WG Mühlau) 05. — 50 d
— Die Reichsversicherg. Umbau u. Ausbau d. Arbeiterversicherg u. Vorschl. z. Errichtg e. Reichsversicherg. (13) 8° Grunew.-Berl., Verl. d.Arbeiter-Versorgg A Troschel 04. — 30 d
Roman, d., d. Kronprinzessin v. Sachsen. Ges. Zeitsgberichte. (51 m. Abb.) 8° Temesvár, (Polatsek) 03. 1 — d
Román y Salamero, C: El castellano actual. Lecturas y conversaciones castellanas sobre la vida diaria en España y en los paises de lengua española. Con la colaboración de R Kron. (212) 8° Karlsr. 05. Freibg i/B., J Bielefeld. Geb. 3.50
— Epistolario español. Auf Grundl. v. R Krons guide épistolaire u. Engl. letter writer fürs Span. bearb. (95) 8° Ebd. 05.
Geb. 1.50
Romanbibliothek, deut. Red.: E Schubert u., v. 33. Jahrg. an, CA Piper. 30—34. Jahrg. Oktbr 1901—Septbr 1906 je 52 Nrn. (31—33. J. 1048, 1048 u. 1052) 4° Stuttg., Deut. Verl.-Anst.
Viertelj. 2 —; auch in je 26 Heften zu — 35 d
— slav. I—V. Bd. 8° Prag, J Otto. 19.60; Einbde je 1 —;
auch in Lfgn zu — 30 d
Erzähler, poln. Eine Anthol. d. neueren poln. Pross. Zusammengest. u. übers. v. B Rogatyn. (435) 04. [II.] 4.30
Jurásek, A: Chodische Freiheitskämpfer. Histor. Gemälde. Aus d. Böhm. v. B Lepař. (431 m. Bildnis.) 04. [III.]
Novellenbuch, südslav. Aus d. Kroat. u. Serb. übers. v. L v. Kulpin, J Veličković u. F Vever. (429) 05. [IV.] 4.30
Raiz, V: Kaliba's Verbrechen. Ein Bild a. d. nordböhm. Vorgebirge. Aus d. Böhm. v. O Běhal. (308) 05. [V.]
Zeyer, J: Roman v. d. treuen Freundschaft d. Ritter Amis u. Amil. Aus d. Böhm. v. J Bäcker. (399 m. Bildnis.) 04. [I.] 4 —
Romanciers du XIXe siècle, hrsg. v. L Hasberg, s.: Schriftsteller, engl. u. französ., d. neueren Zeit.
Romanczuk, J: Die Ruthenen u. ihre Gegner in Galizien. (40) 8° Wien, CW Stern 02. — 50 d
Romane, deut. 53 Lfgn. 8° Berl., A Scholl (01.02). Je — 30 d
Zobelitz, F v.: Der Telamone. (409 m. Abb.) — Westkirch, L: Aus d. Herzenkessel d. Zeit. Frauenschuld u. Frauengrösse. (428) — Perfall, A Frhr v.: Die Krone. 2. Afl. (306) — Boguslawski, A v.: Aus bewegten Zeiten. Novellen u. Skizzen. 2.Afl. (307) — Bertz, E: Das Sabinergut. 5 Bde in 1 Bde. 2. Afl. (484) — Bethusy-Huc, V Gräfin (M v. Reichenbach): Glückskinder. 2. Afl. (734) — Schönthan, P v.: Jahraszeiten. d. Feder. Allerlei. 2. Afl. (228) — Ekstar, O: Der Pfürterrauch v. St. Veit. 2. Afl. (712)
— klass., d. Weltlit. Ausgew. Sammlg Prochaska in 32 Bdn. 8° Tesch., K Prochaska. L, je — 85 d
Bell, C: Johanna Eyre. d. Waise v. Lowood. Aus d. Engl. 8 Bde. (209, 262 u. 176) (02.) [9—19.]
Collins, W: Die Frau in Weiss. 4 Bde. (174, 194, 168 u. 171) (02.) [13—16.]
Conscience, H: Der Löwe v. Flandern. 2 Bde. (209 u. 196) (02.) [10.11.]
(Flygare-)Carlén, E: Ein Jahr. Aus d. Schwed. 2 Bde. (164 u. 192) (02.) [29.30.]
Galen, P: Der Irre v. St. James. 3 Bde. (176, 198 u. 182) (03.) [19—21.]
Herlossmohn, K: Wallensteins 1. Liebe. 3 Bde. (176, 179 u. 178) (03.) [22—24.] Die Tochter d. Piccolomini. 3 Bde. (65, 212 u. 190) 03. [24—26.]
Lytton-Bulwer, E: Die letzten Tage v. Pompeji. 2 Bde. (216 u. 215) (02.) [17.18.]
Mügge, T: Afraja. Nord. Roman. 3 Bde. (193, 212 u. 255) (02.) [1—3.]
Scott, W: Ivanhoe. Histor. Roman. 3 Bde. (246 u. 236) (02.) [27.28.]
Sealsfield, C: Tokeah od. d. weisse Rose. 2 Bde. (167 u. 170) (04.) [12.]
Spindler, K: Der Jude. Deut. Sittengemälde a. d. 1. Hälfte d. 15. Jahrh. 4 Bde. (164, 194, 192 u. 216) (02.) [4—7.]
Die Fortsetzg hierzu bildet: Erzählungen, klass., d. Weltlit.
— moderne, aller Nationen. 12—22. Bd. 8° Stuttg., Union.
Je — 75; L, je — 1 d
Becker, A: Das alte Bild. (Neue [Tit.-]Ausg.) (190) [1885.] (1900.) [18.]
Claretie, J: Noris. Uebertr. v. A Kohut. (294) (01.) [13.]
Dostojewski, T: Erniedrigte u. Beleidigte. (Neue[Tit.-]Ausg.) (260) [1884.] (1900.) [13.]
Gontscharow, J: Eine alltägl. Gesch. (Neue [Tit.-]Ausg.) (260) [1884.] (1900.) [15.]
Loti, P: Mein Bruder Yves. Uebers. v. R Prölss. (222) (01.) [21.]
Mengg, G: Hochsommerzeit war's! (207) (01.) [19.]
Ring, M: Frauenherzen. (Neue [Tit.-]Ausg.) (190) [1883.] (1900.) [14.]
Sacher-Masoch, L v.: Der kl. Adam. (Neue[Tit.-]Ausg.) (177) [1885.] (1900.) [17.]
Schmidt, M: Glasmacherleut'. (Neue [Tit.-]Ausg.) (212) [1884.] (1900.) [12.]
Silberstein, A: Hochlandsgeschichten. (Neue [Tit.-]Ausg.) (211) [1882.] (1900.) [14.]
Strats, R: Das weise Lamm. Humorist. Erzählg. (207) (01.) [20.]
Fortsetzg s. u. d. T.: Union-Sammlung moderner Romane aller Nationen.
— u. Novellen, kulturgeschichtl. Hrsg. v. FS Krauss. 1 u. 2. Bd. 8° Lpzg, Deut. Verl.-Actiengesellsch. Je 3 —;
geb. je 4 —
Norberg, L: Fräulein Kapellmeister. 1—3. Taus. (480) 06. [1.] Millionenwahnsinn. 1—3. Taus. (484) 05. [2.]
Romaneau, O: T: Prakt. Anl. z. Herstellg haltbarer Photographien mittelst d. Pigment- u. d. Platindruckes. (71) 8° Dresd., Unger & Hoffmann 01. 1.30
Romang, JJ: Der Weibel v. Ins. Der Strahler. — Die Windegghofbauern. Die Spinnerin. Die Kranke. s.: Bergkristalle.
Romani, F: Der Liebestrank, s.: Donizetti, G.
— Das Verbrechen in d. Christnacht, s.: Vereinsbühne.
Romani, H v.: Der Graf v. Rosembo, s.: Adels-Bibliothek.
Romanino, G: Wandgemälde in d. Loggia d. Löwenhofes im Castello del Buon Consiglio zu Trient. Kunsthistor. Kongress, Innsbruck 1902. (9 Lichtdr. m. 1 S. Text.) 40,5×30,5 cm. Innsbr., (H Schwick) (09). 4 —
Romanleser, der. Hrsg. u. Red.: F Fanta. 4. Jahrg. Novbr 1901—Oktbr 1902. 36 Hefte. (1. Heft. 42) 4° Prag. (Berl., S Rosen-

baum.) 5. Jahrg. 1902/3. 52 Hefte. 6. Jahrg. 1903/4. Hrsg.: A Synek. Red.: J Ryba. 36 Hefte. Je — 20 d ô F
Romanowski, M: Für Herz u. Gemüt. Betrachtgn a. d. Leben. Aphorismen. (45) 8° Lpzg, LA Klepzig 02. — 75 d
— Immanuels Kummer. Biograph. Novelle. (22) 8° Kiel, (A Missfeldt) 05. 1— 60 d
Roman-Perlen. 52 Hefte. (I. u. II. Serie.) 8° Berl., Deut. Druck-u. Verlagshaus (04). Je — 10; jede Serie 1.50 d
Balzac, H: Die verhängnisvolle Meeresklippe. (140) Einzelpr. — 25
Dumas, A: Die 3 Musketiere. (348 u. 372) Einzelpr. 1 —
Gaboriau, E: Das Verbrechen an Orcival. Kriminal-Roman. (162)
Einzelpr. 1 —
— Das Muttermal. (172) Einzelpr. — 30
Gerstäcker, F: Die Modernsten. (75) Einzelpr. — 20
— Der Polizei-Agent. (92)
Hartmann, M: Der Gefangene v. Chillon. (140) Einzelpr. — 25
Plessis, F du: Die Bakanier. (781) Einzelpr. 1 —
Ponson du Terrail: Das Geheimnis d. Ärztes. Kriminal-Roman. (136)
Einzelpr. — 25
Ruppius, O: Der Hausierer. Roman a. d. deutsch-amerikan. Volksleben. (566) Einzelpr. — 20
Stolle, F: Deut. Pickwickier. Kom. Roman. (439)
— dass., 3. Jahrg. 52 Hefte. 8° Ebd. (04). Je — 10; vollst. 1.50 d ô F
Gaboriau, E: Höllenleben. (848)
Gerstäcker, F: Das Wrack d. Piraten. (100) Einzelpr. — 20
Ponson du Terrail: Eine Jugendsünde. (235) — Eine Explosion zu rechter Zeit. (448—464) — Gendarm u. Bandit. (865—880) Einzelpr. — 20
Ruppius, O: Buschleeche. (184) Einzelpr. — 30
— Feld u. Geist. (264)
Romansammlung „Deva" s.: Deva-Roman-Sammlung.
Romanus, J: Vom Tode Leos XIII. bis z. Erhebg d. Papstes Pius' X. Mit e. geschichtl. Einl. üb. d. Papettum. (72 m. 1 Bildnis.) 8° Osnabr., B Wehberg 03. — 50 d
Romanwelt, die. Aus fremden Zungen. Halbmonatsschrift f. d. moderne Roman- u. Novellenlitt. d. Auslandes. Red.: K Bolhoevener. Oktbr—Dezbr 1901. (Romanwelt. 8. Jahrg. 32—37. Heft. Aus fremden Zungen. 11. Jahrg. 19—24. Heft.) 6 Hefte. (865—1152) 8° Stuttg., Deut. Verl.-Anst. Je — 50 d
Erscheint nun noch u. d. T.: Aus fremden Zungen.
Roman-Zeitung, deut. Geleitet v. O v. Leixner u. E Janke. 39—43. Jahrg. 1902—6. (Oktbr 1901—Septbr 1906.) Je 52 Nrn. (43. Jahrg. Nr. 1. 36) 8° Berl., O Janke. Viertelj. 3.50;
einz. Nrn nn — 30 d
— kleine. Unterhaltgsbl. f. Stadt u. Land. Red.: L Wehde. 1. u. 2. Jahrg. Oktbr 1903—Septbr 1904. 52 Nrn. 2. Bd. Oktbr—Dezbr 1904. 13 Hefte. Je — 10; Hefte. 46 nn. Abb.) 8° Berl., D Dreyer & Co. Viertelj. 1.30; einz. Hefte — 10 d ô F
Enthält d. Fortsetzg v.: Herrmann, C, d. Geheimnisse v. Berlin.
Rombach, K: Herrin Weib. 4 Erzählgn. (93) 8° Dresd. 05. Lpzg, Moderner Dresdner Verl. 3 — d
— Deut.-Sitten. Mädch. am Rhein. Ein krit. Nachwort z. Kölner — Sittlichkeitskonferenz. (48) 8° Dresd., C Stoll (05). 1— 20 d
Rombach, M: Wessen Schuld?, neue Ausg., s.: Müller, R, d. Moderhexe.
Romberg, E: Erfahrg u. Wiss. in d. inneren Medizin. Antrittsvorlesg. [S.-A.] (31) 8° Wien, Urban & Schw. 05. — 60 d
Romberg's, G, Redaktions-Kalender 1904. Schreibtisch-Almanach. 1. Jahrg. (100) 8° Lpzg, EHF Reisner. L 3 —
Fortsetzg war nicht zu erhalten.
Romberg, J: Geologisch-petrograph. Studien im Geb. v. Predazzo. I u. II. [S.-A.] (46) 8° Berl., (G Reimer) 02. 2 —
— dass. in d. Geb. v. Predazzo u. Monzoni. III. [S.-A.] (26) 8° Ebd. 03. 2 —
— Ub. d. chem. Zusammensetzg d. Eruptivgesteine in d. Geb. v. Predazzo u. Monzoni. [S.-A.] (135 m. 1 Taf. u. 1 Tab.) 8° Ebd. 04. Kart. 6 —
Romberg, M: Wanderjahre e. jungen Kapellmeisters, s.: Musikergeschichten.
Romberg, W: Ehre sei Gott in d. Höhe! Kinderpredigten f. d. este d. Kirchenj. (63) 8° Berl., Deut. Sonntagsschul-Bh. (02) 1— d
— Das Leben Jesu. Bearb. f. d. Unterweisg d. Jugend in Kindergottesdienst u. Schule. (438) 8° Ebd. (05). 4 —; geb. 5 — d
— Unterredgn m. Kindern üb. bibl. Texte. (203) 8° Ebd. (01). 2 — d
Romdahl, AL: Pieter Brueghel d. Ältere u. s. Kunstschaffen, s.: Jahrbuch d. Kunstsammlgn d. allerh. Kaiserhauses.
Romeick: Desinfektion in ländl. Ortschaften. Referat. (34) 8° Lpzg, F Leineweber 04. — 70
Romeike: Zur Technik d. BGB. 1—3. Heft. 8° Stuttg., M Kielmann. Je 2 — d
1. Fristbestimmg. (111) 01. 2. Die abgeleitete Schuld. 1. Abschn.: Die geleistete Mitschuld. (BGB. 571/579, 566 Abs. 3, 604 Abs. 41.) (117) 02. 3. Rechtsnachfolge. (181) 04.
Romeiks, J: Ost- u. Westpreussen, heimatkundl. Lesestücke. 3. Hirt's, F, deut. Leseb.
Römelt, O: Gedanken üb. d. neue Leseb. f. d. anhalt. Volkssch., s.: Günther, A.
Romen, A: Die Reichsages. betr. d. Entschädig f. unschuldig erlitt. Verhaftg u. Bestrafg, s.: Guttentag's Sammlg deut. Reichsges.
Römer, A: s. a.: Römbildt, F.
— Hypochonder-Gift. Humorist. Gedichte in Karlsruher Mundart. (184) 8° Karlsr., (Macklot) 01. Geb. 2 — d
— Pfefferkörner. Humorist. Gedichte in Karlsruher Mundart. (168) 12° Ebd. 02. L 2 —

Romeo, F: S'schpanische Röhrle. Humorist. Gedichte in Karlsruher Mundart. (188) 8º Karlsr.; (Macklot) 02. L. 2 — d
Liefert M. nicht mehr, d. Angabe d. jetz. Lieferanten war nicht
zu erhalten.
Roemer: Wie befreie ich mich v. Stuhlverstopfg u. Hämorrhoidalleiden? (120) 8º Erf., F Bartholomäus (01). 2 — d
Römer, A: Was schulden wir d. Alter? Ratschläge u. Mahngn
e. prakt. Arztes. (94) 8º Berl., Reuther & R. 05. 1 — d
— Heiteres u. Weiteres v. Fritz Reuter. Mit Beitr. z. platt-
deut. Lit. (251) 8º Berl., Mayer & M. 05. 4 —; geb. 4.80 d
— Die Kunst d. Krankenbesuchens. (56) 8º Berl., Reuther & R.
02. || 2. Afl. (70) 04. Je 1 — d
Römer, A: Heimatskde f. d. Schulen d. Grafsch. Mansfeld. (In
3 Tln bearb.) 1. Tl. 8º Eisl., G Reichardt. — 80 d
1. Heimatskde d. Stadt Eisleben. (104 m. Abb. u. 1 Pl.) 1900. — 80
Roemer, A: Ueb. d. litterarisch-aesthet. Bildgsstand d. att.
Theaterpublikums. [S.-A.] (95) 4º Münch., (G Franz' V.).01. 3 —
— Homer. Gestalten u. Gestaltgn. [S.-A.] (20) 8º Lpzg, A Dei-
chert Nf. 01. — 80
— Zur Kritik u. Exegese v. Homer, Euripides, Aristophanes
· u. d. alten Erklärern derselben. [S.-A.] (80) 8º Münch., (G
Franz' V.) 04. *2 —
— Studien zu Aristophanes u. d. alten Erklärern derselben.
1. Tl. Das Verhältnis d. Scholien d. Cod. Rav. u. Venet. nebst
Beitr. z. Erklärg d. Komödien d. Aristophanes auf .Grund
uns. antiken Quellen. (196) 8º Lpzg, BG Teubner 02. 8 —
— Homer. Studien. [S.-A.] (66) 4º Münch., (G Franz' V.) 02. 2 —
Römer, A: Blätter v. Wege. (122) 8º Berl., Herm. Walther
03. 1.50 d
Römer, A (C Regenstein): Späte Erkenntniss. Roman. (309) 8º
Dresd., C Reissner 02. 4 —; geb. 5 — d
— Die Erlöserin. — Treue, s.: Deva-Roman-Sammlung.
— Versuchg. Roman. (332) 8º Dresd., C Reissner 03. 4 —;
geb. 5 — d
Römer, A: Der Holzhacker, s.: Schulze's Zehnpfennigbücher
in vereinf. deut. Stenogr.
— Die Spree-Loreley, s.: Vobach's illustr. Roman-Bibliothek.
Römer, B: Grundr. d. landw. Pflanzenbaulehre. 7. Afl. v. G
Böhme. (222 m. Abb.) 8º Lpzg, Landw. Schulbh. 03. L. 1.80 d
— Grundr. d. landw. Tierzucht-Lehre. 9. Afl. v. G Boehme. (239
m. Abb. u. 8 farb. Doppeltaf.) 8º Ebd. 03. L. 2.80 d
Römer, C: Kamerun. Land, Leute u. Mission. 9. Afl. v. P Steiner.
(71 m. Abb. u. 1 Karte.) 8º Bas., Basler Missionsbh. 02. — 25 d
Römer, C: Christus u. d. Zukunft uns. Landeskirchen. Vortr.
(32) 8º Stuttg., D Gundert 05. — 50 d
— Textb. f. Prediger. Sammlg bibl. Texte f. Festgottesdienste
u. Kasualreden. Nebst Winken üb. d. Bedeutg u. Gestaltg d.
Fest- u. Kasualrede. Im Anschl. an Schuler's Repertorium
neu bearb. (398) 8º Ebd. 03. 2.80; L. 3.60; Ldr 4.50 d
Römer, E: Die Bücherrevisoren-Praxis in Deutschl. n. Engl.
u. 1. 2. Afl. (274) 8º Berl., E Römer 05. 5 —; geb. nn 6.50
Roemer, F, s.: Bücher, neue.
Römer, F, s.: Fauna arctica.
— Die Tierwelt d. nördl. Eismeeres. Vortr. [S.-A.] (21) 8º
Wiesb., JF Bergmann 05. — 80
Römer, G: Kurze Anl. z. Einführg in d. Praxis d. Buchführg.
(16) 8º Hermannst., M Reiner. nn — 25 d
— Die sächs. Universität. Vortr. [S.-A.] (16) 8º Ebd. 01.
(W Krafft) 02. nn — 34 d
— Das Wichtigste a. d. Wechselkde. Zusammengest. auf Grund
d. ungar. Wechselges. (34 u. 53 S. Formulare.) 8º Ebd. 01.
nn — 85 d
Römer, G: Grammatik d. latein. Sprache m. Vokabular f. d.
Lehrerseminarien u. z. Selbstunterr. f. Lehrer. (148) 8º Bambg,
CC Buchner's V. 01. 1.60 d
— Griech. Übgsb. f. d. 4. u. 5. Kl. (298) 8º Bambg, Buchner's S.
02. Geb. 3 — d
— Übgs- u. Leseb. f. d. latein. Unterr. an Lehrerseminarien
u. z. Selbstunterr. f. Lehrer. (216) 8º Bambg, CC Buchner's V.
01. 1.80 d
Römer, H: Predigt üb. Ev. Joh. 6, 67—69. 1. u. 2. Afl. (20) 8º Halle,
Gebauer-Schwetschke (05). — 25 d
Römer, J: Uns. wichtigsten essbaren u. gift. Pilze. (15 m. 1
farb. Taf.) 8º Kronst., H Zeidner 05. — 18 d
Römer, JD: Die afrikan. Zwillingsschwestern. Eine wahre Begebenheit, d. Ital. frei nacherzählt. (223) 8º Trier, Loewenberg 03. Geb. 2.50 d
Roemer, K: Schulhandk. d. Reg.-Bez. Düsseldorf. 1:400,000.
28×26,5 cm. Farbdr. Ess., GD Baedeker (05). — d
— Handk. d. Stadt- u. Landkreises Düsseldorf, s.: Schulwandk.
d. Stadt- u. Landkreises Düsseldorf, s.: Breuer, K.
Römer, K: Die freiwill. Versicherg (Selbstversicherg u. Weiter-
versicherg) in d. Invaliden-Versicherg d. deutsch. Reich v.
13.VII.1899 in ihrer hohen Bedeutg f. d. selbständ. Gewerbetreib. u. Landwirte sowie deren Familienangehörigen. 2. Afl.
(27) 8º Berl., Deut. Verl. 01. || 3. Afl. (28) (03.) || 4—8. Afl. (32)
(03-05.) J e — 20 d
Römer, K: Die landw. Geflügelhaltg. 5. Afl. v. A Fehsenmeier
u. B Doll. (105 m. Abb.) 8º Berl., P Parey 05. 2 — d
— Die Selbsthilfe d. Landwirts. 2. Afl. v. Schmidberger, s.:
Landmann's, d., Winterabende.
Römer, LSAM v.: Die erbl. Belastg d. Zentralnervensystems
bei Uraniern, geistig gesunden Menschen u. Geisteskranken.
[S.-A.] (15 m. 5 graph. Tab.) 8º Lpzg, M Spohr 05. 1 —

Roemer, N: Die Zuckerkrankh., ihr Wesen, ihr Verlauf u. ihre
Behandlg. (68) 8º Berl., Deut. Verl. (04). 1 — d
Römer, PH: Die Bedeutg d. Bakteriol. in d. Pathol. d. Auges,
s.: Abhandlungen, Würzburger, a. d. Ges.-Geb. d. prakt. Me-
dizin.
— Zur Frage d. Formaldehyddesinfektion. [S.-A.] (19 m. 1 Abb.)
8º Marbg, (NG Elwert's V.) 03. — 80
— Neue Mitteilgn üb. Rindertuberculosebekämpfg, s.: Beiträge
z. experimentellen Therapie.
— Die Ehrlichsche Seitenkettentheorie u. ihre Bedeutg f. d.
medizin. Wiss. (455) 8º Wien, A Hölder 04. 8.60; geb. nn 11.10
— Weitere Studien z. Frage d. intrauterinen- u. extrauterinen
Antitoxinübertragg. v. d. Mutter auf ihre Nachkommen, s.:
Beiträge z. experimentellen Therapie.
— Üb. Trinkwasserversorgg m. bes. Berücks. d. Wasserver-
hältn. Marburgs. Antrittsvorlesg. [S.-A.] (17 m. 4 Taf.) 8º
Marbg, NG Elwert's V. 03. 1 —
— dass. [S.-A.] (31) 8º Lpzg, F Leineweber 03. 1 —
— I. Tuberkelbacillennachweis. II. Wohngsdesinfektion durch
Formaldehyd. III. Trinkwasserversorgg, s.: Beiträge z. ex-
perimentellen Therapie. ʔ
— s.: Tuberkulose.
Römer, W: Titulaturen u. d. Verkehr m. Behörden. (75) 12º
Charlttnbg (o. J.). Berl., W Frey. — 90 d
Römer-Neubner, M: Das Gebet d. Herrn u. d. Gebet d. neuen
Menschh. (3) 8º Kronst., W Hiemesch (05). nn — 10
— Quadrat-Noten. Ein neues vereinf. Notensystem ohne Schlüs-
sel, ohne Pausen- u. Versetzgszeichen (♭, ♮, ♯, ♭, ♮) m. nn
12 verschied. periodisch wiederkehr. Notenbildern. (35) 4º
Chmntz (02). 2 —
Römermann, E: Vereinf. Satz- u. Satzzeichenlehre n. berecht.
u. naturgemässen Reformbestrebgn, katechetisch bearb. (Neue
[Tit.-]Ausg.) (56) 8º Gütersl., C Bertelsmann [1899] (04). — 70 d
— Ausführl. u. vollständ. Sprachlehre z. Gebr. in Volkssch.
2 Hefte in 1 Bde. 16. Afl. (36 u. 48) 8º Hilchenb. 03. Gütersl.,
C Bertelsmann. Kart. — 40 d
Neue Afl. u. d. T.:
— Ausführl. u. vollständ. Sprachlehre z. Gebr. in Volkssch.
Mittel- u. Oberst. in 1 Bde. 18. Afl. Dazu 11 S. m. Worter-
klärgn. (96) 8º Ebd. 03. Kart. — 40 d
Römheld, CJ: Bibl. Gesch. f. Schulen. Ausg.A. (Ohne Sprüche
u. Liederverse.) 8. Afl. (248 m. 3 Kart.) 8º Bielef., Velhagen &
Kl. 03. Geb. — 95; m. Abb., 2 Kart. u. 1 Pl. 19. Afl. (174) 04.
Geb. nn 1.10 d
— dass. Ausg. B. (Mit Sprüchen u. Liederversen.) 9. Afl. (170
m. Abb., 2 Kart. u. 1 Pl.) 8º Ebd. 05. Geb. nn 1.10 d
— Bibl. Gesch. f. Schulen. Ausg. B. Hilfsb. f. d. erste Mittelst.
u. z. Apostelgesch. Hrsg. v. A Junker. 2. wohlf. [Tit.-]Ausg.
(504) 8º Giess., A Töpelmann [1900] 05. 2 —; L. 3 — d
— Der Wandel in d. Wahrheit. Ein Jahrg. Epistelpredigten.
5. Afl. v. Römheld. (In ca 10 Lfgn.) 1. Lfg. (1—64) 8º Lpzg,
G Strübig 05. nn — 75
Römhildt, F, s. a.: Romeo, F.
— Melodien in Worten. Lyr. Gedichte. (80) 12º Karlsr., Macklot
03. L. nn 1.80 d
Liefert M. nicht mehr, d. Angabe d. jetz. Lieferanten war nicht
zu erhalten.
Romig, H: Konkordanz z. ges. Memoriersstoff f. d. ev. Schulen
in Württemberg. (247) 8º Stuttg., C Belser 03. 2.40; geb. 3 — d
Rominger, G: Perikopenh. f. sämtl. Sonn- u. Festtage d. Kir-
chenj. (327) 8º Rixh. 05. Strassbg i/E., (Schlossgasse 1.) Vikar
Rominger. nn 2 —; geb. nn 3.20; m. Bl. z. Einschr. d.
— Rodolfpo, d. Räuberhauptmann, s.: Esser's, J, Sammlg leicht
aufführbar. Theaterstücke.
Roemisch, W: Die Wirkg d. Hochgebirgs-Klima auf d. Orga-
nismus d. Menschen. Vortr. (37) 8º Ess., O Radke's Nf. 01.
— 80 || Engl. Ausg., translated by SF S. (30) (02.) — 80
— Wie schützen wir uns vor Wiedererkrankg an Lungentuber-
kulose? Vortr. (45) 8º Ebd. 02. — 80
Romm, H/: Der Physikunterr. an d. Münch. Volkssch. Für d.
Schüler d. 6. Kl. bearb. 1. u. 2. Aufg. 8º Ingolst. 04. (Münch.,
M Kellerer.) Je nn — 15 d
1. Die Wärme nebst die Körper aus. (12) 8º. 2. Alle Körper sind schwer. (12)
Rommel, F, s.: Lehrerinnen-Kalender, dent.
Rommel, Frau T v., s.: Goldmar, J v. — Rom, T v.
Rommelsbacher, A: Zeitgemässe, prakt. Maler-Skizzen f. De-
korations- u. Zimmermaler etc. 3 Serien. erste, jetzt 12 Taf.
8—10farb. lithograph. Druck m. Begleitwort. (Je 3) 4º
Stuttg., J. Mähler (03.03). Je 4 —; in 1 M. 13.50
Römö s.: Went v. Römö.
Romocki, V.: Distinguiert, s.: Eckstein's moderne Bibliothek.
— Die Montecarlisten. Jen- u. Boxerroman. 4. Afl. (234) 8º
Berl., R Eckstein Nf. (03). 2 —; geb. 3 —
Rompel, F: Die Helden d. Burenkriegs. Bilder u. Skizzen n.
eig. Erlebnissen. Mit e. Kt. v. A Pfister. 1—30. Taus. (192
m. Abb., 22 Portr. u. 1 Karte.) 8º Stuttg., K Thienemann (02).
Kart. 2.50 d
Bis z. 20. Taus. m. d. Überschrift: Siegen od. Sterben.
— Präsident Steijn, s.: Im Kampf um Süd-Afrika.
Rompel, J: Malaria, Parasit u. Stechmücke, s.: Broschüren,
Frankf. zeitgemässe.
Romstorfer, KA: Die Eröffng d. in d. gr.-ort. Klosterkirche
Putna befindl. Fürstengräber im J. 1856. Protokoll u. Akten
hierüber. [S.-A.] (39 m. 1 Taf.) 8º Czernow., (H Pardini) 04. 2 —

150*

Romstorfer, KA: Das alte Fürstenschloss in Suczawa. Bericht üb.d.Forschgsarbeiten seit 1895, insbes. im J. 1901. [S.-A.] (68 m. 6 Taf.) 8° Czernow., (H Pardini) 02. 3 — ‖ '02- [S.-A.] (10 m. 1 Taf.) 03. 2 —
— dass. Bericht üb. d. im J. 1903 durchgeführten u. hiedurch z. Abschl. gebr. Forschgsarbeiten. [S.-A.] (25 m. Abb. u. 1 Taf.) 8° Ebd. 04. 2 —
— s.: Jahrbuch d. Bukowiner Landes-Museums.
— Das alte griechisch-orthodoxe Kloster Putna. [S.-A.] (52 m. Abb. u. 3 Taf.) 8° Czernow., H Pardini 04. nn 4 —
Romuald, A (A Rohmann): Függn Gottes. 4 Erzählgn. (79) 8° Diessen, JC Huber (02). 2 — d
— Schneeglöckchen a. d.Dichterhain. (72) 8° Wien, Verl.-Anst. Neuer Lit. u. Kunst 02.
Romundt, H: Kants Kritik d. reinen Vernunft abgekürzt auf Grund ihrer Entstehgsgesch. (112) 8° Gotha, EF Thienemann 05. 2 —
— Kants philosoph. Relig.-Lehre, e. Frucht d. ges. Vernunft-kritik. (96) 8° Ebd. 02.
— Kants Widerlegg d. Idealismus. (24) 8° Ebd. 04. — 50
— Kirchen u. Kirche n. Kants philosoph. Relig.-Lehre. (199) 8° Ebd. 03. 4 —
— Der Platonismus in Kants Kritik d. Urteilskraft, s.: Vor-träge u. Aufsätze a. d. Comenius-Gesellsch.
Rôna, S: Der jährl. Gang d. Temperatur in Ungarn, s.: Publi-kationen d. kön. ung. Reichsanst. f. Meteorol. u. Erdmagne-tismus.
— u. L Fraunhoffer: Die Temperaturverhältn. v. Ungarn, s.: Publikationen d. kgl. ung. Reichsanst. f. Meteorol. u. Erd-magnetismus.
Ronai, A: Lebenskünstler, s.: Kürschner's, J, Bücherschatz.
Ronczewski, K: Gewölbeschmuck im röm. Altertum. (46 m. Fig. u. 30 Taf.) Fol. Berl., G Reimer 03. 12 —
Ronfort, F, s.: Charakterbilder, geograph., a. Schwaben.
Ronge, H: Die moderne Behandlg Herzkranker n. hygien. u. physikalisch-diätet.Grundsätzen. (16)8°Hirschbg(04).(Görl., Finster.) — 75
— Grundz. d. Entstehg, Verhütg u. modernen Behandlg chron. Krankh. (39) 8° Ebd.(04). 1 — d
Ronin, M: Der sibir. Zobeljäger u. and. Erzählgn, s.: Sonn-tagsbibliothek.
Rönisch, C: Gesangstoffe f.höh. Schulen. Theorie, 2- u. 3stimm. Lieder u. 4stimm. gemischte Chöre. 4. Afl. v. R Adam. (112) 8° Görl., F Fiedler (04). Kart. — 90 d
Ronketti: Bozen, Gries u. Umgebgn, s.: Grieben's Reiseführer.
Rönne, L v.: Verfassg d. Deut. Reichs, s.: Guttentag's Sammlg deut. Reichsges.
Rönneke, K: Die Los v. Rom-Beweg in Italien, s.: Berichte üb. d. Fortgang d. „Los- v. Rom-Beweg".
Ronniger, K: Touristenführer in Wiens Umgebgn, s.: Förster, F.
Ronninger, C: Kurzer Leitf. d. Handschriftendeutg. (Du bist erkannt!!! Jedermann s. eig. Graphologe.) (31) 8° Münch. 1900. (Lpzg, E Fiedler.) 1 — d
Röntgen-Dörchläuchting s.: Mirbach.
[Roon.] — Denkwürdig. a. d. Leben d. Generalfeldmarschalls Kriegsministers Grafen v. Roon. Sammlg v. Briefen, Schrift-stücken u. Erinnergn. 5. Afl. 3 Bde in 14 Lfgn. (532, 572 u. 544 m. 3 Bildn.) 8° Berl., E Trewendt 05. 21 — ; L. 24.60 ; HF. 27 — d
Roon, General-Feldmarschall Albrecht Graf v. Ein kurzes Le-bensbild. 2. Afl. (113 m. Abb.) 8° Gütersl., C Bertelsmann 02. — 80 ; geb. 1.90 d
Roos, AG: Prolegomena ad Arriani Anabaseos et indicae ed. criticam adiecto Anabaseos libri primi specimine. (48, 64 m. 1 Taf.) 8° Groning., JB Wolters 04. 4.90
Roos, E: Französ. Sprech-, Schreib-, Leseunterr. f.Mädchensch., s.: Hahn, T.
Roos, FP: Schmierbrenners Maxl. Die Blinde v. Wolfenhof. Irrfahrten, s.: Bachem's Jugend-Erzählgn.
Roos, J: Erzählgn, s.: Weiss, M.
Roos, J: Einige Gedanken u. Bedenken e. ev. Geistlichen zu Frenssen's „Jörn Uhl". (1. u. 2. Afl.) (48) 8° Hambg, Eckardt & M. 03. — 80
Roos, L: Das Gerichtskostengew. Systematisch geordn. Text u. v. Kern. (30, 421) 8° Karlsr., J Lang 01. 6.50; geb. 7.25 d
Roos, M: Der unsichtbare Gast. Aus d. Schwed. v. A Below. (47 m. Vignetten.) 8° Strieg., R Urban (05). — 25 d
— Glück. Erzählg. Aus d. Schwed. n. d. 4. Afl. d. Orig. v. FE. (135) 8° Schwer., F Bahn 06. — 80; geb. 1 — d
— Was Ivar Lyth im Gefängnisse hörte. Erzählg. Aus d. Schwed. v. K v. B. (32) 8° Berl., Deut. ev. Buch- u. Traktat-Gesellsch. (05). — 20 d
— Tante Majas Erzählg, s.: Kleinkindergarten.
— Der Sohn. Erzählg. Aus d. Schwed. v. FE. (200) 8° Schwer., F Bahn 06. 2.80; geb. 3.60 d
— Unsichtbare Wege. Aus d. Schwed. v. M Mann. (294) 8° Ebd. 06. 2.80; geb. 3.60 d
— Weihnachtsfreude, s.: Tannenzweige.
— Ein erfüllter Wunsch, s.: Kleinkindergarten.
Roos, W: Die Chronik d. Jakob Wagner üb. d. Zeit d. schwed. Okkupation in Augsburg v. 20.IV.1632–28.III.1635. (69) 8° Augsbg, (Lampart & Co.) 02. 1 —
Roose, H: Warmwasserbereitgsanl. u. Badeeinrichtgn, s.: Oldenbourg's techn. Handbibliothek.
Roosendaal, AM van, u. CH Wind: Prüfg v. Strommessern u. Strommessgsversuche in d. Nordsee, s.: Publications de circonstance du conseil permanent internat. pour l'explo-ration de la mer.

Rooses, M: Rubens' Leben u. Werke. (688 m. Abb. u. 65 Kunst-beil.) 4° Stuttg., Union (04). Ldr 100 —
Roosevelt, F: The Siren's net, s.: Unwin's library.
Roosevelt, T: Amerikanismus. Schriften u. Reden. Deutsch v. P Raché. (92) 8° Lpzg 03. Berl., H Seemann Nf. 1 — d
— Jagden in amerikan. Wildnis. 1–3. Afl. (389 m. Abb., Bild-nis u. 24 Taf.) 8° Berl., P Parey 05. L. 11 — d
— Jagdstreifzüge. Skizzen a. d. nordwestl. Prärien. Übers. v. L Landau. (176 m. Bildnis.) 8° Münch., A Langen 04. 2 — ; geb. 3 — d
— Die rauhen Reiter. Übers. v. L Landau. (312) 8° Ebd. 04. 4 — ; geb. 5 — d
Roosval, J: Schnitzaltäre in schwed. Kirchen u. Museen a. d. Werkstatt d. Brüssler Bildschnitzers Jan Bormann, s.: Zur Kunstgesch. d. Ausl.
Roothaan, L: Prakt. Wegweiser f. Männer-Gesangver. (20 m. Fig.) 12° Bühl, A Oser (i/H. Konkordia) (03). — 90 d
Roothan, J: Üb. d. rechte Art u. Weise, d. geistl. Betrachtg zu verrichten. Aus d. Lat. 6. Afl. (184) 16° Rgnsbg, Verl.-Anst. vorm. GJ Manz 03. — 50 ; L. — 85 d
— Das Streben d. Ordensperson n. d. Vollkommenh. ihres Standes, 3. Afl., s.: Bayma, J.
Roozeboom, HWB: Die heterogenen Gleichgewichte v. Stand-punkte d. Phasenlehre. 1. u. 2. Heft. 8° Brnschw., F Vieweg & S. 18 —
1. Die Phasenlehre. — Systeme a. e. Komponente. (221 m. Abb.) 01. 5.50
2. Systeme a. 2 Komponenten. 1. Tl. (467 m. Abb. u. 2 Taf.) 04. 12.50
Ropa, L: Die Schlaftänzerin Mme Madeleine. Ein Triumpf d. Kunst od. d. Hypnotismus. (27 m. 1 Taf.) 8° Münch., Seitz & Sch. (04). — 50
Röpcke, W: Das Seebeuterecht, s.: Studien, Rostocker rechts-wiss.
Röper: Das Infant-Regt Nr. 83 in d. Schlacht bei Wörth am 6.VIII.1870. (88 m. 5 Taf. u. 2 Pl.) 8° Berl., ES Mittler & S. 05. 2 — d
Roepert, J: Nicht drüber weg, sondern drunter durch! Vorschl. z. Frage, wie e. Bahnunterführg f. Dessau praktisch mög-lich. Vortr. (11) 8° Dess., Anhalt. Verl.-Anst. (01). (?) (Lpzg, R Hoffmann.) — 15
Röpke, F: Die Berufskrankh. d. Ohres u. d. ob. Luftwege, s.: Ohrenheilkunde, d., d. Gegenwart.
— Die Verletzgn d. Nase u. deren Nebenhöhlen, nebst Anl. z. Begutachtg ihrer Folgezustände. (185) 8° Wisb., JF Berg-mann 05. 4.60
Roepke, O, u. E Huss: Untersuchgn üb. d. Möglichk. d. Ueber-tragg v. Krankh.-Erregern durch d. gemeinsamen Abend-mahlskelch, nebst Bemerkgn üb. d. Wahrscheinlichk. solcher Uebertragg u. Vorschlägen zu ihrer Vermeidg. (17) 8° Lpzg, G Thieme 05. — 90 d
Ropp, G Frhr v. d., s.: Urkundenbuch d. Stadt Friedberg.
Ropp, F: Das Weib. (30 Taf. m. Titelblatt.) 4° Wien, CW Stern (05). In M. 30 —
Roques, v.: Bestimmgn f. d. Kontrolversammlgn u. Dienst-verhältnisse d. Offiziere pp. d. Beurlaubtenstandes d. kgl. preuss. Armee. Anlage E zu „Stellg u. Tätigk. d. Bezirks-offiziers". (42) 8° Lpzg, A Grunert 02. 1.20 d
— Stellg u. Tätigk. d. Bezirksoffiziers. (153 u. 42) 8° Ebd. 02. 3 — d
Roques, F v.: Stammliste d. Offiziere d. 1. kurhess. Infant.-Regts Nr. 81 seit 1866. Abgeschl. im Septbr '04. (102) 8° Frankf. a/M., (Mahlau & W.) 04. L. 4 — d
Roques, H v., s.: Urkundenbuch d. Klosters Kaufungen in Hessen.
Roquette, A: Die Finanzlage d. deut. Bibliotheken, s.: Samm-lung bibliothekswiss. Arbeiten.
Roquette, E: Cozaiba, d. Tochter d. Incas. Charakter-Tra-gödie. (200) 8° Dresd., E Pierson 03. 2 — d
Roquette, O: Das Eulenzeichen. Die Tage d. Waldlebens, s.: Hasse's, M, Volksbücherei.
— Rebenkranz zu Waldmeisters silberner Hochzeit, s.: Hand-bibliothek, Cottasche.
— Waldmeisters Brautfahrt. Ein Rhein-, Wein- u. Wander-märchen. 76. Afl. (122 m. Titelbild.) 8° Stuttg., JG Cotta Nf. 01. L. m. G. 3 — ‖ 77. Afl. (122) 05. L. 3 — d
Rooren, H: Katholizismus u. Ultramontanismus, s.: Versamm-lung, öffentl., d. Centrumspartei in Mannheim.
— Der internat.Kulturkampfinsbes.d.Grassmann'sche Schmäh-schrift. Rede. (20) 8° Trier, (Paulinus-Dr.) (01). nn — 10 d
— Zur Polenfrage. — Der Toleranzantrag d. Centrums, s.: Broschüren, Frankf. zeitgemässe.
— Die öffentl. Unsittlichk. u. ihre Bekämpfg. 1–11. Taus. (32) 8° Köln, JP Bachem (04). nn — 25 d
Rorich, D: Die Kunst d. Klavierstimmens, s.: Armellino, GJ.
Rörig, A: Das Wachstum d. Schädels v. Capreolus vulgaris, Cervus elaphus u. Dama vulgaris, s.: Bibliotheca medica.
Rörig, G: Üb. d. Anlage v. Nistkästen u. Futterplätzen f. insektenfress. Vögel. — Die Bussarde u. d. Hühnerhabicht. — Die Frittliege. — Der Maulwurf, s.: Flugblätter d. kais. Gesundheitsamtes.
— Pflanzenschutz, s.: Sorauer, P.
— Turmfalke u. Sperber, s.: Flugblätter d. kais. Gesundheits-amtes.

Rörig. G: Wandtaf. schädl. Nagetiere. 80,5×70,5 cm. Farbdr.
　Stuttg., E Ulmer (04). In M. od. Rolle 2.60
　— u. O Appel: Die Bekämpfg d. Feldmäuse, s.: Flugblätter
　d. kais. Gesundheitsamtes.
　— u. **Kröger**: Spargelschädlinge. Plakat. 46×36 cm. Farbdr.
　Berl., P Parey. — J Springer (05). (Auslieferg durch Parey.)
　 3n — 50 d
Rörig, K: Paulus, e. relig. Drama. (54,) 8° Lpzg, A Deichert
　Nf. 01. 1.20; geb. 2 — d
Rosa, D: Die progressive Reduktion d. Variabilität u. ihre
　Beziehgn z. Aussterben u. z. Entstehg d. Arten. Aus d. Ital.
　v. H Bosshard. (106) 8° Jena, G Fischer 05. 2.50
Rosa Electa: Die bet. Jungfrau. Gebet- u. Belehrgsb. f. ka-
　thol. Jungfrauen. (360 m. farb. Titelbild.) 16° Münst., Alphon-
　sus-Bh. (02). — 90; geb. 1.25; 2 — u. 2.50 d
　— Die Jungfrau im Weltleben. Begleitb. z. relig. Belehrg u.
　zeitgemässen Unterweisg. 2. Afl. (224 m. Titelbild.) 8° Ebd.
　(05). L. 1.30; m. G. 2.50 d
Rosberg, JE, s.: Hölzel's geograph. Charakter-Bilder.
Rösch, A: Der Klerus u. d. Strafgesetzb., s.: Seelsorger-Praxis.
Rösch, C: Der Aufbau d. hl. Schriften d. Neuen Test. (143)
　8° Münst., Aschendorff 05. 2.50
Röschen, A: Illustr. Vogelsberg-Wetterau-Rhön-Führer, s.:
　Roth.
Röschen, O: Beschreibg d. ev. Pfarreien d. Grossh. Hessen
　n. pfarramtl., statist., soz., topograph. u. histor. Gesichts-
　punkten. (232) 4° Giess., (v. München) 1900. 7.50 d
Röscher: Die Zeugg u. d. Geschlechtsleben d. Menschen, s.:
　Kress.
Röscher, G: Hdb. d. Daktyloskopie. (20 m. Abb. u. 1 Taf.) 8°
　Lpzg, CL Hirschfeld 05. 1.30
　— s.: Pitaval, d., d. Gegenwart.
Röscher, W: System d. Volkswirtschaft. 2. u. 4. Bd. 8° Stuttg.,
　JG Cotta Nf. 29 —; HF. 35.50 d
　2. Nationalökonomik d. Ackerbaues u. d. verwandten Urproduktionen.
　　13. Afl. v. H Dade. (664 m. 2 kart.) 02. 13 —; geb. 15.50
　4. System d. Finanzwiss. 5. Afl. v. O Gerlach. 2 Halbbde. (511 u. 523)
　　 16 —; geb. 20 —
Röscher, WH: Die ennead. u. hebdomad. Fristen u. Wochen
　d. ält. Griechen, s.: Abhandlungen d. kgl. sächs. Gesellsch.
　d. Wiss.
　— s.: Lexikon, ausführl., d. griech. u. röm. Mythol.
　— Die Sieben- u. Neunzahl im Kultus u. Mythus d. Griechen,
　s.: Abhandlungen d. kgl. sächs. Gesellsch. d. Wiss.
Roschkowski, W: Die Weihnachtsfeier in d. Schule u. Kirche.
　Sammlg v. Festsp., Gedichten, Wechselgesprächen u. An-
　sprachen u. 2 vollständ. Ausführgn u. e. Anh. z. Ausw. (80)
　8° Lissa, F Ebbecke 03. 1 — d
Roschmann, J: Koch-Recepte f. uns. Töchter, s.: Kunze, W.
Roschmann-Hörburg, J v.: Die Bewegg d. Realitäten u. Hypo-
　thekar-Verkehrs in d. Bukowina, s.: Mitteilungen d. statist.
　Landesamtes d. Herzogth. Bukowina.
Röschmann, J: Philadelphia u. Laodicea. Offenbarg 3, 7—22.
　Nachgeschrieb. a. Bibelkunden. (1897/98.) (206 m. Bildnis.)
　8° Dingl., St. Johannis-Dr. (03). 1 — d
Roschnik, R, u. P v. Zhuber: Rundschau v. Laibacher-Schloss-
　berg 364 M. 2. Afl. 17,5×125 cm. Lith. Laib., (I v. Kleinmayr
　& F Bamberg) 04. 1 — d
Roschnik, R: Leitf. d. österr. Gebührenrechtes. (144 u. 3) 8°
　Wien, Manz 01. 2.70; kart. 3 — || 2. Afl. (181) 04. 3.60; kart. 3.90 d
　— Das österr. Zollwesen. (57) 8° Ebd. 05. 1.10 d
Roscoe, HE: Chemie, s.: Elementarbücher, naturwiss.
　— u. **Schorlemmer's** ausführl. Lehrb. d. Chemie v. JW Brühl.
　VIII. u. IX. Bd. Die Kohlenwasserstoffe u. ihre Derivate od.
　organ. Chemie. 6. u. 7. Thl. 8° Brnschw., F Vieweg & S. 01.
　 43 —; Einbde in L. je 1 —; in HF. je 2 —
　 (Vollst.: 206 —; geb. 215.50 u. 224 —)
　VIII. Bearb. in Gemeinschaft m. E Hjelt u. O Aschan. (39, 1045) 22 —
　IX. Bearb. in Gemeinschaft m. E Hjelt u. O Aschan u. O Cohnheim.
　　O Emmerling u. E Vahlen. (32, 527 u. 131) 20 —
Rose, A: Atonia gastrica u. e. neue Methode d. Bebandlg der-
　selben. [S.-A.] (15 m. 1 Abb.) 8° Münch., Seitz & Sch. 01. 1 —
Rose, E, u.: Zeitschrift, deut., f. Chirurgie.
Rose, F: Provinzmädel. 10 Bde. 8° Berl., R Bong. Je 1 —;
　geb. je 1.50; in 1 Eisenb.-Waggon-Attrappe 12.50; geb. je 17.50 d
　1. Kleinstadtluft. (231) (03.) || 2. Kerlchens Lern- u. Wanderj. (303) 02.
　|| 3. Kerlchen wird verständig. (179) (02.) || 4. Kerlchens als Erzieher. (176)
　(02.) || 5. Kerlchen als Anstandsdame. (185) (03.) || 6. Kerlchens als Sorgen-
　brecher. (188) (03.) || 7. Liebesgeschichten. (186) (03.) || 8. Kar-
　chens Flitterwochen. (304) (04.) || 9. Kerlchens Mutterglück. (205) (04.)
　|| 10. Kerlchens Ebenbild. (213) (04.)
Rose, FO: Die Lehre v. d. eingebor. Ideen bei Descartes u.
　Locke, s.: Studien; Berner, z. Philosophie u. ihrer Gesch.
Rose, H: Eschenwitz un sin Inwahners. (348) 8° Lpzg-R., (A
　Hoffmann) 04. Geb. 3.50 d
Rose, M: Karte d. Kreises Wittenberg. 1:200,000. 24,5×19 cm.
　Farbdr. Wittnbg, R Herrosé (01). — 25
Rose, U: Die Zuckergussleber u. d. fibröse Polyserositis, s.:
　Abhandlungen, Würzburger, a. d. Gesamtgeb. d. prakt. Me-
　dizin.
Rose, V: Die latein. Handschriften, s.: Handschriften-Ver-
　zeichnisse, d., d. kgl. Bibliothek zu Berlin.
Rose, W: Die hypnot. Erziehg d. Kinder bei Stehlsucht, Nasch-
　haftigk., Lügenhaftigk. (57) 8° Berl., F Schlosser (1898). — 75
　— Strahl. Menschen! Das bisher letzte Ergebnis d. Forschg
　m. radio-aktiven Stoffen, bes. m. Radium, unter Berücks.

d. v. Reichenbach'schen Odlehre berichtet. (30) 8° Oranienbg,
　Orania-Verl. (04). — 75 d
Rose-Marie: Jeanne. (In französ. Sprache.) (99) 12° Bern 02.
　Neuchâtel, E Magron. 1.20
Röse, C: Anl. z. Zahn- u. Mundpflege. 6. Afl. (62 m. Abb.) 8°
　Jena, G Fischer 01. — 50
Roese, C: Gesellschaftskde. Das Wissenswerteste a. d. Staaten-
　u. Gesetzeskde, sowie d. Volkswirtschaftslehre. Zum Gebr.
　in Volks- u. Fortbildgssch. (95) 8° Bannov., C Meyer 01.
　 Kart. — 60; geb. — 80 d
Roese, C: Unterr.-Briefe f. d. Selbst-Studium d. latein. Sprache.
　48 Briefe u. 2 Beil. (918)8° Lpzg, E Haberland (02-05). In M. 24 —;
　 in 3 Kurs. 10 —; 8 — u. 9 —; einz. Briefe — 50 d
Rosebery, Lord: Napoleon I. am Schluss s. Lebens. Uebertr.
　v. O Marschall v. Bieberstein. (278 m. Abb.) 8° Lpzg, H Schmidt
　& C Günther 01. 7.50; geb. 10 — d
　— dass., s.: Napoleon I.
Rosée, A, u. T v. Trotha: Der Litteraturbaron. Komödie. (73)
　8° Berl., E Bloch 01. 2 — d
Rosegger, P: Schriften. Volks-Ausg. III. Serie. (In 80 Lfgn.)
　1—2s. Lfg. 8° Lpzg, L Staackmann (05). Je — 55 d
　1. Bd. Das ewige Licht. Erzählg a. d. Schriften e. Waldpfarrers. (421)
　2. Bd. Als ich jung noch war. Neue Geschichten a. d. Waldheimat. (454)
　3. Bd. Erdsegen. Vertraul. Sonntagsbriefe e. Bauernknechtes. Kultur-
　　roman. (425)
　4. Bd. Der Waldvogel. Neue Gesch. a. Berg u. Thal. (1—376)
　— Dem andern s. Tagabgeld u. Anderes, s.: Reuter's Biblio-
　thek f. Gabelsb.-Stenogr.
　— Das Ereignis in d. Schrun. 's Guderl. Die Nottaufe, s.: Volks-
　bücher, Wiesbad.
　— Ernst u. heiter u. so weiter. Für d. reif. Jugend gew. a. d.
　Schriften. 2. Afl. (304) 8° Lpzg, L Staackmann (03). Geb. 4 — d
　— s.: Gefunden.
　— Sein Geld will er haben, s.: Verein f. Verbreitg guter Schriften,
　Bern.
　— Geschichten (Die Rache d. Knechtin. Der Mädeljäger. Mann
　u. Weib), s.: Kürschner's, J, Bücherschatz.
　— Steir. Geschichten, s.: Volksbücherei.
　— Deut. Geschichtenb. Für d. reif. Jugend gewählt a. d. Schriften.
　3. Afl. (309 m. 12 Vollbildern.) 8° Lpzg, L Staackmann (01).
　 Geb. 4 — d
　— Unser Gretchen, s.: Schneeflocken.
　— s.: Heimgarten.
　— I. N. R. I. Frohe Botschaft e. armen Sünders. 1—20. Taus.
　(394) 8° Lpzg, L Staackmann 05. 4 —; L. 5 —; HF. 5.50 || Volks-
　 ausg. (293) 06. L. 1.30 d
　— Vom Kickel, d. eingesperrt gewesen ist u. anderes, s.: Reu-
　ter's Bibliothek f. Gabelsb.-Stenogr.
　— Wie sie lieben u. hassen. Erzählg. 3. Afl. (147) 8° Berl., O
　s.: Schneeflocken.
　— Als ich d. 1. Mal auf d. Dampfwagen sass. Auf d. Wacht,
　s.: Schneeflocken.
　— Von meiner Mutter, s.: Röttger's Volksbücherei.
　— Reich, s.: Jacht's, O, Stenogr.-Bibliothek.
　— Der Schelm a. d. Alpen, s.: Reuter's Bibliothek f. Gabelsb.-
　Stenogr.
　— Die Schriften d. Waldschulmeisters. 50. Afl. (344 m. Bildnis
　u. 1 Karte.) 4° Lpzg, L Staackmann 03. Lär 10 — d
　— Sonnenschein 30. Taus. (460)8° Ebd.04. 4 —; L. 5 —; HF. 5.50 d
　— Eine Standrede an d. Deutschen, s.: Flugblätter d. deut.
　Ver. geg. d. Missbr. geist. Getränke.
　— Arme Sünder u. and. Gesch., s.: Kürschner's, J, Bücherschatz.
　— Das Sündergöckel. 1—15. Taus. (404) 8° Lpzg, L Staackmann
　04. 4 —; L. 5 —; HF. 5.50 d
　— Als ich noch d. Waldbauernbub war. Für d. Jugend gew.
　a. d. Schriften Roseggers v. Hamburger Jugendschriften-
　ausschuss. 3 Tle. 8° Ebd. Je — 70; geb. je — 90 d
　(115) 02-04.
　— Im Walde. Ausgew. Geschichten f. d. reif. Jugend. 5. Afl.
　(255 m. Abb. u. 1 Kt.) 8° Ebd. (03). Geb. 4 — d
　— Waldjugend. Geschichten f. junge Leute v. 15—70 Jahren.
　9—12. Taus. (231 m. Abb. u. 10 Vollbildern.) 8° Ebd. (03). L. 6 — d
　— Weltgift. Roman. 1—15. Taus. (402) 8° Ebd. 03. 4 —;
　 L. 5 —; HF. 5.50 d
　— Wildlinge. 1—9. Taus. (411)8° Ebd. 06. 4 —; L. 5 —; HF. 5.50 d
　— s.: Willkommen!
　— J. Gotthelf: Erzählgn. (112) 8° Bas., Ver. f. Verbreitg
　guter Schriften 04. Kart. — 80 d
　— u. H **Möbius**: Aus Stadt u. Land, s.: Köhler's illustr. Ju-
　gend- u. Volksbibliothek.
Roesel, H: Liederkranz. Sammlg v. Liedern f. gemischten Chor.
　Für d. ob. Kl. höh. Schulen. 3. Afl. (15 u. 93) 8° Berl., R Kaun
　(01). 1 —
Röseler, P: Leitf. f. d. Unterr. in d. Botanik, bezw. Zool.,
　s.: Vogel, O.
　— Der Alkohol als Nahrgsstoff. Nach e. Vortr.
Rösemann, H: Der Alkohol u. d. Eiweissstoffwechsel. [S.-A.]
　(197) 8° Ebd. 3 —
　— Lehrb. d. Physiol. d. Menschen, s.: Landois, L.
Rösemeier, H: Was man v. d. Gesch. d. Handwerks wissen
　muss. (127) 8° Lpzg, H Klasing 02. L. 3 —
Rosen, F: Ferd. Cohn, s.: Cohn, P.

Rosen, F: Die Natur in d. Kunst. Studien e. Naturforschers z. Gesch. d. Malerei. (344 m. Abb.) 8° Lpzg, BG Teubner 03. L. 12 —
— Anatom. Wandtaf. d. vegetabil. Nahrgs- u. Genussmittel. 5. u. 6. Lfg. 10 farb. Taf. Je 100×75 cm. Mit Text. (145—239) 8° Bresl., JU Kern 01.04.   Je 12.50 (Vollst.: 75 —)
Rosen, F, s. a.: Sydow, Frau M v.
— Erlöse uns v. d. Alltag. Roman. (276) 8° Stuttg., Strecker & Schr. 04.   3.50 d
— Die Kleine. Roman. (319) 8° Dresd., E Pierson (02).   3.50; geb. 4.50 d
— Jungfrau Königin. Roman. (402) 8° Ebd. (03). 5 —; geb. 6 — d
— Erloschenes Licht. Roman. (219) 8° Ebd. 02. 4 —; geb. 5 — d
— Des Mannes Vorrecht. Roman. (294) 8° Ebd. (04).   3.50; geb. 4.50 d
— Neigg u. Pflicht. Roman. (249) 8° Ebd. 1900. 3.50; geb. 4.50 d
— Svante Ohlsen. Roman. (322) 8° Ebd. 04.   3.50; geb. 4.50 d
— Die Frau Patronin. Roman. 2 Bde. (232 u. 222 m. Abb.) 8° Ebd. (01). 6 —; geb. 8 — ‖ 2. [Tit.-]Aß. in 1 Bd. (04.) 3.50 d
— Letzte Rast. Röm. Wandertage. (308) 8° Erf. 01. Stuttg., Strecker & Schr. 4 — ‖ Neue [Tit.-]Ausg. Stuttg. 04. 3.50 d
— Sachsenehre. Histor. Schausp. a. d. 9. Jahrh. (136) 8° Dresd., E Pierson 01.   2 — d
— Der Sünde Sold. Roman. (175) 8° Stuttg., Strecker & Schr. 04.   2.50; geb. 3.50 d
Rosen, K v.: Zur Dienstbotenfrage. Erwiderg an O Stillich. (48) 8° Lpzg 03. Berl., Verl. d. „Frauen-Rundschau" 03. — 75 d
— Üb. d. moral. Schwachsinn d. Weibes. (35) 8° Halle, C Marhold 04.   1 — d
— dass. Mit e. Vorwort v. PJ Möbius nebst ein. ausgew. Kritiken u. Briefen. 2. Aß. (48) 8° Ebd. 04.   1 — d
Rosen, L: Der Geburtstag d. alten Schulmeisters, s.: Verein f. Verbreitg guter Schriften, Zürich.
Rosen, R: Die Krankenpflege in d. ärztl. Praxis. (197 m. Abb.) 8° Berl., Fischer's med. Bh. 02.   3.50
— s.: Monatsschrift, illustr., d. ärztl. Polytechnik.
— Prophylaxe d. Herzkrankh., s.: Klinik, Berliner.
— s.: Zeitschrift f. Krankenpflege.
Rosen, W: O alte Burschenherrlichkeit.— Ein ruhiger Miether, s.: Volger's Herren-Bühne.
Rosen, K: Grundz. d. Physik. Mit e. Anh.: Chemie u. Mineral. Zum Gebr. f. d. mittl. Kl. höh. Lehranst. (180 m. Abb.) 8° Lpzg, O Leiner 04.   2 —; geb. 2.50 d
Rosenak, L: Zur Bekämpfg d. Mädchenhandels. Referat. (14) 8° Frankf. a/M., J Kauffmann 03.   — 30 d
Rosenauer, F: Üb. d. Ausmittlg v. Gefechtsschiessplätzen, deren Sicherg u. Einrichtg. 2. Aß. (31 m. Abb.) 8° Wien, LW Seidel & S. 05.   2 —
Rosenbach, J, s.: Krankheiten d. Haut.
Rosenbach, O: Ueb. regionäre Anämie resp. Hypothermie d. Haut als Ausdruck funktioneller Störgn der inneren Organe, s.: Klinik, Berliner.
— Arzt c/a. Bakteriologe. (278) 8° Wien, Urban & Schw. 03. 7 —; L. 8.50
— Energetik u. Medizin. (Die Organisation als Transformator u. Betrieb.) 2. Aß. (118) 8° Berl., A Hirschwald 04.   2.80
— Korsett u. Bleichsucht. [S.-A.] 2. Aß. (36) 8° Stuttg., Deut. Verl.-Anst. 03.   — 60 d
— Morphium als Heilmittel. (94) 8° Berl., Fischer's med. Bh. 04.   2 — d
— Das Problem d. Syphilis u. d. Legende v. d. specif. Wirkg d. Quecksilbers u. Jods. (78) 8° Berl., A Hirschwald 05. 2 —
— Warum sind wiss. Schlussfolgergn auf d. Geb. d. Heilkde so schwierig, u. in welchem Umfange können wesentl. Fehlerquellen durch d. betriebstechn. (energet.) Betrachtgsweise vermindert od. beseitigt werden? [S.-A.] (62) 8° Ebd. 03. 1.60
— Nervöse Zustände u. ihre psych. Behandlg. 2. Aß. (214) 8° Berl., Fischer's med. Bh. 03.
Rosenbacher, A: Moses u. Hammurabi. Vortr. (19) 8° Prag, JB Brandeis 04.   nn — 35 d
Rosenbaum, E: Une conférence contradictoire relig. et scientif. sur l'anatomie et la physiol. des organes génitaux de la femme à l'école de Rami, fils de Samuel et de rabbi Yitzhac, fils de rabbi Yehoudou à la fin du 2 me siècle. Extraite du Talmud, traité de la „Menstruation", traduite et expliquée. (89) 8° Frankf. a/M., J Kauffmann 01.   3 —
Rosenbaum, F: Das europ. Porzellan d. 18. Jahrh. [S.-A.] (32 m. Abb.) 8° Halle, W Knapp 05.   2.50
Rosenbaum, H: Allesamt Sünder. Novellen. (127) 8° Münch. (04). Lpzg, F Rothbarth.   2 — d
Rosenbaum, J: Gesch. d. Lustseuche im Altertume, nebst ausführl. Untersuchgn üb. d. Venus- u. Phalluskultus, Bordelle, Νοῦσος θήλεια d. Skythen, Paederastie u. and. geschlechtl. Ausschweifgn d. Alten als Beitr. z. richt. Erklärg ihrer Schriften dargestellt. 7. Aß. (455) 8° Berl., H Barsdorf 04. 6 —; L. 7.50
Rosenbaum, Frau KE, s.: Kory-Towska.
Rosenbaum-Jenkins s.: Lawn-Tennis-Handbuch f. Öster.
Rosenberg, v.: Dienst-Vorschriften f. d. Mannschaften d. Jäger- u. Schützen-Bataillone. — Schiess-Buch, s.: Infant.
Rosenberg, J: Endlich gelöst! Die Ostmarkenfrage. Die Landarbeiterfrage. (76) 8° Lpzg, A Deichert Nf. 05.   1 — d
Rosenberg, A: (Gustav) Eberlein, s.: Künstler-Monographien.
— Hdb. d. Kunstgesch. (646 m. Abb. u. 4 Beil.) 8° Bielef., Velhagen & Kl. 02.   Kart. 12 —; HF. 15 — d

Rosenberg, A: A Klamroth. Ein Meister d. Pastellmalerei. (40 m. Abb.) 4° Lpzg 01. Berl., H Seemann Nf. 01.   1 —
— s.: Klassiker d. Kunst in Gesamtausg.
— Lenbach, s.: Künstler-Monographien.
— Leonardo da Vinci, s.: Monographs on artists.
— Hermann Prell, s.: Künstler-Monographien.
— s.: Raffael, Gemälde. — Rembrandt, Gemälde. — Rubens, PP, Gemälde.
Rosenberg, A: Welche Nasenkrankh. kann man ohne techn. Untersuchgsmethoden erkennen?, s.: Klinik, Berliner.
— Der Retropharygealabscess. [S.-A.] (6) 8° Berl., J Goldschmidt 03.   1 —
Rosenberg, C: Das Vereinsrecht d. BGB. u. d. Gewerkschaftsbewegg. (53) 8° Berl., Struppe & W. 03.   1.50
Rosenberg, E: Elektr. Starkstrom-Technik. (296 m. Abb.) 8° Lpzg, O Leiner 02.   7 —; L. 8 —
Rosenberg, E: Die Augenverletzgn in d. Tübinger Klinik in d. J. 1896—99. (16) 8° Tüb., F Pietzcker 01.   nn — 70
Rosenberg, F: Un voyage de vacances à Paris. (19) 4° Berl., Weidmann 03.   1 —
Rosenberg, GJ v., u. H **Lautensack:** Der Hofrath erzählt. (188) 8° Münch., A Schupp 02. (Lpzg, F Förster.)   3 —
Rosenberg, H: Die Umgestaltg d. Eisenb.-Gütertarife Öster., s.: Leeder, O.
Rosenberg, I: Lehrb. d. neusyr. Schrift- u. Umgangssprache.
— Lehrb. d. samaritan. Sprache u. Lit., s.: Kunst, d., d. Polyglottie.
Rosenberg, J: Festpredigten. (140) 8° Frankf. a/M., J Kauffmann 05.   1 — d
Rosenberg, J: Ricardo u. Marx als Werttheoretiker. (128) 8° Wien, Wiener Volksbh. (04).   3 —
Rosenberg, K: Lehrb. d. Physik f. Mädchenlyzeen. 3 Tle. (Mit Abb.) 8° Wien, A Hölder 02.   Geb. 3.84; in 1 Bd. Geb. 3.30 d
   (Kinl. Molekularkräfte. Schwerkraft. Wärme.) (44) — 96 ‖ 2. (Mechanik. Akustik.) (98) 1.40 ‖ 3. (Magnetismus. Elektrizität. Optik.) (93) 1.48.
— dass. f. d. ob. Kl. d. Mittelsch. u. verwandter Lehranst. Ausg. f. Gymnasien. 1. u. 2. Aß. (488 m. Abb. u. 1 farb. Taf.) 8° Ebd. 04.   Geb. 4.50
— dass. Ausg. f. Realsch. (462 m. Abb. u. 1 farb. Taf.) 8° Ebd. 03.   Geb. 4.40
— Naturlehre f. Bürgersch., s.: Swoboda.
— Methodisch geordnete Sammlg v. Aufg. a. d. Arithmetik u. Algebra f. Lehrer- u. Lehrerinnen-Bildgs-Anst. sowie f. and. gleichgestellte Lehranst. 4. Aß. (255) 8° Wien, A Hölder 05.   Geb. 2.24 d
— dass. a. d. Planimetrie u. Stereometrie. 3. Aß. (168 m. Fig.) 8° Ebd. 04.   Geb. 1.70 d
Rosenberg, L: Die Beweislast n. d. CPO. u. d. BGB. (149) 8° Berl., O Liebmann 1900.   3 —
Rosenberg, M: Aegypt. Einlage in Gold u. Silber. (12 m. Abb.) 4° Frankf. a/M., H Keller 05.   10 —
Rosenberg, M v.: Briefe e. zweif. Seele. (338) 8° Berl., A Schall (04).   4 —; L. 5 — d
— Von Geschlecht zu Geschlecht, s.: Deva-Roman-Sammlung.
— Magdalena. Roman. (338) 8° Berl., A Schall (1900).   3.50; geb. 4.50 d
— Vizefeldwebel Starke. Roman. (398) 8° Berl., F Fontano & Co. 01.   5 —; geb. 6.50 d
Rosenberg, P, s.: Taschen-Kalender f. Aerzte.
Rosenberg, R: Verjährg u. gesetzl. Befristg n. d. bürgerl. Recht d. deut. Reichs. (146) 8° Münch., J Schweitzer V. 04. 3.30 d
Rosenberg, W: Der Kaiser u. d. Protestanten in d. J. 1537 —39, s.: Schriften d. Ver. f. Reformationsgesch.
Rosenberger, F: Statist. Untersuchgn d. pathologisch-anatom. Lues-Befunde am Berliner städt. Krankenh. am Urban. (39) 8° Freibg i/B., Speyer & K. 04.   1 —
Rosenberger, G: Ursachen d. Karbolgangrän. [S.-A.] (15) 8° Würzbg, A Stuber's V. 01.   1. 60
Rosenberger, G: Wad d. Handwerker v. Gewerberecht wissen muss. (95) 16° Würzbg, V Bauch 02. — 75 ‖ 2. Aß. (95) 05. — 50 d
Rosenberger, JA: Die chirurg. Eingriffe bei Blinddarmentzündgn, s.: Abhandlungen, Würzburger, a. d. Ges.-Gebiet d. prakt. Medizin.
Rosenberger, W: Wrtrb. d. Neutralsprache (Idiom neutral). Neutral-Deutsch u. Deutsch-Neutral, m. e. vollständ. Grammatik u. e. kurzgef. Entstehgs-Gesch. d. Neutralsprache. (815) 16° Lpzg, E Haberland 02.   L. 6 —
Rosenblätter. Monatszettel, gewidmet d. Rosen d. lebend. Rosenkranzes, 24—27. Jahrg. 1901—12° Päckchen m. je 15 Geheimniszetteln u. e. Rosenbl. 16° Dülm., A Laumann. Je 1.05 ‖ Jahrg. 1905. nn 1.30 d

Rosenburg, H, s.: Auszählreime, Kinderlieder u. Spiele.
— Die Gesch. f. Lehrerbildgsanst., s.: Heinze, W.
— Die Gesch. f. Präparandenanst. 1. u. 2. Tl. 8° Hannov., C Meyer.   Geb. 3.10 d
   1. Deut. Gesch. bis 1648. Für d. III. Präparandenkl. (191) 03.   1.20; geb. 1.60; 2. u. 3. Aß. (192) 05. Geb. 1.50 ‖ 2. Deut., bes. brandenb.-preuss. Gesch. bis z. Gegenwart. Für d. II. Präparandenkl. (184)   1.25; geb. 1.60; 2. u. 3. Aß. (186) 05. Geb. 1.50
— Gesch. d. Prov. Sachsen, s.: Heine, H.
— Methodik d. Gesch.-Unterr. 5. Aß. (154) 8° Bresl., F Hirt 05.   Geb. 2.35 d
— Quellen-Leseb. f. d. Unterr. in d. vaterländ. Gesch., s.: Heinze, W.
— Deut. Sprachlehre f. Präparandenanst. 2 Tle in 1 Bde. (I.: Satz-

lehre u. Wertlehre. H.: Rechtschreiblehre u. Lautlehre.) 4. Afl.
(192) 8° Bresl.. F Hirt 01. || 5. Afl. (188) 03. Geb. Je 1.80 d
Rosenbusch, H: Aus d. Geol. v. Heidelberg. Rede. (24) 8° Hdlbg,
C Winter. V., 01. — 80
— Mikroskóp. Physiogr. d. Mineralien u. Gesteine. I. Bd. Die
petrographisch wicht. Mineralien. 4. Afl. 2 Hftn. 8° Stuttg,
E Schweizerbart. Je 20 —
1. Allg. Tl. Von EA Wülfing. (467 m. Fig. u. 17 [2 farb.] Taf.) 04.
2. Spez. Tl. Von H Rosenbusch. Mit Anh.: Hilfstab. z. mikroskop. Mineral-
bestimmg. (409 m. Fig., 90 Taf. u. 7 Tab.) 05.
Rosenduft, A: Neuester Briefsteller f. Liebende. (64) 8° Neu-
weissens, E. Bartels (o. J.). 1 — d
Rösener, K: Kunsterziehg im Geiste Ludwig Richters. (130)
8° Gütersl., C Bertelsmann 05. 1.20 ; geb. 2 — d
Rosenfeld, A: Üb. traumat. Syringomyelie u. Tabes, s.: Sammlung klin. Vortr.
Rosenfeld. E: Die Gesch. d. Berliner Ver. z. Besserg d. Straf-
gefangenen 1827—1900. (156) 8° Berl., O Liebmann 01. 2.50
— 200 Jahre Fürsorge d. preuss. Staatsregierg f. d. entlass.
Gefangenen. (80) 8° Berl., J Guttentag 05. 2 — d
— Register zu d. neueren Erlassen d. kgl. preuss. Ministers
d. Innern auf d. Geb. d. Gefängnis- u. Zwangs-(Fürsorge-)
Erziehgswesens, zugl. 1. Hauptreg. z. Verordngsbl. f. d.
Strafanstaltsverwaltg im Ressort d. Ministeriums d. Innern
1894—1903. (35) 8° Berl., C Heymann 04. 1.20 d
— Strafrechtspflege insbes. Gefängniswesen in Ceylon, s.: Ab-
handlungen d. kriminalist. Seminars an d. Univ. Berlin.
Rosenfeld, EH: Der Reichs-Strafprozess. 2. Afl. [4ꭲ] 8° Berl.,
J Guttentag 05. 6 — L. 6.50 d
1. Afl. s.: Lehrbücher d. deut. Reichsrechtes.
— s.: Strafgesetz, allg. bürgerl., f. d. Kgr. Norwegen.
— Verbrechen u. Vergehen wider d. Leben usw., s.: Liszt, F v.
Rosenfeld, G: Der Einfl. d. Alkohols auf d. Organismus. (256)
8° Wiesb., JF Bergmann 01. 5.60
— Der initiale Lungenabscess. [S.-A.] (8) 8° Berl., J Goldschmidt
02. 1 —
— Die Röntgendurchleuchtg d. Magens. [S.-A.] (12) 8° Ebd. 05.
1 — 6 H
Rosenfeld, K, u. M Raschke: Das Eherecht, s.: Rechtsbücher
f. d. deut. Volk.
Rosenfeld, M: 1. Unterr. in d. Chemie u. Mineral. (151 m. H.)
8° Wien, C Fromme 06. Geb. 1.60
Rosenfeld, M: Lieder d. Ghetto. Aus d. Jüd. v. B Feiwel, m.
Zeichngn v. EM Lilien. (144) 4° Berl., S Calvary & Co. (03).
L. 8 — ; auf Japanpap., in Ldr nn 30 — d
Rosenfeld-Buchenau, D: Kreuz u. Halbmond. Skizzen a. d.
Türkei, Bulgarien, Griechenl., Montenegro, Rumänien, Serbien
u. d. österr. Reichsl. (In 5 Abtlgn.) 1. u. 2. Abtlg. (—127) 4°
Lpzg-St., R Baum's Verl. 1900. Je 2.50 ;
Subskr.-Pr. f. 1—5 10 — d Vergr.
Rosengarten, d. Wormser. Festschrift z. 2. Rosenfest m. 60
Beitr. deut. Künstler u. Dichter. Den Nibelungenfreunden
dargebr. v. Rosengartenausschuss Worms. (87) 8° Worms, J
Fischer 05. 2.50
Rosenhagen, G: Die Strophe in d. deut. klass. Ballade. I. Strophe
u. Darstellg. (48) 8° Hambg, (Herold) 03. 2 —
Rosenhagen, H: Die Kunst in Bremen. Zur Wieder-Eröffng
d. Bremer Kunsthalle. [S.-A.] (15) 8° Brem., E Hampe 02.
— 50 d
— Würdiggn. (87) 4° Berl., H Nabel 02. Kart. 3 —
Rosenhaupt, H: Beitr. z. Kenntnis d. Meralgie. (98) 8° Freibg
i/B., Speyer & K. 02. — 80
Rosenhayn, L: Harvstbläder ut Holstein u. Ümgegend. Tau
Unnerhollg för grote Kinner, de Plattdütsch verstahn. Luter
wind. Kram. (312) 8° Hambg (01). Berl., KW Mecklenburg.
3 — ; L. 4 — d
Rosenheim. Berge u. Vorland. Hrsg. v. d. Sektion Rosenheim
d. deut. u. österr. Alpenver. (174 m. Abb., 1 Pl. u. 2 Karten.)
8° Rosenh., (R Bensegger) (02). nn 1.50
Rosen-Knospen. Nr. 1—20. 8° Brem., Bh. u. Verl. d. Traktath.
3.50 d
Adolf, H: Stille Nacht, hl. Nacht. Erzählg f. d. Jugend. (16) (05.)
— 10
Bendixen, JC: Der kl. Benny. Erzählg f. d. Jugend. (16) (05.) [5.]
[11.] — 13
Bernlocher, M: Wie d. kl. Joseph s. Vater fand. Aus d. Engl. (16) (04.)
— 10
Blüncke, L: Der alte Einsieller. Ein reit. Junge. 2 Erzählgn f. d. Ju-
gend. (16) (05.) [19.] [Der wiedergefund. Schatz. Aus d. Bahn d. Ver-
derbens. 2 Erzählgn f. d. Jugend. (16) (05.) [19.] Je — 10
Donald, d. treue. Erzählg f. d. Jugend. (Aus d. Engl.) [4.] — 10
Guanavino, E: Nora u. Andreas od. Die 2 Waisenkinder. Erzählg f. d.
Jugend. Nach d. Engl. (48) (05.) [14.] — 25
Himmelmann, L: Dolly Forsters Weihnachtskind. Erzählg f. d. Jugend.
(16) (04.) [19.] Eine liebe Last. Erzählg f. d. Jugend. (16) (05.) [16.]
Je — 10
Kind, a., d. Groenstädt v. M. v. P., nebst ein. and. Gesch. f. uns. Ju-
gend. (32) (03.) [3.] — 20
Kinder, d., Liebenwert. Erzählg f. d. Jugend (16) (03.) [1.] — 10
Paulus, M v.: Die Betglocke. Aus d. mecklenburg. Landleben. (46) (04.)
[10.] — 25
— Glücksgüter. Erzählg f. alt u. jung. (56 m. Titelbild.) (05.) [15.] — 30
— Die neue Hausdame. Erzählg f. d. Jugend. (31) (05.) [14.] — 20
Partita, M v.: Ich will's verstehen. Erzählg f. d. Jugend. (37) (05.) [13.]
— 25
Pierre & Peny, d. Rettgesfeln. Ein Weihnachtsfest im Walde z. Z. d. Dra-
gonaden. Dem Franz. nacherzählt v. EM A. (32) (03.) [7.] — 20
Ricker, P: Jack u. ich. Erzählg f. d. Jugend. Dem Engl. nacherzählt.
(48) (05.) [17.] — 25
Steen, A: Die gold. Strasse. Dem Engl. nacherzählt. (46) (03.) [6.] — 25

Wie es kam, dass Otto e. Held wurde. Erzählg v. M v. P. (16) (03.) [9.]
— 10
Wunder d. Jetztzeit. Thatsachen nacherzählt v. M v. P. (14) (05.) [8.] — 12
Rosenkrantz, P: Das Geheimnis d. Waldsees. (Übers. v. M
Mann.) (246) 8° Stuttg., J Juncker 05. 2.50 d
Rosenkranz, der. Illustr. Monatsschrift f. alle Verehrer d.
allersel. Jungfrau Maria. Red. v. L Niderberger. 9—11. Jahrg.
1902—4 je 12 Hefte. (Je 288) 8° Limbg, Kongregation d. Pallottiner. Je 1.20 d
— dass. Illustr. Monatsschrift zu Ehren d. allersel. Jungfrau
Maria. Red. v. L Niderberger. 12. u. 13. Jahrg. Oktbr 1904—
Septbr 1906 je 12 Hefte. (Je 288) 8° Ebd. Je 1.20 d
— d. hochheil., betrachtet u. gebetet vor Jesus im hl. Altarssakramente. (Von G Beccaro.) Aus d. Span. v. P Seeböck
(37 m. farb. Abb.) 16° Straub. (02). Münch., M Hirmer.
L. m. G. 1.50 d
— lebend. 15 Rosenkranzzettel f. jeden Monat. Jahrg. 1901—5
je 12 Päckchen. (Je 60 m. Abb.) 16° Steyl, Missionsdr. Je 1.50 d
Rosenkrans, A: Rheinisch-westfäl. Haus-Choralb., s.: Hartmann, F.
Rosenkranz, C: Üb. sexuelle Belehrgn d. Jugend. [S.-A.] (17)
8° Halle, H Schroedel 03. — 50 d
— s.: Schroedel's, H, Praxis d. Volkssch.
Rosenkrans-Büchlein. Der hl. Rosenkranz od. d. marian.
Psalter. (30) 8° Bresl., F Goerlich (05). — 10 d
— f. d. Rosenkranzmonat. 3. Afl. (16) 16° Ravnsbg (01). Münch.
(Marialußlplats 32), A Killer. — 10 d
Rosenkranzgebet, d., in sr Schönh. u. s. Werte. Von e. Freunde
d. Rosenkranzes hrsg. (384 m. Abb.) 16° Klagenf., Buch- u.
Kunsth. d. St. Josef-Ver. 05. L. 1 — d
Rosenkranz-Monat, der. Aus d. Franz. (32 m. Abb.) 16° Strassbg,
FX Le Roux & Co. (03). — 10 d
Rosenlehner, A, s.: Festgabe, Karl Theodor v. Heigel ge-
widmet.
— Kurfürst Karl Philipp v. d. Pfalz u. d. jülichsche Frage
1725—29. (488) 8° Münch., CH Beck 06. 13 — d
Rosenlöcher, O: Mentor f. d. Hallenser Verkehr. — Mentor
f. d. Leipz. Verkehr, s.: Paul's, JFF, Verkehrs-Handb.
Rosenmontagszug, d. Kölner, 1905. Eine Blütenlese a. d. Kölner
Adressb. Ausgeführt n. d. Idee v. HJ Böhmer u. n. Entwürfen
v. H Becker. In Bildern wiedergegeben durch F Brantzky
u. W Schuler. Begleit. Dichtg v. G Schnorrenberg. (48 m.
farb. Abb.) 8° Köln, Hoursch & Bechstedt (05). nn 1.25 d
Rosenmüller s.: Grundbachrecht, d. v. 1.I.1900 ab gelt.
Rosenmüller, GH: Mitgabe f. d. ganze Leben beim Ausg. a.
d. Schule u. Eintritt in d. bürgerl. Leben. Mit Begleitwort
v. A Ritter. (990) 16° Zür., Fäsi & B. 05. L. m. G. 3 — d
Rosenmund, M: Ueb. d. Absteckg d. Simplontunnels. [S.-A.]
2. Afl. (7 m. Abb.) 4° Zür., Rascher & Co. 04. 1 —
— Die Aenderg d. Projektionssystems d. schweiz. Landesver-
messg. (117 u. 29 m. 1 Taf.) 8° Bern, (A Francke) 05. L 5.40
— Die Bestimmg d. Richtg, d. Länge u. d. Höhenverhältn. d.
Simplontunnels, s.: Spezial-Berichte d. Direktion d. Jura-
Simplon-Bahn etc. üb. d. Bau d. Simplon-Tunnels.
Rosenow, E: Wider d. Pfaffenherrschaft. Kulturbilder a. d.
Relig.-Kämpfen d. 16. u. 17. Jahrh. Fortgeführt v. H Ströbel.
2 Bde. (784 m. Abb. u. 1 Farbdr.) 8° Berl., Bh. Vorwärts (04.05).
L. je 7 — ; HF. je 8 — ; auch in 50 Lfgn zu — 20 d
Rosenstand-Wöldike, P: Einkommen-Versicherg statt Ver-
pfändg. Ein Weg z. Erreichg d. höchstmögl. Ertrages a.
landw. Grundbesitz so wie a. Kapital u. Arbeit. (87 m. 1 Tab.)
8° Jurj., (JG Krüger) 02. 1 —
— Land—Stadt u. Stadt—Land. Entwurf e. Technik d. Volks-
wirtschaft. (108 m. Bildnis.) 8° Riga, N Kymmel's S. (05). 3.60
Rosenstengel, A: Liederb. f. kathol. Kreise, insbes. f. Jüng-
lings- u. Jungfrauen-Ver. Zweistimmig gesetzt. (118) 12°
Warendf, J Schnell 01. Kart. — 75 d
— Der erste u. zweite. Turnleitf. in ausgeführten Lektionen. 2. Gebr. f.
Turnlehrer an Volkssch. u. Seminaren. 2. Afl. (83) 8° Arnsbg,
J Stahl 02. Geb. 1.20 d
Rosenstern, M: Das Börsengesn. u. s. Umgebg. Beitr. z. Lehre
v. d. Börsentermingeschäften. (54) 8° Berl., Struppe & W.
04. 1.50
Rosenstock, A: Das Privattestament. Mit e. Anh., enth.: A.
Die Stempelsteuerpflicht. B. Die Erbschaftssteuerpflicht u.
Erbschaftssteuerbefreig. C. Testamentsbeisp. D. Die wich-
tigsten erbrechtl. Bestimmgn d. BGB. (105) 8° Jena, HW
Schmidt 05. 1.50 d
Rosenthal s.: Verhandlungen u. Mitteilungen d. Ver. f. öffentl.
Gesundheitspflege in Magdeburg.
Rosenthal, A: Die Abnahmepflicht d. Gläubigers n. d. BGB.
(55) 8° Bonn, F Cohen 04. 1 —
Rosenthal, C: Anl. z. Anwendg d. neuen Stempelsteuer-Ordng
v. 10.VI.1900. (71) 8° Riga, (Jonck & P.) 1900. nn 2 —
— dass. m. Berücks. d. neuesten Instructionen d. Finanzministers. 2. Afl. (98) 8° Ebd. 01. 2.35
Rosenthal, C: Die Zunge u. ihre Begleit-Erscheinng bei Krankh.
(259) 8° Berl., A Hirschwald 03. 6 —
Rosenthal, DA: Konvertitenbilder a. d. 19. Jahrh. I. Bds 3. Abtlg.
Deutschl. 3. Afl. (692) 8° Rgnsbg, Verl.-Anst. vorm. GJ Manz
02. 9 — d
— dass. Suppl. 1. u. 2. Abtlg. 8° Ebd. 02. 5 — d
1. (215) 3.50 || 2. (64) 1.50.

Rosenthal, F, s.: Gedenkbuch z. Erinnerg an David Kaufmann.
— David Kaufmann. Biogr. [S.-A.] (56) 8° Bresl., (Koebner) 1900. 1.50
Rosenthal, G: Latein. Schulgrammatik z. raschen Einführg f. reifere Schüler. Mit bes. Berücks. v. Caesars gall. Krieg f. Lateinkurse an Mädchengymnasien, Oberrealsch. etc. (62) 8° Lpzg, BG Teubner 04. — 1 d
Rosenthal, H: Das BGB. nebst d. Einführgsges. gemeinverständlich erläut., unter bes. Berücks. d. Rechtsverhältn. d. tägl. Lebens m. Hinweisen auf d. Nebenges. u. d. Ausführgsges. f. Preussen, Bayern, Sachsen, Württemberg, Baden, sowie e. Sachregister u. e. Anh.: enth. d. f. d. tägl. Leben wicht. Vorschriften d. Ausführgsges. d. genannten 5 Staaten. 6. Afl. (783) 8° Grand., G Röthe 04. L. nn 5 — |
Schreibtisch-Ausg., durchsch. 8 — d
Rosenthal, J: Lehrb. d. allg. Physiol. (616 m. Abb.) 8° Lpzg, G Thieme 01. 14.50; geb. 16.50
— Der physiolog. Unterr. u. s. Bedeutg f. d. Ausbildg d. Ärzte. (96) 8° Ebd. 04. 2 —
— Die Wärmeproduktion d. Tiere. [S.-A.] (16) 8° Lpzg, A Deichert Nf. 01. — 60
— s.: Zentralblatt, biolog.
Rosenthal, J: Die Vision d. Erfinders, s.: Festspiele f. Radfahrer.
Rosenthal, K: Die Sachlegitimation. (82) 8° Münch., J Schweitzer V. 03. 2 — d
Rosenthal's, L, Katalog 111: Seltene u. kostbare Bücher. (256 m. Abb.) 8° Münch., L Rosenthal (04). 4 —
Rosenthal, L: Zurück zur Bibel! Mit e. Nachtr.: Bibelwiss. u. Rechtgläubgk. (50) 8° Berl., M Poppelauer 02. — 60 d
— Fest- u. Gelegenheitspredigten. (164) 8° Frankf. a/M., J Kauffmann 01. 2.35 d
Rosenthal, LA: Babel u. Bibel od. Babel geg. Bibel? (31) 8° Berl., (M Poppelauer) 02. — 40 d
— dass. 2. Afl. Gelegentlich d. diesjähr. Delitzsch'schen Vortr. (44) 8° Ebd. 03. — 60 d
— Bibel trotz Babel! Beleuchtg d. 2. Delitzsch'schen Vortr. u. sr neuesten Aeusserg „Zur Klärg". (42) 8° Lpzg, MW Kaufmann 03. — 50
— Bibelwissenschaftliches. I. Joel-Nahum-Habakuk m. einander verglichen. (44) 8° Strassbg, (KJ Trübner) 05. 1 —
— Die Mischna, Aufbau u. Quellenscheidg. I. Thl: Die Ordng Seraim. 1. Hlfte. Von Berakhot bis Schekalim. (29, 156 m. 1 Tab.) 8° Ebd. 03. 5 — d
— Schiller u. d. Bibel. (25) 8° Ebd. 05. — 60 d
Rosenthal, M: Üb. d. Ausbildg d. Jahresringe an d. Grenze d. Baumwuchses in d. Alpen. (24 m. 1 Taf.) 4° Berl., Weidmann 04. 1 —
Rosenthal, M: Nebenges. z. BGB. I. Ges. üb. d. Angelegenh. d. freiwill. Gerichtsbark. II. Grundbuchordng. III. Ges. üb. d. Zwangsversteigerg u. Zwangsverwaltg. Gesamtausg. m. Anmerkgn u. Verweisgn auf Reichs- u. Landesrecht. (262) 8° Lpzg, Dieterich 05. Kart. 3 — d
— Das Reichs-Ges. betr. d. Gesellsch. m. beschränkter Haftg, s.: Handbibliothek, jurist.
— Reichs-Gewerbe-Ordng in d. Fassg d. Bekanntmachg v. 26.VII.1900. Textausg. m. Verweisgn, Abdr. einschläg. Stellen and. Ges., sowie e. Verz. d. Ausführgsbestimmgn, nebst d. Reichsges. betr. d. Gewerbegerichte. 1—3. Taus. (241) 8° Lpzg, Dieterich 01. Kart. 1.80 || 2. Afl. (245) 02. Kart. 2 — d
Rosenthal, M: Hebr.-deut. Übersetzgsb. zu d. Hauptgebeten. Zum Gebr. in d. 4 unt. Kl. d. Relig.-Schule. (90) 8° Frankf. a/M., J Kauffmann 05. Kart. 1 — d
Rosenthal, O: Alkoholismus u. Prostitution. 2 Vortr. (62) 8° Berl., A Hirschwald 05. 1 —
— s.: Dermatologen-Kongress, V. internat.
— Therapie d. Syphilis in d. vener. Krankh., s.: Handbibliothek, medizin.
Rosenthal, W: Die Pulsionsdivertikel d. Schlundes. Anatomie, Statistik, Ätiol. (135) 8° Lpzg, G Thieme 02. 3.60
Rosenthal, W: Fürst Talleyrand u. d. auswärt. Politik Napoleons I. Nach d. Memoiren d. Fürsten Talleyrand. (114 m. 1 Bildn.) 8° Lpzg, W Engelmann 05. 2.40
Rosenthal-Bonin, H: Ein Abenteuer in Konstantinopel u. and. humorist. Erzählgn. 1—5. Taus. (127) 8° Stuttg., Deut. Verl.-Anst. 02. 1 —
— Der schlaflose Commis u. and. humorist. Erzählgn. 1—5. Taus. (178) 8° Ebd. 02. 1 —
— Die schwarze Dame u. and. humorist. Erzählgn. 1—5. Taus. (156) 8° Ebd. 02. 1 —
— Dittas Zopf u. and. humorist. Erzählgn. 1—5. Taus. (156) 8° Ebd. 01. 1 —
— Die scharfe Ecke u. and. humorist. Erzählgn. 1—5. Taus. (142) 8° Ebd. 01. 1 —
— Der Heiratsvermittler u. and. humorist. Erzählgn. 1—5. Taus. (175) 8° Ebd. 01. 1 —
— Ein Reisender, wie er sein soll; s.: Bloch's E, Theater-Korrespondenz.
Rosenthaler, J: Illustr. hebr. Lesefibel. Mit Benützg d. Japhetschen Fibel רשי ם"פ n. d. Grundsätzen d. Anschaug u. Phonetik bearb. (48) 8° Frankf. a/M., AJ Hofmann 03. Geb. — 60 d
Rosenthaler, L: Grundz. d. chem. Pflanzenuntersuchg. (124) 8° Berl., J Springer 04. L. 3.40

Rosentreter: Zweibund geg. Dreibund. Skizze. (104) 8° Kiel, Univ.-Bh. 03. 2 — d
Rosenwasser, E: Der lexikal. Stoff d. Königsbücher d. Peschitta unter Berücks. d. Varianten, als e. Vorarbeit f. e. Concordanz z. Peschitta alphabetisch dargest. (130) 8° Berl., L Lamm 05. 3 —
Rosen-Zeitung. Red. v. P Lambert. 16. u. 17. Jahrg. 1901 u. 2 je 6 Hefte. (1. Heft. 16) 8° Trier, (J Lintz). Je 5 — || 18—20. Jahrg. 1903—5. Je 6 —
Rosenzweig, A: Des Gotteshauses Bedeut u. Berechtigg. Weiberede. (13) 8° Berl., M Poppelauer 04. — 40 d
— Kleidg u. Schmuck im bibl. u. talmud. Schrifttum. (130) 8° Ebd. 05. 3 —
— Kohelet's Welt- u. Lebensanschaug. Predigt. (12) 8° Berl., L Lamm 05. — 50 d
Roser: Taxt. Beisp. a. d. Reglements aller Waffen. (95 m. Abb.) 8° Berl., ES Mittler & S. 05. 1.40 d
Roser, E: Untersuchg d. Grissongetriebes. (40 m. Abb. u. 8 Taf.) 8° Stuttg., A Kröner 01. 3 —
Rosergios, B de: Ambaxiator. brevilogus, s.: De legatis et legationib. tractatus varii.
Rösiger, F: Friedrich Schiller. Gedächtnisrede. (42) 8° Hdlbg, C Winter, V. 05. — 50 d
— s.: Spamer's illustr. Weltgesch.
Rosikat, KA: Kants Kritik d. reinen Vernunft u. s. Stellg z. Poesie. (56) 8° Köngsbg, (W Koch) 01. 1.20
Rosin, H, s.: Abhandlungen, Freiburger, a. d. Geb. d. öffentl. Rechts.
— Das Recht d. Arbeiterversicherg. 2. Bd. Das Recht d. Invaliden- u. Altersversicherg. (1151) 8° Berl., J Guttentag 05. 25 —; HF. nn 27 — (1 u. 2: 43.50; geb. nn 47.50) d
Rosin, H, s.: Enzyklopädie d. mikroskop. Technik.
Rosin, H: Diesterwegs parlamentar. Thätigk. u. s. Einfl. auf d. Schulgesetzgebg, s.: Bausteine, pädagog.
— Der Trakehner Prozess. Ein Stück Leidensgesch. d. Volkssch. a. d. Ende d. XIX. Jahrh. Ausführl. Bericht üb. d. Gerichtsverhandlgn v. 17—24.X.'02 sowie d. deren parlamentar. Vorgesch. (61) 8° Berl., Gerdes & Hödel (02). || 2. Afl. (63) (05.) || 3. u. 4. Afl. (64) (03.) Je — 50
Rosinski, D: Die Syphilis in d. Schwangerschaft. (206 m. Abb. u. 7 farb. Taf.) 8° Stuttg., F Enke 02. 10 —
Roskoschny, H: Italienisch, s.: Neufeld's Sprachführer.
Roskoschny, H: Ein Giftmordprozess in Fellin. Kriminal-Roman u. and. Romane etc. — Die Braut v. Lichtplatz. — Des Henkers Töchterlein. — Ein geheimnisvoller Fall. — Wie du mir, so ich dir. (96) 8° Neuweissens, E Bartels (o. J.). 1 — d
Roskoschny, S: Polnisch, s.: Neufeld's Sprachführer.
— Russ. Taschenwrtrb., s.: Neufeld's neue fremdsprachl. Taschenwrtb.
Roskowska, M: Inmitten d. Nordsee. Erzählg f. d. Jugend. 2. Afl. (118) 8° Gütersl., C Bertelsmann, Sep.-Cto (04). — 60; m. Titelbild, kart. — 70; geb. — 80; L. — 90 d
Rösler, A: Wahre u. falsche Frauen-Emanzipation. (Neue [Tit.-] Ausg.) (60) 8° Münst., Alphonsus-Bh. [1899] 04. 1.20 d
— Gewissensns-Erforscbg üb. d. Anklagen d. Prof. Dr. Ehrhard. (111) 8° Graz, U Moser 02. 1.30 d
— Der Katholizismus, s. Aufg. u. s. Aussichten in A. Ehrhard. (84) 8° Hamm, Breer & Th. 02. 1.20 d
— Die Übg d. Charitas durch d. Frauen u. an d. Frauen, s.: Charitas-Schriften.
Rösler, CJ: Schulgebete z. Gebr. an ev. Lehranst. (70) 8° Schorndf, (P Rösler) 1890. L. — 70 d
Rösler, F: Der Schnellzeichner. Ein neues Malb. f. Schule u. Elternhaus. 1—3. Afl. 3 Hefte. (Je 9 Bl. m. 1 Bl. Text.) 8° Lpzg, A Hahn (04). Je — 40; in 1 Bd geb. 1.40
— dass. I. u. II. Bd. (1—4. Heft.) 8° Ebd. (05). Geb. je 1.40; einz. Hefte — 70
I. (1. u. 2. Heft.) 4. Afl. (12 Taf. m. 8 S. Text u. 14 Taf. m. 2 S. Text.)
II. (3. u. 4. Heft.) (Je 14 Taf. m. 2 bezw. 2 S. Text.)
— dass. Neue Folge. Geograph. Skizzen. (Asien, Amerika, Afrika, Australien.) 2 Hefte. (Je 16 Bl. m. 7 Bl. Text u. Umschl.) 8° Ebd. (05). Je — 70; in 1 Bd geb. (32 Bl. m. 8 S. Text.) 1.40
Roesler, H: Schles. Kochb., s.: Pelz, H.
Roesler, H: Der menschl. Körper, s. organ. Aufbau u. s. zweckentsprech. Pflege. (72) 8° Dresd., Holze & P. 05. 1 —; geb. 1.40 d
Roesler, JK, u. RG Ehrhardt: Christbaum-Schmuck. Beschäftigg f. bänsl. Kreise u. f. Knaben-Handfertigkeitsunterr. 2. [Tit.-] Afl. (27 m. 29 [4 farb.] Taf.) 8° Lpzg, M Heinsius Nf. [1896] 03. 1.50 d
Roesler, JK, u. F Wilde: Beisp. u. Aufg. z. kaufmänn. Rechnen. 3 Tle. 8° Halle, H Gesenius. 3.60; Einbde je — 40
I. 7. Afl. (192) 04. 2 — || II. 6. Afl. (124) 05. 1.60.
Roesler, L, s.: Mitteilungen üb. d. Arbeiten a. d. k. chemischphysiolog. Versuchs-Station f. Wein- u. Obstbau zu Klosterneuburg.
Rösler, M: Die Fassgn d. Alexius-Legende m. bes. Berücks. d. mittelengl. Versionen, s.: Beiträge, Wiener, z. engl. Philol.
Rösler, P: Falter. Zeichngn u. Lieder. (39) 8° Münch.-Schwab., EW Bonsels 05. Kart. 3 — d
Rosmann, FS: Maria d. Mutter v. guten Rate u. d. 4 letzten Dinge. Nach Dionysius d. Karthäuser. (240 m. farb. Titelbild.) 16° Münst., Alphonsus-Bh. 02. L. — 75 d

Rosmer, E, s. a.: Porges, E.
— Nausikaa. Tragödie. (151) 8° Berl., S Fischer 66. 2.50; geb. nn 3.50
Rosner, J: Jagd-Signale u. Fanfaren. 19. Afl. (2°) 16° Pless, A Krummer 02. Kart. — 80
Rosner, J: Volksthüml. Hdb. d. österr. Rechtes, s.: Ingwer, J.
— Der Kollektivvertrag, s.: Recht, d.
Rosner, JB: Erörtergn u. Vorschläge f. d. Unterr. im Freihand- u. geometr. Zeichnen an d. Realsch. in Oesterr. (40) 8° Innsbr., Wagner 02. 3 —
Rosner, K: Ruinen d. mittelalterl. Burgen Ober-Östrrreichs. (71 m. Abb. u. 24 Taf.) 4° Wien, A Schroll & Co. 03. 8.50
Rosner, K: Der böse Blick u. and. Novellen, s.: Sammlung Franckh.
— Ein Brandstifter u. and. Erzählgn. (204) 8° Dresd., E Pierson 02. 2 —; geb. 3 — d
— Dietrich Hellwags Sieg. Roman. (220) 8° Stuttg., Union (04). 3 —; L. 4 — d
— Der Ruf d. Lebens. Erzählg. (191) 12° Lpzg 02. Berl., H Seemann Nf. 2.50; geb. 3.50 d
— Der Fall Versegy, s.: Engelhorn's allg. Roman-Bibliothek.
Rosner, L, s.: Aus Nestroy.
Rosny, JH: Das Eheversprechen, s.: Kürschner's, J, Bücherschatz.
— Die gold. Nadel, s.: Deva-Roman-Sammlung.
Ross u. Reiter. Illustr. Wochenschrift f. Pferdekde, sowie jeden edlen Sport. Schriftleitg: R Schoenbeck. Für d. Pferdeliste: v. Carnap. 2. u. 3. Jahrg. 1902 u. 3 je 52 Nrn. (Nr. 1—19. 304) 4° Charlttnbg, Verl. v. Ross u. Reiter. Viertelj.2.50; einz.Nrn—25
— dass. Illustr. Wochenschrift f. Pferdekde. -Gebrauch u. -Zucht. Schriftleitg: R Schoenbeck. Für d.Pferdeliste: Poleck. 4. Jahrg. 1. Viertelj. Jan.—März 1904. 13 Nrn. (Nr. 1. 16) 4° Ebd. 2.50; einz. Nrn — 25
Der 1. Jahrg. erschien u. d. T.: Wochenschrift d. Ver. z. Hebg d. Offizier-Pferde-Materials in d. deut. Armee. Jan.—Dezbr 1901. 23 Nrn. Viertelj. 2—; einz. Nrn — 20. — Mit „Sport im Bild" vereinigt.
Ross, A: Bahnmeister Küster u. and. Erzählgn. — Versöhnt u. and. Erzählgn, s.: Unter d. Flügelrad.
Ross, B: Einführg in d. techn. Zeichnen. Entwickelg d. wichtigsten Methoden zeichnen. Darstellg, angewandt auf techn. Gegenstände nebst Erörtergn üb. d. hierbei z. Verwendg komm. Materialien. (68 m. Fig. u. 20 meist farb. Taf.) Fol. Wiesb., CW Kreidel 02. In M. 12.60
Ross, F, s.: Sicherheitsvorschriften f. Starkstrom-Anlagen.
Ross, FE: Definitive orbit of comet 1844 II (Mauvais), s.: Abhandlungen, astronom.
Ross, FW: Leitf. f. d. Ermittelg d. Bauwertes v. Gebäuden, sowie dessen Verminderg m. Rücks. auf Alter u. gescheh. Instandhaltg. 7. u. 8. Afl. v. B Ross. (156) 8° Hannov., Schmorl & v. S. Nf. (04). L. 3 —
Ross, H: Die Gallenbildgn (Cecidien) d. Pflanzen, deren Ursachen, Entwickelg, Bau u. Gestalt. (40 m. Abb. u. 1 Taf.) 8° Stuttg., E Ulmer 04. 2 —
— u. H Matin: Botan. Wandtaf. 1—7. Bl. v.Ross. Je 81×105 cm. Farbdr. Nebst Illustr. Text. 8° Ebd. Je 2.80; m. St. je 3.80; auf L. (Papyrolin) je 4—; m. St. je nn 5—; Texthefte je —10
1. Biol. d. Blüte. A. Bestäubg durch Insekten. (29) 04. ¶ 2, Feuerbohne (Phaseolus multiflorus Willd.). (20) 04. ¶ 3. Kirsche u. Apfel (Steinobst u. Kernobst). (27) 04. ¶ 4. Kartoffel (Solanum tuberosum L.). (36) 03. ¶ 5. Haselnuss (Corylus Avellana L.). (24) 05. ¶ 6. Hornklee u. Spatzöflngn. (72) 05. ¶ 7. Biol. d. Blüte. B. Bestäubg durch d. Wind. (20) 05.
Ross-Lüttich, H: Deut. Klänge a. d. Ausl. Gedichte. (79) 8° Dresd., E Pierson 03 (Umschl. 04). 1.50; geb. 2.50
Ross, M: All on the Irish shore, s.: Somerville, ECE.
Ross, R: Das Malariafieber, s.: Süsserott's Kolonialbibliothek.
— Untersuchng üb. Malaria. Aus d. Engl. v. Schilling. (161 m. Abb.) 8° Jena, G Fischer 05. 3 —
Ross, WS, s. a.: Saladin.
— Gretchen. Gemischte Essays üb. d. Ewig-Weibliche. Deutsch v. W Schaumburg. (213 u. 14) 8° Zürich, W Schaumburg (04). 3 —
Ross, GR: Auferstehg. Osterfestsp. (102) 8° Wiesb., (R Bechtold & Co.) 05. 1.50 d
Rossanegg s.: Costa-Rossetti v. Rossanegg.
Rossbach s.: Annalen d. kgl. sächs. Ober-Landes-Gerichts zu Dresden.
— Das Gerichtsverfassgsges. u. d. Gerichtswesen im Deut. Reiche u. insbes. im Kgr. Sachsen, s.: Vorträge üb. Gesetzeskde u. Verwaltg.
Rossbach, F: Lebensbilder a. d. deut. u. preuss. Gesch., deut. Sagen. Für d. Unterr. (m. Gesch.-Unterr. an höh. u. mittl. Mädchensch. 2. Afl. (125) 8° Lpzg,Rossberg'sche Verl.-Bh. 02. Geb. 1.50 d
— Lehrb. d. Gesch. d. Altertums f. d. ob. Kl. höh. Mädchensch. 2. Afl. (213 u. 32 m. Abb. u. 4 Kart.) 8° Ebd. 03. Geb. u. geb. 2.60 d
— Lehrb. d. deut. Gesch. f. d. ob. Kl. höh. Mädchnsch. 2. Afl. (340 u. 37 m. Abb. u. 6 Kart.) 8° Ebd. 02. Geb. u. geh. 4 — d
— Kl. Lehrb. f. d. Gesch.-Unterr. in höh. Mädchensch. 3 Tle. 8° Ebd. 04. Kart. je 1 — d
1. Gesch. d. Griechen u. Römer. (84) ¶ 2. Deut. Gesch. v. d. Urzeit bis 4. westfäl. Frieden. (100) ¶ 3. Vom 3. Zeit d. Gr. Kurfürsten bis auf d. Gegenwart. (51)
— Deut. Sprachb., s.: Meyer, J.
Rossbach, O: Internat. u.nationale Kunst. Rede. (20)8° Köngsbg, Gräfe & U., Bh. 03. — 60 d

Hinrichs' Fünfjahrskatalog 1901—1905.

Rossbach, R: Deut. Leseb. f. Bürgersch., s.: Jacobi, A.
Rossberg, G: Verz. sämmtl. kgl. preuss. Armee-Märsche u. d. v. Kaiser Wilhelm II. bes. verlieh. Märsche u.s.w. (Neue Ausg.) (35) 12° Lpzg, Breitkopf & H. 02. — 50
Rossberg, K: Die Zweimarkstücke u. Fünfmarkstücke deut. Reichswährg. (35 m. 1 Lichtdr.) 12° Lpzg, Zschiesche & Köder 03. Kart. nn 1.25
Rossek, E: Leitf. f. d. Unterr. in d. weibl. Handarbeiten. Nebst s. Nachtr. üb. Klassenunterr. v. C G. 8. Afl. (79 m. 14 L.) 8° Berl., F Dümmler's V. 01. 3 — d
Rossel, V: Burenfrauen. Drama. In freier Uebertragg v. P Sutermeister. (20) 8° Bern, Paul Sutermeister 01. (Nur dir.) † — 70 d
— Morgarten. Versdrama. Übers. v. G Auer. (72) 8° Bern, A Francke 05. 1.20 d
— Der Weg z. Ziel. Theaterstück. Uebers. v. R K. 2. Afl. (24) 8° Bas., F Reinhardt (03). — 40 d
Roessel: Die 1. brandenburg. Flotte im schwedisch-poln. Kriegs 1658—60 u. ihr Kommandeur Obrist Joh. v. Hille. (121 m. 1 Karte u. 1 Bildnis.) 8° Berl., R Eisenschmidt 03. 3 — d
— Gesch. d. Grenadier-Regts König Friedrich II. (3. ostpreuss.) Nr. 4. 1. Bd. 1626—90. (23, 667 m. Abb. u. Skizzen.) 8° Berl. ES Mittler & S. 01. 11 —; L. nn 13 — d
Rössel, T: Der schriftl. Verkehr d. Handwerkers u. kl. Geschäftsmannes. 3 Stufen (1—3. Jahrg.). (40, 42 u. 40) 4° Meiss., Sächs. Schulbh. 02 (04). Je nn — 50
Rössel, W: Führer zu Haydn's „Rübezahl" u. d. Sackpfeifer v. Neisse". Oper v. E König. (24 n. Musikbeil. 3 Bl. in 4°) 8° Breschw., (J Bauer) (05). nn — 30
Rossem N², AC van: Die Aufnahme v. Kommutatordiagrammen. (31 m. Abb.) 8° Halle, W Knapp 04. 1.50
Rossetti, DG: 12 Sonette, m. d. Engl. v. A v. Ehrmann, m. e. Sonette d. Uebersetzers. (S.-A.) (15) 8° Wien, Österr. Verl.-Anst. (03). (?) (Lpzg, R Hoffmann.) — 50 d
Rosseuw de Saint-Hilaire s.: Saint-Hilaire.
Rössger, R: Deut. Leseb. f. Handelssch., s.: Raydt, H.
— dass. f. d. mittl. Kl. höh. Lehranst., s.: Lorenz, H.
Rossi, A: Die Blume d. Einsamkeit. Novelle. Aus d. Ital. (199) 8° Paderb., Bonifacius-Dr. 01. 1.50 d
Rossier, G, s.: Agenda de la sage-femme. — Hebammenkalender, schweiz.
Rössing, A: Gesch. d. Metalle, s.: Verhandlungen d. Ver. z. Beförderg d. Gewerbfleisses.
Rössing, A Frhr v.: Die Stammtaf. d. Geschlechts derer v. Rössing. (172 m. 7 Lichtdr.- n. 8 Stammtaf.) 4° Hildesh, (Gerstenberg) 1900 (Umschl. 01). 6 — d
Rössing, W: Heldenlohn, s.: Theaterspieler, d.
— Musketier Jochen s. „Kleene", s.: Viktoria-Theater.
— Der Kaisers-Geburtstags-Parademarsch m. Hindernissen, s.: Theaterspieler, d.
— Die Kaisers-Geburtstags-Wurst, s.: Schauspieler, d.
— Ludmilla's Verlobg od. Die Kaisers-Geburtstags-Bowle, s.: Viktoria-Theater.
— Eine Radikalkur, s.: Theaterspieler, d.
— Die Regimentsjustee od.Kaisers-Geburtstag bei Vater Philipp, s.: Schauspieler, d.
— Frau Sanitätsrat, s.: Theaterspieler, d.
— Der verkannte Schwiegersohn, s.: Schauspieler, d.
— Ein gelung. Streich, s.: Theaterspieler, d.
— Der Wilddieb, s.: Schauspieler, d.
Rössler, K Conti, s.: Vitae sanctor. antiquior.
Rössler's Sommer- u. Winter-Fahrpl. d. Reichenberg-Gablonz-Tannwalder Eisenb. u. d. Gablonzer elektr. Strassenb. 1905 u. '05/6. (Je 53) 16° Gabl., H Rössler. Je — 15
Rössler: Realienb., s.: Lettau, H.
Rössler, A: Die Baupolizeiordngn f. Berlin u. s. Vororte. 2. Afl. (262) 8° Berl., A Heyn's Erben 03. L. 3 — d
— Sammlg d. Polizei-Verordngn u. polizeil. Vorschriften f. d. Reg.-Bez. Potsdam. 2. Afl. (926) 8° Ebd. 02. 11 —; geb. 12.50 d
Rössler, A: Lessing, s. Leben u. s. Werke. 1. Bd bis z. „Laokoon". Für d. Jugend bearb. (288 m. 1 Bildnis.) 8° Lpzg, KGT Scheffer 04. Geb. nn 4.60 d
Roessler, A, s.: Frau, d.
— Es giebt solche Menschen. Skizzenband. (122) 12° Münch., A Schupp (01). (Lpzg, F Förster.) L. 1.20; Luxusausg. 2.40
— Und es war e. glüh. Nacht. 2. [Tit.-]Afl. v.: Der Sturm u. and. Skizzen. (146) 12° Ebd. [1899] (01). 2 — d
— Neu-Dachau (Ludw. Dill, Ad Hölzel, Arth. Langhammer), s.: Künstler-Monographien.
— Höchste heidn. Seligkeit. (31) 4° Münch., A Schupp 1900. (Lpzg, F Förster.) 1.50
— Die Stimmg d. Gothik u. and. Essays. (123) 8° Berl., Volkserieher-Verl. 04. 1.50
Rössler, C: Ausgew. Aufsätze. Hrsg. v. W Rössler. (36, 535 m. Bildnis.) 8° Berl., G Stilke 02. 10 —; geb. 11 — d
Rössler, E: Jodometr. Bestimmg v. Ammoniak, Ammonsalzen u. and. stickstoffhalt, Körpern m. Hilfe v. Alkalihypobromit. (63) 8° Freibg i/B., Speyer & K. 04. 1.20
Roessler, G: Elektromotoren f. Gleichstrom. 2. Afl. (136 m. Fig.) 8° Berl., J Springer 02. L. 4 —
— Elektromotoren f. Wechselstrom u. Drehstrom. (230 m. Fig.) 8° Ebd. 01. L. 7 —
— Die Fernleitg v. Wechselströmen. (243 m. Fig.) 8° Ebd. 05. L. 7 —
Rössler, J: Mancherlei Geschichten nebst d. Lustsp. „Die Kandidaten". (175) 8° Dresd., E Pierson 03. 2.50; geb. 3.50 d

Rössler, JM: Der Bestelldienst bei d. k. k. Post- u. Telegraphenanstalt. 2. Afl. (44) 8° Kotzman 02. (Czernow., H Pardini.) 1 —
Rössler, O: Gesch. d. Bäder v. Baden-Baden. (42 m. 2 Taf.) 8° Bad.-B., (O Ryssel) (04). — 1 —
Rössler, R: Närr'sche Kerle. Humoresken in schles. Mundart. 3. Afl. (141) 8° Schweidn., L Heege (05). 1.50'; L. 2 — d
— Schnoken. Humoresken in schles. Mundart. 4. Afl. (Neue [Tit.-]Ausg.) Mit e. Abhandlg üb. d. schles. Mundart. (216) 8° Ebd. [1900] (05). 1.50'; geb. 2 — d
— Der neue Titel, s.: Zehnpfennigbücher, stenotachygr.
Rossmanith's Grundr. d. Geometrie in Verbindg m. d. geometr. Zeichnen. Lehr- u. Übgsb. f. d. II., III. u. IV. Realcl. 8. Afl. v. K Schober. (160 m. Fig. u. 2 Taf.) 8° Wien, A Pichler's Wwe & S. 03. Geb. 2.30
— u. Schober: Geometr. Formenlehre. Leitf. f. d. geometr. Anschauguntern. in d. 1. Realcl. 8. Afl. v. F Bergmann. (68 m. Fig. u. 1 Taf.) 8° Ebd. 04. Geb. 1.10
Rossmann, A: Im Jagastübl. Gedichte in steir. Mundart üb. Jäger u. deren tatsächl. Jagderlebnisse im steir. Oberlande. (112) 8° Graz, Styria 06. 1.35 d
Rossmann, A: Briefe e. Arztes an e. junge Mutter, s.: Plath, W.
Rossmann, L: Verkehrsk. d. Deut. Reiches, s.: Henze.
Rossmann, P: Französ. Lese- u. Realienb. f. d. Mittel- u. Oberst. (404 m. Abb. u. 1 Karte.) 8° Bielef., Velhagen & Kl. 03. Geb. 3.50 ll 2. Afl. (423 m Abb., Skizzen u. 3 Kart.) 04. Geb. 3.50
— Französisch-deut. Wrtrb. z. 2. Tl v. Rossmann u. Schmidts Lehrb. d. französ. Sprache. (37) 8° Ebd. 05. — 60
— u. F Schmidt: Lehrb. d. französ. Sprache auf Grundl. d. Anschaug. 1. Tl. 22. Afl. (362 m. Abb.) 8° Ebd. 04. ll 2. Tl. 1 — 3. Afl. (285, 294 u. 299 m. Abb.) 03-05. Geb. je 2.80
— dass. Wrtrverz. z. 1. Tl. Nach Übgsstücken geordnet v. P Rossmann. 6. Afl. (100) 8° Ebd. 05. Geb. 1 —
— dass., Wrtr-Verz., s.: Seiler, M.
— Übersetzübgn im Anschl. an Rossmann u. Schmidt's Lehrb. d. französ. Sprache, nebst e. kurzgef. Grammatik. 3. Afl. (225) 8° Bielef., Velhagen & Kl. 02. Geb. 2.20 ll 4. Afl. (226) 04. Geb. 2.40 d; Schlüssel [nur an Lehrer] (115) geb. 2 —
Rossmann, W: Deutsch-Südwestafrika. — Togo, s.: Projections-Vorträge.
Rossmässler, EA: Iconogr. d. Land- u. Süsswasser-Mollusken m. vorzügl. Berücks. d. europ. noch nicht abgebild. Arten, fortgesetzt v. W Kobelt. Neue Folge. 9. Bd. 3.—6. Lfg. Schwarze Ausg. (25—36 m. 30 Taf.) 8° Wiesb., CW Kreidel 01. ll 10. Bd. 6 Lfgn. (77 m. 30 Taf.) 03. In M. je 4.60; kolor. Ausg. je 8 — ll 11. (Reg.-)Bd. (342 m. 6 Kart.) 04. 36 — ll 12. Bd. 1. u. 2. Lfg. Schwarze Ausg. (1—24 m. 10 Taf.) 05. In M. je 4.60'; kolor. 8 —
Rossmüller, G: Die Frachtkostenfrage in d. Müllerei. Nebst e. Anh.: Erzeugg u. Bedarf Deutschlds an Brotgetreide u. Mehl. (18 m. 2 Taf.) 8° Hannov., Dr. M Jänecke 01. — 50 d
Rössner, A: 50 Hantelübgsfolgen f. Altherrenriegen, s.: Volks-Turnbücher, deut.
Rössner, M: Materialien f. d. Aufsatzuntern. in d. Mädchen-Sonntags- u. Fortbildgs-Schulen. Sammlg v. Briefen u. Aufsätzen a. d. Geb. d. privaten u. geschäftl. Briefwechsels, d. Hausw. u. Gesundheitspflege. (91) 8° Münch., M Kellerer 04. Kart. 1.30 d
Rossnick, F: Neuester alphabet. Güter-Tarif v. d. verkehrsreichsten Städten Deutschlds n. allen Stationen d. deut. Voll- u. Nebenb., soweit direkte Tarifsätze vorhanden sind. (44, 181 u. 4) 4° Fintrop 04. (Schmiedebg, FE Baumann.) Geb. nn 6.50
Rossow, C: Italien. u. deut. Humanisten u. ihre Stellg zu d. Leibesübgn. (219) 8° Lpzg, CG Naumann 05. 4 —
Rossowski, S: Circe. Dramat. Märchen. Deutsch v. A Zipper. (125) 8° Lembg, W Zuckerkandel 05. 2 —
Rossy, E: Der König d. Humbugs. — Ein Studentenstreich, s.: Gabelsberger-Bibliothek.
Rost, B: Üb. d. Wesen u. d. Ursachen uns. heut. Wirtschaftskrisis, s.: Abhandlungen, volksw. u. wirtschaftsgeschichtl.
Rost, C: „Glück auf", s.: Schubert, M.
— Koch- u. Haushaltgsb., s.: Amberg, L.
Rost, E: Borsäure als Konservierungsmittel. Beitr. z. Beurteilg d. Angriffe geg. d. Verbot d. Verwendg v. Borsäure u. deren Salzen bei d. Zubereitg v. Fleisch. (102 u. 62) 8° Berl., (J Springer) 03. nn 2.50
Rost, G: Theorie d. Riemann'schen Thetafunction. (66 m. Fig.) 4° Lpzg, BG Teubner 01. 4 —
Rost, G, s.: Es werde Licht!
Rost, O: Vorschläge zu neuen Bestimmg f. e. Berliner Baupolizeiordng resp. zu e. deut. Bauges. (80 m. Abb.) 8° Berl., R Eckstein Nf. (03). 2 — d
Rost, R: Die Ahnherrn d. deut. Dramas, s.: Bibliothek f. deut. Schüler.
Rost-Haddrup, B: Das Gebrauchs- u. Remontepferd. Grundl. f. d. sichere Hebg d. Gebrauchspferdezucht, nebst e. Erzielg v. Militärpferden. 2. Afl. (110) 8° Berl., AW Hayn's Erben (01). 1 —
Rostagno, H, s.: Tacitus, Codex laurentianus Mediceus.
Rostand, E: Cyrano v. Bergerac. Romant. Komödie. Deutsch v. L Fulda. 17. Afl. (275) 8° Stuttg., JG Cotta Nf. 05. L. 4 — d
— Die Prinzessin im Morgenland. (La princesse lointaine.)

Drama. In deut. Versen v. F v. Oppeln-Bronikowski. (83 m. Bildnis.) 8° Köln, A Ahn (05). 2 — d
Rosthorn, A v., s.: Lehrbuch, kurzes, d. Gynäkol. — Monatsschrift f. Geburtshülfe u. Gynaekol. — Sänger, Max.
— Die Univ.-Frauenklinik in Heidelberg, s.: Hirsch, F.
Rostirolla, A: Un caso di amputazione interscapolo-toracica per encondroma omero-scapolare. [S.-A.] (105 m. Abb.) 8° Trient, (G Oberosler) 02. nn 2.50
Rostok, R: Erinnergsblätter an weil. Kaiserin u. Königin Elisabeth. (136 m. Abb.) 8° Prag 03. (Wien, LW Seidel & S.) 4 —; L. 6.40 Vergr.
— Die Regiergszeit d. Kaisers u. Königs Franz Josef I. 3. Afl. (483 m. Abb.) 8° Graz (03). (Wien, LW Seidel & S.) 7 —; L. 9 — Vergr.
Rostoski, O: Zur Kenntnis d. Präcipitine. [S.-A.] (51) 8° Würzbg, A Stuber's V. 02. 1.80
— Die Serumdiagnostik, s.: Abhandlungen, Würzburger, a. d. Ges.-Geb. d. prakt. Medizin.
Rostowsky, C: Russ. Rache. — In d. Schlachten bei Mukden, s.: Zehnpfennig-Bibliothek, Frankf.
Rostowzeff, A: Anton Tschechow u. d. „Dämmergstrauer" sr „müden" Menschen. (59) 8° St. Petersbg (Kabinetskaja 7), GW Malachowski 05. 1 —
Rostowzew, M: Röm. Bleitesserae, s.: Beiträge z. alten Gesch.
— Gesch. d. Staatspacht in d. röm. Kaiserzeit bis Diokletian. [S.-A.] (184) 8° Lpzg, Dieterich 02. 5.40
— Urbs Roma antiqua, s.: Tabulae, quibus antiquitates graecae et romanae illustrantur.
— Tesserar. urbis Romae et suburbi plumbear. sylloge. (440 m. Atlas v. 12 Lichtdr. in Fol.) 4° St. Petersbg 03. (Lpzg, Voss' S.) 30 — ll 1. Suppl. (24 m. 3 Lichtdr.) 05. 7 —
— Der Ursprg d. Kolonats. [S.-A.] (5) 8° Lpzg, Dieterich 01. — 30
Roszko, E v.: Untersuchgn üb. d. epische Gedicht Gauriel v. Muntabel. (76) 8° Lembg 03. (Lpzg, Bh. G Fock.) 1 —
Rotberg, E Frhr v.: Zusammenstellg d. wichtigsten im Mobilmachgsfall z. Mannschaften bekannt zu geb. Bestimmgn. (16) 8° Berl., ES Mittler & S. 05. — 15 d
Rote Kreuz-Freund, der. Illustr. Haus-Kalender f. 1906. (4. Jahrg.) (103 u. 18) 8° Münch., Seitz & Sch. — 60 d
Bis 1904 u. d. T.: Wohltätigkeits-Kalender.
Rotenhan, H Frhr v., s.: Lichtenstein, HL v., gr. Reise u. Begebenh.
Rotenstein, H v.: Der Seeräuber Roberts u. and. Mordgesellen, s.: Kriminal-Prozesse aller Zeiten.
Roterberg, K, s.: Handbuch, statist., d. Volks-, Mittel- u. Privatsch. d. Reg.-Bez. Hildesheim.
Rotermund, K: Lessingspiele. Beitr. zu e. Reform d. modernen Theaters anlässlich d. Theaterbaues in Wolfenbüttel. (28) 8° Wolfenb., (Heckner) 04. nn — 50 d
Roters, J: Die Belohng im Dienste d. Erziehg, s.: Abhandlungen, pädagog.
Roth's illustr. Führer. Nr. 6. 8° Giess., E Roth. 2 —; geb. 2.40
Chelius, C: Geolog. Führer durch d. Umgebung, s. Bäder u. Mineralquellen. (109 m. 1 Karte u. 2 Profilen.) 05. 2 —; geb. 2.40
Bisher nicht nach Nrn aufgenommen.
— Illustr. Lahnführer. Das Lahnthal v. d. Lahnquelle bis z. Mündg, nebst d. Seitenthälern in ihren unt. u. mittl. Stufen. Bearb. v. H Luerssen. (228 m. Abb., 5 Pl., 4 Kärtchen u. 1 Karte.) 12° Ebd. 02. Geb. 2 —
— Special-K. v. Hessen-Nassau, Oberhessen, Vogelsberg, Westerwald, Taunus u. Lahnthal. 3. Afl. 1:200,000. 58,5×77,5 cm. Farbdr. Ebd. 02. 1.50; L. in Etui m 3 —
— illustr. Vogelsberg-Westerau-Rhön-Führer. Bearb. v. A Roeschen. (348 m. 4 Pl. u. 3 Kart.) 8° Ebd. 04. Geb. 2 —
Roth s.: Kurfuscherei- u. Geheimmittelunwesen, s. im Herzogt. Oldenburg.
Roth: Nieren- u. Blasen-Krankh., s.: Hausbücher f. Gesundheitspflege.
Roth s.: Abriss d. deut. Grammatik. — Abriss d. deut. Sprachlehre. — Lesebuch f. höh. Lehranst.
Roth: Die in Elsass-L. geit. Ges. betr. d. direkten Steuern. Text-Ausg. (135) 12° Strassbg, E van Hauten 01. L. 2 — d
— dass. Nachtr. (9s., betr. d. Grundsteuer. Vom 14. VII. '03. Ges. üb. d. Erhöhg d. Lizenzgebühren f. d. Kleinverkauf v. geist. Getränken u. d. Ermässigg d. Weinsteuer. Vom 13. VI. '03. Ges., betr. d. Gehalts- u. Pensionsverhältn. d. evangel. Pfarrer u. d. Fürsorge f. deren Wittwen u. Waisen. Vom 6. VII.'01.) (15s.—15d u. 110a—110g) 8° Ebd. (04). — 20 d
Roth, A: Die bad. Gemeinderechngs-Anweisg, s.: Müller, JP.
Roth, A: Das Stereoskop u. d. Simulation einseit. Sehstörgu. Afls 4. Afl. v. M Burchardt's „prakt. Diagnostik d. Simulationen hrsg. (42) 12° Hierbei e. Stereoskop nebst 3 Vorlagen. Berl. 02. Lpzg, G Thieme. In Kart. nn 18 —
Roth, AF: Prakt. Rechenb., s.: Diesterweg.
Roth, AF: Tante Eulalia. — Onkel Leopolds Überraschg, s.: Dilettanten-Theater.
Roth, B: Choralbüchl. n. d. Melodien d. Anding'schen Choralb. in Ziffern u. Noten. Bearb. v. d. Hildburgh., FW Gadow & S. (02). nn — 10 d
Roth, C: Zöllnergedanken üb. Heilkunst — auch f. Pharisäer. (187) 8° Stuttg., A Zimmer 01.
Roth, C: Anl. z. Brandmalerei u. z. Tiefbrand, s.: Handfertigkeiten.
— Die Verwendg v. Speiseresten f. d. einf. u. feine Küche. (139) 8° Lpzg, E Twietmeyer 03. 1.50 d

Roth, C: Vorlagen f. Tiefbrand u. Brandmalerei, Flach- u. Lederschnitt. (6 Bl.) Fol. Lpzg, Seemann & Co. (01).   5 —
Roth, E: Kompendium d. Gewerbekrankh. u. Einführg in d. Gewerbehygiene. (271) 8° Berl., R Schoetz 04.   6 —
— Schutzmassregeln bei ansteck. Krankh. Hrsg. m. d. Medizinalbeamten d. Reg.-Bez.- Potsdam. 9. Afl. (30) 8° Ebd. 04.
— 40; einz. Bl.: Ansteck. Augenkrankh., Darmtyphus, Diphtherie, Keuchhusten, d. epidem. Kopfgenickkrampf, d. Lungen-Tuberkulose (Schwindsucht), Masern, Ruhr u. Scharlach
je ? — 10 d
Bis x. 7. Afl. ohne Angabe e. Hrsg. erschienen.
— Die Wechselbeziehgn zw. Stadt u. Land in gesundheitl. Beziehg u. d. Sanirg d. Landes. Nach e. Vortr. (74 m. 8 Taf.) 8° Brnschw., F Vieweg & S. 03.   2.50
Roth, E: Die Tochter in Haus u. Welt. Wegweiser z. Weiterbildg n. d. Austritta d. Schule. (Der Töchtersch. entwachsene neue Folge.) (381) 8° Stuttg., Schwabacher (01).   L. 4.50
(1 u. 2.: 8.50) d
Roth, E, s.: Wahrheitsspiegel, d. — Was ist Wahrheit?
Roth, E: Wie erlangt man Anstellg im böh. Reichs- u. Staatsdienst? (30) 8° Berl., H Steinitz (04).   1 — d
— dass. im mittl. Reichs- u. Staatsdienst? (30) 8° Ebd. (04).   1 — d
— Wie schafft man sich Kredit? Anl. f. Kreditsuchende bei Aufnahme v. Hypotheken u. Darlehen aller Art. (73) 8° Ebd.   1 — d
— Was muss d. Pächter u. Verpächter wissen? Insbes. üb. landw. Grundstücke u. Betriebe. (128) 8° Ebd. (05).   9 — d
Roth, E: Zur Wortableitg im Französ. (30) 8° Dresd., O & R Becker 1899.   Kart. — 50 d
Roth, E: Üb. d. chirurg. Behandlg d. Darminvagination im Kindesalter. (34) 8° Lpzg, B Konegen 05.
Roth, E: Baugenossenssch. u. staatl. Kredit. Denkschrift. (64) 8° Stuttg., (Deut. Volksbl.) 01.   nn — 75
Roth, E: Vorlagen f. Wagner u. Schmiede. (20 Taf.) Fol. Nebst Text. (6) 8° Ravnsbg, O Maier (02).   In M. 8.50;
Probeheft. (2 Taf. m. 6 S. Text.) — 60
Roth, F: Augsburgs Reformationsgesch. 1517—30. 2. Afl. (381) 8° Münch., T Ackermann 01. 6 — || 2. (Schl.-)Bd. 1531—37 bezw.
40.—[44.] 04. 8 — d
— s.: Aus d. Briefwechsel Gereon Sailers m. d. Augsburger Bürgermeistern Georg Herwart u. Limpricht Hofer. — Ebran v. Wildenberg, d. Ritters H, Chronik v. d. Fürsten a. Bayern. — Zur Kirchengüterfrage in d. Zeit v. 1583—40, s.: Archiv f. Reformationsgesch.
Roth, G: Nohch'm Feierohmd. Lust. Greizer Geschichten. In Greizer Mundart. (88) 12° Greiz (Heynestr. 18), Lehr. Roth (01).   L — ; L. 1.50 d
— Greiz vor 100 Jahren. (Der Greizer Brand v. 1802. — Greiz vor d. Brande.) (28 m. 2 Abb.) 12° Ebd. (01).   — 1; L. 1.50 d
— Je lenger, je liewer. Heit. Erzählgn u. Gedichte in vogtländ. Mundart. (88) 12° Ebd. (01).   — 1; L. 1.50 d
— Werzkärnle (Würzkörnchen). 3. Bdchn d. Lust. Geschichten in vogtländ. (Greizer) Mundart. (88) 8° Greiz, (H Bredt Nf.) 04.   1 — ; geb. 8, liewer.
Bd 1 u. 2 bilden: Nohch'm Feierohmd u. Je lenger, je liewer.
Roth, G: Die europ. Laubmoose. 11 Lfgn. 8° Lpzg, W Engelmann.   Je 4 — ; 2 Einbde in HF. je 3 —
I. Kleistokarp. u. akrokarp. Moose bis zu d. Bryaceen. 5 Lfgn. (598 m. 48 Taf.) 02. || II. Schluss d. akrokarp. Moose u. pleurokarp. Moose. 6 Lfgn. (733 m. 62 Taf.) 04.05.
Roth, GB: Bora. Ballade z. Untergang d. „Gneisenau". (4) 4° Köln, JG Schmitz 01.   — 30 d
Roth, H: Bad Kissingen. Führer. (84 m. Titelbild, Pl. u. Karte.) 12° Kiss., F Weinberger (01).   — 50
Roth, J: 12 zweistimm. Lieder f. Schule u. Haus. op. 15. (16) 8° Nürnbg, F Korn 01.   — 20 d
Roth, J, A Berger u. O Graf Zedlitz: Deut. Weidwerk unter d. Mitternachtssonne. Bilder a. d. nördl. Norwegen a. Spitzbergen. (178 m. Abb.) 8° Berl., P Parey 02.   L. 6 — d
Roth, J: Zum 25jähr. Papstjubiläum Leo XIII. (45) 8° Ravnsbg, F Alber (03).   — 25 d
Roth, JM, s.: Imker-Kalender, bad.
— Bad. Imkerschule. 3. Afl. (816 m. Abb.) 8° Karlsr., JJ Reiff (01).   3 — d
— Die Ruhr d. Bienen. (33) 8° Lpzg-R., Leipz. Bienenzeitg (05).   — 80 d
— u. L Huber: Der bad. Vereinsstock u. s. Behandlg, zugl. kurzer Abriss d. Bienenzucht. (62 m. Abb. u. 1 Bildnis.) 8° Karlsr., JJ Reiff 03.   nn — 50 d
Roth, K: Gesch. d. byzantin. Reiches, s.: Sammlung Göschen.
— Sappho's Verse. Byzantin. Roman. (171) 12° Kempt., J Kössel 02.   3.20; L. 3 — d
Roth, KL: Griech. Gesch. 4. Afl. v. A Westermayer. Neue wohlf. [Tit.-]Ausg. (585 m. Abb. u. 2 Kart.) 8° Münch., CH Beck [1890] (01).   L. 3.50 d
— Röm. Gesch. 3. Afl. v. A Westermayer. (667 m. 24 Taf. u. 3 Kart.) 8° Ebd. (05).   L. 6 — d
Roth, L: Schelling u. Spencer, s.: Studien, Berner, z. Philosophie u. ihrer Gesch.
Roth, LM: Christl. Reimsprüche f. Gelehrt u. Ungelehrt. 2. [Tit.-] Ausg. (81) 12° Aach., I Schweitzer (1666) 02.   — 40; geb. — 70 d
Roth, M: Welche Erfolge hat d. Arbeit an d. verwahrlosten Jugend bisher gezeitigt? [S.-A.] (37) 8° Hambg, Agent. d. Rauhen H. 01.   — 60 d

Roth, M: Der Lehrer u. d. Schwachen u. Gefährdeten unter s. Schülern. Konferenz-Vortr. (23) 8° Jaaer, O Hellmann (02).   — 40
Roth, O: Klin, Terminol. Zusammenstellg d. z. Z. in d. klin. Medizin gebräuchl. techn. Ausdrücke m. Erklärg ihrer Bedeutg u. Ableitg. 4. Afl. (36, 590) 8° Berl. 02. Lpzg, G Thieme.   L. 9 —
— u. G Schmitt: Die Arzneimittel d. heut. Medizin, 9. Afl., s.: Dornblüth, O.
Roth, P, s.: Wanderbuch, Hamburger.
Roth, R: Landw. Berechngn. Für mittl. u. nied. landw. Schulen bearb. 2. Afl. (112) 8° Berl., P Parey 03. Geb. 1.50; Lösgn.   L —
— Landw. Betriebslehre. Für mittl. u. nied. landw. Lehranst. bearb. 6. Afl. (126) 8° Ebd. 05.   L. 1.50 d
— C Russel d. reif. Jugend erzähl. 2. Afl. (242 m. 6 Farbdr.)
8° Lpzg, O Spamer (04).   Geb. 3 — d
— Das Buch vom braven Mann. Erzählgn f. Jugend u. Volk. 2. Afl. (193 m. 8 Farbdr.) 8° Ebd. 03.   3.20; geb. 4 — d
— Der Burggraf u. s. Schildknappe. Histor. Erzählg a. d. Zeit d. 1. Kurfürsten v. Brandenburg. 5. Afl. (343 m. 8 Farbdr.) 8° Ebd. 02.   4.50; geb. 6 — d
— Jakob Ehrlich. Erzählg f. d. Jugend, n. K Marryat frei bearb. 2. [Tit.-]Afl. (111 m. 4 Farbdr.) 8° Ebd. [1899] (04).   3 — d
— Prinz Eugen, d. edle Ritter, s.: Trewendt's Jugendbibliothek.
— Friedrichroda u. s. Umgebg, s.: Reisebücher, Thüringer.
— Gott bracht es an d. Tag, s.: Trewendt's Jugendbibliothek.
— Kaiser, König u. Papst. Histor. Erzählg a. d. Zeit d. Hohenstaufenkämpfe in Italien. 5. Afl. (320 m. Abb.) 8° Lpzg, O Spamer 03.   4.50; geb. 6 — d
— Gute Kinder, brave Menschen, s.: Pfeil, H.
— Richard Löwenherz u. s. Paladin. Erzählg f. d. Jugend a. Palästinas Vergangenh. u. Gegenwart. (Neubearbeitg v.: Pilger u. Kreuzfahrer.) (367 m. 8 Bildern.) 8° Stuttg., Levy & M. (05).   Geb. 5 — d
— Männer eigner Kraft, s.: Otto, F.
— Spät vergolten, s.: Schmidt & Spring's Volks- u. Jugendbibliotheken.
— Der Tigerjäger od. bleibe im Lande u. nähre dich redlich, s.: Trewendt's Jugendbibliothek.
— Treuherz u. Im Urwald u. auf d. Prärie. Erzählg a. d. Indianerzeit d. Südwestens v. Nord-Amerika f. reif. Jugend u. Volk. 3. Afl. (384) 8° Halle, Gebauer-Schwetschke (05).   Geb. 4 — d
— In d. Werkstätten. Onkel Leopolds u. sr jungen Verwandten Wandergn durch d. Stätten d. Gewerbefleisses. 2 Bde. 5. Afl. (234 u. 248 m. Abb. u. je 4 Vollbildern.) 8° Lpzg, O Spamer 02.   5 — ; geb. 6.40 d
Roth, SW: Hans Stolprian d'r Hürotskandidat od. Das Glück. — Der Wetterprophet, s.: Sammlung schweiz. Dialektstücke.
Roth, T: Der Einfl. v. Ariost's Orlando furioso auf d. französ. Theater, s.: Beiträge, Münch., z. roman. u. engl. Philol.
Roth, V: Gesch. d. deut. Baukunst in Siebenbürgen, s.: Studien z. deut. Kunstgesch.
Roth, W: Reconnaissance. Dramat. Skizze. —Club „New Style". Scen. Skizze. (195) 8° Diessan, JC Huber 08.   3.50 d
Roth, W: Grundr. d. physiolog. Anatomie f. Turnlehrer-Bildgsanst. Nebst e. Anweisg z. 1. Hülfeleistg bei Verletzgn. 5. Afl. v. F Haenel. (214) 8° Berl., Vossische Bh. 01.   3.50; geb. 4 —
— Jahresbericht üb. d. Leistgn u. Fortschritte auf d. Gebiete d. Militär-Sanitätswesens. Hrsg. v. d. Red. d. Deut. militärärztl. Zeitschrift. 25—29. Jahrg. Suppl.-Bd z. Deut. militärärztl. Zeitschrift. 8° Berl., ES Mittler & S.   93 —
25. Bericht f. 1806. [191] 1900. 4.50 | 96. Für 1900. [184] 01. 4.50 | 97. [bzw. 91.] (181) 02. 4.50 | 28.° Für '02. (38, 142) 03. 5 — | 99. [bzw. 97.] (178) 04. 4.50.
Roth-Schulz, W: Basler Kochsch., s.: Schneider-Schürch, A.
Roth-Schulz, W: Pathol. u. Therapie d. Niereninsuffizienz bei Rothlauf: Üb. d. Sachverständigentätigk. d. Sanitätsoffizier z. § 51 d. Reichsstrafgesetzb., s.: Beiheft z. Militär-Wochenbl.
Rothaug, JG: Geograph. Bürgerschul-Atlas. 2. Afl. (40 farb. Kartens.) 4° Wien, G Freytag & B. (05).   Geb. nn 3 —
— Die österr. Bürgersch. Mahnwort an unser Volk u. s. Vertretgn. [S.-A.] (34) 8° Wien, (Sallmayer'sche Bh. 08.   nn — 10 d
— Geograph. Grundbegriffe, s.: Schönbauer, R.
— Grundr. d. Geogr. f. Bürgersch. Einteil. Ausg. 2. Afl. (174 m. Abb.) 4° Wien, F Tempsky 03.   Geb. 1.80 d
— Grundr. d. Handels- u. Verkehrsgeogr. f. 2klass. Handelssch., kommerzielle Fachsch. u. verwandte Anst. usw. 3. Afl. (195) 8° Wien, A Hölder 04.   Geb. 2 — d
— Karte v. Afrika. — Karte v. Australien u. Polynesien. Physikalisch. 1:50,000,000. 32×22 cm. Farbdr. Wien, G Freytag & B. (05).   — 13
— Karte v. Amerika. Physikalisch. 1:50,000,000. 32×21,5 cm. Farbdr. Ebd. (05).   — 12
— Karte v. Asien. Physikalisch. 1:50,000,000. 21,5×30,5 cm. Farbdr. Ebd. (05).   — 12
— Karte d. Deut. Reiches, Dänemark, Niederl., Belgien & Luxemburg. 1:4,000,000. 32,5×39,5 cm. Farbdr. Ebd. (05).   nn — 20
— Kolonial- u. Weltverkehrs-K., s.: Cicalek, T.
— Lehrb. d. Geogr. f. Bürgersch. 8 Stufen. (Mit Abb. u. Kartenskizzen.) 8° Wien, F Tempsky.   Geb. je 1.60 d
I. 13. Afl. (195) 02. || II. 11. Afl. (130) 02. || III. 12. Afl. (130) 03.

Rothaug, JG: Lehrb. d. Gesch. f. Bürgersch., s.: Gindely, A.
— Österr. Schulatlas. 2. Afl. (23 farb. Kart.) 4° Wien, F Tempsky 02. L., gebr. in 8° nn 1.80
— dass. Ausg. f. Niederösterr. 2. Afl. (25 farb. Kart.) 4° Ebd. 03. L., gebr. in 8° nn 1.90
— dass. Ausg. m. statist. Grössenbildern (auf d. Rücks.). 2. Afl. (23 farb. Kart.) 4° Ebd. 03. L., gebr. in 8° nn 2.20;
Ausg. f. Niederösterr. (25 farb. Kart.) nn 2.80
— Schul-Wandk. d. Deut. Reiches u. d. angrenz. Länder Dänemark, Niederl. u. Belgien. (Volkaschulausg.) 1:800,000. Physikal. Ausg. 6 Bl. je 86,5×65,5 cm. Farbdr. Wien, G Freytag & B. (03). 13 —; polit. Ausg. 13 —
— dass. d. Karstländer Küstenland, Dalmatien, Bosnien u. Hercegovina. (Volkaschulausg.) 1:300,000. Physikal. Ausg. 6 Bl. je 83,5×65 cm. Farbdr. Ebd. (03). 12 —; polit. Ausg. 12 —
— dass. d. Erzherzogt. Österr. unter d. Enns. Für Mittelsch. bearb. v. F Umlauft. 1:150,000. 4 Bl. je 65,5×86 cm. Farbdr. Ebd. (05). 18.50; auf L. in M. od. m. St. 17 —
— dass. d. österr.-ungar. Monarchie. 1:900,000. (Kleine Ausg.) 4 Bl. je 67,5×95,5 cm. Farbdr. Ebd. (01). nn 7.50
Rothe, A: Franz Nowak, d. Landmann, wie er sein sollte. 8. Afl. v. A Arnstadt. (332) 8° Lpzg, H Voigt 02. L. 3.20 d
Rothe, A: Ueb. d. Kanzleistil. Erweit. Vortr. 12. Afl. (35) 8° Berl., C Heymann 02. — 60 d
Rothe, A: Das deut. Fleischergewerbe, s.: Sammlung national-ökonom. u. statist. Abhandlgn.
Rothe, C: Vollständ. Verz. d. Schmetterlinge Österr.-Ungarns, Deutschlds u. d. Schweiz. Nebst Angabe d. Flugzeit, d. Nährpflanzen u. d. Entwicklgszeit d. Raupen. 2. Afl., erweit. durch Aufnahme d. Kleinschmetterlinge. (189) 8° Wien, A Pichler's Wwe & S. 02. 3.50
Rothe, G: Stimmgn. (95) 8° Lpzg, Modernes Verl.-Bureau 04. 1 — d
Rothe, G: Die elterl. Gewalt d. Mutter n. d. BGB. (58) 8° Berl., Struppe & W. 05. 1.50 d
Rothe, HH: Ethik u. Ästhetik im Waidwerke. (63) 8° Neud., J Neumann (01). 1.20 d
Rothe, J: Vorl. f. Bau- u. Möbeltischler z. Gebr. an gewerbl. Fach- u. Fortbildgssch. 1. Tl. 3. Afl. (25 z. Tl farb. Taf.) 53× 38,5 cm. Nebst Text. (24) 8° Wien, K Graeser & Co. 03. In M. 18 —
— Vorl. f. Maurer. Zum Gebr. an gewerbl. Fach-u. Fortbildgssch. 2. Afl. (40 Taf.) Fol. Nebst Text. (53 m. Fig.) 8° Ebd. 01. In M. 24 —
Rothe, K: Abr. d. Naturgesch., s.: Bisching, A.
— Grundr. d. Naturgesch. f. allg. Volkssch. 4. Afl. v. K Rothe, F Frank, J Steigl. (160 m. Abb.) 8° Wien, A Pichler's Wwe & S. 03. Geb. 1.40 d
— Naturgesch. f. Bürgersch. I—III. Stufe. Bearb. v. K Rothe, F Frank, J Steigl. (Mit Abb.) 8° Ebd. 05. Geb. je 1.50 d
I. 35. Afl. (124) § II. 26. Afl. (134) § III. 18. Afl. (182)
— u. J Steigl: Prakt. Hilfsb. f. d. naturgeschichtl. Unterr. an Volks- u. Bürgersch. I. Bd. (Mittelst., 3., 4. u. 5. Schulj.) v. F Frank. (416 m. Abb.) 8° Ebd. 03. 5.50; geb. 6 — d
— u. J Steigl: Grundr. d. Naturgesch. f. allg. Volkssch., s.: Realienbuch.
— u. J Steigl: Kurzes Lehrb. d. Naturgesch. f. Bürgersch. Ausg. in 1 Bde. 1—4. Afl. (244 m. Abb.) 8° Wien, A Pichler's Wwe & S. 01-05. Geb. 2 — d
Rothe, G: Brentano's 'Ponce de Leon', s.: Abhandlungen d. kgl. Gesellsch. d. Wiss. zu Göttingen.
— Vom literar. Publikum in Deutschl. Festrede. (27) 8° Gött., Vandenhoeck & R. 02. — 40
— s.: Zeitschrift f. deut. Altertum u. deut. Litt. — Zum alit. Strafrecht d. Kulturvölker.
Rothenaicher's Sehprüfgsscheiben, s.: Landolt's, E, Sehproben.
Rothenberger, H: Ortsentfergsk. d. Bez. Lothringen. 3. Afl. 1:150,000, 68,5×89,5 cm. Farbdr. Metz 1896. (Strassbg, Strassb. Druckerei u. Verl.-Anst.) 3.50
Rothenberger-Klein, C: Gesch. u. Kritik d. Schwurgerichts-Verfahrens in d. Schweiz n. eidg. u. kantonalem Staats- u. Gerichtsverfassgsrechte u. d. Straf- (u. Zivil-) Prozessordngn d. Kantone u. d. Bundes f. d. bürgerl. u. militär. Rechtspflege. (558) 8° Bas., (B Schwabe) 03. 4 —
Rothenbücher, A: Einführg in Meisterdramen v. Aeschylus bis Hebbel f. Schule u. Haus. (213) 8° Berl., Schnetter & Dr. Lindemeyer 03. Geb. 2.50 d
— Gesch. d. Philosophie. (240) 8° Berl., Herm. Walther 04. 2.50; geb. 3 — d
— Vademecum. Tägl. Anreggn z. Guten, Wahren u. Schönen. (256) 8° Berl., Schnetter & Dr. Lindemeyer 03. L. 3 —; m. G. — 40 ‖ 2. Afl. (256) 05. Kart. 3 —
Rothenburg. A v., geb. v. Zastrow: Echte u. falsche Edelsteine, s.: Hausbibliothek.
— Es wird wieder gut! — Die Techows v. Gross-Beeren. 2 Erzählgn f. d. Volk. 2. Afl. (192) 12° Herb., Bh. d. nass. Colportagever. 03. — 70; geb. 1 —; L. 1.20 d
— Die Nähterin v. Stettin. Erzählg a. d. Zeit d. Thränen u. Wunder. 5. Afl. (399) 8° Gotha, FA Perthes 03. 5 —; geb. 6 — d
— Romane u. Erzählgn. I. Serie. 58 Lfgn. 8° Ebd. Je — 40 d
Die Nähterin v. Stettin. Erzählg a. d. Zeit d. Thränen u. Wunder. 5. Afl. (399) 03. ‖ Erfdel. (744) 05. ‖ Aus d. Tiefe. 2. Afl. (480) 03. ‖ Was uns Mutter auf Erden erlebt hat. 3. Ausg. (857) 04. ‖ Aus d. Tageb. e. Haushälterin. 4. Ausg. (482) 04. ‖ Verworrenes Garn. Roman. 4. Ausg. (644) 05.

Rothenfelder, F: An d. Schwelle d. Lebens. Erste Klänge. (72) 8° Augsbg, (Lampart & Co.) 05. 1 — d
Rothenhäusler, E: Zur Baugesch. d. Klosters Rheinau. [S.-A.] (142) 8° Freibg i/B., FE Fehsenfeld 03. 3.60
Rothenpieler, W, u. W Köhler: Ausgeführte Aufsätze im Anschl. an d. Leseb. f. Oberkl. u. an Jugendschriften. (304) 8° Langens., H Beyer & S. 06. 4 — d
Rothensteiner, J: Hoffng u. Erinnerg. Lieder a. Amerika. (447) 12° St. Louis, Mo. 03. Freibg i/B., Herder. L. 4.80 d
Rother, König, hrsg. v. G Legerlotz, s.: Velhagen & Klasing's Sammlg deut. Schulausg.
Rother, FR: Anl. z. Erteilg e. method. Schreibunterr., s.: Hoffmann, H.
Rother, WO: Prakt. Leitf. f. d. Anzucht u. Pflege d. Kakteen m. bes. Berücks. d. Phyllokakteen. (119 m. Abb.) 8° Frankf. a/O., Trowitzsch & S. 02. L. 3 — d
Rothert, E: Geschichtswandk. I. Serie. 6 Bl. je 86×71 cm. Düsseldf, A Bagel (03). 12 —
1. Schlacht bei Leipzig, 16—18.X.1813. § 2. Schlacht bei Waterloo, 18.VI. 1815. § 3. Schlacht bei Königgrätz, 3.VII.1866. § 4. Die Schlachten um Metz, 14., 16. u. 18.VIII.1870. § 5. Schlacht bei Sedan, 1.IX.1870. § 6. Belagerg v. Paris 19.IX.1870—28.I.1871.
— Die 8 Grossmächte in ihrer räuml. Entwicklg seit 1750. Karten u. Skizzen. (20 farb. Karten m. 1 Bl. u. 4 S. Text.) 8° Ebd. 04. Geb. 6.50; L. 7 —
— Karten u. Skizzen a. d. Entwicklg d. grösseren deut. Staaten. VI. Bd d. "Histor. Kartenwerkes". s u. b. (Je 17 farb. Kart. m. neben- u. untergedr. Text nebst 7 S. Text in 8°) 4° Ebd. (02.) Geb. in 8° je 5 —; L. je 5.50; in 1 Bd 9 —; in 1 L.-Bd 9.50
a. Nord- u. Mitteldeutschl. § b. Süddeutsch.
Rothert, H: Zur Kirchengesch. d. „ehrenreichen" Stadt Soest. (212 m. Abb. u. 1 Karte.) 8° Gütersl., C Bertelsmann 05. 2 —; geb. 3 — d
Rothes, W: Die Blütezeit d. sienes. Malerei u. ihre Bedeutg f. d. Entwicklg d. italien. Kunst. — Die Darstellgn d. Fra Giovanni Angelico a. d. Leben Christi u. Mariae, s.: Zur Kunstgesch. d. Ausl.
— Die Madonna in ihrer Verherrlichg durch d. bild. Kunst. 1—3. Taus. (160 m. Abb.) 8° Köln, JP Bachem (05). L. 5 —
Rothgiesser, G: Eine Automobilfahrt in d. Zukunft. (83 m. 1 Abb.) 8° Berl., Verl. Nec Sinit (05). 1 — d
Rothhols, J: Die dent. reichsgesetzl. Arbeiterversicherg, s.: Buch, d. prakt.
Röthig, B: Von Kontinent zu Kontinente. Ein „Soli Deo Gloria". Denkschrift üb. d. Konzertreise d. Leipz. Solo-Quartetts f. ev. Kirchengesang n. Russl., Deutschl. u. d. Verein. Staaten Amerikas im Spätherbst 1900. (251 m. 1 Lichtdr.) 8° St. Petersbg (01). (Lpzg, P Eger.) L. nn 2.50
Röthig, F: Hdb. d. embryolog. Technik. (287 m. Abb.) 8° Wiesb., JF Bergmann 04. 10.50
Röthig, W: Method. Lehrg. d. Redeschrift d. Gabelsb.'schen Stenogr.-Systems f. Handelssch. u. Stenogr.-Ver. (44) 8° Berl. — 70 d
Röthlisberger, Frl.: Die Herstellg v. Konserven, s.: Grüter, J. — Schulthess.
Röthlisberger, E, s.: Gesetze üb. d. Urheberrecht.
— Der interne u. d. internat. Schutz d. Urheberrechts in d. verschied. Ländern m. bes. Berücks. d. Schutzfristen, Bedinggn u. Förmlichk. (43) 4° Lpzg, Geschäftsstelle d. Börsenver. d. deut. Buchhändler 01. ‖ 2. Afl. (115) 8° 04. Je 3 — d
— Südamerikan. Streitfragen zu Ende d. XIX. u. Beginn d. XX. Jahrh. (53) 8° Bern, (A Francke) 04. — 80
Rothmann, R. d. münsterschen Wiedertäufers, 2 Schriften. Bearb. v. H Detmer u. R Krumbholtz. Mit e. Einl. üb. d. zeitgeschichtl. Verhältnisse. (70, 132) 8° Dortm., FW Ruhfuhs 04. 4 —
Rothmann, M: Ernst v. Leyden's Bedeutg f. d. Ausbildg d. Uebgstherapie bei Erkrankgn d. Centralnervensystems. [S.-A.] (8) 8° Berl., J Goldschmidt 02. 1 —
Rothplets, A: Geolog. Führer durch d. Alpen, s.: Sammlung geolog. Führer.
— Gedächtnisrede auf Karl Alfr. v. Zittel. (23) 8° Münch., (G Franz' V.) 05. — 80
— Ueb. d. Jodquellen bei Tölz. [S.-A.] (39 m. Fig.) 8° Ebd. 05. — ⁰⁄₀
— s.: Majestäten, alpine, u. ihr Gefolge.
— Ueb. d. Möglichk. d. Gegensatz zw. d. Contractions- u. Expansionstheorie aufzuheben. [S.-A.] (15) 8° Münch., (G Franz' V.) 02. — 40
— Die fossilen oberoligocänen Wellenflurchen d. Peissenberges u. ihre Bedeutg f. d. dort. Bergbau. [S.-A.] (12 m. 1 Taf.) 8° Ebd. 04. — 40
Rothplets, GF, s.: Assanierung, d., v. Zürich.
Rothschild's Schatzkästl. f. junge Kaufleute. Von T Huber, s.-d., Taus. (181) 8° Stuttg, Schwabacher (05). Geb. 1.20 d
Rothschild, D.: Gedanken u. Erfahrgn üb. Kuren in Bad Soden a, T. (61) 8° Frankf. a/M., J Alt 03. nn 1 —
Rothschild's, L, Taschenb. f. Kaufleute. Enth. d. Ganze d. Handelswiss. in übersichtl. u. gedrängter Darstellg. 45. Afl. v. A Schmidt. 2 Tle in 1 Bd. (701 u. 410) 8° Lpzg, GA Gloeckner 05. 8 —; L. nn 9 —; HF. nn 9.50 d

Rothschild, L: Die Judengemeinden zu Mainz, Speyer u. Worms v. 1349—1438. (118) 8° Berl., L Lamm 04. 2 —
Rothschild, S: Aus Vergangenh. u. Gegenwart d. israelit. Gemeinde Worms. 3. Afl. (53 m. 4 Phototyp.) 8° Frankf. a/M., J Kauffmann 05.
Rothschild, W: Der Gedanke d. geschrieb. Verfassg in d. engl. Revolution. (170) 8° Tüb., JCB Mohr 03. 4 —
Rothschütz', B, illustr. Bienenzuchtsbetrieb f. Anfänger. 2 Bde. 3. Afl. Nebst: Die erprobte Honig-Köchin. 12° Laib., (I v. Kleinmayr & F Bamberg). 5 — d
  I. Betriebslehre u. Nachschlageb. (159 u. 643 m. Abb. u. Bildnis.) Weixelbg 02. | 2. Honig u. Wachs, Bienen-Nährpflanzen u. -Geräthe. (175, 165 u. 111 m. Abb.) Weixelbg 02. | Ravenszg. A, geb. Grüän Lichtenberg : Die erprobte Honig-Köchin. (75) Wien (1893). Kart.
— illustr. Bienenzuchtsbetrieb f. Anfänger. Betriebslehre. [S.-A.] 3. Afl. (159 m. Abb. u. Bildnis.) 12° Weixelbg 02. (Laib., I v. Kleinmayr & F Bamberg.) — 55 d
— d. Volks- u. Mobilzucht d. Kraíner Biene in d. Heimat. (58 m. Abb.) 12° Ebd. 02. 1 — d
Rothstein, JW: Bilder a. d. Gesch. d. alten Bundes in gemeinverständl. Form. 1. Heft. (298) 8° Erl., F Junge 01. 1.80
— Die Geneal. d. Königs Jojachin u. sr Nachkommen (1. Chron. 3, 17—24) in geschichtl. Beleuchtg. Nebst e. Anh.: Ein überseh. Zeugnis f. d. messian. Auffassg d. „Knechtes Jahwes". (162) 8° Berl., Reuther & R. 02. 5 —
— Gesch. u. Offenbarng. m. Bezug auf Israels Relig. [S.-A.] (23) 8° Stuttg., Greiner & Pf. 03. — 40 d
Rothweiler, H: Bileam, s.: Weg, d., göttl. Zeugnisse.
Rothwell, JSS: Deutsch-engl. Briefsteller. 5. Afl. I. Familienbriefsteller. Neubearb. v. P Wagner. II. Handelsbriefsteller. Von J Montgomery. (192 u. 192) 8° Stuttg. (05). Essl., P Neff. L. 8 — d
— Neue engl. u. deut. Gespräche m. beigefügter Aussprache. 29, Taus. (370) 8° Münch., E Mühlthaler 04. 2.35; L. 2.70 d
— Pult-Wrtrb. Engl.-Deutsch u. Deutsch-Engl. 4. Afl. (388 u. 382) 14,5×9,5 cm. Stuttg. 04. Essl., P Neff. L. 3 —
Rotkäppchen, Staberl's Reiseabenteuer in München, s.: Bilderbücher, kl. lust.
Rotscheidt, W: Gottfried Daniel Krummacher. Lebensbild e. Zeugen d. freien Gnade. Mit e. Anh. v. 16 Briefen. (66 m. 1 Bildnis.) 8° Elberf., Verl. d. reformierten Schriftenver. 03. — 40 d
— Reformation u. deut. Volksleben, s.: Bilder a. Deutschlds Werdezeit.
— Ein Martyrium in Köln im J. 1529, s.: Aus d. Väter Tagen.
— s.: Terstegen, G, tägl. Brosamen.
Rott, C: Beitr. z. Praxis d. Eisengiesserei. I. Die Fortschritte in d. Flusseisen-Darstellg f. d. Giessereibetrieb. — II. Die Gasfeuergn f. d. Trockenkammern d. Giessereibetriebes. [S.-A.] (32 m. Fig. u. 2 Taf.) 8° Berl., O Elsner 01. 1.50
Rott, E: Hist. de la représentation diplomat. de la France auprès des cantons suisses, des leurs alliés et de leurs confédérés. I. 1430—1559. (608) 8° Berne 1900. (Basel, Geering's jüd.- u. Antiquariatsh. vorm. A Geering.) 12 —
Rott, F: Gerettet, s.: Lehmann's jud. Volksbücherei.
Rott, H: Friedrich III. v. d. Pfalz u. d. Reformation, s.: Abhandlungen, Heidelberger, z. mittl. u. neueren Gesch.
— Ott Heinrich u. d. Kunst, s.: Mitteilungen z. Gesch. d. Heidelb. Schlosses.
Rotteck, T: Geogr. v. Thüringen. Für d. thüring. Volkssch. bearb. 2. Afl. (39 m. 1 Karte.) 8° Hildburgh., FW Gadow & S. (04). — 90 d
Rotteck, G: Paris, s.: Grieben's Reiseführer.
Roetteken, H: Poetik. (In 3 Tln.) 1. Tl. Vorbemerkgn. Allg. Analyse d. psych. Vorgänge beim Genuss e. Dichtg. (315) 8° Münch., CH Beck 02. 7 —; L. 8 — d
Rottenburg, F v.: Die Kartellfrage in Theorie u. Praxis. Off. Brief an Hrn Kommerzienr. Jul. Vorster. (89) 8° Lpzg, Duncker & H. 03. 1.80
Rottenhöfer, J: Illustr. Kochb. 10. Afl. v. F Zanders. (1229) 8° Münch., Braun & Schn. (04). L. 14 — d
Rotter, B v.: Luise, d. schöne Pfarrerstochter v. Taubenheim od.: Unschuldig unter d. Beile d. Henkers. Sensationsroman. 100 Hefte. (2398 m. je 1 Vollbild.) 8° Dresd., K Urban (03-05). Je — 10 d
Rotter, E, s.: Behandlung Verunglückter bis z. Ankunft d. Arztes.
— Ein Volks-Ersatzgetränk f. Alkohol, f. daheim u. draussen. (19) 8° Münch., JF Lehmann's V. (02). — 90 d
Rotter, J, s.: Chirurgie d. Unterleibes. — Verhandlungen d. freien Vereinigg d. Chirurgen Berlins.
Rotter, P: Lehrb. d. engl. Sprache f. d. Selbstunterr. (Umschl.: Richtig Englisch durch Selbstunterr. Engl. Grammatik.) (188) 8° Dresd., B Sturm (03). 1 — d
— dass. d. französ. Sprache. (228) 8° Ebd. (05). 1 — d
Rotter, H: Zum Unterr. wie z. Selbstzieheg: Bildg u. Anstand f. Schule, Haus u. Leben, d. weibl. Jugend gewidmet. 2. Afl. (55) 8° Nürnbg, F Korn (03). 1 —
Röttger's Volksbücherei. 10. Bd. 8° Kass., E Böttger. 1 —
  geb. 1.50 d
  10. Dose, J : Der Feueranbeter. — Rosegger, P: Von meiner Mutter. (159) (02.)
  Bisher u. d. T.: Volksbücherei.
Röttger, A: Wie begründe ich mein Lebensglück? Wegweiser z. Glücklichwerden u. Glücklichsein. (50) 8° Berl., H Steinitz (02). 1 — d

Röttger, H: Kurzes Lehrb. d. Nahrgsmittel-Chemie. 2. Afl. (698 m. Abb.) 8° Lpzg, JA Barth 03. 11 —; L. 12.20
Röttger, K: Glück u. Anderes. Gedichte. (30) 8° Wien, Verl.-Anst. Neuer Lit. u. Kunst 02. 1 — d
— Das Leben, d. Kunst, d. Kind. Beiträge z. modernen Pädagogik. (110) 8° Brem., C Schünemann (05). 1.50; geb. 2 — d
Röttgers, B: Beziehgn zw. Betong u. Syntax im Französ. (Verbindgn zweier Substantive m. de.) (42) 4° Berl., Weidmann 02. 1 —
— Engl. Schulgrammatik. (280) 8° Bielef., Velhagen & Kl. 05. Geb. 2.80
Roth, AWH: Vom Werden u. Wesen d. Maschine. Motoren. (304 m. Abb.) 8° Berl., A Schall (04). 3.50; geb. 4.50 d
Röttinger, H: Hans Weiditz, d. Petrarkameister, s.: Studien z. deut. Kunstgesch.
Röttinger, J: Zur Abschätzg v. Gebäudeanlagen. Anl. z. Beurteilg v. Gebäudeanlagen u. Entwürfen. 2 Tle in 1 Bde. (Neue [Tit.-]Ausg. v., Nationalökonomik techn. Anlagen, 2. u. 3. Bd.°] (70 u. 132 m. Fig.) 8° Lpzg, JJ Arnd [1898] 02. (8 —) 3 —
— s.: Auskunftsbuch, bautechn. — Bauindustrie-Kalender, Wiener.
— Die Wertbestimmg v. Wohngebäuden u. v. Bauwerken industrieller Anlagen. (113) 8° Wien, F Malota 03. 5 —
— dass. 3. Afl. (113) 8° Wien, Lehmann & W. 05. 5 —
Röttinger, M: Techn. Wärmelehre, s.: Walther, K.
Rottloff, E: Das Black and tan-Kaninchen, s.: Poppe's, F, Bibliothek f. Kaninchenzüchter.
Rottmann, E: Hdb. f. d. Gerichtsvollzieherdienst, u. d. Reichsges. u. d. Neuorganisation d. Gerichtsvollzieherinstitutes im J. 1900 m. d. landesrechtl. Bestimmgn im Kgr. Bayern hrsg. 2. Afl. 5 Lfgn. (492) 8° Würzbg, Stahel's V. 02.03. Je 3 —;
  in 1 Bd geb. 16.50 d
Rottmann, S: Um d. Abend wird es licht sein, s.: Missions-Traktate, kleine.
Rottmann, W: A short handbook of bible knowledge. (Anyamesem mu nyansaksyerefo.) (120 m. 2 Kart.) 8° Bas., Basler Missionsb. 02.
Rottmanner, O: Orate. Gebet- u. Andachtsb. f. kathol. Christen. (390 m. Farbdr.) 8° Münch. (02). Freibg i/B., Herder. Ldr m. G. (8 —) 6 — ‖ Neue [Tit.-]Ausg. Freibg i/B.(05).4.50; Ldr m.G.6 — d
— Predigten u. Ansprachen. I. u. II. Bd. 8° Münch., JJ Lentner. Je 4.50; geb. je 5.50 d
  I. 2. Afl. (362) 04. ‖ II. Anh.: Der Beruf d. kathaorm. Schwestern. Von D Haseberg. (368) 02.
Rottok, E: Die Deviationstheorie u. ihre Anwendg in d. Praxis. 2. Afl. (215 m. Fig.) 8° Berl., D Reimer 03. 12 —
Rotzkrankheit, d., u. d. Milsbrand d. Pferde. Anh. z. III. Hauptstücke, IV. Abschn. d. Vorschriften üb. d. Pferdewesen d. k.u.k. Heeres (Dienstbuch C—7). (59) 8° Wien, (Hof- u. Staatsdr.) 1900. — 40 d
Rouanet, JPB: Von Toulouse bis Beeskow. Lebens-Erinnergn. (226) 8° Berl., F Fontane & Co. 04. 3 —; geb. 4 — d
Rouffaer, GP, u. HH Juynboll: Die ind. Batikkunst u. ihre Gesch. (In wird. u. holländ. Sprache.) 2—4. Bd. (25—232 u. 11—25 m. 02. Tl farb. Taf.) 4° Haarl., H Kleinmann & Co. (01-05). Je 30 — (1—4: 120 —)
Rouge, I: Erläuterggn zu Friedr. Schlegels Lucinde. (127) 8° Halle, M Niemeyer 05. 4 —
Rougemont, de: Avant, pendant et après, s.: Scribe, E.
Bouillon, L: Das Zeichnen v. Hebedaumen, unrunden Scheiben u. Curven. Aus d. Engl. v. R Grimshaw. (20 m. Abb.) 8° Hannov., Dr. M Jänecke 04. — 50
Rousseau, O: Korrespondenz f. Fabrik- u. Exportgeschäfte, s.: Meister, E.
Rousseau, H, s.: Archiv f. Verwaltgsrecht. — Stolp, H, Ortsges.
Rousseau's, JJ, Briefe üb. d. Anfangsgründe d. Botanik, übers. v. M Möbius. (105 m. Abb.) 8° Lpzg, JA Barth 03. 2.40; geb. 3.20 d
— Emil od. Üb. d. Erziehg, s.: Schulausgaben pädagog. Klassiker (T Tupetz).
— dass. In verkürzter Darstellg hrsg. v. G Hofmann. (126) 8° Lpzg, Dürr'sche Bh. 05. 1.50; geb. 1.75
— Émile ou de l'éducation. (Pages choisies). Mit Biogr., pädagog. Anmerkgn u. Sach- u. Worterläutergn hrsg. v. N Friedland. (122 u. 29) 8° Lpzg, Dr. P Stolte 05. Geb. u. geb. 1.60;
  Wrtrverz. (31) — 40
— Morceaux choisis, s.: Prosateurs franç. (K Rudolph). — Voltaire.
Rousselot, F: Führer durch d. Kt. Neuenburg, s.: Biacon, M.
Routenkarte d. Touristenweg I. O., d. wichtigsten Fahrstrassen, Eisenb.- u. Post-Linien im Harz. Hrsg. v. Harz-Klub. 15. Jahrg. 1903. Bearb. v. W Dammann. 1:150,000. 47× 66 cm. Farbdr. Mit Fahrpl. auf d. Rücks. Quedlinbg, HC Huch. — 25
  Neue Ausg. s. u. d. T.: Harzklub-Routenkarte.
— d. wichtigv. Passau. Hrsg. v. d. Sektion Passau d. Waldver. 17×21,5 cm. Farbdr. Mit Erläutergn. (25) 8° Pass., (G Kleiter) 01. — 50
— d. Haupt-Touristenwege, d. wichtigsten Fahrstrassen, auch Eisenb.-, Post- u. Omnibuslinien im Thüringerwald. Hrsg. v. Thüringerwald-Ver. Bearb. v. J Bühring. X. Jahrg. 05. 1:150,000. 64×70 cm. Farbdr. Mit Sommer-Fahrpl. auf d. Rücks. Nebst Routenverz. Hrsg. v. d. Thüringer Umgebsk. u. Rundsichten. (56) 8° Arnst., (W Jost). — 50
— d. Haupt-Touristenwege, Eisenb.-Linien etc. im Wupper-

Rübsamen, WC: Wandk. v. O/A. Heilbronn. 1:25,000. 2 Bl. je 60×96 cm. Farbdr. Heilbr., A Scheurlen (04). 11 —;
auf L. 14 —
— Wandk. v. O/A. Weinsberg. 1:25,000. 2 Bl. je 60×95 cm. Farbdr. Ebd. (04). 11 —; auf L. m. St. 14 —

Rück, K: Das Exzerpt d. naturalis historia d. Plinius v. Robert v. Cricklade. [S.-A.] (91) 8° Münch., (G Franz' V.) 02. 1 —

Rückblick, e., auf d. 50jähr. Regierg Sr. kgl. Hoh. d. Grossh. Friedrich v. Baden. (Umschl.: Grossh. Friedrich. 1852—1902.) (75 m. 7 Taf.) 8° Karlsr. 01. (Lpzg, C Beck.) (1 —) — 50 d
— statist., auf d. kgl. Theater zu Berlin, Hannover, Kassel u. Wiesbaden f. 1900—03. (43, 41, 42 u. 42) 8° Berl., ES Mittler & S. 01-04. Je 1.25 d ö F
— auf d. jüngsteEntwicklgs-PeriodeUngarns. (Unveränd. Abdr. d. Orig.-Ausg. v. 1857.) (Von B Mayer.) (78) 8° Wien, G Szelinski 05. 8.50; Amateurausg., 4° 17 — d
— u. **Stimmung** im Herbst. Gedichte eines Unzufriedenen. (224) 8° Dresd., E Pierson 03. 2.50; geb. 3.50 d

Rückblicke, maritime. Die Marine-Verhältn. in d. J. 1820—38. Aus d. hinterlass. Papieren e. preuss. Generals. Hrsg. v. ET Meyer. (86) 8° Rost., CJE Volckmann 01. 2 —

Rückel, W: Üb. d. Lymphom resp. Lymphadenom d. Lider u. d. Orbita, s.: Sammlung zwangl. Abhandlgn a. d. Geb. d. Augenheilkde.

Rückenmarksschwindsucht, d., u. and. Rückenmarkskrankh., s.: Miniatur-Bibliothek.

Rücker: Das Gefecht bei Montebello am 20.V.1859, s.: Beiheft z. Militär-Wochenbl.

Rücker, A: Johs Brenz, d. Reformator Württembergs, s.: Lebensbeschreibung, kurze, hervorrag. Christen.

Rücker, A: Einiges üb. d. Blei- u. Silberbergbau bei Srebrenica in Bosnien. (54 m. 3 Taf. u. 1 Karte.) 8° Wien, (F Beck) 01. 3 —
— Üb. d. Schätzg v. Bergbauen. 2. Afl. (24) 8° Ebd. 03. 1 —

Rücker, H: Die wichtigsten Bestimmg n d. Warenzeichenrechte aller Länder, nebst d. Wortlaut d. Markengess. v. Deutschl., Engl., Japan, Österr.-Ungarn u. d. Schweiz. (188) 8° Hdlbg., C Winter, V. 02. 3.60; L. 4.60

Rücker, J: Kathol. Gesang- u. Gebetb. f. d. Diöz. Breslau u. d. Delegaturbezirk. 2 Tle. 16° Bresl., GP Aderholz (03). Geb. je — 50; in 1 Bd nn — 75 d
1. Gesangb. 6. Afl. (210) § 2. Gebetb. 5. Afl. (160 u. 32)
— Heiligenlegende. 5. Afl. (64) 8° Ebd. (02). nn — 20 d
— Kl. Heiligenlegende. 10. Afl. (40) 8° Ebd. (05). nn — 10 d
— Die Mitwirkg d. Laienhilfe bei d. Ausführg d. preuss. Fürsorge-Erziehgs-Ges. v. 2.VII.1900. Nebst d. Wortlaut d. Ges. u. dessen Ausführgsbestimmgn v. 18.XII.1900 u. Formularen. (52) 12° Wittnbg, R Herrosé 01. Kart. — 50 d
— Prüfgs-Bestimmgn f. preuss. Präparanden, Seminaristen, Volksschullehrer, Mittelschullehrer u. Rektoren v. 1.VII.1900 u. zwar I. Lehrpl. f. Präparandenanst. u. Lehrerseminare, sowie method. Anweisgn zu beiden Lehrpl. II. Änderg n d. Bestimmgn üb. d. Aufnahme in d. Lehrerseminare u. üb. d. Seminarentlassgsprüfg. III. Prüfgsordng f. d. 2. Lehrerprüfg. IV. Prüfgsordng f. Mittelschullehrer. V. Prüfgsordng f. Rektoren. Nebst Ausz. a. d. wichtigsten Schulges. etc., e. Verz. d. preuss. Schulverwaltgsbehörden u. Titulaturen derselben. Als Anh.: 1. Vorschriften üb. d. Aufnahmeprüfg an d. kgl. Schullehrer-Seminare. Vom 15.10.1872. 2. Prüfgsordng f. Volksschullehrer. Vom 15.10.1872. (11) 12° Ebd. 01. Kart. — 80 d
— Rechenaufg. f. d. Volkssch., s.: Büttner, A
— Schulkalender, s.: Amelang. — Ebbecke, F. — Helmich, A.
— Deut. Schul-Kalender f. Schulaufsichtsbeamte, Lehrer u. Lehrerinnen, Seminaristen u. Präparanden f. 1905—06. 34. Jahrg. (160 m. Abb.) 16° Lpzg, KGT Scheffer. Geb. — 75 d
— Deut. Taschen-Buch u. Kalender f. alle Stände. Für 1905. 28. Jahrg. (126) 16° Ebd. Geb. nn — 75 d
— u. O Wilpert: Heimatkde f. d. Schulen d. Prov. Schlesien. Ausg. A. (42) 8° Gross-Strehl., A Wilpert 04. 20;
m. Karte — 95; Karte allein — 05 d

Rücker, AJ: Bibl. Gesch. d. Alten u. Neuen Test. f. kathol. Schulen. (Ausg. f. Mittel- u. Oberkl.) 2 Tle in 1 Bd. (112 u. 128 m. Abb. u. 2 Kärtchen.) 8° Würzbg, FX Bucher 01. Geb. nn — 90 d

Neue Afl. u. d. T.:
— dass, (Grössere Ausg.) 5. Afl. 2 Tle in 1 Bd. (109 u. 130 m. Abb. u. 2 Kärtchen.) 8° Ebd. 05. Geb. nn — 90 d
— Kurze bibl. Gesch. d. Alten u. Neuen Test. f. d. kathol. Volkssch. 19. Afl. (48 m. Abb.) 8° Ebd. 05. Kart. nn — 25 d
— Kurzweil. Abituer. Gedichte u. Geschichten in unterfränk. Mundart. (117) 8° Stuttg., A Bonz & Co. 01. 1.80; geb. 3 —
— Unterfränk. Mundart. Beitr. zu e. Sammlg v. Ausdrücken, Redensarten u. Sprichwörtern in unterfränk. Mundart. (204) 8° Würzbg, FX Bucher (01). 1.60
— Rechenb. f. d. Volkssch., s.: Küffner, A
— Vorbereitgsb. f. d. Aufnahme-Prüfg in d. I. Kl. d. Gymnasiums u. d. Realsch. Wiederholgn u. Ergänzgn a. d. deut. Sprach- u. Rechtschreiblehre u. Rechnen. (47 m. 1 Schrifttaf.) 8° Würzbg, Stahel's V. 03. — 90 d
— u. J Weisenberger: Kurze Heimatkde v. Unterfranken. Mit Anh.: Das Maingebiet. 4. Afl. (34 m. Abb. u. 2 Kart.) 8° Würzbg, FX Bucher (04). Kart. nn — 35 d

Ruckert, Frau W: Jede Frau ihre eig. Schneiderin! Anl. z. leichten u. gründl. Erlerng d. ges. Damen-, Kinder- u. Wäsche-Schneiderei in Theorie u. Praxis. 2. Afl. (638 m. Fig., Bildnis, 1 Tab. u. 5 Schnittbog.) 8° Berl., E Herrmann (05). L. 15 — d
— Die moderne Schneiderin. Lehrbriefe d. ges. Damen- u. Wäscheschneiderei. 6 Abtlgn, nebst e. Modellmappe. (264 m. Abb., 4 farb. Taf. u. 16 Modellen.) 4° Ebd. (04). L. (12 —) — 10 — d
— Die moderne Zuschneidekunst. Lehrbriefe 2. Abtlg. Selbstunterr. in d. ges. Damen- u. Wäscheschneiderei einschl. Konfektion, Sport-, Mädchen- u. Wäschengarderobe. (257 m. Abb.) 4° Köln (a/R., Brandenburgerstr. 1), Wilh. Ruckert (03).
In M. 10 — d

Rückert, C: Mit d. Tornister. Feldzugs-Erinnergn e. Infanteristen a. d. J. 1870. (242) 8° Frankf. a/M., Neuer Frankf. Verl. 03. 3 —; geb. 4 — d
— Rückert's, F, Werke. Ausw. in 6 Bdn. Mit e. biograph. Einl. v. R Böhme. (42, 269; 386, 320, 270, 200 u. 280 m. Bildnis.) 8° Berl., A Weichert (o. J.). In 2 L.-Bdn 4.20; in 3 Bdn 4.80 d
— Liebesfrühling, s.: Elzevier-Ausgaben, illustr.
— dass, nebst e. Vorfrühling: Agnes' Totenfeier u. Amaryllis, s.: Handbibliothek, Cotta'sche.

Rückert, G: Gesch. d. Schulwesens d. Stadt Lauingen v. Ausg. d. M.-A. bis z. Anf. d. 19. Jahrh., s.: Mitteilungen d. Gesellsch. f. deut. Erziehgs- u. Schulgesch.

Rückert, J: Ueb. d. Abstammg d. bluthalt. Gefässanlagen beim Huhn u. üb. d. Entstehg d. Randsinus beim Huhn u. bei Torpedo. [S.-A.] (12 m. 1 Taf.) 8° Münch., (G Franz' V.) 05. — 20
— Ueb. d. Ossificution d. menschl. Fussskelets. [S.-A.] (8) 8° Ebd. 01. — 80

Rückert, O: Der geschäftl. Aufsatz. Für d. Fortbildgssch. bearb. 11. Afl. (34) 8° Hildburgh., FW Gadow & S. 03. nn — 10 d

Rücklin, F: Wie wird e. ertragsfähiges Kleinfabrikationsgeschäft m. d. geringsten Kapitalaufwand gegründet u. betrieben? (112) 8° Lpzg, H Klasing 03. L. 2.40

Rücklin, R: Das Schmuckbuch. Unter Mitwirkg v. A Waag bearb. u. hrsg. 5 Lfgn. (264 m. Abb. u. 200 Taf.) 4° Lpzg, EA Seemann 01. Je 5 —; in 2 L.-Bdn 30 —

Rückoldt, A: Französ. Schulredensarten f. d. Sprachunterr. 4. Afl. (90) 8° Lpzg, Rossberg'sche Verl.-Bh. 05. Geb. 1.50 d

Rückständigkeiten. Von F S. (175 m. 1 Karte.) 8° Wien, (LV Seidel & S.) 05. 4 —

Ruckstuhl, C: Anl. z. Erteilg e. method. Gesangunterr. in d. Primarsch. (I.—VIII. Kl.). (111) 4° Zür., Art. Instit. Orell Füssli (02). Kart. 4 —

Ruckstuhl, JJ: Die schweiz. Telegr.-Verwaltg im Lichte d. Kritik. (46) 8° Zür., F Amberger 03. 1 —

Rucktäschel, N v.: Schiller, d. Prophet d. deut. Geistes u. deut. Ideals. Festrede. (16) 8° Hambg, Herold 05. — 40 d
— Wanz, s.: Schillerreden, 2, in Hamburg.

Rückwardt, H: Architekturschatz. Samml g v. Aufnahmen mustergilt. Bauwerke, Architekturtheile u. Details v. Meistern d. Baukunst aller Zeiten u. Länder. I. Serie, 5—10. Heft. (Je 30 Taf. m. 3 S. Text.) 4° Lpzg, Baumgärtner (01-03).
In M. je 6 — (I. Serie vollst.: 60 —)

Rude, A: Der Hypnotismus u. s. Bedeutg, namentlich d. pädagog., s.: Magazin, pädagog.
— Methodik d. ges. Volksschulunterr., s.: Bücherschatz, d., d. Lehrers.
— s.: Warte, pädagog.

Ruedsbuch, EF: Die Eigenen. Tendenzroman f. freie Geister. (369) 8° Berl., J Räde (03). 4 —; L. 5 — d
— u. H Lerski: Lebt d. Liebe! Aphorismen. (88 m. Titelbild.) 8° Schmargendf-Berl., Verl. „Renaissance" 05. 1 —; geb. 2 —

Rudeck, W: Gesch. d. öffentl. Sittlichk. in Deutschl. (Neue [Tit.-]Ausg.) (447 m. Abb.) 8° Berl., H Barsdorf [1897] 02. 8 [Afl. (514 m. Abb.) 05. In — (o.J. 11.50; XII. 12 — d
— Medizin u. Recht. Geschlechtsleben u. -Krankh. in medizinisch-juristisch-kulturgeschichtl. Bedeutg, Mit d. gesetzl. Bestimmgn Deutschlds, Österr. u. d. Schweiz. 2. [Tit.-]Afl: (475) 8° Ebd. [1899] 02. 10 —; geb. 11.50 d
— Syphilis u. Gonorrhoe vor Gericht. Die sexuelle Ansteckg in ihrer jurist. Tragweite n. d. Rechtsprechg Deutschlds, Österr. u. d. Schweiz. 2. [Tit.-]Afl. (148) 8° Ebd. [1900] 02. 4 —; geb. 5 — d

Rudel: Grundl. z. Klimatol. Nürnbergs. Ergebnisse 20jähr. Witterbeobachtgn zu Nürnberg 1881—1900. 2 Tle. 8° Nürnbg, M Edelmann. —
1. Luftwärme. (77 m. 3 Taf.) 03. 4 — § 2. Luftdruck, Wind u. Bewölkg. (34 m. 2 Taf.) 04. 2 —

Rudel, E: Die schönsten Stauden f. d. Schnittblumen- u. Gartenkultur, s.: Hesdörffer, M.

Rudel, T: Weltgesch., s.: Manitius, M. — Schwahn, W.

Rüdel, O: Meine Welt. (120) 8° Berl., Vita (02). L. 4 — d

Rudelli, W (R Wolff): Else Leonhard, s.: Sonntagsbibliothek.

Rüdell, M: Der best. Stand d. Rechtsverhältn. Vortr. (9 m. Fig.) 4° Stuttg. 1900. (Freibg i/B., J Bielefeld.) 1 —
— Untersuchgn üb. d. Einfl. voraufgegang. Formänderg auf d. Festigkeitszustd. d. Metalle, s.: Mitteilungen a. d. kgl. techn. Versuchsanst. zu Berlin.

Rudelsberger-Moltan, H. L.: Moltan, H.
— Streifzüge durch Nord-Afrika. Reisebilder a. Tunis, Algier u. Marokko. (61) 8° Berl., G Wattenbach 02. 1.50 d

Rüdenberg, E: Das Notwegrecht. (137) 8° Bonn, L Röhrscheid 05. 2 —

Ruderbuch, Hamburger. Hrsg. v. norddeut. Regatta-Ver.

Unter Mitwirkg v. Lange, Busse, C Boie u. a. (72) 8° Hambg (05). Berl., KW Mecklenburg. Kart. 1.50
Ruederer, J, s.: Auf drehbarer Bühne.
— Die Fahnenweihe. Komödie. 2. Afl. (158) 8° Berl., G Bondi 1900. 2 —; geb. 3 — d
— Die Morgenröte. Komödie a. d. J. 1848. 1. u. 2. Taus. (127) 8° Ebd. 05. 2 —; geb. 3 — d
Rudert, B: Lies deine Bibel!, s.: Bausteine, kl.
— s.: Judenfreund, deut.
Rudert, T: Skizze e. Moralsystems als prakt. Grundl. d. künft. Weltrelig. Gemeinverständl. Ausführg z. „Letzten Wort d. Philosophie". (41) 8° Lpzg, T Knaur 05. 1.50
— Das letzte Wort d. Philosophie. (36 m. 1 Tab.) 8° Ebd. 04. 2.50
Rüdgisch, v.: Die militär. Gelände-Beurteilg u. Gelände-Darstellg. 4. Afl. v. Rayle. (205 m. 1 Fig.) 8° Berl., Liebel 04. 5 —; geb 6 — d
Rudhey, G: Skizzenbuch. (58) 8° Dresd., E Pierson 05. 1.50; geb. 2.50 d
Rüdiger, A, s.: Rüdiger-Miltenberg, A.
Rüdiger, F: Alles verkehrt, s.: Bloch's, L, Damen-Bühne.
— Columbia, s.: Theater, kl.
Rüdiger, M: Annchens Puppe u. and. Erzählgn, s.: Kindergarten.
— Antworten auf Ungefragtes. Ein Büchl. f. meine jungen Freundinnen in u. n. d. Konfirmationszeit. 2—5. Afl. (125 m. Titelbild.) 8° Schwer., F Bahn 01. 1 —; L. 1.20
feine Ausg. 2 — d
— Fran Dämmerg. Erzählg. (122) 8° Konst., CHirsch (03). L. 1.50 d
— Die Fran d. Ratmannen. Erzählg a. Lübecks Vergangenh. 5. Afl. (275) 8° Schwer., F Bahn 06. 1.60; geb. 2 — d
— Ernsthafte Geschichten. (Der Novellen 2. Bd.) 1. u. 2. Afl. (236) 8° Ebd. 02. 2.80; L. 3.50 d
— Um d. Glaubens willen. 4 Erzählgn a. d. Reformationszeit. 2. Afl. (108) 8° Ebd. 1898. L. 1.20; fein geb. 2 — d
— Gloria in Excelsis! Historien f. d. hl. Weihnacht. 2. Afl. (92) 8° Ebd. 1897. Kart. 1.50 d
— Gott befohlen! Handreichg fürs Leben. (87 m. 3 Abb.) 8° Ebd. 02. Kart. — 60 d
— Habermanns Pflegesohn. Erzählg. 4. Afl. (199) 8° Ebd. 01. 2.20; geb. 3 — d
— Der Herr ist mein Hirte. Geschichten a. d. Leben uns. Heilandes. (32 m. Abb.) 8° Konst., C Hirsch (03). 15 d
— Himmelsschlüssel. Erzählgn. 32—40. Heft. (Mit Abb.) 8° Schwer., F Bahn. nn 1.10 (1—40.: nn 5.60) d
32. Der Mutter Sorgenkind. (24) (01.) — 20 || 33. Die rechte Hilfe (16) (01.) nn — 10 || 34. Das Missionsfest. (16) (01.) nn — 10 || 35. Der tapfere Kleine. (16) (01.) nn — 10 || 36. Ein guter Sohn. (82) (02.) — 20 || 37. Vertrau auf Gott, er hilft in Not! (16) (02.) nn — 10 || 38. Glückskinder. (16) (02.) nn — 10 || 39. Geschwisterliebe. Selig sind d. Barmherzigen. (16) (02.) nn — 10 || 40. Heini u. d. 4. Gebot. (16) (05.) nn — 10.
— Grossmutter Lores Weihnachten, s.: Grüss Gott.
— An d. Menschen e. Wohlgefallen, s.: Kinderfreund, d.
— Novellen. 3. Afl. (167) 8° Schwer., F Bahn 1900. 2.20; geb. 3 — d
— Samariterdienst. — Sara, s.: Grüss-Gott.
— Sonnenstrahlen. Ein neues Buch f. d. Kinderwelt. (136 m. Abb.) 8° Berl., Schriftenvertriebsanst. 05. Geb. 2 — d
— Aus Stadt u. Land. Erzählgn. 1. u. 2. Afl. (196 m. 3 Vollbildern.) 8° Schwer., F Bahn 05. 2 —; geb. 3 — d
— Auf rechter Strasse. Erzählg a. längstvergang. Tagen. 3. Afl. (307) 8° Ebd. 03. 3.50; geb. 4.50 d
— Treue um Treue. Eine Gesch. f. d. Jugend u. ihre Freunde. 4. Afl. (221 m. Abb. u. 5 farb. Taf.) 8° Ebd. 1895. 3 —; geb. 3.80 || 5. Afl. (224 m. Abb.) 06. 3.50; geb. 4 — d
— Auf Umwegen. Roman. (322) 8° Ebd. 03. 4 —; geb. 4.50 d
— Unvergessenes. Erinnerungsblätter. 1. u. 2. Afl. (290) 8° Ebd. 04. 2.80; L. 3.50 d
— Waldtraut. Nach d. Chronik d. Pfarrers zu Hinrichshagen erzählt. 12. Afl. (203) 8° Ebd. 02. (1 Taf.) 8° Münch., R Oldenbourg 05. L. 4.80 d
— Durch tiefe Wasser. Roman. 3. Afl. (324) 8° Ebd. 01.
Rüdiger, O: Caroline Rudolphi. Eine deut. Dichterin u. Erzieherin, Klopstocks Freundin. (263 m. 1 Bildnis.) 8° Hambg, L Voss 05. 3.50 d
Rüdiger, W v.: Konzessionierg gewerbl. Anlagen in Preussen, s.: Guttentag's Sammlg preuss. Ges.
Rüdiger-Miltenberg, A: Katalog d. Bücherkammer d. deut. Ver. f. Versichergs-Wiss. (96) 8° Berl. 02. Bamberg, Bibliograph. Instit, f. Versichergs-Wiss. 1.80 d
— Der gerechte Lohn. Ein neuer Versuch u. Vorschl. z. Lösg d. soz. Frage. (119) 8° Ebd. 04. 1 — d
— s.: Zeitschrift f. d. ges. Versichergs-Wiss.
Rüdiger, FJ: Predigten. Hrsg. v. FM Doppelbauer. II. Bd (aus d. bischöfl. Zeit.) 52 vermischte Predigten. (256) 8° Linz, Pressver. 03. 2.50 (Vollst.: 5 —; Einbde je 1.20) d
— Geistl. Reden. (Aus d. vorbischöfl. Periode.) Hrsg. v. FM Doppelbauer. I. u. II. Bd. 8° Ebd. 9 —; geb. 12.10 d
I. Sonntags-Predigten. 3. Afl. (363) 01. 4 —; geb. 5.50
II. Festtags- u. Gelegenh.-Predigten. 3. Afl. (346) 05. 5 —; geb. 6.00
Rudio, F: Die Elemente d. analyt. Geometrie. Zum Gebr. an höh. Lehranst. sowie z. Selbststudium. 2. Tl. Die analyt. Geometrie d. Raumes. 3. Afl. (180 m. Fig.) 8° Lpzg, BG Teubner 01. Geb. 3 — d
Den 1. Tl s.: Ganter, H, u. F Rudio.
— s.: Vierteljahrsschrift d. naturforsch. Gesellsch. in Zürich.
Rudisch, LJ: Der Weg ins Kloster. Ein Büchl. f. fromme Mäd-

chen. 1. u. 2. Afl. (112 bezw. 114 m. Titelbild.) 16° Wien, H Kirsch 01.05. Je 1 — d
Rudisch, LJ: Die Wunderdoktorin, s.: Schul- u. Vereinsbühne, christl.
Rudl, O: Lustige Gschichtlen v. Tiroler Hiesl. Erzählt in Meraner Mundart. 4. Afl. (105) 8° Innsbr., Wagner 05. 1.25 ||
Neue lust. Gschichtlen. (215 m. Titelbild.) 05. 2.50 d
Rudloff, A: Gesch. Mecklenburgs v. Tode Niclots bis z. Schlacht bei Bornhöved, s.: Geschichte, mecklenburg., in Einzeldarstellgn.
Rudloff, R, F **Claussen** u. O **Günther**: Die Bremerhavener Hafen- u. Dock-Anlagen u. deren Erweiterg in d. J. 1892—99. [S.-A.] (188 Sp. m. Abb. u. 14 Taf.) 4° Hannov., Dr. M Jänecke 03. L. 20 —
Rudmitzky, N: Johannes d. Täufer ist d. verbessene Prophet Elias. (20) 8° Köngsbg, (Gräfe & U., Bh.) 04. — 50 d
Rudolf, Kronprinz, u. d. Verbrechen d. Vetsera. Bargest. n. d. Veröffentlichgn d. Prinzessin Odescalchi. 81—85. Taus. (40 m. Abb.) 8° Lpzg, Leipz. Verl.-Comptoir (04). — 75 d
Rudolf, F: Prakt. Schachbuch, s.: Breda, A v.
Rudolf, F: Hauptschwierigk. d. neuen Rechtschreibg. 1—3. Afl. (3) 8° Wien, A Pichler's Wwe & S. 02.03. — 04 d
— s.: Jugend, deut.
— Deut. Leseb. f. österr. Bürgersch., s.: Frisch, F.
— s.: Österreichs deut. Jugend.
— Sprachb, f. Bürgersch. (84) 8° Reichenbg 01. (Wien, A Pichler's Wwe & S.) || 3. u. 4. Afl. (84) Wien 04.05. Geb. je 1 — d
Rudolf, F: Die Wiener Strassennamen. (80) 8° Wien, F Matzner 01. — 70 d
Rudolf, G: Die Tomate (Paradiesapfel), s.: Mager's Bibliothek d. Praxis.
Rudolf, K: Selbsterkenntnis u. Selbstzucht, s.: Broschüren-Folge „Continent".
Rudolf, M: Die neue Frauentracht — e. Gebot d. Schönh., Sittlichk. u. Gesundh. (19 m. Abb.) 8° Rochl., R Zimmermann 05. — 30 d
— Vom Vugtland n. d'r Aeberlausitz. Ausgew. sächs. Dialektdichtgn v. E Leinweber (WE Leonhardt), AC Meyer, E Müller u. a. (99) 8° Ebd. 05. 1.50 d
Rudolf's v. **Ems** Willehalm v. Orlens, hrsg. v. V Junk, s.: Texte, deut., d. M.-A.
Rudolfi, J: Die Brandlösch od. d. techn. Lösg e. chem. Verbindg. (49) 8° Lpzg, O Mutze 03. 1 —
— Die Brandlösch v. wiss. Standpunkt a. betrachtet. (74) 8° Ebd. 01. 1 —
— Die Entwickelg d. Brandlöschg m. Hinweis auf d. Katastrophen zu Budapest, Chibago u. Aalesund. (58) 8° Ebd.(04.) 1.20
— Der Theaterbrand zu Barmen m. Hinweis auf d. Waarenhausbrand zu Budapest. Ist e. ähnl. Brand zu überwältigen, zu löschen möglich? (28) 8° Ebd. 05. — 50
Rudolfi, N: Kurze Anl. z. betracht. Gebete. Uebers. v. RM Schultes. (130) 16° Dülm., A Laumann 02. L. — 50 d
Rudolph, A: Vaterländ. Gesch. Ausg. A. Schülerhdb. f. d. konfessionell gemischte Schulen, bearb, durch W Bickerich. 10. Afl. (2. d. Neubearbeitg.) (26) 8° Ebd. 02. nn — 15 d
— dass. Ausg. B. Schülerhdb. f. einf. ev. Schulen, bearb. v. Rang. 9. Afl. (2. d. Neubearbeitg.) (26) 8° Ebd. 02. nn — 15 d
— dass. Schülerhdb. f. einf. utraquist. Schulen. Ausg. C f. kathol. Schulen. 4. Afl. (24) 8° Ebd. 02. nn — 15 || 14. Afl. (42 m. 1 Kartenskizze.) 04. — 20 d
— dass. f. einf. Schulen im Osten d. Monarchie. 15. Afl. (48 m. 4 Kart.) 8° Ebd. 05. — 20 d
Rudolph, E, s.: Verhandlungen d. 2. internat. seismolog. Konferenz.
Rudolph, F: Das neue Gaswerk d. Stadt Darmstadt. [S.-A.] (23) 8° Ebd. u. Taf.) 8° Münch., R Oldenbourg 05. 2.50
Rudolph, F: Die Entwickelg d. Landschau in Kurtrier bis z. Mitte d. 14. Jahrh., s.: Archiv, trier.
Rudolph, G: Leben u. Liebe. 4 Schicksale. (162) 8° Dresd., E Pierson 02. 2.50; geb. 3.50
Rudolph, G (R Schubert): Der Deutschunterr. 3 Abtlgn. 8° Lpzg, E Wunderlich. 6 —; Einbde je — 50 d
I. Entwürfe u. ausgeführte Lehrproben f. einf. u. gegled. Volkssch. I. Abtlg: Unter- u. Mittelst. 3. Afl. (180) 02. 9 —
II. Dass. 3. Abtlg: Oberst. 3. Afl. (200) 04. 9 —
III. Wortlde im Anschl. an d. Sachunterr. Materialien zur e. elementaren Sprachbildg u. Phraseol. 2. Afl. (103) 06. 2 —
Rudolph, H: Luftelektrizität u. Sonnenstrahlg. (24 m.Fig. u. Kurven.) 8° Lpzg, JA Barth 03. 1 —
Rudolph, H: Der Ausdruck d. Gemütsbewegg d. Menschen. Dargestellt u. erklärt auf Grund d. Urformen u. d. Gesetze d. Ausdrucks u. d. Erreggen. (228 m. Abb.) 8° Hierzu e. Atlas m. 680 Köpfen auf 183 Taf. (in 4°). Dresd., G Kühtmann 04. L. 48 —
Rudolph, H: Das Christentum v. Standpunkte d. occulten Philosophie. — Die Ehe u. d. Geheimlehre. — Das Ges., d. Wiedervergeltg u. Harmonie im Weltall, s.: Vorträge, geheimwiss.
— s.: Kulturmission, d., d. theosoph. Gesellsch.
— Die Lebendigen u. d. Toten. — Der Patriotismus u. d. theosoph. Verbreiterg d. Menschh. — Die Relig. d. Zukunft. — Keine Relig. ist höher als d. Wahrheit. — Der verlor. Sohn. — d. „Theosoph. Gesellsch", ihr Zweck u. ihre Verfassg. — Warum vertritt d. „Theosoph. Gesellschaft" d. Prinzip d. Toleranz?, s.: Vorträge, geheimwiss.

Rudolph, J: Allerlei a. Gottes Schule. (99) 8° Lpzg 02. Bas.,
E Finckh. 1—; L. 1.60 d
— Die Pascher. Erzählg v. d. schlesisch-böhm. Grenze. (118)
8° Ebd. 01. 1,25; geb. 2 — d
Rudolph, K: Psaronien u. Marattiaceen. Vergleichend anatom.
Untersuchg. [S.-A.] (37 m. 2 Taf.) 4° Wien, (A Hölder) 05. 3.80
Rudolphi: Kindermärchen. Illustr. v. H Vogel. (168) 8° Münch.,
Braun & Schn. (05). L. 4.50 d
Rudolphi, M: Allg. u. physikal. Chemie, s.: Sammlung Göschen.
— Die Molekularrefraktion fester Körper in Lösgn m. ver-
schied. Lösgsmitteln.(57 m.Fig.) 8° Ravnsbg, O Maier 01. 1.20
— s.: Zentralblatt, physikalisch-chem.
Rudorf, G: Die Lichtabsorption in Lösgn v. Standpunkt d.
Dissociationstheorie. [S.-A.] (80 m. 1 Abb.) 8° Stuttg., F Enke
04. 2.40
— Das period. System, s. Gesch. u. Bedeutg f. d. chem. Syste-
matik. Übers. unter Mitwirkg v. H Riesenfeld. (370 m. Fig.)
8° Hambg, L Voss 04. 10 —
Rudorff, E: Heimatschutz. 2. Taus. (112) 8° Berl. 01. Münch.,
G Müller. 1—; L. 2 — ll 3. Afl. (116) Münch. 04. 1.50; geb. 2.50 d
Rudorff, O: Systemat. Sammlg d. f. d. gegenwärt. Recht v.
Bedeutg geblieb. Entscheidgn d. Reichsgerichts in Civilsachen, n. d. Gesetzes-Ordng zusammengest. a. d. amtl. Entscheidgn d. Reichsgerichts, Blums Annalen, Gruchots Beitr.,
d. jurist. Wochenschrift u. Seufferts Archiv. 1. u. 2. Bd. 8°
Berl., J Guttentag. 38 —; Einbde in HF. je nn 2 — d
1. BGB. m. Einführgsgesetz. (1162) 03. 18 —
2. Handelsgesetzb.: Börsen-, Binnenschiffahrts-, Genossenschafts-, Gesell-
schafts-Ges.; Wechselordng; Warenzeichen-, Patent-, Musterschutz-,
Wettbewerbs-Ges.; Gewerbeordnr; Haftpflichtges. (1359) 04. 20 —
— Die Seegesetzgebg d. Deut. Reiches, s.: Knitschky, WE.
Rudorff, F: Anl. z. chem. Analyse f. Anfänger, bes. f. d. Unterr.
an höh. Lehranst. 10. Afl. (48) 8° Berl., HW Müller 01. — 60;
kart. — 80
— dass. nebst e. Anh.: Quantitative Übgn. Für d. Unterr. an
höh. Lehranst. 11. Afl. (58) 8° Ebd. 05. — 60; kart. — 80
Erläutergn dazu s.: Thüring, G, d. wahlfreie Unterr. in d. Chemie.
— Grundr. d. Chemie f. d. Unterr. an höh. Lehranst. 12. Afl.
v. R Lüpke. (532 m. Abb. u. 2 [1 farb.] Taf.) 8° Ebd. 02. 5 —;
geb. nn 5.60; 1. Tl, anorgan. Chemie, allein (446 m. Abb. u.
2 [1 farb.] Taf.) 4.20; geb. nn 4.80
— dass. Ausg. B. 13. Afl. (289 m. H. u. 1 farb. Taf.) 8° Ebd. 04.
3.60; geb. 4 —; 1. Tl, anorgan. Chemie, allein (224 m.Abb. u.
1 farb. Taf.) 2.80; geb. 3.20
Rudorff, H: Strafgesetzb. f. d. Deut. Reich, 21. Afl. v. H Appelius, s.: Guttentag's Sammlg deut. Reichsges.
Rudovsky, J: Die Rindviehzucht in d. Markgrafsch. Mähren,
s.: Rinder-Racen, d. österr.
Rudow, W: Der Weg z. Selbsterziehg. Nach d. Engl. d. S
Smiles f. d. deut. Volk bearb. 2. Afl. Neue [Tit.-]Ausg. (v.
„Der Charakter"). (326) 8° Kass. [1895] 02. Ohlau, F Leichter.
2.80; L. 4 — d
Rüdt, PA: Giordano Bruno's Leben, Wirken u. Weltanschaug.
— Byzantinertum u. Selbstachtg. — Klöster u. Möncherei. —
Die Natur als Lehrerin u. Erzieherin d. Menschh. — Uns.
Schule u. unser Bildgswesen, s.: Volksschriften z. Umwälzg
d. Geister.
Rüdy, J: Bassist Brummel od. d. geschwänzte Singstunde, s.:
Dilettanten-Theater.
Rüefli, J: Grundlinien d. mathemat. Geogr. Für Mittelsch.
bearb. 2. Afl. (46 m. Fig.) 8° Bern, A Francke 05. — 50
— Kl. Lehrb. d. eb. Geometrie. Zum Gebr. an Mittelsch. 5. Afl.
(84 m. Fig.) 8° Ebd. 04. Kart. — 80
— Lehrb. d. Stereometrie. Zum Gebr. an Sekundarsch. (Realsch.)
u. Gymnasial-Anst. 3. Afl. (119 m. Fig.) 8° Ebd. 04. Kart. 1.60
Kart. — 80
— Kl. Lehrb. d. Stereometrie. 4. Afl. (61 m. Fig.) 8° Ebd. 05.
Kart. — 80
— Lehrb. d. eb. Trigonometrie. Zum Gebr. an Sekundarsch.
(Realsch.) u. Gymnasialanst. 3. Afl. (100 m. Fig.) 8° Ebd. 01.
Kart. nn 1.30 ll Anh. (31) 02. — 80
Rüegg, H: Ziegenmilch im Winter! Studie üb. d. Frage: Ist
es möglich. zu verschied. Zeiten d. Jahres — nicht blos im
Frühj. — frischmilch. Ziegen zu erhalten? [S.-A.] (22 m.
2 Abb.) 8° Aar., E Wirz 05. — 50 d
Rüegg, A: Der Sonntagsschullehrer. Ratgeber f. d. rechtzeit.
christl. Unterweisg uns. Kinder. 2. Afl. (175) 8° Zür., Art.
Instit. Orell Füssli 01. 1.20; geb. 1.60 d
— Auf bl. Spuren abwärts v. Wege. Bilder u. Erinnergn a. d.
Morgenl. (301 m. Abb., 9 Planskizzen u. 2 Kart.) 8° Ebd. (04).
4 —; L. 5 — d
Rüegg, H: Bilder a. d. Schweizergesch. f. d. Mittelst. d. Volksch.
12. Afl. v. JJ Schneebeli. (158 m. Abb.) 8° Zür., Schulthess
& Co. 02. 1 —; kart. 1.20 d
— Saatkörner. Erzählgn u. Gedichte f. d. sittlich-relig. Unterr.
Hrsg. v. F Mayer. 17.—III. Heft. 8° Ebd. Je nn — 40;
kart. nn — 50
I. 4. Schulj. 13. Afl. (64) 04. ll II. 5. Schulj. 14. Afl. (60) 05. ll III. 6. Schulj.
12. Afl. (77) 01.
Ruf, F, s.: Kommentar z. Leseb. f. d. kathol. Volksch. Würt-
tembergs.
— Rechtschreib- u. Sprachlehrhefte f. Volkssch. — Winke u.
Diktate f. d. Unterr. in d. Rechtschreibg u. Sprachlehre. —
Deut. Wrtrb., s.: Schneiderban, J.
Ruf, F: Woher beziehe ich meine bad., elsäss. u. pfälz. Weine
am vorteilhaftesten? (67) 8° Karlsr., (J Linck) 03. 1 — d

Rufer, H: Exercices & lectures. Cours élémentaire de langue
franç. à l'usage des écoles allemandes. 3. partie. Verbes ré-
guliers et verbes irréguliers. 11. éd. (192) 8° Biel, E Kuhn 03.
Kart. nn 1.50
Ruff: Auskunftsb. f. stat. Berechngn (Schnellstatiker). Kräfte-
pläne zu Fachwerken, Tabellenmagazin, Vorschriften üb.
stat. Berechngn etc. auf d. Geb. d. Bau- u. Ingenieuerwesens.
(8. Taus.) (144 m. Fig.) 8° Frankf. a./M.03. (Lpzg, KF Koehler.)
L. 9.50
Ruff, J: Diät u. Wegweiser f. Gallensteinleid. m. e. Anh.: Karlsbader Kur od. Operation? 2. Afl. (358) 8° Berl., H Steinitz (04).
1 — d
— dass. f. Nierensteinleidende, s.: Sammlung medizin. Weg-
weiser.
Ruff, K: Geogr. f. Militäranwärter. (160) 8° Strassbg, F Engel-
hardt 04. Geb. 2.40 d
Ruffaili, A, s.: Tage-Buch d. kgl. sächs. Hoftheater.
Rüffer, F: Das gewerbl. Recht d. allg. Landrechts f. d. preuss.
Staaten v. 1.VI.1794 u. d. preuss. gewerbl. Gesetzgebg v.
1810 u. 11. Gesch. — Darstellg — Vergleich. (23, 327) 8° Tüb.,
H Laupp 03. 6.40
Rüffert, B: Aus Neisses Vergangenh. (66 m. 1 Pl.) 8° Neisse,
(J Graveur's V.) 03. 1 — d
— s.: Pedewitz, IF, historia ecclesiast. ecclesiae parochialis
S. Jacobi Nissae.
Rüffert, FW: Katech. d. Uhrmacherkunst, s.: Weber's illustr.
Katech.
— Leitf. z. Selbst-Studium f. Uhren-Besitzer, -Liebhaber u.
-Interessenten. (30 m. Abb.) 8° Berl. (C. 19, Grünstr. 3—4),
Jul. Busse (03). — 15
Rufinus: Summa decretor.Hrsg.v.H Singer.(188,570)8°Paderb.,
F Schöningh 02. 26 —
— Latein. Übersetzg d. Kirchengesch. d. Eusebius, s.: Schrift-
steller, d. griech. christl., d. ersten 8 Jahrh.
Ruge, A: Unser System. Hrsg. v. CJ Grece. Zum 100. Geburts-
tage d. Verf. m. e. Vorwort v. P Nerrlich u. e. Nachwort d.
Hrsgs. (15, 55, 63, 86 u. 8 m. Bildnis.) 16° Frankf. a/M., Neuer
Frankf. Verl. 05. 3 —; geb. 4.50 d
Ruge, G: Anl. zu d. Präpartirübgn an d. menschl. Leiche.
3. Afl. (375 m. Fig.) 8° Lpzg, W Engelmann 03. L. 10 —
Ruge, L: Das Wegnahmerecht (jus tollendi). (99) 8° Berl.,
Mitscher & R. 05. 1.40
— s.: Gegenbaur's, C, morpholog. Jahrb.
Ruge, R: Die mikroskop. Diagnose d. anteponier. Tertian-
fiebers. — Der Anopheles maculipennis (Meigen) als Wint. e.
Distomum, s.: Festschrift z. 60. Geburtstage v. Rob. Koch.
— Einführg in d. Studium d. Malariakrankh. m. bes. Berücks.
d. Technik. (139 m. Kurven, Abb. u. 3 Taf.) 8° Jena, G Fischer
01. 7 —; geb. 5 —
Ruge, S: Columbus, s.: Geisteshelden.
— Dresden u. d. sächs. Schweiz, s.: Land u. Leute.
— Die sibir. Eisenb., s.: Jahrbuch d. Gehe-Stiftg.
— Geogr. insbes. f. Handelssch. u. Realsch. 14. Afl. (383) 8°
Frankf. & Co. 04. 3.60 d
— Kl. Geogr. Für d. unt. Lehrst. in 3 Jahreskursen entwickelt.
7. Afl. v. W Ruge. (284) 8° Ebd. 04. Geb. 2.50 d
— Dresdner Schul-Atlas, s.: Andree, R.
— Topograph. Studien zu d. portugies. Entdeckgn an d. Küsten
Afrikas, s.: Abhandlungen d. kgl. sächs. Gesellsch. d. Wiss.
— u. Y Nielsen: Norwegen, s.: Land u. Leute.
Rügenwald, SJ: Humor a. d. jüd. Leben. In Versen wieder-
gegeben. (93) 8° Frankf. a/M., J Kauffmann 03. 1 — d
Rüger, O: Festschrift z. 25jähr. Bestehen d. Verbandes deut.
Cacolade-Fabrikanten. (47 m. 1 Bildnistaf.) 8° Dresd., (C
Heinrich) 01. 3 —; geb. 4.50 d
Rüggeberg, F: Synthesen m. disubstituierten Formamidinen.
(38) 8° Freibg i/B., Speyer & K. 04. 1 — d
Ruggiero, H de, s.: Sylloge epigraphica orbis romani.
Ruhe, H: Unrecht Gut gedeihet nicht. Kriminal-Roman. —
Bis ans schlimme Ziel. Kriminal-Novelle. (96) 8° Neuweis-
sens., E Bartels (o. J.). 1 — d
Ruhemann, J: Neuere Erfahrgn üb. d. Influenza, s.: Klinik,
Berliner.
— Die endem. (sporad.) Influenza in epidemiolog., klin. u.
bakteriolog. Bezieh. [S.-A.] (88) 8° Wien, Urban & Schw.
04. 2 —
— dass., s.: Klinik, Wiener.
Ruhm, L: Die mortuorum indicio, s.: Versuche u. Vorarbeiten,
relig.-geschichtl.
Rühl, A: Neuere Bestrebgn im Lokomotivbau, s.: Abhandlungen, techn.
Rühl, A: Das Reichsges. üb. d. Beurkundg d. Personenstandes u. d. Eheschliessg v. 6.II.1875 in d. v. 1.I.1900 an gelt.
Passg, nebst Ausführgsverordng d. Bundesrats, sowie d. Erlassen, Entscheidgn u. Instruktionen d. preuss. Ministerien
u. Urteilen d. Gerichte. 6. Afl. (231) 8° Bresl. 03. (Brieg, GW
Kroschel.) nn 3.60 d
Rühl, E: Grobianus in Engl., s.: Palaestra.
Rühl, F.: Aus d. Franzosenzeit. — Briefe u. Aktenstücke
z. Gesch. Preussens unter Friedrich Wilhelm III. — Stägemann, FA v., Briefe an Karl Engelb. Oelsner.
Rühl, F, s.: Grossschmetterlinge, d. palaearkt.

Rühl, H: Entwicklgsgesch. d. Turnens. 3. Afl. (163) 8° Lpzg, E Strauch 02. 1.60; geb. 1.90 d
— s.: Handbuch d. deut. Turnerschaft.
— Deut. Turner in Wort u. Bild. (267) 12° Wien, A Pichler's Wwe & S. 01. L. †2 — d
Rühl, K: Das ob. Saaletal. 2. Afl. (107 m. Abb. u. 1 Karte.) 8° Ziegenr. 03. (Hof, R Lion.) 1.50
3. Afl. u. d. T.:
— Das ob. Saaletal u. d. Frankenwald. 3. Afl. (175 m. Abb. u. 1 Karte.) 8° Ebd. 05. 1.25
Ruhland, G: Gegengutachten zu Prof. Dr. Conrad's Stellg d. landw. Zölle in d. 1903 zu schliess. Handelsverträgen Deutschlds. (120) 8° Neuw., Raiffeisen-Dr. 01. (Lpzg, H Haessel 'Comm.-Geschäft.) 1.50 d
— s.: Getreidemarkt.
— Die Lehre v. d. Preisbildg f. Getreide. (179) 8° Berl., W Issleib 04. Geb. 3 —
— Der internat. Markt u. d. Getreidepreise. Vortr. (13) 8° Dresd. 01. Lpzg, G Schönfeld. — 50 d
— s.: Nachrichten, monatl., üb. d. Regulierg d. Getreidepreise.
— System d. polit. Ökonomie. 1. u. 2. Bd. Allg. Volkswirtschaftslehre. 1. Bd. (396 m. 1 Tab.) 8° Berl., Puttkammer & M. 03. 10 —; HF. 12.50
— s.: Getreidemarkt.
Ruhland, M: Die eleusin. Göttinnen. Entwicklg ihrer Typen in d. att. Plastik. (108 m. Abb. u. 3 Taf.) 8° Strassbg, KJ Trübner 03. 5 —
Ruhland, W: Eriocaulaceae, s.: Pflanzenreich, d.
— Der Hallimasch, e. gefährl. Feind uns. Bäume, s.: Flugblätter d. kais. Gesundheitsamtes.
Rühland, H: Die Wohnplätze d. Herzogth. Braunschweig m. ihren Entferngn z. nächsten Bahnstation, z. Sitze d. Amtsgerichts u. s. w., nebst Fahrpreistab. d. Eisenb. 2. Afl. sr Entfernvgs-Tab. (158 m. 1 Karte.) 8° Brnschw., B Goeritz 02. L. 4 — d
Rühle, C: Es war einmal! Weihnachtsmärchen-Dichtg m. Gesang. Text- u. Regieb. (23) 8° Lpzg, C Rühle (03). — 40 d
— Meine Musestunden. Eine Silberhochzeits-Gabe f. s. Ehegattin in Gedichten. (72) 8° Ebd. (01). L. m. Silberschn. 2 — d
— O du fröhl., segensfreud. Weihnachtszeit! Weihnachtsfestsp. Mit s. Antrittslied, e. Melodram u. Chorgesang. (Musik v. F Stang.) (23) 8° Ebd. (02). nn — 25 d
— Wettstreit d. Jahreszeiten. Weihnachtsstück f. Deklamation u. Gesang. (15) 8° Ebd. (01). nn — 25 d
Rühle, O: Arbeit u. Erziehg. (80) 8° Münch., G Birk & Co. (04). — 50 d
— Die Schwalbe, s.: Schulze's Zehnpfennigbücher in vereinf. deut. Stenogr.
— Die Volkssch. wie sie ist. (47) 8° Berl., Bh.Vorwärts 03. — 30 d
— Die Volkssch. wie sie sein soll. (46) 8° Ebd. 03. — 30 d
— Das sächs. Volksschulwesen. (48) 8° Lpzg, Leipz. Buchdr. 04. — 50 d
Rühlemann, GA: Album f. Krankenträger, Verwundeten-Transport u. 1. Hilfe im Kriege. Neue Ausg. (118 m. Abb.) 18° Dresd., (C Damm) 01. Kart. nn — 65 d
— Exerziervorschrift f. d. freiwill. Sanitätskolonnen v. Roten Kreuz. (30) 8° Dresd. 05. (Berl., ES Mittler & S. — Dresd., C Damm. — Münch., Seitz & Sch.) — 25 d
— Leitf. f. d. Unterr. d. freiwill. Krankenträger (Sanitäts-Kolonnen). 14. Afl. (230 m. Abb.) 12° Berl., (ES Mittler & S. — Dresd., C Damm) 03. 1 — d
— 1. Nächstenhilfe bei Unfällen u. Erkrankgn. (126 m. Abb.) 16° Ebd. (01). Kart. nn — 75
— Unterr.-Buch f. Sanitätskolonnen v. Roten Kreuz. 15. Afl. (256) 8° Ebd. — ferner: Münch., Seitz & Sch. 05. 1.20 d
Rühlmann, H: Grundr. d. Experimentalphysik, s.: Scherling, C.
Rühlmann, M: Allg. Maschinenlehre. 2. Afl. V. Bd. Gesch. d. Rader-, Segel- u. Dampfschiffe. Pract. Schiffbau. Entwerfen v. Schiffen. Theorie d. Schiffes. Schiffskessel u. Schiffsmaschinen. Begonnen v. M Rühlmann. Fortgesetzt u. beendet v. O Flamm. 5. Lfg. Schiffskessel u. Schiffsmaschinen v. O Flamm. (677—883 m. Abb. u. Taf.) 8° Berl., W & S Loewenthal 03. 5 — (V. Bd: 25 —; vollst. 90 —)
Rühlmann, P: Dto öffentl. Meing in Sachsen währ. d. J. 1806—12, s.: Untersuchungen, geschichtl.
— Parteien, Staat, Schule. Zusammenhänge zw. Imperialismus u. Schulpolitik. (32) 8° Berl., Gerdes & H. 05. — 80
Rühlmann, R: Grundz. d. Gleichstrom-Technik. (63 m. Abb.) 8° Lpzg, O Leiner 01. 14 —; L. 15.50
— Grundz. d. Wechselstrom-Technik. Zugl. Ergänzgsbd zu: Grundz. d. Gleichstromtechnik. 2. Afl. (619 m. Abb. u. 1 Taf.) 8° Ebd. 04. 15.75; L. 17 —
Ruhm, H: Welche gesetzl. Bestimmgn stehen d. Altenburger Jagdinhaber u. Jäger bei Pflege, Schutz u. Ansübg d. Jagd z. Seite, u. welchen gesetzl. Verpflichtgu u. event. Nachteilen ist derselbe h. d. besteh. Gesetzen unterworfen? Vortr. (53) 8° Altnbg, O Bonde 03. — 80 d
Ruhmer, E: Neuere elektrophysikal. Erscheingn. (163 m. Abb.) 8° Berl., Administr. d. „Mechaniker" 02. 4 —
— Konstruktion, Bau u. Betrieb v. Funkeninduktoren u. deren Auwendg m. bes. Berücks. d. Röntgenstrahlen-Technik. Nebst e. Anh.: Kurzer Überblick üb. 1. Grundz. d. Röntgentechnik d. Arztes v. CB Schürmayer. (312 m. Abb. u. 4 Taf.) 8° Lpzg, Hachmeister & Thal 04. 7.50; L. 8.50
— Radium u. and. radicaktive Substanzen. Unter bes. Benutzg

e. v. WJ Hammer geh. Vortr. (51) 8° Berl., Administr. d. „Mechaniker" 04. 2.50
Ruhmer, E: Das Selen u. s. Bedeutg f. d. Elektrotechnik m. bes. Berücks. d. drahtlosen Telephonie. (57 m. Fig.) 8° Berl., Administr. d. „Mechaniker" 02. 2.40
— Neuere Telegr.-Apparate. I. Der Mehrfach-Typendruck-Telegr. v. Baudot. — II. Der Mehrfach-Typendruck-Telegr. v. Rowland. — III. Der Typendruck-Telegr. v. Murray. [8.-A.] (22 m. Fig.) 8° Ebd. 01. nn 1.50
Ruhmer, FA: Die Leichenverbrenng v. Christeu. Zeugnisse wider dieselbe, wie sie v. Past. Schall u. in d. Synode d. Ostens d. reformierten Kirche in d. Verein. Staaten abgelegt worden sind. (40) 8° Neusalz, J Fröbster (01). — 85 d
Ruhnstruck, W: Atlas d. Postgeogr. in 36 Haupt- u. 22 Nebenk. [in 4°]. 2. Afl. (6 S. Text.) Fol. Lüb. 03. (Cass., G Dufayel.) — 1 d
— Atlas d. deut. Postleitkarten. 11 Haupt- u. 4 Nebenk. [in 4°]. (5 S. Text.) Fol. Ebd. 03. Gebr. in Fol. nn 1.50
Ruhr-Merkblatt. Béarb. im kais. Gesundheitsamte. Unter Mitwirkg v. Kirchner, R Koch u. Krieger. (4) Fol. Berl., J Springer (03). nn — 05; ·10 Stück nn — 50 d
Ruhrtaler, E: Rechtschreibhülfe. Zur leichten u. raschen Erlerng d. deut. Einheitsschreibg. (40) 8° Ess., Fredebeul & K. 03. — 20 d
Ruhsam, J: Recheub., s.: Hartmann, B.
Ruhstrat. Die Gesch. e. Sensationsprozesses. Von Spectator. (62) 8° Berl., Herm. Walther 05. — 1 d
Ruhstrat, E: Sittenbilder a. China. (212 m. 1 Taf.) 8° Oldnbg, Schulze (05). 3 —; geb. 4 — d
Ruisdael, J van: Flusslandschaft m. Windmühle, s.: Meisterbilder.
— Der Judenkirchhof, s.: Meisterbilder fürs deut. Haus.
— Bewegte See, s.: Meisterbilder.
— Der Sumpf, s.: Meisterbilder fürs deut. Haus.
Russ, J: Pariser Canalisationswesen u. Berieselgsanlagen, s.: Reiseberichte üb. Paris.
Ruland, C: Aus d. Goethe-National-Museum, s.: Schriften d.
— Das Goethe-Nationalmuseum zu Weimar. 3. Afl. (32) 8° Erf., C Villaret (01). — 50
— Radiergn Weimar. Künstler. II. Heft. Die Radiergn Carl Hummels. (28) 8° Weim., H Böhlau's Nf. 05. 1 —
Das 1. Heft bildet:
— Die Radiergn Friedrich Prellers. (36) 8° Ebd. 04. 1 —
Ruland, N: Praktt. Anl. z. gründl. Unterr. in d. Buchstabenrechg. Ausführl. Auflösg d. in E Heis' Sammlg v. Beisp. u.s.w. enth. Aufg. 1. Tl. Die allg. Arithmetik u. Algebra. 7. Afl. v. K Ruland. (467) 8° Bonn, F Cohen 04. 6 — d
— dass. in d. höh. Mathematik. 2. Tl. Kettenbrüche, Teilbruchreihen, Permutationen usw. 2.Afl. (491 m. Fig.) 8° Ebd. 05. 6 — d
Ruland, W: Deutschl.wesen. Asbild v. Kampf m. einst. uns. Tagen. (1. illustr. Afl. [4. Gesamtafl.]) (167) 8° Halle, Gebauer-Schwetschke (05). Kart. 3 — d
— Athalia, s.: Theater, kl.
— Kreuth, s. bayer. Hochlandjuwel. (111 m. Abb.) 8° Münch., J Roth (04). 1.50 d
— s.: Monographien d. Balkanstaaten.
— Saul, s.: Theater, kl.
Rülf, B: Der Reguliervorgang bei Dampfmaschinen. (59 m. Fig. u. 3 Taf.) 8° Berl., J Springer 02. 2 —
Rülf, J: Wiss. d. Einheits-Gedankens. System e. neuen Metaphysik. 2 Abtlg. 3. Buch: Wiss. d. Gotteseinheit (Theo-Monismus). 5. Tl d. Systems e. neuen Metaphysik. (443) 8° Lpzg 08. Sachsa, H Haacke. 9 —(1—5: 35 —)
Rüling, A: Welches Interesse hat d. Frauenbewegg an d. Lösg d. homosexuellen Problems? Rede. [S.-A.] (21) 8° Lpzg, M Spohr 05. — 80
Rüling, J: Beichtreden. (92) 8° Lpzg, F Jansa 05. 1 —; geb. 1.60 d
— Wie schickt e. Christ sich in d. Zeit? Predigt. (13) 8° Lpzg, JC Hinrichs' V. 02. — 20 d
— Gelobt sei Gott f. s. Ostersegen! Predigt. (15) 8° Lpzg, Dieterich 02. — 15 d
— Ist Jesus auch d. Hirte dainer Seele? Predigt. (15) 8° Ebd. 02. — 20 d
— Rede bei d. Konfirmationsfeier in d. Johanniskirche zu Leipzig am 29. III. '02. (11) 8° Lpzg, JC Hinrichs' V. 02. — 20 d
— Wer wälzt uns d. Stein v. d. Grabes Thür? Predigt. (14) 8° Lpzg, Dieterich 01. — 20 d
Rulle, J: Zur Phthisiasfrage. Vortr. (18) 8° Riga, E Plates 02. — 75
Rümelin, G: Üb. d. Verdünngswärme konzentrierter Lösgn. (55) 8° Freibg i/B., Speyer & K. 05. 1 —
Rümelin, G: Dienstvertrag u. Werkvertrag. (322) 8° Tüb, JCB Mohr 05. 6 —
Rümelin, M: Archiv f. d. civilist. Praxis.
— Der Vortrwart zu e. neueren Civilgesetzb. [S.-A.] (181) 8° Lpzg, Duncker & H. 01. 3.60 d
Rümker, K. v.: Bericht üb. d. landw. Versuchsfeld d. kgl. Univ. Breslau in Rosenthal, Kr. Breslau. Erweitert dargest. n. e. Vortr. [S.-A.] (97 m. 1 Tab.) 8° Berl., P Parey 04. 3 —
— Führer durch d. landw.-boten. Garten d. kgl. Univ. Breslau. (65 m. Abb.) 8° Ebd. 03. 1 —
— Landw. u. Wiss. [S.-A.] (35) 8° Ebd. 05. 1 —

Rümker, K v., s.: Mitteilungen d. landw. Instit. d. kgl. Univ.
Breslau.
— Rübenbau u. Zuckerkonvention. [S.-A.] (31) 8° Berl., P Parey
03. 1.30 d
— Tagesfragen a. d. modernen Ackerbau. 1., 2. u. 7. Heft. 8°
Berl., P Parey. Je — 80 d
1. Der Boden u. s. Bearbeitg. (31) 01; 2. Aß. (62) 04. ‖ 2. Grundfragen
d. Düngg. (49) 07. ‖ 7. Der Saatbau u. d. Saatbauver. (32) 05.
Heft 3—6 sind noch nicht erschienen.
Rumland, A: Japan, s.: Projections-Vorträge.
Rumler: Die männl. u. weibl. Geschlechts-Organe, deren Bau,
Verrichtgn u. Krankh. 16. Afl. (550 m. Abb.) 8° Hambg, W
Digel. (1.50) 3 — d
— Ursachen, Wesen u. Heilg d. Nervenschwäche im Allg., so-
wie d. nervösen Schwächezustände d. Geschlechts-Systems
im Bes. 17. Afl. (346 m. Abb.) 8° Genf, FJ Soehnlein 04. 1.80 d
Rümly, P (Frau M Rümly-Müller): Die schweren Jahre Preu-
ssens. (258 m. 1 Taf.) 8° Dresd., E Pierson 03. 3 — d
— Die Nonnenmühle. Roman. (368 m. 1 Abb.) 8° Ebd. 02. 5 —;
geb. 6 — d
Rummel, M v.: Glücksmärchen. Dichtg in 1 Vorsp. u. 3 Akten.
(101) 8° Münch., C Haushalter 05. 1.50 d
— Simplizissimus. Ein deut. Kriegsbild in 4 Akten. (184) 8°
Münch., G Müller 05. 2 — d
Rummler, H: Der Bau u. d. Konstruktion d. Treppen ohne
höh. techn. Vorkenntnsse. 4. Afl. (16 m. Abb. u. 13 Taf.) 4°
Halle, L Hofstetter. V. 04. Kart. 4 — d
— Dachschiftgn. Prakt. Lehrb. z. leichten Erlerng d. beim
Schiften v. Dächern vorkomm. Arbeiten. 4. Afl. (8 m. 6 Taf.)
4° Ebd. 03. Kart. 3 — d
Rümmler, J: Illustr. Hdb. üb. d. ges. Baumwoll-Spinnerei u.
d. Streichgarnspinnerei d.Wolle nebst d.Kunstwoll-u. Watten-
fabrikation. 12 Hefte. (287 m.Abb.) 4° Lpzg, (R Uhlig) 03.04.
Je — 80
Rump, H, s.: Handweiser, literar.
Rump, J, s.: Dienst, d., am Wort.
— "Folge du mir nach!" (Ev. Joh. 21, 22.) Sammlg gläub. Predigten üb. d. neuen, v. d. Eisenacher Kirchenkonferenz festgesetzten Evangelien. (220) 8° Altnbg, S Geibel 01. 3 —;
geb. 4 — d
— dass. Ein vollständ. Jahrg. Predigten üb. sämtl. Texte d.
v. d. Eisenacher Kirchenkonferenz festgesetzten Evangelien
(einschl. d. neuen Abschn. a. d. Apostelgesch.). 2 Bde. (511
u. 487) 8° Ebd.03.04. Je 5 —; geb. je 6 —; auch in 11 Lfgn zu 1 — d
— "Deine Zeugnisse sind mein ewiges Erbe". Ein vollständ.
Jahrg. Predigten üb. d. alttestamentl. Reihe d. Eisenacher
Perikopen. 2 Bde. ‡8° Halle, CE Müller. Je 5 —; geb. je 6 — d
1. Advent bis Himmelfahrt. (416) 02.
2. Exaudi bis Schluss d. Kirchenj. (432) 03.
Rumpel, O: Die Diagnose d. Nierensteins m. Hilfe d. neueren
Untersuchgsmethoden, s.: Fortschritte auf d. Geb. d. Röntgenstrahlen.
Rumpel, T: Pathologisch-anatom. Taf. nach frischen Präpa-
raten a. d. Hamburger Staatskrankenhäusern, m. erläut.
anatomisch-klin. Text. Unter Mitwirkg v. A Kast. 16. Lfg.
(4 farb. Taf. m. Text 41—43) 44.5×32 cm. Wandsb., Kunstanst.
(vorm. GW Seitz) (03). Subskr.-Pr. 4 —; einz. Taf. 1.50
(1—16: 64 —)
Fortsetzg s.: Fraenkel, A.
Rumpelt, A: Die kgl. sächs. Ärzteordng. — Allg. Bauges.
f. d. Kgr. Sachsen, s.: Handbibliothek, jurist.
Rumpelt, A: Sicilien u. d. Sicilianer. 2. Afl. (334) 8° Berl., Allg.
Ver. f. deut. Lit. 02. 5 —; L. od. HF. 6.50 d
Rumpen a. Blind: Lehrb. d. Geometrie f. höh. Lehranst. H.
u. III. Tl. Trigonometrie u. Stereometrie nebst d. Anfgn.
d. Konstruktion analyt. Ausdrücke. 2. Afl. (111) 8° Köln, A
Ahn 04. Kart. 2 — d
Rumpf, E: Die Staats- u. Civil-Uniformen d. Deut. Reiches.
u. 2. Lfg. (Je 8 farb. Taf. in Leporelloform m. Text.) 8°
Lpzg, M Ruhl (05). Subskr.-Pr. je 1.50; Einzelpr. je 2 —
1. (20) ‖ 2. Die Uniformen d. Forstbeamten. (21—36)
Rumpf, F: Der Mensch u. s. Tracht. (330 m. 29 Taf.) 8° Berl.,
A Schall (05). 7.50; geb. 9 —
Rumpf, G: Rhizodermis, Hypodermis u. Endodermis d. Farn-
wurzel, s.: Bibliotheca botanica.
Rumpf, M: Die Teilnahme an unerlaubten Handlgn n. d. BGB.
(128) 8° Oldnbg, G Stalling's S. 04. 3 — d
Rumpf, T, s.: Psychiatrie etc.
Rümpler, T, s.: Gartenbau-Lexikon, illustr. — Schmidlin's
Gartenb.
Rumscheidt, F: Die Keuschheit. Ein Wort an d. Erzieher d.
Jugend, namentlich an Väter u. Mütter. (66) 8° Berl., F Zil-
lessen (03). L. 1 — d
Runa s.: Beskow, E.
— Alles od. nichts. Erzählg a. d. Diakonissenleben. Uebers.
v. L Fehr. (188) 8° Herb., Bh. d. nass. Colportagever. 04.
— 80; geb. 1.20; eleg. 1.40 d
— Suchende Liebe. Aus d. Schwed. v. L F. (298) 8° Hambg,
Agent. d. Rauhen H. 05. 3 —; L. 4 — d
— Wiewohl er gestorben ist. Roman. Aus d. Schwed. v. L F.
(360) 8° Ebd. (04). 3 —; L. 4 — d
Runck, R: Aus d. Freiheitskampfe d. Buren. Die deut. Korps.

(351 m. Abb., Taf. u. 1 Karte.) 8° Zweibr., H Reisolt 02.
5 —; geb. 6 — d
Rund um d. Welt. Volksbl. f. histor. u. Zeit-Romane, f. popu-
läre Geschichts- u. Völkerkde. 1. Jahrg. Apr. 1902—März 1903.
80 Hefte. (1775) 4° Dresd., RH Dietrich. Je — 10 d
Fortsetzg s.: Grossstadt-Zeitung.
Rundfrage, e., betr. Gründg e. Zeitschrift: "Die photograph.
Kunst im Dienste d. Wiss." Nebst V. Jahresbericht d. pho-
tograph. Privat-Laboratoriums (1. Spezial-Atelier f. wiss.
Photogr.) v. H Hinterberger. Gegründet 1897. (37 m. Abb.)
8° Wien 05. (Stuttg., Franckh.) 1.25
Rundgang, e., durch Bethel, Sarepta, Nazareth, Wilhelmsdorf,
Wiedingsmoor. Nach Mitteilgn von v. Bodelschwingh zusam-
mengest. 4. Afl. (120 m. Abb. u. 1 Panorama.) 8° Bethel Bei
Bielef., Bh. d. Anst. Bethel (04). ‖ 5. Afl. m. Freistatt (ohne
Wiedingsmoor). (127 m. Abb. u. 1 Panorama.) (05.) Je — 50 d
Rundreise, d., d. R. Petachjah a. Regensburg, nach e. Hs., d.
ält. Ausgaben u. and. Druckwerken edirt u. übers., m. Anmerkgn u. Einl. versehen v. L Grünhut. 2 Tle in 1 Bde. (Hebr.
u. Deutsch.) (50, 18 u. 18, 52 m. 1 Karte.) 8° Jerus. 04. Frankf.
a/M., J Kauffmann 05. 5 —
Rundschau in d. Alkoholfrage. (Fortsetzg d. „Kathol. Mässigkeitsblätter" u. d. „Sobrietas".) Hrsg. v. Vorstande d.
Charitasverbandes zu Freiburg i. Br. Red. v. F Keller. 1. u.
2. Jahrg. Oktbr 1906 je 12 Nrn. (Nr. 1. 8) 8° Freibg
i/B., Geschäftsstelle d. Charitasverbandes. Je 1.40 d
Bisher u. d. T.: Mässigkeitsblätter, kathol.
— allg. Wochenschrift f. Politik u. Kultur. Hrsg. u. Red.: A
Kausen. 1. Jahrg. Apr.—Dezbr 1904. 39 Nrn. (Nr. 1. 16) 4°
Münch., Dr. A Kausen. ‖ 2. Jahrg. 1905. 52 Nrn. Viertelj. 3 —;
einz. Nrn — 20 d
— apologet. Volkstümlich-apologet. Monatsschrift z. Lehr
u. Wehr. Hrsg. v. d. Zentral-Auskunftstelle d. kathol. Presse
(C. A.). Red.: Kaufmann. 1. Jahrg. Oktbr 1905—Septbr 1906.
(A.) Red.: Kaufmann. 1. Jahrg. Oktbr 1905—Septbr 1906.
— architekton. Hrsg.v. L Eisenlohr, C Weigle u. C Zetzsche.
18—22. Jahrg. 1902—6 (Oktbr 1901—Septbr 1906) je 12 Hefte.
(Je 96 Taf. m. illustr. Text 96, 96, 100, 96 u. 96) 4° Stuttg.,
J Engelmann. Je 20 —: einz. Hefte 1.70
Die „Architekton. Monatshefte" wurden hiermit vereinigt.
— ärztl. Wochenschrift f. d. ges. Interessen d. Heilkde. Hrsg.
v. A Krüche. 11. Jahrg. 1901. 52 Nrn. (624) 4° Münch., Verl.
d. ärztl. Rundschau. Halbj. 3 —; m. d. Monatsschrift f. prakt.
Wasserheilkde 5 — ‖ 12—15. Jahrg. 1902—5. (628, 708, 624 u.
624) Halbj. 4 —; bezw. 5 —
— astronom. Hrsg. v. d. Manora-Sternwarte in Lussinpic-
collo (Oesterr.) unter d. Red. v. L Brenner. 3—7.Bd je 10 Hefte.
(328, 302, 300, 284 u. 284 m. Abb. u. a. d. 4 G. u. Taf.) 8°
Lussinpiccolo, Verl. d. astronom. Rundschau 01-05.
Postfrei je 12 —; einz. Hefte un 1.50
— balneolog. (Balneologiel értesitö). Hrsg. v Preysz. Der
ung. Ausg. VIII., d. deut. Ausg. III. Jahrg. 1901. 8 Nrn. (Nr. 1.
24) 8° Budap., (Eggenberger). un 5 — d
— berg- u. hüttenmänn. Schriftleitg: C Ilgner u., v. 1.I.'06
ab, K Rapsilber. 1. u. 2. Jahrg. Okbr 1905—Septbr 1906 je
24 Nrn. (Nr. 1. 16 m. Abb.) 8° Kattow., Gebr. Böhm.
Viertelj. 2.50; einz. Nrn — 50
— brautechn. Hrsg. v. A Schwarz. 15—18. Jahrg. 1901—4 je
12 Nrn. ('03—04. 192 u. 208 m. Abb. u. Taf.) 8° Mähr.-Ostr., Administr. Je un 6 — ‖ 17. Jahrg. 1905. (192) 7 —
— deut. Hrsg. v. J Rodenberg. Red.: W Paetow. 28—32. Jahrg.
Oktbr 1901—Septbr 1906 je 12 Hefte. (1. Heft. 160) 8° Berl.,
Gebr. Paetel. Viertelj. 7 —; einz. Hefte 2.50 —
— in Halbmonatsheften einz. Hefte 1 — d
— neue deut., d. Freien Bühne 12—14. Jahrg. 1901—3. Red.:
O Bie. Je 12 Hefte. (1. Heft. 112) 8° Berl., S Fischer
Viertelj. 4.50; einz. Hefte 1.50
Fortsetzg s. u. d. T.: Rundschau, d. neue.
— deutsch-franzö., s.: Revue, franco-allemande.
— Dresdener. Wochenschrift f. Kritik u. Kunst aus allen
Gebieten d. öffentl. Lebens. Red.: R Quanter. 10. Jahrg. 1901.
52 Nrn. (Nr. 1. 18 m. Abb.) 4° Dresd. (Dresdener Str. 24 u. 26),
Kunstdr. Union. Viertelj. postfrei 1.35 d
Fortsetzg war nicht zu erhalten.
— drogist. Revue d. la droguerie. (Hrsg. u.Red.: H τ. Wuntsch.)
1. Jahrg. Oktbr 1900—Septbr 1903 je 24 Nrn. (1. Jahrg.
Nr. 1. 28) 4° Zür. (Waldmannstr. 12). W Steffen. 4. Jahrg. 1904/4.
Red.: C Krüsi. 52 Nrn. (Nr. 1 u. 2. 16) ‖ 5. u. 6. Jahrg. 1904/6.
Red.: A Eichenberger. Je 10 —; viertelj. 3 —
— elektrotechn. Zeitschrift f. d. Leistgn u. Fortschritte auf
d. Geb. d. angewandten Elektrizitätslehre. Mit Gratis-Beil.:
Patent-Liste d. Elektrot. G Krebs. 19—21. Jahrg. 1901—Septbr
1904 je 24 Nrn. 1. Jahrg. Nr. 1. 14 u. 8 in 8° m. Abb.) 4° Fol.
Frankf. a/M. Potsd., Bonness & H. Halbj. 4 —
Fortsetzg u. d. T.:
— elektrotechn. u. polytechn. Red.: F Liebetanz. 22. Jahrg.
Oktbr 1904—Septbr 1905. 24 Hefte. (1. Heft. 18 m. Abb.) 4°
Ebd. Halbj. 4 —
— dass. 23. Jahrg. Oktbr—Dezbr 1905. 6 Hefte. (1. Heft. 15 m.
Abb.) 4° Ebd.
— illustr. elsäs. — Revue alsacienne illustrée. Red.: C Spind-
ler u., seit 1903, Bucher. 3—7. Jahrg. (Elsässer Bilderbogen
6—10. Jahrg.) 1901—5. (1. Heft. 56 u. elsäss.
Chronik 40 m. 3 Taf.) 4° Strassbg i/E. (Brandg. 2), Verl. d.
Rundschau. Je 12 —; postfrei 16 —; einz. Hefte 5 —

152*

Rundschau. Sammlg v. Entscheidgn in Rechts- u. Verwaltgssachen a. d. Bez. d. Oberlandesgerichts Frankfurt a. M., hrsg. v. d. jurist. Gesellsch. zu Frankf. a. M., 35—39. Jahrg. 1901—5. (1901. 1. Heft. 48) 8⁰ Frankf. a/M., A Neumann.
Je nn 10 — d
— v. Ernst-Agnes-Turm in Schmölln, S.-A. Namen-, Entferngs- u. Höhen-Angaben v. C Beissner. Gez. v. E Göpel. (1 farb. Bl.) 51,5×59 cm. Schmölln, (R Bauer) 05. nn — 50
— finnländ. Vierteljahrsschrift f. d. geist., sog. u. polit. Leben Finnlds. Hrsg. v. E Brausewetter. 1. u. 2. Jahrg. je 4 Hefte. (2. J. 344) 8⁰ Lpzg, Duncker & H. 01-03. Je 6 —;
einz. Hefte 1.40 u. 1.60 ⌀ F
— auf d. Geb. d. Fleischbeschau, d. Schlacht- u. Viehhofwesens. Hrsg. v. A Bundle u. G Glamann. Red.: A Bundle. 2. Jahrg. 1901. 24 Nrn. (Nr. 1. 8 m. 1 Abb.) 4⁰ Carlshorst-Berl. (Berl., O Elsner.) Viertelj. 1.25 d
— dass. Hrsg. v. A Johne, A Bundle, G Glamann, FW Hartenstein. Red.: A Bundle. 3—5. Jahrg. 1902—4 je 24 Nrn. (Nr. 1. 10) 4⁰ Ebd. || 6. Jahrg. 1. Viertelj. Jan.—März 1905. 6 Nrn.
Viertelj. 1.25 d

Fortsetzg u. d. T.:
— auf d. Geb. d. ges. Fleischbeschau u. Trichinenschau, d. Schlacht- u. Viehhofwesens. Chefred.: A Bundle. 6. Jahrg. 2—4. Viertelj. April—Dezbr 1905. 18 Nrn. (Nr. 21. 20) 4⁰ Hannov., Verl. d. Rundschau. Viertelj. 1.25;
Ausg. f. Süddeutsch. 1.25 d
Die „Zeitschrift f. d. ges. Fleischbeschau" wurde am 1.IV.'05 hiermit vereinigt.
— deut., f. Geogr. u. Statistik. Hrsg. v. F Umlauft. 24—28. Jahrg. Octbr 1901—Septbr 1906 je 12 Hefte. (Je 580 m. Abb. u. 12 Kart.) 8⁰ Wien, A Hartleben. Je 13.50; geb, je 15.50;
einz. Hefte 1.15 d
— gregorian. Monatsschrift f. Kirchenmusik u. Liturgie. Hrsg.: J Weiss. Schriftleiter: J Weiss u. M Horn. 1. u. 2. Jahrg. 1902 u. 3 je 12 Nrn. (1902. Nr. 1 u. 2. 28) 8⁰ Graz, Styria. Je 2.50 d
— dass. Verantwortlich: J Strohmayer. 3. Jahrg. Nebst: Zeitschrift f. Orgel- u. Harmoniumbau. Schriftleiter: M Mauracher. 2. Jahrg. 1904. 12 Nrn. (Nr. 1. 16 u. 4) 8⁰ Ebd. 2.50 ||
4. Jahrg. 1905. Ohne Beilage. 2.50
Die Zeitschrift f. Orgel- u. Harmoniumbau erscheint v. 1095 an als selbständ. Zeitschrift.
— handelsweise. Organ z. Verbreitg kaufmänn. Hochschulbildg. Hrsg.: W Schack. Schriftleitg: W Kempin. 1. Jahrg. März 1905—Febr. 1906.12 Hefte. (1. Heft.16)8⁰ Hambg, Deutschnationaler Handlgsgehilfen-Verband. 4 —; einz. Hefte — 40 d
— homöopath. Hrsg.: K Dermitzel. 1. Jahrg. Apr.—Dezbr 1903. 9 Nrn. (212) 8⁰ Berl.-Gr. Lichterf., Homöopath. Central-Verl. 1.20 || 2. u. 3. Jahrg. 1904 u. 5 je 12 Nrn. (288 u. 284)
Je 1.50 d
Die Zeitschrift: „Willst Du gesund werden" wurde hiermit vereinigt.
— hygien. Hrsg. v. C Fraenkel, M Rubner, C Günther. 11—13. Jahrg. 1901—5 je 24 Nrn. ('04. 1318) 8⁰ Berl., A Hirschwald. Halbj. 14 —
— dass. General-Reg. Bd. I—X 1891—1900. Von R Thiele. (432) 8⁰ Ebd. 04. 12 —
— israelit. Offiz. Organ d. Zionist. Vereinigg f. Deutschl. Hrsg. v. H Loewe. 7. Jahrg. 1902. 52 Nrn. (Nr. 19. 8) 4⁰ Berl. (Auguststr. 49a), Verl. jüd. Rundschau. Viertelj. 5 —
Fortsetzg s. u. d. T.:
— jüd. Organ d. zionist. Vereinigg f. Deutschl. Red.: H Loewe. 8. u. 9. Jahrg. 1903 u. 4 je 52 Nrn. (1903. Nr. 1—19. 184) 4⁰ Ebd. Viertelj. 1 — || 10. Jahrg. 1905. 52 Nrn u. Lit.-Bl. 26 Nrn.
Viertelj. 1.50 d
— auf d. Geb. d. Jugend-, Volks- u. Geschenk-Litt. f. kathol. Eltern, Lehrer u. Erzieher. Red.: J Dziony. 8—12. Jahrg. 1901—5 je 4 Nrn. (Nr. 34. 8) 8⁰ Bresl., F Goerlich.
Jährlich — 40 d
— justizdienstl. Organ z. Vertretg d. Fach- u. Standesinteressen deut. Justizbeamten. Schriftleitg: F Koppmann, A Wansch, F Auer. 3. Jahrg. 2. Halbj. Juli—Dezbr 1904.12 Nrn. (288) 8⁰ Münch., C Haushalter. Viertelj. 2.30 d
— dass. Hrsg. v. W Dennler, A Wansch, M Kahn. 4. Jahrg. 1905. 24 Nrn. (Nr. 1. 16) 8⁰ Ebd. Viertelj. 2.30; einz. Nrn — 40 d
Erschien bis Ende Juni 1904 u. d. T.: Zeitschrift f. d. Gerichtssekretariat.
— keram. Illustr. Fachzeitschrift d. Porzellan-, Glas- u. Thonwaaren-Industrie. Red.: G Besser. 9. Jahrg. 1901. 52 Nrn. (Nr. 1. 20) 4⁰ Cobg. Berl., Verl.-Gesellsch. Corania.
Viertelj. 2.50 d
— dass. Red.: FC Höna u., 1905, CJ Iversen. 10—13.Jahrg.1902—5 je 52 Nrn. (Nr. 1. 20) 4⁰ Berl., Verl.-Gesellsch. Corania.
Viertelj. 2.50
— Wiener klin. Organ f. d. ges. prakt. Heilkde, sowie f. d. Interessen d. ärztl. Standes, red. v. F Obermayer u. C Knun. 15—18. Jahrg. 1901—4 je 52 Nrn. (Nr. 1. 20) 4⁰ Wien, (Zitter).
Viertelj. 5 —; einz. Nrn — 50
— dass. Mit Beibl.: Pharmakolog. u. therapeut. Rundschau. 19. Jahrg. 1905. 52 Nrn. (Nr. 1. 20) 4⁰ Ebd. Viertelj. 5 —
— konsumgenossenschaftl. Organ d. Zentralverbandes u. d. Grosseinkaufs-Gesellschaft deut. Konsumver. Hamburg. Red.: H Kaufmann, 1. u. 2. Jahrg. 1904 u. 5. Bd. je 52 Nrn. (1. J. 1412) 4⁰ Hambg, Verl.-Anst. d. Zentralverbandes deut. Konsumvereine. Viertelj. 1.50 d

Rundschau, Leipz., vormals deut. Hochschulzeitg. Krit. Wochenschrift f. alle öffentl. Interessen. Red.: A Pleissner. 7. Jahrg. 1902. 53 Nrn. (Nr. 1. 12) 4⁰ Lpzg. Frankf. a/M., KR Vogelsberg. Je — 10 || 8. Jahrg. Verantwortlich: W Ruland. 1. Viertelj. Jan.—März 1903. 13 Nrn. (Nr. 1—5. 60) 1.50;
einz. Nrn. — 10 d Vergr.
Bisher u. d. T.: Hochschulzeitung, deut.
— dass. Unabhäng. krit. Wochenschrift f. alle öffentl. sächs. Interessen. Red.: F Arnhold. 8. Jahrg. 2—4. Viertelj. Apr.—Dezbr 1903. 39 Nrn. (Nr. 14. 12) 4⁰ Ebd. || 9.Jahrg. 1904. 7 Nrn. Viertelj. 1.50; einz. Nrn — 10 (Bis '03 d) 6 F Vergr.
— literar., f. d. ev. Deutschl. Beil. z. (Kirchl.) Monats-Korrespondenz", Hrsg. v. R Pfleiderer. 10—14. Jahrg. 1901—5 je 12 Nrn. (Nr. 1. 8 Sp.) 4⁰ Lpzg, (C Braun). Je 1 — d
— literar., f. d. kathol. Deutschl. Hrsg. v. G Hoberg u. 1905, J Sauer. 27—31. Jahrg. 1901—5 je 12 Nrn. (381, 400, 408, 392 u. 480 Sp.) 4⁰ Freibg i/B., Herder. Je 9 —; einz. Nrn — 80 (Bis '04 d)
— luther. Monatsbl. f. Wahrheit, Recht u. Freih. in d. luther. Gesamtkirche Deutschlds. Hrsg. v. W Quistorp. 1. Jahrg. Apr. 1904—März 1905. 12 Nrn. (208) 8⁰ Ankl. (Lpzg, E Bredt.) Halbj. 1 — || 2. Jahrg. Apr.—Dezbr 1905. 9 Hefte. 1.50 d
— medizin. Zentral-Organ f. alle dentschen Aerzte im In- u. Ausl. Red.: M Bejach u., seit 1903, H Jaeger (i.V.). Jahrg. 1901—5 je 26 Nrn. (Nr. 100. 12 m. Abb.) 4⁰ Berl., Berlinische Verl.-Anst. Viertelj. 2 —
— russ. medicin. Monatsschrift f. d. ges. russ. medicin. Wiss. u. Lit. Hrsg. u. red. v. S Lipliawsky u. S Weissbein. 1. Jahrg. 1902/1903. 12 Nrn. (1038 m. Abb.) 8⁰ Berl., A Haussmann. || 2. u. 3.Jahrg. 1904 u.5. (772 u. 768 m. Abb.) Je 12 —; einz. Nrn 1.50
— metallindustriele. Fachorgan f. Belenchtgs-, Blech-, Metall-, Maschinen-, Werkzeug-Industrie, sowie f. Installation u. Elektrotechnik. 11. Jahrg. 1902. 1—3. Viertelj. 39 Nrn. (Nr. 1—27. 632) 4⁰ Berl., Ebner & Ungerer. Viertelj. 1 —
|| 4. Viertelj. 13 Nrn. 2 —
— dass. Mit d. Beil.: Glas u. Porzellan. 12. Jahrg. 1903. 52 Nrn. (Nr. 1. 24 u. 8 in 8⁰) 4⁰ Ebd. Viertelj. 2 —; v. 1.VII.'03 ab m. Taf. viertelj. 3 — || 13. u. 14. Jahrg. 1904 u. 5 je 52 Nrn. Viertelj.
1 —; einz. Nrn. — 20
Die Ausg. m. Taf. erscheint seit 1.IV.'04 nicht mehr.
— neue metaphys. Monatsschrift f. philosoph., psycholog. u. okkulte Forschgn in Wiss., Kunst u. Relig. Hrsg. u. Red.: P Zillmann. (4—11. Bd.) Jahrg. 1901—4 je 12 Hefte. (1901. 1—5. Heft. 200 m. 4 Taf.) 8⁰ Gr.-Lichterf., P Zillmann. Je 12 —
|| 12. Bd. Jahrg. 1905. 6 Hefte. 6 —; einz. Hefte 1 —
— moderne. (Des Pegasus 2.Jahrg.) Hrsg. u. Red.: R Müller-Raabe. Schriftleitg: M Kirschstein. 1905. 24 Hefte. (1. Heft. 24) 8⁰ Berl., (H Schildberger). Viertelj. 1 —;
einz. Nrn — 20 d ⌀ F
Den 1. Jahrg. s. u. d. T.: Pegasus.
— musikal. Hrsg. R Kastner u. CA Koch. 1. Jahrg. Septbr—Dezbr 1905. 7 Nrn. (112 m. Bildnissen.) 8⁰ Münch., Verl. d. musikal. Rundschau. 1.50
— naturwiss. Wöchentl. Berichte üb. d. Fortschritte auf d. Ges.-Geb. d. Naturwiss. Hrsg. v. W Sklarek. 16—18. Jahrg. 1901—3 je 52 Nrn. (64, 672; 68, 672 u. 72, 684) 4⁰ Brnschw., F Vieweg & S. || 19. Jahrg. 1. Viertelj. Jan.—März 1904. 13 Nrn. (84, 672) 4⁰ Ebd. 1 — || 20. Jahrg. 2—4. Viertelj. Apr.—Dezbr 1904. 39 Nrn. (80, 672) u. 20. Jahrg. 1905. 52 Nrn. (80, 672) Viertelj. 5 —
— naut. Oesterr. Zeitschrift f. See- u. Binnenschiffahrt. Hrsg.: C Friedmann. Red.: I Fleischer. 1—12. Jahrg. 1901—4 je 24 Nrn. (1902. Nr. 1—6. 48) Fol. Wien (IX, Liechtensteinerstr. 33—94), Administr. Je 16 —; viertelj. 5 —
— d. neue, Red. C Zetzsche u., 1905, 10—16. Jahrg. d. freien Bühne, 1904 u. 5 je 12 Hefte. ('05. 1536) 8⁰ Berl., S Fischer. Viertelj. 6 —;
einz. Hefte 2.50 d
Bisher u. d. T.: Rundschau, neue deut.
— ostasiat. I. Jahrg. 5—6. Heft. 8⁰ Shanghai, Deut. Druckerei u. Verl.-Anst. Je — 75 d ⌀ F
Bach, RA: Chines. Federzeichngn. (40) (01.) [1,4.]
Betz, H: Ein Ausflug u. d. Yangtze-Grotten. (17) (01.) [1,4.]
Bismarck, H: Die Belagerg v. Peking. Ausz. a. d. Tageb.(26) (01.) [1,4.]
Eibbecke, C: Mit d. Dampfer tdb. d. Yangtze-Schnellen. Nebst Mittheilgn d. Kapit. Breitag. (15) (01.) [1,3.]
— österr. Hrsg. v. A Frbrn v. Berger u. K Glossy. Red.: H Haberfeld. 1. u. 2. Jahrg. 1—8. Bd. Novbr 1905—Oktbr 1906 je 52 Hefte. (1—7. Bd. 798, 652, 610, 604, 590, 589 u. 556) 8⁰ Wien, C Konegen. Viertelj. 6 —; einz. Hefte — 60 d
— pädagog. Zeitschrift f. Schulpraxis u. Lehrerfortbildg. Begründet v. A Näckler, Hrsg. v. F Mandl u., seit 1904, H Jessen. 15—19. Jahrg. 1901—5 je 12 Hefte. (1. Heft. 48) 8⁰ Wien, (R Lechner & S.). Halbj. 3 — d
— pharmazeut. Wochenschrift f. d. Interessen d. Pharmazie, Chemie, Hygiene u. d. verwandten Fächer. Hrsg. u. geleitet v. AL Brestowski. 27. u. 28. Jahrg. 1901 u. 2 je 52 Nrn. (1901. Nr. 1. 16) 8⁰ Wien (VII/2, Mariahilferstr. 62), Verwaltg d. pharmazeut. Rundschau. Je 14 — || 29. u. 30. Jahrg. 1903. 12 —
|| 30. u. 31. Jahrg. 1904 u. 5. Je 14 —
— neue philolog. Hrsg. v. C Wagener u. E Ludwig. Red.: E Ludwig. Jahrg. 1901—5 je 26 Nrn. (Je 624) 8⁰ Gotha, FA Perthes. Je 8 —
— photograph. Hrsg. u. geleitet v. R Neuhauss f. d. wiss. u. techn. Tl, E Juhl f. d. künstler. Tl. 15. u. 16. Jahrg. 1901 u. 2 je 12 Hefte. (260 u. 352 m. Abb. u. Taf.) 8⁰ Halle, W Knapp. Viertelj. 3 —
— dass. u. photograph. Centralblatt. Hrsg. u. geleitet v. R

Neuhaus f. d. wiss. u. techn. Tl, F Matthies-Masuren f. d. künstler. Tl. 17—19. Jahrg. 1903—5 je 24 Hefte. (17. J. 330 m. 64 Beil.) 8° Halle, W Knapp.   Viertelj. 3 —
— *Das Photogr. „Zentralblatt" wurde hiermit vereinigt*
Rundschau, postal. Zeitschrift f. d. geist. Interessen d. Post- u. Telegr.-Beamten. Red.: HJ Dieckmann. 1. Jahrg. Oktbr 1902—Dezbr 1903. 30 Nrn. (Nr. 1. 20 m. Abb.) 4° Berl., C Heymann. (‖ 2. u. 3. Jahrg. 1904 u. 5 je 24 Nrn. Viertelj. 2 —; einz. Nrn — 40
— **rhein.** 1. u. 2. Heft. 8° Cöln, Westdeut. Schriftenver. — 55 d
Fearing-Vonderuln: Betrachtgn üb. d. alttestamentl.Relig.-Gesch. Israels. (22) 04. [2.]   — 30
Rosenkranz, A.: Relig. Leben d. deut. Landbevölkerg im Jahrb. vor d. Reformation. (15) (04.) [1.]   — 25
— **schweiz.** Red.: A Güsler, (L Suter,) K Müller, H v. Matt. 2—6. Jahrg. 1901/6 je 6 Hefte. (2—5. J. 500, 524, 504 u. 516) 8° Stans, H v. Matt & Co.   Je 4 — d
— **sociale.** Hrsg. v. k. k. arbeitsstatist. Amte im k. k. Handelsministerium. 2—6. Jahrg. 1901—5 je 12 Nrn. (1901. Nr. 1. 128 u. gewerbegerichtl. Entscheidgn 30, 16) 8° Wien, (A Hölder).   Je 5 —; einz. Nrn — 50
— **socialpolit.** Hrsg. v. Verlagsinstit. f. Sozialwiss. Dr. E Schnapper. Als Mskr. f. Redaktionen gedruckt. 1. Jahrg. Mai-Dezbr 1901. (Nr. 1. 6 Bl.) 4° Frankf. a/M., Dr. E Schnapper. Nicht im Handel, Preis n. Übereinkunft. ‖ 2. Jahrg. 1902.   26 Nrn. 5 — ö H
— **spiritist.** Monatsschrift f. Spiritismus u. verwandte Gebiete. Leiter: W Kuhaupt u., v. 10. Jahrg. an, J Groll. 9. u. 10. Jahrg. Oktbr 1901—Septbr 1903 je 12 Nrn. (Nr. 1 u. 2. 48 m. 2 Bildnissen.) 8° Berl., (K Siegismund). Halbj. 2 — ö ö F
— **spiritist.** Organ d. deut. Spiritualistenbundes. Red.: FA Schuricht u., 2. Jahrg., A Donat. 1. u. 2. Jahrg. Oktbr 1904—Septbr 1906 je 12 Nrn. (Nr. 1. 32) 8° Chemn. (Lpzg, F Schneider.)   Je 5 —; einz. Nrn — 50
— **stenograph.** (System Gabelsberger.) Hrsg. u. geleitet v. M Richter. Mit stenograph. Beil. 1. Jahrg. 1903. 12 Nrn. (Nr. 1. 8) 8° Lpzg-Neustadt (Eisenbahnstr. 45IV), P Baumgürtel.   nn 3.60 ö F
— **süd-amerikan.** Illustr. Monatsschrift z. Vertretg d. deut. Interessen in Central- u. Süd-Amerika. Begründet v. H Kunz. Red.: E Wichtendahl u., v. 10. Jahrg. an, G Flachsbart. 9—13. Jahrg. Apr. 1901—März 1906 je 12 Nrn. (11. Jahrg. 170) 4° Berl. (Hambg, FW Thaden.)   5.60 ö H
— **südwestdeut.** Halbmonatsschrift f. deut. Art u. Kunst. Hrsg.: W Levy. Schriftleitg: A u. C Philips. Red.: L Brehm u. E Fischer. 1. u. 2. Jahrg. 1901 u. 2 je 24 Nrn. (1. J. 822) 8° Frankf. a/M., Süddeut. Verl. (?) Viertelj. 1.20; einz. Nrn — 25 ö ö F
Erschien 1901 u. Tl in Soden a/T. — Ging an Calebow & Co. in Dresden über, auch erloschen.
— **deut. techn.** Chefred.: A v. Prollius. 9. Jahrg. 1.—3. Viertelj. Jan.—Septbr 1904. 9 Nrn. 4° Berl., Berliner Druckerei- u. Verl.-Gesellsch. Viertelj. 1.50 ‖ 4. Viertelj. Oktbr—Dezbr 1904. 6 Nrn. (300 m. Abb.) ‖ 10. Jahrg. 1905. 24 Nrn. Viertelj. 2.50;   einz. Nrn — 60
— **theolog.**, hrsg. v. W Bousset u. W Heitmüller. 4—8. Jahrg. 1901—5 je 12 Hefte. (532, 522, 527, 540 u. 554) 8° Tüb., JCB Mohr.   Je 6 —; einz. Hefte — 80
— **tierärztl.** Tierärztl. Zentral-Anzeiger. Red.: Schaefer. 9—11. Jahrg. 1903—5 je 36 Nrn. (Nr. 1. 8) 4° Friedenau-Berl. (Rheinstr. 21), Kreisveterinärarzt a. D. Dr. Schaefer. Je 6 —
Bisher u. d. T.: Z(C)entral-Anzeiger, tierärztl.
— **ungar.** Familienmonatsschrift f. Belletristik, Kunst, Lit., Wiss. u. soz. Interessen. Chefred. u. Hrsg.: JE Kun. Verantwortlich: Omikron. 1. Jahrg. Aug.1904—Juli 1905. 12 Nrn. (Nr. 1. 16) 8° Budap. (VII, Kiszaly utcza 41), Verl. d. Rundschau.   7 —
— **Wiener.** Hrsg. v. F Rappaport. Red.: A Lindner. 5. Jahrg. Jan.—Septbr 1901. 18 Nrn. (362 m. Taf.) 4° Wien. (Lpzg, W Opetz.)   Viertelj. 3 —; einz. Nrn — 60 ö F
— **zahnärztl.** Zentralbl. f. Zahnheilkde u. Zahntechnik. Red.: A Werkenthin. 10—14. Jahrg. 1901—5 je 52 Nrn. (Nr. 460. 24) 4° Berl., Berlinische Verl.-Anst. Viertelj. 2 —; einz. Nrn — 30
— **zahntechn.** Zentral-Organ f. d. berufl. Interessen d. ges. Zahnkünstlerstandes. Red.: GH Pawelz. 10—14. Jahrg. 1901—5 je 52 Nrn. (Nr.459. 22) 4° Ebd. Viertelj. 2 —; einz. Nrn — 40
— **Führer u. Karte** v. Salzburg u. Umgebg. Fabrd. d. Salzburger Eisenb.- u. Tramway-Gesellsch. (1 Bl. m. Text auf d. Rücks.). Farbdr. 47×47 cm. Salzbg, Mayr (04).   — 60
Rundschaukarte v. Europa. 1:1,500,000. [S.-A.] 29×29 cm. Farbdr. Gotha, J Perthes (04).   — 30; auf L. — 60
Rundschreiben, erlassen v. uns. heil. Vater Leo XIII., durch göttl. Vorsehg Papst. 3., 3., 5. u. 6. Sammlg. (Deutsch u. lateinisch.) 8° Freibg i/B., Herder.   9.10 (Viertel: 14.10) d
2. 1881—95. (Neue Afl.) (01.) ? — ‖ 3. (Neue Afl.) (230) (01.) ‖ 10 ‖ 5. (965) 01. 3 — ‖ 6. Mit Namen- u. Sachreg. zu allen 6 Sammlgn. (134) (04.) ? —; Reg. allein (27) — 60.
— dass. v. 28.V.'02 üb. d. allerheil. Altarssakrament. (Deutsch u. lateinisch.) (41) 8° Ebd. 03.   — 50 d
— dass. v. 15.V.1891 üb. d. Arbeiterfrage. (Deutsch u. lateinisch.) (3. Abdr.) (85) 8° Ebd. (02).   — 60 d
— dass. v. 18.I.'01 üb. d. christl. Demokratie. (Deutsch u. lateinisch.) (33) 8° Ebd. 01.   — 30 d
— dass. v. 20.VI.1888 üb. d. menschl. Freiheit. (Deutsch u. lateinisch.) (3. Abdr.) (61) 8° Freibg i/B., Herder (03).   — 60 d

Rundschreiben, erlassen am 10.I.1890 v. uns. heil. Vater Leo XIII., üb. d. wichtigsten Pflichten christl. Bürger. (Lateinisch u. deutsch.) (Neue Afl.) (55) 8° Freibg i/B., Herder (03).   — 80 d
— dass. v. 19.III.'02 beim Eintritt in d. 25. Jahr s. Pontifikates. (Deutsch u. lateinisch.) (51) 8° Ebd. 02.   — 60 d
— dass. v. 18.XI.1893 üb. d. Studium d. hl. Schrift. (Deutsch u. lateinisch.) (2. Abdr.) (69) 8° Ebd. (03).   — 80 d
— dass. v. 1.XI.1885 üb. d. christl. Staatsordng. (Lateinisch u. deutsch.) (Neuer Abdr.) (57) 8° Ebd. (03).   — 60 d
— Pius X. bei s. Regierungsantritte. Erlassen IV.X.'03. (Lateinisch u. Deutsch.) (28 m. 1 Bildnis.) 8° Luz., (Räber & Co.) 03.   — 50
— dass. Autoris. deut. Ausg. (Latein. u. deut. Text.) Zum Begiergsantritt. (4.X.'03. „E supremi apostolatus cathedra".) (27) 8° Freibg i/B., Herder 04.   — 40 d
— dass. (Latein. u. deut. Text.) — Üb. d. Jubelfeier d. Verkündigg d. Glaubenssatzes d. unbefl. Empfängnis Mariä. (37) 8° Ebd. 04.   — 40 d
— dass. üb. d. Jubiläum v. J. 1904, übers. v. H Kihn. (18) 8° Würzbg, Göbel & Sch. 04.   — 20 d
— dass. (Latein. u. deut. Text.) Zum 1300jähr. Jubiläum d. Heimgangs Papst Gregors d. Gr. (19.III.'04: „Iucunda sane".) (45) 8° Freibg i/B., Herder 04.   — 70 d
— dass. Üb. d. relig. Volksunterr. (15.IV.'05: „Acerbo nimis".) (29) 8° Ebd. 05.   — 50 d
Rundschrift. Hrsg. v. d. Lehrern d. kgl. verein. Maschinenbausch. in Dortmund. (8) 4° Dortm., (Kuhfus' S.) (01).   — 20
— in einfachen Formen. (1 Vorlagebl.) 8° Tarnow., A Kothe (05).   — 15; 2 Übgshefte dazu. (Je 32) Je nn — 25
Rundstein, S: Das Recht d. Kartelle, s.: Beiträge, Berliner jurist.
— Die Tarifverträge im franzöz. Privatrecht. (121) 8° Lpzg, CL Hirschfeld 05.   3.40
Runeberg, JL: König Fjalar. Dichtg in 5 Gesängen. In d. Versmassen d. Originals a. d. Schwed. übertr. v. R Runziker. (110) 8° Zür., Schulthess & Co. 05.   3 —
— Fähnrich Ståls Erzählgn. Deutsch v. F Tilgmann. (218) 4° Lpzg, JC Hinrichs' V. 03.   L. 6 — d
— dass., s.: Universal-Bibliothek.
Runge, C: Praxis d. Gleichgn. — Theorie u. Praxis d. Reihen, s.: Sammlung Schubert.
— u. Zeitschrift f. Mathematik u. Physik.
— u. F **Paschen:** Üb. d. Strahlg d. Quecksilbers im magnet. Felde. [S.-A.] (18 m. Abb. u. 1 Taf.) 4° Berl., (G Reimer) 02.   Kart. 3 —
— — Üb. d. Zerlegg einander entsprech. Serienlinien im magnet. Felde. 1. u. 2. Mitteilg. [S.-A.] (7 u. 11) 8° Ebd. 02. Je — 50
— u. J **Precht:** Üb. d. magnet. Zerlegg d. Radiumlinien. [S.-A.] (9 m. Abb.) 8° Ebd. 04.   — 80
Runge, E: Mein 2. Leseb. Leseb. f. d. 2. Stufe. (349) 8° St. Petersbg, Eggers & Co. 1900.   2 — d
Runge, H: Engl. Gespräche (Engl. dialogues) od. engl. Konversations-Schule. (Methode Gaspey-Otto-Sauer.) 2. Afl. (168) 8° Hdlbg, J Groos 04.   Geb. 1.80 d
— Francés. Gespräche. — Gramática elemental de la lengua alemana, s.: Otto, E.
— Engl. Konversations-Grammatik, s.: Gaspey, T.
— Französ. Konversations-Grammatik, s.: Otto, E.
— Engl. Konversations-Leseb., s.: Gaspey, T.
— Lecciones castellanas, s.: Teubner's kl. Sprachbb.
— Lehr- u. Leseb. d. engl. Sprache, s.: Köcher, K.
— Französ. Leseb.- u. Konversations-Ubgn f. Mädchensch., s.: Otto, E.
— The German reader. — Kleine engl. Sprachlehre. — Kleine französ. Sprachlehre, s.: Otto, E.
— Kl. span. Sprachlehre, s.: Sauer, CM.
— Neues deutsch-span. u. spanisch-deut. Taschen-Wrtrb. Mit e. kurzgef. Grammatik f. Reise u. Schule. (Colección Feller.) 2 Tle. 16° Lpzg, BG Teubner (03).   Je 1.50
1. Spanisch-deutsch. (44), (04.) ‖ 2. Deutsch-spanisch. (306)
Runge, M: Der Krebs d. Gebärmutter. Nach e. Vortr. (23 S. u. 4 Bl.) 8° Berl., J Springer 05.   — 60 d
— Lehrb. d. Geburtshülfe. 6. Afl. (594 m. Abb.) 8° Ebd. 01. ‖ 7. Afl. (608 m. Abb.) 05.   Je 10 —
— Lehrb. d. Gynäkol. (468 m. Abb.) 8° Ebd. 01. ‖ 2. Afl. (483 m. Abb.) 03.   Je 12 —
— Das Weib in art geschlechtl. Eigenart. Nach e. Vortr. 5. Afl. (39) 8° Ebd. 04.   1 —
Runkel, F: Cüstrin. Roman. (359 m. Titelbild.) 8° Berl., A Schall (04).   4 —; L. 5 — d
— Prinz Johann. Detektiv-Roman. (184) 8° Berl., H Steinitz (05).   2 — d
— Die 9 Kompagnie, s.: Armee- u. Marine-Bibliothek.
Runkel, H: Gaschen, s.: J v. Kirchengesch. f. d. Unterr. an Lehrerbildgsanst. 2 Tle. 8° Lpzg, Dürr'sche Bh. 5.40; geb. 6.40 d
I. Für Präparandenanst. (207) 04. 2.40; geb. 2.90 ‖ II. Für Lehrerseminare. (291) 05. 3 —; geb. 3.60.
— Realienb., s.: Lettau, H.
Runkwitz, K: Fibel. Begleitwort, neubearb. v. R Jungandreas. (12) 8° Altnbg, (O Bonde) 01.   — 10
— Kinderschatz f. Schule u. Haus. neubearb. v. R Jungandreas. 1. Stufe. 1. Schulj. 44. Afl. (87 m. z. Tl farb. Abb.) 8° Ebd. 03.   nn — 50; geb. nn — 70 d

Runkwitz, K: Kinderschatz f. Schule u. Haus. Neubearb v. R Jungandreas. Ausg. A. Für d. einf. Volkssch. (In 3 Stufen.)
II. u. III. Stufe. 8° Altnbg, O Bonde.　2.50; geb. nn 3.35 d
II. 2—4, Schulj. 34. Afl. (257) 01.　　　　　1.10; geb. nn 1.35
III. 5—8. Schulj. 20. Afl. (576) 03.　　　　1.50; geb. nn 2 —
— dass. Ausg. f. Reuss j. L. II. u. III. Stufe. 8° Ebd.　2.50;
geb. nn 3.35 d
II. Für Mittelkl. 3. Afl. (255) 03. .　　　　1.10; geb. nn 1.35
III. 5—8. Schulj. 6. Afl. (615) 03.　　　　1.50; geb. nn 2 —
— dass. Ausg. B. Für d. mehrklass. Volkssch. (In 5 Stufen.)
II—IV. Stufe. 8° Ebd.　　　　　　　2.50; geb. nn 3.35 d
II. 2. Schulj. 6. Afl. (92) 03.　　　　　　— 50; geb. nn — 70
III. 3. u. 4. Schulj. 5. Afl. (211) 03.　　　　— 90; geb. nn 1.15
IV. 5. u 6. Schulj. 5. Afl. (550) 03.　　　　1.30; geb. nn 1.50
— dass. Ausg. f. d. Fürstent. Reuss j. L. II—IV. Stufe. 8° Ebd.
2.50; geb. nn 3.35 d
II. 2. Schulj. 5. Afl. (92) 03.　　　　　　— 50; geb. nn — 70
III. 3. u. 4. Schulj. 2. Afl. (209) 03.　　　　— 90; geb. nn 1.15
IV. 5. u. 6. Schulj. (346) 03.　　　　　　1.30; geb. nn 1.50
Runtemund, AA: Arme Leute. Dorfgeschichten. (99) 8° Berl. (SW. 11, Luckenwalderstr. 15), E Hahn (04). 2 —; geb. 3 —
Runze, FW (M Nicolaus): Elternabende f. Stadt- u. Landsch. Vorträge. 2. Heft. (72) 8° Langens., Schulbh. 02.　　— 75
(1 u. 2.: 1.35)
— Zur Fahnenweihe.Festprologe,Reden,Ansprachen u. Sprüche.
2 Bde. (73 u. 76) 8° Erf., F Bartholomäus (04).　　Je 1 — d
— Der Festredner im Gesang-Ver., s.: Buch d. Reden.
— Gedankenschatz d. Redners. Sammlg v. Citaten z. Verwendg f. d. verschied. Reden. 2 Bde. (112 u. 118) 8° Erf., F Bartholomäus (08).　　　　　　　　Je 1.50 d
— Mit Gott, f. Kaiser u. Reich! Sammlg v. Reden u. Toasten an patriot. Fest- u. Gedenktage d. Krieger- u. Militärver. (133) 8° Mühlh. i/Th., G Danner (01).　　　　　1.50 d
— Reden bei festl. Gelegenh. I., III. u. IV. Heft. 8° Langens., Schulbh.　　　　　　　　　　　　4.85 d
I. 5. Afl. (137) 03. — 90 | III. 3. Afl. (218) 04. 1.75. | IV. 2. Afl. (179) 06.
— Reden f. Radfahrer-Ver., in Sport- u. Spielkreisen, s.: Buch d. Reden.
— Der schlagfert.Redner beim ‚Hoch auf d.Damen'. (128) 8° Lpzg (1900). Erf., F Bartholomäus.　　　　　　— 60 d
— Mein Freund Wolf, s.: Verein z. Verbreitg guter Schriften, Zürich.
Runze, G: Für od. wider d. Gesundbeten? (17)8°Berl., C Dunckar 02.　　　　　　　　　　　　　— 50
— Katech. d. Relig.-Philosophie. — Metaphysik, s.: Weber's illustr. Katech.
Runze, M: Handbüchl. d. ev. Relig.-Lehre f. Kirche, Schule u. Haus. (21) 8° Berl., R Skrzeczek) (03).　　— 20 d
— Hellmuth v. Ziemietzky, kgl. preuss. General d. Infant. (36 m. 1 Bildnis.) 8° Berl., ES Mittler & S. 04.　　— 75 d
Runze, M: Goethe u. Loewe. Studie (als Einl. zu Bd XI u. XII v. C Loewes Werken, Gesamtausg. d. Balladen, Legenden, Lieder u. Gesänge). (21) 8° Lpzg, Breitkopf & H. 01.　— 50
— Die musikal. Legende. (Zugl. als Einweisg in Bd XIII u. XIV [Legenden] v. ‚C Loewes Werken, Gesamtausg. d. Balladen, Legenden, Lieder u. Gesänge".) (14) 8° Ebd. 02. — 50
— Carl Loewe, s.: Universal-Bibliothek.
Rupa, M: Das 2. Gesicht in d. Karten. Eine neue Methode d. Wahrsagens a. d. Karten. 2. Afl. (55 m. 1 Fig.) 8° Lpzg, E Fiedler (03).　　　　　　　　　　1.20 d
Ruperti-Kalender. Jahrb. f. christl. Familien f. 1906. (112 m. Abb. u. Titelbild.) 8° Salzbg, A Pustet.　　　— 45 d
Ruperto, CE: Gewissensnot. Röm. Roman. (248) 8° Strassbg, C Bongard (05).　　　　　　　　　　2 — d
Rupertus a S. Norberto: Die Heiligg d. Tages, s.: Kieweg, A.
Rupnow, A: Deut. Sprachb., s.: Pretzel, OLA.
Rupp, E: Soll u. Haben in Deutsch-Südwest-Afrika. (69) 8° Berl., D Reimer 04.　　　　　　　　　1 —
Rupp, J: Kant's Stellg z. Reform d. Christentums. Ergänzg d.1857 geh.Festvortrags üb. ‚Immanuel Kant". (23) 8° Königsbg, (W Koch) 04.　　　　　　　　　　—50 d
Rupp, P: Zur Kenntnis d. aromat. Aldehyde. (35) 8° Freibg i/B., Speyer & K. 01.　　　　　　　　　1 —
Ruppanner, A: Das Neue Test. uns. Herrn u. Heilandes Jesu Christi. Mit Erklärgn u. Nutzanwendgn. Rev. Luthertext. 2—22. Heft. (49—1069 m. Abb. u. Kart.) 8° Teufen (1900-02). (Bonn, J Schergens.)　　　　　　10.75 (Vollst.: 11.25) d
Ruppel, WG, s.: Tuberkulose.
Rüppell: Vergl. d. Grundsätze f. d. takt. Verwendg d. deut. u. französ. Feldartill., s.: Zeitfragen, militär.
Ruppersberg, A: Gesch. d. ehemal. Grafsch. Saarbrücken. Nach F u. A Köllner neubearb. u. erweitert. 3 Tle. 8° Saarbr., (C Schmidtke).　　　　　　　　nn 10 —; Einbde in L. je nn 1 — d
1. Von d. ält. Zeit bis z. Einführg d. Reformation. (390 m. Abb. u. 1 Lichtdr.) 1900.　　　　　　　　nn 3 —
2. Von d. Einführg d. Reformation bis z. Vereinigg m. Preussen 1574—1615. (410 m. Abb. u. 2 Kart.) 01.　　　nn 3 —
3. Gesch. d. Städte Saarbrücken, St. Johann u. Malstatt-Burbach. (502 m. Abb., 2 Ansichten u. 4 Pl.) 03.　　nn 3 —
— SaarbrückerKriegs-Chronik.Ereignissein u. beiSaarbrücken u. St. Johann, sowie am Spicherer Berge 1870. 2. Afl. (277 m. Abb.) 8° Lpzg, PE Lindner 02.　　　Geb. 5 — d
Ruppert, H: Gramática elemental de la lengua alemana, s.: Otto, E.
— Nueva gramática alemana. (Método Gaspey-Otto-Sauer.)

2. ed. (459 m. 2 Schrifttaf., 1 Karte u. 1 Pl.) 8° Hdlbg, J Groos 02.　　　　　　　Geb. 4 —; clave. (111) Kart. 1.60
Ruppert, K: Plan v. Marienbad u. sr nächsten Umgebg. 1 : 10,000. 54×34 cm. Farbdr. Nebst Text. (17) 8° Marienb., F Gschibay (05).　　　　　　　　　　　1 —
Ruppin, A: Darwinismus u. Sozialwiss., s.: Natur u. Staat.
— Die Juden d. Gegenwart. (296) 8° Berl., S Calvary & Co. 04.　　　　　　　　　4.80; geb. 5.50
— s.: Zeitschrift f. Demogr. u. Statistik d. Juden.
Ruppin, E: Üb. d. Oxydierbark. d. Meerwassers durch Kaliumpermanagat, s.: Publications de circonstance du conseil permanent internat. pour l'exploration de la mer.
Ruppius, O: Buschlerche. — Geld u. Geist. — Der Hausierer, s.: Roman-Perlen.
— Der Pedlar. (235) 8° Lpzg, G Fock V, (05).　　L. 2.50 d
— Das Vermächtnis d. Pedlars. (256) 8° Ebd. 05.　L. 2.50 d
— dass., s.: Meyer's Volksbb.
— 2 Welten, s.: Erzählungen, klass., d. Weltlitt.
Rupprecht Prinz v. Bayern: Reise-Erinnerga a. Ost-Asien. (441 m. Abb.) 8° Münch., CH Beck 06. L. 12 —; HF, nn 15 —
Rupprecht, E: Das Christentum v. A Harnack n. dessen 16 Vorlesgn. Eine Untersuchg u. e. Erfabrgszeugnis an d. Kirche d. Gegenwart aller Konfessionen. (278) 8° Gütersl., C Bertelsmann 01.　　　　　　4 —; geb. 4.80 d
— s.: Volksbibel, erklärte deut.
Rupprecht, P: Die Krankenpflege im Frieden u. im Kriege. 5. Afl. (464 m. Abb.) 8° Lpzg, FCW Vogel 05.　L. 5 —
Rupprecht, W: Die neue Naturheilmethode. Ratgeber z. naturgemässen Behandlg d. Krankh., nebst Mitteilgn üb. d. Priessnitzsche u. Kneippsche Heimethode u. d. Luft-, Licht- u. Sonnenbäder usw. (210) 8° Berl., S Mode (05).　2.25 d
Rupricht: Geschlechtsleben in d. Ehe. (78) 8° Langens., Verl. Gesunden Leben (05).　　　　　　1 — d
— Nieren- u. Blasenleiden, ihre Ursache u. Heilg. Nebst Beseitigg d. Unterleibskrankh. n. d. Methode Priessnitz-Gräfenberg. (43) 8° Ebd. (05).　　　　　　— 60 d
— Wurmkrankh., Wassersucht, Hämorrhoiden, Krampfadern, Aderknoten u. Geschwüre. (170 m. Abb.) 8° Ebd. (05).　2.25 d
Rupprecht, Knecht, u. and. Legenden u. Märchen in kurzer Darstellg, s.: Jugendbände, Münch.
Rupprecht, E: Der gute Hirte. Lieder u. Gedichte zu Jesu Preis. I. (16) 12° Strieg., R Urban 02.　　　　— 15 d
Rupprecht, E, u. R Stübiger: Geschäftsaufsätze u. allg. Gewerbevorschriften, s.: Lehrtexte f. d. österr. gewerbl. Fortbildgssch.
Rupprecht, JG: Jahresgeschichten d. Stiftes u. Klosters Waldsassen. Nach d. Orig.-Handschrift veröffentlicht v. F Binback. (39) 8° Rgnsbg, J Habbel (03).　　　　— 40 d
Rupprecht, E: Die Fabrikation v. Albumin u. Eierkonserven. 2. Afl. (156 m. Abb.) 8° Wien, A Hartleben 04. 2.25; geb. 3.05 d
Rupprecht, M: Üb. Starkstromanlagen u. electromedicin. Anschlussapparate u. bes. Berücks. neuer Gleichstromumformer f. Galvanokaustik. (190 m. Fig.) 8° Berl., Vogel & Kr. 04.　　　　　　　　　　　1 —
Rusch, F: Register, s.: Jahrbücher f. mecklenburg. Gesch.
Rusch, G: Geograph. Grundbegriffe, s.: Mayer, J J.
— Grundr. d. Geogr. Nach Massgabe d. Lehrpl. f. allg. Volkssch. bearb. 4. Afl. (120 u. 16 m. Abb. u. 27 Kartenskizzen.) 8° Pichler's Wwe & S. 05.　　　　　Geb. 1 — d
— dass., s.: Realienbuch.
— Grundr. d. Gesch. Für österr. allg. Volkssch. bearb. 3. Afl. (106 m. Abb.) 8° Wien, A Pichler's Wwe & S. 04. Geb. 1.20 d
— dass., s.: Realienbuch.
— Lehrb. d. Erdkde f. österr. Mädchenlyzeen. 3 Tle. (Mit Abb.) 8° Wien, A Pichler's Wwe & S.　　　　Geb. 6.40 d
1. Für d. 1. Kl. (04) 02. 1.20 | 2. Für d. 2. Kl. (126) 02. 2 — | 3. Für d. 3. Kl. (153) 03. 3.30.
— Lehrb. d. Geogr. f. österr. Lehrer- u. Lehrerinnenbildgsanst. 3 Tle. (Mit Abb.) 8° Ebd.　　　　Geb. 8 — d
1. Für d. I. u. II. Jahrg. Mit n. einzeln. Abschn. üb. d. Himmelskde v. A Wollensaek. 1—3. Afl. (318) 01-05.　　　　Geb. 3.50
II. Für d. III. Jahrg. Die österr.-ungar. Monarchie. 1. u. 2. Afl. (197) 02-05.　　　　　　　　　2.50
III. Für d. IV. Jahrg. Mit d. einzelt. Abschn. üb. d. astronom. Geogr. v. A Wollensaek. (143) 04.
— Kurzes Lehrb. d. Geogr. Für österr. Bürgersch. bearb. Ausg, in 1 Bde. 4. Afl. (156 u. 16 m. Abb. u. 27 Kartenskizzen.) 8° Ebd. 05.　　　　　　　　　　Geb. 1.50 d
— Lehrb. d. Gesch. f. österr. Mädchenlyzeen. 1. u. H. Tl. 8° Wien, A Hölder.　　　　　　　Geb. 3.56 d
1. Für d. 3. Kl. (139) 02. 1.56 | II. Für d. 3. Kl. (179) 04. 2 —
— Leitf. f. d. Unterr. in d. Geogr. Für österr. Bürgersch. 1—3. Thl. (Mit Abb.) 8° Wien, A Pichler's Wwe & S.　Geb. 3.80 d
1. Für d. 1. Kl. 41. Afl. (46) 05. 1.10 | 2. Für d. 2. Kl. (96) 05. 1.30 | 3. Für d. 3. Kl. 6. Afl. (114) 02. 1.40 !
1.40 ; 3. nn 04. (213) 05. 1.70 | 3. Für d. 5. Kl. 6. Afl. (114) 02. 1.40 !
7. Afl. (114) 05. 1 —
— Methodik d. geograph. Unterr. — Methodik d. Unterr. in d. Gesch. d. spez. Methodik.
— s.: Zeitschrift f. Schul-Geogr.
— A Herdegen u. F Tiedel: Lehrb. d. Gesch. Für österr. Bürgersch. bearb. (280 m. Abb.) 8° Wien, A Pichler's Wwe & S. 05.　　　　　　　　　　Geb. 3.60 d
— u. A Wollensaek: Beobachtgn, Fragen u. Aufg. a. d. Geb. d. elementaren astronom. Geogr. 3. Afl. (58) 8° Wien, A Hölder 04.　　　　　　　　　　1.20 d
Rusch, M: Das gewerbl. Rechnen, s.: Klauser, AH.

Rüscher, A: Göttl. Notwendigk.-Weltanschaug, Teleol., me-
chan. Naturansicht u. Gottesidee, m. bes. Berücks. v. Haeckel,
Wundt, Lotze u. Fechner. (94) 8° Zür., A Müller's V. 02. 1.80 d
Ruscheweyh, E: Hdb. f. d. Musikunterr. (84) 8° Pforzh., O
Riecker (03). Kart. 1 — d
Ruschhaupt, G: Bau u. Leben d. Pflanzen. 3. Afl. (56 m. Fig.)
8° Helmst., F Richter 04. Geb. u. durchsch. 2.40 d
Ruschka, DA: Finanzer u. Pascher. Volksnovelle a. d. böhmisch-
bayer. Waldgebirge. (258) 8° Linz, Oberösterr. Buchdr.- u.
Verl.-Gesellsch. 03. 3 — ; L. 3.80 d
Ruseler, G: Gedichte. (166) 8° Varel, JW Acquistapace 1896.
2 —; geb. m. G. 3 — d
— Deut. Liederb., s.: Götze, G.
— Der Wunderborn. Niedersächsisch-fries. Balladen. (148) 8°
Brem., C Schünemann (05). 2 —; geb. 3 — d
Rusett, ED de: Der Weg d. Lebens. Uebers. v. M E. (22) 16°
Zür. (05), Frankf. a/M., Verl. Orient. nn — 10
Ruska, J: Die Wirbeltiere. Nach vergleichend-anatom. u. biolog.
Gesichtspunkten f. d. Gebr. d. Schule dargest. (58 m. Abb.)
8° Stuttg. 03. Lpzg, E Nägele. — 80
Ruskin, J: ausgew. Werke in vollständ. Übersetzg. 3—9., 11.,
12., 14. u. 15. Bd. 8° Jena, E Diederichs. 63.50; geb. 78.50
(1—9, 11, 12, 14 u. 15.: 72.50; geb. 84.50)
3. Der Kranz v. Olivenzweigen. 4 Vortr. üb. Industrie u. Krieg. Aus d.
Engl. v. A Henschke. (239) Lpzg 01. 3 —; geb. 4 —
4. Vorträge üb. Kunst. Aus d. Engl. v. W Schülermann. (240) Lpzg 03.
3 — ; geb. 4 —
5. Diesem Letzten. 4 Abhandlgn üb. d. 1. Grundsätze d. Volkswirtschaft.
Aus d. Engl. v. A v. Przychowski. (197) Lpzg 02. 2.50; geb. 3.50
6. Praeterita. 1. Bd. Was z. meiner Vergangenh. vielleicht d. Erinnerg
wert. Erlebtes u. Gedachtes im Umriss. Aus d. Engl. v. A Henschke.
(428 m. 2 Bildnissen.) Lpzg 03. 5 —; geb. 6 —
7. Dass. 2. Bd. (404 m. Bildnis.) 04. 5 —; geb. 6 —
8. Steine v. Venedig. 1. Bd. Aus d. Engl. v. H Jahn. (497 m. Abb. u.
Taf.) Lpzg 03. 10 —; geb. 11 —
9. Dass. II. Bd. Aus d. Engl. v. H Jahn. (441 m. Abb. u. Taf.) 04. 10 —;
geb. 11 —
11.12. Moderne Maler. 1. u. 2. Bd. Im Auszug übers. u. zusammengef. v.
C Brölcher. (312) Lpzg 02. 5 —; geb. 6 —
14. Dass. 4. Bd. Die Schönheit d. Berge. Aus d. Engl. v. W Schoelermann.
(461 m. Abb.) Lpzg 03. 5 —; geb. 6 —
15. Dass. 5. Bd. Die Schönheit d. Blattes. Üb. Wolkenschönheit. Üb. Be-
siebgsbegriffe. Aus d. Engl. v. W Schoelermann. (477 m. Abb.) Lpzg
04. 10 —; geb. 11 —
Bd 10 u. 13 sind noch nicht erschienen.
— Das Adlernest. 5 Vorlesgn üb. d. Beziehgn zw. Kunst u.
Wiss. Hrsg. v. S Sänger. (112) 8° Strassbg, JHE Heitz (01).
L. 2.50 d
— Grundl. d. Zeichnens. 3 Briefs an Anfänger. Aus d. Engl.
übers. u. m. e. Einl. versehen v. T Knorr. (40, 151 m. Abb.)
8° Ebd. (01). L. 3 — d
— Die Königin d. Luft. Studien üb. d. griech. Sturm- u. Wolken-
sage. Aus d. Engl. v. GP Wolff. (190) 8° Ebd. (01). L. 3 — d
— Menschen untereinander, s.: Worte u. Werke.
— 6 Morgen in Florenz. Einf. Studien christl. Kunst f. Reisende.
Aus d. Engl. v. A Wilmersdoerffer. (220) 8° Strassbg, JHE
Heitz (01). 2 — d
— Praeterita. Ansichten u. Gedanken a. meinem Leben, welche
d. Gedenkens vielleicht wert sind. Aus d. Engl. v. T Knorr.
(Einbdtitel: Praeterita. Selbstbiogr.) 2 Bde. (294 u. 320) 8°
Ebd. 03. L. je 4 — d
— Vorlesgn üb. Kunst, s.: Universal-Bibliothek.
— Wege z. Kunst. III u. IV. 8° Strassbg, JHE Heitz. L. 4.50
(I—IV.: 9 —) d
III. Vorlesgn üb. Kunst. Gedankenreiss a. d. Werken d. R. Aus d. Engl.
übers. u. zusammengest. v. J Feis. Hrsg. v. S Sänger. (87) (01.) 3 —
IV. Arata Pentelici. Vorlesgn üb. d. Grundl. d. bild. Kunst. Aus d. Engl.
v. T Knorr. (200 m. 3 Taf.) (02.) 2.50
Russ, E: Hdb. f. Vogelliebhaber, -Züchter u. -Händler. 2 Bde.
8° Mgdbg, Creutz. Je 6.50; L. je nn 8 — d
I. Die fremdländ. Stubenvögel, ihre Naturgesch., Pflege u. Zucht. 4. Afl.,
besorgt v. s. Sohne. (635 m. 39 [6 farb.] Taf.) 04. — I. Einheim. Stubenvögel. 4. Afl. v. K Neunzig. (480 m. Abb. u. 12 farb. Taf.) 04.
— Der Kanarienvogel. Seine Naturgesch., Pflege u. Zucht. 10. Afl.
v. K Hoffschildt. (235 m. Abb. u. 3 farb. Taf.) 8° Ebd. 01.
2 —; geb. 3 — d
— Der Wellensittich. Seine Naturgesch., Pflege u. Zucht. 5. Afl.
v. K Neunzig. (91 m. Abb. u. 1 Farbdr.) 8° Ebd. 05. 1.50 ;
geb. 2.40 d
— s.: Welt, d. gefiederte.
Russ, R, s.: Ecce, afran.
Russ, V: Der volkswirtschaftl. Wert d. künstl. Schiffahrts-
strassen. [S.-A.] (15) 8° Münch. 01. (Wien, Lehmann & W.)
1 — d
Ruess, F: Lehrb. d. Stenogr. n. d. System Gabelsb. 2 Tle.
(84 u. 92) 8° Bambg, CC Buchner's V. 04. 2.80; kart. 3 — d
Russalkow, M: Graussamk. u. Verbrechen im sexuellen Leben.
5. Afl. (64) 8° Lpzg, AF Schlössl 04. 1 — d
Russe, d., im Auslande. Führer durch West-Europa f. russ.
Reisende. 8. Afl. (In russ. Sprache.) (438) 8° Berl., Stuhr 05.
Geb. 5 — d
Russel, C: Die weisse Brigg, s.: Roth, R.
Russell, A: Handbüchl. d. Krankenpflege, s.: Marx.
Russell, GWE: A Londoner's log-book 1901—2, s.: Collection
of Brit. auth.
Russell, WC: Die Juwelen d. Frau Dines, s.: Lutz' Kriminal-
u. Detektiv-Romane. — Sammlung ausgew. Kriminal- u.
Detektiv-Romane.
— The romance of a midshipman, s.: Unwin's library.

Russell, WC: Seeromane. 7—9. (Schl.-)Bd. 8° Stuttg., R Lutz.
Je 2.50 ; (Vollst. auf einmal bezogen : 21 — ; Einzeln je 1 —) d
7. Seemannsleben. Deutsch v. H Lindner. (312 u. 7 m. 1 Abb.) 01. | 8. Das
Sträflingsschiff. Uebers. v. F Meister. (236 u. 7 m. 1 Abb.) 02. | 9. Steuer-
mann Holdsworth. Deutsch v. H v. N. (357 u. 7 m. 1 Abb.) 02.
— The yarn of Old Harbour Town, s.: Unwin's library.
Russen üb. Russl. Sammelwerk. Hrsg. v. J Melnik. I. u. 2.
Taus. (370) 8° Frankf. a/M., Lit. Anst. 06. 12 — ; geb. 14.50
Russland in Asien. I. u. V—VII. Bd. 8° Berl., Zuckschwerdt
& Co. 23 —
I. Krahmer: Das transkasp. Gebiet. (237 m. 1 Karte u. 2 Skizzen.) 05. 3 —
V. Krahmer: Das nordöstl. Küstengebiet. (Der Oehotskische, Giahi-
ginskische, Petropawlowskische u. Anadyr-Bezirk.) (296 m. 2 Kart.)
3 —
VI. Krahmer: Die Beziehgn Russlds zu Persien. (177) Lpzg 05. 3 —
VII. Krahmer: Die Beziehgn Russlds zu Japan (m. bes. Berücks. Koreas).
(271 m. 1 Karte.) Lpzg 04. 4 —
— d. junge, in d. Dichtg. 2. Afl. (126) 16° Lpzg, EL Kasprowicz
(02). 2 —
— am Vorabend d. XX. Jahrh. *„*. (In russ. Sprache.) 4. Afl.
(160) 8° Berl., H Steinitz 01. 2 —
— dass. Aus d. Russ. v. E Geibel. (120) 8° Ebd. (01). 2 —
— d. Deutschland. Zeitschrift z. Förderg d. deutsch-russ. Beziehgn auf allen Gebieten d. Industrie, d. Handels u. Verkehrs. Red.: M Schwab. (In deut. u. russ. Sprache.) 1. Jahrg.
März—Dezbr 1901. 10 Nrn. (320) 4° Berl., Deutsch-russ. Verl.-
Gesellsch. Halbj. 3 —
— dass. Import- u. Export-Revue. Red.: SL Golda. (In deut.
u. russ. Sprache.) 2. Jahrg. 1902. 12 Nrn. (Nr. 1 28) 4° Ebd.
u. —; halbj. 5.50; viertelj. 3 —
— dass. Red.: NW Arefjew. Chef-Red.: J Wernicke. Verantwortl. Red.: O Glogan. (In deut. u. russ. Sprache.) 3. Jahrg.
1903. 12 Nrn. (Nr. 1. 40) 4° Ebd. ll 4. n. 5. Jahrg. 1904 u. 5. Red.:
J Wernicke. Je 24 Nrn. Je 10 —; halbj. 5.50; viertelj. 3 — 6 F
— d. Europa. Geschichtl. Darstellg ihrer soc. u. polit. Entwickelg. (In russ. Sprache.) (55) 8° Berl.-Charlttnbg, F Gottheiner 03. 1.25
— d. Finnland. Vom russ. Standpunkte a. betrachtet. Von Sarmatus. (55) 8° Berl., F Siemenroth 03. 1 —
— d. Indien. Auf Grundl. russ. u. engl. Quellen bearb. v. J
Sch. [S.-A.] (104 m. 1 Kartenskizze.) 8° Wien, LW Seidel & S.
04. 2.40
Russlands Industrie u. Handel. Von W K(owalowski). [S.-A.]
Aus d. Russ. v. E Davidson. (183) 8° Lpzg, O Wigand 01. 4 —
Russner, J: Die Elektrizität, s.: Wiesengrund, B.
— Elementare Experimental-Physik f. höh. Lehranst. 3—5. Bd.
8° Hannov., Dr. M Jänecke 01. Geb. je 3.20 (Vollst.: 16 —)
3. Lehre v. Schall (Akustik), Lehre v. Licht (Optik). (164 m. Abb. u. 1
farb. Taf.) 4. Wärme u. Reliegelelektricität. (148 m. Abb.) 5. Magnetis-
mus u. Galvanismus. (178 m. Abb.)
— Grundz. d. Telegr. u. Telephonie f. d. Gebr. an techn. Lehr-
anst. (374 m. Abb. u. 1 Taf.) 8° Ebd. 02. 4.80; geb. 5.25
— Lehrb. d. Physik f. d. Gebr. an höh. Lehranst. u. z. Selbst-
unterr. (498 m. Abb. u. 1 farb. Taf.) 8° Ebd. 03. Geb. 5.60
Russo, A: u. prakt. Kaninchenzucht. (63 m. Abb.) 8° Wien,
(W Frick) 03. 1 —
Rust: Die erv. Volkssch. d. Herzogt. Oldenburg u. Besetzg,
Einkommensverhältnissen, Schülerzahl usw., nebst d. Volks-
schulwesen betr. amtl. Verfüggn. 3. Afl. (77) 8° Oldnbg, A
Littmann 02. — 75 d
Rust, C: Krieg u. Frieden im Hererolande. Aufzeichnng a. d.
Kriegsj. 1904. (552 m. Abb.) 8° Gr.-Lichterf., ET Förster 05.
L. 10 — d
Rust, F: Marinesorgen. (Revision d. Flottenprogramms.) (135)
8° Berl., CA Schwetschke & S. 04. 1 — d
Rüst, C: Anl. z. Darstellg anorgan. Präparate. (90 m. H.) 8°
Stuttg., F Enke 03. L. 2.60
Rüst, S: (Frl. E Reichel): Die Anhöh-Strasse, s.: Eckstein's
Miniaturbibliothek.
— Die Atlas-Töchter. Roman a. d. Berliner Kleinleben. (247)
8° Jena, H Costenoble 04. 2.50; geb. 3.50 d
— Die Baronesse. Roman a. Ostpreussen. 1. u. 3. Afl. (301) 8°
Berl. 02.03. Jena, H Costenoble. geb. 3 — d
— Frauenherzen, s.: Eckstein's moderne Bibliothek.
— Die Liebeskämpfer. Roman. (287) 8° Berl., R Eckstein Nf.
(05). 2 —; geb. 3 — d
— Mammons Geleit, s.: Eckstein's illustr. Romanbibliothek.
— s.: Welt d. Anderen, s.: Eckstein's Miniaturbibliothek.
Rüst, S: Gesangb. f. d. Oberst. d. Volkssch., f. Sing- u. Sekun-
darsch. (24, 291) 8° Zür., Hug & Co. (04). Geb. nn 1.10 d
— Der Schulgesang-Unterr. Reformgedanken u. prakt. Anl.
darsch. (24, 291) 8° Zür., Fehr 02. — 70
Rustice s.: Arbeitsteilung u. Kulturfortschritt.
Rusticus s.a.: Bauer, M.
— „Unterwegs". Intime Reiseskizzen f. sportl., literar. u. musi-
kal. Pfadfinder. (111) 8° Lpzg, Grethlein & Co. 04. Kart. nn 2.50 d
Rusticus, M: Zur Frage d. Mobiliar-Feuerversicherg im Agrar-
Bayern, s.: Wirtschafts- u. Verwaltungsstudien.
Ruszczynski, E: Kurzgef. Methodik d. fremdsprachl. Unterr.,
s.: Schowerke, H.
Ruete, H: Bibl. Historienb., s.: Fiedler, F.
Rutenberg v.: Der Fluch d. bösen Tat. Aus d. Papieren e.
Untersuchsgrichters. (96) 8° Berl., Nordedet. Verl.-Anst. L
Hohenstein & Co. 05. 1 — d
Ruth, A, s.: Lambrecht, N.
Ruth, M: Der Verteidiger im schweiz. Strafprozessrecht, s.:
Abhandlungen z. schweiz. Recht.

Saar, F v.: Ginevra. Die Iroplodytin, s.: Universal-Bibliothek.
— Kaiser Heinrich IV. Ein deut. Trauersp. 3. Afl. I. Hildebrand. II. Heinrichs Tod. (255) 8° Kass. 04. Ohlau, F Leichter.
4 — d
— Hermann u. Dorothea. Idyll in 5 Gesängen. (86) 8° Ebd. 02.
1.50; L. 2.60 d
— Novellen a. Oesterr. 2 Bde. 3. u. 4. Taus. (367 u. 395) 8° Ebd. 04. 10 —; L. nn 11 —; eleg. geb. nn 12 — d
— Tambi, s.: Volksbücher, Wiesbad.
Saar, R: Zu Jesu Füssen! Brosamen a. d. „Stillen Tagen" im Asyl Rämismühle v. 8—11.IV.'02. (56) 12° Rämism.(02).(Gotha, Missionsbb. P Ott.) — 30 d
Saar, R: Ausführl. theoret. Hdb. d. Stenogr., als Erläutergn z. Systemurkunde, Fortbildgsb. f. Stenotachygr. u. Hülfsmittel f. Unterr.-Leiter. (71 u. 8) 8° Halle, (E Anton) 01. 1 —
Saarabien vor Gericht. Bericht üb. d. Prozess Hilger geg. Krämer. (131) 8° Berl., Bh. Vorwärts 04. — 50 d
Saarkalender 1904. Hrsg. v. Kunst- u. Gewerbever. f. d. Saargebiet, Saarbrücken. (36) Fol. Saarbr., (H Hecker). 1 — d
Fortsetzg war nicht zu erhalten.
Saat auf Hoffng. Zeitschrift f. d. Mission d. Kirche an Israel. Begründet v. F Delitzsch. Hrsg. v. L Anacker u. 1905, O v. Harling. 38—42. Jahrg. 1901—5 je 4 Hefte. ('03. 256) 8° Lpzg, Ev.-luth. Zentralver. f. Mission unter Israel. Je 2 — d
— u. **Ernte** s.: Gabelsberger-Bibliothek.
— — 12. u. 17—20. Bd. 16° Elberf., Bh. d. Erziehgs-Ver.
L. je 1.25 d
Aus Nacht z. Licht. Erzählg a. d. 4. Jahrh. (305) (02.) [19.]
Erbin, d., v. Fritzberg. Erzählg a. d. Reformationszeit. (304) (01.) [17.]
Ritter, d., v. Adlerstein. Erzählg a. d. 15. Jahrh, (40c) (04.) [20.]
Sohn, d., d. Alpen. Erzählg a. d. Relig.-Kämpfen d. Schweiz v. W B. 3. Afl. (294) (04.) [12.]
Überwunden. Erzählg a. d. 1. Jahrh. (280) (02.) [18.]
— auf d. Missionsfelde. Illustr. Blätter f. d. erwachs. Jugend. Hrsg. v. J u. P Richter. 1—7. Jahrg. 1901—5 je 12 Nrn. (Nr. 1 u. 2. 16) 8° Gütersl., C Bertelsmann. Je 1 — :
m. d. ev. Missionen je 3.75 d
Saatkörner a. d. ev.-luther. Kirche. Nr. 2 u. 8—15. 8° Elberf., Luther. Je nn — 10 d
Antworten, gute. 2. Afl. (48) (05.) [2.]
Auf d. Flucht. (16) (05.) [12.]
Aus d. Leben d. alten Klingeick. Von ihm selbst erzählt. Hrsg. v. G Sommerfeld. 2. Afl. (28) (1900.) [5.]
Kellner, EG: Eine Königsgesch. (15) (05.) [13.] ‖ Eine Liebes- u. e. Bekenntnisgesch. (24) (05.) [14.]
Schubert, R: Frau Henriette Jordan, geb. Raab. (24) (05.) [15.]
Schmeling, H: Ein Wort an luther. Eltern. Wie muss d. Elternbaus d. luther. Schule in ihrer Arbeit fördern? Referat. (32) (02.) [10.]
Stienke, J: Ein Wort an luther. Lehrer. Wie erziehen wir d. Kinder z. Bekenntnistreue? Referat. (28) (02.) [11.]
Weicker, M: Jobs Knispstrow, d. 1. General-Superint. Pommerns, wolgast. Teiles. (40) (01.) [9.]
Saatzer, J: Das 4. Schulj. Spec. Methodik d. Unterr. auf d. 4. Stufe d. Volkssch. 4. Afl. v. F Frisch. (306) 8° Wien, F Tempsky 01. Geb. 4 — d
Sabath, R: Das Glücksspiel. Seine strafrechtl. u. wirtschaftl. Bedeutg. (52) 8° Berl., Struppe & W. 06. 1.50
Sabatier, P, s.: Regula antiqua fratr. et soror. de paenitentia.
Sabbathklänge. Wochenbl. f. Jedermann. Begründet v. Stursberg, hrsg. v. E Modersohn. 4. Jahrg. 1901. 52 Nrn. (Nr. 1. 16) 8° Müh. a/R., hrsg. im 2—11. Viertelj. Viertelj. — 80 ‖ 44—46. Jahrg. 1902—4 je in 2 — ‖ 47. Jahrg. 1905. nn 2.40 d
Sabbattini, GF: Don Adone, s.: Waldmüller, E.
Sabel, E: Geflügelzucht, s.: Pribyl.
Sabel, R: Liederbüchel f. gemittl. Leute. I. u. H. Heft. Je 100 Lieder a. d. Schläsing. (Mit je 2 Bildnissen.) 12° Strieg. Schweidn., L Beege. Je — 25 d
I. (80) 02. ‖ II. (32° Lieder m. Melodieenangabe.) (72) 02.
— **Sunntig-Nochmitts.** Schläsche Humoresken, Gedichte u. Skizzen. (156) 8° Schweidn., L Heege 04. 1.50; geb. 2 — d
Sabersky, H A.: Methode Toussaint-Langenscheidt Italienisch.
Sablukoff, NA: Aufzeichngn üb. d. Zeiten d. Kaisers Paul I. u. üb. d. Ende dieses Herrschers. (In russ. Sprache. (134) 8° Lpzg, EL Kasprowicz (02). 2.50
Saccardo, PA: Icones fungor., s.: Berlese, AN.
— Icones fungor. javanicor., s.: Berlese, AN.
— **Sylloge** fungor. omnium hucusque cognitor. Vol. XVI et XVII. 8° Patavii. (Berl., R Friedländer & S.) nn 120 —
XVI. Suppl. universale pars V. Auctorib. PA Saccardo et P Sydow. Adjectus est index tedius operis. (1991) 02. nn 64.80
XVII. Dass. pars VI. Hymenomycetes — Laboulbenoimycetae. Auctorib. PA Saccardo et D Saccardo fil. Adjecta est bibliotheca mycologica. Auctore JB Traverso. (107, 991) 05. nn 55.20
Sacerdote, G, s.: Methode Toussaint-Langenscheidt Italienisch.
— Taschenwrtrb. d. italien. u. deut. Sprache. 2 Tle. Italienisch-Deutsch u. Deutsch-Italienisch. (36, 470 u. 480 u. 40) 8° Berl.-Schönebg, Langenscheidt's V. (05). L. je 2 —; in 1 Bd geb. 3.50 d
Sach, A: Geogr. d. Prov. Schleswig-H. u. d. Fürstent. Lübeck. Für 2 Stufen. 9. Afl. (86) 8° Schlesw., J Bergas, V. 04.
Kart. 1 — d
— Die deut. Heimat. Landschaft u. Volkstum. 2. Afl. (666 m. Abb. u. 22 Taf.) 8° Halle, Bh. d. Waisenh. 02.) Th.-50; L. 10 — d
— Norddent. bezw. vaterländ. Leseb., s.: Keck, H.
— Schleswig-H. in geschichtl. u. geograph. Bildern. (Anh. zu Keck u. Johansen, vaterländ. Leseb.) 03. Afl. (66) 8° Halle, Bh. d. Waisenh. (04). nn — 25 d
Sachariaschn, O: Madchens. Gebet- u. Andachtsb. f. israelit. Frauen u. Mädchen. 2. Afl. (223) 8° Budapest (VI, Königsgasse 20), O Geyer 02. Geb. m. G. 3 — d
Hinrichs' Fünfjahrskatalog 1901—1905.

Sacharoff, N: Das Eisen als d. thät. Prinzip d. Enzyme u. d. lebend. Substanz. Deutsch v. M Rechtsamer. (83 m. Abb.) 8° Jena, G Fischer 02. 2.50
Sachau, E, s.: Archiv f. d. Studium deut. Kolonialsprachen.
— Der 1. Chalife Abu Bekr. [S.-A.] (22) 8° Berl., (G Reimer) 03. 1 —
— Üb. d. 2. Chalifen Omar. Charakterbild a. d. ält. Gesch. d. Islams. [S.-A.] (32) 8° Ebd. 02. 1 —
— Das Berliner Fragment d. Mûsâ Ibn ʻUkba. [S.-A.] (26 m. 1 Taf.) 8° Ebd. 04. 1 —
— Litt.-Bruchstücke a. Chinesisch-Turkistan. [S.-A.] (15 m. 1 Taf.) 8° Berl., (G Reimer) 05. — 50
— s.: Mitteilungen d. Seminars f. oriental. Sprachen usw. zu Berlin.
Sacher, H: Uns. Tonschrift. Kurzer Rückblick auf deren Werdegang sowie auf d. Vorschl. zu deren Verbesserg, ferner e. neuer Vorschl. f. Tonbenenng u. Notenschrift. (64 S. u. 4 Bl. in 4°) 8° Wien, A Fichler's Wwe & S. 03. 1.20 d
Sacher-Masoch, L v.: Der kl. Adam, s.: Romane, moderne, aller Nationen.
— Afrikas Semiramis. Roman, hrsg. v. CF v. Schlichtegroll. (236) 8° Dresd. 01. Lpzg, Leipz. Verl. 3 — d
— Grausame Frauen. Novellen. (93) 8° Lpzg, Leipz. Verl. (05).
1 — d
— Hinterlass. Novellen. 1. u. 2. Bd. 8° Dresd. 01. Lpzg, Leipz. Verl. 3 — d
1. Grausame Frauen. (93) 2 — ‖ 2. (95) 1 —
— Venus im Pelz. Novelle. 2. Afl. (188) 8° Ebd. 01. 3 — ‖ 3. Afl. (205 m. Abb.) 04. 5 — d
Sachregister, alphabet., z. deut. Wehrordng u. Heerordng. (D. V. E. No. 142 a.) (108) 8° Berl., ES Mittler & S. 04. — 60;
kart. — 80: L. nn — 90 d
Sachs, A: Die Bodenschätze Schlesiens. Erze, Kohlen, nutzbare Gesteine. (194) 8° Lpzg, Veit & Co. 06. 5.60
— Die Erze, ihre Lagerstätten u. hüttentechn. Verwertg. (74 m. Abb.) 8° Wien, F Deuticke 05. 2 —
— Üb. d. Krystallform d. Rothnickelkieses. [S.-A.] (5) 8° Berl., (G Reimer) 02. — 50
— Wesen u. Wert d. Mineral. Vortr. (12) 8° Bresl., JU Kern 02. nn — 40 d
Sachs, B: Zur Diagnose d. Bauchdeckentumoren. (30) 8° Berl., M Günther 02. — 50
Sachs, B: Um d. Ehre. Volksdrama. (73) 8° Diessen, JC Huber (02). 2 — d
Sachs, C, s.: Monatshefte d. kunstwiss. Litt.
— Das Tabernakel m. Andrea's del Verrocchio Thomasgruppe an Or San Michele zu Florenz, s.: Zur Kunstgesch. d. Ausl.
Sachs, H: Ueb. d. Beziehgn zw. Toxin u. Antitoxin, s.: Ehrlich, P.
— Die Hämolysine u. ihre Bedeutg f. d. Immunitätslehre. [S.-A.] (72) 8° Wiesb., JF Bergmann 02. 1.60
— Untersuchgn üb. d. Bildgsverhältn. d. ozean. Salzablagergn, s.: Hoff, JH van't.
Sachs, H: Zur Kenntnis d. Derivate d. Antrachinons. (35 m. 1 Taf.) 8° Freibg i/B., Speyer & K. 04. 1.20
Sachs, H, s.: Literaturdenkmäler, deut., d. 16. Jahrh.
Sachs, H, s.: Literaturdenkmäler d. 16. Jahrh., s.: Bibliothek d. litterar. Ver. in Stuttgart (Tübingen).
— ausgew. u. erläutert v. K Kinzel, s.: Denkmäler d. ält. deut. Lit.
— Ausw. a. s. Dichtgn, s.: Velhagen & Klasing's Sammlg deut. Schulausg. (U Zernial).
— Sämtl. Fabeln u. Schwänke, s.: Neudrucke deut. Litt.-Werke d. XVI. u. XVII. Jahrh.
— Zwo Fasnachtspil Das Erst v. e. rockenstuben, Das ander Von d. Eulenspiegel m. d. blinden. (20) 8° Frankf. a/M., Gebr. Knauer (05). — 40 d
— Ein Hans Sachs-Abend. 3 Fasnachtspiele: Der Krämerskorb, d. Narrenschneiden, d. Rossdieb zu Fünsing. Nebst ein. Schwänken.) Bearb. u. eingeleitet v. A Schnizlein. (78) 8° Rothenbg o/T., JP Peter 05. — 75 d
— s.: Tragödie. — Hans Sachs-Tragödien.
— u. d. **Reformation,** hrsg. v. R Zoozmann, s.: Angermann's Bibliothek f. Bibliophilen.
Sachs, H: Bau u. Thätigk. d. menschl. Körpers, s.: Aus Natur u. Geisteswelt.
— Die Entwicklg d. Gehirnphysiol. im 19. Jahrh. [S.-A.] Vortr. (29 m. Abb.) 8° Berl., Herm. Walther 02. 1 —
— Gehirn u. Seele, s.: Grenzfragen d. Nerven- u. Seelenlebens.
Sachs, H: Alliterationen u. Assonanzen in d. carmina d. Horatius. (30) 8° Berl., Weidmann 03. 1 — d
Sachs, H: Neue einf. Ornamente — Vorlagen f. moderne Flächenmusterg, s.: Kühnel, R.
Sachs, J: Lehrb. d. projektiv. (neueren) Geometrie (synthet. Geometrie, Geometrie d. Lage). 2. Tl: Harmon. Gebilde. Entstehg d. Kegelschnitte. Sätze v. Pascal u. Brianchon. (220 m. Fig.) 8° Stettg. 01. Brunsw., G Westermann. 6 — (1 u. 2: 11 —) d
Sachs, J: Adressb. d. Holz-Interessenten Oesterr.-Ungarns m. Bosnien u. Herzegovina. V. Jahrg.: Nachtr. 1900. (58) 8° Wien (III/2, Pragerstr. 5), Sachs' Verl. 2 —
(Hauptwerk m. Nachtr. 1900: 6 —)
Fortsetzg s. u. d. T.: Adressbuch d. Holz-Interessenten Oesterr.-Ungarns.

Sachs, K: Scènes et esquisses de la vie de Paris, s.: Schriftsteller, engl. u. französ., d. neueren Zeit.
— u. **Villatte:** Encyklopäd.französisch-deut.u.deutsch-französ. Wrtrb. Hand- u. Schul-Ausg. (Auszug a. d. gr. Ausg.) Unter Mitwirkg v. E Schmitt u. K Sachs. Neu-Bearbeitg 1900. 145—154. Taus. 2 Tle. (32, 16, 20, 856, 14 u. 1163) 8° Berl.-Schönebg, Langenscheidt's V. 02. Je 6.50; HF. je 8 —; in 1 Bd 13 —;
geb. 15 — d
Sachs, L: Zur Berechng räuml. Fachwerke: Allg. Formeln f. statisch bestimmte u. insbes. statisch unbestimmte Kuppel-, Zelt- u. Turmdächer. (56 m. 3 Taf.) 8° Berl., W Ernst & S. 05. 2.50
Sachs, M, s.: Bücher, d. 24, d. Hl. Schrift.
— Die relig. Poesie d. Juden in Spanien. Zum 2. Male m. biograph. Einl. u. ergänz. Anmerkga hrsg. v. S Bernfeld. (365 u. 51) 8° Berl., M Poppelauer 01. 6 —; L. 7 — d
Sachs, R: Ideen f. Zeichner u. Maler. 2 Serien. (2 Taf.) Fol. Plauen, C Stoll (01). Je 8 —
Sachs, R: Die Gicht-Therapie in Karlsbad. (48) 8° Berl., S Karger 01. 1 —
Sachs, S: Die Gymnastik im Hause. 4. Afl., zusammengest. unter spec. Berücks. d. patentierten Sachs-Kugelstab-Apparate. Mit 1 Uebgstaf. (in Fol.) m. Abb. (24 m. Abb.) 8° Berl. (N., Oranienburgerstr. 34), Selbstverl. 1900. 1.50
Sachs-Zittel, L: Die Erholgsreise. Lustsp. (102) 8° Strassbg, (C Bongard) 05. 2 — d
— Der Minister kommt! Touristenepisode in 1 Akt. (49) 8° Strassbg, J Singer 05. 1.50
Sachse, 4er. Illust. Wochenschrift. Red.: M Zerbst. 1. Jahrg. Oktbr—Dezbr 1901. 13 Nrn. (Nr. 1—3. 60) 4° Dresd. Berlin (S.W. 47, Wilhelmshöhe 21), Dr. Dietze. 1.50 d ö F
— d. gemüthl. Red.: G Domschke. 9. u. 10. Jahrg. 1904 u. 5 je 52 Nrn. (Nr. 1. 16 m. Abb.) 8° Lpzg, A Bergmann. Je — 10 d
Sachse: Verordngn, betr. d. Schulwesen d. Reg.-Bez. Arnsberg. 3 Afl. v. Riemenschneider. (26, 547) 8° Arnsbg, FW Becker 02. L. 5.75 d
Sachse, E: 50 Choralvorspiele. 2 Hefte. (12 u. 16) 4° Borna, (R Noske) 01. 2.50; einz. Hefte 1.50
Sachse, F: Das Aufkommen d. Datiergn u. d. Festkalender in Urkunden d. Reichskanzlei u. d. deut. Erzbistümer. (128) 8° Erl. (F Junge) 04. 3.20
Sachse, F: Zum Aufsatzschreiben in d. Volkssch. Anreggn u. Gesichtspunkte. 3. Afl. (52) 8° Lpzg, A Hahn 1900. — 75 d
— s.: Schulmann, d. prakt.
Sachse, G: Griech. Schulgrammatik, s.: Koch, E.
Sachse, K: Apperzeption u. Phantasie in ihrem gegenseit. Verhältnis, s.: Magazin, pädagog.
Sachse, R: Zum Gottesbegriff. (139) 8° Halle, EA Kaemmerer & Co. 04.
Sachse, W: Das Wiederauffinden d. Bouvet-Insel, s.: Ergebnisse, wiss., d. deut. Tiefsee-Exped.
Sachsel, E: Üb. Bildgs- u. Löslichkeitsverhältn. d. Doppelsalze d. Eisenchlorids m. d. Chloriden d. Alkalimetalle. (37 m. Fig.) 8° Berl., O Rothacker 04. 1 —
Sachsen, d. Prov., in Wort u. Bild. Hrsg. v. d. Pestalozziver. d. Prov. Sachsen. 2. Bd. (480 m. Abb.) 8° Lpzg, J Klinkhardt 02. 4.50 (1 u. 2: 9 —; Einbde in Lw. L. je 1 —) d
Sachsen-Kalender, allg., 1906. Gr. Ausg. (116 m. Abb., 2 Taf. u. 1 Farbdr.) 8° Meiss., HW Schlimpert. — 50 ‖ Mittle Ausg. (84 m. Abb. u. 2 Taf.) — 38 ‖ Kl. Ausg. (68 m. Abb.) — 25 d
Sachsenland, das. Monatsschrift f. sächs.Gesch. u.Litt., Landeskde u. Volkskde. Schriftleitg: R Zimmermann. 1. Jahrg. Juli-Septbr 1901. 3 Nrn. (Nr. 1. 32) 8° Potschappel, C Engelmann. 1.25; einz. Nrn — 50 d ö F
Sachsenspiegel, d. (Landrecht), n. d. ält. Leipz. Handschrift hrsg. v. J Weiske. Neubearb. v. R Hildebrand. 8. Afl. (14, 202) 8° Lpzg, OR Reisland 05. j. geb. 3.80
Sachsenstimme. Red.: R Lebius. 1. Jahrg. 1904. 52 Nrn. (Nr. 9. 6) 48,5×31,5 cm. Dresd., Verl. d. Sachsenstimme. — einz. Nrn — 10 d

Am 1.X.'05 erloschen.

Sachsse, B: Eine landw. Studienreise durch d. Verein. Staaten v. Nordamerika. Vortr. (33) 8° Lpzg, RC Schmidt & Co. 04. — 60 d

Sachsse, E. & Co.: Anl. z. Herstellg v. Liqueuren, Aquaviten, Cognac, Rum, Arac u. and. Getränken a. äther. Oelen u. Essenzen. 5. Afl. (61) 8° Lpzg, (Schulze & Co.) (04). Kart. nn 1.25
Sachsse, E: Der alte u. d. neue Glaube. Vortr. (12) 8° Wiehl, (A Reuter) (05). — 20 d
— s.: Halte, was du hast.—Hyperius, A, Homiletik u. Katechetik.
— Zeitgemässe Wahrh. üb. christl. Glauben, Erkenntnis u. Predigt. 1—3. Afl. (24) 8° Berl., Reuther & R. 03. — 25 d
— Der geschichtl. Wert u. d. ersten Evangelien. Vortr. (64) 8° Ebd. 04. 1 — d
— Wesen u. Wachstum d. Glaubens an Jesus Christus, s.: Salz u. Licht.
Sachsse, R: Kurzer Abriss d. anorgan. Chemie in leichtfassl. Darstellg. (111 m. Abb.) 8° Bautz., E Hübner 03. ‖ Neue Afl. (118 m. Abb.) 04. Je 2.40; geb. Je 2.80 d
— Chemie f. Landwirte. Kompendium in Fragen u. Antworten. (130) 8° Ebd. 02. L. 2 — d
— Einführg in d. Warenkde. 1. Tl. Rohstoffe u. Erzeugnisse a. d. Pflanzenreiche. (225 m. Abb.) 8° Ebd. 04. 2.80; geb. 3.30 d
— Grundr. d. landw. Pflanzenkde f. d. Unterr. an landw. Schulen. (209 m. Abb.) 8° Ebd. 03. 2 —; L. 2.50 d

Sachsse, R: Leitf. d. landw. Chemie f. d. Unterr. an landw. Schulen u. z. Selbstunterr. 2. Afl. (164 m. Abb.) 8° Bautz., E Hübner 03. 2 —; L. 2.50 d
Hans Sachs-Tragödien, bearb. v. G Burchard, s.: Bibliothek d. Gesamtlitt.
Sachverständigen-Zeitung, ärztl. Organ f. d. ges. Sachverständigenthätigk. d. prakt. Arztes, sowie f. prakt. Hygiene u. Unfall-Heilkde. Hrsg. v. L Becker, A Leppmann, F Leppmann. 7. u. 8. Jahrg. 1901 u. 2 je 24 Nrn. (Je 516) 4° Berl., R Schoetz. 3 ‖ 9—11. Jahrg. 1903—5. Red.: F Leppmann. (516, 512 u. 508) Viertelj. 5 —
— — daas., s.: Vierteljahrsschr. f. gerichtl. Medicin.
Sack, A: Der Kampf geg. d. Geschlechtskrankh., e. soz. Notwendigk. (33) 8° Hdlbg, O Petters 03. — 50 d
Sack, G: Amors Fehlschuss. — Der neue Autler od. Durchs Automobil z. Frau. — Der Dorfschmied. — Erlitten u. erstritten. — Der Kamerad. — Leidenschaft u. Pflicht, s.: Heidelmann's, A, Theaterbibliothek.
— Die Mondbewohner. Im Wartesaal 4. Kl., s.: Heidelmann's, A, Pantomimen.
— Pflicht, s.: Heidelmann's, A, leb. Bilder.
— Ein Fehltritt. — Der Geschenkkorb. Die Wirkg d. Äusseren od. Er weiss sich zu helfen. — Die gestörte Vesper. Die jüngsten Zöglinge. Knalleffekt, od. Ein moderner Zahnkünstler, s.: Heidelmann's, A, Pantomimen.
— Der gr. Zapfenstreich, s.: Heidelmann's, A, leb. Bilder.
— Die 1. Zigarre. Die Rache. Heimkehr v. Sommerfest, s.: Heidelmann's, A, Pantomimen.
Sack, H: Russisch-deut. Spezialwrtrb., s.: Morawsky, S, Echo d. russ. Umgangssprache.
Sack, M: Bibliogr. d. Metalliergergn. [S.-A.] (77) 8° Hambg, L Voss 03. 1 —
Sackel, G: Tab. z. Berechng d. Biersteuer. (15 Bl.) 8° Bielef.-Gadderb., W Bertelsmann (01). Kart. 2.50 d
Sacken, E v.: Allerlei Hauskreuz u. and. lust. Reime. 1. u. 2. Afl. (64) 8° Wien, R Lechner's S. 02. 1.60 d
— Aus d. Studentenzeit. Erinnergn an Kremsmünster. 3. Afl. (78 m. Abb.) 8° Ebd. 03. 2.50 d
Sscken, E Frhr v.: Katech. d. Baustile, s.: Weber's illustr. Katech.
Sacks, W: Der Fall Lessmann. Ergänzgn z. Prozess Lessmann-Wolfradt u. Anderes. (68) 8° Münch., G Birk & Co. 02. 1 — d
Sackur, E: Die Quellen f. d. 1. Römerzug Ottos I., s.: Festschrift, Strassb., z. 46. Versammlg deut. Philologen u. Schulmänner.
Sackur, O: Zur Kenntnis d. Kupfer-Zinklegiergn. Auf Grund v. gemeinsam m. P Mauz u. A Siemens ausgeführten Verschen. (Erweit. S.-A.) (67 m. Fig.) 8° Berl., J Springer 05. 4 —
Sadebeck, R: Pteridophyta; Hymenophyllaceae; Hydropteridineae; Equisetales; Enequisetales; Isoëtineae, s: Engler, A, u. K Prantl, d. natürl. Pflanzenfamilien.
— Der Raphiabast. [S.-A.] (42 m. Abb. u. 2 Taf.) 8° Hambg, (L Gräfe & S.) 01. Kart. 2.50 d
Sadee, L: De Boeotiae titulorum dialecto. (115) 8° Halle, M Niemeyer 03. 3 —
— daas., s.: Dissertationes philologicae Halenses.
Sadil, M: Otfried. Erzähl. Dichtg. (85) 8° Stuttg. 01. Münch., Allg. Verl.-Gesellsch. 4.40 d; geb. 2.50 d
Sadleder,A: Stoardsal.Gedicht in oberösterr.Mundart.(Umschl.: 3. Afl.) (155) 8° Linz, (Ö.-ö. Buchdr.- u. Verl.-Gesellsch.) 03. 1.40 d
Sadolet's, J, pädagog. Schriften, s.: Colonna, ÄR de.
Saedt, F: Systemat. Sammlg kirchl. Erlasse d. Erzdiöz. München-Freising. (843) 8° Münch., JJ Lentner 02. 10 —; HF. 12 — d
Sämann, der, Monatsschrift f. pädagog. Reform. Hrsg. v. d. Hamburger Lehrervereinigg f. d. Pflege d. künstler. Bildg. Schriftleiter: C Götze. 1. Jahrg. 1905. 12 Hefte. (428 m. Abb. u. 2 Taf.) 8° Lpzg, BG Teubner. 5 —; geb. 6 —
Bildet zugl. d. Fortsetzg zu: Reform, pädagog. Eine Vierteljahrsschrift.
Saffe, F: Choralvorspiele. Op. 10. Mit 10 neuen Vorspielen v. JG Herzog. (107) 4° Gött., Vandenhoeck & R. 04. 5 —; geb. 4.40 d
Saffeini, WK: Junge Frauen. 1—3. Taus. (150) 8° Gosl., FA Lattmann (05). 3 —; Luxusausg., Ldr m. G. 10 —
— Die Geheimnisse v. Monte Carlo. Das Sprengen d. Bank u. anderes. Rivierabilder. 4. [Tit.-]Afl. (v. S., Monte Carlos Untergang.) (166) 8° Berl., W Vobach & Co. [02] (05). 1.50 d
— General Knusemong, s.: Schulze's Zehnpfennigbb. f. unser einf. deut. Stenogr.
— Uns. jungen Mädchen. Studien u. d. Leben. 1—3. Afl. (142) 12° Freibg i/B., FE Fehsenfeld 01.02. 1 — d
— Monte Carlo's Untergang u. and. Rivierabilder. 2. Afl. (166) 8° Freibg i/B. 02. FE Fehsenfeld 02. 1.50 d
— Die Nixe v. Ostende. Sommerbilder. (178) 8° Freibg i/B., FE Fehsenfeld 02. 1.50 d
Saga, d., vom Hübner-Thor. Altisländ.Bauernnovelle a. d. Xsten Jahrh. Aus d. Altisländ. v. A Wode. (77) 8° Diessen, JC Huber 02. 2.50 d
Saga-Bibliothek, altnord. Hrsg. v. G Cederschiöld, H Gering

u. E Mogk. 9—11. Heft. 8° Halle, M Niemeyer. 10.50
(1—11.: 57.80)

Friðþjófs saga ins froekna. Hrsg. v. L Larsson. (34, 56, 01. [9.] 2 —
Gula saga Sárǫnar. Hrsg. v. F Jónsson. (79, 107) 03. [10.] 3.60
Kristnisaga. þáttr þorvalds ens víðfǫrla. þáttr Ísleifs biskups Gizurar-
sonar. Hungrvaka. Hrsg. v. B Kahle. (144) 05. [11.] 5 —

Sagas rhénanes ou recueil des plus intéressantes traditions
du Rhin, traduites de l'allemand, par JC Saintonges, ann.
6. éd. (304 m. 5 St.) 8° Wiesb., G Quiel (03). 2.50; L. m. G. 4 —

Sage, d., v. ungerechten Zaren, wie er vernünftig wurde u,
welchen Rat er d. Leuten gab. (In russ. Sprache.) (98)
Berl., H Steinitz (04). 2 —

Sage, M: Die Mediumschaft d. Frau Piper, dargest. n. d. Untersuchgn d. englisch-amerikan. „Gesellsch. f. psych. Forschg"
m. Vorreden v. Frhrn v. Schrenck-Notzing u. C Flammarion.
In verkürzter deut. Bearbeitg wiedergegeben v. NW Thomas.
(152 m. 2 Bildnissen.) 8° Lpzg, O Mutze 03. 2.50; geb. 3.50 d

Sagel, JHA: Hass u. Liebe. Trauersp. (68) 8° Lpzg, Modernes
Verl.-Bureau 05. 1.50

Sagen, d., v. Baden-Baden u. sr Umgebg, n. d. 14 Fresken d.
Trinkhalle erzählt. (Von H Schreiber.) [S.-A.] 3. Afl. (106)
8° Bad.-B., C Wild (04). 75 d
— v. Kleve u. Umgegend. Der Schwanenritter. Otto d. Schütz.
Johanna Sebus. Kevelaer. (47) 16° Wiesb., G Quiel(03). — 20 d

Saggau, C: Rechenschule. Unter Mitwirkg v. Michelsen bearb.
v. W Meister u. J Claussen. 4 Hefte. 8° Altona, FL Mattig.
1.90 d

1. Stoffe f. d. 1. u. 2.Schulj. 24.Afl. (40) 01. — 30 | 2. Stoffe f. d. 3. u. 4. Schulj.
27. Afl. (64) 1900. — 40 | 3. Stoffe f. d. 5. u. 6. Schulj. 15. Afl. (78) 1900. — 50
| 4. Stoffe f. d. 7. u. 8. (9.) Schulj. 8. Afl. (96) 01. — 70.

— dass. Hrsg. v. d. Verwaltg d. Saggau-Stiftg. 1—3. Heft. 8°
Ebd. 1.90 d

1. Stoffe f.d.1. u. 2.Schulj. 27.Afl. (40) 03. — 30 | 2. Stoffe f. d.3. u. 4.Schulj.
25. Afl. (64) 02. — 40 | 3. Stoffe f. d. 5. u. 6.Schulj. 17. Afl. (80) 03. — 50.

Sagittarius, K: Saalfeldische Historien. Zum 1. Male hrsg.
v. E Devrient. (396) 8° Saalf., (C Niese) 04. 3 — d

Sagmüller, JB: Kirche u. Staat, s.: Vorträge, popular-wiss.
— Lehrb. d. kathol. Kirchenrechts. 2. u. 3. Tl. 8° Freibg i/B.,
Herder. 9.50 (Vollst.: 11.50; in 1 HF.-Bd 14 —)

2. Die Verfassg d. Kirche. (145—400) 02. 3.50
3. Die Verwaltg d. Kirche. (401—534) 04. 6 —
— s.: Quartalschrift, theolog.

Ságody, J, s. a.: Sgalitzer, J.
— s.: Zeitschrift f. ungar. öffentl. u. Privatrecht.

Saher, EA v., s.: Entwürfe, moderne, auf d. Geb. d. Architektur usw.

Sahlberg, E: Gesch. d. Barmer Feuerwehr m. e. kurzen Einl.
üb. d. Entwickelg d. Feuerlöschwesens im allg. Bearb. unter
Verwendg v. Aufzeichngn v. F Cron. (84) 8° Barm., (DB
Wiemann) 03. 1 —

Sahli, H: Lehrb. d. klin. Untersuchgs-Methoden. 3. Afl.
954 m. z. Tl farb. H. u. 4 L.) 8° Wien, F Deuticke 02. 20 —;
geb. 22.50 | 4. Afl. (33, 1048 m. z. Tl farb. H. u. 5 L.) 05. 22 —;
geb. 24.50

Sahli, J : Deut. Sprachb. f. französ. Sekundarsch. II. Tl. 3., 4.
u. 5. Jahr. 3. Afl. (292) 8° Biel, A Rüfenacht 04. L. nn 3.60 d
— Gesch. d. Stadt Creuzburg Ostpr. (281 m. Abb., 2 Taf.
u. 1 Pl.) 8° Köngsbg, (F Beyer) 01. 4 — d
— Gesch. d. Pest in Ostpreussen. (184) 8° Lpzg, Duncker & H.
05. 4.20

Sahr, J, s.: Literaturdenkmäler, deut., d. 16. Jahrh.
— O Ferd. Meyer, Jürg Jenatsch, s.: Dichter, deut., d. 19. Jahrh.
— Das deut. Volkslied, s.: Sammlung Göschen.

Sahulka, J: Üb. d. Grundwirkgn elektr. Ströme, s.: Vorträge
d. Ver. z. Verbreitg naturwiss. Kenntnisse in Wien.

Saile: Fastenpredigten. (47) 8° Schwäb. Gmünd, B Kraus (01).
— 25 d

Sailer, CGJ: Die Nonne v. Wyl, s.: Bibliothek vaterländ.Schausp.

Sailer, G, s.: Aus d. Briefwechsel Gereon Sailers.

Sailer, JB: Münchner Humoresken. (80) 8° Münch., (R Abt)
105 . 1 — d
— München, wie es isst, trinkt, wohnt u. sich vergnügt. Lokal-
humoresken u. Münchner Skizzen. (140 m. Abb.) 8° Münch. (02.)
(Stuttg., Klemm & Beckmann). — 50 d o H
— 's Münchner Oktoberfest in Wort u. Bild. (36) 8° Ebd. (02).
— 20 d o H

Sailer, JM v.: Briefe a. verschied. Jahrhunderten, z. Belehrg
u. Erbaug gesammelt. 3. Afl. v. J Biegler. (375 m. Bildnis.) 8°
Brem., Bh. u. Verl. d. Traktath. (02). L. 2.75 d
— Üb. Erziehg f. Erzieher, s.: Sammlung d. bedeutendsten
pädagog. Schriften.
— Geist u. Gesinnung. VI. Folge. Heilige d. Jünglinge,
bes. wenn sie auf Universitäten gehen. — Gut, u. im Guten
gross. Rede. (31 m. Bildnis.) 16° Augsbg, Lit. Instit. v. Dr. M
Huttler 1896. nn — 10 (I—VI.: nn — 45) d
Sailer, S: Die Nachfolge Mariä in ihren Tugenden, s.: Schäfer, J.
— Ausgew. Possen in schwäb. Mundart, s.: Universal-Bibliothek.

Saillens, R: Anhelia, d. sonnenlose Insel. (23 m. Titelbild.) 12°
-Bas., (Basler Missionsbh.) 1896. — 15 d
— Der König d. Welt. (12 m. Titelbild.) 12° Ebd. 1896. — 10 d
— Der 1. Mai. (12) 12° Ebd. 1897. — 15 d
— Der Sänger. (20) 12° Ebd. 1897. — 15 d
— Weihnachten. (14 m. Titelbild.) 12° Ebd. 1896. — 15 d

Sainéan, L: La création métaphor. en franç. et en roman, s.:
Zeitschrift f. roman. Philol.

Saintes, A-E de : Thérèse ou la petite soeur de charité, s.: Prosateurs franç.

Saint-Hilaire, K: Untersuchgn üb. d. Stoffwechsel in d. Zelle
u. in d. Geweben, s.: Schriften, hrsg. v. d. Naturforscher-
Gesellsch. bei d. Univ. Jurjeff.

Saint-Hilaire, Mlle Rossouw de (J de Véze): La fille braconnier,
s.: Prosateurs franç.

Saintine s. a.: Boniface, JX.
— Picciola, s.: Auteurs franç. modernes. — Schulbibliothek,
engl. u. französ.

Saintonges sen., JC, s.: Sagas rhénanes.

Saint Paul Illaire, W v.: Cda. Ein Sang a. Schlesiens Bergen.
(253) 12° Warmbr., M Leipelt (02). L. 4 — d

Saint-Pierre, B de : Paul u. Virginie. Erzählg. Für d. Jugend
bearb. v. A Puchta. 1—4. Taus. (80 m. 5 Farbdr.) 8° Stuttg.,
G Weise (02). Geb. — 60 d
— dass., s.: Prosateurs franç.

Saint-Saëns, C: Harmonie u. Melodie. Deut. Ausg. m. Vorwort
v. W Kleefeld. 2. Afl. (300 m. Bildn.) 8° Berl., Harmonie (05).
4 —; geb. 5 —

Saint-Simonin: Denkwürdigk. d. Präsidenten Felix Faure.
(Propos de Félix Faure.) Mit Kommentaren n. Dokumenten.
Uebers. v. W Thal. (111) 8° Wiesb., G Limbarth's V. 02. 3 — d

Saison. Spezial-Bericht f. Herren-Artikel. Red.: L Korach. Aug.
1905—Juni 1906. 12 Nrn. (Nr. 28. 16 m. Abb.) 37,5×25 cm.
Berl., Verl.: Der Einkäufer. 1 — d
— la. Journal illustré des dames. (Red.: J Lebègue & Co.) 34
—38. année. 1901—5 je 24 nrs. (1902. Nr. 1. 8 m. 1 Schnittbog.) Fol. Berl., F Lipperheide. Viertelj. 1.25; Édition de luxe
avec 36 gravures coloriées 3 —; seit 1.X.'03 2.50; einz. Nru
— 25 bezw. — 50

Sakamoto, S : Das Ehescheidgsrecht Japans. (107)8° Berl.,(Mayer
& M.) 03. 2 —

Sakaroff, N : Die industrielle Entwicklg Bulgariens. (83)8°Berl.,
E Ebering 04. 2.40

Sakolowski, P : A Becker's Selig a. Gnade, s.: Musikführer, b.
— Beethovens Brevier, s.: Nohl, L.
— Denn er war unser ! Zur Schillerfeier '05. (8) 8° Altnbg,
(Schnuphase) 05. — 15
— G Knieskamp's König Drosselbart, s.: Opernführer, b.
— F Liszt's 2 Épisoden a. Lenaus Faust. — F Liszt's d. XIII.
Psalm, s.: Musikführer, b.
— Bayreuther Nächte. Gedanken u. Nibelungen. (74) 8° Lpzg
01. Berl., H Seemann Nf. 1.50; geb. 2.50 d
— Parsifal. (Nach e. Vortr.) (32) 8° Altnbg, T Unger 05. — 60
— Moderno Renaissance. (151) 8° Ebd. 04. 1.50 d
— Rollwenzelei u. Eremitage. Bayreuther Stimmgn. (86 m.
Abb. u. 1 Bildnis.) 8° Berl., H Seemann Nf. 2.50;
geb. 3.50 d
— C Saint-Saën's Le rouet d'Omphale (Das Spinnrad d. Om-
phale), s.: Musikführer, b.
— Ernst v. Schuch. (Moderne Musiker.) (31 m. 2 Bildnissen.) 8°
Lpzg 01. Berl., Harmonie. 2 — d
— S Wagner's Ouvertüre z. Oper „Herzog Wildfang", s.: Musik-
führer, b.
— S Wagners Herzog Wildfang. — H Zoellners versunk. Glocke,
s.: Opernführer.
— u. H Weiss: Roland Stürmer. Künstlerleben in 4Akten. Dichtg
u. Musik v. S.u.W. (34) 8° Altnbg, (Schnuphase)(03). nn — 60

Sakulariensis, J. s.: d. herzogl. Franciscaeum zu Zerbst. 17—19.
V.'03. (104 m. Abb.) 8° Zerbst, (F Gast) 03. 1.50 d
— d., d. Gesellsch. f. nützl. Forschgn zu Trier am 10.IV.01.
(32, 29 m. 1 Bildnistaf.) 4° Trier, (F Lintz) 01. 3 —

Säkularisation, d., in Bayern, s.: Katholisches f. Jedermann.

Sala, C: Lorenz od. Der Triumph d. Unschuld, s.: Esser's, J,
Sammlg leicht aufführbarer Theaterstücke.

Saladin s. a.: Ross, WS.
— s.: Buch, d. Jungfrauen. — Jehova's ges. Werke. — Vom
bodenlosen Höllenschlund!

Saladin, VF: Liegenschaftsverkehr u. Hypothekarkredit im
Wirtschafts- u. Hotelgewerbe d. Stadt Basel 1875—98. (35)
4° Basel (Pflugasse 5), (J Kron) 1900. 45.50 d

Salaghi, S: Ueb. d. Wesen verschied. Störgn d. Herzrhythmus,
s.: Klinik, Berliner.

Salâh ad-Din: Licht d. Augen, s.: Augenärzte, d. arab.

Salamero: Román v. Salamero.

Salamonski, L: Das Vorbehaltsgut d. Ehefrau beim gesetzl.
Güterstande d. BGB. (102) 8° Berl., Struppe & W. 01. 2.40 d

Salbey, ER, s.: Zeitstimmen.

Salburg, C v: Jedermann Postkarten- u. Stammbuch-Dichter!
(32) 8° Lpzg, AF Schlöffel (01). — 60 d

Salburg, E Gräfin: Aufzeichngn e. guten alten Herrn. — Blaues
Blut. — Feudal, s.: Sammlung Franckh.
— Judas im Herrn. (304) 8° Dresd., C Reissner 04. 4 —;
geb. 5 — d
— Kreuzwenddedich. Roman a. d. Gesellschaft. (234) 8° Lpzg
03. Dresd., C Reissner. 3 —; geb. 4 — d
— Das Priesterstrafhaus. Roman. 1—3. Afl. (199) 8° Dresd., C
Reissner 03.05. 3 —; geb. 4 — d

153*

Salburg, E Gräfin: Was d. Wirklichk. erzählt. 3 Bücher, die d. Leben schreibt. 2. u. 3. Buch. 8⁰ Dresd., C Reissner.
Je 4 — (Vollst.: 11 —; Einbd je 1 —) d
2. Golgatha. Roman. 3. Afl. (413 m. Bildnis.) 03.
3. Humanitas. (461) Lpzg 01.
Salburg-Falkenstein, T: Liebesgeschichten. (144 m. Bildnis.) 8⁰ Wien, Verl.-Anst. neuer Lit. u. Kunst 02. 3 — d
Salcher, P: Gesch. d. k. u. k. Marine-Akad. (82 m: 1 Abb.) 8⁰ Pola 02. (Wien, C Gerold's S.) 3.50
— Die Wasser-Spiegelbilder, s.: Enzyklopädie d. Photogr.
Saldern, T v.: Diakonissenleben. Erinnergn a. alter u. neuer Zeit. 1. u. 2. Afl. (225 m. Abb.) 8⁰ Berl., AW Hayn's Erben (05). L. 3 — d
— s.: Frei im Dienst.
— Das Margaretenbuch. Erzäblg a. Lothringen. 20. Afl. (454) 8⁰ Wolfenb., J Zwissler 03. L. 5 —; m. G. 6 — d
Saleilles, R: Einführg in d. Studium d. deut. bürgerl. Rechts, s.: Studien z. Erläuterg d. bürgerl. Rechts.
Salem. Briefe a. Jerusalem v. *₀*. (84) 8⁰ Dess., A Haarth 01. L. 1.80 d
Salemann, C: Ein Bruchstück manichäischen Schrifttums im asiat. Museum. [S.-A.] (26 m. 1 Taf.) 4⁰ St.-Pétersbg 02. (Lpzg, Voss' S.) 1.50
Salemi-Pace, G: Üb. d. Druckfestigk. d. Gesteine unter d. Einfl. elast. Substanzen zw. d. Druckflächen. (Deutsch u. französisch.) [S.-A.] (28) 4⁰ Stuttg. 02. (Freibg i/B., J Bielefeld.)
— s.: Studie üb. d. durch d. alkal. Sulfate verursachten Korrosionen d. Backsteinmauern.
Salensky, W: Morphogenet. Studien an Würmern. I. Üb. d. Ban d. Echiuruslarve. [S.-A.] (102 m. 10 Taf.) 4⁰ St.-Pétersbg 05. (Lpzg, Voss' S.) 8 —
Sales, F v.: Anl. z. gottsel. Leben. Ein kernhafter Auszug v. A Lohmüller. (58) 8⁰ Schweidn., P Frömsdorf (04). — 60
— Der geistl. Führer frommer Seelen od.: Goldkörner, ges. a. d. Schriften d. hl. F v. S. 3. Afl. (140) 8⁰ Rgnsbg, Verl.-Anst. vorm. GJ Manz 04. — 80 d
— Himmelsbrot, s.: Reuter's Bibliothek f. Gabelsb.-Stenogr.
— Philothea od. Anl. z. gottsel. Leben. Verb. Ausg. v. JB Kempf. 32. Afl. (576 m. farb. Titel u. 1 Bl.) 18⁰ Einsied., Benziger & Co. (04). L. 1 — d
— dass. Nach d. französ. Orig.-Ausg. v J Moormann. Mit e. Anh. enth. Gebete u. Litaneien. Ster.-Ausg. (496 m. Titelbild.) 16⁰ Münst., Aschendorff (01). 1 — d
— dass. Übers. v. FX Müller. Nebst e. vollständ. Gebetb. (556 m. Titelbild.) 16⁰ Düsseldf, L Schwann (03). — 75 d
— dass. Aus d. Franz. v. H Schröder. 9. Afl. (575 m. farb. Titelbild.) 16⁰ Freibg i/B., Herder (04). *; L. 1.30 d
— dass., s.: Reuter's Bibliothek f. Gabelsb.-Stenogr.
Salfeld, S: Bilder a. d. Vergangenh. d. jüd. Gemeinde Mainz. (93 m. Titelbild.) 8⁰ Mainz 03. (Frankf. a/M., J Kauffmann.) 2 —
— Die Judenpolitik Philipps d. Grossmütigen. [S.-A.] (26 m. 1 Abb.) 8⁰ Frankf. a/M., J Kauffmann 04. 1 —
Aus d. Handel gezogen.
Salffner, E: Absolutorial-Aufg. f. d. bayer. Realsch. (Mathematik, Physik u. Chemie.) (80 m. Fig.) 8⁰ Nürnbg, C Koch 04. Kart. — 80 d
— Aufg. a. d. darstell. Geometrie, in denen Entferngn od. Winkel gesucht od. gegeben sind, m. Hilfe v. Drehgn d. Objekte zu lösen. (57 m. Fig.) 8⁰ Ebd. 01. 1 — d
Salgari, E: Die Geheimnisse d. schwarzen Dschungel. Erzählg. Aus d. Ital. v. E Andrae. (270 m. Abb.) 8⁰ Kattow., C Siwinna 05. 3.50; geb. 4.50 d
— Der Lichtberg. Übers. v. E Andrae. (317 m. Abb.) 8⁰ Ebd. (04). 3.50; geb. 4.50 d
Salge, B: Beiträge z. Pathol. d. Knochenwachsthums, s.: Stoeltzner, W.
— Therapeut. Taschenb. f. d. Kinderpraxis. (160) 8⁰ Berl., Fischer's med. Bh. 05. L. u. durchsch. 2.60 II 2. Afl. (166) 05. L. u. durchsch. 2.80
Salias, Graf: Leonida, s.: Weber's moderne Bibliothek.
Salice-Contessa, CW: Der Weiberfeind. Lustsp. (39) 16⁰ Hamm, Breer & Th. 1900. — 50 d
Salier, G: Verkauf v. Bäumen auf d. Stamm unter bes. Berücks. d. §§ 865, 956 BGB. u. d. gemeinen Rechts. (47) 8⁰ Berl., Struppe & W. 03. 1.20 d
Saliger, R: Üb. d. Festigk. veränderlich elast. Konstruktionen, insbes. v. Eisenbeton-Bauten. (189 m. Abb. u. 5 Taf.) 8⁰ Lpzg 04. Stuttg., A Kröner. 2 —
— Der Eisenbeton in Theorie u. Konstruktion. (227 m. Abb.) 8⁰ Stuttg., A Kröner 06. 4.40; L. 5 — d
Salin, B: Die altgerman. Thierornamentik. Typolog. Studie üb. german. Metallgegenstände a. d. IV—IX. Jahrh., nebst e. Studie üb. irische Ornamentik. Aus d. schwd. Mskr. übers. v. J Mestorf. (383 m. Abb.) 8⁰ Stockh. 04. (Berl., A Asher & Co.) nn 30 —
Salinen, d., Österr. im J. 1900. (373 m. 10 Taf.) 8⁰ Wien, (Hof- u. Staatsdr.) (02). 4 —
— dass. in d. J. 1901 u. 2. Bericht üb. d. Betriebs-, Verschleiss-, finanziellen u. Personalverhältn. d. Salzgefälles, erstattet v. Departement XI d. Finanzministeriums. JO Frhr v. Buschman, M v. Arbesser-Rastburg, A Schnabel. 8⁰ Ebd. 9 —
'01- (541 m. 11 farb. Taf.) 03. 4 — | '02- (555 m. 21 farb. Taf.) 04. 5 —

Saling's Börsen-Papiere. 3 Tle. 8⁰ Lpzg. Berl., Verl. f. Börsen-u. Finanzlit. 05. L. 56 —
1. (Allg.) Tl. Die Börse u. d. Börsengeschäfte. 10. Afl. v. Ä Schütze. (605)
5 — || 2. (finanz.) Tl. Saling's Börsen-Jahrb. f. 1905/1906. Bearb. v. E Heinemann, B Langheld, T Stegemann. 29. Afl. (28, 2055) 16 — || 5. (finanz.) Tl. Saling's Börsen-Jahrb. f. 1905/1906. Bearb. v. O Hartberg. 6. Afl. (72, 1108)
12 —
Salinger, E: Kinder d. Zeit, s.: Goldschmidt's Bibliothek f. Haus u. Reise.
— Ein moral. Stück. Roman. (Neue [Tit.-]Ausg.) (194) 8⁰ Stuttg., Deut. Verl.-Anst. [1896] (01). 1 —; kart. 1.25 d
— Eine Wahlverwandtschaft. Novelle in Briefen. 2. Afl. (155) 8⁰ Bresl., Schles. Buchdr. usw. 05. 1 —; geb. 2 — d
Salinger, M: Üb. die d. Reichstag vorlieg. Novelle z. ZPO., s.: Veröffentlichungen d. Berliner Anwalt-Ver.
Salingré, H: Alles f. meine Tochter. — Ein ruhiger Mieter, s.: Thalia.
Salis-Marschlins: Aristokratica. (103) 8⁰ Marschl. 02. (Münch., A Buchholz.) 2.80 d
Salis, A v.: Die Kraft d. Psalmen od. Der Psalter als Erbaungsb. Vortr. (31) 8⁰ Bas., Helbing & L. 02. — 50 d
Salis, LR v.: Schweiz. Bundesrecht. Staatsrechtl. u. verwaltgsrechtl. Praxis d. Bundesrates u. d. Bundesversammlg seit d. 29.V.1874. 2. Afl. 5 Bde. (803, 818, 844, 778 u. 778) 8⁰ Bern, KJ Wyss 03.04. Je 11 —
— dass. Traduit par E Borel. 2. éd. Vol. 1 et 2. (839 u. 848) 8⁰ Ebd. 04.05. Je 11 —
Salis-Seewis, JG: Gedichte, s.: Bibliothek d. Gesamtlitt.
Salisch, H v.: Forstästhetik. 2. Afl. (314 m. Abb. u. 16 Lichtdr.) 8⁰ Berl., J Springer 02. 7 —; L. 8 — d
Salix de Felberthal, L: Wie werde ich Zollbeamter?, s.: Berufsarten d. Mannes.
Salkowski, C: Institutionen. Grundz. d. Systems u. d. Gesch. d. röm. Privatrechts. 8. Afl. (22, 618) 8⁰ Lpzg, B Tauchnitz 02. 9 — d
Salkowski, E, s.: Untersuchungen, chem. u. medicin.
Sallis, JG: Die chron. Verdaugsstörgn u. ihre arzneilose Behandlg. 3. [Tit.-]Afl. (52 m. Abb.) 8⁰ Lpzg, O Borggold [1888] (03). 1,80
Sallmann, CF: Dialogues et poésies à l'usage de l'enfance. 14. éd. (112) 8⁰ Halle, Bb. d. Waisenh. 1900. Kart. — 90
Sallustius Crispus, d. G. Werke. 1., 9. u. 10. Lfg. Übers. u. erläut. v. C Cless. 8⁰ Berl.-Schönebg, Langenscheidt's V. Je — 35 d
1. Der Krieg geg. Jugurtha. 1. Lfg. 5. Afl. (48) 01. 9.10. Bruchstücke a. d. Gesch.-Büchern. 2. u. 3. Lfg. 5. Afl. (193—276) (02.04.)
— bellum Catilinae. Nach Text u. Kommentar getrennte Ausg. (B) f. d. Schulgebr. v JH Schmalz. 7. Afl. 2 Hefte. (33 u. 63) 8⁰ Gotha, FA Perthes 05. 1 —; geb. 1.30
— bellum Catilinae, bellum Iugurthinum, ex historiis quae exstant orationes et epistulae. Nach d. Ausg. v. Linker-Klimscha f. d. Schulgebr. bearb. (191) 12⁰ Wien, C Gerold's S. 02. Kart. 1.20 d
— de bello Iugurthino liber. Für d. Schulgebr. erklärt v. JH Schmalz. 5. Afl. Ausg. A. Kommentar unterm Text. (142) 8⁰ Gotha, FA Perthes 1905. 1.20 || Ausg. B. Text u. Kommentar getrennt in 2 Heften. 6. Afl. (66 u, 76) 04. 1.20
— bellum Jugurthinum. Hrsg. v. C Stegmann. Text. (98 m. 1 Karte.) 8⁰ Lpzg, BG Teubner 05. Geb. — 80
— Jugurthin. Krieg. Textausg. f. d. Schulgebr. v. T Opitz. (101 m. 1 Karte.) 8⁰ Ebd. 05. Kart. — 80
Sallwürk, E v.: Üb. d. Ausfülig d. Gemüts durch d. erzieh. Unterr., s.: Sammlung v. Abhandlgn a. d. Geb. d. pädagog. Psychol.
— Bilderschmuck f. uns. Schulzimmer. [S.-A.] (13) 8⁰ Lpzg, J Klinkhardt 01. — 30
— Das höh. Bildungswesen in Frankr. v. 1789—1899; dass. in Engl. im 19. Jahrh.; d. Bildgswesen d. Jesuiten seit 1600, s.: Schmid, KA, Gesch. d. Erziehg.
— Das Ende d. Zillerschen Schule. (73) 8⁰ Frankf. a/M., M Diesterweg 04. 1 — d
— Haas. Welt u. Schule. Grundfragen d. elementaren Volksschul-Erziehg. (124) 8⁰ Wiesb. 02. Lpzg, O Nemnich. 2.50; geb. 3.20
— Helene Keller. — Ein Lesestück, s.: Magazin, pädagog.
— Logik u. Schulwiss., s.: Beiträge z. Lehrerbildg u. Lehrerfortbildg.
— Die didakt. Normalformen. (160) 8⁰ Frankf. a/M., M Diesterweg 01. || 2. Afl. (167) 04. Je 2 —; L. je 2.50 d
— Streifzüge z. Jugendgesch. Joh. Fr. Herbarts, s.: Magazin, pädagog.
Sallwürk v. Wenzelstein, E v.: Das Gedicht als Kunstwerk.
— Die zeitgemässe Gestaltg d. deut. Unterr., s.: Magazin, pädag.
— s.: Quellensammlung zu Schillers Wilhelm Tell.
— Stimmen d. Einsamk. (55) 8⁰ Berl., E Ebering 1900. 1.50
Salm-Reifferscheidt, DE zu: Sankt Hildegard, d. gr. Jungfrau u. Seherin. (156 m. Abb.) 8⁰ Paderb., F Schöningh 04. 2 —; geb. 2.60 d
Salmon, G: Analyt. Geometrie d. Kegelschnitte m. bes. Berücks. d. neueren Methoden. Frei bearb. v. W Fiedler. 6. Afl. 2. Tl. (94 u. 443—854 m. Fig.) 8⁰ Lpzg, BG Teubner 03. 8 — (Vollst.: 17 —; Einbde in L. je 1 —)
Salmony, A: Eine neue Indigosynthese nebst e. Übersicht üb. d. bisher. Indigosynthesen sowie Indigoschmelzen u.

Reiniggsverfahren, unter Berücks. d. Patentlit. Auf Veranlassg v. H Simonis. (44) 8° Berl., R Friedländer & S. 05. 1.50
Saloman, G: Erklärgn antiker Kunstwerke. 2 Tle. 4° Stockh. (Lpzg, KW Hiersemann.)   Kart. je 6 —
1. (81 m. 4 Taf.) 02. ‖ 2. (Hrsg. u. d. Tode d. Verf.) (27 m. 3 Taf.) 05.
— Die Venus v. Milo u. d. mitgefund. Hermen. (36 m. Abb. u. 4 Taf.) 4° Ebd. 01.   Kart. 8 —; Anh. (4 m. 1 Taf.) (02.) 1 —
Salomo b. Isaak u. s.: Raschi.
— s.: Ha-Orah.
Salomonis wunderbares Buch d. wahren schwarzen Kunst. Schlüssel z. Geisterwelt. Der Stein d. Weisen. Die Zauberkräfte u. Wünschelrute. Sowie d. Kunst, Diebe zu stellen, Gestohlenes wiederzuerlangen. Im Spiel u. in d. Lotterie stets zu gewinnen, u. Talismane z. Siege in Kampf u. Streit u. z. Festmachen geg. Hieb, Stich, Schuss. Aus d. Pergamenthandschrift e. alten Klosterbibliothek. (112) 8° Lpzg, AF Schlöffel (04).   3 —
Salomon, A: Soc. Frauenpflichten. Vorträge. (136) 8° Berl., O Liebmann 02.   3.20
— s.: Geschäftsgehilfin u. Kontoristin, d.
Salomon, F (G Salomon), s.: Sparkasse, d.
Salomon, F: William Pitt. 1. Bd. Bis z. Ausg. d. Friedensperiode (1793). 1. Tl. Die Grundl. (208 m. 1 Bildnis.) 8° Lpzg, BG Teubner 01.   4.80
Salomon, H: Ueb. Durstcuren, bes. bei Fettleibigkeit, s.: Sammlung klin. Abhandlgn üb. Pathol. u. Therapie d. Stoffwechselernährgstörgn.
Salomon, H: Die städt. Abwässerbeseitigg in Deutschl. (Abwässer-Lexikon.) 1. Bd: Das deut. Maas-, Rhein- u. Donaugebiet umfassend, nebst e. Anh.: Abwässerbeseitiggsanl. in grösseren Anstalten. (576 m. Abb., 40 Taf. u. 1 Karte.) 8° Jena, G Fischer 06.   20 —
Salomon, J: Ueb. d. Folgen d. chron. Bronchialdrüsenaffektionen. (50) 8° Berl., M Günther 03.   — 60 d
Salomon's K, Wrtrb.d. botan.Kunstsprache. 5. Afl. v. E Schelle. (180) 8° Stuttg., E Ulmer 04.   Kart. 1.30
— Wrtrb. d. deut. Pflanzennamen. 2. Afl. v. A Voss. (251) 8° Ebd. 03.   Geb. 2.50
Salomon, K: Ecce homo! Gedanken u. Reden. (134) 8° Halle, Gebauer-Schwetschke 04.   2 — d
Salomon, L: Gesch. d. deut. Zeitgwesens v. d. ersten Anfängen bis z. Wiederaufrichtg d. Deut. Reiches. 2. u. 3. Bd. 8° Oldnbg, Schulze.   10.50
(Vollst., erm. Pr.: 12.50: in 2 Bde geb. 15 —) d
2. Die deut. Zeitgn währd d. Fremdherrschaft (1792—1814). (Umschbl.: Napoleon I. u. d. deut. Presse.) (372) 02. 3 — (1 u. 2 in 1 Bd geb. 7.50)
3. Das Zeitgwesen seit 1814. (994) 06.   7.50; geb. 9 —
Salomon, M: Chem. Experimente, s.: Peters, T.
Salomon, M: Amatus Lusitanus u. s. Zeit. [S.-A.] (71) 8° Berl., A Hirschwald 01.   2 —
— Die Tuberkulose als Volkskrankh. u. ihre Bekämpfg durch Verhültgsmassnahmen. (59) 8° Berl., S Karger 04.   1 —
Salomon's S, Comptoirhandb. Unterweisg in d. einf. u. doppelt-italien. Buchführg f. d. Waren- u. Bankgeschäft. 13. Afl. (324) 8° Berl., Lehrbücher-Verl. 04.   Geb. 4.50 d
— Kaufmänn. Rechenb. f. d. Waren- u. Bank-Geschäft. 8. Afl. (208) 8° Ebd. 1900.   Geb. 2 — d
Salomon, W: Üb. neue geolog. Aufnahmen in d. östl. Hälfte d. Adamellogruppe. [S.-A.] (I.) (16) 8° Berl., (G Reimer) 01.   — 50 ‖ (II.) (19) 01. 1 —
— Üb. d. Lagersform u. d. Alter d. Adamellotonalites. [S.-A.] (13) 8° Ebd. 05.   — 50 d
Salomon, W: Beitrag z. solitären Tuberkulose d. Chorioidea. (46 m. 1 Abb.) 8° Freibg i/B., Speyer & K. (02).   1.20
Salon, le, de modeles (F. Damen-Garderobe). 6.—9. année. 1901—4 je 12 nrs. (Nr. 4. 8 m. Abb.) Fol. Frankf. a/M., Modejournal-Verl. MG Martens. Ausg. I m. je 6 farb. Taf., jährlich 2 Panoramen u. 1 Album, halbj. 15.50; Ausg. H m. je 5 farb. Taf., jährlich 2 Panoramen u. 1 Album, 11 —; Ausg. III m. je 4 farb. Taf., jährlich 2 Panoramen u. 1 Album, 8.50; Ausg. IV m. je 3 farb. Taf., 6.50; Ausg. V m. je 2 farb. Taf., 5 —
Fortsetzg s. u. d. T.: Chic de Paris.
— Prager. Rudolfinum. Mit Text v. FX Harlas. (48 Bl. m. 8 Bl. Text.) 4° Prag 02. (Lpzg, A Twietmeyer.)   7.30 ‖
Ausg. m. engl. Text u. M Reimann. (40 Bl. m. 7 Bl. Text.) 6 —
Salonblatt deut. Zeitschrift f. gesellschaftl. Interessen. Hrsg.: M Baron v. Lasser. Chef-Red.: H Moitan. 10. u. 11. Jahrg. Oktbr 1900—Septbr 1902 je 36 Nrn. (Nr. 1. 16 m. Abb.) 4° Berl., G Wattenbach.   Viertelj. 1 —; einz. Nrn — 35 d
Verschmolzen m.: Adels- u. Salonblatt u. High-Life.
— Münchner. Fortsetzg. s.: Freistatt.
Salons internat. de photogr., s.: Ausstellungen, internat. photograph.
Salow, W: Mecklenburg-Schwerin u. Mecklenburg-Strelitz, s.: Landes- u. Provinzialgeschichte.
Salta u. Salta-Solo s.: Miniatur-Bibliothek.
Saltarino, Signor, s.: Otto, HW.
— Alfredo, s.: Eckstein's Reise-Bibliothek.
— Artistenblut, s.: Spielmann, C, in Tricot.
— **M Behrend**: Fahrendes Volk. Skizzen u. Novellen a. d. Zirkusleben. (104) 8° Mülh. a/R., J Bagel (02).   — 30 d
— — dass. — Kurz-Ausgabe, F: Flittergold. Geschichten a. d. Artistenleben. (Umschl.: Saltarino, Signor, u. a.: Artistenleben.) (104 u. 99) 8° Ebd. (04).   — 60 d

Salta-Zeitung, deut. Red.: A Essmann. 2. Jahrg. 1901. 12 Nrn. (Nr. 1. 32) 8° Lpzg Grethlein & Co.   Halbj. 3 —
Fortsetzg s. u. d. T.: Pachschrift f. Salta u. Salta-Solo.
Salten, A, v.: Hellwirkg u. Aberglauben. (19) 8° Lpzg, O Borggold (05).   — 40
Salten, F: Wiener Adel, s.: Grossstadt-Dokumente.
— Das Buch d. Könige. (48 m. Abb.) 8° Münch., G Müller (05). 1.30
— Die Gedenktaf. d. Prinzessin Anna. Titelbild.) 8° Wien, Wiener Verl. 02. 2 — ‖ 3. Afl. (114 m. Titelbild.) 04. 1 —; geb. nn 2 —
— Der Gemeine. Schausp. (158) 8° Ebd. 61. 2 —; geb. nn 3 — d
— Der Schrei d. Liebe, s.: Bibliothek moderner deut. Autoren.
— Die kl. Veronika. Novelle. (144) 8° Berl., S Fischer 03. 2 —; geb. nn 3 — d
Salter, T v.: Kathinka v. Saltanoff, d. Nichte d. Exzellenz, s.: Szenen v. Welttheater.
Saltykow, W: Die Philosophie Condillacs, s.: Studien, Berner, z. Philosophie u. ihrer Gesch.
Saltykow-Schtschedrin: Toptygin I, Toptygin II, Toptygin III. Märchen f. Kinder reifsten Alters. (In russ. Sprache.) (22) 8° Berl., J Räde 03.
Saltzen, H v.: Märchen d. Liebe. Roman. (135) 8° Dresd., F Pierson 02.   1.50; geb. 2.50 d
Saltzer, F: Farben-Erläuterer Helios. (4 m. 9 farb. Gelatineblättchen.) 8° Eisenach, Lehr. Saltzer 05.   — 30 d
Salzgeber, A: Die kathol. Wohlthätigk.-Anst. u. -Vereine, sowie d. katholisch-soz. Vereinswesen in d. Diöz. Breslau preuss. Anteils, s.: Charitas-Schriften.
Salzburg, H: Christa. Ein Evangelium d. Schönheit. (77) 8° Wien, Wiener Verl. 02.   2 —
— Ehefrühling. (3. u. 4. Taus.) (83) 8° Lpzg 02. Jena, E Diederichs.   2 —; geb. 3 — d
— Ernte. (119) 8° Münch., A Langen 03.   2 —; geb. 3 — d
— Neue Garten. (111) 8° Ebd. 04.   2 —; geb. 3 — d
— Gedichte. 2. Afl. (108 m. Bildnis.) 8° Ebd. 01.   2 —; geb. 3 — d
— dass. s.: Sammlung gemeinnütz. Vortr.
— Novellen d. Lyrikers. 1. u. 2. Afl. (159) 8° Berl., E Fleischel & Co. 03.   2 —; geb. 3 — d
Salvadori, G: Das Naturrecht u. d. Entwicklgsgeschichte. Einl. zu e. positiven Begründg d. Rechtsphilosophie. (108) 8° Lpzg, Dietrich 05.   3 —
Salvator, E v.: Der Erlöser. Schausp. 1—5. Afl. (86) 8° Wien, JJ Plaschka (02,03).   2 — d
Salvator, E: Der Graphologe. Leichtfassl. Belehrg auf Grund d. Handschriften-Beurteilg. (16) 8° Lpzg, Verl. „Für's prakt. Leben" (05).   1 —
— Der Hypnotiseur. Leichtfassl. Belehrg z. fachmänn. „Ausübg" hypnot. Versuche, d. Suggestion, d. Gedankenlesens u. d. Katalepsie. (31) 8° Ebd. (05).   1 —
— Immer bei mir. Kl. Taschenb. f. d. allg. deut. Rechtschreibg. (65) 16° Ebd. (05).   1 —
— Der sichere Weg z. Erfolg f. Nebenerwerb auf d. Geb. d. Schriftstellerei u. f. schriftl. Arbeiten als Nebenverdienst. (104) 8° Ebd. (05).   1.70
Salvisberg, P v., s.: Hochschul-Nachrichten.
— Das Preiskartell d. deut. Buchhandels u. d. Hochsch. [S.-A.] (131) 8° Münch., Academ. Verl. München 04.   — 75
Salz u. Licht. Vortr. u. Abhandlgn. 1—8. 8° Barm., Wuppertaler Traktat-Gesellsch.   4.40 d
Bausch, E: Der Psalter als Gebetsschule. Vortr. (24) (01.) [II.] — 30
Blass, F: Ott. Notwendigk. u. Wert d. Textkritik d. Neuen Test. Vortr. (05) 01. [I.] — 40
Cremer, E: Die Heilig durch d. Glauben. Vortr. (30) (02.) [III.] — 40
Gunning, HF: Die natürl. Gotteserkenntnis zw. Theol. u. Relig.-Wiss. Vortr. (24) (03.) [V.] — 40
Hanzelier, J: Der Missionsgedanke im Evangelium d. Lukas. Vortr. (21) [IX.] 04. — 40
Kähler, M: Das Offenbarungseben d. Bibel. (55) (03.) [VI.] — 60
Müller, OT: Das Rätsel d. Todes. (20) 05. [X.] — 30
Nathusius, M v.: Ueb. d. Bedeutg christl. Erkenntnis. (15) (03.) [V.] — 30
Nestle, E: Vom Textus Exceptus d. griech. Neuen Test. Erweit. Vortr. (56) 03. [VII.] — 90
Zimmer, E: Wesen u. Wachstum d. Glaubens an Jesus Christus. Vortr. (43) 03. [VII.] — 60
Salz, J.: Beitr. z. Gesch. u. Kritik d. Lohnfondstheorie, s.: Studien, Münch. volksw.
Salzbrunn, Fürstenstein u. d. **Waldenburger-Gebirge** in 42 Bildern. Text v. M Reimann. (48 Bl. m. 16 S. Text.) 8° Warmbr., M Leipelt (04).   Geb. 3 —
Salzburg. Stadt. Umgebg. Ausflüge. Geleit- u. Erinnergsb. 1. u. 2. Afl. (103 m. Abb., Pl. u. Karte.) 8° Salzbg, E Höllrigl (03.05).   1.30
— Stadt u. Land. Hrsg. u. verlegt v. Landesverband f. Fremdenverkehr in Salzburg. (Red.: H Kerber, A Schüller.) 8° m. Abb. u. 1 farb. Karte.) 8° Salzbg., (H Kerber) (02). nn 1.30
— u. Steiermark in Wort u. Bild, s.: Salzbg., hrsg. v. J Loserth, s.: Forschungen z. Verfassgs- u. Verwaltgsgesch. d. Steiermark.
Salzburg, P v.: Was d. Lagune erzählt. (61) 8° Wien, Szelinski & Co. (04).   — 80 d
— Des Weibes Sünde. Ein Dutzend Dutzendgeschichten. (96) 8° Wien, Moderner Verl. (04).   1.50
Salzburg, O v.: Wilhelmine Krüger, d. Heldin v. Transvaal od. d. Blutdiamant v. Kimberley. Histor. Roman. 100 Hefte. (2896 m. je 1 Vollbild.) 8° Dresd.-Radeb., M Wolf (01).
Je — 10 d Vergr.
Salzer, A: Illustr. Gesch. d. deut. Lit. v. d. ält. Zeiten bis z. Gegenwart. Mit 22 vielfarb., 14 zweifarb., 74 schwarzen Bei-

lagen u. üb. 300 Abb. im Text. (In 20 Lfgn.) 1—17. Lfg. (1—584) 4° Münch., Allg. Verl.-Gesellsch. (03-05). Je 1 — d
Salzer, A, s.: Weissenhofer, R, Schausp. f. jugendl. Kreise.
Salzer, E: Miscellen a. d. Carte Farnesiane d. Staatsarchivs zu Neapel. [S.-A.] (8) 8° Rom, Loescher & Co. 04. nn — 40
— Der Übertritt d. Gr. Kurfürsten v. d. schwed. auf d. poln. Seite währ. d. 1. nord. Krieges in Pufendorfs „Carl Gustav" u. „Friedrich Wilhelm", s.: Abhandlungen, Heidelberger, z. mittl. u. neueren Gesch.
Salzer, F: Die Augenheilkde d. prakt. Arztes. [S.-A.] (15) 8° Münch., JF Lehmann's V. 05. — 80
— Leitf. z. Augenspiegelkurs. (107 m. Abb., 8 [5 farb.] Taf. u. 1 Pause.) 8° Ebd. 05. 1.50 d
— Die Gesellschaft Plumm. Satire. (64) 8° Münch., E Reinhardt 02. 1.50 d
Salzer, G: Freiwahl. Schausp. (94) 8° Dresd., E Pierson 02. 1.50 d
Salzer, H, s.: Arbeiten a. d. Geb. d. klin. Chirurgie.
Salzger, AA, s.: Führer durch d. Bade-, Brunnen- u. Luft-Kurorte usw. v. Mittel-Europa.
Sals-Körner, s.: Geschichten u. Bilder fürs deut. Volk.
Salzmann's Bauten-Anzeiger f. Berlin u. Vororte. Red.: C Schröder. 2. Jahrg. 1. Viertelj. Jan.—März 1903. 13 Nrn. (Nr. 14 —26.) (Nr. 14. 8) 4° Berl., CMF Salzmann. 3 —
Bisher u. d. T.: Bauten- u. Submissions-Anzeiger, Berliner.
— dass., nebst Submissions- u. Baumitteilgn a. Nah u. Fern. Red.: C Schröder. 2. Jahrg. 2—4. Viertelj. Apr.—Dezbr 1903. 39 Nrn. (Nr. 27—65.) (Nr. 27. 187—202) 8° Ebd. Viertelj. 3 —
‖ 3. Jahrg. 1904. 52 Nrn. 12 —; viertelj. 3.65
— dass. f. Berlin u. Vororte. Red.: C Schröder. 4. Jahrg. 1905. 52 Nrn. (Nr. 159. 3203—3218) 8° Ebd. 12 —; viertelj. 3.65
Salzmann: Rechenb. f. gewerbl. Fortbildgssch., s.: Müller, LT.
Salzmann's, OG, ausgew. Schriften, s.: Bibliothek pädagog. Klassiker.
— Ameisenbüchl, od. Anweisg zu e. vernünft. Erziehg d. Erzieher. 6. Afl. (75) 8° Lpzg, Dürr'sche Bh. 05. — 80 d
— dass., s.: Bibliothek, pädagog. (K Richter). — Sammlung d. bedeutendsten pädagog. Schriften (Wimmers). — Velhagen & Klasing's Sammlg pädagog. Schriftsteller (P Jonas).
— Konrad Kiefer od. Anweisg zu e. vernünft. Erziehg d. Kinder. Neue Ausg. 4. Afl. (144) 8° Lpzg, Dürr'sche Bh. (03). 1.50 d
— dass., s.: Sammlung d. bedeutendsten pädagog. Schriften (Wimmers). — Schriften hervorrag. Pädagogen (P Schütze).
— Krebsbüchl. od. Anweisg zu e. unvernünft. Erziehg d. Kinder, s.: Sammlung d. bedeutendsten pädagog. Schriften.
— method. Schrift: Üb. d. wirksamsten Mittel, Kindern Relig. beizubringen, s.: Schriften hervorrag. Pädagogen f. Seminaristen u. Lehrer.
— Joseph Schwarzmantel od. Was Gott thut, das ist wohlgethan. F. d. Jugend bearb. v. A Puchta. (120 m. 6 Farbdr.) 8° Stuttg., G Weise (02). Geb. 1.50 d
Salzmann, E v.: Im Kampfe geg. d. Herero. 1—4. Afl. (212 m. Abb.) 8° Berl., D Reimer 05. L. 5 —
— Im Sattel durch Zentralasien. 6000 Kilometer in 176 Tagen. 1—6. Afl. (312 m. Abb., 1 Karte u. 8 Kartenskizzen.) 8° Ebd. 03. L. 5 —
Salzmann, E: Hinter Klostermauern. Erzählg a. Grafenheim. 2 Afl. (245) 8° Stuttg., A Bonz & Co. 03. 2.60; L. 3.80 d
Salzmann, H, s.: Vierteljahresschrift f. prakt. Pharmazie.
Salzmann, H: Geländek. v. Seeberg bei Gotha. In e. neuen Terrainmanier v. H Habenicht. 1:12,500. 40,5×56,5 cm. Farbdr. Nebst Text. (2) 8° Gotha, J Perthes 01. — 40
Salzmann, T: Prakt. Gesanglehre f. Schulen u. z. Selbstunterr' (188) 8° Lpzg, A Schwieck (04). Kart. nn 1.50 d
— Vorsch. u. Erläutergn z. Gesanglehre, f. d. Hand d. Lehrers. (30) 8° Ebd. (04). nn — 50 d
Salzungen, Solbad, u. Umgebg. 6. Afl. (128 m. 1 Karte.) 12° Salz., L Scheermesser 02. 1.30
Salzwedel: Hdb. d. Krankenpflege. 8. Afl. (31, 488 m. Abb. u. 3 farb. Taf.) 8° Berl., A Hirschwald 04. 8 —. I. Beiheft: Wochen- u. Säuglingspflege. (36) 05. — 80
Samaritan, d. barmherz. Blätter z. Förderg christl. Wohlthätigk., hrsg. v. kathol. Wohlthätigkeitscomité f. Österr. Red.: O Kozlik. 1. u. 2. Jahrg. (Neue Folge) 1901 u. 2 je 6 Hefte. (1. Heft: 32) 8° Wien, Bh. Reichspost. Je nn 2.50 d
— dass., red. v. R Perkmann a. O Kozlik. 3. Jahrg. (Neue Folge.) 1903. 6 Hefte. (1. Heft. 32) 8° Wien (XIX, Vormosergasse 3), Administr. nn 3.50 d 6 H
Samariter, barmherz. Sammlg v. Lebensbildern a. d. inneren Mission, f. Kinder erzählt. (Von M Hennig.) 1—12. Heft. (Je ca 16 m. Abb.) 8° Hambg, Agent. d. Rauhen H. Je — 08 d
1. Jobs Falk, e. Freund d. Kinder. (04.) ‖ 2. Aug. Herm. Francke, e. Vater d. Waisen. (04.) ‖ 3. Hans Knudsen, d. Vater d. Verkrüppelten. (04.) ‖ 4. Elisabeth v. Thüringen, e. Fürstin d. Barmherzigk. (04.) ‖ 5. Eliesab. Fry, d. Engel d. Gefangenen. (04.) ‖ 6. Luise Scheppler, d. Freundin d. Kleinen. (04.) ‖ 7. Pastor Theodor Fliedner. (04.) ‖ 8. Wilh. Bröckelmann u. d. deut. Kindergottesdienst. (05.) ‖ 9. Karl Hildebrand v. Canstein. Ein Bibelfreund. (05.) ‖ 10. Drei Grosse im Reiche Gottes. (05.) ‖ 11. Georg Müller. Ein Vater vieler Waisen. (05.) ‖ 12. Joh. Hinrich Wichern u. d. Rauhe Haus. (05.)
Samarow, G (O Meding): Das Erbe Kaiser Wilhelms I. Histor. Roman a. d. Gegenwart. 2. u. 3. Bd. 8° Berl., Schles. Buchdr. usw. 03. Je 3 — (Vollst.: 9 —; Einbde je 1 —) d
2. Sieg in China. (274) ‖ 3. Wieder daheim. (288)
Den 1. Bd s. u. d. T.: Erbe, d., Kaiser Wilhelms I.
— Ein Gespenst. Roman. (304) 8° Ebd. 02. 3 —; geb. 4 — d

Samarow, G (O Meding): Die Medici im Ringen u. Kampf. Histor. Roman. (390) 8° Berl., A Schall (02). 5 —; geb. 6 — d
— Die Saxoborussen. Roman. 3—6. Afl. (522 m. 8 Vollbildern.) 8° Stuttg., Deut. Verl.-Anst. 03. 4.50; L. nn 5.50 d
— Der Vetter d. Kaisers. Ein Blatt Papier, s.: Weichert's Wochen-Bibliothek.
— Um Zepter u. Kronen. 21. Taus. Neue, einbänd. Ausg. (674) 8° Stuttg., Deut. Verl.-Anst. 04. 3 —; L. nn 4 — d
Samsasa, P: Das neue Südafrika. 1—4. Taus. (416) 8° Berl., CA Schwetschke & S. 05. 5.50; geb. 6.50 d
Samberger, F: Die Therapie an d. k. k. böhm. dermatolog. Univ.-Klinik d. Prof. Dr. V Janovsky in Prag, s.: Therapie, d., an d. österr. Univ.-Kliniken.
Same, guter. I—X. Serie. (Je 250 S. Traktate.) 12° Neumünst., Vereinsbh. G Ihloff & Co. (03.04). Je nn — 20 d
Samel, W: Gerätkde f. Turnlehrer u. Turnvereine, s.: Kregenow, E.
Sameli, H: Das graph. Rechnen in d. Seidenfabrikation m. J Billeters Apparaten. (33) 8° Wädensw. 1894. (Zür., Rascher & Co.) Kart. 1.60
— Das metr. Schnellrechnen f. d. Textil-Industrie. (48) 8° Schweidn. 03. (Zür., Rascher & Co.) Kart. 2.40
Samenhof (jetzt: Zamenhof) s.: Wörterbuch Deutsch-Esperanto.
Samenkörner. 164—202. Heft. (Je 32) 16° Elberf., R Brockhaus (durch J Fassbender) 1900-05. Je — 10 d
— dass. 33—40. Bdchn. (Je 164 m. Abb) 16° Ebd. (1900-05.) Kart. je — 50; geb. je — 60 d
— a. Gottes Ackerfeld. Von M K. (51) 8° Hambg. (Agent. d. Rauhen H.) 03. — 40 d
Saemisch, T: Die Krankh. d. Conjunctiva, Cornea u. Sklera, s.: Graefe, A, u. T Saemisch, Hdb. d. Augenheilkde.
Sammel-Akten. Zeitschrift. Mittheilgn üb. d. ges. veröffentl. Entscheidgn u. Notizen üb. neu erschien. Abhandlgn insbes. d. bürgerl. Rechts u. d. Civilprocesses. 2. Jahrg. Oktbr 1901 —Septbr 1902. 2 Abthlgn je 4 Nrn. 1. 26 perforierte u. gummierte Bl.) 4° Berl., HW Müller. nn 14 —; einz. Abthlgn nn 8 —‖3. Jahrg. 1902/3. 2 Abthlgn je 4 Nrn. nn 18 —; einz. Abthlgn nn 9 — ö F.
Sammel-Atlas f. d. Bau v. Irrenanst. Hrsg. v. G Kolb. 1—11. Lfg. Von G Kolb unter Mitarbeit v. M Fischer. (1—354 u. 1— 273 m. Fig., Grundrissen u. 1 Pl.) 4° Halle, C Marhold 02-05. Je 3 —
Sammelbände d. internat. Musikgesellsch. Hrsg.: O Fleischer u. J Wolf u., v. 7. J. an, M Seiffert. 2—7. Jahrg. Oktbr 1900 —Septbr 1906 je 4 Hefte. (2—5. Jahrg. 729, 748, 752 u. 659) 8° Lpzg, Breitkopf & H. Je 20 —; einz. Hefte 5 —
Sammelblatt d. histor. Ver. Eichstätt. XV—XIX. Jahrg. 8° Eichst., (P Brönner). 16 — d
XV. 1900. (82 u. 1.50 ‖ XVI. '01. (83 m. 1 Stammtaf.) 02. 2 — ‖ XVII. '02. (108 m. 1 Taf. u. 1 Stammtaf.) 03. 2.50 ‖ XVIII. '03. (153 m. 3 Taf. u. 1 Stammtaf.) 04. 4 — ‖ XIX. '04. (115 m. 6 Taf. u. 3 Stammtaf.) 05. 6 —
Sammel-Buch d. Bescheiniggn üb. d. Endzahlen a. d. Aufrechngn d. Quittgskarten. (54) 12° Flöha, A Peitz & Sohn (02). Geb. In Futteral — 40 d
Sammel-Gutachten üb. d. Ritual- u. Blutmordfrage v. gebildeten deut. Männern aller Stände. (65) 8° Cüstr., H Brandt 01. — 50 d
Sammel-Katalog d. in Hamburger öffentl. Bibliotheken vorhand. Litt. a. d. Chemie u. a. verwandten Wiss. Vom Chemiker-Ver. in Hamburg u. Ver. deut. Chemiker, Bezirksver. Hamburg. (108) 8° Hambg. (Boysen & M.) 01. 1.90
Sammel-Mappe f. Flächendecoration m. bes. Berücks. f. Textil-Industrie. V. Folge. 6 Hefte. (Je 8 Taf.) Fol. Plauen, C Stroll 01. 18 —
Fortsetzg u. d. T.:
— f. Flächenverzierg m. bes. Berücks. d. Textil-Industrie. VI—XIV. Folge je 6 Hefte. (Je 8 Taf.) Fol. Ebd. 01-05. In M. je 18 —; einz. Hefte 3 —
— ornamentale u. kunstgewerbl. Serie VII. Fol. Lpzg, KW Hiersemann. In M. 48 — [I—VII.: 218 —)
Passarek, GE: Die Ölkrersammlg d. nordböhm. Gewerbe-Museums in Reichenberg. (37 Lichtdr. u. 3 farb. Taf. m. 27 S. illustr. Text.) 02. [VII.] 48 —
— pädagog. Hrsg. v. L Mittenzwey. 54., 98. u. 131. Heft. 8° Lpzg, Siegismund & V. 3 —; Kartonnagen je — 80 d
Normal-Lehrplan f. böh. Mädchensch. in Preussen. Ministerial-Bestimmgn v. 31.V.1894 etc. etc. 4. Afl. (32) 03. [98.] — 80 d
Schaumann, O: Relig. u. relig. Erziehg bei Rousseau. (76) (02.) [131.] 1 — ‖ A St. (95) (05.) 1.90
Studien, pädagog. 2. Heft. Bearb. v. E Weil, E Wolfhagen u. R Groh. 2. Afl. (84) 05. [54.] 1 —
Bisher unter Einzeltiteln aufgenommen.
Sammet, E: Vor kl. Gemeinde. Neue Gedichte. (78) 8° Dresd., E Pierson 04. 1.50; geb. 2.50 d
— Nach Sonnenwende. Gedichtsammlg. (150) 8° Ebd. 03. 2.50; geb. 3.50
Sammler, d. kleine. Missionsbl. d. Sammelver. f. d. Berliner Missionsgesellsch. (37 Lichtdr. u. 3 farb. Taf. m. 27 S.) 8° Berl., (Bh. d. Berliner ev. Missionsgesellsch.) Jährlich — 20 d
— 4. Jahrg. (Nr. 1. 20 m. Abb.) 8° Berl., (Bh. d. Berliner ev. Missionsgesellsch.)
Sammlung v. Ablass-Gebeten, insbes. z. Gebr. bei d. Kirchenbesuchen z. Gewinng d. Jubiläums-Ablasses im J.1901. (60) 16° Brix., A Weger 01.
— amtl., d. Acten a. d. Zeit d. helvet. Republik (1798—1803) im Anschl. an d. Sammlg d. ält. eidg. Abschiede. Bearb. v.

J Strickler. VIII—X. Bd. 4° Bern. (Basel, Basler Buch- u. Antiquariatsh. vorm. A Geering.) 53.60 (Vollst.: nn 171 —)
VIII. Juni bis Septbr 1802. (1607) 02. 20 — ‖ IX. Octbr. 1802 bis Anfang Juli 1803. (1490) 03. 20 — ‖ X. Reg. u. Anhänge zu Bd 1—IX. (566) 05. 13.60.

Sammlung, agrar-polit. Schriften. Hrsg. v. Präsidium d. mähr. Landeskulturrates. 1. Bd. 8° Brünn, (C Winkler). †7 — d
Robáček, F: Die Grundsteuervorschreibg in Mähren u. d. Berufsgenossensch. d. Landwirte. (148 u. 362) 03. [1.] †7 —

— anhalt. Ges. Hrsg. v. FP Hoering. 1., 2. u. 7—10. Bdchn. 8° Cöth., P Schettler's Erben. Kart. 10 — d
Gemeinde-, Stadt- u. Dorfordnung, d., f. d. Herzogt. Anhalt in ihrer v. 1.VII.'05 od. gült. Passg. 3. Afl. (59) 05. [1.] 1 —
Pannier, K: Die anhalt. Ausführgsbestimmgn zu d. Schlachtvieh- u. Fleischbeschauges., nebst d. Schlachthausges. u. d. Abdeckereiverordng. (88) 04. [10.] 1.50
— Das anhalt. Ausführgsges. z. Reichsges. üb. d. Schlachtvieh- u. Fleischbeschau nebst d. Reichsges. selbst u. d. wichtigsten Ausführgsbestimmgn d. Bundesrats. (152) 03. [8.] 2 —
— Die anhalt. Ges. üb. d. Handels-, Landw.- u. Aerztekammer, nebst d. Ges., betr. d. ärztl. Ehrengerichte. (140) 01. [7.] 2.50
Ulrich, A: Das anhalt. Ges. üb. d. Urkunden-Stempelsteuer v. 17.IV.1883, Nr. 647, v. 29.III.1884, Nr. 668, nebst Ausführgsverordng v. 26.VI.1884, Nr. 674 u. Abändergsges. v. 29.III.1892, Nr. 868, v. 22.V.1897, Nr. 984 u. v. 30.IV.1899, Nr. 1046. (56) 04. [9.] 1 —
— Die Ges. üb. d. anhalt. Staats-, Kreis- u. Gemeinde-Steuern, sowie üb. d. Kirchensteuer u. d. Handelskammerbeitr. 6. Afl. (137) 1900. [2.] ‖ 7. Afl. m. Ausführgsverordngn. (180) 05. Je 2 —

— d. Ges., Verordngn u. Erlasse f. d. Apothekenwesen im Grossh. Baden, 2. Afl., s.: Apothekenwesen, bad.

— ärztl. Obergutachten, s.: Nachrichten, amtl., d. Reichs-Versichergsamts.

— v. Aufführgn f. Schule u. Haus. 1—4. Abtlg (Heft). 8° Dresd., O & R Becker (05). 2 — d
Bert, E: Grosspapas Geburtstag. Schwank. Für Dilettantenbühnen bearb. (31) [4.] — 50
Schmidt, J: Sedan u. d. deutsch-französ. Krieg. (20) [3.] — 30
— Weihnachten in Wort u. Lied. (40) [1.] — 60
— Der Wunderdoktor. Die Kochprüfg. Der Tierbändiger. Humorist. Aufführg. (40) [2.] — 60

— zwangl. Abhandlgn a. d. Gebiete d. Augenheilkde. Hrsg. v. A Vossius. III. Bd, 8. Heft; IV. u. V. Bd je 8 Hefte u. VI. Bd, 1—4. Heft. 8° Halle, C Marhold. Für d. Bd v. 8 Heften 8 —
Aschheim, H: Spez. u. Allg. z. Frage d. Augentuberkulose. (35) 03. [V,2.] 1 —
Best: Die lokale Anästhesie in d. Augenheilkde. (52) 05. [VI,3.] 1.20
Feilchenfeld, H: Der Heilwert d. Brille. (78) 01. [IV,4.5.] 2.50
Gelpke, T: Üb. d. Beziehgn d. Sehorgans z. jugendl. Schwachsinn. (24 m. 1 Tab.) 04. [VI,1.] — 80
Goldzieher, W: Ueb. Syphilis d. Orbita. (24) 02. [IV,8.] 1 —
Haab, O: Das Glaukom u. s. Behandlg. (59) 02. [IV,6.7.] 2 —
Hanke, V: Die Berufs- od. Gewerbe-Erkrankgn d. Auges. (25) 04. [VI,2.] — 60
Herford, E: Ueb. artificielle Augenentzündgn. (47) 04. [V,8.] 1.50
Hoor, K: Das Jequirity, d. Jequiritol u. Jequiritolserum. (60) 03. [V,3.4.] 1.80
Lindenmeyer: Ueb. paradoxe Lidbeweggn. (39) 04. [V,6.] 1.20
— Ueb. Schrotschussverletzgn d. Auges. (28) 02. [V,1.] 1 —
Rückel, W: Üb. d. Lymphom resp. Lymphadenom d. Lider u. d. Orbita. (38) 06. [VI,4.] — 60
Schloesser, C: Die f. d. Praxis beste Art d. Gesichtsfelduntersuchg, ihre hauptsächlichsten Resultate u. Aufgaben. (30) 01. [III,8.] 1 —
Velhagen: Ueb. d. Papillombildg auf d. Conjunctiva. (24 m. 1 Abb.) 04. [V,7.] — 80
Vossius, A: Ueb. d. hemianop. Pupillenstarre. (15) 01. [IV,3.] — 50
Weiss, E: Retinitis pigmentosa u. Glaukom. (26) 03. [V,5.] — 80
Ziehe, M, u. T Axenfeld: Sympathicus-Resektion beim Glaukom. (84 m. Abb.) 01. [IV,1.2.] 2 —

— d. ortspolizeil. Vorschriften, Statuten, Normativbestimmgn etc. d. Stadt Augsburg, ferner d. wichtigsten oberpolizeil. Vorschriften. Hrsg. v. d. Stadt Augsburg. (22, 585) 8° Augsbg, (Lampart & Co.) 03. L. 4 — d

— d. Ges. u. Beschlüsse, wie auch d. Polizei-Verordngn, welche v. 1.I.1897—31.XII.1900 f. d. Kt. Basel-Stadt erlassen worden. 17. Bd. Als Fortsetzg d. früh. Gesetzessammlg f. d. Kt. Basel. 24. Bd. (352 m. 1 Tab.) 8° Bas., (B Schwabe) 01. †2.70

— v. Ges., Verordngn u. Ministerialerlassen f. bayer. Polizeiorgane. 2. Nachtr. (89—158) 8° Münch., J Schweitzer V. (02). — 80 (Hauptwerk m. 1. u. 2. Nachtr.: 3.90) d

— d. Polizei-Verordngn u. polizeil. Vorschriften f. Berlin. 4. Ausg. In 3 Bdn. 8° Berl., AW Hayn's Erben. nn 20.50; geb. nn 22.75; Nachtr. (212) 02. nn 3 —; kart. nn 3.50
1. Sicherheits- u. Ordngs-Polizei, Medizinal- u. Sanitäts-Polizei. (517) 1900. nn 7 —; geb. nn 7.75
2. Gewerbe-Polizei. (668) 01. nn 10.50; geb. nn 11.50
3. Strom- u. Schiffahrts-Polizei, Bau-Polizei. (186) 1900. nn 3 —; geb. nn 3.50

— bern. Biographien. Hrsg. v. d. histor. Ver. d. Kt. Bern. 29—38. Lfg. (4. Bd. 323—642 u. 5. Bd. 1—480 m. Bildnissen.) 8° Bern, A Francke 1900-05. Je 1.20 (1—38.: 45.60; 1—4. Bd je 10 —; L. je nn 12.30) d

— bibliothekswiss. Arbeiten. Begründet v. K Dziatzko. Fortgeführt u. hrsg. (v. 18. Heft an) v. K Haebler. 7. u. 15—20. Heft. 8° Halle, R Haupt. nn 50.80 (1—20.: nn 115.50)
Beiträge z. Kenntnis d. Schrift-, Buch- u. Bibliothekswesens. Hrsg. v. K Dziatzko. VI. (102 m. 2 Taf.) Lpzg 01. [14.] nn 6.50 ‖ VII. (113) Lpzg 02. [15.] 6 — ‖ VIII. Hrsg. v. K Haebler. (49 m. 1 Bildnis.) 04. 3.50 (I—VIII.: nn 45.50)
Brambach, W: Gregorianisch. Bibliograph. Lösg d. Streitfrage üb. d. Ursprg d. gregorian. Gesanges. 2. Afl. (32) 01. [7.] 2 —
Bresciano, G: Neapolitana. Contributi alla storia della tipografia in Napoli nel secolo XVI. (109 m. Abb.) 05. [18.] 6 —
Haebler, K: Typenrepertorium d. Wiegendrucke. I. Abt. Deutschl. u. s. Nachbarländer. (38, 293 m. Abb.) 05. [19.20.] nn 25 —
Roquette, A: Die Finanzlage d. deut. Bibliotheken. (30) 02. [16.] 1.80

— vaterländ. Bilder a. d. deut. Gesch., a. Heer u. Flotte in Künstler-Farbendrucken. 1. u. 2. Heft. 4° Oldnbg, G Stalling's V. (05). 5 —
1. Röchling, C: Marsch durch d. Heimatsdorf. — Röchling, C: Kaiser Wilhelm I. auf d. Manöver bei Gross-Ziethen. — Röchling, C: Die 27er bei Königgrätz am 3.VII.1866. — Stöwer, W: S. M. Kanonenboot „Iltis" im Gefecht m. d. Takuforts am 17.VII.1900. — Rössler, A v.: Die eroberten französ. Fahnen auf dem Tempelhofer Felde vor d. Einzuge in Berlin 1871. (5 Bl.) 2.75; einz. Bl.: weiss — 40; auf Büttenkarton — 60
2. Fechner, H: Kaiser Wilhelm II. — Siegert, E: Kaiserin Auguste Viktoria. — Fechner, H: Kaiser Wilhelm I. — Fechner, H: Kaiser Friedrich III. — Rubach, W: König Friedrich August v. Sachsen. (5 Bl.) 2.25; einz. Bl.: weiss — 30; auf Büttenkarton — 50

Sammlung kirchl. Verordngn, Erlasse u. Bekanntmachgn f. d. Bisth. Breslau, hrsg. im Auftr. d. fürstbischöfl. Ordinariats in Breslau. (20, 672) 8° Bresl., (GP Aderholz) 02. HF. nn 10 — d

— mittelalterl. Abhandlgn üb. d. Breviergebet. 2. Bd. 8° Bresl., GP Aderholz. 3 — (1 u. 2.: 9 —)
2. Tractatus Brandeburgensis. Stephanus Bodeker, episcopus Brandeburgensis, de horis canonicis. Hrsg. v. A Schönfelder. (89) 02. 3 —
Den 1. Bd bildet: Tractatus Misnensis de horis canonicis.

— v. 300 Abbildgn v. Buddha-Statuen, hrsg. v. SF Oldenburg, s.: Bibliotheca buddhica.

— chem. u. chemisch-techn. Vorträge. Hrsg. v. FB Ahrens. VI—X. Bd. Je 12 Hefte. (6—9. Bd. 486, 494, 488 u. 474) 8° Stuttg., F Enke 01-05. Je 12 —; einz. Hefte 1.20

— d. landesrechtl. Civil-Prozess-Normen. (Zugl. als Anh. zu Gaupp-Stein's Commentar z. CPO.) I, 2. Tl; II, 2. Tl; III, 2. Tl u. V, 2. Tl. 8° Tüb., JCB Mohr. 11.60 (I—III, IV 1, V u. VI 1.: 28.90) d
Betzinger, B: Die bad. Landesges. u. Verordngn z. Ausführg. u. Ergänzg d. CPO. u. d. Zwangsversteigergsges. 2. Afl. d. „Normen d. bad. Landesrechts". 2. Tl. Erläutergn. (209—379) 02. [I,2.] 3 — (Vollst. in 1 Bd: 6 —; geb. nn 7 —)
Gessler, R: Die württemberg. Landesges. u. Verordngn z. Ausführg u. Ergänzg d. CPO. u. d. Zwangsversteigergsges. 2. Afl. d. „Normen d. württemberg. Landesrechts" v. L Gaupp. 2. Tl. Erläutergn. (193—315) 02. [III,2.] 2.40 (Vollst. in 1 Bd: 5.40; geb. nn 6.40)
Michaëlis, R: Die elsass-lothring. Landesges. u. Verordngn z. Ausführg u. Ergänzg d. CPO. u. d. Zwangsversteigergsges. 2. Afl. d. „Normen d. elsass-lothring. Landesrechts". 2. Tl. Erläutergn. (149—324) 04. [V,2.] 3 — (Vollst. in 1 Bd: 5.50; geb. nn 6.50)
Schierlinger, F: Die bayer. Landesges. u. Verordngn z. Ausführg u. Ergänzg d. CPO. u. d. Zwangsversteigergsges. 3. Afl. d. „Normen d. bayer. Landesrechts". 2. Tl. Erläutergn. (119—311) 02. [II,2.] 3.20 (Vollst. in 1 Bd: 5 —; geb. nn 6 —)

— interessanter Criminal- u. Detectiv-Romane. 1—26. Bd. 8° Berl., A Weichert. Je 1.50 d
Aidé, H: Ein dunkles Geheimnis. Deutsch v. J Cassirer. (175) (03.) [2.]
Berges, P: Der Einbruch im Bankhause. Amerikan. Detektivgesch. (152) (04.) [20.]
Blumenreich, P: Die höchste Instanz. (175) (04.) [14.] ‖ Der Selbstmörder. Berliner Roman. (174) (04.) [17.]
Breyer, C: Von Stufe zu Stufe. Nach d. Tageb. d. Scharfrichters Reindel zu Magdeburg. (175) (03.) [6.] ‖ Die Tochter d. Landstreicherin. (176) (03.) [10.]
Carlos-Duchow, H: Erbsünden! (168) (04.) [13.] ‖ Ein Fürst d. Fälscher. (172) (03.) [7.] ‖ Verjährt. (160) (05.) [23.]
Davidson, HC: Das Geheimnis d. Abtei. Deutsch v. J Cassirer. (179) (03.) [5.]
Keen, N: Lattenguste. In d. Kaboren u. Kaschemmen New-Yorks. Amerikan. Orig.-Detektiv-Roman. (173) (03.) [11.] ‖ Der Leichenfund an d. Fulton-Fähre. Amerikan. Orig.-Detektiv-Roman. (152) (03.) [3.] ‖ Das Skelett im Hochofen. Amerikan. Orig.-Kriminal-Roman. (168) (03.) [8.] ‖ Die 3 Zinken am Kreuzwege. Amerikan. Orig.-Kriminal-Roman a. d. Rocky-Mountains. Autoris. Ausg. (160) (04.) [19.]
Klaussmann, AO: Betrogene Betrüger. (143) (04.) [16.]
Klopfer, KE: Der Börsenkönig. (173) (05.) [22.]
Labore, L: Durch Kindesmund überführt. Nach Aufzeichngn d. Wiener Untersuchgsrichters JG Dietmayer. (160) (05.) [26.]
Norris, WE: Der unheiml. Mensch. Uebers. v. E Normann. (166) (04.) [15.]
Ortmann, R: Im eig. Netz gefangen. (176) (03.) [1.] ‖ Verschwiegene Schuld. (208) (05.) [24.]
Ottfried, R: Im Hause d. Verderbens. (206) (05.) [21.] ‖ Das Verbrechen im Moor. (208) (05.) [25.]
Plessen, E: Das Steinkreuz am Ostseestrand. (176) (03.) [12.]
René, G: Die Falle —! Nach d. Aufzeichngn e. russ. Geheimpolizisten. (176) (03.) [9.] ‖ Die schwarze Kassette. Nach d. Erinnergn e. Geheim-Polizisten. (175) (04.) [18.] ‖ Der verschwund. Kopf. (176) (03.) [4.]
Vgl.: Sammlung ausgew. Kriminal- u. Detektiv-Romane.

— deut. Lehrbb. unter Mitwirkg v. Karppe, Lepointe u. Martin. Bilder- u. Leseb. f. d. Sexta v. S Karppe u. A Martin. (164 m. z. Tl farb. Abb.) 8° Paris (Rue Soufflot 11), A Picard & Kaan (03). Geb. 1.60

— dass. f. d. Quinta v. S Karppe u. A Martin. (232 m. Abb. u. 1 Karte.) 8° Ebd. (04). Geb. 1.60

— deut. u. ausländ. Dichtgn in Gabelsb.'scher Stenogr. 1—4. Bd. 8° Wolfenb., Heckner. nn 4.75; Einbde je nn — 75
Goethe's Faust. 1. Tl. Hrsg. v. E Clemens. (141) 04. [1.] nn 1.25
— Hermann u. Dorothea. Hrsg. v. E Clemens. (106) 04. [2.] nn 1 —
Schiller, F v.: Don Carlos, Infant v. Spanien, e. dramat. Gedicht. Hrsg. v. E Clemens. (175) (05.) [4.] nn 1.50
— Wilhelm Tell. Schausp. Hrsg. v. E Clemens. (95) (05.) [3.] nn 1 —

— v. Druckformularen f. d. kaufmänn. Geschäft. Zusammengest. z. Gebr. in kaufmänn. u. gewerbl. Fortbildgssch. Ausg. C. 2 Tle. (40 m. 3 Formularen u. 64) 4° Cottb., O Enke (01). Je — 80

— d. kantonalen Ges. a. Verordngn üb. d. Einbürgerg nebst d. Bundesges. üb. d. Erwerb d. Schweizerbürgerrechts u. d. Verzicht auf dasselbe, v. 25.VI.'03. Deutsch u. französ. (190) 8° Bern, (C Marz) 04. Kart. 2 —

— v. Uebersichtspl. wicht. Abzweiggsstationen d. Eisenb. Deutschlds. Bearb. im Reichs-Eisenb.-Amt n. d. Stande v.

15.IV.'01. 2. Afl. (74 Kartens. m. 16 S. Text.) 12° Berl., (M Pasch). 1—
Sammlung d. in d. J. 1900—4 auf d. Geb. d. Eisenb.-Wesens hinausgegeb. Normalien u. Konstitutivurkunden, sowie d. in diesen J. erteilten u. verlängerten Vorkonzessionen. Bearb. v. statist. Department im k. k. Eisenb.-Ministerium. (383, 331, 447, 497 u. 413) 8° Wien, Hof- u. Staatsdr. 01-05. Je 3 —
— **elektrotechn.** Vorträge. Hrsg. v. E Voit. III—VIII. Bd je 12 Hefte. (3—5. Bd. 492, 480 u. 476 m. Abb.) 8° Stuttg., F Enke 01-05. Je —
— systemat., d. in Elsass-L. gelt. Ges. Hrsg. im Auftr. d. kais. Ministeriums. I. u. II. Bd. 8° Strassbg, KJ Trübner.
nn 39.50; Einbde in HF. Je nn 2 — d
Paffrath, K, u. F Grossmann: Privatrecht. 1. Abth. (22, 660) 1900. nn 15 —
‖ 2. Abth. (34, 1198) 01. [I.II.] nn 24.50
— v. Ges., Verordngn, Erlassen u. Verfüggn betr. d. Justizverwaltg in Elsass-L. 25—28. Bd. 8° Strassbg, Strassb. Druckerei u. Verl.-Anst. 50 —; geb. nn 58.50
(1—28 u. Registerbde I u. II.; nn 303 —) d
25. (Nr. 4119—4300.)(905) 1900. 16 —; geb. nn 18.50 ‖ 26. (Nr. 4301—4455.) (453) 02. 16 —; geb. nn 12 — ‖ 27. (Nr. 4436—4564.) (583) 03. 11 —; geb. nn 13 — ‖ 28. (Nr. 4565—4785.) (27, 626) 05. 13 —; geb. nn 15 —
— v. zivilrechtl. Entscheidgn d. k. k. obersten Gerichtshofes. Hrsg. v. L Pfaff, J v. Schey u. V Krupský. 34. Bd. (981) 8° Wien, Manz 01. 12.40; L. 13.60; HF. 14.20 d
— dass. 36—40. Bd. Neue Folge 2—6. Bd. 8° Ebd. 53.40;
L. 59.20; HF. 63.10 d
36. (788) 01. 9.60; geb. 10.80 u. 11.40 ‖ 37. (888) 02. 10.60; geb. 11.80 u. 12.40 ‖ 38. (941) 03. 11.80; geb. 13 — u. 13.60 ‖ 39. (988) 04. 12.40; geb. 13.60 u. 14.20 ‖ 40. (809) 05. 9 —; geb. 10 — u. 10.50.
— v. Entscheidgn d. k. k. Gewerbegerichte. Hrsg. v. k. k. Justizministerium. Beil. zu d. „Soc. Rundschau". II—V. Jahrg. 8° Wien, A Hölder. Je 1 —
II. '01- II. Bd. Nr. 198—342. (98, 208) '01. ‖ III. '02- III. Bd. Nr. 498- (37, 208) 04. ‖ IV. '03- IV. Bd. Nr. 499—649. (46, 208) 03. ‖ V. '04- V. Bd. Nr. 650—844. (57, 224) 04.
Der 1. Jahrg. erschien nicht als Sonderausg.
— v. Entscheidgn d. bayer. obersten Landesgerichts in Civilsachen u. v. Entscheidgn d. Notariatsdisziplinarhofs. Unter d. Aufsicht u. d. Leitg d. kgl. Staatsministeriums d. Justiz hrsg. I. Bd. 3—5. Heft; II. Bd. 5 Hefte; III. Bd. 7 Hefte; IV. Bd, 6 Hefte; V. Bd. 5 Hefte u. VI. Bd, 1.—3. Heft. 8° Erl., Palm & E. 95.45 d
I.3—5. (25 u. 273—814) 1900.01. 10.65 (I. Bd vollst.: 15.75 ‖ II. (36, 949) 01.02. 18.50 ‖ III. (46, 1168) 02.03. 22.70 ‖ IV. (45, 1038) 03.04. 20.35 ‖ V. (39, 769) 04.05. 15.15 ‖ VI,1—3. (432) 05. 8.10.
— v. Entscheidgn d. kgl. Oberlandesgerichtes München in Gegenständen d. Strafrechtes u. d. Strafprozesses. Unter Aufsicht u. Leitg d. kgl. Justizministeriums hrsg. X. Bd. 4. Heft. (241—373) 8° Ebd. 01. 2.50 (Vollst.: 8.92) d
— dass. 10 Bde. General-Reg. Zusammengest. v. F Himmelstoss. (25, 442) 8° Ebd. 04. 8.70 d
Fortsetzg u. d. T.:
— v. Entscheidgn d. bayer. obersten Landesgerichts in Strafsachen. Unter d. Aufsicht u.d. Leitg d. kgl. Staatsministeriums d. Justiz hrsg. I—V. Bd, je 5 Hefte. 8° Ebd. 43.75 d
I. (24, 445) 02. 8.80 ‖ II. (22, 448) 02.03. 8.80 ‖ III. (22, 435) 03.04. 8.60 ‖ IV. (439) 04. 8.70 ‖ V. (36, 448) 05. 8.85.
— v. Entscheidgn d. k. bayer. Verwaltgsgerichtshofes. Hrsg. unter d. Leitg d. k. b. Staatsministeriums d. Innern. 22—26. Bd. 1901—5 je 12 Lfgn. (22. Bd. 1. Lfg. 18) 8° Münch., (J Schweitzer S.). Je nn 4 — d
— d. n. gepflog. mündl. Verhandlg geschöpften Erkenntnisse d. k. k. Reichsgerichtes. Begründet v. A Hye Frhrn v. Glunek, fortgesetzt v. K Hugelmann. XI. Thl, 4 Hefte u. XII. Thl, 1.—3. Heft. 8° Wien, Manz. 33.65 d
XI. 1. Jahrg. 1896. (272) 01. 4 — ‖ 2. Jahrg. 1899. (191) 01. 5 — ‖ 3. Jahrg. 1900. (317) 02. 5 —
4. Vers. d. in d. Judicatur d. Reichsgerichtes v. 1869—1900 u. Ausgelangten Rechtssätze a. d. Rechtsprechg d. z. Entscheidg v. Kompetenkonflikten zw. Reichsgericht u. Verwaltgsgerichtshof d. Senates. Systemat. Reg., alphabet. Sach- u. Namesreg. zu d. Judikatur d. Reichsgerichtes v. 1869—1900. Register zu d. Rechtsprechg d. z. Entscheidg v. Kompetenzkonflikten zw. Reichsgericht u. Verwaltgsgerichtshof beruf. Senates (1880—1895). (320) 03. 4 —
(XI zu 1 Bd geb. 17.60)
XII. 1. Jahrg. '01- (305) 03. 5 — ‖ 2. Jahrg. '02. (402) 04. 6.25 ‖ 3. Jahrg. '03. (470) 05. 6.40
— christl. Fest- u. Schausp. 7. u. 8. Heft. 8° Annabg, Graser.
1 — (1—8.: 5.20) d
Dost, A: Weihnachten im Erzgebirge. Liedersp. (28) 01. 7 — 40
Goldberg, T: Die Tochter d. Pharao. Bibl. Festsp. (52) 04. 1 —
Bei Heft 8 ist irrtümlich aufgedruckt: 7. Heft.—Weitere Hefte nur unter Einzeltiteln.
— v. Vorschriften f. d. Feuerbeschau-Kommissionen in Bayern. 2. Afl. (59) 8° Münch., J Schweitzer V. 03. — 40 d
— d. f. d. Stadt Flensburg erlass. Polizeiverordngn. Hrsg. v. d. Polizeiverwaltg. (116) 8° Flensbg, Huwald 01. Kart. 2 — d
— Franckh. S., 6—8., 13—28. u. 30—35. Bd. (Mit Abb.) 8° Stuttg., Franckh. Je 1 —; geb. je 1.80 d
d'Annunzio, G: Heisses Blut. 5 Novellen. Deutsch v. F Brandé. 1—3. Afl. (125) (02-04.) [14.]
— Contessa Galatea u. and. Novellen. Deutsch v. F Brandé. 1—3. Afl. (125) (02.) [01.02.] [2.]
Christaller, H: Alfreds Frauen. Novelle a. d. Engl. v. M Pannwitz. 1—3. Afl. (117) (04.) [30.]
Hewlett, M: Die Herzogin v. Nona. Aus d. Engl. v. M Pannwitz. 1—3. Afl. (111) (04.05.) [31.]
Janson, G: Das Ende s. Regiments. — Dem Tode geweiht. Schildergn a. d. Burenkriege. Deutsch v. WP Kinberg. 1—3. Afl. (127) (03-04.) [24.]

Kipling, R: Durchs Feuer (u. and. ind. Gesch.). Aus d. Engl. 1. u. 2. Afl. (126) (03.) [18.]
— Aus Indiens Glut. Deutsch v. M Pannwitz. 5. Afl. (126) (02.) [16.]
Liliencron, D v.: Das Abenteuer d. Majors Glöckchen u. and. Novellen. 1—4. Afl. (106) (04.05.) [25.]
Loeb, M: Seine Majestät d. Reisende. Glossen a. d. Geschäftsleben. 1—3. Afl. (100) (05.) [33.]
Maupassant, G de: Im Banne d. Liebe. Deutsch v. M Pannwitz. 4. Afl. (150) (01.) [15.]
— Monte Carlo u. and. Novellen. Deutsch v. M Pannwitz u. W Thal. 8. Afl. (126) (03.) [19.]
— Nachtgeschichten. Deutsch v. M Pannwitz. 7. Afl. (153) (02.) [6.]
— Aus d. Pariser Leben. Kleinstädtisches a. d. Weltstadt. Deutsch v. M Pannwitz. 1. u. 2. Afl. (127) (01.02.) [23.]
— Auf d. Reise u. and. Geschichten. Deutsch v. M Pannwitz. 6. Afl. (123) (03.) [3.]
Renner, K: Der böse Blick u. and. Novellen. 1—3. Afl. (92) (05.) [34.]
Salburg, Gräin: Aufzeichngn e. guten alten Herrn. 1. u. 2. Afl. (91) (05.) [35.]
— Betrachtgn eines Hochgeborenen. I. Blaues Blut. 1—6. Afl. (125) (05.04.) [26.] ‖ II. Feudal. 1—4. Afl. (194) (04.05.) [28.]
Schlicht, Freih. v.: Einquartierg u. and. Humoresken. 1—3. Afl. (127) (01-03.) [20.] Lotususaug. geb. 3 —
Sienkiewicz, H: 5 Frauen. Deutsch v. K Grolich. 1—4. Afl. (124) (02-05.) [28.]
Stevenson, L: Des Rajahs Diamant. Deutsch v. M Pannwitz. 1—3. Afl. (144) (01.02.) [21.]
Zobeltitz, H v.: Prinzesschens Glück. Das Bäschen v. Sternberg. 1—4. Afl. (127) (03.04.) [27.]
— Der Sturm auf d. Mühle u. and. Novellen. 4. Afl. (204) (05.) [7.8.] [17.]
— Der Wunsch d. Toten. Deutsch v. M Pannwitz. 9. Afl. (204) (05.) [7.8.]
Geb. 3 —
Sammlung zwangl. Abhandlgn a. d. Geb. d. Frauenheilkde u. Geburtshilfe. Hrsg. v. M Graefe. IV. Bd, 2—7. Heft u. Heft 8a. b; V. u. VI. Bd je 8 Hefte u. VII. Bd, Heft 1a u. b. 8° Halle, C Marhold. Für d. Bd v. 8 Heften 8 —
Baumann, P: Kopf u. Becken in ihrer gegenseit. Beziehg unter d. Geburt. (29 m. Fig.) 05. [VI,7.] — 80
Die Verwendg tier. Blasen in d. Geburtshilfe. (16) 02. [IV,7.] — 80
Beck, F: Atiol. u. Therapie d. Kephalhaematoma neonator. Ergebnisse a. e. Zusammenstellg v. 103 Fällen. (36) 04. [VI,3.] — 50
Bokelmann, W: Üb. d. Auwendg kusseren Drucks b. Schädellagen. (94) 04. [V,4.] — 50
Bumm, E: Ueb. d. chirurg. Behandlg d. Kindbettfiebers. (18) 02. [IV,4.] — 60
Ekstein, E: Nur gebildete Hebammen! (34) 06. [VII,1a.] — 60 ‖ Quesnner, AH: Beitrag z. operativen Behandlg d. Retroflexio uteri. (14) 06. [VII,1b.] — 40; in 1 Hefte 1 —
— Die zweiten 3 Jahre geburtshilfl. Praxis. Kasuist. u. Puerperalfieber-Frage. (48) 04. [VI,1.2.] 1.50
Graefe, M: Wann bedarf d. Retroflexio uteri d. Behandlg? (17) 03. [V,7.] — 60
Grube, H: Der vord. Scheidenleibschnitt, s. Technik u. Indikation, in inter operationem aufgenomm. Situationsbildern. (32 m. Fig. u. 11 Taf.) (05.) [VI,4.] 1.20
Roenck, E: Üb. Neurasthenia hysterica u. d. Hysterie d. Frau. (34) 05. [V,3.] — 80
Keller, C: Die Nabelpflege d. Neugeborenen in d. Praxis. (32) 02. [V,1.] 1.20
— Ueb. d. jetz. Stand d. Lehre d. Tubenschwangerschaft. Nach e. Vortr. (32) 03. [V,3.4.] — 90
Klix: Ueb. d. Geburtsstörgn in d. Schwangerschaft u. im Wochenbett. (38) 04. [V,6.] — 80
König: Üb. Abtreibg d. Leibesfrucht v. gerichtsärztl. Standpunkt. (34) 02. [IV,5.] 1.20
Quesnner, AH: Beitr. z. operativen Behandlg d. Retroflexio uteri, s.: Ekstein, E, nur gebildete Hebammen.
Siefert, G: Krit. Bemerkgn üb. mechan. u. operative Therapie. (34) [VI,4.] — 80
Sippel, A: Ueb. Eklampsie u. d. Bedeutg d. Harnleiterkompression. (23) 02. [IV,2.] — 90
Thellhaber, A: Der Zusammenh. v. Nervenerkrankgn m. Störgn in d. weibl. Geschlechtsorganen. (22) 02. [IV,6.] — 80
Torzgler, F: Das angebl. Doppel-Speculum, dessen Anwendg u. Werth. (19 m. Abb.) 01. [IV,3.] — 80
Veit, J: Ueb. gynäkolog. Operationen ohne Chloroformnarkose. (18) [IV,3.] — 50
Walther, H: Ueb. d. Abortus m. bes. Berücks. d. Therapie in d. Landpraxis. (29) 02. [IV,9a.] — 80
Wegscheider, M: Die künstl. Frühgeburt in d. Praxis. (27) 04. [V,5.] — 80
Winter, G: Ursachen u. Behandlg d. Prolapsus. (29) 04. [V,8.] — 80
Zangemeister, W: Üb. Eklampsieforschg. Habilitationsvortr. — Allg. Indikationsstellg in d. Geburtshilfe. Probevorlesg. (36) [VI,5.] — 60
— d. vorzüglichsten Gebete f. kathol. Christen. (Neue Afl.) (312 m. Titelbild.) 16° Einsied., Verl.-Anst. Benziger & Co. (05.) — 70 d
— neuer Geburtstags-, Namenstags- u. Neujahrs-Wünsche. (Von G Bauer.) 4. Afl. (128) 12° Ulm, J Ebner (01). Kart. 1 — d
— geistl. Lieder, vornehmlich z. Gebr. in Schulen. Auszug a. d. „Christl. Gesangb. f. d. ev. Gemeinden d. Fürstent. Minden u. d. Grafsch. Ravensberg". 16. Afl. (80) 8° Bielef., Velhagen & Kl. †— 50 d
— gemeinnütz. Vorträge. Hrsg. v. deut. Ver. z. Verbreitg gemeinnütz. Kenntnisse in Prag. Nr. 265—327. 8° Prag, (JG Calve). nn 15.30 (292—308 in 1 Bd geb.: nn 2.50) d
Arnold, RF: Schillers dramat. Nachlass. (18) 01. [270.] nn —
Bachmann, J: Das Dampfross u. s. Bewohner. (16) 05. [326.] nn — 40
Ball, O: Bakterienkräfte, im Erdboden. (36) 04. [300.7.] nn — 40
Barth, H: Friedrich Wöhler. (14) 01. [278.] nn — 20
Bayer, E: Hund u. Mensch. (16) 03. [292.] nn — 20
Bredt, J: Üb. d. Leuchten d. Pflanzen u. Tiere. (12) 03. [297.] nn — 20
Dexler, H: Die Gefahren verderb. animal. Nahrgsmittel. (16) 02. [291.] ‖ Üb. d. Umgang m. Thieren. (17) 02. [285.] nn — 40
— Opferung u. Kunst, deut. Nr. 1. Einfluss d. neue Reihe. — Werstbuch, W v.: Uffo Horn. — Horn, U: Gellert im Karlsbade. Novelle. (40) 01. [265-89.] — 70 ‖ 2. Robert-Heft. Zum 100. Geburtstag d. Dichters, S V.'01. (Rassfen, A: Karl Egon v. Ebert. — Blütenlese a. d. Dichtgn Eberts.) (48 m. 1 Bildnis.) 01. [273—75.] — 80 ‖ 3. Hugo Salus-Heft: Wertheimer,

Sammlung gemeinnütz. Vorträge. Fortsetzg.
P: Hugo Salus. — Salus, H: Gedichte. (32) 02. [280.81.] nn — 60 ‖ 4. Anton Ohorn-Heft. Reinwarth, J: Dr. Anton Ohorn. — Ohorn, A: In d. Neujahrsnacht 1814. Gedicht. — Philister üb. dir. Novelle. (44 m. 1 Bildnis.) 02. [289.90.] nn — 80 ‖ 5. Schmerber, H: Die Baumeister Christoph u. Ignaz Kilian Dintzenhofer. (10 m. 1 Taf.) 03. [292.] nn — 20 ‖ 6. Krattner, K: Josef v. Führich. (30 m. Abb. u. 7 Taf.) 03. [300.01.] nn — 50
Ebert, KE v.: Blütenlese a. d. Dichtgn, s.: Dichtung u. Kunst, deut.
Fischl, F: Goethe im Marienbad. (20) 04. [312.] nn — 30
Fleischner, L: Die Schule d. Zukunft. (38) 04. [305.] nn — 20
— Volksbildg u. Volkswohlfahrt am Ausg. d. 19. Jahrh. (15) 01. [271.] — 30
Fürst, R: Deutschlds Roman im 19. Jahrh. (16) 03. [298.] nn — 20
Geitler, J Ritter v.: 1. Üb. Fernwirkgn. 2. Rückblick auf d. Entwicklg d. Elektrizitätslehre im 19. Jahrh. (24) 03. [293.94.] nn — 30
Hauffen, A: Karl Egon Ebert, s.: Dichtung u. Kunst, deut.
Horn, U: Gellert im Karlsbade, s.: Dichtung u. Kunst, deut.
Imendörffer, B: Speise u. Trank im deut. M.-A. (14) 01. [277.] nn — 20
Kahler, F: Der Arbeitsnachweis. (16) 02. [286.] nn — 20
Kalmus, E: Ueb. Geisteskrankh. u. Irrenfürsorge. (17) 01. [276.] — 20
Karell, L: Just. v. Liebig. Seine Bedeutg f. d. Chemie, Landw. u. Physiol. (16) 03. [302.] nn — 20
Knapp, L: Zur Frauenfrage. (Nach e. Vortr.) (20) 05. [324.] nn — 30
Krattner, K: Josef v. Führich, s.: Dichtung u. Kunst, deut.
Laube, GC: Der geolog. Aufbau v. Böhmen. 2. Afl. (45 m. 1 Karte, 1 Tab. u. 4 Taf.) 05. [321—23.] nn — 60
Lipschitz, A: Neue Strahlen. (12) 04. [313.] nn — 20
Lobedank: Üb. d. Wesen d. Traums. (10) 02. [288.] nn — 10
Molisch, H: Eine Wanderg durch d. javan. Urwald. (12) 1900. [267.] — 30
Müller, E: Schillers Bedeutg f. d. Gegenwart. (16) (05.) [320.] nn — 30
Myrbach, F Frhr v.: Die Arbeit u. ihre Stellg in d. menschl. Wirtschaft. (19) 01. [272.] — 60
Nestler, A: Städt. Anlagen u. Stadtluft. Vortr. (23 m. Abb.) 05. [326.27.] nn — 50
— Verfälschgn d. Nahrgs- u. Genussmittel a. d. Pflanzenreiche. (13 m. Fig.) 02. [287.] nn — 20
Neuwirth, J: Adalb. Stifter u. d. bild. Kunst. (32) 03. [295.96.] nn — 40
Ohorn, A: In d. Neujahrsnacht 1814. Philister üb. dir, s.: Dichtung u. Kunst, deut.
Pick, F: Sport u. Gesundheit. (29) 1900. [265.66.] — 50
Pick, G: Die Lungentuberkulose als Volkskrankh. u. d. Mittel zu ihrer Bekämpfg. (16) 04. [309.] nn — 20
Reinwarth, J: Dr. Anton Ohorn, s.: Dichtung u. Kunst, deut.
Rieber, J: Zum Babel-Bibel-Streit d. jüngsten Zeit. (17) 04. [315.] nn — 20
Salus, H: Gedichte, s.: Dichtung u. Kunst, deut.
Schirmacher, K: Die Frauenbewegg. Ihre Ursachen, Ziele u. Mittel. (16) 04. [311.] nn — 20
Schleissner, F: Sprache u. Sprachstörgn. (15) 03. [299.] nn — 20
Schmerber, H: Die Baumeister Dintzenhofer, s.: Dichtung u. Kunst, deut.
Spiegel, L: Die geschichtl. Entwicklg d. österr. Staatsrechts. (23) 05. [316.17.] nn — 40
Stern, E: Das Leben d. Wörter. (16) 04. [314.] nn — 20
Strecker: Der Wasserhaushalt u. s. Bedeutg f. d. Landw. (22) 02. [283.84.] nn — 40
Strunz, F: Üb. antiken Dämonenglauben. (12) (05.) [319.] nn — 20
— Das Werden u. d. Lehre Friedrich Nietzsches. (18) 04. [308.] nn — 20
Tschinkel, H: Die Gymnasialfrage — e. nationale Frage. (19) 03. [303.] nn — 30
Wertheimer, P: Hugo Salus, s.: Dichtung u. Kunst, deut.
Weyde, J: Üb. d. Beziehgn d. deut. u. d. tschech. Sprache. (16) 04. [310.] nn — 20
— Sprach- u. Naturwiss. (16) 05. [318.] nn — 20
Wiener, O: Das deut. Kinderlied. (23) 04. [304.] nn — 20
Wurzbach, W v.: Uffo Horn, s.: Dichtung u. Kunst, deut.
Zilchert, R: Der Mensch. — Das Leben. (21) 01. [279.] nn — 30

— gemeinverständl. wiss. Vorträge, begründet v. R Virchow u. F v. Holtzendorff, hrsg. v. R Virchow. Neue Folge. (XV. Serie.) 353—360. Heft. 8° Hambg. Berl., KW Mecklenburg. 6.15 d ô F
Beneke, R: Die Pest. (43) 1900. [354.] — 90
Diederich, B: Alphonse Daudet. (36) 01. [355.] — 75
Finsch, O: Der Dujong. Zoologisch-ethnolog. Skizze e. untergeh. Sirene. (32) 01. [359.] — 60
Fischer, W: Kirche, Staat u. Gesellsch. am Ausg. d. M.-A. (52) 01. [357.] — 90
Frankenberg, v.: Die Stellg d. deut. Arbeiters n. d. BGB. (37) 01. [360.] — 75
Höck, F: Die Brotpflanzen, ihr Ursprg u. ihre heut. Verbreitg. (40) 01. [356.] — 75
Petersen, J: Richard III. (45) 01. [358.] — 90
Reichel, E: Gottsched. Ein Kämpfer f. Aufklärg u. Volksbildg. (25) 1900. [353.] — 60

— geolog. Führer. VIII—X. (Mit Abb.) 12° Berl., Gebr. Borntraeger. L. 13.50 (I—X: 42.30)
Deecke, W: Geolog. Führer durch Campanien. (235) 01. [VIII.] 4 —
Rothpletz, A: Geolog. Führer durch d. Alpen. I. Das Gebiet d. 2 gr. rhät. Ueberschiebgn zw. Bodensee u. d. Engadin. (256 m. Abb.) 02. [X.] 4 —
Tornquist, A: Geolog. Führer durch Oberitalien. I. Das Gebirge d. oberitalien. Seen. Mit Beitr. v. A Baltzer u. C Porro. (302 m. Abb. u. Taf.) 02. [IX.] 5.50

— kurzer Grammatiken german. Dialekte. Hrsg. v. W Braune. I, II, IV u. VIII, 3. u. 4. Lfg. 8° Halle, M Niemeyer. 20.20
Braune, W: Got. Grammatik m. ein. Lesestücken u. Wortverz. 6. Afl. (168) 05. [I.] 2.80
Noreen, A: Altnord. Grammatik. I. Altisländ. u. altnorweg. Grammatik. Unter Berücks. d. Urnord. 3. Afl. (419) 03. [IV.] 8 — ‖ II. Altschwed. Grammatik m. Einschl. d. Altgutnischen. 3. u. 4. Lfg. (280—642) 01.04. [VIII.] 6.40 (II vollst.: 12 —)
Paul, H: Mhd. Grammatik. 6. Afl. Mit Wort- u. Sachreg. v. F Saran. (222) 04. [II.] 3 —

— dass. C. Abrisse. Nr. I u. III. 8° Ebd. 3 —
Braune, W: Abriss d. ahd. Grammatik m. Berücks. d. Altsächs. 4. Afl. (64) 06. [1.] 1.50
Noreen, A: Abriss d. altisländ. Grammatik. 2. Afl. (67) 05. [III.] 1.50

— german. Elementarbücher. Hrsg. v. W Streitberg. I. Reihe: Grammatiken. 4. Bd u. III. Reihe: Lesebücher. 1. Bd. 8° Hdlbg, C Winter, V. 8.40; L. 9.80 (I, 1—5 u. 7 u. III, 1: 33.40; geb. 39.20)
Bülbring, KD: Altengl. Elementarb. 1. Tl: Lautlehre. (260) 02. [I,4.] 4.80; geb. 5.60
Heuser, W: Altfries. Leseb. m. Grammatik u. Glossar. (161) 03. [III,1.] 3.60; geb. 4.20

Sammlung germanist. Hilfsmittel f. d. prakt. Studienzweck. V. 8° Halle, Bh. d. Waisenh. 2.40; geb. 3 —
Walther v. der Vogelweide. Textausg. v. W Wilmanns. 2. Ausg. (199) 05. [V.] 2.40; geb. 3 —

— gesellschaftswiss. Aufsätze. 16. u. 17. Heft. 8° Münch., M Ernst. — 80 (1—17: 8.50) d
Frank, E: Die Sklaven-Aufstände d. Altertums. Vom soz. Gesichtspunkte a. dargest. 2. Afl. (52) 02. [16.] — 50
Labautière, R: Kl. Katech. d. Sozialreform. (23) 02. [17.] — 30

— Karl Gimbel, Baden-Baden. (38 Lichtdr.) 4° Bad.-B., (F Spies) (03). L. †nn 22 —

— Göschen. 1., 3., 4., 6., 8., 9., 11—34., 36—49., 51—54., 56—59., 61., 62., 65—67., 69—72., 75—85., 87—92., 94., 95., 97—99., 102., 107—113., 115—120., 126., 129—142., 145—183., 185—243., 245—248., 251—254., 256., 257., 259—264., 266., 267. u. 270—273. Bdchn. 8° Lpzg, GJ Göschen. L. je — 80
Achelis, T: Abr. d. vergleich. Relig.-Wiss. (163) 04. [208.] ‖ Ethik. 3. Abdr. (159) 04. [90.] d
Amrhein, H: Die deut. Schule im Ausl. (175) 05. [259.]
Arnold, RF: Die Kultur d. Renaissance. Gesittg, Forschg, Dichtg. (137) 04. [189.] d
Barth, F: Die zweckmässigste Betriebskraft. 1. Tl. Die m. Dampf betrieb. Motoren. (118 m. Abb. u. Tab.) 04. [224.]; 2. Tl. Verschied. Motoren. (156 m. Abb. u. Tab.) 05. [225.] ‖ Die Dampfkessel. Kurzgef. Lehrb. m. Beisp: 1. Afl. u. Neudr. (117 m. Fig.) 03.05. [9.] ‖ Die Dampfmaschine. Kurzgef. Lehrb. m. Beisp. 1. Afl. u. Neudr. (96 m. Fig.) 03.05. [8.] ‖ Die Maschinenelemente. Kurzgef. Lehrb. m. Beisp. (155 m. Fig.) 04. [3.]
Bauer, H: Chemie d. Kohlenstoffverbindgn. I. Aliphat. Verbindgn. 1. Tl. (154) 04. [191.]; II. Dass. 2. Tl. (160) 04. [192.]; III. Karbocykl. Verbindgn. (157) 04. [193.]; IV. Heterocykl. Verbindgn. (134) 04. [194.] ‖ Gesch. d. Chemie. I. Von d. ält. Zeiten bis z. Verbrenngstheorie v. Lavoisier. (94) 05. [264.]
Beaux, A de: Italien. Handelskorrespondenz. (112) 04. [219.]
Beaux, T de: Deut. Handelskorrespondenz. (140) 03. [182.] ‖ Französ. Handelskorrespondenz. (144) 03. [183.]
Becker, H: Geometr. Zeichnen. 3. (d. Neubearbeitg 1.) Afl. u. Neudr. v. J Vonderlinn. (136 m. Fig. u. 23 Taf.) 03.05. [58.]
Beer, R: Span. Lit.-Gesch. 2 Bde. (148 u. 164) 03. [167.68.] d
Benzinger, J: Gesch. Israels bis auf d. griech. Zeit. (158) 04. [231.] d
Berneker, E: Russ. Grammatik. 2. Afl. (182) 02. [66.] ‖ Russ. Leseb. m. Glossar. 2. Afl. (176) 03. [67.] d
Bernheim, E: Einl. in d. Gesch.-Wiss. (156) 05. [270.] d
Bloch, L: Röm. Altertumskde. 2. Afl. 2. Abdr. (170 m. 8 Bildern.) 01. [45.] d
Borght, R van d.: Finanzwiss. (180) 02; 2. Afl. (172) 05. [148.] ‖ Volkswirtschaftspolitik. 1. Afl. u. Neudr. (142) 03.05. [177.] d
Borinski, K: Deut. Poetik. 2. Afl. 2. Abdr. (150) 01. [40.] d
Brauns, R: Mineral. 3. Afl. (134 m. Abb.) 05. [29.] d
Bruhns, W: Kristallogr. (144 m. Abb.) 04. [210.] ‖ Petrogr. (Gesteinskde). (176 m. Abb.) 03. [173.] d
Brunner, K: Bad. Gesch. (172 m. 4 Stammtaf.) 04. [230.] d
Bucherer, H: Die Teerfarbstoffe m. bes. Berücks. d. synthet. Methoden. (192) 04. [214.]
Bürklen, OT: Aufg.-Sammlg z. analyt. Geometrie d. Ebene. (196 m. Fig.) 05. [256.] ‖ Formelsammlgn u. Repetitorium d. Mathematik, enth. d. wichtigsten Formeln u. Lehrsätze d. Arithmetik, Algebra, algebr. Analysis, eb. Geometrie, Stereometrie, eb. u. sphär. Trigonometrie, mathemat. Geogr., analyt. Geometrie d. Ebene u. d. Raumes, d. Differential- u. Integralrechng. 3. Afl. (227 m. Fig.) 04. [51.]
Dändliker, K: Schweiz. Gesch. (190) 04. [188.] d
Danneel, H: Elektrochemie. I. Theoret. Elektrochemie u. ihre physikalisch-chem. Grundl. (197 m. Fig.) 05. [252.]
Dennert, E: Die Pflanze, ihr Bau u. ihr Leben. 2. Afl. 2. Abdr. (146 m. Abb.) 1900. [44.]: 3. Afl. (152 m. Abb.) 05. d
Derichsweiler, H: Gesch. Lothringens. (167) 05. [6.] d
Diercks, G: Span. Gesch. (152) 05. [266.] d
Doehlemann, K: Projektive Geometrie in synthet. Behandlg. 2. Afl. (176 m. Fig.) 01. [72.]; 3. Afl. (181) 05.
Eckstein, K: Fischerei u. Fischzucht. (143) 02. [159.] d
Eddalieder, m. Grammatik, Übersetzg u. Erläutergn v. W Ranisch. (139) 03. [171.]
Elsenhans, T: Psychol. u. Logik z. Einführg in d. Philosophie. Für Oberkl. höh. Schulen u. z. Selbststudium. 4. Afl. 1. u. 2. Abdr. (144 m. Fig.) 03.04. [14.] d
Fraas, E: Geol. in kurzem Auszug f. Schulen u. z. Selbstbelehrg. 3. Afl. 1—3. Abdr. (172 m. Abb. u. 4 Taf.) 03-05. [13.] d
Freyberger, H: Perspektive, nebst e. Anh. üb. Schattenkonstruktion u. Parallelperspektive. 3. Afl. u. Neudr. (127 m. Fig.) 03.05. [57.] d
Fuchs, CJ: Volkswirtschaftslehre. 1. u. 2. Abdr. (139) 01.02. [133.]; 2. Afl. (144) 05. d
Gelcich, E, u. F Sauter: Kartenkde, geschichtlich dargest. 2. Afl. v. P Dinse. 2. Abdr. (168 m. Abb.) 01. [30.] d
Gercke, A: Griech. Lit.-Gesch. m. Berücks. d. Gesch. d. Wiss. 2. Afl. 1. u. 2. Abdr. (190) 03.05. [70.] d
Glaser, R: Stereometrie. 2. Afl. (140 m. Fig.) 03. [97.]
Golther, W: Nord. Lit.-Gesch. 1. Tl. Die isländ. u. norweg. Lit. d. M.-A. (123) 05. [254.]
Götz, W: Landeskde d. Kgr. Bayern. (161 m. Abb. u. 1 Karte.) 04. [176.] d
Grimmelshausen, HJC v.: Simplicius Simplicissimus. In Ausw. hrsg. v. F Bobertag. (157) 01. [138.] d
Grunsky, K: Musikgesch. d. 17. u. 18. Jahrh. (164) 05. [239.] ‖ Dass. d. 19. Jahrh. 2 Tle. (131 u. 111) 02. [164.65.] d
Günther, R: Deut. Kulturgesch. 3. Abdr. (174) 02. [56.] d
Günther, S: Astronom. Geogr. 1. Afl. u. Neudr. (170 m. Abb.) 02.05. [92.] ‖ Phys. Geogr. 2. Afl. 3. Abdr. (148 m. Abb.) 01. [26.]; 3. Afl. (147 m. Abb.) 05. d
Gürtler, M: Textil-Industrie. II. Weberei, Wirkerei, Posamentiererei, Spitzen- u. Gardinenfabrikation u. Filzfabrikation. (154 m. Fig.) 03. [185.] (III s.: Massot. — I ist noch nicht erschienen.)
Haberlandt, M: Die Haupt-Literaturen d. Orients. I. Tl: Die Lit. Ostasiens u. Indiens. (110) 02. [162.] ‖ II. Tl: Die Lit. d. Perser, Semiten u. Türken. (106) 02. [163.] d
Halm, A: Harmonielehre. Neudr. (128 u. 31) 05. [120.] d
Hardy, E: Buddha. 1. Afl. u. Neudr. (132) 03.05. [174.] ‖ Ind. Relig.-Gesch. 2. Afl. (143) 04. [83.]
Hartmann, KO: Stilkde. 2. Afl. (232 m. Abb. u. 12 Taf.) 1900. [80.] ‖ 3. Afl. u. Neudr. (256 m. Abb. u. 7 Taf.) 03.05. d
Hartmann v. Aue, Wolfram v. Eschenbach u. Gottfried v. Strassburg. Ausw. a. d. höf. Epos, m. Anmerkgn u. Wrtrb. v. K Marold. 2. Afl. Neudr. (163) 05. [22.]

Sammlung Göschen. Fortsetzg.

Hassack, K: Warenkde. 1. Tl. Unorgan. Waren. (144 m. Abb.) 04. [222.] ‖ 2. Tl. Organ. Waren. (160 m. Abb.) 05. [223.]

Hassert, K: Landeskde d. Kgr. Württemberg. (160 m. 16 Vollbildern u. 1 Karte.) 03. [157.] d

Hauber, W: Statik. 1. Tl. Die Grundlehren d. Statik starrer Körper. (148 m. Fig.) 03. [178.] ‖ II. Tl. Angewandte (techn.) Statik. (118 m. Fig.) 04. [179.]

Haussner, R: Darstell. Geometrie. 1. Tl. Elemente; ebenfläch. Gebilde. (192 m. Fig.) 02. [142.] ‖ 2. Afl. (207 m. Fig.) 04.

Heiderich, F: Länderkde v. Europa. 2. Afl. (175 m. Kärtchen u. Profilen u. 1 Karte.) 04. [62.] d

Herrmann, J: Elektrotechnik. Einführg in d. moderne Gleich- u. Wechselstromtechnik. 1. Tl. Die physikal. Grundl. 1. Afl. u. Neudr. (127 m. Fig.) 04.05. [196.] ‖ 2. Tl. Die Gleichstromtechnik. Kurze Beschreibg d. Gleichstromerzeuger, d. Gleichstrommotoren u. d. Akkumulatoren. 1. Afl. u. Neudr. (114 m. Fig.) 04.05. [197.] ‖ 3. Tl. Die Wechselstromtechnik. Kurze Darstellg d. Ges. d. Wechselstromes u. Beschreibg d. Generatoren, Transformatoren u. Motoren f. Wechselstrom. 1. Afl. u. Neudr. (140 m. Fig.) 04.05. [198.]

Hessenberg, G: Eb. u. sphär. Trigonometrie. Neudr. (165 m. Fig.) 01. [99.] ‖ 2. Afl. (167 m. Fig.) 04.

Hommel, F: Gesch. d. alten Morgenlandes. 3. Afl. (182 m. Abb. u. 1 Karte.) 04. [43.] d

Hoppe, J: Analyt. Chemie. 1. Tl. Theorie u. Gang d. Analyse. (124 m. 1 Taf.) 05. [247.] ‖ 2. Tl. Reaktionen d. Metalle u. Metalloide. (137) 05. [248.]

Hoernes, M: Urgesch. d. Menschh. 3. Afl. (161 m. Abb.) 05. [42.] d

Boernes, R: Paläontol. 2. Afl. (206 m. Abb.) 04. [95.]

Jacobi, A: Tiergeogr. (152 m. 2 Kart.) 04. [218.] d

Jäger, G: Theoret. Physik. I. Mechanik u. Akustik. 3. Afl. (152 m. Fig.) 04. [76.] ‖ II. Licht u. Wärme. 3. Afl. (153 m. Fig.) 05. [77.] ‖ III. Elektricität u. Magnetismus. 2. Afl. (150 m. Fig.) 02; 3. Afl. (149 m. Fig.) 05. [78.]

Jäger, O: Gesch. d. 19. Jahrh. 1. Bdchn. 1800—52. (157) 04. [216.] ‖ 2. Bdchn. 1852—1900. (160) 04. [217.] d

Jantzen, H: Dichtgn a. d. mhd. Frühzeit. In Ausw. m. Einleitgn u. Wrtrb. hrsg. (154) 01. [137.] ‖ Lit.-Denkmäler. d. 14. u. 15. Jahrh. Ausgew. u. erläut. (151) 03. [181.] ‖ Got. Sprachdenkmäler m. Grammatik, Übersetzg u. Erläutergn. 3. Afl. (153) 05. [79.]

Jiriczek, OL: Die deut. Heldensage. 2. Afl. 3. Abdr. (192 m. 3 Taf.) 02. [32.] d

Joachim, H: Gesch. d. röm. Lit. 3. Afl. (195) 05. [52.] d

Junker, F: Höh. Analysis. 1. Tl. Differentialrechng. 2. Afl. 1. u. 2. Abdr. (231 m. Fig.) 01.02. [87.] ‖ 2. Tl. Integralrechng. 2. Afl. 1. u. 2. Abdr. (208 m. Fig.) 01.03. [88.]

— Repetitorium u. Aufgabensammlg z. Differentialrechng. (119 m. Fig.) 02; 2. Afl. (129 m. Fig.) 05. [146.] ‖ Dass. z. Integralrechng. (130 m. Fig.) 02. [147.]

Just, R: Kaufmänn. Rechnen. 1. Tl. (125) 01. [139.] ‖ 2. Tl. (125) 02. [140.] ‖ 3. Tl. (110 m. Fig.) 04. [187.] d

Kampmann, C: Die graph. Künste. 2. Afl. (171 m. Abb. u. Beil.) 05. [75.] d

Kauffmann, F: Deut. Mythol. 2. Afl. 3. Abdr. (119) 1900. [15.] d

Kerp, H: Landeskde v. Skandinavien (Schweden, Norwegen u. Dänemark). (138 m. Abb. u. 1 Karte.) 04. [202.] d

Kessler, H: Die Photographie. 2. Afl. (170 m. Abb. u. 3 Taf.) 02. [94.] d

Kienitz, O: Landeskde d. Grossh. Baden. (124 m. Abb. u. 1 Karte.) 04. [199.] d

Kimmich, K: Zeichenschule. 4. Afl. (165 m. Abb. u. 17 z. Tl farb. Taf.) 01. [39.] d

Kinzbrunner, C: Die Gleichstrommaschine. (142 m. Fig.) 05. [257.]

Klein, J: Chemie. Anorgan. Tl. 4. Afl. (175) 04. [37.] ‖ Organ. Tl. 3. Afl. (194) 05. [38.] d

Kleinpaul, R: Deut. Fremdwrtrb. (180) 05. [273.]

Klenz, H: Wrtrb. n. d. neuen deut. Rechtschreibg. (268) 04. [200.] d

Koch, J: Röm. Gesch. 3. Afl. (205) 02. [19.] d

Koch, M: Gesch. d. deut. Lit. 5. Afl. (291) 03. [31.] d

Krauss, A: Eisen-Hütten-Kde. 1. Tl. Das Roh-Eisen. 1. Afl. u. Neudr. (85 m. Fig. u. 4 Taf.) 02.05. [152.] ‖ 2. Tl. Das Schmiedeisen. 1. Afl. u. Neudr. (80 m. Fig. u. 5 Taf.) 02.05. [153.]

Krehl, S: Musikal. Formenlehre (Kompositionslehre). 1. Tl: Die reine Formenlehre. 1. Afl. u. Neudr. (135) 02.05. [149.] ‖ 2. Tl. Die angewandte Formenlehre. (134) 03. [150.] ‖ Allg. Musiklehre. (158) 04. [220.] d

Kurze, F: Deut. Gesch. im M.-A. (bis 1500). 2. Afl. 2. Abdr. (181) 01. [33.] ‖ Dass. im Zeitalter d. Reformation u. d. Relig.-Kriege (1500—1648). (149) 04. [34.] d

Langenbeck, E: Grundr. d. landw. Betriebslehre. (104) (04.) [227.] d

Langenbeck, R: Landeskde d. Reichsl. Elsass-L. (140 m. Abb. u. 1 Karte.) 04. [215.] d

Legahn, A: Physiolog. Chemie. 1. Tl. Assimilation. (134 m. 2 Taf.) 05. [240.] ‖ 2. Tl. Dissimilation. (138 m. 1 Taf.) 05. [241.]

Leber, E: Das Wasser u. s. Verwendg in Industrie u. Gewerbe. (124 m. Abb.) 05. [261.] ‖ Die Zucker-Industrie. (97 m. Abb.) 05. [253.]

Lipps, GF: Grundr. d. Psychophysik. Neudr. (167 m. Fig.) 03. [98.]

Literaturdenkmäler, deut., d. 16. Jahrh. Ausgew. u. erläut. v. J Sahr. II. Hans Sachs. 2. Afl. (144) 05. [24.] ‖ III. Von Brant bis Rollenhagen: Brant, Hutten, Fischart sowie Tierepos u. Fabel. (155) 05. [36.] d

Loewe, R: German. Sprachwiss. (148) 05. [238.]

Loewy, A: Versichergsmathematik. (145) 03. [180.]

Lunge, G: Technisch.-chem. Analyse. (128 m. Abb.) 04. [195.]

Lyon, O: Deut. Grammatik u. kurze Gesch. d. deut. Sprache. 4. Afl. 1—3. Abdr. (153) 03.05. [20.] d

Machaček, F: Gletscherkde. (125 m. Abb. u. 11 Taf.) 02. [154.] d

Mahler, G: Physikal. Aufg.-Sammlg. Mit d. Resultaten. (118) 05. [243.] ‖ Physikal. Formelsammlg. (202 m. Fig.) 01; 2. Afl. (190 m. Fig.) 03. [136.] ‖ Eb. Geometrie. 3. Afl. 2. Abdr. (158 m. farb. Fig.) 02. [41.]; 4. Afl. (166 m. farb. Fig.) 05.

Maisch, R: Griech. Altertumskde. 2. Afl. v. F Pohlhammer. 2. Abdr. (212 m. 9 Taf.) 1900. [16.]; 3. Afl. (220 m. 9 Taf.) 05. d

Manes, A: Die Arbeiterversicherg. (130) 05. [267.] d

Massot, W: Textil-Industrie. III. Wäscherei, Bleicherei, Färberei u. ihre Hilfsstoffe. (152 m. Fig.) 04. [186.] (II s.: Gürtler.)

Meltzer, H: Griech. Grammatik. I. Formenlehre. Neudr. (167) 05. [117.] ‖ II. Bedeutgslehre u. Syntax. Neudr. (142) 05. [118.] d

Meringer, R: Indogerman. Sprachwiss. 3. Afl. (151 m. 4 Taf.) 03. [59.]

Mielke, H: Gesch. d. deut. Romans. (140) 04. [229.] d

Migula, W: Morphol., Anatomie u. Physiol. d. Pflanzen. (149 m. Abb.) 02. [141.] ‖ Die Pflanzenwelt d. Gewässer. (116 m. Abb.) 03. [158.] d

Möbius, AF: Astronomie. Grösse, Bewegg u. Entferng d. Himmelskörper. 10. Afl. v. WF Wislicenus. 1. u. 2. Abdr. (170 m. Abb. u. 1 Karte.) 03.05. [11.] d

Moldenhauer, P: Das Versichergswesen. (151) 05. [262.] d

Much, R: Deut. Stammeskde. 2. Afl. (140 m. 2 Kart. u. 2 Taf.) 05. [126.] d

Sammlung Göschen. Fortsetzg.

Muther, R: Gesch. d. Malerei. I—V. Neudr. (133, 140, 132, 147 u. 161) 04. 05.03. [107—11.] d

Neuberg, J: Der internat. gewerbl. Rechtsschutz. (134) 05. [271.] d

Nibelunge, d., Nôt, in Ausw. u. mhd. Grammatik m. kurzem Wrtrb. v. W Golther. 5. Afl. 1—3. Abdr. (196) 03.05. [1.]

Nippoldt jun., A: Erdmagnetismus, Erdstrom u. Polarlicht. (136 m. Fig. u. 13 Taf.) 03. [175.]

Ockel, H: Bayer. Gesch. (135) 02. [160.] d

Piper, O: Abr. d. Burgenkde. 2. Afl. (132 m. Abb.) 04. [119.]

Polonskij, G: Gesch. d. russ. Lit. (144) 02. [166.] d

Probst, H: Deut. Redelehre. 2. Afl. (142) 1900. [61.] d

Rauter, G: Anorgan. chem. Industrie. I. Die Leblancsodaindustrie u. ihre Nebenzweige. (140 m. 12 Taf.) 04. [205.]; II. Salinenwesen, Kalisalze, Düngerindustrie u. Verwandtes. (127 m. 6 Taf.) 04. [206.]; III. Anorgan. chem. Präparate. (138 m. 6 Taf.) 04. [207.] ‖ Die Industrie d. Silikate, d. künstl. Bausteine u. d. Mörtels. I. Glas- u. keram. Industrie. (150 m. 12 Taf.) 04. [233.]; II. Die Industrie d. künstl. Bausteine u. d. Mörtels. (136 m. 12 Taf.) 04. [234.] ‖ Allg. chem. Technol. (149) 03. [113.] ‖ Das deut. Urheberrecht an literar., künstler. u. gewerbl. Schöpfgn. Mit bes. Berücks. d. internat. Verträge. (134) 05. [263.] d

Rebmann, E: Der menschl. Körper, s. Bau u. s. Thätigk., u. Seiler, H: Gesundheitslehre. 3. Afl. 3. Abdr. (158 m. Abb. u. 1 Taf.) 01. [18.] d

Reeb, W: Russ. Gesch. (152) 03. [4.] d

Regel, F: Landeskde d. Iber. Halbinsel. (176 m. Abb. u. Kärtchen u. 1 Karte.) 05. [235.] d

Rein, W: Pädagogik im Grundr. 3. Afl. 3. Abdr. (145) 02. [12.] ‖ 4. Afl. (136) 05. d

Reinhardstoettner, K v.: Portugies. Lit.-Gesch. (150) 04. [213.] d

Reinhertz, C: Geodäsie. Neudr. (181 m. Abb.) 02. [102.]

Rellstab, L: Das Fernsprechwesen. (127 m. Fig. u. 1 Taf.) 02. [155.] ‖ Die elektr. Telegr. (122 m. Fig.) 03. [172.]

Rippert, P: Allg. u. spez. Tierzuchtlehre. (146) 04. [228.] d

— u. E Langenbeck: Ackerbau- u. Pflanzenlehre. (157) 04. [232.] d

Röhm, O: Massanalyse. (88 m. Fig.) 04. [221.]

Roth, K: Gesch. d. byzantin. Reiches. (128) 04. [190.] d

Rudolphi, M: Allg. u. physikal. Chemie. 2. Afl. 1. u. 2. Abdr. (188) 1900. 03. [71.]

Sahr, J: Das deut. Volkslied. Ausgew. u. erläut. (183) 01. [25.] ‖ 2. Afl. (189) 05. d

Schäfer, D: Kolonialgesch. (154) 03. [156.] d

Schaefer, KL: Musikal. Akustik. (158 m. Abb.) 02. [21.] d

Schauffler, T: Ahd. Lit. Grammatik, Texte m. Übersetzg, Erläutergn. 3. Afl. (160) 04. [28.]

Schmidt, O: Anorgan. Chemie. 1. Tl. Metalloide. (155) 04. [211.] ‖ 2. Tl. Metalle. (130) 04. [212.]

Schmitthenner, F: Pharmakognosie d. Pflanzen- u. Tierreiches. (166) 05. [251.]

Schott, G: Phys. Meereskde. (162 m. Abb. u. 8 Taf.) 03. [112.] d

Schramm, A: Stenogr. n. d. System v. FX Gabelsberger. (141) 05. [246] d

Schubert, H: Arithmetik u. Algebra. 2. Afl. 3. Abdr. (171) 03. [47.] ‖ Beispiel-Sammlg z. Arithmetik u. Algebra. 3. Afl. (147) 05. [48.] ‖ 4stell. Taf. u. Gegentaf. f. logarithm. u. trigonometr. Rechnen, in 2 Farben zusammengest. 2. Afl. (128) 03. [81.]

Schulze, F: Nautik. Kurzer Abriss d. täglich an Bord v. Handelsschiffen angewandten Tls d. Schiffahrtskde. 2. Afl. (165 m. Abb.) 03. [84.]

Seiler, H: Gesundheitslehre, s.: Rebmann, E, d. menschl. Körper.

Sieger, R: Die Alpen. (170 m. Abb., Taf. u. 1 Karte.) 1900. [129.] d

Sieveking, H: Auswärt. Handelspolitik. (141) 05. [245.] d

Simon, M: Analyt. Geometrie d. Ebene. 2. Afl. 2. Abdr. (207 m. Abb.) 03. [65.] ‖ Analyt. Geometrie d. Raumes. 2. Afl. (205 m. Abb.) 03. [89.]

Simroth, H: Abr. d. Biol. d. Tiere. 1. Tl. Entstehg u. Weiterbildg d. Tierwelt. Beziehgn z. organ. Natur. (163 m. Abb.) 01. [131.] ‖ 2. Tl. Beziehgn d. Tiere z. organ. Natur. (157 m. Abb.) 01. [132.] d

Sombart, W: Die gewerbl. Arbeiterfrage. (144) 04. [209.] ‖ Gewerbewesen. 2 Tle. (110 u. 123) [203.4.] d

Sporer, B: Nied. Analysis. 2. Afl. 1. u. 2. Abdr. (179 m. Fig.) 01.03. [53.]

Staerk, W: Die Entstehg d. Alten Test. (170) 05. [272.] d

Stegmann, H: Die Plastik d. Abendlandes. Neudr. (176 m. 23 Taf.) 02. [116.] d

Stern, R: Buchführg in einf. u. dopp. Posten. 2. Afl. (168 m. 1 Tab.) 03. [115.] d

Sternberg, T: Allg. Rechtslehre. 1. Tl. Die Methode. (209) 04. [169.] ‖ 2. Tl. Das System. (197) 04. [170.] d

Sternfeld, R: Französ. Gesch. Neudr. (203) 02. [85.] d

Steuding, H: Griech. u. röm. Götter- u. Heldensage. 2. Afl. 2. Abdr. (145) 01; 3. Afl. u. d. T.: Griech. u. röm. Mythol. 3. Afl. (146) 05. [27.] d

Stötzner, P: Das öffentl. Unterr.-Wesen Deutschlds in d. Gegenwart. (168) 01. [130.] d

Straub, LW: Aufsatzentwürfe. 4. Afl. 1. u. 2. Abdr. (147) 01.05. [17.] d

Sturm, A: Gesch. d. Mathematik. (152 m. Fig.) 04. [226.]

Swoboda, H: Griech. Gesch. 2. Afl. 2. Abdr. (216) 03. [49.] d

Trabert, W: Meteorol. 2. Afl. 1. u. 2. Abdr. (147 m. Abb. u. 7 Taf.) 01.04. [54.] d

Vonderlinn, J: Parallelperspektive. Rechtwinkl. u. schiefwinkl. Axonometrie. (112 m. Fig.) 05. [260.] ‖ Schattenkonstruktionen. (118 m. Fig.) 04. [236.]

Votsch, W: Grundr. d. latein. Sprachlehre. Neudr. (189) 02. [82.] d

Wagner, F v.: Schmarotzer u. Schmarotzertum in d. Tierwelt. (151 m. Abb.) 02. [151.] d

Waltharilied, das. Ein Heldensang a. d. 10. Jahrh., im Versmasse d. Urschrift übers. u. erläut. v. H Althof. 2. Afl. (152) 1900. [46.] d

Walther, K, u. M Röttinger: Techn. Wärmelehre (Thermodynamik). (144 m. Fig.) 05. [242.]

Walther v. d. Vogelweide m. e. Ausw. a. Minnesang u. Spruchdichtg. Mit Anmerkgn u. e. Wrtrb. v. O Güntter. 4. Afl. (147) 04. [23.]

Wedekind, E: Stereochemie. (107 m. Fig.) 04. [201.]

Weimer, H: Gesch. d. Pädagogik. (168) 02. [145.] ‖ 2. Afl. (148) 04. d

Weiser, C: Engl. Litt.-Gesch. Neudr. (155) 02. [69.] d

Weitbrecht, C: Deut. Litt.-Gesch. d. 19. Jahrh. 2 Tle. (144 u. 172) 01. [134.35.] ‖ Dass. d. Klassikerzeit. (204) 02. [161.] d

Whitfield, EE: Engl. Handelskorrespondenz. (107) 04. [237.]

Wislicenus, WF: Astrophysik, d. Beschaffenh. d. Himmelskörper. 2. Afl. (156 m. Abb.) 03. [91.] d

— d. griech. Dialekt-Inschriften. Hrsg. v. H Collitz u. F Bechtel. III. Bd, 2. Hlfte, 3—5. Heft u. IV. Bd, 2. Heft, 2. Abth. 8° Gött., Vandenhoeck & R. 24.40 (I—IV, 2: 104.20)

Bechtel, F: Die ion. Inschriften. (491—778) 05. [III,2V.] 9.20

Blass, F: Die kret. Inschriften. (227—428) 04. [III,2III.] 6.40

Hoffmann, O: Die sicil. Inschriften u. d. Söldnerinschriften v. Abu-Simbel. (225—289 [richtig 425—489]) 04. [III,2IV.] 2.20

Meyer, H, u. C Wendel: Wortreg. z. 2—6. Hefte d. II. Bds. (167—331) 01. [IV,2II.] 6.60 (I u. II.: 14.20)

Sammlung, d., d. Gypsabgüsse d. Univ. Marburg. Im Reithaus, Barfüsserstr. Nr. 1. Verz. (38 m. 2 Grundr.) 8º Marbg, NG Elwert's V. 03.   nn — 30
— kleinerer Reichsges. u. Verordngn handelsrechtl. Inhalts. Textausg. m. Sachregister. 2. Afl. (621) 8º Münch., CH Beck 06.   L. 3 — d
— vorzügl. Hausmittel geg. d. meisten Krankh. d. Menschen, n. Lüders. Im Anh.: Anwendg spez. Thees, deren Heilkräfte u. Wirkng bei verschied. Krankh., n. Anton. (155 m. 4 farb. Taf.) 8º Chemn., FA Weigand (04).   Kart. 1.50;
gr. Ausg. (232 m. 8 Taf.) 2.50 d
— illustr. Heiligenleben. I—III. Bd. 8º Kempt., J Kösel. Kart. 11 — d
Egger, A: Der hl. Augustinus, Bischof v. Hippo. (132 u. 2 m. 4 Taf.) 04. [I.]
Günter, H: Kaiser Heinrich II., d. Heilige. (102 m. 1 Taf.) 04. [I.]   3 —
Kralik, R v.: Der hl. Leopold, Markgraf v. Österr. (135 m. 6 Taf.) 04. [III.]

— histor. Schriften. Hrsg. z. Besten d. Kriegerdenkmalfonds in Deutsch-Wagram. I—VII. 8º Deutsch-Wagram. (Linz, Zentraldr. vorm. E Mareis.)   Je — 40 d
Pfalz, A: Die Franzosen in Wien im J. 1805. 2. Afl. (29) 05. [III.]
d. Franzosenzeit. Ernstel u. hbit. Skizzen, Anekdoten u. Lieder a. Charakteristik Napoleons I. u. sr Zeit. (I u. II.) (54 u. 51 m. je 1 Bild. siz.) 05. [IV—VII.]
Nr. I—III erschienen in 1. Afl. u. d. T.: Flugschriften. Hrsg. z. Besten d. Kriegerdenkmalfonds in Deutsch-Wagram.
— indogerman. Lehrbb., hrsg. v. H Hirt. I. Reihe: Grammatiken. I. Bd, 2 Tle; II., III. u. VII. Bd. 8º Hdlbg, C Winter, V.   39.80; L. 44.60
Buck, CD: Elementarb. d. oskisch-umbr. Dialekts. Deutsch v. E Prokosch. (288) 05. [VII.]
Hirt, H: Hdb. d. griech. Laut- u. Formenlehre. Einführg in d. sprachwiss. Studium d. Griech. (464) 02. [II.]
Sommer, F: Hdb. d. latein. Laut- u. Formenlehre. (23, 592) 02. [III.]
Thumb, A: Hdb. d. Sanskrit m. Texten u. Glossar. I. Tl: Grammatik. (18, 455) 05. [I,1.]
— dass. II. Reihe: Wörterbücher I. 1—7. Lfg. 8º Ebd.   Subskr.-Pr. je 1.50
Walde, A: Latein. etymolog. Wrtrb. (In etwa 10 Lfgn.) 1—7. Lfg. (1—560) 05. [1.]
— moderner italien. Autoren. 11—13. 12º Bambg, CC Buchner's V.   Kart. je 1 — (1—13.: 13.20) d
Amicis, E de: La caffozza di tutti. In Verküdtsf Passg m. Anmerkgn u. Wrtrvers. hrsg. v. L Appél. (112) 05. [13.]
Canto, C: La madonna d'imberyera. Novella briansuola. Mit Anmerkgn u. Wrtrvers. hrsg. v. L Appél. (132) 02. [12.]
Castiglianovo, E: Scelta di racconti e bozzetti. Mit Anmerkgn hrsg. H Ungemach. (134) 01. [11.]
— guter Jugendschriften. 1—3, 5, 6, 10 u. 11. 8º Stuttg., T Benzinger.   Geb. 8.70 d
Grimm, Gebr.: Die schönsten Märchen. Ausgew. u. hrsg. v. A Prüfse, ausw. aus Elberfeld d. Verbande deut. ev. Schul. u. Lehrervre. (259) (04.) [8.]
— Die schönsten Sagen. Answ. f. d. Jugend. 2. Afl. (95) 04. [1.]   .90
Höbel, JP: Erzählgn d. rhein. Hausfreunds. Ausgew. u. hrsg. v. d. Prüfgs. ausschuss Elberfeld d. Verbande deut. ev. Schul- u. Lehrervre. (127) (04.) [6.]
— Schatzkästl. d. rhein. Hausfreunds. Ausgew. u. hrsg. v. d. Prüfgs. ausschuss Elberfeld d. Verbande deut. ev. Schul- u. Lehrervre. (127) (04.) [5.]
Kreusbauer, T (O Twiehausen): Durch Flur u. Hain. Erzählgn, Sagen, Märchen u. Naturbilder a. d. Pflanzenwelt. 2. Afl. (136) (04.) [3.] 1.50
— Aus meinem Mutter Märchenschatz. Neue Volksmärchen. (191) 04. [11.] 1.30
Im Reich d. Tiere. Erzählgn, Sagen u. Märchen a. d. Tierwelt. (148) 02. [11.]   1.50
Bücher unter Einzeltiteln aufgenommen.
— Juristenspiegel. 1. 9º Lpzg-Sehl., Alldeut, Verl, — 60 d
Fort m. d. Reichsgericht in Strafsachen. Beitrag z. Entlastg d. Reichs. gericht. Von Sémita. (194) 04. [1.]   — 60
— moderner Kampfschriften. Nr. 1—5. 8º Wien, Holzwarth & Ortony.   3.90
Bankmann: Dénunciant u. Richter. Ungeschicklhss aber noch immer Actu. elles z. Fall Eugen Krämer. (21) 03. [2.]   — 35 d
— Der Herr Direktor. 2 Skizzen a. d. Bankleben. (Umschl.: Afl.) 03. [1.]   — 35 d
Fuchs, B: Kaiser Wilhelm, Prof. Delitzsch u. d. babylon. Verwirrg. 6—10. Taus. (58) 03. [3.]   — 75
In Deutschl. verboten.
Ulreich, J: Herr Lehrer: Soc. Roman a. d. Gegenwart. (122) 03. [4.5.]   1.30 d
— d. verstorb. Herrn Emanuel Kann, München, u. and. Beitr. Katalog a. ganz hervorrag. Sammlg v. Kupferstichen ausstehl. d. engl. u. französ. Schule d. XVIII. Jahrh. Versteigerg zu München '04- (125 u. 69 S. Abb. m. 1 Taf.) 8º Münch., J Halle 04.
— taxierter ökonom. Kassenrezepte nebst kurzer Anl. z. Rezeptschreiben. I. Sammlg taxierter ökonom. Kassenrezepte. II. Auszug a. d. Handverkaufstaxe f. Apotheker f. d. Ortskrankenkasse f. Leipzig u. Umgegend. III. Kurze Anl. z. Rezeptschreiben. (111) 12º Lpzg-Li., Dr. d. Verb. d. Ärzte Deutschlds 03.   Kart. 1.50
— kaufmänn. Unterr.-Werke f. Schulen, Kontore u. z. Selbstbelehrg, bearb. v. erfahrenen Pädagogen u. Fachschriftstellern. I., 2. u. 6—16. Bd. 8º Lpzg, CE Pöschel.   L. 42.30
Brosius, H: Lehrb. d. Bankbuchhaltg. (245 u. Formularb. 6 Doppelbl.) 04. [12.]   5.40
Deckert, E: Grundz. d. Handels- u. Verkehrsgeogr. 3. Afl. (359) 02. [11.]   4.20 d

Heer, A: Lehrb. d. verëinf. deut. Buchführg u. einf. u. dopp. System. (119) Stuttg. 02. [9.]   7 —
Le Bourgeois, F: Notions de correspondance commerciale. A l'usage des écoles et des maisons de commerce, avec des exemples et des exercices facilitant l'étude personelle, d'après J Wenzely, Unterr. in deut. Handelskorrespondenz Romanisé augmenté. (212 m. 1 Karte.) 04. [15.] 3 —
Obst, G: Geld-, Bank- u. Börsenwesen. 2. Afl. (217) 05. [1.]   2 — d
Schmid, A: Die amerikan. Buchführg u. ihre Anwendg in d. verschied. Geschäftsbetrieben. (102 m. 2 Formularen.) Stuttg. 02. [5.]   2 —
Schreiber, G: Grundr. d. allg. Warenkde s. Gebr. an Lehranst. sowie z. Selbstunterr. (474 m. z. Tl fafb. Abb.) 04. [14.]   6.50 d
Schell, A: Lehrb. d. Gabelsb.'schen Stenogr. (45) Stuttg. 01. [6.] 2 — d
Senbitz, F: Method. Anl. z. Selbstunterr. in d. dopp. Buchführg. 3. Afl. (256 m. 1 Tab.) Stuttg. 02. [16.]   3 —
Wenzely, J: Svensk handelskorrespondens. Öfversättning af Unterr. in deut. Handelskorrespondens af W., lämpad af D Dahlgren. (187) 04. [16.]   3 —
— Unterr. in dent. Handelskorrespondens. Beisp. in Dispositionen. 3. Afl. (199) Stuttg. 01. [2.] § 4. Afl. (290) Lpzg 03.   Je 2.50 d
Wick, W: Grundr. d. Handelswiss. (Handelslehre u. Handelskde). (329) Stuttg. 01. [7.]   4.90 d
— Leitf. d. Handelswiss. im Anschl. an d. Verf. „Grundr. d. Handelswiss." (102) 05. [13.]   1.50 d
Den 3—5. Bd bilden: 3. Wenzely-d'Arcy: Commercial correspondence. 4. Wenzely, J: Unterr. in Kontorarbeiten. 6. Obst, G: Wechsel- u. Scheckkde.

Sammlung v. 60 ev. Kernliedern, m. beigedr. Melodien, nebst Luthers kl. Katech. u. Sprichb., sowie s. Gebetbüchl. f. Schulen u. Unterr.-Anst. (88) 8º Flensbg, A Westphalen 01.   Kart. nn — 50 d
— ausgew. kirchen- u. dogmengeschichtl. Quellenschriften, als Grundl. f. Seminarübgn hrsg. unter Leitg v. G Krüger. (I. Reihe) 1. Heft u. II. Reihe 1—6. Heft. 8º Tüb., JCB Mohr.   13.75
Ausldkten a. Gesch. d. Franciscus v. Assisi. Hrsg. v. H Boehmer. (15, 109) 04. [II,1.]   2 —
Augustin's Enchiridion. Hrsg. v. O Scheél. (96) 03. [II,1.]   2 —
Dokumente z. Ablasssstreit v. 1517. Hrsg. v. W Köhler. (160) 02. [II,3.] 3 —
Justin's, d. Märtyrers, Apologieen, hrsg. v. G Krüger. 3. Afl. (16, 67) 04. [I,1.]   1.80
Märtyrerakten, ausgew., hrsg., v. R Knopf. (120) 01. [II,2.]   2.50
Text d. Leitsätze d. 1.-d. 2. Afl. v. Schleiermachers Glaubenslehre nebeneinandergestellt. (70) 04. [1,5.]   1.20 d
Vätér, d. apostol., hrsg. v. FX Funk. (36, 252) 01. [II,1.] 1.50; geb. nn 2.30;
    60g. geb. nn 2.80 d
— v. 31 Kirchenliedern f. nordschleswigsche Schulen m. dän. Relig.-Unterr. Hrsg. v. d. kgl. Regierg. (48) 12º Schlesw., J Bergas V. 03.   nn — 20 d
— kirchl. Lieder f. gemischten Chor. Liederb. f. Kirche, Schule u. Haus. Hrsg. v. d. Zürcher. Liederbuchanst. vormals Musik-Commission d. zürcher. Schulsynode. (214, 231, 145 u. 7) 8º Zürich 09. [Lpzg, P Pabst.) nn 1.30; geb. nn 1.60 u. nn 1.90 d
— klin. Vorträge, begründet v. R v. Volkmann. Neue Folge, hrsg. v. E v. Bergmann (bis 380), J v. Mikulicz-Radecki (381—397), O Hildebrand (seit 398), F Müller u. F v. Winckel. Nr. 290—407. 8º Lpzg, Breitkopf & H.   Subskr.-Pr. je — 50;
    Einzelpr. je — 75
Ahlfeld, F: Die Desinfection d. Hand u. Geburtshelfers u. Chirurgen. (14) 01. [310.11.]
Anschütz, W: Üb. d. Résektion d. Leber. (60) 03. [356.57.]
Aufderbach, S: Der Knötchen- od. Schwielenkopfschmerz u. s. Behandlg. (50) 04. [351.]
Baisch, K: Die Begutachtg gynäkolog. Erkrankgn f. d. Unfall- u. Invaliditätsversicherg. Beiträg zu d. Beziehgn zw. Hysterie u. Genitalleiden. (24) 04. [352.53.]
Bayet, J: Die Verrenkgn d. Mittelfussknochen im Lisfranc'schen Gelenk. (34 m. Abb.) 04. [372.]
Betmbach, F: Die Kochsalzinfusion u. ihre Verwertg bei Krankh. (20) 03. [354.]
Biernacki, E: Hämatologg. Diagnostik in d. prakt. Medicin. (32) 01. [306.]
Block, F: Wickel Massanahme könnön benufs Steuerg d. Zuname d. Geschlechtskrankh. ergriffen werden. (30) 01. [317.]
Blum, V: Die Harnvergiftg. (Urotoxämie u. Urosepsis.) (56) 04. [365.]
Boas, I: Üb. occulte Magen- u. Darmblutgn. (34) 05. [361.]
Bockelmühl, F: Üb. Schleich'sche Wundbehandlg. (10) 05. [344.]
Böhm, G: Die komplizierten Bauchkontusionen. (16) 04. [375.]
Brünet, G: Üb. d. branchiogene Karcinom. (12 m. 2 Fig.) 03. [360.]
Burckhard, G: Üb. d. Einfl. d. Röntgenstrahlen auf d. tief. Organismus, insbs. auf d. Ovaridtät. (12) 04. [344.]
Caluso, F: Üb. Anämie in d. Schwangerschaft. (54) 04. [378.]
Chrobak, R: Üb. Retroversio u. Retroflexio uteri gravidi. (42) 04. [377.]
Dahlgrün, E: Beitr. z. Behandlg d. perforier. Magen- u. Duodenalgeschwürss. (18) 05. [354.]
Determann: Das Höhenklima (im Winter) u. s. Verwendg f. Kranke. (58) 05. [306.]
— u. Schröder: Die Einwirkgn d. Höhenklimas auf d. Menschen. (34) 02. [327.28.]
Dohrn, R: Üb. Entbindgn in d. Agonie. (10) 01. [304.] § Üb. d. zeutral. Verantwortlich. d. Ärztes bei geburtshilfl. Operationen. (10) 02. [366.]
Einhorn, M: Üb. d. Anwendg d. Digitalis bei Erkrankgn d. Herzens. (22) 01. [311.]
Engelmann, Tr: Üb. operative Magenoperationen. (33) 01. [353.]
Erb, W: Bemerkgn z. Balneol. u. physikalisch-diätet. Behandlg d. Nervenkrankh. (34) 02. [321.]
Ettingshaus, D: Üb. d. Verlauf d. Geburt bei Rückenwurzel d. Kindes. (34) 05. [354.]
Falk, O: Moderne Fragen d. Wochenbettdiätetik. (16) 05. [385.]
Falta, W: Üb. d. Veränderg im Kraft- u. Stoffwechsel-Gleichgewicht (16) 05. [354.]
Fessler, J: Die operative Behandlg d. Wurmfortsatzdurchbruches. (Appendicitis perforativa.) (26) 04. [366.]
Flockemann, A, J Bingél u. J Wilting: Kriegserfahrgn d. 2. deut. (kam. burg.) Ambulanz d. Vre. v. Rothén Kreuz z. d. südafrikan. Kriege. (68 m. Fig.) 01. [293.96.]

Sammlung klin. Vorträge. Fortsetzg.

Förster, O: Das Wesen d. choreat. Beweggsstörg. (36 m. 1 Fig.) 04. [382.]
Fraenkel, E: Die Appendicitis in ihren Beziehgn zu d. Erkrankgn d. weibl. Sexualorgane. (54) 01. [323.] ‖ Üb. missed labour u. missed abortion. (52) 03. [351.]
Frankl, O: Üb. Missbildgn d. Gebärmutter u. Tumoren d. Uterusligamente, im Lichte embryolog. Erkenntnisse. (32 m. Abb.) 03. [363.]
Franqué, O v.: Uterusabcess u. Metritis dissecans. (46) 01. [316.]
Freudenberg, A: Die Behandlg d. Prostatahypertrophie mittels d. galvanokaust. Methode n. Bottini. (40 m. Abb.) 02. [328.]
Fürst, M: Üb. Ätiol. u. Prophylaxe d. Leprakrankh. (32) 01. [298.]
Gerber, P: Das Sklerom in d. russ. u. deut. Grenzgeb. u. s. Bekämpfg. (24 m. 2 Kart. u. 2 Taf.) 05. [392.]
Goebel, C: Karzinom u. mechan. Reize. (24) 05. [403.]
Gregor, K: Der Fettgehalt d. Frauenmilch u. d. Bedeutg d. physiolog. Schwankgn desselben in Bezug auf d. Gedeihen d. Kindes. (44 m. Fig.) 01. [302.]
Havelburg, W: Die Ursache d. gelben Fiebers u. d. Resultate d. prophylakt. Behandlg desselben. (24 m. 1 Taf.) 05. [390.]
Hecker, R: Tetanie u. Eklampsie im Kindesalter. (20) 01. [294.]
Heermann, G: Üb. Caissonkrankh. (20 m. Fig.) 02. [334.]
Beile, B: Experimentelle Prüfg neuerer Antiseptika m. bes. Berücks. d. Parajodoanisols (Isoform). (16 m. 2 Taf.) 05. [388.]
Hengge, A: Eklampsie, d. derzeit. Forschgn üb. d. Pathogenese dieser Erkrankg u. ihre Therapie. (22) 03. [346.]
Herff, O v.: Üb. künstl. Frühgeburt bei Beckenenge, insbes. m. d. Blasenstich. (26 m. 1 Fig.) 05. [386.]
Hippel, R v.: Üb. Perityphlitis u. ihre Behandlg. (23) 05. [406.]
Jacobsthal, H: Üb. d. Naht d. Blutgefässe. (20) 05. [396.]
Janowski, W: Physiol. u. allg. Pathol. d. Erbrechens. (24) 02. [333.]
Jung, P: Zur Diagnostik d. Puerperalfiebers. (12) (01.) [297.]
Kantorowicz, L: Eierstockschwangerschaft. (36 m. 3 Taf.) 04. [370.]
Kehrer, E: Zur Lehre v. d. embryogenen Toxaemia gravidar. (40) 05. [398.]
Kienböck, R: Die gonorrhoische Neuritis u. ihre Beziehgn z. gonorrhoischen Myositis u. Arthritis. (44) 01. [315.]
Knoop, C: Beitrag z. Therapie d. Nabelschnurbrüche. (20) 03. [348.]
Krehl, L: Üb. d. Entstehg hyster. Erscheingn. (18) 02. [330.]
Lache, J: Die Gynäkol. d. Soranus v. Ephesus. (32) 02. [335.] ‖ Gynäkologisches v. Aretaios. (36) 04. [381.] ‖ Die Temperaturverhältn. bei d. Neugeborenen in ihrer 1. Lebenswoche. (20 m. graph. Darstellgn.) 01. [307.]
Marchand, F: Üb. Gehirnzysticerken. (24 m. 2 Abb.) 04. [371.]
Matthes, VM: Spätblutgn im Hirn n. Kopfverletzgn, ihre Diagnose u. gerichtsärztl. Beurtheilg. (24) 01. [322.]
Meyer, G: Üb. d. Beziehgn d. adenoiden Gewebes zu bösart. Geschwülsten. (24) 03. [359.]
Mohr, H: Die chirurg. Behandlg d. Nephritis. (34) 04. [383.] ‖ Üb. Recidive n. Operationen an d. Gallenwegen. (11) 01. [309.]
Moll, ACH: Die ob. Luftwege u. ihre Infektion. (32) 02. [341.]
Müller, F: Üb. Störgn d. Sensibilität bei Erkrankgn d. Gehirns. (80 m. Abb.) 05. [394.95.]
Naunyn, B: Üb. d. Beziehgn d. arteriosklerot. Hirnerkrankg z. Pseudosklerosis multiplex senescentium u. z. Abasia senestinm. (16) 05. [391.]
Neugebauer, F v.: Welchen Wert hat d. Kenntnis d. Hermaphroditismus f. d. prakt. Arzt? (29) 05. [393.]
Nikoliski, AW: Üb. tuberkulöse Darmstenose. (45) 03. [362.]
Noesske, K: Klin. Studien üb. Wesen u. Verwendbark. d. Intubation. (36) 02. [324.]
Oordt, M van: Die Freiluft-Liegebehandlg bei Nervösen. (22) 03. [364.]
Ortner, N: Zur Klinik d. Angiosklerose d. Darmarterien (Dyspragia intermittens angiosclerotica intestinalis), nebst e. Beitr. z. Klinik d. intermittir. Hinkens u. d. Stokes-Adam'schen Symptomenkomplexes. (50) 03. [347.]
Payer, A: Zur Lehre v. d. Selbstentwicklg. (22) 01. [314.]
Pick, L: Üb. Hyperemesis gravidar. (60) 02. [325.26.]
Pincus, L: Zur Praxis d. Belastgslagerg. (42 m. Abb.) 02. [332.] ‖ Praktisch wicht. Fragen z. Nagel-Veit'schen Theorie. (55) 01. [299.300.]
Plönies, W: Die Bedeutg d. perkutor. Empfindlichk. f. d. Diagnose u. d. Therapie m. bes. Berücks. d. Krankh. d. Abdomen. (54) 05. [399.400.]
Polano, O: Üb. d. Entwicklg u. d. jetz. Stand d. Lehre v. d. Blasenmole u. d. sog. malignen Deciduom. (12 m. 1 Abb.) 02. [320.]
Rosenfeld, A: Üb. traumat. Syringomyelie u. Tabes. (12) 04. [380.]
Schanz, A: Üb. d. Bedeutg v. Massage u. Heilgymnastik in d. Skoliosentherapie. (16) 01. [313.]
Schoenborn, S: Die Lumbalpunktion u. ihre Bedeutg f. Diagnose u. Therapie. (18) 05. [384.]
Schotten, E: Die angeborene Pylorusstenose d. Säuglinge. (30) 04. [368.]
Schultze, BS: Unser Hebammenwesen u. d. Reformpläne. (12) 03. [349.]
Schütz, R: Üb. chron. dyspept. Diarrhöen u. ihre Behandlg. (28) 01. [318.]
Scipiades, E: Die Frage d. Prophylaxis d. Ophthalmoblenorrhoea neonator. m. Berücks. d. Erfolge d. Silberacetat-Instillation. (36) 02. [340.] ‖ Noch ein. Worte üb. d. Werth d. Argentum aceticum in d. Prophylaxe d. Ophthalmoblenorrhoea neonator. (10) 02. [345.]
Seitz, L: Üb. Blutdruck u. Cirkulation in d. Placenta, üb. Nabelschnurgeräusch, insbes. dessen Ätiol. u. klin. Bedeutg. (56 m. Abb.) 01. [320.] ‖ Üb. intrauterine Todtenstarre u. d. Todtenstarre immaturer Früchte. (18) 02. [343.]
Sellei, J: Pathol. u. Therapie d. Psoriasis vulgaris. (38) 02. [327.]
Sittner, A: Zur Ausräumg d. Uterus beim Abort. (38) 05. [402.]
Steffen, E: Die Behandlg d. freien Hernien m. Alkoholinjektionen. (38) 04. [369.]
Strassmann, P: Das Leben vor d. Geburt. (22) 03. [353.]
Stubenrauch, L v.: Die Lehre v. d. Phosphornekrose. (24) 01. [303.]
Tantzscher, K: Zur Behandlg d. perforir. Bauchwunden. (28) 01. [319.]
Thorn, W: Die Stellg d. manuellen Umwandlg in d. Therapie d. Gesichts- u. Stirnlagen. (26) 02. [339.]
Tuszkai, Ö: Kardiopathie u. Schwangerschaft. (24) 05. [407.]
Vierordt, O: Die Askaridenerkrankg d. Leber u. d. Bauchspeicheldrüse. (38 m. Fig.) 04. [375.]
Voigt, L: Beobachtgn üb. Impfschäden u. vaccinale Mischerkrankgn. (22) 03. [355.]
Wassermann, A: Hämolysine, Cytotoxine u. Präcipitine. (46) 02. [331.]
Wernitz, J: Ein Vorschl. u. Versuch z. Heilg d. akuten Sepsis. (18) 03. [352.]
Werth, R: Üb. d. Erfolge e. verschärften Wundschutzes bei d. gynäkolog. Laparotomie. (22) 05. [389.]
Winckel, F v.: Das Hervortreten v. Darmschlingen am Boden d. weibl. Beckens. (17 m. Abb. u. 1 farb. Taf.) 05. [397.] ‖ Üb. menschl. Missbildgn. (Bes. Gesichtsspalten u. Zystenhygrome.) (32 m. Abb.) 04. [373.74.] ‖ Neue Untersuchgn üb. d. Dauer d. menschl. Schwangerschaft. (32) 01. [292.93.]
Wolff, J: Üb. d. frühzeit. Operation d. angebor. Gaumenspalte. (28) 01. [301.]
Zabludowski, J: Üb. Schreiber- u. Pianistenkrampf. (44 m. Abb.) 01. [290.91.]
Zangemeister, W: Neuere physiolog. Forschgn in d. Geburtshilfe. (12) 04. [379.]
Ziegenspeck, R: Die Lehre v. d. dopp. Einmündg d. unt. Hohlvene in d. Vorhöfe d. Herzens u. d. Autoritätsglaube. (26 m. Abb.) 05. [401.]

Sammlung Kobner. 2. Bd. 8° Münch., A Buchholz. 4.20; geb. nn 4.80 d
Bloch, E: Deut. Reichsstaatsrecht. 5. Afl. (255) 04. [2.] 4.20; geb. nn 4.80

— v. Abhandlgn z. Kolonialpolitik u. Kolonialwirtschaft, hrsg. v. A Seidel. I. Bd. I. Heft. 8° Giess., E Roth. — 80 d
Seidel, A: Der gegenwärt. Handel d. deut. Schutzgeb. u. d. Mittel zu sr Ausdehng. (63) 05. — 80

— v. Kompendien f. d. Studium u. d. Praxis. I. Serie, 1. u. 2. Bd u. III. Serie, 1. Bd. 8° Münst., H Schöningh. 13.50
Junker, HP: Grundr. d. Gesch. d. französ. Litt. v. ihren Anfängen bis z. Gegenwart. 4. Afl. (20, 534) 02. [I,2.] 4.80 ‖ 5. Afl. (23, 579) 05. 5 —; L. 6.20; HF. 6.80
Körting, G: Grundr. d. Gesch. d. engl. Litt. v. ihren Anfängen bis z. Gegenwart. 4. Afl. (445) 05. [I,1.] 4.50; L. 5.40; HF. 6 —
Wolter, J: Konstruktions-ABC d. Bautechnikers. Von d. Konstruktionen u. d. Formenbildg d. Holzes u. d. Dachg. 2 Tle. (76 S. u. 40 Taf.) 05. [III,1.] L. 4 — d

— ausgew. Kriminal- u. Detektiv-Romane. 1—36. Bd. 8° Stuttg., R Lutz. 46.80; Einbde je — 80 d
Barbour, AM: Das Testament d. Bankiers. 1. u. 2. Afl. (336) (04.05.) [35.] 1.50
Cobb, T: Eine dunkle That. 4. Afl. (304) (05.) [17.] 1.50
Collins, W: Der Mondstein. Deut. Bearbeitg. 1. u. 2. Afl. (355) (02.03.) [26.] 1.50
Doyle, C: Abenteuer d. Doktor Holmes. 9 Detektivgesch. 5. Afl. (250) (05.) [12.] 1.20 ‖ Neue Abenteuer. 4. Afl. (299) (05.) [20.] 1.50
— Späte Rache. 4. Afl. (261) (03.) [10.] 1.20
— Das Zeichen d. Vier. 5. Afl. (199) (04.) [11.] 1 —
Ford, P: Das Abenteuer im Expresszug. 1. u. 2. Afl. (192) (04.05.) [34.] 1 —
Gaboriau, E: Aktenstück No. 113. 3. Afl. (413) (03.) [16.] (1.80) 2 —
— Um e. Weibes willen. Roman. Deut. Bearbeitg. 1. u. 2. Afl. (240) (04.) [32.] 1.20
Green, AK: Endlich gefunden. 4. Afl. (255) (03.) [9.] 1.20
— Das verlass. Gasthaus. 5. Afl. (256) (05.) [5.] 1.20
— Hand u. Ring. 4. Afl. (320) (05.) [3.] 1.50
— Um Millionen. 4. Afl. (344) (05.) [7.] 1.50
— Schein u. Schuld. 3. Afl. (298) (01.) [14.] 1.50
— Der Tag d. Vergeltg. 4. Afl. (282) (05.) [15.] 1.20
— Hinter verschloss. Thüren. 5. Afl. (288) (04.) [1.] 1.20
— Zwischen 7 u. 12 Uhr. Nebst Erzählgn v. G Allen, H Davis u. C Doyle. 3. Afl. (289) (03.) [18.] 1 —
Harte, B: 2 Erzählgn, s.: Twain, M, Tom, d. kl. Detektiv.
Hawthorne, J: Der grosse Bankdiebstahl. Nach Mitteilgn d. Chefs d. New-Yorker Geheimpolizei. 5. Afl. (231) (05.) [2.] 1 —
— Der verhängnisvolle Brief. Nach Mitteilgn d. Chefs d. New-Yorker Geheimpolizei. 4. Afl. (240) 03. [4.] 1 —
— Ein trag. Geheimnis. 3. Afl. (271) (05.) [6.] 1.50
Hume, FW: Das Geheimnis e. Fiakers. 4. Afl. (252) (03.) [13.] 1.20
Kaulbach, J: Die weisse Nelke. 3. Afl. (343) (03.) [23.] 1.50
Kohlrausch, R: In d. Dunkelkammer. (231) (03.) [28.] 1.20
— Im Haus d. Witwe. (Neue Ausg. v. „Im Haus d. Schatten“.) 1—3. Afl. (343) (05.) [24.] (1.80) 2 —
Lynch, L: Schlingen u. Netze. 3. Afl. (347) (04.) [8.] 1.50
Merriman, HS: Schloss Osterno. Roman. 1. u. 2. Afl. (316) (04.) [33.] 1.50
Russell, C: Die Juwelen d. Frau Dines. (180) (03.) [29.] 1 —
Theden, D: Der Advokatenbauer. 3. Afl. (272) (05.) [21.] 1.20
— Die 2. Busse. (286) (03.) [30.] 1.50
— Ein Verteidiger. 3. Afl. (259) (05.) [22.] 1.20
— Das lange Wunder u. and. Kriminalgesch. 1—3. Afl. (254) (02-04.) [27.] 1 —
Trojanowsky, C v.: Erzählgn e. Gerichtsarztes. Nach eig. Erlebnissen. 1. u. 2. Afl. (228) (04.) [31.] 1.20
Twain, M: Tom, d. kl. Detektiv. Nebst 2 Erzählgn v. B Harte. 1—3. Afl. Uebersetzgn. (200) (01-03.) [25.] 1 —
— Querkopf Wilson. Roman. 4. Afl. (280) (03.) [19.] 1.20
Viller, F: Der schwarze Diamant. 1. u. 2. Afl. (238) (04.05.) [36.] 1.20
Vgl.: Sammlung interessanter Criminal- u. Detectiv-Romane. — Fortsetzg s. u. d. T.: Lutz' Kriminal- u. Detektiv-Romane.

— v. deut. Übgsstücken z. Übers. ins Latein. 2—5. Heft. 8° Hannov., Norddeut. Verl.-Anst. 1.80 (1—5.: 2.20) d
Deiter, H: Übgn z. Übers. im Anschl. an Ciceros Reden pro Roscio Amerino u. de imperio Cn. Pompei. (18) 04. ‖ Dass. im Anschl. an Ciceros Tuskulanen, Buch I u. V. (18) 04. ‖ Dass. im Anschl. an Titus Livius, Buch XXII. (22) 04. [2—4.] Je — 40
Krause, E: Übgn z. Übers. im Anschl. an Tacitus' Germania. (50) 05. [5.] — 60
Das 1. Heft ist v. J Lehmann, s. diesen.

— leb. Bilder. Nr. 3 u. 17—33. 8° Mühlh. i/Th., G Danner. Je 1 —
Braune, E: Uns. Feuerwehr. (14) (01.) [19.] ‖ Aus uns. Militärzeit. (13) (01.) [20.] ‖ Soldaten-Freud' u. -Leid. (20) (01.) [18.] ‖ Weihnachten in Wort u. Bild. (15) (01.) [17.] d
Ely, L: Von d. Wiege bis z. Traualtar. 13 leb. Bilder m. Musikbegleitg. (14) (05.) [31.] d
Heber, H: Die Feuerwehr im Kampfe m. d. entfesselten Element. (20) (05.) [33.] d
Liliencron, A v.: Uns. Braven. 5 Bilder a. d. Leben uns. braven Truppen in Südwestafrika. (16) (05.) [32.] d
Meinbold, P: Christkind's Erdenwallen. Heitere u. ernste Weihnachtsbilder. (20) (04.) [30.] ‖ Denkmal-Bilder. Humorist. Serie leb. Bilder a. uns. Zeit. (16) (04.) [26.] ‖ Erinnergn an d. Militärzeit. (19) (02.) [24.] ‖ Gott schütze d. Handwerk! Heitere u. ernste Bilder a. d. Handwerkerleben. (20) (04.) [29.] ‖ Uns. Militär. (16) (03.) [25.] ‖ Der Wehr d. Ehr. Ernste u. heitere leb. Feuerwehr-Bilder. (16) (04.) [27.] d
Mummel, A: Der gr. Krieg. Aus d. deutsch-französ. Kriege 1870/71. (14) (01.) [22.]
Niemeyer, H: Aus d. Leben Jahns. Mit Chorgesang. (12) (02.) [23.] d
Rogalski, P: Unter d. Weihnachtsbaum. Ein Gang durchs Leben. (8) (01.) [21.]
Schulz, A: Des Seemanns Weihnacht. (15) (04.) [28.] d
Schulze, A: Der Radfahrsport. Dichtg. 2. Afl. (13) (01.) [3.] d

— v. Lehrmitteln f. höh. Unterr.-Anst. I. u. XI. Tl. 8° Stuttg., A Bonz & Co. 3.30
Erbe, K: Hermes. Vergleich. Wortkde d. deut., latein. u. griech. Sprache.

Für Tertia u. Secunda v. Gymnasien sowie f. d. Selbstunterr. 2. Aß. (279) 1896. [XI.] Geb. 1.50
Lhomond-Holzer: Urbis Romae viri illustres a Romulo ad Augustum. Mit sachl. Anmerkgn u. e. Wrtrb. 11. Aß. v. H Planck u. C Minner. Ausg. m. Kart. u. Fl. (211) 01. [1.] 1.60; kart. 2.20
Wird unter diesem Sammeltitel nicht weiter geführt.
Sammlung d. Ortsgesetze d. Stadt Leipzig. 1. Thl. (248) 8° Lpzg, Breitkopf & H. 01. Geb. 1.75 d
— Heinrich Lempertz sen., † in Köln z. Rh. Katalog d. Bibliothek. Handschriften. Miniaturen. Kalligr. Urkunden usw. Versteigerg zu Köln a. Rh. 1904. (379 m. Abb.) 8° Köln, JM Heberle (04). 1.50; m. 10 Lichtdr. 5 —
— e., neuester Lieder u. Couplets z. Mitsingen. (Umschl.: Die allerneuesten Lieder u. Couplets.) (32) 8° Neuweissens., E Bartels (o. J.). — 25 d
— medizin. Lehrbücher. I, VI, X, XVII u. XVIII. 8° Lpzg, S Hirzel. 74.60; geb. 83 —
Baginsky, A: Lehrb. d. Kinderkrankh. 7. Aß. (19, 1163) 02. § z. Aß. (20, 1214) 05. [VI.] Je 22 —; geb. je 24 —
Fritsch, H: Geburtshilfe. Einführg in d. Praxis. (467 m. z. Tl farb. Abb.) 04. [XVIII.] 10 —; geb. 11 —
— Die Krankh. d. Frauen. 10. Aß. (640 m. H.) 01. [1.] 13.60; geb. 15 —
§ 11. Aß. (663 m. z. Tl farb. Abb.) 05. 14.60; geb. 16 —
Schmidt-Rimpler, H: Augenheilkde u. Ophthalmoskopie. 7. Aß. (689 m. H. u. 2 farb. Taf.) 01. [X.] 13 —; geb. 14 —
Ziehen, T: Psychiatrie. 2. Aß. (750 m. H. u. 8 Lichtdr.) 02. [XVII.] 16 —; geb. 18 —
Bisher u. d. T.: Wreden's Sammlg medizin. Lehrbb.
— medizin. Wegweiser. Bd 1, 1 a, 9, 10 u. 16. 8° Berl., H Steinitz. 5 — d
Boas, I: Diät u. Wegweiser f. Darmleidende. 5. u. 6. Taus. (109 m. H.) (04.) [9.10.] 2 —
— dass. f. Magenkranke. 4. Aß. (108 m. Abb.) (01.) [1.1a.] 2 —
Ruff, J: Diät u. Wegweiser f. Nierensteinleidende. 2. Aß. (54) 05. [16.] 1 —
— ausgeführter mercantiler Arbeiten, z. Anregg dargeboten v. d. lith. Kunstanst. Müller & Trüb in Aarau u. Lausanne. 12. Lfg. (8 L.) 4° Aar., A Trüb & Co. (02). 2 — (1—12.: 24 —)
— merkwürd. Bücher d. Weltlitt. 3. Bd. 12° Berl. Lpzg, G Fock V. Kart. 3.50
Rodenbach, G: Das tote Brügge. Aus d. Franz. v. F v. Oppeln-Bronikowski. (153) 05. [3.]
Den 1. u. 2. Bd bilden: d'Aurevilly, B, Finsternias, u. Quincey, T de, Bekenntnisse e. Opiumessers.
— militärwiss. Einzelschriften. 7—16. Heft. 8° Berl., R Schröder. 11.50 d
Immanuel, F: Afghanistan. Politisch-militär. Studie. (36) 02. [10.] 1 —
— Marokko. Eine militärpolit. u. wirtschaftl. Frage usw. Studie. (58) 03. [15.] 1.50
Liman, L: Aufklärg u. Sicherg vor d. Front durch Kavall., selbständ. Pastrouillen d. Infant., Jagdkommandos u. leit. Infant. (31) 04. [11.] 1 —
Schott, J: Das Kaisermanöver in Pommern 1900. [S.-A.] (39 m. 1 Karte.) 01. [7.] § Das Kaisermanöver in Westpreussen 1901. [S. A.] (31 m. 1 Karte.) 01. [9.] § Das Kaisermanöver an d. Elbe 1902. [S.-A.] (31 m. 1 Karte.) 03. [12.] Je 1 —
Stavenhagen, W: Frankreichs Küsten-Verteidig. Für Offiziere aller Waffen. (98 m. 4 Taf.) 02. [11.12.] 2 —
Trotha, T v.: Port Arthur als Festg u. Kriegshafen. Studie z. Aufklärung d. Wojeanji Shornik. (28 m. 1 Karte.) 05. [14.] 1 —
Wacha, O: Die engl. Etappenstrassen v. Grossbritannien üb. d. kanad. Dominion u. d. westl. Häfen d. Pacific u. n. Indien. (44 m. 3 Kart.) 04. [14.] 1 —
— Schlaglichter auf Ostasien u. d. Pacific. (28) 01. [8.] 1 —
Das 12. Heft ist zweimal in d. Sammlg.
— militärwiss. Hdbb. 5. Bd. 8° Berl., Vossische Bh. 3.25 d
Werner-Ehrenberichth: Die Praxis d. Kompagniechefs. Nebst: Reihenfolge d. Hauptleute u. Oberleutnants d. Infant. im kgl. preuss. u. württemberg. Heere. (115 u. 54) 06. [5.] 3.25; Anb. allein 1 —
Bisher unter Einzeltiteln aufgenommen.
— v. Missionsschriften d. ev.-luth. Mission (Tamulenmission) Nr. 11 u. 12. (Mit Abb.) 8° Lpzg, Verl. d. ev.-luther. Mission. 70 d
Sandegren, CJ: Vor 30 Jahren. Erinnergn a. d. Zeit meines Missionslebens. (40) 01. [12.] 20 —
Schwarz, Christian Friedrich, d. „Königspriester" v. Tandschaur. Lebensbild d. Gesegnetesten unter d. alten Halleschen Missionaren. (81) 01. [11.] 50 —
— illustr. Monographien. Hrsg. v. H. v. Zobeltitz. 1—16. Bd. 8° Bielef., Velhagen & Kl. Kart. 61 — ;
Geschenkausg., L. m. G. je 1 — mehr d
Buss, G: Der Fächer. (140) 04. [14.] 4 —
Pfleid, W: Die Wohng u. ihre Ausstattg. (185) 05. [11.] 4 —
Hamhofer, M: Die Landschaft. (135 m. 6 Kunsttheil.) 03. [12.] 4 —
Heilmeyer, A: Die moderne Plastik in Deutschl. (154 m. Titelbild.) 03. [10.] 4 —
Hermann, G: Die deut. Karikatur im 19. Jahrb. (152 m. 6 Kunsttheil.) 01. [7.] 4 —
Heyck, E: Frauenschönheit im Wandel v. Kunst u. Geschmack. (152) 02. [8.] 4 —
Koeppen, A: Die moderne Malerei in Deutschl. (146 m. 1 Taf.) 02. [7.] 4 —
Lehnert, G: Das Porzellan. (158) 09. [6.] 4 —
Osborn, M: Der Holzschnitt. (154 m. 16 Kunsttheil.) 05. [16.] 4 —
Rietschel, G: Weihnachten in Kirche, Kunst u. Volksleben. (160 m. 4 Kunsttheil.) 02. [5.] 4 —
Singer, HW: Der Kupferstich. (148) 04. [15.] 4 —
Skowronnek, F: Die Jagd. (167 m. 7 Kunsttheil.) 01. [3.] 4 —
Stolpe, K: Der Tanz. (140 m. 7 Kunsttheil. u. 1 Fkam.) 05. [9.] 4 —
Zobeltitz, H v.: Der Wein. (129 m. 10 Kunsttheil.) 01. [1.] 4 —
Zur Westen, W v.: Exlibris (Bucheignerzeichen). (105 m. 6 Kunsttheil.) 01. [4.] 4 —
— Reklamekunst. (148) 03. [13.] 4 —
— musikwiss. Abhandlgn. Nr. 2 u. 3. 8° Lpzg, CF Kahnt Nf. 2.50
Capellen, G: Die „musikal." Akustik als Grundl. d. Harmonik u. Melodik. (140) 03. [3.] 2 —

Capellen, G: Ist d. System S Sechter's e. geeigneter Ausgangspunkt f. d. theoret. Wagnerforschg? (35) 02. [2.] — 50 d
Nr. 1 s. u. d. T.: Geiger, B: Noten am Rande d. Kunst, in Novalis' Schriften ges.
Sammlung v. Abhandlgn a. d. Geb. d. Nahrgsmittel-Hygiene. 4. Heft. 8° Lpzg, F Leineweber. 2 — (1—4.: 4.25)
Sizediter, H: Hygiene d. Nahrgsmittel u. d. Verdang. Belehrg üb. d. Einfl. d. Nahrgs-, Gennss- u. Heilmittel auf d. Verdaugsorgane, nebst e. Tab. üb. Nahrgsmittelwerte z. Zusammenstellg. gesunden u. pass. Ernährg. (105) 09. [4.] 2 —
— zwangl. Abhandlgn a. d. Geb. d. Nasen-, Ohren-, Mund- u. Hals-Krankh. Hrsg. v. M Bresgen. V. u. VI. Bd je 12 Nrn. (Nr. 1. 32) 8° Halle, C Marhold 01.02. Je 12 —
— dass., hrsg. v. G Heermann. VII. Bd, 8 Hefte u. VIII. Bd, 1—7. Heft. 8° Ebd. Für d. Bd v. 8 Heften 8 —
Alexander, G: Probleme in d. klin. Pathol. d. stat. Organa. (33) 05. [VIII,3.] — 60
Bauer, S: Die hauptsächl. kindl. Erkrankgn d. Nasenhöhlen, d. Rachenhöhle u. d. Ohren, sowie ihre Bedeutg f. Schule u. Gesundh. nebst grundsätzl. Erörtergn üb. Untersuchg u. Behandlg solcher Kranken. (58) 03. [VII,8.] — 60
Heermann, G: Die Bedeutg d. aktuellen Frage üb. d. Behandlg d. Otitis media acuta f. d. prakt. Arzt. (23) 04. [VII,2.] — 40
— Üb. d. Natur u. d. Beziehgn d. ob. Luftwege zu d. weibl. Genitalsphäre. Sammelreferat. (35) 04. [VII,1.] — 50
— Ueb. d. Ménière'schen Symptomencomplex. Zusammenfassg d. Ergebnisse e. Sammelforschg. (61) [VII,1.2.] 2 —
Bölscher: Die otogenen Erkrankgn d. Hirnhäute. I. Die Erkrankgn an d. Aussenfläche d. harten Hirnhaut. (84 m. 1 graph. Taf.) 04. [VII,6.7.] 2.50 § II. Die Erkrankgn im Innern d. Schädels u. d. eitr. Entzündg d. weichen Hirnhäute. (108) 05. [VIII,4—6.] 3 —
König: Ohrenteruschgn in d. Dorfschule. Beitrag z. Schularztfrage. (24 m. Abb.) 03. [VII,3.] — 40
Kretschmann: Die Bedeutg d. Ohrschmerzes. Vortr. (12) 04. [VII,4.] — 40
Mayer, PJ: Die Nase als Luftwege. (61 m. Fig.) 04. [VII,5.] 1.80
Saenger, M: Üb. Inhalations-Therapie u. ihre gegenwärtig übl. Anwendgsformen. (38 m. Fig.) 06. [VII,5.] 1 —
— nationalökonom. u. statist. Abhandlgn d. staatswiss. Seminars zu Halle a. d. S., hrsg. v. J Conrad. 30—51. Bd. 8° Jena, G Fischer.
Allendorf, H: Der Zusrg in d. Städte, z. Gestaltg u. Bedeutg f. dieselben in d. Gegenwart. Beitrag z. Statistik d. Binnenwandergn m. bes. Berücks. d. Zuzugsverhältn. d. Stadt Halle a. S. im J. 1899. (50) 01. [30.] 2.40
Allendorf, H: Das Finanzwesen d. Stadt Halle a. S. im 19. Jahrb. (307) 06. [44.] 3 —
Brödnitz, G: Bismarcks nationalökonom. Anschaugn. (155) 02. [31.] 3 —
Fischel, O: Grundz. d. Organisation d. deut. Buchhandels. (234) 05. [41.] 4 —
Grabenstedt, K: Woher bezieht d. Stadt Halle a. S. ihre wichtigsten Lebensmittel? (231) 04. [43.] 2 —
Gramhow, L: Die deut. Freihandelspartei z.Z. ihrer Blüte. (387) 02. [35.] 7.50
Hofm, W: Effekts Stadtverfassg u. Stadtwirtschaft in ihrer Entwicklg bis z. Gegenwart. (271) 04. [45.] 7 —
Klege, H: Die volkswirtschaftl. Grundl. f. d. Haftg d. Tierhalters im BGB. (90) 03. [36.] 2 —
Köln, E: Sozialhistor. Stud. z. Landarbeiterfrage in Ungarn. (143) 03. [37.] 3 —
Markowitsch, BB: Die Gemeinden u. ihr Finanzwesen in Serbien. (101) 04. [38.] 2 —
Mendelson, F: Die volksw. Bedeutg d. deut. Schafhaltg um d. Wende d. 19. Jahrb. (164) 04. [40.] 4.50
Most, O: Der Nebenerwerb in s.r volksw. Bedeutg. (134) 03. [42.] 2.50
Müller, O: Die Einkommensteuergesetzgebg in d. verschied. Ländern. (104) 02. [36.] 2.50
Pfange, O: Die Theorie d. Versicherugswertes in d. Feuerversicherg. H. Tl. Die Praxis d. Versicherugswertermittelg. 1. Buch: Die Ermittelg d. Versicherugswertes v. Baulichk. (164 m. 1 Taf.) 02. [33.] 5 — (I u. II.,1.: 8 —)
Reisner, W: Die Einwohnerzahl deut. Städte in früheren Jahrhunderten m. bes. Berücks. Lübecks. (155) 03. [36.] 4 —
Rothe, A: Das deut. Fleischergewerbe. (216) 02. [32.] 4 —
Schlötel, K: Die Steuern d. Stadt Nordhausen u. ihre Bedeutg f. d. gemeindefinanzen histrisch dargest. (94) 04. [48.] 2.50
Sundef, F: Das Finanzwesen d. Stadt Osnabrück v. 1648—1900. (219) 04. [47.] 5 —
Trock, E: Die wirtschaftl. Bedeutg d. staatl. u. provinziellen Bodenkreditinstit. in Deutschl. f. d. ländl. Besitz. (157) 05. [51.] 3.50
Voye, E: Üb. d. Höhe d. verschied. Zinsarten u. ihre wechselseit. Abhängigk. Die Entwicklg d. Zinsfusses in Preussen v. 1807—1900. (95 m. 2 Kurven.) 05. [35.] 2.50
Wagon, E: Die finanzielle Entwicklg deut. Aktiengesellsch. v. 1870—1900 u. d. Gesellsch. m. beschränkter Haftg im J. 1900. (215) 03. [39.] 4.50
Wislnaun, M: Die agrar-recht. Verhältn. d. mittelalterl. Reichsgüter. (93. [46.] 2 —
— naturwiss. Taschenbücher. I. 8° Hdlbg, C Winter, V. L. 4.50
Sydow, J: Taschenb. d. wichtigsten essbaren u. gift. Pilze Deutschlds. (53 u. 85 m. 64 farb. Taf.) (05.) [I.] 4.50
— naturwiss.-pädagog. Abhandlgn. Hrsg. v. O Schmeil u. WB Schmidt. I. Bd, 9 Hefte u. II. Bd, 1—3. Heft. 8° Lpzg, BG 12.70; 1. Bd vollst. 8 —
Binder, E: Beitr. z. Entwicklgsgesch. d. chem. Unterr. an deut. Mittelsch. (35) 05. [I,6.] — 80
Claussen, P: Pflanzenphysiolog. Versuche u. Demonstrationen f. d. Schule. (81 m. Abb.) 04. [I,8.] 1 —
Günthart, A: Die Aufg. d. naturkundl. Unterr. v. Standpunkte Herbarts. (67 m. 3 Skizzen.) 04. [I,5.] — 80
Höck, F: Sind Tiefe u. Pflanzen beseelt? Lehrstoff f. d. Unterr. in Prima im Anschl. an d. philosoph. Propädeutik. (55) 05. [II,2.] 1 —
Ludwig, F: Die Milbenplage d. Wohnge, ihre Entstehg u. Bekämpfg. Nebst e. Anh. üb. neueri. Massenvermehrg einiger bisher weniger beachteter Wohngsschädlinge. (20 m. Abb.) 04. [I,9.] — 80
Mühlberg, F: Zweck u. Umfang d. Unterr. in d. Naturgesch. an höh. Mittelsch. m. bes. Berücks. d. Gymnasien. (55) 03. [I,1.] 1.30
Norrenberg, J: Gesch. d. naturwiss. Unterr. an d. höh. Schulen Deutschlds. (76) 04. [I,3.] — 80
Remus, K: Das biolog. Prinzip. Ein Wolt z. einheitl. Gestaltg d. naturkundl. Unterr. (41) 04. [I,8.] — 60
Schlee, P: Schülerübgn in d. elementaren Astronomie. (15 m. 2 Fig.) 03. [1.7.] — 50
Schleichert, P: Beitr. z. Methodik d. botan. Unterr. (48 m. Fig.) 05. [II,3.] 1 —

Schoenichen, W: Die Abstammungslehre im Unterr. d. Schule. (46 m. Abb.)
05. [I,3.] 1.20
Wehner, M: Die Bedeutg d. Experimentes f. d. Unterr. in d. Chemie.
(62) 05. [II,1.] 1.40

**Sammlung zwangl. Abhandlgn a. d. Geb. d. Nerven- u.
Geisteskrankh.** Hrsg. v. K Alt u., v. IV. Bde an, A Hoche.
III. Bd, 6—8. Heft; IV. u. V. Bd. je 8 Hefte u. VI. Bd, 1—7.
Heft. 8° Halle, C Marhold. Für d. Bd v. 8 Heften 8 —
Determann: Die Diagnose u. d. Allgemeinbehandlg d. Frühzustände d.
Tabes dorsalis. (94) 04. [V,2.3.] 2.50
Heilbronner, K: Die strafrecltl. Begutachtg d. Trinker. (141) 05. [V,6—8.]
3 —
Hoche, A: Welche Gesichtspunkte hat d. prakt. Arzt als psychiatr. Sach-
verständ. in strafrecltl. Fragen bes. im beachten? (40) 02. [III,6.] 1.20
— Die Grenzen d. geist. Gesundh. (22) 03. [IV,3.] — 60
Hoennicke, E: Üb. d. Wesen d. Osteomalacie u. s. therapeut. Conse-
quenzen. Beitrag z. Lehre v. d. Krankh. d. Schilddrüse. Nebst Be-
merkgn üb.d.seel. Zustand bei d. Knochenerweichg. (78) 05. [V,4.5.] 2 —
Laquer, B: Üb. Höhenkuren f. Nervenleidende. (19) 03. [IV,5.] — 60
Laquer, L: Üb. schwachsinn. Schulkinder. (44) 02. [IV,1.] 1.50
Liepmann, H: Üb. Ideenflucht. Begriffsbestimmg u. psycholog. Analyse.
(94) 04. [IV,8.] 2.50
Oppenheim, H: Zur Prognose u. Therapie d. schweren Neurosen. (37)
05. [III,8.] 1.50
Pfister, H: Die Anwendg v. Beruhigungsmitteln bei Geisteskranken. (39)
03. [IV,5.] 1.20
Pick, A: Üb. ein. bedeutsame Psycho-Neurosen d. Kindesalters. (28) 04.
[V,1.] — 80
Schröder, P: Üb. chron. Alkoholpsychosen. (83) 05. [VI,2.3.] 1.80
Stransky, E: Üb. Sprachverwirrtheit. Beitr. z. Kenntnis derselben bei
Geisteskranken u. Geistesgesunden. (110) 05. [VI,4.5.] 2.80
Weber, LW: Die Beziehgn zw. körperl. Erkrankgn u. Geistestörgn. (54)
02. [III,7.] 1.50
Weil, M: Die operative Behandlg d. Hirngeschwülste. (18) 03. [IV,4.] — 60
Weygandt, W: Üb. Idiotie. Referat. (86) 06. [IV,8.] 1.50
— Leicht abnorme Kinder. (40) 05. [VI,1.] 1 —
— Der heut. Stand d. Lehre v. Kretinismus. (74) 04. [IV,6.7.] 2.40
— — u.euphilolog. Vorträge u. Abhandlgn, s.: Vorträge u. Abhandlungen, neuphilolog.
— v. d. Notariat im Kgr. Bayern betr. Ges., Verordngn u.
Ministerialbekanntmachgn. (Nach d. Stande v.1.IV.'01.) Text-
ausg.m.Sachreg. (294) 8° München., J Schweitzer V.01. Kart. 3.50 d
— d. im Herzogt. Oldenburg gelt. Ges. usw., neue Bearbeitg,
s.: Fimmen u. Thoma.
— internat. Operntexte. Rev. Text d. Gesänge, durchgesehen
v. R Gründler-Reinsdorff. Nr.1—6, 8° Halle, Bossert & Gründler. Je — 10
Auber, DFE: Fra Disvolo od.: Das Gasthaus zu Terracina. Kom. Oper v.
E Scribe. Musik v. A. (36) (04.) [6.] d
Mozart, WA: Die Hochzeit d. Figaro. Kom. Oper v. Lorenzo da Ponte.
Musik v. M. (34) (04.) [3.] Die Zauberflöte. Oper v. E Schikaneder.
Musik v. M. (34) (04.) [1.] d
Verdi, G: Rigoletto. Oper v. FM Piave. Musik v. V. (29) (04.) [4.] d
Weber, KM v.: Der Freischütz. Romant. Oper v. F Kind. Musik v. W. (16)
(04.) [3.] d § Oberon, König d. Elfen. Romant. Oper. Nach d. Engl. d.
JR Planché v. T Hell. Musik vom v. W. (18) (04.) [4.] d
— d. Landesges. sowie d. wichtigsten Reichsges. u. Verordngn
f. d. Erzh. Oesterr. ob d. Enns. Neue Ausg. 1—7. Bd. 8°
Linz a/D., J Feichtinger's Erben. (Nur dir.) 31.70 d
1. Verfassungsges. — Gemeindeges. Zusammengest. v. L Graf. 9. Aufl. (30,
484) 02. 4.70
2. Bau-Ordngn u. Bauvorschriften. Zusammengest. v. F Krackowiser 3 —
3. Strassen- u. Verkehrswesen. Zusammengest. v. F Krackowiser. 2.50
1892.
4. Landescultur. — Sanitätswesen. Zusammengest. v F Krackowiser. (263)
1892. 3.50
1. Verschied. Ges. u. Verordngn. — II. Aufnahme d. Landesange-
v. J. 1887. — III. Credit- u. Vorschusscassenver. — IV. Landes-Hypo-
thekenanst. — V. Landes-Brandschaden-Versicherganst. Zusammengest. v. F Krackowiser. (155) 1892. 2.30
6. Gemeindeges. — Bauordngn u. Bauvorschriften. — Sanitätswesen Zusammengest. v. F Krackowiser. (190) 1896. 2.50
7. Jagd u. Fischerei. — Landw. Zusammengest. v. F Krackowiser. (204)
01. 4.20
— v. Abhandlgn a. d. Geb. d. pädagog. Psychol. u. Physiol.
Hrsg. v. H Schiller u. T Ziehen u., v. VI. Bde an v. T Ziegler
u. T Ziehen. IV. Bd, 9—8. Heft; V. Bd, 7 Hefte; VI. Bd, 8 Hefte;
VII. Bd, 7 Hefte u. VIII. Bd, 1—5. Heft. 8° Berl., Reuther & R.
Für d. Bd v. 6—7 Heften 7.50
Ament, W: Begriff u. Begriffe d. Kindersprache. (55) 02. [V,4.] 2 —
— Die Entwicklg d. Pflanzenkenntnis beim Kinde u. bei Völkern. Mit e.
Einl.: Logik d. statist. Methode. (59 m. Abb.) 01. [IV,4.] 1.80
Binswanger, O: Üb. d. moral. Schwachsinn, m. bes. Berücks. d. kindl.
Alterstufe. (66) 05. [VIII,5.] 1 —
Brauckmann, K: Die psych. Entwicklg u. pädagog. Behandlg schwerhör.
Kinder. (96) 01. [IV,5.] 2 —
Eggert, B: Der psycholog. Zusammenh. in d. Didaktik d. neusprachl.
Reformunterr. (74) 04. [VII,4.] 1.80
Fauth, F: Der fremdsprachl. Unterr. auf uns. höh. Schulen v. Stand-
punkt d. Physiol. u. Psychol. beleuchtet. (34) 05. [VIII,5.] — 80
Ganzmann, O: Üb. Sprach- u. Sachvorstellgn. Beitrag z. Methodik d.
Sprachunterr. (80) 01. [IV,6.] 1.80
Horuemann, F: Die neueste Wendg im preuss. Schulstreitu. u. d. Gym-
nasium.Beleuchtg d.Gymasialfrage v.Standpunkte d. pädagog.Psychol.
u.Sozialpädagogik. I. Der Kieler Erlass v. 26.XI.1900. (68) 01.[IV,3.] 1.00
Kluge, O: Üb. d. Wesen u. d. Behandlg d. geistig abnormen Fürsorge-
zöglinge. (38) 05. [VIII,4.] — 50
Lehmann, R: Wege u. Ziele d. philosoph. Propädeutik. (59) 05. [VIII,1.] 1.50
Leubuscher, G: Staatl. Schulärzte. (58) 02. [V,2.] 1.60
Liebmann, A: Stotternde Kinder. (96) 05. [V,2.] 2.40
— Die Sprachstörgn geistig zurückgeblieb. Kinder. (98) 01. [V,3.] 1.60
Lobsien, M: Schwankgn d. psych. Kapazität. Einige experimentelle Unter-
suchgn an Schulkindern. (110 m. Abb.) 02. [V,7.] 3 —
Mönkemöller: Geistesstörg n. Verbrechen im Kindesalter. (108) 05. [VI,6.]
2.80
Nauseater, W: Das Kind u. d. Form d. Sprache. (51) 04. [VII,7.] 1.20

Netschajeff, A: Üb. Auffassg. (26) 04. [VII,6.] — 60
— Üb. Memorieren. (39) 02. [V,5.] 1 —
Orth, J: Gefühl u. Bewusstseinslage. (121) 05. [VI,4.] 3 —
Probst, M: Üb. d. Gehirn u. Seele d. Kindes. (148 m. Abb. u. Tab.) 04. [VII,2.8.]
4 —
Sallwürk, E v.: Üb. d. Ausfüllg d. Gemüts durch d. erzieh. Unterr. Zur
Kritik d. Herbart. u. d. Zeller'schen Pädagogik. (47) 04. [VII,5.] 1 —
Scherer, H: Der Werkunterr. in s. soziolog. u. physiologisch-pädagog.
Begründg. (50) 02. [VI,1.] 1 —
Schiller, H: Der Aufsatz in d. Muttersprache. II. Der Aufsatz im 4—8.
Schulj. (Alter 9—14 Jahrz.) (61) 02. [V,3.] 1.60 (I. u. II.: 3.10)
Stadelmann, H: Schulen f. nervenkranke Kinder. Die Frühbehandlg u.
Prophylaxe d. Neurosen u. Psychosen. (31) 03. [VI,5.] — 75
Stern, LW: Helen Keller. Die Entwicklg u. Erziehg e. Taubstummblinden
als psycholog., pädagog. u. sprachtheoret. Problem. (76) 05. [VII,2.] 1.80
Stilling, J: Die Kurzsichtigk., ihre Entstehg u. Bedeutg. (75 m. Abb.) 09.
[VI,8.] 2 —
Zeissig, E: Die Raumphantasie im Geometrieunterr. Beitr. z. method.
Ausgestaltg d. Geometrieunterr. aller Schulgattgn. (108) 02. [V,6.] 2.40
Ziehen, T: Die Geisteskrankh. d. Kindesalters, m. bes. Berücks. d. schul-
pdlicht. Altera. (79) 02. [V,1.] 1.80 [2. Heft. (94) 04. [VII,1.] 2 —
**Sammlung d. bedeutendsten pädagog. Schriften a. alter u.
neuer Zeit.** Mit Biographieen,Erläutergn u. erklär. Anmerkgn
hrsg. v. J Gansen, A Keller, B Schulz. 1—3., 6., 8., 9., 12., 22. u.
25—30.Bd. 8° Paderb., F Schöningh. 19.40; Einbde je — 30 d
Augustinus: Buch üb. d. Unterweisg d. Unwissenden, s.: Hieronymus,
Brief an Lita.
Comenius', JA, Didactica magna od. Grosse Unterr.-Lehre. Für d. Schulgebr. u. d. Privatstudium bearb. u. m. e. Einl. u. erläut. Anmerkga versehen v. W Altemüller. (80, 160 m. Bildn.) 05. [2.] 2 —
Diesterweg's, A, Wegweiser z. Bildg f. deut. Lehrer. Allg. Tl. Bearb. u.
hrsg. v. Fr Hausmann v. K Wacker. (252, 195) 1900. [26.] 1.80 § 3. Afl. (68,
195) 05. [26.] 1.80
Felbiger's, JI v., Eigenschaften, Wissenschaften u. Bezeigen rechtschaffe.
der Schullente. Bearb. v. W Kahl. 2. Afl. (96, 148 m. Bildn.) 06. [25.] 1.60
Fénelon's Üb. d. Erziehg d. Mädchen. Für d. Schulgebr. u. d. Privatstudium bearb.u.m.e. Einl.u. erläut Anmerkgn versehen v. F Schöffer.
8.u.4.Afl. (20, 108) verm. 9. (98) 06. [8.] 1 —
Francke's, AH, wichtigsten pädagog. Schriften. Hrsg. u. m. e. Einl. versehen v. J Gansen. 3. Afl. v. Kreisel. (146 m. Bildn.) 05. [8.] 1 —
Hieronymus: Brief an Lita u. an Gaudentius. — Augustinus: Buch üb.
d. Unterweisg d. Unwissenden. Übers. u. erläut f. Geistliche
u. Lehrer v. K Ernesti. 9. Afl. (192) 02. [3.] — 90
Overberg's, B, Anweisg z. zweckmässa. Schulunterr. Für d. Schul- u.
Selbstgebr. bearb. v. m. e. Einl. versehen v. J Gansen. 4. Afl. (28, 899)
05. [1.] 1.80
Pestalozzi's, JH, „Wie Gertrud ihre Kinder lehrt". Ein Versuch, d.
Müttern Anl. zu geben, ihre Kinder selbst zu unterrichten. (168) 05.
f. Gebr. d. Seminarzöglinge u. Lehrer eingerichtet v. KA Beck. 2. Afl.
(268) 02. [16.] 1.20
— Lienhard u. Gertrud, f. d. Gebr. d. Seminarzöglinge u. Lehrer ein-
gerichtet v. FW Bürgel. 6. Afl. (200) 05. [12.] 1.20
— Pieper, J Felix Molmann, s.: Salzmann's Krebsbüchl.
Sailer's, JM, Üb. Erziehg f. Erzieher. Bearb. u. s. scholmkaa. Gebr. ein-
gerichtet v. J Gansen. 3. Afl. (366) 02. [22.] 1.60
Salzmann's Ameisenbüchl.od. Anweisg zu e. vernünft. Erziehg d. Erzieher.
Bearb. v. Wimmers. 5. Afl. (111) 04. [9.] — 60
— Konrad Kiefer od. Anweisg zu e. vernünft. Erziehg d. Kinder. Für
Schule u. Haus bearb. v. Wimmers. (244) 06. [27.] 1 —
— Krebsbüchl. od. Anweisg zu e. unvernünft. Erziehg d. Kinder. Für
Schule u. Haus bearb. u. m. e. Einl. versehen v. Wimmers. 3. Afl. —
Vietthaler's, FK, pädagog. Hauptschriften. 1. Geist d. Sokratik, 2. Ele-
mente d. Methodik u. Pädagogik v. S Wittw.v.d.Fuhr d. Schulerziehgskde.
Hrsg. u. m. e. Einl. u. Anmerkgn versehen v. W v. d. Fuhr. (280 m.
Bildnis.) 04. [29.] 1.80
— pädagog. Vorträge. Bd. 1—4. W Meyer-Markau. XIII. u.
XIV. Bd je 6 Hefte u. XV. Bd, 1—4. Heft. 8° Mind., C Marowsky.
Für d. Bd v. 6 Heften 1.80
Blum, A: Hat d. Schule d. Aufgabe, üb. sexuelle Verhältnisse aufzu-
klären ? (32) (04.) [XV,2.] — 60
Frölich, M: Der überbürdeten Kinder u. d. Schule. (12) 05. [XIII,5.] — 60
Gramkow, O: Univ. u. Volksschullehrer. (32) (05.) [XIII,3.] — 60
Gröfve, A: Der darstell. Unterr. (45) 05. [XIII,1.] — 60
Jaeche, E: Knud u. Volks? (20) (04.) [XIV,6.] — 60
Laass, W: Das Zeichnen in d. Volkssch. n.d. Berliner Lehrpl. Mit e.
Anhl. Lehrpläne. (36 m. Abb.) (04.) [XV,1.] — 60
Meyer-Markau, W: Vom Bilde. Nebst e. Briefwechsel üb. d.Relig.-
Unterr. m. d. Kultusminister D. Dr. Bosse. (41) (05.) [XV,3.] — 70
— Entwicklg d. Gefühls u. d. Jugendschriften. (39?) (04.) [XII,6.] — 60
Reiniger, M: Konzentr. Kreise u. Konzentration. (20) (04.) [XIV,6.] — 60
Schewe, K: Zum Fachunterr. in d. Volkssch. (55) (04.) [XIV,2.3.] — 60
Schmell, C: Kindergärten u. Schule. (54) (05.) [XIII,3.] — 60
Schwarz, W? Der Denkprozess in psycho-physiolog. Darstellg. (36) (05.)
[XIII,4.] — 60
— d., v. Hölb. Frauenbildg u. Rassen-Selbstmord. (54) (05.) [XV,4.] — 60
Strasser, J: Der Lehrer, s. d. d. vergleich. Untersuchg. (14) (05.) [XV,6.] — 60
— Warum kann d. amerikan. Volkssch. nicht leisten, was d. deut. leistet ?
u. e. alte Deutsch-Amerikaner. (27) 05. [XV,2.] — 60
— d., v. Pannwitz, München. Kunst u. Kunstgewerbe d.
XV—XVIII. Jahrh. (Von E Bassermann-Jordan.) (84 m. Abb.,
103 Taf. u. 1 Bildnis.) 43×35,5 cm. München., H Helbing 05.
L. 50 —
— d. schönsten u. besten Polterabend-Scherze. Nebst e.
Anh. v. Hochzeitsgedichten. (64) 8° Neuweissens., E Bartels
(o. J.). 1 d
— popular-medizin. Abhandlgn auf niss. Grundl. 1. Heft
ze Nannh., Schäfer & Schönfelder. — 80 d
Leidner: Zur Impffrage. Kutane u. Impfzwangs. (47 m. 1 Abb.)
(05.) [1.] 1 —
— Haynacke, d, Polizei-Verordngn u. polizeil. Vorschriften f.
d. Reg.-Bez. Posen. II. Bd. Nachtr. bis z. Mai 1905. Provinz. u. Bez.-Verordngn, Anweisgn, Reglements u. Bekanntmachgn. Hrsg. v. O Kotze. (195) 8° Berl., AW Hayn's Erben
05. 2.50 (Hauptwerk u. Nachtr.: 16.50) d
Das Hauptwerk s.: Kotze, O.

Sammlung, Stahel'sche, v. Prüfgsaufg. Nr. 2, 3, 11 u. 13. 8°
Würzbg, Stahel's V. Kart. 5.80 d
Aufgaben, gegeben bei d. Stadt- u. Marktschreiber-Prüfgn in Bayern.
Nebst d. Prüfgsvorschriften. 11. Tl. (185) (05.) [13.] 2.80
Ducrue, J: Die Absolutorialaufg. a. d. Mathematik u. Naturwiss., gegeben
an d. humanist. Gymnasien, Real-Gymnasien u. Realsch. Bayerns. 9. Afl.
(132) 04. [2.] 1 —
Jäger, F: Die Absolutorial-Aufg. a. d. Engl. u. Dent, gegeben an d.
humanist. Gymnasien, Realgymnasien u. Realsch. Bayerns. 9. Afl. v.
J Friedrich. (108) 05. [11.] 1 —
— dass. a. d. französ. Sprache. 9. Afl. v. J Friedrich. (134) 05. [3.] 1 —
Bisher u. d. T.: Stahel's Sammlg v. Prüfgsaufg.
— Heymannsche, v. Prüfgsbestimmgn. Nr. 7. 8° Berl., C
Heymann. — 80 d
Vorschriften üb. d. jurist. Prüfgn in Preussen, m.
Anmerkgn u. Muster-Formularen. 7. Afl. (48) 05. [7.] — 80
— v. Abhandlgn z. psychol. Pädagogik a. d. „Archiv f.
d. ges. Psychol.". Hrsg. v. E Meumann. I. Bd, 5 Hefte u.
II. Bd, 1. Heft. 8° Lpzg, W Engelmann. 14.20
Ament, W: Fortschritte d. Kinderseelenkde 1895—1903. (66) 04. [1,2.] 1.50
Ebert, E, u. E Meumann: Üb. ein. Grundfr. d. Psychol. d. Übpsphäno-
mene im Bereiche d. Gedächtnisses. (232 m. 1 Fig.) 04. [1,5.] 4.50
Gheorgov, IA: Die ersten Anfänge d. sprachl. Ausdrucks f. d. Selbst-
bewusstsein bei Kindern, u. Pedersen, RH, experimentelle Untersuchgn.
Mayer, A: Üb. Einzel- u. Gesamtleistg d. Schulkindes. (136) 04. [1,4.] 2.40
Messmer, O: Zur Psychol. d. Lesens bei Kindern u. Erwachsenen. (109
m. Fig.) 04. [2,1.] 4 —
Pedersen, RH: Experimentelle Untersuchg d. visuellen u. akust. Er-
innerbyilder, angestellt an Schulkindern. — Gheorgov, IA: Die ersten
Anfänge d. sprachl. Ausdrucks f. d. Selbstbewusstsein bei Kindern. (96
m. 2 Fig.) 05. [1,1.] 1.80
Schmidt, F: Experimentelle Untersuchgn üb. d. Hausaufg. d. Schulkindes.
(120 m. 2 Fig.) 04. [1,3.] 2 —
— v. Rechenaufg. f. höh. Lehranst. 3 Bde. 8° Stuttg., A
Bonz & Co. Geb. 6.30 d
1. Bazlen, J: Die 4 Grundrechnungsarten in unbenannten u. benannten
ganzen Zahlen. (132) 05. 1.90
2. Dölker, F, u. M Richter: Gemeine u. Dezimalbrüche. Schlussrechng.
(156) 05. 2 —
3. Dölker, F, u. M Richter: Wiederholg d. Bruchrechng. Das Bürgerl.
Rechnen. Lehrstoff d. Klassen IV u. V. (248) 06. 2.40
— v. Aufg. z. Rechnen im Sonntags- u. Fortbildgssch. 9. Afl.
(52) 8° Münch., R Oldenbourg (04). nn — 25; Auflösgn. 4. Afl.
(48) (04.). nn — 30 d
— volkstüml. Rechtsbücher, Fortsetzg, s.: Rechtshandbücher f. jedermann.
— amtl. Veröffentlichgn a. d. Reichs- u. Staatsanzeiger.
Nr. 35—40. 8° Berl., C Heymann. 4.40 d
Entwurf e. preuss. Ges. betr. Abänderg d. §§ 65, 156—162, 207a d. allg.
Berggea. v. 24.VI.1865/1892 u. d. 3. Abschn. d. Ausführgsges. z. Reichsges. üb. d. Zwangsverfügg (richtig Zwangsverstelgerg) u. d. Zwangsverwaltg v. 23.IX.1892 (richtig 1899). (34) 05. [39.] — 60
— vorlaufg., u. Ges. üb. Familienkditkommisse. (55) 05. [35.] — 50
— e. Ges. betr. d. Urheberrecht an Werken d. bild. Künste u. d. Photogr.
(32) 04. [37.] — 50
— e. preuss. Ges. z. Verbesserg d. Wohngsverhältn. nebst Begründg.
(64 m. 1 Tab.) 04. [38.] 1 —
Gesetzentwurf betr. Abänderg einz. Bestimmgn d. allg. Bergges. v. 24.
VI.1865/1892. Bergarbeiter-Verhältnisse. (28) 05. [40.] — 50
Verhandlungen d. Konferenz am 4.IV.'03 betr. d. Wurmkrankh. (80) 05.
[36.] 1 —
— Stahel'sche, deut. Reichsges. u. bayer. Ges. (Würzb. Volks-
ausg.). Nr. 112. 12° Würzbg, Stahel's V. — 90 d
Disziplinar-Satzungen f. d. k. bayer. Gymnasien u. Realgymnasien. Mit
Ministerialentschäidigung v. 24. u. 27.IX.1874. 3. Afl. (7) 03. [112.] — 20
Bisher unter Stahel's Sammlg aufgenommen.
— v. Renaissance-Kunstwerken, gestiftet v. Hrn James
Simon z. 18.X.'04. (Kgl. Museen zu Berlin.) (52) 8° Berl., G
Reimer 04. — 75; im 20 Taf. 5 —
— roman. Elementarbücher. Hrsg. v. W Meyer-Lübke. I. Reihe:
Grammatiken. 1, 4 u. 6. 8° Hdlbg, C Winter, V. 14.80; L. 17.60
Meyer-Lübke, W: Rumän. Elementarb. (224) 01. [I.]
[1.] 5 —; L. 5.60
Tiktin, H: Rumän. Elementarb. (228) 05. [6.] 4.80; L. 5.60
Wiese, B: Altitalien. Elementarb. (390) 04. [4.] 5 —; L. 6 —
2, 3 u. 5 sind noch nicht erschienen.
— dass. III. Reihe: Wrtrbücher. 1. 8° Ebd. 6 —; L. 7 —
Puscariu, S: Etymolog. Wrtrb. d. rumän. Sprache. I. Latein. Element m.
Berücks. aller roman. Sprachen. (235) 05. [1.] 6 —; L. 7 —
— kurzer Lehrbücher d. roman. Sprachen u. Lit. I—III. 8°
Halle, M Niemeyer. 19 —
Gartner, T: Darstellg d. rumän. Sprache. (297) 04. [III.]
Voretzsch, C: Einführg in d. Studium d. altfranzös. Lit. im Anschl. an
d. Einführg in d. Studium d. altfranzös. Sprache. (573) 05. [II.] 9 —
— Einführg in d. Studium d. altfranzös. Sprache. (258) 01. [I.] § 5. Afl.
(279) 03. 9 —
— v. stereoskop. Bildern a. d. neuen allg. Kran-
kenhaus Hamburg-Eppendorf. Abteilgn v. Rumpf u. Kümmell.
I—IV. Je 10 stereoskop. Bildr m. Text. 8° Wiesb., JF Berg-
mann. In M. je 3.60
1. Hildebrand, Scholz, Wieting: Das Arteriensystem d. Menschen im
stereoskop. Röntgenbild. (27) 01. § 1. Afl. (29) 04.
II. — Frakturen d. unt. Extremität. (22) 01.
III. — Die kongenitalen Hüftgelenksluxationen. (42) 02.
IV. — Frakturen d. oberen Extremität. (16) 02.
V. — Fremdkörper, Sarkom u. Osteomyelitis d. Schenkels. (16) 03.
VI. — Deformitäten u Missbildgn. (20) 03.
— russ. Schriftsteller in annotiertem Text. Hrsg. v. G Werk-
hapt. 1. Bd. 8° Dresd., E Haendcke. L. 2 —
Puschkin, A: Die Hauptmannstochter. 1. Bd. 8° Dresd., E Haendcke.
2 —
— Sassenbach, Nr. 9—12.19°Berl., J Sassenbach. Je—15d 0 F
Sassenbach, J: Die bl. Inquisition. 9—12. Tags. (180) 05. [9—12.]
— Schär-Langenscheidt, Ausbau d. Systems Schär-Lan-
genscheidt „Kaufm. Unterr.-Stunden" durch Einzelwerke üb.

sämtl. Sondergeb. d. Handels u. Gewerbes, d. Industrie u.
d. Bankwesens. Hrsg. v. JF Schär. 1. Bd. 8° Gr.-Lichterf.-
Ost, Dr. P Langenscheidt. 2 — d
Schär, JF: Musterbuchhaltg f. d. Kleingewerbe. (87) (05.) [1.] 2 —
— Sammlung vaterländ. u. geschichtl. Schausp. zu Schüler-
Aufführgn an Mittelsch. 1—6. Heft. 8° Karlsr., F Gutsch.
Je — 50 (1—5 in 1 Bd geb. 3 —) d
Büchle, A: Die Heimkehr. Dramat. Bild a. Badens Vergangenh. (2a)
(02.) [1.] § Der Klausner v. Geroldsau. Dramat. Bild a. Badens Ver-
gangenh. (39) (02.) [2.] § Die Köhler v. Zähringen. (56) (02.) [3.] § Thdr
Körners letzte Tage. (48) (02.) [4.] § Die Nachbarn. (36) (02.) [5.]
Bipcke, L: Der Schmied v. Ruhla. Dramat. Dichtg. (64) (05.) [6.]
— d. z. Behandlg d. kl. Luther. Katech. nötigeren Schrift-
sprüche. (Im Anschl. an d. Zirkular-Verfügg d. kgl. Prov.-
Schul-Kollegiums v. Pommern v. 6.II.1871.) 5. Afl. (16) 8°
Strals., Bremer (04). — 20 d
— Schubert. 2., 4., 5., 9—14., 19., 20., 25., 27., 29., 31., 32.,
34—36., 38—48 u. 48—50. Bd. 8° Lpzg, GJ Göschen. L. 216.30
Bohnert, P: Elementare Stereometrie. (133 m. Fig.) 02. [4.] 2.40
Claasen, J: Mathemat. Optik. (207 m. Fig.) 01. [40.] 6 —
— Theorie d. Elektrizität u. d. Magnetismus. I. Bd. Elektrostatik u.
Elektrokinetik. (184 m. Fig.) 03. [41.] 5 — § II. Bd. Magnetismus u.
Elektromagnetismus. (251 m. Fig.) 04. [42.] 7 —
Doehlemann, K: Geomet. Transformationen. I. Tl. Die projektiven
Transformationen nebst ihren Anwendgn. (372 m. Abb.) 02. [27.] 10 —
Grimsehl, E: Angewandte Potentialtheorie in elementarer Behandlg.
I. Bd. (219 m. Fig.) 05. [26.] 5 —
Grossmann, W: Versicherungsmathematik. (216) 02. [30.] 5 —
Herz, N: Wahrscheinlich.- u. Ausgleichsrechng. (381 m. 3 Tab.) 1900.
[19.] 6 —
Horn, J: Gewöhnl. Differentialgleichgn belieb. Ordng. (391) 05. [50.] 10 —
Kommerell, V, u. K Kommerell: Allg. Theorie d. Raumkurven o. Flächen.
1. Bd. (144 m. Fig.) 03. [29.] 4.80 § 2. Bd. (219 m. Fig.) 04. [44.] 5.50
Landfriedt, E: Theorie d. algebr. Funktionen u. ihrer Integrale. (294 m.
Fig.) 02. [31.] 8.50
— Thetafunktionen u. hyperellipt. Funktionen. (155 m. Fig.) 02. [46.] 4.50
Liebmann, H: Nichteuklid. Geometrie. (248 m. Fig.) 05. [49.] 6.50
— Theorie d. Elektrizität u. d. Magnetismus. I. Bd. Differentialrechng.
(395 m. Fig.) 01. [X.] 9 — § II. Bd. Integralrechng. (444 m. Fig.) 05. [35.]
10 —
Pfliger, W: Elementare Planimetrie. (450 m. Fig.) 01. [2.] 4.80
Runge, C: Praxis d. Gleichgn. (196 m. Fig.) 1900. [14.] 5.20
— Theorie u. Praxis d. Reihen. (366 m. Fig.) 04. [32.] 7 —
Schlesinger, L: Einführg in d. Theorie d. Differentialgleichgn m. e. un-
abhäng. Variabeln. (320) 1900. [13.] § 2. Afl. 05. Je 8 —
Schoute, PH: Mehrdimensionale Geometrie. 1. Tl. Die linearen Räume.
(295 m. Fig.) 02. [35.] § 2. Tl. Die Polytope. (326 m. Fig.) 05. [36.] Je 10 —
Schröder, J: Darstell. Geometrie. I.Tl: Elemente d. darstell. Geometrie.
(262 m. Fig.) 01. [?.] 8.50
Schubert, H: Niedr. Analysis. 1. Tl. Kombinatorik, Wahrscheinlichkeits-
rechng, Kettenbrüche u. diophant. Gleichgn. (181) 02. [5.] 3.60 § 2. (Schl.-)
Tl: Maxima u. Minima. Algebr. Geometrie d. Räumes. (176) 03. [24.] 3.80
Simon, M: analyt. Geometrie d. Raumes. 1. T: Gerade, Ebene, Kugel.
(153 m. Fig.) 1900. [9.] 4 — § 2. Tl. Die Flächen 2. Grades. (176 m. Fig.)
05. [43.] 4.40
Voigt, W: Thermodynamik. I. Bd. Einl.; Thermometrie, Kalorimetrie,
Wärmeleitg. — 1.Tl: Thermisch-mechan. Umsetzg. (360 m. Fig.) 03. [39.]
10 — § II. Bd. 2.Tl: Thermisch-chem. Umsetzg. 3.Tl: Thermisch-elektr.
Umsetzgn. (370 m. Fig. u. 1 Taf.) 04. [45.] 10 —
Wieleitner, H: Theorie d. ebenen algebr. Kurven höh. Ordng. (292 m. Fig.)
05. [43.] 11 —
Zindler, K: Liniengeometrie m. Anwendgn. 1. Bd. (380 m. Fig.) 02. [34.] 12 —
Das früher als 4. Bd bezeichnete Werk u. Holzmüller ist d.
Sammlg herausgenommen worden.
— histor. Schulwandk., hrsg. v. A Baldamus, gez. v. E Gaebler.
I. Abtlg, Nr. 1—5; II. Abtlg, Nr. 1 u. 2; III. Abtlg, Nr. 1—5;
IV. Abtlg, Nr. 1 u. VI. Abtlg, Nr. 2—4. Farbdr. Lpzg, G Lang.
221 —; je 1 —; aufgez. 22 —
Baldamus, A: Schul-Wandk. z. Gesch. d. Preuss. Staates. 1. Brandenburg-
Preussen 1415—1806. II. Preussen seit 1807. 1:800,000. 6 Afl. 6 Bl. je
81.5×96,5 cm. 05. [IV.1.] 15 —; aufgez. 22 —; in 2 Tls 26 —
— Wandk. z. deut. Gesch. d. 16. Jahrh. 1: 800,000. 1. u. 2. Afl. 8 Bl. je
je 56,5×96,5 cm. 01.03. [III.1.] 15 —; aufgez. 22 —
— dass. d. 17. Jahrh. im weltgeschichtl. Zusammenh. Deutschl. im 17.
Jahrh. 1:1,500,000. 2. Afl. 6 Bl. je 73×97 cm. Farbdr. 05. [III.2.] 15 —;
aufgez. 22 —
— dass. d. 18. Jahrh. im weltgeschichtl. Zusammenh. Deutschl. im 18.
Jahrh. 1:1,500,000. 2. Afl. 6 Bl. je 73×96,5 cm. 01. [III,3.] 15 —;
aufgez. 22 —
— dass. d. 19. Jahrh. Deutschl. u. Ober-Italien z. Z. Napoleons I. (1800—
15.) 1:1,500,000. 1. u. 2. Afl. 8 Bl. je 73×96 cm. 05. [III,4.] 15 —; aufgez.
22 — § Dass. II. Deutschl. u. Oberitalien seit 1815. 1:800,000. 1. u. 2. Afl.
8 Bl. je 83,5×101,5 cm. 04.05. [III,5.] 15 —; aufgez. 22 —
— Wandk. z. Gesch. d. Frankenreiches (481—911). 6 Bl. je 55,5×99,5 cm.
05. [II,2.] 15 —; aufgez. 22 —
— Wandk. z. Gesch. d. Völkerwandrg (vierte. Afl. z. Araber u. Normannen).
1:2,500,000. 1. u. 2. Afl. 6 Bl. je 80×71 cm. 04.05. [II,1.] 15 —; aufgez.
22 —
— Wandk. z. Baldamus: Schlachtenplane. Nr. 2. Rossbach. 5. XI.1757.1:18,000.
70×57 cm. 02. [VI,3.] § Nr. 3. Leuthen. 5.XII.1757. 1:15,000. 79,5×57 cm.
01. [VI,2.] § Nr. 4 u. 1. Sedan. 1870. 1 Bl. u. § Nr. 4. Sedan. 1870. 1 Bl. je 90×
72,5 cm. 05. [VI,4.] 7 —; aufgez. 10 —
Schwabe, K: Germanien u. Gallien z. Römerzeit. 1:800,000. 8 Bl. je 100
×73,5 cm. 02. [I.] 15 —; aufgez. 22 —
— Italia. 1:650,000. 6 Bl. je 79,5×97 cm. (05.) [I,5.] 16 —; aufgez. 22 —
— Wandk. z. Gesch. d. Stadt Rom. 6 Bl. je 75,5×87,5 cm. 01. [I,3.] 19 —;
aufgez. 24 —
— Wandk. z. Gesch. d. röm. Reiches. 1:2,500,000. 2 Afl. 8 Bl. je 84×
74 cm. Farbdr. 02. [I,1.] 15 —; aufgez. 22 —
— Die griech. Welt. Massstab d. Hauptk. 1:730,000. 6 Bl. je 83,5×71 cm.
Farbdr. (05.) [I,4.] 15 —; aufgez. 22 —
— dass. Nr. 5. Farbdr. Bern, Geograph. Kartenverl. 16 —;
auf L. m. St. 24 —
5. Oechsli, W, u. A Baldamus: Schulwandk. z. Gesch. d. Schweiz. 2. Afl.
1:180,000. 6 Bl. je 80×77 cm. (02.) — 50 —; aufgez. 24 —

gründet v. K Lorenz, in Verbindg m. W Capelle hrsg. v. H
Vollmer. 1—18. Bd. 8° Berl., H Faetel.　Geb. nn 28 — d
Biedenkapp, G: Aus Deutschlds Urzeit. (161 m. 5 Taf.) 04. [11.]　1.50
Capelle, W: Die Befreiungskriege 1813—15. 1. Tl: Bis z. Schacht bei War-
　tenburg. (198 m. 4 Kart.) 02. [5.] ‖ 2. Tl: Bis z. 2. Pariser Frieden. [227
　m. 6 Kart.) 03. [6.]　Je nn 1.75
Dove, K: Südwest-Afrika.Kriegs- u. Friedensbilder a. d. 1. deut. Kolonie.
　(170 m. Abb. u. 1 Karte.) (05.) [10.]　1.50
Ehlers, OE: Im Osten Asiens. 2. Afl. m. e. Nachwort: Kiautschou u. d.
　Chinawirren. (163 m. Abb. u. 2 Kart.) 02. [2.]　1.25
— Samoa. d. Perle d. Südsee. 2. Afl. m. e. Nachwort: Samoa deutsch.
　(150 m. Abb. u. 1 Karte.) 02. [1.]　1—
— Im Sattel durch Indo-China. 2 Bde. (145 u. 122 m. Abb. u. 2 Kart.)
　(08.) [7.8.]　Je 1.25
Holzgreefe, W: Der Deut. Ritterorden. (197 m. Titelbild u. 1 Karte.) (05.)
　[9.]　nn 1.75
Koenigsmarck, Graf H v.: Japan u. d. Japaner. Skizzen a. d. fernen
　Osten. Mit e. Anh. v. Hrsg.: Der russisch-japan. Krieg. (168 m. 3 Bil-
　dern u. 1 Karte.) 05. [16.]　nn 1.75
Meyer, H: Die Kriege Friedrichs d. Gr. 1740—63. 1. Tl: Die beiden schles.
　Kriege v. 1740—42 u. 1744—45. (209 m. 3 Kart. u. 1 Titelbild.) 04. [14.]
　1.50 ‖ 2. Tl: Der 7jähr. Krieg. (264 m. 2 Kart.) 05. [15.] 2 —
Meyer, W: Friedr. Ludw. Jahn. Lebensbild a. gr. Zeit. (173 m. Titelbild.)
　04. [13.]　1.50
Trinius, J: Streifzüge durchs Thüringer Land. (180 m. Titelbild u. 1 Karte.)
　04. [12.]　1.50
Vollmer, H: Der deutsch-französe. Krieg 1870/71. 1. Tl: Der Krieg m. d.
　Kaisertum. (171 m. 4 Kart.) 02. [3.] 1.50 ‖ 2. Tl: Der Krieg m. d. Repu-
　blik. (290 m. 6 Kart.) 03. [4.] 2 —
Wegener, G: Nach Martinique. Erlebnisse u. Eindrücke. (96 m. Abb. u.
　2 Kart.) 05. [16.]　1.50
Werner, R v.: Erinnergn u. Bilder a. d. Seeleben. (182 m. Bildnis.) 05.
　[17.]　nn 1.75

Sammlung populärer Schriften, hrsg. v. d. Gesellsch. **Urania**
　zu Berlin. Nr. 57—60. 8° Berl., H Paetel.　4.20
Assmann, R: Die modernen Anschaugn u. Erforschg d. Atmosphäre mittels
　d. Luftballons u. Drachen. [S.-A.] (36 m. Abb.) 01. [57.]　1.20
Domsch, B: Radium. Vortr. [S.-A.] (24 m. Abb.) 04. [58.]　1 —
Eichborn, G: Entwickelgsgang d. drahtlosen Telegr. [S.-A.] (26 m.Abb.)
　04. [59.]　1 —
Schwahn, F: Üb. d. Stirnpopass v. Brig z. Lago Maggiore. [S.-A.] (29 m.
　Abb.) 05. [60.]　1.50
— Hayn'sche, verwaltgsrechtl. Ges. Hrsg. u. bearb. v.
　Stier-Somlo. 1. Bd. 8° Berl., AW Hayn's Erben.　L. 6.50 d
　Stier-Somlo, F: Kommentar z. Ges. üb. d. allg. Landesverwaltg v. 30.VI.
　1863. Mit d. Ges. betr. d. Verfassg d. allg. Landesverwaltg, dez. Verwaltgs-
　streitverfahren. (601) 02. [1.]　6.50
— d.bekanntesten Volks-,Vaterlands-u.Gesellschafts-
　lieder. (20) 8° Habelschw., Franke (01).　—.50
— kl. Volksschriften. Nr. 1, 33 u. 34. 8° Barm., DB Wie-
　mann.　2.30 d
Fauth, A: Im Eherstande. Ein freundl. Ratgeber f. junge Eheleute. 6. Afl.
　(47) (04.) [1.]　—.20
Merxa, P: 150 d. bekanntesten u. vorzüglichsten Heilpflanzen. Mit Berücks.
　d. Kneippschen Heilkräuter f. Freunde d. Pflanzenheilverfahrens hrsg.
　(99) (01.) [33.]　—.75 ‖ 3. Afl. 200 Heilpflanzen. (119) (03.) 1 —
Ratgeber, d. prakt., f. gesunde u. kranke Tage. Alte u. neue Haus- u.
　Heilmittel f. unser Volk, ges. u. dargeboten v. e. Volksfreunde. (112)
　(05.) [34.]　1 —; kart. 1.25
— neue, d. ortspolizeil. Vorschriften, Statuten, Normativbe-
　stimmg etc. d. Stadt Würzburg. Amtl. Ausg. 2. Bdchn m.
　1. Nachtr.;5. Bdchg,I.Nachtr.; 6. Bdchn, III.Nachtr.; 7. Bdchn,
　III. Nachtr.; 8. Bdchn, I. Nachtr.; 9. Bdchn, I—III. Nachtr.;
　10.Bdchn, I. u. II.Nachtr.; 11.Bdchn,I.Nachtr.; 12—14. Bdchn;
　14. Bdchn,I.Nachtr.u.16.Bdchn.12°Würzbg,Stahel's V. 4.55 d
　2. Ortsstatut f. d. Gewerbegericht Würzburg v. 19.XI.'01. I. Nachtr.
　(61—64) (02.) — 40 ‖ 5. Afl. u. d. T.: Statut f. d. Gemeinde-Kranken-
　versicherg, Statut f. d. Gewerbegericht, Statut f. d. Kaufmanns-
　gericht. 2. Afl. (61) 05. — 50
　5. I. Nachtr. Fischmarktordng. (41—55) 01.　— 20
　6. III. Nachtr. Taxamterdroschken-Ordng v. u. 13.VI.'02. (115—
　121) 02.　— 20
　7. III. Nachtr. (1 Bl.) '01.　— 10
　8. I. Nachtr. Änderg d. Feuerlöschordng. (3) (04.)　— 10
　9. I. Nachtr. Gesrohrleitgn u. Handelschtzanlagen. Abänderg d. orts-
　polizeil. Vorschrift m. d. Statute üb. d. Anaführg v. Gessinrichtgn etc.
　beides v. 1.IV.1896. (4) 01. — 10 ‖ II. Nachtr. (53 u. 64) 01. — 10 ‖
　III. Statut üb. d. Liefergg elektr. Stromes a. d. städt. Elek-
　trizitätswerk Würzburg. (65—74) (05.) 01. — 20
　10. I. Nachtr. Vorschriften üb. d. Abnahme d. elektr. Strassenb. in Würz-
　burg. Abänderg u. Ergäzngg d. ortspolizeil. Vorschriften üb. d. Be-
　trieb d. Strassenb. in Würzburg v. 30.III.1899. (2) (01.) — 10 ‖ II.Nachtr.
　d. ortspolizeil. Vorschriften üb. d. Betrieb d. Strassenb.
　(77—30) (04.) — 10
　11. I. Nachtr. Ortsstatut üb. d. Benützg gemeindl. Grundeigentums.(17—31)
　(05.)　— 10
　12. Südt. Amt.: Arbeitsamt, Freibad, Freibad, Pass-Aichordng, Leih-
　Anst., Dr. Schwab'sche Stadtbibliothek, Sparkasse, Stadttheater. (27)
　01.　— 20
　13. Entwässergs-Ordng. Abort-Anlagen, Versitz-, Dung- u. sonst. Gruben.
　(38) 02.　— 20
　14. Schulstatut v. 23.I.'03. — 30 ‖ I. Nachtr. Rev. Statut f. d. städt. Lehrer-
　pensionskasse in Würzburg. (2—15) (04.)　— 30
　16. Friedhof-Ordng u. Leichenpolizei-Ordng. (Vom 12.XII.'02.) (26) 05.
　　— 20
Das 15. Bdchn ist noch nicht erschienen.
— zeitgemässer Broschüren.Nr.1—39.12°Graz,Styria.6.46 d
　Aurracher, B: Leo XIII., d. Kulturpapst. Rede. (46) 03. [26.]　— 20
　Bekenntnisse e. Apostaten. Von H. 2. Afl. (36) 01. [12.]　— 20
　Briefe, bonn. [S.-A.] (52) 04. [35.]*　— 20
　Eleutherius: Los v. Luther. Aphorismen. (36) 03. [24.]　— 10
　Ferk, d. abgetrumpfte Herr, od. Was ist d. Altkatholicismus? [S.-A.] (25)
　01. [7.]　— 10
　Hamerle, A: Der Bock als Gärtner od. d. Protestanten als Hüter d. Evan-
　geliums. (15) 01. [2.]　— 05
　— Der neue Don Quixote u. dessen Knappe Sancho Pansa od. Pastor
　Bräunlich u. Pät. Rossegger auf d. Kampfplatz d. „Los v. Rom“-Be-
　wegg. Nach d. Confacation 2. Afl. (36) 01. [9.]　— 10
　— Ferk u. d. Arbeiter. 5. Afl. (38) 01. [8.]　— 10
Hinrichs' Fünjahrskatalog 1901—1905.

Hamerle, A: Jesus Christus im hist. Altarssacramente od.: Wie d. deut.
　Volk aus s. grössten Schatz betrogen werde. 2. Afl. (46) 02. [22.]　— 20
　— Der kathol. Priester e. Volksmann. (25) 04. [31.]　— 10
　— Protestanten als mutterlose Waisen od. üb. d. Marien-Verehrg. (29)
　02. [30.]　— 20
　— Die Frügelknaben d. modernen Relig.-Freunde u. Volksabgötücker in
　Oesterr. od. d. beschimpften Ordensgenossensch. (21) 02. [19.]　— 10
　— Ist d. Relig. our f. d. Volk? 4. Afl. (24) 01. [6.]　— 10
　— Der Schaden d. gemischten Ehen. 2. Afl. (31) 04. [32.]　— 10
　— Der Schlamm-Vulcan v. Stettin od. Rob. Gressmanns Schmählibell
　geg. d. kl. Alphonsus. 1—4. Afl. (20) 01. [1.]　— 05
　— Weg z. Irrwege od. d. kathol. Relig. ist d. sicherste. (21) 02. [21.]　— 10
　— Die Wühlmäuse im Acker d. Kirche Gottes od. d. Lästerer d. hl.
　Beicht. (56) 02. [18.]　— 20
Héyret, M: Die Jesuitenriecherei d. „Los v. Rom“-Stürmer. (16) 01. [11.]
　[9.]　— 10
Hirtenschreiben d. österr. Bischöfe v.15.XI.'01 geg. d. „Los v. Rom“-
　Bewegg. 2. Afl. (25) 01. [16.]　— 10
Karl, M: Die verleumdeten Jesuiten. Reisegespräch zw. e. Jesuiten u.
　e. Alldeutschen. (37) 02. [24.]　— 20
　— Die angebl.Inferiorität(Rückständigk.) d.Katholiken. (60) 03. [27.]　— 20
　— Die Wichtigk. d. kathol. Lektüre f. d. Katholiken. (30) 05. [37.]　— 20
Katholiken, uns. Falsche Ansichten gewisser Katholiken üb. Staat, Wiss.,
　Relig, Clerus u. Schule, widerlegt v. e. kathol. Oesterreicher. (Neue
　Ausg.) (39) 02. [29.]　— 20
Kirchenversammlung, d. allg. vatikan. Dargestellt v. Austriacus. (37) 05.
　[38.]　— 20
Kolb, V: Wo ist d. wahre Kirche? Ein Wort z. „Los v. Rom“-Bewegg.
　(25) 01. [4.]　— 1v
　— [01.] [5.]　— 1v
Michellitsch, A: Cölibat u. Beicht. Entgegng auf Heigls Schrift: „Der hl.
　Alfons v. Liguori, Grassmanns Broschüre u. s. Gegner“. (44) 01. [16.]　— 20
Morsey, Baron: Die Klosterhetze in Oesterr. Auszug a. e. Rede. (36) 01.
　[17.]　— 2v
Opitz, H: Hin zu Rom! (22) 03. [30.]　— 1v
Rechtfertigungslehre, kathol. u. protestant., od. Wer hat recht? Vom neu-
　dout. kathol. Seelsorger Steiermarks. Nach d. Beschlagnahme 2. Afl.
　(46) 03. [25.]　— 20
Rom u. d. Universitäten. Ein Wort d. Aufklärg f. Gebildete v. Austriacus.
　(32) 04. [23.]　— 20
Schönborn, F Graf, u. d Fürst Liechtenstein : Der Relig.-Kampf in Oesterr.
　2 Reden. (46) 01. [14.]　— 20
Schuster, L: Wo ist d. wahre Glaube? Der Abfall e. Spiel? (Hirten-
　schreiben.) 01. [20.]　— 10
　— 3 Hauptpfeilers v. Katholiken. (Hirtenschreiben.) (22) 04. [24.]　— 10
　— Hütet euch vor d. falschen Propheten! Bischöfl. Mahawort geg. d.
　„Los v. Rom“-Bewegg. (15) 02. [29.]　— 10
See, H vom 13 Gewissensfragen u. „Los v. Rom-Bummlern“. Ein richt.
　Licht gestellt. (46) 01. [8.]　— 20
Skizzen a. Deutfes! Luther u. Luthertum. (63) 04. [36.]　— 20
Überfall, d., auf d. kathol. deut. Studentenverbindg „Carolina“ in Graz.
　(34) 01. [14.]　— 10
Wohlandt, K : Geistliche als Erfinder. (46) 02. [16.]　— 10
— **Sammlung**, Moser'sche, zeitgemässer Broschüren. 12. u.
　13. Heft. 8° Graz, U Moser.　Je — 16 d
　Platmer, A : Neue Mannschaft füra kathol. die Narrenschiff od. neuzeitl. Ver-
　irrgn u. Torheiten. (64) 02. [12.]
　Prenner, J : Das Recht d. Zelle. Gedanken üb. d. beschaul. Leben. (48)
　02. [13.]
*Bisher unter Moser's Sammlg zeitgemäser Broschüren [nufge-
　nommen.*

Sammlungen, d. anthropolog., Deutschlds, z. Verz. d. in
　Deutschl. vorhand. anthropolog. Materials. Zusammengest.
　unter Leitg v. Johs Ranke. XVI. [S.-A.] 4° Brnschw., F Vie-
　weg & S.　6 —
Häcker, R : Katalog d. anthropolog. Sammlg in d. anatom. Anst. d. Univ.
　Tübingen. Nach d. Bestande v. 1.III.'03 bearb. Nebst e. Abhandlg : Üb.
　d. Grössenentwickelg d. Hinterhauptschuppe u. deren Beziehgn zu d.
　Gesamtform d. Schädels. Mit e. Vorwort z. Gesch. d. anatom. Anstalt
　zu Tübingen u. A Frorisp. (18, 32) 02. [XVI.]　6 —
— alter arab. Dichter. Hrsg. v. W Ahlwardt. I—III. 8° Berl.,
　Reuther & R.　44 —
Diwân, d., d. Reġezdichters Rûba ben Ela'ġġaġ. (114, 122 u. 197) 05. [III.]
　　— 20 —
Diwâne, d., d. Reġezdichters Ela'ġġaġ u. Ezzafa[âh. (67, 67 u. 100) 03. [II.]
　　12 —
Elegma'ijjāt nebst ein. Sprachgedichten. (29, 59 u. 110) 02. [I.]　13 —
— d. Ver. f. bayer. Volkskde u. Mundartforschg. 1. Heft. 8°
　Kaisersl., (H Kayser).　3 — d
Kleeberger, C: Volkskundliches a. Fischbach i. d. Pfalz u. d. Umgebung
　v. K. (130 m. Abb. u. 4 Taf.) 09. [I.]　3 —
— ethnograph., d. ung. Nationalmuseums. II u. III. 4° Bu-
　dap. (Lpzg, KW Hiersemann.)　20 — [I—II.: 29 —]
Catalog, beschreib., d. ethnogr. Sammlg Ludwig Biró's a. Deutsch-Neu-
　Guinea (Astrolabe-Bai). (Deutsch u. ungarisch.) (399 m.Abb. u. 22 Taf.)
　01. [III.]　20 —
Jankó, J : Magyar. Typen. 1. Serie. Die Umgebg d. Balaton. (Deutsch u.
　ungarisch.) 9. zu 74 Taf.) 1900. [II.]　10 —
— d. geolog. Reichs-Museums in Leiden. I. Beitr. z. Geol.
　Ost-Asiens u. Australiens. Hrsg. v. K Martin. VI. Bd. 5. Heft;
　VII. Bd. 3 Hefte u. VIII. Bd. 1. Heft. 8° Leid., Bb. u. Druckerei
　vorm. EJ Brill.　nn 29 — (I—VIII, 1.: nn 162.25)
— dass. II. Beitr. z. Geol. v. Niederländisch-West-Indien u.
　angrenz. Gebiete. Hrsg. v. K Martin. II. Bd, 1. u. 2. Heft.
　(168 m. 5 Taf.) 8° Ebd. 01.02.　7 — [I—II, 2.: nn 22 —]
Ebd.　　nn 1.50 (1—3. lin 14 —)
Oort, ED van : Beitrag z. Kenntnis v. Haliotherium (Lendengegend.
　[Neue u. Zoaprenbeskärper.) (98—106 m. 1 Taf.) 01. nn 1.50
— d. histor. u. naturhistor. in Mannheim als volkstühl.
　Museen. (Baumann, K : Ziele u. Aufg. e. Mannheimer Mu-
　seums. — Föhner, W : Die Ausgestaltg d. grossh. naturhistor.
　Museums.) [S.-A.] 8° Mannh., Altertumsver. 03. (Nur dir.)
　　nn — 25 d

Sammlungen, d., d. kaukas. Museums (in Tiflis). Bearb. u. hrsg. v. G Radde. (In deut. u. russ. Sprache.) 2., 3. u. 5. Bd. 4° Tiflis. (Berl., R Friedländer & Sohn.) Kart. nn 52 —
(1—3 u. 5.: nn 72 —)
Lebedew, NL: Geol. (330 m. 1 Bildnis, 6 Taf. u. 1 Karte.) 01. [3.] nn 12 —
Radde, G: Botanik. (106 u. 201 m. 13 Portr., 16 z. Tl farb. Taf. u. 3 Kart.) 01. [2.] nn 20 —
Uwarow, Grün PS: Archaeol. (18, 16, 231 m. Fig., 3 Portr. u. 16 Phototyp.) 02. [5.] nn 70 —
Der 4. Bd ist noch nicht erschienen.
— grossh. Die bad. Münzen, neue Folge, s.: Brambach, W, Münz- u. Medaillensammlg unter Grossh. Friedrich v.Baden.
— f. Liebhaber christl. Wahrheit u. Gottseligk. Vom J. 1901 —5. 116—120 Bdchn je 12 Nrn. (Nr. 1. 32) 12° Bas., Kober.
Je 1.40 d
Samosch: Üb. d. Notwendigk. d. Anstellg v. Schulärzten an höh. Schulen. Vortr. [S.-A.] (36) 8° Hambg, L Voss 04. — 50
Samosch, M: Tenoristen-Beichte. Roman. (305) 8° Berl., Verl. Continent (05). 3 —; geb. 4.50 d
Dr. (02). nn 20 —
Samostz, E: Hdb. d. Fremdwörter, s.: Petri, FE.
Samson, H: Christ ist erstanden! Andachtsbüchl. f. d. hl. Osterzeit. (184 m. 1 Farbdr.) 16° Dülm., A Laumann 02.
L. — 50 d
— Fronleichnams-Büchlein. Andachtsbüchl. f. d. Feste d. hlst. Sakramentes u. f. d. Feier d. hl. Kommunion. (187 m. Titelbild.) 16° Innsbr., F Rauch 04. L. — 90 d
— s.: Sankt-Aloysius-Büchlein.
— St. Michaels-Büchl. (288 m. farb. Titelbild.) 16° Dülm., A Laumann 01. L. — 50 d
— Schutzengel-Büchl. (168 m. 1 St.) 16° Paderb., Bonifacius-Dr. (02). L. — 1 d
Samson-Himmelstiern, O v.: Präventive Versicherungspolitik (m. bes. Berücks. d. Feuerversicherg). (54) 8° Berl., Puttkammer & M. 04. L. — 1 d
Samson-Himmelstjerna, E v.: Anl. f. Teilnehmer d. Controll-Ver. u. Controll-Assistenten in Estl. (62) 8° Rev., (Kluge & Ströhm) 03. 2.50 d
— Tab. üb. d. Werth d. Vollmilch bei verschied. Butterpreisen u. bei bekanntem Fettprocent. (7) 8° Ebd. 04. 1.20 d
Samson-Himmelstjerna, H v.: Anti-Tolstoi. (163) 8° Berl., Herm. Walther 02. 2.50
— Die gelbe Gefahr als Moralproblem. (288) 8° Berl.-Charltnbg, Deut. Kolonial-Verl. 02. 8 —; geb. 10 —
— Rhythmik-Studien. (136) 4° Riga, N Kymmel's Sort. 04. 6 —
— Die Wasserwirtschaft als Voraussetzg u. Bedingg f. Kultur u. Friede. (376) 8° Neud., J Neumann 03. 15 —; Hfz. 20 —
Samstage, d. 3 gold. Ihr Ursprg, Absicht u. Bestimmg u. Andachtsübgn f. dieselben. 5. Afl. (24) 12° Innsbr., Vereinsbh. u. Buchdr. 01. — 12 d
Samter u. **Kohlhardt:** Die Aufg. d. Armenpflege bei d. Bekämpfg d. Tuberkulose, s.: Schriften d. deut. Ver. f. Armenpflege.
— u. **Waldschmidt:** Die Aufg. d. Armenpflege gegenüber trunksücht. Personen, s.: Schriften d. deut. Ver. f. Armenpflege.
Samter, E: Familienfeste d. Griechen u. Römer. (128) 8° Berl., G Reimer 01. 3 —
Samter, H: Das Reich d. Erfindgn. 36. Afl. (1059 m. Abb.) 8° W Herlet 05. L. 4 — d
Samter, M: Die geograph.Verbreitg v. Mysis relicta, Pallasiella quadrispinosa, Pontoporeia affinis in Deutschl. als Erklärgsversuch ihrer Herkunft. [S.-A.] (36 m. 6 Taf.) 8° Berl., G Reimer) 05. Kart. 3 —
— u. R Heymons: Die Variationen bei Artemia salina Leach. u. ihre Abhängigk. v. äuss. Einflüssen. [S.-A.] (62) 4° Ebd. 02. 2.50
Samter, MK: Hdb. z.Verfahren d. Zwangsversteigerg u. Zwangsverwaltg n. d. Reichsges. v. 24.III.1897. (Fassg v. 20.V.1898.) [3te] 8° Berl., J Guttentag 04. 8.50; HF. nn 10 —
Samter, N: Judentaufen im 19.Jahrh.Mit bes.Berücks.Preussens. (157) 8° Berl., M Poppelauer 06. 2.50; geb. 3 — d
Samtleben, G : Die Episteln d. Kirchenj. in ihrer Verwendg zu kurzen Ansprachen bei Taufen. [S.-A.] (64) 8° Lpzg 01. Dresd., CL Ungelenk. 1 — d
Samuel, S: Gesch. d. Juden in Stadt u. Stift Essen bis z. Säkularisation d. Stifts v. 1291—1802. (118 m. 1 Stammtaf.) 8° Ess. 05. (Berl., M Poppelauer.) 1.50 d
Samuel B. Moses: Traktat üb. d. Neulichtbeobachtg u. d. Jahresbeginn bei d. Karäern. Nach e. arab. Handschrift m. d. Fragmente e. hebr. Übersetzg kritisch hrsg. u. ins Deut. übertr. v. F Kauffmann. (18, 51 u. 26) 8° Frankf. a/M., J Kauffmann 03. 4 —
Samuelo s.: Zionismus u. Kirchenstaat.
Samuelson, A: Luftwiderstand u. Flugfrage. Experimental-Vortr. (42 m. Fig.) 8° Hambg, Boysen & M. 04. 1 —
engl. Ausg. (36) 05. 2 —
Saemundar Edda, m. e. Anh. Hrsg. u. erklärt v. F Detter u. R Heinzel. 2 Bde. (213 u. 679) 8° Lpzg, G Wigand 03. 30 —; geb. 35 —
San, L de: Tractatus de paenitentia. (690) 8° Brugis 1900. Rgnsbg, F Pustet. nn 5.60
Sanatorium, das. Mit d. Beibl.: „Masseur- u. Bademeister-zeitg". — „Die Krankenpflegerpraxis". — „Litterar. Wegweiser". Fachzeitschrift f. d. Leiter u.Angestellten v. Kurorten, Sanatorien u. Badeanst. Allg. Rundschau üb.: Technik d. modernen Heilverfahren — Krankenpflege u. Kranken-

komfort etc. Red.: R Cramer, H Rösch, Wedekamp. Verantwortlich: H Rösch. 6. Jahrg. 1901. 24 Nrn. (Nr. 1. 8 u. 2) 4° Berl., P Quack. Halbj. 3 —
Sanatorium, das. Allg.Rundschau üb. wiss. Naturheilkde, Heilstättenbetrieb, Krankenpflege u. Badewesen. Heftausg. d. verein. 3 Fachblätter: „Naturärztl. Zeitschrift", Masseur- u. Bademeister-Zeitg", „Die Krankenpflegerpraxis". Hrsg. v. H Rösch. 7. Jahrg. 1902. 24 Nrn. (Nr. 1. 8 m. Abb.) 8° Berl., P Quack. Halbj. 3 —
Erschien z. Tl in Naunhof u. Leipzig.
— dass. Gesamtausg. d. verein. Zeitschriften: „Das Sanatorium" (8—10. Jahrg.). Fachbl. f. Einrichtg u. Betrieb v. Kur-u.Heilanst.usw.„Naturärztl.Zeitschrift"(12—14.Jahrg.). Hrsg. u. Red.: H Rösch u., seit 1904, P Quack u. A Scholta. 8—10. bezw. 12—14. Jahrg 1903—5 je 24 Nrn. (Nr. 1. 10 u. 6 m.Abb.) 8° Ebd. Halbj. 3 —; ohne naturärztl.Zeitschrift 2 —
San Callisto, M di, s. a.: Kaufmann, CM.
Sance, T, et M Bondois: Médaillons, s.: Schulbibliothek französ. u. engl. Prosaschriften.
Sánchez, E: Hdb. d. span. Umgangssprache. 2. Afl. (155) 12° Berl., Friedberg & M. (04). Geb. 2.50 d
— Der perfekte Spanier od. prakt. Unterr. in d. span. Umgangssprache. 2. Afl. (155) 12° Ebd. (04). Kart. 2.25 d
Sánches y R., H: Konversationsunterr. im Span. 1. Bd. Die 4 Jahreszeiten, f. d. span. Konversationsstunde n. Hölzels Bildertafeln bearb. — Las 4 estaciones. 2—4. 8° Giess., E Roth. Je — 40 (1—4 in 1 Bd: 1.20; geb. nn 1.40)
2. Der Sommer (El verano). (29 m. 1 Abb.) 3. Der Herbst (El otoño). (31 m. 1 Abb.) 4. Der Winter (El invierno). (32 m. 1 Abb.)
Sanctis, S de: Die Träume. Psychologisch-psycholog. Untersuchgn. Übers. v. O Schmidt, nebst Einführg v. PJ Möbius. (256) 8° Halle, C Marhold 01. 5 —
Sand, G: Indiana, s.: Erzählungen, klass., d. Weltlitt.
Sanda, A: Fortschritt u. Konservatismus in d. Kirche, s.: Volksaufklärung.
Sanda, A: Die Aramäer, s.: Orient, d. alte.
— Untersuchgn z. Kde d. alten Orients, s.: Mitteilungen d. vorderasiat. Gesellsch.
Sandbach, FE: The Nibelungenlied and Gudrun in Engl. and America. (300) 8° Lond., D Nutt 03. nn 10.50
Sandberg, E, G Reinbach, u. F Ehrlich: Das israelit. Krankenhaus zu Breslau. Denkschrift. (57 m. Abb. u. 1 Pl.) 4° Bresl., Schletter 04. L. 12 —
Sandberger, v. Deut. Sprachb., s.: Kühnle, H.
Sandberger, A: Üb. e. Messe in C moll, angeblich v. W A Mozart. [S.-A.] (12) 8° Münch., (G Franz' V.) 04. — 40
Sandeau, J: Le gendre de M Poirier, s.: Augier, É.
— Madeleine. Für d. Schulgebr, hrsg. v. G Gürke. (106) 8° Lpzg, G Freytag. — Wien, F Tempsky 05. Geb. 1.20; Wrtrb. (16) —
— dass., s.: Bibliothèque franç. (CT Lion). — Prosateurs franç. (Ziegler).
— La reine de touche, s.: Augier, É.
— La roche aux monettes. (Der Mövenfels.) Für d. Schulgebr. hrsg. v. H Glinzer. (77) 8° Lpzg, G Freytag. — Wien, F Tempsky 05. Geb. 1 —
— dass., s.: Prosateurs franç. (K Strüver).
— Mademoiselle de la Seiglière. Comédie en prose. Éd. accompagné d'un commentaire et d'un questionnaire-répétiteur par J Delâge. I. Texte et vocabulaire. — II. Notes et répétiteur. (136 u. 76) 8° Wien, K Graeser & Co. — Lpzg, BG Teubner 03. Geb. u. geh. 1.80
— dass. (Roman.) Für d. Schulgebr. hrsg. v. OF Schmidt. (123) 8° Lpzg, G Freytag. — Wien, F Tempsky 05. Geb. 1.30; Wrtrb. (46) — 50
— dass., s.: Bibliothèque franç. (Rahn). — Hartmann's KAM. Schulausg.(Hartmann).—Perthes' Schulausg.engl.u.französ. Schriftsteller (K Engelke).—Schulbibliothek,französ.u.engl. (JV Sarrazin). — Théâtre franç. (A Krause). — Velhagen & Klasing's Sammlg französ. u. engl. Schulausg. (A Krause u. R Riegel).
Sandegren, CJ: Vor 30 Jahren, s.: Sammlung v. Missionsschriften.
Sandel, K: Handreichg f. d. Gebr. d. Schreib-Lese-Fibel m. Bildern. — 10 Lese-Wandtaf. — Deut. Schreib-Lese-Fibel, s.: Bassompierre, V.
— In d. Wermelshütte. Erzählg a. d. elsäss. Bergheimat. (114 m. 4 Bildern.) 8° Strassbg, F Bull 05. 2.90; L. 2.80 d
Sanden, A v.: Festrede z. 350jähr. Jubelfeier d. kgl. Comenius-Gymnasiums zu Lissa. (16 m. 2 Abb.) 8° Lissa, F Ebbecke 05. — 25 d
— Zur Gesch. d. Lissaer Schule 1555—1905. (Umschl.: Festschrift z. 350jähr. Jubelfeier d. kgl. Comenius-Gymnasiums zu Lissa.) 104 m. Abb. u. 1 graph. Taf.) 8° Ebd. 05. 2.50;
geb. 4 — d
— Wegbereiter f. höh. Schulen. Aus d. Lehrpl. d. kgl. Comenius-Gymnasiums zu Lissa hrsg. (44) 8° Ebd. 02. — 40
|| 2. Afl. (55) 03. — 50 || 3. u. 4. Afl. (54) 04. 05. Geb. — 80 || 5. Afl. (68) 05. Geb. — 80 d
Sanden, S v.: Gelände-Reiten, s.: Bibliothek f. Sport u. Spiel.
— Verschied. Meingn üb. d. Ausbildg v. Reitpferden, s.: Pferde, uns.
— Das rohe Pferd, s.: Bibliothek f. Sport u. Spiel.
— Uns. Pferde im Kriege, s.: Pferde, uns.
Sander: Deut. Sprachübgn, s.: Meyer, J.

Sander, A: Heimatkde d. Reg.-Bez. Osnabrück. Als Anh.: Prov. Hannover. (56 m. Abb. u. Kart.) 8° Osnabr., G Pillmeyer 05.
nn — 50 d
Sander, E: Heimatkde d. Stadt- u. Landkreises Erfurt, s.: Boehme.
Sander, F: Gesch. d. Volkssch., bes. in Deutschl., s.: Schmid, KA, Gesch. d. Erziehg.
Sander, F: Gesänge f. 3 u. 4stimm. Frauenchor. (36) 8° Strassbg, F Bull 01.   — 80 d
— Kirchl. Gesänge f. 3 u. 4 gleiche Stimmen (Männer- od. Frauenchor) teils harmonisiert, teils komponiert. Op. 6. (49 u. 21) 8° Strassbg, FX Le Roux & Co. (02).   1 — d
— 8 latein. Gesänge f. 4 gleiche Stimmen (Männer- u. teilweise auch Frauenchor) komponiert. Op. 6 b. (21) 8° Ebd. (02).   — 45
Sander, F: Blindenanst., s.: Henrici, K.
Sander, GH: Das Moment d. letzten Spanng in d. engl. Tragödie bis zu Shakespeare. (68) 8° Berl., Mayer & M. 02. 1.60
— Aus Schottlds Schulen. (39) 8° Cass., C Vietor 01.   — 80
Sander, H: Johann Josef Bartlogg, d. Landammann v. Montafon. Lebensbild. (39) 12° Innsbr., Wagner 1900.   — 50 d
— Beitr. z. Gesch. v. Bludenz, Montafon u. Sonnenberg in Vorarlberg. 4—6. Heft. 8° Ebd.   3 — (1—6.: 6.40)
4. Beitr. z. Gesch. d. Frauheklosters St. Peter bei Bludenz. (111) 01. 1.70
5. Beitr. z. Gesch. d. Montafoner Wappens. Mit Anmerkgn üb. d. Familie Friz u. d. Vergeçetrten v. Montafon. (34 m. Abb.) 03.   — 50
6. Der Streit zw. Bludenz u. Sonnenberg üb. d. Bestenerg d. Klostern St. Peter u. and. Rechte v. 1564—05. (26) 04.   1 —
— Der Gauenstein bei Schruns in Vorarlberg. (59) 8° Ebd. 05.   — 50 d
Sander, J: Schülerkommentar zu Vergils Äneis in Ausw. 1. Afl. (2. Abdr.) (171) 8° Lpzg, G Freytag 03.   Geb. 1.50 d
Sander, L: Zur Lage in Südwestafrika. (Vortr.) (20) 8° Berl., A Duncker 04.   — 40
— Die Tsetsen (Glossinae Wiedemann). [S.-A.] (79 m. Abb. u. 1 Taf.) 8° Lpzg, JA Barth 05.   2.40
— Die geograph. Verbreitg ein. tier. Schädlinge uns. kolonialen Landw. u. d. Bedinggn ihres Vorkommens, s.: Geographie, angewandte.
— Die Wanderheuschrecken u. ihre Bekämpfg in uns. afrikan. Kolonieen. (544 m. Abb. u. 11 Taf.) 8° Berl., D Reimer 02.   9 —; geb. 10 —
Sander, P: Die reichsstädt. Haushaltg Nürnbergs. Dargestellt auf Grund ihres Zustandes v. 1431—40. 2 Halbbde. (30, 938 m. Tab. u. 5 Kartenskizzen.) 8° Lpzg, BG Teubner 02. 36 —
Sander, W: Die Schule d. Elektrotechnikers, s.: Holzt, A.
Sanders, D: Gesch. d. deut.Lit., rev. u. bearb. u. v. Goethes Tode bis z.Gegenwart fortgeführt v. J Dumcke. 21—23. Taus. (175) 8° Berl.-Schönebg, Langenscheidt's V. 05. 2 —; geb. 2.50 d
— Handwrtrb. d. deut. Sprache. 7. Afl. (1071) 8° Lpzg, O Wigand 06.   7.50; geb. 9 — d
— Moment-Lexikon u. Fremdwrtrb. (Piccolo-Ausg.) (Neudr.) 5,3×3,6 cm. Berl., H Steinitz (04).
In Blechkapsel m. Vergrösserergsglas 1 —
— Encyklopäd. englisch-deut. u. deutsch-engl. Wrtrb., s.: Muret, E.
— Das deut. Zeitwort. Schema d. Konjugation u. Wrtrb. d. Zeitwörter, rev. u. bearb. v.J Dumcke. (40) 8° Berl.-Schönebg, Langenscheidt's V. (06).   — 50 d
— Zitatenlexikon, s.: Weber's illustr. Katech.
Sanders, W: Die moderne Arbeiterbewegg in Engl. (32) 8° Frankf. a.M., Dr. E Schnapper 01.   1.20
Sandhage, A: Alleluja! Kl. Vesper-Büchl. f. Pfarrkirchen. Aus d. röm. Vesperb. zusammengest. (80) 16° Hamm, Breer & Th. 02.   nn — 25 d
— Der heil. Charfreitag. Hilfsbüchl. f. d. kathol. Volk. (48) 16° Ebd. 01.   — 15 d
Sandhage, Frau J, s.: Dirking, J v.
Sandhage, P: Petrus da Vinea, s.: Theater-Bibliothek.
Sandheim, A: Die kaufmänn. Arbitrage, s.: Swoboda, O.
— s.: Fondsmarkt, d.
Sandig, A, s.: Recht, d. österr.
Sandig, R, s.: Taschen-, Notiz- u. Adressbuch f. Taubstumme.
Sandler, C: Die Reformation d. Kartogr. um 1700. Mit 4 tabellar. u. Text-Beil., u. 4 Kartentaf. 60,5×40 cm. (30 S. Text.) 4° Münch., B Oldenbourg 05.   In M. 20 —
Sandmann, D: Obstbau u. Obstverwertg in Nordamerika, nebst Vorschl. z. Ausbau dieser Erwerbszweige in Deutschl. (85) 8° Berl., HS Hermann (05).   1.50
Sandmann, F: John Nelson Darby u. „Die Versammlg". Ein Bild a. d. Kirchengesch. d. Gegenwart. (58) 8° Mülh. a/R., Bb. d. ev. Vereinsb. 02.   — 60 d
— Die uralte Frage: Wo lag Ophir? (24 m. Abb.) 8° Ebd. 01.   — 20 d
— Die christl. Heilsbotschaft u. d. Islam, s.: Missions-Traktate, rhein.
— Der Schuhmacher v. Bakenheim, e. Mann v. Gottes Gnaden. Frei n. d. Amerikan. d. GH Hepworth. (127) 8° Mülh. a/R., Bh. d. ev. Vereinsb. (03).   — 75 d
Sandner, H, s.: Taschen-Kalender f. Lehrer.
Sandor, P: Gedichte. (36) 8° Dresd., E Pierson 02. 1 —; geb. 2 —
— Bei Licht u. Lampenschein. Gedichte. (83) 8° Ebd. 03. 1.50; geb. 2.50
Sandor, Rozsa, d. König d. Zigeuner. Volksroman. 20 Bde.

(2400 m. je 5 Vollbildern.) 8° Berl., Verlagsb. f. Volkslitt. u. Kunst (01).   Je — 50; auch in 100 Heften zu — 10 d
Sandow, E: Kraft u. wie man sie erlangt. 1. deut. Ausg. Übers. v. G Möckel. (157 m. Abb. u. 1 Taf.) 8° Berl.-Stegl., Verl. „Kraft u. Schönheit" (05).   2.50; geb. 3 —
Sandré, ECW (d. lange Doctor): Der Drilling. 2. Afl. (58 m. Abb.) 8° Münch., J Schön (02).   nn 2 — d
— Lehrb. d. Fülens d. Zähne m. kohäsivem Gold. 3. Afl. (195 m. Abb.) 8° Berl., Berlinische Verl.-Anst. (04).   6 —
— s.: Pachtrevier, d., d. Ebene u. s. Behandlg. — Schuss-Buch.
Sandstrom, JW: Einf. d. Windes auf d. Dichte u. d. Bewegg d. Meereswassers, s.: Publications de circonstance du conseil permanent internat. pour l'exploration de la mer.
Sandt, H: Realienb., s.: Kahnmeyer, L. u. H Schulze.
Sandvoss, F (Xanthippus): Rede auf Petrarca, s.: Carducci, G.
Sanftenberg: Das deut. Gerichtskostenwesen. — Die deut. Krankenversicherg, nebst Ges. üb. d. eingeschrieb. Hülfskassen. — Deut. Patentges., nebst d. Verordng betr. d. Berufgsverfahren bei d. Reichsgericht. Ges., betr. d. Patentanwälte u. d. Reichsges., betr. d. Schutz v. Gebrauchsmustern, Schutz d. Waarenbezeichngn. — Die deut. Rechtsanwaltsordng. Die deut. Gebührenordng f. Rechtsanwälte. — Die deut. Reichsges. üb. d. Bankwesen. — Die deut. Unfallversicherggses., s.: Universal-Bibliothek.
Sämtlich in früh. Ausg. bearb. v.: Berg.
Sanftenberg, G: Das anhalt. Staats- u. Verfassgsrecht. (180) 8° Dess., C Dünnhaupt 05.   L. 3.50 d
Sang, deut. Liederb. f. d. turn. Schuljugend. Hrsg. v. d. Turnvereinigg Berliner Lehrer. 9. Zehntaus. (78) 16° Berl., Weidmann 06.   nnn — 10; 10 Stück 1 — d
— dass., s.: Jungbrunnen.
— u. **Klang**. 52 Lieder f. Ausflüge v. Schulklassen. Nebst 10 Jugendsp. Ausgew. v. e. prakt. Schulmanne. 47—56. Taus. (54) 8,3×3,4 cm. Berl., (G Winckelmann) (04).   — 10 d
— im XIX. Jahrh.: Ernstes u. Heiteres a. d. Reiche d. Töne. Neue Folge. 1—3. Afl. Hrsg. v. F Rhefeld. (384 m. Bildnissen.) 4° Berl., Neufeld & H. (04.05).   L. 12 — (I u. II.: 24 —)
— u. Spiel. Sammlg v. 55 Liedern u. Spielen f. deut. Schulen. Zusammengest. v. e. prakt. Schulmanne. (72) 8,5×6,3 cm. Offenb., JP Strauss (05).   10 d
Sänger, der. Monatsschrift f. christl. Poesie. Red. u. Hrsg.: G Böhlje. 1. Jahrg. Juli—Dezbr 1902. 6 Nrn. (Nr. 1 u. 2. 16) 8° Neudietendf, Eifert & Scheibe. || 2. Jahrg. 1903. 12 Nrn. Halbj. 1 — || 3. Jahrg. Jan.—Mai 1904. 5 Nrn. 1 — d
Der 1. Jahrg. erschien in Hannover. — Als Fortsetzg erscheint: Psalmenklänge.
Sänger's Liederheft f. Hochzeits- u. Grabgesang. Nr. 1—6 Trauglieder. Nr. 6—10 Grablieder. (16) 8° Stuttg., A Auer (04).   — 30
Sänger: Obstbautaf. f. Schule u. Haus. (Mit untergedr. Text.) 2. Afl. 3 Taf. Je 64,5×79 cm. Stuttg., E Ulmer (06). In M. 1.60
Saenger, A: Neues a. Byzanz u. Anderes. Die Zukunft d. deut. Studentenkorps. (40) 8° Stuttg.,Litt.Bureau „Der Lotse"(03). 1 —
Saenger, A: Neurasthenie u. Hysterie bei Kindern. (32 m. Abb.) 8° Berl., S Karger 02.   — 80
— Die Neurol. d. Auges, s.: Wilbrand, H.
Saenger, B: Der Verzug beim Kaufe nach heut. Recht unter Vergleichg d. alten Handelsrechts. (40) 8° Berl., Struppe & W. 02.   1.50
Saenger, C, s.: Wort, d. freie.
Saenger, E: Kants Lehre v. Glauben. Mit e. Geleitwort v. H Vaihinger. (18, 170) 8° Lpzg, Dürr'sche Bh. 03.   3 —
Sänger, F: Eine Frühlingsliebe. Dichtg. (65) 8° Dresd., E Pierson 01.   1 —; geb. 2 — d
— Eine Sommerliebe. Dichtg. (136) 8° Ebd. 01. 1.50; geb. 2.50 d
Saenger, M: Ueb. Asthmabehandlg. (24 m. Fig.) 8° Mgdbg, A Bathke 06.   — 60
— Zur Behandlg v. Katarrhen d. Luftwege u. d. Lungen m. Arzneidämpfen. [S.-A.] (Umschl.: 35. Taus.) (16 m. Fig.) 8° Ebd. (04).   — 50
— Üb.Inhalations-Therapie u. ihre gegenwärtig übl. Anwendsformen, s.: Sammlung zwangl. Abhandlgn a. d. Geb. d. Nasen- usw. Krankh.
Sänger, M, s.: Monatsschrift f. Geburtshülfe u. Gynaekol.
Sänger, Max (Von A Martin u. A Rosthorn.) [S.-A.] (26 m. Bildnis.) 8° Berl., S Karger (03).   1.50
Saenger, S: Quatre morceaux de lectures, s.: Reuter's Biblioth. f. Gabelsb.-Stenogr.
Saenger, S: English. humanistn of the 19. century. A selection from the works of John Stuart Mill, Thomas Carlyle, Ralph Waldo Emerson and John Ruskin. With biographical introductions and a commentary. 2 parts. (272 u. 52) 8° Berl., Weidmann 03.   Geb. à. geb. 3 —
— John Stuart Mill, s.: Frommann's Klassiker d. Philosophie.
— John Ruskin. Sein Leben u. Lebenswerk. (222) 8° Strassbg, JBE Heitz (01). L. od. brosch. auf breitrand. imit. Büttenp. —
Sängerbundlieder. Einf. Orig.-Kompositionen f. gemischten Chor, hrsg. v. christl. Sängerbund deut. Zunge. 1. Heft. (31) 8° Bonn, J Schergens (05).   — 35
Sängerfreund, kleiner. 8. Afl. (128) 16° Hildburgh., FW Gadow & S. 01.   Kart. — 40 d
Sänger-Gruss. Organ d. christl. Sängerbundes deut. Zunge. Red.: H Schmitz, f. d. musikal. Tl: AJ Bucher. 23—27. Jahrg.

1901—5 je 12 Nrn. (Nr. 1. 8 u. Musikbeil. 4 in 8º) 4º Bonn, J Schergens.   Je 1,20 d
Erschien bis Mai 1903 in Frankfurt a. M.
Sängergruss-Lieder f. gemischten Chor. Hrsg. v. christl. Sängerbund deut. Zunge als Ausw. sr Darbietgn währ. 25 Jahre s. Bestehens. (72) 8º Bonn, J Schergens 04. Kart. 1 —
— dass. f. Männerchor. (64) 8º Ebd. 04.   Kart. 1 —
— dass. f. Solostimmen m. Begleitg auf Klavier od. Harmonium, nebst e. Anh. v. Liedern f. Frauenchor. (66) 8º Ebd. 04.   Kart. 1 —
Sängerhalle, die. Allg. deut. Gesangver.-Zeitg f. d. In- u. Ausl. m. d. Musikalbum-Gratisbeil. „Sängerlust" u. „Liederhain". Red.: C Kipke. 41—45. Jahrg. 1901—5 je 52 Nrn. (1901. Nr. 1. 20 m. 1 Bildnis u. Musikbeil. 8 in 8º) 4º Lpzg, CFW Siegel. Viertelj. 1.50; einz. Nrn — 25; m. Musikbeil. — 60 d
Sängerrunde. Sammlg 4stimm. Männerchöre. Neue Bearbeitg. 2. Afl. (456) 8º Lahr, M Schauenburg (02).   Geb. 2.50 d
Sänger-Zeitung, akadem. Schriftleitg: C Starke. 6. Jahrg. Novbr 1900—Oktbr 1901. 12 Nrn. (Nr. 1. 16) 4º Lpzg-R., A Hoffmann.   4 — d
Fortsetzg erscheint nicht mehr bei Hoffmann.
Sangeslust. Texte zu 150 d. beliebtesten u. originellsten Volks-Kommers- u. Wanderlieder. (81) 8º Brem., (G Winter) (04).   — 50 d
San Giorgio, B di: Deutsch-Italienisch, s.: Goldschmidt's Sammlg prakt. Sprachführer.
Sangkohl, W: Obligator. od. fakultative Fortbildgssch. f. Berlin? (48) 8º Berl., L Oehmigke's V. 03.   — 60 d
Sanitäts-Bericht üb. d. kgl. preuss. Armee, d. XII. u. XIX. (1. u. 2. kgl. sächs.) u. d. XIII. (kgl. württemberg.) Armeekorps f. d. Berichtszeitraum v. 1.X.1897—30.IX.1902. Bearb. v. d. Medizinal-Abth. d. kgl. preuss. Kriegsministeriums. 4º Berl., ES Mittler & S.   49.05
1897/98. (192 u. 155 m. 25 Kart., 7 graph. Darstellgn u. 1 Taf.) 01. 9 —
1898/99. (205 u. 167 m. 31 Kart. u. 8 graph. Darstellgn.) 01.   9.60
1899/1900. (206 u. 167 m. 35 Kart. u. 9 graph. Darstellgn.) 02. 9.70
1900/01. (202 u. 167 m. 25 Kart. u. 9 graph. Darstellgn.) 03.   10.55
'01/02. (203 u. 169 m. 25 Kart. u. 9 graph. Darstellgn.) 04.   10.40
Der Bericht üb. d. XIX. (2. kgl. sächs.) Armeekorps ist seit 1898/99 einbegriffen.
— statist. i. d. k.u.k. Kriegs-Marine f. 1900—03. Zusammengest. v. d. IX. Abteilg d. k. u. k. Reichs-Kriegs-Ministeriums Marine-Sektion. (Mit graph. Darstellgn.) 8º Wien, (W Braumüller.)   nn 11 —
1900.01. (236) 02 nn 8 — | '02.03. (71) 04. nn 3 —
— d. österr. Küstenlandes f. 1898—1900. Verf. v. A Bohata. (247) 4º Triest, (FH Schimpff) 02.   nn 3 —
— d. k. Landes-Sanitatsrathes f. Mähren f. 1899 u. 1900. Verf. v. R Schoefl. 20. u. 21. Jahrg. (140 u. 146) 4º Brünn, C Winiker 1900.01.   Je 6 —
— üb. d. kais. deut. Marine f. d. Zeitraum v. 1.IV.1897—30.IX.1903. Bearb. v. d. Medizinal-Abth. d. Reichs-Marine-Amts. (Mit graph. Darstellgn u. Tab.) 8º Berl., ES Mittler & S.   13 — d
1897/99. (317) 1900. 3 — | 1899/01. (466) 03. 5 — | '01/02. (269) 04. 5 — d
'02/03. (201) 03. 2 —; geb. 3 —
— üb. d. kais. ostasiat. Expeditionskorps f. d. Berichtszeitraum v.1.VII.1900—30.VI.'01 u. d. kais. ostasiat. Besatzungs-Brigade f. d. Berichtszeitraum v. 10.VI.'01—30.IX.'02. Bearb. v. d. Medizinal-Abteilg d. kgl. preuss. Kriegsministeriums. (97 u. 43 m. Abb., 1 Karte, 4 Pl. u. 6 graph. Darstellgn.) 8º Ebd. 04.   3.95
Sanitäts-Taschen-Kalender u. **Taschenplan** d. 1. Hilfe. (193) 16º Münch., Seitz & Sch. (05).   — 20 ö F
Sanitätswesen, d., in Bosnien u. d. Hercegovina 1878—1901. Hrsg. v. d. Landesregierg f. Bosnien u. d. Hercegovina. (439 m. 2 Taf. u. 2 Kart.) 8º Sarajevo 03, (Wien, A Holzhausen.) 5 —
— d. österr. Organ f. d. Publikationen k. k. k. österreich. Sanitäts. Red.: W J Daimer n. F Stadler. Red.: L Werner 13—15. Jahrg. 1901—3 je 52 Nrn. (Nr. 1. 8 u. 4) 8º Wien, A Hölder.   Je 12 —
— dass. Red. im Sanitätsdepartement d. k. k. Ministeriums d. Innern. Red.: L Werner. 16. u. 17. Jahrg. 1904—5 je 52 Nrn. ('04. 460, 213 u. 363) 8º Ebd.   Je 12 —
— d., d. Preuss. Staates währ. d. J. 1895—1900. Bearb. v. d.Medizinal-Abteilg d.Ministeriums d. geistl.usw.Angelegenh. 8º Berl., R Schoetz.   38 —
1895—97. (976) 01. 18 — | 1898—1900. (658 u. 190) 03. 20 —
Fortsetzg u. d. T.: Gesundheitswesen.
Sankt Adalberts-Kalender s.: Haus-Kalender, ermländ.
Sankt-Aloysius-Büchlein, enth. Lebensbeschreibg d. Heiligen sowie Betrachtgn u. Gebete f. d. 6 Sonntage zu Ehren d. hl. Aloysius. 3. Afl. v. H Samson. (160 m. farb. Titelbild.) 12,5×8 cm. Münst., Alphonsus-Bh. 04.   L. — 50 d
Sankt Anna, Vorbild d. Frauenwelt. Lesgn f. d. 9 Dienstage zu Ehren d. hl. Mutter Anna. Von e. Mitglied e. geistl. Genossensch. (68 m. Titelbild.) 12,7×7,6 cm. Frankf. a./M., P Krener (04).   — 20 d
Sankt Antonius-Büchlein, v. e. Priester d. Franziskanerordens a. d. Prov. d. hl. Elisabeth v. Thüringen. 5. Afl. (160 m. Titelbild.) 16º Limbg, A Hötte (03).   L. — 50 d
Sankt Antonius-Glöcklein. Zeitschrift f. alle Verehrer d. gr. Heiligen. Red.: K Burtscher. 5.—8. Jahrg. Oktbr 1902—Septbr 1906 je 12 Nrn. (Nr. 1. 16) 8º Aschaffenbg, C Krebs. Je 1 —
Sankt Antonius-Glöckleins-Kalender f. 1904. (104 u. 18 m. Abb. u. 1 Farbdr.) 4º Aschaffenbg, (C Krebs).   nn — 50 d ö F

Sankt Antonius-Kalender, Fuldaer, 1906. Hrsg. v. d. Ordensprovinz d. hl. Elisabeth. (11. Jahrg.) (78 u. 7 m. Abb. u. 1 Farbdr.) 8º Fulda, Fuldaer Actiendr.   — 40 d
Sankt-Angela-Blatt s.: Apostolat, d., d. christl. Tochter.
Sankt-Benno-Kalender od. kathol. Kirchen- u. Volks-Kalender zunächst f. Sachsen. 1903. 53. Jahrg. (228 m. Titelbild.) 8º Dresd., (H Burdach. — Lpzg, X Pfingmacher).   1 — d
Fortsetzg s. u. d. T.: Benno-Kalender.
SanktBernward-Kalender f. d.Bist.Hildesheim f.1906. 20.Jahrg. (88 m. Abb.) 8º Hildesh., F Borgmeyer.   — 50 d
Sankt Bonifatius-Büchlein od. Andachtsübgn zu Ehren d. hl. Martyrers Bonifatius, Erzbischofs u. Mainz u. Apostels d. Deutschen. Von e. Verehrer d. hl. Bonifatius. (105 m. Titelbild.) 16º Mainz, Druckerei Lehrlingshaus 05.   L. 1 — d
Sankt Bonifatius-Kalender, Berliner, f. 1902. Begründet v. E Müller. 40. Jahrg. (144 m Abb. u. Titelbild.) 8º Berl., Germania.   — 25 d
Fortsetzg u. d. T.: Welt-Kalender.
Sankt Franzisci-Glöcklein. Monatschrift f. d. Mitglieder d. III. Ordens d. hl. Franciscus. Red. u. hrsg. i. V. v. H Kompatscher u., v. 25. Jahrg. an, P Hasenöhrl. 24. u. 25. Jahrg. Oktbr 1901—Septbr 1903 je 12 Hefte. (1. Heft. 32 m. Abb.) 8º Innsbr., F Rauch.   Je 1.20 d
Fortsetzg u. d. T.: Sankt Franzisci-Glöcklein.
Sankt Franciscus-Kalender f. Mitglieder d. 3. Ordens usw. z. relig. Erbaug u. Belehrg f. 1906. Von M Müller. (50) 8º Limbg, (A Hötte).   — 20 d
Sankt Franziska-Blatt. Monatsschrift f. Mitglieder d. III. Ordens d.hl.Franziskus. Hrsg. u.red. v.M Müller. 23—27.Jahrg. 1901—5 je 12 Nrn. (Nr. 1. 16) 12º Limbg, (A Hötte). Je 1 —
Sankt-Franzisi-Glöcklein. Monatschrift f. d. Verbreitg u. Befestigg d. III. Ordens d. hl. Franziskus in allen Ländern deut. Zunge. Red. u. hrsg. v. P Hasenöhrl. 26—28. Jahrg. Oktbr 1903—Septbr 1906 je 12 Hefte. (1. Heft. 32 m. Abb. u. 1 Taf.) 8º Innsbr., F Rauch.   Je 1.20 d
Bisher u. d. T.: Sankt Francisci-Glöcklein.
Sankt Georg. Illustr. Zeitschrift f. Sport u. Gesellschaft. Verantwortlich: F Freund. 1. Jahrg. 4. Viertelj. Jan.—März 1901. 13 Nrn. (Nr. 40. 32) 4º Berl., Verl. Sankt Georg.   6 —; einz. Nrn — 50 d
— dass. 2. Jahrg. Apr. 1901—März 1902. 52 Nrn. (Nr. 1. 32) 4º Ebd. Viertelj.3 —; einz.Nrn—25 || 3.u.4.Jahrg.1902/4. Je 24 Nrn. (Nr. 1. 24) 4º Ebd.   Je 10 —; halbj. 5.50; viertelj. 3 —; einz. Nrn—50
— dass. 5. u. 6. Jahrg. Apr. 1905—März 1906. Je ca 36 Nrn. (Nr. 1. 24) 4º Ebd.   Je 9 —; viertelj. 2.50; einz. Nrn — 25
Sankt Gilgen am Albersee u. Umgebg. Begleiter f. Besucher d. Sommerfrischen am Aber-od. Wolfgangsee im Salzkammergut. (41 m. Abb. u. 1 Karte.) 8º St. Gilg. (05). (Münch., J Lindauer.)   — 40
Sankt Hubertus. Illustr. Jagdzeitg. Wöchentlich erschein. illustr. Zeitschrift f. Jagd, Hundezucht, Forstw., Fischerei u. Naturkde. Red.: P Schettler. 19—23. Jahrg. 1901—5 je 52 Nrn. ('05. 674) 4º Cöth., P Schettler's Erben.   Viertelj. 2 — d
Sankt Josef's-Kalender, Augsburger, f. 1906. 25. Jahrg. (48 u. 16 m. 1 Farbdr.) 8º Augsbg, B Schmid.   — 20 d
Sankt Joseph! Kathol. Sonntagsbl. z. Erbaug, Belehrg u. Aufmunterg. Hrsg. v. L Leopold. 15—19. Jahrg. 1901—5 je 52 Nrn. (Nr. 1. 8) 4º Warendf, (J Schnell).   Viertelj. — 50 d
— hilft. Erzählg f. d. lieben Kleinen. (04) 16º Münst., Alphonsus-Bh. 02.   — 10 d
Sankt Joseph-Kalender. 36. Jahrg. Steir. Volks-Kalender m. Abbildgn. 1906. (183) 8º Graz, Styria.   — 70 d
Sankt Josephsblatt. Kathol. Wochenschrift z. Förderg d. christl. Familienlebens. Hrsg. v. L Leopold. Red.: L Leopold. 8—12. Jahrg. 1901—5 je 52 Nrn. (Nr. 1. 8) 4º Mit d. Beil.: Christl. Erholgsstunden. Je 52 Nrn. (Nr. 1. 8) 8º Warendf. Bonn, L Leopold.   Viertelj. — 60 d
Sankt-Kamillus-Blatt. Zur Belehrg, Erbaug u. Unterhaltg d. Kranken u. ihrer Pfleger. Hrsg. unter Leitg v. Vido. Red.: Temborius u., seit 1902, Stegt. 4—7. Jahrg. 1901—4 je 12 Nrn. (Nr. 1. 12 m. 1 Abb.) 4º Vaals postlagernd Aachen. Exp.   Postfrei je 1.40; einz. Nrn — 15 d
— dass. Monatsschrift f. d. kathol. Volk unter bes. Berücks. d. Kranken u. ihrer Pfleger. Hrsg. v. d. deut. Kamillianer-Patres. Red.: A Stegt. 8. Jahrg. 1905. 12 Nrn. (Nr. 1. 24 m. Abb.) 8º Ebd.   Postfrei 1.50; einz. Nrn — 15 d
Sankt-Kassian-Kalender, illustr., f. 1906. 22. Jahrg. (Des Brixener Schreibkalenders 85. Jahrg..) (77 m. 1 Farbdr.) 8º Brix., A Weger.   — 40 d
Sankt Katharina-Büchlein. Vollständ. Andachtsb. f. alle frommen Verehrer d. hl. Jungfrau u. Märtyrin Katharina. Von e. kathol. Priester. 2. Afl. (120 m. 1 St.) 16º Paderb., Junfermann 04.   — 60; L. nn — 85 d
Sankt Kunigund u. ihr hl. Gemahl. 2 Predigten v. e. Priester d. Diöz. Bamberg. (16) 8º Bambg, Schmidt (01).   — 40 d
Sankt Leopold, Österr. Fürsprecher im Himmel. Ein Bild v. d. frommen Wandel Leopolds III., Markgrafen u. Landespatrones Österr. (Nieder- u. Oberösterr), als Vorbild f. unser eig. Leben. Von o. Cleriker d. Stiftes Klosterneuburg. (106 m. Abb. u. 1 Farbdr.) 16º Wien, St. Norbertus 01. — 40 d
Sankt Heinzel-Bote, Red. J Kutschera u. Frl. M Heinzel. 1. Jahrg. Apr. 1901—März 1902. 24 Nrn. (Nr. 1. 4) 4º Münch., I Kutschera & Co. (?)   4 —; einz. Nrn — 20 d ö F

Sankt Maria- u. Sankt Josef-Kalender z. Förderg christl.
Lebens f. 1906. 18. Jahrg. Red.: R Klimsch. (143, 32 u. 64 m.
Abb.) 8° Klagenf., Buch- u. Kunsth. d. St. Josef-Ver. — 70 d
Bis 1902: Maria- u. Josef-Kalender.
Sankt Michaels-Kalender f. 1905. 26. Jahrg. Hrsg. v. W Abel.
, (256 Sp. u. 6 S. m. Abb. u. 1 Farbdr.) 8° Steyl, Missionsdr.
— 50 d
Sankt Nikolaus-Büchlein. Erzählg f. brave Kinder. (32) 16°
Münst., Alphonsus-Bh. 02. — 10 d
Sankt Norbertus-Blatt. Zeitschrift z. Förderg kathol. Lebens.
Red.: M Eisterer u., 1905, J Dörfler. Hrsg.: J Roller. 13—17.
Jahrg. 1901—5 je 26 Nrn. (Nr. 1. 16 m. 1 Abb.) 4° Wien, „St.
Norbertus". Je 2.40 d
Sankt Ottilien-Missions-Kalender f. 1906. Hrsg. v. d. St. Be-
nediktus-Missionsgenossensch. in St. Ottilien. (144 u. 8 m.
Abb. u. 1 Farbdr.) 8° St. Ottilien, Missions-Verl. — 40 d
Sankt-Vitus-Kalender f. d. kathol. Volk. 14. Jahrg. 1906. (192 Sp.
m. Abb. u. 1 Farbdr.) 8° M. Gladb., J Rixen. — 50 d
Sankt Walburga-Büchlein. Lebensgesch. u. Andachtsübgn.
Von e. Mitgliede d. Benediktinerordens. (180 m. Titelbild.) 16°
Eichst., (P Brönner) 05. Geb. nn — 85 d
Sankt Wendelinus, Schutzpatron bei Krankh. u. Viehseuchen.
Lebensbeschreibg u. Gebete. (14) 16° Riedl., Ulrich 04. — 10 d
Sann, H v. d. (J Krainz): Gedenkschrift z. Enthüllg d. Krieger-
denkmales in Graz. (38 m. Abb.) 8° Graz, (P Cieslar) 02.
+ — 70 d
— Mit Gott f. Kaiser u. Vaterland. Lorbeerblätter a. d. Ruhmes-
gesch. steir. Truppenkörper. 1. Thl: Das k. u. k. 27. Infant.-
Regt Leopold II. König d. Belgier. (184 m. Abb.) 8° Graz,
(Styria) 01. nn — 70 d
— Treu d. Kaiser, treu d. Vaterlande, s.: Erzählungen f. Ju-
gend u. Volk.
Sannazaro's, J, Arcadia. Aus d. Ital. v. K Brunhuber. 1. Tl.
(23) 8° Neumarkt Ob.-Pf. 04. Wasserbg a/Inn, Reallehr. Kasp.
Brunhuber. 1 —
Sanneck, R (R Watzlaweck): Reinhilde v. Brinborg. Novelle.
(40) 8° Graz, (Leykam) 05. 1.20 d
— Kleine Steine. (70 m. Bildnis.) 8° Dresd., O & R Becker (05).
1.50 d
Sanneg, J: Die deut. Konsonamen m. ihren Vollnamen. (36) 8°
Berl., Deut. Verl. (02). — 50 d
Sannemann, F: Die Musik als Unterr.-Gegenstand in d. ev.
Lateinsch. d. 16. Jahrh., s.: Studien, musikwiss.
Sannwald, E: Zeichen-Kunst, s.: Hoffmann, C.
Santesson, CG, s.: Archiv, nord. medizin.
Santi, A: Bergell, Maloja, Engadin als Kurorte. (23) 8° Chur,
F Schuler 03. — 80
Santiago, L, s.: Amerikaner, d. beiden.
— Der Photograph in d. Klemme, s.: Heidelmann's, A, Theater-
bibliothek.
Santos-Dumont, A: Im Reich d. Lüfte, s.: Naturwissenschaft
u. Technik.
Saphir's, MG, humorist. Schriften in 2 Bdn. Neu ausgew. u.
durchgeseh. Ausg. (393 u. 344) 8° Berl., A Weichert (o. J.).
in 1 L.-Bd 1.75 d
— Ausgew. Humoresken, s.: Reuter's Bibliothek f. Gabelsb.-
Stenogr.
— Das Picknick auf d. Strozzischen Grund, „bloss beim Kla-
vier", s.: Gabelsberger-Bibliothek.
Sapolsky, L: Ueb. d. Theorie d. relativ-Abelschen-cub. Zahl-
körper. (481 u. 6 m. 35 Tab.) 8° Lpzg, (Teubner) 02. 6 —
Sapper, A: Das kl. Dummerle u. and. Erzählgn. (307) 8° Stuttg.,
D Gundert (04). Geb. 3 — d
— 3 Erzählgn f. junge Mädchen, s.: Witzleben, M v., kl. russ.
Lehrbibliothek.
— Für kl. Mädchen, s.: Kinderbibliothek.
— Gretchen Reinwald. Erlebnisse e. Schulmädchens. 2 Tle in
1 Bde. (126 u. 272 m. 1 Farbdr.) 8° Stuttg., D Gundert (01).
L. 4 — d
2. Tl allein u. d. T.:
— Gretchen Reinwald's letztes Schuljahr. Erzählg f. Mädchen
v. 13—16 Jahren. (272 m. 1 Farbdr.) 8° Ebd. (01). Geb. 2.80 d
— Das 1. Schulj., s.: Kinder-Bibliothek.
Sapper, Ch: Die Alta Verapaz (Guatemala). [S.-A.] (146 m. 5
Kart.) 8° Hambg, L Friederichsen & Co. 02. 12 —
— Ub. Gebirgsbau u. Boden d. südl. Mittelamerika, s.: Peter-
mann's, A, Mitteilgn a. J Perthes geograph. Anst.
— Höhenschichtenk. d. Alta Verapaz (Republik Guatemala),
auf Grund d. Länderplans v. E Marroquin 1897 n. eig. Auf-
nahmen entworfen u. gezeichnet. Mit Deckbl. z. Veranschaulichg d. Besitzverteilg. 1:200,000. 41×60 cm. Farbdr. Nebst
Erläutergn. [S.-A.] (9) 8° Hambg, L Friederichsen & Co.
01. 5 —
— Geolog. Karte d. Alta Verapaz, n. eig. Aufnahmen a. d. J.
1888—1900 entworfen. 1:200,000. [S.-A.] 41×60 cm. Farbdr.
Ebd. ’1. 4 —
— Mittelamerikan. Reisen u. Studien a. d. J. 1888—1900. (426
m. Abb., Titelbild u. 4 Kart.) 8° Brnschw., F Vieweg & S. 02.
10 —; geb. 11 —
— In d. Vulcangebieten Mittelamerikas u. Westindiens. Reise-
schildergn u. Studien üb. d. Vulcanausbrüche d. J. 1902—03,
ihre geolog., wirtschaftl. u. soc. Folgen. (334 m. Abb. u. 33
Taf.) 8° Stuttg., E Schweizerbart 05. 6.50 L
Saracini-Belfort, L Gräfin: Kein Roman. — Der Freiplatz. 2 Erzählgn. (187) 8° Wien, C Konegen 04. 2 —; geb. 3 — d

Saran, A: Musikal. Hdb. z. erneuerten Agende, vornehmlich
z. Gebr. f. Kantoren u. Organisten. (80) 8° Berl., Trowitzsch
& S. 01. L. 1.90 d
Saran, F, s.: Liederhandschrift, d. Jenaer.
— Melodik u. Rhythmik d. „Zuneigg" Goethes, s.: Studien z.
deut. Philol.
— Der Rhythmus d. französ. Verses. (455) 8° Halle, M Niemeyer 04. 12 —
Saran's, H, wohlf. Touristen-K. Rügen m. Vorpommern (Stralsund
—Greifswald—Anklam—Wolgast—Swinemünde). 1:142,500,
nebst 5 Spezialk.: Putbus-Lauterbach, Binz-Sellin-Göhren,
Sassnitz-Stubbenkammer-Lohme, Greifswalder Oie, Insel
Vilm. 1:85,500, n. e. Eisenbahnk. 75,5×57 cm. Farbdr. Stettin
(kl. Domstr. 1), H Saran (02). (1.20) 1 —
— dass. Die Inseln Usedom u. Wollin. I u. II. 1:125,000. Je
64,5×51 cm. Farbdr. Ebd. Je — 60
  1. Mit d. Seebädern Karlshagen, Zinnowitz, Kosserow, Bansin, Heringsdorf, Swinemünde, Osternothafen, Misdroy u. Neuendorf. Nebst 2
  Spezialk. d. Waldgeb. Swinemünde, Heringsdorf, Zinnowitz. 1:35,000,
  sowie Ortspl. v. Swinemünde, Ahlbeck u. Heringsdorf. 05.
  II. Mit d. Seebädern Zinnowitz, Kosserow, Bansin, Heringsdorf, Swinemünde, Misdroy, Neuendorf u. Dievenow; nebst 3 Spezialk. d. Waldgeb. v. Misdroy bis Dievenow. 1:35,000 u. e. Ortspl. v. Misdroy. 04.
Sarasin, P, u. F Sarasin: Materialien z. Naturgesch. d. Insel
Celebes. III. u. IV. Bd u. V. Bd, 1. Tl. 4° Wiesb., CW Kreidel.
108 — [V. 1.] 200 —)
  III. Ueb. d. geolog. Gesch. d. Insel Celebes auf Grund d. Tierverbreitg.
  (160 m. 15 Taf.) 01.
  IV. Entwurf e. geographisch-geolog. Beschreibg d. Insel Celebes. (344
  u. 25 u. Abb. u. 1 Taf. im Text, 16 Heliograv. u. 4 Kart.) 01. 50 —
  V. Versuch e. Anthrorol. d. Insel Celebes. 1. Tl: Die Toâla-Höhlen v.
  Lamontjong. (65 u. 199 m. Abb. u. 6 Taf.) 05. M. 16 —
— Reisen in Celebes. Ausgeführt in d. J. 1893—96 u. 1902—03.
2 Bde. (381 u. 390 m. Abb., 12 z. Tl farb. Taf. u. 11 Kart.) 8°
Ebd. 05. L. 24 —
Sarasin, P: Üb. Verwendg d. beritt. Maschinengewehr-Schützen-
Kompagnien. Der Einfl. auf d. Taktik d. Kavall., s.: Militär-
zeitung, allg. schweiz.
Sarason, D: Ueb. Wasserkuren im Rahmen d. wiss. Heilkde
3. u. 4. Taus. (40) 8° Berl., Vogel & Kr. 01. 1.20
Sarbó, A v.: Der Achillessehnenreflex u. s. klin. Bedeutg. Beitrag z. Frühdiagnose d. Tabes u. d. progressiven Paralyse.
(44) 8° Berl., S Karger 03. 1 —
— Der bewt. Stand d. Pathol. u. Therapie d. Epilepsie. [S.-A.]
(64) 8° Wien, Urban & Schw. 05. 2 —
— dass., s.: Klinik, Wiener.
Sarcey, F: Le siège de Paris, s.: Schulbibliothek, französ.
u. engl. (O Gosack). — Velhagen & Klasing's Sammlg französ.
u. engl. Schulausg. (A Krause u. A Mühlefeld).
Särchinger, E, u. V Estel: Aufg.-Sammlg f. d. Rechenunterr.
in d. Unterkl. d. Gymnasien, Realgymnasien u. Realsch. I—
IH. Heft. 8° Lpzg, BG Teubner. Kart. 3 — d
  I. 3. Aß. (92) 04. 1; II. 3. Aß. (100) 04. 1.30 | III. 3. Aß. (72) 04. — 90
Sardemann, F: Das steuerfreie Existenzminimum als Benedikum
Competencien u. Armutsprophylaxe. (58) 8° Lpzg, CL Hirsch-
feld 05. 1.80
— Ursprg u. Entwicklg d. Lehre v. lumen rationis aeternae,
lumen divinum, lumen naturale, rationes seminales, veritates
aeternae bis Descartes. (76) 8° Kass., (E Röttger) 02. 2 —
Sardemann, O: Die Steuer v. Grundbesitz. Beitrag z. Lösg
d. Wohngsfrage. (18) 8° Marbg, NG Elwert's V. 04. — 30
Sarfert, H: Die operative Behandlg d. Lungenschwindsucht.
(68 u. 8 m. 6 Taf.) 8° Berl., (01). (Lpzg, JA Barth.) 4 —
Sarganek, A: Knospen u. Blüten. Gedichte. 3 Bdchn. (64) 12°
Berl., Christl. Versandbh. 03. Je — 30; in 1 L.-Bd 1.25
Säringer, J: Temperaturverhältn. d. Balaton-Wassers, s.: Re-
sultate d. wiss. Erforschg d. Balatonsees.
Sarling, O: Exegese üb. L. 28 D. de vulg. et pup. subst. 28, 6
als Beisp. f. Studier. u. Prüfgskandidaten. (48) 8° Lpzg, A
Deichert Nf. 05. 1 —; kart. 1.25 d
Sarmatus, s.: Russland u. Finland.
Sármezey, A: Motorwagen im Eisenb.-Betriebe. Aus d. Ung.
[S.-A.] (42 m. Abb. u. 13 Taf.) 8° Budap., Pátria 04. 2 —
Sarner, H, s.: Buch, e., f. Kinder.
Sarnow, E, s.: Monade novus.
Sarnthein, L Graf v.: Flora d. gefürst. Grafsch. Tirol usw.,
s.: Dalla Torre, KW v.
Saro, B: Prakt. Geometrie, s.: Kehr, C.
Saroïhandy, J: Grammatik d. katalan. Sprache, s.: Morel-
Fatio, A.
Sarrazin, G, s.: Beiträge, Breslauer, z. Lit.-Gesch.
— Shakespeare-Lexicon, s.: Schmidt, A.
Sarrazin, JV, s.: Conteurs modernes.
— Neue französ. Grammatik f. Kaufleute u. Gewerbetreib., s.:
Thum, R.
Sarrazin, O: Verdeutschgs-Wrtrb. 3. Aß. (313) 8° Berl., W Ernst
& S. 06. 5 —; geb. 6 — d
— Wrtrb. f. e. deut. Einheitsschreibg. (112) 8° Lpzg. (03). (| 2. Aß.)
(120) 05. Je — 80 d
— u. H Oberbeck: Taschenb. z. Abstecken v. Kreisbögen m.
u. ohne Übergangskurven f. Eisenb., Strassen u. Kanäle.
14. Aß. (73 u. 198 m. Abb.) 12° Berl., J Springer 04. L. 3 —
Sarre, F: Denkmäler pers. Baukunst. Geschichtl. Untersuchg
u. Aufnahme mohamedan. Backsteinbauten in Vorderasien
u. Persien. Unter Mitwirkg v. B Schulz u. G Krocker. 1—6.

Saudek, R: Das „Drama d. Kinderseele" in bühnentechn. Beleuchtg. (16) 8° Berl., Deut. Bühne 03.   — 50 d
— Dramen d. Kinderseele (Das Schuldbewusstsein. Ein Wunkind. Die Judenjungens), s.: Universal-Bibliothek.
Saudreau, A: Das geistl. Leben in s. Entwickelgsstufen. Nach d. 2. Afl. a. d. Franz. übers. v. A Schwabe. 2 Bde. (480 u. 444) 9° Trier, Loewenberg 01.   Je 3.20; geb. je nn 4 — d
Sauer, A: Mineralkde als Einführg in d. Lehre v. Stoff d. Erdrinde. (In 6 Abtlgn.) 1. u. 2. Abtlg. (1—64 m. Abb. u. 9 Taf.) 4° Stuttg., (Franckh) 05.   Je 1.85 d
Sauer, A: Götter- od. Menschendienst? Trilogie. 8° Lpzg, M Sängewald.   5.50 d
   1. Die Christuslegende in ihrem Verhältnis z. arischen Mythol. (96) 01. 2 —
   2. Das Christentum im s. Verhältn. z. arischen Mythol. (82) 02.   2 —
   3. Der alte u. d. neue Glaube. (51) 02.   1.50
Sauer, A, s.: Briefe an Ewald v. Kleist. — Euphorion. — Goethe u. Österreich. — Goethe, JW v., u. K Graf v. Sternberg, Briefwechsel. — Grillparzer's Briefe u. Tagebb.
— Ges. Reden u. Aufsätze z. Gesch. d. Lit. in Österr. u. Deutschl. (400) 8° Wien, C Fromme 03.   6 — d
— Die deut. Säculardichtgn an d. Wende d. 18. u. 19. Jahrh., s.: Literaturdenkmale, deut., d. 18. u. 19. Jahrh.
— s.: Studien, Prager deut.
Sauer, B: Der Weber-Laborde'sche Kopf u. d. Giebelgruppen d. Parthenon. (117 m. Abb. u. 3 Taf.) 4° Berl., G Reimer 03.   4 —
Sauer, CM: Italian conversation-grammar. (Method Gaspey-Otto-Sauer.) 8. ed. by P Motti. (435 m. 1 Karte u. 1 Pl.) 8° Hdlbg, J Groos 03.   Geb. 5 —; key. 7. ed. (91) Kart. 1.60
— Spanish conversation-grammar. 7. ed. by F de Arteaga. (Method Gaspey-Otto-Sauer.) (427 m. 2 Kart.) 8° Ebd. 04.   Geb. 4 —; key. (62) Kart. 1.60
— Italien. Gespräche (Dialoghi italiani) od. italien. Konversations-Schule. (Methode Gaspey-Otto-Sauer.) 5. Afl. v. P Motti. (171) 8° Ebd. 05.   Geb. 1.80 d
— Grammaire espagnole. (Méthode Gaspey-Otto-Sauer.) 5. éd. par R Serrano. (388 m. 2 Kart.) 8° Ebd. 03.   Geb. 4 —; corrigé. (99) Kart. 1.60
— Nouv. grammaire italienne. 10. éd. par C Vulliemin. (Méthode Gaspey-Otto-Sauer.) (370 m. 1 Karte u. 1 Pl.) 8° Ebd. 02.   Geb. 3.60;
— corrigé des versions et thèmes. 6. éd. (57) Kart. 1.60
— Italien.Konversations-Grammatik z. Schul- u. Privatunterr. 11. Afl. v. G Cattaneo. (Methode Gaspey-Otto-Sauer.) (440 m. 1 Karte u. 1 Pl.) 8° Ebd. 01.   Geb. 3.60 d
— Italien.Konversations-Lesebuch f. d. Schul- u. Privatunterr. 5. Afl. v. R Lovera. (Method Gaspey-Otto-Sauer.) (400 m. 1 Karte u. 1 Pl.) 8° Ebd. 04.   Geb. 3.60
— Kl. italien. Sprachlehre f. d. Gebr. in Schulen u. z. Selbstunterr. 8. Afl. v. G Cattaneo. (Methode Gaspey-Otto-Sauer.) (235 m. 1 Karte u. 1 Pl.) 8° Ebd. 02.   Geb. 1.80 d
— Kl. span. Sprachlehre f. d. Gebr. in Schulen u. z. Selbstunterr. (Methode Gaspey-Otto-Sauer.) 5.Afl. v. F Langehald. (213 m. 2 Kart.) 8° Ebd. 04.   Geb. 2 — d
   Bis z. 4. Afl. bearb. v. CM Sauer u. H Runge.
Sauer, E: Meine Welt. Bilder a. d. Geheimfache meiner Kunst u. meines Lebens. (292) 8° Stuttg., W Spemann 01.   8 —; geb. 10 — d
Sauer, F: Die Art u. Weise d. Wirkg d. Stahl-Bäder. (19) 8° Münch., Seitz & Sch. 02.   — 60
Sauer, F: Orthogr.-Willkür u. Orthogr.-Reform e. Schulkreuz d. 19., e. Volksbufdng d. 20. Jahrh. (235) 8° Bonn, P Hanstein 01.   4 — d
Sauer, H: „Wenn es rote Rosen schneit". Gedichte. (82 m. 5 Farbdr.) 8° Prag, C Bellmann 04.   2 — d
Sauer, J: Wegweiser f. d. Berufswahl, s.: Sommerfeld, T.
Sauer, J, s.: Rundschau, literar., f. d. kathol. Deutschl.
— Symbolik d. Kirchengebäudes u. sr Ausstattg in d. Auffassg d. M.-A. Mit Berücks. v. Honorius Augustodunensis, Sicardus u. Durandus. (23, 410) 8° Freibg i./B., Herder 02.   6.50; HF. 8.40
Sauer, JJ: Specimens of commercial correspondence. (396 m. 15 Formularen.) 8° Wien, A Hölder 05.   Geb. 4.40
Sauer, JLW: Halleluja h, s.: Meyer, W.
Sauer, K: Der Landwirt u. d. neue Prozessverfahren. Erläuterg d. ges. Civil- u. Strafprozesses in Beisp. a. d. tägl. Leben. (318) 8° Berl., P Parey 02.   L 4 — d
— Rechtskde f. d. prakt. Landwirt, s.: Heydenreich, R.
— Testamente u. Erbverträge in Bayern, nebst e. kurzen Darstellg d. gesetzl. Erbrechtes, d. Pflichtteilrechtes u. Nachlassverfahrens. 4° Münch., J Schweitzer V. 02.03.   8.50; geb. 9.90 d
Sauer, L: Chemie u. Mineral. (103 m. Abb.) 8° Frankf. a/M., Kesselring (03).   Kart. — 90 d
— Pflanzenkde, s.: Grundriss d. Naturgesch. f. Volks- u. Mittelsch.
— Stoffvertellg f. d. Rechtschreibe Unterr. in Bürger- u. Mittelsch. 2. Afl. (32) 8° Frankf. a/M., Kesselring (05).   — 20 d
Sauer, L: Die schwarze Afra, s.: Thalia.
— Der Jäger-Franz od. A Hoamkehr z. rechten Zeit, s.: Teich's Vereinstheater.
— Stadt u. Land passt net z'samm'!, s.: Thalia.
— Ein Tag auf d. Alm. — Walpurgiszauber, s.: Teich's Vereinstheater.
Sauer, W: Kindesdank. Ausw. v. Gelegenh.-Gedichten f. d. Jugend. 5. Afl. (144) 8° Berl., JM Spaeth (05).   1 — d

Saueracker, F: Der Obstbau u. d. **Verwertg** d. Obstes im intensiven Kleinbetriebe, s.: Bücherschatz, d., d. Lehrers.
Sauerbeck, E, LW **Ssobolew**, C **Gutmann**, HM **Adler**: Zur Pathol. d. Pankreas, s.: Virchow's, R, Archiv.
Sauerbeck, P: Einl. in d. analyt. Geometrie d. höh. algebr. Kurven u. d. Methoden v. Jean Paul de Gua de Malves, s.: Abhandlungen z. Gesch. d. mathemat. Wiss.
Sauerhering, F: Bildnisse v. Meisterhand. Systematisch geordn. Verz. d. bedeutendsten Schöpfgn d. Porträtmalerei aller Zeiten. 3.Tl d.Vademecum f. Künstler u. Kunstfreunde. (Einbd: 2. Afl.) (145) 8° Stuttg. 04. Essl., P Neff.   3.50; L. 4 —
— Genrebilder v. Meisterhand. Systematisch geordn. Verz. d. bedeutendsten Schöpfgn d. Genremalerei aller Zeiten. 2. Tl d. Vademecum f. Künstler u. Kunstfreunde. 2. [Tit.-]Afl. (110) 8° Ebd. [1897] 04.   3 —; L. 4 —
— Gesch.-Bilder aller Zeiten u. Schulen. Systematisch geordn. Verz. d. bedeutendsten Schöpfgn d. Historienmalerei aller Zeiten. 1. Tl d. Vademecum f. Künstler u. Kunstfreunde. 2. [Tit.-]Afl. (42) 8° Ebd. [1896] 04.   2.40; L. 2.80
Sauerland, HV: Zu d. Mailänder Privilegien f. d. deut. Kaufleute. [S.-A.] (7) 8° Rom, Loescher & Co. 03.   nn — 80
— 3 Urkunden z. Gesch. d. Heirat d. Herzogs Otto v. Braunschweig u. d. Königin Johanna I. v. Neapel. [S.-A.] (11) 8° Ebd. 05.   nn — 80
— s.: Urkunden, vatikan., d. XIV. Jahrh. z. Gesch. d. Hauses Hohenzollern. — Urkunden u. Regesten, vatikan., z. Gesch. Lothringens. — Urkunden u. Regesten z. Gesch. d. Rheinlande.
— n A **Haseloff**: Der Psalter Erzbischof Egberts v. Trier, Codex Gertrudianus, in Cividale. Historisch-krit. Untersuchg v. S., kunstgeschichtl. Untersuchg v. H. (214 m. 69 Lichtdr. [in Mappe].) 4° Trier, (F Lintz) 01.   nn 75 —
Sauerländer, E: Welt-Betrachtgn. Philosophisch-fragmentarisches. (15) 8° Frankf. a/M., Gebr. Knauer 02.   — 60
Sauerländer, W: Die Erneuerg d. ev. Kirche im Lippe in d. Mitte d. vor. (18.) Jahrh., s.: Erinnerungen an W Sauerländer.
Sauerlandt, F, s.: Führer durch d. kirchl. Hamburg.
Sauerlandt, M: Cb. d. Bildwerke d. Giovanni Pisano. (112 m. Abb.) 8° Düsseldf, KR Langewiesche 04.   3.60
— Die mittelalterl. Taufsteine d. Prov. Schleswig-H. (72 m. Abb. u. 1 Karte.) 8° Lüb., B Nöhring 04.   Kart. 10 — d
Sauthannes u. Meister **Peterhans**. Die Angelika. Flasche, Moralischer Mut, s.: Volksschriften d. Arbeiterfreundes.
Saul, D: Ein Beitrag z. hess. Idiotikon. (17) 8° Marbg, NG Elwert's V. 01.   — 50 d
Saul, F: Ein Jubiläum d. Bibel, s.: Bausteine, kl.
— Ist d. Kindertaufe d. Wiedergeburt? (32) 8° Dresd., CL Ungelenk 05.   — 40 d
— Pastor Bernh. Rudert, s.: Bausteine, kl.
Saunier s.: Baudry de Saunier.
Saunier, Ch: Die Gesch. d. Zeitmesskunst v. d. ält. Zeiten bis z. Gegenwart. Deutsch v. G Speckhart. 25 Lfgn. (1066 u. 16 m. Abb.) 8° Bautz., E Hübner (02-04).   Je 1 —
   (In 2 L.-Bdn: 28 —)
— Lehrb. d. Uhrmacherei in Theorie u. Praxis. Übers. v. M Grossmann. In 4 Bdn u. e. Atlas. (33 Lfgn.) 3.Afl. v. M Loeske. (Mit Abb.) 8° Ebd. (03-05).   33 —;
   Einbde je 1 —; Atlas 8 —; geb. 9 —
   I. (492) 9 —; [I. (290) 7 —] III. (304) 5 —; IV. (187) 5 — ; Atlas. (21 Taf. 2. u. 3. Text.) 4 —
Saupe, MO, s.: Kirchengalerie, neue sächs. Die Diöc. Zittau.
Saupe, M, s.: Jahrbuch, kirchl., f. d. Herzogt. Sachsen-Altenburg. — Jahrbuch, Thüringer kirchl.
Saupe, WC: Arbeitsheft f. d. Unterr. in ländl. Fortbildgssch. (Umschl.: Arbeits- u. Formularheft.) Zusammengest. n. d. „Stoffe f. d. ländl. Fortbildgssch." I—III. 8° Meiss., Sächs. Schulbh. (05).   nn 1.30
   I. Nach d. 1. Tle. 2. Afl. (V S. u. Formulare.) nn — 40] II. Nach d. II. Tle. (IV S. u. Formulare.) nn — 40] III. Nach d. 3. Tle. 2. Afl. (VI S. u. Formulare.) nn — 50
— Das schriftl. Rechnen in d. ländl. Fortbildgssch. In 3 Kursen bearb. f. d. Hand d. Schüler. (57) 8° Wittnbg, R Herrosé 05.   — 60 d
   Neue Afl. u. d. T.:
— dass. In 3 Abtlgn f. 3 Schulj. bearb. f. d. Hand d. Schüler. 2. Afl. (96 m. Fig.) 8° Ebd. 05.   — 60 ; Auflösgn. (27) 05. — 40 d
— dass. In 3 Heften. (2 Afl.) (44, 31 u. 27 m. Fig. u. 1 Taf.) 8° Ebd. 05.   Je — 30 d
— Stoffe f. d. ländl. Fortbildgssch. Bearb. in 3 Tln (3 Schulj.). 8° Ebd.   Je 1.50; geb. je 1.75 d
   I. 2. Afl. (131) 05.] II. (145 m. Abb.) 01.] III. (140 m. Abb. u. 1 Taf.) 01.
Sauppe, MO, s.: Kirchengalerie, neue sächs. Die Diöc. Zittau.
Saure, H: Adventures by sea and land. Ed. with explanatory notes and a vocabulary. 2 vols. (97 u. 98) 8° Lpzg, Dieterich (01).   Je 1.10; Wrtrbb. (18 u. 20) Je — 20
— Ausw. französ. Gedichte f. Schule u. Haus. 3. Afl. (143) 8° Berl., FA Herbig 05.   1.60; geb. 2 —
— s.: Auteurs franç. modernes. — Authors, modern Engl.
— Erzählgn u. Dramen deut. Klassiker z. Einführg in Lessing, Schiller, Goethe, unter Mitwirkg v. W Kirchbach u. MK Becker. (30, 218 m. 1 Bildnistaf.) 8° Lpzg, Dieterich 04.   Geb. 1.80 d
— Französ. Leseb. f. höh. Mädchensch., nebst Stoffen z. Übg

im mündl. Ausdruck. 1. Tl. 6. Doppel-Afl. (284) 8° Frankf. a/M., Kesselring (03). Geb. nn 2 —
Saure, H: Lives of eminent men, British and American. Ed. with explanatory notes and a vocabulary. (184) 8° Lpzg, Dieterich (1899). Geb. 1.50; Wrtrb. (28) — 20
— Le théâtre franç. classique. Das klass. Drama d. Franzosen. Für Schulen bearb. u. m. Anmerkgn versehen. 1. Tl. 2. Afl. (185) 8° Berl., FA Herbig 02. 1.50; geb. 1.90
Säure, d. schwefl., u. ihre Verbindgn m. Aldehyden u. Ketonen. Chem. u. pharmakolog. Untersuchgn. 1. Tl. [S.-A.] (236 m. Fig. u. 5 Taf.) 8° Berl., J Springer 04. 10 —
Sauren, J: Gewitterbüchl., enth. Belehrgn, Schutzmittel u. Gebete. 3. Afl. (94) 16° Salzbg, A Pustet (03). Kart. — 40 d
Sauren, WJ: Die Praxis d. 1. Schulj. in katbol. Volkssch. Unterweisgn üb. d. Methode d. bibl. Gesch., d. Deutschen, d. Anschaug. d. Rechnens, Singens, Memorierens u. Zeichneus. 2. Afl. (215 m. 23 Taf.) 8° Köln, JP Bachem (04). 2.40; geb. nn 3 — d
— Die Praxis d. 2. Schulj. in katbol. Volkssch. Unterweisgn üb. d. Methode d. bibl. Gesch., d. Deutschen, Rechnens, Zeichnens, Singens u. Turnens. Mit e. Anh.: Kurze Biogr. d. bedeutendsten Jugendschriftsteller u. e. Verz. empfehlenswerter Schriften. (208) 8° Ebd. (03). 2.40; geb. nn 3 — d
Säurich, P: Bilder a. d. Pflanzenwelt. Unter Berücks. d. Lebens, d. Verwendg u. d. Gesch. d. Pflanzen f. Schule u. Haus bearb. I. Bd; II. Bd, 1. Heft u. VII. Bd. 8° Lpzg, E Wunderlich. 6.20; geb. 7.50 d
I. Biol. d. Pflanzen. Im Walde. (321) 02. 3 —; geb. 3.60
II, 1. Das Leben d. Pflanzen. Das Feld. 1. Heft. (137) 04. 1.00; geb. 2 —
VII. Das Leben d. Pflanzen. In vorgeschichtl. Zeit. (96 m. Abb.) 03. 1.60; geb. 2 —
Die übrigen Bde sind noch nicht erschienen.
Saurug, J: Waldnutzg u. Waldpflege. (78) 8° Graz, Styria 03. — 60 d
Saussay, V de: Blüh. Fleisch, glüh. Schönheiten. Aus d. Franz. v. G Reinberg. (512) 8° Budap., F Sachs 03. 5 — d
— „Junges Mädchen m. Makel . . . .'' Passionsroman d. Liebe. Aus d. Franz. v. A Singer-Ebenthal. (272) 8° Ebd. 03. 3 — d
Saussaye, PD Chantepie de la, s.: Lehrbuch d. Relig.-Gesch.
Saussure, H de, u. L Zehntner: Myriopoden u. Madagascar u. Zanzibar, gesammelt v. A Voeltzkow. [S.-A.] (36 m. 2 Taf.) 4° Frankf. a/M., (M Diesterweg) 01. 4 —
Saussure, HB de: Versuch üb. d. Hygrometrie, s.: Ostwald's, W, Klassiker d. exacten Wiss.
Sauter's Annalen f. Gesundheitspflege. Monatsschrift d. Sauterschen Instit. in Genf, hrsg. in deut., franzôs., span. u. portugies. Sprache. 15. Jahrg. d. deut. Ausg. 1905. 12 Nrn. (Nr. 1. 12) 8° Genf. (R Burkhardt). nn 1 — d
1904 u. d. T.: Annalen f. Sauter's Homöopathie.
Sauter, B: Der hl. Vater Benediktus n. St. Gregor d. Gr. (282) 8° Freibg i/B., Herder 04. 1 —; L. 1.50 d
— Der liturg. Choral. (86) 8° Ebd. 03. 1 —; L. 1.50 d
— Die Evangelien d. Fastenzeit im Anschll. an d. Evangelienbuch d. Herrn''. (538) 8° Ebd. 03. 4 —; L. 5 — d
— Des hl. Papstes Gregorius d. Gr. Pastoral-Regel. (485) 8° Ebd. 04. 4 —; L. 5.40 d
— Kolloquien üb. d. hl. Regel. 2. Afl. (409) 8° Ebd. 01. 4 —; L. 5.40 d
— Das hl. Messopfer od. d. liturg. Feier d. hl. Messe, erklärt. 2. Afl. (352) 8° Paderb., F Schöningh 02. 2.40; geb. 3.40 d
— Die Sonntagsschl. d. Herrn od. d. Sonn-u. Feiertagsevangelien d. Kirchenj. 2 Bde. 8° Freibg i/B., Herder. 6 —; Einbde in L. je 1 — d
1. Sonntagsevangelien. (471) 01. 3.20 ! 2. Feiertagsevangelien. (388) 02. 2.80.
Sauter, F: Kartenkde, s.: Gelcich, E.
Sauter, J: Nimm mich mit! Kl. Ratgeber f. d. n. d. neuen Einkommensteuergss. steuerpflicht. Personen. 2. Afl. (68) 8° Stuttg., (P Mähler) (04). — 50 d
Sauter, SF: Ausgew. Gedichte, s.: Neujahrsblätter d. bad. histor. Kommission.
Sautermeister, C: Condensation mehrwert. Phenole m. 2. 4. Diaethoxybenzoylaceton zu 1. 4. Benzopyranolen u. Synthese d. Resaceteins. (86) 8° Tüb., G Schürlen 04. 2 —
Sautter, E: Wenn's am besten schmeckt. (130) 8° Bresl., Schles. Buchdr. usw. 02. 1 —; geb. 2 — d
Sauvage, F: Holz-Architektur. Entwürfe v. Gebäuden, Lauben, Pavillons usw. (In 5 Lfgn.) 1. u. 2. Lfg. (20 Taf. m. 3 S. Text.) 49.5×33 cm. Berl., E Wasmuth 05. M. je 8 —
Sauvage, JA: Auf Wogen u. Wolken. Die e. gr. Reise hib. d. Meer d. Lebens. Allegorie. Deutsch v. A Steen. (251 m. 19 Vollbildern.) 8° Cass., JG Oncken Nf. 02. geb. 1.40; m. G. 2.80 d
Savage, MJ: Die Relig. im Lichte d. Darwinschen Lehre. Übers. v. R Schramm. 2. Afl. (190) 8° Lpzg, O Wigand 05. 3 — d
Savage, RH: Von Havana n. Peking. Aus d. Engl. v. E Ritter v. Lepkowski. (377) 8° Wien, K Mitschke 05. 4 —; geb. 5 —
— In the house of friends. — A Monte Cristo in khaki. — The mystery of a Shipyard, s.: Collection of Brit. auth.
Savels, CA: Der Dom zu Münster in Westf. Gesch. u. Beschreibg d. Baues u. sr bildner. Ausstattg. (72 m. Abb. 1.7 Lichtdr. u. 2 Kart.) 4° Münst., Regensberg 04. û —; geb. 7.50 d
Savelsberg, H, s.: Aachen u. Umgebg.
— Kl. Aachener Führer. Nach d. letzten Afl. d. „Neuesten Führers f. Aachen u. Umgebg v. Lersch-Savelsberg'' bearb. (78 m. Abb. u. Pl.) 8° Aach., A Jacobi & Co. 02. — 50

Savelsberg, H: Register, s.: Aus Aachens Vorzeit.
Savj-Lopez, P: Dantes Einfluss auf span. Dichter d. XV. Jahrh. Vortr. (12) 8° Neapel (02). (Strassbg, E d'Oleire.) — 80
— u. M Bartoli: Altitalien. Chrestomathie. Mit e. grammat. Übersicht u. e. Glossar. (214 m. 1 Tab.) 8° Strassbg, KJ Trübner 03. 4.50; L. 5 —
Savić, M: Blau-rot-gold. Erinnergn e. Wiener Korpsphilisters. 2. Afl. (185 m. Abb.) 8° Wien, CW Stern 03. 2.50 d
Savigny, L v., s.: Abhandlungen a. d. staatswiss. Seminar zu Münster i. W.
Savonarola, H: Ettl. beschaul. Betrachtgn d. bitt. Leidens Jesu, gepredigt u. practicirt in Florenz. Darnach übertr. a. d. Welschen in d. Latein., u. zu d. letzten v. d. Latein gemacht zu Deutsch im (MOCOC) LXXXXVIIII. Jahr. Aufs neue hrsg. v. J Schnitzer. (16, 87) 16° Augsbg, Lit. Instit. v. Dr. M Huttler 02. — 40 d
— Predigten. Ausgew. u. übers. v. H Schottmüller. (132 m. 1 Bilduis.) 8° Behr's V. 01. 3 —
Savor, R: Leitf. f. d. Schwangeren-Untersuchg. (57 m. Abb.) 8° Wien, F Deuticke 01. 1.80
Savreux, P, s.: Schickele, R.
Sawalischin, DI: Memoiren. (In russ. Sprache.) 2 Bde. (380 u. 446 m. 4 Bildn.) 8° Münch., Etzold & Co. 04. 10 —
Sawicki, F: Der Prediger, Schopenhauer u. Ed. v. Hartmann od. Bibl. u. moderner Pessimismus. (108) 8° Fulda, Fuldaer Actiendr. 03. 1.50
Sawka, M: Herbst . . . Eine Gesch. a. d. Bukowina. (142) 8° Czernow., (H Pardini) 05. 3 — d
— Die Künstler-Arche. Skizzen a. d. Leipz. Bohème. (83 m. Abb.) 8° Linz 1900. Czernowitz (Harrengasse 13), Selbstverl. 1.50 d
— Nach freier Wahl. Lustsp. (25) 8° Wien 01. Czernowitz (Herreng. 13), Selbstverl. 1 — d
Saworra, B: Ein Opfer, s.: Weber's moderne Bibliothek.
Saxl, I, u. F Kornfeld: Quellenausg. d. allg. BGB. samt vollständ. amtl. Reg. (31, 631) 16° Wien, Szelinski & Co. 06. L. 4 —
Saxl, M: Zur Duplik d. Herrn Prof. Schücking. Streifichoter. (65) 8° Berl., RL Prager 05. 1.50 d
— Materialien u. Gesetz. (76) 8° Ebd. 05. 1.50 d
— Die Thronfolgeberechtigd. a. a. d. im J. 1875 abgeschl. Ehe weil. Sr. Hoh. d. Herzogs Anton Friedrich Günther Elimar v. Oldenburg m. d. Frl. Natalie Vogel Freiin v. Friesenhof am 29.VIII.1878 entspross. Sohnes Alexander u. dessen Zugehörigk. z. grossh. oldenburg. Hause. Denkschr. (58) 8° Wien, Gerlach & Wiedling 04. 3 — d
Saxonia. Handbuch d. ges. Kultur- u. Geisteslebens d. Sachsen. Hrsg. v. H Säuberlich. 1. Jahrg. April—Dezbr 1903. 18 Nrn. (Nr. 1. 48 m. 1 Bilduis.) 8° Chemn., Verl. d. „Saxonia''. Je — 25 !! 2. Jahrg. Jan.—März 1904. 6 Nrn. 1.20; einz. Nrn — 20 Fortsetzg u. a. d. T.:
Saxonia-Thuringia. Blätter f. sächs.-thüring. Heimatpflege. Red.: H Säuberlich u. R Zimmermann. 1. Jahrg. Apr.—Juni 1904. 6 Nrn. (Nr. 1. 8 m. Abb.) 4° Chemn. (Lpzg, Bombes & Laute.) — ; einz. Nrn — 20 ô F
Sayn, O: Rechtsk. d. Oberlandesgerichtsbez. Frankfurt a. M., s.: Düssel, M.
Sayn-Wittgenstein-Berleburg, F Graf zu: Reisebilder a. Sizilien u. Korfu. (55) 8° Wiesb., W Bröcking 01. 1 — d
Sasanami Sanjin (I): Briefe u. Japaners a. Deutschl. Uebers. v. A Gramatzky. Mit e. Begleitwort u. Anmerkgn hrsg. v. H Haas. (77) 8° Brem., M Nössler 04. 1 —
— dass. (Japanisch u. deutsch.) Uebers. v. A Gramatzky. Mit e. Begleitwort u. Anmerkgn hrsg. v. H Haas. (77 u. japan. Text 23, 19 u. 47) 8° Tokyo (04). (Berl., Mayer & M.) 2.40
Sbornik. Russ. Geschichten u. Satiren. Uebers. u. hrsg. v. W Henckel. 4. Bd. (277 m. 1 Bilduis.) 8° Berl., J Räde (02). 5 — (1—4.: 6 —; Einbde je — 50) d
Scala, A v., s.: Kunst u. Kunsthandwerk.
Scala, F v.: Gertraud Angerer v. Tulfes, d. Märtyrerin d. Keuschh. Ein kurzes Lebensbild. (55 m. Abb.) 16° Innsbr., F Rauch 05. — 25 d
— Andreas Hofer. Volksschausp. (124 u. Musikbeil. 8 m. Titelbild.) 8° Brix., Pressver.-Bh. 02. 1 —; geb. 1.60 d
— Josef Franz v. Sales Huter, Stadtbaumeister in Innsbruck, e. vergess. Patriot a. d. Franzosenzeiten. (156 m. 1 Bilduis.) 8° Innsbr., Wagner 03. 1.80 d
— Die sel. Maria Magdalena v. Martinengo a. d. Orden d. Kapuzinerinnen. 3. Afl. (80 m. 1 Bilduis.) 16° Innsbr., F Rauch 01. — 25 d
— Peter Mayr, d. Wirt an d. Mahr. Volksbild a. d. Tiroler Freiheitskämpfen im J. 1809. Für Männerrollen bearb. 2. Afl. (83 u. Musikbeil. 8) 12° Brix., Pressver.-Bh. 02. — 80; geb. 1.60 d
— s.: Rangger, L, Kriegserlebnisse.
— St.-Fidelisbüchl. z. Nutzen u. Gebr. aller Verehrer dieses Heiligen. (48 m. Titelbild.) 13° Stuttg. 01. Nagold, Kathol. Vereinsdr. (?) —
— Josef Speckbacher, d. Mann v. Rinn. Volksschausp. (122 m. 1 Bilduis.) 8° Brix., Pressver.-Bh. 05. 1 —; geb. 1.60 d
— Uebgn seraph. Frömmigk., s.: Fidelis v. Sigmaringen.
Scala, R v., s.: Fleinstalbahn, d. deut., Neumarkt-Predazzo. Das uns nott thut!'' Ein Weg z. Besserg d. österr. Verhältnisse. (31) 8° Lpzg, CL Hirschfeld 03. — 80 d
— s.: Weltgeschichte.
Scamoni, G: Alois Senefelder u. s. Werk. Zur 100jähr. Feier d. Erfindg d. Lithogr. verf. (69 m. Abb. u. 15 Taf.) 8° St. Petersbg 1896. (Berl., R Friedländer & S.) 6 —

Scanferlato. A: Lezioni italiane, s.: Teubner's, BG, kl.Sprachbb.
Scapinelli. C Conte: Bezirkshauptmann v. Lerchberg. Roman. (340) 8° Münch., Allg. Verl.-Gesellsch. 05. 3 —; geb. 4 — d
Scapinelli. P Conte: Der Harzer Edelroller, s. Gesang. s. Behandl g u. Zucht. (72 m. Abb.) 8° Ilmenau, A Schröter (05). 1 — d
— Die Heimatges.-Novelle v. 5.XII.1896 u. d. herrsch. Spruchpraxis. (346) 8° Wien, Manz 03. 4.40; kart. 4.80 d
— Das o.-ö. Jagdges. v. 13.VII.1895 u. d. herrsch. Spruchpraxis. (171) 8° Ebd. 05. 2.90; kart. 3.30 d
Scaramelli, JB: Geistl. Führer auf d. christl. Tugendwege. „Anl. z. Ascese", in 3. Afl. bearb. v. BM Winkler. 2 Tle in 1 Bde. (351 u. 310) 8° Rgnsbg, Verl.-Anst. vorm. GJ Manz 01. 5.40; HF. 7 — [|4. Afl. 2 Bde. (506 u. 452) 05. 5.40; HF. 8.40 d
— Die Unterscheidg d. Geister zu eig. u. fremder Seelenleitg. Hdb. f. alle Seelenführer. Nebst e. kurzen Auszug a. d. Buche d. Kardinals Johannes Bona üb. Unterscheidg d. Geister. 3. Afl. v. BM Lierheimer. (316) 8° Ebd. 04. 3 — d
Scartazzini, A, s.: Biblioteca italiana.
— Conversationsb. Deutsch u. Französisch. 2. Afl. (180) 12° Dav. 01. Chur, F Schuler. Geb. 2 —
— dass. Engl. u. Deutsch. 2. Afl. (180) 12° Ebd. 01. Geb. 2 —
— dass. Englisch, Deutsch, Französisch, Italienisch. 2. Afl. (360) 12° Ebd. 01. Geb. 3 —
Scartazzini, GA: Concordanza della divina commedia di Dante Alighieri. [S.-A.] (168) 8° Lpzg, FA Brockhaus 01. 3 —
Scartazzini, JA: Italien. Unterr.-Briefe, s.: Loewe, H.
Scenen s. a.; Szenen.
— kurze, f. 2 od. mehr Personen. Nr. 1—8. 8° Mühlh. i/Th., G Danner. Je — 75 d
Bliss, P : Ein verbot. Genuss. Zwiegespr. f. 1 D. u. 1 H. (10) (01.) [7.] | Ein Wiederschen. Zwiegespr. f. 1 H. u. 1 D. (8) (01.) [8.]
Brunner, E : Ansichtskarten. Zwiegespr. f. 1 H. u. 1 D. (15) (1900.) [2.] | Er hält um sie an: Zwiegespr. f. 1 H. u. 1 D. (16) 1900. [6.] | Die 10 Gebote d. Ehe od.: Flitterwochen. Zwiegespr. f. 1 H. u. 1 D. (15) (1900.) [3.] | 4 Uhr Bahnhof! Dreigespr. f. 1 D., 2 H. (16) (1900.) [4.] | Tante Wiedehopf. Zwiegespr. f. 1 H. u. 1 D. (16) 1900.) [5.]
Lebhard, PR: Der schlaue Peter. Kom. Scene (n. F Reuter) f. 2 H. u. 1 D. (16) (1900.) [1.]
Schaab, A: Heimgefunden, s.: Sonntagsbibliothek.
Schaab, A: Die Mutter d. guten Rates. Andachtsbüchl. z. Verehrg u. Anrufg Mariä d. Mutter d. guten Rates. (240 m. farb. Titelbild.) 16° Dülm., A Laumann 05. L. — 75 d
Schaab, R, W **Bartmuss** u. E Seitz: Sangesblüten f. deut. Mädchen. 8 Hefte. 4. Afl. 8° Lpzg, J Klinkhardt. 1.30 d
I. 80 ein- u. zweistimm. Lieder f. Elementar- u. Unterkl. in Mädchensch. — 30
II. 100 zweistimm. Lieder f. Mittel- u. Oberkl. in Mädchensch. u. höh. Töchterinstit. 7. Afl. (100) 03. — 50
III. 70 zwei-, drei- u. vierstimm. Lieder f. Oberkl. in Mädchensch. u. höh. Töchterinstit. (110) 02. — 50
Schaaf, C: Die sog. Zwischendeputationen d. § 114 d. sächs. Verfassgsurkunde. (62) 8° Lpzg, Veit & Co. 04. 1.60
Schaaf-Regelmann, I: Aus d. Erinnergsblättern e.Typewriting-Girl, s.: Frauen-Bibliothek, moderne.
Schaal: Pädagog. Bilderb. Selbstbeobachtg! Selbsterkenntnis! Fortschritt! 2. Tl. (88) 8° Trier, F Lintz 03. 1.35 (1 u. 2.: 2.85) d
Den 1. Tl s. u. d. T.: Bilderbuch, pädagog.
— Vaterländ. Gesch. (46 m. 1 Bildnis.) 8° Ebd. 04. — 30 d
Schaal, L: Freud u. Leid unter d. Zeichen d. Kreuzes. Bilder a. d. Leben v. Missionaren. (79 m. Abb.) 8° Bas., Basler Missionsbh. 03. — 80; L. 1.20 d
— Gnanamma, e. treue u. gesegnete Magd. (34 m. Abb.) 8° Ebd. 02. — 10 d
Schaar, F : Naturgesch. f. d. 1. Klasse d. Mädchen-Lyzeen. A u. B. 8° Wien, F Deuticke 02. Geb. 2.40 d
A. Tierkde. (°2 m. Abb.) 1.40 | B. Pflanzenkde. (46 m. Abb.) 1 —
— dass. f. d. 2. Kl. A. Tierkde. (123 m. Abb.) 8° Ebd. 03. Kart. 2.10 d
Schaar's, GF, Kalender f. d. Gas- u. Wasserfach. Hrsg. v. E Schilling. Bearbeitg d. wassertechn. Tles v. G Anklam. 29. Jahrg. 1906. (248, Schreibkalender u. 103 m. Abb.) 8° Münch., R Oldenbourg. Ldr 4.50
Bis 1902 u. d. T.: Kalender f. Gas- u. Wasserfach-Techniker.
Schaar, W: Freuden u. Leiden auf e. Missionsstation in Deutsch-Südwestafrika, s.: Missions-Traktate, rhein.
Schaare, W, u. K **Blasse**: Die Bilderschriftmethode. Eine neue Anl. z. Einführg d. Laute u. Lautzeichen um 1. Leseunterr. (114 m. 1 Tab.) 8° Lpzg, Dürr'sche Bh. 03. 1.60 d
Schaarschmidt s.: Jahrbuch f. Kadetten. — Jahrbuch f. d. Offizierfrau. — Taschenbuch f. Fähnriche u. Fahnenjunker.
Schaarschmidt, E: Blut u. Nerven. Ein Schlüssel z. Verständnis d. menschl. Körpers. (53 m. z. Tl farb. Abb. u. 1 Taf.) 8° Lpzg, E Fiedler (02). 1.20 d
— Zur Kirchenreform! od.: Wie muss d. Konfirmations-Bekenntnis d. Zukunft lauten? (76) 8° Gera 04. Lpzg, E Fiedler. 1 — d
— s.: Leben, wahres.
Schaarschmidt, F: Zur Gesch. d: Düsseldorfer Kunst insbes. im XIX. Jahrh. (384 m. Abb. u. 101 Taf.) 4° Düsseldf, Kunstver. f. d. Rheinl. u. Westf. 02. K. 15 —
— Aus Kunst u. Leben. Studien u. Reisebilder. (225) 8° Münch., Verl.-Anst. F Bruckmann 01. 4 —; geb. 5.50
Schaarschmidt, G: Aus welchen Gründen unterhält d. Stadt Braunschweig unt. u. mittl. Bürgersch.? (17) 8° Brnschw., Ramdohr 04. — 30 d
— Deut. Sprachsch., s.: Baron, M.

Hinrichs' Fünfjahrskatalog 1901—1905.

Schabad, JA: Die klin. Bacteriol. d. Diphtherie. Beitrag z. Differentialdiagnose d. Diphtherie- u. Pseudodiphtheriebacillus. [S.-A.] (122 m. Abb., Tab. u. 3 Taf.) 8° Berl., S Karger 02. 4 —
Schaber, W : Skizzen zu Metallarbeiten. (14 [1 Doppel-]Taf. in Photozinkogr.) 4° Pforzh. (04). (Lpzg, Frankenstein & W.) 3 —
Schabert, O : Das Trangelböde, was es enthält u. wie wir es halten können. (46) 16° Riga, Jonck & P. 01. — 60 d
— Vom Wege. Beschauliches u. Erbauliches. (86) 8° Berl., Vaterländ. Verl.- u. Kunstanst. 03. Geb. 1 — d
Schablonen-Malerei, moderne. Hrsg. v. Heidelberger Mal- u. Zeichen-Instit. 1. Lfg. (10 farb. Taf.) 43×31 cm. Berl., M Spielmeyer (03). 4 —
Schach, F: Ueb. d. Zukunft Israels. (24) 8° Berl., M Poppelauer 04. — 50
Schachblätter, balt. Hrsg. v. F Amelung. 8. Heft. (439—606 m. Diagr.) 8° Berl., J Springer 01. 4 —; Suppl. dazu. (73 m. Diagr.) 02. 3 — (1—8 u. Suppl. zu 8.: 85 —)
Schacher, W : Karte d. polit. Bez. Freudenthal f. d. Hand d. Schüler an Volkssch. 1:150,000. 27,5×29 cm. Farbdr. Sternbg, (AR Hitschfeld) 04. nn — 17
— Karte d. polit. Bez. Römerstadt f. d. Hand d. Schüler an Volkssch. 1:100,000. 27×34,5 cm. Farbdr. Ebd. (02). — 16
— Lehrg. f. d. Zeichnen im 2. u. 3. Schulj. an minderorganisierten Volkssch., bes. geeignet f. d. direkten Unterr. beider Schulj. (24) 30×30 cm. Ebd. (04). — 85
— Neuer Lehrg. f. d. freie Zeichnen im 4—8. Schulj. an minderorganisierten (1- bis 3klass.) Volkssch., bes. geeignet f. d. direkten Unterr. zweier Abteilgn. (58 Bl. m. 2 Bl. Text.) 4° Ebd. (02). 1.70
— Das Wichtigste a. d. geometr. Formenlehre. Merkbüchl. f. Bürgerschülerinnen u. Volksschüler. (40 m. Fig.) 8° Ebd. 02. — 50 d
Schachhuber, P: Bürgerl. Kochb. (108) 8° Wien, Szelinski & Co. (01). Kart. 1 — d
Schachjahrbuch f. 1900—04 u. 05, J. Tl. XI—XVI. Fortsetzg d. Sammlg geistreicher Schachpartien. Zusammengest. u. m. eingeh. Erläutergn versehen v. L Bachmann. (284, 250, 176, 196, 224 u. 122 u. 59 m. Diagr.) 12° Ansb., C Brügel & S. 01-05. Geb. je 2 —
Bisher u. d. T.: Bachmann, L.
Schaching, O v., s. a.: Denk, O.
— s.: Führer, illustr., im Gebl. d. k. b. Staatseisenb.
— Ida Gräfin Hahn-Hahn. Biographisch-literar. Skizze. [S.-A.] (31 m. Abb.) 8° Rgnsbg, J Habbel 03. — 50 d
— Naturbilder, s.: Forsteneichner, A.
— Volks-Erzählgn. 1—5. Bdch. 2. Afl. (Mit Abb.) 8° Rgnsbg, J Habbel. Geb. je 1.50 d
1. Der Bauernkönig. Geschichtl. Erzählg a. d. Zeit d. Bauernkriegs.—
2. Der Oberammergau. Eine Gesch. a. d. Zeit d. Schwedenkrieges. — Zweigespr. Gesch. (289) [02.]
3. Der Klammgeist. Eine Hochlandsgesch. — D'Marei vom Brandstätter-Hof. Eine oberbayer. Gesch. (290) [02.]
4. Die letze Kugel. Afra. Der hl. Judas u. and. Erzählgn. (252) [03.]
5. Der Hirmonhoper v. Bischofsmais. Volkserzählg a. d. bayer. Walde.—
5. Staci. Eine Gesch. a. d. bayer. Walde. (240) (03.)
Schachinger, C: Führer durch d. Ruine Aggstein. Mit e. kurzen Gesch. d. Veste. 2. Afl. (32 m. 1 Taf.) 8° Krems, F Oesterreicher 05. — 40 d
Schachinger, K: Durch Oberösterr. Wegweiser durch d. Land Österr. ob d. Enns. (66 m. Abb. u. 1 Karte.) 8° Linz, (R Pirngruber) 04. — 60 d
Schachinger, R: Gesch. u. Beschreibg d. Stiftes u. d. Stadt Melk. Mit e. Anh.: Spaziergänge u. Ausflüge in d. Umgebg. (100 m. 1 Taf.) 8° Wien, (A Hölder) 05. nn — 50 d
Schache, Frau C, s.: Schott, C.
Schachner, E: Die Störgn im deut. Schiffsbaugewerbe währ. d. J. 1900 ff., s.: Schriften d. Ver. f. Socialpolitik.
— Das Tarifwesen in d. Personenbeförderg d. transozean. Dampfschiffahrt, s.: Abhandlungen, volksw.. d. bad. Hochsch.
— Erler, P **Stuhmann**: Die Störgn im deut. Verkehrsgewerbe währ. d. Jahre 1900 ff., s.: Schriften d. Ver. f. Socialpolitik.
Schacht, A: Verz. d. ges. ärztl. u. zahnärztl. Kurse Berlins, nebst prakt. Wegweiser u. Ratgeber f. d. Teilnehmer. Frühj. u. Sommer '04- (92) 8° Berl., O Rothacker. — 50
Schacht, E u. E Schmitt: Verglaste Decken u. Deckenlichter, s.: Baukunde d. Architektur.
Schacht, A: Harms Söhne. Roman. (223) 8° Mannh., J Bensheimer's V. (01). 3.50 d
Schacht, H: Deut. Sprachbüchl., n. d. Grundz. d. Anschaugsmethode f. d. Primarsch. bearb. (80) 8° Laus., Payot & Co. 01. Kart. nn 1 —
Schacht, H: Plattdüt. Schipperleeder, s.: Volksbööker, Hamborger.
— Seemans Liedertafel. 4. Afl. (192) 16° Hambg, G Kramer V. (03). Kart. — 60 d
— & **Krüger:** De plattdüt. Pulterobend, s.: Volksbööker, Hamborger.
Schacht, B: Der gute Pfarrer in d. engl. Lit. bis zu Goldsmiths Vicar of Wakefield. (45) 8° Berl., Mayer & M. 04. 1.20
Schacht, H, s.: Hammacher-Festschrift, Berliner jungliberale.
— Inhalt u. Kritik d. Zolltarifentwurfs v. Standpunkte d. deut. Industrie. [S.-A.] (46) 8° Lpzg, Duncker & H. 02. 1 — d
Schacht, P: Beitr. z. Kenntnis d. auf d. Seychellen leb. Ele-

156

fanten-Schildkröten, s.: Ergebnisse, wiss., d. deut. Tiefsee-Exped.
Schacht, W: Nietzsche. Psychiatrisch-philosoph. Untersuchg. (161) 8° Bern, A Francke 01. 1.60 d
Schacht, W: Was muss man v. d. Parfümerie-Fabrikation wissen? (79) 8° Berl., H Steinitz (02). 1 — d
Schachzeitung, deut. Hrsg. v. J Berger u. C Schlechter. 56—60. Jahrg. 1901—5 je 12 Hefte. (384, 392, 388, 888 u. 392 m. Diagr. u. je 1 Bildn.) 8° Lpzg, Veit & Co. Je 9 —;
 einz. Hefte 1 —
— Wiener. Red. v. G Marco. 4—6. Jahrg. 1901—3 je 12 Nrn. ('01. 240 m. Diagr.) 8° Wien, (W Braumüller). Je 7 — || 7. u. 8. Jahrg. 1904 u. 5. Je 8.50
Schack, v.: Der Angriff d. Garde auf St. Privat, s.: Beiheft z. Militär-Wochenbl.
Schack, AF Graf v., s.: Omar Chijam, Strophen.
— Die Plejaden, s.: Handbibliothek, Cotta'sche.
Schack, W: Die Nationalsozialen u. d. neue Liberalismus. Vortr. (42) 8° Hambg, Hanseat. Druck- u. Verl.-Anst. 03. — 50 d
Schack-Schackenburg, H: Das Buch v. d. 2 Wegen d. sel. Toten (Zweiwegeb.). Texte a. d. Pyramidenzeit n. s. im Berliner Museum bewahrten Sargboden d. mittl. Reiches. 1. Thl. Text nebst Einl. (52 m. Fig. u. 12 Taf. in Fol.) 40,5×28,5 cm. Lpzg, JC Hinrichs' V. 03. 48 —
— Aegyptolog. Studien. 5. Heft. Zur Grammatik d. Pyramidentexte II. Die formbild. Elemente d. altägypt. Grammatik. (1. Bd. 199—216) 4° Ebd. 02. 7 —
 (I. Bd vollst. [1., 2. u. 5. Heft]: 16 —; 1—5.: 29 —)
Schad, F: Ein Festbesuch in Pallieri, s.: Palmzweige v. ost-ind. Missionsfelde.
Schad, K: Ges., betr. d. Nachlasswesen v. 9.VIII.'02, nebst d. §§ 86—99 d. Reichsges. üb. d. Angelegenh. d. freiwill. Gerichtsbark. v. 17.V.1898. (34 m. 8° Münch., J Schweitzer V. 04. L. 6 — d
Schade: Anl. z. 1. Hilfeleistg bei äuss. u. inneren Erkrankgn (einschl. d. wichtigsten Vergiftgn) d. Haustiere. (198 m. Abb.) 8° Lpzg, H Dege (05). Kart. 2 — d
Schade, C: Bericht üb. d. in d. J. 1902—04 im Auftr. d. Byggnadsnämnd ausgeführte Vermessg d. Stadt Malmö. (32 m. Fig. u. 3 Taf.) 8° Stockh., (Aktie-Bolaget Nordiska Bokhandeln) 05. 1.75
Schade, G: Der deut. Männergesang. Seine geschichtl. Entwickelg. 1. u. 2. Tl. 8° Cass., G Freysoff 03. 1.75 d
 1. Die deut. Männer-Gesangver. (144) 1 —
 2. I. Das deut. Sängerwesen bis zu d. Meistersängern. II. Die kunstgeschichtl. Entwickelg d. mehrstimm. Männergesanges. (80) — 75
Schade, H: Die elekro-katalyt. Kraft d. Metalle. Eine neu gewonnene experimentelle Grundl. f. d. Erklärg d. Quecksilber-, Silber- u. Eisen-Therapie. (26) 8° Lpzg, FCW Vogel 04. 1 —
Schade, H: Handelwiss. Vorlesgn als Uebergang zu e. Handelshochsch. in Hamburg. (21) 8° Hambg, GW Seitz Nf. (05). — 50 d
Schade, J: Was sich uns. Väter erzählten. Sagen a. d. Brannauer Ländchen. (68) 8° Brannau, F Bockach 03. — 50 d
Schade, M: Arbeit. Roman. (168) 8° Berl., Concordia 04. 3 — d
— Ihre Madonna. Roman. (105) 8° Münch.-Schwab., EW Bonsels 05. 2.40; L. 3.60
— Osterbrief e. Malerin an ihren Freund u. and. Novellen. (197) 8° Berl., Concordia 04. 2.50; L. 3.50
Schade, S., s.: Polizei-Kalender, österr.
Schädel, M: A bisserl was. Gedichte in niederösterr. Mundart. 3. Afl. (111) 8° Wien, C Konegen 05. 1.20; geb. 2 — d
— Eig'nbau. Gedichte in niederösterr. Mundart. (93) 8° Ebd. 06. 1.20; geb. 2 — d
— Fort nachanand! Gedichte in niederösterr. Mundart. (96) 8° Ebd. 02. 1.20; geb. 2 — d
— Funkelnagelneuch! Gedichte in niederösterr. Mundart. (96) 8° Ebd. 04. 1.20; geb. 2 — d
— G'segn's Gott! Gedichte in niederösterr. Mundart. 2. Afl. (99) 8° Ebd. 05. 1.20; geb. 2 — d
— In d. Muttersprach'. Gedichte in niederösterr. Mundart. 2. Afl. (100) 8° Ebd. 02. 1.20 d
— Aus meiner Werkstatt. Gedichte in niederösterr. Mundart. 4. Afl. (96) 8° Ebd. 04. 1.20; geb. 2 — d
Schädel, B: Die Mundart v. Ormea. Beitr. z. Laut- u. Konjugationslehre d. nordwestitalien. Sprachgruppe. Mit Dialektproben, Glossar u. Karte. (138) 8° Halle, M Niemeyer 03. 4 —
— Mundartlisches a. Mallorca. (43) 8° Halle, R Haupt 05. 2 —
Schädel, E: Das Sprechenlernen uns. Kinder. Nach sr Entwicklg dargestellt u. m. pädagog. Ratschlägen. (132) 8° Lpzg, F Brandstetter 05. 1.50 d
Schädelin, W: Gedichte. (97) 8° Bern, A Francke 05. L. 2.50
Schaeder, E: Die Christol. d. Bekenntnisse u. d. moderne Theol., s.: Beiträge z. Förderg christl. Theol.
— Üb. d. Wesen d. Christentums u. s. modernen Darstellg. 2 Vortr. (78) 8° Gütersl., C Bertelsmann 04. 1 —; geb. 1.50 d
Schadl, J: Der Einj.-Freiwill. u. d. Reserveoffizier. 4. Afl. 2. Tl. Präsenzdienst. — Ausbildg. — Reserveoffiziers-Prüfgn. — Prüfgsdokumente u. Berichte. — Aktiviergsmodalitäten. (135 m. 1 Bild.) 8° Graz, Styria 06. 2.50
Schadow, G: Polyclet od. v. d. Maassen d. Menschen n. d. Geschlecht u. Alter. 10. Afl. (31 Taf. m. 5 u. 8 S. Text.) 48×33 cm. Berl., E Wasmuth 05. Kart. 20 —
Schäfenacker, P, s.: Aucassin u. Nicolete.
Schäfer: Bonifacius u. Luther, s.: Wartburghefte.

Schaefer: „Qui ceciderit super lapidem istum, confringetur; super quem vero ceciderit, conteret eum", s.: Flugschriften, kathol., z. Wehr u. Lehr'.
Schaefer: In wie weit schaden mir Alkohol u. Nikotin u. wie befreie ich mich v. deren Folgen? (114) 8° Erf., F Bartholomäus (01). 2 — d
Schaefer: Taf. f. d. Unterr. üb. d. Gewehr 98. Fol. Farbdr. Berl., ES Mittler & S. (01). — 80
Schaefer s.: Rundschau, tierärztl.
Schäfer, A: Einrichtg u. Betrieb e. Gaswerkes, s.: Oldenbourg's techn. Handbibliothek.
Schaefer, A: Kl. deut. Homer. Ilias u. Odyssee im Ausz. Verdeutscht, m. Anmerkgn u. Zusätzen. 5. Afl., in alldeut. Rechtschreibg. (158) 8° Hannov., C Meyer 05. Kart. 1 — d
Schaefer, A: Die Bücher d. neuen Test. erklärt. II. Bd. 2 Abtlgn. 8° Münst., Aschendorff. 8.25 (I—III u. V.: 25.25)
 II, 1. Erklärg d. beiden Briefe Pauli an d. Korinther. 1. Abtlg. Der 1. Brief. (350) 03. 5.25
 II, 2. Dass. 2. Abtlg. Der 2. Brief. (353—533) (02). 3 —
Schäfer, A: Panorama v. Auersberg, s.: Wanderkarte v. Eifenstock.
Schäfer, A: Gesch.-Tab. z. Auswendiglernen. Mit Geschlechtstaf. 80. Afl. v. J Asbach. (71) 8° Lpzg, J Klinkhardt 02. — 60
Schäfer, B: Sehnen u. Frohsinn. Gedichte. (160) 8° Dresd., E Pierson 06. 2 —; geb. 3 — d
Schäfer, B, s.: Kommentar, kurzgef. wiss., zu d. hl. Schriften d. Alten; bezw. Neuen Test.
— Seid Männer! Ein Lehr-, Wehr- u. Gebetb. f. d. kathol. Bräutigam, Mann u. Vater. (400 m. Titelbild.) 16° Kevel., J Thum 02. L. m. G. 2.25 || 2.Afl. (424 m. 1 St.) 05. L. 1.50; Ldr m. G. 2.50 d
— Maria, Pforte d. Himmels. Gebet- u. Andachtsb. z. Trösterin d. Betrübten. 3. Afl. (431 m. Titelbild.) 16° Ebd. 02. L. 1.25 d
— Siehe deine Mutter. Vollständ. Gebetb. f. andächt. Verehrer d. jungfräul. Gottesmutter. 5. Afl. (448 m. Titelbild.) 6,5× 10,5 cm. Ebd. 04. L. m. G. — 80; Ldr 1.20 d
— Im Myrtenkranz! Zum Traualtar! Unterr. u. Andachtsb., f. d. heilt. Braut, Frau u. Mutter. 5. Afl. (488 m. Titelbild.) 16° Ebd. 05. L. 1.80; Ldr m. G. 2.75 d
— Schlüssel z. Pforte d. Paradieses. Andachtsb. f. d. kathol. Volk. 1. u. 2. Afl. (256 m. 1 St.) 16° Ebd. 03.05. Ldr m. G. 2.40 d
— Kühl, Tau f. d. Fegfeuer. Vollständ. Gebetb. zu Hilf u. Trost d. armen Seelen. 2. Afl. (304) 16° Ebd. 02. L. — 75 d
— dass. Ausg. in Grobdr. (464 m. Titelbild.) 16° Ebd. 02. L. 1.25 d
— Ein Vergissmeinnicht im Myrtenkranz. Die schönsten Gebete u. Belehrgn a.: „Im Myrtenkranz!" „Zum Traualtar!" (479 m. Titelbild.) 16° Ebd. (03). Ldr m. G. 1.80 d
Schäfer, C: Bauornamente d. roman. u. goth. Zeit. 2—3. Lfg. (80 Lichtdr. m. 5 S. Text.) 48,5×31 cm. Berl., E Wasmuth 01.03. M. je 20 — (Vollst.: 100 —)
— Denkschrift üb. d. Wiederherstellg d. Meissner Doms. (27) Fol. Meiss., (L Mosche) 02. 1 — d
— Die Abtei Eberbach im M.-A. Aufgenommen u. Baugesch. (104 m. Abb. u. 20 Taf. in Fol.) 4° Berl., E Wasmuth 01. Kart. u. in M. 36 —
— s.: Holzarchitektur, d. Deutschlds v. XIV—XVIII. Jahrh.
— Mauern u. Thore d. alten Nürnberg, s.: Baukunst, d.
— O Stichl: Die .mustergült. Kirchenbauten d. M.-A. in Deutschl. Geometr. u. photograph. Aufnahmen nebst Beisp. d. originalen Bemalg. 3—9. Lfg. (59 Taf. m. Text S. 13—49) Fol. Berl., E Wasmuth (1891-01). In M. je 18 — (Vollst.: 162 —)
Schaefer, C: Elementarb. f. d. französ. Unterr. 3. Afl. (88) 8° Berl., Winckelmann & S. 02. 1 —; geb. 1.40 d
— Lehrg. f. d. französ. Unterr. 4. Afl. I. Tl. (132) 8° Ebd. 05. 1.20; geb. 1.60 d
— Übgsb. z. deut. Sprachlehre, s.: Boeck, M.
Schäfer, CO: Bibl. Gesch. n. Bilder a. d. Kirchengesch. (nebst Geogr. v. Palästina). 24. Afl. (Der Ausg. A 14. Afl.) (266 m. 1 Karte.) 8° Frankf. a/M., M Diesterweg 04. nn — 75; L. nn 1 — d
— dass. 28. Afl. (9. Sep.-Ausg. f. d. Grossh. Sachsen.) (232 m. 1 Karte.) 8° Ebd. 03. Geb. nn 1 — d
— dass. u. Bibelkde. 25. Afl. (4. Sonderausg. f. d. Fürstent. Schwarzburg-Sondersh.) (256 m. 1 Karte.) 8° Ebd. 04. nn — 90 d
— dass. (nebst Geogr. v. Palästina). 28. Afl. Ausg. B. (Mit Anhängen.) (300 m. 2 Kart.) 8° Ebd. 05. 1 —; geb. nn 1.25 d
— dass. 26. Afl. Ausg. C. (Mit Anhängen.) (226 m. 2 Kart.) 8° Ebd. 05. Geb. nn — 90 d
— Gesch. d. christl. Kirche in Lebensbildern. 4. Afl. (105 m. 2 Kart.) 8° Ebd. 04. Geb. nn — 90 d
— Lehrb. f|d. ev. Relig.-Unterr. in sr stufenmäss. Entwicklg. 4. Afl. (Mit Unterr. nut. Klassen. 8. Afl. (104) 8° Ebd. 04. Geb. nn — 85 d
— dass. 2. u. 3. Tl. Ausg. A. Für Real- u. höh. Bürgersch., höh. Mädchensch. u. verwandte Lehranst. 8° Ebd. (03). 2. Lehrb. u. Leitf. f. d. bibl. Unterr. in mittl. Kl. 9. Afl. (245 m. Abb. nn 1.70
 3. Dass. in od. 3. Tl. nn 2.50
— dass. 2. u. 3. Tl. Ausg. B. Für Gymnasien, Real-Gymnasien, Ober-Realsch. u. verwandte Lehranst. 8° Ebd. 05. Geb. nn 4.50 d
 2. Lehrb. u. Leitf. f. d. bibl. Unterr. in unt. u. mittl. Kl. 10. Afl. (206 m. Abb.) 9 Kart.) 2 —
 3. Dass. in od. 3. Tl. (276 m. 2 Kart.) 2.50
— u. A Krebs: Bibl. Leseb. f. d. Schulgebr. I. Aus d. Büchern d. Hl. Schrift Alten Test. n. durchgesch. Ausg. d. deut. Übersetzg Luthers. 7. Afl. (Ausg. A.) II. Aus d. Büchern d. Hl. Schrift Neuen Test. n. d. durchgesch. Ausg. d. deut. Über-

setzg Luthers. 3. Afl. (Ausg. A.) (274 u. 233 m. Ahbh. u. Kart.)
8° Frankf. a/M., M Diesterweg 03.   Geb. nn 1.80 d
Schäfer, CO, u. A Krebs: Bibl. Leseb. f. d. Schulgebr. Aus d.
Büchern d. Hl. Schrift Alten Test. 9. Afl. Der Ausg. B 5. Afl.
(277 m. Abb. u. 3 Kart.) 8° Frankf. a/M., M Diesterweg 04.
         Geb. nn 1 — d
— — dass. 8. Afl. 1. Sonderausg. f. d. Herzogt. Oldenburg.
(Ausg. B m. durchlauf. Zeilensatz.) (282 m. Abb. u. 3 Kart.)
8° Ebd. 03.   Geb. nn 1.20 d
— — dass. 5. Afl. (Sonderabdr. f. d. Grossh. Sachsen.) (Ausg. B
m. durchlauf. Zeilensatz.) (281 m. Abb. u. 3 Kart.) 8° Ebd. 01.
         Geb. nn 1 — d
Schäfer, D, s.: Abhandlungen, Heidelb., z. mittl. u. neueren
Gesch.
— Zur Beurteilg d. Wormser Konkordats. [S.-A.] (95) 8° Berl.,
(G Reimer) 05.   — 50 d
— Bernh. Erdmannsdörffer †. Gedächtnisrede. [S.-A.] (11) 8°
Münch., R Oldenbourg 01.   — 25 d
— Geech. v. Dänemark, s.: Staatengeschichte, allg.
— s.: Grossstadt, d.
— Die Hanse, s.: Monographien z. Weltgesch.
— s.: Hanserecesse.
— Kolonialgesch.. s.: Sammlung Göschen.
— Die agrarii milites d.Widukind. [S.-A.] (9) 8° Berl., (G Reimer)
05.   — 50
— Zu Moltkes Gedächtnis. Rede. (31) 8° Jena, G Fischer 01. — 75 d
— „Selusas" im Strassburger Zollprivileg. v. 831. [S.-A.] (5)
8° Berl., (G Reimer) 05.   — 50
— Die Ungarnschlacht v. 955. [S.-A.] (17) 8° Ebd. 05.   1 —
Schäfer, E: Beitr. z. Gesch. d. span. Protestantismus u. d.
Inquisition im 16. Jahrh. Nach d. Orig.-Akten in Madrid u.
Simancas bearb. 3 Bde. 8° Gütersl., C Bertelsmann 02. 30 —;
geb. 33.50
I. (482) 7 —; geb. 8 — ‖ II. (426) 8 —; geb. 9 — ‖ III. (568) 15 —; geb.
16.50.
— Sevilla u. Valladolid, d. ev. Gemeinden Spaniens im Refor-
mationszeitalter, s.: Schriften d. Ver. f. Reformationsgesch.
Schäfer, EA, s.: Geech. d. deut. Kriegsmarine im 19. Jahrh., s.:
Jahrhundert, d. deut., in Einzelschriften.
Schäfer, EA, s.: Monatsschrift, internat., f. Anatomie u. Physiol.
Schäfer, EK: Anl. zu architekton. Skizzierübgn. 6. Afl. (12 z.
Tl farb. Taf. m. 12 S. Text.) 4° Lpzg, C Scholtze (03). 4.50
Schäfer, F: Der natürl. Fingersatz chromat. Violinfiguren.
(32) 8° Lpzg 02. Berl., H Seemann Nf.   — 50
Schäfer, F: Die Aufg. d. Gesetzgebg hinsichtlich d. Trunk-
süchtigen nebst e. Zusammenstellg besteh. u. vorgeschlag.
Ges. d. Ausl. u. Inl., s.: Grenzfragen, juristisch-psychiatr.
Schäfer, F: Kein Haus ohne Gas! 2. Afl. (48) 16° Münch., R
Oldenbourg 04.   — 18 ‖ 4. Afl. (48) 05. — 20
— Die Wärme- u. Kraftversorg deut. Städte durch Leistcht-
gas. [S.-A.] (18 m. Fig.) Fol. Ebd. 01.   1 —
Schäfer, F: Bismarckliederb. (112) 8° Wolfenb., (Heckner) 04.
         nn — 50 d
— Heimatlieder. (111) 8° Wolfenb., J Zwissler 02.   1.50;
         L. m. G. 2.50 d
— Das Köstlichste. Märchen. Erinnergsbl. an d. Jubelver-
sammlg d. braunschweig. Landes-Lehrer-Ver. in Wolfen-
büttel 1900. (34 u. 10) 8° Ebd. 01.   — 50 d
Schäfer, F: „Der Helgoländer". Eine psycholog. Studie. 2. Afl.
(31) 8° Bremen (Dobben 44), Dr. F Schaefer (05).   — 80 d
Schäfer, F: Zur Methode d. 1. Schreib- u. Leseunterr. (Neu-
bearbeitg d. Schrift üb. d. Leselehrmethoden.) (183) 8° Frankf.
a/M., FB Auffarth 04.   2 — d
— Zur Pädagogik d. 1. Schulj. Vortr. (32) 8° Frankf. a/M.,
Kesselring (01).   — 60 d
Schäfer, F: Die Kunst, im Ausl. Stellg zu finden, s.: Minia-
tur-Bibliothek.
Schäfer, FA: Goethe in Krankh.-Tagen.(53)8°Meiss., L(Mosche)
04.   — 75 d
Schäfer, G: Zusammenstellg v. Frachtsätzen f. d. Beförderg
v. Stein- u. Braunkohlen, Koks u. Brikets a. d. Ruhr-u.
Wurm-Geb. in Wagenladgn v. Stationen d. Eisenb.-Dir.-Bez.
Elberfeld, Essen u. Köln, nebst Zechen-, Frachten- u. Sta-
tions-Vera.(General-Tariff,Kohlen-Frachten.)31.Jahrg.1905.
3 Bde. (1. Bd. 620) 8° Elberf., A Martini & Gr.   30 — ;
         einz. Bde 15 —; Einbde je 1 —
Schäfer, G: Die Philosophie d. Heraklit v. Ephesus u. d. mo-
derne Heraklitforschg. (139) 8° Wien, F Deuticke 02.   4 —
Schäfer, G: Der wilden Frauen Gestühl. Oberhess. Volksro-
man a. d. Zeiten d. deut. Befreiigskriege (1807—14). 2. [Tit.-
Ausg. (544 m. Abb.) 8° Giess., u. Münchow [1898] 05. L. 4.50 d
— Die Hexe v. Biegenheim. Oberhess. Volksroman. 2. [Tit.-
Ausg. (260) 8° Ebd [1898] 05.   — L. 3 — d
— Der letzte Wodanspriester im Odenwald. Roman a. d. Zeit
d. Geheimschreibers Eginhard (9. Jahrh.). 5. Geschichtsbild
a. d. hess. Vergangenheit. (440 m. 2 Abb.) 8° Schotten (04),
Giess., v. Münchow.   L. (3.50) 4.50 d
Schäfer, G: Bibelkde. Die hl. Schriften Alten u. Neuen Test.,
nach Ursprg u. Inhalt dargest. f. Relig.-Lehrer, Seminaristen
u. Präparanden. 3. Afl. (408) 8° Langens., H Beyer & S. 02.
         4 —; geb. 5.20 d
— Kirchengesch. Der Entwicklgsgang d. Kirche Jesu Christi
in Umrissen u. Ausführgn f. Relig.-Lehrer, Seminaristen u.
Präparanden dargest. 3. Afl. (260) 8° Ebd. 04. 2.50; geb. 3.50 d

Schaefer, G: Die sächs. Einkommen- u. Ergänzgssteuer in
Frage u. Antwort. — Rathgeber in Einkommenstenersachen,
s.: Handbibliothek, jurist.
Schäfer, G, s.: Berg- u. Hütten-Kalender.
Schaefer, H: DeutsLeseb. f. höh. Lehranst. — Dass. f. Vorsch.
höh. Lehranst., ..: Kohts, R.
Schäfer, H: Ein Bruchstück altägypt. Annalen. Mit Beitr. v.
L Borchardt u. K Sethe. [S.-A.] (41 m. Abb. u. 2 Taf.) 4° Berl.,
(G Reimer) 02.   Kart. 2.50
— Grab- u. Denksteine d. mittl. Reichs im Museum v. Kairo,
s.: Lange, HO.
— Die äthiop. Königsinschrift d. Berliner Museums. Regiergs-
bericht d. Königs Nastesen, d. Gegners d. Kambyses. neu
hrsg. u. erklärt. (136 m. 1 Abb. u. 4 Taf.) 4° Lpzg, JC Hinrichs' V. 01.   nn 22 —
— Die Lieder e. ägypt. Bauern. Ges. u. übers. (142 m. Abb.)
8° Ebd. 03.   —.—; L. 3 —
— Die Mysterien d. Osiris in Abydos unter König Sesostries III.
s.: Untersuchungen z. Gesch. u. Altertumskde Aegyptens.
— The songs of an Egyptian peasant. Collected and translated into German. Engl. ed by FH Breasted. (24, 148 m. Abb.
8° Lpzg, JC Hinrichs' V. 04.   2.20; L. 3 —
— s.: Urkunden d. ägypt. Altertums.
Schaefer, H: Pfarrkirche u. Stift im deut. M.-A., s.: Abhandlungen, Kirchenrechtl.
Schaefer, HFB: Taschenb. f. Werkführer, Maschinenbauer,
Monteure, Mechaniker, Acetylentechniker, Gasmeister u. Installateure. (178 m. Fig.) 8° Lpzg, O Leiner 05.   Geb. 2 —
Schaefer, J: Das alte u. d. neue Stadttheater in Fürth. Wandergn
durch d. neuere Stadtgesch. v. 1816—1902. (100 m. 4 Taf.) 4°
Fürth, (G Rosenberg) 02.   nn 2 —
Schäfer, J: Dr. Heinr. Brück, Bischof v. Mainz. Skizze s. Lebens
u. literar. Schaffens. [S.-A.] (23 m. 1 Bildnis.) 8° Mainz, Kirch-
heim & Co.   — 30 d
— Joh. Holzammer, Domkapitular u. Geistl. Rat. Regens
d. bischöfl. Priesterseminars. [S.-A.] (16 m. 1 Bildnis.) 8° Ebd.
03.   — 30 d
— Die Parabeln d. Herrn in Homilien erklärt. (564) 8° Freibg
i B., Herder 03.   — ; L. 6 — d
Schaefer, J: Fasciculus precum. (448 m. 1 Farbdr.) 16° Steyl,
Missionsdr. 02.   1. m. G. 2.50
— De imitatione Mariae libri quatuor. Accedunt devotiones et
preces selectae. (480 m. 1 Farbdr.) 16° Ebd. 02. Ldr m. G. 2.70
— Maria, unbefleckt empfangen! Jubiläumsbüchlein. (32, 288
m. Titelbild.) 16° Ebd. 04.   L. — 75 d
— Selbständige Mariä in ihren Tugenden. Nach d. lat. Ausg.
d. S Saler bearb. u. m. d. gewöhnl. Gebeten versehen. (528
m. 1 Farbdr.) 16° Ebd. 1900.   L. 1.50 d
— Tributum quotidianum ad B. M. V. immaculatam dei geni-
tricem. Tägl. Huldigg an d. unbefl. Jungfrau u. Gottesmutter
Mariä. (Lateinisch u. deutsch.) (160 m. Titelbild.) 16° Ebd.
04.   L. — 50 d
Schäfer, JP: Lieder-Concordanz üb. d. Lieder d. Gesangb. f.
d. ev. Kirche im Grossh. Hessen. (308) 8° Friedbg, C Bindernagel 03.   3.50 d
Schäfer, K, s.: Schaefer, C.
Schäfer, K: Die Bachprinzessin. Erzählg a. Alt-Darmstadt u.
d. Mühltale. (94) 8° Darmst., (E Zernin) 05.   nn 1 — d
— Das Klosterkind. Roman a. d. Zeit d. Kreuzzüge. (335 m.
Bildnis.) 8° Darmst, Müller & Rühle (05). 4 —; geb. 5 — d
— s.: Kunst-Ausstellung, nordwestdeut., Oldenburg 1905.
Schäfer, KJ: Das kgl. Hofbräuhaus in München. Dessen Gesch.
u. Entwicklg bis zu sr jetz. Bedeutg, sowie e. histor. Dar-
stellg d. bayer. Brauwesens, anschliessend: e. Schilderg d.
Lebens u. Treibens z. Z. d. Bockbieraussschankes u. d. Syl-
vesterfeier im deut. Hofbräuhaus. Hofbräuhauscarricaturen
v. L Hohlwein. Humorist. Text v. B Rauchenegger. (75) 8°
Münch., E Bösenberg (05).   — 30
— Das rumän. Konkursrecht n. d. Ges. v. 14.III.'02· Dent. Text-
ausg. m. Erläutergn. (215) 8° Dresd., E Pierson 04.   4 —;
         geb. 5 —
— Das Urheberrecht u. d. Verlagsrecht an Werken d. Litt. u.
Tonkunst, s.: Miniatur-Bibliothek.
Schaefer, K: Die Bedeutg d. Schülerbibliotheken u. d. Ver-
wertg derselben z. Lösg d. erziehl. u. unterrichtl. Aufg. d.
Volkssch., s.: Magazin, pädagog.
Schaefer, KH: Gesch. d. Familie Günther. (198 m. Abb., Taf,
Fksms, 21 Taf. u. 1 farb. Stammbaum.) 4° Köln, (J & W Boisserée)
01.   L. nn 30 —
Schäfer, KL: Musikal. Akustik, s.: Sammlung Göschen:
— s.: Handbuch d. Physiol. d. Menschen.
— Die Seele d. Kindes, s.: Preyer, W.
— Tontab., s.: Stumpf, C.
Schaefer, L: Die Gesetzgebg. betr. d. Zwangsvollstreckg in
d. unbewegl. Vermögen, s.: Fischer, O.
Schäfer, L: Frankfurter Heiteradei. Humorist. Allerhand.
Neues u. Altes in frischem Gewand. (72) 8° Frankf. a/M.
(Holzgraben 13), Gebr. Fey 02.   1 —; geb. 1.30 d
Schäfer, L: neue Küche. f. d. bürgerl. u. feine Küche. 3. Afl.
v. J Fischötter. 2—10. Lfg. (49—542) 8° Stuttg., Franckh (01).
         Je — 20 (Vollst.: 2 —; geb. 3 —) d
Schäfer, O: Schulstrafen, s.: Für d. Schule a. d. Schule.
Schaefer, P: Die Ortsschulaufsicht, s.: Abhandlungen, pädagog.

Schäfer, R: Hochtouren in d. Alpen, Spanien, Nordafrika, Kalifornien u. Mexiko. (176 m. Abb. u. 7 Farbdr.) 8° Lpzg, JJ Weber 03. 10 —; geb. 12 — d
Schaefer, RJ: Wilh. Fabricius v. Hilden, s.: Abhandlungen z. Gesch. d. Medicin.
Schäfer, T, s.: Dichterbuch, Frankf.
Schäfer, T: Führer durch Nord-Böhmen m. Eingangstouren durch d. Sächs. Schweiz, d. Erzgebirge u. Lausitzergebirge. 6. Afl. (24, 428 m. Kärtchen u. 1 Karte.) 12° Dresd., CC Meinhold & S. (01). Geb. 3 —
— Führer durch Schandau u. Umgebg. (Neue Afl.) (94 m. Abb., 1 Karte u. 1 Skizze.) 12° Ebd. (01). — 60
— s.: Jugendhain, deut. — Meinhold's Führer durch Dresden.
— Neues Wanderb. durch Sachsen. 1. u. 5. Tl. 12° Dresd., CC Meinhold & S. Kart. 4 —
1. Touristenführer durch d. Sächs. Schweiz n. d. angrenz. Geb. 7. Afl. (332 m. Skizzen, Kärtchen u. 1 Karte.) (02.) 2 —
5. Führer zu Wanderzn im Erzgebirge u. Vogtlande. 2. Afl. (276 m. Kärtchen u. 1 Karte.) (02.) 2 —
Schäfer, T: Lebenskämpfe. Novellen u. Skizzen. (53) 8° Lpzg, Modernes Verl.-Bureau 04. 1 — d
Schäfer, T: Prakt. Christentum. Vortr. a. d. inneren Mission. 4. Folge. (203) 8° Gütersl., C Bertelsmann 01. 2.40
(1—4; 9.60; Einbde je — 60) d
— Im Dienst d. Liebe. Skizzen z. Diakonissensache. 3. Afl. (79) 8° Ebd. 02. 1 —; geb. 1.50 d
— Zur Erinnerg an d. Diakonissen-Einsegng. 3. Afl. (152) 8° Ebd. 04. 1.40; geb. 1.80 d
— s.: Jahrbuch d. Krüppelfürsorge.
— Leitf. d. inneren Mission zunächst f. d. Berufsunterr. in Diakonen- u. Diakonissen-Anst. 4. Afl. (473) 8° Hambg, Agent. d. Rauhen H. 03. 6 —; L. 7 — d
— s.: Monatsschrift f. innere Mission.
— Unsre Schwester. Ein Wort üb. u. f. d. Diakonissensache. (144) 8° Potsd., Stiftgsverl. 03. 1.50; L. 2.20 d
Schäfer, T: Der Weg z. Leben. Ein Jahrg. Predigten üb. d. neue epistol. Perikopenreihe. 10 Lfgn. (543) 8° Lpzg, G Strübig 02. Je — 50; in 1 Bd geb. 6.25 d
Schäfer, W, Lehrb. d. Hauswirtschaft. 5. Afl. v. R Häcker. (292 m. Abb.) 8° Stuttg., E Ulmer 05. Geb. 3.50 d
— Lehrb. d. Milchwirtschaft. 7. Afl. v. H Sieglin. (290 m. Abb.) 8° Ebd. 03. Geb. 3.60 d
Schäfer, W: Bilder f. d. heimatkundl. Anschauungsunterr. in d. Schulen Niedersachsens. Gez. v. HF Hartmann. 1. u. 2. Bild. Je 77×105,5 cm. Farbdr. Mit Text. (Je 8) 8° Harbg, G Elkan (05). Mit L.-Rand u. Ösen je 4 —
1. Ein niedersächs. Bauernhof im Frühling. 2. Im Wald u. auf d. Heide.
Schaefer, W, s.: Sparkasse, d.
Schäfer, W: ABC in Reim u. Bild. (8 Bl. m. farb. Abb.) 4° Reutl., Ensslin & L. (05). — 60 d
auf Pappe. (8 m. farb. Abb.) Geb. 1 — d
— Backe, backe Kuchen. Alte Reime m. neuen Bildern. (9 m. farb. Abb. auf Pappe.) 4° Wes., W Düms (05). Geb. — 80 d
1 —; auf L. 1 — d
— Gute Freunde. Tierbilder. (Mit Erzählgn v. F Goebel.) 2 Sorten. (Je 8 farb. B. u. 4 S. Text auf Pappe.) 8° Ebd. (02). Gob. je — 60 d
— Kindeslust, m. (farb.) Bildern. (7 S. auf Pappe.) 8° Ebd. (09). Geb. — 50 il 12 S. auf Pappe. Geb. — 50
— dass. (6 m. farb. Abb. auf Pappe.) Geb. — 50
— u. F Goebel: Was d. Jahrmarkt bringt. Eine heit. Bilderb. (Billigere Ausg.) (8 S. auf Pappe.) Fol. Ebd. (05). Geb. 1 — d
— u. A Wette: Für uns. Kleinen. (12 m. z. Tl farb. Abb.) 4° Ebd. (03). — 40 d
neue Ausg. (11 m. z. Tl farb. Abb. auf Pappe.) Geb. — 80 d
Schäfer, W: Die Béarnaise. Anekdote. [S.-A.] (32) 16° Berl., Schuster & Loeffler 02. 1 —
— Gottlieb Mangold, d. Mann in d. Käseglocke. (179) 8° Ebd. 01. 3 —; geb. 4 —
Schäfer, W, s.: Jahrbuch d. bild. Kunst.
— Der deut. Künstlerbund †. [S.-A.] (26) 8° Düsseldorf, Verl. d. „Rheinlande" 05. 1 —
— s.: Meister, 100, d. Gegenwart in farb. Wiedergabe. — Steinzeichnungen deut. Maler.
— u. R Klein: Internat. Kunstausstellg Düsseldorf '04- 88 Abb. charakterist. Werke m. Text. [S.-A.] (168) 4° Düsseldf (04). Berl., Fischer & Fr. Geb. 5 —
Schäfer, W: Königin Kristine v. Schweden. Drama. (96 m. 1 Pl.) 8° Zürich (V, Zürichbergst. 15), Pension Pfannebühl, Selbstverl. 02. 3 — d
— Napoleon in Moskau. Drama. (53) 8° Ebd. 05. 1.80 d
— Rembrandt.Schausp.a.d.Künstlerleben Hollands im 17.Jahrh. (75) 8° Ebd. 01. 2.40 d
Schäfers, J: Gesch. d. bischöfl. Priesterseminars zu Paderborn v. Jahre d. Gründg 1777 bis z. J. 1902. Unter Benutzg d. „Chronik d. bischöfl. Priesterseminars" v. A Bieling bearb. (272 m. 6 Taf., 4 Grundrissen u. 1 Pl.) 8° Faderh., Bonifacius-Dr. 02. 3 — d
Schaff, A: Königsberger Abgabenbuch. Die GemeindeabgabenOrdng d. Stadt Königsberg i. Pr. 2. Afl. (72) 8° Königsbg, Hartung 03. — 60 d
— Das Kommunalabgabenges. v. 14.VII.1893 u. d. Ges. weg. Aufhebg direkter Staatssteuern v. 14.VII.1893. 2. Afl. (176 u. 187) 8° Hannov., Helwing 01. 7.50; geb. 8.50 d

Schaff, M: Hdb. f. Proviant-Officiere im Frieden u. im Kriege. (239) 8° Pils. 01. Wien, LW Seidel & S. 4 —
Schaff, E: Ornitholog. Taschenb. f. Jäger u. Jagdfreunde. 2. Afl. (210 m. Abb.) 8° Neud., J Neumann 05. 4 —; L. 5 — d
Schaffer, A: Pfarrer P. Blasius Hanf als Ornitholog. (384 m. 3 Taf. u. 1 Bildnis.) 8° St. Lambr. 04. (Graz, Styria.) 5 —
Schaffer, FX: Cilicia, s.: Petermann's, A, Mitteilgn.
— Die geolog. Ergebnisse e. Reise in Thrakien im Herbste '02- [S.-A.] (15 m. 1 Karte.) 8° Wien, (A Hölder) 04. — 50
— Geol. v. Wien. 1. Tl. (33 m. 1 Karte.) 8° Wien, R Lechner's S. 04. 5 —
— Reisebilder a. Cilicien, s.: Vorträge d. Ver. z. Verbreitg naturwiss. Kenntnisse in Wien.
— Geolog. Studien im südöstl. Kleinasien u. in Nordsyrien. Ausgeführt auf e. Reise im Herbste 1900. [S.-A.] (14 m. Fig.) 8° Wien, (A Hölder) 01. Neue Studien. Ausgeführt im Sommer '01- (15 m. 2 Fig.) 01. Je — 40
Schaffer, H: Kathol. Gesangb. 6. Afl. (230) 16° Bresl., F Goerlich (03). L. — 60 d
Schaffer, K: Moderne Entwürfe f. verschiedene Gewerbe. Zum Gebr. f. d. Unterr. im Freihandzeichnen an gewerbl. Lehranst. (22 farb. Taf. m. 4 S. Text.) 54×38,5 cm. Wien, K Graeser & Co — Lpzg, BG Teubner 04. In M. 20 —
Schaeffer's Handk. d. Thüring. Staaten. 1 : 550,000. 4. Afl. 29,5× 39 cm. Farbdr. Gotha, R Schmidt (03). In Pappendeckel — 25
Schäffer, A: Die städt. höh. Mädchensch. zu Schwelm. 1804-1904. (56) 8° Schwelm, Rekt. Schäffer (04). 1 — d
Schaeffer, A: Die kais. Gemälde-Galerie in Wien. Moderne Meister. Text v. S. 15—18. Lfg. (30 Taf. in Heliogr., nebst illustr. Text S. 157—330) 50,5×39,5 cm. Wien, Hofkunstanst. J Löwy 1900.03. Je 15 — (Vollst.: 270 —)
Schaeffer, E: Nirvana. Dramat. Gedicht. (53) 8° Dresd., E Pierson 01. 1.50 d
Schaeffer, E: Das Florentiner Bildnis. (237 m. Abb.) 8° Münch., Verl.-Anst. F Bruckmann 04. 7 —; in Lieblh.-Bd 9 —
— Botticelli, s.: Kunst, d.
— Anthonis van Dyk, s.: Kunstgeschichte in Einzeldarstellgn.
— Andrea del Sarto, s.: Kunst, d.
Schaeffer, H: Die alten Germanen. Ein fröhl. Sang a. d. Väter Zeit. Mit vielen lust. Bildern v. A Krüger. (123) 8° Berl., A Hofmann & Co. 05. 2 — d
Schaeffer, K: Anschaul. Unterr. im Rechnen. — Fibel. — Rechenbücher, s.: Böhme, A.
Schäffer, O: Atlas u. Grundr. d. gynäkolog. Operationslehre, s.: Lehmann's medizin. Handatlanten.
— Ueb. d. „unterbroch." Fehlgeburt. (Verschied. Formen derselben u. ihre Behandlg.) [S.-A.] (29) 8° Münch., Seitz & Sch. 01. 2 —
— Ursachen u. Verhütg d. Frauenkrankh., s.: Bibliothek d. Gesundheitspflege.
— u. J Trumpp: Mutter u. Kind. Ärztlich-hygien. Ratschläge. 2 Tle in 1 Bde. (123 u. 119 m. Abb. u. 1 Taf.) 8° Stuttg., EH Moritz (05). L. 2 — d
Schaeffer, R: Experimentelle u. krit. Beitr. z. Händedesinfectionsfrage. (110 m. 12 Tab. u. 2 Taf.) 8° Berl., S Karger 02. 3.50
Schäffer, T, s.: Handbuch d. Ingenieurwiss.
Schäffer, W, Rätselsammlg, s.: Brüllow.
Schäffle, AEF: Die agrar. Gefahr. 2. Afl. d. „Gefahren d. Agrarismus f. Deutschl." (40) 8° Berl., F Siemenroth 02. — 50
— Aus meinem Leben. 2 Bde. (256 u. 257 m. 6 Bildnissen u. 1 Briefbeil.) 8° Berl., E Hofmann & Co. 05. HF. 20 — d
— Ein Votum bzgl. d. neuesten Zolltarif. (232) 8° Tüb., H Laupp 01. 3.50 d
— s.: Zeitschrift f. d. ges. Staatswiss.
Schaffner, E: Stefeli. Johanna Spyris „Einer v. Hause Lesa", 2. Tl. (219 m. Abb. u. 4 Vollbildern.) 8° Gotha, FA Perthes (05). L. 3 —
Schaffner, J: Irrfahrten. Roman. 1. u. 2. Afl. (231) 8° Berl., S Fischer 05. geb. an 4 — d
Schaffnit's neue Verkehrsk. d. Rheinl. 1 : 600,000. 4. Afl. Farbdr. 52,5×40,5 cm. Düsseldf, C Schaffnit (02). — 50
— neue Verkehrs-K. v. Westf. u. Hessen-Nassau. [S.-A.] 1 : 600,000. 3. Afl. 47,5×50 cm. Farbdr. Ebd. (05). - — 30
Schaffnit, K: Allerhand Spiess. Gedichte vorablich for Hesse-Darmstädter, awer aach for annero Leit. 2. Bdchn. 6. Afl. (132 m. Bildnis.) 12° Darmst., HL Schlapp (02). L. 1.50 d
Schaffstein's Volksbücher f. d. Jugend. 1—14. Bd. 8° Köln, H & F Schaffstein. Kart. 18 —; Liebhaberausg., 12 Bd —
Cervantes-Saavedra, M de: Leben u. Taten d. scharfsinn. Edlen Don Quijote v. La Mancha. Nach d. Tieckschen Übersetzg f. d. Jugend bearb. v. G Böller. (277) (04.) [1.] 1 —; bezw. 2 —
Cooper, JF: Lederstrumpferzählgn. Für d. reifere Jugend bearb. v. W Spohr. Der Wildtöter. (375) (05.) [13.] 3 —; bezw. 4 — Der letzte d. Mohikaner. (266) (05.) [14.] 3 —; bezw. 4 —
Musäus, JKA: Volksmärchen d. Deutschen. Für d. Jugend durchgesehen u. bzsg. v. H Zeidler. (311). Legenden v. Rübezahl. (96) (05.) [2 u. 3. Tl. (100 u. 91) (05.) [9—11.] Je 1 —; bezw. 2 —
Schafstein, H: Ein kurzweilig Buch v. Till Eulenspiegel, gedruckt im Laute Braunschweig. Aus d. niedersächs. Urtext ausgew. u. neu übers. (96) (04.) [8.] 1 —; bezw. 2 —
Schwab, G: Die schönsten Sagen d. klass. Altertums. (80) (05.) [12.] 1 —; bezw. 9 —
Spohr, W: Die schönsten Märchen a. 1001 Nacht. Nach Weils Uebersetzg a. d. Urtext f. d. Jugend ausgew. u. bearb. 4 Bde. (197, 126, 129 u. 199) (04.05.) [5—8.] Je 1 —; bezw. 2 —
Swift, J: Gullivers Reisen n. Lilliput u. Brobdingnag. Nach F Kotten-

kamps Übersetzg a. d. Engl. durchgesehen u. ausgew. v. H Schafstein.
(121) (04.) [4.] 1 — ; bezw. 2 —
— Weber, E: Neue Märchen f. d. Jugend. Ausgew. a. d. Werken neuerer
deut. Dichter. 2. Aß. (84) (04.) [2.] 1 — ; bezw. 2 —
— Bei 1—7, 9, 10 u. 12 laufet d. Titel noch Schafstein's Volksbb.

Schafheitlin, A : Lyr. Erntegang. Männl. Geistern gewidmet.
(197) 8° Berl., S Rosenbaum 01. 3 — d
— Ausgew. Gedichte. (286) 8° Ebd. 05. 3 — d
— Ginevra. Dramat. Gedicht. (89) 8° Zür., Verl.-Magazin 03.
2 — d
— Die Götterfarce. Ein reichsdeut. Fastnachtstraum. (31) 8°
Ebd. 08. — 50 d
— Johs Hus. Trauersp. (104) 8° Berl., S Rosenbaum 02. 2 — d
— So ward ich. Tagebuchblätter. 3 Bde. (408,368 u.403) 8° Ebd.
03. 12 — d
— Die Titanen. Phantasie. 2. Aß. (59) 8° Ebd. 02. 1 — d

Schafheitlin, P : Ein. Sätze d. elementaren Raumlehre. (19 m.
1 Taf.) 4° Berl., Weidmann 01. 1 —
Schafhirt, nur e., s.: Zehnpfennig-Unterhaltungshefte f. Natio-
nal-Stenogr.
Schafkopfspiel, d., s.: Miniatur-Bibliothek.
Schafstein's Volksbücher f. d. Jugend, s.: Schafstein.
Schafstein, H : Ein kurzweilig Buch v. Till Eulenspiegel, s.:
Schafstein's Volksbb.
Schafter, BOT: Hohe Politik. Krit. Randbemerkgn z. internat.
Leben d. Gegenwart. 2. Aß., unter Berücks. d. Haager Kon-
vention v. 1899. (173) 8° Berl., Herm. Walther 02. 1.50 d
Schahovskoy-Gleboff-Strechneff, Fürstin: 3 russ. Frauenge-
stalten. Übers. v. F Arnold. (127) 8° Hdlbg, O Winter, V.
02. 2 — ; L 3 — d
Schahr, E : Olof. Gedicht in 6 Gesängen. (130) 8° Berl., G Schuhr
(04). 1.50; geb. 2.50
Schaible, C : Standes- u. Berufspflichten d. deut. Offiziers.
5. Aß. (197) 8° Berl., R Eisenschmidt 01. L 3 — d
— Geistige Waffen. Aphorismen-Lexikon. (632) 8° Freibg i/B.,
P Waetzel (01). L 7.50 d
Schaible, E : Der Berliner Stenographentag u. d. Systemrevi-
sion. Bericht d. Voritzenden d. schwäb. Lehrerverbandes,
K Voretzsch in Tübingen, an d. Hand d. aktenmäss. Materials
kritisch beleuchtet. (46) 8° Wolfenb., (Heckner) 02. nn —25
— Leichte Übgsstücke. z. Gebr. in Anfänger- u. Wiederholgs-
kursen, sowie f. Vereinsübgn gem. u. in Stenogr. übertr.
Heft A : Lesestoff. (24) 8° Ebd. (05). nn — 30
— Leichte Übgsstücke. Anfänger zu Haus- u. Vereinsübgn.
Nach Silben abgezählte Übertragen in Lesestoffen in Heft A.
Heft B : Diktierstoff. (32) 8° Ebd. (04). nn — 30
Schaidler, A : Die Blindenfrage im Kgr. Bayern. Mit 2 ver-
gleich. Anh.-Tab. üb. d. Blinden im Deut. Reiche. (144 m.
1 Diagr. u. 1 Karte.) 8° Münch., (R Oldenbourg) 05. 4 — d
Schaik, WCL van : Wellenlehre u. Schall. Deutsch v.H Fenk-
ner. (358 m. Abb.) 8° Braunschw., F Vieweg & S. 02. 8 —; L 9 —
Schaitberger, J : Christenpflicht od. 40 nützl. Lebensregeln z.
Erbaug wahrer Gottseligk., nebst e. Gespräch v. wahren u.
falschen Christentum. Ster.-Ausg. (16) 8° Reutl., Ensslin &
L. (05). — 10 d
— Die gold. Nährkunst d. Kinder Gottes a. d. Lustgarten d.
göttl. Wortes. Ster.-Ausg. (32) 8° Ebd. (05). — 15 d
— Ev. Sendbrief, in welchem 24 nützl. Büchl. enthalten sind.
Geschrieben an d. Landsleute in Salzburg, u. gute Freunde,
um dieselben z. christl. Beständigk. in d. ev. Glaubenslehre
augsburg. Konfession aufzumuntern u. ihr Gewissen zu be-
ruhigen. Nebst e. kurzen Lebenslauf d. Verf. Neu durchgesehen v. e. ev. Geistlichen. Jubiläums-Ausg. (600 m. Titelbild.)
8° Ebd. (05.) HF. 1.80 d
— Sterbeschule d. Kinder Gottes, od. Seelenarznei wider d.
Furcht d. Todes. Ster.-Ausg. (48) 8° Ebd. (05). — 20 d
— Bibl. Trostsprüche v. d. göttl. Wohltaten od. d. ewige Gnaden-
bund m. uns sterbl. Menschen. Ster.-Ausg. (16) 8° Ebd. (05).
— 10 d
Schalek, A, s. a.: Michaely, P.
— Das Fräulein. Novellen. (173) 8° Wien, Wiener Verl. 05.
2 — ; geb. nn 3 — d
— Auf d. Touristendampfer. Novellen. (195) 8° Wien, C Konegen
05. 2.50; geb. 3.50 d
Schalenkamp : Einf. u. erfolgreiche Hanskur f. Lungenkranke.
Mit e. Anh.: Wie soll d. Lungenkranke leben ? (21) 8° Münch.,
Seitz & Sch. (03). — 75
Schalhorn, R : Das Gewerbegericht Berlin, s.: Schulz, M v.
Schalk. Blätter f. deut. Humor. Red.: G Domschke. 24—28. Jahrg.
1901—5 je 52 Nrn. (1001. Nr.1. 12 m. Abb.) 4° Lpzg, A Berg-
mann. Viertelj. 1.90; einz. Nrn — 10 d
Schalk, E : Der Wettkampf d. Völker, m. bes. Bezugnahme auf
Deutschl. u. d. Verein. Staaten v. Nordamerika, s.: Natur
u. Staat.
Schalk, G : Paul Beneke. Ein harter deut. Seevogel. Jung-
deutschl. gewidmet. (133 m. Abb.) 8° Berl., E S Mittler & S.
02. Geb. 4.50 d
— Beowulfs Heldenfahrt, s.: Schulbibliothek Stolze-Schrey.
— Dr. Biedermann u. s. Zögling. Roman in 4 Büchern. 3. Aß.
(407) 8° Braschw., A Graff (05). 2.50; geb. 3.50 d
— Heldenfahrten, s.: Schulbibliothek, deut.
— Deut. Heldensage. Für Jugend u. Volk erzählt. 6. Aß. (488
m. Abb.) 8° Bonn 03. Stuttg., A Kröner. L 5 — d
— Die gr. Heldensage. d. deut. Volkes, s.: Lohmeyer's, J,
vaterländ. Jugendbücherei.

Schalk, G : Röm. Heldensagen, f. d. Jugend bearb. (392 m. Abb.
u. 18 (2 farb.) Bildern.) 8° Berl., Neufeld & H. (04). Geb. 6 — d
— Die Bunte Kuh v. Flandern im Kampf geg. d. Seeräuber-
hauptmann Klaus Störtebeker u. d. Vitalienbrüder. Erzählg
a. d. Zeit d. Hansa f. d. Jugend. (319 m. 10 z. Tl farb. Bil-
dern.) 8° Ebd. (05). Geb. 5 — d
— Die schönsten Märchen. 7. Aß. (304 m. Abb. u. 4 Farbdr.)
8° Ebd. (04). Geb. 3 — d
— Das Märchenbuch. (319 u. 308 m. Abb. u. 9 Farbdr.) 8° Ebd.
(04). Geb. 7.50 d
— Im Märchenlande. 5. Aß. (319 m. Abb. u. 5 Farbdr.) 8° Ebd.
(04). Geb. 3 — d
Schall .: Kalender f. Beamte d. kgl. württemberg. Staats-
Eisenb., L.
Schall, H : Die kgl. Gärten Oberbayerns, s.: Zimmermann. W.
Schall, J : Durchs Feuer u. Trübsal bewährt, s.: Schriften f.
d. deut. Volk.
Schall, M : Die wichtigeren Mineral-Rohstoffe, ihre Gewinng
u. Verwertg. (149) 8° Berl., C Heymann 02. 1.50 ; L 2 — d
Schallehn, CA : Karte d. Zuckerfabriken u. Raffinerien in Ita-
lien. 1 : 2,500,000. 26×21 cm. Farbdr. Mit Text am Rande.
Mgdbg, Verl.-Anst. f. Zuckerindustrie 01. 2 —
— Karte d. span. Zuckerfabriken. 1 : 2,000,000. 53,5×66 cm.
Farbdr. Nebst Text. (4) 8° Ebd. 03. 5 —
— s.: Zabel's Jahr- u. Adressb. d. Zuckerfabriken Europa's.
Schallenfeld, A : Prakt. Anweisg z. Erteilg d. Handarbeits-
Unterr. n. d. Schallenfeldschen Methode. 1., 5. u. 4. Stufe.
Neue Aß. v. M Simon. 8° Frankf. a/M., M Diesterweg. 2.40 d
1. Das Stricken. (Nebst Anh.: Lehrpl. f. d. Unterr. in d. weibl. Hand-
arbeiten.) 10. Aß. (31 m. H.) 04. — 80
2.4. Das Nähen. (Einschl. d. Zeichnen, Stricken, Zuschneiden, Stopfen
u. Ausbessern d. Wäsche.) 9. Aß. (70 m. 7 L.) 05. 1.60
Schallenfeld, E, u. A **Schallenfeld** : Der Handarbeits-Unterr.
in Schulen. Wert, Inhalt, Lehrg. u. Methodik desselben. 10. Aß.
v. M Simon. (79) 8° Frankf. a/M., M Diesterweg 03. 1 —
kart. 1.90 d
Schaller, A : Unterm Weihnachtsstern, s.: Volksschriften, elsäss.
Schallmayer, W : Beitr. zu e. Nationalbiologie. Nebst e. Kritik
d. methodolog. Einwände u. e. Anh. üb. wiss. Kritikerwesen.
(255) 8° Jena, H Costenoble 05. 5 — ; geb. 6 —
— Vererbg u. Auslese im Lebenslauf d. Völker, s.: Natur u.
Staat.
Schalscha-Ehrenfeld, A v.: Die Dilettantenbühne. Sammlg v.
Festspp. f. Klöster u. weltl. Pensionate. 1. Bd. (58) 8° Bresl.
(05). (Lpzg, G v. Schalscha-Ehrenfeld.) 1 — d
Schaltenberg, W : Die im Reg.-Bez. Arnsberg bestch. Polizei-
Verordngn u. d. damit im Zusammenh. steh. gesetzl. Vor-
schriften. 5. Aß. v. G Müller. (796) 8° Arnsbg, FW Becker 02.
L. 7 — d
Schamanek, J : Conversations franç. sur les tableaux d'E Hoel-
zel.— Description des tableaux d'enseignement d'E. Hoelzel,
s.: Hölzel, A.
Schamann, EF: Mähr. Geschichten. (227) 8° Linz (02). Wien,
J Deubler. 2.50; geb. 3.50 d
— Liebe. Volksstück. (135) 8° Wien, Wiener Verl. 01. 2 — d
— Passion. In 4 Akten. (262) 8° Lpzg, J Werner 03. 2 — d
— Ueberwinder! (99) 8° Ebd. 03. 2 — d
Schamberger, JW : Die keram. Praxis. Populäre Anl. z. Er-
zeugg keram. Produete aller Art, unter Berücks. d. einschläg.
Maschinen u. sonst. Hilfsapparate z. Bereitg v. Massen u.
Glasuren, nebst d. erforderl. Brennöfen. (211 m. Abb.) 8° Wien,
A Hartleben 01. 4 — ; geb. 4.80 d
Schams, J : Die Calculation d. Webwaren. (45 m. Abb.) 8° Münchbg
(03). (Hof, R Lion.) 4 — d || 2. Aß. (129 m. Abb.) Zusammen-
stern.) (04.) Kart. 3 — d
Schander, R : Ueb. d. physiol. Wirkg d. Kupfervitriolkalkbrühe.
[S.-A.] (18) 8° Berl., P Parey 04. 2 — d
Schanderl, J : Erdreich. Gedichte. (55) 8° Münch., G Müller 05. 1.50
Schandorph, S : Ausgew. Novellen u. Skizzen. Aus d. Dän. v.
C Bener. (260) 8° Bern, G Grunau 05. 2.80; geb. 3.20
Schandri's, M, berühmtes Regensburger Kochbuch. 46. Aß. v.
B Lang. 8° Regensb. Mit Anh.: I. Die vollständ. Fasten-
küche. (Von A Huber.) II. Die Einmachkunst. (Von A Hu-
ber.) Wohlf. Ausg. (884 m. Abb.) 8° Rgnsbg, A Coppenrath's
V. 05. 2.10; geb. 2.70; L 3 — d
— 260 erprobte Rezepte z. Bereitg v. Weihnachtsbäckereien u.
Kaffee-u. Teegebäck. 4. Aß. (138) 8° Ebd. 05. 1 — ; geb. 1.50 d
Schandthaten frommer Schwestern im Kloster Notre Dame
de Charité in Tours. Bearb. n. d. Ergebnissen d. Untersuchg
v. C Vallier. (64) 8° Lpzg, Leipz. Verl.-Comptoir 02. — 50 d
Schankregulativ f. d. Stadt Leipzig. Gültig v. 1.I.'02. (14)
1° Lpzg, S Schnurpfeil (02). — 50 d
Schanz: Die Stellg d. Geisteskranken in Strafgesetzgebg u.
Strafprozess, s.: Kreuser.
Schanz, A: Üb. d. Bedeutg v. Massage u. Heilgymnastik in d.
Skoliosentherapie, s.: Sammlung klin. Vortr.
— Die stat. Belastgsdeformitäten d. Wirbelsäule m. bes. Be-
rücks. d. sinnll. Skoliose. (210 m. Abb.) 8° Stuttg., F Enke
04. 9 — d
— Fuss u. Schuh. (51 m. Abb.) 8° Ebd. 05. 1.20
Schanz, F (Frau F Soyaux): Ährenlese. Neue Sprüche. 5. Aß.
(96) 8° Bielef., Velhagen & Kl. 05. 1.90 d
— Die Alte, s.: Marnet-Bibliothek.

Schanz, F (Frau F Soyaux): 101 neue Fabeln. Illustr. v. F
Flinzer. 5. Afl. (124) 4° Berl., Globus Verl. (03). Geb. †2.40 d
— Feuerlilie. Erzählg f. Mädchen. (159 m. 4 Bildern.) 8° Stuttg.,
Loewe (01). Geb. 2.50 d
— Heidefriedel. Eine Gesch. f. Kinder. (154 m. 4 Farbdr.) 8°
Ebd. (03). Geb. 3 — d
— Herdfunken. Neue Sprüche u. Sinngedichte. 2. Afl. (104) 8°
Bielef., Velhagen & Kl. 05. 1.20 d
— Mit 16 Jahren. Lust. Mädchengesch. 4. Afl. (233) 8° Lpzg,
O Spamer 05. 3 —; geb. 4 — d
— Intermezzo. Gedichte. (78) 8° Gosl., FA Lattmann (01).
3 —; geb. 4 — d
— s.: Kinder-Glückwünsche. — Kinderlust.
— Komm mit, s.: Mauderer, E.
— Das Komtesschen u. and. Erzählgn f. d. Jugend. 3. Afl. (120
m. 4 Farbdr.) 8° Stuttg., G Weise (03). geb. 4 — d
— s.: Mädchen, junge.
— Maiwuchs. 4 Mädchengesch. 2. Afl. (223) 12° Lpzg, O Spamer
(03). 3 —; geb. 4 — d
— Morgenrot. 4 Mädchengesch. 1. u. 2. [Tit.-]Afl. (276) 12° Ebd.
02.06. 3 —; L. 4 — d
— Mütterchen erzählt. Geschichten f. Kinder. 5. Afl. (104 m.
6 Farbdr.) 8° Stuttg., Loewe (04). Geb. 3 — d
— Schulkindergeschichten. 20 Erzählgn f. Knaben u. Mädchen.
2. Afl. (323 m. 4 Farbdr.) 8° Stuttg., Levy & M. (02). Geb. 4 — d
— Huberta Sollacher. Eine Waldgesch. f. Jung u. Alt. 1—5.
Taus. (358 m. Abb. u. Titelbild.) 8° Berl., Trowitzsch & S.
(03.04). Geb. 5.50 d
— Bunter Strauss. Märchen u. Erzählgn. 2. Afl. (160 m.4 Farbdr.)
8° Berl., Neufeld & H. (04). Geb. 4 — d
— Unter d. Tanne. 16 Erzählgn u. Märchen f. Kinder. 2. Afl.
(261 m. 12 z. Tl farb. Vollbildern.) 8° Stuttg., Levy & M. (04).
Geb. 4 — d
Schanz, F: Die Krankenfürsorge d. Gemeinden. [S.-A.] (8)
8° Lpzg, G Thieme 05. — 80
Schanz, G: 3. Beitrag z. Frage d. Arbeitslosen-Versicherg. u.
Bekämpfg d. Arbeitslosigk. (399) 8° Berl., C Heymann 01.
7 — (1—3.: 17.50)
— s.: Finanz-Archiv.
— Der künstl.Seeweg u. s.wirtschaftl.Bedeutg. (96) 8° Grnnew.-
Berl., A Troschel 04. 2 —
— s.: Wirtschafts- u. Verwaltungsstudien.
Schanz, H: Die vorläuf. Vormundschaft n. Reichsrecht u. d.
Landesrgts. (80) 8° Münch., CH Beck 01. 1.80 d
Schanz, M v., s.: Beiträge z. histor. Syntax d. griech. Sprache.
— Gesch. d. röm. Litt. bis z. Gesetzgebgswerk d. Kaisers Ju-
stinian, s.: Handbuch d. klass. Altertumswiss.
— Die neue Univers. u. d. neue Mittelsch. Festrede. (52) 8°
Würzbg, A Stuber's V. 02. 1 —
Schanz, M: Ägypten u. d. ägypt. Sudan. — Algerien, Tunesien,
Tripolitanien, s.: Geographie, angewandte.
— Nordafrika. 3 Tle in 1 Bde. (192, 246 u. 159) 8° Halle, Ge-
bauer-Schwetschke 05. L —
— Nordafrika—Marokko, s.: Geographie, angewandte.
— Ost- u. Süd-Afrika. (453 m. Abb.) 8° Berl., W Süsserott 02.
10 —; L. 12 — d
— West-Afrika. (415) 8° Ebd. 03. 6 —; L. 7.50 d
Schanz, P v.: Die moderne Apologetik, s.: Broschüren, Frankf.
zeitgemässe.
— Apologie d. Christentums. 1. u. 2. Tl. 3. Afl. 8° Freibg i/B.,
Herder. 16.80; HF. 21 — d
1. Gott u. d. Natur. (792) 08. 8 —; geb. 10 — || 2. Gott u. d. Offenbarg.
(866) 05. 8.80; geb. 11 —
— Die Entwicklgslehre, s.: Vorträge, populär-wiss.
— s.: Quartalschrift, theolog.
Schanz, P: Felice. Verloren u. Gewonnen, s.: Kürschner's, J,
Bücherschatz.
— Geschichten f. Mädchen. 6 Erzählgn. 33—43. Taus. (117 m.
2 Farbdr.) 8° Wes., W Düms (04). Geb. — 75 d
— Kinder u. Tiere. 22 Erzählgn f. Knaben u. Mädchen. (136 m.
Abb. u. Farbdr.) 8° Stuttg., Levy & M. (03). Geb. 2 — d
— Für brave Mädchen. Erzählgn f. Kinder. 7. Afl. (112 m.
6 Farbdr.) 8° Stuttg., Loewe (05). Geb. 2 — d
— Mädchentage. Erzählgn f. d. weibl. Jugend. 5. [Tit.-]Afl.
(260 m. 8 Vollbildern.) 8° Lpzg, O Spamer [1896] 03. 3.50;
geb. 4.50 d
— In d. Pension u. anderes. Erzählgn f. junge Mädchen. 8—
10½ Taus. (192 m. 5 Farbdr.) 8° Wes., W Düms (02). Geb. 2.50 d
Schanze, G: Die Hausaufgaben. (16) 8° Lpzg, A Hahn 02. — 40
Schanze, J: Prakt. Geometrie, s.: Übungsbücher f. Handwer-
ker- u. Fortbildgssch.
— Das Kind in Haus, Schule u. Welt, s.: Göbelbecker, LF.
— Das Rechnen in d. gewerbl. Fortbildgssch. im Anschl. an
d. Gewerbekde. Stufe IV, III u. II. 8° Wittnbg, R Herrosé 05.
nn 1.40 d
IV.III. (96 m. Fig.) nn — 65 || II. (115 m. Fig.) — 75.
— Kurzer prakt. Wegweiser f. d. Unterr. in gewerbl. Fortbildgssch. (215) 8° Ebd. 02. 2.75; geb. 3 — d
— u. T Jaeger: Rechnen (m. d. Wichtigsten a.d. Wechsellehre),
s.: Übgsbücher f. Handwerker- u. Fortbildgssch.
— — dass. 1. u. 2. Heft. (11. Afl. u. folg.) Lösgn. (34) 8° Wittnbg, R Herrosé 02. — 50 d
— u. W Schanze: Leseb. f. städt. u. gewerbl. Fortbildgssch.
(sowie z. Gebr. in Handelssch. u. kaufmänn. Fortbildgssch.).
10. Afl. (560 m. Abb.) 8° Ebd. 05. Geb. nn 2.05 d

Schanze, J, u. A Schmeisser: Warenkde m.d.Notwendigsten a.
d. mechan. u. chem. Technol. im Ausohl. an d. Handelsgeogr.
Für d. Hand d. Schüler in kaufmänn. u. gewerbl. Fortbil-
dgssch. bearb. (130 m.Abb.) 8° Wittnbg, R Herrosé 03. 1.40;
geb. nn 1.65 d
Schanze, O: Beitr. z. Lehre v. d. Patentfähigkeit. [Erweit.
S.-A.] 2 Hefte. (277) 8° Berl., G Siemens 02.04. 5 —
— Das belg. Patentrecht. (95) 8° Lpzg 04. Berl., Dr. W Rothschild. 4 —; HF. 5 —
— Das französ. Patentrecht. (73) 8° Ebd. 03. 4 —; HF. 5 —
— Das schweiz. Patentrecht u. d. zw. d. Deut. Reiche u. d.
Schweiz gelt. patentrechtl. Sonderbestimmgn. (91) 8° Ebd.
03. 4 —; HF. 5 —
— Sammlg industrierechtl. Abhandlgn. I. Bd. 1—4. Heft. 8°
Ebd. 15 —; in 1 L.-Bd 15 —
1. Der Anspruch auf Löschg d. Gebrauchsmusters. (57) 05. 3 —
2. Die Register- u. Rollen-Einschreibgn auf d. Geb. d. Industrierechts.
(96) 05. 3 —
3. Das Schlick'sche Patent (D.R.P. Nr. 80974) u. s. Beurteilgn. (129) 05. 5 —
4. Erfindg u. Erfindgsgegenstand. (81) Berl. 06. 3 —
— Patentrechtl. Untersuchgn. (460) 8° Jena, G Fischer 01. 10 —
Schanzer, PG: Gewalt geht vor Recht od.: Der Fahne treu.
Lebensbild in 1 Akt. Nach e. Idee v. F S. f. d. Bühne be-
arb. 3. Afl. (13) 8° Berl., A Hoffmann (01). (— 50) 1 — d
Schanzer, R: Cabaret u. Varieté. Ein Brettl-Allerlei. (104 m.
Bildnis.) 8° Berl., T Mayhofer Nf. (03). 1.50 d
— 3 Pantomimen, s.: Theater-Bibliothek, bunte.
Schänzli, F: Schweizer Deklamationen u. Vorträge f. gesell.
Kreise. Neue Ausg. (96) 8° Reutl., Ensslin & L. (01). — 50 d
Schaper's Taschenb. f. Studir. d. thierärztl. Hochsch. zu Han-
nover. 1. Jahrg. Studjenj. 1901—2. (67 m. 1 Bildnis u. 1 Pl.)
12° Hannov., M & H Schaper. † — 70
Fortsetzg u. d. T.:
— veterinär-medizin. Taschenb. V. Jahrg. 1905—06. (76 m. 1
Bildn.) 8° Ebd. † — 70
Schaper, G: Magdeburger Liederb. 2 Tle. 8° Mgdbg, (Hein-
richshofen's S.). — 95 d
1. Unter- u. Mittelst. Liedergruppe 1—4. (63 u. 5) (03.) — 85
2. Oberst. Liedergruppe 5 u. 6. (64—150) 05. — 75
Schaper, H, s.: Charité-Annalen.
— Die Krankenpflege im Kriege, s.: Vorträge üb. ärztl. Kriegs-
wiss.
— s.: Vorträge üb. Arbeiterversicherg. — Vorträge üb. Syphilis,
Gonorrhoe usw.
Schaper, K: An d. Grenze. Erzählg. (103) 8° Erf., F Bartholo-
mäus (04). — 60 d
— Die Söhne d. Adlers. Erzählg a. d. Rocky Mountains. (118)
8° Ebd. (04). — 60 d
Schaper, M v., s.: Station, erdmagnet., zu Lübeck.
Schaper, P J: Siehe da, deine Mutter! 8 Marienpredigten. 2. Afl.
(84) 8° Dülm., A Laumann 01. — 75 d
Schapira,A: Erkenntnistheoret.Strömgn d.Gegenwart.Schuppe,
Wundt u. Sigwart als Erkenntnistheoretiker, s.: Studien, Ber-
ner, z. Philosophie.
Schapira, B: Gr. Univ.-Briefstelle, s.: Bermann, M.
Schapiro, A: Sing. Bilder. (73) 8° Dresd., E Pierson 03. 1.50;
geb. 2.50 d
Schapiro, R: Joh. Ludw. Ernst Morgenstern, s.: Studien z.
deut. Kunstgesch.
Schapiro, J: Ihr sollt nicht gleich sein. Biolog. Betrachtg üb.
2 bedeutsame Zeitströmgn. (24) 8° Zür., C Schmidt (05). — 60
Schaepman: Aus d. ewigen Stadt. Reiseskizzen. Aus d. Holl.
v. J Tiesmeyer. (50) 8° Ling., R van Acken 03. — 40 d
Schaeppi: Lassen d. Lehren a. d. Burenkrieg e. Änderg uns.
Infant.-Exerzierreglements wünschenswert erscheinen?, s.:
Militärzeitung, allg. schweiz.
Schaps, G: Das deut. Seerecht. Kommentar z. 4. Buche d. Han-
delsgesetzb. v. 10.V.1897 u. d. seerechtl. Nebengss. (unter
Ausschl.d.Seeversichergsrechts.) Zugl. als Ergänzgv.Staubs
Kommentar z. Handelsgesetzb. 4—8. Lfg. (193—648) 8° Berl.,
J Guttentag 01-05. 9.10 (1—8.: 12.80) d
Schaer, A: Die altdent. Fechter u. Spielleute. (207) 8° Strassbg,
KJ Trübner 04. 5 —
Schär, E: Christian Friedrich Schönlein, s.: Kahlbaum, GWA.
Schär, JF: Handelskorrespondenz u. Wechsellehre in Verbindg
m. d. kaufmänn. Betriebslehre, s.: Maier-Rothschild-Biblio-
thek.
— Musterbuchhaltg f. d. Kleingewerbe, s.: Sammlung Schär-
Langenscheidt.
— Die Pflege d. Handels- u. d. Univ.-Zürich. Antrittsrede.
(29) 8° Zür., Art. Instit. Orell Füssli 01. 1 —
— u. PLangenscheidt: Kaufmänn. Unterr.-Stunden.Vollständ.
Lehrg. d. prakt. Handelswiss. f. d. Selbstunterr. 2 Kurse in
je 21 Lektionen. 8° Berl.-Gr.-Lichterf.-Ost, Dr. P Langen-
scheidt. Je 1 — d
I. Buchhaltg. (840) 03.04. || II. Kontorpraxis. (774) (04.05.)
Schär, O: Die Verstaatlichg d. schweiz. Wasserkräfte. 2. Afl.
Nebst e. Beitrag v. F Münger üb. d. Tätigk. d. schweiz. hydrometr. Bureaus. (272 m. 1 Taf.) 8° Bas., (Helbing & L.) 05. 3 —
Schär, O: Die Behandlg d. krebsart. Erkrankgn m. Röntgen-
strahlen. (72) 8° Bern, (A Francke) 04. 1 —
Schaer, W: Das Erbe d. Stubenrauch. Roman in 2 Büchern.
(447) 8° Gosl., FA Lattmann (05). 4 — d
— Heimatliebe. Geschichten. 2. Afl. (208) 8° Ebd. (01). 2.50;
geb. 3 — d
— Am Herdfeuer. Geschichten. (185) 8° Ebd. (02). L. 3 — d

Schaer, W: Sachsentreue. Geschichten. (168) 8° Gosl., FA Lattmann (01).　　　　　2.50; geb. 3 — d
— Der Schatz im Moor. Erzählg. (185) 8° Ebd. (04). L. 3 — d
Scharapoff, S: 2 Bemerkgn üb. d. russ. Finanzen. (In russ. Sprache.) (95) 12° Berl.-Charittzbg, (F Gottheiner) 01. 1.50
Scharbach, E: Der freudenreiche Rosenkranz, s.: Theater, kleines.
— u. A Wiltberger: Psallite Domino! Sammlg leichter kirchl. Gesänge f. 4stimm. Männerchor. 5. Afl. (119) 8° Cohl., J Schuth 02.　　　　　3 — ; geb. nn 3.50
Schardey, K: Luther. Festsp. f. Schulen u. Vereine. (80) 8° Duisbg, Dietrich & Hermann (03).　　　　　1 — d
Schare, F: Er soll heiraten od. Der Geiz ist d. Wurzel alles Übels, s.: Heidelmann's. A, Theaterbibliothek.
— Das 4. Gebot od. d. Untergang v. St. Pierre. Tragödie. (31) 12° Paderb., Bonifacius-Dr. (03).　　　　　— 45 d
— Am 50. Geburtstag. Lustsp. m. Gesang. (36) 8° Ebd. (04). — 30 d
— Gerettet. — Vom Herzensfreund z. Todfeind, s.: Heidelmann's, A, Theaterbibliothek.
— Ein dienstfreier Nachmittag. Militär. Lustsp. m. Gesang. (32) 8° Paderb., Bonifacius-Dr. 05.　　　　　— 30 d
— Der hl. Potitus od. Getreu bis in d. Tod. Schausp. (a. d. Zeit d. Christenverfolgg unter d. röm. Kaiser Antoninus Pius im J. 154 n. Chr.). (68) 8° Ebd. (05).　　　　　— 50 d
Schärer, J: Arbeitsschulbüchl. — Der weibl. Handarbeits-Unterr, s.: Strickler, S.
Scharf, L: Tschandala-Lieder. (128) 8° Stuttg., A Juncker 05.　　　　　2 —; kart. 3 — d
Scharf, O: Vorturnerstunden in Turnver., sowie Vorturnerhdb. f. d. Riegenturnen. (Auch f. d. Oberkl. höh. Lehranst.) (237 m. Abb.) 8° Berl., Weidmann 05.　　　　　Geb. 3 — d
Scharf, R: Deutsch, s.: Unterrichtswerke (Methode Hittenkofer).
Scharf, T: Die gewerbl. Fortbildgssch. u. d. Leseb. in ihrem Dienste. Begleitwort u. Anl. zu d. Verf. Leseb. f. gewerbl. Unterr.-Anst., nebst e. Lehrpl. f. e. Sklass. Schule m. gemischten Berufen. 2. Afl. (39) 8° Wittnbg, R Herrosé 05.　　　　　— 50 d
— Die gewerbl. Fortbildgssch. zu Magdeburg. (188 m. 1 Taf.) 8° Mgdbg, Creutz 04.　　　　　1.50
— Geschäftsgänge f. d. Buchführgs-Unterr. in kaufmänn. Lehranst. 1. Heft: Kolonialwaren-Grosshandlg, (f. d. Oberst.) bearb. v. M Wendt. (36) 8° Ebd. 05.　　　　　— 30
— Leseb. f. gewerbl. Unterr.-Anst. 4. Afl. (472 m. Abb.) 8° Wittnbg, R Herrosé 05.　　　　　Geb. 1.65 d
— u. A **Haase**: Die einf. Buchführg d. Gewerbetreib. (96) 8° Mgdbg, Creutz 02.　　　　　1 —; L. nn 1.30
— — Geschäfts-Formulare f. d. Unterr. in gewerbl. Fortbildgssch. 1. u. 2. Afl. (80 bezw. 90) 4° Ebd. 01-04.　　　　　— 80
— — dass. f. Meisterkurse. 2. Afl. (88) 8° Ebd, 04.　　　　　1 —
— — Geschäftsgänge f. d. Unterr. in gewerbl. Buchführg. 1—14. u. 16. Heft. 8° Ebd. 02-05.　　　　　2.75
  1. Metallarbeiter. 1. u. 2. Afl. (16) — 15 ‖ 2. Bäcker. (16) — 15 ‖ 3. Fleischer. (20) — 20 ‖ 4. Gastgewerbe. (20) — 20 ‖ 5. Tischler. (20) — 20 ‖ 6. Buchgewerbe. (20) — 20 ‖ 7. Schneider, v. O Fuhlrott. (16) — 15 ‖ 8. Konditor, v. H Förster u. F Pilling. (20) — 20 ‖ 9. Barbier u. Friseur, v. O Gross. (20) — 20 ‖ 10. Sattler, Tapezierer u. Dekorateure, v. F Kiesewitz, Rauch. (16) — 15 ‖ 11. Schuhmacher, v. E Ehrenheim. (20) — 20 ‖ 12. Goldarbeiter, v. R Trinte. (16) — 15 ‖ 13. Maler. (20) — 20 ‖ 14. Maurer. (74) — 20 ‖ 16. Zimmerer. (20) — 20.
  Das 15. Heft ist noch nicht erschienen.
— — Handel u. Wandel. Leseb. f. junge Kaufleute. (555) 8° Wittnbg, R Herrosé 02. ‖ 2. u. 3. Afl. (574) 02.04. — Geb. je 3 — ; Prämienausg. je 4 — d
— — Gewerbl. Rechnen. 2. Tl: Eisen- u. Metallgewerbe. (28 m. Abb.) 8° Mgdbg, Creutz 03.　　　　　Kart. — 80
  Der 1. Tl ist noch nicht erschienen.
Schärf, T: Das gottesdienstl. Jahr d. Juden, s.: Schriften d. Institutum Judaicum in Berlin.
Scharfenberg s.: Albrecht v. Scharfenberg.
Scharfenort, v.: 225 dent. Aufg. f. d. Dolmetscherprüfg in Fremdsprachen. (162) 8° Berl., A Bath 06.　　　　　2 — d
— Französisch behufs Vorbereitg f. militär. Prüfgn. U v. VI, 2 Tle. 8° Ebd. 05.　　　　　5.45 (I—VI.: 15.25)
  V. Petit dictionnaire des difficultés grammaticales. (178) 3.20 ; geb. 3.60
  VI. Uebungsstücke kriegsgeschichtl. Inhalts z. Uebers. a. d. Deut. ins Französ. m. Anmerkgn u. Lösgn behufs Vorbereitg f. d. Aufnahmeprüfg z. Kriegsakad. 2 Tle. (64 u. 83) 2.25 d
  Bd III u. IV bilden : La vie pratique u. L'interprète militaire (im Kat. 1896/1900).
Scharfenorth, A: Elemente e. Theorie u. Technik d. Kunstgesanges. (32 u. 20) 8° Berl., (O Jonasson-Eckermann & Co.) (03).　　　　　3 —
Scharff, V: Der Moselkanal, e. wirtschaftl. u. polit. Notwendigkeit. (32) 8° Trier, (F Lintz) 04.　　　　　1 — d
Scharff, W: Charakteristik d. wichtigsten homöopath. Mittel, welche geg. d. Folgen geschlechtl. Verirrg (Geschlechtsschwäche), wie überhaupt d. Geschlechtsgenusses überhaupt bei beiden Geschlechtern in Frage kommen können. (36) 8° Lpzg, A Strauch 01.　　　　　Kart. 2 — d
— Die Haar-Therapeutik f. d. epidem. Volkskrankh. Haarausfall u. Kahlköpfgk. (15 u. 4) 8° Lpzg, Ficker's V. (03). 1 — d
— Alphabet. Repertorium zu Schüssler's „Abgekürzte Therapie". 3. Afl. (58) 8° Oldnbg, Schulze (05).　　　　　— 80 d
Scharffetter, F: Aus d. Reiches Ostmark, s.: Kattentidt, GL.
Schärfl, J: In d. Kaserne. Ratschläge f. junge Soldaten. (61) 16° Augsbg, (Kranzfelder) 04.　　　　　nn — 15 d
— s.: Soldatenfreund, d.

Schärfl, J: Das Taschenbüchl. d. Soldaten u. d. Veteranen. (343) 16° Augsbg, (Kranzfelder) 04.　　　　　Geb. nn — 40 d
Scharfrichter, d. 11. Münchner Künstlerbrettl. 1. Bd: Dramatisches. 1—10. Taus. (200) 16° Berl., Schuster & Loeffler 01.　　　　　1 — 6 F
— dass. (Musenalmanach.) (41 m. farb. Abb.) 16° Münch., Scharfrichter-Verl. (02).　　　　　— 50
Scharizer, R: Kurzgef. Gesch. d. Bukowiner Linien-Infant.-Regts Erzherzog Eugen Nr. 41. (47 m. 1 Bildnis.) 8° Czernow., H Pardini 01.　　　　　— 40 d
— Lehrb. d. Mineral. u. Geol. f. d. ob. Kl. d. Gymnasien. 5. Afl. (116 m. Abb.) 8° Wien, F Tempsky 04. — Lpzg, G Freytag.　　　　　Geb. 1.90
— dass. f. d. ob. Kl. d. Realsch. 2. Afl. (182 m. Abb. u. 1 Karte.) 8° Ebd. 02.　　　　　Geb. 2.70
Scharke, KO: Die Buch- u. Rechngsführg in öffentl. Sparkassen, kaufmänn. Bilanz, nebst Geschäftsanweisg f. Verwaltgsrat u. Kassenbeamte. (128) 8° Landesh. 04. (Schweidn., G Brieger.)　　　　　2 — d
Scharlach: Koloniale u. polit. Aufsätze u. Reden. Hrsg. v. H v. Poschinger. (118) 8° Berl., ES Mittler & S. 03.　　　　　2.50 d
Scharlach, F, u. L **Haupt**: Fibel (B) f. d. verein. Anschaugs-, Schreib- u. Leseunterr. Neue Bearbeitg v. Steger u. Wohlrabe. 15. Afl. (100 m. Abb.) 8° Halle, H Schroedel 02.
— — dass. Fibel (CI). Ausg. in 2 Tln. 1. Heft. 11. Afl. (56 m. Abb.) 8° Ebd. (03).　　　　　Geb. nn — 42 d
Neue Ausg. s.: Steger.
— — Leseb. f. Bürger- u. Volks-Sch. Unter- u. Oberstufe. Neue Bearbeitg v. Steger u. Wohlrabe. 8° Ebd. 2.30; geb. nn 2.85 d
  Unterst. 11. Afl. (214 u. 24) (04.) — 80; geb. nn 1.05 ‖ Oberst. 7. Afl. (432) (02.) 1.30; geb. nn 1.80.
  Erweit. Ausg. s.: Steger u. Wohlrabe, Leseb. f. Mittelsch.
— — Volksschul-Leseb. Neue Bearbeitg v. Steger u. Wohlrabe. Ausg. in 1 Bde. 9. Afl. (464) 8° Ebd. 04.　　　　　nn 1.25; geb. nn 1.60 d
— — dass. Ausg. in 2 Abtlgn. 1. Abtlg. (3. u. 4. Schulj.) 7. Afl. (184 u. 40) 8° Ebd. (03).　　　　　Geb. nn — 80 d
Scharlau, D: Das Australier-Becken, s.: Abhandlungen u. Berichte d. kgl. zoolog. usw. Museums zu Dresden.
Scharlau, W: Die Brücke. Roman. (306) 8° Berl., E Taendler 04.　　　　　4 — ; geb. 5 — d
— Ebbe u. Flut. 2 Schicksale. (211) 8° Dresd., E Pierson 01.　　　　　3 — ; geb. 4 — d
Scharling, H, s. a.: Nicolai.
— Zur Weihnachtszeit im Pfarrhof zu Nöddebo, s.: Bibliothek d. Gesamtlitt.
— Das Verronnene u. d. Gewonnene. Eine prakt. Abrechng zw. Humanismus u. Christentum. Übers. (n. d. 2. Afl.) v. G Johanns. (98) 8° Bas., Kober 05.　　　　　— 80 ; L. 1.60 d
Scharowsky, C, u. L **Seifert**: Tab. z. Gewichtsberechng v. Walzeisen u. Eisenkonstruktionen. Hauptsächlich verwendbar im Brückenbau, Schiffbau u. Hüttenfache. 5. Afl. (56 m. Fig.) 8° Hag., O Hammerschmidt 04.　　　　　Kart. 3 —
Scharr: Brückenzerstörgn im Rückzugsgefecht einst n. jetzt. [S.-A.] (40 m. Abb.) 8° Berl., ES Mittler & S. 02. — 80 ‖ 2. Afl. (101 m. Abb. u. 1 Karte.) 05. 2.25
— Der Festgskrieg u. d. Pioniertruppe. (41 m. Abb.) 8° Ebd. 04.　　　　　1.20 ‖ 2. Afl. (88 m. Abb. u. 3 Karf.) 05. 2.50
— Die Technik im Zeitalt. d. operativen Tätigk. e. Kavalleriedivision. Applikator. Studie unter Berücks. d. nordamerikan. Sezessionskrieges in Virginien. (71 m. Abb., 1 Skizze u. 1 Pl.) 8° Berl., A Bath 04.　　　　　1.60
Scharrelmann, H: Aus Heimat u. Kindh. u. glückl. Zeit. Geschichten a. d. Stadt Bremen. 1. Bd. 1—4. Taus. (91 m. Abb.) 8° Hambg, J Janssen 03.05.　　　　　Geb. 1.50 d
— Heute u. vor Zeiten. Bilder u. Geschichten. (190) 8° Ebd. 05.　　　　　Geb. 1.50 d
— Im Rahmen d. Alltags. 800 Aufsätze u. Aufsatzthemen f. d. 1.—3. Schulj. 1—4. Taus. (122) 8° Ebd. 05.　　　　　Geb. 1.50 d
— Herzhafter Unterr. Gedanken u. Proben a. e. unmodernen Pädagogik. 1—4. Taus. (200) 8° Hambg, Taus. 159) 8° Ebd. 02.05.　　　　　Geb. je 3 — d
— Weg z. Kraft. Des herzhaften Unterr. 2. Tl. 1—3. Taus. (283) 8° Ebd. 04.05.　　　　　Geb. 4.50 d
Scharrelmann, W, s.: Blätter a. uns. Herrgotts Tagebuch. — Wiederkunft, d., Christi.
Schartenmayer redivivus s.: Krieg, d. südafrikan.
Schartenmayer, PU: Der deut. Krieg 1870—71. Ein Heldengedicht a. d. Nachlass, hrsg. v. e. Freunde d. Verewigten. (Von FT Vischer.) 6. Afl. (92) 8° Münch., CH Beck (04).　　　　　Kart. 1.40 d
Schärtlich, JC, u. R **Lange**: Ev. Choralb. m. Vor- u. Zwischensp. f. d. Orgel od. d. Pianoforte. In Übereinstimmg m. d. Melodienb. f. d. ev. Gesangb. f. d. Prov. Brandenburg bearb. v. O Seidel. 6. Afl. (900) 8° Potsd., A Stein (05). 4.50 ; geb. 5.30 d
Schaertlin, G: Fürsorge f. Arbeitslose, bes. d. Frage e. Versieberg geg. Arbeitslosigk., s.: Fortschritt, soz.
Schasler, M: Ausgew. Sammlg gemeinverständl. Abhandlgn, Studien u. Kritiken a. d. Geb. d. Philosophie u. Ästhetik,

sowie üb. d. verschied. Formen d. allg.-menschl. Weltan-
schag. (350) 8° Jena, B Vopelius 01. 3 — d
Schatteburg, JH: Der Ziegelrohbau in s. verschied. charak-
terist. Erscheingsweisen, als Spiegelbild d. Architektur d.
Neuzeit. (I. Tl: Ohne Formsteine. enth. 39 Bl. —. II. Tl: Mit
Formsteinen, enth. 31 Bl.) (7 S. Text.) Fol. Halle, L Hof-
stetter V. 01. In L.-M. 20 —
Schattenberg, K: Till Eulenspiegel u. d. Eulenspiegelhof in
Kneitlingen. (79 m. 1 Abb. u. 3 Taf.) 8° Brnschw., H Wollermann 06. 1 — d
— Zur Gesch. v. Schliestedt u. Warle. (120 m. Abb. u. Titel-
bild.) 8° Ebd. 03. 1.50 d
Schattenfiguren z. Ausschneiden fürs Schattenspiel. Hrsg. v.
O Robert. II. Serie v. P Widmayer. (16 Taf. m. Text auf d.
Umschl.) Fol. Ravnsbg, O Maier (02). 1.20 (I u. II.: 2.40) d
Schattenfroh, A: Üb. d. Beziehgn v. Toxin u. Antitoxin, s.:
Grassberger, R.
— Üb. Buttersäuregährg. — Die hygien. Einrichtgn Wiens, s.:
Vorträge d. Ver. z. Verbreitg naturwiss. Kenntnisse in Wien.
— Üb. d. Rauschbrandgift, s.: Grassberger, R.
— Moderne Tuberkulosebekämpfg. — Neuere Wassereiniggs-
verfahren, s.: Vorträge d. Ver. z. Verbreitg naturwiss. Kennt-
nisse in Wien.
Schattenmann, F: Kurze Einführg in d. Artikel d. Glaubens
u. d. Lehre I—XXI d. Augsburg. Konfession. (33) 8° Neuendettelsau, Bh. d. Diakonissen-Anst. 02. — 40 d
Schattieren, d., im Zeichenunterr. (v. J Ehlers), s.: Zur Reform d. Zeichenunterr.
Schatz, d., im Brunnen od. d. Entstehg d. Pyrmonter Heilquellen. Märchen v. e. Freundin Pyrmonts (A Güttich). s.A.
(73) 16° Hannov., C Brandes (01). 1.50 d
— d., v. Piburg. Erzählg a. d. Ötztale v. e. Alpenfreunde. (92
m. Abb.) 8° Innsbr., Wagner 05. 1 — d
Schatz: Die griech. Götter u. d. menschl. Missgeburten. Vortr.
(59 m. Abb.) 8° Wiesb., JF Bergmann 01. 2.40
Schatz, A: Der deut. Anteil d. Bist. Trient, s.: Atz, K.
— Kirchl. u. polit. Ereignisse in Tirol unter d. bair. Regierg.
Nach schriftl. Aufzeichngn d. Marteller Frühmessers Josef
Eberhöfer. 2. Afl. (162 m. 1 Bildnis.) 8° Innsbr., Vereins-Bh.
u. Buchdr. 01. 2 — d
— Das Thal Passeier u. s. Bewohner, s.: Weber, B.
Schatzsel, G: Motor-Posten. Technik u. Leistgsfähigk. d. heut.
Selbstfahrersysteme u. deren Verwendbark. im öffentl. Ver-
kehr. (84 m. Abb.) 8° Münch., R Oldenbourg 01. 2 —
Schatzkammer, d., d. bayer. Königshauses. (100 Bl.) 4° Nürnbg,
S Soldan (02). In L.-M. 35 —
Schatzkästlein, e., f. d. christl. Haus. (Von R Neumeister.)
(151) 8° Schöneb., (O Senff) (04). 1.50 d
— moderner Erzähler. Hrsg. v. G Porger. 1. Bd, 1 u. 2. Afl. u.
2. u. 3. Bd. (318, 343 u. 352 m. Bildnissen.) 8° Bielef., Velhagen
& Kl. 04.05. L. je 2.50 d
— geistl., od. Lehren d. Meister d. inneren Lebens. Aus d.
Franz. v. M Fehr. (495) 8° Paderb., F Schöningh 01. 2.20;
Ldr 4 — d
— gold., d. Hausfrau. Prakt. Rezepte f. Haus u. Herd. (32)
16° Nürnbg, Lit. Instit. Stockhausen. — 30
— f. d. lieben Kleinen. Kinderbibliothek. Nr. 1—16. (Je 10)
16° Reutl., R Bardtenschlager (01). In Etui — 60 d
1. Kinderlieder. ‖ 2. Räthsel. ‖ 3. Stammbuchverse. ‖ 4. Die Puppenküche. ‖
5. Anekdoten. ‖ 6. Der kl. Zauberer. ‖ 7. Spiele. ‖ 8. Des Kindes anziehende
lesebuch. ‖ 9. Postkarten-Grüsse. ‖ 10. Sinnsprüche. ‖ 11. Geburts- u. Namenstagswünsche. ‖ 12. Weihnachtslieder. ‖ 13. Was sich schickt. ‖ 14. Briefsteller. ‖ 15. Declamationen. ‖ 16. Der kl. Gratulant.
— d. schönsten Märchen u. Geschichten. (40 m. Abb. u. 3 Farbdr.)
8° Stuttg., W Nitzschke (02). 3 — d
— neues. Erzählgn f. jung u. alt. Ausgew. u. hrsg. v. Prüfgsausschuss f. Jugendschriften d. Ver. ev. Lehrer u. Schulfreunde
zu Elberfeld. 3 Edchn. (109 u. 132) 8° Hilchenb. (02.03). Stuttg.,
T Benzinger. Geb. je — 90 d
— d. guten Rats. Afl. (702 m. Abb.) 8° Stuttg., Union (03).
L. 5 — d
Schatsky, G: Die Grundbuchberichtigg z. Zwecke d. Domicil-
vollstreckg. (67) 8° Bresl., M & H Marcus 02. 2 —
Schätzl, J: Lehrb. d. einf. u. dopp. Buchführg. I. Tl: Auf-
gaben u. Erklärgn. (72) 8° Lpzg, Verl. d. mod. kaufm. Biblio-
thek (01). ‖ II. Tl. Lösgn. (184) (02.) L. je 2.75
Schätzler-Perasini, G, s. u.: René, G.
— Nur keinen Leutnant! s.: Liebhaber-Theater.
Schatzmann, H, s.: Assanierung, d., v. Zürich.
Schaub, F: Der Kampf geg. d. Zinswucher, ungerechten Preis
u. unlaut. Handel im M.-A. Von Karl d. Gr. bis Papst Alexander
III. (218) 8° Freibg i/B., Herder 05. 3 — d
Schaubach, A: Wrtrb. zu Siebelis' Tirocinium poeticum. 11. Afl.
(47) 8° Lpzg, BG Teubner 02. — 80; m. d. Tirocinium
in 1 Bd geb. 1.60
Schaubek's illustr. Briefmarken-Album, hrsg. v. R Senf. 1. Tl:
Marken. 2. Tl: Briefumschläge, Streifbänder, Postkarten,
Kartenbriefe usw. 24. Afl. (548 u. 260 Bl.) 4° Lpzg, CF Lücke
(01). Geb. 19 —; in 2 Bdn 25 —; 31 —; 44 —; in 3 Bdn auf
Velinpap. 57 —; 85 —; auf Karton in 4 Bdn 170 —; 1. Tl allein
(Reformausg.) 15 —; 20 —; 25 —; 35 —; 45 —; 70 — u. 140 —
— dass. (Allg. Quart-Mittel-Ausg.) 2 Tle in 1 Bde. (548 u. 260)
4° Ebd. (01). Geb. 8.50; 9.50; 10.50; 1. Tl allein (Reform-Quart-
Mittel-Ausg.) 7 —; 8 — u. 9 —

Schaubek's illustr. Briefmarken-Album, hrsg. v. R Senf. Nachtr.
Nr. 18 od. 1. Nachtr. z. 23. Afl. Herbst 1900 bis Herbst 01. (44
Bl.) 4° Lpzg, CF Lücke 02. ‖ 19. od. 1. Nachtr. z. 24. Afl.
Herbst 1901 bis Herbst 1902. (40 Bl.) 03. Je 1.50; geb. je 2.50;
Florpostpap. gummiert je 2.50 ‖ 20. od. 1. Nachtr. z. 25. Afl.
Herbst 1902 bis Herbst 1903. (58 Bl.) 04. 2 —; geb. 3 —; Florpostpap. gummiert 3.50 ‖ 21. od. 1. Nachtr. z. 26. Afl. Herbst
1903 bis Herbst 1904. (46 Bl.) 05. 1.50; geb. 2.50; Florpostpap.
gummiert 2.50
— dass. Reform-Ausg. (Je 28 Bl.) 4° Ebd. 02.03. Je 1.50; L. 2.50;
Florpostpap. je 2.50 ‖ 20. Nachtr. (44 Bl.) 04. 2 —; 3 — u. 3.50
‖ 21. Nachtr. (32 Bl.) 05. 1.50; geb. 2.50
— dass. hrsg. u. bearb. v. CF Lücke. Marken-Tl. —. 2. Tl: Briefumschläge, Streifbänder, Postkarten, Kartenbriefe usw. 25.
(Jubiläums-)Afl. (583 u. 272) 4° Ebd. 04. Geb. 19 —; in 2 Bde
25 —; 31 —; 45 —; in 3 Bde auf Velinpap. 57 —; 85 —; auf
Karton, in 5 Bde 170 —; 1. Tl allein (Reformausg.) 15 —;
20 —; 25 —; 35 —; 45 —; 70 — u. 140 —
— dass. 25. (Jubiläums-)Afl. (583 Bl.) 4° Ebd. 02. Geb. in 3 Bde
auf Velin-Pap. 80 —; auf Kart. in 5 Bde 175 —; auf Velin-
Pap. in 5 Bde 100 —; auf Kart. in 8 Bde 240 —
— dass. 27. Afl. (661 u. 293) 8° Ebd. (04). In 2 Bdn 22 — u. 27.50;
33 —; 45 —; in 3 Bdn 30 —; 37.50; 50 — u. 60 —; Permanentausg. m. auswechselbaren Blättern. In 2 Bdn 100 —; 120 —;
in 8 Ldrbdn m. G. auf Kartonpap. 260 —; 1. Tl allein (Reform-
ausg.) 18 —; 22 —; 25 —; 27.50; 32 —; 38 —; 44 — u. 50 —;
Permanentausg. m. auswechselbaren Blättern. Ausg. E in
3 Bdn 75 —; Ausg. A in 3 Bdn m. G. auf Velinpap. 90 —;
Ausg. B in 5 Ldrbdn m. G. auf Kartonpap. 200 —
— dass. (Allg. Quart-Mittel-Ausg.) 2 Tle in 1 Bd. (661 u. 293)
4° Ebd. 05. Geb. 10 — 11 —; 12 —; 1. Tl. allein (Reform-Quart-
Mittel-Ausg.) 8 —; 9 — u. 10 —
Schäublin, JJ: Choräle u. geistl. Gesänge a. alter u. neuer
Zeit. Dreistimmig bearb. 23. Afl. (104) 8° Bas., Helbing & L.
05. Kart. — 60 d
— Gesangbüchlein. Für mittl. u. höh. Lehranst., Familien u.
Ver. II. Bdchn 3- u. 4stimm. meist polyphone Gesänge. 12. Afl.
(256) 8° Ebd. 04. Kart. un 1.40 d
— Erinnergn a. meinem Leben. (169 m. Bildnis.) 8° Ebd. 02.
L. 2.20 d
— Gesanglehre f. Schule u. Haus. 10. Afl. (88) 8° Ebd. 05.
Kart. — 90 d
— Kinderlieder f. Schule u. Haus. 39. Afl. (159) 8° Ebd. 04.
Geb. un — 65 d
— Lieder f. Jung u. Alt. 101. Afl. (320) 8° Ebd. 05. Geb. 1.20 d
Schaubmaier, W: Mein Begleiter. Lehr- u. Gebetbüchl. f. alle
Stände. (156) 16° Rgnsbg, Verl.-Anst. vorm GJ Manz 05. — 60;
Ldr m. G. 1 — d
— Das glückbring. Gebot. (51) 16° Dülm., A Laumann 03. — 20 d
— Gedanken u. Ratschläge f. d. heranwachs. Jugend. 2. Afl.
(55) 16° Münst., Alphonsus-Bh. 03. — 15 d
— Der Soldatenfreund. Begleiter auf d. Wege in d. Kaserne.
(68 m. Titelbild.) 16° Innsbr., F Rauch 05. Kart. — 50 d
— Die Tugend d. Demut. (64) 12° Münst., Alphonsus-Bh. 01. — 35 d
— Weber, wohin? Leitsterne f. d. Leben. (88) 12° Ebd. 01. — 40 d
Schaubühne, die. Hrsg.: S Jacobsohn. 1. Jahrg. Septbr—Dezbr
1905. 17 Nrn. (498) 8° Berl., Oesterheld & Co. Vierteljj. 2.50;
einz. Nrn — 20 d
Schaudig, H: Glaubensfrühling in Steiermark. Ein Bild a. d.
ev. Bewegg Oesterreichs. Vortr. Mit e. Vorwort üb. d. gegen-
wärt. Lage d. Protestanten in Bayern v. Armatus. (48) 8°
Münch., JF Lehmann's V. 02. — 60 d
Schaudinn, F, s.: Archiv f. Protistenkde.
— Coccidia, s.: Leuckart's, R, Sammlg zoolog. Wandtaf.
— s.: Fauna arctica.
— Generations- u. Wirtswechsel bei Trypanosoma u. Spiro-
chaete. (Vorläuf. Mitteilg.) [S.-A.] (43 m. Abb.) 8° Berl., J
Springer 04. 2 —
— Haemosporidia (Blutsporenthiere), s.: Leuckart's R, Sammlg
zoolog. Wandtaf.
Schauenburg's allg. deut. Kommersb. Ursprünglich hrsg. unter
musikal. Red. v. F Silcher u. F Erk. 67. u. 68. Afl. (735 m.
farb. Titelbl. u. 1 Fksm.) 12° Lahr, M Schauenburg (03). un 2.75;
geb. in 25 verschied. Einbdn v. 3.50 bis 5.70 d
Schauenburg u. Hoche: Deut. Leseb. f. d. Oberkl. höh. Schulen.
2 Tle. Bearb. v. H Rinn. 8° Ess., GD Baedeker. Geb. 8.05
‖ 7. Afl. (368) 05. 4.20 ‖ II. 4. Afl. (390) 03. 3.85.
Schauenburg, E, u. F Erk: Schulgesangb. f. höh. Lehranst.
13. Afl. (Für Rheinl. u. Westf.) (88) 8° Altnbg, HA Pierer 05.
Geb. 1 — d
Schauenburg, F: Die Stationen d. hl. Kreuzweges. Gebete u.
Gesänge. Neue Afl, z. Gebr. d. Diöz. Strassburg. (39 m. Abb.)
16° Strassbg, FX Le Roux & Co. (02). — 10; geb. — 20 d
Schauenburg, L: 100 Jahre oldenburg. Kirchengesch. v. Hamel-
mann bis auf Cadovius (1575—1667). 4. Bd. Sitte u. Recht.
(A—E u. 34, 450) 8° Oldnbg, G Stalling's V. 03.
(Vollst.: 36 —) d
Schauer, A: Der Tripper d. Mannes u. s. Folgen. (84) 8° Lpzg,
W Schumann Nf. 03. Geb. 1.50 d
— Das Wichtigste üb. akute Vergiftgn. (92) 8° Ebd. 03. Geb. 1.50 d
— Schwester, E: Blanken Korle ain rechte Vörslag. (112 m. Titel-
bild.) 8° Hermannsbg, Missionshandlg 02. 1.50; L. 2 — d
Schauer, H: Die CPO. u. Jurisdictionsnorm v. 1, VIII. 1895 sammt
Einführgsges. u. d. in Geltg verblieb. bezügl. Ges. u. Ver-

ordngn. 3. Afl. [Neue Ausg.] (Mit e. Nachtr.) (31, 966) 8° Wien, Manz 02. 6 —; geb. 7 —‖ 4. Afl. (994) 05. 5.20; geb. 6 — d
Schauer, H: DieGerichtsorganisations-Ges. u.d. neueGeschäftsordng sammt allen Durchführgsverordngn u. d. bezügl. ält. Ges. u. Verordngn. 2. Afl., bearb. in Gemeinschaft m. R Hoedl. (1158) 8° Wien, Manz 01. 6 —; L. 7 — d
Schauer, L: Vorl. f. d. Fachzeichnen d. Schuhmacher, s.: Gerhart, E.
Schauermann, K: Pflicht u. Liebe, s.: Theater, kleines.
Schaufelbuel, E: Ein modernes Schulhaus. Schulhygien. Studien. (208 m. 18 Taf.) 8° Baden, (Gebr. Doppler) 02. 2 —
Schaufenster, das. Ausgeführte moderne Schaufenster-Anl. u. Ladenfronten, wiedergegeben n. photograph. Aufnahmen v. Entwürfen hervorrag. Architekten u. erläut. durch Beifügg d. Grundriss- u. Schnitzzeichngn. (In 5 Lfgn.) 1. u. 2. Lfg. (Je 12 Lichtdr.) 46,5×37 cm. Düsseldf, F Wolfrum (05).
In M. je 8 —
— das. Illustr. Zeitschrift f. geschäftl. Fortschritt. Chef-Red.: L Carsten, verantwortlich: H Ehrmann. 1. u. 2. Jahrg. Oktbr 1901—Septbr 1903 je 12 Hefte. (1. Jahrg. 436) 4° Berl. (W. 57, Kurfürstenstr. 167), Kaufmänn. Verl. Jährlich nn 9 —; halbj. nn 5 —; einz. Hefte nn 1 —
Fortsetzg s.: *Kaufmann, d. deut.*
Schaufenster-Dekorateur, der. Schriftleitg: L Marcus. 2—4. Jahrg. 1903—5 je 24 Nrn. (1903. Nr. 1. 24 m. Abb.) 4° Hannov., Verl. „Der Schaufenster-Dekorateur". Viertelj. 1.35; einz. Nrn — 25
Schaufenster-Plakat, d. moderne. Schule z. Selbsterlerng d. Lackschrift. Entworfen v. R Kienert. 1. Lfg. (15 Bl.) 4° Berl. (C. 19, Seydelstr. 16), Gust. Förster 02. 2.75
Fortsetzg war nicht zu erhalten.
Schauffelen, E: Meine ind. Reise. (278 m. Abb. u. 1 Karte.) 8° Münch., (Verl.-Anst. F Bruckmann) 04. Geb. nn 15 — d
Schäufelin, H, s.: Leiden, Sterben u. Auferstehung uns. Heilandes Jesu Christi.
Schauffler, T: Ahd. Lit., s.: Sammlung Göschen.
Schau-in's-Land. Allerlei vissierg u. auch geschrieb'ner ding an tag gegeben v. Breisgau-Verein „Schau-in's-Land" zu Freiburg i/B. 29. Jahrlauf. 1902. (144 n. 8 m. Abb. u. 2 farb. Taf.) Fol. Freiburg i/B., Schau-in's Land-Verein. 8 — d
Fortsetzg war nicht zu erhalten.
Schauinsland, H: Beitr. z. Entwicklgsgesch. u. Anatomie d. Wirbeltiere, s.: Zoologica.
Schaukal, R: Das Buch d. Tage u. Träume. 2. Ausg. d. „Tage u. Träume" (1899). (119 m. Bildnis.) 8° Lpzg 02. Berl., H Seemann 01. 3.50
— Wilh. Busch, s.: Dichtang, d.
— Einer, d. s. Frau besucht u. and. Scenen. Dramat. Skizzen. (167) 8° Linz 02. Wien (I, Spiegelg. 7), Statthalt.-Sekr. Dr. Schaukal. 2 —; geb. 3 —
— Ausgew. Gedichte. (118) 8° Lpzg, Insel-Verl. 04. 2 —; geb. 3 —
— Grossmütter. Ein Buch v. Tod u. Leben. Gespräche m. einer Verstorbenen. (229) 8° Stuttg., Deut. Verl.-Anst. 06. 3 —; geb. 4 —
— ETA Hoffmann, s.: Dichtung, d.
— Intérieurs a. d. Leben d. Zwanzigjährigen. (235) 8° Lpzg, CF Tiefenbach, Sep.-Cto (01). (5 —) 3 —
— Mimi Lynx. Novelle. (58) 8° Lpzg, Insel-Verl. 04. 1 —; geb. 2 —
— Pierrot u. Colombine od. Das Lied v. d. Ehe. Ein Reigen Verse. (63) 8° Lpzg 02. Berl., H Seemann Nr. 3 — d
— Von Tod zu Tod u. and. kl. Gesch. (107) 8° Ebd. 02. 3 — d
— Vorabend. Ein Akt in Versen. (51) 8° Ebd. (02). 2 — d
Schaum, K, s.: Zeitschrift f. wiss. Photogr. usw.
Schaum, R, L. E Teichmann: Kraft u. Leben in d. Natur, s.: Dürr's deut. Bibliothek.
Schaumann, G: Beitr. z. Geschichte d. Superoxyde. (39) 8° Freibg i/B., Speyer & K. 01. 1 —
Schaumann, O: Relig. u. relig. Erziehg bei Rousseau, s.: Sammelmappe, pädagog.
Schaumberger's, H, Werke. Volks-Ausg. in 2 Bdn. 8° Wolfenb., J Zwissler 05. Je 3 —; L. je 3 —; in 1 L.-Bd 5 — d
1. Im Hirtenhaus. — Bergheimer Musikantengesch. (480)
2. Sämtl. Werke, m. Biogr., Einl. u. Illustr. Hrsg. v. H Möbius. 4 Bde. (60, 194, 168, 48, 38, 186, 184, 234, 496 u. 491) 8° Lpzg, C Grumbach (05). L. (10 —) 8 —; HF. (15 —) 12 — d
— Der Dorfkrieg, s.: Bücherei, deut.
— Im Hirtenhaus. Eine oberfränk. Dorfgesch. (186 m. 4 Farbdr.) 8° Konst., C Hirsch (05). Geb. 1 — d
— dass. (194 m. 2 Taf.) 8° Lpzg, C Grumbach (05). (1 —) — 75; geb. (1.50) 1 — d
— dass., s.: Bibliothek d. Gesamtlitt. — Universal-Bibliothek.
— Bergheimer Musikantengesch. Heitere Bilder a. d. oberfränk. Volksleben. 2 Bde. 8° Lpzg, C Grumbach (05). Je (1 —) — 75; geb. (1.50) 1 — d
1. Umsingen. — Gesalzene Krapfen. (186 m. 1 Taf.)
2. Glückl. Unglück. — Der Dorfkrieg. (184 m. 1 Taf.)
— Fritz Reinhardt. Erlebnisse u. Erfahrgn e. Schullehrers. Roman. 2 Bde. (496 u. 491 m. 4 Taf.) 8° Ebd. (05). Je (2 —) 1.50; geb. je (2.50) 2 — d
— Umsingen, s.: Bücherei, deut.
— Glückl. Unglück, s.: Verein z. Verbreitg guter Schriften, Basel.
— dass. Gesalzene Krapfen, s.: Bücherei, deut.
— Vater u. Sohn. Eine oberfränk. Dorfgesch. (186 m. 1 Taf.) 8° Lpzg, C Grumbach (05). (1 —) — 75; geb. (1.50) 1 — d

Schaumberger, H: Eine Weihnacht auf d. Lande, s.: Möbius, H, Heinr. schaumberger.
Schaumburg, F: Generalreg., s.: Zentralblatt, botan.
Schaumkell, E: Gesch. d. deut. Kulturgesch.-Schreibg, s.: Preisschriften, gekrönt u. hrsg. v. d. fürstl. Jablonowski'schen Gesellsch. zu Leipzig.
Schaumünzen d. Hauses Hohenzollern. Hrsg. v. d. kgl. Museen zu Berlin. (184 m. Abb. u. 90 Taf. in Licht- u. Farbdr.) Fol. Berl., (A Asher & Co.) 01. (K Asher & Co.) 01. L. 120 —
Schaumweinsteuergesetz v. 9.V.'02 m. d. Ausführgsbestimmgn v. 12.VI.'02. (36) 4° Berl., C Heymann 02. — 80 d
— dass., nebst e. Anh.: Das Abkommen m. Luxemburg. (32) 8° Kreuzn., W Pullig 02. — 50 d
Schaupp, A: Der Halbfranzband m. durchzog. Bünden in sr verschiedenart. Herstellg. (83) 8° Bayr., (Grau) 02. 3 — d
Schauroth, W Frhr v.: Im Rheinbund-Regt d. herzogl. sächs. Kontingente Koburg-Hildburgh.-Gotha-Weimar währ. d. Feldzüge in Tirol, Spanien u. Russland 1809—13. Zusammengest. v. A Frhr v. Schauroth. (293 m. 1 Bildn.) 8° Berl., ES Mittler & S. 05. 4.50; geb. 6 — d
Schauspiel, deut., zu Venedig. Die unheiml. Trauung. Der Dachs auf Lichtmess, s.: Jugend-Bibliothek, stenograph.
Schauspieler, der. Nr.6 u.10—15, 8° Lpzg, A Spitzner's V. Je 1.50 d
Förster, L: Der Kampf um. d. Dfachen. Schwank. (19) (10.) [10.]
Horn, W: Der Burschle als Leutnant. Schwank. (25) (1900.) [6.] ‖ Unter falschem Verdachte. Schwank. (19) (02.) [13.]
Rössing, W: Die Kaisers-Geburtstags-Wurst. Militär. Schwank. (19) (08.) [15.] ‖ Die Regimentsjante od. Kaisers-Geburtstag bei Vater Philipp. Militär. Schwank. 24/(02,) [14.] ‖ Der verkannteSchweigersohn. Schwank. (19) (02,) [11.] ‖ Der Wildblieb. Schwank. (20) (02.) [13.]
Nr., 1—5 u. 7—9 s. u. d. T.: Theaterspieler, d.
Schauspielhaus, d. Münchner. Denkschrift z. Feier d. Eröffng, hrsg. v. Baugesellsch Heilmann & Littmann in München. (25) 8° Münch., (L Werner) 01. 1.50
Schanta, F: Lehrb. d. ges. Gynäkol. Darstellg d. physiolog. Funktionen u. d. Funktionsstörgn d. weibl. Sexualorgane im schwangeren u. nicht schwangeren Zustande. 3. Afl. 1. Tl: Lehrb. d. Geburtshilfe. (23, 692 m. Abb. u. 1 farb. Taf.) 8° Wien, F Deuticke 06. 12 —
— u. F **Kitschmann:** Tabulae gynaecologicae. 29 mehrfarb. auf Pausleinw. gedr. lith. Taf. 81,5×60,5 cm. Mit kurzem erläut. Text. (40) 4° Ebd. 05. In M. 120 —
Schawalter, F: Die Herrlichk. d. ev. Kirche. (116) 8° Braunschg, Heyne'sche Buchdr. 1899. (Nur dir.) 3 — d
— u. **Stengel:** Ansprachen in d. Kindergottesdiensten, s.: Predigten, 3, bei d. 53. Hauptversammlg d. ev. Ver. d. Gustav-Adolf-Stiftg. geb.
Schawerm, P V.: Die Binomialkoëfficienten in Verbindg m. figurierten Zahlen u. arithmet. Reihen höh. Ordng. (Neuer Abdr.) (30) 8° Glogz., C Flemming 01. 1.20
Schdanow, S: 3 Monate Einzelhaft. Eindrücke u. Erinnergn. (In russ. Sprache.) (76) 8° Berl., J Räde 02. 2 —
Schech, P: Die Krankh. d. Kehlkopfes u. d. Luftröhre. Mit Einschl. d. Laryngoskopie u. lokal-therapeut. Technik. 2. Afl. (331 m. Abb.) 8° Wien, F Deuticke 05. 7 —
— Die Krankh. d. Mundhöhle, d. Rachens u. d. Nase. Mit Einschl. d. Rhinoskopie u. d. lokal-therapeut. Technik. 6. Afl. (410 m. Abb.) 8° Ebd. 02.
Schechter, S: Der Chassidim. Studie üb. jüd. Mystik. (100) 8° Berl.-Charlttnbg, Jüd. Verl. 04. 1.50; geb. 2.25
Scheck, R, s.: Kalender f. Strassen- & Wasserbau- u. Cultur-Ingenieure.
Schedae ad floram exsiccatam austro-hungaricam. Opus ab A Kerner creatum cura musei botanici univ. Vindobonensis ed. IX. Auctore C Fritsch. (152) 8° Wien, (W Frick) 02. 2.80
(I—IX. 25.60)
— ad „Kryptogamas exsiccatas", ed. a Museo Palatino Vindobonensi. Auctore A Zahlbruckner. Centuria V—IX. [S.-A.] 8° Wien, A Hölder. 5.80 (I—IX. 12.20)
V.VI.(47) 1900. 2 —‖ VII. (28) 01. 1.20 ‖ VIII. (26) 02. 1.20 ‖ IX. (27) 03. 1.40.
Schede, M, s.: Chirurgie d. Unterleibes.
Schedel, H: Beitr. z. Kenntnis d. Wirkg d. Chlorbariums bes. als Herzmittel. (108 m. Fig. u. 1 farb. Taf.) 8° Stuttg., F Enke 05. 4 —
— Die Strophanthus-Frage, s.: Gilg, E.
Schedlbauer, K: Anl. z. techn. Kopfrechnen. (71) 8° Brünn, C Winiker 05. Geb. 1.40
Scheeben, MJ: Hdb. d. katbol. Dogmatik. IV. Bd. 2. Abth. Von L Atzberger. (459—666) 8° Freibg i/B., Herder 03. 2.80 ‖ 3. Abth. (667—943) 03. 4 — (2. u. 3. Abth. in 1 HF.-Bd 8.55; vollst.: 48 —); geb. 57.50) d
— Die Herrlichk. d. göttl. Gnade. Frei nach E Nieremberg dargest. 7. Afl. v. AM Weiss. (670) 8° Ebd. 03. 3.20; L. 4 — d
Scheel, G: Feiertagsgruß. Lieder u. Gesänge christl. Festes u. christl. Kirchenj. f. Sopran, Alt, Tenor u. Bass. op. 78. (106) 8° Hildburgh., FW Gadow & S. (01). 1 — d
Scheel, K, s.: Azetylen in Wiss. u. Industrie. — Berichte d. deut. physikal. Gesellsch. — Fortschritte, d. d. Physik. — Jahrbuch f. Acetylen u. Carbid. — Kalender u. Wegweiser f. Acetylen-Techniker u. Installateure. — Logarithmentafeln. u. m. 5stell. — Verhandlungen d. physikal. Gesellsch. zu Berlin.
— Wegweiser f. Acetylen-Techniker, s.: Bernát, D.

Scheibe, R: Geolog. Spaziergänge im Thüringer Wald. 1. Heft. [S.-A.] (37 m. Abb.) 8° Jena, G Fischer 02.   — 60
Scheibe, W: Die Heilanzeigen u. Gegenanzeigen d. kgl. bayr. Stahl- u. Moorbades Steben. (31) 8° Hof, R Lion (05).   1 —
Scheibenberg, heimatkundl. Gesch.-Bilder, s.: Grohmann, M, d. Obererzgebirge.
Scheibert, A: Ein Gassenjunge, s.: Grüss Gott.
Scheibert, J: Der Freiheitskampf d. Buren u. d. Gesch. ihres Landes. Suppl.-Bd. 26—40. Heft. (15 Suppl.-Hefte. (472 m. Abb. u. 1 Taf.) 8° Berl., A Schröder (01.02). Je — 30 (Vollst.: 12 —) d
— Allerlei Gedanken u. Bedenken üb. d. Festgsbau u. Festgskrieg, s.: Beiheft z. Militär-Wochenbl.
— Der Krieg v. 1870—71. 40 Hefte. (635 m. Abb. u. 71 [18 farb.] Taf.] 4° Berl., Vaterländ. Verl. 03.04.   Je — 30;
       in 1 Bd geb. 12 — d
— Der Krieg in China, nebst e. Beschreibg d. Sitten, Gebräuche u. Gesch. d. Landes. 11—25. Heft. (1. Bd. 161—400 u. 2. Bd. 161—400 m. Abb.) A Schröder (01).   Je — 30
       (Vollst.: 7.50) d
— Der Krieg zw. Deutschl. u. Frankreich in d. J. 1870/71. 1—20. Taus. (172 m. Abb., 20 Taf. u. 44 Pl.) 4° Lpzg, G Fock V. (03).   L. 8.50 d
— Mit Schwert u. Feder. Erinnergn a. meinem Leben. (344 m. 6 Textskizzen u. 4 L.) 8° Berl., ES Mittler & S. 02.   6 —;
       L. 7 — d
— W **Scheibert** u. F **Scheibert:** Der Rudersport. — Der Segelsport. — Der Wintersport, s.: Bibliothek f. Sport u. Spiel.
Scheible, L: Deut. Jugend, übe Pflanzenschutz, s.: Ludwig, F.
Scheibler, L, u. C **Aldenhoven:** Geseh. d. Kölner Malersch., s.: Publikationen d. Gesellsch. f. rhein. Geschichtskde.
Scheibler, SW: Allg. deut. Kochb. f. alle Stände. 39. Afl. v. L Quaas. (32, 574 m. Abb. u. 4 Farbdr.) 8° Lpzg, CF Amelang 04.   L. 4 — d
Scheibler, WR: Das Heilsystem d. Zukunft. (223 m. Abb. u. Bildnis.) 8° Berl., H Bermühler 1899.   L. 5 —
— dass., begründet in d. Oscillations-(Schwinggs-)Theorie.2.Afl. (92 m. Abb. u. Bildnis.) 8° Berl. (01).   — 50 || 3. Afl. (99 m. Abb.
       u. Bildnis.) 04. 1.20 d
— s.: Heilsystem, d., d. Zukunft.
Scheiblhuber, AC: Beitr. z. Reform d. Gesch.-Unterr. Mit Materialien f. d. Gesch.-Unterr. (308) 8° Straub., C Attenkofer 01.   3.50 d
— Deut. Gesch. Erzählgn. I. M.-A. (226 u. 8) 8° Nürnbg, F Korn 04.   2.50; geb. 3 — d
— Kindl. Gesch.-Unterr. Streitfragen u. Geschichten. (148) 8° Ebd. 05.   1.60; geb. 2 — d
Scheibner, F: Lehrg. d. französ. Sprache, s.: Schöpke, O.
Scheibner, S: Die mechan. Sicherheitsstellwerke im Betriebe d. verein. preussisch-hess. Staatsbahn. 1. Bd. (270 m. Abb.) 8° Berl., (Polyt. Bh. A Seydel) 04.   6 —; geb. nn 6.75
Scheibner, W: Zur Theorie d. Legendre-Jacobi'schen Symbols $\left(\frac{n}{m}\right)$, insbes. üb. 2theil. complexe Zahlen, s.: Abhandlungen d. kgl. sächs. Gesellsch. d. Wiss.
Scheicher, J, s.: Bericht d. niederösterr. Landesausschusses üb. s. Amtswirksamk.
— Der österr. Klerustag. Ein Stück Zeit- u. Kirchengesch. (247) 8° Wien, C Fromme 03.   2 —
Scheichl, F: Die Duldg in Babylonien-Assyrien, Persien u. China. 3 Kulturbilder. (108) 8° Gotha, FA Perthes 02. 1.20 d
— Das Griechentum u. d. Duldg. (88) 8° Ebd. 05.   1.20 d
Scheid, H: Die weise Jungfrau, s.: Doss, A v.
Scheid, K: Chem. Experimentierb. f. Knaben. (204 m. Abb.) 8° Lpzg, BG Teubner 04.   Geb. 3.80 d
— Die Metalle, s.: Aus Natur u. Geisteswelt.
Scheid, N: Edmond Rostands Entwicklgsgang u. s. Beziehg z. deut. Lit. — Schillers Jungfrau v. Orleans. — Die dramat. Schüler-Aufführgn, s.: Broschüren, Prankf. zeitgemässe.
Scheid, R, s.: Avaun.
Scheid, W: Lehr- u. Leseb. f. ländl. Fortbildgssch., s.: Deissmann, K.
Scheidegger, E: Ein Fall v. Carcinom u. Tuberkulose d. gleichen Mamma. (16 m. 2 farb. Taf.) 8° Aar., HR Sauerländer & Co. 04.   — 70
Scheidemantel, H: Ueb. Hügelgräberfunde bei Parsberg (Cherpfalz). 2. Tl. (31 m. 6 Taf.) 4° Nürnbg, (JL Schrag) 02.   3 —
       (1. u. 2.: 6 —) d
Scheidemantel, H: Nicola Perscheids Photogr. in natürl. Farben. (138 m. 4 [1 farb.] Taf.) 4° Lpzg, E Haberland (04). 5 —
Scheider, F: Touristenk. d. Schwarzwaldes, s.: Hodapp, A.
Scheidlin, CE v.: Prakt. Unterweisg in d. Massenkultur d. leb. Fischnährtiere a. d. Wasser- u. Landfauna, s.: Rakus, A.
Scheidt, L: Vögel uns. Heimat. Für Schule u. Haus dargest. 4. Afl. (252 m. Abb. u. 8 Farbdr.) 8° Freibg i/B., Herder 02.   4.50; L. 6 — d
Scheifers, B: On the „Sentiment for nature" in Milton's poetical works. (44) 4° Eisl., (Kuhnt) 01.   1.50
Scheiff, A: Prakt. Hdb. d. bürgerl. Rechts. Lfg 6 a u. b. (26 u. 595—1113) 8° Köln, P Neubner 01.02.   Je 1 —
       (Vollst.: [9.50] 3.50; geb. [11.20] nn 4.50) d
— O **Ballin** u. W **Schmidt:** Die f. d. Kaufmann wichtigsten Rechtsbestimmgn, s.: Kaufmann, d. deut.
Scheiger, K Edle V., s.: Prato, K.

Scheindler, A: Latein. Lese- u. Übgsb., s.: Steiner, J.
— Latein. Schulgrammatik. 4. Afl. v. R Kauer. (240) 8° Wien, F Tempsky 01. || 5. Afl. (238) 03.   Geb., je 2.60 d
— Kl. latein. Sprachlehre f. Deutsche. (64) 8° Wien, F Tempsky.
— Lpzg, G Freytag 03.   Geb. 1.25 d
— Latein. Übgsb. f. d. ob. Kl. d. Gymnasien, s.: Sedlmayer, HS.
— s.: Verhandlungen d. II. Konferenz d. Direktoren d. Mittelsch. im Erzherzogt. Österr. unter d. Enns.
— Wörterverz. zu Homeri Iliadis I—IV (4—ſ). Nach d. Reihenfolge d. Verse geordnet. 4. Afl. (63) 8° Wien, F Tempsky. — Lpzg, G Freytag 03.   — 80
Scheiner, A: Anh., s.: Wolff, J, deut. Leseb.
Scheiner, E: Aufsatzstoffe, s.: Biner, J.
— 30 kurze Gesch.-Bilder, s.: Klemmert, H.
Scheiner, F, s.: Eisenbahn-Güter-Tarif, neuester.
Scheiner, J: Der Bau d. Weltalls, s.: Aus Natur u. Geisteswelt.
— 20553 scheinbare rechtwinkl. Coordinaten v. Sternen bis z. 11. Grösse, nebst genäherten Örtern f. 1900.0, s.: Publikationen d. astrophysikal. Observatoriums zu Potsdam.
— s.: Himmelskarte, photograph.
— u. J **Wilsing:** Untersuchgn an d. Spektren d. helleren Gasnebel, s.: Publikationen d. astrophysikal. Observatoriums zu Potsdam.
Scheinpflug, T: Hinauf gen Jerusalem! 10 Kinderpredigten. (93) 8° Lpzg, KGT Scheffer 05.   L. 1.80 d
Scheithauer, K: Estenografia comercial. (11) 12° Lpzg, K Scheithauer (03).   — 60
— Stenograph. Fibel. (18) 12° Ebd. (03).   — 60
— Stenogr.-Zeitg. Uebgsbl. f. Scheithauers Stenogr. Verantwortlich: K Scheithauer. Jahrg. 1901. 12 Nrn. (Nr. 53. 16) 8° Ebd.   1.80; m. 12 autogr. Beil. (Je 8) 2.40
   Früher u. d. T.: Uebungsblatt f. Scheithauers Stenogr. — Fortsetzg war nicht zu erhalten.
— System d. Schriftkürzg. 3. Afl. (23) 12° Ebd. (03).   1.20 d
Scheiwiler, A: Die Elemente d. Eucharistie in d. ersten 3 Jahrh., s.: Forschungen z. christl. Lit.- u. Dogmengesch.
— Abt Ulrich Rösch, d. 2. Gründer d. Klosters St. Gallen 1463—91. (71 m. 2 farb. Taf.) 4° St. Gall., Fehr 03.   2 —
Scheible, FJ: Das Enteignggses. f. d. Kgr. Sachsen, s.: Handbibliotek, jurist.
— s.: Enteignggses. f. d. Kgr. Sachsen, d.
Schelcher, W: Das Enteignggses. f. d. Kgr. Sachsen, s.: Handbibliotek, jurist.
— s.: Forderungspfändg u. Zeitschrift f. Praxis u. Gesetzgebg d. Verwaltg.
Schelenz, H: Gesch. d. Pharmazie. (935) 8° Berl., J Springer 04.   20 —; HF 22.50
Scheler, M, s.: Kantstudien.
Scheler, S: Gedanken u. Bilder. (27) 8° Augsbg, Lampart & Co. (01).   1 — d
— Spielmann's Frühlingsfahrt. (31) 12° Münch., T Ackermann 02.   1 — d
Schelhasse, F: Geschichtl. Nachrichten üb. Pfarre u. Kloster Benninghausen. (184 m. 1 Taf. u. 1 Karte.) 8° Faderb. 03. Benninghausen (Wastf.), Kapl. Schelhasse.   nn 2.20 d
Schelichowskaja, WP: HP Blavatsky, ihr Leben u. ihr Wirken. Aus d. Russ. v. A v. Schäfer. (78 m. 8 Bildn.) 8° Schweidn., Theosoph. Verl. P Frömsdorf 05.   1.50; geb. 2.50
Scheliha, Frau D v., s.: Spätigen, D Freiin v.
Schell, A: Die Bestimmg d. opt. Konstanten e. zentrierten sphär. Systems m. d. Präzisionsfokometer. [S.-A.] (34 m. Fig.) 8° Wien, (A Hölder) 03.   — 80
— Die stereophotogrammetr. Bestimmg d. Lage e. Punktes d. Raumes. (37 m. 3 Taf.) 8° Wien, LW Seidel & S. 04.   1.60
— Konstruktion u. Betrachtg stereoskop. Halbbilder. [S.-A.] (31 m. Fig.) 8° Wien, (A Hölder) 03.   — 80
— Das Präzisionsnivellierinstrument. [S.-A.] (35 m. Fig.) 8° Ebd. 03.   1 —
— Photogrammetr. Stereoskopapparat. (20 m. Abb.) 8° Wien, LW Seidel & S. 04.   1 — d
— Das Universalstereoskop. [S.-A.] (25 m. Fig.) 8° Wien, (A Hölder) 03.   — 80
Schell, H: Apol. d. Christentums. 1. u. 2. Bd. 8° Paderb., F Schöning.   12.80; Einbde je nn 1.30
   1. Relig. u. Offenbarg. 1. u. 2. Afl. (78, 464 bezw. 36, 462) 01.02.   6.40
   2. Jahwe u. Christus. (517) 05.   7.40
— Die kulturgeschichtl. Bedeutg d. gr. Weltreligionen. (28) 8° Münch., St. Bernhards-Verl. 05.   — 80
— Das Christenthum Christi (im Harnacks Wesen d. Christentums), s.: Renaissance-Broschüren.
— Christus. Das Evangelium u. s. weltgeschichtl. Bedeutg. 1—10. Taus. (Weltgesch. in Karakterbildern.) (156 m. Abb.) 8° Mainz, Kirchheim & Co. 03.   L. 4 — d
— Der Gottesglaube u. d. naturwiss. Welterkenntnis. Krit. Entgegng auf A Ladenburg's Vortr. 1—3. Afl. (32) 8° Bambg, Schmidt 04.   — 50 d
Schell, O: Die Denkmäler d. Stadt Elberfeld. — Krit. Elberf., A Martini & Gr. 04.   — 50 d
— Neue berg. Sagen. (160) 8° Ebd. 05.   2 —; geb. 2.50
   (u. H.: 6.50; geb. 8.50) d
Schellander, I v.: Tannenbruch. Gedichte. (156 m. Bildnis.) 8° Dresd., E Pierson 02.   2 —; geb. 3 — d
Schellauf, F: Der Weg z. Glauben. (96) 8° Graz, Styria 05. 1.20 d
Schellauf, H: Weihnachtszauber, s.: Frodl, C.

       157*

Schellberg, W: Untersuchg d. Märchens „Gockel, Hinkel u. Gackeleia" u. d. „Tageb. d. Ahnfrau" v. Clemens Brentano. (96) 8º Münst. 03. (Ess., H Voß.) 2.40
Schelle, E: Hdb. d. Laubholz-Benenng, s.: Beissner, L.
— Wrtrb. d. botan. Kunstsprache, s.: Salomon, K.
Schelle, H: Grammatik d. deut. Sprache f. Ausländer. (272) 8º Lpzg, Renger 03. 3.50; geb. 4 — d
Schellen, A: Der Handwerker, s.: Gehrig, H.
Schellen's, H, Aufg. z. Gebr. beim Rechenunterr. Ausg. A in 2 Tln f. höh. Lehranst., Seminarien u. and. Schulen ähnl. Richtg. I. Tl. 29. Afl. v. H Lemkes. (284 u. 37 m. Fig.) 8º Münst., Coppenrath 01. Geb. 2.40 || 30. Afl. (261 u. 37 m. Fig.) 02. Geb. 2.50 d
— dass. Ausg. B in 1 Tle f. Realsch., Mittelsch. u. and. Lehranst. ähnl. Richtg. 5. Afl. v. H Lemkes. (277 m. Fig.) 8º Ebd. 04. Geb. 2.50 d
— Materialien. Hdb. f. Lehrer z. Gebr. beim Rechenunterr. Ausg. A in 2 Tln f. höh. Lehranst., Seminarien u. and. Schulen ähnl. Richtg. I. Tl. 15. Afl. v. H Lemkes. (326 u. 38 m. Fig.) 8º Ebd. 02. Geb. 4.50 d
— dass. Ausg. B in 1 Tle f. Realsch., Mittelsch. u. and. Lehranst. ähnl. Richtg 2. Afl. v. H Lemkes. (302) 8º Ebd. 04. Geb. 4.50 d
Schellenberg, A: Neues Rezeptb. f. Delikatesswaren-, Kolonialwaren-, Materialwaren-, Viktualien- u. Drogenhandlg sowie f. d. Hausgebr. 5. Afl. (130) 8º Lpzg, BF Voigt 03. 2 — d
Schellenberg, EL: Gedichte. (48) 12º Berl., Concordia 02. 1 —; geb. 1.50 d
— Aus Leben u. Einsamkeit. Gedichte. (94) 8º Lpzg, Modernes Verl.-Bureau 05. 2 — d
Schellenberg, G: Wie erhält man sich gesund u. erwerbsfähig?, s.: Kalle, F.
Schellenberg, H: Die Behandlg d. schweiz. Weine. (159 m. 1 Tab.) 8º Frauenf., Huber & Co. 05. L. 3.40 d
Schellenberg, HC: Landw. Verhältnistaf. 1901—3. (36, 36 u. 38) 8º Frauenf., Huber & Co. (01-03). Je — 55 d
— Bürki, A Näf: Düngerlehre. 1. u. 2. Afl. (124 bezw. 129) 8º Aar., E Wirz 04.06. L. 1.80 d
Schellenberg, JR: Handschriftl. Nachlass, s.: Neujahrsblatt d. Stadtbibliothek Winterthur.
Schellenberg, P, s.: Kongress, d. 14., d. deut. Schachbundes.
— Dresdner Schach-Kalender 1901. Eine heit. Festschrift z. Feier d. 25jähr. Bestehens d. Dresdner Schachver. (45 u. Mo. sikbeil. 4 m. Diagr. u. 1 Bildnis.) 12º Dresd. 01. Lpzg, G Schönfeld.) 1.50 d
— Der moderne Schach-Knigge. Lehr- u. Anstandsb. f. gr. Schächer u. kl. Schäker, aber nicht v. J Stettenheim. (48) 8º Dresd. 04. (Lpzg, Veit & Co.) Geb. 1.50 d
Schellenberger, G: Eisenbeton-Tab. f. Platten u. Unterzüge. (62) 4º Berl., Tonindustrie-Zeitg 05. L. 10 —
Schellenberger, O: Des Landwirtes Naturwiss. Lehrb. d. Chemie, Physik, Mineral., Botanik, Zool. u. Wittergskde. 2. Afl. (334 m. Abb.) 8º Lpzg, H Voigt 06. L. 4 — d
Scheller, A: Catalog v. 344 Sternen, s.: Schorr, R.
Scheller, A: Die pädagog. Bedeutg d. Lehr. Erklärg d. 1. Hauptstückes. (34) 8º Lpzg, G Strübig 05. — 50 d
— Die Beeinflussg d. Seele in Predigt u. Unterr. Untersuchg üb. Motive u. Quietive. (121) 8º Ebd. 03. 1.50; geb. 2 — d
Scheller, E: Naturgeschichtl. Lehrausflüge (Exkursionen), s.: Magazin, pädagog.
— Theorie u. Praxis d. Volksschulunterr., s.: Rein, W.
Scheller, F: Lehr- u. Leseb. d. Gabelsb.'schen Stenogr. 10. Afl. (98, 53 u. 77 m. 1 Bildnis.) 8º Wien, (H Kirsch) 03. Kart. zu 3 — || 11. Afl. (98, 52 u. 78 m. 1 Bildnis.) 05. Kart. 3.80; Schlüssel zu d. Übgn. (18) 03. nn — 45
Schellhas, P: Die Göttergestalten d. Mayahandschriften. 2. Afl. (52 m. Abb. u. 1 Taf.) 8º Berl., A Asher & Co. 04. 3 —
Schellhas, P: Die Konkurssachen in d. gerichtl. Praxis, s.: Hilfsbücher f. d. gerichtl. Praxis.
Schellhass, K, s.: Akten z. Reformtätigk. Felician Ninguarda's.
— Der Franziskaner-Observant Michael Alvarez u. s. Ordensklöster in d. Provv. v. Öster., Strassburg, Böhmen u. Ungarn im J. 1579. [S.-A.] (14) 8º Rom, Loescher & Co. 03. nn — 80
— Die Deutschordenscommende zu Padua u. d. Jesuiten. Beitrag z. Gesch. d. Deutschordens in d. J. 1511—75. [S.-A.] (32) 8º Ebd. 04. nn 1.20
— Zur Lebensgesch. d. Laurentius Albertus. [S.-A.] (24) 8º Ebd. 05. nn 1.20
— s.: Nuntiaturberichte a. Deutschl.
Schellhorn, F: Die besten Geburts- u. Namenstagswünsche f. kl. u. grössere Kinder. 2. Afl. (80) 8º Lpzg, Ernst (05). — 50 d
— Auserlesene Gratulationsgedichte. 2. Afl. (200) 8º Ebd. 05. 1.50 d
— Die besten Polterabend- u. Hochzeitswünsche f. kl. u. grössere Kinder. 2. Afl. (64) 8º Ebd. (05). — 50 d
Schellhorn, R: Chrestomathie a. röm. Dichtern, s.: Franke, F.
Schelling's Münch. Vorlesgn „Zur Gesch. d. neueren Philosophie u. Darstellg d. philosoph. Empirismus", s.: Bibliothek, philosoph.
Schelling, H v.: Was muss man v. d. griech. Gesch. wissen? (72) 8º Berl., H Steinitz (03). 1 — d
— Was muss man v. d. röm. Gesch. wissen? (72) 8º Ebd. (03). 1 — d
— Was muss man v. Rich. Wagner u. s. Tondramen wissen? (80) 8º Ebd. (03). 1 — d

Schelling, H v.: Die Odyssee, nachgebildet in 8zeil. jamb. Strophen. 2. Afl. (512) 8º Münch., R Oldenbourg 05. 4.50 d
Schellingen, O: Der Georgsritter. (96) 8º Dresd., E Pierson 05. 3 —; geb. 3 —
Schellmann: Die Versicherg u. d. Invalidenversicherugges. unter bes. Berücks. d. freiwill. Versicherg, s.: Veröffentlichungen d. Landw.-Kammer f. d. Rheinprov.
Schellnegger, K: Weihnachtslieder. 3. Afl. m. Melodien. (108) 16º Graz, U Moser 04. — 50 d
Schellwien, E: Geolog. Bilder v. d. samländ. Küste. [S.-A.] (48 m. Abb.) 8º Königsbg, W Koch 05. 2.50
— Üb. Semionotus Ag. [S.-A.] (33 m. Abb. u. 3 Taf.) 4º Ebd. 01. 4 —
— Trias, Perm u. Carbon in China. [S.-A.] (22 m. 1 Profil u. 1 Taf.) 4º Ebd. 02. 1.50 d
Schellwien, J: Die Erlebensfallversicherg. (87) 8º Halle, CA Kaemmerer & Co. 05. 1.50
Schelmenbücher, altind. I u. II. Deutsch v. JJ Meyer. 8º Berl., K Singer & Co. Je 6 —; geb. je 7 —
Dámodaragupta's Kuttanimatam (Lehren e. Kupplerin). (156) Lpzg (05).[II.] Kscmendra's Samayamātrikā. (Das Zauberb. d. Hetären.) (58, 108) Lpzg (03). [I.]
Schelmennovellen, roman., deutsch v. J Ulrich, s.: Meistererzähler, roman.
Schelmenroman, d., vom Lazarillo. Neue Ausg. v. W Lauser. (119) 12º Lpzg (02). Berl., H Seemann Nf. 1 —; geb. 2 — d
Schelmstück, Vertellt v. Vagel Strauss. (92) 8º Berl., W Süsserott 01. 1 —; geb. 1.50 d
Schelper, R: Xenien, Ein Scherflein z. Schillerfestjahr. (30) 8º Lpzg, R Maeder (05). — 50 d
Schema e. Korrektur. (1 Bl.) Fol. Zür., Zürcher & F. (02). — 20
Schemann, L: Meine Erinnergn an Rich. Wagner. (86) 8º Stuttg., F Frommann 02. 1.50 d
Schemata zu Temperatur-, Puls- u. Respirations-Kurven v. Tieren. (25 Bl.) 8º Hannov., M & H Schaper (02). nn — 50
Schematismus d. Geistlichk. d. Bist. Augsburg f. 1905. Mit e. Übersicht d. Personal-Standes d. Frauen-Klöster u. klösterl. Instit. d. Diöz. (468) 8º Augsbg, (B Schmid.) +3.60 d
— d. Geistlichk. d. Erzbist. Bamberg 1904. (227) 8º Bambg, (Schmidt). Kart. 4 —
— d.Bist. Breslau u.s. Delegatur-Bez. f. 1905. (180) 8º Bresl., (GP Aderholz. — Müller & Seiffert). Kart. nn 2 —; nebst Anh. d. preuss. Anteile d. Erzbist. Prag u. Olmütz. (180 u. 19) nn 3 — Anh. allein 1 — d
— d. Säkular- u. Regular-Geistlichk. d. Diöz. Brixen. 1905. 89. Ausg. (364) 8º Brix., A Weger. nn 2 — d
— d. Bucovinaer gr.-or. Archiepiskopal-Diöz. f. 1905. (213) 8º Cernäuz (Czernow.), (H Pardini). nn 2 —
— d. Geistlichk. d. Bist. Eichstätt f. 1905. (140. Jahrg.) (123) 8º Eichst., (P Brönner). Kart. nn 2 —
— d. n. ö. Finanz-Verwaltg m. d. Stande v. Dezbr 1900. Red. im Präsidial-Bureau d. k. k. n. ö. Finanz-Landes-Dir. (376) 12º Wien, (Manz) 1900. nn 6 —
— d. Diöz. Fulda. (208) 8º Fulda, (A Maier) 04. Kart. 4 —
— f. d. k. u. k. Heer u. f. d. k. u. k. Kriegs-Marine f. 1905. Amtl. Ausg. (1530 m. 1 farb. Karte.) 8º Wien, Hof- u. Staatsdr. 04. L. nn 7 —
— d. öffentl. ev. u. kathol. Volkssch. d. Reg.-Bez. Königsberg. (Statistik, Adressb.) Bearb. v. C u. J Herold. (184) 8º Bresl., (Priebatsch) 03. Kart. nn 5 —
— d. landtäfl. u. Grossgrund-Besitzes v. Kärnten u. Krain. (195) 8º Wien, L Weiss 02. 4.30
— d. k. k. Landwehru. d. k. k. Gendarmerie d. im Reichsrat vertret. Königreiche u. Länder f. 1905. Amtl. Ausg. (957 m. 1 Karte.) 8º Wien, Hof- u. Staatsdr. L. nn 4 —
— neuester, d. Herrschaften, Güter u. Zuckerfabriken in Mähren u. Schlesien, sowie d. auf d. Gütern besteh. Brauereien, Brennereien u. sonst. Industrien. Mit e. Anh.: Die landw. forstw. Unterr.-Anst. Mährens u. Schlesiens. X. Ausg. (300) 8º Brünn, Karafiat & S. 5 —
— d. Schulbehörden, Volks-, Mittelsch. u. Lehrerbildgs-Anst. dann d. gewerbl., commerciellen u. landw. Schulen in Mähren. 1901. Hrsg. im Auftr. d. k. k. Landesschulrathes. (In deut. u. böhm. Sprache.) (376) 8º Brünn, C Winkler. Geb. 4 —
— d. medizin. Behörden u. Unterr.-Anst., d. Zivil- u. Militärärzte, sowie d. approbierten Zahnärzte im Kgr. Bayern. Hrsg. v. N Zwickh. 28. Jahrg. 1905. (160) 8º Münch., M Rieger. Kart. 1.50 d
— d. Geistlichk. d. Erzbist. München u. Freising f. 1905. Mit e. Chronik d. J. 1904. (31, 350) 8º Münch., (JJ Lentner), (M Kellerer). nn 3.50 d
— d. Lehr-Personals an d. Volkssch. in Niederbayern d. Stande v. 1.VII.'03. Bearb. u. hrsg. v. Vereinsausschuss d. Unterstützgsver. f. Schullehrer-Witwen u. -Waisen in Niederbayern. (162) 4º Landsh., (P Krüll) 03. 2 — d
— d. landtäfl. u. Grossgrund-Besitzes v. Nieder-Öster. 2. Afl. (261) 8º Wien, L Weiss 03. 4.30
— d. Lehr-Personals an d. Volkssch. in Oberbayern n. d. Stande v. 1.II.'04. Bearb. u. hrsg. v. I Bischoff. (244) 4º Münch., (M Kellerer). nn 3 — d
— d. Herrschaften u. Güter in Ober-Öster. sowie d. auf d. Gütern besteh. Brauereien, Brennereien u. sonst. Industrien. 2. Ausg. (86) 8º Brünn, Karafiat & S. 04. 4 —
— d. öffentl. kathol. u. ev. Volkssch. d. Reg.-Bez. Oppeln. 2. Afl., s.: Auskunftsbuch.

Schematismus d. Schulen d. Bist. O s n a b r ü c k u. d. nord.
Missionen. Hrsg. v. Vorstande d. Lehrer-Ver. d. Diöz. Osnabrück. (112) 12⁸ Ling., (R van Acken) 04. 　　Geb. †1.20 d
— d. ö s t e r r. Bürgersch. Die Bürgersch., ihre Stellg u.
Vorschl. zu ihrer Reform. 1903. (73, 173) 8⁸ Wien, A Pichler's Wwe & S. 03. 　　　　　　　　　　　　　　L. 3 —
— d. Bist. P a d e r b o r n. Hrsg. v. d. bischöfl. General-Vikariate.
1904. (32, 231) 8⁸ Paderb., (F Schöningh). Kart. nn 2.90 d
— d. Geistlichk. d. Bist. P a s s a u f. 1905. Mit e. Chronik d.
J., 1904. (258) 8⁸ Pass., (G Kleitar). 　　　　　　　2.40 d
— d. preuss. Antheile d. Erzbisthümer P r a g u. Olmütz, s.:
Schematismus usw. Breslau.
　— d. Geistlichk. d. Bisth. R e g e n s b u r g f. 1905. (240) 8⁸ Rgnsbg,
(A Coppenrath's V.). 　　　　　　　　　　　　　2 — d
— d. Bist. S p e y e r n d. Stande d. J. 1905. Mit geschichtl.
Notizen a. d. J. 1903—5. Amtl. Ausg. (306) 8⁸ Speyer, (Jäger).
　　　　　　　　　　　　　　　　　　　Kart. nn 5 — d
— d. Herrschaften u. Güter in S t e i e r m a r k sowie d. auf d.
Gütern bestab. Brauereien, Brennereien u. sonst. Industrien.
2. Afl. (152) 8⁸ Brünn, Karafiat & S. 04. 　　　　　5 —
— kl. landtäfl. u. Grossgrund-Besitzes v. S t e i e r m a r k. (265)
. 8⁸ Wien, L Weiss 01. 　　　　　　　　　　　　5 —
— d. allg. V o l k s s c h. u. Bürgersch. in d. im Reichsrathe vertret. Königr. u. Ländern. Auf Grund d. statist. Aufnahme
v. 15.V.1900 bearb. u. hrsg. v. d. k. k. statist. Central-Commission. (884) 8⁸ Wien, A Hölder 02. 　　15.60; geb. 16.80
— katbol. Lehrer u. Lehrerinnen W e s t f a l e n s nebst Lehrer-
u. Lehrerinnenkalender f. 1905/1906. Hrsg. v. K Kamp u. J
· Dierkesmann. (195 u. 28) 8⁸ Dorsten, J Amedick. 　L. 1 —
— d. Diöc. W ü r z b u r g m. Angabe d. statist. Verhältnisse.
Hrsg. f. 1905. (244) 8⁸ Würzbg, (V Bauch. — Göbel & Sch.).
　　　　　　　　　　　　　　　　　　　　nn 2.50 d
Schemtob ben Josef ibn Falaqueras: Propädeutik d. Wiss.
Reschith Chokmah, z. 1. Male auf Grund v. 4 Handschriften
hrsg. v. M David. (92) 8⁸ Berl., M Poppelauer 02. (nn 3 —) 2 —
Schenck, Frhr, s.: Gesetz, d. allg. Bauordng betr.
Schenck. C: Frankfurt am Main sonst u. jetzt. Erinnergs-
· blätter u. Alt-Frankfurters. (98 m. Abb.) 8⁸ Frankf. a/M., Kessel-
ring 04. 　　　　　　　　　　　　　　　L. 2.50 d
Schenck, F: Zum Andenken an A Fick. [S.-A.] (49 m. 1 Bild-
. nis.) 8⁸ Bonn, M Hager 02. 　　　　　　　　　1.20
— Die Bedeutg d. Neuronenlehre f. d. allg. Nervenphysiol., s.:
Abhandlungen, Würzb., a. d. Ges.-Geb. d. prakt. Medizin.
— s.: Handbuch d. Physiol. d. Menschen.
— Kl. Praktikum d. Physiol. (78 m. Abb.) 8⁸ Stuttg., F Enke 04.
　　　　　　　　　　　　　　　　　1.60; L. 2.30
— u. A **Gürber**: Leitf. d. Physiol. d. Menschen. 3. Afl. (290 m.
Abb.) 8⁸ Ebd. 04. 　　　　　　　　5.40; ·L. 6.40
Schenck, G: Merkb. f. Fortbildungsschüler. Ausg. A. Kernfragen
· d. Volkswirtschaftslehre, Gesetzeskde u. Gewerbekde. (128)
⁴⁸ Wittwbg, R Herrosé 05. 　　　　　　　　1.20 d
— dass. Ausg. B. 3 Tle. 8⁸ Ebd. 05. 　　　　　1.10 d
　· I. Die Entwicklg d. Handwerks, d. staatl. Massnahmen a. Bebg des-
　　selben, d. Gewerbeordng. (34) 　　　　　　　— 35
　II. Der Handwerker als Staatsbürger. Die Staatsverbände u. deren Ver-
　　waltg. (35) 　　　　　　　　　　　　— 35
　· III. Der Handwerker in s. Berufe. (56) 　　　— 40
Schenck, H: Vergleich., Darstellg d. Pflanzengeogr. d. sub-
. antarkt. Inseln insbes. üb. Flora u. Vegetation v. Kerguelen.
— Ueb. Flora u. Vegetation v. St. Paul u. Neu-Amsterdam,
s.: Ergebnisse, wiss., d. deut. Tiefsee-Exped.
— Lehrb. d. Botanik, s.: Strasburger, E.
— Mittelmeerbäume. — Trop. Nutzpflanzen. — Strandvegetation
Brasiliens. — Vegetationsbilder a. Südbrasilien. — Vege-
tationsbilder a. Südwestafrika, s.: Vegetationsbilder.
Schenck, R: Üb. Analogien zw. Radioactivität u. d. Verhalten
d. Ozons, s.: Richarz, F.
— Kristallin. Flüssigk. u. flüss. Kristalle. (159 m. Fig.) 8⁸
Lpzg, W Engelmann 05. 　　　　　　　　　3.60
— Theorie u. radioactiv. Erscheingn. [S.-A.] (9) 8⁸ Berl., (G
Reimer) 04. 　　　　　　　　　　　　　— 50
Schenck zu Schweinsberg, C Frhr: Zeitlosa. Eine Familien-
Gesch. a. d. 7jähr. Kriege. (415) 8⁸ Frankf. a/M., C Jügel 03.
　　　　　　　　　　　　　　4.50; geb. 5.50 d
Schenck zu Schweinsberg, Freiin M. s.: Küchenfibel.
Schenckendorff, E v., s.: Jahrbuch f. Volks- u. Jugendspiele.
— Ratgeber z. Pflege (1. Afl. Belebg) d. körperl. Spiele an d.
deut. Hochsch. 1. u. 2. Afl. (53 bezw. 56) 8⁸ Lpzg, BG Teubner
01.02. 　　　　　　　　　　　　　— 60 d
— s.: Wehrkraft durch Erziehg
Schendel, R : Purzelbäume d. Aberglaubens. Verse f. Glück-
sucher. (56) 12⁸ Blankenhain, M Schlimper's Nf. 04. 　1 —
Schendera: Massenberechng f. e. Plattendurchlass. — Geodät.
Praktikum, s.: Unterrichts-Werke (Methode Hittenkofer) f.
Selbstunterr.
Schendler, H: Das gr. Buch d. Liebhaberkünste. Kerb-, Blumen-,
Ornament-, Faltenschnitt usw. (184 m. Abb.) 8⁸ Berl., H
Steinitz (03). 　　　　　　　　　　　　　2 — d
Schenk od. Lehmann! Dr. Lehmann's Theorie d. Geschlechts-
bestimmg. Zusammengest. v. S*** B****. Zugl. e. Reform d.
Liebig'schen Eiweisstheorie. (16) 8⁸ Wien 04. Krakau, Hygien.
Verl. (?) 　　　　　　　　　　　　　　— 30
Schenk: Das ehemal. Cisterzienser-Kloster u. nachher. Hos-
pital zu Haina. Konferenz-Vortr. (37) 8⁸ Frankenbg, F Kahm
03.

Schenk: Philipp d. Grossmütige, Landgraf v. Hessen (1504—
67). Zur Denkmalenthüllgsfeier in Haina. (40 m. 1 Taf.) 8⁸
Frankenbg, F Kahm 04. 　　　　　　　　　— 40 d
Schenk, A: Études sur la rime dans „Cyrano de Bergerac" de
M Rostand. (111 m. 1 Taf.) 8⁸ Kiel, (R Cordes) 1900. 　2 —
— Paris pédagog. 1 : 20,000. 81×105 cm. Farbdr. Ebd. (01). 2.50
— Vive le rire! Recueil de jeux de mots, d'épigrammes, d'amu-
settes, de rébus et d'attrapes. A l'usage des écoles et des
familles. (128) 8⁸ Ebd. (02). 　　　　　　　　2 —
Schenk, A: Die Fürsorge f. d. a. d. Hilfssch. entlass. Kinder
in unterrichtl. u. prakt. Beziehg, s.: Abhandlungen, pädagog.
Schenk, E: Der brasilian. Bienenzüchter. Lehrb. f. d. ges.
Bienenzucht Brasiliens. (135) 8⁸ Porto Alegre (Brasilien),
Selbstverl. 1900. 　　　　　　　3.50; geb. nn 4.50 d
Schenk, E: Cyperaceae et Gramineae, s.: Schlechtendal, DFL.
Schenk, F: Die Pathol. u. Therapie d. Unfruchtbark. d. Weibes.
(128) 8⁸ Berl., S Karger 03. 　　　　　　　　3.20
Schenk, F : Der Besitz d. Gerichtsvollziehers an d. gepfänd.
Sachen vor u. n. d. 1.I.1900. (59) 8⁸ Jauer, O Hellmann 04. 1.50 d
Schenk, J : Kukukmimicry. (Deutsch u. ungarisch.) [S.-A.] (8)
8⁸ Budap., (F Kilián's Nf.) 04. 　　　　　　nn — 50
Schenk, J : Festigkeitsberechng grössererDrehstrommaschinen.
(59 m. Fig. u. 1 Doppeltaf.) 8⁸ Lpzg, BG Teubner 03. 1.60
Schenk, K : Lehrb. d. Gesch. f. höh. Lehranst. 3. Afl., gemein-
sam f. alle Schularten neu bearb. v. J Koch. III., IV. u. VII. Tl.
8⁸ Lpzg, BG Teubner. 　　　　　　　　Geb. 5.30 d
　III. Lehraufg. d. Quarta. Gesch. d. Griechen u. Römer bis z. Z. Christi.
　　(90) 04. 　　　　　　　　　　　　Kart. 1.70 ; m. 4 Kart. 1.90
　IV. Lehraufg. d. Untertertia. Vom Tode d. Augustus bis z. Aueg. d.
　　M.-A. (90 m. 3 Kart.) 04. 　　　　　　　　　1.70
　VII. Lehraufg. d. Oberseknnda. Gesch. d. klass. Altertums. Ausg. A.:
　　Für Gymnasien. (206 u. 1 Kart.) 05. 　　　　　2.40
— dass. in Übereinstimmg m. d. neuesten Lehrpl. Ausg. A u. B.
VI. u. IX. Tl. 8⁸ Ebd. 　　　　　　　　Geb. 4.20 d
　VI. Lehraufg. d. Untersekunda. Neuere Gesch. v. 1740—1888, verf. v. E
　　Wolff. I. u. 2. Afl. (55 m. 1 Karte.) 01.05. 　　　1.40
　IX. Lehraufg. d. Oberprima. Neuere Gesch. v. 1648—1888, verf. v. E
　　Wolff. (265) 01. 　　　　　　　　　　　　2.80
— dass. Ausg. C. Für preuss. Lehrerbildgsanst. I—III. Tl. 8⁸
Ebd. 　　　　　　　　Geb. 7.80; bezw. 8.80 d
　I. Deut. Gesch. bis z. westfäl. Frieden. Lehraufg. f. d. 3. Kl. d. Leh-
　　rerseminare. Von F Maigatter. 2. Afl. (224 m. 26 Taf. u. 5 Kart.) 05.
　　　　　　　　　　　　　　　　　　3.20
　II. Dass. v. Ausg. d. 30jähr. Krieges bis 1815. Lehraufg. f. d. 2. Kl. d.
　　Lehrerseminare. Von E Wolff u. F Maigatter. (169 m. Kart. u. 16 Taf.)
　　02. 　　　　　　　　　　　　　　　2.40
　III. Dass. Von 1815 bis z. Gegenwart. Lehraufg. f. d. 1 Kl. d. Lehrer-
　　seminare. (163 m. 4 Kart. u. 16 Taf.) 02. 2.90 ; nebst : Abriss d. Rechts-
　　ordng im Deut. Reiche u. in Preussen v. M Gflep. (250) 3.70
— dass. Ausg. D. I. Lehrb. d. Gesch. f. sächs. Seminare, verf.
v. K Schenk u. E Gehmlich. I. Tl : Gesch. d. Altertums. 2. Afl.
(135 m. 16 Taf.) 8⁸ Ebd. 04. 　　　　　　Geb. 1.80 d
— dass. Ausg. E. Für höh. Lehrb. d. Gesch. f. sächs. u. sächs.
u. thüring. Lehrerbildgsanst. 8⁸ Ebd. Geb. 7,40 (Vollst.: 14.20) d
　IV. Gesch. d. sächsisch-thüring. Gesch. v. Heinrich I. bis z. Gegenwart.
　　Von K Schenk, E Wolff u. E Gehmlich. (177 m. 5 Kart.) 02. 2.80
　V. Gesch. d. Neuzeit v. 1517—1786. Von K Schenk, E Wolff u. E Gehm-
　　lich. (168 m. 16 Taf.) 04. 　　　　　　　　2.60
　VI. Gesch. d. Neuzeit v. 1786—1900. Von E Wolff u. E Gehmlich. (179
　　m. 16 Taf.) 05. 　　　　　　　　　　　　2.80
— dass. Ausg. F. Für höh. Mädchenschl., in 3 Tln u. e. Vorst.
bearb. v. F Wolst. I—III. Tl. 8⁸ Ebd. 　　　　Geb. 7.40 d
　I. Altertum. (Lehrstoff d. II. Kl.) (118 m. 4 Kart. u. 28 Taf.) 01. 2 —
　II. Deut. Gesch. bis z. westfäl. Frieden. (Lehrstoff d. II. Kl.) (216 m.
　　24 Taf.) 02. 　　　　　　　　　　　　　2.60
　III. Neuere Gesch. v. 1648—1888. (Lehrstoff d. I. Kl.) (218 m. Abb. u.
　　Kart. u. 8 Tl.) 03. 　　　　　　　　　　　2.80
— dass. Für Präparandenanst. bearb. v. HG Schmidt. I. Tl :
Für d. 3. Präparandenkl. Übersichtl. Darstellg d. deut. Gesch.
bis 1648. (164 m. 8 Bildertaf. u. 5 Kart.) 8⁸ Ebd. 04. Geb. 2 — d
— dass. Kanon d. einzupräg. Jahreszahlen. Verf. v. K Schenk
u. E Wolff. (45) 8⁸ Ebd. 04. 　　　　　　　— 50 d
Schenk, L: Lehrb. d. Geschlechtsbestimmg. (Dokumente zu
meiner Theorie.) (176) 8⁸ Halle, C Marhold 01. 　7.50
Schenk, L: Koch-Buch. 6. Afl. (272) 8⁸ Schwäb. Hall, W Ger-
man (04). 　　　　　　　　　　　　　3.50 d
Schenk, MM: Wintersonnenwende, s.: Reiser, A.
Schenk, P: Gebr. u. Missbr. d. Alkohols in d. Medizin. (32)
8⁸ Berl., Ausspráç.-Verl. 04. 　　　　　　　— 50 d
Schenk, T: Sir Samuel Garth u. s. Stellg z. kom. Epos, s.:
Forschungen, anglist.
Schenkel s.: Predigten, 7, bei d. 56. Hauptversammlg d. ev.
Ver. d. Gustav Adolf-Stiftg geh.
Schenkel, E : Das bad. Wasserrecht, enth. d. Wassergs. v.
26.VI.1899, nebst d. Vollzugsvorschriften u. d. sonst. wasser-
rechtl. Bestimmgn. 2. Afl. (774) 8⁸ Karlsr., G Braun'sche Hof-
buchdr. 02. 　　　　　　　　16 — ; HF. nn 18 — d
Schenkel, M, s.: Kirchen- u. Schulblatt, sächs.
— Hans Klaus. Erzählg a. d. alten Mauern g. Fürstenschule.
(235 m. Titelbild.) 8⁸ Lpzg, F Jansa 05. 　　Kart. 2 — d
— 12 Weihnachtspredigten f. einf. Christenleute. (100) 8⁸ Ebd.
05. 　　　　　　　　　　1 — ; geb. 1.60 d
Schenkel, T: Seitwärts d. Trasse. Im Berufe erlauscht. (119)
8⁸ Graz, (F Ungar) 03. 　　　　　　　　　2 —
Schenker, H : Ein Beitrag z. Ornamentik. Als Einführg zu
Ph. Em. Bach's Klavierwerken, umfassend auch d. Orna-
mentik Haydns, Mozarts u. Beethovens etc. (43) 8⁸ Wien,
Universal-Edition (03). 　　　　　　　　· 1.50

Schenker-Amlehn, Frau L: Kinder-Theater. 10—14. Bdchn. 8°
Zür., T Schröter. Je — 20 d
10. Weihnachten unter d. Schweizerfahne. (15) (09.) ¶ 11. Franziska Romana v. Hallwyl od. Stiefmutters Weihnachten. (15) (02.) ¶ 12. Der Weg z. Paradiese. Weihnachtisp. (16) (04.) ¶ 13.14. Vergieb uns uns. Schuld! Schausp. Weihnachtsgabe f. d. reif. Jugend. (32) (04.)

Schenkl, H, s.: Bibliotheca patrum latinor. britannica.
Schenkl, K: Chrestomathie a. Xenophon, a. d. Anabasis, d. Kyrupädie, d. Erinnergn an Sokrates zusammengest. u. m. erklär. Anmerkgn u. e. Wrtrb. versehen. 13. Afl. v. A Kornitzer u. H Schenkl. (111 u. 184 m. Abb. u. 1 Karte.) 8° Wien, C Gerold's S. 04. Geb. 3.20
— Griech. Elementarb. Im Anschl. an d. 22., v. W v. Hartel besorgte Afl. d. Curtius'schen Grammatik bearb. v H Schenkl. 2 Thle. 1. Thl: Übgsstücke. — 2. Thl: Erklär. Anmerkgn u. Wrtrverz. 18. Afl. (354) 8° Wien, F Tempsky. — Lpzg, G Freytag 02. Geb. n. geh. n. 2.80 d
— dass. Im Anschl. an d. 24., v. F Weigel besorgte Afl. d. Grammatik v. Curtius- v. Hartel, bearb. v. H Schenkl u. F Weigel. 19. Afl. (238) 8° Ebd. 05. Geb. 2.85
— Griechisch-deut. u. deutsch-griech. Schulwrtrb., s.: Benseler, GE.
— Übgsb. z. Übers. a. d. Deut. ins Griech. Für d. Cl. d. Obergymnasiums bearb. 2 Thle. 1. Thl: Übgsstücke. 2. Thl: Erklär. Anmerkgn u. deutsch-griech. Wrtrverz. 10. Afl. (200) 8° Wien, F Tempsky. — Lpzg, G Freytag 01. Geb. n. geh. 2.80 d
— dass. Bearb. v. H Schenkl u. F Weigel. 11. Afl. (144) 8° Ebd. 05. Geb. 2.10
Schenkling, K: Taschenb. f. Käfersammler. 5. Afl. (314 u. 24 m. 13 [12 farb.] Taf.) 12° Lpzg, Q Leiner (03). L. 2.50
Schenkling, S: Neue Cleriden d. Hamburger Museums. [S.-A.] (10) 8° Hambg, (L Gräfe & S.) 1900. — 50
Schenner, J: Deut. Leseb., s.: Jacobi, A.
Schenz, W, s.: Anselm v. Canterbury, d. hl., 2 Bücher: „Warum Gott Mensch geworden".
Schenzinger, A: Illustr. Beschreibg n. Gesch. Laupheims samt Umgebg. 11 Lfgn. (418 m. 12 Taf.) 8° Laupheim, (A Pfadenhauer) 1895-97.
Schenzl, G, s.: Jahrbücher d. kön. ung. Central-Anst. f. Meteorol. u. Erdmagnetismus.
Scheppensieper, W: Der geplagte Schriftsteller od. Das gestörte Ruhestündchen, s.: Heidelmann's, A, Theaterbibliothek.
Scheppig, R: Hdb. d. allg. Gesch., s.: Assmann, W.
Scheropalykoi, PJ: Nyayabindu, s.: Darmakirthi.
Scherbel, S: Jüd. Ärzte u. ihr Einfl. auf d. Judentum. (75) 8° Berl., J Singer & Co. 05. 1.50
— Behandlg d. Zähne u. d. Zahnschmerzen. (Umschl.: Der Zahnscherzer u. d. Pflege d. Zähne.) (38 m. Abb.) 8° Lissa, F Ebbecke 05. 1.50
— Was sagt d. Doktor? Ein ärztl. Hausschatz. (309 m. Abb.) 8° Berl., U Meyer (04). Geb. 2 —; Prachtausg. in L. 4 —
— Wie verhütet u. heilt man d. Tuberkulose? (Schwindsucht.) (50) 8° Berl., Berlinische Verl.-Anst. 01. 1.50 d
Scherbening: Zeitgemässe Feldgeschütze, s.: Beiheft z. Militär-Wochenbl.
Scherek, J: Und ich suche d. Schönheit. Roman. (364) 8° Dresd., H Minden (05). 3 —; geh. n n 4 — d
Scherenberg, E: Dem Meere zu. Nachgelassene Gedichte. (88 m. Bildnis.) 8° Elberf., A Martini & Gr. 05. 2 —; geb. 2.50 d
Scherer, der. Ins neue Land. Illustr. Tiroler Halbmonatsbl. f. Kunst u. Laune in Politik u. Leben. Hrsg. u. Schriftleiter: K Habermann. 3. Jahrg. 1901. 24 Nrn. Fol. (Nr. 1. 16) Wien, Verwaltg d. Scherer. 2 —; einz. Nrn — 40 d
— dass.Alldeut.Wochenbl.Schriftleiter: K Habermann.4 Jahrg. 1902. 52 Nrn. (Nr. 1. 8 m. Abb.) Fol. Ebd. ¶ 5. Jahrg. 1. Halbj. Jan.—Juni 1903. 26 Nrn. Viertelj. 2.50; einz. Nrn — 20 ¶ 2. Halbj. Juli—Dezbr 1903. 12 Nrn. Viertelj. 2.50; einz. Nrn — 45 d
— dass. Hrsg.: Verein „Deut. Presse f. Österr." Hauptschriftleitg: K Habermann. Verantwortl. Schriftleiter: H Knirsch. . 2.(5.)Jahrg.1904.24 Nrn.(Nr.1.15 m.Abb.)Fol.Ebd.Viertelj. 2.50; einz. Nrn. — 45 ¶ 3.(7.) Jahrg. 1905. Hrsg.: K Habermann. Schriftleiter: K Sedlak. Viertelj. 3 —; einz. Nrn. — 50 d
Erschien bis 1904 in Innsbruck.
Scherer's Geogr. u. Gesch. v. Tirol u. Vorarlberg. 6. Afl. v. A Mengbin. (449 m. 1 Karte.) 8° Innsbr., Wagner 05. Geb. 1.50 d
Scherer: 2stell. Multiplicationstaf. (4 Bl.) Fol. Cassel (Kühnsthor 23 II) Steuerrat Scherer 01. Auf L. 9 —
Scherer, A, u. JB Lampert: Exempel-Lexikon f. Prediger u. Katecheten, s.: Bibliothek f. Prediger.
Scherer, C: Die Codices Bonifatiani in d. Landesbibliothek zu Fulda, s.: Festgabe z. Bonifatius-Jubiläum 1905.
— Der Fuldaer Handschriften-Katalog a. d. 16. Jahrh., s.: Zentralblatt f. Bibliothekswesen.
Scherer, C: Elfenbeinplastik seit d. Renaissance, s.: Monographien d. Kunstgewerbes.
Scherer, CC: Die Gotteslehre v. Immanuel Herm. v. Fichte, s.: Studien, theolog., d. Leo-Gesellsch.
Scherer, F: Dorfschwalben. Deut. Dialectdichtgn a. Oesterr.-Ungarn. In Poesie u. Prosa. (200) 8° Wien, (A Jedeck) 01. 1 — d
Scherer, G: Deut. Dichterwald. Lyr. Anthol. 21. Afl. Jubiläums-Ausg. (562 m. Bildnissen u. 72 Vollbildern.) 8° Stuttg., Deut. Verl.-Anst. (05). L. 7 — d
— Deut. Kinderb. Alte u. neue Lieder, Märchen, Geschichten, Fabeln, Sprüche u. Rätsel. 7. Afl. (248 m. Abb.) 8° Lpzg, Dürr 05. Geb. 4.50 d

Scherer, H, s.: Bahnen, neue. — Gaebler's, E, systemat. Schulatlas f. d. Grossh. Hessen. — Jahresbericht, pädagog.
— Illustr. Lehrmittel-Katalog f. hess. Schulen. (80) 8° Giess., E Roth (05). 1.50
— s.: Lesebuch, deut., f. d. Schulen d. Grossh. Hessen.
— Der Werkunterr. in sr soziolog. u. physiologisch-pädagog. Begründg, s.: Sammlung v. Abhandlgn a. d. Geb. d. pädagog. Psychol. u. Physiol.
Scherer, J: Das Bad d. Seele. Worte d. Belehrg an d. christl. Volk. (90 m. Titelbild.) 12° Einsied., Verl.-Anst. Benziger & Co. 02. L. 1.20 d
Scherer, JE: Beitr. z. Gesch. d. Judenrechtes im M.-A., m. bes. Bedachtnahme auf d. Länder d. österr.-ungar. Monarchie. 1. Bd. 8° Lpzg, Duncker & H. 15 —
1. Die Rechtsverhältn. d. Juden in d. deutsch-österr. Ländern. Mit e. Einl. üb. d. Principien d. Judengesetzgebg in Europa währ. d. M.-A. (671) 01. 15 —
Scherer, M: Die Entscheidgn d. Reichsgerichts z. allg. preuss. Landrecht. Nach d. Reihenfolge d. Paragraphen geordnet. 2., bis Ende 1900 u. Bd 51 d. Reichsgerichtsentscheidgn fortgeführte Afl. (563) 8° Lpzg, O Wigand 04. 8 — d
— Das 1—4. Jahr d. BGB, f. d. Deut. Reich, ⬦: Gesetzgebung, d., d. Deut. Reiches m. Erläutergn.
— Die 5 ersten Jahre d. BGB. Die ges. Rechtsprechg u. Theorie v. 1.I.1900—31.XII.'04. 2 Abtlgn. (149, 1068) 8° Lpzg, O Wigand 05. 20 — d
— Das deut. Seerecht. Textausg. d. neuen Handelsgesetzb. (4. Buch §§ 474—905) v. 10.V.1897, m. Gesetzeskraft v. 1.I.1900, nebst Anmerkgn, d. seerechtl. Nebengesetzen, d. norddeut. Seeversicherungs-Bedingg. n. hamburg. Hafengesetzgebg u. d. hamburg. Anführgsges. z. neuen Handelsgesetzb. (247 u. 140) 8° Ebd. 01. L. 4 — d
— dass. im d. 4 neuen Reichsges. v. '02 m. Gesetzeskraft v. 1.IV.'03, d. neuen Flaggenges. v. 1899, d. allg. Seeversicherungs-Bedinggn v. 1867. 2. Afl. (278 u. 142) 8° Ebd. 02. L. 4 — d
— dass. u. m. d. Novelle z. neuen Seemannsordng v. 23.III.'03. 3. Afl. (278 u. 142) 8° Ebd. 03. L. 4 — d
Scherer, P: Kl. deut. Sprachlehre in Beisp., Lehrsätzen u. Übgsaufg. 3. Afl. v. FJ Scherer. (108) 8° Metz, P Even 03. Kart. 1 — d
Scherer, R: Gewerbeordng u. d. Ges. z. Bekämpfg d. unlaut. Wettbewerbs m. Anmerkgn, sowie d. einschläg. Ges. u. Verordngn. (Lpzg. f. Baden.) 2. Afl. (400) 8° Weinh., F Ackermann 04. L. 3.75 d
Scherer, R: Das Kasein. Seine Darstellg u. techn. Verwertg. (192 m. Abb.) 8° Wien, A Hartleben (05). 3 —; geb. 3.80 d
Scherer, R: Schulrat Weller. Komödie. (126) 8° Lpzg, Modernes Verl.-Bureau 04. 2 —; geb. 3 — d
Scherer, V, s.: Dürer, Des Meisters Gemälde usw.
— Die Ornamentik bei Albr. Dürer, s.: Studien z. deut. Kunstgesch.
Scherer, VE: Die Haftpflicht d. Unternehmers auf Grund d. Fabrikhaftpflichtges. u. d. Ausdehngsges. (284) 8° Bas., Helbing & L. 05. L. 4 —
Scherer, W: Der 1. Clemensbrief an d. Corinther, n. sr bedeutg f. d. Glaubenslehre d. katbol. Kirche am Ausg. d. 1. christl. Jahrh. untersucht. (315) 8° Rgnsbg, F Pustet 02. 3.20; L. 4 —
Scherer, W: Gesch. d. deut. Litt. 10. Afl. (828 m. Bildnis.) 8° Berl., Weidmann 05. L. 10 —; in Liebhaberbd 12 — d
Scherer-Boccard, T Graf v.: Im Zeichen d. Jakobinermütze. Erinnergn a. d. Tornister e. Soldaten d. Revolutionsarmee. Nach d. Tageb. e. Offizier. Neue [Tit.-]Ausg. (796) 8° Münch., Münch. Volksschriften-Verl. [02.03] 03. 5 —; geb. 6 — d
Die 1. Ausg. erschien ohne Angabe d. Verf.
Scherf, JC: Einsame Gänge. (63) 8° Lpzg, G Merseburger 05. Kart. 2 — d
— Ein Jahr. Gedichte. (64) 8° Ebd. 06. L. 2 — d
Scherff, J: Nord-Amerika. Reisebilder, sozialpolit. u. wirtschaftl. Studien a. d. Verein. Staaten. 2. [Tit.-]Ausg. (269) 8° Lpzg, O Wigand (1898) 04. 2 —
Scherff, W: Einheitsangriff od. individualisirter Angriff in d. Erfahrgn d. südafrikan. Krieges. (110) 8° Berl., ES Mittler & S. 03. 2.50
— Gewehr u. Gelände im heut. Angriffskampfe. (131) 8° Ebd. 05. 5 —; geb. nn 4 — d
Scherffig, P: Stoffdarbietgn f. d. Relig.-Unterr. in d. Fortbildgssch., n. 3 Jahrgängen in Verbindg m. F Geest u. R Richter bearb. u. 1 Bdchn. (106) 8° Lpzg, B Liebisch 03. 1.20; kart. u. durchsch. 2.50 d
Scherffig, R: Land u. Leute in Frankr., s.: Villatte, O.
Scherer, TJ: Ueb. d. relig. Entwicklg Kaiser Maximilians II. bis zu sr Wahl z. röm. Könige (1527—46). (107) 8° Würzbg, (V Bauch) (03). L. 2 —
schering, A: Gesch. d. Instrumentalkonzerts bis auf d. Gegenwart. (326) 8° Lpzg, Breitkopf & H. 05. 3 —; L. 4 —
Scheuring, E: Ges. mathemat. Werke. Hrsg. v. R Haussner u. K Scherfig. (In 2 Bdn.) 1. Bd. (412 m. Bildnis.) 4° Berl., Mayer & M. 02. 25 —
Scherk, C: Die elektro-magnet. Behandlg d. Neurastheniker. [S.-A.] (11) 8° Lpzg, B Konegen 05. 1 —
— Gout and the effect of the Elisabeth spring in Homburg. (24) 8° Hombg, F Supp 03. n n — 75

Scherk, C: Die neurogene Ursache d. Gicht u. ihre Behandlg. (47) 8° Berl., Vogel & Kr. 03. 1 —
— Die Wirkgsweise d. elektromagnet. Kraftlinien. [S.-A] (8) 8° Lpzg, E Konegen 04. 1 —
Scherl, A: Das Scherlsche Prämien-Sparsystem. (80 u. 12) 8° Berl., A Scherl 04. Unentgeltlich. d
Scherlag, M: Einsamkeit. Gedichte. (61) 8° Dresd., E Pierson 01. 1 —; geb. 2 —
Scharling's, C, Grundr. d. Experimentalphysik. 6 Aﬂ., f. Schüler höh. Unterr.-Anst. bearb. v. H Rühlmann. (267 m. Abb.) 8° Lpzg, H Haessel V. 04. Geb. 4.40 d
Scherm, M: Neue Chronik v. Amberg, unter Benützg d. Chroniken v. Schwaiger, Wiltmaister, Schenkel, Frbrn v. Löwenthal's „Gesch. d. Stadt Amberg" u. zahlreicher ält. u. neuerer Schriftsteller. In schönen Knittelversen a la Kortüm u. e. Anh. Amberger Volkssagen u. Geschichten. 2. Aﬂ. (71) 8° Ambg., (Bachmann) 02. 1.20 d
Scherman, L, s.: Bibliographie, oriental.
Schermann, JE: Von Paris zurück. Kunstbetrachtgn u. französ. Unterr.-Wesen, n. d. Weltausstellg 1900 skizziert. (128) 8° Ravnsbg 01. Münch. (Mariahilfpl. 32), A Killer. 1.50 d
— Dr. Albert Wagelmanns Vermächtnis. Eines Lehrers Leben, Lieben u. Leiden. (129 m. 2 Bildern u. Fksm.) 8° Münch., A Killer 02. 1.80
Schermann, M: Der 1. pun. Krieg im Lichte d. Livian. Tradition. (120) 8° Tüb., H Laupp 05. 2.50
Schermann, T: Eine Elfapostelmoral od. d. X-Rezension d. „beiden Wege", s.: Veröffentlichungen a. d. kirchenhistor. Seminar München.
— Die Gesch. d. dogmat. Florilegien v. V—VIII. Jahrh., s.: Texte u. Untersuchungen z. Gesch. d. altchristl. Lit.
— Die Gottheit d. hl. Geistes n. d. griech. Vätern d. 4. Jahrh., s.: Studien, Strassb. theolog.
— Die griech. Quellen d. hl. Ambrosius in 11. III. de Spir. s., s.: Veröffentlichungen a. d. kirchenhistor. Seminar München.
Schermuly: Das Lehrer-Seminar zu Ober-Glogau. Festschrift. (171 m. 6 Taf.) 8° Bresl., F Hirt 02. 2 — d
Scherndl, B: Führer durch d. Mariä-Empfängnis-Dom in Linz. (158 m. Abb.) 8° Linz, Pressver. 02. 90 d
— Ist d. kathol. Kirche heilig?, s.: Volksbroschüre, kathol.
Scherpf: Der Einj.-Freiwill. ohne Sprachkenntnisse. Wegweiser f. gewandte junge Leute jeden Berufs, welche d. Berechtigg n. § 89, 6 d. deut. Wehrordng nachsuchen wollen. (47) 8° Nürnbg (1898). Erlangen, Ingen. Scherpf. (?) Postfrei † 1.20 d
Scherr, Frau, s.: Kübler, MS.
Scherr, J: Reicher Bursch u. armes Mädchen, s.: Verein f. Verbreitg guter Schriften, Zürich.
— Germania. 2 Jahrtaus. deut. Lebens. Neu hrsg. u. fortgeführt v. H Prutz. 6. Aﬂ. 50 Lfgn. (480 m. Abb. u. 50 Taf.) 4° Stuttg., Union (05). Je — 30; in 1 Prachtbd 20 — d
— Deut. Kultur- u. Sittengesch. 11. Aﬂ. (554) 8° Lpzg, O Wigand 02. 6 — d
— Michel. Gesch. eines Deutschen uns. Zeit. 2 Bde. 10. Aﬂ. (312 u. 266) 8° Lpzg, M Hesse (05). In 1 L.-Bd (un 7—) 4 — d
— Schiller. Kulturgeschichtl. Novelle in 6 Büchern. 2 Bde. 3. Aﬂ. (342 u. 261) 8° Ebd. (02). L. (8.50) 4.50 d
Scherrer, C, u. H Habenicht: Karte d. Alpenländer, s.: Stieler.
Scherrer, H: Soziol. u. Entwicklgsgesch. d. Menschh. 1. Tl. (190) 8° Innsbr., Wagner 05. 4 — d
Scherrer, I, s.: Schriften z. internat. Vereinigg f. gesetzl. Arbeiterschutz.
Scherrer-Füllemann, J: Ges. betr. d. Civilrechtspflege f. d. Kt. St. Gallen. (177) 8° St. Gall., Zollikofer'sche Buchdr. 02. (Nur dir.) L. 2.40
Schertel s: Zeitung, berg- u. hüttenmänn.
Schertel, M Frhr v.: Kritisch-experimenteller Beitr. z. Lehre v. d. Absorption u. Respiration d. tier. u. menschl. Haut. (45) 8° Tüb., F Pietzcker 1900. m 1.20
Schertel, S: Das Mikroskop, s.: Taschenbücher, illustr., f. d. Jugend.
Scherwinsky, M: Die Rigaer Jubiläums-Ausstellg 1901 in Bild u. Wort. (267) 4° Riga, Jonck & P. 02. L. un 30 —
Scherz, JG, s.: Sammlung ausgeführter Stilarbeiten.
Scherze, dramat., s.: Freunde unschuld. Humors, s.: Dilettanten-Theater.
— 7, z. Aufführg in Kriegerver.-Festen. (28 m. Abb.) 8° Veges., JF Rohr (1890). 1 — d
Schestauber, V: Die Buchführg im Apothekenbetriebe, s.: Barber, J.
— Das Übgskontor. Der Manufakturwarenbranche entnommene Geschäftsfälle. (48) 8° Wien, A Pichler's Wwe & S. 05. 1 —
Schettler, AL: Ein frühl. Christenleben od. Die Lebensgesch. v. Billy Bray. Nach d. Engl. frei bearb. 3. Aﬂ. (127 m. Abb.) 8° Bonn, J Schergens. — Dingl.; St. Johannis-Dr. 04. — 80; kart. 1 —; geb. 1.60 d
Scheu, G: Rechenaufg. — Rechenh., s.: Schönmann, H.
Scheu, G, s.: Gesetzbuch, d. österr. allg. bürgerl.
Scheu, R: Culturpolitik. (88) 8° Wien, Wiener Verl. 01. 1.80
— Der Staatsstreich. Burleske Posse m. Gesange. (77) 8° Wien, (M Perles) 04. 1.80 d
Scheube, B: Die Krankh. d. warmen Länder. 3. Aﬂ. (790 m. Abb., 5 Kart. u. 13 Taf.) 8° Jena, G Fischer 03. 16 —; geb. 18 —
— Die vener. Krankh. in d. warmen Ländern. [S.-A.] (59) 8° Lpzg, JA Barth 02. 1.60

Scheuermann, Frl. JV, s.: Julia Virginia.
Scheufele, W: Das Rückwärtseinschneiden im Raum, s.: Finster-walder, S.
Scheufens, H: Kinderfreund. Gebetbüchl. f. d. Kleinen. 2. Aﬂ. (128 m. Abb. u. Titelbild.) 11,8×7,6 cm. Münst., Alphonsus-Bh. 05. Kart. — 50; L. — 35 d
Scheuffgen, FJ: 3 Jubiläumsreden z. 50jähr. Priesterjubiläum, 50jähr. Bischofsjubiläum, 60jähr. Priesterjubiläum d. Papstes Leo XIII. (40) 8° Trier, Paulinus-Dr. 02. — 30 d
— Leseb. f. kathol. höh. Mädchensch., s.: Berlage.
— Der vorgeschichtl. Mensch, s.: Broschüren, Frankf. zeitgemässe.
Scheuffler, HJ, s.: Ecce, Grimmaisches.
Scheuffler, P: Plaudereien a. jungen Eisenbahners. (111) 8° Lpzg, Luckhardt's Bh. f. Verkehrswesen (02). 1 —; geb. 1.50 d
Scheuing, P: Die Firke e. 2. Firma durch Handelsgesellsch. u. deren Teilnahme an e. off. Handelsgesellsch. (54) 8° Stuttg., W Kohlhammer 05. 1 — d
Scheumann, AR: Julius Otto. Sein Leben u. Wirken. Beitrag z. Gesch. d. deut. Männergesanges. (88 m. Abb.) 8° Dresd., O & R Becker 04. — 60
Scheumann, KH: Von d. Broberg d. Landschaft. Gedanken üb. ästhet. Naturauffassg, aus Vortr. Verz. v. Schriften üb. Kunst u. Kunsterziehg, sowie v. Lehrbb. u. Vorlagenwerken f. d. Zeichenunterr. (38) 8° Dresd., Gewerbe-Bh. (05). — 50 d
Scheunert, A: Der Pantagrismus als System d. Weltanschaug u. Ästhetik Friedrich Hebbels, s.: Beiträge z. Ästhetik.
Scheurer, JB: Das gr. Gebet! 24 sakramental. Predigten. Neue (Tit.-)Ausg. (316) 8° Faderh., F Schöningh (1895) 01. 3 — d
Scheurer, R: Die Entwicklg d. Handarbeitsunterr. f. Knaben in d. Schweiz. Vortr. [S.-A.] (11) 4° Bern, A Francke (01). — 50
— Lehrg. f. d. Arbeiten an d. Hobelbank. (3 u. 43 m. Fig.) 8° Zür. 1900. (Bern, A Francke.) † 2.70
— Vorkurs z. d. Arbeiten an d. Hobelbank. (10 m. 6 Taf.) 8° Ebd. 1899. † — 60
Scheurlen, JB: Führer durch d. Volks- u. Jugendlit. (96) 8° Lpzg, Ver. v. Verlegern christl. Lit. 04. † — 40 d
Scheusal, L, s.: La Grange. Nach französ. Kriminalakten. —
Der Schwiegersohn. — Abner. — Die Kindesmörderin. (96) 8° Nerweisenns., E Bartels (o. J.). 1 —
Scheve, E: Die Mission d. deut. Baptisten in Kamerun (West-Afrika) fr. 1884—1901). (126 m. Abb. u. 1 Kartenskizze.) 8° Berl. (02). (Cass., JG Oncken Nf.) 1 —; L. 1.50; eleg. geb., L. 1.70 d
Scheve, M v. (Frau M Sommerfeld): O diese Leutnants, s.: Kürschner's, J, Bücherschatz.
Scheve, T: German. Vorzeit, s.: Rademacher, C.
Scheven, C V., s.: Urkunden u. Regesten z. Geneal. derer v. Scheven.
Scheven, Paul K, s.: Abolitionist, d.
— Die positiven Aufg. u. Ziele d. Förderation, s.: Pappritz, A.
— Denkschrift üb. d. Tol. Denschl. bestäh. Verhältn. in Bezug auf d. Bordellwesen, s.: Schriften d. Bundes deut. Frauenver.
— Warum erachtet d. Föderation d. Prostitution nicht als strafbares Vergehen?, s.: Flugschriften, abolitionist.
— Der Kampf geg. d. Prostitution als staatlich konzessioniertes Gewerbe. Vortr. (20) 8° Dresd. (Angelikastr. 23), Selbstverl. 02. — 30 d
— Die Uebel d. Reglementierg d. Prostitution, s.: Flugschriften, abolitionist.
Scheven, P: Allerlei a. u. üb. Dresden. 1. u. 2. Heft. (1—64) 8° Dresd., OV Böhmert 03. Je — 20 d
— s.: Helfer, d. — Untersuchungen üb. d. Heimarbeit d. Frauen in Dresden. — Volksgesundheit. — Volkswohl.
Schewe, K: Zum Fachunterr. in d. Volkssch., s.: Sammlung pädagog. Vortr.
Schewiakoff, W: Beitr. z. Kenntniss d. Radiolaria-Acanthometrea. [S.-A.] (40 m. 4 Taf.) 4° St. Pétersbg 02. (Lpzg, Voss' S.) 4.50
Schewitsch, H v., s.: Winke, praktisch-theosoph.
Schewitsch, S: Ein Krieg auf Actien — f. Action. Der Burenkrieg als soc. Symptom uns. modernen Kultur. Vortr. (32) 8° Münch., A Schupp 01. (Lpzg, F Förster.) — 50 d
Schewtschenko's ausgew. Gedichte. Aus d. Ruthen. m. Beibehaltg d. Versmasses u. d. Reimes übers. u. m. d. nöt. Erklärgn versehen v. S Szpoynarowski. 1. Heft. (36 m. Bildnis.) 8° Czernow., H Pardini 04. — 50
— Marie. (In russ. Sprache.) (36) 8° Berl., H Steinitz (04). 1 —
Schey, J Frhr v.: Das allg. BGB. f. d. Kaiserth. Oesterr., s.: Taschenausgabe, Manz'sche, d. österr. Ges.
— s.: Sammlung v. zivilrechtl. Entscheidgn d. k. k. obersten Gerichtshofes.
— Zur Verjährg d. Entschädiggsklagen n. § 1489 ABGB. (54) 8° Wien, Manz 05. 1 —
Scheye, D: Die Nachlassverwaltg n. d. BGB. unter Berücks. d. Nachlasskonkurses. (69) 8° Strassbg, Schlesier & Schw. 05. 1.60
Scheyer, D: Gesch. d. Main-Neckar-Bahn. II. Thl (Lngl. Sekt.). Vom 1. VIII. 1896 bis z. Auflösg d. Direktion i. X.'02. Als Anh.: 1. Staatsvertrag zw. Preussen u. Hessen üb. d. gemeinschaftl. Verwaltg d. beiderseit. Eisenb.-Besitzes v. 23. VI. 1896. 2. Staatsvertrag zw. Preussen, Baden u. Hessen v. 14. XII. '01 „Die Neuregelg d. Vertragsverhältnisse d. Main-Neckar-Bahn" betr. (162 u. 63) 8° Darmst., K Hess 02. 2 — (Vollst.: 6 —)

Scheyrer, F: Gesch. d. Ver. f. Wiss., Lit. u. Kunst. (33) 8°
  Darmst., (E Zernin) 03.   1 —
Schian, M: Uns. Christenglaube. (137) 8° Freibg i/B., P Waetzel
  03.   L. 2— d
— Preussens Roman „Jörn Uhl", s. Wirkg u. s. Wert. 1. u.
  2. Afl. (31) 8° Görl., R Dülfer 03.   — 60
— Besteht e. Gegensatz zw. d. Christentum u. d. modernen
  Frauenbewegg? (30) 8° Ebd. 03.   — 60 d
— Die ev. Kirchen u. d. Staat. (38) 8° Ebd. 04.   — 80 d
— s.: Kirchen, d. ev., u. d. Staat.
— Das kirchl. Leben d. ev. Kirche d. Prov. Schlesien, s.: Kirchen-
  kunde, ev.
— Friedr. Nietzsche u. d. Christentum. 3 Vortr. (77) 8° Görl.,
  R Dülfer 02.   1.25
— Der deut. Roman seit Goethe. Skizzen u. Streiflichter. 8 Lfgn.
  235) 8° Ebd. 04.   3.50; L. 4.50 d
Schiaparelli, G: Die Astronomie im Alten Test. Übers. v. W
  Lüdtke. (137 m. Abb.) 8° Giess., A Töpelmann 04. 3.20; geb. 4—
Schiavi: Die italian. Arbeitskammern, s.: Pinardi.
Schibler: Üb. d. Feuertaktik d. schweiz. Infant., s.: Militär-
  zeitung, allg. schweiz.
Schiebe, T: Zu Ciceros Briefen. (30) 8° Berl., Weidmann 05. 1 —
Schicht, J: Adonis. Idyll in 3 Gesängen. (62 m. Titelbild.) 8°
  Wien, Verl.-Anst. neuer Lit. u. Kunst 01.   1.50 d
Schick, A: Kurze Anl. z. Verwaltg d. hl. Bussskramentes.
  Nach d. Handexemplar d. Verstorbenen hrsg. v. W Rhiel.
  2. Afl. (98) 8° Fulda, Fuldaer Actiendr. 01. ‖ 3. Afl. v. JD Schmitt.
  (96) 05.   Je — 80 d
Schick, B: Die Serumkrankh., s.: Pirquet, C Frhr v.
Schick, E: Katech. d. prakt. Arithmetik, 4. Afl., s.: Riedel, E.
Schick, E: Otto Julius Bierbaum. (68) 8° Berl., Schuster & Loeffler
  03.   1 — d
— Aus stillen Gassen u. v. kleinen Leuten. (164) 4° Lpzg 02.
  Berl., H Seemann Nf.   2 —; geb. 3 — d
— Empfindsames Notierbüchl. Gedichte. (62) 8° Stuttg., A
  Juncker (05).   1.50 d
Schick, F: Homburg and its vicinity, the upper Taunus. Feld-
  berg, Altkönig, Königstein, Soden etc., Frankfort on Main.
  Translated from the German. 15. ed. (144 m. Abb.) 12° Homb̃g,
  F Schick 02.   nn 1.20; m. 4 Karten nn 2 —
Schick, H: Ist d. „Wesen d. Christentums" v. A Harnack in
  16 Vorlesgn wirklich d. Wesen d. Christentums? Off. Send-
  schreiben an denselben. (72) 8° Rgnsbg, W Wunderling 01. 1 — d
Schick, J, s.: Beiträge, Münch., z. roman. u. engl. Philol. —
  Forschungen, literarhistor. — Eyd's, T, Spanish tragedy.
Schick, M: Leseb. f. d. 2. Kl. d. Elementarsch. u. höh. Mädchensch., s.: Gommel, J.
— u. G **Stäbler:** Rechtschreibübgn f. d. Elementarkl. höh. Lehranst. In 2 Stufen methodisch f. d. Hand d. Schüler bearb.
  7. Afl. Mit e. Nachwort f. d. Lehrer. 8° Stuttg., JF Steinkopf 04.   Kart. — 85; in 1 Bd — 70 d
  1. (1—62) — 40 ‖ 2. (53—142) — 45.
Schick, R: Tageb.-Aufzeichngn a. d. J. 1866, 68, 69 üb. Arnold
  Böcklin. 2. Afl. Hrsg. v. H v. Tschudi. Gesichtet v. C Flaischlen.
  (430 m. Abb. u. 1 Bildnis.) 8° Berl., E Fleischel & Co.
                              13 —; geb. 15 —
Schicke, F: Heimatskde. Vorbereitg f. d. Unterr. in d. Erdkde.
  Der Kreis Schildberg. (16 m. Fig.) 8° Lissa, F Ebbecke 05.
                                                  — 60 d
— Heimatkde d. Kreises Adelnau. (13) 8° Ebd. 03.   — 90;
                                      m. Karte — 60 d
Schickele, R (P Savreux), s.: Merker, d.
— Pan. Sonnenopfer 4. Jugend. (88) 12° Strassbg, J Singer 02. 2 —
— Mon Repos. (40) 8° Berl., H Seemann Nf. (05).   Kart. 2 —;
                          Liebhaber-Ausg., in Porg. 6 — d
— Sommernächte. Gedichte. (71) 8° Strassbg, L Beust 02. 2 —;
                                      geb. 3 — d
Schicker, v.: Die Gewerbeordng f. d. Deut. Reich m. Erläutergn
  u. d. Ausführgsvorschriften d. Reichs. 4. Afl. 2 u. 3. Lfg. (369—
  1368) 8° Stuttg., W Kohlhammer 01.   13.50
                                (Vollst. 17.40; geb. 21 —) d
— dass. m. Erläutergn u. d. Ausführgsvorschriften d. Reichs
  u. Württembergs. 4. Afl. 3. Lfg. (845—1708) 8° Ebd. 01. 8.60;
                        geb. 10.40 (Vollst.: 20 —; geb. 23.60) d
  Die 1. u. 2. Lfg sind m. d. allg. Ausg. identisch.
Schickert: Wasserwege z. Deichwesen in d. Memelniederg.
  (472 m. 1 Karte.) 8° Königsbg, JH Bon's V. 01. 6 —; geb. 7.50 d
Schickhardt, H: Handschriften u. Handzeichngn. Unter Mitwirkg v. A Euting u. B Pfeiffer hrsg. durch W Heyd. 3 Hefte.
  (481 m. Abb. u. 1 Taf.) 8° Stuttg., W Kohlhammer 01.02. 7 — d
Schicksal, d., d. Schulnovelle u. d. Protestbewegg in Würt-
  temberg. (177) 8° Stuttg., Deut. Volksblatt 05.   1 — d
— d., v. Verfolgern d. Kirche, s.: Volksaufklärung.
Schidar: Die moral. Aufgaben d. XX. Jahrh. (In russ. Sprache).
  (61) 8° Berl., H Steinitz 01.   1 —
Schider, E: Gastein f. Kurgäste u. Touristen. 11. Afl. v. O
  Gerke. (96 m. Titelbild, Pl. u. 1 Karte.) 8° Salzbg, Mayr 04.
                                                      Geb. 1.50
Schider, F: Plastisch-anatom. Handatlas f. Akademien, Kunst-
  sch. u. z. Selbstunterr. 2. Afl. (20 m. 115 z. Tl farb. Taf.) 4°
  Lpzg, Seemann & Co. (03).   10 —; L. 12 —
Schidlo s.: Zwiedinek Edler v. Südenhorst u. Schidlo.
Schidlof, B: Was muss d. Briefmarkensammler wissen? (7)
  8° Berl., H Steinitz (04).   1 — d

Schidlof, B: Die Ehe u. ihr Einfl. auf Gesundh. u. Lebens-
  dauer. (91) 8° Berl., W Reuter (05).   3 —
— Der Mädchenhandel. Seine Gesch. u. s. Wesen. (380) 8° Berl.,
  H Steinitz 04.   5 —
Schiebe, A, u. CG **Odermann:** Ausw. deut. Handelsbriefe f.
  Handlgslehrlinge, m. e. franzős., engl. u. italien. Übersetzg
  d. in d. Briefen vorkomm. Fachausdrücke, schwierigeren
  Wendgn u. Sätze. 12. Afl. v. A Adler. (205) 8° Lpzg, JM Geb-
  hardt 05.   7 —; geb. nn 2.10
— Lehrb. d. Kontorwiss. 2. Tl. 8° Ebd.   1.80; geb. nn 2.10
                                              HF. nn 8.50
  2. Die kaufmänn. Korrespondenz theoretisch u. praktisch dargest., nebst
    e. franzős., engl., italien. u. spam Übersetzg d. in d. Briefen vor-
    komm. Fachausdrücke, schwier. Wendgn u. Sätze. 15. Afl. v. A Adler.
    (32, 639)   7 —; geb. nn 3 — u. nn 8.50
Schiebel, E: Grundr. d. kaufmänn. Rechnens. (64) 8° Wien, A
  Pichler's Wwe & S. 03.   Geb. 1 —
— Rechenb. f. Bürgersch. Auf Grundl. d. 3teil. Rechenb. f.
  Bürgersch. v. P Villicus u. E Schiebel bearb. Ausg. in 1 Bde.
  (248) 8° Ebd. 03.   Kart. 2 — d
— Rechenb. f. Knaben- u. Mädchen-Bürgersch., s.: Villicus, F.
Schiebel, H: Lauterbach bei Schramberg im württemberg.
  Schwarzwald. Führer. (100 m. Abb., 1 Pl., 1 Karte u. 1 Taf.)
  8° Freibg i/B., FP Lorenz 05.   — 80
Schieber, A: Was Annegret zu helfen fand, s.: Immergrün.
— Guckkastenbilder, s.: Sonntagsbibliothek.
— Im Schloss Hausbaden (Die kaiserl. Familie in d. Sommer-
  frische). — Ninetta. — Einen Sommer lang, s.: Immergrün.
— Sonnenhunger. Geschichten v. d. Schattenseite. 1. u. 2. Afl.
  (272) 12° Stuttg., D Gundert 03.05.   2 —; L. 2.40 d
— Sonnenstrahlen, s.: Immergrün.
— Zugvögel u. and. Gesch., s.: Sonntagsbibliothek.
— Zurückgesetzt?, s.: Immergrün.
Schiebler: Wie errichtet man e. Testament?, s.: Volksschrif-
  ten, Dresdner.
Schiebold, O: Denkschrift z. Feier d. 100jähr. Bestehens d.
  pomolog. Gesellsch. d. Osterlandes. (106) 8° Altnbg, (Schnup-
  hase) 05.
Schiebuhr, T: Die Macht d. Liebe in d. Poesie. — Winke f.
  d. Übgn im richt. Gebr. d. Muttersprache in d. Volkssch.,
  s.: Abhandlungen, pädagog.
Schiedermair, A: Alfr. Bruneau's Messiodor, s.: Opernführer.
— Gust. Mahler. Biographisch-krit. Würdigg. (38 m. 1 Bildnis.) 8° Lpzg u. Berl., Harmonie.   1 — d
— Gust. Mahler's 1. u. 3. Symphonie. — Max Schillings' symphon. Prolog zu Sophokles' „König Oedipus", s.: Musikführer, d.
Schiedsgerichte, kaufmänn., m. Anh.: Entwurf e. Ges. betr.
  kaufmann. Schiedsgerichte. 1—10. Taus. (68) 8° Hambg,
  Deutschnationaler Handlgsgehilfen-Verband 01.   nn — 20 d
Schiedsgerichtsordnung d. deut. Buchdrucker.   nn — 75 d
  8° Berl., H Kuhz (05).
Schiefer, FW: Die relig. u. eth. Anschaug d. IV. Ezrabuches
  im Zusammenh. (76) 8° Lpzg, Dörffling & Fr. 01.   1.20
Schiefer, H: Ohm Michel, d. frith. Zellengefangene, e. Sieger-
  länder Original. Erinnerungsblätter an Augt. Michel in Weide-
  nau, e. Patriarchen a. d. christl. Gemeinschaftsleben d.
  Siegerlandes. 4. Afl. (64 m. 1 Bildnis.) 8° Neukirch., Missionsbh.
  Stursberg & Co.   — 50; kart. — 75 d
Schiefertafelzeichnen, d., f. Schule u. Haus. 20 Bl. Hrsg. v.
  Bez.-Lehrerver. Regensburg (Stadt). 4. Afl. (4 S. Text.) 4°
  Müncb., R Oldenbourg (08).   2 — d
Schieferdecker, P: Indikationen u. Contraindikationen d. Rad-
  fahrens. (83) 8° Lpzg, S Hirzel 01.   1.20
Schiefler, G: Der Kaiser, d. neue Kultur u. d. deut. Einzel-
  staaten. (20) 8° Hambg, A Janssen 02.   — 60 d
Schiel, A: Gesch.-Büchl. d. vaterländ. Gesch. Für d. Hand d.
  Schüler auf d. Mittelst. 3. Afl. (24 m. Abb.) 8° Heiligenst.,
  FW Cordier 03.   — 20 d
— Lehrb. f. d. Gesch.-Unterr. in Lehrerbildgsanst., s.: Beck, KA.
Schiel, A: 23 Jahre Sturm u. Sonnenschein in Südafrika. (592
  m. Abb. 20 Vollbildern, 1 Karte u. 1 Pl.) 8° Lpzg, FA Brock-
  haus 02.   9 —; auch in 18 Lfgn zu — 50 d
Schiel, A: Ignaz v. Felbiger u. Ferd. Kindermann, s.: Klas-
  siker, d. pädagog.
Schiel, F: Ignaz v. Weltgesch. (M.-A. u. Neuzeit) f. d. unt.
  Kl. d. Mittelsch. u. verwandte Lehranst. 2. Afl. (156) 8° Nagy-
  szeben (Hermannst.), F Michaelis 04.   Geb. 2 — d
Schielgerup, G: Die Opferleuer, s.: Gjellerup, K.
Schiele: Die Vereinfachg in d. franzős. Syntax. Nach d. Er-
  lassen d. Unterr.-Ministers Leygues v. 31, VII, 1900 u. v. 26.
  II.'01. (2 Vortr.) [S.-A.] (34) 8° Stuttg., W Kohlhammer 01.
                                                        — 40
Schiele, D: Das Baugewerbe u. d. gesetzl. Unfallversicherg.
  (256) 8° Lpzg, Pagel & Co. 04.   L. 4 — d
Schiele, FM: Deut. Glaube, s.: Dürr's deut. Bibliothek.
— Minnesang u. Volkslied. Zum Schulgebr. in Lehrer- u.
  Lehrerinnen-Seminarien ausgew. u. hrsg. [S.-A.] (100) 8°
  Lpzg, Dürr'sche Bh. 04.   2 —
— Sang u. Spruch d. Deutschen im 19. Jahrh. Ausw. a. d. lyr.
  u. epigrammat. deut. Dichtg v. d. nachklass. Zeit bis z. Gegenwart. Für d. Schulgebr. in Lehrer- u. Lehrerinnen-Seminaren
  hrsg. [S.-A.] (279—296) 8° Ebd. 04.   1 — d
— dass., s.: Dürr's deut. Bibliothek.
— s.: Volksbücher, relig.-geschichtl.

Schiele, FM: Die Zeitgenossen Goethes. Ausw. a. d. lyr. u. epigrammat. deut. Dichtg v. Claudius bis zu Kerner u. Eichendorff. Für d. Schulgebr. in Lehrer- u. Lehrerinnen-Seminaren hrsg. [S.-A.] (143—190) 8° Lpzg, Dürr'sche Bh. 04. — 60 d
Schiele, GW: Briefe üb. Landflucht u. Polenfrage. (105) 8° Berl., Hüpeden & M. 06. 1.60; kart. 2 —
Schiele, K: Aufg. a. d. Gewerbsleben z. Erlerng d. einf. Buchführg. (Kl. Ausg.) 3. Afl. (16) 8° Augsbg, B Schmid 01. — 20 d
— Prakt. Aufg. a. d. Gewerbsleben z. Erlerng d. einf. Buchführg. nebst Bemerkgn üb. Buchführg u. Wechsel. 8. Afl. (112) 8° Ebd. 05. 1—; geb. 1.25 d
Schiele, W: Mit d. Deutschen im Euren-Kriege. (242 m. 3 Kart. u. 4 Kartenskizzen.) 8° Berl., D Reimer 01. L. 4 —
Schieler, C: Mein Austritt a. d. kathol. Kirche, s.: Flugschriften d. Neuen Frankfurter Verlags.
— Die Babel- u. Bibelfrage in e. Vortr. beleuchtet. 1. u. 2. Afl. (23) 8° Danz., John & Rosenberg 03. ‖ 2. Vortr. (28) 03. Je — 30 d
— Befürchtgn u. Hoffngn bezügl. d. relig. Frage in Deutschl. Rede. (18) 8° Ebd. 03. — 30
— Die relig. Bewegg uns. Tage u. d. freie relig. Gemeinde. (20) 8° Königsbg, (Gräfe & U., Bh.) 01. — 30 d
— Giordano Bruno, d. Dichter-Philosoph u. Märtyrer d. Geistesfreiheit, s.: Flugschriften d. Neuen Frankfurter Verlags.
— „Uns. Lebensarbeit", dargest. in e. Predigt, geh. bei d. Konfirmationsfeier 1903. (20) 8° Danz., (John & Rosenberg) 03. — 25
— Dr. Jul. Rapp, ehem. Privatdoz., Oberlehrer u. Divisionspred., zu Königsberg i. Pr. u. d. freie relig. Bewegg in d. kathol. u. ev. Kirche im 19. Jahrh. (236 m. 1 Bildnis.) 8° Dresd., E Pierson 03. 6 —; geb. 7 — d
Schiemann, M: Die elektr. Aufbahnen. Gleislose Motorb. m. elektr. Stromzuführg. (35 m. Abb.) 8° Lpzg, O Leiner 02. — 75
— Bau u. Betrieb elektr. Bahnen. II. Bd. Haupt-, Neben-, Industrie-, Fernschnell- u. gleislose Bahnen. 2. u. 3. Afl. (462 m. Abb.) 8° Ebd. 03. 12.50 (Vollst.: 25 —; Einbds in L. je 1.50)
— Taschenb. f. Monteure elektr. Strassenb., s.: Loose, F.
Schiemann, T: Deutschl. u. d. grosse Politik, anno 1901—4. 4 Bde. (450, 466, 409 u. 356) 8° Berl., G Reimer 02-05. Je 6 —; geb. je 7 — d
— Die Ermordg Pauls u. d. Thronbesteigg Nikolaus I. Neue Materialien, veröffentlicht n. bearb. (Mit Titel u. Orig.-Texten in deut. u. russ. Sprache.) (24, 420) 8° Ebd. 02. 10 —; L. 11 —
— Gesch. Russlds unter Kaiser Nikolaus I. I. Bd. König Alexander I. u. d. Ergebnisse sr Lebensarbeit. (637) 8° Ebd. 04. 14 —; HF. 16 —
Schiener, JL: Der 1. Maskenball. — Die schöne Ulrike. Das Geheimnis d. Barons. — Auf dunklen Wegen, s.: Weichert's Wochen-Bibliothek.
Schier, R: Aus Wald u. Heide. Schildergn a. deut. Forsten. (115 m. Abb.) 8° Dresd., C Heinrich 02. Kart. 3 — d
Schierhorn, P: Hilfsb. f. d. Gesangunterr. 5. Afl. (160) 8° Lpzg, J Klinkhardt 05. Kart. nn — 60 d
Schierl, A.: Wandtaf. f. d. Unterr. in d. allg. Chemie, s.: Schroeder, G v.
Schierlein's, M, Buchhaltgsschlüssel f. Kaufleute, Gewerbetreib., Handwerker usw. 2. u. 3. Afl. (86 m. 1 Tab.) 8° Bresl., Verl. d. Buchhaltgsschlüssels (03). (4.50) 3.50
Schierlinger, F: Die bayer. Landesges. u. Verordngn z. Ausführg u. Ergänzg d. CPO. u. d. Zwangsversteigergsges., s.: Sammlung d. landesrechtl. Civil-Prozess-Normen.
— Der prakt. Rechtsbeistand. 3. Bd. Reichsstaatsrecht, Gewerbewesen, Arbeiterversicherg, Heerwesen. (204 u. 4) 8° Münch., E Koch 02. 1 —
— (Vollst.: 3 —; Einbde je — 50; in 1 L.-Bd 3 —) d
— Das Strafgesetzb. f. d. Deut. Reich, s.: Henle, W.
Schjerning, O, s.: Bibliothek v. Coler.
— Die Organisation d. Sanitätsdienstes im Kriege, s.: Vorträge üb. ärztl. Kriegswiss.
— Thäle u. Voss: Die Schussverletzgn, s.: Fortschritte auf d. Geb. d. Röntgenstrahlen.
Schjerning, W: Berlin—Aachen üb. Holzminden u. Soest u. zurück. — Berlin—Dresden—Prag üb. Zossen u. Bodenbach u. zurück. — Berlin—Görlitz[-Glatz]—Breslau u. zurück, s.: Rechts u. links d. Eisenb.
— Was muss d. Kaufmann v. d. Geogr. d. Deut. Reiches wissen? Überblick üb. Bodengestalt u. Bewohner Deutschlds . m. bes. Berücks. d. Hauptverkehrslinien. d. Mittelpunkte gewerbl. Thätigkeit u. d. gr. Handelsstädte. (170) 8° Lpzg, Verl. d. mod. kaufm. Bibliothek (01). L. 2.75
Schierse, B: Das Breslauer Zeitgwesen vor 1742. (128) 8° Bresl., JU Kern 02. 3 —
Schiess, T, s.: Bullinger's Korrespondenz m. d. Graubündnern.
— Philipp Gallicius (1504—66). Lebensbild. (34) 8° Chur (04), (St. Gall., Fehr.)
Schiess, W: Quer durch Mexiko. Vom Atlant. z. Stillen Ocean. (234 m. Abb., 16 Lichtdr. u. 1 Karte.) 8° Berl., D Reimer 02. L. 8 —
Schiessdrill, feldgemässer, durch einfachste Methode, v. V. (21) 8° Berl., Militär-Verl. R Felix (01). — 75 d
Schiesser-Kommandierrolle f. d. Infant. 18. Afl. (93) 8° Wes., C Kühler 06. 5 —
Schiessinstruktion f. d. Infant. u. d. Jägertruppe. (140 m. Fig. Tab. u. 2 Beil.) 8° Wien, (Hof- u. Staatsdr.) 05. 1 —
— in Fragen u. Antworten f. d. Infant.-Unteroffiziere u. Unteroffiziers-Bildungsschüler d. k. u. k. gemeinsamen Heeres, d. Hinrichs' Fünfjahrskatalog 1901—1905.

k. k. u. k. u. Landwehr. Zusammengest. v. E R. (22) 16° Budap., C Grill 02. nn — 20 d
Schiessinstruktion f. d. Kavall. Entwurf. (108 u. 10 m. z. Tl farb. Fig. u. 1 Taf.) 8° Wien, (Hof- u. Staatsdr.) 05. 2 —
Schiesskladde f. d. gefechtsmäs. Schiessen. 2. Afl. (96) 4° Wes., C Kühler 04. 1.50 ‖ 3. Afl. (102) 05. Geb. 1 — d
Schiessregeln f. d. schweren, leichten u. reit. Batterien d. russ. Feldartill. (1900). Mit e. Anh.: Schusstafeln. Uebers. v. Hofrichter. (48) 8° Berl., Liebel 02. 1 —
— f. d. Schiessen a. Belagergs- u. Festgsgeschützen. [S.-A.] (52) 8° Wien, (Hof- u. Staatsdr.) 01. — 30 d
Schiessstands-Ordnung (Sch. O.) v. 7.X.'04. (D. V. E. No. 304.) Text u. Atlas. Berl., ES Mittler & S. 04. †8.45; kart. †9.60 d
Text. (97) 8° †—70; kart. †—80 ‖ Atlas. (51 Taf. m. 3 S. Text.) 4° †7.75; kart. †8.90.
Schiessvorschrift f. d. Infant. Anh. III. Zusätze u. Aenderg f. d. Maschinengewehr-Abteilgn. Entwurf. (20 m. 1 Fig.) 16° Berl., (ES Mittler & S.) (01). †—75
— Schiessvorschrift m. Anh. I—III.: 1.15; kart. 1.35] d
— dass. Entwurf. D. V. E. Nr. 240. (169) 8° Ebd. 05. †—70; kart. †—90 d
— dass. v. 2.XI.'05. Anh. I u. III. 8° Ebd. 05. †—25 d
I. Zusätze u. Aenderg f. d. Jäger u. Schützen. (D.V.E. Nr. 240.) (27) †—15 ‖ III. Zusätze u. Aenderg f. d. Maschinengewehr-Abteilgn. (D.V.E. Nr. 240 c.) (15) †—10.
— f. d. Kavall. (D. V. E. No. 265.) (129 m. Fig.) 12° Ebd. 01. †—80; kart. †1—d
— e n , f. Offiziere, Unteroffiziere u. Mannschaften. Auszug akl, v. Grunn's Taschenb. f. d. Schiesslehrer". 11. Afl. (46 m. Abb. u. 1 Taf.) 16° Berl., Liebel 04. — 30 d
— f. Maschinengewehr-Abteilgn. (M. G. S.) Entwurf. (14.V.'02 D. V. E. Nr. 73.) (56 m. Fig.) 12° Berl., ES Mittler & S. 02. †—40; kart. †— 55 d
— dass. v. 1.IX.'04. Entwurf. (D. V. E. No. 73.) (59 m. Fig.) 8° Ebd. 04. †—40; kart. †— 60 d
Schiewelbein, K: Die f. d. Schule wicht. französ. Synonyma. 2. Afl. (49) 8° Bielef., Velhagen & Kl. 04. Kart. — 60
Schiff, das. Centralbl. f. d. ges. Interessen d. deut. Schiffahrt, d. Schiff- u. Wasserbaues u. deren Hilfsindustrien. Begründet v. A v. Studnitz. Red.: G Vogt u., seit 1904, O Büsser. 22—25 Nrn. (Nr. 1083. 8) 4° Berl., Deut. Druck- u. Verlagshaus. Viertelj. nn 3 —; einz. Nr nn — 30 d
Schiff: Geb. d. Entsteng u. Behandlg d. Plattfusses im jugendl. Alter, s.: Veröffentlichungen a. d. Geb. d. Militär-Sanitätswesens.
Schiff, E: Erfolge d. Röntgentherapie. (24 m. Abb.) 8° Wien, M Perles (03). 1.50
Schiff, E: Aus d. naturwiss. Jahrh. Ges. Aufsätze. Nach s. Tode hrsg. (191) 8° Berl., G Reimer 02. 4 —
Schiff, J: Die einfachsten chem. Erscheingn m. Berücks. d. Mineral. bSonderabdr. d. Anh. zu d. 15. Afl. v. A Trappes Schul-Physik. (84 m. Abb.) 8° Bresl., F Hirt 05. nn — 70 d
— A: Trappe's, A, Schul-Physik.
Schiff, J: Aufg.-Sammlg z. theoretisch-prakt. Lehrg d. Stenogr. n. Gabelsb.-System. 1. u. 2. Afl. (16) 8° Wien, A Pichler's Wwe & S. 05.05. — 30 d
— Der Geschäftsstenograph. Hand- u. Übgsb. f. d. stenograph. Praxis in kaufmänn. Berufsleben, Behörden-, Gerichtskanzlei usw. J. Anhg. 1901—5 je 5½ Nrn. Nr. 1083. 8) 4° Berl., Deut. Theoret. u. prakt. Tl. Phraseol. u. Kürzgsvers. (75) 8° Wien, A Hölder 04. 1.55 ‖ 2. Abtlg. Schlüssel. (51) 04. — 75
— Kammersignal d. Gabelsb.'schen Stenogr. u. log. Kürzgn bei Fixierg bestimmter Redewendgn im formellen Geschäftsgange parlamentar. Debatten. 4. Afl. (31) 12° Wien, W Braumüller 02. — 50
— Theoretisch-prakt. Lehrg. d. Stenogr. n. Gabelsb.'s System. II. Tl. Satzkürzg. 1. Afl. (31 m. 16 Taf.) 8° Wien, A Pichler's Wwe & S. 05.
— Stenograph. Lese-Aufg. (n. Gabelsb.'s System). Schlüssel. 4. Afl. (90) 8° Ebd. (01). — 75 d
— Sigel u. Vereinfachgn d. stenogr. Korrespondenzschrift. Mit e. Biogr. Gabelsbergers. 24. Afl. (28) 16° Wien, R Heger 05. — 25
— Stenograph. Taschenwrtrb. 3. Afl. d. stenograph. Wrtrb. (17 u. 784) 8° Wien, W Braumüller 02. 4.20; L. 5 —
— Stenograph. Übgsb. (System Gabelsb.) I. Thl: Correspondenzschrift. II. Thl: Satzkürzg. 6. Afl. (128) 8° Ebd. 02. 1.80; Schlüssel. 7. Afl. (101) — 60 d
Schiff, W: Grundr. d. Agrarrechtes m. Einschl. d. Jagd- u. Fischereirechts, s.: Grundriss d. österr. Rechts.
Schiffahrt, d. u. deut. Ströme, s.: Schriften d. Ver. f. Socialpolitik.
Schiffahrtsgebräuche. Tl I. Vortr. v. Behrend. Tl II. Handelskammer-Gutachten üb. Schiffahrtsgebräuche. [S.-A.] Hrsg. v. Central-Ver. f. Hebg d. deut. Fluss- u. Kanalschiffahrt. (48) 8° Berl. 04. (Mgdbg, Heinrichshofen's S.)
Schiffahrts-Kalender f. d. Elbe-Gebiet 1906. 24. Jahrg. Red. v. P Grimm. (293 u. 24 m. farb. Fig.) 8° Dresd., C Heinrich. L. 2.50

Früher hrsg. v. R Pollack.

Schiffbau. Zeitschrift f. d. ges. Industrie auf schiffbautechn. Gebiet. Hrsg. Chefred.: O Flamm. 3—6. Jahrg. Oktbr 1901—Septbr 1905 je 24 Nrn. (3. Jahrg. Nr.1—13. 568) 4° Berl., (Schiffbau. Je 12 —; einz. Nrn 1 —) 7. Jahrg. 1905/6. 16 —; viertelj. 5 —; einz. Nrn 1 —
Schiffbau-Kalender. Taschenb. f. d. ges. Schiffbau-Industrie,

hrsg. v. K Steinike. 1. Jahrg. 1903. (224 u. Schreibkalender m. Fig.) 12° Berl., Gebr. Borntraeger. Geb. nn 5.50 0 d
Schiffel, A: Form u. Inhalt d. Lärche. — Die Kubierg v. Rundholz a. 2 Durchmessern u. d. Länge. — Wuchsgesetze normaler Fichtenbestände, s.: Mitteilungen a. d. forstl. Versuchswesen Österr.
Schiffels, J, s.: Archiv f. d. Schulpraxis.
— Ausw. pädagog. Klassiker. Ausführl. Inhaltsangabe wicht. pädagog. Quellenschriften, nebst vielen wörtlich angeführten Kernstellen. (248) 8° Paderb., F Schöningh 01. 2.60; geb. 3.20 d
— Bilder a. d. Leben d. Heiligen m. ausführl. Nutzanwendgn f. Schule u. Familie. Volksausg. (448 m. 1 Farbdr.) 8° Trier, Loewenberg 04. Geb. nn 2.50 d
— Erklärg deut. Kirchenlieder a. d. Gesangb. f. d. Diöc. Trier. Für d. Schulgebr. bearb. (187) 8° Ebd. 01. 1.50; geb. nn 2 — d
— Erzählgn a. d. Gesch. d. trier. Landes u. Volkes. 2. Afl. (186 m. Titelbild u. 1 Kartenskizze.) 8° Trier, H Stephanus 05. 1.50; geb. 2 — d
— Geogr.-Büchl. f. d. Oberst. d. Volkssch. 6. u. 7. Afl. (93) 8° Ebd. 04. — 40 d
— Gesch.-Büchl. Für mehrklass. Schulen bearb. 7. Afl. (84) 8° Paderb., F Schöningh 04. — 40 d
— dass. f. d. einklass. Volkssch. 5. Afl. (55) 8° Ebd. 01. — 30 d
— dass. f. mehrklass. Volkssch. 8. Afl. (84) 8° Ebd. 05. — 40 d
— Grundz. d. deut. Rechtschreibg. Mit e. Wrtrverz. (34) 8° Ebd. 02. — 20 d
— Hdb. f. d. Unterr. in d. Gesch. I u. II. Zunächst z. Gebr. f. Lehrer an Volkssch. bearb. 8° Ebd. 7.20; geb. 9 — d
I. Deut. Gesch. 9. Afl. (340) 04. 2.60; geb. 3.40 | II. Brandenb.-preuss. Gesch. 3. Afl. (444 m. Kartenskizzen.) 03. 4.60; geb. 6.60.
— Heimatkde d. Reg.-Bez. Trier f. d. Mittelkl. d. Volkssch. 4. Afl. (64 m. Fig.) 8° Trier, H Stephanus 04. — 30 d
— Hilfsb. f. d. Unterr. in d. Rechtschreibg u. Sprachlehre auf d. Mittelst. 2. Afl. (176) 8° Paderb., F Schöningh 02. 1.50 d
— dass. auf d. Oberst. Lehrer-Ausg. zu d. Sprachbüchl. f. d. Oberst. 2. Afl. (287) 8° Ebd. 03. 2.40 d
— Hilfsbüchl. f. d. 1. Unterr. in d. Gesch. Nach d. rückschreit. Methode f. d. Mittelst. d. Volkssch. bearb. 12. u. 13. Afl. (40) 8° Ebd. 05. — 25 d
— s.: Jahresrundschau, pädagog.
— Kinder-Legende. Bilder a. d. Leben d. Heiligen. (104 m. 1 Farbdr.) 16° Trier, Loewenberg 05. Geb. 1 — d
— Kl. Lehrb. d. kathol. Relig. f. Präparandensch. 3 Tle. 8° Bresl., H Handel 03.04. nn 3.20 d
I. 1. Schulj. (148) 03. 1.20; geb. nn 1.50 | II. 2. Schulj. (138) 04. 1.20; geb. nn 1.50 § III. 3. Schulj. (72) 05. Kart. — 90.
— Papst Leo XIII. Ein Bild s. Lebens u. s. Wirkens. (28 m. 1 Bildnis.) 12° Trier, (Loewenberg) 03. — 25 d
— Liederschatz f. gemischten Chor. Eine Sammlg 4stimm. Gesänge f. ausserlitrg. Bedürfnisse e. Kirchenchores. Op. 25. (240) 8° Münst., H Schöningh (01). Geb. 1 — d
— Palästina. Geogr. u. Gesch. d. Hl. Landes. 3. Afl. (31 m. 3 Kart.) 8° Freibg i/B., Herder 04. — 25; kart. — 55 d
— Die Praxis d. Lehrerberufes. Ratgeber u. Wegweiser f. Lehrer a. Lehrerinnen an Volkssch. 1. Bd: Die Schulaufsicht u. d. Schulverwaltg. Die amtl. u. d. ausseramtl. Verhältn. d. Lehrers. Die äuss. Verhältn. d. Schule. (336) 8° Paderb., F Schöningh 03. 3.60; geb. 4.60 d
— Der ges. 1. Relig.-Unterr. Lernbüchl. f. d. 3 unt. Schulj. d. Volkssch. 3. u. 4. Afl. (80 m. Abb.) 8° Freibg i/B., Herder 04. — 35; kart. — 40 d
— Sprachbüchl. f. d. Mittelst. Schüler-Ausg. zu d. Hilfsb. f. d. Unterr. in d. Rechtschreibg u. Sprachlehre auf d. Mittelst. 5. Afl. (45) 8° Paderb., F Schöningh 05. — 20 d
— dass. f. d. Oberst. Schüler-Ausg. zu d. Hilfsb. f. d. Unterr. in d. Rechtschreibg u. Sprachlehre auf d. Oberst. 5. Afl. (35) 8° Ebd. 04. — 30 d
— s.: Taschenkalender, pädagog.
— Wandk. d. Kreises Bitburg. 1:40,000. 4 Bl. je 54,5×61,5 cm. Farbdr. Trier, H Stephanus (02). nn 10 —; auf L. m. St. nn 15 —
— u. F **Schumacher:** Sammlg 3 stimm. Lieder f. Knabenstimmen z. Gebr. beim Gottesdienste, insbes. f. höh. Mädchen-Sch. u. Lehrerinnen-Bildgsanst. 1. u. 2. Afl. (119) 8° Münst., H Schöningh 01. Geb. 1 — d
Schiffer, H: Raubritter v. Reifferscheidt od. Tringo-Männchen-Klossen-Tringche. (135) 12° Aach., M Flöck 1901. 1 —; geb. 1.50
Schiffer-Dienstbuch. (63) 8° Duisbg, H Bautzmann (02). — 60
Schifferer, A: Prakt. Betriebskontrolle d. Mälzerei u. Brauereibetriebes, s.: Handbibliothek, techn.
Schiffers, O: Bismarck als Christ. (151) 8° Elberf., Bh. d. ev. Gesellsch. 06. 1.80; L. 2.40 d
Schiffini, S: Tractatus de gratia divina. (704) 8° Freibg i/B., Herder 01. 8.40; HF. 10.40
— Tractatus de virtutib. infusis. (695) 8° Ebd. 04. 8.80; HF. 11 —
Schiffmann, C: Leitf. d. Wasserbaues, s.: Weber's illustr. Katech.
Schiffmann, F: Vademecum d. gos. in Deutschl. direkt arbeit. Versicherungs-Gesellsch. (1901.) (350) 12° Gr.-Lichterf., F Schiffmann. L. 3.50

Schiffmann, K: Drama u. Theater in Österr. ob d. Enns bis z. J. 1803. (240 m. Abb. u. 17 Taf.) 8° Linz a/D., Museum Francisco-Carolinum 05. (Nur dir.) 3.40
— s.: Helmbrecht.
— Das Schulwesen im Lande ob d. Enns bis z. Ende d. 17. Jahrh. (299) 8° Linz a/D., Museum Francisco-Carolinum (1900). (Nur dir.) 1.25
— Ein Mondseer Urbarfragment a. d. 12. Jahrh. [S.-A.] (14) 8° Wien, (A Hölder) 01. — 40
Schiffner, C: Welche Erfahrgn hat man m. d. sog. pyrit. Schmelzen gemacht? [S.-A.] (15) 8° Berl. 04. (Freibg, Craz & G.) 1 —
Schiffner, F: Leitf. f. d. Unterr. in d. darstell. Geometrie an österr. Oberrealsch. u. verwandten Lehranst. (183 m. Fig.) 8° Wien, F Deuticke 03. Geb. 3 —
Schiffner, V: Expositio plantar. in itinere suo indico annis 1893/94 suscepto collectar. specimnibusque exsiccatis distributar. adjectis descriptionibus novar. Series II, Hepaticarum partem continens. [S.-A.] (64) 4° Wien, (A Hölder) 1900. 3.90 (I u. II: 7.10)
Schiffshebewerk, d., bei Henrichenburg am Dortmund-Ems-Kanal. (12 m. Abb. u. 1 Karte.) 8° Dortm., W Crüwell 02. — 50
Schiffsnachrichten. (Wochenausg.) Red.: J Selderer u. seit 1903, A Eggers. 16—19. Jahrg. 1901—4 je 52 Nrn. (1901. Nr. 14. 48) 4° Hambg (Grimm Nr. 8), Franke & Scheibe. Viertelj. postfrei nn 5.25 0 H
Schiffsunfälle, d., an d. deut. Küste in d. J. 1898—1902. Bearb. im kais. statist. Amt. [S.-A.] (23 m. 1 Karte.) 4° Berl., Puttkammer & M. 04. 1 — d
Schiffzunglück, d., bei Blankenese am 22. VII. '02. (16) 8° Lpzg (Nürnb. Str. 35), C Milde 02. — 30; m. Myword, d. Untergang d. Lloyddampfers „Elbe". (16 u. 88 m. Abb.) 1 — d
Schigut, E: Die Buchführg im Buchdruckgewerbe, theoretisch u. praktisch dargest., m. e. Anh. üb. d. Buchführg bei kl. Betrieben, Zeitgdruckereien, Aktiengesellsch. etc. (128) 8° Lpzg, H Klasing 02. L 3 —
— Ein- u. Ausführ-Atlas v. Österr.-Ungarn. Zum Gebr. f. Handelssch. aller Kategorien. (5 farb. Bl.) 4° Wien, G Freytag & B. 01. 1.25
— Lehrb. d. Handelskorrespondenz f. 2klass. Handelssch. (382) 8° Wien, A Hölder 03. Geb. 1.40 d
— Leitf. d. Handelskorrespondenz f. kaufmänn. Fortbildgssch. 2 Tle. 8° Ebd. Geb. 1.93
I. (86) 05. 1.05 § 2. (72) 05. — 88.
— Die prakt. Organisation d. Buchdruckereibetriebes sowohl m. d. gewerbl. wie n. d. techn. Seite hin, m. Berücks. d. Grundl. zu e. genauen Preiskalkulation. (65) 8° Lpzg, H Klasing 09. L. 2.40
— Status d. Professoren u. Lehrer an österr. Handelslehranst., s.: Bittner, E.
— u. B **Grossmann:** Lehr- u. Übgsb. d. kaufmänn. Rechnens f. 2klass. Handelssch. 2. Afl. v. E Schigut. (325) 8° Wien, A Hölder 04. Geb. 2.60
Schik, F: Bei Fürst Bismarck, s.: Poschinger, H v.
Schikaneder, E: Die Zauberflöte, s.: Mozart, WA.
Schikowski, J: Die Entwicklg d. deut. Bühnenkunst. (176) 8° Lpzg, J v. Schalscha-Ehrenfeld 05. L 3 — d
Schiktanz, M: Die Hilarius-Fragmente. (162) 8° Bresl., (Müller & Seiffert) 05. 2.40
Schild u. Pfeil. Von d. Verf. v. Hin u. Zurück, Allerhand, Blicke in Herz u. Welt. Mit Vorwort v. E Frommel u. Nachw. v. O Funcke. 4. Afl. (268) 8° Halle, CE Müller 05. 9 —; geb. 4 — d
Schild (Umschl. Schildt), C: Auskunftei- u. Darlehns-Schwindel. (2. [Umschl.-Afl.] (43) 8° Lpzg. Verl.-Anst. M Minde (01). — 50 d
Schild, W, s.: Walther, T.
Schildberger, Frau H, s.: Ossen, HF v.
Schildberger, N: Uns.Theater- u. Konzert-Erinnergn. Sammelb. f. Theater-, Konzert- u. Programme. 4. Afl. (104) Fol. Berl., H Schildberger 02. L. 5 —; Pracht-Ausg. m. G. 7.50; Luxus-Ausg. in Ldr 15 —
5. Afl. u. d. T.:
— Meine Theater- u. Konzert-Erinnergn. Sammelb. f. Theater-, Konzert- u. und. Programme. 5. Afl. (96) 4° Ebd. 05. L 5 —
Schilder, S: Agrar. Bevölkerg u. Staatseinnahmen in Österr. (176) 8° Wien, F Deuticke 06. 3.50
Schilderungen d. Suaheli v. Expeditionen v. Wissmanns, Dr. Bumillers, Grafv. Götzensu. Anderer. Aus d. Munde v. Suahelinegern ges. u. übers. (C Velten. (308) 8° Gött., Vandenhoeck & R. 01. L 5 — d
Schildkunmk, J: Allerleichteste Begleitg z. Ordinarium missae u. zu and. Gesängen. Für d. Privat- u. Selbst-Unterr., m. bes. Rücks. auf d. Orgelspiel b. kathol. Gottesdienste. op. 33, I. u. II. Bd. 3. Afl. v. FJ Breitenbach. 4° Ebd. 03. 7.50
— Orgelsch. f. Präparandensch., Lehrerseminarien u. Kirchenmusiksch., sowie f. d. Privat- u. Selbst-Unterr., m. bes. Rücks. auf d. Orgelspiel b. kathol. Gottesdienste. op. 33, I. u. II. Bd. 3. Afl. v. FJ Breitenbach. 4° Ebd. 03. 7.50
I. (Das Manualspiel. Elementarübgn im Fedalspiel.) (166) 3.40
II. (Das konstruktlere Fedalspiel. Vortragsstücke.) (148) 3.60
Schildmacher, B: Die Erfordernisse, d. Verfahren u. d. Folgen d. Ehescheidg! (28) 8° Mgdbg, (R Kundmüller) 05. — 50 d
— Rechtshilfe. Verfahren u. Kosten. Nach d. f. Preussen bestehenden.

Bestimmgn dargest. 2 Bde. 8° Mgdbg, (Heinrichshofen's S.).
1. (104) 04. 2 — | 2. (260) 05. 4 —   6 — d
Schildt, C. s.: Schild, C.
Schildwarth, L: Lehr- u. Leseb. f. weibl. Sonntags- u. Fortbildgssch., s.: Kobmann, G.
Schilgen, F v.: Das Ges., betr. d. Fischerei d. Ufereigentümer in d. Privatflüssen d. Rheinprov. v. 25.VI.1895, nebst d. übr. f. d. Rheinprov. gelt. d. Fischerei betr. Ges. u. Verordngn. 2. Afl. (143) 8° Hamm, Emil Griebsch 05.   1.50 d
Schill, A: Theolog. Prinzipienlehre, 2. Afl. v. O Witz, s.: Handbibliothek, wiss.
Schill, E, s.: Beck's, G, therapeut. Almanach. — Jahresbericht üb. usw. Diagnostik.
Schill, R: Maturitätsaufg. a. d. darstell. Geometrie nebst vollständ. Lösgn. Für d. ob. Kl. d. Realsch. u. verwandter Anst. sowie f. d. Selbststudium zusammengest. u. gelöst. 1. Tl. 140 Aufg. (72 m. 31 Taf.) 8° Wien, F Deuticke 04.   2 —
— Der Naturgesch.-Unterr. n. biolog. Grundsätzen u. s. Durchführg in d. Schule. (55) 8° Trautenau 04. (Wien, F Deuticke.)   1 — d
Schille, O, s.: Aufgaben z. Buchführg e. Fleischers.
Schiller: Das heut. Japan u. d. Christentum, s.: Flugschriften-Reihe d. ev.-protestant. Missionsver.
Schiller, A: Agenda z. Gebr. bei Abschiedsfeierlichk. am off. Sarge verklärter Brr. (40, Musikbeil. 2 S. u. 4 perforierte Bl.) 8° Zitt., A Graun 04.   1.50
Schiller, F, H Schmidt u. P Köhne: Zwangs-(Fürsorge-)Erziehg u. Armenpflege, s.: Schriften d. deut. Ver. f. Armenpflege u. Wohltätig.
Schiller, F: Bilder a. Grillparzer. Nach 2 Vortr. (37) 8° Wien, (J Eisenstein & Co.) 02.   1 — d
— Der deut. Buchhandel als Prügelknabe, s.: Horst, H, neue Kritiken üb. d. v. Herrn Prof. Dr. Bücher usw. verf. Denkschrift.
Schiller, F v., s.: Auslese a. Schiller.
— (in Ausw.), hrsg. v. R Steiner, s.: Dichter, deut., in Ausw. für's Volk.
— Werke. 7 Bde. (Neue Ausg.) (623, 592, 692, 644, 556, 452 u. 396 m. Bildnis.) 8° Lpzg, C Grumbach 02. L. 14 —; HF. 21 —]   HKalbldr 38.50 d
— dass. Mit Lebensbeschreibg, Einleitgn u. Anmerkgn hrsg. v. R Boxberger. 6 Bde. 6. Afl. (150, 486; 141, 644; 52, 535; 78, 564; 36, 744 u. 36, 640) 8° Berl., G Grote 01.   L. 12 —]
     HF. 15 — d
— dass. Hrsg. v. JG Fischer. 12. Afl. (959 m. Bildnis.) 8° Stuttg., Deut. Verl.-Anst. (04). L. 3 —; fein Ausg. geb. 5 —; HF. 7 — d
— dass. Illustr. Volks-Ausg. m. reich Illustr. Biogr. v. H Kraeger. 4 Bde. (110, 435; 447, 450 u. 423 m. farb. Bildnis.) 8° Ebd. (05).   L. je 6 —; auch in 60 Lfgn zu — 30 d
— dass., s.: Bibliothek deut. Klassiker.
— sämtl. Werke in 12 Bdn. Mit e. biograph. Einl. v. F Düsel. (52, 380; 309, 200, 329, 290, 266, 332, 304, 362, 330, 274 u. 271 m. Abb.) 8° Lpzg, Deut. Verl.-Act.-Gesellsch. (03).
     In 4 L.-Bdn 10 — d
— dass. Säkular-Ausg. in 16 Bdn. Hrsg. v. E v. d. Hellen. 8° Stuttg., JG Cotta Nf.   Je 1.30; L. je 2 —; HF. je 3 — d
1. Gedichte I. Mit Einl. u. Anmerkgn v. E v. d. Hellen. (72, 360 m. Bildnis.) (04.) | 2. Gedichte II. Erklhlgn. Mit Einl. u. Anmerkgn v. E v. d. Hellen u. R Weissenfels. (36, 426) (05.) | 3. Die Räuber. Fiesco. Kabale u. Liebe. Mit Einl. u. Anmerkgn v. E Schmidt. (46, 456) (05.) | 4. Don Carlos. Mit Einl. u. Anmerkgn v. R Weissenfels. (44, 332) (04.) | 5. Wallenstein. Mit Einl. u. Anmerkgn v. J Minor. (44, 424) (05.) | 6. Maria Stuart. Die Jungfrau v. Orleans. Mit Einl. u. Anmerkgn v. J Petersen. (30, 407) (04.) | 7. Die Braut v. Messina. Wilhelm Tell. Semele. Menschenfeind. Huldigg d. Künste. Mit Einl. u. Anmerkgn v. O Walzel. (44, 374) (04.) | 8. Dramat. Nachlass. Bearb. v. G Kettner. (40, 565) (05.) | 9.10. Übersetzgn. Mit Einl. u. Anmerkgn v. A Köster. 2 Tle. (24, 409 u. 20, 329) (05.) | 11.12. Philosoph. Schriften. Mit Einl. u. Anmerkgn v. O Walzel. 2 Tle. (34, 338 u. 407) (05.) | 13—15. Histor. Schriften. Mit Einl. u. Anmerkgn v. R Fester. 3 Tle. (40, 324; 454 u. 443) (04.05.) | 16. Vermischte Schriften. Mit Einl. u. Anmerkgn v. J Petersen. (72, 492) (05.)
— Werke. Ausw. Mit e. Biogr. Schillers. (156, 134, 139, 134, 127, 86 u. 113 m. Bildnis.) 8° Paderb., F Schöningh (04).
     L. 3 — d
— dass. in Ausw. Besorgt v. JG Richter, R Siegemund u. O Trost. (740 m. Bildnis.) 8° Dresd., A Köhler 05.   L. 2.50 d
— ausgew. Werke. Mit Biogr. u. Bildnis d. Dichters. Taschenausg. 2 Bde. (44, 154, 166, 180 u. 164, 148, 108, 148) 8° Bresl., F Goerlich (05).   L. je 2 — d
— A b h a n d l g : Uber d. naïve u. sentimental. Dichtg, sowie dessen akadem. Antrittsrede: Was heisst u. zu welchem Ende studiert man Universalgesch.?, s.: Schöningh's Ausg. deut. Klassiker.
— s.: Anthologie auf d. J. 1782.
— Ausw. a. s. Gedichten u. Prossaschriften, s.: Dürr's deut. Bibliothek (P Richter).
— Das Avertissement z. rhein. Thalia v. 11.XI.1784. Neudr. d. Orig. d. kgl. Landesbibliothek Stuttgart. (8) 8° Lpzg, J Zeitler 05.   4 — d
— B a l l a d e n , s.: Goethe, JW v. — Volksbücher d. deut. Dichter-Gedächtnis-Stiftg.
— Die Braut v. Messina. od. d. feindl. Brüder. Trauersp. m. Chören. 1. Tl.: Textausg. (58) 8° Lpzg, H Brodt 02.   — 50 d
— dass. Für d. Schulgebr. hrsg. v. A Kleffner. (146) 8° Münst., Aschendorff 02.   Geb. — 25 d
— dass., s.: Handbibliothek, Cotta'sche. — Hempel's Klassiker.

Bibliothek. — Meisterwerke, d., d. deut. Bühne. — Schöningh's Ausg. deut. Klassiker (H Heskamp u. Schmitz-Mancy). — Schöningh's Textausg. alter u. neuer Schriftsteller. — Velhagen & Klasing's Sammlg deut. Schulausg. (R Franz). — Weber's, F, Hausbibliothek.
Schiller, F v.: Ausgew. Briefe, ausgew. v. E Kühnemann, s.: Hausbücherei d. deut. Dichter-Gedächtnis-Stiftg.
— Briefe in Ausw., s.: Goethe, JW v.
— s.: Briefwechsel zw. Schiller u. Goethe. — Briefwechsel zw. Schiller u. Lotte.
— D e m e t r i u s . Das Fragment, dazu e. Nachsp. m. Prolog u. rhapsod., v. 4 leb. Bildern begleiteten Epilog. Von M Greif. (60) 8° Lpzg, CF Amelang 02.   1 — d
— dass., s.: Bibliothek d. Gesamtlitt. — König's, W, Erläutergn zu d. Klassikern (H Klenz).
— D o n K a r l o s , Infant v. Spanien, s.: Bibliothek d. Gesamtlitt. — Handbibliothek, Cotta'sche. — Hempel's Klassiker-Bibliothek. — Meisterwerke, d., d. deut. Bühne. — Sammlung deut. u. ausländ. Dichtgn in Gabelsb.'scher Stenogr. — Universal-Bibliothek. — Velhagen & Klasing's Sammlg deut. Schulausg. (R Franz).
— D r a m a t . Dichtgn. (Grossh. Wilhelm Ernst-Ausg. Hrsg. im Auftr. v. AW Heymel. Hrsg. unter d. Beirat v. B Supan f. d. Text u. d. Oberleitg v. H Graf Kessler u. E Walker f. d. Ausstattg.) 1. Bd. (Hrsg. v. M Hecker.) (669) 8° Lpzg, Insel-Verl. 05.   L. 4 —; Ldr 4.50
— D r a m a t . Entwürfe. Bühnenbearbeitgn, s.: Hempel's Klassiker-Bibliothek.
— Ästhet. Erziehg, s.: Erzieher zu deut. Bildg.
— s.: Festgabe a. Schillers Werken.
— Die Verschwörg d. Fiesco zu Genua, s.: Handbibliothek, Cotta'sche. — Hempel's Klassiker-Bibliothek. — Meisterwerke, d., d. deut. Bühne.
— G e d a n k e n l y r i k . Für Schule u. Haus. Hrsg. v. A Matthias. (179) 12° Lpzg, G Freytag 03.   Geb. 1 — d
     L. — 75; in Pappbd 1.25; in Ldr 2.40
— G e d i c h t e . (348 m. Bildnis.) 16° Weim., M Grosse (05). — 60]
— dass. (220 m. Abb.) 8° Stuttg., Deut. Verl.-Anst. (05). L. 4 — d
— dass. Mit e. biograph. Einl. v. G Karpeles. (94, 320 m. Bildnis.) 12° Lpzg, M Hesse (01). || Aug. 1902. (24, 224 m. Bildnis.) 8° Berl., G Grote 01.   Geb. je — 60 d
— dass. (Answ.) Für d. Schulgebr. hrsg. v. F Bachmann. 2. Afl. (235 m. Titelbild.) 8° Lpzg, G Freytag 03.   Geb. 1 — d
— dass. Ausgew., eingeleitet u. erläutert v. A Mayr. 12—14. Taus. (122) 8° Lpzg, BG Teubner (05).   — 50 d
— dass. (Textrevision. Einl. u. Erläutergn v. R Weissenfels.) (40, 411 m. Bildnis.) 16° Berl., S Fischer (04).   Ldr m. G. 3 —; in Pergament 3.50
— dass. Schulausg. m. Anmerkgn v. Denzel u. Kraz. (Neue Ausg.) (316) 12° Stuttg., JG Cotta Nf. 05.   Geb. 1 — d
— dass., s.: Grasser's Schulausg. klass. Werke (A Mayr). — Handbibliothek, Cotta'sche. — Hempel's Klassiker-Bibliothek (R Boxberger). — Velhagen & Klasing's deut. Schulausg. (H Löschhorn).
— Ausgew. Gedichte. (216 m. Abb.) 16° Lpzg (01). Berl., H Seemann Nf.   Ldr 3 —
— dass., s.: Schöningh's Ausg. deut. Klassiker (A Weinstock). — Schöningh's Textausg. alter u. neuer Schriftsteller. — Volksbücher, Wiesbad. — Weber's, F, Hausbibliothek.
— Gedichte u. Dramen. Mit e. Vorwort: Aus Schillers Leben. (475 m. Abb.) 8° Berl., H Hillger (05).   L. 2 — d
— Der Geisterseher, s.: s.: Romane od. d. Abfalls d. Niederl., s.: Hempel's Klassiker-Bibliothek.
— Gesch. d. 30jähr. Krieges. Für d. Schulgebr. hrsg. u. erläut. v. W Böhme. (347) 12° Lpzg, G Freytag 02. Geb. 1.40 d
— dass., s.: Hempel's Klassiker-Bibliothek.
— Das Lied v. d. Glocke. Mit 19 Illustr. n. Orig.-Gemälden v. A v. Liezen Mayer u. m. Ornamenten v. W v. Dobschütz. (39) 8° Nürnbg, T Stroefer (05).   L. m. G. 6 — d
— dass. Übersichtlich geordn. Text m. nebenstek. eingeh. Gliederg u. e. bildl. Veranschaulichg d. Glockengusses, hrsg. v. F Teetz. (32 m. 1 Taf.) 8° Lpzg, W Engelmann 01. — 50
     | 2. Afl. (38). (38) 05. Kart. — 60 d
— dass., s.: Schulze's Zehnpfennigbücher. — Zum 100. Todestage Friedrichs v. Schiller.
— dass., illustr. m. leb. Bildern v. F Freih. v. Dingelstedt, s.: Bibliothek d. Gesamtlitt.
— dass. f. d. Bühnendarstellg m. leb. Bildern eingerichtet v. D Schrutz, s.: Heidelmann's, A, Theaterbibliothek.
— dass. u. and. Gedichte in stenotachygr. Schr., s.: Miniatur-Bibliothek.
— Deut. Grösse, e. unvollend. Gedicht 1801. Nachbildg d. Handschrift, hrsg. u. erläut. v. B Suphan. (20 u. Fksm. 6) Fol. Weim., Goethe-Gesellschaft 02.   Geb. d 6 H
— Histor.-krit. Gesch. d. Abfalls d. Niederl. — Gesch. d. 30jähr. Krieges, s.: Meisterwerke, d., d. deut. Bühne.
— Die Huldigg d. Künste. Demetrius, s.: Meisterwerke, d., d. deut. Bühne.
— I p h i g e n i e in Aulis. Scenen a. d. Phönicierinnen d. Euripides, s.: Hempel's Klassiker-Bibliothek.
— Die Jungfrau v. Orleans. Romant. Tragödie. Hrsg. v. O Gerlach. (94 m. 1 Karte.) 8° Lpzg, Dürr'sche Bh. 04. — 85 d

Schiller, F v.: Die Jungfrau v. Orleans. Romant. Tragödie. Für d. Schulgebr. hrsg. v. K Menge. (189 m. 1 Karte.) 8° Münst., Aschendorff 02. Geb. 1.10 d
— dass. Für d. Schulgebr. hrsg. v. F Ullsperger. 3. Afl. (155 m. 1 Kärtchen.) 12° Lpzg, G Freytag 02. Geb. — 60 d
— dass., s.: Bibliothek, kl. — Dürr's deut. Bibliothek (O Gerlach). — Graeser's Schulausg. klass. Werke (H Kny). — Handbibliothek, Cotta'sche. — Hempel's Klassiker-Bibliothek. — Meisterwerke, d., d. deut. Bühne. — Meisterwerke d. deut. Lit. (M Evers). — Schöningh's, F, Ausg. deut. Klassiker (A Funke). — Schöningh's, F, Textausg. alter u. neuer Schriftsteller. — Schulausgaben deut. Klassiker (H Engelen). — Velhagen & Klasing's Sammlg deut. Schulausg. (J Wychgram). — Weber's, F, Hausbibliothek. — Weise's, K, deut. Bücherei (H Berdrow).
— Kabale u. Liebe, s.: Graeser's Schulausg. klass. Werke (A Lichtenheld). — Handbibliothek, Cotta'sche. — Hempel's Klassiker-Bibliothek. — Meisterwerke, d., d. deut. Bühne.
— Lieder, m. 2- u. 3stimm. Weisen, s.: Geyer, GB.
— Lyr. Gedichte, s.: Goethe, JW v.
— Der Neffe als Onkel. — Der Parasit od. Die Kunst, s. Glück zu machen. — Phädra, s.: Hempel's Klassiker-Bibliothek.
— Kleinere philosoph. Aufsätze, s.: Velhagen & Klasing's Sammlg deut. Schulausg. (J Imelmann).
— Philosoph. Gedichte, s.: Hausbücherei d. deut. Dichter-Gedächtnis-Stiftg.
— Philosoph. Schriften u. Gedichte, hrsg. v. E Kühnemann, s.: Bibliothek, philosoph.
— Kleinere prosaische Schriften, s.: Hempel's Klassiker-Bibliothek.
— Die Räuber. Schausp. Für Schulgebr. u. Selbstunterr. hrsg. v. G Frick. (160) 8° Lpzg, BG Teubner 05. — 60; geb. — 80 d
— dass., s.: Bibliothek d. Gesamtlitt. — Handbibliothek, Cotta'sche. — Hempel's Klassiker-Bibliothek. — Meisterwerke, d., d. deut. Bühne. — Räuber, d.
— Semele. Huldigg d. Künste. Der Menschenfeind, s.: Hempel's Klassiker-Bibliothek.
— Spiel d. Schicksals, s.: Gabelsberger-Bibliothek.
— Maria Stuart. Trauersp. Für d. Schulgebr. hrsg. v. E Aelschker. 3. Abdr. (171) 12° Lpzg, G Freytag. — Wien, F Tempsky 04. Geb. — 80 d
— dass. Für d. Schulgebr. hrsg. v. J Arns. (184) 8° Münst., Aschendorff 02. Geb. 1 — d
— dass. Mit Einl. u. Anmerkgn versehen v. E Müller. 18—21.Taus. (106) 8° Lpzg, BG Teubner (03). — 50 d
— dass. Schulausg. m. Einl. u. Anmerkgn v. JW Schaefer. (Neue Afl.) (161) 8° Stuttg., JG Cotta Nf. 05. Geb. — 60 d
— dass., s.: Graeser's Schulausg. klass. Werke (E Müller). — Handbibliothek, Cotta'sche. — Hempel's Klassiker-Bibliothek. — Meisterwerke, d., d. deut. Bühne. — Schöningh's Ausg. deut. Klassiker (H Heskamp u. Schmitz-Mancy). — Schöningh's Textausg. alter u. neuer Schriftsteller. — Velhagen & Klasing's Sammlg deut. Schulausg. (C Rauch). — Weber's, F, Hausbibliothek. — Weise's, K, deut. Bücherei (A Knospe).
— Wilhelm Tell. Schausp. Mit 50 Abb. n. Studien u. Gemälden v. E Stückelberg. (114 m. 1 Karte.) 8° Bielef., Velhagen & Kl. 05. L 6 — d
— dass. Schulausg. m. Anmerkgn v. Denzel. (Neue Afl.) (157) 12° Stuttg., JG Cotta 04. Geb. — 60 d
— dass. Hrsg. v. W Ewerding. (76 m. 1 Karte.) 8° Lpzg, Dürr'sche Bh. 04. — 75 d
— dass. Für d. Schulgebr. u. Selbstunterr. hrsg. v. H Gaudig. (144) 8° Lpzg, BG Teubner 03. — 40; geb. nn — 65 d
— dass. Für d. Schulgebr. hrsg. v. J Heuves. (203 m. Abb.) u. 1 Karte.) 12° Münst., Aschendorff 01. Geb. — d
— dass. Für d. Schulgebr. hrsg. v. A Sattler. (24, 152 m. 5 Vollbildern u. 1 Karte.) 8° Graz, Styria 05. Geb. — 85 d
— dass. Volksausg. Mit Vorgesch. u. Erläutergn v. A Scheiner. Hrsg. als Schillergabe f. d. sächs. Volkssch. v. d. schönbürgisch-sächs. Hochschullehrn. (142 m. Bildnis u. 1 Karte.) 8° Hermannst., W Krafft 05. — 54 d
— dass. Für d. Schulgebr. hrsg. v. P Strzemcha. 3. Afl. (144 m. 2 Abb. u. 1 Kärtchen.) 12° Lpzg, G Freytag. — Wien, F Tempsky 05. Geb. — 75 d

— dass. Mit biograph. Einl. v. O Weddigen u. Erläutergn v. P Fischer-Graudenz. (128 m. Abb. u. 1 Karte.) 8° Berl., H Hillger 05). — 30 d
— dass. Mit Illustr. v. A v. Werner u. e. Einl. v. G Wendt. 5. Afl. (148) 8° Berl., G Grote 03. L 2 — d
— dass., s.: Bibliothek, kl. — Bredt's Text-Ausg. deut. Klassiker. — Dichter, deut., in Ausw. für's Volk. — Dürr's deut. Bibliothek (W Ewerding). — Graeser's Schulausg. klass. Werke (F Prosch). — Handbibliothek, Cotta'sche. — Hempel's Klassiker-Bibliothek. — Lektüre, gew., f. Schule u. Haus (A Hentschel u. K Linke). — Meisterwerke, d., d. deut. Bühne. — Sammlung deut. u. ausländ. Dichtgn in Gabelsbacher Stenogr. — Schöningh's, F, Ausg. deut. Klassiker (A Funke). — Schöningh's, F, Textausg. alter u. neuer Schriftsteller. — Schulausgaben deut. Dicht- u. Schriftwerke (Baumann). — Teubner's, BG, Sammlg deut. Dicht- u. Schriftwerke (Baumann). — Velhagen & Klasing's Sammlg deut. Schulausg. (A Funke). — Volksbücher d. deut. Dichter-Gedächtnis-Stiftg. — Volksbücherei. — Weber's, F, Hausbibliothek. — Weise's, K, deut. Bücherei (H Heilmann).

Schiller, F v.: Turandot, Prinzessin v. China, s.: Hempel's Klassiker-Bibliothek.
— Wallenstein. Dramat. Gedicht in 2 Tln. Für d. Schulgehr. u. Selbstunterr. hrsg. v. G Frick. 8° Lpzg, BG Teubner 03. Je — 40; geb. je nn — 65; in 1 Bd geb. 1.90 d
1. Wallensteins Lager u. Die Piccolomini. (155) || 2. Wallensteins Tod. (155)
— dass. Hrsg. v. K Heilmann. (164) 8° Lpzg, Dürr'sche Bh. 04. 1.50 d
— dass. Schulausg. m. Anmerkgn v. JW Schaefer. (Neue Afl.) 1. Bdchn. 1. Wallensteins Lager. 2. Die Piccolomini. (162) 12° Stuttg., JG Cotta Nf. 03. || 2. Bdchn. Wallensteins Tod. (164) 04. Geb. je — 60 d
— dass. Für d. Schulgebr. hrsg. v. F Ullsperger. 3. Afl. (352 m. 1 Kärtchen.) 8° Lpzg, G Freytag. — Wien, F Tempsky 05. Geb. 1.25 d
— dass. Für d. Schulgebr. hrsg. v. H Vockeradt. (445) 8° Münst., Aschendorff 01. Geb. 1.65 d
— dass., s.: Dürr's deut. Bibliothek (K Heilmann). — Graeser's Schulausg. klass. Werke (E Castle). — Handbibliothek, Cotta'sche. — Hempel's Klassiker-Bibliothek. — Meisterwerke, d., d. deut. Bühne. — Schöningh's, F, Ausg. deut. Klassiker (A Funke). — Schöningh's, F, Textausg. alter u. neuer Schriftsteller. — Velhagen & Klasing's Sammlg deut. Schulausg. (C Michaelis). — Weber's, F, Hausbibliothek. — Weise's, K, deut. Bücherei (P Schneider).
— Wallensteins Lager. Für d. Jugend hrsg. v. E Geissler. 1. u. 2. Afl. (48) 8° Lpzg, A Hahn 05. — 15 d
— dass. Die Piccolomini, s.: Volksbücher d. deut. Dichter-Gedächtnis-Stiftg.
— Wallensteins Tod, s.: Volksbücher d. deut. Dichter-Gedächtnis-Stiftg.
— u. d. Herzog v. Augustenburg in Briefen. Mit Erläutergn v. H Schück. (186 m. 1 Bildnis.) 8° Jena, E Diederichs 05. 3 —; HF. 4.50; Liebh.-Ausg. in Perg. 20 — d
— u. JW v. Goethe: Briefwechsel, s.: Briefwechsel. — Universal-Bibliothek.
Schiller, Friedrich v. (Festschrift.) (16 m. Abb.) 8° Berl., Bh. Vorwärts (05). — 20 d
— Gedenk-Schrift z. 100jähr. Wiederkehr s. Todestages, 9.V. '05. Für Volk u. Jugend. Gewidmet v. „Sächs. Gustav-Adolf-Boten". (16 m. Abb.) 8° Dresd., F Sturm & Co. 05. — 10 d
— Ein Schausp. a. sr Jugendzeit. Von *.*. (112) 8° Berl., H Steinitz 05. 2 — d
— 8 Vortr., a. Anlass d. 100jähr. Todestages geh. in Hermannstadt. (208) 8° Hermannst., W Krafft 05. 1.65 d
— als Philosoph u. s. Beziehgn zu Kant. Festgabe d. „Kantstudien" m. Beitr. v. R Eucken, O Liebmann, W Windelband, J Cohn, FA Schmid, T Klein, B Bauch u. H Vaihinger. Hrsg. v. H Vaihinger u. B Bauch. [S.-A.] (186 m. 3 Bildn.) 8° Berl., Reuther & R. 05. 3 —
— im Urteil d. 20. Jahrh. Stimmen üb. Schillers Wirkg auf d. Gegenwart. Eingeführt v. E Wolff. (33, 172 m. Bildn.) 8° Jena, H Costenoble 05. L 4 — d
Schiller's, Friedrich v., Flucht v. Stuttgart u. Aufenthalt in Mannheim v. 1782—85 (V. A Streicher), s.: Literaturdenkmale, deut., d. 18. u. 19. Jahrh.
— Leben, s. Anlass s. 100jähr. Sterbetages am 9.V. '05 dargestellt. (20) 8° Znaim, Fournier & H. 05. — 20 d
Schiller, J: Der Aufsatz in d. Muttersprache, s.: Sammlung v. Abhandlgn a. d. Geb. d. pädagog. Psychol.
— Aufsätze üb. d. Schulreform 1900. 2 Hefte. 8° Wiesb. Lpzg, O Nemnich. Je 1.20; in 1 Bd. (93. 2.50; geb. 3.20
1. Die Berechtigungsfrage. (44) 01. || 2. Die kaus. Schulorganisation. (56) 02.
— Hdb. d. prakt. Pädagogik f. höh. Lehranst. 4. Afl. (750) 8° Lpzg, OR Reisland 04. 12 —; geb. nn 13.60 d
— Lehrb. d. Gesch. d. Pädagogik. 4. Afl. (470) 8° Ebd. 04. 8 —; geb. nn 9.40
— Vergleich. (synchronist.) Uebersicht d. Hauptthatsachen d. Weltgesch. Zugl. Ergänzg d. Weltgesch. v. H Schiller. (89) 8° Berl. 01. Stuttg., W Spemann. 3 —; geb. 4 — d
— Volksbildg u. Volkssittlichk., s.: Bausteine, pädagog.
— Weltgesch. Von d. alt. Zeiten bis z. Anfang d. 20. Jahrh. 3. u. 4. Bd. 8° Berl. 01. Stuttg., W Spemann. Je 8 —
(Vollst.: 32 —; Einbde je 2 —) d
3. Gesch. d. Übergangs v. M.-A. z. Neuzeit. (771 u. 88 m. 26 Taf. u. 2 Kart.) || 4. Gesch. d. Neuzeit. (971 u. 59 m. 20 Taf. u. 3 Kart.)
Schiller, J: Sommerfrische im Bayer. Hochl. (Chiemgau). 1.Berzener Thal. 2. Touristenhaus auf d. Hochfelln. 3. Ruhpolding. [S.-A.] (11 m. Abb.) 8° Traunst., M Endter) 02. — 40 d
Schiller, J: Untersuchgn üb. Stipularbildgn. [S.-A.] (27 m. 3 Taf.) 8° Wien, (A Hölder) 03.
Schiller, J: Die Tataren in Schlesien, s.: Trewendt's Jugendbibliothek.
Schiller's, K, Hdb. d. deut. Sprache. 2. Afl. v. F Bauer u. F Streinz. 2 Tle. 8° Wien, A Hartleben (03-05). Geb. je 9 —;
Einbde in 25 Lfgn zu — 50 d
I. Wrtrb. d. deut. Sprache u. d. gebräuchl. Fremdwörter. (790)
II. Grammatik, Stilistik, Metrik, Poetik, Lit.-Gesch. (470)
Schiller, K v.: Briefe. (48) 8° Berl., W Süssorott 01. 1.50;
geb. nn 2.30 d
Schiller, M: Die landw. Maschinen auf d. Pariser Weltausstellg, s.: Albert.
— Untersuchg elektr. Pfluganlagen, s.: Arbeiten d. deut.Landw.-Gesellsch.
Schiller, O: Zur Haftpflicht d. Lehrer an deut. Volkssch. (24) 8° Lpzg, A Hahn 01. — 40

Schiller, R: Aufg.-Sammlg f. kaufmänn. Arithmetik. 6. Afl.
(208) 8° Wien, A Pichler's Wwe & S. 05. Kart. 2 — d
— Theoret. u. prakt. Darstellg d. Kontorarbeiten. 6. Afl. (178)
4° Ebd. 04. Geb. 4 —
— Lehrb. d. Buchhaltg f. höh. Handelslehranst. 3 Tle. 8° Ebd.
Geb. 9.20
1. Allg. Einl. u. einf. Buchhaltg. 5. Afl. (181) 04. 7.60
2. Die Hauptlehren d. dopp. Buchhaltg u. deren Anwendg bei Einzel-
unternehmgn u. off. Handelsgesellsch. 5. Afl. (276) 04. 3.60
3. Die Verbuchg auf d. Kommissionswaren-Konti, auf Konti mio (nostro),
bei Partizipations-, stillen, Kommandit- u. Aktien-Gesellsch. u. im
Fabrikageschäfte. 4. Afl. (236) 05. 3 —
— Leitf. d. Buchhaltg f. 2klass. Handelssch. (386) 8° Ebd. 04.
Geb. 4.20
Schiller, W: Die Rehabilitation Verurteilter im schweiz. Recht,
s.: Beiträge, Zürcher, z. Rechtswiss.
Schiller, W: Geolog. Untersuchgn im östl. Unterengadin, I.
Lischannagruppe. [S.-A.] (75 m. Abb. u. 5 Taf.) 8° Freibg i/B.
(04). (Tüb., JCB Mohr.) 3 —
Schiller-Album. Zum Gedächtnis d. 100jähr. Todestages 1805—
9. V.—1905. (20 Taf.) 16° Dresd., Schiller-Verl. JL Stange (05).
— 50 d
Schiller-Almanach (z. Concordia-Ball 1905). (20 u. 7 m. 46 S. Abb.)
8° Wien, (G Szelinski) 05. Geb. 7 — d
— d. Lust. Blätter. (96 m. Abb.) 8° Berl., Verl. d. „Lust. Blätter"
(05). 1.50 d
Schillerbildnisse. (5 Taf.) 45×35 cm. Berl., Photograph. Gesellsch. (05). In M. 10 —
Schillerbuch, e., hrsg. v. d. Stadt Wien. Zur Erinnerg an d.
Todestag d. gr. deut. Dichters. (157 m. Abb.) 8° Wien, Gerlach & Wiedling (05). L. 1.50 d
— Marbacher. Zur 100. Wiederkehr v. Schillers Todestag hrsg.
v. schwäb. Schillerverein. 1. u. 3. Afl. (380 m. Abb., 4 Taf.
u. 2 Fksms.) 8° Stuttg., JG Cotta Nf. 05. L. 7.50 d
Schillerfeier, d., in Eisenach d.—9. V. '05. [S.-A.] (30) 8° Eisen.,
Hofbuchdr. Eisenach H Kahle (05). — 30 d
— te 's-Gravenhage. 1805—9. V.—1905. Festrede v. EF Koss-
mann. Met eene nederlandsche Schiller-Bibliogr. door W Nij-
hoff. (83) 8° Haag, M Nijhoff 05. 1 — d
Schillergabe z. Gedächtnis an d. 100. Todestag d. Dichters.
(64 m. Abb. u. Bildnis.) 8° Münch., (CA Seyfried & Co.) (05).
L. — 50 d
— f. Deutschlds Jugend, hrsg. d. literar. Vereinigg d. Berliner
Lehrerver., m. biograph. Einl., v. Jonas. (148 m. Abb.) 8°
Düsseldf (05). Berl., Fischer & Fr. — 50 d
Schiller-Galerie deut. Bühnen. Illustr. sämtl. Orig.-Dramen
Schillers n. Orig.-Bühnenaufnahmen. (In 11 Lfgn.) 1—5. Lfg.
(Je 10 Bl.) 54,5×42 cm. Berlin-Stegl., Neue photograph. Ge-
sellsch. (05). à — 50 d
Schiller-Reden, geb. v. J Grimm, L Doederlein, FT Vischer,
A Stoeber, C Grunert, K Gutzkow, KS Schwarz, E Curtius,
E Guhl, M Carrière, R Gottschall, W Mangold, G Zimmermann,
nebst Goethes Epilog. (144 m. 1 Taf.) 8° Ulm, H Kerler 05.
2 —; L. 3 —
— 2, in Hamburg, am 5. u. 8. V. '05 geh. (Metz, A: Schiller u.
Kunst im Zusammenh. m. sr Menschheit. — Rückteschell,
N v.: Schiller d. Prophet d. deut. Geistes u. deut. Ideals.)
(36) 8° Hambg, Herold 05. — 50 d
Schiller-Spruchbüchlein. (63) 16° Karlsr., F Gutsch (05).
Kart. — 60
Schillertage, Stuttgarter. Huldigg u. Festzug am 100. Todestage Schillers in Stuttgart. Hrsg. v. Stuttgarter Gewerbe-Ver.
(30 Taf. m. Text 8 S. u. Bl. 40 u. 41) 8° Stuttg. (05). Essl.,
J Neff. 4 — d
Schilling's Journal f. Gasbeleuchtg u. verwandte Beleuchtgs-
arten, sowie f. Wasserversorgg. Hrsg. u. Chefred.: H Bunte.
44—48. Jahrg. 1901—5 je 52 Nrn. (1020, 1035, 1134, 1194 u.
1206 m. Abb. u. 7, 5, 12, 7 u. 6 Taf.) 4° Münch., R Olden-
bourg. Halbj. 10 —
— dass. General-Reg. z. Jahrg. 32—46 (1889—1903). Bearb. V.
A Schmidt. (460) 8° Ebd. 05. 16 —
Schilling u. Graebner: Landkirchen. Mit e. Geleitswort v. P
Schumann. (18 Lichtdr. m. 5 S. Text.) 55×37,5 cm. Lpzg, Gil-
bers (03). In M. 18 —
Schilling: Die Zahnpflege in d. Schule, Armee, Strafanst. u.
Krankenkasse. (30) 8° Münch., Verl. d. ärztl. Rundschau.
— 60
Schilling, A: Aus Rich. Wagners Jugendzeit. 2. Afl. (128 m.
1 Doppelbildnis.) 8° Berl., E Globig (02). L. 3 — d
Schilling, AC: Graph. Untersuchg z. Psychol. [S.-A.] (60 m.
Fig.) 8° Lpzg, E Wunderlich 01. — 80; geb. 1.20
Schilling, B: Das neue Stadttheater in Köln. Architekt: K
Moritz in Köln. [S.-A.] (14 m. Abb. u. 8 Taf.) 47×31 cm. Berl.,
Ernst & S. 04. In M. 15 —
Schilling, C: Naut. Hülfstaf. — Der Kompass an Bord eiserner
Schiffe. — Steuermannskunst. — Naut. Taf., s.: Breusing, A.
Schilling, D: Die Berner-Chronik 1468—84. Hrsg. v. G Tobler.
2. Bd. (481) 8° Bern, KJ Wyss 01. 6 — (Vollst.: 12 —)
Schilling, E, s.: Schaar's, GF, Kalender f. d. Gas- u. Wasser-
fach.
Schilling, Frl. E, s.: Lingen, E.
Schilling, F: Die Erkrankgn d. Wurmfortsatzes, s.: Abband-
lungen, Würzb., a. d. Ges.-Geb. d. prakt. Medizin.
— s.: Gallensteinkrankh., ihre Ursachen, Pathol., Diagnose
u. Therapie. (35) 8° Lpzg 04. Würzbg, A Stuber's V. 1.80

Schilling, F: Hydrotherapie f. Ärzte. 2. Afl. (Neue [Tit.-]Ausg.
(64) 8° Berl., Berlinische Verl.-Anst. [1895] (03). 1.50
— Hygiene u. Diätetik d. Darmes. (152 m. Abb.) 8° Lpzg 02.
— Würzbg, A Stuber's V. 3 —
— dass. d. Magens. (132 m. Abb.) 8° Ebd. 01. 3.40
— dass. d. Stoffwechselkrankh. (545 m. Abb.) 8° Ebd. 03. 5.40;
geb. 6.40
— Kompendium d. ärztl. Technik m. bes. Berücks. d. Therapie.
2. Afl. (515 m. Abb.) 8° Würzbg, A Stuber's V. 06. L. 10 —
— dass. d. Speiseröhre. (86 m. Abb.) 8° Lpzg 03. Würzbg,
A Stuber's V. 1.80
— Das pept. Magengeschwür m. Einschl. d. pept. Speiseröh-
ren- u. Duodenalgeschwürs, s.: Klinik, Berliner.
— Steuerpflicht, Steuerdeklaration u. -Reklamation f. Aerzte
u. Zahnärzte aller deut. Bundesstaaten. 2. Afl. (67) 8° Lpzg,
B Konegen 02. 1.40
— s.: Taschenbuch üb. d. Fortschritte d. physikalisch-diätet.
Heilmethoden.
— Die Verdaulichk. d. Nahrgs- u. Genussmittel auf Grund
mikroskop. Untersuchgn d. Faeces. (132 m. Abb.) 8° Lpzg 01.
Würzbg, A Stuber's V. 2.90
Schilling, F: Üb. d. Anwendgn d. darstell. Geometrie, ins-
bes. üb. d. Photogrammetrie. Mit e. Anh.: Welche Vorteile
gewährt d. Benutzg d. Projektionsapparates im mathemat.
Unterricht? Vortr. (198 m. Fig. u. 5 Doppeltaf.) 8° Lpzg,
BG Teubner 04. L. 5 —
— Üb. neue kinemat. Modelle z. Verzahngstheorie, s.: Abhand-
lungen, mathemat.
Schilling, F: Schiller u. s. Bedeutg f. d. Pädagogik d. Gegen-
wart, s.: Zur Pädagogik d. Gegenwart.
Schilling, H Frhr v.: Der Jugend Gartenb., s.: Teuscher, M.
— Prakt. Ungezieferkalender. (196 m. Abb.) 8° Frankf. a/O.,
Trowitzsch & S. 02. L. 3 — d
Schilling, H: Begegnung. Ein Geschichtenb. 1. Bd: Jugend-
sünden u. modernen Idealisten. (171) 8° Lpzg, A Cavael (05).
2 —; geb. 3 — d
— Schwertschlag u. Fiedelstrich. Dichtgn. 1. Bd. (144 m. Abb.)
8° Potsd., A Stein (04). 2 —; geb. 3 — d
— Wetterleuchten. Etwas. 2. Afl. (86) 8° Züllich., H Liebich 03.
1 —; geb. 2 — d
Schilling, H: Neuester Familien- u. Geschäfts-Briefsteller.
5. Afl. (126) 12° Köln (01). Lpzg, J Püttmann. — 80 d
Schilling, J: Kurzer Überblick üb. d. deut. Lit. bis z. 2. Blüte-
zeit. Für russ. Schulen zusammengest. Nebst Vokabularium.
(Ztg u. 36) 8° Riga, N Kymmel's S. 05. Kart. u. geb. 1.60 d
Schilling, J: Don Basilio od. prakt. Anl. z. mündl. u. schriftl.
Verkehr im Spanischen. 3. u. 4. Afl. (170) 8° Lpzg, GA Gloeckner
1900. 2 —; geb. 2.50; Schlüssel. (47) 04. — 50 d
— Grammaire espagnole à l'usage des Franç. Spécialement
destinée aux commerçants et aux gens du monde par C Vogel.
2. éd. (Neue [Tit.-]Ausg.) (368) 8° Ebd. [1888] 01. 4 —; geb. 4.50
— Span. Grammatik m. Berücks. d. gesellschaftl. u. geschäftl.
Verkehrs. 15. u. 16. Afl. (351) 8° Ebd. 05. 4 —; geb. 4.50;
Schlüssel. 13. u. 14. Afl. (40) 01. 1.50 d
Schilling, J: Das Vorkommen d. „seltenen Erden" im Mineral-
reiche. (115) 4° Münch., R Oldenbourg 04. 12 —
Schilling, L: Quaestiones rhetoricae selectae. [S.-A.] (118) 8°
Lpzg, BG Teubner 03. 4.20
Schilling, M: Quellenb. z. Gesch. d. Neuzeit. Für d. ob. Kl.
höh. Lehranst. Bearb. 4. Afl. (532) 8° Berl., Weidmann 03. 5 — d
— dass. Übersetzgn. 2. Afl. (74) 8° Ebd. 03. 1 — d
— s.: Studien, pädagog.
Schilling, P: Was muss man v. d. Taubenzucht wissen? (86)
8° Berl., H Steinitz (01). 1 — d
Schilling, S: Grundr. d. Naturgesch. 1. Tl: 2. Tl, Ausg. B u.
3. Tl, 1. Abtlg. (Mit Abb.) 8° Bresl., F Hirt. 9.60 d
1. Das Tierreich. Mit Berücks. d. Naturgesch. d. Menschen u. Hinweisen
auf d. Gesundheitspflege. 19. Bearbeitg v. R Reichenbach. (430 m. 1
Karte u. 1 farb. Taf.) 05. 2 —; geb. 4 — (1 Karte.) 07. Geb. 4 —
2. Das Pflanzenreich. Ausg. B: Anordng n. d. natürl. System. 17. Bearbeitg v. J Fleigen. (286 m. 1 Karte u. 1 Karte.) 07. Geb. 4 —
3. Das Mineralreich. (In 2 Abtlgn.) 1. Abtlg: Oryktognosie unter Hinweis
auf d. Technik d. Mineralstoffe. 16. Bearbeitg v. A Mahrenholtz. (148
m. 1 Karte.) 04.
— h. Schul-Naturgesch. d. 3 Reiche. Neubearbeitg durch R
Waeber. Tl. I, II A, B u. III. 21. Bearbeitg (Neudr. d. v. R Waeber
besorgten Neugestaltg.) (Mit Abb.) 8° Ebd. Geb. 5.65 d
I. Tierreich. 7. Druck. (199 m. 7 farb. Taf.) '03- 1.65 ∥ II. A. Das Pflanzenreich n. d. Linnéschen System. 6. Druck. (160 m. 2 farb. Taf.) Das Pflanzenreich n. d. natürl. System. 7. Druck. (150) 03. 1.50 ∥ III. Das Mineralreich. 6. Druck. (88) 01. 1 —
— dass. Umgearb. durch J Seiwert. 1. u. 2. Tl. 8° Ebd. Geb. je 2 — d
1. Der Mensch u. d. Tierreich. 11. Bearbeitg. (290 m. 31 farb. Abb. u.
u. 4 farb. Taf.) 02. ∥ 2. Das Pflanzenreich n. d. natürl. System. 22. Bearbeitg. (182 m. Abb. u. 8 (7 farb.) Taf.) 04.
Schilling v. Canstatt, Frhr E: Walafried. Ein Sang v. Bodensee. 2. Afl. (83) 8° Stuttg., Strecker & Schr. (05). 1.20 d
Schillings, CG: Mit Blitzlicht u. Büchse. Neue Beobachtgn
u. Erlebnisse in d. Wildnis inmitten d. Tierwelt v. Aqua-
torial-Ostafrika. (558 m. Abb.) 8° Lpzg, R Voigtländer 05.
12.50; L. 14 — d
Schillmann, H: Die Heimat, s.: Jütting, WU.
— Neues Berliner Leseb. f. mehrklass. Schulen. — Deut. Leseb.
f. mehrklass. Schulen, s.: Schmidt, OF.
— Leseb. z. Pflege nationaler Bildg, s.: Jütting, WU.

Schillmann, H: Deut. Sprache u. Dichtg. — Die Welt im Spiegel d. Nationallit., s.: Weber, H.
— Der Wohnort, s.: Jütting, WU.
Schillmann, R: Vaterländ. Gesch. Für d. 1. Unterr. bearb. 10. Afl. (72) 8° Berl., L Oehmigke's V. 1900. — 40 d
— Leitf. f. d. Unterr. in d. deut. Gesch. 44. Afl. (188) 8° Berl., Nicolai's V. 01. Geb. nn — 75 d
— Berliner Schul-Atlas, s.: Andres, R.
— u. F **Viergutz**: Leitf. f. d. Unterr. in d. deut. Gesch. Nach d. neuen Grundlehrpl. f. d. Berliner Gemeindesch. in 2 Tln bearb. 45. Afl. 8° Berl., Nicolai's V. Geb. nn 1.70 d
1. Von d. ält. Zeiten bis z. westfäl. Frieden. (V. u. VI. Kl.) (108) (02.) nn — 50
2. Die brandenb.-preuss. Gesch. v. ihren Anfängen bis z. Gegenwart. (III. u. II. Kl.) (148) (03.) nn — 75
3. Länder-, Verfassgs- u. Kulturgesch. nebst e. Anh. üb. Frauenleben. (1. Kl.) (124) (04.) nn — 45; m. Geschichtsk. nn — 60
Schilo, W: Kompass in d. Schulfrage, od.: Wohin zielt d. Agitation f. d. Simultansch. u. gegg. d. geistl. Schulaufsicht? (72) 8° Wiesb., (H Rauch) (05). — 50 d
— Reformations-Märchen. Mit bes. Berücks. d. Rheinganes. (440) 8° Frankf. a/M., P Kreuer 04. 2 —; L. 2.75 d
Schilsky, J: Die Käfer Europa's, s.: Küster, HC.
Schiltknecht, JB: Die bibl. Gesch. auf d. Unter-, Mittel- u. Oberst. d. katbol. Volkssch., s.: Gottesleben, N.
— Kl. bibl. Gesch. f. d. Unterst. d. kathol. Volkssch. Für d. Elementarsch. in Elsass-L. 4. Afl. (44 m. Abb.) 12° Freibg i/B., Herder (01). — 20; kart. nn — 30 d
— Kirche u. Kirchenj. od. kurze Belehrg üb. d. Gotteshaus, d. Gottesdienst u. d. hl. Zeiten. 8. Afl. (74) 12° Ebd. 04. — 30; kart. — 40 d
Schimamura, T: Giebt es e. endogene tox. Wundentzündg am Auge? (50) 8° Freibg i/B., Speyer & K. 01. 1.20
Schimkowsky, J: Formularien üb. alle Zweige d. österr. Civilrechtes, neue Afl., s.: Formularien f. Verträge u. f. Eingaben im nicht streit. Verfahren.
Schimmelmann, I, A Baron v.: Gesch. d. 8. westfäl. Infant.-Regts Nr. 57, neue Bearbeitg, s.: Feiher, Gesch. d. Infant.-Regts Herzog Ferdinand v. Braunschweig (8. westfäl.) Nr. 57.
(48 m. Abb. u. 4 Taf.) 8° Berl., Gesch. d. österr. Kaiser-stadt. 2. Afl. d. gleichnam. Werkes v. M Bermann. 2 Bde. (744 u. 688 m. Abb. u. Pl.) 8° Wien, A Hartleben 03.04. L. 20 —; auch in 30 Lfgn zu — 50 d
— Anl. z. Dichtkunst, s.: Müller, O.
— Illustr. Führer durch d. Sammlgn v. Wien. Nebst e. genauen Nachweisg d. Besuchszeiten, eventuellen Eintrittspreise u. and. Bedingdn d. Besichtigg. (98) 12° Wien, A Hartleben 02. Geb. 1.80
Schimper, AFW: Lehrb. d. Botanik, s.: Strasburger, E.
— s.: Mitteilungen, botan., a. d. Tropen.
— Repetitorium d. pflanzl. Pharmacognosie u. officin. Botanik. 3. Afl. (100) 12° Strassbg, JHE Heitz 01. Durchsch. 2 —
Schimpf, H: Parle u. Patterle. Heit. Erzählgn in vogtländ. Mundart. (47) 8° Lpzg (03). (Auerb., PG Caspari.) (— 80) — 50 d
— A wiug Zwiefel u. kläane Rute. Heitere Erzählgn in vogtländ. Mundart. (55 m. Abb.) 8° Lpzg (Beethovenstr. 17), Selbstverl. 03. — 50 d
Schimpff, v.: Das XII. Korps im Kriege 1870/71. I—IV. 8° Dresd., C Damm. L. je 3 — d
1. Saint Privat la Montagne. (170 m. 2 Kart.) 01. ǁ II. Der Sedanfeldzug. (206 m. 4 Kart.) 01. ǁ III. Paris. (273 m. 2 Kart.) 02. ǁ IV. Die Kavall.-Division im Norden v. Paris. (213 m. 2 Kart.) 05.
Schimpff, G: Hamburg u. sein Ortsverkehr. Die städt. Verkehrsmittel, ihre bisher. Entwicklg u. künft. Gestaltig. [S.-A.] (48 m. Abb. u. 4 Taf.) 4° Berl., J Springer. — Hambg, O Meissner's V. 03. 2.40
— Die Strassenb. in d. Verein. Staaten v. Amerika. [S.-A.] (196 m. Abb. u. 2 Taf.) 8° Berl., J Springer 03. 6 —
— Träger-Tab. Zusammenstellg d. Hauptwerte f. deut. Walzeisen hergestellten I- u. [-Eisen. Nebst e. Anh.: Die engl. u. amerikan. Normalprofile. (59 m. 2 Fig.) 8° Münch., R Oldenbourg 05. Kart. 2 —
— Zusammenstellg aller v. deut. Walzwerken hergestellten I- u. [-Eisen, s.: Oldenbourg's techn. Handbibliothek.
Schimpfky, R: Uns. Heilpflanzen in Bild u. Wort f. jedermann. (In 2 Bdn.) 1. Bd. Mit 92 Pflanzenbildern in Farbendr. z. Afl. (8 u. 192) 8° Gera, F v. Zezschwitz (05). L. 6.50
Schi Nai Ngan: Wie Lo-Ta unter d. Rebellen kam, s.: Universal-Bibliothek.
Schindele, S: Reste deut. Volkstumes südlich d. Alpen. Studie d. deut. Sprachinseln in Südtirol u. Oberitalien. (126 m. 1 Karte.) 8° Köln, (JP Bachem) 04. 2 — d
Schindelka, H: Hautkrankh., s.: Handbuch d. thierärztl. Chirurgie u. Geburtshilfe.
Schindlauer, J: Das ist d. Fluch d. bösen Tat. — Kindesgebet

u. Kindesopfer. — Maria v. d. immerwähr. Hilfe. — „O, hast du noch e. Mütterchen", s.: Schul- u. Vereinsbühne, christl.
Schindler, A: Die Gefahren in d. Kirche od. Stimmen a. d. Kirche d. Kirche. 2. [Tit.-]Afl. (210) 8° Ascona, C v. Schmidtz [1900] (05). 2.40 d
— Die ev. Kirche u. d. Heilsarmee n. ihrem inneren Verhältnis. 3. [Tit.-]Afl. (138) 8° Ebd. [1900] 05. 1.80 d
— Der Mensch u. s. Unruhe. — Der Mensch u. s. Ruhe. (32) 8° Bas. 03. Ascona, C v. Schmidtz. — 70
— Die soz. Not uns. Zeit u. d. Heilsarmee. (40) 8° Ebd. 02. — 30 d
— Reich u. Arm. [S.-A.] (32) 8° Ebd. 01. — 35 d
— Ein geschichtl. Rückblick auf e. 35jähr. Kampf im Geb. d. Wasserbaues. (46) 8° Bas., CF Lendorff 05. 1 —
— Heilige Schroffh. (15) 8° Ascona, C v. Schmidtz 05. — 30
— Die Ursachen d. Schwäche u. d. Quelle d. Kraft d. ev. Kirche. Vortr. 2. Afl. (32) 8° Bas. 04. Ascona, C v. Schmidtz. — 85 d
— Die Zeichen d. Zeit od. d. Erkalten d. Liebe. (41) 8° Ebd. 04. — 35
Schindler, A: Leitf. f. d. Unterr. in d. prakt. Geometrie an d. k. u. k. techn. Militär-Akad. 1. Tl: Einl. — Instrumentenlehre. (162 m. Fig. u. 8 Taf.) 8° Wien, LW Seidel & S. 02. L. 9 — d
Schindler, AJ, s.: Traun, J v. d.
Schindler, AK: Halorrhagaceae, s.: Pflanzenreich, d.
Schindler, E: Die gewerbsmäss. Heiratsvermittlg, s.: Studien, rechts- u. staatswiss.
Schindler, V: Die gesetzl. Bestimmgn üb. d. Jagdwesen u. d. Ersatz d. Wildschadens im Kgr. Württemberg. Mit e. Anh., enth. d. gesetzl. Vorschriften üb. d. Fischerei. (87) 8° Stuttg., W Kohlhammer 01. — 50 d
Schindler, F: Naturlehre f. Volkssch. Nach d. Lehrpl. f. d. Obercl. 4- bis 6class. Volkssch. bearb. 2. Afl. (104 m. Abb.) 8° Wien, F Tempsky 1900. L. 1.10 d
— Physik u. Chemie f. Bürgersch. Bearb. v. R Neumann. Einteil. Ausg. (2. Abdr.) (314 m. Abb.) 8° Ebd. 1900. ǁ 2. u. 3. Afl. (198 m. Abb.) 03.04. Geb, je 2.10 d
— dass. In 3 konzentr. Lehrstufen. Neu bearb. v. R Neumann. I. u. II. Stufe. 8° Ebd. Geb. 2.30 d
I. 7. u. 8. Afl. (1. u. 2. Afl. d. Neumannschen Bearbeitg.) (70 m. Abb.) 03.04. 1 — ǁ II. 6. Afl. (1. Afl. d. Neumannschen Bearbeitg.) (92 m. Abb.) 04. 1.30.
Schindler, FM: Die soz. Frage d. Gegenwart, v. Standpunkte d. Christentums beleuchtet. (191) 8° Wien, Bh. Reichspost 05. 1.80 d
— Die Stellg d. theolog. Fakultät im Organismus d. Univ. Inaugurationsrede. (35) 8° Wien, W Braumüller 04. — 70
— s.: Studien, theolog., d. Leo-Gesellsch. — Wirken, d. soz., d. kathol. Kirche in Österr.
Schindler, H: König Albert. Lebensbild. (32 m. Abb.) 8° Dresd., A Huhle 02. — 25 d
— Kl. Bibelkde. (16) 8° Ebd. 02. — 25 d
— Was sollst Du v. Bier u. Branntwein wissen? 2. Afl. (32) 8° Ebd. 03. — 15 d
— Bilder a. d. Kirchengesch. (16) 8° Ebd. 02. — 15 d
— Warum ist e. Erklärgskatech. notwendig, wie soll er beschaffen sein u. wie soll er gebraucht werden? (84) 8° Ebd. 02. 1 — d
— König Georg. Lebensbild. (16 m. Abb.) 8° Ebd. 02. — 20 d
— Der kl. Katech. Luthers m. Erläutergn, Fragen u. Antworten, Bibelsprüchen, bibl. Gesch., Kirchenliedern, Denksprüchen u. Sprichwörtern. Mit 3 Anhängen: „Bibelkde", „Bilder a. d. Kirchengesch." u. „Unterscheidgslehren". (16) 8° Ebd. (02). 1 —; kart. 1.20 d
— Lieder u. Gesänge zu Königs Geburtstagsfeier. (30) 8° Ebd. 03. — 20 d
— s.: Muttersprache, d.
— Proben a. d. Werken neuerer Dichter, s.: Baron, M.
— Schulgebeth. Für ev. Schulen. 3. Afl. (171) 8° Dresd., A Huhle 01. 1.50; kart. 1.85 d
— Deut. Sprachsch., s.: Baron, M.
— Unterscheidgslehren d. ev. u. römisch-katbol. Kirche. (16) 8° Dresd, A Huhle 02. — 15 d
— Unterscheidgslehren d. ev. u. römisch-katbol. Kirche. (16) 8° Ebd. 02. — 15 d
— Üb. tab. Augenstörgn. (70) 8° Strassbg, J Singer ner's V. 03. — 50 d
Schindler, H: Präparat. zu d. Institutiones Justiniani. I. Buch. (73) 8° Lpzg, CL Hirschfeld 05. 1.50; geb. nn 2 — d
Schindler, H: Liederb., enth. 53 ausgew. Lieder. 2. Afl. (80) 12° Korneubg, J Kübkopf 03. — 52 d
Schindler, H: Hippolae. Fragen u. Antworten z. Gebr. f. Equitationen u. Einj.-Freiwill.-Schulen. 4. Afl. (48) 8° Wien, (LW Seidel & S.) 01. 1.90
— dass. Leicht fassl. Unterr.- u. Lernbehelf z. Gebr. f. Militär-Bildgsanst., Equitationen u. Einj.-Freiwill.-Schulen. 5. Afl. (89 m. Abb. u. Titelbild.) 8° Wr.-Neust. 03. (Wien, LW Seidel & S.) 2.30
Schindler, J: Die Jagd u. e. Fracke, s.: Vereinsbühne.
Schindler, J: Das soc. Wirken d. kathol. Kirche in d. Prager Erzdiöc., s.: Wirken, d. soc., d. kathol. Kirche in Österr.
Schindler, JG: Das ev. Kirchenjahr. Musik. Ausg. A. (8) 8° Rothnbg o/T., JP Peter (02). — 10 d
— dass. Ausg. B m. d. altkirchl., thomasian. u. Eisenacher Perikopen. (38) 8° Ebd. 02. — 25 d

Schindler, K, u. A **Volkmer**: Deut. Sprachlehre f. Lehrer-
bildgsanst. 2 Tle. 8° Bresl., H Handel. 3 —; Einbd je nn — 40 d
I. Für Präparandenanst. 1. u. 2. Aft. (171 bezw. 175) 03.05. 1.40 ‖ 2. Für
Lehrerseminare u. a. Selbstunterricht. (181 m. Fig. u. 8 Taf.) 04. 1.90.
Schindler, K: Der Erdschluss elektr. Anlagen, s. Entstehg,
Wirkg, Folgen, Aufsuchg, Beseitigg u. s. Beziehgn z. Kurz-
schluss. (75 m. Fig.) 8° Lpzg, O Leiner 05.　　　　1.50
Schindler, P, u.: Jahrbuch d. Arbeiterversicherg. — Taschen-
Kalender z. Gebr. bei Handhabg d. Arbeiterversichergsges.
Schindler, R: Das gewerbl. Fortbildungsschulwesen in Österr.
(264) 8° Wien, A Hölder 04.　　　　3.50; L. 4 —
Schindler, V: Leitf. f. d. Erteilg d. Klavierunterr. im Elisa-
bethinum in Olmütz. (22 m. 1 Fig.) 8° Olm., (F Grosse) 04.
　　　　nn — 50
Schindler, W: Sächs. Dorfgeschichten, s.: Kürschner's, J,
Bücherschatz.
— Der Gemeinderat zu Steinhübel. Heitere Dorfepisode in 1 Akt.
(24) 8° Lpzg, R Maeder (05).　　　　— 50 d
— Wanderg durch Dresden u. d. sächs. Schweiz. (20 farb. Taf.
m. 8 S. Text.) 8° Lpzg (05). Oetzsch-Gautzsch, Wanderer-Verl.
　　　　In L.-M. 10 —
Schiner, H: Hdb. d. Schwachsinnigenfürsorge, s.: Bösbauer, H.
— u. H **Bösbauer**: Fibel f. abnorme Kinder (Hülfsschulen-
fibel). 2 Tle 8° Lpzg, BG Teubner. — Wien, K Graeser & Co.
　　　　Kart. 1.70 d
I. (56 m. Abb.) 03. — 80 ‖ 2. Unter Mitarbeit v. L Miklas. (64) 05. — 90.
Schinhofen, P: „Andreas Hofer", d. Held v. Passeier, s.: Heidel-
mann's, A, Theater-Bibliothek.
Schinke, K: Prakt. Fischzucht u. Teichwirtschaft. (100) 8°
Stett., Herrcke & L. (02).　　　　1 — d
— Rationelle Steigerg d. Ernte-Erträge im Feldfrucht- u. Ackerbau. (63) 8° Delitzsch, CA Walter 04.　　　　— 75 d
— Prakt. Wiesenfutterbau, Wiesenpflege u. rationelle Heu-
werbg. (74) 8° Ebd. 05.　　　　— 90 d
Schinz, H: Schweiz. Afrika-Reisende u. d. Anteil d. Schweiz an
d. Erschliessg u. Erforschg Afrikas überhaupt, s.: Neujahrs-
blatt, hrsg. v. d. naturforsch. Gesellsch. in Zürich.
— Plantae Menyharthianae. Beitrag z. Kenntnis d. Flora d.
unt. Sambesi. [S.-A.] (79) 4° Wien, (A Hölder) 05.　　　　4.80
— u. R Keller: Flora d. Schweiz. 2. Afl. 2 Tle. 8° Zür., A Rau-
stein 05.　　　　L. 11 —
I. Exkursionsflora. (536 m. Fig.) 6 — ‖ II. Krit. Flora. (400 m. Fig.) 5 —
Schjett, PO: Studien z. alten Gesch. [S.-A.] (27) 8° Christiania,
(J Dybwad) 03.　　　　nn 1 —
Schipfer, A: Preussisch-deut. Eisenb.-Fragen insbes. d. Reform
d. Personenverkehrs, s.: Zeitfragen, volksw.
Schipke, A: Grundl. f. d. Unterr. in d. Rechtschreibg. 14. Afl.
v. H Schwochow. (69) 8° Pos., J Jolowicz 04. — 40; kart. — 50 d
Schipka, M: Gesanglehre n. d. Bestimmgn d. Grundlehrpl. d.
Berliner Gemeindesch. 7 Hefte. 8° Berl., Schnetter & Dr. Linde-
meyer 05.　　　　nn — 80 d
1. (K1, 4|7.) (16) nn — 10 ‖ 2. (K1. 6) (16) nn — 10 ‖ 3. (K1. 5) (16) nn — 10
‖ 4. (K1. 4.) (16) nn — 10 ‖ 5. (K1. 3.) (16) nn — 10 ‖ 6. (K1. 2) (32) nn — 20
‖ 7. (K1. 1.) (16) nn — 10.
— Leitf. f. d. Unterr. im Schulgesang, f. d. Hand d. Schülers
bearb. Heft I, II a—u. III a—c. 8° Berl., C Habel.　　　　nn 2.40 d
I. (12) 03. nn — 15 ‖ II a. (16) 03. nn — 20 ‖ II b, Lieder u. Choräle f. ev.
Schulen. (16) 03. nn — 20 ‖ II c. Lieder u. Choräle f. kathol. Schulen. (16)
03. nn — 20 ‖ III a. (35) 04. nn — 45 ‖ III b. Lieder u. Choräle f. ev. Schulen. (47) 04. nn — 60 ‖ III c. Lieder u. Choräle f. kathol. Schulen. (47)
04. nn — 60.
— Notenschreibheft z. 1. Heft d. „Schulgesang" m. Anh. f. d.
3. u. 3. Heft. (8) 4° Ebd. (05).　　　　nn — 15
— Die Technik d. tonalen Treffens f. Chordirigenten, Gesang-
u. Musiklehrer, unter Berücks. d. Gesang-Unterr. an öffentl.
Lehranst. systematisch-methodisch dargest. (63) 8° Ebd. 03.
　　　　1.60 d
Schipp, T: Der Zimmermaler d. Neuzeit. Leicht ausführbare
Decken- u. Wandmalereien im modernen Stil. 6—10. Lfg.
(20 Taf. m. 4 S. Text.) 4° Ravnsbg, O Maier (01).　　　　Je 1.30
　　　　(Vollst.: 12 —; M. dazu — 50)
Schippel, M: Amerika u. d. Handelsvertragspolitik. (23) 8°
Berl., Verl. d. sozialist. Monatshefte 06.　　　　2.50
— Grundz. d. Handelspolitik. 1. u. 2. Afl. (352) 8° Ebd. 02. 5 —;
　　　　HF. 7.50
— Sozialdemokrat. Reichstags-Hdb. Führer durch d. Zeit- u.
Streitfragen d. Reichspolitik. 35 Hefte. (1174) 8° Berl., Bh.
Vorwärts (01.02).　　　　Je — 20; in 1 L.-Bd 9 — d
— Zuckerproduktion u. Zuckerprämien bis z. Brüsseler Kon-
vention 1902. (419) 8° Stuttg., JHW Dietz Nf. 03. 6 —; geb. 7.50 d
Schipper, G: Die Bremerhavener Lesezirkel-Vereinigg, ihre
Entstehg u. Geschäftsführg. (30) 8° Bremerh., Schipper,
Mocker & Co. (05).　　　　nnn — 75 d Vergr.
Schipper, J: 1.: Beiträge, Wiener, z. engl. Philol.
— Alte Bildg u. moderne Cultur. Beitrag z. Frage d. Gym-
nasialreform. Rede. (55) 8° Wien, W Braumüller 01.　　　　1 —
— s.: Kennedy, W, the Poems.
— Alt- u. mittelengl. Übgsb., s.: Zupitza, J.
Schipps, K: Führer üb. d. Härdtsfeld. Hrsg. z. Eröffng d. Hardts-
feld-Eisenb. (32 m. 1 Ansicht u. 1 Karte.) 8° Stuttg., W Kohl-
hammer 01.　　　　1 — d
— Kinderschutz im Gewerbebetrieb u. Jugendschutz u. württemberg. Landesrecht. Reichsges. v. 30.'III.03 betr. d. Kinderarbeit in gewerbl. Betrieben m. d. württemberg. Ausführgsbestimmgn. Textausg. (48) 12° Ellw. 04. Stuttg., J Hess.　　—30 d
Schirek, C: Die k. k. Majolika-Geschirrfabrik in Holitsch.

(800 m. 33 Abb. u. 2 farb. Taf.) 4° Brünn (Elisabethstr. 14),
Custos Schirek 05.　　　　40 —
Schirek, C: Die Punzierg in Mähren. Gleichzeitig e. Beitrag
z. Gesch. d. Goldschmiedekunst. (176 m. Abb. u. Marken.) 4°
Brünn (Elisabethstr. 14), Custos Schirek 02.　　　　nn 20 —
Schirich, A: Das moderne Mobiliar m. Berücks. d. französ.
Stile. 3. Serie. (16 Taf. m. 4 S. Text in deut. u. französ. Sprache.)
Fol. Wien (III/8, Pragerstr. 5), Sachs' Verl. (01). In M. 13 —
Schirlitz, K: Der Beweis f. d. Indentität d. Tapferkeit u. d.
Wissens in Platons Protagoras. (26) 4° Starg. 01. (Lpzg, Bh.
G Fock.)　　　　1.20
Schirmacher, E: Natürl. u. künstl. Diamanten, s.: Festschrift
z. Feier d. 600jähr. Jubiläums d. Kneiphöf. Gymnasiums zu
Königsberg i. Pr.
Schirmacher, H: Bruder Baumeister. Dichtg. (349) 8° Köngsbg,
E Rautenberg 03.　　　　3 — d
— Aus d. Tagen d. Not, s.: Weichert's Wochen-Bibliothek.
Schirmacher, K: Die Frauenarbeit im Hause, ihre ökonom.,
rechtl. u. soc. Wertg, s.: Rechtsfragen.
— Die Frauenbewegg, s.: Sammlung gemeinnütz. Vortr.
— Die moderne Frauenbewegg, s.: Aus Natur u. Geisteswelt.
— Der junge Voltaire u. d. junge Goethe, s.: Aus roman.
Sprachen u. Lit.
Schirmeisen, K: Die Entstehgszeit d. german. Göttergestalten.
(38) 8° Brünn, C Winiker 04.　　　　1.44
— Systemat. Verz. mährisch-schles. Mineralien u. ihrer Fund-
orte. [S.-A.] (66) 8° Ebd. 05.　　　　nn 1.20
Schirmer: Ueb. d. bei d. Anbau verschied. Futterpflanzen z.
Bekämpfg d. Futternot ges. Erfahrgn. Vortr. (11) 8° Dresd.
02. Lpzg, G Schönfeld.　　　　— 60 d
Schirmer, C: Allerlei Reise-Erlebnisse in Italien. (114) 8° Luz.
03., (Ascona, C v. Schmidtz.)　　　　1 — d
Schirmer, E: Korrespondenz d. Buchhändlers, s.: Pfau, KF.
Schirmer, F: Franz Vörter. Blumenau-Pressburg am 22.VII.1866.
(157 m. 13 Skizzen u. 4 Beil.) 8° Wien, LW Seidel & S. 04. 5 —
Schirmer, K: Die gottesdienstl. Einrichtgn d. ev. Kirche, s.:
Hilfsmittel z. ev. Relig.-Unterr.
Schirmer, O: Mikroskop. Anatomie u. Physiol. d. Thränen-
organe. — Sympath. Augenerkrankg, s.: Graefe, A, u. T Sae-
misch, Hdb. d. ges. Augenheilk.
— s.: Neisser, A, stereoscop. medicin. Atlas.
Schirmer, R: Decken u. Deckenteile. Ausgeführte Stuckdecken
u. Einzelh. a. modernen Wohnhäusern. (30 Lichtdr. m. 3 S.
Text.) 41,5×52,5 cm. Berl., B Hessling (03).　　　　In M. 18 —
— Aus meiner Kunstwerkstätte. Ausgeführte ornamentale Bild-
hauerarbeiten z. Dekorierg v. Innenräumen, Fassaden u.
Kunstgegenständen in verschied. Stilarten. 5. Serie. 2. Afl.
(30 Lichtdr. m. 3 S. Text.) 40×52,5 cm. Ebd. (03). In M. 18 —
Schirmer, W: Behüt dich Gott! Betrachtgn f. alle Tage d.
Jahres. (369) 16° Bad.-B., E Sommermeyer 04.　　　　2.40; L. 3 —
　　　　m. G. 4.50 d
— Kl. Bibelkde f. d. Schulgebr. 2. Afl. (24) 12° Aar., HR Sauer-
länder & Co. 01.　　　　nn — 25 d
— Der Weg d. Friedens, gewiesen in kurzen Betrachtgn. (119)
8° Konst., E Ackermann (03).　　　　2 — d
Schirmer, W: Onkel Bräsig. — Ut de Franzosentid, s.: Biblio-
thek d. Gesamtlitt.
— Kein Hüsung, s.: Jahnke, H.
Schirmer, L: Festsp. v. Kaiser Karl. Zur 1100jahrfeier d.
Gymnasium Carolinum in Osnabrück. (24) 8° Osnabr., G Pill-
meyer 04.　　　　nn — 30 d
Schirmer-Zeitung, deut. 19—22. Jahrg. 1902—5 je 24 Nrn,
(1902. Nr. 1. 24) 4° Lpzg, Wilh. Meyer.　　　　Viertelj. 2 — d
Schirmund, H: Plan d. Stadt Mainz, s.: Happersberger, K.
Schirokauer, F: Eick & Co. Roman. (303) 8° Berl., Verl. Con-
tinent (05).　　　　3.50; geb. 5 — d
— Ilse Isensee. Roman. (298) 8° Ebd. (05).　　　　3 —; geb. 4 — d
— „Satan". Roman. (339) 8° Ebd. (04).　　　　3.50; geb. 5 — d
Schirokauer, H: Diarrhöe u. Obstipation, s.: Klinik, Wiener.
Schirp, Ev.: Polizei-Verordsgn u. sonst. polizeil. Vorschriften
f. d. Reg.-Bez. Cassel, bes. f. d. Stadt- u. Landkreis Cassel,
f. hanau, Marburg u. Fulda u. ein. wicht. Ministerialerlasse
v. 1889—1904. (687 u. 15) 8° Cass., Gebr. Gotthelft 05. nn 5.50;
　　　　geb. nn 6 — d
Schirrmann, FW: Gesch. v. Spanien, s.: Geschichte d. europ.
Staaten.
Schirrmann, W: Gedanken üb. d. Einfl. d. Turnkunst auf d.
Geist d. Menschen. (63) 8° Schweidn. (02). (Bresl., Priebatsch.)

— Einheitl. Turnsprache f. d. Gerätturnen. (34 u. 16) 12° Hof,
R Lion (01).　　　　— 60 d
Schirrmeister: Fleischnot od. Fleischüberschätzg?, s.: Ziegel-
roth.
Schirmeister, G: Die engl. Aktiennovelle v. 8.VIII.1900. (The
companies act, 1900.) Erläuterg u. Beurtheilg d. Reform d.
engl. Aktienrechts m. vergleich. Bemerkgn üb. d. deut. Aktien-
recht. (155) 8° Berl., Puttkammer & M. 01.　　　　3 — d
— Das bürgerl. Recht Englds. Auf Grund e. Kodifikation v. E
Jenks, WM Geldart, RW Lee, WS Holdsworth, JC Miles.
Kommentar. 1. Bd: 1. Buch. Allg. Tl. 1. u. 2. Lfg. (1. Hälfte.
483) 8° Berl., C Heymann 05.06.
Schischlik, F: Die Zins- u. Zinseszins-Rechngn. Elementare
Erklärgs- u. Behandlgsweise d. Annuitäten- u. Rentenrechngn.
(39) 8° Wien, A Pichler's Wwe & S. 02.　　　　1 — d

Schittenhelm, H: Das Punktieren. Prakt. Hdb. f. Bildhauer in Marmor, Stein u. Holz. 2. Afl. v. A Schneider. (85 m. Abb.) 8° Lpzg, BF Voigt 01.   2 — d
Schiviz v. **Schivizhofen**, L: Der Adel in d. Matriken d. Grafsch. Görz u. Gradisca. (510) 4° Görz 04. (Triest, FH Schimpff.)   nn 30 —
— dass. d. Herzogt. Krain. (508) 4° Ebd. 05. (nn 20 —) nn 30 —
Schiwietz, S: Das morgenländ. Mönchtum. 1. Bd. Das Ascetentum d. 3 ersten christl. Jahrh. u. d. egypt. Mönchtum im 4. Jahrh. (359) 8° Mainz, Kirchheim & Co. 04.   7 —
Schkljarewski, A: Ein Ritualmord, s.: Welt-Bibliothek.
Schkopp, E v.: Kameruner Skizzen. (206) 8° Berl., Winkelmann & S. 05.   2.25; geb. 3 — d
Schlabrendorff, A v., geb. v. Sassen: Liederkranz. (64) 8° Dess., (A Haarth) (01).   L. 3 — d
Schlacht, d., bei Ebelsberg am 3.V.1809. (32 m. 4 Taf.) 8° Linz, Zentraldruckerei vorm. E Mareis (02).   — 60 d
— d., bei Forbach u. d. Wehrkraft d. deut. Volkes. Vom Tacitus Minor. 1—4. Afl. (127) 8° Berl. 04. Lpzg, Polit. Verl. nn 1.75
— d., bei Mukden. [S.-A.] (24 m. 3 Kart. u. 2 Kriegsgliedergr.) 8° Berl., ES Mittler & S. 05.   3 — d
— dass., s.: Beiheft z. Militär-Wochenbl.
Schlacht, P: Die chirurg. Behandlg d. Hämorrhoiden. (83) 8° Köngsbg, Gräfe & U., Bh. 04.   2 —
Schlachter, F: Pater Chiniquys Erlebnisse. 3. Afl. (360) 8° Biel 01. (Bonn, J Schergens.)   2.40; L. 3.70 d
— dass. samt „Pastor Chiniqui". 4. Afl. (360 u. 156) 8° Ebd. 03.   5.10 d
— Pastor Chiniquy. Nachtrag zu „Pater Chiniquys Erlebnisse". 3. Afl. (156 m. Abb.) 8° Ebd. 02.   L. 2.40 d
Schlachterfolg, d., u. welchen Mitteln wurde er erstrebt?, s.: Studien z. Kriegsgesch. u. Taktik.
Schlachtvieh-Versicherung. Stenograph. Bericht üb. d. Verhandlgn e. v. d. Centralstelle f. Viehverwertg d. preuss. Landw.-Kammern veranstalt. Konferenz z. Vorbereitg e. obligator. Schlachtviehversichergsges. in Preussen, Berlin 1900. (160) 8° Berl., P Parey 01.   2.50 d
— d. staatl., im Grossh. Hessen (bearb. v. Hölzinger), s.: Versicherungswesen.
Schlaf, J : Peter Boies Freite. Roman. 1—3. Afl. (336) 8° Lpzg 03. Berl., Harmonie.   2.50; geb. 3.50 d
— Noch einmal „Arno Holz u. ich". (16) 8° Berl., C Messer & Co. 02. (?)   — 50
— Jesus u. Mirjam. — Der Tod d. Antichrist. (135) 8° Mind., JCC Bruns (01).   1.75; geb. 3.50 d
— Der Kleine. Berliner Roman. (491) 8° Stuttg., A Juncker 04.   5 —; geb. 6 — d
— Mein Roman „Der Kleine". Zauber Glosse. (20) 8° Ebd. 05.   — 50 d
— Der Narr u. Anderes. Novellistisches. (170) 12° Lpzg 02. Berl., Harmonie.   2.50; geb. 3.50 d
— Die Nonne, s.: Bibliothek moderner Autoren.
— Novellen. III. Frühjahrsblumen u. Anderes. (127) 8° Berl., E Fleischel & Co. 01.   2 — (I—III.: 6 —; Einbde je 1 —) d
— Das Sommerlied, s.: Juncker's, A, Sammlg moderner deut. Lyrik.
— Die Suchenden. Roman. (322) 8° Berl., E Fleischel & Co. 02.   5 —; geb. nn 6.50 d
— Emile Vernhaeren. — Walt Whitman, s.: Dichtung, d.
Schlaefer, H, s.: Eisenbahn-Reformfahrpläne u. Fahrplankarten, ost- u. westpreuss.
Schläfli, L: Theorie d. vielfachen Kontinuität. Hrsg. v. JH Graf. [S.-A.] (239) 4° Zür. 01. (Bas., Georg & Co.) nn 12 —
Schlafstellenwesen s. u. Ledigenheim, s.: Schriften d. Centralstelle f. Arbeiter-Wohlfahrtseinrichtgn.
Schlag, F : Der Dompfaff. 5. Afl. (15) 8° Mgdbg, Creutz 04. 1 — d
Schlag, H: Die deut. Komödie. Komödie. (86) 8° Weimar, Dramaturg. Anst. 04. (Nur dir.)   1.20 d
— dass., s.: Universal-Bibliothek.
— Le Mans. Dramat. Stimmgsbild a. gr. Zeit. (35) 8° Weimar, Dramaturg. Anst. 03. (Nur dir.)   — 50
— Oidipus. Eine Trilogie. Des Sophokles „König Oidipus", „Oidipus auf Kolonos" u. „Antigone" in 3 Einaktern. (84) 8° Ebd. (02).   1.20 d
— Die Welträtsel. Professorenkomödie. (114) 8° Ebd. 03. 1.20 d
Schlägel, M v.: Erstanden u. 2 and. Novellen. — Der Küchel Leibkutscher u. and. Novellen. — Irrwege. Im Reich Neptuns. Zu spät. — Im Schatten d. deut. Novellenschatz. Glück, s.: Ensslin's Roman- u. Novellenschatz.
Schlager, H: Die poln. Gefahr. (29) 8° Berl., H Schildberger (03).   4 —
Schlager, M: Ein Missverständnis od. Die Bekehrg in d. Kinderstube, s.: Theater f. d. weibl. Jugend.
Schlager, P: Beitr. z. Gesch. d. köln. Franziskaner-Ordensprovinz im M.-A. (304) 8° Köln, JP Bachem 04.   3.60 d
Schlaeger: Zahnhygiene in Schule u. Heer, s.: Jessen.
Schläger, F: Schillerworte. Aus Schillers Dramen dargeboten. (156 m. 1 Bildnis.) 8° Giess., E Roth 05. — feine Ausg.: L. 2 — || 2. Afl. (156 m. 1 Bildnis.) 05. — 60; geb. 1.20; Geschenkbd 1 — d
Schlagintweit, E: Bericht üb. e. Ad-esse an d. Dalai Lama in Lhasa (1902) z. Erlangg v. Bücherverzeichnissen a. d. dort. buddhist. Klöstern. [S.-A.] (18 m. 2 Taf.) 8° Münch., (G Franz' V.) 04.   1 —
— Die Lebensbeschreibg v. Padma Sambhava, d. Begründer d.

Lamaismus. II. Tl: Wirken u. Erlebnisse in Indien. Aus d. Tibet. übers. [S.-A.] (50) 4° Münch., (G Franz' V.) 03.   2 — (I u. II.: 3 —)
Schlagintweit, E: Verz. d. tibet. Handschriften d. kgl. württemberg. Landesbibliothek zu Stuttgart. [S.-A.] (26) 8° Münch., (G Franz' V.) 04.   — 60
Schlagintweit, F: Prostatahypertrophie u. Bottinische Operation. Experimentelle, topograph. u. chirurgisch-techn. Studien üb. d. Verhalten d. hypertroph. Prostata bei endovesikaler u. endourethraler Behandlg m. starren Instrumenten. (68 m. Abb. u. 15 Taf.) 8° Lpzg, G Thieme 02. 4 —
Schlagintweit, M: Kufsteins Kriegsjahre. 1504, 1703, 1809. Erinnergsschrift z. 200jähr. Wiederkehr d. Erstürmg d. tirol. Grenzfeste durch d. Bayern unter Kurfürst Max Emanuel. [S.-A.] (38 m. 2 Abb., Titelbild u. 5 Anl.) 8° Münch., J Lindauer 03.   1.20 d
Schlag, W: Geometr. Aufg. üb. d. Dreieck. Für Schüler höh. Lehranst. in Briefen. (70 m. Abb.) 8° Freibg i/B., Herder 04.   Kart. 1 — d
Schlagwerke u. **Repetitionen**. Hilfsb. f. Praktiker. 1. u. 2. Heft. 8° Bautz., E Hübner.   7 —
  Huguenin, J: Einrichtg, Repassage u. Reparatur d. Taschen-Repetieruhren. Übers. n. d. 2. Afl. d. französ. Orig. v. M Loeske. (75 m. Abb.) 03. [2.]   3 —
  James, E: Die Lehre v. d. Schlagwerken. Übers. v. M Loeske. (86 m. Abb.) 03. [1.]   8 —
Schlagworte, moderne, geg. d. kath. Priester, s.: Volksbroschüre, kathol.
Schlagwort-Katalog zu Reclams Universalbibliothek, Meyers Volksbüchern u. Hendels Bibliothek d. Gesamtlitt. d. In- u. Ausl. (74) 16° Weim., M Grosse (01).   nn — 75:
   geb. u. durchsch. nn 1.25
Schlaikjer, E: Berliner Kämpfe. Ges. litterar. Aufsätze. (165) 8° Berl.-Schöneberg 01. Münch., GDW Callwey.   2 — d
— Des Pastors Rieke. Komödie. 1—3. Afl. (109) 8° Berl. 02. Münch., GDM Callwey.   3 —; geb. 5 — d
Schlaikier, PH (Onkel Peter): Ut min Kinnerpeddeijohren. 1. Deel. Madam Geelgoss un ehr Lihrlings! En Hawgeschichte ut Mekelborg. (96) 8° Tondern 01. Niebüll, A Bahnsen. 1 — d
Schlampp, W: Lehrb. d. patholog. Anatomie d. Hausthiere, s.: Kitt, T.
Schlandt, H: Deutsch-magyarisch-román. Taschenwrtrb. 2.Afl. (100) 12° Brassó (Kronst.), H Zeidner 05.   nn — 50:
   jeder Tl allein — 17
— Verhältnissuffixe, Verhältniswörter, zusammengesetzte Verhältniswörter. (Deutsch n. ungarisch.) (1 Bl.) 34,5×45 cm. Ebd. (04).   nn — 10 d
Schlang, W: W Kienzl's Evangelimann. — WA Mozart's „Don Juan" u. Zauberflöte. — G Verdi's „Aida". — Rich. Wagner's flieg. Holländer; Lohengrin; Meistersinger v. Nürnberg; Parsival; Rienzi; Ring d. Nibelungen; Tannhäuser; Tristan u. Isolde. — KM v. Weber's „Der Freischütz", s.: Hoursch's Opern-Führer.
Schlange, H, s.: Chirurgie d. Unterleibes.
Schläpfer, Frl. E, s.: Aus Haus-Andachten.
— „Durch Sterben los, vom ewigen Wesen los." Hausandachten. (96) 8° Gotha, Missionsbh. P Ott 02. || 3. Afl. (59) 03. Je —30 d
Schläpfer, R: Naturwiss. Repetitorium, umfassend Zool., Botanik, Mineral., Physik u. Chemie. Für d. ob. Kl. höh. Lehranst., sowie z. Privatstudium. 2. Afl. (290) 8° Davos 03. Chur, F Schuler.   Geb. 3.40
Schlapp, O: Kants Lehre v. Genie u. d. Entstehg d. „Kritik d. Urteilskraft". (483) 8° Gött., Vandenhoeck & R. 01.   13 —
Schlasinger, d. gemittl. Illustr. Kalender f. d. Prov. Schlesien. Begründet v. M Heinzel. Hrsg. v. Philo vom Walde. 1906. 24. Jahrg. (118 m. 1 Farbdr.) 8° Schweidn., L Heege. — 50 d
Schlatter, A: Was ist heute d. relig. Aufg. d. Universitäten? — Christus u. Christentum. JT Becks theolog. Arbeit, s.: Beiträge z. Förderg christl. Theol.
— Einl. in d. Bibel. 3. Afl. (551) 8° Calw u. Stuttg., Vereinsbh. 01.   HF. 5 — d
— Erläuterung z. Neuen Test. 1., 6., 8. u. 9. Tl. 8° Ebd.   7.50 d
  (1—9: 16.50; Einbde in L. je — 75) d
1. Der Römerbrief. 4. Afl. (270) 01. 1.50 || 6. Das 1. u. 2. Korintherbr. 4. Afl. (375) 02. 2.25 || 8. Die Apostelgesch. (384) 02. 2.25 || 9. Die Briefe an Timotheus u. Titus. (221) 04. 1.50.
— Gesch. Israels v. Alexander d. Gr. bis Hadrian, s.: Geschichte d., Israels.
— Der Glaube im Neuen Test. 3. Bearbeitg. (622) 8° Calw u. Stuttg., Vereinsbh. 05.   HF. 8 — d
— Jesu Demut, ihre Missdeutug, ihr Grund. — Jesu Gottheit u. d. Kreuz. — Atheist. Methoden in d. Theol., s.: Beiträge z. Förderg christl. Theol.
— Predigten, in d. Stiftskirche zu Tübingen geh. Nr. 1—11. (9, 8, 10, 8, 8, 11, 8, 10, 10, 10 u. 9) 8° Tüb., J Schnürlen (02.05). Je —20 (geschenkt) — 35 d || 3. Jahrg. (1903—05). Je 10—11 Nrn. (2. Jahrg. Nr 1—5. 10, 9, 8, 8 u. 8) Je 2 —; Nrn —20 d
— Rede am Tage d. Konsistorial'. D. Dr. Herm. Cremer, weil. Prof. d. Theol. in Greifswald. (12) 8° Greifsw., J Abel 05.   — 3'd
— Die Sprache u. Heimat d. 4. Evangelisten, s.: Beiträge z. Förderg christl. Theol.
Schlatter's, A, Briefe an ihre älteste Tochter. Hrsg. v. J Burckhardt. Neue Titelabl. (100) 8° Berl., (Bh. d. ostdeut. Jünglingsbundes) [1894] 03.   — 50; L. 1 — d

Schlatter, C, s.: Chirurgie d. Kopfes u. d. Speiseröhre.
Schlatter, D: Reine Blumen. Ein Wort d. Liebe f. uns. jungen
    Mädchen. (30) 8° Bern, (H Körber) 02. — 60 d
— Durchs Fenster. Erlebtes u. Erzähltes. 2. Afl. (185) 8° Bas.,
    Kober 05. 1.20; L. 2 — d
— Wer hat d. schönste Freude? Durch Nebel z. Klarheit, s.:
    O du fröhl. usw. Weihnachtszeit.
— Lauter Freunde. Erzählgn f. kl. Leser. (166 m. Abb.) 8°
    Konst., C Hirsch (05). L. 2 — d
— Der Friedensbund u. and. Erzählgn. — „Fürchtet euch nicht"
    u. and. Erzählgn, s.: O du fröhl. usw. Weihnachtszeit.
— s.: Gott schütze dich.
— Was d. Kleinen freut. 5 Bilderbüchl. m. Gedichten u. Er-
    zählgn. 2. Afl. (Je 16) 8° Bas., Kober 01. Im Umschl. — 80 d
— Wegwarten. Bilder a. d. Leben. (154) 8° Bas., Helbing & L.
    02. 2 —; L. 2.80 d
— Weihnachten an d. Linie u. and. Erzählgn. Neue Ausg.
    (64) 8° Konst., C Hirsch (04). Geb. — 25 d
— Zeitlosen. Erzählgn u. Skizzen a. d. Leben. (141) 8° Bas.,
    Helbing & L. 05. 1.40; geb. 2.30 d
Schlatter, H: Predigt üb. Ephes, 6, 5—9: „Herren u. Arbeiter!"
    (14) 8° Zür., Fäsi & B. 02. — 20 d
— Kapitalismus u. Christentum. (37) 8° Bas., F Reinhardt 03.
    — 50 d
Schlatter, H: Ein Ritt nach Rom. (155 m. Abb. u. 1 Farbdr.)
    8° Frauenf., Huber & Co. 03. L. 3 — d
Schlatter, J: Das Evangelium v. d. Arbeit. Prakt. Auslegg v.
    Matth. 20, 1—16: Das Gleichnis v. d. Arbeitern im Weinberg.
    (63) 8° Zür., Bh. d. ev. Gesellsch. 06. 1 — d
Schlatter, T: St. Gall. roman. Ortsnamen u. Verwandtes. (32)
    8° St. Gall., (Fehr) 03. 1.40
Schlatter, W: Die chines. Fremden- u. Christenverfolgg v.
    Sommer 1900, s.: Missions-Studien, Basler.
— Glaube u. Gehorsam, s.: Beiträge z. Förderg christl. Theol.
— Die Brüder Alfonso u. Juan de Valdés. 2 Lebensbilder a.
    d. Gesch. d. Reformation in Spanien u. Italien. (244) 8° Bas.,
    Helbing & L. 01. 4 — d
Schlauch: Ub. d. Ehe, s.: Volksaufklärung.
Schlauch, G: Sachsen im Sprichwort. (Beitr. z. Volkskde. Hrsg.
    v. E Mogk.) (100) 8° Lpzg, G Schönfeld 05. L. 3 — d
Schlauch, P: Deut. allg. Bier-Comment nebst ein. Bierspielen.
    (51) 12° Charlttnbg (o. J.) Berl., W Frey. — 20 d
— Der Knobel-Comment od. alte u. neue Touren d. edlen Knobel-
    kunst. (61 m. Fig.) 12° Berl., W Frey (o. J.). — 20 d
Schlauer, G, u. J Leichner: Stoff- u. Lehrpl. f. d. Realjen-
    Unterr. in d. Volkssch. (213) 8° Wien, A Pichler's Wwe & S.
    04. 3.50 d
Schlawe, K: Die Organe d. deut. freiwill. Krankenpflege im
    Kriege, ihre Uniformierg u. Ausrüstg. (28 m. 2 farb. Taf.)
    8° Lpzg, M Ruhl (03). 1.50
Schlayer, M: Militärstrafrecht, s.: Handbuch d. Gesetzgebg
    in Preussen u. d. Deut. Reiche.
Schlebach, W v., s.: Kalender f. Geometer u. Kulturtechniker. —
    Kalender f. Vermessgswesen & Kulturtechnik.
Schlecht, C, s.: Familie, d. hl.
Schlecht, J: Bayerns Kirchen-Provinzen. Ueberblick üb. Gesch.
    u. gegenwärt. Bestand d. kathol. Kirche in Kgr. Bayern.
    Mit e. Verz. sämtl. kathol. Pfarreien Bayerns. (169 m. Abb.,
    10 Taf. u. 1 Karte.) 4° Münch., Allg. Verl.-Gesellsch. 02. 3 —;
    geb. 4.50 d
— Doctrina XII apostolor. Die Apostellehre in d. Liturgie d.
    kathol. Kirche. (144 m. 3 Lichtdr.) 8° Freibg i/B., Herder 01. 5 —
— s.: Eichstätts Kunst. — Festgabe, Karl Theodor v. Heigel
    gewidmet. — Kalender bayer. u. schwäb. Kunst.
— Das Leben Jesu, s.: Schumacher, P.
— Andrea Zamometić u. d. Basler Konzilsversuch v. J. 1482,
    s.: Quellen u. Forschungen a. d. Geb. d. Gesch.
Schlechtendahl G.: Ist d. Centrum e. Gefahr f. d. Deut. Reich?
    Vortr. (16) 8° Münch., JF Lehmann's V. 02. — 20 d
— Uns. Stellg als ev. Christen zu uns. kathol. Mitbürgern u.
    Volksgenossen. Vortr. (22) 8° Barm., E Müller (04). — 10 d
Schlechtendal, DEI, V., LE Langethal u. E Schenk: Cyper-
    aceae et Gramineae. Rev. etc. v. E Hallier. [S.-A.] 13.—80. Lfg.
    (7. u. 8. Bd. 304 u. 243 m. 120 u. 127 Taf.) 8° Gera, F v. Zezsch-
    witz (01). Je 1 — (Vollst.: 30 —; geb. 34.80)
Schlechter, C, s.: Kongress d. deut. Schachbundes.
Schlechter, R, s.: Kautschuk-Expedition, westafrikan.
— Monogr. d. Podochilinae, s.: Mémoires de l'herbier Boissier.
Schlee, E: Prov. Schleswig-H., s.: Landes- u. Provinzial-Ge-
    schichte.
— Etymolog. Vocabularium z. Cäsar. Nebst e. Sammlg v. latein.
    Beisp., u. e. Zusammenstellg d. Konjunktionen z. Repetition
    d. Syntax. 4. Doppel-Afl. (85) 8° Altona, J Harder V. 02. 1 —;
    geb. nn 1.25 d
Schlee, P: Schülerübgn in d. elementaren Astronomie, s.: Lehrg
    naturwiss.-pädagog. Abhandlgn.
Schlegel, AW, u. F Schlegel, s.: Athenäum.
Schlegel, B: 50 Ausflüge in d. Umgebg v. Chemnitz. 2. Afl.
    (171 m. 2 Pl. u. 3 Karten.) 8° Chemn., B Troitzsch Nf. (04). 1.50
— 100 Ausflüge in d. näh. Umgebg Dresdens. 3. Afl. (241 m.
    2 Kart.) 12° Dresd., A Köhler (03). Kart. 1.50 d
— Dresden u. d. sächs. Schweiz, s.: Grieben's Reiseführer.
— Erzgebirge u. d. sächs. Schweiz („Böhmens Paradies"),
    Nordböhmen v. Karlsbad bis Leitmeritz. (364 m. 6 Kart.) 12°
    Dresd., A Köhler 05. Geb. 2.50

Schlegel, B: Böhm. Mittelgebirge („Böhmens Paradies") m.
    Eingangstouren durch d. östl. Erzgebirge u. d. sächs. Schweiz.
    1. u. 2. Afl. [S.-A.] (138 m. 4 Kart.) 8° Dresd., A Köhler 03.05.
    Kart. 1.50
— Norddeutschl. — Österr. — Süd-Deutschl. u. Rhein, s.: Grie-
    ben's Reiseführer.
— Prakt. Touristenführer. Lausitzer Gebirge nebst Jeschken-
    gebirge, Oberlausitz u. nördlichstes Böhmen. (153 m. 3 Kart.)
    8° Dresd., A Köhler 04. Geb. 2 —
— Touristenk. d. ges. sächsisch-böhm. Erzgebirges, s.: Gaeh-
    ler, E.
— Touristen-K. d. Vogtlandes, s.: Bomsdorf, O. v.
— Vogtland nebst westl. Erzgebirge u. d. böhm. Bädern. (Prakt.
    Touristenführer.) (140 m. 1 Karte.) 8° Chemn., B Troitzsch
    Nf. (05). Kart. 1.50
Schlegel, E: Präparat. f. Kirchenlieder u. Psalmen. (151) 8°
    Langens., H Beyer & S. 04. 2 —; geb. 3 — d
Schlegel, E: Die Augendiagnose d. Dr. Ignaz v. Péczely. 2. Afl.
    (34 m. Abb. u. 3 farb. Taf.) 8° Tüb., F Fues 06. 3 —
— Reform d. Heilkde durch d. Homöopathie Hahnemanns. (112)
    8° Brugg, Effingerhof 03. 3 —
Schlegel, E: Vernünft.Gottesdienst, (48)8° Frankf. a/O., Waldow
    02. nn 1 — d
Schlegel, F: Erzieher zur deut. Bildg.
— Fragmente u. Ideen, s.: Fruchtschale, d.
— 1794—1802. Seine prosaischen Jugendschriften, hrsg. v. J
    Minor. 2. [Tit.-]Afl. 2 Bde. 8° Wien, C Konegen [1882] 06. 10 —
    1. Zur griech. Lit.-Gesch. (362) § 2. Zur deut. Lit. u. Philosophie. (431)
Schlegel, F, u. K Schukraft: Die Einkommensteuer-Erklärg
    n. d. Ges. v. 8. VIII.'05. (84) 8° Stuttg., Schlegel & Schukraft
    05. nn — 50 d
Schlegel, K: Was muss man beim An- u. Verkauf v. Häusern,
    r n c en u. Baustellen wissen? (126) 8° Berl., H Steinitz
    (04). dstil. k 2 — d
— Wie treibt man s. Aussenstände ein? Das Recht d. Zwangs-
    vollstreckg (Pfändg, Offenbargseid u. Haft, Arrest u. einst-
    weil. Verfüggu) u. d. Anfechtg v. Rechtshandlgn d. Schuld-
    ners. (57) 8° Ebd. (02). 1 — d
— Was muss man v. d. Baupolizei-Recht (Baupolizei-Ordng)
    f. Berlin u. s. Vororte wissen? (128) 8° Ebd. (05). 2 — d
— Was muss d. Hausbesitzer wissen? Hdb. f. d. städt. Grund-
    besitzer Deutschlds in lexikal. Anordng. (143) 8° Ebd. (06). 2 — d
— Was muss man v. d. Schlachtvieh- u. Fleischbeschau wissen?
    (120) 8° Ebd. (05). 2 — d
Schlegel, L, s.: Holzhändler-Kalender.
— Neuer Holzrechner. (96) 8° Reutl., Ensslin & L. (05). — 50 d
    L. — 80 d
— Neue Kubiktab. z. raschen u. genauen Bestimmg d. Kubik-
    inhaltes v. Rundholz in d. Länge v. 20, 40, 50, 60, 80 Centi-
    metern u. 1—24 Metern bei 5—100 Centimetern mittl. Durch-
    messer u. v. 4kant. Hölzern in 128 Stärken, bis 24:36 Centi-
    metern bei 0,20—10 Metern Länge. (80) 8° Ebd. (04). — 40 d
Schlegel, M: Die Rotzbekämpfg u. d. Malleinprobe beim Pferde.
    (88) 8° Stuttg., F Enke 05. 2.40
Schlegelberger, F: Das Zurückbehaltgsrecht, s.: Abhandlun-
    gen z. Privatrecht u. Civilprozess d. Deut. Reiches.
Schlegelmilch, F: Bartholomäus Ziegenbalg, d. 1. Missionar
    d. luther. Kirche, s.: Missionsschriften, neue.
Schlegler, Ern, s.: Bernecker, ER.
Schlegtendal: Die Bekämpfg d. Säuglingssterblichk. im Reg.-
    Bez. Aachen. [S.-A.] (18) 8° Jena, G Fischer 05. — 60
Schleh s.: Handbuch d. Grundbesitzes im Deut. Reiche.
— Das deut. veredelte Landschwein, s.: Hoesch.
— Nutzen u. Schaden d. Krähen, s.: Arbeiten d. deut. Landw.-
    Gesellsch.
Schleich, Cl.: Erwiderg auf M Blumberg's Bemerkgn üb. d.
    Marmorseife in No. 14 d. „Deutsch. med. Presse". [S.-A.] (8)
    8° Berl., J Goldschmidt 01. 1 —
— Hygiene d. Hand u. chirurg. Prophylaxe. [S.-A.] (8) 8° Ebd.
    01. 1 —
— Die fromme Lüge in d. Medizin. [S.-A.] (7) 8° Ebd. 04. — 60
— Atox. Wundbehandlg. [S.-A.] (8) 8° Ebd. 02. 1 —
— Weiteres z. atox. Wundbehandlg. [S.-A.] (8) 8° Ebd. 02. 1 —
Schleich, G, s.: Ysumbras, Sir.
Schleichert, H: Kl. Erzählungen, s.: Kinder-Bibliothek, kathol.
Schleichert: Heimatkde v. Halle u. Umgegend, s.: Wisotzky.
Schleichert, F: Anl. zu botan. Beobachtgn u. pflanzen-phy-
    siolog. Experimenten. 4. Afl. (182 m. Abb.) 8° Langens., H
    Beyer & S. 01. § 5. Afl. (191 m. Abb.) 03. Je 2.50
— Die Pflege d. ästhet. Interesses in d. Schule, s.: Magazin,
    pädagog.
Schleichert, F: Wie stählt d. junge Kaufmann am besten s.
    Charakter in d. Versuchgn u. Schwierigk. s. Lebens?, s.:
    Veröffentlichungen d. deut. Verbandes f. d. kaufmänn. Un-
    terr.-Wesen.
Schleiermacher's, FDE, Dialektik, hrsg. v. I Halpern. (38,
    463) 8° Berl., Mayer & M. 03. 6 —
— Idee zu e. Katech. d. Vernunft f. edle Frauen. (23) 16° Berl.,
    E Frensdorff (05). 1.50 d
— Monologen, s.: Bibliothek, philosoph.
— pädagog. Schriften, s.: Bibliothek pädagog. Klassiker.
— letzte Predigt. Mit e. Einl. hrsg. v. J Bauer. (36) 8° Marbg,
    NG Elwert's V. 05. — 60 d

Schleifenbaum, E: Begriff u. Bedeutg d. gegenwärt. rechts-widr. Angriffe in § 227 BGB., s.: Abhandlungen, strafrechtl.
Schleiniger, N: Grundz. d. Beredsamk. m. e. Ausw. v. Mustern a. d. redner. Lit. ält. u. neuerer Zeit. 6. Afl. v. K Racke. (579) 8° Freibg i/B., Herder 05. v. / HF. 5.60 d
Schleininger, PH: Edelsteine d. himml. Jerusalem. Gedichte. 2 Tle in 1 Bde. (Neue [Tit.-]Ausg.) (285 u. 324 m. Bildnis.) 8° Dülm., J Horstmann [1897] (02). 2 — ; geb. 3 — d
Schleinitz, v., s.: Aus d. Papieren d. Familie v. Schleinitz.
Schleinitz, Frhr v.: Briefwechsel, s.: Bismarck, Fürst O.
Schleinitz, O v.: (Sir Edward) Burne-Jones. — Walt. Crane. — George Frederik Watts, s.: Künstler-Monographien.
Schleinitz, O: Darstellg d. Herbartschen Interessenlehre, s.: Magazin, pädagog.
Schleinkofer, J: Eine Blume a. d. Garten d. hl. Alphonsus. Leben d. ehrw. Dieners Gottes P. Franz Xaver Seelos a. d. Congreg. d. allerhlst. Erlösers. (159 m 1 Bildnis.) 12° Innsbr., F Rauch 01. — 55 d
— Das gnadenreiche Prager Jesukind. (80 m. 1 Farbdr.) 16° Ebd. 01. — 25 d
— Der hochsel. Johs Nep. Neumann, e. heiligmässer Ordens-mann u. Bischof. (96) 12,8×8 cm. Dülm., A Laumann 04. — 30 d
— s.: Schule, d., Jesu, d. Gekreuzigten.
Schleisiak, A: Liederb. f. ein- u. mehrklass. Volkssch. u. d. unt. Kl. höh. Lehranst. 2 Hefte. 8° Ütersen, NWJ Koop-mann's V. — 55 d
1. Unter- u. Mittelst. 10. Afl. (48) 04. — 25 ¦ 2. Oberst. 9. Afl. (56) 05. — 30.
Schleissner, F: Sprache u. Sprechstörgn, s.: Sammlung ge-meinnütz. Vorträge.
Schleitzer, A: Rechenb. f. landw. Schulen, s.: Löser, J.
Schlemiehl. Illustr. jüd. Witzblatt. Sammlg aller erscheinenen Nrn. (9, 18, 116 u. 54) 4° Berl., L Lamm 03-05. Geb. 5 —
Schlemihl, P, s. a.: Thoma, L.
— Grobheiten. Simplicissimus-Gedichte. 1—6. Taus. (89) 12° Münch., A Langen 01. 1 — ; geb. 2 — d
— dass. — Neue Grobheiten, s.: Bibliothek Langen, kl.
Schlender, JH: German. Mythol. Zum Selbstudium u. z. Gebr. an höh. Lehranst. 2. Afl. (224) 8° Dresd., H Minden 04. 3 — ; geb. nn 4 — d
Schlenker, K: Die Pflanze, s.: Engel, T.
Schlenker, O: Leitf. d. Turnkunst, s.: Kloss, M.
Schlenner, R: Beobachtgn üb. d. Gebr. d. Artikels im Neu-französ. (26) 4° Berl., Weidmann 01. 2 — d
Schlenther, P: Bernh. Baumeister. 50 Jahre Burgtheater 1852-1902. (32 m. 5 Taf.) 4° Wien, C Konegen 02. 2 — d
— s.: Grundlagen, d. allg., d. Kultur d. Gegenwart. — Jahr-hundert, d. 19., in Deutschlds Entwicklg.
Schlenz, JE: Relig. Vortr. f. d. österl. Rekollektionen d. reif. katbol. Jugend, bes. an Mittelsch. (176) 8° Reichenbg 05. (Wien, H Kirsch.) 3 — d
Schleyer, H: Fibel z. Lesen u. Deutsch. In d. Lautbestande d. Silben u. d. Schwierigk. d. deut. Lautbezeichng geordnet. 38. Afl. v. A Kreipe u. K Bode. (68 m. Abb.) 8° Hildesh., Ger-stenberg 02. — 30; geb. nn 50 d
— K Dorenwell, J Henckel u. W Vollmer: Hannov. Leseb. f. mehrklass. Volks- u. Bürgersch. In 3 Tln. (Mit Abb.) 8° Hannov., C Meyer 05. nn 3 — ; geb. nn 4.10 d
1. Unterst. 19. Afl. (178) nn — 55 ; geb. nn — 80 ¦ 2. Mittelst. 15. Afl. (325) nn 1.10 ; geb. nn 1.50 ¦ 3. Ausg. B I. Oberst. 16. Afl. (452) nn 1.25 ; geb. nn 1.60.
Schlereich, FH: Adelheid. Drama. (95) 8° Berl., Harmonie (05). 2 — d
Schleschka, J: Leitf. f. d. Unterr. in d. Geometrie u. Pro-jektionslehre, s.: Wildt, J.
Schlesiens volkstüml. Überliefergn. Sammlgn u. Studien d. schles. Gesellschaft f. Volkskde, hrsg. v. F Vogt. II. Bd. 2 Tle. 8° Lpzg, BG Teubner. Je 5.20; Je 6 —
(I u. II.) 15.60 ; Je 6 — d
Drechsler, P : Sitte, Brauch u. Volksglaube in Schlesien. 1 u. 12. (540 u. 548) 03,06. [II.1,2.] Je 5.20; Je 6 —
— Vorzeit in Bild u. Schrift. Zeitschrift d. Ver. f. d. Museum schles. Altertümer. Hrsg. v. W Grempler u. H Seger. Neue Folge. 1—3. Bd. Jahrb. d. schles. Museums f. Kunstgewerbe u. Altertümer. 1—3. Bd. Hrsg. v. K Masner u. H Seger. 4° Bresl. (Berl., E Trewendt.) Je 12 —
1. (199 m. Abb. u. 6 Taf.) 1900. ¦ 2. (215 m. Abb. u. 5 Taf.) 02. ¦ 3. (210 m. Abb. u. 6 Taf.) 04.
Schlesinger, E: Buchführg in Bildern. Die Grundlehre d. dopp. Buchhaltg in Wort u. Bild. (106) 8° Lpzg, Verl. d. kaufmänn. Bibliothek (03). L. 2.75
Schlesinger, E; s.: Sédouard, E (im Kat. 1896/1900).
Schlesinger, E: Wie ernähren wir am besten d. Säugling m. d. Flasche? (79) 8° Berl., H Steinitz (01). 1 — d
Schlesinger, F: Aerztl. Taktik. Briefe an e. jungen Arzt. (56) 8° Berl., S Karger 06. 1 — d
Schlesinger, H: Die wirtschaftl. Bedeutg d. Donau-Moldau-Canales. Im Anschl. an d. Project d. Bau-Unternehmgn A Lanna (Prag) u. O Vering (Hamburg) verf. (88) 8° Wien, Leh-mann & W. 02. 1.60
Schlesinger, H: Die intermittir. Gelenkschwellgn, s.: Patho-logie u. Therapie, spec.
— Die Indikationen zu chirurg. Eingriffen bei inneren Er-krankgn. Mit Anh. v. J Schnitzler. 5 Tle. (236, 198 u. 300) 8° Jena, G Fischer 03-05. Je 3 — ; geb. je 3.60
— Die Syringomyelie. 2. Afl. (511 m. Abb.) 8° Wien, F Deuticke 02. 17 —

Schlesinger, H: s.: Zentralblatt f. d. Grenzgebiete d. Medizin u. Chirurgie.
Schlesinger, H: Die Bereitg d. Krankenkost. Lehrg. in 10 Abenden. (170) 8° Frankf. a/M., J Alt 02. L. 3 — d
— Aerztl. Handbüchl. f. hygienisch-diätet., hydrotherapeut., mechan. u. and. Verordngn. 8. Afl. (198) 12° Gött., Deuerlich 02. L. u. durchsch. 3.20
— Die Krankenkost, s.: Volksschriften, hygien.
— Die Wunder d. Mikroskops, s.: Willkomm, M.
Schlesinger, J: Holz-Cubirgs-Tab. f. Stämme, Klötzer, Stangen, sowie steh. Bäume u. Bestände, ferner f. Schnittmaterial, wie Bretter, Latten u. Kanthölzer n. Metermasa- u. Fuss-mass. (120 u. 76 a—q) 8° Lubaczow 1900. (Wien, M Perles.) L. 6.60
Schlesinger, J: Energismus. Die Lehre v. d. absolut ruh. sub-stantiellen Wesenh. d. allg. Weltenraumes u. d. a. ihr wirk. schöpfer. Urkraft. (554 m. Fig. u. Bildnis.) 8° Berl., K Siegis-mund 01. 8 — ; geb. 9 —
Schlesinger, J: Üb. d. Sprache in d. mathemat. Schulbüchern. (28) 4° Berl., Weidmann 04. 1 — d
Schlesinger, L: Die Bedeutg d. Lagers im Odd-Fellow-Orden. (14) 8° Lpzg, T Leibing 04. — 30
Schlesinger, L: Einführg in d. Theorie d. Differentialgleichgn m. e. unabhäng. Variabeln. s.: Sammlung Schubert.
— Üb. d. Riemann'sche Problem d. Theorie d. linearen Diffe-rentialgleichgn. [S.-A.] (8) 8° Berl., (G Reimer) 02. — 50
Schlesinger, M, s.: Hakohen, A, Orchoth Chajim.
Schlesinger, M: Der Aufruhr, s.: Abhandlungen, strafrechtl.
Schlesinger v. Benfeld, E Ritter: Das Pulvermonopol in Österr.-Ungarn, s.: Jahn, A.
Schlesinger-Eckstein, T: Die Frau im 19. Jahrh., s.: Am An-fang d. Jahrh.
Schlesinger-Steiner, Frau O, s.: Steiner, O.
Schlessing, A: Deut. Wortschatz od. d. pass. Ausdruck. 3. Afl. (24, 468) 8° Stuttg. 03. Essl., P Neff. 5 — ; L. 6 — d
Schlessinger, L: Kanzelreden. 34 Fest-, Sabbat- u. Gelegenh.-Reden. (88) 8° Frankf. a/M., (AJ Hofmann) 01.02. nn 2.10 d
Schletterer, HM: Musica sacra. Anthologie d. ev. Kirchen-gesangs v. d. Reformation bis z. Gegenwart in d. Ordng d. Kirchenj. 1. Bd. Innerkirchl. Gesänge. 2. Afl. v. W Tra-ner. (280) 8° Münch., CH Beck 05. Kart. 3 —
Schletwein, O: Deutschlds bisher. Kolonialpolitik u. d. augen-blickl. Zustände in Deutsch-Südwestafrika. (16) 8° Berl.-Charlttnbg, Deut. Kolonial-Verl. 04. — 30
— Der Herero-Aufstand, was hat ihn veranlasst u. was lehrt er uns? Vortr. (31) 8° Wism., H Bartholdi 05. — 80
Schleucher, F: Die Burg zu Gelnhausen. (30 m. Titelbild.) 12° Gelnh., O Wettig (01). — 30 d
— Illustr. Führer durch d. Main- u. Kinzigthal. (80 m. Titel-bild.) 13° Ebd. 1900. — 50 (vergr.)
— dass. "Hohenstaufen" in 1 Bd. (80 u. 119 m. Titelbild.) — 80 d
— Führer z. u. durch d. Ronneburg, nebst ihrer Umgebg. (70 m. Abb., Titelbild u. 1 Kartenskizze.) 12° Ebd. 1899. — 30 d
— Wilhelm II. Ein Herrscherbild in Liedern. (106 m. 1 Bild-nis.) 8° Ebd. 1898. (— 70; geb. 1.30) — 50; eleg. brosch. — 80 d
Schlessing, C: Theatermalereien. Farb. Vorlagen f. Scenerien u. Theatervorhänge. 2. Serie. (16 farb. Taf. m. 3 S. Text.) Fol. Berl., B Hessling (04). In M. 20 — (1 u. 3.: 40 —)
Schleyer, A: Die Brieftaube, ihre Naturgesch., ihre Zweck u. ihre Zucht. Mit e. Anh. d. im Deut. Reiche z. Schutze d. Brieftauben erlass. ges. u. Verordngn. (28 Sp. m. zerleg-barem Modell u. 1 Bl. Erklärg.) 8° Fürth, G Löwensohn (04). Kart. 3 — d
— Dünger u. Düngg. Anl. z. Verwendg d. Düngemittel m. bes. Berücks. d. Gründüngg u. d. Kalkdüngg. (61) 8° Fürth, (G Rosenberg) (04). — 30 d
— Europas bekannteste Pflanzen. (235 Sp. u. 14 S. m. Abb. u. 72 farb. Taf.) 16° Fürth, G Löwensohn (04). Geb. 4.50 d
Schleyer, JM: Beisp. v. Edelsinnigk. guter Menschen. Deutsch u. weltsprachlich. (16) 8° Konstanz (Schottenstr. 37), JM Schleyer's Weltsprache-Zentralbüro 04. — 05 d
— 3 Dutzend Mittel wider d. Husten. (Deutsch u. volapük.) (18) 8° Ebd. 05. — 90
— Flagams tum menäla veratik. (100 Fordergn d. wahren Hu-manität.) (7) 8° Ebd. 01. — 10
— Gebätsvérse z. hl. Geiste, gedichtet bes. f. Neupriester u. f. Firmlinge. 7. Afl. (4) 8° Ebd. 04. — 05 d
— Gedankensplitter in Reimsprüchen. (8) 8° Ebd. 05. — 10 ¦
— 2. Hundert. (10) 05. ¦ 3. Hundert. (12) 05. Je 7 — 15
— Mahngn z. sterb. Königs an s. Sohn u. Nachfolger, od.: die sterb. Liebe auf d. Trone. (Fürstenspiegel.) (8) 8° Ebd. 01. (2) 8° Ebd. 04. — 05 d
— Beste Neuorthogr. Alphabet u. Missionen. (Deutsch u. welt-sprachlich.) (2) 8° Ebd. 01. — 05 d
— 19 Tügendskte in e. einz. Gebäte. (3. Abdr.) (Deutsch, la-tein. u. volapük.) (3) 8° Ebd. (04). — 05
— Die Unterblichk. d. Menschenseele. Poëtisches u. Philo-sophisches (deutsch u. weltsprachlich). (16) 8° Ebd. 01. — 90
— Vereinfachg u. Erleichterg d. musikal. Notenschreibg. (60) 4° Ebd. 02.
Schleyer, L: Infant.-Telegraphenpatrouillen. [S.-A.] (84 m. 14 Skizzen.) 8° Wien, LW Seidel & S. 05. 1.50

Schlicher, JJ: The origin of rhytmicalverse in late Latin. (³¹) 8° Berl., O Gerhardt 02. 2 —
Schlicht, Frhr v., s. u.: Baudisein, W Graf v.
— Ein Adjutantenritt u. and. Militärhumoresken. (186) 8° Münch., A Langen 05. 3 —; geb. 4 — d
— Alarm u. and. Militärhumoresken, s.: Bibliothek Langen, kl.
— Armeetypen. Humoresken. 9. Afl. (340) 8° Berl., A Schall (04). 2.50; geb. 3.50 d
— Baron Borken. Drama. (43) 8° Dresd., H Minden (02). 1 — d
— Der Dichterleutnant u. and. Militärhumoresken, s.: Bibliothek Langen, kl.
— Ehestandshumoresken. 3. Afl. (153) 8° Berl., O Janke (04). 1 — d
— Ein Ehrenwort. Erzählgn a. d. Offiziersleben. 1—3. Afl. (335) 8° Dresd. (H Minden (03). 4 —; geb. nn 5 — d
— Einquartierg u. and. Humoresken, s.: Sammlung Franckh.
— Exzellenz lassen bitten. Militärhumoresken. (210) 8° Dresd., C Reissner 01. ‖ 2. Afl. (217) 02. Je 3 —; geb. je 4 — d
— Die Fahnenkompagnie u. and. Militärhumoresken. (158) 8° Münch., A Langen 04. 2 —; geb. 3 — d
— Leutnant Flirt. Humorist. Roman. 1—5. Taus. (306) 8° Dresd., C Reissner 04. 4 —; geb. 5 — d
— Meine kl. Frau u. ich. Humoresken. 3. Afl. (135) 8° Berl., O Janke (05). 1 — d
— Treulose Frauen, s.: Eckstein's moderne Bibliothek.
— Der Gardestern. Humorist. Roman. 1—7. Taus. (274) 8° Stuttg., Deut. Verl.-Anst. 04. 3.50; geb. 4.50 d
— Der kl. Gerd. Humoristisch-militär. Erzählg. (329) 8° Berl., O Janke (03). 5 — d
— Leutnant Kraft. Humorist. Erzählg a. d. Offiziersleben. 2. Afl. (309) 8° Ebd. (04). 5 — d
— Der nervöse Leutnant u. and. Militärhumoresken. — Der Lügenmajor u. and. Militärhumoresken, s.: Bibliothek Langen, kl.
— Der Manövergast. Militärisch-humorist. Erzählg. (370) 8° Berl., O Janke (04). 3 — d
— Das Manöverpferd u. and. Militärhumoresken. 2. u. 3. Afl. (135) 8° Berl., O Janke (03.04). 1 — d
— Der höfl. Meldereiter. Militär. Humoresken u. Satiren. (251) 8° Dresd., C Reissner 03. 3 —; geb. 4 — d
— Erstklassige Menschen. Roman a. d. Offizierskaste. 2. Taus. (354) 8° Berl. 04. (Wien, C Konegen.) 4 — d
— Im Deut. Reich verboten.
— Pensionopolis. Humoristisch-militär. Erzählg a. u. kl. Garnison. 2 Tle in 1 Bde. (304 u. 157) 8° Berl., O Janke (02). 5 —; ‖ 2. Afl. (310) (05.) 2 — d
— Rekrutenbriefe u. and. Humoresken. (153) 8° Ebd. 1 — d
— Der geplagte Rittmeister u. and. Militärhumoresken. 1. u. 2. Afl. (80) 8° Ebd. (01.03). 50 d
— Aus d. Schule geplaudert. Militär. Humoresken. 2. Afl. (166) 8° Berl., Freund & J. 02. ‖ N. F. 2. Afl. (153) 02. Je 2 —; geb. je 3 — d
— Exzellenz Seyffert. Humorist. Roman a. d. Militärleben. 1—8. Afl. (304) 8° Dresd., H Minden (01-05). 4 —; geb. nn 5 — d
— Die Tochter d. Kommandeurs. Humoristisch-militär. Erzählg. (345) 8° Berl., O Janke 03. 5 — d
— Graf Udo Bodo. Satir. Roman. 1—8. Afl. (373) 8° Ebd. 05. 4 —; geb. 5 — d
— Der grobe Untergebene u. and. Militärhumoresken. 1. u. 2. Afl. (136) 8° Ebd. (01.03). 1 — d
— Viel umworben. Roman. (336) 8° Dresd., H Minden (02). ‖ 3. u. 4. Afl. (308) (02.) Je 4 —; geb. je nn 5 — d
— Vielliebchen u. and. Militär-Humoresken. 1. u. 2. Afl. (132) 8° Berl., O Janke (01.03). 1 — d
— Was ist los? Militär-Humoresken. 2. Afl. (134) 8° Ebd. (02). 1 — d
— Zurück — marsch, marsch! Militärhumoresken. 1—3. Afl. (251 m. Abb.) 12° Stuttg., A Bonz & Co. 02. 2.40; L. 3.60 d
— T v. Torn u. a.: Garnison u. Manöver, s.: Nagel's Bibliothek illustr. Humoresken.
Schlicht, H: Moderne Grabmäler. (50 Taf.) 4° Lpzg, Deut. Architektur-Verl. (04). M M. 20 —
— Kunstgewerbl. Ornamentik. (34 photolith. Taf.) 4° Dresd., G Kühtmann (04). In M. 12 —
— Moderne Villen-Bauten. (22 Taf.) 4° Dresd., G Kühtmann (04). In M. 8 —
Schlicht, J: Die Kavalierwette. — Der Planetentoni, s.: Dilettantenbühne, kath.
— 7 heitere Volksspr. f. d. Vereinstheater in d. Stadt u. auf d. Land. (91) 8° Rgnsbg, A Coppenrath's V. 04. 1 — d
— Der Pirat, s.: Marryat.
Schlichtegroll, CF v.: Die Bestie im Weibe. Beiträge z. Gesch. menschl. Verirrg u. Grausamk. 1. u. 2. Bd. (323 u. 314 m. Taf.) 8° Dresd. 03. Lpzg, Leipz. Verl. Je 5 — d
— Berühmte Courtisanen. 1. Bd. Lady Hamilton. (71 m. 1 Bildnis.) 8° Lpzg, Leipz. Verl. (04). 1.50 d
— 12 Prologe z. Feier d. Geburtstages d. Deut. Kaisers, s.: Bloch's, L, Militär-Festmappe.
— Sacher-Masoch u. d. Masochismus. Litterarhistor. u. kulturhistor. Studien. (205 m. Abb. u. 1 Bildnis.) 8° Dresd. 01. Lpzg, Leipz. Verl. 6 —; geb. 7.50 d
— Ein Sadist im Priesterrock. (66 m. 3 Taf.) 8° Lpzg, Leipz. Verl. (04). 2 — d

Schlichtegroll, CF v.: Die Venuspeitsche. Novellen. 1—3. Bd. 8° Lpzg, Leipz. Verl. 11 —
1. Die Hexe v. Klewan. 3. u. 4. Taus. (362) Dresd. 02. 3 — ‖ 2. Ulrich v. Liechtenstein. (310) Dresd. 02. 4 — ‖ 3. Satans Töchter. (349) (03.) 4 —
Schlichting, v.: Gegensätze auf d. Geb. d. gr. Truppenführg. [S.-A.] (54) 8° Münch., Bayer. Druckerei u. Verl.-Anst. 02. — 75 d
— Moltkes Vermächtniss. (105) 8° Ebd. 01. 1.50 d
Schlichting, C: Üb. d. Pflege d. Gedächtnisses. (14) 8° Halle, H Schroedel 04. — 50 d
Schlichting, H, s.: Polizeibeamten-Zeitung, preuss.
Schlichting, H: Hülfsb. f. d. Unterr. in d. bibl. Gesch. Für d. Sprach. Landsch. in Nordschleswig. 3. Afl. (135) 8° Flensbg, A Westphalen 02. Geb. nn 1.30 d
Schlichting, H, .: Alt-Damerow, H v.
Schlichting, M: Staat u. Kunst in Preussen. (20) 8° Stuttg., Union 04. — 60
Schlick, O: Hdb. f. d. Eisenschiffbau. Darstellg d. beim Bau eiserner u. stählerner Handelsschiffe übl. Constructionen. 2. Afl. 4 Lfgn. (35, 562) 8° Mit e. Atlas, enth. 40 Taf. (in Fol.). Lpzg, A Felix 01.02. 33 —; geb. nn 38 —
— Die Untersuchg d. Vibrationserscheinngn v. Dampfern. (49 m. 4 L.) 8° Ebd. 05. 3.80
Schlickenrieder, G: Des Priesters Heimat. Predigt bei d. Primiz d. Hrn A Schlickenrieder. (13) 8° Münch., J Pfeiffer (05). — 20
Schlickeysen, G: Obst u. Brod. Die wiss. Diätetik d. Menschen. 3. Afl. (Neue [Tit.-]Ausg.) (310) 8° Lpzg, K Lentze (1894) (03). L. 3 —
Schlickum's Ausbildg d. jungen Pharmazeuten u. s. Vorbereitg z. Gehilfenprüfg. 10. Afl. d. „Apothekerlehrling", 6 Tle. 8° Lpzg, E Günther 02. 15 —; in 1 L.-Bd 16 —
A. Physik, v. W Arnold. (110 m. Abb.) 3 — ‖ B. Chemie, v. C Jehn (243 m. Abb.) 4 — ‖ C. Botanik, v. RL Schickum. (197) 3 — ‖ D. Pharmakognosie, v. R Schlickum. (96 m. Abb.) 3 — ‖ E. Spez. Pharmazie u. amtl. Bestimmgn, v. a Roderfeld. (96 m. Abb.) 3 — ‖ F. Tabellar. Repetitorium d. Chemie u. Pharmakognosie, v. C Jehn u. RL Schlickum. (107) 3 —
Schlie, F: Die Kunst- u. Gesch.-Denkmäler d. Grossh. Mecklenburg-Schwerin. (Mit Abb. u. Taf.) 5 Bde. 8° Schwer., Bärensprung'sche Hofbuchdr. De 12 —; geb. je nn 14.50
I. Amtsgerichtsbez. Rostock, Ribnitz, Sülze-Marlow, Tessin, Laage, Gnoien, Dargun, Neukalen. 2. Afl. (625) 1908.
II. Amtsgerichtsbez. Wismar, Grevesmühlen, Rehna, Gadebusch u. Schwerin. 3. Afl. (588) 1899.
III. Amtsgerichtsbez. Hagenow, Wittenburg, Boizenburg, Lübtheen, Dömitz, Grabow, Ludwigslust, Neustadt, Crivitz, Brüel, Warin, Neubukow, Krōpelin u. Doberan. 2. Afl. (796) 1900.
IV. Amtsgerichtsbez. Schwaan, Bützow, Sternberg, Güstrow, Krakow, Goldberg, Parchim, Lübz u. Plau. 1. u. 2. Afl. (685) 01.
V. Amtsgerichtsbez. Teterow, Malchin, Stavenhagen, Penzlin, Waren, Malchow u. Röbel. 2. Afl. Mit e. Aufn. üb. sin. Lit. Denkmäler unserh. Landes u. e. Generalreg. üb. alle 5 Bde. (650) 02.
Schliebe, A: Das alte Lied d. Liebe. Novellenkranz. (120) 8° Stuttg., Strecker & Schr. 04. 1.50; geb. 2.20 d
Schlieben, E: Der Kirchenbau zu Hennersdorf. Erzählg. Neue Ausg. (111 m. Titelbild.) 12° Reutl., Ensslin & L. (01). — 25 d
Schliechmann, E: Westfalens bemerkenswerte Bäume. Nachweis hervorrag. Bäume u. Waldbestände, nebst Darstellg d. Standortsverhältnisse, d. Verhaltens d. einz. Baumarten u. deren histor. Bedeutg. (95 m. Abb.) 8° Bielef., Velhagen & K. 3 — d
Schlieder, A: 40 Taf. turner. Gruppiergn (Freipyramiden u. Stuhlpyramiden f. 6—24 Turner). 4. (4 S. Text.) 8° Lpzg, Rauh & Pohle (04). 1.50
Schlieder, H, s.: Pyramiden f. Turner.
Schliemann, H, s.: Methode Schliemann.
Schliep, L: Ueb. Cataracta zonularis n. d. Material d. Klinik. (17) 8° Tüb., F Pietzcker 02. nn — 70
Schliep, O: Wegweiser f. uns. Mütter zumal vor u. n. d. Geburt. 2. Afl. (152) 8° Halle, C Marhold 01. 1.60
Schliepe u. Liedtke: Christl. Familienabende. Ges. Vortr. 1. Bdchn. 2. Afl. u. 3. Bdchn. (123 u. 117) 8° Gütersl., C Bertelsmann 01.03. Je 1.50; geb. je 2 — d
Schliepmann, H: Meine Kriegs-Erlebnisse in China. Die Expedition Seymour. 1. u. 2. Afl. (144 m. Abb. u. Kart.) 8° Mind., W Köhler 01.02. (1—) — 70 d
Schliepmann, H: Humorige Leute. 4 Gesch. ohne Liebe. 3. Taus. (491) 8° Berl. (05). Lpzg, G Müller-Mann. 2 —; geb. 3 — d
— Rache, s.: Eckstein's moderne Bibliothek.
Schlier, A: Gebührenordng f. Zeugen u. Sachverständige v. 30.VI.1878 in d. Fassg d. Bekanntmachg v. 20.V.1898, m. bes. Berücks. d. Vorschriften üb. Tagegelder u. Reisekosten d. Beamten u. öffentl. Diener sowie d. wichtigeren einschlag. Entscheidgn d. h. Oberlandesgerichts München u. d. Reichsgerichts. (106) 8° Bambg, CC Buchner's V. (02). Kart. 2.20 d
Schlierstorff, A: Kirche u. Schule, s.: Abhandlungen, pädagog.
Schlimbach, A: Polit. Arithmetik, insbes. Zinseszins-, Sparkassen-, Renten-, Anleihe-, Kurs- u. Rentabilitäts-Rechng, nebst Faktoren-Zusammenstellg. (288 u. 117) 8° Frankf. a/M., FB Auffarth 02. 10 —; L. 12 —
Schlimbach, G: Fibel. Ausg. A (Schrägschrift). 65. Afl. 2. Abdr. Unter Zugrundelegg d. Kehr-Schlimbachschen Methodik d. sprachl. Elementarunterr. 8. Afl. v. C Kehr. (77 m. Abb.) 8° Gotha, EF Thienemann 04. — 40; kart. — 50 d
— dass. Ausg. B. Steilschrift-Ausg. v. A Wunderlich. 3. Afl. (78 m. Abb.) 8° Ebd. 04. Kart. — 50 d
— dass. Ausg. B (Steilschrift). Neue Ausg. v. E Linde. Bearb. v. E Linde u. E Wilke. (81 m. Abb.) 8° Ebd. 04. Kart. — 50 d

Schlimbach, G: Fibel. Ausg. B (Steilschrift). Ausland-Ausg. Bearbeitg v. E Linde. (81 m. Abb.) 8° Gotha, EF Thienemann 04.   Kart. — 50 d
— dass. Bearbeitg v. E Linde. 6. Afl. Unter Zugrundelegg v. C Kehr u. G Schlimbach, d. deut. Sprachunterr. im 1. Schulj. 9. Afl. v. E Linde u. E Wilke. Ausg. C (Schrägschrift). (81) 8° Ebd. 05.   Kart. — 50 d
Schlink, W: Üb. d. Deformation v. Häuten rhomb. Struktur unter Einwirkg v. Umfangskräften, d. in d. Ebene d. Haut liegen. (77 m. 14 Taf.) 8° Neuw., Heuser's Erben 02.   2 —
Schlipf's populäres Hdb. d. Landw. 15. Afl. (648 m. Abb. u. 20 farb. Taf.) 8° Berl., P Parey 05.   L. 7 — d
Schlippe, CET: Im Kgr. Sachsen gelt. gewerberechtl. Bestimmgn üb. d. Errichtg, d. Einrichtg u. d. Betrieb v. Fabriken, Werkstätten usw., s.: Handbibliothek, jurist.
Schlippenbach, A Graf v.: Feuerschein u. and. Novellen. (197) 8° Dresd., E Pierson 05.   2 —; geb. 3 — d
— Die Schweden in Nürnberg. (190) 8° Prenzl., A Mieck 01.   L. (4 —) 2 — d
Schlippenbach, Freifr. G v., s. a.: Rivulet, H.
— Erkämpft. Roman. (117) 8° Berl., Schriftenvertriebsanst. (04).   L. 1.50 d
— Ich will es sühnen. Roman. (251) 8° Dresd., E Pierson 01.   2.50; geb. 3.50 d
— Jugendschuld, s.: Für Herz u. Haus!
— Lebenskrisen. Roman. (181) 8° Berl., Schriftenvertriebsanst. (05).   1 —; L. 1.50 d
— Subotins Erbe, s.: Kriminalromane aller Nationen.
— Verblutet, s.: Für Herz u. Haus!
Schlismann, AR: Beitr. z. Gesch. u. Kritik d. Naturalismus. Mit e. Einl.: Üb. d. Princip d. künstler. Nachahmg. (199) 8° Kiel, Lipsius & T. 03.   4 —
Schlittenbauer, S: Die Tendenz v. Ciceros Orator. [S.-A.] (68) 8° Lpzg, BG Teubner 03.   2.80
Schlitter, H, s.: Korrespondenz, geheime, Josefs II. m. usw. Ferd. Grafen Trauttmansdorff.
Schlittschuhlaufen, d. (d. Eissport), s.: Miniatur-Bibliothek.
Schlitzberger, S: Die Kulturgewächse d. Heimat m. ihren Freunden u. Feinden, in Wort u. Bild dargest. VI. u. VII. Serie. Je 2 Taf. (Der ganzen Sammlg 11—14. Taf.) Je 51×58 cm. Farbdr. Mit Text. 8° Lpzg, Amthor.   Je 3 —; einz. Taf. 1.80   (I—VII. 18.50)

VI. Kätschenblüt. Laubblüter. (11. u. 12. Taf.) (16) 01.
VII. Die Kohlpflanzen, d. Schwarzwurzel u. d. Zuckerrübe. (13. u. 14. Taf.) (16) (04.)

Schliz, A: Das steinzeitl. Dorf Grossgartach, s. Kultur u. d. spät. vorgeschichtl. Besiedelg d. Gegend. (52 m. Abb., 1 Karte u. 12 Taf.) 4° Stuttg., F Enke 01.   Kart. 8 —
— Fränk. u. alamann. Kunsttätigk. im frühen M.-A. n. d. Bestand d. schwäb. Grabfelder. [S.-A.] (43 u. 22—63 m. Abb. u. 5 Taf.) 8° Heilbronn, Histor. Verein 04. (Nur dir.)   3 — d
Schloegl, N: Canticum cantic. (Libri veteris testamenti ope artis criticae et metricae, quantum fieri potuit, in formam originalem redacti et An N Schloegl aliisque.) (18, 8) 8° n, Mayer & Co. 04.   1.80
— Wie Ecclesiasticus (39,12—49,16).
— Die Bücher Samuels od. 1. u. 2. Buch d. Königs, s.: Kommentar, kurzgef. wiss., zu d. hl. Schriften d. Alten Test.
— Libri Samuelis. (Libri veteris test. ope artis criticae et metricae, quantum fieri potuit, in formam originalem redacti.) (155, 66) 8° Wien, Mayer & Co. 05.   19.80
Schleifer, A: Bouvardier. Calla, s.: Friedlaender, W.
Schloemann: Mokokotschana in Malokong, s. e. Zauberpriester e. Jünger Jesu, s.: Missionsschriften f. Kinder.
Schlömilch, M: Das beste bürgerl. Kochb., s.: Allestein, E.
Schloemilch's, O, Hdb. d. Mathematik. 2. Afl. Hrsg. v. R Henke u. B Heger. 3 Bde. 8° Lpzg, JA Barth 04.   Je 30 —; HF. je 32.50
I. Elementarmathematik. (611 m. Fig.) || II. Höh. Mathematik. 1. Tl. (766 m. Fig. u. 12 Taf.) | III. Dazu. 2. Tl. (622 m. Fig. u. 70 Taf.)
Die I. Afl. erschien u. d. T.: Handbuch d. Mathematik u. d. Encyklopädie d. Naturwiss.
— Lehrb. d. analyt. Geometrie, s.: Fort, O.
— 5stell. logarithm. u. trigonometr. Taf.   5. Afl. (26, 178) 8° Brnschw., F Vieweg & S. 04.   2 —
— Übgsb. z. Studium d. höh. Analysis. 1. Tl: Aufg. a. d. Differentialrechng. 5. Afl. v. E Naetsch. (372 m. Fig.) 8° Lpzg, BG Teubner 04.   L. 8 —
Schloms, E: Der Schnittholzberechner. 2. Afl. (174) 12° Lpzg, BF Voigt 02.   Geb. 2 — d
Schlör, A: Andacht auf 6 Sonntage z. Ehre d. hl. Aloisius v. Gonzaga. 7. Afl. (116) 16° Graz, (U Moser) 1894.   Geb. nn — 60 || 8. Afl. (112) 05.   Geb. — 50 d
— Der Cleriker in d. Einsamkeit od. Ignatian. Exercitien. Neu hrsg. v. S Katschner. (20, 330 m. Bildnis.) 8° Graz, Styria 03.   2 —; Einbd nnn 1 — d
— Fastenpredigten. Neu hrsg. v. S Katschner. (316) 8° Ebd. 05.   2 — d
— Geistes-Übgn n. d. Weise d. hl. Ignatius v. Loyola hauptsächlich f. Priester u. Priester-Candidaten. Mit e. Anh.: Speculum cleri quod in sacris praecipue exercitiis et alias utiliter adhiberi potest. Neu hrsg. v. S Katschner. (24, 327) 8° Ebd. 02.   2 — d
— Der hl. Kreuzweg uns. Herrn Jesu Christi. Zum Gebr. f. Landkirchen, insbes. in d. hl. Fastenzeit. 4. Afl. (90 m. Abb.) 16° Graz, U Moser 02.   L. nn — 50 d

Schlör, A: Lasset uns beten! Katbol. Gebetb. Hrsg. v. e. Priester d. Diöz. Seckau. (411 m. Titelbild.) 16° Graz, Styria 04.   L. — 70; Ldr 1.20 d
— Rette deine Seele! Betrachtgsb. f. Christen in d. Welt. Zum bes. Gebr. f. Ignatian. Exercitien. Mit e. Anh.: Die Schule d. Kreuzes. Betrachtgn u. Gebete zu Ehren d. Leidens Jesu Christi. Neu hrsg. v. S Katschner. (20, 350 m. Bildnis.) 8° Ebd. 02.   2 —; Einbd nnn 1 — d
Schloss, K: Gedichte. (110) 8° Münch., R Piper & Co. 05.   2 —; HF. 3.50
Schloss, M: Altmod. Geschichteu. (76) 8° Emmend., Druck- u. Verl.-Gesellsch. vorm. Dölter 05.   1 — d
— In d. Sommerfrische od. Ein kl. Irrtum, s.: Volger's Damen-Bühne. — Volger's Vereins-Bühne.
Schloss, S: Die Rechte d. Versicherten an d. Prämienreserve n. d. Ges. üb. d. privaten Versicherungsunternehmgn v. 12.'V. '01· (50) 8° Berl., Struppe & W. 05.   1.20
Schlöss, H, s.: Eos. — Irrenpflege, d.
— Leitf. z. Unterr. f. d. Pflege-Personal an öffentl. Irrenanst. 2. Afl. (102) 8° Wien, F Deuticke 01.   Kart. 1.35 || 3. Afl. (112) 03.   Kart. 1.50 d
— Die Verköstigg d. Pflegelinge d. niederösterr. Landes-Irrenanst. (352) Fol. Ebd. 02.   nn 5.50 d
Schlosar, R: Durchgerungen. Dramat. Gedicht. (70) 8° Dresd., E Pierson 01.   1 — d
— Die beiden Freunde. Dramat. Gedicht. (66) 8° Ebd. 02.   1 — d
Schlosser, d. moderne. Prakt. Musterbücher in Taschenformat. I—VII. Bd. 8° Ravnsbg, O Maier.   In M. je 4 —
Ehlerding, W: 100 Brücke- u. Balkongitter. (30 Taf.) [IV.] | 100 Gelländergitter f. Gärten, Vorplätze, Gräber etc. (31 Taf. m. 8. Text.) (02.) [I.] | 100 Grabgitter & Grabkreuze. (31 Taf.) (03.) [VI.] | 150 Kunstschmiedearbeiten, f. zusammschiktstur. Vordächer, Windfähnen, Bierschaker, Firmaschilder, Beleuchtgstrager. (24 Taf.) 04. [VII.] | 100 Treppengeländer. (31 Taf.) (03.) [V.] | 30 Türen u. Tore. (31 Taf.) (02.) [II.]
Feller, J: 100 Füllgitter. (31 Taf.) (02.) [III.]
Schlosser: 25 Jahre d. inneren Mission in Oberhessen. Festbericht. (28 m. 1 Tab.) 8° Giess., A Töpelmann 04.   nn — 50 d
Schlosser's, A, Rechenübgn f. Fortbildgsch. Neu bearb. v. R Felgner. 38. Afl. (54 m. Abb.) 8° Dresd., A Huhle 04. — 50;   Lehrerheft. (24) 04.   nn — 40 d
— Rechenbfgn f. Volkssch., s.: Thieme, FO.
Schlosser, E: Das Löten u. d. Bearbeitg d. Metalle. 3. Afl. (229 m. Abb.) 8° Wien, A Hartleben 05.   2 —; geb. 3.80 d
Schlosser's, FC, Weltgesch. f. d. deut. Volk. Durchgesehen u. ergänzt v. O Jäger u. F Wolff. 5. Jubiläums-Afl. 20 Bde. Mit d. Kart.) 8° Stuttg., Deut. Verl.-Anst.
Je 5 —; L. je 6.25; HF. je 7.50; auch in 100 Lfgn zu 1 — d
1—3. Gesch. d. alten Welt. Durchgesehen u. ergänzt v. O Jäger. (554, 600, 525 u. 696) 01.
4—8. Gesch. d. M.-A. Durchgesehen u. ergänzt v. F Wolf. 5 Bde. (504, 594, 630, 525 u. 528) 01.
9—15. Gesch. d. neueren Zeit. Durchgesehen u. ergänzt v. O Jäger. 7 Bde. (556, 548, 611, 521, 562, 568 u. 714) 02.04.
16—19. Gesch. d. neuesten Zeit v. Wiener Kongress bis z. Gegenwart. Von O Jäger. 1. Bd. 1815—48. (590) 04. || 2. Bd. 1848—65. (588) 04. || 3. Bd. 1865—71. (435) 04. || 4. Bd. 1871—1900. (485) 04.
20. Namen- u. Sachreg. Reg. zu Bd 1—XV. Bis z. J. 1815. Bearb. v. E Langer. (484) 04.
Erschien bis z. 12. Bde noch in Berlin.
— dass. 3. Orig.-Volks-Ausg. 26. Gesamt-Afl. 20 Bde. 8° Ebd. 05.04.
Das Register z. 16—19. Bd befindet sich in Bd 19. — Inhalt d. Volksausg. wie bei d. vorstehenden Ausg., nur ohne Abb. u. Karten.
Schlosser, H: Das abgegang. Dorf Trimlingen im eigentl. Eichelthale, s.: Bausteine z. elsass-lothring. Gesch.- u. Landeskde.
Schlosser, J v.: Album ausgew. Gegenstände d. kunstindustriellen Sammlg d. Allerh. Kaiserhauses. (33 m. Abb. u. 53 [3 farb.] Taf.) Fol. Wien, A Schroll & Co. 01.   Kart. 25 —
— Üb. ein. Antiken Ghibertis. — Zur Kenntnis d. künstler. Überlieferg im späten M.-A., s.: Jahrbuch d. kunsthistor. Sammlgn d. allerh. Kaiserhauses.
Schlosser, M: Beitr. z. Kenntnis d. Säugethierreste a. d. süddeut. Bohnerzen, s.: Abhandlungen, geolog. u. palaeontolog.
— Eine untermiocäne Fauna a. d. Toplitzer Braunkohlenbecken, m. Bemerkgn üb. d. Lagergs- u. Altersverhältn. d. Braunkohlengebilde im Teplitzer Becken v. JE Hibsch. [S.-A.] (60 m. 2 Taf.) 8° Wien, (A Hölder) 02.   1.10
— Zur Kenntnis d. Säugethierfauna d. böhm. Braunkohlenformation, s.: Abhandlungen d. deut. naturwiss.-medicin. Ver. f. Böhmen „Lotos".
— Die fossilen Säugethiere Chinas nebst e. Odontogr. d. recenten Antilopen. [S.-A.] (221 m. Fig. u. 14 Taf.) 4° Münch., (G Franz' V.) 03.   16 —
Schlosser, C: Die f. d. Praxis beste Art d. Gesichtsfeldunterssuchg, s.: Sammlung zwangl. Abhandlgn a. d. Gebiete d. Augenheilkde.
Schlösser, H: Method. Winke f. d. bibl. u. liturg. Unterr., s.: Krings, P.
Schloesser, H: Anl. z. stat. Berechng v. Eisenkonstruktionen im Hochbau. 2. Afl. v. W Will. (236 u. 22 m. Abb., 1 Beil. u. 1 Pl.) 8° Berl., J Springer 03.   L. 7 —
Schlosser, PJ: Die amerikan. Obstindustrie u. d. Entwickelg d. amerikan. Obstexportes. (72 m. 1 Taf.) 8° Frankf. a. M., (Trowitzsch & S.) 05.   1.50 d
Schlosser-Kalender, allg., f. 1906. Hrsg. v. d. Red. d. Allg. Schlosser-Zeitg. 11. Jahrg. (268 m. Abb.) 8° Dresd., Allg. Schlosserzeitg.   L. 1.20 d

Schlosser- u. Schmiede-Kalender f. 1905. Hrsg. v. d. Red. d. „Deut. Schlosser-Zeitg". 15. Jahrg. (248 m. Abb. u. Bildnis.) 12⁰ Gr.-Lichterf., Kahlenberg & Günther.   L. 1.50 d
— — deut.,1906.Begründet v.CRMaerz. Red.:HWalter. 25.Jahrg. (371 n. Schreibkalender m. Fig.) 8⁰ Lpzg, HAL Degener. L. 2 —;
    in Briefstaschenldrbd 4 — d
Schlosser-Zeitung, allg. Hrsg.: G Wolf. Schriftleitg durch MB Müller u. K Weinert. 11—13. Jahrg. 1901—3. Nebst Beibl.: Zeitschrift f. Heizg u. Beleuchtg. 3—5. Jahrg. 1901—3 je 36 Nrn. (Nr. 1. 12 u. 10 m. Abb. u. 3 Taf.) 4⁰ Dresd., Allg. Schlosser-Zeitg.   Viertelj. 1.50; einz. Nrn — 40 d
— dass. 14. Jahrg. 1904. Nebst Beibl.: Deut. Installateur-Zeitg. 6. Jahrg. 1904. 36 Nrn. (Nr. 1—7. 88 m. Abb. u. Taf.) 4⁰ Ebd. || 15. Jahrg. 1905 (ohne Beibl.)   Viertelj. 1.50;
    einz. Nrn — 40 d
— deut. Schriftleitg d. fachl. Theiles durch G Ursin. 19. Jahrg. 1901. 52 Nrn. Mit d. Beibl.: Der Fahrrad-Schlosser u. Der Installateur je 26 Nrn. (Nr. 1. 14 u. 4) 4⁰ Berl.-Gr. Lichterf., Kahlenberg & G. || 20. Jahrg. 1. Viertelj. Jan.—März 1902. 13 Nrn. Viertelj. 2 —; einz. Nrn — 40 || 2—4.Viertelj.: April —Dezbr 1902. 3⁹ Nrn. Viertelj. 1.10; einz. Nrn — 25 || 21—23. Jahrg. 1903—5. Viertel. nn 1 —; einz. Nrn nn — 25 d
Schlössing, FH: Der Kaufmann auf d. Höhe d. Zeit. Mit e. Anh.: Verdentschg kaufmänn. Fremdwörter, sowie Regeln- u. Wrtrverz. f. d. deut. Rechtschreibg. 20. Afl. (654) 8⁰ Berl., C Regenhardt 1900. || 26. Afl. v. D Haek. (772) 05. L. je 6 —;
    HF. je 7.50 d
— Kaufmänn. Rechnen, s.: Haek, D.
Schlossmacher u. Behrend: Anl. z. Gründg, Einrichtg u. Leitg kaufmänn. Fortbildgssch., s.: Veröffentlichungen d. deut. Verbandes f. d. kaufmänn. Unterr.-Wesen.
Schlossmann, A, s.: Archiv f. Kinderheilkde.
Schlossmann, S: Der Irrtum üb. wesentl. Eigenschaften d. Person u. d. Sache n. d. BGB., s.: Abhandlungen z. Privatrecht u. Civilprozess d. Deut. Reiches.
— In iure cessio u. Mancipatio. (79) 8⁰ Kiel, Lipsius & T. 04. 1 —
— Die Lehre v. d. Stellvertretg. insbes. bei obligator. Verträgen. Kritik u. wiss. Grundlegg. 2. Tl: Versuch e. wiss. Grundlegg.(739)8⁰ Lpzg, A Deichert Nf. 02. 12 — (Vollst.: 18.50)
— Litis contestatio, deut. z. röm. Zivilprozess. (211) 8⁰ Ebd. 05.   5 —
— Nexum. Nachträgliches z. altröm. Schuldrecht. (91) 8⁰ Ebd. 04.   2.25
— Altröm. Schuldrecht u. Schuldverfahren. (208) 8⁰ Ebd. 04. 4.80
Schloessmann's Bücherei f. d. christl. Haus. 1—6. Bd. 8⁰ Hambg, G Schloessmann.   L. je 2 —; Subskr.-Pr. f. 10 Bde je 1.75 d
    Barth, H: Gesch. d. geistl. Musik. (186 m. Abb.) 03. [2.]
    Buchwald, G: Gesch. d. ev. Kirche. (296) 02. [1.]
    Cröigers, H v.: Gesch. d. Gustav-Adolf-Ver. (376 m.Abb.) 03. [4.] Geb. 1.60
    Kelle, W: Gesch. d. deut. ev. Kirchenliedes. (184 m. Abb.) 03. [3.]
    Pfannschmidt, M: Bilder a. d. Gesch. d. bild. Künste f. d. christl. Haus. (344 m. Abb. u. Taf.) 05. [5.6.]   Geschenkausg.: L. 5 —
Schlote, H: Die Geister d. Schule. — Blumenlied. — Festsp. f. Schulen. 3. Afl. (26) 8⁰ Gött., R Peppmüller 05.   — 50 d
Schlotke, J : Die Kegelschnitte u. ihre wichtigsten Eigenschaften in elementar-geomet.Behandlg. (96 m. Fig.) 8⁰ Dresd. 03. Lpzg, HAL Degener.   3.20; kart. 3.40
— Lehrb. d. Differential- u. Integralrechng. (258 m. Fig.) 8⁰ Ebd. 03.   7.80; geb. 8.50
— Lehrb. d. darstell. Geometrie. 3 Tle 8⁰ Ebd.   10 —;
    Einbde je — 20

I. Spec. darstell. Geometrie. 5. [Tit.-]Afl. (167 m. Fig.) [1900]⁰2.		3.60
II. Schatten- u. Beleuchtgslehre. 3. Afl. (60 m. Fig.) 02.		2 —
III. Perspektive. 2. Afl. (53 m. Fig.) 02.		4.40

— Lehrb. d. graph. Statik. 2. Afl. (163 m. Fig.) 8⁰ Ebd. 02. 4.80;
    geb. 5 —
Schlotke, J, s.: Aus d. Tagebüchern e. Künstlerin.
Schlott: Der Gerichtsherr d. Militärstrafgerichtsordng u. s. Berater. (20, 162) 8⁰ Berl., R Eisenschmidt 06. 2.50; geb. 3.50 d
Schlott, T: Max u. Moritz, s.: Weber's moderne Bibliothek.
Schlotterbeck, B: Knacknüsse f. Freunde d. Rechnens. 5. Afl. (312) 8⁰ Langens., Schulbh. 05.   2 — d
— Rechenvorteile. Leichtfassl. Anl. in Beisp. z. Schnellrechnen. 5. Afl. (36) 16⁰ Ebd. 03.   Kart. — 75 d
Schlotterbeck, F : Üb. d. Anilin-azo-acetylaceton u. s. Abkömmlinge. (50) 8⁰ Tüb., F Pietzcker 02.   nn 1 —
Schlottmann, K: Kl. Erdkde. — Schulerdkde, s.: Tromnau, A.
Schlottmann, R: Die Anfechtbark. n. röm. Rechte u. n. d. BGB. (88) 8⁰ Berl., HW Müller 02.   1.50
Schlözer, L v.: Bruchstücke. 4⁰ Dresd.   1.50
Schlözer, L v.: Desz u. Kenntnis d. türk. Armee. II. Das -türk. Heer im J. 1900. (Die Reformen bis 1869,) (71) 8⁰ Berl., Militär-Verl. R Felix 01.   1.50 (I u. H.: 2.50) d
Schlözer, L v.: Inneres Leben. (60) 8⁰ Münch., CH Beck 06.
    Kart. 1.20 d
Schluckebier, A: Hdb. z. Vorbereitg auf d. Prüfg d. Postbeamten in d. Telegr. — Hdb z. Vorbereitg auf d. Prüfg d. Telegr.-Beamten. — Telegr. u. Telephonie, s.: Noebels, J.
Schlunk, AF: Die Berliner Arbeiter-Kolonie, ihre Entwicklg u. Arbeit. (38 m. Abb.) 8⁰ Berl., (G Nauck) 03.   nn 1 — d
Schlunk, F: Fragepeter u. seine Frl. Leute. (130 m. Abb.) 8⁰ Hambg, Agent. d. Rauhen H. (02).   Geb. (2 —) 1.20 d
— Heimwärts, s.: Aus lichten Höhen.
Schlunk, M: François Oeillard u. d. Mission am ob. Sambesi. (211 m. Abb., Bildnis u. 1 Karte.) 8⁰ Gütersl., C Bertelsmann 04.   2.50 ; geb. 3 — d

Schlünkes, F : Die Nächstenliebe als Staatsrelig. (48) 8⁰ Berl., A Schall (03).   1 —
Schlüpmann, E : 2 Fälle v. pulsier. Exophthalmus geheilt durch Unterbindg d. Carotis communis. (28) 8⁰ Tüb., F Pietzcker 04.   nn — 70
Schlür, A : Vollständ. Verz. d. gebob. Zahlen v. 1.1.1860— Ende Dezbr 1904 v. Wien, Linz, Prag, Brünn, Graz, Triest, Lemberg u. Innsbruck. (Je 47) 8⁰ Wien, T Daberkow (05).   Je 1 —; in 1 L.-Bd 5 — d
Schlusser, G : Sonntags-Betrachtgn. (115) 8⁰ Hdlbg, Ev. Verl. 01.   L. 1.20 d
Schlusser, G : Die bau- u. feuerpolizeil. Vorschriften im Grossh. Baden. 3. Afl. v. C Baur. (332) 8⁰ Karlsr., J Lang 04. L. 3 — d
— Die deut. Wehrordng, f. d. Grossh. Baden hrsg., s.: Lang's Sammlg deut. u. bad. Ges.
Schlüter, F : Was muss d. Läufer v. s. Training wissen? Kurze Anl. f. Mitglieder v. Fussball- u. Laufsportver. üb. d. Trainieren f. Laufen. (44) 8⁰ Hannov., C Meyer 04.   Kart. — 50
Schlüter, F : Humor in Rede u. Lied. Orig.-Vorträge u. Couplets. 1. u. 2. Bdchn. (48 u. 41) 8⁰ Mülh. a/R., J Bagel (05).   Je — 25 d
— List ist d. Studenten Tailsman. — Onkel Max od. „Es giebt ja keine Kinder mehr. — Strohwittwer. — Per Telephon, s.: Theater, kl.
Schlüter, F : Der Frühschoppen, s.: Heidelmann's, A, Theaterbibliothek.
Schlütter, O : Die Siedelgn im nordöstl. Thüringen. (453 m. 6 Kart. u. 2 Taf.) 8⁰ Berl. 03. Jena, H Costenoble.   18 —;
    geb. nn 21 —
Schlütter, R : Die Anlage z. Tuberkulose. (323)3⁰ Wien, F Deuticke 05.   7 —
— Die fötale tuberkulöse Infektion. (38) 8⁰ Ebd. 02.   1.25
Schlütter, W : Franz Göbel als Soldat. Festsp. f. Feste u. Feiern in christl. Vereinen. (32) 8⁰ Sieg., Westdeut. Verl.-Anst. (03).
    nn — 50 d
— Des Handwerksburschen Weihnachtsabend. Weihnachts-festsp. (16) 8⁰ Ebd. 03.   — 40 d
Schlütter, W: Psychosoph. Skizzenb. (106) 8⁰ Berl. 01. Loroh, K Rohm.   L.50 d
Schluttig: 80 Jahre Gottesarbeit an e. Menschenseele. Der brenn.Busch. Heiliges Land. Und Moses verhüllte s. Angesicht. Predigt. (11) 8⁰ Brem., J Morgenbesser 05.   — 20 d
Schmachtenberg, C : Neugeldwaren. Neue humorist. Gedichte in Wupperthaler Mundart. 2. Heft. (32) 8⁰ Elberf., J Fassbender (02).   — 50 (1 u. 2.: 1 —) d
    Das 1. Haft erschien u. d. T.: Rengeldweren.
Schmahl u. Spemann: Gesch. d. württemberg. Feldartill.-Regts Nr. 29 Prinzreg. Luitpold v. Bayern u. sr Stammtruppentle. (191 m. 1 Bildnis.) 8⁰ Strassb., KJ Trübner (05). (Ludwigsbg, J Aigner.)   — 40 d
Schmahlfeldt, L: Maria u. Martha. Schausp. (107) 8⁰ Zür., T Schröter's Nf. 05.   2 — d
Schmal, A, s.: Filius.
Schmal, F: Fussball. (82 m. Abb.) 16⁰ Wien, F Beck 05.   — 50
— s.: Fussball-Jahrbuch f. Oesterr. — Sport-Jahrbuch, 1., f. Österr.-Ungarn.
Schmale, F: Praxis d. Turnunterr., s.: Grittner, H.
Schmalenbach, T: Evangelien-Predigten. Hrsg. v. MSchmalenbach. geb. Huhold. (440 m. Bildnis.) 8⁰ Gütersl., C Bartelsmann 02.   2.40; geb. 3 —; fein geb. 4 — d
    [S.-A.] (34) 8⁰ Jena, G Fischer 05.   1.20
— dass., s.: Handbuch d. soz. Medizin.
Schmalenberger: Rechenb. — Übgsb. f. d. Rechenunterr., s.:
Schmalix, A: Brixen (Südtirol). Führer. (61 m. Abb.) 8⁰ Brix., (Pressver.-Bh.) 05.   1 —
Schmall, J: Die Abhärtg d. Willenskraft. Mit e. Anh. moderner Suggestion. — Taus. (239 m. Abb., 5 Bildnissen u. 1 Farbdr.) 8⁰ Wien 01. Lpzg, E Demme.)   3 —; geb. 4 — d
Schmalohr, J: Degl hl. Christophorus. Cantate f. Soli u. gemischten Chor m. Clavierbegleitg. (Zur Aufführg m. obl. Fig.-Partitur.) (Textb.) (Neue Afl.) (11) 16⁰ Fulda, A Maier 03.   — 10 d
Schmalsprachbuch, d., Fortsetzg, s.: Zeitschrift, illustr., f. Klein-u. Strassenb.
Schmalstieg, B: Jubiläums-Büchl. Unterr. u. Gebete z. Gewinng d. v. Sr. Heil. Papst Leo XIII. ausgeschrieb. allg. Jubiläums-Ablasses. (47 m. Abb.) 16⁰ Heiligenst., FW Cordier 01.   — 10 d
Schmaltz: Ein kavallerist. Brief. (36) 8⁰ Dresd., C Damm 05.   — 75 d
Schmaltz, E: Gesch. d. Hofgemeinde zu Schwerin. (102) 8⁰ Schwer., F Bahn 03.   1.80 d
Schmaltz, R: Atlas d. Anatomie d. Pferdes. 1. Tl: Das Skelett d. Rumpfes u. d. Gliedmassen. 4. Afl. (34 Taf. m. 9 Pausen u. 8 S. Text.) 4⁰ Berl., R Schoetz 05.   L. nn 12 —
— Anatom. Collegheft-Skizzen. 2. Afl. (25 Taf.) 4⁰ Ebd.   L. nn 8 —
— Präparirübgn am Pferd. 1. u. 3. Thl. 8⁰ Ebd.   L. 17.50
    (Vollst., 3 Thle: 23.50)
    1. Muskelpräparate. (304) 01. 7.50 | 3. Situs viscerum u. Sections-Technik : Eingeweide-Präparate. (335 m. Abb. u. 6 Taf.) 03. 10 —
— Skizzen d. Pferdeskelettes. (9 Taf. m. 4 S. Text.) 4⁰ Ebd. 05.   3 —
— s.: Veterinär-Kalender, deut. — Wochenschrift, Berliner tierärztl.

Schmalz, C: Die Gattg Pleurotamaria, s.: Martini u. Chemnitz, systemat. Conchylien-Cabinet.
Schmalz, JH: Antibarbarus d. latein. Sprache, s.: Krebs, JP.
— u. C Wagener: Latein. Schulgrammatik. 6. Afl. (315) 8º Bielef., Velhagen & Kl. 05. Geb. 3 — d
Bis s. 5. Afl. als Ausg. B bezeichnet.
Schmalz, O, s.: Kriegserlebnisse bayer. Artilleristen a. d. J. 1870/71.
Schmalz, T: Aufgabenb. f. mündl. u. schriftl. Rechnen. Zum Gebr. in Taubstummen-Anst. 1, Heft. (42) 12º Berl., E Stande 03. nn — 30 ∥ 2. Heft. (5¾ 03. — 40 d ô F
Schmalz, P : Das Buch Ezechiel, s.: Kommentar, kurzgef. wiss., zu d. hl. Schriften d. Alten Test.
— Erklärg d. Psalmen, s.: Thalhofer, V.
Schmalzried, P, s.: Charakterbilder, geograph., a. Schwaben.
Schmarda, L v., s.: Arbeiten a. d. Geb. d. klin. Chirurgie.
Schmarje: Fibel, s.: Wendling, P.
Schmarje, J: Germania. — 1. Leseb., s.: Schneider, KT.
— Die Prov. Schleswig-H., s.: Landeskunde Preussens.
— u. EH Barnstorff: Engl. Leseb. 3. Afl. (265) 8º Flensbg, A Westphalen 02. 1.80; geb. nn 2.25
— u. A Trenkner: Leseb. f. gewerbl. u. kaufmänn. Fortbildgssch. 2. Afl. (348) 8º Neuw., Heuser's V. (05). Geb. 2 — d
Schmarje, J: Postheft, f. d. Schule bearb. 18. Afl. (32) 8º Flensbg, A Westphalen (04). — 40 d
— dass. 19. Afl. Ausg. f. Hamburg. (32) 8º Ebd. (05). — 40 d
— Rundschrift. 1. Heft. 15. Afl. ∥ 2. Heft. 4. Afl. (Je 32) 4º Ebd. (04). Je nn — 35 d
Schmarotzer d. landw. Haussäugetiere. Haustier-Schmarotzer-Merkblatt. Bearb. im kais. Gesundheitsamte. (8 m. Abb.) 8º Berl., J Springer (05). nnn — 10; 10 Stück 1 — d
Schmarsow, A, s.: Gesellschaft, kunsthistor., f. photograph. Publikationen.
— Grundbegriffe d. Kunstwiss. Am Übergang v. Altertum z. M.-A. kritisch erörtert u. in systemat. Zusammenh. dargest. (350) 8º Lpzg, BG Teubner 05. 9 —; geb. 10 —
— Der Kuppelraum v. Santa Costanza in Rom u. d. Lichtgaden altchristl. Basiliken. 30 m. 3 Taf.) 8º Lpzg, (A Edelmann) 04. — 60
— Die oberrhein. Malerei u. ihre Nachbarn um d. Mitte d. XV. Jahrh., s.: Abhandlungen d. kgl. sächs. Gesellsch. d. Wiss.
— Uns. Verhältn. zu d. bild. Künsten. 6 Vortr. üb. Kunst u. Erziehg. (160) 8º Lpzg, BG Teubner 03. 2 — d
Schmasow, A: Ein unprakt. Arzt, s.: Möller's, W, Bibliothek f. Gesundheitspflege.
— Die Erb-Tante, s.: Album f. Liebhaber-Bühnen.
— Ein edler Landmann, s.: Möller's, W, Bibliothek f. Gesundheitspflege.
— Majestät kommt, s.: Theater-Album, militär.
— Ich bin o. Preusse! Festsp. z. 18.I.'01. (14) 8º Berl., M Böhm (01). 1.50 d
— Ränke u. Schwänke! Humorist. Orig.-Vorträge in Poesie u. Prosa. (152 m. Bildnis.) 8º Berl. 04. Oranienbg, W Möller. 2 —; geb. 3 — d
— Ein geriss'ner Schwiegersohn, s.: Album f. Liebhaber-Bühnen.
— u. M Reichhardt: Der Schlangenmensch, s.: Vereinstheater.
Schmatolla, E: Die Brennöfen f. Tonwaren, Kalk, Magnesit, Zement u. dergl. m. bes. Berücks. d. Gas-Brennöfen. (145 m. Abb.) 8º Hannov., Dr. M Jänecke 03. L. 4.80
— Die Fabrikation d. flüss. Kohlensäure. — Ueb. Mängel bei d. künstl. Darstellg d. flüss. Kohlensäure. [S.-A.] (23 u. 16 m. Fig. u. 1 Taf.) 8º Berl., M Brandt & Co. 1898. 1.50
— Was muss man v. d. Feuergstechnik wissen? (103 m. Abb.) 8º Berl., H Steinitz (01). 2 — d
— Die Gaserzeuger u. Gasfeuergrn. (95 m. Abb.) 8º Hannov., Dr. M Jänecke 01. 3 —
— Der Gashochofen. Schachtofen m. Generatorgasfeuerg z. Brennen v. Kalk, Dolomit, Magnesit usw. (14 m. Abb. u. 2 Taf.) 8º Berl., Polytt. Bh. A Seydel (05). 1 —
— Rauchplage z. Brennstoffverschwendg u. deren Verhütge. (84 m. Abb.) 8º Hannov., Dr. M Jänecke 02. 2.50
— Die Tiegelöfen. Abhandlg d. z. Schmelzen v. Metall, Eisen u. Stahl gebräuchl., sowie vorgeschlag. Tiegelöfen-Systeme, einschliessl. d. Gastiegelöfen. (45 m. Abb.) 8º Berl., (Polyt. Bh. A Seydel) 01. 1.50
Schmatolla, O: Neue Entdeckgn a. d. Geb. d. Chemie u. Physik. Die unbegrenzte Teilbark. d. Masse, d. Aufbau d. Körper. Die Grundges. d. Bewegg im Weltall. Die Ursachen d. Grenzen d. ird. Wachstum- u. Grössen-Verhältn. (84 m. Fig.) 8º Berl. (N.W. 23, Klopstockstr. 10), Selbstverl. 04. (4 —) 3 —
— Die Freiheit in d. heut. Wiss. u. d. unbegrenzte Teilbark. d. Masse, d. Aufbau d. Körper. (6) 8º Ebd. (05). — 80
Schmaus s.: Gratulatio inferna.
Schmaus, H, s.: Beiträge z. patholog. Anatomie.
— Grundr. d. patholog. Anatomie. 6. Afl. (783 m. z. Tl farb. Abb.) 8º Wiesb., JF Bergmann 01. 13 — ∥ 7. Afl. (752 m. z. Tl farb. Abb. u. 56 Taf.) u. 15 —
— Vorlesgn üb. d. patholog. Anatomie d. Rückenmarks. Unter Mitwirkg v. S Sacki hrsg. (589 m. z. Tl farb. Abb.) 8º Ebd. 01. 16 —
Schmauss, A: Magnet. Drehg d. Polarisationsebene d. Lichtes in selektiv absorbir. Medien. [S.-A.] (14 m. 3 Taf.) 8º Münch., (G Franz' V.) 02. — 60
Schmeckebier, H, s.: Erlin-Schmeckebier, H.

Schmeckebier, O: Abriss d. deut. Verslehre u. d. Lehre v. d. Dichtgsarten. 5. Afl. (32) 8º Berl., Weidmann 05. Kart. — 40
Schmedding, A: Die Ges. betr. Bekämpfg ansteck. Krankh. u. zwar 1.Reichsges. betr. d.Bekämpfg gemeingefährl.Krankh. v. 30.VI.1900, 2. preuss. Ges. betr. d. Bekämpfg übertragbarer Krankh. v. 28.VIII.'05, nebst Ausführgsbestimmgn, erläut. f. Preussen. (208) 8º Münst., Aschendorff 05. L. 2.60 d
— u. Tourneau: Kommentar zu d. Ges. betr. die Erhebg v. Kirchensteuern in d. kathol. Kirchengemeinden u. Gesamtverbänden. (99) 8º Paderb., F Schöningh 05. L. 1.80 d
Schmeding: Welche Aufg. haben uns. Handelssch. in d. Gegenwart? 2. Abdr. d. Abhandlg: Handelssch. u. Handelsakad. (Umschl.: Die Fachbildg uns. Kaufleute.) (54) 8º Stuttg., Hobbing & B. 04. — 80 d
Schmeding, G : Matière grammaticale pour servir à l'enseignement des classes sup. (48) 8º Dresd., CA Koch 02. 1.20
Schmeets: Neue Spezialk. v. Ober- u. Unter-Harz, s.: Lange, H.
Schmehl, C: Die Algebra u. algebr. Analysis, m. Einschl. e. elementaren Theorie d. Determinanten in d. ob. Kl. v. höh. Lehranst., insbes. d. Realgymnasien u. Oberrealsch. (286 m. Fig.) 8º Giess., E Roth 01. 2.50; geb. nn 3 — d
— Aufg. a. d. analyt. Geometrie d. Ebene. (111) 8º Ebd. 04. 1.60; geb. 2 — d
— Die Elemente d. sphär. Astronomie u. d. mathemat. Geogr. (110 m. Fig.) 8º Ebd. (05). 1.60; geb. 2 — d
— Rechenb. f. höh. Lehranst. 1. Tl. 5. Afl. (224) 8º Ebd. 04. ∥ 2. Tl. 5. Afl. (260) 05. Je 1.50; geb. je nn 1.80 d
— dass. Auflösgn. 1. Tl. (68) 8º Ebd. (04.) 1 — ∥ 2. Tl. (46) (04.) — 80 d
Schmeidler, B: Der dux u. d. comune Venetiarum v. 1141—1229, s.: Studien, histor.
Schmeier, B: 4 Festreden im Kreise d. Schule. (15) 4º Roessel (01). (Lpzg, Bh. G Fock.) — 50 d
Schmell, O: Grundr. d. Naturgesch. Mit bes. Berücks. d. biolog. Verhältn. bearb. 1. u. 2. Heft. (Mit Abb.) 8º Stuttg. Lpzg, E Nägele. Kart. je 1 — d
1. Tier- u. Menschenkde. 2. Afl. (126 u. 32) 03.
2. Pflanzenkde. (134 m. 10 farb. Taf.) 04.
— Lehrb. d. Botanik f. höh. Lehranst. u. d. Hand d. Lehrers. Von biolog. Gesichtspunkten a. bearb. 3 Hefte. 8º Ebd. nn 4.80; in 1 Bd eleg. geb. 6 —
1. (119 m. Abb. u. 14 farb. Taf.) 01. nn 1.30 ∥ 2. (113—274 m. Abb. u. 6 farb. Taf.) 02. nn 1.80 ∥ 3. (275—470 m. Abb. u. 6 farb. Taf.) 03. nn 1.80
— dass. 2. u. 3. Afl. (470 m. Abb. u. 38 farb Taf.) 8º Ebd. 03. Geb. 4.80; eleg. 6 — ∥ 4. Afl. (Geschenkausg.) (499 m. Abb. u. 48 (40 farb.) Taf.) 05. Geb. 8.50
— Lehrb. d. Zool. f. höh. Lehranst. u. d. Hand d. Lehrers. Unter bes. Berücks. biolog. Verhältn. 7. Afl. (464 m. Abb.) 8º Ebd. 03. Geb. 4.20; eleg. 6 — ∥ 12. Afl. (506 m. Abb. u. 18 [16 farb.] Taf.) 05. Geb. 6.50; Geschenkausg. 6 —
— Leitf. d. Botanik. Hilfsb. f. d. Unterr. in d. Pflanzenkde an höh. Lehranst. Unter bes. Berücks. biolog. Verhältn. bearb. (310 u. 32 m. Abb. u. 20 farb. Taf.) 8º Ebd. 03. Geb. 3.20
— dass. Unter bes. Berücks. d. Beziehgn zw. Bau u. Leben d. Pflanzen bearb. Mit d. Kl. d. Mittelach. u. verwandter Lehranst. bearb. v. E Scholz. (256 u. 16 m. Abb. u. 20 Farbdr.) 8º Wien, A Pichler's Wwe & S. 05. Geb. 3.25
— s.: Natur u. Schule. — Sammlung naturwiss.-pädagog. Abhandign.
— Botan. Wandtaf. Taf. 1 u. 2. Je 141×122 cm. Farbdr. Mit Text. (Je 2) 8º Stuttg. (03). Lpzg, E Nägele. Je (3.80) 4.80; auf L. je (5.80) 6.80; m. St. Hochformat je 7.50; Querformat je 8 —
1. Tulpe. ∥ 2. Weisse Taubnessel (Lamium album L.).
— Zoolog. Wandtaf. Taf. 1 u. 2. Farbdr. Ebd. Je (3.80) 4.80; auf L. je (5.80) 6.80; m. St. Hochformat je 7.50; Querformat je 8 —
1. Dromedar. 117×161 cm. (03.) ∥ 2. Wildschweine in d. Rohre. 115,5×100 cm. Mit Text. (1) 4º (04.) Geb. 3.50
— u. J Fitschen: Flora v. Deutschl. (333 m. Abb.) 8º Ebd. 04. Geb. 3.50
Schmeisser, A: Warenkde, s.: Schanze, J.
Schmeisser, E: Israel. — Ein Missionsvortrag in Galizien, s.: Schriften, kl. z. Judenmission.
Schmeisser, E, s.: Taschenkalender f. Geflügelzüchter.
Schmekel, A: Die Verbilligg d. landw. Produktion. (208) 8º Neud., J Neumann 01. 4 —; L. 5 — d
Schmeling, A: Kirchengeschichtl. Ueberblick üb. d. abgelauf. Jahrh. Vortr. (32) 8º Berl., G Nauck 02. — 50 d
Schmeling, H: Ein Wort an luther. Eltern. Wie muss d. Elternhaus d. luther. Schule in ihrer Arbeit fördern?, s.: Saatkörner a. d. ev.-luther. Kirche.
Schmeling, K: Der falsche Graf, s.: Weber's moderne Bibliothek.
— 3 Schüsse im Walde. Kriminal-Roman. (240) 8º Neuweissens., E Bartels (o. J.). 1.50 d
Schmell, C: Alkoholgefahr u. Schule, s.: Sammlung pädagog. Vorträge.
Schmeller, JA: Carmina Burana. Latein. u. deut. Lieder u. Gedichte e. Handschrift d. XIII. Jahrh. a. Benedictbeuren auf d. k. Bibliothek zu München. 4. Afl. (Anastat. Neudr.) (275) 8º Bresl., M & H Marcus 04. 6 —
Schmelts, JDE, s.: Archiv, internat., f. Ethnogr.
— Üb. Sammlgn a. Niederl. Westindien u. Surinam, s.: Beiträge z. Anthropol. usw. Niederl. Westindiens.

Schmelz, J: Leitf. z. Vorbereitng auf d. Meisterprüfg f. Kamin-
kehrergehülfen u. Geschäftsführer. (55) 8° Ansb., (F Seybold)
02. 1.20 d
Schmelzer, A: Leitf. f. d. Gesch.-Unterr. in Mittel- u. Mädchensch. 12. Afl. v. H Jankner. (398) 8° Bielef., Velhagen & Kl.
03. Kart. 1.80 d
Schmelzer, C: Erzählgn a. d. griech. u. röm.Gesch., s.:Andrä,JC.
Schmelzer, F: Tarifgemeinschaften, ihre wirtschaftl., sozialpolit. u. jurist. Bedentg m. bes. Berücks. d. Arbeitgeber-
standpunktes. (143) 8° Lpzg., A Deichert Nf. 06. 3 — d
Schmelzer, L: Die Ziegel-, Röhren- u. Kalkbrennerei, s.: Hen-
singer v. Waldegg, E.
Schmelzkopf, J, u. A Ulrich: Rechenaufgaben. 3. Heft. 10. Afl.
(63) 8° Lpzg., M Heinsius Nf. 01. Geb. nn 1 — d
Schmerber,H: Die BaumeisterChristoph u.Ignaz KilianDintzen-
hofer, s.: Sammlung gemeinnütz. Vortr.
— Die Sachlage d. Paradieses, s.: Zur Kunstgesch. d. Ausl.
— Studie üb. d. deut. Schloss u. Bürgerhaus im 17. u. 18. Jahrh.,
 s.: Studien z. deut. Kunstgesch.
Schmersensweg, mein. Autobiograph.Beitr. z. Psychol. d.Maso-
chismus v. Heliogabal, s.: Bröhmsk, R, d. Arten d. Maso-
chismus.
Schmetterlinge. Malvorlagen. (8 [4 farb.]Bl.) 8° Mainz, J Scholz
 -5). — 50 d
Schmetterling-Malbuch. (10 [4 farb.] Bl.) 8° Hannov., A Molling & C. (01). — 50 d
Schmetterlings-Atlas s.: Mück's prakt. Taschenbb.
Schmetz, P: Liederb. f. Volkssch. Grössere Ausg.(A): 147 Lieder.
26. Afl. (128) 8° Düsseldf, L Schwann (05). nn — 35 :
 kart. nn — 40 d
— Kl. Vesperbuch. Die gebräuchlichsten Vespern f. d. hohen
Feste d. Herrn u. d. allersel. Jungfrau, sowie f. d. vornehm-
sten Feste d. übr. Heiligen, nebst d. Commune Sanctor. u.
d. Komplet m. allen zugehör. Antiphonen, Hymnen etc., m.
Choralnoten im Fünfliniensystem u. G-Schlüssel notiert.
3. Ausg. (132) 8° Rgnsbg, F Pustet 02. 1 — ; L. 1.40
Schmey, M: Arznei-Verordngn z. Gebr. f. prakt. Tierärzte
u. Studierende d. Tierheilkde. (Neue [Tit.-]Ausg.) (86 Bl.) 8°
Berl., Berlinische Verl.-Anst. [1894] (03).
 Mit Schreibpap. durchschr. 2 —
Schmick: Das getrennte Entwässerungssystem in sr Anwendg
f. mittl. u. kleinere Städte, u. d. gegenwärt. Stand d. Abwässerreinigg. Vortr. [S.-A.] (14) 8° Lpzg, F Leineweber 01.
 — 70
Schmid u. (A) Philipps: Stammliste d. Offiziere, Sanitätsoffiziere u. Beamten d. Infant.-Regts Vogel v. Falckenstein (7.
westfäl.) Nr. 56. (177) 8° Oldenbg, G Stalling's V. 05. 4.80;
 geb. nn 6.50 d
Schmid: Anl. z. Geschäfts- u. Buchführg f. landw. Kredit-
Genossensch. (ländl. Kredit-Ver., Spar- u. Darlehenskassen).
3. Afl. (282) 8° Karlsr., G Braun'sche Hofbuchdr. 06. L. 4.75 d
Schmid, A: Leitf. d. Arithmetik. — Leitf. d. elementaren Ma-
thematik. — Übgsb. d. Algebra, s.: Sickenberger, A.
Schmid, A: Landleben, s.: Landmann's, d., Winterabende.
Schmid, A: Bilder a. d. Allgäu. s.: 5. Bdchn. 12° Kempt., (J
Kösel). Je — 80; geb. je 1 — 1=—3.: nn 4.30; geb. nn 5.40] d
 4. Der Markt Staufen. (133) 01.] 5. Bühl z. Umgebg. (98) 02.
Schmid, A: Lebens-Bild d. Dr. Jos. Bach, päpstl. Hausprälat,
k. Univ.-Prof. (16 m. 1 Bildnis.) 8° Kempt., J Kösel 02. — 80
Schmid, A: Die amerikan.Handelsvereine, s.:Sammlung kaufmänn.
 Unterr.-Werke.
— Die Handelshochsch, am Beginne d. 20. Jahrh. [S.-A.] (47)
8° Münch. 04. Lpzg, BG Teubner. 1.20
— Wie lehrt u. lernt man kaufmänn. Korrespondenz? Im bes.
d. Korrespondenz-Unterr. an kaufmänn. Lehranst. (30) 8°
Lpzg, Verl. d. mod. kaufm. Bibliothek. 01. — 50
— Das Übgs-(Muster-)Comptoir an kaufmänn. Lehranst., s.:
Publikationen d. Export-Akad. d. k. k. österr. Handels-
Museums.
Schmid, AH: Böcklin's Leben u. Schaffen, s.: Böcklin, A.
Schmid, B: Lehrb. d. Mineral. u. Geol. f. höh. Lehranst. 2 Tle.
(Mit z. Tl farb. Abb.) 8° Essl.,, JF Schreiber (04).
 In 1 od. 2 Bde geb. 5 —
 1. Mineral. (140 u. 3) 2 — ‖ 2. Geol. u. Paläontol. (76 u. 8 m. 1 Karte.) 3 —
— Leitf. d. Mineral. u. Geol. f. höh. Lehranst. (108 u. 3 m.
meist farb. Abb. u. 1 Karte.) 8° Ebd. (05). Geb. 2.50
— Philosoph. Leseb. z. Gebr. an höh. Schulen u. z. Selbst-
studium. (156) 8° Lpzg., BG Teubner 06. L. 2.60
— s.: Natur u. Schule.
— Die Philosophie am Ausg. d. 19. Jahrh. (39) 8° Berl., Gose
& T. 01. 1.20 d
Schmid, B: Armand le Bouthillier de Rancé, Abt u. Reformator v. la Trappe. s.: Broschüren, Frankf. zeitgemässe.
— Grundlinien d. Patrol. 6. Afl. (258) 8° Freibg 1/B., Herder
04. 2 — ; geb. 2.40 d
Schmid, C: Techn. Studienhefte. 1.—5. Heft. (Mit.Abb.)4°Stuttg.,
K Wittwer. 22.20
 1. Brazbrücke bei Heidenheim. Eine Plattenbalkenbrücke u. Betoneisen
 u. System Luitpold. (48) (04.) 2 — d
 2. Statik u. Festigkeitslehre. 4 [Tit.-]Ausg. (119 m. 5 L.) [02](04). 4 — d
 3. Holzbalkenbrücken. (90 m. 14 Taf.) (04.) 4.40 d
 4. Kaiweit-Träger. Studie üb. d. Ersatz d. gewalzten Träger u. Eis. d.
 Tragfähigk. d. Trägerkreuze u. d. Trägerroste. (205 m. 9 Taf.) (04.)
 6.80 d
 5. Asphalt, Teer, Öl im Strassenbau. (128 m. 4 Taf.) (05.) 5 — d

Schmid, C: Der zärtl. Bruder, s.: Immergrün.
Schmid, C v.: Schriften. I. Serie. Nr. 1—12. (Je 16) 8° Reutl.,
R Bardtenschlager (01.03). Je — 10; kart. je — 25 d
 1. Die Kirchen. ‖ 2. Der Diamantring. ‖ 3. Das Vogelnestchen. ‖ 4. Das
 Rotkehlchen.‖ 5. Das alte Raubschloss. ‖ 6. Kupfermünzen & Goldstücke.
 ‖ 7. Das Pferd u. and. Erzählgn. ‖ 8. Fleiss u. Ehrlichk. u. and. Erzählgn.
 ‖ 9. Die gute Pflegemutter u. and. Erzählgn.‖ 10. Das steinerne Bild u. and.
 Erzählgn. ‖ 11. Die 2 Ringe u. and. Erzählgn. ‖ 12. Elle m. Weile u. and.
 Erzählgn.
— dass. II. Serie. Nr. 1—21. 8° Ebd. (01.02). Je — 20:
 kart. je — 25 d
 1. Das stumme Kind. (32) ‖ 2. Das hölzerne Kreuz. (33) ‖ 3. Das Täubchen. (33) ‖ 4. Der Kanarienvogel. (32) ‖ 5. Die Wasserflut am Rheine.
 (32) ‖ 6. Der Rosenstock. (32) ‖ 7. Die Kapelle bei Wolfsbühl. (32) ‖ 8. Die
 roten u. d. weissen Rosen. (32) ‖ 9. Der Wasserkrug. (32) ‖ 10. Die Himbeeren. (32) ‖ 11. Die Aehrenleserin. (32) ‖ 12. Der Apfeldern. Vergissmeinnicht. Die Krebse. Das Margarethablümchen. Der Tannenbaum. Die
 Aepfel. (32) ‖ 13. Die Feuersbrunst. (32) ‖ 14. Das verlorene Kind. (34)
 ‖ 15. Der kl. Kaninefrgef. Schausp. m. Gesang. (32) ‖ 16. Anselmo od.
 in maselmkan. Schauvrei. (32) ‖ 17. Das Marienbild od. d. verlor. Kind.
 (32) ‖ 18. Der Eierdieb, Schausp. (32) ‖ 19. Die Erdbeeren. Schausp. m.
 Gesang. (32) ‖ 20. Paul Arnold. (32) ‖ 21. Der Wunderarzt. (32)
— dass. III. Serie. Nr. 1—8. (Je 48) 8° Ebd. (01.03). Je — 20:
 kart. je — 35 d
 1. Das beste Erbteil. ‖ 2. Die 2 Brüder. ‖ 3. Die Nachtigall. ‖ 4. Die Edelsteine. ‖ 5. Die Ostereier. ‖ 6. Der Blumenkranz. Schausp. ‖ 7. Die Blumenfreunde. ‖ 8. Der Brautring.
— dass. IV. Serie. Nr. 1—9. 8° Ebd. (02.03). Je — 25;
 kart. je — 40 d
 1. Die Hopfenblüten. (64) ‖ 2. Der Weihnachtsabend. (64) ‖ 3. Gottfried,
 d. junge Einsiedler. (63) ‖ 4. Das Lämmchen. (64) ‖ 5. Ludwig, d. kl. Auswanderer. (64) ‖ 6. Waldomir. (62) ‖ 7. Florentin. (64) ‖ 8. Klara od. Die
 Gefahren d. Unschuld. (64) ‖ 9. Die ungleichen Schwestern. (64)
— dass. V Serie. Nr. 1—4. 8° Ebd. (04). Je — 35 ; kart. je — 50 d
 1. Kurze Erzählgn. (96) ‖ 2. Pauline. (95) ‖ 3. Das Kartäuserkloster. (95)
 ‖ 4. Gedichte f. jung u. alt. (96)
— Ges. Schriften. Neue illustr. Ausg. 2 Bde. (Je 160 m. je 5
Taf.) 8° Konst., C Hirsch (04). Geb. je 1.50; in 1 Bd 3 — d
— Das Blumenkörbchen. (120 m. 4 Farbdr.) 8° Reutl., R Bardten-
schlager (01). Geb. 2.50 d
— dass., s.: Weber's, F, Jugendbibliothek.
— Die 2 Brüder. 4. Taus. (78 m. 5 Farbdr.) 8° Stuttg., G
Weise (02). Geb. — 60 d
— Heinrich v. Eichenfels. Der Kanarienvogel. Die Wasserflut
am Rhein, s.: Weber's, F, Jugendbibliothek.
— Heinrich v. Eichenfels. DerRosenstock. Das Vogelnestchen.
2. Afl. (38) 12° Berl., FJ Meidinger (01). Kart. — 60 ‖ 3. Afl.
 (87 m. Abb.) (05). Geb. — 75 d
— Das beste Erbteil. Der Wasserkrug. Die Himbeeren. Das
Johanniskäferchen, s.: Weber's, F, Jugendbibliothek.
— Erzählgn. Nr. 1—10. (Je 32 m. Abb.) 8° Konst., C Hirsch
(04). Je — 15 d
 1. Das beste Erbteil. ‖ 2. Die Nachtigall. ‖ 3. Die 2 Brüder. ‖ 4. Die Ostereier. ‖ 5. Die Edelsteine. ‖ 6. Die Blumenfreunde. ‖ 7. Anselmo. Die
 Ostereier. ‖ 8. Die Ahrenleserin. Das Vogelnestchen. ‖ 9. Das verlorene
 Kind. Das alte Raubschloss. ‖ 10. Das Täubchen. Kupfermünzen u. Gold-
 stücke.
— dass. (Je 64) 8° Ebd. Je — 25 d
 Wie Heinrich v. Eichenfels z. Erkenntnis Gottes kam. (01.) ‖ Gott führet
 alles Herrlich Hinaus. (02.) ‖ Die Hopfenblüten u. d. Rotkehlchen. (02.) ‖
 Das verlorene Kind u. Das beste Erbteil. (02.) ‖ Das Lämmchen u. Die
 Kirschen. (02.)
— dass. 8° Reutl., R Bardtenschlager. Kart. je — 60 :
 m. 4 Farbdr. je — 75 d
 Gottfried, d. junge Einsiedler. 9. Afl. (72) (02.) ‖ Das Lämmchen. (72) (02.)
 ‖ Ludwig, d. kl. Auswanderer. (96) (02.)
— dass. (Je 32 m. Abb.) 8° Reutl., Ensslin & L. Je — 15 ;
 kart. je — 20 d
 Die Aehrenleserin. (05.) ‖ Die Feuersbrunst. (05.) ‖ Der Kanarienvogel.
 (05.) ‖ Die Kapelle bei Wolfsbühl. (05.) ‖ Das verlorene Kind. Das Johanniskäferchen. (04.) ‖ Die Kirschen. Die Margaretenblümchen. Der Rosenstock.
 (05.) ‖ Das hölz. Kreuz. (05.) ‖ Das alte Raubschloss. Das Stephanskind.
 (05.) ‖ Die Taube. (05.) ‖ Das Vogelnestchen. Das beschädigte Gemälde. (05.) ‖ Die Waldkapelle. Titus. (04.) ‖ Der Wunderarzt. (04.)
— dass. (Je 64) 8° Ebd. Je — 20; kart. je — 25 d
 Die 2 Brüder. (04.) ‖ Das stumme Kind. Die Wasserflut am Rheine. (02.)
 ‖ Das Lämmchen. (02.) ‖ Die Ostereier. Der Druckfehler. Die Krebse.
 (03.) ‖ Der Rosenstock. Paul Arnold. (04.) ‖ Das Vergissmeinnicht. Das
 beste Erbteil u. s. Erzählgn. (03.)
— dass. (Mit Abb.) 8° Ebd. (02.) Je — 30 ; kart. je — 50 :
 m. Bunttitel je — 60; geb. je — 75 d
 Das Blumenkörbchen. Die 3 Erbteil. (192) ‖ Die Edelsteine. Die Ahrenleserin. Das beschädigte Gemälde. Der Wunderarzt. Die Krebse. Das
 Vergissmeinnicht. Die edle Jungfrau. (160) ‖ Heinrich v. Eichenfels. Der
 Weihnachtsabend. Die Kirschen. Die Margaretenblümchen. Der Rosenstock. Die Kirschen. Die Nachtigall. (168) ‖ Erzählgn: d. Hopfenblüten.
 d. Rotkehlchen. Kupfermünzen u. Goldstücke. d. Margaretablümchen. d.
 Raubschloss. d. Feuersbrunst. (192) ‖ Erzählgn: d. Kanarienvogel. d.
 Johanniskäferchen. d. Täubchen. d. Kapelle bei Wolfsbühl. d. Diamant-
 ring. d. Marienbild. d. Kuchen. (176) ‖ 190 kl. Erzählgn. (176) ‖ Eustachius.
 Eine Gesch. d. christl. Vorzeit. (152) ‖ Der gute Fridolin u. d. böse
 Dietrich. (157) ‖ Genoveva. Anselmo. (176) ‖ Gottfried, d. junge Einsiedler.
 Das Vogelnestchen. Das stumme Kind. Die Wasserflut am Rheine. (176) ‖ Die
 Lautenspielerin. Die Ostereier. Der Eierdieb. Der kl. Kaninefrgef. (190)
 ‖ Ludwig, d. kl. Auswanderer. (176) ‖ Das Lämmchen. Das hölzerne Kreuz.
 (192) ‖ Pauline. Die roten u. d. weissen Rosen. Der Druckfehler. (158) ‖ Rosa
 v. Tannenburg. Eine Gesch. d. Altertums. (176) ‖ Waldomir. Paul Arnold.
 Die Himbeeren. Der Wasserkrug. (160)
— dass. Ausg. in Einzelbdchn. Nr. 34 u. 35. 8° Ravnsbg, O Maier.
 Geb. 1 — (1—35.: 18.40) d
 34.35. Der guteArnold u. d. böse Dietrich. (128 m. Abb.) (05.) —
— dass. Neue, im Sinne d. Verf. bericht. Ausg. m. gr. Schrift.
12—15. Bd. (Mit je 1 Titelbild.) 8° Bresl., F Goerlich. 2.20
 (1—15.: 6.60; Einbde je — 20) d
 12. Rosa v. Tannenburg. — Der Druckfehler. (156) (04.) — 50 ‖ 13. Ferdi-

nand. — Die Margaretenblümchen. (100) (04.) — 50 ‖ 14. Kurze Erzählgn. (175) (05.) — 60 ‖ 15. Lehrreiche Erzählgn. (192) (05.) — 00.
Die früh. Bde s.: Weber's, F, Jugendbibliothek.
Schmid, C v.: Erzählgn f. d. Jugend. Neue Afl. 1—8. Bd. (Mit je 1 Titelbild.) 12⁰ Lpzg. Einb., A Oehmigke. Kart. je — 75 d
1. Die Ostereier. Gottfried, d. junge Einsiedler. (141) (02.) ‖ 2. Das Blumenkörbchen. (128) (02.) ‖ 3. Heinrich v. Eichenbühl. Ludwig, d. kl. Auswanderer. (156) (02.) ‖ 4. Rosa v. Tannenburg. (150) (02.) ‖ 5. Der Weihnachtsabend. Die Nachtigall. (132) (02.) ‖ 6. Genovefa. (128) (04.) ‖ 7. Der Kanarienvogel. Das Täubchen. Das beste Erbteil. (198) (04.) ‖ 8. Die Wasserflut am Rhein. Das Vogelnestchen. Das stumme Kind. Das Maßenbild. Das hölzerne Kreuz. (186) (04.)

— Ausgew. Erzählgn f. d. Jugend. Hrsg. v. J Ambros. 3., 4., 6—10., 12—16., 19—28., 31., 33. u. 35. Bdchn. (Mit je 1 Titelbild.) 12⁰ Wien, A Pichler's Wwe & S. Kart. 10.30 d
3. Der Kanarienvogel. Das Johanniskäferchen. 9. Afl. (50) — 40 ‖ 4. Das Täubchen. Das Vergissmeinnicht. 10. Afl. (48) (05.) — 40 ‖ 6. Die Feuersbrunst. Das Rothkehlchen. 7. Afl. (50) (01.) — 40 ‖ 7. Der Diamantring. Das Maßenbild. 9. Afl. (56) (05.) — 40 ‖ 8. Kupfermünzen u. Goldstücke. Das alte Raubschloss. 9. Afl. (51) (05.) — 40 ‖ 9. Das hölzerne Kreuz. Das Margaretablümchen. 6. Afl. (45) (02.) — 40 ‖ 10. Das stumme Kind. Die Melone. 8. Afl. (52) (03.) — 40 ‖ 12. Die Kapelle bei Wolfsbühl. — Das Vogelnestchen. (44) (01.) — 40 ‖ 13—16. Kl. Erzählgn. 1. Abth. 6. Afl. (44) (02.) ‖ 2. Abtlg. 7. Afl. (48) (02.) ‖ 3. Abtlg. 10. Afl. (36) (03.) ‖ 4. Abtlg. 9. Afl. (56) (05.) Je — 40 ‖ 19. Das beste Erbteil. 7. Afl. (52) (02.) — 40 ‖ 20. Der Edelstein. 9. Afl. (56) (03.) — 40 ‖ 21. Die rothe u. weißen Rosen. Die Flügel. 8. Afl. (44) 08. — 40 ‖ 22. Auselmo. Titus u. s. Familie. 9. Afl. (90) (05.) — 40 ‖ 23. Florentin Walther. 9. Afl. (72) (03.) — 40 ‖ 26. Die 2 Brüder. 9. Afl. (57) (03.) — 40 ‖ 27. Der Weihnachtsabend. 10. Afl. (44) (04.) — 50 ‖ 28. Die Hopfenblüten. 8. Afl. (83) (03.) — 40 ‖ 31. Gottfried, d. junge Einsiedler. 8. Afl. (44) (04.) — 50 ‖ 33. Das Blumenkörbchen. 7. Afl. (133) (04.) — 50 ‖ 35. Rosa v. Tannenburg. 8. Afl. (163) (05.) — 90.

— dass. Hrsg. v. katbol. Pressvar. d. Diöc. Linz. Vollständ. Ausg. 1—5. Bdchn. (Mit je 1 Titelbild.) 12⁰ Linz, Pressver. (01.)   Kart. 1.55 d
1. Heinrich v. Eichenbühl. (58) — 35 ‖ 2.3. Der Weihnachtsabend. — Das Maßenbild. (129) — 50 ‖ 4. Die Ostereier. (64) — 35 ‖ 5. Die Kapelle bei Wolfsbühl. — Der Diamantring. (64) — 35.

— Ausgew. Erzählgn f. d. weibl. Jugend. (224 m. 5 [3 farb.] Taf.) 8⁰ Berl., R Gahl (02).   Geb. 3 — d
— Beste u. schönste Erzählgn f. jung u. alt. Neue Ausg. (160 m. Farbdr.) 4⁰ Reutl., Ensslin & L. (02).   Geb. 3 — d
— Kl. Erzählgn. Für d. Jugend. (116 m. 6 Farbdr.) 8⁰ Stuttg., G Weise (04).   Geb. 1 — d
— dass. 4 Tle. (Je 80 m. 5 Farbdr.) 8⁰ Ebd. (04). Geb. je — 60; in 1 Bd 3 — d
— Schönste Erzählgn. Ausgew. u. f. d. Jugend bearb. v. F Hanke. (112 u. 128 m. Abb. u. 6 Farbdr.) 8⁰ Berl., Verl Jugendfort (04).   Geb. 2.25; L. 3 — d
— dass. 1., 2., 5. u. 7—18. Bdchn. (Je 80) 8⁰ Mühlh. a./E., J Bagel (05). Je — 25; kart. je — 30; m. je 2 Farbdr. geb. je — 40; je 2 Bdchn in 1 Bd geb. — 90 d
1. Die Ostereier. Das Rothkehlchen. ‖ 2. Heinrich v. Eichenfels. Die Kirschen. ‖ 5. Der Weihnachtsabend. ‖ 7. Gottfried, d. junge Einsiedler. ‖ 8. Ludwig, d. kl. Auswanderer. ‖ 9. Das Blumenkörbchen. ‖ 11. Die Diamantring. Das Maßenbild. Kupfermünzen u. Goldstücke. ‖ 12. Die Nachtigall. Das Vogelnestchen. Das alte Raubschloss. ‖ 13. Das glückl. Wiederfinden. Die 2 Brüder. ‖ 14. Das stumme Kind. Das Erbteil. ‖ 15. Waldomir. Die Melone. ‖ 16. Der Rosenstock. Das hölz. Kreuz ‖ 17. Auselmo. Die Wasserflut am Rhein. ‖ 18. Der Edelstein. Die rothe u. weißen Rosen.
— dass. 9. Bd. 8⁰ Ebd. (05).   Kart. — 90 d
9. Schönhausen, A v.: Genovefa. Nach C v. Schmid frei bearb. — Rosa v. Tannenburg. Nach C v. Schmid frei bearb. (90 u. 80 m. 4 Farbdr.)
— Die schönsten Erzählgn f. Knaben u. Mädchen. 4 Tle in 1 Bde. (62, 95, 87 u. 92 m. 4 Bildern.) 8⁰ Berl., HJ Meidinger (05).   L. 3 — d
— 10 Erzählgn f. Kinder. 4. Afl. (171 m. 10 Farbdr.) 8⁰ Stuttg., Loewe (02).   Geb. 2.50 d
— Genovefa. Neue illustr. Ausg. (95 m. 4 Farbdr.) 8⁰ Könst., C Hirsch (05).   Geb. — 50 d
— dass., s.: Schönhausen, J v.
— dass. u. and. Erzählgn. (168 m. 4 Farbdr.) 8⁰ Stuttg. (01). Reutl., R Bardtenschlager.   Geb. 2.50 d
— Bibl. Gesch. f. katbol. Volkssch. Neu bearb. v. A Werfer. 2 Tle. 8⁰ Münch., R Oldenbourg (05). nn — 75; Kartonnagen je nn — 15: Einbde II. je nn — 30; in 1 Bd kart. nn 1 — ;
L. nn 1.10; Hldr nn 1.15 d
1. Altes Test. 239. Afl. (160 m. H.) nn — 35 ‖ 2. Neues Test. 209. Afl. (168 m. H. u. 1 Kart0.) nn — 40.
— Goldenes Geschichtenb., s.: Schubert, GH v.
— Gottfried, d. junge Einsiedler. Die Kupfermünzen. Die Kirschen. s.: Weber's, F, Jugendbibliothek.
— Die Himbeeren, s.: Barth, CG, d. Rubinenkreuz.
— dass. — Der Diamantring. — Das Raubschloss. — Das Rotkehlchen. — Das Johanniskäferchen. 5 Erzählgn. Neue Ausg. (64 m. 4 Farbdr.) 8⁰ Reutl., Ensslin & L. (03). Geb. — 50 d
— Hirlanda, Herzogin d. Bretagne, s.: Volksbücherei.
— Die Hopfenblüten. Das alte Raubschloss. Die Waldkapelle. s.: Weber's, F, Jugendbibliothek.
— Der Jahrmarkt. Ein kl. Schausp. f. junge Mädchen in d. Erziehegsanst. (16) 12⁰ Paderb., Bonifacius-Dr. 03. — 20 d
— Die hl. Idda, Gräfin v. Toggenburg. Histor. Schausp. (18) 12⁰ Ebd. 03.   — 45 d
— Jugendschriften. I—IV. (Je 72 m. 2 Farbdr.) 12⁰ Wes., W Düns (03).   Kart. je — 30; geb. je — 40 d
1. Die Ostereier u. and. Erzählgn. ‖ II. Das Johanniskäferchen u. and. Erzählgn. ‖ III. Heinrich v. Eichenfels u. and. Erzählgn. ‖ IV. Die Wasserflut am Rhein. Der Eisfeldb.
— Der gold. Jugendzeit geweiht! 200 schöne, lehrreiche Er-

zählgn. (98 m. Abb. u. 4 Farbdr.) 4⁰ Stuttg., W Nitzschke (01).   Geb. 3 — d
Schmid, C v.: Der kl. Kaminfeger, s.: Schul- u. Vereinsbühne, christl.
— Das stumme Kind u. and. Erzählgn. (116 m. 6 Farbdr.) 8⁰ Stuttg., G Weise (04).   Geb. 1 — d
— Aus Christoph v. Schmids Kindergarten. 100 schöne, lehrreiche Erzählgn. (48 m. Abb. u. 4 Farbdr.) 4⁰ Stuttg., W Nitzschke (01).   Geb. 3 — d
— Der Kuchen, s.: Kinderfreund, d.
— Das Lämmchen. Das Marienbild. Die Feuersbrunst, s.: Weber's, F, Jugendbibliothek.
— Die kl. Lautensspielerin. Schausp. m. Gesang. (80) 12⁰ Paderb., Bonifacius-Dr. 03.   — 45 d
— Ludwig, d. kl. Auswanderer. 1—4. Taus. (80 m. 5 Farbdr.) 8⁰ Stuttg., G Weise (02).   Geb. — 60 d
— dass., s.: Jugendschriften, Münch.
— Goldenes Mädchenb., s.: Gotthelf, J.
— Die Ostereier u. and. Erzählgn. Für d. Jugend bearb. v. F Hanke. (128 m. Abb. u. 3 Farbdr.) 8⁰ Berl., Verl Jugendhort (04).   Geb. 1.40 d
— Die Ostereier u. 4 and. Erzählgn. 10. Afl. (150 m. Abb. u. 6 Vollbildern.) 8⁰ Stuttg., Loewe (05).   Geb. 1.20 d
— dass. u. 5 and. Erzählgn f. d. liebe Jugend. 11. Afl. (115 m. 6 Farbdr.) 4⁰ Ebd. (05).   Geb. 3 — d
— dass. u. 6 and. Erzählgn. Für d. Jugend bearb. (231 m. Abb. u. 4 Farbdr.) 8⁰ Ebd. (05).   Geb. 5 — d
— Die Ostereier. Das Täubchen. Das hölzerne Kreuz, s.: Weber's, F, Jugendbibliothek.
— Das alte Raubschloss u. and. Erzählgn. (116 m. 4 Farbdr.) 8⁰ Stuttg., G Weise (04).   Geb. 1 — d
— dass. Für d. Jugend. 3 Tle in 1 Bde. (Je 116 m. 4 Farbdr.) 8⁰ Ebd. (04).   Geb. 3 — d
— Der Rosenstock. Die 2 Brüder. Die Melone, s.: Weber's, F, Jugendbibliothek.
— Das Rothkehlchen. Vogelnestchen u. and. Erzählgn f. d. liebe Jugend. (190 m. 4 Farbdr.) 8⁰ Stuttg. (01). Reutl., R Bardtenschlager.   Geb. 2.50 d
— Schauspiele. 12⁰ Paderb., Bonifacius-Dr.   Je — 30 d
Der Blumenkranz. Schausp. (36) (08.) ‖ Ehrlichkeit geht üb. Geld u. Gut. Singsp. (99) 08. ‖ Der Eisfeldb. Schausp. (19) (03.) ‖ Emma, od. d. kindl. Liebe. Schausp. (40) ‖ Die Erdbeeren. Schausp. (36) (03. ‖ Der kl. Kaminfeger. Schausp. (32) (08.)
— Rosa v. Tannenburg. Eine Gesch. d. Altertums. (160 m. 3 Farbdr.) 8⁰ Stuttg. (01). Reutl., R Bardtenschlager. Geb. 2.50 d
— dass. Für d. Jugend bearb. v. F Hanke. (112 m. Abb. u. 3 Farbdr.) 8⁰ Berl., Verl. Jugendhort (04).   Geb. 1.40 d
— dass. od. Der Sieg d. kindl. Liebe. Eine Gesch. a. d. M.-A. 2. Afl. (83) 12⁰ Berl., HJ Meidinger (01). Kart. — 60 ‖ 3. Afl. (62 m. Titelbild.) (05.) Geb. — 60 d
— dass., s.: Schönhausen, J v.
— dass. u. 4 and. Erzählgn f. d. liebe Jugend. 4. Afl. (115 m. 4 Farbdr.) 4⁰ Stuttg., Loewe (01).   Geb. 3 — d
— Timotheus u. Philemon. Die roten u. d. weissen Rosen, s.: Weber's, F, Jugendbibliothek.
— Vermächtnis an d. liebe Jugend! Weitere 100 schöne, lehrreiche Erzählgn. (48 m.Abb.u.4 Farbdr.) 4⁰ Stuttg., W Nitzschke (01).   Geb. 2 — d
— Die Wasserflut am Rheine. Das stumme Kind. Die Kirschen. Die Margaretenblümchen. Der Kuchen. Neue Ausg. (96 m. 4 Farbdr.) 12⁰ Reutl., Ensslin & L. (05).   Geb. — 50 d
— Der Weihnachtsabend. — Die Ostereier. 2 Erzählgn. 2. Afl. (95 m. Titelbild.) 8⁰ Berl., HJ Meidinger (05). Geb. — 75 d
Schmid, C: Vom Hirtenknaben z. Univ.-Professor. — Hans Joachim v. Zieten, s.: Immergrün.
Schmid, C: Materialien f. d. Unterr. in d. gewerbl. Buchführg. (90) 8⁰ Chur, J Rich 05.   Kart. — 80
Schmid, C, geb. Wöhler, s.a.: Peregrina, C. — Wöhler, C.
— Hast Du Mich lieb? (4 m. 1 aufgeklebten Bild.) 16⁰ Münch., J Pfeiffer (02).   100 Stück 5 — d
Schmid, CA: Vademecum f. Armenpfleger, s.: Wild, A.
Schmid, CH: Chronol. d. deut. Theaters, s.: Schriften d. Gesellsch. f. Teeatergesch.
Schmid, D: George Farquhar, s. Leben u. s. Orig.-Dramen, s.: Beiträge, Wiener, z. engl. Philol.
Schmid, E: Diktate f. Elementarkurse in d. Gabelsb.'schen Stenogr., s.: Reuter's Bibliothek f. Gabelsb.-Stenogr.
Schmid, E, s: Shakespeare-Schulausgabe.
— u. F Speyer: Deut. Leseb. f. höh. Mädchensch., n. d. preuss. „Bestimmgn" v. 31.V.1894 bearb. 1—3. Tl u. 4. Tl, II. Abtlg. 8⁰ Lpzg., BG Teubner.   Geb. 10.40 d
I. Für Kl. VII u. VII. (2. u. 3. Schulj.) 3. Afl. (319) 05. 2.40 ‖ 2. Für Kl. VI u. V. (4. u. 5. Schulj.) 4. Afl. (399) 05. 3 — ‖ 3. Für Kl. IV u. III. (6. u. 7. Schulj.) 4. Afl. (407) 05. 3 — ‖ 4 II. Prosa. 2. Afl. (257) 05. 2 —
— dass. Sonderausg. (B) f. parität. Schulen. 2. u. 3. Tl u. 4. Tl, II. Abtlg. 8⁰ Ebd.   Geb. 8 — d
2. Für Kl. VI u. V (4. u. 5. Schulj.). Für kathol. u. parität. höh. Mädchensch. 4. Afl. (399) 05. 3 — ‖ 3. Für Kl. IV u. III (6. u. 7. Schulj.). 4. Afl. (407) 05. 3 — ‖ 4 II. Prosa. 2. Afl. (257) 05. 2 —

Schmid, E v.: Das französ. Generalstabswerk üb. d. Krieg 1870/71. Wahres u. Falsches.1—6.Heft. 8° Lpzg, F Engelmann. 13—; geb. 23— d
1. (108) 03. 3—: geb. 4—|2. Die Schlacht bei Wörth u. d. Rückzug d. Heeres Mac Mahons n. Châlons a. d. Angaben d. französ. Generalstabswerkös. (122 m. Kartenskizzen.) 04. 3—: geb. 4—|3. Die Schlacht bei Spichern. (156 m. Skizzen.) 04. 3—; geb. 4—|4. Schlachten vor Metz. 1. Heft: Rückzug d. Franzosen n. Metz. Schlacht bei Bofny n.d. Colombey-Nouilly am 14.VIII. (141 m. Pl.) 04. 3—; geb. 4—|5.6. Dass. 2. Heft. Rückzug d. Franzosen auf d. linke Ufer d. Mosel am 15.VIII. — Schlacht bei Rezonville od. Mars la Tour am 16.VIII. (297 m. 12 Kart.) 05. 6—; geb. 7—

— Strassburg 1870. Ein Bild d. Belagerg. 5. Afl. (94 m. Abb. u. Kart.) 8° Stuttg., Franckh 03. 1—; geb. 2— d

Schmid, E: 150 Fest- u. Spiellieder m. Clavier- od. Harmonium-Begleitg f. Kindergärten, Schule n. Haus. (175) 8° Wien, Manz (01). 2.50 d
— Kindergarten-Lieder. Mit e. Einl. v. G Ernst. 5. Afl. (23, 148) 8° Lpzg. J Klinkhardt. — Wien, Manz 04. Geb. 2.80 d

Schmid, E: O, diese Mütter!, s.: Reuter-Bibliothek.

Schmid, F: Das Heeresrecht d. österr.-ungar. Monarchie. (719) 8° Wien, F Tempsky. — Lpzg, G Freytag 03. 25—
— s.: Verwaltungsarchiv, österr.

Schmid, F: Gesundheitswesen, s.: Bibliographie d. schweiz. Landeskde.
— Die schulhygien. Vorschriften in d. Schweiz. Auf Anfang 1902 zusammengest. (Deutsch u. französ.) (439) 8° Zür., (Zürcher & F.) 02. 7—

Schmid, F: Klaus, JI, volkstüml. Predigten.

Schmid, F: Das Fegfeuer n. kathol. Lehre. (214) 8° Brix., Pressver.-Bh. 04. 2.40; geb. 3.20 d
— Der Unsterblichkeits- u. Auferstehgsglaube in d. Bibel. (362) 8° Ebd. 02. 3.60 d

Schmid, F, M Hohnerlein u. A Merkt: Haushaltgskde. Lehrn.-Leseb. f. Mädchen. 3. Afl. (230 m. Abb. u. 1 farb. Taf.) 8° Stuttg., Muth 04. Geb. 1.20 d

Schmid, F: Das Zodiakallicht. (22 m. 1 Taf.) 8° Lichtenst. 03. (Zür., Rascher & Co.) 1—

Schmid, FA: Fichtes Philosophie u. d. Problem ihrer innern Einheit. (Die Frage n. d. veränd. Lehre.) (112) 8° Freibg i/B., G Ragoczy 04. 1.80

Schmid, FA, s.: Manresa.

Schmid, F v. Borgias: Mein bekenntnis. Antwort auf d. kathol. glaubenslehre in d. zeiten d. wüsten judenhasses. (31) 8° Stuttg., Verl.-Anst. „Brand" (02). (?) — 50
— Deutschlds Canossagang im Zeichen d. Jesuitenges. Gedenkbl. an Deutschlds Erniedrigg vor Rom unter d. Reichskanzler Graf Bülow. (24) 8° Rost., Verl. „Frei Nordland" 04. — 20 d
— Sittl. Fordergn. 1—10. Taus. (80) 8° Ebd. 04. 1.50
— Die gefesselte Menschheit. Soz. Roman a. d. Gegenwart. (209) 8° Berl., R Schröder 05. 3— d

Schmid, FO: Ein Helden-Ende. Nationales Drama. (117 u. Beiwort 7) 8° Bern, C Künzi-Locher 05. 3—

Schmid, FX: Kreuzweg-Andacht zunächst z. öffentl. Gebr. in d. Kirche währ. d. hl. Fastenzeit. 21—25. Afl. (32) 8° Münch. 06. Rgnsbg, Verl.-Anst. vorm. GJ Manz. —12 d

Schmid, G: De luscinia quae apud veteres. (23) 8° Petrop. 04. Lpzg, Bh. G Fock. — 50
— De Pandaro venatore Homerico et de capra aegagro. (38) 8° Ebd. 01. 1.20

Schmid, G: Gosch. d. preuss. Gymnasien u. Realgymnasien.
— Das „neuzeitl. nationale" Gymnasium, s.: Schmid, KA, Gesch. d. Erziehg.

Schmid, G, s.: Bericht d. Wiener Stadtphysikates.

Schmid, H: Drill u. Erziehg in ihrem Einfl. auf d. Ausbildg d. Infant. z. Feuerkampf. (52) 8° Berl., A Bath 03. 1— d
— Entwurf zu kampftechn. Vorschriften f. d. Infant. (67) 8° Ebd. 04. 1.20 d
— Moderne Fragen betr. d. Gefecht d. Infant. (26) 8° Ebd. 02. — 50 d

Schmid, H: Die natürl. Bau- u. Dekorationsgesteine. 2. Afl. (77) 8° Wien, K Graeser & Co. — Lpzg, BG Teubner 05. Kart.2.90
— Österr. Steinbrüche, s.: Hainisch, A.
— Steinmetz-Arbeiten im Hochbau. Vorlagebl. 1. Afl. 1. Tbl. (27 farb. Taf.) 54×39 cm. Mit Text. (7) 8° Wien, K Graeser & Co. 01. In M. 14—

Schmid, H: Takt. Auszug d. Exerzierreglements f. d. k. u. k. Fusstruppen 1903. (72) 8° Wien, LW Seidel & S. 03. 1.50
— Befehlstechnik. 3. Afl. (192 m. 1 Taf.) 12° Ebd. (02). |4. Afl. (224) 05. L. 3—
— Dispositionsbehelf f. d. Angriff auf feste Plätze. (98 m. Abb. u. 1 Taf.) 16° Ebd. 04. L. 1—
— Gesicherter Halt,Nächtige u.Inmarschsetzg e.Detachements. Als Taktik-Aufgabe m. mehreren Fortsetzgn gelöst u. besprochen. (61 m. 3 Kart. u. 4 Skizzen.) 8° Ebd. 01. 4—
— Takt. Hdb. 4. Afl. (23, 360 m. Fig. u. 7 Taf.) 8° Ebd. 06. L. 4—
— dass. f. Truppenoffiziere. (288 m. Fig. u. 1 Taf.) 12° Ebd. 04. L. 4—
— Die Infant.-Truppen-Division im Felde. In Lehre graphisch zusammengest. (1 Bl. m. Text auf d. Rücks.) Fol. Ebd. 01. 1.20
— Neuergn im Entwurfe d. Exercier-Reglements f. d. k. u. k. Fusstruppen u. Vergl. m. d. Nachdruck-Afl. v. J. 1898. (174 m. 1 Taf.) 8° Ebd. 01. 3—

Schmid, H: Farbig-graph. Tafeln. I—III. Je 1 Bl. (2) 42×53 cm. Wien, LW Seidel & S. Je 1—
I. Truppen u. Anstaltbö. 05. §II. Die Infant.-Truppendivision im Felde. III. §II. Die Gebirgsauerülatg. Die Kavall.-Truppendivision im Felde. (Unter Mitwirkg v. OB v. Wretschko.) Afl. '06.
— Taktik-Notizen. Zusammengest. n. d. method. Anl. f. d. Unterr. in d. Taktik an d. k. u. k. Cadettensch. (Milit.-Akademien). 3. Afl. (124 m. Abb.) 12° Ebd. 01. 1.20|4. u. 5. Afl. (125 bezw. 176 m. Abb. u. 1 Taf.) 02.-04. Je 1.80|I Afl. 1905 u. 6. (207 bezw. 202 u. 11 m. Abb. u. 2 Taf.) Je 1.80
Die 1. u. 2. Afl. wurden r. C Bellmond Edler u. Adlerhorst bearb.
— Vergl. d. Exerzierreglements f. d. k. u. k. Fusstruppen 1903 m. d. Entwurfe 1901. (50) 8° Ebd. 03. 1.50
— Wehrgesetz u. Ergänzgswesen in Oesterr.-Ungarn. In Farben graphisch zusammengest. (1 Bl. m. Text auf d. Rücks.) Fol. Ebd. 01. 1.20 Vergr.

Schmid, HA, s.: Handzeichnungen schweiz. Meister d. XV—XVIII. Jahrh.

Schmid, HS: Kunst-Stil-Unterscheidg. 34 Stilarten m. bes. Berücks. d. modernen Stils. 5. Afl. (48 m. 12 Taf.) 8° Münch., F Lukaschik 05. 1.50

Schmid, J: Die Osterfestberechng auf d. brit. Inseln v. Anfang d. 4. bis z. Ende d. 8. Jahrh. (95) 8° Rgnsbg, Verl.-Anst. vorm. GJ Manz 04. 2—
— Die Osterfestfrage auf d. 1. allg. Konzil v. Nicäa, s.: Studien, theolog., d. Leo-Gesellsch.

Schmid, J: Predigt bei d. Feier d. 25jähr. Priesterjubiläums in Mutterhause d. barmherz.Schwestern d. hl. Vincenz v. Paul in Untermarchthal. (19) 8° Ravnsbg, F Alber (04). — 20

Schmid, J, s.: Schmid-Braunfels, J.

Schmid, J: Des Cardinals u. Erzbischofs v. Salzburg (1519—40) Matthäus Lang Verhalten z. Reformation. [S.-A.] (187) 8° Fürth, (A Schmittner) 01. 2—

Schmid, K: 100 ausführlich gelöste geometr. Aufgaben v. bayer. Lehrer-Anstellgsprüfgn. 2. Afl. (120) 8° Münch., M Kellerer 01. 1.20; kart. 1.50

Schmid, KA: Griech. Chrestomathie, s.: Mezger, L.
— Gesch. d. Erziehg v. Anfang an bis auf uns. Zeit. Fortgeführt v. G Schmid. V. Bd. 3 Abtlgn. 8° Stuttg., JG Cotta Nf. 46 — (Vollst.: 153 —) d
V, 1. bezw. H: Gesch. d. Gelehrtenschulwesens in Deutschl. seit J. Reformation. — Schmid. G: Das „neuzeitl., nationale" Gymnasium. (311) 01.
2. Referm. H: Gösch. d. Realschulwösöns in Dötschl. — Sallwürk. E v.: Das höh. Bildgswesen in Frankr. v. 1789—1899; dass. im Engl. im 19. Jahrh.; Das Bildgswesen d. Jesuitön seit 1600. — Wychgram, J, u. A Haman: Gesch. d. höh. Mädchenschulwesens in Deutschl. — Frankr. v. W., in Engl. v. H. — Schmid. G: Nachtr. z. Gesch. d. preuss. Gymnasien n. Realgymnasien. (316) 01.
3. Sandür: Gösch. d. Volksösch., bes. in Deutschl. — Holzmüller: Das töchn. Schulwösön. — Kopp, J: Gösch. d. Taubstummenbildgswesens. — Gösch. d. Kleinkinderxch. u. d. Kindölgartöns. Gösch. d. Blindönbildg. — Vorn d. Namön au Bd I—V. (597) 02.

Schmid, KF: John Barclays Argenis, s.: Forschungen, literarhistor.

Schmid, M: Grundr. d. Kunstgesch., s.: Goeler v. Ravensburg, F Frhr.
— Kunstgesch., s.: Hausschatz d. Wissens.
— Kunstgesch. d. 19. Jahrh. 1. Bd. (358 m. Abb. u. 10 Farbdr.) 8° Lpzg, EA Seemann 04. 3 —; L. 9 — d

Schmid, O: Musik u. Weltanschaug. Die böhm. Altmeisterschule Czernohorskys u. ihr Einfl. auf d. Wiener Classicismus, s.: Studien, musikal.

Schmid, OJ, s.: Universal-Militär-Taschenkalender „Austria".

Schmid, R: Reformationsgesch. Württembergs, umfassend d. im heut. Kgr. Württemberg verein. Gebiete. (188 m. Abb.) 8° Heilbr., E Salzer 04. L. 2.50 d

Schmid, R: Das naturwiss. Glaubensbekenntnis e. Theologen. (156) 8° Stuttg., M Kielmann 06. 3—

Schmid, S, s.: Verlegung, d., d. höh. Forstlehranst. v. Weisswasser n. Reichstadt.

Schmid, T: Zur Kontorbestimmg d. Flächen 2. Grades (Pohlke's Satz). [S.-A.] (9 m. 2 Taf.) 8° Wien, (A Hölder) 04. — 70

Schmid, U: Otto v. Lonsdorf, Bischof zu Passau, 1254—65. (110 m. 13 Taf., 5 Fksms u. 1 Karte.) 8° Würtzg, Göbel & Sch. 03. (9.50) 6.50; geb. (10 —) 7 —
— St. Ulrich, Graf v. Kyburg-Dillingen, Bischof v. Augsburg 890—973. (110 m. Abb. u. 22 z. Tl. farb. Taf.) 8° Augsbg, Lit. Instit. v. Dr. M Huttler 01. nn 3 — d
— s.: Walhalla.

Schmid-Braunfels, J (J Schmid): Der Freihof. Schausp. (84) 8° Wien (VIII/1, Wickenburggasse 5), Nene Bahnen 04. 1.05 d
— Bei d. Mutter drhäm. Erzählg in nordmährisch-schles. Mundart. (140 m. Abb.) 8° Tesch., S Stuks 03. 1.50 d

Schmid-Breitenbach, P: Stil- u. Kompositionslehre f. Maler. Unter bes. Berücks. d. Farbeng. (62 m. Abb. u. 4 farb. Taf.) 8° Neff 04. 4.50; L. 5 — d

Schmid-Monnard, C: Soz. Fürsorge f. Kinder im schulpflicht. Alter, s.: Handbuch d. Hygiene.
— R Schmidt: Schulgesundheitspflege. (184) 8° Lpzg, R Voigtländer (02). 2.40; geb. 3 — d

Schmid v. Schwarzenborn, R: Paternoster-Chiffre. Einfachste Methode f. Spezialcodes z. Wiedergabe mehrerer Sätze durch e. beschworenl. (15) 8° Berl., (M Schildberger) 05. 5 —
— Sphinx-Tafel. Depeschen-Kürzer f.Telegraphencodes u. Chiffrierwörterbücher. 1. u. 2. Afl. (12 bezw. 18) 8° Ebd. 05. 5 —

Schmidbauer, M: Die galante Henny. Gesellschafts-Satire. (117 m. Abb.) 12° Münch., A Schupp (02). (Lpzg, F Förster.) 1 —; geb. nn 1.50 d
— Der Ueber-Alwin. Eine Gesch. a. d. schönsten Stadt d. Welt: d. ästhet. Berlin. (93 m. Abb.) 8° Prag, A Hynek (02). 1.50 d
Schmidberger, J: Anl, z. landw. Buchführg f. d. Einkommensteuererklärg. [S.-A.] (8) 8° Schwäb. Gmünd, (B Kraus) (05). nn — 20 d
— Landw. Buchführg f. d. Einkommensteuererklärg. (Für Buchführgskurse.) (27) 8° Ebd. (05). nn — 50 d
— dass. (Für Jahresbuchführg.) (63) 8° Ebd. (05). nn — 80 d
— Der Kunstdünger, d. wichtigste Kulturmittel d. neueren Landw., s.: Landmann's, d., Winterabende.
— Die Selbsthilfe d. Landwirts, s.: Römer, K.
Schmiderer, J: Am Tische d. Herrn. 7 Erzählgn. 2. Afl. (174) 8° Salzbg, A Pustet (05). L. 1.40 d
Schmidhammer, A: Mucki. Eine wunderl. Weltreise. Für uns. Kleinen gereimt u. gezeichnet. (16 Bl. m. farb. Abb.) 4° Mainz, J Scholz (05). Geb. 3 —; auf Pappe. (16) 3.50 d
— Münchhausen. (Das deut. Malbuch.) (4 farb. u. 4 schwarze Bl. m. Text auf d. Umschl.) 8° Ebd. (04). — 50 d
— Schildbürger. (Das deut. Malbuch.) (4 farb. u. 4 schwarze Bl. m. Text auf d. Umschl.) 8° Ebd. (04). — 50 d
Schmidhoffen s.: Tschusi zu Schmidhoffen.
Schmidhuber, E: Aus knappen Stunden. Dichtgn. (122) 8° Dresd., F Pierson 03. 2 —; geb. 3 — d
Schmidhuber, H, s.: Plötziade.
Schmidinger, JM: Für Kirche u. Papst!, s.: Volksaufklärung.
— s.: Raphael-Kalender f. junge Arbeiter.
Schmidlin: Lobrede auf d. Branntwein, s.: Flugblätter d. deut. Ver. geg. d. Missbr. geist. Getränke.
Schmidlin, E: Anl. z. Botanisieren. 4. Afl., s.: Wünsche, O.
— Gartenbuch. 4. Afl. v. T Nietner u. T Rümpler. Neuer Abdr. (1016 m. H. u. 4 Pl.) 8° Berl., P Parey 05. L. 10 — d
Schmidlin, J, s.: Festgabe, usw. Heinr. Finke gewidmet.
Schmidlin, J: Papst Pius X., s.: Broschüren, Frankf. zeitgemässe.
— Ursprg u. Entfaltg d. habsburg. Rechte im Oberelsass, bes. in d. ehemal. Herrsch. Landser, s.: Studien a. d. Collegium sapientiae zu Freiburg im Br.
Schmidlin, LR: Solothurns Glaubenskampf u. Reformation im 16. Jahrh. (399) 8° Soloth., (A Lüthy) 04. 5 — d
Schmidlin, U: Lehrb. d. engl. Sprache. 1. Stufe. Leseschule u. Vorkurs. 4. Afl. (96) 8° Winterth., M Kieschke 03. Kart. 1.35 d
Schmidt u. Spring's Volks- u. Jugendbibliothek. Nr. 1, 4, 12, 37, 30, 53, 36, 37, 57, 59, 60, 61, 63, 69, 71, 81, 89, 101, 112, 115, 138, 153, 164, 170 u. 286—293. (Mit je 4 Bildern.) 12° Berl.
Schmidt & Spring. Kart. je — 75 d

Baierlein, J: Juli-Abdf. (73) (04.) [292.]
Chapélié, M d.: Ein Sohn Germaniens. (117) (01.) [296.]
Rücker, O: Gott verlässt d. Seinen nicht. (13—15. Taus.) (110) (02.) [164.] | Komm, Herr Jesus, sei unser Gast! (7—9. Taus.) (72) (05.) [170.] | Die Mohrenapotheke. (80) (02.) [286.] | Die Pulverschwörung. (95) (01.) [296.]
Hoffmann, F: Bibarfriedheit führt z. Ziel. (43—45. Taus.) (96) (02.) [37.] | Der Böckchen. (25—27. Taus.) (79) (01.) [69.] | Das Wort Blut. (37—39. Taus.) (76) (02.) [81.] | Myford Cat. (75—75. Taus.) (80) (02.) [4.] | Jakob Ehrlich. (73—75. Taus.) (65) (01.) [1.] | Eigensinn u. Busse. (37—39. Taus.) (106) (01.) [57.] | Folgen d. Leichtsinns. (55—57. Taus.) (102) (03.) [90.] | Friedl u. Nazi. Eine Gesch. a. d. Tiroler Land. (55—57. Taus.) (117) (02.) [88.] | Geier-Wally. (48—45. Taus.) (104) (02.) [57.] | Die Gouvernante. (37—39. Taus.) (92) (01.) [101.] | Hoch im Norden. (37—39. Taus.) (100) (02.) [71.] | Ein Königssohn. (40—41. Taus.) (102) (02.) [80.] | Das Lot. Gn. (55—57. Taus.) (116) (01.) [68.] | Die Macht d. Gewissens. (49—51. Taus.) (107) (02.) [36.] | Ein Mann, e. Wort. 7. Afl. (96) Stuttg. (o. J.) [61.] | Ein Millionär. (25—37. Taus.) (122) (00.) [113.] | Neu beginnen. (13—15. Taus.) (94) (05.) [153.] | Säen u. ernten. (25—37. Taus.) (190) (02.) [112.] | Der Schatz d. Inka. (37—39. Taus.) (92) (02.) [60.] | Der verlor. Sohn. (73—75. Taus.) (105) (01.) [12.] | Die Sonne bringt es a. d. Tag. (55—57. Taus.) (104) (02.) [50.] | Starrsinn o. fester Wille. (19—21. Taus.) (93) (02.) [136.]

Ortmann, R: Friedel d. Zwerg. (90) (04.) [291.]
Reicke, V: Unter d. Pawnées. (138) (01.) [287.] | Eine gute Tat findet ihren Lohn. (144) (03.) [190.]
Roth, B: Spät vergolten. (88) (05.) [293.]

Schmidt's Jahrbücher d. in- u. ausländ. ges. Medicin. Hrsg. v. PJ Möbius u. H Dippe. 269—288. Bd. Jahrg. 1901—5 je 12 Hefte. (969. Bd. 1. Heft. 112) 8° Lpzg, S Hirzel. Je 36 —; einz. Hefte a. — dass. General-Reg. Nr. XIV. Ueb. Bd 261—280. (308) 8° Ebd. 04. 16 —
Schmidt: Die Bühnenverhältn. d. deut. Schuldramas u. ir volkstüml. Ableger im 16. Jahrh., s.: Forschungen z. neueren Lit.-Gesch.
Schmidt: Üb. d. im Kreise Ottweiler geübte Verfahren d. Typhusbekämpfg mittelst Aufstellg bingr. Baracken im Typhusgeb. [S.-A.] (20) 8° Jena, G Fischer 05. — 80
Schmidt, A: Geolog. Exkursionsk. d. Heuscheuer- u. Adersbachergebirges, s.: Flegel, K.
Schmidt, A: Speisen-Verz. z. Frage: Was koche ich heute? (48) 16° Lpzg, FA Körner (02). — 30 d
Schmidt, A: Der Tierarzt im Hause. (196 m. Abb.) 8° Berl., J Springer 03. 2.40; L. 3 — d
Schmidt, A: Die Zeckenkrankh. d. Rinder, Haemoglobinaemia ixodioplasmatica boum, in Deutsch-, Englisch-Ostafrika u. Uganda. [S.-A.] (62) 8° Berl., A Hirschwald 04. 1.60
Schmidt, A: Das Bronchialasthma als Typus „nervöser Katarrhe", s.: Abhandlungen, Würzb., a. d. Ges.-Geb. d. prakt. Medizin.
— Die Funktionsprüfg d. Darmes mittels d. Probekost, ihre

Anwendg in d. ärztl. Praxis u. ihre diagnost. u. therapeut. Ergebnisse. (63 m. 1 Taf.) 8° Wiesb., JF Bergmann 04. 2.40
Schmidt, A: Lehrb. d. allg. Pathol. u. Therapie innerer Krankh. (470 m. Fig.) 8° Berl., A Hirschwald 03. 10 —
— u. J Strasburger: Die Faeces d. Menschen im normalen u. krankhaften Zustande m. bes. Berücks. d. klin. Untersuchgsmethoden. 4 Abschnitte. 8° Ebd. 20 —;
2. Afl. (in 1 Bde). (367 m. Fig. u. 15 L.) 05; 20 —
1.¼. Die makroskop. u. mikroskop. Untersuchg. Von Schmidt. (96 m. 6 L.) 01. 8 — | 3. Chem. Untersuchg. (97—266 m. 3 Fig. u. 1 Taf.) 02. 6 — | 4. Die Mikfeorfganismen d. Faeces. Von Strasburger. (287—373 m. Fig. u. 2 L.) 03. 6 —
Schmidt, A: Atlas d. Diatomaceen-Kde. 57—65. Heft v. M Schmidt. (38 Taf. m. 38 Bl. Erklärgn.) 42,5×30,5 cm. Lpzg, OR Reisland (01-05). Je nn 6 —
— dass. Verz. d. auf Taf. 1—240 (Serie I—V) abgebild. u. benannten Formen. Hrsg. v F Fricke. (60) Fol. Ebd. 02. nn 10 —
Schmidt, A, s.: Archiv d. Erdmagnetismus.
— Vorschlag zu e. magnet. Vermessg e. ganzen Parallelkreises usw., s.: Bezold, W v.
Schmidt, A: Die Wupper. Niederschlagsverhältn., Wasserabfluss u. s. Regulierg, sowie industrielle Benutzg. (48 m. Abb., Tab., 3 Taf. u. 1 Karte.) 8° Lennep, R Schmitz 02. Kart. 4.50 d
Schmidt, A: Was muss man v. d. engl. Lit. wissen? (131) 8° Berl., H Steinitz 03. 2 —
— Was muss man v. d. französ. Litt. wissen? 2. Ausg. v. „Grundr. d. französ. Litt." (154 u. 12) 8° Ebd. (02). 2 —
Schmidt, A: Führer durch d. Fichtelgebirge u. d. Steinwald. 3. Afl. (216 m. Abb., 1 Pl. u. 1 Karte.) 8° Wunsied., G Kohler 04. 2 —
— Die Mineralien d. Fichtelgebirges u. d. Steinwaldes. (84) 8° Bayr. (03). Wunsied., G Kohler. 1.50
Schmidt, A, General-Reg., s.: Schilling's Journal f. Gasbeleuchtg.
Schmidt, A: Shakespeare-Lexicon. 3. Afl. v. G Sarrazin. 2 Bde. (1485) 8° Berl., G Reimer 02. 24 —; HF. 30 —
Schmidt, A, s.: Schmidt, AM.
Schmidt, A: Die ev. Bewegg in Österr. u. ihre röm. Gegner, s.: Festschriften f. Gustav-Adolf-Ver.
Schmidt, A: Der Latschenhof. — Mütter, s.: Kürschner's, J, Bücherschatz.
Schmidt, A: Lehrb. d. deut. Handelskorrespondenz, s.: Gloeckner.
— Taschenb. f. Kaufleute, s.: Knothe, L.
Schmidt, A: Repetitorium f. d. Apotheker-Gehilfen-Examen. (Pharmazeut. Vorprüfg.) 2. Afl. (201) 8° Würzbg, Stahel's V. 05. 2 —
Schmidt, A, s.: Bahnen, neue.
— Aus schwerer Zeit. Erzählg f. Jung u. Alt. 2. Afl. (232 m. Bildnis.) 8° Lpzg, (M Schäfer) 02. L. 1.50 d
Schmidt, AB: Das BGB. als Erzieher uns. Volkes. (Rektoratsrede.) (26) 8° Giess., A Töpelmann 01. nn — 50
— u. H Habicht: Familienrecht, s.: Kommentar z. BGB.
Schmidt, AM: Aufbau u. Entwicklg d. menschl. Geisteslebens, e. Grundproblem d. pädagog. Psychol. Zugl. e. Darstellg d. Psychol. Strümpells n. ihrer histor. Stellg u. ihrem wiss. u. pädagog. Werte. (196) 8° Langens., H Beyer & S. 05. 3 —
— Zur Entwicklg d. rhythm. Gefühls bei Uhland. (124) 8° Altnbg, T Ungar 04. 3 — d
— Kunst u. Gedichtsbehandlg im Unterr. Einführg in d. Musik d. Sprache in d. deut. Poesie u. in d. Wesen e. ästhetisch gestimmten, gemütvollen Gedichtsbehandlg. (312) 8° Ebd. 04. 4.80 d
— Schiller, wie er d. gr. deut. Volksdichter wurde. (32 m. 1 Bildnis.) 8° Ebd. 05. — 30 d
Schmidt, AB: Schüler-Commentar zu T. Livii ab urbe condita libri I. II. (102) 8° Lpzg, G Freytag. — Wien, F Tempsky 01. Geb. 1.20 | 2. Afl. (101) 05. 1 — d
— dass. Buch I, II, XXI, XXII u. d. Partes selectae (n. d. 4. Afl. d. Ausg. v. A Zingerle). 2. Afl. (248) 8° Ebd. 03. Geb. 1.80
— dass. zu Buch XXI, XXII. (96) 8° Ebd. 01. Geb. 1.20 || 3. Afl. (91) 05. — 80
Schmidt, AT: Zur Kenntnis d. Tricladen-Augen u. d. Anatomie v. Polycladus gayi, s.: Arbeiten a. d. zoolog. Instit. zu Graz.
Schmidt, Mile B: Le groupe des romanciers naturalistes Balzac, Flaubert, Daudet, Zola, Maupassant. (196) 8° Karlsr., G Braunsche Hofbuchdr. 03. L. 2 —
— Précis de la litt. franç. (165) 12° Karlsr. 02. Freibg i/B., J Bielefeld. Geb. 2 —
— s.: Recueil de contes et récits pour la jeunesse.
Schmidt, B, s.: Festschrift d. geschichts- u. altertumsforsch. Ver. zu Schleiz. — Francke's, AH, Briefe.
— Die Reussen. Geneal. d. Gesamth. Reuss ält. u. jüng. Linie sowie d. ausgestorb. Vogtslinien zu Weida, Gera u. Plauen u. d. Burggrafen zu Meissen a. d. Hause Plauen. (70) Fol. Schleiz, (F Lämmel) 03. nn 12 —; L. nn 15 —
Schmidt, B: Der schwedisch-mecklenburg. Pfandvertrag üb. Stadt u. Herrschaft Wismar. (85) 8° Lpzg, Duncker & H. 01. 1.80
Schmidt, C: Die Gestalt d. Menschen, s.: Fritsch, G.
Schmidt, C: Übersichtsk. d. Umgebg v. Darmstadt, s.: Heberer, F.
Schmidt, C: Geolog. historisch-polit. u. Universalhypothesen. (47 m. 2 Taf.) 8° Bas., B Schwabe 04. 1 —
Schmidt, C: Englisch-amerikan. Dolmetscher, s.: Albert, L.

Schmidt, C, s.: Acta Pauli.
— Die alten Petrusakten im Zusammenh. d. apokryphen Apostel-
lit., s.: Texte u. Untersuchungen z. Gesch. d. altchristl.
Lit.
— s.: Schriften, gnostisch-kopt.
Schmidt, C: Ueb. Eisenb.-Bau- u. Reconstructionsarbeiten im
Rutschterrain, s.: Soulavy, O.
Schmidt, C: Histor. Wrtrb. d. elsäss. Mundart, m. bes. Berücks.
d. früh.-nhd. Periode. (447) 8° Strassbg, JHE Heitz 01. 25 —
Schmidt, CA: Der rationelle Hufbeschlag in Wort u. Bild. Nebst
Abdr. d. Ges. v. 18.VI.1884, betr. d. Betrieb d. Hufbeschlag-
Gewerbes, d. Prüfgs-Ordng f. Hufschmiede u. d. Statuts d.
Hufbeschlags-Lehranst. d. Landw.-Kammer f. d. Prov. Seble-
sien zu Breslau. 4. Ad. (215 m. H.) 8° Bresl., WG Korn 04.
Kart. 2 — 1
Schmidt, CAF, s. a.: Friedrich, CA (im Kat. 1896/1900).
— Der Mensch u. s. Bestimmg. (71) 8° Strassbg, Bh. d. ev. Ge-
sellsch. 03. (1.80) 1 — d
Schmidt, CC: Katech.-Predigten üb. d. 1. u. 2 Hauptstück. (273)
8° St. Louis, Mo. 05. (Zwick., Schriften-Ver.) HF. 6 — d
Schmidt, CF: Atlas d. officin. Pflanzen, s.: Berg, OC.
Schmidt, CW: Das Wesen d. Kunst, abgeleitet u. entwickelt
a. d. Gefühlsleben d. Menschen. (171 m. Abb.) 8° Lpzg, O
Wigand 04. 3.60
Schmidt, CWJ: Bilderfibel f. d. Kleinen. (52) 4° Oldesl., LH
Meyer 01. Kart. 1 — d
Schmidt, D, s.: An d. Krippe.
— Choralb., s.: Kölbel, C.
— Unterm Kreuze. Liturg. Feier am Karfreitag-Nachmittag.
2. Afl. Ausg. A f. d. Geistlichen u. d. Chor. (30) 8° Elberf.,
Luther, Bücherver. 05. — 30 d
— Passionspfade. Kurze Summarien u. Skizzen f. Passions-
stunden u. -liturgien. (175) 8° Ebd. 04. L. 1.40 d
— Der Schild d. Glaubens. Eine wahre Gesch., f. christl. Jüng-
lingsver. dramatisch bearb. 2. Afl. (36) 8° Ebd. 05. — 20 d
— Die Sprache Kanaans. Deklamatorium f. christl. Jünglings-
ver. (7) 8° Ebd. 02. (— 20) — 10 d
— V. V. M. I. Æ od. Der fahr. Schüler. Erzählg a. d. Refor-
mationszeit u. W Domansky, dramatisch bearb. v. Sch. (20)
8° Ebd. 03. — 15 d
Schmidt, DW: Choräle u. geistl. Lieder z. Gebr. bei Schulan-
dachten u. Schulfesten. (183) 8° Frankf. a/M., Kesselring (01).
Kart. 1.90 d
Schmidt, E, s.: Handbuch, statist., üb. d. Schul- u. Gehalts-
verhältn. usw. d. Reg.-Bez. Hannover.
Schmidt, E: Methodik d. Zeichenunters. in d. Volkssch. auf
Grund d. Reformbestrebgn.(51)8° Halle, H Schroedel03. — 80 d
Schmidt, E: Lichtbilder. Erzählgn. (176) 8° Bas., Kober 01.
1.20; L. 2 — d
Schmidt, E: Rechenhefte, s.: Dorschel.
Schmidt, Wwe E: "Ueb. d. Ehe". Rathgeber f. Frauen.(Umschl.:
Freuden u. Leiden in d. Ehe.) 12. Afl. (63 m. Abb.) 8° Berl.
(S. 42, Wasserthorstr. 27), (Berolina-Versand-Bh.) (03). 1.20
Schmidt, E: Das Amt e. Geschworenen u. Schöffen im Deut.
Reich. Gemeinfassl. Belehrg, nebst e. Anh., d. in Preussen
u. Bayern gelt. Bestimmgn üb. d. Reiseskostenentschädigg
d. Geschworenen u. Schöffen. (51) 8° Erl., Palm & E. 04.
Kart. 1 — d
Schmidt, E v.: Deut. Lit.-Gesch. im Auszuge f. Lehranst.
u. z. Selbstunterr. 4.Afl. (142) 8° Mosk., J Deubner(05). 1.50 d
Schmidt, E: Die Regel d. hl. Benedikt, übers. 3. Afl. (159 m.
1 St.) 12° Rgnsbg, F Pustet 02. — 80; L. 1.20 d
Schmidt, E: Die Fabrikorganisation. Mit 29 Formularen z.
Betriebsbuchführg u. e. Anl. z. Aufstellg d. Rohbilanz. 3.Afl.
(54) 8° Stuttg. 01. Lpzg, CE Poeschel. Kart. 1.20
Schmidt, E: Zoolog. Atlas, s.: Lehmann, A.
— Ausländ. Kulturpflanzen, s.: Göring.
Schmidt, E, s.: Weltgeschichte.
Schmidt, E: Charakteristiken. 1. Reihe. 4.Afl. (472) 8° Berl.,
Weidmann 02. 8 —; geb. 10 — d
— Gustav Freytag, Storm, s.: Bücherei, deut.
— Gedächtnisrede auf Karl Weinhold. [S.-A.] (15) 4° Berl.,
(G Reimer) 02. 1 —
— Lenziana. [S.-A.] (29) 8° Ebd. 01. 2 —
— s.: Palaestra. — Quellen u. Forschungen z. Sprach- u. Cul-
turgesch. d. german. Völker. — Schriften d. Goethe-Gesellsch.
— Die Weiber v. Weinsberg. [S.-A.] (26) 8° Berl., (G Reimer)
02. 1 —
Schmidt, E: Deut. Volkssde im Zeitalter d. Humanismus u.
d. Reformation, s.: Studien, histor.
Schmidt, E: Die Chronik d. Bernardinerklosters zu Bromberg.
Übersetzg im Ausz. nebst Anmerkgn u. verbind. Texte. II.
(36) 8° Brombg, Mittler 01. — 60 (Vollst.: 1.20)
— Gesch. d. Deutschtums im Lande Posen unter poln. Herr-
schaft. (442 m. Abb. u. 2 Kart.) 8° Ebd. 04. 5 —; geb. 6 — d
Schmidt, E: Aus d. Vergangenh. d. Schwarzburg-Rudolstadt.
Militärs. Unter Benutzg d. v. Döring'schen Gesch. d. Regts 96.
(73) 8° Rudolst., (Fürstl. priv. Hofbuchdr.) 04. — 50 d
Schmidt, E: Zur Gesch. d. Gottesdienstes u. d. Kirchenmusik
in Rothenburg o. d. Tbr. (231 m. Abb. u. Titelbild.) 8° Rothenbg o/T., JP Peter 05. Kart. 3 — d
Schmidt, E: Liederborn. Geistl. u. weltl. Lieder u. Gesänge

f. gemischten Chor z. Gebr. an Gymnasien u. Realsch. 4. Afl.
(308) 8° Gütersl., C Bertelsmann 02. 1.80; geb. nn 2 — d
Schmidt, E: Anl. z. qualitativen Analyse. 5. Afl. (80) 8° Halle,
Tausch & Gr. 02. L. 2.80
— s.: Archiv d. Pharmazie.
— Ausführl. Lehrb. d. pharmaceut. Chemie. 2.Bd. Organ, Chemie. 4. Afl. (33, 1944 m. Abb.) 8° Brnschw., F Vieweg & S. 01.
34 —; in 2 Bde geb. 38 — (Vollst.: 54 —; geb. 60 —)
Schmidt, E: Eine neue physiolog. Thatsache, psychologisch
gedeutet. (24) 8° Freibg i/B., (F Wagner) 01. — 75
Schmidt, F: Glaubst du e. Auferstehg d. Toten? Predigt. (16)
8° Brem., J Morgenbesser 05. — 15 d Vergr.
Schmidt, F: Der Anfang d. neuen Lebens. A. Notwendigk. d.
neuen Lebens. Wie kommt es dazu?—B. Hat d. neue Leben
bei dir angefangen? (15) 8° Liegn., Bh. d. schles. Prov.-Ver.
f. i. Miss. (01). — 20 d
— Ein guter Baugrund. Vortr. (16) 8° Ebd. 03. — 10 d
— Maximilian Graf v. Lüttichau, e. treuer Diener s. ird. u.
himml. Königs. (319 m. Abb. u. 1 Bildnis.) 8° Ebd. 02. L. (3.75)
4.25; geb. 5 —; m. G. 5.50 d
Schmidt, F: Ueb. Bromeigone. Sammelreferat. [S.-A.] (8) 8°
Berl., J Goldschmidt 01. 1 —
— Wann ist unser Herz krank? Erkenng u. Bekämpfg d. Herz-
muskelschwäche h. e. neuen Methode. (38 m. Abb.) 8° Friedenau-Berl. (04). Naunh., Schäfer & Schönfelder. — 75 d
— Ratgeber f. Herz- u. Nervenkranke (Neurasthenie), s.: Haus-
bibliothek, medizin., f. Jedermann.
Schmidt, F: Compendium d. prakt. Photogr. 8. Afl. (430 m.
Abb. u. 2 Taf.) 8° Wiesb. 02. Lpzg, O Nemnich. 9 Afl. (443 m.
Abb. u. 2 Taf.) 03. Je 5 —; geb. 6 — d
— Photograph. Fehlerb. 2 Tle. 2. Afl. 8° Ebd. 5.50; Einbde je 1 —
1. Negativverfahren. (Arbeiten m. Bromsilber-Gelatine-Trockenplatten.)
(24, 114 m. Abb. u. 15 Taf.) 04. 2.50
2. Positiv-Verfahren. (111 m. 2 Taf.) 04. 2.50
— Leitf. d. Moment-Photogr. (118 m. Abb.) 8° Ebd. 03. L. 1.50
Schmidt, F: Bilder a. d. Zeit Friedrich Wilhelms III. u. Lui-
sens (1800—09). 2. Afl. (117) 8° Gütersl., C Bertelsmann Sep.-
Cto.(02). — 80; m. Titelbild. kart. — 70; geb. — 80; L. — 90 d
— Fürst Bücher v. Wahlstatt, s.: Jugendbibliothek, neue.
— Epheuranken. — Benjamin Franklin. — Friedrich d. Gr.
bis zu zr Thronbesteigg. — Die Frithjof-Sage, s.: Jugendbi-
bliothek, deut.
— Georg, d. kl. Goldgräber in Kalifornien, s.: Gerstäcker, F.
— Gewalt u. List Frankreichs geg. Deutschl. seit 300 Jahren.
— Goethes Jugend- u. Jünglingszeit. — Götter u. Helden. —
Gudrun. — Herman u. Thusnelda. — Heroen-Geschichten a.
d. griech. Vorzeit, s.: Jugendbibliothek, deut.
— Homers Odyssee. 12. Afl. (233 m. Abb.) 8° Lpzg (05). Ein-
beck, A Oehmigke. Kart. 1.50 d
— Der Hülfschreiber d. Königs. Erzählg a. d. Regiergszeit
Friedrich Wilhelms I. v. Preussen. 2. Afl. (98) 12° Gütersl.,
C Bertelsmann Sep.-Cto (03). — 60; m. Titelbild. kart. — 70;
geb. — 80; L. 90 d
— Alex. v. Humboldt. — Janko d. Maler. — Jazzo. — Die
glückl. Insel od. Reichtum u. Armut. — Jan z. Leip-
zeit d. Gr. Kurfürsten. — Kaiser Joseph II. — Der Kauf-
mann v. Venedig. Macbeth. — Der Köhler u. d. Prinzen.
— Der schönste Weihnachtsbaum. — Die deut. Kriege 1864.66.
70—71. — Kriegsruhm u. Vaterlandsliebe. — Maiblumen. —
Moses Mendelssohn. — Mozart. Der Schiffsjunge. Haseline.
Das Bahnwächterhäuschen. — Die Nibelungen, s.: Jugend-
bibliothek, deut.
— Die Nibelungen. Gudrun. 2 Heldensagen. 17. Afl. (179 m.
Abb. u. 7 Vollbildern.) 8° Berl., Neufeld & H. (03). Geb. — d
— Oberon. — Oranienburg u. Fehrbellin, s.: Jugendbibliothek,
deut.
— Unter d. Pampas-Indianern u. Schwarzen Australiens, s.:
Gerstäcker, F.
— Richards Fahrt m. d. hl. Lande, s.: Jugendbibliothek, deut.
— Der Rittmeister. Erzählg a. d. Zeit Friedrichs d. Gr. 2.Afl.
(115) 8° Gütersl., C Bertelsmann Sep.-Cto (02). — 60;
m. Titelbild. kart. — 70; geb. — 80; L. — 90 d
— Robinson u. Defoe, s.: Jugendbibliothek, deut.
— Sagenbuch. 1. u. 2. Afl. (372 m. Abb. u. 16 Vollbildern.) 8°
Berl., Neufeld & H. (03.04). L. 8 — d
— Schiller. — Wilhelm Tell. — Die Türken vor Wien, s.: Ju-
gendbibliothek, deut.
— Waldmärchen, erzählt f. jüngere Knaben u. Mädchen. 9. Afl
(131 m. 4 Farbdr.) 4° Lpzg (02). Einbeck, A Oehmigke.
Kart. 3 — d
— Hans Joachim v. Zieten, s.: Jugendbibliothek, deut.
Schmidt, F: Einführgsbriefe in d. Studium theosoph. Lebens
u. d. prakt. Okkultismus. 1. Brief. (27) 8° Bitterf. 02. Schmie-
debg, FE Baumann. — 60 d ö F
Bildet d. Fortsetzg v.: Unterrichtsbriefe (s. u.).
— Vor 1900 Jahren. Rückblicke auf Begebenh. in Palästina
vor 1900 Jahren. (123) 8° Lpzg, Ficker's V. (05). 1.50 d
— Lebensweisheit od. d. Kunst schnell u. glücklich zu heiraten,
nebst e. Brife an alle, d. gern glücklich sein möchten.
(119) 8° Ebd. (05). 1.50 d
— Theosoph. u. okkultist. Studien in 12 Briefen. (374) 8° Ebd.
(04). In L.-M. 6 —; einz. Briefe — 50
Bildet Neubearbeitg u. Fortsetzg d. "Einführgsbriefe".

Schmidt, F: Unterr.-Briefe z. Studium theosoph. Lehren u. d. prakt. Okkultismus. 1. u. 2. Brief. (23 u. 20) 8° Bitterf. (02).
Schmiedebg, FE Baumann. Je — 50 d
— Es giebt e. Wiedersehen. Dichter u. Denker-Stimmen a. alter u. neuer Zeit üb. d. Unsterblichk. u. Trostworte an Gräbern. (Neue [Tit.-]Ausg.) (172) 8° Halle [1884] (04). Jena, HW Schmidt. L. 1.50 d
Schmidt, F: Auf See u. Land. Ernste u. heit. Marinebilder a. d. Erinnergn e. Seemannes. (99) 8° Erf., F Bartholomäus (03). — 60 d
Schmidt, F: Jugenderziehg im Jugendstil. Vorschl. zu e. zeit- u. naturgemässen Umgestaltg uns. höh. Schulwesens. (68) 8° Wiesb. 02. Lpzg, O Nemnich. 1 — d
— Lehrb. d. engl. Sprache auf Grundl. d. Ansehaug. 7. Afl. (360 m. Abb., 1 Karte u. 1 Pl.) 8° Bielef., Velhagen & Kl. 04. Geb. 2.80; Wrtrb. (116) Geb. 1 —
— Lehrb. d. französ. Sprache, s.: Rossmann, P.
— Lehrb. d. latein. Sprache f. vorgerückteren Schüler. (123) 8° Wiesb. 03. Lpzg, O Nemnich. Geb. 1.60 d
— Übersetzgsübgn, s.: Rossmann, P.
— Übgsb., z. Übers., a. d. Deut. ins Engl., nebst kurzgef. Syntax. (221) 8° Bielef., Velhagen & Kl. 04. Geb. 2.40 d
— u. F Collmann: Schönschreibhefte, m. Uebgsstoff a. d. deut., geschichtl. u. geograph. Unterr. f. mittl. u. höh. Unterr.-Anst. 13 Hefte. (1—12 je 24) 4° Hanau, M Alberti. 2.05
1.2. Deutsch. (01.) Je — 15 d ‖ 3. Deutsch u. Latéinisch. (01.) — 15 ‖ 4. Georr. (deutsch). (01.) — 15 d ‖ 5—7. Georr. (latéinisch). (01.) Je — 15 ‖ 8. Griech. Mythol. (deutsch). (01.) — 15 d ‖ 9. Griech. Sagé (latéinisch). (01.) — 15 ‖ 10. Röm. Gesch. (latéinisch). (01.) — 15 ‖ 11.12. Für kaufmänn. Fortbildgsschl. Deut. u. latéin. Schrift. (02.) Je — 15 ‖ 13. Rundschrift. 17. Afl. (32) (04.) — 25 d
— — dass. Vorstufe. Heft A, B u. C. (Je 24) 4° Ebd. (02). Je — 15 A. Deut. u. latéin. Kleinbuchstaben. ‖ B. Deut. Grossbuchstaben u. arab. Ziffern. ‖ C. Latéin. Grossbuchstaben u. röm. Ziffern.
Schmidt, F: Gretel im Feenreich. — Weihnachtszauber auf d. Alm, s.: Haass, C.
Schmidt, F: Die Geschäfte d. Kreisausschusses u. s. Vorsitzenden. (96) 8° Darmst., C Heymann 04. Kart. 3 — d
Schmidt, F, s.: Beiträge z. Kenntniss d. Russ. Reiches.
— Revision d. ostbalt. silur. Trilobiten. Abth. V. Asaphiden. 2. Lfg. [S.-A.] (113 m. Fig. u. 12 Taf.) 4° St. Petersbg 01. (Lpzg, Voss' S.) 11 — ‖ 3. Lfg. (68 m. 8 Taf.) 04. 7 — (I—V, 3.) 80.20)
Schmidt, F: Üb. e. Fall v. Retention e. Tubeneckenplacenta. (30) 8° Freibg i/B., Speyer & K. 04. — 30
Schmidt, F: Short Engl. prosody for use in schools. (14) 8° Lpzg, Renger 04. — 30
Schmidt, F: Die neuen Bestimmgn üb. Anlegg v. Gemeinde- u. Stiftgsgeldern. (130) 8° Ansb., C Brügel & S. 05. Kart. 1.30 d
Schmidt, F: Zur Gesch. d. Volksschulwesens im Hochstifte Würzburg 1772—95, s.: Mitteilungen d. Gesellsch. f. deut. Erziehgs- u. Schulgesch.
— Experimentelle Untersuchgn üb. d. Hausaufg. d. Schulkinder. s.: Sammlung v. Abhandlgn z. psycholog. Pädagogik.
Schmidt, F: Leitf. d. Handelsgeogr. 1. Tl. Deutschl. u. s. Kolonien. (43) 8° Mülh. a/R., M Röder (03). nn —
Schmidt, FA: Erfahrgn a. d. Leben e. Bibelboten. 2. Afl. (56) 8° Neusalz, J Fröbster) (03).
Schmidt, FA: Anl. zu Wettkämpfen, Spielen u. turner. Vorführgn bei Jugend- u. Volksfesten, s.: Schriften, kl., d. Zentralausschusses z. Förderg d. Volks- u. Jugendspiele in Deutschl.
— Einwirkgn u. Erfolge d. Leibesübg bei d. Schuljugend. (Taf. I.) 57×78 cm. Lpzg, (R Voigtländer) (04). auf Pappe 3 — d
— s.: Jahrbuch f. Volks- u. Jugendspiele.
— Unser Körper. Hdb. d. Anatomie, Physiol. u. Hygiene d. Leibesübgn. 2. Afl. (543 m. Abb.) 8° Lpzg, R Voigtländer 03. 12 —; geb. 14 — d
— s.: Körper u. Geist.
— Körperpflege u. Tuberkulose. Mahng. (48) 8° Lpzg, BG Teubner 02. 1 — d
— Physiol. d. Leibesübgn. Nach s. Vorträgen. (155 m. Abb.) 8° Lpzg, R Voigtländer 05. 3 —; L. 4 — d
— Übersicht d. f. d. verschied. Altersstufen geeigneten Leibesübgn. (Taf. II.) 57×78 cm. Ebd. (04). 1 —; auf Pappe 2 — d
Schmidt, FCT: Die Tuberkulose. Ursachen, Verbreitg u. Verhütg. (64) 8° Brnschw., F Vieweg & S. 01. — 80 d
Schmidt, FJ: Grundz. d. konstitutiven Erfahrgsphilosophie als Theorie d. immanenten Erfahrgsmonismus. (252) 8° Berl., B Behr's V. (01). 6 — d
— Der Niedergang d. Protestantismus. (27) 4° Berl., Weidmann 04. 1 —
Schmidt, FU: Die moderne Arbeiterbewegg u. d. Kampf geg. d. Alkoholismus in Holland. (2. Afl.) (15) 8° Berl., D. deut. Arbeiter-Abstinenten-Bundes (05). — 10
Schmidt, FW: Die Luft, darin wir leben. (69) 8° Brem., Bh. u. Verl. d. Traktath. (03). Geb. — 90 d
Schmidt, G: Hamburgs Südfruchthandel einst u. jetzt. 2. Afl. (68 m. Abb.) 8° Hambg, O Meissner's V. 05. 2 — d
Schmidt, G: Babel u. Bibel. Apologet. Vortrag. (16) 8° Köngsbg, Gräfe & U., Bh. 03. — 50 d
— Christl. Familienabende, s.: Schliepe.
Schmidt, G: Jöhstadt, s.: Grohmann, M, d. Obererzgebirge.

Schmidt, G: Militärges. f. Bayern. Nach d. Stande v. 20.XII.'05, 5 Lfgn. (942) 8° Münch., J Schweitzer V. 05. 9.60; HF. 12 — d
Schmidt, G: Die Fleischbeschau-Zollordng u. d. gesetzl. Bestimmgn üb. d. Auslds-Fleischbeschau. (300) 8° Berl., C Heymann 03. 5 —; geb. 6 — d
Schmidt, G: Wille u. Erklärg. Beitrag z. Lehre v. Rechtsgeschäft. §§ 116 Satz 2, 117 Abs. 1 u. 118 BGB. in geschichtl. u. vergleich. Darstellg. (88) 8° Halle, CA Kaemmerer & Co. 02. 1.50
Schmidt, G: Burgscheidungen. 2. Afl. (144 m. Abb. u. Titelbild.) 8° Burgscheid., 1900. (Halle, M Niemeyer.) 5 — d
Schmidt, G: Mieser Kräuter- u. Arzneicunb., s.: Beiträge z. deutsch-böhm. Volksde.
Schmidt, G: Das Postleitwesen. (95 m. 8 Taf.) 8½ Berl. (01). (Lpzg, Luckhardt's Bh. f. Verkehrswesen.) nn 2 — d
— Internat. Telegr.-Vertrag, s.: Handbibliothek, postal.
Schmidt, G: Eléments de grammaire franç. (108) 8° Hdlbg, C Winter, V. 02. Geb. 1.60
— Manuel de conversation scolaire. Recueil de termes techn. pour l'enseignement du franç. 1. u. 2. éd. (67) 8° Berl., Weidmann 03. Geb. 1.20
— Recueil de synonymes franç. à l'usage des classes sup. (46) 8° Hdlbg, C Winter, V. 05. Kart. 1 —
Schmidt, G: Die öffentl. Ankündigg d. Arznei- u. Geheimmittel u. d. Gesetzgebg. m. s. Gutachten v. Stenglein. (45) 8° Hannover, Ver. deut. Zeitgsverleger 01. (Nur dir.) †1.50
— Kauf, Gründg u. Finanzierg v. Zeitgn u. Zeitschriften. (158) 8° Lpzg, H Beyer (03). L. 7.50 d
— Posthalb. f. Zeitgs-Verleger. Zusammenstellg der d. Zeitgswesen betr. Bestimmgn d. deut. Postges., d. Postordngn f. d. Deut. Reich, f. Bayern, f. Württemberg u. d. Weltpostvertrags. (55) 8° Hannover, Ver. deut. Zeitgsverleger (01). (Nur dir.) †2 — d
Schmidt, GC: Die Kathodenstrahlen, s.: Wissenschaft, d.
Schmidt, H: Zwangs-(Fürsorge-)Erziehg u. Armenpflege, s.: Schiller, F.
Schmidt, H, s.: Pitaval, d., d. Gegenwart.
Schmidt, H: Der heut. Stand d. Abwasserklärgsfrage u. d. Reinhaltg uns. Vorfluter. Vortr. [S.-A.] (65 m. Abb.) 8° Berl., F Leineweber 03. 2 —; L. 3 —
Schmidt, H: Ueb. Ermüdg durch d. Unterr., s.: Abhandlungen, pädagog.
Schmidt, H: Die Register d. menschl. Stimme u. ihre Behandlg. Kurzgef. Anl. z. Ausbildg v. Singstimmen. (12 u. Musikbeil. 4 S.) 8° Hag., (R Apitius) 04. — 25 d
Schmidt, H, u. E Wilke: Sprachhefte f. 8stuf. Schulen. Auf Grund d. amtl. Lehrpl. d. Berliner Gemeindesch. v. J. '02 in 6 Heften bearb. 8° Berl., (Nicolai's V.) nn 1.85 d
1. 3. Schul.j. (7. Kl.) (30) — 20 ‖ II. 3. Schul.j. (6. Kl.) (40) nn — 25 ‖ III. 4. Schul.j. (5. Kl.) (44) nn — 25 ‖ IV. 5. Schul.j. (4. Kl.) (52) nn — 25 ‖ V. 6. Schul.j. (3. Kl.) (58) — 40 ‖ VI. 7.8. Schul.j. (1.26) — 50.
Ausliefcrg nur f. Berlin u. d. Prov. Brandenburg.
Schmidt, H: Anl. z. Abschätzg v. Landgütern, s.: Arbeiten a. d. Landw.-Kammer f. d. Prov. Sachsen.
— Die Buchführg d. Landwirts m. Rücks. auf d. kaufmänn. Buchführg. (153) 8° Lpzg, H Voigt 02. 2.40; geb. 3 — d
— Der Ratgeber d. Landwirts bei d. Einkommensbesteuerg (93 m. Abb.) 8° Berl., P Parey (02). (34) 8° Ebd. 03. — 80 d
Schmidt, H: Massregeln z. Hebg d. Rindviehzucht. (16 m. 1 Tab.) 8° Lpzg, RC Schmidt & Co. 02. — 60 d
— Schweinezucht f. Bayern. 2. Afl. (29) 8° Berl., P Parey 01. — 60 d
— Schweinezucht, s.: Rohde.
— Zucht- u. Mastschweine, ihre sachgemässe Haltg u. Ernährg. (95) 8° Berl., P Parey 02. 1.80 d
Schmidt, H: Schülerbeobachtgn im Schulgarten u. ihre Verwendg im botan. Unterr. Reihe A: Insektenblüt. Pflanzen. 15 ausgeführte Lektionen u. biolog. Grundsätzen f. d. Oberst. d. Volkssch. u. d. unt. Kl. höh. Lehranst. (53 m. 15 Taf.) 8° Langens., Schulbh. 04. 1.50 d
Schmidt, H: Anl. z. Projektion photograph. Aufnahmen u. neb. Bilder (Kinematogr.). — Die Architektur-Photogr., s.: Bibliothek, photograph.
— Photograph. Hilfsb. f. ernste Arbeit. I. Tl: Die Aufnahme. (190 m. Fig. u. 1 farb. Taf.) 8° Berl., G Schmidt 05. 3.80; geb. 4.50
Schmidt, H, s.: Lesebuch, deut., f. höh. Lehranst.
Schmidt, H: Erfahrgn a. d. Prozess „Sanden u. Genossen". Zur persönl. Rechtsfertigg u. z. Beleuchtg uns. Strafrechtspflege. (239) 8° Berl., A Dressel 03. 2 — d
Schmidt, H: Die Orgel uns. Zeit in Wort u. Bild. Mit e. Verz. klass. u. moderner Kompositionen f. Orgel. (139 m. Abb. u. 3 Taf.) 8° Münch., R Oldenbourg 04. L. nn 2.50 d
Schmidt, H: Haeckel's biogenet. Grundgesetz u. s. Gegner.
— Die Urzeugg u. Prof. Reinke, s.: Vorträge u. Abhandlungen, gemeinverständl. darwinist.
Schmidt, H, I Friedheim, A Lamhofer u. J Donat: Diagnostisch-therapeut. Vademecum. 5. u. 6. Afl. (417) 13° Lpzg, JA Barth 01.03. L. 6 —; durchsch. 7 —
Schmidt, H: Schulgrammatik u. Schriftsteller, s.: Abhandlungen, sprachl.
— Französ. Stilistik f. Deutsche, s.: Klöpper, C.
— Zur Kenntnis d. Larvenentwicklg v. Echinus microtuberculatus. [S.-A.] (40 m. Abb. u. 5 Doppeltaf.) 8° Würzbg, A Staber's V. 04. 4 —

Schmidt, H: Die Kurfürstin Sophie v. Hannover, s.: Veröffentlichungen z. niedersächs. Gesch.
Schmidt's, H, Elementarb. d. latein. Sprache. Neu bearb. v. L Schmidt u. E Lierse. 2. Tl. Für Quinta. 12. Afl. (226) 8º Halle, H Gesenius 05. 1.60; geb. 2 — d
Schmidt, H: Gerichtskostenges. nebst d. Gebührenordnng f. Gerichtsvollzieher sowie f. Zeugen u. Sachverständige. Als 3. Afl. d. Handausg. d. Gerichtskostenges. v. A v. Reisenegger bearb. (386) 8º Münch., CH Beck 05. L. 3.40 d
Schmidt, H: Heinr. Schliemann's Sammlg trojan. Altertümer. (24, 855 m. Abb., 9 Taf. u. 2 Beil.) 4º Berl., G Reimer 02. 20 — d
Schmidt, H: Nachrichten üb. d. Vergangenh. d. Dorfes Poischwitz, Kreis Jauer i. Schl. (156) 8º Jauer, (O Hellmann) 1900. 2 — d Vergr.
— Naturgesch. f. Volkssch. m. sinf. Schulverhältn. A. Mittelst.: 2. Kurs. (56 m. Abb.) 8º Bunzl., G Kreuschmer 01. — 80 (1 u. 2 : 1.60; in 1 Hefte 1.50) ‖ B. Oberst. 1. Kurs. (88) 06. 1.50 d
Schmidt, HE: Kompendium d. Röntgen-Therapie. (62 m. Abb.) 8º Berl., A Hirschwald 04. 1.20
Schmidt, HF: Zur Entwicklg Jesu. (48) 8º Bas., Helbing & L. 04. 1 — d
— Der Heiland im Sterben. Ein Passionsb. üb. d. 7 Worte Jesu am Kreuz. (111) 8º Ebd. 03. 1.60 d
— Kellners Weh u. Wohl. 4. Afl. (141) 8º Berl., M Warneck 03. — 80 d

Schmidt, HG: Lehrb. d. Gesch., s.: Schenk, K.
Schmidt, HG: Die Lehre v. Tyrannenmord. Ein Kapitel a. d. Rechtsphilosophie. (141) 8º Tüb., JCB Mohr 01. 2.40
Schmidt, J: Die Fabrikation v. Starkstromkabeln. — Die Konstruktion v. Starkstromkabeln, s.: Abhandlungen, techn.
Schmidt, J: Die katbol. Restauration in d. ehemal. Kurmainzer Herrsch. Königstein u. Rieneck, s.: Erläuterungen u. Ergänzungen zu Janssens Gesch. d. deut. Volkes.
Schmidt, I: Grammatik d. engl. Sprache. 6. Afl. (508) 8º Berl., Haude & Sp. 01. Geb. 4.50 d
— Lehrb. d. engl. Sprache. 2 Tle. 8º Ebd. Geb. 5.40 d
  1. Elementarb. 13. Afl. (335) 05. 2.30 ‖ 2. Schulgrammatik m. Übgsbeisp. 5. Afl. (503) 01. 3.30.
— Übgsbeisp. z. Einübg d. engl. Syntax. 4. Afl. (276) 8º Ebd. 04. Geb. 2.20 d
— Encyklopäd. englisch-deut. u. deutsch-engl. Wrtrb., s.: Muret, E.
Schmidt, J: Latein. Leseb. a. Cornelius Nepos u. Q. Curtius Rufus. 2. Afl. (192 m. 3 Kart.) 8º Lpzg, G Freytag 02. Geb.1.80 d
— Schüler-Kommentar zu Cäsars Denkwürdige. üb. d. gall. Krieg. Für d. Schulgebr. hrsg. 4. Afl. (172) 8º Ebd. 04. Geb. 1.20 d
— dass. zu d. Lebensbeschreibg d. Cornelius Nepos. 2. Afl. (108) 8º Ebd. 01. Geb. 1.20 d
Schmidt, J: Euripides' Verhältnis zu Komik u. Komödie. 1. Tl., Kap. 1 u. 2. (38) 8º Grimma, (G Gensel's V.) 05. 1 —
Schmidt, J: Bur Platen sin Hofstä. (196) 8º Kiel 05. Hambg, J Kriebel. 2 —; geb. 3 d
Schmidt, J: Vergleichend-anatom. Untersuchgn üb. d. Ohrmuschel verschied. Säugetiere. (46 m. 1 Abb. u. 10 Taf.) 8º Berl., P Parey 02. 6 —
Schmidt, J, u. F Weis: Die Bakterien. Naturhistor. Grundl. d. bakteriolog. Stadium. Aus d. Dän. v. M Porsild. (416 m. Fig.) 8º Jena, G Fischer 02. 7 —
Schmidt, J, s.: Corpus inscriptionum latinar.
Schmidt, J: Des Basilius a. Achrida, Erzbischofs v. Thessalonich, bisher unedierte Dialoge, s.: Veröffentlichungen a. d. kirchenhistor. Seminar München.
Schmidt, J, u. B Dorsch: Rechtskdb. d. bayer. Volksschullehrers. (628) 8º Ansb., M Prögel 04. L. 7.50 d
Schmidt, J: Die Alkoloïdchemie in d. J. 1900—04. (114) 8º Stuttg., F Enke 05. 1.50
— Die Chemie d. Pyrrols u. sr Derivate. (305) 8º Ebd. 04. 10 —
— Üb. d. bas. Eigenschaften d. Sauerstoffs u. Kohlenstoffs. (111) 8º Berl., Gebr. Borntraeger 04. 3.20
— Ueb. d. Einfl. d. Kernsubstitution auf d. Reaktionsfähigk. aromat. Verbindgn. [S.-A.] (94) 8º Stuttg., F Enke 02. 2.40
— Die organ. Magnesiumverbindgn u. ihre Anwendg zu Synthesen. [S.-A.] (80) 8º Ebd. 05. 2.40
— Die Nitrosoverbindgn. [S.-A.] (40) 8º Ebd. 03. 1.20
Schmidt, J: Chem. Praktikum. 1. Tl. Ausgew. Kapitel a. d. anorgan. Chemie. (96 m. Fig.) 8º Bresl., F Hirt 01. 1.60 d
Schmidt, J: Chronik v. Galberg-Waldhilsbach. Zugl. e. Beitr. z.pfälzer Kirchengesch. (48) 8º Hdlbg.,(Ev. Verl.)01. nn 2 — d
Schmidt, J: Sedan u. d. moderne französ. Lit. — Weihnachten in Wort u. Lied. — Der Wunderdoktor. Die Kochprüfg. Der Tierbändiger, s.: Sammlung v. Aufführgn f. Schule u. Haus.
Schmidt, JAE: Nouv. dictionnaire portatif franç.-polonais et polonais-franç. Nouv. impression. (719) 16º Lpzg, O Holtze's Nf. 01. 3.50; Ff. 4.25
— Russisch-deut. u. deutsch-russ. Taschenwrtrb. 2. Afl. v. S Mandelkerm. 2 Tle in 1 Bde. 8º Ebd. 4.50; Ff. 5.25 d
  1. Russisch-Deutsch. (416) ‖ 2. Deutsch-Russisch. (482)
Schmidt, K: Zuglüftg, s.: Dankwarth, K.
Schmidt, K, s.: Handbuch, statist., üb. d. Schul- u. Anstalts-verhaltn. usw. d. Reg.-Bez. Hannover.
Schmidt, K: Schillers Sohn Ernst. Briefsammlg m. Einl. Neue [Tit.-]Ausg. (551 m. Bildnissen u. 2 Fksms.) 8º Paderb., F Schöningh [1898] 05. 6 — d

Schmidt's, K, latein. Schulgrammatik. 10. Afl. v. V Thumser. (236) 8º Wien, A Hölder 04. Geb. 2.15 d
Schmidt, K: Hilfsb. f. d. Unterr. im Gesange auf d. höh. Schulen. (191) 8º Lpzg, Breitkopf & H. 02. 2.50; geb. 3 —
Schmidt, K: Die Schiebersteuergu d. Dampfmaschinen u. Vakuumpumpen. (54 m. Abb.) 8º Lpzg, M Schäfer 05. L. 4 —
Schmidt, K v.: Statist. Nachrichten üb. d. preuss. Offizierkorps v. 1806 u. s. Opfer f. d. Befreig Deutschlds, s.: Beiheft z. Militär-Wochenbl.
Schmidt, K: Stenograph. Repetitorium, s.: Reuter's Bibliothek f. Gabelsb.-Stenogr.
Schmidt, KE, s.: Mitteilungen d. litterar. Gesellsch. Masovia.
— Vokabeln u. Phrasen zu Cäsars bellum Gallicum, nebst kurzen Anreisgn z. Uebersetzen. 2. u. 3. Heft. 8º Köngsbg, F Beyer 02. Je — 30 d
  2. I. Buch, Kapitel 30—54. 2. Afl. (27) ‖ 3. II. Buch. 2. Afl. (31)
— dass. zu Homers Ilias. 1. Heft. I. Gesang. (45) 8º Gotha, FA Perthes 05. — 60 d
— dass. zu Homers Odyssee. 1., 2. u. 4—8. Heft. 8º Ebd. Je — 80
  1. I. Gesang. 4. Afl. (41) 05. ‖ 2. II. Gesang. 2. Afl. (45) 1900. ‖ 4. IV. Gesaug. (70) 02. ‖ 5. V. Gesang. (46) 02. ‖ 6. VI. Gesang. (38) 03. ‖ 7. VII. Gesang. (35) 04. ‖ 8. VIII. Gesang. (55) 04.
Schmidt, KE: Cordoba u. Granada, s.: Kunststätten, berühmte.
— Französ. Malerei d. 19. Jahrh., s.: Geschichte d. modernen Kunst.
— Sevilla, s.: Kunststätten, berühmte.
— Französ. Skriptur u. Architektur d. 19. Jahrh., s.: Geschichte d. modernen Kunst.
— Aus d. Tageb. e. Säuglings. Abgeschrieben v. s. Vater. 1 — 3. Afl. (117) 8º Stuttg., Deut. Verl.-Anst. 05. L. 3 — d
Schmidt's, KW, Lpzg, Verkehrshdb. Sommer-Ausg. 1905, (80 m. 2 Kart.) 8º Lpzg (Johannisgasse 10 D H), Karl Schmidt (durch O Borggold). — 20 d
Schmidt, L: Heimatkde d. Thüring. Staaten, s.: Reinhardt, G.
Schmidt, L: Elementarb. d. latein. Sprache, s.: Schmidt, H.
Schmidt, L: Gesch. d. Musik im 19. Jahrh., s.: Jahrhundert, d. deut., in Einzelschriften.
— CW v. Gluck's Orpheus u. Eurydike, s.: Opernführer.
— Die moderne Musik. (80) 8º Berl., L Simion Nf. 05. 1.23 d
Schmidt, L (L Goldschmidt): Ackermann, s.: Hollaender, F.
— Luigi Cafarelli, s.: Bibliothek d. Gesamtlitt.
— Der Leibalte. Komödie. (137 m. Titelbild.) 8º Berl. 01. Stuttg., W Spemann. 2 — d
— Josefine Martens, s.: Universal-Bibliothek.
— Die heilige Sache. Komödie. (88) 8º Berl., E Bloch (05). 2 — d
Schmidt, L: Kartograph. Denkmäler z. Entdeckgsgesch. v. Amerika usw., s.: Hantzsch, V.
— Gesch. d. deut. Stämme bis z. Ausg. d. Völkerwanderg, s.: Quellen u. Forschungen z. alten Gesch. u. Geogr.
— Gesch. d. Wandalen. (205) 8º Lpzg, BG Teubner 01. 5 —
— s.: Handschrift, d. Dresdner, d. Chronik d. Bischofs Thietmar v. Merseburg.
Schmidt, LFK: Forsthäuser u. ländl. Kleinwohngn in Sachsen. (32 Taf. m. 8. illustr. Text.) 40,5×28,5 cm. Dresd., G Kühtmann 06. In M. 15 —
Schmidt, M: Budapest, s.: Grieben's Reiseführer.
Schmidt, M: Atlas d. Diatomaceen-Kde. s.: Schmidt, A.
Schmidt, M: Meingn u. Wünsche z. Formalstufentheorie, s.: Bausteine, pädagog.
— Das Prinzip d. organ. Zusammenh. u. d. allg. Fortbildgsgesch., s.: Magazin, pädagog.
Schmidt, M: Untersuchgn üb. d. Umlaufbewegg hydrometr. Flügel. [S.-A.] (19) 8º Münch., (G Franz' V.) 03. — 40
Schmidt, M v.: Einführg in d. quantitative chem. Analyse. Vornehmlich f. landw. Unterr.-Anst. 2. Afl. (104 u. 17 m. Tab.) 8º Wien, F Deuticke 05. 3 —
Schmidt, M: Grundl. e. Algenflora d. Lüneburger Heide. (101 m. Abb. u. 2 Taf.) 8º Hildesh. 03. (Gött., Vandenhoeck & R.) 3 —
Schmidt, M: Indianerstadien in Zentralbrasilien. Erlebnisse u. ethnolog. Ergebnisse. e. Reise in d. J. 1900—01. (456 m. Abb., 12 Lichtdr. u. 1 Karte.) 8º Berl., D Reimer 05. 10 —; L. 12 —
Schmidt, M: Maschinen f. überhitzten Dampf, ihre Ökonomie u. prakt. Wirkg. 2. Afl. (30 m. Abb.) 8º Berl., (Polyt. Bh. A Seydel) 02. 1.50
Schmidt, M: Die Aquarell-Malerei. Bemerkgn üb. d. Technik derselben in ihrer Anwendg auf d. Landschafts-Malerei. Mit e. Abhandlg üb. Ton u. Farbe in ihrer theoret. Bedeutg u. in ihrer Anwendg auf Malerei. 7. Afl. (88 m. 1 Farbenkreis.) 8º Lpzg, T Grieben 01. 1.50
Schmidt's, M, ges. Werke. Volksausg. (u.1.75) 1.25; L. je 2.50 (Mit Abb.) 8º Berl., Ensslin & L. Je a (1.75) 1.25; L. je 2.50 m. Abb. in Lfgn zu — 20 d
  10. Der Zuggeist od. d. 1. Zugspitzbesteigg. Die Ameisenhexe. Kultur- u. Lebeusbilder a. d. bayer. Hochgebirge. 3. Afl. (Zwei Teile.) (334) 1900.
  11. Gespenster-Geschichten. 1. Tl. Der Himmelbrand. Die Fischtr-Fosl v. St. Heinrich. (272) 1900.
  12. Die Jaehenauer in Griechenland. Erzählg a. d. Zeit d. bayr. Exped. n. Griechenland 1832. Meister Martin. 2 Volkserzählgn. 3.Afl. (240) 1900.
  14. Innthaler Geschichten. Die wilde Bfaut. 4. Afl. Der Mann im Grund. (500) 1900.
  15. Waldgeschichte. 1. Tl. Der Primisiant. 3—7. Afl. Die Christkindlmesse. 1—7. Afl. Kultur- u. Lebeusbilder. (306) (01.)
  16. Waldgesch. 2. Tl. Im Höttele d. Waldes. 3—7. Afl. Die latein. Bauer. 4— 6. Afl. Die Pängutelbraut. Der Scherz'lgeiger. Kultur- u. Lebeusbilder. (272) (01.)

17. 's Liserl. Erzählg v. Ammerlae6. 7. Afl. Der weisse Sonntag. 6. Afl. (260) (01.)
18. Der Georgi-Thaler. Lebensbild a. d. Chiemgau. 6—10. Afl. (254) (01.)
19. Handl6ka, d. Chodenmädchen. Kulturbild a. d. böhmisch-bayr. Waldgebirge. 13—18. Afl. (272) (02.)
20. Die Hopfenbrockerin. Erzählg a. d. Bayerwald u. d. Holledau. 1—4. Afl. (260) (02.)
21. 22. Mein6 Wanderg durch 70 Jahre. Autobiogr. 2 Tle. 1—5. Afl. (804 u. 274) (02.)
22. Der Herrgottsmantel. Kulturbild a. d. bayerisch-böhm. Waldgebirge. Von d. Landstrasse. Erzählg. 13—18. Afl. (208) (02.)
24. Der Prälatenschatz od. Der Studént v. Möttén. Erzählg. 4—8. Afl. (244) (02.)
25. Glasmacherleut'. Kulturbild a. d. bayer. Walde. Der Tranklaimmet. Erzählg. 14—19. Afl. (246) (03.)
26. Das Frählin v. Lichtenegg. Volkserzählg a. d. bayer. Walde (1. Versuch e. Heimatkde) u. and. Erzählgn. 6—10. Afl. (293) (03.)
27. Die Knappenliel v. Rauschenberg. Erzählg a. d. bayr. Hochgebirge. 7—11. Afl. (240) (03.)
28. Der Bubenrichter v. Mittenwald. Kulturbild a. d. bayer. Hochgebirge. Mafia Fettenpeck. Histor. Erzählg. 6—10. Afl. (262) (03.)
29. Humor. Lust. Geschichten. 2. Reihe. 1—5. Afl. (240) (03.)
30. Die Miesenbacher. Kulturbild a. d. bayer. Hochgebirge. 16—20. Afl. Der Johanniter. Die Stein-Gfertl. Erzählgn. (244) (03.)
31. Der Reismüller. Geschichtl. Erzählg a. d. Geb. d. Ammer- & Starnbergersees. Bifgitta od. d. Räuber v. Keltersberg. 1—5. Afl. (290) (04.)
33. Altbairisch ins VFors. u. Pfoss. Vérm. Afl. 4—9. Taus. (148) (04.)

Den 9. Bd bildet: Schmidt, M: Der Schutzgeist v. Oberammergau (im Kat. 1896|1900). — Die Preise v. Bd 1—18, 20 u. 21 wurden v. 1.50 u. 2.25 auf je 1.75 u. 2.50 erhöht u. dann auf je 1.25 ermässigt.

Schmidt, M: Der vergang. Auditor. Ein Geschwisterkind, s.: Volksbücher, Wiesbad.
— Die Bärenritter u. and. Humoresken, s.: Enslin's Roman- u. Novellenschatz.
— Der Bettler v. Englmar, s.: Volksschriften, Münch.
— Aus Dorf u. Stadt, s.: Für Herz u. Haus.
— Faschingsende. Drama. (67) 8° Münch., (H Hugendubel) (05). 1 — d
— Glasmacherleut', s.: Romane, moderne, aller Nationen.
— Lustige Haft u. and. Humoresken, s.: Enslin's Roman- u. Novellenschatz.
— Der blinde Musiker. Volkserzählg a. d. Böhmerwald. (405) 8° Berl., O Janke (05). 3 — d
Schmidt, M: Das freie Zeichnen, s.: Leibrock, A.
Schmidt, M: Die Krankh. d. ob. Luftwege. 3. Afl. (955 m. Abb. u. 7 Taf.) 8° Berl., J Springer 03. L. 18 —
Schmidt, Frau Ma, s.: Ekensteen, M v.
Schmidt, MB: Die Verbreitgswege d. Karzinome u. d. Beziehg generalisierter Sarkome zu d. leukäm. Neubildgn. (92 m. 1 Fig. u. 1 Taf.) 8° Jena, G Fischer 03. 2.80
— s.: Zentralblatt f. allg. Pathol. u. patholog. Anatomie.
Schmidt, MB: Vineta. Ein Sang a. Deutschlds Vorzeit. (261) 8° Lpzg, (Amthor) (03). 3 —; L. 4.50 d
Schmidt, MCP: Altphilolog. Beiträge. 1. u. 2. Heft. 8° Lpzg, Dürr'sche Bh. 2.80
1. Hofas-Studién. (82) 03. 1.20 § 2. Terminolog. Studien. (91) 05. 1.40.
— Realist. Chrestomathie a. d. Litt. d. klass. Altertums. 3. Buch. (235 m. Fig.) 8° Ebd. 01. 4.20; geb. 4.50 (1—3: 9.60; geb. 10.40)
Schmidt, MG: Englds Weltmachtstellg. (76) 8° Halle, M Niemeyer 02. 1.50
— Untersuchng üb. d. hess. Schulwesen z. Z. Philipps d. Grossmütigen, s.: Mitteilungen d. Gesellsch. f. deut. Erziehgs- u. Schulgesch.
Schmidt, N: Vor Tagesanbruch. Gedichte. (115 m. Bildnis.) 8° Berl., Harmonie (05). 2.50 d
Schmidt, O: Das Fachzeichnen f. Maurer. 1. u. 2. Tl. 8° Wittnbg, R Herrosé. 3.40 d
1. Der Verband d. Ziegelstein6 n. v. d. Schülern m. Modelliersteinchen herzustell. Fachmodellen. (14 m. Fig. u. 15 Taf.) 02. 1.80
2. Schwierigere Ziegelsteinverbände, z. Tl m. Verblend- u. Formatlösung. Mauerbogen, Kappengewölbe a. v. d. Schülern m. Speiser'schen Modelliersteinchen hörzustell. Fachmodellen. (11 m. Fig. u. 15 Taf.) 04. 1.80
— dass. f. Zimmerer u. and. Holzarbeiter, s.: Spetzler, O.
— Illustr. Hdb. d. Zimmermannskunst, s.: Promnitz, J.
— Das Projektionszeichnen i. fachl. Modellen f. Baugewerksch., Handwerkersch. u. gewerbl. Fortbildgssch. (13 Taf. m. 7 S. Text.) 4° Wittnbg, R Herrosé 04. 1.40 d
— Das Zirkelzeichnen u. verschied. Massstäben f. Fachsch., Handwerkersch. u. gewerbl. Fortbildgssch., sowie f. Realsch., Seminarien u. Mittelsch. (4 Taf. m. 13 S. Text.) 8° Ebd. 03. — 60 d
Schmidt, O: Rechenb. f. höh. Mädchenschul., s.: Müller, H.
Schmidt, O: Konzentration d. Unterr. auf realist. Grundl., s.: Bausteine, pädagog.
— Raumlehre, s.: Martin, P.
Schmidt, O: Formeneinfachste Stenogr. Lehr- u. Uebgsb. (45) 8° Görl., R Worbs & Co. 1900. 1 — d
Schmidt, O: Metalle u. Metalloide, s.: Sammlung Göschen.
Schmidt, O: Ueb. d. Vorkommen e. protozoonart. Parasiten in d. malignen Tumoren u. s. Kultur ausserh. d. Tierkörpers. Weit. Resultate e. spezif. Therapie d. Karzinoms u. s.: Mitteilungen a. Dr. Schmidts Laboratorium f. Krebsforschg.
Schmidt, O, s.: Abteien u. Klöster in Österr.
— Altäre u. and. kirchl. Einrichtgsstücke a. Österr. (XII—XVIII. Jahrh.) Ergänzg zu: „Interiure v. Kirchen u. Kapellen in österr." Mit erläut. Text v. C List. Begonnen v. A Ilg. 4. Lfg. (25 Heliograv. m. 8 S. illustr. Text.) Fol. Wien, A Schroll & Co. (02). In M. 30 — (Vollst: 120 —)
— Intérieurs v. Kirchen u. Kapellen in Österr. (XII—XVIII. Jahrh.) Mit erläut. Text v. C List. Begonnen v. A Ilg. 4. Lfg. (25

Heliograv. m. 14 S. illustr. Text.) Wien, A Schroll & Co. (02). In M. 30 — (Vollst.: 120 —)
Schmidt, O, s.: Kunstschätze a. Tirol.
Schmidt, O, s.: Kursbuch f. d. Beförderg v. Vieh u. Pferden.
Schmidt, OE, s.: Briefe Ciceros u. sr Zeitgenossen.
— Erzählgn a. d. Gesch. d. neueren Zeit v. westfäl. Frieden bis z. Gegenwart. Hilfsb. f. d. Gesch.-Unterr. an höh. Lehranst. 4. Afl. (168) 8° Dresd., C Damm 05. Geb. 1.25 d
— Rom, s.: Wägner, W.
— s.: Spamer's Illustr. Weltgesch.
— Kursächs. Streifzüge. (351 m. Abb. u. 1 Titelbild.) 8° Lpzg, FW Grunow 02. || 2. Bd. Wandergn in d. Niederlausitz. (350 m. Abb. u. Titelbild.) 04. Je 3.50; geb. je 4.75 d
— u. O Enderlein: Erzählgn a. Sage u. Gesch. d. Altertums u. d. 1. Periode d. M.-A. Hilfsb. f. d. Gesch.-Unterr. auf d. Unterst. höh. Lehranst. 6. Afl. (166) 8° Dresd., C Damm 05. Geb. 1.25 d
Schmidt, OF, u. H Schillmann: Neues Berliner Leseb. f. mehrklass. Schulen. I—IV. Tl. 8° Berl. Lpzg, J Klinkhardt. Geb. 3.35 d
I. Unterbtl. Oberabtlg. 21. Afl. (190) 03. — 55 § II. Mittlst. Unterabtlg. 19. Afl. (164) 04. — 70 § III. Mittelst. Oberabtlg. 16. Afl. (284) 04. 1 — | IV. Oberst. Unterabtlg. 12. Afl. (282) 04. 1.10.
— — dass. Neubearb. v. H Schillmann. II—V. Tl. 8° Ebd. Geb. nn 5.60 d
II. 3. Schulj. 18. (d. Neubearbeitg 2.) Afl. (168) 05. nn — 90 § III. 4. u. 5. Schulj. 15. (d. Neubearbeitg 2.) Afl. (468) 03. 1.80 § IV. 6—8. Schulj. 12. (d. Neubearbeitg 3.) Afl. (596) 04. 2 — | V. 7. u. 8. Schulj. 11. (d. Neubearbeitg 2.) Afl. (586) 04. 2 —
— — Deut. Leseb. f. mehrklass. Schulen. Ausg. f. Ost- u. Westpreussen, bearb. v. F Tromnau. V. Tl. Oberst. Oberabteilg. 4. Afl. (342) 8° Ebd. 04. Geb. nn 1.35 d
Schmidt, P: Lehrb. d. Französ. Sprache, s.: Rossmann, P.
Schmidt, P: Die berufl. Vorbildg d. ev. Theologen in d. Gegenwart, s.: Wahrheit in Liebe.
Schmidt, P: Der prakt. Maurer, s.: Menzel, CA.
Schmidt, P: Experimentelle Beitr. z. Pathol. d. Blutes. (42 m. 4 L.) 8° Jena, G Fischer 02. 8 —
— Üb. Hitzschlag an Bord v. Dampfern d. Handelsflotte, s.: Ursachen u. s. Abwehr. (2. A.) 8° Ebd. 05. — 80 d
Schmidt, P: Die St. Trinitatis-Kirche zu Danzig, s. Vergangenh. u. Gegenwart beschrieben. (148 m. Abb. u. 7 Beil.) 8° Danz., (Ev. Vereins-Bh.) 01. 1.50 d
Schmidt, P: Baldurs Tod. Abenchensp. (99) 8° Lpzg, HJ Naumann 03. 2 — d
— Die Hexe. Trauersp. (121) 8° Dresd., E Pierson 04. 2 — d
— Kaiser Otto III. Trauersp. (88) 8° Lpzg, HJ Naumann 01. 2 — d
Schmidt's, P, Hansschatz d. Gesundh. Volkstüml. Darstellg d. Naturheilkde u. Körperpflege. Bearb. v. B Sommer. 4. Afl. (256 m. 3 (1 farb.) Taf.) 8° Dresd., P Casper & Co. (01). (2 —) 2.50 d
Schmidt, P: Maulbronn. d. baugeschichtl. Entwicklg d. Klosters usw., s.: Studien d. deut. Kunstgesch.
Schmidt, P v.: Der Beruf d. Unteroffiziers. [S.-A.] 4. Afl. (137) 8° Berl., E Ebel. 05. 1.30 d
— Kurzgef. vaterländ. Gesch. f. d. preuss. Soldaten. 5. Afl. (83 m. Abb. u. 4 Taf.) 8° Ebd. 05. — 75; kart. nn — 90 d
— 100 Jahre vaterländ. Vergangenheit, s.: Volksbücher, neue.
— Die Kriegsartikel, f. d. Dienstgebr. erklärt u. durch Beisp. erläut. 3. Afl. (15) 8° Berlin, Liebel 02. 1 —; kart. 1.25 d
(148) 04. 1.20; kart. 1.40 d
— Das deut. Offizierskorps u. s. Aufg. in d. Gegenwart. (63) 8° Berl., W Schultz-Engelhardt 04. 1 —; kart. 1.25 d
— Christlich-nationale Volkslit.! Vortr. (21) 8° Meining., Brückner & R. 04. — 40 d
— Der Werdegang d. preuss. Heeres. (369) 8° Berl., W Schultz-Engelhard 03. (5.50) 7 —; geb. 8 — d
Schmidt, P: Das Recht d. Empfängers e. Postsendg geg. d. Post auf Auslieferg. (70) 8° Berl., F Puess 04. 2.20 d
Schmidt, P: Dichtg d. Alkoholismus d. letzten 20 Jahre (1880—1900). 1. Tl: Deut. Lit. (70) 8° Dresd., OV Böhmert 01. 1.80
— Bibliogr. d. Arbeiterfrage, s.: Arbeiterfreund.
Schmidt, P: Fachzeichnen f. Massskizzen f. Bauhandwerker. — Dass. f. Treppenbau, s.: Dachkonstruktionen. — Dass. f. Treppenbau, s.: Lehrhefte f. d. Einzelunterr. an Gewerbe- u. Handwerkersch.
— O Kerl u. L Wenzel: Raumlehre m. zahlreichen Rechenu. Konstruktionsaufg. f. Handwerker u. Fortbildgssch. (In 2 Tln.) 2. Tl: Die Körper. 2. Afl. (56 m. Fig.) 8° Hannov., (O Meyer 02. — 50 (Vollst: 1.10) || Auflösgn. 2. Afl. (67 m. Fig.) 05. — 90 d
Schmidt, PW: Die Jabim-Sprache (Deutsch-Neu-Guinea) u. ihre Stellg innerh. d. melanes. Sprache. [S.-A.] (60) 8° Wien, (A Hölder) 01. 1.40
Schmidt, PW: Die Gesch. Jesu. I u. II. 8° Tüb., JCB Mohr. 10 —; Eimbde je 1 — d
I. Die Gesch. Jesu, erzählt. 4. Abdr. (179 m. 1 Taf.) 8 —
II. Die Gesch. Jesu, erläut. m. medizin. Gutachten z. röm. Rechtsg. 1. u. 2. Taus. (499 m. Abb., 1 Taf. u. 8 Kart.) 04. 7 —
Schmidt, R: Lehret sie halten alles, was Ich euch befohlen habe. 30 Katechesen üb. bibl. Abschnitte. II. Bd. 1. Tl: Von Advent bis Pfingsten. (190) 8° Neumünst., Vereinsbh. G Ihloff & Co. 05. Kart. 1.50 (I u. II, 5.50) d
Schmidt, R: O diese Juden! Humorist. Satyren a. d. Volke Israel. (78 m. Abb.) 8° Berl., (R Rossius) (05). 1.25 d

Schmidt, R: Beitr. z. ind. Erotik. Das Liebesleben d. Sanskrit-
volkes. 6 Lfgn. (976) 8° Lpzg 02. Berl., K Singer & Co.
    Je 6 —; in 1 HF.-Bd 40 —
— Liebe u. Ehe im alten u. modernen Indien. (Vorder-, Hinter-
u. Niederländisch-Indien.) (571) 8° Berl., H Barsdorf 04.
    10 —; L. 11.50; Liebhaberausg., 4° 20 —; HF. 27 —
— s.: Pāncatantram, d.
Schmidt, R: Aktenstücke z. Einführg in d. Prozessrecht, s.:
Stein, F.
— Die Herkunft d. Inquisitionsprocesses. [S.-A.] (57) 4° Freibg
i/B., FP Lorenz 02.   2 —
— Prozessrecht u. Staatsrecht, s.: Abhandlungen, Freiburger,
a. d. Geb. d. öffentl. Rechts.
— Allgem. Staatslehre, s.: Hand- u. Lehrbuch d. Staatswiss.
Zaeius u. s. Stellg in d. Rechtswiss. Rede. (74) 8° Lpzg,
Duncker & H. 04.   1.80
Schmidt, R; Die Verfassg d. rhein. Landgemeinden n. d. Ge-
meinde-Ordng f. d. Rheinprov. v. 23.VII.1845/15.V.1856 u. d.
Kommunalabgabenges. v. 14.VII.1893. 2. Afl. (433) 8° Trier,
F Lintz 03.   6 —; geb. 6.80 d
Schmidt, R: Leitf. f. d. Gesang-Unterr., s.: Rode, T.
Schmidt, R: Schloss Gottorp, e. nord. Fürstensitz. 2. Ausg.
(85 m. 20 Taf.) Fol. Hdlbg, (JH Eckardt) 03.   Kart. 35 —
Schmidt, R: Deutschlds Kolonien, ihre Gestaltg, Entwickelg
u. Hilfsquellen. Ost-Afrika. 2. [Tit.-]Ausg. (296 m. Abb., Bild-
nis u. 2 Kart.) 8° Berl., A Schall (1895) (02).   5 — d
— dass. West-Afrika u. Südsee. 2. [Tit.-]Ausg. (438 m. Abb. u.
6 Kart.) 8° Ebd. [1895] (02).   5 — d
— Herm. v. Wissmann, s.: Perbandt, C v.
Schmidt, R: Ausführl. Lehrg. d. deut. Stenogr. n. bestbewähr-
tem System d. vereinf. Stenotachygr. in 6 gemeinverständl.
Unterr.-Briefen. (26 m. 9 Taf.) 8° Lpzg, (JH Robolsky) (03).   — 80
Schmidt, R: Schulgesundheitspflege, s.: Schmidt-Monnard, C.
— s.: Schulmann, d. prakt.
— Volksschul-Atlas. 78. Afl. (Ausg. A.) (36 farb. Kartens. m.
2 S. Text auf d. Umschl.) 8° Bielef., Velhagen & Kl. 05.
    — 60; kart. — 80; Ausg. B m. Bilderanh. (32) — 80; kart. 1 —;
        Bilderanh. allein — 95
— dass. 78. Afl. Ausg. f. Erfurt. (36 farb. Kartens. n. 1 Karte.)
4° Ebd. (05.)   75; geb. — 95
— Bremer Volksschul-Atlas. 52. Afl. Enth.: 36 Kart., sowie e.
Anh. v. 4 Kartens.: Nordwest-Deutschl., z. Gesch. d. deut. Ein-
heitskriege u. Heimatsk. d. Prov. Hannover. (38 farb. Kartens.
m. 2 S. Text auf d. Umschl.) 4° Ebd. 1900.   Kart. 1 —
Schmidt, R: Deut. Buchhändler, s.: Deut. Buchdrucker. 1—3. Bd.
(584 m. 1 Taf.) 8° Berl., F Weber 02-04.   Je 4 — d
— Biograph. Buchhändler-Lexikon, s.: Pfau, KF.
— Vorläufer d. allg. Vereinigg deut. Buchhandlgs-Gehilfen.
(23) 8° Berl., Verlg d. Buchhändler-Warte 02.   nnn — 75 d
Schmidt, R: Irrende Wandersleute. 4 Erzählgsstücke. (89) 8°
Dresd., E Pierson 03.   1 —; geb. 2 — d
Schmidt, T: Latein. Lese- u. Übgsbb., s.: Kautzmann, P.
Schmidt, T, s.: Novalis (Frdr. v. Hardenberg).
Schmidt, T: Postmeisters Käthchen. Erzählg (a. d. Postleben).
(58) 8° Quakenbr., R Kleinert 02.   1 — d
Schmidt, T, u. M Grüninger: Übgsb. f. d. Rechenunterr. a. d.
mittl. Kl. v. Gelehrtenschul., bearb. v. M Zoller. 1. u. 2. Bchn.
8° Stuttg., JF Steinkopf.   Kart. 1.80 d
    1. Pensum d. II. u. III. Kl. 2. Afl. (178) 05. 1.10 ‖ 2. Pensum d. V. Kl.
    (58) 01. — 70.
— dass. Auflösgn zu Bdchn 1 u. 2. III., IV. u. V. Kl. (48)
8° Ebd. 01.   Kart. 1.20 d
— dass. an unt. u. mittl. Kl. v. Gelehrten-, Real- u. Bürgersch., n. d. „method. Grammatik d. Schulrechnens v. O
v. Fischer" bearb. v. T Schmidt. 3 Bdchn. 8° Ebd. Kart. 3 — d
    1. FsF 5—10jahr. Schüler. 3. Afl. (115) 05. — 90 ‖ II. FsF 10—13jahr.
    Schüler. 5. Afl. (179) 03. 1.10 ‖ III. Für 14—14jahr. Schüler. 9. Afl. (212)
    05. 1.10; Auflösgn. (63) 04. 1.30.
Schmidt, T: Crescentia Höss v. Kaufbeuren. (75) 8° Nördl.,
CH Beck 03.   — 80 d
Schmidt, T, u. F Brischel: Naturkde f. mittl. u. höh. Mäd-
chensch. 4. u. 6. Tl. 8° Bresl., M Woywod.   Geb. 3 —
    (Vollst.: 8.50) d
    4. Drischel, F: Der naturkundl. Stoff f. 50 Lehrstunden d. 7. Schulj. in
    mittl. u. höh. Mädchensch. (214 m. Abb.) 02.   1.50
    6. Schmidt, T: Der naturkundl. Stoff (Akustik, Optik, Chemie d. Nahrgs-
    mittel, Mechanik, Geolog. Grundbegriffe) f. 50 Lehrstunden d. 9. Schulj.
    in mittl. u. höh. Mädchensch. (265) 02.   1.50
Neue Afl. u. d. T.:
— — Naturkde f. höh. Mädchensch. u. Mittelsch. 6 Tle. (Mit
Abb.) 8° Ebd.   Geb. 9.20 d
    1. Drischel, F: Der naturkundl. Stoff f. 50 Lehrstunden d. 4. Schulj.
    2. Afl. (163) 04.   1.70
    2. Dass. 3. Schulj. 3. Afl. (217) 05.   1.50
    3. Dass. 6. Schulj. 3. Afl. (246) 05.   1.50
    4. Dass. 7. Schulj. 2. Afl. (274) 05.   1.50
    5. Schmidt, T: Naturlehre. 1. Tl: Physik. 2. Afl. (347 m. 1 Taf.) 05.
        2 —; 2. Afl. (360 m. 1 Taf.) 05. 2 Taf.) 05.   1.50
    6. Dass. 2. Tl: Chemie. 2. Afl. (111) 05.   1 —
— dass., Anh.: Zimmerpflanzen u. ihre Pflege. (18) 8° Ebd.
    — 10 d
Schmidt, T: Die bekanntesten Süsswasser-Fisch-Arten, f. in-
dustrielle Verwendg gezeichnet. (5 farb. Taf.) 38,5×53 cm.
Plauen, C Stoll (04).   8 —
— Verschied. Wild-Arten, f. industrielle Verwendg gezeichnet.
(5 farb. Taf.) 37,5×52 cm. Ebd. (05).   8 —
Schmidt, V, s.: Glyptothèque, la, Ny-Carlsberg.

Schmidt, W: Grundz. e. Lautlehre d. Kahsi-Sprache in ihren
Beziehgn zu derjenigen d. Mon-Khmer-Sprachen. Mit e. Anh.:
Die Palaung-, Wa- u. Riang-Sprachen d. mittl. Salwin. [S.-A.]
(136) 8° Münch., (G Franz' V.) 04.
— dass. d. Mon-Khmer-Sprachen. [S.-A.] (235) 4° Wien, (A Höl-
der) 06.   13 —
Schmidt, W: Ramuldn. Erzählg a. d. Makkabäerzeit. (312) 8°
Konst., C Hirsch (05).   L. 3 — d
Schmidt, W: Bleibe daheim! Ein Wort an uns. konfirmierte
Jugend. 3. Afl. (107 m. Titelbild.) 16° Hermannsbg, Missions-
handlg 05.   Geb. — 50 d
Schmidt, W, u. A Hart: Liederb. f. d. Gemeindesch. Stettins.
11. Afl. (80) 8° Stett., L Saunier 1900.   Geb. nn — 30 d
Schmidt's, W, Rechenb. in 4 Heften. Neu bearb. v. H Eisert.
I—III. Heft. 8° Lpzg, BG Teubner.
    I. 45. Afl. (40) 06. — 50 ‖ II. 47. Afl. (60 m. Abb.) (05.) nn — 55 ‖ III. (f.
    einf. Schulen abschliess. Heft). 23. Afl. (60 m. Fig.) 04. — 40.
Schmidt, W: Gewerbl. Fortbildgssch. Materialien. (39) 8°
Brschw. 01. Lpzg, BG Teubner.   1 —
Schmidt, W: Cns. Stellg z. Polenfrage, s.: Flugschriften d.
Ev. Bundes.
Schmidt, W: Der Hammersteiner. Ein Lied v. Rhein. (175) 8°
Dresd., E Pierson 05.   2.50; geb. 3.50 d
Schmidt, W: Die f. d. Kaufmann wichtigsten Rechtsbestimmgn,
s.: Scheiff.
Schmidt, W: „Babel u. Bibel" u. d. „Kirchl. Begriff d. Offen-
barg". [S.-A.] (45) 8° Gütersl., C Bertelsmann 03.   — 80 d
— Das Grundbekenntnis d. Kirche u. d. modernen Geistes-
strömgn. (34) 8° Ebd. 05.   — 60 d
— Der Kampf d. Weltanschauugn. (281) 8° Berl., Trowitzsch
& S. 04.   3.60; L. 4.50 d
Schmidt, W: Der plattdeut. Deklamator. Mit e. Anh.: För de
Gören. (96) 8° Beutl., Ensslin & L. (05).   — 50 d
Schmidt, W: Astronom. Erdkde, s.: Erdkunde, d.
— s.: Kozenn's, B, geograph. Atlas f. Mittelsch.
— Österr. Vaterlandskde, s.: Zeehe, A.
Schmidt, W: Üb. e. Methode z. Bestimmg d. adiabat. Kom-
pressionsmoduls v. Flüssigk. [S.-A.] (47 m. Fig.) 8° Wien,
(A Hölder) 05.   — 90
Schmidt, W: Mutter Landstrasse, d. Ende e. Jugend. Schausp.
(70) 8° Bonn 01. Berl., E Fleischel & Co. 1 — ‖ 2. Afl. (123)
    Berl. 04. 2 — d
— Raben. Neue Gesch. v. unt. Rhein. (266) 8° Berl., E Fleischel
& Co. 04.   3 —; geb. 4.50 d
— Die goldene Tür. Rhein. Kleinstadt-Drama. (160) 8° Ebd.
04.   2 —; geb. 3 — d
— Überlente. Geschichten v. unt. Rhein. (371) 8° Ebd. 05. 5 —;
    geb. 6.50 d
Schmidt, W: Strassburger Wanderbuch. Ausführl. Beschreibg v.
150 Spaziergängen u. Ausflügen in Strassburgs Umgebg, in
d. Vogesen u. in d. Schwarzwald. 3. Afl. (169 m. 5 Kart.) 8°
Strassbg, Schlesier & Schw. 05.   Geb. 2 —
Schmidt, Frau W: Die Einmachekunst! Anh.: Bereitg verschied. Getränke u. Erfrischg. (64) 8° Neuweisens., E Bar-
teis (o. J.).   — 75 d
— Kochb. f. d. bürgerl. Küche. (96) 8° Ebd. (o. J.).   — 75 d
— Die Kunst wohlschmeck. Backwerk jeder Art, Pasteten u.
kalte Speisen ohne Stand praktisch herzustellen. (64) 8° Ebd.
(o. J.).   — 75 d
Schmidt, W: Gedichte in Frankf. Mundart. Neues, Aufgewärm-
tes, auch Selbsterlebtes. (96) 8° Frankf. a/M., (A Blazek jun.)
04.   1.20 d
Schmidt, WB, s.: Sammlung naturwiss. pädagog. Abhandlgn.
— u. B Landsberg: Hilfs- u. Übgsb. f. d. botan. u. zoolog.
Unterr. an höh. Mädchensch. u. Seminarien. H. Tl: Zool. I u. II.
1. Hfte. 8° Lpzg, BG Teubner 01. 4 — (I u. II, 1, §1: 10 —) d
    I. Kurs. d. Sexta. (205)   [190—260)
    II. Kurs. d. Quinta. (205) Hfte. (200—260)
    Den 1. Tl s.: Landsberg, B (im Kat. 1896—1900).
Schmidt, WE: Zur Brüdergesch. d. Blahoslaw. [S.-A.] (33) 8°
Prag, (F Řivnáč) 04.   — 40
Schmidt, WH: Die Bezugsquellen v. Eisen- u. Metallwaren u.
Maschinen, s.: Beucker, J.
Schmidt-Beauchez, L: Die Kunst, d. franzos. Sprache zu er-
lernen, s.: Kunst, d., d. Polyglottie.
Schmidt-Benecke, F: Der Hindernissport, s.: Bibliothek f.
Sport u. Spiel.
Schmidt v. Bergenhold, JF: Geognostisch-montanist. Ge-
schäfts- u. Communicationen d. Kgr. Böhmen. Neue [Tit.-
Ausg. 73,5×91 cm. Lith. Prag, (F Řivnáč) [1873] 1880. (4 —) 2.50
— Uebersichtl. Gesch. d. Berg- u. Hüttenwesens in Kgr. Böh-
men v. d. ält. bis auf d. neuesten Zeiten, nebst e. Gesch. d.
einzig. noch im Betriebe steh. wie auch d. aufgelass. monta-
nist. Unternehmgn in diesem Lande. Neue [Tit.-]Ausg. (371
u. 12) 8° Ebd. [1873] 1880.   (4 —) 2 —
Schmidt-Breitenstein, W, s.: Thuringia.
Schmidt-Cabanis, R: Lach. Lieder. Dichtgn. 1. Volks-Ausg.
Nach d. 4. Afl. (215 m. Bildn.) 8° Berl., Boll & P. 06.   1 — d
— dass. Neue Dichtgn. 4. Afl. (214 m. Bildn.) 8° Ebd. 02. 2 —;
    geb. 3 — d
Schmidt-Cartlow, M: Die Strandprinzessin, s.: Weichert's
Wochen-Bibliothek.
Schmidt-Hansen: Eine f. Vera. Aus d. Tageb. e. jungen
Frau. (93) 8° Lpzg 02. Berl., H Seemann Nf.   2 —
— Mensch sein!, s.: Seemann's kl. Unterhaltsbibliothek.

Schmidt-Hässler, W: Auge um Auge. Roman. (263) 8ª Stuttg., A Bonz & Co. 03.   3 —; L. 4.20 d
Schmidt-Henrichsen, J: Lasst es d. Blumen Euch sagen! Blumensprache. (78) 12⁶ Dresd., E Pierson 03. 1.20; geb. 2.20 d
Schmidt v. Kirchberg, H: Der Kaibentarm. Hexengeschichte. Nach schweiz. Prozess-Akten d. dreiss. Jahre d. 18. Jahrh. erzählt. (181) 8⁰ Dresd. 03. Lpzg, Leipz. Verl.   3 — d
Schmidt-Lindemann, H: Anspruchlos. Erzählg f. d. Jugend. (64) 8⁰ Reutl., Ensslin & L. (05).   — 20; kart. — 25 d
— s.: Ehre sei Gott in d. Höhe.
— Das Findelkind u. and. Erzählgn f. d. Jugend. (64) 8⁰ Reutl., Ensslin & L. (04).   — 20; kart. — 30 d
— Anf eig. Füssen. Erzählg. (64) 8⁰ Ebd. (03). — 20; kart. — 30 d
— s.: Gott führet alles herrlich hinaus.
— Hilfe in d. Not. Eine schwäb. Dorfgesch. f. d. Jugend. (32) 8⁰ Reutl., Ensslin & L. (05).   — 15; kart. — 20 d
— Der Leibeigene. Im Waisenhause. 2 Erzählg f. d. Jugend. (32) 8⁰ Ebd. (05).   — 15; kart. — 20 d
— Die 1. Reise u. and. Erzählgn f. d. Jugend. (64) 8⁰ Ebd. (04). — 20; kart. — 30 d
— S v. Niebelschütz usw.: Gott führet alles herrlich hinaus. Erzählgn u. Gedichte f. d. Jugend. (80 m. Abb. u. 4 Farbdr. 8⁰ Ebd. (04).
Schmidt-Nielsen, S: Üb. Pökelversuche m. Fischfleisch. [S.-A.] (8) 8⁰ Christiania, A Cammermeyer (1900).   — 66
Schmidt-Phiseldeck, C v.: Das ev. Kirchenrecht d. Herzogt. Braunschweig. 2. Afl. v. C v. Schmidt-Phiseldeck. (376) 8⁰ Wolfenb., J Zwissler 03.   8 —; HF. 10 — d
Schmidt-Rimpler, H: Augenheilkde u. Ophthalmoskopie, s.: Lehrbücher f. d. prakt. Arzt. — Sammlung medizin. Lehrb.
— Die Erkrankg d. Auges im Zusammenh. m. anderen Krankh. 2. Afl. (519 m. Abb.) 8⁰ Wien, A Hölder 05.   13 —
— s.: Verhandlungen d. Ver. d. Aerzte zu Halle a. S.
Schmidt-Ruhland, T: Benj. Schmolck, s.: Kirchenliederdichter, uns.
Schmidt-Storjohann, J: Der Herzmechanismus u. d. Blutbewegg im menschl. Körper od. d. axiomat. u. peristalt. Pendelbewegg d. s. g. Kammerscheidewand m. d. Herzspitze im Herzbeutel d. Menschen, dargest. u. bewiesen durch e. matemat. Konstruktion u. Analyse d. sfygmograf. Pulscurva. (Umschl.: Der wirkl. Herzmechanismus u. d. wahre Blutbewegg im menschl. Körper.) (188 m. 1 Taf.) 8⁰ Stockh. 1895. (Lpzg, A Strauch.)   L. 3 — d
Schmidt-Viereck, E, s.: Viereck, E.
Schmidt's, JG, Haus- u. Geschäfts-Briefsteller z. Abfassg aller im Privat- u. Verkehrsleben vorkomm. Aufsätze u. Correspondenzen. 10. Afl. (600) 8⁰ Wien, T Daberkow 1893.   3.50; L. 4.30 d
Schmidtke, A: Die Evangelien e. alten Unzialcodex (B-Text), n. e. Abschrift d. 13. Jahrh. hrsg. (40, 116) 8⁰ Lpzg, JC Hinrichs' V. 03.   4 —; geb. 5 —
— Das Klosterland d. Athos. (167 m. Abb.) 8⁰ Ebd. 03. 2.20; L. 3 — d
Schmidtlein, A: Beitrag z. Lehre v. d. hochgrad. Myopie. (25) 8⁰ Tüb., F Pietzcker 02.
Schmidtmann, A, s.: Handbuch d. gerichtl. Medizin. — Mittellungen a. d. kgl. Prüfgsanst. f. Wasserversorgg u. Abwässerbeseitigg zu Berlin. — Vierteljahrsschrift f. gerichtl. Medicin.
Schmidtmayer, R, s.: Mickl, JCA, e. lust. Comedie; plus ultra.
Schmidtz, C v., s.: Christ, d. freie.
— Christentum, eth. Kultur u. soz. Frage. (35) 8⁰ Haimb. 02. Ascona, C v. Schmidtz.   nn — 50
— Der Colporteur. Erzählg a. d. Leben e. christl. Colporteurs. (46) 8⁰ Ascona, C v. Schmidtz (05).   — 30 d
— Die Erhebg a. nied. Selbstsucht z. herrl. Freiheit d. Kinder Gottes. (34) 8⁰ Lorch, K Rohm 02.   — 50 d
— 2 kath. Diagnosen d. individuellen u. freien Christentums. [S.-A.] (12) 12⁸ Haimh. 03. Ascona, C v. Schmidtz.   — 40
— u. R Oppikofer: Die in d. Südschweiz vorkomm. Bienenkrankh. u. ihre Heilg. (25) 8⁰ Ascona, C v. Schmidtz (04). — 40
— — Die Feinde d. Biene. (24) 8⁰ Ebd. (04).   — 40
In Ausg. f. Norddeutschl., Oesterr., Ost- u. Westpreussen, Rhein-l. Westf., Schlesien, Schweiz, Süddeutschl., Süd-Tirol u. Ungarn.
— — Die Feinde d. Biene im Tessin u. in Oberitalien. (24) 8⁰ Ebd. (04).
— — Der dent. Imker im Tessin u. an d. oberitalien. Seen. 1—3. Afl. (88) 8⁰ Ebd. (05).   1 —
Schmidts-Hofmann, C v., s.: Christ, d. freie.
— Heilsarmee u. Gesellschaft. 1—7. Afl. (81 bezw. 34) 8⁰ Ascona, C v. Schmidtz 04.05.   nn — 50
— Schiller u. d. Christentum. (14) 8⁰ Ebd. (05.) — 30 ‖ 2. Afl. (14) (05).
— Rich. Wagner u. d. Christentum. (11) 8⁰ Ebd. (05).   — 40
Schmiedearbeiten a. d. besten Werkstätten d. Gegenwart. II. Bd. 5—8. Lfg. (40 Taf. m. 4 S. Text.) Fol. Berl., E Wasmuth (01). 32 — ‖ II Bd. 8 Lfgn. (80 Taf. m. 4 S. Text. (04.05.) 64 — (I—III.: 192 —)
Schmiedeberg, EF: Vor e. grauen Haupte sollst du aufstehen u. d. Alten ehren, s.: Woywod's Volks- u. Jugend-Bibliothek.
Schmiedeberg, O, s.: Archiv f. experimentelle Pathol. u. Pharmakol.
— Grundr. d. Pharmakol. in Bezug auf Arzneimittellehre u. Toxikol. Zugl. als 4. Afl. d. Grundr. d. Arzneimittellehre. (496) 8⁰ Lpzg, FCW Vogel 02.   10 —; geb. 11.25

Schmiedeknecht, O: Opuscula Ichneumonologica. Fasc. I. Allg. Eintheilg. Die Gattgn d. Joppinen, Ichneumoninen, Listro-drominen, Heresiarchinen, Gyrodontinen, u. Alomyinen. Bestimmgstab. d. paläarkt. Arten d. Gattg Ichneumon. (80) 8⁰ Blankenbg i/Th., Dr. Schmiedeknecht 02.   nn 3 —
Schmiedel, M: Der junge Kerbschnitzer. Musterb. f. Kunstarbeiten in Holz f. d. reif. Jugend. 4. [Tit.-]Afl. (21 m. Abb. u. 20 Taf.) 4⁰ Lpzg, O Spamer [1908] (02).   In M. 4 — d
Schmiedel, O: In d. Fremde dabeim. Lebensbild a. d. dent. Kolonie in Tokyo. (147) 4² Hdlbg, Ev. Verl. (02). Geb. 2.50 ‖ — d
— Die Hauptprobleme d. Leben Jesu Forschg, s.: Sammlung gemeinverständl. Vortr. u. Schriften a. d. Geb. d. Theol.
Schmiedel, O, s.: Sheddadbauten, d.
Schmiedel, PW, s.: Hand-Kommentar z. Neuen Test.
Schmiedemeister, d. dent. Organ f. d. Interessen d. Huf-Waffen- u. Wagenschmiede. Red.: P Kühr. 7—11. Jahrg. 1901 —5 je 24 Nrn. (1901. Nr. 1. 10) 4⁰ Lpzg, Ausländer & Kühr.   Viertelj. 1.50 d
Schmieden, V: Neuere Anschaugn üb. d. Wesen u. d. Behandlg d. Prostatahypertrophie, s.: Bibliothek, moderne ärztl.
Schmieder s.: Wegweiser, bibl.
Schmieder, A: Anregan z. psycholog. Betrachtg d. Sprache, s.: Magazin, pädagog.
— Der Aufsatzunterr. auf psycholog. Grundl. Für Volkssch. u. f. d. Unterkl. höh. Lehranst. (75) 8⁰ Lpzg, BG Teubner 04.   Kart. 1 — d
Schmiedewerk, das. Ausgeführte moderne Kunstschmiedearbeiten. Photograph. Aufnahmen v. Entwürfen hervorrag. Architekten. 1. Serie. (3 Lfgn.) 1. u. 2. Lfg. (Je 20 Lichtdr.) 41,5×54 cm. Düsseldf, F Wolfrum (05).   In M. je 30 —
Schmiede-Zeitung, dent. Organ f. Schmiederei, Wagenbau u. Automobilwesen, m. techn. Beil. Mit d. monatl. Beil. „Der Beschlagschmied". Nebst -Unterhaltgsbeil.: In d. Familie. 17—21. Jahrg. 1901—5 je 24 Nrn. (1901. Nr. 1. 14 u. 8) 4⁴ Berl., W Mannstaedt & Co.   Viertelj. 1.50 d
Schmiegen, G: Nansene Nordpolfahrt. Dem Volke u. d. Jugend erzählt n. „F Nansen, in Nacht u. Eis". (208 m. Abb., 1 Bildnis u. 1 Karte.) 8⁰ Gotha, FA Perthes 01. Geb. 4 — ‖ 2. [Tit.-]Afl. 03. Geb. 3 — d
Schmiegelow, E: Beitr. zu d. Funktionsuntersuchgn an Taubstummen in Dänemark. (115 m. Abb. u. 1 Tab.) 8⁰ Kopenh. 01. Berl., A Hirschwald.   4.50
Schmit Ritter v. Tavera, E: Gesch. d. Regierg d. Kaisers Maximilans I. u. d. franzö. Intervention in Mexiko 1861—67. 2 Bde. (433 u. 517 m. 2 Planskizzen u. 1 Karte.) 8⁰ Wien, W Braunmüller 03.   14 —; L. 16.60
— Die mexikan. Kaisertragödie. Die letzten 6 Monate meines Aufenth. in Mexiko im J. 1867. 1. u. 2. Afl. (202 m. Abb. u. Titelbild.) 8⁰ Wien, A Holzhausen 03.   5 —
Schmits, A: Der Kampf geg. d. Sprachverwilderg. 2. Afl. (75) 8⁰ Köln, M du Mont-Sch. 04.   1 — d
Schmitt: Notentaf., s.: Fröhlich, JG.
Schmitt s.: Taschenkalender f. d. Rheinschiffahrt.
Schmitt, A: Erkrankgn d. Mastdarmes, s.: Abhandlungen, Würzb., a. d. Ges.-Geb. d. prakt. Medizin.
Schmitt, A: Zur Gesch. d. Probabilismus. (188) 8⁰ Innsbr., F Rauch 04.   1.80
Schmitt, C: Neue Gedichte. (142) 8⁰ Strassbg, L Beust 01. 2.40; geb. 3 — d
— Die Weihnachtsboten. Szen. Prolog z. Feier d. Christfestes. (16 m. Titelbild.) 8⁰ Ebd. 03.   — 40 d
Schmitt, C: Der Jungfernsprung zu Landsberg. Histor. Drama. (58) 8⁰ Landsbg, A Samweber (04).   — 75 d
Schmitt, E: Enzyklopäd. französisch-deut. u. deutsch-franzö. Wrtrb., s.: Sachs, K.
Schmitt, E: Baulichk. f. Kur- u. Badeorte usw., s.: Lieblein, J.
— Verglaste Decken u. Deckenlichter, s.: Schacht, A.
— Fundamente. — Gasthöfe nied. Ranges; Schlaf-u. Herbergshäuser. — Heimstätten f. Wöchnerinnen n. f. Schwangere. Sonder- Heil- u. Pflegeanst. (Sanatorien), s.: Handbuch d. Architektur.
— Hochsch. im allg. usw., s.: Eggert, H.
— Medizin. Lehranst. d. Univers. usw., s.: Müssigbrodt, F.
— Mittl. techn. Lehranst. Höh. Mädchensch. Sonst. höh. Lehranst.—Nied. techn. Lehranst. u. gewerbl. Fachsch., s.: Handbuch d. Architektur.
— Lehrer- u. Lehrerinnenseminare, s.: Lang, H.
— Pflanzenhäuser, s.: Handbuch d. Architektur.
— Die Technik d. wichtigeren Baustoffe, s.: Exner, WF.
— s.: Tiefbau, d. städt.
— Volksküchen u. Speiseanst. f. Arbeiter; Volkskaffeehäuser.
— Vordächer. — Zirkus- u. Hippodromgebäude, s.: Handbuch d. Architektur.
Schmitt, E: Grossh. Baden, s.: Landes- u. Provinzialgeschichte.
Schmitt, EH: Die Gnosis. Grundl. d. Weltanschaug e. edleren Kultur. 1. Bd. Die Gnosis d. Altertums. (627 u. 7) 8⁰ Lpzg 03. Jena, E Diederichs.   12 —; geb. 14 —
— Der Idealstaat, s.: Kulturprobleme d. Gegenwart.
— Die Kulturbedingen d. christl. Dogmen u. uns. Zeit. (225) 8⁰ Lpzg 01. Jena, E Diederichs.   3 —
— Friedrich Nietzsche an d. Grenzscheide zweier Weltalter. Neue [Tit.-]Ausg. (151) 8⁰ Ebd. [1898] 02.   2 —
— Relig. u. Kultur, s.: Flugschriften d. Giordano Bruno-Bundes.

Schmitt, EH: Leo Tolstoi u. s. Bedeutg f. uns. Kultur. 1. u. 2.
Taus. (482 m. 1 Bildnis.) 8° Lpzg 01, Jena, E Diederichs. 5 — d
Schmitt, G: Vernunft u. Wille in ihrer Beziehg z. Glaubens-
akt. 1. u. 2. Afl. (128) 8° Augsbg, (Lampart & Co.) 03. 2 — d
Schmitt, G: Bayer. Justizges. Sammlg d. in d. J. 1818—1904
erlass. Landesges. f. d. Rechtspflege n. d. Stande v. Ende
d. J. 1904. 2—6. Lfg. (129—1464) 8° Münch., J Schweitzer
V. 1900-05.   14.40 (Vollst.: HF. 18 —) d
Schmitt, G: Die Arzneimittel d. heut. Medizin, s.: Roth, O.
Schmitt, H: Lobt d. Herrn! Gebet- u. Gesangbüchl., zusammengest. a. d. „Psälterlein". (96) 16° Rgnsbg, F Pustet 05. — 35 d
Schmitt, H: Historiola curiosa. Kom. Gesch. eines Zahnleid.
m. antrag. Ausgang in 9 Kapiteln. (72 m. Abb. u. Bildnis.)
8° Saargem., (R Klein) 01. (?) (Lpzg, G Brauns.)   2 — d
Schmitt, H: Präparat. zu Euripides' Iphigenie in Taurien u.
Medea. — Herodot. — Homers Ilias. — Sophokles Aias, Anti-
gone, Elektra u. Oidipus Tyrannus. — Thukydides, s.: Krafft
u. Ranke's Präparat. f. d. Schullektüre.
— Grisch. Verbal-Verz., s.: Hensell, W.
Schmitt, H: Frauenbewegg u. Mädchenschul-Reform. 2 Bde.
(318 u. 408) 8° Berl., K Siegismund 03.   12 —; L. an 15 —
Schmitt, H: Reingefallen, s.: Bloch's, L, Herren-Bühne.
Schmitt, H: Das Polizeistrafgesetzb. f. d. Kgr. Bayern, s.:
Staudinger, J v.
— Sammlg v. Reichsges. strafrechtl. Inhalts. (339) 8° Münch.,
CH Reck 05.   L. 2.25 d
Schmitt, J: Generalreg., s.: Gartenlaube, d.
Schmitt, J: Anl. z. Erteilg d. Erstkommunikanten-Unterr.
11. Afl. (356) 8° Freibg i/B., Herder 04.   2.60; HF. 3.80 d
— Erklärg d. mittl. Deharbeschen Katech. zunächst f. d. mittl.
u. höh. Kl. d. Elementarsch. 3 Bde. 10 Afl. 8° Ebd. 04. 15.60;
                                                         HF. 20.40 d
I. Von d. Glauben. (22, 605) ‖ II. Von d. Gebeten. (11, 686) ‖ III. Von d.
Gnadenmitteln. (12, 703)
— Explicación del catecismo de la doctrina cristiana acomo-
dado á las clases media y superior de las escuelas elemen-
tales. 2. ed. 3 voll. (13, 630, 674 u. 703) 8° Ebd. 03.   15 —;
                                                          HF. 22 —
— Manna quotidianum sacerdotum sive preces ante et post
missae celebrationem, cum brevi. meditationum punctis pro
singulis anni diebus. 3 tomi. Ed. IV. 8° Ebd. 05.   10 —;
                                                          L. m. Ldr-Rücken 14 —
I. Ab adventu usque ad Dominicam I. quadragesimae. (475 u. 56) ‖ II. A
Dom. I. quadrag. usque ad Dom. VIII. post pentecosten. (552 u. 56) ‖ III.
A Dom. VIII. post pentec. usque ad Dom. I. adventus. (564 u. 54)
— Psalm 118, f. Betrachtg u. Besuchg d. Allerheiligsten erklärt
u. verwertet. (392) 12° Ebd. 01.   2.90; L. 2.80 d
Schmitt, J: Sagen u. Geschichten a. d. lieben Badnerlande.
1. Bdchn. (106 m. Titelbild.) 8° Karlsr. 03. Wolh., F Acker-
mann. ‖ 2. Edebn. (147 m. Titelbild.) Weinh. 04.   7 — 80;
                                                   geb. je 1 — d
Schmitt, J: Eine naturgemässe Schreiblesemethode n. phonet.
Prinzipe. (32) 8° Worms, C Bürchl (05).   1 — d
Schmitt, J: Die Chronik v. Morea als e. Quelle z. Faust, s.:
Hochschul-Vorträge f. Jedermann.
Schmitt, J: Ablass-Gebetchen, n. B Schneider's Ablass-Brevier
u. Andachts-Büchl. hrsg. f. Welt- u. Ordensleute. 2. Afl. (268)
8° Mainz, Kirchheim & Co. 04.   1.30; L. 1.60 d
— Die göttl. Vorsehg. od. d. liebevolle Führg d. Menschen v.
seiten Gottes u. d. Glück jener, welche sich d. Führg an-
vertrauen, so wie es recht u. billig ist. Nach d. Schriften
v. de la Colombiére. 3. Afl. (143) 8° Ebd. 04. 1.20; L. 1.60 d
Schmitt, JC: Die Osterburg bei Bischofsheim vor d. Rhön.
[S.-A.] (8 m. Abb.) 4° Berl., F Ebhardt & Co. (01).   — 50 d
Schmitt, JD: Kurze Anl. z. Verwaltg d. Busssakramentes, s.:
Schick, A.
Schmitt, O: Von d. Lande d. Reben. Eine bunte Folge heim.
Lieder u. Gedichte. (160) 8° Neust. a/H., J Meininger 05.
                                                      L. 2.50 d
Schmitt, P: Aufg.-Sammlg f. d. gemeinschaftl. Schnellrechnen.
(134) 8° Langens., Schulbh. 03.   1.20 d
— Method. Behandlg d. gemeinen Dezimalbrüche. (45) 8° Ebd.
03.   1.50 d
— Die Behandlg d. Raumlehre in d. Volkssch. (151 m. Fig.) 8°
Ebd. 04.   1.50 d
Schmitt, P: Die hl. Konstantia, e. Kaiserstochter u. Ordens-
stifterin. Zugl. e. Zeitgemälde d. 4. Jahrh. 2. Afl. v. JH Schütz.
(112) 8° Paderb., Junfermann 03.   1.20; L. 1.60 d
Schmitt, P: Dent. Leseb., s.: Zettel, K.
Schmitt, R, s.: Beamten-Kalender, allg.
Schmitt, R: Gesch. Deutschlds im 19. Jahrh., s.: Jahrhundert,
d. deut., in Einzelschriften.
Schmitt, V: Die Verheissg d. Eucharistie (Joh. VI.) bei d.
Antiochenern Cyrillus v. Jerusalem u. Johannes Chrysosto-
mus. (102) 8° Würzbg, Göbel & Sch. 03.   2.40
Schmitt-Hartlieb, M: Schillerkarte f. Schulen. Graph. Dar-
stellg v. Schillers Leben u. Werk. Tab. 37×32 cm. Rheydt,
(WR Langewiesche) (05).   — 40
Schmittdiel, A: Betracht. Kommentar z. Nachfolge Christi d.
gottsel. Thomas v. Kempen. (1284) 8° Paderb., Bonifacius-
Dr. 01.   6 —; L. 7.40 d
Schmitter: Das Wissen d. prakt. Landwirts. 3. Afl. v. A Con-
radi. (639) 8° Lpzg, H Voigt 03.   L. 8 — d
Schmitthenner, A: Der Ad'm., s.: Verein f. Verbreitg guter
Schriften, Zürich.

Schmitthenner, A: Der Ad'm. Friede auf Erden, s.: Volks-
bücher, Wiesbad.
— Friede auf Erden, s.: Verein f. Ver-
breitg guter Schriften, Bern.
— s.: Gefunden.
— Neue Novellen. (439) 8° Lpzg, FW Grunow 01.   L. 6 — d
— Schillers Stellg z. Relig. Vortr. [S.-A.] (32) 8° Berl., CA
Schwetschke & S. 05.   — 50
Schmitthenner, F: Pharmakognosie d. Pflanzen- u. Tierreiches,
s.: Sammlung Göschen.
Schmittner's Adress- u. Geschäfts-Hdb. v. Fürth. 1905. (279,
187, 40, 80 u. 60 m. 1 Pl.) 8° Fürth, A Schmittner. Kart. nn 5 — d
Schmitz, A: Zweck u. Einrichtg d. Hilfssch., s.: Magazin,
pädagog.
Schmitz, B, s.: Musenalmanach, Münsterscher.
Schmitz, B: Deutsch-engl. Phraseol., s.: Loewe, H.
— Deutsch-französ. Phraseol. in systemat. Ordng nebst e. vo-
cabulaire systemat. 15. Afl. (197) 8° Berl.-Schönebg, Langen-
scheidt's V. 05.   2.50; geb. 3 — d
Schmitz, C, s.: Wärme u. Heizung.
Schmitz, E: Neue Abwandlgsprodukte a. ß-Terpineol. (Sm.-P.
32°) (63) 8° Hildesh., A Lax 05.   1.80
Schmitz, F: Unterscheidgslehren d. katbol. Kirche u. d. Pro-
testanten. 22. Afl. (32) 8° Mainz, Kirchheim & Co. 05. — 10 d
Schmitz, F: La France. — Lehrb. d. französ. Sprache, s.:
Boerner, O.
Schmitz, H, s.: Schulfreund, d.
Schmitz, H, s.: Volksbühne, niederdeut.
Schmitz, H: Frankfurter Leseb. f. Fortbildgssch., s.: Neu-
schäfer, H.
Schmitz, H: Engl. Synonyma, f. d. Schule zusammengest. 2. Afl.
(92) 8° Gotha, FA Perthes 02.   1 —
Schmitz, HJ: Gattin u. Mutter im Heidentum, Judentum u.
Christentum. Aus d. Nachlasse hrsg. v. G Hütten. (107
m. 1 Taf.) 8° Einsied., Verl.-Anst. Benziger & Co. 05.
                                                L. m. G. 2.40 d
— Geg. d. Strom. Erwäggn u. Ratschläge f. christl. Jungfrauen
d. gebild. Stände. Aus d. Nachl. Mit e. Biogr. d. Verf. hrsg.
v. G Hütten. 3. Afl. (202 m. Bildnis.) 12° Ebd. 02. L. m. G. 3.40 d
— Tobias, e. Vorbild f. d. Katholiken d. Gegenwart. Predigten
u. Mitten. Pflichten gegenüber d. soz. Gefahren. 3. Afl. (352)
8° Mainz, Kirchheim & Co. 04.   1.80 d
Schmitz, J: Kl. Apologutik od. Begründg d. katbol. Glaubens.
Leitf. f. d. Unterr. an höh. Lehranst. 5. Afl. (118) 8° Rgnsbg,
F Pustet 05.   — 90; geb. — 70 d
— Erweit. katbol. Katech. f. d. Mittelkl. d. Gymnasien u. d.
entsproch. Stufe and. höh. Lehranst. 4. Afl. (224) 8° Ebd. 02.
                                          — 70; geb. — 90 d
Schmitz, Frau J, s.: Fabri de Fabris.   — Harten, A.
Schmitz-Kallenberg, L, s.: Westfäl. Urk.-Bb. — s.: Heinr. Finke ge-
widmet.
— Inventare d. nichtstaatl. Archive d. Kreises Borken, s.: Ver-
öffentlichungen d. nichtstaatl. Archive d. Provinz. Westfalen.
— s.: Inventare d. nichtstaatl. Archive d. Kreises Coesfeld.
— Practica cancellariae apostolicae saeculi XV. exeuntis. Hdb.
f. d. Verkehr m. d. päpstl. Kanzlei. (22, 86 m. 8 Taf.) 8°
Münst., Coppenrath 04.   10 —
— s.: Urkunden d. fürstl. Salm-Horstmar'schen Archives in
Coesfeld. — Urkunden d. fürstl. Salm-Salm'schen Archives
in Anholt.
Schmitz, L: Illustr. Hauslexikon f. Gesunde u. Kranke. 24 Lfgn.
(920 m. 12 Farb. Taf. u. 6 zerlegbaren Modellen.) 8° Münch.,
G Schuh & Co. 03.04.   Je —; ‖ in L.-Bd 16 — d
Schmitz, L: Aus d. Feldzuge 1870/71. Tagebuchblätter e. 65ers.
(287 m. 3 Textskizzen u. 1 Kart.) 8° Berl., ES Mittler & S.
02.   3.80; L. nn 4.80 d
— Die Fürsorgeerziehg Minderjähriger. Erläutergn z. 2. VII.
1900 u. d. dazu ergang. Ausführgsbestimmgn, sowie d. Für-
sorge- bezw. Zwangserziehgsges. d. übr. deut. Bundesstaaten.
Text-Ausg. m. Einl. 2. Afl. (336) 8° Düsseldf, L Schwann 01.
                                         ‖ 3. Afl. (368) 01. Je 4 —; L. je 4.60 d
— Wegweiser z. preuss. Fürsorgeerziehgsges. [Kl. Ausg. d.
Fürsorgeerziehg Minderjähriger. 2. Afl. dess. Verf.] (54) 8°
Ebd. 01.   — 80; kart. 1 — d
Schmitz, L: Personenstand u. Eheschliessg in Preussen. Samml.
d. darauf Bezug hab. Ges., Verordngn, Ministerial-Erlasse
u. Entscheidgn. (134 u. 731) 8° Ebersw., (H Langewiesche)
(02).   (7 —; L. 7.50; HF. 8.50) 5 —; geb. 6 — d.
— u. A Wichmann: Die Eheschliessg im internat. Verkehr.
2 Bde. 8° Meidv., L Schmitz 05.   Je 9 —
1. Die Eheerfordernisse d. Ausländer im Deutschen Reiche insbes. in
Preussen. III. Afl. u. „Die Eheerfordernisse d. Ausländer in Preussen"
v. L Schmitz. (155)
2. Das interl. Eheschliessgsrecht u. d. Rechte betr. d. Legitimation
unehel. Kinder. Nachweis d. Rechte, die auch m. d. Staaten. Unter Mitwirkg
v. CBP Inhülsen u. MF Jovanovič. (98 u. 386)   nn n 7 — d
Schmitz, L: Die Hütte am Teich. Erzählg f. d. reif. Jugend.
2. Afl. (142) 12° Bas., Kober 01.   — 70; geb. 1.40 d
Schmitz, Frau M, s.: Fabri de Fabris. — Harten, A.
Schmitz, M: Humorist. Deklamationen, Schwänke u. Vorträge
f. kathol. Gesellenver., s.: Gott segne d. ehrbare Handwerk.
— Deklamatorium ernster, relig. u. humorist. Gedichte u. Vorträge f. kathol. Gesellen-, Arbeiter- u. and. Ver. 3. Afl. (312)
8° Rgnsbg, Verl.-Anst. vorm. GJ Manz 05.   1.50; L. 2.40 d
Schmitz, O: Die Bewegg d. Warenpreise in Deuschl. v. 1851 —

02, nebst 2 Ergänzgn: Bankdiskont, Goldproduktion u. Warenpreisstand. d. Weizenpreis v. 400 v. Chr.—1900. (443 m. 2 Kart. u. 43 farb. Taf.) 8° Berl., F Siemenroth 03. 12 —; geb. 14 —

Schmitz, OAH: Don Juan, Cassanova u. and. erot. Charaktere. (88) 8° Stuttg., A Juncker 06.   2 — d
— Halbmaske. (242) 8° Ebd. 03.   3.50
— Haschisch. Erzählgn. 1. u. 2. Afl. (101) 8° Ebd. 02. (03). 2 —
  Die 1. Afl. erschien in Frankfurt a/M.
— Der Herr d. Lebens. 2 Aufzüge. — Die Rächerin. 3 Szenen. (97) 8° Ebd. 05.   2 —
— Lothar od. Untergang e. Kindheit. (202) 8° Ebd. 05.   3 —; geb. 4 —
Schmitz, P: Die deut. Rechtschreibg. (4) 8° Neuw., P Kehrein (03).   — 10 d
Schmitz, R: Üb. d. gegenwärt. Stand d. Perityphlitis-Frage, s.: Klinik, Berliner.
Schmitz, W: Der Aquarienliebhaber. Kurzer Leitf. z. Einrichtg u. Erhaltg e. schönen u. zweckmäss. Aquariums. (43 m. Abb.) 8° Dresd., H Schultze 04.   1 — d
Schmitz, W: Das Rosenkranzgebet im 15. u. im Anfange d. 16. Jahrh. (113) 8° Freibg i/B., Herder 03.   2 — d
Schmitz du Moulin, MA: Ritter d. Lichtes. 1—5. Bd. 8° Lpzg, R Uhlig.   18.50
  1. Keine Rasse! Keine Klasse! Brüder alle! (173) Neuw. (03).   2.50
  2. Der Islam, d. b. d. Ergebg in Gottes hl. Willen. (285) (94.).   4 —
  3. Die Greuel d. Verwütsg. (316) (04.)   4 —
  4. Islambul, d. h. d. Stadt d. Glaubens. (314) (04.)   4 —
  5. Im Harem od. Beit-ul Mukadis d. h. im hl. Tempel zu Jerusalem. (36, 304) (05.)   4 —
Schmitz-Kallenberg, L, s.: Schmitz, L.
Schmitz-Mancy, M, s.: Dichter d. Befreigskriege.
— Deut. Leseb. f. höh. Lehranst., s.: Schulz, B.
— s.: Schöningh's Textausg. alter u. neuer Schriftsteller.
— Der Vaterlandsgedanke in d. deut. Dichtg. Sammlg vaterländ. Dichtgn v. ält. Zeit bis z. Gegenwart. Für d. Schulgebr. hrsg. (231) 8° Münst., Aschendorff 04.   Geb. nn 1.25 d
— s.: Zeitschrift f. lateinlose höh. Schulen.
Schmitzberger, J, s.: Tierstudien.
Schmöger, F: Leibniz in sr Stellg z. tellur. Physik, s.: Studien, Münch. geograph.
Schmohl, P, u. G Staehelin: Neue deut. Architektur. 10 Lfgn. (Je 8 Taf.) Fol. Stuttg., K Wittwer (09.03).   Je 2 —
— — Barockbauten in Deutschl. 5 Lfgn. (86 Lichtdr. m. 14 S. illustr. Text.) 51×37,5 cm. Stuttg., C Ebner (04.05). Je 10 —
— — Ausgeführte städt. Bauten. 8—10. Lfg. (30 [18 farb.] Taf. m. 2 Bl. Text.) Fol. Stuttg., K Wittwer (01).   Je 10 —
  (Vollst.: 100 —)
— — Ausgeführte kl. Geschäftshäuser. Sammlg eingebauter u. freisteh. Wohn- u. Geschäftshäuser f. Städte mittl. Grösse m. Fassaden in Farbdarstellg, Grundrissen u. Details. 3—10. Lfg. (Je 10 Taf.) Fol. Ebd. (01.02). Je 5 —(Vollst. in. M: 50 —)
— — Kieser & Deeg: Moderne Bauschreiner-Arbeiten. Neue Vorlagen m. Grundrissen, Schnitten u. detaillierten Querschnitten. 4—12. Lfg. (72 Taf. m. 18 Detailtaf. u. 4 S. Text.) Fol. Ravnsbg, O Maier (01-03).   Je 2 —
  (Vollst.: 24 —; Mappe 1 —)
  1—6 sind nur v. Schmohl u. Stähelin.
Schmolck, B: Passionsseufzer, s.: Passionsandachten, kurze.
Schmölder, R: Die Geldstrafe. Vortr. (29) 8° Hamm, (Emil Griebsch) (02).   — 50 d
Schmöle, J, s.: Abhandlungen a. d. staatswiss. Seminar zu Münster i. W.
Schmoll, G: Der Hexenschüler. Modernes Märchensp. (20) 8° Wien, M Breitenstein 01.   — 35 d
Schmoller, G, s.: Acta borussica.
— Classenkämpfe u. Classenherrschaft. [S.-A.] (14) 8° Berl., (G Reimer) 03.   — 50
— Entstehg, Wesen u. Bedeutg d. neueren Armenpflege. [S.-A.] (10) 8° Ebd. 02.   — 50
— Ein. principielle Erörtergn üb. Werth u. Preis. [S.-A.] (43) 8° Ebd. 01.   4 —
— s.: Forschungen z. brandenb. u. preuss. Gesch.—Forschungen, staats- u. sozialwiss.
— Die Getreidehandelspolitik u. Kriegsmagazinverwaltg Brandenb.-Preussens, s.: Naudé, W.
— Üb. ein. Grundfragen d. Socialpolitik u. d. Volkswirtschaftslehre. 1. Üb. ein. Grundfragen d. Rechts u. d. Volkswirtschaft. 1874—75. 2. Die Gerechtigk. in d. Volkswirtschaft. 1881. 3. Die Volkswirtschaft, d. Volkswirtschaftslehre u. ihre Methode. 1893. 4. Wechselnde Theorien u. festeste Wahrh. im Geb. d. Staats- u. Sozialwiss. u. d. heut. deut. Volkswirtschaftslehre. 1897. 2. Afl. (393) 8° Lpzg, Duncker & H. 04. 7.90 d
— Grundr. d. allg. Volkswirtschaftslehre. — 2. u. 2. Tl. 8° Ebd.   28 —; L. 31 — d

  1., gröss. Tl. Begriff. Psycholog. u. sittl. Grundl. Litt. u. Methode. Land, Leute u. Technik. Die gesellschaftl. Verfassg u. Volkswirtschaft. 4.—6. Afl. (492) 01.   12 —; geb. 13.40
  2. Verkehr, Handel u. Geldwesen. Wert u. Preis. Kapital u. Arbeit. Einkommdn. Kriebn, Klassenkämpfe, Handelspolitik. Histor. Gesamtentwickelg. 1.—4. Afl. (719) 04.   16 —; geb. 17.80
— s.: Schmoll f. Gesetzgebg usw.
— Die histor. Lohnbewegg v. 1300—1900 u. ihre Ursachen. [S.-A.] (16) 8° Berl., (G Reimer) 02.   — 50
— Ueb. d. Maschinenzeitalter in s. Zusammenh. m. d. Volkswohlstand u. d. soz. Verfassg d. Volkswirtschaft. Vortr. 1. u. 2. Abdr. (31) 8° Berl., J Springer 03.   — 60

Schmoller, G: Die Münzverwaltg d. Könige Friedrich I. u. Friedrich Wilhelm I., s.: Schrötter, F Frhr v.
— Ub. Organe f. Einigg u. Schiedssprüche in Arbeitsstreitigk. [S.-A.] (12) 8° Berl., (G Reimer) 03.   — 50
— s.: Politiker u. Nationalökonomen.
Schmoller, O: Der Brief Pauli an d. Galater. 4. Afl. v: O Zöckler, s.: Bibelwerk, theologisch-homilet.
Schmöller, L: Die scholast. Lehre v. Materie u. Form. Neuerdings dargest. m. Rücks. auf d. Tatsachen u. Lehren d. Naturwiss. (63 u. 3) 8° Pass., (G Kleiter) 03.   nn — 60 d
Schmölzer, H: Die Fresken d. Castello del Buon Consiglio in Trient u. ihre Meister. (66 m. Abb. u. 3 Taf.) 8° Innsbr., Wagner 01.   2 —
— Andreas Hofer u. s. Kampfgenossen. (335 m. Abb. u. 1 Karte.) 8° Ebd. 05.   4 —; L. 5 — d
Schmorl, G, s.: Neisser, A, stereoscop. medicin. Atlas.
— Die pathologisch-histolog. Untersuchgsmethoden. 2. Afl. (263) 8° Lpzg, FCW Vogel 01. 6 —; geb. 7.25 || 3. Afl. (329) 05. 8.75; geb. nn 10 —
— s.: Verhandlungen d. deut. patholog. Gesellsch.
Schmuck, der. Hrsg. v. W Fleiner. 14—18. Jahrg. 1901—5 je 12 Lfgn. (Je 3 Lichtdr.) 42×30 cm. Pforzh., (O Ricker). Je 36 —
Schmuck, H: Leitf. f. Lokomotivführer u. Lokomotivheizer d. kgl. bayer. Staatseisenb. z. Vorbereitg auf d. Dienstprüfgn. (154 u. 4) 8° Nürnbg, C Koch 04.   L. 1.60 d
Schmucker, R: Die Essener Heiligtumsfahrt. Pilgerbüchl. (72 m. Abb.) 12° Ess., Fredebeul & K. 02.   — 30 d
Schmuckh, FS v.: Wendlstoaner G'spass'l. Gedichte in oberbayer. Mundart. (75 m. Abb.) 8° Münch., (H Hugendubel) 03.   L. nn 1.50 d
Schmucki, A: Kreuz u. quer durch Spanien. Reise-Erinnergn e. schweiz. Santiago-Pilgers. (328) 8° Stans, H v. Matt & Co. 1900.   2 — d
Schmüderrich, B: Kinderpflege u. Kinderernährg bes. in d. 1. Lebensj. 2. Afl. (94) 8° Ess., Fredebeul & K. 02.   — 30 d
Schmülling, F: Lebens- u. Auferstehgsgesänge. Gedichte. (80) 8° Strassbg, J Singer 05.   1.50
Schmut, J: Oberzeiring, s.: Bergbaue Steiermarks.
Schmutterer, W: Taschlonb. f. Fleischbeschauer. (29 u. Tageb.) 12° Münch., Buchdr. u. Verl.-Anst. C Gerber 03. L. nn 1.50 d
Schnaase: Zur Beleihg d. Privatforsten durch d. preuss. Landschaften. (64) 8° Neud., J Neumann 03.   1.60 d
Schnabel, A, s.: Salinen, d., Österr.
— Chem. Untersuchgn d. österr. Salinenbetriebes. [S.-A.] (255) 4° Wien, Hofu. Staatsdr. 04.   —
Schnabel, C: Hdb. d. Metallhüttenkde. 1. u. 2. Bd. 8° Berl., J Springer.   50 —; Einbde in L. je 3 —
  1. Kupfer, Blei, Silber, Gold. (1196 m. Abb.) 01.   78 —
  2. Zink, Cadmium, Quecksilber, Wismuth, Zinn, Antimon, Arsen, Nickel, Kobalt, Platin, Aluminium. (911 m. Abb.) 04.   22 —
— Lehrb. d. allg. Hüttenkde. 2. Afl. (757 m. Fig.) 8° Ebd. 03.   16 —; L. 17.40
Schnabel, CF: 100 lohn. Ausflüge in d. näh. u. weit. Omgebg Stuttgarts. 3. Afl. (94 m. Abb. u. 1 Karte.) 8° Cannst., G Hopf (02).   Kart. 1 — d
Schnabel, HP: Die Gebetsheilg. (23) 8° Barm., Wuppertaler Traktat-Gesellsch. 02.   — 30 d
— Predigten üb. d. Gesch. d. Reiches Gottes z. Gebr. f. Nachmittags- u. Abendgottesdienste u. f. häusl. Erbaug. (492) 8° Gless., A Töpelmann 01. 4 —; L. 5 — || 2. [Tit.-]Ausg. 05.   L. nn 2.95 d
Schnabel, JG: Die Insel Felsenburg, s.: Literaturdenkmale, deut., d. 18. u. 19. Jahrh.
Schnabel, K: Die Feier d. Einweihg e. Kirche dargest. u. erklärt. (154) 16° Würzbg, Göbel & Sch. (03).   — 40 d
— Die Feier d. hl. Frohnleichnams-Festes in Hochamt, Prozession u. Vesper. (100) 16° Ebd. 02.   — 30; geb. — 40 d
— Die Feier d. Glockenweihe. (45) 16° Ebd. 02.   — 15 d
— Die Feier d. Grundsteinlegg e. Kirche. (39) 16° Ebd. 06.   — 10 d
— Die Feier d. hochhl. Weihnachtsfeste (1. u. 2. Vesper, Mette u. 3 hl. Messen). (151 m. Abb.) 16° Ebd. 04.   — 40; geb. — 60 d
— Der Morgengottesdienst d. hl. Kirche in d. Charwoche, in s. Gebeten u. Ceremonien erläut. 2. Afl. (248 u. 1 Abb.) 16° Ebd. 01.— 60; L. — 80 || 3. Afl. (288 m. Abb.) 03. Geb. 1 — d
— Die Ostermette u. Auferstehgsfeier d. Charsamstags-Abends. (39) 16° Ebd. 04.   — 10 d
— Die Trauermetten d. Charwoche. (41) 8° Fladung. 05. (Würzbg, Göbel & Sch.)   — 20 d
Schnabl, J: Versäumter Frühling. Gedichte. (109) 8° Berl., H Walther 02.   2 —
Schnabl, J: Natura, uns. Trösterin, s.: Alizon.
Schnack, HC: Vollständ. Sammlg v. Vor- u. Taufnamen, nebst Angabe d. Ursprges u. d. Bedeutg. 4. Afl. v. A Rolf. (120) 8° Hambg, GA Rudolph 01.   2 —
Schnackenberg: Die Gesundheitskommission, s.: Rüsel.
Schnackenberg, E, s.: Jahrbücher d. deut. Armee u. Marine.
Schnackenburg, M: Gedichte. (144) 8° Dresd., E Pierson 05.   2.50; geb. 3.50
Schnapper-Arndt, G: Zur Theorie u. Gesch. d. Privatwirtschafts-Statistik. [S.-A.] (45) 8° Lpzg, Duncker & H. 03. 1.60

Schnarf, K: Beitr. z. Kenntnis d. Sporangienwandbaues d. Polypodiaceae u. d. Cyatheaceae u. ar systemat. Bedeutg. [S.-A.] (25 m. 1 Taf.) 8° Wien, (A Hölder) 04. — 70
Schnarrenberger, W: Der Kraichgau in alamannisch-fränk. Zeit. Fortsetzg u. Nachtr. zu: „Die vor- u. frühgeschichtl. Besiedelg d. Kraichgaues". (23 m. 1 Karte u. 1 Taf.) 4° Bruchs., (W Ott) 02. — 80 (I u. II.: 1.80)
Schnars, KW: Baden-Baden u. Umgegend. (Neu bearb. v. C Wild.) Kl. Ausg. 13. Afl. (151 m. Abb., 1 Pl. u. 1 Karte.) 8° Baden-B., C Wild 04. In Wachstuch 1.20
— Führer v. Baden-Baden u. d. Schwarzwald. Eine stäg. Wanderg v. Baden-Baden bis Thiengen u. Waldshut, bearb. v. P Bussemer, sowie e. Anl. zu 17 d. schönsten u. interessantesten Tages-Touren v. Baden-Baden in d. Schwarzwald u. e. kurzen Beschreibg d. Höhenwege Pforzheim-Basel u. Pforzheim-Waldshut v. C Wild. 14. Afl. (24, 254 m. 2 Abb., Kart. u. 1 Pl.) 8° Ebd. 05. In Wachstuch 2 —
— Neue Karte d. Schwarzwaldes. Durchgesehen v. K Stark. 1:400,000. 45×36,5 cm. Farbdr. Hdlbg (01). Baden-B., E Sommermeyer. — 60
— Schwarzwaldführer. 13. Afl. v. K Stark. (373 m. Kart. u. Pl.) 12° Ebd .01. Geb. 5— || 4. Afl. (247 m. Kart. u. Pl.) 05. Geb. 2 —
— Kl. Schwarzwaldführer. 10. Afl. v. K Stark. (204 m. Karte u. Pl.) 12° Ebd. 01. Kart. 2 —
Seit 1905 erscheint nur noch 1 Ausg.
Schnauferl, das. Flieg. Blätter f. Sport-Humor m. Beil. u. „Auto-Velo". Red.: R Braunbeck (u. E Kneiss). 2—4. Jahrg. 1903—05 je 24—27 Nrn. (1903. 232 m. Abb.) 4° Berl., Verl.-Anst. G Braunbeck. Viertelj. 1.50; einz. Nrn — 25 d
Schnauss, H, s.: Apollo.
— Die Blitzlicht-Photogr. Anl. z. Photographieren bei Magnesiumlicht. 3. Afl. (175 m. Abb. u. 8 Taf.) 8° Lpzg, E Liesegang (02). 2.50; geb. 3 —
— Diapositive. Anl. z. Anfertigg v. Glas-Photographien f. d. Projektionsapparat, d. Stereoskop, z. Fensterschmuck sowie z. Zwecke d. Vergrösserung u. d. Reproduction. 4. Afl. (134 m. Abb.) 8° Dresd., Unger & Hoffmann 03. 2 —
— s.: Gut Licht!
— Photograph. Zeitvertreib. Zusammenstellg einf., leicht ausführbarer Beschäftiggn u. Versuche m. Hilfe d. Camera. 3. Afl. (366 m. Abb. u. Kunstbeil.) 8° Lpzg, E Liesegang 03. geb. 3.50
Schnauss, J, u. A Albert: Der Lichtdruck u. d. Photolithogr., s.: Liesegang's photograph. Bücherschatz.
Schnebel, C: Die Staffage, s.: Edel, E.
Schneck, E: Die Lehre v. d. Projektionen. (50 m. Abb. u. 6 farb. Taf.) 8° Berl., L Oehmigke's V. 04. 2 —
— Das Malen n. Natur- u. Kunstgegenständen. (24 m. Abb. u. 6 farb. Taf.) 4° Ebd. 03. 3 — || Neue Folge. (19 m. 12 farb. Taf.) 05. 5 —
Schnedermann, F: Die bleib. Bedeutg Immanuel Kants, in ein. Hauptpunkten gezeichnet. Vortr. (19) 8° Lpzg, JC Hinrichs' V. 04. — 50 d
Schnedermann, G, s: Beiträge z. Vertiefg d. kirchl. Unterweisg.
— Der geschichtl. Christus u. d. christl. Glaubenslehre. [S.-A.] (32) 8° Lpzg, B Richter 02. 1 — d
— Der christl. Glaube im Sinne d. gegenwärt. ev.-luther.Kirche. Method. Lehrb. d. Glaubenslehre als d. Darstellg uns. eig. Glaubens. 1. Hälfte. 3. Abtig. Die christl. Anschaug v. d. Welt u. d. Menschen. (30 u. 501—623) 8° Lpzg, A Deichert Nf. 02. 2 — (I, 1—3.: 9.20)
Schnee, H: Bilder a. d. Südsees. Unter d. kannibal. Stämmen d. Bismarck-Archipels. (394 m. 30 Taf. u. 1 Karte.) 8° Berl., D Reimer 04. L. 12 —
Schnee, P: Darwinist. Studien auf e. Korallen-Insel, s.: Vorträge u. Abhandlungen, gemeinverständl. darwinist.
Schnee, R: Hilfsbüchl. f. d. Schule, s.: Rüegg, H.
Schneebeli, JJ: Bilder a. d. Schweizergesch., s.: Rüegg, H.
Schneeberger, F: Lernolibro de Esperanta Stenografio (unniga sistemo Stolze-Schrey). (24) 8° Berl., Esperanto Verl. Möller & Borel (05). nn — 80
Schneeberger, W: Die Parteienöffentlichk. in d. Vornuntersuchg, s.: Benedikt, E.
Schneebergs-Album. (14 Bl.) 12° Wien, R Lechner's S. (02). In Leporelloform —
Schneedorfer, LA: Das Buch Jeremias, d. Propheten Klagelieder u. d. Buch Baruch, s.: Kommentar, kurzgef., zu d. hl. Schriften d. Alten Test.
Schneeflocken. (Erzählgn.) 21—50. Heft. 8° Gütersl., C Bertelsmann (1900-05). Je — 10; je 10 Hefte in 1 Bd geb. je 1.50 d
Kuth. Erzählgn v.: FD v. Blomberg, B Clément, J Dose, H Groeck, M Kühn, B Mörzdorf, C Niese, B Pfannschmidt-Beutnef, E v. Rhöin, A Rinnebefg, P Rosegger, H Sohwrey, M Ulbfich, C Wintef (M Bickmeyer).
Bis Heft 30 erschien in Berlin.
— u. **Anderes.** (79) 8° Brix., (Pressver.-Bh.) 01. 1 —
Schneegans, August. 1835—95. Memoiren. Beitrag z. Gesch. d. Elsasses in d. Uebergangszeit. Aus d. Nachlasse hrsg. v. H Schneegans. (479 m. Bildnis.) 8° Berl., Gebr. Paetel 04. 10 —; HF. 12 — d
— Sicilien. Bilder a. Natur, Gesch. u. Leben. 2. Afl. (483 m. 1 Karte.) 8° Lpzg, FA Brockhaus 05. 6 —; geb. 7 — d
Schneegans, H: Molière, s.: Geisteshelden.

Schneegans, M: Kloster u. Abt, s.: Jugendbibliothek, deut.
Schneegans, W: Kreuznach, Münster a. Stein u. d. Nahetal. nebst Ausflügen an d. Rhein u. in d. Pfalz. Medizin. Anl. v. P Oertel. 7. Afl. v. H Stumpf. (144 m. Titelbild, 1 Pl. u. 2 Kart.) 8° Kreuzn., R Schmithals 04. 2 —
Schneekoppe, d., im Riesengebirge. Zur Erinnerg f. s. Besucher. (16 m. 2 Abb.) 12° Warmbr., E Gruhn (03). — 10 d
Schneele, K: Die Päpste in chronolog. Aufeinanderfolge. 2. Afl. (56) 8° Rottbg. W Bader 05. nn — 90; geb. nn 1.30 d
— Das Recht d. Kirche auf d. Schule, s.: Zeitfragen, polit., in Württemberg.
Schneemelcher, W, s.: Evangelisch-sozial.
Schneer, J: Führer durch Neapel, s.: Detken.
Schneesing, J: Peter Simpel. Nach Marryat f. d. Jugend neu bearb. 2. Afl. (96 m. 4 Farbdr.) 12° Lpzg, O Spamer (02). Geb. 1 — d
Schneeweiss, Frau M: Die tägl. Buchführg im Haushalt. (120 m. Bildnis.) 8° Berl., R Schneeweiss (03). L. 1 — d
— Mein Ratgeber im Haushalt. (217 m. Bildnis.) 8° Ebd. (03). Geb. 2 — d
— Mein Wäschebuch. Illustr. Hdb. d. Weissnäherei, Wäscherei u. Bügelei, m. Modellübersichten u. Schnittmusterbog. (158 m. Bildnis.) 8° Ebd. (03). Geb. 2 — d
— Mein Wirtschaftsgeld. Die Einteilg d. Wirtschaftsgeldes nebst dazugehör. erprobten Küchen-Rezepten. 2 Bde. 8° Ebd. Geb. 3.50 d
I. 3. Afl. (184 m. Bildnis.) 03. 1.50 || II. 2. Afl. (237 m. Bildnis.) 03. 1 —
Schneeweisschen u. Rosenrot. Märchen. (Meinhold's Märchen-Bücher.) (8 m. 6 Farbdr.) 4° Dresd., CC Meinhold & S.(02). 1 — d
Schnegelberger, C, s.: Adress-Buch, Rheingauer.
Schnegg, H: Botanik d. tägl. wirtschaftl. Lebens. Gedrängte Darstellg d. wichtigsten im Verkehr u. Handel erschein. Pflanzen u. Pflanzenprodukte. (176) 8° Lpzg, Verl. d. mod. kaufm. Bibliothek (03). L. 2.75
Schneickert, H: Die Geheimschriften im Dienste d. Geschäfts- u. Verkehrslebens. (75) 8° Lpzg, Verl. d. mod. kaufm. Bibliothek (03). L. 2.75
— Der Schutz d. Photographien u. d. Recht am eig. Bilde, s.: Enzyklopädie d. Photogr.
Schneid, J: Der Monatstag d. Abendmahles, u. Todes uns. Herrn Jesus Christus, (114) 8° Egusbg, Verl.-Anst. vorm. GJ Manz 05. 2.80
Schneideck, GH: Der Auszug n. Kahla. Eine Studentengesch. Neue Ausg. (165) 8° Jena, O Bassmann 03. 2 —; geb. 3 —
— Tante Balzereit u. a. and. lust. Gesch. (114) 8° Berl., F Grunert, Sep.-Cto 04. 2 —
— Heinrich v. Ofterdingen. Ein deut. Spiel. (158) 8° Lpzg 04. Berl., H Seemann Nf.
— Jenenser Leben. Studentenliederb. 3. Afl. (126 m. 5 Taf.) 12° Jena, O Rassmann 03. 1.50
— NeueBerliner Märchen. 5. Afl. (180 m.Abb.) 4° Berl., F Grunert, Sep.-Cto 04. Kart. 3 — d
Schneidemühl, G: Die animal. Nahrgsmittel. Hdb. zu ihrer Untersuchg u. Beurteilg. (385—1011 m. Abb. u. 1 farb. Taf.) 8° Wien, Urban & Schw. 01.03. 15.50
(Vollst.: 25.90; geb. nn 27.70)
Schneider, der, prakt. Red.: R Tiesler. 7—11. Jahrg. 1901—05 je 12 Nrn. (16 m. Abb., 1 Taf. u. 1 Schnittbog.) 4° Dresd. Exp. d. europ. Modenzeitg. Viertelj. 1 — d
Schneider: d. Forst- u. Jagd-Kalender.
Schneider: Die Brüdergemeine in d. Mark, s.: Hefte z. märk. Kirchengesch.
Schneider: Neuestes Fremdwrtrb. (315) 8° Stuttg., W Nitzschke. — A Breitinger (04). Geb. 2 — d
Schneider: Eine Reise n. Algier u. zu d. weissen Vätern, s.: Unterhaltungs-Bibliothek, Steyler.
— **Wissen u. Glaube**, s.: Lehr u. Wehr für's deut. Volk.
Schneider u. Höfer: Das württemberg. Ges. betr. d. Bestenergsrechte d. Gemeinden u. Amtskörpersch. v. 8.VIII.'03. (28, 925) 8° Altenst. 05. (Stuttg., O Gerschel.) 1 —
— dass., 2. Afl. Die Lehre d. Akustik u. Harmonie überts. auf d. prakt. Gebiet. (118 m. Abb. u. Bildnis.) 8° Dresd., (E Weise) (05). 5 —
— dass. 2. Afl. (166 m. Abb. u. Bildnis.) 8° Dresd., (R Petzold) (05). nn 10 —
Schneider, A: Privatrechtl. Gesetzb. f. d. Kt.Zürich. Auf Grundl. d. Bluntschli'schen Kommentars allg.-fasslich erläut. Erbrecht. 2. Afl. (138) 8° Zür., Schulthess & Co. 01. 1.80 d
— Die Zuständigk. d. militär. Gerichte in d. Schweiz, s.: Militärzeitung, allg. schweiz.
Schneider, A: Bibliogr., s.: Zeitschrift f. roman. Philol.
Schneider, A: Neuestes Fremdwrtrb. 3. Afl. (315) 8° Stuttg. s.: Beiträge, Bonner, z. Anglistik
Schneider, A: Lehrg. f. d. Zeichenunterr. in Volkssch. — Der Zeichenunterr. in der Neugestaltg, s.: Schneider, O.
Schneider, A: Die Eisenb.Deutschlds. Gesch., Betrieb u. Organisation. (46) 8° Karlsr., G Braun'sche Hofbuchdr. 05. 1 —
Schneider, A: Musterbriefe u. Anlg., s.: Voigt, L.
Schneider, A, u. P Süss: Handkommentar z. Arzneib. f. d. Deut. Reich 4. Ausg. Pharmacopoea germanica, ed. IV. 3. Afl. d. Hirsch-Schneider'schen Kommentars z. deut. Arzneib. Bearb. unter Mitwirkg v. F Göller, C Helbig, W Wobbe. 3—12. Lfg. (129—1140 m. Abb.) 8° Gött., Vandenhoeck & R. 1900-02. 18.60 (Vollst.: (22.50) 17 —; HF. (35.50) 20 —

Schneider, A: Wörishofen, nebst e. Schilderg sr näh. u. weit. Umgebg. (164 m. Abb.) 8º Wörish., Buchdr. u. Verl.-Anst. 04. 1.50
— Die ehemal. Zisterzienser-Abtei Tennenbach, Porta coeli, im Breisgau. (98 m. Abb.) 8º Ebd. 04. 1 —
Schneider, A: Lehrb. d. deut. Stenogr. Gabelsb.'s, s.: Dix, F.
Schneider, A: Die Psychol. Alberts d. Gr., s.: Beiträge z. Gesch. d. Philosophie d. M.-A.
Schneider, A, u. L Dahlheim: Usancen d. Berliner Fonds-Börse. 12. Afl. (190 u. 408) 16º Berl., F Dümmler's Bh. 04. L. 6 —
Schneider, AR, u. A Nalepa: Landw.-Lehre f. österr. Lehrer. Lehrabbildgsaust. II. Tl. 3. Afl. (120 m. 1 Pl.) 8º Wien, A Hölder 02. L. 1.50
Schneider, B: Der Mantuan. Erbfolgestreit. (93) 8º Bonn, H Behrendt 05. 1.20 d
Schneider, B: Heimatstimmen. Sammlg alter u. neuer, geistl. u. weltl. Volksweisen u. Kunstgesänge in dreistimm. Bearbeitg. Ausg. A, 1. u. 3. Afl.: 258 bezw. 260 Gesänge f. d. Chor- u. Oberkl. d. Volkssch. (16, 286 bezw. 288) 8º Dresd., A Huhle 03.04. Kart. 1 — d
— dass. Ausg. B: 376 Lieder u. Gesänge f. höh. Töchtersch., Töchterpensionate, Lehrerinnen-Seminare u. Frauenbvereiningn. (24, 423) 8º Ebd. 03. Kart. nn 3.50 d
Schneider, C: Üb. 2 Fälle v. Herderkrankgn d. Gehirns. (22) 8º Tüb., F Pietzcker 02. nn — 70
Schneider, C: Fromm u. fröhlich. Poet. Erzählgn f. kl. Leute. (47 m. Abb.) 8º Kass., JG Oncken Nf. 05. — 25; geb. — 50 d
Schneider, C: 2 Jahre in Amerika, s.: Verein f. Verbreitg guter Schriften, Bern.
Schneider, C: Meine Wanderg auf d. Rennsteig d. Thüringer Waldes, s.: Schriften d. Rennsteigver.
Schneider, C: Pädagog. u. method. Winke, insbes. Vorschl. z. Reform d. Schreibunterr. (131) 8º Arnsbg, J Stahl 04. Geb. nn 2 — d
Schneider, CK: Deut. Gartengestaltg u. Kunst. (184 m. Abb.) 8º Lpzg, C Scholtze 04. 4.50 d
— Hdb. d. Laubholzkde. Charakteristik d. in Mitteleuropa heim. u. im Freien angepflanzten angiospermen Gehölz-Arten u. Formen m. Ausschl. d. Bambuseen u. Kakteen. 1—4. Lfg. (1.Bd. 1—592 m. Abb.) 8º Jena, G Fischer 04.05. Je 4 —
— Illustr. Hdwrtrb. d. Botanik. Unter Mitwirkg v. O Porsch hrsg. (690 m. Abb.) 8º Lpzg, W Engelmann 05. 16 —; HF. 19 —; auch in 5 Lfgn zu 3.20
— Gärtner. Vermessgskde. (168 m. Abb. u. 3 Taf.) 8º Lpzg 03. Berl., F Parey. L. 3 — d
— Dendrolog. Winterstudien. Grundleg. Vorarbeiten f. e. eingeh. Beschreibg d. Unterscheidsmerkmale d. in Mitteleuropa heim. u. angepflanzten sommergrünen Gehölze im blattlosen Zustande. (290 m. Abb.) 8º Jena, G Fischer 03. 7.50
Schneider, CM: Das Büchl. f. d. Oberinnen. Anl. z. Heiligg d. eig. Person wie auch d. and. in d. Verwaltg d. Vorsteheramtes. Nach d. Franz. 2. Afl. (211) 8º Regnsbg, A Coppenrath's V. 03. — 90; Ldr nn 1.30 d
— Die fundamentale Glaubenslehre d. kathol. Kirche, s.: Leo XIII.
— Der Jubelgreis auf d. Stuhle Petri. 4 Predigten. (76) 8º Paderb., F Schöningh 02. — 60 d
— Systemat. Leitf. f. d. Unterr. in d. katbol. Lehre. Nach d. Franz. bearb. 2. u. 3. Bd. 8º Regnsbg, A Coppenrath's V. Je 5.40 (Vollst.: 13.50; Einbde je nn — 60) d
2. Das apostol. Glaubensbekäontnis. (482) 01.
3. Die Gnade u. d. Gnadenmittel. (477) 04.
— Der Ordensbruder. Anl. zu e. frommen, verdienstvollen Leben im Ordensstande. (1033) 12º Ebd. 03. 5 —; geb. 5.80; Ldr nn 6.50 d
— Die Ordensschwester. Anl. zu e. frommen, verdienstvollen Leben im Ordensstande. Nach d. Franz. 5. Afl. (1033 m. Titelbild.) 8º Ebd. 05. 5 —; geb. nn 5.80; Ldr nn 6.50 d
— Der Tugendweg f. d. junge Mädchen u. d. christl. Jungfrau. (498) 8º Ebd. 02. 2.35 d
Schneider, E: Aufsätze f. d. Mittelst. d. Volkssch. Im Anschl. an d. deut. Leseb. bearb. (175) 8º Marbg, NG Elwert's V. 01. 1.80; geb. 2.40
— Deutsch. in Lied, Volksmund u. Sage. Gedichte, Volkssprüche u. Sagen z. Unterstützg u. Belebg d. erkundl. Unterr. in nied. u. höh. Schulen. (176) 8º Hilchenb. (02). Stuttg., T Benzinger. Geb. 1.30 || 2. Afl. 1. Tl. Das Kgr. Preussen. (252) 03. Geb. 1.50 d
— Führer durch d. Lahnthal v. Marburg bis Niederlahnstein, d. Nebenthäler d. Lahn u. Coblenz. (209 m. Abb, Pl. u. 1 Karte.) 8º Marbg, NG Elwert's V. 01. Geb. 2 —
— Lehrproben üb. deut. Lesestücke. II—V. Bd. 8º Ebd. 01. geb. 22.30
II. Für d. Mittelst. d. Volkssch. u. d. Unterkl. höh. Lehranst. (518) 05. 5.40; geb. 6 —
III. Für d. Obstst. d. Volkssch. u. d. Unter- u. Mittelkl. höh. Lehranst. Prosastücke. 2. Afl. (396) 05. 4.50; geb. 5.10
IV. Für d. Obstst. d. Volkssch. u. d. Unter- u. Mittelkl. höh. Lehranst. Gedichte. (450) 04. 5.40; geb. 6 —
V. Ergänzgsbd zu Bd. I u. II. Für d. Unter- u. Mittelkl. (450) 01. 4.50; geb. 5.30
— Liederstrauss. Sammlg d. verbreitetsten Volks- u. volkstüml. Lieder f. Schule u. Haus. 2. Afl. (85) 12º Ebd. 03. nn — 15 d
— Hess. Sagenbüchl. 2. Afl. (136 m. Abb.) 8º Ebd. 05. kart. 1.50; L. 1.80 d
— Touristen-Liederb. (80) 16º Ebd. (03). — 25 d

Schneider, E: Deut. Taten. Fest-Sp. z. deut. Tage. (16) 8º Hoboken (N. J., 60 Hudson Str.), HE Schneider & Co. (05). — 40 d
Schneider, E: Die Bernische Landsch. am Ende d. XVIII. Jahrh., s.: Archiv f. schweiz. Schulgesch.
— Zur Lehrerbildg. (53 m. 1 Tab.) 8º Biel, E Kuhn 03. 1 —
Schneider, E: Bildl. Darstellg d. hauptsächlichsten in Deutschl. gezücht. Nutz- u. Ziergeflügel-Rassen u. deren Farbenschläge n. Orig.-Zeichngn v. Mustertieren. Mit e. Einl. v. G Torges. (24 m. 84 Taf., z. Tl m. Text auf d. Rücks.) 4º Dresd. (01). Reichenb., JG Koch. Kart. 6 —
— Die Geflügelzucht, s.: Löbe, W.
Schneider, E: Üb. d. Rückständigk. d. Katholizismus auf d. Geb. d. schönen Litt., nebst ausgew. Gedichten, s.: Katholik, e. liberaler, d. 18. Jahrh.
Schneider, F, s.: Verzeichnis d. Hamburger Schiffe.
Schneider, F: Bistum u. Geldwirtschaft. Zur Gesch. Volterras im M.-A. (Tl 1). [S.-A.] (40) 8º Rom, Loescher & Co. 05. nn 1.60
— Festgabe, usw. Heinr. Finke gewidmet.
Schneider, F: Das Färben u. Bleichen v. Baumwolle usw., s.: Herzfeld, J.
Schneider, F: Die Bestockgs-Verhältnisse d. Staatswaldgn d. fränk. Jura. (97 m. 1 Karte.) 8º Berl., P Parey 02. 3.50 d
Schneider, F: Die wichtigsten Ges. u. Verordngn. d. Volkssch. in Preussen betr. (127) 8º Danz., AW Kafemann 01. 1 — d
— Stoffsammlg z. Erteilg d. Anschaugsunterr. Zur Benutzg d. bei A W Kafemann erschien. Anschaugsbilder zusammengest. 3. Afl. (216) 8º Ebd. 02. 3 — d
Schneider, F: Schillers Entwicklgsgang u. d. Bedeutg d. Kenntnis desselben f. d. Verständnis sr Werke. (50) 4º Friedebg. (M Kohlschmidt) (01.02). nn 1.30 d
Schneider, F: Aus d. Hölle in d. Himmel. Scherzgedicht. (37 m. Abb.) 8º Dresd., E Pierson (03). 1 —; geb. 3 — d
Schneider, F: Die Frauenfrage im Handelsgewerbe, s.: Schriften d. kaufmänn. Verbandes f. weibl. Angestellte.
Schneider, F: D. Johan Dietenberger's Bibeldruck. Mainz 1534. (92 m. Abb.) 4º Mainz, (L Wilckens) 1900. 2 — d
— Elias Holl v. Augsburg am Bau d. kurfürstl. Schlosses in Mainz, 1550—32. [S.-A.] (23 m. Abb.) 8º Ebd. (04). 1 —
— Die Schatzverzeichnisse d. 3 Mainzer Klöster Karthaus, Reichen Klaren u. Altenmünster bei ihrer Aufhebg im J. 1781. (Sp. — 95, S. 94) 4º Ebd. 01. 3.50 d
— Der Wetterhahn auf d. Dom zu Mainz. [S.-A.] (28 m. Abb.) 8º Ebd. 01. — 30 d
Schneider, F: Hdb. f. Konsumver., s.: Oppermann, G.
Schneider, FE: Das Schulbild. Gymnasial-Alumnat (Knabensemlnar) zu Paderborn. (100 m. 7 Taf., 6 Grundr. u. 1 Pl.) 8º Paderb., Bonifacius-Dr. 05. 1 — d
Schneider, FJ: Jean Pauls Altersdichtg Fibel u. Komet. (258) 8º Berl., B Behr's V. 01. 6 —
— Jean Pauls Jugend u. erstes Auftreten in d. Lit. (369) 8º Ebd. 05. 8 —
Schneider, G: Rechenb. in Sachgebieten, s.: Barnicol, H.
Schneider, G: CPO. f. d. Kt. Aargau. Vom 19.III.1900. Textausg. m. Sachreg. [S.-A.] (122) 8º Aar., E Wirz 02. 1.20
— s.: Taschenausgabe d. gebräuchlichsten Ges. f. d. Kt. Aargau.
Schneider, G: Die Poetik in d. Schule. Stoffe m. Beisp. (18) 8º Barm., (A Röder) (05). — 30
— Zahlentaf. f. Gesch. Relig. (jüd. Gesch. u. Kirchengesch.); Erdkde, Naturkde, Technik; Litt.-Kde (deut., französ., engl.) u. Pädagogik. Zum Gebr. an höh. Mädchensch. u. Lehrerinnensem. Bildgsanst. 2. Afl. (16) 8º Lpzg, F Hirt & S. 02. — 20 d
Schneider, G: Die 10 Gebote d. Moses in moderner Beleuchtg. (106) 8º Frankf. a/M., Neuer Frankfurter Verl. 01. || 2. Afl. (115) 03. Je 1.50 d
— Lehrb. f. d. relig.-sittl. Unterr. in freirelig. Gemeinden. 3 Tle. 8º Ebd. 04. Geb. 4 —; Luxusausg. 5.50 d
1. (111) 1 — || 2. (900) 1.50 || 3. (188) 1.50.
Schneider, G: Georgenthal-Tambacher Wegweiser, s.: Reisebücher, Thüringer.
— Gothaer Wegweiser. 2. Afl. (117 m. Abb. u. 1 Karte.) 8º Gotha, Stollberg 1900. 1.25; L. 1.50
— Luisenthaler Wegweiser, s.: Reisebücher, Thüringer.
Schneider, G: Ein Vorschl. z. Reorganisation d. Bewirtschaftg d. Obersees bei Reval. [S.-A.] (16) 8º Rev., (Kluge & Str.) 04.
Schneider, G: Gesundheitslehre u. Haushaltgskde. Hilfsb. f. Mädchensch. (80) 8º Lpzg, BG Teubner 04. — 80 d
Schneider, G: Der Bergschmied, s.: Aufführungen f. Weihnachten u. Neujahr.
Schneider, G: Schüler-Kommentar zu Platons Apol. d. Sokrates u. Kriton, nebst d. Schlusskapiteln d. Phaedon. (76) 8º Lpzg, G Freytag. — Wien, F Tempsky 01. — 80 d
— dass. zu Platons Euthyphron. (40) 8º Ebd. 02. — 50 d
— dass. zu Platons Phaidon. (108) 8º Ebd. 05. 1 —
Schneider, G: Die Zwangsvollstreckg in d. bewegl. Vermögen. (93) 12º Ludwigshafg (K. Lauterbach u. Württ.), SchultheissSchneider. L. 3 — d
Schneider, H, s.: Assanierung, d., v. Wien.
Schneider, H v.: Ges. üb. d. Anlegenh. d. freiwill. Gerichtsbark. v. 17.V.1898. Textausg. m. Einl., Anmerkgn u. Sachreg. 2. Afl. (26, 339) 12º Münch., CH Beck 01. L. 2.50 d
— Das Ges. üb. d. Liegenschaftsrecht in d. Pfalz v. 1. VII.1898 u. d. Verordng. d. Anlegg d. Grundbuchs in d. Pfalz betr.,

v. 26.VIII.1896, m. Erläutergn, e. Abdr. d. Grundbuchanlegge-
ordng v. 15.IX.'02 u. Sachreg. 2. Afl. (557) 8° Münch., CH Beck
03. L. 6.50 d
Schneider, H v.: BGB., s.: Fischer, O.
Schneider, H: Das kausale Denken in deut. Quellen z. Gesch.
d. Lit. d. 10., 11. u. 12. Jahrh., s.: Untersuchungen, geschichtl.
— Goethe's naturphilosoph. Leitgedanken. (25) 8° Berl., Gose
& T. (05). 1 —
— Die Stellg Gassendis zu Deskartes. (68) 8° Lpzg, (Dürr'sche
Bb.) 04. 1.50
Schneider, H: Feuchtfröhl. Stunden. Gesänge e. Weinbegei-
sterten. (136 m. Bildnis.) 12° Berl., W Simon 01. L. 3 —
Schneider, H: Brut, Aufzucht u. Mast v. feinstem Tafelge-
flügel. (168 m. Abb.) 8° Lpzg, RC Schmidt & Co. 05. L. 3 — d
— Künstl. Geflügelzucht. (176 m. Abb.) 8° Ebd. 04. L. 3 — d
Schneider, H: Die Gesetzentwürfe z. Sicberg d. Baufordergn
v. J. '01. Vorschl. z. Abänderg u. Gegenentwurf. (80) 8° Berl.,
J Guttentag 01. 1 — d
Schneider, HG: In fernen Heidenlanden. Missionserzählgn f.
d. Jugend. Nr. 8 u. 9. (Mit Abb.) 8° Herrnh., Missionsbh.
— 50 (1—9.: 1.45) d
   8. An Bord d. Missionsschiffes. (30) (04.) — 30
   9. Eine Küstenfahrt zu d. Eskimo. (96) (04.) — 30
— Leh in Kaschmir, s.: Botschaft, d. gute.
— Die 1. Streiter d. Brüdermission. Vortr. [S.-A.] (33) 8° Herrnh.,
Missionsbh. (01). — 25 d
— Ihrer Vier. Leben u. Ende ein. junger Missionskaufleute, s.:
Botschaft, d. gu e.
Schneider, J: Finanzieller Berater in allen Grundstücks- u.
Hypotheken-Angelegenh. d. städt. Grundbesitzes. 1. u. 2. Afl.
(66 bezw. 190) 8° Berl., H Schild (03.04). 2.50 d
— Prakt. Rathschl. z. Beschaffg v. Hypotheken beim Bau, Kauf
u. Tausch e. Hauses im Grundbesitz aller bedeut. Städte
Deutschlds. 3. Afl. (90 m. Pl.) 8° Berl., AW Bayn's Erben
(01). 3.50 d
Schneider, J: Die Bakterienfurcht. Beitr. z. Frage üb. d. Ent-
stehg d. Infektionskrankh. (99) 8° Lpzg, E Rossberg 01. 1.50 d
— Entwicklg. Bau u. Leben d. menschl. Körpers. (205 m. 31 Taf.)
8° Lpzg, T Thomas 05. 6 —; geb. 7.25
— Occulte Lehren üb. d. physikal. Beschaffenh. d. Erde. (14)
12° Lpzg, T Theosoph. Central-Bh. (01). — 20 d
— Des Volkes Kraft u. Schönheit. (310 m. Abb. u. 2 Tab.) 8°
Lpzg, T Thomas 03. 10 —; geb. 11.50
Schneider, J, s.: Amtskalender f. ev. Geistliche. — Jahrbuch,
kirchl.
Schneider, J: Neuen Lehr- u. Prüfgsordngn v. 1.VII.'01
f. d. Aus- u. Fortbildg d. Lehrer in Preussen. (56) 16° Lpzg,
E Volkening (05). — 80 d
— u. O Metze: Hauptmerkmale d. Baustile. Kl. Ausg. 10 Taf.
m. gegenüberstch. Text. 1—9. Tausg. (22) 4° Lpzg, F Hirt & S.
(02.04). Kart. 1.60 || Gr. Ausg. (10 Taf.) 62×79,5 cm. Mit Be-
gleittext. (24) 8° (03.) 20 —; auf Pappe 30 —
Schneider, J: Der Postonkel. Volkstüml. Hdb. üb. d. Post- u.
Telegr.-Verkehr. (32) 8° Altenk. (02). (Berl., Dent. Druck- u.
Verlagshaus.) nn — 50 d
Schneider, J: Die Weinbergsohnecke, ihre Behandlg u. Ver-
wertg. 3. Afl. (55) 8° Bern, KJ Wyss 03. — 80 d
Schneider, J: Am Lebenswege. Neue Aufzeichngn. (309 m. Bild-
nis.) 8° Wiesb., R Bechtold & Co. (01). 3.50; L. m. G. 4.50 d
Schneider, Frl. J: Die Herstellg v. Konserven, s.: Grüter, J.
Schneider, J: Nutzbringg. Hühnerzucht, s.: Möller's, W, Biblio-
thek f. Gesundheitspflege.
Schneider, J: Einmachen d. Obstes n. gesundheitl. Grund-
sätzen ohne Alkohol u. Gärg, s.: Möller's, W, Bibliothek f.
Gesundheitspflege.
— Alkoholfreie Getränke u. Erfrischgn f. Gesunde u. Kranke.
(142) 8° Dresd., OV Böhmert 04. 2 — d
— Der Hausgarten, s.: Möller's, W, Bibliothek f. Gesundheits-
pflege.
— Die Obst- u. Beerenwein-Bereitg. 2. Afl. (48 m. Abb.) 8°
Würzbg, (JM Richter) ('01). — 30 d
In 1. Afl. v. A Weber bearb.
— dass. 3. Afl. (92 m. Abb.) 8° Lpzg, Hachmeister & Th. 04. 1 — d
— Die Pflege d. Zimmerpflanzen, s.: Möller's, W, Bibliothek
f. Gesundheitspflege.
Schneider, J: Wander-B. f. Handwerker, Gesellen u. Arbeiter
aller gewerbl. Berufsklassen, s.: Woerl's Reisehandbb.
Schneider, J: Anl. z. Betrachtg, Gewissens-Erforschg u.
monatl. Rekollektion, nebst kurzen Betrachtgn üb. d. wichtigsten Wahrh. d. Glaubens- in Sittenlehre, u. e. ausführl.
Erwägg. bitt. Leidens Jesu Christi. 3. Afl. (206 m. Titelbild.) 16° Rgsbg, J Habbel (05). Geb. — 50 d
— Die 9 Liebesdienste geg. d. hlst. Herz Jesu n. d. sel. MM Alacoque. 18. Afl. (96) 16° Paderb., F Schöningh (03). — 30 d
— Manuale sacerdotum diversis eor. suplic. tum in privata de-
votione tum in functionib. liturgicis et sacramentor. ad-
ministrationo. Ed. XVI. Cura et studio A Lehmkuhl. (640) 16°
Köln, JP Bachem 05. 6 —; geb. von 8 — bis 10.50
— Regel- u. Gebetb. f. d. Mitglieder d. marian. Kongregationen.
26. Afl. v. A Lehmkuhl. Ausg. in Taschenformat. (Nr.I.) (508)
16° Paderb., F Schöningh 04. — 20; geb. nn — 50 d
— dass. 25. Afl. Ausg. in Taschenformat. (Nr. II.) (32, 468) 16°
Ebd. 03. — 60; geb. 1.20 d
Schneider, J: „Keine Makel ist an dir'. Büchl. üb. d. unbefleckte Empfängnis d. Gottesmutter Maria. 1. u. 2. Afl. (118

m. Abb.) 8° Klagenf., Buch- u. Kunsth. d. St. Josef-Ver. 04.
— 36; L. — 78 d
Schneider, J: Schulflora v. Traunstein u. Umgebg z. Bestimmg d. verbreitetsten, wildwachs. u. kultivierten Samenpflanzen. Neu bearb. u. m. e. Anh.: „Die wichtigsten essbaren
u. gift. Schwämme" versehen v. L Blumschein. (82 m. 1 farb.
Taf.) 8° Traunst., GH Stifel 05. 1.60
Schneider, J: Ein. Hilfsmittel f. d. Praxis d. französ. Unterr.
in d. Prima. (60) 8° Altnbg 02. (Lpzg, Bh. G Fock.) 1 —
Schneider, J: Führer durch d. Rhön. 6. Afl. (246 m. 4 Kart.)
12° Würzbg, Stahel's V. 01. Kart. 2 — || 7. Afl. v. G Schneider.
(240 m. 1 Karte.) 06. Geb. 2.50
— Gersfeld als Sommerfrische u. Luftkurort. [S.-A.] 6. Afl. (48
m. Abb.) 12° Ebd. 01. — 50
— Bad Kissingen. Führer f. Kurgäste. (38 m. 12 Ansichtsk.
u. 1 Karte.) 16° Fulda, A Maier 01. Kart. 1.20
— Bad Salzschlirf. Prakt. Führer f. Kurgäste. 2. Afl. (36 m.
12 Ansichtspostk. u. 1 Karte.) 16° Ebd. 05. 1 —
Schneider, K, s.: Schneider, KT.
Schneider, K: Alboins Tod. Trauersp. (114) 8° Bas., CF Len-
dorff 01. 2.50 d
Schneider, K: Der Missstand d. überreichl. Terminsvereitlgn
bei d. deut. Kollegialgerichten u. s. Beseitigg. (58) 8° Münch.,
CH Beck 01. 1 — d
— Treu u. Glauben im Civilprozesse u. d. Streit üb. d. Pro-
zessleitg. (48) 8° Ebd. 03. 1.40 d
— Treu u. Glauben im Rechte d. Schuldverhältn. d. BGB. (241)
8° Ebd. 02. 5.50 d
Schneider, K, s.: Quellen u. Beiträge z. Gesch. d. deutsch-
ev. Militärseelsorge.
Schneider, KC: Furcht. Novelle. (138) 8° Wien, CW Stern 04.
2 — d
— Ein Klub. Drama. (120) 8° Ebd. 02. 2 — d
— Das alltägl. Leben. Fortsetzg d. Novelle: Furcht. (169) 8°
Ebd. 04. 2 — d
— Lehrb. d. vergleich. Histol. d. Tiere. (988 m. Abb.) 8° Jena,
G Fischer 02. 34 —
— Menschenspiel. Drama. (112) 8° Wien, CW Stern 03. 2 — d
— Procharoff. Drama. (118 m. 1 Abb.) 8° Ebd. 03. 2 — d
— Vitalismus. Elementare Lebensfunktionen. (314 m. Abb.) 8°
Wien, F Deuticke 03. 11 —
Schneider, KT: Deut. Fibel. 48. Afl. (72 m. Abb.) 8° Neuw.,
Heuser's V. 03. 85 —; geb. — 50 d
— Germania. Leseb. f. Schullehrer-Seminare sowie f. d. ob.
Kl. ev. Schulen. 3. Afl. v. J Schmarje. (20, 511) 8° Ebd. 05.
Geb. nn 2.50 d
— Ein halbes Jahrh. im Dienste v. Kirche u. Schule. Lebens-
erinnergn. 2. Afl. (496) 8° Stuttg., JG Cotta Nf., Zweignieder-
lassg Berlin 01. 6 —; geb. 7 — d
— Deutscher Kinderfreund. Leseb. f. d.Mittelst.gehob.Volksch.
24. Afl. v. G Wagner. (287) 8° Neuwied, Heuser's V. 03. — 95;
geb. nn 1.20 d
— 1. Leseb. (2. Tl d. „Deut. Fibel"). 48. Afl. v. J Schmarje. (131)
8° Ebd. 03. — 50; geb. — 70 d
— 100 geistl. Lieder. Schulauszug a. d. ev. Gesangb. f. d. Prov.
Brandenbrg. Ausg. ohne Noten. Neue Afl. (58) 8° Berl., Pro-
witzsch & S. 04. nn — 20; kart. nn — 30 d
Die Ausg. m. Noten s. u. d. T.: Lieder, 100 geistl.
Schneider, L: Grossmutter-Lieder. Erlebtes u. Mitempfundenes.
(100 m. Bildnis.) 8° Münch., Alg. Verl.-Gesellsch. 03. L. 3 — d
Schneider, L: Der Schauspieldirektor, s.: Mozart, WA.
s.: Soldaten-Freund, d.
Schneider, L: Der Köhler v. Höllenthal. Ein Sang v. d. Mosel.
(102) 12° Saarbr., C Schmidtke 01. L. m. G. 2.25 d
Schneider, M: Die Maschinen-Elemente. 2 Bde in 10 Lfgn. 4°
Brnschw., F Vieweg & S. 40 —; HF. 48 —
  1. Schraubenverbindgn. (1—7 m. Fig. u. 8 Taf.) 01. 2 —
  2. Nieten u. Kölle. (9—23 m. 7 Taf.) 01. 7.25
  3—4. Zapfen, Lager u. Lagerböcke, Achsen. (27—54 m. 31 Taf.) 02. 6 —
  5a. Wällen u. Kuppelgn. (55—96 m. 72 Taf.) 04. 1 — 1 geb.: 76.50)
  7. Zahnräder u. Reibgsräder. (57—129 m. 12 Taf.) 04. 4.25
  5. Riemen-, Seil- u. Kettentrieb. (179—190 m. 15 Taf.) 03.
  9. Kurbeltriebe(le,Geradführg u. Kreuzköpfe,Kolben u. Kolbenstangen,
    Stopfbüchsen. (130, 160a u. 191—217 m. Fig. u. 16 Taf.) 04. 2.50
  10. Zylinder, Rohre, Absperrvorrichtgn. (219—273 m. Fig. u. 15 Taf.) 06.
    2.15 (7—10 geh. 27.50)
Schneider, M: Die Tilemanns. Eine Familiengesch. (294) 8°
Berl., F Fontane & Co. 05. 4 —; geb. 5 — d
Schneider, M: Schneeschuh u. Schlitten f. Sport, Jagd u. Ver-
kehr. (143 m. Abb.) 8° Berl., F Fontane & Co. 05. 2.50; geb. 3 —
Schneider, M: Botanik f. Lehrer- u. Lehrerinnen-Bildgs-Anst.
4. Afl. (208 m. Abb.) 8° Wien, A Hölder 02. Geb. 2.24
Schneider, N: Leo XIII. Sein Leben u. Wirken. Mit Unter-
stützg v. Graf L Pecci. (1046 m. Abb.) 8° Kempt., B Kempt.,
J Kösel 03. 3 —; geb. 4 — d
Schneider, O: Heimat- u. Landeskde v. Anhalt, s.: Günther, A.
Schneider, O, s.: Zentral-Zeitung f. Optik u. Mechanik.
Schneider, O: Muschelgold-Studien. Nach d. hinterlass. Makr.
bearb. v. C Ribbe. (191 m. Abb. u. 16 Taf.) 8° Dresd., (E
Engelmann's Nf.) 03. Geb. nn 10 —
Schneider, O: Heinr. Bellermann. Gedächtnisrede. Nebst e.
Verz. sr Kompositionen u. Werke. (18 m. 1 Bildnis.) 8° Berl.,
J Springer 06. 1 —
Schneider, O: Die neuen Lehrgänge f. d. Zeichenunterr. nebst
Ausführgsbestimmgn u. prakt. Winken. (50) 8° Hag., Schlegel
& v. d. Heyden (04). — 55 d

Schneider, O, u. A Schneider: Lehrg. f. d. Zeichenunterr. in Volkssch. (52 m. Abb.) 8° Elberf., Koch & Palm 01. Geb. 4 — d
— — Der Zeichenunterr. in sr Neugestaltg. Prakt. Anl. zunächst f. d. Zwecke d. Volkssch. (104 m. Abb. u. 23 z. Tl farb. Taf.) 8° Düsseldf, L Schwann 06. 3.20; kart. 3.60 d
Schneider, P: Die wichtigsten Bestimmgn d. neuen Bücherges. [S.-A.] (47) 8° Rgnsbg, (A Coppenrath's V.) 01. — 50 d
Schneider, R, s.: Johanneskirche, d. ev., in Heidelberg-Neuenheim.
Schneider, R: Homilet. Illustr. f. 66 Predigttexte a. d. Psalmen im Anschl. an d. Kirchenj. 2 Bde. 8° Lpzg, G Strübig. Je 4.20; geb. je nn 5.20; auch in 13 Lfgn zu — 60 d
I. Von 1. Advent bis Quasimodogenitt. 6 Lfgn. (244) 04.05.
II. Misericordias Domini bis Sylvester. 7 Lfgn. (336) (06.)
— Homilet. Meditationen nebst Dispositionen f. 66 Predigttexte a. d. Psalmen im Anschl. an d. Kirchenj. 1. Abtlg. Anh.: Übersicht v. Predigttexten a. d. Psalmen. 6 Lfgn. (270) 8° Ebd. 04.05. 3.50; geb. nn 4.40 d
Schneider, R: Berufswahl u. körperl. Anlagen, s.: Hahn, M.
Schneider, R: Leben u. Treiben an Bord S. M. Seekadetten- u. Schiffsjungenschulschiffe. Mit e. Abh. m. ausführl. Angaben üb. d. Laufbahnen. (220 m. Abb. u. 1 Bildnis.) 8° Münch., JF Lehmann's V. 01. L. 4 — d
— Predigt z. Gedächtnis d. bei d. Strandg S. M. S. „Gneisenau" am 16.XII. d. J. im Hafen v. Malaga im Kampf m. d. Elementen gefall. Kameraden. (14) 8° Kiel,Lipsius & T. 01. — 30 d
Schneider, R: Commentarius criticus et exegetius in Apollonii scripta minora, s.: Grammatici graeci.
Schneider, R: Polterabendscherze f. e. u. mehrere Personen. (104) 16° Plau, L Hancke 05. — 30 d
Schneider, R: Die Influenza, ihre Verhütg u. naturgemässe Behandlg. (16) 8° Lpzg, O Borggold (03). — 40 d
Schneider, R: Die Entwickelg d. allg. Knappschafts-Ver. (23) 8° Gelsenk. 01. (Lpzg, A Felix.) — 40
— Die Entwickelg, Bedeutg u. Zukunft d. Bergbaues u. d. Eisenindustrie. (58 m. Fig.) 8° Boch. (05). (Mgdbg, R Zacharias.) 1.20 d
Schneider, R, s.: Caesar, CJ, gall. Krieg.
— Führer durch Halberstadt. (87 m. 10 Ansichtspostk. u. 1 Pl.) 16° Halberst., Frantz (01). Kart.— 90
Schneider, R v., s.: Ausstellung v. Fundstücken aus Ephesos.
— Ein Kunstsammler im alten Wien. [S.-A.] (11 m. Abb.) Fol. Wien 1900. (Lpzg, G Freytag.) Kart. 6 —
Schneider, R, s.: Bellum africanum.
Schneider, R: Die Grundz. d. theosoph. Lehren. 1. Bdchn. Was ist Theosophie u. welchen Zweck hat d. theosoph. Gesellsch.? Die siebenfache Konstitution d. Menschen u. d. Weltalls. (64) 8° Lorch, K Rohm 04. — 40 d
— „Heimweh". Vortr. (15) 8° Ebd. 03. — 10 d
— Die Macht d. Liebe. (14) 12° Ebd. (02). — 10 d
Schneider, R: Gedichte. (134) 8° Dresd., E Pierson 01. 2.50; geb. 3.50
Schneider, R: Der Petroleumhandel, s.: Zeitschrift f. d. ges. Staatswiss.
Schneider, S: Titelzeichngn zu d. Werken Karl Mays. (25 Bl.) Mit einführ. Text u. J Werner. (12) 43,5×31,5 cm. Freibg i/B., FE Fehsenfeld (05). In M. 19 — d
— Zeichngn. 4. Afl. Text v. A Fendler. (16 H.-Taf. m. 15 S. illustr. Text.) Fol. Lpzg, JJ Weber (01). In M. 6.50
Schneider, T: Hinaus! Für Herz u. Haus. Gedichte. (114) 8° Ess., Fredebel & K. 05. 1.50; geb. 2.40 d
Schneider, T: Hütet euch vor d. Sauerteig d. Pharisäer u. d. Sadducäer! 2 Vortr.: 1. Was wissen wir v. Christus? 2. Das Evangelium St. Johannis in histor. Beleuchtg. (53) 8° Wiesb., H Heuss 05. L.— 75 d
— Worin besteht meine Schuld, dass ich nicht Pfarrer geworden bin? Anfrage an d. nassauische Bez.-Synode nebst Replik auf deren Antwort. (56) 8° Wiesb., H Ferger 01. — 90 d
— Michael Servet. Vortr. (40 m. 1 Abb.) 8° Wiesb., Moritz & M. 04. nn — 70 d
— Was ist's m. d. Sintflut? DieVersuche ihrer Deutg als Gesch., Sage u. Mythus. Zugl. e. Beitr. z. Babel- u. Bibelfrage. (24) 8° Wiesb., H Staadt 03. — 75 d
Schneider, U: Polyxenia. Drama. — Die 7 Schläfer. Mysterium. (100) 8° Dresd., E Pierson 05. 2 — d
Schneider, V, s.: Untersuchungen z. ält. griech. Prosalitt.
Schneider, W: Querfurter Stadt- u. Kreis-Chronik. (575 m. 8 Taf. u. 1 Stammtaf.) 8° Querf., W Schneider 02. Geb. 1.80 d
Schneider, W: Der Schild d. Glaubens. Evangelisations- u. and. Gedichte. (112) 8° Halle, W Schneider 04. L.1.50 d
Schneider, W: Das and. Leben. Ernst u. Trost d. christl. Welt- u. Lebensanschaug. 5. Afl. (705) 8° Basel, F Schöningh 01. 6 —; geb. 7.40 ‖ 6. Afl. (711) 02. 6.90; geb. 7.40 ‖ 7. Afl. (751) 04. 6.30; geb. 7.40 d
Schneider-Arno, J Baronin: Gastein. (77 m. Abb.) 8° Wien, W Braumüller 01. nn 1.80 d
— Mosaik. Was ich empfinde, wie ich denke, was mich begeistert, was ich vortrage. Gedichte u. Reime. (115) 8° Ebd. 02. nn 2 —; L. nn 3 — d
— s.: Stephansturm-Kalender.
Schneider-Clauss, W: Kölsch Gemööt. Verzällcher un Bildcher en Rüümcher. (65) 12° Köln, P Neubner (03). 1.20 d
— Auf d. platten Lande. Roman. (230) 8° Köln, Kölner Verl.-Anst. u. Druckerei (04). 3 —; geb. 4 — d

Schneider-Schlöth, A: Basler Kochschule. 6. Afl. v. L Füsch-Kussmaul u. W Roth-Schneider. (627 m. Abb.) 8° Basel, Basler Buch- u. Antiquariatsh. vorm. A Geering 03. Geb. 5 — d
Schneider-Börse, deut. Red.: M Mayer. 8. Jahrg. 1901. 12 Nrn (Nr. 1. 16 m. Schnittzeichgn u. 4 Modenbildern.) 4° Lpzg, Jüstel & G. Halbj. 3 — ö P
Schneiderhan, A, s.: Schul-Atlas z. Unterr. in d. Erdkde.
Schneiderhan, J: Hdb, z. Unterr. im verein. Anschaugs- u. Sprachunterr. in d. Unterkl. d. Volkssch. 2. Afl. (445) 8° Stuttg., Süddeut. Verl.-Bh. 03. 3.80; geb. 4.30 d
— Hdb. d. schriftl. u. mündl. Verkehrs m. vorgesetzten Behörden u. Personen. 3. Afl. (801) 8° Ebd. 04. 2 —; geb. 2.60 d
— s.: Kommentar z. Leseb. f. d. katbol. Volkssch. Württembergs.
— Deut. Leseb. f. Volkssch. 2. u. 3. Schulj. 3. Afl. (159 m. Abb.) 8° Freibg i/B., Herder (03). — 60; geb. nn — 70 d
— Vademecum d. württemberg. Volksschulgesetzgebg. 2. Afl. (423) 8° Stuttg., Muth 01. 3 —; geb. 3.50 ‖ 3. Afl. (478) 04. 3.50; geb. 4 — d
— Die Volksschulmethodik, s.: Frick, P.
— u. F Ruf: Rechtschreib- u. Sprachlehrhefte f. Volkssch. Ausg. A in 3 Heften. 8° Stuttg., Muth. nn — 55 d
I. 2. u. 3. Schulj. 1—3. Afl. (28 bezw. 52) 02.06. nn — 15 ‖ II. 4. u. 5. Schulj. 1—4. Afl. (44 bezw. 40) 02.05. nn — 20 ‖ III. 6. u. 7. Schalj. (52) 02. nn — 20.
— — dass. Ausg. B in 2 Heften. 8° Ebd. nn — 35 d
I. 2. u. 3. Schulj. (76) 02. nn — 15 ‖ II. 4.—7. Schulj. 9. Afl. (64) 03. nn — 20.
— Winke u. Diktate f. d. Unterr. in d. Rechtschreibg u. Sprachlehre. Nebst d. amtl. Regeln u. e. ausführl. Wrtrb. auf etymolog. Grundl. Zugl. Lehrer-Ausg. zu d. „Rechtschreib-u. Sprachlehrheften f. Volkssch." (244) 8° Ebd. 03. Geb. nn 3 — d
— Deut. Wrtrb. auf etymolog. Grundl. im Anschluss an d. amtl. Wrtrverz. (125) 8° Ebd. 05. Geb. 1 — d
— u. E Schneiderhan: Deut, Fibel f. Volkssch. 1. Schulj. 6. Afl. (123 m. Abb.) 8° Freibg i/B., Herder 05. — 45; geb. — 55 d
Schneidern, s.: Die perfekte. Leichtfassl. Lehre d. Zuschnitts u. d. Bearbeitg aller Frauen-, Mädchen- u. Knaben-Garderobe, sowie d. Wäsche. 4. Afl. (In 20 Heften.) 1. Heft. (1—12 m. Abb. u. 1 Taf.) 4° Dresd., Exp. d. europ. Modenzeitg (05). — 50 d
— d. prakt. Anl. f. Damenschneiderei. 6—10. Jahrg. 1901—5 je 12 Hefte. (1. Heft. 14 m. Abb., 1 Taf. u. 1 Schnittbog.) 4° Ebd. Viertelj. 1 d
Schneider-Kalender, deut., f. 1906. (104 m. Abb.) 8° Dresd., Exp. d. europ. Modenzeitg. Kart. 1 — d
Schneiderlein, d. tapfere. Märchen. (Meinhold's Märchen-Bücher.) (8 m. 6 Farbdr.) 4° Dresd., CC Meinhold & S. (02). 1 —
Schneiderreiti, G: Die Einheit in d. System d. Nikolaus v. Kues. (321) 4° Berl., Weidmann 02. 1 —
Schneiderreiti, H: Heinr. Zschokke. Seine Weltanschaung u. Lebensweisheit. (267) 8° Berl., E Hofmann & Co. 02. 4.50; geb. 5.50 d
Schneiderwirth, H: Das einst. Cisterzienserkloster Reifenstein auf d. Eichsfelde. (63 m. 1 Taf.) 8° Heiligenst., FW Cordier 02. 1.50 d
Schneidewin, FW, s.: Philologus.
Schneidewin, H: Die Wohlfahrts-Einrichtgn Magdeburgs, s.: Meyer, R.
Schneidewin, M: Der Sternenhimmel u. s. Verkleinerer. Streitschrift an E v. Hartmann. (41) 8° Berl., G Reimer 01. — 80 d
— Veit Valentin. (50 m. 1 Bildnis.) 8° Berl., R Gaertner 01. 1.20 d
Schneidewind, W, s.: Arbeiten d. agrik.-chem. Versuchsstation Halle a. S. — B. Bericht üb. d. Versuchswirtschaft Lauchstädt.
— Neuere Erfahrgn üb. Behandlg u. Wirkg d. Stalldüngers. Vortr. (14) 8° Lpzg, RC Schmidt & Co. 04. — 60 d
— Die Kalidüngg auf Moorb. 1. u. 2. Afl. (67 bezw. 71 m. je 4 farb. Taf.) 8° Berl., P Parey 05. 1.60 d
— Untersuchgn üb. d. Wert d. nenen 40prozent. Kalidüngesalzes gegenüber d. Kainit, s.: Arbeiten d. deut. Landw.-Gesellsch. — Maercker, M.
— u. Franck: Zweckmässige Behandlg d. Stalldüngers, s.: Arbeiten d. Landw.-Kammer f. d. Prov. Sachsen.
— u. D Meyer: Der Weizen u. s. Feuchbedarf, s.: Arbeiten a. d. Landw.-Kammer f. d. Prov. Sachsen.
Schneidt, J v.: Im Strudel a. Grossstadt. Aristokrat. Sittenroman. (56) 8° Lpzg, P Hülsmann 04. 1 — d
Schneidt, K: Jagd auf ehrbare Frauen. (16) 8° Berl., (Die Welt am Montag) (02). — 10 d
— Einfache Menschen: Unsichtbare Mächte. Der Altgeselle, s.: Kürchner's, J, Bücherschatz.
— s.: Spottvogel.
Schneiter, FH: Engl. Elementargrammatik f. Kaufleute u. Einführg in d. engl. Handelskorrespondenz. (254) 8° Dresd., G Kühtmann 03. 1.20; geb. nn 1.50; Schlüssel. (48) 1 — d
— Engl. Handelskorrespondenz. 1. Kaufmänn. Teil f. Kaufleute u. d. franzö. Handelskorrespondenz, [bisw. (45) 8° Ebd. 03. 1.50; Schlüssel. (33) 1 — d
— Lehrg. d. engl. Sprache. f. Kaufleute u. Vorsch. z. engl. Handelskorrespondenz. 2. Afl. (489) 8° Ebd. 02. 2.60; geb. nn 1.50; Schlüssel. (93) 2 — d
— dass. d. französ. Sprache. 4. Afl. (303) 8° Ebd. 02. 2.20; geb. nn 2.60; Schlüssel (47) 2 — d
Schnell Slovenisch. Prakt. sloven. Sprachführer. (36) 8° Triest, FH Schimpff (05). — 60
Schnell s.: Taschenkalender f. d. Rheinschiffahrt.

Schnell, A, s.: Avadánas, d.
Schnell, A: Magyar. Sprach- u. Leseb., s.: Zay, A.
Schnell, H: Heinrich V., d. Friedfertige, Herzog v. Mecklenburg, s.: Schriften d. Ver. f. Reformationsgesch.
— M. Gerhard Omekens Unterr. v. d. Visitation 1557, veröffentlicht u. besprochen. [S.-A.] (31) 8° Güstr., (Opitz & Co.) (02).
        — 75 d
Schnell, H: Hdb. d. Ballspiele. 3. Tl: Die Rückschlagspiele. (130 m. Abb.) 8° Lpzg, R Voigtländer 01.   Kart. 1.60
        (1—3 in Papphülse: 4.40) d
Schnell, WR: Moderne Flächen-Ornamente, s.: Spetzler, A.
— Leitf. f. d. Unterr. im Freihandzeichnen (an Volks- u. Fortbildgssch. etc.), 1—3. Stufe. 2. Afl. (Mit Fig.) 8° Nürnbg, C Koch 01.   nn 2.50
  1. (24) za 1.30 | 2. (37) — 60 | 3. (35) — 60.
— Das Linearzeichnen. (38 m. 12 Taf.) 8° Ebd. 02.   1 — d
  8 Bl. Vorl | 8° Ebd. 02.   Je — 40 d
— Das Projektionszeichnen. 3 Tle. (17, 13 u. 14 m. Fig. u. je 8 Bl. Vorl) 8° Ebd. 02.   Je — 40 d
— Zeichenblätter. 24 Wandtaf.-Vorl. f. d. Unterr. im Freihandzeichnen. 1—3. Stufe. (Je 24 Bl.) Fol. Ebd. (01).   Je 4.50
— Zeichenblätter f. Freihandzeichnen. 3. Stufe. (20 Bl.) 4° Ebd. 1900.— 50 (1—3 : 1.50); Leitf.dazu. 8°(35 m.Fig.)— 50 (1—3:2.40)
Schnellbach, P: Gedichte. (154) 8°Mannh., (T Löffler) 03.   2.50 d
— Lieder e. Schiffknechts auf d. Rhein. (24) 8° Mannh., Dr. H Haas'sche Buchdr. 03.   25 d
— Städte d. Heimat. Gedichte. (67) 8° Karlsr., F Gutsch 04.   nn 1.50 d
Schnelle, FO: Die neuesten Fortschritte auf d. Geb. d. magnet. Aufbereitg. Vortr. [S.-A.] (15 m. Abb.) 4° Freibg, Craz & G. 03.   1 —
Schneller, C: Innsbrucker Namenb. (256) 8° Innsbr., Wagner 05.   4 —
— Scherz u. Laune. Neue Gedichte. (220) 8° Ebd. 01.   3 —;
        L. 4.30 d
— Aus alter u. neuer Zeit. Geschichten u. Erzählgn. (348) 8° Ebd. 02.   4.30 d
Schneller, L: Evangelienfahrten. Bilder a. d. Leben Jesu in d. Beleuchtg d. Hl. Landes. 10.Afl. (568 m. Abb.) 8° Lpzg, (HG Wallmann) 04.   5.80; L. 7 — d
— Kennst du d. Land? Bilder a. d. gelobten Lande z. Erklärg d. hl. Schrift. 21. Afl. (464) 8° Ebd. 05.   5 —; L. 6.20 d
— Bis z. Sahara. Welt- u. kirchengeschichtl. Streifzüge durch Nordafrika. (207 m.Abb.u.1 Karte.) 8° Ebd. 05. 3.60; L. 4.80 d
— Vater Schneller. Ein Patriarch d. ev. Mission im hl. Lande. 5. u. 6. Taus. Verm. durch e. Lebensbild v. Frau Magdalene Schneller. (199 u. 53 m. Abb. u. 1 Karte.) 8° Ebd. 04. 3 —;
        geb. 3.80 d
Schneller, T: Lehrb. d. Algebra u. polit. Arithmetik f. höh. Handelssch. u. Handelsakad. (218) 8° Wien, C Fromme 04.
        Geb. 2.50
Schnellmaler, der. (12 Bl. m. farb. Abb.) 8° Wes., W Düms (05).   — 45
Schnellpfeffer, J: Packete, d. ihn nicht erreichten. Capriccio. (155) 8° Münch., C Haushalter 04.   2 —; geb. 3 — d
Schnellzeichner, der. (6 Bl.) 8° Wes., W Düms (05).   — 25 d
Schnerich, A: Die Frage d. Reform d. katbol. Kirchenmusik. (60) 8° Wien, Gerold & Co. 01.   2 — d
Schnetzchen on Schnarse. Thüringer Klänge. Nr. 1, u. 5—5. (Je 16) 12° Weim., M Grosse.   Je — 10 d
  1. Von O Künsten. 4. Afl. (03.) | 5. Von T Wilde. (02.) | 4.5. Von O Künsten. (03.04.)
  Nr 2 u. früh. Afl. v. Nr. 1 s.: Kürsten, O.
Schneyer, F: Kinderlust, e. Leseb. f. Kinder v. 7—8 Jahren, 6. Afl. (160) 8° Cobg, JF Albrecht 04.   Geb. nn — 80 d
— Der 1. Rechenunterr. m. Benutzg d. Baukastens u. d. Rechentafel. 2 Hefte. 8° Gotha, CF Thienemann.   Je 1 — d
  1. 2. Afl. 2. Abdr. (32 m. 5 L.) 02 | II. 2. Abdr. (37 m. 1 L.) 02.
Schniewind, C: Der Dom zu Berlin. Geschichtl. Nachrichten v. alten Dom, bei Einweihg d. neuen Doms dargeboten. (205 m. Abb.) 8° Berl., M Warneck 05.   1.50 d
Schniewind-Thies, J: Die Reduction d. Chromosomenzahl u. d. ihr folg. Kernteilgn in d. Embryosackmutterzellen d. Angiospermen. (34 m. 5 L.) 8° Jena, G Fischer 01.   7 —
Schnippel, E: Fischermarken u. Giebelkronen. [S.-A.] (31 m. 1 Taf.) 8° Danz., (J Saunier) 04.   1.50
Schnirer, MT, s.: Enzyklopädie d. prakt. Medizin. — Medizinal-Index u. therapeut. Vademecum.
— Taschenb. d. Therapie m. bes. Berücks. d. Therapie an d. Berliner, Wiener u. a. deut. Kliniken. 1. u. 2. Afl. (14, 293 bezw. 12, 400) 14° Wien, R Coën 05.06.   L. 2 —
— s.: Therapie, neue. — Wochenschrift, klinisch-therapeut.
Schnitger, CR, u. H Berndt: Leitf. f. Grammatik u. Orthogr. in d. Vorsch. 2 Tle. 3. Afl. 8° Hambg, Herold. 05. 2.50 d
  (2. Schei.) (76) 1 — | 2. (3. Schei.) (130) 1.50.
Schnitger's, CN, Erinnergn e. alten Schleswigers. Neu hrsg. m. Anmerkgn versehen u. durch e. Anh. ergänzt v. HAC Philippsen. 22 Lfgn. (359 m. Abb.) 8° Schlesw., J Ibbeken 04.
        5.50; geb. 7 — d
Schnitt-Modelle, neue Wiener, Fortsetzg, s.: Moden-Revue, Wiener.
Schnittmusterbuch. Anl. z. Wäsche-Zuschneiden. Hrsg v. Wiener Frauen-Erwerb-Ver. 11. Afl. (35 Taf. m. 4 S. Text.) 4° Wien, R v. Waldheim 05.   In M. 2 —
Schnitzer, H: Alkoholismus u. Geistesstörg. (29) 8° Berl. Herm. Walther 02.   — 60

Schnitzer, J, s.: Festgabe, Karl Theodor v. Heigel gewidmet.
— Quellen u. Forschgn z. Gesch. Savonarolas. I. Bartolomeo Redditi u. Tomaso Ginori. II. Savonarola u. d. Feuerprobe. III. Bartolomeo Cerretani, s.: Veröffentlichungen a. d. kirchenhistor. Seminar München.
— s.: Savonarola, H, etl. beschaul. Betrachtgn d. bitt. Leidens Jesu.
— Verfaesg u. gegenwärt. Bestand sämtl. Kirchen d. Orients, s.: Silbernagl, I.
Schnitzer, M: Humoresken, s.: Kürschner's, J, Bücherschatz.
— Käte u. ich. Erlebnisse u. Erfahrgn a. junger Ehe. Neue Ausg. (256) 8° Berl., Globus Verl. (05).   Geb. 71.50 d
— Der Liebesbrief meiner Köchin. Eine Gesch. a. enger Welt. 2. Afl. (162) 8° Lpzg 02. Berl., H Seemann Nf. 2 —; geb. 3 — d
— 1. Semester. Ein Kinderb. f. Mütter. (178) 8° Ebd. (01). 3 —;
        geb. 4 — d
— Der kl. Peter Willaschek u. and. Novellen, s.: Kürschner's, J, Bücherschatz.
Schnitzer-Fischer, R: Hie Fern, hie Splügen. 2. Afl. (23 m. 1 Karte.) 8° Kempt., J Kösel 03.   — 50
Schnitzler, A: Anatol. 8. Afl. (146) 8° Berl., S Fischer 05. 2 —;
        geb. nn 3 — d
— Die Frau d. Weisen. Novelletten. 6. Afl. (171) 8° Ebd. 06. 3 —;
        geb. nn 3 — d
— Freiwild. Schausp. 2. Afl. (163) 8° Ebd. 02.   2 — d
— Frau Bertha Garlan. Roman. 1—4. Afl. (256) 8° Ebd. 01-04.
        geb. nn 3 — d
— Lieutenant Gustl. Novelle. 1—6. Afl. (80 m. Abb.) 8° Ebd. 01.   Je 1 —; geb. je 1.50 d
  01. II 10. Afl. (64) 04.   Je 1 —; geb. je 1.50 d
— Liebelei. Schausp, 4.Afl. (142) 8° Ebd. 01. 2 —; geb. nn 3 — d
— Das Märchen. Schausp. 2. Afl. (200) 8° Ebd. 02.   2.50 d
— Paracelsus. 1 Akt in Versen. 8°(34, Wiener Verl. 03.   3.50; geb. nn 5 —
  Im Deut. Reiche verboten.
— Der Schleier d. Beatrice. Schausp. (215) 8° Berl., S Fischer 01.   2.50; geb. nn 3.50 d
— Sterben. Novellen. 4.Afl (138) 8° Ebd. 04. 2 —; geb. nn 3 — d
— Lebend. Stunden. 4.Einakter. 1. u. 2. Afl. (160) 8° Ebd. 02.
  § 5. Afl. (159) 8° Ebd. 03.   Je 2 —; geb. je nn 3 — d
— Die griech. Tänzerin, s.: Bibliothek moderner deut.Autoren.
— Das Vermächtnis. Schausp. 2. Afl. (191) 8° Berl., S Fischer 01.   2 —; geb. nn 3 — d
— Der einsame Weg. Schausp. 1—3. Afl. (166) 8° Ebd. 04.
        geb. nn 3 — d
— Zwischenspiel. Komödie. 1. u.. 2. Afl. (139) 8° Ebd. 06. 2 —;
        geb. 3 — d
Schnitzler, H: Nuevo método para aprender el Francés. Obra dedicada á la América española. (374) 8° Freibg i/B., Herder (01).   2.90; geb. 3.40
— dass. para aprender el Inglés. 2. ed. (194) 8° Ebd. (03). 2 —;
        geb. 2.40
Schnitzler, J: Die Indikationen zu chirurg. Eingriffen bei innerer Erkrankgn. s.: Schlesinger, H.
Schnitzler, PC: Die Beitreibg v. Schuldfordergn in d. Verein. Staaten v. Amerika, s.: Wie treibt man Schuldfordergn im Ausl. ein?°
— Wegweiser f. d. Rechtsverkehr zw. Deutschl. u. d. Verein. Staaten v. Amerika, zusammengest. f. d. Bedürfnisse d. deut. Praxis. (48) 8° New York 1900. (Berl.,O Liebmann.) 3 —. 3.25 d
        (156) Berl. 03. 3.20; geb. nn 3.75 d
Schnizer, O: Joh. Hinrich Wichern, d. Vater d. innern Mission, s.: Familienbibliothek, Calwer.
Schnislein, A: Ein Hans Sachs-Abend, s.: Sachs, H.
Schnock, H, s.: Aus Aachens Vorzeit.
Schnock, W, s.: Adressen, 3500 neue gute, d. Provv. Ost- u. Westpreussen.
Schnöller, A: Theoretisches u. Praktisches üb. Immunisierg geg. Tuberkulose nebst Statistik v. 311 m. Benys'schem Tuberkulin behandelten Lungenkranken. (218) 8° Strassbg, CF Schmidt 05.   3.20
Schnöpf, P: Leitf. f. d. Gesang-Unterr. in d. Schule. 5. Afl. (88 u. 24) 8° Berl., A Bressler & Co. 01.   Kart. 1.30 d
Schnorf, C: Neue physikalisch-chem. Untersuchg d. Milch. Unterscheidg physiolog. u. patholog. Kuh-Milch. (207 m. Kurven.) 8° Zür., Art. Instit. Orell Füssli 05.   3 —
Schnorf, K: Dent. Leseb. f. d. unt. u. mittl. Kl. höh. Lehranst. d. Schweiz. 2. Tl. 2.Afl. (5. Afl. d. Leseb. v. Lüning u. Sartori). (368) 8° Zür., Schulthess & Co. 02.   3.20; geb. nn 3.80
        (1 u. 2.: 6 —; geb. nn 7 —) d
— Schulgrammatik d. nhd. Sprache, s.: Frei, J.
Schnöring, W: Johs Blankenfeld, s.: Schriften d. Ver. f. Reformationsgesch.
Schnorr v. Carolsfeld, J, s.: Bibel, d.
— Bibl. Bilder z. Alten u. Neuen Test., m. begleit. Texten v. R Stier. (277) 8° Berl., H Hüllger 03.   L. 1.20 d
— s.: Schrift, d. hl., in Bildern.
Schnorr v. Carolsfeld, J: Zu d. Hymnen Homers, s.: Kunst, deut.
Schnorrenberg, G: Der Kölner Karneval in Wort u. Bild. (38) 8° Köln, Hoursch & Bechstedt 04.   1 — d
— Dam Herr Antun Meis s. Herr Nevöb, 'es Hermännche, gleichfalls ebenso grad wie s. Ohm Antun, Renteneer zu Kölln, auf d. Industrie- u. Gewerbe-Ausstellg zu Düsseldorf. (46) 8° Köln (02). Lpzg, J Püttmann.   — 30 d
— Valeria. Drama. (54) 8° Kemp., Thomasdr. u. Bh. (04). 1.25 d

Unterr. v. Johann Valerian. (44) 8° Würzbg, FX Bucher 02.
— 40 d
Scholasticus, P., s.: Sprichwort, d. deut., im Dienste d. Relig.-
Unterr. in d. Volkssch.
Scholastikus s.: Schulaufsicht, d. geistl.
Scholderer, E: Deut. Leseb. f. höh.Lehranst., s.: Paldamus, FC.
Scholé, IC: Der Ritter. Dichtg. (86) 8° Dresd., E Pierson 02.
1.50; geb. 2.50
Schoeler, C v.: Hans im Glück, s.: Kürschner's, J, Bücher-
schatz.
Schoeler, H v.: Fremdes Glück. Venetian. Novelle. (166) 8°
Lpzg (02). Berl., H Seemann Nf.   2.50; geb. 3.50 d
— Rettg. Roman. (292) 8° Berl., H Seemann Nf. (04).   3 — d
— Die höchste Wahrh., s.:Volksschriften z.Umwälzg.d.Geister.
Schüler, H: Wider d. Brotwucher. Leitf. im Kampfe geg. Er-
höhg d. Lebensmittelzölle u. f. Fortführg e. volksfreundl.
Handelsvertragspolitik. (204) 8° Berl., H Steinitz (01). 2 — d
— Die Reichserbschaftssteuer. Beitrag z. Lösg d. Frage d.
Reichsfinanzreform. (141) 8° Berl., Puttkammer & M. 06. 2 — d
Schöler, R: Die Eisenkonstruktionen d. Hochbaues. — Die
Statik u. Festigk.-Lehre d. Hochbaues, s.: Handbuch, d., d.
Bautechnikers.
Schüler, W: Taschenb. f. d. Interessen d. Grubenholz-Branche.
(37) 12° Berl., Liebel (02).   L. 2 — d
Scholia in Dionysii Thracis artem grammaticam, recens. A
Hilgard, s.: Grammatici graeci.
— vetera in Pindari carmina. Recens. AB Drachmann. Vol. I.
Scholia in Olympionicas. (26, 395 m. 1 Taf.) 8° Lpzg, BG
Teubner 03.   8 — ; geb. 8.60
Scholkmann: Signal- u. Sicherge-Anlagen, s.: Eisenbahn-Tech-
nik, d., d. Gegenwart.
Scholl, C: Off. Brief an d. deut. Bischöfe. Zur Abwehr u. Klärg.
2. Afl. d. früher nur an d. Bischof v. Eichstätt gericht. „Off.
Briefes". (37) 8° Bambg, Handels-Dr. u. Verlagsh. (02). — 60 d
— Erobert od. erräubert? Geschichtl. Nachweis wie Engl. Ost-
Indien nahm. Ein Seitenstück z. Burenkrieg. 1. u. 2. Afl. (48)
8° Ebd. 01.   1 — d
— Es werde Licht! Beitr. z. Förderg d. Relig. d. Humanität.
33. Jahrg. Oktbr 1901—Septbr 1902. 12 Nrn. (Nr. 1. 16) 8°
Münch. (Lpzg, R Friese.)   2.35 d
Fortsetzg s. u. d. T.: Es werde Licht!
— Zur Jahrh.-Feier eines Halb-Vergessenen am 9.V.'02. (63)
8° Bambg, Handels-Dr. u. Verlagsh. (05).   1 —
— Meine Kämpfe! Erinnergn u. Gedichte e. Ringenden. 2. Afl.
(320) 8° Ebd. (02).   L. 3.60 d
— Durch Nacht z. Licht! Mein relig. Entwicklgsgang v. Kin-
derglauben z. neuen Weltanschaug. (77) 8° Ebd. (04). 1 — d
— Die letzten 3 Päpste in ihrem Kampf geg. d. Fortschritt.
(58) 8° Frankf, a/M., Neuer Frankf. Verl. 03.   — 75 d
Scholl, E: Bekleidg u. Bewaffng d. preuss. Feuerwehren. I. Thl:
Berliner Feuerwehr. II. Thl: Kommunale Berufsfeuerwehren
u. kommunale Feuerwehr-Anfsichtsbeamte. III. Thl: Poli-
zeilich anerkannte freiwill. Feuerwehren u. Pflichtfeuer-
wehren. (17 farb. Taf. m. 24 S. Text.) 8° Lpzg, M Ruhl 01.
1.90; geb. 2.50
Schoell, J: Relig. Charakterköpfe. (101) 8° Reutl., Ensslin &
L. (01).   — 75 d
Scholl, J: Der ev. Glaube f. d. Gegenwart dargest. (116) 8°
Heilbr., E Salzer 05. nn 1.30; geb. 1.70; in Geschenkbd 2 —
Schollen, M: Buch d. verstorb. Schwestern u. d. Wohlthäter
d. Christenserklosters in Aachen. [S.-A.] (16 m. 1 Taf.) 8°
Aach., Cremer 01.   — 80
— Allaf Oche! Rümseljere. (112) 8° Aach., I Schweitzer (05). 1.20
Schollenberger, J: Das Bundesstaatsrecht d. Schweiz. (279)
8° Berl., O Häring 02.   7 — ; geb. 9 —
— Bundesverfassg d. Schweiz. Eidgenossenschaft. Kommen-
tar m. Einl. (582) 8° Ebd. 05.   15 — ; geb. 17 —
— Gesch. d. schweiz. Politik. (In 7—8 Lfgn.) 1. Lfg. (1—112)
8° Frauenf., Huber & Co. 05.   1.60 d
— Politik in systemat. Darstellg. (290) 8° Berl., O Häring 03.
6 — ; geb. 8 —
Schollenbruch's, HR, bibl. Gesch. f. ev. Elementarsch. Neue
Bearbeitg v. E Foerster. Ausg. A—C. 8° Strassbg, Strassb.
Druckerei u. Verl.-Anst.   nn 2.75 d
A. Unterst. 11. Afl. (42) 02. Aufl. B Mittelst. 31. Afl. (84) (05.)
Geb. nn — 75 | C. Oberst. 10. Afl. (252 m. 2 Kart.) 05. Geb. nn 1.60.
Schoeller, M: Mitteilgn üb. meine Reise n. Äquatorial-Ost-
Afrika u. Uganda 1896—97. 3 Bde. (262, 27; 331 u. 3 m. 152
Taf. u. 16 Kart.) 8° Berl., D Reimer 01.04.   Ldr m. g. 60 —
— Jesu Relig., s. Relig. d. Liebe. d. Tat u. Wahrhaftigk., nicht
d. Glaubens. [S.-A.] (27) 8° Ebd. 01.   — 60 d
Schollmeyer, FJ: Adolf Clarenbach u. Peter Flysteden. Zwei
ev. Märtyrer. (28) 8° Kaisersl., Bh. d. ev. Ver. f. d. Pfalz
(05).   — 10 d
— Peter Runtz a. Annweiler. Eine Lebensbeschreibg sowie a.
Beitr. z. Gesch. d. pfälz. ev. Gemeinschaftslebens um d.
Mitte d. 19. Jahrb. (78) 8° Ebd. (05).   — 50 d
Schollmeyer, E: Frauenfrage u. Bibel. (48) 8° Halle, Gebauer-
Schwetschke 04.   — 60 d
Schollmeyer, F: Das Recht d. einz. Schuldverhältn., s.: Recht,
d., d. BGB.
Schollmeyer, G: Wie beleuchte ich am zweckmässigsten u.

billigsten meine Wohn- u. Geschäftsräume? 2. Afl. (104 m.
Abb.) 8° Neuw., Heuser's Erben 04.   1.50
Schollmeyer, G : Wie heize ich am zweckmässigsten u. billig-
sten meine Wohn- u. Geschäftsräume? 2. Afl. (109 m. Abb.) 8°
Neuw., Heuser's Erben 04.   1.50
— Schule d. Elektrizität. Prakt. Hdb. d. ges. Elektrizitäts-
lehre. (323 m. Abb.) 8° Ebd. 02. 5 — ; geb. 6 — || 2. Afl. (339 m.
Abb.) 04. Geb. 4 —
— Dunkle Strahlen. Gemeinverständl. Einführg in d. Geb. d.
neueren Strahlenforschg. (Kathoden-, Kanal-, Röntgen-, Bec-
querel- u. X-Strahlen.) Mit bes. Berücks. d. Radiums. (72 m.
Abb.) 8° Ebd. 05.   1.50 d
Schollmeyer, W: Kaiser Karl IV. in Magdeburg. Histor. Festsp.
(53) 8° Mgdbg, (Heinrichshofen's S.) 03.   1.25 d
Scholly, T: Christian Heinr. Zeller, Inspektor d. Anstalt in
Beuggen. Lebensbild. (216 m. 1 Bildnis.) 8° Bas., Kober 01.
1.60; L. 2.40 d
Scholta, A: Das Asthma, s. Ursachen u. s. naturgemässe Behandlg. (30 m. Abb.) 8° Lpzg, O Borggold (01).   — 60 d
— Das Fieber, s. Wesen, s. Ursachen u. Wirkgn u. d. natur-
gemässe Behandlg Fieberkranker. [S.-A.] (4) 4° Freibg, (Prot-
scher) 03.   nn — 60 d
— Herzmuskelschwäche (Herzinsufficienz). Vortr. [S.-A.] (10
m. 2 Abb.) 8° Ebd. (03).   nn — 50 d
— Die Lungenschwindsucht m. bes. Berücks. d. Krankheits-
erscheingn, d. Vorbeugg u. sicheren Behandlg. (28) 8° Ebd.
(03).   nn — 50 d
— Wirkgsweise u. Durchführg d. Trauben- u. Weinmostkur.
(16) 8° Berl. (04). Oranienbg, W Möller.   nn — 30 d
Scholten, J: Üb. d. Beziehgn d. Enteritis membranacea z.
Dysenterie. (36) 8° Freibg i/B., Speyer & K. 02.   — 80
Scholten, R: Führer durch Cleve u. Umgegend. 2. Afl. (40 m.
3 Vollbildern u. 4 Pl.) 8° Cleve, (F Boss Wwe) (03).   — 50
— Zur Gesch. d. Stadt Cleve a. archival. Quellen. (20, 512) 8°
Ebd. 05.   7.50; geb. nn 9.25
Scholtz, v.: Entwickelg d. Breslauer Hafenverhältn., s.: Ver-
bands-Schriften d.deutsch-österr.-ungar.Verbandes f.Binnen-
schiffahrt.
Scholtz, A: Allg. Baukonstruktionslehre, s.: Breymann, GA.
Scholtz, A : Grabsteinschriften. Vorlagenwerk f. Steinbildhauer
u. Grabdenkmalgeschäfte. (25 Taf. m. 3 S. Text.) Fol. Lpzg,
BF Voigt 03.   3.75
Scholtz, C: Die Bestimmgn d. BGB. üb. d. Viehhandel. 2. Afl.
(36) 8° Bresl., (Koebner) 02.   — 80 d
Scholtz, E: Einf. landw. Buchführg f. kl. u. mittl. Güter, s.:
Oehmichen.
— Es ist notwendig, dass d. Landwirt e. guter Rechner ist.
Führg d. mittl. u. kl. Betrieb bearb. (41 m. Fig.) 8° Görl., (H
Tzschaschel) (05).   — 40 d
Scholtz, M, s.: Biblia hebraica.
Scholtz, W: Vorlesgn üb. Pathol. u. Therapie d. Gonorrhoe d.
Mannes. (144 m. 1 Farb. Taf.) 8° Jena, G Fischer 04. 3 — ; geb. 4 —
Scholtz v.Hermensdorf, O.: Standesvorurteile. Orig.-Roman.
(170) 8° Dresd., E Pierson 03.   2.50; geb. 3.50 d
Scholtze, CA, s.: Mitteilungen d. Altertumsver. zu Plauen.
Scholtze, J : Üb. Acetylenbeleuchtgsanlagen. (97 m. Abb.) 8°
Lpzg, C Scholtze 01.   (3 —) 2 —
Scholtze, J: Prakt. Anl. z. Briefmarkensammeln. 2. Afl. (105
m. Abb.) 8° Berl., S Mode (01).   1 —
— Grundr. d. allg. Musiklehre in leichtfassl. Darstellg. Nebst
Anl. z. klaren Notenschreiben, e. musikal. Formenlehre u.
e. musikal. Wrtrb. (87) 8° Ebd. (01).   1.25 d
— Vollständ. Opernführer durch d. Repertoireopern, nebst Ein-
führgn, geschichtl. u. biograph. Mitteilgn. (574) 8° Ebd. (04).
L. 3.50; auch in 18 Heften zu — 20 d
— Die Schauspielkunst. (191) 8° Ebd. (01).   2.25 d
— Wie soll ich künstlerisch singen? (106) 8° Ebd. (01). 1.50 d
Scholz: Das Arteriensystem d. Menschen. — Deformitäten u.
Missbildgn. — Frakturen d. ob. u. unt. Extremitäten. —
Fremdkörper, Sarkom u. Osteomyelitis d. Schenkels. — Die
kongenitalen Hüftgelenksluxationen, s.: Hildebrand.
Scholz: Die Bedeutg d. BGB. f. d. ev. Pfarrer, s.: Zeyss.
Scholz: Ländl. Volksunterhaltgsabende. (11)8° Berl., Gesellsch.
f. Verbreitg v. Volksbildg 05.   — 30 d
Scholz s.: Entscheidungen d. kgl. preuss. Oberverwaltgsge-
richts.
Scholz, A v.: Kommentar üb. d. Psalm 45. (17, 138)
8° Lpzg, Woerl's Reisebücher-Verl. 04.   1 —
— Kommentar üb. d. Prediger. (28, 229) 8° Ebd. 01.   6 —
Scholz, B: Lehre v. Kontrapunkt u. d. Nachahmgn. (176) 8°
Lpzg, Breitkopf & H. 04.   3 — ; geb. 3.50; L. 4 —
— Der Wald. Dichtg v. K Feldmann. Für Soli, Männerchor u.
Orchester komp. v.Sch. Op.85. Textb. (16) 8° Berl.,GF Lichtert,
CF Vieweg 03.   — 20 d
Scholz jun., C: Gurken, s.: Radetzki, gärtner. Kultur-Anweisgn.
Scholz,CR: Nervenstörgn u.deren Folgen. 4.Afl. (32) 8° Säckingen
(05.) Zür., A Neumann.   1 —
— dass. 5. Afl. Üb: Die Suggestionsformeln nebst prakt. Rat-
schlägen f. Nervenleidende. Suppl. 4. Afl. (31 u. 20) 8° Ebd.
(05).   1 — d
Scholz, E: Das Reichs-Hypothekenrecht, s.: Handbibliothek f.
d. deut. Genossenschaftswesen.
Scholz, E: Katbol. Gesang- u. Gebetb., s.: Kothe, W.

Scholz, E: Vollständ. Jubiläumsbüchl. (82) 12⁰ Habelschw., Franke 01. — 15 d
Scholz, E: Leitf. d. Botanik, s.: Schmeil, O.
Scholz, F: Krieg u. Seekabel. (161) 8⁰ Bgld., F Vahlen 04. 4 —
— Drahtlose Telegr. u. Neutralität. [S.-A.] (46) 8⁰ Ebd. 05. 1.40
Scholz, F: Die moral. Anästhesie. (163) 8⁰ Lpzg, EH Mayer 04.
3.60; geb. 4.50
— Leitf. d. Gesundheitslehre f. Schulen. 2. Afl. (124 m. Abb.) 8⁰ Lpzg, J Klinkhardt 04. 1 —; kart. 1.20 d
— Die verschied. Methoden in d. Behandlg Geisteskranker. [S.-A.] (32) 8⁰ Münch., Seitz & Sch. 01. 1.50
Scholz, H, u. E Büttner: Fortbildgs- u. Leseb. f. Stenogr. n. d. Einiggssystem Stolze-Schrey. 2. Afl. (84) 8⁰ Berl., Bh. d. Stenogr.-Verbandes Stolze-Schrey 04. 1.25
Scholz, H: Der Klempner u. Blechwarenfabrikant, s.' Was willst Du werden?
Scholz, H: Der Ev. Bund u. d. Politik, s.: Flugschriften d. Ev. Bundes.
— Die christl. Erfahrg, ihre Entstehg u. Entwickelg (Luthers Katech. Artikel III). 6 Vorlesgn. (137) 8⁰ Berl., J Springer 02. 2 — d
— Bibl. Geschichtsb. — Method. Hilfsb. f. d. ev. Relig.-Unterr., s.: Fischer, LH.
— s.: Predigten, 7. bei d. 58. Hauptversammlg d. ev. Ver. d. Gustav Adolf-Stiftg geb.
— Was haben wir v. Reformkatholizismus zu erwarten?, s.: Flugschriften d. Ev. Bundes.
— s.: Zeitfragen.
Scholz, J, s.: Collection Ernst Prinz zu Windisch-Grätz.
Scholz, L: Irrenfürsorge u. Irrenhilfsvereine. (79) 8⁰ Halle, C Marhold 02. 1.80
— s.: Irrenpflege, d.
— Leitf. f. Irrenpfleger. 4. Afl. (83 m. Abb.) 8⁰ Halle, C Marhold 04. Kart. 1.50 d
Scholz, Frau M, s.: Stona, M.
Scholz, O: Der Spinnabend zu Herzogswaldau im Winter 1899. [S.-A.] (40) 8⁰ Bresl., (M Woywod) 01. — 80
Scholz, R: Sehproben-Taf., s.: Kern, B.
Scholz, R: Aschenbrödel. (Das deut. Malbuch.) (8 [4 farb.] Bl. m. Text auf d. Umschl.) 8⁰ Mainz, J Scholz (05). — 50 d
— Brüderchen u. Schwesterchen. (Malbuch.) (8 [4 farb.] Bl. m. Text auf d. Umschl.) 8⁰ Ebd. (05). — 50 |
m. Aschenbr. in 1 Bd kart. 1 — d
— Dornrös'chen. (Das deut. Malbuch.) (8 [4 farb.] Bl. m. Text auf d. Umschl.) 8⁰ Ebd. (04). — 50 d
— Das deut. Malbuch. Serie A. 1. u. 2. Heft. Hänsel & Gretel u. Rotkäppchen. (Je 8 [4 farb.] Taf. m. Text auf d. Umschl.) 8⁰ Ebd., (05). Je — 50 d
— Schneewittchen. (Das deut. Malbuch.) (8 [4 farb.] Bl. m. Text auf d. Umschl.) 8⁰ Ebd. (04). — 50 d
Scholz, R: Die Publizistik z. Z. Philipps d. Schönen u. Bonifaz' VIII., s.: Abhandlungen, kirchenrechtl.
Scholz, R: Üb. Studium u. Unterr. im Geigenspiel. (144) 8⁰ Lpzg, Breitkopf & H. 05. 3 —; geb. 3.50 d
Scholz, V: Hier frohe Feste, dort Feuer u. Blut! (Zeitgemässe Betrachtgn üb. d. jetz. deut. Moral.) (32) 8⁰ Lpzg, Verl.-Anst. „Cliché" (04). (?) — 60
— Wie schütze ich mich als Soldat vor Misshandlgn v. Seiten Vorgesetzter. (48) 8⁰ Ebd. (04). 1 —
Scholz, W v.: Deut. Balladenb., enth. d. neueren deut. Balladen [S.-A.] u. a. 19. Jahrh., v. Bürger bis Liliencron. (628) 8⁰ Münch., G Müller 05. 4 —; geb. 5 — d
— Droste-Hülshoff, s.: Dichtung, d.
— Gedanken z. Drama u. and. Aufsätze üb. Bühne u. Lit. (127) 8⁰ Münch., G Müller 05. 3 —; geb. 4.50 d
— Hebbel, s.: Dichtung, d.
— Der Jude v. Konstanz. Tragödie. (187) 8⁰ Münch., G Müller 05. 3 —; geb. 4.50 d
— Kunst u. Notwendigk. 4 Theseu. (16) 8⁰ Berl., Oesterheld & Co. (06). — 50 d
— Der Spiegel. (189) 8⁰ Lpzg (02), Berl., H Seemann Nf. 2.50
Scholze, A: Das Handwerkerfest. Liedersp. m. verbind. Deklamation. Für Solo-, 2- u. 3stimm. Gesang m. Klavierbegleitg. Dichtg v. J Gertler. Musik v. Sch. Werk 23. Textb. (18) 8⁰ Wien, A Pichler's Wwe & S. 04. — 10 d
Scholze, E: Wie lerne ich perspektivisch zeichnen? Für Schüler bearb. Zugl. Begleitwort zu E Scholzes Apparat f. perspektiv. Körperzeichnen. (8 m. 1 Taf.) 8⁰ Zitt., P Haeckel's Nf. (02). 1 — d
Scholze, J: Die Wahrh. üb. d. Heidenmission u. ihre Gegner. Vortr. (22) 8⁰ Berl., W Süsserott 05. nn — 50 d
Schomacker, H: Ein unmodernes Mädchen. Roman. (262) 8⁰ Lpzg, H Haessel Comm.-Gesch. — St. Petersbg, R Jassé (03). 3 —; geb. 4.20 d
Schomaker, J: Lüneburger Chronik. Hrsg. v. T Meyer. (216) 8⁰ Lünebg, Herold & W. 04. 3.50
Schoemann, GF: Griech. Alterthümer. 4. Afl. v. JH Lipsius. 2. Bd. Die internat. Verhältn. u. d. Relig.-Wesen. (644) 8⁰ Berl., Weidmann 02. 14 — (1. u. 2.: 26 —)
— Der att. Process, s.: Meier, MHE.
Schomberg, L: 25 Psalmen in unterrichtl. u. erbaul. Betrachtg f. Schule u. Haus. (128) 8⁰ Dresd., A Huhle 01. 1.40 d
— u. W Schomberg: Gedanken bei Behandlg d. Bibl. Gesch. in d. Oberkl. d. ev. Volkssch. 2 Tle in 1 Bde. 6. Afl. (266 u. 320 m. 1 Taf.) 8⁰ Wittnbg, R Herrosé 01. 5 —; geb. 6 — d

Schoembs, J: Die neue Familie. Roman in 2 Bdn. (458) 8⁰ Dortm., FW Ruhfus (01). 6 —; in 1 L.-Bd 7.20 d
— Material z. Sprache v. Comalapa in Guatemala. (227) 8⁰ Ebd. 05. 8 —
— Ohne Schuld verschuldet. Erzählg. (31f) 8⁰ Ebd. (02). 5.50;
L. 4.50 d
Schomburg, EH: The taming of the shrew, s.: Studien z. engl. Philol.
Schomerus, F: Das Kleingewerbe insonderh. d. Bäcker-, Konditor- u. Fleischergewerbe, monographisch u. statistisch bearb. (94) 8⁰ Stuttg., W Kohlhammer 02. 2 — d
— Neben- u. Folgewirkgn d. engl. Gewerksch., s.: Festgaben f. Friedr. Jul. Neumann.
Schön wieder. (Zur Alkoholfrage.) Von e. sächs. Studenten. (14) 8⁰ Hermannst., (W Krafft) 04. — 10 d
Schön, E: Die Bildg d. Adjektiva im Altengl., s.: Studien, Kieler, z. engl. Philol.
Schön, E: Naturformen in Umriss u. Farbe, s.: Ritter, L.
Schön, F: Die Schule d. Werkzeugmachers u. d. Härten d. Stahles. (56 m. Abb.) 8⁰ Göpp. (05). (Lpzg, S Schnurpfeil.) 1 —
Schön, G: Die Differenzen zw. d. kapitoliu. Magistrats- u. Triumphliste. (75 m. Abb.) 8⁰ Wien, C Fromme 05. 2.50
Schoen, H: Quid boni periculosive baheat Goethianus liber qui affinitates electivae inscribitur. (144) 8⁰ Paris, W Fischbacher 02. nn 4 —
— Le théâtre alsacien. Bibliogr. complète du théâtre alsacien. Biographie des auteurs. (330 u. 41 m. Abb.) 8⁰ Strassbg i/E. (Brandg. 2), Verl. d. illustr. elsäss. Rundschau 03. 2.80
Schön, J: Geschäfts- u. Familien-Briefsteller. 4. Afl. (390) 8⁰ Mülh. a/R., J Bagel (03). (1.80; kart. 2.40) 1.50; kart. 2 — d
— Der die russ. Kriegshilfen in Ostasien. [S.-A.] (37 m. 2 Taf.) 8⁰ Wien, (LW Seidel & S.) 04. 1.90
— Der Kriegsschauplatz zw. d. Rhein u. d. Seine u. d. Hauptaufg. sr Befestiggn. [S.-A.] (93 m. 1 Karte.) 8⁰ Ebd. 04. 2.50
— Militärgeograph. Übersicht d. Kriegsschauplatzes in Ostasien. [S.-A.] (64 m. 1 Karte.) 8⁰ Ebd. 04. 1.50
2. Afl. u. d. T.:
— Der Kriegsschauplatz in Ostasien. Geograph. Beschreibg u. Würdigg. 2. Afl. (310 m. 5 Beil.) 8⁰ Wien, LW Seidel & S. — Lpzg, F Luckhardt 04. 5 — d
Schön, L, s.: Stimme, d., d. Wahrheit.
Schön, M: Die Invalidenversicherg d. Deut. Reiches im tägl. Leben. (88) 8⁰ Berl. (N. 58, Weissenburgerstr. 32), Magistr.-Sekr. Schön 04. — 90 d
Schön. O: Das par. Dorf. Laud u. Leute d. Neuenburger Jura. (111) 8⁰ Bas., Ver. f. Verbreitg guter Schriften 03. Kart. — 80 d
Schön, P: Das ev. Kirchenrecht in Preussen. I. Bd. (465) 8⁰ Berl., C Heymann 03. 10 — d
— Das kais. Standeserhöhgsrecht u. d. Fall Friesenhausen. Ein weit. Beitrag z. Lipp. Thronfolgestreit. (148) 8⁰ Berl., C Häring 05. 3 — d
Schoen, W: Kopfschmerzen u. verwandte Symptome. (83) 8⁰ Wien, M Perles 03. 1.20
Schön. W: Das Wichtigste a. d. Heimatkde d. Kreises Ohlau. (20) 8⁰ Olog., C Flemming (05). — 10 d
Schönamsgruber, L: Archival. Studien z. Jugendgesch. Kaiser Karls IV. I. [S.-A.] (42) 8⁰ Prag, (JG Calve) 05. — 60 d
Schoenaich, v., s.: Hoverbeck, Frhr v.
Schoenaich, A v.: Lose Skizzen a. d. Zaren-Reiche. (319) 8⁰ Berl., K Siegismund 04. 3 —; L. 4 — d
Schönaich, G: Die alte Fürstentumshauptstadt Jauer. Bilder u. Studien z. jauerschen Stadtgesch. 5 Lfgn. (188 m. Abb. u. 1 Taf.) 8⁰ Jauer, O Hellmann 03. (Subskr.-Pr. je nn — 50) 4.— d
— Die alte Jauersche Stadtbefestigg. Vortr. (18 m. Abb. u. 1 Taf.) 8⁰ Ebd. 03. — 60 d
Schönaich-Carolath, Prinz E v.: Dichtgn. 8. Afl. (296) 8⁰ Lpzg, GJ Göschen 05. 3 —; L. 4 — d
— Der Freiherr. — Ragulus. — Der Heiland d. Tiere. 3 Novellen. 2. Afl. (181) 8⁰ Ebd. 05. 3 —; geb. 4 — d
— Gedichte. 1. u. 2. Afl. (198) 8⁰ Ebd. 03.05. 3 —; L. 4 — d
— Lichtlein sind wir. Die Kiesgrube. Die Wildgänse. 1. u. 3. Afl. (111) 8⁰ Ebd. 03.05. 1.80; L. 2.50 d
— Bürgerl. Tod. Novelle. Neue Ausg. (188) 16⁰ Ebd. (1805). L. 1 —
Schoenaw, J: Lydia, s.: Kaufmann's moderne Zehnpfennig-Bibliothek.
Schönau, W, s. a.: Kneschke, Frau M.
— Die Außerin, s.: album f. Liebhaber-Bühnen.
— Wenn dich d. bösen Bube locken, s.: Liebhaber-Theater.
Schönauer, F: Repetier-Stutzen M. 95, s.: Bracharz, E.
— Zündertaf. (13 farb. Taf. u. 1 Tab.) 47,5×70,5 cm. Wien, LW Seidel & S. 02. 24 —
Schönbach, AE: Beitr. z. Erklärg altdeut. Dichtwerke. 4. Stück. [S.-A.] (M v. Hölder). 8.50 (1—4.: 9.80)
2. Walter v. d. Vogelweide. (92) 02. 2.10 | 3. Die Sprüche d. Bruder Werhef. 1. (196) 04. 2 — | 4. Desan. II. (156) 04. 2.40.
— Üb. ein. Evangelienkommentar d. M.-A. [S.-A.] (176) 8⁰ Ebd. 03. 3.80
— Üb. Gutolf v. Heiligenkreuz. [S.-A.] (120) 8⁰ Ebd. 04. 2.70
— Üb. Hermann v. Reun. [S.-A.] (50) 8⁰ Ebd. 05. 1.90
— Üb. Lesen u. Bildg. Umschau u. Ratschläge. 7. Afl. (408) 8⁰ Graz, Leuschner & L. 05. 4.50 d

Schönbach, AE: Mitteilgn a. altdeut. Handschriften. 7. u. 8.
Stück. [S.-A.] 8° Wien, (A Hölder). 1.50 (1—8.: 9.70)
— 7. Die Legende v. Esgtl u. Waldbruder. (45) 01. 1.46
— 8. Seitenstettner Blechstücke d. Jüng. Titurel. (14) 04. — 50
— Rede auf Schiller. (38) 8° Graz, Leuschner & L. 05. — 80 d
— Studien z. Erzählgslit. d. M.-A. 3—5. Tl. [S.-A.] 8° Wien,
(A Hölder). 6.10 (1—5.: 11.40)
— 3. Die Legende v. Erzbischof v. Magdeburg. (77) 01. — 70
— 4. Üb. Caesarius v. Heisterbach. 1. (93) 02. 2.20
— 5. Die Gesch. d. Radolf v. Schlüsselberg. (92) 02. 1.90
— Studien z. Oesch. d. altdeut. Predigt. 3. Stück: Das Wirken
Bertholds v. Regensburg geg. d. Ketzer. [S.-A.] (151) 8°
Ebd, 04. 3.30 (1—3.: 6.90)
Schönbauer, R, u. JG **Rothaug**: Leitf. d. Handelsgeogr. f.
Gremialhandelssch. n. und. fachl. Lehranst. (116) 8° Wien,
F Deuticke 03. Kart. 1.20
Schoenbeck, B: Ratgeber beim Pferdekauf, s.: Thaer-Bibliothek.
— Das Scheuen d. Pferde, dessen Ursachen, Folgen u. Abhilfe.
4. Afl. (69) 8° Lpzg (04). Berl., Zuckschwerdt & Co. 1.60 d
Schoenbeck, R: Aphorismen z. Naturgesch., Charakteristik u.
Kultur d. Pferdes, s.: Pferde, uns.
— Der Damen-Reitsport, s.: Bibliothek f. Sport u. Spiel.
— Dienstanweisg f. herrschaftl. Kutscher u. Stallpfleger. (192
m. Abb. u. Titelbild.) 8° Lpzg, O Klemm 03. L. 3 — d
— Was d. Infant.-Pferdebursche v. Pferde u. v. d. Stallpflege
wissen muss. 2. Afl. (98 m. Abb.) 12° Ebd. (1900). L. 2 — d
— Pferderassen, s.: Eerelmann, O.
— Reiten u. Fahren, s.: Thaer-Bibliothek.
— Reithdb. f. berittl. Offiziere d. Fusstrappen, sowie f. jeden
Besitzer v. Reitpferden. 5. Afl. (386 m. Abb.) 8° Lpzg, O Klemm
02. L. 10 — d
Schönberg, G v.: Kurze Gesch. d. kgl. sächs. 7. Infant.-Regts
"Prinz Georg" Nr. 106, jetzt 7. Königs-Infant.-Regt Nr. 106
währ. d. Feldzuges 1870/71, s.: Zur Erinnerg an d. 2. Zu-
sammenkunft d. Feldzugsteilnehmer d. 106. Regts 1870/71.
Schoenberg, G: Zum Leben verurteilt! Eine Liebesgesch. (59)
8° Dresd., E Pierson 02. — ; geb. 3 — d
Schönberg-Cotta, d. Familie. Charakter- u. Sittengemälde a.
d. Reformationszeit. Aus d. Engl. v. C Philippi. 13. Afl. d.
feinen Ausg. (502) 8° Bas., Basler Buch- u. Antiquariatsh.
vorm. A Geering 04. 3 — ; geb. 4 — ; 14. Afl., Volks-Ausg. 2 — ;
geb. 2.80 d
Schönberger: Der Katasterbeamte in Preussen. (466 m. 1 Tab.)
8° Hoyerswerda, Stenerinsp. Schönberger 02. 8.60 d
Schönberger, A: Waldbleamaln. Gedichte in oberösterr. Mundart. (I. Thl.) 3. Afl. (88) 8° Wels, J Haas 1899. — 70 d
Schönberger, F, u. J Wallner: Katbol. Volks-Gesangb. m. e.
Anh. v. Gebeten. 4. Afl. (532) 12° Graz, (U Moser) 1890.
Geb. nn 2.80 d
Schönberger, K: Reiterinnen u. Radlerinnen. Humorist Scenen
a. d. Berliner Sportleben u. Federzeichngn. (25 Bl.) Fol.
Berl., Harmonie (02). Kart. 6 —
Schönbild, F: Die wichtigsten Anstandsregeln f. d. Zöglinge
höh. Lehranst., zunächst f. d. kathol. d. Ständes. d. Geistl. Standes.
8. Afl. (128) 16° Rgnsbg, F Pustet 05. L. — 60 d
Schönborn, F Graf, u. A Fürst Liechtenstein: Der Relig.-
Kampf in Oesterr., s.: Sammlung zeitgemässer Broschüren.
Schoenborn, S: Gefrierpunkts- u. Leitfähigk.-Bestimngn. Ihr
prakt. Wert f. d. innere Medizin. (77) 8° Wiesb., JF Berg-
mann 04. 1.60
— Die Lumbalpunktion u. ihre Bedeutg f. Diagnose u. Thera-
pie, s.: Sammlung klin. Vortr.
Schönbrunner, J, s.: Handzeichnungen alter Meister a. d.
Albertina.
Schöndorf, F: Die Grorother Mühle, e. lehrreiches Profil d.
unt. Tertiärs d. Mainzer Beckens. [S.-A.] (8 m. 1 Fig.) 8°
Wiesb., JF Bergmann 05. — 40
Schöne, das. Red.: A Heilborn. Mitred. f. bild. Kunst: GH
Borchardt, f. sport: G Moeckel. 1. Jahrg. 1. Heft. Dezbr 1902.
(64) 8° Charlttnbg, Verl. d. Zeitschrift „Das Schöne". (?)
(Lpzg, O Klemm.) 1 — d ò F
Schöne: Der Stundenpl. u. s. Bedeutg f. Schule u. Haus, s.:
Magazin, pädagog.
Schöne, A: Gedächtnisrede auf Ivo Bruns. (16) 8° Kiel, E Mar-
quardsen 01. (?) — 30
— Ueb. d. beiden Renaissancebeweggn d. 15. u. 18. Jahrb. Rede.
(34) 8° Kiel, (Lipsius & T.) 03. 1 —
Schöne, E: Das Christkind. — Dem Christkind geschenkt. —
Er kommt aber doch. — Grossmutters Weihnachtsrosen, s.:
O du fröhl. usw. Weihnachtszeit.
— Rufe mich an in d. Not! u. and. Erzählgn. Neue Ausg. (64)
8° Konst., C Hirsch (04). Geb. — 25 d
— Was habt ihr behalten, s.: O du fröhl. usw. Weihnachtszeit.
Schöne, E: Die Elbtallandschaft unterh. Pirna. (Landschafts-
bilder a. d. Kgr. Sachsen.) (122 m. Abb. u. 3 Kart.) 8° Meiss.,
HW Schlimpert 05. nn 2.25; kart. nn 2.75 d
— Die geschichtl. Entwicklg d. geograph. Unterr. in d. sächs.
Volkssch. bis z. Gegenwart. (100) 8° Dresd., A Köhler (01).
1.50 d
— Lehrb. d. Schul-Geogr., s.: Tromnau, A.
Schöne, F, s.: For Schluss unn for Eruschd!
Schöne, G: Weihnachtsmann will streiken!, s.: Danner's, G,
deut. Jugendbühne.
Schoene, G: Griechb., röm., deut. Mythen u. Sagen f. d. Unterr.
in d. unt. u. mittl. Kl. höh. Schulen. 11. Afl. (v. L Freytag).
(68 m. Titelbild.) 8° Lpzg, J Baedeker (02). — 50 d

Schöne, H: Ein Palimpsestblatt d. Galen a. Bobbio. [S.-A.] (6)
Berl., (G Reimer) 02. — 50
— 8b.: Papyri, griech., medizin. u. naturwiss. Inhalts.
— Eine Streitschrift Galen's geg. d. empir. Ärzte [S.-A.] (9)
8° Berl., (G Reimer) 01. — 50
Schoene, H: Der König d. Täufer, s.: Hesse's, M, Volksbücherei.
Schöne, R, s.: Damiano's Schrift üb. Optik.
— Aus d. Lehr- u. Flegeljahren e. alten Schauspielers,
s.: Universal-Bibliothek.
— Theater-Bohême. Novelle. (110 m. Abb.) 8° Lpzg (01). Stuttg.
Union. L. 2 — d
— Theaterluft. — Welt u. Scheinwelt, s.: Universal-Bibliothek.
Schöne, H: Die radelnden Studenten od. d. gepeilte Wacht-
meister, s.: Radfahrer-Pantomimen.
Schöne, l': Denksingen. Lehrg. in konzentr. Kreisen u. m.
strengmethod. Liederverteilg f. Volkssch. u. d. entsproch.
Kl. d. höh. Schulen. I. u. II. Heft. 8° Dresd, Holze & P. 05.
— 50 d
— I. (1. u. 2. Schuli.) (32) — 70 ‖ II. (3. u. 4. Schuli.) (64) — 50.
Schöne, R: Anl. z. Wäsche-Zuschneiden n. Körpermassen.
2 Hefte. 3. Afl. 8° Lpzg, (BG Teubner) (04). Je — 50 d
— 1. Kinder-, Mädchen- u. Frauenhemden. (20 m. 4 Taf.)
— 2. Knaben- u. Männerhemden. (20 m. 2 Taf.)
— Deut. Lehrb. f. Wäsche-Zuschneiden n. Körpermassen. 3. Afl.
(85 m. Abb. u. 11 Taf.) 4° Lpzg, (Liehr. Lehrmittel-Anst.) (03).
Kart. nn 2.75 d
— Lehrpl.-Entwurf: Zur Reform d. Nadelarbeits-Unterr. in d.
gehob. Volkssch. (13 m. Abb.) 8° Lpzg, (BG Teubner) 05. — 60 d
Schönberg, A, s.: Pfarr-Almanach f. Berlin u. d. Prov. Bran-
denburg.
Schönberg, G: Wegweiser f. land-u. forstw. Unfallversichg.
1—10. Taus. Prov. Ostpreussen. (107) 8° Köngsbg, Ostpreuss.
Druckerei u. Verl.-Anst. 03. — 75 d
Schönberg, s, C, Eisenh.-Gütertarif f. Deutschl. 3. Afl. (1274
m. 52 m. 1 Kart.) 8° Hag, O Hammerschmidt (02). Geb. 12 — d
Schönemann: Die Verwendg d. elkt. Camera z. Ermittelg v.
Höhen u. Entferngn. [S.-A.] (24 m. 1 Taf.) 8° Bonn 03. (Soest,
Ritter.) — 60
Schönemann, A: Nase u. Kehlkopf in ihren Beziehgn zu d.
Körpermassen, s.: —
— 2 Hefte. 3. Afl. 8° Bern, EJ Wyss 02. — 80
— Bad Stachelberg u. Heilquelle. 3es u. 3 Tab.) 8° Ebd. 02. 1 —
— Die Topogr. d. menschl. Gehörorganes, m. bes. Berücks.
d. Korrosions- u. Rekonstruktionsanatomie d. Schläfenbeines.
(39 m. 8 Taf.) 4° Wiesb., JF Bergmann 04. In M. 18 —
— Atlas d. 4 Orig.-Steinzeichngn, s.: Steinzeichnungen
deut. Maler.
Schönenberger, F: Badet in d. Luft u. im Lichte! Pflegt d. Frei-
lichtturnen. — 1. Hilfe in Unglücksfällen u. bei plötzl. Er-
krankgn, s.: Möller's, W, Bibliothek f. Gesundheitspflege.
— Sund wir uns. Kindern schuldig? Vortr. (2) 8° Bas.,
Schriftstelle d. Alkoholgegnerbundes (durch F Reinhardt)
(o. J.). — 02 d
— Trinker-Ausreden. 3. Afl. Berufs-Statistik d. Mitglieder d.
Gut-Templer-Ordens v. Deutschlds Grossloge II 1901. 10—15.
Taus.) (12) 8° Flensbg, Deutschlds Grossloge II (04). nn — 10 d
— Wegweiser z. Ausführg ärztl. Kurvorschriften. 5. Afl. (64
m. Abb.) 12° Berl. (01), Oranienbg, W Möller. — 20
— dass., s.: Möller's, W, Bibliothek f. Gesundheitspflege.
— u. W Siegert: Das Geschlechtsleben. Was junge Leute davon wissen sollten u. Ehelente wissen müssten. (233) 8° Berl.
(01). Oranienbg, W Möller. L. 3 — d
Neue Afl. u. d. T.:
— — Das Geschlechtsleben u. s. Verirrgn. 3. Afl. (237) 8° Ebd.
(02). ‖ 7. Afl. (278) (03.) L. je 3 — d
— 7. Afl. (278) (03). L. 3 — d
Schoener, M: Der Zahnschmerz. Dessen Entstehg u. Wesen,
sowie dessen Heilg. Nebst e. Anh. erprobter Vorschriften
zahnschmerzstill. Mittel, guter Mundwasser u. Zahnpulver.
(31) 8° Rothenbg (02). Mergenth., C Ohlinger. — 25 ‖ 2. Afl.
(31) Mergenth. (04). — 30 d
Schoener, R: Hilfsbb. z. Belebg d. geograph. Unterr., s.: Buchholz, F.
Schönemark, G, u. W **Stüber**: Hochbau-Lexikon. (936 m. Abb.)
4° Berl., W Ernst & Sohn 00—04. — ; geb. nn 46 —
Schoeneseiffen, C: Else, d. Soldatenbraut. — Hans, d. verliebte Offiziersbursche, s.: Radermacher's, J, Vereinsbühne.
Schönfeld: Der preuss. Gerichtsvollzieher. Zusammenstellg
u. Erläuterg sämmtl. f. d. Dienst d. Gerichtsvollzieher mass-
gebnl. Bestimmgn. 5. Afl. (559) 8° Bresl., JU Kern 01. 9 — ;
10 — d
Schönfeld, E: Bonner Durchmusterg d. nördl. Himmels, s.:
Argelander, F.
Schönfeld, ED: Der island. Bauernhof u. s. Betrieb z. Saga-
zeit, s.: Quellen u. Forschungen z. Sprach- u. Culturgesch.
d. german. Völker.
— Die mohammedan. Bewegg im ägypt. Sudan, s.: Verband-
lungen d. deut. Kolonial-Gesellsch.
— Erythräa u. d. ägypt. Sudan. (245 m. 15 Taf.) 8° Berl., D
Reimer 04. L. 8 —
— Aus d. Staaten d. Barbaresken. (267 m. 2 Abb. u. 16 Lichtdr.)
8° Ebd. 02. L. 8 —
Schönfeld, F: Die Herstellg obergähr. Biere. (160 m. Abb.) 8°
Berl., P Parey 02. L. 4.50 d

Schönfeld, F: System d. natürl. Hefereinzucht, s.: Delbrück, M.
Schönfeld, K Graf: Erinnergn e. Ordonanzoffiziers Radetzkys. Hrsg. u. bearb. v. K Baron Torresani. (100 m. 1 Bildnis u. 1 Fksm.) 8° Wien, LW Seidel & S. 04. **2.50 d**
Schönfelder, A, s.: Bibliothek, liturg.
— Der Pfarrer in s. Umgang m. d. Gemeinde ausserhalb d. Gottesdienstes, s.: Seelsorger-Praxis.
— s.: Tractatus Brandeburgensis. — Tractatus Misnensis.
Schönfelder, B: Um d. Schreckenstein. Dichtg a. d. Husitenzeit. (260) 8° Varel 01. Pössn., B Feigenspan. (4.—) 2.35; L. (4.80) 3 — d
Schönfelder, K: Eisenb.-Atlas, s.: Nietmann, W.
Schönfelder, P: Hdb. d. ges. Verkehrswesens d. Deut. Reiches, s.: Lange.
— Gr. Ortslexikon d. Deut. Reiches, s.: Starke.
Schönfels', H v., Erlebnisse als Generalstabsoffizier bei d. Avantgarden-Cavall. 1866 u. 70, hrsg. v. L v. Schönfels. (191 m. Bildnis.) 8° Berl., R Eisenschmidt 03. 3 —; geb. 4 — d
Schönfles, A: Einführg in d. mathemat. Behandlg d. Naturwiss., s.: Nernst, W.
— Üb. Stetigk. u. Unstetigk. d. Funktionen e. reellen Veränderlichen. [S.-A.] (9) 8° Wien, (A Hölder) 04. — 30
Schoenflies, D: Frühlingsmärchen. (63) 8° Lpzg, Insel-Verl. 03. 1.50; geb. 3 — d
Schönhausen, A v.: Genovefa. Nach C v. Schmid frei bearb. (80) 8° Mülh. a/R., J Bagel (05). Kart. — 30 d
— Rosa v. Tannenburg. Nach C v. Schmid frei bearb. (80) 8° Ebd. (05). Kart. — 30 d
Schönheit, die. Hrsg. v. K Vanselow. Jahrg. 1903—5 je 12 Hefte. (1. Heft. 64 u. 16) 8° Berl., Verl. d. Schönheit. Halbj. 4.50; d. Jahrg. geb. (9.50) 12 —; einz. Hefte — 80
— d., d. menschl. Körpers. Mit Beitr. v. E Daelen, G Fritsch, B Meyer, L Schrank u. K Wahr u. 100 maler. Aktstudien in Farbendr. 10 Lfgn. (152) 8° Stuttg., Verl.f.Kunst u. Schönheit (04). Je 1 —; in 1 L.-Bd 12.50
Schönheitsfehler d.k.K., v.HL. ("Leonat"), s.: Instruktionsvorträge, 3, geh. in d. Loge "Zukunft".
Schönherr's, D', ges. Schriften. Hrsg. v. M Mayr. 2. Bd. Geech. u. Kulturgesch. (752 m. 5 Bildern.) 8° Innsbr., Wagner 02. 14 — (Vollst.: 30 —) d
Schönherr, K: Die Bildschnitzer. Eine Tragödie braver Leute. 2. u. 3. Taus. (47) 8° Wien, Wiener Verl. 01. 1.25 d
— Caritas. (178) 8° Ebd. 05. 2 —; geb. 3 — d
— Karrnerleut'. (56) 8° Ebd. 05. 1 —; geb. 2 — d
— Sonnwendtag. Drama.(113) 8° Ebd. 02. || 3.Taus.(Neue Passg.) (151) 05. Je 2 —; geb. je 3 — d
Schönherr,*P: Ein. Versuche z. Bestimmg d. Geländigkeit v. Zeichen, s.: Werner.
Schönhof, J: Hauptpunkte d. deut. Sprachlehre. — Deut. Schulgrammatik. — Übgsb. z. deut. Schulgrammatik, s.: Gurcke, G.
Schönhuth, O: Methodenlehre d. Unterr. in Relig. Anl. z. Katechisieren. (142) 8° Tüb., JCB Mohr 04. 1.80 d
Schönhuth, OFH: Im Kloster. Eine hohenloh. Sage. (94 m. Bildnis.) 8° Schwäb. Hall, W German (04). 1 — d
Schoeninchen, W: Die Abstammgslehre im Unterr. d. Schule, s.: Sammlung naturwiss.-pädagog. Abhandlgn.
— s.: Aus d. Natur.
— Die Brutpflege d. schwanzlosen Batrachier, s.: Brandes, G.
— Der Sechstind, als Schutzmittel d. Lebens, s.: Vorträge u. Abhandlungen, gemeinverständl. darwinist.
— 80 Schemabilder a. d. Lebensgesch. d. Blüten, f. d. Gebr. d. Schule u. d. Naturfreundes. 2 Hefte. (156) 8° Brnschw., B Goeritz 02. 2.50; einz. Hefte 1.40
— Zoolog.Schemabilder.Vorlagensammlg f.Wandtafelzeichngn u. zugl. Leitf. d. Zool. in Form schemat. Abbildgn, m. kurzem erläut. Texte. 1. Heft. Protozoa. Coelenterata. Echinodermata. (21 Taf. m. Text auf d. Rücks. u. 5 S. Text.) 8° Stuttg. 04, Lpzg, E Nägele. Kart. 7 —
Schöninger: Wechsellehre v. Wechselrecht, s.: Wagner, O.
Schöningh's,F, Ausg. ausländ. Klassiker m. Erläutergn. I—IX. 8° Faderh., F Schöningh. Geb.1.55 d
Homer's Odyssée m.d.1.Ausg.d.deut. Übersetzg. v.H Viebrans. u. eingerichtet v. H Vockeradt. (170) 02. [IV.] 1.90
Shakespeare's Julius Cäsar. Nach d.Schlegel'schen Übersetzg hrsg. v. H Schmitt. (200) 01. [I.] ¶ 2. Aufl. (212) 04. Je 1.55; geb. z. 1.55
— Coriolan. Trauersp. Mit ausführl. Erläutergn v. L Schunck. (168) 01. [III.] 1.50
— Hamlet. Trauersp. Hrsg. v. E Wasserzieher. (158) 04. [VI.] 1.20
— König Lear. Trauersp. Nach d. Öchelhäuser'schen Volkssg. hrsg. v. L Schunck. (168) 03. [V.] 1.40
— Macbeth. Nach d. Oechelshäuser'schen Volkssg. hrsg. (127) 01. [II.] 1.40
— König Richard II. Nach d. Schlegelschen Übersetzg hrsg. v. K Warske. (144) 04. [VII.] 1.60
Sophokles' Aias, auf Grund d. Übersetzg v. Donner in neuer Bearbeitg. hrsg. v. Schmitz-Mancy. (105) 05. [VIII.] 1 —
— König Ödipus. Auf Grund d. Übersetzg v. Donner in neuer Bearbeitg hrsg. v. Schmitz-Mancy. (111 m. 1 Abb.) 05. [IX.] 1 —
— Ausg. deut. Klassiker m. ausführl. Erläutergn. 1—24. u. 26—54. Bd. 8° Ebd. Geb. 45.45 d
Goethes, M: Mhd. Dichtgn. (Nibelungenlied, Gudrun, d. Kunstepen u. d. Lyrik, nebst e. Vogelweide.) 1. u. 2. Aufl. (299) 01. 04. [27.] 2 —
— Döut. Heldensage, nebst Eiul. u. Erkl.forgn. (172) 02. [28.] 1.50
Goethe, JW v.: Egmont. Trauersp. Hrsg. v. L Zürn. 6. Aufl. (140) 03. [10.] 1.50
— Lyr. Gedichte, ausgew., geordnet u. erklärt v. J Heuwes. 2. Aufl. (172) 03. [16.] 1.50
— Götz v. Berlichingen m. d. eisernen Hand. Schausp. Hrsg. v. J Heu-

wes. 4. Aufl. (195 m. 1 Karte.) 1900. [14.] 1.35; geb. 1.65 ¶ 6. Aufl. (198 m. 1 Karte.) 04. Geb. 1.40
Goethe, JW v.: Hermann u. Dorothea. Hrsg. v. A Funke. 11. Aufl. (146) 01. [2.] 1 —; geb. 1.30 ¶ 13. Aufl. (146 m. Abb.) 05. 1 —
— Iphigenie auf Tauris. Schausp. Bearb. v. H Vockeradt. 9. Aufl. (172) 04. [5.] 1.35
— Aus meinem Leben. Dichtg u. Wahrheit. Schulausg. v. J Dahmen. 3. Aufl. (178 m. Abb.) 1900. [21.] 1 —; geb. 1.30 ¶ 5. Aufl. (178 m. Abb.) 05. 1.10
— Prosaschriften. Hrsg. v. A Volkmer. (196) 04. [30.] 1.50
— Torquato Tasso. Schausp. Hrsg. v. W Wittich. 4. Aufl. (192) 1900. [15.] 1.55; geb. 1.65 ¶ 5. Aufl. (191 m. 1 Abb.) 05. 1.35
— u. Schiller's ausgew. Balladen. Hrsg. v. J Heuwes. 3. Aufl. (120) 03. [19.] 1.30
— Das gold. Vliess. Dramat. Gedicht. Hrsg. v. H Crohn. (220 m. Bildnis.) 04. [32.] 1.60
Herder, JG v.: Der Cid. Nach span. Romanzen. Hrsg. v. P Schwartz. 3. Aufl. (188) 01. [13.] 1.20; geb. 1.50 ¶ 4. Aufl. v. J Lümmen. (188) 04. 1.20
Kleist, H v.: Prinz Friedrich v. Homburg. Schausp. Hrsg. v. J Heuwes. 3. Aufl. (179 m. Bildnis u. 1 Abb.) 03. [17.] 1.50
— Die Hermannsschlacht. Schausp. Hrsg. v. W Gerstenberg. (165) 05. [34.] 1.30
Klopstock, FG: Ausgew. Oden u. Elegieen, nebst ein. Bruchstücken a. d. Messias. Mit e. Biogr. d. Dichters Hrsg. v. B Werneke. 4. Aufl. (251 m. Bildnis.) 03. [19.] 1.30
Körner, T; Zriny. Trauersp. Hrsg. v. J Dahmen. 2. Aufl. (146 m. 1 Abb.) 1900. [22.] 1 —; geb. 1.30 ¶ 4. Aufl. (144 m. Abb. u. 1 Plänskizze.) 04. 1 —
Lessing's, GE, Abhandlgn üb. d. Fabel, nebst e. Anh.: Fabeltexte u. Briefe, d. neuere Lit.-betr. Litteratur. (204) 04. [31.] 1.50
— Minna v. Barnhelm od. d. Soldatenglück. Lustsp. Hrsg. v. A Funke. 10. Aufl. (164 m. Bildnis.) 04. [6.] 1.20
— hamburg. Dramaturgie, hrsg. v. J Buschmann. 4. Aufl. (271) 01. [20.] 1.90; geb. 1.90 ¶ 5. Aufl. (272) 04. 1.60
— Emilia Galotti. Trauersp. Hrsg. v. H Deiter. 4. Aufl. (104) 03. [8.] 1 —
— Laokoon. Hrsg. v J Buschmann. 8. Aufl. (163 m. 2 Taf.) 02. [1.] 1.30
— Nathan d. Weise. Dramat. Gedicht. Hrsg. v. J Buschmann. 9. Aufl. (180) 02. [24.] 1.50
Schiller's Abhandlg: Üb. naive u. sentimental. Dichtg, sowie dessen akadem. Antrittsrede: Was heisst u. zu welchem Ende studiert man Universalgesch.? Hrsg. v M Schmitz. (170) 01. [26.] 1.50
— Die Braut v. Messina od. d. feindl. Brüder. Trauersp. m. Chören. Hrsg. v. H Heskamp. 5. Aufl. (172) 01. [31.] 1 —; geb. 1.50 ¶ 6. Aufl. v. Schmitz-Mancy. (162) 02. 1.30
— Ausgew. Gedichte. Hrsg. v. A Weinstock. 2. Aufl. (241 m. Bildnis.) 04. [23.] 1.75
— Die Jungfrau v. Orleans. Romant. Tragödie. Hrsg. v. A Funke. 9. Aufl. (190) 03. [9.] 1.30
— Maria Stuart. Trauersp. Hrsg. v. H Heskamp. 6. Aufl. (234) 1900. [6.] 1.35; geb. 1.65 ¶ 7. Aufl. v. Schmitz-Mancy. (234) 03. 1.35
— Wilhelm Tell. Schausp. Hrsg. v. A Funke. 10. Aufl. (178 m. 1 Karte.) 01. [4.] 1.20; geb. 1.50 ¶ 13. Aufl. (183 m. Abb. u. 1 Karte.) 05. 1.30
— Wallenstein. Dramat. Gedicht. Hrsg. v. A Funke. 9. Aufl. (355 m. 1 Bildn.) 03. [15.] 1.80
Uhland, L: Ernst, Herzog v. Schwaben. Trauersp. Hrsg. v. H Crohn. 5. Aufl. (106 m. Bildnis.) 03. [18.] 1 —
Schöningh's, F, Ausg. deut. Klassiker m. ausführl. Erläutergu. Ergänzgsbde. II u. III—VI. 8° Faderh., F Schöningh. Geb. nn 6.30 (I—VI.: nn 9.80) d
Dichter d. Freiheitskriege. Gedichtsfl v. Arndt, Körner, Schenkendorf, Rückert, Stägemann, Collin, Uhland u. a. Hrsg. v. M Schmitz-Mancy. 3. Aufl. (208 m. 1 Abb.) 05. [II.] nn 1.80
Leicherteut, M: Dichtergold. Kernsprüche u. Kernstellen a. deut. Klassikern aller Zeiten. 2. Aufl. (290) 02. [IV.] 1.60
Volkmer, A: Rötsel. Prosa. (179) 02. [V.] nn 1.30
Wecken, F: Dichtgf d. 19. Jahrh. Lyr. u. ep. Gedichte a. d. Zeit n. Goethes Tode. (227) 04. [VI.] 1.50
— Textausg. alter u. neuer Schriftsteller. Hrsg. v. A Funke u. Schmitz-Mancy. Nr. 1—38. 8° Ebd. 12.90 d
Goethe,JW v.:Egmont. Trauersp. (192) (03.) [13.] ¶ Lyr. Gedichte. (77) (17.) ¶ Götz v. Berlichingen m. d. eisernen Hand. Schausp. (112) (03.) [2.] ¶ Hermann u. Dorothea. (74) (03.) [10.] ¶ Iphigenie auf Tauris. (75) (04.) [19.] Je — 40
— Aus meinem Leben. Dichtg u. Wahrheit. Ausw. (174) (05.) [34.] — 60
— Lieder, Sprüche, Balladen u. and. ep. Gedichte. Ausw. (72) (05.) [33.] — 40
Grillparzer, F: Die Ahnfrau. Trauersp. (106) (05.) [32.] — 40
— Sappho. Trauersp. (82) (05.) [8.] ¶ Das goldene Vliess. Dramat. Gedicht. I. Der Gastfreund.—Die Argonauten. (94) (04.) [27.] ¶ II. Medea. (84) (04.) [28.] Je — 40
Grimm's, J, Reden. Üb. d. Alter v. d. Schiller. (58) (05.) [31.] — 40
Gudrunlied, d., in Auswy. verbind. Texte. (55) (05.) [30.] — 40
Herder, JG: Der Cid. Nach span. Romanzen. (135) (04.) [25.] — 60
Kleist, H v.: Prinz Friedrich v. Homburg. Schausp. (98) (05.) [18.] ¶ Die Hermannsschlacht. Schausp. (100) (05.) [36.] Je — 40
Körner, T; Zriny. Trauersp. (92) (04.) [24.] — 40
Lessing, GE: Minna v. Barnhelm od. d. Soldatenglück. Lustsp. (100) (04.) [12.] ¶ Hamburg. Dramaturgie. (199) (04.) [20.] Je — 40
— Emilia Galotti. Trauersp. (76) (05.) [6.] ¶ Laokoon od. üb. d. Grenzen d. Malerei u. Poesie. (96) (05.) [24.] Je — 40
Nathan d. Weise. Dramat. Gedicht. (120) (03.) [22.] — 40
Nibelungenlied, d., in Ausw., m. verbind. Texte. (64) (04.) [29.] — 40
Schiller, F v.: Die Braut v. Messina od. d. feindl. Brüder. Trauersp. m. Chören. (96) (03.) [7.] — 40
— Ausgew. Gedichte. (156) (03.) [4.] ¶ Die Jungfrau v. Orleans. Romant. Tragödie. (137) (03.) [9.] ¶ Maria Stuart. Trauersp. (98) (05.) [6.] ¶ Wilhelm Tell. Schausp. (119) (04.) [4.] ¶ Wallenstein. Dramat. Gedicht. I. Wallensteins Lager. — Die Piccolomini. (184) (05.) [14.] ¶ II. Wallensteins Tod. (100) (05.) [15.] Je — 40
Shakespeare, W: Julius Cäsar. Trauersp. (94) (05.) [1.] — 40
— Hamlet. Trauersp. (124) (04.) [36.] ¶ König Lear. Trauersp. (105) (05.) [7.] Je — 40
— König Richard II. Histor. Trauersp. (96) (03.) [5.] — 40
Sophokles: Aias. Trauersp. (54) (05.) [38.] ¶ König Ödipus. Trauersp. (58) [7.] Je — 40
Uhland, L: Ernst, Herzog v. Schwaben. Trauersp. (70) (05.) [9.] — 40
Schönlein, A: Schiller-Lieder f. 2- u. 3stimm. Schülerchor z.

Schiller-Feier (9.V.'05) nebst Prolog v. L Gerlach. (15) 8°
Dess., Dessauer Verl.-Haus 05. nn — 20 d
Schönlein, A: Schullioderb., s.: Hesse, F.
Schönmann, H, u. G Scheu: Rechenaufg. f. 1- u. 2klass. Volkssch.
2 Hefte. 8° Stuttg., A Bonz & Co. (04). nn — 70 d
I. 20. Afl. v. T Himmelein u. H Kühnle. (63) nn — 25 ‖ II. 44. Afl. v. F
Lauffer u. H Kühnle. (115) nn — 45.
— Rechenb. f. deut. Volks-, Mittel-, Töchter- u. Fortbil-
dgssch. (7 Hefte v. Zahlenkreis v. 1–20 bis z. Raumlehre).
III—VI. Heft. 8° Ebd. nn 1.25 d
III. 26. Afl. v. F Lauffer u. H Kühnle. (54) 05. nn — 25 ‖ IV. 50. u. 51. Afl.
v. F Lauffer u. H Kühnle. (56) 05. nn — 25 ‖ V. 48. Afl. v. T Himmelein
u. H Kühnle. (90 u. 6 Übgstaf.) (01.); 49. Afl. v. F Lauffer u. H Kühnle.
(90 u. 6 Taf.) (04.) Je nn — 30 ‖ VI. 50. Afl. v. F Lauffer u. H Kühnle.
(91.) nn — 45.
Schönpflug, F: „Kriegsvolk". 12 Orig.-Algraphien. (1 Bl. Text.)
45×35 cm. Wien, CW Stern 03. In L.-M. 35 —; Luxusausg. 50 —
Schönrock, E, u. M Weirauch: Hdb. d. deut. Gesetzgebg.
1. Jahrg. 1901. 12 Hefte. (1. Heft. 48 S.) 8° Trier, (A Sonnenburg). 6 — d ô F
— Hdb. d. deut. u. preuss. Gesetzgebg, in 2 Tbln. 1. Jahrg.
1901. 12 Hefte. (1. Heft. 48 u. 48) 8° Trier. (Ebersw., Ebers-
walder Bh.) ‖ 2. Jahrg. 1902. (656) (03.) Je 12 —;
HF. je nn 14.50 d ô F
Schönrock, H: Bilder a. d. Soldatenleben. 13 kinetographisch-
pantomim. Seenen. (12) 8° Mind., W Köhler (04). — 75 d
— Manöver im Ballsaal., s.: Bloch's, L, Militär-Festmappe.
— Moderne Orig.-Vortragsstücke u. Aufführgsscherze f. Privat-
kreise u. Vereine. (Umschl.: Das Ueberbrettl.) (138) 8° Berl.,
H Steinitz 02. 1 — d
— Der Vereinsredner. Reden, Vorlesgn u. Vorträge. (142) 8°
Ebd. (01). 1 — d
— Der Vergnügs-Direktor. Allerlei Neues u. Erprobtes f. Ge-
sellschafts- u. Vereins-Veranstaltgn. (160) 8° Ebd. (02). 1 — d
Schön- u. Schnellschreiben durch 8 Stunden Selbstunterr.
Mit e. Abhandlg üb. d. Schreibkrampf, hrsg. v. kalligraph.
Verl.-Instit., Charlottenburg. 3.—5. Afl. (8 m. 3 Taf.) 8° Lpzg,
O Maier (04). 60
Schönschreibheft, griech., s.: Schreibvorlagen z. Einübg d.
griech. Schrift.
Schönthan, F v.: Das gold. Buch, s.: Universal-Bibliothek.
— Cirkusleute. Komödie. (118) 8° Berl., E Bloch (02). 2 — d
— Der General, s.: Universal-Bibliothek.
— Cornelius Voss. Lustsp. (120) 8° Berl., E Bloch (02). 2 — d
— Das letzte Wort. Theaterstück. (113) 8° Ebd. (02). 2 — d
— u. F Koppel-Ellfeld: Die gold'ne Eva. Lustsp. (127) 8° Ebd.
(02). 2 — d
— — Florio u. Flavio. Schelmenstück u. Liebessp. (115) 8° Ebd.
(02). 2 — d
— — Komtesse Guckerl. Lustsp. (131) 8° Ebd. (02). 2 — d
— — Frau Königin. Spiel. (116) 8° Ebd. (02). 2 — d
— — Renaissance. Lustsp. 2. Afl. (138) 8° Berl., Freund & J.
02. 2 —; geb. 3 — d
Schönthan, P v.: Benimm Dich anständig u. anat. anständ.
Sachen. 5. Afl. (142) 16° Wien, R Mohr 05. 1.50; geb. 2 — d
— Die Blauen. Eine humorist. Gesch. a. d. modernen Kunst-
leben. (201) 4° Lpzg 02. Berl., H Seemann Nf. 2.50; geb. 3.50 d
— Der Frack, s.: Gabelsberger-Bibliothek.
— Brave u. schlimme Frauen. Moderne Geschichten. (119) 8°
Linz 01. Wien, J Deubler. 2 —; geb. 2.50 d
— Das Fräulein. Roman. (176) 8° Stuttg., A Bonz & Co. 03. 2.40;
L. 3.60 d
— Jahreszeiten d. Feder. Allerlei. 2. [Tit.-]Afl. (238) 8° Berl.,
A Schall [1896] (05). 3 —; geb. 4 — d
— dass., s.: Romane, deut.
— Kinder v. heute. — Der Kuss, s.: Universal-Bibliothek.
— Frau Lot. Wiener Roman. (275) 8° Stuttg., A Bonz & Co. 01.
3 —; L, 4 — d
— „Pariser Modell". Roman. (223) 8° Dresd., Moewig & Höffner
03. 3 — d
Schönwald, C, s.: Punsch-Kalender, Wiener.
Schönwald, E: Amortisations-Hdb. Verz. sämtl. gerichtlich
amortisierter österr.-ungar. Staats- u. Privat-Lose, Obliga-
tionen, Pfandbriefe etc. 14. Ausg. 1902. (96) 8° Hambg (Hohe-
luft-Chaussee 18), Selbstverl. nn 2.40
Schoenwaldt, P: Die Standesehre u. ihre Fordergn. — Ein
Vortrag f. u. geg. d. Fremdwörter in uns. Muttersprache.
s.: Abhandlungen, pädagog.
Schönwandt, D: Die Buchführg ohne Lehrer f. jedermann
leicht zu erlernen. Lehrb. d. einf. u. dopp. Buchführg. 4. Afl.
(155) 8° Berl., Neufeld & H. (03). 1 — d
— Buchgsaufg., s.: Löwinsohn, S.
— Leitf. d. Buchführg f. Buchdruckereien. Mit 1 Anh.: Wert
d. Buchdruckereien. (164 u. 31) 8° Berl., D Schönwandt (04).
1. 4 —; Anh. allein. (31) (04.) 1 — d
— Richtig u. schnell Rechnen ohne Lehrer f. jedermann leicht
zu lernen. 3. Afl. (131) 8° Berl., Neufeld & H. (02). 1 — d
Schoenwerth, R: Die niederländ. u. deut. Bearbeitgn v. Thomas Ryd'e Spanish Tragedy, s.: Forschungen, literarhistor.
Schönwiese, H: Die Wegriesen im Reichsforste Cadinc, s.:
Kubelka, A, d. Riesweg als Holzbringgsanst. d. Hochgebirges.
Schönwiese, L: Gedichte. (116) 8° Dresd., E Pierson 04. 1.50;
geb. 2.50 d
Schönwolff's deut. Buchführg „Eureka". Prakt. Anl. z. Gebr.

d. „Eureka"-Geschäftsbücher. (119) 4° Gleiw., Oberschles. Ge-
schäftsbücher-Fabrik u. Druckerei R Schönwolff 01.
Kart. 3.50 d
Schoof, W, s.: Dichterbuch, hess.
— Die deut. Dichtg in Hessen. (262) 8° Marbg, NG Elwert's V.
01. 2.50; geb. 3.60 d
— Marburg, d. Perle d. Hessenlandes. Litterar. Gedenkbuch.
2. Afl. (171 m. Abb.) 8° Ebd. (03). 2.40; geb. 3.20 d
Schoofs, JH: Leben d. Heiligen Gottes, s.: Vogel, M.
Schopp, A: Gesch. d. Stadt Düren bis z. J. 1544. 1. Lfg. (1—96)
8° Dür., W Solinus 01. nn 1.50
Schoop, WU: Ein Beitr. z. Kenntnis d. Diffusionsvorgänge an
Akkumulatorelektroden. [S.-A.] (32 m. Abb.) 8° Stuttg., F
Enke 05. 1.20
— Die industrielle Elektrolyse d. Wassers u. d. Verwendgs-
gebiete v. Wasserstoff u. Sauerstoff. [S.-A.] (54 m. Abb.) 8°
Ebd. 01. 1.20
Schoop, U: Der Schulzeichenunterr. u. d. Zeichnen n. d. Na-
tur. Zur Reform d. Zeichenunterr. (41 m. Fig. u. 13 Taf.) 8°
Zür., Hofer & Co. 01. nn 2.50
Schoost, O: Hammerbrooker Gemeinde, halte was du hast an
deinem Gotteshaus, dass Niemand deine Krone nehme! Pre-
digt z. Einweihg d. Hammerbrooker Kirche, nebst Beschreibg
d. Kirche u. Liedern. (16) 8° Hambg, C Boysen 01. — 50 d
— dass., nebst Gesch. d. Kirche, Beschreibg d. Einweihg u.
Liedern. 2. Afl. (16) 8° Ebd. 01. — 50 d
Schopenhauer's, A, sämmtl. Werke in 5 Bdn. Hrsg. v. E Grisebach. (Grossherzog Wilhelm Ernst-Ausg.) 1. u. 2. Bd. Welt
als Wille & Vorstellg. (1463) 8° Lpzg, Insel-Verl. 05. Ldr 9 —
— Aphorismen z. Lebensweish. Üb. d. Tod. Leben d. Gattg.
Erblichk. d. Eigenschaften. Volks-Ausg. (144) 8° Stuttg., A
Kröner (04). Kart. 1 — d
— Briefe an Becker, Frauenstädt, v. Doss, Lindner u. Asher,
s.: Universal-Bibliothek.
— Gespräche u. Selbstgespräche. Hrsg. v. E Grisebach. 2. Afl.
(173 m. 5 Bildnissen.) 8° Berl., E Hofmann & Co. 02. 3.50;
4.60 d
— Parerga u. Paralipomena. — Die Welt als Wille u. Vor-
stellg, s.: Handbibliothek, Cotta'sche.
Schoepfer, A: Gesch. d. Alten Test. m. bes. Rücks. auf d.
Verhältn. v. Bibel u. Wiss. 3. Afl. (595) 8° Brix., Pressver.-
Bh. 02. 7 —; Einbd in HF. nnn 2 — d
— Die Tellwälderfrage u. d. Grundbuch. Bericht an d. volksw.
Ausschuss d. Tiroler Landtages. (18) 8° Boz., „Tyrolia" 04.
— 20 d
— Verschuldgsfreiheit od. Schuldenfreiheit? Der Krebsschaden
d. ländl. Grundbesitzes u. d. Heilmittel dagegen. (487) 8°
Ebd. 04. 3 — d
Schöpffer, C: Der treue Rathgeber f. Haus, Hof u. Familie.
6.—85. Heft. (1. Thl. 321—860 u. 2. Thl. 763) 8° Kreibitz, J
Müller (01.02). Je — 40 (Vollst.: 10 —) d
Schöpflin, E: Liederkde d. in d. bad. Volkssch. zu lern. Kir-
chenlieder. (32) 8° Hugsweier (01). Freibg i/B., O Fleig. — 25 d
Schöpflin, O: Der Streit um d. Heidelberger Schloss. Faschingssp.
d. „Heidelberger Liederkranz". Musikal. Vorsp. comp. v. F
Rosenkranz. (25 m. 1 Abb.) 8° Hdlbg, (vorm. Weiss'sche Univ.-
Bh.) 02. nn 2 — d
Schöpfung, die. Poet. Darstellg d. Schöpfgswoche v. E N. 2. Afl.
(16) 12° Bielef., O Fischer (01). — 20 d
Schöpke, O: Grammatik d. engl. Sprache. — Lehrb. d. engl.
Sprache, s.: Boerner, O.
— Oberstufe z. engl. Sprache, s.: Thiergen, O.
— Sprachstoff f. d. leichtesten propädeut. Unterr. im Fran-
zös. (9) 8° Lpzg, Dürr'sche Bh. 04. Kart. — 25
— F Scheibner u. M Gassmeyer: Lehrg. d. französ. Sprache
f. lateiniose höh. Lehranst. 1. Tl. (284) 8° Ebd. 04. 1.40
Schlüssel. (48) 04. 1.40
Der Schlüssel wird nur an Fachlehrer abgegeben.
Schöpl's, G, Budapester Orpheum-Anekdoten. 1—4. Heft. (Je
16) 8° Wien, (Szelinski & Co.) (05). Je — 40
Schopp, J: Die Gewährleistg beim Viehkauf. (24) 8° Hermannst.,
(W Krafft) 04. nn 2 — d
— Ratgeber in Steuerangelegenh. Hrsg. v. d. Oberverwaltg
d. siebenbürgisch-sächs. Landw.-Ver. (101) 8° Ebd. 05. nn 1.20
Schoppe, M (Frau M Zimmermann-Schoepp): Couleur. Humo-
rist. Roman. (262) 8° Berl., Schuster & Loeffler 04. 3 —;
— Auf roter Erde. Roman. (399) 8° Ebd. 03. 4 —; geb. 5 — d
— Los v. Berlin! Roman. (308) 8° Ebd. 04. 4 —; geb. 5 — d
— Die Teufelspfarre. Novellen. (263) 8° Ebd. 04. 3 —; geb. 4 — d
Schöppa, G: Die Bestimmgn d. kgl. preuss. Ministers d. geistl.,
Unterr.- u. Medizinal-Angelegenh. betr. d. Volks- u. Mittelsch.,
s.: Reinecke, H.
— s.: Grundlagen, d. allg. d. Kultur d. Gegenwart.
Schoppe, A, geb. Weise: 100 kl. Geschichten. Das Allerliebste
f. gute kl. Kinder. 4. Afl. (282 m. 7 Farbdr.) 8° Konst., C
Hirsch (04). Geb. 2 — d
Schöppel, F: Volkstüml. Ausg. d. allg. BGB. (109) 8° Graz,
(P Cieslar) 02. Kart. (3.20) 1.20 d
— Zinstheorie. (66 m. Fig.) 8° Wien, A Hölder 01. 2.50 d
Schopper, T: Die Gasglühlicht-Beleuchtg u. d. verwandten
Beleuchtgsarten. (74 m. Abb.) 8° Lpzg, C Scholtze 04. 2.40
Schoeppl, H: Mozart, s.: Bibliothek d. Gesamtlitt.

Schoppmeyer, A: Schriftvorl., Suppl., s.: Schriftvorlagen, moderne.
Schorbach, K, s.: Drucke, selt., in Nachbildgn.
Schorer, H: Bayerns Studien-Stipendien an humanist. wie techn. Mittel- u. Hochsch. (111) 8° Münch. (Odeonsplatz 5), Caritassekretariat 04. 2 — d
— Die Wohlthätigk.-Stiftgn im Kgr. Bayern. (247) 8° Ebd. 02. Postfrei nn 3.30 d
Schorer's, J: Buchdrucker-Reiseführer durch Österr. (150 m. 1 Karte.) 12° Salzbg 02. (Halle, Graph. Verl.-Anst.) Geb. 1.60
— Prakt. Winke f. Maschinenmeister u. Drucker. 2. Afl. (45 m. Abb.) 8° Halle, Graph. Verl.-Anst. (01). 1 —
Schorigin, P: Die Lichterscheingn währ. d. Kristallisation u. d. temporäre Triboluminescenz. Üb. chem. Luminiscenz. (60) 8° Freibg i/B., Speyer & K. 05. 1.50
Schork, A: Das Ges., betr. d. Rechtsverhältn. d. Dienstboten v. 20.VIII.1898 nebst Vollzugsverordng. 2. Afl. (71) 8° Karlsr., J Lang 03. Kart. 1 — d
Schorlemer, H Frhr v.: Zur Abwehr u. Klarstellg. Meine Klage geg. d. k. Gymnasiallehrer Dr. Max Berger. (51) 8° Traunst., (M Endter) (02). — 60 d
Schorlemmer: Ausführl. Lehrb. d. Chemie, s.: Roscoe.
Schorn: Friedrichsort. Bilder a. d. Vergangenh. u. Gegenwart. (172 m. Abb., Bildnissen u. 1 Pl.) 8° Kiel, (Lipsius & T.) (01). 1.50; L. 2 — d
Schorn, A: Gesch. d. Pädagogik, in Vorbildern u. Bildern dargest., fortgeführt v. H Reinecke, später J Plath. 22. Afl. v. F v. Werder. (525 m. Abb.) 8° Lpzg, Dürr'sche Bh. 05. 4.60; geb. 5.20 d
— Bibl. Historienb., s.: Fiedler, F.
Schorn, H v., geb. Freiin v. Stein, s.: Nordheim, H.
Schorn, HT: Ges. Gedichte. (115) 8° Dresd., E Pierson 03. 2 —; geb. 3 —
Schornbaum, K: Die Stellg d. Markgrafen Kasimir v. Brandenburg z. reformator. Bewegg in d. J. 1524—27. (823) 8° Nürnbg 1900. (Erl., T Blaesing.) 4 —
Schornsteinfeger-Kalender, allg. 1906. Hrsg. v. d. Schriftleitg d. „Organ f. Schornsteinfegerwesen". 23. Jahrg. Nebst Notizb. (99 u. 59) 16° Berl., GBC Rahn. Geb. n. in L. nn 1.75 d
Schorr, R, u. A Scheller: Catalog v. 344 Sternen zw. 79° 50, u. 81° 10, nördl. Declination, s.: Mitteilungen d. Hamburger Sternwarte.
Schorsch, de, of Besuch en Näiwid. Originelle Schildergn a. d. Neuwieder Leben. Von HK. (86) 8° Neuw., (Heuser's Erben) 01. Kart. 1 — d
Schorsch, G: Dampfkesselskizzen. (31 Bl. m. 4 S. Text.) Fol. Altenbg, R Fuchs (04). 3 — d
Schorsch, L: Ein Königskind. Erzählg a. d. 10. Jahrh. 1. u. 2. Afl. (208) 8° Barm., E Biermann (03.04). L. 2.80 d
— Königstina. Der Fischerknabe v. Werda. 2 histor. Erzählgn (262) 8° Ebd. (05). L. 3 —; m. G. 4 — d
— Ueberwunden. Erzählg a. d. russ. Volks- u. Beamtenleben. Aus d. Franz. (221) 8° Herb., Bh. d. nass. Colportagever. 05. 1.20; geb. 1.60; eleg. 2 — d
Schorstein, J: Ueb. e. neue Holzuntersuchgs-Methode. (7) 8° Wien, (W Frick) 02. — 40 d
Schorstein, N, s.: Jephet ben 'Ali, d. Kararäers, Commentar z. Buche Rûth.
Schossleitner, K, s.: Gestüt-Buch d. Pinzgauer Pferdezucht-Genossensch.
Schoetensack, A: Der Konfiskationsprozess. (148) 8° Lpzg, W Engelmann 05. 4 —
— Der Strafprozess d. Carolina. (105) 8° Ebd. 04. 4 —
Schötensack, O: Das Kesslerloch, s.: Nüesch, J.
Schott: Führer durch Lobenstein, s.: Zedler.
Schott s.: Jahrhundertfeier, d., d. AB v. Stettenschen Töchter-Instit. — Jubiläumsschrift z. Feier d. 100jähr. Bestehens d. AB v. Stetten'schen Töchter-Erziehgs- u. Unterr.-Anst. in Augsburg.
Schott, A, u. Gmelin: Zur Psychol. d. Aussage, s.: Grenzfragen, Juristisch-psychiatr.
Schott, A: Die ev. Kirche z. hl. Kreuz. (51 m. Abb. u. 1 Taf.) 8° Augsbg, JA Schlosser 03. — 75 d
Schott, A: Das Messb. d. hl. Kirche (Missale Romanum) lateinisch u. deutsch m. liturg. Erklärgn. 9. Afl. (32, 780 u. 227 m. Titelbild.) 12° Freibg i/B., Herder 04. m. Titelbild.) 16° Ebd. 04. 1.40; L. 2 — d
— Oremus! Kl. Messb. z. Gebr. beim öffentl. u. privaten Gottesdienste. Nach d. grösseren Ausg. d. Messb. bearb. v. e. Benediktiner. (770 m. Titelbild.) 16° Ebd. 04. 1.40; L. 2 — d
— Vesperb. (Vesperale romanum), lateinisch u. deutsch. 3. Afl. (39, 442 u. 148 m. 1 Farbdr.) 8° Ebd. (05). 3 —; HF. 4 — d
Schott, A: Unter d. Banner v. Bogen. Histor. Erzählg. (270) 8° Einsied., Verl.-Anst. Benziger & Co. 06. 3.20; L. 4 — d
— Der Bauer im Gefield. Erzählg a. d. Volksleben d. Waldgebirges. (218) 8° Ebd. 05. 2.20; L. 3 — d
— Der Bauernkönig. Roman. (391 m. Abb.) 8° Mönch., Alig. Verl.-Gesellsch. 03. 4 —; geb. 5 — d
— Dikel, d. Flank, s.: Für Herz u. Haus!
— Fährmannskinder. Tauernhöhe, s.: Hausschatz-Bibliothek.
— Die Geierbuben. Erzählg a. d. Böhmerwald. (206 m. Abb.) 12° Freibg i/B., Herder 01. 2 —; L. 3 — d
— In falschen Geleisen. Roman. (348) 8° Wien, J Dembler (03). 3 —; geb. 4 — d

Schott, A: Das Glücksglas. Erzählg. (318 m. Abb.) 8° Freibg i/B., Herder 02. 3 —; L. 4 — d
— Gottesthal. Roman. (396) 8° Münch., Allg. Verl.-Gesellsch. (03). 4 —; geb. 5 — d
— Um e. Hof, s.: Für Herz u. Haus!
— Landstreicher. Die Elmbauernleut', s.: Volksschriften, Münch.
— Moni, s.: Für Herz u. Haus!
— Der letzte Richter. Kulturgeschichtl. Novelle a. d. Böhmerwalde. (211) 8° Köln, JP Bachem (01). 2.50; geb. 3.50 d
— Ein Schwarzkünstler. Der Koberl, s.: Volksschriften, Münch.
— Die Seeberger. Erzählg a. d. Walde. (208) 8° Einsied., Verl.-Anst., Benziger & Co. 03. 2.20; L. 3 — d
— Die versunk. Stadt, s.: Für Herz u. Haus!
— Bescholten Volk u. and. Novellen. (389) 8° Einsied., Verl.-Anst. Benziger & Co. 03. 3.20; L. 4 — d
— Weltverbesserer. Roman. (366) 8° Ess., Fredebeul & K. 05. 4 —; L. 5 — d
Schott, A: Hie Welf! Hie Waibling! Streitfragen auf d. Geb. d. Gesanges v. Standpunkt e. sing. Darstellers. (159 m. 4 Bildnistaf.) 8° Berl., E Goldschmidt 04. 2.50
Schott, B: Heimatkundl. Leseb, f. d. 3. u. 4. Schulj. Auf Grund d. im Lehrpl. f. d. Bürgersch. zu Oelsnitz i. V. vorgeschrieb. Ausgänge bearb. 2 Hefte. 8° Lpzg, J Klinkhardt 03. Je — 40 d 1. 2. Schulj. (88) II. 4. Schulj. (94)
Schott, C (Frau C Schachne): Babys Leiden u. Freuden. Eine Gesch. in Versen f. art. Kinder. (48 m. 6 Farbdr.) 8° Lpzg, Jacobi & Quilet (04). Kart. (3 —) 2.50 d
— Um d. Ehre willen, s.: Weber's moderne Bibliothek.
— Die Gesellschafterin. Novelle. 2. (Tit.-)Afl. (164) 8° Lpzg, A Bleier Nf. [1893] (01). — 50 d
— Frau Kathi, s.: Weichert's Wochen-Bibliothek.
— Die Märchentante. Märchen u. Erzählgn. 24—34. Taus. Neue Ausg. (128 m. 4 Farbdr.) 8° Wes., W Düms (05). Geb. — 60 d
— Der Waldwächter, s.: Weber's moderne Bibliothek.
Schott, F (Frau C Meyer-Housselle): Alle drei. Novelle. (Neue [Tit.-]Ausg.) (135) 8° Gosl., FA Lattmann [1896] (04). 1.50; geb. 2 — d
— Herrn Christian Torniers Brautfahrt u. and. Gesch. (236) 12° Ebd. (02). Kart. 12 2 — d
— Im Winkel d. Grossstadt. Ein Berliner Geschichtenb. 2. [Tit.-] Afl. (356) 8° Ebd. [1898] (04). 2 —; geb. 3 — d
Schott, G: Ein Vater d. Aussätzigen. (30 m. Abb. u. 1 Bildnis.) 8° Friedenau-Berl., Bh. d. Gossner'schen Miss. 05. — 15 d
Schott, G: Balladen u. Sagen. Aus d. Papieren e. rhein. Poeten hrsg. (52) 8° Hdlbg, C Winter, V. 05. — 60; geb. 1.50 d
— Sterremberg u. Gutenfels. Eine rhein. Dichtg. (120) 8° Strassbg, JHE Heitz 05. 2 — d
Schott, G: Phys. Meereskde, s.: Sammlung Göschen.
— Oceanogr. u. maritime Meteorol., s.: Ergebnisse, wiss., d. deut. Tiefsee-Exped.
— Weltk. z. Übersicht d. Meeresströmgn u. Dampferwege. 2. Afl. 88×166,5 cm. Farbdr. Mit Text. (4) 8° Berl., D Reimer 05. L. 12 —
Schott, J: Das Kaisermanöver an d. Märkisch-Posener-Grenze 1902. — Dass. in Pommern 1900. — Dass. in Westpreussen 1901, s.: Sammlung militärwiss. Einzelschriften.
Schott, K, s.: Schott, C.
Schott, R: Bednineublut. Erzählg a. d. hl. Lande. (112) 8° Berl., Schriftenvertriebsanst. (03). L. 2 — d
— Der Seidenhändler v. Damaskus. Erzählg. (182) 8° Ebd. (05). L. 2 — d
Sobott, R: Das Gewähren d. Rechtsschutzes im röm. Civilprozess. (166) 8° Jena, G Fischer 03. 4 —
— Üb. Veräussergsverbote u. Resolutivbedinggn im bürgerl. Recht, s.: Festgabe f. Fel. Dahn.
— Röm. Zivilprozess u. moderne Prozesswiss. Streitfragen a. d. Formularprozess. (84) 8° Münch., CH Beck 04. 2 —
— Der Römische Zivilprozess u. s. s. d. A. (96) 8° Freibg i/B., P Waetzel 04.05. 1 — d
Die 1. Afl. s. u. d. T.: Kapitalanlage.
Schott, T: Ueb.Blutdruck bei anstr. Ueberanstrengg d.Herzens. [S.-A.] (11 m. Abb.) 8° Wiesb., JF Bergmann 02. 1 — d
— Dass. d. Verhalten d. Blutdruckes bei d. Behandlg chron. Herzkrankh. [S.-A.] (20) 8° Ebd. 03. 1 — d
Schotte, C: Deut. Liederschatz u. Liederb., s.: Stoffregen, HA.
Schotte, F: Die notwendigsten Schutzvorrichtgn an d. in landw. Betrieben benutzten Maschinen, s.: Arbeiten d. deut. Landw.-Gesellsch.
Schotteliiza, B: Üb. Summationserscheinugn bei Zeitreizen. (41) 8° Freibg i/B., Speyer & K. 03. 1.20
Schottelius, M: Bakterien, Infektionskrankh. u. deren Bekämpfg, s.: Bibliothek d. Gesundheitspflege.
Schottelr, W s.: Bärtzelbuch, Braunschweiger.
Schotten, E: Die angeborene Pylorusstenose d. Säuglings, s.: Sammlung klin. Vortr.
Schotten, H: Die Elemente d. Mathematik, s.: Reidt, F.
— s.: Jugend, gesunde. — Zeitschrift f. mathemat. u. naturwiss. Unterr.
Schottenfeld, B v.: Was muss man v. Talmud wissen? (71) 8° Berl., H Steinitz (04). 1 — d
Schöttge, K: Verkehr m. d. Reichspost. Rathgeber f. Jedermann in postal. Fragen. 4. Afl. (367) 8° Apolda 01. Naumbg a/S., Ob.-Postassist. Gesellsch. — d
— Verz. d. Postanst. im Deut.Reiche u. d. wichtigsten in Österr.-Ungarn. (160 m. 2 Zonentaf.) 8° Ebd. 01. († nn 2 —) nn 1.20 d

Schottky, F: Üb. d. Convergenz e. Reihe, d. z. Integration linearer Differentialgleichgn dient. [S.-A.] (8) 8° Berl., (G Reimer) 05. — 50
— Üb. d. Abel'schen Functionen v. 3 Veränderlichen. [S.-A.] (9) 8° Ebd. 03. || II. (12) 03. || III. (3) 04. Je — 50
— Üb. reducirte Integrale 1. Gattg. [S.-A.] (5) 8° Ebd. 04. — 50
— Üb. d. Picard'schen Satz u. d. Borelschen Ungleichgn. [S.-A.] (19) 8° Ebd. 04.

Schottl s.: Abriss d. deut. Grammatik. — Abriss d. deut. Sprachlehre. — Lesebuch f. höh. Lehranst.

Schöttle, G: Verfassg u. Verwaltg d. Stadt Tübingen im Ausg. d. M.-A. [S.-A.] (34) 8° Tüb., (JJ Heckenhauer) (05). 1.20 d

Schöttle, H: Ausgew. Stücke a. Cicero, s.: Jordan, W.

Schöttler, J: Alles ist euer! Predigten u. Reden. (149) 8° Barm., Wuppertaler Traktat-Gesellsch. 02. 1.20; geb. 2 — d

Schöttler, R: Die Gasmaschine. Entwickelg, heut. Bauart u. Kreisprocess. 4. Afl. 2 Bde. (400 m. Abb. u. 42 Taf.) 8° Brnschw., B Goeritz 02. 19 —; geb. 21.50

Schottmüller, F: Donatello. Beitrag z. Verständnis e künstler. Tat. (140 m. Abb.) 8° Münch., Verl.-Anst. F Bruckmann 04. 6 —; geb. 7.50
— Register, s.: Denkmäler d. Renaissance-Sculptur Toscanas.

Schottmüller, H: Parotitis epidemica, s.: Pathologie u. Therapie, spez.

Schoetz, H: Erlebnisse in Kamerun. Aus d. Tageb. e. Ober-Lazaret-Gehülfen. (64) 8° Wiesb., R Bechtold & Co. (01). — 80: kart. 1 —

Schoute, JC: Die Stelär-Theorie. (175) 8° Jena, G Fischer. — Groningen, P Noordhoff 03. 3 —
— Üb. Zellteilgsvorgänge im Cambium. [S.-A.] (60 m. Abb.) 8° Amsterd., J Müller 02. 1.60

Schoute, PH: Mehrdimensiale Geometrie, s.: Sammlung Schubert.

Schoutden, H: Aphiden, s.: Ergebnisse d. Hamburger Magalhaens. Sammelreise.

Schouten. HJ: Die vermeintl. Päderastie d. Reformators Jean Calvin. [S.-A.] (16 m. 1 Taf.) 8° Lpzg, M Spohr 05. 1 —

Schouten, P: Die Prinzipien d. Lebensversicherungs-Mathematik. Aus d. Holl. v. TCF Roach. (159) 8° Jena, G Fischer 03. 4.50

Schowalter, A, s.: Berichts. amtl., d. Generals JH de la Rey usw. üb. d. südafrikan. Krieg.
— Allg. Wahlrecht u. bayer. Wahlreform. (55) 8° Kaisersl., E Crusius 04. — 50

Schoy, A: Die architektonisch-decorative Kunst d. Zeit Ludwig's XVI. f. Industrie u. Luxus-Zwecke. Mit historisch-beschreib., krit. französ. Text, nebst biograph. Notizen üb. d. Architekten, Decorateurs u. industriellen Künstler d. 2. Hälfte d. XVIII. Jahrh. 2 Bde. 45×32 cm. Amsterd. (05). (Berl., B Hessling.) In M. 120 —; einz. bezogen 135 —; französ. Ausg. zu gl. Pr.
1. (175 Bl. m. 6 Bl. Text.) 75 — | 2. (135 Bl. m. 6 Bl. Text.) 60 —

Schoy, G: Das Recht auf Glück im Handel u. Gewerbe. (84) 8° Lpzg, Verl. d. mod. kaufm. Bibliothek (02). L. 2.75

Schrader: Neuer Liederkranz, s.: Glaentzer.

Schrader, A: Taschenb. f. Polizei-Beamte m. Unterweisgn f. d. pract. Dienst. (107 m. Notizblock.) 12° Dess. 01. Best., Kameradschaft. L. 1.50 d
— Taschenb. f. polizeil. Revisionen in Fabriken u. gewerbl. Anlagen, Bäckereien u. Konditoreien. 2. Afl. (41, 56, 31 u. 23) 12° Ebd. (01). L. u. geb. 1.80 d

Schrader. A: Von't Höltken up't Stöcksken. Vertellsels un Riemsels in Mönstersk Platt. (155) 8° Ess., Fredebeul & K. 05. 2 —; geb. 2.60 d

Schrader, A: Die Erbschleicher. Kriminal-Roman. (240) 8° Neuweissens., E Bartels (o. J.). 1.50 d
— Das gefälschte Testament od. Der Amnestierte. Roman. (96) 8° Ebd. (o. J.). 1 — d
— Der Verbrecher a. Liebe. Kriminal-Roman. (96) 8° Ebd. (o. J.). 1 — d

Schrader, B: Handlexikon d. Musik, s.: Bremer.

Schrader, C, s.: Jahrbuch, naut.

Schrader, C: Der Militäranwärter im Dienste d. kgl. preuss. Staatseisenb.-Verwaltg. (78) 8° Berl., S Gerstmann 03. 2.50; kart. 2.75 d

Schrader, E, s.: Bibliothek, keilinschriftl.
— Die Keilinschriften u. d. Alte Test. 3. Afl., m. Ausdehng auf d. Apokryphen, Pseudepigraphen u. d. Neue Test. neu bearb. v. H Zimmern u. H Winckler. 2 Hälften u. 3 Lfgn. (680) 8° Berl., Reuther & R. 02. 03. 21 —; HF.-Bd 23 —

Schrader, E: Üb. Kondensationen m. aromat. Aldehyden. (42) 8° Freibg i/B., Speyer & K. 05. 1 —

Schrader, E: Elemente d. Psychol. d. Urteils. 1. Bd. Analyse d. Urteils. (292) 8° Lpzg, JA Barth 05. 7 —
— Zur Grundlegg d. Psychol. d. Urteils. (98) 8° Ebd. 03. 3 —

Schrader, FO: Üb. d. Stand d. ind. Philosophie z. Z. Mahāvīras u. Buddhas. (68) 8° Strassbg, KJ Trübner 02. 3.50

Schrader, H: Deut. Fibel, s.: Burkhardt, C.
— Gesellschaftskde f. d. Schulen im Fürstent. Reuss j. L., s.: Kalb, O.

Schrader, H: Priene, s.: Wiegand, T.

Schrader, H: Der Bilderschmuck d. deut. Sprache in Tausenden volkstüml. Redensarten. 6. Afl. (543) 8° Berl., E Felber 01. 6 —; geb. 7 — d

Schrader, H: Scherz u. Ernst in d. Sprache, s.: Reuter's Bibliothek f. Gabelsb.-Stenogr.

Schrader, K: Zusammenfass. Gesch.-Wiederholgn f. Prima, s.: Hassencamp, R.

Schrader, L: Die Justiz-Bauangelegenh. (443) 8° Hamm, (Breer & L.) 05. Geb. 8 — d

Schrader, O: Kulturpflanzen u. Haustiere in ihrem Übergang a. Asien, s.: Helm, V.
— Reallexikon d. indogerman. Altertumskde. Grundz. e. Kultur-u. Völkergesch. Alteuropas. 2. Hlbbd. (40 u. 551—1048) 8° Strassbg, KJ Trübner 01. 13 — (Vollst.: 27 —; HF. 30 —)
— Die Schwiegermutter u. d. Hagestolz. Studie a. d. Gesch. uns. Familie. (119) 8° Brnschw., G Westermann 04. 2.40
— Totenhochzeit. Vortr. (38) 8° Jena, H Costenoble 04. 1.50

Schrader, O: Die Lehre v. d. Apokatastasis od. d. endl. Beseligg Aller. (157) 8° Berl., T Fröhlich's Nf. 01. 2.40 d
— Kennt d. Lehre Buddhas d. Begriff d. christl. Liebe? (9) 8° Berl., P Raats (04). — 25
— Maya-Lehre u. Kantianismus. (30) 8° Ebd. (04). 1.25

Schrader, W: Das Helmstedter Fest u. d. Jahreswechsel. [S.-A.] (7) 8° Hdlbg, C Winter V. 01. — 40 d

Schrader, W: Die Seelenlehre d. Griechen in d. ält. Lyrik. [S.-A.] (22) 8° Halle, M Niemeyer (02). — 8:

Schrader, W (Gäwele): 1848. Ähringe u. Naiestaan im Johr Achtevärzich. Luschtiche Hoheloher G'schichtlich u. Gedichtlich. (125) 8° Stuttg., Union (02). 2 — d
— Der Strausenkrieg 1514—17. E Hohelohesche Erzehlïng. (227) 8° Ebd. (05). 3 —; L. 4 — d

Schradin, G: Garne u. Stoffe. Prakt. Textilkde f. Frauenarbeitssch. u. Hausfrauen. (55 m. Abb.) 8° Stuttg., K Wittwer 04. 1.60

Schräer JF: Die Pensions- u. Hinterblieb.-Versicherg d. Privatangestellten im Deut. Reich. Vortr. (24) 8° Kempten, Verl. d. Zeitschrift „Der Privatbeamte" 04. (Nur dir.) — 50 d

Schrag' e neuester illustr. Führer durch Nürnberg. 25. Afl. (86 m. 1 Pl.) 8° Nürnbg, JL Schrag 04. — 50
— new handy guide to Nuremberg. 5. ed. (84 m. Abb. u. 1 Pl.) 8° Ebd. 04. 1 —

Schramm, R, s.: Arbeiten, astronom., d. k. k. Gradmessgsbureau.

Schram, W: Österr. Bausteine z. Kultur-u. Sittengesch. (162) 8° Brünn, Rat Dr. Schram 05. 2.50 d
— Bilder a. mähr. Vergangenh. (153 m. 1 Bildnis.) 8° Brünn, (C Winiker) 03. nn 3 — d
— Ein Buch f. böse Brünner. Quellenmäss. Beitr. z. Gesch. uns. Stadt. 1—5. Jahrg. (Mit je 1 Bildnis) 8° Ebd. Je nn 3 — d
1. (194 m. 4 Taf.) 02. | 2. (170 m. 8 Taf.) 03. | 3. (162) 02. | 4. (156) 05. | 5. (152) 04.
— Vaterländ. Denkwürdigk. Ein Buch f. mähr. Gesch.-Freunde. 2 Bde. m. 2 Bildn.) 8° Ebd. 06. nn 3 — d

Schramaier: Die Grundl. d. wirtschaftl. Entwicklg in Kiautschou, s.: Verhandlungen d. deut. Kolonial-Gesellsch.
— Wie d. Landordng v. Kiautschou entstand?, s.: Streitfragen, soz.
— Die deut. Mission in Kiautschou. Vortr. (18) 8° Hdlbg, Ev. Verl. 03. — 20 d

Schraml, J: Sturzwellen, d. Grundwelle u. Oberwellen d. Reformkatbolizismus. (55) 8° Rgnsbg, J Habbel 05. — 50 d

Schramm, A: Essai de classification des algues de Guadeloupe, s.: Mazé, H.

Schramm, A, s.: Allerlei.
— Sitenogr. n. d. System v. FX Gabelsberger, s.: Sammlung Göschen.

Schramm, B: Taschenb. f. Heizgs-Monteure. 2. Afl. (113 m. Abb.) 8° Münch., R Oldenbourg 01. L. 2.50

Schramm, E: Experimentelle Didaktik. — Suggestion u. Hypnose n. ihrer Erscheing, Ursache u. Verwertg, s.: Magazin, pädagog.
— Französ. Vokabularium zu Sprechübgn auf Grund d. Hölzelschen Bilder (Frühling, Sommer, Herbst. Winter) f. d. 1—3. J. französ. Unterr. unter Beifügg pass. Lieder u. Gedichte. (48) 8° Langens., J Beyer & S. 04. Kart. — 40 d

Schramm, W: Das Färben d. Holzes in alter u. neuer Zeit, s.: Schriften d. steiermärk. Gewerbefördergs-Instit. in Graz.

Schramm-Macdonald, H: Der Weg z. Erfolg durch eig. Kraft. Nach d. Muster d. „Self-help" v. S Smiles f. d. deut. Volk verf. 3. Afl. (330) 8° Kass. 03. Ohlau, F Leichter. 2.80; L. 4 — d
— Der Weg z. Wohlstand. Nach d. Muster v. S Smiles z. „Thrift". 4. Afl. (304) 8° Ebd. 02. L. 4 — d

Schrammen, A: Neue Hexactinelliden a. d. ob. Kreide. — Neue Kieselschwämme a. d. ob. Kreide d. Umgebg v. Hannover u. v. Hildesheim. — Zur Systematik d. Kieselspongien, s.: Mitteilungen a. d. Roemer-Museum, Hildesheim.

Schramon, E: Deut. Leseb., s.: Erkelenz, H.
— Merkstoff a. d. Gesch. Für höh. u. mittl. Mädchensch. (22) 8° Köln, M Du Mont-Sch. 02. nn — 35 d

Schrank, J: Der Mädchenhandel u. s. Bekämpfg. (258) 8° Wien, (J Šafař) 04. 3 —

Schranka, EM: Wiener Dialekt-Lexikon. (196) 16° Wien, L Rosner. 1.50 d

Schraschill 05.

Schrasy, J: Fibel. Nach method. Grundsätzen f. Stadt-u. Landsch. bearb. 5a. Afl. (Mit Anh.) (80 u. 8 m. Abb. u. 4 Taf.) 8° Wism., Hinstorff's V. 05. — 40; Einbd nnn — 10 d
— Lese- u. Lehrb. 1. Tl. (Fibel.) Nach method. Grundsätzen

f. Stadt u. Lansch. berab. 29. Afl. (6. Abdr.) 80 u. 8 m. Abb.
u. 4 Taf.) 8⁰ Wism. Hinstorff's V. 05. — 40: Einbd nnn — 10 d
Schraep, J: Schreib-Lese-Fibel n. method. Grundsätzen d.
Schreiblesemethode. (10. Afl. (96 u. 8 m. Abb. u. 4 Taf.) 8⁰
Wism., Hinstorff's V. 05. — 40; Einbd nnn — 10 d
Schräpler, P: Gesch. d. Parochie Wessnig. (73) 8⁰ Wessnig
04. (Torg., F Jacob.) 1 — d
Schratinger, F; Vorsch. d. Chemie u. Mineral. (118) 8⁰ Tesch.,
§ Stuks 05. Karts. 1.30
Schratt's, FA, Relief- u. Orientiergsk. f. Oberstdorf im Allgäu
m. sr weit. Gebirgsumgebg. 1:37,500. 67×88 cm. Lith. Oberstdf
(Allgäu), X Volderauer (05). (Nur dir.) 2 —
Schratz, W: Kurze Gesch. u. Beschreibg d. Walhalla u. d.
Marktes Donaustauf. 8. Afl. (56 m. Titelbild.) 16⁰ Rgnsbg, A
Coppenrath's V. 04. 30
— u. **Dengler:** Regensburg. Histor. u. prakt. Führer durch
Stadt u. Umgebg. 5. Afl. (151 m. Abb. u. 1 Pl.) 8⁰ Ebd. 04. 1 —
Schrauf, K, s.: Acta facultatis medicae univ. Vindobonensis.
— Eder, d. Reichshofrath Dr. Georg. — Matrikel, d., d. ungar.
Nation an d. Wiener Univ.
— Die Wiener Univ. im M.-A. [S.-A.] (57 m. 2 Taf.) 40,5×29,5
cm. Wien, A Holzhausen 04. nn 10 —
Schraufstetter, J: Der bittere Leidensweg uns. Herrn u. Hei-
landes Jesu Christi. Gebet- u. Betrachtsgb. f. d. kathol. Volk.
(956 m. farb. Titelbild.) 16⁰ Donauw., L Auer 03. L. 1.30 d
Schreber, B: Prakt. Ratgeber f. d. Mitglieder d. Gesundheits-
Kommissionen. (144) 8⁰ Berl., A Hirschwald 04. 2 — d
Schreber, DGM: Der Hausfreund als Erzieher u. Führer zu
Familienglück, Volksgesundheit u. Menschenveredlg. t. Väter
u. Mütter d. deut. Volks. 4. Afl. (96) 8⁰ Lpzg, Fritzsche & Schmidt
(04), L. (1 —) 1.50 d
— Ärztl. Zimmergymnastik. 30. Afl. v. R Graefe. (122 m. Abb.
u. 1 Taf.) 8⁰ Lpzg, F Fleischer 05. L. 3 —
— dass. Durchgesehen v. Hoeftman. 3. Afl. (116 m. Abb. u.
2 Taf.) 8⁰ Lpzg, W Radestock 04. 1 —; kart. 1.50
— dass., s.: Bücherei, freie hygien.
— dass., neu durchgesehen u. verb. v. R Materne, s.: Mück's
prakt. Taschenbb.
Schreber, DP: Denkwürdigk. e. Nervenkranken, nebst Nachtr.
u. e. Anh. üb. d. Frage: „Unter welchen Voraussetzgn darf
e. geisteskrank erachtete Person geg. ihren erklärten Willen
in e. Heilanst. festgeh. werden?" (516) 8⁰ Lpzg, O Mutze 03.
8 —; geb. 10 — d
Schreber, K: Die Kraftmaschinen. Vorlesgn üb. d. wichtigsten
d. z. Z. gebr. Kraftmaschinen. (348 m. Abb. u. 1 Taf.) 8⁰
Lpzg, BG Teubner 03. 6 —; geb. 6.80
— Die Theorie d. Mehrstoffdampfmaschinen. Untersuchg d.
Frage: „Ist Wasser d. vollkomm. Flüssigk. z. Betriebe
v. Dampfmaschinen?" u. Bearbeitg d. auf diese Frage sich
ergeb. Antworten. (126 m. Abb.) 8⁰ Ebd. 03. 3.60
— s.: P Springmann: Experimentier. Physik. Zugl. deut. Ausg.
v. H Abraham's: Recueil d'expériences élémentaires de phy-
sique. 1. Bd. (171 m. Abb.) 8⁰ Lpzg, JA Barth 05. 3.60; L. 4.40
Schreck, E: (Heinr.) Gräfe u. (EA) Rossmässler in ihrer Be-
deutg f. d. deut. Volksach. — Schillers pädagog. Bedeutg.
— Ferd. Schmidt in sr Bedeutg als Jugendschriftsteller u.
Volkspädagoge, s.: Abhandlungen, pädagog.
— Wie führen wir uns. Schüler z. sicheren Gebr. d. Satz- u.
Lesezeichen?, s.: Lehrer-Prüfungs- u. Informations-Arbeiten.
Schreck, F: Der Reform-Lehrpl. d. Zeichenunterr. (47) 8⁰ Bresl.,
F Hirt 03. 60 d
Schreck, J: Der Schulkompromiss u. d. Simultanschulfrage.
(96) 8⁰ Mgdbg, Friese & F. 04. 1.50 d
Schreckenbach, P: Nur keine Leidenschaft!, s.: Bloch's, E,
Theater-Korrespondenz.
Schreckenbach, P: Röm. Moraltheol. u. d. 6. Gebot unter bes.
Berücks. d. Liguori-Broschüre d. Prinzen Max v. Sachsen
geg. R Grassmann, s.: Streitschriften, freundschaftl.
— Die v. Wintzingerode. Roman a. d. 16. Jahrh. (438) 8⁰ Lpzg,
CE Poeschel 05. 4 —; L. 5 — d
Schrecker, E: Welchen Segen empfangen wir im Hl. Abend-
mahl? Vortr. (32) 8⁰ Neudietendf, Eifert & Scheibe (03). — 20 d
— „Ich bin d. Weinstock, ihr seid d. Reben!" Bibl. Ansprache.
(12) 8⁰ Ebd. (03). — 10 d
Schrefeld, O: General-Reg., s.: Zeitschrift d. Ver. d. deut.
Zucker-Industrie.
Schreff, H: Die Einübg d. Unterr.-Stoffes, s.: Lehrer-Prüfungs-
u. Informations-Arbeiten.
— Vaterländ. Geech., s.: Grosse-Bohle.
— Uns. Schulzucht, s.: Schumann, JCG.
— F Löhr u. P Wischmeyer: Übgsstoffe f. d. Unterr. in Sprach-
lehre, Rechtschreibg, Stil- u. Begriffsbildg im Anschl. an d.
Arnsberger Leseb. in 5 Heften. (Ausg. A.) 8⁰ Arnsbg, J Stahl.
nn 1.50 d

1. 3. Schulj. Für einf. Schulverhältn. 3. u. 4. Schulj. Afl. (31) 04. nn — 30 d
J II. 4. Schulj. Für einf. Schulverhältn. 5. u. 6. Schulj. 4. Afl. (40) 04.
nn — 25 J III. 5. Schulj. Für einf. Schulverhältn. 7. u. 8. Schulj. 4. Afl.
(48) 04. nn — 30 J IV. 6. Schulj. (47) 01. nn — 25 J V. 6. Schulj. (45) 02.
J V. 7. Schulj. (56) 01. nn — 35; 2. Afl. (68) 02. nn — 40.
— — dass., im Anschl. an d. deut. Leseb. im Bildern ᵗ,
Gabriel u. Supprian. (Ausg. B.) 5 Hefte. 8⁰ Ebd. nn 1.45 d
1. 3. Schulj. Für einf. Schulverhältn. 3. u. 4. Schulj. (28) 01. nn — 20 J II.
4. Schulj. Für einf. Schulverhältn. 5. u. 6. Schulj. (36) 01. nn — 35 J III.
5. Schulj. Für einf. Schulverhältn. 7. u. 8. Schulj. (46) 01. nn — 30 J IV.
6. Schulj. (46) 01. nn — 30 J V. 7. u. 8. Schulj. (69) 01. nn — 40.
— — — dass. (Ausg. f. d. Reg.-Bez. Düsseldorf.) Unter Mit-

wirkg v. rhein. Schulmännern hrsg. (Ausg. C.) 5 Hefte. 8⁰
Arnsbg, J Stahl 02. nn 1.45 d
1. 3. Schulj. Für einf. Schulverhältn. 3. u. 4. Schulj. (30) nn — 30 J II.
4. Schulj. Für einf. Schulverhältn. 5. u. 6. Schulj. (35) nn — 25 J III. 5. Schulj.
Für einf. Schulverhältn. 7. u. 8. Schulj. (40) nn — 30 J IV. 6. Schulj. (59)
nn — 30 J V. 7. u. 8. Schulj. (66) nn — 40.
Schregel, J: Dürener Lävve. Gedichte in Dürener Mundart.
(121) 12⁰ Dür., L Vetter & Co. 02. 2 —; geb. 2.50 d
Schreib, H: Die Fabrikation d. Soda n. d. Ammoniakverfahren.
(312 m. Fig. u. 3 L.) 8⁰ Berl., J Springer 05. L. 9 —
— Wasserpilze u. Kalkreinigg. Zwei wicht. Punkte d. Abwas-
serfrage. (176 m. 1 Taf. u. 2 Kart.) 8⁰ Berl., M Krayn 04. 7.50;
geb. 8.70
Schreiber's humorist. Bibliothek. Nr. 5—12. 8⁰ Essl., JF Schrei-
ber. Je 1 — d
Balke, F: Die misslungene Suggestion u. a. Humoresken. (80) (05.) [12.]
Hofins, H: Der entlobte Bräutigam u. and. Humoresken. (80 m. Abb.)
(04.) [11.]
Jegeri, O: Schwwölpetel f. gr. Kinder. (78 m. farb. Abb.) (02.) [8.]
Marine, AG: Reiterlieder. (46 m. Abb.) (02.) [5.]
Merkl, J: „Flitttfwochen" u. and. heit. Gesch. (80 m. Abb.) (04.) [10.]
Müller, T: „Seppl", „Der Einjährig Müller" u. and. Humoresken. (95
m. z. Tl farb. Abb.) (01.) [6.]
Pomerhans, K, u. O Jegeri: Die „Herren" Buben. Lust. Bubenstreiche
m. Bildern v. P. u. Veréch v. J. (80) (02.) [7.]
Ress, T: Der „Tsugenichts" u. and. Humoresken. (95 m. Abb.) (01.) [6.]
— künstler. Wandbilder f. d. Anschaungs-Unterr., n. Angaben
v. F Engleder gez. v. L Kainradl. Taf. 1—6. Je 85×115 cm.
Farbdr. Ebd. (04.05). Je 3 —; auf L. m. St. je nn 4.50
n. lackiert je nn 5 —
1. Der Winter. J 2. Der Herbst. J 3. Der Sommer. J 4. Der Wald. J 5. Der
Frühling. J 6. Wiese u. Wasser.
— grosse kolor. Wandtaf. d. Naturgesch. VII. Tl. Ebd. (1884),
Auf L. in M. 8 — m. St. u. lackiert 10.40; Text dazu — 60 d
VII. Abies, v. Uns. wichtigsten Giftgewächse. (Samenpflanzen, Phane-
rogamae.) 3 Taf. Je 100×80 cm. Auf L. in M. 8 —; m. St. u. lackiert
10.40; Text. (16) 4⁰ — 60
Schreiber: Die Bedeutg u. Ausnutzg d. Nahrgsmittel f. u. im
menschl. Körper. (164) 8⁰ Lpzg, W Schumann Nf. 03.
Geb. 1.50 d
Schreiber: Gesch. d. brandenburg. Trainbataillons Nr. 3. (387
m. Abb., Kart. u. Pl.) 8⁰ Berl., ES Mittler & S. 03. 8 —;
geb. nn 9.75 d
— Was muss d. Unteroffizier u. Gemeine v. d. neuen Militär-
recht bezw. v. d. neuen Militärgerichtsverfahren wissen?
(18) 12⁰ Berl., Liebelsche Buchh. 01. † — 30 d
Schreiber: Fachberufl. Knaben-Fortbildgsch. zu Kaisers-
lautern. Satzgn u. Lehrpl. (118) 8⁰ Kaisersl., E Crusius 04.
— 50 d
Schreiber: Der Kampf geg. Christentum u. Gottesglauben auf
d. 75. Versammlg deut. Naturforscher u. Ärzte zu Kassel.
Vortr. (28) 8⁰ Kass., FW Schmitt 04. — 25 d
Schreiber, A: Eine Missionsreise in d. fernen Osten. — Su-
matra. Mekka. Die Türken, s.: Missionsschriften, rhein.
Schreiber, A, s.: Chirurgie d. Extremitäten.
— Chirurgie d. ob. Extremitäten, s.: Friedrich, PL.
Schreiber, A: Festbericht üb. d. Feier d. 100jähr. Geburtstages
d. Diakonissenvaters D. Theodor Fliedner am 21.1.1900 in
Kaiserswerth a. Rh. (47) 8⁰ Kaisersw., Bö d. Diakonissen-
anst. (1900). — 25 d
Schreiber, A: Kinderwit u. Prostitution. (20) 8⁰ Lpzg (08.)
Berl., Verl. d. Frauen-Rundschau. — 30 d
— Prügelkinder. „Pädagog." Verbrechen. (23) 8⁰ Ebd. (03). — 30 d
— Settlements, s.: Fortschritt, soz.
Schreiber, A: Die kaufmänn. Buchführg. Einführg durch Selbst-
studium in d. Wesen d. einf., dopp. u. amerikan. Buchführg.
(71) 12⁰ Berl., W Frey (o. J.). — 20 d
— Gesellschaftspiele. (56) 8⁰ Ebd. (o. J.). — 20 d
— Herzenstönez. Geburtstagsfest. (40) Ebd. (o. J.). — 30 d
— Die beliebtesten Kartenspiele. (63) 12⁰ Ebd. (o. J.). — 20 d
— 66 Tischreden z. Gebr. bei Familien- u. Vereinsfesten. (72)
12⁰ Ebd. (o. J.). — 20 d
— Weihnachts- u. Neujahrsgedichte. (64) 12⁰ Ebd. (o. J.). — 20 d
Die Bücher erschienen z. Tl in Charlottenburg.
Schreiber, A: Allerlei Bühnenvolk, s.: Ensslin's Roman- u.
Novellenschatz.
Schreiber, AW: Ein Besuch auf d. Missionsinseln in Togo. (118
m. Abb. u. 2 Kart.) 8⁰ Brem., Verl. d. norddeut. Missions-Ge-
sellsch. 01. — 50 d
— Konfessionelle Gefahren auf d. Missionsgebiet, s.: Buchner, C.
— Die norddeut. Missions-Gesellsch. — Über d. afr. brem. Mis-
sions-Ver., s.: Missions-Schriften, Bremer.
— Der Wettstreit d. Mission auf d. deut. Kolonien. Vortr.
(17) 8⁰ Lpzg, C Braun) 02. nn 10 — d
Schreiber, B, s.: Lesebuch f. ländl. Fortbildgsch.
Schreiber, B: Die Geschichte d. westfäl. Batterie westfäl. Feld-Artill.-
Regts Nr. 7 (Avantgardenbatterie d. 13. Division) währ. d.
deut. Krieges geg. Frankr. im J. 1870/71. 3. Afl. (146 m. 1 Karte,
2 Pl. u. 1 Bildnistaf.) 8⁰ Lpzg, O Lenz 05. 1.25; geb. 2.35 d
Schreiber, C: Hdb. d. mechan. Schuhfabrikation. 2. Afl. (321
m. Abb.) 8⁰ Lpzg, Schulze & Co. 04. L. 3 — d
anch in 12 Lfgn zu — 50
Schreiber, C, s.: Juristentage, d. 27. deut.
— Die Neuregelg d. Schul-Unterhaltgspflicht. (49)
8⁰ Stett., P Niekammer 02. — 75 d
Schreiber, E: Rechenaufg. — Rechenb., s.: Büttner, A.
Schreiber, E: Licciska. Gedichte. (168) 8⁰ Berl., J Harrwitz
Nf. 04. L. 3 — d

Schreiber, E, s.: Sofer, I.
Schreiber, E: Die 1. Hilfe in Notfällen, s.: Sultan, G.
— s.: Jahresbericht üb. usw. innere Medizin.
— Die Krankh. d. Verdaasgorgane im Kindesalter. (293) 8°
　Würzbg, A Stuber's V. 02.　　　　　5.40; geb. 6.40
— Prophylaxis u. Therapie d. Rhachitis. (26) 8° Berl., Vogel &
　Kreienbrink 01.　　　　　　　　　　1 —
Schreiber, EC: Arzneiverordnga f. d. Gebr. d. prakt. Arztes.
　5. Afl. (248) 12° Frankf. a/M., J Alt 01.　L. 4.80 ‖ 6. Afl. (243)
　　　　　　　　　　　　　　　　02. Geb. 3.80
Schreiber, EO: Aus d. Leben meines Freundes. Novelle. (62)
　8° Strassbg, J Singer 06.　　　　　2 — d
Schreiber, F: Plan d. Stadt Gleiwitz. 1:5000. 109×79,5 cm.
　Farbdr. Gleiw., (A Jaeger) 02.　　　4 —
Schreiber, G: Grundr. d. allg. Warenkde, s.: Sammlung kauf-
　männ. Unterr.-Werke.
Schreiber, H: Neues üb. Moorkultur u. Torfverwerthg. I. u.
　II. Jahrg. 8° Staab bei Pilsen. (Lpzg, GE Schulze.)　5 — d
　I. 1900—I. (104) 02. 2 — ‖ II. 1901—2. (176) 03. 3 —
Schreiber, H: Nichts f. Backfische. Sitten-Studien. 3. Afl. (110)
　8° Berl., Deut. Verl.-Anst. Patria (01).　1 —; geb. 2 — d
　— s.: Wie schützt sich d. Kapitalist vor Verlusten an d. Börse?
Schreiber, H: Die Reformation Lübecks, s.: Schriften d. Ver.
　f. Reformationsgesch.
Schreiber, H: Beitr. z. Theorie u. Praxis d. ges. Elementar-
　unterr. Insbes. e. Antwort auf d. Frage: Wie lässt d. 1. Sprach-
　unterr. (einschliesslich d. Anschaugs-, Schreib-u. Leseunterr.)
　durch d. Verfahren d. Selbstfindenlassens sich weiterbilden?
　(84) 8° Altnbg, HA Pierer 01.　　　1.50 d
　— Gebet d. Kinde, was d. Kindes ist. Zugl. e. Anweisg z.
　　künstler. Erziehg d. Kleinen u. e. Vorwort u. e. Vorläufer
　　zu d. Schülers 1. Leseb. (113) 8° Nürnbg, F Korn 03, 1.60 d
　— Unnatur im heut. Gesangunterr., s.: Magazin, pädagog.
Schreiber, H: Das preuss. Etats-, Kassen- u. Rechngswesen
　in d. Rahmen d. Ges., betr. d. Staatshaushalt v. 11.V.1898.
　(846) 8° Potsd., (A Stein) 1900.　　(15 —) 12 —; geb. 13 —
Schreiber, H, s.: Sagen, d., v. Baden-Baden u. sr Umgebg.
Schreiber, J: Wie entsteht Rheumatismus u. wie heilt man
　ihn? Nach e. Vortr. (16) 8° Mer., FW Ellmenreich 05.　— 30 d
Schreiber, J : Die Rektro-Romanoskopie auf anatomisch-physio-
　log. Grundlage. (130 m. Abb., 3 farb. Taf. u. 1 Bl. Anmerkg.)
　8° Berl., A Hirschwald 03.　　　　　8 —
　— Ueb. d. Schluckmechanismus. (91 m. Fig. u. 2 Doppeltaf.) 8°
　Ebd. 04.　　　　　　　　　　　　3 —
Schreiber, K: Commentar z. österr. allg. BGB., s.: Stuben-
　rauch, M v.
　— s.: Entscheidungen d. k. k. Obersten Gerichtshofes in Civil-
　sachen.
Schreiber, KA: Analyt. u. graph. Methoden z. Berechng d.
　Stromverbrauchs elektr. Bahnen. [S.-A.] (38 m. Abb. u. 3 Taf.)
　8° Stuttg., F Enke 04.　　　　　　1.20
Schreiber, L, s.: Untersuchungen, chem. u. medicin.
Schreiber, L: Jungen u. Mädchen! Romanhaftes v. Gymna-
　sium. (2°3) 8° Strassbg, J Singer 04.　　4 — d
　— Schön Sus'chen. Die Studentenliebelei in Versen u. Reimen.
　(71 m. Abb.) 8° Ebd. 06.　　　　　2 —
Schreiber, M: Das Wichtigste a. d. Heimatkde d. Kreises Steinau
　a. O. (20) 8° Glog., C Flemming (05).　　— 10 d
Schreiber, M: Buddha u. d. Frauen. (109) 8° Tüb., JCB Mohr
　03.　　　　　　　　　　　　　— 90; kart. 1.20
Schreiber, P, s.: Dekaden-Monatsberichte d. kgl. sächs. meteo-
　rolog. Instit.
　— Klimat. Grundwerte f. d. Kgr. Sachsen (1864—1900), s.: Klima,
　d., d. Kgr. Sachsen.
　— s.: Jahrbuch, deut. meteorolog., f. Sachsen.
　— Die Niederschlags- u. Abflussverhältn. im Gebiet d. Weisse-
　ritz währ. d. J. 1866—1900 u. sich daraus ergeb. Einwirkg
　v. Stauanlagen auf d. Nutzg d. Wassers u. d. Abflussvor-
　gänge, s.: Abhandlungen d. kgl. sächs. meteorolog. Instit.
　— Studien üb. Erdbodenwärme u. Schneedecke. [S.-A.] (94 m.
　4 Taf.) 4° Chemn., (C Branner) 05.　　5 —
　— Orientir. Untersuchgn üb. d. meteorologisch-hydrograph.
　Verhältn. u. d. Wirkgsweise v. Stauanlagen im Gebiete d.
　Weisseritzflusses, s.: Abhandlungen d. kgl. sächs. meteorol.
　Instit.
　— Die Wirkgn v. Sammelbecken (Thalsperren) als Glieder
　wasserwirthschaftl. Massnahmen hauptsächlich f. d. Forst- u.
　Landw. Vortr. (28) 8° Dresd. od. Lpzg, G Schönfeld. — 50 d
Schreiber, R: Grundz. d. Chemie m. bes. Rücks. auf Küche
　u. Haus, f. d. Unterr. an höh. Mädchen- u. Haushaltgsschl.
　sowie allen mittl. Lehranst. methodisch bearb. 3. Afl. (98
　m. Abb.) 8° Cass., F Scheel 04.　　　1.80 d
　— Method. Leitf. d. Chemie u. Mineral. f. d. Anfangsunterr.
　an höh. Lehranst. m. bes. Rücks. auf d. Erscheingn d. tägl.
　Lebens. (110 m. Abb.) 8° Ebd. 01. Geb. 2 — ‖ 2. Afl. (116 m.
　　　　　　　　　　　　　　Abb.) 04. Geb. 1.80 d
　— Die wichtigsten Versuche d. chem. Anfangsunterr. (Suppl..
　Bd zu Gädeke, Lehrb. d. Naturgesch.) (112 m. Abb.) 8° Halle,
　H Schrödel 04.　　　　　　　　　1.80 d
Schreiber, R: Schön- u. Schnellschreiben in 10—12 Stunden
　durch Selbstunterr., ohne Lehrer zu erlernen. 75. Taus. (4 m.
　2 Taf.) 8° Ess., GD Baedeker 04.　　— 60
Schreiber, T: Studien üb. d. Bildniss Alexanders d. Gr., s.:
　Abhandlungen d. kgl. sächs. Gesellsch. d. Wiss.

Schreiber, WL, s.: Biblia pauperum. — Oracula Sibyllina.
— Pestblätter d. XV. Jahrh., s.: Heitz, P.
— s.: Wunderblut, d., zu Wilsnack.
Schreiberhofen, H v.: Heisses Blut u. Anderes. Novellen. (204)
　8° Dresd., E Pierson 04.　　　2 —; geb. 3 — d
— Sennorita Dolores, s.: Für Herz u. Haus!
— Jan van Knebel. Aus Antwerpens Inquisitionszeit. Erzählg.
　(279) 8° Halle, CE Müller 03.　　4 —; geb. 5 — d
— Mira. Roman. (266) 8° Berl., R Taendler (05). 4 —; geb. 5 — d
Schreib-Kalender f. 1906. (Tagebuch u. 20) 8° Berl., Trowitzsch
　& S.　　　　　　　　L. u. durchsch. 1.75 d
— f. 1906. (Schreibkalender u. 32 m. 1 Karte.) 8° Düsseldf, A
　Bagel.　　　　　　　　　　L. 1.20
— f. 1906. (156 m. 1 Karte.) 8° Hildburgh., FW Gadow & S.
　　　　　　　　　　　　　L. nn — 90 d
— neuester, f. Advokaten u. Notare f. 1906. 115. Jahrg. (319)
　8° Graz, Leykam.　　　　　　Kart. 2.20 d
— Grazer, f. 1906. 122. Jahrg. (264 m. Abb. u. 1 Farbdr.) 8°
　Ebd.　　　　　　　　nn — 80; kart. nn — 90 d
— f. Hotelbesitzer u. Gastwirte. 1. Jahrg. 1903. (130) 4°
　Würzbg, Göbel & Sch.　　　　Kart. 1 — ‖ 6 ? ?
— Ingolstädter, f. 1906. (56 m. Abb.) 8° Ingolst., A Gang-
　hofer.　　　　　　　　　　— 90 d
— neuer Korneuburger, f. 1906. (54) 8° Kornenbg, J Küh-
　kopf.　　　　　　　　　　　— 24 d
— f. d. schweiz. Landwirte u. Bauern, s.: Moser, C.
— Münch., d. Geschäfts-Taschenb. f. 1906. 68. Jahrg. (248)
　8° Münch., G Franz' V.　　— 90; L. 1.20; m. G. 2 —;
　　　　　　　　　　　　in Ldrtasche nn 3 — d
— neuer Passauer, f. 1906. 423. Jahrg. (36 m. Abb.) 8°
　Pass., G Kleiter.　　　　　　　— 90 d
— f. Tirol u. Vorarlberg. 1906. (46) 8° Innsbr., Wagner. — 25 d
— allg. württemberg., f. 1905. (144) 8° Stuttg., Fleischhauer
　& Sp.　　　　　　　†— 40; L. u. durchsch. — 90 d
Schreib-u.Geschäftskalender f. 1906. 46. Jahrg. (124) 8° Oldnbg,
　G Stalling's V.　　　†— 90; L. nn 1.25; durchsch. 1.50 d
Schreib- u. Termin-Kalender f. 1905 f. d. Herzogt. Braun-
　schweig. (112) 8° Brnschw., JH Meyer.　†1.20 d
Schreiblesefibel. Hrsg. v. Lehrerver. d. Stadt Hannover. 24. Afl.
　(76 m. Abb.) 8° Hannov., Hahn 02.　　Geb. — 50 d
— hess., hrsg. v. hess. Schulmännern. Ausg. in Steilschrift.
　23. Afl. d. Fibel. (108 m. Abb.) 8° Giess., E Roth (01). — 40 ;
　　　　　　　　　　　　　geb. nn — 60 d
Schreibleseschüler, der. Neue Ausg. (79) 8° Cöth., P Schettler's
　Erben 03.　　　　— 40; Einbd nn — 10 d
— s.: Fibel. 8° Ebd. 05.　　　　Je — 48; geb. je nn — 60 d
　I. Des Kinde's 1. Schulb. (104) ‖ 2. Leseb. f. d. Unterst. (56.)
Schreibmaschinen-Zeitung. Monatsschrift f. d. ges. Schreib-
　maschinenwesen. Hrsg. v. O Burghagen. 5—8. Jahrg. 1902—5
　je 12 Nrn. (Nr. 49. 14 m. Abb.) 4° Hambg (Mundsburgerdamm 31),
　Verl. d. Schreibmaschinen-Zeitg.　　Halbj. 1 —
Schreibmüller, H: Die Landvogtei im Speiergau. (122) 8° Kai-
　sersl., (E Crusius) 05.　　　　　　2.50
Schreib-Notiz-Kalender f. 1906. (Schreibkalender u. 32 m. 1
　Karte.) 16° Düsseldf, A Bagel.　　　L. 2.50
Schreibschule, Stein'sche. Methodisch u. d. neuen Recht-
　schreibg bearb. v. H Kleiber. 14 Hefte. 4° Potsd., A Stein
　(04).　　　　　　　　　　nn 1.65 ‖
　1—12. (Je 24) Je nn — 10 ‖ 12. (24) nn — 15 ‖ 14. (8 S. u. 16 Formulare.)
　nn — 30.
— d. Unterstützgsgenossensch. Nr. 1—3. (Je 28) 4° Metz, P Even
　(03).　　　　　　　　　　Je — 12
　1.2. Deut. Schrift. ‖ 3. Latein. Schrift.
Schreibtisch-Notiz-Kalender 1905. Beilage z. illustr. Anzeiger
　f. Kontor u. Bureau. (36) 8° Lpzg-N., A Henze.　　— 50 d
Schreibvorlagen z. Einübg d. griech. Schrift. (Umschl.: Griech.
　Schönschreibheft.) 2. Afl. (36) 4° Würzbg, E Bauer (01). nn — 40
Schreibweise, d. obligator., d. Namen d. schweiz. polit. Ge-
　meinden f. d. Bundesverwaltg. Beschluss d. Bundesrates v.
　15.VIII.'00. — Orthographie des noms des communes polit.
　de la Suisse rendue obligatoire pour toutes les administra-
　tions fédérales. (52) 8° Bern, (A Francke) (03).　　— 50
　2. Afl. u. d. T.:
— d. Namen d. schweiz. polit. Gemeinden f. d. Bundesver-
　waltg. obligatorisch erklärt durch Beschluss d. Bundesrates
　v. 15.VIII.'00. — Orthographie des noms des communes polit.
　de la Suisse rendue obligatoire pour toutes les administra-
　tions fédérales. 2. Afl. (75) 8° Ebd. 03.　　1 —
Schreier, B, s.: Saadja Al-fajjûmi's arab. Psalmenübersetzg.
Schreier, FX: Johannisbad (d. deutsch-böhm. Gastein) im
　Riesengebirge. 3. Afl. (139 m. Abb.) 8° Leipa 04. (Prag, G Neu-
　gebauer.)　　　　　　　　　1.50 d
Schreier, G: Lernbüchl. d. Geogr. f. d. Hand d. Schüler d.
　Volks- u. Bürgersch. im Kgr. Böhmen. Ausg. A.: Böhmen,
　Österr.-Ungarn, Europa u. d. 5 Erdtheile. 2. Afl. (40) 8° Sternbg,
　AR Hitschfeld 01.　　　　　　　— 20 d
— dass. Ausg. B.: Mit e. Anh. d. Verfassgslehre. 2. Afl. (40 u.
　8) 8° Ebd. 01.　　　　　　　— 25 d
— dass. d. Herzogt. Kärnten. (51) 8° Ebd. 02.　　— 22 d
— dass. f. mähr. Volks- u. Bürgersch. Ausg. A.: Mähren, Österr.-
　Ungarn, Europa u. d. 5 Erdtheile. 3. Afl. (36) 8° Ebd. 1900.
　　　　　　　　　　　　　— 20 d
— dass. Ausg. B.: Mit e. Anh. d. Verfassgslehre. 3. Afl. (36 u.
　8) 8° Ebd. 1900.　　　　　　　— 20 d
— dass. f. niederösterr. Volks- u. Bürgersch. (52) 8° Sternbg,

AR Hitschfeld 01. — 25 ‖ 2. Afl. (55) 03. — 24 ‖ 3. Afl. (59) 05.
 — 22 d
Schreier, G: Lernbüchl. d. Geogr. z. Handgebr. d. Schüler d. oberösterr. Volks- u. Bürgersch. (51) 8° Sternbg, AR Hitschfeld 02.
 — 22 d
— dass. d. Herzogt. Salzburg. (51) 8° Ebd. 02. — 22 d
— dass. in österr. Schlesien. Ausg. A.: Schlesien, Österr.-Ungarn, Europa u. d. 5 Erdteile. (36) 8° Ebd. 1900. — 16 ‖ 3. Afl.
 (38) 01. — 20 d
— dass. Ausg. B.: Mit e. Anh. d. Verfassgslehre. (36 u. 8) 8°
 Ebd. 1900. — 20 ‖ 2. Afl. (38 u. 8) 01. — 25 ‖ 3. Afl. (51) 03. — 24 d
— dass. f. steiermärk. Schulen, s.: Swetina, A.
— dass. f. Tirol u. Vorarlberg, s.: Olbrich, J.
— Lernbüchl. d. Geschichte f. d. österr. Gesch. f. d. Hand d. Schüler an österr. Volks- u. Bürgersch. (48) 8°
 Sternbg, AR Hitschfeld 01. — 25 ‖ 2. Afl. (56) 03. — 24 ‖ 3. Afl.
 (60) 04. — 22 d
— Das Wichtigste a. d. mathemat. Geogr. (6) 8° Ebd. 02. — 06 d
Wird nicht unter 12 Stück abgegeben.
Schreier, J: Zur graph. Ermittlg d. Trägh.- u. Zentrifugalmomente unregelmäss. eb. Gebilde. [S.-A.] (27 m. 3 Taf.) 8°
 Wien, Lehmann & W. 04. 1 —
— Zur stat. Untersuchg v. flachen Gewölben. [S.-A.] (23 m.
 8° Ebd. 05. nn — 60
— Graphostat. Untersuchg d. elast. Kreisbogengewölbes. [S.-A.]
 (21 m. 1 Taf.) 8° Ebd. 03. nn — 60
— Graphostat. Verfahren z. directen Dimensionierg v. Stütz-
 u. Staumauern, Widerlagern u. Brückenpfeilern m. eb. u.
 gekrümmten Begrenzgsflächen. [S.-A.] (27 m. Fig.) 8° Ebd.
 02. nn — 60
Schreiner, E: Die Hugenotten. Darstellg a. d. Weltgesch. z.
 Aufführg in ev. Jünglings- u. Männer-Ver. (30) 8° Stuttg.,
 Holland & J. (05). — 40 d
— Der Kanzler zu Babel. Erzählg. (96) 8° Kass., E Röttger
 (05). 1 —; L 1.50 d
Schreiner, E: Postfranzösisch, s.: Lassig, GA.
Schreiner, F: Natur- u. gesundheitsgemässes Turnen n. Sanitätsrat Dr. Widerstein. Geräte: Die Griffstäbe, d. Roll- u. Hebelapparat u. d. Hilfsstangen am Beck. 1. Tl: Die Geräte an d. Griffstäben. (26 m. Fig.) 8° Dillenbg, (Gebr. Richter)
 (1899). — 80
Schreiner, J: Elysium u. Hades. (71 m. 1 Karte.) 8° Brnschw.
 02. Lpzg, R Sattler. 3 —
— Homers Odyssee — e. mysteriöses Epos. Elementar-Skizzen
 d. 3 wichtigsten Örtlichk. Ὠγυγίη, Σχερίη, Ἰθάκη, auf histor.-
 geograph. Basis entworfen. (103) 8° Ebd. 01. 2 —
Schreiner, KJ: Tempi passati. Vergang. Zeiten od. Ein böser
 Sohn, s.: Heidelmann's, A, Theaterbibliothek.
Schreiner, M: Die jüngsten Urteile üb. d. Judentum. (184) 8°
 Berl., S Cronbach 02. 3 —
Schreiner, O: Dreams, s.: Unwin's library.
Schrempf, C: Goethes Lebensanschaulg in ihrer geschichtl.
 Entwicklg. 1. Tl: Der junge Goethe. (196) 8° Stuttg., F Fromann 05. 2.50 d
— Mart. Luther, a. d. Christlichen ins Menschliche übersetzt.
 (188) 8° Ebd. 01. 3.50; geb. bis 4 —
— Menschenloos, Hiob. Ödipus. Jesus. Homo sum. 2. Afl. (159)
 8° Ebd. 05. 2.20; geb. 3.20 d
— Neue relig. Reden. 2. Heft. (31) 8° Ebd. 01. — 50 ‖ 3. Heft.
 (40) 01. — 60 (Vollst.: 1.60) d
Schrempf, E: Phantasie u. Wirklichk. (117 m. Bildnis.) 8° Offenb.,
 J Scherz (05). 2 —; L. 3.50 d
Schrenck, B v.: Zur Frage d. Einführg e. communalen Einkommensteuer iu Riga. (126) 8° Riga, (Jonck & P.) 02. nn 2.25 d
Schrenck, E v.: Jesus u. s. Predigt. Vorträge f. Gebildete.
 (234) 8° Gött., Vandenhoeck & R. 02. 2.40; geb. 3.20 d
Schrenck, L v., s.: Beiträge z. Kenntniss d. Russ. Reiches.
Schrenck-Notzing, Frhr v.: Kriminalpsychologie. u. psycho-pathologi. Studien. Ges. Aufsätze a. d. Gebieten d. Psychopathia sexualis, d. gerichtl. Psychiatrie u. d. Suggestionslehre.
 (207) 8° Lpzg, JA Barth 02. 4.80; L. 5.80
— Die Traumkänzerin Magdeleine G. Psycholog. Studie üb.
 Hypnose u. dramat. Kunst. Unter Mitwirkg v. FEO Schultze.
 (176) 8° Stuttg., F Enke 04. 4.60
Schrenk, E: Allein durch d. Glauben. 12 Reden. 16—19. Taus.
 (178) 8° Kass., E Röttger (03). 1 —; geb. 1.50 d
— Alles u. in Allen Christus. 12 Reden. 5. Afl. (154) 12° Bas.,
 Kober 04. L. 1.60 d
— Wie wird Christus am besten ergriffen? Vortr. 3. Afl. (15)
 8° Kass., E Röttger (03). nn — 10 d
— Göttl. Führg u. Geistesleitg. (30) 8° Ebd. (04). — 60 d
— Gedanken üb. d. Heiraten. 5. Afl. (79) 8° Ebd. (05). — 40 ;
 kart. — 50 ; geb. 1 —; m. G. 1.20 d
— Das Jungfrauenleben im Lichte d. Evangeliums. 6. Afl. (39)
 8° Bas., Basler Missionsb. (05). — 60 d
— Des Jünglings Freund. Mitgabe für's Leben. 26—29. Taus.
 (159) 8° Kass., E Röttger (05). Kart. 1.20; geb. 2 —; 3 —
 u. 4 — d
— Krankenheilg durch d. Glauben. 4. Afl. (20) 8° Elberf., Bh.
 d. ev. Gesellsch. 02. — 40 d
— Pilgerleben u. Pilgerarbeit. 2. Afl. (230 bezw. 242 m.
 Bildnis u. Fksm.) 8° Kass., E Röttger (05). 2.25 ; L 3 —;
 m. G. 3.50 d
— Suchet in d. Schrift. Tägl. Betrachtgn f. d. ganze Jahr, m.
 Anh. 32—37. Taus. (387) 8° Ebd. (03). L. 3 — d

Schrenk, E: Das hl. Vaterunser. Ausgelegt f. d. Gemeinde.
 1—15. Taus. (62) 8° Kass., E Röttger (01.05). — 50 ; L. 1 — d
— s.: Wirken, d., d. hl. Geistes in d. Seelenwelt.
— Die grundleg. Wirkgn d. hl. Geistes im Menschenherzen.
 [S.-A.] (16) 8° Potsd. (01). Oranienbg, „Siloah". — 20 d
— Dein Wort ist meines Fusses Leuchte. 12 Reden. 1—7. Taus.
 (173) 8° Kass., E Röttger (04). — 80 ; geb. 1.40 d
— Ein Wort üb. Sündlosigkeit. 5. Afl. (15) 12° Elberf. Bh. d.
 ev. Gesellsch. 02. — 10 d
Schrenk, MF: Aus d. Gesch. d. Entstehg n. Entwickelg d. ev.-
 luther. Kolonien in d. Gouvernements Bessarabien u. Cherson, spec. in kirchl. Beziehg. (167) 8° Odessa 01. (Stuttg.,
 JF Steinkopf.) 2.40 d
Schrepfer, R: Pfalzbayerns Politik im Revolutionsalter v. 1789
 —93. (137) 8° Münch., JF Lehmann's V. 03. 2 —
Schreuer, H: Untersuchgn z. Verfassgsgesch. d. böhm. Sagenzeit, s.: Forschungen, staats- u. socialwiss.
Schreve, T: Gangama, s.: Traktate, kl., a. d. Brüdermission.
Schrewe: Kontrollver. f. Milchleistgn, s.: Pott, E.
Schrey, F: Der Kaufmann als prakt. Stenograph (Einiggsystem Stolze-Schrey). (107) 8° Lpzg, Verl. d. mod. kaufm.
 Bibliothek (02). L. 2.75
— Ausführl. Lehrb. d. Debattenschrift n. d. System d. vereinf.
 deut. Stenogr. (Einiggsystem Stolze-Schrey). (8. Afl.) (67)
 8° Berl., F Schrey 05. Schlüssel. (22) 05. — 50
— Lehrb. d. Diktatstenogr. n. d. System d. vereinf. deut.Stenogr.
 (Einiggsystem Stolze-Schrey.) (32) 8° Ebd. 02. — 80 ;
 Schlüssel. (18) — 40
2. Afl. u. d. T:
— Kurzer Lehrg. d. Debattenschrift n. d. System d. vereinf.
 deut.Stenogr. (Einiggsystem Stolze-Schrey.) 2.Afl.d.„Kurzen
 Lehrg. d. Debattenschrift" sowie d. „Lehrb. d. Diktatstenogr."
 7—9. Taus. (40) 8° Ebd. 05. — 40 ; Schlüssel. (24) — 40
— Der kürzeste Weg z. stenograph. Praxis. 4. Afl. (23) 8° Ebd.
 (05). — 50
Schrey v. Kalgen: Dimensionen. Eine neue Weltanschaug.
 Der Beweis d. Zöllner'schen Theorie. (40 m. Fig.) 8° Lpzg,
 O Mutze 01. 1 — d
Schreyer: Lehr- u. Leseb. f. Fortbildgssch., s.: Weber, H.
Schreyer, F: Rechenb. f. kaufmänn. Fortbildgssch., s.: Heinemann, H.
— u. H Heinemann: Kaufmänn. Rechnen, s.: Grosskaufmann,
 d. deut. — Kaufmann, d. deut.
Schreyer, J: Von Bach bis Wagner. Beitr. z. Psychol. d. Musikhörens. Mit ausführl. Analysen vollständ. Kompositionen sowie einz. Abschn. v. Werken v. Bach, Händel,
 Mozart, Beethoven, Mendelssohn, Chopin, Liszt u. Wagner.
 (86 u. 37) 8° Dresd., Holze & Pahl 03. 4 —; geb. 5 —
— Harmonielehre. Völlig umgearb. Ausg. v. „Von Bach bis
 Wagner". (228 u. 13) 8° Ebd. 05. 5 —; geb. 6 —
Schreyer, O: Im Lande d. Gallier. Erinnergn a. d. deutschfranzös. Kriege 1870. 3. Afl. (206) 8° Hambg, CHA Kloss 05.
 2.50; geb. 3.50 d
Schreyer, S: Sucht suchen ist höchste Weisheit. (66) 8° Dortm.,
 CL Krüger 01. 1 — d
Schreyvogel, J: Samuel Brink's letzte Liebesgesch. (In stenogr.
 Schrift.) 1—4. Heft. (64) 8° Liegn., (Dr. v. Kunowski) (05).
 Je — 15
— Tagebücher, hrsg. durch K Glossy, s.: Schriften d. Gesellsch.
 f. Theatergesch.
Schrickel, L: Auchmenschen. Schausp. (103) 8° Dresd., B Sturm
 (05). 1.50 d
— Von Gestern u. Morgen. Eine alte Gesch. (226) 8° Dresd.,
 C Reissner 03. 3 —; geb. 4 — d
Schriefer, W, s.: Deutsch-Oesterreich, d. literar.
— Der Frack. Humorist. Roman. (183) 8° Mannh., J Bensheimer's
 V. (01). 3 — d
Schrienert, F: Ditfurtische Chronik, umfassend ca 1000 Jahre
 v.—19. Jahrh. (161 m. 1 Pl. u. 1 Karte.) 8° Quedlinbg, (H
 Schwanecke) 03. kart. nn 4 — d
2. Afl. u. d. T:
— Ditfurter Chronik. 2. Afl. (231 m. 2 Kart.) 8° Ebd. 04.
 Kart. nn 5.50 d
Schriever, F: Heimatsk. v. Reg.-Bez. Lüneburg f. d. Schulgebr. 1:100,000. 6 Bl. je 80×55 cm. Farbdr. Harbg, G Elkan
 (01). Auf L. m. St. 20 —
Schriever, L: Der Dom zu Osnabrück u. s. Kunstschätze. (197
 m. Abb. u. 7 Lichtdr.) 8° Osnabr., F Schöningh 01. 3.20 d
  2.80 d
— Gesch. d. Kreises Lingen. 1. Tl: Die allg. Gesch. (409) 8°
 Ling., R van Acken 05. 5 d
Schrift, d. heil. Der deut. Uebersetzg m. Zugrundelegg d. Philippson'schen Bibelwerkes, rev. v. Philippson.
 Landau u. Kaempf. 2 Bde. Grossfol. 4 —; geb. Berl., F Dümmler's V. 01. nn 4 — ; geb. nn 5.20 d
 1. Die 5 Bücher Moses u. d. früh. Propheten. (484 Doppels.)
 2. Die spät. Propheten u. d. Hagiographen. (548 Doppels. u. 546—561)
— d. heil. Aus d. Urtext übers. (1. Thl d. Alte Test. 4. Ausg.
 2. Thl: Das Neue Test. 9. Ausg.) (1044 u. 328) 8° Elberf., R
 Brockhaus (durch J Fassbender). 1898. 3.20 ‖ 5. bezw. 11. Afl.
 (771 u. 248 m. 8 Kartens.) 01. 2 — d
— dass. 2. Tl genannt d. Neue Test. Aus d. Urtext übers.
 10. Ausg. (482) 12° Ebd. 1899. 1 — d
— dass. Die Psalmen. Aus d. Urtext übers. Billige Taschen-

Ausg. (389 u. 96) 16° Elberf., R Brockhaus (durch J Fassbender) 03. L. nn — 25; in Ldr-Nachahmg nn — 32 d

Schrift, d. heil. Nach d. masoret. Textnen übers. u. erklärt, nebst e. Einl. v. S Bernfeld. (34, 886) 8° Berl. 02. Frankf. a/M., J Kauffmann. L. 5 — ; HF. 6.50 ; Saff. m. G. 10 — ; Pracht-Ausg. auf Velin-Pap. in Saff. m. G. 20 — ; Luxus-Ausg. in Ecrasé-Saff. 30 — d

— dass. Ausg. f. Schule u. Haus. Nebst e. Tl d. Apokryphen. 2 Tle. 8° Ebd. 03. In 1 od. 2 Bde geb. 4 — d l. (38, 345) 1.75 ‖ 2. (511) 2.25.

— dass., n. d. Übersetzg Luthers im Ausz. u. m. kurzen Erläutergn z. Volks- u. Haus-Gebr. hrsg. v. HL Strack u. K Voelker. (582 u. 40 m. 2 Abb. u. 4 Kartens.) 8° Lpzg, BG Teubner 05. L. nn 2 — d

— d. heil., Ausw. v. E Gros, s.: Bücher d. Weish. u. Schönh.

— d. heil., d. Alten u. Neuen Test. Mit d. Urtexte u. Vulgata. An Stelle d. Alliolischen Bibelwerkes hrsg. v. A Arndt. A. u. d. T.: Biblia sacra Vulgatae editionis. 3. Bd. (1020) 8° Rgnsbg, F Pustet 01. 5 — (1—3.: 15 —; Einbde in BChagr. je 1.50) d

— d. heil., in Bildern. 240 Darstellgn, erfunden u. auf Holz gezeichnet v. J Schnorr v. Carolsfeld. Mit kurzen Bibeltexten n. d. rev. luther. Bibel n. ausgew. Betrachtgn. Hrsg. v. C Werckshagen. (160 u. 80) 4° Berl, H Grund 03. Geb. 3 —; Prachtausg., L. m. G. 5 — d

— d. heil., d. Alten Test., n. d. Übersetzg Luthers im Ausz. u. m. kurzen Erläutergn z. Volks- u. Haus-Gebr. hrsg. (324 m. Abb. u. 4 Kartens.) 8° Lpzg, BG Teubner 05. Geb. nn 1.20 d

— d. moderne. Sammlg neuer Schriften u. Schilder. (Gezeichnet v. F Schweimanns u. FA Becker.) (54 farb. Taf.) Fol. Berl., Kanter & M. (02.) In M. 40 —

Schriften, aktien- u. bilanzrechtl. Hrsg. v. R Fischer. I. Bd. 1. Tl. 8° Lpzg, Dieterich. 2.40; geb. 3 — d Fischer, R: Die Bilanzwerte, was sie sind u. was sie nicht sind. 1. Tl. (142) 05. [1.] 2 40; geb. 3 —

— apollinarist., syrisch, hrsg. v. J Flemming u. H Lietzmann, s.: Abhandlungen d. kgl. Gesellsch. d. Wiss. zu Göttingen.

— d. österr. Gesellsch. f. Arbeiterschutz. 1—6. Heft. 8° Wien, F Deuticke. 8.10

Alfl, I v.: Die gewerbl. Nachtarbeit d. Frauen in Österr. Bericht. (37) 01. [1.] 1 —
Fürth, E Ritter v.: Wohngesmter u. Wohngsinspektion. (67) 05. [5.] 1.50
Grünberg, K: Bauten auf fremdem Grund. Beitrag z. Würdigg d. Erbbaurechtes. (65) 03. [4.] 1 —
Kaup, I: Blel- u. Phosphorvergiftgn in d. gewerbl. Betrieben Österr. Tatsachen u. Anfg. d. Gesetzgebg. Bericht. (79) 02. [3.] 1.80
Kaup, I u. Q Pacher v. Theinburg: Bericht üb. e. einheitl. intern. Unfallstatistik zu Zwecken d. Verhütg u. Unfällen bei d. Arbeit. (22) 02. [2.] — 80
Mayreder, K: Städt. Bauordngn m. bes. Berücks. d. Wohngsfrage. (87 m. Fig.) 02. [6.] 1 —

— d. internat. Vereinigg f. gesetzl. Arbeiterschutz. Nr. 1—4. 8° Jena, G Fischer. 10.50
Dönkschriften, 2, z. Vorbereitg e. internat. Arbeitsrschutzkonferenz. Hrsg. v. Bureau d. internat. Vereinigg f. gesetzl. Arbeitrschutz. (3c u. 49) 05. [4.] 4 —
Vereinigung, d. internat., f. gesetzl. Arbeiterrschuts. Berichte u. Verhandlgn d. konstituier. Versammlg, Basel '01. Hrsg. v. Bureau d. Vereinigg: S Bauer, H Schörrer, T Curti. (275) 01. [1.] 4 — français. Ausg. 4 —
Verhandlungsbericht d. 2. Generalversammlg d. Komitées d. internat. Vereinigg f. gesetzl. Arbeitrschuts, Cöln '02, nbst Jahresberichten d. internat. Vereinigg u. d. internat. Arbeitsamtes. Hrsg. v. Bureau d. Vereinigg. (80) 03. [2.] 1.50 ‖ 3. Generalvers. Basel '04- (171) 05. [3.] 3 —

— d. Centralstelle f. Arbeiter-Wohlfahrtseinrichtgn. Nr. 20—28. 8° Berl., C Heymann. 34.30 d
Beichtung, d. d. Arbeiter üb. d. Gifgefahren in gewerbl. Betrieben. Vorbericht u. Verhandlgn d. 14. Konferenz d. Centralstelle f. Arbeiter-Wohlfahrtseinrichtgn, Frankf. i/W. '05. (129) 06. [29.] 3 —
Fürsorge, d., f. d. schulentlass. gewerbl. männl. Jugend. Vorberichte u. Verhandlgn d. X. Konferenz, München '01. (333) 01. [21.] 6 —
Jugendkinos. Leitrf. f. Begründer u. Leiter v. Jugendvereinigggn. (64) 03. [22.] ‖ 3. Aft. (77) 04. Je 1.60 d; geb. je 2.20
Museen, d., als Volksbildngstätten. Ergebnissd d. 12. Konferenz d. Centralstelle f. Arbeiter-Wohlfahrtseinrichtgn. (79s u. 40 m. Abb.) 04. [25.] 5 —
Nussbaum, HC: Bau u. Einrichtg v. Kleinwohngn. (197 m. Abb.) 01. [20.] 4.50
Pensions- u. Reliktenwesen, d., d. Arbeiter n. niedl. Angestellten. Vorbericht u. Verhandlgn d. 13. Konferenz, Leipzig '04- 2. Verhandlggstag. (270) 04. [27.] 5 —; geb. 6 —
Schlafstelleunwesen u. Ledigeneheime. Vorbericht u. Verhandlgn d. 15. Konferenz, Leipzig '04- 1. Verhandlggstag. (194 m. Abb.) 04. [26.] 3.60; geb. 4.60

Sundermann, H: Der landw. Arbeitsnachweis. (145) 04. [24.] 2 —
Unterbringung bödürft. Kranker in Heilstätten, Heimstätten u. Genesungsheimen. Erbbaurecht u. Arbeiterwohngn. Vorberichte u. Verhandlgn d. XI. Konferenz, Hamburg '02. (219) 03. [23.] 4 —

— d. Hauptstelle deut. Arbeitgeberverbände. I. 8° Berl., J Guttentag. 1 — d
Bueck, HA, u. Leidig: Der Ausstand d. Bergarbeiter im Ruhrkohlenrevier Jan.—Febr. 1905. Bericht u. Betrachtgn. (54) 05. [1.] 1 —

— d. verbandes deut. Arbeitsnachweise. Nr. 3—5. 8° Berl, C Heymann. 8 — (1—5.: 11.60) d
3. Verbandsversammlg u. Arbeitsnachweiskonferenz, 2, Köln 1900. Stenograph. Bericht. Die Arbeitsvermittlg f. weibl. Personen n. Dienstboten. — Arbeitsnachweise in kleinerön Orten u. Händlerhandelmittlg. — Vortrag v. Göttlhren bei d. gemeinnütz. Arbeitsnachweisen. — Subvöntionhen f. Arbeitsnachweise — Anstellngbedingn d. Arbeitsnachweisbeamten. — Die Organisation d. Fachärbeitsnachweise u. ihr Anschl. an d. allg. Arbeitsnachweis. (219) 01. 4 —
4. Verbandsversammlg u. Arbeitsnachweiskonferenz, 3, Berlin '02. Stenograph. Bericht. — Weiblr Erfahrgn habön d. Arbeitsmarkte gemacht? — Die lötzten Kfisis auf d. Arbeitsmarkte görmacht? — Arbeitslosenversicherg u. Arbeitsnachweis. — Anh.: Materialiön s. Frage d. Arbeitsrsenversicherg, zusammengest. v. R Freund. (25?) 03. 3 —

5. Vorberichte f. d. 4. Verbandsversammlg u. Arbeitsnachweiskonferenz Wiesbaden '05. (38) 05. 1 —

Schriften d. deut. Ver. f. Armenpflege u. Wohltätigkeit. 51—75. Heft. 8° Lpzg, Duncker & H. 72.20 d
Bericht, stenograph., üb. d. Verhandlgn d. 20. Jahresversammlg Mainz 1900. (127 u.19) 01. [51.] 3 — ‖ 21. Verh. Eisenach '01- (140 u.20) 01. [54.] 3.40 ‖ 22. Verh. Colmar '02- (144 u.20) 02. [62.] 2.40 ‖ 23. Verh. Elberfeld '03- (106 u. 22) 03. [67.] 2.60 ‖ 24. Verh. Danzig '04- (120 u. 22) 04. [71.] 2.40 ‖ 25. Verh. Mannheim '05- (167) 05. [73.] 3.40
Blum, J: Volks- u. Krankenküchen. (113) 02. [64.] 1.30
Brugger: Die Bekämpfg d. Säuglngssterblichk. Hauptbericht. Mitberichte v. Finkelstein u. M Baum. (125) 05. [74.] 1.40
Buehl, A, u. PCR Eschle: Die geschloss. Armenpflege. Berichtö. (136) 03. [66.] 1.90
Ergänzungen: Die böst. Anfordergn an d. öffentl. Armenpflege im Verhältniss z. besch. Armengesetzgebg. Hauptbericht. Mitberichte. Gratatst v. Fleischmann u. Schwandöf. (184) 03. [73.] 3.50
Flesch u. Soethoer: Soc. Ausgestaltg d. Armenpflege. (45) 01. [54.] 1.30
Frankenberg, H v. u. E Krug: Die Beratg Bödürftigkt in Rechtsangelegenh. Berichtö. (199) 04. [70.] 2.40
Hasuön, PC: Die Erweiterg d. Handarbeitsunterr. f. nicht vollsinn. n. verkrüpp. Personen. (62) 02. [60.] 1.40
Haßmann, P. u. R Schwander: Die Einrichtg v. Notstandsarböiten u. ihre Erfolgö. Gutachtön. (67) 02. [58.] 1.40
Hollander, v.: Die Fürsorge f. Erhaltg d. Haushalts, inabes. durch Hauspflege. — Samtel v. Waldschmidt: Die Anfg. d. Armenpflege gegenüber trunkäücht. Pörsonön. (165) 01. [55.] 3.50
Mehrlein, F: Die Verteilg d. Armenlasten. Hauptbericht. Nöbst Gutachten v. A Mülthatt, E Hopf u. K Mörthen. (126) 02. [57.] 2.60
Münstörbörg, E: Das ausländ. Afmönwesön. Übörsicht üb. d. neuesten Bestrebgn auf d. Göbiet d. Armenpflege in d. f. uns wichtigsten Staaten d. ausl. Hone Folge. (307) 01. [55.] 7 — (1 u. 3: 8.50)
— Generalböricht üb. d. Tätigk. d. deut. Ver. f. Armenpflege u. Wohltätigk. währ. d. örsten 25 Jahrö s. Böstehens 1880—1905, nebst Verz. d. Kreisvaschriften n. alphabet. Reg. zu d. Veröinsschriften. (247) 05. [75.] 4.50
— Das Elberfölder System. Festbericht s. Anlase d. 50jähr. Böstehens d. Elberfölder Armenordng. (54) 05. [63.] 1.20
Olshausön, A: Die Fürsörge f. Auskändör in Döutschl. Böticht. (331) 04. [69.] 4.50
— u. W Helling: Das Verhältn. d. Armenverbände zu d. Versicherungsanst. (56) 01. [53.] 2 —
Pütter, E: Das Ziehkindörwesen. Gutachten. (106) 02. [59.] 2.40
Samtöf u. Kohlhardt: Die Anfg. d. Armenpfege bei d. Bekämpfg d. Tubörkulosö. Berichtö. (184) 04. [66.] 3 —
— u. Waldschmidt: Die Anfg. d. Armenpflege gegenüber trunkkächt. Pörsonen, m/ Hollandör, v. d. Fürsorge f. Erhaltg d. Haushalts.
Schiller, F, H Sorben u. H Köhne: Zwangs-(Fürsorge-)Erziehg u. Armenpflege. Berichtö. (142) 03. [64.] 3 —
Silbergeit, H: Finanzstatistik d. Armenverwaltgn v. 108 döut. Städten. (82 m. 2 Tab.) 07. [61.] 2.30

— d. Ver. f. d. Gesch. u. Naturgesch. d. Baar u. d. angrenz. Landesteile in Donaueschingen. X. u. XI. Heft. 8° Donaueschingen, Selbstverl. Je + 8.50 d X. (78, 184 u. 1 Taf. u. 1 Pl.) 1900. 3.50 ‖ XI. (27, 276 m. 3 Bildnis u. 2 Stammtaf.) 04. 5.—. Stammtaf. 04. 3.50 [Heft I—IX sind vergriffen.

— d. Baikankommission. Antiquar. Abtlg. Hrsg. v. d. kais. Akad. d. Wiss. II u. III. 4° Wien, A Hölder. Kart. 31 — —(I—III.: 36 —)
Patsch, C: Das Sandschak Börat in Albaniön. (300 Sp. m. Abb. u. 1 Karte.) 04. [II.] 16 —
Schwalb, H: Röm. Villa bei Pola. (53 Sp. m. Abb. u. 15 Taf.) 02. [II.] 15 —

— dass. Linguistische Abth. I—III u. VI. (Titelbl. I, 1—3 u. III.) 4° Ebd. Kart. 61 —
I. 1. Sdelav. Dialektstudien. 1. Höft. Rezetar, M: Die serbokroat. Betong släweni. Mundartön. (272 Sp.) 1900. 7 —
H. I Dass. 2. Höft. Milötič, L: Das Ostbulgarisch. (302 m. 1 Kartö.) 03. 13 —
III, 1. Dass. 3. Höft. Bfloch, O: Die Dialektö d. südlichsten Sörbiens. (342 Sp. m. 1 Kartö.) 03. 14 —
V. 1. III. Xengrisch. Dialektstudien. 1. Höft. Křetschmör, P: Der neuö plb. Dialekt verglichen m. d. übr. nordgriech. Mundarten. (214 Sp. m. 1 Kartö.) 03. 25 —
[IV u. V sind noch nicht erschienen.

— d. Ver. f. d. Gesch. Berlins. 38—41. Heft. 8° Berl., (ES Mittler & S.). 20.50 d
Friedlaender, E: Börlinör geschrieb. Zeitgn a. d. J. 1713—17 u. 55. Beitrag z. pfennz. Gesch. unter König Friedrich Wilhelm I. (720) 02. [38.] 14 —
Holtze, F: Börlin u. Köpfnbagön. (116) 03. [41.] 3 —
— Die Brandenburg. Konsistorialordng v. 1573 u. ihre Kirchenbaupflicht. (60 m. 1 Bildnis.) 04. [39.]
Pick, A: Schillörs Reise n. Berlin im J. 1804. Nach e. hinterlass. Handschrift d. Maj. Södel hrsg. (Fest-Schrift z. 100. Todörtagö Schillörs.) (32 m. Abb.) 05. [40.] 1.50

— d. Ver. f. Gesch. d. Bodensees u. sr Umgebg. 29—33. Heft. 8° Lind., (JT Stettner). nn 25 — d
29. (354 u. 6 m. Abb. u. 4 Lichtdr.) 1900. nn 6 — ‖ 30. (572 m. Abb. u. 2 Taf.) 01. nn 6.50 ‖ 31. (56) Nöbst Schrörö, C, u. O Kirhnef: Die Vögetation d. Bodönseö. u. T Eggör, u. B Schröter, u. G Kirstein: Katalog d. Bibliotökk d. Ver. f. Gesch. d. Bodensöö u. sr Umgebg in Friedrichshafön. 2. Afl. v. K Schröngöf. (125) 02. nn 4.50 ‖ 32. (159 m. 2 Bildnissön u. 1 Kartö.) 03. nn 5 — ‖ 33. (116 m. 1 Taf.) 04. nn 5 —

— d. deutsch-asiat. Gesellsch. Hrsg. v. Vosberg-Rekow. 1. Heft. 8° Berl., H Paetel. 1.20
Ettlönd, A: Die Baumwoltzucht im Wirtschaftsprogramm d. deut. Über-see-Politik. (49 m. 1 Tab.) 07. [1.] 1.20

— d. Duisburger Museumsver. II. 8° Duisbg, J Ewich. 4 — d
Avördunk, H: Die Duisburgör Börtschiffahrt, zugl. e. Beitr. z. Gesch. d. Güwörbes in Duisburg n. d. Handölsverhältn. am Niödörrhein. (241) 05. [2.]
[Den 1. Bd bildet: Führer durch d. Duisburger Altertumssammlg.

— d. freiwill. Erziehgsbeirats f. schulentlassene Waisen. 2. u. 3. Bd. 8° Berl. (S.W. 68, Alte Jacobstr. 18/19 I), Selbstverl. à ö H
Leitfaden, Jurist., z. pfakt. Gebr. f. d. Pflegörinnen u. Pflegörinnen d. freiwill. Erziehgsbeirats f. schulentlass. Waison. Bearb. v. Mitgliödörn d. jurist. Kommission d. Veröins. (48) 03. [2.]

Wissenswertes, allerlei, üb. d. freiwill. Erziehgsbeirat f. schulentlass. Waisen. Hrsg. v. Vorstande. (31) 04. [3.]

Schriften d. freiwill. Erziehgsbeirats f. schulentlassene Waisen. 4. Bd. 8° Berl., O Liebmann. — 50 d

Kahl, W: Strafrecht u. freie Liebestätigk. Vortr. (29) 04. [4.] — 50

Den 1. Bd bildet: Sommerfeld, T, E Jaffé u. J Sauer: Wegweiser f. d. Berufswahl.

— d. Ver.z.Wahrg.d.Interessen d. Färberei- u. Druckerei-Industrie v. Rheinl. u. Westf.", neue Folge, s.: Schriften d. "Ver. d. deut. Textilveredlgsindustrie".

— d. Frauenhülfe. 1. 8° Potsd., Stiftgsverl. — 20 d

Sieveking, A: Die Armenpflegerin. Unterweisg f. Frauen u. Jungfrauen, welche in d. Armenpflege thätig sind. (24) Berl. (02). [1.] — 20

— d. Bundes deut. Frauenver. 6. Heft. 8° Dresd., OV Böhmert. 1 — (1—6.: 2.50) d

Schöven, K: Denkschrift üb. d. in Deutschl. besteh. Verkältn. in Bezug auf d. Bordellwesen u. üb. s. sittl., soz. u. hygien. Gefahren. (31 m. 5 Tab.) 04. [6.] 1 —

Frühere Hefte s. u. d. T.: Flugschriften, abolitionist.

— d. Ver. deut. Gartenkünstler. 1—3. Heft. 8° Berl., Gebr. Borntraeger. nn 1.10

Gehölzeordnung f. d. Arbeiten d. Gartenkünstlers. Aufgest. u. hrsg. v. Verein deut. Gartenkünstler. 3. Aft. (19) 02. [1.] — 40

Grundsätze f. d. Verfahren bei öffentl. Wettbewerbgn auf d. Geb. d. Gartenkunst. 2. Afl. (8) 04. [2.] nn — 30

Regeln, allg., f. d. Anpflanzg u. Unterhaltg v. Bäumen in Städten, nebst s. Verz. d. f. Strassenpflanzgen verwendbaren Baumarten. (15) 01. [3.] — 40

— d. steiermärk. Gewerbefördergs-Instit. in Graz. 1—3. Heft. 4° Graz (Herrengasse 9), Steiermärk. Gewerbefördergs-Instit. 2.50 d

Ebbs, H : Üb. Sauggasanlagen. (Nach e. Vortr.) (15 m. Abb. u. 5 Taf.) 04. [2.] — 50

Schramm, V: Das Färben d. Holzes in alter u. neuer Zeit. (30) Springer, A : Die Kraftmaschinen, deren Anwendg u. Betriebskosten. (35) 05. [3.] 1 —

— d. Ver. z. Schutz d. deut. Goldwährg. 3. Bd. 8° Berl., J Guttentag. 7 —; L. 8 — (1—3.: 22 —; geb. 25 —)

Heyn, O: Die ind. Währgsreform. (375) 03. [3.] 7 —; geb. 8 —

— d. Goethe-Gesellsch. Hrsg. v. E Schmidt u. B Suphan. 15—20. Bd. Weim., Goethe-Gesellsch. Nur f. Mitglieder, Jahresbeitrag nnn 10 — d

15. Elegie, September 1925. Goethes Reinschrift m. Ulrikens v. Levetzow Brief an ihren Jugendbildnis. Hrsg. v. B Suphan. (19 m. 9 S. Fksm.) 4° 1900. In M.

16. Goethe u. Lavater. Briefe u. Tagebücher. Hrsg. v. H Funck. (448 m. 1 Bildnis u. 3 Bildnistaf.) 8° 01. L.

17. Goethe u. Oeser. Briefe m. Erläutergn. 1. Tbl. Hrsg. v. A Sauer. (125, 368 m. 3 Lichtdr.) 8° 02. L.

18. Dass. 2. Tbl. Hrsg. v. A Sauer. (92, 414 m. 2 Lichtdr.) 8° 04. L.

19. a u. d. Goethe-National-Museum. III. Hrsg. v. C Ruland. (12 Lichtdr. m. 12 S. Text.) 4° 04. In L.-M.

20. Das 9.V.'05. Die Huldigg d. Künstl. Demetrius: Maffa's Monolog; Der Epilog zu Schillers Glocke, in handschriftl. Gestalt m. e. Einl. hrsg. v. B Suphan. (18 u. 2 S. u. 6 Bl. in Autogr. u. 34 S.) 8° 05. In M.

— d. Centralstelle f. Vorbereitg v. Handelsverträgen. 15—35. Heft. 8° Berl., J Guttentag. 24.50 (1—35.: 53.40)

Bericht üb. d. d. ordentl. Generalversammlg Berlin 1901. (199) 01. [15.] 2.50 || 4. Vers. Berlin '02. (148) 02. [19.] 5 —; 5. Vers. Berlin '03. (71) 03. [22.] 1.50

Diercks, G: Spanien. Kulturgeschichtl. u. wirthschaftspolit. Betrachtgn. (125) 01. [16.] 2 —

Edhem, A : Deutschlds wirtschaftl. Interessen in China. Betrachtgn üb. d. handelspolit. Lage im asiat. Osten. (68) 04. [26.] 1.50

— u. Vossberg-Rekow : Zollrückvergütg. (55) 03. [32.] 1 —

Geefling, T : Die Handelspolitik d. Schweiz am Ausg. d. 19. Jahrh. (213) 02. [21.] 2 —

Saftorius Fhlr v. Waltershausen, A : Die Handelsbilanz d. Verein. Staaten v. Amerika. (71) 01. [17.] 2 —

Vossberg-Rekow : Der Schutz d. industriellen u. geist. Eigenthums in d. Handelsverträgen. (50 m. 1 Tab.) 02. [20.] 1.20

— Rückb. d. Tarifkampfe. Handelspolit. Aufg. d. nächsten Zukunft. (44) 03. [24.] 1.50

— Die Zolltarifvorlage u. ihre Begründg. (62) 02. [18.] 1.50

— d. Institutum Judaicum in Berlin. Nr. 3, 6, 29, 30, 32 u. 33. 8° Lpzg, JC Hinrichs' V. 8.60

Bischof, E : Jesus u. d. Rabbinen. Jesu Bergpredigt u. "Himmelreich" in ihrer Unabhängigk. v.Rabbinismus dargest. (114) 05. [33.] 9.90 ; geb. 3 — Dalman, G, u. A Schulze : Zinzendorf u. Lieberkühn. Studien z. Gesch. d. Judenmission. (101) 03. [32.] 1.40 d

Ftotokoll d. in Köln s. Kfl. 1900 abgeh. allg. Missionskonferens f. d. Arbeit a. v. Juden. (79) 01. [29.] 1 — d

Schäff, T : Das gottesdienstl. Jahr bei d. Juden. [8.-A.] (149) 02. [30.] 1 — d

Strack, HL : Joma. Der Mischnatraktat "Versöhngstag". Hrsg. u. erklärt. (60) 04. [30.] 1 —

— Die Sprüche d. Väter (Pirqé Aboth). Ein ethisch. Mischna-Traktat. Hrsg. u. erklärt. 3. Aft. (58) 01. [6.] 1.20

— dass. Nr. 51. 8° Lpzg, A Deichert Nf. 1.80

Jesus', d. Sohnes Sirachs, Sprüche. Der jüngst gefund. hebr. Text m. Anmerkgn v. Wrtrb. hrsg. v. HL Strack. (74) 03. [51.] 1.50

— d., St. Johannis. Evangelium, Briefe, Offenbarg, n. d. v. Stier bericht. Uebersetzg. (235) 8° Bas., (Basler Missionsbh.) 1864. — 40; geb. 1.20 d

— kl., z. Judenmission. 1—3. 8° Lpzg, Ev.-luth. Centralver. f. Miss. unter Israel. Je — 30 d

Gallisch: u. s. Juden. (Von M Meissner.) — Ein Missionsvortr. in Galizien. (Aus e. Bericht unt. d. Missionars Schmelzer.) (32) 01. [1.]

Gordon, P: Jom Kippur. Erzählg a. d. jüd. Volksleben. (16) 02. [2.] Scheinfeld, E : Israel. (26) 02. [3.]

— z.Besten d.Ver."Jugendschutz". 3.Heft. 8° Berl. (C.2, Kaiser Wilhelmstr. 39, II), Verein "Jugendschutz". — 30 d

Stift, Frau M : Hünsl. Knabenarbeit. Vortr. Nebst e. "Aufruf an d. Frauen". 8° Bielef-Botfm. (16) 1904. [3.]

— Jungliberale. Hrsg.: P Zimmermann, M Fleischer. 1— 3. Heft. 8° Frankf. a/M., E Grieser. Je — 30

Flöischeff, M : 1889—1905. "z Klschujahr im Rhein. Bergbau". (40) 05. [2.] Köller, E : Erziehg z. Vaterlandsliebe. Vortr. (24) 05. [1.]

Zimmermann, P : Die nationalliberale Jugendbewegg. — Ursprg. Wesen u. Ziele. (32) 05. [3.]

Schriften d. kaufmänn. (Hilfsver.) Verbandes f. weibl. Angestellte zu Berlin. Nr. 1—5. 8° Berl., Kaufm. Verband f. weibl. Angestellte. 1.95

Fortbildungsschulwaag f. jugendl. weibl. Handlgsgehilfen u. Lehrlinge. Mit e. Anh., enth. Ausserg v. Simon, Sombart, d. Handelskammer zu Düsseldorf usw. (24) 03. [5.] — 15 d

Jahre, 15. soz. Arbeit. Verwaltgs-Bericht f. 1904, u. e. Rückblick auf d. Tätigkeit d. Verbandes seit s. Begründg. (42) 05. [5.] — 30 d

Schneider, F : Die Frauenfrage im Handelsgewerbe. 2 Vortr. (61) 04. [4.] — 60 d

Schurter, J : Die kaufmänn. Ver. f. weibl. Angestellte in Deutschl. (96 m. 2 Formulare u.) 02. [2.] — 75

Silbermann, J : Für d. freien Hilfskassen. Verteidiggsschrift. (16) 01. [1.] — 15 d

— d. Synodalkommission f. ostpreuss. Kirchengesch. 1— 3. Heft. 8° Kögsbg, (F Beyer). 5.80 d

Gairalst, W: Die ev. Gemeinschaftsbewegg unter d. preuss. Litauern. (36) 04. [1.] — 80

Kalweit, P : Kants Stellg z. Kirche. (88) 04. [2.] 2 —

Nietrki, A : D. Joh. Jak. Quandt, Generalsuperint. v. Preussen u. Ober-hofpred. in Königsberg. 1686—1772. Bild s. Lebens u. s. Zeit, insbes. d. Herrschaft d. Pietismus in Preussen. (166 m. 2 Bildnissen.) 05. [3.] 3 —

— d. Ver. f. schleswig-holstein. Kirchengesch. I. Reihe (grössere Publikationen). 2. Heft. 8° Kiel, (R Cordes). 5 — (1 u. 2.: 9 —)

Reudtorff, FM : Die schleswig-holstein. Schulordngn v. 16. bis s. Anfang d. 19. Jahrh. (347) 02. [2.] 5 —

Bisher u. d. T.: Publikationen d. Ver. f. schleswig-holstein. Kirchengesch.

— dass. II. Reihe (Beitr. u. Mitteilgn). 1. Bd, Reg., II. Bd, 4 Hefte u. III. Bd, 4 Hefte. 8° Ebd. 17 —

— (Vollst.) — 1 — (Vollst.: 9 —) || II. (20, 528 m. 1 Taf.) 01.03. 8 — || III. (494) 04.05. 8 —

— koptisch-gnost., hrsg. v. C Schmidt, s.: Schriftsteller, d. griech. christl., d. ersten 3 Jahrh.

— d. Ver. f. d. Geech. Leipzigs. 7. Bd. (291 m. 4 Kärtchen u. 6 Grundrissen im Text u. 4 Taf.) 8° Lpzg, Selbstverl. 04. 4 — d

— d. Mannheimer Altertumsver. Neue Folge. 1. 8° Mannh., Mannheimer Altertumsver. (Nur dir.) nn — 20

I. Oeser, M : Katalog d. im Sommer 1900 veranstalt. Ausstellg v. Kupferstichen Mannheimer Meister d. 18. Jahrh. (24) 1900. nn — 20

— d. deut. milchwirtschaftl. Ver. Nr. 28—30. 8° Lpzg, M Heinsius Nf. 2 — d

Mohr: Die Bedeutg d. Schweinehaltg f. d. Fleischverzorgg. [S.-A.] (34 m. 3 graph. Darstellg.) 02. [29.] — 80

Fiebn, B : Die landw. Genossensch. [S.-A.] (89) 01. [28.] — 60

— Die Gewinng u. d. Vertrieb hygienisch einwandfreier Milch. [S.-A.] (27) 05. [30.] — 60

Bisher unter d. Einzeltiteln aufgenommen.

— d. naturforsch. Gesellsch. in Danzig. Neue Folge. X. Bds 4. Heft u. XI. Bds 1—3. Heft. 8° Danz. (Lpzg, W Engelmann.) 32 —

X. 2.3. (144, 286 m. Abb. u. 2 Taf.) 01. 12 — || 4. (66, 131 m. 1 Taf.) 02. 4 — (Vollst.: 21 —) || XI. 1.2. (112, 318 m. 2 Taf.) 04. 6 — || 3. (71, 302 m. Abb.) 05. 3 —

— hrsg. v. d. Naturforscher-Gesellsch. bei d. Univ. Jurjeff-Dorpat. IX—XV. 8° Lpzg, (KF Koehler). 22.50

Bogojawlensky, AD : Ueb. d. TemperaturT-Abhängigk. d. specif. Wärme d. kristallin. Stoffe. (70) Jus. Sprache m. deut. Auszug. (173 m. 10 Taf.) Jurj. 04. [XIII.] 4 —

Flerofi, A : Flofa d. Gouv. Wladimir. (Zumeist in russ. Sprache.) (388, 19 u. 76 m. Abb. u. 4 Taf.) Moscau 02. [X.] 7.50

Könnel, J : Studien üb. sexuellen Dimofphismus, Vafiation u. vorwandte Erscheingn. L. Der eirundliche Dimofphismus bei Schmetterlingen u. Ursachen desselben. (64) Jurj. 1898. [IX.] 2 —

Landesen, G : Untersuchgn üb. d. Wärmeausdehng wässer. Lösgn. (In russ. Sprache m. deut. Anh.) (124 m. 6 Taf.) Jurj. 04. [XIV.] 4 —

— Ueb. d. Wärmeausdehng d. Wassers zw. 90 u. 300. (In russ. Sprache m. deut. Anh.) (25) Jurj. 02. [XI.] 1 —

Michajlowsky, S : Eine Skizze d. Vegetation d. Kreises Njeshin d. Gouv. Czernigow. (In russ. Sprache.) (54 m. 2 Kart.) Jurj. 03. [XII.] 1 —

Saint-Hilaire, K: Untersuchgn üb. d. Stoffwechsel in d. Zelle u. in d. Geweben. (In russ. Sprache m. deut. Anh.) (227) Jurj. 04. [XV.] 2 —

— d. deut. Lehrer-Ver. f. Naturkde. VI., VII. u. XI—XIV. Bd. 12° Stuttg, KG Lutz. 1. Je 2.50

Sturm's, J. Flora v. Deutschl. in Abbildgn n. d. Natur m. Bild. Phanerogamen. 2. Bd : Echte Gräser. Gramineae. Von KG Lutz. (176 m. Abb. u. 56 L.) 1900. [VI.] 2. Bd : Riedgräser, Cyperaceae. Von ER Missbach u. EHL Krause. (166 m. Abb. u. 64 farb. Taf.) 1903. [VII.] 3. Bd : Schmetterlingsblütler, Balsamgewächse, Seifenbäume, Kreuzdorngewächse, Dreisandge, Seidelbaste u. Steinbrechs. Gruinales, Terebinthinae, Sapindiflorae, Frangulinae, Thymelaeinae, Saxifraginae. Von EHL Krause. (242 m. Abb. u. 64 farb. Taf.) 02. § 10. u. 11. Bd : Röhrenblütler im weitesten Sinne. Tubatae. 2 Hälften. Von EHL Krause. (222 m. Abb. u. 64 farb. Taf.) 05. [XI.] Schirmblumige u. Gockenblumige. Umbelliflorae u. Campanulatae. Von EHL Krause. (298 m. Abb. u. 64 farb. Taf.) 04.

Bd VIII—X sind noch nicht erschienen.

— separate, d. Ver. f. Naturkde an d. Unterweser. II. 8° Lpzg, W Engelmann. 11 — (I. u. II.: 12.50)

Alpers, F : Versuch, Kigft. Kgl. grossbrit. u. kurfürstl. Braunschweig-Lüneburg. Botanicat. Mitteilgn a. s. Leben u. s. Schriften. Unter Benutzg v. bislang nicht veröffentlichten Urkunden entw. v. Briefen Kigfs u. Wrer hrsg. (462 m. 3 Bildn.) 05. [II.] 11 —

s. u. d. T.: Abhandlungen, separate, d. Ver. f. Naturkde an d. Unterweser.

— d. Gesellsch. z. Beförderg d. ges. Naturwiss. zu Marburg. 13. Bd, 6. Abtlg. 8° Marbg, NG Elwert's V. 2.30 (1—5.: 15 —)

Höniler, P : Üb. d. Fortpangsvht. Eigenschaften v. Legiergn umgewandt. Metall üb. Vou H. u. —unter Mitwirkg v. F Richarz, v.W Stafck u. E Haupt. (207—300 m. Fig. 2 Tab. u. 9 Taf.) 04. [5.] 2.70

— d. naturwiss. Ver. f. Schleswig-H. XII. Bd. 2 Hefte. (396 m. Fig., 4 Taf. u. 1 Bildnis.) 8° Kiel, (Lipsius & T.) 01.02.

‖ XIII, 1. (219 m. Fig. u. 8 Taf.) 05. Je 4 — ‖ Reg. zu I—XII v. R Gottschaldt. (32) 04. 1 —

Schriften d. Ver. z. Verbreitg naturwiss. Kenntn. in Wien. 41—45. Bd. A. u. d. T.: Populäre Vorträge a. allen Fächern d. Naturwiss. 41—45. Vortragsreihe. 8° Wien, (W Braumüller). Je nn 8 —
41. Vereinsj. 1900/01. (52, 446 m. Abb. u. 8 Taf.) 01. ‖ 42. Vereinsj. 1901/02. (54, 522 m. Abb., 7 Taf. u. 1 Karte.) 02. ‖ 43. Vereinsj. 1902/03. (55, 432 m. Abb. u. 18 Taf.) 03. ‖ 44. Vereinsj. 1903/04. (56, 438 m. Abb. u. 15 Taf.) 04. ‖ 45. (55, 546 m. Abb. u. 16 Taf.) 05.
Einzelausg. s. u. d. T.: Vorträge d. Ver. z. Verbreitg naturwiss. Kenntnisse.

— d. Ver. f. Gesch. d. Neumark. 9—16. Heft. 8° Landsbg a/W., (F Schaeffer & Co.). 22 — d
9. (29, 128) 1900. 3 — ‖ 10. (87) 1900. 2 — ‖ 11. (184) 01. 3 — ‖ 12. (218 m. 1 Karte.) 01. 3 — ‖ 13. Hrsg. v. P Schwartz. (286 m. 1 Taf.) 02. 3.50 ‖ 14. Berg, G: Beitr. z. Gesch. d. Markgrafen Johann v. Cüstrin. (147) 03. 1.50 ‖ 15. Burchardt, A: Briefe e. Neumärkers, d. freiwill. Jägers B. a. Landsberg an d. Warthe, üb. s. Erlebnisse in d. Freiheitskriegen v. 1813—15. Hrsg. v. E Bardey. (192) 03. 2.50 ‖ 16. Hrsg. v. P Schwartz. (314) 04. 3.50.

— d. Oldenburger Ver. f. Altertumskde u. Landesgesch. XX—XXVII. Tl. 8° Oldnbg, G Stalling's V. nn 22.05 d
Bröring, J: Das Saterland. Land, Leben, Leute in Wort u. Bild. 2. Tl. (149—305) 01. [XXI.] nn 2.25 (1 u. 2.: nn 4.50)
Jahrbuch f. d. Gesch. d. Herzogt. Oldenburg. IX. (176) 1900. ‖ X. (175) 01. ‖ XI. (166) 02. ‖ XII. (150 m. 2 Taf.) 03. ‖ XIII. (218 m. 1 Taf. u. 1 Karte.) 05. [XX, XXII—XXIV u. XXVI.] Je 3 —
Jahresbericht üb. d. Tätigk. d. Oldenburger Ver. f. Altertumskde u. Landesgesch. XII. (84) 04. [XXV.] †2.80 ‖ XIII. (U. d. T.: Bericht.) (57) 05. [XXVII.] 2 —

— hervorrag. Pädagogen f. Seminaristen u. Lehrer. 1—9. Heft. 8° Bresl., F Hirt. 7.25 d
Francke's Instruktion f. d. Präzeptoren, was sie bei d. Disziplin wohl zu beachten, übersichtlich geordnet u. m. Anmerkgn versehen v. J Romeike. 2. [Tit.-]Afl. (40) [1894.] 02. [2.] ‖ 3. Afl. (39) 04. Je — 50
Luther's pädagog. Schriften, ausgew. u. zusammengest. v. A Moldehn. 3. [Tit.-]Afl. (56) [1899.] 02. [1.] — 60 ‖ 4. Afl. (63) 04. — 65
Niemeyer's, AH, Grundsätze d. Erziehg u. d. Unterr., ausgew. u. m. e. Einl. u. m. Anmerkgn versehen v. J Niessen. (63) 05. [8.] — 65
Overberg's, B, Anweisg z. zweckmäss. Schulunterr. Ausgew. u. m. e. Einl. u. m. Anmerkgn versehen v. J Niessen. (116) 05. [9.] 1.20
Prall, A: Der Schulmethodus d. Herzogs Ernst d. Frommen, n. d. Ausg. v. 1672 hrsg. (76) 03. [4.] — 80
Rochow's, E v., pädagog. Schriften, ausgew. u. m. Anmerkgn versehen v. P Schütze. (48) 02. [3.] — 60
Salzmann's, CG, Konrad Kiefer od. Anweisg zu e. vernünft. Erziehg d. Kinder, m. Anmerkgn u. e. Einl. versehen u. hrsg. v. P Schütze. (143) 04. [6.] 1.25
— method. Schrift: Üb. d. Mittel, Kindern Relig. beizubringen". Mit e. Einführg u. m. Anmerkgn versehen v. P Schütze. (78) 05. [7.] — 80
Schriften, pädagog., d. Wolfg. Ratichius u. sr Anhänger. Ausgew. u. hrsg. v. A Prall. (80) 03. [5.] — 80

— d. pädagog. Gesellschaft. Verz. empfehlenswerter Bücher f. Lehrer u. Lehrerinnen z. Vorbereitg f. ihren Beruf u. ihren Unterr., sowie zu ihrer wiss. Weiterbildg. 1. u. 2. Heft. 8° Dresd., Bleyl & K. 1.90
Matthias, T: Zum deut. Unterr. (76) (04.) [2.] 1 —
Meltzer, H: Zum ev. Relig.-Unterr. (40) 03. [1.] — 75 ‖ 2. Afl. Lit.-Verz. z. ev. Relig.-Unterr. (68) 05. — 90

— d. physikalisch-ökonom. Gesellsch. zu Königsberg in Pr. 41—45. Jahrg. 1900—4. 4° Köngsbg, (W Koch). Je 6 —
41. (134 u. 59 m. 2 Abb., 4 Taf. u. 1 Pl.) 1900. ‖ 42. (97 u. 28 m. Abb. u. 3 Taf.) 01. ‖ 43. (151 u. 32 m. 6 Taf.) 02. ‖ 44. (161 u. 28 m. 2 Taf.) 03. ‖ 45. (89 u. 107 m. Abb., 4 Taf. u. 3 Tab.) 04.

— Münch. polit. I u. II. 8° Münch. (Linnprunnstr. 50), F Stein. 3.50
Johannsen, J: Geg. d. Konfessionen! Mahng an d. Gebildeten unter ihren Verfechtern in Gestalt e. Kampfschrift geg. A Ehrhard in Wien u. A Harnack in Berlin. (198) 02. [I.] 3 —
Siegfried: Ein jungliberales Programm, m. bes. Hinblick auf Bayern u. Baden aufgestellt. (34) 02. [II.] — 50

— d. Gesellsch. f. psycholog. Forschg. 13—15. Heft. (III. Sammlg.) 8° Lpzg, JA Barth. 10 — (1—15.: 65.70)
Baerwald, R: Psycholog. Faktoren d. modernen Zeitgeistes. — Möller, P: Die Bedeutg d. Urteils f. d. Auffassg. (110) 05. [15.] 3.60
Lipps, T: Vom Fühlen, Wollen u. Denken. (196) 02. [13.14.] 6.40
Möller, P: Die Bedeutg d. Urteils f. d. Auffassg, s.: Baerwald, R, psychol. Faktoren.

— pädagog., d. Wolfg. Ratichius u. sr Anhänger, ausgew. u. hrsg. v. A Prall, s.: Schriften hervorrag. Pädagogen.

— d. Ver. f. Reformationsgesch. Nr. 68—87. 8° Halle, (R Haupt). Je 1.20; f. d. Jahrg. v. 4 Heften nn 3 — d
Arnold, CF: Die Ausrottg d. Protestantismus in Salzburg unter Erzbischof Firmian u. s. Nachfolgern. 2. Hlfte. (112) 01. [69.] (Vollst.: 2.40)
Beck, H: Kasper Klee v. Gerolzhofen. Das Lebensbild e. elsäss. ev. Pfarrers um d. Wende d. 16. z. 17. Jahrh. (56) 01. [71.]
Benrath, K: Luther im Kloster, s.: Zur Abwehr röm. Gesch.-Behandlg.
Brandenburg, E, u. G Eberlein: Vortr., geh. auf d. VI. Generalversammlg d. Ver. f. Reformationsgesch. am 11.IV.'01 in Breslau. (Martin Luther's Anschaug v. Staate u. d. Gesellschaft v. B. u. Die schles. Grenzkirchen im 17. Jahrh. v. E.) (71 m. 1 Karte.) 01. [70.]
Diehl, W: M Butzer's Bedeutg f. d. kirchl. Leben in Hessen, s.: Egelhaaf, G, Landgraf Philipp v. Hessen.
Eberlein, G: Die schles. Grenzkirchen im 17. Jahrh., s.: Brandenburg, E, Vortr.
Egelhaaf, G: Gustav Adolf in Deutschl. 1630—32. (145) 01. [68.]
— Landgraf Philipp v. Hessen. — Diehl, W: M Butzer's Bedeutg f. d. kirchl. Leben in Hessen. Vortr. (63) 04. [83.]
Herold, R: Gesch. d. Reformation in d. Grafsch. Oettingen 1522—69. (72) 02. [75.]
Kalkoff, P: Die Anfänge d. Gegenreformation in d. Niederl. 2 Tle. (112 u. 119) 03.04. [79.81.]
Kawerau, G: Die Versuche, Melanchthon z. kathol. Kirche zurückzuführen. (86) 02. [73.]
Korte, A: Die Konzilspolitik Karl V. in d. J. 1538—43. (87) 05. [85.]
Mulot, R: John Knox 1505—72. (83) 04. [84.]
Rosenberg, W: Der Kaiser u. d. Protestanten in d. J. 1537—39. (91) 03. [77.]
Schäfer, E: Sevilla u. Valladolid, d. ev. Gemeinden Spaniens im Reformationszeitalter. (137) 03. [78.]
Schnell, H: Heinrich V, d. Friedfertige, Herzog v. Mecklenburg 1503—52. (72 m. 1 Taf.) 02. [72.]
Schnöring, W: Joh. Blankenfeld. Lebensbild a. d. Anfängen d. Reformation. Unter Benutzg d. Vorarbeiten von v. Jacobi. (115) 05. [86.]
Schreiber, H: Die Reformation Lübecks. (106) 02. [74.]
Schulthess-Rechberg, G v.: Heinr. Bullinger, d. Nachfolger Zwinglis. (104) 04. [82.]
Steinmüller, P: Einführg d. Reformation in d. Kurmark Brandenburg durch Joachim II. (128) 03. [76.]
Zahn, W: Die Altmark im 30jähr. Kriege. (63) 04. [80.]
Zur Abwehr röm. Gesch.-Behandlg. 1. Heft: Benrath, K: Luther im Kloster 1505—25. (96) 05. [87.]

Schriften d. Ver. f. Reformationsgesch. XVII. Jahrg. 8° Halle, (R Haupt). 6 —; geb. 8 — d
Zucker, M: Albrecht Dürer. 5—7. Taus. (184 m. Abb. u. 15 Taf.) 05. 6 —; geb. 8 —

— d. Rennsteigver. Nr. 3. 8° Altnbg, A Tittel. 1.75 (1—3.: 3.05) d
Schneider, C: Meine Wanderg auf d. Rennstieg d. Thüringer Waldes im Sommer 1899. Nach e. Vortr. (100 m. 13 Taf.) (05.) [3.] 1.75

— d. Ver. deut. Revisions-Ingenieure. Nr. 3a u. 4—9. 8° Berl., Polyt. Bh. A Seydel. nn 7.70 (1—9 u. 3a.: nn 9.45) 1 u. 2 vergr.
Bauer, E: Die Unfallgefahren u. ihre Beseitigg bei Meng-, Knet- u. Mischmaschinen in d. Nahrgsmittel-Industrie. (31 m. Abb.) 04. [9.] 1.50
Heidepriem, C, P Hosemann, K Specht u. C Zimmermann: Die Unfallverhütg im Dampfkesselbetriebe. (130 m. Abb. u. 4 [2 farb.] Taf.) 02. [4.] 5 —; geb. 6 —
Hosemann, P: Mangelhafte Einrichtgn in maschinellen Anlagen f. elektr. Licht- u. Krafterzeugg. [S.-A.] (8 m. Abb.) 03. [6.] — 20
— Erfolge auf d. Geb.: Schutz geg. Fingerverletzgn bei Arbeiten an Fallhämmern u. Pressen aller Art. [S.-A.] (14 m. Abb.) 03. [8.] nn — 35
— Schutzvorrichtgn an Scheeren. [S.-A.] (8 m. Abb.) 02. [5.] — 20
— u. K Specht: Neue Schutzvorrichtgn geg. Fingerverletzgn bei Arbeiten an Fallhämmern u. Pressen aller Art. (6 m. Abb.) 1900. [3a.] — 15
Sickel, A: Schutzvorrichtgn geg. d. Herausfliegen d. Webschützen. [S.-A.] (12 m. Abb.) 03. [7.] nn — 30

— d. Ver. v. Roten Kreuz. Hrsg. v. G Pannwitz. 1—3. Heft. 8° Berl., C Heymann. 2.10 d
Hecker, H: Verleih-Anst. v. Gegenständen z. Krankenpflege. (35) 04. [3.] — 50
Meyer, J: Gesch. d. Genfer Konvention. (64) 01. [1.] 1 —
Wiegand, W: Die internat. Konferenzen v. Rothen Kreuz. Ein kurzer geschichtl. Rückblick. (36) 02. [2.] — 60

— d. Ver. f. sachsen-meining. Gesch. u. Landeskde. 37—51. Heft. 8° Hildburgh., FW Gadow & S. nn 36 — d
37. (83—180 m. Kart.) 01. nn 1.50 ‖ 38. (96) 01. nn 1.80 ‖ 39. (76) 01. nn 1.70 ‖ 40. (133 m. 2 Taf.) 02. nn 3 — ‖ 41. (164) 02. nn 3 — ‖ 42. (88) 02. nn 1.50 ‖ 43. (321—493) 03. nn 3 — ‖ 44. (495—526) 03. — 80 ‖ 45. (56) 03. 1.70 ‖ 46. (61—179) 03. 3 — ‖ 47. (181—318 m. 4 Taf.) 04. 4 — ‖ 48. (125) 04. 3 — ‖ 49. (107) 04. 1.50 ‖ 50. (319—448 m. 5 Taf.) 04. 3 — ‖ 51. (449—595 m. 4 Taf.) 05. nn 3.50.

— d. Allg. deut. Schulver. z. Erhaltg d. Deutschtums im Ausl. 4. u. 5. Heft. 8° Berl., G Reimer. Je — 50
Kapff, E: Die deut. Schulen im Ausl. (34) 02. [4.]
Spies, H: Aus d. Tätigk. d. Allg. deut. Schulvereins z. Erhaltg d. Deutschtums im Ausl. in Brasilien. Erfolge — Hoffngn — Wünsche. (38) 02. [5.]

— d. deut. Shakespeare-Gesellsch. 1. u. 2. Bd. 8° Berl., G Reimer. 11.50; Einbde je 1 —
Anders, HRD: Shakespeare's books. A dissertation on Shakespeare's reading and the immediate sources of his works. (Shakespeares Belesenheit.) (20, 316) 04. [1.] 7 —
Gaehde, C: David Garrick als Shakespeare-Darsteller u. s. Bedeutg f. d. heut. Schauspielkunst. (198 m. 1 Tab.) 04. [2.] 4.50

— d. Gesellsch. f. soziale Reform. 1—19. Heft. [I. Reihe, 12 Hefte u. II. Reihe, 1—7. Heft.] 8° Jena, G Fischer. 10.75 d
Agahd, K: Ges. betr. Kinderarbeit in gewerbl. Betrieben. Vom 30 III. '03. Ausführl. Erläutergn z. Ges. u. Vorschläge z. sr Durchführg. (143) 03. [10.] — 90 ‖ 2. Afl. Nebst d. bisher ergang. Bekanntmachgn d. Bundesrats u. d. preuss. Ausführgsbestimmgn. Neu bearb. v. K Agahd u. M v. Schulz. (168) 04. 1 — ‖ 3. Afl. (408) 05. 3 —; geb. 3.60
Aufsätze üb. d. Streik d. Bergarbeiter im Ruhrgebiet. (128) 05. [17.] — 80
Bassermann u. Giesberts: Die Arbeiterberufsver. Referate. Anh.: Verzeichnis d. Mitglieder v. Vorstand u. Ausschuss d. Gesellsch. f. soz. Reform. (32) 01. [2.] — 20
Berlepsch, Frhr v.: Warum betreiben wir d. soz. Reform? Nebst e. Bericht üb. d. Tätigk. d. Gesellsch. f. soz. Reform im J. 1903. (48) 03. [11.] — 30
Generalversammlung, d. II., d. Gesellsch. f. soz. Reform, Mainz '04. Referate u. Verhandlgn üb. Arbeitskammern u. Konsumvereine. (159) 04. [16.] 1 —
Gutachten, 8, üb. d. Sonntagsruhe im Handelsgewerbe, erstattet v. kaufmänn. Gehilfenvereinen. (86) 05. [18.] — 50
Harms, B: Die holländ. Arbeitskammern. — Jay, R: Die Arbeitsräte in Frankr. (86) 03. [12.] — 60
Jay, R: Die Arbeitsräte in Frankr., s.: Harms, B, d. holländ. Arbeitskammern.
Oldenberg, K: Arbeiterschutz in Gast- u. Schankwirtschaften. Referat. Nebst e. Korreferat v. G Staske. (74) 02. [3.4.] — 50
Pachnicke u. Frhr v. Berlepsch: Die Errichtg e. Reichsarbeitsamtes. Referate. Anh.: Satzgn d. Gesellsch. f. soz. Reform u. Verzeichnis d. Mitglieder v. Vorstand u. Ausschuss. (22) 01. [1.] — 20
Pieper, A, u. H Simon: Die Herabsetzg d. Arbeitszeit f. Frauen u. d. Erhöhg d. Schutzalters f. jugendl. Arbeiter in Fabriken. Referate. Nebst e. Bericht üb. d. Generalversammlg d. Gesellschaft f. soz. Reform in Köln. 1. u. 2. Abdr. (104) 02.03. [7.8.] 1 —
Pinardi u. Schiavi: Die italien. Arbeitskammern. Nebst e. Anh. üb. d. Arbeitskammern in d. Schweiz u. d. Arbeitsräte in Frankreich. (63) 04. [14.] — 40
Potthoff, H: Die Vertretg d. Angestellten in Arbeitskammern. (47) 05. [19.] — 30
Riehn, R, u. J Giesberts: Arbeiterkonsumvereine. Referate. (58) 03. [9.] — 40
Schulz, M v., u. F Behrens: Die Rechtsverhältn. im Gärtnergewerbe. Referate. (39) 02. [6.] — 25
Tönnies, F: Vereins- u. Versammlgsrecht wid. d. Koalitions-Freiheit. Referat. (59) 02. [5.] — 40
Varlez, L: Die Organisation d. Industrie- u. Arbeitsräte in Belgien. (72) 04. [13.] — 50

Wagner, A, u. Preuss: Kommunale Steuerfragen. Referate. (63) 04. [15.] — 40

Schriften d. Dresdner Gesellsch. f. soz. Reform. Hrsg. v. Vorstand. 1. Heft. 8° Dresd., OV Böhmert. — 50 d

Untersuchungen üb. d. Heimarbeit d. Frauen in Dresden. (Von P Scheven u. R Wuttke.) (41) 02. [1.] — 50

— d. Ver. f. Sozialpolitik. Bd 8, 91—102, 103 I u. II, 104 I u. II, 105—114 u. 120 I u. II. 8° Lpzg, Duncker & H. 218 — d

Beiträge z. neuesten Handelspolitik Deutschlds. 2. u. 3. Bd. (222 u. 218) 01. [91.92.] Je 4.80 (1—3.: 17.20)

— z. neuesten Handelspolitik Österr. (314) 01. [93.] 6.80

Fitger, E: Die wirtschaftl. u. techn. Entwicklg d. Seeschiffahrt v. d. Mitte d. 19. Jahrh. bis auf d. Gegenwart. Mit e. Vorbemerkg v. E Francke. (141) 02. [103 I.] 3 —

Gothein, E: Geschichtl. Entwicklg d. Rheinschiffahrt im XIX. Jahrh., s.: Schiffahrt, d., d. deut. Ströme.

Günther, A, u. R Prévôt: Die Wohlfahrtseinrichtgn d. Arbeitgeber in Deutschl. u. Frankr. (275) 05. [114.] 6 —

Hypothekenbanken. Immobiliarverhältnisse, Baugewerbe. Mit Beitr. v. F Hecht, E Kritzler, J Feig u. a. (20, 420) 03. [111.] 9.60

Lage, d., d. in d. Seeschiffahrt beschäft. Arbeiter. 1. Bd. II. Abtlg. (399) 03. [103,II.] 8.80 ‖ 2. Bd. I. Abtlg. (614) 03. [104,I.] 14 — ‖ 2. Abtlg. Die Lage d. in d. Seeschiffahrt beschäft. Arbeiter in Österr. (247 u. 182) 04. [104,II.] 9 — (I u. II.: 34.80)

Neumann, FJ: Die progressive Einkommensteuer im Staats- u. Gemeinde-Haushalt. Gutachten üb. Personalbesteuerg. (Anastat. Neudr. d. Ausg. v. 1874.) (238) (04.) [8.] 4.80

Schiffahrt, d., d. deut. Ströme. Untersuchgn üb. deren Abgabenwesen, Reguliergskosten u. Verkehrsverhältn. 1. Bd. Mit Beitr. v. G Bindewald, OG Giersberg, G Seibt. (342) 03. [100.] 8.20 ‖ 2. Bd. Gothein, E: Geschichtl. Entwicklg d. Rheinschiffahrt im XIX. Jahrh. (306) 03. [101.] 7 — ‖ 3. Bd. Mit Beitr. v. W Nasse, F Schulte u. A Wirminghaus. (553) 05. [102.] 12.20

Störungen, d., im deut. Wirtschaftsleben währ. d. J. 1900 ff. 1. Bd. Textilindustrie. Mit Beitr. v. H Potthoff, H Sybel, K Kuntze. (321) 03. [105.] 7.60 ‖ 2. Bd. Montan- u. Eisenindustrie. Mit Beitr. v. O Bosselmann, T Vogelstein, F Kuh. (228) 03. [106.] 5 — ‖ 3. Bd. Steller, P: Maschinenindustrie. — Loewe, J: Elektrotechn. Industrie. — Schachner, R: Schiffsbaugewerbe. — Demuth, F: Papierindustrie. (283) 03. [107.] 6.40 ‖ 4. Bd. Verkehrsgewerbe. Mit Beitr. v. R Schachner, Erler, Stubmann. (245) 03. [108.] 5.40 ‖ 5. Bd. Die Krisis auf d. Arbeitsmarkte. Mit Beitr. v. J Jastrow, A Heinecke, R Calwer u. A. (281 u. 102) 03. [109.] 8.80 ‖ 6. Bd. Geldmarkt. Kreditbanken. Mit Beitr. v. F Hecht, K Helfferich, E Loeb u. a. (560) 03. [110.] 12.60

— dass. in ihren Rückwirkgn auf d. industriellen, Effekten- u. Geldmarktsverhältn. Österreichs. (261) 03. [112.] 6 —

Untersuchungen üb. d. Lage d. Angestellten u. Arbeiter in d. Verkehrsgewerben. (16, 563 m. 1 Taf.) 02. [99.] 12.60

— neue, üb. d. Wohngsfrage in Deutschl. u. im Ausl. 1. Bd. Deutschl. u. Österr. 1. Bd. 1. Abtlg. (384) 01. [94.] 9.60 ‖ 2. Abtlg. (364) 01. [95.] 8 — ‖ 2. Bd. (302) 01. [96.] 6.40 ‖ 3. Bd. Schweiz. Engl. Frankr. Belgien. Verein. Staaten. Russl. Norwegen. Schweden. Dänemark. (327 m. 2 Pl.) 01. [97.] 7.20

Verfassung u. Verwaltungsorganisation d. Städte. 4. Bd. I. Heft. Kgr. Sachsen. Mit Beitr. v. G Hüpe, R Heinze, L Ludwig-Wolf, J Hübschmann. (185) 05. [120 I.] 4 — ‖ II. Heft. Springer, E: Kgr. Württemberg. (113) 05. [120 II.] 2.60

Verhandlungen d. Ver. f. Socialpolitik üb. d. Lage d. in d. Seeschiffahrt beschäft. Arbeiter u. üb. d. Störgn im deut. Wirtschaftsleben währ. d. J. 1900 ff. Mit Referaten v. E Francke, Polis, W Sombart, F Hecht, J Jastrow. (318) 04. [113.] 6.80

— dass. üb. d. Wohngsfrage u. d. Handelspolitik. Mit Referaten v. CJ Fuchs, E v. Philippovich, M Brandts, W Lotz, H Schumacher, L Pohle u. e. Anh.: Lindemann, H: Die Wohngsstatistik v. Wien u. Budapest. — Zižek, F: Die Wohngsfrage in Frankreich. — Wuttke, R: Der deutsch-österr.-ungar. Handelsvertrag v. 6.XII.1891. (476) 02. [98.] 10 —

Bd 115—119 sind noch nicht erschienen.

— d. sozialwiss. Ver. in Berlin. Hrsg. v. O Stillich. 1—3. Heft. 8° Frankf. a/M., Dr. E Schnapper. 3.50 d

Bergknecht, J: Ferienkolonien. (84) 02. [2.] 1.50

Brelje, J v. d.: Die Reform d. höh. Mädchensch. (42) 01. [1.] 1 —

Fürth, H: Die Fabrikarbeit verheirateter Frauen. (66) 02. [3.] 1 —

— d. stenograph. Gesellsch. (Einiggs-System Stolze-Schrey) zu Köln (Rhein). Nr. 1 u. 2. 8° Berl., Bh. d. Stenogr.-Verbandes Stolze-Schrey. — 60

Johnen, C: Die Stenogr. im alten Köln. (20) 04. [2.] — 30

Mager, T: Die Zweiteilg d. Stolze-Schreyschen Debattenschrift. (16) 04. [1.] — 30

— d., d. Neuen Test., neu übers. u. f. d. Gegenwart erklärt v. O Baumgarten, W Bousset, H Gunkel, W Heitmüller, G Hollmann, A Jülicher, R Knopf, F Koehler, W Lueken, J Weiss. Hrsg. v. J Weiss. (In 10 Lfgn.) 1—7. Taus. 1—6. Lfg. (I. Bd. 1—436; II. Bd. 1. Abschn. 190, 2. Abschn. 1—112 u. 3. Abschn. 1—60) 8° Gött., Vandenhoeck & R. 05. 1. Subskr. je 1 —; 2. Subskr. je 1.20; 3. Subskr. m. Reg. f. vollst.: 14 — d

— d. „Ver. d. deut. Textilveredlgsindustrie". (Neue Folge d. Schriften d. „Ver. z. Wahrg d. Interessen d. Färberei- u. Druckerei-Industrie v. Rheinl. u. Westf.") 1. Heft. 8° Berl., F Siemenroth. 1 — d

Tschierschky, S: Die zollpolit. Interessen d. deut. Textilveredlgsindustrie. (51) 02. [1.] 1 —

— d. Gesellsch. f. Theatergesch. 1—6. Bd. 8° Berl., Gesellsch. f. Theatergesch. (durch O Elsner). L. Nur f. Mitglieder, Jahresbeitrag nnn 12 — d

Fortsetzungen, Nachahmungen u. Travestien, d., v. Lessings „Nathan d. Weise". Hrsg. v. H Stümcke. (56, 246 m. 2 Taf.) 04. [4.]

Iffland's, AW, Briefe an s. Schwester Louise u. and. Verwandte 1772—1814. Hrsg. v. L Geiger. (47, 346 m. Bildnis u. Fksm.) 04. [5.]

— Briefe meist an s. Schwester, nebst and. Aktenstücken u. e. ungedr. Drama. Mit Anmerkgn hrsg. v. L Geiger. (286 m. Bildnis.) 05. [6.]

Schmid's, CH, Chronol. d. deut. Theaters. [1775.] Neu hrsg. v. P Legband. (29, 339 u. 16 m. Bildnis.) 02. [1.]

Schreyvogel's, J, Tagebücher 1810—23. Mit Einl. u. Anmerkgn hrsg. durch K Glossy. 2 Thle. (80, 293 u. 559) 03. [2.3.] Einzelpr. † 16 —

— üb. Verkehrswesen. Hrsg. v. Club österr. Eisenb.-Beamten. I. Reihe, 1—7. Heft u. II. Reihe, 1. Heft. 8° Wien, A Hölder. 12.30

Bosshardt, VG: Grundz. f. d. ökonom. Anordng d. Verkehrsdienstes. (71 m. 3 Taf.) 03. [I,4.] 1.20

Freund, L: Kommentar z. neuen Signalordng u. zu d. neuen Grundz. d. Vorschriften f. d. Verkehrsdienst. [S.-A.] (80) 04. [I,7.] 1.50

Hilscher, F: Das österr.-ungar. u. internat. Eisenb.-Transportrecht. (21, 316) 02. [II,1.] 4.40

Koestler, H: Die Sicherga-Anlagen d. Wiener Stadtbahn. (56 m. Fig. u. 1 Taf.) 03. [I,2.] 1 —

Leéder, O, u. H Rosenberg: Die Umgestaltg d. Eisenb.-Gütertarife Österr. (51 m. 1 Karte.) 03. [I,3.] 1 —

Pascher, K: Das Lokalbahnwesen in Östrrr. [S.-A.] (37 m. 5 Beil.) 04. [I,5.] 1 —

Rank, E: Die Eisenb.-Tariftechnik. (139) 02. [I,1.] 1.40

Zanantoni, E: Die Eisenb. im Dienste d. Krieges u. moderne Gesichtspunkte f. deren Ausnützg. [S.-A.] (33) 04. [I,6.] — 80

Schriften f. d. deut. Volk, hrsg. v. Ver. f. Reformationsgesch. 36—41. Heft. 8° Halle, (R Haupt). Je — 15 d

Friedensburg, W: Die ersten Jesuiten in Deutschl. (74) 05. [41.]

Henschel, A: Dr. Johs Hess, d. Breslauer Reformator. (26) 01. [37.]

Nottrott, L: Versuch e. röm. „Reformation" vor d. Reformation. (56) 01. [38.]

Rocholl, H: Anna Alexandria, Herrin zu Rappoltstein, e. ev. Edelfrau a. d. Zeit d. Reformation im Elsass. (48) 1900. [36.]

Schall, J: Durchs Feuer d. Trübsal bewährt! Eine Leidensgesch. a. d. ev. Kirche Frankreichs. (63) 02. [39.]

Schubert, H v.: Feiern wir Gustav Adolf m. Recht als ev. Glaubenshelden? (26) 04. [40.]

— d. schweiz. Gesellsch. f. Volkskde. — Publications de la soc. suisse de traditions populaires. 1—3. 8° Zürich (Börse), Schweiz. Gesellsch. f. Volkskde. 12.80

Stückelberg, EA: Gesch. d. Reliquien in d. Schweiz. (116, 324 m. Abb.) 02. [1.] 8 —

Tobler, A: Das Volkslied im Appenzellerlande. (147) 03. [3.] 2.80; geb. 3.60

Züricher, G: Kinderlied u. Kinderspiel im Kt. Bern. (168) 02. [2.] 2 —; geb. 2.80

— d. sächs. Volksschriften-Verlags. 9. Jahrg. 4 Hefte. (14, 34, 20 u. 265) 8° Lpzg, Sächs. Volksschriften-Verl. 01. 1.50 d

— kl., d. Zentralausschusses z. Förderg d. Volks- u. Jugendspiele in Deutschl. 1—3. Heft. 8° Lpzg, BG Teubner. Kart. 3.80 d

Hermann, A: Hdb. d. Beweggsspiele f. Mädchen. 1. u. 2. Afl. (173 bezw. 181 m. Abb.) 01.05. [3.] 1.80

— Ratgeber z. Einübg d. Volks- u. Jugendspiele. 4. Afl. (77 m. Abb.) 02. [1.] — 60 ‖ 5. Afl. (91 m. Abb.) 05. Kart. — 80

Schmidt, FA: Anl. zu Wettkämpfen, Spielen u. turner. Vorführgn bei Jugend- u. Volksfesten. 3. Afl. (128 m. Abb.) 05. [2.] 1.20

Schriften-Atlas. Nachschlageb. f. Buchdrucker u. Schriftzeichner. (119) 8° Lpzg, J Mäser (05). L. 3 —

— neuer. Sammlg d. gangbarsten u. beliebtesten Schriften. 20 Doppeltaf. 4° Berl., W Schultz-Engelhard Nf. (01). In M. 6 —

Schriftsteller, engl., a. d. Geb. d. Philosophie, Kulturgesch. u. Naturwiss. 1—3 u. 5. 8° Hdlbg, C Winter, V. Geb. je 1.60

Hume, D: Essays and treatises on several subjects. Ausw. m. Anmerkgn v. G Budde. (117) 04. [3.]

Locke, J: An essay concerning human understanding. Ausw. m. Anmerkgn v. J Ruska. (135) 04. [1.]

Shaftesbury, the right honourable Earl of: An inquiry concerning virtue or merit. Mit Einl. u. Anmerkgn v. J Ruska. (117) 04. [2.]

Spencer, H: First principles of synthetic philosophy. Ausw. m. Anmerkgn v. J Ruska. (139) 05. [5.]

4 ist noch nicht erschienen.

— engl. u. französ., d. neueren Zeit. Für Schule u. Haus hrsg. v. J Klapperich. Ausg. A. Einl. u. Anmerkgn in deut., Ausg. B in engl. od. französ. Sprache. 1—34., 36. u. 38—40. Bd. 8° Glog., C Flemming. Geb. 54.30

Ballantyne, RM: The coral island. A tale of the Pacific ocean. Bearb. u. erläut. v. J Klapperich. (184) 01. [4.] 1.50; Wrtrb. v. M Heckhoff. (98) 02. nn — 65

Barrau, TH: L'hist. de la révolution franç. de 1789, ses causes et sa suite. Bearb. v. O Glöde. (Ausg. A.) (103) (05.) [38.] 1.50; Wrtrb. (14) — 30

Biographies histor. v. Dhombres, Monod, Duruy, Cons, Roche, Wirth, Ferry, Bourdon. Hrsg. v. FJ Wershoven. (Ausg. A.) (96) 02. [8.] 1.20; Wrtrb. (131) nn — 65

Cérésole, A: Scènes militaires. Ausgew. u. erklärt v. K Sachs. (Ausg. A.) (67) 03. [23.] ‖ Ausg. B. (68) 04. Je 1.20; Wrtrb. (7) — 25

Chambers's hist. of the Victorian era. The reign of queen Victoria. Ausgew. u. erklärt v. J Klapperich. Ausg. A u. B. (Je 128 m. 1 Karte.) 01. [5.] Je 1.60; Wrtrb. v. L Hasberg. (28) nn — 65

Conteurs de nos jours par A Daudet, J Normand, A Theuriet, A Coppée, G de Maupassant, AJ Lichtenberger, P Arène. I. Reihe. Mit Anmerkgn v. A Mühlan. (Ausg. A.) (89) 04. [30.] 1.40; Wrtrb. (16) 04. — 40

Daudet, A: Contes choisis. Bearb. v. K Sachs. (71) 01. [2.] 1.20; Wrtrb. (16) 02. — 40

Defourny, M: La bataille de Beaumont. Bearb. v. H Bretschneider. (Ausg. A.) (60 m. 1 Kärtchen.) 02. [17.] 1.20; Wrtrb. v. F Augustiny. (16) (05.) — 40

Dickens, C: David Copperfield's boyhood. Ausgew. u. erklärt v. J Klapperich. (Ausg. A.) (103) 04. [29.] 1.50; Wrtrb. v. O Voigt. (40) (04.) — 50

Gassiot, H (Mrs A Barton): Stories from Waverley, from the original of Sir W Scott. Erläut. v. J Klapperich. (Ausg. A.) (103) 02. [7.] 1.50; Wrtrb. v. M Heckhoff. (23) — 40

Hasberg, L: Hist. de France depuis les origines jusqu'à nos jours. Extraits des meilleurs historiens franç. (Ausg. A.) (135 m. Abb., Kart. u. Pl.) (05.) [34.] 1.60

Hope, AR, Sister Mary; or, a year of my boyhood. Erläut. v. J Klapperich. (95) 01. [3.] 1.20; Wrtrb. v. H Müller. (32) 02. — 65

— Swowed up! An adventure on Exmoor. Bearb. v. J Klapperich. Ausg. A. (67) 02. [14.] 1.20; Wrtrb. v. M Heckhoff. (24) 03. — 40

Irving, W: Life and customs in Old Engld. From the sketch book. Bearb. v. J Klapperich. (Ausg. A.) (88) 02. [16.] ‖ Ausg. B. (92 m. Abb.) 02. Je 1.40; Wrtrb. v. O Voigt. (20) 03. — 40

Kingston, WBG, TB Reed, E Pears, WW Jacobs: Tales of the sea. Ausgew. u. erklärt v. J Klapperich. (Ausg. A.) (82 m. Abb.) 03. [24.] 1.50; Wrtrb. v. F Meyer. (30) (05.) — 50

Kirkman, FB: The growth of Greather Britain. A sketch of the hist. of the Brit. colonies and dependencies. Ausgew. u. erläut. v. J Klappe-

rich. (Ausg. A.) (138 m. 1 Karte.) 01. [6.] 1.00; Wrtrb. v. L Hasberg.
　　　　　　　　　　　　　　　　　　　　　(44) nn — 65
Klapperich, J: Round about Engl., Scotl. and Ireland. (Ausg. A.) (134 m.
　　Abb. u. 11 Kart.) 04. [81.]　　　　　　　　　　　　　1.60
— Heroes of Britain. Hist. biographies of Drake, Cook, Newton, Nelson,
　　Marlborough, Wellington, Wolfe, Stephenson, Clive, Faraday, Hastings,
　　Livingstone, Gordon. (Ausg. A.) (100 m. Abb. u. Kart.) (05.) [99.]　1.40
— London old and new. Hist. — monuments — trade — government.
　　(Ausg. A.) (115 m. Abb. u. 1 Pl.) 02. [13.] **|** Ausg. B. (119 m. Abb. u. 1 Pl.)
　　04.　　　　　　　　　　　　　　　Je 1.60; Wrtrb. (31) 03. — 75
— Parliament and orators of Britain. With speeches from Lord Chat-
　　ham, E Burke, W Pitt, RB Sheridan, CJ Fox, Lord Macaulay, J Bright,
　　Chamberlain. (Ausg. B.) (122 m. Abb.) (05.) [23.]　　　　　　1.40
— Stories for the young by various authors. (29) 01. [1.] 1.20; Wrtrb.
　　　　　　　　　　　　　　　　　　　　(31) 02. nn — 65
Lebrun, A: 15 jours à Paris. Hrsg. v. P Rossmann. (Ausg. A.) (45 m.
　　Abb. u. 1 Pl.) 03. [12.]　　　　　1.50; Wrtrb. (34) — 40
Lotsch, F: 10 petits contes pour les jeunes filles. Erläut. v. F Lotsch.
　　(Ausg. A.) (96) 02. [19.]　　　　　　1.40; Wrtrb. (30) — 65
Macaulay, TB: Hist. scenes and sketches from the hist. of Engl. Ausgew.
　　u. erklärt v. J Klapperich. (Ausg. A.) (117 m. 2 Kärtchen.) 03. [26.] 1.60
Marbot, Baron de: Gloires et souvenirs d'un officier du 1er empire. Ex-
　　trait des mémoires. Hrsg. v. K Boeth. (Ausg. A.) (70) (05.) [35.]　1.20;
　　　　　　　　　　　　　　　　　　　　Wrtrb. (34) — 40
Molière: Les femmes savantes. Comédie. Avec une introduction et des
　　notes par F Lotsch. (Ausg. B.) (15, 99) 02. [21.]　　　　　1.20
— Le malade imaginaire. Comédie-ballet. Mit e. Einl. u. Anmerkgn. v. F
　　Lotsch. Ausg. A. (16, 84) 02. [13.] **|** Ausg. B. (18, 84)　　Je 1.50
Perdl and heroism. Being stories told by GA Henty, GM Fenn, J Pasey,
　　JS Winter, B Harte. Ausgew. u. erklärt v. J Klapperich. (Ausg. A.) (90?)
　　05. [22.]　　　　　　1.40; Wrtrb. v. O Voigt. (32) — 65
Romanciers du XIXe siècle. Extraits de P Mérimée, A Dumas, père, P
　　Loti, E Zola. Ausgew. u. erklärt v. L Hasberg. (Ausg. A.) (58 m. 1
　　Karte.) 03. [25.]　　　　　　1.50; Wrtrb. (42) — 50
Sachs, K: Scènes et esquisses de la vie de Paris. I. Ausg. A. (25?) 02. [10.]
　　| Ausg. B. (76)　　Je 1.20; Wrtrb. v. A Zietsch. (31) (04.) — 50
Scott, Sir W: Selections from the poetical works. With introduction and
　　explanatory notes ed. by AR Hope. (Ausg. B.) (90) 04. [36.]　1.50
Shakespeare, W: Macbeth. A tragedy. Ed. by K Deutschbein. Ausg. B.
　　(16, 137) 02. [12.]　　　　　　　　　　　　　　2 —
Voigt, O: Historiens du XIXe siècle. Morceaux choisis de J Michelet, A
　　Thiers, P Lanfrey, H Taine, F Guizot, A Rambaud. (Ausg. A.) (103)
　　(05.) [32.]　　　　　　　　　　　　　　　　1.50
Voltaire: Les guerres de Louis XIV pour le rétablissement des Stuarts
　　et la succession d'Espagne. Bearb. u. erläutert v. O Gilde. (Ausg. A.)
　　(84) 04. [27.]　　　　　1.90; Wrtrb. (34) 04. — 40
Werehoven, FJ: Femmes célèbres de France. Ausg. A. (94) 02. [11.] 1.90;
　　　　　　　　　　　　　　　　　　Wrtrb. (33) — 65
— Hist. de Napoléon Ier. (Ausg. A.) (114 m. 4 Kart.) (05.) [40.]　1.70
— Paris. Hist. — monuments — administration. (Ausg. A.) (134 m. Abb.,
　　1 Karte u. 1 Pl.) 02. [9.] **|** Ausg. B. (129)　　　　Je 1.80
Writers, popular, of our time. Being selections from M Twain, LT Meade,
　　AC Doyle, J Payn, GW Steevens. 1. series. Ausgew. u. erklärt v. J
　　Klapperich. (Ausg. A.) (55.) 03. [20.] 1.40; Wrtrb. v. O Voigt. (31) 04.
　　　　　　　　　　　　　　　　　　　　　　— 65
Schriftsteller, d. griech. christl., d. ersten 3 Jahrh. Hrsg. v.
　　d. Kirchenväter-Commission d. kgl. preuss. Akad. d. Wiss.
　　Bd 6—8, 9, I. Hlfte u. 10—13. 8° Lpzg, JC Hinrichs' V. 121.50
　　　　　　　(1—9, I u. 10—13.: 183 —)
Clemens Alexandrinus. 1. Bd. Protrepticus u. Paedagogus. Hrsg. v. O
　　Stählin. (88, 352) 06. [12.]　　　　　　13.50; HF. nn 16 —
Eusebius' Werke. 1. Bd. Üb. d. Leben Constantins. — Constantins Rede
　　an d. hl. Versammlg. — Tricennatsrede an Constantin. Hrsg. v. IA
　　Heikel. (108, 358) 02. [7.] 14.50; HF. nn 17 — **|** 2. Bd. Die Kirchengesch.
　　Bearb. v. E Schwartz. Die latein. Übersetzg. d. Rufinus. Bearb. v. T
　　Mommsen. I. Hlfte. (0077) 03. [91.] 16 — ; Kart. 16.50 **|** 3. Bd. I. Hlfte. Das
　　Onomastikon d. bibl. Ortsnamen. Hrsg. v. E Klostermann. (36, 207 m. 1
　　Karte.) 04. [11.] 8 — **|** II. Hlfte. Die Theophanie, d. griech. Bruch-
　　stücke u. Übersetzg d. syr. Überlieferg. Hrsg. v. H Gressmann. (30,
　　272) 04. [11.] I. 04.　　　　9.50; In 1 BF.-Bd. nn 70 —
Oracula Sibyllina, die. Bearb. v. J Geffcken. (56, 240) 02. [8.]　9.50;
　　　　　　　　　　　　　　　　　　　HF. nn 12 —
Origenes' Werke. 3. Bd. Jeremiahomilien. Klageliederkommentar. Erklärg
　　d. Samuel- u. Königsbücher. Hrsg. v. E Klostermann. (52, 351) 01. [6.]
　　12.50; HF. nn 15 — **|** 4. Bd. Der Johanneskommentar. Hrsg. v. E Preu-
　　schen. (108, 666) 03. 24.50; HF. nn 37 — (1—4.: 55 — ; geb. nn 75 —)
Schriften, koptisch-gnost. 1. Bd. Die Pistis Sophia. — Die beiden Bücher
　　d. Jeû. — Unbekanntes altgnost. Werk. Hrsg. v. C Schmidt. (30, 410
　　m. Fig.) 05. [12.]　　　　　　　　13.50; HF. nn 16 —
Schriftstellerbibliothek. Nr. 2 u. 3. 8° Berl., Federverlag.
　　　　　　　2 — ; geb. 2.80 (1—3.: 5 — ; geb. 4.20)
2. Absatzquellen f. Schriftsteller. Hrsg. v. d. Red. d. Feder. 1—2. Taus.
　　(144 u. 4.) (04.)　　　　　1 — ; geb. 1.40 d
3. Verlegerlisten f. Schriftsteller. Hrsg. v. d. Red. d. Feder. 1—3. Taus.
　　(141) (05.)　　　　　1 — ; geb. 1.40 d
　Den 1. Bd bildet: Auskunftsbuch f. Schriftsteller.
Schriftvorlagen, moderne. Suppl. zu Schoppmeyer's Schrift-
　　vorl. (6 Taf.) 4° W.-Jena, Thüring. Verl.-Anst. 05. 1 —
　　　　　　　　　　　　　　　　Ausg. (9 Taf.) 05. 1.50
Schriftwart, der. Stenograph. Nachrichten f. Baden, Hessen,
　　Hessen-Nassau u. d. Pfalz. Hrsg. v. Schriftleiter: M Winkler.
　　Jahrg. 1905. 12 Nrn. (Nr. 1. 8.) 8° Darmst. (Schristter. 13).
　　M Winkler.　　　　　　　　　　　　　　　　—
　Bisher u. d. T.: Nachrichten, stenograph., f. Hessen u. Hessen-
　　Nassau.
Schrill, E. s. a.: Keller, S.
— Der Brautwächter. Novelle. 3. Afl. (180) 8° Berl. (01). Hag.,
　　O Rippel.　　　　　　　　　1.60; geb. 2.50 d
— Lebend. Echo. Erzählg. 1. u. 2. Afl. (192) 8° Hag., O Rippel
　　　　　　　　　　　　　　1.50; L. 2.50 d
— Ein Fahrenhöft. Erzählg. 3. Afl. (317) 8° Ebd. 02.　1.50;
　　　　　　　　　　　　　　　　geb. 3.50 d
— Die gold. Feder. Heilserum, s.: Meyer's, U, Bücherei.
— Heimwärts. Erzählg. 4. Afl. (158) 8° Hag., O Rippel 02.
　　　　　　　　　　　　　　1.50; geb. 2.50 d
— Von Hüben u. Drüben. Erzählgn. 2. Afl. (258) 8° Ebd. 04.
　　　　　　　　　　　　3 — ; L. 4 — d

Schrill, E: Jadwiga (Die Natschalniza). Roman a. d. russ.
　　Leben d. Gegenwart. 3. Afl. (191) 8° Hag., O Rippel 03. 2 — ;
　　　　　　　　　　　　　　　　　　　L. 3 — d
— Den Meinen erzählt! Erzählgn. 2. Afl. (196) 8° Ebd. (03).
　　　　　　　　　　　　　　1.50; geb. 2.50 d
— Menschwerdg. Soz. Roman a. d. Gegenwart. 1—6. Afl. (423)
　　8° Ebd. 02-04.　　　　　　　　　4 — ; L. 5 — d
— Das Salz d. Erde. Erzählg. a. d. Leben d. russ. Studisten.
　　2. Afl. (171) 8° Ebd. 02.　　　　　1.50; geb. 2.50 d
— Vom braven Schlingel u. and. Gesch. f. d. liebe Jugend. 2. Afl.
　　(143 m. 3 Farbdr.) 8° Berl. (01). Hag., O Rippel.　Geb. 1.60 d
— Wildes Taufen. Erzählg. (222) 8° Hag., O Rippel (04).　2 — ;
　　　　　　　　　　　　　　　　geb. 3 — d
— Zweimal gestorben. Erzählg a. d. russ. Leben. 2. Afl. (229)
　　8° Lpzg 01. Hag., O Rippel.　　　3.50; geb. 4.50 d
Schrimpf, A: Vaterländ. Verfassg u. Verwaltg. Leitf. f. d.
　　Unterr. an Volks- u. Bürgersch., gewerbl. u. landw. Fort-
　　bildgssch. (57) 8° Horn, J Pichler 03.　　　　　— 70 d
Schrinergsell, de neo, s.: Sammlung schweiz. Dialektstücke.
Schritt vor Schritt. ABC. (8 m. z. Tl farb. Abb.) 12° Konst.,
　　C Hirsch (01).　　　　　　　　　　　　　—10 d
Schritte z. himml. Heimat. Gebetb. f. d. liebe Alter. 16. Ausg.
　　(640 m. 1 St.) 12° Rgnsbg, F Pustet 01.　1.20; geb. 1.80;
　　　　　　　　　　　　　　　　　Ldr m. G. 2.80 d
Schrod, K: Kerngebete. 2. Afl. (176) 16° Basel., F St. (in Nf. 01.
　　　　　　　　　　　　　　　— 55 ; L. — 80 d
Schroedel's, H, Hefte f. d. schriftl. Verkehr. I. Tl. 2 Post-Hefte
　　f. d. Schreibunterr. in allen Schulanst. u. z. Privatgebr.
　　Bearb. v. E Steckel. (Mit Text auf d. Umschl.) 4° Halle, H
　　Schroedel.　　　　　　　　　　　　　— 70 d
　　1. 7. Afl. (20 Bl. u. 2 S. Text u. Text auf d. Umschl.) 04. **|** II. 4. Afl.
　　(20) 02.
II. Steckel, E: Ratgeber bei Abfassg. d. Briefe u. amtl. Schriftstücke im
　　Verkehr m. Personen aller Stände, d. Gemeinde- u. Staatsbehörden.
　　3. Afl. Ausg. A (f. Lehrer). (89) 04. 1 — ; Ausg. B (f. Haus u. Schule).
　　　　　　　　　　　　　　　　　　(56) — 80
— Lehrer-Kalender u. pädagog. Jahrb. f. 1906. 16. Jahrg. (80)
　　8° Ebd.　　　　　　　　　　　　　　　— 50 d
— Praxis d. Volksschule. Neue Monatshefte f. Lehrerfortbildg
　　u. Reformpflege. Mit d. Beil.: "Schrödels pädagog. Weg-
　　weiser" u. Gratis-Lehrerkalender. Hrsg. v. C Rosenkranz.
　　11—15. Jahrg. 1901—5 je 12 Hefte. (1901. 1. Heft. 48) 8° Ebd.
　　　　　　　　　　　　Vierteljj. nn 1.20 Vorz.
— Preussens Entwicklg unter s. Hohenzollern-Königen. Der
　　deut. Jugend am 18.1. '01 erzählt. (10 m. Abb.) 8° Ebd. 1900.
　　　　　　　　　　　　　　　　　Kart. — 30 d
— Seminar-Kalender u. pädagog. Jahrbuch f. 1906. 7. Jahrg.
　　(80) 8° Ebd.　　　　　　　　　　　　　L. — 50 d
— u. C Müller: Kaiser Wilhelm II. u. Kaiserin Augusta Vik-
　　toria. Festschrift z. Feier d. silb. Hochzeit. (76 m. 2 Bldn.)
　　8° Ebd. (05).　　　　　　　　　　　　nn — 30 d
— u. H Moeller: Ernst d. Fromme, Herzog zu
　　Sachsen-Gotha u. Altenburg. e. Pädagog unter d. Fürsten.
　　(72 m. Abb.) 4° Ritterg. Friedrichshanneck 01. (Gotha, Thiene-
　　mann's Hofbh.)　　　　　　　　　nn 1.20 Vorz.
Schroeder's Leseb. f. gewerbl. Fortbildgssch. 2. Afl. (346) 8°
　　Gotha, EF Thienemann 04.　　　　　　Geb. 2 — d
Schroeder: Der berittene Infanterist. Anhaltspunkte f. s.
　　Tätigk. im Felde. (45) 8° Berl., ES Mittler & S. 04.　— 80 d
**Schroeder: Die Aufg. d. Landesversicherungsanst. in d. Arbeiter-
　　wohngsfrage, s.:** Zur Förderg d. Arbeiterwohngswesens.
**Schröder: Lehrpl. f. d. 8klass. Volkssch. f. Knaben im Lü-
　　beck. Freistaate. (53) 8° Lüb., Lübeke & N. 04.　nn — 50 d
— dass. f. Mädchen. (51) 8° Ebd. 04.　　　　　nn — 50 d
Schröder, A: 1. Leseb., s.: Heinemann, K.
Schröder, A: Lehrpl. f. d. Gesch.-Unterr. (29) 8° Lpzg, E
　　Wunderlich 01.　　　　　　　　　　　　　— d
Schröder, A: Katech. f. d. Meisterprüfg im Handwerk. (56) 8°
　　Zwesbal, P Plaum 03.　　　　　　　　　　1 — d
— u. A Klapper: Unterr.-Stoff e. Vorbereitgskurs. f. d. theoret.
　　Meisterprüfg im Handwerk. 2. Afl. (158) 8° Ebd. 02.
　　　　　　　　　　　　　　　Kart. 2 — d
Schroeder, A: Zur Erkenntnis d. Weibes. (Freundesrettg.)
　　Lustsp. (51) 8° Dresd., E Pierson 04.　1.50; geb. 2.50 d
Schröder, A: Das Bist. Augsburg, s.: Steichele, A v.
— Gesch. d. Stadt u. kathol. Pfarrei Kaufbeuren. [S.-A.] (244)
　　8° Augsbg, B Schmid 03.　　　　　　　　　— d
Schröder, A: Eekbomblädser. En lütte Gaf för d. düt. Nawass
　　to d. Kinnergorn. (190) 16° Kiel, R Cordes 05.　L. 2.50 d
Schröder, AA: Knospen! Lyr. Versuche. König Lothar! Dra-
　　mat. Versuch. (200) 8° Dresd., E Pierson 04. 2.50; geb. 4.50 d
Schröder, B: Arbeiterloos! Dramat. Scene a. d. Arbeiterleben.
　　(10) 8° Berl., A Hoffmann (1900).　　　　　(— 30) 1 — d
— Pumpgenie's. Lustsp. (22) 8° Ebd. (1900).　　　(— 40) 1 — d
Schroeder, C: Falkenburg. Roman. 2 Tle [n 1 Bde. (184 u. 209)
　　8° Berl., O Janke 01.　　　　　　　　　(5 —) 2 — d
— Verschlung. Pfade, s.: Auswahl v. Werken zeitgenöss.
　　Schriftsteller.

Schroeder, C: Rita. Erzählg f. junge Mädchen. (381 m. 6 Bildern.)
n⁰ Bielef., Velhagen & Kl. 06.　　　　　　　L. 4.50 d
Schroeder, C: Hebbel-Brevier. (188) 8⁰ Berl., Schuster & Loeffler
'04.　　　　　　　　　　　3 —; geb. 4 — d
Schröder, C: Caroline, Erbprinzessin v. Mecklenburg-Schwerin,
geb. Prinzessin v. Sachsen-Weimar. (58 m. 1 Bildnis.) 8⁰
Schwer., (Bärensprung'sche Hofbuchdr.) (01).　　　1.60 d
— Die neu-niederdeut. Dichtg in Mecklenburg. [S.-A.] (74) 8⁰
Brem., C Schünemann (04).　　　　　　　　1 — d
Schröder, C: Katech. d. Violinspiels, s.: Hesse's, M, illustr.
Katechismen.
Schröder, C: Die Tischlerschule. Leichtverständl. Darstellg
d. wichtigsten, theoret. u. prakt. Kenntnisse d. Bau- u. Möbel-
tischlers. 3. Afl. v. A Graef. (194 m. 16 Taf.) 8⁰ Lpzg, BF
Voigt 02.　　　　　　　7.50; geb. 10 — d
Schröder, C, s.: Zeitschrift, allg., f. Entomol. — Zeitschrift
f. wiss. Insektenbiol.
Schröder, C: Führer durch d. Lehrmittel Deutschlds. 1—4. Bd.
(Mit Abb.) 8⁰ Mgdbg, Friese & Fuhrmann.　Je 1 — d
1. Schulgeräte. (82) 05. || 2. Relig., Anschauungsunterr., deut. Sprache. (83)
04. || 3. Geogr. (97) 05. || 4. Gesch., Physik u. Chemie. (84) 06.
— Leitf. d. Experimentalphysik. Anl. z. Gebr. d. physikal. Ap-
parate f. Volks-, Bürger- u. Fortbildgssch. (Neue Afl.) (48 m.
Fig.) 8⁰ Lpzg, Leipz. Lehrmittel-Anst. (03).　　　— 50
— Die Rechenapparate d. Gegenwart, ges., geordnet, beschrie-
ben u. begutachtet. (100 m. Abb.) 8⁰ Mgdbg, Friese & Fuhr-
mann 01.　　　　　　　　　　3 — d
Schröder, E: Roland—Bismarck (815—1815) od. Michael, d.
Genius Deutschlds. Vaterländ. Schausp. in Versen, unter
freier Verwendg Uhland'scher Lieder. (76) 8⁰ Halle a/S., Merse-
burgerstr. 60 II). Selbstverl. (05).　　　　　— 75 d
— Ein Tageb. Kaiser Wilhelms II. 1888—1902 n. Hof- u. and.
Berichten. (427) 8⁰ Bresl., Schles. Buchdr. usw. 02.　4 —;
geb. 5 — d
Schröder, E: Schiller in d. Jahrh. n. s. Tode. Rede. (21) 8⁰
Gött., Vandenhoeck & R. 05.　— 40 || 2. Abdr. (25) 05. — 50
— s.: Zeitschrift f. deut. Altertum u. deut. Litt.
— G Zedler, H Wallan: Das Mainzer Fragment v. Weltgericht, s.: Veröffentlichungen d. Gutenberg-Gesellsch.
Schröder, E: Grundbuch-Entscheidgn. (102) 8⁰ Colmar i/E. 02.
Lpzg, Dieterich. 2 —; geb. 2.40; m. Anh. f. Elsass-L. (122)
2.40; geb. 2.80 d
— dass., nebst Bemerkgn a. d. Praxis u. Verweisgn auf d.
Lit. II—IV. Bd 8⁰ Lpzg, Dieterich.　　11.40; geb. 13 —
u. durchsch. 15 — d
11.III. (191 u. 126) 03.04. Je 3 —; geb. je 3.50 u. 4 — || IV. (704) 05. 5.40;
geb. 6 —. m. T
Schröder, EA: 4 Freiheitsurkunden. [S.-A.] (35) 8⁰ Lpzg, Rossberg'sche Verl.-Bh. 01.　　　　　　　　1.50
— Das Recht d. Freiheit. Kritisch, systematisch u. kodifiziert.
(557) 8⁰ Ebd. 01.　　　　　　　　　16 —
— Das Recht im Irrenwesen, kritisch, systematisch u. kodifiziert. 3. [Tit.-]Afl. (152) 8⁰ Zür., Art. Instit. Orell Füssli
[1890] 04.　　　　　　　　　　3 —
— Das sanitäre Recht u. d. Zukunft d. Heilkde v. socialwiss.
Standpunkte. [S.-A.] (68) 8⁰ Lpzg, Rossberg'sche Verl.-Bh.
01.　　　　　　　　　　　　3 —
— Das Recht d. Wirtschaft. Kritisch, systematisch u. kodifiziert. 2. Afl. (408) 8⁰ Ebd. 04.　　　　　13 —
— Der Völkergerichtshof. [S.-A.] (19) 8⁰ Ebd. 01.　1 —
Schroeder, F: Preuss. bürgerl. Gesetzsammlg, s.: Fischer, D.
Schroeder, F: Der Tolstoismus. Übersetzg. 3. [Tit.-]Afl. (118)
8⁰ Dresd., Holze & P. [1894] (01).　　　　　2 —
Schroeder, F v.: Die Verlegg d. Büchermesse v. Frankfurt
am Main n. Leipzig, s.: Abhandlungen, volksw. u. wirt-
schaftsgeschichtl.
Schroeder, F: Das grenzstreit. Gebiet v. Moresnet s. g. Neu-
tral-Moresnet. (37) 8⁰ Aach., R Barth, V. 02.　　1 —
— Die Gerichtsferien. (63) 8⁰ Ebd. 05.　　　　1 —
Schroeder, F: Lehrpl. in d. Naturbeschreibg, s: Behrens, W.
Schröder, F: Das Walten d. Hausfrau im Kreise d. Familie
u. bei Festlichk. (64 u. 23 m. Abb.) 8⁰ Berl. (S.W. Wilhelmstr.
122), Selbstverl. 1890.　　　　　3 —; L. 3.50 d
Schröder, F: Der Turnunterr. in d. Volkssch. u. d. Anl. um
Kl. d. höh. Lehranst. (268 m. Abb.) 8⁰ Berl., Weidmann 02.
3.50; geb. 4 — d
Schroeder, FWJ: Das Deuteronomium od. d. 5. Buch Mose,
2. Afl v. G Stosch, s: Bibelwerk, theologisch-homilet.
Schroeder, G, s.: Hausbibliothek, neue d. d. Einiggs-
system Stolze-Schrey.
Schröder, G: Ueb. Grundl. u. Begrenzg d. Heilstättenerfolge
bei Lungenkranken. Nach e. Vortr. (17) 8⁰ Münch., Seitz &
Sch. 01.　　　　　　　　　　　— 50
— s.! Handbuch d. Therapie d. chron. Lungenschwindsucht.
Schroeder, G: Einfl. d. Kieferdehng auf d. Naseninnern. Referat
e. Vortr. [S.-A.] (4) 8⁰ Lpzg, B Konegen 05.　　　1 —
Schroeder, G: Gedichte. (180) 8⁰ Strassbg, J Singer 05.　1 —
Schroeder, G v., u. J v. Schroeder: Wandtaf. f. d. Unterr.
in d. allg. Chemie u. chem. Technol. Fortgesetzt v. A Harpf,
A Schierl u. H Krause. 6—9. Lfg. (Taf. 26—45) 8⁰ (auch Bl.)
Fol. Mit Erläuterg. 27, 23, 54 u. 39) 8⁰ Charlttnbg-Berl., TG
Fisher & Co. 02-04.　Je 10 —; auf Bl. m. St. je nn 16 —
Erschien bis x. 8. Lfg in Cassel.
Schröder, GA: Erzählgn a. d. deut. Gesch., s.: Dreyer, L.

Schröder, H: Neue u. seit. Schmetterlinge d. mecklenburg.
Fauna. [S.-A.] (15) 8⁰ Güstr., (Opitz & Co.) (04).　　— 20
Schröder, H: Die Wirbeltier-Fauna d. Mosbacher Sandes, s.:
Abhandlungen d. kgl. preuss. geolog. Landesanst.
Schroeder, H: Die Gesundheitspflege in d. Ehe. 8. Afl. (160)
8⁰ Lpzg, M Spohr (02).　　　2 — d. geb. 3 — d
— Die Vorbengg d. Empfängniss a. Ehenoth. (10. [Umschl.-]Afl.)
(118 m. 2 Abb.) 8⁰ Ebd. (01).　　　　2 —; geb. 2.60 d
Schröder, H: Das kl. Buch v. d. Marine, s.: Neudeck, G.
— Periculum in mora. Weiteres z. Oberlehrerfrage. (51) 8⁰
Schalke 01. Gelsenk., E Kannengiesser.　　　— 80 d
— Der Schweriner Regierg Flucht in d. Öffentlichk. Weiteres
üb. „höh." Schulen im dunkelsten Deutschl. 2. Afl. (88) 8⁰
Gelsenk., E Kannengiesser 05.　　　　　　— 80 d
— Mecklenburg., höh." Schulen. Ein Unkulturbild a. d. dunkel-
sten Deutschl. (30) 8⁰ Ebd. 05. || 3. Afl. (32) 05.　Je — 60 d
Schröder, H: Ut mekelbörger Buerhüser. I u. II. 8⁰ Lpzg, O
Lenz.　　　　　　　　　　Je 2 —; geb. je 3 — d
1. Bi Kringer Bolts. (159) (04.) § II. Holsen Rike. En Vertellen ut de
förtiger Johren int vörrig Johrh. (176) (05.)
Schröder, H: Die Kunst d. Violinspiels. 11—12. Taus. (96 m.
Abb. u. 1 Tab.) 8⁰ Lpzg, C Rühle 02.　　1 —; geb. 1.60
— Die symmetr. Umkehrg in d. Musik, s.: Publikationen d.
internat. Musikgesellsch.
Schroeder, HRP: Die Heilmethode d. Lebensmagnetismus.
7. Afl. (161 m. Bildnis.) 8⁰ Lpzg, O Mutze 1898.　　1.50 d
Schröder, J: Brandenb.-preuss. Gesch. 9. Afl. (133 m. 1 Karte.)
8⁰ Paderb., F Schöningh 04.　　　　　　Geb. 1.40 d
— Hilfsb. z. kathol. Katech., zunächst f. d. Bist. Paderborn.
3 Tle. 8⁰ Paderb., F Schöningh.　6.85; Einbda je — 50;
in 1 HL.-Bd 7.85 d
1. 3. Afl. (245) 03. 2.60 || II. 1—3. Afl. (191 bezw. 700) 01.05. 2 — || III.
1—3. Afl. (224 bezw. 232) 01.05. 2.25.
— Hilfsbüchl. z. kl. Katech., zunächst f. d. Diöc. Paderborn.
2. Afl. (250) 8⁰ Ebd. 05.　　　　2.25; geb. 2.75 d
— Kl. Kirchengesch. 4. Doppel-Afl. (128) 8⁰ Paderb., F Schöningh
03. || 5. Doppel-Afl. v. W v. d. Fuhr. (135) 05.　　Je 1 —;
Schröder, J: Darstell. Geometrie, s.: Sammlung Schubert.
Schröder, I: Fräulein Doktor. (312) 8⁰ Stuttg., D Gundert 06.
L. 2.40 d
— Der Welt Lohn. Eins ist not, s.: Sonntagsbibliothek.
Schröder, J: Beitrag z. Methodik d. naturkundl. Unterr. Zugl.
e. Begleitwort zu d. Verf. „Grundr. d. Naturkde". (16) 8⁰
Güstr., Opitz & Co. 03.　　　　　　　　— 40 d
— Grundr. d. Naturkde f. Volkssch. 1. u. 2. Afl. (187) 8⁰ Ebd.
03.04.　　　　　　　　　　Kart. — 80 d
— u. Kull: Biolog. Wandtaf. z. Tierkde. Taf. 1, 3, 5, 7, 11,
13, 17—19, 24—26, 31, 32, 34, 37, 41, 42, 48 u. 49. Je 86×106 cm.
Farbdr. Mit je 1 Bl. Text. 8⁰ Berl., P Parey (03-05). Je nn 3.50;
Je nn 3.75
1. Hauskatze (Felis domestica). || 3. Stein- od. Hausmarder (Mustela
foina). || 5. Maulwurf (Talpa europaea). || 7. Gemeines Eichhörnchen (Sciu-
rus vulgaris). || 11. Wildschwein (Sus scrofa). || 13. Reh (Cervus capreo-
lus). || 17. Mäusebussard (Buteo vulgaris.) || 18. Waldkauz (Strix aluco).
|| 19. Gr. Buntspecht (Picus major). || 24. Saatkrähe (Corvus frugilegus).
|| 25. Haus- od. Mehlschwalbe (Hirundo urbica). || 26. Haustaube (Columba
domestica.) || 31. Ringelnatter (Tropidonotus natrix). || 32. Grüner Wasser-
frosch (Rana esculenta). || 34. Hecht (Esox lucius). || 37. Maikäfer (Melo-
lontha vulgaris.) || 41. Honigbiene (Apis mellifica). || 42. Rote Waldameise
(Formica rufa.) || 48. Regenwurm (Lumbricus terrestris). || 49. Medizin.
Blutegel (Hirudo medicinalis).
Schröder, J: Dorf u. Schloss Auerbach an d. Bergstrasse.
(106 m. 1 Bildn.) 8⁰ Stuttg., Strecker & Schr. 05.　1 — d
Schröder, J: Blätter d. Erinnerg an Ludw. Windthorst. Aus
d. Mappe v. Sch. ges. v. N Thoemes. (31 m. 1 Bildnis.) 8⁰
Münst., Alphonsus-Bh. (04).　　　　　　　— 50 d
Schroeder, J v.: Wandtaf. f. d. Unterr. in d. allg. Chemie,
s.: Schroeder, G v.
Schröder, JU: Bürgerlichrechtl. Fälle. Sammlg prakt. Beisp.
u. Fragen z. Schulg in d. jurist. Konstruktion u. Einprägg
wicht. Rechtsregeln. (125) 8⁰ Rost., CJE Volckmann 06.
Kart. 2.50 d
— Zur Gewährleistg f. Sachmängel beim Kauf n. d. BGB.
(§§ 459—493 BGB., Berl., Struppe & W. 03.　　3 —
— Unmöglichk. u. Ungewissh. Studie z. Begriffsentwickelg in
d. Lehre v. d. Unmöglichk. d. Leistg u. d. Ungewissh. d.
Erfüllg n. d. Recht d. BGB. f. d. Deut. Reich. (76) 8⁰ Rost.,
H Koch 05.　　　　　　　　　　3 — d
Schröder, K: Lehr- u. Stoffverteilgspl. f. d. 1klass. Volkssch.
d. Prov. Pommern, s.: Wetzel, A.
Schroeder, K: Hdb. d. Krankh. d. weibl. Geschlechtsorgane.
13. Afl, s: Hofmeier, M, Hdb. d. Frauenkrankh.
Schroeder, KL, s.: Blätter, dramaturg.
Schröder, L v. St. Stilla, Gräfin v. Abenberg. (48 m. Titel-
bild.) 8⁰ Rgnsbg, J Habbel (02).　　　　　— 40 d
Schroeder, L v., s.: Beiträge z. Weiterentwicklg d. christl.
Relig.
— Sakuntala. Romant.Märchendrama, frei n.Kalidasa f. d. deut.
Bühne bearb. (14, 73) 8⁰ Münch., Verl.-Anst. F Bruckmann
03.　　　　　　　　　　　　1.70 d
— s.: Zeitschrift, Wiener, f. d. Kde d. Morgenlandes.
— Prinzessin Zofe. Ind. Lustsp., frei f. d. deut. Bühne bearb.
(70) 8⁰ Münch., Verl.-Anst. F Bruckmann 02.　　1.70 d
Schröder, L: Riägenbuogen. Frzug. (142) 8⁰ Ess., Fredebeul
& K. 06.　　　　　　　　　2 —; L. 2.60 d

Schröder, M: Aufnehmen d. Modelle (Holzverbände). Darstell. Geometrie, s.: Hittenkofer, M. — Unterrichts-Werke (Methode Hittenkofer).
— Die Balkenlagen. — Dachausmitteln. — Körperschatten-lehre. — Angewandte Säulen-Ordngn, s.: Hittenkofer, M.
Schröder, ME: Palmenblätter, s.: Baltzer, E.
Schröder, NA: Der deut. Ver. f. d. nördl. Schleswig u. d. Bismarck-National-Denkmal auf d. Knivsberge. (42 m. Abb. u. 3 Beil.) 8° Hadersl., J Dreesen's Nf. 01. — 50 d
Schroeder, O: Mit Camera u. Feder durch d. Welt. Schilderung v. Land u. Leuten n. eig. Reise-Erlebnissen. I—III. u. V. Bd. 8° Lpzg. Oetzsch-Gautzsch, Wanderer-Verl. L. je 6 —
I. Norwegen. d. Land d. Mitternachtssonne. (174 m. Abb., 36 farb. Taf. u. 1 Karte.) 04. | II. Aegypten. d. Land d. Pyramiden. (196 m. Abb., 36 farb. Taf. u. 1 Karte.) 05. | III. Reise n. Ostasien, v. O Schroeder u. E Pflaum. (210 m. Abb., 36 farb. Taf. u. 1 Karte.) 05. | V. Mexiko. Reise durch d. Land d. Azteken. (190 m. Abb. u. 36 farb. Taf.) 05.
Der IV. Bd ist noch nicht erschienen.
Schröder, O, s.: „Bruder Studio". — Hochschul-Kalender, allg. deut. — Universitäts- u. Hochschul-Kalender, allg. deut.
Schroeder, O: Heilig ist mir d. Sonne. Monatsansprachen. (47) 8° Lpzg, BG Teubner 01. 1.20 d
— Vom papiernen Stil. 6. Afl. (102) 8° Ebd. 06. 2 —; L. 2.80
Schröder, P: Alarmiert. Lustsp. (22) 8° Frankenh. (o. J.). Lpzg, Rauh & Pohle. 1 — d
— König Dampf. Schausp. (19) 8° Ebd. (o. J.). 1 — d
— Feuerlärm. Lustsp. (20) 8° Ebd. (o. J.). 1 — d
— In Freud n. Leid. Leb. Bilder m. verbind. Text. (12) 16° Ebd. (o. J.). 1 — d
— Die Getreuen v. Jever. Lustsp. (34) 8° Ebd. (o. J.). 1 — d
— Ihr Lieblingslied. Lustsp. (12) 8° Ebd. (o. J.). 1 — d
— Wohlthätig ist d. Feuers Macht. Lustsp. (32) 8° Ebd. (o. J.). 1 — d
Schröder, P: Üb. chron. Alkoholpsychosen, s.: Sammlung zwangl. Abhandlg a. d. Geb. d. Nerven- u. Geisteskrankh.
Schroeder, P: „Reitweinische Merkwürdigk." Gesch. d. Dorfes Reitwein im Oderbruch. (170 m. 1 Karte u. 1 Taf.) 8° Reitw. 04. (Berl., G Nauck.) 2.50; geb. m 2.80 d
Schröder, P: Streiflichter. Das Buch f. mein Püppchen. (168) 8° Hambg, O Meissner's V. 03. L. 3 — d
Schröder, PF: Graf Götzen. Vaterländ. Schausp. (67 m. 1 Bildnis.) 8° Oppeln 02. Salzbrunn, G Maske. (?) 1 — d
— Die Hexe v. Glatz. Geschichtl. Roman a. d. Jahrh. d. 30jähr. Krieges. (263) 8° Ebd. 02. geb. 3 — d
Schröder, R: Die Anfangsgründe d. Differentialrechng u. Integralrechng. (131 m. Fig.) 8° Lpzg, BG Teubner 05. Geb. 1.80
Schröder, R, s.: Festschrift f. d. 26. deut. Juristentag.
— Lehrb. d. deut. Rechtsgesch. 4. Afl. (970 m. 1 Abb. u. 5 Kart.) 8° Lpzg, Veit & Co. 02. 22 —; RF. 24.50
— s.: Zeitschrift d. Savigny-Stiftg f. Rechtsgesch.
Schröder, R: Das Hamburger Stauwerwerk u. d. Entwicklg zur Maschinenanlagen. (Erweit. S.-A.) (35 m. Abb. u. 5 Taf.) 4° Hambg, O Meissner's V. 04. 6 —
Schroeder, RA: An Belinde. Gedichte. (343) 8° Berl., Insel-Verl. 02. 5 —; geb. 6 —
— Lieder an e. Geliebte. (72) 8° Berl. 1900. Lpzg, Insel-Verl. Kart. 2 —; Luxusausg. 15 —
— Sonette z. Andenken an e. Verstorbene. (408) 8° Lpzg, Insel-Verl. 04. Geb. 20 — d
— Sprüche in Reimen. (75) 4° Berl. 01. Lpzg, Insel-Verl. 3.50; geb. 4.50
Schröder, SE: Der Findling. Eine Weihnachtsgesch. f. Sonntagssch. Aus d. Holl. v. D Hagmann. (36) 12° Elberf., Bh. d. ev. Gesellsch. 03. — 25 d
Schröder, T: Beisp. u. Aufg. a. d. Algebra f. Gymnasien, Realsch. u. z. Selbstunterr. (Ergänzg zu W Hechts u. H Lohers Buchstabenrechng — als 2. Tl d. Aufg.-Sammlg a. d. allg. Zahlenlehre.) 11. Afl. (180) 8° Nürnbg, F Korn 03. Geb. 1.20 d
— Resultate. (49) Kart. — 60 d
Schröder, W: Führer f. d. Militärpflichtigen. (64) 8° Berl., Bh. Vorwärts 04. — 30 d
Schröder, W: Aufg. a. klass. Dramen usw., s.: Heinze, H.
Schröder, W: Aus d. Kinderstube f. Zeit u. Ewigkeit. Gabe f. junge u. alte Eheleute. (96 m. Titelbild.) 12° Barm., Wuppertaler Traktat-Gesellsch. (02). L. 1.50 d
Schroeder-Hanfstaengl, M: Meine Lehrweise d. Gesangskunst u. Elementartheorie in Wort u. Bild. (44 u. 90) 4° Mainz, B Schott's Söhne (02). L. n. 6 — Vergr.
Schrödter, C, s.: Almanach, deutsch-naut.
— Entschädigng d. kais. Oberseeamts u. d. Seeämter zu Hamburg u. Bremerhaven a. d. J. 1904. Ergänzgsbd. d. Jahrb. d. Reedereien u. Schiffswerften, (74.) 8° Hambg 05. Berl., Boll & Pickardt. 2.50
— Die engl. Handelsschiffahrt, s.: England in deut. Beleuchtg.
Schröer, A: Modernengl. Elementargrammatik (zugl. u. Formenlehre), [S.-A.] (20) 8° Stuttg. 02. Essl., P Neff. — 30 d
— Die Fortbildg d. neusprachl. Oberlehrer u. d. engl. u. franzos. Seminar an d. Handels-Hochsch. in Cöln, s.: Festschrift z. 11. deut. Neuphilologentage.
— Englisch-deutsch u. deutsch-engl. Wrtrb., s.: Grieb, CF.
Schröer, H: Methodik d. Turnunterr. (102) 8° Lpzg, BG Teubner ¹4. 1.20 d

Schröer, H, s.: Monatsschrift f. d. Turnwesen. — Verhandlungen, d., d. 14. deut. Turnlehrer-Versammlg.
Schrohe, A: Hefe, Gärg u. Fäulnis, s.: Delbrück, M.
Schrohe, H: Abriss d. Gesch. d. Grossh. Hessen f. höh. Lehranst. (46 m. 1 Karte.) 8° Hannov., Manz & L. 02. — 60
— Gesch. d. Reichklaraklosters in Mainz. (111) 8° Mainz, Kirchheim & Co. 04. 1.50 d
— Der Kampf d. Gegenkönige Ludwig u. Friedrich um d. Reich bis z. Entscheidungsschlacht bei Mühldorf, s.: Stadien, histor.
— Karmainz in d. Pestj. 1666—87. s.: Erläuterungen u. Ergänzungen zu Janssens Gesch. d. deut. Volkes.
Schrön, L: 7stell. gemeine Logarithmen d. Zahlen v. 1—108000. 25. Ausg. Taf. I. d. Gesamtwerkes in 3 Taf. (4, 20 u. 202) 8° Brnschw., F Vieweg & S. 04. 2.40
Schroen, O v.: Der neue Microbe d. Lungenphthise u. d. Unterschied zw. Tuberkulose u. Schwindsucht. Demonstrativer Vortr. (81 m. 2 Taf.) 8° Münch., C Haushalter 04. 2 —:
— Schlüssel zu d. techn. Fachausdrücken. (18) 04. — 20
Schrönghamer, F: Fern u. leise ... Gedichte. (126) 8° Münst., Alphonsus-Bh. 04. L. 3 — d
Schroot, A: Populäre Entwicklgsgesch. d. Erde. (144) 8° Bambg, Handelsdr. u. Verlagsh. (02). 1.60 d
— s.: Universal-Ratgeber, d. prakt.
Schroer, T: Neue Uebgsmethode d. Schönschreibekunst. (26 S. u. Uebgsblätter.) 8° Cöln, W Franken (05). 1.20;
— Uebgsblätter allein — 20
Schrörs, H: Kirchengesch. u. nicht Relig.-Gesch. Rede. (48) 8° Freibg i/B., Herder 05. — 60
— s.: Stadien, kirchengeschichtl.
— Die Bonner Univ.-Aula u. ihre Wandgemälde. (108) 8° Bonn. P Hanstein 06. — 1.20
Schröter's Geschäftskalender. 1906. (53) 8° Zür., T Schröter's Nf. — 50
Bisher u. d. T.: Geschäfts- u. Hauskalender.
— Haushaltgsb. (70) Fol. Ebd. (02). — 80
— Küchen- u. Hauskalender f. 1906 m. tägl. Ratgeber. (53) 8° Ebd. — 50
— Merkbuch. Prakt. Notizkalender f. 1906. (96) 8° Ebd. Kart. — 40
Schroeter: Die Bedeutg d. Festgn in d. gr. Kriegführg auf Grundl. d. Moltkeschen Operationsentwürfe f. d. Kriege m. Dänemark, Öster. u. Frankr. (200 m. Textskizzen u. 1 Karte.) 8° Berl., ES Mittler & S. 04. 4.50 d
— Die Festg in d. heut. Kriegführg. 2. Afl. 2 Abtlgn. 8° Ebd. 7.25; Einbde je 1.50 d
1. Das Wesen d. Festgsbanes. — Die Landesbefestigg. (113 m. 14 Skizzen u. 5 Karte.) 03. 3.25 | 2. Die Ortsbefestigg. (162 m. 30 Skizzen u. 5 Taf.) 05. 4 —
— Port Arthur. (61 m. 2 Kart.) 8° Ebd. 05. 2.20 d
Schroeter: Das Fleischbeschauges. nebst preuss. Ausführgsges. u. Ausführgsbestimmgn. (544) 8° Berl., R Schoetz 05. 3 Afl. (551) 04. L. je 6.50 d
— s.: Kalender f. Lehrer u. Lehrerinnen an deut. höh. Mädchensch.
Schroeter, A: Elfriede. Drama. (108) 8° Cöln, A Ahn 1900. 3 — d
— s.: Nibelungenlied, d.
Schröter, C: Die öffentlich. rechtl. Folgen d. fruchtlosen Pfänd u. d. Konkurses in d. Schweiz. (83) 8° Berl., A Francke 02. — 60 d
Schröter, C: Lebensgesch. d. Blütenpflanzen Mitteleuropas, [s.: Kirchner, O.
— Die Moore d. Schweiz, s.: Früh, J.
— Die Palmen u. ihre Bedeutg f. d. Tropenbewohner, s.: Neujahrsblatt, hrsg. v. d. naturforsch. Gesellsch. (in Zürich).
— Das Pflanzenleben d. Alpen. Schilderg d. Hochgebirgsflora. Unter Mitwirkg A Günthart, Frl. M Jerosch u. P Vogler. (in 4 Lfgn.) 1. u. 2. Lfg. (348 m. Abb., Taf., Tab. u. Titelbild.) 8° Zür., A Raustein 04.05. Je 2.50
— Taschenflora d. Alpen-Wanderers, s.: Schröter, L.
— u. O Kirchner: Die Vegetation d. Bodensees. Der „Bodensee-Forschg" 9. Abschn. 2. Tl (enth. d. Characeen, Moose u. Gefässpflanzen). (86 m. Abb., 3 Taf. u. 1 Karte.) 8° Lind., (JT Stettzer) 02. n. 2.50 (1—2): n. 22.50)
— dass., s.: Schriften d. Ver. f. Gesch. d. Bodensees.
— u. M Rikli. Botan. Exkursionen im Bedretto-, Formazzau.-Bosco-Thal, s.: Jahresber. d. naturf. Gesellsch. Graubündens.
Schröter, E: Schulwandk. d. Prov. Sachsen u. ihrer Nachbargebiete. 1:200,000. 2. Afl. 6 Bl. je 51x71 cm. Farbdr. Lpzg, KF Koehler (01). 9 —
Schröter, F: Herz-Jesu-Büchl. Gebete u. Gesänge zu Ehre d. heil. Herzens Jesu u. Mariä. 2. Afl. (64 m. 1 Abb.) 16° Danz., F Brüning (04). (— 40) — 90; geb. (— 60) — 40 d
Schröter, FM: Geogr., s.: Seydlitz, E v.
— Landeskde d. Kgr. Sachsen, s.: Lungwitz, O.
Schröter, FW: Die Schuld. Schausp. (68) 8° Weim., M Grosse 02. — 80 d
— Weimar u. s. Theater. Zeitgemässe Betrachtgn e. Kunstfreundes. (29) 8° Ebd. 1900. 1 — d
Schroeter, G: Chemie d. Kohlenstoffverbindgn, s.: Richter, V v.
Schröter, H: Bestimmg d. Bahn d. Cometen 1864 III. [S.-A.] (35) 8° Christiania, (J Dybwad) 05. 1.60
— ata o d. in Norwegen im Juni 1878 beobacht. Feuerkugel, sC Trquhuht.
Schröter, K: Die Steuern d. Stadt Nordhausen, s.: Sammlung nationalökonom. u. statist. Abhandlgn.

Schröter, K: Turnsp. f. Schulen u. Turnver. 4. Afl. (94 m. Fig.)
16° Hof, R Lion 03. Geb. — 80 d
Schröter, L: Taschenflora d. Alpen-Wanderers. Mit kurzen
botan. Notizen in deut., französ. u. engl. Sprache v. C Schröter. 9. Afl. (25 [24 farb.] Taf. m. je 2 S. Text nebst 3 u. 8 S.
Text.) 8° Zür., A Raustein 04. L. 6 —
Schroeter, R: Aufg. z. Tafelrechnen. Ausg. A f. Stadtsch. u.
and. mehrklass. Volkssch. in 6 Heften. 8° Wittnbg, R Herrosé. 1.90; Einbde je — 10 d
I. (1. u. 2. Schulj.) 10. Afl. (01.) — 20; 13. Afl. (50) (03.) — 25 ‖ II.
(3. u. 4. Schulj.) 15. Afl. (44) (01.) — 20; 21. Afl. (71) (03.) — 35 ‖ III.
(5. Schulj.) 10. Afl. (71) (02.) — 30 ‖ IV. (6. Schulj.) (52) (1899.) — 20;
11. Afl. (63) (05.) — 30 ‖ V. (7. Schulj.) 10. Afl. (60) (03.) — 35 ‖ VI.
(8. Schulj.) 3. Afl. (52) 01. — 35; 7. Afl. (80) (03.) — 50.
— dass. Antwortheft z. 2—6. Heft. (36, 37, 31, 27 u. 26) 8° Ebd.
(03). Je — 40 d
— dass. Ausg. B f. einf. Volkssch. in 3 Heften. 8° Ebd. 1.25;
geb. 1.60 d
I. (3. Schulj.) 13. Afl. (50) 03. — 25; geb. — 35 ‖ II. (4.—6. Schulj.) 11. Afl.
(70) (01.) — 25; 14. Afl. (104) 03. — 40; geb. — 50 ‖ III. (7. u. 8. Schulj.)
8. Afl. (140) 03. — 50; geb. — 75.
— dass. Antwortheft. (98) 8° Ebd. 03. — 80 d
— Aufg.-Sammlg f. d. Rechenunterr. in d. ob. Kl. d. Lehrer-
Seminare. 2.Afl.(99)8° Ebd.01.1—‖ Antwortenheft. (37) — 60 d
— Method. Bemerkgn üb. d. unterrichtl.Behandlg u.d.Gruppierg
d. Rechenstoffes u. in 6 Heften erschienenen Schroeterschen
Tafelrechnen-Aufg. (Ausg. A.) (75) 8° Ebd. 05. — 50 d
— dass. d. in 3 Heften erschien. Schroeterschen Tafelrechnen-
Aufg. (Ausg. B.) (55) 8° Ebd. 03. — 40 d
— Die Methodik d. Rechen- u. Raumlehre-Unterr. in d.Volkssch.
3. Afl. (372) 8° Ebd. 05. 3.50 d
— Rechenwerk f. Lehrerbildganst. 1—3. Tl. 8° Osterw., AW
Zickfeldt. Geb. 6.50 d
1. Rechenb. f. Präparandenanst. u. f. d. unt. Kl. d. Gklass. Seminare.
(129) 01. 1.50
2. Sammlg v. Kopfrechenaufg. f. Präparauden-Anst., zugl. e. Hdb. f. d.
Kopfrechnen z. Gebr. in Fortbildgsch. u. in d. ob. Kl. v. Bürger-
u. Mittelsch. (181) 02. 2
3. Rechenb. f. d. 3. u. 2. Seminarkl. A. Arithmetik — B. Trigonometrie.
(256) 04.
— der landw. Unterr. in d. Schullehrer-Seminaren. 3. Afl. (85
m. Abb.) 8° Wittnbg, R Herrosé 03. Kart. 1.20 d
Schroeter, T: Für uns. Heim! Bunte Spenden deut. Dichter
u. Denker d. Gegenwart f. d. deut. Schriftstellerheim in Jena.
(401 m. Abb. u. Bildnistaf.) 8° Lpzg, JJ Weber (02). L. 20 — d
Schreeter, V v.: Das Wahlverfahren im Kgr. Sachsen, s.:
Handbibliothek, jurist.
Schröter, W, s.: Zeitschrift f. d. Behandlg Schwachsinniger
u. Epilentischer.
Schroth, Johann, d. Naturarzt zu Lindewiese in k. k. österr.
Schlesien u. dessen Nachfolger. Von e. prakt. Arzte. 33. Afl.
(50 m. 1 Bildnis.) 8° Freiwald., A Blazek (04). — 85
Schroth, K, s.: Lungenleiden u. deren gründl. Heilg durch d.
Schroth'sche Heilkur.
Schroth-Ukmar, A: Donaussage v. Passau bis Wien. (126 m.
Abb.) 8° Wien, H Kirsch (03). 1.80 d
— Aus d. Lebens Morgenzeit. Gedichte. (46 m. Bildnis.) 8°
Dresd., E Pierson 01. 1 —; geb. 2 —
Schrötter, Frhr v.: Taschenb. f. Offiziere, Sanitätsoffiziere,
ob. Militärbeamte u. Offizieraspiranten d. Beurlaubtenstan-
des, f. Offiziere z. D. u. a. D. (253) 16° Oldnbg, G Stalling's
V. 06. L. 3 —
Schrötter, A v.: Die Gefahren d. Kohlenladgn. (40 m. 2 Fig.)
8° Hambg, Eckardt & M. (03). 1 — d
Schrötter, E Freifrl. v., s.: Berge, F v.
Schrötter, F Frhr v.: Das preuss. Münzwesen im 18. Jahrh.
— Die Münzen a. d. Zeit d. Königs Friedrich II., d. Gr., s.:
Acta borussica.
— u. G Schmoller: Die Münzverwaltg d. Könige Friedrich I.
u. Friedrich Wilhelm I., s.: Acta borussica.
Schroetter, G, s.: Festgabe, Karl Theodor v. Heigel gewidmet.
Schröetter, H v.: Des Kindes Chronik. Merkbuch d. Lebens,
v. Mutterhand begonnen, z. späteren erg. Fortsetzg a. prakt.
Erfahrg zusammengest. (208) 8° Stuttg., Deut. Verl.-Anst.
(03). L. 5 — d
Schrötter, H v.: Bemerkgn üb. d. Bedeutg e. systemat. Stu-
diums d. Skleromes. [S.-A.] (40 m. 1 Kartenskizze.) 8° Jena,
G Fischer 01. 1.30
— s.: Pathologie, d. chem., d. Tuberculose.
— Untersuchgn üb. d. Blutcirculation beim Menschen, s.:
Loewy, A.
Schrötter, L v.: Erkrankgn d. Gefässe, s.: Pathologie u. The-
rapie, spec.
— Hygiene d. Lunge, s.: Bibliothek d. Gesundheitspflege.
— Rob. Kochs Bedeutg f. d. Bekämpfg d. Tuberkulose. [S.-A.]
(11) 8° Berl., J Goldschmidt 03. 1 —
— s.: Zur Casuistik d. Fremdkörper in d. Luftwegen.
Schruts, D: Der Blumen Rache, s.: Freiligrath, F.
— Damen-Humor. Heit. Deklamationen u. Vortr. f. Dameu.
(112) 8° Mühlb. l/Th., G Danner (03). 1 — d
— Das Dorfgretel, s.: Thalia.
— Dornröschen, s.: Heidelmann's, A, Theaterbibliothek.
— Wenn Frauen weinen, s.: Thalia.
— Frauen-Liebe u. Leben, s.: Chamisso, A v.
— Genoveva, d. unglückl.Pfalzgräfin am Rhein, nebst e.Vorsp.:
Siegfrieds Abschied, s.: Heidelmann's, A, Theaterbibliothek.
— Das Lied v. d. Glocke, s.: Schiller, F v.

Schruts, D: Wenn man s. Hut vergisst; s.: Vereinstheater.
— Klinginsland. Heit. Gedichte u. anderes. (111 m. Bildnis.)
8° Halle, (O Hendel) (01). 1 — d
— Die beiden Raubmörder, s.: Danner's, G, Herren-Bühne.
— Das Rosenwunder d. hl. Elisabeth, s.: Heidelmann's, A,
Theaterbibliothek.
— Des Sängers Fluch, s.: Uhland, L.
— Schneewittchen u. d. 7 Zwerge, s.: Heidelmann's, A, Theater-
bibliothek.
— Rosa v. Tannenburg. — Ida v. Toggenburg, s.: Theater,
kleines.
— Der Ueberbrettl-Deklamator. 100 humorist. Vorträge v. un-
fehlbarer Wirkg. (96) 8° Mühlb. l/Th., G Danner 01. — 80 d
— Die beiden Waisen, s.: Dennery.
Schtschedrin, N, s.: Tschedrin, N.
Schtscherbatskoï, T v.: Üb. d. Haihayendracarita d. Harikavi.
[S.-A.] (112) 8° St. Petersbg 1900. (Lpzg, Voss' 3.) 3 —
Schuback, E: Künstlers Erdenwallen. Roman. (184) 8° Dresd.,
E Pierson 03. 2.50; geb. 3.50 d
Schubart s.: Friederike Caroline Juliane Herzogin zu Anhalt-
Bernburg.
Schubart, A: Erinnergn a. meiner Heimat. (205) 12° Stuttg.,
A Bonz & Co. 04. 2.60 ; L. 3.60 d
— Neues a. meiner Heimat. Hochlandsgeschichten. (232) 8°
Ebd. (05). 2.60; L. 3.60 d
— Aus St. Hubertus Reich. (128) 12° Ebd. 04. 1.20; L. 2.40 d
Schubart, G: Rechte u. Pflichten d. Ehefrau n. d. neuen bür-
gerl. Recht, s.: Volksschriften, Dresder.
Schubart, P: Die Verfassg u. Verwaltg d. Deut. Reiches u.
d. Preuss. Staates in gedrängter Darstellg. Nebst e. Abdr.
d. deut. u. d. preuss. Verfassgsurkunde u. d. Allerh. Erlasses
v. 4.1.1882. 19. Afl. (214 u. 42) 8° Bresl., WG Korn 04. Geb.1.60 d
Schubart, W: Neue Bruchstücke d. Sappho u. d. Alkaios. [S.-
A.] (15 m. 1 Taf.) 8° Berl., (G Reimer) 02. — 50
— s.: Didymos' Kommentar zu Demosthenes. — Kommentar,
anonymer, zu Platons Theaetet.
Schubart, W: Aus d. Tageb. e. Königs a. Rom. (558) 8° Berl.,
A Duncker 04. 5 —; L. 6 — d
Schube, T: Beitr. z. Kenntnis d. Verbreitg d. Gefäss-Pflanzen
in Schlesien. (Ergänzgsheft z. 78. Jahresbericht d. schles.
Gesellsch. f. vaterl. Cultur.) (36 m. 4 Kart.) 8° Bresl., (GP
Aderholz) 01. 2 —
— Flora v. Schlesien preuss. u. österr. Anteils. (456) 8° Bresl.,
WG Korn 04. L. 4 —
— Die Verbreitg d. Gefässpflanzen in Schlesien preuss. u.
österr. Anteils. (Pteridophyta, Gymnospermae, Monocotyle-
dones, Dicotyledones, Archichlamydeae.) (240 m. 1 Karte.) 8°
Bresl., (GP Aderholz) 03. nn 4 —
Schuberg, A, s.: Zentralblatt, zoolog.
Schuberg, F, s.: Zeitschrift f. chem. Apparatenkde.
Schubert: Formulare f. Vermessgs-Übgn. 2. Afl. (48) 8° Neud.,
J Neumann 01. Kart. — 80
Schubert, A: Neue allg. deut. Skat-Ordng. (36) 12° Altnbg, R
Fuchs 04. — 30; Plakatausg. — 40; m. Randleisten — 50 d
Schubert, A: Der Bau d. Eiskeller, s.: Menzel, CA.
— Landw. Baukde. 2. Afl. (96) 8° Lpzg, BF Voigt 04. Kart. 1.80 d
— Die Geflügelställe, s.: Thaer-Bibliothek.
— Wie baut d. Landmann s. Ställe praktisch u. billig?, s.:
Landmann's, d., Winterabende.
— Der Rindviehstall, s. Anlage u. Einrichtg, s.: Nörner, C,
prakt. Rindviehzucht.
— s.: Schlosser- u. Schmiede-Kalender, deut.
— Wie baut man Schweineställe am zweckmässigsten u. bil-
ligsten?, s.: Arbeiten d. Vereinigg deut. Schweinezüchter.
— u. G Meyer: Landw. Baukde, s.: Thaer-Bibliothek.
Schubert, A: Zur Frage d. Errichtg e. deut. Universität f.
Mähren u. Schlesien. (22) 8° Brünn, C Winiker 01. — 60
— Zur Frage d. Errichtg v. staatl. Volksbildgsbüchereien in
Oesterr. (51) 8° Ebd. 01. 1.40
— Urkunden-Regesten a. d. ehemal. Archiven d. v. Kaiser Jo-
seph II. aufgehob. Klöster Böhmens. (30, 300) 4° Innsbr.,
Wagner 01. 16.60
— Die Wiegendrucke d. k. k. Studienbibliothek zu Olmütz
vor 1501. (690) 8° Olm., L Kullil 01. 20 —
Schubert, B: Frau Henriette Jordan, geb. Raab, s.: Saat-
körner a. d. ev.-luther. Kirche.
— Kaspar Neumann 1648—1715. (140 m. 1 Bildnis.) 8° Elberf.,
Luther. Bücherv. 03. L. 1.50 d
Schubert, B: Kaufmänn. Unterr.-Briefe. 7 Briefe. (600) 8° Hannov., Dr. M Jänecke 03. Je 3 —; in L.-M. 16 — d
Schubert, D: Die Fremde, s.: Dürr's deut. Bibliothek.
Schubert, C: Tab. z. Berechng d. Cubikinhalts v. Bauhölzern,
enth. auf 126 Taf. d. unter Zugrundelegg d. meisten im Baue
fach vorkomm. Holzstärken, sowie d. Längen v. 0,01—0,99,
1—100, 200, 300, 400 u. 500 m sich ergeb. Cubikziffern. Bearb.
unter Mitwirkg v. M Sonnenberger. (126) 8° Ess., C Schubert
02. L. 4 —
— Tab. z. Berechng nord. Tannen- sowie Pitchpine-Hobeldielen,
nebst Umrechngs-Tab. v. engl. Quadratfuss in Quadratmeter
u. umgekehrt; ferner e. tabellarisch geordnete Berechng d.
f. jede vorkomm. Zimmerbreite erforderl. Stückzahl Hobel-
dielen. Tab. z. Berechng v. Rundhölzern (n. Wassermass laut
oberrhein. Handelsusance) u. untere Nutzflächen. Bearb.
unter Mitwirkg v. M Sonnenberger. (103) 8° Ebd. 01.
Bearb. unter Mitwirkg v. M Sonnenberger. (103) 8° Ebd. 01.
Kart. 3.50

Schubert, C: Ein. Aufg. d. Kinderforschg auf d. Geb. d. künstler. Erziehg, s.: Beiträge z. Kinderforschg u. Heilerziehg.
— Die Schülerbibliothek im Lehrplan, s.: Magazin, pädagog.
— Die Werke d. bild. Kunst in d. Erziehgsesch., s.: Zur Pädagogik d. Gegenwart.
Schubert, E: Katech. f. d. Bahnwärter-Dienst. 10. Afl. (154 m. Abb.) 8° Wiesb., JF Bergmann 04.   Kart. 1.50 d
— Katech. f. d. Bremser-Dienst. 2. Afl. (188 m. Abb.) 8° Ebd. 09.   Kart. 2.25 d
— Katech. f. d. Weichensteller-Dienst. 11. Afl. (155 m. Abb.) 8° Ebd. 02. Kart. 1.40 ‖ 12. Afl. (162 m. Abb.) 04, Kart. 1.50 ‖ 13. Afl. (171 m. Abb.) 05. Kart. 1.60 d
— Schutz d. Eisenb. geg. Schneeverwehgn u. Lawinen, s.: Fortschritte d. Ingenieurwiss.
— Die Sichergswerke im Eisenb.-Betriebe. 4. Afl. (336 m. Abb. u. 2 L.) 8° Wiesb., JF Bergmann 03.   6 — d
Schubert, F: All-Deutschlds Taschen-Liederb. 22. Afl. (464) 16° Berl., S Mode (01).   Kart. 1 — d
— Kleines Taschen-Liederb. 25.Afl.(234)16°Ebd.(01).Kart.— 50 d
Schubert, F: Die darstell. Geometrie an maschinentechn. Lehranst., Gewerbe- u. Fachsch. II. Tl. Die darstell. Geometrie, einschl. d.Elemente d.Projektionslehre, Schattenlehre, Axonometrie u. Perspektive. B. (259—559 m. Fig.) 8° Mittw., Polyt. Bh. (01).   L. 5.50 (I u. II.: 15 —)
Schubert, F: Die schöne Müllerin. Gedichte v. W Müller. Cyclus f. 1 Singstimme m. Begleitg d. Pianoforte in Musik gesetzt v. Sch. op. 25. Textb. (14) 8° Lpzg, E Eulenburg (01).   — 20
— Die Winterreise. Cyclus v. 24 Gedichten v. W Müller. Für i Singstimme m. Begleitg d. Pianoforte comp. v. Sch. op. 89. (Textb.) (8) 8° Ebd. 01.   — 20
Schubert, FL: Instrumentationslehre n. d. Bedürfnissen d. Gegenwart. 6. Afl. v. C Kipke. (131) 12° Lpzg, C Merseburger 03.   — 90 d
— Vorsch. z. Komponieren, zugl. als Kompositionslehre f. Dilettanten fasslich erläut. 6. Afl. (120) 12° Ebd. 03.   — 90 d
Schubert, G: Ratgeber f. Steuerpflichtige. Enth.: Preuss.Staats-Steuern, Einkommen-Steuer, Vermögens (Ergänzgs)-Steuer sowie d. preuss. Gemeinde-Einkommensteuer. (81 a. 8 m. 1 Formular.) 12° Düsseldf, JB Gerlach & Co. (01).   1 — d
Schubert, G: Knospen u. Blüten. Gedichte f. Geist u. Herz. (96 m. farb. Titelbild.) 8° Reutl., Ensslin & L.(05). L. m G.1.80 d
Schubert, GH v.: Die Ausreisser. Erzählg. Neue Ausg. (63) 12° Konst., C Hirsch (01).   Kart. — 20 d
— Ein Erbteil a. d. Hause d. Grosseltern u. and. Erzählgn. Neue Ausg. (63) 8° Ebd. (01).   Kart. — 25 d
Auf d. Einbde steht als Verf. genannt CG Barth.
— Erzählung f. d. Jugend. 4. Afl. (96) 8° Reutl., Ensslin & L. (04).   Kart. — 30 d
— Die Gesch. d. Jakob Werner. Ein Bild a. d. 30jähr. Kriege. Neue Ausg. (64) 8° Konst., C Hirsch (03).   Geb. — 25 d
— Geschichten f. jung u. alt. Neue Ausg. (96) 12° Reutl., Ensslin & L. (02).   Neue Ausg. u. 4 Farbdr. Geb. — 30 d
— dass. — Dorn, K: An Gottes Hand. 3 Erzählgn f. d. Jugend. Neue Ausg. (96 u. 96 m. 8 Farbdr.) 8° Ebd. (02). Geb. 1.50 d
— Bei Gott ist kein Ding unmöglich. Erzählg. Neue Ausg. (64) 12° Konst., C Hirsch (02).   Kart. — 25 d
— dass. Robert d. Soldat. Der Meeresstrom. 3 Erzählgn. 2. Afl. (141) 12° Herb., Bh.d. nass. Colportagever. 03. — 60; geb. — 70 d
                                             L. 1 — d
— Unter Gottes Schirm. Wunderbare Lebensführg e. Arztes. Neue Ausg.(192m.8 Farbdr.)8° Konst., C Hirsch(03). Geb.1 — d
— Aus meiner Jugendgesch. u. Schuld u. Strafe. 2 Erzählgn. Neue Ausg. (64) 12° Ebd. (01).   Kart. — 25 d
— Der Meeresstrom. Erzählg f. d. Jugend. 4. Afl. (46) 12° Bas. (Basler Missionsbh.) 1899.   — 15 d
— Muttertreue od. d. unsichtbare Schutzwache. 2 Erzählgn. Neue Ausg. (64) 12° Konst., C Hirsch (02).   Kart. — 25 d
— Der neue Robinson od. d. Schicksale Philipp Ashtons unter Seeräubern u. auf d. Insel Ruatan, s.: Familienbibliothek, Calwer. — Gressler's, FGL, neue Volksbücherei.
— Die Schatzgräber. Erzählg. 2. Afl. (80) 12° Berl., HJ Meidinger (01).   Kart. — 60; 3. Afl. (80 m. Titelbild.) (05.) Geb. — 75 d
— dass. Neue Ausg. (64) 12° Konst., C Hirsch (02). Kart. — 25 d
— Die alte Schuld. Erzählg. Neue Ausg. (143 m. 4 Farbdr.) 12° Ebd. (01).   Geb. — 75 d
— Der gleiche Sohn u. d. gleichart. Enkel. Erzählg. Neue Ausg. (64) 12° Ebd. (02).   Kart. — 25 d
— Ein verlor. Sohn. (Gedsch. e. Armenfreundes.) Erzählg. Neue Ausg. (63) 8° Ebd. (05).   Kart. — 25 d
— Der schöne Stein, s.: Vergissmeinnicht-Erzählungen.
— Die Symbolik d. Traumes. Neudr. n. d. 5. Afl. (183) 8° Weim., R Leutloff (03). (?) (Lpzg, F Förster.)   Kart. — 20 d
— Die Zwillinge u. and. Gesch. Neue Ausg. (64) 12° Reutl., Ensslin & L. (02).   — 20 ; kart. — 30 d
— J Verne, C v. Schmid u.O Glaubrecht: Goldenes Geschichtenbuch. 4 Tle in 1 Bde. (80, 103, 82 u. 79 m. 4 Bildern.) 8° Berl., HJ Meidinger (05).   Geb. 2.50 d
Schubert, H V.: Ansgar u. d. Anfänge d. schleswig-holstein. Kirchengesch. Vortr. [S.-A.] (30) 8° Kiel, R Cordes 01.   — 80
— Die heutige Auffassg u. Behandlg d. Kirchengesch., s.: Fortschritte u.Fordergn. (Konferenz-Vortr.)(33) 8° Tüb., JCB Mohr 02.   — 75
— Kurze Gesch. d. christl. Liebestätigk. 1. u. 2. Afl. (40) 8° Hambg, Agent. d. Rauhen H. 05.   — 75 d

Schubert, H v.: Grundz. d. Kirchengesch. 1. u. 2. Afl. (304) 8° Tüb., JCB Mohr 04.   4 —; geb. 5 —
— Feiern wir Gustav Adolf m. Recht als ev. Glaubenshelden?, s.: Schriften f. d. deut. Volk.
— Lehrb. d. Kirchengesch., s.: Moeller, W.
— Der sog. Praedestinatus, s.: Texte u. Untersuchungen z. Gesch. d. altchristl. Lit.
Schubert, H: Unrichtigk. in d. schles. Gesch. u. ihre Berichtigg. nebst e. vorangestellten kurzen Abr. d. schles. Gesch. (23) 8° Bresl., Priebatsch 05.   — 50
Schubert, H: Nied. Analysis, s.: Sammlung Schubert.
— Arithmetik u. Algebra, nebst Beisp.-Sammlg, s.: Sammlung Göschen.
— Auslese a. meiner Unterr.- u. Vorlesgspraxis. 1. u. 2. Bd. (239 m. Fig. u. 218) 8° Lpzg, GJ Göschen 05. L. je 4 —
— Elementare Berechng d. Logarithmen. (87) 8° Ebd. 03. 1.60
— Neuer ewiger Kalender z. Bestimmg d. Wochentags f. jedes belieb. Datum n. u. vor Christi Geburt. m. Berücks. d. Ausnahmej. 42 vor bis 4 n. Christi Geburt u. z. Bestimmg d. Daten d. christl. Feste. (5) 8° Ebd. 02.   — 50
— Mathemat. Mussestunden. Sammlg v. Geduldspielen, Kunststücken u. Unterhaltgsaufg.mathemat. Natur. Kl.Ausg. 2. Afl. (306) 8° Ebd. 04.   L. 5 —
— 4stell. Taf. u. Gegentaf. f. logarithm. u. trigonometr.Rechnen, s.: Sammlung Göschen.
— Theorie d. Schlick'schen Massen-Ausgleichs bei mehrkurbel. Dampfmaschinen. (132 m. Fig.) 8° Lpzg, GJ Göschen 01. 12 —
Schubert, H: Der schwarze Dämon. Erzählg a. d. Indianerkämpfen Nordamerikas. (128) 8° Erf., F Bartholomäus (03).
                                              — 60 d
— Schlangenhaus. Erzählg a. d.Indianerleben d.fernenWestens. (143) 8° Ebd. (04).   — 60 d
Schubert, HA: Die kaufmänn. Buchführg. — Das Registraturwesen, s.: Vorträge üb. Gesetzeskde u. Verwaltg.
Schubert, J: Naturwiss. Grundl. uns. Weltanschaug. Vortr. (16) 8° Ebersw., H Langewiesche 04.   — 50 d
— Vergleich. Temperatur- u. Feuchtigk.-Bestimmg, s.: Abbandlungen d. kgl. preuss. meteorolog. Instit.
— Wald u. Niederschlag in Westpreussen u. Posen. (15 m. 1 Taf.) 8° Ebersw., Langewiesche & Thilo 05.   — 75
— Der Wärmeaustausch im festen Erdboden, in Gewässern u. in d. Atmosphäre. (30 m. 9 Taf.) 8° Berl., J Springer 04.
                                              Kart. 2 —
Schubert, J: Die Opfer ihrer Moral. Novellen. (194) 8° Dresd., E Pierson 05.   3 —; geb. 4 — d
Schubert, J: Deut.Liederschatz.2—4.Heft.8°Bresl.,M Woywod.
                       1.60:‖ Kartonnagen je — 10 d
2. (Singen u. Noten.) 8. Afl. (36) 02. — 40 ‖ 3. (Zweistimm. Lieder.) 8. Afl. (36) 02. — 50 ‖ 4. (2- u. 3stimm. Gesänge.) 8. Afl. (36) 03. — 70.
Schubert, JB: Uebgs-Gruppen f. d. Turnen an d. wagrechten Leiter in Volks- u. Mittelsch. beiderlei Geschlechts. (37 m. Abb.) 8° Ebd. (04).   Kart. 1.25 d
Schubert, JG: Repertorium d. Pädagogik.
Schubert, JV: Katechesen f. kathol. Volkssch. I. Das Gebot d. Gottesliebe. (109) 8° Würzbg 04. Paderb., F Schöningh. 1.50 d
Schubert, K: Niederösterr. Kl. Heimatskde. 13. Afl. (36) 8° Wien, A Pichler's Wwe & S. 1900.   — 20 d
Schubert, L: Die Vorteile d. Invaliditäts- u. Altersversicherg. 2. Afl. (34) 12° Erf., Keyser (01).   — 20 d
— L Amberg: C Rost: „Glück auf". Kochb. f. d. gute bürgerl. Küche. 2. [Tit.-]Afl. (372) 8° Gotha, FA Perthes (01) 03.
                                              Geb. 2.50 d
Schubert, M: Die Papierverarbeitg. II. Die Buntpapier-, Tapeten-, Briefumschlag-,Düten-od. Papiersack-,Papierwäsche-u. photograph. Papier-Fabrikation. (259 m. Abb.) 8° Berl., M Krayn 02.   10 — (Vollst.: 20 —; Einbde je 1.50)
Schubert, O: Die Radbusa u. ihre Nebenläufe m. bes. Berücks. d. Fischerei-Verhältn., s.: Arbeiten d. deut. Sektion d. Landeskulturrates d. Kgr. Böhmen.
Schubert, P, s.: Bericht üb. d. I. internat. Kongress f. Schulhygiene.
— Das Schularztwesen in Deutschl. Bericht üb. d. Ergebnisse e. Umfrage bei d. gröss. Städten d. Deut. Reiches. (168) 8° Hambg, L Voss 05.   2.50
Schubert, R: Was Ihr wollt! Wiss. Studien u. Betrachtgn. (70) 8° Lpzg, Verl.-Anst. M Minde (04).   7.50
Schubert, R, s.: Rudolph, G.
Schubert, R: Untersuchgn üb. d. Quellen z. Gesch. Philipps II. v. Macedonien. (68) 8° Königsbg, Gräfe & U., Bh. 04.   2.50
Schubert, T: Die Entstehg d. Planeten-, Sonnen- u. Doppelsternsysteme u. aller Bewegg in denselben, a. d. Elementen ihrer Bahnlinien nachgewiesen. (82 u. 14 m. Fig.) 8° Bunzl., G Kreuschmer 03.   1.50
— Die Ursachen aller Bewegg d. Himmelskörper, gesetzmässig nachgewiesen. (47 m. Abb.) 8° Ebd. 04.   1.50
Schubert-Soldern, E Ritter v.: Die Zwangsverwaltg u. d. Verwaltg u. Exekutionsrecht. Spezialkommentar z. österr. Exekutions-Ordg v. 27.V.1896 m. Berücks. d. deut. Gesetzgebg, insbes. d. Reichsges. v. 24.III.1897. (595) 8° Lpzg, Duncker & H. 03.   15 —
Schubert-Soldern, F v.: Von Jan van Eyk bis Hieronymus osch, s.: Studien z. deut. Kunstgesch.
— h.: Jahrbuch, Dresdner.

Schubert-Soldern, R v.: Die menschl. Erziehg. Versuch e. theoret. Grundlegg d. Pädagogik. (197) 8° Tüb., H Laupp es. 3.60
Schubert-Soldern, V v.: Die Borglas u. ihre Zeit. (398) 8° Dresd., E Pierson 02. 3 —; geb. 4 —
— Ein Dämon. Roman. (267) 8° Ebd. 05. 3 —; geb. 4 — d
— Memoiren eines Unbekannten. 1818—62. (298) 8° Ebd. 05. 3.50; geb. 4.50 d
Schuberth: Jünglingsvereine auf d. Lande, s.: Aus d. Arbeit f. d. Arbeit.
Schuberth, G: Einheitl. Lehre v. Gebr. d. Satzkerbe. (58) 8° Lpzg, Dürr'sche Bh. 03. — 60 d
Schuberth, H: Das Ätzen d. Metalle f. kunstgewerbl. Zwecke. Nebst e. Zusammenstellg d. wichtigsten Verfahren z. Verschönerg geätzter Gegenstände. 2. Afl. (222 m. Abb.) 8° Wien, A Hartleben 05. 3.25; geb. 4.05 d
Schuberth, M: Holzbearbeitgs-Maschinen u. ihr Schutz. (30 m. Abb.) 8° Stuttg., (P Mähler) 05. — 85
Schuberth, W: Leitf. f. d. Unterr. in d. Heimatskde v. Berlin u. d. Mark Brandenburg. 20. Afl. (39 m. 1 Karte.) 8° Berl., Nicolai's V. 01. nn — 30 d
— Berlin. Leseb., s.: Schulz, O.
Schubin. O (Frl. L Kirschner): Asbeïn. Aus d. Leben e. Virtuosen. 4. Afl. (368) 8° Brnschw., G Westermann 01. 6 —; geb. 7.25 d
— Blanche, s.: Bücherei, deut.
— Bravo rechts! Eine lust. Sommergesch. 4. Afl. (443) 8° Berl. 02. Jena, H Costenoble. 3 —; geb. 4 — d
— Ehre. Roman.]0. Afl. (320) 8° Dresd., H Minden (02). 4 —; geb. nn 5 — d
— Im gewohnten Geleis, s.: Engelhorn's allg. Romanbibliothek.
— „Gloria victis!“ Roman in 4 Büchern. 4. Afl. (361) 8° Berl., Gebr. Paetel 02. 8 —; L. 9 — d
— Der Gnadenschuss. (198) 8° Ebd. 05. 3 —; L. 4 — d
— Marška. Erzählg. (156) 8° Stuttg., J Engelhorn 02. 2 —; L. 3 — || Neue Ausg. (Engelhorns allg. Romanbibliothek. Salon-Ausg.) (156) 06. HL. 2 — d
— dass. — Maximum, s.: Engelhorn's allg. Romanbibliothek.
— Peterl. Eine Hundegesch. 5—10. Taus. (132) 8° Berl., Gebr. Paetel 02. 2 —; L. 3 — d
— Refugium peccatorum. Roman. 1—3. Taus. (378) 8° Berl., A Ahn (04). 5 —; L. 6 — d
— „Es fiel e. Reif in d. Frühlingsnacht“; Novellen. 4. Afl. (149) 8° Ebd. 01. 4 —; L. 5 — d
— Torschlusspanik. Erzählg. 5. Afl. (256) 8° Dresd., H Minden (03). 4 —; geb. nn 5 — d
Schubring, J: Deut. Sang u. Klang. 68 vaterländ. u. Volks-Lieder f. gemischten Chor z. Gebr. an höh. Lehr-Anst. u. in Gesang-Ver. 7. Afl. (134) 8° Berl., Wiegandt & Gr. 05. Kart. 1.20 d
Schubring, P: Berlin. I. Das Kaiser-Friedrich-Museum. (Moderner Cicerone.) (407 m. Abb. u. 2 Grundr.) 8° Stuttg., Union (05). L. 4.50
— Unter d. Campanile v. San Marco. Nachrruf z. Erinnerg an Venedigs stolze Tage. (43 m. Abb. u. 7 Taf.) 4° Halle, Gebauer-Schwetschke 02. L. je 2.50; in 1 L.-Bd. 4.50
— Florenz. I u. II. Moderner Cicerone. (Mit Abb.) 12° Stuttg., Union. L. je 2.50; in 1 L.-Bd 4.50
I. Die Gemälde-Galerien d. Uffizien u. d. Palazzo Pitti. (152) (02.)
II. Bargello, Domopera, Akademie, kleinere Sammlgn. (192) (05.)
— Das italian. Grabmal d. Frührenaissance. (Mit Abb. u. 40 Taf.) 4° Berl., O Baumgärtel 04. In M. 18 —
— Das Kaiser Friedrich-Museum zu Berl., s.: Clemen, P.
— Mailand u. d. Certosa di Pavia. (Moderner Cicerone.) (382 m. Abb. u. 4 Grundr.) 8° Stuttg., Union (04). L. m. G. 5 —
— Hans v. Marées. Vortr. (20 m. 3 Taf.) 8° Elberf., A Martini & Gr. 04. — 50 d
— Pisa, s.: Kunststätte, berühmte.
— Luca della Robbia u. s. Familie, s.: Künstler-Monographien.
— Schloss- u. Burgbauten d. Hohenstaufen in Apulien, s.: Baukunst, d.
— Urbano da Cortona, s.: Zur Kunstgesch. d. Ausl.
Schuch, FW: Die Kultur d. Rose in ihrem ganzen Umfange, nebst Anatomie u. Physiol. d. Pflanzen, Beschreibg d. schädl. u. nützl. Tiere. 3. (Umschl.: 4.) Afl. (98 m. 1 Taf.) 8° Ilmenau, A Schröter (05). 1.80 d
Schuch, W: Das Firmaschild. 5. Afl. (40 [6 farb.] Taf. m. 4 S. Text.) 4° Lpzg, Jüstel & G. (02). 6 —
— Schildereien u. Umrahmgn im modernen Styl. (10 Taf. m. 5 S. Text.) 4° Ebd. (02). || 2. Afl. (12 Taf. m. 5 S. Text.) (04.) Je 2 —
— dass. Sowie d. dazugehör. Schriften im modernen Styl. 1. u. 2. Afl. (5 Taf. m. 5 S. Text.) 4° Ebd. (02.-04.) 1 —
— Moderner Schriften-Atlas. 18 Taf., enth. 18 Alphabete im modernen Styl. Fol. Ebd. (03). In M. 5 —
— Schriften im modernen Styl. 1. u. 2. Afl. (5 Taf.) 4° Ebd. (02.-04.) 1 —
Schüch, H: Hdb. d. Pastoraltheol. 12. Afl. v. V Grimmich. (94, 1041) 8° Innsbr., F Rauch 02. II 13. Afl. v. A Polz. (98, 1054) 05. Je 10.80 d
Schuchardt, G: Der prakt. Lohnrechner. (60) 8° Berl., M Krayn 05. Kart. 2 —
Schuchardt, H: Bericht üb. d. auf Schaffg e. künstl. internat. Hilfssprache gerichtete Bewegg. [S.-A.] (18) 8° Wien, (A Hölder) 04. — 50

Schuchardt, H, an Adolf Mussaña. (41 m. Abb.) 51,5×36 cm. Graz, (Leuschner & L.) 05. 9 —
Schuchardt, K: Ueb. d. paravaginale Methode d. Exstirpatio uteri u. ihre Enderfolge beim Uteruskrebs. [S.-A.] (53) 8° Berl., S Karger (01). 1.50
Schuchardt, M: Amyntas. Dramat. Dichtg. (134) 8° Frankf., a/M., Gebr. Knauer (04). 3 — d
— Der menschl. Staat als Glied d. Naturentwicklg. Grundlinien e. auf d. Prinzipien d. Deszendenztheorie sich stütz. Innenpolitik. (25, 480) 8° Darmst., A Bergstraesser 03. 10 — d
Schuchardt, O: Die deut. Politik d. Zukunft. 3. Bd. (884) 8° Celle 02. (Dresd., v. Zahn & J.) 3 — (Vollst.: 8 —) d
— Umrisse e. Staatsverfassg f. d. mittl. Europa. (94) 8° Dresd., v. Zahn & J. 05. 2.50 d
Schuchardt, C, s.: Aliso. Führer durch d. röm. Ausgrabgn bei Haltern. (1. u. 2. Afl.) (32 m. Abb. u. 1 Karte.) 8° Haltern 02,03, (Münst., H Mitsdörffer.) — 80 d
— Atlas vorgeschichtl. Befestiggn in Niedersachsen. VII. Heft. (10 farb. Pl. m. illustr. Text 57—84) 4° Bannov., 3. Bd. 5 — || VIII. Heft. (10 farb. Pl.) 05. 3 — (I—VIII.: 38 —)
Schnoht, L: Die Fabrikation d. Superphosphats m. Berücks. d. and. gebräuchl. Düngemittel. 2. Afl. (336 m. Abb. u. 4 Taf.) 8° Brnschw., F Vieweg & S. 03. 14 —
Schuchter, J: Kurzgef. empir. Psychol. (176) 8° Wien, A Hölder 02. Geb. 2 —
Schück, A: Magnet. Beobachtgn an d. deut. Ostseeküste. II u. II a. 4° Hambg (25, Bürgerweide 30 III), A Schück. nn 8.50
II. Mittl. u. östl. Tl. sowie u. d. Klste d. südl. Norwegen. Angestellt in d. J. 1908 u. 1900. (37 m. 4 Kart.) 01. nn 4 —
II a. Taf. auch zu magnet. Beobachtgn an d. Hamburger Bucht; sowie jährl. änderg d. Elemente d. Erdmagnetismus an festen Stationen Europa's in d. J. 1895—1900. (14 m. 10 Taf.) 02. nn 4.50
— 2 magnet. Beobachtgn vor d. Westküste Norwegens im J. 1902. — Beitr. z. Meereskde. I. Ält. Mitteilgn u. Kärtchen üb. Ergebnisse d. Fischfanges in d. Nordsee. II. Beobachtgn v. Wärme, Salzgehalt u. spezif. Gewicht d. Meerwassers westind. Gewässer. III. Zur Kenntnis d. Wirbelstürme. Häufigk. Bahnen, ein. Richtgswinkel u. Barometerkurven in Taifunen. (48 m. Abb., 21 Taf. u. Tab.) 8° Ebd. 05. 16 —
— Das Horometer, e. ält. Instrument d. mathemat. Geogr. [S.-A.] (16 m. 1 Taf.) 8° Münch. (04). (Hambg (Bürgerweide 20 III), A Schück.) — 50
— Die Stabkarten d. Marshall-Insulaner. (37 m. 11 Taf.) Fol. Hambg (HO Persiehl) 02. 5 —
Schück, F: Ein Frühling in Potsdam. Gedichte. (31) 8° Potsd., R Müller (04). 1 —; geb. nn 5 — d
Schück, H: Gesch. d. schwedisch-dän. Lit. 2. Afl. [S.-A.] (16) 8° Strassbg, KJ Trübner 04. — 60
Schück, J, s.: Kinderfreund, neuer.
Schück, J: 1-, 2- u. 3stimm. Singübgn (m. Text) u. Lieder f. Schulen. 1. u. HI. Heft. 8° Hdlbg, vorm. Weiss'sche Univ.-Bh. — 42 d
I. (1—3. Schulj.) Sonder-Ausg. d. Lieder f. d. Schulen. 6. Afl. (24) 1900.
— 19 || III. (5. u. 6. Schulj.) 5. Afl. (50) 02. — 30.
Schück, R: Civilrechtspraktikum, Lösgn, s.: Mosel, H v. d.
Schuckall, A: In d. Bergen. Eine Gesch. a. d. Sommerfrische. (127) 12° Bas., Kober 03. — 50; L. 1 — d
— Boten Gottes. Geschichten f. Kinder. (31) 12° Ebd. 01. — 20 d
— 2 Hühnergeschichten. (31) 8° Ebd. 04. — 20 d
— Jakob u. Jakobus. Erzählg f. d. Jugend u. ihre Freunde. (218) 8° Ebd. (01). 1.20; geb. 2 — d
— Für kl. Leute. 3 Gesch. (40) 8° Ebd. — 80; geb. 1.60 d
— Lisel u. ihre Freunde. Eine Gesch. a. d. Böhmerland. (101) 8° Ebd. 04. — 20 d
— Sie u. d. dort. Geschichten f. Kinder. (18) 8° Ebd. 01. — 20 d
Schücke, C: Die Massenfabrikation d. elektr. Präzisionsapparate, s.: Handbuch d. elektrotechn. Praxis.
Schücking, L: Briefe, s.: Droste-Hülshoff, A v.
— Hart am Rande. Deut. Erobergn, s.: Hesse's, M, Volksbücherei.
— Eines Kriegsknechts Abenteuer. — Der Nachrichter. Kulturhistor. Novellen. 3. Afl. (442) 8° Münst., E Obertüschen 05. 3 —; geb. 4 — d
Schücking, LE: Die Fürstentümer Münster u. Osnabrück unter französ. Herrschaft. (45) 8° Münst., E Obertüschen 04. 1 — d
Schücking, LL: Beowulfs Rückkehr. — Die Grundz. d. Satzverknüpfg im Beowulf. — Studien üb. d. stoffl. Beziehgn d. engl. Komödie z. italien. bis Lilly, s.: Studien z. engl. Philol.
Schücking, W: Die Nichtigk. d. Thronansprüche d. Grafen Alexander v. Welsburg in Oldenburg, s.: Arbeiten a. d. juristisch-staatswiss. Seminar d. kgl. Univ. Marburg.
— Der Staat u. d. Agnaten. (50) 8° Jena, G Fischer 02. 1.50
— Die preuss. Verfassgsurkunde. Textausg. m. Gesetzesverweisgn u. Anlagen. (44) 8° Lpzg, CL Hirschfeld 04. 1 —; geb. nn 1.50 d
Schüddekopf, C, s.: Lichtenberg's, GC, Briefe.
Schüder: Bericht üb. d. Tätigk. d. Wutschutzabteilg am kgl. preuss. Instit. f. Infektionskrankh. zu Berlin im J. '03. (22 m. Abb.) 8° Jena, G Fischer 04. 1.20 || '03. [S.-A.] (28 m. 2 Kart.) 04. 2 —
Den Bericht f. 1904 s.: Meinicke.
— Die Tollwut in Deutschl. u. ihre Bekämpfg. (112 m. 2 Kart.) 8° Hambg, L Voss 03. 2.50
Schue, C, s.: Festgabe, usw. Helnr. Finke gewidmet.
Schuftan, A: Leitf. d. Botanik f. Mediciner. (Neue [Tit.-]Ausg.) (193 m. Fig.) 8° Berl., M Günther [1895] (05). 2.80 d

Schuegraf, R: Deut. grammat. Übgsstoff f. Mittelsch. 5. Afl. (200) 8° Rgnsbg, F Pustet 05. — 90; geb. 1.30 d

Schuh u. **Leder**. Kampffmeyer'sche Zeitg. Red.: M Schulz. Mit d. Unterhaltgs-Beil.: Für d. bessere Hälfte. Red.: P Schettler. 48. Jahrg. 1905. 52 Nrn. (Nr. 1. 116 u. 8 m. Abb.) , Berl., Kampffmeyer'scher V. Viertelj. 3.50 d

Schuh, E: Crefelder Wanderb. Wandergn am Niederrhein, an d. unt. Ruhr u. im Berg. Lande, m. e. Anh.: „Eine Wanderfahrt in d. Eifel (Urfttal-Sperre bei Gmünd"). (182) 8° Cref., W Greven 05. 1.30 d

Schuh- u. **Leder-Adressbuch** d. Deut. Reiches 1905. (961) 8° Berl., Kampffmeyer'scher V. L. 12 —

Schuh-Anzeiger, der. Red.: G Walter. 13. Jahrg. 1901. 52 Nrn. (Nr. 1. 18 m. Abb.) 4° Hannov. (Odeonstr. 17), G Walter. Viertelj. 1.50 o F

Schuh-Industrie-Zeitung, deut. Red. v. G Kebler. 27. Jahrg. 1. Halbj. Jan.—Juni 1901. 12 Nrn. (Nr. 1. 8 m. 1 Taf.) Fol. Berl., (Mickisch & Co.). Viertelj. 2 — d *Fortsetzg z. u. d. T.: Schuhmacher-Zeitung, (FA Günther's) deut.*

Schuhmacher, süddeut. Red. v. F Dengler. 3. u. 4. Jahrg. 1901 u. 2 je 52 Nrn m. vierteljährl. Mode-Beil. (Nr. 1. 8) 4° Leutk., J Bernklau. Viertelj. 1.50 ll 1903. Red. v. I Fluck. Viertelj. 1 — d ô F³

Schuhmacher-Börse, die. Hrsg. v. L Schumann u., seit 1904, L Emanuel. 4—8. Jahrg. 1901—5 je 52 Nrn. (1901, Nr. 1. 8) 4° Berl., Rosenbaum & H. Halbj. 1.50 d

Schuhmacher-Fachblatt. Fachzeitschrift. 5—7. Jahrg. 1901—3 je 24 Nrn. (Nr. 1. 8 m. 1 Abb. u. 1 Taf.) 4° Gotha, (R Schmidt). Viertelj. nn 1 — d ô H

Schuhmacher-Zeitung, (FA Günther's) deut. Red.: CA Müller u., seit 1902, W Herbach. 33—37. Jahrg. 1901—5 je 52 Nrn. (Nr. 1. 8 m. Abb.) Fol. Mit Beibl.: Sorgenfrei. Wochenschrift f. Unterhaltg u. Belehrg. Red.: H Klimke. 27—31. Jahrg. je 52 Nrn. (Nr. 1. 8 m. 1 Abb.) 4° Berl., FA Günther's Zeitgsverl. Viertelj. 1 — d *Seit 1.VII.'01 ist d. deut. Schuh-Industrie-Zeitg hiermit vereinigt.*

— Leipz. illustr. Hrsg. v. F Dengler. 3. u. 4. Jahrg. 1901—5 je 24 Nrn. (Nr. 1. 20 m. 1 Taf.) 4° Lpzg, (T Stauffer). Viertelj. 2 — (Bis 1902 d)

— Wiener allg. Gegründet v. F Kaufner. Red.: A Bösel u., seit 1902, A Grubischitz. 17—21. Jahrg. 1901—5 je 24 Nrn. (1901. Nr. 1. 20 m. 1 Taf.) 4° Wien, (Spielhagen & Sch.). Viertelj. 2 — d

— neue Wiener, s.: Knöfel, R.

Schuhmeier, F: Aus e. k. u. k. Militärspital. Der Fall Hangler. (31) 8° Wien, Wiener Volksbh. 05. — 16 d

— Aus d. Werkstatt d. Clericalismus. Geg. Jesuitismus, Pfafferei u. Aberglauben! (32) 8° Ebd. (01). — 10 d

Schuh- u. **Leder-Zeitung**, Leipz. 2. Jahrg. (14. Jahrg. v. Krahmer's Zeitg f. Schuhhandel u. Schuhmacherei.) 1904. 54 Nrn. (Nr. 1. 12 m. 1 Taf.) 4° Lpzg, O Kahnt.]l3. (15.) Jahrg. Jan.—Septbr 1905. — 71 ll 1905. 4. Viertelj. 6 Nrn. 1.50 d

Schuir, H, s.: Realienbuch f. einf. Schulverhältn.

Schukraft, E: Die Einkommensteuer-Erklärg, s.: Schlegel, F.

Schulalmanach, Danz., f. Eltern u. Lehrer in Berlicks. J. wichtigsten Schulanst. Westpreussens. Bearb. v. F Gehrke. Ausg.: Ostern 1905. (114 m. 4 Vollbildern.) 12° Danz., (L Saunier). Kart. — 60 d

Schul-Anzeiger f. **Oberfranken**. Red.: H Weiss. (26—30. Jahrg.) 1901—5 je 12 Nrn. (Nr. 1. 16) 8° Bayr., (C Giessel). Je 2 — d

— oberpfälzer. Hrsg. v. L Reisinger u. F Zahn. Red.: L Reisinger. 23. u. 24. Jahrg. 1901 u. 2 je 12 Nrn. (Nr. 1. 16) 8° Rgnsbg, (F Pustet). ll 25. u. 26. Jahrg. 1903 u. 4. Hrsg. v. L Reisinger u. J Lindner. Red.: J Lindner. 1901 u 2.20]l 27. Jahrg. 1905. 24 Nrn. nn 2.40; einz. Nrn nn — 10 d

— schwäb. Red.: L Bauer u., seit 1903, A Schulz. 19—23.Jahrg. 1901—5 je 24 Nrn. (Nr. 1. 12) 8° Mit Beil. u. Katalog d. pädagog. Bibliothek d. ev. Lehrer in Augsburg. Mitteilgn a. d. schwäb. Schulausstellg. (Nr. 1. 16) 8° Augsbg, Schwäb. permanente Schulausstellg. Halbj. 1 — d

— f. Unterfranken u. Aschaffenburg. Hrsg. v. F Erbshäuser u. J Griebl (in Verbindg m. A Weber). Red.: F Erbshäuser. 28—32. Jahrg. 1901—5 je etwa 20 Nrn. (Nr. 1. u. 2. 32) 8° Würzbg, (Stahel's St.). Halbj. nn 2 —; einz. Nrn — 40 d

Schul-Atlas z. Unterr. in d. Erdkde, hrsg. v. P Christian. Text v. A Schneiderhan. 6. Afl. (13 [12 farb.] Karten. u. 36 S. Text.) 4° Horb, P Christian (02). nn — 40 d

— Wuppertaler. Sonderansg. v. Andrees Schul-Atlas, in erweit. Neubearbeitg hrsg. v. A Scobel. 75 Haupt- u. 53 Nebenk. auf 62 (farb.) Kartens., nebst e. Textbl. 11. Afl. (16) 8° Bielef., Velhagen & Kl. 05. 1 —; kart. od. geb. 1.50 d

Schulaufsicht, d. geistl. Von Scholastikus. (48) 8° Trier, Paulinus-Dr. 04. — 50 d

— d., u. d. **Rektoren** in Langermannstadt Beleuchtg. Abwehr. Eichtigstellg, krit. Studie u. Abrechng. Hrsg. im Auftr. d. Ver. Barmer Rektoren. (Von K Foltz.) (101) 8° Elberf., (S Lucas) 04. — 50 d

Schulausflüge. Beitr. z. Heimatkde v. Berlin u. Umgebg. Hrsg. v. d. naturwiss. Vereinigg d. Berliner Lehrer-Ver. 4. Heft. (104) 8° Berl., L Oehmigke's V. 02. — 50 (1—4.: 2 —)

Schulausgaben, deut. (Begründet v. Schiller u. Valentin.) Von

Nr. 34 an hrsg. v. J Ziehen. Nr. 19 u. 34—37. 8° Dresd., L Ehlermann. Kart. od. geb. 5.65 d
Goethe's Gedanken-Lyrik. Hrsg. v. P Lorentz. (162) (05.) [35.] Kart. 1.40
Hebbelbuch. Ausw. v. Gedichten u. Prosa. Hrsg. v. P Lorentz. (160) (05.) [37.] Geb. 1.20
Körner, T: Zriny. Trauersp. Hrsg. v. H Schladebach. (104 m. 2 Taf.) (05.) [36.] Geb. — 80
Ziehen, J: Die Dichtg d. Befreiegskriege (Ausw.). 2. Afl. (104 m. 1 Abb.) 04. [19.] Kart.— 80
— Quellenb. z. deut. Gesch. v. 1815 bis z. Gegenwart. (192) (05.) [34.] Geb. 1.45

Schulausgaben deut. Klassiker. Mit vielen Fragen u. Aufg. z. Anregg tieferen Eindringens in d. Verständnis d. Inhalts. II u. V. 8° Trier, H Stephanus. Kart. je — 70 d
Schiller, F v.: Die Jungfrau v. Orleans. Romant. Tragödie. Hrsg. v. H Engelen. 2. Afl. (136) 05. [V.] ╏ Wilhelm Tell. Schausp. Hrsg. v. H Sundels. 3. Afl. (136) 04. [II.]

— engl. u. franzö. Schriftsteller. 2. u. 4. Bdchn. 8° Bremen u. Winter. Geb. 1.40
Bremer, A: 40 franzö. Gedichte. 3. Afl. (55) (03.) [4.] — 40
Byron, Lord: The prisoner of Chillon. — Moore, T: Paradise and the Peri. Hrsg. v. A Bremer. 2. Afl. (36) 02. [2.]
— pädagog. Klassiker. Hrsg. v. T Tupetz. 6. Heft. 8° Wien, F Tempsky. — Lpzg, G Freytag. Geb. 1.20
Rousseau, JJ: Emil od. Üb. d. Erziehg. Hrsg. v. T Tupetz. 2. Abdr. d. 1. Afl. (112 m. Titelbild.) 05. [6.] 1.90

Schulbibliothek, franzö. u. engl. Hrsg. v. OEA Dickmann. Reihe A: Prosa. 2., 12., 14., 16., 20., 27., 29., 30., 32., 33., 37., 38., 41—43., 45., 47., 51., 54., 56., 57., 59., 64., 65., 67., 69., 70., 73., 77., 79., 100., 101., 102., 103., 106., 107., 112., 114., 117. u. 129—148. Bd. 8° Lpzg, Renger. Geb.
Barrau, M de: Hist. de Jeanne Darc. Erklärt v. K Mühlefeld. 3. Afl. (117 m. 2 Pl. u. 2 Kart.) 02. [70.]
Barrau, TH: Scènes de la révolution franç. Erklärt v. B Lengnick. 3. Afl. (135 m. 2 Pl. u. 2 Kart.) 05. [47.] ╏ 4. éd. allemande. (1. éd. franç.) (135) 04. [77.]
Boissonnas, Mme B: Une famille pendant la guerre 1870—71. Bearb. v. B Bauer. (116) 03. [142.] nn 1.30
Burnett, FH: Little Lord Fauntleroy. Bearb. v. G Wolpert. 7. Afl. (110) 04. [77.] nn 1.10
Chambers's Engl. hist. from the earliest to the present time. Erklärt v. A v. Roden. 1. u. 2. Afl. (102 bezw. 107 m. 5 Kartenskizzen u. 1 Karte.) 02.05. [132.] nn 1.30; Wrtrb. (39) — 40
Conteurs modernes. Ausgw. Erzählgn v. Simon, Theuriet, Révillon, Moret, Richebourg. Erklärt v. JV Sarrazin. 4. Afl. (73 u. 16) 05. [65.] ╏ Mit französ. Anmerkgn. 5. éd. (73 u. 16) 02. Je nn 1 —
Coppée, F: Ausgew. Erzählgn. Erklärt v. A Gundlach. 3. Afl. (91) 01. [67.] nn 1 —
Dandet, L: Le petit chose. Erklärt v. J Aymeric. 3. Afl. (136) 04. [94.] nn 1.30
— Ausgew. Erzählgn. Erklärt v. E Gropp. 7. Afl. (96) 01. [77.] nn 1 —
— Lettres de mon moulin. Ausgw. u. erklärt v. J Hertel. (109) 02. [135.] nn 1.30
— Tartarin de Tarascon. Bearb. u. erklärt v. J Aymeric. 6. Afl. (104) 04; m. französ. Anmerkgn. 5. éd. allemande. (1. éd. franç.) (78 u. 23) 04. Je nn 1 —
Deschaumes, E: Journal d'un jycéen de 14 ans pendant le siège de Paris (1870—71). Ausw. Bearb. v. R Kron. 2. Afl. (165 m. 3 Kartenskizzen, 7. Afl. (92) 04. [45.] nn 1 —
Dickens, C: David Copperfield's school-days. Erklärt v. H Bahrs. 3. Afl. (127) 04. [75.] nn 1 —
Dickmann, OEA, u. J Heuschen: Französ. Leseb. f. d. mittl. Kl. höh. Lehranst. (292) 07. [134.] nn 1.80 ╏ 2. Afl. (352) 05. 2 —; kart. v. G van Tuyll. nn 1.40
Duruy, V: Hist. de France de 1560—1643. Erklärt v. AG Meyer. 4. Afl. (113 m. 1 Karte u. 3 Skizzen.) 03. [2.] nn 1 —
— Règne de Louis XIV. Erklärt v. unbek. u. erklärt v. H Müller. 2. Afl. (106 u. 1 Karte.) 02. [106.] nn 1.80; Wrtrb. v. A Stalmann. (29) — 30
— Waterloo. Suite du conscrit de 1813. Erklärt v. J Aymeric. 4. Afl. (104) 04. [61.] nn 1.40
Freeman, EA: A short hist. of the Norman conquest of Engl. Bearb. v. F Meyer. (114 m. 2 Kart.) 05. [148.] nn 1.40; Wrtrb. (32) — 35
Gardiner: Historical biographies. Erklärt v. G Wolpert. 5. Afl. (104 m. Abb.) 04. [32.]
Goerlich, E: Geogr. of the Brit. Empire. (102) 01. [129.] nn 1.10
Grimm, Frères: Contes choisis. Ausw. Erklärt v. LE Rolfs. 2. Afl. (100) 05. [98.]
Gros, J: Récits d'aventures et expéditions au pôle nord. Hrsg. v. L Rasberg. (96 m. Kart.) 03. [146.] nn 1.10; Wrtrb. (41) — 40
Guizot, FPG: Hist. de la civilisation en Europe depuis la chute de l'empire romain jusqu'à la révolution franç. Ausw. Erklärt v. A Kressner. 4. Afl. (19) 03. [72.] nn 1.40
Halévy, L: L'invasion. Souvenirs et récits. Im Ausz. hrsg. v. JV Sarrazin. 4. Afl. (95 m. 3 Kartenskizzen.) 04. [64.] nn 1.40
Henty, GA: Yarns of the Reich. A bundle of tales. Erklärt v. E Eule. 4. Afl. (95) 03. [78.] nn 1.10; Wrtrb. (32) — 30
d'Hérisson, Comte: Journal d'un interprète en Chine. Erklärt v. A Kressner. (199) 05. [136.]
— Journal d'un officier d'ordonnance, juillet 1870—févr. 1871. Ausw. Bearb. v. T Cosack. 4. Afl. (158 m. 1 Karte u. 1 Pl.) 05. [81.] nn 1.50
Irving, W: Bracebridge hall or the humorists. Erklärt v. G Wolpert. (129) 02. [138.] nn 1 —
— Tales of the Alhambra. Ausw. Erklärt v. H Wernekke. 3. Afl. (106) 04. [98.] nn 1.10
Lamé-Fleury: Hist. de la découverte de l'Amérique. Bearb. v. M Schmidt. 7. Afl. (125) 02. [42.] nn 1 —
— Hist. de France de 405—1328. Bearb. v. J Hengesbach. 3. Afl. (96) 05. [73.]
— dass. de 1328—1562. (Ausw.) Erklärt v. J Hengesbach. 3. Afl. (126 m. 1 Karte.) 04. [127.]
Lanfrey, P: Campagne de 1806—7. Erklärt v. O Klein. 3. Afl. (154 m. 2 Kart. u. 4 Pl.) 04. [19.]
— dass. de 1809. Erklärt v. O Klein. 3. Afl. (127 m. 1 Kart. u. 2 Pl.) 03. [19.]
Leitzig, J: The Brit. isles. A geograph. reader. (255 m. Abb., 9 Taf. u. 1 Karte.) 04. [141.] 3 —

Schulbibliothek, franzö̈s. u. engl. Prosaschriften a. d. neueren Zeit. Fortsetzg.
Mehrbätter. A : Modern Engl. novels. (140) 02. [89.] 1.40; Wrtrb. (46) — 45
Seeley, Sir JR : The growth of Great Britain. Being a selection from the authors 'Expansion of Engl.' and 'Growth of Brit. policy'. Hrsg. v. K Fahrenberg. (156) 05. [45.] — 50
Sketches, naval, by various authors. Charakterbilder a. d. Seekriegswesen, hrsg. v. R Kron. (96) 03. [41.]　　　1 —; Wrtrb. (79) — 20
Twain, M : The prince and the pauper. Im Ausz. hrsg. v. E Lobedanz. 2. Aß. (162 m. 1 Karte.) 01. [16.]　　　　　　　1.50
— **dass. 6. u. 13. Bdchn. Wörterbücher. 8° Berl., Weidmann. — 80**
Conrad, H : On Engl. life and customs. Wrtrb., v. K Köhler. (54) (02.) [12.]　　　　　　　　　　　　　　　　　— 20
Mc Carthy, J : The Crimean war. [S.-A.] Wrtrvers. v. W Gebert. (25) (02.) [6.]　　　　　　　　　　　　　　　　— 30
— **Stolze-Schrey. Hrsg. v. C Bloetz. I—VI. Bd. (Je 24) 8° Berl., Frz Schulze 05.**　　　　　　　　　　Je — 15
Amicis, E de: Von d. Apenninen zu d. Anden. [Aus: „Herz".] [VI.]
Andersen : 3 Märchen. 1. Das Feuerzeug. 2. Der flieg. Koffer. 3. Die roten Schuhe. [IV.]
Ebner-Eschenbach, M v.: Krambambuli. — Eleze, d., ohne Herz. Norweg. Volksmärchen. [II.]
Schalk, G : Beowulfs Heldenfahrt. [V.]
Volkmann-Leander, R v.: Träumereien an französ. Kaminen. a) Pech-vogel u. Glückskind, b) Der verrostete Ritter, c) Die künstl. Orgel. [I.]
Weisflog, K : Der Pudelmütze 26. Geburtsfest. [III.]
Schul- u. Hausbibliothek, kathol. 1—4. Bdchn. 12° Münch., Leitenberger & Pitzer.　　　　Je — 30; in 1 Bde 1 — d
Leitenberger, O : 8 Erzählgn. (96) (04.) | 6 Erzählgn. (96) (04.) | 9 Er zählgn. (96) (04.) | 9 Erzählgn. (96) (04.) [1—4.]
Schulblatt, allg. Organ d. allg. Lehrervor. im Reg.-Bez. Wiesbaden. 52—56. Jahrg. 1901—5 je 36 Nrn. (Nr. 1. 8) 8° Wiesb., R Bechtold & Co.　　　　　　　　　　　　　　Je 4.50
— amtl. Feuille officielle scolaire. 5. u. 6. Jahrg. 1901 u. 2 je 24 Nrn. (1901. Nr. 1. 16) 8° Bern, P Haller. || 7—9. Jahrg. 1905—5 je 16 Nrn.　　　　　　　　　Je nn 2 —
— amtl., f. d. Reg.-Bez. Arnsberg. Hrsg. v. d. kgl. Regierg, Abth. f. Kirchen- u. Schulwesen. 11. Jahrg. 1901. 15 Nrn. (146) 8° Arnsbg, (FW Becker). † — 75 || 12—15. Jahrg. 1902—5. (110, 103, 133 u. 120) Je 1 — d
— Berner. Organ d. freisinn. bern. Lehrerschaft. Red.: Dr. B. Scheidegger. 35—38. Jahrg. 1902—5 je 52 Nrn. (1902. Nr. 1. 16) 8° Bern, (H Körber).　　　　　　　　　Je 7.20
— f. d. Prov. Brandenburg. Unter Mitwirkg v. Gast, Schultze u. Trinius hrsg. v. Schumann. 70. Jahrg. 1901—5 je 6 Doppelhefte. (Je 656) 8° Berl., (Wiegandt & Gr.). Je nn 5.50; einz. Doppelhefte nn 1 — d
— neues braunschweig. Hrsg.: G Schaarschmidt u., 1904, K Ernst. 14—17. Jahrg. 1901—4 je 24 Nrn. (1901. Nr. 1. 20) 8° Brnschw., E Appelhans & Co. Viertelj. — 75; einz. Nrn. — 20 d || 18. Jahrg. 1905. Schriftleiter: M Salomon. 4 —; einz. Nrn nn — 25
— Bremer. Schriftleiter: H Lüdemann. 7—11. Jahrg. Oktbr 1901—Septbr 1906 je 12 Nrn. (7. Jahrg. Nr. 1. 10) 4° Brem., E Hampe.　　　　　　　　　　　Je 2 — d
— elsass-lothring. Zentral-Organ f. Erziehg., Unterr. u. amtl. Berichte in Elsass-L. Begründet v. T Hatt, fortgeführt v. P Zänker u. hrsg. v. B Stelle. 31—35. Jahrg. 1901—5 je 24 Nrn. (1901. Nr. 1. 16) 8° Strassbg, Strassb. Druckerei u. Verl.-Anst.　　　　　　　　　Je nn 5 — d
— evangel., begründet v. FW Dörpfeld. Hrsg. v. D Horn, A Hollenberg u. G v. Rohden. 45—49. Jahrg. 1901—5 je 12 Nrn. (533, 540, 580, 548 u. 528) 8° Gütersl., C Bertelsmann.　　　　　　　　　　　　　　　Je 6 — d
— evangelisch-luther. Monatsschrift f. Erziehg u. Unterr. Hrsg. v. d. deut. ev.-luth. Synode v. Missouri, Ohio u. a. St. Red. v. EAW Krauss (u. F Lindemann). 36—40. Jahrg. 1901—5 je 12 Hefte. (1. Heft. 32) 8° St. Louis, Mo. (Zwick., Schriftenver.)　　　　　　　　　　　　Je 7 — d
— evang.-luth. u. Wochenschrift z. Förderg bibl. Pädagogik. Schriftleitg: JG Asmussen. 7. Jahrg. 1901. 52 Nrn. (Nr. 1. 8 Sp.) 4° Flensbg. Rendsbg, Schulblattvereinigig. Jan.—Juni 1902. 26 Nrn. (220 Sp.)　　　　Je 1 — d
— dass., u. Monatsschrift z. Förderg bibl. Pädagogik. Hrsg. v. JG Asmussen. 8. Jahrg. Juli 1902—Juni 1903. 12 Hefte. (1. Heft. 20) 8° Ebd. 4.50 || 9. Jahrg. 1903—Dezbr 1904. 18 Hefte. 6.75 || 10. Jahrg. 1905. 12 Hefte. 4.50 d
— amtl., f. d. Reg.-Bez. Hildesheim. Hrsg. v. d. kgl. Regierg in Hildesheim. 1. Jahrg. Apr.—Dezbr 1904. 18 Nrn. (146) 8° Hildesh., A Lax. || 2. Jahrg. 1905. 24 Nrn. Je nn 1.50 d
— kathol.; f. d. Reg.-Bez. Merseburg. Hrsg. v. d. kgl. Regierg. 12. Jahrg. Apr. 1901—März 1902. 12 Nrn. (76) 4° Mersebg, F Stollberg. 1 — || 13. Jahrg. Apr.—Dezbr 1902. 9 Nrn. (54) — 75 || 14—15. Jahrg. 1903—5 je 12 Nrn. (50, 88 u. 54) Je 1 — d
— amtl., f. d. Reg.-Bez. Minden. Hrsg. v. d. kgl. Regierg. 5—8. Jahrg. Mai 1901—Apr. 1905 je 13 Nrn. (79, 92, 92 u. 88) 8° Mind., JCC Bruns. Je nn — 90 || 9. Jahrg. 1005/6. 1 — d
— amtl., f. d. Reg.-Bez. Münster. Hrsg. v. kgl. Regierg. 1—3. Jahrg. 1903—5 je 12 Nrn. (130, 138 u. 134) 8° Münst., Coppenrath.　　　　　Je 1 —; einz. Nrn — 15 d
— oldenburg. Hrsg. v. B Grape. 28. Jahrg. 1905. 52 Nrn. (Nr. 1—43. 262) 4° Oldnbg, R Sussmann. Viertelj. nn n 1 — ö H
— d. Prov. Sachsen. Begründet v. W Dietlein. Red.: P Macke-

---

prang. 40—44. Jahrg. 1901—5 je 52 Nrn. (470, 522, 568, 586 u. 612) 4° Mgdbg, (Heinrichshofen's S.).　Viertelj. nn 1.50; einz. Nrn nn — 20
Schulblatt, schles. Hrsg. u. Schriftleiter: F Heins u., 1905, C Schiller. 30—34. Jahrg. 1901—5 je 24 Nrn. (1902. Nr. 1—10. 136) 8° Tropp., (Buckholz & D).　　Je nn 4 — d
— schweiz. ev. Früher: „Blätter f. d. christl. Schule". Red.: J Howald. 36—40. Jahrg. 1901—5 je 24 Nrn. (1901. Nr. 1 u. 2. 24) 8° Bern, (H Körber).　　　　　Je 4 — d
— f. Thüringen u. Franken. Hrsg. v. T Rottsck u. L Greiner. 44—48. Jahrg. 1901—5 je 24 Nrn. (Nr. 1. 8) 8° Pössneck. (Lpzg, R Böhm.)　　　　　　　　　Viertelj. 1 — d
— Thüringer. Red.: H Böttner. 24—28. Jahrg. 1901—5 je 24 Nrn. (Nr. 1. 8) 4° Gotha, R Schmidt.　　Viertelj. — 75 d
— westpreuss. Red.: Hinz. 5—8. Jahrg. Oktbr 1900—Septbr 1904 je 52 Nrn. (Nr. 1. 8) 4° Konitz, W Dupont. Viertelj. nn 1.25 d
Fortsetzg war nicht zu erhalten.
Schulblätter, südwestdeut. Red.: Keim u. Stark. 18—20. Jahrg. 1901—3 je 12 Nrn. (1901. Nr. 1. 28) 8° Karlsr., (F Gutsch). || 21. u. 22. Jahrg. 1904 u. 5. Red.: O Armbruster u. H Cramer.　　　　　　　　　　　　　Je 4 —; einz. Nrn — 50
Schulbote f. Hessen. Red.: H Ruppel. 43—44. Jahrg. 1901—2 je 24 Nrn. (Nr. 1. 12 u. 4) 4° Giess., E Roth. || 45. Jahrg. 1904. Red.: H Scherer u. K Backes. || 46. Jahrg. 1905. Red.: K Mink.　　　　　　　　　　　　　　　　Je nn 4 —
— österr. Zeitschrift f. d. Praxis d. österr. Volks- u. Bürgersch. Schriftleiter: F Frisch. 51—55. Jahrg. 1901—5 je 11 Nrn. (1901. Nr. 1. 64) 8° (Bis 1902 m. Beil.: „Wegweiser durch d. pädagog. Lit." je 12 Nrn.) Wien, A Pichler's Wwe & S.　　　　　　　　　　　　　Viertelj. 1.80 d
Schul- u. Kirchenbote. Begründet v. F Obert. Hrsg. v. L Morres u. KH Hiemesch. 36—40. Jahrg. 1901—5. 12, 20, 21, 21 u. 24 Nrn. (1901. Nr. 1. 24) 8° Kronst., H Zeidner. Je nn 5 — d
Schul- u. Vereinsbühne. Sammlg leicht aufführbarer Theaterstücke f. d. studier. Jugend. Hrsg. v. B Arens. 2—6. Bdchn. 12° Freibg i/B., Herder.　　　　Je 1.20 (Vollst.: 7.20) d
Delaporte, V : Rektor v. Loc'h Maria. Trauersp. a. d. gr. Revolution. Nach d. Franz. v. B Arens. (137) 01. [5.]
Longhaye, G : Canossa. Schausp. Nach d. Franz. v. B Arens. (103) 02. [6.]
Morres u. KH Hiemesch : Krippenep. Nach d. Franz. v. Zeit d. Kaisers Domitian. Nach d. Franz. v. B Arens. (138) 02. [4.]
Tricard, H : Garcia Moreno. Trauersp. Nach d. Franz. v. B Arens. (117) 02. [3.]
— Vitus. Trauersp. Nach d. Franz. v. B Arens. (139) 01. [3.]
— christl. Sammlg v. Theaterstücken f. Schulen, Instit., Vereine u. Dilettantenbühnen. 1—62. Bdchn. 12° Linz, Pressver. 18.90; Nr. 1—6 in 1 Bd (Bd 1) 1.40; Nr. 7—12 in 1 Bd (Bd 2) 1.50 d (Bd-Ausg. ö F)
Aegidis : Die alte Mamsa. Lustsp. Nach d. gleichlaut. Stück v. K v. Baraden. (18) 04. [19.]　　　　　　　　　　　　　　— 20
Angerhofer, J : Zur rechten Stunde. Leichtes, gemütbild. Schülerspr. f. Knaben u. Mädchen. Mit mehreren Liedern. (50) 05. [14.]　　— 60
— Weihnachtsegen. Weihnachtssp. f. Knaben u. Mädchen m. 2 Liedern. (36) 05. [13.]　　　　　　　　　　　　　　　　— 30
— Der Wurzngraba Veit. Aelpler. Schülerap. m. 5 Liedern v. A Prochtko f. Knaben u. Mädchen. 2. Aß. (52) 05. [80.]　　　　　— 50
— Der Regenschirm. (15) 04. [41.]　　　　　　　　　　— 30
— Keine Sommerfrische. Lustsp. (47) 05. [49.]　　　　　— 30
Faigl, JN : Zigeunerin o. Bettelweib. Schausp. (62) 05. [69.]　　— 50
Fasching, A : Der Hirtenmädchen Weihnacht. Krippensp. (35) 04. [17.] — 70
— Die Marienkind. Schausp. f. Mädchen. (26) 03. [5.]　　　— 55
— Die ersten Wunder v. Lourdes. Schausp. f. Mädchen. (26) 02. [7.] — 55
— Zufriedenheit macht glücklich. Lust. Mädchen. (44) 04. [18.]　— 55
Gruber, L : List üb. List od. Der neue Herr Adjunkt. Schwank. (34) 04. [28.]
Guppenberger, L : Die Geburt Jesu Christi. Weihnachtssp. m. Liedern. (45) 05. [40.]　　　　　　　　　　　　　　　— 50
Hanrieder, N : Kelle — od. Kreuz od. Freimaurer u. Jesuiten. Schausp. u. Bolanden. (48) 04. [12.]　　　　　　　　　— 25
Hiebl, J : Das Bundesfest. Einakter f. Mädchen-Ver. (14 u. Musikbeil. ?) 04. [20.]　　　　　　　　　　　　　　　— 35
— Ein Vierteljündchen bei d. Bächern. Lust. Szene. (15) 04. [71.] — 30
Hinberger, J : Im Kuchizimmer od.: Herrisch u. bäurisch. Schwank. (31) 04. [41.]
Insigneri, F : Auf d. Nagtalm. Lust. Volksmärchen. Für kathol. Gesellenver.-Bühnen. (46) 04. [37.]
Kaiserniefer, C : Natur u. Romantik od. Schöne Träume. Lebensbilder. (34) 04. [25.]　　　　　　　　　　　　　— 50
Leithner, A : v. Krautschaftrl. Schwank. (54) 04. [31.]　　　— 50
Leitner, A : Der Jahreswechsel. Sylvesternachtssp. (16) 04. [27.] — 30
Nömaier, J : 3 Freunde od. Das Wiederfinden in d. Christnacht. Weihnachtssp. (52) 04. [15.]　　　　　　　　　　　— 35
Pailler, W v.: Im Hirtental. Weihnachtssp. m. Liedern. Aus d. Nachlasse. (32) 04. [41.]　　　　　　　　　　　　— 50
Petrus : Der Neujahrswunsch m. Hindernissen o. Vorspruch zu Pailler's Krippensp. u.: Schlndlsser, J d. lst d. Fluch d. bösen Tat ! Krippensp. (20) 04. [88.]
— Das Waldkreuz. Schausp. (27) 04. [83.]　　　　　　　— 25

Schülerbuch f. d. Mittelkl. d. kathol. Volkssch. Deut. Sprache, Welt, Vaterlands- u. Naturkde. 136. Afl. (64 m. 1 Karte.) 8° Münch., R Oldenbourg (05). nn — 20; kart. nn — 30 d
Schülerfeste, vaterländ., an d. Realanst. am Donnersberg. II—IV. 8° Kirchheimbol. (u. Kaisersl.), Thieme'sche Drucke-rejen. 4.50
  II. Karl d. Gr., d. 1. Einiger d. dent. Stämme, d. Förderer u. d. Re-gründer d. Kultur in Deutschl. d. Erneuerer d. abendländ. Kaiser-tums. (76 u. Musikbeil. 12 m. 1 Bildnis.) 1897. 2 —
  III. Kaiser Konrad II., d. Gründer d. Abtei Limburg an d. Hart, sowie d. Domes zu Speyer u. d. mittelalterl. Kaisertum auf d. Höhepunkt sr Machtstellg. (27 m. Abb.) 1899. 2 —
  IV. Kaiser Friedrich d. Rotbart. (25) 02. — 50 d
Schülerfreund, dent. Notizkalender f. Gymnasiasten u. Real-schüler f. Ostern 1905 bis dahin 1906. Hrsg. v. F Koch. (Mit Bildnissen.) Ausg. m. Wochentagen. (224 u. 76) 16° Lpzg, E Volkening. || 30. Jahrg. f. Michaelis 1905/06 (Kalendarium bis Sylvester 1906). Ausg. ohne Wochentage. (352) || f. 1906 (Kalendarium bis Ostern 1907). Ausg. m. Wochentagen. (224 u. 96) Je 1 — d
— stenograph. Monatsbl. f. Stenogr. n. d. System Scheithauer. Schriftleiter: E Gosselk. (1.) Jahrg. Oktbr 1899—Septbr 1900. 12 Nrn. (Je 8) 8° Hildesh., (H Olms). 1.50
— dass. Zeitschrift f. Schüler öffentl. Lehranstalten. Hrsg. u. Schriftleiter E Gosselk. (2.) Jahrg. Oktbr 1900—Septbr 1901. 12 Nrn. (Je 8) 8° Ebd. 1.50
  Fortsetzg s. u. d. T.: Stenographenfreund, deut.
Schüler-Jahrbuch, deut. 1905—6. (Ostern 1905—Ostern 1906.) No-tizkalender u. Nachschlageb. bes. f. d. Schüler sämtl. höh. Lehranst. (Begründet v. F Lange.) Hrsg. v. A Fischer. 10. Jahrg. (Schreibkalender u. 119) 12° Gross-Lichterf., BW Gebel. || (Oktbr 1905—Dezbr 1906.) 11. Jahrg. (Schreibkalender u. 140)
L. je — 80 d
Schülerinnen-Jahrbuch, deut. 1905—06. (Ostern 1905 bis Ostern 1906.) Notizkalender u. Nachschlageb. f. d. Schülerinnen sämtl. höh. Lehranst. Hrsg. v. M Tancke. 5. Jahrg. (Schreib-kalender u. 96) 16° Gross-Lichterf., BW Gebel. || (Oktbr 1905—Dezbr 1906), 6. Jahrg. (Schreibkalender u. 110) L. je — 80 d
Schülerinnenkalender f. d. Schulj. 1904/5. Hrsg. v. A Sütter-lin. 21 Jahrg. Januar-Ausg. (Schreibkalender m. 89) 16° Lahr, M Schauenburg. || 1905/6. 22. Jahrg. Oster-Ausg. (Schreibka-lender u. 90) || 1905/6. Spätjahr-Ausg. (Schreibkalender u. 89)
Geb. je † — 60 d
Schüler-Kalender, allg. deut., m. Taschen-Notizbuch 1905. (Schreibkalender u. 32 m. 1 Karte.) 16° Lpzg-N., A Henze.
Kart. — 40 d
  Fortsetzg war nicht zu erhalten.
— deut. Taschenb. f. Schüler höh. Lehranst. (Begründet v. E Metscher.) 11. Jahrg. 1906. (289) 16° Berl., T Fröhlich's Nf.
L. 1 — d
— deut., als Aufgabenb. (Schreibkalender u. 22) 8° Dresd., (C Herrlich (04). Geb. — 50 d
— f. Schüler höh. Lehranst. f. d. Schulj. 1904/1905. Hrsg. v. A Sütterlin. 23. Jahrg. Jan.-Ausg. (Schreibkalender u. 90) 16° Lahr, M Schauenburg. || 1905/1906. 24. Jahrg. Oster- u. Spät-Jahr-Ausg. (Je in 2 Ausg.) 4. Jahrg. Oster- u. Spät-jahr-Ausg. (Je Schreibkalender u. 90) Geb. je † — 60 d
— schweiz. f. 1906. 28. Jahrg. Hrsg. v. R Kaufmann-Bayer u. O Führer. (207 u. 38 m. Abb. u. 1 Bildnis.) 16° Frauenf., Huber & Co. L. 1.20
Schulfreund, der. Süddent. Blätter f. erzieh. Unterr. Mit e. Beil.: Pädagog. Anzeiger. Hrsg. v. JL Jetter u. M Glück. 10—13. Jahrg. 1901—4 je 12 Nrn. ('05.04: 202 u. 192) 8° Cannst., G Hopf. Je nn 2 — d
  Fortsetzg u. d. T.:
— der. Organ f. neue Schulkunst. Hrsg. u. Schriftleiter: JL Jetter. 14. Jahrg. 1905. 12 Nrn. (Nr. 1—6. 96) 8° Lorch, K Rohm. 3 — d
— der. Zeitschrift z. Förderg d. Volksschulwesens u. d. Jugend-erzieh, begründet v. H Schmitz, fortgesetzt v. L Kellner. Neue Folge. Hrsg. v. CA Beck u. K Schaubacher. 57. Jahrg. 1901. 6 Hefte. (1. Heft. 56) 8° Trier. Hamm, Breer & Th. 3 — d
  Fortsetzg u. d. T.:
— der. Monatsschrift z. Förderg d. Volksschulwesens u. d. Jugend-Erziehg. Begründet v. H Schmitz, fortgesetzt v. L Kellner u. n. Red.: HJ Frenken. 58—61. Jahrg. Oktbr 1902—Septbr 1906 je 12 Hefte. (59—61. Jahrg. 728, 696 u. 626) 8° Hamm, Breer & Th. Je 6 —; einz. Hefte 1 — d
— der. Pädagog. Zeitschrift f. Elsass-L. Hrsg. v. G Sedelmayr u. seit 1904, Nägelsst. 31—35. Jahrg. 1901—5 je24 Nrn. (Nr. 1. 12) 4° Metz, (P Even). Postfrei je nn 5.50 d
— kathol., m. d. Beil.: „Der kathol. Jüngling" n. d. Vorbilde d. hl. Aloisius v. Gonzaga. (Hrsg.: J Janauschek.) Red.: J Vogl. 6—9. Jahrg. 1901—4 je 12 Nrn. (Nr. 1. 8 u. 8 m. Abb.) 8° Nebst: Das brave Schulkind. 4—7. Jahrg. (Nr. 1. 8 m. Abb.) 12° Wien, (Mayer & Co.). Je 2 — d
  Fortsetzg war nicht zu erhalten.
Schulfreundin, deut. Jahrb. f. Schülerinnen. 29. Jahrg. f. Mi-chaelis 1905/06 (Kalendarium bis Sylvester 1906). Hrsg. f. F Koch. (224 u. 64 m. Abb. u. Bildnissen.) 16° Lpzg, E Volke-ning. || Neujahrsautsg. (224 u. 80 m. Abb. u. Bildnissen.)
L. je 1 — d
Schulgesangbuch, Sammlg v. 50 v. Kernliedern m. beigedr. Melodien, nebst Luthers kl. Katech. u. Spruchb., sowie e. Ge-betbüchl. f. kathol. u. Unterr.-Anst. 2. Afl. (85) 8° Flensbg, A Westphalen 04. Geb. nn — 50 d
  Hinrichs' Fünfjahrskatalog 1901—1905.

Schulgesangbuch, ev. (134) 8° Nordh., C Haacke 02. Geb. nn — 50; m. Anh. (16) nn — 55 d
— ev., f. Ostpreussen. Hrsg. v. kgl. Prov.-Schul-Kollegium zu Königsberg i. Pr. (156) 12° Königsbg, JH Bon's V. — Gräfe & U., Bh. — Hartung 03. Geb. nn — 30 d
— ev. Melodieen u. Texte im Anschl. an d. neue ev. Kirchen-Gesangb. f. Rheinl. u. Westf. 7. Afl. (83) 8° Ess., GD Baedeker 05. Geb. nn — 40 d
— ev. 150 Lieder n. d. ev. Gesangb. f. d. Prov. Sachsen nebst 20 geistl. Volksliodern. (123) 8° Halle, Bh. d. Waisenh. 03. — 40; L. — 70; m. Katech. u. Sprüchen. (162) — 60;
geb. — 90 d
Schulgesetze. 10 Hefte. Amtl. Handausg. 8° Darmst., (G Jong-haus).
nn 2.10 d
  1. Gesetz, d. Gehalte d. Volksschullehrer betr. Vom 9.III.1878. Mit Be-rücks. d. durch spät. Ges. u. s. w. eingetret. Ändergn. (18) 02. nn — 25
  2. Gesetze, d. Pensionierg d. Volksschullehrer betr. Vom 1.X. 1570. 16.IX.1899 u. 28.IX.'01. (29) 02. — 20
  3. Instruktion f. d. Kreis-Schulkommissionen. Vom 21.IX.1874. (34) 02. nn — 30
  4. Instruktion f. d. Schulvorstände. Vom 21.IX.1874. (17) 02. nn — 30
  5. Lehrplan f. d. ev. Relig.-Unterr. in d. Volkssch. Vom 7.VII.1875. (14) — 25
  6. Bekanntmachung, d. Lehrpl. d. groseh. Schullehrerseminarien betr. Vom 29.XI.1897. (3) 02. † — 15
  7. Verordnung, d. Prüfgn f. d. Lehramt anVolkssch. betr. Vom 20.XI. 1897. (1) 02. nn — 30
  8. Gesetz, d. Witwen- u. Waisenkasse d. Volksschullehrer betr. Vom 21.VII.1900. (5) 02. — 20
  9. Lehrplan d. Oberrealsch. (8) 02. nn — 35
  10. Bekanntmachung, d. Bestimmgn üb. d. Bau u. d. Einrichtg d. Schul-räume u. Lehrerwohngn betr. Vom 4.VI.'04. (19) 04. nn — 30
— d. neuen, f. Niederöstert., s.: Gesetz-Ausgabe, Manzsche.
Schulgesetz-Entwürfe, d. christlich-soz., z. Beseitigg d. staatl. Schulanfsicht. Zusammengest. auf Grund d. Vorl. d. nieder-österr. Landesauschusses u. d. endgilt. Beschlüsse d. nieder-österr. Landtages v. 25. u. 26.X.'04. (34) 8° Wien, (Wiener Volksbh.) (04). 1 — d
Schulgesetz-Sammlung, deut. Zentral-Organ f. d. ges. Schul-wesen im Dent. Reiche, in Österr. u. in d. Schweiz. Red. v. O Janke. 30—34. Jahrg. 1901—5 je 52 Nrn. (488 u. '02—05 je 408 Sp.) 4° Berl., L Oehmigke's V. Viertelj. nn 2.25; einz. Nrn. — 20 d
Schulhaus, das. Zentralorgan f. Bau, Einrichtg u. Ausstattg d. Schulen u. verwandten Anst. im Sinne neuzeitl. Fördergn. Hrsg. v. K Vanselow. 3—7. Jahrg. 1901—5 je 9 Hefte. (3—5. J. 276, 400 u. 396 m. Abb. u. Taf.) 8° Berl., Schulhaus-Verl. Halbj. 3 —; einz. Hefte (— 60) — 80 d
Schulhof, F: Begleitwort z. Lesemaschine „Borgmeyer-Schul-hof". (18 m. Abb.) 8° Hildesh., F Borgmeyer 04. — 20 d
— Diktate z. Einübg d. Orthographie u. Grammatik. (132) 8° Ebd. 04. 1 —; geb. 1.40 d
Schuliatschenko, AR: Üb. d. Einwirkg d. Meerwassers auf hydraul. Cemente. [S.-A.] (10) 4° Stuttg. 1900. (Freibg i/B., J Bielefeld.) 1 — d
Schulig, H: Quer durch d. Sudan, s.: Pichler's Jugendbücherei.
Schul-Kalender, bad., f. 1905. 31. Jahrg. Red. v. R Baur. (360 u. 22) 8° Bühl, Konkordia. L. † 1.40 d
— d. Reg.-Bez. Magdeburg m. d. Kreis Grafsch. Wernigerode. 11. Jahrg. 1905/1906, Hrsg. v. H Brandt. (311) 8° Mgdbg, (Hein-richshofen's B.). Kart. nn 3 — d
— 1906 f. d. Reg.-Bez. Minden. (184) 8° Mind., JCC Brung. L. 1 — d
— preuss., f. Lehrer u. Lehrerinnen f. 1904. 4. Jahrg. Hrsg. u. hrsg. v. A Görgen. (92) 12° Trier, F Linz. L. 1 — d ô f
Bis 1902 u. d. T.: Schulkalender, Trier.
Schul- u. Lehrerkalender f. 1906. (145) 8° Stuttg., (A Bonz & Co.).
Schulkamerad, dent. Taschenb. f. Schüler f. Ostern 1905/06. Begründet v. F Koch. (Mit Bildnissen.) (208 u. 76) 16° Lpzg, E Volkening. || Für Michaelis 1905/6. (Kalendarium bis Syl-vester 1906.) (208 u. 28) || Für 1906. (208 u. 96) Kart. je — 60 d
Schulkarte v. Württemberg, Baden u. Hohenzollern. 1:800,000. 30,5×39 cm. Photolith. u. Farbdr. Bruchs., (Ö Katz (1800).
nn — 15
Schülke, A: Aufg.-Sammlg a. d. Arithmetik, Geometrie, Tri-gonometrie u. Stereometrie, nebst Anwendgn auf Astrono-mie, Feldmessg, Nautik, Physik, Technik, Volkswirtschaft u. Lehre f. ob. Kl. höh. Schulen. (198 m. Fig.) 8° Lpzg, BG Teubner 02. Geb. 2.20 d
— 4stell. Logarithmen-Taf. f. d. Schulgebr. 5. Afl. (18) 8° Ebd.
Geb. nn — 90 d
Schülke, O: Schiffs- u. Havariepatrones. Seerechtl. Besprechg d. Rechte u. Pflichten d. Schiffsführers in Havarei- u. and. Geschäftssachen. (119 m. 4 Formularen.) 8° Hambg, Eckardt & M. 02. L. 2.40 || 2. Afl. (124 m. 7 Formularen.) L. 2.50
— d. Eltern ihrer Schüler, insbes. an alle Ortsschulräthe, Ge-meinderäthe u. Bezirksvertretgn. Red. v. A. Compromiss-Comité steir. Lehrer. (36) 8° Wien 01. (Graz, P Cieslar.) — 35 d
Schulkunde, kathol. Central-Opan f. d. Interessen d. Schule u. d. Lehrstandes. Hrsg. v. R Kiel. 10. Jahrg. 1901. (12. Jahrg. Volksliodern. (123) 52 Nrn. (Nr. 1. 16) 4° Munkbell. [Red.: P Piel] (4 Nrn). Heiligenst., FW Cordier. Viertelj. 1.25 d
— dass. (Begründet v. R Kiel.) 11. Jahrg. 1902. (13. Jahrg. d. „Kathol. Schule".) 52 Nrn. (Nr. 1. 8) 8° Mit Gratisbeil.: Lit-terar. Wegweiser (26 Nrn) u. Musikbeil. [Red.: P Piel] (4 Nrn). Ebd. Viertelj. 1.25 d

Schulkunde, kathol. Central-Organ f. d. Interessen d. Schule u. d. Lehrstandes. Hrsg.v.A Görgen. 12. Jahrg.1903. (14. Jahrg. d. „Kathol. Schule“.) 52 Nrn. (Nr.1. 8) 8⁰ Mit 2 Monats-Beil.: 1. „Krit. Wegweiser“. 2. „Litterar. Führer u. schulrechtl. Ratgeber“ (12 Nrn). Viertelj.; „Musikbeil.“ [Red.: P Piel] (4 Nrn). Heiligenst., FW Cordier. Viertelj. 1.25 d
Fortsetzg s.: Zeitschrift, kathol., f. Erzieng u. Unterr.

Schulle, W: Bedarf uns. Konfirmandenunterr. e. Umgestaltg? (35) 8⁰ Gr. Lichterf.-Berl., E Runge (02). (— 75) — 40 d
Schuller, F: Kurhaus auf d. „Hohen Rinne“. (79 m. Titelbild.) 8⁰ Hermannst., (W Krafft) 04. nn — 85 d
— s.: Lehr- u. Lesebuch f. Gewerbe-Lehrlingssch.
— Schriftsteller-Lexikon d. Siebenbürger Deutschen. IV. Bd. (Ergänzsbd zu J Trausch, Schriftsteller-Lexikon.) (575) 8⁰ Hermannst., W Krafft 02. nn 7.23 d
Den I—III. Bd s.: Trausch, J.
— Zeittaf. z. Gesch. Ungarns. 2. Afl. (15) 8⁰ Ebd. 02. nn — 26 d
Schuller, G, s.: Lehr- u. Lesebuch f. Gewerbe-Lehrlingssch.
Schuller, GA, u. R **Nemens**: Aus d. Leben d. Gemeinde Gross-Alisch, s.: Volksschriften-Verlag Hermannstadt.
Schuller, A : Die Schädelbasis im Röntgenbilde, s.: Fortschritte auf d. Geb. d. Röntgenstrahlen.
Schuller, J: Begriff n. Wirkg d. Stundg n. gelt. Rechte, insbes. ihre Stellg z. Einrede d. BGB. (44) 8⁰ Lpzg, B Franke 04. 1 —
Schüller, M: Parasitäre Krebsforschg u. d. Nachweis d. Krebsparasiten am Lebenden, s.: Abhandlungen a. d. Geb. d. Krebsforschg.
— Die Parasiten im Krebs u. Sarkom d. Menschen. (128 m. Abb. u. 3 Taf.) 8⁰ Jena, G Fischer 01. 6 —
Schüller, R: Schutzzoll u. Freihandel. Die Voraussetzgn u. Grenzen ihrer Berechtig. (304) 8⁰ Wien, F Tempsky. — Lpzg, G Freytag 05. 5 —
Schüler, WJ: Rechenb. f.Präparandenanst. 1. Tl : Das Rechnen m. ganzen Zahlen, Dezimalzahlen u. gemeinen Brüchen.(Neue [Tit.-]Ausg. v. H Dressler u. WJ Schüller, Rechenb.) (286) 8⁰ Bresl., F Hirt [04] 05. 3 — d
Schüllermann, A : Prakt. Berechngs-Tab. f. Taglohnschichten, m. e. Anh. üb. Berechng d. Rindenentganges beim Eichenstammholze. (27) 8⁰ Marktstein. 04. (Schweinf., E Stoer.) nn — 50 d
— Das Jagdrecht in Bayern diesseits d. Rheines n. d. bayer. Jagdausübgsges., d. bayer. allorn. Verordng üb. Ausübg u. Behandlg d. Jagden, d. bayer. Wildschadenges. u. sonst. einschläg. gesetzl. Bestimmgn. (308 m. 1 Jagdkalender u. 4 farb. Taf.) 12⁰ Bambg, Handels-Dr., u. Verlagsh. (1900). L. 2.50 d
— Der Wald u. d. neue Gesetzgebg. Zusammenstellg d. Abändergn u. Ergänzgn d. bayer. Forstges. durch d. BGB. u. ein. and. neue Gesetze. (50) 8⁰ Schweinf., (E Stoer) 1900. Kart. — 75 d
Schullern, H v.: Aerzte. Roman. 1—7. Afl. (410) 8⁰ Wien, C Konegen (01-04). 3.40; geb. 4.30 d
Die ersten Aufl. erschienen noch in Linz.
— Katholiken. Roman. 2. Afl. (264) 8⁰ Ebd. (04). 3.50; geb. 4.50 d
— Neues Skizzenb. (141) 8⁰ Linz 1900. Wien, C Konegen. (3.40) 2 —; geb. 2.50 d
Schullerus, A : Warum durch Gleichnisse? Referat. (65) 8⁰ Hermannst., W Krafft 04. — 43 d
— Hdb. f. d. magyar. Sprachunterr. an Volkssch. m. deut. Unterr.-Sprache. 2 Hefte. (177) 8⁰ Ebd. 01. nn 1.70 d
— Christl. Haustafel. Mittelgut üb. d. 4. u. 6. Gebot. (50) 8⁰ Ebd. 04. — 43 d
— Das Heilands Todesgang. 6 Passions-Betrachtgn. [S.-A.] (3½) 8⁰ Ebd. 03. nn — 34 d
— Jerusalem u. Korinth, s.: Capesius, J.
— Lehrg. u. Methodik d. magyar. Sprachunterr. in uns. Volkssch. Vortr. [S.-A.] (16) 8⁰ Hermannst., W Krafft 02. nn — 17 d
— Magyar. Sprachbuch u. Leseb. f. städt. Elementarvolkssch. m. deut. Unterr.-Sprache. 1. u. 2. Afl. (104) 8⁰ Ebd. 02.03. Kart. nn — 51 d
— dass. f. Volkssch. m. deut. Unterr.-Sprache. 2 Tle. 8⁰ Ebd. Kart. nn 1.88 d
I. 2. u. 3. Afl. (88 m. Abb.) 01.09. nn — 43 ‖ II.-1. Afl. (295 m. Abb.) 01.02. nn 1.45.
Schullerus, A : Bitmwih. Kleine sächs. Erzählgn. (79 m. Lichtdr.) 8⁰ Hermannst., W Krafft 04. 1.02; geb. nn 1.70 d
Schul-Lesebuch, elsass-lothring. Bearb. v. Schulmännern d. Reichslandes. Ev. Ausg. Mittelst. 3. Afl. (191 m. Abb.) 8⁰ Strassbg, F Bull 05. Geb. nn — 80 ‖ Oberst. 3. Afl. (384 m. Abb.) 05. nn 1.10 d
— dass. Bearb. f. kathol. Volkssch. Mittelst. 3. Afl. (192 m. Abb.) 8⁰ Ebd. 03. Geb. nn — 80 ‖ Oberst. 3. Afl. (375 m. Abb.) 05. Geb. nn 1.10 d
Schulliederbuch. 2. Heft. Mittelst., enth.: Lieder, Choräle u. method. Übgn f. d. 3. u. 4. Schul'. Bearb. v. Geraer Gesanglehrern. 13—15. Taus. (64) 8⁰ Gera, (M Lange) 01. Kart. nn — 30 d
— Sammlg v. ein- u. mehrstimm. Liedern. Hrsg. v. e. Kommission Breslauer Schulmänner. 2 Tle. 8⁰ Bresl., E Morgenstern, V. Geb. nn — 80 d
1. Lieder f. d. 1—3. Schulj. 5. Afl. (72) 05. nn — 30
2. Lieder f. d. 4—8. Schulj. 7. Afl. (172) 05. nn — 50
— Sammlg ein- u. mehrstimm. Lieder in stufenmäss. Folge,

---

hrsg. v. Gesanglehrern Spandaus. 3 Hefte. 8⁰ Spand., Neugebauer. nn — 80 d
1. 8. Afl. (33) 02. nn — 20 ‖ II. 10. Afl. (54) 04. nn — 25 ‖ III. 8. Afl. (68 u. 17) 05. nn — 35.
Schulliederbuch, Leipz. Ausgearb. v. e. Kommission Leipz. Lehrer. 2. u. 3. Heft. Ausg. A. 12⁰ Lpzg, (Dürr'sche Bh.). Kart. nn — 90 d
2. Mittelst., enth. 88 Lieder, 17 Choräle u. 203 method. Übgn f. d. 5. u. 6. Schulj. 21. Afl. (111) 03. nn — 40
3. Oberst., enth. 100 Lieder, 16 Choräle u. 100 method. Übgn f. d. 7. u. 8. Schulj. 14. Afl. (108) 02. nn — 50
— dass. Ausg. B. Für einfachere Schulverhältn. 150 Lieder u. e. Anzahl method. Gehör- u. Notenübgn enth. Bearb. v. A Kleine. 4. Afl. (140) 8⁰ Ebd. 01. Kart. nn — 50 d
Schulmann, d. deut. Pädagog. Monatsbl. Unter Mitwirkg v. (KO Beetz u.) H Wigge hrsg. v. J Meyer. 4—8. Jahrg. 1901—5 je 12 Hefte. (1901. 568) 8⁰ Berl., Gerdes & Hödel. Viertelj. 1.80; einz. Hefte 1 —
Erschien bis 1901 in Dessau.
— d. prakt. Archiv f. Materialien z. Unterr. in d. Real-, Bürger- u. Volkssch. Hrsg. v. F Sachse u., seit 1902, R Schmidt. 50—54. Bd je 8 Hefte. (1901. .1. Heft. 105 m. 1 Bildnis.) 8⁰ Lpzg, F Brandstetter 01-05. Je 10 — d
Schulmann, C, s.: Pädagogik, die moderne.
— Die Volkssch. vor u. n. Luther. (107) 8⁰ Trier, Paulinus-Dr. 03. 1 — d
Schulmann, J: Die Vorbereitg auf d. erste hl. Kommunion. (432 m. Titelbild.) 12⁰ Kevel., Butzon & B. (05). Geb. — 80 d
Schulmesse. (Zusammengest. v. B P.) (8) 16⁰ Augsbg, Kranzfelder (03). nn — 03 d
Schul-Notizbuch f. Lehrer u. Lehrerinnen 1901/1902. (52) 12⁰ Berl., J Rentel. Geb. — 80 ⊙ F
Schulordnung, d., f. d. humanist. Gymnasien im Kgr. Bayern. Kgl. Allerh. Verordng v. 23.VII.1891. (101) 8⁰ Ansb., C Brügel & S. 06. Kart. — 50 d
— f. d. Volks- u. Fortbildgsschüler. — Schulordng f. d. Arbeitsschülerinnen. Plakat. Fol. Bruchs., O Katz (1898). — 40 ; aufgezogen — 70 d
Schul- u. Unterrichtsordnung, definitive, f. allg. Volkssch. u. f. Bürgersch. Wirksam f. d. im Reichsrate vertret. Königreiche u. Ländern m. Ausn. d. Kgr. Galizien u. Lodomerien samt d. Grossh. Krakau. Im Anh. d. Durchführgsverordng. Mit Fussnoten v. F Kessler. 3. Afl. (87) 8⁰ Wien, (Sallmayersche Bh.) 05. — 60 d
— dass., s.: Handausgabe d. österr. Ges. u. Verordngn.
Schulpe de Török-Kanizsa, G : Die Socialreform-Bewegg in Ungarn. (91) 8⁰ Pressbg, (O Heckenast's Nf.) 01. 1 — d
Schulpflege, die. Halbmonatsblätter d. Ver. d. Rektoren Berlins u. d. Prov. Brandenburg. Schriftleitg: H Heinrich. Neue Folge. 7—9. Jahrg. Apr. 1901—März 1904 je 24 Nrn. (192, 192 u. 200) 4⁰ Berl., Nicolai's V. Halbj. 3 —
— dass. Organ d. preuss. Rektorenver. Schriftleitg: H Heinrich. Neue Folge. 10. u. 11. Jahrg. Apr. 1904—März 1906 je 24 Nrn. (10. Jahrg. Nr. 1. 8) 4⁰ Ebd. Halbj. 2 — ; einz. Nrn nn — 25
Schulpraxis, deut. Wochenbl. f. Praxis, Gesch. u. Litt. d. Erziehg u. d. Unterr. Hrsg.: R Seyfert. 21—25. Jahrg. 1901— je 52 Nrn. Nebst Gratisbeil.: „Pädagog. Führer“. Blätter f. Lehrerfortbildg u. pädagog. Kritik. „Pädagogisch-psycholog. Studien“, „Lehrmittelschau“. (Nr.1.8)⁴ Lpzg, E Wunderlich. Viertelj. 1.80; einz. Nrn — 20, d. Lehrmittelschau —
Schulpresse, kathol. Organ d. kathol. Lehrerschaft Niederösterr. Hrsg. u. Red. 1. Jahrg. Novbr 1905—Oktbr 1906. 12 Nrn. (Nr. 1. 16) 8⁰ Wien, (H Kirsch). 4 —
Schulrechenbuch, Hamburger, Hrsg. v. d. Gesellsch. f. Fröundng d. vaterländ. Schul- u. Erziehgswesens. 5 Tle. 8⁰ Hambg (C Boysen). 3.50; geb. 5.50
I. 16. Afl. (55) 05. — 50; geb. — 60 ‖ II. 16. Afl. (73) 05. — 60; geb. — 70 ‖ III. 17. Afl. (14?) 05. — 90; geb. 1.90 ‖ IV. Ausg. f. Knaben. 19. Afl. (92) 05. 1.—; geb. 1.— ‖ V. Ausg. f. Mädchen. 9. Afl. (144) 05. — 90; geb. 1.70 ‖ V. 7. Afl. (170 m. Fig.) 04. 1.10; geb. 1.50.
— dass. III. Tl. (Ausg. f. Vorsch. 2. Afl. (80) 8⁰ Ebd. 02. 1.20; geb. 1.60 d
— dass. IV. Tl. (Ausg. f. Landsch.) 2. Afl. (205) 8⁰ Ebd. 04. 1.20; geb. 1.60 d
Schulreform, d. deut., Fortsetzg, s.: Blätter f. deut. Erziehg.
Schulspiele, 100. ges., n. d. Altersstufen d. Kinder geordnet auf ihre Einfachheit u. Güte praktisch geprüft v. d. Lehrerkollegium zu Schlettau i. Erzgeb. 2. Afl. (60) 8⁰ Dresd., Huhle 01. Kart. 1 —
Schult, O: Mecklenb.-schwerinsche u. mecklenb.-strelitzsche Gesinde-Ordng. (120) 8⁰ Rost., H Koch 02. Kart. 2 —
Schulte: Kanon d. Gesch.-Zahlen. Zum Gebr. f. d. Schule d. Gymnasiums u. Realprogymnasiums zu Limburg a. d. Lahn. (27) 8⁰ Limbg, HA Herz 04.
Schulte: Der Kanal v. Herne bis z. Hebewerk u. v. Hebewerk bis Dortmund. Nebst Angabe üb. d. Verkehr auf d. Dortmund-Ems-Kanal. (96 m. Abb., 1 Tab., 1 Karte u. 1 Taf.) 8⁰ Dortm., Gebr. Lensing (09). (1 —) — d
Schulte, A : Die theoret. u. prakt. Grundl. d. Buchführg sowie d. Unklarh. u. Unrichtigk. d. übl. Lehrmethoden. (54) 8⁰ Berl., J Springer 02. 1 —

Schulte, A: Die natürl. u. d. übl. Bilanzform. (32) 8° Dresd., W Baensch 03. — 80
— Der Wertansatz u. d. System in d. Buchführg. (35) 8° Ebd. 03. — 80
Schulte, A: 2 Briefe Diether's v. Isenburg. [S.-A.] (9) 8° Rom, Loescher & Co. 03. nn — 40
— Die Fugger in Rom 1495—1523. Mit Studien z. Gesch. d. kirchl. Finanzwesens jener Zeit. 2 Bde. (308 u.247 m.3 Lichtdr.) 8° Lpzg, Duncker & H. 04. 13 —; in 1 HF.-Bd 15.40
— Die röm. Verhandlgn üb. Luther 1520 u. d. Atti Consistoriali 1517—23. (I u. II.) [S.-A.] (26 u. 5) 8° Rom, Loescher & Co. 04. nn 1.60
Schulte, C, s.: Handels- u. Gewerbe-Adressbuch d. Deut. Reiches.
Schulte, C: Lexikon d. Uhrmacherkunst. (358 m. Abb.) 8° Berl., (WH Kühl) 01. l. 10 —
— dass. 2. Afl. 28 Lfgn. (059 u. 17 m. Abb. u. Bildnis.) 8° Bautz., E Hübner 02. Je — 50; in 1 Bd geb. 16 —
Schulte, E: Glossar zu Farmans Anteil an d. Rushworth-Glosse (Rushworth 1). (58) 8° Bonn, C Georgi 04. 2.50
Schulte, F: Die Entwicklg d. Sparkassenwesens im Grossh. Baden, s.: Abhandlungen, volksw., d. bad. Hochsch.
Schulte, F v.: Marius Mercator u. Pseudo-Isidor. [S.-A.] (6) 8° Wien, A Hölder 03. — 30
Schulte, H: Tab. z. Berechng d. Fracht n. d. Bestimmgn d. Betriebs-Reglements f. d. Eisenb. Deutschlds v. 1.I.1900, in welchen u. d. Tarifsätzen v. 0,01 bis 10 Mark pro 100 Kilogr. d. Frachten v. 10 Kilogr. bis 10000 Kilogr. berechnet sind. (4. Afl.) (205) 8° Hagen i.W., Transport-Comptoir d. rheinisch-westfäl. Eisenindustrie, A Hinkel. Geb. 6.50
Bildet Ereatz f. d. Tab. v. A Beyer.
Schulte, J : Die bestauerte Katze, s.: Vereinstheater, neues. Der Bursche als Stabsarzt, s.: Theater, kl.
— Ein schlimmer Tag od. Der Bursche als Stabsarzt, s.: Theater, kl.
Schulte, K: Der Portiunkula-Ablass. (62 m. Titelbild.) 16° Ess., Fredebeul & K. 02. — 20 d
Schulte vom Brühl, W, s. a.: Hennrich, J.
— Der Assistenzarzt. Drama. (100) 8° Münch. (04). Lpzg, F Rothbarth. berg.
— Grieth, Die v. d. Kohls u. and. berg. Gesch., s.: Erzähler, berg.
— Das Märchen v. Nussknacker. Märchen f. liebe Kinder. (80 m. 2 Farbdr.) 8° Mülh. a/R., J Bagel (04). Geb. — 50 d
— Meerschweinchen. Roman. 1—3. Afl. (164) 8° Köln, A Ahn 03. 2 —; [. L. 3 — d
— Der Prinz v. Pergola. Roman. (395) 8° Münch. (04). Lpzg, F Rothbarth. 4.20; geb. 5.50 d
— Die Revoluzzer. Roman. 1. u. 2. Afl. (543) 8° Lpzg, F Rothbarth (04.05). 5 —; L. 6 — d
— Die Sünderin. Novelle. 2. Afl. (151) 16° Ebd. (04.). 1.80; geb. 2.50 d
— Was uns passierte. s.: Seemann's kl. Unterhaltgsbibliothek.
— Winternahen u. and. Erzäblgn, s.: Kürschner's J, Bücherschatz.
Schulte-Busch, H, s.: Schülerinnen-Jahrbuch, deut.
Schulte-Tigges, A: Philosoph. Propädeutik auf naturwis. Grundl. f. höh. Schulen u. z. Selbstunterr. 2. Afl. (221) 8° Berl., G Reimer 04. 3 —; geb. 3.80
Schulteis, C: Atlas f. höh. Schulen, s.: Richter, JWO.
Schulten, A: Ital. Namen u. Stämme. I. [S.-A.] (27 n. 1 Taf.) 8° Lpzg, Dieterich 02. 1.60
— Numantia, s.: Abhandlungen d. kgl. Gesellsch. d. Wiss. zu Göttingen.
Schulten, RM: Körper u. Seele d. Menschen. Vortr. (16) 8° Graz, Styria 02. — 50
Schultess, C: Beitr. z. Gelehrtengesch. d. 17. Jahrh., s.: Kelter, E.
— Herodes Atticus. (101—177 n. Chr. Geb.) (30) 8° Hambg, (Herold) 04. nn 1.50
Schul-Texte, griech. u. latein. Nr. 30, 36 u. 78. 8° Hannov., Norddeut. Verl.-Anst. Je — 15
Cicero : Cato maior de senectute. Text v. H Deiter. (30) 04. [78.] || Reden zpg. Katilina. I. III. IV. Neu durchgesch. Text v. H Deiter. (84) 04. [36.] || Reden de imperio Cn. Pompei. Neu durchgesch. Text v. H Deiter. (24) 04. [30.] Je — 55
Weitere Nrn mehr nicht erschienen.
Schultheiss s.: Abriss d. deut. Grammatik. — Lesebuch f. höh. Lehranst.
Schultheiss, A: Kanon deut. Gedichte u. Lieder f. höh. Schulen. Ausw. 7. Afl. (37) 8° Danz., AW Kafemann 04. Kart. — 70 d
— Beitr. z. Geschichtskalender. Neue Folge, s.: europ. Geschichtskalender. Neue Folge. 19. Jahrg. 1900—3. (der ganzen Reihe 41—44. Bd.) Hrsg. v. G Roloff. (375, 372, 392 u. 458) 8° Münch., CH Beck. 01-04. Je 8 — || 20. [45.] Jahrg. 1904. (412) 05. 9 — d
1860—1902 auf einmal bezogen 155 —
Schultheiss, Frl., u. Frl. Röthlisberger: Die Herstellg v. Konserven, s.: Grüter, J.
Schultheiss, F: Bilder v. Untersee. 2. Afl. (149) 8° Zür., Schulthess & Co. 04. 1.40 d
Schultheiss, F, s.: Fragmente, christlich-palästin., a. d. Omajjaden-Mosches zu Damaskus.
— Lexicon syropalaestinum. (226) 8° Berl., G Reimer 03. 10 —; HF. 12 —

Schulthess, W: Schule u. Rückgratsverkrümmg. [S.-A.] (39 m. Abb.) 8° Hambg, L Voss 02. — 80
Schulthess-Rechberg, G v.: Heinr. Bullinger, d. Nachfolger Zwinglis, s.: Schriften d. Ver. f. Reformationsgesch.
— Frau Barbara Schulthess z. Schönenhof, d. Freundin Lavaters u. Göthes, s.: Neujahrsblatt z. Besten d. Waisenh. in Zürich.
Schulthess-Schindler, A v.: Die Fürsorge f. d. Kriegsverwundeten einst u. jetzt, s.: Neujahrsblatt d. Zürcher. Hilfsgesellsch.
Schultz: Deutsch-niederländ. Malerei im alten Museum. — Italien. u. span. Malerei im alten Museum. — Das Treppenhaus im neuen Museum, s.: Führer, volksthüml., durch d. kgl. Sammlgn in Berlin.
Schultz, A: Heit. u. ernste Kriegserlebnisse e. mecklenburg. Feld-Artilleristen 1870/71. (432 m. Abb.) 8° Schwer., Bärensprung'sche Hofbuchdr. 01. 2.50 d
Schultz, A: Das Grundproblem d. Pädagogik Goethes. — Jean Paul u. d. pädagog. Ideen sr unsichtbaren Loge, s.: Abhandlungen, pädagog.
— Paraphrasen. Didakt. Dichtgn üb. Erziehg u. Unterr. (72) 8° Bielef., A Helmich (01). 1.25; geb. 2 — d
— Esaias Tegnér, s. Leben u. s. Schulreden, s.: Klassiker, d. pädagog.
Schultz, A: Allg. Gesch. d. bild. Künste, Fortsetzg, s.: Geschichte, allg., d. bild. Künste.
— Kunst u. Kunstgesch., s.: Wissen, d., d. Gegenwart.
— Das häusl. Leben d. europ. Kulturvölker v. M.-A. bis z. 2. Hlfte d. XVIII. Jahrh. (Hdb. d. mittelalterl. u. neueren Gesch. Hrsg. v. G v. Below u. F Meinecke.) (432 m. Abb.) 8° Münch., R Oldenbourg 03. geb. 10.50
— u. B Baumann: Die Kunst d. alten Orients. Die Architektur u. Plastik Griechenlds, s.: Geschichte, allg., d. bild. Künste.
Schultz, Frau A, s.: Klie, A.
Schultz, AH: Periander u. s. Sohn. Dramat. Dichtg. (128) 8° Berl., Schuster & Loeffler 04. 2.50
Schultz, E: 353 Aufg. allg. u. prakt. Inhaltes a. d. Geb. d. Körperberechng. (48 m. Massskizzen.) 8° Ess., GD Baedeker 03. Kart. — 80
— Kurzgef. Lehrb. d. Körperberechng f. gewerbl. Schulen. (50 m. Fig.) 8° Ebd. 03. Kart. 1 —; m. Aufg.-Sammlg. (99 m. Fig.) Kart. 1.70
— Ausführl. Leitf. d. Körperberechng m. Musterbeisp. u. s. Aufgabensammlg f. gewerbl. Lehranst., sowie z. Selbstunterr. f. d. Maschinentechniker. 2. Afl. (192 m. Fig.) 8° Ebd. 03. Geb. 2 —
— Leitf. d. Planimetrie f. gewerbl. Lehranst. 2 Tle. 3. Afl. (52 u. 44 m. Fig.) 8° Ebd. 02.04. Geb. à — 80
— 4stell. Logarithmen d. gewöhnl. Zahlen u. d. Winkelfunktionen u. and. mathemat. Taf. nebst d. erforderl. physikal. Hilfstaf. z. Gebr. an d. höh. Schulen. (112) 8° Ebd. 02. Kart. 1.50
— dass. d. Winkelfunktionen. a) Von 10' zu 10'. b) Von 1' zu 1'. [S.-A.] (43) 8° Ebd. 05. — 50
— 4stell. mathemat. Tab. Ausg. f. Maschinenbausch. 4. Afl. (Ausg. A.) (108) 8° Ebd. 01. Kart. 1.40; 5. Afl. (174 m. Abb.) 02. 1.50; 6. Afl. (176 m. Abb.) 04. 1.60; nebst: Anl. z. Gebr. d. mathemat. Tab. in d. techn. Kalendern. (Ausg. D.) (31 m. Fig.) 16° Kart. 1.50
— Mathemat. u. techn. Tab. f. Baugewerksch. 6. Afl. Unter Mitwirkg v. E Dieckmann. Ausg. ohne Logarithmen. (184) 8° Ebd. 04. Kart. 1.50
— dass. f. Baugewerksch. u. f. d. Gebr. in d. Praxis. 5. Afl. Unter Mitwirkg v. E Dieckmann. Ausg. m. Logarithmen. (236) 8° Ebd. 04. Kart. 1.75; m. Anl., an 50 Beisp. a. d. Praxis erläutert. (44) 16° Kart. u. geb. 1.75 || 6. Afl. (261) 05. Kart. 2 —
— dass. f. d. Gebr. in d. Praxis u. an deut. u. österr. techn. Lehranst. (Bureau-Ausg.) Unter Mitwirkg v. E Dieckmann. (291) 8° Nebst: Anl. z. Gebr. d. mathemat. u. techn. Tab. Bureau-Ausg. f. Deutschl. u. Österr. 4. Afl. (44) 16° Ebd. 02. Geb. u. geb. 4 —
Schultz, E: Die Pfandansprüche n. § 1227 d. BGB. f. d. Deut. Reich, s.: Studien, Rostocker rechtswiss.
Schultz, F: Der Anbau d. Faserpflanzen, bes. d. Baumwolle, in d. Kolonien. (52 m. Abb.) 8° W. Süsserott (04). 1.90 d
Schultz, F: Beitr. z. Gesch. d. Landeshoheit im Bist. Paderborn bis z. Mitte d. 14. Jahrh.: „Die Vogtei". (162) 8° Münch., Regensburg 03. 2 — d
— Lehrb. d. Grundz. d. Meditation. Anl. z. Entwerfen v. Aufsätzen u. Vortr. f. d. ob. Kl. höh. Lehranst. als Vorst. zu d. Meditationen. 2. Afl. v. T Matthias. (91) 8° Dresd., L Ehlermann 05. Geb. 1 — d
— Lehrb. d. Gesch. f. d. Quarta v. Gymnasien, Realgymnasien u. Realsch. 3. Afl. v. G Tschirch. (116) 8° Ebd. 04. Geb. 2 — d
— Meditationen. Sammlg v. Entwürfen zu Besprechgn in Aufg. f. d. deut. Unterr. in d. ob. Kl. höh. Lehranst. 4—6., 10. u. 11. Heft. 8° Ebd. 05. Geb. 6.20 d
4—6. Neu bearb. v. T Matthias. (112, 97 u. 95) Je 1.90 || 10. Hrsg. v. T Matthias. (96) 1.90 || 11. Abhandlgn u. Aufsätze als Grundl. s. Aufführgn u. Meditationen d. 10. Heftes, zusammengest. v. T Matthias. (120) 1.40. *Heft 7—9 sind noch nicht erschienen.*
Schultz, F: Latein. Schulgrammatik. Erwelt. Ausg. d. „Kl. latein. Sprachlehre", bearb. v. M Wetzel. 4. Afl. v. A Wirmer. (384) 8° Paderb., F Schöningh 04. 2.80; geb. nn 3.40 d

Schultz, F: Kl. latein. Sprachlehre. 24. Ausg. v. A Führer. (290) 8° Faderb., F Schöningh 04.   1.90; geb. nn 2.40 d
— Übgsstoff f. d. latein. Unterr. — Vorsch. f. d. 1. Unterr. im Latein., s.: Führer, A.
Schultz, F: Chronik d. Stadt Seebad Zoppot. (145) 8° Danz., AW Kafemann 05.   3 —
— Gesch. d. Kreises Deutsch-Krone. (352) 8° Deutsch-Krone, P Garms 02.   5 —; geb. 5.50; m. Krelsk. 5.50; geb. 6 — d
Schultz, F, s.: Görres, J, Charakteristiken u. Kritiken.
— Jos. Görres als Herausgeber, Litterarhistoriker, Kritiker im Zusammenh. m. d. jüng. Romantik, s.: Palaestra.
Schultz, F, u. R Triebel: Die gebräuchlichsten Lieder d. ev. Kirche, s.: Hülfsbuch f. d. ev. Relig.-Unterr.
— 20 Psalmen f. d. Schule erläut. 2. Afl. (102) 8° Bresl., C Dülfer 01. ‖ 3. Afl. 25 Psalmen. (123) 05. Je 1.20; geb. je 1.60 d
Schultz, G: Tivoli u. d. Villa Hadrians. (22 m. Abb. u. 1 Grundr.) 4° Lpzg, (Bh. G Fock) 03   1 —
Schultz, G: Kurze Anl. z. einf. landw.Buchführg, s.: Geibel, O.
Schultz, G: Die Anilinfarben, s.: Heumann, K.
— Die Chemie d. Steinkohlentheers m. bes. Berücks. d. künstl. organ. Farbstoffe. 3. Afl. 2. Bd. Die Farbstoffe. (415 m. Abb.) 8° Brnschw., F Vieweg & S. 01.   10 —
          (Vollst.: 20 —; Einbde in HF. je 2 —)
— Kurzes Lehrb. d. chem. Technol. Unter Mitwirkg v. J Hofer. (364 m. Abb.) 8° Stuttg., F Enke 03.   8 —; L. 9 —
— u. J Julius: Tabellar. Übersicht d. im Handel befindl. künstl. organ. Farbstoffe. 4. Afl. v. G Schultz. (297) 8° Berl., Weidmann 02.   L. 28 —
Schultz, GJ v., s.: Bertram.
Schultz, H: Zwönitz, s.: Löscher, FH.
Schultz, H: Grundr. d. christl. Agologetik z. Gebr. bei akadem. Vorlesgn. 2. Afl. (225) 8° Gött., Vandenhoeck & R. 02.   4 —; geb. 4.60 d
— Rede am Sarge d. Prof. Dr. Ed. Rehnisch. (5) 8° Ebd. (01). — 40
— Rede am Sarge d. Prof. Dr.Wilh. Schur. (5) 8° Ebd. (01). — 40
— Aus d. Univ.-Gottesdienste. Predigten. 2 Bde. 8° Ebd.
          Je 2.80; L. je 3.60 d
          I. Advent bis Himmelfahrt. (220) 02. ‖ II. Von Pfingsten bis Advent. Nach d. Tode d. Verf. auf Grund aus Ausw. hrsg. (200) 03.
Schultz, J, s.: Friede, H.
Schultz, J: Die Bilder v. d. Materie. Eine psycholog. Untersuchg üb. d. Grundl. d. Physik. (201) 8° Gött., Vandenhoeck & R. 05.   6 —
— Briefe üb. genet. Psychol. (28) 4° Berl., Weidmann 02. 1 —
— Das Lied v. Zorn Achills. Aus uns. Ilias hergest. u. in deut. Nibelungenzeilen übertr. (109, 78) 8° Berl., Wiegandt & Gr. 01.   3 — d
Schultz, K: Die französ. Volkssch., s.: Abhandlungen, pädagog.
Schultz, K: Untersuchgn üb. d. Verhalten d. Leukocyten-Zahl im Wiederkäuerblut 1. unter normalen (physiolog.) Verhältn.; 2. bei innerl. Krankh. (spez. Gastritis sowie Pericarditis traumatica). (32) 8° Tüb., F Pietzcker 05.   nn — 80
Schultz, KA: Vom Meisterbuch. Eine schlichte grundleg. Lit.-Betrachtg. (157) 8° Berl., C Skopnik 05.   2 —; geb. 3 —
Schultz, LT: Eisenb.-Karte d. Bahngeb. Mittel-Europa's, s.: Lehmann, C.
Schultz, M: Verwaltgs-Ordng f. d. kirchl. Vermögen, s.: Crisolli, R.
Schultz, P: Die Kastelle bei Welzheim, s.: Mettler, A.
Schultz, P: Compendium d. Physiol. d. Menschen. 2. Afl. (364 m. Abb. u. 1 L.) 12° Berl., S Karger 01. L. 6.80 ‖ 3. Afl. (422 m. Abb. u. 1 L.) 05. Geb. 7.80
— Gehirn u. Seele. (55) 8° Lpzg, JA Barth 03.   1.80
— Lehrb. d. Physiol., s.: Munk, I.
Schultz, R, s.: Kunst, prakt.
Schultz, S, u. K Boelke: Beitr. z. Gesch. d. St. Katharinenkirche u. -Gemeinde zu Brandenburg a. H. (120 m. Abb. u. 1 Taf.) 8° Brandnbg, R Koch 01.   Kart 3 —
Schultz, V: Eine Robinsonade auf d. Palaninseln. Nach Kemper frei f. d. reif. Jugend bearb. (221 m. Abb.) 8° Reutl., Enßlin & L. (05).   L. 3 — d
Schultz, W: Die Forstwirthschaft, s.: Handbuch d. Gesetzgebg in Preussen u. d. Deut. Reiche.
— Ges. betr. d. Forstdiebstahl, s.: Öhlschläger, J v.
— s.: Jahrbuch f. Entscheidgn d. Reichsgerichts usw. a. d. Geb. d. preuss. Agrar- usw. Gesetzgebg.
— u. G Frhr v. Scherr-Thoss: Die Jagd, s.: Handbuch d. Gesetzgebg in Preussen u. d. Deut. Reiche.
Schultz, W: Deutschtum u. Alkohol. 5.—6. Taus. (15) 8° Basel, Schriftstelle d. Alkoholgegnerbundes (durch F Reinhardt) (o. J.).   — 10 d
Schultz, W: Der Uhrmacher am Werktisch. Hand- u. Nachschlageb. f. d. Taschenuhren-Reparateur. (335 m. H. u. 5 Taf.) 8° Berl., (WH Kühl) 03. ‖ 2. Afl. (371 m. H. u. 5 Taf.) 05.   L. je nn 5.50
Schultz, W: Das Farbenempfindgssystem d. Hellenen. (227 m. Abb. u. 3 farb. Taf.) 8° Lpzg, JA Barth 04.   nn —
— Pythagoras u. Heraklit. (Studien z. antiken Kultur.) (118) 8° Wien, Akadem. Verl. Dr. W Schultz & Co. 05.   4 —
Schultz-Gora, O: Ein Sirventes v. Guilhem Figueira geg. Friedrich II. Kritisch hrsg. nebst verschied. Anhängen. (40) 8° Halle, M Niemeyer 02.   1.80
Schultz-Gora, T: Sollich euch erzählen? Märchen u. Geschichten a. d. Kindergarten. 2. Afl. (314 m. Abb. u. Bildnis.) 8° Wiesb., JF Bergmann 01.   4 —; geb. 5.20 d

Schultz-Hencke, D: Anl. z. photograph. Retusche u. z. Übermalen v. Photographien, s.: Bibliothek, photograph.
Schultz-Biesenberg, W: Italien. — Mailand. — Neapel u. Umgebg. — Ober-Italien. — Die Reise n. d. oberitalien. Seen. — Rom. — Venedig. — Wiesbaden usw., s.: Grieben's Reiseführer.
Schultz-Stegmann, A: Schwarz-Rot-Gold! Volksoperette a. d. Studentenleben. Gedichtet v. E Müller, in Musik gesetzt v. Sch.-St. Text d. Gesänge. (26) 8° Quednbg, H Schwanecke (04).   — 30 d
Schultze & Pfeil: Die Aufforstg. Gemeinverständl. Anl. z. wirklich prakt. Gebr. f. d. Landwirth. (40) 8° Rathen., (M Babenzien) 03.   1 — d
Schultze, A: Baron Ernst v. Kottwitz. [S.-A.] (91) 8° Gütersl., C Bertelsmann 03.   1.20 d
— Siehe zu, du bist gesund geworden! Mahnwort. (20) 12° Bas., Kober 02.   — 12 d
Schultze, A: S v. Hauseggers Barbarossa. — A Reuss' symphon. Prolog f. gr. Orchester zu H v. Hofmannsthals Dichtg „Der Thor u. d.Tod". — R Schumanns Klavierkonzert in A moll op. 54, s.: Musikführer, d.
Schultze, A: Gerüfte u. Marktkauf in Beziehg z. Fahrnisverfolgg, s.: Festgabe f. Fel. Dahn.
— Treuhänder im gelt. bürgerl. Recht. [S.-A.] (104) 8° Jena, G Fischer 01.   2.50 d
Schultze, BS: Unser Hebammenwesen u. d. Reformpläne, s.: Sammlung klin. Vortr.
— Lehrb. d. Hebammenkunst. 13. Afl. (28, 395 m. Abb.) 8° Lpzg, W Engelmann 04.   7 —; L. 8 — d
Schultze, D: Des hl. Tommy Weihnachtsbitte. Missionsfestsp. f. Kinder. (27) 8° Berl., Bh. d. ev. Missionsgesellsch. 04.   — 25 d
Schultze, E: Die Bibel in d. weiten Welt. Denkschrift z. 100jähr. Jubiläum d. brit. u. ausländ. Bibelgesellsch., m. Berücks. d. schweiz. u. deut. Verbände. (133 m. Titelbild.) 8° Bas., Kober 04.   1 —; kart. 1.20; L. 1.60 d
Schultze, E: Der Arzt als Sachverständiger u. sachverständ. Zeuge. [S.-A.] (54) 8° Berl., A Hirschwald 03.   1.20
— Entlassgszwang u. Ablehng od. Wiederaufhebg d. Entmündigg. (62) 8° Halle, C Marhold 02.   — 80
— Wicht. Entscheidgn auf d. Geb. d. gerichtl. Psychiatrie. Aus d. jurist. Fachlitt. d. J. 1901—4 zusammengest. 1—4. Folge. (46, 64, 63 n. 81) 8° Ebd. 02-05.   Je 1 —
— Häb. d. gerichtl. Psychiatrie, s.: Hoche, A.
— Üb. Psychosen bei Militärgefangenen nebst Reformvorschlägen. (276) 8° Jena, G Fischer 04.   6 —
— Die Stellgnahme d. Reichsgerichts z. Entmündigg weg. Geisteskrankh. od.Geistesschwäche u. z. Pflegschaft, s.: Grenzfragen, juristisch-psychiatr.
Schultze, E: Wie wir uns. gr. Dichter ehren sollten. Ein Wort üb. Dichter-Denkmäler u. anderes. (31) 8° Lpzg, L Staackmann 02.   — 50
— Die Volksbildg im alten u. im neuen Jahrh. (2. [Umschl.-] Taus.) (28) 8° Stett. 1900. Hambg, Gutenberg-Verl. — 50 d
Schultze, EW, s.: Gollnow, E.
Schultze, F: Die Krankh. d. Hirnhäute u. d. Hydrocephalus, s.: Pathologie u. Therapie, spec.
— s.: Zeitschrift, deut., f. Nervenheilkde.
Schultze, F: Grundlinien d. Logik in schemat. Darstellg. (31) 8° Lpzg, Veit & Co. 02.   1.40
Schultze, FEO: Die Traumtänzerin Magdeleine G., s.: Schrenck-Notzing, Frhr v.
Schultze, G, u. F Schultze: Die Entscheidgn d. Reichsgerichts in Civilsachen Bd 1—38 d. v. d. Mitgliedern d. Gerichtshofes veranstalt. Sammlg, m. Nachtr. d. Bds 39 u. 40 d. Sammlg, in abgekürzter Form u. in systemat. Ordng hrsg. 20—22. Lfg. 5.Bd. Sachreg. u. Gesetzesreg. (161—702) 8° Lpzg, H Haessel, V. 1900. 9 — (5. Bd: 12 —; geb. 14 —; vollst. 67 —; geb.78 —) d
Schultze, GA: Theorie u. Praxis d. Feuergs-Kontrolle in leicht verständl. Darstellg. Nebst e. Anh.: Übersicht üb. d. erforderl. Kontroll-Anlagen unter Berücks. verschied. Apparat-Anordngn. (172 m. Abb., Tab. u. 1 Taf.) 8° Berl., Polyt. Bh. A Seydel 05.   5 —; L. 6 — d
Schultze, GAF: „Ich bringe d. Schwert!" Bibelbeweise f. d. Darwinismus u. „Der nur in Gottähnlich. gleiche Mensch". (317) 8° Berl., K Siegismund 05.   5 — d
Schultze, H: Deut. Schulgrammatik. (62) 8° Potsd., A Stein (05).   — 75; geb. 1 — d
Schultze, H: Geograph. Repetitionen insonderh. im Anschl. an Ilf. A Daniels geograph. Lehrbücher. 2. Afl. (180) 8° Halle, Bh. d. Waisenh. 03.   Geb. 1.80 d
Schultze, H: Die Urkunden Lothars III. (189) 8° Innsbr., Wagner 05.   4.50
Schultze, JL: Bibl. Lektionen f. Kindergottesdienste od. Sonntagssch., n. d. Kirchenj. geordnet. 18. Jahrg. 1905/1906. (56) 8° Dessau, A Haarth.   nn — 12; geb. nn — 20 d
— Eine Reformationsgesellschaft im 20. Jahrh. [S.-A.] Nebst e. Nachw. üb. d. Angriffe d. Köln. u. d. Schles. Volkszeitg. (35) 8° Berl., Vaterland. Verl.- u. Kunstanst. 02.   — 20 d
Schultze, K: Das Martyrium d. hl. Abo v. Tiflis, s.: Texte u. Untersuchungen z. Gesch. d. altchrist. Litt.
Schultze, LS: Die Antipatharien, s.: Ergebnisse, wiss., d. deut. Tiefsee-Expedit.

Schultze, M: Am Tegernsee. Eine Gesch. a. Max-Josephs Zeit, d. Jugend erzählt. (200 m. 1 Bildn.) 8° Münch., R Oldenbourg 05.   3.50; geb. 4 — d
Schultze, M: Um Danzig 1813/14.—Königsberg u. Ostpreussen zu Anfang 1813, s.: Bausteine z. preuss. Gesch.
— Christian Friedrich Carl Ludwig Reichsgraf Lehndorff-Steinort, weil. kgl. preuss. Generalleutnant a. D., Landhofmeister d. Kgr. Preussen. 17.IX.1770—8.II.1854. Lebensbild auf Grund hinterlass. Papiere. (665 m. 3 Taf.) 8° Berl., R Eisenschmidt 03.   18 — d
Schultze, O: Lebensbilder a. d. chines. Mission. (144 m. Abb.) 8° Basel, Basler Missionsbh. 05.   1.20; L. 1.80 d
— James Hudson Taylor. Ein Glaubensheld im Dienste d. Evangelisation Chinas. (236 m. Abb. u. 1 Kartenskizze.) 8° Ebd. 06.   1.80; geb. 2.40 d
Schultze, O: Atlas u. Grundr. d. topograph. u. angewandten Anatomie, s.: Lehmann's medizin. Atlanten.
— Üb. d. Entwickelg u. Bedeutg d. Ora serrata d. menschl. Auges. [S.-A.] (13 m. Fig. u. 1 Taf.) 8° Würzbg, A Stuber's V. 01.   2 —
— Weiteres z. Entwickelg d. peripheren Nerven m. Berücks. d. Regenerationsfrage u. Nervenverletzgn. [S.-A.] (90 m. Fig.) 8° Ebd. 05.   1.80
— Üb. d. Frage n. d. Einfl. d. Lichtes auf d. Entwicklg u. Pigmentierg d. Amphibieneier u. Amphibienlarven. [S.-A.] (12 m. Fig.) 8° Berl., (G Reimer) 05.   — 50
Schultze, O: Die Rose, d. Königin d. Blumen, s.: Mager's Bibliothek d. Praxis.
Schultze, P: Die Organisation d. Berliner Börse. Vertheidiggsrede. Vortr. (23) 8° Dresd., (H Burdach) 01.   nn — 25
Schultze-Naumburg, P: Die Entstellg uns. Landes, s.: Flugschriften d. Heimatschutzbundes.
— Die Kultur d. weibl. Körpers als Grundl. d. Frauenkleidg. 1—9. Taus. (152 m. Abb.) 8° Lpzg 01-03. Jena, E Diederichs.   4 —; geb. 5 —
— Kulturarbeiten. 1—3. Bd u. Ergänz. Bilder z. 2. Bd. (Mit Abb.) 8° Münch., GDW Callwey.   14 —; Einbde in L. je 1 —
1. Hausbau. (127) (02.); 2. Afl. (122) (04.) Je 3 — ‖ 7. Gärten. 1 u. 2 Afl. (259 bezw. 260) (02.-05.) 4 —; ergänz. Bilder. (100 Bl. Abb. m. 10 S. Text.) (05.) 3 — ‖ 3. Dörfer u. Kolonien. (250) (03.) 4 —
— Kunst u. Kunstpflege. (120) 8° Lpzg 01. Jena, E Diederichs.   1 —; geb. 3 —
— Häusl. Kunstpflege. 3. Afl. (142) 8° Ebd. 1900. ‖ 4. Afl. (151) 02.   Je 3 —; geb. 16 4 —
— Das Studium u. d. Ziele d. Malerei. 3. Afl. (90 m. Abb.) 8° Jena, E Diederichs 05.   3.50; geb. 4.50
— Technik d. Malerei. (173 m. z. Tl farb. Abb.) 8° Lpzg, E Haberland (01).   4 —; L. 5 —
Schultze, R: Führer durch Bonn, s.: Hesse, W.
Schultze, R: Das Bleibende in d. Lehre Jesu. Krit. Ergänzg zu Harnacks „Wesen d. Christentums". (60) 8° Berl. 02. Lpzg, M Heinsius Nf.   2 —; geb. 3 —
Schultze, S: Alexandria od. Individualität u. Wiss. (40) 8° Halle, CA Kaemmerer & Co. 03.   — 60
— Die Erhöhg d. Menschen in d. modernen Kunst u. Litt. (81) 8° Ebd. 02.   1.20
— Im Reiche d. Phäaken. Novellen. (219) 8° Halle, H Kuhnt 05.   2.50 d
— Schiller. Vortrag z. Gedenkfeier. (29) 8° Halle, CA Kaemmerer & Co. 05.   — 60
— Im Sturm d. Zeit. Gedichte. (109) 8° Halle, Paalzow & Co. 04.   nn 1.50
Schultze, T: Die Relig.d.Zukunft. 1.u.2.Thl. 3.Afl. 8° Frankf.a/M., Neuer Frankfurter Verl. 01.   Je 2 —; in 1 Bd geb. 5.50 d
1. Das Christenthum Christi u. d. Relig. d. Liebe. (112) ‖ 2. Das roll. Bad d. Lebens u. d. feste Ruhestand. (195)
Schultze, V, s.: Codex Nitriacensis.
— Grundr. d. Symbolik, s.: Plitt, G.
— Waldeck.Reformationsgesch. (49 m.Abb.) 8° Lpzg, A Deichert Nf. 03.   1 —
Schultze, W: Die Thronkandidatur Hohenzollern u. Graf Bismarck. [S.-A.] (55) 8° Halle, E Anton 02.   — 80
Schultze, WH, s.: Arminius, W.
Schultze-Görlitz, R: Die Schiedsmannsordng v. 29.III.1879, s.: Florschütz, P.
— u. H **Oberneck**: Die Angelegenh. d. freiwill. Gerichtsbark. (Reichs- u. preuss. Ges.), s.: Taschen-Gesetzsammlung.
Schultze-Malkowsky, E: 16 Gedichte. (27) 8° Kref., GA Hohns Söhne 03. (?)   1 —
— Wir Rheinländer. Sammlg neuerer rhein. Dichtgn. 1. Taus. (167 m. 1 Bildnis.) 8° Ebd. 03.   L. 3 — d
Schultzenstein, M, s.: Entscheidungen d. kgl. preuss. Oberverwaltungsgerichts.—Verwaltungsarchiv.—Zeitschrift.f.deut. Zivilprozess.
— u. F **Köhne**: Das deut. Vormundschaftsrecht u. d. preuss. Ges. üb. d. Fürsorgeerziehg Minderjähr., s.: Guttentag's Sammlg deut. Reichsges.
Schultsik, E: Kurzer Leitf. f. d. kathol. Relig.-Unterr. in d. ersten Schulj. 3. Afl. (136) 8° Gross-Strehl., A Wilpert 09.   Kart. 1.20 d
Schultzky, O: Schausp. 1—3. Bd. (Mit je 1 Titelbild.) 8° Mainz (05). Wiesbaden (Querfeldstr. 71), Selbstverl.   Je 1.50 d
1. Gerda vom Rheinstein. Legendäres Schausp. — Papst Gregor VI. Trauersp. — Der Regierungsnachfolger. Drama. — Das Junggesellenheim. Lustsp. (32, 47, 57 u. 17)

2. Traga v. Königsberg. Dramat. Epos Altpreussens. — Der Herrscher. Lustsp. — Katalyse. Stimmgs-Drama. — Tragödie u. Komödie. Faschingsschwank. (67, 56, 46 u. 17)
3. Fahrt d. Nibelungen z. Exelburg. Drama. — Der Romanow. Drama. — An d. Grenze. Dramat. Gedicht. — Die Hausbesitzerin. Lustsp. (78, 80 u. 16)
Schultzky, P: Organisiertes Gemeindeleben. (20) 8° Frankf.a/M., Neuer Frankf. Verl 02.   — 40 d
Schulverein, d.deut. Festgabe z.Jubelfeier am 13.V.'05- (Selbstschriften-Album, hrsg. v. Vorst. d. Ortsgruppe Margaretenau.) (48 m. Abb.) 4° Wien, (A Pichler's Wwe & S.)(05). 1 — d
Schulvereins-Kalender, kathol., f. 1906. Red. v. H Proschko u. F Eichert. (151 m. Abb.) 8° Wien, Bh. d. kath. Schnlver. f. Oester.   — 50 d
Schul-Verordnungen f. d. Reg.-Bez. Minden. Nachtr. Hrsg. im Büreau d. kgl. Regierg in Minden. (31, 734) 8° Mind., J Bleck 02.   L. 15 — (Hauptwerk u. Nachtr.: 27 —) d
Das Hauptwerk ist bearb. v.: Hechlenberg u. Vandeneesch.
Schulvorschriften, neue griech. (24) 8° Halle, Bh. d. Waisenh. (04).   — 30 (1 u. 2: nn — 55)
Schulwandkarte d. Kreises Pillkallen. 1:40,000. 2 Bl. je 102× 69 cm. Farbdr. Lpzg, G Lang (04). 12 —; auf L. m. St. 18.25
— d **Rhongebirges** n.Hossfeld's Höhenschichtenk. 1:50,000. 4 Bl. je 80,5×55,5 cm. Farbdr. Eisen., Hofbuchdr. Eisenach, H Kahle (04).   Auf L. m. St, nn 13.50
— eidgenöss., d. **Schweiz**. Bearb. u. hrsg. v. topograph.Bureau d. schweiz. Bundesregierg. Reliefbearbeitg v. H Kümmerly. 1:200,000. 4 Bl. je 65×97,5 cm. Farbdr. Bern (09). Lpzg, KF Koehler.   16 —; auf L. m. St. od. z. Zusammenlegen 24 —
— v. **Südbayern**. 1:250,000. 4 Bl. je 57×81 cm. Farbdr. Münch., M Kellerer (02).   12 —; auf L. m. St, nn 17 —
— d. Kreises **Wittenberg**. 1:36,000. 4 Bl. je 57×74 cm. Farbdr. Wittnbg, R Herrosé (01).   Auf L. m. St, nn 20 —
Schul-Wandkarten, Schwann'sche. Nr. 8 u. 8—10. Farbdr. Düsseldf, L Schwann.   In M. 34 —; auf L. m. St. 65 45-
Cüppers, J.: Hessen-Nassau, Grossh. Hessen, Fürsteut. Waldeck. 1:125,000. 4 Bl. je 104×79 cm. 03. [9.]   8 —; bezw. 16 —
— Rheinprovinz. 1:175,000. (Neue Ausg.) 4 Bl. je 99,5×64 cm. (03.) [6.]   8 —; bezw. 16 —
— Süd-Deutschl. 1:390,000. 4 Bl. je 67,5×100 cm. 04. [10.]   10 —; bezw. 16 —
— Westfalen. 1:175,000. 4 Bl. je 69×69 cm. (03.) [8.]   8 —; bezw. 14 —
Schulwart, bayer. Hrsg. u. geleitet v. L Göhring. 1. Jahrg. 1902. 36 Nrn. (Nr.1—3. 26) 4° Erlangen (Goethestr. 7), ET Jacob.   Halbj. nnn 1.50 d ö H
Schulwesen. 2. Heft. 8° Darmst., G Jonghaus.   nn — 50
Gehalts- u. Pensionsverhältnisse d. Volksschullehrer u. zwar: 1. Gen., d. Gehalte d. Volksschullehrer betr. 2. Gen., d. Pensionierg d. Volksschullehrer betr. 3. Gen., d. Wittwen- u. Waisenkasse d. Volksschullehrer betr., in d. Passg d. Bekanntmachg v. 30.X.'05- Amtl. Handausg. (71) 05. [3.]
Das 1. Heft ist noch nicht erschienen.
Schulwochenblatt, württemberg. Red.: Rösler. 53—57. Jahrg. 1901—5 je 52 Nrn. (Nr. 1. 8) 4° Stuttg., C Belser. Je 5.30; einz. Nrn 1— pro d
Ergänzgshefts s. u. d. T.: Blätter, neue, a. Süddeutschl. f. Erziehg u. Unterr.
Schulz: Rdb. f. d. Ehe. Ratgeber f. Verlobte u. Eheleute, m. wiss. Aufklärgn üb. d. Geschlechtsleben d. Menschen. (128 m. 1 Taf.) 8° Lpzg, P Hülsemann (03).   2.50 d
Schulz: Die Ausbildg d. Rekruten d. Infant. im Gelände in Wochenzetteln. (29) 16° Berl., ES Mittler & S. 01.   — 40 d
Schulz, s.: Pilatus, I.
Schulz, A: Fibel.—Leseb.—Der 1.Leseunterr., s.: Carstansen, C.
Schulz, A: Gefesselte Liebe. Roman. (188) 8° Dresd., E Pierson 04.   2.50; geb. 3.50 d
Schulz, A: Gesch.-Atlas, s.: Perthes, J.
— Thüringen, s.: Landes- u. Provinzialgeschichte.
Schulz, A: Das Wichtigste a. d. Verkehrsleben, nebst kurzgef. Schulausstellg 05.   2. Afl. (147) 8° Augsbg, Schwäb. permanente Schulausstellg 05.   nn 1.20; geb. nn 1.40 d
Schulz, A: Italienische Acte. (50 Lichtdr. m. 3 S. Text.) 4° Lpzg, C Schöfze (05).   In M. 35 — d
Schulz, A: Der deut.Knabe im Relig.-Unterr.(48) 8° Friedrich-Berl., Verl. d. Blätter f. deut. Erziehg (01).   — 80 d
Schulz, A: Kornzoll, Kornpreis u. Arbeitslohn. (158) 8° Lpzg, Duncker & H. 02.   3.20 d
Schulz, A: Des Seemanns Weihnacht, s.: Sammlung leb. Bilder.
— Studien üb. d. phanerogame Flora u. Pflanzendecke d. Saalebez. I. Auf d. Entwicklgsgesch. d. gegenwärt. phanerogamen Flora u. Pflanzendecke d. skandinav. Halbinsel u. d. benachbarten schwed. u. norweg.Inseln. [S.-A.] (316) 8° Stuttg., E Schweizerbart 1900.   6 —
— Studien üb. d. phanerogame Flora u. Pflanzendecke d. Saalebez. II. Üb. d. Entwicklgsgesch. d. Phanerogamen im Saalebez. seit d. Ausg. d. letzten kalten Periode. (57 m. 1 Karte.) 8° Halle, Tausch & Gr. 02.   3 —
— Üb. Verbreitg u. badiphilen Phanerogamen in Mitteleuropa nördlich d.Alpen, s.: Forschungen z. deut.Landes- u.Volkskde.
Schulz, B, Neue Fibel, s.: Karassek.
— Die deut. Grammatik in ihren Grundz. 17.Afl. (250) 8° Paderb., F Schöningh 01.   1.40; geb. nn 1.60 d
— dass. Kurzer Leitf. f. höh. Lehranst. I. Tl. Für d. unt. u. mittl. Kl. 2 Abtlgn. 8° Ebd.   Geb. 7.60
1. Für d. unt. Kl. 18. Afl. (487) 02. 3.20 ‖ 2. Für d. mittl. Kl. 11. Afl. (495) 04. 01. 4.40
— dass. Neu hrsg. v. Schmitz-Manoy, Köster u. Weyel. 1. Bd. Für d. unt. Kl. 13. Afl. (495) 8° Ebd. 05.   L. 3.20 d

Schulz, B, s.: Sammlung d. bedeutendsten pädagog. Schriften.
— Deut. Sprachlehre f. Lehrerbildgsanst. 18.Afl.(247) 8º Paderb.,
F Schöningh 03. 1.80; geb. nn 2.30 d
Schulz, B: Denkmäler pers. Baukunst, s.: Sarre, F.
Schulz, OT: Neue Bahnen im Geschlechtsverkehre. Beitrag z.
Lösg d. Prostitutions-Frage. (121) 8º Berl., Finanz-Verl. (01).
1.50 d
Schulz, E: Indiens Wunden u. ihre Heilg. — Die Kinderkost-
schule auf d. Station Gudur in Indien. — Der Zweigeborene,
s.: Missionsschriften, kl. Hermannsburger.
Schulz, E: Der Postwagen. Darstellg u. Beschreibg d. einz.
Wagenteile u. d. zu verwend. Materials. (24 m. 12 Taf.) Fol.
Berl., Rosenbaum & H. (02). L. 4.40 d
Schulz, E: Gerichtl. Gebührentaxe, s.: Kahle, A.
Schulz, E: Das Verkleidgsmotiv bei Shakespeare, m. Untersuchg
d. Quellen. (59) 8º Halle 04. (Elberf., Baedeker'sche Bh.) 4 —
Schulz, E, s.: Barren-Pyramiden.
— Doppel-Pferd-Reck-Pyramiden m. turner. Uebgn. (8 Bl.) 16º
Probsth. (04). Lpzg, Rauh & Pohle. 1 —
— Fahnen-Pyramiden. 30 Gruppen m. Benutzg v. Fahnen u.
Eisenstäben f. 9—24 Turner. (22) 16º Lpzg, Rauh & Pohle
(04). 1.50
— s.: Leiter-Pyramiden.
Schulz, E; Elektromotoren u. elektr. Arbeitsübertragg, s.: Niet-
hammer, F.
— Entwurf u. Konstruktion moderner elektr. Maschinen f.
Massenfabrikation. (132 m. Abb.) 8º Hannov., Dr. M Jänecke
04. L. 7.50
— Die Induktionsmotoren, deren Konstruktion, Theorie, Ent-
wurf u. Berechng, s.: Abhandlungen, techn., a. Wiss. u.
Praxis.
— Die Krankh. elektr. Maschinen. Kurze Darstellg d. Störgn
u. Fehler an Dynamomaschinen, Motoren u. Transformatoren f. Gleichstrom, ein- u. mehrphas. Wechselstrom. (50
m. Fig.) 8º Hannov., Dr. M Jänecke 03. L. 1.75
2. Afl. s.: Bibliothek d. ges. Technik.
— Die prakt. Methoden z. Prüfg elektr. Maschinen, s.: Abhandlungen, techn., a. Wiss. u. Praxis.
— Sammlg v. Beisp. z. Berechng elektr. Maschinen. (170 m.
Abb.) 4º Lpzg, S Hirzel 01. L. 8 —
— Technol. d. Dynamo-Maschinen. (431 m. Abb.) 8º Ebd. 02.
20 —; geb. 22 —
Schulz, F: Unterr.-Briefe z. vollständ. Erlerng d. böhm. Sprache
in Wort u. Schrift. 2. Kurs. 3—16. (d. ganzen Werkes 37—
50.) Brief. (33—272.) 8º Prag, F Řivnáč (1900.01). 14 —
(1. Kurs.: 15 —; vollst. in 1 Mappe 40 —)
Schulz, F: Die Beweislast im Civil-, Verwaltgs- u. Strafpro-
zesse. (49) 8º Cobl., W Groos 03. 1 — d
Schulz, F: Geomorpholog. Studien in d. Ampezzaner Dolo-
miten. (58 m. 8 Taf.) 8º Bambg, Handels-Dr. u. Verlagsb. 05.
2 —
Schulz, FA: Kl. Harmonielehre. 4. Afl. (52) 8º Lpzg, C Merseburger 05. nn — 80 d
Schulz, FN: Praktikum d. physiolog. Chemie. 2. Afl. (104 m.
Abb.) 8º Jena, G Fischer 04. 3.70
— Studien z. Chemie d. Eiweissstoffe. 1. u. 2. Heft. 8º Jena,
G Fischer. 3.70
1. Die Krystallisation v. Eiweissstoffen u. ihre Bedeutg f. d. Eiweiss-
chemie. (42) 01. 1.20 | 2. Die Grösse d. Eiweissmolekül. (106) 03. 2.50.
Schulz, FT: Der Hirschvogelsaal zu Nürnberg. (72 m. Vig-
netten u. 11 Taf.) 8º Nürnbg, JL Schrag 05. 3 —
— Typisches d. gr. Heidelberger Liederhandschrift u. ver-
wandter Handschriften n. Wort u. Bild. (Neue [Tit.-]Ausg.)
(116) 8º Gött., Vandenhoeck & R. [1899] 01. 3.20
Schulz, G (E Nüas): Der Pfarrer v. St, Jürgen. Erzählg. (142)
8º Berl., O Janke (03). 1 — d
— Wer hat's am besten ?, s.: Woywod's Volks- u. Jugend-Bi-
bliothek.
Schulz, H: Reseda. Tuberosen. Citrus, s.: Bastel, F.
Schulz, H, s.: Schiller u. d. Herzog v. Augustenburg in Briefen.
Schulz, H, s.: Zeitschrift f. Klein- u. Strassenb.
Schulz, JG: Att. Verbal-Formen, alphabetisch zusammengest.
auf Grund v. Inschriften u. Autoren, m. bes. Berücks. d.
Gymnasial-Classiker. 2. Afl. (123) 12º Prag, A Storch Sohn 02.
Geb. 1.60
Schulz, K: Das Recht d. Autors a. § 26 d. Verlagsgesetzes.
Gutachten. (21) 8º Lpzg, BG Teubner 04. — 40 d
Schulz, M: Pädagog. Hilfsb. f. angeh. Handarbeitslehrerinnen.
2. Afl. v. C Dienerowitz. (36) 8º Danz., AW Kafemann 02.
nn — 90 d
Schulz, M v.: Ges. betr. Kinderarbeit in gewerbl. Betrieben,
s.: Agahd, K.
— Gewerbegerichtsges., s.: Gesetze, d., d. Deut. Reiches in
kurzgef. Kommentaren.
— Koalitionsrecht, s.: Fortschritt, soz.
— Das Reichsges, betr. Kaufmannsgerichte v. 6.VII.'04. (385)
8º Jena, G Fischer 05. 4 —; geb. 4.50 d
— u. F Behrens: Die Unfälle im Gärtnergewerbe, s.:
Schriften d. Gesellsch. f. soz. Reform.
— u. R Schalhorn: Das Gewerbegericht Berlin. Aufsätze, Rechtsprechg, Einiggsamtsverhandlgn, Gutachten u. Anträge. (20,
409) 8º Berl., F Siemenroth 03. 7 —; In n 8 —
Schulz, O: Die Quelle d. Muskelkraft. [S.-A.] (20) 8º Lpzg, A
Deichert Nf. 01. — 80

Schulz, O: Beitr. z. Kritik uns. literar. Überlieferg f. d. Zeit
v. Commodus' Sturze bis auf d. Tod d. M Aurelius Antoninus
(Caracalla). (130) 8º Lpzg, B Liebisch 03. 3.50
Schulz, O: Die Darstellg psycholog. Vorgänge in d. Romanen
d. Kristian v. Troyes. (49, 156) 8º Halle, M Niemeyer 03. 4 —
Schulz, O: Der Meisterstock. Seine Gesch. u. Entwickelg nebst
biographisch gefärbter Einl., auch Erlebnisse u. Erfahrg a.
meiner 50jähr. Imkerthätigkeit. (95 m. Abb.) 8º Buckow 02.
(Oranienbg, E Freyhoff.) 1.50 d
Schulz, O: Das Gefechtsexerzieren d. Infant.-Kompagnie. 1.
u. 2. Afl. (68) 8º Berl., R Schröder 03.05. 1.20 d
— u. Becker: Dienst-Unterr. d. bayer. Infanteristen. (218 m.
Fig., 1 Bildnis u. 5 farb. Taf.) 8º Berl., Vossische Bh. 04.
nn — 65; kart. nn — 75 d
Schulz, O: Die Wiederherstellg d. St. Sebaldkirche in Nürnberg 1888—1905. (37 m. 4 Taf.) 8º Nürnbg, (JL Schrag) 05. 1 —
Schulz, O: Hand-Fibel, Ausg. A, s.: Hand-Fibel.
— dass. Ausg. B, f. d. Schreib-Lese-Unterr. bearb. v. K Bormann. 143. Afl. (184 m. Abb.) 8º Berl., L Oehmigke's V. 04.
— 40; geb. nn — 50 d
— dass. Ausg. B (Neue Bearbeitg). Reine Schreiblesemethode.
4. Afl. (132) 8º Ebd. 05. — 40; geb. nn — 50 d
— dass. Ausg. C. Nach d. analytisch-synthet. Methode bearb.
v. H Böhm. 130. Afl. (144 m. Abb.) 8º Ebd. 05. — 40;
geb. nn — 50 d
— dass. Ausg. D. Auf Grund d. Schreiblese- u. Normalwortmethode bearb. 51. Afl. (164 m. Abb.) 8º Ebd. 04. — 40;
geb. nn — 50 d
— Hand-Fibel u. 1. Leseb. Ausg. D (Neue Bearbeitg). Auf Grund
d. Schreiblese- u. Normalwortmethode bearb. 16. Afl. (160 m.
Abb.) 8º Ebd. 05. Geb. nn — 60 d
— dass. 2 Tle. 8º Ebd. Geb. nn — 90 d
1. Fibel. 11. Afl. (78 u. 4 m. Abb.) 04. nn — 40 | 2. I. Leseb. 8. Afl. (79—
180) 05. nn — 50.
— dass. Ausg. E f. Berliner Schulen. Auf Grund d. Schreib-
lese- u. Normalwortmethode n. phonet. Grundsätzen bearb.
(96 m. Abb.) 8º Ebd. 04. Geb. nn — 55 d
— Berlin. Leseb. Neu bearb. v. A Piotter u. W Schuberth.
5 Tle. 8º Berl., Nicolai's Verl. Geb. nn 5.05 d
1. (Unterst.) 4. Afl. (148) (01.) nn — 80; 6. Afl. (11, 146) (05.) nn — 55 |
2. (Mittelst. 1. Abtlg.) 4. Afl. (340) (01.) nn — 70 | 3. Mittelst. 2. Abtlg.)
4. Afl. (299) (01.) nn — 80 | 4. (Oberst. 1. Abtlg.) 5. Afl. (397 u. 1) (05.)
nn 1.10 | 5. (Oberst. 2. Abtlg.) 5. Afl. (502 u. 94) (01.) nn 1.90.
— Bibl. Leseb. Umgearb. u. zu e. Hülfsb. f. d. Relig.-Unterr.
in d. unt. u. mittl. Kl. böh. Lehranst. erweit. v. GA Klix.
77. Afl. (304) 8º Berl., L Oehmigke's V. 02. 1.40; geb. nn 1.70 d
— dass. Nach d. Lehrpl. d. J. 1901 bearb. v. P Müllensiefen.
79.-(d. neuen Bearbeitg) 4. Afl. (495 m. 2 Kart.) 8º Ebd. 02.
Geb. 2.50 d
— dass. 3 Abtlgn. 8º Ebd. Geb. 5 —
1. 88. Afl. (297) 05. 2 — | 2. 11. Hülfsb. 84. Afl. (298—495 m. 2 Kart.) 05.
1 — | 3. u. II in 1 Bd geb. 1.80 | III. Kirchengesch. nebst Anh. v. P Müllen-
siefen. (303) 05. 1.50; geb. 2 —
Schulz, OT: Leben d. Kaisers Hadrian. (142) 8º Lpzg, BG
Teubner 04. 4 —
Schulz, R: Religionsb. f. ev. Schulen. 6. Afl. (64 m. 2 Kart.)
8º Bresl., F Hirt 03. Geb. nn — 60 d
Schulz, R: Deut. Flotte u. flotte Deutsche. Genreblid m. Ge-
sang. Musik v. O Möricke. (16) 8º Berl., M Böhm (01). 1.50 d
— Die Frau d. Prokuristen. Schausp. (61) 8º Dresd., E Pierson
06.
— Der Hauptmann v. d. Feuerwehr. Genrebild. (20) 8º Berl.,
M Böhm (01). 1.50 d
— Kaiser-Lottchen, s.: Böhm, M.
— Eine tolle Nacht. Posse. (20) 8º Berl., M Böhm (01). 1.50 d
Schulz, R, s.: Archiv f. Volksschullehrer.
Schulz, RA, s.: Artaria's General-K. d. österr. u. ungar.
Länder.
Schulz, W: Vorrichtgn u. Maschinen z. Herstellg v. Tiefbohr-
löchern, s.: Köhler, G.
Schulz, W: Schiffahrts- u. Strom-Polizei auf d. Elbe v. Mel-
nik bis Hamburg-Harburg. 4. Ausg. (22, 568) 8º Magdbg, E
Baensch jun. 01. Geb. 5 — d
Schulz, W: Zustände im heut. Persien, wie sie d. Roman
Ibrahims Begs enthüllt. Aus d. Pers. übers. u. bearb. (20, 332
m. 1 Karte.) 8º Lpzg, KW Hiersemann 03. L. 25 —
Schulz, W: Commentar üb. d. Propheten Zephanja. (180) 8º
Hannov., A Weichelt 1892. 2.50
Schulz, W: Üb. d. Eigenschaften d. Äthers, s.: Festschrift
usw. d. Friedrich-Wilhelms-Realgymnasiums zu Grünberg
in Schl.
Schulz, W: Der Prutzeltopf. Ein Kinderb. (22 m. farb. Abb.)
8º Münch., A Langen (04). Kart. 3 — d
Schulz, WA: Beitr. z. näheren Kenntnis d. Schlupfwespen-Familie
Pelecinidae Hal. — Materialien zu e. Hymenopterenfauna
d. westind. Inseln. [S.-A.] (54 m. 1 farb. Taf.) 8º Frankf./
Main? V.) 03.
— Hymenopteren Amazoniens. [S.-A.] (76) 8º Ebd. 04. 1 —
— Hymenopteren-Studien. Aus d. Sammlg d. zoolog. Instit. d.
Kaiser Wilhelms-Univ. zu Strassburg i. E. (149 m. Abb.) 8º
Lpzg, W Engelmann 05.
Schulz-Briesen, B: Das Deckgebirge d. rheinisch-westfäl.
Carbons. (26 m. 4 Taf.) 8º Ess., GD Baedeker 03. 2 —
— 50 Jahre rückwärts. Erinnergn e. alten Bergmannes. (44)
8º Ebd. 04.

Schulz-Briesen, B: Die linksrhein. Kohlen- u. Kalisalz-Aufschlüsse u. d. Minettelager d. Bohrg Bislich. [S.-A.] (28 m. 1 farb. Taf.) 8° Ess., O Radke's Nf. 04.   1.20
— Die Regelg d. Vorflutverhältn. im Emschergebiete u. d. in Vorbereitg befindl. gesetzl. Massnahmen zu deren Ausführg sowie z. Beseitigg d. vorhand. Missstände. (16) 8° Ess., GD Baedeker 04.   — 40
Schulz-Euler, S: Die schöne Gritt u. and. Novellen. (266) 8° Dresd., E Pierson 03.   3.50; geb. 4.50 d
— Leben. Gedichte. (224 m. Bildnis.) 8° Frankf. a/M., CF Schulz 03.   (4.50) 4 —; (5.50) 5 — d
— Am Pfaffengarten. Roman. 1—2. Taus. (395) 8° Ebd. 05.   4 —; geb. 5 — d
— Aus alter u. neuer Zeit. Frankfurter Familien- u. Zeitgeschichten. Cum tempore. (114 m. 1 farb. Taf., 9 Portr. u. 1 Silhouette.) 8° Ebd. (01).   nn —
Schulz-Wulkow: Darf es so weitergehen! (64) 8° Frankf. a/O., G Harnecker & Co. (03).   — 50 d
Schulze's illustr. Unterhaltgsblätter f. Stenogr., System Stolze-Schrey. 1—4. Jahrg. 1902—5 je 12 Nrn. (Nr. 1. 32) 8° Nebst Beil.: Rundschau f. Stenogr. u. Schriftkde. Schriftleitg: J Hennings. (Nr. 4. 8) 8° Berl., Frz Schulze.   Je nn 3 —
— Zehnpfennigbücher. In vereinf. deut. Stenogr. (System Stolze-Schrey). Nr. 18—41. (Je 16) 16° Ebd. (01-05).   Je nn — 10
Schulze u. Giggel: Des Kindes 1. Schulb. 2 Tle. 8° Gotha, EF Thienemann.   Kart. — 90; in 1 Bd kart. — 75 d
1. Deut. Schreiblesefibel. Ausg. A. Schrägschrift. 5. Afl. (96) 01.   — 50 ¶ 2. Erstes Leseb. 2. Afl. (95) 03. — 40.
Schulze: Von oben herab. Predigt am Erntedankfeste '01- (8) 8° Ronnebg, (L Brandes) (01).   —20 d
Schulze, A: Abriss e. Gesch. d. Brüdermission. Mit e. Anh., enth. e. ausführl. Bibliogr. z. Gesch. d. Brüdermission. (336) 8° Herrnh., Missionsbh. 01.   2.50; geb. 3.20 d
— Moskitoküste in Nicaragua, s.: Mission, d., d. Brüdergemeine.
— Zinzendorf u. Lieberkühn, s.: Dalman, G.
Schulze, A: Der Radfahrsport, s.: Sammlung leb. Bilder.
— Aus meiner Reimschmiede. Lieder u. Dichtgn. (320) 8° Crimmitsch., AL Stoss 04.   L. 5 — d
Schulze, A: Für Ehre u. Recht. Mein Prozess geg. Hrn Kommerzienrat Eng. Gutmann u. seine Verurteilg. (107) 8° Zür., C Schmidt 03.   —2 —
Schulze, A: Glossar, s.: Crestien v. Troies, li romans dou chevalier au lyon.
Schulze, A: Die Bankkatastrophen in Sachsen im J. 1901, s.: Zeitschrift f. d. ges. Staatswiss.
Schulze, B: Die Haltbark. u. Bewertg d. Melassefuttermischgn, s.: Arbeiten d. deut. Landw.-Gesellsch.
Schulze, B, s.: Neue Studien üb. Heinr. v. Kleist. (92) 8° Hdlbg, C Winter, V. 04.   2 —
— Die Städteordng v. 30. V. 1853, s.: Plagge.
Schulze, B: Das militär. Aufnehmen. Unter bes. Berücks. d. Arbeiten d. kgl. preuss. Landesaufnahme nebst ein. Notizen üb. Photogrammetrie u. üb. d. topograph. Arbeiten Deutschl. benachbarter Staaten. (305 m. Abb.) 8° Lpzg, BG Teubner 03.   L. 8 —
— Chronik d. a. Lauban stamm. Familie Schulze (Schultze), nebst ein. Nachrichten üb. d. demselben verwandten u. verschwägerten Familien. (131 m. 6 Anl. u. 1 Karte.) 8° Lpzg, Breitkopf & H. 01.   4 —; HF. 5 — d
Schulze, C: Stradivaris Geheimniss. Ausführl. Lehrb. d. Geigenbaues. (155 m. 6 Taf.) 8° Berl., Fusinger 01. 8 —; geb. 10 —
Schulze, CR: Die Influenzmaschine. (32 m. Abb.) 8° Lpzg, (G Schlemminger) 05.
— Resultate d. physikal. Unterr. in einf. Volkssch., mittl. u. höh. Bürgersch., Fortbildgssch. u. Seminarien. 3. Afl. (78) 8° Lpzg 01. Einb., A Oehmigke.   — 50
Schulze, E: Kurven 4. Ordng m. e. Doppelpunkt u. e. Spitze. (27 m. 2 Taf.) 4° Berl., Weidmann 04.   2 —
Schulze, E: Die röm. Grenzanlagen in Deutschl. u. Das Limeskastell Saalburg, s.: Gymnasial-Bibliothek.
— Die Saalburg, s.: Woltze, P.
Schulze, E: Catalogus mammalium europaeor. [S.-A.] (38) 8° Stuttg., E Schweizerbart 1900.   — 50
Schulze, EO: Grundr. d. Volkswirtschaftslehre, s.: Schober, H.
Schulze, F: Die Triangulation d. Stadtkreises Stettin. [S.-A.] (31) 8° Stuttg., K Wittwer 05.   — 50
Schulze, F: Nautik, s.: Sammlung Göschen.
Schulze, F: Balthasar Springers Indienfahrt 1505/06, s.: Drucke u. Holzschnitte d. XV. u. XVI. Jahrh. in getreuer Nachbildg.
Schulze, F: Die Gräfin Dolores, s.: Probefahrten.
Schulze, FE: Caulophacus arcticus (Armauer Hansen) u. Calycosoma gracile FE Sch. nov. spec. [S.-A.] (32 m. 2 Taf.) 4° Berl., (G Reimer) 09.   Kart. 2 —
— Hexactinellida, s.: Ergebnisse, wiss., d. deut. Tiefsee-Exped.
— s.: Tierreich, d.
— Die Xenophyophoren, e. besond. Gruppe d. Rhizopoden, s.: Ergebnisse, wiss., d. deut. Tiefsee-Exped.
Schulze, G: Grundr. d. Volksschul-Pädagogik vornehmlich f. Seminaristen u. Lehrer. (In 3 Tln.) 1. Tl. 8° Bresl., F Hirt.   1.20; geb. 1.60 d
1. Gesch. d. Volksschul-Pädagogik. 9. Afl. (96) 01.   1.20; geb. 1.80

Schulze, G: Heimatkde d. Prov. Westfalen, f. d. Hand d. Schüler bearb., s.: Bohnenkamp, H.
— Deut. Leseb. f. ev. Volkssch. Oberst. (In mehrklass. Schulen auch schon f. d. ob. Mittelst.) 12. Afl. (555) 8° Gütersl., C Bertelsmann 05.   †1.60; geb. nn 1.75 d
Schulze, G: Abriss d. franzős. Formenlehre in Beisp. 2. Afl. (31) 8° Berl., A Haack 03.   Geb.— 80 d
Schulze, H: In d. Fussstapfen d. alten Glaubens. 8 Predigten z. Zeugnis wider allerlei Irrlehre. (115) 8° Berl., Vaterländ. Verl.- u. Kunstanst. (02).   1 —; L. 1.80 d
— Tropfen a. stillen Wassern. Mitteilgn a. d. geistl. Praxis d. Diakonissenhauses Bethanien zu Berlin. (303) 8° Lpzg, A Deichert Nf. 02.   4 —; geb. nn 4.80 d
Schulze, G: Rede beim Festgottesdienst m. Ratskirchgang z. Feier d. 100jähr. Zugehörigk. Erfurts zu Preussen. (14) 8° Erf., H Neumann 02.   nn — 25 d
Schulze, Gu, s.: Schulze, W.
Schulze, GCA: Kl. Passionale, d. i.: Die Gesch. d. Leidens u. Sterbens uns. HErrn JEsu Christi, nach J Bugenhagens Zusammentragg a. d. hl. 4 Evangelien, auch d. 40 Wochentage d. Fasten vortheilt u. m. kurzen Betrachtgn, dazu Liedern u. Gebeten versehen. 3. Afl. (152) 8° Hannov., H Feesche 02.   1 —; geb. 1.25; L. 1.50 d
Schulze, GW, s.: Immanuel, W.
Schulze, H, u. W Steinmann: Kinderschatz. Deut. Leseb. f. Vor- u. Unterkl. höh. Lehranst. 1. Tl. 50. Afl. v. H Schulze u. F Kiel. (253) 8° Dresd., L Ehlermann 04. nn 1.60; geb. 2.10 d
— Deut. Leseb. f. höh. Lehranst. bearb. v. H Schulze u. F Kiel. 4. Tl. Für d. kl. Katech. Luthers, f. d. Schulunterr. bearb. 3 Tle. 8° Bielef., Velhagen & Kl. 04.   Je 1.80 d
1. 1. Hauptstück. (100) ¶ II. 2. Hauptstück. (149) ¶ III. 3., 4. u. 5. Hauptstück. (142)
— Schulbücher, s.: Kahnmeyer, L.
Schulze, H: Sünd. Liebe. Ein Stück Berliner Bohéme. (123) 8° Lpzg, H Lautenschlager (01).   (1.50) 1 — d
— Im Schuldb. d. Vergangenh. Erzählg a. Kahlberg u. Cadinen. (169) ge Berl., O Janke (03).   — d
Schulze, H: Übgsb. z. deutschen Sprachlehre, s.: Boeck, M.
Schulze, H: Begräbnis-Brevier. Sammlg v. Trostgebeten z. würd. Gebr. an Christengräbern nebst e. Anweisg f. einf. Begräbnisse. (87) 8° Lpzg 01. Gött., Vandenhoeck & R. 01.   geb. nn 1.60 d
— Chronik v. Stadt Naunhof u. Umgegend unter Berücks. d. zeitweil. Weltbegebenheiten. (134 m. 3 [1 farb.] Vollbildern.) 8° Naunhof, Günz & Eule 1898.   L. 3 —
— Der röm. Katholicismus gegenüber d. einf. Evangelium Jesu. (21) 8° Lpzg 03. Gött., Vandenhoeck & R.   — 10
— Die Ursprünglichk. d. Galaterbriefes. Versuch e. Apologie auf literar-histor. Wege. (88) 8° Lpzg 03. Gött., Vandenhoeck & R.   2 —
— Für d. Wahrheit, s.: Predigt-Bibliothek, moderne.
Schulze, H: Ausführl. Erklärg v. 80 ev. Kirchenliedern. — Prakt. Erklärg 80 ausgew. Psalmen. — Kurze Gesch. d. Kirchenliedes, s.: Schulze, O.
Schulze, d. weil. Pfr. zu Freist, Bösenburg u. Elben im Mansfelder Seekreise JC, Denkwürdigk. Mitgeteilt v. H Grössler. [S.-A.] (16) 8° Eisleben, Prof. Dr. H Grössler (1896). — 35 d
Schulze, I: Die Siedigg in Anhalt, s.: Hey, G.
Schulze, K: Lehrstoff f. d. grammat. u. orthograph. Unterr. in d. Vorsch. 2 Hefte. 8° Berl., L Oehmigke's V. 05. Je — 50; kart. je nn — 60 d
I. 18. Afl. (96) ¶ II. 21. Afl. (94)
Schulze, M: Calvins Jenseits-Christentum in s. Verhältnisse zu d. relig. Schriften d. Erasmus. (75) 8° Görl., R Dülfer 02. 1.60
— Meditatio futurae vitae, ihr Begriff u. ihre herrsch. Stellg im System Calvins, s.: Studien z. Gesch. d. Theol. u. d. Kirche.
— Relig. u. Sittlichk., s.: Studien, theolog.
— Relig. u. Wiss. Vortr. (29) 8° Görl., R Dülfer 03.   — 50
— Wert u. Unwert d. Beweise f. d. Dasein Gottes. Vortr. (20) 8° Ebd. 05.   — 50
— Das Wesen d. Christentums. (52) 8° Halle 1897. (Lpzg, CF Tiefenbach.)   1 —
Schulze, O: Das Verhältnis d. handelsrechtl. Zurückbehaltsrechts zu dem d. BGB. (68) 8° Cöth., O Schulze V. 04. 1.20
Schulze, O: Ausführl. Erklärg v. 80 ev. Kirchenliedern. Handb. Hilfsb. f. Lehrer, Seminaristen u. Präparanden. 8. Afl. v. H Schulze. (284) 8° Bresl., F Hirt 03.   Geb. 3.60 d
— Prakt. Erklärg 80 ausgew. Psalmen m. Einschl. d. 18 f. d. Volkssch. vorgeschrieb. z. Gebr. f. Lehrer, Seminaristen u. Präparanden. 4. Afl. v. H Schulze. (146) 8° Ebd. 03. Geb. 3 — d
— Kurze Gesch. d. Kirchenliedes z. Gebr. f. Geistliche u. Lehrer. 9. Afl. v. H Schulze. (86) 8° Ebd. 01.   — 80 d
Schulze, P: Von deut. Bildg insbes. v. deut. Bildg u. Erziehg d. erwerbearbeit. männl. Jugend, s.: Bausteine, pädagog.
— Die Frage d. ästhet. Erziehg, e. Lebens- u. Existenzfrage f. unser Volk u. f. uns. Jugend. (65) 8° Mgdbg, Friese & Fuhrmann 02.   1 —
— Friedrich Schiller. (31 m. 1 Bildnis.) 8° Berl., Gerdes & H. 05.   — 50
Schulze, P: Schiwaya, d. kl. Waisenknabe in Salur, s.: Morgenrot in Indien.
Schulze, P: Neue Schnärzchen. Heitere Erzählgn u. Gedichte in Thüringer Volksmundart. (64) 8° Erf., F Bartholomäus (04).   — 50 d
Schulze, R: Die Kulturbedeutg d. theosoph. Bewegg uns. Jahrh. (31) 8° Lorch, K Rohm 05.   — 25 d

Schulze, R: Die Welt u. d. Mensch im Lichte d. okkulten Philosophie. (85) 8° Lorch, K Rohm 05.   — 25 d
Schulze, R: Das chem. Instit. d. Univ. Bonn, s.: Anschütz, R.
Schulze, R: Neue Bilder z. Vaterlandskde. II u. III. Dresden, Sachsens Hauptstadt, u. Binnenschiffahrt, am Elbkai in Riesa. Je 88,5×67 cm. Farbdr. Dresd., A Müller, Fröbelhaus. Je 2 —; L.-Bd u. Ösen je 2.25; nebst Text zu I—III. (50 m. Abb.) 8°   — 50
Schulze, T; Bugenhagen in Lübeck, s.: Wartburghefte.
Schulze, W: Die latein. Buchstabennamen. [S.-A.] (26) 8° Berl., (G Reimer) 04.   1 —
— Zur Gesch. latein. Eigennamen, s.: Abhandlungen d. kgl. Gesellsch. d. Wiss. zu Göttingen.
— Graeca latina. (25) 8° Gött., Vandenhoeck & R. (01). nn — 50
— Lit. kläusiu u. d. indogerman. Futurum. [S.-A.] (9) 8° Berl., (G Reimer) 04.   — 50
— Griech. Lehnworte im Got. [S.-A.] (32) 8° Ebd. 05.   1 —
— s.: Zeitschrift f. vergleich. Sprachforschg.
Schulze, W: Liederborn. Liederb. f. Mädchensch. In 3 Heften. 8° Berl., L Oehmigke's V. 05.   2.80; Kartonnages je — 20 d
   1. Unterst. (1.- u. 2stimm. Gesänge.) 18. Afl. (78)   1 — 80
   2. Mittelst. (3.- u. 3stimm. Gesänge.) 20. Afl. (92)   1 —
   3. Oberst. (2-, 3- u. 4stimm. Gesänge.) 16. Afl. (111 u. 16)   1 —
— Liederspende. 10 drei- u. vierstimm. Schullieder als Nachtr. z. „Liederborn". (15) 4° Ebd. 02.   — 20 d
Schulze, W: Volksgesch. Israels, s.: Hilfsmittel z. ev. Relig.-Unterr.
Schulze, WA: Fahrplank. v. Europa. Uebersichtl. Darstellg d. wichtigsten Eisenb.- u. Dampfschiff-Verbindgn zw. d. Hauptverkehrsorten v. Europa m. Angabe d. Abgangs- u. Ankunftszeiten d. Bahnzüge, deren Personenwagenklassen u. ihrer Hauptanschlüsse. 42×58,5 cm. Nebst Text. (8) 12° Lpzg, Woerl's Reisebücherverl. 03. || Sommerausg. 1905 u. Winterausg. 1903/4. (Je 4)   5 —
Schulze-Berghof, P: Schiller u. d. Kunsterzieher. (147) 8° Lpzg, E Wunderlich 05.   2 —; geb. 2.50 d
Schulze-Delitzsch s.: Blätter f. Genossenschaftswesen.
— Vorschuss- u. Kredit-Ver. als Volksbanken, 7. Afl. v. H Crüger, s.: Handbibliothek f. d. deut. Genossenschaftswesen.
Schulze-Etzel, T, s. a.: Etzel, T.
— Tage d. Lebens. Gedichtwerk. (41) 8° Gr.-Lichterf. 04. Berl., E Eisselt.   1.30 d
Schulze-Gävernitz, G v., s.: Abhandlungen u. d. bad. Hochsch.
Schulze-Kolbitz, O: Das Schloss zu Aschaffenburg, s.: Studien z. deut. Kunstgesch.
Schulze-Smidt, B: „Ein Bruder u. e. Schwester". Eine Gesch. a. d. Winkel u. d. Welt. (465) 8° Dresd., C Reissner 02.   6 —; geb. 7 — d
— Aus d. gold. Buche. Eine Gesch. in 2 Tln, f. d. reif. Jugend. (406 m. 6 Bildern.) 8° Bielef., Velhagen & Kl. 03.   Geb. 5.50 d
— Magnus Collund. Das Schicksal e. Liebe. Roman. (557) 8° Dresd., C Reissner 04.   5 —; geb. 6 — d
— Dein u. Mein. Weihnachtslieder. (29) 8° Brem., J Storm 03.   — 75
— Demoiselle Engel. Altbremer-Hausgeschichte. 1—3. Afl. (206 m. Abb.) 8° Stuttg., Deut. Verl.-Anst. 04.05. 3 —; geb. 4 — d
— 3 Freundinnen. (279 m. Abb.) 8° Stuttg., Union (03). 3 — d
— Inge v. Rantum. Sylter Novelle. 6. Afl. (304) 8° Cobl., Groos 02.   Kart. 3 —; L. a — d
— Jugendparadies. Eine wahre Gesch. f. d. Kinder u. ihre Freunde. 2. Afl. (326 m. 6 Bildern.) 8° Bielef., Velhagen & Kl. 05.   Geb. 5.50 d
— Kinderherzen. Erzählgn f. d. Jugend. (162 m. 8 Bildern.) 8° Stuttg., Loewe (05).   Geb. 3 — d
— Leiden. Blätter a. e. Lebensbuche. (176) 8° Dresd., C Reissner 01.   2.50; geb. 3.50 d
— Pave, d. Sünder. Eine Geschichte a. Dalmatien. (Neue [Tit.-] Ausg.) (347) 8° Stuttg., Deut. Verl.-Anst. [1896] (02).   1.50; geb. 1.75 d
— Schattenblümchen, s.: Kränzchen-Bibliothek.
— „So wachsen deiner Seele Flügel!". Roman. 3. Afl. 2 Bde. (284 u. 295) 8° Stuttg., Deut. Verl.-Anst. 04.   6 —; geb. 8 — d
— Holde Siebzehn. Erzählg f. junge Mädchen. 3. Afl. (414 m. 6 Bildern.) 8° Bielef., Velhagen & Kl. 05.   Geb. 5.50 d
— Im finstern Tal. (330) 8° Dresd., C Reissner 03.   geb. 5 — d
— Hinter d. Wäldern. Episode. (192) 8° Ebd. 06. 2.50; geb. 3.50 d
— Wenn man liebt. Eine Gesch. in 4 Büchern. 3. Afl. (316) 8° Ebd. 02.   4 —; geb. 5 — d
— Eiserne Zeit. Eine Familiengesch. a. d. Befreigskriegen. 2. Afl. (559) 8° Bielef., Velhagen & Kl. 02.   L 6 — d
Schulzeitung, bad. Leitg: J Goldschmidt, 1903: J Eiermann, 1904 u. 5: J Göckel. Jahrg. 1901—5 je 52 Nrn. ('01—4: 706, 704, 680 u. 768) 4° Bühl, Konkordia.   Vierteij. 1 — d
— neue bad. Red.: M Rödel. 26. Jahrg. 1902. 52 Nrn. Mit Beil. Abtlgn: „Litt., Musik, Schul- u. Lehrmittelwesen", „Des Lehrers Feierabend", „Wegweiser durch d. Land-, Obst-, Garten- u. Hauswirtschaft". (1684) 4° Mannh., (J Bensheimer's V.), Vierteij. 1.25 || 27. Jahrg. 1903. (1684) Vierteij. nnn 1.60 d ö H
— freie bayr. Red.: G Heydner. 3. Jaarg. 1902. 26 Nrn. (Nr. 1 u. 2. 22) 4° Nürnbg, C Flessa.   Halbj. nnn 1.50;
             einz. Nrn nnn — 20 d ö H
— deut. Mit Beil. monatlich: Pädagog. Litt.-Anzeiger. Vierteij.: Neuigkeiten d. deut. Buchh. (Erziehg, Unterr., Jugend-

schriften). Red. v. O Janke. 31—35. Jahrg. 1901—5 je 52 Nrn. (492, 492, 500, 520 u. 496) 4° Berl., L Oehmigke's V.   Vierteij. 2 —; einz. Nrn — 20 d
Schulzeitung, Frankfurter. Red.: E Ries. 18—22. Jahrg. 1901—5 je 24 Nrn. (194, 196, 196, 200 u. 214) 4° Frankf. a/M., A Neumann.   Je 5 — d
— freie. Hrsg. v. deut. Landeslehrerver. in Böhmen. Nebst Bücher-, Lehrmittel- u. Zeitgeschau. (12 Nrn.) Leiter: F Legier. 28—32. Jahrg. Octbr 1901—Septbr 1906 je 52 Nrn. (28. Jahrg. Nr. 1 u. 2. 36 u. 8) 8° Reichenbg i/B., Verwaltg d. freien Schulzeitg. (Nur dir.)   Vierteij. nn 2 —;
             einz. Nrn nn — 30
— hamburg. Wochenschrift f. d. Angelegenh. d. Unterr., d. Erziehg u. d.Lehrerstandes. Schriftleitg: PGASydow. 9.Jahrg. 1901. 52 Nrn. Mit Beil.: Jugendschriften-Warte. Red.: H Wolgast. 12 Nrn. (Nr.1.8) 4° Hambg, Schröder & Jeve. Vierteij. 1.50 d
— dass. Wochenschrift f. pädagog. Theorie, Kunst u. Erfahrg. Schriftleitg: H Walsemann, 1903 F Schütze, 1904 u. 5 A Struve. 10—13. Jahrg. 1902—5 je 52 Nrn. Mit Beil.: Jugendschriften-Warte. Red.: H Wolgast. Je 12 Nrn. (Nr. 1. 8) 4° Ebd.   Vierteij. 1.50; einz. Nrn — 20 d
— hannov. Hrsg. v. W Weidemann u., seit 1904, K Brunotte. Nebst Beil.: „Jugendschriften-Warte". 37—41. Jahrg. 1901—5 je 52 Nrn. (Nr. 1. 8) 4° Hannov., Helwing. Vierteij. 1.50;
             einz. Nrn — 25 d
— kathol. Hrsg.: L Auer. Red.: M Gebele u., seit 1902, L Auer jun. 34—38. Jahrg. 1901—5 je 52 Nrn. (Nr. 1. 8) 4° Donauw., L Auer.   Halbj. — Nrn — 10 d
— kathol., f. Mitteldeutschl. Red.: J Schmitt. 35. Jahrg., d. „Schulblatt f. Hessen-Nassau etc." 11. Jahrg. d. kathol. Schulzeitg f. Mitteldeutschl. 1905. Ausg. A. 36 Nrn. (Nr. 1. 8) 4° Fulda, Fuldaer Actiondr. nnn 1 —; Ausg. B m. d. Beil. „Separat-Ausg. d. pädagog. Monatshefte" nnn 1.80 ö H
— kathol., f. Norddeutschl. 18—19. Jahrg. 1901 u. 2 je 52 Nrn. (692, 778, 834, 856 u. 832) 4° Mit d. Beil.: „Rundschau auf d. Gebiete d. Jugend-, Volks- u. Geschenk-Litt." je 4 Nrn. (Je 4) u. „Rechtskde üb. Schul- u. Lehrerverhältn." (Je 6) Bresl., F Goerlich. Vierteij. 1.50 || 20—22. Jahrg. 1903—5.   Vierteij. 1.80 d
— Laibacher. Leiter: F Hintner u., seit 1902, JM Klimesch. 29—31. Jahrg. 1901—3 je 12 Nrn. (1901. Nr. 1. 24) 8° Laib., (I v. Kleinmayr & F Bamberg).   Halbj. nn 2 —;
             einz. Nrn nn — 40 (1903 d)
— dass. Fachbl. f. Krain u. Küstenland. Hrsg. v. krain. Lehrerver. Mit d. Beil.: Blätter z. Förderg d. Abteilgsunterr. Schriftleiter in Graz: RE Peerz. 33. Jahrg. 1904. 12 Nrn. (Nr. 1. 16 u. 8 m. 1 Abb.) 8° Ebd.   Halbj. nn 2 —;
             einz. Nrn nn — 40 d

Fortsetzg war nicht zu erhalten.

— landwirtschaftl. Unterr. organz z. Förderg d. ges. landw.Unterr.-Wesens. Hrsg. v. R Strauch. 10—14. Jahrg. 1901—5 je 24 Nrn. ('01—04: 364, 392, 384 u. 384) 8° Lpzg, H Voigt. Halbj. 4 — d
— mecklenburg. Begründet v. H Burgwardt. Schriftleitg: H Voss. 32. u. 33. Jahrg. 1901 u. 2 je 52 Nrn. (Nr. 1. 8) 4° Wism., (Hinstorff's V.).   Vierteij. 1.25 d
— dass. Mit d. Gratisbeilagen: „Jugendschriften-Warte" u. „Volks- u. Jugendschriften-Rundschau". Begründet v. H Burgwardt. Schriftleitg v. Voss. 34—36. Jahrg. 1903—5 je 52 Nrn. (Nr. 1. 6) 4° Ebd.   Vierteij. 1.25 d
— österr. Leiter: E Jordan u., seit 1902, J Zimmermann. 14—16. Jahrg. 1901—3 je 59 Nrn. (Je 832) 8° Wien, Exp. (Floridadorf, Elisabethstr. 10, F Glammer).   Je nn 10 —
Fortsetzg war nicht zu erhalten.

— preuss. Red.: LW Seyffarth, 1905 R Otto. 39—43. Jahrg. 1901—5 je 104 Nrn. (Nr. 1. 8) Fol. Nebst Gratisbeil.: Illustr. Sonntags-Bl. je 52 Nrn. (Nr. 1. 4) 4° Liegn., O Seyffarth.   Vierteij. nn 1.50 d
— rheinisch-westfäl. Hrsg. v. J Müllermeister. 34—38. Jahrg. Oktbr 1900—Septbr 1906 je 52 Nrn. (Nr. 1. 16 Sp.) 4° Aach., P Urlichs.   Vierteij. 1 —; einz. Nrn — 90 d
— sächs. Hrsg. v. Vorst. d. sächs. Pestalozzi-Ver. Schriftleitg: A Ulrich. 68—72. Jahrg. 1901—5 je 52 Nrn. (841, 848, 910, 864 u. 812) Mit Gratisbeil.: Deut. Jugendblätter. Red.: B Müller u., seit 1902, A Hammer. 41—45. Jahrg. 1901—5 je 26 Nrn. (Nr. 1. 8 m. Abb.) 4° Lpzg, (J Klinkhardt). Halbj. 4 —;
             einz. Nrn — 90 d
— schles. Pädagog. Wochenschrift. Red.: W Grüttner. 30—34. Jahrg. 1901—5 je 52 Nrn. (1901. Nr. 1. 12 u. 4) 4° Bresl., Priebatsch.   Vierteij. nn 1.75; einz. Nrn nn — 25
— schleswig-holstein., e. pädagog. Wochenschrift. Geleitet v. A Stolley. 45—53. Jahrg. 1901—5 je 52 Nrn. (520, 496, 494 u. 532) 4° Flensbg, A Westphalen. Vierteij. 1.50 d
— westpreuss. Mit d. Beil.: 1. Jugendschriftenwarte, 2. Bunte Bilder a. Westpreussen. 3. Schulmuseum. Red.: A Domrooss. 1. u. 2. Jahrg. 1904 u. 5 je 52 Nrn. (Nr. 1. 28 u. 4) 4° Danz., Kafemann.   Vierteij. 1.25; einz. Nrn — 20 d
Schul- u. Eltern-Zeitung, christl. Hrsg. v. Red.: J Moser. 4. u. 5. Jahrg. 1901 u. 2 je 12 Nrn. ('02. 280 m. Abb.) 8° Wien, (Austria F Doll). || 6. Jahrg. 1903. 24 Nrn. Je 4.50 || 7. u. 8. Jahrg. 1904 u. 5.   Je nn 5 — d
Schul- u. Lehrer-Zeitung, steir. Red.: J Sperat u., seit 1903, F Döhrn. 4—8. Jahrg. 1901—5 je 24 Nrn. (Nr. 1. 16) 8° Graz, Leykam.   Je nn 4.40
Schulzen, A: Der prakt. Bienenzüchter. Unter bes. Berücks.

rheinisch-westfäl. Verhältn. (313 m. Abb.) 8° Alpen-Mill. 04.
(Lpzg, Fritzsche & Schmidt.)   L. nn 2.50 d
Schulzimmer, das, Vierteljahrsschau üb. d. Fortschritte auf
d. Geb. d. Ausstattg u. Einrichtg d. Schulräume sowie d.
Lehrmittelwesens m. bes. Berücks. d. Fordergn d. Schul-
hygiene. Hrsg. v. PJ Müller. 1. Jahrg. Oktbr—Dezbr 1903. 2 Nrn.
(142 m. Abb.) 8° Charltnbg, PJ Müller. 2 — || 2. u. 3. Jahrg.
1904 u. 5 je 4 Nrn. (252 u. 242) Je 4 —
Schum: Kur- u. Diätvorschriften f. d. Gebr. d. Mergentheimer
kochsalzhalt. Bitterwassers, s.: Lindemann.
Schum, W: Prakt. Anl. f. d. Erteilg d. Zeichenunterr. n. d.
nenen Methode. (32 m. 4 Taf.) 8° Berl., Schnetter & Dr. Linde-
meyer 03.   1 — d
Schum, W, H Bresslau, G Gröber u. **A Tobler**: Quellen u.
Methodik d. roman. Philol. 2. Afl. [S.-A.] (164) 8° Strassbg,
KJ Trübner 04.   3.50
Schumacher: Eisenb.-Hygiene, s.: Brähmer, O.
Schumacher, B: Niederland. Ansiedlgn im Herzogt. Preussen
z. Z. Herzog Albrechts (1525—68). (Publication d. Ver. f. d.
Gesch. v. Ost- u. Westpreussen.) (204 m. 2 Kartenskizzen.)
8° Lpzg, Duncker & H. 03.   4.80
Schumacher, E: Die neue Rechtschreib. Regeln, Merkwörter
u. Übgsaufg. (24) 8° Altona, H Lorenzen 02.   — 20 d
Schumacher, F, s.: Monatsschrift, katechet.
— Sammlg 3stimm. Lieder f. Frauenchor, s.: Schiffels, J.
Schumacher, F: Das Bauschaffen d. Jetztzeit u. histor. Über-
lieferg. (31) 8° Lpzg 01. Jena, E Diederichs.   — 50 d
— Im Kampfe um d. Kunst, s.: Ueber Kunst d. Neuzeit.
Schumacher, G: Dscherasch. [S.-A.] (69 m. Abb., 1 Pl. u. 3 Taf.)
8° Lpzg, (K Baedeker) 03.   4.50
Schumacher, G: Zur Kenntnis d. malignen Chorionepitheliome.
(33) 8° Freibg i/B., Speyer & K. 02.   — 20 d
Schumacher, H: Üb. Korronträge in d. Landw., s.: Materialien
f. d. deut. Handelspolitik.
Schumacher, H: Zur Frage d. Binnenschiffahrtsabgaben. (389
8° Berl., J Springer 01.   7 —
— Zur Frage d. Pensionsversicherg d. Privatbeamten. Vortr.
(30 m. 1 Bildnis.) 8° Brühl-Köln, König & Co. (02).   — 50
— Autonomer Tarif u. Handelsvertträge. Vortr. [S.-A.] (31) 8°
Lpzg, Duncker & H. 01.   — 60 d
Schumacher, HV: Berenice, s.: Vobach's illustr. Roman-Bi-
bliothek.
— Pflug u. Schwert, s.: Auswahl v. Werken zeitgenöss. Schrift-
steller.
— Sommerregen, s.: Universal-Bibliothek.
Schumacher, J: Hilfsb. f. d. kathol. Relig.-Unterr. in d. mittl.
Kl. höh. Lehranst. 1. Tl: Anh. z. bibl. Gesch. (51 m. Abb.
u. 4 Kärtchen.) 8° Freibg i/B., Herder 05.   — 75 d
Schumacher, J: Der preuss. Hausanwalt. (523) 8° Bonn, C
Georgi (1900). 5.50; geb. 6 — || 2. Afl. (629) 02. (nn 4.50) 5.50;
geb. (8 —) 6 — d
— Das landw. Pachtrecht. (215) 8° Berl., P Parey 01. L. 6 — d
Schumacher, K: Kastell u. Vicus bei Wimpfen. [S.-A.] (13 m.
Abb. u. 3 Taf.) 4° Hdlbg, O Petters 1900.   4.40
Schumacher, K, s.: Schulfreund, d.
Schumacher, K: Beckenerweiternde Operationen. (39) 8° Tüb.,
F Pietzcker 04.   nn — 80 d
Schumacher, L: Die St. Florentinskirche zu Niederbaslach.
(22 m. Abb.) 8° Strassbg, JHE Heitz 01.   — 50
Schumacher, M: Sphinx. Poet. Orig.-Rätsel, Charaden, Ana-
gramme, Homonyme u. s. w. Neue Folge. (546) 8° Cassel (Kö-
nigsthor 12), Frl. A v. Stwolinski 04. nn 3.50; geb. m. G. nn 4.50 d
Schumacher, P: Wirksvolle Empfehlgs-Inserate. (32 m. Abb.)
8° Stuttgart (Langestr. 25), P Schumacher (04).   1 — d
Schumacher, P, u. **J Kessler**: Das Leben Jesu. (59 m. farb.
Abb.) Fol. Berl., M Oldenbourg (02).   In Moleskin 24 — d
in Skytogen m. G. 24 — d
Kathol. Ausg. u. d. T.:
— u. **J Schlecht**: Das Leben Jesu. (52 m. farb. Abb.) Fol.
Münch., Allg. Verl.-Gesellsch. (02).   In Moleskin 20 —;
in Skytogen m. G. 24 — d
Schumacher, S v.: Zur Gid. d. Flimmerepithels. [S.-A.] (30
m. 1 Taf.) 8° Wien, (A Hölder) 01.   — 90
— Üb. d. Entwicklg u. d. Bau d. Bursa Fabricii. [S.-A.] (34
m. 2 Taf.) 8° Ebd. 03.   1 —
— Die Herznerven d. Säugethiere u. d. Menschen. [S.-A.] (103
m. 4 Doppeltaf.) 8° Ebd. 02.   3.40
— Der Nervus mylohyoideus d. Menschen u. d. Säugetiere.
[S.-A.] (32 m. 1 Taf.) 8° Ebd. 04.   — 90
— Die Rückbildg d. Dotterorganes v. Salmo fario. [S.-A.] (25
m. 1 Taf.) 8° Ebd. 1900.   — 90
Schumacher, T, s.: Hausfrauen-Kalender, neuer schwäb.
— Heimatzauber. Erzählg f. Kinder u. Erwachsene. 2. Afl.
(198 m. Titelbild.) 8° Stuttg., Levy & M. (04).   L. 3 — d
— Aus meiner Mappe. Einfache Erzählgn. (94) 8° Stuttg., C
Classen (05).   L. 1 60 d
— Mütterchens Hilfstruppen. Eine hübsche Gesch. u. Anl., wie
Knaben u. Mädchen im Hausbalte helfen können. 3. Afl. (184
m. Abb.) 8° Stuttg., Levy & M. (03).   L. 3 — d
— Opfer d. Schuld. Erzählgn a. d. Leben. (50, 56 u. 50) 8°
Stuttg., Fleischhauer & Sp. (02).   2 —; kart. 2.50; L. 3 — d
— Schulleben. Eine Gesch. f. Jung u. Alt z. Lachen u. Weinen.
2. Afl. (158) 8° Stuttg., Levy & M. (01).   L. 3 — d

Schumacher, T: Überall Sonnenschein. Erzählg f. jung u. alt.
(190 m. Titelbild.) 8° Stuttg., Levy & M. (05).   Geb. 3 — d
— Spaziergänge ins Alltagsleben. Plaudereien. 1—3. Afl. (280)
8° Stuttg., Deut. Verl.-Anst. 02.   L. 4 — d
— Das Turmengele. Eine Oesch. f. Kinder. (228) 8° Stuttg.,
Levy & M. (01).   L. 3 — d
— Ueberleg's! Plaudereien. 1—3. Afl. (223) 8° Stuttg., Deut.
Verl.-Anst. 03.   L. 4 — d
— Das Veferl v. Eibsee. (148) 8° Stuttg., Fleischhauer & Sp.
(01).   2 —; kart. 2.20; L. 2.50 d
— Ein Wunderkind. Erzählg f. Kinder u. Erwachsene. (192
m. Titelbild.) 8° Stuttg., Levy & M. (03).   L. 3 — d
Schumacher, K: Brenn. Agrar-, Zoll- & Handels-Fragen, s.:
Egner, H.
— Europ. Zollbeamte in China u. ihr Einf. auf d. Förderg
uns. Aussenhandels. (95) 8° Karlsr., JJ Reiff 01.   1.20 d
Schumachers, F: Beitr. z. Physiol. d. Nervensystems spez.
d. Sinnesorgane. (35) 8° Lpzg, T Thomas 03.   1.20 d
— Die homöopath. Therapie, s.: Miniatur-Bibliothek.
Schumann's stenograph. Lesestoffsammlg [Einiggsystem
Stolze-Schrey). 9—15. Heft. 12° Berl. (Lpzg, JH Robolsky.)
nn 1.40 (1—15.: nn 3.50)

9. Der überlistete Numismatiker. Ein Dienstmann. (16) (02.)	nn — 30
10. Der Vaterwörder. Ein Traum. (16) (02.)	nn — 30
11. Schönmüllers 1. Liebe. (16) (02.)	nn — 30
12. Ueberraschungen. — Mein Zeitgebub. (16) (03.)	nn — 30
13. Die Probepredigt. — Das Faustrecht v. Standpunkt a. Jungen. (16) (03.)	nn — 30
14. Eine Kriegslist. — Der neue Vogel. (16) (02.)	nn — 30
15. Lustige Geschichten. — Ein schreckl. Ende. (16) (02.)	nn — 30

Schumann's medizin. Volksbb. 44. Bd. 8° Lpzg, W Schumann
Nf.   Geb. 1.50 d
Bisher unter d. Einzeltiteln aufgenommen.
Fürst, L: Die Genickstarre. (40) [44.] 05.
Schumann, A: Gesch. d. erot. Lit. d. Deutschen. (In 25 Lfgn.)
1. u. 2. Lfg. (64 m. Abb. u. 2 Taf.) 8° Lpzg, A Schumann's
V. (04.05).   Je 1 —
Schumann, B: Ein gefäll. Mensch, s.: Liebhaber-Theater.
Schumann, C: Der Portland-Cement, s.: Büsing, FW.
Schumann, C: Predigt üb. Jakobus 5, 7—11. (8) 8° Ansb., C
Junge 03.   — 20 d
Schumann, C: Lübecker Spiel- u. Rätselb. Neue Beitr. z.
Volkskde. (22, 208) 8° Lüb., Gebr. Borchers 05. 1.50; geb. 2 — d
Schumann, C, s.: Franklin, d. Held d. nördl. Eismeeres.
Schumann, E: Lehrb. d. eb. Geometrie f. d. ersten 3 Jahre
gemeinstr. Unterr. an höh. Schulen. (202 m. Fig.) 8° Stuttg.,
F Grub 04.   HF. 2.20
Schumann, F: Die holstein. Schweiz, s.: Grieben's Reise-
führer.
Schumann, F, s.: Bericht üb. d. I. Kongress f. experimentelle
Psychol. — Studien, psycholog.
Schumann, G, s.: Usäma Ibn Munkidh.
Schumann, G, s.: Schumann, JCG.
Schumann, H: Die Steinzeitgräber d. Uckermark. (108 m. Abb.,
46 Taf. u. 1 Karte.) 4° Prenzl., A Mieck 04. (30 —) 8 — ;
(nn 32 —) nn 10 —
Schumann, J: Otto Ernst. Litterar. Studie. (52) 8° Lpzg, L Stack-
mann 03.   1 — d
Schumann, J: Bach, Händel, Mendelssohn, s.: Familienbibliothek, Calwer.
Schumann, JCG: Deut Leseb. f. d. mehrklass. Schulen, s.:
Dietlein, R.
— Uns. Schulzucht. Erweit. Vortr. 3. Afl. v. H Schreff. (102)
8° Negw., Heuser's Erben 02.   1 — d
— Die Vorbereitg auf d. Unterr. — Wort u. Wissen, s.: Für
d. Schule u. d. Schule.
— u. **W Heinze**: Leitf. d. preuss. Gesch. 4. Afl. v. K Dage-
förde. (242) 8° Hannov., C Meyer 01. Kart. 1.75 || 5. Afl. (239)
04. Geb. 1.80 d
— u. **G Voigt**: Lehrb. d. Pädagogik, 1. Tl u. 2. Tl, Psychol.,
s.: Bibliothek, pädagog.
Schumann, K: Vaterländ. Gesch.-Bilder f. ev. Volkssch. 10. Afl.
(132) 8° Berl., Velhagen & Kl. 02.   Kart. — 60 d
— Sammlg deut. Gedichte, s.: Wetzel, F.
— s.: Schülblatt f. d. Prov. Brandenburg.
— Schul-Leseb., s.: Wetzel, F.
Schumann, K: Atlas d. officin. Pflanzen, s.: Berg, OC.
— Gesamtbeschreibg d. Kakteen (Monographia cactacearum.)
Mit e. kurzen Anweisg z. Pflege d. Kakteen v. K Hirscht.
2. Afl. (832 u. 171 m. Abb.) 8° Neud., J Neumann 03.   30 — ;
geb. 34 —
— dass. Nachträge 1898—1902. (171 m. Abb.) 8° Ebd. 03. 6 — ;
geb. HF. 34 —
— s.: Just's botan. Jahresbericht.
— Blüh. Kakteen (Iconographia cactaceæ.). 3—12. Lfg. (40
farb. Taf. m. je 1 Bl. Text.) 4° Neud., J Neumann 01-03.
Je 4 — ; je 3 Lfgn in 1 Bd kart. 13 —
Fortsetzg s.: Kakteen, blühende.
— Keys to the monograph of Cactaceae. (68) 8° Ebd. 03. L. 4 —
— Marastaceae, s.: Pflanzenreich, d.
— s.: Monatsschrift f. Kakteenkde.
— Praktikum f. morpholog. u. systemat. Botanik. (610 m. Abb.)
8° Jena, G Fischer 04.   13 —; geb. 14 —
— Succulente Reise-Erinnergn a. d. J. 1901. [S.-A.] (21) 8° Neud.,
J Neumann 02.   1 —

Schumann, K: Zingiberaceae, s.: Pflanzenreich, d.
— u. K **Lauterbach**: Die Flora d. deut. Schutzgeb. in d. Südsee (m. Ausschl. Samoa's u. d. Karolinen). Nachtr. (446 m. Bildn. u. 14 Taf.) 8° Lpzg, Gebr. Borntraeger 05. Kart. 34 —
    (Hauptwerk u. Nachtr.: 74 —)
Schumann, M: Das 2. Hauptstück in Lehrbeisp. nebst e. Begleitwort. (57) 8° Halle, H Schroedel 02. — 80 d
Schumann, O: Freibergs Nebenklassen u. Mannheimer Sonderklassen. Beitrag z. Organisation d. Volkssch. n. d. Leistgsfähigk. d. Kinder. (31) 8° Lpzg, J Klinkhardt 05. — 50 d
Schumann, P: Der Sachse als Zweisprachler. Vortr. (68) 8° Dresd., C Reissner (04). 1 — d
Schumann, P: Max Klingers Beethoven. (12 m. Abb.) 8° Lpzg, EA Seemann (04). 1 — d
— Landkirchen, s.: Schilling.
— s.: Meister, 100, d. Gegenwart in farb. Wiedergabe.
Schumann, R: Ergebnisse e. Untersuchg üb. Verändergn v. Höhenunterschieden auf d. Telegraphenberge bei Potsdam, s.: Veröffentlichung d. kgl. preuss. geodät. Instit.
Schumann's, R, Briefe. Neue Folge, hrsg. v. JG Jansen. 2. Afl. (571 m. 1 Bildnis.) 8° Lpzg, Breitkopf & H. 04. 8 — ; geb. 9 — d
— Musikal. Haus- u. Lebens-Regeln. — Musical house- and life-maxims. Translated by HH Pierson. New ed. by K Klauser. (Neue Afl.) (35 m. deut. u. engl. Text.) 8° Lpzg, J Schuberth & Co. (1900). — 50 d
Schumann, W: Leitf. z. Studium d. Litt. d. Verein. Staaten v. Amerika. (139 m. 1 Bildn.) 8° Giess., E Roth (05). 2 — ; geb. 3 —
Schumann-Arndt, O: Die rothe Pepi, s.: Weber's moderne Bibliothek.
Schumburg, W: Hygiene d. Marsches u. d. Truppenunterkunft, s.: Vorträge üb. Kriegswiss.
— Stadien zu e. Physiol. d. Marsches, s.: Zuntz, N.
— Die Tuberkulose, s.: Aus Natur u. Geisteswelt.
Schumi, F: Die Führg Dr. Martin Luthers u. Immanuel Swedenborgs im Jenseits durch Vater Jesus 1546 u. 1772. Mit Anh.: Die Rechtfertigg vor Gott. (248) 8° Bitterf. 03. (Altona, C Bägel.) Kart. 2.55) 3.40 d
Schumm, A: Frankreichs letzter Ritter, s.: Broschüren, Frankf. zeitgemässe.
Schumm, M: Kinderstreiche d. Berliner Range, s.: Bloch's, L, Kinder-Theater.
— Der Parlaments-, Geschäfts- u. Telephon-Stenograph, s.: Beruf, mein künft.
— Persephone. Schausp. (72) 8° Naumbg, A Schirmer, V. 01. 1 — d
Schumm, O: Die 3 Haulemännchen, s.: Weihnachts-Aufführungen.
— Rübezahl u. d. Holzbauer. Weihnachtsmärchen m. Gesang. (31) 8° Eisen, Hofbuchdr. Eisenach, H Kahle (05). nn — 50 d
Schumm, W: Das Rechngswesen d. Gemeinden, Amtskörperschaften u. Stiftgn in Württemberg. (185) 8° Stuttg., W Kohlhammer 03. Geb. 4.80 d
— Das Steuerrecht im Kgr. Württemberg. (20, 779) 8° Ebd. 05. 12 —; geb. 13.50 d
Schuen, J: Predigten f. d. kathol. Kirchenj. Hrsg. v. P Seeböck. I. Bd, 2. Abtlg u. II. Bd, 2. Abtlgn. 8° Paderb., F Schöningh. 12 — d
    I, 2. Predigten f. d. Festtage. 2. Afl. (586) 05.
    II, 1. Predigten f. d. Sonntage u. d. hl. Fastenzeit. 3. Afl. (495) 02. 4 —
    2. Sammlg d. Predigten f. d. Festtage. 2. Afl. (561) 02. 4 —
Schunck, E: Griechisch-röm. Altertumskde, s.: Hense, J.
Schunck, M: Ton u. Lied. Einführg in d. Musiklehre, Chorgesangsch. u. Liedersammlg f. 2- u. 3-stimm. Schulgesang. (47 u. 103) 8° Nürnbg, C Koch 02. Geb. nn 1.40 d
Schünemann, M: Die Hilfszeitwörter in d. engl. Bibelübersetzgn d. Hexapla (1388—1611). [S.-A.] (60) 8° Berl., Mayer & M. 02. 1.60
Schünemann's, W, prakt. Kochb. 12. Afl. v. T Schünemann. (671) 8° Frankf. a/M., JD Sauerländer (04). L. 4.50 d
Schunke, A: Die Maschinen-Elemente. (98 m. Abb.) 8° Lpzg, BF Voigt 05. 1.50; geb. 2.25 d
Schunke, H: Allg. Erdkde f. höh. Lehranst. Unter Zugrundelegg d. E v. Seydlitzschen gr. Lehrb. d. Geogr. bearb. (158 m. Abb.) 8° Lpzg, F Hirt & S. 06. Geb. 2.25 d
— Länderkde f. höh. Lehranst. Unter Zugrundelegg d. E v. Seydlitzschen gr. Lehrb. d. Geogr. bearb. (436 m. Abb.) 8° Ebd. 03. Geb. 4 — d
— Landeskde d. Kgr. Sachsen f. sächs. Schulgebrauch. Bearb. unter Zugrundelegg d. Landeskde v. Lungwitz u. Schröter. (79 m. Abb., 4 Taf., 8 Pl. u. 1 Karte.) 8° Ebd. 02. Geb. 1.50 d
— Geolog. Übersichtsk. d. Kgr. Sachsen f. d. Schulgebr. 1: 687,500. 27×35,5 cm. Farbdr. Nebst Text. (12) 8° Dresd., A Huhle 02. — 50 d
Schupfer, F, s.: Bertaldi, J, splendor Venetor. civitatis consuetudinum.
Schüpfer, V: Die Entwicklg d. Durchforstgsbetriebes in Theorie u. Praxis seit d. 2. Hälfte d. 18. Jahrh., dargest. unter bes. Berücks. d. bayer. Verhältn. (111) 8° Münch., J Lindauer 03. 2 —
Schupmann, L: Architektur-Bilder. 4° Lichtdr. nebst Titelbl. m. 3 S. Text.) 4° Aach., (JA Mayer) (05). L. 12 — d
— s.: Entwürfe, architekton., angefertigt v. Studierenden d. kgl. techn. Hochschle zu Aachen.
Schupp, A: Nord-Tirol. — Süd-Tirol. — Tirol u. angrenz. Gebiete, s.: Gsell Fels.

Schupp, A: Die 7 Finken. Märchen. 2. Afl. (135 m. Abb. u. Titelbild.) 8° Paderb., Bonifacius-Dr. (04). Kart. 1 — d
— Fern d. Heimat. Gedichte. 2. Afl. (360) 8° Ebd. 04. 2.40 d
— Das Lilien-Veitle. Märchen. 4. Afl. (162 m. Abb.) 8° Ebd. 04. 1.20 d
— Das gr. Los. Lustsp. (43) 12° Ebd. 03. — 45 d
— Mutterthränen. Märchen. 3. Afl. (148 m. 8 Vollbildern.) 12° Ebd. 01. 1.20 d
— Treu bis in d. Tod. Drama. (118) 8° Ebd. 05. — 60 d
— Der rechte Vetter. Schausp. (64) 12° Ebd. 03. — 45 d
— Wege u. Abwege. Novelle. (271 m. Abb.) 8° Ebd. 03. 2.60 d
— Die Zwillinge. Lustsp. (36) 12° Ebd. 03. — 45 d
Schupp, A: Rechtslehre enth. d. Grundz. d. Militär-Strafrechtes, d. Militär-Strafverfahrens, d. Privat-Staats- u. Völkerrechtes, z. Gebr. in d. Militär-Akad. II. Österr.-ungar. Staatsrecht. (90) 8° Wien, W Braumüller 02. 1.50 (Vollst.: 4 —)
Schupp, O: Die Flüchtlinge im Steintal. Erzählg a. d. Leben Oberlins. 1. Afl., 2. Abdr. (103 m. 4 St.) 12° Altnbg, S Geibel 04. Kart. — 50; geb. — 75 d
— Der Hexenmüller in d. Wisper. Eine Gespenstergesch. ohne Gespenster. 1. Afl., 2. Abdr. (98 m. 4 Abb.) 12° Ebd. 03. Kart. — 50; geb. — 75 d
— Der Sieg d. Liebe. 4 Dorfgesch. (228) 12° Herb., Bh. d. nass. Colportagever. 03. — 70; geb. 1 —; L. 1.20 d
— Der Freiherr (Unschl.: Reichsfreiherr) vom Stein, d. Rechtes Grundstein, d. Unrechtes Eckstein, d. deut. Volkes Edelstein. (Lebensbild.) 3. Afl. (124 m. 4 Vollbildern.) 12° Altnbg, S Geibel (05). Kart. — 50; geb. — 75 d
— Im finsteren Tale. Erzählg. 2. Afl. (112 m. 4 Abb.) 12° Ebd. 03. Kart. — 50; geb. — 75 d
— Der Wolkenbruch in d. Wiegenau. Eine Gesch. a. uns. Zeit. 1. Afl., 2. Abdr. (107 m. 4 Abb.) 12° Ebd. 03. Kart. — 50; geb. — 75 d
Schuppe, A (Frau A Benfey-Schuppe): Laura Bassi. Emanuel Astorga, s.: Volksbücherei.
— Durch Kampf z. Sieg, s.: Aus Vergangenh. u. Gegenwart.
Schuppe, W: Der Zusammenhang v. Leib u. Seele, d. Grundproblem d. Psychol., s.: Grenzfragen d. Nerven- u. Seelenlebens.
Schuppli, P, u. A **Bischofberger**: Eine alpwirtschaftl. Reise steier. Landwirte in d. Schweiz. (93 m. Abb. u. 1 Karte.) 8° Oberhof-Buchan 02. (Wien, W Frick.) nn 2 — d
Schur, E: Betrachtgn üb. d. deut. Kunst u. Kultur d. Gegenwart. 1. Bd. Der Fall Meier-Gräfe. (124) 8° Gross-Lichterf., E Schur 05. 3 —
— Das Buch d. 13 Erzählgn. (228) 4° Lpzg 02. Berl., H Seemann Nf. Geb. 3 — d
— Dichtgn u. Gesänge. (178) 8° Ebd. (02).
— Gedanken üb. Tolstoi, e. Fragment. (150) 4° Ebd. 02. 3 —
— Grundz. u. Ideen z. Ausstattg d. Buches. (125) 8° Ebd. 01. 4 —
— Paraphrasen üb. d. Werk Melchior Lechters. (59) 8° Ebd. 01. 2 — d
— Von d. Sinn u. d. Schönh. d. japan. Kunst. (37) 8° Ebd. 01. 2 — d
— Die steinerne Stadt. (157) 8° Berl. 05. Gr.-Lichterf., E Schur. 3 —
Schur, F: Joh. Heinr. Lambert als Geometer. Festrede. (30) 8° Karlsr., (G Braun'sche Hofbuchdr.) 05. — 60
Schur, I: Neue Begründg d. Theorie d. Gruppencharaktere. [S.-A.] (27) 8° Berl., (G Reimer) 05. 1 —
— Neuer Beweis e. Satzes üb. endl. Gruppen. [S.-A.] (7) 8° Ebd. 02. — 50
— Üb. e. Kl. d. Gruppen linearer Substitutionen. [S.-A.] (15) 8° Ebd. 04. — 50
— Üb. e. Satz a. d. Theorie d. vertauschbaren Matrizen. [S.-A.] (6) 8° Ebd. 02. — 50
Schuré, E: Die Kinder d. Lucifer. Schausp. Übers. v. M v. Sivers. (232) 8° Lpzg, (M Altmann) 05. 3 —
— Les grandes légendes de France. Für d. Schulgebr. hrsg. H Gassner. (90 m. Abb.) 8° Lpzg, G Freytag 05. Geb. 1.80; Wrtrb. (38) — 50
Schürerbrand. Ein Traktat a. d. Kreise d. Strassburger Gottesfreunde, hrsg. v. P Strauch, s.: Strauch. s. deut. Philol.
Schürer, E: Gesch. d. jüd. Volkes im Zeitalter Jesu Christi. 3. u. 4. Afl. (In 3 Bdn.) 1. Bd. Einl. u. polit. Gesch. (780 u. Reg. zu d. 3 Bdn 101) 8° Lpzg, JC Hinrichs' V. 01./02. 16 —; HF. 20 — (Vollst.: 42 —; geb. 48 —)
— s.: Literaturzeitung, theolog.
— Das messian. Selbstbewusstsein Jesu Christi. Festrede. (24) 8° Gött., Vandenhoeck & R. 03. — 60 d
Schürer, G: Johanna Ambrosius, d. Dichterin im bäuerl. Gewande, s.: Volksschriften, Dresdner.
— Andreas Hofer. Dramat. Skizze. (21) 8° Dresd., (OV Böhmert) (1898). — 20 d
— Hugbald. Dramat. Skizze. (30) 8° Ebd. (1897). — 20 d
— Deut. Treue. Dramat. Szene. (19) 8° Ebd. (1897). — 20 d
Schürer v. Waldheim, F: Ignaz Philipp Semmelweis. Sein Leben u. Wirken. (282) 8° Wien, A Hartleben 05. 9 —; geb. 10 —
Schuricht, FA: Spiritist. Fremdwrtrb. (71) 8° Lpzg, E Fiedler (05). — 60 d
Schurig, E: Die Elektrizität. 5. Afl. v. H Hennig. (62 m. Fig.) 8° Lpzg, J Klinkhardt 01. Geb. 1.75
Schurig, H, s.: Wie erzieht u. bildet d. Gymnasium uns. Söhne?
Schurig, R: Katech. d. Algebra, s.: Weber's illustr. Katech.

Schürmann, E: Üb. Schwerlast-Drehkrane im Werft- u. Hafenverkehr. (79 m. Fig. u. 12 Taf.) 8° Münch., R Oldenbourg 04. 6 —
Schürmann, F: Kl. prakt. Geometrie. 17. Afl. (180 m. 9 Taf.)
8° Moers, JW Spaarmann 04.   1.50; geb. 1.75 d
Schürmann, F: Rechenb. f. Bergvorsch. u. Bergsch. 2. Afl. (168
m. Fig.) 8° Ess., HL Geck 01. Geb. 2.50 ‖ 5. Afl. (160 m. Fig.)
05. Geb. 2.30 d
— u. F Windmöller: Lehr- u. Leseb. f. Fortbildgs-, Gewerbe-
n. Handelssch. 2 Tle. 8° Ess., GD Baedeker. Geb. nn 3.60 d
1. 26. Afl. (458 m. Abb.) 04. nn 2 — ‖ II. 10. Afl. (156 m. 1 Formular.) 03.
nn 1.60.
— Rechenb. f. gewerbl. u. kaufmänn. Fortbildgssch. Bearb.
v. R Kemper. 3. Tl. (80) 8° Ebd. 01. Geb. 1 —;
Auflösgn. (15) 03. — 40 d
Den 1. u. 2. Tl bilden:
— — Rechenb. f. Handwerker- u. gewerbl. Fortbildgssch. Neu
bearb. v. F Schürmann. 2 Tle. 8° Ebd. Geb. 1.60 d
I. 8. Afl. (94 m. Fig.) 05. — 60 ‖ II. 4. Afl. (90 m. Fig.) 03. — 60; Auflösgn.
(12) 03. — 20.
Schürmayer, CB: Die Beziehgn zw. d. menschl. u. d. thier.
Tuberkulose, d. Prophylaxis d. Phthisis u. d. Beziehg d. Er-
fahrgswiss. z. Dogmatismus. [S.-A.] (28) 8° Münch., Seitz &
Sch. 02. 1 —
— Die bekanntesten Krankh. d. Leber unter bes. Berücks. d.
Gelbsucht u. d. Gallensteinkrankh. (171 m. Fig.) 8° Lpzg, W
Schumann Nf. 03. Geb. 1.50 d
— Die letzten Neuergn auf d. Röntgen-Gebiete unter bes. Be-
rücks. d. Röntgen-Photogr. III. Bericht. [S.-A.] (52) 8° Münch.,
Seitz & Sch. 01. 1.50 (I—III in 1 Bde u. d. T.: Beitr. z. Röntgo-
skopie u. Röntgogr. 3 —)
Den I. u. II. Bericht bilden: Schürmayer, B, d. heut. Stand etc.
u. Schürmayer, B, weit. Fortschritte etc. (im Kat. 1896|1900).
— Die Photogr. bezw. Mikrophotogr. in d. ärztl. Praxis. —
Die Röntgenstrahlen in d. Therapie. — Technisches in d.
spez. therapeut. Verwendg d. X-Strahlen, s.: Abhandlungen,
zwanglose, a. d. Geb. d. medizin. Photogr.
— Kurzer Überblick üb. d. Grundz. d. Röntgen-Technik d.
Arztes. [S.-A.] (56 m. Abb. u. 4 Taf.) 8° Lpzg, Hachmeister
& Th. 04. 2 —
— dass., s.: Ruhmer, E, Konstruktion, Bau u. Betrieb v. Funken-
induktoren.
Schurter, J: Die kaufmänn. Ver. f. weibl. Angestellte in Deutschl.,
s.: Schriften aus kaufmänn. Hilfsver. f. weibl. Angestellte zu
Berlin:
Schurter-Goeringer, I, s.: Goeringer, I.
Schurtz, H: Altersklassen u. Männerbünde. Darstellg d. Grund-
formen d. Gesellsch. (458 m. 1 Karte.) 8° Berl., G Reimer 02. 8 —
— Völkerkunde, s.: Erdkunde, d.
— s.: Weltgeschichte.
Schuschnigg, F: Musik zu Schneewittchens Tod, s.: Schüth, FH.
Schuss-Buch. (Von ECW Sandré.) (244) 8° Münch., J Schön 02.
L. 5 —
Schussfertig! Kriegsbüchl. f. Knaben v. 6—15 Jahren. Wie
man m. Bleisoldaten spielt. Der wirkl. Krieg. Wenn Knaben
exerzieren. Von e. Militär-Sachverständ. (80 m. Abb.) 8° Nürnbg,
C Koch (04). 1 — d
Schüssler: Kneipp's Wasserkur. 2. Afl. (14) 8° Oldnbg, Schulze
(01). — 30 d
— Eine abgekürzte Therapie. Anl. z. biochem. Behandlg d.
Krankh. 31. Afl. (63) 8° Ebd. 04. 2 — d
Alphabet, Repertorium dazu s.: Scharff, W.
Schüssler, O: König Friedrichs d. Gr. Vertrag m. d. Stadt
Emden. (54) 4° Emd., W Haynel 01. 1 — d
Schüssler, R: Orthogonale Axonometrie. (170 m. 29 Taf.) 8°
Lpzg, BG Teubner 05. L. 7 —
Schuster: Bemerkgn üb. gonorrh. Arthritis. [S.-A.] (4) 8° Lpzg,
Verl. d. Monatsschrift f. Harnkrankh. 05. — 50
— Die Syphilis, deren Wesen, Verlauf u. Behandlg. Nebst kurzer
Besprechg d. Ulcus molle, d. Gonorrhoe u. d. Gonorrhoismus.
4. Afl. (228) 8° Berl., E Schoetz 03. 5 —; Einbd in L. nn — 50
Schuster: Üb. d. in Bad Nauheim bei Behandlg d. Herz- u.
Circulationsstörgn angewandten physikal. Behandlgsme-
thoden u. deren Indicationen. Vortr. (20 m. 1 Taf.) 8° Friedbg,
C Bindernagel (02). — 80
Schuster: Die Reformation u. d. Talmud. Vortr. (48) 8° Dresd.,
E Pierson 03. — 75
Schuster, A: Der Hundefreund. 3. Afl. (191 m. Abb.) 8° Lpzg
02. Eisl., E Winkler. 3 —; L. 4 — d
Schuster, A: Lust u. Heilkraft. Humorist. Lebensregeln
f. Davosar Kurgäste u. solche, d. es werden sollen. Mit e.
Anh.: Davosar krit. Tage. 5. Afl. v. alten Praktikern. (61) 8°
Dav. 03. Chur, F Schuler. — 80 d
Schuster, A: Deut. Leseb. f. höh. Lehranst. — Deut. Leseb.
f. Vorsch. höh. Lehranst., s.: Kobts, R.
— In welche Schule schicke ich meinen Sohn? Wie steht es
m. d. Berechtiggn? 2. Afl. (48) 8° Hannov., Norddeut. Verl.-
Anst. 02. — 75 d
Schuster, A: Stollberg; s.: Grohmann, M, d. Obererzgebirge.
Schuster, A: Führer durch d. Insel Borkholm. 5. Afl. (18 m.
Abb. u. Kart.) 8° Stett., A Schuster 05.06. — 60
— Führer durch d. Insel Rügen. 9. Afl. (96 m. 7 Kart.) 8° Ebd.
05.06. Kart. 1 —; geb. 1.50 d
Schuster, A: Mathematik f. jedermann. Leichtfassl. Einführg
in d. nied. u. höh. Mathematik. (228 m. Abb.) 8° Stuttg., Union
01. 3.60; L. 4.50 d

Schuster, A: Lust. Rechenkunst, s.: Taschenbücher, illustr., f.
d. Jugend.
Schuster, AJ: Der Graupapagei od. Jako. (88 m. Abb.) 8° Berl.,
E Freyhoff 05. 1 — d
Schuster, AK: Das Thierleben in Schönbrunn, s.: Quelle, d.
Schuster, C, s.: Olympia.
Schuster, C: Küche u. Haushalt. Hdb. f. angeh. u. f. erfahrene
Hausfrauen, sowie z. Gebr. in Koch- u. Haushaltgssch. Mit
bes. Rücks. d. siebenbürg. Küche. (751 m. Abb.) 8° Kronst.,
H Zeidner 05. L. 3.50; feine Ausg. (B) m. 5 farb. Taf., geb. 4.50 d
Schuster, E: Rastatt, d. ehemal. bad. Residenz u. Bundesfestg.
(30 m. 1 Bildnis u. 1 Pl.) 12° Lahr, Gross & Schauenburg 02. 1 — d
— Schwarzwald-Wanderbilder. II. 12° Ebd. — 75
II. Das Kinzigthal u. Schutterthal m. ihren Seitenthälern. (67 m. Abb.)
02. — 75
— dass. Nr. 5. 12° Freibg i/B., FP Lorenz. — 60 (I—V.: 3.35)
5. Das Wiesenthal v. Basel bis z. Feldberg. (45 m. Abb. u. 1 Karte.) 01.
— 60
Frühere Bdchn s. u. d. T.: Wanderbilder, bad.
— s.: Wanderbilder, bad.
— Das Wutachtal v. Feldberg bis z. Rhein m. d. Seitentälern
u. Höhenwegen. (144 m. Abb. u. 1 Karte.) 8° Bonndf, Spachholz & Ehrath (03). — 80; m. Anh. Der neue Weg durch d.
Wutachschlucht v. Bad Boll z. Wutachmühle. (15 m. Abb.) 1 —
Schuster, E: Kunst u. Künstler in d. Fürstenthümern Calen-
berg u. Lüneburg in d. Zeit v. 1636—1727. [S.-A.] (221 m. 15
Kunsttaf.) 8° Hannov. (Hahn) 05. 3 — d
Schuster, FX: Gesch. d. Frauenklosters „hl. Kreuz" in Mindel-
heim. (48 m. 1 Bildnis.) 8° Kempt., (J Kösel) 01. nn 1 — d
— Bischof Dr. Petrus v. Hötzl. Nekrolog. (27 m. 1 Bildnis.)
8° Augsbg, Kranzfelder 02. — 25 d
— Das Institut d. engl. Fräulein in Mindelheim. (1701—1901.)
Festschrift. (40 m. Abb. u. 1 Taf.) 8° Kempt., (J Kösel) 01. nn 1 — d
Schuster, G, s.: Delbrück, F, z. Jugend- u. Erziehgs-Gesch.
d. Königs Friedrich Wilhelm IV. v. Preussen.
— Geneal. d. Gesamth. Hohenzollern, s.: Grossmann, J.
— Die geheimen Gesellschaften, Verbindgn u. Orden. (In 13 Lfgn.)
1—12. Lfg. (558 u. 1 m. Abb.) 8° Lpzg, T Leibing 02-05. Je 1 —
Schuster, GA, s. s.: Strehlendorff, H.
— Keine schlechte Handschrift mehr! Selbstunterr. im Schön-
u. Schnellschreiben. 2 Schreibtaf. 1. u. 2. Afl. (7 S. Text.)
Lissa, F Ebbecke 02.03. — 50
Neu u. d. T.:
— u.O Unalts: Keine schlechte Handschrift mehr! Selbstunterr.
im Schön- u. Schnellschreiben. 2 Schreibtaf. Neue (Umschl.:
3.) Afl. (9 S. Text.) 8° Ebd. 04. — 50
Schuster, H: Martin Alzner. Erzählg a. d. sächs. Bauernleben.
(23 m. 1 Bildnis.) 8° Wien, J Karolus 02. (?) (Lpzg, O Junne.) 1 — d
— Rechtsleben, Verfassg u. Verwaltg. [Aus: „Gesch. d. Stadt
Wien".] (148) Fol. Wien, (A Holzhausen) 1900. nn 41 —
Schuster, H: Giebt es characterist. Unterschiede zw. innerer
Mission u. christlich-soz. Reform, u. welche sind es? Konferenz-
Vortr. Neue [Tit.-]Afl. (39) 8° Bresl. [1896] 01. Görl., B Prüfer.
— 50 d
Schuster, I: Abrégé de l'hist. sainte à l'usage des classes inférieures des établissements d'instruction publ. 11. éd. (90
m. H.) 12° Freibg i/B., Herder 01. — 32; kart. nn — 40
— Die bibl. Gesch. d. Alten u. Neuen Test. Für kathol. Volkssch.
(234 m. Abb., 1 Taf. u. 2 Kärtchen.) 8° Freibg i/B., Herder
04. — 45; geb. nn — 70 d
— Idem Gesch. f. kathol. Volkssch. Bearb. v. G Mey. Neu durchgesehen u. hrsg. v. FJ Knecht. (268 m. Abb., 1 Taf. u. 2 Kärtchen.)
8° Ebd. 05. — 45; geb. nn — 70 d
— dass. Anh.: Die sonn- u. festtägl. Evangelien d. Kirchenj.
(34) 8° Ebd. (03). nn — 05 d
— Kurze bibl. Gesch. Zum Gebr. f. d. unt. Kl. d. Volkssch.
Neue Afl. (96 m. Abb.) 8° Ebd. (05). — 20; kart. nn — 30
— dass. Poln. Übersetzg. 14. Afl. (88 m. Abb.) 8° Ebd. (05). — 30;
kart. — 40
— Bijbelsche geschiedenis der Ouden en des Nieuwen Test.,
ten gebruike bij het meer uitgebreid — en het middelbaar
onderwijs, in het Nederlandsch vertaald en bewerkt door
P Timmermans en JH Wijnen. 3 Tle. (158 m. Abb. u. 2 Karte.)
8° Ebd. Je — 50; kart. je nn — 60
I. Het Oude Test. 13. uitg. (164) 03. ‖ 2. Het Nieuwe Test. 12. uitg. (160) 01.
— Verkorte bijbelsche geschiedenis des Ouden en des Nieuwen
Test., volgens S., ten gebruike bij het lager onderwijs, door
P Timmermans en JH Wijnen. 10. uitg. (176 m. Abb. u. 2 Kart.)
8° Ebd. 03. — 60; kart. nn — 68
— Hist. bibl. de l'Ancien et du Nouveau Test. Traduit sur la
55e éd. allemande par M-B Couissinier. (Nouv. éd.) (296 m.
H., 2 Kart. u. 1 Ansicht.) 8° Ebd. (04). — 68; kart. nn — 80
— Historia sagrada del Antiguo y del Nuevo Test. para uso
de las escuelas católicas, 9. ed. española de V Orti y Escolano.
(268 m. Abb. u. 2 Kart.) 8° Ebd. (04). — 70; kart. nn — 80
— Abridged bible history of the Old and New test. 8. ed. (95
m. Abb.) 12° Ebd. 04. — 32; kart. nn — 40
— Illustr. bible history of the Old and New Test. For the use
of catholic schools. Revised by Mrs J Sadlier. New. ed. (404
m. Abb.) 8° Ebd. (05). 1 —; geb. 1.30
— Leseb. f. Volkssch., s.: Bumüller, J.
— Schets- d. bijbelsche geschiedenis. Naar het Hoogduitsch

166*

bewerkt door P Timmermans en JH Wijnen. 9. uitg. (103 m.
Abb.) 8° Freibg i/B., Herder 05.   Kart. nn — 48
Schuster, I, u. JB Holzammer: Hdb. z. bibl. Gesch. 6. Afl. (In
ca 20 Lfgn.) 1—9. Lfg. 8° Freibg i/B., Herder.   Je 1 — d
1. Bd. Das Alte Test. Bearb. v. J Selbst. (1—864 m. Abb. u. 1 Karte.) 05.
Schuster, JT: Der gewandte Gesellschafter. Führer im ge-
sellschaftl. Leben u. in allen Fragen d. Etikette. 22. Afl. (238)
8° Lpzg, Ernst (02).   2.50 d
Schuster, L: Wo ist d. wahre Glaube? Der Abfall e. Spiel? —
3 Hauptpflichten e. Katholiken, s.: Sammlung zeitgemässer
Broschüren.
— Das gr. Jubiläum v. 1901. Unterr. üb. Ablass u. Jubiläum.
(192 m. Titelbild.) 12° Graz, Styria 01.   L. — 60 d
— Hütet euch vor d. falschen Propheten, s.: Sammlung zeitgemässer Broschüren.
Schuster, M: Geometr. Aufg. u. Lehrb, d. Geometrie. Planimetrie — Stereometrie — eb. u. sphär. Trigonometrie. Nach
konstruktiv-analyt. Methode bearb. Ausg. A: Für Vollanst.
2 Tle. 8° Lpzg, BG Teubner.   Geb. 3.60
1. Planimetrie. 2. Afl. (154 m. 2 L.) 03. 2 — ║ 2. Trigonometrie. (112 m.
1 L.) 03. 1.60.
— dass. f. Mittelsch. (Ausg. C d. „Geometr. Aufg.") Unter Mitwirkg v. Bieler bearb. (88 m. 1 L.) 8° Ebd. 01.   Geb. 1.40
Schuster, M: Der geschichtl. Kern v. Hauffs Lichtenstein, s.:
Darstellungen a. d. württemberg. Gesch.
Schuster, M: Hermann v. Hermannstadt. Ein froher Sang a.
Siebenbürgens Vorzeit. (97) 8° Hermannst., (W Krafft) 05.
1.19; geb. nn 2.04 d
Schuster, MJ: Die Tierzucht d. kl. Mannes. (88) 8° Berl., E
Freyhoff (04).   1 — d
Schuster, P: Zur patholog. Anatomie d. Orbitalfraktur (Hernia
orbitocerebralis), sowie üb. isolierte Augenmuskellähmgen bei
Basisfraktur. (88 m. 1 Taf.) 8° Freibg i/B., Speyer & K. 02. 1.20
Schuster, P: Psych. Störgn bei Hirntumoren. (368) 8° Stuttg.,
F Enke 02.   10 —
Schuster, P: Aufg. a. d. Erd- u. Himmelskde als Übgsbeisp.
f. d. sphär. Trigonometrie gruppenweise zusammengest. u.
erläut. (2 m. Fig.) 8° Bresl., Preuss & J. 03.   Kart. 1 —
Auflösgn, Kart. 1 — d
Schuster, S: Gesundheitlehre u. Krankenpflege fürs Haus.
(84) 8° Hermannst., (W Krafft) 04.   — 85 d
Schuster, W: Sexualunsitten. Ihre Folgen u. deren Heilg durch
neue Kuren. (183) 8° Lpzg, Modern-medizin. Verl. (05). 2.50 d
Schuster, W: Aprilsituationen am hess. Rhein. [S.-A.] (6) 8°
Wiesb., JF Bergmann 05.   — 60
— Die Storchnester in Oberhessen (Ciconia alba). [S.-A.] (4 m.
1 Fig.) 8° Ebd. 04.   — 40
— dass. in Rheinhessen u. Starkenburg (Ciconia alba). [S.-A.]
(6 m. 1 Abb.) 8° Ebd. 05.   — 40
— Ornitholog. Tagebuchnotizen a. d. Rhein- u. Maintal, m.
e. Anh.: Gesch. d. hess. Ornithol. [S.-A.] (45) 8° Ebd. 05. 1,50
— Verstandes- u. Seelenleben bei Tier u. Mensch. (Teilweise
als Vortr. geh.) [S.-A.] (47) 8° Ebd. 04.   1.60
— Seltene Vögel in Hessen (Mainzer Becken u. benachbartes
Gebiet). [S.-A.] (3) 8° Ebd. 04.   — 60
— Vogelhdb., s.: Bibliothek f. Sport & Naturliebhaberei.
— Die Waldohreulen d. Mainzer Tertiärbeckens. [S.-A.] (13)
8° Wiesb., JF Bergmann 04.   — 40
Schuster, W: Bilder a. alter Zeit. Jaromar I., d. Fürst v. Rügen.
(164) 8° Dresd., E Pierson 02.   2 —; geb. 3 — d
Schuster v. Bonnott, M: Commentar z. österr. allg. BGb.,
s.: Stubenrauch, M v.
Schusterjunge, d. Berliner. Humoristisch-satyr. moderne Zeit-
schrift. Hrsg. u. Red.: A Wille. Jahrg. 1903. 36 Nrn. (Nr. 3.
16) 4° Berlin-Friedrichsh., Exp. (Nur dir.)   Je — 10 d
Fortsetzg war nicht zu erhalten.
Schüth, FH: Das Papstes Bürden u. d. Papstes Würden od.
Im Gnomenreiche u. Elfenreiche. Lyrisch-dramat. Festsp. z.
Jubelfeier Leos XIII. 1878—1903. (68) 12° Klagenf., Buch- u.
Kunsth., d. St. Josef-Ver. 03.   — 40 d
— Schneewittchens Tod. Märchensp. m. Gesang u. Tanz. (105)
8° Münst., Alphonsus-Bh. (05).   — 85; L. 1.50 d;
Musik dazu v. F Schuschnigg. (23) 4° 1 —
— Seelchen im Walde. Dramat. Weihnachtsmärchen. (38) 12°
Klagenf., Buch- u. Kunsth., d. St. Josef-Ver. 02.   — 45 d
(43) 8° 05. — 50 d
Schütt, F: Kosmologie als Ziel d. Meeresforschg. Rede. [S.-A.]
(25) 8° Jena, G Fischer 04.   — 50
Schütt, H: The life an death of Jack Straw, s.: Studien, Kieler,
z. engl. Philol.
Schütt, HF, s.: Seuffert's, JA, Archiv f. Entscheidgn d. oberst.
Gerichte.
Schutte, A: Maler. Landhäuser. 10 Lfgn. (Je 6 Taf.) 41×31 cm.
Ravnsbg, O Maier (04).   In M. 30 —; einz. Lfgn 3 —
Schütte, F: Rede bei d. Einweihg d. Kaiser Wilhelm-Hauses
in Metz, 2. Afl. (15) 8° Elberf., A Martini & Gr. 04.   — 20
Schütte: Tab. z. Berechng d. Inhalts bei geschnitt. Hölzern
n. Quadratfuss u. Quadratmeter. (109) 8° Münst., (H Schö-
ningh) (01).   1 — d
Schütte, A: Unsre Taufnamen. Ein Büchl. fürs nachd. Haus.
(268) 16° Dülm., A Laumann 04.   — 50; geb. — 75 d
Schütte, C: Jahres-Chronik 1900. (70) 12° Aach., (Cremer) 01. 1. — d
Schütte, F: Baby-Maus. Eine Gesch. in Versen f. art. Kinder.
(41 m. 21 farb. Vollbildern.) 8° Mainz, J Scholz (04). Geb. 2 — d

Schütte, F: Anfangsgründe d. darstell. Geometrie f. Gymnasien. (42 m. Fig.) 8° Lpzg, BG Teubner 05.   — 80
Schütte, H: Insekten-Büchl. Die wichtigsten Feinde u. Freunde
d. Landw. a. d. Kl. d. Insekten. Mit e. Anh.: Die Malaria
u. d. Anophelesmücke. 2. Afl. (240 m. Abb. u. 40 farb. Taf.)
16° Stuttg., KG Lutz (05).   1.50
Schütte, H, s.: Architektur, d., d. alten u. neuen Zeit.
Schütte, L: Der Apenninenpass d. Monte Bardone u. d. deut.
Kaiser, s.: Studien, histor.
Schütter, C: Die Buchführg d. Handwerks. — Geschäftsgänge
f. d. gewerbl. Buchführg, s.: Clausen, J.
— Verz. d. neueren Lehrbb. u. Unterr.-Mittel auf d. Geb. d.
ges. (gewerbl., kaufmänn. u. ländl.) Fortbildgsschulwesens.
(34) 8° Hannov., F Cruse (02).   — 20 d
2. Jahrg. u. d. T.:
— u. W **Weissenborn:** Verz. d. wichtigeren Lehrbb. u. Unterr.-
Mittel auf d. Geb. d. ges. Fortbildgsschulwesens. 2. Jahrg.
1904. (55) 8° Ebd.   — 20 d
3. Jahrg. u. d. T.:
— — u. H **Stehr:** Verz. d. wichtigeren Lehrbb. u. Unterr.-Mittel
auf d. Geb. d. gewerbl., kaufmänn. u. ländl. Fortbildgsschulwesens. 3. Jahrg. 1905. (82) 8° Ebd.   — 20 d
Schütz, O, d. Baujахubiger vor d. deut. Juristentage. Abdr. der
d. 26. deut. Juristentage erstatt. Gutachten u. d. stenograph.
Berichtes d. Verhandlgn v. 10. u. 12.IX.'02. (168 m. 1 Taf.)
8° Berl., J Guttentag 03.   5 —
— d. Heimarbeiten! Denkschrift d. Verbandes d. Schneider,
Schneiderinnen u. verw. Berufsgenossen an Bundesrat u.
Reichstag. Mit e. Anh.: Sozialstatistik d. deut. Schneider-
gewerbes. (300) 8° Berl., (Bh. d. Vorwärts) 01.   1.50 d
— d. Kindern aller Stände! Hrsg.: PW Düssel. In zwanglosen
Nrn. (Nr. 1. 8) 8° Frankf. a/M., PW Düssel 03. Viertelj. 1 —;
einz. Nrn — 15
Fortsetzg war nicht zu erhalten.
— d. nützl. Vögel. Ges. v. 30.XI.1870 u. v. 28.III.1885 z. Schutze
d. nützl. Vögel, wirksam f. d. Herzogt. Kärnten. (2) 8° Klagenf.,
(J Heyn) (05).   — 06 d
Schütz: Gesch. d. 8. rhein. Infant.-Regts Nr 70, n. Kriegstage-
büchern u. Dienstschriften d. Regts. Mit Bearbeitgn, insbes.
d. Feldzugsgesch. v. Fricke. (215 m. Abb., 2 Lichtdr., 6 Kart.
u. 4 Textskizzen.) 8° Berl., ES Mittler & S. 02. 7 —; L. 8 — d
Schütz, von: Reformortografi. (28) 8° Zoppot, Selbstverl. 03. — 30
Schütz, A: Orient-Occident. Militär. Reise z. Studium d. ver-
gleich. Heeresorganisation. (175) 8° Wien, W Braumüller 02. 3 —
Schütz, E: Beitr. z. Keuntnis d. Hernia lineae albae, s.: Klinik,
Wiener.
Schütz, EH: Die Lehre v. d. Wesen u. d. Wandergn d. magnet.
Pole d. Erde. (76 m. 4 Tab. u. 5 Kart.) 8° Berl., D Reimer
02.   L. 10 —
Schütz, F: Der Zinsschein. Zusammenstellg sämmtl. deut. u.
d. hauptsächlichsten ausländ. Eisenb.-, Bank-, Industrie- u.
Versicherges-Actien u. Obligationen etc. m. Angabe d. Wer-
thes d. Zins- bezw. Ertragnisscheine u. d. in- u. ausländ.
Zahlstellen. Hrsg. v. G u. K Lentz, 25. Jahrg. 1905. Mit Nachtr.
(626, 384. u. 1. Nachtr. 11) 8° Berl., W Süsserott. L. m 15 —
Schütz, F: Ein Schulapparat f. d. Nachweis magnet., elektromagnet. u. elektrodynam. Gesetze. (14 m. Fig.) 8° Cuxh., (A
Rauschenplat) 03.   2 —
Schütz, G, u. H Schütz: Chronik d. Stadt Langensalza u. d.
umliegg. Orte. (390) 8° Langens., Deut. Druck- u. Verlagshaus 1900.   L. 4 — d
Schütz, H: Zoll-Wrtrb. Zusammenstellg d. gesetzl., regulativ
u. finanzministeriellen Bestimmgn üb. d. Zollwesen u. d. Ueber-
gangsabgabe, nebst Sachreg. z. Ges., betr. d. Statistik d.
Waarenverkehrs, d. Ausführgsbestimmgn u. Dienstvorschrift.
etc. (119) 8° Bresl., WG Korn 01.   Kart. 1.50 d
Schütz, H: Hartbeck, Hellanst. f. Nerven- u. Gemütskranke.
(16 m. 19 Lichtdr.) 4° Halle, C Marhold 01.   Kart. 1.60
Schütz, H: Die Dunkelgräfin. Schausp. Frei n. Brachvogels
Roman. (186) 8° Halle 02. (Hildburgh., Kesselring.)   2 —
Schütz, H: Altes a. d. Thüringer Landen, s.: Thüringen.
Vergl. a.: Schulz.
Schütz, J: Aus Englds Schreckenszeit, s.: Volksaufklärung.
Schütz, JH: Ein Blumenstrauss f. d. Maienkönigin. Original-
Maipredigten u. Betrachtgn. (176) 8° Rgnsbg, F Pustet (02).
1.40; Hldr 1.80 d
— Der Erztangenichts. Schausp., f. Knaben-Institute geeignet.
— Der Faulenzer. Schausp., f. Knabenpensionate geeignet.
— Der Sternkucker od. Der bekehrte Atheist. Humoristisch-
apologet. Schausp. (28, 27 u. 16) 8° Paderb., Junfermann 04.
1 — d
— Fastenpredigten üb. d. christl. Kindererziehg. (43) 8° Ebd.
01.   — 75 d
— Der Ferman (vulgo: Visitenkarte) od. Die Welt verzeiht vieles,
vergisst nicht. (Mit soz. Warngsbild.) Schausp. f. kathol.
Gesellschaftsbühnen. (32) 8° Ebd. 05 (Umschl. 04).   — 50 d
— Herz Jesu, du Quelle alles Trostes! 31 Herz-Jesu-Predigten.
3. Afl. (141) 8° Ebd. 01.   1 — d
— Der Himmel u. d. Weg z. Himmel. (8 Vortr.) — Der Erlöser Jesus Christus. (9 Vortr.) 2 Cyklen v. Fastenpredigten.
(68) 8° Ebd. 04.   1.20 d
— Der hl. Jakobus od.: Der Sieg d. Martyriums. Dramat. Dicht.
2. Afl. (55) 12° Ebd. 1900.   — 80 d

Schütz, JH: Der 12jähr. Jesus im Tempel. Relig. Schausp. (n. d. hl. Schrift u. d. Gesichten d. gottsel. AK Emmerich). (32) 12° Paderb., Junfermann 1900. — 50 d
— Ideale Kindererziehg od. Frau Schmitz in d. Kinderstube. (Ein St. Nikolausfestsp. f. Kinder v. 8—17 Jahren.) Pädagog. Einakter f. kathol. Töchterpensionate u. z. Aufführg in Familienkreisen geeignet. — Der Honigdiebstahl od.: Die bestrafte Leopoldina (f. Mädchenpensionate). — Die vorwitz. Damen od.: Der reiche Schriftsteller od.: Die vereitelte Verlobg. Humorist. Schausp. Für Vereinsbühnen u. gesell. Kreise. — Ilse od.: Das Mädchen ohne Ordng. Hochhumorist. Einakter f. Mädchenpensionate usw. — Die gefall- n. putzsücht. Eulalia od.: Der bestrafte Hochmut. Einakter f. Mädchenpensionate.
— Tante Jettchen od.: Die eingebild. Kranke. Humorist. Schwank f. Mädchenpensionate. — Franziska od.: Verbot. Früchte. (Pensionatsstreiche.) Humorist. Schansp. f. Mädchenpensionate. (16, 15, 20, 10, 11, 21 u. 19) 8° Ebd. 04. 1.40 d
— Die Kirche u. d. menschl. Gesellsch. od. d. Kirche als Urgrund u. Trägerin d. Kultur. In 23 soz. Predigten dargest. (152) 8° Ebd. 03. 1.80 d
— Die hl. Konstantia, s.: Schmitt, P.
— Maler u. Musiker od.: Die göttl. Vorsehg. Schausp. (47) 12° Paderb., Junfermann 1900. — 40 d
— Predigten üb. d. hl. Familie Jesus, Maria u. Joseph. (62) 8° Ebd. 01. — 90 d
— Privatunterr. u. Privatlehranst. Beitrag z. Frage d. Privatunterr. in d. höh. Lehrfächern. (40) 8° Köln 04. (Lpzg, Fritzsche & Schmidt.) 1 — d
— Die französ. Revolution. Dramatisch dargest. (96) 12° Ehrenf. 1898. (Paderb., Junfermann.) — 80 d
— Der Schuhflicker u. d. reiche Engländer (Imitation d. „Johann d. munt. Seifensieder") od.: Zufriedenh. macht glücklich. Schausp. (32) 12° Paderb., (Junfermann) 1900. — 40 d
— Der Seiltänzerknabe od.: Der wiedergefund. Grafensohn. Schausp. (64) 12° Ebd. 1900. — 50 d
— Eine lust. Skandalgesch. od.: Bekehrte Trunkenbolde. Schwank. (48) 12° Ehrenf. 1898. (Paderb., Junfermann.) — 40 d
— Wie man in d. entlegensten Gegenden prakt. Sozialpolitiker werden kann. (56) 12° Mainz, Druckerei Lehrlingshaus 04. — 50 d
— Summa Mariana. Allg. Hdb. d. Marienverehrg. 1. Bd. (24, 566) 8° Paderb., Junfermann 03. 5.50; HF. 7 —
— s.: Theklas, Frau, Zukunftspläne.
— Der Verschwender od. d. beiden ungleichen Brüder. Schausp. (39) 12° Paderb., (Junfermann) 1900. — 40 d
— Die hohen Vorzüge u. d. wirksame Fürbitte d. hl. Joseph, dargest. in 10 Vorträgen. 2. Afl. (45) 8° Ebd. 01. 1 — d
— Weihnachts-Festsp. 2. Afl. (32) 12° Köln-Ehrenf. 1900. (Paderb., Junfermann.) — 40 d
— Graf Westerholt od.: Gottes Wege sind geheimnisvoll. Drama m. Gesang u. Musikbeil. Musik v. F Maglett. (56) 12° Paderb., Junfermann 01. — 60 d
— A **Gapp**, M **Friedrich** u. K **Abels**: Der Kirchenschrank od. „Mensch, lass dir Quittgen geben!" Hochhumorist. Schwank. (32) 12° Ebd. 03. — 50 d
— — — — Der Teufelsbanner. Hochhumorist. schwere Begebenheit a. d. Westerwalde um d. J. 1860. Lustsp. v. Dilettantenbund. — Schütz, JH: Ein Hausfreund d. Ministers, od.: Die gr. Hotelrechng. Schwank. (16 u. 15) 8° Ebd. 03. — 60 d
Schütz, JW, s.: Archiv f. wiss. u. prakt. Thierheilkde. — Jahresbericht üb. usw. Veterinär-Medicin.
Schütz, K: Krit. Gänge auf d. Gebiete d. neueren lat. Grammatik. (30) 8° Hdlbg, Heidelb. Verl.-Anst. u. Druckerei 01. — 80
Schütz, LH: Fortschritte d. techn. Physik in Deutschl. seit d. Regierungsantritt Kaiser Wilhelms II. Rede. (16) 8° Berl., Gebr. Borntraeger 04. — 50
Schütz, R: Üb. chron. dispept. Diarrhöen u. ihre Behandlg, s.: Sammlung klin. Vortr.
Schütz, WF: Deut. Leseb. f. fachl. u. allg. gewerbl. Fortbildgssch. Österr. (238) 8° Wien, A Pichler's Wwe & S. 03. Kart. 1.50 d
Schütz v. Brandis: Übersicht d. Gesch. d. hannov. Armee, bearb. v. J Frhr v. Reitzenstein, s.: Quellen u. Darstellungen z. Gesch. Niedersachsens.
Schütz-Westerfeld, W: Das 1. Lebensj. Gemeinverständl. Lehren u. Ratschläge zu e. naturgemässen Leibespflege d. Säuglings. (40) 8° Idstein (01). (Lpzg, O Maier.) 1 —
— Singet d. Herrn! Weihnachtsfestsp. z. Aufführg in Schule, Kirche u. Haus. Neue Ausg. (24) 8° Reutl., Ensslin & L. (02). — 25 d
— dass., s.: Christlieb, J, neueste Weihnachtswünsche.
Schütze: Die Wiederholg z. Zweck, Betrieb u. Umfang, s.: Lehrer-Prüfungs- u. Informations-Arbeiten.
Schütze, A: Ueb. d. Verschwinden verschiedenart. Immunsera b. d. tier. Organismus, s.: Festschrift z. 60. Geburtstage v. Rob. Koch.
Schütze, A: Börsen-Papiere, s.: Saling.
Schütze, C: Moderne Anschaugn in d. Hydrotherapie. [S.-A.] (11) 8° Berl., J Goldschmidt 01. 1 —
— Beitrag z. Therapie d. tuberkulösen Kinderkrankgn. [S.-A.] (8) 8° Ebd. 04. 1 —
— Deutschlds Kurorte als Winterstationen. [S.-A.] (8) 8° Ebd. 03. 1 —
— Geb. Erschütterungsmassage. [S.-A.] (8 m. Abb.) 8° Ebd. 05. —75

Schütze, C: Meine Grundsätze d. Phthiseotherapie. [S.-A.] (6) 8° Berl., J Goldschmidt 01. 1 —
— E: Das Pestalozzi-Fröbel-Haus in Berlin. (27) 8° Jurj. °4. (Rev., Kluge & Ströhm.) — 80 d
Schütze, E: Eisenb.-Atlas, s.: Nietmann, W.
Schütze, E: Das BGB, gemeinverständlich dargest. f. jedermann. Bearb. auf Grundl. d. „Institutionen d. BGB. v. Krückmann". Gr. Ausg. Neudr. d. 3. Afl. (818) 8° Lpzg, Dieterich (°5. L. 5 — d
Schütze, ET: Schreiblehrgang. 3. Afl. (48 m. 5 Taf.) 8° Dresd., A Huhle 04. 1.60 d
Schütze, K, s.: Schütze, C.
Schütze, M: Beitr. z. allg. Erfindgslehre. 1. Buch: Grundr. d. reinen Erfindgslehre. (16, 99) 8° Berl., C Heymann 04. 2 —
Schütze, P: Die Entstehg d. Rechtssatzes: Stadtluft macht frei, s.: Studien, histor.
Schütze, W: Die Plastin-Reliefmalerei, s.: Liebhaberkünste.
Schützengel, der. Ein Freund, Lehrer u. Führer d. Kinder. Hrsg.: L Auer. Red.: EM Zimmerer. 27—31. Jahrg. 1901—5 je 26 Nrn. (Nr. 1. 8 m. Abb.) 12° Donauw., L Auer.
 Halbj. — 50; einz. Nrn — 06 d
— kleiner. Gebetbüchl. f. kathol. Jugend, v. Y R. (192 m. Titelbild.) 6,5×4,5 cm. Einsied., Eberle, Kalin & Co. (05).
 Geb. nn — 24; m. G. nn — 28 d
Schutzengel-Kalender f. Kinder 1906. Hrsg. v. L Wiedemayr. 5. Jahrg. (127 m. Abb.) 16° Bozen, „Tyrolia". — 20 d
Schützen-Ordnung, d. allg., f. d. Kgr. Bayern v. 25.VIII.1868. Neue Ausg. 1905. (33) 8° Münch., J Grubert. Kart. — 40 d
Schützenzeitung, schweiz. — Gazette des carabiniers suisses. Red.: J Bruggmann. A Robert. 20—24. Jahrg. 1901—5 je 52 Nrn. (Nr. 1. 4) 4° Winterth. (Bern, H Körber.) Je — 60 (1901.2 d)
Schützer, L, s.: Pyramiden f. Turner.
— Die Turnerin. Ein Buch v. Turen d. Mädchen u. Frauen. (266 m. Abb.) 8° Hof, R Lion (01). Geb. 4 — d
Schützer, WJ: Christnacht, s.: Bloch's, L, Kinder-Theater.
Schützut d. Tiere! Mahnruf e deut. Dichter, Schriftsteller u. Künstler. (36) 8° Berl., G Neuendorff u. Verlagshaus 02.
 nn — 50 d
Schutzgebietsgesetz, d., nebst s. Ergänzgsges., sowie d. kais. Verordng. betr. d. Rechtsverhältn. in d. deut. Schutzgebieten, u. d. Ausführgsbestimmgn üb. d. Ausübg d. Gerichtsbarkeit. Textausg. m. Einl., Anmerkgn u. Sachreg. Zusammengest. im Reichs-Marineamt. (90) 8° Berl., ES Mittler & S. 01.
 Geb. f. kart. nn 2 —; f. Lwd. nn 2.50 d
Schutzmann, d., u. d. **Puppe**. Heimgekommen, s.: Jugendlust.
Schutzmassregeln bei ansteck. Krankh. Hrsg. v. Ver. d. Medizinalbeamten d. Reg.-Bez. Potsdam. 7. Afl. (30) 8° Berl., R Schoetz 03. — 40; einz. Bl. (d): Ansteck. Augenkrankh., Darmtyphus, Diphtherie, Keuchhusten, epidem. Kopfgenickkrampf, Lungen-Tuberkulose (Schwindsucht), Masern, Ruhr u. Scharlach je † — 10 d
 8. Afl. s.: Roth.
Schutz- u. Trutz-Schriften d. christl. Kolportage-Ver. Nr. 5—7. 12° Gernsb., Christl. Kolportage-Ver. — 20 d
Aus d. Zeit f. d. Zeit od.: Ein Ratgeber in uns. Glaubenskampf. Von S. (90) 1686. (6.) — 15
Luther's Glaubensbekenntnis v. J. 1529. (11) 1593. [5.] — 03
Peter: Die v. ev. Dekanat gegeb. Frage lautet: „Was kann geschehen, um d. Gemeinde im kirchl. Bekenntnis zu stärken"? 5 Sätze. (5) 1893. [7.] — 02
Schwaab, J: Die Bürger v. Rufach. Ein Sang a. d. Elsass. (196) 8° Heidelb., C Scheithauer 05. 3 — d
Schwab, v.: Unterbringg geisteskranker Strafgefangener in Württemberg, s.: Grenzfragen, juristisch-psychiatr.
Schwab, D: Prakt. Zahnlehre z. Altersbestimmg d. Pferde. 7. Afl. (8 m. 22 farb. Taf.) 16° Saulgd (01). (Salzbg, E Höllrigl.) L, 2 — d
Schwab, F: Bericht üb. d. Erdbebenbeobachtgn in Kremsmünster, s.: Mitteilungen d. Erdbeben-Kommission d. kais. Akad. d. Wiss. in Wien.
— Üb. d. photochem. Klima v. Kremsmünster. [S.-A.] (78 m. 1 Fig., 4 Taf. u. 10 Diagr.) 4° Wien, (A Hölder) 04. 6.80
Schwab, F: Dämon. Gedankenschöpfgn. (14) 12° Lorch, K Rohm 03. — 10 d
— Die Macht d. Gedanken. (16) 12° Ebd. 03. — 10 d
— Symbolik. (Anl. z. techn. symbol. Zeichngn, Figuren u. Handlgn.) (79 m. Abb.) 8° Ebd. 04. 1 — d
Schwab, G: Wolkenschatten u. Höhenglanz. Gedichte. (136) 8° Augsbg, Lampart & Co. 02. 3 —; geb. 4 — d
— dass. u. Gedichte a. d. Nachlass. 2. Afl. (103 u. 105 m. Bildnis u. 11 Taf.) 8° Ebd. (04). L. 6 — d
Schwab, G, s.: Dichter, röm., in neuen Uebersetzgn. — Fortunat u. s. Söhne.
— Edle Frauen. — Deut. Heldensagen, s.: Jugendhort.
— Herakles u. and. Sagen. Für d. Jugend ausgew. v. K Becker. (120 m. Abb. u. 2 Farbdr.) 8° Berl., Verl. Jugendhort (04).
 Geb. 1.40 d
— Allerlei Märchen f. Jung u. Alt, s.: Grimm, J, u. W Grimm.
— s.: Prosaiker, griech. u. röm., in neuen Uebersetzgn.
— Die schönsten Sagen d. klass. Altertums. In freier Ausw. f. d. Jugend bearb. v. E Engelmann. 5. Afl. (206 m. 5 Farbdr.) 8° Stuttg., Loewe (05). Geb. 3 — d
— dass. Für jung u. alt bearb. v. H Jahnke. (160 m. Abb. u. Taf.) 8° Berl., A Weichert (05). Geb. 5 — d
 gr. Ausg. (256) Geb. 6 — d

Schwab, G: Die schönsten Sagen d. klass. Altertums. (288 m.
6 Vollbildern.) 8° Reutl., Ensslin & L. (04). Geb. 3 —;
Fr.-Ausg. L. 3.50 d
— dass. Für d. Jugend bearb. v. K Becker. (120 u. 126 m. Abb.
u. 6 Farbdr.) 8° Berl.,Verl. Jugendhort(04). Geb. 2.25; L. 3 — d
— dass., s.: Reichhardt, R.
— Sagenb. Für d. Jugend bearb. v. O Kamp u. E Engelmann.
2 Tle in 1 Bde. (181 u. 206 m. 12 Farbdr.) 8° Stuttg., Loewe
02. Geb. 5 — d
— Die Schildbürger, s.: Schaffstein's Volksbb. f. d. Jugend.
— Der gehörnte Siegfried. Die Schildbürger, s.: Gressler's,
FGL, neue Jugendbücherei.
— Die Trojassage u. Odyssee. Für d. Jugend bearb. v. K Becker.
(126 m. Abb. u. 3 Farbdr.) 8° Berl., Verl. Jugendhort (04).
Geb. 1.40 d
— Deut. Volksbücher. (284 m. Abb.) 4° Düsseldf (03). Berl.,
Fischer & Fr. L. 7.50 d
— dass. Neu durchgesehen v. J Meyer. (1. Bd.) (120 m. 3 Voll-
bildern.) 4° Stuttg. (02). Reutl., R Bardtenschlager.
Geb. (4 —) 3.50 d
— dass. Neu bearb. v. J Meyer. II. Bd: Die 4 Heymonskinder.
Genoveva. Die schöne Magelone. Griseldis. Die schöne Melu-
sina. (191 m. 4 Vollbildern.) 8° Ebd. (04). Geb. (4 —) 3.50
(I u. II in 1 Bd: 6 —)
— dass. Neu durchgesehen v. J Mayer. 3. u. 4. Bdchn. 8° Ebd.
Geb. je 1 — d
5. Höhle Xa Xa. Herzog Ernst. (120 m. 4 Vollbildern.) (04.) | 4. Genoveva.
Die schöne Magelone. Griseldis. (128 m. 4 Vollbildern.) (04.)
— dass., s.: Bücherei, deut. — Jugend-Bibliothek. — Reich-
hardt, R. — Volksbücherei.
— Deut. Volks- u. Heldensagen. Für d. Jugend hrsg. v. O
Kamp. 6. Afl. (181 m. 6 Farbdr.) 8° Stuttg., Loewe (05).
Geb. 3 — d
— u. JKA Musäus: Volksmärchen, s.: Jungbrunnen.
Schwab, H: Haggadah f. Pesach. — Hebr. Sprachlehre, s.:
Japhet, JM.
Schwab, M: Chamberlains Handelspolitik. (17, 123) 8° Jena,
G Fischer 05. 3 —
Schwab, R: Der deut. Nationalver., s. Entsteg u. s. Wirken.
(113) 8° Berl., G Reimer 02. 2 — d
Schwab, S: Grundr. d. materiellen Liegenschaftsrechts d. BGB.
unter Berücks. d. bayer. Ausführgs- u. Übergangsvorschriften.
(80) 8° Münch., J Schweitzer V. 05. L. 2.80 d
Schwab, T: Ein Fall v. Darier'scher Krankh. (53) 8° Freibg
i/B., Speyer & K. 02. 1.60
Schwabe, E: Wie soll d. Rückenmarkskranke leben? (68) 8°
Berl., H Steinitz (03). 1 — d
Schwabe, E: Germanien u. Gallien z. Römerzeit. — Italia,
s.: Sammlung histor. Schulwandkarten.
— Histor. Schul-Atlas, s.: Putzger, FW.
— Wandk. z. Gesch. d. Stadt Rom. — Wandk. z. Gesch. d.
röm. Reiches. — Die griech.Welt, s.: Sammlung histor. Schul-
wandkarten.
Schwabe, F: Die Frauengestalten Wagners als Typen d. „Ewig
Weiblichen". (160) 8° Münch., Verl.-Anst. F Bruckmann (02).
2.50; geb. 4.50 d
Schwabe, H: Üb. Ermässigg d. Gütertarife auf d. preuss. Staatseisenb. (70) 8° Grunew.-Berl., A Troschel 04. 2 —
Schwabe, J: Commercial politics. Essay on univ. customs'
union. (12) 8° Luxembg (04). Genf (La Tour de le Batie,
petit Lancy), Selbstverl. — 50
— Handelspolitik. Auf d. Stufe d. Allgemeinheit im Zeichen
d. Verkehrs. (42) 8° Luxembg 03. Berl., L Simion Nf. 1 —
— Deut. Zollpolitik. (17) 8° Luxembg 02.(Lpzg, J Werner, Com-
missionsgesch.)II II. (16) (02.) Je — 50
— Deut. Zollpolitik. Der autonome Tarif u. d. Vertragszölle
u. d. Status quo. (28) 8° Ebd. 02. 1 —
Schwabe, J: „Fräulein". Die Kindergärtnerin. — Kontoristin,
s.: Frauenberufe.
— Im feindl. Leben. Roman. (283) 8° Lpzg (02). Berl., H Seemann
Nf. — ; geb. 4 — d
Schwabe, K: Deutsch-Südwestafrika, s.: Beiheft z. Militär-
Wochenbl.
— Dienst u. Kriegführg in d. Kolonien u. auf überseeischen Ex-
peditionen. (191 m. Abb. u. 3 Taf.) 8° Berl., ES Mittler & S.
03. 7 —; geb. 8 — d
— Mit Schwert u. Pflug in Deutsch-Südwestafrika. 4 Kriegs-
u. Wanderj. 2. Afl. (154 m. Abb., Kart. u. Skizzen.) 8° Ebd.
04. 11 —; geb. 13 — d
Schwabe, L: Kunst u. Gesch. a. antiken Münzen. Rede. (18 m.
Abb.) 8° Tüb., JBC Mohr 05. — 50 d
Schwabe, M: Die Körperschaft m. u. ohne Persönlichk. u. ihr
Verhältnis z. Gesellschaft. (91) 8° Bas., B Schwabe 04. 2 —
— Zur Lehre v. Gerichtsstand. Interpretation d. 'Art. 59 d.
schweiz. Bürgergesch. (51) 8° Ebd. 03. 1.60
— Rechtssubjektfragg u. Nutzbefugnis. Mit krit. Betrachtg. z. Ent-
stehgsgesch. d. Begriffes „jurist. Person". (84) 8° Ebd. 01. 1.60
Schwabe, O: Leipzig e. schöne Stadt? Vorschl. z. e. hervor-
rag.Verschönerung uns. Gegend. (14 m. 1 Pl.) 8° Lpzg, CL Hirsch-
feld 05. — d
Schwabe, P: Die Reichstags-Wahlen v. 1867—1903, s.: Specht, F.
Schwabe, T: Die Hochzeit d. Esther Franzenius. Roman. (194)
8° Münch., A Langen 02. 2 —; geb. 3 — d
— Die Stadt im lichten Türmen. Roman. (192) 8° Berl., S Fischer 04. 2.50; geb. nn 3.50 d

Schwabe, W: Verträge in fremdem Namen f. eig. Rechng, s.
Beitr. z. Lehre v. d. nichtvertragsmäss. Schuldverhältnissen.
(48) 8° Berl., Struppe & W. 04. 1.20
Schwabedissen, H: Das Gebet im Namen Jesu u. d. Gebets-
heilg. (35) 8° Berl., Trowitzsch & S. 02. — 50 d
— Christl. Wiss. u. Glaubensheilg, s.: Stöcker, A.
Schwaben-Kalender f. 1906. (85 m. Abb. u. 1 Taf.) 8° Stuttg.,
W Kohlhammer. — 25 d
Schwabenland, F: Karte d. Kriegerdenkmäler auf d. Schlacht-
feldern um Metz. 1 : 50,000. 5. Afl. 51,5×66 cm. Farbdr. Metz,
P Müller (05). 1 —; auf L. 2 —
— Karte v. Metz u.Umgebg. 1 : 100,000. 7.Afl. 26×33,5 cm. Farbdr.
Ebd. 03. — 30; auf L. — 50
— Plan d. Stadt Metz u. Umgebg. Ergänzt bis 1900 v. Rettig.
Nachtr. 1903. 1 : 10,000. 53,5×51 cm. Farbdr. Mit alphabet.
Strassenverz. usw. (au d. Seiten). Ebd. 03. 1.75
Schwabenspiegel, der. Wochenschrift f. d. geist. Leben d.
Schwabenlandes. Red.: E Jaeckh. 1. Jahrg. Septbr 1900—Mai
1901.36 Nrn.(Nr.32.8)Fol.Stuttg., K Daser. Viertelj.1 — 20 d
Schwäbl, JN: Die altbayer. Mundart. Grammatik u. Sprach-
proben. (113) 8° Münch., J Lindauer 03. 3.20 d
Schwach u. doch stark. Erzählg f. Jung u. alt v. M v. O. 5. Afl.
(90 m. Titelbild.) 8° Schwer., F Bahn 05. — 90; geb. 1 — d
Schwach, O: Der Seher v. Toten Meere. (78) 8° Lpzg, O Mutze
01. 1.50 d
Schwachstromtechnik, d., in Einzeldarstellgn. Hrsg. v. J Bau-
mann u. L Rellstab. I. Bd. 8° Münch., R Oldenbourg. 2.50
Baumann, J: Der wahlweise Auruf in Telegr- u. Telephonleitgn u. d.
Entwicklg d. Fernsprechwesens. (96 m. Abb.) 04. [L.] 2.50
Schwackenreuter, EK v.: Die Herren Kathedersozialisten.
Nachklänge a. d. Mannheimer Kongress d. Ver. f. Sozialpolitik.
(31) 8° Berl., Deut. Verl. 05. — 60 d
Schwachhöfer, F: Die Kohlen Österr.-Ungarns u. Preuss.-Schle-
siens. 2. Afl. (246 m. 1 Tab.) 8° Wien, (Gerold & Co.) 01.
L. nn 15 —
Schwager, F: Die kathol. Mission in Südschantung, s.: Bro-
schüren, Prankf. zeitgemässe.
Schwahn, O: Allerleirauh. —Anderen z. Segen leben.—Bitten
u. Danken, s.: Blumen u. Sterne.
— Die braune Dore, s.: Goldkörner.
— s.: Ehre sei Gott in d. Höhe.
— Die Ferienreise u. Denen, d. Gott lieben, dienen alle Dinge
z. Besten. 2 Erzählgn f. d. Jugend. (132 m. Abb.) 8° Nürnbg,
T Stroefer (08). Geb. 3 — d
— Das 1. Gebot. —Malchen Golms Patenkind, s.: Goldkörner.
— Gottes Hand, s.: Blumen u. Sterne.
— s.: Hochzeitsgedichte u. -Lieder.
— Die Kinder d. Lumpensammlerin. Erzählg f. d. Jugend. Neue
Ausg. (46) 8° Reutl., Ensslin & L. (03). — 20; kart. — 30 d
— Maries Tagebuch. — 52 Sonntage. — Tagebuch dreier Kin-
der, s.: Stein, A.
— Das Trudchen, s.: Goldkörner.
— Käthe Wredens Klagebuch. — Wunderhilfe, s.: Blumen u.
Sterne.
Schwahn, P, s.: Himmel u. Erde.
— Üb. d. Simplonpass v. Brig z. Lago Maggiore, s.: Samm-
lung populärer Schriften, hrsg. v. d. Gesellsch. Urania.
Schwahn, W: Diktate f. d. unt. Kl. höh. Lehranst. (32) 8° Lpzg,
BG Teubner (05). Kart. — 80 d
— Illustr. Weltgesch., s.: Manitius, M.
— N Manitius u. T Rudel: Weltgesch. z. Konversations-Le
kon. 4 Bde. (536, 506, 586 u. 603 m. Abb. u. z. Tl farb. T
8° Dresd. 01. Berl., Neufeld & H. HF. (22.40) 33.
in 2 Bde geb. (30 —) 35
Neue Ausg. u. d. T.:
— — Kurzgef. Weltgesch. auf Grund d. neuesten Forsch
m. eingeh. Berücks. d. Kulturgesch. im Anschl. an d.
versations-Lexikon dargest. (Neue [Tit.]-Ausg.) 4 Tle in 1
(536, 506, 586 u. 603 m. Abb. u. z. Tl farb. Taf.) 8° Ebd. (01
HF. (22 —) 3
Schwaiger, A, s.: Damen-Kalender, kgl. bayer. adel.
Schwaiger, H. Ausw. a.r Werke. Text v. F Táborský. (28 b.
farb. Taf. u. 25 S. Text m. z. Tl farb. Abb. u. Bildnis.)
×34 cm. Prag, „Unie" 04. L. nn 60
Schwaiger's, H, Führer durch d. Kaisergebirge m. aust
Beschreibg d. umgeb. Orte, d. Unterkunftshütten, Ausf
Talwandergn, Übergänge u. Hochtouren d. Gebietes,
bearb. v. G Leuchs. (Einbd: 2. Afl.) (178 m. Abb. u. ...
Panoramen u. 2 Kart.) 8° Münch., J Lindauer 04.
— Führer durch d. Wetterstein-Gebirge, m. bes. Berücks. d.
Routen u. Spaziergänge in d. Umgebg v. Garmisch, Par
kirchen, Ehrwald, Ober-Leutasch u. Mittenwald. 5.2
Afl. Abb., Panoramen u. 1 Karte.) 8° Ebd. 01. 3.50; geb. 4.
Schwaighofer, A: Tab. z. Bestimmg einheim. Samenp
u. Gefässsporenpflanzen. 10. Afl. (126m. Abb.) 8° Wien, A F
ler's Wwe & S. 05. 1.90; geb. 2.
Schwaighofer, F: Die Grundl. d. Preisbildg im elektr. Ha
richten-Verkehr. (26 m. Fig.) 8° Münch., J Lindauer 05.
Schwalb, H: Röm. Villa bei Pola, s.: Schriften d. Balkan
mission.
Schwalb, M: Ist Jesus d. Erlöser? Bill. [Tit.-]Ausg. (?)
Brem., E Hampe [1894] 03.
— Relig. ohne Wunder u. Offenbarg. Bill. [Tit.-]Ausg. d. „
schau". (192) 8° Berl. [1894] 03.

Schwalbach, C: Die neuesten deut. Münzen unter Thalergrösse vor Einführg d. Reichsgeldes, sowie d. neuesten österr. u. ungar. Münzen vor Einführg d. Kronenwährg. 3. Aﬂ. (51) 8° Lpzg, Zechiesche & Köder 04. nn 4 —; m. 14 Lichtdr. nn 7.50
— Die neuesten deut. Thaler, Doppelthaler u. Doppelgulden. 7. Aﬂ. (39 m. 4 Lichtdr.) 4° Ebd. 06. nn 4 —
Schwalbe, B: Physikal. Freihandversuche, s.: Hahn, H.
— s.: Unterrichtsblätter f. Mathematik u. Naturwiss.
— Veranstaltg d. Stadt Berlin z. Förderg d. naturwiss. Unterr. in d. höh. Lehranst. im J. 1900—01. (75 m. 3 Tab.) 8° Berl., F Dümmler's V. 01. 1.50
— s.: Zeitschrift f. d. physikal. u. chem. Unterr.
— u. H **Böttger**: Das Buch d. Natur, s.: Schoedler, F.
Schwalbe, C: Beitr. z. Malaria-Frage. 3. Heft. Die Malaria-Plasmodien. — Die Malaria-Oase. — Die Prophylaxis u. Therapie d. Malaria-Krankh. (77—180 m. 1 Doppeltaf.) 8° Berl., O Salle 01. 2 — (Vollst. in 1 Bd: 4 —)
Schwalbe, C: Benzoltab. Darstellgsmethoden u. Eigenschaften d. einfacheren, technisch wicht. Benzolderivate. (369) 4° Berl., Gebr. Borntraeger 03. 15 —; geb. nn 16.50
Schwalbe, E, s.: Festschrift f. Prof. Jul. Arnold.
— Gesamtreg., s.: Jahresberichte d. Anatomie u. Entwicklgsgesch.
— Die Morphol. d. Missbildgn d. Menschen u. d. Tiere. I. Tl. Allg. Missbildgn (Teratologie). Einführg in d. Studium d. abnormen Entwicklg. (230 m. Abb. u. 1 Taf.) 8° Jena, G Fischer 06. 6 —
— Vorlesgn üb. Gesch. d. Medizin. (152) 8° Ebd. 05. 2.40; geb.3—
Schwalbe, G, u. E **Schwalbe**: Namen-Register, s.: Fortschritte, d., d. Physik.
Schwalbe, G, s.: Jahresberichte üb. usw. Anatomie u. Entwicklgsgesch.
— Der Schädel v. Egisheim, s.: Beiträge z. Anthropol. Elsass-L.
— Ueb. getheilte Scheitelbeine. (74 m. Fig. u. 1 Taf.) 4° Stuttg., E Schweizerbart 03. 10 —
— Die Vorgesch. d. Menschen. (52 m. 1 Taf.) 8° Brnschw., F Vieweg & S. 04. 1.60
— s.: Zeitschrift f. Morphol. u. Anthropol.
Schwalbe, J: Grundr. d. prakt. Medizin. Mit Einschl. d. Gynäkol. (bearb. v. A Czempin), d. Haut- u. Geschlechtskrankh. (bearb. v. M Joseph). 3. Aﬂ. (570 m. Abb.) 8° Stuttg., F Enke 04. 8 —; L. 9 —
— s.: Handbuch d. prakt. Medizin. — Jahrbuch d. prakt. Medizin. — Psychiatrie etc. — Reichs-Medizinal-Kalender. — Virchow-Bibliographie. — Vorträge üb. prakt. Therapie. — Wochenschrift, deut. medizin.
Schwalbe, LP: Tiroler Treue, s.: Sonntagsbibliothek.
Schwalbe, P: Die Reichstags-Wahlen v. 1898—1903, s.: Specht, F.
Schwalbe, W: Was muss man v. d. Weltgesch. wissen? (128) 8° Berl., H Steinitz (03). 2 — d
Schwalenberg, G: Die Bank v. Frankr. u. d. deut. Reichsbank. Vergleich. (188) 8° Halle, CA Kaemmerer & Co. 04. 9 —
Schwally, F: Zur alt. Baugesch. d. Moschee d. 'Amr in Alt-Kairo, s.: Festschrift, Strassb., z. 46. Versammlg deut. Philologen u. Schulmänner.
— The books of kings, s.: Stade, B.
— Ibrāhīm ibn Muḥammad al-Baihaqī, kitāb al-Maḥāsin val-Masāvī.
— Semit. Kriegsaltertümer. 1. Heft. Der hl. Krieg im alten Israel. (111) 8° Lpzg, Dieterich 01. 3 —
Schwalm, J: Neue Aktenstücke z. Gesch. d. Beziehgn Clemens' V. zu Heinrich VII. (S.-A.) (33 m. 1 Taf.) 8° Rom, Loescher & Co. 04. nn 1.60
Schwalm, JH: Kreizschwerneng, Spass muss seng, s.:Kranz,JH.
Schwalm, O: Liedersammlg f. Schulen. 141 1-, 2- u. 3stimm. Lieder. 10. Aﬂ. (224) 8° Halle, H Gesenius (01). Geb. nn — 60 d
Schwalm, R: Chorsammlg. 103 Volkslieder u. beliebte Gesänge f. 4stimm. gemischten Chor. Bearb. u. hrsg. f. höh. Schulen. 9. Aﬂ. (188) 8° Halle, H Gesenius (04). nn — 55;
—— m. Anh. Chorale. (204) Kart. nn — 65 d
— Schulliederbuch. 188 ein- u. zweistimm. Lieder, nebst e. kurzgef. Chorgesangsch. 6. Aﬂ. (216 u. Anh. 8) 8° Ebd. 04. Geb. nn — 50 d
Schwan, E: Grammatik d. Altfranzös. 5. Aﬂ. v. D Behrens. (272) 8° Lpzg, OR Reisland 01. 5.40; geb. 6.20 || 6. Aﬂ. (281) 03. 5.60; geb. 6.40
Schwander, R: Die heut. Anfordergn an d. öffentl. Armenpflege, s.: Buehl, A.
— Die Armenpolitik Frankr. währ. d. gr. Revolution u. d. Weiterentwicklg d. französ. Armengesetzgebg bis z. Gegenwart. (22, 157) 8° Strassbg, KJ Trübner 04. 3 —
— Die Einrichtg v. Notstandsarbeiten, s.: Hartmann, P.
Schwandt, W: Carthaus u. d. kassub. Schweiz. — Marienburg (3. Aﬂ. v. C Starck, Marienburg, d. Hauptthaus d. deut. Ritterordens), s.: Verführer u. Landschaften, kassub.
— Die Münzen- u. Medaillen-Sammlg in d. Marienburg, s.: Bahrfeldt, E.
— Wege-Karte durch d. kassub. Schweiz. 1:50,000. Bl. I u. II. Je 31,5×41,5 cm. Kartogr. (Mit Text auf d. Rücks.) Danz., AW Kafemann (03). Je — 50
I. Carthaus u. Umgebg. || II. Turnberg u. Umgebg.
Schwaneberger, H: Internat. Briefmarken-Sammelb. Enth. 20 000 Markenfelder. Jahrb.-Ausg. (767 m. Abb., 1 Karte u. 1 farb. Taf.) 4° Lpzg, JJ Arnd (1900). Geb. von 14 — bis 100 —

Schwaneberger, H: Internat. Briefmarken-Sammelb. in 3 Sprachen. 9950 Markenfelder. Neueste Aﬂ. (208 m. 1 Karte.) 4° Lpzg, JJ Arnd (02). Geb. 2.50
— dass. Nachtr. II. Enth. d. Marken 1898 bis Anfang 1902. (447) 4° Ebd. 02. 5 —; geb. 6.50
Der 1. Nachtr. ist vergriffen.
— s.: Briefmarken-Sammelbuch, illustr. — Heitmann's illustr. Briefmarken-Sammelb.
Schwaner, W: Germanen-Bibel. Aus hl. Schriften german. Völker. (311) 8° Berl. (04). Schlachtensee, Volkserzieher-Verl. 3 —; geb. 4.50 || 2. Aﬂ. 10 Lfgn. (32, 296 m. Abb.) 05. 5 —; L. nn 7.50 d
— Schulmeister, Volkserzieher, Selbsterzieher. Züge u. Briefe a. d. Leben u. d. Schriften e. deut. Volkslehrers. 1. u. 2. Aﬂ. (324 m. Abb.) 8° Ebd. 02.03. 2 — d
— s.: Volkserzieher, d.
Schwantz, H: Hilfsb. z. Ausführg chem. Arbeiten f. Chemiker, Pharmazeuten u. Mediziner. 4. Aﬂ. (412 m. Abb. u. 2 farb. Taf.) 8° Brnschw., F Vieweg & S. 02. 8 —; geb. 9 —
Schwangerschafts-Verhütung. Wicht. Rathschläge e. geprüften Frauenärztin. Mit e. Anh.: Männer, Vorsicht! Ansteckg! Hrsg. v. A Fleischmann. (19) 8° Münch. (02). (Lpzg, W Beaser.) —60
Schwann, M: Liebe. (299) 8° Lpzg (01). Jena, E Diederichs. 5 —; geb. 6 — d
Schwantje, M: Das Recht d. Laien gegenüber d. Ärzten. 3. Taus. (59) 8° Berl., H Bermühler 01. — 60 d
Schwanara, JR, s.: Lenz, L.
Schwanzer, A: Repetitorium d. Elementarmathematik. Zum Gebr. f. d. Schüler d. humanist. Gymnasien u. Realsch. sowie f. Privatstudierende. (142 m. 23 Taf.) 8° Münch., M Kellerer 03. 3 —
Schwappach, A: Die Ergebn. d. in d. preuss. Staatsforsten ausgeführten Anbauversuche m. fremdländ. Holzarten. [S.-A.] (106) 8° Berl., J Springer 01. 2.40 d
— Formzahlen u. Massentafeln f. d. Eiche. (70) 8° Berl., P Parey 05. Kart. 4 — d
— s.: Försterlehrbuch, Neudammer.
— Leitf. d. Holzmesskde. 2. Aﬂ.(173 m. Abb.) 8° Berl., J Springer 03. 3 —; L. 4 — d
— Normal-Ertragstaf. f. d. Kiefer in d. norddeut. Tiefebene. [S.-A.] (13) 8° Ebd. 04. — 50
— Die Reinigg d. städt. Abwässer m. bes. Berücks. d. Verhältn. v.Eberswalde. [S.-A.](14) 8° Lpzg, F Leineweber 02. — 70
— Untersuchgn üb. Zuwachs u. Form d. Schwarzerle. (39) 8° Neud., J Neumann 02. 1 —
— I. Dass. — II. Wachstum u. Ertrag normaler Fichtenbestände in Preussen unter bes. Berücks. d. Einﬂ. verschied. wirtschaftl. Behandlgsweise. (119) 8° Ebd. 02. 3 —; kart. 3.50
— Untersuchgn üb. d. Zuwachsleistg v. Eichen-Hochwaldbeständen in Preussen unter bes. Berücks. d. Einﬂ. verschied. wirtschaftl. Behandlgsweise. (131) 8° Ebd. 05. 4 —; kart. 4.50
Schwarte: Festgskrieg. Applikator. Studie üb. d. moderne Festgskampf. 1. Heft. 8° Berl., ES Mittler & S. 6 —; geb. nn 7.25 d
1. Die Tätigk. v. Angreifer u. Verteidiger bis z. Gewinnen d. Einschliessgslinie. (203 m. 2 Skizzen u. 2 Kart.) 05. 6 —; geb. nn 7.25
— Plevna, Sebastopol, s.: Beiheft z. Militär-Wochenbl.
Schwarte, C: Die 9. Inf. u. Braunschweig-Wolfenbüttel, s.: Beiträge, Münstersche, z. Gesch.-Forschg.
Schwarte, C: Hdb. z. Erkenng, Beurtheilg u. Verhütg d. Feuer- u. Explosionsgefahr chemisch-techn. Stoffe u. Betriebsanlagen. (413) 8° Konst., E Ackermann 02. 8.50
— Das beständigslose Schächten d. Israeliten. Vom Standpunkt d. 20. Jahrh. auf Grund v. Schächt-Tatsachen geschildert u. erläutert. (259) 8° Ebd. 05. 4.50 d
Schwartz, v.: Was ist Materialismus?, s.: Lehr u. Wehr für's deut. Volk.
— s.: Missionskalender, illustr.
Schwartz, A: Herm. Allmers in Rom. [S.-A.] (32 m. Abb.) 8° Oldnbg, Schulze (01). — 50 d
— Die Krone am Rhein. Ein Dichter- u. Künstlerheim zu Assmannshausen. Illustr. 4. Aﬂ. (94 m. Abb.) 8° Ebd. (04). Kart. 1 —
Schwartz, A: Der Schriftsetzer-Lehrling. Leitf. f. d. theoret. Selbstunterr. d. Setzer-Lehrlinge. (174 m. 1 Taf.) 8° Wien 02. (Lpzg, G Hedeler.) Kart. nn 2 —
Schwartz, A: Ein Narr sr Laune. Schausp. (40) 8° Dresd., E Pierson 02. 1 —
Schwartz, C v., s.: Bericht f. d. Frauen-Hilfs-Ver. d. evluther. Mission zu Leipzig.
— Die Mission u. d. Hebg d. nied. Volksschichten, s.: Vorträge a. d. Lausigker Missionslehrkursus.
Schwartz, C: „Versungen!" „Unordentlich geordnet Verdichtetes". (74) 8° Berl., (H Steinitz) (05). 1 — d
Schwartz, C: Neue Bahnen. 2 Tle. 8° Hamrg, Boysen & M. 3.20
1. (Allg.) Tl. Lehrpl. f. d. Konstunterr. an mehrklass. Schulen u. modernen Grundklasss. 3. Aﬂ. Mit Anh.: Lehrpl. f. d. Zeichenunterr. in mehrkl. Schulen. (99 m. Abb.) 03. 2 —
2. Der 1. Zeichenunterr. 1. u. 2. Aﬂ. (16 m. 10 [3 farb.] Taf.) 01.03. 1.20
Schwartz, Christian Friedrich, d., „Königspriester" v. Tandschaur, s.: Sammlung v. Missionsschriften d. ev.-luth. Mission.
Schwartz, E: Agamemnon v. Sparta u. Orestes v. Tegea u. d. Telemachie, s.: Festschrift, Strassb., z. 46. Versammlg deut. Philologen u. Schulmänner.

Manrheim am 16.IV.'03 betr. d. Anklage geg. d. Hrsg. d. Monatsschrift „Das Banner d. Freiheit", Sch., weg. Vergehens geg. § 166 d. St.G.B. Beschimpfg d. kathol. Kirche. (64) 8° Frankf. a/M., Neuer Frankf. Verl. 03. — 50 d

Schwarz, G: Papst Leo XIII. vor d. Richterstuhl Christi. 1— 3. Afl. (48) 8° Karlsr., G Schwarz 02.03. — 50 d
Die 1. u. 2. Afl. erschien in Dresden.
— Schiller. Festbetrachtg z. 9.V. [S.-A.] (64) 8° Ebd. (05). — 50 d
— Der Toleranzantrag. e. röm. Angriff auf deut. Gewissensu. Denkfreiheit. 11—90. Tans. (10) 8° Ebd. (05). — 10 d
— Die wahre Ursache, warum d. deut. Reich d. Papst dienen muss. (12) 8° Hdlbg 03. Karlsr., G Schwarz. — 10 d

Schwarz, GC: Das einz. Heilmittel bei Nervenleiden (Neurasthenie etc.). 5. Afl. (108) 8° Lpzg, G Strübig 03. 1.20 d
— Üb. Nervenheilstätten u. d. Gestaltg d. Arbeit als Hauptheilmittel. Mit e. Einführg v. PJ Möbius. (134) 8° Lpzg, JA Barth 03. 2.50

Schwarz, H: Algebra, s.: Hittenkofer, M, Unterr.-Werke. — Unterrichts-Werke (Methode Hittenkofer).

Schwarz', H, Adressb. d. Schweiz f. Industrie, Handel u. Gewerbe. — Annuaire H Schwarz pour l'industrie et le commerce de la Suisse. IV. Ausg. 1901. (1824) 8° Zür., H Schwarz & Co. (Nur dir.) Geb. 17.50

Schwarz, H: Massliebchen, s.: Jugendschatz.

Schwarz, H: Glück u. Sittlichk. Untersuchgs üb. Gefallen u. Lust, naturhaftes u. sittl. Vorzieben. (211) 8° Halle, M Niemeyer 02. 5—
— Das sittl. Leben. Eine Ethik auf psycholog. Grundl. Mit e. Anh.: Nietzsche's Zarathustra-Lehre. (417) 8° Berl., Reuther & R. 01. 7—; geb. 8—
— Der moderne Materialismus als Weltanschaung u. Geschichtsprinzip. 5 Vortr. (128) 8° Lpzg, Dieterich 04. 2—; geb. 2.60

Schwarz, J: Die Heilquellen v. Baden bei Wien. 4. Afl. (136) 8° Wien, W Braumüller 02. Kart. 1.40

Schwarz, K: Die Hoffpfalzgrafenwürde' d. jurist. Fakultät Innsbruck. [S.-A.] (50) 8° Innsbr., Wagner 04. — 50

Schwarz, EJ: Der Ungebändigte. Roman. (215) 8° Ebersw. (01). Lpzg, CF Tiefenbach. 3 — d
— Der Weg z. Ehe. Theaterstück. (80) 8° Ebd (01). 2 — d

Schwarz, KS, s.: Schiller-Reden.

Schwarz, O, u. G Strutz: Der Staatshaushalt u. d. Finanzen Preussens. I. Bd, 3. u. 4. Lfg; II. Bd, 2—5. Lfg u. III. Bd. 8° Berl., J Guttentag. 96 — [; Einbde in HF, jede Lfg nn 2 — (Vollst.: 135 — ; geb. nn 155—) d
  I. **Strutz,** G: Die Ueberschussverwaltg. 2. Lfg. Die Eisenb.-Verwaltg. (565—1056 u. 117—265) 01. 90 — § 4. Lfg. Die direkten u. indirekten Steuern. (1057—1399 u. 266—296) 02. 11 — (I. Bd vollst.: 50 —)
  II. Die Zuschussverwaltg. 2. Lfg., FL u. III. Buch: Landw.-Verwaltg. u. Gestütsverwaltg. Von Schwarz. (561—994 u. 143—218) 02. 16 — § 5. Lfg. IV. Buch: Handels- u. Gewerbeverwaltg. V Buch: Bauverwaltg. Von Schwarz. (995—1273 u. 219—369) 03. 10 — § 4. Lfg. VI. Buch: Ministerium d. Innern. — VII. Buch: Kleinere Etats. (Staatsministerium, Zeughaus, Ministerium d. answärt. Angelegenh., Oberrechnungskammer, Geh. Civilkabinet, Staats-archive, Generaldomänenkommission, Gesetzsammlgannet, Reichs- u. Staatsanzeiger.) Von Schwarz. (1273 —1540 u. 271—349) 03. 9 — § 5. Lfg. VIII. Buch: Finanzministerium. IX. Buch: Justizverwaltg. Von Strutz. (1541—2011 u. 351—422) 04. 17 — (II. Bd vollst.: 72 —)
  III. Schwarz, O: Dotationen u. allg. Finanzverwaltg etc. I. Buch: Oeffentl. Schuld. II. Buch · Die beiden Häuser d. Landtags. III. Buch: allg. Finanzverwaltg. Anh: Formelle Ordng d. Staatshaushalts. Nachträge. — Sachregister. (350 u. 90) 04. 13 —

Schwarz, O: Alphabet. Landwehr-Bez.-Einteilg f. d. Deut. Reich, nebst Anh.: Bestimmgn üb. Ausstellg v. Entlassgsu. Überweisgspapieren. (52) 8° Berl., ES Mittler & S. 02. — 60 d; kart. 1 — d

Schwarz, O: Bau, Einrichtg u. Betrieb öffentlicher Schlachtu. Viehhöfe. 3. Afl. (948 m. Abb. u. 6 Taf.) 8° Berl., J Springer 03. 24 — '; L. 26 —
— Maschinenkde f. d. Schlachthofbetrieb. (160 m. Abb.) 8° Ebd. 01. L. 5 —

Schwarz, O, s.: Enzyklopädie d. Augenheilkde.
— Die Funktionsprüfg d. Auges u. ihre Verwertg f. d. allg. Diagnostik. (322 m. Fig. u. 1 Taf.) 8° Berl., S Karger 04. 7 —
— Augenärztl. Winke f. d. prakt. Arzt. (47) 8° Lpzg, FCW Vogel 04. 1.20

Schwarz, O: Die v. Yngve Sjöstedt in Kamerun ges. Elateriden, Eucnemiden u. Throsciden. [S.-A.] (11 m. 1 Abb.) 8° Stockh. 03. (Berl., R Friedländer & S.) — 60
Schwarz, OG: Grundr. d. bürgerl. Rechts unter Berücks. d. Pandektenlehre m. Einschl. d. Handelsrechts, Wechsel- u. Seerechts. 1. Bd. (234) 8° Berl., C Heymann 01. 3 — ∥ 2. Bd. (330) 4 —; in 1 Bd geb. 8 — d
  2. Afl. u. d. T.:
— Grundr. d. bürgerl. Rechts u. sr Gesch. 2. Afl. (748) 8° Ebd. 04. 9 —; geb. 10 — ∥ 3. Afl. (736) 05. 12 —; geb. 13 — d
— Grundr. d. öffentl. Rechts. I. Bd, 2 Tle u. II. Bd. 8° Ebd. 10 —; L. 12 — d
  I, 1. Civilprozess. (708) 02. 2.40 § 2. Strafprozess. (709—808) 02. 3.60; in 1 Bd geb. 7 —
  II. Staatsrecht. — Verwaltgsrecht. — Kirchenrecht. — Völkerrecht. (280) 4 —; geb. 5 —
— Die Haftg d. Tierhalters n. § 833 BGB. (90) 8° Ebd. 05. 2 — d
— Kirchenrecht. Völkerrecht. Hülfsb. f. junge Juristen. 3. Afl. (194) 8° Ebd. 05. 3 —; geb. 4 — d
— Staatsrecht. Verwaltgsrecht. Hülfsb. f. junge Juristen. 3. Afl. (238) 8° Ebd. 05. 5 —; geb. 6 — d

Schwarz, OG: Staatsrecht, Verwaltgsrecht, Kirchenrecht, Völkerrecht. Hülfsb. f. junge Juristen. 2. [Tit.-]Afl. (260) 8° Berl., C Heymann [03] 05. 4 —; geb. 5 — d
— Strafrecht, Strafprozess. Hülfsb. f. junge Juristen. 2. u. 3. Afl. (295) 8° Ebd. 05. 5.50; geb. 6.50 d
— Zivilprozess-Recht. Hülfsb. f. junge Juristen. 2. u. 3. Afl. (348) 8° Ebd. (04). 4.50; geb. 5.50 d

Schwarz, P: Beitr. z. Kenntnis d. Azimide u. d. Aldehydine. (43) 8° Bresl. 05. (Lpzg, Bh. G Fock.) 1 —
— Die chem. Industrie auf d. Düsseldorfer Ausstellg. [S.-A.] (14) 8° Lpzg, (G Wittrin) 02. 1 —

Schwarz, P: Diwan.

Schwarz, P: Nur nicht rückwärts. Ein off., ernstes Wort an Hrn Kreisschulinsp. Rzesnitzek in Pless üb. d. 1. Schulj. bei fremdsprach. Kindern. (15)8° Inowrazl.,(H Olawski)03. — 25 d
— Das 1. Schulj. bei fremdsprach. Kindern. (96 u. 4) 8° Lissa, F Ebbecke 03. 1.20 d
— dass., s.: Blätter, pädagog., a. d. deut. Ostmark.

Schwarz, R: Hdb. d. stenograph. Praxis, s.: Socin, A.
— Kürzgs-Verz., s.: Däniker, JK.
— Lehrb. d. vereinf. deut. Stenogr. — Methodik d. stenogr. Unterr., s.: Alge, S.
— Die System-Urkunde in d. Westentasche. 5. Afl. (55) 7,9× 5,8 cm. Wetzlk. 04. (Lpzg, JH Robolsky.) Geb. nn — 50
— Vollständg zu S Alge's Lehrb. d. vereinf. deut. Stenogr. (Einigssystem Stolze-Schrey). [S.-A.] (14) 8° Ebd. 04. nn — 15
— u.S**Alge:** Sterograph. Übgs-Buch n. d.Einigssystem Stolze-Schroy. 4. Afl. (86) 8° Ebd. 05. Kart. nn 1.30; Schlüssel. 2. Afl. (44) 03. nn — 60

Schwarz, S: Uns. Schülerreisen. (24 m. 6 Taf.) 8° Blankenese 03. (Altona, J Harder, S.) — d
— u. E V. **Halle:** Die Schiffbauindustrie in Deutschl. n. ihre geograph. u. komm. Vertr. in. jetzt, s.: Meereskunde in gemeinverständl. Vortr. u. Aufsätzen.
— u. E V. **Halle:** Die Schiffbauindustrie in Deutschl. n. ihre geograph. u. komm. Vertr. in. jetzt. [S.-A.] (20 —) 12 —; L. (nn 22.25) nn 14.25

Schwarz, V: Lea. — Verschollen, s.: Weber's moderne Bibliothek.

Schwarz, W: Hülfstaf. f. d. Draht-, Drahtseil- etc. Calculation. (61) 8° Hamm, Emil Griebsch 03. Kart. 3.50 d
— Die Musik- u. Harmonielehre progressiv geordnet, spec. f. d. systemat. Klavierunterr. geordnet. Theoret. Thl zu d. Verf. Klavierschule. 7. Afl. (176 m. Abb. u. 1 Taf.) 8° Wien, Bosworth & Co. 1897. (3 —) 1 —

Schwarz, W: Der Denkprozess in psycho-physiolog. Darstellg, s.: Sammlung pädagog. Vortr.

Schwarz, W, u. E **Wollweber:** Schülerhandk. d. Grossh. Baden. 1:35 6,000. 3. Afl. 34,5×27 cm. Farbdr. Freibg i/B., Herder (05). — 25

Schwarzau, H v. d. (JF Tanzer): Mein Dornenpfad. Roman a. d. Lehrerleben. (91) 8° Iglau 03. (Annaberg [Niederösterr.], H Tanzer's Schulverl.) 1.20 d
— „Wer d. Götter hassen —". Bürgerl. Volksstück. (78) 8° St. Pölten (01). Annaberg, H Tanzer. 2 — d
— Sturmwellen. Lieder s. Deutschösterreichers. 1. Folge. (48) 8° Lpzg-R. Wien, Österr. Schulbücherverl. 1 — d

Schwarzburger, G: Pflanzenstudien f. d. Zeichenunter. u. d. Kunstgewerbe. (40 Taf. m. 4 Bl. Text.) Fol. Dresd., G Kühtmann ('2). In M. 10 — d
— u. A **Neubert:** Natur u. Kunst im Zeichenunterr. Sammlg prakt. Motive f. Klassenaufg. im Zusammenstellen v. Pflanzenornamenten. Zum Gebr. in Volks-, Fortbildgs- u. Gewerbesch., sowie in allen höh. Lehranst. (24 z. Tl farb. Taf. (in Fol.) in 12 S. Text.) 8° Ebd. (02). In M. 16 — d

Schwarze, A: Neue Grundlegg d. Lehre v. d. christl. Gewissh. (188) 8° Gött., Vandenhoeck & R. 02. 3.80 d
— H Appelius. (263) 8° Erl., Palm & E. 03. 5 — d

Schwarze, M: Kanon französ. Sprechübgn üb. Gegenständs u. Vorgänge d. tägl. Lebens f. höh. Schulen. (42) 8° Wittenbg, P Wunschmann 03. Geb.— 90

Schwarze, W: Beitr. z. Kenntnis d. Symbiose im Tierreiche. (27) 8° Hambg, (Herold) 02. 2 —
— Eine Instructionsreise in d. Harz. (27) 8° Ebd. 03. 2 —

Schwarzenbach, A: Das materielle Auslieferecht d. Schweiz n. d. Bundesges. v. 22.I.1892 u. d. gelt. Verträgen. (254) 8° Zür., (Zürcher & F.) 01. 6 — d

Schwarzenberg, Sommerfrische, u.nächste Umgebg. Kl.Führer. (32 m. Abb.) 16° Schwarzenbg, M Helmert (05). — 20 ; m. Touristenk. — 80

Schwarzenberg, A: Leitf. d. röm. Altertümer f. Gymnasien, Realgymnasien u. Kadetenanst. (106) 8° Gotha, FA Perthes 01. Kart. 1.20

Schwarzenberg, J: Das Büchlein v. Zutrinken, s.: Neudrucke deut. Litt.-Werke d. XVI. u. XVII. Jahrh.

Schwarzenhorn s.: Schmid v. Schwarzenhorn.

Schwarzer: Zeichn. Raumlehre, s.: Krausbauer, T.

Schwarzhaupt, F: Heimatkde d. Rheinprov., s.: Lettau, H, Realienb. f. Volkssch.

Schwarzhaupt, W: Erdkde, s.: Dilcher, A.

Schwarzinger, R: Kölner Tourenb. f. Radfahrer. 5. Afl. (111 m. 1 Karte.) 12° Köln, Kölner Verl.-Anst. u. Druckerei 03. Geb. 1.50

Schweitzer, A.: Der Protestantismus u. d. theolog. Wiss., s.: Wesen u. Werden, d., d. Protestantismus.
Schweitzer, A.: JS Bach, le musicien-poéte. Avec la collaboration de H Gillot. (20, 455 m. 1 Bildnis.) 8° Lpzg, Breitkopf & H. 05. 8 —; geb. 9 —
Schweitzer, E: Begriff u. Nachweis d. Eintraggsbewilligt d. §§ 19, 22 GBO. (32) 8° Lpzg, CL Hirschfeld 03. — 80 d
Schweitzer, F: Leicht fassl. Beicht-Unterr. zunächst f. Kinder unter d. Stufe d. 4. Schulj. 5. Afl. (8) 12° Freibg i/B., Herder 03. — 08 d
Schweitzer, G: Katech. d. Bank- u. Börsenwesens, s.: Weber's illustr. Katech.
— Streifzüge durch Russl. u. üb. d. pers. Grenze. 2. [Tit.-]Afl. (227) 8° Berl., K Siegismund [1895] (04). L. 3 — d
— Die Türkei im Spiegel ihrer Finanzen, s.: Morawitz, C.
Schweitzer, GE: Bilder a. d. Elsass. Aus 2 Ansprachen. (40) 8° Lpzg, (C Braun) 03. nn — 10 d
— Das Evangelium in d. Diaspora d. In- u. Auslandes, s.: Geest, F.
— Katharina Zell, s.: Lebensbilder, ev., a. d. Elsass.
Schweitzer, H: Die Bilderteppiche u. Stickereien in d. städt. Altertümersammlg zu Freiburg im Br. [S.-A.] (33 m. Abb. u. 1 farb. Taf.) 4° Freibg i/B., Herder 04. 2.50 d
— Gesch. d. deut. Kunst v. d. ersten histor. Zeiten bis z. Gegenwart. 14 Lfgn. (739 m. Abb. u. 25 Taf.) 8° Ravnsbg, O Maier 05. 14 —; geb. 16 — d
Schweitzer, J: Jubiläumsbüchl. (Unterr. u. Gebete z. Gewinng d. Jubel-Ablasses.) (54) 16° Aach., J Schweitzer 01. — 10 d
Schweitzer, J v.: Ein Schlingel, s.: Arbeiterbühne.
Schweitzer, J: 30 Marienlieder im Volkston, alte u. neue, f. 1 od. 3 Singstimmen hrsg. Op. 26. 7. Abdr. Einf. Begleitg f. Orgel od. Harmonium m. Text. (32) 8° Freibg i/B., Herder 02. — 30 d
Schweitzer, R: Die Energie u. Entropie d. Naturkräfte m. Hinweis auf d. in d. Entropiegesetze lieg. Schöpferbeweis. (59) 8° Köln, JP Bachem (02). 1.20
Schweiz, die. Schweiz. illustr. Zeitschrift. Red.: K Bührer. 5. Jahrg. 1901. 26 Hefte. (514 m. 63 z. Tl farb. Taf.) 4° Zür., Verl. d. Schweiz. № 6—8. Jahrg. 1902—4. Red.: O Waser u. E Ziegler. Je 24 Hefte. Viertelj. 2.80; einz. Hefte — 50;
auch in 12 Monatsheften zu 1 — d
— dass. Illustr. Halbmonatsschrift. Red.: O Waser, E Ziegler, M Krebs. 9. Jahrg. 1905. 24 Hefte. (1. Heft. 28 m. 3 [2 farb.] Taf.) 4° Ebd. Viertelj. 2.80; einz. Hefte — 50;
auch in 12 Monatsheften zu 1 — d
— d., in 20 (farb.) Spezialk. u. e. (farb.) Übersichtsk. f. Touristen. 1:400,000. 8° Mit illust. Text (x. Tl auf d. Rücks. d. Kart.) (50) 8° Lpzg, AH Payne (04). Gebr. in schmal 8° 2 — d
— d. fränk., in 50 Bildern. I. Serie: Gössweinstein, Pottenstein u. deren Umgebgn. Nach Orig.-Aufnahmen v. K Brückner. (29) 16° Wunsied., G Kohler (05). — 75
— d. fränk.-Schwabachtal u. d. Gräfenberger Umgebg. Mit bes. Berücks. d. Radfahrtouren. 5. Afl. (72 m. Abb. u. 2 Kart.) 12° Erl., T Blaesing (03). — 50
— dass. Gr. Ausg. m. naturgeschichtl. Anh. 5. Afl. (122 m. Abb., 2 Taf. u. 2 Kart.) 12° Ebd. (03). Kart. 1 —
— d. industrielle u. kommerzielle, beim Eintritt ins XX. Jahrh. 1—10. Lfg. (719 m. Abb. u. 1 farb. Taf.) Fol. Ebd. 1900-03. 38 —

Die 2. Lfg enth. d. schweiz. Bergbahnen; d. 8—10. Lfg d. schweiz. Grossindustrie.

— junge. Hrsg.: F Brupbacher. Nr. 4. (191—254) 8° Zür., (E Speidel) 1900. — 50 (Vollst.: 2 —) d ô F
Schweizer, der. Wochenschrift f. d. ges. Interessen d. Stall- u. Milchwirtschaft. Begründet v. G Zimmermann. Hrsg. v. KR Vogelsberg. 7. Jahrg. Oktbr 1905—Septbr 1906. № (Nr. 1 u. 1a. 16) 4° Lpzg, G Reusche. Viertelj. 1.50 d
Schweizer, A: Untersuchg üb. d. Reste e. hebr. Textes v. 1. Makkabäerb. (103 u. 13) 8° Berl., M Poppelauer 01. 3.50
Schweizer, A: Eine Studie z. Schlacht bei Sempach 9. VII. 1386, s.: Neujahrsblatt z. Besten d. Waisenh. in Zürich.
Schweizer, FA: Gesch. d. Nationalökonomik in 4 Monogr. üb. Colbert, Turgot, Smith, Marx, nebst e. philosoph. Systematik d. Nationalökonomie. I—III. 8° Ravnsbg, F Alber. 8.15 d
[1. Merkantilismus v. Colbert. (35) 03. 1.35 || II. Physiokratismus v. Turgot. (140) 04. 2.40 || III. Individualismus v. Smith. (257) 05. 4. —]
Schweizer, G: Leitf. f. d. bürgerl. Rechnen in Sekundarsch. (130) 8° Frauenf., Huber & Co. 01. Kart. 1.05 d
Schweizer, K: Schwindsucht u. Nervenkrankh. (48) 8° Münch., Verl. d. ärztl. Rundschau 03. 1.20
Schweizer, P, s.: Siglabbildungen z. Urkundenb. d. Stadt u. Landsch. Zürich. — Urbar, d. habsburg. — Urkundenbuch d. Stadt u. Landschaft Zürich.
Schweizer, R: Wahrh. in Liebe. Ausgew. Predigten u. Reden a. d. Nachlass. (356 m. Bildnis.) 8° Bern, A Francke 06. 3.20; geb. 4 — d
Schweizer, V: Die Destillation d. Harze, d. Resinatlacke, Resinatfarben, d. Kohlefarben u. Farben f. Schreibmaschinen. (324 m. Abb.) 8° Wien, A Hartleben 05. 6 —; geb. 6.80 d
Schweizerbarth, EM v.: Vogellieder. (41) 8° Stuttg., W Kohlhammer 03. 2 — d
Schweizer-Bauer, der. Kalender f. d. schweiz. Landwirthe f. 1905. Hrsg. v. d. ökonom. u. gemeinnütz. Gesellsch. d. Kt. Bern. (119 m. Abb. u. 2 Taf.) 8° Bern, KJ Wyss. — 40 d
Schweizer-Blätter, kathol. Organ d. schweiz. Gesellsch. f. kathol. Wiss. u. Kunst. Red. v. T v. Liebenau, A Portmann,

J Hürbin, KA Kopp. Neue Folge. 17. Jahrg. 1901. 4 Hefte. (1. Heft. 100) 8° Luzern (Burgerstr. 22), Druckerei Schill. 6.40; einz. Hefte 2 — d

Fortsetzg war nicht zu erhalten.

Schweizerhof, Privat-Heilanst. f. Nerven- u. Psychisch-Kranke weibl. Geschlechts. 3. Bericht. 50 Jahre n. ar Gründg 17. XII. 1853—17. XII. '03. (171 m. 1 Bildnis, 14 farb. Taf., 10 Grundr. u. 1 Pl.) 4° Berl., G Reimer 03. L. 16 —
Schweizertrachten, alte. 6 Lfgn. (Je 3 farb. Bl. m. 1 Bl. Text in deut. u. französ. Sprache.) 4° Bern, Stämpfli & Co. (04). Je 1.80; in 1 L.-M. 12 —

Auch m. französ. Titel.

Schweizer-Zeitung, allg. Red.: J Immler. 1. Jahrg. Septbr 1904—Septbr 1905. 58 Nrn. (Nr. 58. 8) 4° Plauen i/V. (Schulstr. 3), Druckerei Neupert. || 2. Jahrg. Oktbr 1905—Septbr 1906. 52 Nrn. Viertelj. nn 1.50 d
Schwela, G: Lehrb. d. niederwend. Sprache. 1. Tl. Grammatik. (104) 8° Cottb. 05. Hdlbg, O Ficker. 2.40; L. nn 2.80 d
Schwelb, K: Der Landsknecht, s.: Werther, F.
Schwellenholz-Kubiktabelle. (1 Bl.) 4° Augsbg, B Schmid (01). Auf L. — 80 d
Schemer, R: Restauration u. Revolution. Skizzen z. Entwicklgsgesch. d. deut. Einheit, s.: Aus Natur u. Geisteswelt.
Schwencke, E: Geld- u. Kreditverkehr im Grosshandel, s.: Grosskaufmann, d. deut.
— Geld- u. Kreditwesen a. s. Einrichtgn, s.: Kaufmann, d. deut.
Schwencker, F: Bilder zu d. neuen (Eisenacher) alttestamentl. Perikopen. (269) 8° Görl., R Dülfer 02. 3.50; geb. 4 —;
auch in 9 Lfgn zu — 40 d

Die 1. Lfg erschien noch in Breslau.

— Bilder zu d. neuen (Eisenacher) neutestamentl. epistol. Perikopen. (188) 8° Bresl. 01. Görl., R Dülfer. 2 —; geb. 2.50;
eleg. geb. 3 — d
— Bilder zu d. neuen (Eisenacher) neutestamentl. ev. Perikopen. 5 Abtlgn. (415) 8° Görl., R Dülfer 03. 5 —; HF. 6 —
d. altkirchl. v. d. Eisenacher Konferenz geänd. Texte, homiletisch, illustrativ bearb. 8 Lfgn. (344) 8° Lpzg, G Strübig 05. Je nn — 50; in 1 Bd geb. nn 5 — d
Schwend, F: Gymnasium od. Realsch.? (98) 8° Stuttg., F Frommann 04. 1.40
Schwend, K: Zur Zodicallichtfrage. (59 m. 1 Taf.) 8° Münch. 04. (Schweinf., GJ Giegler.) 2.40
Schwendener, S: Die Divergenzenkreisförm. Organe in Spiralsystemen m. rechtwinklig gekreuzten Contactlinien u. deren Grenzwerthe. [S.-A.] (12) 8° Berl., (G Reimer) 01. 1 —
— Zur Theorie d. Blattstellgn. [S.-A.] (14 m. Fig.) 8° Ebd. 01. — 50
Schwendimann, F: Die Schulvisite. Prakt. Winke z. Vornahme d. Schulbesuche bes. f. Mitglieder d. Gemeinde-Schulkommissionen. (55) 8° Solothurn, (Buch- u. Kunstdr. Union) 03. (Nur dir.) — 70 d
Schweninger, C: Zur Neugestaltg d. Ingenieur- u. Pionierkorps d. deut. Armee. [S.-A.] (57) 8° Berl., A Bath 01. 1.20
— Die geplante Neugestaltg d. Ingenieur- u. Pionier-Korps d. deut. Armee. — Uns. Pioniere, s.: Zeitfragen, militär.
Schwenk, A: Die Behandlg d. chron. Gonorrhöe in d. Praxis. [S.-A.] (16) 8° Jena, G Fischer 03. — 50
Schwenk (W), Th. Derivate d. o-Chinolinaldehyds. (39) 8° Freibg i/B., Speyer & K. 03. 1 —
Schwenke: Gesch. d. 2. hannov. Infant.-Regts, s.: Dorndorf.
Schwenke, P: Die Donat- u. Kalender-Typen, s.: Veröffentlichungen d. Gutenberg-Gesellsch.
— s.: Zentralblatt f. Bibliothekswesen.
Schwenkow, L: Freie u. Hansestadt Hamburg, s.: Landes- u. Provinzialgeschichte.
— Die Relig. in d. modernen deut. Frauenlyrik. (52) 8° Hambg, (Herold) 05. nn 1.50 d
Schwenzer, M: Plakatschrift in ein. Stunden erlernbar z. Selbst-Anfertigen v. Schildern jeder Art. (8 m. 1 Abb. u. 3 Taf.) 4° Duisbg, M Schwenzer (03). 1 —
— Schön-Schnell-Schreiben in ein. Stunden erlernbar. (4 m. 2 Taf. in. 4°) 8° Ebd. (03). — 80
Schwer s.: Verschleiss m. Fussboden-Öl.
Schwerdfeger, J: Der bairisch-franzôs. Einfall in Ober- u. Nieder-Österr. (1741) u. d. Stände d. Erzherzogthümer. II. Thl: Kurfürst Karl Albrecht in Nieder-Österr. [S.-A.] (127) 8° Wien, (A Hölder) 02. 2.80 (I u. II.: 5.50)
Schwerdt, O: Beitr. z. Ursache u. Vorschläge z. Verhütg d. Seekrankh. Vortr. (19 m. Fig.) 8° Jena, G Fischer 01. — 75
— Die Seekrankh. Vorschläge zu ihrer gemeinsamen Bekämpfg durch Techniker u. Aerzte. (11 m. Taf.) 8° Ebd. 02. — 50
— Seekrankh. u. Aenderg im Schiffbau. (20 m. Fig.) 8° Ebd. 03. — 50
Schwerdtner, H: Die stumme Seele. Märchen a. d. Innenwelt. (67) 8° Wien, W Braumüller 04. 1.80; geb. 2.50 d
Schwere, S.: Zum Standpunkt d. heut. Schulgeogr. (50) 8° Aar., (HR Sauerländer & Co.) 05. 1 —
Schwerebestimmungen, relative, zur Prüfung d. Pendelbeobachtgn, s.: Veröffentlichungen d. hydrograph. Amtes d. k. u. k. Kriegs-Marine in Pola.
Schwerin, Graf, s.: Berichte üb. einz. Geb. d. angewandten physikal. Chemie.
Schwerin, Graf v.: Der Adjutantendienst bei d. Truppen aller Waffen, bei Garnison-Kommandos u. Bez.-Kommandos, s.: Handbibliothek d. Offiziers.

Schwerin, C Frhr v.: Üb. d. Begriff d. Rechtsnachfolge im gelt. Civilrecht. (95) 8° Münch., CH Beck 05. 2.50 d
— Rich. Wagners Frauengestalten. Brünnhilde. Kundry. (88) 8° Lpzg, F Reinboth (02). 1.50
Schwerin, FE v.: Die Altersversorgg d. Landwirts durch Lebensversicherg u. durch Selbstversicherg. (23) 8° Berl., P Parey 01. — 60 d
— Aus landrätl. Praxis. Lose Blätter in land- u. volkswirtschaftl. Zeitfragen. (146) 8° Ebd. 05. 3 — d
Schwerin, J, s.: Zentralblatt d. Bundes deut. Frauenver.
Schwerin, J Gräfin: Lebenswege. Roman. (252) 8° Berl., O Janke (02). 2 — d
Schwerin, K (Trotsche): Wilde Rosen u. Eichenbrüche. (185) 8° Stuttg., Greiner & Pf. (01). 3 —; L. 4 — d
Schwerin, L v.: Die Ansichtspostkarte, s.: Bibliothek d. Liebhabereien.
Schwering, J: Schiller. Gedächtnisrede. (29) 8° Münst., Aschendorff 05. — 80 d
— Krit. Studien. 1. Heft. Litterar. Beziehgn zw. Spanien u. Deutschl. Streitschrift geg. Prof. Dr. A Farinelli. (92) 8° Münst., H Schöningh 02. 1.60 d
Schwering, K: Analyt. Geometrie f. höh. Lehranst. 2. Afl. (25 m. Fig.) 8° Freibg l/B., Herder 04. — 80
— Sammlg v.Aufg. a. d. Arithmetik f. höh. Lehranst. 1—3. Lehrg. 2. Afl. 8° Ebd. 3.20; Einbde je nnn — 80
1. (59) 02. — 80 § 2. (61—146) 03. 1.20 § 3. (149—246) 04. 1.20.
— u. W Krimphoff: Eb. Geometrie. 5. Afl. (136 m. Fig.) 8° Ebd. 05. 1.60; geb. 2 —
Schwert u. Schild. Vierteljahrsschrift z. Förderg persönl. Christentums. Den Offizieren d. deut. Armee u. Marine dargeboten. Hrsg.: v. Viebahn. 3—7. Jahrg. 1901—5 je 4 Hefte. (1901. 1. Heft. 20 m. Bibellesezettel f. Jan.—März 12, 13 u. 14) 8° Diesdorf bei Gräbersdorf, Kr. Striegau, Exp. (Nur dir.)
Je 2 —; Bibellesezettel allein je 1 — d
Schwertassek, KA: Schüler-Kommentar zu HS Sedlmayers ausgew. Gedichten d. P Ovidius Naso. 2. Afl. (170) 8° Lpzg, G Freytag 02. Geb. 1.50 d
Schwertfeger, B: Der kgl. hannov. Generalleutn. Aug. Friedr. Freiherr v. d. Bussche-Ippenburg. Ein Soldatenleben a. bewegter Zeit. (204 m. Titelbild, 2 Pl. u. 3 Skizzen.) 8° Hannov., Hahn 04. 3.50; geb. 4.50 d
Schwertner, C: Vogelzuchtb. 4. Afl. (38 m. Abb.) 8° Aussig (02). (Neustett., FA Eckstein.) — 25
Schwertschlager, J: Altmühltal u. Altmühlgebirge. Topographisch-geolog. Schilderg. [S.-A.] (102 m. 6 Taf.) 8° Eichst., (P Brönner) 05. nn 4 — d
Schwestern, d. feindl., s.: Theater, kl.
Schwetter, A: Sachweiser üb. d. Führg d. Berufs- u. Amtsgeschäfte d. Lehrer u. Schulleiter an öffentl. Volks- u. Bürgersch. (89) 8° Wien, A Pichler's Wwe & S. 1900. 1.25 d
Schweykart, AJ: Die Verehrg d. unbefl. Empfängnis Mariä in d. Gesch. d. Kirche. 32 Vortr. (259) 8° Graz, U Moser 05. 2.40 d

Schweynert, F, s.: Holly, L.
Schwidop, O: Die Fortschritte d. Ohrenheilkde im letzten Jahrzehnt. [S.-A.] (16) 8° Lpzg, B Konegen 03. 1 —
Schwidtal, A: Techn. Mechanik, nebst e. Abriss d. Festigkeitslehre f. Bergsch. u. and. techn. Lehranst. (76 m. Fig.) 8° Lpzg, J Baedeker 02. 1.50
— u. C Teiwes: Aufg.-Sammlg z. techn. Mechanik u. Festigkeitslehre f. Bergsch. u. and. techn. Lehranst. (208 m. Fig.) 8° Ebd. 03. Kart. 3.50
Schwiedland, E: Ziele u. Wege e. Heimarbeitsgesetzgebg. 2. Afl. (340) 8° Wien, Manz 03. 5 —
Schwieker, A: Lehr- u. Leseb. d. engl. Sprache n. d. direkten Methode. Mit e. Liederanh. 14. Afl. (312 m. Abb.) 8° Hambg, O Meissner's V. 05. 1.60
Schwienhorst, K: Rede gut, alles gut. — Der Geisterstudent, s.: Heidelmann's A, Theaterbibliothek.
Schwiening, H: Krieg u. Frieden, s.: Handbuch d. Hygiene.
Schwier, K: Die Emailphotogr. Anl. z. Herstellg v. eingebrannten Photogrammen auf Email, Glas od. Porzellan. 4.Afl. (76 m. Abb.) 8° Lpzg BF Voigt 02. 1.50
— Die Liebhaberphotogr., s.: Hillger's illustr. Volksbb.
— s.: Photographen-Kalender, deut. — Photographen-Zeitung, deut.
Schwieters, J: Das Kloster Freckenhorst n. s. Aebtissinnen. (288 m. Abb. u. Titelbild.) 8° Warendf, J Schnell 03. 4 — d
— s.: Ludorff, A, d. Bau- u. Kunstdenkmäler v. Westf.
Schwillinsky, P: Anl.z.Erstbeicht-.Erstkommunion-u.Firmgsunterr. in ausführl. Katechesen, nebst 10 Kommunion-Anreden u. -Gebeten. 2. Afl. v. E Gill. (184) 8° Graz, U Moser 05. 1.25; geb. 1.80 d
— Leichtfassl. Christenlehrpredigten f. d. kathol. Volk. Umgearb. v. E Gill. 1. Bd: Von d. Glauben. 2. Afl. (289) 8° Ebd. 05. 3.60 d
— Predigten auf d. Feste Mariens u. d. Heiligen. (525) 8° Ebd. 01. 6 — d
Schwimmen u. Tauchen s.: Miniatur-Bibliothek.
Schwimmer, R: Ehe-Ideale u. Ideal-Ehen, s.: Broschüren-Folge "Continent".
— Nachtfalter. Sittenbild. (78) 8° Berl., Jünger & Hahn (04). 1 —
Schwind, E Frhr v.: Heinrich Siegel. Festrede. (16) 8° Wien, Gerold & Co. 02. — 70 d
Schwind, F: Die Riasküsten u. ihr Verhältn. zu d. Fjord-

küsten unter bes. Berücks. d. horizontalen Gliederg. [S.-A.] (89) 8° Prag, (F Řivnáč) 01. 1.30
Schwind, M Ritter v.: Aschenbrödel. Romant. Märchen. Hrsg. v.Kunstwart.(3 Bl.m. 1 Bl. Text.) 55,5×36,5 cm. Münch., GDW Callwey (04). 2 —
— Bilder in d. Schack-Galerie zu München, s.: Kunst, deut.
— Philostrat. Gemälde. Hrsg. v. R Foerster. (8 Lichtdr. m. 30 S. Text.) 4° Lpzg, (Breitkopf & H.) 03. In L.-M. 20 —
— Die Hochzeit d. Figaro. 30 Lichtdr.-Taf. Mit e. Einl. v. A Trost. (5) 4° Wien, Gesellsch.f.vervielfältig.Kunst04.Geb.15—
— Die Lachner-Rolle. 11,5×645 cm. Erläut. Text v. O Weigmann. (14) 8° Münch., F Hanfstaengl (04).
Auf L. in Leporelloform u. in L.-Mappe 12 —
— Dent. Märchen. (Die schöne Melusine. Cyclus v. 11 Bildern. Die Märchen v. d. 7 Raben u. d. treuen Schwester. Cyclus v. 6 Bildern.) Photogr.-Druck. (2 Bl. Text.) 33,5×47 cm. Stuttg. 1884. Essl., P Neff. In L.-M. 20 — d
— Das Märchen v. d. 7 Raben u. d. treuen Schwester. Hrsg. v. Kunstwart. (6 Bl. m. 2 Bl. Text.) Fol. Münch., GDW Callwey (04). 1.50
— dass. 6 Photograv. n. d. Originalen im grossh. Museum zu Weimar. (2 S. Text.) 68×51,5 cm. Berl., Photograph. Gesellsch. (05). In M. 60 — d
— Die schöne Melusine. Cyclus v. 11 Bildern. Photogr. (Ausg.II.) (1 Bl. Text.) 33,5×47 cm. Mit Text: Die schöne Melusine. Märchen v. A Forstenheim. 2. Afl. (82) 16° 1883. Stuttg. (1874). Essl., P Neff. In L.-M. (36 —) 25 — d
— dass; Hrsg. v. Kunstwart. (12 m. Abb. u. 4 S. Text.) Fol. Münch., GDW Callwey (04). 2 —
— dass., s.: Kunst, deut.
— Morgensonne, s.: Meisterbilder fürs deut. Haus.
— Naturgeister, die d. Mond anbeton, s.: Meisterbilder.
Schwind-Mappe, 1—4. Hrsg. v. Kunstwart. 4° Münch., GDW Callwey. Je 1.50
1. (7 Taf. m. 3 Bl. Text.) (02.) § 2. (7 Taf. u. 1 Bl. Text m. Bildnis.) (02.) 1.3. (7 Taf. m. 1 Bl. Text.) (04.) § 4. (7 Taf. u. 1 Bl. Text u. 1 Abb.) (04.)
Schwindrazheim, O: Dent. Bauernkunst. (168 m. Abb. u. 8 farb. Taf.) 8° Wien, Gerlach & W. (03). 12 — d
— Off. Brief an d. Bürgermeister e. deut. Kleinstadt, s.: Blätter, grüne, f. Kunst u. Volkstum.
— Hamburg, s.: Wie wir uns. Heimat sehen.
— Studien a. Deutschhausen. Ein Märchen in Wort u. Bild. (39) 8° Berl., Ob. Münch., G Müller. 2.50; geb. 4 — d
Schwinghammer, E: Der Freihand-Dekorateur. Anl. z. Aufraffen v. falt. Stoff-Drapiergn f. Fenster, Thüren, Erker, Staffeleien u. Bilder, welche a. Gardinen, Portiéren- u. Dekorationsshawls gemacht werden sollen. (175 m. Abb.) 16° Stuttg. (02). Berl., Brong & Schotch.) 3 — d
Schwippel, CA: Zinstaf. z. Gebr. f. Sparkassen u. verwandte Anst. bei tägl., halb- u. ganzmonatl. Verzinsg. (16 S. Text m. 4 Tab. auf Kart.) 4° Wien, G Freytag & B. 04. Kart. 2.50
Schwippel, K: Verbreitg d. Pflanzen u. Thiere. (107) 8° Wien, A Pichler's Wwe & S. 1900. 1.70
Schwippert, PA: Kl. hoogduitsche grammatica. (Kl. dent. Sprachlehre f. Niederländer. (Methode Gaspey-Otto-Sauer.) 2. druk. (191 m. 3 Schriftaf., 1 Karte u. 1 Pl.) 8° Hdlbg, J Groos 01. 2 —; geb. 7 —
Schwob, M: Das Buch v. Monelle. (Deut. Nachdichtg v. F Blei.) (181) 8° Lpzg, Insel-Verl. 04. 5 —; geb. 7 —
Schwochow, H: Die Fortbildg d. Lehrers im Amte. 3 Tle. Nach d. Prüfgsordng v. 1. VII. '01. 8° Lpzg, Dürr'sche Bh. 7.30; geb. 8.90 d
1. Die Vorbereitg auf d. 2. Lehrerprüfg. Nebst e. Anh., enth. d. Vorschriften üb. d. Ausbildg u. Prüfg d. Musik-, Zeichen- u. Turnlehrer an höh. Unterr.-Anst., sowie d. Taubstummen- u. Blindenlehrer. 5. Afl. (170) 05. 2 —; geb. 3.40
2. Die Vorbereitg auf d. Prüfg d. Lehrer an Mittelsch. 6. Afl. (255) 02. § 3. Afl. (272) 04. Je 1.80; geb. Je 3 —
3. Die Vorbereitg auf d. Rektoratsprüfg, zugl. e. Repetitorium d. Methodik u. Schulpraxis. 4. Afl. Neue Ausg. (240) 02. 2.80; geb. 3.40
— Grundl. f. d. Unterr. in d. Rechtschreibg, s.: Schipke, A.
— Heimat u. Schule, s.: Blätter, pädagog., a. d. deut. Ostmark.
— Klassenlektüre. — Deut. Leseb., s.: Hübner, M.
— Kurzgef. Methodik d. fremdsprachl. Unterr. im Mittelsch. u. höh. Mädchensch. 2.Afl. v. H Schwochow u. E Ruszczynski. (107) 8° Lpzg, Dürr'sche Bh. 05. 1.30; geb. 1.70 d
— Methodik d. Volksschulunterr. in übersichtl. Darstellg. Unter Mitwirkg v. A Seydel hrsg. 6. Afl. (496 m. Abb.) 8° Lpzg, BG Teubner 02. 4 —; geb. 4.60 d
— dass. Deut. bearb. Ausg. 2. Afl., im Anschl. an d. 6. Afl. bearb. v. C Hoffmann. (496 m. Abb.) 8° Ebd. 04. L. 4.80 d
— Die Schulpraxis. Übersichtl. Darstellg d. äusseren Verhaltn. d. Volkssch. in ihrer erziehl. Bedeutg. 3. Afl. (543 m. 50 Taf.) 8° Ebd. 03. 5.40; L. 6 — d
Schwoerer, V: BGB. m. Nebenges. Handausg. m. Anmerkg. Für Baden bearb. 3. Lfg. (669—1076) 8° Karlsr., J Lang 01. 2.25 (Vollst.: 6.75) d
— dass., s.: Lang's Sammlg deut. u. bad. Ges.
Schwörbel, F: Die fngr. Textilindustrie u. ihre Entwicklg seit 1875. (231) 8° Münch., J Schweitzer V. 04. 5 —
Schwyter, P: Neues Missions-Büchl. f. d. kathol. Volk. I. Ausg. (112 m. Abb.) 16° Einsied., Verl.-Anst. Benziger & Co. 02. Geb. — 80 d
— dass. z. würd. Feier d. hl. Mission, f. Priester u. Volk geordnet. II. Ausg. (176 m. Abb.) 16° Ebd. 02. L. — 80 d
— dass. III. Ausg. (192 m. Abb.) 16° Ebd. 02. L. — 80 d

Schwyzer, E, s.: Idiotikon, schweiz.
— Die Weltsprachen d. Altertums in ihrer geschichtl. Stellg.
(38) 8° Berl., Weidmann 02. 1 —
Schybilski, A: Tab. f. Eisenbetonplatten. (29) 8° Berl., W
Ernst & S. 05. 1 —
Scioberet, P: Marie, d. Flechterin, s.: Verein f. Verbreitg
guter Schriften, Bern.
Scipiades, E: Die Frage d. Prophylaxis d. Ophthalmoblenorrhoea neonator. m. Berücks. d. Erfolge d. Silberacetat-In-
stillation. — Noch ein. Worte üb. d. Werth d. Argentam
aceticum in d. Prophylaxe d. Ophthalmoblenorrhoea neo-
nator., s.: Sammlung klin. Vortr.
Scipio, R: In Deutsch-Ostafrika. Erlebnisse e. jungen deut.
Kaufmanns. Für d. Jugend erzählt. 4. Afl. (184 m. Abb. u.
4 Vollbildern.) 8° Lpzg, Abel & M. (05). L. 4 — d
SC.-Kalender, Kösener. Taschenb. f. d. deut. Korps-Studenten.
16. Ausg. 1905/6. (35 m. 12 farb. Taf.) 8° Lpzg, Rossberg'sche
Verl.-Bh. Geb. 2 — d
Sckell, A: Lehrb. d. Gabelsb.'schen Stenogr., s.: Sammlung
kaufmänn. Unterr.-Werke.
— Sammlg handelstechn. Ausdrücke(inGabelsb.'scherStenogr.).
(16) 12° Münch., C Beck (L Halle) 03. — 50
— Sammlg militärischtechn. Ausdrücke (in Gabelsb.'scher Ste-
nogr.). (15) 12° Ebd. 03. nn — 50
Scobel, A: Atlas f. höh. Lehranst., s.: Lehmann, R.
— Allg. Handatlas. — Neuer allg. u. österr.-ungar. Handatlas,
s.: Andree, R.
— s.: Handbuch, geograph., zu Andrees Handatlas.
— Handels-Atlas f. Verkehrs- u. Wirtschaftsgeogr. 68 Haupt-
u. 75 Nebenk. sowie e 4 Diagr. auf 40 (farb.) Karten. (6 S.
Text.) 4° Bielef., Velhagen & Kl. 02. Kart. 5.50; L. 6 —
— Polit. Karte v. China. (Umschl.; Polit. Karte v. Japan, Ko-
rea, China u. d. Mandschurei.) (Neue [Tit.-]Afl.) 52×74 cm.
Farbdr. Ebd. (1900) 04. 1 —
— Polit. Karte v. Japan, Korea u. d. Mandschurei. 51,5×75 cm.
Farbdr. Ebd. 04. 1 —
— Schulatlas, s.: Andree, R. — Schul-Atlas, Wuppertaler.
— Thüringen, s.: Land u. Leute.
— s.: Velhagen & Klasing's neuer Volks- u. Familien-Atlas.
Scolik, C, s.: Rundschau, photograph.
Scoresby, W, s.: Optik, meteorolog.
Scott, B: Haus e. Kunst-Freundes, m. Text u. H Muthesius,
s.: Meister d. Innenkunst.
Scott, HS, s.: Merriman, HS.
Scott, W: Der Abt, s.: Bibliothek d. Gesamtlitt.
— Quentin Durward. Histor. Roman. Für d. reif. Jugend frei
bearb, v. A Geyer. (273 m.Abb.) 8° Lpzg, Abel&M. 03. Geb. 3.60 d
— Hist. of Scotl. containing the reigns of James IV., James V.,
and Mary Stuart, s.: Authors, Engl. (F Friedrich).
— s.: Indem-Bücher.
— Ivanhoe. Neu übers. v. B Tschischwitz. 4. Afl. (491 m. H.)
8° Berl., G Grote 01. L. 4 — d
— dass. Histor. Roman. Für d. reif. Jugend frei bearb. v. A
Geyer. (317 m. Abb.) 8° Lpzg, Abel & M. 03. Geb. 3.60 d
— dass. Histor. Erzählg. Für d. reif. Jugend bearb. v. A Stein.
4. Afl. (292 m. 6 Farbdr.) 8° Lpzg (04). Einbeck, A Oehmigke.
Geb. 3 — d
— dass., s.: Romane, klass., d. Weltlit. — Schulbibliothek,
französ. u. engl. (E Penner).
— Kenilworth. Histor. Roman. Für d. reif. Jugend frei bearb.
v. A Geyer. (255 m. Abb.) 8° Lpzg, Abel & M. 05. L. 3.60 d
— dass., s.: Authors, Engl. (R Sonnenburg). — Klassiker-Bibliothek, französisch-engl. (H Gassner).
— Das Kloster, s.: Bibliothek d. Gesamtlitt.
— The lady of the lake, s.: Authors, Engl. (O Thiergen).
— Romane. Neu vollständ. Ausg. Der schwarze Zwerg. Deutsch
v. E Berthold. — Die Hochlandswitwe. Deutsch v. KI. Kannegiesser. (210) 8° Weim. (02). (Lpzg, H Hedewigs Nf.) 2 —;
geb. 3 — d
— Romane. Aus d. Engl. v. E Walter. 1—16. Bd. (Mit je 1 Vollbild.) 8° Berl., A Weichert. Je — 75; geb. Je 1 — d
1. Schloss Douglas am Blutsumpf. Roman a. d. schott. Hochland. Biograph.
Einl. v. E Walter. (160 m. Bildnis.) (04.) § 2. Der schwarze Zwerg.
Roman a. d. Hochland. (140) (04.) § 3.4. Robin d. Rote. Roman. (208 u.
272) (04.) § 5. Die Hochlands-Hexe. Ein Kind d. Stinde. ? Erzählgn. (160)
(04.) § 6.7. Ivanhoe. Roman. (160 u. 167) (04.) § 8. Der Graf m. d. 2. Gesicht. — Hochländer-Ehre. — Der Zauberspiegel. 3 Erzählgn a. d. schott.
Hochland. (194) (04.) § 9.10. Der Altetümler. (171 u. 169) (05.) § 11.12.
Kenilworth. (164 u. 169) (05.) § 13.14. Die Braut v. Lammermoor. (148 u.
164) (05.) § 15.16. Waverley od. Vor 60 Jahren war's. (151 u. 169) (05.)
— Selections from the poetical works, s.: Schriftsteller, engl.
u. französ., d. neueren Zeit (AR Hope).
— Tales of a grandfather. Ausgew., akzentuiert, m. Anmerkgn
u. e. vollständ. Wrtrb. v. CR Schaub. 16. Afl. (315) 8° Halle,
H Gesenius 05. Geb. 1.60
— dass., s.: Authors, Engl. (F Friedrich).
— The talisman. A tale of the crusaders. In gekürzter Fassg
f. d. Schulgebr. hrsg. v. J Bube. (136) 8° Lpzg, G Freytag
03. Geb. 1.50; Wrtrb. (58) — 60
— Der Talisman. Histor. Roman. Neu übers. v. B Tschischwitz. 4. Afl. (380 m. H.) 8° Berl., G Grote 04. L. 4 — d
— dass. Histor. Roman. Für d. reif. Jugend frei bearb. v. A
Geyer. (240 m. Abb.) 8° Lpzg, Abel & M. 04. Geb. 3.60 d
— dass. od. Richard Löwenherz in Palästina. Für d. reif. Jugend bearb. 2. Afl. (311 m. 6 Farbdr.) 8° Lpzg 03. Einbeck, A
Oehmigke. Geb. 3 — d

Scott, W: Sir William Wallace and Robert Bruce, s.: Schulbi-
bliothek, französ. u. engl. (H Fehse).
— Waverley or 'tis sixty years since, s.: Authors, Engl. (E
Penner).
Scott-Elliot, W: Atlantis n. okkulten Quellen. Eine geograph.,
histor. u. ethnolog. Skizze. Übers. v. F P. (91 m. 4 Kart.) 8°
Lpzg, T Grieben (03). L. 2 —
— Das untergegang. Lemura. Übers. v. A v. Ulrich. (62 m.
1 Taf.) 8° Lpzg, M Altmann 05. 1.50
Scriba's, C, Tab. zu d. Vorschriften, betr. d. Abgabe stark-
wirk. Arzneimittel. 4. Afl.; bearb. u. hrsg.v.deut.Apotheker-
Ver. Anh.: Wortlant d. Vorschriften, betr. d. Abgabe stark-
wirk. Arzneimittel, sowie d. Beschaffenh. u. Bezeichng d.
Arzneigläser u. Standgefässe in d. Apotheken. (10) 8° Berl.,
Selbstverl. d. deut. Apotheker-Ver. 04. — 40
Scriba, E: Moderne Bautischlerarbeiten. Sammlg mustergültl.
Entwürfe z. Ausbau d. Innenräume im Stile d. Neuzeit. (24 Taf.)
d. Bergbau u. Vorschl. z. Abänderg d. preuss. Berggess. v.
24.VI.1865, s.: Arbeiten d. Landw.-Kammer f. d. Prov. Sachsen.
Scribe, AE: Bertrand et Raton ou l'art de conspirer, s.:
Théâtre franç. (A Krause).
— Mon étoile, s.: Klassiker-Bibliothek, französisch-engl. (G
Buchner). — Théâtre franç. (S Waetzoldt).
— Fra Diavolo, s.: Auber, DFE.
— Le verre d'eau ou les effets et les causes. Comédie. Éd.
accompagnée d'un commentaire et d'un questionnaire-répé-
titeur par J Beläge. I. Texte et vocabulaire. (141 u. 84) 8°
Wien, K Graeser & Co. 05. Geb. u. geb. 2 40
— dass., s.: Parthes' Schulausg. engl. u. französ. Schriftsteller
(O Thoene). — Théâtre franç. (C Rauch).
— et Legouvé: Les contes de la reine de Navarre, ou la
revanche de Pavie (J Wychgram). — Les doigts de fée (A
Krause), s.: Théâtre franç.
— u. Mélesville: Sein Vermächtnis. Lyr. Komödie. Dichtg v.
S. u. M. Deutsch v. H Jelmoli. Musik v. H Jelmoli. Textb.
(59) 8° Zür., Schulthess & Co. 04. 2 —;
Text d. Gesänge. (19) — 80
— et de Rougemont: Avant, pendant et après, s.: Théâtre
franç. (G Opitz).
Scripta botanica horti univ. imp. Petropolitanae ed. cura C
Gobi. (Zumeist in russ. Sprache.) Fasc. XV. (303 m. 7 z. Tl
farb. Taf.) 8° St. Petersbg, (KL Ricker) 1899.1900. 10 —
(I—XV. 70 —)
— anecdota glossator. vel glossarum aetate, composita, s.:
Bibliotheca juridica medii aevi.
Scriptores originum Constantinopolitanar. Recens. T
Preger. Fasc. I. Hesychii illustrii origines Constantinopoli-
tanae. Anonymi enarrationes breves chronographicae. Anonymi narratio de aedificatione templi s. Sophiae. (20, 133)
8° Lpzg, BG Teubner 01. 4 —
— ecclesiastici minores saeculor. IV. V. VI., s.: Corpus
scriptor. ecclesiastico. latinor.
— rerum germanicar. in usam scholar. ex Monumentis Germaniae hist. separatim ed. 8° Hannov., Hahn.
Annales Mettenses priores. Primum recogn. B de Simson. Accedunt additamenta antiquiora Mettensium posterior. (17, 110) 05. 2 —
Codagnelli, J, annales Placentini. Recogn. O Holder-Egger. (29,140) 01. 2 —
Einhardi vita Karoli Magni. Ed.V. Post GH Perts recens. G Waitz. (36, 52)
05. 2 —
Jonae vitae sanctor. Columbani, Vedastis, Johannis. Recogn. B Krusch.
(366) 05. 5 —
Vita Bernonis II., Episcopi Osnabrugensis, auctore Norberto, Abbate
Iburgensi, recogn. H Bresslau. (45) 02. — 50
Vitae sancti Bonifatii, archiepiscopi Moguntini. Recogn. W Levison. (96,
341) 05. 5 —
Widukindi, monachi Corbeiensis, rer. gestar. saxonicar. libri tres. Ed.IV.
Post G Waitz recognovit KA Kehr. Accedit libellus de origine gentis
Swevor. (33, 162 m. 1 Taf.) 04. 2 —
— dass. Throtavititae opera. Recens. et emendavit P de Winterfeld. (24, 553) 8° Berl., Weidmann 02. 12 —
— ecclesiastici de musica sacra potissimum. Ex variis Italiae, Galliae et Germaniae codicib. manuscriptis collecti et
nunc primum publica luce donati a M Gerberto. 3 tomi. Typis
San-Blasianis 1784. Ed. iterata ad editionis primae exam-
plum. (48, 350; 394 u. 416 m. 3 Tab. u. 3 Titelbildern.) 8° Graz,
U Moser 05. HF. nn 49.50
— rer. polonicar. Ed. collegii historici acad. litterar. Cracov. Tom. XVIII. 8° Krakau, (Bh. d. poln.Verl.-Gesellsch.). 8 —
XVIII. Diaria comitior. Poloniae anni 1565. Hrsg. v. A Czuczyński. (28,
475) 01.
— sacri et profani, auspiciis et munificentia serenissimor.
nutritor. almae matris Ienensis edd. seminarii philologer.
Ienensis magistri et qui olim sodales fuere. Fasc. V. 8° Lpzg,
BG Teubner. 6 —; geb. 6.60 (I—III u. V.: 26 —; geb. 28.60)
Quellen, neue, z. Gesch. d. latein. Erzbist. Patras. Hrsg. u. erkut. v. EG
(and. (292 m. 1 Karte.) 04. 6 —; geb. 6.60
Fasc. IV ist noch nicht erschienen.
— rer. Silesiacar. Hrsg. v. Ver. f. Gosch. u. Alterthum
Schlesiens. 17. Bd. 4° Bresl., E Wohlfahrth. 4 —(—17.: 129.50)
Stein's, B, Beschreibg v. Schlesien u. sr Hauptstadt Breslau. — Descriptio
terius Silesie et civitatis regie Vratislaviensia per MB Stenum. Hrsg. v.
H Makrmyrd (198) 02. [17.] 4 —
Scriptoris, incerti, byzantini saeculi X, liber de re militari.
Recens. R Vári. (96, 90) 8° Lpzg, BG Teubner 01. 2.40
Scriptum probitatis quo libro continentur Isaach Samuelis
Reggio epistulae ad Samuelem David Luzzatto missae. V

Castiglioni ed., commentariisque auxit. (In hebr. Sprache.)
(49) 8° Tergeste 02. (Frankf. a/M., J Kauffmann.) 1 —
Scriver, C, s.: Gleichnisse a. C Scriver's Seelenschatz.
Scubitz, F: Method. Anl. z. Selbstunterr. in d. dopp. Buchführg, s.: Sammlung kaufmänn. Unterr.-Werke.
Sdralek, M, s.: Abhandlungen, kirchengeschichtl. — Studien, kirchengeschichtl.
Séailles, G: Das künstler. Genie. Übers. v. M Borst. (292) 8° Lpzg, EA Seemann 04. 3 —; L. 4 — d
Sealsfield, C (K Postl): Die Prairie am Jacinto, s.: Zehn-Pfennig-Bibliothek, Frankfurter.
— Tokeah od. d. weisse Rose, s.: Romane, klass., d. Weltlit.
— Wild-West-Romane. Neu hrsg. v. P Heichen. 9—25. Lfg.
Tokeah od. Die weisse Rose. Eine Gesch. a. d. letzten amerikanisch-engl. Kriege. (257—578 m. 3 Vollbildern.) 8° Gr.-Lichterf.-West (1900). Berl., J Gnadenfeld & Co. Je — 20 (Vollst. L. 6 —) d
Seamer, M: Shakespeare's stories. Für Schulen bearb, u. m. Anmerkgn versehen v. H Saure. 4. Afl. (154) 8° Berl., FA Herbig 01. 1.60; geb. 2 — ‖ 5. Afl. (ohne Anmerkgn.) (135) 05. 1.40; geb. 1.80; vocabulary. (35) — 40
Sobald, K: Till Eulenspiegels lust. Streiche. 7. Afl. (127 m. 4 Farbdr.) 8° Lpzg, O Drewitz Nf. (01). Geb. 3 — d
Sebaldt, FM, s. a.: Ferdinand, M. — Herman, G.
— Der Diamanten-Dieb u. and. Novellen. (96) 8° Neuweissens., E Bartels (o. J.). 1 — d
— Ein Gaunerleben u. and. Erzählgn. (96) 8° Ebd. (o. J.). 1 — d
— „Tuiscon", d. german. Wochentagsgeist. 7 Liebesgesch. Neu-Ausg. d. erschien. Novellen. (160) 8° Ebd. (o. J.). 3 — d
Sebaldt, Frl. K, s.: Eck, M.
Sebastiano del Piombo: Der Geigenspieler, s.: Meisterbilder für deut. Haus.
Sebelin: Kollisionsgürtel u. Torpedokurtine. Studie üb. d. bess. Schutz d. Unterwasserteiles d. Panzerschiffe unter Bezugnahme auf d. Erfahrgn d. Seekrieges in Ostasien. (35 m. 2 Taf.) 8° Kiel, R Cordes 05. — 50
Sebregondi s.: Lenzen di Sebregondi.
Seca, R: „Sonnenweib". Ein Stück Menschenseele. (228) 8° Dresd., E Pierson 05. 3 —; geb. 4 — d
66, d. Paderborner. Humoristisch-histor. Abhandlg n. e. Crschrift a. d. J. 1681 üb. d. Entstehg dieses Spieles, nebst e. Anl., dasselbe fein zu spielen. Von e. Paderborner. 4. Afl. (18) 8° Paderb., J Esser (05). — 25 d
— **Binokel**, **Schafkopf zu zweien**, **Briscon**, s.: Miniatur-Bibliothek.
16 Heller-Kalender, neuer, f. 1906. (52) 16° Wien, M Perles, (10) — 16 d
Seckler, F: Weltgesch. In Wort u. Bild d. Volke dargeboten. 2. Afl. v. R Leite. (700) 8° Konst., C Hirsch (02). L.— d
Secrétan, C: Das Recht d. Frau. Deutsch v. W Loewenthal. (86) 8° Lausanne, T Sack 1886. 1.50
Securio: Das Auge d. Menschen in zerlegbaren (farb.) Abbildgn. (Zweifach vergrössert.) (16 S. Text.) 8° Essl., JF Schreiber (05). Geb. 2 — d
Seds, F: Der k. k. Steueramtsdienst. Hdb. in Fragen u. Antworten. (488) 8° Brünn, C Winiker 05. 6 — d
Sedelmayr, G: Waldgeschichten, Märchen u. Lieder f. kl. u. gr. Leute. (218 m. Titelbild.) 8° Metz, G Lupus) 03. L. 2 — d
Seder, A: Naturalist. Decorationsmalerein. III. Abth. 9. Lfg. (10 [2 Doppel-]Farbdr.-Taf.) 49×32 cm. Berl., E Wasmuth (03). 25 — (I—III.: 150 —)
— Die Kunstgewerbesch. Strassbourg i/E. u. ihre Entwickelg. Vorlagen f. d. Kunstgewerbe. (129 Lichtdr. m. 4 S. Text.) 45.5×35 cm. Strassbg, L Beust (02). In L.-M. 120 —
— Moderne Malereien. In 10 Lfgn.) 1—3. Lfg. (15 Taf. m. 3 S. Text.) 50.5×36.5 cm. Berl., E Wasmuth (03-05). Mit M. je 10 —
— Strassburger Studienblätter. 12 Taf. n. Aquarellen a. d. Sammlg d. Strassb. Kunstgewerbesch. 4° Lpzg, EA Seemann 03. In M. 4 —
— u. **Leibrock**: Neue Bestrebgn im Zeichenunterr. u. Vortr. (16 m. 10 Taf.) 8° Strassb., Strassb. Druckerei u. Verl.-Anst. 01. — 80 d
Sedina, A: Der prakt. Decorationsmaler. Neue farb. Entwürfe im modernen Stil. 1. Serie. (32 Taf.) 44,5×33,5 cm. Berl., F Wolfrum & Co. (03). In M. 40 —
Sedlac, E: Ragna. Schausp. (83) 8° Reichenbg, Böhmen (Gisela-gasse 12), Deut. literar. Bureau (EF Sedlac) (01). 2 — d
Sedláček, J: Bez. Wittingau, s.: Mareš, F.
Sedlaczek, S, s.: Jahrbuch, pädag. d. Stadt Wien.
Sedlak, M: Oesterr. Posthett. Nebst e. Belehrg üb. d. postal. Einrichtgn, d. richt. Benützg d. Post- u. Telegraphen-Anstalten, sowie üb. d. Postsparcassen- u. Checkverkehr. 3. Afl. (48 m. farb. Abb.) 8° Wien, G Freytag & B. (02). nn — 50
Sedlmayer, HS: Der Tractatus contra Arianos in d. Wiener Hilarius-Handschrift. (Mit e. Nachwort v. G Morin.) [S.-A.] (30) 8° Wien, (A Hölder) 03.
— u. A **Scheindler's** latein. Übgsb. f. d. ob. Kl. d. Gymnasien. 3. Afl. v. HS Sedlmayer. (262) 8° Wien, F Tempsky 05. 2.40 d
Sedlnitzky, A Freiin v.: Üb. Nachbars Giebeldach. Novelletten. (278) 8° Dresd., E Pierson 05. 3 —; geb. 4 — d
Sedna, L: Das Wachs u. s. techn. Verwendg. Darstellg d. natürl., animal. u. vegetabil. Wachsarten, d. Mineralwachses

(Ceresin), ihrer Gewinng, Reinigg, Verfälschg u. Anwendg. 2. Afl. (174 m. Abb.) 8° Wien, A Hartleben (02). 2.50; geb. 3.30 d
See s.: Fischer v. See.
See, F vom (F de Lamare): Up'n Kyffhäuserbarge. 'Ne Himmelsvisione ut'n Drombille, in Versen un Gesängen tauhope'eriemet. 2. Afl. (83) 12° Brnschw., (B Goeritz) (03). 1 —; L. 1.50 d
— Ut dei westfälsche Tied. 'N Gedenkblatt för 't dütsche Volk an d. Johre v. 1806—1815. 4. Afl. (139) 8° Brnschw., A Graff 04. L. 1.80 d
See, H vom: 12 Gewissensfragen s. „Los v. Rom-"Bummlers, s.: Sammlung zeitgemässer Broschüren.
Seebach, H (H Demel-Seebach): Bessere Menschen. Eine ernste Komödie. (38) 8° Wien, JJ Plaschka 04. 1.30 d
Seeber, J: Gedanken üb. d. „moderne" Litt.-Strömg, s.: Broschüren, Frankf. zeitgemässe.
— Der ewige Jude. Ep. Gedicht. 8. u. 9. Afl. (231) 8° Freibg i/Br., Herder 05. 2 —; L. 3.20 d
— Die Wodan-Relig., s.: Vorträge u. Abhandlungen, hrsg. v. d. Leo-Geselisch.
Seeberg, A: Das Evangelium Christi. (139) 8° Lpzg, A Deichert Nf. 05. 3 — d
— Der Katech. d. Urchristenh. (281) 8° Ebd. 03. 6 —
— Die Taufe im Neuen Test., s.: Zeit- u. Streitfragen, bibl.
Seeberg, P: Vorstudien z. Dogmatik. (60) 8° Lpzg 02. Crimmitsch., R Wöpke. 1.20 d
Seeberg, R: Das Abendmahl im Neuen Test., s.: Zeit- u. Streitfragen, bibl.
— Die Bibel, d. Buch d. Bücher. Predigt. (16) 8° Berl., ES Mittler & S. 04. — 25 d
— Warum glauben wir an Christus? Vortr. 2. Afl. (35) 8° Gr.-Lichterf.-Berl., E Runge (05). — 60 d
— Zum Gedächtnis Schleiermachers, s.: Faber, W.
— Grundr. d. Dogmengesch. 2. Afl. (136) 8° Lpzg, A Deichert Nf. 05. 3.80; geb. nn 3.50
— Die Grundwahrheiten d. christl. Religion. Akadem. Publikum in 16 Vorlesgn. (165) 8° Ebd. 02. 3 —; geb. 3.60; Vellmang. 4.50 d
— Die Kirche Deutschlds im 19. Jahrh. Einführg in d. relig., theolog. u. kirchl. Fragen d. Gegenwart. (4. Afl. v. „An d. Schwelle d. 20. Jahrh.") (392) 8° Ebd. 03. ‖ 2. [5.] Afl. (398) 04. Je 6.75; geb. je 8 — d
— Luther u. Luthertum in d. neuesten kathol. Beleuchtg. (31) 8° Ebd. 04. — 60 d
— Luthers Stellg zu d. sittl. u. soz. Nöten sr Zeit u. ihre vorbildl. Bedeutg f. d. ev. Kirche. Vortr. [S.-A.] (32) 8° Ebd. 02. — 60 d
— Die Persönlichk. Christi, d. feste Punkt im fliess. Strome d. Gegenwart, s.: Hefte d. freien kirchlich-soz. Konferenz.
— s.: Religion, d. christl.
— An d. Schwelle d. 20. Jahrh. Rückblicke auf d. letzte Jahrh. deut. Kirchengesch. 3. Afl. (140) 8° Lpzg, A Deichert Nf. 01.
— s.: Studien z. Gesch. d. Theol. u. d. Kirche.
Seeberger, G: Prinzipien d. Perspektive u. deren Anwendg n. e. neuen Methode. 8. Afl. (216 m. 4 Taf.) 8° Münch., F Bassermann 04.
Seeböck, P: Vollständ. Ablass-Gebeth. (319 m. farb. Titel u. 16 Bildn.) 16° Einsied., Verl.-Anst. Benziger & Co. (1889). L. — 70; Ldr 1.20 d
— 9täg. Andachtsübg vor d. hl. Gnadenbilde Mariahilf. 11—15. Taus. (24) 16° Dülm., A Laumann 04. — 10 d
— Der Monat April, s.: Monate, d. 12, d. Jahres, geheiligt durch Belehrgn, Betrachtgn u. Gebete.
— Büchl. v. d. Gegenwart Gottes. Ein leichter Weg d. Seelen z. innerl. Leben. 3. Afl. (184 m. 1 Bild.) 16° Innsbr., Vereinsbh. u. Buchdr. 05. L.— 40 d
— Der Edelstein d. gottgeweihten Jungfräulichk. Nach e. Mscr. d. H Streis umgearb. u. m. e. Andachtsbüchl. vermehrt. 32. Afl. (24, 666 m. farb. Titel u. 1 Farbdr.) 16° Salzbg, J Pustet (03). L. nn 1.80 d
— Der Engel im Gebete. Andachtsbüchl., ges. a. d. Schriften d. sel. Maria Crescentia v. Kaufbeuren. (96 m. 1 Bildnis.) 16° Innsbr., F Rauch 01. — 25; L. — 50 d
— Die Engelwelt, s.: Aloysius v. Gonzaga.
— Uns. Liebe Frau v. Absam. Wallfahrts- u. Gebetb. 3. Afl. (293 m. Titelbild.) 16° Innsbr., Vereins-Bh. u. Buchdr. 02. — 80; L. 1.20 d
— Uns. liebe Frau v. hochhl. Rosenkranze in Pompeji, d. gr. Wunderthäterin. Geschichtl. Thatsachen d. neuesten Zeit m. Novene u. Ablässen u. Rosenkranzbruderschaft. 3. Afl. (80) 16° Ebd. 04. — 40 d
— Fronleichnams-Büchlein. Mit Messandacht. (63 m. Titelbild.) 16° Münch., J Pfeiffer (02). Kart. — 90 d
— Gertrudenbuch d, i. d. Geist d, hl. Gertrud od. d. Liebe d. Herzens Jesu zu d. Geschöpfen. Aus d. Schriften m. e. vollständ. Gebetb. 2. Afl. (452 m. farb. Titel u. 1 Farbdr.) 16° Dülm., A Laumann 03. L. 1.80 d
— Der neue Gnadenpfennig, d. m. göttl. u. undertät. Medaille v. d. unbefl. Empfängnis Mariä. 2. Afl. (285 m. 1 Farbdr.) 8° Innsbr., F Rauch 05. — 80 d
— Die unerschöpfl. Gnadenquelle d. hl. Kirche. Kathol. Gebet- u. Erbauggsb. z. Verehrg d. allerheil. Herzens Jesu. 8. Afl. (575 m. farb. Titel u. 2 Lichtdr.) 16° Einsied., Verl.-Anst. Benziger & Co. (03). Geb. v. 1.35 bis 2.60 d

Seeböck, P: s.: Goldkörner, ges., f. alle Jene, d. nach wahrer Heiligk. u. Vollkommenh. streben.
— Gott mein Vertrauen. Allg. kathol. Gebetb. (852 m. Abb. u. 2 Vollbildern.) 10,5×7,3 cm. Einsied., Verl.-Anst. Benziger & Co. (04).   Geb. v. 1 — bis 3.60 d
— Die Hand an d. Pflug, d. Herz bei Gott! Lehr- u. Andachtsb. f. kathol. Bauersleute. (864 m. farb. Titel u. 1 Farbdr.) 12× 8 cm. Ebd. 05.   Geb. v. 1.60 bis 3.40 d
— Handbüchl. f. d. Mitglieder d. Theresien-Ver. u. alle kathol. Christen. (460 m. Abb. u. Titelbild.) 16° Ebd. 03. L. 1.20; Ldr m. G. 2.40 d
— Dem göttl. Heiland zu Füssen im hlgst. Altarssakramente. Andachtsb. f. christl. Jungfrauen. (576 m. Abb., farb. Titel u. 5 Vollbildern.) 16° Ebd. 05. L. 1.70; Ldr 2.20; m. G. 2.40 d
— Das göttl. Herz Jesu u. d. christl. Jungfrau. Betrachtgs- u. Gebetb. Nach H Strele hrsg. 3. Afl. (583 m. farb. Titelbild.) 16° Innsbr., F Rauch 02.   1.20 d
Früher v. PR *Lienbich hreg. u. unter diesem aufgenommen.*   — 20 d
— Süsses Herz Mariä, sei meine Rettg, s.: Blüten a. d. Himmelsgarten.
— Die heiligsten Herzen Jesu u. Mariä, d. Liebe u. Wonne d. hl. Kirche. Lehr- u. Gebetb. 19. Afl. (572 m. farb. Titel u. 2 St.) 16° Salzbg, A Pustet (03). 1.20; geb. v. 1.60 bis 2.30 d
— Die sel. M. Crescentia Höss v. Kaufbeuren, Jungfrau u. d. 3. Orden d. hl. Franciscus. 3. Afl. (78 m. 1 Bildnis.) 16° Innsbr., F Rauch 02.   — 10 d
— Kindlein! es ist d. letzte Stunde, d. i. Monatl. Vorbereitg zu e. glücksel. Sterbstunde. Nach H Strele bearb. (165) 16° Ebd. 03.   — 50 d
— Der ehrwürd. Diener Gottes P. Engelb. Kolland v. Ramsau im Zillertale, Franziskaner-Ordenspriester u. Blutzeuge Christi zu Damaskus 1860. (48 m. 1 Bildnis.) 16° Ebd. 04.   — 20 d
— Kranzwegbüchl. Franziskaner-Text nebst tägl. Gebeten zu Ehren d. bitt. Leidens Christi. 2. Afl. (196 m. Abb.) 16° Salzbg, F Pustet 02.   — 50; L. — 80 d
— Die hl. Margareta v. Cortona, e. Spiegel d. Busse u. Liebe zu Jesus. Lehr- u. Andachtsb. (371 m. Titelbild.) 16° Salzbg, A Pustet (03).   L. 1.60 d
— Mariä, d. Mutter v. guten Rat. Lehr- u. Andachtsb. (319 m. 1 Farbdr.) 16° Innsbr., F Rauch 04.   1 — d
— Mariä, d. Rosenkranzkönigin. Lehr- u. Gebetb. m. Betrachtgn auf alle Tage d. Monats Oktober. 3. Afl. (542 m. farb. Titel u. 1 Farbdr.) 16° Salzbg, A Pustet (03).   L. 1.80 d
— Ganz schön bist du Maria! Kein Makel ist an Dir! Betrachtgs- u. Gebetb. zu Ehren d. unbefl. Empfängnis. (352 m. farb. Titelbild.) 12,7×8,3 cm. Münch., J Pfeiffer (05). L. 1.50 d
— Maria Immaculata, s.: Blüten a. d. Himmelsgarten.
— Maria Immaculata, d. gr. Gnadenzeichen am Himmel d. XIX. Jahrh. (30, 383) 8° Innsbr., F Rauch 03.   5 — d
— Maria-Empfängnis-Büchl. Gebetbüchl. zu Ehren d. jungfräul. Gottesmutter Maria. (192 m. Titelbild.) 11,1×7,7 cm. Münch., J Pfeiffer (05).   L. — 50 d
— Der Monat Oktober, s.: Monate, d. 12, d. Jahres, geheiligt durch Belehrgn usw.
— Psalmen zu Ehren d. hl. Antonius v. Padua m. Bitt- u. Dankhovene f. d. „9 Dienstage“. 4. Afl. (32 m. Titelbild.) 16° Innsbr., Vereinsbh. u. Buchdr. 04.   — 12 d
— Seraph. Regelb. f. d. Mitglieder d. 3. Ordens d. hl. Vaters Franziskus. 18. Afl. (608 u. 31 m. farb. Titelbild.) 16° Salzbg, A Pustet 04.   1 — ; geb. 1.60 u. 1.85 d
— s.: Rosenkranz, d. hochhl.
— Sanct Alphonsus-Gebetbüchl. m.d.tägl. Besuchgn d. hochhlst. Altarssakramentes u. d. seligsten Jungfrau Maria. Neueste Ausg. (430 m. Titelbild.) 12° Innsbr., F Rauch 01.   1.50; L. 2 — ; Ldr m. G. 3 — d
— St. Antonius-Büchl. f. alle Verehrer u. f. d. Mitglieder d. allg. Gebetsver. 3. Afl. (141 m. 1 Farbdr.) 16° Innsbr., Vereinsbh. u. Buchdr. 03.   L. — 80 d
— St. Josefi-Büchl. Nach d. Vorschriften Leo XIII. f. d. kathol. Volk bearb. 2. Afl. (454 m. 1 Farbdr.) 16° Ebd. (03). 1 — ; geb. 1.50 d
— St. Notburga-Büchl. Lebensgesch. u. tägl. Andachten. (256 m. 1 Farbdr.) 16° Münch., J Pfeiffer (04).   L. — 50 d
— Geistl. Seelengärtlein. Vollständ. Gebetb. f. fromme kathol. Christen. (415 m. 1 Farbdr.) 10×6,5 cm. Einsied., Eberle, Kälin & Co. (05).   Ldr v. nn — 96 bis nn 9.60 d
— Die hl. Stunde, s.: Walser, I.
— Theresienbüchl, f. alle kathol. Christen. Ausg. II. (256 m. Abb. u. Titelbild.) 16° Einsied., Verl.-Anst. Benziger 03.   L. — 80; Ldr m. G. 1.50 d
— Tuet dieses zu meinem Andenken! Betrachtgsb. üb. d. hochhl.

Messopfer nebst kirchl. Andachten. (592 m. Abb. u. 2 Lichtdr.) 16° Einsied., Verl.-Anst. Benziger & Co. 05.   1.80; Ldr 2.40; m. G. 2.60 d
Seeböck, P: Kathol. Unterr.- u. Erbauggsb., s.: Goffine, L.
— Wallfahrtsbüchl. v. uns. Lieben Frau zu Absam. (20) 16° Innsbr., Vereinsbh. u. Buchdr. 05.   — 10 d
— Weihnachtsglocken, s.: Blüten a. d. Himmelsgarten.
Seebohm: Wegweiser in Bad Pyrmont u. in sr Umgebg. (49 m. 2 Kart.) 12° Pyrm., E Schnelle (03).   — 50
Seeburg, F v.: Joseph Haydn. Lebensbild. 3. Afl. (436) 8° Rgnsbg, F Pustet 04.   2.80; L. 4 — d
— Die Hexenrichter v. Würzburg. Histor. Novelle. 4. Afl. (296) 8° Ebd. 04.   1.80; L. 2.80 d
— Immergrün. Volkserzählg. 1—6. Bdchn. 2. Afl. 8° Ebd. Je — 60; geb. je 1 — d
   1. Maria v. guten Rat. — Gotteaæub u. Gottesfluch. — Vater unser. — Der Sozialdemokrat. — Wohltun trägt Zinsen. (214) 03.
   2. Ehre Vater u. Mutter. — Das Marterstöcklein. — Und führe uns nicht in Versuchg. (208 m. 2 Vollbildern.) 03.
   3. Du sollst nicht falsches Zeugnis geben. — Zu uns komme Dein Reich. — Die Studentenmutter. — Wie uns. lieber Herrgott Ehrenbürger v. Kaltern wurde. (216 m. 2 Vollbildern.) 03.
   4. Sebald o. Sühne. — Welt u. Glaube. — Maria als Friedenstifterin. — Der Edelweiszbrocker. (206 m. 2 Vollbildern.) 03.
   5. Palette u. Kreuz. — Das Herrn Name ist heilig. — Der blinde Musikant. — Jakob Stainer. — Ein Groschen. — Das Herrgottskind. (222) 04.
   6. Der Bildschnitzer v. Schwaz. — Herr Wirt.— Der Argwohn ist e. Schelm. — Der Gefangene auf d. Traunsitz. — Kaiser Max I. u. s. lust. Hofrat. — Kleinere Erzählgn. (199) 04.
— Das Marienkind. Für d. reife Jugend. 10. Afl. (536) 12° Ebd. 05.   3.30; L. 4.70 d
— Durch Nacht z. Licht. Zeit- u. Sittengemälde a. d. Anf. d. 19. Jahrh. 4. Afl. (804) 8° Ebd. 05.   4.20; L. 5.60 d
— Die Nachtigall. Dorfgesch. a. d. bayer. Hochlande. 4. Afl. (327) 8° Ebd. 04.   2 — ; L. 3.20 d
Seeburg, W: Dämmerg. Gottfried Stemmich. 2 Skizzen. (65 m. Abb.) 8° Lpzg, Modernes Verl.-Bureau 03.   1.50
Seeck, O: Kaiser Augustus, s.: Monographien z. Weltgesch.
— Decemvirat u. Dekaprotie. [S.-A.] (41) 8° Lpzg, Dieterich (01).   2.10
— Gesch. d. Untergangs d. antiken Welt. 2. Bd. (456) 8° Berl., F Siemenroth 01.   6 — ; 7 — ; Anh. (461—419) 01. 3 — ; geb. 3.80 (1 u. 2 m. Anh.: 14 — ; geb. 16.50)
Seedorf, H: Von maurer. Arbeit. Freimaurer. Vortr. (74) 8° Berl., F Wunder 05.   1 — d
— Gespräch üb. Freimaurerei. (15) 8° Ebd. (05).   — 30 d
— Friedrich Schiller. Rede. (20) 8° Gött., Vandenhoeck & R. 05.   — 50 d
Seefeld, A v.: Einfachstes Kochb. Nebst Einführg in d. naturgemässe Lebensweise. 20. Afl. (32) 8° Hannov., Dachwolf v. S. Nf. (05).   nn — 10 d
— [S.-A.] R: Der Kaplan v. St. Marien, s.: Weber's moderne Bibliothek.
Seefischerei-Almanach, deut., f. 1901. Hrsg. v. deut. Seefischereiver. (472 u. 7 m. farb. Signalen u. Flaggen u. 2 Kart.) 12° Lpzg, (JJ Weber).   L. 4.50 d
— dass. f. 1902—6. (502, 577, 598, 678 u. 729 m. Kartenskizzen.) 12° Hannov., Hahn.   Je à 4.50 d
Seefried, G: Leitf. durch d. Dienstesvorschriften f. d. Rentamtsdiener u. Hilfsboten in Bayern. (17) 8° Ansb., C Brügel & S. 05.   Kart. 1.50 d
Seegen, J: Ges. Abhandlgn üb. Zuckerbildg in d. Leber. (20, 45:3) 8° Berl., A Hirschwald 04.   12 —
— Üb. d. Einfl. v. Alkohol auf d. diastat. Wirkg v. Speichel u. Pancreasferment. [S.-A.] (6) 8° Wien, (A Hölder) 02. — 20 d
— Üb. e. in d. Leber gebild. stickstoffhält. Kohlehydrat, welches durch Säure in Zucker umgewandelt wird, unter Mitarbeit v. W Neimann. [S.-A.] (21) 8° Ebd. 03.   — 50
— Üb. Zuckerbildg in d. in Alkohol aufbewahrten Leber. [S.-A.] (21) 8° Ebd. 02.   — 50
— u. E Sittig: Üb. e. stickstoffhält. Kohlenhydrat in d. Leber. (Nachtr. z. gleichnam. Arbeit v. J Seegen u. W Neimann.) [S.-A.] (2) 8° Ebd. 04.   nn — 10
Seeger, Frau: Den 1. Anfänge in Amedschovhe, s.: Missions-Schriften, Bremer.
Seeger, s: ev. Christen Glaube u. Wandel. Ein Wort f. d. konfirmierte Jugend. 14. Afl. (64) 16° Stuttg., Bh. d. ev. Gesellsch. 01.   — 15 d
Seeger, A: Der Bildgswert d. modernen Sprachen u. d. Berechtigungsfrage d. healsch. (78) 8° Wien, A Hölder 03. 1.40
Seeger, H: Französisch-deut. Phraseol. f. d. mittl. Kl. realsch. Bildgs-Anst. 2. Tl. Phraseol. z. Einübg d. Gebr. d. französ. Verba unregelmäss. od. archaischer Konjugation. 2. Afl. (96) 8° Wism., Hinstorff's V. 04.   1.30 d
Seeger, JG: Die hereingeschneite Nichte. Roman. (378) 8° Berl., O Janke 05.)   3 — d
— Präexistenz? Der Entschluss, s.: Kürschner's, J, Bücherschatz.
— Durch d. Weltenstrom. Novellen. (182) 8° Augsbg, Lampart & Co. (02).   3 —
— Gefesselt u. Winkel. Schausp. (127) 8° Ebd. 01.   1 — d
Seegers, A: Illustr. Lehrb. d. Maschinenschreibens u. d. Zehnfinger-Blindschreibmethode f. sämtl. Systeme m. Univ.-Klaviatur. (188) 8° Gött. 01. Sulingen, A Seegers. 2 —
— Method. Lehrg d. Stenogr. n. Gabelsb.'s System. 4. Afl. (48) 8° Wolfsbb. 01, Sulingen, A Seegers.   1 — d

Seekriegsrecht, d., in d. Verein. Staaten v. Amerika. [S.-A.] (31) 8° Lpzg, Duncker & H. 02. 1 —

Seel, E: Die Dienstverhältn. d. deut. Militärapotheker, s.: Proelss, H.
— Gewinng u. Darstellg d. wichtigsten Nahrgs- u. Genussmittel. (478) 8° Stuttg., F Enke 02. 10 —; L. 11 —

Seelbach, F: Grundz. d. Rechtspflege in d. deut. Kolonien. (80) 8° Bonn, F Cohen 04. 1.60

Seelbach, W: Wrtrb, s.: Gruner, F, u. Wildermuth, französ. Chrestomathie.

Seele, F: Rechenaufg. Nach d. Grundlehrpl. f. städt. Berliner Gemeindesch. zusammengest. 8 Hefte. 8° Berl., Klemann (03). 2.50; bezw. 2.80 d
1. (Kl. 8.) (28) — 15 ¶ 3. (Kl. 7.) (38) — 25 ¶ 3. (Kl. 6.) (32) — 80 ¶ 4. (Kl. 5.) (32) — 80 ¶ 5. (Kl. 4.) (32) — 80 ¶ 6. (Kl. 4.) (48) — 70 ¶ 3. (5. u. 6. Schulj.) (72) — 80 ¶ 4. (Oberst.) (7—9., bezw. 10. Schulj.) (100) Kart. 1.50.
— Rechenb. f. höh. Mädchensch. Neu bearb. 4 Hefte. 8° Ebd. (03). 3.60 d
1. (1. u. 2. Schulj.) (60) — 60 ¶ 2. (3. u. 4. Schulj.) (64) — 70 ¶ 3. (5. u. 6. Schulj.) (72) — 80 ¶ 4. (Oberst.) (100) Kart. 1.30
— dass. Auflösgn z. 1—4. Hefte. 8° Ebd. (03). 3.40 d
1.2. (25) — 50 ¶ 3. (27) — 80 ¶ 4. (92) 1 —

Seelen, krankes. Brief u. Belehrg an Vera, d. Märtyrerin. Von e. Arzte. (48) 8° Lpzg 03. Berl., H Seemann Nf. 1 —

Seelenfreund, der. Dem hlst. Herzen Jesu gewidmet. Hrsg. v. P Hochbardt u. A Kugelmeier. 1—3. Jahrg. 1898—1900 je 12 Nrn. (1900. 96) 4° Lohausen b/Kaiserswerth, Rekt. A Kugelmeier. Je 1.20 d
Fortsetzg s. u. d. T.: Hausfreund, kathol.

Seelen-Funken in freier Poesie. Suppl. zu: „Knüttel-Verse e. Weltverachters". (4) 8° Wien, (L Steckler) (03). — 20 d

Seelenkunde. Mitteilgn d. wiss. Ver. f. Okkultismus in Wien. Schriftleiter: R Hielle. V. Jahrg. 1904. 6 Nrn. (Nr. 1. 16) 8° Wien, Manz. 2 — d F
Bisher u. d. T.: Mitteilungen d. wiss. Ver. f. Okkultismus in Wien.
— Der 4. Jahrg. erschien als Bd. x. "Gnosis".

Seeler, W: Die Novelle z. Börsenges. (39) 8° Berl., C Heymann 04. — 80 d

Seeley, Sir JR: The expansion of England, s.: Authors, Engl. (A Sturmfels). — Reformbibliothek, neusprachl. (E Kreuser.)
— Textausgaben französ. u. engl. Schriftsteller (G Opitz.)
— Velhagen & Klasing's Sammlg französ. u. engl. Schulausg. (A Sturmfels u. A Lindenstaad).
— The growth of Great Britain, s.: Schulbibliothek französ. u. engl. Prosaschriften (K Fahrenberg).

Seelheim, C: Äther, Körper u. Schwere. (33) 8° Amsterd.; H Eisendrath (01). 1.60

Seelhorst, C v.: Das landw. Versuchsfeld d. Univ. Göttingen. (40 m. 2 Abb. u. 4 Taf.) 8° Parey 03. 1.20 d
— Das Zusammenwirken v. Betriebsorganisation u. Betriebsdirektion auf d. Betriebserfolg. (47) 8° Ebd. 04. 1.20 d

Seelig's Führer durch d. Sammelsport. 1. Bd. Internat. Adressb. d. Antiquitäten-, Gemälde-, Kunst- u. Münzen-Sammler u. -Händler, nebst Museen, Vereinen, öffentl.-Privat-Bibliotheken. — Guide pour collectionneurs „Seelig". — Seelig's guide for collectors. (284 m. 2 Bildnissen.) 8° Berl., R Seelig 03. 15 —

Seelig, Frau: Die Kunst- u. Hausweberei, e. Frauenberuf, s.: Bildung.
— Leitf. f. d. Unterr. in d. Kunst- u. Hausweberei in d. Erfahrgn d. Kaiser Kunstwebesch. (35 m. Abb. u. 4 Taf.) 8° Kiel, R Cordes 04. Kart. 2.65 d

Seelig, A, s.: Untersuchungen, chem. u. medicin.
Seelig, A: Liegt im Vertrage zu Gunsten e. dritten e. einseit. Versprechen an diesen? (37) 8° Berl., M Günther 03. — 80
Seelig, AGM: Das Lawn-Tennis-Spiel. (16) 8° Berl., M Lilienthal (02). — 90

Seelig, F: 500 Jahre nürnbergisch-zoller. Hausgesch. [S.-A.] (4) Fol. Fulda, (G Nehrkorn) (01). — 90
m. 1 photogr. Taf. in 4° 1.30 d

Seelig, G: Hamburg, Staatsrecht auf deutschrechtl. Grundl. (141) 8° Hambg, L Gräfe & S. 02. 9 —
Seelig, J: „Existenzmaximum". Steuerpolit. Vorschlag zu wirkl. Lösg d. soc. Frage. (38) 8° Salzbg, Mayr 02. — 40 d
Seelig, M: Methodisch geordnetes engl. Vokabularium zu d. Hölzel'schen Anschaugsbildern (Frühling, Sommer, Herbst, Winter, Bauernhof, Gebirge, Wald, Stadt, London, Wohng, Hafen). 3. Afl. (115) 12° Bromg., F Ebbecke 02. Kart. — 75 d
— Methodisch geordnetes französ. Vokabularium zu d. Hölzel-schen Anschaugsbildern (Frühling, Sommer, Herbst, Winter, Bauernhof, Gebirge, Wald, Stadt, Paris, Wohng, Hafen). 5. Afl. (149) 12° Ebd. 04. Kart. 1 —
Seelig, T: Beitrag z. Gesch. d. Hofewiesen in d. Dresdner Haide m. bes. Berücks. d. Hofewiese bei Langebrück. (21) 8° Langebr., CH Schmidt 02. — 40 d

Seeliger, EA: Register, s.: Codex diplomaticus Lusatiae superioris.
Seeliger, EG: Chinesen. 4 Spiele. (84) 8° Hambg, A Janssen 05.   2 — d
— Hamburg. Ein Buch Balladen. (151 m. Abb.) 8° Ebd. 05. L.5 — d
— Leute vom Lande. Schles. Geschichten. (164) 8° Lpzg (02). Berl., H Seemann Nf.   2 —; geb. 3 — d
— Nordnordwest. Eine Finkenwärdersche Fischergesch. (238) 8° Berl., E Fleischel & Co. 05.   3 —; geb. 4.50 d
— An d. Riviera. Fresken u. Arabesken. (171) 8° Lpzg (01). Berl., H Seemann Nf.   3 —; geb. 4 — d
— Aus d. Schule geplaudert. Uupädagog. Skizzen. (137) 8° Hambg 02. Berl., KW Mecklenburg.   3 — d
— Der Stürmer. Eine Gesch. a. Schlesien. (273) 8° Berl., E Fleischel & Co. 04.   3.50; geb. 5 — d
— Üb. d. Watten, s.: Kürschner's, J, Bücherschatz.
Seeliger, G: Präparat. f. d. Katech.-Unterr. (1. u. 2. Hauptstück) auf d. Mittel- u. Oberst. d. Volkssch. 6. Afl. (77) 8° Bresl., F Hirt 05.   — 75 d
Seeliger, G: Die soz. u. polit. Bedeutg d. Grundherrschaft im früh. M.-A., s.: Abhandlungen d. kgl. sächs. Gesellsch. d. Wiss.
— s.: Studien, Leipz., a. d. Gebiet d. Gesch. — Vierteljahrsschrift, histor.
Seeliger, H: Ueb. kosm. Staubmassen u. d. Zodiacallicht. [S.-A.] (28) 8° Münch., (G Franz' V.) 01.   — 50
Seeliger, H: Antike Tragödien im Gewande moderner Musik. (72) 8° Lpzg 05. (Landesh., P Schultze.)   3 —
Seeliger, K: Üb. d. Zusammenschl. d. deut. ev. Landeskirchen. Vortr. (24) 8° Zitt., A Graun (03).   — 40 d
Seeliger, O: Tierleben d. Tiefsee. (49 m. 1 farb. Taf.) 8° Lpzg, W Engelmann 01.   5 — d
— Tunicata (Manteltiere), s.: Bronn's, HG, Klassen u. Ordngn d. Tier-Reichs.
Seeliger, RA: Der kl. Katech. Luthers, n. s. nächsten Wortlaute in Fragen u. Antworten zerlegt u. d. Lehrern an Volkssch. als Grundl. beim Katech.-Unterr. dargeboten. 15. Afl. (112) 8° Bresl., F Hirt 02. || 16. Afl. v. R Seeliger. (112) 05.   Geb. je 1 — d
Seeligmüller, A: Kopfschmerz, s.: Volks-Bibliothek, medizin.
Seeligsohn, W: Gesundheitspflege d. Auges, s.: Volksschriften, hygien.
Seeling, F: Die ges. Litt. üb. Philippum Magnanimum, Landgraf zu Hessen, Graf zu Catzenelnbogen etc., in krit. Übersicht u. d. Zeit n. bibliographisch verzeichnet. 1. Drittel: Versuch e. krit. Übersicht, z. Einl. [S.-A. in 2. Afl.] (20 m. 1 Bildn.) 8° Bronnzell bei Fulda, Dr. Seeling 05.   † 1 — d
Seeling, O: Der preussisch-deut. Zollver. Vortr. (15) 8° Plötha, A Peitz & S. 05.   — 40 d
Seelmann, A: Treffübgn m. Text. 1. Gesangunterr. überhaupt u. notwend. 1. Tl zu allen ein- u. zweistimm. Lehrgesang. 7. Afl. (36) 8° Jena, HW Schmidt (05).   nn — 30 d
Seelmann, H: Anl. z. Berechng d. Invalidenversicherungsbeiträge. [S.-A.] (52 u. 4) 8° Mainz, J Diemer 04.   nn — 75 d
— Ausbau d. Invaliden-Versicherg zu e. allg. Volksversicherg. Mit bes. Berücks. d. Versicherg d. selbständ. Gewerbetreib. u. d. höh. Privatangestellten. [S.-A.] (16) 8° Grunew.-(Berl.), Verl. d. Arbeiter-Versorgg A Troschel 03.   — 60 d
— Die beschränkt Erwerbsfähigen u. d. Arbeitslosigkeit. [Erweit. S.-A.] (48) 8° Ebd. 02.   nn — 90 d
— Die Feststellg d. Invalidität im Sinne d. Invalidenversicherges. (61) 8° Ebd. 01.   1.20 d
— Die preuss. Ministerialanweisg betr. d. Verfahren bei d. Ausstellg u. d. Umtausch, sowie bei d. Erneuerg (Ersetzg) u. d. Berichtigg v. Quittgskarten (§§ 131 ff., 158, 160 d. Invalidenversichergsges. v. 19.VII.1899), v. 17.XI.1899. (139) 8° Ebd.   (3 —) 1 — d
— Die preuss. Ministerialanweisg, betr. d. Verfahren vor d. unt. Verwaltungsbehörden (§§ 57—64 d. Invalidenversichergsges. v. 6.XII.1899. Kommentar. (130) 8° Ebd. 03.   (3 —) 1 — d
— Das Selbstverwaltgsrecht d. Krankenkassen. (36) 8° Frankf. a/M., Dr. E Schnapper 04.   — 1 d
— Das Streitverfahren in d. Reichs-Versicherges. 2. Afl. (320) 8° Grunew.-Berl., Verl. d. Arbeiter-Versorgg A Troschel 04.   3 —; geb. 4 — d
Seelsorge, d., in Theorie u. Praxis. Monatsschrift f. Erforschg u. Ausübg d. Seelsorge m. Seelsorger-Porträts. Hrsg. v. J Jaeger. 6.—8. Jahrg. 1901—3 je 12 Hefte. (296, 376 u. 576 m. 4, 5 u. 1 Taf.) 8° Lpzg, A Strauch.   Je 6 — 0 F
Seelsorger, d. kathol. Wiss.-prakt. Monatsschrift f. d. Klerus Deutschlds. Hrsg. v. FW Woker. 13—17. Jahrg. 1901—5 je 12 Hefte. (599, 576, 584, 584 u. 580) 8° Faderb., F Schöningh.   Je 4 — d
Seelsorger-Praxis. Sammlg prakt. Taschenbb. f. d. kathol. Klerus. I—XV. 12° Paderb., F Schöningh. L. 13.20 d
Arndt, A: Die kirchl. u. weltl. Rechtsbestimmgn f. Orden u. Kongregationen. (113) 04. [XII.]
Dochnahl, J: Ratgeber bei Verfüggn v. Todeswegen, Schenkgn u. Stiftgn. m. Anh. 26. Steuer, Kosten u. Gebühren. (404) 06. [XV.]   2.50
Drammer, J: Vademecum f. d. Präsides d. kath. Jünglingsvereinigung. (104) 02. [IV.]   — 90
Fidler, F: Vormundschaftsrecht, nebst Fürsorgeerziehg. (??7) 04. [XIII.] 1.60
Gassert, H: Arbeit u. Leben d. kathol. Klerikers im Lichte d. Gesundheitslehre. (185) 04. [IX.]   1.20
Geiger, KA: Die relig. Erziehg d. Kinder im deut. Rechte. Darstellg d. üb. d. Konfession d. Kinder geit. Rechtes in Deutschl., Österr.-Ungarn, Schweiz u. Luxemburg. (360) 03. [VII.VIII.]   1.50

Heimbucher, M: Die praktisch-soz. Thätigk. d. Priesters od. wie kann jeder Priester einiges z. Lösg d. soz. Frage beitragen? Mit e. Führer durch d. soz. Litt. (6. u. 4. Taus.) (??9) 02. [I.] 1.50 [3. Afl. (??2) 04. 1.80 m. Fig.] 04. [XIV.]   1.70
Kunze, F: Die Führg d. kathol. Pfarramtes. (153) 02. [VI.]   1.20
Rösch, A: Der Klerus u. d. Strafgesetzb. Prakt. Kommentar d. auf Relig. u. Klerus bezügl. Materien d. Reichsstrafgesetzb. (152) 02. [III.] 1.50
Schönfelder, A: Der Pfarrer im s. Umgang m. d. Gemeinde namentl. d. Gottesdienstes. (182) 03. [IX.]   1.20
Walter, F: Aberglaube u. Seelsorge m. bes. Berücks. d. Hypnotismus u. Spiritismus. (452) 04. [X.XI.]   2.90
Weber, B: Zwangsgedanken u. Zwangszustände in pastoral-psychiatr. Beurteilg. (109) 02. [V.]   — 90
Seemann's d., Frau, s.: Gabelsberger-Bibliothek.
Seemann's kl. Unterhaltgsbibliothek. Nr. 1—34. 8° Berl., H Seemann Nf.   Je 1 —
Beer, BA: Nette Geschichten. Amerikan. Humoresken u. Novellen. (115) Lpzg (03). [24.]
— Herzens-Angelegenh. Amerikan. Humoresken. (134) Lpzg 03. [12.]
Borel, H: Ein Traum. Roman. Aus d. Holl. v. B Otten. (190) (05.) [26.27.]
Samuny, B: Der Zauber d. Aphrodite. Roman. 1.u.3.t.d. (303)(04.)[33.34.] d
Schmidt-Hausen, O: Mensch sein! Roman. (119) Lpzg (03). [16.]
Schulte vom Brühl: Was uns passierte. Skizzen. (133) Lpzg 05. [5.]
Uhde, W: Ich bin e. Sobaltetnbeamter u. and. humorist. Geschichten. (133) Lpzg (03). [22.] d
Urbar, E: Zucht. Roman. (??5) Lpzg 03. [21.22.]   Geb. 3 —
Vaszrpc, G: Claire Fantia. Roman. Übers. v. C Brenning. 2. Afl. (214) Lpzg (03). [18.19.]
Varna, B: „Le Horla". Myteriöse Geschichten. (121) Lpzg 03. [13.] d
Vivanti, A: Marion, d. Sängerin d. Café-chantant. Novellen. E Rema. (140) Lpzg 03. [17.]
Walter, E: Das Feigenblatt. Gelegenheitsgesch. (92) Lpzg (03). [28.]
— Die Wagner-Kette. Moderne Liebes-Novelle. (55) Lpzg 04. [11.]
Weisel, A: Gräfin Julie. Einige Kapitel Liebeswahnsinn. (200) Lpzg 03. [1.2.]   Geb. 3 —
Wilde, O: Der glückl. Prinz. Moderne Märchen. Deutsch v. E Otten. (94) Lpzg 05. [4.] d
Wit, A de: Feindschaft. Das höchste Gesetz. Erzählgn. 1. u. 2. Afl. (??) (03.) [12.]
— Orpheus in d. Desse. Erzählg. Übers. B Otten. (130) (05.) [21.]
Wolf, OJ: Leda m. d. Schwan. Novellen. (155) (05.) [23.]
Seemann's litterar. Jahresbericht u. Weihnachts-Katalog f. 1905. Ausw. empfehlenswerter Erscheingn d. Büchermarktes. 35. Jahrg. (144 m. Abb.) 8° Lpzg, EA Seemann.   7 — 75
— Kunsthandbibliothek. 1. Bd. 8° Lpzg, Seemann & Co. 9 —; L. 10.50
Meyer, FS: Systematisch georpdn. Hdb. d. Ornamentik. 7. Afl. (613 m. 300 Taf.) 11.   9 — ; L. 10.50
— Wandbilder. (Folge.) Meisterwerke d. bild. Kunst, Baukunst, Bildnerei, Malerei in 200 Wandbildern. 13—30. (Schl.-) Lfg. Je 10 Taf. (je 60×78 cm. Lichtdr. Lpzg, EA Seemann 1900-04. Je 15 —; auf Pappe u. lackiert je 25 —; einz. Taf. 3 —
— dass. 3. Folge. Porträtgallerie. (In 5 Lfgn.) Ausgew. f. Schulen v. J Vogel. 1—4. Lfg. (Wandbilder Nr. 201—240.) Je 10 Taf. je etwa 60×48 cm. Lichtdr. Ebd. 02.03. Je 15 —; auf Pappe u. lackiert je 25 —; einz. Taf. 3 —
Seemann, A: Der Hunger n. Kunst. (145 m. 1 Farbdr.) 8° Lpzg, EA Seemann 01.   3 — d
— Bild. Kunst in d. Schule. Dankschrift. (48) 12° Ebd. 01. || 2. Afl. (63) 02.   Je — 30
Seemann, A: Heitbloleken. Plattdtt. Balladen un Lieder. (91) 8° Berl., Hilfsver. deut. Lehrer (02).   1 — ; L. 1.50 d
Seemann, B: Die Wohlfahrtspflege auf d. Lande. Vortr. (12) 8° Neustrel. 01. (Neubrandnbg, C Brünslow.)   — 25 d
— Ländl. Wohlfahrtspflege in Mecklenburg. Vortr. (16) 8° Berl., Deut. Verl. 1898.
Seemann, L: Üb. d. Einrichtgn z. Entstadug d. Braunkohlen-Brikettfabriken. (23 m. Abb.) 8° Freibg, Craz & G. 05. 1 —
Seemann, M: Das Herz d. Frau, e. modernes Frauen-Fabel-Buch. 1—21. Afl. (154 m. Bildnissen.) 8° Lpzg (03). Berl., Verl. d. „Frauen-Rundschau".
Seemannsordnung, deut. Ges. v. 2.VI.'02. Nebst Ges., betr. d. Verpflichtg d. Kauffahrteischiffe z. Mitnahme heimzuschaff. Seeleute. Vom 2.VI.'02. Ges., betr. d. Stellenvermittelg f. Schiffsleute. Vom 2.VI.'02. Ges., betr. Abänderg seerechtl. Vorschriften d. Handelsgesetzb. Vom 2.VI.'02. (40) 8° Hambg, Eckardt & M. 02.   — 45 d
— dass. Text-Ausg. nebst Sachreg. (48) 8° Hambg, L Friederichsen & Co. 02.   — 60 d
— dass. unter Berücks. d. gesetzl. Abänderg v. 23.III.'03 u. 12.V.'04, nebst Nebengs., Verordngn u. Ausführgsbestimmgn, sowie d. Bestimmgn üb. d. Militärverhältn. d. seemänn. u. maschinentechn. Bevölkerg u. d. Anmusterg des Schiffsmanns. 2. Afl. (83) 8° Ebd. 05.   — 60 d
— dass. Nachtr. 1. Bekanntmachg betr. d. Untersuchg v. Schiffsleuten auf Tauglichk. z. Schiffsdienste v. 1.VII.'05. 2. Bekanntmachg betr. d. Logis-, Wasch- u. Baderäume sowie d. Aborte f. d. Schiffsmannschaft auf Kauffahrteischiffen v. 2.VII.'05. 3. Bekanntmachg betr. Krankenfürsorge auf Kauffahrteischiffen v. 3.VII.'05. (40) 8° Ebd. 05.   — 60 d

Seemannsordnung v. 2.VI.'02 usw. Nebst d. Dienstanweisg betr. d. Strafverfahren vor d. kais. Konsulaten als Seemannsämtern. 2. Afl. (95) 8° Berl., C Heymann 03. 1 — d
— neue deut., v. 2.VI.'02, nebst einschläg. Ges. u. amtl. Bekanntmachgn. Ausg. f. d. Grossh. Oldenburg. (70) 8° Oldnbg, G Stalling's V. 04. — 80 d
See-Maschinisten-Kalender, Hamburger, f. 1906. (96) 8° Hambg, Eckardt & M. — 75
Seemen, O v.: Salices japonicae. (88 m. 18 Taf.) 4° Lpzg, Gebr. Borntraeger 03. Kart. 25 —
Seemüller, J: Zur Kritik d. Königsfelder Chronik. [S.-A.] (49) 8° Wien, (A Hölder) 03. — 90
— Deut. Poesie v. Ende d. XIII. bis in d. Beginn d. XVI. Jahrh. [Aus: „Gesch. d. Stadt Wien".] (81 m. 2 Fig. u. 8 Lichtdr.) 40,5×29,5 cm. Wien, A Holzhausen 03. nn 35 —
Seepe, H: Lehr- u. Übgsstoffe f. d. Unterr. in d. deut. Sprache ; bezw. im Rechnen, s.: Kirsch, B.
Seerecht, d. allg. öffentl., im Deut. Reiche. Sammlg d. Ges. u. Verordngn m. Erläutergn u. Reg., hrsg. unter Leitg v. F Perels. (288) 8° Berl., ES Mittler & S. 01. 6.50 ; L. nn 8 —
— dass. Ergänzgsbd. 8° Ebd. 2 — ; geb. nn 2.75
Perels, L: Die Seemannsordng v. 2.VI.'02 n. ihre Nebengcs. (96) 02.
geb. 3 — d
Seesemann, H: In deut. Gymnasien. Reisebeobachtgn. (44) 8° Mit. 1881. Riga, CJ Sichmann. — 50
Seesselberg, F: Helm u. Mitra. Studien u. Entwürfe in mittelalterl. Kunst. (65 Taf. m. 13 S. illustr. Text.) 49,5×34 cm. Berl., E Wasmuth (05). In M. 40 —
Seestern, 1906". Der Zusammenbruch d. alten Welt. (Von F Grautoff.) 1—5. Taus. (203) 8° Lpzg, Dieterich (05). 2.50 ; geb. 3 — d
See- u. Ober-Wynen-Thal, das. Hrsg. v. Verkehrsver. (19 m. Abb.) 8° Aar., (A Trüb & Co.) (02). geb. 3 — d
Seewald, H: Ephemeros. Künstlerroman. (294) 8° Münch., E Koch 04. 3 — ; geb. 4 — d
— Fränkisch. Roman a. d. sechziger Jahren. (381) 8° Ebd. 03. 4 — ; geb. 5 — d
Seewasser-Aquarium, d., s.: Miniatur-Bibliothek.
Ségalas, Mad. A de: La fille mourante, s.: Auteurs franç. modernes (H Saure).
Segall, S: Prakt. Anl. z. Erlerng d. Ansatzes v. Gleichgn, s.: Miniatur-Bibliothek.
Segard, Achille: Der Geiz. — Die Hoffart. — Der Neid, s.: Todsünden, d. 7.
Segelanweisung f. d. Befahrg d. Ems z. Nachtzeit. Karte 1 : 100,000. 55×96 cm. Farbdr. Mit Text am Fusse. Emd., W Haynel 01. 3 —
Segel-Handbuch f. d. Süd- u. Ostküste v. Afrika v. d. Kap d. Guten Hoffng bis Kap Guardafui einschl. d. Comoren-Inseln. Hrsg. v. Reichs-Marine-Amt. 2. Afl. (472 m. Fig., 1 Tab. u. 3 Kart.) 8° Berl., (D Reimer) 03. L. 8 —
— f. d. Engl. Kanal. 2 Tle. Hrsg. v. Reichs-Marine-Amt. 3. Afl. (Mit Nachtr. Abb. u. je 1 Karte.) 8° Berl., (ES Mittler & S.). L. je 3 —
I. Die Südküste Englds. (483) 04. ‖ II. Die Nordküste Frankr. (485) 05.
— f. d. Färöer. Hrsg. v. Reichs-Marine-Amt. (61 m. 12 Kart. u. 4 Taf.) 8° Ebd. 05. L. 1 —
— f. d. Irischen Kanal. Hrsg. v. Reichs-Marine-Amt. 3. Afl. (696 m. z. Tl farb. Abb. u. 5 Taf.) 8° Ebd. 04. L. 5 —
— f. d. Mittelmeer. Hrsg. v. Reichs-Marine-Amt. I—III. Tl u. Beiheft z. I. u. II. Tl. (Mit Fig.) 8° Berl., ES Mittler & S.
I. Ostküste Spaniens u. Balearen, Südküste Frankr. u. Korsikas. (406 m. 2 Kart.) 3 — ; Beiheft. (31 Taf. m. 154 Küstenansichten u. 4 S. Text.) 3 —
II. West- u. Südküste Italiens, Sardinien u. Sizilien. (401 m. 2 Kart.) 3 — Beiheft. (73 Taf. m. 279 Küstenansichten u. 5 S. Text.) 3 —
III. Die Nordküste v. Afrika. (469 m. Kartenskizzen u. 1 Karte.) 3 —
— d. Nordsee. Hrsg. v. Reichs-Marine-Amt. I. Tl, 1., 3. u. 4. Heft u. II. Tl, 3. Heft. 8° Berl., (D Reimer). L. 12 —
I, 1. Meteorolog. u. klimatolog. Verhältn., magnet. Elemente, physikal. u. Strömgs-Verhältn. d. Nordseegebiets. 2. Afl. (79 m. Fig. u. 12 Taf.) 06. 3 —
3. Deut. Bucht d. Nordsee, Dän. Küste v. Hanstholm bis z. dentschdän. Grenze m. d. Lim-Fjord. Holländ. Küste v. d. Ems bis Terschelling. 3. Afl. (290, 276 m. Abb. u. 9 Taf.) 02. 3 —
4. Die Hoofden. 4. Afl. (331 m. 21 u. 2 Kart.) 04. 3 —
II, 3. Die Shetland- u. Orkney-Inseln, d. Nord- u. Ostküste Schottlds v. Kap Wrath bis Kinnaird Head. 3. Afl. (308 m. Fl.) 04. 3 —
— f. d. Ostsee. Hrsg. v. Reichs-Marine-Amt. 2. u. 4. Abth. 8° Ebd. L. je 3.50
2. Das Kattegat u. d. Zugänge z. Ostsee. 3. Afl. (34, 393 m. H. u. 5 Taf.) 01.
4. Die russ. Küste v. d. preuss. Grenze bis Dagerort, d. Moon Sund, Rigaseh u. Finn. Meerbusen. 3. Afl. (554, 335 m. Abb., 1 Taf. u. 1 Kart.) 03.
— f. d. Westküste Schottlds. Hrsg. v. Reichs-Marine-Amt. (462 m. Abb. u. 3 Taf.) 8° Berl., (ES Mittler & S.) 05. L. 3 —
— f. d. Nord- u. Westküste Spaniens u. Portugals. Hrsg. v. Reichs-Marine-Amt. (582) 8° Ebd. 04. L. 5 — ; Beiheft. (44 Taf. m. 224 Küstenansichten u. 4 S. Text.) 04. Geb. 5 —
Segelsport, d. f. d. Haus. Häusl. Morgen-Andachten. (564) 8° Berl., CA Schwetschke & S. 01. L. 7 — d
Segen, F: Poeten. Drama. (45) 8° Lpzg, Modernes Verl.-Bureau 05. 1 —
Seger, H, s.: Jahrbuch d. schles. Museums f. Kunstgewerbe u. Altertümer.
— Schlesiens Münzen u. Medaillen d. neueren Zeit, s.: Friedensburg, F.
— s.: Schlesiens Vorzeit in Bild u. Schrift.

Segesser, HA v.: Die Personentarife d. schweiz. Privateisenb. u. d. Tarifreformen d. Bundesb. (187) 8° Zür., (CM Ebell) 02. 3.50
Segger, F: Rechenb. f. höh. Mädchensch., s.: Müller, H.
— Rechenb. f. Präparandenanst., s.: Baltin, R.
— Rechenb. f. d. Vorsch. d. höh. Lehranst. Im Anschl. an d. Rechenb. f. d. unt. Kl. v. H Müller u. F Pietzker hrsg. 3 Hefte. 8° Lpzg, BG Teubner 05. Kart. je — 80 d
I. 1. Schulj. (64) ‖ II. 2. Schulj. (72) ‖ III. 3. Schulj. (56)
Segger-Bethmann: Der prakt. Arzt im Hause. Mit e. zerlegbaren Modell d. menschl. Körpers. (230) 8° Berl., Deut. Verl. 02. Geb. 2.50
— Die Geschlechtskrankh., ihre Entstehg, Verhütg, Behandlg u. Heilg. (63) 8° Ebd. (03). 1 — d
— Die Hautkrankh., ihre Entstehg, Verhütg, Behandlg u. Heilg. (70) 8° Ebd. (02). 1.25 d
Segler's Taschenb. Das Wissenswürdigste f. Anfänger im Segel-Sport. Hrsg. v. d. Red. d. „Wassersport" G. Belitz. 3. Afl. (267 m. Fig. u. 23 Taf.) 12° Berl., Wassersport-Verl. 03. L. 4 —
Segnits, A v.: Beitrag z. Kenntnis d. croupösen Pneumonie im Kindesalter. (15) 8° Tüb., F Pietzcker 01. — 60
Segnitz, E: Die Papstjubelfeier zu Dresden u. wir. Vortr. 1. u. 2. Afl. (27) 8° Lpzg, (C Braun) 03. nn — 10 d
— Ev. Volk, Hand angelegt an d. gute Werk d. ev. „Bundes' Predigt. (15) 8° Ebd. 01. — 20 d
Segnitz, E : Hans Huber op. 115. Symphonie in E moll (Böcklin-Symphonie). Aesthetisch-analyt. Einführg. (30) 8° Lpzg, Hug & Co. (01). — 30
— Franz Liszt z. Rom, s.: Studien, musikal.
— WA Mozart's Bläser-Serenaden Nr. 10 u. 11, s.: Musikführer.
— Rich. Wagner u. Leipzig (1813—33), s.: Studien, musikal.
— Carl Maria v. Weber's Oberon, s.: Opernführer.
Ségur, v.: Antworten auf d. Einwürfe geg. d. Religion. Nach d. Franz. frei bearb. v. H Müller. 10. Afl. (292 m. Abb.) 8° Steyl, Missionsdr. 04. Kart. — 70 d
— Die hl. Kommunion in ihrem göttern würd. Empfang. Aus d. Franz. n. d. 103. Afl. übers. v. e. Priester d. Diöz. Mainz. 17. Afl. (80) 12° Mainz, Kirchheim & Co. 03. — 20 d
— Die wöchentl. Kommunion. Ein Wort üb. d. öfteren Empfang d. hl. Sakramente d. Busse u. d. Altars. Uebersetzg. 4. Afl. (63) 16° Ebd. 03. — 20 d
Ségur, le Comte de: Hist. de Napoléon et de la grande-armée pendant l'année 1812, s.: Prosateurs franç. (O Schmager).
— Incendie de Moscou et retraite de la grande armée jusqu'au Niémen, s.: Perthes' Schulausg. engl. u. franzős. Schriftsteller (P Steinbach).
— Moscou u. Le passage de la Bérézina, s.: Prosateurs franç. (K Strüver).
— Napoléon à Moscou u. Passage de la Bérézina, s.: Schulbibliothek, franzős. u. engl. (A Hemme).
Ségur, Gräfin v., geb. Rostopschin: Erinnergn e. Esels. Nach d. Franz. 3. Afl. (286 m. Abb.) 8° Freibg i/B., Herder (01). 1.80 ; kart. 2 — d
Ségur-Cabanac, VA Graf v.: Cahier d'exercice pour le verbe franç. (87) 8° Brünn, C Winiker 04. 1 —
— Grammaire franç. d'après la nouvelle méthode analyt. 1. partie. (111) 8° Ebd. 04. 2 —
— Grammaire de la langue franç. à l'usage des Allemands et des franç. d'après un nouveau système en 28 entretiens. 2 Tle. (152 u. 98) 8° Würzbg, (Ballhorn & Cr. Nf.) (01). 3.75
— Précis de l'hist. de la litt. franç. pour les classes sup. des lycées de jeunes filles. 1. Tl. (169) 8° Brünn, B Knauthe 04. 3 —
— Recueil systémat. de termes franç., ordonnées d'après les verbes. (78) 8° Wien, (K Graeser & Co.) 05. 1 —
— Style de conversation moderne. Les métiers par S.-C. (144) 8° Würzbg, Ballhorn & Cr. Nf. 02. 2 — ; geb. 2.50
Ségny, EA: Franzős. Möbel d. Neuzeit, s.: Hessling, E.
Seher, O, s.: Geheimnis, e. herrl. — Reisen, kein, ist ohn' Ungemach.
— In d. Welt d. Halbmondes. Reisen u. Studien in Persien, Armenien, Kurdistan, Mesopotamien u. Aegypten. (213 m. Abb.) 8° Elmsh., Gebr. Bramstedt 02. 3.50 ; geb. 5 — d
Sehert-Tonsø, G Frhr v.: Die Jagd, s.: Schultz, W.
Sehlbach, PO: Ueb. Tubargravidität u. ihre Schicksale. 44 Fälle a. d. Tübinger Frauenklinik. (119) 8° Tüb., F Pietzcker 03. nn 1.40
Sehling, E: Die civilrechtl. Ges. d. Deut. Reiches m. Ausschl. d. BGB. u. d. handels-, wechsel- u. seerechtl. Ges., sowie d. in d. Gewerbeordng, in d. Reichsjustizges., im Zwangsversteigerungsges., in d. Grundbuchordng u. in d. Reichsstrafgesetzgebg enth. civilrechtl. Bestimmgn. 3. Afl. (692) 8° Lpzg, Veit & Co. 02. L. 5 — d
— Zur Lehre v. d. Willenseinigung im kanon. Recht. [S.-A.] (38) 8° Lpzg, A Deichert Nf. 01. 1 —
— Die Rechtsverhältn. an Grund u. Gebäude d. Grundeigentümers nicht entzog. Mineralien, m. bes. Berücks. d. Kohlenbergbaues in d. vormals sächs. Landesteilen Preussens, d. Eisenbergbaues im Herzogt. Schlesien u. a. sowie d. Kallbergbaus in d. Prov. Hannover. (271) 8° Ebd. 04. 6 —
— Sammlg handelsrechtl. u. wechselrechtl. Fälle. 2. Afl. (130) 8° Ebd. 02. 1.80
— s.: Zeitschrift, deut., f. Kirchenrecht.
Sehrig, O: Skiführer durch Tirol. (55) 8° Innsbr., A Edlinger 06. Kart. 1.20

Seibert's, AE, Kubiktabellen. Rechenmeister im Kubikmasse d. geschnitt. u. beschlag. Hölzer im alten u. neuen Masse. 2. Afl. (291 u. 68) 16⁰ Weis, J Haas (1889). Kart. 1.25 d
— dass. d. Rundhölzer im neuen u. alten Masse. 7. Afl. (266 u. 68) 16⁰ Ebd. (p. J.). Kart. 1.25 d
— Welser Schnell-Rechner, s.: Setzer, A.
Seibert, AE: Atlas f. Bürgersch. u. mehrclass. Volkssch. 19 (farb.) Taf (in 4⁰) m. 19 Haupt- u. 19 Nebenk. (4 S. Text.) Fol. Wien, E Hölzel (02). Kart. in Fol. 2.20
— Geograph. Atlas, s.: Kozenn, B.
— Grundz. d. allg. Geogr. f. kaufmänn. Fortbildgssch. (1. Jahrg.) Vorstufe z. Handels- u. Verkehrsgeogr. 2. Afl. (39) 8⁰ Wien, A Hölder 05. Geb. — 50 d
— Grundz. d. allg. Geogr. f. 2klass. Handelssch. 2. Afl. (126 m. 16 Kartenskizzen.) 8⁰ Ebd. 02. Kart. 1.12 d
— Lehrb. d. Geogr. f. österr. Lehrer- u. Lehrerinnen-Bildgs-anst. 3 Tle. 8⁰ Wien, F Tempsky 02. Geb. 6.60
1. Für d. 1. u. 2. Jahrg. 7. Afl. (256 m. Abb.) 3 — | II. Für d. 3. Jahrg 7. Afl. (173 m. Abb.) 2.90 | III. Für d. 4. Jahrg. 6. Afl. (96 m. Abb.) 1.40.
— Leitf. d. Geogr. f. allg. Volkssch. 7. Afl. (148 m. Abb.) 8⁰ Wien, A Hölder 05. Geb. 1.10 d
— Schul-Geogr. (In 3 Tln.) Bearb. n. d. Lehrpl. f. d. österr. Bürgersch. 9. u. 3. Tl. (Mit Abb.) 8⁰ Ebd. Geb. 2.40 d
2. Allg. Übersicht üb. d. Erdtheile u. ihrer staatl. Eintheilg m. bes. Berücks. Mitteleuropas. Charakteristik d. Erdzonen. Der Mond u. d. Fixsternisse. 12. Afl. (123) 03. 1.20
3. Eingeh. Betrachtg d. österr.-ungar. Monarchie u. ihrer Beziehgn zu and. Ländern, betr. Industrie u. Handel. Anh.: Das Wichtigste üb. unsa. Colonieen. 11. Afl. (112) 03. 1.20
— dass. Eintheil. Ausg. (200 m. Abb.) 8⁰ Ebd. 01. Geb. 1.40 d
— u. V v. **Haardt**: Schulwandk. d. Eisenb. v. Österr.-Ungarn. 1 : 1,000,000. (Neudr.) 4 Bl. je 54×68,5 cm. Farbdr. Wien, E Hölzel (05). 1.20
Seibert, W: Der deut. Thronfolger im Lichte uns. Zeit. Von e. Mitmenschen. (87) 8⁰ Berl., P Speier & Co. 05. 2 —; geb. 3 — d
Seibert-Dill, Frau L, s.: Dill, L.
Seibt, G: Excelsior. (Höher hinauf!) Ein Buch v. d. Kraft Gottes. (167) 8⁰ Bresl., Ev. Bh. 05. L 3 — d
— Ev. Gemeindeabende, s.: Müller, JH.
Seick, L: Kochb. f. Nierensteinkranke, nebst e. Anh. f. d. körperl. Pflege d. Kranken. 2. Ausg. (144) 8⁰ Wiesb., JF Bergmann 03. 2 — d
Seidel's kl. Armeeschema. Dislokation u. Einteilg d. k. u. k. Heeres, d. k. u. k. Kriegsmarine, d. k. k. Landwehr u. d. kgl. ungar. Landwehr. Nr. 57 u. 58. (Abgeschl. m. 1. Novbr. 22.XI.'05.) (185 bezw. 191) 16⁰ Wien, LW Seidel & S. Je 1 —
— Militär-Sprachlehren. Nr. 1. 12⁰ Ebd. 1 —
Bessédes, F: Ungar. Militär-Sprache. 6. Afl. (112) 03.   1.60
Seidel: „Moses od. Darwin". Vortr. geg. Hrn O Rühle. (27) 8⁰ Lichtenst.-Callnbg, (M Doerffeldt) 02. — 20 d
Seidel, A, s.: Fischer's Kalender f. Mediciner.
— Die Pathogenese, Komplikationen u. Therapie d. Greisenkrankh. (Neue [Tit.-]Ausg.) (45) 8⁰ Berl., Berlinische Verl.-Anst. [1889] (03). 1.20
Seidel, A, s.: Aus fernen Landen.
— Die Ansichten d. Plantagenbaus in d. deut. Schutzgeb. (79 m. 1 Karte.) 8⁰ Wism., Hinstorff's V. 05. 1.50
— s.: Beiträge z. Kolonialpolitik. — Deutschland, d. überseeische.
— Deutschlds Kolonien. Koloniales Leseb. f. Schule u. Haus. Beschreibg d. deut. Schutzgebiete, nebst e. Answ. a. d. kolonialen Litt. (284 m. 24 Bildern.) 8⁰ Berl., C Heymann 02. 2.60; geb. 3 —; in eleg. L 5 — d
— Die Duala-Sprache in Kamerun. Systemat. Wrtrverz. u. Einführg in d. Grammatik. (Methode Gaspey-Otto-Sauer.) (119) 8⁰ Hdlbg, J Groos 04. Geb. 4 — d
— Das Geistesleben d. afrikan. Negervölker. (340) 8⁰ Berl., A Schall 04. 4 — d
— Grammatik d. japan. Schrift- bezw. Umgangssprache, s.: Kunst, d., u. Polyglottie.
— Der gegenwärt. Handel d. deut. Schutzgebiete u. d. Mittel z. Ausdehng, s.: Sammlung v. Abhandlgn z. Kolonialpolitik.
— Uns. Kolonien, was sind sie wert, u. wie können wir sie erschliessen, s.: Fortschritt, soz.
— China, Konversations-Grammatik im Dialekt d. nordchines. Umgangssprache. (Methode Gaspey-Otto-Sauer.) (504 u. 31 m. 2Kart.)8⁰Hdlbg, J Groos 01. Geb. 5 —; Schlüssel.(23) Kart. 1 — d
— Prakt. Lehrb. d. engl. Umgangssprache in 52 Wochenaufg.
— Dass. d. franzöz. Umgangssprache, s.: Kunst, d., u. Polyglottie.
— Phraseol. d. engl. Sprache. (104)8⁰ Lpzg, Renger 05. Kart.1.30 d
— dass, d. franzöz. Sprache. (102) 8⁰ Ebd. 04. Kart. 1.50 d
— Die deut. Schutzgeb. u. ihr wirtschaftl. Wert. (107) 8⁰ Berl., A Duncker 05. 1.50 d
Als Nachdr. a. d. Handel gezogen.
— Sitten u. Gebräuche d. Bakwirivolkes in Kamerun, nebst e. Abriss d. Bakwirisprache. (42) 8⁰ Berl., W Süsserott 02. — 60 d
— Kaufmänn. Sprachführer. I u. II. 8⁰ Stuttg., Muth (05). Je 2 — d
I. Seidel, A : Deutsch-Französisch. (149) | II. Howell, W : Deutsch-Englisch. (139)

Seidel, A: Prakt. Sprachführer f. Reise u. Verkehr. I u. II. 8⁰ Stuttg., Muth. Geb. je 1.30 d
I. Deutsch-Französisch. (184) (04.) | II. Deutsch-Englisch. (166) (04.)
— Kl. chines. Sprachlehre im Dialekt d. nordchines. Umgangssprache. (Methode Gaspey-Otto-Sauer.)(91 m. 2 Kart.)8⁰ Hdlbg, J Groos 01. Geb. 2 —; Schlüssel. (15) Kart. — 80 d
— Der Sprachschatz d. Kaufmanns. Terminol. d. Handels in systemat. Anordng. I u. II. 8⁰ Berl., H Spamer (05). Je 1.75; L je 2 — d
I. Für Deutsche u. Engländer. Mercantile terms. (170)
II. Für Deutsche u. Franzosen. Terminologie commerciale. (169)
— Togo-Sprachen, s.: Koch's Sprachführer.
— Kl. systemat. Vokabular d. engl. Sprache. (88) 8⁰ Lpzg, Renger 05. Kart. 1.30 d
— dass. d. französ. Sprache. (88) 8⁰ Ebd. 05. Kart. 1.30 d
— Systemat. Wrtrb. d. engl. bezw. französ. Umgangssprache, s.: Kunst, d., u. Polyglottie.
— Systemat. Wrtrb. d. japan. Umgangssprache. (193) 8⁰ Oldnbg, Schulze (04). L. 2.50
— Wrtrb. d. nordchines. Umgangssprache. Deutsch-chinesisch. (In 3 Heften.) (1. u. 2. Heft. 1—196) 8⁰ Berl., W Süsserott 01. Für vollständig 10 — F
— Systemat. Wrtrb. d. nordchines. Umgangssprache (Peking-Dialekt). 1. u. 2. [Tit.-]Afl. (208) 8⁰ Oldnbg, Schulze (01. 04). Geb. 2.50
— Systemat. Wrtrb. d. Suahilisprache in Deutsch-Ostafrika, nebst e. Verz. d. gebräuchlichen Redensarten. (Methode Gaspey-Otto-Sauer.) (178) 8⁰ Hdlbg, J Groos 02. Geb. 2.40 d
— s.: Zeitschrift f. afrikan., ozean. u. ostasiat. Sprachen.
Seidel, AM: Die Schwimmkunst, s.: Volks-Turnbücher.
Seidel, F: Lemuel Gullivers Reise n. Brobdingnag, d. Lande d. Riesen, s.: Pichler's Jugendbücherei.
— Katech. d. prakt. Kindergärtnerei, 4. Afl., s.: Heerwart, E, Einführg in d. Theorie u. Praxis d. Kindergartens.
— Die Weihnachtsfeier im Kindergarten, s.: Nitschke, A.
Seidel, H: Bilder a. d. Alltagsleben d. Togoneger, s.: Missionsschriften, Bremer.
— s.: Deutschland, d. überseeische.
— Die Missionstation Ho in Deutsch-Togo, s.: Missions-Schriften, Bremer.
Seidel, H: Ges. Schriften. 1—8. u. 15. Bd. 12⁴ Stuttg., JG Cotta Nf. L. m. G. 36.80
1. Leberecht Hühnchen, Jorinde u. and. Gesch. 40. Taus. (366) 02. 4 —
2. Vorstadtgeschichten. 18. Taus. (317) 02. 4 —
3. Neues v. Leberecht Hühnchen u. and. Sonderlinge. 20. Taus. (347) 01. 4 —
4. Geschichten u. Skizzen a. d. Heimath. 10. Taus. d. 2. Afl. (343) 01. 4 —
5. Die gold. Zeit. Neue Geschichten a. d. Heimath. 10. Taus. (350 u. Musiktbeil. 4) 01. 4 —
6. Ein Skizzenb. Neue Geschichten. 8. Taus. (309) 01. 4 —
7. Glockenspiel. Ges. Gedichte. 7. Taus. (341) 03. 4.50
8. Leberecht Hühnchen als Grossvater. 12. Taus. (375) 02. 4 —
9. Reinhard Flemmings Abenteuer zu Wasser u. zu Lande. 7. Taus. (295) 01. 4 —
— Gedichte. Gesamtausg. (343) 8⁰ Ebd. 03. 3 —; L 4 — d
— Heimatgeschichten. Ges.-Ausg. 2 Reihen. (362 u. 374) 8⁰ Ebd. 02. Je 4 —; L je 5 — d
— Leberecht Hühnchen. Gesamtausg. 3. Afl. (242 m. Bildnis.) 8⁰ Ebd. 05. 4 —; geb. 5 — d
— Kinderlieder a. Geschichten. (190) 4⁴ Stuttg., Union (03). L. 3.50 d
— Von Perlin n. Berlin. Von Berlin n. Perlin u. Anderes. Aus meinem Leben. Gesamt-Ausg. (334) 8⁰ Stuttg., JG Cotta Nf. 03. 4 —; L 5 — d
— Phantasiestücke. Gesamtausg. d. in d. ges. Schriften Bd I—XIV verstreuten Märchen. (374) 8⁰ Ebd. 03. 4 —; L 5 — d
— Der Rosenkönig, s.: Handbibliothek, Cotta'sche.
— Die silberne Verlobg, s.: Erzähler, norddeut.
— Vorstadtgeschichten. Gesamt-Ausg. 1. u. 2. Reihe. (354 u. 380) 8⁰ Stuttg., JG Cotta Nf. (01). Je 4 —; geb. 5 — d
— Weihnachtsgeschichten, s.: Handbibliothek, Cotta'sche.
— Wintermärchen. 2. Afl. (276) 4⁴ Stuttg., Union (01). L. 5 — d
Seidel, HA: Balthasar Scharfenberg od. Ein Reitersmann a. d. 30jähr. Kriege, s.: Für d. Feierabend.
Seidel, L: Weihnachtskinds Geburt. Hirten- u. Königssp. auf Weihnachten. 2. Afl. (40) 8⁰ Lpzg, F Jansa 04. — 50 d
Seidel, LE: Das Leben d. Tiere in Charakterbildern u. abgerundeten Gemälden. 3. Afl.(479 m. Abb.)8⁰ Langens., Schulbh. 02. 3.50; geb. 4.50 d
— Die deut. Lehrerkonferenzen d. J. 1889. Themen, Thesen u. Ausführgn pädagog. Vorträge, geb. auf d. verschied. Lehrerkonferenzen Deutschlds. 2. pädagog. Jahrb. 3. Afl. (175.) 8⁰ Ebd. 05. 1.75 II 1890. 3. Afl. (193) 05. 2 — d
— Das I—VIII. Schulj. Theoretisch-prakt. Anweisg f. Lehrer u. Lehrerinnen z. Erteilg e. erfolgreichen Unterr. in Volkssch. nebst vollständig ausgeführten Präparat. 8⁰ Ebd. 33.75 d
I. 7. Afl. (282) 04. 2.50 | 8. Afl. (284) 02. 2.75 | II. 5. Afl. (316) 04. 3 — | III. 4. Afl. (264) 04. 4 — | IV. 4. Afl. (319) 04. 4.50 | V. (357) 01; 2. Afl. (329) 05. 4.50 | VI. (326) 01. 4.50 | VII. (581) 03. Je 4.50 | VII. (542) 03; 2. Afl. (590) 04. Je 5 — | VIII. (565) 04. 5 —
— dass. I. Schulj. Kathol. Ausg., bearb. v. K Michels. (270) 8⁰ Ebd. 05. 2.75 d
Seidel, O: Ev. Choralb., s.: Schärtlich, JC.
— Lieder f. d. Volkssch. in 3 Stufen. 8⁰ Bielef., Velhagen & Kl. 1 — d
I. 46 Lieder f. d. Unterst. 5. Afl. (24) 02. — 20
II. 40 Lieder f. d. Mittelst. 8. Afl. (23) (05.) — 30
III. 50 Lieder f. d. Oberst. 6. Afl. (40) (03.) — 40

168*

Seidel, P, s.: Böcklin's, A, Werke in d. kais. Schackgalerie zu München. — Hohenzollern-Jahrbuch. — Hohenzollern-Kalender.
- Für Se. Maj. d. deut. Kaiser angefertigte Kunstmöbel u. Bronzen auf d. Pariser Weltausstellg 1900. (14 m. Abb. u. 17 Taf.) Fol. Lpzg, Giesecke & D. 01. In M. nn 15 —
- s.: Monarchen, d., d. Hauses Hohenzollern.
- Andreas Schlüter als Bildhauer. Rede. (17) 8° Berl., ES Mittler & S. (01). — 50
Seidel, R: Modell-Studien f. Gebrauchs-Geschirre. 1. Lfg. (6 Lichtdr.) 36,5×51 cm. Plauen, C Stoll (03). 8 — 0 F
Seidel, R: Der Achtstundentag v. Standpunkte d. Sozialökonomie, d. Hygiene, d. Moral u. d. Demokratie. (16) 8° Lpzg, R Lipinski (02). — 10 d
- Die Handarbeit, d. Grund- u. Eckstein d. harmon. Bildg u. Erziehg. (38) 8° Ebd. 01. — 50 d
- Georg Herwegh, d. Freiheits-Sänger. (29 m. Bildnis.) 8° Frankf. a/M., Neuer Frankf. Verl. 05.
- Aus Kampfgewühl u. Einsamkeit. Gedichte. 5. Afl. (117) 8° Stuttg., JHW Dietz Nf. 02. 1 — d
- Lebensmittelzölle u. Sozialreform. 16. Afl., ergänzt durch Vorwort „Gesch. d. Zollkampfes v. 1890/91" u. „Die Zollfrage im J. 1902/03". 17—20. Taus. (42) 8° Zür., Bh. d. schweiz. Grütliver. 03. nn — 30 d

Seidenberger, JB: Der parlamentar. Anstand unter d. Reichstagspräsidium d. Grafen v. Ballestrem, nebst parlamentar. Lexikon. (78) 8° Köln, JP Bachem 03. — 80 d
- Friedberg u. d. Wetterau im Rahmen deut. Reichsgesch. (108) 8° Friedbg i/H. 05. (Lpzg, Dyk.) nn 1.50
- Grundlinien idealer Weltanschaug, a. O Willmann's „Gesch. d. Idealismus" u. sr „Didaktik" zusammengest. (300) 8° Braschw., F Vieweg & S. 02. 3 — d
- Das 19. Jahrh. — Die preuss. Schulreform u. d. Stellgnahme d. Katholiken, s.: Broschüren, Frankf. zeitgemässe.

Seidenbusch, C: Das weisse Jackett, s.: Dilettanten-Theater.
Seidenstücker, KB, s.: Buddhist, d. — Licht, d., d. Buddha.
Seidl, A: Das Regnitzthal (v. Fürth bis Bamberg). (182 m. Fig.) 8° Erl., F Junge 01. 2.40
Seidl, A: Moderne Dirigenten. (48) 8° Berl., Schuster & Loeffler 02. — 75 d
- Moderner Geist in d. deut. Tonkunst. 4 Vortr. (151) 8° Berl., Harmonie (01). 5.50; geb. 4.50 d
- s.: Gesellschaft, d.
- Kunst u. Kultur. Aus d. Zeit — f. d. Zeit — wider d. Zeit! Produktive Kritik in Vorträgen, Essais, Studien. (529 m. Bildnis.) 8° Berl., Schuster & Loeffler 02. 6 —; geb. 7 — d
- Wagneriana. Erlebte Aesthetik. 3 Bde. 8° Ebd. geb. je 6 — d
  1. Rich. Wagner-Credo. Ergänzg z. „Rich. Wagner-Schule". (508) 01. ¦ 2. Von Palestrina zu Wagner. Bekenntnisse e. musikal. „Wagnerianers". (390) 01. ¦ 3. Die Wagner-Nachfolge im Musik-Drama. Skizzen u. Studien z. Kritik d. „modernen Oper". (394) 02.

Seidl, AA: Der neue Handelsvertrag m. d. Deut. Reiche u. d. österr. Landw. (91) 8° Wien, Manz 05. 2 — d
- Landw.-Recht u. Landw.-Pflege in Böhmen. Sammlg d. auf d. Landw.bezügl.Reichs- u. Landesges. u. sonst. Vorschriften. 1—3. Abtlg. 8° Prag, (JG Calve.) Je 5.20 d
  1. Allg. Grundlagen. (447) 04. ¦ 2. Pflanzenbau: Jagd, Fischerei u. Bienenzucht. (397) 04. ¦ 3. Tierzucht u. Veterinärwesen. (454) 05.
- Österr. Rechtskde f. Jedermann. (247) 8° Wien, C Fromme 04. 2.50 d
Seidl, F: Kurzgef. Gesetzes- u. Bürgerkde. Für d. gewerbl. Fortbildgssch. in Regensburg bearb. (31) 8° Rgnsbg, (W Wunderling) 05. — 30 d
Seidl, FX: Die Harfe d. Eremiten, s.: Abt, F.
Seidl, J: Jagdl. Erlebnisse. (69 m. 2 Taf.) 8° Linz a/D., J Feichtinger's Erben 05. (Nur dir.) 1.70 d
Seidl's, JG, ausgew. Werke in 4 Bdn. Mit e. biographisch-krit. Einl. u. erklär. Anmerkgn hrsg. v. W v. Wurzbach. ('80, 218; 118, 208 u. 200 m. Bildn. u. Fksm.) 8° Lpzg, M Hesse (06). ¦ In 1 Bd geb., L. 2 —; feine Ausg., HF. 3 —; Luxus-Ausg., Liebh.-HF. 4 — d
- Bifolien, s.: Hesse's, M, Volksbücherei.
Seidl, K: Die Verwaltg d. Kirchen- u. Pfründenvermögens in Österr. (168) 8° Wien, Manz 06. 5.20; geb. 6 — d
Seidl, S: Der hl. Alphons u. s. Gegner R Grassmann. Was ist v. Urteile R Grassmanns üb. d. Moraltheol. d. hl. Alphonsus zu halten. 1—13. Afl. (47) 8° Augsbg, Lit.Instit. v. Dr. M Huttler 02. — 15 d
Seidler: Die Nothwendigk. d. prakt. Begründg d. Unabhängigk. d. Richterstandes. (64) 8° Landsbg, H Schönrock's Nf. 03. — 60 d
Seidler, E, u. A Freud: Die Eisenb.-Tarife in ihren Beziehgn z. Handelspolitik. (1892 m 8° Lpzg, Duncker & H. 04. 3.60
Seidler, G: Das jurist. Kriterium d. Staates. (103) 8° Tüb., JCB Mohr 05. 2 —
- Lehrb. d. österr. Staatsverrechng. 5. Afl. (240) 8° Wien, A Hölder 03. 6 —
- Leitf. d. Staatsverrechng. 2 Thle. 8° Ebd. Je 2.40
  1. Grundsätze d. allg. Verrechngslehre. 6. Afl. (98) 03. ¦ 2. Grundsätze d. Staatsverrechng. u. Kontrol.wesen. 6. Afl. (97) 04.

Seidlitz, G, s.: Bericht üb. usw. Entomol.
Seidlitz, J: Sergeant Lehmanns Abenteuer im Reiche d. Mitte, s.: Soldatenliebe in Krieg u. Frieden.
Seidlitz, W v.: Die Kunst auf d. Pariser Weltausstellg. (111) 8° Lpzg, EA Seemann 01. 1.50

Seidlmayer, H: Das schwurgerichtl. Verfahren im Lichte d. Reichsgerichtes. Sammlg d. auf d. schwurgerichtl. Verfahren bezügl. Entscheidgn d. Reichs-Gerichtes. (155) 8° Berl., R v. Decker 05. 4.75; L. 5.25 d
Seifart, E: Ein Weihe-Fest d. Schule. Kinderfestspiel f. 1-, 2- u. 3stimm. Chor m. Begleitg v. Klavier u. Streichquartett. Musik v. E Schwarz. Textb. (11) 8° Hildburgh., FW Gadow & S. (02). — 20; Partitur. (23) 4° 1 —; Klavierstimme, Stimmen d. Streich-Quartetts, Chorstimme. (7, 2, 2, 2, 2 u. 4) 4° 1 — d
Seifenfabrikant, der. Zeitschrift f. Seifen-, Kerzen- u. Parfümerie-Fabrikation, sowie verwandte Geschäftszweige. Begründet v. C Deite. Hrsg. v. Ö Heller. 21—25. Jahrg. 1901—5 je 52 Nrn. (1282, 1248, 1286, 1286 u. 1288) 4° Berl., J Springer. Viertelj. 3 — d
Seifen-Industrie-Kalender 1906. Hrsg. v. O Heller. 2 Tle. 13. Jahrg. (Schreibkalender, 234 u. 148 m. Abb. u. 1 Bildn.) 8° Lpzg, Eisenschmidt & Sch. L. u. geb. 2.50 d
Seifensieder-Zeitung u. Revue üb. d. Harz-, Fett- u. Celindustrie. Red.: E Marx u. G Lutz. 28. Jahrg. 1901. 52 Nrn. (Nr. 1—4. 76) 4° Augsbg,Verl. f. chem. Industrie. Viertelj. 3 — || 29—32. Jahrg. 1902—5. Red.: E Marx u. MO Steffan. Je 15 —
- Wiener. Früher Wochen-Bericht. Hrsg. v. N Königstein. 28. Jahrg. 1905. 52 Nrn. (Nr. 49. 14) 8° Wien (H, Castellezgasse 25), Emil Königstein. Halbj. 7 —
Seifert, A: Die Stadt Saaz im 19. Jahrh. 6 Lfgn. (579 m. 6 Taf.) 8° Saaz, (A Ippoldt's Nf.) 02.03. Je nn 1 — d
Seifert, E: Ein Ausflug n. Panama. — Bilder a. Konstantinopel.
- Auf d. Flucht, s.: Immergrün.
- Der Höhlenvitus, s.: Tannenzweige.
- Die Kleinodien d. Kurfürstin, s.: Immergrün.
- Das Kreuz im Walde. — Michels 1. Weihnachtsfeier. Der verlass. Knabe. — Aus Nürnbergs vergang. Tagen, s.: Edelweiss.
- Ein Veldener Ratsherr. — Ein Talisman. — Die verlorene Urkunde. — Der Vereinsamten Helfer, s.: Immergrün.
- 2 Weihnachtsabende, s.: Christblumen. — Tannenzweige.
Seifert, L: Tab. z. Gewichtsberechng v. Walzeisen u. Eisenkonstruktionen, s.: Scharovsky, C.
Seifert, L: Der Blitzableiter. — Im Dunkeln. — Die Frau Feldwebel. — Ein saub. Kleeblatt, s.: Album f. Liebhaber-Bühnen.
Seifert, M: Die Frauenkrankh., deren Ursachen, Verlauf u. Heilg. Mit e. Anh.: Die Pflege d. Körpers v. Standpunkte d. Hygiene u. Aesthetik. (236 m. Abb. u. Bildnis.) 8° Lpzg, A Strauch (04). 4 —; geb. 5 — d
Seifert, O: Üb. d. Nebenwirkgn d. modernen Arzneimittel, s.: Abhandlungen, Würzb., a. d. Ges.-Geb. d. prakt. Medizin.
- Recepttaschenb. f. Kinder-Krankh. 4. Afl. (132) 12° Wiesb., JF Bergmann 01. L. 3.20
- u. F Müller: Taschenb. d. medizinisch-klin. Diagnostik. 11. Afl. (502 m. 2 Tl farb. Abb.) 8° Ebd. 04. 4 —
Seifert, P: Die Einrichtg d. modernen Zeichensaales. (47 m. Abb.) 8° Jauer, G Hellmann 05. 1 — d
Seifert, R: Rechenb. f. landw. Schulen, s.: Löser, J.
Seifert, W: Die im Kgr. Sachsen geltl. fischereipolizeil. Vorschriften. (28) 12° Dresd., CC Meinhold & S. (03). — 40 d
Seifert-Grüna, F: Streublumen. Gedichte. (74) 8° Dresd., E Pierson 02. 1.50; geb. 2.50 d
Seiffer, W: Atlas u. Grundr. d. allg. Diagnostik u. Therapie d. Nervenkrankh., s.: Lehmann's medizin. Handatlanten.
- Das spinale Sensibilitätsschema z. Segmentdiagnose d. Rückenmarkskrankh. [S.-A.] (48 m. Abb.) 8° Berl., A Hirschwald 01. 1.20
- Spinales Sensibilitätsschema f. d.Segmentdiagnose d.Rückenmarkskrankh. z. Einzeichnen d. Befunde am Krankenbett. (40 Taf. m. 5 S. Text.) 4° Ebd. 01. 1.30
- Hyster. Skoliose bei Unfallkranken. [S.-A.] (16 m. Abb.) 8° Ebd. 04. nn — 50
Seiffert, C: Aus Jugendtagen. Verse. (270) 8° Braschw. 05. Lpzg, R Sattler. 4 —; geb. 5.50 d
Seiffert, K: Der Alkoholgenuss u. s. Folgen, v. wiss. u. prakt. Standpunkt d. Arztes a. dargest. (98 m. Abb. u. 2 Taf.) 8° Betthen O.-S., Oberschles. Bezirksver. geg. d. Missbr. geist. Getränke (Geschäftsstelle: Graf Schaffgotsch'sche Verwaltg) 03. — 50 d
Seiffert, K: A Lortzing's kom. Opern Die beiden Schützen u. Der Wildschütz od. Die Stimme d. Natur. — A Lortzing's Waffenschmied, s.: Opernführer.
Seiffert, M: Säuglingssterblichk., Volkskonstitution u. Nationalvermögen. [S.-A.] (30 m. 3 Taf.) 8° Jena, G Fischer 05. 1.50
- Die Versorgg d. gr. Städte m. Kindermilch. I. Tl: Die Notwendigk. e. Umgestaltg d. Kindermilcherzeugg. (278 m. 4 Taf.) 8° Lpzg, A Weigel 04. 6 — d
Seige s.: Beiträge z. Typhusforschg.
Seiler, F: Die Entwicklg d. deut. Kultur im Spiegel d. deut. Lehnworts. 1. Tl: Die Zeit bis z. Einführg d. Christentums. 2. Afl. (27, 118) 8° Halle, Bh. d. Waisenh. 05. 3.90 d
- Griech. Fahrten u. Wandergn. Reiseeindrücke u. Erlebnisse. (433 m. Abb. u. Titelbild.) 8° Lpzg, FW Grunow 04. 5 — geb. 6 — d
- Der Gegenwartswert d. hamburg. Dramaturgie. (70) 8° Berl., Weidmann 01. 1.40
- Auf einen Kriegspfaden vor Paris. Kriegs- u. Reisebilder. (436) 8° Halle, Bh. d. Waisenh. 01. 4 —; L. 5 — d
- Der Oberlehrer, s.: Buch, d., d. Berufe.

Seiler, G: Heimatkde. Der Stadtkreis Gleiwitz u. d. Kreis Tost-Gleiwitz. (43) 8° Gleiw., B Mittmann 03. — 25 ;
— m. Kreiskarte — 40 d
Seiler, G: Schulbedarfsges. v. 28.VII.'02, m. Einl., Erläuterngn u. Vollzngsvorschriften hrsg. 4 Lfgn. (594) 8° Münch., CH Beck 02.03. 4.40; L. 5 — d
Seiler, H: Gesundheitslehre, s.: Sammlung Göschen.
Seiler, L, s.: Hôtel- u. Gasthof-Adressen-Buch v. Oesterr.-Ungarn.
Seiler, M: Wrtr-Verz. zu d. franzôs. Lehrb. v. Rossmann-Schmidt. (Umschl.: 2. Afl.) (63) 8° Mind., JCC Bruns (04). nn — 60 d
Seiler, T: Die Macht d. Gewissens. Für jung u. alt. (56) 8° Einsied., Verl.-Anst. Benziger & Co 05. — 50 d
— Suwarow. Histor. Drama. (128 m. 1 Bildnis.) 8° Dresd., E Pierson 03. 1.50 d
— Anton v. Thurn, s.: Theater, kl.
Seiler-Zeitung, deut. Red. v. R Schoch. Hrsg. v. EFW Berg. 23—27. Jahrg. 1901—5 je 24 Nrn. (1901. Nr. 1. 30 m. Abb.) 4° Berl., Berg & Schoch. Halbj. 3 — d
Seiling, M: Goethe u. d. Materialismus. (154) 8° Lpzg, O Mutze 04. 2.40
— Goethe u. d. Okkultismus. (56) 8° Ebd. 01. 1.20 d
— Ernst Haeckel u. d. „Spiritismus". (52) 8° Ebd. 01. 1 —
— Das Professorenthum, „d. Stolz d. Nation"? Mit e. Anh.: Professorale Bocksprünge. (122) 8° Ebd. 04. 1.50
— Pessimist. Weisheitskörner, s.: Bibliothek, polysoph.
Seiler, A Freih. v.: Das Ges. betr. d. Urheberrecht an Werken. d. Lit., Kunst u. Photogr., s.: Gesetz-Ausgabe, Manzsche.
Seiler, H. Frhr v.: Die Zentralheizg. Leitfd. z. Projektierg u. Berechng v. Heizgsanlagen u. z. Beurteilg v. Projekten. (165 m. Abb.) 8° Wien, A Hartleben 03. 4 — ; geb. 5.40
Seillière, E: Apollo u. Dionysos? Krit. Studie üb. Friedr. Nietzsche. Übers. v. T Schmidt. (317) 8° Berl., H Barsdorf 06. 7 — ; L. 8.50; HF. 9 —
— Peter Rosegger u. d. steir. Volksseele. Übers. v. JB Semmig. (144) 8° Lpzg, L Staackmann 03. 3.50 d
Seimann, M: Belehrg f. Vieh- u. Fleischbeschauer, welche nicht Tierärzte sind. (2. Afl.) (160) 8° Kornenbg, J Kühlkopf 04. Kart. 1.20 d
Seiner, F: Bergtouren u. Steppenfahrten im Hererolande. (278 m. Abb. u. 1 Karte.) 8° Berl., W Süsserott 04. nn 5.25; L. 6 — d
— Der Bärenkrieg, f. Alt u. Jung erzählt. (362 m. Abb. u. 1 Karte.) 8° Münch., CH Beck 03. Geb. 3.50 d
— Ernste u. heit. Erinnergn e. deut. Burenkämpfers. 2 Bde. 8° Ebd. 5.25; geb. 6.30 d
1. In d. Karroo u. am Modderriver (10.XI.1899—10.III.1900). (287 m. Pl. u. 1 Karte.) 01. 2.75; geb. 3.50
2. Rückzugsgefechte im Freistaate. Kämpfe bei Pretoria u. am d. Delagoabahn ; Schlacht v. Dalmanutha ; Kriegsgefangenschaft u. Heimkehr. (10.III—4.XI.1900.) (375 m. 1 Karte u. 1 Pl.) 02. 3 — ; geb. 3.50
Seipel, A: Geogr., s.: May, V.
Seipp, H: Festigk.-Lehre f. Baugewerksch. u. verwandte gewerbl. Lehranst., sowie z. Gebr. in d. bantechn. Praxis. 2. Afl. (66 m. Abb. u. Tab.) 8° Lpzg, Seemann & Co. 03. Kart. 1.40
— Die abgekürzte Wetterbeständigk.-Probe d. natürl. Bausteine, m. bes. Berücks. d. Sandsteine, namentlich d. Weser-sandsteine. (140 m. Abb. u. 12 Taf.) 8° Frankf. a/M., H Keller 05. 8.50
Seisenberger, M: Die Bücher Esdras, Nehemias u. Esther, s.: Kommentar, kurzgef. wiss., zu d. hl. Schriften d. Alten Test.
— Das Evangelium n. Markus. (291) 8° Rgnsbg, Verl.-Anst. vorm. GJ Manz 05. 3 — ; HF. 4.50 d
Seitter, E: Der Formaldehyd. — Die Patina, s.: Vanino, L.
Seitz: Grundsätze üb. Aufstellg u. Bewirtschaftg d. Etats d. deut. Schutzgeb. (162) 8° Berl., D Reimer 05. Kart. 2.40 ;
Seitz, A: Die Heilsnotwendigk. d. Kirche n. d. altchristl. Lit. bis z. Z. d. hl. Augustinus. (416) 8° Freibg i/B., Herder 03. 9 —
— Willensfreiheit u. moderner psycholog. Determinismus. (52) 8° Köln, JP Bachem (02). 1.20 d
Seitz, G: Die zahnärztl. Lokal-Anästhesie. (366 m. Abb.) 8° Lpzg, A Felix 03. 9 — ; L. 10 —
Seitz, J: Krankh. u. ihre Heilg n. d. Schrift. Vortr. (30) 12° Berl., Deut. ev. Buch- u. Tractat-Gesellsch. — 15 d
Seitz, K: Vom Fels z. Meer. Liederb. f. deut. Knaben. - Zum Gebr. in Mittelsch. u. Gymnasien hrsg. 4. Afl. (165 Doppels. u. 166—187) 8° Berl.-Gr. Lichterf., CF Vieweg (04). L. 1.50 d
— Liederperlen f. 3stimm. Knaben- od. Männerchor, n. e. Anh. 1- u. 2stimm. Volkslieder. (134) 8° Nürnbg, C Koch 01. Geb. an 125 d
— Sangesblüten, s.: Schaab, R.
— Singsang. Liederb. f. Deutschlds Töchter. 9. Afl. (137 Doppels. u.138—165) 8° Berl.-Gr. Lichterf., CF Vieweg (05). Geb. 1.20 d
Seitz, R: Volkssch. od. Pfaffensch.? Rede. (43) 8° Wien, Wiener Volksbh. 02. nn — 15 d
Seitz, KJ: Biol. d. geschlechtlich positiven Rechtes im Kulturleben d. Gegenwart. Zugl. z. Frage d. Versöhng d. Kämpfe unserer beiden grossen, durch d. Vorausssetzg. d. positiv falschen nachklass. Rechtstheor. geleiteten, polit. Parteien v. Rechts u. Links: auf privaten wie staatl., auf relig. wie soz. Geb. (II. Tl. d. Konstruktion: Destruktion od. Verfall d. Rechts durch dessen Nichtkonstruktion a. d. leb. Rechts-quellen 1. Abtlg.) (45, 396) 8° Lpzg, A Deichert Nf. 05. 9 —

Seitz, L: Erörtergn üb. wicht. Kunstfragen. (31) 8° Münch., A Oehrfein (02). — 60 ‖ 2. Folge. (43) (04.) 1.80
Seitz, L: Ub. Blutdruck u. Cirkulation in d. Placenta, üb. Nabelschnurgeräusch usw., s.: Sammlung klin. Vortr.
— Die fötalen Herztöne währ. d. Geburt. (179) 8° Münch. 03. Tüb., F Pietzcker. 4 —
— Ub. intrauterine Todtenstarre u. d. Todtenstarre immaturer Früchte, s.: Sammlung klin. Vortr.
Seitz, O: Der authent. Text d. Leipz. Disputation (1519). (347) 8° Berl. 03. Lpzg, M Heinsius Nf. 12.80
Seiwert, J: Unser hl. Vater Papst Pius X. Lebensbild. (32 m. Abb.) 8° Donauw., E Mager 03. — 20 d
Seiwert, J: Kl. Schul-Naturgesch., s.: Schilling, S.
Seiler, G: Die Lehre v. d. Vormerkg n. d. neuen Reichsrecht. (312) 8° Münch., CH Beck 04. 7 —
Sekles, B: Musikdiktat. Uebgsstoff in 30 Abschnitten z. Gebr. am Dr. Hoch'schen Conservatorium in Frankfurt a. M. (51) 8° Mainz, B Schott's Söhne (01). 1.50
Sekretierung, d., d. Börsenblattes. Komödie. (Von M Weg.) (84) 8° Lpzg, (G Wigand) 03. † 1.60 d
Selbach, D: Der Kaufmann u. s. Firma. (50) 12° Ess., GD Baedeker 02. — 60 d
Selber, E: Wandfibel. 42 Taf. je 102×81 cm. Mit Text. (1 Bl.) 4° Wien, G Freytag & B. (01). nn 19 — ; auf Pappe nn 35 —
Selberg, E: Bericht d. deut. Hilfskomitees f. Ostasien. (271) 8° Berl., D Reimer 03. 4 —
Selbst, J: Joseph Ludwig Colmar, Bischof v. Mainz 1802—18. (55 m. 1 Bildnis.) 8° Mainz, Druckerei Lehrlingshaus 02. — 50 d
— Hdb. z. bibl. Gesch., s.: Schuster, J.
— Officium divinum, s.: Monfang, C.
— Die Verehrg d. allerheil. Altarsakramentes n. d. Rundschreiben Leo XIII. v. 28.V.'02. 6 Predigen nebst e. einleit. Abhandlg. (109) 8° Buchs, Verl. d. Emmanuel 03. 1 — d
Selbstanzeigen, wiss.-litterar., u. Inhaltsangaben deut. Bücher, m. ständ. Beibl.: Verz. d. Einzelarbeiten a. deut. Büchern, spez. Sammelwerken, u. d. deut. Zeitschriften u. Zeitgn erschien. ausführl. Bücherbesprechgn, in z. Ausschnissbld. d. Titel geeigneter Weise gedruckt. 1. Jahrg. 1902. 52 Nrn. (Nr. 1. 40 Sp.) 4° Lpzg, F Dietrich. Viertelj. 3 — 5 F
Nur Nr. 1 ist erschienen.
Selbstbildung s.: Miniatur-Bibliothek.
Selbstherrschaft, **Bureaukratismus** u. **Landstände**. (In russ. Sprache.) (74) 12° Berl.-Charlttnbg, F Gottheiner 02. 1 —
— s. **Semstwos** (Landestände) in Russl. Vertraul. Denkschrift d. russ. Finanzministers CJ Witte a. d. J. 1899. Mit Vorrede u. Anmerkgn v. RH S. (In russ. Sprache.) (44, 212) 8° Stuttg. 01. Paris, A Schulz. 4 —
— — Das russ. Volk 2 Vorreden v. P v. Struve u. Hinzufügg d. Denkschrift d. russ. Finanzministers üb. d. Ueberbürdg d. Steuerkraft d. Bevölkerg. (In russ. Sprache.) [S.-A.] (72, 224) 8° Ebd. 03. 4 —
Selbsthilfe, die. Blätter f. deut. Lehrer. Schriftleiter: E Hayn 1904, A Forkert, 1905, E Faust. 15—19. Jahrg. 1901—5 je 12 Nrn. (1901. Nr. 1. 12) 4° Berl., Verl. d. Selbsthilfe. Je nun 1 — d ‖ H
— Für jeden Kaufenden u. Verkaufenden z. Realisierg in d. Praxis. (24) 8° Lpzg, A Beerholdt 04. 1 — d
Selbstlade-Pistole „**Parabellum**", d., ihre Einrichtg, Behandlg u. Verwendg. (Deut. Waffen- u. Munitions-Fabriken, Berlin.) (38 m. Abb. u. 5 Taf.) 8° Berl., (R Eisenschmidt) (01). 1.50
Selbstmord, polit., d. Bürgerthums. Von e. Sorgenden. (23) 8° Schönebeck (Elbe), C Hirschfelder 01. (Nur d.) 4 —
Selbstverteidigung, d., im Strafsachen v. Themistor Unberufen. (36) 8° Halle, (Dr. A Borst) 01. (— 50) — 40
Selbstverwaltung, die. Volkstüml. Wochenschrift f. alle bei d. Kommunal- u. Polizeiverwaltg d. Kreise, Amtsbezirke u. Gemeinden Beteiligten. Begründet v. C Frey, nebst v R Faber. General-Reg. z. 17—25. Jahrg. 1890—98, sowie Ges.-Uebersicht zu d. Jahrg. 1.—25, 1874—98, beorb. v. RO Weber. (174) 4° Mgdbg, Faber'sche Buchdr. 02. HLdr u. durchsch. nn 12 — d
— dass. 28—32. Jahrg. 1901—5 je 52 Nrn. (Nr. 1. 16 Sp.) 4° Ebd. Viertelj. 3.75 ; einz. Nrn. — 30 d
Seldis, R: Anl. z. qualitativen chem. Analyse nebst Vorübgn. (78 m. 2 Tab.) 8° Hdlbg, C Winter, V. 02. L. 1.60
— Wandtaf. d. qualitativen chem. Analyse. Taf. 1 : Prüfg auf Basen. Taf. 2 : Prüfg auf Säuren. Je 76×105,5 cm. Ebd. 03. 2 —
Selenka, E: Zur vergleich. Keimesgesch. d. Primaten, s.: Menschenaffen.
— Placentanlage d. Lutung (Semnopithecns pruinosus, v. Borneo). [S.-A.] (12 m. Abb. u. 2 Taf.) 8° Münch., (G Franz' V.) 01. nn 21.50
— Studien üb. Entwickelgsgesch. d. Tiere. 9 u. 10. Heft. 4° Wiesb., CW Kreidel. In M. 41.25 (1—10. Heft: 211.50)
9. Menschenaffen (Anthropomorphae). Studien üb. Entwickelg u. Schädellehre. 4. Lfg. Waldhoff, O: Der Unterkiefer d. Anthropomorphen u. d. Menschen in ar funktionellen Entwickelg u. Gestalt. (297—327 m. Abb. u. 4 Taf.) 02. 22.50
10. Dass. 5. Lfg. Selenka, E: Zur vergleich. Keimesgesch. d. Primaten. Zugl. Fragment hrsg. v. F Keibel. Eingeleitet durch e. Lebensbild Selenka's v. A M Kubrecht. (14 u. 329—372 m. Abb., Bildnis u. 1 Taf.) 03. 16.45
Fortsetzg s. u. d. T.: Studien üb. Entwickelgsgesch. d. Tiere.
— s.: Zentralblatt, biolog.
— u. L **Selenka**: Sonnige Welten. Ostasiat. Reise-Skizzen. Borneo. — Java. — Sumatra. — Vorderindien.—Ceylon.—Japan. 2. Afl., v. L Selenka. (491 m. Abb., 1 Bildnis u. 4 Vollbildern.) 8° Wiesb., CW Kreidel 05. L. 12.60

Selenka, ML: Die internat. Kundgebg d. Frauen z. Friedens-Konferenz v. 15.V.1899. (In deut., engl. u. franzÖs. Sprache.) (25, 22, 23, 150) 8º Münch., A Schupp 1900. (Lpzg, F FÖrster.) 2 —
Seler, E: Ges. Abhandlgn z. amerikan. Sprach- u. Alterthumskde. 1. u. 2. Bd. 8º Berl., Behrend & Co. 42 —
  1. Sprachliches. — Bilderschriften. — Kalender u. Hieroglyphenentzifferg. (28, 562 m. Abb.) 02. 18 —
  2. Zur Gesch. u. Volkskde Méxlco's. — Reisewege u. Ruinen. — Archäologisches a. Mexiko. — Die relig. Gesänge d. alten Mexikaner. (36, 1107 m. Abb.) 04. 24 —
— Die alten Ansiedelgn in Chaculá im Distrikte Nenton d. Depart. Kuehuetenango d. Republik Guatemala. I. (Wiss. Ergebnisse e. in d. J. 1895—97 ausgeführten Reise durch Mexiko u. Guatemala.) (223 m. Abb. u. Pl., 50 Lichtdr. u. 1 Karte.) 4º Berl., D Reimer 01. 32 —; L. 36 —
— Das Pulquegefäss d. Bilimek'schen Sammlg im k. k. Hofmuseum. [S.-A.] (27 m. Abb. u. 2 Taf.) 8º Wien, (A HÖlder) 02. 3 —
Selakowitz, L: Wiener Kochb. 12. Afl. (543 m. 21 z. Tl farb. Taf.) 8º Wien, W Braumüller 05. L. 5.10 d
Selge, P: Wem gehÖrt d. Zukunft? 2 Aufsätze z. Reform d. hÖh. Schulen. (52) 8º Lpzg, R Gerhard 05. 1.35 d
Seliber, G: Variationen v. Jussieua repens m. bes. Berücks. d. bei d. Wasserform vorkomm. Aerenchyms, a.: Acta, nova, acad. etc. naturae curiosor.
Selig: Reflexionen zu Walther Rathenau's Impressionen: „HÖre Israel". Erwiderg. (24) 8º Worms, H Kraeuter 02. — 75 d
Selig, J: Der Priester. Schausp. (130) 8º Dresd., E Pierson 04.
2 — d
Seliger, J: Das soc. Verhalten d. menschl. Individuums z. menschl. Gattg, a.: Studien, Berner, z. Philosophie u. ihrer Gesch.
Seliger, M: Uns. Arbeit u. Kunstarbeit im Dienste d. Verkehrs. Vortr. (40) 8º Lpzg (Städt. Kaufhaus), Verkehrs-Verein (04). — 25 d
Seligmann, C: Judentum u. moderne Weltanschaug. 5 Vortr. (117) 8º Frankf. a/M., J Kauffmann 05. 1.80; geb. 2.50 d
Seligmann, J: Ein Ausflug n. Amerika. (175) 8º Lpzg 02. Berl., H Seemann Nf. 2.50; geb. 3.50
Seligo, A: Die Fischgewässer d. Prov. Westpreussen. (193) 8º Danz., (L Sannier) 02. Kart. 2.50
Seligsohn, A: Ges. z. Schutz d. Warenbezeichngs. 2. Afl. bearb. in Gemeinschaft m. M Seligsohn. (349) 8º Berl., J Guttentag 05. 7 —; L. 8 —
— Patentges. u. Ges., betr. d. Schutz v. Gebrauchsmustern. 2. Afl. (557) 8º Berl. 03. 12 —; L. 13 — d
Seligsohn, F: Der Begriff d. privatrechtl. Verfügg unter Lebenden. (68) 8º Berl., Struppe & W. 04. 3 —
Selinger, EM: Vinzenz Priessnitz. Lebensbeschreibg. 2. Afl. (119 m. 1 Bildnis.) 8º Freiw., A Blažek 03. 1.90 d
Seliwanoff, D: Lehrb. d. Differenzenrechng, s.: Teubner's, BG, Sammlg v. Lehrbb. auf d. Geb. d. mathemat. Wiss.
Sellow, H V.: Zum Frieden, s.: Auswahl v. Werken zeitgenÖss. Schriftsteller. — Vobach's illustr. Roman-Bibliothek.
Sell, F: Lothringer Friedhofsgesch. u. Anderes. 1. u. 2. Taus. (30) 8º Metz, R Lupus 05. — 40 d
— Kriegs- u. Friedensbilder a. Lothringen, s.: Festschriften f. Gustav-Adolf-Ver.
— Theater u. Kirche. Darstellg ihres geschichtl. Verhältn. m. e. Ausblick in d. Zukunft. 3. Afl. (47) 8º Lpzg, M Heinsius Nf. 03. — 60 d
Sell, K: Die Religion uns. Klassiker. Lessing, Herder, Schiller, Goethe, s.: Lebensfragen.
Selle, F: Die Bedeutg d. ev. Schule in Österr. Vortr. (22) 8º Lpzg, (C Braun) 05. — 40 d
— Bergfahrten z. Glauben. Predigten. (167) 8º Klagenf., (J Heyn) 03. L. 4 — d
— Die Kirchensteuer in d. Österr. ev. Kirche. (68) 8º Lpzg, (C Braun) 05.
— Eine Österr. ev. Parochie (Steyr in OberÖsterr.). (25 m. Abb.) 8º Steyr, (SandbÖk) 03. — 50 d
Selle, F: Die Philosophie d. Weltmacht. (74) 8º Lpzg, JA Barth 02.
Selle, M: Die Zwecke u. Ziele d. Stenogr. Unter Beifügg mehrerer Abhandlgn v. K Hempel. (72 m. 1 Taf.) 8º Wolfenb., Heckner 01. nn — 50 d
Sellei, J: Pathol. u. Therapie d. Psoriasis vulgaris, s.: Sammlung klin. Vortr.
Sellenthin, B: Mathemat. Leitf. m. bes. Berücks. d. Navigation. (450 m. Fig.) 8º Lpzg, BG Teubner 02. Geb. 8.40
Sellentin, F: Zeitgemässe Aufklärgn üb. ein. Grundfragen wiss. Heilkde. (146) 8º Hdlbg, C Winter, V. 01.
Sellheim, H: Leitf. f. d. geburtshülflich-gynaekolog. Untersuchg. (32 m. Abb.) 8º Freibg i/B., Speyer & K. 01. 1 — ∥ 2. Afl. (58 m. Abb.) 03. 2 —
— Der normale Situs d. Organe im weibl. Becken u. die häufigsten Entwicklungshemmgn. Auf sagittalen, queren u. frontalen Serienschnitten dargest. (34 m. Fig. u. 40 L.) 35× 48 cm. Wiesb., JF Bergmann 03. In M. 60 —
— Das Verhalten d. Muskeln d. weibl. Beckens im Zustand d. Ruhe u. unter d. Geburt. (16 m. Abb. u. 9 Taf.) 45×35 cm. Ebd. 02. In M. 14 —
Sellin, E: Der Ertrag d. Ausgrabgn im Orient f. d. Erkenntnis d. Entwicklg d. Religion Israels. (44 m. Titelbild.) 8º Lpzg, A Deichert Nf. 05. — 80 d

Sellin, E: Die Spuren griech. Philosophie im Alten Test. (32) 8º Lpzg, A Deichert Nf. 05. — 50
— Tell Ta'annek. Bericht üb. e. Ausgrabg in Palästina. Nebst e. Anh. v. F Hrozný: Die Keilschrifttexte v. Ta'annek'. [S.-A.] (133 m. Abb., 13 Taf. u. 2 Pl.) 4º Wien, (A HÖlder) 04. 13.80
— Die bibl. Urgesch., s.: Zeit- u. Streitfragen, bibl.
Sellner's Schreibvorl. f. d. Unterr. im SchÖnschreiben f. Oberkl. d. Volkssch. u. Mittelkl. hÖh. Lehranst., bearb. v. H Zetzmann, 3 Hefte. (Je 16) 8º Cobg, JF Albrecht 04. Je — 60 d
Sellnick, J: Brotversorggspolitik! Besprechg landw. u. mühlenwirtschaftl. Zeitfragen behufs Anbahng e. Ges. z. Einschränkg d. schädl. Wettbewerbes in d. Müllerei durch Umsatzsbesteuerg, nebst Entwurf e. solchen Ges. (35) 8º Lpzg, (Brückner & Niemann) 05. — 50 d
— Buchhaltg f. Jedermann durch d. „Normal". (43 m. 1 Formular.) 8º Ebd. 03. 2.50 d
Sello, E: Ein später Strauss. Gedichte. (192) 8º Berl., Schuster & Loeffler 04. 3 —; geb. 4 —
Sello, G: Alt-Oldenburg. Ges. Aufsätze z. Gesch. v. Stadt u. Land. (207 m. 2 Taf. u. 1 Pl.) 8º Oldnbg, Schulze 03. 3 —; geb. 4 — d
— s.: Geschichtsquellen d. burg- u. schlossgesess. Geschlechts v. Borcke.
— Der Jadebusen. Sein Gebiet, s. Entstehgsgesch.; d. Turm auf Wangeroge. (16, 70 m. 2 Ansichten u. 3 Skizzen.) 8º Varel, Verl.-Anst. A Allmers 03. 2.40
— Der Roland zu Bremen. (70 m. Abb. u. 1 Heliogr.) 8º Brem., M NÖssler 01. 1.80
— Studien z. Gesch. v. Oestringen u. Rüstringen. (121 m. 1 Bildnis, 3 Skizzen u. 7 Taf.) 8º Varel, Verl.-Anst. A Allmers 1898. nn 12.50
— Vindiciae Rulandi Bremensis. Zu Schutz u. Trutz am 500jähr. Jubiläeum d. Roland zu Bremen. (94 m. 21 Taf. u. 1 Kartenskizze.) 8º Brem., M NÖssler 04. 7 4 —
Sellwig's, R, Lebensversichergs-Vademecum f. 1901. IV. Jahrg. (68) 16º Darmstadt, Selbstverl. 2.50
  Bisher bearb. v. W Steinfeld. Fortsetzg war nicht zu erhalten.
Selonskij, NN: Darasjans Testament, s.: Kürschner's, J, Bücherschatz.
Selss, G: Ein Uterus gravidus mensis VI. Anatomisch u. physiologisch betrachtet. (16) 8º Lpzg, B Konegan 02. 1 —
Selten, F: Der Fiedler-Bauer. BauerntragÖdie. (107) 8º Lpzg 02. Berl., H Seemann Nf. 2 —
Seltenreich, P: Gedichte u. Lieder z. Grossherzog-Jubiläum. Zur Verwendg bei Schulfeiern u. in Vereinen. (19) 8º Karlsr., JJ Reiff (02). — 20 d
Selter, H, s.: Jugend, gesunde.
Selter, P: Die Verwertg d. Fäcesuntersuchg f. d. Diagnose u. Therapie d. Säuglingsdarmkatarrhe n. Biedert. (86 m. 1 farb. Taf.) 8º Stuttg., F Enke 04. 3 —
Seltmann, O: Zur Wiedervereinigg d. getrennten Christen, zunächst in Land, Landen. (391) 8º Bresl., GP Aderholz 05. 4 —
Seltsam, F, J Stieber u. W Madjera: Der Hausadministrator. Prakt. Ratgeber im Baufache beim Au- u. Verkaufe, sowie d. Belebng e. Hauses, im Mietverhältn. u. s. w., nebst e. eingeh. Preistarife. 4. Afl. (27, 422) 8º Wien, Manz 03. 5.40; geb. 6 — d
Selzle, L: Kann e. denk. Mensch noch an d. Gottheit Christi glauben?, s.: Glaube u. Wissen.
Sembratowycz, R: Polonia irredenta. (157) 8º Frankf. a/M., Neuer Frankf. Verl. 03. 1 —
— Das Zarentum im Kampfe m. d. Zivilisation. (56) 8º Ebd. 05. 1 —
Sembritzki, J: Trescho u. Herder. Beitrag zu Herders Jugendgesch. u. zugl. e. Gedenkbl. zu Treschos 100jähr. Todestage (99.X.'04). [S.-A.] (40) 8º KÖnigsbg, (F Beyer (05). — 80
Semek, A, s.: Geschichte d. k. u. k. Wehrmacht.
Semeräd, A: Geodät. Längenmessg im Invardrähten. [S.-A.] (20 m. Abb.) 8º Wien, (O MÖbius) 05. — 70
Semeria, G: Die künstler. u. christlich-apologet. Bedeutg d. Romans „Quo vadis" v. H Sienkiewicz. Festrede. Uebers. v. N Müller. (42) 8º Einsied., Verl.-Anst. Benziger & Co. 01. 1 — d
Semestersbericht, bibliograph., d. Erscheingn auf d. Gebiete d. Neurol. u. Psychiatrie. N. Folge. 5. Jahrg. 1899. 2. Hlfte. (225—480) 8º Jena, G Fischer 1900. 7 — (Vollst.: 15 —)
Seminar-Blätter, Bündner. (Neue Folge.) Hrsg. v. P Conrad. 8. Jahrg. Novbr 1901—Oktbr 1902. 6 Nrn. (Nr. 1. (32) 8º Davos, H Richter. 2 — 6 d
Seminar-Reform, d. neue ernste, unter pädagog. Beleuchtg, hrsg. v. T Vogt, s.: Zur Pädagogik d. Gegenwart.
Semis s.: Fort m. d. Reichsgericht in Strafsachen.
Semler, H: Die Obstweinbereitg. Agrikultur. 2. Afl. Unter Mitwirkg v. M Busemann u. O Warburg bearb. u. hrsg. v. R Hindorf. 3. Bd. (818 m. Abb.) 8º Wien, Hinstorff's V. 03. 15 — (1—3.: 45 —; Einbde in HF. je 2.50)
Semlow, H: Aus d. Heimat. Sagen, Heimatskde u. Gesch. v. Quedlinburg. Umgegend, m. bes. Berücks. v. Thale, Suderode, Neinstedt, Westerhausen u. Ditfurt, nebst e. Überblick üb. d. Prov. Sachsen. (119 m. Abb.) 8º Quedlinbg, H Schwaneck (04). Kart. nn — 85 d
Semmelweis's ges. Werke. Hrsg. u. z. Tl a. d. Ung. übers. v. T v. GyÖry. (604 m. Bildn. u. 1 Abb.) 8º Jena, G Fischer 05. 12 —
Semmering, d., s.: Alt-Oesterreich. Zum 50jähr. Jubiläum d. Erbaug d. Semmeringb. (Von F Hansy.) (33) 8º Wien, W Braumüller 04. Kart. — 70

Semmig, E: Kurzgef. Leitf. f. d. tierärztl. Unterr., s.: Walther, E.
Semmig. JB: Enzio. Ein Ghibellinensang. (75) 8° Berl. 01. Dresd., A Urban. 1.50; L. 2.50 d
— Die Stadt d. Erinnerg. (72) 8° Münch., CH Beck 05. Kart. m. G. 1.80
Semmler, FW: Die äther. Öle. Nach ihren chem. Bestandteilen unter Berücks. d. geschichtl. Entwicklg. 1—5. Lfg. = 1. Bd. Allg. Tl. Methandervate. (560) 8° Lpzg, Veit & Co. 05.06. 34.50; BF. 38 —; Einzelpr. 40 —; geb. 43.50
Semon, F, s.: Zentralblatt, internat., f. Laryngol. usw.
Semon, R: Im austral. Busch u. an d. Küsten d. Korallenmeeres. Reiserlebnisse u. Beobachtgn e. Naturforschers in Australien, Neu-Guinea u. d. Molukken. 2. Afl. (565 m. Abb. u. 4 Kart.) 8° Lpzg, W Engelmann 03. 15 —; L. 16.50
— Zoolog. Forschgsreisen in Australien u. d. malayischen Archipel, s.: Denkschriften d. medic.-naturwiss. Gesellsch. zu Jena.
— Die Mneme als erhalt. Prinzip im Wechsel d. organ. Lebens. (853) 8° Lpzg, W Engelmann 04. 6 —; L. 7 —
— Normentaf. z. Entwicklgsgesch. d. Ceratodus forsteri, s.: Normentafeln z. Entwicklgsgesch. d. Wirbelthiere.
Semp, M: Der Regrut. En sächsesch Geburekomedi. [S.-A.] (47) 12° Hermannst., W Krafft (03). nn — 25 d
— Verspillt. En lastig Theatergeschicht. [S.-A.] (22) 8° Ebd. (05). nn — 25 d
Semper u. Michels: Die Salpeterindustrie Chiles. [S.-A.] (123 m. 12 Taf.) 8° Berl., W Ernst & S. 04. 6 —
Semper, C: Reisen im Archipel d. Philippinen. (II. Thl.) Wissenschaftliche Resultate. VI. Bd. 4—6. Lfg; VII. Bd. 4. Abth. 3. Abschn. 1. u. 2. Lfg u. 4. Abschn.; VIII. Bd. 3—6. Heft; IX. Bd. 8. Thl. 1. u. 2. Lfg u. X. Bd. 1. Heft. 4° Wiesb., CW. Kreidel. 317.60
    VI. Semper, G: Die Schmetterlinge d. philippin. Inseln. 2. Bd. Die Nachtfalter (Heterocera). 4—6. Lfg. (513—728 m. 13 Taf.) 1900.02. 76 — (VI. Bd vollst. 148 —)
    VII. Bergh, R: Malacolog. Untersuchgn. 4. Abth. 3. Abschn. Bullacea. 1. Lfg. (399—356 m. 4 Taf.) 01. 22 — ¦ 2. Lfg. (357—312 m. 4 Taf.) 01. 22.60 ¦ 4. Abschn. Ascoglossa. Aplysiidae. (313—382 m. 5 Taf.) 02. 24 — (1.—4.: 148.40)
    VIII. Möllendorf, OF v.: Landmollusken. Ergängzn u. Berichtigga z. III. Bde: Die Landmollusken. 6. Hefte. (99—146 m. 3 Taf.) 01. 18.80 ¦ 4. Heft. (147—186 m. 4 Taf.) 02. 22.60 ¦ 5. Heft. (187—234 m. 6 Taf.) 02. 22.60 ¦ 6. Heft. Forgeführt v. W Kobelt. (235—264 m. 8 Taf.) 04. 30 — (VIII. Bd vollst. 134.40)
    IX. Bergh, R: Malacolog. Untersuchgn. 6. Thl. 1. Lfg. Nudibranchiata. (57 m. 4 Taf.) 04. ¦ 2. Lfg. Opisthobranchiata — Pectinibranchiata. (57—117 m. 4 Taf.) 05. Je 22.60
    X, 1. Möllendorf, OF v.: Landmollusken. Ergängzn u. Berichtiggn z. III. Bde. Nach M.'s Tode auf Grund s. Nachlasses fortgeführt v. W Kobelt u. Frau G Winter, geb. v. Möllendorff. 1. Heft. (32 m. 7 farb. Taf.) 05. 90 —
Semper, G: Die Schmetterlinge d. philippin. Inseln, s.: Semper, C, Reisen im Archipel d. Philippinen.
Semper, H: Altes u. Neues in Rhythmus u. Reim. (92) 8° Lpzg, (KW Hiersemann) 05. 3 —; geb. 4 — d
— Das Fortleben d. Antike in d. Kunst d. Abendlandes, s.: Führer z. Kunst.
Semper, M: Theater, s.: Handbuch d. Architektur.
Semper, M: Achilleo. Drama. (91) 8° Köln, A Ahn (03). 2 — d
Semrau, M: Grundr. d. Kunstgesch., s.: Lübke, W.
— Venedig. (Moderner Cicerone.) (332 m. Abb. u. 1 Grundr.) 8° Stuttg., Union (05). L. 4.50
Senator, H: Die Erkrankgn d. Nieren. 2. Afl. (525) 8° Wien, A Hölder 02. 12 —; geb. nn 14.50
— s.: Krankheiten u. Ehe.
Senckel, E: Die Schul- u. Jugendsparkassen. 3. Denkschrift (zugl. als 14. Bericht, dessen statist Tl bearb. v. Zickerow). (244) 8° Frankf. a/O., G Harnecker & Co. 01. 2.30 d
¿ Den 13. u. 15. Bericht s. u. d. T.: Bericht d. deut. Ver. f. Jugendsparkassen.
Senckpiehl, R: Kurze Gesch.-Tab., s.: Geschichtsatlas, kl.
— Schul-Atlas in 26 Haupt- u. 14 Nebenk. f. d. Unterr. in d. Gesch. 2. Afl. (20 farb. Kartens.) Fol. Lpzg, Dürr'sche Bh. (03). — 80; geb. 1 —
Sendbote, d., d. hl. Antonius v. Padua. Red. v. W Cramer. 8—12. Jahrg. Juni 1901—Mai 1905. Je 12 Hefte. (1. Heft. 32 m. Abb.) 8° Paderb., Junfermann. Je 1.20 d
— eucharist. Monatsschrift z. Lob u. Preis d. allerh. Altarsakramentes. Hrsg. v. Schmitt. 9. Jahrg. 1902. 12 Hefte. (1. Heft. 16) 8° Lindau, J Lutz. (?) 1.2 d
— dass. Fortsetzg d. Altarblumen. Hrsg. v. A Reimers. 4. Jahrg. 1904. 12 Hefte. (1—4. Heft. 72) 8° Kemp., Thomasdr. u. Bh. 1.50 d ð F
Nur 4 Nrn erschienen. — J. 1903 war nicht zu erhalten.
— d., d. göttl. Herzens Jesu. Hrsg. v. Priestern d. Gesellsch. Jesu. Red.: J Hättenschwiller. 37—41. Jahrg. 1901—5 je 12 Hefte. (1901. 1. Heft. 32 m. Abb.) 8° Innsbr., F Rauch. Je 2 — d
— dass. Generalreg. 1865—1901. (52) 8° Ebd. 02. 2.50 d
— dass. Hrsg. v. d. Franziskaner-Vätern, Cincinnati, O. 28—32. Jahrg. 1901—5 je 12 Hefte. (1901. 1. Heft. 88 m. Abb. u. 1 Titelbild.) 8° Cincinnati (42, Calsbunn Street), Redaktion. Je 10 — d ð H
— d., d. hl. Joseph. Nebst Beibl.: Die hl. Familie. Hrsg. in red. v. J Dockert. 26. Jahrg. 1901. 12 Nrn. (Nr. 1. 32 u. 8) 8° Wien, (Mayer & Co.) ¦ 27—29. Jahrg. 1902—4. Hrsg. v. H Gamerschlag. Red.: F Eichert. Je 1.80 d
Fortsetzg war nicht zu erhalten.

Sendbote f. kathol. Vereine u. Freunde d. Kirche überhaupt. Red.: M Gerhauser u., seit 1904, G Wagner. 52—56. Jahrg. 1901—5 je 26 Nrn. (Nr. 1. 8) 8° Augsbg, (Kranzfelder). Je nn 1 — d
— kirchl. Sonntagsbl. f. Lutheraner in America. Hrsg.: I Dietrich. 17—21. Jahrg. Oktbr 1900—Septbr 1905 je 52 Nrn. (Nr. 1. 4) 41,5×28 cm. Allegheny. (Lpzg, E Bredt.) Je 4 — d
Senden, H (Fran BL Möller): Boris Siwanoff, s.: Bücher, freie.
— Verdorben, s.: Weichert's Wochen-Bibliothek.
Senden, H van: Bibl. Gesch., s.: Bodemann, FW.
Sendke, F: Verz. d. ev. Pfarrstellen, Kirchen u. Kapellen, d. Kirchenpatrone, sowie d. im Amt befindl. ev. Geistlichen d. Prov. Pommern. 2. Ausg. (274) 8° Stett. 04. (Neustett., FA Eckstein.) nn 2.50; geb. nn 3 — d
Sendler, R: Aufg. f. mündl. u. schriftl. Rechnen, s.: Dorn, J.
— Elsner, A.
— Raumlehre f. Lehrerbildganst., s.: Böttcher, R.
— Raumlehre f. Präparandenanst. 5. Afl. (120 m. Abb.) 8° Bresl., H Handel 01. 1.25; Einbd nnn — 25 ¦ 7. u. 8. Afl. (147 bezw. 155 m. Abb.) 04.05. 1.60; geb. nn 2 — d
— Rechenb. f. Lehrerbildgsanst. — Der Rechenunterr. in d. Volkssch., s.: Elsner, A.
— s.: Schulblatt, kathol.
— u. O Kobel: Übersichtl. Darstellg d. Volkserziehgswesens d. europ. u. aussereurop. Kulturvölker. 2. Bd. Portugal, Brasilien, Spanien, Südamerika, Mexiko u. Mittelamerika, Italien, Schweiz, Österr., Deutschl., Balkanstaaten, Ägypten, Russl., Japan, Korea u. China. (588) 8° Bresl., M Woywod 01. 11.50 (Vollst.: 17.50) d
Sendschreiben Sr. churfürstl. Durchl. v. Brandenburg. Geschrieben zu Gartz d. 2. VII. 1675 an d. Hoch-Mög. Herren General-Staaten d. Verein. Niederlande. Nebst e. genauen u. umständl. Bericht darüber, auf welche Weise Se. churfürst. Durchl. m. ihrer Kavall. u. d. Dragonern zuerst d. Stadt Rathenow im Sturm genommen u. darnach d. ganze schwed. Armee a. d. Mark Brandenbg getrieben hat. So wie auch d. Antwort Ihr. Hoch-Mög. Herren auf d. vorgen. Sendschreiben. Nach m. Druck d. Buchhändlers Chrispinus Hoekwater, 's Gravenhage, „in de Pooten" v. J. 1675. Uebersetzg u. d. holländ. Urtext durch d. Rathenower Zeitgsdruckerei (UH Wenckebach). [Umschl.: Bericht d. Gr. Kurfürsten an d. General-Staaten d. Niederlande üb. d. Einnahme v. Rathenow u. d. Vertreibg d. gesamten schwed. Armee a. d. Mark Brandenburg im Juni 1675.] (24 m. 1 Bildnis.) 8° Rathen. 03. (Bixdf, CMA Müller & Co.) — 75 d
— erlassen am Weihnachtstage 1888 v. Papst Leo XIII. Vom christl. Leben. (Deutsch u. lateinisch.) (Neue Afl.) (35) 8° Freibg i/B., Herder (01). — 30 d
— an d. Scherergemeinden. (6) 4° Innsbr. (01). Wien, verwalg d. Scherer. — 50 d
Sendschriften d. deut. Orient-Gesellsch. Nr. 1 u. 2. 8° Lpzg, JC Hinrichs' V. 1.60
    1. Marken. (2) 8° Babylon. 2. Abdr. m. Nachwort. (35 m. 3 Fl.) 01. [1.] — 60
    Meissner, B: Von Babylon n. d. Ruinen v. Hîra u. Huarnaq. (22) 01. [2.]
Sendziak, J: Laryngeale Störgn bei d. Erkrankgn d. centralen Nervensystems, bes. bei Tabes dorsalis, s.: Vorträge, klin., a. d. Gebiet d. Otol.
Seneca, LA, opera omnia. Ad optimor. libror. fidem accurate ed. Ed. ster. C Tauchnitiana. Tom. II. 16° Lpzg, O Holtze's Nf. 1.20
    II. De clementia libri II. De brevitate vitae: de vita beata: de otio sapientis: de beneficiis. Nova impressio. (275) 04. 1.20
— opera quae supersunt. Vol. I. Fasc. I. Dialogor. libros XII ed. E Hermes. (20, 383) 8° Lpzg, BG Teubner 05. 3.29; geb. 3.80
— dass. Suppl. LA Senecae ludus de morte Claudii. — Epigrammata super exilio. — De amissis LA Senecae libris testimonia veterum et fragmenta ex iis servata. — Ad Gallionem de remediis fortuitorum liber. — De paupertate. — Excerpta e Senecae epistulis. — De moribus lib. — De formula honestae vitae lib. — Epistolae Senecae ad Paulum apostolum et Pauli apostoli ad Senecam. — Epitaphium Senecae. Ed. F Haase. Accedit index rer. memorabilium. (191) 8° Ebd. 02. 1.80 (Vol. I—III u. suppl.: 9.80)
— tragoediae, recens. R Peiper et G Richter. Peiperi subsidiis instructus denuo edendas curavit G Richter. (44, 500) 8° Ebd. 02. 5.60; geb. 6.30
Seneca jun., LAe., s.: Wissenschaft, d., an d. Univers. u. ihre Priester.
Senf's, Gebr., illustr. Postwertzeichen-Katalog 1906 m. Netto-Preisen. 2 Bde. 12° Lpzg, Gebr. Senf. L. 5 —; in 1 L.-Bd 4.50
    1. Marken. (29, 991) 3.50 ¦ 2. Ganzsachen. (478) 1.50.
— dass. 1901. Kleine Ausg. m. Netto-Preisen. (479) 8° Ebd. (01). Geb. (nn 1 —) — 40 d
Senf, R: Postage stampalbum. Suppl. No. XI. Containing all issues from august 1900 to september '01. (44 Bl.) 4° Lpzg, CF Lücke (02). 1.50; geb. 2.50; Florpostpap. 2 —
Senfelder, L: Öffentl. Gesundheitspflege u. Heilkde. [Aus: Gesch. d. Stadt Wien*.] J. Die Alt. Zeit bis z. Ausg. d. XV. Jahrh. (92 m. Abb. u. 1 Taf.) 40,5×29,5 cm. Wien, A Holzhausen 04. nn 12 —
— Die Katakomben bei St. Stephan, s.: Vorträge u. Abhandlungen, hrsg. v. d. Leo-Gesellsch.
Senffleben, O: Uns. Gemeindepflege. Erfahrgn n. Mitteilgn a.

d. Arbeit ländl. Wohlfahrtspflege. [S.-A.] (35) 8° Berl., Tro-
witzsch & S. (02).   — 50 d
Senft, E: Praktikum d. Harnanalyse. (152 m. Abb. u. 2 [1 farb.]
Taf.) 8° Wien, J Šafář 03.   4 —; L. 5 —
— Taschenb. f. prakt. Untersuchg d. wichtigsten Nahrgs- u.
Genussmittel, s.: Publikationen, militärärztl.
— Mikroskop. u. mikrochem. Untersuchg d. Harnsedimente,
s.: Kratschmer, F.
— Mikroskop. Untersuchg d. Wassers m. Bezug auf d. in Ab-
wässern u. Schmutzwässern vorkomm. Mikroorganismen u.
Verunreiniggn. (196 m. Abb. u. 10 Taf.) 8° Wien, J Šafář 05.
                                        9.60; L. 10.80
— Üb. d. mikrochem. Zuckernachweis durch essigsaures Phenyl-
hydrazin. [S.-A.] (25 m. 2 farb. Taf.) 8° Wien, (A Hölder)
04.   — 90
Senftleben, P: Die Sandformerei. 2. Afl. (58 m. Abb.) 8° Dortm.,
FW Ruhfus 03.   1.20
Senftner, G: Sachsen u. Preussen im J. 1741, zugl. e. Beitr.
f. Klein-Schnellendorf. (47) 8° Berl., E Ebering (05).   1.20
Seng, A: Grundz. d. franzos. Zivilrechts u. d. bad. Landrechts.
(153) 8° Halle, Bh. d. Waisenh. 04.   3 — d
Seng, N, s.: Kircher, A, Selbstbiogr.
Senger, A: Lupold v. Bebenburg. [S.-A.] (184 m. 1 Taf.) 8°
Bambg, (G Duckstein) 05.   4 — d
— Das Papsttum u. d. Wahrheit. Predigt. (15) 8° Bambg, Schmidt
(03).   — 30 d
Senger, KT: Alwine Fremstad u. and. Erzählgn. (116) 8° Diessen,
JC Huber 03.   1.50; geb. 2 — d
Senkel, W: Wollproduktion u. Wollhandel im XIX. Jahrh. m.
bes. Berücks. Deutschlds, s.: Zeitschrift f. d. ges. Staatswiss.
Senoa, A: Der Judas v. Zengg, s.: Welt-Bibliothek.
Senst: Die Verwaltg v. Konkursen n. d. Reichs-Konkursordng.
5. Afl. (442) 8° Berl., F Siemenroth 04.   L. 6 — d
Sentzer, B: St. Gregor d. Gr. Sein Leben u. Wirken, in 3 Bil-
dern dargest. (179 m. 4 Vollbildern.) 8° Prag (13, Abtei Emaus)
Administr., d. St. Benediktustimmen 04.   Geb. 1.70 d
— Roman Sebastian Zängerle, Fürstbischof v. Seckau u. Admi-
nistrator d. Leobener Diöc. 1771—1848. (406 m. Bildnis u.
Fksm.) 8° Graz, Styria 01.   7.50 d
Senz, A: Leitf. z. Entwerfen u. Berechnen hoher Kamine. 2. Afl.
(51 m. Fig., 3 Tab. u. 2 Formularen.) 12° Ess., GD Baedeker
03.   Kart. 1.80
Sepp, B, u. **Ludwigs:** Fest-Reden z. Feier d. diamant. Prie-
sterjubiläums d. Bischofes Ignatius v. Senestrey. (62) 8°
Rgnsbg, J Habbel (02).   — 20 d
Sepp, JN, s.: Dürer, A, d. geheime Offenbarg Johannis.
— Ludwig Augustus, König v. Bayern u. d. Zeitalter d. Wie-
dergeburt d. Künste. 2. Afl. (965 m. 2 Bildnissen.) 8° Regnsbg,
Verl.-Anst. vorm. GJ Manz 03.   10 —; Hlf. 13 —
— Orient u. Occident. 100 Kapitel üb. d. Nachtseite d. Natur,
Zauberwerk u. Hexenwesen in alter u. neuer Zeit. (312) 8°
Berl. 03. Lpzg, M Altmann.   5 — d
— u. **Haneberg:** Das Leben Jesu. Wiss. u. auf Grundl. genauer Chronol., Topogr. u. universalhistor. Synoptik. 4. Afl.
2, 4. u. 5. Bd. (Mit Abb.) 8° Rgnsbg, (Verl.-Anst. vorm. GJ
Manz).   18.50 (Vollst.: 26 —)
2. Lehrwandel Jesu v. 1. u. 2. Osterfeste. (396) 1900.   5 — d
4. Lehrwandel Christi v. 3. Osterfeste bis z. Leidenspascha. (727) 01. 8 —
5. Leidensgesch. Christi v. 4. Osterfeste od. Leidenspascha bis z. Gei-
stossendg. (360) 02.   6.50
Sepp, K: Der Leibrentenvertrag n. d. BGB. (118) 8° Münch.,
CH Beck 05.   2 — d
Sepp, PB: Wicht. Gesundheitsregeln. 8. Afl. (16) 8° Augsbg,
Kranzfelder 03.   — 10
Sepsi-Martonos s.: Gyujtó v. Sepsi-Martonos.
September, d. Monat, geweiht durch Betrachtgn auf alle Tage
dieses Monats, s.: Monate, d. 12, d. Jahres.
Septuaginta-Papyri, d., u. and. altchristl. Texte d. ei el-
berger Papyrus-Sammlg, hrsg. v. A Deissmann, s.: Ver-
öffentlichungen a. d. Heidelb. Papyrus-Sammlg.
Septuaginta-Studien. Hrsg. v. A Rahlfs. 1. Heft. 8° Gött.,
Vandenhoeck & R.   2.80
Rahlfs, A: Studien z. d. Königsbüchern. (98) 04. [1.]   2.80
Serao, M: Riccardo Joanna's Leben u. Abenteuer. Roman. Aus
d. Ital. v. M v. Weissenthurn. (331) 8° Münch., A Langen 01.
                                            3.50; geb. 4.50 d
— Liebesbriefe, s.: Bibliothek berühmter Autoren.
— Schlaraffenland. Neapolitan. Sittenroman. Aus d. Ital. v.
K Manfred. 1. u. 2. Afl. (492) 8° Stuttg., Deut. Verl.-Anst.
04.   5 —; d
Seraphim, A: Eine Schwester d. Gr. Kurfürsten Luise Char-
lotte, Markgräfin v. Brandenburg, Herzogin v. Kurland, s.:
Quellen u. Untersuchungen z. Gesch. d. Hauses Hohenzollern.
Seraphim, E: Maler. Ansichten a. Livland, Estland, Kurland.
(250 m. Abb.) 4° Riga, J Deubner 01.   L. 20 —
— Gesch. v. Livland, s.: Staatengeschichte, allg.
— Livländ. Gesch. v. d. „Aufsegelung" d. Lande bis z. Einver-
leibg in d. russ. Reich. 2. u. 3. Bd. 8° Rev., F Kluge. 10 —
                    L. 13 — (Vollst.: 16.50; geb. 19 —) d
2. Die Prov.-Gesch. bis z. Unterwerfg unter Russl. 2. Afl. (598 m. 3 Taf.
    u. 1 Karte.) 04.   6 — d
3. Die Gesch. d. Herzogt. Kurland (1561—1795) v. A Seraphim. 2. Afl.
    (371 m. 1 Bilde.) 04.   4.50; geb. 6 —
— Im neuen Jahrb. Balt. Rückblicke u. Ausblicke. (63) 8° Riga,
Jonck & P. 02.   1.50 d

Seraphin, FW: Die Einwanderer. Histor. Roman. (472) 8° Her-
mannst., GA Seraphin (04).   5 —; L. 6 — d
Seraphinus: Eine weltberühmte Arznei geg. alle Krankh. f.
Arm u. Reich od. Die Arbeit in jedem Stand u. Beruf, s.:
Zu Lehr u. Wehr.
Sergel, A: Jenseits d. Strasse. Gedichte u. Stimmgn. 2. Afl.
(129) 8° Rost., CJE Volckmann 06.   3.50; L. 3.20
— Sehnen u. Suchen. Gedichte. 1—3. Afl. (172) 8° Ebd. 04.05.
                                            2.50; L. 3.50
Sering, FW: Ausw. v. Gesängen f. Gymnasien u. Realsch.
Op. 105 (1—7). (In 7 Heften.) I—III., VI. u. VII. Heft. 8°
Lahr, M Schauenburg.   3.60 d
1. Lieder f. d. Vorkl. 9. Afl. (48) 04. — 60 ‖ II. Lieder f. d. unt. Kl.
10. Afl. (58) 04. — 60 ‖ III. Dreistimm. Gesänge f. 2 Sopranstimmen u.
1 Altstimme od. f. 2 Tenorstimmen u. 1 Bassstimme. 6. Afl. (76) (04.)
— 60 ‖ VI. Chorkl. Weltl. Gesänge f. Diskant, Alt, Tenor u. Bass. 7. Afl.
(128) 05. ‖ — ‖ VII. Patriot. 2., 3.- u. 4stimm. Gesänge f. Diskant- u. Alt-
stimmen od. f. Tenor- u. Bassstimmen, sowie f. 4stimm. gem. Chor. 4. Afl.
(68) (04.) — 80.
— Chorbuch. (233 vierstimm. Chöre.) Gemischte Chöre f. Gymnasien, Realgymnasien u. Oberrealsch. Op. 117. 19 u. 20. Afl.
(416) 8° Ebd. 04.   4 — d
— 2- u. 3stimm. Chorbuch f. d. Unter- u. Mittelkl. d. Gymnasien u. Realsch. Op. 4. Afl. (174) 8° Ebd. 02. Geb. 1 — d
— Chorgesänge f. Präparanden-Anst. 3stimmig gesetzt. Op. 119.
13. Afl. (76) 8° Lpzg, CFW Siegel (02).   — 60 d
— Gesänge f. d. Chorkl. (Oberkl.) höh. Mädchensch., sowie f.
Pensionate u. Lehrerinnen-Seminare. Bd IIa. 158 Gesänge.
Op. 121. 8. Afl. (201) 8° Lahr, M Schauenburg 03.   1 — d
— Gesänge f. Progymnasien, Prorealgymnasien, Realsch. u.
höh. Bürgersch. Op. 115. (1—4.) (In 4 Heften.) Heft 1, II u.
IIIa u. b. 8° Ebd.   3.20 d
I. (100 Lieder.) Vorklassen. Abtlg. I. 1. Schulj. (Einstimmig.) Abtlg. II.
2. u. 3. Schulj. (Einstimmig bei spät. Wiederholgn zweistimmig.) 3. Afl.
(45) (03.) — 40 ‖ II. 100 Gesänge f. d. Unterkl. 6. Afl. (72) 04. — 60 ‖ III.a.
137 dreistimm. Gesänge (Sopran I, II u. Alt) f. klein. Chorkl. (Mit
u. ohne Anh. v. 30 dreistimm. Chorälen zu gleichem Preise.) 5. Afl. (103)
02. — 80 ‖ III.b. 160 vierstimm. Gesänge (Sopran I, II, Alt u. Bariton) f.
grös. Chorkl. 6. Afl. (280) 02. Geb. 1.40.
— Gesangsch. f. Präparanden-Anst. Op. 118. 9. Afl. (40) 8° Lpzg,
CFW Siegel (1900).   1.20; geb. 1.50 d
— Gloria in excelsis Deo. Alte u. neue Weihnachtslieder f. 1
u. 2 Singstimmen in mittl. Tonlage, m. Begleitg d. Klaviers,
d. Harmoniums od. d. Orgel bearb. Op. 129. 2. Afl. (24) 4°
Güters., C Bertelsmann (02).   Kart. 1.20 d
— Männergesang-Schule. Männerchöre f. Lehrer-Konferenzen u.
Lehrer-Seminare. Op. 11. 4. Afl. (296) 8° Lahr, M Schauen-
burg (05).   Geb. 2 — d
— Vollständ. theoretisch-prakt. Lehrg. d. Schulunterr. im Singen
nach Noten. Op. 106. 4. Afl. (70) 8° Lpzg, C Merseburger 01.
— Lieder f. d. unt. Kl. höh. Mädchensch. 6. Afl. Op. 96. (28)
8° Strassbg, Strassb. Druckerei u. Verl.-Anst. (01).   — 60 d
— Lieder f. d. Unter- u. Mittelkl. höh. Mädchensch. Op. 116.
(210 Lieder.) 10. Afl. (106) 8° Lahr, M Schauenburg 04.   — 80 d
— Lieder-Ausw. f. d. mittl. Klassen höh. Mädchensch. Op. 98.
1. Heft. 9. Afl. (29) 8° Strassb, Strassb. Druckerei u. Verl.-
Anst. (01).   — 60 d
— Liederb. in systemat. Ordng f. 3- u. mehrklass. Volksch.
sowie f. Mittelsch. Op. 107, 1—5. u. 5. Heft. Neue Afl. 8°
Lpzg, C Merseburger 01.   — 70 d
1. Stufe f. d. Mittelsch. Unterst. d. mehrklass. Volksch. (24)   — 30
2. Stufe 2 d. Mittelsch. Mittelst. d. mehrklass. Volksch. (36)   — 30
3. Stufe 3 d. Mittelsch. Oberst. d. mehrklass. Volksch. (47)   — 50
— Elsass-lothring. Liederkranz. Ausw. ein- u. mehrstimm.
Lieder f. Schule u. Haus. Op. 87. 1—3. II. u. III. Heft. 8°
Strassbg, F Bull.   nn — 50 d
II. Lieder f. d. Mittelst. 22. Afl. (24) 05. — 20 ‖ III. Lieder f. d. Oberst.
31. Afl. (40) 04. nn — 30.
— Allg. Musiklehre in ihrer Begrenzg auf d. Notwendigste f.
Lehrer u. Schüler in jedem Zweige musikal. Unterr. 5. Afl.
v. K Kühn. (54) 8° Lahr, M Schauenburg (02).   — 80 d
— Die Volkslieder d. Normal-Lehrpl. f. d. Elementarsch. Ausw.-
Elsass-L. 27. Afl. (20) 8° Strassbg, F Bull 05.   — 20 d
— 188 d. besten deut. Volkslieder u. geistl. Lieder f. d. Mittel-
u. Oberst. d. Volkssch. 5. Afl. v. R Linnarz. (120) 8° Lahr,
M Schauenburg (03).   — 36 d
Sering, M, s.: Forschungen, staats- u. sozialwiss. — Vererbung
d., d. ländl. Grundbesitzes im Kgr. Preussen.
Serious s.: Pfau, KF.
Serkowski, S: Grundr. d. Gesundheitsl. d. Harns. (80 m. Abb.) 8°
Berl., S Karger 05.   1.50
Serlo, W: Liste d. kgl. preuss. Bergassessoren. (216) 8° Berl.,
W Ernst & S. 02.   4 —; L. 5 — d
Sermage, M, Graf: Im Exil, s.: Weber's moderne Bibliothek.
Sermes, MC: Mittersegen, s.: Theater f. d. weibl. Jugend.
— Die Silberkrönchen. Kinder-Märchensp. z. Silber-Hochzeit
Ihrer kais. Majestäten gedichtet. Musik v. W Loinwober.
(Textb.) (31) 8° Düsseldf, J Schwann (05).   — 50 d
Sermond, H: Realienb., s.: Lettau, H.
Sernander, R: Den skandinaviska vegetationens spridnings-
biologi. Zur Verbreitgsbiol. d. skandinav. Pflanzenwelt. Kg-
e. deut. Resumé. (459 m. Abb.) 8° Upsala (01). (Berl., R Fried-
länder & S.)   10 —
Sernatinger, H: „Anno 1489". Festsp. a. Bräunlingens Ver-
gangenheit. Mit histor. Einl. v. E Balzer. (122) 8° Stuttg,
A Bonz & Co. 05.   2 — d

Sero, O: Der Fall Wilde u. d. Problem d. Homosexualität. 2. Afl. (89) 8° Lpzg, M Spohr 01.   1.50 d

Serrano, R: Grammaire espagnole, s.: Sauer, CM.

Serrazanetti, G: Die Wasserschutzbauten. Prakt. Normen f. d. Anwendg s. priv. Systemes. 2. Afl. Uebers. v. KH Schmidle. (341 m. Abb. u. Bildnis.) 8° Bologna 03. Lpzg, M Rübe. 3.50

Serret, J-A: Lehrb. d. Differential- u. Integral-Rechng. Deutsch bearb. v. A Harnack. 2. Afl., hrsg. v. G Bohlmann. III. Bd, 2 Lfgn. Hrsg. v. G Bohlmann u. E Zermelo. 8° Lpzg, BG Teubner.   9 — (Vollst.: 27 —; geb. 30 —)
   1. Differentialgleichgn. (304 m. Fig.) 03. 6 — || 2. Differentialgleichgn u. Variationsrechng. (305—479 m. Fig.) 04. 3 — (1 u. 2 in 1 Bd geb. 10 —)

Sertillanges, AD: Kunst u. Moral, s.: Wissenschaft u. Religion.
  — s.: Livre d'or, le.

Servaes, F: Jungfer Ambrosia. Lustsp. (194) 8° Münch., R Piper & Co. (05).   2 — d
  — Albr. Dürer, s.: Sauer, CM.
  — Jehudo Epstein, s.: Künstler, jüd.
  — Fontane, s.: Dichtung, d.
  — Die Karraborrier. 5 abenteuerl. Geschichten a. e. fernen Inselreich. (344) 8° Lpzg 03. Berl., H Seemann Nf.   4 — d
  — Heinr. v. Kleist, s.: Dichter u. Darsteller.
  — Max Klinger, s.: Kunst, d.
  — Giovanni Segantini. Sein Leben u. s. Werk. (134 m. 63 Kunstbeil.) Fol. Wien, Gerlach & W. 02.   L. (nn 100 —) 150 —
  — Der neue Tag. Drama. (79) 8° Lpzg 03. Berl., H Seemann Nf.   2 —

Servistarif u. Klasseneinteilung d. Orte. Ausg. durch Ges. v. 6.VII.'04. (D. V. E. No. 24.) (53) 8° Berl., ES Mittler & S. 04.   † — 20; kart. † — 35 d

Servii Grammatici qui feruntur in Vergilii carmina commentarii. Recens. G Thilo et H Hagen. Vol. III. fasc. II. Appendix Serviana. Ceteros praeter Servium et scholia Bernensia Vergilii commentatios continens, recens. H Hagen. (540) 8° Lpzg, BG Teubner 02.   20 — (I—III, 2: 74.40)

Servus, H: Die Störgn d. Atmosphäre u. d. Erdinnern durch Sonne u. Mond. Neue Grundl. d. Meteorol. 2. Tl. (18) 4° Berl., Weidmann 01.   1 — (1 u. 2.: 2 —)
  — Wittergs-Prognosen f. 1902. (27 m. 1 Fig.) 12° Berl., E Staude 02.   — 50 d ô F

Serwas, P: Des Glaubens Abgründe. Trauersp. (a. d. M.-A.). (100) 8° Bambg, Handelsdr. u. Verlagsh. (09).   1.20 d
  — Humorist. Postkarten-Verse f. alle Gelegenh. Daheim u. in d. Ferne. (32) 16° Reutl., R Bardtenschlager (02).   — 15 d
  — Urfidel! Der Humorist am lust. Vereins- u. Familienabend. (96) 8° Ebd. (05).   — 40 d

Sester, J: Das Kirchenpatronatrecht im Grossh. Baden, s.: Gönner, R.

Sestini, L: Das Fechten m. d. Florett u. d. Säbel auf Hieb u. Stich n. d. italien. System d. Prof. Cav. Ferd. Masiello. Deutsch von v. Kiesewetter. (248 m. Abb.) 8° Berl., W Issleib (03).   5 —

Setälä, EN, s.: Forschungen, finnisch-ugr.

Sethe, K: Beitr. z. ält. Gesch. Ägyptens, s.: Untersuchungen z. Gesch. u. Altertumskde Aegyptens.
  — Ein Bruchstück altägypt. Annalen, s.: Schäfer, H.
  — Denkmäler a. Aegypten u. Aethiopien, s.: Lepsius, CR.
  — Dodekaschoinos, d. Zwölfmeilenland u. d. Grenze v. Aegypten u. Nubien. — Imhotep, d. Asklepios d. Aegypter, e. vergötterter Mensch e. d. Zeit d. Königs Doser, s.: Untersuchungen z. Gesch. u. Altertumskde Aegyptens.
  — s.: Urkunden d. ägypt. Altertums.
  — Das ägypt. Verbum im Altägypt., Neuägypt. u. Kopt. 3. Bd. Indices. (119) 4° Lpzg, JC Hinrichs' V. 02.   Kart. 16 — (Vollst.: 66 —)

Setina, O: Schlüssel z. Berechng d. allg. Erwerbsteuer. (102) Fol. Wien, Hof- u. Staatsdr. 02.   3 —

Settegast, F: Quellenstudien z. galloroman. Epik. (395) 8° Lpzg, O Harrassowitz 04.   9 —

Settegast, H: Die Lehre v. d. Landw. Method. Lehrg. Fortgeführt (v. Heft 26 an) v. F Falke. 23—42. Heft. (667 m. Abb.) 8° Lpzg, M Schäfer (01-05).   Je — 50 d
  — dass. 1. Bd. Die landw. Betriebslehre. (426) 8° Ebd. 04.   7 — d
  Settegast, H, s.: Bausteine. — Herdbuch, dent.
  — Ges. freimaurer. Schriften f. Freimaurer u. Nichtfreimaurer. Neue [Tit.-]Ausg. v. „Der deut. Freimaurerei Gegenwart u. Zukunft". (308 m. Bildnis.) 8° Berl., A Unger [1897] 04. 3 — geb. 4 — d
  — s.: Shorthorn-Herdbuch, dent.

Settele, HJ: Welche hygien. Vorsichtsmassregeln kann man vom Friseur verlangen? (55) 8° Münch., Seitz & Sch. 03. — 80

Settimana, la, politica, letteraria, scientifica e cattolica. Italien. Zeitg f. Deutsche (zu Unterr.- u. Fortbildgszwecken). Red. u. Hrsg.: G Schmid-Ferrari. 22. u. 23. Jahrg. 1901 u. 2 je 52 Nrn. (Nr. 1, 8) 4° Münch., M Rieger. Viertelj. 1.75 || 24— 26. Jahrg. 1903—5. Viertelj. 3 —

Settler, F: Tageb. in Liedern. (48) 8° Lpzg, Modernes Verl.-Bureau 04.   1.20

Settmacher, G, s.: Lehrmittel-Sammler, d.

Setzer, A: Weiser Schnell-Rechner im gewöhnl. Verkehr. In 5 Tln. 1. u. II. Heft. 8° Weis, J Haas 1876. Kart. je — 40 d
  L Pfund u. Kilo od. uns. neues Gewicht. 4. v. AE Seibert. 4. Afl. (1—64) || II. Fuss u. Meter od. uns. neues Lang-Mass. 2. Afl. v. AE Seibert. (65—172)

Seuberlich, F: Poet. Kleinigk. Gedichte. (198) 8° Riga, N Kymmel's S. 01.   2.80 d

Seuberlich, R: Señor Kduckduckduck. Eine lust. Sommergesch. (30) 4° Riga, N Kymmel's S. 03.   — 80 d
  — Balt. Schnurren (3. Folge). Allerlei Schnurren. (109) 8° Ebd. 02.   2 —; geb. 3 — (1—3.: 7.45) d

Seubert: Verz. d. in d. Sammlg d. Mannheimer Altertumsver. befindl. pfälz. u. bad. Münzen u. Medaillen, s.: Kataloge d. Sammlgn d. Mannheimer Altertumsver.

Seubert, K: Atomgewichte d. Elemente. 2 Bl. je 68,5×90,5 cm. Lpzg, Breitkopf & H. 02.   In Umschl. 1 —
  — Internat. Atomgewichte v. 1903. Norm: O — 16. (2 Bl.) 68× 91 cm. Ebd. 03.   1 —
  — dass. Norm: H = 1. (2 Bl.) 68×91 cm. Ebd. 03.   1 —
  — Einl. in d. Studium d. Chemie, s.: Remsen, I.

Seubert, M: Exkursionsflora f. d. Grossh. Baden. 6. Afl. v. L Klein. (44 u. 454) 8° Stuttg., E Ulmer 05.   4 —; L. nn 4.50

Seufferheld, C: Die Bekämpfg d. Traubenwicklers, s.: Lüstner, G.
  — s.: Mitteilungen üb. Weinbau u. Kellerwirtschaft.

Seuffert, B: Prolegomena zu e. Wieland-Ausg. (I u. II.) [S.-A.] (76) 8° Berl., (G Reimer) 04.   3 —
  — Teplitz in Goethes Novelle. (38) 8° Weim., H Böhlau's Nf. 03.   — 80 d

Seuffert, H: Die Bewegg im Strafrechte währ. d. letzten 30 Jahre. Vortr. (71) 8° Dresd., v. Zahn & J. 01.   2 — d
  — Ein neues Strafgesetzb. f. Deutschl. (87) 8° Münch., CH Beck 02.   2 —

Seuffert's, JA, Archiv f. Entscheidgn d. obersten Gerichte in d. deut. Staaten. Systemat. u. alphabet. General-Reg. üb. Bd 31—95 d. neuen Folge d. Archivs. Verf. v. HF Schütt. (297) 8° Münch., R Oldenbourg 1900.   6 — d
  — dass. Neue, 3. Folge 2—5. Bd. — Der ganzen Reihe 57—60. Bd. Hrsg. v. HF Schütt. Je 12 Hefte. (511, 511, 515 u. 512) 8° Ebd. 02-05.   Je 9 — d
  — dass. 3., ausgew. Ausg. 6 Bde. (Der ganzen Reihe Bd 1—55.) Hrsg. v. HF Schütt. Nebst: Systemat. u. alphabet. General-Reg. zu denjenigen in Bd I—LV enth. Entscheidgn, welche f. d. Rechtsprechg u. d. neuen Rechte verwertbar sind. Von HF Schütt. (1012, 1136, 1136, 1298, 1362, 1319 u. 281) 8° Ebd. 01.   L. 55 —; Reg. allein. (281) Geh. 15 — d
  — Blätter f. Rechtsanwendg. Hrsg. v. J v. Staudinger. 55. u. 67. Jahrg. 1901 u. 2 je etwa 36 Nrn. (1901. Nr. 1. 20) 8° Erl., Palm & E.   Je 12 — d
  — dass. Unter Mitwirkg v. K Ostbelder u. T Engelmann hrsg. v. K Gareis. 68—70. Jahrg. 1903—5 je etwa 26 Nrn. (Nr. 1. 24) 8° Ebd.   Je 12 — d

Seuffert, L: Kommentar z. CPO. in d. Passg d. Bekanntmachg v. 20.V.1898, nebst d. Einführsges. dazu. 8. Afl. 2 Bde. (28, 706 u. 827) 8° Münch., CH Beck 01-03. 32 —; HF. nn 36 — || 9. Afl. 2 Bde. (30, 688 u. 815) 04.05. 35 —; geb. nn 38 —; Nachtr. enth. d. Novelle v. 5.VI.1905 nebst Erläutergn. (9) 05. — 50 d
  — s.: Schreibvorl. I., II. u. IV. Heft. 16° Nach s. Schmidt.

Seulen, F: Schreibvorl. I., II. u. IV. Heft. 16° Nach s. Schmidt.   Je nn — 35 d
   L. 11. Afl. (26 Bl.) 05. || II. 14. Afl. (25 Bl.) (05.) || IV. 12. Afl. (25 Bl.) 04.

Seume, JG: Kleinere Schriften. — Sämmtl. Gedichte. — Mein Leben, m. Fortsetzg v. CAH Clodius. — Mein Sommer 1805. — Spaziergang n. Syrakus im J. 1802, s.: Hempel's Klassiker-Bibliothek.

Seutemann, K: Die Preise in d. Städtestatistik, s.: Festgaben f. Friedr. Jul. Neumann.
  — Die deut. Wohngsstatistik, ihr gegenwärt. Stand u. ihre Bedeutg f. d. Wohngsreform, s.: Wohnungsfrage, d., u. d. Reich.

Sevenig, J: In d. Gewalt u. Revolutionärs. — Gregorio, d. Opfer d. Piraten. — Francis Tregian, s.: Heidelmann's, A, Theaterbibliothek.

Severin, s.: Herrin, e.

Severin, O: Führer in d. Umgebg v. Bad Wildungen. 5. Afl. (46 m. 1 Karte.) 8° Wildung., F Pusch 01.   1 —

Severinus, s.: Katalog, d., d. Sortimentsbundes. — Sortimenterbund, d.

Severinus, G: Der Oktober Rosenkranz-Monat u. Der November Armenseelen-Monat, s.: Zu Lehr u. Wehr.

Severolus, H: De concilio Tridentino commentarius, ed. S Merkle, s.: Concilium Tridentinum.

Seversereus s.: Aus d. Sprechstunde d. Arztes.

Severus ben el Moqaffa': Historia patriarchar. alexandrinor., ed. CF Seybold, s.: Corpus scriptor. christianor. orientalium.

Sévigné, Mme de: Lettres, s.: Prosateurs franç.

Sevin, H: Der I. Bischof v. Konstanz. (104) 8° Ueberl., A Schoy 05.   nn 2 — d
  — Kaiser Rotbarts Fronhof Ueberlingen. [S.-A.] (85 m. 2 Taf. u. 2 Pl.) 4° Ueberlingen, Dr. Sevin 1900.   nn 6 — d
  — Ursprg d. alten Linzgauer Pfarrsprengel. (18) 8° Ueberl., A Schoy 05.   1 — d

Sevin, L: Abriss d. Weltgesch., s.: Andrä, JC.
  — Elementarb. d. engl. Sprache, n. d. analyt. Methode bearb. 7. Tl: Lautlehre: d. einf. Satz nebst d. regelmäss. Formenlehre. 3. Afl. (166) 8° Karlsr. 02. Freibg i/B., J Bielefeld. Geb. 1.80
  — 8. Tl. 2. Afl. (228) 05. Geb. 2.80 d
  — s.: Goethe's ält. Zeitgenossen.
  — Grundr. d. Weltgesch. — Lehrb. d. Weltgesch. — Kurzer Lehrg. d. Gesch. f. höh. Mädchenschch., s.: Andrä, JC.

Sevin, L: Literaturgeschichtl. Leseb., s.: Auswahl f. d. Schule a. d. gröss. Werken deut. Dichter.
— Geschichtl. Quellenb. 10 Bdchn. 2. Afl. 8° Lpzg, R Voigtländer.
Je — 60 d
1. Die Völker d. Morgenl. u. d. Hellenen bis z. Ende d. Perserkriege. (80) 01. ‖ 2. Die Hellenen seit d. Ende d. Perserkriege (bis z. Tode Alexanders d. Gr.). (86) 02. ‖ 3. Die Römer nebst d. Anfängen d. Germanen (bis 378 n. Chr.). (88) 02. ‖ 4. Völkerwanderg, Frankenreich u. Anfänge d. deut. Reiches (bis z. J. 919) (80) 02. ‖ 5. Das Deut. Reich unter d. sächs., d. fränk. u. d. hohenstauf. Kaisers (919—1254). (80) 08. ‖ 6. Vom M.-A. z. Neuzeit (1254—1556). (80) 08. ‖ 7. Vom Ausg. Karls V. bis z. westfäl. Frieden (1556—1648). (72) 02. ‖ 8. Vom westfäl. Frieden bis z. Regierungsantritt Friedrichs d. Gr. (1648—1748). (80) 08. ‖ 9. Vom Regierungsantritt Friedrichs d. Gr. bis z. Frieden v. Tilsit (1740—1807). (80) 08. ‖ 10. Vom Frieden v. Tilsit bis z. Wiederaufstehen d. Deut. Reiches (1807—71). (84) 03.
Das 7. u. 8. Bdchn d. 1. Afl. bilden in 2. Afl. d. 7—10. Bdchn.
Seward, TF: Geist. Erkenntnis od. Bibel-Sonnenschein. Das geist. Evangelium Jesu Christi. Deutsch v. A M. (194) 8° Lpzg, Lotus-Verl. (04). 3 —; geb. 4 —
— Wie wir Gott kennen lernen. Die Bedeutg d. christlich wissenschaftl. Bewegg. Deutsch v. A M. (90) 8° Ebd. (05). 2 —;
Sewell, A: Black beauty, s.: Authors, modern Engl. (H Saure).
— „Rabe". Die Lebensgesch. e. Pferdes, v. ihm selbst erzählt. Uebersetzg v. „Black Beauty", f. deut. Leser frei bearb. b. Abdr. Feine Ausg. (144 m. Abb. u. 12 Taf.) 8° Stuttg., P Hobbing 02. Geb. 2 — ‖ d. Abdr. (144 m. 3 Abb.) (02.) — 50; kart. m. 4 Taf. 1 — d
— Die Kirche siegt! Roman. (296) 8° Ebd. (04). 3 — d
— Königin Lear. Roman. 2 Tle in 1 Bde. (238 u. 152) 8° Ebd. (05). 4 — d
— 2 Welten. Roman. (239) 8° Dresd., C Reissner 02. 3 —; geb. 4 — i
Sexualreform. Beibl. zu „Geschlecht u. Gesellschaft". Hrsg.: K Vanselow. Red.: W Brönner. 1. Jahrg. Oktbr 1906—Septbr 1906, 12 Hefte, (1. Heft. 48) 8° Berl., Verl. d. Schönheit. 4 —
Seybold, CF: Die Drusenschrift: Kitâb Alnoqat Waldawâir „Das Buch d. Punkte u. Kreise". Nach d. Tübinger u. Münch. Codex hrsg., m. Einl., Fcsm. u. Anhängen verwehen. (96 m. Fig. u. 1 Taf.) 4° Lpzg 02. Halle, R Haupt. 8 —
— s.: Geschichte v. Sul u. Schumul. — Severus ben el Moqaffa', historia patriarchar. alexandrinor.
— Die vorroman. Volkssprachen d. roman. Länder, s.: Wundisch, K.
Seyboth, A, s.: Kunstdenkmäler, elsäss. u. lothring.
Seyboth, J: Catalog v. 781 Zodiacalsternen f. Aequinoctium u. Epoche 1885.0 n. Beobachtgn v. M Ditschenko, s.: Publications de l'observatoire central Nicolas.
Seydel, A: Methodik d. Volksschulunterr., s.: Schwochow, H.
Seydel, A: Ist e. Aenderg d. Abendmahlsfeier ratsam, so dass an Stelle d. gemeinschaftl. Kelches Einzelkelche gebraucht werden? Vortr. (16) 8° Berl., (HR Mecklenburg) 04). — 20 d
— Unterr. in d. christl. Relig. auf heilsgeschichtl. Grundl. In Anlehng an d. kl. Katech. Luthers f. d. ob. Kl. höh. Lehranst. u. Mittelsch., f. Lehrerseminare, f. d. Konfirmandenunterr. u. z. Selbstunterweisg f. d. christl. Gemeinde bearb. (221) 8° Lpzg, BG Teubner 04. 2.60; geb. 3.20 d
Seydel, F: Das Ges. üb. d. Enteigng v. Grundeigentum v. 11. VI. 1874. 3. Afl. (812) 8° Berl., C Heymann 03. 7.50; geb. 8.50 d
Seydel, H: Mit Theodor Fontane durch d. Mark Brandenburg. Orig.-Radiergu. I. Folge. Havelland. Potsdam u. Umgebg. (10 Bl.) 31,5×44 cm. (2 Bl. Text.) 44×31,5 cm, Berlin-Charlottnbg, Amelang (03). In L.-M. 25 —
Seydel, H, s.: Chirurgie. d. Kriegschirurgie. 2. Afl. (391 m. Abb.) 8° Stuttg., F Enke 05. 10 —; L. 11.30
Seydel, M: Lentzsch. Natur u. Gesch. uns. Ortes. Fest-Ansprache. (18 m. 5 Taf.) 8° Leutzsch (04). Lpzg, Rossberg'sche Bh. n —60 d
— Ueb. Stimme u. Sprache u. wie man sie gebrauchen soll. [S.-A.] (24) 8° Lpzg, (Rossberg'sche Bh.) 02. — 50 Vergr.
Seydel, M v: Staatsrechtl. u. polit. Abhandlgn. Neue Folge, hrsg. v. K Krazeisen. (343 m. Bildnis.) 8° Tüb., JCB Mohr 02. 6.00 (1 u. 2.: 11.40) d
— s.: Annalen d. Deut. Reichs.
— Das Staatsrecht d. Kgr. Bayern, 3. Afl. v. J Grassmann, s.: Handbuch d. öffentl. Rechts d. Gegenwart.
— Vorträge u. d. allg. Staatsrecht. [S.-A.] (96) 8° Münch., J Schweitzer V. 03. 2.40 d
Seydel, P: Die Heimat im Lichte d. Weltgesch. — Heimatküde v. Limbach u. Umgegend, s.: Fritzsching, P.
Seydewitz, P v.: Das kgl. sächs. Volksschulgesz., 4. Afl. v. JF Kockel u. JF Kretzschmar, s.: Handbibliothek, jurist.
Seydl, E: Das ewige Gesetz in sr Bedeutg f. d. phys. u. sittl. Weltordng, s.: Studien, theolog., d. Leo-Gesellsch.
— Leo Nikolajewitsch Tolstois Leben u. Lehre u. d. Mittel, also sprach Zarathustra, s.: Broschüren, Frankf. zeitgemässe.
Seydler, RO: Hilfsb. f. d. Büreau-Assistenten-Prüfg beim Magistrat zu Berlin. (167) 8° Berl., (JM Spaeth) 02. 3.60; geb. nn 4 — d
Seydler, T, u. B Dost: Material f. d. Unterr. in d. Harmonielehre, zunächst f. Seminarien. (Heft 1—3 v. S., Heft 4—8 v. D.) I—VI. Heft. 8° Lpzg, Breitkopf & H. Kart. 4.90
I. 4. Afl. (32) 02. — 50 ‖ II. 4. Afl. (52) 04. — 80 ‖ III. 3. Afl. (52) 04. — 80 ‖ IV. 3. Afl. (74) 04. 1.20 ‖ V. 2. Afl. (45) 01. — 80 ‖ VI. 2. Afl. (44) 04. — 80.

Seydlitz', E v., Geogr. (In 5 Ausg.) Ausg. A. Grundz. d. Geogr. 24. Bearbeitg (1—73. Taus.) v. E Oehlmann. (128 m. Abb. u Kart. u. 1 farb. Taf.) 8° Bresl., F Hirt 01.04. Geb. 1 — d
— dass. Ausg. B: Kl. Schul-Geogr. 22. Bearbeitg v. E Oehlmann. Neudr. (372 m. Abb., Kart. u. 5 farb. Taf.) 8° Ebd. 03. Geb. 3 — d
— dass. Ausg. C: Gr. Lehrb. d. Geogr. 24. Bearbeitg v. E Oehlmann. (684 m. Abb., 4 Kart. u. 9 farb. Taf.) 8° Ebd. 05. L. 5.25; Hfl. 6 — d
Überarbeitg s. u. d. T.: Schunke, H, Länderkde f. höh. Lehranst.
— dass. Ausg. D. In 6 Heften auf Grund d. preuss. Lehrpl. v. 1892 bearb. v. E Oehlmann u. FM Schröter. 1—3. u. 5. Heft. (Mit Abb. u. Kart.) 8° Ebd. 2.65 d
1. Deutschl. (Unterst.), nebst weit. Einführg in d. Verständnis d. Reliefs, d. Globus u. d. Karten. (Lehrstoff d. Quinta.) 6. Afl. (48) 01. — 50
2. Europa ohne Deutschl. Unterst. (Lehrstoff d. Quarta.) 6. Afl. (48) 01. — 50
3. Polit. Landeskde d. Deut. Reiches. (Oberst.) Die ausser europ. Erdteile. (Lehrstoff d. Untertertia.) 5. Afl. (96) 1900. — 80
5. Europa ohne Deutschl. (Oberst.) Verkehrskde. Elementare mathemat. Erdkde. Allg. Erdkde. (Lehrstoff d. Unterksekunda u. u. Bedarf d. folg. Klassen.) 5. Afl. (112) 01. — 75
— dass. Ausg. D. Auf Grund d. preuss. Lehrpläne v. 1901 in 5 Schülerheften u. 1 Lehrerheft bearb. v. E Oehlmann, A Rohrmann u. FM Schröter. 1—7. Heft. (Mit z. Tl farb. Abb.) 8° Ebd. 5.35 d
1. Länderkde Mitteleuropas, insbes. d. Dent. Reiches (Unterst.). Weitere Ausg. d. Verständn. d. Globus u. d. Karten, sowie d. Reliefs. (Lehrstoff d. Quinta.) 7. Afl. (62) 03. — 65
2. Europa ohne d. Deut. Reich. (Lehrstoff d. Quarta.) 8. Afl. (64) 04. — 50
3. Die ausser europ. Erdteile. → Die deut. Kolonien. (Lehrstoff d. Untertertia.) 7. Afl. (112) 04. — 80
4. Landeskde d. Deut. Reiches. (Lehrstoff d. Obertertia.) 7. Afl. (128) Kart. 1 —
5. Europa ohne d. Deut. Reich (Oberst.) Elementare mathemat. Erdkde. Verkehrskde. (Lehrstoff d. Untersekunda.) 6. Afl. (132) 03. — 85
6. Lehrstoff d. Sexta. Für d. Kde d. Deut. Reiches. 4. Afl. (56) 03. — 50
7. Grundz. d. allg. Erdkde. — Verkehrskde. (Lehrst. d. ob. Klassen) (88) 04. — 80
— dass. Anfangsgründe d. Geogr., bearb. v. P Gockisch. Unterst. zu d. f. höh. Mädchensch. bestimmten Ausg. E. (48 m. z. Tl. farb. Abb. u. Kart. u. 1 farb. Taf.) 8° Ebd. 06. Kart. — 60 d
— dass. Ausg. E. Für höh. Mädchensch. u. verwandte Anst. In 4 Heften u. 1 Lehrerheft. Bearb. v. P Gockisch. (Mit Abb. n. Kart.) 1—4. Heft. 8° Ebd. 3.60 d
1. Deutschl. (Mittelst.), nebst weit. Einführg in d. Verständnis d. Kartenbilder. 7. Afl. (64) 04. — 60
2. Europa ohne Deutschl. u. d. ausser europ. Mittelmeerländer. 3. Afl. (64) 04. — 60
3. Die ausser europ. Erdteile. 7. Afl. (96) 04. — 80
4. Europa (Oberst.). Mathemat. Erdkde. Verkehrs- u. Handelswege. 7. Afl. (184) 04. 1.80
Seydlitz, G v.: Der Schwarzwald, Bergstrasse, Neckartal, d. Hegau bis z. Bodensee, d. Kaiserstuhl u. Strassburg. 11. Afl. v. E Bader. (365 m. 14 Kart. u. 8 Pl.) 8° Freibg i/B., FP Lorenz 03.06. Geb. 2 —
Seydlitz, R v.: Pierre's Ehe. Psycholog. Problem. (133) 12° Münch. A Schupp (01). (Lpzg, F Förster.) 1 —
Seyfarth, A: Album edler Rasse-Hunde. (31. Afl.) (48 m. Abb.) 8° Köstr., (C Seifert) 05. 2 —
— Der Hund u. s. Rassen. 4. Afl. (226 m. 40 Taf.) 8° Ebd. 1898. 1 —
Seyfarth, H: Prakt. Christentum. Neue Afl. d. Werberufe f. d. Arbeit d. inneren Mission. (218) 8° Lpzg 01. Dresd., OL Ungelenk. 2 — d
Seyfert, B, s.: Kulturtechniker, d.
Seyfert, B: Lehrb. d. Gesch. f. sächs. Realsch., s.: Neubauer, F.
Seyfert, R: Die Arbeitskde in d. Volks- u. allg. Fortbildgssch. Vorschlag z. Vereinheitlichg d. Naturlehre, Chemie, Mineral, Technol. etc. 4. Afl. (318) 8° Lpzg, E Wunderlich 02. Geb. 3.60
— Zur Erziebg d. Jünglinge a. d. Volke. Vorschl. z. Ausfüll e. verhängnisvollen Lücke im Erziehgsgl. (35) 8° Ebd. 01. —
— Die pädagog. Lücke in ihrer allg. Bedeutg. Erweit. Vort. (52) 8° Päd. Ges.
— Die Landschaftsschilderg. Fachwiss. n. psychogenet. Problem, dargestellt a. d. heimatkundl. Lit. üb. d. Kgr. Sachsen. (113) 8° Ebd. 04. 1.60; geb. 2 —
— Zum Lehrpl. [S.-A.] (64) 8° Lpzg, A Hahn 04. — 80
— Lehrpl. f. d. deut. Sprachunterr. (37) 8° Lpzg, E Wunder — 40 ‖ 3. Afl. (50) 04. — 60
— Menschenkde u. Gesundheitslehre. Präparat. 3. Afl. (192) 8° Ebd. 02. 2 —; geb. 2.40
— Naturbeobachtgn. Aufg.-Sammlg. 1. u. 2. Heft. 8. Afl. 8° Ebd. 04. Je —
1. Naturbeobachtgn im Garten, im Haus u. Hof — auf Feld u. Wiese. Beilage 3., sich nicht z. Anbau eignen. (84)
2. Naturbeobachtgn im Walde — am u. im Flusse u. Teiche. (84)
— dass. Aufg.-Sammlg u. Anweisg f. planmäss. Naturbeobachtg in d. Volkssch. 3. Afl. (59, 34 u. 34) 8° Ebd. 05. 1.30; geb. 1.60
— Übgs- u. Lehrstoff f. d. neue deut. Rechtschreibg in ersten 4 Schulj. (16) 8° Ebd. 04.
— Die Unter.-Lektion als didakt. Kunstform. Prakt. Ratschläge u. Proben f. d. Alltagsarbeit u. f. Lehrproben. 1. u. 2. Bd. (241) 8° Ebd. 04.05. 2.40; geb.
— Vorschläge z. Reform d. Lehrerbildg. (80) 8° Ebd. 06.
Seyferth, JP: Leitf. d. Erdkde f. höh. Lehranst. 3 Tle. 8° Leipzig, H Beyer & S. Geb. 4 —
1. Lehrstoff f. Quinta, Quarta, Untertertia. (164 m. Profilen u. Taf.) 1.60 ‖ 2. Lehrstoff f. Obertertia u. Untersekunda. (168 m. Profilen u. Taf.) 03. 1.00 ‖ 3. Lehrstoff f. d. Oberkl. (86 m. Abb.) 03. — 80.

Shakespeare, W: Macbeth. Für d. Schulgebr. hrsg. v. E Regel. 1. Afl. 2. Abdr. (92) 8º Lpzg, G Freytag. — Wien, F Tempsky 05. Geb. — 80 d
— dass. Trauersp. Für d. Schulgebr. hrsg. v. E Teichmann. (122 m. 1 Karte.) 8º Münst., Aschendorff 02. Geb. — 85 d
— dass. Übers. v. FT Vischer. Schulausg. Mit Einl. u. Anmerkgn hrsg. v. H Conrad. (208) 8º Stuttg., JG Cotta Nf. 01. 1 —; geb. 1.30 d
— dass., s.: Authors, Engl. (O Thiergen). — Bibliothek, kl. — Graeser's Schulausg. klass. Werke (V Langhans). — Hempel's Klassiker-Bibliothek. — Perthes' Schulausg. engl. u. französ. Schriftsteller (G Wack). — Schöningh's Ausg. ausländ. Klassiker (J Hense). — Schriftsteller, engl. u. französ., d. neueren Zeit (K Deutschbein). — Shakespeare-Schulausgabe (E Schmid). — Velhagen & Klasing's Sammlg deut. Schulausg. (E v. Sallwürk).
— Mass f. Mass, s.: Hempel's Klassiker-Bibliothek. — Universal-Bibliothek.
— The merchant of Venice, s.: Authors, Engl. (E Penner). — Schulbibliothek, französ. u. engl. (OEA Dickmann).
— Othello, d. Mohr v. Venedig, s.: Bibliothek d. Gesamtlitt. — Hempel's Klassiker-Bibliothek.
— The tragedy of King Richard II., s.: Authors, Engl. (E Paetsch). — Hempel's Klassiker-Bibliothek. — Schöning's Ausg. ausländ. Klassiker (K Warnke). — Schöningh's Textausg. alter u. neuer Schriftsteller.
— The tragedy of King Richard III., s.: Authors, Engl. (E Paetsch). — Hempel's Klassiker-Bibliothek. — Universal-Bibliothek.
— Romeo u. Julia. Trauersp. Übers. v. AW v. Schlegel. (157 m. Abb.) 8º Berl.-Gr.-Lichterf.-Ost, Dr. P Langenscheidt (04). 1 —; L. 2 —
— dass., s.: Hempel's Klassiker-Bibliothek.
— Ein Sommernachtstraum. Übers. v. AW v. Schlegel. (Pantheon-Ausg. Textrevision, Einl. u. Anmerkgn v. G Sarrazin.) (122 m. Bildnis.) 16º Berl., S Fischer 02. Ldr m. G. (2 —) 2.50
— dass., s.: Hempel's Klassiker-Bibliothek.
— Sonette. Deutsch v. A Nejdhardt. 2. Afl. (199) 12º Lpzg 02. Jena, E Diederichs. 4 —; geb. 5 —
— dass. Übers. v. MJ Wolff. (19, 162) 8º Berl., B Behr's V. 03. 2.50; geb. 3.50
— Der Sturm, s.: Hempel's Klassiker-Bibliothek. — Universal-Bibliothek.
— The tempest, s.: Authors, Engl. (O Thiergen).
— Timon v. Athen. — Troilus u. Kressida. — Die beiden Veroneser. — Was ihr wollt. — Die lustigen Weiber v. Windsor, s.: Hempel's Klassiker-Bibliothek.
— Der Widerspenstigen Zähmg, s.: Hempel's Klassiker-Bibliothek. — Meisterwerke, d., d. deut. Bühne.
— Wie es euch gefällt, s.: Handbibliothek, Cottasche. — Hempel's Klassiker-Bibliothek.
— Das Wintermärchen, s.: Hempel's Klassiker-Bibliothek.
Shakespeare-Bühne, neue. Hrsg.: E Pastel. I. Hamlet. Übers. v. L Seeger, m. Vorwort u. Verbessergn v. H Türck. (171) 8º Berl., F Dümmler's V. 03. 2.50; geb. 3.50 d
Shakespearedramen. (Romeo u. Julia, Othello, Lear, Macbeth.) Nachgelassene Übersetzgn v. O Gildemeister, hrsg. v. H Spies. (524) 8º Berl., G Reimer 04. 7 —; HF. 9 — d
Shakespeare-Schulausgabe. Sammlg Shakespearescher Stücke. Für Schulen hrsg. v. E Schmid. IV. Macbeth. Wrtrb. (17) 12º Danz., A Scheinert (01). — 25
Shaler, NS: Elementarb. d. Geol. f. Anfänger. Übers. v. C v. Karczewska. (308 m. Abb.) 8º Dresd., H Schultze 03. (3 —) 3.50; geb. (4 —) 4.50
Sharp, RF: Architects of Engl. lit., s.: Authors, Engl. (O Hallbauer).
Sharp, W, s.: Macleod, F.
Shaw, B: Candida. Ein Mysterium. Deutsch v. S Trebitsch. 2. Afl. (135) 8º Stuttg., JG Cotta Nf. 05. 2 —; L. 3 — d
— 3 Dramen. Candida. — Ein Teufelskerl. — Helden. Übertr. v. S Trebitsch. (20, 363) 8º Ebd. 03. 4 —; geb. 5 — d
— Helden. Komödie. Deutsch v. S Trebitsch. 2. Afl. (134) 8º Ebd. 05. 2 —; L. 3 — d
— Der Schlachtenlenker. Komödie. Deutsch v. S Trebitsch. (100) 8º Berl., S Fischer 04. 1.50; geb. nn 2.50
— Ein Teufelskerl (d. Teufelsschüler). Histor. Komödie. Deutsch v. S Trebitsch. 3. Afl. (158) 8º Stuttg., JG Cotta Nf. 05. L. 3 — d
Sheddachbauten, die. Parallel- od. Sägedachbauten. Zusammenstellg d. wichtigsten Konstruktionen dieser Dächer in Holz u. Eisen m. e. Anh. üb. Windträger. 2. Afl. v. O Schmiedel. (136 m. Abb. u. 4 Taf.) 8º Berl., W & S Loewenthal (04). 4 —
Sheehan, PA: Lukas Delmege. Ein moderner Seelsorger-Roman. Aus d. Engl. v. A Lohr. 1. u. 2. Taus. (372) 8º Münch., Allg. Verl.-Gesellsch. (03). 4 —; geb. 5 — d
— Der Erfolg d. Misserfolgs. Aus d. Engl. v. O Jacob. (555) 8º Steyl, Missionsdr. 02. 1 —
— Mein neuer Kaplan. Erzählg a. d. irischen Priesterleben. Uebers. v. J Nemo. (392) 8º Köln, JP Bachem (01). || 4. Afl. (396) (04.) Je 4.50; in Salonbd je 6 — d
Sheldon, CM: In Seinen Fussstapfen. Erzählg frei nach d. Engl. 3. Afl. (168) 8º Bas., Kober 01. 1 —; L. 1.50 d
— dass. „Was würde Jesus thun?" Treu u. ohne Kürzgn übers.

v. E Pfannkuche. 3. Afl. (244) 8º Gött., Vandenhoeck & R. 03. Kart. 1.50; L. 2 — d
Shelley, PB: Die Cenci. — Der entfesselte Prometheus, s.: Bibliothek d. Gesamtlitt.
Sherard, RH: An d. falsche Adresse, s.: Kaufmann's moderne Zehnpfennig-Bibliothek.
— Oscar Wilde. Die Gesch. e. unglückl. Freundschaft. Deutsch v. H Frhn v. Teschenberg. (223 m. 6 Bildnissen u. 2 Fksma.) 8º Mind., JCC Bruns (03). 3 —; L. 4 —
Sheridan's, RB, Lästerschule. Deutsch v. G Humbert. (104) 8º Berl., F Fontane & Co. 04. 2 —; geb. 3 — d
— The rivals, s.: Authors, Engl. (A Fritzsche).
— The school for scandal, s.: Perthes' Schulausg. engl. u. französ. Schriftsteller (H Hartmann).
Sherwood, C: Gesch. d. Musik u. Oper, s.: Hausschatz d. Wissens.
Sherzer, JB: The Ile of Ladies, hrsg. nach e. HS d. Marquis v. Bath zu Longleat, d. MS addit. 10303 d. Brit. Museums u. Speghts Druck v. 1598. (117) 8º Berl., Mayer & M. 03. 3 —
Shindler, R: On certain aspects of recent Engl. lit., s.: Vorträge u. Abhandlungen, neuphilolog.
— s.: Echo d. engl. Umgangssprache.
Shinkman, WA: 240 Schachaufg. Ges. v. M Weiss. (159 m. Bildnis u. Diagr.) 8º Potsd., A Stein 03. 2 —; L. 3 —
Shinn, MW: Körperl. u. geist. Entwicklg e. Kindes in biograph. Darstellg. Bearb. u. hrsg. v. W Glabbach u. G Weber. (646 m. 2 Bildn.) 8º Langens., Schulbh. 05. 9 —; HF. 11 — d
Shipton, A: Sage es Jesu! Erinnergn a. Emilie Gosses Leben. 10. Afl. (122) 12º Bas., Kober 01. — 70; L. 1.30 d
Shorthorn-Herdbuch, deut. 8. Bd. d. deut. Herdb. Begründet v. H Settegast. Hrsg. v. d. Gesellsch. deut. Shorthorn-Züchter. (1143 m. 1 Taf.) 8º Berl., P Parey 04. 6 — (1—8.: 40.80)
Bisher u. d. T.: Herdbuch, deut.
Siao, Maria, od. Die Blinde v. Kiu-Kiang, s.: Dramen u. Deklamationen f. katbol. Jungfrauen-Ver.
Siats, H: Anl. z. einf. Untersuchg u. Beurteilg landw. wicht. Stoffe. 4. Afl. (396 m. Abb.) 8º Hildesh., A Lax 03. 5 —; geb. nn 5.75 d
Siber: Taf. f. d. Unterr. üb. d. Gewehr 98. 52×88 cm. Farbdr. Niedersedl., Aktiengesellsch. f. Kunstdruck (01). 1.40
Siber: Die Vorbereitg u. Ausführg d. militär. Invalidenprüfgsgeschäfts. (44) 8º Berl., ES Mittler & S. 05. — 60 d
Siber, H: Der Rechtszwang im Schuldverhältn. n. deut. Reichsrecht. (364) 8º Lpzg, CL Hirschfeld 03. 7.60
Siber, J: Novellen, d. e. Spielmann schrieb. (181) 8º Münch., Seitz & Sch. (04). 3 —; geb. m. G. 5 —
Siber, M: Die Hunde Afrikas. (88 m. Abb.) 4º St. Gallen 189º. (Zür., A Müller's V.) 4 —
— s.: Hunde-Stammbuch, schweiz.
— Der Tibethund. (48 m. Abb.) 4º Winterth. 1897. (Zür., A Müller's V.) 3.20
Sibert, H: Aufg. bei d. nied. Verwaltgsdienstprüfgn 1888—1901. (79) 8º Stuttg., W Kohlhammer 01. L. 1.20 d
— Das würtlemb. Gemeinderechtsgwesen, s.: Mann, E.
Sibiriasoff, PP: Excellenz Witte. Ein Blick in d. Geheimnisse d. russ. Finanzpolitik. (47) 8º Berl., Herm. Walther 04. 1 — d
Sibt Ibn al-Ta'awidhi carmina, s.: Mu'hammad 'Ubaidallah.
Sibylla, A: In d. Schummerstunde od. Wie aus e. Gassenbübchen e. Prinz wurde. Weihnachts-Erzählg f. Kinder. (114) 8º Lpzg, F Jansa 03. Geb. 1.50 d
Sibylle, d. berühmte Kartenlegerin; welche in diesem Büchl. lehrt, Karten zu legen u. a. d. Karten auf 5 verschied. Arten wahrzusagen. Von Suleima Venefica. (146) 12º Lpzg, E Fiedler (01). 1.30
Sicha, AJ, s.: Fromme's pharmazent. Kalender.
Sichart, v.: Immerwähr. Kalender, s.: Günther, L, e. Beitrag z. Reform d. gregorian. Kalenders.
Sichart, v.: Die Freiheitsstrafe im Anklagestande u. ihre Verteidigg. (60) 8º Hdlbg, C Winter, V. 04. 1.40 d
Sichart, A v., u. R v. Sichart: Der Feldzug Preussens geg. Hannover im J. 1866. (S.-A.) Mit e. Anh., Verzeichniss aller Offiziere d. hannov. Armee bei deren Auflösg Juli 1866. (163 m. 1 Bildnis u. 2 Pl.) 8º Hannov. 03. 6 — d
Sichel, J: Licht im Dunkeln. Gedichte. (134) 8º Dresd., E Pierson 03. 2 —; geb. 3 — d
Sicherer, O v.: Hygiene d. Auges im gesunden u. kranken Zustande, s.: Bibliothek d. Gesundheitspflege.
Sicherheits- u. Fremdenpolizei. 1. Heft. 8º Darmst., G Jonghaus. nn 50
Schwarz: Gen., d. Gesinde-Ordng betr., v. 26.IV.1877, in d. Fassg d. Bekanntmachgn v. 3.VIII.1899 u. v. 23.VII.'02, nebst d. z. Ausführg d. Gesinde-Ordng erlass. Bekanntmachg v. 11.VII.1877. Amtl. Handausg. (46) 05. [1.] nn —
Sicherheitsvorschriften f. elektr. Bahnanlagen, hrsg. v. Verband deut. Elektrotechniker. (16) 8º Berl., J Springer 04. Kart. nn — d
— f. Starkstrom-Anlagen. Red. v. F Ross. Rev. Ausg. (96) 8º Wien 01. (Weidlingau-Wien, Rittmann & Kalin.) Kart. nn 1 — d
— f. d. Betrieb elektr. Starkstromanlagen, hrsg. v. Verband deut. Elektrotechniker. (12) 12º Berl., J Springer 03. — 30
— f. d. Errichtg elektr. Starkstromanlagen, hrsg. v. Verband deut. Elektrotechniker, eingetrag. Ver. I. Niederspanng. II. Hochspanng. (II S. u. 45 Doppels.) 8º Ebd. 05. Kart. — 60
— dass. Abändergn u. Nachtr. (I u. II) allein. (5 u. 10 Bl.) 8º Ebd. 05. Je 1 — 15

Sichler, A: Schweiz. Eisenb.-Litt., s.: Bibliographie d. schweiz. Landeskde.
Sick, C: Die Entwickelg d. Knochen d. Extremitäten, s.: Wilms.
Sick, C: Üb. Spulwürmer in d. Gallenwegen. (34) 8° Tüb., F Pietzcker 01. nn — 90
Sick, IM: Der Hochlandspfarrer. Aus d. Dän. v. P Klaiber. 1, u. 2. Afl. (256) 8° Stuttg., JF Steinkopf 08.04. 3 —; L. 4 — d
Sick, P: Chirurg.Erfahrgn a. d. Ambulatorium d. chirurg. Univ.-Klinik zu Kiel auf Grund e. Dreijahrsberichts April 1900—03. (54) 8° Kiel, WG Mühlau (04). 1.50
Sick, P v.: Die Stuttgarter Diakonissen im Kriegsj. 1870/71. (48) 8° Stuttg., JF Steinkopf 04. — 30 d
— Die Krankenpflege in ihrer Begründg auf Gesundheitslehre m. bes. Berücks. d. Diakonissen-Krankenpflege. (428 m. Bildnis u. Abb.) 8° Ebd. 04. L. 4.60 d
Sickel, A: Schutzvorrichtgn geg. d. Herausfliegen d. Webschützen, s.: Schriften d. Ver. deut. Revisions-Ingenieure.
Sickel, TR v.: Röm. Berichte. V. [S.-A.] (68) 8° Wien, (A Hölder) 01. 1.50 (I—V.: 12.80)
Siekel, W: Gesch. d. herzogl.Franciscenms zu Zerbst 1803—1903. Festschrift z. 100jähr. Jubelfeier. (168 m. 3 Taf.) 8° Zerbst, (F Gast) 03. (nn 3.29) 1.50 d
Sickenberger, A: Leitf. d. Arithmetik nebst Übgsbeispielen. 8. Afl. (196 m. 1 Taf.) 8° Münch., T Ackermann 1900. [] 9. Afl. v. A Schmid. (196 m. 1 Taf.) 04. Je 1.60
— Leitf. d. elementaren Mathematik. 3 Tle. 8° Ebd. 3.90 ; Kartonnagen je nn — 15
1. Algebra. (75) 1900. 1.20 [] 2. Planimetrie. 5. Afl. v. A Schmid. (123) 04. 1.50 [] 3. Stereometrie — Trigonometrie. 4. Afl. v. A Schmid. (104 m. Fig.) 04. 1.30.
— Übgsb. z. Algebra. 1. u. 2. Abtlg. Bearb. v. A Schmid. 8° Ebd. 3 —
1. 1. u. 2. Stufe d. Rechngsarten einschl. d. lineären Gleichgn m. e. u. mehreren Unbekannten. 4. Afl. (106) 02. 1.20
II. 3. Stufe d. Rechngsarten, quadrat. Gleichgn, Reihen. 3. Afl. (128) 02. 1.50
Sickenberger, H: Wiederherstellg d. katbol. Bekenntnisses in Deutschl., s.: Jugend- u. Volksbibliothek, geschichtl.
Sickenberger, J: Die Lukaskatene d. Niketas v. Herakleia. — Titus v. Bostra, s.: Texte u. Untersuchungen z. Gesch. d. altchristl. Lit.
— s.: Zeitschrift, bibl.
Sickenberger, O: Krit. Gedanken üb. d. innerkirchl. Lage. Vorgelegt d. kathol. Klerus u. d. gebild. Katholiken Bayerns. (119) 8° Augsbg, Lampart & Co. 02. 1.50 d
— dass. I u. II. 8° Ebd. Je 1.50
I. Die prakt. Vernunft im kathol. Leben u. Wirken. 2. Afl. (105) 02.
II. Extremer Antiprotestantismus im kathol. Leben u. Denken. (175) 04.
— Falsche Reform? Off. Brief an Hrn Dr. Paul Wilh. v. Keppler, Bischof v. Rottenburg. Als Antwort auf s. Rede: „Wahre u. falsche Reform". (27) 8° Ebd. 03. — 80 d
— Veritas et Justitia ? Ein letztes Wort z. 3. Afl. d. Reformrede Bischof Kepplers v. Rottenburg. 1. u. 2. Afl. (28) 8° Ebd. 03. — 40 d
Sicker, G: Karte v. Ost-Preussen, unter Mitwirkg v. F Zühlke. A Bludau u. A Zweck gezeichnet. 1:300,000. 4 Bl. je 61×45 cm. Farbdr. Stuttg., Hobbing & B. 01. (10 — 6 —; auf L. m. St. (18 —) 10 —
Einz. Bl.: 1. Littauen. (4 —) 2 — [] 2. Masuren u. Barten. (2 —) 1.50 [] 3. Samland u. Natangen. (2 —) 1 — [] 4. Oberland u. Ermeland. (3 —) 1.50.
Sickinger, A: Mehr Licht u. Wärme d. Sorgenkindern uns. Volksschule! Ein Vermächtnis. Pestalozzis. Vortr. (31) 8° Zür., Art. Instit. Orell Füssli 05. — 50 d
— Organisation gr.Volksschulkörper n.d. natürl.Leistgsfähigk. d. Kinder. Vortr. (35) 8° Mannh., J Bensheimer's V. 04. — 80
— Preuss. od. bad. Schulturnen? Klarstellg. (32) 8° Karlsr., G Braun'sche Hofbuchdr. 03. Unentgeltlich. d
— Der Unterr.-Betrieb in gr. Volksschulkörpern mit nicht schematisch-einheitlich sondern differenziert-einheitlich. Zusammenfass. Darstellg d.Mannheimer Volksschulreform. (172) 8° Mannh., J Bensheimer's V. 04. 3.20
— Wrtrvrzs. zu Xenophons Anabasis Buch I. 6. Afl. (57) 8° Berl., G Grote 03. — 60 d
Siekinger, K: Gebeth, f. Männer. 3. Afl. (320 m. farb. Titel u. 1 St.) 7,8×11,2 cm. Dülm., A Laumann (04). L. 1 — d
— Leben d. hl. Joseph, s.: Champeau.
Siekinger, W: Maria, d. Blume v. Nazareth, s.: Kölble, V.
Sidgwick, NV: Ueb. Acetondipropionsäure u. ihre Derivate. (27) 8° Tüb., F Pietzcker 01. nn 1 —
Sidler-Huguenin: Üb. hereditär-syphilit. Augenhintergrundverändergn, s.: Beiträge z. Augenheilkde.
Sidrach, d. Buch, hrsg. v.H Jellinghaus, s.: Bibliothek d. litterar. Ver. in Stuttgart.
Siebald, W: Chronik v. Stadt u. Festg Spangenberg. Neu bearb. u. hrsg. v. W Voigt. (38) 8° Marbg, O Ehrhardt (02). 1 — d
Siebdrat, O: Die Freierprobe. Schwank. (53) 8° Dresd., Holze & Pahl 02. 1.20 d
Siebdrat, T: General-Repertorium f. kgl. sächs. Landesges. s. d. Reichsges. 3. Afl. (202)4° Dresd., OC Meinhold & S. 01. 9.25 d
Siebdrath, E: Der Hochbau. Unter Benutzg v. C Schwatlo's Kostenberechng f. Hochbauten, Osthoff's Kostenberechnge f. Ingenieurbauten u. unter Mitwirkg v. E Wegener u. O Schade. 3. Afl. (1452 m. Abb. u. Taf.) 8° Lpzg, JJ Arnd 03. L. nn 25 —
Siebe, J: Durchgerungen. Roman a. d. Leipz. Musikleben). (200) 8° Lpzg, E Polz 05. 2.50; geb. 3 — d

Siebe, J: Deutsche Jugend in schwerer Zeit. Erzählg f. d. reif. Jugend. (140) 8° Gotha, FE Perthes (04). Geb. 2 — d
— Stille Kämpfer. Roman. (116) 8° Dresd., E Pierson 01. 2 —; geb. 3 — d
— Wie Lenchen e. Heimat fand. Erzählg f. d. Jugend. (139 m. 4 Bildern.) 8° Gotha, FE Perthes (04). Geb. 2 — d
— „Otti". Sommertage a. d. Leben e. Kindes. Ein Buch f. Kinder u. Kinderfreunde. (144) 8° Ebd. 06. Geb. 2.40 d
— s.: Ludwig Richter-Buch.
Siebeck, H: Aristoteles. — Goethe als Denker, s.: Frommann's Klassiker d. Philosophie.
Siebeck, O: Der Frondienst als Arbeitssystem, s.: Zeitschrift f. d. ges. Staatswiss.
Siebel: Uns. Christuskirche in Wort u. Bild. Predigtgabe an s. Gemeinde. (160) 8° Hambg, G Schloessmann 04. L. 3 — d
Siehel, J: Parabeln u. Gedichte. (155) 8° Strassbg, J Singer 06. 3 —; geb. 4 — d
Siebelis, J: Tirocinium poeticum. 1. Leseb. a. latein. Dichtern. 18. Afl. v. O Stange. (98) 8° Lpzg, BG Teubner 04. 1.80 m. Wrtrb., bearb. v. A Schaubach. (95 u. 47) 1.60
Siebelt, Frl. A, s. a.: Silesia.
— Auf schiefer Ebene. Jugend-Erzählg a. d. Leben. (55 m. Abb.) 8° Frankenst. 03. Neu-Weissensee, HWT Dieter. — 20 d
Siebengartner, M: Schriften u. Einrichtgn z. Bildg d. Geistlichen, s.: Bibliothek d. kathol. Pädagogik.
Siebenmann, F: Grundz. d. Anatomie u. Pathogenese d. Taubstumm. (90) 8° Wiesb., JF Bergmann 04. 3.60
Siebenrock, F: Die Brillenkaimane v. Brasilien. [S.-A.] (11 m. Fig.) 4° Wien, (A Hölder) 05. 1.50
— Üb. partielle Hemmgs-Erscheingn bei d. Bildg e. Rückenschale v. Testudo tornieri Siebenr. [S.-A.] (6 m. 1 Fig.) 8° Ebd. 04. — 30
— 2 seitene u. 1 neue Schildkröte d. Berliner Museums. [S.-A.] (7 m. 1 Taf.) 8° Ebd. 05. — 50
— Schildkröten v. Brasilien. [S.-A.] (28 m. Fig. u. 3 Taf.) 4° Ebd. 04. — 80
— Schildkröten d. östl. Hinterindien. [S.-A.] (20 m. 2 Taf.) 8° Ebd. 03. — 50
— Schildkröten v. Madagaskar u. Aldabra. Gesammelt v. A Voeltzkow. [S.-A.] (21 m. 3 Taf.) 4° Frankf. a/M., (M Diesterweg) 03. 4 —
— Zur Systematik d. Schildkrötenfamilie Trionychidae Bell, nebst Beschreibg e. neuen Cyclanorbis-Art. [S.-A.] (22 m. 2 Taf.) 8° Wien, (A Hölder) 02. 1.30
— Zur Systematik d. Schildkröten-Gattg Podocnemis Wagl. [S.-A.] (14 m. 1 Taf.) 8° Ebd. 02. — 50
— Die südafrikan. Testudo-Arten d. Geometrica-Gruppe s. l. [S.-A.] (24 m. 1 Taf.) 8° Ebd. 02. 1.50
— Ueb. d. Verbindgsweise d. Schultergürtels m. d. Schädel bei d. Testudo-Arten d. Geometrica-Gruppe. [S.-A.] (37 m. 3 Taf.) 8° Ebd. 01. 4 —
Siebenschein, R, u. V Lichtenstern: Das Strafrecht d. direkten Personalsteuern. Nach d. Ges. v. 25.X.1896 systematisch dargest. (229) 8° Wien, Manz 04. 5 —; geb. 6 —
Siebert, F: Ueb. d. Gesangskunst, s.: Weber's illustr. Katech.
Siebert, H: Abriss d. alten Gesch.; s.: Hirt's, F, Realienb.
— Gesch., s.: Hirt's, F, Realienb. — Nowack, H, d. Unterr. in d. Realien.
— Kl. Gesch., s.: Hirt's, F, Realienb.
Siebert, F: Ueb. d. Drainage d. Beckenbauchhöhle auf Grund v. 315 diesbezügl. Fällen a. d. Frauenklinik Tübingen. (98) 8° Tüb., F Pietzcker 05. nn 2 —
Siebert, P: Die Forsten d. regier. Fürstenh. Reuss j. L. in d. Zeit v. 17. bis z. 19. Jahrh. (171) 8° Berl., J Springer 02. 3 — d
Siebert, A: Hdb. d. Erdbebenkde. (362 m. Abb. u. Kart.) 8° Braschw., P Vieweg & S. 04. 7.50 d
Siebert, A: Untersuchgn zu Walter Scotts Waverley. (73) 8° Berl., E Ebering 03. 2 —
Siebert, B: Gedichte. (57) 8° Dresd., E Pierson 05. 1.50; geb. 2.50
Siebert, C: Ultramikroskop. Bakterien-Photogramme, s.: Beiträge z. experimentellen Therapie.
— Experimentelle Beitr. zu e. Adsorptionstheorie d. Toxinneutralisierg, s.: Biltz, W.
Siebert, Frl. C, s.: Rheinau, C.
Siebert, D: Franz Schubert, s.: Bilder a. d. Leben österr. Tonkünstler.
Siebert, E: Ueb. p. Pilzgerichte, s.: Grethlein's prakt. Hausbibliothek.
Siebert, E: Ueb. d. Phtalylacetessigester u. üb. ein. Kondensationen desselben m. mehrwert. Phenolen zu Camaranderivaten. (61) 8° Tüb., F Pietzcker 04. nn 1.20
Siebert, F: Ein Buch f. Eltern. 2 Tle. 8° Münch., Seitz & Sch. (05). Je 1.50; I. u. je 2.50; in 1 Bd geb. 5 —
I. Den Müttern insbesondere. 6. Afl. (162) [] II. Den Vätern insbesondere.
— dass. (Volksausg.) (240) 8° Ebd. (05). 1 —; geb. 1.90 d
— Ein Buch f. Kinder. Gespräche üb. Entstehg v. Pflanzen, Tieren u. Menschen. (176 m. Abb.) 8° Ebd. (04). 3 —; L. 5 —
— Jahrb. d. Therapie, s.: Müller, FC.
— Sexuelle Moral u. sexuelle Hygiene. (159) 8° Frankf. a/M., J Alt 01. 2 — d
— s.: Praxis, deut. — Ratgeber, d. ärztl. — Schwarz-Weiss-Rot.
— Wie sag' ich's meinem Kinde? III. (prakt.) Tl zu „Ein Buch f. Eltern". II. Afl. Gespräche üb. Entstehg v. Pflanzen, Tieren u. Menschen.(172)8° Münch., Seitz & Sch.(04). 3 —; geb. 5 —

Siegel, J: Beitr. z. Kenntnis d. Vaccineerregers. [S.-A.] (10 m. Abb.) 8° Berl., (G Reimer) 04. — 50
— Untersuchgn üb. d. Ätiol. d. Pocken u. d. Maul- u. Klauenseuche. [S.-A.] (34 m. 2 Taf.) 8° Ebd. 05. Kart. 2.50
— dass. d. Scharlachs. [S.-A.] (14 m. 1 Taf.) 8° Ebd. 05. Kart. 1 —
— dass. d. Syphilis. [S.-A.] (15 m. 2 Taf.) 8° Ebd. 05. Kart. 2 —
Siegel, K, s.: Siegel, C.
Siegel, O: Wie baut man e. Wohnhaus? (80 m. Abb.) 8° Berl., H Steinitz (02). 1 — d
Siegel-Treuhnuf, MJ: Im Geiste d. Zeit. Neujahrs-Festsp. (11) 8° Znaim, Fournier & H. 03. — 40 d
Siegesmund, R: Unser Lieblingsdichter. (Friedrich v. Schiller.) Der deut. Jugend gewidmet. (176 m. Abb.) 8° Dresd., A Köhler 05. Geb. 1 — d
— Tage d. Gefahr, s.: Rochlitz, F.
— u. F Rochlitz: Freiheitssang u. Bürgertreue. 2 Erzählgn a. d. Zeit d. Befreigskrieges. 1. Sänger u. Helden. Von S. — 2. Tage d. Gefahr. Von R. Hrsg. v. R Siegemund. (110 u. 71 m. Abb.) 8° Dresd., A Köhler (04). Geb. 2.80 d
Siegemund, R: Glockenblumen, s.: Konkordia-Jugendschriften.
Sieger, Frau A, s.: Aus d. Frauenwelt.
Sieger, R: Die Adria u. ihre geograph. Beziehgn, s.: Vorträge d. Ver. z. Verbreitg naturwiss. Kenntnisse in Wien.
— Die Alpen, s.: Sammlung Göschen.
— Handelsgeogr., s.: Zehden, K.
— s.: Jahresbericht, geograph., üb. Österr.
Siegers, P: Hochzeitsglocken. Blätter d. Erinnerg m. Dichtersang u. Herzensklang. (128) 8° Lpzg, G Lang Nachf (03). L. m. G. 3 — d
Siegert, G: Kgr. Sachsen, s.: Weber, H.
Siegert, H: Geschichten a. d. ob. Erzgebirge, s.: Tannengrün.
— Die neie Stross. — A bieser Traam, s.: Familien- u. Vereinstheater, erzgebirg.
Siegert, L: Die versteinergsführ. Sedimentgeschiebe im Glacialdiluvium d. nordwestl. Sachsens. [S.-A.] (102 m. Fig.) 8° Lpzg 1898. Stuttg., E Schweizerbart. 1.60
Siegert, W: Das Geschlechtsleben. — Die Naturheilkde, s.: Schönenberger, F.
Siegesallee, d., in Berlin. Ein Album v. Orig.-Photogr. d. 32 Standbilder u. Nebenfiguren. Poet. Text v. H Walthari. (32 Taf. m. Text auf d. Rücks. u. 6 S.Text.) Fol. Berl.-Stegl., Neue photograph. Gesellsch. (03). In L.-M. 10 — d
Siegs-Lieder f. d. Versammlgn d. deut. Zeltmission. (125) 8° Bas. (05). (Gotha, Missionsbh, P Ott.) — 60; geb. 1 — d
Siegfried, d. gehörnte, s.: Jungbrunnen.
Siegfried, Onkel, s.: Killeberger, A.
Siegfried: Ein jungliberales Programm m. bes. Hinblick auf Bayern u. Baden, s.: Schriften, Münch. polit.
Siegfried, C: Esra, Nehemia u. Esther übers. u. erklärt, s.: Handkommentar z. Alten Test.
Siegfried, H: Gottfried Keller-Brevier. (175) 12° Berl., Schuster & Loeffler 03. 3 —; geb. 4 — d
— Schopenhauer-Brevier. (211) 12° Ebd. 02. 3 —; geb. 4 — d
— Shakespeare-Brevier. (176) 12° Ebd. 03. 3 —; geb. 4 — d
Siegfried, J: Jerusalemer Kinder. Nach d. Leben erzählt. (186) 8° Bas., Kober 02. 1.40; L. 2.20 d
— Jüd. Leben im heut. Jerusalem. (131 m. Titelbild.) 8° Ebd. 02. 1 —; L. 1.60 d
Siegfried, K: Die Pestilenz, d. im Finstern schleicht. Ein Wort d. Warng an jedermann, nebst e. Wort d. Aufrichtg f. solche, welche gefallen sind. 4. Afl. (46) 8° Berl. 01. (Lpzg, HG Wallmann.) — 30 d
Siegfried, R: Die Proportionalwahl. Ein Votum z. württemberg. Verfassgsreform. 2. [Tit.-]Ausg. (v. ,,S., e. Votum z. württemberg. Verfassgsreform). (128 m. 1 Tab.) 8° Berl., Herm. Walther [1898] 1898. 1.50 d
Siegfried, R: Münz-, Mass- u. Gewichtstab. 3.Afl., s.: Gloeckner.
Siegfried, W: Fermont. Roman. Aus nachgelass. Papieren zusammengest. u. durch Notizen u. Briefe ergänzt v. e. Freunde. 5. [Tit.-]Afl. (284) 8° Berl., Schuster & Loeffler [1895] 02. geb. 4.50 d
— Die Fremde. Novelle. 1. u. 2. Afl. (370) 8° Lpzg, S Hirzel 04.05. 4 —; geb. 5 — d
— Gritli. Ein Wohlthäter. Novellen. (372) 8° Ebd. 04. 3 —; geb. 4 — d
— Tino Moralt. Kampf u. Ende e. Künstlers. 3. Afl. (655) 8° Berl., Schuster & Loeffler 04. 6 —; geb. 7.50 d
— Adolf Stäbli als Persönlichk. (60 m. Abb. u. 2 Taf.) 8° Zür., Art. Inst. Orell Füssli 04. — 50 d
Siegl, JR v.: Rundschau v. K. Kassianspitze, 2583 m. 48.5×105 cm. Lith. Münch., (J Lindauer) (04). 2 — d
Siegl, K: Das Achtbuch d. Egerer Schöffengerichts a. d. Zeit v. 1310—90. (111 m. 1 Lichtdr.) 8° Prag, (G Calve) 01. 2.40 d
— Das Achtbuch II d. Egerer Schöffengerichtes v. J. 1391—1668. (112 m. 1 Taf.) 8° Ebd. 03. 2.40 d
Sieglerschmidt, H: Ludwig Jacobowski, s.: Randglossen z. deut. Lit.-Gesch.
Sieglin, H: Lehrb. d. Milchwirtschaft, s.: Schäfer, W.
Sieglin, W, s.: Quellen u. Forschungen z. alten Gesch. u. Geogr. — Schulatlas z. Gesch.-d. Altertums. 64 (farb.) Haupt-u.Nebenk. 3. Afl. (28 Kartons. m. 2 S. Text.) 8° Gotha, J Perthes 03. — 80; geb. 1.20 d
Siegmann, F: Oktobernacht. Dramat. Skizze. (79) 8° Dresd., E Pierson 05. 2 — d

Siegmund-Schultze, F: 10 neue Kaiserfestpredigten, v. 1896—1901 in Breslau geh. (83) 8° Halle, E Strien (04). 1.20 d
Siegrist, J: Chem. Affinität u. Energieprinzip. [S.-A.] (22) 8° Stuttg., F Enke 02. 1.20
Siegrist-Schneider, Frau I: Die Herstellg v. Konserven, s.: Grüter, A
Siekmann's, H, Taschen-Kalender f. Beamte d. Militär-Verwaltg 1906. Hrsg. v. E Wrobel. 29. Jahrg. 2 Tle. (41, 467, 228 u. 76) 16° Berl., A Bath. Ldr u. geb. 4 —
— Bis 1903 u. d. T.: Taschenkalender f. Beamte d. Militär-Verwaltg.
Sielaff, A, u. K Gresens: Bilder a. d. Gesch. d. Prov. Pommern. (35) 8° Hannov., C Meyer 01. — 30 d
Siemens & Halske, A.-G.: Electr. Bahneu. — Chemin de fer electriques. — Electric railways. (129 m. Abb.) 4° Berl., (J Springer) 1900. Geb. m 10 —
— — Die Elektrizität in d. Landw. (57 m. Abb.) 8° Berl., Parey 01. L. 3 —
— — s.: Nachrichten v. Siemens & Halske.
Siemens, H: Das Aktienwesen u. d. Aktiengesellsch. (104) 8° Berl., S Mode 05. 1 — d
— Der Geschäftsverkehr m. d. Reichsbank im In- u. Ausl. Nebst d. Gebührensätzen u. d. Zweiganst. d. Reichsbank. (84) 8° Ebd. 05. 1 —; kart. 1.25 d
Siemens, O : Die Methode d.Hypnotiseurs Siemens. (31) 8° Mgdbg (05). (Lpzg-Co., O Siemens.) 1.25
Siemens, R: Die Gesellschaften m. beschränkter Haftg (G. m. b. H.) u. d. Reichsges. in d. Fassg d. Bekanntmachg v. 20. V.18°8. (154) 8° Lpzg, G Weigel (04). 1.50; geb. 1.80 d
Siemens, W v.: Lebenserinnergn. 3.Afl. 2. Abdr. (317 m. Bildnis.) 8° Berl., J Springer 01. 5 —; HF. 7 — ll 6. Afl. (Wohlf. Volks-ausg.) (398) 01. L. 2 — d
Siemens-Schuckert-Werke, G, m. b. H., Berlin. (Elektr. Bahnen.) (48) 8° Berl., (J Springer) (05). L. m. —
Siemerling, E, s.: Archiv f. Psychiatrie u. Nervenkrankh.
— Bericht üb. d. Wirksamk. d. psychiatr. Univ.-Klinik zu Tübingen in d. Zeit v. 1.XI.1893—1.I.1901, nebst Gesch. ihrer Entstehg. (35) 8° Tüb., F Pietzcker 01. 1.5 d
— Zur Erinnerg an Friedrich Jolly. Rede. (32 m. 1 Bildnis.) 8° Berl., A Hirchwald 04. — 60
— s.: Lehrbuch d. Psychiatrie.
— Psychiatrie im Wandel d. Zeiten. Rede. (20) 8° Kiel, (Lipsius & ?.) 04. — 80
Siemers, N, u. A Hölscher's Gesch. d. christl. Kirche f. kathol. Gymnasien u. and. höh. Lehranst. 12. Afl. v. G Mersch. (406) 8° Münst. Theissing 05. 2.50; geb. 3 — d
Siemon, P, u. E Wunschmann: Leitf. f. d. physikal. u. chem. Unterr. an höh. Mädchensch. 2.Afl. (320 m. Abb. u. 1 farb. Taf.) 8° Bresl., F Hirt 05. Geb. 3 — d
Siemssen, G: Verbr. u. Kalisalzen in d. deut. Landw. in d. J. 1894 u. 98 u. 1898 u. 1902, s.: Arbeiten d. deut. Landw.-Gesellsch.
Siener, J: Die Frauenfrage, s.: Universal-Bibliothek.
Siengalewicz, Z v.: Donaufluten. Roman. (244) 8° Dresd., E Pierson 03. 3 —; geb. 4 — d
— Der Lieb' verlor'ne Urkund'. Dramat. Dichtg. (123) 8° Ebd. 05. 2 — d
— Sankt Elend. Trauersp. (83) 8° Ebd. 05. 1.50 d
Sienkiewicz, H: Bartel, d. Sieger, s.: Bibliothek berühmter Autoren.
— Die 3. Braut, s.: Welt-Bibliothek.
— Briefe a. Afrika. Übers. v. J v. Immendorf. (346) 8° Oldnbg. Schulze (02). 3 —; geb. 4 — d
— Briefe a. Amerika. Aus d. Poln. v. J. v. Immendorf. (443) 8° Ebd. (03). 4 —; geb. 5 — d
— Ums liebe Brod. Aus d. Poln. v. J Fränkel. (172) 8° Bern. A Benteli (2. 2 — d
— dass. u. andre Novellen. Aus d. Poln. v. T Kroczek. (283 m. Bildnis.) 8° Graz, Styria 04. L. 2.40 d
— dass., s.: Volksbücherei.
— dass. u. 10 and. Novellen. (551 m. Bildnis.) 8° Einsied., Verl.-Anst. Benziger & Co. 01. 4 —; L. 5 — d
— Ohne Dogma. Roman. 2. Afl. (602) 8° Stuttg., Deut. Verl.-Anst. 01. + geb. m 5 — ll 3—5. Afl. (602) 03. 2.50; L. 3.50 d
— dass. Aus d. Poln. v. T Kroczek. (Umschl.: 1—5. Taus.) (405) 8° Berl., O Janke (03). 1 — d
— dass., s.: Bibliothek d. Gesamtlitt.
— Die Dritte. Eine heit. Künstlergesch. Übers. v. T Kroczek (03). 8° Berl., O Janke (03). — 50 d
— Die Dritte. Lux in tenebris lucet, s.: Reclam's Unterhaltgs-Bibliothek.
— Der Engel u. and. Gesch. (107) 8° Berl., Globus Verl. (03). † — 30 d
— Erlebtes u. Erträumtes, s.: Deva-Roman-Sammlung.
— 4 Erzählgn. Übers. v. T Kroczek. (83) 8° Berl., O Janke (03). 1 — d
— Mit Feuer u. Schwert. Histor. Roman. Nach d. Poln. v. E u. R Ettlinger. 2 Bde. (554 u. 502 m. Abb.) 8° Einsied., Verl.-Anst. Benziger & Co. 03. 10 —; L. 12 — d
— dass. Aus d. Poln. v. C Hillebrand. 2 Bde. (436 u. 437) 8° Lpzg, Schulze & Co. 01. 7.50; geb. 9 — d
— dass. Aus d. Poln. v. S Horowitz. (296) 8° Berl., O Janke (03). 2 — d
— Folget ihm nach! 3 Erzählgn. Aus d. Poln. v. C Hillebrand. (135) 8° Wien, Wiener Verl. 01. 2 —

Siewert, E: Bajowo. Roman. (125) 8° Berl., R Taendler (03).
2 —; geb. 3 — d
— Die schönen Herbsttage. Roman. (237) 8° Ebd. 04. 3 — d
Siewert, F: Die z. Vertretg d. Handels in Lübeck geschaff.
Einrichtgn d. ält. Zeit. (58 u. 15) 8° Lüb., (Lübcke & N. —
R Quitzow) 03. nn 3 — d
Sife, e. niass. Christenmädchen, s.: Missions-Traktate, kl.
Sig, L: Vorgregorian. Bauernkalender. (75 m.2 Taf.) 8° Strassbg,
(Agentur v. B Herder) 05. 1 —
Sigel, F: Denkwürdigk. a. d. J. 1848 u. 40. Hrsg. v. W Blos.
(167 m. Abb. u. Bildnis.) 8° Mannh., J Bensheimer's V. 02. 1.80 d
Sigel, J: Bemerkgn zu d. blindenstatist. Arbeiten a. d. Tübinger
Klinik. (26) 8° Tüb., F Pietzcker 01. nn — 80
Sigel, W: Der gewerbl.Arbeitsvertrag n. d. BGB. (192) 8° Stuttg.,
JB Metzler 03. 4 —; L. 4.50
Sigelabbildungen z. Urkundenb. d. Stadt u. Landsch. Zürich.
Bearb. v. P Schweizer u. H Zeller-Werdmüller. 5. u. 6. Lfg.
(18 Lichtdr. m. Text S. 67—110) Fol. Zür., Fäsi & B. 02.05.
In M. je 3 — (1—6.: 18 —)
Sigerus, E: Almanach d. grösseren siebenbürg. Heilbäder u.
Kurorte. [S.-A.] (62) 12° Hermannst., W Krafft 03. — 51
— Siebenbürgisch-sächs. Burgen u. Kirchenkastelle. 50 Bilder
in Lichtdr. m. erläut. Text. II. Afl. (7) Fol. Hermannst., J
Drotleff 01. In M. 7.50 || III. Afl. (50 Taf. m. 7 S. Text.) 01.
In L.-M. 9 —
— Siebenbürgen, s.: Bielz, EA.
— Durch Siebenbürgen. Touristenfahrt in 58 Bildern. (50 z. Tl
farb. Taf. m. 17 S. Text.) 8° Hermannst., J Drotleff 05. 10 —;
in L.-M. m 12.50
— Aus alter Zeit. 50 Bilder in Doppelton-Lichtdr. a. siebenbürg.-sächs. Städten m. erläut. Text. (7) 4° Ebd. 04. 10 —;
in M. 13 —
Sigismund's, B, ausgew. Schriften. Hrsg., m. Biogr. u. Anmerkgn versehen v. K Markscheffel. 2 Bde. 8° Langens., H
Beyer & S. 1900. 4.50 d
1. Kind u. Welt. Die Familie als Schule d. Natur. (30, 202) 2 2. Ausgew.
Aufsätze u. Gedichte. (204)
Sigismund, R: Englisch f. Mediziner, s.: Haclesy, J.
— Französisch f. Mediziner, s.: Olivier, E.
Sigmund, A: Die Sammlg niederösterr. Minerale im k. k. naturhistor. Hofmuseum. (30) 8° Wien, (Gerold & Co.) 03. — 60
Sigmund, G: Ringen u. Singen. Gedichte. (132) 8° Stuttg., A
Lung 05. L. 4.50
Sigmund, J: Wie steht's m. d. Jenseits? Gibt es eines u. wie
schauts dort aus? (In 3 Büchern.) 1. Buch: Gibt es e. wahres
u. eigentl. Fortleben im Jenseits? (132) 8° Innsbr., Vereinsbh.
— Buchdr. 05. — 80 d
Signac, P: Von Eugen Delacroix z. Neo-Impressionismus. Übersetzg. (110) 4° Krefeld, GA Hohns Söhne 03.(?) 3.75; geb. 4.50
Signalbuch, internat. Amtl. Ausg. f. d. deut. Kriegs- u.Handelsmarine. Hrsg. v. Reichsamte d. Innern. Neue Ausg. (239, 415
u. 26 u. 1. Nachtr. 3 m. Fig. m. 11 [6 farb.] Taf.) 4° Berl.,
G Reimer 01. L. 21 — d
Signale f. d. deut.Maurerwelt. Hrsg. v. JG Findel. Jahrg. 1901—5
je 12 Nrn. (1901. Nr. 1. 8) 4° Lpzg, JG Findel. Je 3 —
— f. d. musikal. Welt. Begründet v. B Senff. Red.: R Kleinmichel, 1902 E Segnitz u., seit 1903, D Schultz. 59—63. Jahrg.
1901—5 je 70 Nrn. (1168, 1240, 1264, 1304 u. 1344) 8° Lpzg, B
Senff. Je 8 — (bis 1904 4)
Signalordnung f. d. Eisenb. Deutschlds. Vom 5.VII.1892. Nach
d. auf Grund d. Artikel 42 u. 43 d. Reichsverfassg v. Bundesrate in d. Sitzgn v. 30.VI.1892 u. 12.V.1898 gef. Beschlüssen.
Durchgesehen im Reichs-Eisenb.-Amt. (40 m. Abb.) 12° Berl.,
W Ernst & S. 04. Kart. 1.50 d
— f. d. Haupt- u. Lokalb. Amtl. Ausg. (64 m. z. Tl farb. Fig.)
8° Wien, (Hof- u. Staatsdr.) 04. +1.50
Signorelli, L: Die Auferstehg d. Fleisches. — Die Seligen. —
Die Verdammten, s.: Meisterbilder fürs deut. Haus.
Sigrist, J, s.: Festreden an d. Schlachtfeier in Sempach.
Sigwart, C: Logik. 2 Bde. 3. Afl. 8° Tüb., JCB Mohr 04. 25 —;
geb. 30 —
1. Die Lehre v. Urteil, v. Begriff u. v. Schluss. (22, 496) 2 2. Die Methodenlehre. (799)
Siim-Jensen, J: Beitr. z. botan. u. pharmacognost. Kenntnis
v. Hyoscyamus niger L., s.: Bibliotheca botanica.
Simons, B, s.: Lieder, d. d. Edda.
Sik, B, s.: Maimonides, Commentarius in Mischnam ad tractatum Taamith.
Sikiing, F (Frau H Strauss): Die Geisterharfe, s.: Gabelsberger-
Bibliothek.
Sikorsky, AJ: Die Seele d. Kindes, nebst kurzem Grundr. d.
weit. psych. Evolution. (80) 8° Lpzg, JA Barth 02. 2.40
Silber,M: Womit sind d. ansteck.Geschlechtskrankh. als Volksseuche im Deut. Reiche wirksam zu bekämpfen? Preisschrift.
1. u. 2. Afl. (64) 8° Lpzg, B Konegen 02. — 50 d
Silberer, G, s.: Sil Vara.
Silberer, H: Anl. z. Gummidruck. [S.-A.] (32) 8° Wien, Verl.
d. allg. Sport-Zeitg 03. 1 —
— 4000 Kilometer im Ballon. (136 m. Abb.) 8° Lpzg, O Spamer
(03). 4.50 ; L. 6 —
Silberer, V: April-Kalender d. Allg. Sport-Zeitg 1902. (31) 16°
Wien, Verl. d. allg. Sport-Zeitg 01. — 50 || 1905. (237) 2 —
— dass. August-Kalender 1901—5. (230, 251, 271, 266 u. 269) 16°
Ebd. Je 2 —

Silberer, V: Frühjahrs-Kalender d. Allg. Sport-Zeitg 1901. (63)
16° Wien, Verl. d. allg. Sport-Zeitg. — 50 || 1902—5. (71, 78,
84 u. 79) Je — 60
— dass. Herbst-Kalender 1901—4. (311, 318, 344 u. 339) 16° Ebd.
Je 2 —
— dass. Mai-Kalender 1901—5. (110, 125, 141, 141 u. 128) 16°
Ebd. Je 1 —
— dass. Juni-Kalender 1901—5. (156, 159, 183, 198 u. 185) 16°
Ebd. Je 1 —
— dass. Juli-Kalender 1901—04. (179, 187, 229 u. 242) 16° Ebd.
Je 1 — || 1905. (237) 2 —
— dass. Oktober-Kalender 1901—5. (335, 358, 377, 382 u. 375) 16°
Ebd. Je 1 —
— dass. Oster-Kalender 1901. (24) 16° Ebd. — 50 || 1903. (36) — 50
— dass. September-Kalender 1901—5. (269, 285, 312, 306 u. 305)
16° Ebd. Je 1 —
— dass. Sommer-Kalender 1901—3 u. 5. (206, 222, 244 u. 198) 16°
Ebd. Je 2 — ('04 vergr.)
— s.: Luftschiffer-Zeitung, Wiener.
— Das Roulette-Spiel u. Trente et Quarante in Monte-Carlo.
[S.-A.] 2. Afl. (78 m. 1 farb. Taf.) 8° Nizza, L Gross 05. 1.50 d
— s.: Sport-Zeitung, allg.
— Der Stand d. Luftschiffahrt zu Anfang '04 u. 05. Vortr. [S.-A.]
(30 m. 1 Bildnis u. 31) 8° Wien, Verl. d. allg. Sport-Zeitg 04.05.
Je — 50
— Vom grünen Tisch in Monte-Carlo. 2. Afl. (226) 12° Ebd. 02.
L. 2.50
— Tarfbuch f. 1905. 2 Tle. (19, 615 u. 28, 337) 16° Ebd. L. nn 13.50
Silbergleit, H: Finanzstatistik d. Armenverwaltgn v. 108 deut.
Städten. 2. Afl. (78 m. 1 farb. Taf.) 8° Hermannst., L
Silbergleit, H: Finanzstatistik d. Armenverwaltgn v. 108 deut.
thätigk.
— Magdeburg's Industrie, Handwerk u. Handel u. deren gewerbl. Steuerkraft. Anh.: Zur Gewerbesteuerreform. (272 u.
205 m. 6 Tab.) Fol. Mgdbg, (CE Klotz) 01. 10 — d
— Ernst Schulzes bezauberte Rose. (50) 8° Berl.,
E Ebering 02. 1.50
Silbermann, E: Die Konkurspauliana. Beitrag z. Auslegg d.
§ 30 d. Konkursordng. (58) 8° Münch., T Ackermann 02. 1.20 d
Silbermann, H: Fortschritte auf d. Geb. d. chem. Technol.
(Gespinstfasern 1885—1900. 2 Tle. 4° Dresd. Lpzg, HAL
Degener. Je 36 —; geb. je 42 —
1. Maschinen u. Apparate. (340 m. Abb.) 02.§ 2. Verfahren u.Methoden.
(272 u. 1. Fortsatzprüfeben zu beiden Tln. (463 u. 249) 05.
Silbermann, J: Für d. freien Hilfskassen, s.: Schriften d. kaufmänn. Hilfsver. f. weibl. Angestellte zu Berlin.
Silbermann, K: Zur Buddhismus n. sr Entstehg, Fortbildg u.
Verbreitg. 2. Ausg. (207) 8° Münch., JJ Lentner 03. 3 —
— Lehrb. d. kathol. Kirchenrechts. Zugl. m. Rücks. auf d. im
jetz. Deut. Reiche gelt. Staatskirchenrecht. 4. Afl. (797) 8°
Rgusbg, Verl.-Anst. vorm. GJ Manz 03. 8.50; HF. 10.40 d
— Verfassg u. gegenwärt. Bestand sämtl. Kirchen d. Orients.
2. Afl. v. J Schnitzer. (24, 396) 8° Ebd. 04. 6 —
— Die kirchenpolit. u. relig. Zustände im 19. Jahrh. (442) 8°
Landsh., P Krüll 01. 8 — d
Silberschmidt, W: Die deut. Sondergerichtsbark. in Handelsu. Gewerbesachen, s.: Zeitschrift f. Handelsrecht.
Silberniepe, E: Anl. z. Altersbestimmg d. Pferdes. (47 m. 20
Taf.) 4° Berl., Deut. Tageszeitg (04). 1 —
Silberstein, J: Abschiedsworte, gesprochen an d. Bahre d. Herrn
Jos. Goldberg. (4) 8° Elbing, (P Ackt) 04. — 30 d
Silberstein, A: Leibnizens Apriorismus im Verhältnis zu sr
Metaph.[u.]. (75) 8° Berl., Mayer & M. 04. 1.60
— Der Gerhab, s.: Volksbücher, Wiesbad.
— Hochlandsgeschichten, s.: Romane, moderne, aller Nationen.
Silberstein, J: Üb. d. Anwendg u. Wirkg d. Benzoylarbutins
[Cellotropin]. [S.-A.] (8) 8° Lpzg, B Konegen 05. 1 —
— Beitr. z. Ernährgstherapie m. Plasmon. [S.-A.] (12) 8° Ebd.
05. 1 —
— Üb. e. neues Eisenphosphorpräparat (Haemostogen Löffler).
[S.-A.] (14) 8° Ebd. 05. 1 —
Silberstein, R: Das 1. Lebensj. Wie pflegen u. beurteilen wir
d. Säugling? — Das Schulkind, s.: Arbeiter-Gesundheits-
Silberstein, P: Hygiene d. Arbeit in komprimierter Luft. [S.-
A.] (36 m. Abb.) 8° Jena, G Fischer 01. 1.50
Silcher, F: Allg. deut. Kommersb., s.: Schauenburg.
Silesia s., s.: Siebelt, A.
— Ave maris stella. Die Wuchergret. Am Weihnachtsabend.
3 Erzählgn. (32 m. 1 Abb.) 8° Frankenst. 03. Neu-Weissens.,
HWT Dieter. — 10 d
— Gottes Wege sind wunderbar! Lebensbild. (23 m. 1 Abb.) 8°
Ebd. (03). — 10 d
— Wie d. Saat, so d. Ernte, s.: Volksschriften, Münch.
Silesius, A (J Scheffler): Heil. Seelenlust od. Geistl. Hirtenlieder d. in ihren Jesum verliebten Psyche, s.: Neudrucke
deut. Litt.-Werke d. XVI. u. XVII. Jahrh.
— Cherubin. Wandersmann. Nach d. Ausg. letzter Hand v.
1675 vollständig hrsg. u. m. e. Studie „Üb. d. Wert d. Mystik
f. uns. Zeit" eingeleitet v. W Bölsche. (88, 248) 8° Jena, E
Diederichs 05. 5 —; geb. 6.50; Luxusausg., geb. in Perg. 10 — d
Silesius, F: Sie weint, s.: Thalia.
— u. F v. Suppé: Dichter u. Bauer, s.: Universal-Bibliothek.

Silex, H: Geschäftsaufsätze f. Fortbildgssch. (32) 8° Brnschw., H Wollermann 03.   — 40 d
Silke: Marthas Berggsort, s.: Sonnenstrahlen u. Regentropfen f. d. Jugend.
Sillem, CHW, s.: Briefsammlung d. hamburg. Superint. Joach. Westphal.
Siller, P: Die Grundl. u. Zahlen d. Verhältniswahl, unter bes. Berücks. d. Vorschläge d. preuss. Handelsministers u. ihrer Einführg bei d. Gewerbegerichten erläut. [S.-A.] (64) 8° Berl., C Heymann 03.   1 — d
Sillib, R: Stift Neuburg bei Heidelberg. Seine Gesch. u. Urkunden. [S.-A.] (150) 8° Hdlbg, (G Koester) 05.   2 —
Silling, M: Wandlgn. (164) 8° Lpzg, FA Berger 01.   2 —;
    L. 3 — d
Silva, Graf F v.: Schola artistica Beuronensis. Die Malerschule d. Benedictinerordens. (40 m. 1 Taf.) 8° Wien, W Frick 01. 1.20
Sil Vara (G Silberer): Baby's Liebesgesch. Erzählgn. (230) 8° Strassbg, J Singer 04.   2.50
— Pierrots Drama. (3 Einakter.) (89) 8° Wien, P Knepler 05. 2 —
Silvester, E (HK Heide): Mein Lied. Gedichte. (105) 12° Berl., Concordia 03.   2 —; geb. 3 — d
— Triumphatrix. Novelle. (176) 12° Lpzg 02. Berl., H Seemann Nf.   2 —
— Das Verhältnis, s.: Frau, d.
Silvestre, A: Die Unzucht, s.: Todsünden, d. 7.
Silvestri, P: Acari, Myriopoda et Scorpiones hucusque in Italia reperta. Classis Diplopoda. Vol. I. Anatome. Pars 1ᵃ. Segmenta, tegumentum, anusculi. (272 m. Abb. u. 4 Taf.) 8° Portici 03. (Berl., R Friedländer & S.)   2.50
— dass. Ordo Pauropoda. Adnexa illustrat. specier. ital. auctore A Berlese. (83 m. 17 L.) 8° Ebd. 02.   nn 6.50
Silvio: Deut. Reisebilder. (83) 8° Lpzg, A Cavael (04).   1 — d
    2. Afl. u, d. T.:
— Torheit auf Reisen. 2. [Tit.-]Afl. (83) 8° Ebd. [04] 05. 1 — d
Silvius s.: Gedanken üb. d. preuss. Staatsforstverwaltg. — Streitfragen, forstl., in Preussen.
Simar, TH: Das Gewissen u. d. Gewissensfreiheit. 10 Vortr. 2. Afl. (112) 8° Freibg i/B., Herder 02.   1.20 d
Simas s.: Melto e Simas.
Simchen, A: Deut. Poesie a. d. nordböhm. Schweiz. Gedichte. (93) 8° Bensen (05). Wolfsberg, letzte Post Gäoten bei Schönlinde in Böhmen, Selbstverl.   1 — d
Simchowitz, S s.: Kultur, d.
Simeon, A: Der Weg d. Treue. Festsp. f. d. jüd. Jugend. (27) 8° Berl., M Poppelauer 01.   — 50 d
Simeon, P: Ausführgsges. z. BGB. — Preuss. Gerichtskostenges., s.: Guttentag's Sammlg preuss. Ges.
— Recht u. Rechtsgang im Deut. Reiche. Ildb. z. Einführg in d. BGB. u. s. Nebenges. 2 Bde. 8° Berl., C Heymann. 25 —;
    Einbde je 1 — d
    I. Das BGB. 3. Afl. (1072) 01.   14 —
    II. Das Verfahren d. freiwill. u. d. streit. Gerichtsbark.. I. Gerichtsverfassg. II. Freiwill. Gerichtsbark. u. Grundbuchordng. III. Civilprozess, Konkurs, Liegenschaftsvollstreckg. 1. u. 2. Afl. 11 Lfgn. (900) 01-04.   11 —
— Reichsgrundbuchordng u. ihre landesrechtl. Ergänzgn, s.: Recht, d., d. BGB. in Einzeldarstellgn.
Simeonsbote, der. Red.: W Faber. 10. Jahrg. Jan.—Juli 1901. 29 Nrn. (Nr. 1. 8 m. Abb.) 4° Berl.-Westend, Verl. d. Akadem. Buchh. W Faber & Co.   Viertelj. — 50 d ö F
Simerka, V: Dampfkessel u. Dampfmaschinen u. ihre Wartg. 5. Ausg. Mit e. Anh., enth. d. Ges. u. Verordng üb. Dampfkessel. (256 m. H.) 8° Pilsen, W Steinhauser 02. 2.80; geb. 3.40
Simmel, G, s.: Grossstadt, d.
Simmel, G: Einl. in d. Moralwiss. Kritik d. eth. Grundbegriffe. Anastat. Neudr. d. Ausg. v. 1892/93. 2 Bde. (467 u. 426) 8° Stuttg, JG Cotta Nf, 04.   16 —; L. 18 —
— Kant. 16 Vorlesgn. 1. u. 2. Abdr. (181) 8° Lpzg, Duncker & H. 04.05.   3 —; geb. 3.80
— Philosophie d. Mode, s.: Zeitfragen, moderne.
— Die Probleme d. Gesch.-Philosophie. 2. Afl. (169) 8° Lpzg, Duncker & H. 05.   3 —
Simmern s.: Langwerth v. Simmern.
Simmler, E: Jesu Christo nach!, s.: Synodalpredigten.
Simon: Fibel, s.: Grundmann.
Simon, A: Prozesskde. — Die Verjährg, s.: Simon's, F, kaufmänn. Univ.-Bibliothek.
Simon, A: Das Vogtland. (Landschaftsbilder a. d. Kgr. Sachsen.) (72 m. Abb. u. 2 Kart.) 8° Meiss., HW Schlimpert 05.
    kart. nn 2.25 d
Simon, AM: Sollen wir Juden in Deutschl. d. Handwerk, d. Gärtnerei u. d. Landw. widmen? (8) 8° Berl., S Rosenbaum (02).   — 10 d
— Soziales z. Judenfrage. (20) 8° Frankf. a/M., J Kauffmann (03).   — 25 d
Simon, E: Der erzieher. Werth d. Musik. (40 m. 9 Fksms.) 8° Bresl., Preuss & J. 02.   1 — d
Simon, E: Arachnoideen, excl. Acariden u. Gonyleptiden, s.: Ergebnisse d. Hamburger Magalhaens. Sammelreise.
Simon's, F, kaufmänn. Univ.-Bibliothek. 9—11. Heft. 8° Berl.-Charlttnbg. F Simon 04.   [?]
    Simon, A: Kleine Prozesskde. 2 Tle. (32 u. 31) [9.10.] ‖ Die Verjährg. (31) [11.]
Simon, FB: Die Gesundheitspflege d. Weibes. 5. Afl. (304 m. Abb. u. 1 farb. Taf.) 8° Stuttg., JHW Dietz Nf. 02.   2 —;
    geb. 2.50 d

Simon, G: Tole! Vorwärts!, s.: Auf Missionspfaden.
Simon, H: Wohlfahrtspflege in d. Provv. Rheinl., Westfalen usw., s.: Hoffmann, A.
Simon, H: Wirtschafts-Buch f. Beamte auf d. Lande. Unter bes. Berücks. d. Verhältn. d. Forstbeamten. (64 n. 32) Fol. Neud., J Neumann (01).   Kart. 2 — d
Simon, H: Die Herabsetzg d. Arbeitszeit f. Frauen, s.: Pieper, A.
— Mutterschaft u. geist. Arbeit, s.: Gerhard, A.
— Robert Owen. Sein Leben u. s. Bedeutg f. d. Gegenwart. (338 m. 1 Bildnis.) 8° Jena, G Fischer 05.   7 —; geb. 8 —
Simon, HT, s.: Zeitschrift, physikal.
Simon, HV: Betrachtgn üb. Bilanzen u. Geschäftsberichte d. Aktiengesellschaften a. Anlass neuerer Vorgänge. [S.-A.] (36) 8° Berl., O Liebmann 03.   1.20
— s.: Formularbuch f. d. freiwill. Gerichtsbark.
— Die namenlosen Zinsscheine d. Orderpapiere. (42) 8° Berl., C Heymann 03.   1 — d
Simon, J: Die Ausrüstg d. Hoch-Touristen. 3. Afl. (49 m. Abb.) 8° Münch., M Kellerer 1900.   1 —
Simon, J, s.: Maimonides, d. Mischna-Commentar z. Tractat Mo'ed katau.
Simon, J: Präparat. zu Cäsars Bürgerkrieg; Cicero, Cato maior, de senectute; Demosthenes' 8 Reden geg. Philipp; Lysias' ausgew. Reden; Xenophons Anabasis u. Memorabilien, s.: Krafft u. Ranke's Präparat. f. d. Schullektüre.
Simon, J: Antigone. Trauersp. Zur Aufführg in Schulen u. Vereinen d. gleichnam. Tragödie d. Sophokles in gedrängter Kürze nachgebildet als verbind. Text zu Mendelssohns Chören z. Antigone u. m. e. Vorspruch versehen. (48) 16° Gelsenk., E Kannengiesser 03.   — 80 d
Simon, J, s.: Concours modernes.
Simon, K: Studien z. roman. Wohnbau in Deutschl., s.: Studien z. deut. Kunstgesch.
Simon, M: Prakt. Anweisg z. Erteilg d. Handarbeits-Unterr., s.: Schallenfeld, A.
— Der Handarbeitsunterr. in Schulen, s.: Schallenfeld, A.
Simon, M: Euclid u. d. 6 planimetr. Bücher, s.: Abhandlungen z. Gesch. d. mathemat. Wiss.
— Analyt. Geometrie d. Ebene, s.: Sammlung Göschen.
— Analyt. Geometrie d. Raumes, s.: Sammlung Göschen. — Sammlung Schubert.
Simon, O: Die Fachbildg d. preuss. Gewerbe- u. Handelstandes im 18. u. 19. Jahrh. u. d. Entwicklg d. Gewerberechts u. d. Verfassg d. gewerbl. Unterr.-Wesens. 14 Hefte. (928 u. 87) 8° Berl., J Guttentag 02.   22 —; HF. nn 24.50
— Das gewerbl. Fortbildgswes. u. Fachschulwesen in Deutschl. (60) 8° Berl., ES Mittler & S. 03.   1.75
Simon, O, s.: Jahresbericht d. Heidelberger chirurg. Klinik.
Simon, R: Mechanik. (Das Studium d. Elektrotechnik in Theorie u. Praxis. Hrsg. v. A Kraetzer.) 1. Tl. (71 m. Abb.) 8° Stegl. 03. Berl., O Malcome. L. 2 — ‖ 2. Tl. Mechanik fester u. flüss. Körper. (61 m. Abb) 03. Geb. 1.60; in 1 Bd 3 —
Simon, R: The musical compositions of Somanātha, critically ed., with a table of notations. (33) 4° Lpzg, O Harrassowitz 03.   2.80
— Die Notationen d. Somanātha. [S.-A.] (23 m. 2 Taf.) 8° Münch., (G Franz' V.) 03.   — 60
Simon, R: Eine neue rationelle Methode z. Bekämpfg d. Lungenschwindsucht. 1. u. 2. Afl. (48 m. Fig.) 8° Gött., Vandenhoeck & R. 01.   1 — d
Simon, T: Immanuel Kant, s.: Zeitfragen d. christl. Volkslebens.
— Der Logos. Ein Versuch erneuer Würdigg e. alten Wahrheit. (182) 8° Lpzg, A Deichert Nf. 02.   2.95 d
— Predigten u. Homilien üb. Texte a. d. I. Briefe St. Petri. (151) 8° Ebd. 06.   2.60; geb. nn 3.30 d
— Christl. u. moderne Weltanschaung. Vortr. (21) 8° Ebd. 03.   — 50 d
Simon, W: Anschauen v. Bildwerken, s.: Albien, G.
— Deutschlands Ruhmeskarte. Entwurf u. Bearbeitg v. O Herkt. 1 : 700,000. 6 Bl. je 87×67 cm. Farbdr. Köngsbg, (W Koch) (04).
    8 —; auf L. m. St. 16 —
— dass. Handk. d. Deut. Reiches z. Belebg d. deut., patriot. u. geograph. Unterr. 1 : 2,000,000. 60×64 cm. Farbdr. Nebst Text. (10) 8° Ebd. 04.   4 — d
Simon, W: Die Knospen d. einheimischen deut. Laubholz-Bäume u. Sträucher. (31 m. Abb. u. 1 Tab.) 12° Marbg, NG Elwert's V. 02.   1 — d
Simon b. Jochai: Mechilta, e. halach. u. haggad. Midrasch zu Exodus, m. handschriftl. u. gedr. Quellen reconstruirt u. m. erklär. Anmerkgn u. e. Einl. versehen v. D Hoffmann. (180 u. 2. Einl. 15) 8° Frankf. a/M., J Kauffmann 05.06. nn 5 —
Simonet, JJ: Die Schergen-Kaspar v. Schorndorf, s.: Dilettanten-Bühne, kathol.
Simonis, H: Die Nichtigkeits-Erklärg e. Aktien-Gesellsch. n. d. neuen Handels-Gesetzb. (22) 8° Rost. 01. (Berl., C Skopnik.)   1.20 d
Simons, C: Das Aggerthal bei Overath. Gesch., Sagen u. Denkwürdigk. d. Bürgermeisterei Overath. (101) 8° Overath, A Becker 01.   nn 1.30; geb. nn 1.75 d
Simons, E, s.: Arbeiten, theolog., a. d. rhein.-wiss. Prediger-Ver.
— „Eines um heiml. Beiwohng e. Privatpredigt Inhafftens Bekenntnis 1570". [S.-A.] (7) 8° Tüb., JCB Mohr 03.   — 40

Simons, E. s.: Konsistorial-Beschlüsse. köln.
Simons, EM: Eine Südamerikafahrt. Reiseskizzen. (98 m. Abb.)
 8° Berl., Gropius 01. 2 —
Simons, G: Die Brotfrage u. d. Beantwort. 2. Afl. (24) 8° Feldmühle bei Soest ⅓/W. 01. (Lpzg, W Mahraun.) — 25 ‖ 5. Afl.
 (36) Berl. 02. — 20 d
— Küchensünden u. Volksgesundh. 1. Heft. (47) 8° Berl., Bh.
 u. Verl. „Der Naturarzt" 05. — 50 ‖ 2. (Schl.-)Heft. (49—91 m.
 Abb.) 05. — 60 d
Simons', H, Unterr.-Briefe f. Manicure. 2. Afl. (26 m. Abb.) 8°
 Berl., H Simons (05). Geb. 10 —
Simons, W: Meininger Pastellgemälde, s.: Doebner, E.
Simonsen, MD: Lehrb. d. dän. Sprache. 3. Afl. (258) 8° Fleusbg,
 A Westphalen 05. Geb. 3.80 d
Simonsen, S, s.: Heilsgewissheit, d.
Simonsfeld, H: Mailänder Briefe z. bayer. u. allg. Gesch. d.
 16. Jahrb. [S.-A.] I u. II. 4° Münch., (G Franz' V.). 12 —
 I. (250) 01. 9 — ‖ II. (95) 02. 3 —
— Einige kunst- u. literaturgeschichtl. Funde. [S.-A.] (46 m.
 1 Taf.) 8° Ebd. 03. — 60
Simony, O: Photograph. Aufnahmen auf d. Canar. Inseln. [S.-A.]
 (27) 8° Wien, A Hölder 01. 1,20
— Die nähergsweise Flächen- u. Körperberechng in d. wiss.
 Holzmesskde, s.: Mitteilungen a. d. forstl. Versuchswesen
 Österr.
— Üb. Formzahlengleichgn u. deren forstmathemat. Verwertg.
 (132 m. Abb.) 4° Wien, W Frick 04. 6 —
Simonyi, I v.: Die vollständ. Umgestaltg d. Mittelsch. [S.-A.]
 Mit Nachtr. (3. Afl.) (66 u. 38) 8° Pressbg, (G Heckenast's Nf.)
 1899 (u. 02). 1 — d
— Zeit-, Streit- u. Zukunftsfragen. 2 Bde. 8° Pozsony (Pressbg),
 Selbstverl. 03. d ö H
 I. Einl., Presse, Liebe u. Ehe, Erziehg u. Unterr. (156)
 II. Die Schopenhauer-Filosofauterei, e. Ursache u. e. Faktor d. Xihilismus u. Anarchiamus u. d. einz. Gegenmittel geg. d. Letrteren. Aus d.
 Tageb. e. Laien. (157—568)
Simonyi, S. u. J Balassa: Dect. u. ungar. Wrtrb. 2., ungarischdeut. Thl. (424) 8° Budap., Franklin-Ver. 02. 6 —
 (Vollst.: 12 —; Einbde je 2 —) d
Simplicissimus. Illustr. Wochenschrift. Red.: RGeheeb. 8. Jahrg.
 Apr. 1901—März 1902. 52 Nrn. (Nr. 1. 12) Fol. Münch., Simplicissimus-Verl. 1902. Billige Ausg. vierteljl. 1.80; einz. Nrn — 15;
 Allg. Ausg. 3.25; einz. Nrn — 20 d
— dass. Red.: J Linnekogel. 7. Jahrg. Apr. 1902—März 1903.
 52 Nrn. (Nr. 1. 12) Fol. Ebd. ‖ 8. Jahrg. 1. Halbj. Apr.—Septbr
 1903. 26 Nrn. Billige Ausg. vierteljl. 1.80; einz. Nrn — 15;
 Luxus-Ausg. 3 —; einz. Nrn — 25 ‖ 2. Halbj. Oktbr 1903—März
 1904. 26 Nrn. ‖ 9. Jahrg. Apr.—März 1905 52 Nrn. ‖ 10.
 Jahrg. 1—3. Vierteljl. Apr.—Dezbr '05-39 Nrn. Vierteljl. 2.25;
 einz. Nrn — 20; Luxus-Ausg. 3.50; einz. Nrn — 30 d
— dass. Extra-Nummer. Friede. Das Ende vom Lied. Verantwortlich: J Linnekogel. (10 m. z. Tl farb. Abb.) Fol. Ebd.
 (02). ‖ Reichstagswahl. (12 m. z. Tl farb. Abb.) (03.) Je — 40 d
— dass. Flugblatt. Die Prinzessin Luise v. Koburg od. ihre
 schreckl. Erlebnisse u. Flucht a. d. Irrenhause. Wahrheitsgetreu berichtet v. L Thoma u. T Heine. (2 m. Abb.) 4° Ebd.
 (04). — 10 d
— dass. Flugblatt. Wahlergebnis. Das gr. Malöhr im Juni 1903,
 wahrheitsgetreu berichtet v. L Thoma u. TT Heine. (4 m.
 Abb.) Fol. Ebd. (03). — 10 d
 Buchausg. s.: Thoma, L, u. TT Heine.
— dass. Manöver-Nr. v. E Thöny. (10 m. z. Tl farb. Abb.) 4°
 Ebd. (04). — 40 d
— dass. Reznicek-Nummer. Karneval. '04 u. '05. Red.: J Linnekogel. (Je 8 m. farb. Abb.) 4° Ebd. Je — 40 d
— lieber. 100 Anekdoten. 9. u. 10. Taus. (154) 16° Münch., A
 Langen 01. 1 —; geb. 2 — ‖ 11—15. Taus. (154)'04. 1 —;
 geb. 1.50 d
— dass., s.: Bibliothek Langan, kl.
Simplicissimus s.: Krüger, Paul, u. d. deut. Michel.
Simplicissimus-Flugblatt. Die Gräfin v. Montignoso od. Liebeslust u. -leid in Florenz. Wahrheitsgetreu berichtet v. L Thoma
 u. TT Heine. (2 m. Abb.) 4° Münch., Simplicissimus-Verl.
 (05). — 10 d
Simplicissimus-Kalender 1903, 9. u. 6. (46, 53 u. 88 m. Abb.)
 8° Münch., A Langen. Je 1 — d
 Für 1904 nicht erschienen.
Simplicius Simplicissimus, d. abenteuerl. D. i.: Ausführl., unerdicht. u. sehr merkwürd. Lebensbeschreibg e. einfält., wunderl. u. seltsamen Menschen, Melchior Sternfels v. Fuchsheim, wie er s. Jugend im Spessart verlebt, dann im 30jähr.
 Kriege gar denkwürd. u. bunte Schicksale gehabt, vielerlei
 Not, Leiden u. Lebensgefahr ausgestanden, aber endlich noch
 manchen frohen Tag genossen. (Von HJCv. Grimmelshausen.)
 7. Afl. (694) 8° Lpzg, O Wigand (03). 4.50; geb. 5.50 d
Simplification de l'enseignement de la syntaxe franç. (Arrêté
 du 26.II.'01·) (11) 12° Potsd., A Stein (01). — 25
Simpson, AB: Jesus selbst. 4. Afl. (15) 8° Bas., Kober 05. — 08 d
Simrock, E: Faust. Das Volksb. u. d. Puppensp., nebst e. Einl.
 ·8b· d. Ursprg d. Faustsage. 3. Afl. (168 u. 96 m. 7 Bildern.)
 8° Bas., B Schwabe 03. 4.40; Puppensp. allein. (96) 1 — d
— s.: Gudrun. — Nibelungenlied, d.
Simroth, H: Abr. d. Biol. d. Tiere, s.: Sammlung Göschen.
— Die Ernährg d. Tiere im Lichte d. Abstammgslehre, s.: Vorträge u. Abhandlungen, gemeinverständl. darwinist.

Simroth, H: Mollusca (Weichtiere), s.: Bronn's, HG, Klassen
 u. Ordngn d. Tier-Reichs.
— Ueb. d. v. Dr. Mrázek in Montenegro ges. Nacktschnecken
 unter Hinzunahme verwandten Materiales. [S.-A.] (25 m. 1
 farb. Taf.) 8° Prag, (F Řivnáč) 04. 80
— Die Nacktschneckenfauna d. russ. Reiches. (221 m. 17 Fig.,
 27 Taf. u. 10 Kart.) 8° St. Petersbg 01. (Lpzg, Voss' S.) 26 —
Simsa, J : Das Geheimnis d. Person Jesu. 1—4. Taus. (87) 8°
 Hambg, Agent. d. Rauhen H. (04.05.) 1 — d
— Die ev. Stadtmission in Halle a/S. (32) 8° Halle, Bh. d. ev.
 Stadtmiss. 02. — 40
Simson, AE: Der Hungertarm od. Die Ratsherren v. Gross-
 Glogau, s.: Kürschner's, J, Bücherschatz.
— Leidende Liebe. Novellen. 2. Afl. (208) 8° Berl., D Dreyer &
 Co. (03). — 50 d
— Unter schwarem Verdacht. — Eine Vorherbestimmg, s.:
 Ensslin's Roman- u. Novellenschatz.
— Das Waldgeheimnis, s.: Weichert's Wochen-Bibliothek.
Simson, B de, s.: Annales Mettenses priores.
— Gesch. d. Schule zu St. Petri u. Pauli in Danzig. 2 Tle. 8°
 Danz., (L Saunier). Je 1.50
 1. Die Kirchen- u. Lateinsch. 1436—1817. (119) 04.
 2. Die böh. Bürgersch., Realsch. 1. Ordng, d. Realgymnasium, d. Realsch.
 u. Oberrealsch. 1817—1905. (135) 05.
— Gesch. d. Danziger Willkür, s.: Quellen u. Darstellungen
 z. Gesch. Westpreussens.
Simultan-Beobachtungen, erdmagnet., währ. d. Südpolar-
 Forschg in d. J. 1902—03. s.: Veröffentlichungen d. hydro-
 graph. Amtes d. k. u. k. Kriegs-Marine.
Simultanschule, d. nassauische, s.: Abhandlungen, pädagog.
Sinapius, A: Blutarmut u. Bleichsucht, ihr Wesen, ihre Er-
 scheingn, ihre Ursachen u. ihre Heilg durch d. physika-
 lisch-diätet. Heilfaktoren. (35) 8° Lpzg, M Spohr 04. — 80 d
— Geist u. Körper in ihrer Wechselbeziehg. (11) 8° Schweidn.,
 Theosoph. Verl. P Frömsdorf (05). — 20
— Der Mensch in s. Verhältnis zu Gott u. Welt. (15) 8° Ebd.
 (05). nn — 15; Flugblattausg. (6) — 10
— Die Onanie (Selbstbefleckg), ihre Folgen u. ihre Heilg. (29)
 8° Lpzg, M Spohr 04. — 75 d
— 10 Unterr.-Briefe z. vollständ. Erlerng d. Hypnotismus,
 Magnetismus etc. 5. Taus. (32) 8° Brnschw., A Graff (05). — 40 d
— Wie veranstalte ich hypnot. Vorstellgn? 2. Taus. (31) 8°
 Ebd. (05). — 50
Sincère, J : Lettre ouverte à Mgr. W Benzler, O. S. B., évêque
 de Metz. (30) 8° Strassbg 05. (Metz, R Lupus.) — 40
Sind wir kriegsbereit? Eine Frage a. d. Volke. (310) 8° Metz,
 P Müller 05. 3.75; geb. nn 5 —
— Ringofengas d. Pflanzen schädlich? Zusammmenfassg d.
 im Deut. Ver. f. Ton-, Zement- u. Kalkindustrie E. V. z.
 Klärg d. Frage gepflog. Verhandlg u. d. in s. Auftr. vor-
 genomm. Untersuchgn. Bearb. v. d. chem. Laboratorium f.
 Tonindustrie H Seger u. E Cramer. (143) 8° Berl., Tonindu-
 strie-Zeitg 03. 3 —
Sinding, O: Mariae Tod u. Himmelfahrt. Beitrag z. Kenntnis
 d. frühmittelalterl. Denkmäler. (134 m. 2 Taf.) 8° Christiania,
 (Steen'sche Buchdr. u. Verl.) 03. (Nur dir.) nn 3.80
Sineck: Situations-Plan v. Berlin m. d. Weichbilde u. Char-
 lottenbrg. 1:10,000. Ausg. 1905. 4 Bl. je 51×69 cm. Farbdr.
 Berl., D Reimer. — 10; auf L. in M. od. m. St. 14 —
Sinemus, K : Der ev. Kirchengemeinde Andernach Vorgesch.,
 Gründg u. halbhundertjähr. Entwicklg. Mit Beitr. v. Ilse u.
 Rocholl. (90 m. Abb. u. 3 Taf.) 8° Andern. 04. (Lpzg, Bh.
 d. Vereinsb.) 3 —
— Breisig am Rhein, e. ev. Gemeinde unter d. Kreuz im 16.
 u. 17. Jahrb. u. ihre Nachfolgerin in d. Gegenwart. (68 m.
 Abb. u. 1 Taf.) 8° Bonn 03. (Lpzg, Bh. d. Vereinsb.) 1 — d
Singe mit! Sammlg sozialist. Kampfeslieder. (56) 12° Lpzg, R
 Lipinski 04. — 10
Singer's neuer vollständ. Taschen-Atlas m. 33 Haupt- u. 16
 Nebenk. (sowie erdkundl. u. volkswirtschaftl. Zahlenauf-
 zeichngn). Ausg. f. Oesterr.-Ungarn. (33 farb. Bl. m. Text
 16 S. u. 24, 20, 28, 20, 90 u. 30 S. auf d. Rücks. d. Kart.) 16°
 Wien, Berl. & L. Nf. 06. Geb. 1,20
 Die allg. Ausg. s. u. d. T.: Taschenatlas.
Singer's Haushaltsgsb. f. 1906. 7. Jahrg. (203) 8° Strassbg, J
 Singer. Geb. — 60 d
Singer: Neueres a. d. Geb. d. Nierenkrankh., s.: Wander-Vor-
 träge, medicin.
— Üb. d. vegetar. Kost u. Lebensweise überhaupt, s.:
 Volksbücherei, medicin.
Singer, F, s.: Fritz, S.
Singer, G: Pseudoappendizitis u. Ileocökalschmerz. (54 m.
 Abb.) 8° Wien, W Braumüller 05. 1.20
— Über d. Pilocarpin, s.: Krankh.-Lehre d. Juden. (140) 8°
 Lpzg, B Konegen 04. 2.50; geb. 3 d
Singer, HF: Der Humanist Jakob Merkstetter, 1460—1512. Prof.
 d. Theol. an d. Mainzer Universität u. Pfarrer z. St. Em-
 meran. (53 m. 1 Taf.) 8° Mainz, Druckerei Lehrlingshaus 04.·
 1 — d

Singer, HW: Jakob Christoffel Le Blon. [S.-A.] (21 m. Abb.
u. 1 farb. Taf.) Fol. Wien, Gesellsch. f. vervielfältig. Kunst
01. 5 —
— s.: Künstler-Lexicon, allg.
— Der Kupferstich, s.: Sammlung illustr. Monographien.
— Dante Gabriel Rossetti, s.: Kunst, d.
— Versuch e. Dürer-Bibliogr., s.: Studien z. deut. Kunstgesch.
— James Mc N Whistler, s.: Kunst, d.
Singer, J: Die städt. Elektrizitäts-Werke zu Frankfurt am
Main. (73 u. 57 m. Abb., 34 Taf. u. 3 Pl.) 4° Lpzg, Hachmeister
& Th. 03. L. 20 —
Singer, J, s.: Zeit, d.
Singer, K: Soz. Fürsorge, d. Weg z. Wohltun. (24, 266) 8°
Münch., R Oldenbourg 04. 4 —
Singer, K: Üb. Sehstörgn n. Blutverlust, s.: Beiträge z. Augen-
heilkde.
Singer, P: „Der Kampf ums Recht". Rede z. Frage d. „kauf-
männ. Schiedsgerichte". Mit Anh.: Zur Gesch. d. „kaufmänn.
Schiedsgerichte". (30) 8° Hambg (Valentinskamp 92), M Jo-
sephsohn 02. † — 15 d Vergr.
Singer, R, s.: Promme's Buchführg.
— Lehrb. d. gewerbl. Buchführg, nebst e. Anh.: Das Wich-
tigste a. d. Wechselkde u. üb. d. Wechselstempel. 3. Afl. (188)
8° Wien, M Perles 02. Kart. nn 1.60 d
Singer, S: Die deut. Kultur im Spiegel d. Bedeutgslehnwortes,
s.: Mitteilungen d. Gesellsch. f. deut. Sprache in Zürich.
— Schweizer Märchen, s.: Untersuchungen z. neueren Sprach-
u. Literaturgesch.
Singet d. Herrn, 3. Afl., s.: Liederbüchlein f. d. ev. Kindergottesdienst.
— dass. Ausg. A (ohne Anh. a. „Kinder-Hosianna"). Answ. d.
beliebtesten Gemeinschaftslieder. Hrsg. v. d. Ev. Gesellsch.
f. Deutschl. 4. Afl. (162) 12° Elberf., Bh. d. ev. Gesellsch. 02.
— 30 d
— dass. Mit Anh. a. „Kinder-Hosianna". (Ausg. B.) 5. Afl. (208)
12° Ebd. 05. Kart. — 40 d
— dass. Bundesharfe f. ev. Jünglings- u. Männerver. Hrsg. v.
Komitee d. westdeut. Jünglingsbundes. II. Bd. (365) 8° Elberf., Westdeut. Jünglingsbund 03. L. 2 — (I u. II.: 4 —) d
— dass. Organ d. ev. Sängerbundes. Red.: E Brecher u. W
Kniepkamp. 3.—7. Jahrg. 1901—5 je 12 Nrn. Mit je 9 Notenbeil. (Nr. 1. 9.) 4° Elberf., Bh. d. ev. Gesellsch. Je 1.50 d
Erscheu bis Juni '01 noch in Düsseldf.
Singhof, G: Der Mannheimer Kohlen-Grosshandel. Entwicklg,
seither. Gestaltg u. künft. Organisation desselben. (97) 8°
Hdlbg, Heidelb. Verl.-Anst. u. Dr. 05. 1.50 d
Singvögelchen u. and. Erzählgn, s.: O du fröhl. usw. Weih-
nachtszeit.
Sinko, T: De Apulei et Albini doctrinae Platonicae adumbra-
tione. [S.-A.] (50) 8° Krakau, (Akad. d. Wiss.) 05. (Nur dir.)
— 85
— De Romanorum viro bono. [S.-A.] (52) 8° Krakau, Bh. d.
poln. Verl.-Gesellsch. 03. 1 —
— Sententiae Platonicae de philosophis regnantibus fata quae
fuerint. (56) 8° Kraków 04. Podgórze, k. k. Gymnasium. nn 1.30
Sinner, E: Intelligenz. Ihr Wesen u. ihr Erkennen. (48) 8°
Graz, O Erber 02. — 75 d
Sinnreich, J: Der transcendentale Realismus od. Correlativismus uns. Tage, s.: Studien, Berner, z. Philosophie u.
ihrer Gesch.
Sinoja, JE de: Im Beichtstuhl. Trauersp. (43) 8° Dresd., C
Pierson 03. 1 — d
— „Die Ehre d. Zeitg". Wahrheit ohne Dichtg. (112) 8° Ebd.
04. 1.50; geb. 2.50 d
Sinowits, MW: Diskurs zw. e. Bischof u. Rabbiner. Ein kur-
zer Auszug a. Licht u. Wahrheit. (48) 16° Zürich, D Clecner
02. (Nur dir.) nn — 30 d
— Licht u. Wahrheit üb. Jesus Christus. Eine Offenbarg üb.
d. Unterschiebg d. Neuen Test. u. d. Kirchengesch. durch
d. Schriftgelehrten u. Talmud. 1. Thl. (167) 8° Ebd. 01.
(2.40) 3 — d
— Der Psycholog. Neue Entdeckung auf hypnot. Gebiete wie
in d. ges. Psychol. 05. (4) 8° Ebd. 04. — 60 d
— Viel-Weiberei als einz. Mittel z. Lösg d. soz. Frage. (44)
8° Ebd. 04. — 80
Sintenis, Frau E, s.: Fahrow, E.
Sintenis, F: Märchenkranz, s.: Bloch's, L, Kinder-Theater.
Sintzel, M: Der Monat August, d. reinsten Herzen Marias ge-
weiht, s.: Monate, d. 12, d. Jahres.
— s.: Gertrudenbuch.
— Der lebend. Rosenkranz. 24. Afl. v. e. Priester d. Diöc. Re-
gensburg. (251 m. 1 St.) 12° Rgnsbg, Verl.-Anst. vorm. GJ
Manz 05. 1 —; geb. 1.50 d
— Die Verehrg d. hl. Aloysius v. Gonzaga, a. d. Gesellsch.
Jesu. (Ausg. 1902.) (239 m. 1 St.) 16° Rgnsbg, F Pustet,
— 40; L. — 60 d
Sinwel, R: Lehrb. d. Gesch. f. höh. Handelssch. (Handels-
Akad.) u. verwandte Lehranst. I. u. II. Tl. 8° Wien, A Höl-
der. Geb. 5.02 d
I. Altertum. (227) 01. 2.42 ‖ II. M.-A. (245) 03. 2.60.
Sinzheimer, H: Lohn u. Aufrechng. Beitrag z. Lehre v. ge-
werbl. Arbeitsvertrag auf reichsrechtl. Grundl. (127) 8° Berl.,
C Heymann 02. 2 —
Sinzheimer, L: Die Arbeiterwohngsfrage, s.: Volksbücher d.
Rechts- u. Staatskde.

Sinzheimer, L: Die Stellg d. ob. Klassen u. d. Wiss. zu d. Ge-
werkschaften, s.: Timm, J, a. d. Entwicklgsgang d. deut.
Gewerkschaftsbewegg.
Sinzig, P: Benedicite. Manual de cánticos sacros em portu-
guês e em latim, com um appéndice de orações. 2. ed. (336
m. 1 Farbdr.) 16° Freibg i/B., Herder (02). 1.30; L. 1.80
— Cancioneiro de modinhas populares. (80) 16° Ebd. (02).
Kart. — 60
Sion, V: Die Pellagra, s.: Babes, V.
Siona. Monatsschrift f. Liturgie u. Kirchenmusik. Begründet
u. L. Schoeberlein u. hrsg. v. M Herold. 26—30. Jahrg. 1901—5
je 12 Nrn. (240, 236, 236, 240 u. 240) 8° Gütersl., C Bertelsmann. Je 5 —; m. Beibl.: Korrespondenzbl. d. Ev. Kirchen-
gesangver. f. Deutschl. je nn 6 — d
— s.: Verhandlungsbericht d. mittelrhein. Gesellsch. f. Geburtshülfe u. Gynaekol.
Sippel, A: Ueb. Eklampsie u. d. Bedeutg d. Harnleiterkompression, s.: Sammlung zwangl. Abhandlgn a. d. Geb. d.
Frauenheilkde u. Geburtshilfe.
Sippel, F: Ueb. d. Berechtigg d. Vernichtg d. kindl. Lebens
z. Rettg d. Mutter v. geburtshilfl., gerichtlich-medizin. u.
eth. Standpunkt. (223) 8° Thlfh., F Pietzcker 02. 6 —
Sippurim. Sammlg jüd. Volkssagen, Erzählgn, Mythen, Chroniken, Denkwürdigk. u. Biographien berühmter Juden aller
Jahrh., bes. d. M.-A., s.: Universal-Bibliothek, jüd.
Sirach, Buch. Aus d. Vulgata übers. u. m. Anmerkgn versehen
v. W Müller. (216) 15° Rgnsbg, Verl.-Anst. vorm. GJ Manz
06. — 60; L. 1 —; Ldr m. Go. nn 1.80 d
Sirelius, UT: Die Handarbeiten d. Ostjaken u. Wogulen. [S.-A.]
(75 m. Abb.) 8° Helsingf. 03. (Lpzg, O Harrassowitz.) nn 2 —
— Ornamente auf Birkenrinde u. Fell bei d. Ostjaken u. Wogulen. (In finn. u. deut. Sprache.) (49 [1 farb.] Taf. m. 16 S.
illustr. Text.) Fol. Ebd. 04. In Umschl. nn 8 —
Siren, O: Don Lorenzo Monaco, s.: Zur Kunstgesch. d. Ausl.
Siri-Normann: Das Meergold. (119) 8° Metz, R Lupus 05. L. 1.50 d
Sirius. Zeitschrift f. populäre Astronomie. Hrsg. v. HJ Klein.
34—38. Jahrg. 1901—5 je 12 Hefte. (Je 288 m. Abb. u. 17, 14,
14, 15 u. 13 Taf.) 8° Lpzg, EH Mayer. Halbj. 6 —;
einz. Hefte 1.20
Sirius, P (O Kimmig): Glocken u. Saiten. Ein lyr. Buch. (152)
8° Karlsr., F Gutsch (05). Kart. 2.50; geb. 3 — d
Sismondi, JCLS de: Neue Grundsätze d. polit. Ökonomie od.
Der Reichtum in s. Beziehgn zu d. Bevölkerg, s.: Bibliothek
d. Volkswirtschaftslehre.
Sittart, H, s.: Lehrer-Zeitung, westdeut.
Sittart, PHJ: Der deut. Reichstag v. 1898—1903, s.: Müller-
Fulda, K.
— Sozialpolitik d. Zentrums. (32) 8° Trier, Paulinus-Dr. 03. — 50 d
Sitte, C, s.: Ergebnisse, d., d. Vorconcurrenz zu d. Baue d.
Kaiser Franz-Joseph-Museums d. Stadt Wien. — Städtebau, d.
— Der Städte-Bau nach s. künstler. Grundsätzen. Unter bes.
Beziehg auf Wien. 3. Afl. (184 m. Abb., Pl. u. 4 Heliogr.) 8°
Wien, C Graeser & Co. — Lpzg, BG Teubner 01. 5.60; L. 7 —
Sitten, moderne. Illustr. Zeitromane. Nr. 1. 8° Wien (XVI/1,
Hasnerstr. 72), Verl. „Moderne Sitten". — 90 d 0 F
Kühne, H: Die Jagd auf Mädchen. (48 m. Abb.) 02. [1.]
Sittenberger, H: Grillparzer, s.: Geisteshelden.
Sittenfeld, C, s.: Alberti, C.
Sittenfeld, L: Eim alen Gleese. — 's Julerle vum Prinzeltz.
— Neie Katuffeln. 3 Einakter in schles. Mundart. (64) 8° Brsl.,
Koebner 03. 1.80 d
Sittengeeets, d., u. d. Freimaurerei „n. d. Grundsätzen d.
Christenthums". Vom Verf. v. „Christenthum, Humanität u.
Freimaurerei". (27) 8° Berl., P Stankiewicz 02. — 50
Sittig, E: Üb. e. stickstoffhalt. Kohlenhydrat in d. Leber, s.:
Seegen, J.
Sittler, E: Fahnen-Reigen, s.: Reigensammlung.
Sittler, E: Der Domschatz in Prag. — Topogr. d. histor. u.
Kunst-Denkmale in d. polit. Bezz. Karolinenthal u. Mühl-
hausen, s.: Podlaha, A.
Sittler, JB: Eine Jubiläumswallfahrt n. Lourdes im August
'04. (59) 8° Wörish., Buchdr. u. Verl.-Anst. Wörishofen (05).
— 40 d
Sittler, N: Handwerk hat gold. Boden. Erzählg f. Fortbildgs-
schüler u. junge Handwerker. Nach d. Franz. (52) 8° Rgnsbg,
A Coppenrath's V. 05. — 40; geb. nn — 60 d
— Die Sage v. hl. Gral. Bearb. f. d. Jugend (2. Schüler v. 10.
Jahre an). (48) 8° Ebd. 04. — 40; geb. nn — 60 d
— Sagen u. Legenden d. Oberpfalz. Für d. Jugend bearb. I.
(187 m. Abb.) 8° Ebd. 06. 1.50; L. 2 — d
Sittlichkeitsideal, d., christl., u. d. Goethebund. I. Referat v.
Stöcker. II. Discussion. III. Anh.: Goethe u. d. Goethebund.
[S.-A.] (46) 8° Hambg, Herold 01. — 60 d
Sittner, A: Zur Ausräumg d. Uterus beim Abort, s.: Samm-
lung klin. Vortr.
Sitzler, J: Ein ästhet. Kommentar zu Homers Odyssee. (304)
8° Paderb., F Schöningh 02. 2.50; geb. nn 3.60 d
— Präparat. zu Herodot Buch VII. 2 Hftn. (Je 72) 8° Gotha,
FA Perthes 05. Je — 90 d
— Griech. Übgsb., s.: Fecht, K.
Sitzung, feierl., s. als. Akad. d. Wiss. a. Anlass d. 50jähr.
Bestandes d. k. k. Central-Anst. f. Meteorol. u. Erdmagnetis-
mus in Wien am 26.X.'01. (32) 8° Wien, (A Hölder) 01. — 60

Sitsungsberichte d. Ver. Freiburger Ärzte. V—IX. [S.-A.] 8°
Münch., JF Lehmann's V. 9 —
V. 1906. (77 m. Abb.) 01. 2 — ‖ VI. '01. (55 m. 1 Abb.) 02. 1.80 ‖ VII. '02-
(68 m. 1 Abb.) 03. 2.40 ‖ VIII. '03. (40) 04. 1.20 ‖ IX. '04- (54 m. Abb.) 05. 1.80.
— d. Altonaer Aerztever. in d. J. 1900 —04. [S.-A.] 8° Ebd. 4.20
1900. (21) 01. — 80 ‖ '01. (20) 02. — 80 ‖ '02. (41 m. Fig.) 03. 1.20 ‖ '03-
Hrsg. v. C Hueter. (30 m. Fig.) 04. — 80 ‖ '04. Hrsg. v. C Hueter. (21 m.
Fig.) 05. — 60.
— d. ärztl. Ver. Halle a. S., Fortsetzg, s.: Verhandlungen
d. Ver. d. Aerzte zu Halle a. S.
— d. allg. ärztl. Ver. zu Köln im 30—33. Vereinsj. [S.-A.] 8°
Münch., JF Lehmann's V. 10 —
30. 1900/1. (105) 02. 3 — ‖ 31. '02- (68) 03. 2 — ‖ 32. '03- (74) 04. 2 — ‖ 33.
'04. (118 m. 1 Abb.) 05. 2 —
— d. aerztl. Ver. zu Marburg im J. 1904/05. [S.-A.] (46 m. 1
Tab.) 8° Ebd. 05. 1.60
— d. ärztl. Ver. München. X—XIV. (Mit Abb.) 8° Ebd. 21.40
X. 1909. (100) 01. 4 — ‖ XI. '01. (164) 02. 5 — ‖ XII. '02. (27, 166) 03. 4 —
‖ XIII. '03- (72, 77 m. Abb.) 04. 2.40 ‖ XIV. '04- (201 m. Abb.) 05. 3 —
— d. ärztl. Ver. Nürnberg. Jahrg. 1900 —04. [S.-A.] 8° Ebd. 12.40
1900. Red. v. F Goldschmidt u. S Merkel. (104) 1900. 3 — ‖ '01. (61) 02.
? — ‖ '02. Red. v. F Goldschmidt u. C v. Rad. (36, 83 m. Abb.) 03. 3 —
‖ '03. (51 m. Abb.) 04. 1.60 ‖ '04. Red. v. C v. Rad u. W Hasenschild. (94)
05. 2.80.
— d. biol. Abth. d. ärztl. Ver. Hamburg 1900 —04. [S.-A.] 8°
Ebd. 18 —
1900. (127) 01. 2.40 ‖ '01. (117) 02. 3 — ‖ '02- (180) 03. 5 — ‖ '03- (145) 04.
4 — ‖ '04- (141) 05. 3.60.
— d. gelehrten estn. Gesellsch. 1900, '01 u. '03- 8° Jurj. (Dorp.)
(Lpzg, KF Koehler.) 4.40 d
1900. (218) 01. 1.20 ‖ '01. (326) 02. 1.20 ‖ '03. (54, 135) 04. 2 —
1902 war nicht zu erhalten.
— d. fränk. Gesellsch. f. Geburtshilfe u. Frauenheilk.
1909/4. [S.-A.] 8° Münch., JF Lehmann's V. 3 —
1902/3. (76 m. 1 Abb.) 04. 2 — ‖ '04. (76) 05. 1 —
— d. Gesellsch. f. Geburtshilfe u. Gynäkol. zu Köln a. Rh.
Jahrg. 1903. [S.-A.] (29 m. 1 Abb.) 8° Berl., S Karger 04. 1.20
— d. geburtshülflich-gynaekolog. Gesellsch. zu St.
Petersburg 1900. [S.-A.] (47) 8° Ebd. 01. 2 —
*Fortsetzg s. u. d. T.; Verhandlungen d. russ. Gesellsch. f. Ge-
burtshülfe u. Gynaekol.*
— d. niederrheinisch-westfäl. Gesellsch. f. Gynäkol. u. Geburtshülfe 1903. [S.-A.] (38) 8° Ebd. 04. 1 —
— d. Münch. gynaekolog. Gesellsch. 1900 —03. [S.-A.] 8°
Ebd. 8 —
1900 —1. (95) 01. 2.50 ‖ '01—2. (118 m. Abb.) '02- 3.50 ‖ '02—03. (55 m. Abb.)
04. ? —
— d. Tagg d. Verbandes deut. Hochsch., Eisenach u. Weimar
'05- (72) 8° Bonn, C Georgi 05. — 75
— d. laryngo-otolog. Gesellsch. München. 1—4. Jahrg.
[S.-A.] (Mit Abb.) 8° Berl., O Coblentz. Je 1.50
1. (1900—1.) (50) (02.) ‖ 2. ('02.) (32) (03.) ‖ 3. ('03.) (50) (04.) ‖ 4. ('04.)
(? u. 96) 05.
— d. Berliner mathemat. Gesellsch. Hrsg. v. Vorst. 1—3.
Jahrg. 8° Lpzg, BG Teubner. 7.20
1. [S.-A.] (66 m. Fig.) 02. 2.40 ‖ 2. Beilage z. Archiv d. Mathematik u.
Physik. (56 m. Fig.) 03. ? — ‖ 3. (85 m. Fig.) 04. 2.60.
— d. rheinisch-westfäl. Gesellsch. f. innere Medizin u. Nervenheilkde. I. u. II. Jahrg. [S.-A.] 8° Münch., JF Lehmann's V. 2.30
L. '03/04- (49 m 2 Abb.) 04. 1 — ‖ II. '04/05- (46) 05. 1.70.
— d. medizin. Gesellsch. zu Chemnitz. 1902/04. [S.-A.] (27
u. 24. 8° Ebd. 04. Je — 80
05. 1.20
— d. medizin. Gesellsch. Kiel. 1903/4. [S.-A.] (43) 8° Ebd.
05. 1.20
— d. medizin. Gesellsch. zu Magdeburg. 1900 —04. [S.-A.] 8°
Ebd. 9.60
1900. (76) 01. ? — ‖ '01. (46) 02. 1.60 ‖ '02. (96) 03. 2.40 ‖ '03. (58) 04. 2 —
‖ '04. (42) 05. 1.60.
— d. Nürnberger medicin. Gesellsch. u. Poliklinik. 1900, 01,
08 u. 04. [S.-A.] 8° Ebd. 6 —
1900. (35) 01. 1.20 ‖ '01- (37) 02. 1.20 ‖ '03- (53) 04. 2 — ‖ '04. (50 m. 1 Abb.)
05. 1.80.
1902, bei Erscheinen nicht zu erhalten, ist vergriffen.
— d. Gesellsch. f. Morphol. u. Physiol. in München. XVI—
XX je 2 Hefte u. XXI, 1. Heft. (Mit Abb.) 8° Ebd. 10 —
XVI. 1900. (113 m. 1 Taf.) 1900.01. 3.50 ‖ XVII. '01- (93) 02. 3.50 ‖ XVIII.
(100) 03. 2.40 ‖ XIX. (44 u. 39) 04. 2.40 ‖ XX. '04- 05.04.05. 2.20 ‖ XXI, 1. (48)
05. 1.20.
— d. naturforsch. Gesellsch. zu Leipzig. 26. u. 27. Jahrg.
1899/1900. (80) 8° Lpzg, W Engelmann 01. 1.80
— d. Gesellsch. naturforsch. Freunde zu Berlin. Jahrg.
1901—5 (272, 253, 476, 307 u. 283 Nr. 1, 5, 11, 6 u. 8 Taf.) 8°
Berl., (R Friedländer & S.). Je 4 —
— d. Naturforscher-Gesellschaft. bei d. Univ. Jurjeff (Dorpat), red. v. G Tamman u. N Androssow. 12. Bd. 3. Heft.
1900. (123—187, 823—483 u. 22 m. 1 Taf.) 8° Jurj. (Dorp.) 01.
(Lpzg, KF Koehler.) 2.80 (12. Bd vollst.: 6.80) ‖ 13. Bd. Red.
v. N J Kusnezow. 3. Hefte. 1901—3. (424, 67 u. 123 m. 1 Taf.)
02-05. Je 2 —
— d. niederrhein. Gesellsch. f. Natur- u. Heilkde zu Bonn,
s.: Verhandlungen d. naturhistor. Ver. d. preuss. Rheinl. usw.
— d. Gesellsch. f. Gesch. u. Altertumskde d. Ostseeprovinzen
Russlds a. d. J. 1904. (336 m. 3 Taf.) 8° Riga, (N Kymmel's
S.). 2.20
— d. physikalisch-medicin. Gesellsch. zu Würzburg.
Jahrg. 1901—5. ('01—4: 108,100,126 u. 156) 8° Würzbg, A Stuber's
V. Je 4 —
— d. physikalisch-medizin. Sozietät in Erlangen. 31—
36. Heft. 8° Erl., (M Mencke). nn 20 —
31. 1899. (71, 161 m. Abb. u. 1 Karte.) 1900. nn 3 — ‖ 32. 1900. (74, 148 m.

1 Fig.) 01. nn 3 — ‖ 33. '01- (74, 266 m. Abb. u. 5 Taf.) 02. nn 3 — ‖ 34.
'03- (74, 763 tn. 3 Taf.) 03. nn 3 — ‖ 35. '03- (74, 247 m. Abb. u. 3 Taf.) 04.
nn 3 — ‖ 36. '04. Red.: O Schulz' (74, 359 m. Abb.) 05. nn 5 —
Sitsungsberichte d. physiol. Ver. Kiel. 1899/1904. [S.-A.] 8°
Münch., JF Lehmann's V. 9 —
1899/1900. (95) 01. 2 — ‖ '01. (49) 02. 1.80 ‖ '02. (30) 03. 1 — ‖ '03. (54 m.
Abb. u. 1 Tab.) 04. 1.80 ‖ '04. (56) 05. 1.60.
— d. k. b. Akad. d. Wiss. (zu München). Mathemat-physikal.
Klasse. Inhaltsverz. Jahrg. 1886—99. (30) 8° Münch., (G Franz'
V.) 1900. — 60
— dass. 20. Bd. Jahrg. 1900. III. Heft; 31. Bd. J. '01- 4 Hefte;
32. Bd. J. '02- 3 Hefte; 33. Bd. J. '03- 5 Hefte; 34. Bd. J. '04-
3 Hefte u. 35. Bd. J. '05- I. u. II. Heft. 8° Ebd. Das Heft 1.30
30. 1900.III. (391—374 u. 25—51 m. 1 Taf.) ‖ 31. '01. (527 u. 52 m. 2 Taf.)
01.02. ‖ 32. '02- (500 u. 53 m. Abb. u. 2 Taf.) 02.03. ‖ 33. '03- (734, 26 n. 50
m. 1 Karte u. 2 Taf.) 03.04. ‖ 34. '04- (496 n. 54 m. Abb. u. 2 Taf.) 04.05.
‖ 35. '05. I.II. (355 u. 26) 05.
— dass. Philosophisch-philolog. u. histor. Klasse. Inhaltsverz.
Jahrg. 1886—99. (26) 8° Ebd. 1900. — 60
— dass. Jahrg. 1900. IV. u. V. Heft; '01- 5 Hefte; '02—04 je
4 Hefte u. '05- I—IV. Heft. 8° Ebd. Das Heft 1.20
01.02. ‖ '03. (507 u. 53 m. 3 Taf.) 02.03. ‖ '03- (697, 13 n. 50 m. 10 Taf.) 03.04.
‖ '04. (602 u. 54 m. 1 Taf.) 04.05. ‖ '05- I—IV. (669 u. 36 m. Abb. u. 14 Taf.) 05.
— d. kais. Akad. d. Wiss. Mathematisch-naturwiss. Classe.
I. Abth. Abhandlgn a. d. Geb. d. Mineral., Krystallogr., Botanik, Physiol. d. Pflanzen, Zool., Paläontol., Geol., phys.
Geogr., Erdbeben u. Reisen. 109. Bd, 7—10. Heft; 110—113.
Bd je 10 Hefte u. 114. Bd, 1—4. Heft. 8° Wien, (A Hölder).
100.20
109. (457—924 m. Fig., 17 Taf. u. 3 Kartenskizzen.) 1900. 11.10 (Vollst.:
19.10) ‖ 110. (591 m. Fig., 24 Taf. u. 2 Kart.) 01. 13.50 ‖ 111. (1207 m. Fig.
u. 54 Taf.) 02. 29 — ‖ 112. (989 m. Fig., 1 Kartenskizze u. 47 Taf.) 03.
21.40 ‖ 113. (667 m. Fig., 53 Taf., 1 Kartenskizze u. 2 Kart.) 04. 17 20 ‖ 114.
1—4. (227 m. Fig. u. 11 Taf.) 05. 8 —
— dass. Abth. II a. Abhandlgn a. d. Gebiete d. Mathematik,
Astronomie, Physik, Meteorol. u. d. Mechanik. 109. Bd, 8—
10. Heft; 110—113. Bd, je 10 Hefte u. 114. Bd, 1—6. Heft.
8° Ebd. 143.80
109. (959—1507 m. Fig. u. 2 Taf.) 1900. 6.40 (Vollst.: 24 —) ‖ 110. (1421 m.
Fig. u. 7 Taf.) 01. 27.30 ‖ 111. (1711 m. Fig. u. 6 Taf.) 02. 53.90 ‖ 112. (1777
m. Fig. u. 7 Taf.) 03. 30.50 ‖ 113. (1396 m. Fig. u. 10 Taf.) 04. 31.60 ‖ 114. 1—6.
(692 m. Fig. u. 15 Taf.) 05. 19.90.
— dass. Abth. II b. Abhandlgn a. d. Gebiete d. Chemie. 109. Bd,
8—10. Heft; 110—113. Bd je 10 Hefte u. 114. Bd. 5. Heft.
8° Ebd. 87.30
109. (589—1099 m. 1 Fig.) 1900. 2.70 (Vollst.: 14.65) ‖ 110. (1299 m. Fig.)
01. 18.10 ‖ 111. (182 m. Fig. u. 2 Fig.) 02. 17.90 ‖ 112. (1163 m. Fig.) 03.
16.70 ‖ 113. (1991 m. Fig.) 04. 1—5. (542 m. Fig.) 05. 10 —
— dass. Abth. III. Abhandlgn a. d. Gebiete d. Anatomie u.
Physiol. d. Menschen u. d. Thiere, sowie a. jenem d. theoret.
Medicin. 109. Bd, 5—10. Heft; 110—113. Bd je 10 Hefte u.
114. Bd, 1—5. Heft. 8° Ebd. 69.80
109. (301—747 m. Fig. u. 20 Taf.) 1900. 11.80 (Vollst.: 19.30) ‖ 110. (307 m.
Fig. u. 12 Taf.) 01. 7.90 ‖ 111. (586 m. Fig. u. 17 Taf.) 02. 6.70.0 ‖ 112. (564
m. Fig. u. 20 Taf.) 03. 16.50 ‖ 113. (726 m. Fig. u. 16 Taf.) 04. 16.50 ‖ 114.
1—5. (475 m. Fig. u. 9 Taf.) 05. 10.90.
— dass. Reg. zu d. Bdn 106—110 (1897—1901.) XV. (144) 8° Ebd.
02. 2.60
— dass. Philosophisch-histor. Classe. 143—148. Bd. 8° Ebd. 68.80
143. (22, 13, 71, 22, 50, 49, 39, 15, 49, 60, 40, 27, 63, 14, 15, 12, 27 u. 230)
05. 13 —
144. (24, 43, 77, 50, 70, 74, 115, 63, 93 u. 340 m. Abb. u. 2 Pl.) 02. 17 —
145. (41, 79, 64, 72, 56, 76, 92, 17, 44, 92, 64 u. 36 m. 3 Taf.) 03. 15 —
148. (38, 50, 172, 78, 156, 56, 15, 175, 56 u. 14) 03. 11.20
147. (24, 11, 40, 30, 126, 27, 80, 27, 17, 50, 38 m. 1 Taf.) 04. 9 —
148. (21, 199, 14, 14, 116, 26 u. 90 m. 1 Taf.) 04. 7.50
— d. kgl. preuss. Akad. d. Wiss. (zu Berlin). Jahrg. 1901—5
je 53 Nrn. (1416, 1176, 1282, 1503 u. 1185 m. 4, 3, 5, 17 u. 3
Taf.) 8° Berl., (G Reimer). Je 12 —
— d. kgl. böhm. Gesellsch. d. Wiss. Mathematisch-naturwiss.
Classe. Jahrg. 1900—04. (In böhm. u. deut. Sprache.) 8° Prag,
(F Řivnáč). nn 78 —
1900. (114, 14, 223, 7, 5, 8, 6, 49, 8. 5, 8, 5, 40, 11, 31, 6, 52, 18, 4, 142,
11, 14, 11, 4, 38, 8, 19, 15, 23, 7, 21, 100, 20, 40, 5, 14 u. 3 m. Fig.)
'01- (29, 11, 80, 79, 7, 14, 4, 5, 22, 5, 9, 13, 5, 13, 15, 31, 12, 5, 16, 13,
15, 32, 17, 38, 8, 23, 9, 5, 27, 38, 20, 7, 4, 23, 27 u. 28 m. Fig. n.
nn 12 —
'02- (23, 4, 15, 4, 1, 17, 70, 17, 6, 13, 2, 26, 5, 10, 7, 7, 21, 5, 37, 11, 10,
14, 15, 4, 7, 2, 17, 20, 17, 6, 13, 3, 26, 5, 10, 7, 7, 21, 5, 37, 11, 10,
14, 86, 4, 22, 10, 0, 9, 8, 4, 22, 19 m. Fig.) 03. nn 18 —
'03- (13, 5, 19, 4, 5, 7, 13, 5, 5, 8, 7, 22, 5, 17, 24, 6, 71, 5, 7, 7, 3,
15, 10, 4, 9, 7, 3, 27, 50, 18, 50, 157, 43, 5, 11, 58, 5, 15, 4, 21, 17,
14, 36, 4, 5 u. 6 m. Fig.) '04. nn 18 —
'04. (30, 123, 32, 15, 13, 5, 7, 10, 10, 6, 71, 21, 14, 12, 14, 5, 6, 51, 9, 11,
15, 10, 4, 9, 7, 3, 27, 50, 18, 50, 157, 43, 5, 11, 58, 5, 15, 4, 21, 17,
7, 12 u. 1 m. Abb.) '04. nn 18 —
Fig. u. 14 Taf.) 05.
— dass. Classe f. Philosophie, Gesch. u. Philol. Jahrg. 1900—04.
(In böhm. u. deut. Sprache.) 8° Ebd. nn 36.90
1900. (144, 18, 12, 39, 5, 15, 30, 24, 36, 29, 15, 6, 5, 16, 50, 154, 11, 18 u. 1)
nn 9 —
'01- (84, 13, 5, 44, 41, 30, 29, 35, 9, 11, 5, 5, 21) 02. nn 6 —
'02- (55, 14, 17, 51, 11, 12, 31, 17, 53, 29, 46, 30, 15, 20, 10 u. 1) 03. nn 8.40
'03- (64, 82, 21, 9, 9, 58, 14, 40, 6, 3, 27, 17, 50, 50, 12, 40, 5, 13, 67,
7, 12 u. 1 m. Abb.) '04.
'04- (90, 67, 85, 85, 34, 11, 10, 33, 57, 29, 23, 30, 10, 14, 15, 19, 14 u. 1)
05. 7.50
— u. Abhandlungen d. Genossensch. „Flora", Gesellsch. f.
Botanik u. Gartenbau zu Dresden. 4. Jahrg. d. neuen Folge
1899—1900. Red. u. hrsg. v. F Ledien. (69 m. 1 Taf.) 8° Dresd.
(H Burdach) 1900. nn 2.50
Fortsetzg u. d. T.:

Sitzungsberichte u. **Abhandlungen** d. „Flora", Gesellsch. f. Botanik u. Gartenbau zu Dresden. 5—8. Jahrg. d. neuen Folge. Red. u. hrsg. v. F Ledien. 8° Dresd., (H Burdach). nn 13.40
5. 1900—1. (96 m. 4 Taf.) 01. un 3 — ‖ 6. '01—2. (98) 02. nn 3 — ‖ 7. '02—3. (119 m. 1 Taf.) 04. 44 — ‖ 8. '03—4. (94 m. 2 Taf.) 05. *3.40.
— d. naturwiss. Gesellsch. Isis in Dresden. Hrsg. v. d. Red.-Komitee. Jahrg. 1900. Juli—Decbr u. '01—04 je 2 Hefte u. 1905, 1. Heft. 8° Ebd.   Das Heft un 3 —
1900. Juli—Decbr. (21—121 m. 1 Abb. u. 5 Taf.) ‖ '01- (42 u. 112 m. Abb. u. 4 Taf.) ‖ '02- (12, 40 u. 145 m. Abb. u. 2 Taf.) ‖ '03- (26, 32 u. 93 m. Abb. u. 2 Taf.) 03.04. ‖ '04- (46 u. 120 m. Abb., 1 Karte u. 1 Bildn.) 04.05. ‖ '05. Jan—Juni. (17, 14 u. 96) 05.
Sitzungsprotokolle d. ständ. Arbeitsbeirathes. 1900—04. Hrsg. v. k. k. arbeitsstatist. Amt. 8° Wien, (Hof- u. Staatsdr.).   Je 2 —
1900. (8. u. 7. Sitzg.) (215) 01. ‖ '01- (8—10. Sitzg.) (150) 02. ‖ '02- (11—13. Sitzg.) (281) 03. ‖ '03- (14—16. Sitzg.) (529) 04. ‖ '04- (17. u. 18. Sitzg.) (145) 05.
— d. 8 Aerztekammern Bayerns 1900—04. 8° Münch., JF Lehmann's V.   10.20
1900. (89) 1900. 1 — ‖ '01- (98) 01. 2 — ‖ '02- (102) 02. 2.40 ‖ '03. (112) 03. 2.80 ‖ '04- (75) 04. 2 —
Die Protokolle v. J. 1899, bei Erscheinen nicht eingesandt, sind vergriffen.
Sjuts: Erzählgn a. d. vaterländ. Gesch., s.: Herkenrath, A.
Sivers, C v.: Aus d. Blütenzeit. (4 farb. Bl.) Berl., W Schultz-Engelhard Nf. (01).   2.50
— s.: Kunstgewerbe fürs Haus.
Siwer, A: Die gottgeweihte Jungfrau in d. Welt. Anl. z. geistl. Leben n. d. Vorbilde d. gottgeweihten Jungfrauen in d. ersten Zeiten d. Kirche. (170) 8° Rgnsbg, A Coppenrath's V 04. 1 —;   L. nn 1.40 d
Siwinna's moderne Taschenbücherei. 1. Bd. 8° Kattow., C Siwinna.   1 —; geb. 1 — d
Volger, B: Das gold. Taschenb. d. Arbeiters. Nachschlageb. f. alles, was d. Arbeiter zu wissen nötig hat, insbes. e. Führer durch d. ges. Arbeitergesetzgebg. (163) 05. [1.]   1 —; geb. 1 —
Sixt, G: Führer durch d. k. Sammlg röm. Steindenkmäler zu Stuttgart. 4. Aufl. (84) 8° Stuttg., (H Lindemann) 02.   † — 40
— s.: Fundberichte a. Schwaben.
— Die Preismedaillen d. Hohen Karlsschule. (16 m. Abb. u. 2 Taf.) Fol. Stuttg., W Kohlhammer 03.   1 —
Skach, J: Baupl. f. bienenwirtschaftl. Bautes. Mit nöt. Erläutergn z. Anweisgn z. zweckmässs. Ueberwinterg. 2. Fge. 2. Afl. (25 m. Abb.) 8° Berl.01. Lpzg, RC Schmidt & Co. 1 — d
Skal, G v.: Im Blitzlicht. Momentaufnahmen a. d. Leben e. amerikan. Grossstadt. (332) 8° Berl., E Fleischel & Co. 05.   geb. 4.50 d
Skalweit, B: Die ökonom. Grenzen d. Intensivierg d. Landw. Betriebswiss. Untersuchgn auf Grund d. Buchführg v. 35 vorzüglich geleiteten Betrieben in Mittel- u. Nordwest-Deutschl. (72) 8° Berl., P Parey 03.   3 —
Skarytina, W: Volksbienenzucht. Eingeh. Belehrg üb. ertragreiche Behandlg d. Klotz-, Bretter-, Lagerbeute u. d. Strohkorbes nebst Berücks. d. Ueberganges z. Mobilbau. (138 m. Abb.) 8° Wien, A Hartleben (01).   3.25 d
Skarzynski, Graf L: Die Arbeiter-Versicherg in Russl., s.: Zacher.
Skat-Kalender, deut., f. 1906. Mit 5 kl. Kartenspr. u. dazu gehör. Taf. z. Einkleben. (55) 16° Lpzg, H Hedewig's Nf.   Geb. — 50
Skatspieler, d. perfekte. (32) 8° Neuweissens., E Bartels (o.J.).   — 30
— d. regelrechte. Bearb. v. S v. F. 7. Afl. (36) 8° Lpzg, Ernst (01).   — 50
— d. tadellose, s.: Miniatur-Bibliothek.
Skat-Zeitung, deut. 5. Jahrg. Oktbr 1901—Septbr 1902. 52 Nrn. (Nr. 162. 8) 4° Altnbg, R Fuchs. Viertelj. — 60 ‖ 7. u. 8. Jahrg. 1903/05 je 12 Nrn. Viertelj.   — 75
Sketch, historical, of the cathedral of Strasburg. 15. ed. (39 m. Abb.) 8° Strassbg, F Bull 03.   — 80
Sketches, naval, by various authors, hrsg. v. R Kron, s.: Schulbibliothek französ. u. engl. Prosaschriften.
Ski. Offiz. Organ d. mitteleurop. Ski-Verbandes. Mit offiz. Beil.: Allg. Korrespondenzbl. u. Alpiner Wintersport. (In deut., französ., engl. u. italien. Sprache.) Red.: HA Tanner, f Deutschl.: E Gruber, f. Oesterr.: Schager. Novbr 1905—März 1906. 16 Nrn. (Nr. 1. 16, 32 u. 16 m. Abb., 1 Taf.) 8° Bern., HA Tanner.   5 —
Skibniewski s.: Corvin v. Skibniewski.
Skioptikon. Illustr. Vierteljahrsschrift f. alle Zweige d. Projectionskunst u. f. objective Darstellg wiss. Versuche a. allen Geb. d. Naturwiss. Red.: V Berghoff. 20. Bd. Jahrg. 1904, 4 Hefte. (64) 8° Lpzg, E Liesegang. 3 —; einz. Hefte — 75 ‖ F Bisher u. d. T.: Laterna magica.
Skitaletz: Das Feldgericht. Erzählg. (In russ. Sprache.) (25) 8° Stuttg., JEW Dietz Nf. 05.   nn — 50
— Spiessruten, s.: Novellen-Bibliothek, internat.
Skitouren um München. Hrsg. v. akadem. Skiklub München. (48) 8° Münch., J Lindauer 03.   1 — d
Skizze z. Organisations- u. Formations-Gesch. d. bayer. Artill., bearb. im Kriegsarchiv. [S.-A.] (50 m. 3 Anl.) 8° Münch., J Lindauer (01).   1 —
— üb. d. Leistg u. Verwendg. 10 cm Feldhaubitze M. 99. (37 m. 2 Taf.) 8° Wien, Hof- u. Staatsdr. 05.   — 60
Skizzen a. P. Denifles: Luther u. Luthertum, s.: Sammlung zeitgemässer Broschüren.
— genet., d. Gegenstände, a. welchen d. Berufs-Officiers-Aspi-

rauten (Reserve-Officiere, Reserve-Cadet-Officiersstellvertreter u. Reserve-Cadetten) d. Ergänzsprüfg abzulegen haben. Hrsg. v. k. u. k. Reichs-Kriegs-Ministerium. (Ausg. 1901.) (59) 4° Wien, LW Seidel & S. 01.   1.60 d
Slavische leb. Sprachen. Hrsg. v. W Viëtor. 2 u. 3. 8° Lpzg, BG Teubner.   L. 7.60 (1—5.: 10.50)
Dijkstra, R: Holländisch. Phonetik. Grammatik. Texte. (105) 03. [3.] 3.80
Vianna, A dos Reis Gonçalves: Portugais. Phonét. et phonol., morphol., textes. (147) 03. [2.]
Skizzen-Album. Original modèles internat. Jahrg. 1905. 10 Hefte. (4. Heft. 15 farb. Taf. m. Text auf d. Rücks.) 39×35 cm. Perchtolsdorf b./Wien, Wiener Modefachblätter H Fournes & Co.
          34 —; halbj. 20 —; einz. Hefte 5.50
Skladanowsky, M: Plast. Weltbilder. Photograph. Orig.-Aufnahmen. I. Serie, 10 Hefte u. II. Serie, 1. u. 2. Heft. 4° Berl., Deut. Verl.   Das Heft 1 —
I. (Je 16 3. zu. plastograph. Apparat.) 1. Eine Knipsfahrt durch Berlin. (05.) ‖ 2. Eine Blitzfahrt durch Süddeutschl. (05.) ‖ 3. Rheinwanderg. (05.) ‖ 4. Potsdam, Charlottenbrg u. d. Mark. (05.) ‖ 5. Niederrhein u. Nordseestädte. (05.) ‖ 6. Die Weltstadt London. (05.) ‖ 7. Ein Ausflug n. Paris. (04.) ‖ 8. Kreus u. quer durch Ostdeutschl. (04.) ‖ 9. Niederland. Fahrten. (04.) ‖ 10. Im Herzen Deutschlds. (04.)
II. Album. (Je 12 m. plastograph. Apparat.) 1. Riviera. 05. ‖ 2. Ober-Italien. 05.
Sklarek, E: Ungar. Volksmärchen. Ausgew. u. übers. Mit e. Einl. v. A Schullerus. (21, 300) 8° Lpzg, Dieterich 01. 5 —; geb. 6 —
Sklarek, M: Der Lippesche Erbfolgestreit u. s. heut. Stande. 1. u. 2. Afl. (34) 8° Berl., Boll & Pickardt 04.   — 50
Sklarek, W, s.: Rundschau, naturwiss.
Sklaverei, d. moderne, d. Aerztestandes, v. O. (36) 8° Bonn, P Hanstein 01.   1 —
— d., u. d. Christenthum, s.: Volksaufklärung.
Skodler, V: System d. direkten Steuern in Österr. I. Bd. Allg. Tl u. Realsteuern. (236) 8° Graz, Styria 05.   3.60 d
Skolkowski's unverkennbare Függn Gottes. Aufzeichngn e. bekehrten Israeliten. Neu hrsg. v. K Kunert. [S.-A.] (72) 8° Königsbg, Ev.Bh.d. ostpr. Prov.-Ver. f. innere Miss. 04.   — 40 d
Skonietzki, R, u. M Geipeke: ZPO. u. Gerichtsverfassgges. f. d. Deut. Reich nebst d. Einführgsges. u. d. preuss. Ausführgsges. 1. u. 2. Lfg. (1—312) 8° Berl., F Vahlen 05.   Je 3 —
Skorcsyk, F: Leitf. d. Geometrie f. Präparanden-Anst. u. Seminare. 2Tle. 8° Halle, H Schroedel 03. Je 1.60; geb. je 2 — d 1. Planimetrie. (144 m. Fig.) ‖ 2. Eb. Trigonometrie u. Stereometrie. (150 m. Fig.) ‖ Resultate. (20) — 50.
— Raumlehre, s.: Braune, A.
Skorra, T: Wovon mein Herz sich freigesungen. (95) 8° Berl., M Lilienthal 05.   2 —; geb. 3 — d
Skottsberg, C: „Antarctic", s.: Nordenskjöld, O.
Skovgaard-Petersen, C: Des Glaubens Bedeutg im Kampf ums Dasein. Deut. Ausg. 2. Afl. (273) 8° Berl., Reuther & K. 03.   2 —; geb. nn 3 — ‖ Bill. Volksausg. (5—10. Taus.) (243) 05.   L. 1.50 d
Skowronnek, F: Der Erbsohn, s.: Eckstein's moderne Bibliothek.
— Die Fischwaid. Hdb. d. Fischerei, Fischzucht u. Angelei. Mit Anh. üb. d. Fischereirecht. 5. u. 6. Tsd. 8° Lpzg, RC Schmidt & Co. 03.04.   16 — 90; in 1 Bd geb. 12.50 d
— Wie d. Heimat stirbt! u. and. Gesch. a. Masuren. (397) 8° Lpzg (02). Berl., H Seemann Nf.   4 —; geb. 5 — d
— Die Jagd, s.: Sammlung illustr. Monographien.
— Oculi, s.: Schulze's Zehnpfennigbb.
Skowronnek, R: Der Bruchhof. Roman a. Masuren. 2. Afl. (300) 8° Stuttg., JG Cotta Nf. 03.   3 —; L. 4 — d
— Das rote Haus, s.: Engelhorn's allg. Roman-Bibliothek.
— Ihr Junge. Roman. (Engelhorn's allg. Romanbibliothek. Salon-Ausg. (159) 8° Stuttg., J Engelhorn 02.   Hl. 2 — d
— Der rote Kersien. Roman. (318) 8° Ebd. 06.   4 —; L. 5 — d
— Die Frau Leutnant, s.: Union-Sammlung moderner Romane aller Nationen.
— Sommerliebe u. and. Gesch., s.: Engelhorn's allg. Roman-Bibliothek.
Skram, A: Gebet u. Anfechtg. Erzählg. Aus d. Norweg. v. L Wolf. (92) 12° Lpzg (02). Berl., H Seemann Nf. 2 —; geb. 3 — d
— Professor Hieronymus. Roman. Aus d. Norweg. v. M Mann. 2. Afl. (293) 8° Münch., A Langen 03.   4 —; geb. 5 — d
— Frau Ines. Erzählg. Aus d. Norweg. v. L Wolf. (197) 12° Lpzg (02), Berl., H Seemann Nf.   2 —; geb. 3 — d
— Ein Liebling d. Götter. Roman. Aus d. Norweg. v. O Mjöen. (202) 8° Münch., A Langen 02.   2.50; geb. 3.50 d
— Verraten, u. and. Gesch. a. d. Ehe. Aus d. Norweg. v. L Wolf. (131) 12° Lpzg (02). Berl., H Seemann Nf.   geb. 3 — d
Skraup, ZH: Die Chemie in d. neuesten Zeit. Rede. (30) 8° Graz, Leuschner & L. 04.   — 40
Skrzeczeck, S: Jean Paul Friedrich Richter, s.: Klassiker, pädagog.
Skrobek: Anatomie, Morphol. u. Physiol. d. Pflanzen, Tiere u. Menschen. Lehrb. f. Seminaristen. (181 m. Abb.) 8° Lpzg, Dürr'sche Bh. 04.   1.80; geb. 2 — d
— Method. Leitf. f. d. Schreibunterr. in d. Volkssch. (31) 8° Ebd. 04.   1.90 d
Skrofulose u. Rachitis s.: Miniatur-Bibliothek.
Skublics, Laura v., u. Erzherzog Ernst. Ausführl. Darstellg ihrer heiml., aber glückl. Ehe, u. d. traur. Schicksale ihrer Kinder n. d. Kampf dieser um's Recht, geg. Missgunst u. Lüge. [S.-A.] (67 m. 1 Bildnis.) 8° Lpzg, Leipz. Verl.-Comptoir (01).   1 —

Skulpturen, assyr. 1—4. Lfg. (105 Phototyp. m. 35 S. Text in deut., engl. u. franzős. Sprache.) 4° Haarl., H Kleinmann & Co. (01-04). Je 5 —
— neue. Ausgew. Plastiken moderner Meister Deutschlds u. Österr. I. Serie. (60 Lichtdr.) 45×34 cm. Wien, F Wolfrum & Co. (04). In M. 40 —; auch in 5 Lfgn zu 8 —
— d., d. Pergamon-Museums in Photographien. (33 Bl.) 8° Berl., G Reimer 03. In L.-M. (45 —) 30 —; einz. Bl. (1.50) 1 —; neue Ausg. (33) (05.) In M. 30 —; einz. Bl. 1 —
Skutsch, F: Gebartshilfl. Operationslehre. (348 m. Abb.) 8° Jena, G Fischer 01. 8 —; geb. 9 —
Skutsch, F, s.: Literatur u. Sprache, d. griech. u. latein.
— Aus Vergils Frühzeit. (170) 8° Lpzg, BG Teubner 01. 4 —; geb. 4.60
Slaby, A: Die neuesten Fortschritte auf d. Geb. d. Funkentelegr. Vortr. [S.-A.] (30 m. Abb. u. 1 Taf.) 8° Berl., J Springer 01. — 80
— Die Funkentelegr. Gemeinverständl. Vortráge. 2. Afl. (119 m. Abb. u. 2 Taf.) 8° Berl., L Simion Nf. 01. 3 —; geb. 4 —
Sladeczek, A: Kurzer Abr. d. Kirchengesch. f. katbol. Schulen. 4. Afl. (59) 8° Freibg i/B. Herder 03. — 40 d
— Die Berechng d. Flächen u. Körper. Für d. Hand d. Schüler. (72) 8° Ebd. 01. — 60; kart. nn — 70 d
— Hdb. d. Ernährgskde z. Gebr. in Schule u. Haus. (245 m. Abb.) 8° Dresd., A Müller-Fröbelhaus (05). 3 —; geb. 3.60
— Kl. Katech. üb. d. Tuberkulose. Zunächst f. d. Schuljugend. (22) 8° Bresl., F Goerlich (04). — 20 d
Slaski, J, u. **F Wasilkowski**: Tab. f. Zucker-Chemiker, enth. Angaben üb. Zuckergehalt, Reinheitsquotiente u. techn. Wert d. Rübensäfte u. Zuckerlösgn v. 8—30° Brix u. d. in d. Praxis vorkomm. Reinheitsgraden. 3. Afl. v. A Bukowinski & J Slaski. (375) 8° Kiew 05. (Prag, F Řivnáč.) nn 13 —
Slauck s.: Leitfaden f. d. Unterr. in Elektrotechnik in d. Ingenieur-Klasse d. kais. Deckoffiziersch.
Slawinsky, A: Die einf. u. dopp. Buchhaltg u. Wechselkde, s.: Stade, F, d. Schule d. Bautechnikers.
Slawkowsky, WGJ: Üb. Anpassgs- u. Correlationserscheingn d. Pflanzen m. Einschl. d. Kulturgewächse. (39) 8° Wien, (W Frick) 05. nn 1 —
Sleeswijk, R: Der Kampf d. Ion. „Organismus" m. d. pflanzl. „Zelle". (139) 8° Amsterd. 03. Lpzg, KF Koehler.) 3 —
Sleumer, A, s.: Consalvi, H, Denkwürdigk.
— Die Dramen Victor Hugos, s.: Forschungen, literarhistor.
Sleuth, O: Fräulein Detektiv.—Der geheimnisvolle Passagier.—Ein Verbrechen an d. Hudsonbai, s.: Detectiv-Romane, amerikan.
Sleutjes, M: De prohibitione et censura libror. juxta Leonis XIII const. „Officiorum". (56) 8° Galop. 03. (Paderb., F Schöningh.) nn — 70
Slevogt, M: Ali Baba u. d. 40 Räuber. (Märchen a. 1001 Nacht.) Improvisationen. (Zeichngn v. S.) (48) Fol. Berl., B Cassirer 03. Geb. (5 —) 10 — d
Slimmer, M: Üb. asymmetr. Synthese, s.: Fischer, E.
Slocum, J: Sailing alonce around the world, s.: Perthes' Schulausg. engl. u. franzős. Schriftsteller (R Blume).
Sluiter, CP: Die Holothurien d. Siboga-Exped. (149 m. 10 [3 farb.] Taf.) 4° Leid., Bh. u. Druckerei vorm. EJ Brill (01). nn 12.75
— Die Sipunculiden u. Echiuriden d. Siboga-Exped., nebst Zusammenstellg d. überdies a. d. ind. Archipel bekannten Arten. (58 m. Fig. u. 4 Taf.) 4° Ebd. 02. nn 6.75
— Die Tunicaten d. Siboga-Exped. I Abtlg. Die soc. u. holosomen Ascidien. (126 m. 15 Taf.) 4° Ebd. 04. nn 15 —; Suppl. (12?—139 m. 1 Taf.) 05. nn 1.70
Smalian, K: Grundz. d. Pflanzenkde f. höh. Lehranst. B: Schulausg. 2 Tle. 8° Lpzg, G Freytag 03. Geb. 5.20
  I. Die offen blüth. Sprossspflanzen od. Blütenpflanzen. (324 m. Abb. u. [farb. Taf.)] 4 —
  II. Verborgen blüth. u. blütenlose Pflanzen. Innerer Bau d. Pflanzen u. daran gebund. Lebensvorgänge. (102 m. Abb. u. 3 farb. Taf.) 1.60
— Lehrb. d. Pflanzenkde f. höh. Lehranst. A: Gr. Ausg. (626 m. Abb. u. 36 farb. Taf.) 8° Ebd. 03. Geb. 5 —
— Kl. Naturgesch. d. 3 Reiche f. einfachere Schulen. I. Pflanzenkde, bearb. v. H Haupt. (156 m. Abb. u. 9 farb. Taf.) 8° Ebd. 05. Geb. u. geb. 1.50 d
Smekal, G: Der Angriff im Festgskriege. [S.-A.] (90) 8° Wien, (LW Seidel & S.) 02. 2.40
— Durchführg d. artillerist. Aufklärgsdienstes. Als unmittelbare Fortsetzg d. Studie „Artillerist. Aufklärgsdienst" in 2 Beisp. applicatorisch behandelt. (121 m. 15 z. Tl farb. Beil.) 8° Ebd. 01. 5 —
— Führg u. Verwendg d. Divisions-Artill. e. Infant.-Truppen-Division. (130 m. 12 Beil.) 8° Ebd. 01. 5 —
Smend, J: Feierstunden. Neue Folge. Reihr. z. Verständnis d. h. Schrift u. Betrachtgn f. d. Sonn-u. Festtage d. Kirchenj. (322) 8° Gött., Vandenhoeck & R. 01. 3.20 (1 u. 2: 6.40; Einbde in L. je — 80; m. G. je 1.30) d
— Zur Frage d. Kultusrede, s.: Abhandlungen, theolog.
— Der ev. Gottesdienst. Eine Liturgik n. ev. Grundsätzen in 14 Abhandlgn. (203) 8° Gött., Vandenhoeck & R. 04. 3.60; —geb.: Monatsschrift f. Gottesdienst u. kirchl. Kunst.
—s.: Monatsschrift f. Gottesdienst u. kirchl. Kunst.
Smetana, RR v: Gott u. — wir. Gedichte. (102) 12° Münst., Alphonsus-Bh. (04). L. m. G. 1.80 d
Smičiklas, T, s.: Codex diplomaticus regni Croatiae, Dalmatiae et Slavoniae.

Smid, A, u.TA Hoffmann : Leseb. f. d. Mittelst. ostfries. Volkssch. 7, (14.) Afl. (231) 8° Leer, WJ Leendertz 01. Geb. nn 1.10 d
Smidek, W: Ges. betr. d. Handels- u. Gewerbe-Kammern in d. durch d. Ges. v. 30.VI.'01 abgeänd. Fassg, nebst d. neuen Wahlordngn f. Brünn u. Olmütz. (52) 8° Brünn, C Winiker 02. 1.20 d
— Alphabet. Normalien-Reg. zu sämmtl. bisher erschien. Jahrgängen d. Verordngsbl. f. d. Dienstbereich d. k. k. Ministeriums f. Cultus u. Unterr. 1869—1900. (182) 12° Ebd. 01. 2.60 d
Smidt, H: Ein Jahrh. röm. Lebens. Von Winckelmanns Romfairt bis z. Sturze d. weltl. Papstherrschaft. Berichte deut. Augenzeugen. (295) 8° Lpzg, Dyk 04. 6 —; L. 7.50 d
Smidt, JJ: Kopmann to Bergen. Erzählg a. d. Seemannsleben f. d. reif. Jugend. (84 m. 4 Farbdr.) 8° Lpzg, O Spamer (02). Geb. 1.30 d
— Admiral de Ruyter. Marine-Roman. 2 Tle in 1 Bde. (376 u. 370 m. Abb.) 8° Neuweissens., E Bartels (o. J.). 6 — d
— Seeschlachten u. Abenteuer berühmter Seehelden. Der deut. Jugend erzählt. Mit s. Anh.: Bilder a. d. chinesisch-japan. u. d. amerikanisch-span. Kriege. (240 m. 5 [3 farb.] Taf.) 8° Berl., R Gahl (02). Geb. 3 — d
Smiles, S: Der Weg z. Erfolg durch eig. Kraft, s.: Schramm-Macdonald, H.
— Der Weg z. Selbsterziehg, s.: Rudow, W.
— Der Weg z. Wohlstand, s.: Schramm-Macdonald, H.
Smirić: Italienisch-serbisch od. kroatisch-deut. Amtsterminol. (912) 8° Agram 04. (Zara, Internat. Bh. H v. Schönfeld.) nn 7 —; geb. nn 8 —
Smital, H: Abr. d. österr. Gesch. Zusammengest. auf Grundl. d. Gesch.-Bilder d. Leseb. a. d. k. k. Schulbücherverlage. 3. Afl. (16) 8° Kornenbg, J Kühkopf (03). — 20 d
— Gesch. d. Grossgemeinde Floridsdorf umfassend d. Orte Floridsdorf, Jedlesee, Donaufeld u. d. Jedlersdorfer Fabriksgebiet. (678 m. Abb., 11 Textpl. u. 1 Pl.) 8° Floridsdorf 03. (Wien, Gerlach & W.) nn 5 —; geb. nn 6 —
Smith, A: Herzstörgn u. Neurasthenie. (Umschl.: 2. Afl.) (34) 8° Berl., H Baake Nf. (05). — 50 d
— Ueb. d. heut. Stand d. funktionellen Herzdiagnostik u. Herztherapie, s.: Klinik, Berliner.
— Welche Stellg sollen wir Aerzte d. Alkoholfrage gegenüber einnehmen? Vortr. 5—6. Taus. dieser Ausg. (15) 8° Basel, Schriftstelle d. Alkoholgegnerbundes (durch F Reinhardt) (1898). — 10 d
Smith, A: Untersuchg üb. d. Wesen u. d. Ursachen d. Volkswohlstandes, s.: Bibliothek d. Volkswirtschaftslehre u. Gesellschaftswiss.
Smith, A: Prakt. Übgn z. Einführg in d. Chemie. Nach d. 2. amerikan. Afl. übertr. v. F Haber u. M Stoecker. (159) 8° Karlsr., G Braun'sche Hofbuchdr. 04. L. n. durchsch. 3.60
Smith, A: Die Durchführbark. u. d. Wert d. Alkohol-Enthaltsamk. im landw. Betriebe. (16) 8° Flensbg, Deutschlds Grosslogs II (04). nn — 25
Smith, AL: Höh. Frauenbildg u. Rassen-Selbstmord, s.: Sammlung pädagog. Vortr.
Smith, CA: An Engl.-German conversation book, s.: Krüger, G.
Smith, CM: Nach Dover, London etc. einsteigen, s.: Domizio, C di.
— Der rote Hut, s.: Weber's moderne Bibliothek.
Smith, FC: Die Sprache d. Handboc Byrhtferths u. d. Brieffragmentes e. unbekannten Verf. Beitrag z. Lautlehre d. Spätangelsächs. (133) 8° Lpzg, (Dr. Seele & Co.) 05. 1.50
Smith, G: Entdeckgn in Assyrien. Bericht d. Untersuchgn u. Entdeckgn z. Richtigstellg d. Lage v. Ninive in d. J. 1873 n. 74. Übers. v. E Freifr. v. Boecklin geb. Rau. Neue bill. [Tit.-]Ausg. (513 m. Abb. u. 1 Karte.) 8° Lpzg, E Pfeiffer [1898] 04. 6 —
Smith, GCM, s.: Pedantius.
Smith, GMvP: Zur Kenntnis d. Derivate d. p-Jodazobenzols u. d. Chlorjodbenzols m. mehrwert. Jod. (58) 8° Freibg i/B., Speyer & K. 03.
Smith, J: Brocken v. Gottestisch. Wanderern z. Ewigk. z. tägl. Wandrg dargeboten. Abend-Ausg. Nach d. Engl. v. E Millard. (366) 12° Frankf. a/M. 02. Bonn, J Schergens. 1 —; L. 1.60; weich geb. 1.80; m. G. Morgenausg. in 1 Bd geb. 3 — d
Smith, JJ: Die Orchideen v. Java, s.: Flore de Buitenzorg.
Smith, N: Untersuchgn üb. d. Bildgsverhältn. d. ocean. Salzablagergn, s.: Hoff, JH van't.
Smith, O: Das Pressen, Stanzen u. Prägen d. Metalle, s.: Kannegiesser, N.
Smith, P: Die Herstellg e. Kindertheaters, s.: Spiel u. Arbeit.
Smith, VA: Andhra history and coinage. (Continued.) [S.-A.] (23 m. Abb.) 8° Lpzg, (FA Brockhaus') S.) 03. 1.50
Smith, WR: Das alte Test., s. Entstehg u. Ueberlieferg. Grundz. d. alttestamentl. Kritik in populärwiss. Vorlesgn. Nach d. 2. Ausg. d. engl. Orig.-Werks übertr. u. hrsg. v. JW Rothstein. Bill. [Tit.-]Ausg. (19, 448) 8° Tüb., JCB Mohr [1894] 05. 4.50; HL. nn 6 —; HL. nn 7 —
Smolarův. Dobiaschowsky, R Ritter: Bayreuth-München. Studie. (23) 8° Arnst. 03. (Stötter., Spath & Bh.) — 60
Smolian, A: Eug. d'Alberts „Der Improvisator". — Louis Adolphe Coerne's Zenobia, s.: Opernführer.
— Engelb. Humperdinck's maur. Rhapsodie, s.: Musikführer, d.
— Vom Schwinden d. Gesangeskunst. [S.-A.] (32) 12° Lpzg 03. Berl., H Seemann Nf. — 50 d

Smolian, A: Stella del monte. Rotschimmernde Erinnergs-
blätter a. d. Lebensherbste e. Romantikers. Nach Berlioz'
Memoiren wiedergegoben. (65 m. 1 Bildnis.) 12° Lpzg (03).
Berl., H Seemann Nf. — 60 d
— Rich. Strauss' Feuersnot, s.: Opernführer.
— Rich. Strauss' Taillefer, s.: Musikführer, d.
— Rich. Wagner's Rienzi, s.: Opernführer.
— Rich. Wagner's Bühnenfestspiel d. Ring d. Nibelungen. (140
u. 22) 8° Lpzg (01). Berl., H Seemann Nf. L. 3 — d
— dass., s.: Opernführer.
Smolian-Autzenbach, A: Milchviehzucht auf Leistg u. Gesund-
heit vermittelst d. Tuberculinprobe. [S.-A.] (18) 8° Lpzg, RC
Schmidt & Co. 01. — 50 d
Smolik's, F, Elemente d. darstell. Geometrie. Lehrb. f. Ober-
realsch. 3. Afl. v. JF Heller. (306 m. H.) 8° Wien, F Tempsky.
— Lpzg, G Freytag 06. Geb. 4 —
Smolik, F, s.: Kilometerzeiger, offic.
Smolla, R: Ottomar Zeh, d. verschwieg. Registrator. Gereim-
tes. (38 m. Abb.) 8° Dresd., E Pierson 04. 1 —; geb. 2 — d
Smolla, (W: Lehr- u. Stoffverteilgspl. f. Halbtagssch. (43) 8°
Bresl., (Priebatsch) 01. 1.25 d
Smolle, L: Elisabeth, Kaiserin v. Österr. u. Königin v. Un-
garn. Lebensbild. (128 m.1 Bildnis.) 8° Wien, PKnepler04. 3 —
— Gesäumt, s.: Erzählungen f. Jugend u. Volk.
— Grundz. d. deut. Lit.-Gesch. Für höh. Schulen u. z. Selbst-
unterr. (151) 8° Wien, W Braumüller 01. Geb. 1.80 d
— Kreuz u. Halbmond, s.: Erzählungen f. Jugend u. Volk.
— Friedrich Schiller. Sein Leben u. Wirken. (211 m. 6 Voll-
bildern.) 8° Wien, T Daberkow 05. — 80; L. 1.40 d
Smrcéck, A: Der Pardubitz-Preran-Krakauer-Kanal u. s, Zusammenh. m. d. Donau-Oder-Kanal, s.: Verbands-Schriften
d. deutsch-österr.-ungar. Verbandes f. Binnenschiffahrt.
Smuts, JC: Die Gräuel d. Kriegführg in Südafrika. Brief an
d. Staatspräsid. Steyn. (28) 8° Berl., Herm. Walther 01. — 50
Snell, K: Einführg in d. Differential- u. Integral-Rechng.Sonder-
abdr. a. d. Osterprogramm 1842 d. Kreuzsch. (Gymnasium
z. h. Kreuz) zu Dresden, veranlasst durch H Frhr v. Koens-
neritz. (32) 8° Dresd., (A Huhle) 03. — 80
Snellen jr.: Die augenärztl. Heilmittel, s.: Graefe, A, u. T Saemisch, Hdb. d. ges. Augenheilkde.
Snellen, H, s.: Graefe's, A v., Archiv f. Ophthalmol.
— Optotypi ad visum determinandum secundum formulam
$v = \frac{d}{D}$ Ed. XVII. (Probebuchstaben z. Bestimmg d. Seh-
schärfe.) (33 Bl. u. 5 Taf.) 8° Berl. 04. Gött., H Peters. —
Wien, F Deuticke. nn 3.50
— E Landolt u. T Axenfeld: Operationslehre, s.: Graefe, A,
u. T Saemisch, Hdb. d. ges. Augenheilkde.
Sniehotta, L: De vocum graecar. apud poetas latinos dacty-
licos ab Enni usque ad Ovidi tempora usu, s.: Abhandlungen,
Breslauer philolog.
Snoek, H: Die Wortstellg bei Bunyan, s.: Studien, Marburger,
z. engl. Philol.
Snyder, K: Das Weltbild d. modernen Naturwiss. n. d. Ergebnissen d. neuesten Forschgn. Übers. v. H Kleinpeter. (306
m. 16 Bildn.) 8° Lpzg, JA Barth 05. 5.60; L. 8.60
So sollet ihr beten! Vollständ. Gebet- u. Erbaugsb. f. kathol.
Christen. 6. Afl. in gr. Druck. (512 m. 1 Farbdr.) 16° Lpzg,
P Braun (03). 1.50 d
— heilt man Gicht u. Rheumatismus! (4. [Umschbl.-]Afl.) (48)
8° Lpzg, A Strauch (01). 1 —
—"hisch's gearn". Poet.Kochrezepte in Schwarzwälder Mundart v. E G. (112) 8° Freibg i/B., J Elchlepp V. (04). L. 3 — d
Sobernheim, M: Palmyren. Inschriften, s.: Mitteilungen d.
vorderasiat. Gesellsch.
Sobernheim, W: Beitr. z. Kenntnis d. pulsier. Exophthalmus
u, Enophthalmus. (41 m. Abb.) 8° Freibg i/B., Speyer & K.
1.60
Sobota, A: Griech. Schatzkästlein, vorzugsweise f. Maturanten.
(116) 8° Wien, C Fromme 04. 1 —
— Latein. Schatzkästl. vorzugsweise f. Maturanten. (100) 8°
Ebd. 05. 1 —
Sobotka, J: Zur konstruktiven Auflösg d. Gleichgn 2., 3. u.
4. Grades. [S.-A.] (29 m. Fig. u. 1 Taf.) 8° Prag, (F Rivnác)
04. — 50
— Zur rechner. Behandlg d. Axonometrie. [S.-A.] (30 m. 1 Taf.)
8° Ebd. 1900. — 50
— Zur Construction v.Osculationshyperboloiden an windschiefe
Flächen. [S.-A.] (11) 8° Ebd. 03. — 20
— Axonomet. Darstellgn a. 2 Rissen u. Coordinatentransfor-
mationen. [S.-A.] (27 m. 2 Taf.) 8° Ebd. 02. — 50
— Zur Ermittelg d. Krümmg e. durch Punkte od. Tangenten
gegeb. Kegelschnittes. [S.-A.] (18 m. Fig.) 8° Ebd. 04. — 30
— Zur Konstruktion v. Krümmgskreisen u. Axen bei Kegel-
schnitten, welche durch 5 Punkte od. 5 Tangenten gegeben
sind. [S.-A.] (19 m. 1 Taf.) 8° Ebd. 02. — 64
— Zur Krümmg d. Kegelschnittevoluten u. Konstruktion d.
Kegelschnittpunkte a. d. benachbarte Punkte e. eb. Kurve.
[S.-A.] (15 m. 1 Taf.) 8° Ebd. 02. — 40
— Zu d.quadrat. Lösgn d. Normalenproblems v.Kegelschnitten.
[S.-A.] (12 m. 1 Taf.) 8° Ebd. 03. — 50
— Zum Normalenproblem d. Kegelschnitte. (1. Mitteilg.) [S.-A.]
(27 m. 2 Taf.) 8° Wien, (A Hölder) 03. … 1 —

Sobotka, J: Ueb. d. e. Fläche 2. Grades umschrieb. Viereck
[S.-A.] (8 m. 1 Fig.) 8° Prag, (F Rivnác) 03. — 20
Sobotta, J: Neuere Anschaugn üb. d. Entstehg d. Doppel(miss)-
bildgn m. bes. Berücks. d. menschl. Zwillingsgeburten, s.:
Abhandlungen, Würzburger, a. d. Ges.-Gebiet d. prakt. Me-
dizin.
— Atlas d. deskriptiven Anatomie d. Menschen, s.: Lehmann's
medizin. Atlanten.
— Atlas u. Grundr. d. Histol. u. mikroskop. Anatomie d. Men-
schen, s.: Lehmann's medizin. Handatlanten.
— Grundr. d. deskriptiven Anatomie d. Menschen. I, u. II. Abtlg.
8° Münch., JF Lehmann's V. 04. 7 —
I. Knochen, Bänder, Gelenke u. Muskeln. (306) 4 —
II. Die Eingeweide d. Menschen einschl. d. Herzens. (207—302) 3 —
Sochowski, E: Karte d. Kreises Kattowitz. 1:25,000. 2 Bl. je
80,5×61,5 cm. Farbdr. Glog., C Flemming (02). 10 —;
auf L. m. St. nn 13 —
Socin, A, u. E Burckhardt: Die Verletzgn u. Krankh. d. Prostata, s.: Chirurgie, deut.
Socin, A, s.: Beówulf.
— Mhd. Namenb. Nach oberrhein. Quellen d. 12. u. 13. Jahrh.
(787) 4° Bas., Helbing & L. 03. 40 —
— u. R Schwarz: Hdb. d. stenograph. Praxis (System Stolze-
Schrey). 2 Tle. 8° Wetzlk. (Lpzg, JH Robolsky.)
Kart. je nn 1.50
1. Systemat. Anl. (54) 03. § 2. Alphabet. Kürzgsverz. (92) 04
Socin, A: Der arab. Dialekt v. Môsul u. Mârdin. [S.-A.] (128)
8° Lpzg, (FA Brockhaus 's) 04. 4 —
— s.: Diwan a. Centralarabien.
— arab. Grammatik, 5. Afl. v. K Brockelmann, s.: Porta lin-
guar. orientalium.
Soecknick, E: Triebsand-Studien. [S.-A.](12m.Abb.)8° Köngsbg,
(W Koch) (05). nn 1 —
Sodale, d. Augsburger. Red.: L Riedmüller. 1. Jahrg. Aug.
1905—Juli 1906. 4 Nrn. (Nr. 1 u. 2. 20 m. Abb.) gr Augsbg,
(Lit. Instit. v. Dr. M Huttler). — 60 d
Sodalen-Korrespondenz f. marian. Kongregationen. Hrsg. v.
F Doll. Red.: L Feix. 7—9. Jahrg. 1901—3 je 12 Nrn. (Nr. 1.
16 m. Abb.) 4° Wien (IX, Canisiusg. 13), Canisiushaus. Je 2.50 d
Fortsetzg s.: Unter d, Fahne Mariens!
Soddy, P: Die Entwickelg d. Materie enthüllt durch d. Radio-
aktivität. Wilde-Vorlesg. Übers. v. G Siebert. (64) 8° Lpzg,
JA Barth 04. 1.60
— Die Radioaktivität, v. Standpunkt d.Desaggregationstheorie
elementar dargest. Unter Mitwirkg v. LF Guttmann übers.
v. G Siebert. (216 m. Abb. u. 1 Taf.) 8° Ebd. 04. 5.60; L. 6.40
Soden, E v.: Eine tamul. Hochzeit, s.: Lotosblumen, ind.
Soden, E v.: Haldekranz. (150) 8° Stuttg., M Kielmann 05. 2 — d
Soldaten. Nach e. wahren Begebenh. erzählt. Neue Ausg.
(64) 8° Reutl., Ensslin & L. (03). — 20; kart. — 30 d
Soden, H Frhr v.: Die Cyprian. Briefsammlg, s.: Texte u. Un-
tersuchungen z. Gesch. d. altchristl. Lit.
Soden, H Frhr v.: Bericht üb. d. in d. Kubbet in Damaskus
gefund. Handschriftenfragmente. [S.-A.] (6) 8° Berl., (G Rei-
mer) 03. — 50
— Die wichtigsten Fragen im Leben Jesu. (Ferienkurs-Vortr.)
(120) 8° Berl., A Duncker 04. 2 —; L. nn 2.50
— s.: Hand-Kommentar z. Neuen Test. — Kirchen, d. ev., u.
d. Staat.
— Urchristl. Lit.-Gesch. (d. Schriften d. Neuen Test.). (237) 8°
Berl., A Duncker 05. 2.50; L. 3.20
— Palästina u. s. Gesch., s.: Aus Natur u. Geisteswelt.
— Reisebriefe a. Palästina. 2. Afl. (92) 8° Berl., J Springer
04. 1.80 d
— Die Schriften d. Neuen Test., in ihrer ält. erreichbaren
Textgestalt hergestellt auf Grund ihrer Textgesch. 2 Bde in
3 Abtlgn. (I. Bd. 1. Abtlg. 704) 8° Berl., A Duncker 02.
Für vollst.: Geb. 55 —
Weiteres ist noch nicht erschienen.
Söderbaum, HG, s.: Berzelius, J, selbstbiograph. Aufzeichngn.
Söderberg, E: Gassenlieder. Uebers. v. M Bamberger. (77) 12°
Strassbg, J Singer 02. 1.50; geb. 2.50
Söderberg, H: Martin Birck's Jugend. (Übertr. v. F Maro.) (235)
8° Lpzg, Insel-Verl. 04. 2 —; geb. 3 —
— Historietten. Übertr. v. F Maro. (218) 8° Ebd. 05. 2.50; L. 3.50
Söderblom, N: Kompendium d. Relig.-Gesch., s.: Tiele.
Söderblom, N: Die Religionen d. Erde, s.: Volksbücher, relig.-geschichtl.
Soedur, G: Luther u. d. Freiheit, s.: Flugschriften d. Ev.
Bundes.
— Luther u. d. Lüge. (55) 8° Lpzg, Breitkopf & H. 04. — 80
Söding, W: Leitf. in d. neuen deut. Rechtschreibg nebst Wörter-
verz. u. Verdeutschg d. gebräuchlichsten Fremdwörter. (47)
8° Ess., Fredebeul & K (0.)2. Afl. (55) 03. je — 30 d
— Übgsb. f. d. deut. Sprachunterr. in d. Volkssch. 3 Tle.
Schülerheft. 8° Arnsbg, J Stahl. nn — 85 d
I. 3. u. 4., besw. 3., 4. u. 5. Jahrg. 3. Afl. (90) 01. nn — 15; 12. Afl.
(99) 04. nn — 20
II. 5. u. 6., besw. 7. u. 8. Jahrg. 6. Afl. (85) 01. nn — 25; 5. Afl. (49)
02. nn — 30
III. 7. u. 8. Jahrg. mehrklass. Schulen. 3. Afl. (54) 02.
— dass. 3 Tle. Lehrerheft. 8° Ebd. Geb. 2.80 d
I. 3. u. 4. od. 3., 4. u. 5. Jahrg. Anweisg f. d. Rechtschreibeunterr. auf
d. Unterst. 4. Afl. (56) 02.
II. 5. u. 6. od. 5., 7. u. 8. Jahrg. 4. Afl. (87) 02. 1 —
III. 7. u. 8. Jahrg. mehrklass. Schulen. 3. Afl. (72) 02. 1 —

Söding, W: Die regier. Wörter. Prakt. Übgn z. Verhütg d. Fallfehler nebst Wrtrverz. u. Verdeutschg d. gebräuchlichsten Fremdwörter. 2. Afl. (87) 8° Ess., Fredebeul & K. 03. — 40 d

Sodoffky, G: Von Estlds Meeresgestaden. (51) 8° Rev., F Kluge 04. 1.50 d

Sodoma: Der hl. Sebastian, s.: Meisterbilder.

Sodoma, F: Das polychrome pflanzl. Ornament. (20 farb. Bl.) 33×48cm. Nebst Text. (15 m. Abb.) 8° Wien, A Pichler's Wwe & S. (02). In M. 13 —

Sodré, AA de Azevedo, u. M **Couto**: Das Gelbfieber, s.: Pathologie u. Therapie, spec.

Sofer, I (E Schreiber): Biblia e Babele. (Appunti alle conferenze del G Sacerdoti.) (162) 8° Triest, (FH Schimpff) 04. 3 —

Soffé, E: Peter Ritter v. Chlumecký. (50 m. 1 Bildnis.) 8° Brünn, HM Rohrer 02. 1 —
— Aus meiner Studienmappe. Essays. (188) 8° Brünn, F Irrgang 06. 2.50 d

Soffner, J: Friedr. Staphylus, e. kathol. Kontroversist u. Apologet a. d. Mitte d. 16. Jahrh., gest. 1564. (170) 8° Bresl., GF Aderholz 04. 2 — d

Sogemeier, H: Der Begriff d. christl. Erfahrg hinsichtlich sr Verwendbark. in d. Dogmatik untersucht, s.: Beiträge z. Förderg christl. Theol.
— Das Menschheitsideal in Goethes „Faust" u. Hauptmanns „Versunkene Glocke". Vortr. [S.-A.] (46) 8° Gütersl., C Bertelsmann 01. — 60 d

Sohier, A: Prakt. Lehrb. z. Erlerng d. französ. Sprache, s.: Koch, J.

Söhle, K: Seb. Bach in Arnstadt. 1. u. 2. [Tit.-]Afl. (192) 8° Berl., B Behr's V. (02)04. 2 —; geb. 3 — d
— Musikanten-Geschichten. 2 Bde. 8° Ebd. Je 2.50; L. je 3.50 d
[2. 2. Afl. (162 m. Titelbild.) 02.] [II. 2. [Titel-]Afl. (190) [1900] 03.
— dass. Volks-Ausg. in 1 Bde. 1 Afl. (3. Afl. d. Gesamt-Ausg.) (211 m. Bildn.) 8° Ebd. 05. 2 —; geb. 4 —
— Schummerstunde. Bilder u. Gestalten a. d. Lüneburger Heide. (251) 8° Ebd. 03. 3 —; geb. 4 — d
— Der Gegenstand, s.: Beiträge, 3, z. bürgerl. Recht.
— Institutionen. Lehrb. d. Gesch. u. d. Systems d. röm. Privatrechts. 10. Afl. (566) 8° Lpzg, Duncker & H. 01. HF. 11.60
[11. Afl. (585) 03. Geb. 12 —
— Kirchengesch. im Grundr. 14. Afl. (218) 8° Lpzg, C Engleich 05. 2 —; geb. u — d
— Der deut. Mann u. d. Sittlichk. Vortr. (8) 8° Berl. 01. (Lpzg, HG Wallmann.) — 20 d

Sohn, d., d. Alpen, s.: Saat u. Ernte.
— e. verlor., s.: Volksbücher, neue.

Sohn, W: Üb. Wesen u. Verhütg d. Cholera. Vortr. (23) 8° Rev., F Wassermann 05. — 60 d

Sohncke's, LA, Sammlg v. Aufg. a. d. Differential- u. Integralrechng. I. Tl u. II. Tl, 1. Abtlg. 6. Afl. v. M Zindhaber. 8° Jena, HW Schmidt. 9 —; Einbde je 1 —
[I. Differentialrechng. Hrsg. v. H Amstein. (304 m. Fig.) Halle 05. 5 —
[II, 1. Integralrechng. I. (221 m. Fig.) 05. 4 —

Söhne, verlorene. Uebers. v. H v. R. (Neue Afl.) (92 m. Abb.) 12° Berl., Deut. ev. Buch- u. Tractat-Gesellsch. (01). — 50 d
— 12° Berl., Deut. ev. Buch- u. Tractat-Gesellsch. (01). — 50 d

Söhngen, E: Des Kindes Weihnachtsgedanken. Des armen Mannes Weihnachten. Zum neuen Jahr, s.: Weihnachts- u. Neujahrs-Gedichte.
— Eine Märznacht. Episode a. schwerer Zeit in 1 Akt. (12) 8° Berl., A Hoffmann (05). 1 — d
— Rebellenkinder. Schwank. (24) 8° Ebd. (05). 1 — d
— Reserve hat Ruh. 4 Akte a. e. Kasernenstube. (76) 8° Ebd. (05). 2 — d

Sohnrey, H: Der Bruderhof. Eine bäuerl. Liebes- u. Leidens-Gesch. 4.—8. Taus. (279) 8° Berl., M Warneck 05. 3 —; L. 4 — d
— Dorfbote. Mit d. monatl. Beil.: Neues Bauernland, amtl. Anzeiger d. kgl. Ansiedlgskommission. Red.: H Sohnrey. Jahrg. 1904. 52 Nrn. (Nr. 1. 8 u. 4) Fol. Berl., Deut. Landbh. Viertelj. — 60 d

Fortsetzg z. u. d. T.: Dorfbote, deut.

— Dorf-Kalender f. 1906. (108 m. Abb. u. 1 Farbdr.) 8° Berl., Trowitzsch & Sohn. — 50 d
In Ausg. f. d. östl. u. f. d. westl. Nord- u. Mitteldeutschl. u. f. Süddeutschl.
— Die Dorfmusikanten. Volksstück m. Gesang, Spiel u. Tanz. (109) 8° Berl., M Warneck 03. 1.20; L. 2 — d
— s.: Dorf-Zeitung, deut.
— Der kl. Heinrich, s.: Blätter, grüne, f. Kunst u. Volkstum.
— Der Hunnenkönig. Wie d. Woldhäuser Kaisers Geburtstag feierten, s.: Volksbücher, Wiesbad.
— Die Jungfernauktion. Als d. Grossmutter sterben wollte, s.: Meyer's, U, Bücherei.
— Im grünen Klee — im weissen Schnee. Dorfgeschichten a. Hannoverland. 1.—5. Taus. (314) 8° Berl., M Warneck 03. 3 —; geb. 4 — d
— s.: Kunst auf d. Lande. — Land, d. — Landjugend, d.
— Die Leute a. d. Lindenhütte. Niedersächs. Walddorfgeschichten. Für gr. u. kl. Leute erzählt. 2 Bde. (Mit Abb.) 8° Berl., M Warneck 05. Je 3 —; L. je 4 — d
[1. Friedeisorbens Jahresalauf. 19. Afl. (412)] 2. Hütte u. Schloss. 13. Afl. (416)
— Der Schäferknabe a. d. Lüneburger Heide, s.: Schneeflocken.

Hinrichs' Fünfjahrskatalog 1901—1905.

Sohnrey, H: Ein Vaterherz, s.: Hausfreund, neuer.
— Wegweiser f. ländl. Wohlfahrts- u. Heimatpflege. 2. Afl. (458) 8° Berl., Deut. Landbh. 01. 5 —; geb. 6 — d
— Das Weihnachtsgeschenk, s.: Hausfreund, neuer.
— Die Wohlfahrtspflege auf d. Lande. — Hebg d. soz. u. wirtschaftl. Zustände. Neue Ausg. (224) 8° Berl., C Heymann 02. 4 — d

Söhns, F: Uns. Pflanzen. Ihre Namenserklärg u. ihre Stellg in d. Mythol. u. im Volksaberglauben. 3. Afl. (178) 8° Lpzg, BG Teubner 04. L. 2.60 d

Söhnstorff, A (A Luzatto): Halali u. and. Reitergeschichten a. Österr.-Ungarn. (202) 8° Dresd., E Pierson 02. 2 —; geb. 3 —
— Kantoniergsbilder, s.: Bibliothek, militär-belletrist.
— Reiterbriefe a. Österr. (109) 8° Wien, LW Seidel & S. 05. 2 — d
— Allerlei Soldatisches a. Menschliches. (195) 8° Linz(03). Dresd., E Pierson. 4 —; geb. 4.50 d

Sohr, K: Eisenb.- u. Dampfschiffrouten-K. v. Europa. 1 : 5,000,000. 3s. Afl. 74×92 cm. 2 Bl. Farbdr. Glog., C Flemming 05. 2 —;
auf L. in L.-Kart. 4 —
— u. H **Berghaus**: Hand-Atlas üb. alle Teile d. Erde. Entworfen a. unter Mitwirkg v. O Herkt hrsg. v. A Bludau. 9. Afl. 84 Bl. od. 168 Kartons. m. üb. 150 Kart. i. in 90 Lfgn.) 1 — 9. Lfg. 24 Bl. je 42,5×34,5 cm. Farbdr. Ebd. 02-03. Je 1 —

Sohrmann, H: Die altind. Säule. (79 m. Abb.) 8° Dresd., G Kühtmann 04. 5 —; L. 6.50

Sokal, E: Dolorosa. Drama. (79) 8° Hannov., Dr. M Jänecke 01. 1.50

Sokoll, E: Lehrb. d. altengl. (angelsächs.) Sprache, s.: Kunst, d., d. Polyglottie.
— u. L **Wypiel**: Lehrb. d. französ. Sprache f. österr. Realsch. 1. Tl. u. 2. Schul.) (304) 8° Wien, F Deuticke 05. Geb. 2.20 d

Sokoloff, A, et S **Lébédeff**: Observations faites à la grande lunette méridienne, s.: Publications de l'observatoire central Nicolas.

Sokolow, N: Die Manganerzlager in d. tertiären Ablagergn d. Gouv. Jekaterinoslaw. [S.-A.] (In deut. u. russ. Sprache.) (79 m. 1 Karte u. 1 Taf.) 4° St. Petersbg 01. (Lpzg, M Weg.) nn 4 —

Sokolowski, E: Die Kindererziehg in d. 1. Lebensj. [S.-A.] (25) 8° Riga, (Jonck & P.) 01. nn 1 — d

Sokolowski, P: Die Begriffe v. Geist u. Leben bei Paulus in ihren Beziehgn zu einander. (284) 8° Gött., Vandenhoeck & R. 03. 7 —

Sokolowski, P: Die Philosophie im Privatrecht. Sachbegriff u. Körper in d. klass. Jurisprudenz u. d. modernen Gesetzgebg. (616) 8° Halle, M Niemeyer 02. 16 —

Sokolowsky, A: Menschenkde. Naturgesch. sämtl. Völkerrassen d. Erde. 2. Afl. (316 m. 41 Taf.) 8° Stuttg., Union (01). 1 — d

Sola, M: Wies. u. Sittlichk. Erfahrgn u. Erinnergn e. deut. Ärztin. (108) 8° Hambg 05. Stargard, Frange's V. 2 —

Solana, E: El comerciante, s.: Dernehi, C.

Soldan, F: Quellental, moderner Ornamentik, s.: Brösel, M.

Soldatenfreund, der. Kalender f. 1906. (144, 18 u. 16 m. Abb. u. 5 Taf.) 8° Winterbg, J Steinbrener. geb. — 80 d
— dass. (Ausg. m. Dislokation u. Rangsliste.) (152 m. Abb. u. 5 Taf.) 8° Ebd. Geb. 1.05 d
— der. Kalender f. Soldaten u. Veteranen. Von J Schärfl. 1905. 30. Jahrg. (96 m. Bildnissen.) 16° Donauw., L Auer. — 20 d
Für 1906 nicht erschienen. — 1907 Augsbg, Kranz(eder).
— der. Illustr. Zeitschrift f. fassl. Belehrg u. Unterhaltg d. deut. Soldaten. Begründet v. L Schneider. Red.: G Lange. 53—73. Jahrg. Juli 1901—Juni 1906 je 12 Hefte. (1. Heft. 34) 8° Berl., ES Mittler & S. Je 7 —; einz. Hefte — 90 d
— deut. Kalender f. d. deut. Heer u. d. Marine f. 1906. 31. Jahrg. (95 m. Abb.) 16° Stuttg., Bh. d. ev. Gesellsch. — 20 d

Soldatenhort, der. Illustr. Zeitschrift f. d. deut. Heer u. Volk. Red.: v. Below. 13—17. Jahrg. Oktbr 1901—Septbr 1906 je 36 Nrn. (Je 576)4° Berl., K Siegismund. L. je 8 —; Viertelj. 1.80:
auch in 12 Heften zu — 60; einz. Nrn — 20 d

Soldaten-Kalender, bayer., f. 1906. (53 m. Abb.) 16° Sulzb., JE v. Seidel. — 15 d
— österr., f. 1904. (166 u. 31 m. Abb. u. 2 Taf.) 8° Budweis (Reichsstr. 20), Verl.-Anst. „Moldavia". 1 — d
— österr., f. 1906. 31. Jahrg. (187) 16° Wien, M Perles. 1 —

Soldatenliebe in Krieg u. Frieden. Heit. Episoden a. d. Feld- u. Garnisonsleben uns. Militärs. 1. Bd. 8° Dresd., HG Münchmeyer. 1 — d
[Soldlieg, J: Bayerns tapfere Mannen im Reiche d. Mitte. Erlebnisse e. Berliner Freiwilligen. (200) (01.) [1.]

Soldatenlieder. Zusammengest. v. H H. 2. Afl. (76) 8° Tüb., G Schnürlen 02. — 25 [I 3. Afl. (105) 05. — 30 d

Soldaten-Liederbuch, s.: Lieder, deut.

Soldaten-Mal-Buch. (20 m. z. Tl farb.Abb.) 8° Nürnbg, T Stroefer (4 t). 1.20 d

Soldaten-Misshandlungen! Von Humanus, s.: Brennpunkt, s.: Folge „Continent".

Soldaten-Taschen-Kalender f. 1906. Hrsg. v. Zentralkomitee (Abteilg VI) d. bayer. Frauenver. v. Roten Kreuz. (119 m. Abb.) 8° Münch., Seitz & Sch. — 20 d

Solereder, L: Fibel f. d. Sprech-Schreib-Leseunterr. 2 Teile. (Mit Abb.) 8° Münch., R Oldenbourg (04). nn — 65 :
kart. nn — 87 d
[1. Nebst e. Anh. f. d. Aufbau d. 1. Zeharz. 146. Afl. (64) nn — 25; kart. nn — 35. [2. Nebst e. Anh. f. d. Aufbau d. Zeichensystems. 146. Afl. (120) nn — 40; kart. nn — 52.

Solereder, L: Fibel f. d. Sprech-Schreib-Leseunterr. nebst e. Anh. f. d. Aufbau d. 1. Zehners. 1. Abtlg. Sep.-Ausg. f. d. Münch. Schulen. 48. Afl. (64 m. Abb.) 8° Münch., K Oldenbourg (04). nn — 25; kart. nn — 35 d
— Vaterländ. Leseb. f. d. ob. Kl. d. Volkssch. Bayerns. Kl. Ausg. 21. Afl. (456 m. Abb.) 8° Ebd. (02). Geb., ermäss. Pr. nn — 75 d

Solger, F: Beitr. z. Geol. v. Kamerun, s.: Esch, E.

Soliloquium, d. pseudo-augustin., in d. Übersetzg d. Bischofs Johannes v. Neumarkt. Hrsg. v. A Sattler. (102) 8° Graz, Styria 04. 2.40

Soliman d. Grossen, Sultan, Divan, in e. Ausw. m. sachl. u. grammat. Einleitgu u. Erläutergn sowie e. vollständ. Glossar hrsg. v. G Jacob. (108) 8° Berl., Mayer & M. 03. 4 —

Solinus: Plan d. Stadt Gelsenkirchen. 1:10,000. 88×104 cm. Farbdr. Mit Strassenverz. an d. Seiten. Gelsenk., T Dahl jun. (04). nn 4.50; auf L. m. Leisten u. Ösen nn 7.50

Solitro, G: Der Gardasee, s.: Kunstland, d., Italien.

Soll ich heiraten? Phantasien e. Ehemannes, v. Retius. (39) 8° Halle, C Marhold 05. — 80 d
— u. Haben. Monatsschrift f. Buchführg., Handelsrecht u. kaufmänn. Rechnen. Red.: WH Bakker. 1. Jahrg. April—Septbr 1902. 6 Nrn. (Nr. 1. 20) 4° Hambg, G Delwel & Co. 3 — 5 F

Solle, RW: Das Land d. Glücks. Betrachtgn. (127) 8° Düsseldf, C Schaffnit 06. — d

Sollen wir Deutsch-Südwest-Afrika behalten?, s.: Broschüren-Folge Continent.

Söllner, Frl. O, s.: Vollbrecht, C.

Solms-Laubach, H Graf zu: Die leit. Gesichtspunkte e. allg. Pflanzengeogr. in kurzer Darstellg. (243) 8° Lpzg, A Felix 05. 4 —
— Rafflesiaceae u. Hydnoraceae, s.: Pflanzenreich, d.
— s.: Zeitung, botan.

Solmsen, F, s.: Inscriptiones graecae ad inlustrandas dialectos selectae.
— Untersuchgn z. griech. Laut- u. Verslehre. (322) 8° Strassbg, KJ Trübner 01. 8 —

Solojew's „kurze Erzählg üb. d. Antichristen", s.: Melnikow, N, d. russisch-japan. Krieg.

Solo-Scenen. Nr. 21—23. Berl., E Bloch. Je 1 — d
Hodschmanen-Satory, L v.: Die Futzmacherin. Für e. Dame. (15) [06.] [22.] Kessler, R: Weihnachtsbescherg. Humorist. Für e. Herrn. (16) [05.] [22.] Steiner, O: Seine 1. Liebe. Für e. Dame. (11) [1900.] [21.]

Solt: Ichthyol beim Typhus. [S.-A.] (8) 8° Berl., Vogel & Kr. 01. — 50

Soltan, DV, s.: Reineke d. Fuchs.

Soltau, W: Ursprüngl. Christentom in sr Bedeutg f. d. Gegenwart. (143) 8° Lpzg, Dieterich 02. 2.80; geb. 3.50 d
— Uns. Evangelien, ihre Quellen u. ihr Quellenwert v. Standpunkt d. Historikers a. betrachtet. (149) 8° Ebd. 02. 3.50; geb. 3 —
— Die Geburtsgesch. Jesu Christi. (43) 8° Ebd. 02. — 75
— Ev. Glaube od. Bekenntnisglaube? (36) 8° Ebd. 03. — 75 d
— Himmelfahrt u. Pfingsten im Lichte wahren ev. Christentums. (16) 8° Ebd. 05. — 40 d
— Hat Jesus Wunder getan? Bibl. Widerlegg kirchl. Aberglaubens. (104) 8° Ebd. 03. 1.60 d
— Präparat. zu Titi Livii ab urbe condita libri, s.: Krafft u. Ranke's Präparat. f. d. Schullektüre.

Soltmann, O: Masern, Keuchhusten, Scharlach, Diphtherie. Bild u. Behandlg. [S.-A.] (20) 8° Lpzg, G Thieme 04. — 75

Soltsien, A: Ueb. Krankentransport in Grossstädten. Vortr. (19) 8° Münch., Seitz & Sch. (05). — 50
— Rettgsvorkehrgn bei Schiffsunfällen auf Binnenwässern. (15) 8° Ebd. 05. — 50
— Ueb. d. Transport Verletzter u. Erkrankter auf Räderbahren. (19) 8° Ebd. 01. — 50

Somadewa a. Kaschmir: Bunte Geschichten v. Himalaja. Novellen, Schwänke u. Märchen, deutsch v. J Hertel. (21, 186) 8° Münch., Verl.-Anst. F Bruckmann 03. 4 —; geb. 5 — d

Somary, F: Die Aktiengesellsch. in Österr. [S.-A. m. e. Anh., enth. d. besteh. Aktiengesellsch., deren Aktienkapital, Maximal- u. Durchschnittsdividenden.] (59) 8° Wien, Manz 02. 1.60 d

Sombart, W: Die gewerbl. Arbeiterfrage, s.: Sammlung Göschen.
— s.: Archiv f. Sozialwiss. u. Sozialpolitik.
— Warum interessiert sich heute jedermann f. Fragen d. Volkswirtschaft u. Sozialpolitik, s.: Fortschritt, soz.
— Gewerbewesen, s.: Sammlung Göschen.
— Der moderne Kapitalismus. 2 Bde. 8° Lpzg, Duncker & H. 02. 20 —; HF. 24 —
1. Die Genesis d. Kapitalismus. (34, 669) | 2. Die Theorie d. kapitalist. Entwicklg. (646)
— Sozialismus u. soz. Bewegg im 19. Jahrh. Nebst 2 Anh.: 1. Chronik d. soz. Bewegg v. 1750—1900. 2. Führer durch d. sozialist. Litt. 4. Afl. (130) 8° Jena, G Fischer 01. — 75 || 5. Afl. (329) 05. 2 —; geb. 2.60 d
— Technik u. Wirtschaft. Vortr. [S.-A.] (24) 8° Dresd., v Zahn & J. 01. 1 — d
— Die deut. Volkswirtschaft im 19. Jahrh., s.: Jahrhundert, d. 19., in Deutschlds Entwicklg.
— Wirtschaft u. Mode, s.: Grenzfragen d. Nerven- u. Seelenlebens.

Somborn, C: Das venezian. Volkslied: Die Villotta. (172) 8° Hdlbg, C Winter, V. 01. 3.60

Somerville, EŒ, and M Ross: All on the Irish shore, s.: Collection of Brit. auth.

Somma, A: Amelia, s.: Verdi, G.

Sommer, A: Guter Ton u. feines Benehmen. (95) 12° Köln (02). Lpzg, J Püttmann. — 50; geb. 1 — d

Sommer, A: Anf d. Schattenseite. Eine Familiengesch. 2. Afl. (342) 8° Bielef., Velhagen & Kl. 05. L. 5 — d

Sommer, B, s. a.: Sänderlich, B.
— Bibl.-Gesch.-Lügen. Beitrag z. Babel-Bibel-Frage u. e. volksverständl. Anl. z. Bibel-Beurteilg. (63) 8° Bambg, Handels-Dr. u. Verlagsh. (03). 1 —
— Hausschatz d. Gesundheit, s.: Schmidt, P.

Sommer, C: Die Ehe u. d. Lehre d. röm. Katech., s.: Beiträge z. Förderg christl. Theol.

Sommer, E: Gesundh., Muskelkraft, Formenschönh. durch klass. Leibesübg. (59 m. Abb.) 8° Elberf., (A Martini & Gr.) 02. 1 — d

Sommer, E: Anatom. Atlas in stereoskop. Röntgenbildern. I. Normale Anatomie. 1. Abtlg: Knochen u. Gelenke. (20 Taf. m. 12 S. Text.) 8° Würzbg, A Stuber's V. 06. In Kasten 10 — || In d. Röntgenstrahlen. Die techn. Hilfsmittel zu ihrer Erzeugg u. d. Indikationen ihrer therapent. Verwendg. Nach e. Vortr. (10) 8° Münch., Verl. d. ärztl. Rundschau 05. — 80

Sommer, F: Ernst Reiland. Roman. (421 m. Bildnis.) 8° Lpzg, A Cavael 04. 4 —; geb. 5 — d
— Schlesien. Landeskde. 2. Afl. (180 m. Abb., Skizzen u. 1 Karte.) 8° Bresl., F Hirt 02. Kart. 2 — d
— In d. Waldmühle. Roman. (257) 8° Lpzg, A Cavael 02. || 2—4. Taus. (246 m. Bildnis.) 03.04. Je 2 —; geb. je in 2.75 d

Sommer, F: Hdb. d. latein. Laut- u. Formenlehre, s.: Sammlung indogerman. Lehrbb.
— Griech. Lautstudien. (179) 8° Strassbg, KJ Trübner 05. 5 —

Sommer, F: Der Tonplattenschnitt in Zelluloid. [S.-A.] (15 m. Abb. u. 1 Beil.) 8° Lpzg, S Schnarpfeil (04). 1 —

Sommer, G: Die Prinzipien d. Säuglingsernährg, s.: Abhandlungen, Würzburger, a. d. Ges.-Gebiet d. prakt. Medizin.

Sommer, G: Die Bonbon-Fabrikation. 3. Afl. (180 m. Abb.) 8° Bernbg, (A Schmelzer) (04). 5 —

Sommer, GM: Erstkommunion-Glöcklein. 3. Afl. (438 m. farb. Titelbild.) 16° Mainz, Kirchheim & Co. 04. L. 1 — d

Sommer, H: Stilvorlegg u. Personenbahnhöfe v. Zürich. (39 m. 1 Pl. u. 1 Taf.) 8° Bern 02. (Zür., Rascher & Co. 2.80 || Nachtr., enth. d. generellen Voranschl. m. e. Übersichtspl. 1:7500. (31) Zür. 05. 1.20

Sommer, J: Ehe od. freie Liebe?, s.: Lehr u. Wehr für's deut. Volk.

Sommer, J: Die epistol. Perikopen d. Kirchenj., exegetisch u. homiletisch behandelt. 5. Afl. Mit Berücks. d. durch d. Eisenacher Konferenz veranlassten Ändergn n. Beitr. v. K Kröber. 8 Lfgn. (815) 8° Lpzg, A Deichert Nf. 02. 9.60; geb. nn 11 — d
— Die ev. Perikopen d. Kirchenj., exegetisch u. homiletisch behandelt. 5. Afl. Mit Berücks. d. durch d. Eisenacher Konferenz veranlassten Änderugn u. 5 Beitr. v. K Kröber, neu hrsg. v. M Sommer. 8 Lfgn. (778) 8° Ebd. 05.06. 9.60; geb. nn 11 — d

Sommer, M: Im Arrest, s.: Dilettanten-Theater.

Sommer, O: Kl. Erdkde f. Volks- u. Bürgersch. u. f. d. mittl. Kl. v. Mittel- u. höh. Schulen. 3. Afl. (77 m. H, u. 5 F) 8° Brnschw., E Appelhans & Co. 01. Kart. — 90 d

Sommer, O: Die Prov. Pommern, s.: Landeskunde Preussens.

Sommer, P: Die Notwendigk. e. Revision d. allg. Bestimmgn f. Volks- u. Mittelsch. v. 15.X.1872, s.: Abhandlungen, päd. dagog.

Sommer, P: Erläutergn zu G Frenssens „Jörn Uhl"; G Freytags „Die verlorene Handschrift, Journalisten u. „Soll u. Haben"; Grillparzer's „Ein Bruderzwist im Hause Habsburg" u. „Libussa"; Hauff's Lichtenstein; Hebbels „Die Nibelungen"; Heyse's Colberg; H v. Kleist's Michael Kohlhaas, Körners Leier u. Schwert; Shakespeares „Othello"; Tegner's Frithjofs-Sage; Ev. Wildenbruch's, Die Quitzows, s.: König, W, Erläutergn zu d. Klassikern.

Sommer, R: Die Ausstellg v. experimental-psycholog. Apparaten u. Methoden bei d. Kongress f. experimentelle Psychol., Giessen '04. (78 m. Abb.) 8° Lpzg, JA Barth 04. —
— s.: Beiträge z. psychiatr. Klinik. — Bericht d. oberhess. Gesellsch. f. Natur- u. Heilkde zu Giessen.
— Diagnostik d. Geisteskrankh. 2. Afl. (408 m. Abb.) 8° München, Urban & Schw. 01. 10 —; L. 13 —
— Kriminalpsychol. u. strafrechtl. Psychopathol. auf naturwiss. Grundl. (388 m. Abb.) 8° Lpzg, JA Barth 01. 10 —; L. 12 —
— Das Problem d. Gehens auf d. Wasser. (Zugl. Erläutergn ...) D.R.P. Nr. 180174.) (42 m. Fig.) 8° Ebd. 02. 1 —

Sommer, W: Prakt. Aufsatzsch. f. Elementarschulen. Planmässig fortschreit. Übgn in 4 Tln od. Jahrgängen. III. Tl. 8. Afl. (63) 8° Paderb., F Schöningh 04. — 35 d
— Grundz. d. Poetik. Für höh. Lehranst. u. z. Selbstunterr. 9. Afl. (80) 8° Ebd. 03. — 75; geb. nn 1 — d
— Hand- u. Hilfsb. f. d. Unterr. im deut. Aufsatze in d. Unterkl. u. Mittelkl. höh. Lehranst. 15. Afl. (34, 356) 8° Cöln, M Du-Mont-Sch. 03. 1.90
— Leitf. f. d. elementaren Unterr. in d. deut. Sprachlehre. 7. Afl. (66) 8° Paderb., F Schöningh 04. — 60; geb. nn — 90 d

Sommer, W: Materialien zu pädagog. u. didakt. Aufsätzen. II Tle. 8° Paderb., F Schöningh. 2.85 d
I. 5. Afl. (192) 02. 1.35 ‖ II. 4. Afl. (185) 01. 1.50.
— Deut. Sprachlehre. 13. Afl. (312) 8° Ebd. 04. 1.35; geb. nn 1.85 d
— Deut. Stilübgn (früher prakt. Aufsatzsch.) f. Volksschüler. Planmässig fortschreit. Übgn in 4 Tln. 8° Ebd. 1.15 d
I. 14. Afl. (42) 03. — 20 ‖ II. 10. Afl. (31) 04. — 20 ‖ III. 9. Afl. (34) 05. — 30. ‖ IV. 10. Afl. (117) 05. — 45.
Sommer, W: Der Plan d. Notars, s.: Verein f. Verbreitg guter Schriften, Basel.
Sommer, W: Die Weltparabel „Der Mann im Brunnen" u. ihre Verwertg f. Schule u. Leben. (52) 8° Reichenb. i. V., (E Müller) 01. — 50 d
Sommer-Fahrordnung d. Kronstadt-Hoszufalver Strassenb. u. d. k. u. Staatsb. Giltig v. 1.V.'05. (Deutsch u. ungarisch.) (8) 16° Kronst., H Zeidner. — 06 d
Winterausg. erscheint nicht.
Sommerfeld, v.: Die St. Peter- u. Paulskirche zu Görlitz. Kurzer Abriss ihrer Gesch. u. künstler. Bedeutg. [S.-A.] (16) 8° Görl., R Dülfer 04. — 20 d
Sommerfeld, A, s.: Enzyklopädie d. mathemat. Wiss.
— Üb. d. Theorie d. Kreisels, s.: Klein, F.
Sommerfeld, G, s.: Aus d. Leben d. alten Klingsiek.
Sommerfeld, Frau M v., s.: Scheve, M v.
Sommerfeld, P: Die chem. u. kalorimetr. Zusammensetzg d. Säuglingsnahrg. (36) 8° Stuttg., F Enke 02. 1.20
Sommerfeld, T: Der Gewerbearzt, s.: Handbuch d. soz. Medizin.
— Die Tuberkulose u. ihre Bekämpfg, s.: Volksschriften, hygien.
— E **Jaffe** u. J **Sauer**: Wegweiser f. d. Berufswahl. (160) 8° Hambg, Ag. d. Rauh. H. 02. ‖ 2. Afl. (224) 04.) Kart. je 1.50; L. je 2.50 d
Sommerfeld, W v.: Beitr. z. Verfassgs- u. Ständegesch. d. Mark Brandenburg im M.-A. 1. Tl. (168) 8° Lpzg, Duncker & H. 04. 4 — d
Sommerfeldt: Die Grundz. d. Festigkeitslehre in ihrer bes. Anwendg auf d. Berechng feldmäss. Eisenb.-Brücken. 2. Afl. (285 m. Abb.) 8° Berl., ES Mittler & S. 05. 6 — d
Sommerfrischen d. Prov. Posen u. Nachbarschaft. Hrsg. v. d. Ortsgruppe Posen d. Riesen-Gebirgs-Ver. (28) 8° Pos., (J Jolowicz) (02). — 30 d
Sommerlad, F: Streik. Zeitstück. (179) 8° Dresd., E Pierson 02. 2.50 d
Sommerlad, T: Die wirtschaftl. Tätigk. d. Kirche in Deutschl. 2. Bd. Die wirtschaftl. Tätigk. d. deut. Kirche in d. Zeit d. erwach. Staatsgedankens bis z. Aufkommen d. Geldwirtschaft. (815) 8° Lpzg, JJ Weber 05. 12 — d
— Wirtschaftsgeschichtl. Untersuchgn. II. Heft: Die Lebensbeschreibg Severins als kulturgeschichtl. Quelle. (74) 8° Ebd. 03. 2 — (I u. II.: 3 —)
— Das Wirtschaftsprogramm d. Kirche d. M.-A. (223) 8° Ebd. 03. 6 — d
Sommerlade, F, u. G **Peyer**: Karte d. preuss. u. anhalt. Kreise Quedlinburg, Aschersleben u. Ballenstedt. 1: 120,000. 30,5×41 cm. Farbdr. Quedlnbg, P Deter (04). — 30
Sommerlatt, E v., s.: Archiv, sächs., f. deut. bürgerl. Recht.
Sommerreise, e., n. d. bayer. Hochgebirge. Harmlose Plaudereien in Tagebuchform v. e. alten Nassauer (C Goedecke). (103 m. Bildnis.) 8° Wiesb., (H Staadt) 05. 2 — d
Sommerstationen in Steiermark. Hrsg. v. Landesverband f. Fremdenverkehr. (84 m. Abb.) 8° Graz, (P Cieslar) 02. † — 60 d
Sommerstorff, O: Scherzgedichte. 3. Afl. (125) 8° Berl., A Hofmann & Co. 02. 2.50; in Liebhaberbd 3.75 d
Sommert, H, s. a.: Freimut, E.
— Grundz. d. deut. Poetik f. d. Schul- u. Selbstunterr. 8. Afl. (115) 8° Wien, A Pichler's Wwe & S. 04. Geb. 1.40 d
— Methodik d. deut. Sprachunterr., s.: Handbuch d. spez. Methodik.
Sommerville-Story, A: Engl. lit., s.: Berlitz, MD.
Somorjai, A: Aus d. Märchen d. „Kater Hiddigeigei". (148) 4° Budap., 8 Deutsch & Co. 01. 2.50
Sonderabdruck a. d. Exerzier-Regl. u. d. Schiessvorschrift f. d. Infant. Neue Ausg. (88) 8° Berl., ES Mittler & S. 03. nn — 25 d
Sonderberichte d. Handelskammer zu Magdeburg üb. einz. Geschenäftszweige. 1. u. 2. Heft. 8° Mgdbg, (Heinrichshofen's S.) 3 — d
Entwickelung, d., d. Versicherungswesens in Magdeburg. Überreicht v. d. Magdeb. Feuerversicherungs-Gesellsch. (24) 02. [1.]
Voss, H: Magdeburgs Kolonbalhandel einst u. jetzt. (112 m. 2. Tf farb. Fig. u. 1 Karte.) 04. [2.]
Sonderegger, C: L'Achévement du canal de Panama. (200 m. Abb., Taf. u. 1 Karte.) 8° Zür., A Raustein 02. 2 —
Sonderegger, E: Die Cadres-Ausbildg in vom. künft. Militär-Organisation, s.: Einzelschriften, militär., üb. Tagesfragen d. schweiz. Armee.
— Der ungebremste Infant.-Angriff. (80) 8° Zür., A Bopp 05. 1.50
Sondermann, F: Hdb. f. Erfinder. (104) 8° Elberf., (J Fassbender) (01). Kart. 1 — d
Sondermann, H: Anl. z. einf. u. doppelt (italien.) Buchführg. 7. Afl. (18) 8° Berl., Hilfsver. deut. Lehrer (01). 1 —
— Buchführg (einfach u. doppelt). Geschäftsvorfälle in e. Baugeschäft. (2 Monate umfassend.) (20) 8° Ebd. (01). — 50

Sondermann, H: Vollständ. Durchbuchg d. Geschäftsvorfälle in e. Baugeschäft. (2 Monate umfassend.) (21) 8° Berl., (Hilfsver. deut. Lehrer) (02). nn 1.50
— Kaufmänn. Rechnen. Prakt. Anl. z. schnellen u. sicheren Lösg d. im Waren- u. Bankgeschäft vorkomm. Rechngn u. e. Sammlg geometr. Aufgaben. 4. Afl. (178) 8° Ebd. 02. Kart. 2 —
— Uebgsstoff f. einf. u. dopp. (italien.) Buchführg. Verbunden m. Commissions- u. Participations-Geschäften unter Berücks. d. Societäts-Verhältn. Stoff f. 2 Monate. Ausg. A. (12) 8° Ebd. (01). — 30 d
— dass. Ausg. B—D. 8° Ebd. 01. Je — 30 d
B. Manufacturwaren-Geschäft. (Stoff f. 3 Monate.) 9. Afl. (11)
C. Wäschegeschäft. (Stoff f. 2 Monate.) 13. Afl. (6)
D. Colonialwaren-Geschäft. (Stoff f. 1 u. 2 Monate.) (16)
Soendermann, W: Ahasver, d. ewige Jude. Tragödie. (134) 8° Dresd., E Pierson 02. 2 —
Sonderschriften d. österr. archäolog. Instit. in Wien. I—III. 8° Wien, A Hölder. Kart. 102 —
Hofmann, H: Röm. Militärgrabsteine d. Donauländer. (91 u. Abb.) 05. [V.] 6 —
Imhoof-Blumer, F: Kleinasiat. Münzen. 1. u. 2. Bd. [378 m. 20 Taf.] 01.02. [I.II.] Je 30
Petersen, E: Ara pacis Augustae. Mit Zeichng v. G Niemann. 2 Bde. [204 m. Abb. u. 8 Lichtdr.] 02. [II.] 24 —
IV ist noch nicht erschienen.
Sonder-Veröffentlichungen d. geschichtl. Abteilg d. naturwiss. Ver. f. d. Fürstent. Lippe. I. 8° Detm., H Hinrichs. 5.50 d
Kiewning, H: Die auswärt. Politik d. Grafsch. Lippe v. Ausbruch d. Franzö. Revolution bis z. Tilsiter Frieden. (370) 05. [I.] 5.50
Sondervorschriften f. d. Fussartill. A u. B. (D. V. E. No. 197.) 8° Berl., ES Mittler & S. † 6 —; kart. † 6.50 d
A. Geschützrohre. (200 m. Abb.) 03. † 2 —; kart. † 2.20 ‖ B. Lafetten. Protzen u. Fahrzeuge. Vom 1.VII.'04. (424 m. Abb.) 04. 4 4 —; kart. † 4.50.
Sondheimer, H: Der Pentateuch f.d. Schulgebr. Urtext. Übersetzg neben d. einz. Worte od. Satzes, Erklärg u. Präparation. Nebst Anh.: Das Wichtigste a. d. hebr. Elementar- u. Formenlehre. 1. Afl. (343) 8° Frankf. a/M., J Kauffmann 02. (Geb. 3 —; m. hebr. Pentateuch. (343 u. 306) Geb. 4 — d
— Geschichtl. Relig.-Unterr. 1. Abtlg: Biblisch-geschichtl. Relig.-Unterr. 22. Afl. (124 m. Abb.) 8° Lahr, M Schauenburg 04. Geb. nn — 65 d
Soengen, L: Christl. Krankenhilfe. Handbüchl. f. d. geist. u. leibl. Wohl d. Kranken. (156 m. Abb. u. farb. Titelbild.) 16° M.-Gladb., B Kühlen 04. — 40; L. — 60 d
Sonklar's Lehrb. d. Geogr. f. d. k. u. k. Militär-Oberrealsch. u. d. k. u. k. Cadettensch. Bearb. v. E Letoschek u. K Ladek. 2 Thle. 8° Wien, LW Seidel & S. 01. Geb. 8.20 d
I. Allg. phys. u. polit. Geogr. Geogr. v. Asien, Afrika, Amerika u. Australien. 4. Afl. (358) 4 —
2. Wiederholg u. Erweiterg ein. Vorbegriffe a. d. allg. phys. u. polit. Geogr. Geogr. v. Europa. 6. Afl. (275) 4.20
Sonndorfer, R, s.: Ingenieur- u. Architekten-Kalender, österr.
— Die Technik d. Welthandels. 3. Afl. (332 u. 300 m. 14 Formularen.) 8° Wien, A Hölder 05. 15 —; L. 18 —
Sonne. Illustr. Unterhaltgsschrift f. Liebhaber-Photogr. Hrsg. n. Red.: M Kiesling. Jahrg. 1905. 26 Nrn. (2493) 8° Berlin-Wilmersdf, Verl. d. Sonne. Viertelj. 1.20; einz. Nrn — 20
— d., v.Jena. Würdigg Ernst Haeckels als Künstler u. Forscher. (Umschl.: Denkschrift. 3. u. 4. Afl.) (32 m. Abb. u. 1 Bildn.) 8° Gera-Untermh., W Koehler 05. 1 —
Sonne, E, s.: Handbuch d. Ingenieurwiss. — Wasserbau, d.
— u. K **Esselborn**: Elemente d. Wasserbaues f. Studierende höh. Lehranst. u. jüng. Techniker. (337 m. Abb.) 8° Lpzg, W Engelmann 04. 9 —; L. 10 —
Sonne, H, s.: Handbuch f. d. ev. Kirche d. Grossh. Hessen.
Sonnekalb, P: Wie spielt man Theater? Anl. zu dramat. Aufführgn f. Liebhaberbühnen. (190) 8° Lpzg, Ernst (01). 1.50 d
Sonnemann, L: 12 Jahre im Reichstage. Reichstagsreden 1871—76 u. 1878—84. Festgabe zu s. 70. Geburtstage. Hrsg. v. A Giesen. (389 m. Bildnis.) 8° Frankf. a/M., Neuer Frankfurter Verl. 01. 6 — d
Sonnen-Aufgang. Mitteilgn a. d. Orient. Schriftleitg: Lohmann. 8. Jahrg. Oktbr 1905—Septbr 1906. 12 Hefte. (1. Heft 16 m. Abb.) 8° Frankf. a/M., Verl. Orient. 1.50 d
Bisher u. d. T.: Mitteilungen a. d. Orient.
Sonnenberg, s.: Liebermann v. Sonnenberg.
Sonnenberg, Frau E v.erw.: Wie es am Waterberg zuging. Beitrag z. Gesch. d. Hereroaufstandes. (116 m. Abb.) 8° Berl. 05. (Bruschw., H Wollermann.) Geb. 2.50 d
Sonnenberger: Beitr. z. Frage d. Übergangs v. Arzneistoffen in d. Milch. [S.-A.] (11) 8° Lpzg, B Konegen 02. 1 —
— Kalender f. Frauen- u. Kinderärzte: — Kinderarzt, d.
Sonnenberger, M: Tab. z. Berechng d. Cubikinhalts v. Bauhölzern. — Tab. z. Berechng nord. Tannen- sowie Fichten-pine-Holzdielen, s.: Kohler, F.
Sonnenburg, E, s.: Chirurgie d. Unterleibes.
— u.: Therapie d. Perityphlitis (Appendicitis). 5. Afl. (255 m. Abb.) 8° Lpzg, FCW Vogel 03. Geb. 7.25
— s.: Verhandlungen d. freien Vereinigg d. Chirargen Berlins.
— u. R **Mühsam**: Compendium d. Operations- u. Verbandstechnik, s.: Bibliothek v. Coler.
Sonnenburg, F: Der Bannerherr v. Danzig. Ein deut. Heldenbild. 3. Afl. (199 m. 5 Bildern.) 8° Berl., HJ Meidinger (03). Geb. 4 — d
Sonnenburg, R: an abstract of Engl. grammar with examination-questions. 5. ed. (112) 8° Berl., J Springer 03. 1.20
— Grammatik d. engl. Sprache nebst method. Übgsh. Für

österr. Schulen bearb. v. L Kellner. 3. Afl. (218) 8° Berl., J
Springer. — Wien, Gerold & Co. 01. 2 —; geb. 2.50 d
Sonnenburg, R: Engl. Übgsb. Method. Anl. z. Übers. a. d.
Deut. in d. Engl. 2. Abtlg: Zur Einübg d. syntakt. Regeln.
5. Afl. (233) 8° Berl., J Springer 03. 2 — d
Sonnen-Cirkel od. verb. Haus-Kalender f. 1905. (32) 8° Bern,
Stämpfli & Co. — 20 d
Sonnenfeld, Frl. A, s.: Sonnenfels, A.
Sonnenfeld, H: Gesetzsammlg betr. d. Handel m. Drogen u.
Giften, s.: Guttentag's Sammlg deut. Reichsges.
Sonnenfels, A (Frl. A Sonnenfeld): Die Andere. Roman. (185)
8° Dresd., E Pierson 03. 2 —; geb. 3 — d
— Ein Beitrag z. Psychol. d. Kindes. Vortr. (31) 8° Neu-
Weissensee, HWT Dieter (04). 1 — d
— Märchen f. kl. u. gr. Leute. 2. Afl. (168 m. 8 Vollbildern.) 8°
Ebd. 03. L. 2 — d
Sonnenschein im Hause u. andre Gesch. Erzählgn f. Jung u.
Alt v. M V. O. 3. Afl. (112 m. Titelbild.) 8° Schwer., F Bahn
02. 1 —; geb. 1.20 d
Sonnenschein, H: Die Bankprüfg. (262) 8° Wien, A Hölder 06.
L. 8.60
Sonnensehnsucht (Randbemerkgn zu neuem Menschentum),
v. Antarktis, s.: Grenzfragen e. neuen Zeit.
Sonnenstrahlen. Erzählgn f. d. Jugend v. F Fries. 3. u. 4. Bdchn.
(Je 80 m. Abb.) 12° Witt., Bh. d. Stadtmission (01). Geb. je — 50;
auch in 8 Heften zu — 10 d
— ins Krankenzimmer. Trostworte f. Kranke, ges. v. H K. (43)
12° Hannov., H Feesche(01). Kart. — 75 || 2.Afl.(48) 03. L. — 75 d
— u. **Regentropfen** f. d. Jugend. 1—4. Bd. 8° Brem., Bh. u.
Verl. d. Tractath. Je — 60; geb. je 1 — d
Friedli, d. blödsinn. Maler. Aus d. Franz. v. MT Kessler. (96 m. Abb.)
(01.) [3.]
Katharinas Verbannng od. „Ich will Dich nicht verlassen noch verläu-
men". Frei n. d. Engl. v. S v. B. (136) (01.) [2.]
Silke: Marthas Berggoert. Uebers. v. E v. Feilitzsch. (112) (01.) [1.]
Steen, A: Am Abgrund. Dem Engl. nacherzählt. (104) (02.) [4.]
Sonnenthal, H: Fräulein Pose. Ein Märchen. (16) 8° Wien, (Ge-
rold & Co. 01.) 1 —
Sontet, M: Neueste vollständ. Schule d. Damenschneiderei,
s.: Klemm, H.
Sönnichsen, H: Die Vereinigg d. Elektrizitätsfirmen. Vorschl.
f. d.Fabrikanten u.Installateure d.Starkstrombranche zwecks
Zusammenschliessg u. Wahrg d. gemeinsamen Interessen.
(62) 8° Karlsr., G Braun'sche Hofbuchdr. 02. — 90
Sonntag, der. Illustr. Zeitschrift f. d. kathol. Familie. Hrsg.
u. Red.: Stephan, 1903, R Liebig u. 1904, J Korzeniewski.
2—4. Jahrg. 1901—3 je 52 Nrn. (1901. Nr. 1—13. 312) 4° Berl.
(O17,Rüdersd.Str.45), Verl. Leohospiz. || 5. Jahrg. 1—3. Viertelj.
Jan.—Septbr 1904. 39 Nrn. Viertelj. 1.30; einz. Nrn —10 d ö F
— d. blut., in St. Petersburg. 9./22.I.'05. Skizzen, Meingn d.
ausländ. Presse, v. e. Augenzeugen. (In russ. Sprache.) (40)
8° Berl., Stuhr 05. 1 —
— d., e. Genfer Schriftsetzers. Von ihm selbst erzählt. 3. Afl.
(25) 12° Bas., (Basler Missionsbl.) 1895. — 10 d
Sonntag: Wie 2 Knaben, e. weisser u. e. schwarzer, Mission
getrieben haben, s.: Missionsschriften f. Kinder.
Sonntag, A: Herm. v. Gilm. Darstellg s. dichter. Werdeganges.
(156) 8° Münch., J Lindauer 04. 4 —; L. 5.20 d
Sonntag, F: Der Dienstmann Nr. 112. — Ein Missverständnis
od. d. schwerhör. Peter, s.: Esser's, J Sammlg leicht auf-
führbarer Theaterstücke.
Sonntag, L: Wie kann d. Privatlektüre z. Unterstützg d. Unterr.
herangezogen werden? [S.-A.] (20) 8° Lpzg, A Hahn 02. — 55
Sonntag, P: Prakt. Lehrb. d. vereinf. deut. Stenogr. (System
Stolze-Schrey). 29.Afl. (36) 8° Berl., Frz Schulze (05). Kart. 1 —
— Stenograph. Lehrb. d. vereinf. deut. Stenogr. (System Stolze-
Schrey). 7. Afl. (48) 8° Ebd. (04). — 60 d
— Postkarten-Lehrg. d. vereinf. deut. Stenogr. (System Stolze-
Schrey. (8 dreiteil. Postk.) 16° Ebd. (05). — 30 d
— Taschenb. f. Stenogr. n. d. Einiggsystem Stolze-Schrey. (136
m. 1 Bildnistaf. u. Nachtrag 16 m. Fig.) 8° Ebd. (04.05). — 75 ;
Nachtr. allein — 20
Sonntag, W, s.: Glaubenslehren, christl., im Lichte d. liberalen
Theol.
Sonntags-Ausflüge u. Spaziergänge, 200, v. Breslau m. Be-
nützg d. vorhand. Eisenb.-Fahrpreis-Ermässigg bei Sonder-
zügen u. Sonntagsfahrkarten. (31 m. 4 Kart.) 12° Schweidn.,
G Brieger 01. 1 — d
Sonntagsbibliothek. Nr.19—35. 8° Stuttg., D Gundert. L. je 1 — d
Dorsch, T: „Bis ins 3. Glied". Ehestandsgeschichten a. 3 Jahrhunderten.
(108) (02.) [34.]
Giberne, A: Die kl. Handlangerin d. Herrn. (147 m. Titelbild.) (05.) [34.]
Glaubrecht, O: Anna, d. Bindegelhändlerin. — Die Goldmühle. Neue
Ausg. (64 u. 59 m. farb. Titelbild.) (03.) [35.] || Die Heimkehr od. Was
fehlt mir? 10. Afl. (159 m. Titelbild.) (03.) [36.] || Ein Sebes Jahr. 4. Afl.
(196 m. farb. Titelbild.) 1900. [28.] || Die Schreckensjahre v. Lindenbühl.
Beitrag z. Sittengesch. d. 17. Jahrh. — Ein Gottesgericht. — Der Wei-
deukasper. 8. Afl. (144 m. Titelbild.) 03. [27.]
Henning, F: Die Sturmflut. 6 Erzählgn a. d. 50jähr. Krieg. (127 m. Titel-
bild.) (05.) [33.]
Rubener, H: Liebt u. Schatten. Erzählg. (139) (02.) [22.]
Pollard, E: Gestrandet u. gerettet. Erlebnisse e. Knaben. Uebersetzg.
(160 m. Titelbild.) (01.) [19.]
Ronin, M: Der sibir. Zobeljäger u. and. Erzählgn. (144 m. 1 Farbdr.)
(03.) [29.]
Rudelli, W: Else Leonhard. Erzählg. (162) (05.) [20.] Elegant geb. m. G. 2 —
Schaab, A: Heimgefunden. 5 Erzählgn. (143) (04.) [32.]

Schieber, A: Guckkastenbilder. Kindern u. Kinderfreunden gezeichnet.
(196) (01.) [21.] || Zugvögel u. and. Gesch. f. Kinder u. Kinderfreunde.
(131) (05.) [35.]
Schröder, I: Der Welt Lohn. — Eins ist not. 2 Erzählgn a. d. Leben.
(151) (01.) [30.]
Schwalbe, LF: Tiroler Treue. Erzählg a. d. Jahr d. Erbebg Tirols. Neue
Ausg. (136 m. Titelbild.) (02.) [23.]
Zimmermann, W: Der Glasmaler v. Urach u. d. Geldmünzer. Eine wahre
Gesch. Neue Ausg. (143) (04.) [31.]
Sonntagsblatt, Aachener. Red.: Höveler. Jahrg. 1901—5 je
52 Nrn. (Nr. 1. 8) 4° Aach., A Jacobi & Co. Viertelj. — 50 d
— Barmer. Haus-u.Kinderfreund. Red.v.Müller. 43—47.Jahrg.
1901—5 je 52 Nrn. (Nr. 1. 8) 4° Barm., (Wuppertaler Traktat-
Gesellsch.). Halbj. — 80 d
— ev., a. Bayern. Red.: K Ostertag. Jahrg. 1901—5 je Nrn.
(1901. Nr.1—10. 86) 4° Rothenbg o/T., JP Peter. Viertelj. — 40 d
— kathol. bayer. Zugl. „Das kathol. Sonntagsbl. f. Bayern"
u. „Das Kreuz". Kathol. Volksfreund. Red.: O Leitenberger.
29.Jahrg.1905. 52 Nrn. (Nr.1. 8 m. 1 Abb.) Fol. Münch., Münch.
Volksschriften-Verl. Viertelj. — 60 d
— dass. Wochenbl. f. d. christl. Volk. Red.: C Walterbach.
30. u. 31. Jahrg. 1904 u. 5 je 52 Nrn. (Nr. 1. 8) 4° Mit d. Gratis-
beil. „Für d. junge Welt". 1. u. 2. Jahrg. je 52 Nrn. (Nr. 1. 8
m. Abb.) 8° Ebd. Viertelj. — 90 d
*Der „Kathol. Volksfreund v. Regensburg" u. d. „Wochenblatt f. d.
christl. Volk" wurde hiermit vereinigt.*
— Berliner ev. Hrsg. v. christl. Zeitschriften-Ver. Red.: E
Hülle u., seit 1902, T Brandin. 23—27. Jahrg. 1901—5 je 52 Nrn.
(Nr. 1. 8) 4° Berl., Schriftenvertriebsanst. Viertelj. — 55 d
— Braunschweiger. Kirchl.Zeitg f. d. ev. Gemeinden. Hrsg.
v. H Lagershausen u., seit 1903, R Gerlich. 4—8. Jahrg. 1901—5
je 52 Nrn. (Nr. 1. 8) 4° Brnschw., J Neumeyer. Viertelj. — 50 d
— Breslauer, Fortsetzg., s.: Wochen-Zeitung, neue illustr.
— elsäss. ev. Red.: Federlin. 41. u. 42. Jahrg. 1904 u. 5. je
52 Nrn. (Nr. 1. 8) 4° Strassbg, Bh. d. ev. Gesellsch. 8° — 75 d
— Freiburger. Ein christl. Freund f. Jedermann. (Sonder-
Ausg. v. „Komm heim !") 4. u. 5. Jahrg. 1904 u. 5 je 52 Nrn.
(Nr. 2. 4) 8° Freibg i/B., O Fleig. Viertelj. — 60 d
— (Freireilg. Familien-Bl.) f. freie Gemeinden u. deren
Freunde. Red. v. O Techirn. 10—12. Jahrg. 1901—3 je 52 Nrn.
(1901. Nr.1—15. 120) 4° Bresl., Verl. d. Neuen Freireilg. Sonntagsbl. Viertelj. — 5 d
Fortsetzg war nicht zu erhalten.
— hannov. (Volksbl. f. innere Mission.) Red. u. Hrsg.: Strecker
u., seit 1905, Meyer. 34—37. Jahrg. 1901—4 je 52 Nrn. (1901.
Nr. 1. 8 m. Abb.) 4° Hannov., (C Meyer). Halbj. nn 1.95;
einz. Nrn — 25 d
— dass. Jahrg. 1905. 52 Nrn. (Nr. 1. 12 m. Abb.) 4° Hannov
(H Feesche). Halbj. nn 1.25; einz. Nrn — 25 d
— für's Haus. Hrsg.: Bahnsen u., seit 1904, Jensen in Verbindg m. Jungclaussen u. Bracker. 32—55. Jahrg. 1901—4 je.
52 Nrn. (1901. Nr.1—17. 136) 8° Brekl., Christl. Bh.
Viertelj. nn — 90 d
— f. d. deut. Heer. Red.: E Hülle u., seit 1902, T Brandin.
Jahrg. 1901—5 je 52 Nrn. (Nr. 1. 4) 8° Berl., Schriftenvertriebsanst. Viertelj. nn — 25 d
— hess. ev. Viertelj. Red.: Widmann. 14—18. Jahrg. 1901—5
52 Nrn. (1901. Nr. 1. 10 m. 1 Abb.) 4° Darmst., CF Winter'sche
Buchdr. Viertelj. nn — 25 d
— f. d. ev. Jugend. Begründet v. GA Berchter. Hrsg. v. G
Bernhardt. 5—9. Jahrg. 1901—5 je 52 Nrn. (Nr. 1. 4 m. 1 Abb.)
8° Mülh. a/R., Bh. d. ev. Vereinsh. Viertelj. — 50 d
— f. d. katbol. Mannschaften d. deut. Heeres. Hrsg. v. k
thol. Feldpropsteiamt. Red.: O Wahner. Jahrg. 1901—5
52 Nrn. (Nr. 1. 4) 8° Berl., Germania. Viertelj. nn — 50
Wird nur v. 5 Stück ab versandt.
— katbol. Zugl. „Wochenbl. f. d. katbol. Volk". Früh.
„Bopfinger Wochenblatt". Chef-Red.: K Kümmel. 56. Jahrg.
1905. 52 Nrn. (Nr. 1. 10 m. Abb.) 4° Stuttg., Deut. Volksbl.
Viertelj. nn — 90 d
— Leipz. Leipz. Kirchenbl. Schriftleitg: Grosse. 10. Jahrg.
1. Halbj. Jan.—Juni 1901. 26 Nrn. (Nr. 1—3. 24) 8° Lpzg,
P Eger. Viertelj. — 75 d
Mit d. „Pilger a. Sachsen" vereinigt.
— mecklenburg. Red.: O Weber. 26—30. Jahrg. 1901—5
52 Nrn. (Nr. 1. 8 m. 1 Abb.) 8° Stavenh., C Beholtz. Je — 90 d
— f. Minden u. d. Wesergebiet. Hrsg. v. d. ev. Pastor.
Mindens. Red.: Wehmeier. Jahrg. 1901—5 je 52 Nrn. (190
Nr. 1. 8) 4° Minden, W Köhler. Viertelj. — 65 d
— neues. Hrsg. v. christl. Zeitschriftenver. in Berlin. Red.
E Hülle u., seit 1902, T Brandin. 22—26. Jahrg. 1901—5
52 Nrn. (Nr. 1—17. 84) 8° Berl., Schriftenvertriebsanst.
Viertelj. nn — 55 d
— Posener. Hrsg. v. E Evers, seit 1904 O Nicklas, u. Ange
gegr. 1896. Jahrg. 1901—4 je 52 Nrn. (Nr. 1. 8 m. Abb.) 4°
Berl., Vaterländ.Verl.-u.Kunstanst. || 80.Jahrg.1905. 1. Halbj.
26 Nrn. Viertelj. — 40 || 80. Jahrg. 1905. 2. Halbj. 26 Nrn.
Viertelj. — 50 d
— f. Stadt u. Land. (Sonderausg. v. „Komm zu Jesu !")
Peters. 4. Jahrg. 1904. 59 Nrn. (Nr.1. 4 m. 1 Abb.) 4° Berl.,
Christl. Buch-u. Kunsth. — 60 d
Bisher u. d. T.:
— f. Stettin u. Umgegend. (Sonderausg. v. „Komm zu Jesu".)
Red.: Peters. 1—3. Jahrg. 1901—3 je 52 Nrn. (Nr. 35.
1 Abb.) 4° Ebd. Je — 60 d
— Stuttgarter ev. Begründet v. F Held, fortgeführt u. red.

v. P Dorsch. 35—39. Jahrg. 1901—5 je 52 Nrn. (Nr. 1. 8) 8°
Stuttg., C Belser. Je 2.10 d
Sonntagsblatt, Thüringer ev. Red.: A Schollmeyer. 23—27.
Jahrg. 1901—5 je 52 Nrn. (Nr. 1. 8 u. 2 m. 1 Abb.) 8° Dingelst.
(Lpzg, HG Wallmann.) — 55 d
Sonntagsbote f. d. Jugend. Red.: U Meyer. 8—12. Jahrg. 1901—5
je 52 Nrn. (Nr. 1—4. 16 m. Abb.) 8° Berl., Deut. Sonntags-
schul-Bh. Je 1.30; geb. je 3 — d
Sonntagsbuch f. uns. Kinder, v. e. Mutter. (172 m. Abb.) 8°
(Gütersl., C Bertelsmann 01. 1.50; geb. 2 — d
Sonntagsfreund, der. Hrsg. z. Förderg d. Berliner Stadtmiss.
v. E Evers u., seit 1904, C Nicklas. 17—20. Jahrg. 1901—4
je 52 Nrn. (Nr. 1. 8 m. 1 Abb.) 8° Berl., Vaterländ. Verl.- u.
Kunstanst. || 21. Jahrg. 1905. 2. Halbj. 26 Nrn. Viertelj. — 40
|| 21. Jahrg. 1905. 2. Halbj. Viertelj. — 50 d
— d., f. d. Prov. Brandenburg. Hrsg. v. E Evers, seit 1904
C Nicklas, (u. Schlegelmilch). Red.: Evers u., seit 1904, C
Nicklas. 6—9. Jahrg. 1901—4 je 52 Nrn. (Nr. 1. 8 m. 1 Abb.)
8° Ebd. || 10. Jahrg. 1905. 2. Halbj. 26 Nrn. Viertelj. — 40
|| 10. Jahrg. 1905. 2. Halbj. Viertelj. — 50 d
— Magdeburger, Fortsetzg, s.: Sonntagsfreund f. d. Prov.
Sachsen.
— d. ostpreuss. Hrsg. u. E Evers u., seit 1904,
C Nicklas. Red.: E Evers u., seit 1904, C Nicklas. 13—16.
Jahrg. 1901—4 je 52 Nrn. (Nr. 1. 8 m. 1 Abb.) 8° Berl., Vater-
länd. Verl.- u. Kunstanst. || 17. Jahrg. 1905. 1. Halbj. 26 Nrn.
Viertelj. — 40 || 17. Jahrg. 1905. 2.Halbj. 26 Nrn. Viertelj. — 50 d
— f. d. Prov. Sachsen. Hrsg. u. red. v. E Evers u., seit 1904,
C Nicklas. 9—12. Jahrg. 1901—4 je 52 Nrn. (Nr. 1. 8 m. 1 Abb.)
8° Ebd. || 13. Jahrg. 1905. 1. Halbj. 26 Nrn. Viertelj. — 40 ·
13. Jahrg. 1905. 2. Halbj. 26 Nrn. Viertelj. — 50 d
Bisher u. d. T.: Sonntagsfreund, Magdeburger. ·
— schweizer. Hrsg. v. Freunden d. Sonntags. Red.: K Stockmeyer. Jahrg. 1901—5 je 6 Nrn. (Nr. 108. 8) 8° Bas., (Kober).
Sonntags-Gedanken. Auch e. Jahrg. Predigten. (Von Meerwein. Hrsg. v. W Hesselbarth.) [S.-A.] (248) 8° Karlsr., JJ
Reiff (04). Kart. 1.50 d
Sonntagsglocken. Illustr. kathol. Wochenschrift z. Erbang,
Belehrg u. Unterhaltg. Hrsg.: R Langer. Red.: J Korzeniewski.
1. u. 2. Jahrg. Oktbr 1904—Septbr 1906 je 52 Nrn. [1. J. 992]
8° Berl. (N 58, Pappel-Allee 36/37), R Langer. Geb. 1.30 ·
einz. Nrn — 10 d ô ||
Sonntagsgruss f.Gesunde u.Kranke (Pfennigpredigten).Schrift-
leitg: K Däublin. (6—10. Jahrg.) 1901—5 je 52 Nrn. (Je 216)
8° Hdlbg, Ev. Verl. Geb. je 1.50; viertelj. nn — 65 d
— an d. Kinder. Red. v. Erziehgsver. in Elberfeld. 12—16. Jahrg.
1901—5 je 52 Nrn. (Je 4) 8° Elberf., Bh. d. Erziehgs-Ver.
Je — 50 d
Sonntagskalender f. Stadt u. Land. 1906. 46. Jahrg. (26, 64
u. 7 m. Abb. u. 1 Taf.) 8° Freibg i/B., Herder. — 40 d
Erscheint nur noch in dieser Jahrg.
Sonntagsklänge f. ev. Gemeinden. Hrsg. v. A Wächtler. 21—
25. Jahrg. 1901—5 je 52 Nrn. (Nr. 1901. Nr. 1—24. 192 m. Abb.)
4° Halle, Wischan & Burkhardt. Viertelj. — 40; m. Beil.: Kirchl.
Anzeiger f. Halle. 52 Nrn. (Nr. 24. 2) 4° Viertelj. — 50 d
Sonntagsruhe, d., im Handelsgewerbe. 2 Tle. 1—5. Taus. 8°
Hambg, Deutschnationaler Handlgsgehilfen-Verband 04.
Je — 50 d
1. Wie d. Gesetz entstand. (80) || 2. Wie d. Gesetz ausgeführt wird. (125)
— d., u. d. **9 Uhr-Ladenschluss** m. d. Essen einschl, Alten-
dorf zugelass. Ausnahmen. (28) 16° Ess., Fredebeul & K. 01.
— 10 d
Sonntags-Schule, die. Red.: U Meyer. 38—42. Jahrg. 1901—5
je 52 Nrn. (Nr. 1—4. 16 m. Abb.) 8° Berl., Deut. Sonntagsschul-Bh. Je 1.20; geb. je 3 — d
Sonntagsschulfreund, der. Organ f. deut. Kindergottesdienste
u. Sonntagssch. Hrsg. v. Fleischmann. 33—37. Jahrg. 1901—5
je 12 Hefte. Nebst: Bibl. Winke. (1901. 1. Heft. 16 u. 16) 8°
Berl., Deut. Sonntagsschul-Bh. Je 2 —; geb. je 3 — d
— ev. Monatsschrift z. Unterhaltg u. Belehrg f. Sonntagssch.
u. Familien. Red. v. G Füssle. 17—21.Jahrg. 1901—5 je 12 Nrn.
(Nr. 1. 20) 8° Stuttg., Christl. Verlagshaus. Je 1 — d
Sonntagsschul-Liturgie f. Weihnachten u. alle Sonntage d.
Jahres. (4) 8° Zür., (Art. Instit. Orell Füssli) (01). — 04 d
Sonntagsschul-Magazin. Monatsschrift f. Sonntagsschullehrer
u. Freunde d. Jugend. Von A Sulzberger. 23—26. Bd. Jahrg.
1901—4 je 12 Nrn. (1901. Nr. 1—4. 76) 8° Brem., Bh. Verl.
d. Traktath. Je nn 1.25 || 27. Bd. Jahrg. 1905. 1.40 d
Sonntagstrost. (XV—XIX. Jahrg.) Je 1 Jahrg. Predigten üb.
Reihen d. sächs. Perikopenbuches. Hrsg. v. Ver. z. Verbreitg
christl. Schriften im Kgr. Sachsen. 8° Dresd., Niederl. d. Ver
z. Verbreitg christl. Schriften. L. je 1.75 d
XV. Ch. d. 1. Reihe. (416) 01. || XVI. Üb. d. 2. Reihe. (396) 02 || XVII.
Üb. d. 3. Reihe. (464) 03. || XVIII. Üb. d. 4. Reihe. (436) 04. || XIX. Üb.
d. 1. Reihe. (464) 05.
Sonntags-Zeitung f. Deutschlds Frauen. Illustr. Familien- u.
Modenzeitg. Mit 7 Beil. Red.: M Backa, S Hochstein; (D
Kiesewetter; H Steffahny; H Tiedemann; Frau E Oelkers).
Oktbr 1901—Septbr 1906 je 52 Hefte. (1. Heft. 16, 19 u. 4
8 in 8° m. 1 Farbdr.) 4° Berl., W Vobach & Co. Das Heft—20 d
Fortsetzg s. w. d. T.:
— fürs deut. Haus. Illustr. Familien- u. Frauenzeitg. 9. Jahrg.
d. „Sonntags-Zeitg f. Deutschlds Frauen". Red.: M Backa u.

S Hochstein. Oktbr 1905—Septbr 1906. 52 Hefte. (1. Heft. 24
u. 10 m. 1 farb. Taf.) 4° Berl., W Vobach & Co. Je — 20 d
Sonntags-Zeitung fürs Lehrerhaus. Illustr. Familienbl. f. Unterhaltg u. Belehrg. Mit d. Beil.: „Für uns. Kinder". Schriftleiter: F v. d. Höhe. April 1905. 2 Hefte. (1. Heft. 16 m. Abb.
u. 8) 8° Lpzg, (A Cavael). nn — 15 d ô F
Sons, probable (by Amy le Feuvre), s.: Schulbibliothek, französ. u. engl. (E Dickmann).
Sontag: Das Stempelsteuerges., s.: Boehm, J.
Sontag, O, u. JB Hofmann: Festreden u. Trinksprüche. Mit
prakt. Ratschlägen f. Festredner. (320) 8° Berl., A Weichert
(04). 3 —; geb. 4 — d
Sontoneff, M: Abgott Mann. Schansp. (82) 8° Dresd., E Pier-
son 01. 1.50 d
Soos, L: Die Nützlichk. u. Schädlichk. d. Saatkrähe (Corvus
frugilegus L.) in d. allg. Auffassg. (Deutsch u. ungarisch.)
[S.-A.] (25 m. 1 Karte u. 1 Tab.) 8° Budap., (F Kilián's Nf.)
04. nn 1.50
Soothe, JC v.: Auserlesenes u. höchst ansehnl. Ducatencabi-
net. Hamburg 1784. Suppl. zu JT Köhler's Ducatencabinet.
(Neudr.) (243) 8° Bonn 04. (Köln, Palmstr. 36, Dr. H Meyer.)
Geb. 12 —
Sophie, Kurfürstin v. Hannover, s.: Briefe d. Königin Sophie
Charlotte v. Preussen.
Sophie Charlotte, Königin v. Preussen, s.: Briefe.
Sophokles. Erklärt v. FW Schneidewin u. A Nauck. 4, Bdchn.
Antigone. 10. Afl. v. E Bruhn. (205) 8° Berl., Weidmann
04. 1.80
— Für d. Schulgebr. erklärt v. G Wolff. 3. Tl. Antigone. 6. Afl.
v. L Bellermann. (172) 8° Lpzg, BG Teubner 1900. 1.50;
geb. 2 —
— Werke. 7. u. 11. Lfg. 8° Berl.-Schönebg, Langenscheidt's V.
Je — 35 d
7. Antigone. Deutsch im Versmasse d. Urschrift v. A Schöll. 1. Lfg. 3. Afl.
v. F Schöll. (1—45) (03.)
11. Ajas. Deutsch im Versmasse d. Urschrift v. A Schöll. 3. Afl.
v. F Schöll. (4. Bd. 1—48) (03.)
— Aias. Für d. Schüler f. Schüler hrsg. v. C Muff. (Neudr.) Text.
(28, 84) 8° Bielef., Velhagen & Kl. 03. Geb. 1 —;
Kommentar. (63) 04. Geb. — 90
— dass. v. F Schubert. 4. Afl. v. L Hüter. (44, 60 m. Abb.) 8°
Lpzg, G Freytag 04. Geb. 1.20
— dass., s.: Bibliothek, kl. — Schöningh's, F, Ausg. ausländ.
Klassiker u. Erläutergn. — Schöningh's, F, Textausg. alter
u. neuer Schriftsteller.
— Antigone. Denuo recens. et brevi annotatione critica instruxit FHM Blaydes. (104) 8° Halle, (Bh. d. Waisenb.) 05. 2 —
— dass. I Holub. Ed. correctior. 2 partes. 8° Wien, C Gerold's
S. 04. — 80
I. Textum continens. (42) || II. Commentarium et metra continens. (17)
— dass. Für d. Schulgebr. erklärt v. G Kern. Ausg. A. Kommentar unterm Text. 4. Afl. (76 S. u. 2 Bl.) 8° Gotha, FA Per-
thes 1898. 1 — || 5. Afl. v. F Paetzoldt. (119) 05. 1.20; geb. 1.50
— dass. Zum Gebr. f. Schüler hrsg. v. C Muff. (Neudr.) Text.
(34, 82) 8° Bielef., Velhagen & Kl. 02. Geb. 1 —;
Kommentar. (64) 04. Geb. — 80
— dass. v. F Schubert. 6. Afl. v. L Hüter. (41, 52 m. Abb.) 8°
Lpzg, G Freytag.— Wien, F Tempsky 05. Geb. 1.20
— dass. Tragödie, übers. u. f. d. Aufführg bearb. v. M Jöris.
(47) 8° Lpzg, Limb. Verlagsanst. (05). — 80
— dass., s.: Festschrift z. Einweihg d. neuen Gymnasialge-
bändes zu Limburg a. d. Lahn.
— dass. in d. Übersetzg v. JJC Donner, in neuer Bearbeitg
hrsg. u. m. Einl. u. Anmerkgn versehen v. F Mertens. 1. Afl.
2. Abdr. (92) 8° Lpzg, G Freytag.— Wien, F Tempsky 05.
Geb. — 60 d
— dass., in d. Versmassen d. Urschrift übers. v. S Joachim.
2. Afl. (68) 8° Duisbg, J Ewich 04. Kart. — 80 d
— dass. Auf Grund d. Donnerschen Übersetzg f. d. Schulgebr.
hrsg. v. M Schmitz-Mancy. (120 m. 4 Bildern.) 8° Münch.,
Aschendorff 03. Geb. — 90 d
— dass., s.: Velhagen & Klasing's Sammlg deut. Schulausg.
(O Hubatsch).
— Elektra. Für d. Schulgebr. bearb. v. C Muff. (Neudr.) Text.
(29, 86) 8° Bielef., Velhagen & Kl. 04. Geb. — 90
— dass. Für d. Schulgebr. erklärt v. GH Müller. Ausg. A. Kommentar unterm Text. 2. Afl. (94) 8° Gotha, FA Perthes 1897. 1.20
— dass. Deutsch v. A Müller. 2. [Tit.-]Afl. (119) 8° Meldf [1892]
02. Glückst., M Hansen. — 60; geb. — 80 d
— dass., s.: Bibliothek, kl. — Hofmannsthal, H v.
— Oedipus, s.: Tragoedien, griech.
— Oedipus Coloneus. Denuo recensuit et brevi annotatione
critica instruxit FHM Blaydes. (126) 8° Halle, (Bh. d. Waisenb.)
04. 2.40
— Oedipus auf Kolonos, s.: Bibliothek, kl.
— König Oidipus. Für d. Schulgebr. erklärt v. G Kern. 3. Afl.
Ausg. A, Kommentar unterm Text. (93 S. u. 3 Bl.) 8° Gotha,
FA Perthes 1898. 1 —
— dass., s.: Bibliothek, kl. — Schöningh's, F, Ausg. ausländ.
Klassiker m. Erläutergn. — Schöningh's, F, Textausg. alter
u. neuer Schriftsteller.— Velhagen & Klasing's Sammlg deut.
Schulausg. (O Hubatsch)

Sophokles' Oedipus Rex. Denuo recensuit et brevi annotatione critica instruxit FHM Blaydes. (104) 8° Halle, (Bh. d. Waisenh.) 04. 2 —
— dass. Ed. I Holub. Ed. correctior. (50) 8° Wien, C Gerold's S. 04. — 60
— Oidipus Tyrannos. Zum Gebr. f. Schüler hrsg. v. C Muff. 2. Afl. u. Neudr. Text. (98, 80) 8° Bielef., Velhagen & Kl. 01.05. Geb. 1 —; Kommentar. (54) 01. Geb. — 70
— Philoktetes. Für d. Schulgebr. erklärt v. GH Müller. In 2. Afl. hrsg. v. R Hunziker. Ausg. A. Kommentar unterm Text. (116) 8° Gotha, FA Perthes 03. || Ausg. B. Text u. Kommentar getrennt in 2 Heften. (66 u. 50) Je 1 —; geb. je 1.30
— dass., s.: Bibliothek, kl.
— Trachinierinnen. Für d. Schulgebr. bearb. v. C Muff. Text. (29, 87) 8° Bielef., Velhagen & Kl. 1900. Geb. 1.10:
— dass., s.: Bibliothek, kl.
— Tragödien, z. Schulgebr. m. erklär. Anmerkgn versehen v. N Wecklein. 1., 3., 4. u. 6. Bdchn. Ausg. A. (Anmerkgn unter d. Text.) Ausg. B. (Text u. Kommentar getrennt.) 8° Münch., J Lindauer. Je 1.20; geb. je nn 1.50 d
1. Antigone. 4. Afl. Ausg. B. 2 Tle. (52 u. 55) 04. | 3. Elektra. 4. Afl. Ausg. B. 2 Tle. (56 u. 42) 05. | 4. Aias. Ausg. A. 4. Afl. (106) 01. | 5. Afl. Ausg. B. 2 Tle. (57 u. 48) 05. | 6. Philoktetes. 4. Afl. Ausg. A. (93) 04.
— dass. In d. Versmassen d. Urschrift übers. v C Bruch. 1. Lfg. (2. Afl.) (56) 8° Bresl., E Morgenstern, V. 02. — 80 d
— dass., übers. v. G Wendt. 2. Afl. 7 Bde. 8° Karlsr., F Gutsch (04). Kart. je 1.50; auf starkem Pap. in 2 Bde geb. 10 — d
1. Aias. (78) | 2. Antigone. (74) | 3. Elektra. (85) | 4. Oidipus. (86) | 5. Die Trachinierinnen. (66) | 6. Philoktet. (83) | 7. Oidipus auf Kolonos. (104)
— Ausgew. Tragödien. König Oedipus. — Oedipus in Kolonos. — Antigone. — Elektra. Mit Rücks. auf d. Bühne übertr. v. A Wilbrandt, 2. Afl. (343 m. Titelbild.) 8° Münch., CH Beck 03. 4 —; L. 5 — d
Sophron, B: Der Adept d. Zauberkunst. Enthüllte Geheimnisse d. berühmtesten Meister d. natürl. Magie u. Taschenspielerkunst. (147 u. 8) 8° Lpzg, E Demme (02). 1.50
Sopp, A: Der Alkohol als Stärkgs- u. Heilmittel u. s. Gefahren f. d. Gesundheit. Vortr. (22) 8° Neumünst., Vereinsbh. G Ihloff & Co. (01). — 15 d
Sorauer, P: Die Frostschäden an d. Wintersaaten d. J. 1901, s.: Arbeiten d. deut. Landw.-Gesellschaft.
— Hdb. d. Pflanzenkrankh. 3. Afl., in Gemeinschaft m. G Lindau u. L Reh hrsg. v. P Sorauer. (In 16—18 Lfgn.) 1—3. Lfg. (1. Bd. 1—112 u. 2. Bd. 1—192 m. Abb.) 8° Berl., P Parey 05. Je 3 —
— s.: Jahresbericht d. Sonderausschusses f. Pflanzenschutz. — Zeitschrift f. Pflanzenkrankh.
— u. G **Rörig**: Pflanzenschutz, s.: Anleitungen f. d. prakt. Landwirt.
Früher bearb. v. AB Frank u. P Sorauer.
Sörensen, C: Stimmen u. Bilder a. d. Leben d. Menschen u. d. Natur. (176 m. Abb. u. Bildnis.) 8° Hadersl., (J Dreesen Nf.) (05). 2.40 d
Sörensen, J: Malerei, Bildnerei u. schmück. Kunst, s.: Gietmann, G, Kunstlehre.
Sörensen, Niels, u. s. Sohn Sören Nielsen. Ballade v. e. schleswig-holstein. Kampfgenossen. (8) 8° Flensbg, Huwald 02. — 30 d
Sörensen, W: Gonyleptiden (Opiliones, Laniatores), s.: Ergebnisse d. Hamburger Magalhaens. Sammelreise.
Sorg, W: Berechnng üb. d. Gewindeschneiden n. d. engl. u. m/m. Maassen. (61) 12° Berl., (Polyt. Bh. A Seydel) (01). 1 —
|| 2. Afl. (64) (01) Arn — 75
Soergel, HT, s.: Recht, d.
— Rechtsprechg 1900 z. B. G. B., E. G. z. B. G. B., C. P. O., K. O., G. B. O. u. R. F. G., n. d. System d. Ges. bearb. (209) 16° München, Jurist. Verl. 1900. (Nur dir.) L. 3 — d
Neue Afl. u. Fortsetzg u. d. T.:
— dass., 1900/01, n. d. Reihenfolge d. Ges.-Paragr. bearb. 1. u. 2. Jahrg. 2. Afl. (642) 12° Stuttg., Deut. Verl.-Anst. 02. L. 6 — d
— dass. 1902 u. Zw. V. G. 3. Jahrg. (504) 12° Ebd. 03. L. 4.80 ||
'08- 4. Jahrg. (571) 04. Geb. 5.20; f. d. Abbonnenten d. Zeitschrift „Das Recht" nn 3.75 || '04- 5. Jahrg. 1—5. Afl. (586) 05. Geb. 6.40; bezw. nn 4.75 d
Soergel, K: Die Beitreibg d. öffentl. Abgaben im Kgr. Bayern. (125) 8° Fürth, G Rosenberg 04. 2.40 d
Soergel, WA: Ahasver-Dichtgn seit Goethe, s.: Probefahrten.
— Leides u. Liebes. Jugendgedichte. (100) 8° Dresd., E Pierson 09. 2 —; geb. 3 — d
Sorgenfrei. Wochenschrift z. Unterhaltg u. Belehrg. Gratis-Beil. f. FA Günthers Deut. Gerber-Zeitg, Deut. Schuhmacher-Zeitg, Bäcker- u. Konditor-Zeitg, Deut. Tischler-Zeitg. Begründet v. FA Günther. Red.: H Klimke. 27—31. Jahrg. 1901—5 je 52 Nrn. (Nr. 1, 8) 4° Berl., FA Günther's Zeitgsverl. Vierteljl. 1 — d
Sorgenfrey, T: Die Abiturienten d. Rektors JH Lipsius. Beitrag z. Gesch. d. Nikolaisch. zu Leipzig im 19. Jahrh. (40) 8° Lpzg, H Haessel V. 04. 1.50
— Chronik d. Stadt Neuhaldensleben, s.: Behrends, PW.
— s.: Haessel, Herm., e. deut. Buchhändler.
Sorgius, M: Die Volkssch. im Elsass v. 1789—1870. Dargest. unter Berücks. d. Regulative u. d. geschichtl. Entwicklg d. französ. Unterr. (172) 8° Strassbg, F Bull 02. 3.00
Sorglich, G: Jesus Christus u. d. gebild. Haus uns. Tage. (54) 8° Berl. 02. Lpzg, M Heinsius Nf. — 80 d

Sorgo, J: Üb. d. Arten d. Tuberkuloseinfektion. — Die Bedeutg d. Schilddrüse. — Üb. d. Beziehgn zw. menschl. u. tier. Tuberkulose u. üb. echte u. Pseudotuberkelbacillen. — Üb. d. Disposition z. Tuberkulose. — Üb. Staubkrankh., s.: Vorträge d. Ver. z. Verbreitg naturwiss. Kenntnisse in Wien.
Sorof, FG: Kurzgef. Schulwtrb. zu Xenophons Anabasis. (131) 8° Lpzg, BG Teubner 03. Geb. 1.20
Sortimenter, d. deut. Zeitg f. d. Interessen d. deut. Sortimentsstandes u. d. deut. Sortimentsbuchh. Organ d. Rechtsschutz-Ver. d. deut. Sortimenter. Hrsg.: B Lehmann. 1. u. 2. Jahrg. (Nr. 1, 8) 4° Danzig, Dr. B Lehmann 04-06. Für je 6 Nrn nnn 3 — d
Sortimenterbund, der. (Von Severinus.) (8) 8° Königsbg, Akadem. Bh. v. Schubert & S. (02). † — 40 d
Soschinski, B: Die Leitgn usw. f. elektr. Starkstromanlagen, s.: Pohl, H.
Sosnosky, T v.: Das 6. Gebot. Roman a. Oesterr. (308) 8° Berl., R Eckstein Nf. 04. 2 —; geb. 3 —
— Die deut. Lyrik d. 19. Jahrh. Eine poet. Revue. (464) 8° Stuttg., JG Cotta Nf. 01. L. 5 — d
Soetbeer: Soc. Ausgestaltg d. Armenpflege, s.: Flesch.
Soetbeer, H, s.: Handel u. Gewerbe.
Soetebier, J: Zolltarif-Hdb. (131) 4° Berl., Liebheit & Th. 01. 4 — d
Sothen, O v.: Vom Kriegswesen im 19. Jahrh., s.: Aus Natur u. Geisteswelt.
Soubey-Bey: Fabeln u. Parabeln d. Orients. Der türk. Sammlg humajūn name entnommen u. übertr. (130) 8° Berl., E Fleischel & Co. 03. 2 —; geb. 3 — d
Soudek, R: Die deut. Arbeitersekretariate, s.: Abhandlungen, volksw. u. wirtschaftsgeschichtl.
Soukop, R: Compendium d. Staatsrechngswiss. in Fragen u. Antworten. (72, 231 u. 8 m. 1 Taf.) 8° Wien, (C Konegen) 01. 4.20 d
Soulavy, O: Ueb. Eisenb.-Bau- u. Reconstructionsarbeiten im Rutschterrain. Verf. unter Mitwirkg v. C Schmidt. [S.-A.] (16 m. Abb. u. 2 Taf.) 4° Wien, (Spielhagen & Sch.) 1898. 2 —
Sources, les, du droit suisse, s.: Sammlung schweiz. Rechtsquellen.
Sous, 50. Ein feines Stück. Der böse Trank, s.: Zehnpfennig-Unterhaltungshefte f. Nationalstenogr.
Souček, J: Das Ausweisgsrecht d. Gemeinde. (139) 8° Wien, Manz 03. L. 2.50 d
Souter, A: De codicib. manuscriptis Augustini quae feruntur quaestionum Veteris et Novi test. CXXII. [S.-A.] (25) 8° Wien, (A Hölder) 05. — 70
Southey, R: The life of Nelson, s.: Authors, Engl. (O Thiergen).
Souvenir de l'Oberland Bernois, s.: Album v. Berner Oberland. — du lac des 4 cantons, s.: Album v. Vierwaldstaettersee.
Souvenirs d'une Bleue, élève de Saint-Cyr, s.: Hartmann's, KAM, Schulausg. französ. Schriftsteller (K Maier).
Souvestre s.: Indianer-Bücher.
Souvestre, É: Au bord du feu, s.: Prosateurs franç. (P Huot u. T Engwer).
— Au coin du feu, s.: Hartmann's, KAM, Schulausg.
— 5 Erzählgn a. Au coin du feu. — 6 Erzählgn a. Au coin du feu u. a. Les clairières, s.: Prosateurs franç. (P Huot).
— Ausgew. Erzählgn a. Au coin du feu, s.: Perthes' Schülerausg. engl. u. französ. Schriftsteller (C Reichel).
— Un philosophe sous les toits ou Journal d'un homme heureux (G Stern). — Le cousin Pierre (J Wychgram), s.: Prosateurs franç.
— Théâtre de la jeunesse, s.: Théâtre franç. (J Jacoby).
— Sous la tonnelle, s.: Klassiker-Bibliothek, französisch-engl. (G Buchner). — Prosateurs franç. (P Huot).
Soxhlet, v.: Nährmittel-Unwesen. [S.-A.] (2) 8° Lpzg, B Konegen (02). 1 —
Soyaux, Frau F, s.: Schara, F.
Soyka, O: Jenseits d. Sittlichk.-Grenze. Beitrag z. Kritik d. Moral. (87) 8° Wien, Akadom. Verl. Dr. W Schultz & Co. 06. 2 — d
Sozialdemokratie, d., im Heere. Reform d. deut. Heeresdienstes z. Abwehr d. Sozialismus. Von e. Offizier. (63) 8° Jena, H Costenoble (01). 1 —
— d., in Russl. Bericht d. Delegation d. socialdemokrat. Arbeiterpartei Russlds an d. internat. Socialisten-Kongress zu Amsterdam 1904. (64) 8° München. 03. R Etzold 04. (Lpzg, Leipzig Bucher.) — 50
— d., im Lichte d. Tatsachen. Von J G. (61) 16° Warnsdf., Opitz (03). — 50
— u. **Arbeiterpartei.** Von einem Unabhängigen. (7) 8° Wien, Kubasta & V. 05. — 20 d
— u. **Beamtentum.** Eine Betrachtg üb. d. Stimmenzwang bei d. letzten Reichstagswahl a. d. Kreisen d. mittl. Beamten. Von e. mittl. Beamten. (12) 8° Lpzg, O Gracklauer 03. — 50
— dass. Nebst e. Erwiderg auf d. Artikel „Eine Verdächtigg d. Beamtentums" in No. 461 d. „Post v. 2.10.03". 2. Afl. (12) 8° Ebd. 03. — 50
Sozial-Harmonie, die. Volksw. u. staatswiss. Zeitschrift. Hrsg. v. M Hausmeister. 10—14. Jahrg. Septbr 1901—Aug. 1906. 9 Nrn. (Nr. 1, 8) 8° Stuttg., Süddeut. Verl.-Instit. Je 5.90
Sozialisten-Kongress, internat., zu Amsterdam. 1904. (78) Berl., Bh. Vorwärts 04. 1 —

Sozialistenspiegel. (Umschl.: 2. Afl.) (63) 8° Berl., (A Stephan)
　03. 　　　　　　　　　　　　　　　　　　— 50 d
Sozialpolitik, d., d. deut. Zentrumspartei. Ges. sozialpolit.
　Flugblätter d. Volksver. f. d. katbol. Deutschl. 1—5. Taus.
　(194) 8° M. Gladb., Zentralstelle d. Volksver. f. d. kath.
　Deutschl. 03. 　　　　　　　　　　　　　　　— 50 d
Spach, L: Rüdiger Manesse, s.: Jan, HL v.
Spahn, M, s.: Jahres-Mappe d. deut. Gesellsch. f. christl. Kunst.
— Der Gr. Kurfürst. Die Wiedergeburt Deutschlds im 17. Jahrh.
　(Weltgesch. in Karakterbildern.) (152 m. Abb., 8 Taf. u. 1
　Karte.) 8° Mainz, Kirchheim & Co. 02. 　　Kart. 4— d
— Leo XIII. (248 m. 1 Bildnis.) 8° Münch. 05. Mainz, Kirch-
　heim & Co. 　　　　　　　　　　　　　　　4 —; L. 5 —
— Philipp Veit, s.: Künstler-Monographien.
Spahn, P: Verwandtschaft u. Vormundschaft, s.: Recht, d.,
　d. BGB. in Einzeldarstellgn.
Spalatin's, G, Briefe an V Warbeck, nebst ergänz. Akten-
　stücken v. G Mentz, s.: Archiv f. Reformationsgesch.
Spalding's landw. Kalender f. 1906. 7. Jahrg. (200) 16° Berl.
　(N.O. greifswaldstr.212.213),Spalding Feldeisenbahnfabrik.
　　　　　　　　　　　　　　　　　　Geb. †1 —
Bis 1901 u. d. T.: Kalender, landw.
Spalding, JL: Ansichten üb. Erziehg. Uebers. v. F Meersmann.
　1. u. 2. Afl. (34) 12° Münst., Alponsus-Bh. 02. 　　— 40 d
— Die Frau u. ihre wiss. Ausbildg. Uebers. v. F Meersmann.
　(19) 12° Ebd. 02. || 2. Afl. (20) 02. 　　　　　Je — 40 d
— „Gelegenheit". Anreden. Aus d. Engl. v. I Heneka. (283 m.
　Bildnis.) 8° Münch., G Schuh & Co. 03. 　3.60; geb. 4.80 d
Spalding, WR: Tonal counterpoint. Studies in part-writing.
　(258) 8° Lpzg, AP Schmidt (04). 　　　　　　　　L. 8 —
— Modern harmony, s.: Foote, A.
Spalke, E: Nur kein Radler!, s.: Bloch's, E, Theater-Korre-
　spondenz.
Spalteholz, R: Leitf. f. d. Unterr. in d. kaufmänn. Buchhaltg
　u. einf. u. dopp. Methode. (174 m. 1 Abb.) 8° Dresd., J Jacobi
　01. 　　　　　　　　　　　　　　　　　　Geb. 3 —
Spalteholz, W: Handatlas d. Anatomie d. Menschen. Mit Un-
　terstützg v. W His. I. u. II. Bd u. III. Bd. 2 Abthlgn. (Mit 2
　Tl farb. Abb.) 8° Lpzg, S Hirzel. 　　　　　　　47 —；
　　　　　　　　　　　　　　in 1 od. 3 Bde geb. in 50 —
　I. Knochen, Gelenke, Bänder. 4. Afl. (730) 04. 　13 —; geb. in 14 —
　II. Regionen, Muskeln, Fascien, Herz, Blutgefässe. 4. Afl. (237—475) 04.
　　　　　　　　　　　　　　　　1 —; geb. in 22 —
　III. Eingeweide, Gehirn, Nerven, Sinnesorgane. 2 Abthlgn. (477—869) 03.
　　　　　　　　　　　　　　　　21 —; geb. in 22 —
— dass. Translated from the 3. German ed by LF Barker.
　Vol. II and III. (Mit z. Tl farb. Abb.) 8° Lpzg. Philadelphia,
　JB Lippincott Co. 　34 —；Vollst.: 47 —; Einbde je 1 —）
　　II. Regions, muscles, fasciae, heart, blood vessels. (237—475) 91. 13 —
　　III. Viscera, brain, nerves, sense-organs. (477—872) 03. 　21 —
— — Mikroskopie u. Mikrochemie. Betrachtgn üb. d. Grundl. d.
　mikroskop. Untersuchgsmethoden. (Erweit. Abdr. e. Vortr.)
　(38) 8° Ebd. 04. 　　　　　　　　　　　　　　　2 —
Spamer, FO, s.: Otto, F.
Spamer's, O, neue Volksbücher f. alt u. jung. Nr. 9, 13, 14,
　15, 23, 25, 39, 40 u. 53. 8° Lpzg, O Spamer. 8.80; kart. 11 — d
　Fischer, W: Glück auf! Einfache Gesch. a. d. wirkl. Leben. 3. Afl. (166
　　m. Abb. u. Bildnis.) (94.) [13.] 　　　　　　— 80; kart. 1 —; L. 1.50
— Helft einander. 6 Erzählgn. (125 m. Titelbild.) (05.) [53.] 　— 80;
　　　　　　　　　　　　　　　　　kart. 1 —; L. 1.50
　Hebel, JP: Geschichten a. d. rhein. Hausfreunde. Nebst e. Lebensskizze
　　d. Verf. (Neue [Tit.-]Ausg. v. F Otto, d. Sohn d. Schwarzwaldes.) (170
　　m. Abb. u. Titelbild.) [1882] (03). [16.] 　　　　— 80; kart. 1 —
　Körber, P: Das gr. Los. C Weissflog nacherzählt. 3. Afl. (94 m. 7 Bildern.)
　　(05.) [9.] 　　　　　　　　　　　　— 80; kart. 1 —
　Lutter, H: Jermak Timosejeff, d. Eroberer Sibiriens. Erzählg a. d. 16.
　　Jahrh. 2. Afl. (127 m. Abb. u. 4 Vollbildern.) (03.) [25.] — 80; kart. 1 —
　Nover, J: Nordisch-german. Götter- u. Heldensagen f. Schule u. Volk.
　　Unter Mitwirkg v. W Wägner hrsg. 3. Afl. (280 m. Abb. u. Titelbild.)
　　01. [89.] 　　　　　　　　　　　1.60; kart. 2 —
　Wägner, W: Deut. Heldensagen f. Schule u. Volk. Auszug d. 2. Bde d.
　　„Nordisch-german. Vorzeit". Sagenkreis d. Amelungen. Sagenkreis d.
　　Nibelungen. Gudrun. Beowulf. Karoling- Sagenkreis. König Artus u. d.
　　hl. Gral. 4. Afl. v. F Wägner. (280 m. Abb. u. Titelbild.) 01. [40.] 1.60;
　　　　　　　　　　　　　　　　kart. 2 —
　Zschokke, H: Das Goldmacherdorf. Eine volkstüml. wahrhafte Erzählg.
　　bearb. v. F Otto. 5. Afl. (154 m. 4 Bildern.) (03.) [14.] — 80; kart. 1 —;
　　　　　　　　　　　　　　　　　L. 1.50
— 2 Millionäre. Eine Doppelgesch. Nacherzählt v. FO. 3. Afl. (92 m. 7
　Vollbildern.) (03.) [23.] 　　　　　— 80; kart. 1 —; L. 1.50
— illustr. Weltgesch. Mit bes. Berücks. d. Kulturgesch. hrsg.
　v. O Kaemmel. 4. Afl. 10 Bde u. Registerbd. 8° Ebd. 02.
　Je 10 —; Registerbd. je 12 —; Registerbd 4.50; Hf. 6 — d
　1. Altertum I. Von d. ersten Anfängen d. Gesch. bis z. Verfall d. Selb-
　　ständigkeit v. Hellas. Neu bearb. v. O Kaemmel, J Petermann u. K
　　Sturmhoefel. (720 m. 41 Beil. u. Kart.)
　2. Dass. II. Von Alexander d. Gr. bis z. Beginn d. Völkerwanderg.
　　Bearb. v. F Rösiger u. OE Schmidt. (862 m. 14 Beil. u. Kart.)
　3. M.-A. I. Von d. Völkerwanderg bis z. Kreuzzügen. Neu bearb. v.
　　O Kaemmel. (726 m. 6 Beil. u. Kart.)
　4. Dass. II. Von d. Kreuzzügen bis z. Zeitalter d. Renaissance. Neu
　　bearb. v. G Diestel. (804 m. 13 Beil.)
　5. Neuere Zeit I. Vom Beginn d. gr. Entdeckgn bis z. 30jähr. Kriege.
　　Neu bearb. v. O Kaemmel. (752 m. 40 Beil. u. Kart.)
　6. Dass. II. Vom 30jähr. Kriege bis z. Machthöhe Ludwigs XIV. Neu
　　bearb. v. O Kaemmel. (768 m. 36 Beil. u. Kart.)
　7. Dass. III. Vom Verfall d. bourbon. Macht bis z. Beginn d. gr. Revo-
　　lution. Bearb. v. O Kaemmel. (760 m. 34 Beil. u. Kart.)
　8. Neueste Zeit I. Von d. französ. Revolution v. 1789 bis z. öster. Feld-
　　zuge 1809. Bearb. v. K Sturmhoefel. (692 m. 98 Beil. u. Kart.)
　9. Dass. II. Von d. Beginne d. nationalen Kampfes geg. Napoleon I.
　　bis z. Kaisertum Napoleons III. (1806—52). Bearb. v. K Sturmhoefel.
　　(734 m. 12 Beil. u. Kart.)

10. Dass. III. Von d. Thronbesteigg Napoleons III. bis z. Gegenwart.
　　Neu bearb. v. O Kaemmel. (648 m. 7 Beil. u. Kart.)
　Register. (369)
Spandau, F: Zur Gesch. v. Neutral-Moresnet. (43) 8° Aach.,
　(JA Mayer) 04. 　　　　　　　　　　　　　　1 20
Spandow, F: Ein- u. Ausfälle, s.: Brettl- u. Theater-Biblio-
　thek, bunte.
Spandow, P: Tyrann Ich! Roman. (315) 8° Berl., Schuster &
　Loeffler 08. 　　　　　　　4 —; geb. 5 — d
— Die Reise n. St. Louis, s.: Grieben's Reiseführer.
Spangenberg: Schiess-Aufg. m. Erläutergu f. Aktive- u. Re-
　serveoffiziere (Reserveoffizier-Aspiranten, Reserve-Unteroffi-
　ziere) u. Einj.-Freiwill. d. Kanonenbatterien d. Feldartill.
　(281 m. Fig.) 12° Stuttg. (03). Lpzg, F Engelmann. L. 3 — d
Spangenberg, Aug. Gottlieb, Mitbegründer d. Brüdergemeine.
　Lebensbild z. Erinnerg an s. 200. Geburtstag. Von e. Mit-
　gliede d. Brüdergemeine. (85 m. Bildnis.) 8° Gnad., Unitäts-
　Bh. (04). 　　　　　　　　　　　　　　　　— 40 d
Spangenberg, E: Prakt. Erdbeerkultur. (112 m. Abb.) 8° Frkf.
　a/O., Trowitzsch & S. 05. 　　　　　　　　1.50 d
Spangenberg, F: Zur Gesch. m. e. Zusammenstellg
　v. Bibelsprüchen, Psalmen, Gebeten u. Kirchenliedern, z.
　Gebr. f. d. Unterr. in Schule u. Kirche u. d. „hess. Lan-
　deskatech." eingerichtet v. H Ahlfeld. 6. Afl. (77) 8° Kassel,
　E Hühn 02. 　　　　　　　　　　　　　Geb. — 50 d
— Der hess. Landeskatech. m. e. Zusammenstellg v. Bibel-
　sprüchen, Psalmen, Gebeten u. Kirchenliedern z. Gebr. f. d.
　Unterr. in Schule u. Kirche. 14. Afl. (79) 8° Ebd. 02. Geb. — 50 d
Spangenberg, H, s.: Entscheidungen d. kgl. preuss. Ober-
　verwaltungsgerichts.
— Gewerbeordng f. d. Deut. Reich, s.: Berger, TP.
— Reichsges., betr. Kinderarbeit in gewerbl. Betrieben, s.:
　Guttentag's Sammlg deut. Reichsges.
Spangenthal's, S, Auskunftsb. üb. Wertpapiere. Jahrb. f. Ka-
　pitalisten. Jahrg. 1905. 4. Afl. (666) 8° Berl.-Charltnbg, Span-
　genthal. 　　　　　　　　　　4 —; geb. 5 —
　Vgl.: Spangenthal's finanzielles Jahrb.
— Die Gesch. d. Berliner Börse. (151) 8° Ebd. 03. 3.50; L. 4 — d
— finanzielles Jahrb. Auskunftsb. üb. Wertpapiere. 2. Afl.
　u. 16 m. Abb.) 8° Berl.-Charltnbg. 　3 —; L. 3.50
　Jahrg. 1903. (551) 8° 02.
　Die 1. Afl. u. a. d. T.: Jahrbuch, finanzielles.
Spängler, P: Schulrecht, s.: Scholae Salisburgenses.
Spanier, A.-L. — Unser tägl. Brot. — Joe, d. Indianer. (63
　m. Abb.) 8° Elberf., R Brockhaus (durch J Fassbender) 04.
　　　　　　　　　　　　　　　　　　— 50 d
Spanier s.: Lesebuch f. Bürgersch.
Spanier, M: Künstler. Bilderschmuck f. Schulen. 3. Afl. (117)
　8° Lpzg, R Voigtländer 02. 　　　　　　　1.40 d
— s.: Falke, G, als Lyriker.
— Zur Kunst. Ausgew. Stücke moderner Prosa z. Kunstbe-
　trachtg u. z. Kunstgenuss. (Aus deut. Wiss. u. Kunst.) (148
　m. 16 Abb.) 8° Lpzg, BG Teubner 05. 　　　　　Geb. 2 —
— Hans Thoma u. s. Kunst f. d. Volk. (66 m. Abb.) 4° Lpzg,
　Breitkopf & H. (03). 　　　　　　　　　　L. 2 — d
Spanier, W: Hülfsbuch z. Rechnen f. höh. Lehranst. 7. Heft
　Magdbg, E Loewenthal & Co. (01). (Nur dir.) 　　— 30 d
— z. E Flanter; W Latte 02. 　　　　60 (1—3; 1.80) d
Spanke, A: Der Onkel a. Amerika, s.: Theater, kl.
Spann, O: Zur Logik d. sozialwiss. Begriffsbildg, s.: Fest-
　gaben f. Friedr. Jul. Neumann.
— Die Stiefvaterfamilie unehel. Ursprgs. Zugl. e. Studie z.
　Methodol. d. Unehelich.-Statistik. Mit e. Nachwort üb. d.
　Bedeutg d. Berufsvormundschaft. Von CJ Klumker. [S.-A.]
　(42) 8° Berl., G Reimer 04. 　　　　　　　　— 50
— Untersuchgu üb. d. unehel. Bevölkerung in Frankfurt am Main,
　s.: Probleme d. Fürsorge.
Spannagel: Vorst. f. d. Unterr. im kaufmänn. Briefwechsel,
　s.: Lange, R.
Spannagel, K: Konrad v. Burgsdorf, s.: Quellen u. Unter-
　suchungen z. Gesch. d. Hauses Hohenzollern.
Spannuth, L: Frau Eva, s.: Behrendt, M.
Spannuth-Bodenstedt, L: Das träum. Land. Schausp. (152) 8°
　Stuttg., (F Stahl) (05). 　　　　　　　　　　2 — d
Spannuth, A, s.: Zeitschrift, katechet.
Spannuth, H: Bibl. Gesch., s.: Hechtenberg, A.
— Die Propheten d. Alten Bundes. Bibl. Gesch. u. Lesestücke
　f. d. Hand d. Schüler. (32) 8° Stuttg., Greiner & Pf. 03. — 12 d
— dass. Lehnsbildr u. Entwürfe z. unterrichtl. Behandlg.
　(131) 8° Ebd. 03. 　　　　　　　　1.60; geb. 2.20 d
Sparig, O: Gedanken üb. Sterblichk. u. Sterblichk.-Taf. (32)
　8° Dresd., C Weiske (02). 　　　　　　　　　　— 80
Sparkasse, die. (Von F Salomon [G Salomon].) (59) 4° Tilsit,
　Fabrikdir. G Salomon (04). 　　　　　　　　— 50 d
— die. Volksw. Zeitschrift. Hrsg.: W Schaefer. Jahrg. 1901—p
　je 24 Nrn. (Nr. 452. 16) 4° Hannov., (Göhmann'sche Buchdr.).
　je 10 — || 1901. 12 — || 1903. Hrsg.: Rocke. 12 —; einz. Nrn
　　　　　　　　　　　　　　　　　　— 50 d
— d. städt., in Hildburghausen. 1826—1903. (Von M Thiemann,
　s.a.] 8° Hildburgh., FW Gadow & S. (03). 　　　　60 d
Sparkassen, d. öffentl., im Kgr. Bayern im J. 1898. [S.-A.] (44)
　4° Münch., (J Lindauer) 01. 　　　　　　　　1 —
— d., u. d. Erwerbs- u. Wirtschafts-Genossenschaften in
　Steiermark, s.: Mitteilungen, statist., üb. Steiermark.

Sparmann, O: Einkommen u. Auskommen. Soz. Studie a. d. Schule d. Lebens. (48 m. 4 Tab.) 8° Münch. (Augustenstr. 43), T Voigt (04).   3 — d
Spassowitsch, WD: Tischreden in d. Versammlgn d. Rechtsanwälte v. Justizkreise St. Petersburg (1873—1901). (In russ. Sprache.) (104) 8° Lpzg, EL Kasprowicz 03.   2.50
Spaet, F: Typhus, Pettenkofer u. Koch. [S.-A.] (31) 8° Münch. 03. (Augsbg, M Rieger.)   1 — d
— u. F **Stenglein**: Das ärztl. Gebührenwesen in Bayern. Nebst e. Anh.: Die Gebühren d. Bader u. Hebammen. (283) 8° Augsbg, M Rieger 03.   L. 3.50 d
Spatenka, J: Tab. z. neueren deut. Lit.-Gesch. (1784—1832). (9 Doppeltaf.) 8° Wien, A Pichler's Wwe & S. 03.   — 50 d
Spaeth, E: Die chem. u. mikroskop. Untersuchg d. Harnes. 2. Afl. (20, 532 m. Abb. u. 1 farb. Taf.) 8° Lpzg, JA Barth 03.   10 —; L. 11 —
Spaeth, F: Verz. d. v. Y Sjöstedt in Kamerun ges. Cassiden. [S.-A.] (10) 8° Stockh. 03. (Berl., R Friedländer & S.)   — 50
Spath, L: 130 Rad-Ausflüge v. München f. d. Zeit v. ¹/₂ Tag bis zu 1 Woche. 2. Afl. (150 m. 1 Karte.) 12° Münch., J Lindauer 02.   1 — d
Spath, R: Die Erlöserkirche zu Breslau. Festschrift z. Einweihg. (48 m. Abb. u. 1 Taf.) 8° Bresl., Ev. Bh. 04.   — 75 d
— Festpredigt z. Einweihg d. Erlöserkirche zu Breslau. (14) 8° Ebd. 04.   — 20 d
— Konfirmandenstunden, s.: Menzel.
Spättgen, D Freiin v. (Frau D v. Scheliha): Sein Erbe. Roman. (308) 8° Berl., A Schall (04).   3.50; geb. 4.50 d
— Meteor. Roman. (214) 8° Dresd., E Pierson 03.   3 —; geb. 4 — d
— Pars diaboli (Des Teufels Anrecht). s.: Für Herz u. Haus!
— Rache. Roman. (303) 8° Dresd., C Reissner 04.   3 —; geb. 4 — d
— Zwischen Unrecht u. Recht. Roman. (309) 8° Dresd., E Pierson 03.   3 —; geb. 4 — d
Spatz, G: Anlage, Einrichtg u. Betrieb d. Sägewerke, s.: Braune, G.
Spatz, PWH: Die Regentschaft Tunis. Hdb. f. Touristen. (136 m. Abb.) 8° Halle, CA Kaemmerer & Co. 03.   Kart. 1 — d
Spatz, W: Aus d. Gesch. Schmargendorfs. (56 m. Abb. u. 4 Taf.) 8° Berl., (Liebel) 02.   2 — d
— Quellenstellen z. ält. märk. Gesch. als Hilfsmittel f. d. Gesch.-Unterr. (48) 4° Schönebg 04. (Berl., Liebel.)   1 — d
Spaun, J v.: Das Reichsgericht. Die auf dasselbe sich bezieh. Ges. u. Verordngn samt Gesetzesmaterialien, sowie Übersicht d. einschläg. Judikatur u. Lit. (496) 8° Wien, Manz 04.   7.60; geb. 8.60 d
Spansta, JH: Vornunft u. Wahrheit. Der Mensch u. s. Verhältnis zu Gott od. d. Lösg d. soz. Frage. (128) 8° Lpzg, O Mutze 04.   2 — d
Spaziergänge u. **Ausflüge**, 117, in d. näh. u. weit. Umgebg v. Coblenz. (69) 12° Cobl., W Groos 01.   1 — d
— — 100, in d. näh. u. weit. Umgebg v. Heidelberg. (99 m. 1 Karte.) 12° Köln 03. Hdlbg, O Petters.   1 — d
— — 100, in d. näh. u. weit. Umgebg v. Mannheim—Ludwigshafen. 1. u. 2. Afl. (98) 8° Mannh., A Bender 02.04.   1 —; geb. 1.40 d
Die 1. Afl. erschien in Köln.
— — f. Wilhelmshaven-Bant u. Umgegend. (44 m. Abb. u. 1 Karte.) 8° Wilhelmsh.-Bant, G Fasting (05).   — 30 d
— — 107, in d. näh. u. weit. Umgebg v. Würzburg. Nebst Wandergn im Spessart u. Taubertal, im südl. Steigerwald u. in d. Rhön. (67 m. 1 Karte.) 8° Würzbg, A Herzer 05. 1.40
Specht, A, s.: Specht, KA.
Specht, A: Das Pegnitz-Gebiet in Bezug auf s. Wasserhaushalt. II. Tl. Ausnutzg d. Wasserkräfte. (27 u. 31 m. 7 Taf.) 4° Münch., (A Buchholz) 04.   nn 6 — d
Der I. Tl ist noch nicht erschienen.
Specht, B: Bürgerl. Baukunst. Vorbildersammlg f. Schule u. Praxis. 1. Lfg. (40 Photolith.) Fol. Bresl., Trewendt & Gr. (09).   In M. 19 — d
— Leitf. d. architektou. Formenlehre. Für Baugewerkschüler bearb. 4 Tle. (Mit Abb.) 8° Ebd.   2.80 d
1. (48) 03. — 60; 2. A8. (47) 05. — 70 § 2. (39) 03. — 55; 2. A8. (46) 05. — 70 § 8. (44) 03. — 55. — 70 § 4. (48) 05. — 70.
Specht, F: Das Stempelsteuergea, s.: Hummel, H.
Specht, F: Zoolog. Atlas, s.: Lehmann, A.
— Tierstudien, 2. Serie, s.: Tierstudien.
Specht, F, s.: Jahrbuch d. Schule Stolze-Schrey. — Stenographbeitrag. d. 2., d. Einiggesch. Schule Stolze-Schrey. — Stenographische. Methode Rustin. Selbstunterr.-Briefe. Red. v. C Ilzig. 1. Lfg. (1—52) 8° Potsd., Bonness & H. (05).   Subskr.-Pr. — 90; Einzelpr. 1.25 d
— u. F **Schwabe**: Die Reichstags-Wahlen v. 1898—1903 (10. Legislaturperiode). Nachtr. zu: F Specht, d. Reichstags-Wahlen v. 1867—97. (118) 8° Berl., C Heymann 03.   3 — d   (Hauptwerk n. Nachtr.: 7 —) d
— — dass. Statistik d. Reichstagswahlen nebst d. Programmen d. Parteien u. e. Verz. d. gewählten Abgeordneten. 3. Afl. (20, 586) 8° Ebd. 04.   3 — d
Specht, FA, s.: Beiträge z. Gesch., Topogr. u. Statistik d. Erzbist. München u. Freising.
Specht, G: Bibelkde nebst Kirchenj. u. bibl. Geogr. f. Volkssch. 32. Aufl. (20) 8° Lpzg, F Richm 01.   — 20 d
Specht, G: Üb. d. patholog. Affekt in d. chron. Paranoia. [S.-A.] (50) 8° Lpzg, A Deichert Nf. 01.   1 —

Specht, JB: Welchen Nutzen gewährt d. Stenogr. d. Lehrer? (30) 12° Wolfenb., Heckner (1899).   nn — 30 d
Specht, K: Neue Schutzvorrichtgn geg. Fingerverletzgn, s.: Hosemann, P.
— Die Unfallverhütg im Dampfkesselbetriebe, s.: Heidepriem, C.
Specht, KA, s.: Freidenker-Almanach. — Glocken, freie. — Menschentum.
Specht, M: Kochbüchl. f. d. prakt. Hausbaltgsunterr. an Volksu. Fortbildgssch. (58) 8° Wiesb. 01. Lpzg, O Nemnich.   Kart. nn — 50 d
— dass. Ausg. A. (Für Mittel- u. Süddeutschl.) 4. Afl. (96) 8° Lpzg, O Nemnich 05.   Kart. nn — 50 d
— dass. Ausg. B. (Für Norddeutschl.) (94) 8° Ebd. 04.   Kart. nn — 50 d
Specht, R: Gust. Mahler, s.: Essays, moderne.
— s.: Widmungen z. Feier d. 70. Geburtstages Ferd. v. Saar's.
Specht, T: Gesch. d. kgl. Lyceums Dillingen (1804—1904). (311) 8° Rgnsbg, Verl.-Anst. vorm. GJ Manz 04.   5 —; L. 7.50 d
— Gesch. d. Seminarium S. Josephi in Dillingen bis 1803. [S.-A.] (35) 8° Dillingen a/D., Prof. Dr. Specht (01).   — 40
— Gesch. d. ehemal. Univ. Dillingen (1549—1804) u. d. m. ihr verbund. Lehr- u. Erziehgsanst. (24, 707 m. Abb.) 8° Freibg 1/B., Herder 02.   15 —; HF. 17.50 d
Specht, W, s.: Havelbote, d. — Hie goet Brandenburg alleweg.
Specimens de plans et cartes topograph. et géograph., s.: Probeblätter v. geograph. Karten, Plänen usw.
Speck s.: Bericht d. XVI. Kommission (d. Reichstags) üb d. Entwurf e. Zolltarifges. — Bericht d. XX. Kommission (d. Reichstags) üb. d. usw. Vertrag üb. d. Behandlg d. Zuckers usw.
Speck, C: Üb. Kraft- u. Ernährgs-Stoffwechsel. [Erweit. S.-A.] (89) 8° Wiesb., JF Bergmann 03.   2 —
Speck, E: Handelsgesch. d. Altertums. II. Bd u. III. Bd, 1. Hälfte. 8° Lpzg, F Brandstetter.   Je 7 —
          (—I—III,1.: 21 —; Einbde in HF. je 2 —)
II. Die Griechen. (582) 01. § III,1. Die Karthager. Die Etrusker. Die Römer bis z. Einigg Italiens 265 v. Chr. (585) 05.
Speck, G: George. Roman. 1. u. 2. Afl. (329) 8° Stuttg., Deut. Verl.-Anst. 06.   3.50; geb. 4.50 d
— Am Rheinfall. Histor. Roman a. d. XV. Jahrh. (187) 8° Zür., A Bopp 06.   2 —; geb. 3 — d
— Snob. Roman. (336) 8° Dresd., E Pierson 03. 4 —; geb. 5 — d
Speck, J: Gesetz u. Individuum. Beitrag z. individuellen u. soz. Entwickelgsgesch. d. Menschen. (143) 8° Hanau, Clauss & Feddersen 04.   3 — d
Speck, O: Melanchthons Beziehgn zu Pirna. — Wie Pirna böhmisch u. wieder meissnisch wurde, s.: Mitteilungen a. d. Ver. f. Gesch. d. Stadt Pirna.
Speck, W: 2 Seelen. Erzählg. 1. u. 2. Afl. (383) 8° Lpzg, FW Grunow 04.   4.50; L. 5 — d
Speckhart, G: Die Gesch. d. Zeitmesskunst, s.: Saunier, C.
Speckmann, B: Der Untergang v. „Weltevreden“. Roman a. d. Leben. (165) 8° Zür., C Schmidt 01.   2.40
Speckmann, D: Heiders Heimkehr. Erzählg a. d. Lüneburger Heide. 1—4. Afl. (189 bezw. 191) 8° Berl., M Warneck 04-06.   2 —; L. 3 — d
Erschien zuerst in Bremen.
Speckter, O: Brüderchen u. Schwesterchen. Ein Bildercyklus n. Grimms Märchen. 1—10. Taus. (12 Taf m. 16 S. Text.) 4° Hambg, A Janssen 03-05.   Geb. 1 — d
— Ausgew. Fabeln. — 50 Fabeln, s.: Hey, W.
— Der gestiefelte Kater. Bilder v. Sp. Neuer Text v. F Avenarius. (Der Neuausg. 5—14. Taus.) (12 Taf m. 48 S. Text.) 8° Münch., GDW Callway (01).   Kart. — 60 d
— Katzenbuch. Mit Gedichten v. G Falke. 3. u. 4. Afl. (29) 8° Hambg J Janssen 03-05.   Geb. — 50 d
— 40 Konfirmations-Scheine m. Bibelsprüchen u. Liederversen. 1. Reihenfolge. 12. Afl. 4° Bielef., Velhagen & Kl. (05). 1.80 d
— Vogelbuch. Mit Gedichten v. G Falke. 1—10. Taus. (47) 4° Hambg, A Janssen 01.   Geb. — 50 d
Spectator the, in Germany. A monthly magazin. Vol. I. Novbr 1901—Jan. 1902. 3 Nrn. (Nr. 1. 17) 8° Lpzg, Poeschel & Tr.   — 75; einz. Nrn — 30 d
Spectator s.: Ruhrstat.
Spectator alter s.: Krisis, d., im Papsttum.
Speditions- u. **Schiffahrts-Zeitung**. (Deut. Spediteur- u. Rhederei-Zeitg, Hamburg.) Red. v. G Everth. 9—18. Jahrg. 1901—6 je 52 Nrn. (1901. Nr. 1. 12) 4° Berl., G Everth.   Je 10 —; einz. Nrn — 40 d
Speer, P: Wie in uns. ev. Schulen d. Kirchengesch. behandelt werden sollte. Dargestellt an Präparat.-Entwürfen au d. M kirchengeschichtl. Lesestücke usw., Kirchengeschichtl. Leseb. (191) 8° Mgdbg, Creutz 03.
— Kirchengeschichtl. Leseb. f. ev. Volks- u. Mittelsch. (91) 8° Ebd. 01.   2 —; geb. 3 — d
Speidel, F: Um d. Weibes willen. Novelle. (150) 8° Berl., F Fontane & Co. 05.   2 —; geb. 3 — d
Speiser, P: Die Hemipterenfamilie Polyctenes Gigl. u. ihre Stellg im System, s.: Jahrbücher, zoolog.
— Die Schmetterlingsfauna d. Provv. Ost- u. Westpreussen, s.: Beiträge z. Naturkde Preussens.
Speiser, W: Zur Erinnerg an Hrn Adolf Burckhardt-Bischoff. Vortr. (46) 8° Bas., Helbing & L. 04.
Speltz, A: Das Empire-Ornament. Nach Orig.-Gegenständen aufgenommen u. gezeichnet. (30 Taf.) 41,5×31,5 cm. Berl., M Reichel & Co. (05).   In M. 25 —

Speltz, A: Kunstschmiedearbeiten in modernen Formen. Mit Gewichtstab. (In 3 Lfgn.) 1. Lfg. (10 Taf.) 49×33,5 cm. Berl., M Spielmeyer (03). 6.50 ö F
— Der Ornamentstil. Zeichnerisch dargest., in geschichtl. Reihenfolge m. textl. Erläutergn n. Stilen geerdnet. 300 Volltaf. m. illustr. Text. 6 Lfgn. (504) 8º Berl., B Hessling (04.05). Je 2 —: in 1 Bd geb. 15 —
— Die Proportionen in d. Architektur. Im metr. System n. neuer leicht anwendbarer Methode m. bes. Berücks. d. Praxis bearb. 1. Bd: Die Säulenformen d. ägypt. griech. u. röm. Baukunst. (92 m. Abb. u. 21 Taf.) 4º Ebd. (03). 4 —
Spemann: Gesch. d. 2. württemberg. Feldartill.-Regts, s.: Schmahl.
Spemann, F, s.: Von d. Renaissance zu Jesus.
Spemann, H: Ueb. experimentell erzeugte Doppelbildgn m. cyclop. Defekt, s.: Jahrbücher, zoolog.
Spemann's, W, Annalen 1901/2. Konversations-Kalender f. Jedermann. Hrsg. v. J Penzler. (394) 8º Berl. Stuttg., W Spemann. L. 5.50 d ö F
— gold. Buch v. eignen Heim. Hauskde f. Jedermann. (760 m. Abb.) 8º Stuttg., W Spemann 05. L. 6 — d
— Hauskde. V. u. VI. Bd. 8º Ebd. Geb. je 6 — (I—VI.: 36 —) d
V. Spemann's gold. Buch d. Theaters. (770 m. Abb. u. Taf.) Berl. 02. VI. Spemann's gold. Buch d. Gesundheit. (760 m. Bildnissen.) 04.
— Kunstlexikon. Hdb. f. Künstler u. Kunstfreunde. (1054 m. Abb.. 64 Taf. u. Titelbild.) 8º Ebd. 05. Geb. in Tuch 12.50 d
— s.: Museum, d.
Spence, **Sir Patrick**. all the preserved versions, synoptically reprinted from Child's ballad for the use of Engl. seminaries. (2) 65×101,5 cm. Berl., Mayer & M. 04. nn — 50
Spence, T: Das Gemeindeeigentum am Boden, s.: Hauptwerke d. Sozialismus u. d. Sozialpolitik.
Spencer, H: Eine Autobiogr., s.: Memoirenbibliothek.
— Erfahrgn u. Betrachtgn a. d. Zeit. Vermischte Aufsätze. Übers. u. hrsg. v. JV Carus u. W Wischmann. (322) 8º Stuttg., E Schweizerbart 04. 6 —
— Die Erziehg in geist., sittl. u. leibl. Hinsicht. Nach d. 3. engl. Aufl. hrsg. v. F Schultze. 5. Aufl. (300) 8º Sachsa, H Haacke 05. 4 —; geb. nn 5 — d
— First principles of synthetic philosophy, s.: Schriftsteller, engl.. a. d. Geb. d. Philosophie usw.
— System d. synthet. Philosophie. I. u. IV. Bd u. X. Bd, 1. Abtlg. 8º Stuttg., F Schweizerbart. 3 —
I. Grundsätze e. synthet. Auffassg d. Dinge. 3. Aufl. Nach d. 6. Ausg. d. „First principles" neu übers. v. JV Carus. (568) 01. 12 —
IV. Die Principien d. Psychol. Nach d. 2. engl. Aufl. übers. v. B Vetter. I. Bd. 2. Aufl. v. JV Carus. (590 m. X.) 03. 12 —
X, 1. Die Principien d. Ethik. Deutsch v. B Vetter. I. Bd. 1. Abtlg. Die Thatsachen d. Ethik. 2. Aufl. (325) 02. 9 —
Spengel, A: Zur Gesch. d. Kaisers Tiberius. [S.-A.] (61) 8º Münch., (G Franz' V.) 03. 1 —
Spengel, J: Themat. Führer durch d. H-moll-Messe v. J. Seb. Bach. (16) 8º Lpzg, Breitkopf & H. (03). — 20
Spengel, JW: Ueb. Schwimmblasen, Lungen u. Kiementaschen d. Wirbeltiere, s.: Jahrbücher, zoolog.
— s.: Verhandlungen d. deut. zoolog. Gesellsch.
Spengler, C: Zur Frühdiagnose u. Therapie d. progressiven Paralyse. (33) 8º Davos oi. (Chur, F Schuler.) 1 —
— Klassenstadieneinteilg d. Lungentuberkulose u. Phthise u. üb. Tuberkulinbehandlg, s.: Festschrift z. 60. Geburtstage v. Rob. Koch.
— Tuberkulin-Behandlg im Hochgebirge. (21) 8º Davos, (H Erfurt) 04. 1 —
Spengler, H: Abschiedspredigt, geh. in d. ev. Stadtkirche zu Ettlingen. (16) 12º Ettlingen, R Barth 01. (Nur dir.) — 20 d
— Der kl. Pilgerstab. Morgen- u. Abendandachten, nebst Gebeten f. besond. Zeiten u. Verhältnisse d. Lebens. 3. Aufl. (347) 8º Bielef., Velhagen & Kl. 01. L. 3.50 d
— Auf d. Pilgerweg. (56) 16º Hdlbg, C Winter, V.(05). Kart. — 80 d
Spengler, O: Heraklit. Studie üb. d. energet. Grundgedanken e. Philosophie. (52) 8º Halle, CA Kaemmerer & Co. 04. 1 —
Spennrath, J: Die Bedieng u. Wartg elektr. Anlagen u. Maschinen. (143 m. Abb.) 8º Aach.-Gi. Berl., M Krayn. 2.40; L. 3.80 d
— Die Chemie in Industrie, Handwerk u. Gewerbe. 4. Aufl. v. P Loebner. (234) 8º Ebd. 04. 3.60; kart. 3.90 d
— Die moderne Erzeugg u. Verwendg d. elektr. Energie. (263 m. Abb.) 8º Ebd. 02. 4.50; L. nn 5.50
— Hdb. d. Weberei, s.: Reiser, N.
— Der prakt. Heizer u. Kesselwärter. — Der prakt. Maschinenwärter, s.: Brauser, P.
Sper, A: s.: Rau, H.
— **Elisabeth Bathory**, d. „Blutgräfin" u. verwandte Erscheing. (186) 8º Berl., Berl. Zeitschriften-Vertrieb (04). 3 — d
— Capri u. d. Homosexuellen. (28) 8º Oranienbg, Orania-Verl. (02). — 50
— Berühmte Giftmischerinnen. (191) 8º Berl., Berl. Zeitschriften-Vertrieb (04). 3 — d
— Die Heilg d. Unkeuschheit. (80) 8º Lpzg, AF Schlöffel (04). 1.50 d
— Lustmörder d. Neuzeit. (192) 8º Berl., Berl. Zeitschriften-Vertrieb (04). 3 — d
— Der Marquis de Sade u. d. Sadismus. (183) 8º Ebd. (04). 3 — d
— Gekrönte Verbrecher. (178) 8º Ebd. (04). 3 — d
sperandeo, PG: Dizionario italiano e russo. Parte italiano-russa. (679) 8º Lpzg, O Holtze's Nf. 05. 7 —; L. 7.75
speranza, G: Lelrb. d. italien. Sprache. Ausg. A. Zum Gebr. in höh. Knaben- u. Mädchensch., Akademien, Konservatorien

d. Musik, sowie z. Selbstunterr. bearb. unter Mitwirkg v. W Buhle. (234) 8º Berl., H Spamer (03). L. 3 — d
Sperber, E: Die allg. Bestimmgn d. kgl. preuss. Ministers d. geistl., Unterr.- u. Medizinal-Angelegenh., betr. d. Volks- u. Mittelsch. v. 15.X.1872, sowie d. Präparandenanst. u. d. Lehrerseminare v. 1.VII.'01, nebst d. Prüfgs-Ordngn f. Volkssch.-Lehrer u. Lehrerinnen durch d. Hauptinhalt d. wichtigsten dazu erlass. Ministerial-Verfüggn erläutert. 4. Aufl., neue, teilweise bis z. 1.X.'01 ergänzte Ausg. (207) 8º Bresl., F Hirt 01. Kart. 3 —
— Kurze Erklärg z. 30 Kirchenlieder, welche v. d. zuständ. Behörden als Memorierlieder f. d. ev. Relig.-Unterr. in d. Volkssch. u. f. d. Konfirmanden-Unterr. in d. Prov. Schlesien ausgewählt sind. A. Kleinere Ausg. (Für Schlesien.) 3. Aufl. (144) 8º Gütersl., C Bertelsmann 02. Geb. 2.25 d
— Die bibl. Gesch. m. erklär. Anmerkgn u. heilsgeschichtl. Erläutergn als Grundl. f. d. unterrichtl. Behandlg. I. Tl. Das Alte Test. 13. Aufl. (399 m. 4 Kart.) 8º Ebd. 03. 3 —; geb. 3.50 d
— Die bibl. Gesch. m. Erläutergn, Sprüchen, Liederversen, Bibelstellestellen u. e. kirchengeschichtl. Anh. Insbes. f. Präparanden-Anst. bearb. 6. Aufl. 2 Tle. 8º Ebd. je 3 — d
I. Das Alte Test. (307 m. 9 Kart.) 03. | 2. Das Neue Test. (316 m. 4 Kart.) 04.
— Grundz. d. ev. Volksschulerziehg, s.: Kahle, FH.
— Pädagog. Lesestücke a. d. wichtigsten Schriften d. pädagog. Klassiker. 3. Heft: Von Pestalozzi bis z. Neuzeit. 2. Aufl. (330) 8º Gütersl., C Bertelsmann 04. 3 —; geb. 3.60
(1—3.: 7.80; geb. 9.60) d
— Relig.-Büchl. f. d. Unterst. ev. Schulen im Anschl. an Wendels bibl. Gesch. 22. Aufl. (94 m. H.) 8º Bresl., C Dülfer 05. — 50: geb. nn — 65 d
— d. Schul-Liederschatz. Chronologisch geordnete Sammlg d. vorzüglichsten u. gebräuchlichsten ev. Kirchenlieder. Zum Gebr. f. Präparanden-Anst. u. Seminare. 2. Tl. Die Entwicklg d. deutsch-ev. Kirchenliedes. 4. Aufl. (28, 335) 8º Gütersl., C Bertelsmann 01. Geb. je 3 — d
Sperber, J: Leitf. f. d. Unterr. in d. anorgan. Chemie, didaktisch bearb. 2. Tl. (163 m. Abb.) 8º Zür., E Speidel 01. 3.40 (I u. 2.: 4.80)
Sperber-Granden, v.: Uns. Waldbestände. (12) 8º Königsbg, Gräfe & U., Bh. 01. — 50 d
Sperk, B: Veterinärbericht, Fortsetzg, s.: Bericht üb. d. österr. Veterinärwesen.
Sperl, A: Die Fahrt n. d. alten Urkunde. Geschichten u. Bilder a. d. Leben e. Emigrantengeschlechtes. 7. Aufl. (257) 8º Münch., CH Beck 04. 3.50; L. m. G. nn 4.50 d
— Herzkrank. Eine heit. Badegesch. 4. Aufl. (177 m. Abb.) 8º Stuttg., Deut. Verl.-Anst. 03. 3 —; geb. 4 — d
— Kinder ihrer Zeit. Geschichten. 1—3. Taus. (284) 8º Ebd. 04. 4 —; geb. nn 5 — d
— Hans Georg Portner. Eine alte Gesch. 1—4. Aufl. (405) 8º Ebd. 01.02. 7 —; geb. nn 8 — d
— Prickelnd. Novelle. 1—3. Taus. (62) 12º Halle, CE Müller 03. Kart. 1 — d
— So war's! Ernst u. Scherz a. alter Zeit. 1—4. Aufl. (347) 8º Stuttg., Deut. Verl.-Anst. 02. 4 —; geb. nn 5 — d
— Die Söhne d. Herrn Bodiwoj. Dichtg. 5. Aufl. 2 Bda. (375 u. 334) 8º Münch., CH Beck 05. 10 —; L. 12 — d
Sperl, R: Systemat. Grundr. d. Rechtsquellen, Lit. u. Praxis d. österr. Zivilprozess- u. Exekutionsrechtes. 2. Aufl. (298) 8º Wien, Manz 03. 7 — d
Sperl, J: Handbüchl. d. Papierfaltekunst. (124 m. Abb.) 8º Wien, A Hartleben (04). 1.50; geb. 2.25 d
Sperl, A: Reform d. Unkostenberechng in Fabrikbetrieben. (138) 8º Hannov., Dr. M Jänecke 04. L. 5 —
Sperling, A: Gesundheit u. Lebensglück. Ärztl. Ratgeber f. Gesunde u. Kranke. (762 m. Abb. u. 13 z. Tl farb. Taf.) 8º Berl., Ullstein & Co. 04. 6 —; L. 7.50 d
Sperling's, HO, Zeitschriften-Adressbuch. 42. Jahrg. 1904. (260, 62, 51 u. 197) 8º Stuttg., HO Sperling. L. nn 5 — d
Bis z. 40. Jahrg. u. d. T: Adressbuch d. deut. Zeitschriften.
„Sperrlingsleben" a. d. „bad. Kulturkampf" v. 1874/76, gepfiffen zu Nutz u. Trutz. 3. Aufl. (102) 8º Offenbg i/B., H Zuschneid (02). (Nur dir.) — 90 d
Sperry, LB: Vertrani. Ratschläge f. junge Mädchen. Nach d. amerikan. Orig. bearb. v. C Werner. 3. u. 4. Taus. (190) 8º Berl., H Steinitz (03). 2 — d
Speth-Schülzlsburg, E Frhr v.: Auf klass. Boden. Wandergn durch d. Pelopoues u. in Kleinasien. (258) 8º Münch., J Roth 03. 1.83 d
Spetzler, A, u. R **Schnell**: Modernes Flächen-Ornamente. 40 Vorlegebl. f. d. Unterricht im Freihandzeichnen. 4º Nürnbg, C Koch (04). In M. 12 —
Spetzler, O, u. W **Noelpp**: Das Fachzeichnen f. Bautischler. I. Tl: Fenster u. Türen im Wohnhause. (16) 8º Wittnbg, R Herrosé 04. Je 1.83 d
(16) 8º Wittnbg, R Herrosé 04.
— u. O **Schmidt**: Das Fachzeichnen f. Zimmerer u. and. Holzarbeiter. I. u. II. Tl. 4º Ebd. Je 1.83 d
I. Die Einzelverbindgn d. Hölzer. (12 [1 farb.] Taf. u. 19 S. Text m. Fig.) 03. II. Balkenlagen u. Deckenbildgn. (12 [1 farb.] Taf. u. 11 S. Text.) 04.
Speyer, F: Gedichte. (132 m. Abb.) 8º Potsd., A Stein 02. 2.25; L. 3 — d
— Deut. Leseb. f. höh. Mädchensch., s.: Schmid, E.

Speyer, F: Lieder u. Balladen. (124) 8° Dresd., E Pierson 05.
2—; geb. 3 — d
— Schiller. Festap. (83) 8° Ebd. 05. 1 — d
Speyer, JS, s.: Avadânaçataka.
Spezial-Berichte d. Direktion d. Jura-Simplon-Bahn an d. schweiz. Eisenb.-Departement üb. d. Bau d. Simplontunnels. 1. Tl. Fol. Bern, (A Francke). †7.50
Rosenmund, M: Die Bestimmg d. Richtg, d. Länge u. d. Höhenverhält-
nisse. (71 m. Abb., 8 Taf., 1 Tab. u. 3 Kart.) 01. [1.] †7.50
Spezialitäten-Taxe f. Apotheker. Hrsg. v. Ver. d. Apotheker Münchens. (151) 8° Münch., J Grubert 02. L. nn 3 — ‖ 2. Ausg.
Frühj. '05- (96) nn 3 —
Spezialitäten-Theater. Nr. 8. Ueberbrettl-Theater. (48) 8° Berl., E Bloch 01. 1 — d
Spezialkarte, geolog., d. Grossh. Baden, hrsg. v. d. grossh. bad. geolog. Landesanst. 1 : 25,000. Bl. 21, 41, 43, 45, 47—49, 53, 85, 103, 111, 119, 120 u. 127. Je 47,5×52 cm. Farbdr. Mit Er-
läutergn. 8° Hdlbg, C Winter, V. Je nn 2 —
Beeten v. K Schnarrenberger. (25 m. 1 Fig.) 04. [52.]
Donaueschingen v. F Schalch. (28) 04. [120.]
Dürrheim v. A Sauer. (39) 01. [111.]
Eppingen v. C Schnarrenberger. (25) 03. [48.]
Furtwangen v. F Schalch u. A Sauer. (25) 03. [109.]
Graben v. H Thürach. (24) 04. [45.]
Haslach v. H Thürach. (49 m. 1 Abb.) 01. [93.]
Mannheim v. H Thürach. 2. Aufl. (34 m. 1 Zinkogr.) 05. [21.]
Müllheim v. C Steinmann u. C Regelmann. (26) 03. [127.]
Neustadt v. F Schalch. (35) 03. [119.]
Odenheim v. H Thürach. (28 m. 2 Zinkogr.) 02. [47.]
Rappenau v. F Schalch. (32 m. 1 Abb.) 01. [42.]
Schluchtern v. K Schnarrenberger. (17) 04. [49.]
Wiesloch v. H Thürach. (45 m. 2 Abb.) 04. [41.]
— d. Beskiden f. Touristen. 1 : 150,000. 34,5×85 cm. Farbdr. Tesch., S Suks (05). — 85
— neue, v. Bodensee, s.: Hopf's Tourenkärtchen.
— d. nordwestl. Böhmen u. d. angrenz. Sachsen. 1 : 150,000. 64,5×104,5 cm. Farbdr. Brüx, A Kunz (o. J.). 1 —
— d. Umgegend v. Bonn. 1 : 55,000. 72×57,5 cm. Farbdr. Bonn, Habicht (01). 1 —
— d. Umgegb v. Düsseldorf. 1 : 80,000. 58×75 cm. Düsseldf., W Wörmbeke (01). 1 —
— geolog., v. Elsass-L. Hrsg. v. d. Dir. d. geolog. Landes-
Untersuchg v. Elsass-L. 1 : 25,000. Nr. 65, 75 u. 134. Je 46×51 cm. Farbdr. Mit Erläutergn. 8° Strassbg. (Berl., S Schropp).
Je nn 2 —
Altkirch v. B Förster. (14) 02. [184.]
Buchsweiler v. L van Werveke. (02) 04. [65.]
Pfalzburg v. E Schumacher. (138 m. Fig.) 02. [75.]
— v. Fichtelgebirge u. d. Steinwald. Bearb. v. C Opitz. 1 : 100,000. 3. Afl. 38,5×48 cm. Farbdr. Münch., G Kohler (04).
1.20; auf L. in Tasche 1.50
— d. fränk. u. Hersbrucker Schweiz. Mit d. Wegmarkiergn d. fränk. Schweiz-Ver. 1 : 100,000. 59×51,5 cm. Farbdr. Ebd. (04). Auf L. in Futteral 1.50
— d. weit. Umgegend v. Hamburg u. Altona. (Umschl.: 30 Ki-
lometer rund um Hamburg.) 1 : 100,000. 57,5×70,5 cm. Farbdr. Hambg, Gerth, Laeisz & Co. (05). 1 —
— d. Hersbrucker Gegend d. fränk. Schweiz u. d. Pegnitz-
thales. 31,5×40,5 cm. Lith. Nürnbg, JP Raw's V. (01). — 30;
auf L. — 50
— f. d. weit. Umgegend v. Jena. Mittl. Saaletal im Neben-
tälern. 1 : 150,000. 41×50 cm. Farbdr. Jena, Akadem. Bh. O Rassmann (03). — 60
— d. Basler Jura u. d. angrenz. Gebiete. 1 : 150,000. Bearb. v. H Kümmerly & Frey. 2. Afl. 59×88 cm. Farbdr. Bern, Geograph. Karten-Verl. (09). (3.20) 2.40; auf L. (3.80) 3.20
— d. Umgegend v. Kassel. 1 : 110,000. (Neue Ausg.) 24,5×31 cm. Farbdr. Glog., C Flemming (03). — 40
— d. Grossh. Mecklenburg-Strelitz. 1 : 150,000. 68×60,5 cm. Farbdr. Neubrandnbg, O Nahmmacher (02). 1 —;
auf L. an 2.25
— d. Kreises Meseritz in 5fachem Farbendr. 1 : 100,000. 45,5×56 cm. Lissa, F Ebbecke (01). — 50
— topograph., v. Mittel-Europa (Reymann). 1 : 200,000. Hrsg. v. d. kartogr. Abth. d. kgl. preuss. Landes-Aufnahme. Nr. 627-
629 u. 657. Je 25×36 cm. Kpfrst. u. kol. Berl., (R Eisenschmidt) 03-05.
Je nn 1 —
Bern. 657. ‖ Solothurn. 627. ‖ Walenstadt. 629. ‖ Zürich. 629.
— d. Herzogt. Oldenburg, d. freien Reichsstadt Bremen u. d. Teils d. Prov. Hannover. 1 : 200,000. 80×75,5 cm. Farbdr. Oldnbg, Schulze (03).
— d. Ortler-Gruppe. Hrsg. v. deut. u. österr. Alpenver. 1 : 50,000. (Neue Ausg. 1902.) 57×72 cm. Farbdr. Münch., (J Lindauer) (02).
— geolog., d. im Reichsrate vertret. Königreiche u. Länder d. österr.-ungar. Monarchie, neu aufgenommen u. hrsg. durch d. k. k. geolog. Reichsanst. 1 : 75,000. Zone VI, Col. 16; Zone VIII, Col. 16; Zone IX, Col. 14; Zone XV, Col. 9; Zone XIX, Col. 8; Zone XXII, Col. 10; Zone XXV, Col. 11; Zone XXX, Col. 18 u. 14. Farbdr. Mit Erläutergn. 8° Wien, (R Lech-
ner's S.). nn 54 —
G. Meseritsch. 28,5×50 cm. 05. [VIII,14.] nn 7.50
Haidenschaft u. Adelsberg v. F Kossmat. 38,5×53 cm. (36) 05. [XXII,10.]
nn 4.50
Ischl u. Hallstatt v. E v. Mojsisovics. 38,5×51,5 cm. (60) 05. [XV,9.] nn 7.50
Kistanje u. Dernis v. Fr. Kerner. 38,5×55 cm. (40) 01. [XXX,14.] nn 4.50
Mhr. Neustadt u. Schönberg v. G v. Bukowski. 38,5×49,5 cm. (55) 05.
[VI,16.] nn 7.50
Oberdrauburg-Mauthen v. G Geyer. 38,5×49,5 cm. (85) 01. [XIX,8.] nn 7.50

Treblitsch u. Kroman. 38,5×50 cm. 05. [IX,14.] nn 7.50
Veglia u. Novi v. L Waagen. 38,5×54 cm. (34) 05. [XXV,11.] nn 3 —
Zaravecchia u. Stretto v. J Schubert. 38,5×55 cm. (25) 05. [XXX,13.] nn 4.50
Liefergsausg. s. u. d. 7: Karte.
Spezialkarte v. Riesen-Gebirge. 1 : 100,000. (Neue Afl.) [S.-
A.) 35,5×47 cm. Farbdr. Berl., A Goldschmidt 03. In M. — 50
— neue, v. Rostocks Umgebg. 1 : 125,000, u. Spezialk. d. Rostocker Heide, 1 : 50,000. 61,5×71 cm. Farbdr. Rost., H Koch (01). 1 —
— d. mittl. Saaletales m. Nebentälern. Umgebgskarte f.: Buttstädt, Eckartsberga, Grossheringen usw. 1 : 150,000. 2. Afl. 40×50,5 cm. Farbdr. Jena, Akadem. Bh. O Rassmann (05). — 60
— geolog., d. Kgr. Sachsen. 1 : 25,000. Hrsg. v. k. Finanz-
ministerium. Bearb. unter d. Leitg v. H Credner. Blatt 12, 13, 26, 42—44, 59, 61, 77, 93—95, 111, 120, 125, 128, 133, 138, 140 u. 146 je 48×51 cm. Farbdr. Lpzg, (W Engelmann). Je nn 2 —;
m. Erläutergn 8° je nn 3 —: Erläutergn allein je nn 1 —
Annaberg Jöhstadt v. F Schalch. 2. Afl. v. C Gäbert. (76) 04. [139.]
Byrus-Lobstädt v. K Dalmer. 2. Afl. v. C Gäbert. (70) 04. [42.]
Brandis-Borsdorf v. F Schalch. 2. Afl. v. T Siegert. (47) 04. [52.]
Colditz-Grossbothen v. A Penck. 2. Afl. v. L Siegert. (54) 01. [44.]
Klitterlein-Buchholz v. A Sauer. 2. Afl. v. C Gäbert. (55) 01. [128.]
Freiburg-Kohren v. A Rotuplets. 2. Afl. v. T Siegert. Mit Beitr. v. T
Sterzel. (58) 02. [59.]
Fürstenwalde-Granpco v. C Gäbert u. R Beck. (107 m. Fig.) 01. [190.]
Gertuga-walde-Ringethal v. E Dathe. 2. Afl. v. E Danzig. (67) 05. [61.]
Glauchau-Waldenburg v. J Lehmann u. H Mietzsch. 2. Afl. v. E Danzig
u. T Siegert. (40) 01. [94.]
Hohenstein-Limbach v. J Lehmann u. T Siegert. 2. Afl. v. E Danzig n.
T Siegert. Mit Beitr. v. H Müller u. T Sterzel. (70) 02. [95.]
Johanngeorgenstadt v. F Schalch. 2. Afl. v. C Gäbert. (86) 01. [146.]
Kirchberg-Wildenfels v. K Dalmer. 2. Afl. v. C Gäbert. (79) 01. [120.]
Lausigk-Borna v. J Hazard. 2. Afl. v. C Gäbert. (70) 02. [41.]
Liebertwolkwitz-Rötha v. A Sauer. 2. Afl. v. C Gäbert. (46) 05. [26.]
Marienberg-Wolkenstein v. F Schalch. 2. Afl. v. C Gäbert. (40) 04. [128.]
Meerane-Crimmitschau v. T Siegert. 2. Afl. (54) 05. [50.]
Mittweida-Taura v. J Lehmann. 2. Afl. v. E Danzig. (73) 05. [127.]
Plauen-Pausa v. E Weise. (71) 04. [123.]
Wurzen-Altenbach v. F Schalch. 2. Afl. v. T Siegert. (45) 05. [13.]
Zwickau-Werdau. 3. Afl. v. T Siegert. Der paläontolog. Abschn. v. T Sterzel.
(142 m. 1 Karte.) 01. [111.]
— dass. Erläutergn. 8° Ebd. nn 6 —
Müller, H: Die Ergänge d. Freiberger Reviergruppe. (350 m. 5 farb. Taf.) nn 6 —
01.
— neueste, d. Ostkreises d. Herzogt. Sachsen-Altenburg. 2. Afl. 1 : 70,000. 57×69,5 cm. Farbdr. Altnbg, O Bonde (04). — 75
— v. Schwarzenberg u. ob. Erzgebirge. 1 : 100,000. 31×40,5 cm. Farbdr. Schwarznbg, (M Helmert) (01). — 25; auf L. — 50
— v. südl. Schwarzwald. 1 : 75,000. Bl. III. Schramberg-
Donaueschingen. 53×69,5 cm. Farbdr. Freibg i/B., FP Lorenz. (01). 2.25; auf L. 3.25
— d. Schweiz in 9 Blättern. 1 : 200,000. Mit ziffernmässig eingeschrieb. Distanzen in Hunderten v. Metern nebst graph. Darstellg d. Steiggn. Hrsg. v. Männer-Radfahrer-Ver. Zürich (Sect. Kartenwesen). (Lausg. 1903.) 2. u. 5. Bl. Je 43,5×50 cm. Farbdr. Zür., Art. Instit. Orell Füssli. 2 —
— d. Kreises Schwerin u. W. in 5fachem Farbendr. 1 : 100,000. 34×44 cm. Lissa, F Ebbecke (01). — 50
— neue, v. Serbien. Nach d. Spezialk. d. kgl. serb. General-
stabes. 1 : 75,000. Zone 27, Col. 21 ; Zone 27, Col. 22—23; Zone 30, Col. 22—26; Zone 30, Col. 28—26; Zone 31, Col. 22—26; Zone 32, Col. 22 u. 25—27 u. Zone 33, Col. 23 u. 25—27. Je 38,5×54 cm. Photolith. Wien, (R Lechner's S.) (01,02). nn 29 nn 1 —
Aleksinac. XXXI,25. ‖ Arangjelovac. XXVIII,22. ‖ Bela Palanka. XXXIII,
26. ‖ Bratljevo u. Sjenica. XXVII,22. ‖ Brus. XXXI,24. ‖ Čačak. XXX,25.
‖ Dolnji Milanovac. XXVIII,26. ‖ Gornja Toplica. XXIX,22. ‖ Gornji Milanovac. XXIX,23. ‖ Jagodina. XXX,24. ‖ Ivanjica. XXXI,22. ‖ Karanovac.
XXVII,25. ‖ Kragujevac. XXIX,24. ‖ Kraljevo. XXXI,23. ‖ Krupanj. XXVII,24.
‖ Kruševac. XXXI,24. ‖ Niš. XXXII,26. ‖ Novipazar. XXXIII,23. ‖ Para-
lanka. XXVIII,24. ‖ Paraćin. XXX,25. ‖ Petrovac. XXX,26. ‖ Prokuplje.
XXXII,21. ‖ Trnjavce. XXXI,21. ‖ Prokuplje. XXXIII,25. ‖ Raška. XXXII,22.
‖ Sjenica u. Bratljevo. ‖ Temska. XXXII,27. ‖ Teliče. XXXII,24. ‖
Užice. XXX,22. ‖ Valjevo. XXVIII,23. ‖ Zagubica. XXIX,25. ‖ Zaječar.
XXX,26. ‖ Zlot. XXIX,26.
— d. mährisch-schles. Sudeten. Mit Bezeichng d. markirten Wege. 1 : 75,000. (Neue Ausg.) 75,5×64 cm. Lith. Wien, (J Lechner's S.) (04). nn 4 —; auf L. nn 5 —
— neue, d. Umgegend v. Weimar, reichend v. Kahla bis Cölleda, v. Erfurt bis Jena. 1 : 85,000. 60,5×67 cm. Farbdr. Weimar, L Thelemann (02). 1 —
— geognost., v. Württemberg. Hrsg. im Maasstab 1 : 50,000 v. d. kgl. statist. Landesamt. Nr. 9, 26 u. 38. Je 49×49 cm. Farbdr. Stuttg., (L Lindemann). Je nn 3 —
Besigheim u. d. Umgebg. v. Heilbronn, Lauffen, Bietigheim, Gross-
sachsenheim, Bönnigheim, Brackenheim, Güglingen u. Schwaigern. Bearb.
v. I. Afl. (1865) v. E Fraas u. d. v. d. Umgebg in II. Afl. corr. v. E Fraas. (98)
Göppingen. Geognostisch aufgenommen v. J Hildenbrand 1862. Ins Reine
illert vom v. Quenstedt u. Bach. Rev. v. E Fraas 1900. Neudruck. (80)
v. C Regelmann. (01.) [36.]
— dass. Begleitworte Bl. 9, 26 u. 38. 4° Ebd. Je nn —
Besigheim. (56) 05. [9.]
Göppingen. m. d. Umgebg v. Geislingen, Wiesensteig, Boll etc. Be-
schrieben v. A v. Quenstedt. Nebst Nachtr. (21 u. 7) 1867.1901. [36.]
Urach m. d. Umgebg v. Münsingen u.a.w. Beschrieben von v. Quenstedt.
Nebst Nachtr. u. E Fraas. 2. Mettr. Messungsblatt d.
d. Blt. Text v. C Regelmann. (27 u. 12 m. 1 Taf.) 1869.02. [36.]
Spezial-Kochbücher f. d. prakt. Hausfrau. 1—15, 18., 19.,
21. Bd. 8° Berl., W Vobach & Co. Kart. 2 —
Einzelpr. je 1 —
Müller-Lubitz, A: Backbüchlein. (150) [03.] [9.] ‖ Eierspeisen, m. Anh.:
Ostereier. (03) [05.] [21.] ‖ Eis-Creme- u. Gelee-Speisen. (68) [04.] [.]
‖ Fischküche. (143) [03.] [5.] ‖ Fleischspeisen. (151 m. Abb.) [05.] [.]

‖ Gemüseküche. (137) (05.) [4.] ‖ Heringsküche. (95) (03.) [1.] ‖ Kartoffelküche. (190) (02.) [7.] ‖ Käseküche. (74) (04.) [10.] ‖ Krebsküche. (97) (04.) [3.] ‖ Pilzküche. (87) (05.) [14.] ‖ Puddingküche. (49) (05.) [11.] ‖ Punsch- u. Bowlen-Büchlein. (89) (05.) [8.] ‖ Resterküche. (95) (05.) [13.] ‖ Salatküche. (116) (04.) [6.] ‖ Sauceenküche. (76) (05.) [15.] ‖ Spargelküche. (84) (05.) [2.] ‖ Wildbretküche. (107) (05.) [12.]
Bd 16, 17 u. 20 sind noch nicht erschienen.

Spezial-Touren-Karte sowie kl. Führer m. Abb. d. maler. u. romant. Lande v. Herford, Minden, Ravensberg u. Lippe, Osnien-Wiehen-Wesergebiet u. Teutoburger Wald. Hrsg. v. d. Verkehrsgruppe d. Bürgervereinigg zu Herford. 1:200,000. 40,5×48 cm. Farbdr. Mit Text u. Abb. auf d. Rücks. Herford, (H Wolff) (02).   — 75

Sphinx. Revue crit. embrassant le domaine entier de l'égyptol., publiée par K Piehl et, vol. IX, E Andersson. Vol. V—IX à 4 fasec. (248, 342, 344, 255 u. 253 m. Abb. u. je 1 Taf.) 8° Upsala 01-05. (Lpzg, JC Hinrichs' V.)   Je nn 15 —
— d. österr.-ungar. Ein Brief d. Hrn Sektionschef Ritter v. . . . . z. Veröffentlicht v. Empfänger. (39) 8° Wien, Akad. Verl. Dr. W Schultz & Co. 05.   — 80

Spichtig's, P, Dreikönigspiel v. Lungern v. J. 1658. Als Beitrag z. schweiz. Litt.- u. Kulturgesch. z. 1. Male hrsg. u. m. e. Kommentar versehen v. F Heinemann. [S.-A.] (114) 8° Luz., E Haag (01).   1.60

Spicker, G: Versuch e. neuen Gottesbegriffs. (376) 8° Stuttg., F Frommann 02.   6 — d

Spickermann, E: Predigt z. gemeinsamen Feier d. 25jähr. Priesterjubiläums d. im J. 1876 ordinierten Priester d. Diöz. Augsburg in d. Stadtpfarrkirche zu Aibach. (15) 8° Augsbg, Kranzfelder 01.   — 10 d

Spiekermann, T: Der Teilbau in Theorie u. Praxis, s.: Abhandlungen, volksw. u. wirtschaftsgeschichtl.

Spiecker, FA: Handel u. Mission unter d. Nama u. Herero in Südwest-Afrika, s.: Beiträge z. Missionskde.

Spiecker, J: Er führet mich an rechter Strasse. (Umschl.: Aus d. rhein. Missionsgemeinden d. Kaplandes.) 2 Tle. 8° Barm., Comptoir d. Missionsh. 05.   na — 55; in 1 Bd geb. nn — 50 d
1. Erlebnisse u. Erfahrgn beim Besuch uns. Missionsgemeinden in d. Kapkolonie sowie ein. in Südafrika. (148 m. Abb. u. 1 Karte.) na — 40
2. Aufsätze allg. Inhalts. (42)   na — 15
— dass. Erlebnisse u. Erfahrgn beim Besuch uns. Missionsgemeinden in d. Kapkolonie sowie ein. in Südwestafrika. (187 m. Abb. u. 1 Karte.) 8° Ebd. 03.   1 —; geb. 1.50 d

Spiegel, I: Einführg in d. 1. Hilfe bei Unfällen. 2. Afl. (202 m. Abb. u. 3 Taf.) 8° Wien, M Perles 02.   2.50; geb. 3 —
Spiegel, L: Der Stickstoff u. s. wichtigsten Verbindgn. (911 m. Abb.) 8° Brnschw., F Vieweg & S. 05.   20 —
Spiegel, L: Die geschichtl. Entwicklg d. österr. Staatsrechts, s.: Sammlung gemeinnütz. Vortr.
Spiegel, N: Gelehrtenproletariat u. Gaunertum v. Beginn d. 14. bis z. Mitte d. 16. Jahrh. Mit 2 Beil.: 1. Das Gilten d. Basler Ratsmandates gegd. d. Gilten u. Lamen, sowie d. liber vagator. 2. Der Text d. lib. vagat. u. d. ‚Bedelerordens' v. Gengenbach. (58) 8° Schweinf., (E Stoer) 02.   1 — d
Spiegel v. u. z. Peckelsheim, Frhr: Rationale Geflügelzucht als gute Einnahmequelle f. d. Försterfrau. (94) 8° Hann.-Münd. (02). Neud., J Neumann. — Gn || 2 Afl.(32) Neud.05. 1 — d
Spiegelberg, A: Humoristisches z. Vorlesen u. Vortr. in Lehrerkreisen u. Lehrerversammlgn. 2. Heft. (77) 8° Graz, (P Cieslar) 04.   1 — d
Das 1. Heft erschien im Selbstverlage d. Verf. u. ist vergriffen.

Spiegelberg, G: Lustige Kurzweil. 1000 Scherzfragen nebst Antworten. (87) 8° Lpzg, Ernst (04).   — 75 d
Spiegelberg, JH: Die Influenza im Kindesalter. Ein kurzer krit. Überblick üb. d. Lit. d. letzten 15—20 Jahre. [S.-A.] (14) 8° Lpzg, B Konegen 03.   1 —
— Die Krankh. d. Mundes u. d. Zähne im Kindesalter. S.: Abhandlungen, Würzb., a. d. Ges.-Gebiet d. prakt. Medizin.
— Zur natürl. Säuglingsernährg. [S.-A.] (11) 8° Lpzg, B Konegen 04.   1 —
— Ursachen u. Behandlg d. Keblkopfstenosen im Kindesalter.— Wesen u. Behandlg d. Krämpfe im Kindesalter, s.: Abhandlungen, Würzb., a. d. Ges.-Gebiet d. prakt. Medizin.
Spiegelberg, W: Über Aufenthalt Israels in Aegypten im Lichte d. aegypt. Monumente. (Umschl.: 2. Afl.) (55 m. Abb.) 8° Strassbg, Schlesier & Schw. 04.   1 —
— Aegypt. u. griech. Eigennamen a. Mumienetiketten d. röm. Kaiserzeit. (Demot. Studien. 1. Heft.) (72 u. 58. m. 33 Taf.) 4° Lpzg, JC Hinrichs' V. 01.   nn 24 —
— Gesch. d. ägypt. Kunst bis z. Hellenismus, s.: Orient, d. alte.
— s.: Grabsteine u. Denksteine, ägypt., a. süddout. Sammlgn.
— Die demot. Inschriften, s.: Catalogue général des antiquités égypt. de musée du Caire.
— Der Name d. Phoenix, s.: Festschrift, Strassb., z. 46. Versammlg deut. Philologen u. Schulmänner.
— Demot. Papyrus a. d. kgl. Museen z. Berlin. (99 Lichtdr. m. 56 S. Text.) Fol. Lpzg, Giesecke & D. 04.   HL. 100 —
— Die demot. Papyrus d. Strassburger Bibliothek. Hrsg. u. übers. (52 m. Abb.) 4° Mit 17 Lichtdr. in M. Fol. Strassbg, Schlesier & Schw. 02.   60 —
— Aegytolog. Randglossen z. Alten Test. (45) 8° Ebd. 04. 2.40

Spiegelbilder a. d. Leben u. d. Gesch. d. Völker. Erzählgn f. d.Jugend. 13.,15.u.55—60.Bd. 12° Lpzg, Einh., Abentheuer. Kart. je — 75 d
Field, J: Das Blockhaus. Erzählg a. d. westl. Amerika. 7. Afl. (112 m Titelbild.) (01.) [56.]

Griesinger, T: Isländ. Geschichten. (87 m. Titelbild.) (02.) [59.]
— 12 Monate unter d. Lappen. (96 m. Titelbild.) (01.) [57.]
Hirschfeld, H: Die Lest d. Krone. Geschichtl. Erzählg. (100 m. Titelbild.) (02.) [58.]
Kühn, F: Die Farm im Urwald. Erlebnisse e. jungen Auswanderers. 2. Afl. (100 m. Titelbild.) (02.) [15.]
— Schwester Martha od.: Ein edler Beruf. 3. Afl. (96 m. Titelbild.) 01. [12.]
Mensch, O: John Franklin, d. kühne Nordpolfahrer. 2. Afl. (104 m. 1 Karte.) (01.) [55.]
Wiedemann, F: Der treue Knecht od. wahre u. falsche Freunde. Eine erzgebrg. Dorfgesch. f. d. reif. Jugend. 2. Afl. (144 m. Titelbild.) (05.)

Spieker, J: Mein Liederschatz. Sammlg d. beliebtesten Lieder u. Scherzgesänge f. gesell. Kreise. 10. Afl. (68 m. 2 Bildnisseu.). 15° Paderb., F Schöningh (04).   Kart. — 20 d
Spieker, P: Medizin. Lehranst. d. Univers. usw., s.: Müssigbrodt, P.
Spieker, T: Kurze Anl. z. Lösen d. Übgsanfg. d. Lehrb. d. eb. Geometrie f. höh. Lehranst. 3. Afl. (58) 8° Potsd., A Stein 04.   1.20; kart. 1.40 d
— Lehrb. d. Arithmetik u. Algebra m. Übgs-Aufg. f. höh. Lehranst. 5. Afl. 1. Tl. (248) 8° Ebd. 03.   2 —; geb. 2.50 d
— Lehrb. d. eb. Geometrie m. Übgs-Aufg. f. höh. Lehranst. Ausg. A. 27. Afl. (278 m. Fig.) 8° Ebd. 04. 2.50; geb. 3 —
|| Ausg. B. Für mittl. Kl. 9. Afl. (172 m. Fig.) 03. 1.60; geb. 2 —
|| Ausg. C. Abgekürzte Kurse. 2. Afl. (205 m. Fig.) 03. 2 —; geb. 2.50 d
— Lehrb. d. Stereometrie. 3. Afl. (119 m. H.) 8° Ebd. 01. 1.60; geb. 2 — d
— Lehrb. d. eb. sphär. Trigonometrie m. Übgs-Aufg. u. e. kurzen Einl. in d. sphär. Astronomie f. höh. Lehranst. 6. Afl. (151 m. H.) 8° Ebd. (04).   1.40; geb. 1.80 d
Spiel u. Arbeit. Allerhand anzieh. Beschäftiggn f. d. Jugend. Hrsg. v. O Robert. 3.—16. Bdchn. 8° Ravnsbg, O Maier 04.   18.75 (1—16.: 22.05) d
Fitek, EK: Die Elektrisiermaschine. Leichtfassl. Anl. z. Herstellg e. Elektrisiermaschine u. e. Anzahl interessanter Nebenapparate. (53 m. Abb., 1 Taf. u. 1 Modellbog.) (05.) [13.]   — 80
— Der Elektrophor u. s. Nebenapparate. Leichtfassl. Anl. z. Herstellg e. Elektrophors u. e. Anzahl interessanter Nebenapparate. (76 m. Abb. u. 1 Modellbog.) (05.) [11.]   — 80
Honold, E: Drachen u. Luftballon. Leichtverständl. Anl. z. selbständ. Herstellg v. vielen Drachen u. e. Heissluftballon. (93 m. Abb., 1 Taf. u. 2 Modellbog.) (04.) [8.]   — 80
— Projektions-Apparat f. Lichtbilder. Anl. z. Selbstanfertig e. Projektionsapparts f. Ansichtskarten, Photographien usw. (40 m. Abb. u. 2 Modellbog.) (05.) [9.]   1 —
Honold, E: Wasserräder z. Antrieb beweg. Figuren u. kleinerer Apparate. (76 m. Abb. u. 5 Modellbog.) (04.) [6.]   Anl. z. selbständ. Herstellg f. Knaben.
— Windräder u. Windmotoren. Anl. z. selbständ. Herstellg f. Knaben. (36 m. Abb. u. 4 Modellbog.) (05.) [14.]   1.20
Mayser, O: Druck u. selbständ. Herstellg e. Ritterburg. (73 m. Abb. u. 1 Modellbog. in M.) (02.) [4.]   In M. 2.75
— Eisenb.- u. Bahnhofanbau f. Knaben. Modellbogen u. Anl. z. Selbstanfertig. (76 m. Abb. u. 3 Modellbog.) (04.) [9.]   In M. 2.50
— Elektromotor f. Knaben. Leichtverständl. Anl. um e. kl. Elektromotor selbständig herzustellen. (27 m. Abb. u. 1 Modellbog.) (04.) [7.]   — 80
— Photographie-Apparat. Anl. z. Selbstanfertig e. photograph. Kamera u. sonst. photograph. Apparate. Nebst Anl. z. Photographieren. (32 m. Abb. u. 2 Modellbog.) (05.) [12.]   — 80
Mittag, M: Stereoskop. Anl. z. Herstellg. (16) (04.) [5.]   — 80
Robert, O: Anl. z. Herstellg u. Benutzg e. Schatten-Theaters. (9 m. Abb. u. 2 Taf.) (02.) [8.]   — 80
Smith, P: Die Saalburg. Anl. z. Herstellg e. altröm. Kastells. (23 m. Abb. u. 3 Modellbog.) (04.) [10.]   In M. 2.50
Woltze, P: Die Saalburg. Anl. z. Herstellg e. altröm. Kastells. (23 m. Abb. u. 3 Modellbog.) (04.) [10.]   In M. 2.50
— u. **Sport.** Organ z. Förderg d. Interessen aller athlet. Sports. Deut. Lawn-Tennis-Fachbl. Red.: S Bloch. 11. Jahrg. 1901. 12 Nrn. (Nr. 1. 12) 4° Berl. (W., Potsdamerstr. 56), R Fuess.   Viertelj. 1.50
Fortsetzg z.u.d. T.: Sport im Bild.

Spielberg, O: Das Buch v. gerechten Richter. (150) 8° Dresd., E Pierson 03.   2 —; geb. 3 — d
— Gedanken u. Meingn d. hochwohlgebor. Hrn Spielberg, Freiherr v. Natur, u. v. Gottes Gnaden s. eig. König. (256) 8° Stuttg., K Lutz 02.   3 —; geb. 4 — d
— Unser Leben muss Relig. sein. (144) 8° Dresd., E Pierson 04.   2 —; geb. 3 — d
— Der rechte Weg ins Leben od. d. neue Ethik. (240) 8° Ebd. 03.   3 —; geb. 4 —
— Die Wege d. Schaffenden. (198) 8° Ebd. 04.   3 —; geb. 4 —
— Aus dieser Welt u. Komödie. Neue bill. Volks-[Tit.-]Ausg. (320) 8° Hann., Heuser's Erben [Ebd.] (04).   2.50 d
— Die moral. Weltordng ohne Gott. (98) 8° Bambg, HandelsDr. u. Verlagsh. (04).   1 —
Spiele, hrsg. v. O Robert. 1 u. 2. 8° Ravnsbg, O Maier (05).   Je — 80 d
Mitis, C: Allerlei Brettspiele u. and. Hauspiele. (62 m. Abb.) [2.]
— Schach. (96 m. Diagr.) [1.]
Spiele, dramat., f. Töchtersch., Pensionate u. Mädchenver. (187) 8° Rgensbg, J Habbel (04).   1.20; L. 1.50 d
— u. **Märchen.** Malbuch. (84 m. z. Tl farb. Abb.) 16° Hannov., A Molling & Co. (04).   1.50 d
Spielhagen, F: Alles fliesst, s.: Universal-Bibliothek.
— Die schönen Amerikanerinnen. (180 m. Abb.) 8° Stuttg., C Krabbe (02).   2 —; Ldr nn 3.50 d
— Die Dorfkokette, s.: Reclam's Unterhaltgs-Bibliothek.
— Romane. Neue Folge. 4. u. 7. Bd. Der sämtl. Romane 28 u. 29. Bd. 8° Lpzg, L Staackmann.   Je 3 —; f. d. Ser. HF, je (4.60) 5 — d
6. Opfer. 7. Afl. (490) 01. ‖ 7. Frei geboren. 9. Afl. (399) (04.)

Spielhagen, F: Romane. Neue Folge. 50 Lfgn. 8° Lpzg, L Staackmann (02-04). Je — 35; in 7 L.-Bdn in Kassette 26 — d
1. Sonntagskind. Roman. (308) ‖ 2. Zum Zeitvertreib. Susi. 2 Novellen. (400) ‖ 3. Opfer. Roman. (490) ‖ 4. Faustulus. — Herrin. 2 Novellen. (493) ‖ 5. Summe d. Himmels. Roman. (462) ‖ 6. Selbstgericht. — Messerrinnus.
7 Novellen. (364) ‖ 7. Frei geboren. Roman. 9. Afl. (399)
— Röschen v. Hofe. (153 m. Abb.) 8° Stuttg., C Krabbe (05).
2 —; Ldr nn 3.50 d
— Was d. Schwalbe sang, s.: Universal-Bibliothek.
— In 12. Stunde. (155 m. Abb.) 8° Stuttg., C Krabbe (01). 2 —;
Ldr nn 3.50 d
— Ultimo. Novelle. (160 m. Abb.) 8° Ebd. (03). 2 —;
Ldr nn 3.50 d
— Clara Vere. (152 m. Abb.) 8° Ebd. (04). 2 —; Ldr nn 3.50 d
— Am Wege. Vermischte Schriften. (278) 8° Lpzg, L Staackmann 03. 3.50; L. nn 4.50 d
Spielhagen, W: Das Invalidenversichergsges., s.: Isenbart, W,
Spielmann, der. Monatsblätter f. deut. Dichtg. Hrsg. u. red. v. E Wachler. 1. u. 2. Jahrg. 1901 u. 2 je 12 Hefte. (2. J. 582 m. Abb.) 8° Berl., Fischer & Fr. Viertelj. 2 —;
einz. Hefte — 75; geb. d. Jahrg. 10 — d
— dass. Ein Almanach zeitgenöss. Dichtg, in Vierteljahrsheften hrsg. v. E Wachler. 3. Jahrg. 1903. 4 Hefte. (1. Heft. 80 m. Abb.) 8° Ebd. 5 —; geb. 6 —; einz. Hefte nn 1.75 d 6 F
— d. deut. Ausw. a. d. Schatz deut. Dichtg f. Jugend u. Volk. Hrsg. v. E Weber. Mit Bildern v. deut. Künstlern. 1—30. Bd. 8° Münch., GDW Callway. Je 1 — d
1. Kindheit. Des Kindes kl. u. gr. Welt, s. Lost u. s. Leid. (64) 03.
2. Wanderer. Eine Fahrt durchs deut. Land im Spielmannsgeleit. (84) 03.
3. Wald. Der deut. Wald u. was er rauut u. singt. (68) 03.
4. Hochland. Ein Ausflug ins Land d. Berge voll Abenteuer u. Höhenluft. (68) 03.
5. Meer. Die weite See, d. Ziel deut. Sehnsucht, wie es lockt u. schreckt. (70) 03.
6. Helden. Ein Buch d. gr. u. d. schlichten Heldentums, wie es sich abspielt vor d. lauten Welt ad. auskämpft im stillen Herzen. (64) 03.
7. Schalk. Der deut. Humor, wie er sich zu geben pflegt, wenn er weint u. wenn er lacht. (70) 03.
8. Legenden. Der Deutschen frommer Kinderglaube, wie ihn uns. Dichter zu gestalten suchten. (69) 04.
9. Arbeiter. Das deut. Volk im Werktagsgewand u. was s. Kraft schaffen u. tragen kaun. (78) 04.
10. Soldaten. Der deut. Mann in Wehr u. Waffen, wie er zu kämpfen u. zu sterben weiss. (86) 04.
11. Sänger. Des deut. Spielmanns liederfrohe Genossen u. ihres Lebens wechselndes Geschick. (86) 04.
12. Frühling. Der deut. Lenz u. was er blühn u. werden läset. (81) 04.
13. Sommer. Der deut. Sommer, d. Stirnen feucht u. Hände schweisig macht, doch auch d. goldern Ernten schenkt. (81) 04.
14. Herbst. Der deut. Herbst, d. Jahres gr. Sterbetag, d. Jäger u. d. Winzer Freude. (82) 04.
15. Winter, d. deut. Die Zeit d. Träume im deut Volksleben u. Eis. (78) 04.
16. Zeit, gute alte. Beschaul. Stückleln a. d. Tagen v. Anno dazumal. (70) 05.
17. Himmel u. Hölle. Wie d. dent. Volk sich z. erdenferne Welt menschlich näher bringt. (76) 05.
18. Stadt u. Land. Deut. Leben im Häusermeer d. Grossstadt u. auf d. stillen Inseln d. Landes. (78) 05.
19. Bach u. Strom. Der deut. Strom, wie er wird u. was er uns bedeutet. (84) 05.
20. Heide. Ein Tag u. e. Jahr in d. Helde, ihr Friede u. ihr Schauer. (82) 05.
— dass. Band-Ausg. 8° Ebd. L je 4.50 d
Das deut. Jahr: (Frühling, Sommer, Herbst, Winter.) (81, 81, 82 u. 78) 04. ‖ Deut. Land. (Bach u. Strom. Wald. Heide. Hochland.) (84, 68, 82 u. 70) 05. ‖ Deut. Volk. (Gute alte Zeit. Schalk. Arbeiter. Soldaten.) (79, 72, 78 u. 86) 05.
Spielmann, C(CF Kerkow): Am Bagno vorbei, s.: Kürschner's, J, Bücherschatz.
— Leicht geschürzt, s.: Mylius, O, A v. Winterfeld u. A., heit. Gesch. a. d. Ehestandsleben.
— Im Tricot. Bilder a. d. Artisten-Welt. (Neue Folge.) (111) 8° Mülh. a/R., J Bagel (02). — 30 (1 u. 2: 1.30) d
— dass. — Spielmann, C, Signor Saltarino u. F Kurz-Elsheim: Artistenblut. Geschichten. (Umschl.: Spielmann, C: Wandernde Künstler.) (111 u. 112) 8° Ebd. (04). — 60 d
— Signor Saltarino u. F Kurz-Elsheim: Artistenblut. Geschichten. (112) 8° Ebd. (02). — 30 d
Spielmann, C: Arier u. Mongolen. Weckruf an d. europ. Kontinentalen unter histor. u. polit. Beleuchtg d. gelben Gefahr. (254) 8° Halle, H Gesenius 05. 3.20
— Graf Balthasar, s.: Erzählungen, Nassauer.
— Burggraf, Kurfürst u. Junker. 2 vaterländ. Erzählgn. (240 m. farb. Abb.) 8° Berl., Globus Verl. (1901). Geb. 3 — d
— Elslein v. Caub, s.: Erzählungen, Nassauer.
— Das nassauische Feldgericht. (20) 8° Wiesb., P Plaum 02.
— 75 d
— Führer durch Wiesbaden, s.: Beckmann.
— Deut. Gesch. v. Ende d. gr. Krieges his z.Beginne d. 20.Jahrh. Zum Gebr. f. d. Jugend. (144 m. Abb.) 8° Halle, H Gesenius (02). 1.60
— Der Gesch.-Unter. in ausgeführten Lektionen. Für d. Hand d. Lehrers u. d. neueren method. Grundsätzen. bearb. i. n. 3. Tl. 8° Ebd. 3.80 (Vollst.: 13.30; Einbde je 1 —) d
1. Die Hohenzollern v. Kaiser Wilhelm II. bis z. Gr. Kurfürsten. Für d. Mittelst. v. Volks- u. Bürgersch. u. d. Unterkl. höh. Schulen. 2. Afl. (549) 03.
2. Preussisch-deut. Gesch. v. Ende d. gr. Krieges bis z. Beginne d. 19. Jahrh. Für d. Oberst. v. Volks- u. Mittelsch. u. d. Mittelkl. (Tertia, Untersekunda) höh. Schulen. (658) 02.
— Hannibal, s.: Grabbe, CD.

Spielmann, C: Jotham. Bibl. Erzählg (Buch d. Richter 9). (237) 8° Halle, H Gesenius 01. 3 —; L. 4 — d
— Das Kurhaus zu Wiesbaden 1808—1904. Aktenmässige Gesch. sr Entwickelg. (167 m. Abb. u. 3 Pl.) 8° Wiesb., P Plaum 04. L. 4.50
— Die Meister d. Pädagogik, n. ihrem Leben, ihren Werken u. ihrer Bedeutg kurz vorgeführt. 1—12. Bdchn. (Mit je 1 Bildnis.) 8° Neuw., Heuser's Schm. Je — 60 d
1. Mart. Luther. (27) 04. ‖ 2. Jan Amos Komensky (gen. Comenius). (23) 04. ‖ 3. John Locke. (36) 04. ‖ 4. Jean Jacques Rousseau. (36) 04. ‖ 5. Heinr. Pestalozzi. (37) 04. ‖ 6. Joh. Friedr. Herbart. (32) 04. ‖ 7. Michel de Montaigne. (28) 05. ‖ 8. Wolfg. Ratke (gen. Ratichius). (27) 05. ‖ 9. Aug. Herm. Francke. (34) 05. ‖ 10. Joh. Bernh. Basedow. (29) 05. ‖ 11. Bernh. Overberg. (28) 05. ‖ 12. Adolf Diesterweg. (31) 05.
— Schülerhefte f. d. vaterländ. Gesch.-Unterr. 3 Hefte. 8° Halle, H Gesenius. Kart. 2.30 d
1. Die Hohenzollern v. Kaiser Wilhelm II. bis z. Gr. Kurfürsten. Für d. Mittelst. v. Volks- u. Mittelsch. u. d. Unterkl. höh. Schulen. (92 m. 1 Bildnis.) (01.)
2. Deut. Gesch. v. d. ält. Zeiten bis z. Ende d. gr. Krieges. Für d. Oberst. v. Volks- u. Mittelsch. (99) 02. — 90
3. Preussisch-deut. Gesch. v. Ende d. gr. Krieges bis z. Beginne d. 20. Jahrh. Für d. Oberst. v. Volks- u. Mittelsch. u. d. Mittelkl. (Tertia.)
— Sirona, s.: Erzählungen, Nassauer.
— Spielmannsbildng. Dichtgn. (197 m.10Vollbildern.)8° Wiesb., H Staadt (05). L. 3.50 d
— Die Tochter d. Adepten, s.: Erzählungen, Nassauer.
Spielmann, F: Italien. Grammatik, s.: Gerstl, E.
Spielmann, J: Geometr. Anschaugslehre f. Unter-Gymnasien.
— Geometr. Formenlehre u. Anfangsgründe d. Geometrie f. Realsch. — Lehrb. d. Geometrie f. d. ob. Kl. d. Gymnasien, s.: Močnik, F Ritter v.
Spielmann, M: Reinheit. Der Roman e. Schauspielerin. (122 m. 1 Bild.) 8° Dresd., E Pierson 05. 2 —; geb. 3 — d
Spielmann, S, s.: Bureau-Kompass.
Spielmann, J d. Bank-Korrespondenz f. Handels-Lebranst., Spezialkurse u. z. Selbstunterr. 3. Afl. (204) 8° Berl., Möller & Borel (04). 3 —; geb. 4 —
Spielregeln, d., v. Lawn-Tennis. Deut. v. d. Vorst. d. deut. Lawn-Tennis-Bundes festgestellte amtl. Ausg. (90) 8° Bad.-B., E Sommermeyer 04. — 50
— d. Rugby-Fussballspiels f. 1905—6. Aus d. Engl. v. E Ullrich. (29) 16° Hdlbg, K Groos (05). — 30
— d. techn. Ausschusses. (Im Auftr. d. Zentral-Ausschusses z. Förderg d. Volks- u. Jugendspiele in Deutschl.) 1—9. Heft. (Mit Fig.) 11×7,5 cm. Lpzg, BG Teubner. Je — 20 d
1. Fausthall. Raffball. 4. Afl. (25) 05. ‖ 2. Fussball ohne Aufnehmen d. Balles. 5. Afl. (35 m. 1 Fig.) 04. ‖ 3. Schlagball ohne Einschenkerr. 5. Afl. (41) 05. ‖ 4. Schlanderball. Barlauf. 4. Afl. (21) 05. ‖ 5. Schlagball m. Einschenkerr. 3. Afl. (29) 05. ‖ 6. Tamburinball. 2. Afl. (24) 02. ‖ 7. Schlagball m. Freistätten. 2. Afl. (28) 05. ‖ 8. Grenzball. Stossball. Feldball. 2. Afl. (20) 05. ‖ 9. Fussball m. Aufnehmen d. Balles. 2. Afl. (25) 03.
Spiering, J: Schreib- u. Lesefibel, s.: Gurcke, G.
Spiering, R: Das Kaufmannsgericht. Systemat. Darstellg der d. Verfahren vor d. Kaufmannsgerichten regelnden gesetzl. Bestimmgn, nebst e. Anh., enth.: I. Die Rechtsverhältn. d. Handlgsgehilfen u. Handlgslehrlinge, II. Entwürfe zu Klagen etc. (55) 8° Berl., (Gerdes & H.) 05. Kart. 1 — d
Spiero, H: Gedichte d. Wanderers. (124) 8° Lpzg (02), Berl., H Seemann Nf. (02). 3.50; geb. 4.50 d
— Kranz u. Krähen. Neue Gedichte. (107) 8° Hambg 03, Berl., KW Mecklenburg.
Spiero, O, u. H Spiero: Fontane-Brevier. (199) 8° Berl., F Fontane & Co. 05. 3 —; geb. 4 — d
Spiers, RP: Die Architektur v. Griechenl. u. Rom, s.: Anderson, WJ.
Spies, F: Baden-Baden. Führer durch Stadt u. Umgegend. (23. u. 16 m. Abb. u. 1 Pl.) 12° Bad.-B., F Spies 04. — 50;
m. Touristenk. — 75
— dass., s.: Waetzel, P.
— dass. Nouveau guide. Traduit par L Kremer. (50 m. Abb. 1 Pl. u. 1 Karte.) 8° Bad.-B., F Spies (04).
Spies, H: Aus d. Tätigk. d. Allg. deut. Schulver. z. Erhaltg d. Deutschtums im Ausl. u. Brasilien, s.: Schriften d. Allg. deut. Schulver.
Spies, Hermine. Gedenkb. f. ihre Freunde v. ihrer Schwester. Mit e. Vorwort v. H Bulthaupt. 3. Afl. m. e. Reihe ungedr. Briefe v. J Brahms u. K Groth. (217 m. Abb. u. 1 Bildnis.) 8° Lpzg, GJ Göschen 05. 5 —; geb. 6 — d
Spies, L: Anl. z. französ. u. engl. Unterr. u. d. französ. Lehrb. v. P Rossmann u. F Schmidt u. d. engl. Unterr. v. F Schmidt. 1. Schulj. 2. Afl. (42) 8° Bielef., Velhagen & Kl. 04. ‖ 2. Schulj. (47) 01. Je — 50
— Fremdsprachl. Unterr. 1 u. II. Nach d. analyt. Methode. 8° Lpzg, Dürr'sche Buch. Je 2 — d
I. Musterlektionen f. d. französ. Unterr. (242) 03.
II. dass., f. d. engl. Unterr. (289) 04.
Fortsetzg s.: Unterricht.
Spies, P: Elementarphysik, s.: Hermes, O.
— Die Erzeugg u. d. physikal. Eigensch. d. Röntgenstrahlen, s.: Bibliothek, moderne ärztl.
— Grundr. d. Experimentalphysik, s.: Jochmann, E.
Spieser, J: Ein Klassenversuchen d. begriffl. Methode im Leseunterr. [S.-A.] (40 m. Abb.) 8° Lpzg, KGT Scherling — 50 d
Spiess: Die Elberfelder Militärbefreigsprozesse. Erwiderg auf d. Angriffe d. Dr. med. Pfalz a. Düsseldorf u. Anderer. (98) 8° Lpzg, FA Berger 05. 1 — d

Spiess s.: Gedanken z. Diakonissen-Wesen.
Spiess, A, s.: Vierteljahrsschrift, dent., f. öffentl. Gesundheitspflege.
Spiess, B: Goethe u. d. Christentum. (72 m. 1 Taf.) 8° Frankf. a/M., Englert & Schlosser 02. 1.50
Spiess, C: Die Gründg v. Agu, s.: Missions-Schriften, Bremer.
Spiess, E: Der schriftl. Verkehr im Geschäftsleben. Theoretisch-prakt. Anl. z. Studium d. gewerbl. Aufsatzes f. d. Gebr. in Schulen u. z. Selbstunterr. (136) 8° Bern, A Francke 02.
Kart. 1.40 d
— dass. Aufg.-Sammlg f. Primar-, Sekundar- u. Fortbildgsschüler z. „Theoretisch-prakt. Anl." (44) 8° Ebd. 02. — 50 d
Spiess, F: Übgsb. z. Übers. a. d. Latein. ins Deut. u. a. d. Deut. ins Latein. f. d. untersten Gymnasialkl. 1. Abtlg: f. Sexta. 65.Afl.Ausg.A. (100)8° Ess., GDBaedeker 74., Geb.1 — d
— dass. 1—3.Abtlg. Ausg. B, umgearb. n. d. preuss. Lehrpl. v. 1901 v. M Heynacher. 8° Ebd. Geb. 5 — d
1. Sexta. (64. Afl.) (114) 04. 1.70 ‖ 2. Quinta. 32. Afl. (190) 04. 2 — ‖ 3. Quarta u. Untertertia. 23. Afl. (162) 02. 1.80.
Spiess, H: Deut. Leseb. f. höh. Schulen, s.: Hellwig, P.
— Die Lyrik d. 19. Jahrh. Für d. Schulgebr. hrsg. (232) 8° Lpzg, G Freytag. — Wien, F Tempsky 05. Geb. 1.50 d
— Die deut. Romantiker. Für d. Schulgebr. hrsg. (246) 8° Ebd. 03. Geb. 1.50 d
Spiess, H: Üb. d. Jodometrie v. Gold u. Platin. (37) 8° Freibg i/B., Speyer & K. 02. 1.20
Spiess, M, u. Berlet: Weltgesch. in Biographien. In 3 koncentrisch sich erweit. Kursen. 1. Kurs., f. d. Unterr. in Unterkl. 16. Afl. v. E Berlet. (250) 8° Frankf. a/M., Kesselring 01.
Geb. 3 — d
Spiess, P (W Staehle): Der Heiligenpfleger v. Gruppenbach. Erzählg. (293) 8° Heilbr., E Salzer 02. 2.80; geb. 3.60 d
— Der Reichsprofos. Erzählg. (309) 8° Ebd.04. 2.80; geb. 3.60 d
— Der Steinmetz v. St. Kilian. Erzählg a. d. alten Heilbronn. 2. Afl. (204) 8° Ebd. 01. 2 —; geb. 2.80 d
Spiess, PH: Mein Lebenslauf, s.: Gladitz, C.
Spiess, W: Prakt. Beisp. zu d. kommissionellen Gebargn in d. österr. Staatsverrechng. (36) 8° Innsbr., Wagner 04. 1 — d
**Spiessbürger's Gedankensplitter. Wochenschrift. v. Nichtgelehrten 1. Selbstdenklustige. Red.: F Schmücker. 1. Jahrg. Novbr—Dezbr '05. 6 Nrn. [Nr.] 1. 8) 4° Berl., Verl. v. Spiessbürgers Gedankensplitter. Monatlich — 40; einz. Nrn — 10 d 6 F
Spiessen, M v.: Wappenb. d. westfäl. Adels, m. Zeichngn v. AM Hildebrandt. 10—12. (Schl.-)Lfg. (85 z. Tl farb. Taf. m. Text 57—144, 92 u. 20) 4° Görl., CA Starke 1900-03. Je 9 —;
Subskr.-Pr. f. d. bis 24.XII.1898 bestellten Ex. je 6 —
(Vollst: 108 —) d
Spieth, J: Die Entwicklg d. ev. Christengemeinde im Ewe-Lande. — Das Sühneboderfnis d. Heiden im Ewolande, s.: Missionsschriften, Bremer.
Spiethoff, A, s.: Festgaben f. Adolph Wagner.
Spilger, L: Flora u. Vegetation d. Vogelbergs. (124) 8° Giess., E Roth 03. 1.50 d
Spilhaus, N: Malerisches a. Lübeck. 12 Orig.-Radiergn. (3 S. Text.) 51×39.5 cm. Lüb., B Nöhring (01). In L.-M. 50 —
Spiller, G: Der internat. eth.Bund. [S.-A.] (11) 8° Wien (III/2, Ob. Viaduktgasse 32), Verl. d. eth. Gesellsch. 05. —05
Spilling, H: Das Fechten auf Hieb u. Stoss auf Grund d. Allerh. Verordng v. 11.IV.'01. (150 m. Abb.) 8° Berl., ES Mittler & S. 02. 1.75; kart. 2 — d
Spillmann, E: Aufg. z. Übers. ins Latein., s.: Frei, J.
Spillmann, J: Die korean. Brüder, s.: Aus fernen Landen.
— Lucius Flavus. Histor. Roman a. d. Zeit d. letzten Tage Jerusalems. 4. Afl. (420 u. 434 m. 2 Taf. u. 1 Karte.) 8° Freibg i/B., Herder 05. 5 —; L. 7.60 d
— Das Fronleichnamsfest d. Chiquiten, s.: Aus fernen Landen. — Desde lejanas tierras.
— Gesch. d. Katholikenverfolgg in Engl. 1535—1681. Die engl. Märtyrer seit d. Glaubensspaltg. 5 Tle. 8° Freibg i/B., Herder.
18 —; HF. 25 — d
1. Die Blutzeugen unter Heinrich VIII. 2 Ab. (Neue [Tit.-]Ausg.) (262 u. 1 Bildn.) [1900] (05). 2.80; geb. 3.50
2. Die Blutzeugen unter Elisabeth bis 1583. 2. Afl. (Neue [Tit.]Ausg.) (429 m. 1 Taf.) [1900] (05). 2.70; geb. 3 — m. d. 1. Tl u. 1 Bd 7.90
3. Die Blutzeugen d. letzten 20 Jahre Elisabeth 1584—1603. (492 m. 1 Bildnis.) 05.
4. Die Blutzeugen unter Jakob I., Karl I. u. d. Commonwealth 1603—54. (404) 05. 3.60; geb. 5.20
5. Die Blutzeugen a. d.Tagen d. Titus Oates-Verschwör.g 1678—81. (1. Afl. Neue [Tit.]Ausg.) (377 m. 1 Bildnis.) [01] (05). 2.90; geb. 5 —
— Die Goldsucher, s.: Aus fernen Landen.
— Kämpfe u. Kronen, s.: Aus fernen Landen. — Desde lejanas tierras.
— Kreuz u. Chrysanthemum. Eine Episode a. d. Gesch. Japans. Histor. Erzählg in 2 Bdn. 1. u. 2. Afl. (364 u. 534) 8° Freibg i/B., Herder 02. 5 —; L. 7 — d
— Um d. Leben u. Königin. Histor. Roman in 2 Bdn a. d. franzós. Schreckenszeit. (Fortsetzg v. „Tapfer u. treu".) 2. Afl. (352 u. 376 m. 2 Pl.) 8° Ebd. 01. 5.50; L. 7.50 d
— Liebet eure Feinde, s.: Die Marienkinder, s.: Aus fernen Landen.
— Der Neffe d. Königin, s.: Aus fernen Landen. — Desde lejanas tierras.
— Nubes y rayos de sol, s.: Herder, las buenas novelas.
— Ein Opfer d. Beichtgeheimnisses. Frei n. e. wahren Begebenh. erzählt. 7. Afl. (319) 12° Freibg i/B., Herder 03. 2 —; L. 3 — ‖ 8. u. 9. Afl. (319 m. 12 Bildern.) 03. 2.40; HL. 3 — d

Spillmann, J: Ges. Romane u. Erzählgn. Volksausg. 1. u. 2. Bd. 8° Freibg i/B., Herder. L. je 2 — d
1.2. Lucius Flavus. Histor. Roman a. d. letzten Tagen Jerusalems. 2. Afl.
2 Bde. (335 u. 341 m. 2 Taf. u. 1 Karte.) 05.
— Die Schiffbrüchigen. — Die beiden Schiffsjungen, s.: Aus fernen Landen.
— Der schwarze Schuhmacher. Erzählg a. d. schweiz. Volksleben d. 18. Jahrh. (464) 8° Freibg i/B., Herder 03. 3.60;
L. 4.80 d
— Selig d. Barmherzigen, s.: Aus fernen Landen. — Desde lejanas tierras.
— Die Sklaven d. Sultans, s.: Aus fernen Landen.
— Tapfer u. treu. Memoiren e. Offiziers d. Schweizergarde Ludwigs XVI. Histor. Roman in 2 Bdn. 4. Afl. (354 u. 356 m. 1 Pl.) 8° Freibg i/B., Herder 05. 5 —; L. 7 — d
— Üb. d. Südsee. (Australien u. Ozeanien.) Ein Buch f. d. Jugend. 2. Afl. (378 m. Abb. u. 1 Karte.) 4° Ebd. 02. 7.60;
geb. 9 — d
— Una victima del secreto de la confesión, s.: Herder, las buenas novelas.
— In d. neuen Welt. 1. Hlfte: Westindien u. Südamerika. Ein Buch f. d. Jugend. 2. Afl. (408 m. Abb. u. 1 Karte.) 4° Freibg i/B., Herder 04. 8 —; geb. 9.40 d
— Wolken u. Sonnenschein. Novellen u. Erzählgn. 6. Afl. 2 Bde. (336 u. 335 m. Abb.) 8° Ebd. 03. 4.60; L. 7 — d
— Die Wunderblume v. Woxindon. Histor. Roman a. d. letzten Jahre Maria Stuarts. 4. Afl. 2 Bde. (342 u. 307 m. 1 Pl.) 8° Ebd. 01. 5 —; L. 6.50 ‖ 5. Afl. (342 u. 307 m. 1 Pl.) 03. 5 — :
geb. 7 — d
— Die Brüder Yang u. d. Boxer. — Der Zug n. Nicaragua, s.: Aus fernen Landen.
Spillner, E: Befestigg d. Bürgerstiege u. Hofflächen, s.: Handbuch d. Architektur.
— Eisbehälter u. Kühlanlagen, s.: Brückner, E.
— Sichergn geg. Feuer, Blitzschlag, Bodensenkgn u. Erderschütterga; Stützmauern, s.: Handbuch d. Architektur.
Spindler, C, s.: Spindler, K.
Spindler, C: Trachten u. Sitten im Elsass, s.: Laugel, A.
Spindler, G: Das Schlachtvieh- u. Fleischbeschauges. v. 3. VI.1900 m. d. Ausführgsvorschriften d. Reichs u. Württembergs. (31, 306) 8° Stuttg., W Kohlhammer 03. 2.20; L. 2.50 d
Spindler, H, s.: Heimat, uns.
— Sammlg deut. Aufsätze, s.: Heimat, uns.
Spindler, J: Dienstunterr. d. kgl. bayer. Infant. 27. Afl. (108 m. 17 [8 farb.] Taf.) 8° Bambg, (Schmidt) 06. nn — 55 d
Spindler, K: Nach Amerika. Der glückl. Herd, s.: Volksbücherei.
— Frimund od. Die Normannen in Grönl., s.: Jugend- u.Volksbibliothek, deut.
— Der Hofzwerg, s.: Volksbücher, Wiesbad. — Volksbücherei.
— Der Jesuit, s.: Bibliothek d. Gesamtlitt. — Universal-Bibliothek.
— Der Jude, s.: Romane, klass., d. Weltlitt.
— Ritter u. Bürger, s.: Reuter's Bibliothek f. Gabelsb.-Stenogr.
— dass. Ein echter Edelmann, s.: Volksbücherei.
Spindler, O, s.: Beamten-Kalender, deut.
Spindler, P, s.: Methode Schliemann z. Selbsterlerng d. engl. Sprache.
Spinner e. Weber, der, Maschinen- u. Rohstoff-Zeitg f. sämmtl. Spinnereien, Webereien (Tuchfabriken), Färbereien usw. u. verwandte Branchen in ganz Deutschl., Oesterr.-Ungarn, Russl., Italien, Schweiz. Red.: L Seidelmeyer u., seit 1904, F Wiegand. 18—22. Jahrg. 1901—5 je 52 Nrn. (1901. Nr. 1. 14) 4° Lpzg, Spinner & Weber, Hausdorff & Co. Viertelj. 1 —
(1903.Afl. d)
Spinner, S: Etwas üb. d. Stand d. Kultur bei d. Juden in Polen im XVI. Jahrh. 1. Heft. (48) 8° Wien (02). (Frankf. a/M., J Kauffmann.) 1 — d
**Spinoza's, B de, Briefwechsel, s.: Universal-Bibliothek.
— Ethica ordine geometrico demonstrata. Ex ed. oper. quotquot reperta sunt, quam curaverunt J van Vloten et JPN Land, seorsum repetita. (180) 8° Haag, M Nijhoff 05. nn 3.50
— Ethik, s.: Bibliothek, philosoph.
Spionin, d. (Gräfin Della Torre.) Roman a. d. Gegenwart. Von S D » » » e. (299) 8° Berl., C Duncker (05). 3.50 d
Spira, E: Die Zuchthaus- u. Gefängnisstrafe, ihre Differenzierg u. Stellg im Strafgesetze, m. Berücks. d. Vorwurfes zu e. schweiz. Strafgesetze. (167) 8° Münch., CH Beck 05. 4.50
Spira, R: Ueb. Erschütterg d. Ohrlabyrinthes (Commotio labyrinthi), s.: Vorträge, klin., a. d. Geb. d. Otol.
Spirago, F: Ausgew. Reisg z. kathol. Katech. (208) 8° Trauten. 02. (Lind., R van Acken.) 2.40 d
— Gründl. Erklärg d. hl. Beicht. [S.-A.] 2. Afl. (32) 8° Prag 05. (Ling., R van Acken.) — 15 d
— dass. üb. d. hl. Kommunion. 2. Afl. (32) 8° Ebd. 05.
— 15 d
— dass. üb. d. hl. Messopfer. [S.-A.] 12. Afl. (32) 8° Ebd. 05.
— 15 d
— dass. üb. d. Sakrament d. Ehe. [S.-A.] 6. Afl. (16) 8° Ling. (R van Acken) 04. 10 d
— Der Christ.im Leben. Trostgedanken. (20) 16° Ebd. 03. — 10 d
— Kathol. Katech. f. d. Jugend m. Fragen u. Antworten. 3. Afl. (248 u. 4) 8° Trautenau 01. (Ling., R van Acken.) nn — 85 d

Spirago, F: Spec. Methodik d. kathol. Relig.-Unterr. Prakt. Ratschläge f. d. Ertheilg d. kathol. Relig.-Unterr. in d. Volks- u. Bürgersch. 2. Afl. 4—6. Taus. (236) 8° Trautenau 02. (Ling., R van Acken.) 3.20; geb. nn 3.70 d
— Kathol. Volks-Katech., pädagogisch u. zeitgemäss ausgearb. 3 Tle. 6. Afl. 8° Prag 06. (Ling., R van Acken.) nn 4.50; in 1 Bd geb. nn 5.50 d
1. Glaubenslehre. (224) ‖ 2. Sittenlehre. (266) ‖ 3. Gnadenlehre. (196)
— dass. Traduit de l'allemand sur la 3me éd. par N Delsor. 3 parties. 8° Strassbg, FX Le Roux & Co. 4 —; Le. nn 5.20; einz. Tle 1.60
1. Dogme. (207) (02.) ‖ 2. Morale. (216) (03.) ‖ 3. Les sources de la grace. (211) (03.)

Spirgatis, E: Berechng d. Fahrzeiten a. d. Zugkräften d. Dampflokomotiven. (68) 8° Lpzg 02. Halle, R Haupt. 3.50
Spirgatis, M: Engl. Litt. auf d. Frankfurter Messe v. 1561—1620. [S.-A.] (53) 8° Lpzg 02. Halle, R Haupt. 3 —
— Die litterar. Produktion Deutschlds im 17. Jahrh. u. d. Leipz. Messkataloge. [S.-A.] (38) 8° Ebd. 01. 2.50
Spiritist, der. Zeitschrift f. Spiritismus u. verwandte Gebiete. Red.: P Näf. 5. Jahrg. 1902. 24 Nrn. (Nr. 1. 8) 4° Zür., (C Schmidt). 5 —; viertelj. 2 — d ð F
Spiritus-Industrie, d., s.: Wettendorfer.
Spirkner, B: Schulgesch. Niederbayerns im Zusammenhalt m. d. bayr. Schulgesch. (322) 8° Kempt., (J Kösel) 01. 4 —; HF. 5.20 d
Spiro, K, s.: Ergebnisse d. Physiol. — Jahres-Bericht üb. usw. Tier-Chemie.
Spiro-Rombro, A: Musikal. Elementartheorie in Fragen u. Antworten z. Lehren u. Selbstlernen. (48) 8° Rom, Loescher & Co. 05. nn 1 —
Spitaler, R: Die period. Luftmassenverschiebgn u. ihr Einfl. auf d. Lagenändergn d. Erdachse (Breitenschwankgn), s.: Petermann's, A, Mitteilgn.
— Period. Verschiebgn d. Schwerpunktes d. Erde. [S.-A.] (16) 8° Wien, (A Hölder) 05. .40
Spitta, F: „Ein feste Burg ist unser Gott". Die Lieder Luthers in ihrer Bedeutg f. d. ev. Kirchenlied. (410) 8° Gött., Vandenhoeck & R. 05. 12 —; L. 13.3⁰ d
— 3 kirchl. Festsp. f. Weihnachten, Ostern u. Pfingsten. 3. Afl. (78) 8° Strassbg, JHE Heitz (04). nn 1.80 d
— Zur Gesch. u. Litt. d. Urchristentums. III. Bd. 1. Hlfte: Untersuchgn üb. d. Brief d. Paulus an d. Römer. (193) 8° Gött., Vandenhoeck & R. 01. 5 — (I—III. 1.25—)
— Die Kelchbewegg in Deutschl. u. d. Reform d. Abendmahlsfeier. (222 u. 1 Taf.) 8° Ebd. 04. 3 —; geb. 3.80 d
— Die Constanzer Liederdichter, s.: Kirchenliederdichter, uns.
— Das Magnifikat, e. Psalm d. Maria u. nicht d. Elisabeth, s.: Abhandlungen, theolog.
— s.: Monatsschrift f. Gottesdienst u. kirchl. Kunst.
— Musik- u. Kunstpflege auf d. Lande, s.: Gemeindeabend, d.
— R Bürkner u. a.: Abendmahls-Feiern m. Einzelkelch. Ihre Notwendigk. u. Gestaltg. Erweit. Abdr. v.: „Aktenmässiges z. Abendmahls-Hygiene". [S.-A.] (31 m. Abb.) 8° Gött., Vandenhoeck & R. 05. — 60 d
Spitta, H: Das deut. Volk u. s. nationale Erziehg. Unmoderne Rezepte. (48) 8° Tüb., JCB Mohr 01. 1 —
Spitta, KJP: Bibl. Andachten, s.: Universalbibliothek, christl.
— Psalter u. Harfe. Sammlg christl. Lieder z. häusl. Erbaug. Vollständ. Ausg. beider Tle. (254) 12° Lpzg, H Lantenschläger (03). L. 1.50; m. G. 2 — d
— dass. 2 Sammlgn christl. Lieder z. häusl. Erbaug. 3. Afl. (216) 12° Halle, H Gesenius (03). L. m. G. 2 — d
— dass. Beide Sammlgn in 1 Bd vereinigt, sachlich geordnet u. m. Angabe d. Melodien versehen. 3. Afl. Jubelausg. (172 m. Bildnis.) 16° Herb., Bh. d. nass. Colportagever. 01. — 25; geb. — 45; L. — 60; m. G. 1 — d
— dass., s.: Universalbibliothek, christl.
Spitta, L: Alltägliches u. Sonntägliches. Lose Blätter zu stillem Bedenken v. Dingen, d. Freund u. Feind angehen. (57) 8° Gütersl., C Bertelsmann 02. — 80; feine Ausg. 1.20 d
— Hans Sumenicht d. Schildknecht. Geschichtl. Erzählg a. d. Weserthale. 2. Afl. (285) 8° Gotha, FA Perthes 02. Geb. 4 — d
Spitta, W: Joh. familiäre fleckform. Pneumonie. (29) 8° Tüb., F Pietzcker 05. nn — 80
Spitta, W: Der landw. Grundkredit in Württemberg, m. bes. Berücks. d. württemberg. Kreditvereins in Stuttgart. [S.-A.] (127) 8° Tüb., H Laupp 04. 2.50
Spitteler, C: Extramundana. 2. [Tit.]Ausg. (320) 8° Jena, E Diederichs [1883] 05. 4 —; geb. 5 — d
— Olymp. Frühling. Epos. II—IV. 8° Ebd. 7 —
(Vollst.: 9.50; Einbde je 1 —) d
II. Hera. d. Braut. (146) Lpzg 01. 2.50 ‖ III. Die hohe Zeit. (143) Lpzg 03. 2.50 ‖ IV. Ende u. Wende. (90) 05. 2 —
— Lach. Wahrheiten. Ges. Essays. 2. Afl. (302) 8° Ebd. 05. 3.50; geb. 4.50 d
Frühere Werke a. unter d. Pseudonym: Extramundana.
Spitz, H: Was muss man v. Darwin wissen? (80) 8° Berl., H Steinitz (02). 1 — d
Spitzel, d. russ., in Deutschl. Von Asiat. I. Interpellation üb. d. russ. Polizeispione in d. Sitzg d. deut. Reichstags am 19.I.'04. (In russ. Sprache.) (70) 8° Berl.-Charlttnbg, F Gottbeiner 04. 1.20
Spitzen. Monatsschrift f. d. elegante Welt. Hrsg. v. Truth.

Red.: W Fischer. 1. Jahrg. Aug.—Dezbr 1903. 5 Hefte. (1. Heft. 64) Fol. Berl., R Eckstein Nf. Je 1 — 0 F
Spitzen u. **Stickereien**. 1. Bd. (30 Lichtdr.) 8° Plauen i. V., (CF Schulz & Co.) (04). In M. 32 —
Spitzer, A: Ueb. Migräne. (119) 8° Jena, G Fischer 01. 2.80
Spitzer, AA: Die Jagdges. f. Niederösterr. u. Wien samt d. zu diesen erfloss. Statthaltereiverordngn, sowie d. gelt. einschläg. Ges. u. Vorschriften. (300) 8° Wien, M Perles 03. 3.90; geb. 4 — d
— Richterl. Standg. (51) 8° Wien, Manz 02. 1.20 d
Spitzer, D, s.: Export-Adressbuch f. d. Orient, Russl. u. Kaukasus.
Spitzer, D: Das Herrenrecht. Novelle in Briefen. 13. Afl. (72) 8° Lpzg, E Polz 05. 1.80; geb. nn 2.40
Spitzer, H: Hermann Hettners kunstphilosoph. Anfänge u. Literarästhetik. 1. Bd. (507) 8° Graz, Leuschner & L. 03. 12 —
Spitzer, J: Erlebtes u. Erdachtes. Novellen. 2 Bde. (72 u. 82) 8° Dresd., E Pierson 02.04. Je 1 —; geb. je 2 —
Spitzer, JA: Berechng d. Monier-Gewölbe. Wiss. Verwerthg d. Versuchsergebnisse bei d. Purkersdorfer Probegewölbe v. 23 m Lichtweite u. System Monier. (Betonbau-Unternehmg GA Wayss & Co. Wien.) [S.-A.] (16 m. Fig. u. 3 Taf.) 4° Wien 1896. (Berl., Gropius.) nn 2.80
— Die Wasserversorgg d. Stadt Komotau. Bau d. Talsperre, Stollen, Filter u. Hochbehälter. Vortr. [S.-A.] (10 m. Abb.) 4° Wien, (Lehmann & W.) 04. 3 —
Spitzer, L, u. A Jungmann: Ergebnisse v. 240 operierten Lupusfällen nebst Bemerkgn z. modernen Lupusbehandlg. Zugl. Ergänzg zu E Lang's Monogr.: „Der Lupus u. dessen operative Behandlg". Eingeleitet durch „Betrachtgn üb. d. modernen Heilmethoden d. Lupus" v. E Lang. (205 m. Abb.) 8° Wien, J Safár 05. 6.50
Spitzer, M: Der Krieg u. d. Moral, s.: Volksschriften z. Umwälzg d. Geister.
Spitzer, T: Lebensschicksale d. Geschäfts-Reisenden u. d. allg. Konkurrenzkampf. Getreues Spiegelbild üb. d. krit. Verhältn. im kaufmänn., industriellen u. Gewerbeverkehr. (47) 8° Berl. (W. 62, Lützowufer 22), Selbstverl. (04). — 50 d
Spitzmüller, A: Die österr.-ungar. Währgsreform. [S.-A.] (113) 8° Wien, W Braumüller 02. 4 —
Spitzmüller, J: 15 Anschaugsbilder f. d. geograph. Unterr. Anh. zu: Kurzgef. Erdbeschreibg f. deut. Schulen v. S. (10) 8° Bruchs., O Katz (1898). — 10 d
Spitzmüller, W: Üb. Therapie u. Heilerfolge bei Skrofulose u. chirurg. Tuberkulose d. Kinder im Kaiserin-Elisabeth-Kinderhospital in Bad Hall in Oberösterr. (51) 8° Wien, F Deuticke 04. 1.80
Spitzner, A: Die pädagog. Pathol. im Seminarunterr., s.: Beiträge z. Lehrerbildg u. Lehrerfortbildg.
Spitzner, AA: Das Lächeln d. Tessa. Renaissance-Sp. 1. u. 2. Taus. (118) 8° Wien, Das literar. Deutsch-Österr. (04). 2.50 d
Spitzy, H: Ueb. Bau u. Entwicklg d. kindl. Fusses. [S.-A.] (32 m. 5 Taf.) 8° Berl., S Karger 03. 2 —
Splett, F: Kaisers Geburtstag in d. Volkssch. Reden u. Gedichte z. Geburtstagsfeier Kaiser Wilhelms II. 2. Afl. (169) 8° Bresl., F Goerlich (05). — 60 d
— Maria v. Hohenzollern. (96 m. Abb., 1 Bildnis u. 1 Stammtaf.) 8° Graud., G Röthe 04. 2 —; Prachtausg., L. 4 — d
Splettstösser, W: Bibl. Gesch. f. d. Vorsch. hbh. Lehranst. 1. u. 2. Afl. (68) 8° Berl., Trowitzsch & R. 05.05. Geb. — 70 d
Splettstösser, W: Maxim Gorki. Studie üb. d. Ursachen s. Popularität. (46 m. 1 Bildnis.) 8° Charlttnbg, G Bürkner 04. — 75 d
Splingard, A, s.: Clarissa.
Splitgerber jr.: Aus d. Alpen. I—III. Serie je 4 Farbdr. München (Mozartstr. 3), Kunstverl. München H Sonntag (04). Je 9.50 d
— dass. I. II. III. Je 30.30×61.5 cm.
Splittgerack, F: Rechenaufg. f. d. unt. Kl. höh. Lehranst., sowie f. d. Volkssch. 2. u. 3. Heft. 8° Düsseldf, L Schwann. Kart. nn 1.90 d
II. 2. Afl. (51) (01.) — 70 ‖ III. (48) (01.) nn — 70.
Splittgerber, A: Kann e. moderner Mensch an Wunder glauben? s.: Lehr u. Wehr fürs deut. Volk.
Spohn: Die Detailausbildg d. Infanteristen f. d. Gefecht in d. Schütze u. im Entferngsschätzen. 2. Afl. m. Deckblättern. (68) 8° Berl., O Liebel 02. 1 —
— Die Disziplinar-Strafgewalt d. Kompagnie-, Eskadron- u. Batterie-Chefs. 2. Afl. (78) 8° Berl., R Eisenschmidt 02. Kart. 1 —
— s.: Gebräuche, d. conventionellen, beim Zweikampf.
— Luxus u. Wohlleben im deut. Offizierkorps. Ein Wort. (36) 8° Berl., Herm. Walther 04. — 50 d
— Rekrutenbriefe. Mit Anmerkg. Katech. f. alte u. junge Soldaten. 21—25. Taus. (32) 8° Oldnbg, G Stalling's V. (05). — 25 d
— Reservistenbriefe. Organ. Fortsetzg meiner Rekrutenbriefe. (56) 8° Ebd. (05). 26 d
— Das Turnen d. Infant. 2. Afl. (96) 8° Berl., R Schröder 05. 1 —
Spohn, A: Deut. Fibel. 16. Afl. (80 m. Abb.) 8° Lpzg, Dürr'sche Bh. (01). — 30; geb. nn — 45 d
Spohn, O: Bibl. Geschichte f. d. Unter- u. Mittelst., s.: Backes, J.
Spohr: Bart- u. Kopf-Flechten, s.: Hausbücher f. Gesundheitspflege.
— Die Bein- u. Hufleiden d. Pferde, ihre Entstehg, Verhütg u. arzneilose Heilg, nebst e. Anh. üb. arzneilose Heilg v.

Drnckschäden u. Wunden. 7. Afl. (193 m. 1 Skizze u. 2 Taf.)
8° Lpzg, A Strauch 03.   2 —; L. 3 — d
Spohr: Die naturgemässe Gesundheitspflege d. Pferde als Vor-
beugg geg. Krankh. m. bes. Berücks. militär. Verhältnisse.
4. Afl. (192) 8° Hannov., Schmorl & v. S. Nf. 04.   3 —;
geb. 4 — d
— Die inneren Krankh. d. Pferde, ihre Entstehg, Verhütg u.
naturgemässe Heilg ohne Anwendg v. Arzenei. 4. Afl. (281)
8° Ebd. 04.   4 —; geb. 5 — d
— Die Logik in d. Reitkunst, s.: Pferde, uns.
— Die Naturheilkde u. ihre Gegner. Botrachtg üb. Wesen u.
Ursachen d. Krankh. üb. Bakteriol. u. Biol. 2. Taus. (96) 8°
Lpzg, K Lentze 05.   1.50
Spohr, W: Fidus. (127 m. z. Tl farb. Abb., 27 Taf. u. 1 Bildnis.)
4° Mind., JCC Bruns 02.   L. 30 —
— s.: Kunst, d., im Leben d. Kindes.
— Die schönsten Märchen a. 1001 Nacht. 1. Sammlg. Für Kna-
ben u. Mädchen u. 12 Jahre an. Nach Weils Übersetzg a. d.
Urtext ausgew. u. bearb. (153 m. Abb. u. 6 Farbdr.) 8° Köln
H & F Schaffstein (04).   Geb. 3 — d
— dass., s.: Schaffstein's Volksbücher.
— s.: Multatuli-Briefe.
Spöhreg, C: Theoretisch-prakt. Aul. f. d. Unterr. in d. einf.
u. dopp., sowie verb. einf. u. amerikan. Buchführg. — Die
kaufmänn.Arithmetik, s.: Handbibliothek d. ges.Handelswiss.
Spoelstra: Siud. d. Buren Feinde d. Mission? Aus d. Holl. v.
A Schowalter. (32) 8° Berl., M Warneck 02.   — 25 d
Spolz, A: Handarbeits-Unterr. d. Blinden, s.: Hillardt-Sten-
zinger, G, Methodik d. Handarbeits-Unterr.
Sponheimer, J: Der Vegetarismus, e. wirtschaftl. Notwendigk.
(103) 8° Berl., Lebensreform 05.   1.50
— Das Wohngselend d. Grossstädte u. s. Abwendg durch Selbst-
hilfe. (78 m. Abb.) 8° Ebd. 04.   1 —
Sponner-Wendt, L: 40 Jahre pädagog. Tätigk., s.: Wendt's,
FM, psycholog. Kindergartenpädagogik.
Sponsel, JL: Joh. Melchior Dinglinger u. s. Werke. (71 m.
Abb.) 8° Stuttg. 04. (Biberach, Doru.)   3 —
— dass. 2. Afl. (71 m. Abb.) 8° Dresd., (H Burdach) 05.   3 —
— s.: Monographien d. Kunstgewerbes.
— Das Reiterdenkmal Augusts d. Starken u. s. Modelle. [S.-A.]
(50 m. Abb.) 8° Dresd., W Baensch 01.   1.50
Sporer, B: Nied. Analysis, s.: Sammlung Göschen.
Sporer, P: Theologia moralis, decalogalis et sacramentalis.
Novis curis ed. I Bierbaum. 3 tomi. 8° Paderb., Bonifacius-
Dr.   24.90
I. Ed. II. (960) 01. 7.50 ‖ II. Ed. II. (926) 03. 7.60 ‖ III. (1167) 01; ed. II.
(1146) 05. Je 9.60.
Sporgel: Nach Feierobmds, Fortsetzg, s.: Daube, E.
Spork, E: Die Gebart d. Herrn, s.: Vereinsbühne.
Spörl, H, s.: Almanach, photograph.
— Die photograph. Apparate u. sonst. Hilfsmittel z. Aufnahme,
deren Beschreibg, sowie Erläuterg ihrer Anwendg. 11. Afl.
v. PE Liesegangs Hdb, Bd. I. (122 m. Abb. u. Kunstbeil.) 8°
Lpzg, E Liesegang 05.   5 —
— Die Lichtpaus-Verfahren, s.: Liesegang's photograph.Bücher-
schatz.
— Der Pigment-Druck, s.: Liesegang, PE.
— Prakt. Rezeptsammlg f. Fach- u. Amateur-Photographen.
(147) 8° Lpzg, E Liesegang 05.   3 —; geb. 3.50
Spörlin, M: Der Kaisersberger Doktor u. and. Gesch., s.:
Jugend- u. Volksbibliothek, deut.
— Elsäss. Lebens-Bilder. I. Bd. 6. Afl. (310 m. 4 Vollbildern.)
8° Stuttg., JF Steinkopf 05.   L. 3 — d
Sporn, der. Central-Bl. f. d. Gesch.-Interessen d. deut. Pferde-
Rennen. Red.: R Pölzer. 39. Jahrg. 1901. 59 Nrn. (Nr. 1—33.
342) Fol. Berl. (S.O. 36, Forsterstr. 51 I). Verl. Sporn.
Viertelj. 4 —; einz. Nrn — 30 ö H
Spörri, H: Unvergessene Worte. Predigten. (330 m. 1 Taf.) 8°
Lpzg 04. Gött., Vandenhoeck & R.   4 —; geb. nn 5 — d
Spörry, H: Das Stempelwesen in Japan. (66 m. Abb. u. 2 Taf.)
8° Zürich (Börse), Schwelz. herald. Gesellsch. 01.   nn 3.20
— Die Verwendg d. Bambus in Japan u. Katalog d. Spörry-
schen Bambus-Sammlg. Mit e. botan. Einl. v. C Schröter.
(198 m. Abb. u. 8 L.) 8° Zür. (Gerechtigkeitsg. 31), Selbst-
verl. 03.   nn 5 —
Sport. Offic. Organ d. Campagne-Reiter-Gesellsch. in Automobilwesen. Red.: K Doerry. 7—9. Jahrg. 1901—3 je 52 Nrn.
(Je 832) Fol. Berl., A Scherl. ‖ 10. Jahrg. 1. Viertelj. Jan.—
Kart 1904, 13 Nrn.   Viertelj. 5 —; einz. Nrn — 40
— dass, Illustr. Wochenschrift f. Sport, Gesellschaft, Theater,
verbunden m. Beil. „Pferde-Verkaufsliste". 10. Jahrg. 2. Halbj. Juli-
Dezbr 1904 u. 11. Jahrg. 1. Halbj. Jan.—Juni 1905 je 26 Nrn.
(Nr. 27, 24) 4° Ebd.   Viertelj. 7.20; einz. Nrn — 60
— dass. (Ausg. B.) 10. Jahrg. 2—4. Viertelj. Apr.—Dezbr 1904.

39 Nrn. (Nr. 14. 24) Fol. Berl., A Scherl. ‖ 11. Jahrg. 2 Halbj.
1905 26 Nrn. Viertelj. 6 —; einz. Nrn — 60
Die Ausg. A erscheint erst seit 1.VII.'04; seit 1.VII.'05 sind
beide Ausgaben vereinigt, z. Preise s. Ausg. B. — „Ross u.
Reiter" u. „Spiel u. Sport" wurden hiermit vereinigt.
Sport, deut. Organ f. Reansport u. Pferdezucht. Chef-Red.: Fv.
Wedel. 10. Jahrg. 1901. 242 Nrn. (Nr. 1. 8) Fol. Berl., Deut.
Sport. ‖ 11. Jahrg. 1902. 267 Nrn. ‖ 12. Jahrg. 1903. 305 Nrn.
‖ 13. Jahrg. 1904. Chef-Red.: G Ehlers. 306 Nrn.
Viertelj. nn 7.50 ö H
— & **Salon**. Illustr. Zeitschrift f. d. vornehme Welt. Hrsg. u.
Red.: M Hahn. 4. Jahrg. 1901. 52 Nrn. (Nr. 11. 32) 4° Wien
(I, Nibelungeng. 7), Sport & Salon. 20 —; einz. Hefte — 50
‖ 5. Jahrg. 1902. 25 —
— — dass. 6—8.Jahrg. 1903—5 je 52 Nrn. (Nr. 1. 32) 4° Ebd.
Je 25 —; einz. Nrn — 50; Luxusausg. Je 40 —; einz. Nrn
1 —; Prachtausg. je 100 —; einz. Nrn. 2 —
Sport-Album d. „Rad-Welt". Hrsg. v. Verl. d. „Rad-Welt".
1—3. Jahrg. (118, 130 u. 132 m. Abb.) 8° Berl., Buchdr. u.
Verl.-Anst. „Strauss" (03.04).   Geb. je 2 —
Sport-Jahrbuch, I., f. Österr.-Ungarn 1903 v. F Schmal. (163
m. Abb.) 8° Wien, (J Herz). — 50 ‖ '04- (181 m. Abb.) — 50
— — dass. '05- 3. Jahrg. (172) 8° Wien, (F Beck).   1 —
Sport-Kalender, lust., f. 1904. Hrsg. v. „Schnaeferl", flieg.
Blätter f. Sport-Humor. (114 m. Abb.) 8° Münch. Berl., Verl.-
Anst. G Braunbeck.   1 — d ö F
Sportluftbad, d., s.: Kraft u. Schönheit.
Sport-Rundschau. Illustr. Fachzeitschrift f. Pferdesport, Au-
tomobil- u. Radfahrsport, Athletik, Amateur-Photogr.,
Wassersport, Touristik, Hunde- u. Geflügelzucht etc. Septbr
1904. 2 Nrn. (Nr. 1. 30 m. Abb.) 8° Münch., E Koch. Gratis ö F
Sport-Woche, neue. Zeitschrift f. sämtl. Rasensport. Red.:
F Neumann. 2—5. Jahrg. 1903—5 je 52 Nrn. (Nr. 17. 12) Fol.
Berl., Hans Walter.   Viertelj. 1.50; einz. Nrn — 10
Sport-Zeitung, allg. Wochenschrift f. alle Sport-Zweige. Hrsg.
u. red. v. V Silberer. 22. u. 23. Jahrg. 1901 u. 2 je 52 Nrn.
(1901. Nr. 1. 20) 42,5×29 cm. Wien, Verl. d. allg. Sport-Zeitg.
‖ 24. u. 25. Jahrg. 1903 u. 4 je etwa 110 Nrn. ‖ 26. Jahrg. 1905.
52 Nrn. Je nn 36 —
Spott, M: Antike Thongefässe. Wandtaf. f. d. Gebr. im Frei-
handzeichen-Unterr. an d. unt. Kl. d. Gymnasien, Lehrer-
bildugs-Anst., Realsch., Bürgersch. u. Fortbildgsch. (10
Taf. m. 1 Text.) Fol. Bambg. Schmidt (01). ‖ M. d. —
Spottvogel. Kritisch-satir. Halbmonatsschrift. Hrsg.: K
Schneidt. (5. Jahrg.) 1 Heft. (32) 8° Berl., („Die Welt am
Montag") 02.   — 20 d ö F
Sprachbüchlein, deut., m. zahlreichen Übgsaufg., zusammen-
gest. v. lothring. Schulmännern. Mittelst. (29) 8° Metz, F
Evan 05.   — 25 d
— dass. Mittel- u. Oberst. (81) 8° Ebd. 05.   — 75 d
Sprachen, d. neueren. Zeitschrift f. d. neusprachl. Unterr.
Zugl. Fortsetzg d. Phonet. Studien. In Verbindg m. F Dörr
u. A Rambeau hrsg. v. W Viëtor. 8. Bd. Suppl.-Heft. 8° Marbg,
NG Elwert's V.   3 —
Heim: Hi: Die amtl. Schriftstücke z. Reform d. franzöſ. Syntax u. Orthogr.
(56) 01.   1 —
— dass. 9—13. Bd. Apr. 1901—März 1906 je 10 Hefte. (Je 640)
8° Ebd.   Der Bd. 12 —; einz. Hefte 1.60
Sprachführer f. d. Verkehr d. Ärztes m. d. Kranken u. d.
Wärter in deut., bohm., italien., kroat.(serb.), poln., rumän.,
ruthen. u. ungar. Sprache, s.: Publikationen, militärärztl.
— kl. Konversationsb., Sprachführer, Notwörterbücher. Von
O Robert. I—IV. 12° Ravnsbg, O Maier.   Je — 80 d
Brombho, G: Franzöſ. Sprachführer. (100) (03.) [I.] ‖ Italien. Sprachführer. (93) (02.) [II.]
Hofmann, CJ: Spanisch. (110) (04.) [IV.]
Newcomen, WJ: Engl. Sprachführer. (98) 03. [III.]
— f. d. Reise. I.—u. 6—8. Bd. 16° Berl., A Goldschmidt.
Kart. je 1 — d
1. Deutsch-Schwedisch. 6. Afl. (156) 04. ‖ 6. Beer, FH de: Deutsch-Hol.
Ländisch. 5. Afl. (195) 04 ‖ 7. Ottesen, M: Deutsch-Dänisch, Norwegisch.
6. Afl. (180) 04. ‖ 8. Deutsch-Ungarisch. 2. Afl. (115) 04.
Bisher u. d. T.: Goldschmidt's Sammlg prakt. Sprachführer f.
Reisende.
— — dass. Auh. z. Leseb. f. d. Kapitulantensch. (36) 8° Berl.,
ES Mittler & S. 03.   — 15 d
— u. **Rechtschreibung** f. d. Mittelst. Schülerheft. (Von J Otto.)
5. Afl. (52) 8° Gerbw, J Boltze 06.   — 40 d
— — dass. f. d. Dberst. Schülerheft. 1—3. Afl. (96) 8° Ebd. 04.05.
Kart. — 70 d
Sprachschule, deut., f. mehrklass. Schulen. Bearb. im Anftr.
d. Lehrerkollegiums e. v. Bürgersch. zu Hildesheim. In 4
Heften. 8° Hildesh., Gerstenberg 03.   nn 1.60 d
I. 11. Schulj. 4. Afl. (20) nn 72 ‖ II. III.Schulj. 4. Afl. (82) nn — 24 ‖ 3.
Schulj. 3. Afl. (44) nn — 25 ‖ 4. Schulj. 4. Afl. (45) nn — 25 ‖ 5.
Schulj. 3. Afl. (44) nn — 25 ‖ 6. u. VII. u. VIII. Schulj. 3. Afl. (72)
nn — 40.
— dass. f. 1- bis 5klass. Schulen in 2 Heften. Ausg. B d. Hildes-
heimer Sprachsch. 8° Ebd.   nn — 70 d
I. (56) 01; 2. Afl. (58) 03. Je nn — 30 ‖ II. 1. u. 2. Afl. (56) 01.05. nn — 40.
Sprachstoffe, Übg in d. Orthogr. u. Grammatik im Anschl.
an d. Leseb. Deut.Jugend I—VI. 6 Hefte. Bearb. f. d. 1.Bürger-
sch. zu Wolfenbüttel. 8° Wolfenb., J Zwissler.   nn 1.65 d
I. 3. Schulj. 4. Afl. (16) 03. — 20 ‖ II. 3. Schulj. 2. Afl. (16) 03. — 20 ‖ III.
4. Schulj. 2. Afl. (32) 03. nn — 25 ‖ IV. 5. Schulj. (47) 02. — 30 ‖ V. 6. Schulj.
(56) 03. — 30 ‖ VI. 7. u. 8. Schulj. (64) 04. Kart. — 40.

Sprachunterricht, d., muss umkehren! Beitrag z. Überbürdgs-frage, v. Quousque tandem (W Viëtor). 3. Afl. (52) 8° Lpzg, OR Reisland 05. 1 —
Sprang, G: Anl. f. d. Ausbildg im Aufklärgsdienste d. Feld-Artill., s.: Braumüller's militär. Taschenbb.
— Grundsätze f. d. Durchführg d. artilleriet. Aufklärgsdienstes. (39) 8° Wien, LW Seidel & S. 01. 1 —
Spranger: Abschiedspredigt üb. Apostelgesch. 20, V. 32. (7) 8° Borna, R Noske 03. — 25 d
Spranger, E: Die Grundl. d. Gesch.-Wiss. (147) 8° Berl., Reuther & R. 05. 3 —
— s.: Hutten's Briefe an Luther.
Sprater, T: Das Problem e. internat. Orthogr.-Reform. (85) 8° Neust. a. d. H., (H Epp) 01. 1.50
Sprecher, A v.: Reduktions-Tab. f. Elektrotechniker z. Be-rechng v. tg u u. sin $\frac{u}{2}$ a. d. Scala-Ablesg s. Mit e. 4stell. Logarithmentaf. als Anh. 2. Afl. (15) 8° Zür., Schulthess & Co. 03. 1 —
Sprecher, F, s.: Feuerwehrwesen, d. Churer.
Sprecher, JA, v.: Die Familie de Sass. Histor. Roman a. d. letzten Pestzeit Graubündens (1629—32). 3. Afl. (372) 8° Bas., Basler Buch- u. Antiquariatsh. vorm. A Geering 04. 4 —
geb. 5 —
Sprech-Saal. Organ d.Porzellan-,Glas-u.Thonwaaren-Industrie. Gegründet v. FJ Müller. Red.: A Schmidt. 34. Jahrg. 1901. 52 Nrn. (Nr. 1. 34 m. Abb.) Fol. Cobg, Müller & Schmidt. Viertelj. 3 —
— dass. Zeitschrift f. d. keram., Glas- u. verwandten Indu-strien. Chefred.: R Müller. Red. f. d. technisch-wiss. Tl: WH Zimmer, f. d. socialpolit., Handels- u. Anzeigenthl: E Tiedt. 35—38. Jahrg. 1902—5 je 52 Nrn. (1902. Nr. 1. 32 m. Abb.) Fol. Ebd. Viertelj. 3 —
Sprechstunden, hygienisch-ärztl. Populäre Vortr. üb. gesund-heitl. Fragen. 1. Heft. 8° Glatz, M Adam. — 30 d
Moeser, H: Was können wir trinken, wann wir geist. Getränke meiden wollen? (22) 04. [1.]
— naturärztl. Hrsg.: Naturheilver. Nürnberg, Red.: H Rudolf. 10. Jahrg. 1901. 12 Nrn. (Nr. 1. 24) 8° Nürnbg, (F Korn). 3 — d ö F
Spreewald-Führer, d. kl. offiz. (5 m. 1 Karte.) 12° Lübbenau, (E Bruchmann) 02. — 10
Sprengel, C: In d. gold. Ferienzeit. 4 Erzählgn f. Knaben u. Mädchen v. 8—11 Jahren. (116 m. 4 Farbdr.) 8° Reutl., R Bardtenschlager (05). Geb. 2.50 d
— Frühlingsblumen, s.: Ziegler, H v.
— Aus d. Jugendzeit. 2 Erzählgn f. d. reif. Jugend. 25—34. Taus. Neue Ausg. (120 m. 2 Farbdr.) 8° Wes., W Düms (04). Geb. — 75 d
— Unser Sonnenkind. Erzählg f. junge Mädchen. (Neue Afl.) (224 m. 3 Vollbildern.) 8° Reutl., R Bardtenschlager (02). Geb. 3.50 d
— u. H v. Osten: Der 1. April u. and. Erzählgn. I. Der 1. April. II. Vertraue auf Gott. Von Sp. III. Fromm u. treu. Von V. O. 21—31. Taus. Neue Ausg. (128 m. Farbdr.) 8° Wes., W Düms (05). Geb. — 60 d
Sprenger, A: Der Eigentumserwerb durch Einverleibg in d. Inventar, s.: Studien, Rostocker rechtswiss.
Sprichwort, d. deut., im Dienste d.Relig.-Unterr. in d.Volkssch. Geordnet n. d. 10 Geboten Gottes u. d. 7 Bitten d. Vater unser. Hrsg. v. P Scholasticus. 2. [Tit.-]Afl. (218) 8° Würzbg, FX Bucher [1883] (05). 1.60 d
Sprichwörter, deut., als Materialien zu Aufsatz- u. Diktando-Uebgn u. Hausaufg. f. d. Oberkl. d. deut. Volkssch. Bearb. v. e. unterfränk. Lehrer. I. u. XII. Heftchen. 8° Würzbg, FX Bucher. 1.40 d
I. 3. [Tit.-]Afl. (57) [1891.] (05.) — 60 [XII. 2. [Tit.-]Afl. (96) [1895.] (05.) — 60.
Sprigade, P: Karte v. Deutsch-Ostafrika, s.: Kiepert, R.
— s.: Karte d. russisch-japan. Kriegsschauplatzes. — Karte v. Togo. — Kriegskarte v. Deutsch-Südwestafrika.
— u. M Moisel: Gr. deut. Kolonialatlas. 1—4. Lfg. Farbdr. Mit Text. Berl., D Reimer. 15 —
1. Kamerun. 1:1,000,000. 6 Bl. Je 44,5×43 cm. (1) 4° (01.) — 6
2. Die deut. Besitzgn im Stillen Ocean u. Kiautschou. 2 Bl. Je 52,5× 65,5×36 cm. 05.
3.4. Deutsch-Ostafrika. Die deut. Besitzg im Stillen Ocean u. Kiaut-schou. Je 3 Bl. Je 44×49,5 cm. 03.05.
Springer, A: Was muss d. Konditor wissen? (80) 8° Berl., D Steinitz (04). — d
Springer, A: Des Vaters Fluch. Drama. (183) 8° Berl. (N.W. 21, Pritzwalkerstr. 14), R Mewes 03. 3 — d
Springer, A: Die Kraftmaschinen, s.: Schriften d. steiermärk. Gewerbefördergs-Instit.
Springer, A: Vegetar. Kochb. Mit e. Abhandlg „Wie sollen wir leben!" v. J Springer. 3. Afl. (227) 8° Zitt., (W Fiedler) (04). Geb. 1.50 d
Springer, A: Hdb. d. Kunstgesch. Neue Afl. d. Grundz. d. Kunst-gesch. Illustr. Ausg. 4 Bde. 4° Lpzg, EA Seemann. 27 — ;
I. Altertum. 6. Afl. v. A Michaelis. (378 m. 4 Farbdr.) 01. 7 —] 7. Afl. (464 m. 9 Farbdr.) 04. 8 —
II. M.-A. 6. Afl. v. J Neuwirth. (414 m. 6 Farbdr.) 02.] 7. Afl. (451 m. 9 Farbdr.) 04. Je d —
III. Die Renaissance in Italien. 6. Afl. (512 m. 12 Farbdr.) 01.] 7. Afl. v. A Philippi. (512 m. 16 Farbdr.) 04. Je 6 —

IV. Die Renaissance im Norden u. d. Kunst d. 17. u. 18. Jahrh. 6. Afl. (408 m. 14 Farbdr.) 02. 7 —
Springer, A Edler v.: Hdb. f. Officiere d. Generalstabes (m. bes. Rücks. auf deren Dienst im Felde). 11. Afl. (410 m. 12 Beil.) 12° Wien, (LW Seidel & S.) 02. II 12. Afl. v. H Kromer. (439 m. 12 Beil.) 04. L. je 6 —
Springer, E: Der Alkaloidnachweis. Kritisch-experimentelle Beitr. z. analyt. u. toxikolog. Chemie d. Alkaloide. (147 m. 5 Tab.) 8° Bresl., (Koebner) 02. 2 —
Springer, E: Gesch. d. Gründg d. kgl. landw. Akad. Hohen-heim. (36) 8° Stuttg., E Ulmer 04. 1 — d
— Verfassg u. Verwaltgsorganisation d. Städte d. Kgr. Würt-temberg. s.: Schriften d. Ver. f. Socialpolitik.
Springer, EA: Der prakt. Woll- u. Halbwoll-Färber. (132) 8° Lpzg, H Klasing 02. L. 2.75
Springer, J: Wie sollen wir leben!, s.: Springer, A, vegetar. Kochb.
Springer, J: Aus d. mährisch-schles. Sudeten, s.: Engelmann, H.
Springer, R, s.: Ehre sei Gott iu d. Höhe.
Springer, R: Religionsb. f. ev.-luth. Schulkinder u. Konfir-manden. 4. Afl. (189) 8° Berl., J Klönne Nf. (02). Geb. 1 — d
Springer, R (Synopticus): Der Kampf d. österr. Nationen um d. Staat. 1. Thl: Das nationale Problem als Verfassgs- u. Verwaltgsfrage. (252) 8° Wien, F Deuticke 02. 5 — d
— Die Krise d. Dualismus u. d. Ende d. Deakist. Episode in d. Gesch. d. habsburgschen Monarchie. [Erweit. S.-A.] (72) 8° Ebd. 04. nn 1.25 d
— Mehrheits- od. Volksvertretg? Zur Aufklärg d. intellektuellen u. industriellen Klassen üb. ihr Interesse an e. Wahlreform, sowie üb. Wesen, Arten u. Bedeutg d. Proportionalwahl. Nach e. Vortr. (52) 8° Ebd. 04. 1.25 d
— s.: Staat u. Nation (im Kat. 1896/1900).
— Staat u. Parlament. Krit. Studie üb. d. österr. Frage u. d. System d. Interessenvertretg. [Erweit. S.-A.] (31) 8° Wien, (Wiener Volksbh.) 01. — 50 d
Springer, W: Kurzer Abriss d. Handarbeitsunterr. in d. Volkssch. 2. Afl. (80 m. Abb.) 8° Bresl., F Hirt 02. 1 — d
— Der Haushalt auf d. Grundl. v. Nahrgsmitteltaf. u. Wirt-schaftsbuch. (49 m. 1 farb. Taf.) 4° Lpzg, BG Teubner 04. — 60
— Der Haushaltgsunterr.Wegweiser f. Einrichtg v. Haushaltgs-sch. u. zugl. e. Lehr- u. Hdb. z. Erteilg d. Haushaltgsunterr. 4 Te in 1 Bde. I. Allg. üb. d. Haushaltgsunterr. II. Die Reinigsarbeiten. III.Die Pflege d. Wäsche. IV. Das Kochen. 2.Afl. (373 m. Abb. u. 1 farb. Taf.) 8° Ebd. 05. 5 — ; L. 5.80 d
— Nahrgsmitteltaf. f. Schulen u. Haushaltgssch. I. Die e.Eigen-schaften e. guten Nahrg. (122×95 cm. Farbdr. Ebd. (05). 4.40; auf L. m. St. 6 —
— dass., nebst kurzen Erläutergn. (1 farb. Taf. m. 8. Text.) 4° Ebd. 05. — d
Springfeld, A: Die Errichtg v. Apotheken in Preussen. (46) 8° Berl., J Springer 02. 1.40 d
— Die Pockenepidemie in Bochum im J. 1904. [S.-A.] (34 m. 1 Taf.) 8° Jena, G Fischer 05. —
— Die Ruhrseuchen im Reg.-Bez. Arnsberg. [S.-A.] (30 m. 1 Taf.) 8° Ebd. 04. —
— Die Typhusepidemien im Reg.-Bez. Arnsbg u. ihre Bez ziehgn zu Stromverseuchgn u. Wasserversorgsanlagen. [S.-A.] (138 m. Abb., 12 Kurven u. 2 Kart.) 8° Ebd. 05.
— Graeve u. Bruns: Versuche e. Wasserleitg m. Nachweis v. Typhusbazillen im Schlamme d. Erdbehälters. [S.-A.] (18 m. 5 Skizzen.) 8° Ebd. 04.
Springmann, P: Experimentier. Physik, s.: Schreber, K.
Sprockhoff's, A, Einzelbilder a. d. Mineralreiche. Die wich-tigsten Mineralien u. ihre gewerbl. u. wirtschaftl. Bedeutg in ausgew. Vertretern d. wichtigsten Kreise, Klassen u. Ordngn. 5—7. Afl. (80 m. Abb.) 8° Hannov., C Meyer 04. — 60; kart. m — 75
— dass. a. d. Pflanzenreiche. Ausgew. Vertreter wildwach Pflanzen u. d. wichtigsten Kulturpflanzen nebst ihren Feinden a. d. Insektenwelt. 4—7. Afl. (104 m. Abb.) 8° Ebd. — 70; kart. m —
— dass. a. d. Physik. Die wichtigsten physikal. Erscheinung tägl. Lebens u. d. wichtigsten Gegenstände d. tägl. Gebrauchs in Wort u. Bild. 9. u. 10. Afl. (112) 8° Ebd. 04. — d
— dass. a. d. Tierreiche. Ausgew. Vertreter d. wichtigst Kreise, Klassen u. Ordngn u. ihre Bedeutg f. d. Mensche wie f. d. Haushalt d. Natur. 6. u. 7. Afl. (112 m. Abb.) 8° 04. — 70; kart. — 85
— Naturkde f. höh. Mädchensch. In 3 Tln bearb. (Mit Abb. 8° Ebd.
1. Naturgesch. f. d. 4. u. 5. Schulj. Einzelbilder u. natürl. Gruppen a. Kreise d. Blütenpflanzen u. d. Wirbeltiere. Grundvorstellgn v. perbau d. Menschen. 3. Afl. (176) 01. 1.50 [5—7. Afl. (214) 04.
2. Naturgesch. f. d. 6. Schulj. Vergleich. Beschreibgn, Kultur-, Gel u. Arzneipflanzen. Bau u. Leben d. Pflanzen, Kryptogamen u. senkrankh. Nied. Tiere. Die wichtigsten Mineralien. Die Organe menschl. Körpers. Gesundheitslehre. 3. Afl. (242) 01. 1.50 [5—7.
3. Naturlehre f. d. 8. u. 9. bezw. 10. Schulj. Physik u. d. wichtigs chemie. Vorgänge d. tägl. Lebens im Haushalt, Gewerbe u. Indus m. Berücks. d.Mineral- u. Geol. 3. Afl. (242) 02. 2 — [4 u. 5. Afl.
Sprösser, V: Das militär. Freihandzeichnen. Anl. z. Anfertig v. perspektiv. Ansichts-Skizzen bei Erkundg. (24 m. Ab 8° Halle, Bh. d. Waisenh. 05. 1 —

Spruchbuch zu d. 5 Hauptstücken nebst e. Anh. v. Gebeten.
6. Afl. (50) 8° Gött., Deuerlich 05.　　　　Geb. nn — 30 d
— zu d. kl. Katech. Luthers. Zusammengest. n. d. neuesten
Bestimmgn d. Schul- u. Kirchenbehörden d. Prov. Sachsen
v. Lehrern d. II. Bürgersch. in Eisleben. 4. Afl. (40) 8° Eisl.,
Schalbh. 03.　　　　　　　　　　　　　　— 16 d
— zu Luthers kl. Katech. Zum Gebr. in d. Volkssch. d. Fürstent.
Reuss j. L. 5. Afl. (80) 8° Lobenst., F Krüger 05. Kart. — 40 d
— f. d. ev. Relig.-Unterr., insbes. auch an höh. Schulen, m.
e. Liederverzeichnis als Anh. Angfest. v. Verbands rhein.
Relig.-Lehrer zu Düsseldorf. 5. Ausg. (17. Gesamtafl.) 3. Abdr.
d. lehrplanmäss. Ausg. v. 1892. (90) 8° Duisbg, J Ewich 04.
　　　　　　　　　　　　　　　　　　　Kart. — 50 d
Spruch- u. Liederbuch od. Sammlg v. Bibelsprüchen u. Gesangb.-Liedern z. Gebr. in d. ev. Schulen d. Kgr. Württemberg. Nebst Katech. u. Gebeten. Ausg. v. 1902. (144) 8° Stuttg.,
Bh. d. ev. Gesellsch. 03.　　　　　　　— 30 d; geb. — 45 d
Spruch-Büchlein z. lautern Lehrbrunn Israelis nebst ein. Zu-
gaben. 2. Afl. (48) 12° Strassbg, CA Vomhoff 02. nn — 50 d
— f. Sonntags-Sch. 5. Afl. (72) 12° Bas., Kober 04. Geb. — 50 d
Sprüche d. Väter. Eth. Mišnatraktat, hrsg. n. d. ältesten Drucken
(1484, 88, 92, 1505, 20) u. d. Münch. Talmudhandschrift nebst
Übersetzg u. kurzen Erklärgn v. L Goldschmidt. [S.-A.] (181)
12° Berl., S Calvary & Co. 04.　　　　　　L. nn 3.60
Spruchpraxis, die. Revue üb. d. Rechtsprechg in d. obersten
Instanzen d. im Reichsrate vertret. Königreiche u. Länder.
Red. v. A Riehl. 18—22. Jahrg. 1901—5 je 6 Hefte. ('04. 381)
8° Wien, M Perles.　　　　　　　　　　　　Je 9 — d
— d., d. Obergerichts u. d. Abteilg f. Civilsachen am Obergericht in Steuerstreitsachen. 2. u. 3. Heft. [S.-A.] (27 u. 28)
8° Aar., HR Sauerländer & Co. (04.05). Je — 60 (1.—3.; 2 —) d
*Das I. Heft s. u. d. T.: Praxis, od. d. aarg. Obergerichts in Steuer-
sachen.*
Spruchsammlung, 1.—3., d. deut. Juristen-Zeitg. Bearb. v. Hoffmann. Sonderbeil. d. deut. Juristen-Zeitg. 8° Berl., O Liebmann.　　　　　　　　　　　　　　　　　　　7.50
1. Für 1900—02, enth. d. Präjudizien d. Reichsgerichts, d. preuss. Kammergerichts, d. bayer. Obersten Landesgerichts u. d. Oberlandesgerichts z. BGB. (72 Sp.) 03.　　　　　　　　　　　　2 —
2. Desa. a. d. J. 1903 u. vn d. wichtigsten d. Reichszivilges. z. d. J.
1900—03. (102 Sp.) 04.　　　　　　　　　　　　　2.75
3. Dasa. a. d. J. 1904. (88 Sp.) 05.　　　　　　　　　　2.75
Wird nur an Abnehmer d. Juristen-Zeitg geliefert.
— m. erläut. Zusätzen z. kl. Katech. Luthers, hrsg. im Auftr.
d. Frankenberger Lehrrerconferenz v. ein. Geistlichen u. Lehrern derselben. 2. Afl. (47) 8° Frankenbg, F Kahm 01. — 35 d
Sprung, A: Ergebnisse d. meteorolog. Beobachtgn in Potsdam
s.: Veröffentlichungen d. kgl. preuss. meteorolog. Instit.
— u. R Süring: Ergebnisse d. Wolkenbeobachtgn in Potsdam
u. an ein. Hilfastationen in Deutschl. in d. J. 1896 u. 97, s.:
Veröffentlichungen d. kgl. preuss. meteorolog. Instit.
Sprungregister f. Eber. (No. 1. Nach Entwurf v. Hoesch-Neu-
kirchen.) (102) Fol. Lpzg, RC Schmidt & Co. (02). Geb. 3 — d
— f. Ziegenböcke. (102) Fol. Ebd. (02).　　　　Geb. 3 — d
Spruth's, O, Berliner Schulkalender f. d. Schulj. 1905/6. Führer
durch d. höh. Schulen Berlins u. sr Vororte. 3. Jahrg. (29
m. 2 Tab.) 8° Berl., L Oehmigke's V. 05.　　　　　— 50 d
Spude, H: Die Ursache d. Krebses u. d. Geschwülste in allg.
(91 m. 1 Fig. u. 2 farb. Doppeltaf.) 8° Berl., Gose & T. 04. 20 —
Spühler, I: Reformkochbuch od. Wie koche ich ohne Fleisch
u. Alkohol? 4 Tle. 8° Zür., Fäsi & Br. 04.　　　Kart. je 1.10;
1. Suppen, Kaltschalen. Crèmes n. Obst. (88) | 2. Gemüse, Getränke,
Saucen etc. (89—176) | 3. Mehl-, Milch- u. Eierspeisen. (177—268) | 4. Ofen-
(Backen)es u. d. Einmachen v. Obst u. Gemüse. (269—432)
— Das kl. Reform-Kochbuch, s.: Möller's, W, Bibliothek f. Ge-
sundheitspflege.
Spühler, J, s.: Album, offiz., z. Erinnerg an d. eidgenöss. Turn-
fest in Zürich.
Spühler, J: 3 Episoden aargauischer Gesch. Dramatisch be-
arb. (I. Huldigg d. Aargaues an d. Schweiz. 1415. — II. Der
Bauernkrieg. 1653. — III. Die Revolution in Aarau. 1789.)
Für off. Bühne. (95) 8° Aar., E Wirz 03.　　　　　　1 — d
Spuler, A: Beitr. z. Kenntnis d. Varietäten d. Augen u. d.
Muskulatur d. unt. Extremität d. Menschen. [S.-A.] (10 m.
3 Taf.) 8° Lpzg, A Deichert Nf. 01.　　　　　　　　1.50
— Die Raupen d. Schmetterlinge Europas. 2. Afl. v. E Hofmann's gleichnam. Werke. Mit üb. 2000 Abbildgn auf 60 (farb.)
Taf. (38 m. Abb. u. 30 Bl. Erklärgn.) 8° Stuttg., E Schweizerbart (05).　　　　　　　　　　　　　　　　L. 28 —
— Die Schmetterlinge Europas. 3. Afl. v. E Hofmanns gleich-
nam. Werke. 1—24. Lfg. (16, 200 u. 120 m. Abb., 34 farb. Taf.
u. 26 Bl. Erklärgn.) 8° Ebd. (01-05).　　　　　　　Je 1 —
— dass. III. Bd.: Die Raupen d. Schmetterlinge Europas. 2. Afl.
v. E Hofmanns gleichnam. Werke. 80 Lfgn. (60 farb. Taf.
u. Bl. Erklärgn.) 8° Ebd. (03.04). Für Abnehmer v. Spuler's
Schmetterlinge Europas je 1 —
Spurgeon, CH: Gold. A-B-C. 1900 Aussprüche, s. Schriften
zusammengest. v. P v. Zychlinski. (208) 8° Frankf. a/M. 02.
Neukirch, Bh. d. Erziehgsver.　　　　　1.60; geb. 2.50 d
— Neutestament. Bilder. 50 ausgew. Predigten. 2. Afl. Übersetzg. (324) 8° Hambg 09. Cass., JG Oncken Nf.　L. 6 — d
— Bilder a. d. Pilgerreise. Kommentar zu verschied. Stellen
d. unsterbl. Allegorie v. J Bunyan. Mit einleit. Bemerkn
v. T Spurgeon. Übers. v. H Liebig. (162) 8° Cass., JG Oncken
Nf. 05.　　　　　　　　　2 — ; L. 2.40; m. G. 2.80 d

Spurgeon, CH: Ein Born d. Heils f. Vereinsamte. Worte d.
Trostes f. Mühselige u. Beladene. (238) 8° Cass., JG Oncken Nf.
01.　　　　　　　　(2.25) 2 — ; geb. (2.80) 2.40 d
— Christus im Alten Test. 60 Predigten üb. vorbildl. u. prophet.
Darstellgn d. Person u. d. Werks uns. Herrn Jesu Christi.
Übers. v. H Liebig. (708) 8° Ebd. 01.　　　　5 — ; geb. 6 — d
— Der Dienst am Evangelium. Reden vor Predigern u. Studenten.
Übers. v. H Liebig. (414) 8° Ebd. 01. (3.20) 2.50; geb. 3 — d
— Federn f. Pfeile od. Illustrationen f. Prediger u. Lehrer.
Übers. v. E Spliedt. 4. Afl. (147) 8° Stuttg. 02. Cass., JG
Oncken Nf. 02.　　　　　　　　　2 — ; geb. 3 — d
— Ganz z. Gnaden. Ein ernstes Wort m. denen, welche Er-
rettg suchen durch uns. Herrn Jesum Christum. Übers. v.
E Spliedt. 10. Afl. (137) 8° Bonn 04. Neukirch, Bh. d. Erziehgs-
ver.　　　　　　　　1 — ; kart. 1.25; geb. 1.80 d
— Das Geheimnis uns. Kraft. 40 Ansprachen üb. u. in Gebets-
versammlgn. Übers. v. H Liebig. (227) 8° Cass., JG Oncken
Nf. 03.　　　　　　　　　　　2.50; L. 3 — d
— Geistesstrahlen, s.: Universal-Bibliothek.
— Die Gleichnisse uns. Heilandes in 52 Predigten.
2. Afl. (Übersetzg.) (690) 8° Cass., JG Oncken Nf. 01. L. 6 — d
— Die Jagd n. d. Glück, s.: Universal-Bibliothek f. d. christl. Haus.
— Ich u. mein Haus wollen d. Herrn dienen. Begleitworte f.
d. Ehe- u. Hausstand. (150 m. Titelbild.) 16° Stuttg, D Gun-
dert (03).　　　　　　　　　L. m. G. 1.60 d
— Ich bin d. Herr dein Arzt. Worte d. Trostes f. Kranke, Be-
trübte u. Notleidende. 3. Afl. (174) 16° Ebd. 03.　　1 — d
— Ihr sollt heilig sein! 20 Predigten üb. d. Heiligg d. Kinder
Gottes. Ausgew. u. übers. v. H Liebig. (176) 8° Cass., JG
Oncken Nf. (04).　　　　　　　　2 — ; L. 2.40 d
— Nur e. Kerze. Vorlesgn üb. Illustrationen, d. in gewöhnl.
Kerzen zu finden sind. 2. Afl. (132 m. Abb.) 12° Hambg 01.
Cass., JG Oncken Nf.　　　　　　1 — ; geb. (1.50) 1 — d
— Luther-Predigt. (30) 8° Strieg., R Urban (1900).　　40 d
— Predigten. Einzeln-Serie. N. 17 (Schl.). Der Helfer im Kin-
dergottesdienst u. Haushalter. (16) 8° Cass., JG Oncken Nf.
(02).　　　　　　　　　　　　　　　— 10 d
— Die Rückkehr zu Gott. Christi Menschwerdg. d. Fundament
d. Christentums. Übers. v. A Hoefs. (152) 8° Ebd. 02. — 80;
　　　　　　　　　　　　　　　　　L. 1.20 d
— Saat u. Ernte. Predigten f. Landleute u. andere. 3. Afl. (229)
8° Ebd. 05.　　　　　　　　　　　1.50; geb. 2.25 d
— Die Schatzkammer Davids. Auslegg d. Psalme. Deutsch
v. J Millard. 6. Halbbd. (25. Heft. 3. Bd. 321—400) 8° Bonn 05.
Neukirch, Bh. d. Erziehgsver.　　　　　　Subskr.-Pr. 4 —
　　　　　　　　　　　　　　(1—6.: 28.50) d
— „Seid stark in d. Herrn." Ein Buch f. Jünglinge u. Jungfrauen. (219 m. 2 Bildnissen.) 8° Cass., JG Oncken Nf. 01.
　　　　　　　　　　(2.40) 2.25; geb. (3 —) 2.80: m. G. 3.25 d
— Suchet so werdet ihr finden. Wegweiser f. alle, d. glücklich werden wollen. (174) 12° Stuttg., D Gundert (01). 1 — ;
　　　　　　　　　　　　　　　　L. m. G. 1.60 d
— Die Taufe d. Wiedergeborenen. 12 Predigten. Übers. u zusammengest. v. H Liebig. (134) 8° Cass., JG Oncken Nf. 04.
　　　　　　　　　　　　　1.40; L. 1.80 d
— Wie gut f. d. Suchenden! Predigt üb. Klagel. Jerem. 3, 25.
(30) 8° Neukirch., Missionsbh. Stursberg & Co. 02.　— 15 d
— Gold. Winke f. Prediger. Reden bei Pastoral-Konferenzen.
Übers. v. Spliedt. 3. Afl. (1. u. 2. Afl. u. d. T.: „Spurgeon unter
s. Predigern".) (184) 8° Stuttg., M Kielmann 05. 1 — ; geb. 1.80 d
Spurgeon, Mrs CH : Er hat Alles wohl gemacht! Zur Gesch.
d. Bücherfonds in d. J. 1891 u. 92. (Neue [Tit.-]Ausg.) (88) 8°
Neukirch., Bh. d. Erziehgsver. [1892] 05.　　　Kart. — 60 d
Spyri, H: Leitf. f. d. Abfassg v. Projekten üb. elektr. Licht-,
Kraft- u. Bahnanlagen, s.: Abhandlungen, techn., a. Wiss.
u. Praxis.
Spyri, J: Arthur u. Squirrel. Eine Gesch. f. Kinder u. auch f.
Solche, welche d. Kinder lieb haben. 4. Afl. (213 m. 4 Bildern.)
8° Gotha, FA Perthes (01).　　　　　　　　Geb. 3 — d
— Einer v. Hause Less. 4. Afl. (248 m. 4 [1 farb.] Bildern.) 8°
Ebd. (05).　　　　　　　　　　　　　Geb. 3 — d
Den 2. Tl bildet: Schaffner, E, Stefeli.
— Geschichten f. Kinder u. auch f. solche, welche d. Kinder
lieb haben. 2., 3., 5., 12. u. 14. Bd. (Mit je 4 Bildern.) 8° Ebd.
(05).　　　　　　　　　　　　　　　Geb. à 3 — d
2. Aus Nah u. Fern. Noch 2 Geschichten. 3. Afl. (216) | 3. Heidis Lehr-
u. Wanderjahre. 23. Afl. (240) | 5. Heidi kann brauchen, was es gelernt
hat. 18. Afl. (176) | 12. Aus d. Schweizer Bergen. 2. Afl. (342) | 14. Keines
u. klein Heifer zu sein. 5. Afl. (340)
— Kurze Gesch. f. Kinder u. auch f. Solche, welche d. Kinder
lieb haben. 1. u. 2. Bd. 4. Afl. (296) 8° Ebd. (1900).　Geb. 3 — d
— Wo Gritlis Kinder hingekommen sind. 6. Afl. (178 m. 4 •
[1 farb.] Bildern.) 8° Ebd. (03).　　　　　　　Geb. 3 — d
— Encore Heidi. Traduit de l'allemand. 3. éd. (195) 8° Ebd.
(04).　　　　　　　　　　　　　　　　2.40
— Heimatlos. 2 Geschichten. 13. Afl. (235 m. 4 [1 farb.] Bildern.)
8° Ebd. (03).　　　　　　　　　　　　Geb. 3 — d
— Aus uns. Lande. Noch 3 Geschichten. 7. Afl. (200 m. 4 [1 farb.]
Bildern.) 8° Ebd. (1898).　　　　　　　　　Geb. 3 — d
— Aus d. Leben. 3. Afl. (203 m. Bildnis.) 8° Halle, CE Müller
(03).　　　　　　　　　　　2.40; geb. 3 — d
— In Leuchtensee, s.: Verein f. Verbreitg guter Schriften,
Zürich.

173

Spyri, J: In Leuchtensee. — Wie es m. d. Goldhalde gegangen ist. 2 Erzählgn. 2. Afl. (199 m. 4 Bildern.) 8° Gotha, FA Perthes (02). Geb. 3 — d
— Siua. Erzählg f. junge Mädchen. 5. Afl. (231) 8° Stuttg., C Krabbe (05). Geb. 3 — d
— Am Sonntag. Volkserzählg. 10. Taus. (100) 8° Berl., M Warneck 05. 1 —; geb. 1.50 d
— Ein gold. Spruch u. Anderes. 3. Afl. (207 m. 4 Bildern.) 8° Gotha. FA Perthes (02). Geb. 3 — d
— Die Stauffer-Mühle. (102 m. Abb.) 12° Berl., M Warneck 01. 1 —; geb. 1.50 d
— Was aus ihr geworden ist. Erzählg f. junge Mädchen. Zugl. Fortsetzg d. Erzählg: Was soll denn a. ihr werden? 3. Afl. (219 m. Bildnis.) 8° Gotha, FA Perthes (1900). Geb. 3 — d
— Was soll denn a. ihr werden? Erzählg f. junge Mädchen. 4. Afl. (270 m. Bildnis.) 8° Ebd. (1898). Geb. 3 — d
Squens, P: Aischa-Hanum, s.: Unterhaltungsbibliothek, moderne.
Srbik, H Ritter v.: Die Beziehgn v. Staat u. Kirche in Österr.
Ssaitykow-Schtschedrin, M: Satire, s.: Tolstoi, LN, 3 Parabeln.
Ssemenoff, ST: Onkel Ilja u. and. Dorfgesch., nebst e. Vorworte v. Graf L Tolstoi, e. Einl. v. P Birjukoff. Übers. v. J Hermann. 2 Bde. (157 u. 173) 8° Lpzg, Fel. Dietrich (05). Je 3 —; geb. je 3.75 d
Ssemenow, DP, u. WJ **Kasperow**: Russlds. Landw. u. Getreidehandel. Aus d. Russ. v. M Blumenau. (72) 8° Münch., E Reinhardt 01. 1.50
Ssobolew, LW: Zur Pathol. d. Pankreas, s.: Sauerbeck, E.
Ssymank, P: Bausteine z. Finkenschafts-Programm. Rückblick auf 10 Jahre freistudent. Gesch. (39) 8° Karlsr. 05. (Lpzg, R Maeder.) — 25
— Die Finkenschaftsbewegg, ihr Entstehen u. ihre Entwickelg bis z. Gründg d. „Dent. freien Studentenschaft". (56) 8° Münch. (Leopoldstr. 56), Bavaria 01. 1.25
— Die freistudent. od. Finkenschaftsbewegg an d. dent. Hochsch., s.: Vorträge u. Aufsätze a. d. Comenius-Gesellsch.
Staacke, I: Kreuzschnabel u. Rotkehlchen od.: Die Freundschaft im Walde. Weihnachtslegende f. Alt u. Jung! (31 m. Abb.) 16° Münch., Alphonsus-Bh. 01. — 10 d
— Das brave Mütterchen u. and. Erzählgn. (8, 11 u. 11) 16° Ebd. 02. — 10 d
— Die Schätze d. Zwerges. Nach e. Sage. — Stille Nacht, hl. Nacht. Weihnachtsskizze. (16 u. 16 m. Abb.) 16° Ebd. (01). — 10 d
— Die Tanne. — Das Vergissmeinnicht. Märchen n. e. altdeut. Sage. (15 u. 14 m. Abb.) 16° Ebd. 01. — 10 d
— Der Traum. Weihnachtsskizze. Wie es gekommen, dass d. Meerwasser salzig geworden ist! Norweg. Märchen. (11 u. 19 m. Abb.) 16° Ebd. 01. — 10 d
Staake, G: Arbeiterschutz in Gast- u. Schankwirtschaften, s.: Oidenberg, K.
Staat, d. neue. Blätter f. polit., soz. u. geist. Reform auf d. Grundl. naturgemässer Heil- u. Lebensweise. Hrsg. v. JH Franke-Wortmann. II. Jahrg. 1. Heft. 8° Gött., H Peters. 2 — d
Franke-Wortmann, JH: Die Erziehg durch d. Kunst u. d. nationalen Gesichtspkt. (110) 03.
Der J. Jahrg. ist nicht erschienen.
— d. 1000jähr. ungar., u. s. Volk. Red. v. J v. Jekelfalussy. (756) 8° Budap., (O Nagel jun.) 1896. 4 —
Staaten, d., Europas. Statist. Darstellg. bearbeitet v. HF Brachelli. 5. Afl. v. F v. Juraschek. (In 8—10 Lfgn.) 1—9. Lfg. (1—720) 8° Brünn, F Irrgang 03-05. Je 1.20 d
— d. vereinigten, v. Venezuela. (38) 8° Pressbg, (S Steiner) 03. 1 — d
Staatengeschichte, allg. Hrsg. v. K Lamprecht. I. Abtlg: Gesch. d. europ. Staaten. Hrsg. v. AHL Heeren, FA Ukert, W v. Giesebrecht u. K Lamprecht. 13. Werk, 5. Bd; 20. Werk, 5. u. 6. Bd u. 30—35. Werk. 8° Gotha, FA Perthes. 138 — d
Bachmann, A: Gesch. Böhmens. 2. Bd. Bis 1526. (849) 05. [1.] 12 — [I u. 2.) 20 —
Blok, PJ: Gesch. d. Niederl. Verdeutscht durch OG Houtrouw. 2. Bd. Bis 1559. (906) 04. [3.] 10 — [I u. 2. 18.—]
Hartmann, LM: Gesch. Italiens im M.-A. II. Bd, 2. Hälfte. Die Loslösg Italiens v. Oriente. (397) 03. [3.] 10 — (I u. II. 21.50)
Jorga, N: Gesch. d. osman. Volkes im Rahmen v. Staatsbildgn. 2. Bde. (402 u. 541) 05. [24.] 30 —
Kretschmayr, H: Gesch. v. Venedig. 1: Bd. (Bis z. Tode Enrico Dandolos.) (498 m. 9 Pl.) 05. [35.] 13 —
Pierenne, H: Gesch. Belgiens. Übersetzg d. franzö. Makra v. F Arnheim. 2. Bd: Bis z. Tode Karls d. Kühnen (1477). (38, 504 m. 1 Karte.) 02. [30.] 16 — (I u. II. 28 —)
Riesler, S: Gesch. Baierns. 3. Bd. Von 1597—1651. (26, 695) 05. [XX,5.] 16 — [6. Bd. Von 1508—1651. (521) 02. [XX,6.] 12 — (I—6.) 67 —)
Schäfer, D: Gesch. v. Dänemark. 5. Bd. Vom Regierungsantritt Friedrichs II. (1659) bis z. Tode Christians IV. (1648). (70, 703) 02. [XIII,5.] 14 — (1—5.) 48.50)
Bisher u. d. T.: Geschichte d. europ. Staaten. Vergl. auch diesen Titel.
— dass. II. Abtlg. Gesch. d. aussereurop. Staaten. 1. Werk. 8° Ebd.
Nachod, O: Gesch. v. Japan. I. Bd. 1. Buch: Die Urzeit (bis 645 n. Chr.). (31, 427) 06. [1.]
— dass. III. Abtlg: Deut. Landesgeschichten. Hrsg. v. A Tille. 5—7. Werk. 8° Ebd. 30 —
Seraphim, E: Gesch. v. Livl. 1. Bd. Das livländ. M.-A. u. d. Zeit d. Reformation. (Bis 1582.) (994) 06. [7.] 6 — d
Vaucsa, M: Gesch. Nieder- u. Oberösterr. 1. Bd. Bis 1283. (616) 05. [6.] 12 —

Wehrmann, M: Gesch. v. Pommern. 1. Bd. Bis z. Reformation (1523). (268) 04. [5.] 5 — [§ 2. Bd. Bis z. Gegenwart. (323) 06. 7 — d
Staatengeschichte d. neuesten Zeit. 24., 26. u. 29. Bd. 8° Lpzg, S Hirzel. 33 —; geb. nn 41 — d
Oechsli, W: Gesch. d. Schweiz im 19. Jahrh. 1. Bd. Die Schweiz unter fremda. Protektorat 1798—1815. (781) 03. [79.] 12 —; geb. nn 15 —
Treitschke, H v.: Dent. Gesch. im 19. Jahrh. 1. Thl. Bis z. 2. Pariser Frieden. 7. Afl. (795) 04. [34. § 5. Thl. Bis z. Juli-Revolution. 5. Afl. (778) 05. [26.] Je 10 —; geb. nn 15 —
Staatsarchiv, das. Sammlg d. offic. Actenstücke z. Gesch. d. Gegenwart. Begründet v. Aegidi u. Klasthold. Hrsg. v. G Roloff. 65—71. Bd je 4 Hefte. (308, 308, 318, 308, 343, 327 u. 330) 8° Lpzg, Duncker & H. 01-05. Das Heft 1.40
Staatsbahnschaffner, d. deut. Schriftleitg: G Sommerlatte. 1. Jahrg. Oktbr—Dezbr 1905. 6 Nrn. (48) 4° Berl., A Bodenburg. 1.25 d
Staatsbürgerhandbuch, enth. d. wichtigsten Rechte u. Pflichten d. Bürger. (Von A Baun.) 12. Afl. (217) 8° Heidenh., CF Rees 01. — 60 d
Staatsforstverwaltung u. Forstverwaltungspolitik, sächs., d. 19. u. 20. Jahrh. Blicke in Vergangenh., Gegenwart u. Zukunft im Anschl. an d. Besprechg d. Reorganisationsschrift: „Leitsätze f. e. Fortbildg d. Forstverwaltg u. d. forstl. Unterr. in Sachsen". (128) 8° Dresd., (Arnoldische Bh.) 03. 1 — d
Staats-Handbuch d. freien Hansestadt Bremen f. 1904. (313) 8° Brem., G Schünemann. 3.50; geb. 4 — d
— hamburg., f. 1905. (420) 8° Hamburg, (L Gräfe). Kart. nn 5 — d
— f. d. Grossh. Sachsen. 1904. (342) 8° Weim., H Böhlau's Nf. L. nn 7 —; auf Schreibpap. nn 8 — d
— f. d. Kgr. Sachsen f. 1905. (28, 710) 8° Dresd., (C Heinrich). 6 —; geb. 7 — d
Staats- u. Adress-Handbuch d. Herzogth. Sachsen-Altenburg 1902. (15, 284) 8° Altnbg, (Schnuphase). Kart. 6 — d
Staats-, Hof- u. Kommunal-Handbuch d. Reichs u. d. Einzelstaaten (zugl. statist. Jahrb.), Hrsg. v. J Kürschner. 1902. 17. Ausg. (1254 Sp. m. Bildnissen u. Taf.) 8° Lpzg, Münch., E Ertel. 25 —
Fortsetzg s.: Kürschner, J.
Staats- u. Kommunal-Adress-Handbuch f. d. Reg.-Bez. Wiesbaden f. 1904|1904. Bearb. v. C Leber. (555 u. 4) 8° Wiesb., (R Bechtold & Co.) 03. Kart. nn 5.50 d
Staatshaushalts-Etat f. 1904. *Berl., CHeymann. Je 10 — d
1900. (168) 1900. [§ 01. (163) 01. [§ 02. (142) 02. [§ 03. (3—58, 53 u. 148) 03. [§ '04. (5—15, 52, 101) 04. [§ '05. (4—15, 54, 34, 15) 05.*
Staats-Kalender d. Kt. Luzern f. 1901. (46, 231) 12° Luz., (Räber & Co.). Geb. nn 1.50 d ö H
— grossh. mecklenburg-schwerinscher. Hrsg. v. grossh. statist. Amt. 1905. 130. Jahrg. (58, 707 u. 454 m. 1 Stammtaf.) 8° Schwer., Bärensprungsche Hofbuchdr. 6.50 d
— d. schweiz. Standes St. Gallen. Juli 1905. (140) 8° St. Gall., (Fehr). 1.80 d
Staatskonkurs-Aufgaben, u. f. d. höh. Justiz- u. Verwaltgsdienst im Kgr. Bayern in d. J. 1900—4. 8° Münch., J Schweitzer V. Je 1.50 d
1900. Nebst d. spec. Aufg. d. Pfalz. (87) 01. [§ '01. (107) 02. [§ '02. (88) 03. [§ '03. (91) 04. [§ '04. (95) 05.
Staatslexikon. 2. Afl. Hrsg. im Auftr. d. Görres-Gesellsch. z. Pflegd. Wiss. im kathol. Deutschl. v. J Bachem. 10—45. (Schl.-) Heft. (2—5. Bd. 1444, 1444, 1440 u. 1512 Sp.) 8° Freibg i/Br., Herder 01-04. Je 1.50: der Bd vollst.: 18.50: Hlf. nn 16.50 d
Staatsstreich od. Reformen! Polit. Reformb. f. alle Deutschen, verf. v. e. Ausland-Deutschen. I. Tl u. II. Tl, 1. u. 2. Afl. 8° Zür., Zürcher & Furrer. 9 —
I. Verfassg-Reform. — Wahl-Reform. — Reform d. Interessen-Vertretg. — Verwaltgs-Reform. (22, 317) 04. 2 —
II. 1. Die deut. Justiz-Reform d. Zukunft. (No. 321—621) 04. 2 — 2. Deut. National-Reform. 2. Afl. (622—1595) 05. 3 —
Staatsverbrechen in Russl. im 19. Jahrh. Sammlg offiz. Darstellga u. amtl. Mitteilga. Hrsg. unter Red. v. B Basilewski. I. Bd u. II. Bd, 1. Thl. (u. russ. Sprache.) 8° Stuttg. Paris, A Schulz. 13.50
I. 1895—76. (595) 03. 6 — [II,1. 1877. (458) 04. 5.60.
Staatsvertrag v. 23.VI.1896 zw. Preussen u. Hessen üb. d. gemeinschaftl. Verwaltg d. beiderseit. Eisenb.-Besitzes. — Staatsvertrag v. 14.XII.'01 zw. Preussen, Baden u. Hessen üb. d. Neuregelg d. Vertragsverhältn. d. Main-Neckar-Bahn. [S.-A.] (68) 8° Darmst., (K Hess) 02. — d
Staatswörterbuch, österr. Hdb. d. ges. österr. öffentl. Rechts, hrsg. v. E Mischler u. J Ulbrich. 2. Afl. (In etwa 20 Lfgn.) 1. Lfg. 2 Häftn u. 2—6 Lfg. (1. Bd. 917 u. 2. Bd. 1—852) 8° Wien, A Hölder 04-05. Jede Lfg 4 — (1. Bd vollst.: 36 —; geb. nn 39.50 d
Stabenow, A: Ausgew. Kartenspiele, s.: Universal-Bibliothek.
Staberow, P, u. E **Huhle**: Uns. Jungens vor Paris, s.: Liebhaber-Theater.
Stab-Gruppierungen. 30 Gruppierga m. kurzen Stäben f. 5—24 Turner. (30) 8° Lpzg, Rauh & Pohle (03). 1 — d
Stäbli, J: Das Körperzeichnen n. d. rechtwinkl. Projektion. Für d. Gebr. in Fortbildungssch., Lehrerbildgsanst. u. z. Selbstunterr. 2. Afl. (55 m. 30 Taf. in 4°) 8° Lpzg, A Deichert 01. — d
Stäbler, G: Diktate f. unt. Kl. d. Gelehrten- u. Realsch. 5. Afl. (180) 8° Stuttg., JF Steinkopf 04. Kart. — 90 d
— Erzählgn u. Grundgedanken f. d. Unterr. in d. bibl. Gesch. d. Alten Test. Bilder a. d. Menschenleben im Lichte d. göttl. Wortes. 2. Afl. (447) 8° Stuttg., Holland & J. (03). 5 —; geb. 4 — d

Stäbler, G: Erzählgn u. Grundgedanken f. d. Unterr. in d. bibl. Gesch. d. Neuen Test. 2. Afl. (628) 8° Stuttg., Holland & J. (02). 4 —; geb. 5 — d
— Jesus, d. Schönste unter d. Menschenkindern. Sein Leben, f. d. heranreif. Jugend u. ihre Lehrer erzählt. (312) 8° Ebd. (05). 2.20; geb. 3 — d
— Rechtschreibübgn, s.: Schick, M.
— Weissagg u. Erfüllg. Weihnachtsfeier f. Kinder. (16) 8° Stuttg., Holland & J. (03). — 25 d
Staby, L: Aus Natur u. Leben. Naturwiss. Streifzüge. (256 m. Abb.) 8° Berl., Globus Verl. (03). Geb. †2.20 d
Stach: Entwicklg u. Anwendg d. Dampfüberhitzg. Mit Berücks. d. Aussichten auf deren Einführg in d. Bergwerksbetrieben zusammengest. (184 m. Abb.) 8° Gelsenk., C Bertenburg 01. 5 —; L. 8 —
Stach, J: Die deut. Kolonien in Südrussl. Kulturgeschichtl. Studien u. Bilder üb. d. 1. Jahrh. ihres Bestehens. 1. Tl. (216) 8° Prischib (04). (Lpzg, JC Hinrichs' V.) 1.60 d
Stacke, L: Erzählgn a. d. alten Gesch. in biograph. Form. 2 Tle. 8° Oldnbg, G Stalling's V. Geb. je 1.90 d
1. Aus d. griech. Gesch. 30. Afl. (238) 03. ‖ 2. Aus d. röm. Gesch. 27. Afl. (212) 04.
— Erzählgn a. d. mittl., neuen u. neuesten Gesch. in biograph. Form. 1. u. 2. Tl. 8° Ebd. 5.15 d
1. Aus d. Gesch. d. M.-A. 17. Afl. (254) 04. 1.90 ‖ 2. Aus d. neuen Gesch. bis 1815. 14. Afl. (430) 01. 3.25.
Stackelbeck, D: 3, 3¹/₂, 3¹/₃, 3¹/₂, 3⁶/₁₀, 3³/₄ u. 4 procent. Zins-Tab. (Je 27) 4° Osnabr., Meinders & Elstermann (01). Geb. je 4 — d
Stackelberg, N v.: Golgatha u. Scheblimini. 3 Passions- u. Osterpredigten üb. Worte d. Weissagg. (98) 8° Rev., (Kluge & Ströhm) 1878. Erm. Pr. 1.50 d
Stackelberg, W v.: Ortaverz. v. Russl., s.: Grade, A.
Stacpoole, H de Vere: Der Bourgeois. — Toto, s.: Engelhorn's allg. Roman-Bibliothek.
Stade, B: Einst u. Jetzt. Rückblicke u. Ausblicke. Rede, geh. z. Feier d. Geburtstages d. Grossh. Ernst Ludwig v. Hessen u. z. Erinnerg an d. am 10.X.1605 erfolgte Eröffng d. „Gymnasium illustre" gen. ält. Giessener Hochsch. (48) 8° Giess., A Töpelmann 05. — 50
— Bibl. Theol. d. Alten Test., s.: Grundriss d. theolog. Wiss.
— s.: Zeitschrift f. d. alttestamentl. Wiss.
— u. F Schwally: The books of kings, s.: Books, the sacred, of the Old Test.
Stade, F: Die Schule d. Bautechnikers. 53—95. Heft. (1096 m. à Abb. u. 37 Taf.) 8° Lpzg, M Schäfer (01-05). Je — 50
— dass. 1., 3., 4., 7—11., 13., 14. u. 17—19. Bd. 8° Ebd. 36.25
(1—11., 13., 14 u. 17—19.: 42.25; Einbde je 1.25)
Albert, E: Baumaterialienlehre. (64 m. 1 Tab. u. 1 farb. Taf.) (04.) [17.] 1.50 u. 4 Taf.) (04.) [1u.]
— Perspektive. (74 m. 4 Taf.) (04.) [11.] 2 —
— Vermessgskde. (Feldmessen, Nivellieren u. Planzeichen.) [72 m. Abb. u. 4 Taf.) (04.) [16.] 3 —
Behr, A: Arithmetik u. Algebra. (208) (01.) [1.] 3.50
Glaeser, FW: Geometr. Zeichnen, Projektions- u. Schattenlehre. (134 m. Abb. u. 25 Taf.) (01.) [9.] 2 —
Hummel, L: Festigkeitslehre. (112 m. Abb.) (04.) [7.] 2 —
Killmann, F: Graphostatik. (64 m. Abb.) (04.) [8.] 1 —
— Stereometrie. (104 m. Abb.) (01.) [4.] 1.75
— Trigonometrie. (64 m. Abb.) (01.) [4.] 1 —
Siawinsky, A: Einfache u. dopp. Buchhaltg u. Wechselkde. (56) (04.) [19.] — nn 3.50; geb. 4.40
Stade, F: Holzkonstruktionen. (372 m. Abb. u. 16 Taf.) (04.) [13.] 8.50
Thalheim, F: Kosten-Anschläge od. Veranschlagen v. Hochbauten. (72 m. H u. 5 Taf.) (04.) [16.] 3 —
Vogel, R: Architekton. Formenlehre. (36 m. Abb.u. 25 Taf.) (04.) [14.] 4 —
Stade's, G, „Calculator". 2. Afl. v. Pfeiffer, (85) 8° Berl., M Regenhardt (05). Geb. 2 —
Stade, R: Frauentypen a. d. Gefängnisleben. Beitr. zu e. Psychol. d. Verbrecherin. (290) 8° Lpzg, Dörffling & Fr. 03. 4 —; geb. 5 — d
— Gefängnisbilder. Krit. Blätter a. d. Strafvollzuge. (381) 8° Ebd. 02. 4 —; L. 5 — d
— Aus d. Gefängnisseelsorge. Erinnergn a. 14jähr. Gefängnisdienst. (328) 8° Ebd. 01. 4 —; L. 5 — d
— Durch eig. u. fremde Schuld. Kriminalist. Lebensbilder. (204) 8° Ebd. 04. nn 3.50; geb. nn 4.50 d
— Barbara Elisab. Schulzin. Ein Arnstedter Hexenprozess v. J. 1669. (75) 8° Arnst., E Frotscher 04. 1.20 d
Stadel, F: Die Verbreitg d. Schmutzes in d. Wohngn. (34) 8° Strassbg, J Singer 03.
Städeler-Kolbe: Leitf. f. d. qualitative chem. Analyse. 12. Afl. v. H Abeljanz. (89) 8° Zür., Art. Instit. Orell Füssli 02. 2 —
Stadelmann's Wirkgskreis d. Feldgeschworenen (Siebener, Märker) n. d. Abmarkgs-Ges. v. 30.VI.1900, neu bearb. v. J Reitmayr. (123) 8° Bambg, CC Buchner's V. 01. Kart. 1.80 d
Stadelmann, C: „Mehr Geld". Prakt. Anleitgn z. Hebg u. Förderg d. landw. Nebenzweige. VIII. 12° Zwenkau 1888, Lpzg, O Lenz. — 25 (I—VIII.) — 25
VIII. Eibel, E: Der Gemüsebau als landw. Nebenzweig. 3. Afl. [31] — 25
Stadelmann, E, s.: Aerzte-Zeitung, deut.
Stadelmann, H: Geisteskrankh. u. Naturwiss. Geisteskrankh. a. Sitte, Geisteskrankh. u. Genialität, Geisteskrankh. u. Schicksal. (43) 8° Münch., Verl. d. ärztl. Rundschau 05. 1 —
— Schwachbeanlagte Kinder. Ihre Förderg u. Behandlg. (40) 8° Ebd. 04. 1.20
— Schulen f. nervenkranke Kinder, s.: Sammlung v. Abhandlgn a. d. Geb. d. pädagog. Psychol. u. Physiol.
— Das Wesen d. Psychose auf Grundl. moderner naturwiss.

Anschaug. 1—6. Heft. 8° Münch., Verl. d. ärztl. Rundschau. 10 —
1. Das psych. Geschehen. — Das Wesen d. Psychose (allg. Tl). (42) Würzbg 04. 1.60 ‖ 2.3. Grund z. Ursache d. Psychose. — Der Kontrexcharakter. — Die Hysterie. (41—127) Würzbg 04. 3 — ‖ 4. Die Katatonie. (179—184) 05. 2 — ‖ 5. Die Paranoia. 6. Die Epilepsie. (185—277) 05. 3.50.
Stadelmann, J: Französisch-deut. Wrtrb. n. Wortfamilien. (2×8) 16° Freibg (Schw.), (Univ.-Bh.) 04. Kart. 1.30
Staden, W v.: Entwickelg d. Praesens Indikativ-Endgn im Engl. unter bes. Berücks. d. 3. Pers. Sing. v. ungefähr 1500 bis auf Shakspere. (109) 8° Rost., (H Warkentien) 03. 2 —
Stadie: Die apologet. Aufg. d. inneren Mission. (40) 8° Hambg, Agent. d. Rauhen H. (05). — 60 d
Stadie, A: Beitr. z. Biol. d. Rotlaufbazillus m. Rücks. auf d. Verwertg d. Fleisches u. d. unschädl. Beseitigg d. Kadaver rotlaufkranker Tiere, s.: Arbeiten a. d. hygien. Instit. d. kgl. tierärztl. Hochsch. zu Berlin.
Stadler, E: Praeludien. (48) 8° Strassbg, J Singer 05. 2 —
Staedler, K: Horaz' sämtl. Gedichte, im Sinne JG Herders erklärt. (252) 8° Berl., Weidmann 05. 3 —
— s.: Horaz, d., Oden.
— Die Horazfrage seit Lessing. (18) 4° Berl., Weidmann 02. 1 —
— Horaz-Kommentar. I u. II. 4° Ebd. Je 1 —
I. Die Gedichte an (f.) Mäcenas [1—25]: Epoden 1, 2, 3, 9, 14. Satiren I 1, 5, 6, 6; II 6; III 8, 8. Oden I 1, 20; II 5, 12, 17, 20; III 8, 16, 29. Epistela I 1, 7, 19. (28) 02.
II. Die Gedichte auf sich selbst [26—44]: Satiren I 4, 10; II 1, 3, 7. Oden I 26, 31, 32, 34, 38; II 13, 18; III 13, 18, 30; IV 3, 6. Epistela I 14, 20. (22) 04.
Staedler, M: „Vom Weib". (67 m. Bildnis.) 8° Dresd., E Pierson 05. 1.50; geb. 2.50 d
Stadlinger, H: Hilfstab. z. raschen Berechng d. ursprüngl. Extraktgehaltes d. Bierwürze, s.: Lehmann, P.
Stadt, d. deut. Zeitschrift f. deut. Städtewesen. Red.: C Krause. 1. Jahrg. Dezbr 1905. 26 Nrn. (Nr. 1. 16 m. Abb.) 4° Dresd. Görl., Görlitzer Vereinsdr. u. Verl.-Anst. Halbj. 5 —
— dass. Hrsg.: O Brohm u. O Rudolph. Red.: O Rentsch. 2. Jahrg. Apr. 1905—März 1906. 26 Nrn. (Nr. 16) 8° Ebd. Halbj. 6 — d
— d. ewige. Ihre Heiligtümer u. Denkmäler in Wort u. Bild. Hrsg. v. Marienkollege d. Salvatorianer in Rom. (377) 16° Kempt., J Kösel (05). L. 4 —
— Gottes. Illustr. Zeitschrift f. d. kathol. Volk. Red.: W Abel. Verantwortlich in Deutschl.: Reidick, in Österr.: M Münzinger. 35.—38. Jahrg. Oktbr 1901—Septbr 1906 je 12 Hefte. (1. Heft. 48) 4° Steyl, Missionsdr. Je 3 — d
Stadt- u. Landbote. Kalender f. 1906. 26. Jahrg. (64 m. Abb.) 8° Neuweissens., E Bartels. — 10 d
Stadtbuch, d. 3. Stralsund., (1310—12). Im Anschl. an d. v. C Reuter, P Lietz u. O Wehner veröffentlichten 1. Tl bearb. v. R Ebeling. (391) 8° Stralss., Kgl. Regiergs-Buchdr. 03. 5 — (1 u. 2.: 8 —)
Stadtbücher, d. Zürcher, d. XIV. m. XV. Jahrh. Hrsg. m. geschichtl. Anmerkgn v. H Zeller-Werdmüller. 2. Bd. (422) 8° Lpzg, S Hirzel 01. 12 — (1 u. 2.: 24 —)
Städte u. Burgen in Elsass.-L. 1—10. Heft. (Mit Abb.) 16° Strassbg, JHE Heitz. 4.95
Becker: Gesch. d. Stadt Hagenau. [8.-A.] (17) 05. [9.] — 25
Borries, E v.: Gesch. d. Stadt Strassburg. [8.-A.] (81) 05. [5.] — 50
Gény: Gesch. d. Stadt Schlettstadt. [8.-A.] (14) 05. [10.] — 25
Herbig, M: Hoh-Andlau. Beschreibg u. Gesch. (44) 03. [2.] — 80
— Schloss Landsberg. Beschreibg u. Gesch. (36) 03. [1.] — 60
— Schloss Spesburg. (40) 03. [4.] — 80
— Ottrotter Schlösser. Ruine Köpfel. Ruine Waldsberg (gen. Hagelschloss). (48) 05. [3.] — 90
Post: Gesch. d. Stadt Mülhausen. [8.-A.] (35) 05. [6.] — 50
Waldner: Gesch. d. Stadt Colmar. [8.-A.] (52) 05. [7.] — 50
— Gesch. d. Stadt Metz. [8.-A.] (53) 05. [8.] — 50
— u. Landschaften, nordostdeut. Nr. 1, 3, 5, 7 u. 12—15. (Mit Abb.) 8° Danzig, AW Kafemann. 7.50
Dorr, R: Elbing. (116 m. Pl.) (01.) [1.] (08.) [1.] 1 —
Bildet Kreutz f. d Wernigk'sche Buch.
Mankowski, H: Führer durch Ermland. (60 m. 1 Karte.) (06.) [15.] 1 —
Püttner, K: L. Führer durch Danzig. (Neue Afl.) (56 m. Pl.) 04. [2.] 1 —
— Führer durch d. Lustkurort Oliva m. d. ehemal. Zisterzienser-Abtei gleichen Namens. (48 m. 1 Karte.) 04. [14.] — 50
— Zoppot. 2. Afl. (46 m. 1 Pl.) 01. [7.] — 50
Schwandt, W: Carthaus u. d. kaschb. Schweiz. Führer durch Marienparadies. (115 m. 5 Taf.) 03. [12.] 1 —
— Marienburg u. d. Werder. (72 m. 5 Tarck, Marienburg. d. Hauptbann d. deut. Ritterordens.) (60 m. 1 Pl.) 01. [5.] ‖ 3. Afl. u. d. T.: Marienburg, d. Hauptstadt d. Werders u. d. Feemsatz. (134 u. 5 m. 1 Pl.) 03. [13.] 1 —
Uebrick, R: Thorn. (134 u. 8 m. 1 Pl.) 98. [13.] 1.20
Städtebau, der. Monatsschrift f. d. künstler. Ausgestaltg d. Städte u. ihren wirtschaftl., gesundheitl. u. soz. Grundsätzen. Begründet v. T Goecke u. C Sitte. Schriftleitg: O Dorn. 1. u. 3. Jahrg. 1904 u. 5. 12 Hefte. (1. Heft. 16 m. Abb. u. 8 Taf.) 4° Berl., E Wasmuth. Jährl. 20 — d
Städtebilder, ausländ., (in Lichtbildern). (Katalog.) Nr. 1—6. 8° Berl. (NW 21), Dr. Frz Stoedtner 03. 3 —; je †— 40
1. Braunschweig, Hildesheimn, Königslutter u.Helmstedt (22) ‖ 2. Magdeburg, Halberstadt, Brandenburg u. B., Stendal, Tangermünde, Jüteborg. [35] ‖ 3. Bremen, Lübeck, Ratzeburg. Lüneburg. (22) ‖ 4. Schwerin, Wismar, Rostock, Doberan. (12) ‖ 5. Hannover, Hildesheim, Celle u. Kloster Wienhausen. (15) ‖ 6. Kassel, Köln, Darmstadt, Karlsruhe, Stuttgart, Augsburg, Colmar (hauptsächlich Galerien) [79]
— moderne. 5. Abth. Neubauten in Berlin. (40 Taf.) Fol. Berl., E Wasmuth 01. In M. 22.50 (1—5.: 135 —)
— Sachsens. Hrsg. v. GB Geyer. 1. Bd. Kreishauptmannsch. Zwickau. (120) 8° Gr. Lichterf.-Berl., E Runge (03). 1.30; geb. 1.80 d

Städtebilder u. Landschaften a. aller Welt. Hrsg.: KP Genter. Nr. 38, 39, 41, 42, 45a, 75, 84, 172—174 u. 201—205. 8⁰ Darmst., Städtebilder-Verl. KP Genter.   7.75
   38.39. Geuter's neuer illustr. Führer durch Venedig. 4. Afl. (112 m. 1 Pl.) 02.
   41.42. Geuter's neuer illustr. Führer v. Meran u. Umgebg. 3. Afl. (98 m. 1 Pl. u. 2 Kart.) 02.   1 —
   45a. Geuter's illustr. Führer v. Bozen-Gries u. Umgebg. 3. Afl. (66 m. 2 Pl. u. 1 Karte.) 01.   — 75
   75. Geuter's illustr. Führer durch Triest u. Umgebg. Mit Ausflügen n. Miramar, Muggia, Capodistria, Pirano, Sistiana, Aquileja, Grado, d. Höhen v. St. Cannian u. d. Adelsberger Grotte. (40 m. 1 Pl. u. 1 Karte.) 02.   — 50
   84. Geuter's neuer illustr. Führer durch Darmstadt u. Umgebg. m. Ausf. n. d. Bergstrasse u. d. Odenwald. 2. Afl. (51 m. Pl. u. Karte.) 01. — 50
   172.173. Geuter's illustr. Führer durch Rom u. Umgebg. (127 m. 1 Pl.) (01.)   1 —
   174. Geuter's neuer illustr. Führer durch Düsseldorf u. Umgebg. Anl.: Die Düsseldorfer Industrie-, Gewerbe- u. Kunst-Ausstellg 1902. (46 m. 2 Pl.) 02. ‖ 2. Afl. (48 m. Pl.) 02.   Je — 50
   201.202. Geuter's neuer illustr. Führer v. Abbazia, Fiume, Pola u. Lussinpiccolo. 3. Afl. (90 m. 2 Kart. u. 2 Pl.) 02.   1 —
   203—205. Geuter's Führer. Durch Tirol m. d. Gardasee u. n. Venedig. (111 m. 9 Kart. u. 6 Pl.) 03.   1.50
   Fortsetzg s. u. d. T.: Geuter's Führer.

Städtebuch, österr. Statist. Berichte v. grösseren österr. Städten. hrsg. durch d. k. k. statist. Zentral-Kommission. 9. Jahrg. Red. unter d. Leitg v. KT v. Inama-Sternegg u. R Fuhrmann. (121, 905) 8⁰ Wien, Hof- u. Staatsdr. 02. ‖ 10. Jahrg. Red. unter d. Leitg v. KT v. Inama-Sternegg u. R Braun v. Fernwald. (41, 1229) 04.   Je 12 —

Städte- u. Urkundenbücher a. Böhmen. Hrsg. v. Ver. f. Gesch. d. Deutschen in Böhmen. IV. Bd. 4⁰ Prag, (JG Calve). 12 —
   (I—IV.: 45 —)
   IV. Urkundenbuch d. Stadt Budweis in Böhmen. Bearb. v. K Köpl. I. Bd 1. Hlfte. (1251—1281.) (396 m. 3 Lichtdr.) 01.   19 —

Städtebund-Theater, e., Pössneck-Saalfeld-Neustadt. Gedanken u. Anreggn. Von M G. (16) 8⁰ Pössn., H Schneider Nf. 05.   — 20 d

Städte-Ordnung f. d. Rheinprov. v. 15.V.1856, in Anmerkgn ergänzt durch d. seit ihrem Erlass ergang., d. ursprüngl. Text abänd. od. ergänz. Ges. 5. Afl. (56) 8⁰ Elberf., A Martini & Gr. 04.   — 80 d

Stadterweiterung, d. Stuttgarter, m. volkswirtschaftl., hygien. u. künstler. Gutachten. Hrsg. v. Stadtschultheissenamt Stuttgart. (30, 240 m. Fig., 7 Taf., 1 Panorama u. 2 Pl.) 4⁰ Stuttg., W Kohlhammer 01.   8 —; Einbd nnn 1 —
   Nachtr s. u. d. T.: Lüftung, d. natürl., d. Stuttgarter Thales.

Städtestatistik, d. deut., am Beginne d. J. 1903, s.: Archiv, allg. statist.

Städtezeitung, deut. Illustr. Wochenschrift f. Gemeinde-Verwaltg u. Städte-Interessen. Hrsg. v. A Moeglich u. am Ende. Oktbr—Dezbr 1904. 13 Nrn. (Nr. 1. 12) 4⁰ Berl., Deut. Städtezeitg.   3 — d
   Fortsetzg war nicht zu erhalten.

Stadtführer v. Rosenheim. Hrsg. v. Stadtarchiv. (10 m. 1 Pl.) 8⁰ Rosenh., R Beusegger 04.   — 60

Stadthagen, A: Die Räthsel d. Spiritismus. Erklärg d. medimist. Phänomene u. Anl. d. Wunder d. 4. Dimension ohne Medium u. Geister ausführen zu können. 4. Afl. (117 m. Abb.) 8⁰ Lpzg, Ficker's V. (01).   2.50

Stadthagen, A: Das Arbeiterrecht. Rechte u. Pflichten d. Arbeiters in Deutschl. a. d. gewerbl. Arbeitsvertrag u. a. d. Unfall-, Kranken- u. Invalidenversichergs-Ges., unter bes. Berücks. d. BGB. 4. Afl. (627 u. 240) 8⁰ Stuttg., JHW Dietz Nf. (04).   5.80; L. 7 —; auch in 28 Heften zu — 20 d

Stadthagen, J, s.: Formularbuch f. d. freiwill. Gerichtsbark.

Stadt-, Land- u. Berg-Kalender, Freiberger, f. 1906. 262.Jahrg. (76 m. Abb.) 8⁰ Freibg, Gerlach'sche Buchdr.   — 50 d

Staedtler, H: Hygiene d. Nahrgsmittel u. d. Verdaug, s.: Sammlung v. Abhandlgn a. d. Geb. d. Nahrgsmittel-Hygiene.

Stadtmission, d. ev., Fortsetzg, s.: Missionsdienst an d. Grossstadt.

Stadtmissionar, der. Ein christl. Freund f. Jedermann in Stadt u. Land. 17—21. Jahrg. 1901—5 je 52 Nrn. (Nr. 1. 4) 8⁰ Emd., A Gerhard.   Viertelj. — 20 d

Stadt- u. Dorfmissionar, ev., s. Neusalz a. d. O. (Beibl. zu d. „Wächter unterm Kreuz".) Hrsg. v. FA Hohner. Jahrg. 1901—5 je 52 Nrn. (1901. Nr. 1—22. 176 Sp.) 4⁰ Alt-Tschau b. Neusalz a/O. (Lpzg, E Ungleich.)   Je 1 — d

Stadtplan v. Basel, s.: Uebersichtsplan.
   — v. Düsseldorf. 1 : 32,500. 25×18 cm. Farbdr. Mit Verz. d. Strassen usw. (4) 8⁰ Düsseldf, Schmitz & O. (04).   — 25
   — v. Fürth. 1 : 5000. 103×98 cm. Farbdr. Fürth, A Schmittner (04).   nn 1 —; auf stark. Pap. nn 1.25
   — v. Görlitz. 1 : 10,000. 6. Afl. 36×58 cm. Farbdr. (4 S. Text.) 8⁰ Görl., R Worbs & Co. (04).   1 —
   — Göttinger. A: 1 : 10,000. 35,5×28,5 cm. Mit Strassen-Gebäudeverz. (4) 16⁰ Gött., L Horstmann 01.   — 30
   — v. Plauen i. V. 1 : 10,000. 50×63,5 cm. Farbdr. Mit Strassenverz. a. d. Seiten. Nebst kurzem Führer. 16. Ausg. (4) 8⁰ Plauen i/V. (Schulstr. 3), Druckerei Neupert 05.   — 75
   — dass. 1 : 15,000. 26×28 cm. Mit Strassenverz. a. d. Seiten. Nebst Karte d. Umgebg (auf d. Rücks.). 1 : 100,000. 25×28 cm. Lith. Annabg, Graser (02).   — 40

Stadtpläne, Stuttgart, v. 1640, 1730, 1831. 3 Bl. je 27,5×41 cm. Lith. Nebst Erläutergn. (2) 8⁰ Stuttg., R Lutz (03).   — 75

Stadtrechte, oberrhein. Hrsg. v. d. bad. histor. Kommission. I. Abtlg: Fränk. Rechte. 6. Heft. 8⁰ Hdlbg, C Winter, V. nn 5 —
   6. Koehne, C: Ladenburg, Wiesloch, Zuzenhausen, Bretten, Gochsheim, Heidelsheim, Zeutern, Boxberg, Eppingen. (186) 02.   nn 5 —
   — dass. II. Abtlg: Schwäb. Rechte. 1. Heft. 8⁰ Ebd.   nn 8 —
   1. Roder, C: Villingen. (228) 05.   nn 8 —
   — dass. III. Abtlg: Elsäss. Rechte. Veröffentlicht v. d. Kommission z. Herausgabe elsäss. Geschichtsquellen. 1. 8⁰ Ebd.   nn 38 — (I., 1—6, II, 1 u. III, 1.: nn 77.50)
   1. Gény, J: Schlettstadter Stadtrechte. 2 Hlftn. (28, 14, 1172) 02. nn 38 —

Stadt-Theater, d., in Salzburg. Eine aufklär. Betrachtg v. Tamen. (18) 8⁰ Salzbg, (Mayr) (05).   — 40 d

Stadt-Theater-Almanach, Düsseldorfer, f. d. Spielzeit 1901/2. (103 m. 45 Bilduissen u. 2 Pl.) 8⁰ Düsseldf, WWörmbcke. — 30 d F

Stadtvertretung, d., Danzigs u. d. Schwarzen. Freie Konkurrenz od. Kehrbezirke? (Von G Rahn.) [S.-A.] (31) 8⁰ Berl., GBC Rahn 1885.   — 15 d

Staël-Holstein, L Freifrau v.: Wang-bgan-Ché. (Chinas Reformator.) Roman. (151) 8⁰ Dresd., E Pierson 01. 2 —; geb. 3 — d

Staffelbauplan v. München. 1 : 13,000. 104×80,5 cm. Farbdr. Münch., O Brunn 04.)   5 —

Staffelstein, A: Dämmerstunden. Neue Märchen. 8. Afl. (96) 8⁰ Reutl., Ensslin & L. (04).   Kart. — 30 d

Stage, C: Antrittspredigt bei s. Einführg in d. Amt d. Hauptpastors zu St. Katharinen in Hamburg. (15) 8⁰ Hambg, H Seippel 03.   — 50 d
   — s.: Glaubenslehren, christl., im Lichte d. liberalen Theol.
   — Gnade u. Freiheit. Ein Jahrg. Predigten üb. d. v. d. deut. ev. Kirchenkonferenz festgesetzten alttestamentl. Perikopen. (607) 8⁰ Berl. 01. Lpzg, M Heinsius Nf.   9 —; geb. 10 — d
   — Wahrheit u. Friede. Evangelienpredigten. 1. Bd. Predigten üb. d. altkirchl. Evangelien. 2. Afl. (640) 8⁰ Ebd. 05. 7 — ; geb. 10 — d

Stägemann, FA v., s.: Aus d. Franzosenzeit.
   — Briefe an Karl Engelb. Oelsner, hrsg. v. F Rühl, s.: Bausteine z. preuss. Gesch.
   — s.: Briefe u. Aktenstücke z. Gesch. Preussens unter Friedrich Wilhelm III.

Staggemeyer, F: Ueb. Berg u. Tal. Gedichte. (78) 8⁰ Lpzg, Modernes Verl.-Bureau 05.   1 —

Stagnum, totum. Das Kieler Privileg v. 1242 u. d. Prozess um d. Hafen. (20) 8⁰ Kiel, Univ.-Bh. 05.   — 50

Stahel's Sammlg v. Prüfgsaufgaben. Nr. 12. 8⁰ Würzbg, Stahel's V.   Kart. 1 — d
   Bauerreiss, H; Ferienanfg. a. d. Planimetrie. (70) (02.) [12.]   1 —
   Fortsetzg s. u. d. T.: Sammlung, Stahel'sche, v. Prüfgsaufg.
   — Sammlg deut. Reichsges. u. bayer. Ges., Fortsetzg, s.: Sammlung, Stahel'sche, usw.
   — gemeinnütz. Schreib-Kalender f. 1906. 104. Jahrg. (107 u. 56) 8⁰ Würzbg, Stahel's V.   Kart. 1.25; L. 2.25; durchsch. 2 —; bezw. 3 —
   — Taschen-Notizkalender f. 1906. (Schreibkalender n. 38) 8⁰ Ebd.   L. 1 —; n. durchsch. 1.40

Stahelin, O, Verkehrs-Taschenb. f. Unterfranken. 7. u. 8. Ausg. Sommer- u. Winter-Kurs. (Je 88 m. 3 Kart.) 8⁰ Würzbg, Stahel's V.   Je — 80

Staehelin, E: Würde Christus heute Abstinent sein? Vortr. (28) 8⁰ Bas., Helbing & L. 03.   — 60 d
   — Die unnützen Worte. 3. Afl. (34) 8⁰ Bas., (Basler Missionsbh.) 01.   — 15

Staehelin, F: Der Antisemitismus d. Altertums in s. Entstehg u. Entwicklg. (55) 8⁰ Bas., CF Lendorff 05.   1.50

Staehelin, G: Neue deut. Architektur. — Barockbauten in Deutschl. — Moderne Bauschreiner-Arbeiten. — Ausgeführte städt. Bauten. — Ausgeführte kl. Geschäftshäuser, s.: Schmoll F.

Stähelin, H, s.: Testament, d. Neue, uns. Herrn u. Heilandes Jesu Christi.

Stähelin, T: Georg Müller in Bristol. 3. Afl. (32) 8⁰ Bas., (Basler Missionsbh.) 1891.   — 05

Stahl u. Eisen. Zeitschrift f. d. deut. Eisenhüttenwesen. Red. v. E Schrödter u. W Beumer. 21—25. Jahrg. 1901—5 je 24 Nrn. (1901. Nr. 1. 136 m. Abb. u. 1 Taf.) 8⁰ Düsseldf, (A Bagel). Halbj. nn 11 —

Stahl: Verteilg d. mathematisch-geograph. Stoffes auf d. 8klass. Schule, s.: Magazin, pädagog.

Stahl, A, u. F Grunsky: Leitf. f. d. Unterr. in d. Gesch. an d. unt. u. mittl. Kl. höh. Lehranst. 3. Afl. (109) 8⁰ Stuttg., W Kohlhammer 03.   Kart. 1.30
   Stahl, A: Patrist. Untersuchgn. I. Der 1. Brief d. röm. Clemens. II. Ignatius v. Antiochien. III. Der „Hirt" d. Hermas. (359) 8⁰ Lpzg, JC Hinrichs 01.   8 —

Stahl, E: Arbeiter-Wohngn. — Architektur v. 1750—1800, s.: Moderne Bauformen.

Stahl, E: Mexikan. Kakteen-, Agaven- u. Bromeliaceen-Vegetation, s.: Karsten, G.
   — Mexikan. Nadelhölzer u. Xerophyten, s.: Vegetationsbilder.
   — Matthias Jak. Schleiden. Rede. (28) 8⁰ Jena, (G Neuenhahn) 04.
   — Die Schutzmittel d. Flechten geg. Tierfrass, s.: Denkschriften d. mediz.-naturwiss. Gesellsch. zu Jena.

Stahl, F: Handwerker-Genossensch., s.: Kroidl, NL.

Stahl, F (S Lilienthal): Wie sah Bismarck aus? (65 m. 31 Taf.) 8⁰ Berl., G Reimer 05.   Kart. 5 — d

Stahl, F (S Lilienthal): Wie sah Goethe aus? 1—4. Taus. (65 m. 28 Taf.) 8° Berl., G Reimer 04.05. Kart. 3 — d
— Josef Israels, s.: Künstler, jüd.
— s.: Kunst, d., im Leben d. Kindes.
Stahl, FT: Singschule, neue method. Bearbeitg, s.: Zimmermann, E, Gesanglehre.
Stahl's, J, Atlas f. d. Volkssch. d. Stadt- u. Landkreises Bochum. (20 farb. Kartens. u. 1 farb. Heimatsk. m. Text u. Abb. auf d. Umschl.) (Neue Ausg.) 8° Arnsbg, J Stahl (04).
nn — 60
— dass. d. Kreise Hörde, Hagen-Land, Hagen-Stadt, Schwelm, Witten-Stadt. (20 farb. Kartens. u. 1 farb. Heimatsk. m. Text u. Abb. auf d. Umschl.) (Neue Ausg.) 8° Ebd. (04). nn — 60
— Liederb. f. deut. Schulen. Bearb. v. E Zimmermann. (Stahl-Zimmermann: Rationelle Solmisations-Methode.) (150) 8° Ebd. (04). nn — 50 d
— Sammlg zeitgemässer pädagog. Vorträge u. Abhandlgn. 1—4. Heft. 8° Ebd. 1.45 d
Hals, H: Die Bekämpfg d. Schwindsucht od. Tuberkulose durch d. Schule. (24) 03. [2.]
Droste, H: Der Lehrer als Mitarbeiter bei Ausführg d. preuss. Erziehgs.-Ges. v. 2.VII.1900. Vortr. (28) 01. [1.] — 40
Knortz, K: Der Handfertigkeits-Unterr. Amerikan. Gutachten. (20) 04. [4.] — 40
Zimmermann, E: Material z. Gehr. d. Taf.: Vor- u. frühgeschichtl. Altertümer d. Prov. Westfalen. Vortr. (10) 01. [1.] — 25
— Sprachhefte f. einf. Schulverhältn., bearb. v. prakt. Schulmännern. 2 Hefte. 8° Ebd. 04. nn — 45 d
I. (32) nn — 20 [II. (40) nn — 25.
Stahl, J: Militär-Feuerwehren. (16) 8° Wiesb., (H Staadt) 04.
1 — d
Stahl, I: Enchiridion symbolor. et definitionum, s.: Denzinger, H.
Stahl, M (Frau M Dieckmann): Höhenluft. Roman. 2 Tle in 1 Bde. (215 u. 152) 8° Bresl., Schles. Buchdr. usw. 04. 4 — ; geb. 5 — d
— Sommernachtsdunkel. Roman. (416) 8° Berl., Verl. Continent (04). 4 — ; geb. 5.50 d
— Weltmacht. Roman. 2 Bde. (247 u. 318) 8° Mannh., J Bensheimer's V. (02). 6 — d
— Zauberkreise. Roman. (399) 8° Berl., Verl. Continent (05). 4 — ; geb. 5.50 d
Stahl, PJ: Maroussia, s.: Prosateurs franç. (L Wespy).
Stahl, W: Ueb. Licht- u. elektr. Wellen, Funken- od. Wellentelegr., Kathodenstrahlen, Röntgenstrahlen, Becquerelstrahlen, Electronen u. Urmaterie in kurzfassl. Darstellg. (38 m. Abb.) 8° Lpzg, A Felix 02. 1 —
Stahl, W: Geschichtl. Entwickelg d. ev. Kirchenmusik, s.: Hesse's, M, illustr. Katech.
Stahlberg, W: Leitf. f. d. Unterr. in d. Gesch. 18. Afl. (191 m. 3 Kartenskizzen.) 8° Altnbg, HA Pierer 03. 1.20 d
Staehle, W, s.: Spiess, P.
Stahlecker, R: Beitr. z. Gesch. d. höh. Schulwesens in Tübingen. (102) 8° Stuttg. 05. (Tüb., F Fues.) 2.80 d
— Präparat. zu Ciceros Rede f. d. Dichter Archias. (10) 8° Lpzg, BG Teubner 02. — 30
— dass. f. Sextus Roscius. (40) 8° Ebd. 02. — 50 d
Stähler, O: Der Reg.-Bez. Arnsberg, s.: Hanefeld, W.
Stählin, F: Die Stellg d. Poesie in d. platon. Philosophie. (68) 8° Münch., CH Beck 01. 2 —
Stählin, K: Der Kampf um Schottl. u. d. Gesandtschaftsreise Sir Francis Walsinghams im J. 1583, s.: Studien, Leipz., a. d. Geb. d. Gesch.
— Die Walsinghams bis z. Mitte d. 16. Jahrh. (80) 8° Hdlbg, C Winter, V. 05. 2 — d
Staehlin, L: Predigt z. Eröffng d. Generalsynode zu Ansbach. (12) 8° Ansb., C Junge 01. — 20 d
— Üb. d. Ursprg d. Relig. (36) 8° Münch., CH Beck 05. — 80 d
Stahlschmidt's Pilgerreise zu Wasser u. zu Lande. Lebensschicksale e. Siegerländers n. s. Briefen, m. Jung-Stillings Vorrede u. Christenvolk erzählt. (101) 8° Siegen, Westdeut. Verl.-Anst. (01). — 60; L. — 80 d
Stahly, A: Maffia u. Monarchie in Italien. Ein Mahnruf an Victor Emanuel III. v. Savoyen. (98) 8° Berl., Dr. J Edelheim 01. (Lpzg, CF Fleischer.) 1 —
Stahr, A, s.: Aus Adolf Stahr's Nachlass.
Stahr, M: In fremden Landen. Geheilt', s.: Kürschner's, J, Bücherschatz.
— Unvereinbar. Roman. (299) 8° Berl., E Trewendt 04. (4 —) — ; Einbd 1 — d
Staiger, A: Prüfgsdiktate, s.: Bauer, G.
Staiger, E: Üb. d. Centralgefässe im Sehnerven uns. einheim. Ungulaten. (21) 8° Tüb., F Pietzcker 05. nn — 80
Staininger, A: Volk u. Schützenwesen. Aufzeichngn a. d. Erfahrgn erprobter Schützen m. Fachmänner, m. Vorschl. z. Hebg u. Verbesserg d. vaterländ. Schützenwesens. (48) 8° Wien, (LW Seidel & S.) (05). 1.50
Stalder, G: Mostbüchl., s.: Gut, J.
Stalker, J: Die Christol. Jesu od. Was sagt Jesus Christus üb. sich Selbst? Nach d. Synoptikern dargest. Übersetzg. (157) 8° Dess., A Haarth 02. 2.80 d
— Jesus Christus unser Vorbild. Imago Christi. Übersetzg. 3. Afl. (157) 8° Ebd. 01. L. nn 2.40 d
— Das Leben Jesu. Aus d. Engl. 3. Afl. (135) 8° Tüb., JCB Mohr 01. — 80 d

Stallo, JB: Die Begriffe u. Theorieen d. modernen Physik. Nach d. 3. Afl. d. engl. Originals übers. u. hrsg. v. H Kleinpeter. (332 m. Bildnis.) 8° Lpzg JA Barth 01. 7 —; HL. 8.50
Stalmann, B: Der Sonntag u. d. Familienleben. Vortr. (15) 8° Lpzg, A Strauch (05). — 10 d
Stamati-Ciurea, C v.: Wahn u. Wahrheit. Erzählgn u. Studien. Uebertr. v. A M. Hrsg. v. B Morariu. (191) 8° Czernow., H Pardini 01. 3 — d
Stamm, C, s.: Aus d. Briefmappe d. Bischofs Dr. Conr. Martin v. Paderborn.
Stamm's, FL, Ulfilas, hrsg. v. M Heyne u. F Wrede, s.: Bibliothek d. ält. deut. Litt.-Denkmäler.
Stamm, S: Durch Nacht z. Licht. Aus d. Leben e. ind. Büsserin. Aus d. Engl. (40 m. Abb.) 8° Bas., Basler Missionsbh. 02.
— 15 d
Stammbuch d. Familie . . . (Einbd: Familien-Stammbuch.) 3. Afl. (56) 8° Dresd., C Heinrich (05). Kart. — 60
L. m. G. 1.25; Ldr m. G. 4.50 d
— dass. (Umschl.: Familien-Stammbuch.) 5. Afl. (54) 8° Giess., E Roth (02). Kart. nn — 50; L. m. G. nn 1 — d
— d. livländ. Holländer-Friesenviehzucht. 1. u. 2. Jahrg. 1901 u. 2, hrsg. durch d. bei d. kais., livländ. gemeinnütz. u. ökonom. Sozietät besteh. Verband livländ. Holländer-Friesenviehzüchter. (96 u. 188 m. je 1 Taf.) 8° Jurj. (Dorp.) 02.03. (Lpzg, RC Schmidt & Co.) Je 2 —
Stammbuchsbote, der. Nachrichtenbl. d. Stammbuchführer d. Ver. ehemal. Fürstenschüler. Nr. 1—34. März 1898—Dezbr 1903. (Je 4) 4° Dresd. (Grimma, G Gensel's V.) Je 4 Nrn — 50;
1. Runde (Nr. 1—24) in 1 Bd kart. 3 — || 2. Runde. Nr. 25—32. März 1904—Dezbr 1905. (Je 4) Je 4 Nrn — 50 d
Stammbücher v. 16—18. Jahrh. Katalog 41. (76 m. Abb.) 16° Münch., J Rosenthal (05). 3 — d
Stammer, K, s.: Jahres-Bericht üb. usw. Zuckerfabrikation.
— Taschenkalender f. Zuckerfabrikanten. Hrsg. v. R Frühling u. G Henseling. 29. Jahrg. 1905/6. (273 u. Schreibkalender.) 8° Berl., P Parey. Ldr 4 —
Stammhammer, J: Bibliogr. d. Finanzwiss. (415) 8° Jena, G Fischer 05. 12 —
Stamminger, JB, s.: Franconia sacra.
Stammler, J: Der hl. Beatus, s. Höhle u. s. Grab. (35 m. 4 Taf.) 8° Bern, KJ Wyss 04. — 80 d
— Kirchengesch. d. höh. Volkssch. (188 m. Abb. u. 1 Karte.) 8° Einsied., Verl.-Anst. Benziger & Co. 03. Geb. nn 1.30 d
— Die Pflege d. Kunst im Kt. Aargau, s.: Argovia.
Stammler, R: Aufg. u. d. röm. Recht. 2. Afl. d. „Prakt. Institutionenübg n f. Anfänger". (260 m. Fig.) 8° Lpzg, Veit & Co. 01. L. 5 —
— Die Gesetzmässigk. in Rechtsordng u. Volkswirtschaft, s.: Jahrbuch d. Gehe-Stiftg zu Dresden.
— Zur Lehre v. d. ungerechtfert. Bereicherg n. d. BGB., s.: Festgabe f. Herm. Fitting.
— Die Lehre v. d. richt. Rechte. (647) 8° Berl., J Guttentag 02.
16 —; HF. nn 18 —
— Praktikum d. bürgerl. Rechtes f. Vorgerücktere. 2. Afl. (240 m. Fig.) 8° Lpzg, Veit & Co. 03. L. 5 —
— Privilegien u. Vorrechte. Rede. (52) 8° Halle, Bh. d. Waisenh. 03. 1 —
— Übgn im bürgerl. Recht f. Anfänger. 2 Bde. 8° Lpzg, Veit & Co. L. 14.50
1. Einl. Allg. Tl. Recht d. Schuldverhältn. 2. Afl. (21,372 m. 1 Karte.) 03. —
2. Sachenrecht. Familienrecht. Erbrecht. (16, 264 m. Fig. u. 1 Karte.) 03. 8.40
— Wirtschaft u. Recht n. d. materialist. Geschichtsauffassg. 2. Afl. (702) 8° Ebd. 06. 15 —; HF. 17.50
Stammspiel, das. (18, 60) 8° Gött., L Horstmann 1900. 1 — d
Stammsuchtregister f. Ziegen. Nr. 3. (100) Fol. Lpzg, RC Schmidt & Co. (01). — 60 d
Stampe, E: Das Causa-Problem d. Civilrechts. (44) 8° Greifsw., J Abel 04. 1 —
Stampfer, F: Relig. ist Privatsache! Erläutergn zu Punkt 6 d. Erfurter Programms. 1. Der Kampf um d. Weltanschaug. 2. Christl. u. sozialdemokrat. Sittenlehre. 3. Staat, Kirche u. Schule. (46) 8° Berl., Bh. Vorwärts 05. — 20 d
Stampfer, S: Theoret. u. prakt. Anl. z. Nivellieren. 10. Afl. v. E Doležal. (308 m. Fig.) 8° Wien, C Gerold's S. 02. 6 —
— 6 stell. logarithmisch-trigonometr. Taf., nebst Hilfstaf., e. Anh. u. e. Anweisg z. Gebr. d. Taf. 20. Afl. v. E Doležal. Schulausg. (32, 162) 8° Ebd. 04. Geb. 3 —; Ausg. f. Praktiker. (35, 359) 04. Geb. 7 —
Stämpfli, W: Erpressg u. „Chantage" n. deut., franzö. u. schweiz. Strafrecht. (151) 8° Bern, A Francke 03. 2 —
Stand, d., d. Tuberkulose-Bekämpfg im Frühj. 1905. Geschäfts-Bericht f. d. General-Versammlg d. Central-Komites z. Errichtg v. Heilstätten f. Lungenkranke. Von Nietzer. (108 m. 182 m. Abb. u. je 1 farb.] Tab.) 8° Berl. (W. 9., Eichhornstr. 9), Deut. Central-Komite z. Errichtg v. Heilstätten f. Lungenkranke 05. o H
— u. Aufgabe d. deut. Industrie in Ostasien. Mit e. Vorwort v. M v. Brandt. (28) 8° Hildesh., (A Lax) (05). — 60
— d., u. d. Massnahmen z. Hebg d. Schweinezucht, bezw. d. Ziegenzucht, in d. Rheinprov., s.: Veröffentlichungen d. Landw.-Kammer f. d. Rheinprov.
Standard derjen. Kaninchenrassen, d. auf d. Ausstellgn d. Bundes deut. Kaninchenzüchter u. sr Zweigvereinigg aus-

stellgsberechtigt sind. 3. Afl. Hrsg. v. Bunde deut. Kanin-
chenzüchter. (40 m. Abb.) 8° Lpzg, Dr. F Poppe 03. — 60 d
Standesamt, das. Zeitschrift z. Ratgeber f. d. m. Standes-
amtsgeschäften beauftr. Beamten. Sammlg d. auf d. Geb. d.
Personenstandsbeurkundg u. d. Eheschliessg ergeb. Ges.,
Verordngn, Erlasse u. gerichtl. Entscheidgn. Hrsg. v. L
Schmitz. 1—4. Jahrg. 1902—5 je 24 Nrn. (Nr. 1. 12) 8° Mei-
derich-Duisbg, L Schmitz. (Nur dir.) Halbj. 2.50 d
Standesbeamte, der. Centralbl. f. Personenstandsbeurkundg,
Ehe- u. Familienrecht. 27—31. Jahrg. 1901—5 je 36 Nrn. ('02.
266) 4° Berl., E Grosser. Je 3 — d
Standeswahl-Büchlein f. christl. Jungfrauen. Von e. Priester
d. Gesellsch. Jesu. 6. Ausg. Mit e. Beigabe: Beherziggn d.
M Denis. (128) 16° Aach., R Barth, V. 01. Geb. — 50 d
Standke, K: Vaterländ. Kinderlieder. 2—3. Taus. (48 m. Abb.)
8° Rixdf, Bickhardt (05). — 80 d
Stand- u. Rangliste d. kgl. preuss. Verwaltg d. Zölle u. indirekten Steuern. II. Tl. 8° Berl., E Schneider. nn 2.25
II. Rangliste d. kgl. pr. Zoll- u. Steuerverwaltg f. 1902/3. Vers. d. in
d. Lokalverwaltg etatsmässig angestellten Beamten v. d. Ober-In-
spektoren bis zu d. Hauptamts-Assistenten u. Einnehmern I. Klasse,
sowie d. Stationskontroleure, Zollpraktikanten u. Supernumerare,
hrsg. v. A Strack. (102 u. 13) 02. nn 2.25
*Der 1. Tl ist noch nicht erschienen. — Neue Afl. s. u. d. T.:
Rangliste d. mittl. Laufbahn d. kgl. pr. Zoll- u. Steuerverwaltg.*

Starck, M: Der Burgvogt v. Landeskron. 2 Bde. (921) 8°
Dresd., E Pierson 02. 8 — ; geb. 10 — d
Staneff, S: Das Gewerbewesen u. d. Gewerbepolitik in Bul-
garien. (187) 8° Lpzg, (G Wittrin) 01. 2.50
Stanford, CV: Viel Lärmen um Nichts. Oper v. J Stargis.
Deut. Text v. J Bernhoff. Musik v. St. (Textb.) (60) 8° Lpzg,
(M Brockhaus) (02). — 50 d
Stange, A: Einführg in d. Oesch. d. Chemie. (308 m. 12 Taf.
u. 1 Tab.) 8° Münst., Coppenrath 02. (6 —) 4 — L. (7.50) 5 —
— Die Zeitalter d. Chemie in Wort u. Bild. 1—3. Lfg. (1—181)
8° Lpzg, F Schimmelwitz (03.04). je 1.50
Erscheint nicht weiter, neue Ausg. 1906 bei O Wigand, Lpzg.
Stange, AL: Die Arbeitszeit d. Kontorangestellten in Handel
u. Industrie. (16) 8° Münch. (04). Lpzg, BG Teubner. — 30 d
— Denkschrift z. Lösg d. Handelshochschulfrage in Bayern.
(48) 8° Ebd. 04. 1.20
— s.: Handels-Hochschul-Chronik. — Monatsschrift f. Han-
dels- u. Sozialwiss.
Stange, C: Theolog. Aufsätze. (132) 8° Lpzg, A Deichert Nf.
05. — s.: Disputationen, d. ält. eth., Luthers.
— Einl. in d. Ethik. II. Grundlinien d. Ethik. (295) 8° Lpzg,
Dieterich 01. 5 — (Vollst. in 1 Bd: 8 — ; geb. 9 —)
— Der Gedankengang d. „Kritik d. reinen Vernunft". (24) 8°
Ebd. 02. — 30 il 2. Afl. (37) 03. — 75
— Die Heilsbedeutg d. Gesetzes. Vortr. (30) 8° Ebd. 04. — 75
— Das Problem Tolstojs. [S.-A.] (34) 8° Ebd. 03. — 75 d
— s.: Quellenschriften z. Gesch. d. Protestantismus.
— Relig. u. Sittlichk. bei d. Reformatoren. s.: Studien,theolog.
— Was ist schriftgemäss? Vortr. (24) 8° Lpzg, Dieterich 04. — 60
Stange, E: Präparat. zu Tacitus' Annalen u. Germania, s.:
Krafft u. Ranke's Präparat. f. d. Schullektüre.
— Saalburg u. Pfahlgraben. Populär-wiss. Erklärg d. beiden
Namen. (45 m. 1 Karte.) 8° Hombg, F Schick 01. — 75
Stange, M: Böhm. Braunkohle u. deut. Briketts. [S.-A.] (13)
8° Tepl.-Sch., (A Becker) 04. — 50
Stange, O: Präparat. zu Ovids Metamorphosen. 1. u. 2. Heft.
8° Lpzg, BG Teubner. Je 1.50
1. Buch I 1—451. 748—756. Buch II 1—405 (Delectus Siebelianus 1—4.)
(34) 04. — 60 ‖ 2. Buch III 1—137. IV 1—166. 389—415. V. 260—678. VI
146—313. (Delectus Siebelianus 5. 8. 12. 13.) (26) 05. — 40.
— Tirocinium poeticum, s.: Siebelis, J.
Stangen, E: Antinouslieder, m. Anh.: Die Insel d. Seligen.
(80) 8° Zür., C Schmidt 03. 2 — d
— Dunkelflammen. Neue Gedichte. 2. Afl. (108 m. Bildnis.) 8°
Ebd. 01. Kart. 2.50
— Mit d. 2. Gesicht. Seltsame Geschichten. (166) 8° Ebd. 05.
2 — d
Stangenberger, J: Unt. d. Deckmantel d. Barmherzigkeit.
Die Schwesternpflege in d. Krankenhäusern. (5—8. Taus.)
(48) 8° Berl., Herm. Walther 01. — 50
Stankewitsch, BW: Magnet. Messgn, ausgeführt im Pamir im
Sommer 1900. [S.-A.] (20) 8° Wien, (A Hölder) 02. — 40
Stankiewicz, C Edle v., s.: Herbstreise, e., v. Graz üb. Ham-
burg u. d. Azteken-Stadt.
Stanley, Sir J: Prinz Tuan, u. Geheimnissvolle Kaiser v. China.
Oder: Die Giftmischerin v. Peking. Schicksale e. deut. Mäd-
chens im Wunderlande China. Chinesisch-deut. Sensations-
roman. e.—50. Heft. (121—1202 m. je 1 Vollbild.) 8° Dresd.,
RH Dietrich (1900.01). Je — 10 (Vollst.: 5 —) d
Stansch, K, s.: Wochenschrift f. Aquarien- u. Terrarienkde.
Stanzel, A: Moderne Monogramme. 80 Taf. m. 400 Monogr.,
Namen u. Kronen im Secessionstil. 4° Wien, A Schroll & Co.
(03). In M. 10 —
Stanzel, K: Üb. d. Diffusion in sich selbst. [S.-A.] (15) 8°
Wien, (A Hölder) 01. — 40
Stapelfeldt, H: Die Schule d. Elektrotechnikers, s.: Holzt, A.
Stapf, CF: Zinstafeln f. sämtl. 100-teil. Münzsysteme, enth. d.
Zinsfusse 1 $1^1/_4$, 2, $2^1/_4$, $2^1/_2$, $2^3/_4$, 3, $3^1/_4$, $3^1/_2$, $3^3/_4$, $3^3/_4$, $3^3/_4$
$5^3/_4$, $5^1/_2$, $5^3/_4$, 4, $4^1/_4$, 4, $4^1/_4$, 4, $4^1/_4$, $4^1/_4$, 5, $5^1/_4$, 10 e. v.

Hundert auf 1—99 Tage u. 1—12 Monate. 3. Afl. v. B Sattler.
(324) 8° Lpzg, BF Voigt 05. Geb. 2.50 d
Stapfer, A: Kurzgef. griech. Schulgrammatik, s.: Pistner, J.
Stapfer, G: Die ält. Agende d. Bist. Münster. Mit Einl. u.
Erläutergn als Beitrag z. Liturgie- u. Kulturgesch. hrsg. Im
Anh.: I. Ein münsterisches Domrituale v. Anfang d. 16. Jahrh.,
II. 4 Lichtdr.-Taf. m. Noten- u. Textproben a. d. Agende.
(148) 8° Münst., Regensberg 05. 6 —
Starbäck, K: Ascomyceten d. 1. Regnellschen Exped. III. [S.-A.]
(22 m. 2 Taf.) 8° Stockh. 04. (Berl., R Friedländer & S.) nn 1.25
I u. II sind nur im Arkiv f. botanik erschienen.
Stark, Frhr v., s.: Jagd u. Fischerei.
Stark, B: Naturgesch. f. Schule u. Haus. 3. Afl. (128 m. Abb.)
8° Nürnbg, F Korn 03. Kart. — 80 d
Stark, F: Paniken, s.: Beiheft z. Militär-Wochenbl.
Stark, F: Wie beseitige ich mein Ohrenleiden? (Anl. u. d.
Methode d. Dr. Marage.) (89) 8° Lpzg, Deut. Reform-Verl. (05).
3 — d
Stark, H: Die direkte Besichtigg d. Speiseröhre. Ösophago-
skopie. (219 m. Abb. u. 3 farb. Taf.) 8° Würzbg, A Stuber's
V. 05. 7 — ; geb. 8 —
— Die Erkrankgn d. Speiseröhre, s.: Abhandlungen, Würz-
burger, a. d. Ges.-Geb. d. prakt. Medizin.
— Die diffuse Erweiterg d. Speiseröhre. [S.-A.] (18) 8° Münch.,
Seitz & Sch. 03. — 80
— Neurol. u. Chirurgie. (24) 8° Lpzg, B Konegen 04. — 60
Stark, JF: Tägl. Hand-Buch in guten u. bösen Tagen. Nebst
Fest-Andachten m. Kriegs-, Teuergs-, Fest- u. Friedens-Ge-
beten. (572 u. 80 m. Bildnis u. 4 Bildern.) 8° Hugsweier (01).
HF. 1.50 d
— dass. (672 u. Familienchronik 8 m. Bildnis u. 3 Vollbildern.)
8° Reutl., R Bardtenschlager (04). HF. 1.60 ‖
in Chagrin, m. 6 Vollbildern, 1.80; L. m. G. 2.50 d
— dass. 174. Afl. (670 u. Familienchronik 8 m. 1 Bildnis.) 8°
Reutl., Ensslin & L. (01). HF. 1 — ; m. Bildern 1.20 ‖ L. 1.75 d
— dass. Nebst u. Anh. f. Schwangere, Gebärende, Kindbetter-
innen u. Unfruchtbare. Neue Ausg. v. F Pieper. (666, 100 u.
Familienchronik 16 m. Bildnis.) 8° St. Louis, Mo. 1900. (Zwick.,
Schriften-Ver.) 2.50 d
— dass. m. Abendandachten frommer Christen auf alle Tage
d. Jahres. Neu bearb. Ausg. (743 u. Familienchronik 15 m.
Bildnis u. 4 Farbdr.) 8° Konst., C Hirsch (01). L. 2.50 d
— dass. Nebst e. Anh. v. Gebeten f. Sonn- u. Festtage sowie
f. besond. Veranlassgn, e. Lebensbeschreibg d. Verf. u. e.
Sachregister bearb. v. F Bernstein. (767 m. 10 Farbdr.) 8°
Nürnbg, Anst. f. relig. Verl. A Leimann (01). (Nur dir.)
HF. 10 — ; m. G. 11.50 d
— dass.. bearb. v. KTE Ehmann. 4. Afl. v. Drehmann m. e.
Lebensabriss d. Verf. (820 u. Hauschronik 8 m. 12 [5 farb.]
Taf.) 8° Reutl., Ensslin & L. (04). L. m. Nägeln 10 —
m. G. 12 — d
Stark, K: Marienburg, d. Haupthaus d. deut. Ritterordens,
3. Afl., s.: Schwandt, W, Marienburg.
Stark, R: Wegweiser durch Bibel u. Gesangb. z. Gebr. beim
häusl. Gottesdienste f. d. Kirchenj. 1905/6. 48. Jahrg. (67) 16°
Riga, N Kymmel's S. — 40 d
Stark, W: Üb. d. ferromagnet. Eigenschaften u. Legierg
unmagnet. Metalle, s.: Heusler, F.
Starck, Frhr W v.: Das „weisse Kreuz". In d. Praxis bewährte
Vorschläge z. Betrieb d. Missionsarbeit d. „weissen Kreuzes"
in ev. Jünglings-Ver. u. christl. Ver. junger Männer. 2. Afl.
(16) 8° Berl. 04. (Lpzg, HG Wallmann.) — 30 d
— Mitteilgn a. d. Arbeit d. ev. Jünglingsver. u. christl. Ver.
junger Männer aller Länder. [S.-A.] (45m. Abb.) 8° Berl., Emil
Richter 04. — 50 d
Starcke, O: Ein Sommer-Idyll. Stimmgn auf d. Schlossberg
in Graz. (56) 8° Graz, Leykam 05. 1.50
Staercke, M: Wassersnot in d. Oder-Niederg. Krit. Gedanken
u. Wünsche zu d. Ges., betr. d. Verbesserg d. Vorflut in d.
unt. Oder. (26) 8° Berl., L Frobeen 04. 2 —
Staren, d., u. d. Spatzen. Der Frühling kommt, s.: Bilderbücher, kl. bunt.
Stark, E: Lehrb. d. vereinf. deut. Stenogr. — Leseb. f. Stenogr. — Methodisch geordneter Uebgsstoff d. Unterr. in
d. Stenogr., s.: Puff, L.
Stark, F, u. F Tschauder: Hilfsb. f. d. Gesch.-Unterr. in Präp.
parandenanst. 1. u. 2. Tl. 8° Bresl., H Handel. 3 —
geb. nn 3.70 d
1. Deut. u. brandenb.-preuss. Gesch. (247) 02. ‖ 2. Afl. (269 u. 10 m. Abb.)
05. Afl. (259 u. 10) 05. Je 3 — ; geb. nn ‖
2. Altertum. (130 m. Abb.) 02. 1 — ; geb. nn 1.25 ‖ 2. Afl. (142 m. Abb.) 05.
1 — ; geb. nn 1.40 d
Stark, G: Blätter, techn.
Stark, G v.: Prinzessin Christelchen. Hofroman. (174 m. Abb.)
8° Berl., W Vobach & Co. (04). 2 — ; L. 3 — d
Stark, J: Beitr. z. Frage d. Unterr. in Physik u. Astronomie,
s.: Behrendsen, O.
— Die Dissoziiert; u. Umwandlg chem. Atome. (57) 8° Brnschwg,
F Vieweg & S. 03. 1 — d
— Die Elektrizität in Gasen. (28, 509 m. Abb.) 8° Lpzg, JA
Barth 02. 12 — ; L. 13 — d
— s.: Jahrbuch f. Radioaktivität u. Elektronik.
— Das Wesen d. Kathoden- u. Röntgenstrahlen, s.: Abhand-
lungen, zwangl., a. d. Geb. d. Elektrotherapie u. Radiol.
Stark, JF, s.: Starck, JF.

Stark, JG: Der Messias. Zum 100jähr. Gedächtnis d. Todestages FG Klopstocks. (52) 8° Rothnbg o/T., JP Peter 03. — 75 d
Stark, K: Neue Karte d. Schwarzwalds. — Neuester Schwarzwaldführer, s.: Schnars, CW.
Stark, L: Der Jungherr v. Rothenburg. Ein Sang a. d. Tauberthale. 2. Afl. (92 m. Titelbild.) 12° Rothnbg o/T., JP Peter (01).   L. 1.80 d
Stark, T: Kaufmänn. Buchführg. (71 u. Formulare 18, 15, 20, 26, 14 u. 12) 8° Fürth, (G Rosenberg) 03. Kart. in M. 3 — d
Staerk, A: Der Taufritus in d. griechisch-russ. Kirche, s. apostol. Ursprg u. s. Entwickelg. (194) 8° Freibg i/B., Herder 03.   7 —
Stärk, J, s.: Kommentar z. Leseb. f. d. katbol. Volkssch. Württembergs.
Stoerk, W: Die Entstebg d. Alten Test., s.: Sammlung Göschen.
— Relig. u. Politik im alten Israel, s.: Sammlung gemeinverständl. Vortr. u. Schriften a. d. Geb. d. Theol.
— Sünde u. Gnade n. d. Vorstellg d. ält. Judentums, bes. d. Dichter d. sog. Bußpsalmen. (75) 8° Tüb., JCB Mohr 05. 1.50
— Ueb. d. Ursprg d. Grallegende. (57) 8° Ebd. 03.   1.40
Starke, A: Der Besitz bei d. Erbschaftsklage d. röm. Rechtes. (106) 8° Berl., Struppe & W. 05.   2.50
Starke, A: Die Behandlg d. Aussteuer u. d. Aussteueranspruchs im BGB. (100) 8° Lpzg. Veit & Co. 05.   2.60
Starke, A: Briefsteller f. alle Stände u. alle Lebenslagen m. bes. Berücks. d. Inseraten- u. Announcenwesens. 3. Afl. v. F Neumann. (128) 8° Schweidn., G Brieger (02).   — 50 d
Starke, E: Hdb. d. ges. Verkehrswesens d. Deut. Reiches, s.: Lange.
— u. **Schönfelder**: Gr. Ortslexikon d. Deut. Reiches. Sonderausg. d. 6. Afl. v. Lange's Hdb. d. ges. Verkehrswesens. (1165 u. 7 m. 1 Karte.) 8° Dresd., G Kühtmann 04.   Geb. 12 —
Starke, F: Der Brunnen. Schausp. (52) 8° Berl., HA Weber (03).   — 75 d
— Eigenliebe. Schausp. (72) 8° Ebd. (03).   — 75 d
— Erlösg. Drama. (48) 8° Ebd. (03).   — 75 d
Starke, GF: Einquartierg od. Die Millionenbraut, s.: Heidelmann's, A, Theaterbibliothek.
Starke, H: Experimentelle Elektrizitätslehre. (432 m. Abb.) 8° Lpzg. BG Teubner 04.   L. 6 —
Starke, M: Künstler. Anreggn f. d. Industrie. I. Serie. (14 Lichtdr.) 52×37,5 cm. Plauen, C Stoll (03).   In M. 20 —
— Vorl. f. moderne Flächenmuster, s.: Kühnel, R.
Starke, P: Moderne Monogramme. (16 Taf. m. 4 S. Text.) 4° Dresd., G Kühtmann (03).   In M. 6 —
— Zeichenmethode auf Grundl. d. gold. Schnittes. Vorl. f. d. Schul- u. Selbstunterr. z. Wiedergabe v. Naturformen an d. Hand künstler. Massverhältnisse. (24 z. Tl farb. Taf. m. 3 S. Text.) 4° Ebd. (04).   In M. 12 —
Starke, P: Die prakt. Kaninchenzucht. 2. u. 3. Afl. (187 m. Abb.) 8° Lpzg. Dr. F Poppe (03).   L. 2 — d
— Das belg. Riesenkaninchen. s. Zucht u. Pflege. 2. Afl. (31 m. 1 Taf.) 8° Ebd. (03).   — 60 d
Starkenfels, A Frhr v., u. JE **Kirnbauer** v. **Erzstatt**: Oberösterr. Adel, s.: Siebmacher, J, gr. u. allg. Wappenb.
Starker, E: Hygien. Kochb. z. Gebr. f. ehemal. Curgäste v. Dr. Johann's Sanatorium auf Weisser Hirsch bei Dresden. 9. Afl. (64, 163) 8° Dresd., (A Köhler) (04).   Geb. 2 —
Starklauf, J: Mit Gott f. König u. Vaterland! od. Der Soldat, wie er sein soll im Krieg u. im Frieden. Pflichten-, Gebet- u. Gesangb. f. katbol. Soldaten. 15. Afl. (304 m. Titelbild.) 16° Münch., JJ Lentner (04).   L. — 60 d
Starklof, L: Sirene, s.: Volksbücher, Wiesbadener.
Start 1900—04, enth. d. in d. J. 1900—04 in Deutschl., Schweiz u. Dänemark gelauf. Flach- u. Hindernis-Rennen. (Jahres-Ausg.) 12° Berl., (H Steinitz).   Je nn 3 —
1900. (314) (01.) Mit Trabrennen. (314 u. 85) nn 4 — | '01. (364) (02.) | '03. (389) 03. | '03. (414) (05.) Mit Trabrennen. (414 u. 107) nn 4 — | '04. (430) (04.) Mit Trabrennen. (430 u. 116) nn 4 —
Starzer, A: Die Konstituierg d. Ortsgemeinden Niederösterr. (244) 8° Wien, Niederösterr. Statthalterei 04. (Nur dir.) 1.80
— Die landesfürstl. Lehen in Steiermark v. 1421—1546, s.: Veröffentlichungen d. histor. Landes-Commission f. Steiermark, s.: Topographie v. Niederösterr.
Stassen, F: Faust. — Götter, s.: Tondrama.
— Parsifal. 15 Bilder zu R Wagner's Bühnenweihfestspiel. (15 S. Text.) 47×38 cm. Berl., Fischer & Fr. 01.   In Tuch-M. 80 —
Stassoff, W: L'ornement hébr., s.: Günzburg, D.
Stassow, W: Üb. Shakespeares Kaufmann v. Venedig u. d. Sbylok-Problem. Aus d. Russ. v. W Henckel. (50) 8° Münch., Å Buchholz 05.   1 — d
Station, erdmagnet., zu Lübeck. Beiheft zu d. Mitteilg d. geograph. Gesellsch. u. d. naturhistor. Museums zu Lübeck. Bearb. v. W Schaper. 6. Heft. (41) 8° Lüb., Lübcke & N. 03.   2 —
Heft 1—5 sind nicht allein erschienen.
Stationen, d. XIV. d. hl. Kreuzwegs n. Kompositionen d. Malersch. d. Klosters Beuron. (14 Lichtdr.) 35×45 cm. Mit einleit. u. erklär. Text v. PW v. Keppler. 4. Afl. (77 m. Abb.) 8° Freibg i/B., Herder 04.   In M. 12 — | 14. Afl. 15.50
Statistik d. Ausverkäufe im J. 1901 u. 2. Zusammengest. v. statist. Departement im k. k. Handelsministerium. (Je 17) 4° Wien, (Hof- u. Staatsdr.) 02.03.   Je — 60

Statistik, Berliner, hrsg. v. statist. Amt d. Stadt Berlin. 1—3. Heft. 4° Berl., P Stankiewicz.   nn 10.80
1. A. Der Milchverbr. in Berlin. B. Der Omnibus-, Strassenb.- u. Eisenb.-Personenverkehr in Berlin v. 1896—1902. (48 m. 3 Taf.) 03.   5.40
2. Die Ergebnisse d. Grundstücks- u. Wohgaufnahmen im J. 1900 in Berlin u. d. Nachbargemeinden, d. seit 1900 in Berlin alljährlich leerstab. Wohngn n. entstand. Neubauten. (85 m. 1 Taf.) 04.   3 —
3. Lohnermittelungen u. Haushaltrechngn d. minder bemittelten Bevölkerg im J. '03- (61 u. 75 m. 1 Taf.) 04.   nn 5.40
— d. böhm. Braunkohlenverkehrs in d. J. 1900—4. 32—36. Jahrg. Hrsg. v. d. Dir. d. Aussig-Teplitzer-Eisenb.-Gesellsch. 8° Tepl.-Schönau, (A Becker).   Je 2 —
1900. (63, 98 m. 1 farb. Taf.) 01. | '01. (63, 92 m. 1 farb. Taf.) 02. | '02 (63, 92 m. 1 farb.) '03. (64, 94 m. 1 farb. Taf.) 04. | '04. (64, 94 m. 3 farb. Taf.) 05.
— Breslauer. Hrsg. v. statist. Amt d. Stadt Breslau. XIX. Bd. 3. Heft; XX. Bd., 3. Heft u. XXI—XXIV. Bd je 3 Hefte. 8° Bresl., E Morgenstern, V.   22.50
XIX, 3. Der Grundbesitzwechsel, d. Boden- u. Häuserpreise in Breslau währ. d. letzten Jahrzehnte. (140 m. 4 Taf. u. 1 Pl.) 02. 3 — (Vollst. 16 —)
XX, 3. Jahresberichte städt. Verwaltgn f. 1896/1900. (370) 01.   3 — (Vollst.: 13.50)
XXI, 1. Bevölkergswechsel, Erkrankgn, meteorolog. u. physikal. Verhältn., Preise f. Nahrgsmittel etc. im J. 1899. (109) 01.   1 —
2. Jahresberichte städt. Verwaltgn f. d. Rechngsj. 1900. (330 m. 4 [2 farb.] Taf.) 02.   3 —
3. Bevölkergswechsel, Erkrankgn, meteorolog. u. physikal. Verhältn., Preise f. Nahrgsmittel etc. im J. 1900. (104) 02.   1 —
XXII, 1. Ergebnisse d. Bevölkergs-, Grundstücks- u. Wohngaufnahme v. 1.XII.1900. (112, 98 u. 7 m. 5 farb. Taf. u. 1 Formular.) 03. 1.50
2. Bevölkergswechsel, Erkrankgn, meteorolog. Verhältn., Nahrgsmittelpreise im J. 1901, Sterblichkeitstaf. f. 1881/1900. (122 m. 1 Taf.) 03.   1 —
3. Jahresberichte städt. Verwaltgn f. d. Rechngsj. '01- (351 m. 3 [2 farb.] Taf.) 03.   3 —
XXIII, 1. Krankenversicherg in d. J. 1896—1900. Alters- u. Invalidenrenten seit 1891. (152 m. 4 graph. Taf.) 03.   1 —
2. Bevölkergswechsel, Erkrankgn, meteorolog. u. physikal. Verhältn., Preise f. Nahrgsmittel etc. im J. '02. (104) 04.   1 —
3. Jahresberichte städt. Verwaltgn f. d. Rechngsj. '02- (380) 04. 3 —
XXIV, 1. Statistisches üb. Löhne u. Arbeiter-Fürsorge. Zur Lehrerstatistik. (88 m. 3 Taf.) 05.   1 —
2. Jahresberichte städt. Verwaltgn f. d. Rechngsj. '03. (324 m. 4 Taf.) 05.   3 —
3. Bevölkergswechsel, Erkrankgn, meteorolog. u. physikal. Verhältn., Preise f. Nahrgsmittel etc. im J. '03. Die leerstab. Wohngn u. Geschäftslokale im Oktbr '04. (173 m. 1 Formular.) 05.   1 —
— Charlottenburger. 9—18. Heft. Hrsg. v. statist. Amt. 8° Charlottnbg, (C Ulrich & Co.). Im 12.05 (1—18: nn 19.25) d
9. Beiträge z. Schulstatistik in Charlottenburg (Juv) 1900. 1 —
10. Stand d. Bevölkerg, Eheschliessgn, Geburten, Sterbefälle, Zuzüge n. Fortzüge, d. Neubauten u. d. leerstab. Wohngn, sowie Mittheilgn a. d. Grundstücksaufnahme im J. 1900. (82 m. 1 Pl.) 01.   nn 1.75
11. Arbeiter-Kranken-Versicherg, Vereinsstatistik, Grundbesitzwechsel, sowie weit. Beitr. zur Schulstatistik. (69) 01.   nn 1.75
12. Stand d. Bevölkerg bis z. J. '01 (Zu- u. Fortzüge, Eheschliessgn, Geburten, Sterbefälle), d. Neubauten, d. Bodenwerth, d. Grundbesitzwechsel u. d. leerstab. Wohngn bis z. J. '01- (74) 02. nn 1.75
13. Ergebnisse d. Grundstücks-Aufnahme v. 27.X.1900 u. d. Wohngs-Aufnahme v. 1.XII.1900 in d. Stadt Charlottnburg sowie in d. Nachbargemeinden Wilmersdorf, Friedenau, Schmargendorf, Grunewald. (44) 02.   1 —
14. x. Armenstatistik d. J. 1900/01 u. '01/02 u. B Neubauten d. J. '02- (50) 02.   nn 1 —
15. Stand u. Bewegg d. Bevölkerg bis z. J. '02 (Zu- u. Fortzüge, Eheschliessgn, Geburten, Sterbefälle) u. d. Grundbesitzwechsel bis z. J. '02- (47) 03.   nn 80
16. Beiträge z. Schulstatistik in Charlottenburg. (39) 04.   nn 1 —
17. Grundstückswerte, Grundbesitzwechsel, leerstab. Wohngn u. Neubauten bis z. J. '03- (59) 04.   nn 1 —
18. Stand u. Bewegg d. Bevölkerg bis z. J. '03 (Eheschliessgn, Geburten, Sterbefälle, Zu- u. Fortzüge) u. d. gemeld. Infektionskrankh. (72 m. 3 Taf.) 04.   nn 1.50
— dass. I u. II. Ergänzgsheft. Ebd.   Je nn 3 — d
I. Grundstücks-Aufnahme, d. v. 27.V.1900 n. d. Wohngs-Aufnahme v. 1.XII.1900 in d. Stadt Charlottenburg sowie in d. Nachbargemeinden Wilmersdorf, Friedenau, Schmargendorf u. Grunewald. (64) 4° 02.
II. Pläne, 20, v. Charlottenburg, Bevölkergs- u. Wohngs-Verhältn. d. Stadt graphisch dargestellt. (20 Bl. Text.) Fol. (03.)
— Deut. Reichs. Hrsg. v. kais. statist. Amt. (Neue Folge.) 89. Bd, 2. Thl, Abth. b. c; 126. u. 129. Bd; 130. Bd, 1. u. 2. Abth.; 132., 133., 135., 136. Bd; 137. Bd. 2 Abthlgn; 138—143. Bd; 144. Bd, 1. u. 3. Abth.; 145—153. Bd; 154 Bd, I. u. II: 155—159. Bd; 160. Bd, 4 Thle; 161., 162., 164., 167. u. 171. Bd. 4° Berl., Puttkammer & M.   257 — d
89. Stromgebiete, d., d. Deut. Reichs. Hydrographisch u. orographisch dargest., m. beschreib. Texte. d. deut. Wasserstrassen. II. Thl. Das Gebiet d. Weser. (160 m. 1 Karte.) 2 — (f.I.u. II. 3.50 —)
Ems. (92 u. 3 m. 1 Taf.) 02. 2 — (3 n. II. a—c. 18 —)
126. Kriminalstatistik f. 1896, nebst Erläutergn f. 1897 u. 98. (102, 84 u. Tabellenwerk 380 m. 5 Kart.) 01. | 132. Dass. f. 1899. (383, 72, 65 u. 42) 01. 10 — | 139. Dass. f. 1900. (55, 50 u. 333) 02. 10 — | 154. Dass. f. 1901. 04.
127. Die Seeschiffahrt im J. 1899. (74 m. 1 Taf.) 01. Für vollst. 10 —
129. Handel, auswärt., d. deut. Zollgebiets. 2. Tl. Darstellg u. Nachweisgn. (966, 6 — | 135. Dass. '01. (400 u. 30) 02. 6 — | 153. Dass. '02- (434 u. 30) 03. | 143. Dass. '01. (400 u. 30) 02. 6 — | 153. Dass. '02- (434 u. 30) 03. 6 —
150. I. Seeschiffahrt im J. 1899. I. Abth. Bestand d. dent. Seeschiffe (Kauffahrtei-schiffe). Schiffsunfälle an d. deut. Küste. Vermeldkgn deut. Seeschiffe. (173) 01. 1187. Dass. f. 1900. (360) 02. | Dass. f. '01- (175) 03. | 154. Dass. f. '02- (179) 04. | 160.I.II. Dass. f. '03- (179) 04. | 167. Dass. f. '03- (184, 54 u. 139) 05.   Je 4 —
II. Dass. 2. Abth.: Seeverkehr in d. deut. Hafenplätzen. Bestand deut. Schiffe. (124) 01. | 137. Dass. f. 1900. (128) 02. | 144. Dass. f. '01- (144 u. 135) 03. | 154. Dass. im J. '02- (144 u. 136) 04. | 160 III.IV. Dass. f. '03- (85, 145 u. 40) 05.   Je 4 —

Statistik d. Deut. Reichs. Fortsetzg.

132 s.: Nr. 126.

133. Statistik d. Krankenversicherg im J. 1899. (39 u. 191 m. 1 Taf.) 01. ‖ 140. Dass. 1900. (57 u. 192 m. 4 Taf.) 03. ‖ 147. Dass. '01. (48, 192) 04. ‖ 156. Dass. '02. (12, 52 u. 192) 04. Je 5 —

135. Handel, auswärt., d. deut. Zollgebiets. 1. Thl. Der Verkehr m. d. einz. Ländern im J. 1900, unter Vergleichg m. d. Zahlen d. J. 1897—99. 24 Hefte. (54, 45, 61, 46, 84, 52, 82, 44, 79, 54, 75, 55, 55, 223, 118, 73, 76, 48, 69, 124, 71, 59, 95, 11 u. 8) 01. ‖ 142. Dass. f. 1901 unter Vergleichg m. d. J. 1897—1900. 24 Hefte. (8, 57, 51, 67, 52, 95, 57, 98; 50. 90, 60, 83, 59, 61, 244, 151, 75, 84, 52, 78, 132, 80, 61, 101 u. 11) 02. ‖ 152. Dass. im J. '02 unter Vergleichg m. d. J. 1897—1901. 24 Hefte. (67, 56, 75, 62, 107, 63, 83, 55, 104, 67, 93, 67, 73, 285, 111, 87, 98, 60, 88, 149, 90, 72, 124, 11 u. 8) 03. ‖ 158. Dass. im J. 1903 unter Vergleichg m. d. J. 1897—1902. 24 Hefte. (8, 69, 60, 80, 64, 114, 68, 92, 59, 110, 71, 96, 71, 76, 320, 120, 100, 106, 62, 94, 160, 100, 76, 132 u. 11) 04. ‖ 165. Dass. im J. '04 unter Vergleichg m. d. J. 1900—03. 24 Hefte. (3., 8., 13., 17. u. 19. Heft. 65, 52, 89, 64, 81, 60, 64, 84 u. 83) 05. Für vollst. je 10 —

136 s.: Nr. 129. — 137 s.: Nr. 130.

138. Binnenschiffahrt, d., im J. 1900. (227) 01. 5 — ‖ 145. Dass. im J. '01. (228) 02. 5 — ‖ 149. Dass. im J. '02, sowie d. Bestand d. Fluss-, Kanal-, Haff- u. Küstenschiffe am 31.XII.'02. (60, 4, 130 u. 97) 03. 6 — ‖ 161. Dass. im J. '03. (42, 132 u. 97) 04. 5 —

139 s.: Nr. 126. — 140 s.: Nr. 133.

141. Streiks u. Aussperrgn im J. 1900. (68 u. 261) 01. ‖ 148. Dass. im J. '01. (80, 57 u. 169) 02. ‖ 157. Dass. im J. '02. (78, 53 u. 169) 03. ‖ 164. Dass. im J. '03. (98, 59 u. 203) 04. ‖ 171. Dass. im J. '04. (119, 61 u. 269) 05. Je 2 —

142 s.: Nr. 135. — 143 s.: Nr. 129. — 144 s.: Nr. 130. — 145 s.: Nr. 138. — 146 s.: Nr. 126. — 147 s.: Nr. 133. — 148 s.: Nr. 141. — 149 s.: Nr. 138.

150. Volkszählung, d., v. 1.XII.1900 im Deut. Reich. 1. Tl. (204 u. 372 m. 13 farb. Taf.) 03. 8 — ‖ 151. Dass. 2. Tl. (789) 03. 4 —

152 s.: Nr. 135. — 153 s.: Nr. 129. — 154 s.: Nr. 130. — 155 s.: Nr. 126. — 156 s.: Nr. 138. — 157 s.: Nr. 141. — 158 s.: Nr. 135. — 159 s.: Nr. 129. — 160 s.: Nr. 130. — 161 s.: Nr. 138. — 162 s.: Nr. 126. — 164 s.: Nr. 141. — 165 s.: Nr. 135. — 166 s.: Nr. 129. — 167 s.: Nr. 130. — 171 s.: Nr. 141.

— d. amtl., Deutschlds. Der 9. Tagg d. internat. statist. Instit. vorgelegt v. kais. statist. Amt. (38) 8° Berl., C Heymann 03. 1 —

— d. im Betriebe befindl. Eisenb. Deutschlds, n. d. Angaben d. Eisenb.-Verwaltgn bearb. im Reichs-Eisenb.-Amt. XX—XXIV. Bd. Rechngsj. 1899—1903. (Mit je 1 Karte.) 4° Berl., (ES Mittler & S.). Je nn 10 —
XX. 1899. (425) 01. ‖ XXI. 1900. (426) 02. ‖ XXII. '01. (451) 03. ‖ XXIII. '02. (463 m. 10 farb. Taf.) 04. ‖ XXIV. '03. (463) 05.

— d. in d. im Reichsrate vertret. Königr. u. Ländern im Betriebe gestand. elektr. Eisenb., Drahtseilb. u. Tramways m. Pferdebetrieb f. 1898—1902. Bearb. im statist. Departement im k. k. Eisenb.-Ministerium. 8° Wien, Hof- u. Staatsdr. 8 —
1898.99. (116) 01. 2 — ‖ 1900. (113) 02. 2 — ‖ '01. (107) 03. 2 — ‖ '02. (133) 04. 2 —

— d. Ursachen d. Erwerbsunfähigk. (Invalidität) n. d. Invaliditäts- u. Altersversichergsges. f. d. J. 1896—1899, s.: Nachrichten, amtl., d. Reichs-Versichergsamts.

— d. Gebäudesteuer f. d. J. 1890 u. 1900. (51) 8° Wien, (Hof- u. Staatsdr. (04). †— 70

— d. Güterbewegg auf deut. Eisenb., n. Verkehrsbezirken geordnet. Hrsg. im kgl. preuss. Ministerium d. öffentl. Arbeiten. 67—71. Bd. 18—22. Jahrg. 1900—04. (405, 405, 405, 405 u. 415) 4° Berl., C Heymann 01-05. Je 17 —; geb. je 18 — d

— d. Hamburg. Staates. Bearb. u. hrsg. v. d. statist. Bureau d. Steuer-Deputation. 18. Heft, 10. Abth.; 20. Heft; 21. Heft 2 Hlftn u. 22. Heft. 4° Hambg, O Meissner's V. 30.20
18, X. Die Ergebnisse d. Berufs- u. Gewerbezählg v. 14.VI.1895 im Hamburg. Staate. X. (Schl.-)Abth. Die Gewerbebetriebe m. Benutzg v. Arbeitsmaschinen, Apparaten, Oefen u. s. w. — Grösse u. Unternehmgsform d. Gewerbebetriebe bei Nachweisg d. Ges.-Betriebe als Betriebseinheiten. — Titel, Inhaltsverz., Vorwort u. textl. Thl. (25 u. 126) 1900. 7.20 (Vollst.: 30.40)
20, Die Bewegg d. Bevölkerg in d. J. 1892—99. Statistik d. Wahlen in d. J. 1887—1901. Die Einkommensteuer in d. J. 1893—99. (134) 02. 6 —
21, I. Volkszählg, d., v. 1.XII.1900. 1. Thl: Die Ausführg d. Zählg u. d. Feststellg d. Ergebnisse. 2. Thl: Die Zählg d. Personen. (140) 02. 6 —
II. Dass. 3. Tl: Die Zählg d. Grundstücke, d. Wohngebäude u. d. Gelasse. 4. Tl: Die Zählg d. Haushaltgn. (141—261) 03. 6 —
22, Statistik d. hamburg. Bürger. Die Einkommenverhältn. d. hamburg. Bevölkerg in d. J. 1866—1901. Das Verhältnis zw. Miete u. Einkommen. Die Bewegg d. Bevölkerg in d. J. 1900—1903. Hamburg. Sterblichk.-Taf. f. d. J. 1896 u. 1901. Die Mieten u. ihre Ändergn in Hamburg in d. J. 1893—1903. (111) 04. 5 —

— d. auswärt. Handels d. österr.-ungar. Zollgeb. in d. J. 1900—04. Verf. u. hrsg. v. statist. Departement im k. k. Handelsministerium. Je 3 Bde in 4 Abthlgn. 8° Wien, Hof- u. Staatsdr. Der Jahrg. 20 —
I, 1. Hauptergebnisse. Hafenverkehr. 1900. (31, 546) 01. ‖ '01. (32, 560) 02. ‖ '02. (32, 558) 03. ‖ '03. (33, 552) 04. ‖ '04. (32, 554) 05. Je 4 —
2. Gesammt-Ein- u. Ausfuhr. Verkehr m. d. einz. Staaten u. Gebieten. 1900. (742) 01. ‖ '01. (754) 02. ‖ '02. (760) 03. ‖ '03. (776) 04. ‖ '04. (782) 05. Je 4 —
II. (Spezial-Handel.) 1900. (855) 01. ‖ '01. (829) 02. ‖ '02. (845) 03. ‖ '03. (847) 04. ‖ '04. (843) 05. Je 6 —
III. (Vormerkverkehr. Durchfuhr.) 1900. (496) 01. ‖ '01. (494) 02. ‖ '02. (507) 03. ‖ '03. (513) 04. ‖ '04. (501) 05. Je 6 —

— d. Heilbehandlg bei d. Versichergsanst. u. zugelass. Kasseneinrichtgn d. Invalidenversicherg, s.: Nachrichten, amtl., d. Reichs-Versichergsamts.

— d. Invalidenversicherg f. 1891—99, s.: Nachrichten, amtl., d. Reichsversichergsamts.

— jüd. Hrsg. v. „Verein f. jüd. Statistik" unter d. Red. v. A Nossig. (Systemat. Bibliogr. d. jüd. Statistik. Statist. Arbeiten jüd. Organisationen. Beitr. z. Statistik d. Juden in einz. Ländern. Beitr. z. Gesamtstatistik d. Juden.) (452) 8° Berl.-Charlttnbg, Jüd. Verl. 03. 7 —; geb. 8.50

Statistik, landw., d. Länder d. ungar. Krone. 5. Bd. Ernteergebnisse. Verf. u. hrsg. durch d. kön. ung. statist. Central-Amt. (Ungarisch u. deutsch.) (118 u. 234 m. 17 Kart.) 4° Budap., (O Nagel jun.) 1900. L. 7 — (Vollst.: 60.90)

— d. landw. u. zweckverwandten Unterr.-Anst. Preussens, s.: Jahrbücher, landw.

— d. in d. im Reichsrathe vertret. Königr. u. Ländern im Betriebe gestand. Locomotiv-Eisenb. II—V. Bd. 1899—1902. Bearb. v. statist. Departement im k. k. Eisenb.-Ministerium. 42,5×27,5 cm. Wien, Hof- u. Staatsdr. Je 12 —
II. 1899. (45, 769) 1900. ‖ III. 1900. (47, 861) 01. ‖ IV. '01. (47, 857) 02. ‖ V. '02. (49, 893) 03.
Fortsetzg s. u. d. T.: Eisenbahnstatistik, österr.

— österr. Hrsg. v. d. k. k. statist. Central-Commission. 53. Bd, II. u. III. Heft; 54. Bd, III. Heft, 2. Abth.; 55. Bd, III. u. IV. Heft; 56. Bd, I. u. III—V. Heft; 57. Bd, I. Heft, 2 Abthlgn, II. u. III. Heft; 58. Bd, V Hefte; 59. Bd, I. Heft; II. Heft, 2 Abthlgn, III. u. IV. Heft; 60. Bd, I. u. II. Heft u. III. Heft, 2 Abthlgn; 61. Bd, I—IV. Heft; 62. Bd, III Hefte; 63. Bd, I—III. Heft; 64. Bd, II Hefte; 65. Bd, VI Hefte; 66. Bd, XII Hefte; 67. Bd, III Hefte; 68. Bd, I. Heft, 2 Abthlgn, II. u. III. Heft; 69. Bd, IV Hefte; 70. Bd, III Hefte; 71. Bd, IV Hefte; 72. Bd, III Hefte; 73. Bd, I. u. II. Heft; 74. Bd, I., II. u. IV. Heft; 75. Bd, IV—VIII., X. u. XI. Heft; 76. Bd, I. Heft. 4° Wien, (C Gerold's S.). 435.70
53, II. Ergebnisse d. Concursverfahrens im J. 1896. Bearb. unter Mitwirkg d. k. k. Justiz-Ministeriums. (16, 55) 1900. 2.20
III. Ergebnisse d. Strafrechtspflege im J. 1896. Bearb. unter Mitwirkg d. k. k. Justiz-Ministeriums. (46, 209) 1900. 6 — (53. Bd vollst.: 21.20)
54, III. Statistik d. Verkehrs f. 1896 u. 1897. 2. Abth. Seeschiffahrt u. Seehandel, Eisenb., Posten, Telegr. u. Telephone, Aussenhandel u. Handel zw. Österr. u. Ungarn. (46, 62) 1900. 3.20 (54. Bd vollst.: 23.40)
55, III. Bewegg d. Bevölkerg im J. 1898. (73, 263) 02. 10 —
IV. Statistik d. Unterr.-Anst. f. 1897/98. (35, 224) 01. 7.60 (Vollst.: 31 —)
56, I. Ergebnisse d. Grundbesitzstatistik n. d. Stande v. 31.XII.1896. 1. Heft: Nieder-Oesterr. (46, 33) 02. 2.40
III. Dass. 3. Heft: Steiermark. (39, 21) 01. 2 —
IV. Dass. 4. Heft: Böhmen. (44, 91) 04. 4.20
V. Dass. 5. Heft: Mähren u. Schlesien. (53, 52) 03. 3.30
57, I, 1. Statistik d. registr. Creditgenossensch. f. 1898. (58, 153) 01. 6.50
2. Statistik d. registr. Consumver. f. 1898. (31, 35) 02. 2.20
II. Statistik d. Sparcassen f. 1898. (49, 65) 01. 3.40
III. Staatshaushalt, d. österr., in d. J. 1897 u. 98. (25, 130) 01. 4 —
58, I. Ergebnisse d. Civilrechtspflege im J. 1897. Bearb. unter Mitwirkg d. k. k. Justiz-Ministeriums. (48, 115) 01. 5 —
II. Ergebnisse d. Concursverfahrens im J. 1897. (16, 57) 01. 2.20
III. Ergebnisse d. Strafrechtspflege im J. 1897. (45, 209) 02. 6 —
IV. Übersicht, statist., d. Verhältn. d. österr. Strafanst. u. d. Gerichts-Gefängnisse im J. 1897. Bearb. im k. k. Justiz-Ministerium. (27, 89) 01. 4.60
V. Nachweisgn, statist., üb. d. civilgerichtl. Depositenwesen, d. cumulativen Waisencassen u. üb. d. Geschäftsverkehr d. Grundbuchsämter (Verändergn im Besitz- u. Lastenstande d. Realitäten) im J. 1897. (34, 114) 01. 4 —
59, I. Statistik d. Sanitätswesens f. 1898. (33, 248) 01. 10 —
II, 1. Statistik d. Verkehrs f. 1898 u. 99. 1. Abth. Landstrassen, Wasserstrassen, Flussschiffahrt. (32, 76) 01. 2.60 ‖ 2. Abth. Seeschiffahrt u. Seehandel, Eisenb., Posten, Telegr. u. Telephone, Aussenhandel u. Handel zw. Österr. u. Ungarn. (62, 63) 03. 3.20
III. Ergebnisse d. Reichsrathswahlen f. 1900/01. (32, 73 m. 1 Karte.) 02. 3 —
IV. Statistik d. Sparcassen f. 1899. (56, 67) 02. 3.40
60, I. Statistik d. Sanitätswesens f. 1898. (34, 251) 02. 8.50
II. Statistik d. Banken f. 1898 u. 1899. (36, 38) 02. 2.[illegible]
III, 1. Viehzählg, d., v. 31.XII.1900. 1. Abth.: Summar. Ergebnisse. (95) 02. 2.80; 2. Abtlg: Verhältniszahlen. (29, 135) 05. 3.90
61, I. Ergebnisse d. Civilrechtspflege m. Einschl. d. Executions- u. Concursverfahrens im J. 1898. (48, 179) 02. 7 —
II. Nachweisungen, statist., üb. d. civilgerichtl. Depositenwesen, d. cumulativen Waisencassen u. üb. d. Geschäftsverkehr d. Grundbuchsämter (Verändergn im Besitz- u. Lastenstande d. Realitäten) im J. 1898. (33, 114) 02. 4 —
III. Ergebnisse d. Strafrechtspflege im J. 1898. (46, 161) 02. 6 —
IV. Übersicht, statist., d. Verhältn. d. österr. Strafanst. u. d. Gerichts-Gefängnisse im J. 1898. (27, 91) 02. 4.[illegible]
62, I. Statistik d. Unterr.-Anst. f. 1898/99. (34, 236) 02. 7.[illegible]
II. Statistik d. allg. Volkssch. u. Bürgersch. Auf Grund d. statist. Aufnahme v. 15.V.1900 bearb. (97, 354 m. 1 Kartogr.) 03. 14 —
III. Bewegg d. Bevölkerg im J. 1899. (75, 269) 02. 10 —
63, I. Ergebnisse d. Volkszählg v. 31.XII.1900. 1. Heft. Die summar. Ergebnisse. (113, 131 m. 5 Kart.) 02. 9 —
II. Dass. II. Bd. 2. Heft. Die Bevölkerg n. Grössenkategorien d. Ortschaften, n. d. Gebürtigk., n. d. Confession u. Umgangssprache in Verbindg m. d. Geschlechte, n. d. Bildgsgrade innerh. d. Grössenkategorien d. Ortschaften u. d. Familienstande. (65, 150) 03. 6 —
III. Dass. II. Bd. 3. Heft. Die Alters- u. Familienstandsgliederg, d. Bevölkerg n. Altersklassen u. d. Aufenthaltsdauer innerhalb d. Grössenkategorien d. Ortschaften, d. Umgangssprache in Verbindg m. d. soz. Gliederg d. Wohnparteien, m. d. Alters- u. Familienstandsgliederg, m. d. Bildgsgrade n. Altersklassen, m. d. Konfession. (56, 180) 03. 7 —
64, I. Ergebnisse d. Volkszählg v. 31.XII.1900. 1. Heft. Die anwes. Bevölkerg n. ihrer Heimatsberechtigg. (34, 147) 02. [illegible]
II. Dass. 2. Heft. Die Ausländer in d. im Reichsrate vertret. Königreichen u. Ländern sowie d. Angehörigen dieser letzteren im Ausl. (30, 45) 05. 2.[illegible]
65, I. Ergebnisse d. Volkszählg v. 31.XII.1900. 1. Heft. Erweit. Wohngsaufnahme. (53, 100) 04. 7.[illegible]
II. Dass. 2. Heft. Beschränkte Wohngsaufnahme. (70, 41) 03. [illegible]
III. Dass. 3. Heft. Die Aufnahme d. Häuser in d. Gemeinden d. erweit. Wohngsaufnahme. (34, 14) 04. 1.[illegible]
IV. Dass. 4. Heft. Die Zählg d. Arbeitslosen in d. Gemeinden d. erweit. Wohngsaufnahme. (41, 60) 04. 3 —
V. Dass. 5. Heft. Die Haushaltgs- u. Familienstatistik in Grossstädten. Anh.: Sterblichk.-Taf. Österr. auf Grund d. Volkszählg v. 31.XII.1900. (34, 171) 05. [illegible]

VI. (Suppl.) Dass. 6. Heft (Suppl.). Die erweit. Wohngsaufnahme u. d. Aufnahme d. Häuser in d. Stadt Prag u. d. Vorortegemeinden. (52) 05. 1.70

66, I. Berufsstatistik n. d. Ergebnissen d. Volkszählg v. 31.XII.1900. 1. Heft. Analyt. Bearbeitg u. Reichsübersicht. (171 u. 121) 04. 8.80
II. Dass. 2. Heft. Niederösterr. (141) 03. 4.30
III. Dass. 3. Heft. Oberösterr. u. Salzburg. (149) 03. 4.50
IV. Dass. 4. Heft. Steiermark. (161) 03. 4.90
V. Dass. 5. Heft. Kärnten u. Krain. (105) 04. 4.40
VI. Dass. 6. Heft. Triest u. Gebiet, Görz u. Gradiska. Istrien. (89) 04. 3.50
VII. Dass. 7. Heft. Tirol u. Vorarlberg. (137) 04. 5.60
VIII. Dass. 8. Heft. Böhmen. (245) 04. 10 —
IX. Dass. 9. Heft. Mähren. (131) 04. 5.50
X. Dass. 10. Heft. Schlesien. (53) 04. 2.30
XI. Dass. 11. Heft. Galizien. (205) 04. 9 —
XII. Dass. 12. Heft. Bukowina u. Dalmatien. (107) 04. 4.50

67, I. Bewegung d. Bevölkerg im J. 1900. (81, 269) 02. 10 —
II. Statistik d. Sparkassen f. 1900. (56, 69) 03. 3.40
III. Statistik d. Banken f. 1900 u. '01. (41, 33) 03. 2 20

68, I. 1. Statistik d. Verkehrs f. 1900 u. '01. 1. Abtlg: Landstrassen, Wasserstrassen, Flussschiffahrt. (33, 77) 03. 2.60 ‖ 2. Dass. 2. Abtlg. Seeschiffahrt u. Seehandel, Eisenb., Posten, Telegr. u. Telephone. Aussenhandel u. Handel zw. Österr. u. Ungarn. (71, 64) 05. 4.10
II. Statistik d. Sanitätswesens f. 1900. (34, 251) 03. 8.50
III. Statistik d. Unterr.-Anst. f. 1899/1900. (34, 250) 03. 7.60

69, I. Ergebnisse d. Zivilrechtspflege, m. Einschl. d. Exekutions- u. Konkursverfahrens im J. 1899. (56, 179) 03. 7 —
II. Nachweisungen, statist., üb. d. zivilgerichtl. Depositenwesen, d. kumulativen Waisenkassen u. üb. d. Geschäftsverkehr d. Grundbuchsämter (Verändergn im Besitz- u. Lastenstande d. Realitäten) im J. 1899. (34, 116) 03. 4 —
III. Ergebnisse d. Strafrechtspflege im J. 1899. (48, 163) 03. 6 —
IV. Übersicht, statist., d. Verhältn. d. österr. Strafanst. u. d. Gerichts-Gefängnisse im J. 1899. (27, 91) 03. 4.60

70, I. Staatshaushalt, d. österr., in d. J. 1899 u. 1900. (31, 130) 04. 4 —
II. Statistik d. Sparkassen f. '01. (50, 69) 03. 3.40
III. Statistik d. Unterr.-Anst. f. 1900/01. (34, 258) 04. 7.60

71, I. Ergebnisse d. Zivilrechtspflege in d. J. 1900 u. 01. Bearb. unter Mitwirkg d. k. k. Justiz-Ministeriums. (69, 193) 04. 8 —
II. Nachweisungen, statist., üb. d. zivilgerichtl. Depositenwesen, d. kumulativen Waisenkassen u. üb. d. Geschäftsverkehr d. Grundbuchsämter (Verändergn im Besitz- u. Lastenstande) in d. J. 1900 u. 01. (33, 202) 04. 7.40
III. Ergebnisse d. Strafrechtspflege in d. J. 1900 u. 01. (106, 259) 04. 11.20
IV. Übersicht, 33. statist., d. Verhältn. d. österr. Strafanst. u. d. Gerichts-Gefängnisse in d. J. 1900 u. 01. Bearb. im k. k. Justiz-Ministerium. (29, 140) 04. 5.30

72, I. Bewegung d. Bevölkerg im J. '01. (245) 04. 7.50
II. Statistik d. Sparkassen f. '02. (49, 73) 05. 3.70
III. Statistik d. Sanitätswesens f. '01. (39, 252) 05. 8.80

73, I. Statistik d. Unterr.-Anst. f. '01/2. (35, 272) 05. 8 —
II. Staatshaushalt, d. österr., in d. J. '01 u. 02. (31, 132) 05. 4.70

74, I. Ergebnisse d. Zivilrechtspflege in d. J. '02 u. 03. (96, 203) 05. 9 —
II. Nachweisungen, statist., üb. d. zivilgerichtl. Depositenwesen, d. kumulativen Waisenkassen u. üb. d. Geschäftsverkehr d. Grundbuchsämter (Verändergn im Besitz- u. Lastenstande) in d. J. '02 u. 03. (34, 206) 05. 7.30
IV. Übersicht, 34. statist., d. Verhältn. d. österr. Strafanst. u. d. Gerichts-Gefängnisse in d. J. '02 u. 03. (31, 140) 05. 5.20

75, IV. Ergebnisse d. gewerbl. Betriebszählg v. 3.VI.'02. 4. Heft. Oberösterr. u. Salzburg. (18, 43) 05. 1.90
V. Dass. 5. Heft. Steiermark. (18, 59) 04. 2.40
VI. Dass. 6. Heft. Kärnten u. Krain. (18, 33) 05. 1.60
VII. Dass. 7. Heft. Küstenland u. Dalmatien. (18, 45) 05. 1.90
VIII. Dass. 8. Heft. Tirol u. Vorarlberg. (18, 71) 05. 2.70
X. Dass. 10. Heft. Mähren u. Schlesien. (18, 99) 05. 3.60
XI. Dass. 11. Heft. Galizien u. Bukowina. (18, 134) 05. 4.60

76, I. Statistik d. Unterr.-Anst. f. '02/3. (35, 280) 05. 9.50

Statistik d. österr. Post- u. Telegr.-Wesens, s.: Nachrichten üb. Industrie, Handel u. Verkehr.

— preuss. Hrsg. v. kgl. statist. Landesamt (Bureau) in Berlin. 142. Heft, 2. Thl; 164—167. Heft; 168. Heft, 2 Thle; 169—171., 173. u. 175. Heft; 176. Heft, 3 Thle; 177. Heft, 3 Thle; 178—180., 182—184., 186—190. Heft; 191. Heft, I. Tl 2 Hlftn u. 192—196. Heft. 4° Berl., Verl. d. kgl. statist. Landesamts. 295 — d

142. Berufs- u. Gewerbezählung v. 14.VI.1895. II. Thl. Die landw. Betriebe, insbes. d. landw. Hauptbetriebe. (425) 02. 12 — (I u. II.: 27 —)

164. Geburten, Eheschliessgn u. Sterbefälle währ. d. J. 1899, nebst e. Übersicht d. in d. einz. Jahren v. 1816—99 vorgekomm. Geburten, Eheschliessgn u. Sterbefälle sowie d. entsprech. Geburts-, Heirats- u. Sterbeziffern. (22, 310) 01. 8.40 ‖ 169. Dass. im J. 1900. (22, 352) 02. 9.60 ‖ 178. Dass. im J. '01. (22, 612) '03. 16 — ‖ 183. Dass. im J. '02. (24, 256) 03. 7.20 ‖ 190. Dass. im J. '03. (18, 248) 04. 6.80 ‖ 196. Dass. im J. '04. (18, 250) 05. 7 —

165. Statistik d. Landw. (Anbau, Saatenstand, Ernteerträge, Hagelwetter u. Wasserschäden) im preuss. Staate f. 1900. (64, 52 m. 2 Taf.) 01. 3.60 ‖ 170. Dass. f. '01. (40, 45 m. 1 Taf.) 02. 2.60 ‖ 180. Dass. f. '02. (42, 74 m. 2 Taf.) 03. 3.60 ‖ 186. Dass. f. '03. (28, 25) 04. 1.60 ‖ 192. Dass. f. '04. (50, 65 m. 6 Taf.) 05. 4.40

166. Sterblichkeit, d., n. Todesursachen u. Altersklassen d. Gestorbenen, sowie d. Selbstmorde u. d. tödtl. Verunglückgn im preuss. Staate währ. d. J. 1899. (16, 262) 01. 7.20 ‖ 171. Dass. im J. 1900. (26, 268) 02. 7.60 ‖ 179. Dass. im J. '01. (24, 263 m. 2 Taf.) 03. 8 — ‖ 184. Dass. im J. '02. (18, 195) 04. 5.60 ‖ 189. Dass. im J. '03. (24, 203) 05. 6 — ‖ 195. Dass. im J. '04. (24, 208) 05. 6 —

167. Statistik d. preuss. Landesunivers. m. Einschl. d. theologisch-philosoph. Akad. zu Münster u. d. Lyceum Hosianum zu Braunsberg, d. bischöfl. Klerikalseminare u. d. Kaiser Wilhelms-Akademie f. d. militärärztl. Bildgswesen zu Berlin f. d. Studienj. Ostern 1899/1900. (198 u. 213) 01. 10.60 ‖ 192. Dass. Ostern 1902/3. (188 u. 213) 05. 10.20

168. Statistik d. Landw. (land- u. forstw. Bodenbenutzg) im preuss. Staate f. 1900. I. Die Bodenbenutzg im allg. (50, 162) 02. 5.60 ‖ II. Die Forsten u. Holzgn im bes. (22, 91 m. 2 Taf.) 02. 3.60

169 s.: Nr. 164. — 170 s.: Nr. 165. — 171 s.: Nr. 166.

172. Heilanstalten, d., im preuss. Staate währ. d. J. 1898—1900. (20, 193) 02. 5.60 ‖ 182. Dass. f. '01. (22, 108) 04. 3.40 ‖ 187. Dass. f. '02. (28, 102) 04. 3.40 ‖ 194. Dass. f. '03. (16, 138) 05. 4.20

175. Irrenanstalten, d., im preuss. Staate währ. d. J. 1899 (Umschl. 1898)—1900. (16, 90) 02. 2.80

176. Schulwesen, d. ges. nied., im preuss. Staate im J. 1901. I. Tl. Textl. Darstellg d. öffentl. u. privaten Volks-, Mittel- u. höh. Mädchensch. sowie d. sonst. nied. Unterr.-Anstalten. Bearb. v. A Petersilie. (284 u. 42 m. 2 Kart.) 05. 9 — ‖ II. Tl. Die öffentl. u. privaten Volks-, Mittel- u. höh. Mädchensch. sowie d. sonst. nied. Unterr.-Anst. im Staate, in d. Provinzen u. d. Regiergsbezirken m. Unterscheidg d. Schulen in d. Städten u. auf d. Lande. (458) 03. 11.80 ‖ III. Thl. Die öffentl. Volkssch. in d. einz. Kreisen u. Oberämtern, m. Unterscheidg d. Schulen in d. Städten u. auf d. Lande. (553) 02. 13.60

177. Ergebnisse, d. endgült., d. Volkszählg v. 1.XII.1900 im preuss. Staate sowie in d. Fürstenth. Waldeck u. Pyrmont. I. Tl. (62, 431) 03. 12.60 ‖ II. Tl. Gebürtigk. Blinde. Taubstumme. Arbeitsort u. Wohnort. (539) 03. 13.80 ‖ III. Thl. Die Muttersprache. (28, 432) 02. 11.60

178 s.: Nr. 164. — 179 s.: Nr. 166. — 180 s.: Nr. 165. — 182 s.: Nr. 172. — 183 s.: Nr. 164. — 184 s.: Nr. 166. — 186 s.: Nr. 165. — 187 s.: Nr. 172.

188. Broesike, M: Rückblick auf d. Entwickelg d. preuss. Bevölkerg v. 1875—1900. (105, 160 u. 10 m. 17 Taf.) 04. 10 —

189 s.: Nr. 166. — 190 s.: Nr. 164.

191. Verschuldung, d. ländl., in Preussen. I. Tl. Verschuldg u. sonst. wirtschaftl. Verhältn. d. Eigentümer v. Grundstücken m. mindestens 60 Mark Grundsteuer-Reinertrag n. Grundsteuer-Reinertragskl. sowie n. Einkommensgruppen im J. 1902. Bearb. v. F Kühnert. 2 Hlftn. (1417 m. 9 Taf.) 05. 40 —

192 s.: Nr. 165. — 193 s.: Nr. 167. — 194 s.: Nr. 173. — 195 s.: Nr. 166. — 196 s.: Nr. 164.

Statistik d. Rollmaterials d. schweiz. Eisenb., Bestand am Ende d. J. 1899—1904. — Statistique du matériel roulant des chemins de fer suisses. Hrsg. v. schweiz. Post- u. Eisenb.-Departement. (98, 102, 104, 114, 126 u. 138) 4° Bern, (H Körber) 1900-05. Je 4 —

— d. Sanitätsverhältn. d. Mannschaft d. k. u. k. Heeres in d. J. 1899—1902. Bearb. u. hrsg. v. d. III. Sektion d. k. u. k. techn. Militärkomitee. 4° Wien, (Hof- u. Staatsdr.). nn 21 —
1899. (278 u. 52) 1900. nn 4.50 ‖ 1900. (278 u. 52) 01. nn 4.50 ‖ '01. (274 u. 52) 02. 6 — ‖ '02. (267 u. 52) 03. 6 —

— schweiz. Hrsg. v. statist. Bureau d. eidg. Departements d. Innern. 113. Lfg, I. u. II. Bd; 122., 123., 125—127., 130—136. u. 138—147. Lfg. Bern, (A Francke). 90.15; französ. Ausg. zu gl. Preisen.

113, I. Statistik, II. schweiz., d. amtl. Armenpflege. I. Bd. I. Tl: Die Ergebn. d. Erhebg pro 1890. 1. Abtlg: Bund bis Solothurn m. Vorbericht u. Einl. (638) 4° 01. 5 —
II. Dass. I. Tl. 2. Abtlg. Basel bis Genf nebst Generalübersichten. (639—1372) 4° 01. 5 —

122. Bewegung d. Bevölkerg im J. 1898. (32) 4° 1900. ‖ 127. Dass. 1899. (32) 01. ‖ 133. Dass. 1900. (32) 02. ‖ 135. Dass. '01. (32) 02. ‖ 139. Dass. '02. (32) 03. ‖ 142. Dass. '03. (32) 05. Je 2 —

123. Zählung d. schwachsinn. Kinder im schulpflicht. Alter m. Einschl. d. körperlich gebrechl. u. sittlich verwahrlosten, durchgeführt im März 1897. II. Tl. (100) 4° 1900. 1.50 (I u. II.: 3.50)

125. Ergebnisse d. schweiz. Kriminalstatistik währ. d. J. 1892—96. (56) 4° 1900. 2 —

126. Jahrbuch, statist., d. Schweiz. — Annuaire statist. 9. Jahrg. 1900. (313) 8° 1900. ‖ 130. Dass. 10. Jahrg. '01. (367) 01. ‖ 136. Dass. 11. Jahrg. '02. (341) 02. ‖ 141. Dass. 12. Jahrg. '03. (334) 04. ‖ 144. Dass. 13. Jahrg. '04. (366) 05. Je 6 —; geb. je 7 —

127 s.: Nr. 122. — 130 s.: Nr. 126.

131. Inhaltsverzeichnis, alphabet., d. Jahrg. I—X (1891—1901) d. statist. Jahrb. d. Schweiz u. d. graphisch-statist. Atlasses, v. J. 1897. — Index alphabet. de l'annuaire statist. de la Suisse, tome I à X (1891 à 1901) et de l'atlas graph. et statist. année 1897. (94) 8° 01. nn — 65; geb. nn — 90

132. Viehzählung, V. allg. schweiz., vorgenommen am 19.IV.'01. 1. Bd. (24, 46 u. 196 m. 5 farb. Taf.) 4° 03. 5 —

133 s.: Nr. 122.

134. Prüfung, pädagog., bei d. Rekrutierg im Herbste 1901. (16 m. 1 Karte.) 4° 02. ‖ 138. Dass. '02. (18 m. 1 Karte.) 03. ‖ 142. Dass. '03. (7 u. 16 m. 1 Karte.) 04. ‖ 146. Dass. '04. (8 u. 16 m. 1 Karte.) 05. Je 1.50

135 s.: Nr. 122. — 136 s.: Nr. 126. — 138 s.: Nr. 134. — 139 s.: Nr. 122.

140. Ergebnisse d. eidgenöss. Volkszählg v. 1.XII.1900. 1. Bd. Zahl d. Häuser, d. Haushaltgn, d. Bevölkerg; Unterscheidg d. Wohnbevölkerg n. Heimat, Geburtsort, Geschlecht, Konfession u. Muttersprache, d. Schweizerbürger n. Heimatkanton u. Heimatgemeinde. (52 u. 370 m. 5 Kart.) 4° 04. ‖ 145. Dass. 2. Bd. Unterscheidg d. Bevölkerg n. d. Geschlechte, n. d. Familienstande u. n. d. Alter. (31 u. 406 m. 6 Kart., 1 Taf. u. 1 Tab.) 05. Je 10 —

141 s.: Nr. 126. — 142 s.: Nr. 134. — 143 s.: Nr. 122. — 144 s.: Nr. 126. — 145 s.: Nr. 140. — 146 s.: Nr. 134.

147. Resultate, vorläufige, d. eidg. Betriebszählg v. 9.VIII.'05. (184) 4° (05.) 2 —

— dass. 128., 129. u. 137. Lfg. 4° Bern. Zürich, Art. Instit. Orell Füssli. 18 —; französ. Ausg. zu gl. Preisen.

128. Ehe, Geburt u. Tod in d. schweiz. Bevölkerg währ. d. 20 Jahre 1871—90. III. Tl. 1. Hlfte: Die Sterbefälle. (45 u. 198 m. 6 Kart. u. 1 farb. Taf.) 01. 8 — ‖ 137. Dass. 2. Hlfte: Die Todesursachen. (75 u. 163 m. 5 farb. Taf.) 03. 8 — (I—III.: 26.50)

129. Prüfung, pädagog., bei d. Rekrutierg im Herbste 1900. (7 u. 16 m. 1 Karte.) 01. 2 —

— üb. d. auf d. direkten Steuern umgelegten Zuschläge in d. J. 1898—1900. (157) 8° Wien, (Hof- u. Staatsdr.) (04). †1.40

— d. Straf- u. Gefangen-Anst. im Grossh. Hessen, s.: Beiträge z. Statistik d. Grossh. Hessen.

— d. Trabrennen in Oesterr. pro 1900. (615) 12° Wien, (F Beck) 01. 4 — ‖ '01. (767) 02. 5 —
Fortsetzg s.: Jahres-Buch.

— üb. d. Verhältn. d. Volksschullehrer im Grossh. Sachsen. Hrsg. durch d. statist. Bureau d. weimar. Lehrerver. (55) 8° Weim., (R Wagner Sohn) 03. 1 — d

— üb. Volksschul- u. Lehrerverhältn. im Herzogt. Meiningen. Hrsg. v. d. statist. Zentralstelle Camburg. (56) 8° Pössneck, (B Feigenspan) 04. 1 — d

— medizin., d. Stadt Würzburg f. d. J. 1898, 99, 1900, 01 u. 02. Bearb. v. FK Stubenrath. [S.-A.] (54 m. Tab.) 8° Würzbg, A Stuber's Verl. 04. 2.50
Früher bearb. v.: Roeder, J. — 1903 u. 04 s.: Hohmann, FE.

Statistik d. Stadt Zürich. Hrsg. v. statist. Amt d. Stadt Zürich. Nr. 1. 4⁰ Zür., (Rascher & Co.). 1.60
  1. Arbeits- u. Lohnverhältnisse u. im Dienste d. Stadt Zürich steh. Arbeiter. Nach d. Stande v. 31.X.'02. (100 u. 42) 04. 1.50
— d. Zwischenverkehres zw. d. im Reichsrate vertret. Königreichen u. Ländern u. d. Ländern d. ungar. Krone in d. J. 1900—04. Hrsg. v. k. k. zwischenverkehrsstatist. Amte im k. k. Handelsministerium. 8⁰ Wien, Hof- u. Staatsdr. Je 5 —
  1900. (39, 295) 01. ‖ '01. (34, 373 m. 4 Taf.) 02. ‖ '02. (45, 402 m. 4 Taf.) 03. ‖ '03. (31, 415 m. 4 Taf.) 04. ‖ '04. (37, 419 m. 4 Taf.) 05.
Statistique suisse des alpages, s.: Alpstatistik, schweiz.
— des chemins de fer suisses, s.: Eisenbahn-Statistik, schweiz.
Statistisches z. modernen Judenfrage. Von K H. (70) 16⁰ Warnsdf., A. Opitz. (Ling., R van Acken) (04). — 40 d
Statius, PP. Vol. II. Fasc. I. Achilleis. Ed. A Klotz. (43, 61) 8⁰ Lpzg, BG Teubner 02. 1.20; geb. 1.60
— Silvae, s.: Dichter, röm., in neuen Uebersetzgn.
Statuen deut. Kultur. (Hrsg. v. W Vesper.) I—IV. Bd. 8⁰ Münch., CH Beck 06. Kart. 5.80; Ldr 12.50
  Hartmann v. Aue: Lieder. Der arme Heinrich. Neudeutsch v. W Vesper. (95) [II.] 1.60; bzw. 3 —
  Hohelied, d., Salomonis in 43 Minneliedern. Neudeutsch v. W Vesper. (44) [III.] 1.20; bzw. 3 —
  Luther's Dichtgn. Ausgew. v. W Vesper. (105) [IV.] 1.80; bzw. 3.50
  Tacitus, d., Germania. Deutsch v. W Vesper. (37) [I.] 1.20; bzw. 3 —
Statuta maioris ecclesiae Fuldensis, hrsg. v. G Richter, s.: Quellen u. Abhandlungen z. Gesch. d. Abtei u. d. Diöz. Fulda.
— confraternitatum et corporationum Ragusinar. (ab aevo XIII—XVIII), ed. K v. Vojnović, s.: Monumenta historico-juridica Slavor. meridionalium.
Statz, V, u. G Ungewitter: Got. Musterb. 2. Afl. v. K Mohrmann. 200 Taf. m. erläut. Text. 11—20.(Schl.-)Lfg. (84 [3 farb.] Taf. m. Text 23—36) 40×29,5 cm. Lpzg, CH Tauchnitz 01-05. Je 2.50 (Vollst.: 50 —) d
Die farb. Taf. werden als je 2 Taf. gerechnet.
Staub, E, u. A Zimmermann: Bilder a. d. Kirchengesch. f. Mittelsch., Sekundarsch. u. d. ob. Kl. d. Volkssch. 2. Afl. (162 m. H. u. 4 Vollbildern.) 8⁰ Zür., Schulthess & Co. 02. 1 —; kart. 1.20 d
Staub, F: Weitere Beitr. z. Biogr. JB Schenks. (11 m. 1 Bildnis.) 8⁰ Wr.-Neust., A Folk 03. — 40 (1 u. 2.: — 65) d
— Die Rechtburmfrage in Wr.-Neustadt. (37 m. Abb.) 8⁰ Ebd. 01. — 70 d
Staub, F, s.: Idiotikon, schweiz.
Staub, H, s.: Festschrift f. d. 26. deut. Juristentag. — Formularbuch f. d. freiwill. Gerichtsbark. — Juristen-Zeitung, deut.
— Kommentar z. Ges. betr. d. Gesellsch. m. beschränkt Haftg. (466) 8⁰ Berl., J Guttentag 03. 10 —; HF. nn 12 — d
— Kommentar z. allg. deut. Handelsgesetzbuch. Ausg. f. Österr., bearb. v. O Pisko. 19 Lfgn. (866 u. 660) 8⁰ Wien, Manz 02-04. 35 —; geb. 40 — d
— Kommentar z. allg. deut. Wechselordng. 4. Afl. (293) 8⁰ Berl., J Guttentag 01. L. 7.50 d
— Die positiven Vertragslehre. (58) 8⁰ Ebd. 04. 1.20 d
Staub's, J, eidgenöss. Briefsteller u. Geschäftsfreund f. d. häusl. u. öffentl. Verkehr. 9. Afl. (352) 8⁰ Bern, J Heuberger 02. Geb. 2.40 d
Staub, J: Flocken u. Funken. Gedichte u. Sprüche. (130) 8⁰ Einsied., Verl.-Anst. Benziger & Co. 06. 1.60; L. nn 2.50 d
— Aus d. finstern Wald. Gedichte u. Sprüche. (192) 8⁰ Ebd. 01. 2 —; L. m. G. 3 —
Staub, JB: Die naturgemässe Erklärg d. Bewegg. m. é. Anh. Der Mechanismus d. Magnetismus. 3. Afl. (36, 4 u. 16) 8⁰ Lpzg, A Strauch (01). — 50 d
— Der Magnetismus als Universalfaktor im Weltenbau. Eine v. Grund a. neue naturharmon. Erklärg d. Ursache d. Bewegg u. Formirg d. Universums. (30) 8⁰ Lpzg, (G Schlemminger) (02). — 50 d
— Der Mechanismus d. Magnetismus. 1. u. H. Tl. 8⁰ Lpzg, (A Strauch) 01. 1 — d
  I. Vortr. [8.-A.] (16) — 40 ‖ II. Die Mechanik d. Universums. (34) — 60 d
Staub, JB: Ein Edelmensch im schlichtesten Gewande. Briefe e. philosoph. Schuhmachers, bearb. u. hrsg. v. H Morsch. (69, 485 m. Bildnis.) 8⁰ Berl. 04. Schlachtensee, Volkserzieher-Verl. 4 —; geb. 5 —
Staub, M: Die Beziehgn d. Täufers Conr. Grobel zu s. Schwager Vadian. (Auf Grund ihres Briefwechsels.) (78 m. 4 Beil.) 8⁰ Zür., Gebr. Leemann & Co. 1895. 2 —
— Aus d. Erfahrgn e. städt. Armensekretärs, s.: Neujahrsblatt d. Zürcher. Hülfsgesellsch.
Staub, M: Die Gesch. d. Genus Cinnamomum. (Deutsch u. ungarisch.) (138 m. 26 Taf. u. 2 Kart.) 4⁰ Budap., (F Kilián's Nf.) 90 —
Stauber, A: Neuer Führer durch Augsburgs Umgebg. (118 u. 24 m. 10 Taf.) 8⁰ Augsbg, Lampart & Co. (01). Geb.in. Kompass 2 —; m. Specialk. 1:100,000. (08.) Geb.in. Kompass 3 —; auf L. 4 —
— Landeskde d. Kgr. Bayern. 5. Afl. (48 m. Abb.) 8⁰ Frkf., F Hirt 02. Kart. — 50 d
Stauber, E: Gesch. d. Gemeinde Ellikon an d. Thur. (194 m. 1 farb. Wappentaf.) 8⁰ St. Gall., (W Hausknecht & Co.) (01). Kart. 2 —
Stäuble, A: Die öffentl. u. privaten Bildgsanst. in d. Stadt Zürich. (72 m. 1 Taf.) 8⁰ Zür., Art. Instit. Orell Füssli (04). 1.50
Staude, d.: Analyt. Geometrie d. Punktes, d. geraden Linie u. d. Ebene, s.: Teubner's, BG, Sammlg v. Lehrbb. a. d. Geb. d. mathemat. Wiss.

Staude, P: Das Antworten d. Schüler im Lichte d. Psychol. — Die Bedeutg d. Gleichnisreden Jesu in neuerer Zeit. — Zum Jahrestage d. Kinderschutzges. — Lehrbeisp. f. d. Deutschunterr. n. d. Fibel v. Heinemann u. Schröder, s.: Magazin, pädagog.
— Präparat. f. d. Relig.-Unterr. in darstell. Form. 1., 2. u. 4—6. Heft. 8⁰ Langens., H Beyer & S. 4.40 (1—6.: 5.60) d
  1. Unterr. 4. Afl. (45) 05. — 60 ‖ 2. Unterr. 3. Afl. (66) 04. — 90 ‖ 4. Mittelst. 2. Afl. (20) 04. 1. — ‖ 5.6. Mittelst. (85 u. 76) 02.05. Je 1 —
Staude, R: Die bibl. Gesch. d. Alten u. Neuen Test. 5., f. d. Mittelstufe d. Volkssch., bezw. d. Unterst. höh. Schulen umgearb. Afl. Mit e. Anh.: „Hauptstücke a. d. prophet. Schriften". (159) 8⁰ Dresd., Bleyl & K. 05. nn — 70; geb. nn — 90 d
— Hauptstücke a. d. prophet. Schriften d. alten Test. (32) 8⁰ Ebd. 05. nn — 15 d
— Der Katech.-Unterr. Präparat. 3 Bde. 8⁰ Ebd. 7.10; Einbde je nn — 50 d
  1. Das 1. Hauptstück. 2. Afl. (150) 03. 2.50 ‖ II. Das 2. Hauptstück. (165) 01. 2.80 ‖ III. Das 3. Hauptstück u. ä. Afl. u. 5. Hauptstück. (06) 01. 1.80.
— Präparat. zu d. bibl. Gesch. d. Alten u. Neuen Test., nach Herbart'schen Grundsätzen ausgearb. 2. u. 3. Tl. 8⁰ Ebd. 6.50; Einbde je nn — 50 d
  2. Neues Test: Das Leben Jesu. 12—14. Afl. (296) 02. 3 —
  3. Neues Test: Apostelgesch. 5. Afl. (295) 01. 3.50
— dass. 1. u. 2. Ergänzgsheft. 8⁰ Ebd. Je 2 —; geb. je nn 2.50 (Hauptwerk m. 1. u. 2. Ergänzgsheft: 14 —; geb. nn 16.50) d
  1. Der bibl. Gesch.-Unterr. d. Unterst.: Geschichten v. Jesus. Geschichten v. Abraham, Jakob u. Joseph. (161) 03.
  2. Dass. Oberst.: Das Alte Test. im Lichte d. Neuen Test. (156) 05.
— u. Göpfert: Leseb. f. d. deut. Gesch.-Unterr. 3. Tl. Erzählgn u. Bilder a. d. deut. Gesch. v. Heinrich IV. bis zu Rudolf v. Habsburg. 3. Afl. (88) 8⁰ Ebd. 05. — 75; geb. 1 — d
Staudhammer, S, s.: Jahres-Mappe d. deut. Gesellsch. f. christl. Kunst. — Kunst, christl.
Standinger, E, s.: Pasteur's Totenlisten.
Staudinger, F: Zur Abwehr! — Von Schulze-Delitzsch bis Krenznach, s.: Volksbücher, genossenschaftl.
Staudinger, F: Die 10 Gebote im Lichte moderner Ethik. Vortr. (35) 8⁰ Darmst., L Saeng 02. — 50 d
— Sprüche d. Freiheit. Wider Nietzsche's u. Anderer Herrenmoral. (188) 8⁰ Darmst., E Roether 04. 2 —; geb. 3 —
Staudinger's, J v., Kommentar z. BGB. f. d. Deut. Reich nebst Einführungsges., hrsg. v. T Löwenfeld, E Riezler, L Kuhlenbeck, F Mayring, K Kober, T Engelmann, F Herzfelder, J Wagner. 2. Afl. 1—23. Lfg. 8⁰ Münch., J Schweitzer V. 03-05. 101.50 d
  I. Einl. u. allg. Tl v. T Loewenfeld u. E Riezler. (684) 14 —; HF. 16.50
  II. Recht d. Schuldverhältn. v. L Kuhlenbeck, K Kober u. T Engelmann. 2 Tle. (1—349 u. 1—832) 20.40
  III. Sachenrecht v. K Kober. (564) 15 —; HF. 17.50
  IV. Familienrecht v. T Engelmann. (1286) 26.60; HF. 31.60
  V. Erbrecht v. F Herzfelder. (1—894) 7.40
  VI. Einführungsges. v. J Wagner u. K Kober. (44) 3.50
  Die I. Afl. d. w. d. T.: Kommentar z. BGB., hrsg. v. J v. Staudinger.
— Das Polizeistrafgesetzb. f. d. Kgr. Bayern. 5. Afl. v. H Schmitt. (172) 12⁰ Münch., CH Beck 04. L. 1.60 d
— s.: Seuffert's, JA, Blätter f. Rechtsanwendg.
— Strafgesetzb. f. d. Deut. Reich n. d. neuesten Stande. Nebst Anh., enth. d. wichtigsten strafrechtl. Nebenges. 8. Afl. (29, 240) 12⁰ Münch., CH Beck 02. L. 1 — d
Staudinger, K: Gesch. d. kurbayer. Heeres insbes. unter Kurfürst Ferdinand Maria 1651—79, auf Grundl. d. Quellenforschgn u. Textentwürfe v. L Winkler u. K Frhr v. Reitzenstein bearb. — Dass. unter Kurfürst Max II. Emanuel, s.: Geschichte d. bayer. Heeres.
Staudinger, O, u. H Rebel: Catalog d. Lepidopteren d. palaearct. Faunengebietes. 3. Afl. d. Cataloges d. Lepidopteren d. europ. Faunengebietes. (32, 411 u. 368 m. 1 Bildnis.) 8⁰ Berl., R Friedländer & S. 01. 15 —; L. 16 —
In 2. Afl. bearb. v. O Staudinger u. M Wocke.
Hieraus allein:
— — Index d. Familien u. Gattgn. — Index d. Arten, Varietäten, Aberrationen u. deren Synonyms. (267—368) 8⁰ Ebd. 01. 2 —
Staudt, W: Die Handelsverträge, deren Bedeutg u. Wirkg f. Deutschl. (27) 8⁰ Berl., D Reimer 01. — 50 d
Staudthammer, S, s.: Kunst, christl.
Stauf v. der March, O, s.: Bahnen, neue.
— Die tolle Stuart. Lustsp. (Neue Ausg.) (75) 8⁰ Wien, Neue Bahnen 02. 1.05 d
— Litterar. Studien u. Schattenrisse. (I. Reihe.) (227 m. 4 Bildnissen.) 8⁰ Lpzg, E Pierson 03. 3.50; geb. 4 — d
— Völker-Ideale. Beitr. z. Völkerpsychol. 1. Bd. Germanen u. Griechen. (439) 8⁰ Lpzg (02). Wien, Neue Bahnen. 2 —
— Zensur, Theater u. Kritik. Polemisches. (166) 8⁰ Dresd., EH Diegmann (05). 2 — d
Staufer, W: Gesch. d. k. u. k. Feld-Jäger-Bataillons Nr. 20. (230 m. 1 Bildnis.) 8⁰ Judenbg 1900. (Wien, LW Seidel & S.) 5 —
Stauffacher, W: Das Elend d. deut. Bauernstandes. Seine Rettg vor d. droh. Untergang u. d. sichere Ende aller Not. (184) 8⁰ Lpzg, (B., G Weigel) (02). 1.20 d
Stauffen, E: Sittlichk. u. Klöster. Die Erziehg e. jungen Mädchens. Der Wirklichk. nacherzählt. (30) 8⁰ Mainz, V v. Zabern 05. — 50 d
Stauffenburg, D v.: Sein Lied. Roman. (293) 8⁰ Dresd., E Pierson 02. 3.50; geb. 4.50 d

Stauffer, A: Eine natürl. Gliederg d. Weltgesch. u. d. Horizont d. Kulturmenschh. [S.-A.] (22) 8° Münch. 02. (Lpzg, EF Steinacker.) 1.50 d
— Karoline v. Humboldt in ihren Briefen an Alex. v. Rennenkampff, nebst e. Charakteristik beider. (242 m. 2 Bildnissen.) 8° Berl., ES Mittler & S. 04. 4.50; geb. 6 — d
Stauffer-Bern, K: Briefe, s.: Brahm, O.
Stauffer, K: Sonnenwende. Roman. (241) 8° Dresd., H Minden (03). 3 —; geb. nn 4 — d
Staupendahl, R: Erzählg. (42) 8° Strassbg, J Singer 05. 1 — d
Stauracz, F: Völk. Erziehg. (132) 12° Wien, Mayer&Co. 01. — 50 d
— dass. Beleuchtg d. „Los v. Rom-"Bewegg u. d. Kampfes d. Alldeutschen geg. d. kath. Sittenlehre. 2. Afl. (173) 16° Wien (V, Einsiedlergasse 1), Selbstverl. 01. — 50 d
— Darwinist.„Haeckel"-eien —„Voraussetzgslose" Wiss. (Neue [Tit.-]Ausg.) (197) 8° Wien, W Braumüller 02. 1.80 d
— Los v. Rom! Wahrheitsgetreue Schilderg d. österr. Verhältn. (94) 8° Hamm, Breer & Th. 01. ‖ 2. Afl. (100) 01. Je — 80 d
— Eine wahre Volkspartei. Beitr. zu e. Ehrenh. d. christlichsoz. Reformarbeit. (87 m. Abb.) 8° Warnsdf, (A Opitz) (04). — 50 d
Stave, E: Der Einfl. d. Bibelkritik auf d. christl. Glaubensleben, s.: Sammlung gemeinverständl. Vortr. u. Schriften auf d. Geb. d. Theol.
Stavemann's, F, Lehrb. d. vereinf. deut. Stenogr. (Einiggs-System Stolze-Schrey.) 20. Afl. (48) 8° Berl., (O Nahrmacher) 06. — 80
Stavenhagen, F: Grau u. Golden. Hamburger Geschichten u. Skizzen. (178) 8° Hambg, Gutenberg-Verl. Dr. E Schultze 04. 2 —; geb. 3 — d
— De ruge Hoff. Niederdeut. Bauern-Komödie. (143) 8° Ebd. 06. 2.50; geb. 3.50 d
— Der Lotse. Hamburger Drama. (Neue [Tit.-]Ausg.) (50) 8° Ebd. [01] 04. 1 —; geb. 2 — d
— Mudder Mews. Niederdeut. Drama. (121) 8° Ebd. 04. geb. 3 — d
— De düt. Michel. Niederdeut. Bauernkomödie. (154) 8° Ebd. 05. 3 —; geb. 4 — d
— Jürgen Piepers. Niederdeut. Volksstück. (Neue [Tit.-]Ausg.) (165) 8° Ebd. [01] 05. 2 — d
Stavenhagen, K: Das Kunkelfräulein. Schausp. (114) 8° Riga, E Plates 01. 2.50 d
— Solom u. Herwart. Schausp. (119) 8° Ebd. 01. 2 — d
— Johann Wolthuss v. Herse. Tragödie. [S.-A.] (106) 8° Riga, (Jonck & P.) 03. 3 — d
Stavenhagen, W: Frankr., Küsten-Verteidigung, s.: Sammlung militärwiss. Einzelschriften.
— Grundr. d. Festgskrieges. Für Offiziere aller Waffen. (200 m. 2 L.) 8° Sondersh., FA Eupel 01. 4.80; geb. nn 6 — d
— Renseignements divers. Hilfsmittel z. Lesen franzö. Werke u. Pläne, sowie z. Abfassg franzö. Schriftstücke. 2. Afl. (128 m. Abb.) 16° Berl., R Eisenschmidt 1898. — 50
— Skizze d. Entwickelg u. d. Standes d. Kartenwesens d. ausserdeut. Europa, s.: Petermann's, A, Mitteilgn.
— Aus d. fortifikator. Vergangenh. v. Paris. Für Offiziere aller Waffen. (40 m. 4 L.) 8° Berl., R Schröder (01). 2 —; geb. 3 — d
— Verkehrs-, Beobachtgs- u. Nachrichten-Mittel in militär. Beleuchtg. 2. Afl. (318) 8° Gött., H Peters 05. 6 — d
Stavenow, B, u. E Mochow: Das Gespenst im Kürass u. and. Militär-Humoresken. — Tempsky, E v.: Ein guter Rat. Novelle. — Prenzlau, K v.: Ein amerikan. Duell. Novellette. (Umschl.: Stavenow, L, F v. Tempsky u. a.: Im bunten Rock. Ernst u. Scherz a. d. Militärleben.) (104 u. 112) 8° Mülh. a/R., J Bagel (04). — 60 d
Stay, JB: Der Seelen-Telegraph. Mitteilgn üb. d. Kraft, s. Willen auf and. Personen, sowohl in d. Nähe, als auch in d. grössten Ferne, ohne sichtbare Hilfsmittel zu übertragen. Aus d. Engl. v. J S. 7. Afl. (50) 8° Lpzg, M Ruhl (02). — 75
— Üb. d. Willen u. Macht. 3. Afl. v.: Der Seelentelegraph. (50) 8° Ebd. (05). — 75
Stead, WJ: Die Torrey-Alexander-Mission. Die beiden Männer u. ihre Arbeit. Deutsch v. G Holtey-Weber. (63) 8° Barm., E Müller (05). — 60 d
Stead, WT: Die Amerikanisierg d. Welt. (182) 4° Berl., Vita 02. 2 — d
— Briefe v. Julia od. Licht a. d. Jenseits! Botschaften üb. d. Leben jenseits d. Grabes, durch automat. Schrift v. einer Vorausgegangenen erhalten. Uebersetzg. 2. Afl. (148) 8° Lorch, K Rohm 05. 1.20; geb. 1.60
— Die Erweckg in Wales. Bericht üb. Tatsachen. Nach d. 120. Taus. d. engl. Orig. übertr. v. G Holtey-Weber. (76) 8° Mülh. a/R., Bh. d. ev. Vereinsb. (05). — 50 d
Stebler, FG: Alp- u. Weidewirtschaft. (471 m. Abb.) 8° Berl., P Parey 03. L 12 —; auch in 10 Lfgn zu 1 — d
— Der rationelle Futterbau, s.: Thaer-Bibliothek.
— Das Goms u. s. Alpen. (Monographien a. d. Schweizeralpen.) (112 m. Abb.) 8° Zür., 03. (Bern, A Francke.) nn 2.80 d
— dass., s.: Jahrbuch d. schweiz. Alpenclub.
— Ob d. Heidenreben. Monographie a. d. Schweizeralpen. (111) 8° Zür. 01. (Bern, A Francke.) 3 — d
— dass., s.: Jahrbuch d. schweiz. Alpenclub.
Stechauner, F: Was da Hias u. da Hans beim Keanliacht dazähln. Heitere Dialektdichtg z. Vortrag in gesell. Kreisen.

2 Bde. (Je 78) 8° Pottendorf-Landegg, Selbstverl. (05). Je 1 — d
Steche, R, s.: Darstellung, beschreib., d. ält. Bau- u. Kunstdenkmäler d. Kgr. Sachsen.
Stecher, C: Maria, uns. wunderbare Mutter. (Mater admirabilis.) Maipredigten. Neu durchgesehen u. hrsg. v. E Fischer. 2. Afl. (371 m. Titelbild.) 8° Innsbr., F Rauch 02. 3.60 d
Stecher, E: Die festen Carbide u. ihre mutmassl. Bedeutg f. d. Geol. [S.-A.] (50) 8° Stuttg. 01. (Freibg i/B., J Bielefeld.) 2 — d
Stecher, R: Erläutergn zu Goethes Clavigo; Kleist's Kätchen v. Heilbronn u. Der zerbroch. Krug; Lessings Miss Sara Sampson; Schiller's Gedichten; Shakespeares König Heinrich IV., König Richard III. u. Romeo u. Julia, s.: König's, W, Erläutergn zu d. Klassikern.
— König Friedrich August III. v. Sachsen. Lebensbild. (29 m. Abb.) 8° Dresd., Holze & Pahl 05. — 20 d
Stechert's Armee-Einteilg u. Quartier-Liste d. deut. Reichsheeres u. d. kais. Marine. Bearb. u. hrsg. v. d. Red. d. deut. Soldatenhortes. 46. Jahrg. 346. u. 347. Ausg. (Je 96 m. Abb.) 8° Berl., E Stegismund 05. Je — 80 d
Stechert, C: Zeit- u. Breitenbestimmgn durch d. Methoden gleicher Zenitdistanzen. [S.-A.] (64 m. Fig. u. 6 Taf.) 8° Hambg, (L Friederichsen & Co.) 05. nn 2 — d
Stechow: Das Röntgen-Verfahren m. bes. Berücks. d. militär. Verhältn., s.: Bibliothek v. Coler.
Stechow, L v.: Philosophisch-relig. Betrachtgn u. Fernblicke. (583) 8° Eidlbg, C Winter, V. 04. 7 — d
Steck, FX, u. J Bielmayr: Lehrb. d. Arithmetik m. zahlreichen Übgsaufg. f. Latein- u. Realsch. 12. Afl. v. W Pözl. 2 Tle. (100 u. 98) 8° Kempt., J Kösel 02. Je — 80; geb. je nn 1.10; in 1 Bd geb. nn 2 — d
— Sammlg v. arithmet. Aufg. in systemat. Ordng. Uebgsb. f.Latein-u.Realsch.13.Afl.(136)8°Ebd.01.un1.50; geb.1.70 d
Steck, J: Verz. v. Quellen z. Bearbeitg pädagog. Themen. (260) 8° Stuttg., (Holland & J. — H Lindemann) 03. 2 — d
Steck, R, s.: Akten, d., d. Jetzerprozesses.
— Der Berner Jetzerprozess (1507—9) in neuer Beleuchtg, nebst Mitteilgn a. d. noch ungedr. Akten. [S.-A.] (87) 8° Bern, A Francke 02. 1.50
— Kultus u. Kunstgenuss. [S.-A.] (10) 8° Ebd. 02. — 30 d
Steckel, E: Geschäftsaufsätze. Schreibübgsstoff a. d. prakt. Leben f. Volks-, Bürger- u. Fortbildgssch. 2. Afl. (40) 4° Bresl., F Hirt 05. — 25 d
— 2 Post-Hefte. — Ratgeber bei Abfassg d. Briefe u. amtl. Schriftstücke im Verkehr m. Personen aller Stände, d. Gemeinde- u. Staatsbehörden, s.: Schroedel's, H, Hefte f. d. schriftl. Verkehr.
— Der Schreibunterr. in d. Volkssch, n. d. Fordergn d. Gegenwart. 2. Afl. (80) 8° Osterw., AW Zickfeldt (05). 1.20 d
— Das Vaterland. Das deut. Reich u. s. Kolonien in Landschaftsbildern. Ausg. A. Für Schule u. Haus. (352 m. Abb.) 8° Dresd. 02. Lpzg, HAL Degener. 3.60; geb. 4 — ‖ B. (Schülerheft.) (85 m. Abb.) 02. — 40 d
Steckel, H: Lehrb. d. französ. Sprache, s.: Wolf, A.
Steckelmacher, M: Das Princip d. Ethik v. philosoph. u. jüdischtheolog. Standpunkte a. betrachtet. (256) 8° Frankf. a. M. Frankf. zeitgemässe. J Kauffmann. 4.50 d
Steding: Üb. d. naturgemässe Behandlg u. Heilg d. Nervenschwäche (Neurasthenie, Nervosität u. verwandte Zustände) f. Laien u. Ärzte. (94) 8° Hannov., Schmorl & v. S. Nf. 02. 1.50 d
— Nervosität — Arbeit — u. Relig.Vorschlag z. naturgemässen Behandlg u. Heilg d. Nervenschwäche (Nervosität, Neurasthenie) auf d. Wege ärztl. Klöster. (119) 8° Ebd. 08. 1.80 d
Steeb, C Ritter v.: Die Kriegskarten. [S.-A.] (36 m. 5 Taf.) 8° Wien, (R Lechner's S.) 01. nn 1.20
Steeger, A: Pädagog. Charakterköpfe d. 19. Jahrh., s.: Broshüren, Frankf. zeitgemässe.
— Der Weg z. Glücke, s.: Theater-Bibliothek.
Steel, FA: In the far east, s.: Kipling, R.
— In the guardianship of God. — The hosts of the Lord, s.: Collection of Brit. auth.
Steen, A: Am Abgrund, s.: Sonnenstrahlen u. Regentropfen f. d. Jugend.
— Gregor u. d. Leierkasten, s.: Jugendheimat.
— Immer zu spät od. Aufgeschoben — aufgehoben, s.: Kornblumen.
— Eine gefang. Nachtigall od. Die Gnesi, e. Waise. — Samoset, d. Indianerhäuptling, s.: Jugendheim.
— Die goldene Stiege, s.: Rosen-Knospen.
— 2 Weihnachtsgaben. — Der Stachelpalmenzweig. — Ein Vöglein bringt Brot. 3 Weihnachtsabende e. verlor. u. wiedergefund. Sohnes, s.: Jugendheim.
— Ein Zigeunerkind als Diakonissin. Erzählg. (91 m. Abb.) 8° Barm., E Müller 02. L 1.50 d
Steen, Jan. 4. Lfg. (10 Lichtdr.) Fol. Haarl., H Kleinmann & Co. (01). 12.50 (Vollst.: 50 —; in M. 60 —)
Steenbuch, A: Kl. Dramen. Aus d. Dän. v. F Maro. (235) 8° Wien, Wiener Verl. 01. 3.50 d
Steenstrup, Johs. C. H. R.: Bayeux-Tapete, s.
Stefan, A: Die Hauptregeln d. französ. Grammatik. — Lehrn. Leseb. d. französ. Sprache, s.: Boerner, O.

174*

Stehlin, HG : Ueb. d. Gesch. d. Suiden-Gebisses. [S.-A.] (527 m. Abb. u. 10 Taf.) 4° Zür. 1899.1900. (Bas., Georg & Co. — Berl., R Friedländer & S.)   nn 20 —
Stahr: Wenn Arzthilfe fehlt. Ratgeber bei gr. u. kl. Leiden, nebst Anl. z. Zusammenstellg e. Haus-Apotheke. 2. Afl. (63) 8° Münch., Seitz & Sch. (05).   — 50 ; L. 1 — d
Stahr, A : Der Gauss u. s. techn. Einrichtgn, s.: Südpolar-Expedition, deut., 1901—3.
Stahr, AH : Alkohol u. wirtschaftl. Arbeit. (235) 8° Jena, G Fischer 04.   4.80
Stahr, H : Verz. d. wichtigeren Lehrbb. u. Unterr.-Mittel auf d. Geb. d. Fortbildgsschulwesens, s.: Schüttler, C.
Stahr, H : Der begrabene Gott. Roman. (375) 8° Berl., S Fischer 05.   4 — ; geb. nn 5 — d
— Das letzte Kind. (53) 4° Ebd. 03.   2.50 ; geb. n 3.50 d
— Meta Konegen. Drama. (118) 8° Ebd. 04.   2 — d
Steichele, A v.: Das Bisth. Augsburg, historisch u. statistisch beschrieben, fortgesetzt v. A Schröder. 47—50. Heft. (6. Bd. 337—679) 8° Augsbg, B Schmid 01-04.   Je 1.03 d
Steidle, E : Lehrb. d. deut. Militärstrafgerichtsordng f. Armee u. Marine. In bes. Rücks. auf Gerichtsherrn, Richteroffiziere u. Gerichtsoffiziere bearb. (200) 8° Lpzg, A Deichert Nf. 01.   3.25 ; geb. nn 4 —
Steier, A : Untersuchgn üb. d. Echth. d. Hymnen d. Ambrosios. [S.-A.] (114) 8° Lpzg, BG Teubner 03.   4.20
Steiff, K : Geschichtl. Lieder u. Sprüche Württembergs. Unter Mitwirkg v. G Mehring hrsg. 2—5. Lfg. (161—787) 8° Stuttg., W Kohlhammer 01-05.   Je 1 — (1—5.; 5 —) d
Steig, R : Heinr. v. Kleist's Berliner Kämpfe. (708) 8° Berl. 01. Stuttg., W Spemann.   12 — ; geb. 14 — d
— Neue Kunde zu Heinr. v. Kleist. (135) 8° Berl., G Reimer 02.   3 — d

— Deut. Sagen, s.: Grimm, Brüder J u. W.
— u. H Grimm : Achim v. Arnim u. d. ihm nahe standen. 3. Bd. 8° Stuttg., JG Cotta Nf. 1 —; L. 13.50 (1 u. 3.: 19 —; geb. 22.50) d
    3. Achim v. Arnim u. Jac. u. Wilh. Grimm. Bearb. v. R Steig. (633 m. 2 Bildnn.) 04.   12 —; geb. 13.50
Der 2. Bd ist noch nicht erschienen.
Steigenberger, M : Sankt Afra, Martyrin. Relig. Schausp. 3. Afl. (75) 8° Augsbg, Lit. Instit. v. Dr. M Huttler 04.   — 40 d
— Der Glaube u. d. Herz. Vortr. (15) 8° Ebd. 04.   — 10 d
— Glauben ohne Liebe, Liebe ohne Glauben. Predigt auf d. Fest d. hl. Bischofs Martinus. 1. u. 2. Afl. (24) 8° Ebd. 04. — 10 d
— Kirche u. Schule. Vortr. (11) 8° Ebd. 04.   — 10 d
— Liberalismus u. Liberale v. relig. Katholizismus a. betrachtet. Rede. [S.-A.] (30) 8° Ebd. 04.   — 20 d
— Der „Lutherzorn" u. d. Friedensbestrebgn. Rede, als Antwort auf protestant. Friedensrufe. (24) 8° Ebd. 02.   — 10 d
— Mardochäus u. Esther. Schausp. m. Gesang. (128) 8° Ebd. 04.   1 — d
— Sankt Pankratius, d. Martyrknabe. Dramat. Firmlings-Weihegabe. 2. Afl. (76 m. Titelbild.) 12° Ebd. 04.   — 40 d
— Die Rache eines Vergessenen od. d. Glaubenssatz v. d. Erbsündenfolgen. Vortr. m. Erweitergn. (36) 8° Ebd. 04. — 20 d
— Wohlgeruch d. Himmels. Lehr- u. Gebetb. a. u. in d. Geiste d. sel. Maria Kreszentia v. Kaufbeuren vom III. Orden d. hl. Franziskus. 2. Afl. (491 m. farb. Titelbild.) 16° Ebd. 02.   Geb. nn — 70 d
— Am Wunderquell. Firmgspiel. (78) 8° Ebd. 05.   — 60 d
Steigatszohn, AE Frhr v.: Der Briefwechsel. Lustsp. (56) 16° Hamm, Breer & Th. 1900.   — 50 d
— Die Entdeckg. Lustsp. (32) 16° Ebd. 1900.   — 50 d
Steiger, A : Friedr. Nietzsche. Vortr. (27) 8° Aar., HR Sauerländer & Co. 01.   — 60 d
— Predigten. Aus d. Nachlass hrsg. (417) 8° Ebd. 03. 4.20 ; geb. 5.60 d
Steiger, A : Thomas Shadwell's „Libertine", s.: Untersuchungen z. neueren Sprach- u. Lit.-Gesch.
Steiger, J : 40×4 Fragen a. d. deut. Grammatik. Nebst Antworten u. dreifachem Anh. I. Antworten m. Vorwort u. Anh. — II. Fragen z. Verteilen. (48 S. u. 10 perfor. Bl.) 8° Bern, A Francke 05.   1.35 d
Steiger, J, s.: Finanz-Jahrbuch, schweiz.
— Grundz. d. Finanzhaushaltes d. Kantone u. Gemeinden. 2 Tle. (281 u. 457) 8° Bern, A Francke 03.   8 —
Steiger, J : Der geometr. Unterr. in d. Volkssch. Zum Gebr. in Seminarien u. f. d. Hand d. Lehrers methodisch dargestellt. 3. Afl. (60 m. Fig.) 8° Bühl, Konkordia 05. Kart. 1 — d
Steigl, F : Das Gesangbuch d.modernen, elementaren Zeichenunterr. in Wort u. Bild. (200 m. 16 z. Tl farb. Taf.) 8° Wien, A Pichler's Wwe & S. 04.
Steigl, J : Treue Freundschaft, s.: Pichler's Jugendbücherei.
— Grundr. d. Naturgesch. — Kurzes Lehrb. d. Naturgesch. f. Bürgersch. — Naturgesch. f. Bürgersch., s.: Rothe, K.
— Pain-Sepp, s.: Pichler's Jugendbücherei.
— Physik u. Chemie f. Bürgersch., s.: Netoliczka, L.
— E Kohl u. K Bichler : Grundr. d.Naturlehre f. allg.Volkssch. 9. Afl. (71 m. Fig.) 8° Wien, A Pichler's Wwe & S. 03.   Geb. — 90 d

— — dass., s.: Realienbuch.
Steijn, de Wet u. d. Oranje-Freistaater. Tagebuchblätter a. d. südafrikan. Kriege. (135) 8° Tüb., H Laupp 02.   1.75 d
Steilschrift-Vorlagen. (2 S. auf Kart.) 8° Lpzg, Rossberg'sche Bh. (04).   nn — 25 d

Steimer, E : Wegleitg f. d. Zeichen-Unterr. Method. Behandlg e. Lehrg. im Freihandzeichnen f. alle Stufen d. Volks- & Mittelsch. u. z. Gebr. f. gewerbl. Bildgsanst. 52 meist mehrfarb. Taf., begleit. Text & 1 Schätzrahmen. (38 m. Fig.) 4° Aar., A Trüb & Co.03. 13 —; 52 Kartonmodelle dazu in M.nn 8.50
Steimer, R : Antonius-Büchl. Gebet- u. Andachtsb. zu Ehren d. gr. Heiligen v. Padua. (222 m. farb. Titelbild.) 16° Einsied., Verl.-Anst.Benziger & Co. 1900. L. — 80; Ldr m. G. 1.50 d
— Heiliger Vater Franziskus bitt f. uns! Gebet- u. Andachtsb. zu Ehren d. Patriarchen v. Assisi. (352 m. Abb., farb. Titel, 2 St. u. Lichtdr.-Titelbild.) 16° Ebd. 02.   L. 1.40 ; Ldr 2.30 d
— Franziskus-Büchlein. Gebet- u. Andachtsb. zu Ehren d. Patriarchen v. Assisi. (240 m. Abb. u. 1 Farbdr.) 16° Ebd. 02.   L. — 80 d
Steimle: Das Kastell Aalen. [S.-A.] (19 m. Abb. u. 3 Taf.) 4° Hdlbg, O Petters 04.   3.60
— Das Kastell Halheim. [S.-A.] (4 m. Abb. u. 1 Taf.) 4° Ebd. 01.   1.40
Stein, d., d. Weisen. Unterhaltg u. Belehrg a. allen Gebieten d. Wissens f. Haus u. Familie. Unter Red. v. A Frhr v. Schweiger-Lerchenfeld. 14—18. Jahrg. 1902—5. (Juni 1901—Dezbr 1905.) Je 24 Hefte. (27. Bd. 1. Heft. 40 m. Abb. u. 1 Taf.) 4° Wien, A Hartleben. In je 2 L.-Bdn je nn 8.50; einz. Hefte —50 ; auch in je 4 Viertelj.-Bdn zu 3 — d
— u. Mörtel. Zeitschrift f. d. Interessen d. Tonindustrie, insbes. f. d. Fabrikation v. Ziegeln, Kalk, Zement, Chamotte, Steingut u. Porzellan etc. 5—7. Jahrg. 1901—3 je 26 Nrn. (1901. Nr. 1. 20 m. Abb.) 4° Berl., R Tessmer. Viertelj. 1 — ; einz. Nrn — 50
— — dass. Zeitschrift f. d. Interessen d. Bauindustrie usw. 8. u. 9. Jahrg. 1904 u. 5 je 26 Nrn. (Nr. 1. 16 m. Abb.) Fol. Ebd. Viertelj. 1 — ; einz. Nrn — 50
Stein's Handbb. f. Lehrer. Nr. 13—15 u. 18. 8° Potsd., A Stein.   5.50 ; geb. nn 6.85 d
    Bain, H : Prakt. Sprachlehre f. d. Volkssch. (120) (05.) [13.] 1.20; geb. 1.50
    Eichholz, M : Schulgemässe Behandlg d. ersten 3 Hauptstücke d. Lutherschen Katech. In einas. Lektionen u. erzählt. Methode u. d. formalen Stufen ausgeführt. I. Tl : Das 1. Hauptstück. (138) (07.) [13.] 1.80
    geb. 1.50 [II. Tl : Das 2. u. 3. Hauptstück. (176) (05.) [14.] 1.80; geb. 2.20
    Richter, M : Methodik d. stenograph. Unterr. in Vereinen u. Schulen. Mit Lehrproben u. verschied. Methoden bearb. (63) (04.) [15.]   1 — ;
    geb. nn 1.35
Bisher nicht unter Sammeltitel erschienen. — Den 16. Bd bildet: Jänisch, s. unbegrenzter Zahlenreis usw. — Der 17. Bd ist noch nicht erschienen.
Stein: Lehr- u. Lernbüchl. f. d. 1. Gesch.-Unterr., s.: Dettmer, H.
Stein, A (M Wolff) : Es war einmal. Erzählgn f. Kinder v. 5—8 Jahren. 4. Afl. (114 m. 4 Farbdr.) 8° Berl., Winckelmann & S. (04).   Geb. 1.80 d
— 12 kl. Mädchen. Erzählgn f. Mädchen v. 5—8 Jahren. 9. Afl. (146 m. 6 Farbdr.) 8° Ebd. (04).   Geb. 1.80 d
— Maries Tagebuch. 3. Tl d. „52 Sonntage". 16. Afl. v. O Schwahn. (345 m. 4 Farbdr.) 8° Ebd. (04).   Geb. 3 — d
— Die hl. Monica. Unterhaltg f. d. zarteste Kindesalter. 4. Afl. (124 m. 4 Farbdr.) 8° Ebd. (04).   Kart. 1.80 d
— 52 Sonntage od. Tagebuch dreier Kinder. 31. Afl. v. O Schwahn. (546 m. 4 Farbdr.) 8° Ebd. (04).   Geb. 3 — d
— Tagebuch dreier Kinder. 2. Tl d. „52 Sonntage". Neu bearb. v. O Schwahn. (337 m. 4 Farbdr.) 8° Ebd. (04). Geb. 3 — d
Stein, A, s.: Deutsche, d.
Stein, A, s.: Ivanhoe. — Der Talisman, s.: Scott, W.
Stein, A (H Nietschmann) : Das Buch v. Doktor Luther. 2. Afl. (406 m. Abb. u. 1 Bildnis.) 8° Halle, Bh. d. Waisenh. 04.   4.50 ; L. 6 — d
— Elisabet, Kurfürstin v. Brandenburg. Histor. Erzählg. (228) 8° Halle, J Fricke's Vg. 04.   2 — ; L. 3 — d
— Fussspuren d. Höchsten. Volkserzählgn. (161) 8° Halle, Gebauer-Schw. 02.   1.25 ; kart. 1.45 ; in Geschenkbd 2 — d
— Deut. Gesch.- u. Lebensbilder. IX u. XVIII. 8° Halle, Bh. d. Waisenh.   6 — ; Einbde in L. je — 70 d
    IX. Königin Luise. Lebensbild. 5. Afl. (414 m. 1 Bildnis.) 04.   3.60
    XVIII. Christian Fürchtegott Gellert. Lebensbild. 2. Afl. (203 m. Titelbild.) 01.
— Die Stadt Halle a. d. Saale. In Bildern a. ihrer geschichtl. Vergangenh. dargest. 6 Hefte. (479 m. 17 Vollbildern u. 2 Doppelvollbildern.) 8° Halle, E Strien 01.   7.50 ; geb. 9 — d
— Ein getreuer Knecht. Erzählg f. d. deut. Jugend u. d. deut. Volk. 1. Afl. d. Abdr. (95 m. 4 Vollbildern.) 8° Altnbg, S Geibel 05.   Geb. — 75 d
— Monika, s.: Witzleben, M v., kleine russ. Lehrbibliothek.
— An d. Saale hellem Strande. 5 Blätter a. d. Gesch. v. Alt-Halle. (161) 8° Altnbg, S Geibel 05.   1.80 ; L. 2.40 d
— Arnold Strahl. Ein künstl. Abortus. (203 m. 3 Farbdr.) 8° Lpzg, E Kempe (03).   Geb. 3 — d
Stein, A : Zucker. Erzeugg u. Verbr. d. Welt. Statist. Lage am Anfang d. XX. Jahrh. Kartelle u. d. soc. Frage. Vorschlag z. Sanierg d. Rübenzucker-Industrie. (180) 8° Prag, (F Řivnáč) 02.
Stein, A : Zeitschr. f. d. Feier d. Geburtstages d. Kaisers Wilhelm II. in d. Schule, s.: Hardt, W.
Stein, AE : Paraffin-Injektionen. Zusammenfass. Darstellg ihrer Verwendg in allen Spezialfächern d. Medizin. (166 m. Abb.) 8° Stuttg., F Enke 04.
Stein, B : Der künstl. Abortus im Lichte d. Strafgesetzes. (30) 8° Lpzg, O Weber (03).   1.50
Stein's, B, Beschreibg v. Schlesien u. sr Hauptstadt Breslau,

hrsg. v. H Markgraf, s.: Mitteilungen a. d. Stadtarchiv u.
d. Stadtbibliothek in Breslau. — Scriptores rer. silesiacar.
Stein, B: Deut. Leseb., s.: Haesters, A.
Stein, B: Der Meteorismus gastro-intestinalis u. s. Behandlg,
s.: Abhandlungen, Würzb., a. d. Ges.-Geb. d. prakt. Medicin.
Stein, B, s.: Haupt, H.
Stein, B: Cantuarium sacrum. Latein. Kirchengesänge f. 4stimm.
Männerchor ohne Begleitg. Op. 29. (104) 8⁰ Lpzg, M Hesse 04.
Kart. 1 —
Stein, C: Aula u. Turnplatz. Schulliederb. f. d. jungen Tenor-
u. Bassstimmen in Gymnasien u. Realsch., 3- u. 4stimmig
bearb. 12. Afl. (112) 8⁰ Wittnbg, R Herrosé (01). — 80 d
— Sursum corda I, 1 u. Neue Folge; II; III u. III Neue Folge
u. V. 8⁰ Ebd. Je 1 — d
   I, 1. Sammlg geistl. 4stimm. Männergesänge in leicht ausführbarer
   Weise. Op. 29. 11. Afl. (82) 05.
   I. Neue Folge. Sammlg leicht ausführbarer geistl. Lieder u. Motetten
   f. 4stimm. Männerchor. Aus s. Nachlass hrsg. v. H Stein. (112) 04.
   II. Dass. f. gemischten Chor. Op. 82. 14. Afl. (100) 05.
   III. Dass. f. gemischten Chor. Op. 32. 15. Afl. (100) 05.
   III. Neue Folge. Dass. f. 3stimm. Kinder-, Frauen- od. Männerchor. Unter
   Benutzg d. Nachlasses bearb. u. hrsg. v. H Stein. (110) 05.;-
   V. Dass. f. 3stimm. Kinder-, Frauen- od. Männerchor. Op. 34. 5. Afl.
   (92) 05.
Stein, C v.: Briefe, s.: Goethe, JW v., Briefe an Frau v. Stein.
Stein, C: Geschichtstaf. (1 Bl. m. 3 Bildnissen.) 69×61 cm.
Wittlich, G Fischer (03). — 30 d
Stein, E: Ein merkwürd. Segen. Predigt. (10) 8⁰ Düsseldf, C
Schaffnit 04. — 10 d
— Der TodJesu in Gethsemane. [S.-A.] (28) 8⁰ Erl. 02. (Düsseldf,
C Schaffnit.) — 30 d
Stein, E: Heroldsrufe an d. deut. Volk. (49) 8⁰ Lpzg, Modernes
Verl.-Bureau 05. 1 —
— Nibelungen-Enkel od. d. Zukunft e. Volkes. Zeitroman. 1. Tl.
(59) 8⁰ Ebd. 05. 1 —
— Streit- u. Zeitgedichte. (33) 8⁰ Dresd., E Pierson 05. — 75;
geb. 1.75
— Des deut. Volkes Schillerfeier. (23) 8⁰ Chemn., A Becker 05.
— 40 d
Stein, EH: Tierphysiolog. Praktiknm. Übgn a. d. Geb. d. physio-
log. Chemie u. verwandten Zweigen f. Tierärzte u. Land-
wirte. (144 m. Abb.) 8⁰ Stuttg., F Enke 03. 4 —; L. 4.80
Stein, F: Die CPO. f. d. Deut. Reich. Auf d. Grundl. d. Kom-
mentars v. L Gaupp erläutert. 6. u. 7. Afl. Mit e. d. neueste
Rechtsprechg enth. Anh. v. Warneyer. 2 Bde. (42, 984 u. 960)
8⁰ Tüb., JCB Mohr 03.04. 34 —; geb. nn 39 — d
   Bisher unter L Gaupp aufgenommen.
— Üb. d. Voraussetzgn d. Rechtsschutzes, insbes. bei d. Ver-
urteilsklage, s.: Festgabe f. Herm. Fitting.
— u. R Schmidt: Aktenstücke z. Einführg in d. Prozessrecht.
Civilprozess. Bearb. v. Stein. 5. Afl. (176) 8⁰ Lpzg, CL Hirsch-
feld 03. 2.20; geb. 2.70 || Strafprozess. Bearb. v. Schmidt. 3. Afl.
(104) 04. 1.40; geb. nn 1.90
Stein, F: Chronik d. Stadt Schweinfurt im 19. Jahrh., m. angeh.
Tab. üb. Bevölkerg, Rathspersonen u. Stadtpfarrer. (229) 8⁰
Schweinf., E Stoer 01. 4.20
   (Chronik d. Gesch. in 1 Bd.: (17.50) 15 —) d
— Gesch. d. Reichsstadt Schweinfurt. 2. Bd. Die Schlusszeit
d. M.-A. u. d. neue Zeit bis z. Ende d. Reichsunmittelbark.-
(317) 8⁰ Ebd. 1900. 5.50 (Vollst.: 12.20) d
— Das markgräfl. Haus v. Schweinfurt. [S.-A.] (44) 8⁰ Würzbg,
(Stahel's V.) 1900. 1 —
— Kulmbach u. d. Plassenburg in alter u. neuer Zeit. (5, 184
u. 17 m. 1 Bildnis.) 8⁰ Kulmb., R Rehm (03). L. 3 — d
— Tacitus u. s. Vorgänger üb. german. Stämme. (65) 8⁰ Schweinf.,
E Stoer 04. 1.60
Stein, F: Was muss man v. d. Invaliditäts- u. Altersversicherg
wissen? (76) 8⁰ Berl., H Steinitz (01). 1 —
Stein, G (W Rubiner): Ein sonderbarer Fall, s.: Kürschner's,
J, Bücherschatz.
Stein, G: Üb. Cholesterin. (65 m. 1 Taf.) 8⁰ Freibg i/B., Speyer
& K. 05. 2.50
Stein, G: Duisburgs wirtschaftl. Entwicklg. [S.-A.] (20) 8⁰
Duisbg, J Ewich 05. — 25 d
Stein sen., G vom: Das Geheimniss d. wunderbaren schöpfer.
Begabg d. Weibes. Leichtverständl. gründl. Erklärg u. Be-
lehrg, wie d. menschl. Nachkommenschaft auf d. höchste
Stufe idealer, körperl. u. geist. Schönh. u. Veredelg zu er-
heben ist. (36) 8⁰ Remsch. 1894. (Elberf., J Fassbender.) — 50 d
Stein, G vorm: Lat. deut. Epos, s.: Dürr's deut. Bibliothek.
— Realenh., s.: Lettau, R.
Stein, H: Latein. Lesestoff f. Quarta. Nach Nepos u. Livius.
In 2 parallelen Tln. 8⁰ Oldnbg, F Schmidt's Bh. Geb. je 1.20
   I. 15. Afl. (96) 01. § II. 7. Afl. (96) 02.
Stein, H: Sursum corda, s.: Stein, C.
Stein, H, s.: Ergänzungs-Taxe z.deut., bezw. kgl. preuss.Arznei-
taxe.
Stein, H: Butt ewer Gudd! Plattdütsche Vertell ut vergang.
Johre. (139) 8⁰ Mülh. a/R., H Baedeker 05. 1 —
Stein, HK: Gesch.-Tab. in übersichtl. Anordng f. d. mittl. u.
ob. Kl. höh. Schulen. 11. Afl. (107) 8⁰ Münst., Theissing 05.
1 —; geb. 1.30
— Lehrb. d. Gesch. f. d. mittl. Kl. höh. Lehranst. 4 Tle. 8⁰
Paderb., F Schöningh. 5.60; Einbde je nn — 35 d
   1. Altertum. (Lehrstoff d. Quarta.) 5. Afl. (108) 05.

   2. Röm. Kaisergesch. Deut. Gesch. d. M.-A. (Lehrstoff d. Untertertia.)
   4. Afl. (99) 04. — 80
   3. Deut. Gesch. d. Neuzeit bis 1740. (Lehrstoff d. Ober-Tertia.) 3. Afl. (92)
   04. — 80
   4. Dass. seit 1740. (Lehrstoff d. Untersekunda.) 2. Afl. (101) 02. 1 —
Stein, HK: Lehrb. d. Gesch. f. d. ob. Kl. höh. Lehranst. 3 Bde.
8⁰ Paderb., F Schöningh. 6.20; Einbde je nn — 50 d
   1. Das Altertum bis z. Tode d. Augustus. (Lehrstoff d. Ober-Sekunda.
   10. Afl. (238) 04. 2 —
   2. Röm. Kaisergesch. M.-A. Neuere Zeit bis 1648. (Lehrstoff d. Unter-
   Prima.) 9. Afl. (365) 04. 2.30
   3. Neuere Zeit v. 1648 bis auf d. Gegenwart. (Lehrstoff d. Ober-Prima.)
   8. Afl. (232) 05. 1.50; 9. Afl. v. H Kolligs. (267) 05. 2 —
Stein, I: Die Juden d. schwäb. Reichsstädte im Zeitalter König
Sigmunds (1410—37). (74) 8⁰ Berl., M Poppelauer 02. 2.50
Stein, J: Die Einwirkg d. neuen bürgerl. Rechts auf d. An-
wendgsgebiet d. § 289 d. Reichsstrafgesetzb. (72) 8⁰ Fürth,
(G Rosenberg) 02. 1.30 d
Stein, K v.: Ein Glücksflicker. Roman. (255) 8⁰ Lpzg, A Cavael
06. 2.75; geb. nn 3.75
— Auch e. Offizier! 1. u. 2. Afl. (134) 8⁰ Borna, R Noske 05.
1.50; L. 2.25 d
Stein, K Frhr vom: Lebenserinnergn. (90) 8⁰ Hag., W Stam-
berger 01. (?) (Lpzg, F Volckmar.) 2.25; L. 3 — d
— Polit. Test., ausgew. Denkschriften. (86) 8⁰ Ebd. 01. L. 3 — d
Stein, L: Die Lustspielfirma, s.: Walther, O.
Stein, L, s.: Oppenheim, M, Bilder a. d. altjüd. Familienleben.
Stein, L, s.: Archiv f. Philosophie.
— Einführg in d. Philosophie u. Soziol. Herbert Spencers, s.:
Spencer, H, e. Autobiogr.
— Die soz. Frage im Lichte d. Philosophie. Vorlesgn üb. So-
zialphilosophie u. ihre Gesch. 2. Afl. (598) 8⁰ Stuttg., F Enke
03. 13 —; L. 14.40
— Der soz. Optimismus. (267) 8⁰ Jena, H Costenoble 05. 5 — d
— Der Sinn d. Daseins. Streifzüge e. Optimisten durch d. Philo-
sophie d. Gegenwart. (437) 8⁰ Tüb., JCB Mohr 04. 8 —;
geb. 9.50 d
— s.: Studien, Berner, z. Philosophie u. ihrer Gesch.
Stein, M, B Weiner u. M Wrany: Deut. Sprachsch. Theoret.
Thl. Kurzgef. deut. Grammatik f. österr. Bürgersch. 4. Afl.
v. M Binstorfer. (99) 8⁰ Wien, Manz 02. Kart. — 50;
— dass., Grammatik, Orthogr., u. Stil f. österr. Bürgersch.
In 3 Tln. 7. Afl. v. M Binstorfer. 8⁰ Ebd. 03. Je — 40 d
   1. (Für d. I. Kl.) Übungsb., 7. Afl. (92) § 2. (Für d. III. Kl.) (?)
   — dass. 3. Afl. Einteil. Ausg. (181) 8⁰ Ebd. 03. Kart. 1.30 d
   — dass. f. allg. Volkssch. In 4 Heften. 9. Afl. v. M Binstorfer. 8⁰ Ebd. 1.40 d
   1. II. Schulj. (44) 02. — 30 § 2. III. Schulj. (54) 02. — 30 § 3. IV. Schulj.
   (58) 02. — 40 § 4. V. Schulj. (92) 02.
   — dass. Für österr. allg. Volkssch. Ausg. B. In 3 Heften.
   8⁰ Ebd. 1.30 d
   1. Unterst. (2. u. 3. Schulj.) 5. Afl. (52) 02. — 50 § 2. Mittelst. (4. u. 5.
   Schulj.) 5. Afl. (112) 02. — 40 § 3. Oberst. (6.—8. Schulj.) 5. Afl. (193 u. 11)
   05. Kart. — 60
Stein, M: Im Frühlingssturm. Ausgew. Gedichte. (Neue [Tit.-]
Ausg.) (189) 8⁰ Lpzg, Picknick-Verl. [1896] (05). 1.50 d
— Wie wird man Maschineningenieur? Mit d. Bestimmgn
betr. d. Diplom- u. Doktor-Ingenieur-Prüfg. d. Ausbildg f.
d. Staatsbauwesen, d. Gewerbeaufsichtsdienst u. z. Patent-
anwalt. (72) 8⁰ Berl., H Steinitz (02). 1 — d
— Was muss man wissen, um Maschinentechniker zu werden?
(72) 8⁰ Ebd. 02. 1 — d
Stein, O: Ausgelebt. Drama. (106) 8⁰ Lpzg, CH Serbe 02. 3 — d
Stein, P, s.: Jahrbuch f. d. ev. deut. Jugend.
— Der Sänger v. „Wandersmann u. Lerche" Superint. D Wilh.
Hey. Lebensbild. Nebst e. Ausw. sr Gedichte. (86 m. 1 Bild-
nis.) 8⁰ Berl., F Zillessen 04. 80 d
Stein, P: Der gegenwärt. Stand d. Tiefbohrtechnik f. Schürf-
zwecke. Nach Vortr. (48) 8⁰ Wien, Manz 04. 1 —
— Verfahren u. Einrichtgn z. Tiefbohren. Nach e. Vortr. [Be-
weit. S.-A.] (37 m. Fig. u. 1 Taf.) 8⁰ Berl., J Springer 05. 1 —
Stein, P: Bismarck-Brevier. 1. u. 2. Afl. (299) 8⁰ Berl., Schuster
& Loeffler 04. 3 —; geb. 4 — d
— Goethe als Theaterleiter, s.: Theater, d.
— s.: Goethe-Briefe.
— Henrik Ibsen. Zur Bühnengesch. sr Dichtgn. (52 m. Abb.
u. Bildnissen.) 8⁰ Berl., O Elsner 01. 80 d
— Adalb. Matkowsky, s.: Theater, d.
Stein, R: Gesch. d. Ortschaften Gross- u. Kleiningersheim.
(240 m. Abb., 4 Taf. u. 2 Kart.) 8⁰ Stuttg., Hobbing & B. 05.
3 —; L. 3.50 d
Stein, V: Aus d. Leben e. exkommunizierten Priesters, s.: Lichtstrahlen.
— s.: Proletarier-Liederbuch, österr.
Stein, W, s.: Im Strom d. Zeit.
Stein, W: Die Hanse u. Engl., s.: Pfingstblätter d. hans. Geschichtsver.
— s.: Urkundenbuch, hans.
Stein, W: Bilder a. d. Gesch. d. deut. Dichtg. Für mittl. Lehranst., Töchtersch. u. z. Selbstunterr. (285 m. Abb.) 8⁰ Pa-
belschw., Franke 03. 2.50; geb. nn 3 — d
— Erläuter neuererDramatiker. Für d.Schulgebr.hrsg. I u.II.
1.55 d
   I. Friedr. Hebbel. (54 m. 1 Bildn.) 05. — 75 § II. Otto Ludwig. (66 m.
   1 Bildn.) 05. — 90.
— Erläuterg d. Gudrunliedes. Für d. Schulgebr. (51 m. Titelbild.) 8⁰ Ebd. 04. — 80 d

Stein, W: Erläuterg d. Nibelungenliedes. Für d. Schulgebr. u.
z. Selbstunterr. (85 m. Titelbild.) 8° Habelschw., Franke 04.
　　　　　　　　　　　　　　　　　　　　　　— 90 d
Stein, W: Prairieblume unter d. Indianern. Nach CA Murray's
„Prairievogel". Für d. Jugend bearb. 5. Afl. (421 m. 8 Farbdr.
u. 1 Karte.) 8° Berl., E Trewendt (04).　　　Geb. 4.50 d
Stein, WH: Der Unterr. in d. Gabelsb.'schen Stenogr. (24) 8°
Wolfenb., Heckner (01).　　　　　　　　　nn — 50
Steinach, H: Zillertal-Führer. (95 m. 1 Karte.) 12° Münch., Lit.-
art. Anst. 03.　　　　— II 2. Afl. (109 m. 1 Karte.) 04. 1.20
Steinacker, H, s.: Regesta Habsburgica.
Steinacker, K, s.: Bau- u. Kunstdenkmäler, d., d. Herzogt.
Braunschweig.
Steinau, E (Frau C Fasser): Hochsommer. Novellen. (172 m.
Bildnis.) 8° Dresd., E Pierson 03.　　　2.50; geb. 3.50 d
Steinau, M v.: Der gute Ton f. Damen. 6. Afl. (148) 8° Wien,
A Hartleben (05).　　　　　　　1.20; geb. 1.25 d
Steinbach & Strache: Modernes Merkantil. Neue Folge. (20 Taf.)
4° Dresd., Gewerbe-Bh. (05).　　　　　　In M. 12 —
　— Der moderne Merkantil-Lithograph. (20 Taf.) 4° Ebd. (01).
　　　　　　　　　　　　　　　　　　　(14 —) 6 —
Steinbach's, A, Formulare z. Geschäfts- u. Buchführg d. prakt.
Arztes. Hrsg. v. Kollm. I. Kranken-Journal nebst Cassabuch.
7. Afl. (8 u. 100) 8° Lpzg, G Thieme 01.　　　Geb. 4 —
Steinbach, A: Der Teufelstrank, s.: Jugendperlen.
　— u. T Steinbach: Neue Märchen u. Geschichten, s.: Jugend-
perlen.
Steinbach, C: Rad-Ausflüge in d. Umgebg Augsburgs. (24) 8°
Augsbg, Lampart & Co. (01).　　　　　　　　　— 30
Steinbach, E, u. M Zierold: Neuer Lehrg. f. d. Zeichenunterr.
an Volkssch. 4 Tle. 8° Dresd., O & R Becker.　　Je 1.25
[I. 1. Zeichenj. (33 m. 15 Taf.) (93.] [II. 2. Zeichenj. (35 m. 20 Taf.) (03.]
[III. 3. Zeichenj. (54 m. 16 [4 farb.] Taf.) (04.] [IV. 4. Zeichenj. (36 m.
16 z. Tl farb. Taf.) (04.]
Steinbach, E: Kommentar zu d. Gesetzen v. 16.III.1884 üb. d.
Anfechtg v. Rechtshandlgn, welche d. Vermögen e. zahlgs-
unfäh. Schuldners betreffen u. üb. d. Abänderg ein. Be-
stimmgn d. Konkursordng u. d. Exekutionsverfahrens. 3. Afl.
v. A Ehrenzweig. (212) 8° Wien, Manz 05.　4.30; geb. 5.20 d
　— Der Staat u. d. modernen Privatmonopole. Vortr. [S.-A.]
(47) 8° Ebd. 03.　　　　　　　　　　　　1 — d
　— Genossenschaftl. u. herrschaftl. Verbände in d. Organisa-
tion d. Volkswirthschaft. (82) 8° Ebd. 01.　　　　1.60
　— Vertretg d. öffentl. Interessen auf d. Geb. d. Privatrechts.
Vortr. [S.-A.] (16) 8° Ebd. 02.　　　　　　　— 40 d
Steinbach, E: Wrtrb. d. Marshall-Sprache, umgearb. u. hrsg.
v. H Grösser. 1. Tl: Marshall-Deutsch. 2. Tl: Deutsch-Mar-
shall. (124) 8° Hambg, L Friederichsen & Co. 02.　L. 4 —
Steinbach, H: Die Kanalisation v. Sarajevo. [S.-A.] (7) 8° Lpzg,
F Leineweber 01.　　　　　　　　　　　　　— 70
Steinbach, O: Die Bannhülle. Kl. Lutherfestap. f. Jünglingsver.
(16) 8° Karlsr., JJ Reiff 05.　　　　　　　　　— 30 d
Steinbach, R: Die rechtl Stellg d. deut. Kaisers verglichen
m. der d. Präsident d. Verein. Staaten v. Amerika. (149)
8° Lpzg, Rossberg'sche Verl.-Bh. 03.　　　　　　2.50
Steinbart, O: Die Durchführg d. preuss. Schulreform in ganz
Deutschl, Vortr. (20 m. 1 Taf.) Duisbg, (J Ewich) 04.　— 50 d
　— u. H Wüllenweber: Lehrg. d. französ. Sprache f. Schulen.
1. Tl. Elementarb., v. St. 4. Afl. (249) 8° Berl., HW Müller
04.　　　　　　　　　　　　　　　　　　1 —
Steinbeck, J: Um u. in Metz 1870, s.: Krieg, d., v. 1860/71.
Steinberg, A: Stadien z. Gesch. d. Juden in d. Schweiz währ.
d. M.-A. (159) 8° Zür., Schulthess & Co. 02.　　　3 —
Steinberg, F: Zur Neugestaltg d. Lehrerbildg. Vortr. (36) 8°
Berl., F Zillessen (01).　　　　　　　　　　— 40 d
Steinberg, J: Die Konzentration im Bankgewerbe. (61) 8° Berl.,
F Siemenroth 06.　　　　　　　　　　　　　1.40
　— Die Wirtschaftskrisis 1901, ihre Ursachen, Lehren u. Folgen.
(54) 5° Bonn, F Cohen 02.　　　　　　　　　　1 —
Steinberg, S: Zu Wasser u. zu Lande, s.: Barthel's, K, Theater-
Bühne.
Steinberger, A: Aus Bayerns Vergangenh. Erzählgn a. d. Ge-
schichte u. Sage uns. Vaterlandes. 3. Bd. Aus d. Ende d. mittl.
u. a. d. neueren Gesch. 2. Afl. (198 m. 1 Farbdr.) 8° Rgnsbg,
Verl.-Anst. vorm. GJ Manz 06.　　　1.50; geb. 1.80 d
　— Florian Geyers Untergang. Histor. Gemälde a. d. Zeit d.
Bauernkriegs. (157) 8° Ebd. 01.　　　1.20; geb. 1.80 d
　— Nach 100 Jahren. Dichtg zu F v. Schillers Todestag. (19)
8° Günzbg, A Hug 05.　　　　　　　　　　　— 30
　— Die Langobardenbraut. Vaterländ. Dichtg. (87 m. Bildnis.)
12° Rgnsbg, Verl.-Anst. vorm. GJ Manz 03. 1 —; geb. 1.50 d
　— Kaiser Ludwig d. Bayer. Lebensbild. (152) 8° Münch., J Lin-
dauer 01.　　　　　　　　　　2 —; L. 3 — d
　— Vater Max, d.1.Bayernkönig. (1806—25.) Lebens- u. Charakter-
bild. (151) 8° Ebd. 06.　　　　　　　Geb. 2 — d
　— In umbra mortis. Erzählg a. d. 10. Jahrh. (125) 8° Rgnsbg,
Verl.-Anst. vorm. GJ Manz 02.　　　　1.80; L. 1.50 d
Steinberger, G: Die schwerste Arbeit! 6. Afl. (20) 16° Gotha,
Missionsbh. P Ott 05.　　　　　　　　　nn — 05 d
　— Eine wunderbare Begegng! 7. Afl. (20) 16° Ebd. 05.　nn — 05 d
　— Wie liessest du deine Bibel? 3. Afl. (36) 12° Ebd. 02.　— 20 d
　— Die 3 Bücher d. Liebe Gottes. 6. Afl. (25) 16° Ebd. 02.　nn — 05 d
　— Busse, e. himml. Geschenk. (30) 8° Ebd. 03.　　　— 20 d
　— Ohne Fühlen will ich trauen! 1. Petr. 1, 13. 3. Afl. (16) 16°
Ebd. (01).　　　　　　　　　　　　　　— 08 d

Steinberger, G: Das Geheimnis e. siegreichen Lebens. 6. Afl.
(24) 8° Gotha, Missionsbh. P Ott 01.　　　　— 20 d
　— Gemeinschaft m. Gott! 1. Joh. 1, 3. 3. Afl. (16) 16° Ebd. 01.
　　　　　　　　　　　　　　　　　　　— 08 d
　— Etwas Gewisses! 6. Afl. (19) 16° Ebd. 02.　　nn — 05 d
　— Ein Gnaden- u. Friedensgruss an dich! 7. Afl. (16) 16° Ebd.
02.　　　　　　　　　　　　　　　　nn — 06 d
　— Der Gnadenstrom. Hesekiel 47, V. 1—12. 4. Afl. (24) 8° Ebd.
01.　　　　　　　　　　　　　　　　　— 20 d
　— Heilsgewissheit. (16) 16° Ebd. (03).　　　　　— 08 d
　— Komm z. Kreuz! 3. Afl. (33) 8° Ebd. 02.　　　— 20 d
　— Die notwendigste Lebensfrage. 6. Afl. (20) 16° Ebd. 05.
　　　　　　　　　　　　　　　　　　nn — 05 d
　— Lebst du in d. Gegenwart Gottes? Joh. 17, 1. 4. Afl. (16) 16°
Ebd. (01).　　　　　　　　　　　　　　— 08 d
　— s.: Lichtlein, kl., auf d. Weg d. Nachfolge.
　— In d. Schwabe. 7. Afl. (23) 16° Gotha, Missionsbh. P Ott 05.
　　　　　　　　　　　　　　　　　　nn — 05 d
　— Ein Ueberwinder v. innen heraus! Jak. 1, 14. 15. 4. Afl. (16)
16° Ebd. (01).　　　　　　　　　　　　— 08 d
　— Der Weg d. Lamme nach. Offenbarg 14, 4. 4. Afl. (77) 12°
Ebd. (02).　　　　　　　　　　　　— 35; L. 1 — d
Steinberger, H: Die bayer. Königsschlösser Herren-Chiemsee,
Neuschwanstein, Linderhof, Hohenschwangau, Berg. (114, 4,
16, 105, 58, 115 u. 32 m. Abb., z. Tl farb. Taf. u. Kart.) 8°
Prien 03. (Lpzg, CWB Naumburg.)　　　Kart. 5 —; L. 7 —
Steinberger, J: Lucians Einfl. auf Wieland. (157) 8° Gött.,
(Vandenhoeck & R.) 01.　　　　　　　　　　　8.60
Steinberger, L: Zur medizin. Statistik d. Stadt Würzburg f.
1871—1902. [S.-A.] (41) 8° Würzbg, A Stuber's V. 05.　2 —
Steinbicker, E: Lemgo. Führer in Wort u. Bild. (16 m. 10 Post-
ansichtsk.) 12° Lemgo, Wagener (02).　　　　　Geb. — 75
Steinbildhauer, Steinmetz u. Steinbruchbesitzer, d. deut.
Illustr. Fachzeitg f. d. ges. Stein-Industrie u. d. verwandten
Geschäftszweige. Red.: J Palme u. W Brandis. 17—20. Jahrg.
1901—4 je 36 Nrn.(1901. Nr.1. 34) 4° Münch., E Pohl. || 21.Jahrg.
1905. 52 Nrn.
　　— d. oestrr.-ungar. Illustr. Fachzeitg f. d. ges. Stein-
Industrie u. d. verwandten Geschäftszweige. Sep.-Ausg. d.
„Deut. Steinbildhauer". Red.: J Palme. 17—20. Jahrg. 1901—4
je 36 Nrn. (1901. Nr. 1. 34) 4° Ebd. || 21. Jahrg. 1905. 52 Nrn.
　　　　　　　　　　　　　　　　　　　Halbj. 3 —
Steinblinck, J: Das fiduciar. Indossament. (51) 8° Lpzg, F Rein-
both (02).　　　　　　　　　　　　　　　1.40
Steinborn: Ein. dunkle Punkte in d. gegenwärt. Lehre v. d.
Syphilis, s.: Herbsmann.
Steinbrecht, O: Schloss Marienburg in Preussen. Führer durch
s. Gesch. u. Bauwerke. 8. Afl. (24 m. Abb. u. 3 Taf.) 8° Berl.,
J Springer 05.　　　　　　　　　　　　　— 50
Steinbrück, D: Das Gymnasium d. Pferdes. 3. Afl. v. P Plinzner.
(292) 8° Berl., R Schröder 01.　　　6.50; geb. 8 — d
Steinbrenner, A, u. J Göring: Orpheus. Chorb. f. Gymnasien,
Realsch. u. verwandte Anst. 2 Bde. 2. [Tit.-]Afl. 8° Karlsr.,
J Lang [1900] (04).　　　　　　　　　　Geb. je 1.50 d
1. Für Unter- u. Mittelst. (160) 2. 3- u. 4stim. Lieder f. Knabenchor. (421)
2. Für Oberkl. 4stim. Lieder u. Gesänge f. gemischten Chor. (387)
Steinbrück, O: Deut.Aufsätze, in unterrichtl.Weise f.d.Unterst.
d. Volks- u. Mittelsch. bearb. 2. Reihe. Ausg. A, f. d. Hand
d. Lehrers. 4. Afl. (51) 8° Langens., H Beyer & S. 05.　— 50 d
Steinbrück, W: Die chirurg. Behandlg d. Magengeschwärs.
(37) 8° Freibg i/B., Speyer & K. 05.　　　　　1 —
Steintüchel, R V.: Schmerzverminderg u. Narkose in d. Ge-
burtshilfe m. spez. Berücks. d. kombinierten Skopolamin-
Morphium-Anaesthesie. (111) 8° Wien, F Deuticke 05.　4 —
Steindamm, F, s.: Annalen d. k. k. naturhistor. Hofmuseums.
　— Batrachier u. Reptilien a. Südarabien u. Sokótra, ges. währ.
d. südarab. Exped. d. k. Akad. d. Wiss. [S.-A.] (8) 8° Wien,
(A Hölder) 03.　　　　　　　　　　　　　— 20
　— Herpetolog. o. ichthyolog. Ergebnisse e. Reise n.Südamerika.
Mit e. Einl. v. Therese Prinzessin v. Bayern. [S.-A.] (60 m.
2 Fig. u. 5 Taf.) 4° Ebd.　　　　　　　　　　6.30
　— Fische (v. d. Molukken u. Borneo). [S.-A.] (54) 4° Frankf. a/M.,
(M Diesterweg) 01.
　— Fische a. d. Stillen Ocean. Ergebnisse e. Reise n. d. Pacific
(Schauinsland 1896—97). [S.-A.] (39 m. 6 Taf.) 4° Wien, (A
Hölder) 1900.　　　　　　　　　　　　　6.30
　— Fische a. Südarabien u. Sokótra. [S.-A.] (46 m. 2 Taf.) 4°
Ebd. 02.　　　　　　　　　　　　　　4 —
　— s.: Jahresbericht d. k. k. naturhistor. Hofmuseums.
　— Üb. ein. neue Reptilien- u. Fischarten d. Hofmuseums in
Wien. [S.-A.] (36 m. 1 Taf.) 8° Wien, (A Hölder) 03.　— 40
Steindl, J: Beitr. z. Warenhausfrage. [Erweit. S.-A.] (30)
8° Berl., E Ebering 04.　　　　　　　　　　— 60
　— Die Besteuerg d. Warenhäuser, s.: Studien, rechts- u. staats-
wiss.
Steindlberger, U: Andachtsbüchl. f. d. Schuljugend. 6. Afl. (131
m. Titelbild.) 16° Linz, Pressver. 01.　　　　L.— 28;
　　　　　　　　　m. Liederanh. 4. Afl. (158) 02. Geb. nn — 30 d
　—Die Ehe. Katechet. Unterr. f. Brautleute. (24) 12° Ebd. (02).
　　　　　　　　　　　　　　　　　　　— 20 d
　— Erstcommunicanten-Büchl. (168 m. Titelbild.) 16° Ebd. (01).
　　　　　　　　　　　　　Geb. — 50 u. — 55 d
　— Wie kann man d. Kinder z. andächt. Anhören d. hl. Messe
bringen? Vortr. (32) 12° Ebd. 03.　　　　　　— 20 d

Steindlberger, U: Wie christl. Mütter ihre Kinder erziehen sollen. (30) 12° Linz, Pressver. 02.   — 20 d
Steindler, O: Üb. d. Temperaturcoefficienten ein. Jodelemente. [S.-A.] (7) 8° Wien, (A Hölder) 02.   20
Steindorff, G: Ein Grabfund a. Gebelên. — Grabfunde d. mittl. Reichs in d. kgl. Museen zu Berlin. Der Sarg d. Sebk-O, s.: Mitteilungen a. d. oriental. Sammlgn d. kgl. Museen zu Berlin.
— Kopt. Grammatik, s.: Porta linguar. orientalium.
— Durch d. Libysche Wüste z. Amonsoase, s.: Land u. Leute.
— s.: Urkunden d. ägypt. Altertums. — Zeitschrift f. ägypt. Sprache u. Altertumskde.
Steinecke, O: Die Diaspora d. Brüdergemeine in Deutschl. I. Bd. 1. Tl. Allg. üb. d. Diaspora. (97) 8° Halle, R Mühlmann's V. 05, ǁ 2. Tl. Mitteldeutschl. (80—220) 05.   Je 2 —
— Zinzendorf u. d. Katholicismus. (91) 8° Ebd. 02.   1.60 d
Steinecke, V: Bibl. Gesch., s.: Erbach, J, Relig.-Buch f. ev. Schulen.
— Dent. Leseb. f. höh. Lehranst., s.: Lehmann, R.
Steinegger, R: Der prakt. Schweizer-Käser. Kurzgef. Lehrb. d. Milchwirtschaft, m. bes. Berücks. d. schweiz. Verhältn. (399 m. Abb.) 8° Bern, KJ Wyss 04.   L. 5 — d
Steinel, O: Zur Frage: Klassenlehrersystem od. Fachlehrer-system an uns. höh. Schulen (Realsch., Gymnasien, höh. Töchtersch.). Mit e. übersichtl. Darstellg d. einschläg. Unterr.-Verhältn. in d. untersten Kl. sämtl. Realsch. e. deut. Bundes-staates. [S.-A.] (33) 8° Münch., T Ackermann 04.   — 60
— Allg. Geogr., s.: Hillger's illustr. Volksbb.
— Goethes Urteile üb. d. wichtigsten Tagesfragen d. 20. Jahrh. In wörtl. Auszügen a. Eckermann zusammengest. (75) 8° Erl., F Junge 03.   — 75 d
— Die Herstellg v. Schulheimatkarten f. d. Deut. Reich n. ein-heitl. Gesichtspunkten. Vortr. [S.-A.] (32) 8° Berl., D Reimer 03.   — 50
Steinen, E v. d.: Gesundheit u. Sittlichkeit. Vortr. (15) 8° Düsseldf., J Baedeker 03.   — 30
Steinen, K v. d., s.: Diccionario Sipibo.
Steiner, A, s.: Aus d. zürcher. Konzertleben d. 2. Hälfte d. ver-gang. Jahrh.
— Rich. Wagner in Zürich, s.: Neujahrsblatt d. allg. Musik-gesellsch. in Zürich.
Steiner, A, s.: Blätter f. Kanzel-Beredsamkeit.
Steiner, A: Ges. üb. d. Zwangsversteigerg u. d. Zwangsver-waltg v. 24.III.1897 m. bes. Berücks. d. bayer. Ausführgs-Bestimmgn. 3 Lfgn. (441) 8° Münch., J Schweitzer V. 05. 8.40;   L. 9.60 d
Steiner, A: Einiges üb. d. elektrodenlosen Ringstrom. [S.-A.] (4 m. Fig.) 8° Wien, (A Hölder) 04.   — 20
Steiner, B: Benediktiner-Abtei, s.: Lehmann, A, kulturge-schichtl. Bilder.
Steiner, C: Kapital u. Bilanzen d. Aktiengesellsch. Gründg; Erhöhg u. Verminderg d. Grundkapitals; Obligationen; Bücherabschl. u. Rechngslegg; Liquidationsbilanz; Delkre-dere-Konto. (155 u. 12) 8° Dresd., C Steiner 05.   L. 3.50
Steiner, C, s.: Leichenreden, kurze u. erbaul.
Steiner, E: Üb. Mischgeschwülste d. Niere. (33) 8° Würzbg, F Freudenberger 05.   2 —
Steiner, F: Die eisernen Brücken im allg., s.: Brik, JE.
— Vademecum f. Bau-Ingenieure, 3. Afl., s.: Birk, A, Hülfsb. f. Bau-Ingenieure.
Steiner, F: Die neuen Vorschläge z. Lösg d. Schienenstoss-frage, s.: Vorträge u. Abhandlungen, techn.
Steiner, G: Weissenburg u. Wörth-Darstellg d. Kampfesver-laufs als Vorbereitg z. Besuche d. Schlachtfelder. (68 m. 3 Kart.) 8° Münch., Lit.-artist. Anst. 04.   1.50 d
Steiner, H: Blüten u. Ranken. Dichtgn. (106 m. Bildnis.) 8° Dresd., E Pierson 02.   2 —; geb. 3 — d
Steiner, J, s.: York-Steiner, H.
Steiner, J: Liebeswerbg d. Turners Pumsberg od. Die Flanke. Turnerstück. (20) 8° Stuttg., P Mähler (03).   — 80
Steiner, J: Bearbeitg d. v. O Simony 1808 u. 99 in Südarabien, auf Sokotra u. d. benachbarten Inseln ges. Flechten. [S.-A.] (10) 4° Wien, (A Hölder) 04.   — 80
Steiner, J: Ein. geometr. Betrachtgn, s.: Ostwald's, W, Klas-siker d. exakten Wiss.
Steiner, J: Studienblätter. Methodisch geordnete Construc-tions-Aufg. a. d. darstell. Geometrie. 3. Thl. Lehrstoff d. k. u. k. theresian. Militär-Akad. (36 Taf.) 4° Wien, (LW Seidel & S.) 01.   6.40; Text. 8° (200) 1.20
Steiner, J: Anl. z. Einführg d. Lehrpl. f. d. Zeichenunterr., s.: Chroséiel.
Steiner, J, u. A Scheindler: Latein. Lese- u. Übgsb. I., III. u. IV. Tl. Bearb. v. R Kauer. 8° Wien, F Tempsky. Geb. 6.30 d I. 6. Afl. (192) 02. 2.30 ǁ III. 4. Afl. (142) 03. 2 — ǁ IV. Übgsb. z. Einübg d. Moduslehre. 3. Afl. (195) 02. 2 —
Steiner, L, s.: Adressbuch d. Zivil- u. Militärärzte usw. v. Österr.-Ungarn. — Auskunftsbuch, bautechn.
Steiner, L: Bericht d. niederösterr. Landesausschusses üb. s. Amtswirksamk.
Steiner, M: Uns. Feste. Chanukah-Festtap. (16) 8° Easl. (05). (Berl., L Lamm.)   — 30
Steiner, M: Die Rückständigk. d. modernen Freidenkertums. (125) 8° Berl., E Hofmann & Co. 05.   2.50 d
Steiner, O (Frau O Schlesinger-Steiner): Unterm Christbaum, s.: Weihnachts- u. Neujahrs-Aufführungen.

Steiner, O (Frau O Schlesinger-Steiner): Eine Ehe-Irrg, s.: Fastnachts-Bühne.
— Die 1. Gesellschaft, s.: Bloch's, L, Sammlg v. Zwie- u. Drei-gesprächen.
— Trauernde Hinterbliebene. — Ich soll heiraten. Hochzeits-kuchen, s.: Hochzeits-Album.
— Ich kündige ihr, s.: Bloch's, L, Damen-Bühne.
— Eine Küchenscene, s.: Hochzeits-Album.
— Seine 1. Liebe, s.: Solo-Scenen.
— Das Mädchen a. d. Fremde, s.: Mädchen-Bühne.
— Nur nicht heiraten, s.: Blochs, L, Damen-Bühne.
— Das Preisrätsel. — Rokoko-Tanzstunde, s.: Mädchen-Bühne.
— Eine Theater-Schmiere, s.: Hochzeits-Album.
— Die 1. Uhr, s.: Bloch's, L, Kinder-Theater.
— Wahrheits-Koller, s.: Mädchen-Bühne.
— Prinzessin Wunderhold, s.: Attenhofer, C.
Steiner, P: Allein in Afrika od. 7 Jahre am Sambesi. Aus d. Engl. (48 m. Abb.) 8° Bas.. Basler Missionsbh. 02.   — 20 d
— Hans Egede an Grönlds Westküste, s.: Missionshelden.
— Erlebnisse e. ind. Missionars. (32 m. Abb.) 8° Bas., Basler Missionsbh. 05.   — 10 d
— In Feindesland. Erlebnisse eingeborener Missionsgehülfen währ. d. Asante-Aufstandes. (31 m. Abb.) 8° Ebd. 01.— 10 d
— Vater Freemau, e. schwarzer Missionspionier, s.: Missions-helden.
— An d. Gräbern chines. Märtyrer. (40 m. Abb.) 8° Bas., Basler Missionsbh. 02.   — 15 d
— Ein weisser Heide, e. schwarzer Christ. Aus d. Engl. (24 m. Abb.) 8° Ebd. 02.   — 10 d
— Aus fernen Heidenlanden. (16 m. Abb.) 8° Ebd. 05.   — 10 d
— Im Heim d. afrikan. Bauern. Skizzen a. d. Basler Mission im Buschland. (116 m. Abb.) 8° Ebd. 03.   — 80; L. 1.20 d
— 4 Jahre gefangen in Asante. Nach d. Tagebb. d. Missionare Ramseyer u. Kühne kurz dargest. 4. Afl. (72 m. Abb. u. 1 Karte.) 8° Ebd. 05.   — 80 d
— Kamerun, s.: Römer, C.
— Kulturarbeit d. Basler Mission in Westafrika, s.: Missions-Studien, Basler.
— Pionierarbeit im südl. Kamerun. (62 m. Abb.) 8° Bas., Basler Missionsbh. 03.   — 25 d
— Schreckenstage in Kumase. Mit e. Blick auf Asante u. einst u. jetzt. (Nach d. Tagebb. v. Ramseyer dargest.) 3. Afl. (148 m. Abb.) 8° Ebd. 01.   — 50 d
— Aus Süd u. Ost. (16 m. Abb.) 8° Ebd. 05.   — 10 d
— Tage d. Drangsal in China. Züge a. d. chines. Verfolggszeit. 1—3. Afl. (64 m. Abb.) 8° Ebd. 01-03.   — 20 d
— Afrikan. Wanderbilder. I. Südafrika u. s. Missionshelden. 2. Afl. (40 m. Abb.) 8° Ebd. 01.   — 15 d
— Unter d. Wilden v. Tamsa. (63 m. Abb.) 8° Ebd. 04.   — 30 d
— Davis Zeisberger, d. Indianers Freund, s.: Missionshelden.
Steiner, R: Das Christentum als myst. Thatsache. (141) 8° Berl. 02. Lpzg, M Altmann.   2.50; geb. 3.50 d
— Goethes Faust als Bild e. esoter. Weltanschaug. (32) 8° Berl., (F Grunert, Sep.-Cto) 02.   — 50 d
— s.: Lucifer m. d. Gnosis. — Lucifer.
— Die Mystik im Aufgange d. neuzeitl. Geisteslebens u. ihr Verhältn. zu modernen Weltanschaugn. (118) 8° Berl. (01). Lpzg, M Altmann.   2 —; geb. 3 — d
— Theosophie. Einführg in übersinnl. Welterkenntnis u. Mensch-schenbestimmg. (167) 8° Ebd. 04.   3 —; geb. 4 — d
— Ludw. Uhland. [S.-A.] (31) 8° Berl., A Weichert (02).   1 — d
— Welt- u. Lebensanschaugn v. d. ält. Zeiten bis z. Gegen-wart. Auszug a. Vortr. (34) 8° Berl., (J Sassenbach) 01. — 20
Steiner, S: Fieber, s.: Weber's moderne Bibliothek.
— Ein weibl. Don Juan, od. Meine Name ist Meyer, s.: Liebhaber-Bühne, neue.
— Aus d. lust. Manöverzeit, s.: Theater-Album, militär.
— Eine tolle Nacht od. Lust. Feuerwehr, s.: Liebhaber-Bühne, neue.
Steiner-Osten, W: Ganthos u. d. Menschin, dionys. Märchen-dichtg in 3 Akten. (113) 8° Dresd., E Pierson 05.   2 — d
Steiner-Wischenbart, J: Frauenburg unter d. Herrschaft (03). Oberzeirung bildunberg, Steiermark, Selbstverl.   — 50 d
— Monogr. d. bes. Feldbach. 1. Bd. Die Stadt Feldbach. (84 m. Abb.) 8° Ebd. 05.   3.75
— Der steir. Volksschriftsteller Fridolin vom Freithal (Dechant Jak. Simbürger), 1832—1905. (132 m. Abb.) 8° Graz, Styria 04.
Steiner, H: Lehrb. d. franzö. Sprache. — Kl. franzö. Leseb., s.: Eukel, H.
Steiner, T: Aufg. f. d. schriftl. Rechnen, s.: Menzel, J.
Steinert, V: Zur Frage d. Naturalteilg, s.: Wirtschafts-Verwaltungsstudien.
Steinert, W: Kl. dtsch. Sprachlehre, s.: Bohm, H.
Steinfeld: Die Rechtslage d. Gläubigers beim Todesfall d. Schuldners, s.: Genossenschafts-Bibliothek.
Steinfeld, W: Lebensversichergs-Vademecum, Fortsetzg, s.: Sellwig, R.
Steinfels, L: Die Spiele, s.: Buch, d. prakt.
Steinführer, W: Der Engel Gesetz. Ein theolog. Problem. 1. Bd. Hinweis. Tl. (400) 8° Lpzg, B Richter 03.
— Der ganze Prolog d. Johannesevangeliums in Satafelge gliedert wörtl. Citat a. Jesaia. Studie d. Christusbildes.

d. Aneinanderhaltg beider Testamente. (128) 8° Lpzg, Dörffling & Fr. 04.   2 — d

Steingass, D: Waldesrauschen. (50) 12° Stuttg., J Roth (01).   1 — d

Steingiesser, F: Das Geschlechtsleben d. Heiligen. Beitrag z. Psychopathia sexualis d. Asketen u. Religiosen. (64) 8° Berl., Herm. Walther 02.   1 — d
— Sexuelle Irrwege. Vergleich. Studie a. d. Geschlechtsleben d. Alten u. Modernen. 1—6. Afl. (192 bezw. 256) 8° Berl., H Bermühler 01-05.   2 —; geb. 3 —

Steinhage, A: Felice. Eine moderne Gesch. (30) 8° Diess., JC Huber 03.   1.50 d

Steinhagen, HC: Nicht Christentum, sondern Menschentum od. d. eth. Selbständigk. d. Menschen. 2. Afl. (30) 8° Lpzg, O Wigand 04.   40 d

Steinhardt, M: Aus d. Ghetto, s.: Lehmann's jüd.Volksbücherei.
— Der Unterr. uns. Jugend. Mahnwort an d. deut. Judenheit. 2. Afl. (15) 8° Frankf. a/M., J Kauffmann 01.   — 40 d

Steinhart, FX: Bauernbauten alter Zeit a. d. Umgebg v. Karlsruhe. (31 Taf. m. 4 S. Text.) 42,5×31,5 cm. Lpzg, Seemann Co. (03).   In M. 18 —

Steinhauff s.: Kalender f. deut. Seminaristinnen.

Steinhaus, O: Chaetognathen, s.: Ergebnisse d. Hamburger Magalhaens. Sammelreise.

Steinhausen, FA: Üb. d. physiolog. Fehler u. d. Umgestaltg d. Klaviertechnik. (145) 8° Lpzg, Breitkopf & H. 03. 3 —; L. 4 —
— Die Physiol. d. Bogenführg auf d. Streich-Instrumenten. (113 m. Abb.) 8° Ebd. 03.   3 —; geb. 4 —

Steinhausen, G. s.: Archiv f. Kulturgesch. — Denkmäler d. deut. Kulturgesch.
— Gesch. d. deut. Kultur. 15 Lfgn. (747 m. Abb. u. 22 z. Tl farb. Taf.) 8° Lpzg, Bibliogr. Instit. 04. Je 1 —; in 1 HF.-Bd 17 — d
— German. Kultur in d. Urzeit, s.: Aus Natur u. Geisteswelt.
— s.: Monographien z. deut. Kulturgesch. — Zeitschrift f. Kulturgesch.

Steinhausen, H : Irmela. Eine Gesch. a. alter Zeit. 21. Afl. (276 m. Titelbild.) 8° Lpzg, E Ungleich 04.   3.60; L. nn 4.60; HF. nn 6.70 d
— Der Korrektor. Szenen a. d. Schattenspiele d. Lebens. 5., wohlf. Ausg. (211) 8° Dresd., CL Ungelenk (03). Kart. 1.50 d

Steinhausen, KW: Deut. Gesänge, drei- u. vierstimmig, f. d. Gebr. in Gymnasien, Realsch., Präparandenanst. u. höh. Mädchensch. 11. Afl. v. K Becker. (188) 8° Neuw., Heuser's V. (05).   Geb. nn 1.30 d
— Stimm. Lieder f. Volkssch. sowie f. d. unt. Klassen d. Gymnasien, Realsch., höh. Töchtersch. Op. 19. Neu hrsg. v. K Becker. (122) 8° Ebd. (01).   Geb. 1 — d

Steinhausen, W: Segantini. Vortr. (41) 8° Frankf. a/M., H Keller 03. || 2. Afl. (32) 04.   Je — 60

Steinhauser, A: Karte d. Kgr. Böhmen, s.: Artaria's General-Karten.

Steinhauser, A: Münchner Staffelbauordng v. 20.IV.'04 m. e. allg. Übersicht üb. d. wichtigeren baupolizeil. Vorschriften d. kgl. Haupt- u. Residenzstadt München. (221) 8° Münch., CH Beck 04.   — d

Steinhauser, R: Müde Jugend. Einakter-Cyklus. I. Vor d. Nichts. Eine Episode. — II. Die Streberwahre. Eine kurze Komödie. — III. Hokuspokus. Burleske. (161) 8° Dresd., E Pierson 03.   2 — d

Steinhäuser, O: Vaterländ. Dichtgn. Zur Erinnerg an d.25jähr. Regierungsjubiläum u. an d. 70. Geburtstag d. Fürsten Heinrich XIV. Reuss j. L., Regent v. Reuss ält. L. 2. Afl. (128 m. 1 Bildnis.) 8° Lobenst., F Krüger (02).   1 — d

Steinhäuser, S: Splitter. (216) 8° Nürnbg (Ob. Kreuzgasse 20), Selbstverl. 04.   Kart. 2.50

Steinhäuser, W: Zur Choralkenntnis, s.: Magazin, musikal.

Steinhäuser, F: Augsburg in kunstgeschichtl., baul. u. hygien. Beziehg. (130 m. Abb. u. 24 Taf.) 4° Augsbg, (Lampart & Co.) 02.   Geb. 8 — d

Steinheil, C: Die Schlangenkönigin. Märchen a. d. Bergen. (105) 8° Münch., C Hanshalter 02.   L. (3 —) 2.50 d

Steinherz, S, s.: Nuntiaturberichte a. Deutschl.

Steinherz's Waldhornklänge. Jagd- u. Waldlieder nebst e. Anzahl d. beliebtesten Vaterlands-, Volks- u. Trinklieder. 3. Afl. (152) 16° Neud., J Neumann 03. Kart. — 50 d

Steinhofer, FC: Die 30jähr. Stille uns. Herrn u. Heilandes Jesu Christi auf Erden, nebst 3 kleineren Abhandlgn. 5. Afl. (94) 8° Stuttg.,Bh.d.ev.Gesellsch.05. Kart. — 50 d; m. G. 1 — d

Steinhoff, A: Die Darmkrankh. unter bes. Berücks. d. Blinddarmentzündg. (84) 8° Berl., Deut. Verl. (05).   1.25 d

Steinhoff, J: Bilder a. d. Kulturgesch. Badens. (162) 8° Karlsr. 01. Weinh., F Ackermann.   2.20; L. 2.50 d

Steiniger, K: Gewerbeordng f. d. Dsch. Reich, s.: Kayser, P.

Steinitz, K, s.: Schiffbau-Kalender.

Steinitz, J: Dispensationsbegriff u. Dispensationsgewalt auf d. Gebiete d. deut. Staatsrechts, s.: Abhandlungen a. d. Staats- u. Verwaltgsrecht.

Steinitz, K: Der Verantwortlichkeitsgedanke im XIX. Jahrh. (m. bes. Rücks. auf d. Strafrecht). Vortr. [S.-A.] (32) 8° Berl., Herm. Walther 02.

Steinitzer, A: Die Bedeutg d. Zuckers als Kraftstoff f. Touristik, Sport u. Militärdienst. (32) 8° Berl., P Parey 02.   1 — d
— Geschichtl. u. kulturgeschichtl. Wandergn durch Tirol u. Vorarlberg. (530 m. Abb.) 8° Innsbr., Wagner 05.   L. 5 — d

---

Steinitzer, E: Die jüngsten Reformen d. veranlagten Steuern in Österr. (208) 8° Lpzg, Duncker & H. 05.   4.80

Steinitzer, H: Wie wir lieben. (260) 8° Berl., Vita 01.   3 — d

Steinitzer, M: Musikal. Strafpredigten. Veröffentl. Privatbriefe e. alten Groblans. (81) 8° Münch., A Schmid Nf. (01).   1.20

Steinkamp, A: Junges Blut, frohgemut! Zum alten Klang e. neuer Saug. Orig.-Zeichngn v. E Voigt m. lust. Gesch. v. F v. Kronoff. (40 S. Text u. 20 farb. Taf.) 4° Duisbg, JA Steinkamp (o. J.).   Kart. †2.50 d
— Immer froh, tagaus tagein. Sammlg d. beliebtesten Kinder-u. Spielliedchen, Sprüche. Reime, m. Illustr. v. E Voigt. (23 S. Illustr. Text u. 12 farb. Taf.) 4° Ebd.(o.J.). Kart. †2 — d
— Wie's uns gefällt. — Aus d. Kinderwelt, s.: Ziegler, K.
— Des Kindes Lieblingsb. Mit Illustr. v. E Voigt. (8 farb. S. auf Pappe m. 4 S. Text.) 4° Duisbg, JA Steinkamp (o. J.).   Kart. †1.50 d
— Für kl. Leute, s.: Voigt, E.
— Im Morgenrot. Was uns. kl. Mädchen u. Bübchen im Freien erleben, im Haus u. im Stübchen. Mit Zeichng v. E Voigt. (8 S. Text u. 8 farb. S.) 4° Duisbg, JA Steinkamp (o. J.).   Kart. — 50 d
— Für Mutter u. Kind. Kose-, Wiegen- u. Spielliedchen, Sprüche, Reime usw. Für d. 1. Kindesalter ausgew. Mit Illustr. v. E Voigt. (14 m. 16 farb. Taf.) 4° Ebd. (1900).   Geb. 2 — d
— Die Pelzjäger d. Hudsonbai-Gesellsch. — Der Schiffsjunge, s.: Horn, WO v.
— Im Sonnenschein, s.: Voigt, E.
— Struwelpetergeschichten, nebst e. Ausw. poet. Erzählgn u. dergl. (16 m. 8 farb. Taf.) 4° Duisbg, JA Steinkamp (1900).   Geb. 1 — d
— Sonnige Tage, s.: Voigt, E.
— Gold. Zeiten. Sammlg d. beliebtesten Kose-, Wiegen- u. Spielliedchen, Sprüche, Reime usw. Für d. 1. Kindesalter ausgew. Mit Illustr. v. E Voigt. (8 farb. S. m. eingedr. u.7 S. Text.) 4° Duisbg, JA Steinkamp (o. J.). Kart. †— 60 d
— u. E Voigt: Grüss Gott! Vom Morgenrot bis Abendschein, s. Buch f uns. Kinderlein. (8 farb. S. auf Pappe m. 1 S. Text.) 4° Ebd.(o. J.).   Kart. †1.50 d
— — dass. (16 farb.Taf., 16 farb. S. u. 16 S. Text.) 4° Ebd. (o. J.).   Kart. †2.50 d
— Für uns. Kind. Bilderb. m. Versen. (8 farb.Bl. auf L. m. eingedr. Text.) 4° Ebd. (o. J.).   Kart. †1.50 d

Steinke, KL: Die Sprachlehre in d. einf. u. 2sprach. Volksschule. (59) 8° Lissa, F Ebbecke 05.   60 d

Steinkeller, Frl. M v., s.: Keller, S v.

Steinkeller, J: Leitf. z. Kolonnen-Buchführg f. Hotels, Gastwirtsch. u. Saalwirtschaften, s.: Bibliothek moderner Buchführgswerke.

Steinkohlenbergbau, d., d. Preuss. Staates in d. Umgebg v. Saarbrücken. (In 6 Tln.) I., II. u. IV—VI. Tl. 8° Berl., J Springer 04.   Kart., f. vollst. nn 15 —
I. Prietze, A, Leppla, R Müller u. M Hohensee : Das Saarbrücker Steinkohlengebirge. (98 m. Fig. u. 7 L.)
II. Hasslacher, A: Geschichtl. Entwicklg d. Steinkohlenbergbaues im Saargebiete. Neubearbeitg u. Fortführg d. im J. 1884 in d. zeitschrift f. d. Berg-, Hütten- u. Salinenwesen" (Bd 32) veröffentl. Abhandig. (180 m. 3 L.)
IV. Zörner, B: Die Absatzverhältn. d. krl Saarbrücker Steinkohlengruben in d. letzten Jhn (1884—1903). (54 m. 4 L.)
V. Mengelberg: Die Kohlenaufbereitg u. Verkokg im Saargebiet. Unter Benutzg d. gleichnam. Abhandlg v. R Remy a. d. J. 1890 bearb. (150 m. Fig. u. 14 L.)
VI. Müller, E: Die Entwicklg d. Arbeiterverhältn. auf d. staatl. Steinkohlenbergwerken v. J. 1816 bis z. J. 1903. (158 m. 3 L.)
Der III. Tl ist noch nicht erschienen.

Steinlechner, P: Die Unredlichk. als rechtshindernde Tatsache im bücherl. Verkehr n. d. österr. Rechte. 2 Vortr. (206) 8° Graz, Leuschner & L. 04.   2.50

Steinlein, H: Luther u. d. Bauernkrieg, s.: Luther-Vorträge, Würzburger.

Steinmann, A: Haushaltgslehre u. Wirtschaftswesen, s.: Grethlein's prakt. Hausbibliothek.

Steinmann, A: Die Hebg d. phys. Leistgsfähigk. d. schweiz. Alpenwirtsch., s.: Studien.

Steinmann, A: Herisau, Schlaepfer & Co. 04. (Nur dir.) — 50 d

Steinmann, A: Die ostschweiz. Stickerei-Industrie, s.: Studien, Zürcher volksw.

Steinmann, E: Botticelli, s.: Künstler-Monographien. — Monographs on artists.
— Die sixtin. Kapelle. 2 Bde. 4° Nebst Tafel-Mappe. 52×45,5 cm. Münch., Verl.-Anst. F Bruckmann.   L. u. M. 230 —
1. Bau u. Schmuck d. Kapelle unter Sixtus V. (710 m. Abb. u. 24 [2 Taf.]   100 —
2. Taf. m. 4 Bl. Text.) 01.   100 —
2. Michelangelo. (90, 417 m. Abb. u. 40 [2 farb.] Taf. m. 8 S. Text.) 05.   130 —
— Antonio da Viterbo. Beitrag z. Gesch. d. umbr. Malersch. um d. Wende d. XV. Jahrh. (59 m. Abb.) Fol. Ebd. 01.   10 —

Steinmann, G: Einführg in d. Paläontol. (486 m. Abb.) 8° Lpzg, W Engelmann 03.   12 —; L. 13 —
— Üb. e. stockbild. Nubecularia a. d. sarmat. Stufe (N. caespitosa n. f.). [S.-A.] (6 m. Abb.) 8° Wien, (A Hölder) 03. —
Steinmann, G: Die Impfung. (Grippe.) Ihr Wesen, ihre Erscheinng u. Folgen, ihre Verhütg u. Bekämpfg. (89) 8° Lpzg, Ernst (03).

Steinmann, P: Gedichte. (92) 8° Dresd., E Pierson 02. 1.50; geb. 2.50
— Die geist. Offenbarg Gottes in d. geschichtl. Person Jesu. (125) 8° Gött., Vandenhoeck & R. 03.   3.60

Steinmann, W: Kinderschatz, s.: Schulze, H.

175

Steinmann-Bucher, A: Ausbau d. Kartellwesens. (42) 8º Berl.,
Deut. Verl. 02. 1 — d
— s.: Industrie-Zeitung, deut.
Steinmetz, A: Die Gefährdg d. Relig.-Unterr. durch d. ihm
vorgezeichneten neuen Bahnen, s.: Verhandlungen d. 62.
Pfingstkonferenz zu Hannover.
Steinmetz, CP: Theoret. Grundl. d. Starkstrom-Technik. Übers.
v. J Hefty. (331 m. Abb.) 8º Brnschw., F Vieweg & S. 03.
9 — ; L. 10 —
Steinmetz, E: Ev. Konfirmations-Gedenkblätter m. Bibelsprüchen u. Liederversen. Neubearb. Prachtausg. 4. u. 5. Serie.
(Je 30 Bl.) Fol. Giess., E Roth (03). Je 3 — d
Steinmetz, K: Eine Reise durch d. Hochländergaue Oberalbaniens. — Ein Vorstoss in d. nordalban. Alpen, s.: Zur Kunde
d. Balkanhalbinsel.
Steinmetz, R: Das gute Bekenntnis. Hülfsb. z. Vorbereitg
auf d. Konfirmation. 7. Afl. (48) 8º Gött., Vandenhoeck & R.
03. — 90 ; kart. — 80; m. d. Abdr. d. kl. Katech. (64) — 26 ;
kart. — 36 d
— Das Herz f. d. Mission. Predigt. (14) 8º Stade, F Schaumburg 02. — 20 d
— Katech. f. d. verein. ev.-luther. Gemeinden im Grossh. Baden.
(173) 8º Gött., Vandenhoeck & R. 02. — 50 ; kart. — 75 d
— Katech.-Gedanken. Beitr. z. katechet. Behandlg d. 5 Hauptstücke in Kirche u. Schule. (In 3 Tln.) 1. u. 3. Tl. 8º Ebd.
3.60 (Vollst.: 5.60) d
1. Das 1. Hauptstück. 2. Afl. (98) 03. 1.60 ▌ 3. Das 3—5. Hauptstück. (125)
02. 2 —
Steinmetz, SR: Rechtsverhältn. v. eingebor. Völkern in Afrika
u. Ozeanien. (455) 8º Berl., J Springer 03. 10 —
Steinmeyer, E: Beitr. z. Entstehgsgesch. d. Clm. 18140. [S.-A.]
(44) 8º Lpzg, A Deichert Nf. 01. 1.50
Steinmeyer, FL: Letzte homilet. Gabe. Predigten f. d. ganze
Kirchenj. Ges. u. hrsg. v. M Reylaender. 13 Lfgn. (881) 8º Lpzg,
G Strübig (04.05). 8 —; in 2 Bde geb. nn 10 — d
— Der homilet. Gebr. d. ev.-altkirchl. Perikopen, s.: Heylän-
der, M.
—. Homiletik. Dargereicht v. M Reyländer. (329) 8º Lpzg, A
Deichert Nf. 01. 5.25; geb. nn 6 —
— Die altkirchl. ev. Perikopen. Akadem. Vorträge. Auf Grund
e. Orig.-Manuskriptes d. Verf. vollständig hrsg. v. A Löwen-
traut. (219) 8º Frieden.-Berl., Bh. d. Gossnerschen Miss. 03. 3 —
— Predigten f. d. ganze Kirchenj. Ges. u. hrsg. v. M Rey-
länder. 3 Tle. 8º Güters., C Bertelsmann 02. 11 — ;
Einbde je — 75; in 1 Bd geb. 12 — d
1. Die festl. Hilfe d. Kirchenj. 4 Hefte. (402) 7 —
2. Die festlose Hilfe d. Kirchenj. (463—581) 5 —
— Predigt-Entwürfe. n. d. Kirchenj. geordnet. Ges. u. hrsg.
v. M Reyländer. (452) 8º Ebd. 03. 6 —; geb. 7 — d
Steinmüller, E: Ausw. v. 50 französ. Gedichten f. d. Schulgebr.
2. Afl. (96) 8º Münch., R Oldenbourg (02). Kart. (1.50) 1.20
— Hist.-de la révolution franc., s.: Reformbibliothek, neusprachl.
— Neusprachl. Reform-Lit., s.: Breymann, H.
Steinmüller's, J, Tageb. üb. s. Teilnahme am russ. Feldzug
1812. Hrsg. v. K Wild. (69 m. Abb. u. 1 Karte.) 8º Hdlbg, C
Winter, V. 1.30 d
Steinmüller, P: Einführg d. Reformation in d. Kurmark Bran-
denburg durch Joachim II., s.: Schriften d. Ver. f. Refor-
mationsgesch.
— An d. Himmelpforte. Erzählg v. Nordharz. 2 Bde. (288 u.
263) 8º Berl., R Eckstein Nf. (03). 5 — d
Steinold, E: Der Amateur-Photograph, s.: Ullstein's Sammlg
prakt. Hausbb.
Steinschneider s.: Taschenkalender, ärztl.
Steinschneider, G, s.: Jahrbuch d. höh. Unterr.-Wesens in
Österr.
Steinschneider, M: Die Gesch.-Lit. d. Juden in Druckwerken
u. Handschriften. 1. Abtlg: Bibliogr. d. hebr. Schriften. (190)
8º Frankf. a/M., J Kaufmann 05. 6 —
— Die arab. Lit. d. Judeu. (54, 348 u. 32) 8º Ebd. 02. 18 —
— Mathematik bei d. Juden, Index, s.: Goldberg, A, d. jüd.
Mathematiker.
— s.: Ozrot Chajim.
— Suppl. aux catalogues et manuscrits hébreux et samaritains
de la bibliothèque imp. (Paris 1866). [S.-A.] (3) 4º Frankf. a/M.,
J Kaufmann 05. 3 —
— Die europ. Übersetzgen a. d. Arab. bis Mitte d. 17. Jahrb.
A u. B. [S.-A.] 8º Wien, (A Hölder). 4.30
A. Schriften bekannter Übersetzer. (84) 04. 1.90 ▌ B. Übersetzgn v. Werken
unbekannter Autoren, deren Übersetzer unbekannt od. unsicher sind. (108)
05. 2.40.
Steinschnitte, Medaillen u. **Plaketten** v. P Sturm. (Von J
Zeitler.) (31 m. Abb.) 8º Lpzg, J Zeitler (05). 10 —
Steinthal, K, s.: Chirurgie d. Halses usw. — Chirurgie d.
Unterleibes.
Steinthal, S: Wie sollen wir uns ernähren?, s.: Volksschrif-
ten, hygien.
Steinwald, E: Beitr. z. Gesch. d. deut. ev. Gemeinde zu Smyrna
v. 1759—1904. (97 m. Abb. u. 1 Fksm.) 8º Berl., Vaterländ.
Verl. u. Kunstanst. (04). 1 — d
Steinwand s.: Fercher v. Steinwand.
Steinweg, C: Corneille. Kompositionsstudien z. Cid, Horace,
Cinna, Polyeucte. (308) 8º Halle, M Niemeyer 05. 8 —
— Schluss! Studie z. Schulreform. (48) 8º Ebd. 02. — 80

Steinweg, E: Burenlieder. Zeitgemässe Gedichte. 2. Afl. (42)
8º Marienbg, H Stamm 01. — 80 d
Steinwehr, H v.: Weit. Untersuchgn üb. d. Leitvermögen v.
Elektrolyten a. einwerth. Ionen in wässer. Lösg, s.: Kohl-
rausch, F.
Steinweller, F, s.: Hirt's, F, Realienb.
— Pflanzen- u. Tierkde, s.: Panst, JG.
— Der Unterr. in d. Realien, s.: Nowack, H.
Steinzeichnungen deut. Maler. Hrsg. v. W Schäfer. 10 Nrn.
Mit Text auf d. Umschl. 4º Düsseldf. Berl., Fischer & Fr.
Subskr.-Pr., je 2.50; Einzelpr. je 3 — d
Braune, HL: 4 Orig.-Steinzeichngn. (4 farb. Bl.) (05.) [10.]
Kayser-Eichberg, C: 4 Orig.-Steinzeichngn. (4 farb. Bl.) (05.) [9.]
Liebermann, E: 4 Orig.-Steinzeichngn. (4 farb. Bl.) (04.) [4.]
Meyer-Basel, KT: 4 Orig.-Steinzeichngn. (4 farb. Bl.) (04.) [6.]
Nikutowski, E: Bilder gm Rhein. (4 farb. Bl.) (04.) [2.]
Otto, H: Im Dorfe. (4 farb. Bl.) (04.) [1.]
Rocholl, T: 4 Orig.-Steinzeichngn. (4 farb. Bl.) (04.) [5.]
Schönnenbeck, A: 4 Orig.-Steinzeichngn. (4 farb. Bl.) (05.) [8.]
Stern, M: 4 Orig.-Steinzeichngn. (4 farb. Bl.) (04.) [7.]
Wille, F v.: Bilder a. d. Eifel. (4 farb. Bl.) (04.) [3.]
Bildet zugl. d. Fortsetzg zu: Teuerdank.
Stejskal, K: Diktierb. f. d. Unterr. in d. deut. Rechtschreib,
s.: Hilfsbücher f. d. deut. Unterr.
— Einführug in d. Gesch. d. deut. Lit. — Leitf. z. Gesch. d.
deut. Lit. — Deut. Leseb., s.: Kummer, KF.
— Regel- u. Wrtrb. f. d. deut. Rechtschreibg. — Regeln u.
Wrtverz. f. d. deut. Rechtschreibg. — Deut. Verslehre, s.:
Hilfsbücher f. d. deut. Unterr.
Steitmann, R: Heimatkde v. Leipzig, s.: Gaebler, E.
Stekel, W: Wie beuge ich e. Blinddarmentzündg vor? (35 m.
1 Abb.) 8º Wien, P Knepler 05. 1 —
Stelkens, P: Wandernde Kaufleute. Schildergu u. Betrachtgn.
(57) 8º Stuttg., Strecker & Schr. 05. — 75 d
Stellanus, G: Blau u. Weiss. Erzählg. 2 Bde. (452 u. 373) 8º
Lpzg, FW Grunow 01. L. 10 — d
Stelle, d. freie. Spez.-Fach-Zeitschrift für's prakt. Leben.
Stellenangebote f. kaufm., techn. u. gewerbl. Personal. 1. Jahrg.
Dezbr 1904. 4 Nrn. (Nr. 1. 8) 41,5×26,5 cm. Duisbg, M Schwen-
zer. 1.50 d
Fortsetzg war nicht zu erhalten.
Stellen, d., d. Bibel, welche Geschlechtliches enthalten. Ges.
u. m. e. Vorrede u. e. Nachrede hrsg. f. Geistliche, Lehrer
u. Eltern. (31) 12º Zür., T Schröter's Nf. (1900). — 50 d
Stellenbesetzungen in d. Marine. Frühj. 1905. (71) 8º Berl.,
ES Mittler & S. — 50 ▌ Herbst 1905. (75) — 60 d
Steller, P: Führer durch d. Börse. Leitf. d. Kapitalanlage
in Wertpapieren u. z. Unterr. üb. d. Börsen- u. Aktienwesen.
3. Afl. (191) 8º Berl., H Spamer (05). Geb. 4 —
— Die Störgn in d. deut. Maschinenindustrie währ. d. J. 1900 ff.,
s.: Schriften d. Ver. f. Socialpolitik.
Stellhorn, FW: Kurzgef. Wrtrb. z. griech. Neuen Test. 2. Afl.
(158) 8º Lpzg, Dörffling & Fr. 05. 3 —; geb. 4 — d
— s.: Zeitblätter, theolog.
Stellhorn, G, s.: Führer durch Hagen.
Stelljes, W: Abenteuerl. Gesch., s.: 1-Mark-Bibliothek Continent.
Stelling: Die hannov. Jagdges. in ihrer heut. Gestalt, m. d.
hannov. Wildschaden-Ges. v. 21.VII.1848, d. Jagdschein-Ges.
v. 31.VII.1895, d. Wildschon-Ges. v. 14.VII.'04, d. sämtl. Aus
führgs-Verfügen, sowie m. d. Jagdverwaltgsrecht u. d. Jag
strafrecht. (560) 8º Hannov., Hahn 05. 4.50; L. 5.85 d
— Prakt. Strafanzeigen (Strafrechtsfälle), a. d. Praxis f.
Staatsanwaltschaft ges. u. f. d. akadem. Unterr. sowie z
Referendare d. Justiz u. Verwaltg unter Berücks. d. BG
bearb. (244) 12º Hannov., Helwing 02. L. 5 —
— Die freie Wasservögeljagd auf öffentl. Gewässern d. preu
Monarchie unter bes. Berücks. d. Prov. Hannover. (184)
Hannov., Hahn 01. 3 —
Stelling, H, s.: Aus Bismarcks Familienbriefen.
— Die Erziehg d. schwachbegabten u. schwachsinn. Tau
stummen u. d. Teilg n. Fähigkeiten überhaupt. Dargest
d. Hand e. Reiseberichtes üb. dän. u. norweg. Taubstumm
Anst. (78) 8º Lpzg, C Merseburger 05. 1 —
Stellmacher, A: Auf neuer Bahn. Kl. Beitr. zu e. alten Ka
turproblem. (140) 8º Hambg, Gebr. Lüdeking 04. 1.50; geb. 2
Stellmacher, K: Klinger's Werke Salome, Kassandra, d. Be
dende, Beethoven. (14) 8º Lpzg, CF Kahnt Nf. 05.
Stellung, d., kleinerer Versicherer, bes. d. Reichsges
19.V.'01 üb. d. privaten Versicherungs-Unternehmgn. (34)
Schwer., E Herberger 01. 2
Stellungnahme, uns., z. Katholikentag. Bericht üb. d.
testversammlg d. 3 ev. Gemeinden Osnabrücks. (8)
nabr., (Rackhorst) 01.
— d. deut. Kolonial-Bundes zu d. Denkschrift üb. d. Entwick
d. deut. Schutzgebiete 1902/3 sowie zu d. Haushaltsetat
Schutzgebiete f. 1904/5. (42) 8º Berl.-Charlttnbg, (Deut.
lonial-Verl.) (04).
Stelter, K: Erlebnisse eines Achtzigjährigen. (250 m. Bild
8º Elberf., A Martini & Gr. (05). 4 —; geb. 5 —
Stels, L: Veranstaltgn d. Liebig-Gesellsch. zu Frankfurt a.
auf d. Geb. d. Naturwiss. u. d. Handfertigk. [S.-A.] (17
Abb. u. 17 Taf.) 8º Frankf. a/M., Kesselring 05.
— u. H Grede: Leitf. d. Pflanzenkde f. höh. Schulen. N
Beil.: Erklär. Farbenskizzen v. L Stelz. 2 Tle. 1. u. 2. A

(724 u. 99 z. Tl farb. Taf. m. Text auf d. Rücks.) 8° Frankf.
a/M., Kesselring (03.04). Geb. nn 4.60
Stelz. L. u. H **Grede:** Der Schulgarten d. Bockenheimer Real-
schule. Nebst: Stelz, Vortr. üb. d. Schulgarten u. s. Ver-
wendg im Unterr. [S.-A.] (63 m. 2 farb. Taf. u. 16) 8° Frankf.
a/M.-Bockenh., (A Kullmann) 1896.99. †2 —
Stelzhamer, F: Charakterbilder a. Oberösterr. 2. Afl. (299 m.
Abb.) 8° Wien, Wiener Verl. (05). 3 —; geb. nn 4.50 d
— Ausgew.Dichtgn in oberösterr.Mundart, s.: Universal-Biblio-
thek.
— Im Walde, s.: Jugendschriften, hrsg v. Lehrerhausver. f.
Oberösterr.
Stelzig, H: Special-K. d. Aussig-Karbitzer Bezirkes m. d. an-
grenz. Gebieten u. e. Plan v. Aussig. 1:75,000. 40×43 cm.
Farbdr. Auss., A Becker (01). — 35
— Spezial-K. d. böhmisch-sächs. Schweiz u. d. angrenz. Mittel-
gebirges. 3. Afl. 1:100,000. 40,5×47,5 cm. Farbdr. Tetsch., O
Henckel 03. — 60: auf L. 1 —
— Karte d. Bez. Eger. 1:100,000. 37,5×28,5 cm. Farbdr. Eger,
(J Kobrtsch & Gschihay) (03). nn — 30
— Spezial-K.d. polit.Bezz.B.-Leipa u.Deutsch-Gabel. 1:100,000.
33,5×44 cm. Farbdr. Leipa,J Hentschel (04). — 40: auf L. — 90
— Karte d. Bez. Reichenberg. 1:100,000. 29×45 cm. Farbdr.
Sternbg, (AR Hitschfeld) (03). nn — 20
— Stadtpl. v. Reichenberg. 1:7,500. 42×38 cm. Farbdr. Mit
Strassenverz. an d.Seiten. Reichenbg,P Sollors Nf. (03). — 30
— Karte d. Bez. Saaz. 1:100,000. 33,5×31 cm. Farbdr. Saaz,
A Ippoldt's Nf. (03). — 75
— Wandk. d. Bez. Saaz. 1:25,000. 4 Bl. je etwa 65×60,5 cm.
Farbdr. Ebd. (03). 12.50
Stelzl, J: Kurzgef. Kirchengesch. in Einzelbildern. Für d. Un-
terr. in d. Schulen sowie z. häusl. Lesg verf. (372 m. Abb.)
8° Klagenf.,Buch- u. Kunsth. d. St. Joseph-Ver. 03. Geb. 1.43 d
— Lebensbild d. hl. Leopold, Schutzpatrones v. Oesterr. (15
m. 1 Bildnis.) 8° Linz, Pressver. 05. — 10 d
Stelzmann, A: Psallite Domino, s.: Cohen, C.
— Rosenkranzzettel f. Erstkommunikanten. (18 Bl.) 18° Düln.,
A Laumann 01. In Umschl. — 3
Stelzner, AW: Die Erzlagerstätten. Unter Zugrundelegg d.
hinterlass. Vorlesgsmanuskripte u. Aufzeichngn bearb. v. A
Bergeat. I. Hälfte. (470 u. 15 m. Abb. u. 1 Karte.) 8° Lpzg, A
Felix 04. 12.50 || II. Hälfte, 1.Abtlg. (471—812 m. Abb. u. 2 Kart.)
05. 12 —
Stemann, H v.: Register (in Kolonnen-Form) z. Kontrollieren
u. Abschliessen v. Buchführgn D. R. G. M. System: H v. Ste-
mann. (15) 8° Berl. (N. 4, Chausseestr. 40). Selbstverl. 06. 2 —
Stemann,T: DerWeihnachtsbaum. — Winterfee, s.: Bloch's,
L, Kinder-Theater.
Stemberger, E: Die Unbefleckte u. ihre Verehrg in Tirol. (96
m.1 Abb.u.Titelbild.) 8° Innsbr.,Vereinsbh.u.Buchdr.04. 1.40 d
Stemmler, F: Bad Ems. Historisch-balneolog. Bruchstücke a.
d. Bades Vergangenh. (24 m. Abb.) 8° Ems, LJ Kirchberger
04. Kart. 1.20 d
Stempel, J: Das preuss. Kommunal-Abgaben-Ges. in d. Praxis.
(87) 8° Strassbg, Wolstein & Teilhaber 03. — 80
Stempelsteuer, d., in Preussen. [S.-A.] (10) 8° Berl., J Springer
04. nn — 80
Stempelsteuergesetz, d., v. 31.VII.1895 nebst d. f. d. gerichtl.
Stempelwesen erlass.Ausführgsvorschriften, Textausg.m.An-
merkgn u. Sachreg. (314) 16° Berl., A Nauck & Co. 05.
Kart. 2 — d
Stempelsteuer-Reglement, d. neue, u. d. Instruktion üb. d.
Art d.Entrichtg d.Stempelsteuer. (136) 8° St.Petersbg (Newski-
Prospekt 20), Verl. d. St. Petersb. Zeitg 01. nn 2.50 d
Stemplinger, E: Horaz in d. Lederhos'n. (55) 8° Münch., J
Lindauer (05). Kart. 1.20 d
Stendell, E: Eine zu Eschwege vollzog.fürstl. Eheschliessg a. d.
17. Jahrh. Vortr. (14 m 1 Stammtaf.) 8° Eschw., (J Braun) 05.
— 50 d
Stender, H: Vör 100 Johr. Biller ut Mekelborg. (188) 8° Rost.,
CJE Volkmann 04. 2 —; L 3 — d
v. **Stendhal- H Beyle:** Ausgew. Werke. Hrsg. v. F v. Oppeln-
Bronikowski. 3—5. Bd. 8° Jena, E Diederichs. 12 —
(1.—5.: 18 —; Einbde je 1 —) d
3. Üb. d. Liebe. (De l'amour.) Übertr. v. A Schurig. (24, 389) Lpzg 04. 4 —
4. Renaissance-Novellen. Übertr. v. M v. Münchhausen. (300) Lpzg 04. 3 —
5. Bekenntnisse e. Egotisten. Selbstbildnis Beyles u. s. Briefen, Tagebb.
u. autobiograph. Fragmenten. Ausgew., übertr. u. eingeleitet v. A
Schurig. (498 m. Bildn.) 05. 5 —
— Aphorismen, s.: Rüttenauer, B.
— Essays. Aus d. Franz. u. m. Einl. v. A Schurig. (270) 8° Berl.,
Hüpeden & Merzyn 04. 3 —; geb. 4 — d
Stengel: Ansprache im Kindergottesdienst, s.: Schawaller, F.
Stengel, E, s.: Bernart Amoros, la première partie du chan-
sonnier de B. A. — Hervis v. Metz. — Rigomer-Episode, d.
Turiner.
— Die alt. französ. Sprachdenkmäler, s.: Ausgaben u. Abhand-
lungen a. d. Gebiete d. roman. Philol.
Stengel, K Freih. v.: Der Kongostaat. (55) 8° Münch., C Haus-
halter 03. — 75
— Quellensammlg z. Verwaltgsrecht d. Deut. Reiches, s.:
Quellensammlungen z. Staats-, Verwaltgs- u. Völkerrecht.
— s.: Vierteljahrsschrift, krit., f. Gesetzgebg.
Stengel, M: Gedichte. (135 m. Bildnis.) 8° Dresd., E Pierson
05. 2 —; geb. 3 —

Stengel, W: Formalikonograph. Detail-Untersuchgn. I. Das
Taubensymbol d. bl. Geistes, s.: Zur Kunstgesch. d. Auslandes.
— Formalikonogr. (Detailaufnahmen) d. Gefässe auf d. Bildern
d. Anbetg d. Könige. 1. u. 2. Lfg. (33 Abb. auf 14 Lichtdr.)
(9) 8° Strassbg, JHE Heitz 04. 2.80
— Gemälde-Solo od. Gemälde-Konzert. Vorschlag z. Sanierg
d. Kunstausstellgn. (21) 8° Ebd. 04. — 80 d
Stenger, A: Unterscheidgslehren d. ev.-protestant. u. römisch-
kathol. Kirche, s.: Hausemann, F.
Stenger, P: Die otit. Hirnsinusthrombose u. d. in d. Ohren-
klinik d. Charité in d. J. 1899—1900 ges. Beobachtgn. (64) 8°
Königsbg, Hartung 03. — 80
Stenglein, F: Das ärztl. Gebührenwesen in Bayern, s.: Spaet, F.
Stenglein, M: Die öffentl. Ankündigg d. Arznei- u. Geheimmittel, s.: Schmidt, G.
— s.: Gerichtssaal, d. — Juristen-Zeitung, deut.
— Kommentar z. Militärstrafgerichtsordng v.1.XII.1898, nebst
d. Einführgsges., d. Nebenges. u. d. Ausführgsvorschriften.
2. u. 3. Lfg. (129—382) 8° Berl., O Liebmann 01. 6.40
(Vollst.: 9 —; geb. 10.25) d
— Lexikon d. deut. Strafrechts, u. d. Entscheidgn d. Reichsgerichts z. Strafgesetzb. hrsg. Suppl., enth. d. Entscheidgn
seit Erscheinen d. Hauptwerkes bis 1903. Bearb. v. F Galli.
(1927—2114.) 8° Ebd. 04. 4.50: geb. nn 6.50
(Hauptwerk u. Suppl.: 36.50; geb. nn 43.50) d
— Die Post-, Bahn- u. Telegr.-Gesetzgebg d. Deut. Reiches.
2. Afl. (56) 8° Ebd. 02. 1.50 d
— Die Reichsges. z. Schutz d. geist. u. gewerbl. Eigentums.
3. Afl. (224) 8° Ebd. 02. 5.40; geb. nn 6 — d
— H Appelius u. G **Kleinfeller:** Die strafrechtl. Nebenges.
1. Bd.) 3. Afl. v. M Stenglein. 6 Lfgn. (1408) 8° Ebd. 01-03.
31 —; geb. nn 34 — d
Stenglein, M: Hdb. d. Presshefen-Fabrikation, s.: Handbuch
d. chem. Technol.
— 24stünd. Hefeführg u. 48stünd. Gärfrist d. Maischen in Kar-
toffel- u. Getreide-Dickmaischbrennereien. Verfahren v. Bü-
cheler. (42) 8° Berl. (C. 19, Wallstr. 17/18), Buchdr. Gsten-
berg 02. nn 1.30 d
Stenglin, F Frhr v.: Die Anderen. Die Gesch. e. Liebe. (309)
8° Dresd., H Minden (04). 3.50; geb. nn 4.50 d
— Aus d. Buche d. Lebens, s.: Kürschner's, J, Bücherschatz.
— Ein Dichterling. Roman. 1. u. 2. Afl. (302) 8° Stuttg., Deut.
Verl.-Anst. 01. 3 —; L. nn 4 — d
— Der Erbprinzessin. Roman. 5. Afl. (289) 8° Berl., Vita (04).
4 —; geb. 5 — d
— Frauchen. Roman. 1. u. 2. Afl. (261) 8° Dresd., H Minden
03. 3 —; geb. nn 4 — d
— Das Höchste. Roman. (348) 8° Ebd. (02). 3.50; geb. nn 4.50 d
— Die Hofgeschichten. (355) 8° Ebd. (03). 3.50; geb. nn 4.50 d
— Leidenschaft. Die Gesch. e. Offiziers. 2. [Tit.-]Afl. (250) 8°
Ebd. (1896) (03). 3 —; geb. nn 3 — d
— Eine reiche Partie, s.: Goldschmidt's Bibliothek f. Haus u.
Reise.
— 's Be'ment. Roman. 1. u. 2. Afl. (309) 8° Dresd., H Minden
03. 3.50; geb. nn 4.50 d
— Der Synodale. Eine fast wahre Geschichte. 2. Afl. (300) 8°
Ebd. (03). 1.50 d
— Der Tugendweg. Tragikomödie. D'Weanerin. Dramat. Mo-
mentbild. (101) 8° Ebd. (03). 1.50 d
— Versuchg. Kriminal-Roman. (191) 8° Berl., H Steinitz (02).
2 — d
— Das Wartburglied. 2 Halbbde. (615) 8° Berl., F Wunder 02.
10 —; geb. 12 — d
— Im Wunderland d. Liebe. Gedichte. (239) 8° Ebd. 05. 2 — d
Stenina, S: Graph. Berechng v. et aus u. q., — Ein Versuch
z. Untersuchg d. hydrograph. Verändergn in d. nördl. Ost-
see sowie im Finn. u. Botn. Meerbusen, s.: Publications de
circonstance du conseil permanent internat. pour l'exploration de la mer.
Steno, Graf, s.: Professor, d., a. Kalau auf d. internat. Kunst-
ausstellg zu Düsseldorf.
Steno, N: De solido intra solidum naturaliter contento, s.:
Facsimile-Edition.
Stenogramme d. Verhandlgn im Prozess geg. d. Kapitän Dreyfus vor d. Kriegsgericht in Rennes. 3—8. Heft. (129—688) 8°
Dresd., Kaden & Co. 1899. Je — 20 (Vollst.: 1.60) d
Stenograph, d. Arendssche. Schriftleiter: A Kunow. Jahrg.
1902—5. Mit d. Gratis-Beil.: Stenograph. Blätter. 23—
26. Jahrg. (Je 12 Nrn./Je 11 Nrn.) 8° Berl. (C Hause).
Je 3 — d
*Die 3 Arendsschen Stenogr.-Zeitgn: Blätter, stenograph, Apollo
u. Arendsianer wurden 1902 zu ob. Zeitschrift vereinigt.*
— d. deut. Zeitschrift d. Stenogr.-Verbandes Stolze-Schrey.
Red. u. Hrsg.: M Bäckler u., 1902, F Specht. 1. u. 2. Jahrg.
(1901. Nr. 1 u. s.) 8° Berl., d. Magazins f. Stenographie
u.14. u.15.Jahrg.d.Wacht. Nebst: Der Vereinsbote. Je58 Nrn.
(1901. Nr. 1. 16 u. 8) 8° Berl., (Gerdes & H). Viertelj. 1 —
— dass. 3—5. Jahrg. 1903—5. Zugl. 24—26. Jahrg. d. „Magazins f. Stenogr." 16—18. Jahrg. d. „Wacht". Je 24 Nrn.
Nebst: Stenograph. Lesehalle. Fachbeil. je 12 Nrn. Der Vereinsbote je etwa 12 Nrn. (Nr. 1. 16, 8 u. 8) 8° Ebd. Je 4 —
— d. Schweizer. Red.: A Socin u., 1905, F Wenk. 43—46. Jahrg.
1901—5 (je 26 Nrn. (1901. Nr. 1. 12) Nebst illustr. schweiz.
Unterhaltsbl. f. Stenogr. Einiggssystem Stolze-Schrey. Red.:

175*

H Behle. 24—28. Jahrg. Je 26 Nrn. (Nr. 1. 8) 8⁰ Wetzik. (Lpzg,
JH Robolsky.) Je nn 4 —; einz. Nrn nn — 40; ohne Unter-
haltgsbl. je nn 3 —; einz. Nrn nn — 20; Unterhaltgsbl. allein
je nn 3 —; einz. Nrn nn — 25
Stenograph u. Maschinenschreiber, d. prakt. Verbandsbl. f.
Stenogr. u. Maschinenschreiber. Nebst Gratisbeil.: „Steno-
graph. Unterhaltgsbl." Red. u. Hrsg.: J Seidel. 7—11.Jahrg.
1901—5 je 12 Nrn. (1903. 96 u. 104 m. Abb.) 8⁰ Wien (VII/2,
Neustiftgasse 3), (J Seidel).   Je 4 —
Stenographen-Blatt, Teplitzer. Organ d. Gabelsb. Stenogr.-
Ver. in Teplitz. (Schriftleiter: F Tieze u., 1902, F Höhnel.)
28—32. Jahrg. 1901—5 je 12 Nrn. (Nr. 1 u, 2. 34) 8⁰ Tepl.-
Schönau, A Becker.   Je 2 — d
Stenographenfreund, der, Unterhalt. Zeitschrift f. Stenogr.
n. d. System Stolze-Schrey. Red.: H Schumann. 31—34. Jahrg.
1901—4 je 12 Nrn. (1902. Nr. 1. 16) 8⁰ Berl. (Lpzg, JH Robolsky,)
                                          Je nn 2.60; einz. Nru nn — 30 F
— deut. (Stenogr. Schülerfreund.) Monatschrift f. Stenogr. n.
d. System Scheithauer. Hrsg. u. Schriftleiter: E Gosselk.
3. Jahrg. Oktbr 1901—Septbr 1902. 12 Nrn. (Je 8 u. 4) 8⁰ Hildesh.,
(H Olms).   1.50; halbj. — 80
— dass. Hrsg. u. Schriftleiter: E Gosselk. Nebst: Mitteilgn d.
Scheithauerschen Stenogr.-Centrale.Hrsg.:O Reckentin. 4—7.
Jahrg. Oktbr 1902—Septbr 1906 je 12 Nrn. (Je 8 u. 4) 8⁰ Ebd.
                                          Je 1.50; halbj. — 80
Den 1. u. 2. Jahrg. s. u. d, T.: Schülerfreund, stenograph. —
Stenographen-Kalender, deut., f. 1903. Hrsg. v. W Martens.
13. Jahrg. (206 m. 4 Bildnissen.) 12⁰ Berl., Frz Schultzs.
                                          Geb. nn 1.50 0 F
Stenographentag, d. 1. u. 2., d. Einiggssch. Stolze-Schrey.
8⁰ Berl., Bh. d. Stenogr.-Verbandes Stolze-Schrey.   2.50
1. Berlin 1899. Hrsg. v. M Bäckler. (129) 1899.   1 —
2. Frankfurt a. M. 1903. Hrsg. v. F Specht. (216 m. 10 Taf.) 03.   1.50;
                                          Prachtausg. 9 —
Stenographen-Zeitung, deut. Begründet v.Verbande rheinisch-
westfäl. Stenogr. (System Gabelsberger). Mit autogr. Beil.:
Lese- u. Übgsbl. Geleitet v. B Gaster u., seit 1903, R Medem.
Red. d. Beil.: M Fröhliger. 16—20. Jahrg. 1901—5 je 26 Nrn.
(1901. Nr. 1. 24 u. 8) 8⁰ Wolfenb., Heckner.   Je nn 4 —;
                                          Beil. allein je 1.50
— allg. deut. System Gabelsb. Hrsg. v. sächs. Stenogr.-Bunde.
. Leiter: P Fischer. 38—42. Jahrg. 1901—5 je 12 Nrn. (176, 176,
180, 184 u. 176) 8⁰ Lpzg, (E Zehl).   Je 2.50
— Stolzesche. (Red.: A Schaub.) 5. Jahrg. 1902. 12 Nrn. (Nr. 1. 8)
Berlin-Schlachtensee. Charlttnbg (Kaiser Friedrichstr. 53),
.R Sperber. 2 —; m. d. stenograph. Musestunden 4 — ‖ 1903
u. '04 (ohne Beil.).   1.60
Fortsetzg war nicht zu erhalten.
Stenotachygraphen-Zeitung, allg. deut. Nebst: Der Schrift-
genosse. Red.: H Reisse. 14—18. Jahrg. 1901—5 je 24 Nrn.
(Nr. 1. 8 u. 8) 8⁰ Schweidn., (G Brieger).   Viertelj. 1.15
Stenotachygraphia. Zeitschrift z. Unterhaltg u. Belehr.
Schriftleitg: W Hartmann. 4. Jahrg. 1901. 12 Nrn. (Nr.1.16)
12⁰ Ackendf (bei Magdebg), Lehr. C Lenz.   4 —
Fortsetzg war nicht zu erhalten.
Stenz, GM: Aus weiter Ferne. In Deutsch-China u. Süd-Schan-
tung, s.: Unterhaltungs-Bibliothek, Steyler.
— In d. Heimat d. Konfuzius. Skizzen, Bilder u. Erlebnisse
a. Schantung. (288 m. Abb. u. 33 [2 farb.] Taf.) 8⁰ Steyl,
Missionsdr. 02.   L. 4 — d
— P. Rich. Henle a. d. Gesellsch. d. göttl. Wortes, Missionar
. in China. Ermordet am 1.XI.1897. Lebensbild. (133 m. Abb.)
8⁰ Ebd. 04.   L. — 75 d
— In Korea, d. Lande d. Morgenstille, s.: Unterhaltungs-Biblio-
thek, Steyler.
Stenz, H, s.: Lesebüchlein.
Stensel, A, s.: Wörterbuch, deut. seemänn.
Stenzel, B: „Ultra montes". Pilgergrüsse a. Italien. Nachhall
a. d. Jubiläums-J. 1900. (52) 8⁰ Kempt., (J Kösel) 01.   1 —;
                                          1.50 d
Stenzel, KGW: Abweich. Blüten beim. Orchideen m. e. Rück-
blick auf die d. Abietinen, s.: Bibliotheca botanica.
Steninger, G, s.: Hillardt-Steezinger, G.
Stenzler, AF: Elementarb. d. Sanskrit-Sprache. Grammatik,
Texte, Wrtrb. 7.Afl.v.R Pischel. (118) 8⁰ Münch.,LKöhler 02.5—
Stenzler, R: Lebensbilder d. Hohenzollern v. 1415 bis auf d.
Gegenwart, neu bearb. [S.-A.] (88) 8⁰ Berl., ES Mittler & S.
                                          1.20; geb. nn 1.60 d
— u. F Lindner: Lehr- u. Leseb. d. Gesch. f. d. unt. Kl. d.
kgl. preuss. Kadettenkorps, neu bearb. (174) 8⁰ Ebd. 05.
                                          2 —; geb. nn 2.40 d
Stěp, J, u. F Becke: Das Vorkommen d. Uranpecherzes zu
St. Joachimsthal. [S.-A.] (54 m. Fig., 1 Karte u. 3 Taf.) 8⁰
. Wien, (A Hölder) 04.   1.70
Stěpán, J: Neues Taschenwrtrb. d. böhm. u. deut. Sprache.
2 Tle in 1 Bd. 6. Afl. (634 u. 470 Sp.) 16⁰ Trebitsch, J Lorenz
(05).   L. 2.50 d
— dass. (Billige Ausg.) 2 Tle in 1 Bd. (642 u. 460 Sp.) 16⁰ Ebd.
(04).   Geb. 1.87 d
Stephan, d. kleine, Hilfsb. fürs Publikum. 2 Bde. 8⁰ Dresd.,
G Kühtmann.   3.75
1. Post- u. Telegr.-Hdb., illustr. deut., f. d. ges. In- u. Auslands-Ver-
kehr, nebst e. Vers. d. Nachbarpostorte, Bestimmgn üb. d. Fernsprech-
verkehr u. postal. Strassenvers. v. Berlin. 13. Afl. v. Lipski. Ausg. f.
1905/6. (210)   — 75; kart. 1.25

---

2. Orts- u. Zonen-Verz. z. Berechg d. Portos f. Postpakete u. Geldbriefe
innerhalb Deutschlds u. z. zweckmäss. Anwendg d. bezügl. Postvor-
schriften, in Einzelausg. f. jeden Ort d. Deut. Reiches. Hrsg. v. G
Harder. 7. Afl. (27, 184) 05. Geb. 2 — ‖ f. Orte m. handschriftlich
                                          eingetrag. Zonentab. 5 —
Stephan, d. Erzherzogs, Begründers' d. k. k. geolog. Reichs-
anst., Briefe wiss., hauptsächlich geolog. Inhalts an Wilhelm
Haidinger, d. 1. Direktor d. k. k. geolog. Reichsanst. in Wien
(1850—66). 2. [Tit.-]Ausg. (193 m. 1 Bildnis.) 8⁰ Wien, Halm
& G. [1897] (03).   2 — d
Stephan: Die Kriegsartikel v. 22.IX.'02 m. Erläutergn 'u. e.
Anh. üb. d. Militargerichtsbarkeit. (78) 12⁰ Berl., A Bath 02.
                                          — 80 d
— Lehrmethode d. Anfangsgründe d. militär. Planzeichnens.
(42 m. Abb.) 4⁰ Berl., Liebel 03.   (1.50) 1,— d
Stephan, B: Die Brüder v. Steinhof. Schausp. m. Gesaug u.
Tanz. (59) 8⁰ Berl. (W., Kanonierstr. 43II), B Stephan (04).
                                          1 — d
— Hans in d. Falle. Orig.-Lustsp. (29) 8⁰ Ebd. (04).   1 — d
Stephan, C: Übgsstücke z. Übers. ins Latein., s.: Hammel-
.rath, H.
Stephan, G: Lehrpl. f. Sprachübgn, s.: Michel, R.
Stephan, G: Landw. Leseb. f. Ackerbau-, landw. Fortbildgs-
u. Wintersch. (455) 8⁰ Wien, A Hölder 03.   Geb. 2.80 d
Stephan, H v.: Kunst in Ernst u. Scherz, s.: Abhandlungen,
pädagog.
Stephan, H: Herder in Bückeburg u. s. Bedeutg f. d. Kirchen-
gesch. (255) 8⁰ Tüb., JCB Mohr 05.   4.50
— Die Lehre Schleiermachers v. d. Erlösg. (180) 8⁰ Ebd. 01,
                                          3.60 d
Stephan, M: Rege Hände, s.: Blumen u. Sterne.
— Unverzagt, s.: Goldkörner.
Stephan, O: Reform-Lehrb. d. deut. Stenogr. n. Gabelsb.'s Sy-
stem. 2. Afl. (80) 8⁰ Lpzg, E Trachbrodt 03.   1.25
Stephan, O: CPO, in Frage u. Antwort. (In 5 Lfgn.) 1. u. 2. Lfg.
(93 u. 111) 8⁰ Gera-Untermh., F Stephan 05.   Je 1.50 d
Stephan, P: Die techn. Mechanik. Elementares Lehrb. 1. Tl.
Mechanik starrer Körper. (194 m. Fig.) 8⁰ Lpzg, BG Teubner
04.   L. 7 —
Stephan, R: Hdb. d. ges. Rechts. Als 3. Afl. v. Strützki a.
Genzmer, Leitf. d. preuss. Rechts bearb. (22, 848) 8⁰ Berl.,
F Vahlen 03.   L. 16 — d
— Das Ges. z. Bekämpfg d. unlaut. Wettbewerbes. —Patent-
ges., s.: Guttentag's Sammlg deut. Reichsges.
Stephan, S: Der Beuthener Prozess im Lichte d. Wahrheit od.
Wahrheitsgetreue Enthüllgn a. d. poln. Politik in Ober-
schlesien. (320) 8⁰ Königsh. (04). (Berl., Verl.-Anst. K Hof.)
                                          2.80 d
Stephan, W, s.: Forst u. Jagd-Jahresbericht, neuester.
— Der Langnutzholzverkauf m. s. Vor- u. Nachteilen. (100)
Eger, J Kobrtsch & Gschihay 01.   L. (8 —) 10 — d
Stephanblumen, J: Die Prov. Westphalen nebst d. Fürstent.
Lippe u. Waldeck, s.: Landeskunde Preussens.
Stephani, F: Katech. d. Verwaltgelehre. 1. Bd. 2. Afl. (120) 8⁰
Berl., S Gerstmann 05.   1.25 d
Stephani, H: Das Erhabene in d. Tonkunst u. d. Problem d.
Form im Musikalisch-Schönen u. Erhabenen. (78) 8⁰ Lpzg 03.
Berl., H Seemann Nf.   1.50
Stephani, KG: Der älteste deut. Wohnbau u. s. Einrichtg.
Baugeschichtl. Studien auf Grund d. Erdfunde, Artefakte,
Baureste, Münzbilder, Miniaturen u. Schriftquellen. 2 Bde.
Lpzg, Baumgärtner.   30 —; Einbde in HF. je nn 3 —
1. Von d. Urzeit bis z. Ende d. Merovingerherrschaft. (448 m. Abb.) 03. 15 —
2. Vou Karl d. Gr. bis z. Ende d. XI. Jahrh. (705 m. Abb.) 03. 15 —
Stephanitz, v.: Der deut. Schäferhund in Wort u. Bild. (78) 8⁰
Augsbg, (Lampart & Co.) 01.
Στέφανος, s.: Krone, H.
Stephansen, MAE: Von d. Bewegg e. Continuums m. e. Reih-
.punkte. [S.-A.] (29) 8⁰ Kristiania, A Cammermeyer 03. 1.10
— Üb. partielle Differentialgleichgn 4. Ordng. d. e. inter-
mediäres Integral besitzen. [S.-A.] (80) 8⁰ Ebd. (02).
Stephansturm-Kalender f. 1905. Poetisch-histor. Jahrb.
J Baronin Schneider-Arno. 9. Jahrg. (190 m. Abb.) 8⁰ Wien,
W Braumüller.   Geb. nn 4 — d
1903 s. u. d. T.: Stefansturm-Kalender.
Stephanus, H: Weinbau-Karte d. Geb. v. Mosel u. Saar, s.:
Koch, FW.
Stephinger, KB: Herr, bleib' bei uns! Dem Erdenpilger z.
Wegweiser im Thale d. Zähren. (187 m. 1 Bl.) 16⁰ Salzbg,
Pustet (02).   — 80; L. 1.10; Lbr 1.55; m. G. 1.85 d
— Jesus im Kerker. Betrachtgsbüchl. zu Ehren d. bitt. Leidens
Jesu Christi. (72) 16⁰ Münst., Alphonsus-Bh. 01. — 90 d
Stephinsky, P: Regelbüchl. u. Ceremonial f. d. Mitglieder d.
III. Ordens v. hl. Franziskus n. d. Verordngn Papst Leos
XIII. 3. Afl. v. U Huntemann. (70) 16⁰ Trier, JB Grach 02.
                                          — 40 d
Stepp: Die Behandlg d. acuten Pneumonie m. Fluoroform.
m. Kurven.) 8⁰ Lpzg, G Thieme 01.   4 —
Steppes, O, s.: Zeitschrift f. Vornossgswesen.
Steppuhn, W: Die Trappisten, auch e. Werdegang. (48) 8⁰ Danzg,
Moderne Verl.-Bureau 04.
Sterba, J: Üb. e. Gruppe d. Cayley'schen Gleichg analyt.
Relationen. [S.-A.] (8) 8⁰ Wien, (A Hölder) 01.   1 — d
Stereoskope. Von M B. (47) 8⁰Weida (01). (Triest, FH Schimpff.)
                                          — 50 d

Stern d. Jugend. Illustr. Zeitschrift z. Bildg v. Geist u. Herz. Hrsg. v. J Praxmarer. 8—11. Jahrg. 1901—4 je 26 Nrn. (Nr. 1—7. 1½) 8⁰ Donauw., L Auer. Halbj. 1.25; einz. Nrn — 15 d
— dass. Illustr. Wochenschrift f. Schüler höh. Lehranst. Red.: J Praxmarer. 12. Jahrg. 1905. 52 Nrn. (Nr. 1. 16) 8⁰ Ebd. Halbj. 1.50 d
— d., d. Weisen f. uns. Kinder. Hrsg. v. d. deut. Orient-Mission. Red.: J Lepsius. 1—3. Jahrg. 1903—05 je 12 Nrn. (1903 u. '04· 80 u. 96 m. Abb.) 8⁰ Gr. Lichterf.-Berl., Deut. Orient-Mission. Je 1 — d
Stern s.: Adressbuch d. Papier- u. Schreibwarenhandel.
Stern, A: Glück in Versailles, Nanon, s.: Universal-Bibliothek.
— Grundr. d. allg. Lit.-Gesch., s.: Weber's Illustr. Katech.
— Vor Leyden. Heimkehr, s.: Hesse's, M, Volksbücherei.
— s.: Liszt's, F, Briefe an Carl Gille.
— Maria vom Schiffchen. Röm. Novelle. [S.-A.] (74) 8⁰ Hambg, Gutenberg-Verl. Dr. E Schultze 06. 1 —; geb. 2 — d
— Die deut. Nationallitt. v. Tode Goethes bis z. Gegenwart. 5. Afl. (227) 8⁰ Marbg, NG Elwert's V. 05. 2 —; geb. 2.80 d
— Ausgew. Novellen. 2. Afl. (346) 8⁰ Dresd., CA Koch 05. 3 —; geb. 4 — d
— Venezian. Novellen. 3. Afl. (245) 8⁰ Hambg, Gutenberg-Verl. Dr. E Schultze 05. 2 —; geb. 3 — d
— 4 Novellen. 2. [Tit.-]Afl. (240) 8⁰ Dresd., CA Koch [01] 05.. 2 —; geb. 3 — d
— Der Pate d. Todes, s.: Hesse's, M, Volksbücherei.
— Margarete Stern. Ein Künstlerinnenleben, (259 m. 2 Photograv.) 8⁰ Dresd., CA Koch 01. L 6 — d
— Studien z. Lit. d. Gegenwart. 3. Afl. (504 m. 20 Bildn.) 8⁰ Ebd. 05. || Neue F. (387 m. 14 Bildn.) 01. Je 10.50; geb. je 12.50 d
— Aus dunklen Tagen. Novelle. 3. Afl. (346) 8⁰ Hambg, Gutenberg-Verl. Dr. E Schultze 04. 3 —; geb. 4 — d
— Das Weihnachtsoratorium, s.: Volksbücher, Wiesbad.
Stern, A: Gesch. Europas seit d. Verträgen v. 1815 bis z. Frankfurter Frieden v. 1871. 3. u. 4. Bd. 8⁰ Stuttg., JG Cotta Nf. 19 — (1—4.: 38 —); Einbde in HF. je 2 —) d 3. (419) Berl. 01. 7 — § 4. (II. Abtlg. 1. Bd.) 1890—48. 1. Bd. (617) 03. 12 —
— Gesch. d. Revolution in Engl., s.: Geschichte, allg., in Einzeldarstellgn.
— Der zürcher. Hülfsver. f. d. Griechen 1821—28, s.: Neujahrsblatt, hrsg. v. d. Stadtbibliothek Zürich.
Stern, A: Verscherztes Glück, s.: Gastyne, J de.
— Die Unbeweglichk. d. Steigbügels im ovalen Fenster. (80) 8⁰ Wiesb., JF Bergmann 05. 3 —
Stern, A: Geistl. Chor-Album. Sammlg relig. Gesänge (Sopran, Alt, Tenor u. Bass) f. Kirchenchöre u. höh. Schulen. 4. Afl. (225) 8⁰ Neuw., Heuser's Erben (05). Geb. 3 —
Stern, AW: Zu Freiheit u. Licht. Bilder a. d. Kampf d. Lebens. (64) 8⁰ Elberf. (05). Schmargendf, G Roth. 2 — d
— Der Tanz d. Verzweiflg. Drama. (142) 8⁰ Ebd. (05). 2.50 d
Stern, B: Abdul Hamid II. Seine Familie u. s. Hofstaat. (284) 8⁰ Budap., S Deutsch & Co. 01. 5 —; geb. 6.50 d
— Jungtürken u. Verschwörer. Die innere Lage d. Türkei unter Abdul Hamid II. 2. Afl. (263) 8⁰ Lpzg, Beruh. Meyer 01. 6 — d
Die 1. Afl. wurde vom Yildix Kiosk unterdrückt.
— Der kranke Mann. Kulturbilder a. d. Türkei. (78) 8⁰ Lpzg 02. Berl., H Seemann Nf. 7 —
— Medizin, Aberglaube u. Geschlechtsleben in d. Türkei. Mit Berücks. d. moslem. Nachbarländer u. d. ehemal. Vasallenstaaten. 2 Bde. (437 u. 417) 8⁰ Berl., H Barsdorf 03. Je 10 —; L. je 12 —; in 1 HF.-Bd 24 —; Liebh.-Ausg. 4⁰, 30 —; in 2 HF.-Bdn 40 —
Stern, B: Die Schuldverschreibungsgläubiger im Konkurse d. Hypothekenbank. (88) 8⁰ Berl., J Guttentag 04. 2 —
— Positivist. Begründg d. philosoph. Strafrechts (n. W Stern). (99) 8⁰ Berl., Herm. Walther 05. 2 —
Stern, D (Frl. D Strempel): 3 alte Jungfern. Roman. (200) 8⁰ Berl., H Steinitz (03). 2 — d
— Antoine Vehabdil. Novelle v. Bosporus. (149) 8⁰ Ebd. 03. 2 —
— In Venedig. Falsch gerechnet!, s.: Kürschner's, J, Bücherschatz.
Stern, E: Das Leben d. Wörter, s.: Sammlung gemeinnütz. Vortr.
Stern, E: Üb. d. Ätiol. u. Lokalisation d. Sehnenscheidentuberkulose. (21) 8⁰ Freibg i/B., Speyer & K. 03. — 60
Stern, E, s.: Hurrah, s.
Stern, E: Zur Gesch. d. ev.-kirchl. Missionsgesellsch. im Elsass. 68. Jahresbericht. (56) 8⁰ Strassbg, Bh. d. ev. Gesellsch. (05). nn — 60 d
— Das St. Thomaskapitel u. d. Ges. v. 29.XI.1873. [S.-A.] (31) 8⁰ Ebd. (03). — 80 d
Stern, FW: Vom Stift z. Handelsherrn. Ein deut. Kaufmannsb. 2. Afl. (382) 8⁰ Stuttg., Union (05). L 5 — d
Stern, G: Französ. Grammatik. 1. Tl. Laut-, Schrift- u. Formenlehre. 2. Afl. (104) 8⁰ Bambg, CC Buchner's V. 01. Geb. 1.50 d
Stern, J: Rechtsphilosophie u. Rechtsweis. (47) 8⁰ Berl., J Guttentag 04. 1.20
— Üeb. d. Verhältn. z. Nötigg u. Erpressg, zugl. als Beitrag z. Lehre v. d. Subsidiarität d. Nöthigg. (129) 8⁰ Berl., E Ebering 01. 3.60
Stern, L: Amude hagoloh od. Die Vorschriften d. Thora, welche Israel in d. Zerstreug zu beobachten hat. d. Relig. f. Schule u. Familie. 4. Afl. (294) 8⁰ Frankf. a/M., J Kauffmann 04. Geb. 2.75; L. m. G. 3.50 d

Stern, L: Im Dämmern u. Schreiten. Dichtgn. (71) 8⁰ Münch.-Schwab., EW Bonsels 05. 1.50 d
Stern, LC, s.: Zeitschrift f. celt. Philol.
Stern, LW: Die psycholog. Arbeit d. 19. Jahrb. insbes. in Deutschl. Vortr. [S.-A.] (48) 8⁰ Berl., Herm. Walther 1900. 1 —
— Die Aussage als geist. Leistg u. als Verhörsprodukt, s.: Beiträge z. Psychol. d. Aussage.
— Helen Keller, s.: Sammlung v. Abhandlgn a. d. Geb. d. pädagog. Psychol. u. Physiol.
— Zur Psychol. d. Aussage. Experimentelle Untersuchgn üb. Erinnergstreue. [S.-A.] (56 m. 3 Taf.) 8⁰ Berl., J Guttentag 02. 1.50 d
Stern, M: 4 Orig.-Steinzeichngn, s.: Steinzeichnungen deut. Maler.
Stern, M, s.: Bremer, A, Chronicon Kiliense. — Rentebuch, d. 2. Kieler.
Stern, MA: Ueb. sexuelle Neurasthenie. [S.-A.] (35) 8⁰ Lpzg, Verl. d. Monatsschrift f. Harnkrankh. 05. 1.50
Stern, MR v.: Abendlicht. Neue Gedichte. (100) 8⁰ Linz (01). Lpzg, Verl. d. literar. Bulletin. 1.50; geb. 2 — d
— Blumen u. Blitze. Neue Dichtgn. (123) 8⁰ Ebd. (02). 2 —; geb. 3 —
— Biomed. Schausp. (31) 12⁰ Sondersh. 1899. Lpzg, Verl. d. literar. Bulletin. — 30 d
— Das Richtschwert v. Tabor u. and. Novellen. (145) 8⁰ Linz 02. Lpzg, Verl. d. literar. Bulletin. 2 —; geb. 2.50 d
— Die Selberziehg als Grundl. d. soz. Reform. [S.-A.] (19) 8⁰ Lpzg, Verl. d. literar. Bulletin. 04. — 25
— Sonnen-Wolken. Neue Strophen. (106) 8⁰ Wien 04. Lpzg, Verl. d. literar. Bulletin. 1.50
— Typen u. Gestalten moderner Belletristik u Philosophie. (In darstellgn ausgew. Werke u. persönl. Erinnergn.) (302 u. 6) 8⁰ Linz 02. Lpzg, Verl. d. literar. Bulletin. 9 —; geb. 11 —
— Waldskizzen u. Oesterr. (118) 8⁰ Ebd. (01). 2 —; geb. 2.50 d
Stern, N: Die 3 Krummstiefel, s.: Bloch's, L, Militär-Festmappe.
Stern, O: Die Erziehg d. Deutschen z. Weltmachtwillen. (33) 8⁰ Berl., Deut. Verl. 05.
— Die Seemachtfragen d. Gegenwart. (48) 8⁰ Ebd. (05). — 50 d
Stern, P: Grundprobleme d. Philosophie. I. Das Problem d. Gegebenheit zugl. e. Kritik d. Psychologismus in d. Philosophie. (219) 8⁰ Berl., B Cassirer 03. 1.60
Stern, R: Die pseudomotor. Funktion d. Hirnrinde. (27) 8⁰ Wien, F Deuticke 05. 3 —
Stern, R: Die Arbitrage u. Warenkalkulation. — Die Buchführg im Grossbetriebe, s.: Grosskaufmann, d. deut.
— Buchführg in einf. u. dopp. Posten, s.: Sammlung Göschen.
— Buchhaltgs-Lexikon. 14 Lfgn. (672) 8⁰ Wien, L Weiss 02-04. Je — 75; in 1 HF.-Bd nn 13 —
— Deut. Handelskorrespondenz, s.: Göschen's kaufmänn. Bibliothek.
— Muster-(Uebgs-)Kontore, s.: Veröffentlichungen d. deut.Verbandes f. d. kaufmänn. Unterr.-Wesen.
— Das kaufmänn. Rechnen, s.: Weber's Illustr. Katech.
— Repertorium f. Bank- u. Sparkassa-Prüfgn. 2. Afl. (127) 8⁰ Wien, L Weiss 05. 5.40
Stern, S: Ausbildg d. Fahrrinne d. oberösterr. Donau, s.: Verbands-Schriften d. deutsch-österr.-ungar. Verbandes f. Binnenschiffahrt.
Stern, S, s.: Untersuchungen, chem. u. medicin.
Stern, S: Der Kampf d. Rabbinergeg. d. Talmud im XVII. Jahrb. Vorher gaht: Relig. d. Individuums u. Relig. d. Volkes. (344) 8⁰ Bresl., Schles. Buchdr. usw. 02. 5 —; geb. 6.50
— Tolstoi, Zola u. d. Judentum. Vortr. (14) 8⁰ Frankf. a/M., J Kauffmann 08. — 50
Stern, V: Calas. Tragödie. Neue Afl. (188) 8⁰ Wien, J Eisenstein & Co. 05. 3 — d
— Lukas u. Crescenz, d. wahre Ehebruchs-Tragödie. (152) 8⁰ Lpzg, Lit. Anst. 03. nn 2.50 d
Stern, W: Die Schlüsselgewalt d. Ehefrau n. d. BGB. auf d. Grundl. d. deut. Rechts. (94) 8⁰ Berl., Struppe & W. 05. 2 —
Stern, W: Die allg. Principien d. Ethik auf naturwiss. Basis. (29) 8⁰ Berl., F Dümmler's V. 01. 1 —
— Das Wesen d. Mitleids. (51) 8⁰ Ebd. 05. 1.50
Sternaux, J: Marquise Pari. (148) 8⁰ Faderb., F Schöningh 04. Kart. 1.35 d
Sternbach, F: Dunkle Stunden. Gedichte. (70) 8⁰ Dresd., E Pierson 04. 1.50; geb. 2.50
Sternbauer, W: De Profundis. Dichtgn. (91 m. Abb.) 8⁰ Münch., A Schupp (01). (Lpzg, F Förster.) L. nn 3 — d
Sternberg: Der Familien-Arzt. (Neue Ausg. m. anatom. Abb.) (81 u. 4) 8⁰ Neuweissens., E Bartels (o.). 1.50 d
Sternberg s.: Hansarzt, d. prakt.
Sternberg, A v.: Moosgrüne Märchen. 5. Afl. (107) 8⁰ Lpzg, Verl.-Anst. M Minde (04). 1.50 d
Sternberg, Graf A: Militär, Federzeichngn. (84) 8⁰ Berl., Herm. Walther 04. 1.50
— Polit. Federzeichngn. (178) 8⁰ Ebd. 05. 2 —
— Die böhm. Frage. Anh.: Programm d. staatsrechtl. Partei. (133) 8⁰ Prag, (Grosman & Svoboda) 04. 1 —
— Die Frage d. Ehrengerichte. (19) 8⁰ Brünn 04. (Wien, C V. Hölzl.) — 40
— Jenseits v. Essen u. Trinken. Novellen u. Gedichte. (144) 8⁰ Wien, (8 Bensinger) 05. 4 — d

Stæude, EG: Christentum u. Welt. 5 apologet. Vortr. u. Aufsätze. (78) 8° Gütersl., C Bertelsmann 01. 1.20 d
— Entwickelg u. Offenbarg, s.: Christentum u. Zeitgeist.
— Gedanken üb. e. zeitgemässe Erteilg d. Relig.-Unterr. in d. Volkssch. Vortr. (17) 8° Glauch., A Peschke 02. — 30 d
— Hülfsb. f. d. Relig.-Unterr. in d. ob. Kl. d. höh. Lehranst. (126) 8° Gütersl., C Bertelsmann 03. 2 —; geb. 2.50 d
— Komm u. siehe es. Aufsätze u. Vorträge f. d. Suchenden unter d. Gebildeten. (229) 8° Ebd. 02. 2 —; geb. 2.80 d
— Die christl. Relig. u. d. Naturwiss., s.: Christentum u. Zeitgeist.
Stæudel, F: Gesch. d. christl. Relig. im Abriss. Für d. Hand d. Schüler bearb. (25) 8° Brem., G Winter 01. Kart. — 60 d
— Konfirmations-Feier in d. St. Remberti-Kirche zu Bremen '03- (23) 8° Ebd. 03. — 30 d
— dass. '05- (16) 8° Ebd. (05). — 30
— Konfirmationsrede, geh. in d. St. Remberti-Kirche. (15) 8° Ebd. (04). — 30
— Lebensfreude. Relig. Reden f. Denkende u. Suchende. (125) 8° Ebd. 01. 2 —; L. 3 — d
— Das Reich Gottes. Predigt. (8) 8° Ebd. (03). — 20 d
— Bremer Wanderb. 1. u. 2. Afl. (259 bezw. 280 m. je 30 Pl.) 8° Ebd. 04.05. Geb. 4 —
Stending, H: Hilfsb. f. d. deut. Unterr. (155) 8° Lpzg, Dürr'sche Bh. 03. Geb. 2 — d
— s.: Lesebuch, deut., f. sächs. Gymnasien.
— Griech. u. röm. Mythol. (Götter- u. Heldensage), s.: Sammlung Göschen.
Stæudner, E: Ein Mitkämpfer d. Buren üb. s. Erlebnisse im südafrikan. Kriege. (47 m. Abb. u. Bildnis.) 12° Warnsdf, A Opitz (01). — 50
Stæur, E: Wie finde ich d. richt. Ausdruck? Hilfswrtrb. (95) 8° Berl., H Steinitz (04). 1 — d
Stæur, F: Zur Kritik d. Flugschriften üb. Wallensteins Tod. [S.-A.] (88) 8° Prag, (JG Calve) 05. 1.10 d
Stæur, L: Die rechtl. Natur d. Theaterbillets n. gemeinem u. n. d. Rechte d. BGB. (63) 8° Berl., Struppe & W. 02. 2 — d
Stæur, M: Zur Musik. Geschichtliches, Asthetisches u. Kritisches. (167) 8° Lpzg, B Senff 03. 2.50 d
Stæur, P: Flachmalereien. 130 Motive in streng modernem Stil z. dekorativen Ausmalg sämtl. Räume d. Hauses. (20 Taf. m. 3 S. Text.) 48,5×36,5 cm. Berl., O Baumgärtel (03). In M. 24 —
Stæur, W: Methodik d. Rechenunterr. nebst e. Abr. e. Unterr.-Ganges in d. Raumlehre. Hdb. f. Seminaristen u. Seminaristinnen, Lehrer u. Lehrerinnen. 8. Afl. (459) 8° Bresl., M Woywod 03. — 80; geb. im 5.25 d
— Raumlehre f. Volkssch. (52 m. Fig.) 8° Ebd. 04. Kart. — 45 d
— Rechenaufg. z. Invaliditäts- u. Alters-, Kranken- u. Unfallversicherg. 45. Afl. (8 m. Auflösgn 2) 8° Ebd. 01. — 05 d
— Rechenb. Ausg. in 3 Heften. 8° Ebd. 01. 'Je — 90 d
    I. 3. Afl. Der Ges.-Ausg. 163. Afl. (60 m. 1 Abb.) | II. 3. Afl. Der Ges.-Ausg. 196. Afl. (44) | III. 3. Afl. Der Ges.-Ausg. 180. Afl. (63)
— dass. Ausg. in 5 Heften. Heft 5 A. 105. Afl. Der Ges.-Ausg. 122. Afl. (68) 8° Ebd. 01. — 30 d
— dass. Ausg. in 6 Heften. 5. u. 6. Heft. 8° Ebd. 02. Je — 30 d
    V. 113. Afl. Der Ges.-Ausg. 151. Afl. (64) | VI. 37. Afl. Der Ges.-Ausg. 44. Afl. (72)
— dass. Ausg. in 7 Heften. 5—7. Heft. 8° Ebd. 01. Je — 30 d
    V. 104. Afl. Der Ges.-Ausg. 121. Afl. (56) | VI. 14. Afl. Der Ges.-Ausg. 45. Afl. (56) | VII. 14. Afl. (72)
— Rechenb. f. ob. Kl. d. Mädchensch. Als Fortsetzg zu Heft V d. „Rechenb." in d. Ausg. in 6 Heften od. zu Heft VI d. „Ausg. in 7 Heften. 3. Afl. (102 m. Fig.) 8° Ebd. 02. Kart. — 50 d
— Eine Sammlg angewandter Aufg. f. d. Kopfrechnen, nebst ausführl. Lehrg. f. Kopf- u. schriftl. Rechnen. 8. Afl. (71) 8° Ebd. 01. 1 — || 2. (Schl.-)Heft. (84 m. 5 Taf.) 01. 1.50 d
— Stoffverteilgspl. f. d. Rechenunterr. in 7—8klass. Schulen. (5 Bl.) Fol. Ebd. 01. Gebr. in 8° — 25 d
Stæur, W: Die altfranzös. „Hist. de Joseph'. Krit. Text m. e. Untersuchg üb. Quellen, Metrum u. Sprache d. Gedichts. (186) 8° Erl., F Junge 03. 4.80
Stæur, W: Ergänzgs-Vokabularium zum latein.Übgsb.v.Busch-Fries. 1.Tl: Für Quinta. (29) 8° Lpzg, KW Hiersemann 04. 1.20 d
    Für Quarta. (28) 04. Je — 40 d
Stæur-Erklärungsheft zu Abschriften d. Steuer-Erklärgn u. Vermögensanzeigen. (44) 4° Arnsbg, FW Becker (05). — 60 d
Stæuergesetzgebung, d., d. deut. Bundesstaaten üb. d. Versicherigswesen(hrsg. v.A Emminghaus), s.: Veröffentlichungen d. deut. Ver. f. Versicherigs-Wiss.
Stæuerleistung, d. nationale, u. d. Landeshaushalt im Kgr. Böhmen. Antwort auf d. Erwäggn d. Prof. Dr. Freih. Wieser. Übers. v. G Hoetzel. (114 m. 2 Tab.) 8° Prag, (Bursik & Kohout) 05. 1 —
Stæuern, d. directen, Zusammenstellg d. Vorschriften z. Benützg f. d. Steuerämter. (319) 8° Wien, (Hof- u. Staatsdr.) 05. 3 — d
— d. directen, in Preussan, f. d. Gebr. d. Apotheker bearb. 3. Afl. Hrsg. v. deut. Apotheker-Ver. (51) 8° Berl., Selbstverl. d. deut. Apotheker-Ver. 04. 1 —
Stæuernagel, C: Method. Anl. z. hebr. Sprachunterr. (Im Anschl. an d. Verf. hebr. Grammatik.) (47) 8° Berl., Reuther & R. 05. 1 —
— Die Einwanderg d. israelit. Stämme in Kanaan. (131) 8° Berl. 01. Lpzg, M Heinsius Nf. 3.60
— Die Entstehg d. deuteronom. Gesetzes, kritisch u. biblisch-

theologisch untersucht.(Neue [Tit.-]Ausg.)(190) 8° Berl. [1896] 01. Lpzg, M Heinsius Nf. 4 —
Stæuernagel, C: Hebr. Grammatik, s.: Porta linguar. orientalium.
Stæuerreform, d. württemberg., u. d. Sozialdemokratie. Hrsg. v. Landesvorstand d. Sozialdemokraten Württembergs. (80) 8° Stuttg., JHW Dietz Nf. 04. — 50 d
— im Kt. Zürich, s.: Publikationen, wirtschaftl., d. Zürcher Handelskammer.
Stæuerreklamant u. Ratgeber, prakt., f. steuerzahl. Bürger. Zum Gebr. f. 5 Jahre eingerichtet. (136) 8° Mülh. a/R., J Bagel (04). 1 — d
Stæuert, L: Die kgl. bayer. Akad. Weihenstephan u. ihre Vorgesch. (358 m. Abb. u. 2 Bildn.) 8° Berl., P Parey 05. 6 — d
— Das Rind v. gesunden u. kranken Haustier. 3. Afl. Mit e. Anh. üb. Viehkauf u. Verkauf, Pflege d. Ausstellgstiere, Viehtrausport u. Versicherg. (467 m. Abb.) 8° Ebd. 04. L. 5 — d
— Nachbars Pferdezucht. Prakt. Ratschl. f. mittl. u. kl. Züchter. (138 m. Abb.) 8° Ebd. 01. Kart. 2.50 d
— Nachbars Rat in Viehnöten od. Wie d. Landmann erkranktes Vieh pflegen u. heilen soll. 2. Afl. (184 m. Abb.) 8° Ebd. 02. Kart. 2.50 d
— Nachbars Rinderzucht. Prakt. Ratschl. f. Landwirte. (132 m. Abb.) 8° Ebd. 01. Kart. 2.50 d
— Nachbars Schweinzucht. Prakt. Ratschläge. (140 m. Abb.) 8° Ebd. 01. Kart. 2.50 d
Stæuertermin, d. verunglückte, s.: Gabelsberger-Bibliothek.
Stæuerwald, W: Engl. Leseb. f. höh. Lehranst. Mit Wrtrb. 3.Afl. (390) 8° Stuttg., Muth 06. Geb. 3.20
— Übersetzg d. Abiturientorialaufg. a. d. französ. u. engl. Sprache an d. humanist. Gymnasien, Realgymnasien u. Realsch. Bayerns. 3. Afl. A u. B. 8° Stuttg., Muth 02. Geb. 2.50; in 1 Bd geb. m. Nachtr. bis 1904. (300 u. 15) 05. 2 —
    A. Französ. Aufg. (127) 1.50 | B. Engl. Aufg. (179—200) 1 —
Stæup, FW: Petits contes pour les enfants par l'auteur des oeufs de pâques. Mit Sprechübgn u. Wortregister. 20. Afl. (137) 8° Liegn., H Krumbhaar 05. 1 —
Stæurich, E: Wie e. Bauernjunge e. Edelmann u. General wurde (Henniges v. Treffenfeld). — Der Kommandant v. Arguin, Kapitän J Wynen. — Am Nonnenloch. — Swantewits Fall, s.: Jugend- u. Volksbibliothek, deut.
Stevenson, RAM: Velazquaz. Übers. u. eingeleitet v. E Frhr v. Bodenhausen. (166 m. Titelbild u. 23 Taf.) 8° Münch., Verl.-Anst. F Bruckmann 04. 4 —; geb. 5 —
Stevenson, RL: Der seltsame Fall d. Doktor Jekyll u. d. Herrn Hyde. 2. Afl. (164) 8° Bresl., Schles. Buchdr. usw. 05. 1 —; geb. 2 — d
— The bottle imp. — Baildon, HB: RL Stevenson's life and work. Mit Wort- u. Sacherklärgn hrsg. v. A Kroder. (76 m. 1 Kartenskizze.) 8° Nürnbg, C Koch 05. Kart. u. geb. — 75
— Die Schatzinsel. Erzählg. Deutsch v. L L. 2. Afl. (234 m. 8 Farbdr.) 8° Lpzg, O Spamer (02). Geb. 3 — d
— In the South Seas. — Tales and fantasies, s.: Collection of Brit. auth.
— Treasure island, s.: Reformbibliothek, neusprachl. (J Ellinger)
Stever: Kaiserl. deut. Botschaft in Paris, ehemals Hôtel du Prince Eugène Beauharnais. [S.-A.] (8 m. Abb. u. 5 Taf.) Fol. Berl., W Ernst & S. 03. Kart. 4 —
Stévovitch, JN: Dict. de poche franç.-serbe. (406) 16° Belgrad, E Eichstädt 01. L. 4 —
Stewart, CT: Grammat. Darstellg d. Sprache d. St. Pauler Glossars zu Lucas. (44) 8° Berl., Mayer & M. 01. 1.20
Steyer, R: Die verschied. Gerbverfahren u. Gerberei-Rezepte f. d. Loh-, Chrom- u. Weissgerberei. (187 m. Bildnis.) 8° Berl., Kampfmeyer'scher V. —
Steyert, G: Der dingl. Vertrag im BGB. (56) 8° Strassbg, (J Singer) 05. 1.50
Steyregger, S: Die Perl. Roman. 1—3. Taus. (294) 8° Wien, J Deubler 03. 3.50; geb. 4.20 d
— Der Substitut. Eisenb.-Katastrophe in 1 Akt. (47) 8° Linz (03). Wien, J Deubler. 1 —
Steyrer, J: Der Ursprg u. d. Wachstum d. Sprache indogerman. Europäer. (176) 8° Wien, A Hölder 05. 5.20
Stiassny, E, s.: Chemiker-Zeitung, österr.
Stiassny, R: Altsalzburger Tafelbilder, s.: Jahrbuch d. kunsthistor. Sammlgn d. allerh. Kaiserhauses.
Stiassny, S: Die Pfahlg. Eine Form d. Todesstrafe. (78) 8° Wien, Manz 03. 2 — d
Stibert, R: Galileo Galilei. Trauersp. (105) 8° Berl., F Wunder 01. 2 —; geb. 3 — d
Stibitz, J: Reigen. 1. Büchl. Heimatskizzen a. deutsch-böhm. Geländen. (130) 8° Lpzg, F Rothbarth (04). un 1.50 d
Stibler, C: Das Christgeschenk, s.: Schul- u. Vereinsbühne, christl.
Stich, C: Bakteriol. u. Sterilisation im Apothekenbetrieb. Unter Mitwirkg v. H Vörner hrsg. (83 m. Fig. u. 3 L.) 8° Berl., J Springer 04. L. 4 —
Stich, H: Mark Aurel, d. Philosoph auf d. röm. Kaiserthron, s.: Gymnasial-Bibliothek.
Stichel, H: Mark Aurel, d. Philosoph auf d. röm. Kaiserthron, s.: Gymnasial-Bibliothek.
Stichel, H: Ein H Riffarth: Heliconiideae, s.: Tierreich, d.
Stichler, C: Zur Vorgesch. d. Entdeckg Russlds z. See durch d. Engländer im XVI.Jahrh. (26) 8° Zür., (A Müller's V.) 05. — 50

Stichregulativ f. d. sächs. Schiffchenstickerei. (12 m. Abb. u.
 ≥ Taf.) 4° Plauen, (A Lohmann) 04. — 30 d
Stichtenoth, A: General-Reg., s.: Nachrichten, astronom.·
Sticinsky, A v., s.: Gesetz, d., üb. d. Stempelsteuer.
Stickelberger, E, s.: Blätter, schweiz., f. Ex Libris-Sammler.
— Das Exlibris (Bibliothekszeichen) in d. Schweiz u. in Deutschl.
 (319 m. Abb. u. ≥ Taf.) 8° Bas., Helbing & L. 04. L. (10 —) 12 — d
Stickelberger, H: Jeremias Gotthelf. Ansprache. [S.-A.] (8) 8°
 Zür., Art. Instit. Orell Füssli (01). nn — 25
Sticker, A, s.: Jahresbericht üb. Veterinär-Medicin.— Karzinom-
 literatur.
— Ueb. d. Krebs d. Thiere, insbes. üb. d. Empfänglichk. d.
 verschied. Hausthierarten u. üb. d. Unterschiede d. Thier-
 u. Menschenkrebses. [S.-A.] (145) 8° Berl., A Hirschwald 02. 3.60
Sticker, G: Die Entwicklg d. ärztl. Kunst in d. Behandlg d.
 hitz. Lungenentzündgn. (73) 8° Wien, A Hölder 02. 2 —
— Gesundheit u. Erziehg. Eine Vorschule d. Ehe. 2. Afl. (275)
 8° Giess., A Töpelmann 03. Geb. 5 — d
— s.: Psychiatrie etc.
Stickereien, moderne. Ausw. moderner Stickerei-Arbeiten in
 jeder Technik, sowie neuzeitl. Entwürfe hervorrag. Künstler
 u. Künstlerinnen. (58 m. Abb. u. 6 farb. Taf.) 4° Darmst.,
 Verl.-Anst. A Koch (01). 4.50; 2. unveränd. Afl. (04.) Kart. 6 —
 ‖ II. Serie. (80 m. z. Tl farb. Abb.) (05.) L. 6 —
Stieber, F: Nimbus, s.: Kürschner's, J, Bücherschatz.
Stieber, J: Der Hausadministrator, s.: Seltsam, F.
Stieber, M: Das österr. Landrecht u. d. böhm. Einwirkgn auf
 d. Reformen König Ottokars in Österr., s.: Forschungen z.
 inneren Gesch. Österr.
Stieber, P: Man isst e. Stück Apfeltorte. Operette. Op. 35.
 Vollständ. Text- u. Regieb. (30) 8° Lpzg, CFW Siegel (04). — 60 d
— Familie Bock auf d. Maskenballe. Operette. Op. 13. Vollständ.
 Text- u. Regie-B. (43) 12° Ebd. (01). — 60 d
— Die Dienstboten-Versammlg. Operette. Vollständ. Text- u.
 Regie-B. (26) 8° Ebd. (02). — 60 d
— Sprechen Sie m. meiner Mama, s.: Glaser's, C, Theater-Bi-
 bliothek.
— Die Fürstin Patschouli od. Friseure auf Reisen. Operette.
 Text u. Musik v. St. Op. 28. Vollständ. Text- u. Regieb. (44)
 8° Lpzg, CFW Siegel (03). — 90 d
Stieda. L: Anatomisch-archäolog. Studien. I. Üb. d. ält. bildl.
 Darstellgn d. Leber. Anatomisches üb. altital. Weihegeschenke.
 (Donaria.) [S.-A.] (131 m. 5 Taf.) 8° Wiesb., JF Bergmann
 01. 6 —
Stieda, W, s.: Abhandlungen, volksw. u. wirtschaftsgeschichtl.
— Die Anfänge d. Porzellanfabrikation auf d. Thüringerwalde,
 s.: Beiträge z. Wirtschaftsgesch. Thüringens.
— Ilmenau u. Stützerbach. e. Erinnerg an d. Goethe-Zeit. (97
 m. 1 Taf.) 8° Lpzg 02. Berl., H Seemann Nf. 2 —; geb. 3 —
— Üb. d. Quellen d. Handelsstatistik im M.-A. [S.-A.] (58) 4°
 Berl., (G Reimer) 03. 2.50
Stiefel, AL: Poesie u. Schule. Vortr. (35) 8° Zür., A Müller's V.
 02. — 60
— Roden u. Vorträge. (172) 8° Ebd. 04. 2.50; L. nn 3.50 d
Stiefmutter, d., v. Margareta, s.: Ensslin's Roman- u.'No-
 vellenschatz.
[Stiegele, P.] Gedenkblätter a. d. Leben u. schriftl. Nachlasse
 d. Domkapitulars P Stiegele. Von B Rieg. 2—4. Bd. 8° Rottenbg,
 W Bader. 12.60; L. nn 15.90 d
 2. Fastenpredigten 1. u. 2. Abt. (498) 05. 4.90; geb. nn 4.60 ‖ 3. Aus-
 gew. Predigten. (498) 05. 4.90; geb. nn 6 — ‖ 4. Exerzitienvorträge. (422)
 05. 4.90; geb. nn 5.30.
 Der 1. Bd ist noch nicht erschienen.
Stieglmann, A: Das relig. Leben d. Hindus, s.: Christentum
 u. Zeitgeist.
Stieger, F: Untersuchgn üb. d. Syntax in d. angelsächs. Gedicht v. „Jüngsten Gericht". (130) 8° Rost., (H Warkentien)
 02. v —
Stieger, G: Die Landw. in d. Nord-Zentralstaaten v. Nordamerika, s.: Arbeiten d. deut. Landw.-Gesellsch.
— Die Stellg d. Landw. in d. deut. Volkswirtschaft. („Industrie-
 staat u. Agrarstaat".) (58) 8° Stuttg., E Ulmer 03. 1 — d
Stieger, W: Anl. z. Quark-Bereitg u. z. Handkäse-Fabrikation.
 (37 m. Abb.) 8° Lpzg, M Heinsius Nf. 01. 1 —
— Die Hygiene d. Milch. Hygien. Gewinng, Behandlg u. Aufbewahrg v. Milch, Milchprodukten u. and. Nahrgsmitteln sowie d. Wissenswertes te bei d. Gewinng u. Prüfg d. Milch.
 (314 m. Abb. u. 15 Taf.) 8° Ebd. 02.
Stiegler, MA: Dispensation, Dispensationswesen u. Dispensa-
 tionsrecht im Kirchenrecht. 1. Bd. (375) 8° Mainz, F Kirchheim 01. 7 —
Stieglitz, H: Ausgeführte Katechesen üb. d. Gebote Gottes f.
 d. 6. Schulj. (219) 8° Kempt., J Kösel 03. ‖ 2. Afl.
 Je 1.80; L. je 2.40 d
— dass. üb. d. kathol. Glaubenslehre f. d. 6. Schulj. (332) 8°
 Ebd. 02. ‖ 2. Afl. (352) 03. Je 2.40; L. je 3 — d
— dass. üb. Kirchengebote, Sünde, Busse f. d. 4. Schulj. (311)
 8° Ebd. 04. ‖ 2. Afl. (329) 05. Je 2.40; L. je 3 — d
— Reuemotive f. d. Kinderbeicht. (107) 8° Ebd. 04. ‖ 3. Afl. (110)
 05. Je 1 —; L. je 1.50 d
— Die Sonntags-Evangelien, erklärt f. d. kathol. Volks-Sch.
 (335) 8° Ebd. 05. 2.40; L. 3 — d

Stieglitz, W, v.: Erinnergs-Blätter a. meiner Jubiläums-Wall-
 fahrt n. Rom. (136 m. Titelbild.) 8° Wiesb., (G Quiel) 01.
 2 —; L. 2.50 d
Stiehl, C: Gesch. d. Theaters in Lübeck. (244 m. Bildnis.) 8°
 Lüb., Gebr. Borchers 02. (4.50) 1.50; geb. (5.50) 2.40 d
Stiehl, E: Eine Mutterpflicht. Beitrag z. sexuellen Pädagogik.
 (46) 8° Lpzg 02. Berl., H Seemann Nf. — 50 d
Stiehl, O: Moderne Backsteinbauten. 2. Bd d. „Ausgeführten
 Backsteinbauten d. Gegenwart". (In 10 Lfgn.) 1. u. 2. Lfg.
 (20 Taf. m. 4 S. Text.) 50×34,5 cm. Berl., E Wasmuth (03-05).4
 In M. je 10 —
 Der 1. Bd erschien u. d. T.: Backsteinbauten, ausgeführte, d.
 Gegenwart.
— Mittelalterl. Baukunst u. Gegenwart. Festrede. Nebst Jah-
 resberichts d. Architekten-Ver. zu Berlin, erstattet v. E Beer.
 (31) 8° Berl., W Ernst & S. 03. 1 —
— Die mustergilt. Kirchenbauten d. M.-A. in Deutschl., s.:
 Schaefer, C.
— Kunst od. Kunstgesch.? Wiederherstellg od. Zerfall d. Heidel-
 berger Schlosses? (16) 8° Berl., Gose & T. (04). — 40
— Das deut. Rathaus im M.-A. in sr Entwicklg geschildert.
 (167 m. Abb.) 4° Lpzg, EA Seemann 05. 9 —; geb. 10.50 d
— Die Sammlg u. Erhaltg alter Bürgerhäuser. Denkschrift. (20
 m. Abb.) 8° Berl., W Ernst & S. 05. 1 — d
Stiehl, P, s.: Etwas üb. Freimaurerei.
Stiehler, G: Das Kaufmannsgericht. Enth. Text u. Erläutergn
 d. Kaufmannsgerichts-Ges. u. d. darin angezog. Bestimmgn d.
 Gewerbegerichts-Ges. u. d. Wissensworte dazu a. d. Handels-
 bürgerl. u. Krankenversicherngs-Recht. (128) 8° Halle, Bh. d.
 Waisenh. 05. Kart. 1.50 d
Stiehler, H: Goethes Leben u. Wirken. [S.-A.] (57) 8° Berl.,
 A Weichert (02). 1 — d
— Schillers Leben u. Wirken. [S.-A.] (66) 8° Ebd. (02). 1 — d
Stiel, P: Der Tatbestand d. Piraterie, s.: Abhandlungen, staats-
 u. völkerrechtl.
Stiel, W: Die Gewinnbeteiligg d. Arbeit. Ihre soz. Bedeutg
 u. Durchführbark. (114) 8° Dresd., OV Böhmert 05. 2 — d
Stieler's Hand-Altas. 100 (farb.) Karten in Kpfrst. m. 162 Ne-
 benk. 9. Afl. 50 Lfgn je 2 Bl. je 34×41,5 cm. Gotha, J Perthes
 (01-05). Je —; auch in 10 Abtlgn zu 3 —; alphabet. Namen-
 verz. (237) 41,5×26,5 cm. 3.50; geb. 7.50 (Vollst. geb.: 38 —;
 in Prachtbd 42 —; m. ungebroch. Kart. 37.50)
 Hieran in Sonderausg. m. Namenverz., auf L. in L.-Decke:'
 Alpenländer in 2 Bl. (Ababwür v. Karten 3). 1:925,000. Bearb. v. C.
 Scherrer u. H Habenicht. 34×38 cm. (58) 8° 3 —
 Australien in 4 Bl. 1:5,000,000. Bearb. v. H Haack. 67×53,5 cm. (02) 8° 5 —
 Balkanhalbinsel in 4 Bl. 1:1,500,000. Entworfen v. C Vogel, bearb. v. R
 Doman. 83×64,5 cm. (48) 8° 5 —
 Frankr. in 4 Bl. 1:1,500,000. Bearb. v. C Vogel. 67×54 cm. (98) 8° 5 —
 Italien in 4 Bl. 1:1,500,000. Bearb. v. C Vogel. 83×69 cm. (40) 8° · 5 —
 Österr.-Ungarn in 4 Bl. 1:1,000,000. Bearb. v. C Vogel. 68×54 cm. (92)
 8° 5 —
 Pyrenäische Halbinsel (Umschl.: Spanien u. Portugal) in 4 Bl. 1:1,500,000.
 Bearb. v. C Vogel. 67×53 cm. (60) 8° 5 —
 Europ.Russl. u. Nordskandinavien in 6 Bl. 1:3,700,000. Bearb. v. R Kie-
 pert u. H Habenicht. 107×58 cm. (102) 8° 7 —
 Verein. Staaten v. (Nord-)Amerika in d Bl. 1:2,700,000. Bearb. v. H
 Habenicht. 89×106 cm. (127) 8° 7 —
 Die Sonderausg. werden auch auf L. m. St., jedoch ohne Namen-
 verz., zu gl. Preisen geliefert, Namenverz. allein bezogen je 1.20.
Stieler, D: Gedichte. 1. u. 2. Afl. (155) 12° Stuttg., A Bonz &
 Co. 01.02. L. 3 — d
— Nussen. Gedichte in oberbayr. Mundart. (102) 8° Ebd. 06.
 1.80; L. 2.80 d
Stieler, K: Hochlands-Lieder. 11. Afl. (204) 8° Stuttg., A Bonz
 & Co. 05. ‖ Neue Hochlands-Lieder. 6. Afl. (178) (02.) Je 3.80;
 L. je 5 — d
— Habt's a Schneid!? Neue Gedichte in oberbair. Mundart.
 11. Afl. (128 m. Abb.) 8° Ebd. (02). Kart. 3 —; L. 4 — d
— Wanderzeit. Ein Liederb. 5. Afl. (94) 12° Ebd. 04. L. nn 4 — d
— Weil's mi' freut! Neue Gedichte in oberbair. Mundart. 13. Afl.
 (22, 144 m. Abb.) 8° Ebd. (02). Kart. 3 —; L. 4 — d
— Ein Winter-Idyll. 35. Afl. (47 m. Bildnis.) 8° Ebd.
 L. m. G. 4 — d
Stiemke, J: Ein Wort an unsher. Lehrer. Wie erziehen wir
 d. Kinder z. Bekenntnistreue?, s.: Saatkörner a. d. ev.-lu-
 ther. Kirche.
Stiepan, O: Der Zeichenunterr. in d. ersten 5 Schulj. (7 m.
 11 z. Tl farb. Taf.) 8° Wien, A Pichler's Wwe & S. 04. 1.50
Stier, A: Lederstrumpf. — Der Pfadfinder, s.: Cooper, JF.
Stier, A: Jesus v. Nazareth. Bilder a. d. Evangelien. (131 m.
 4 Titelbildern.) 8° Lpzg, Jacobi & Quillet 05. L. 4 — d
Stier, E: I. van Beethoven's Sonaten f. Pianoforte u. Violine,
 s.: Musikführer, a.
Stier, E: Stoffe f. d. deut. Sprachunterr. in d. Unter- u. Mit-
 telkl. höh. Lehranst. 2 Abtlgn. 3. Afl. 8° Brnschw., E Appel-
 hans & Co. 05. Kart. 1.80 d
 1. (Sexta u. Quinta.) (217) — 80 ‖ 2. (Quarta u. Tertia.) (116) 1 —
Stier, E: Abschiedspredigt zu St. Marien in Dessau. (9) 8°
 Dess., (A Haarth) (02). — 40 d
Stier, E: Fahnenflucht u. unerlaubte Entferng, s.: Grenz-
 fragen, juristisch-psychiatr.
— Ueb. Umstellg u. Behandlg v. Geisteskrankh. in d. Armee.
 (43) 8° Hambg, Gebr. Lüdeking 02. 1 —
Stier, G: Causeries franç. Hilfsmittel z. Erlerng d. französ.
 Umgangssprache. 2. Afl. (31, 256) 8° Cöth., O Schulze V. 01.
 Geb. 2.80 ‖ 3. u. 4. Afl. (306) 03.05. Geb. 3 — d

Stier, G: Petites causeries franç. Hilfsmittel z. Erlerng d. französ. Umgangssprache. Für d. höh. Knaben- u. Mädchensch. (104) 8° Cöth., O Schulze V. 03. ‖ 2. Afl. (140) 04. Geb. je 1.25 d
— A Paris. Enth. alle nöt. Aufklargn üb. d. Pariser Sitten u. Gebräuche, nebst d. französ. Wendgn, welche f. d. Reisenden unentbehrlich sind. 2. Afl. (78) 8° Ebd. 01.   1 — d
— Kl. Syntax d. französ. Sprache. (135) 8° Ebd. 04. Geb. 1.70 d
— Little Engl. talks. Hilfsmittel z. Erlerng d. engl. Umgangssprache. Für d. höh. Knaben- u. Mädchensch. (114) 8° Ebd. 03.   Geb. 1.30 d
— Übgsb. z. Übers. a. d. Deut. in d. Französ. (216) 8° Ebd. 06.   Geb. 2.10 d
— Englisch-deut. Vokabular f. d. höh. Lehranst. (150 m. 1 Pl.) . 12° Bielef., Velhagen & Kl. 03.   Geb. 1.50 d
— Französisch-deut. Vokabular. Zum Gebr. f. d. mittl. Kl. d. höh. Lehranst. (120 m. 1 Pl.) 12° Ebd. 02. Geb. 1.20 ‖ 2. Afl. (134 m. 1 Pl.) 04. Geb. 1.50 d
Stier, GT: Der prakt. Werkmann. Hand-, Hilfs- u. Lehrb. f. Schlosser, Mechaniker, Werkzeugmacher usw., m. bes. Berücks. d. Lehrlingsausbildg. (In ca 20 Heften.) 1—4. Heft. (1—128 m. Abb. u. Tab.) 8° Lpzg, M Schäfer (05).   Je — 50
Stier, H: Rechenhefte f. d. Unter- u. Mittelkl. d. Realsch. u. Gymnasien. 1—3., 5. u. 6. Heft. 8° Chemn. Lpzg, M Hesse. 4.20 d
I. u. Afl. (45) (03.) — 60 ‖ II. 6. Afl. (57) (05.) — 80 ‖ III. 6. Afl. (52) (02.) — 80 ‖ V. 3. Afl. (52) (01.) 1 — ‖ VI. 3. Afl. (70) (01.) 1 —
Stier, H: Bertrichs Heilfaktoren. (16) 8° Marbg, O Ehrhardt 03.   — 60
Stier, J: Der rote Freibeuter, s.: Cooper, JF.
Stier, J: Gedanken üb. christl. Relig. Abweisg F Naumanns. (84) 8° Lpzg, Dieterich 05.   1.60
Stier, K, s.: Lesebuch f. ländl. Fortbildgssch.
Stier, R, s.: Schnorr v. Carolsfeld's bibl. Bilder.
Stier-Somlo, F, s.: Abhandlungen a. d. Staats-, Verwaltgs- u. Völkerrecht.
— Der Aufsichtsrat d. Aktiengesellsch. Reformfragen u. Bedenken. (86) 8° Lpzg, A Deichert Nf. 05.   2 —
— Kommentar z. Ges. üb. d. allg. Landesverwaltg, s.: Sammlung, Hayn'sche, verwaltgsrechtl. Ges.
— Unser Mietrechtsverhältnis u. s. Reform, s.: Wohnungsfrage, d., u. d. Reich.
— Der verwaltgsrechtl. Schutz d. Bürger- u. Einwohnerrechts in Preussen. (192) 8° Berl., C Heymann 04.   3 — d
— Dent. Sozialgesetzgebg. Geschichtl. Grundl. u. Krankenversichergsrecht. (4/8) 8° Jena, G Fischer 06. 7.50; geb. 8.50
Stiergefecht, e., in Madrid, s.: Projections-Vorträge.
Stierle, G: Die Haftg f. Tiere im BGB. (114) 8° Stuttg., Holland & J. 04.   2.40
Stierlin, G: Fauna coleopteror. helvetica. Die Käfer-Fauna d. Schweiz. 2. Thl. (662) 8° Schaffh. 1898. (Bern, H Körber.) 14 — (Vollst.: 22 —)
— s.: Mitteilungen d. schweiz. entomolog. Gesellsch.
Stierling, H: Deut. Volkslieder. „Von rosen e. krentzelein", s.: Worte u. Werke, lels.
Stierstorfer, K: Was fordern wir v. d. Haussteuer-Revision u. was bietet uns d. Regierg? (32) 8° Münch., OT Scholl 02.   — 40 d
Stierstorfer, P: Grundz. d. Theorie u. d. Baues d. Dampfturbinen m. Berücks. d. Rotationsdampfmaschinen. (153 m. Fig. u. 16 Tab.) 8° Lpzg, O Leiner 04.   4.75; L. 5.50
— Projektierg elektr. Licht- u. Kraftübertraggsanlagen. (289 m. Abb. u. 14 Taf.) 8° Potsd., A Stein (05).   8 —; L. 9 —
Stieve, F: Der oberösterr. Bauernaufstand d. J. 1626. 2. Afl. Mit e. Geleitwort v. J Strradt u. e. Nachruf v. A Altmann. 2° Lfrg. (2 Bde.) (58, 348 u. 326 m. Bildnis.) 8° Lfrg, Zentraldr. vorm. E Mareis 04.   Je — 60 (1. Bd d)
— s.: Briefe u. Akten z. Gesch. d. 30jähr. Krieges.
Stiffler, J: Das Receptum glauponum (Gastaufnahme-Vertrag) u. d. Haftpflicht d. Gastwirte „ex recepto" in bes. Berücks. d. schweiz. Obligationen-Rechts u. d. BGB. d. deut. Reiches. (103) 8° Chur, (F Schuler) (03).   2 —
Stifler, M: Bad Steben f. Kurgäste u. Ärzte. 3. Afl. (92 m. Abb.), 1 Karte u. 1 Profil.) 8° Hof, R Lion 04.   Kart. 1.25
Stifter's, A, sämmtl. Werke, s.: Bibliothek deut. Schriftsteller a. Böhmen.
— ausgew. Werke. Mit Biogr. d. Dichters. Taschenausg. m. gr. Schrift. (118, 86, 72, 82, 109, 60, 35, 74 u. 76 m. Bildnis.) 8° Bresl., F Goerlich (04).   2 —; L. 3 — d
Hieraus einzeln:
— Abdias. (109) — 30 ‖ Bergkristall. (60) — 20 ‖ Bergmilch. (35) — 10 ‖ Das Heidedorf. (90) — 20 ‖ Der Hochwald. Mit Biogr. (118 m. Bildnis.) — 30 ‖ Kalkstein. (74) — 20 ‖ Katzensilber. (76) — 20 ‖ Der Kondor. — Brigitta. (82) — 30 ‖ Waldsteig. (72) — 20
— Abdias. (153) 12° Lpzg, CF Amelang (02).   Kart. 1 — d
— dass., s.: Hesse's, M, Volksbücherei. — Weber's, F, Hausbibliothek.
— Bergkristall, s.: Gerlach's Jugendbücherei. — Meyer's Volksbb.
— Weber's, F, Hausbibliothek.
— Bergmilch, s.: Weber's, F, Hausbibliothek.
— Brigitta. (121) 12° Lpzg, CF Amelang (03).   Kart. 1 — d
— dass., s.: Bibliothek, grüne. — Bibliothek, kl. — Meyer's Volksbb.
— Erzählgn. Ges. u. d. Nachlasse entnommen. Hrsg. v. J Aprent. 8. Afl. (428) 8° Lpzg, CF Amelang (02).   L. 3 — d
— dass. Bill. Volksausg. (551) 8° Osnabr., B Wehberg 03. 1.50 d

Hinrichs' Fünfjahrskatalog 1901—1905.

Stifter, A: Feldblumen. (Min.-Ausg.) (128) 8° Lpzg, CF Amelang 04.   Kart. 1 — d
— dass., s.: Volksbücherei.
— Grasit, s.: Jugendschriften, hrsg. v. Lehrerhausver. f. Oberösterr. — Reuter's Bibliothek f. Gabelsb.-Stenogr. — Volksbücher, steirische.
— Der Hagestolz. (192) 12° Lpzg, CF Amelang (03). Kart. 1 — d
— dass., s.: Universal-Bibliothek.
— Das Heidedorf, s.: Weber's, F, Hausbibliothek.
— Heidedorf u. Weihnachtsabend. (134) 12° Lpzg, CF Amelang (02).   Kart. 1 — d
— Der Hochwald. (174) 12° Ebd. (02).   Kart. 1 — d
— dass., s.: Hesse's, M, Volksbücherei. — Weber's, F, Hausbibliothek.
— dass. Das Heidedorf, s.: Volksbücherei.
— Kalkstein, s.: Weber's, F, Hausbibliothek.
— Katzensilber, s.: Jugendschriften, hrsg. v. Lehrerhausver. f. Oberösterr. — Reuter's Bibliothek f. Gabelsb.-Stenogr.
— Der Kondor, s.: Reuter's Bibliothek f. Gabelsb.-Stenogr.
— dass., Brigitta, s.: Weber's, F, Hausbibliothek.
— Der Kuss v. Sentze, s.: National-Bibliothek, allg.
— Die Mappe meines Urgrossvaters. (205) 8° Lpzg, CF Amelang 03.   Kart. 1 — d
— Aus d. Mappe meines Urgrossvaters, s.: Hesse's, M, Volksbücherei. — Reuter's Bibliothek f. Gabelsb.-Stenogr.
— Nachkommenschaften, s.: National-Bibliothek, allg.
— Der Nachsommer. Erzählg. 5. Afl. (438) 8° Lpzg, CF Amelang 02.   L. 3 — d
— Die Narrenburg. (170) 12° Ebd. (02).   Kart. 1 — d
— dass., s.: Ensslin's Roman- u. Novellenschatz. — Hesse's. M, Volksbücherei.
— Prokopus, s.: National-Bibliothek, allg.
— dass. Die 3 Schmiede ihres Schicksals, s.: Hesse's, M, Volksbücherei.
— Die 3 Schmiede ihres Schicksals, s.: National-Bibliothek, allg.
— 2 Schwestern. (170) 12° Lpzg, CF Amelang 02. Kart. 1 — d
— Eine Selbstcharakteristik d. Menschen u. Künstlers, s.: Fruchtschale, d.
— Der fromme Spruch, s.: National-Bibliothek, allg.
— Bunte Steine. Ein Festgeschenk. 14. Afl. (238) 8° Lpzg, CF Amelang 02.   L. 2.50 d
— dass., s.: Bücherei, deut. — Bücherei f. d. Jugend (H Stökl).
— Hesse's, M, Volksbücherei.
— Studien. 10. Afl. 2 Bde. (468 u. 486) 8° Lpzg, CF Amelang 04.   L. 6 — d
— dass. Jubiläumsausg. 2 Bde. (583 u. 603) 8° Ebd. 05. L. 6 —; einz. Bde geb. 3 — d
— dass. Mit Illustr. v. F Hein u. F Kallmorgen. I. u. II. Bd. 8° Ebd.   L. je 3.50 d
I. 3. Afl. (297) 03. ‖ II. 2. Afl. (357) (05.)
— dass. Bill. Die. Neue Taschenausg. Mit e. Einl. v. J Schlaf. (687 u. 701) 8° Lpzg, Insel-Verl.(04). L. (7.50) 6 —; Ldr (10 —) 8 —
— dass. Bill. Volksausg. (Umschl.: 2. Afl.) 2 Bde. (620 u. 645 m. Bildnis.) 8° Osnabr., B Wehberg 05.   3 — d
— Der Waldbrunnen, s.: National-Bibliothek, allg.
— dass. Nachkommenschaften, s.: Hesse's, M, Volksbücherei.
— Aus d. bair. Walde, s.: National-Bibliothek, allg. — Reuter's Bibliothek f. Gabelsb.-Stenogr.
— Der Waldgänger, s.: National-Bibliothek, allg.
— dass. Der fromme Spruch. Der Kuss v. Sentze, s.: Hesse's, M, Volksbücherei.
— Der Waldsteig, s.: Verein f. Verbreitg guter Schriften, Zürich. — Weber's, F, Hausbibliothek.
— dass. Der beschriebe. Tännling, s.: Hesse's, M, Volksbücherei.
Stifter, Adalbert, als Schulmann. Festgabe z. Enthüllg d. Stifter-Denkmales in Linz. (78 m. 1 Taf.) 8° Linz, (V Fink) (02).   1 — d
Stiftmessen-Buch, Tabula renovationis SS. Sacramenti u. Gottesdienst-Ordng f. d. Pfarr-Kirche zu . . . (23) 4° Wien, (St. Norbertus) (01).   L. 1.50 d
Stiftshütte, die. Ein Schatten d. wahren, „besseren Opfer". Handleitg f. d. kgl. Priesterthum. (152 m. Abb.) 8° Allegheny 1899. (Elberf., Wachtturm Bibel- u. Tractat-Gesellsch.) — 40 d
Stiftung, d. Jügel'sche, u. d. Gründg akadem. Lehranst. in Frankfurt a. M. Von Academicus. (15) 8° Frankf. a. M., Gebr. Knauer 03.   — 50 d
Stiftungen, d. Franckeschen, zu Halle a. S. in ihrer gegenwärt. Gestalt. 1. u. 2. Afl. (32 m. Abb. u. 1 Pl.) 12° Halle, Bh. d. Waisenhauses 01./03.   nn — 25
Stigler, K: Die Oberrealsch. u. d. Zulassg ihrer Absolventen z. Univers. (22) 8° Wien, Lehmann & W. 05.   — 50
Stigson, S (A Agrell): Aus d. Norden. Erlebnisse. (260) 8° Lpzg (02). Berl., H Seemann Nf.   3 —; geb. 4 — d
Stil, d., in d. bild. Künsten u. Gewerben. Hrsg.: G Hirth. I. Serie: Der schöne Mensch in d. Kunst aller Zeiten. 42.—51. Lfg. 4° Münch., G Hirth.   Je 1 —
42.—51. Lfg. 84. Neuzeit, bearb. v. H Hirth u. E Bassermann-Jordan. (Taf. 73—192 m. illustr. Text 12 u. 16—80) 01./02. (3. Bd vollst.: In M. 15 —)   In L.-M. 19.50; HF. 35 —)
Stilgebauer, E: Aus freudelosem Hause. Novelle. 1. u. 2. Tans. (185) 8° Stuttg., A Bonz & Co. 06.   3 —; L. 4 — d
— Klass. Humor d. Weltlit. (448 m. Abb.) 8° Berl., Deut. Verlagshaus Bong & Co. (03).   L. 4 — d

Stilgebauer, E.: Götz Krafft. Die Gesch. e. Jugend. 4 Bde. 8°
Berl., R Bong (04.05).   Je 4 —; geb. je 5 —
I. Mit 1000 Masten. 1—55. Taus. (416) ‖ II. Im Strom d. Welt. 1—50.
Taus. (445) ‖ III. Im engen Kreis. 1—25. Taus. (367) ‖ IV. Des Lebens
Krone. 1—35. Taus. (432)
Stillcke, F: Der Geschäfts- u. Rechtsverkehr d. Handwerkers.
— Kl. Lese- u. Lehrb. f. gewerbl. Fortbildgssch. — Lesg-
u. Lehrb. f. kaufmänn. Fortbildgs- u. Handelssch., s.: Geh-
rig. H.
— Zur Methodik d. Maschinenschreibens. (39) 8° Lpzg, CE Poe-
schel 04.   Kart. 1 —
— Üb. d. Ornamentzeichenunterr. in d. gewerbl. Fortbildgssch.
(81) 5° Wittnbg, R Herrosé 05.   1.20
— Übgsheft f. d. Unterr. im Maschinenschreiben. (33 m. Fig.)
8° Lpzg, CE Poeschel 04.   — 75
Stille, G, s.: Jahrbuch, antisemit.
— Deut. Ziele u. Aufgaben. 2. [Tit.-]Afl. (149) 8° Lpzg, F Luckhardt [1898] 01.   2.40 d
Stille, H: Geologisch-hydrograph. Verhältn. im Ursprgsgeb.
d. Paderquellen zu Paderborn, s.: Abhandlungen d. kgl. preuss.
geolog. Landesanst.
Stille, WA: Die ewigen Wahrh. im Lichte d. heut. Wiss. (91)
8° Berl., R Friedländer & S. 01.   2 —
Stiller, O: Fragen a. d. Geb. d. vaterländ. Lit., s.: Bohm, H.
— Leitf. z. Wiederholg d. deut. Lit.-Gesch. f. höh. Lehranst.
u. z. Selbstunterr. 3. Semester: Herder, Schiller, Goethe.
3. Afl. (85) 8° Berl., L Oehmigke's V. 04.   — 80 d
— dass. Ergänzgsheft: Die neue Zeit v. 1848 bis z. Gegenwart.
(49) 8° Ebd. 05.   — 60 (Hauptwerk u. Ergänzgsheft: 3.60) d
Stiller, R: Adolf Stern u. s. dichter. Werke. (45 m. 1 Bildnis.)
8° Dresd., CA Koch 01.   — 80 d
Stillfried, F (A Brandt): Dürten Blanck. Erzählg in niederdeut. Mundart. 2. Afl. v.: Ut Sloss un Kathen. (185) 8° Lpzg,
O Lenz (03).   3 —; geb. 4 — d
— Wedderfунn'n. De Hex v. Moitin, s.: Hesse's, M, Volksbücherei.
Stillfried-Alcántara, R Graf, u. B **Kugler**: Die Hohenzollern
u. d. Deut. Vaterland. 6. Afl., bis auf d. Gegenwart ergänzt
v. HF Helmolt. (384 m. 1 Stammtaf.) 4° Lpzg, FA Berger (01).
L. 7.50 d
Stillich, O: National-ökonom. Forschgn auf d. Geb. d. gross-
industriellen Unternehmg. I. Bd. Eisen- u. Stahlindustrie.
(238) 8° Berl. 04. Lpzg, Jäh & Sch.   6 —; L. 7 —
— Die ago d. weibl. Dienstboten in Berlin. (443) 8° Berl. 02.
Lpzg,LR Lipinski.   5 —; HF. 7.50 d
— Roheisensyndikat u. Halbzeugverband, s.: Bibliothek f. Poli-
tik u. Volkswirtschaft.
— s.: Schriften d. sozialwiss. Ver. in Berlin.
Stilling, J: Die Kurzsichtigk., ihre Entstehg u. Bedeutg, s.:
Sammlung v. Abhandlgn a. d. Geb. d. pädagog. Psychol.
— Psychol. d. Gesichtsvorstellg n. Kant's Theorie d. Er-
fahrg. (164 m. Fig.) 8° Wien, Urban & Schw. 01.   5 — d
Stilling, JH, s. a.: Jung-Stilling, JH.
— Jugend, Jünglingsjahre u. Wanderschaft. Eine wahrhafte
Gesch., v. ihm selbst erzählt. 1—5. Taus. (270) 8° Hambg,
A Janssen 04.   L. 1 —
— Schatzkästlein. Neue Ausg. (85) 8° Ascona, C v. Schaburg
(05).   — 60 d
Stimme, e., a. d. russ. Armee. Enthüllgn. (In russ. Sprache.)
(66) 8° Berl., J Räde 02.   2 — d
— d., d. Wahrheit. Jahrb. f. wiss. Zionismus. 1. Jahrg. Hrsg.
v. L Schön. (406 m. Abb. u. 1 Taf.) 8° Würzbg, N Philippi
05.   6 —; kart. 7.50; Luxusausg. 10 — 0 F
Stimmen v. Berge. Monatsschrift f. d. studier. Jugend. Red.:
P Anheier. 12. Jahrg. 1905. 12 Nrn. (Nr. 1—8. 48 m. Abb.) 8°
Mainz, Druckerei Lehrlingshaus.   1.50 d
— deut. Halbmonatsschrift f. d. vaterland u. Denkfreiheit. Hrsg.
u. Red.: W Johannes. 3. Jahrg. 1. Halbj. Apr.—Septbr 1901.
12 Nrn. (392) 8° Köln. Berl.,   Verl. d. deut. Stimmen.
Viertelj. 1.50; einz. Nrn — 30 d
— dass. Halbmonatsschrift f. vaterländ. Politik u. Volkswirtschaft. Hrsg.: W Johannes. Red.: R Breithaupt. 3. Jahrg.
2. Halbj. Oktbr 1901—März 1902. 12 Nrn. (Nr. 13. 40) 8° Berl.,
Verl. d. deut. Stimmen. ‖ 4. u. 5. Jahrg. Apr. 1902—März 1904.
Hrsg. v. Hieber, W Johannes u. CA Patzig. Red.: C Bierbaum
u., v. 5. Jahrg. an, L Koestler. Je 24 Nrn. Viertelj. 2.50;
einz. Nrn — 50 d
— dass. Begründet v. M Beyer. Hrsg. v. E van Dyck. Red.:
J u. H Philipp u., v. 1.IX.'02 ab, C Wilhelm. 3. Bd. 1902.
12 Nrn. (Nr. 1—7. 196) 8° Ebersw. Berl. (NO. 18, Kl. Frankfurter Str. 74), Arkadien-Verl. (?)   Viertelj. 1.50;
einz. Nrn — 50 0 F
— v. Berge Karmel. Monatsschrift f. d. kathol. Volk. Hrsg.
v. Eugenius a. S. Joseph. 10. u. 11. Jahrg. Octbr 1900—Septbr

1902 je 12 Hefte. (1. Heft. 32 m. Abb.) 8° Graz, (U Moser).
Je 2 — d
Stimmen v. Berge Karmel. Monatsschrift f. d. kathol. Volk.
Gegründet v. Serapion u, SA Corsini. Mit d. Beil.: Teresia-
Blätter u. Josefsheim-Annalen. 12. Jahrg. Oktbr 1902—
Septbr 1903. 12 Hefte. (1—4. Heft. 92) 8° Ausgsbg (Müllerstr. 18),
Verl. d. Stimmen.   3 — d
— dass. Marian. Monatsschrift. 13. Jahrg. Oktbr 1903—Septbr
1904. 12 Hefte. (1. Heft. (1. Heft. 88) 8° Ebd.   nn 2.50 d
Fortsetzg s. u. d. T.: Maria v. guten Rat.
— freundl., an Kinderherzen. Hrsg. unter Mitwirkg e. Kom-
mission d. schweiz. Lehrerver. 181—200. Heft. (Je 20 m. Abb.)
8° Zür., Art. Instit. Orell Füssli (1900—04).   Je — 20 d
— a. Maria-Laach. Kathol. Blätter. 62—69.Bd. Jahrg. 1902—5.
Jährlich 10 Hefte. (1188, 1196, 1186 u. 1184) 8° Freibg/B., Herder.   Halbj. 5.40; einz. Hefte nn 1.10 d
— dass. Ergänzungshefte. Nr. 78—90. 8° Ebd.   26.30 d
Beisel, S: Die Aachenfahrt. Verehrg d. Aach. Heiligtümer seit d. Tagen
Karls d. Gr. bis in uns. Zeit. (160) 02. [82.]   2.50
Besemer, J: Sürgn im Seelenleben. (172) 04. [87.]   2.50
Blötzer, J: Die Katholikenemancipation in Grossbritannien u. Irland.
(293) 05. [88.]   4 —
Braunsberger, O: Rückblick auf d. kathol. Ordenswesen im 19. Jahrh.
(293) 01. [79.]   2 —
Dahlmann, J: Der Idealismus d. ind. Relig.-Philosophie im Zeitalter d.
Opfermystik. (140) 01. [78.]   1.90
Fischer, J: Die Entdeckgn d. Normannen in Amerika. Unter bes. Be-
rücks. d. kartograph. Darstellgn. (196 m. Skizzen, 1 Titelbild u. 19 Kar-
tenbeil.) 02. [81.]   2.80
Kneller, KA: Das Christentum u. d. Vertreter d. neueren Naturwiss. (366)
03. [84.85.]   3.60
Krose, HA: Der Selbstmord im 19. Jahrh. n. ar Verteilg auf Staaten u.
Verwaigsbezirke. (311 m. 1 Karte.) 06. [90.]   2.30
Müller, A: Joh. Keppler, d. Gesetzgeber d. neueren Astronomie. (286)
03. [83.]   2.40
Pesch, C: Theolog. Zeitfragen. 2. Folge. (138) 01. [80.] 1.80 (1 u. 2: 4 —)
Reichmann, N: Der Zweck heiligt d. Mittel. (160) 03. [86.]   1.50
— Mariazeller. Marian. Monatsschrift. Red.: JC Heiden-
reich. 1. u. 2. Jahrg. Mai 1900—Apr. 1902 je 12 Hefte. (1. Jahrg.
212) 8° Wien, B Hassenberger & Co.   Je 2.40 d
Fortsetzg war nicht zu erhalten.
— freie, a. Oesterr.-Ungarn. 1. Bd. 8° Lpzg, B Elischer
Nf.   1 — d
Brentin v. Sydetoff: Off. Briefe an Erzherzog Franz Ferdinand, d. Thron-
folger Oesterr.-Ungarns. (51) (05.) [1.]   1 —
— a. d. Weiterleben ausser Zeit u. ohne Ort. Geschrieben
u. hrsg. v. FreundE. (55) 8° Lpzg, O Mutze 05.   — 80 d
Stimmungsbild, e., a. d. Grossstadt u. and. lust. Geschichten,
s.: Nagel's Bibliothek illustr. Humoresken.
Stinde, C: Das Geld, s.: Schulze's Zehnpfennigbücher.
Stinde, J: Die Familie Buchholz. Aus d. Leben d. Hauptstadt.
4 Thle. 8° Berl., G Grote.   Je 3 —; geb. je 4.50 d
I. 87. Afl. (210) 05. ‖ II. 82. Afl. (186) 02. ‖ III. Frau Wilhelmine. 44. Afl.
(207) 01. ‖ IV. Wilhelmine Buchholz' Memoiren. 17. Afl. (232) 03.
— Emma d. geheimnissvolle Hausmädchen od. d. Sieg d. Tu-
gend üb. d. Schönheit. Parodist. Kolportage-Roman. (18—
12.Taus.) (224m. Abb.) 8° Berl., C Freund 04. 3 —; geb. 4 — d
*Es wurden ursprünglich 5 Lfgn ausgegeben, auf denen d. Verf.
nicht genannt war. — s.: Emma.*
— Humoresken. 11. Taus. (216) 8° Berl., G Grote 04. geb. 3 — d
— Martinhagen, s.: Erzähler, norddent.
— Heinz Treulieb u. allerlei Anderes. Mit e. Einl. v. M Möller.
(248 m. Bildnis.) 8° Berl., C Freund 06.   3 — d
Stingeder, F: Gottes Antwort auf d. brennendste aller Lebens-
fragen. Dargest. in 6 Fastenpredigten üb. d. Geheimnis uns.
Auserwählig im Lichte d. Kreuzes. (102) 8° Linz, Pressver.
05.   1.50 d
— Die brennendste aller Lebensfragen beantwortet in 6 Fasten-
predigten üb. d. Geheimnis uns. Auserwählig im Lichte d.
Kreuzes. 1—3. Afl. (82) 8° Ebd. 05-05.   1.90 d
— Ein unglücksel. Tausch od. Warum e. denk. Katholik sein
protestantisch wird, s.: Volksbroschüre, kathol.
— Die Zeitg auf d. Kanzel. Praktisch-homilet. Fingerzeig s.
Verwertg d. Zeitgslektüre f. d. Predigt. 1. u. 2. Taus. (97) 8°
Linz, Pressver. 04.   1.94
Stingelin, T: Ueb. e. im Museum zu Olten aufgestellte Ske-
nium v.; Elephas primigenius Blumenbach. [S.-A.] (10 m.
2 Taf.) 4° Zür. 03. (Bas., Georg & Co.)   nn 4 —
— Das oberrhein. Heimatrecht. (Nr. 15.) 8° Berl., G Grote.   nn —
Stingl, E: Hdb. d. bayer. Volksschulrechtes, s.: Englmann, JA.
— Das obersch. Heimatrecht (Nr. 1.) 8° Berl., G Grote.   nn
16.IV.1868/80.VI.1899 üb. Heimat, Verehelichg u. Aufenthalt,
m. Erläuterg. (40) 8° Münch., J Lindauer 03.   — 60
Stintzing, R, s.: Handbuch d. Therapie innerer Krankh.
Stintzing, W: Beitr. z. röm. Rechtsgesch. 1. Zur Gesch. d.
obligatio u. d. actio certae pecuniae. 3. Ueb. d. possidere
pro possessore. (128) 8° Jena, G Fischer 01.   3 — d
— Üb. d. Manchpatio. (47) 8° Lpzg, A Deichert Nf. 04.   1 — d
— Die Vorfügung d. Erben bedingt d. Schuldverhältn. 1. Heft. (82)
8° Jena, G Fischer 03.   3.60 d
— Findet Vorteilsanrechng beim Schadenersatzanspruch statt?
(Zur sog. compensatio lucri cum damno.) (85) 8° Lpzg.
Deichert Nf. 05.   1.90
Stipkovich, N: Die Herstellg v. Glasschildern u. and. Spe-
zialisten, s.: Flugblätter, techn., d. deut. Malerzeitg Die
Mappe.
Stirnimann, V: Die Trinkwasser-Versorgg d. Stadt Luzern.
(119 m. 12 Taf. u. 3 Pl.) 8° Luz., E Gebhardt) 02.   nn 3.50 d

Stix, L: Kurze Betrachtgn f. jeden Tag d. Jahres, nebst e. Anh. v. Festbetrachtgn. 3. Afl. (663) 8° Rgnsbg, Verl.-Anst. vorm. GJ Manz 05. 3 —; L. 4 — d

Stobbe, O: Hdb. d. deut. Privatrechts. 4. Bd. 3. Afl. v. HO Lehmann. Familienrecht. (654) 8° Berl. 1900. Stuttg., JG Cotta Nf. 12 —; HF. nn 13.50 (1—4.: 56 —; geb. nn 63.50) d

Stobbe, U: Leitf. d. weibl. Handarbeiten. (Mit Abb.) 8 Hefte. 8° Lpzg, Hoffmann & O. 3.40; geb. 4 —; Einzelpr. nn 3.65 d
1. Häkeln. (40 m. 1 Taf.) (03.) — 45 ‖ 2. Stricken. (41—72) (03.) nn — 35 ‖ 3. Kreuzstich u. Tapisseriestiche. (73—108) (03.) — 40 ‖ 4. Nähen u. Zierstiche. (100—148 m. 1 Taf.) (03.) — 45 ‖ 5. Ausbessern, Stopfen, Flicken. (149—180) (03.) nn — 35 ‖ 6. Stricken. (181—220) (03.) nn — 45 ‖ 7. Knüpfarbeiten. (221—292) (03.) — 60 ‖ 8. Zuschneiden d. Wäschegegenstände. (293—340 m. 4 Taf.) (03.) — 60.

Stoebener, L: Schnurren. Aufführgs- u. Gesellschafts-Scherze f. fidele Kreise. 3.Bdchn. (96) 8° Mühlh. i/Th., G Danner (02). 1 — (1—3.: 3 —) d

Stöber, F: Chronol. d. Lebens u. d. Briefe d. Paulus. Mit Anmerkgn üb. Verlauf u. gegenwärt. Stand d. Paulus-Forschg. (84.) 8° Hdlbg, C Winter, V. 04. — 50
— Was versteht d. Katholik u. was d. Protestant unter „Kirche"?, s.: Flugschriften d. Ev. Bundes.

Stoeber, A, s.: Schiller-Reden.

Stöber, K: Das Elmthäli, s.: Jugend- u. Volksbibliothek, deut.
— Ausgew. Erzählgn. 4. Bdchn. 8° Stuttg., JF Steinkopf.
4. Mähren. Nebst weit. Erzählgn. 5. Afl. (157 m. 3 Vollbildern.) 05.
— dass. Geschichten f. alt u. jung. Neue Ausg. (96) 8° Reutl., Ensslin & L. (04). Kart. — 30; m. 4 Farbdr. — 50; m. Nonnen, Gottes Auge wacht in 1 Bd m. 8 Farbdr., geb. 1.50 d
— dass. — Ideler, L: Neue Märchen. Neue Ausg. (96 u. 98 m. 8 Farbdr.) 8° Ebd. (01). Geb. 1.50 d
— Johann Jac. Fabricius, s.: Tannenzweige.
— s.: Gefunden.
— Geschichten v. d. Altmühl. Nebst weit. Erzählgn. Neue Ausg. (144 m. 4 Farbdr.) 8° Konst., C Hirsch (03). Geb. — 75 d
— dass., s.: Jugend- u. Volksbibliothek, deut.
— Geschichten d. Pfarrers Siebenpisch. — Der Krücken-Mattes. Neue Ausg. (143 m. 4 Farbdr.) 8° Konst., C Hirsch (04). Geb. — 75 d
— s.: Hebel's, JP, ausgew. Erzählgn. Erzählgn d. rheinländ.Hausfreundes.
— Möhren. Nebst weit. Erzählgn, s.: Jugend- u. Volksbibliothek, deut.
— Sabina, d. Bleicherin, Das Buch d. Armen. 23 Erzählgn. Neue Ausg. (144 m. 4 Farbdr.) 8° Konst., C Hirsch (03). Geb. — 75 d
— Die kurze Wanderschaft, s.: Tannenzweige.

Stöber, W: Ein Held im Kirchenrock (Pfarrer Veit v. Berg), s.: Jugend- u. Volksbibliothek, deut.

Stobitzer, H: „Salve Luitpolda !" Lyrisch-ep. Dichtg in 24 Gesängen. Fest- u. Erinnergsgabe z. 80. Wiegenfeste d. Prinzen Luitpold v. Bayern. (152) 8° Münch., M Kellerer 01. L. 4 — d

Stobrawa, A: Der Gutsinspektor. Schausp. (14) 8° Bresl. (Gerbergasse 12/13), H Zimmer & Co. 04. 2 — d

Stock's gr. illustr. persisch-egypt. Traum-Buch. 14. Afl., m. sämmtl. Lottoziehgn d. letzten 5 Jahre. (197) 8° Wien, T Daberkow (05). — 1; kart. 1.30 d
— kl. illustr. persisch-egypt. Traum-Buch. 1m Anh.: Träume in 90 Bildern u. 540 ausgelegt. 5. Afl. (112) 8° Ebd. (05). — 50 d

Stock, A: Die Beichte n. ev. Auffassg. Predigt. (12) 8° Brnschw., J Neumeyer 01. — 20 d
— Confirmationsrede üb. Sprüche 2, 7. (8) 8° Ebd. 02. nn — 25 d
— „Geh deinem Gott entgegen u. d. Wege, wenn er dir begegnet !" Konfirmationsrede. (8) 8° Ebd. 03. — 20 d
— Kommt, lasst uns d. Heiland suchen! Predigt. (8) 8° Ebd. 02. — 20 d
— Predigt, geb. bei d. General-Versammlg d. braunschweig. Hauptver. d. ev. Bundes zu Gandersheim. (11) 8° Gandersh. (03). (Brnschw., J Neumeyer.) — 15 d

Stock, G: Was schulden wir als Christen uns. Kindern? (39) 8° Neumünst., Vereinsbh. G Ihloff & Co. (05). — 30 d

Stock, N, s. a.: Norbert.
— s.: Comployer, A, Sonn- u. Festtags-Predigten.
— Leben u. Tod d. 3 Martyrer B, B. P. Agatangelus u. Cassian, Missionäre d. Kapuziner-Ordens. 1 u. 2. Afl. (130 m. Titelbild.) 8° Innsbr., Vereinsbh. u. Buchdr. 05. — 60 d
— Das Zentrum d.Weltgesch. (124) 8° Innsbr., F Rauch 05. 1 — d

Stock, O: Friedr. Nietzsche, d. Philosoph u. d. Prophet. [S.-A.] (62 m. 1 Bildnis.) 8° Brnschw., G Westermann 01. 3 — d

Stöck, A: Martha zu d. Füssen Jesu. Fromme Lesgn f. christl. Dienstboten auf alle Sonn- u. Festtage d. Jahres. 10. Afl. (600 m. 1 Farbdr.) 16° Donauw., L Auer (05). L. 1.50; m. G. 2.80 d

Stockar, C: Das schweiz. Begnadiggsrecht, hauptsächlich v. staats- u. strafprozessrechtl. Standpunkt a. betrachtet. (131) 8° Zür., Schulthess & Co. 01. 2 — d

Stockar, H: Üb. d. Entzug d. väterl. Gewalt im röm. Recht. (58) 8° Zür., Schulthess & Co. 04. 1 — d

Stöckel's, E, österr. Univ.-Kochb. f. d. bürgerl. Küche. 25. Jubiläums-Afl. v. E Kieslinger. 27 Lfgn. (592 m. Abb. u. 10 farb. Taf.) 8° Wien, T Daberkow (01.02). Je — 25; in 1 L.-Bd 6 — d

Stöckel, H, s.: Abriss d. deut. Grammatik. — Abriss d. deut. Sprachlehre.
— Gesch. d. M.-A. u. d. Neuzeit v. 1. Auftreten d. Germanen

bis z. Gegenwart. 3. Afl. (740 m. Titelbild.) 8° Münch., G Franz' V. 05. ‖ 2. Abdr. m. Nachschlageverz. (764 m. Titelbild.) Je 5.20; L. 6 —; HF. 7.60 d

Stöckel, H: Gesch. d. deut. Schrifttums, s.: Lehmann's Volkshochsch.
— Vaterländ. Gesch.-Bilder, s.: Engleder, F.
— s.: Lesebuch f. höh. Lehranst. — Zeitschrift, bayer., f. Realschulwesen.
— u. A Ullrich: Geschichtl. Dichtgn in deut., engl. u. franzüs. Sprache. (367) 8° Nürnbg, F Korn 04. Geb. 3.50 d
— — Liederb. d. Gesch. f. höh. Mädchensch. u. verwandte Anst. 3 Bde. 8° Münch., G Franz' V. Geb. nn 5.60 d
1. Altertum. (125) 07. nn 1.70 ‖ II. M.-A. Mit e. Anh.: Abriss d. bayer. Gesch. bis z. Ausg. d. M.-A. (127) 01. nn 1.70 ‖ III. Neuzeit. Mit e. Anh.: Abriss d. bayer. Gesch. seit Ausgang d. M.-A. (200) 02. nn 2.20.

Stoeckel, W: Die Cystoskopie d. Gynäkologen. (321 m. Abb. u. 9 farb. Taf.) 8° Lpzg, Breitkopf & H. 04. 8 —; geb. 9.50

Stocker, FA: Major Dariel, s.: Bibliothek vaterländ. Schausp.
— Gemma v. Arth, s.: Bornhauser, T.

Stoecker, A: Die häusl. Krankenpflege. 6 Vortr. (112) 12° Karlsr., J Lang 03. Geb. 1.25 d

Stöcker, A: Beständig in d. Apostel Lehre. Ein Jahrg. Volkspredigten üb. d. Episteln d. Eisenacher Perikopenreihe. (400) 8° Berl., Vaterländ. Verl.- u. Kunstanst. (01). 3 —; geb. 4 — d
— Kann e. Christ Sozialdemokrat, kann e. Sozialdemokrat Christ sein?, s.: Hefte d. freien kirchlich-soz. Konferenz.
— Festpredigt z. Eröffng d. 10. kirchl.-soz. Konferenz. (12) 8° Hag., O Rippel (04). — 10
— Welche Gefahren drohen d. kirchl. Bekenntnis seitens d. modernen Theol. u. was können d. ev. Gemeinden tun z. Abwehr? Vortr. (20) 8° Gütersl., C Bertelsmann (03). — 20 d
— Herannahg d. Frauen an d. kirchl. Arbeit, s.: Bernstorff, Gräfin C.
— Des HErrn Weg in China. Predigt. 5. Afl. (14) 8° Berl., Vaterländ. Verl.- u. Kunstanst. 01. — 10 d
— s.: Kirchenzeitung, deut. ev.
— Das Leben Jesu in tägl. Andachten. (468 u. 6 m. Titelbild.) 8° Berl., Vaterländ. Verl.- u. Kunstanst. (03). — 5 —; m. GL 6 — d
— Die Leitg d. Kirche. Ein Weckruf. (45) 8° Siegen, M Liebscher (01). — 40 d
— Vom Pfingstgeist. Abendpredigt. (18) 8° Stuttg., JF Steinkopf 01. — 20 d
— s.: Predigt, d. sonntägl.
— Rechte u. Pflichten d. Frau in d. kirchl. u. bürgerl. Gemeinde, s.: Müller, P.
— s.: Sittlichkeitsideal, d. christl., u. d. Goethebund.
— Was lehren uns d. Skandalprozesse d. Gegenwart? Vortr. (12) 8° Berl. 01. (Lpzg, HG Wallmann.) — 25 d
— Vorwärts im Werk d. Herrn, s.: Buschmann, E.
— Das Wirken Jesu f. uns. Unser Wirken f. Jesum Christum. Predigt, z. Jahresfest u. Jubiläum d. ev. Ver. zu Wiesbaden geh. (14) 8° Herb., B. nass. Colportagever. 01. — 10 d
— u. Schwabedissen: Christl. Wiss. (christian science) u. Glaubensheilg. 2 Aufsätze. (47) 8° Berl., Vaterländ. Verl.- u. Kunstanst. 01. ‖ 2. u. 3. Afl. (51) 02. Je — 50 d

Stöcker, Adolf, u. d. Angriffe sr Gegner im Lichte d. Wahrheit. Von e. Nichtpolitiker. (63) 8° Berl., M Warneck 01. — 50 d

Stöcker, H: Bund f. Mutterschutz, s.: Zeitfragen, moderne.
— Zur Kunstanschaug d. XVIII. Jahrh. Von Winckelmann bis zu Wackenroder, s.: Palaestra.
— s.: Mutterschutz.

Stöcker, O: Regr., s.: Zentralblatt d. allg. Gesundheitspflege.

Stockert, U v.: Donau-Oder-Kanal, s.: Umlauf, A.

Stockert-Meynert, D v.: Grenzen d. Kraft. Erzählg. (147) 8° Wien, Wiener Verl. 03. 2 —; geb. nn 3 — d
— Sabine. Tragödie u. Idee. (264) 8° Wien, C Konegen 05. 2.50; geb. 3.50 d

Stöckert, F: Prinzessin Beate. Novelle f. junge Mädchen. 2. Afl. (159) 8° Glog. 01. Berl., Schreiter. L. 2 — d
— Gertruds Tagebuch. Erzählg f. junge Mädchen. 2. Afl. (189) 8° Ebd. (01). L. 2 — d
— Verdientes Glück. Erzählg f. junge Mädchen. 2. Afl. (203 m. Abb.) 8° Lpzg, Abel & M. 05. L. 3 — d
— Die Inselnärrin. Erzählg f. junge Mädchen. (192 m. Abb.) 8° Ebd. (01). L. 3 — d
— Die Jugend, s.: Weber's moderne Bibliothek.
— Zukunftlos, s.: Weichert's Wochen-Bibliothek.

Stockham, AB: Die Reform-Ehe. Eine Ehe auf vollständig neuer Grundl. z. Erhölsg d. Daseinsfreude n. Veredlg d. Menschengeschlechts. 2. Afl. (72) 8° Hambg (02). (Lpzg, Jaeger). 2 — d
— dass. 2. Afl. (Neue Ausg.) (84) 8° Hambg, W Digel (03). 2 — d

Stöckhardt, CFG: Die Himmelsporte. Morgen- u. Abendsegen-, Fest- u. Communion-Buch f. ev. Christen. 12. Afl. (191 m. Titelbild.) 4° Dresd., CL Ungelenk (03). L. 1 —; G. 1.25 d
Stöckhardt, E: Lehrb. d. Elektrotechnik. (386 m. Abb.) 8° Lpzg, Veit & Co. 01. 6 —; L. 7 — d

Stöckhardt, G, s.: Hardt, E.
Stöckhardt, O: Lehrb. d. Propheten Jesaia. (168) 8° St. Louis, Mo. 02. (Zwick., Schriften-Ver.) Kart. 3 — d
Stockhausen, s.: Wohin dieses Jahr?
Stockhausen, F: „Heil Kaiser Dir!" Deklamatorium zu Kaisers Geburtstag. (19) 8° Lpzg, F Jansa 05. — 30 d

Stockhausen, F: 3 Kämpfer am Niederrhein. Erzählg a. d. 11.
u. 12. Jahrh. (306) 8° Lpzg, F Jansa 04. L. 3 — d
— Luthers Weihnachtslied. Weihnachtsfestsp. (20) 8° Ebd. 04.
— 30 d
Stockhausen, G, s.: Jahrhundert, d. deut.
Stockhausen, J: Das Sänger-Alphabet od. Die Sprachelemente
als Stimmbildgsmittel. (29) 8° Lpzg, B Senff 01. 1.50 d
Stockhorn, Frhr O v.: Vom mittelländ. Meere. Eine Reise-
plauderei, nebst ein. Altchristl. a. Rom. (116) 12° Hdlbg, C
Winter, V. 03. 1 — d
Stöckicht, W: Text-Verz. zu Kasnalreden. 3. Afl. v. A Obly.
(183) 8° Stuttg., Greiner & Pf. 05. 2 —; L. 3 — d
Stöckl. A: Lehrb. d. Philosophie. Neubearb. v. G Wohlmuth.
1. Bd. Lehrb. d. Logik. 8. Afl. (479) 8° Mainz, Kirchheim &
Co. 05. 6 — HF. 8 — d
Stöckl, H: Kurzer Führer auf d. Teilstrecke Schwarzach—St.
Veit—Bad-Gastein d. Tauernbahn. (13 m. 1 Abb. u. 1 Karte.)
8° Salzbg, H Dieter 05. — 24 d
Stockiaska, W: Die Schlacht bei Austerlitz. [S.-A.] (64 m. 3
Skizzen u. 1 Karte.) 8° Brünn, (C Winiker) 05. nn 1 —
Stöcklein. H: Plan v. Erlangen. 1 : 7,500. 40×38,5 cm. Farbdr.
Erl., T Blaesing (01). — 30
— Neue Tab. üb. d. Anfall an Latten u. Brettern v. bestimmter
Stärke a. Schnittstämmen v. 20—60 cm. Zopfstärke im Rund-
verschnitt. (24) 12° Ebd. (02). — 50 d
Stockli, JP: Der Bau d. Getreide-Mahl-Mühlen. 2 Tle. 8° Lpzg,
M Schäfer. (18 —) 9 —; geb. (20 —) 10.50; in 1 Bd geb. 10 —
1. Arbeitspläne z. Anlage v. Getreideputzereien, Weizen-, Roggen- u.
Malzmühlen verschied. Systeme, Postermühlerei, halbautomatisch u.
automatisch u. f. Leistgn v. 2500—100 000 kg in 24 Stunden. (84 m. 11
Taf.) (01.) (4 —) 3 —; geb. (7 —) 5.75
2. Die Ausführg d. Neu- u. Umbauten v. Getreidepntzereien, Weizen- u.
Roggenmühlen. Regeln u. Erfahrgsätze f. d. Anlage v. Getreide-Mahl-
mühlen. (51 m. 19 Taf.) (01.) (12 —) 6 —; geb. (15 —) 8.75
Stöcklin. J : Johann Vl.v.Venningen, Bischof v. Basel, 17.V.1458
—20.XII.1478. (352 m. Abb. u. 1 Taf.) 8° Soloth. 02. (Basel,
Basler Buch- u. Antiquariatsh. vorm. A Geering). 4.80
Stöcklin's, U, v. Rottach, 17 Reimpsalterien, s.: Analecta hymnica medii aevi.
Stockmann: Patronat bei Bethauskirchen. [S.-A.] (16) 8° Görl.,
R Dülfer 04.
Stockmann, W: Üb. Gummiknoten im Herzfleische bei Erwachsenen. (104 m. 7 Taf.) 8° Wiesb., JF Bergmann 04. 4.60
Stockmayer, H, u. M Fetscher: Aufg. f. d. Rechenunterr. in
d. mittl. Kl. d. Gymnasien, d. Lateinsch. u. verwandter Lehranst. Neu aufgelegt v. F. 5. Edchn. Schülerausg. 3. Afl. (68)
8° Stuttg., A Bonz & Co. 04. Kart. nn — 70 d
— — dass. in d. mittl. Kl. d. Realanst., d. Realscb. u. verwandter Lehranst. Neu aufgelegt v. F. 4—6. Bdchn u. Auf-
lösgen z. 4. Bdchn. 8° Ebd. nn 3.45 d
4. Für 11—12jähr. Schüler (IV. Kl.). 9. Afl. (70) 02. Kart. nn — 60 d
Auflösgn. (28) 01. 1.20
5. Für 12—13jähr. Schüler (V. Kl.). 8. Afl. (90) 01. Kart. nn — 70
6. Für 13—14jähr. Schüler. 8. Afl. (97) 04. Kart. nn — 90
— — u. G Thomass: Aufg. f. d. Rechenunterr. an d. mittl. Kl.
d. Gymnasien, d. Lateinsch. u. verwandter Lehranst. Neu
aufgelegt v. Th. 3. Edchn f. 10—11jähr. Schüler (III. Kl.).
9. Afl. Schülerausg. (106) 8° Ebd. 04. — 80 d
Lehrerausg. 8. Afl. (143) 01. 2.60 d
Stockmayer, O : Ansprachen an Reichsgottesarbeiter, s.: Meyer,
FB.
— Was ist d. Bekehrg u. d. hl. Schrift?, s.: Wie kommt's z.
wahren Frieden d. Seele?
— Der Blick auf Jesum. 7. Afl. (16) 12° Bas., Kober 02. — 16 d
— Zu Gottes Verfügg. Nach Vorträgen. (79) 8° Düsseldf, C
Schaffnit 03. — 60 ; kart. — 80 d
— Gottesoffenbarg u. Jüngersinn. Gottes Ziele m. uns Men-
schen u. d. Weg z. prakt. Heiligg. Nachgeschrieb. Reden.
[S.-A.] (16) 8° Potsd. (01). Oranienbg, Siloah. — 20 d
— Alles überwind. Liebe. Nachgeschrieb. Ansprachen. (56) 8°
Gotha, Missionsbh. P Ott 05. — 50 d
— Lieben u. Dienen! u. Die Arbeit d. hl. Geistes. 2 Vortr. (16)
8° Potsd. 04. Oranienbg, Siloah. — 15 d
— Pniel. Das Gesetz d. Freiheit. Gedanken a. Vortr. (16)
Görl. (01). (Strieg., R Urban.) — 20 d
— In d. Schule d. Gnade. Gottes Ziele m. uns u. d. Weg prakt.
Heiligg. Reden. (72) 8° Potsd. (01). Oranienbg, Siloah. — 60 d
— Die Überwindg d. Verklägers durch d. Wort uns. Zeug-
nisses, s.: Edel, E.
— Der Unglaube Israels auf d. Wege u. roten Meer z. Sinai.
3. Afl. (143) 12° Bas., Kober (02). — 80 ; L. 1.40 d
— Weckruf an d. Gemeinde! (86) 8° Gotha, Missionsbh. P Ott
05. — 80 d
— Der köstlichere Weg, s.: Haarbeck, Th.
— s.: Wirken, d., d. hl. Geistes in d. Seelenwelt.
— Die Zubereitg d. Braut d. Lammes. 2. Afl. (112) 8° Lich-
teuth. 02. Gernsb., Christl. Kolportage-Ver. — 70 ; kart. — 90 ;
geb. 1.30 d
Stockmayer, W: Üb. d. Centralgefässe im Sehnerven ein. einheim. Carnivoren. (29) 8° Tüb., F Pietzcker 05. nn — 70
Stockmeyer, I: Das Gebet d. Herrn in 9 Predigten ausgelegt.
2. Afl. (98) 8° Bas., Helbing & L. 02. 1.40 d
Stockmeyer, K: Hans Sachs, d. Nürnberger Schuhmacher u.
Dichter. (36 m. 1 Bildnis.) 8° Bas., (Basler Missionsbh.) 1889.
— 20 d

Stockmeyer, K : Rud. Stähelin, weil. Prof. d. Theol. [S.-A.] (84
m. 1 Bildnis.) 8° Bas., Helbing & L. 01. 1.30 d
Stockton, FR: Abenteuer d. Kapitän Horn. Erzählg. Für d.
Jugend bearb. v. L S. (318 m. 7 Farbdr.) 8° Lpzg, O Spamer
(03). Geb. 4.50 d
Stockvis, A: Führer durch Ostfriesl., d. Nordseebäder, Jever
u. Umgegend. (192 m. Abb. u. 5 Kart.) 12° Emd., W Schwalbe
(02). Kart. 1.50
Stoddy, R: Fussball. — Lawn-Tennis, s.: Jung's kl. Taschen-
Bibliothek.
Stodola, A: Die Dampfmotoren u. d. Weltausstellg in Paris
1900. [S.-A.] (19 m. Abb. u. 1 Taf.) 4° Zür., Rascher & Co.
01. 1 —
— Die Dampfturbinen u. d. Aussichten d. Wärmekraftmaschi-
nen. (220 m. Fig. u. 1 Taf.) 8° Berl., J Springer 03. L. 6 —
2. Afl. u. d. T.:
— Die Dampfturbinen m. e. Anh. üb. d. Aussichten d. Wärme-
kraftmaschinen u. üb. d. Gasturbine. 2. Afl. (368 m. Fig. u.
2 L.) 8° Ebd. 04. L. 10 — || 3. Afl. (454 m. Fig. u. 3 L.) 05.
Geb. 20 —
Stödter, W: Die Strongyliden in d. Labmagen d. gezähmten
Wiederkäuer u. d. Magenwurmseuche. (108 m. 7 Taf.) 8° Hambg,
A Lefévre Nf. 01. 3 —
Stoedtner, F: Die antike Kunst in Lichtbildern. (Bearb. v.
B Graef.) 2. Afl. (104) 8° Berl. (NW. 21), Dr. Stoedtner 03. — 75
Stoffel, C: Chapters on Engl. printing, s.: Dam, BAP van.
— Neues englisch-deut. u. deutsch-engl. Taschenwrtrb., s.:
Wessely, JE.
— Wrtrb. d. engl. u. deut. Sprache, s.: James, W.
— Encyklopäd. englisch-deut. u. deutsch-engl. Wrtrb., s.: Ma-
ret, E.
Stoffel, F: Der Hexenmeister. Bauernkomödie. (72) 8° Elberf.,
A Martini & Gr. 03. 1 — d
— Ist d. Körperzeichnen in d. Volkssch. berechtigt?, s.: Ab-
handlungen, pädagog.
Stoffel, J: Goethes Egmont; Goetz v. Berlichingen; Hermann
u. Dorothea, s.: Dramen a. ep. Dichtangen, deut.
— Schillers Jungfrau v. Orleans u. Maria Stuart, s.: Dramen
u. epische Dichtungen, klass.
— Shakespeares Julius Cäsar, s.: Dramen u. epische Dichtungen, deut.
— Der deut. Sprachunterr. in d. Volks- u. Mittelsch. Ein Buch
f. Seminaristen u. Lehrer. 2. Tl: Mittel- u. Oberst. 3. Afl.
(300) 8° Bresl., F Hirt 02. 3.60 d
— u. A Mewis: Deut. Sprachsch. Ausg. A in 1 Hefte f. d.
Schüler d. einklass. Volkssch. 4. Afl. (48) 8° Ebd. 03. — 30 d
— — dass. Ausg. B in 3 Heften f. d. Schüler d. mehrklass.
Volkssch. 8° Ebd. Je — 30 d
1. Rechtschreibg u. Sprachlehre f. Kinder v. 8—10 Jahren. 6. Afl. (40) 04.
2. Dass. f. Kinder v. 10—12 Jahren. 6. Afl. (45) 03.
3. Dass. f. Kinder v. 12—14 Jahren. 5. Afl. (44) 05.
Stoffers, G, s.: Industrie-u. Gewerbe-Ausstellung, d., f. Rheinld.,
Westf. usw. (Düsseldorf).
Stöffler, E: Die Kalksandsteinfabrikation. (64 m. Abb. u. 3 Taf.)
8° Berl., Tonindustrie-Zeitg 04. 1 —
Stoeffler, K: Festrede, geh. bei Anlass d. silbernen Papstjubiläums Leo's XIII. (12) 8° Strassbg, FX Le Roux & Co.
03. — 30
Stoffregen, H: Passionsblumen, gepflückt unter Jesu Kreuz.
7 Betrachtgn f. christl. Blumenfreunde in d. Passionszeit.
(37 m. Titelbild.) 8° Hildesh., H Helmke (01). L. 1 — d
Stoffregen, HA: Liederb. f. d. deut. Volkssch. In 1 Hefte
(Für Unter-, Mittel-u. Oberst.). 8. Afl. v. F Baumann, W Bode,
G Niedermeyer u. C Schotte. (116) 8° Hildesh., Gerstenberg
1900. — 50 ; geb. nn — 60 d
— dass. 9. Afl. v. W Bode, R Röckel u. C Schotte. (148) 8°
Ebd. 04. — 50 ; geb. nn — 60 d
— Deut. Liederschatz f. Schule, Haus u. Leben. (In 3 Heften.)
3. Heft. 8. Afl. v. F Baumann, W Bode, R Röckel u. C Schotte
(160) 8° Ebd. 03. — 60 ; geb. — 75 d
— dass. (In 3 Heften.) I. u. II. Heft. Hrsg. v. W Bode, R Röckel
u. C Schotte. 8° Ebd. 04. — 80 ; Einbde je nn — 40 d
I. u. Afl. (56) — 30 ‖ II. 15. Afl. (120) — 50
— Deut. Liederschatz u. Liederb. Ergänzgsheft. 40 Lieder f.
gemischten Chor, gesetzt v. C Schotte. (56) 8° Ebd. 01. — 60 ;
geb. nn — 80 d
Stoffsammlung f. Rechtschreiben u. Sprachlehre im Anschluss
an d. Fischer'sche Leseb. f. Unterkl. (9. u. 3. Schulj.)
d. Hand d. Schüler bearb. v. mehreren Lehrern. 1—3.
(00) 8° Schweinf., J Giegler 03. u. 04.
Stöger, JN: Die Himmelskrone. Das höchste Ziel d. christl.
Hoffng. 9. Afl. (325) 8° Rgnsbg, Verl.-Anst. vorm. GJ Manz
04. nn 2.25 ; L. nn 3 —
Stohmann, F: Theoret., prakt. u. analyt. Chemie, s.: Muspratt.
Stohmann, L: Kunst u. Kunstgewerbe, s.: Frauen-Berufe.
Stohn, H: Lehrb. d. deut. Lit. f. höh. Mädchensch. u. Lehrerinnen-Bildgsanst. 6. Afl. (265) 8° Lpzg, BG Teubner
05.
— Lehrb. d. deut. Poetik f. höh. Mädchensch. u. Lehrerinnen-
bildgsanst. 3. Afl.) J Heydtmann. (102) 8° Ebd. 03.
Stöhr, A: Grundfragen d. psychophysiolog. Optik. (160 m. Fig.)
8° Wien, F Deuticke 04.
— Leitf. d. Logik in psychologisier. Darstellg. (196) 8°
05. 4 —

Stöhr, A: Zur Philosophie d. Uratomes u .. energet. Weltbildes. (130 m. Fig.) 8⁰ Wien, F Deuticke 04.   3.50
Stöhr, H: Führer durch Jagdschloss Moritzburg. Seine Gesch. u. Umgebg. (63 m. Abb. u. 1 Karte.) 8⁰ Dresd., B Sturm (05).   — 50 d
— Sachsens Obstbau in 4 Jahrh. Gesch. d. sächs. Obstbaues u. dessen heut. Organisation. (72) 8⁰ Dresd., C Heinrich 05. 1 — d
Stöhr, LE: Wie erlange ich d. Spannkraft meiner Nerven wieder? Eine moderne Psychotherapie. (Heilg durch Willensimpulse.) Nach d. berühmten Methode d. Nancyer Schule. (296 m. 10 Taf. in 4⁰) 8⁰ Lpzg, Modern-mediz. Verl. 01. 4.50; geb. nn 6 —
Neue Ausg., s.: Ebbard, RJ.
Stöhr, P: Lehrb. d. Histol. u. d. mikroskop. Anatomie d. Menschen u. Einschl. d. mikroskop. Technik. 10. Afl. (444 m. Abb.) 8⁰ Jena, G Fischer 03. 7 —; geb. 8 — ‖ 11. Afl. (456 m. Abb.) 05. 8 —; geb. 9 —
Stöhrer, F: Bilder a. d. deut. u. brandenb.-preuss. Gesch., s.: Jaenicke, H.
Stössel, T: Handausg. d. Gewerbeordng f. d. Deut. Reich, s.: Reger, A.
— Handausg. d. Reichsges. üb. Kinderarbeit in gewerbl. Betrieben v. 30.III.1903 (Kinderschutzges.). (156) 8⁰ Ansb., C Brügel & S. 04.   L. 2.80 d
Stoicesco, C: Contribution à l'étude de la formule arbitraire. (77) 8⁰ Berl., Horn & Raasch 05.   3 —
Stoicorum veterum fragmenta. Collegit I. ab Arnim. 3 voll. Lpzg, BG Teubner.   34 —
— I. Zeno et Zenonis discipuli. (30, 142) 06.   8 —
— II. Chrysippi fragmenta logica et physica. (348) 03.   14 —
— III. Chrysippi fragmenta moralia. Fragmenta successorum Chrysippi. (279) 03.   12 —
Stojentin, M v.: Aus Pommerns Herzogstagen. Kulturgeschichtl. Bilder a. d. letzten 100 Jahren pommerscher Selbständigk. (177 m. Abb.) 8⁰ Stett., Herrcke & L. (02).   3.50 d
Stoismann, J: Leben u. leben lassen! Sozialpolit. Essay. Begründg zr Vorschl. betr. d. Organisation v. Kreditgenossensch. (14) 8⁰ Wien, (Huber & L. Nf.) 02.   — 80 d
— Die Organisation d. Credit-Genossensch. z. Selbsthilfe d. Volkes in zr Wirtschaft. (15) 8⁰ Eggenbg 02. (Wien, Huber & L. Nf.)   — 80 d
— Oestern. als soz. Rechtsstaat. (51) 8⁰ Wien, (Huber & L. Nf.) (02).   1 —
— Der Übergang v. d. Geld- z. Buchwirtschaft od. Emanzipation d. Volkswirtschaft a. d. Geldherrschaft durch Organisation v. Kreditgenossensch. (18) 8⁰ Ebd. 03.   — 70 d
— Die Volks- als Buchwirtschaft im soz. Rechtsstaate. (12) 8⁰ Eggenbg 02. (Wien, Huber & L. Nf.)   — 80 d
Stoker, B: The mystery of the sea, s.: Library, the Engl.
Stokes, W, s.: Archiv f. celt. Lexikogr.
Stökl, H, s. a.: Franken, O v.
— Die Cristbescherg u. and. Erzählgn. — Im schwarze Erdteil. Erlebnisse d. österr. Afrikaforschers Dr. Emil Holub, s.: Bücherei f. d. Jugend.
— 13 kl. Erzählgn f. Knaben u. Mädchen. (128 m. 3 Farbdr.) 8⁰ Berl., Globus Verl. (02).   Geb. 1 —
— Feierstunden d. Seele. Dichterklänge z. Erquickg u. Erhebg v. Herz u. Geist. 3. Afl. (265 m. Titelbild.) 8⁰ Lpzg, F Hirt & S. (05).   L. 4 — d
— Im Jugendland. 20 Erzählgn u. Märchen. (209 m. Abb. u. 12 z. Tl farb. Vollbildern.) 8⁰ Stuttg., Levy & M. (05).   Geb. 4 — d
— Kinderglück. Ernstes u. Heiteres f. d. deut. Kinderwelt. (222 m. 5 Farbdr.) 8⁰ Berl., Globus Verl. (02). Geb. †— 80 d
— König u. Betteljunge, s.: Twain, M.
— Leben u. Lieben. Neue Novellen. (335) 8⁰ Berl., A Goldschmidt 05.   L. 4 — d
— Auf d. Schwelle d. Lebens. Herzensworte als Mitgabe f. deut. Töchter bei ihrer Aufnahme in d. Kreis d. Erwachsenen. 8. Afl. (255 m. Titelbild.) 8⁰ Lpzg, F Hirt & S. (05).   L. 4 — d
— Bunte Steine, s.: Stifter, A.
— u. Frau Juliane: Zur Freude. 150 Geschichten u. noch eine. Zum Vorlesen, z. Nacherzählen f. Mütter, Tanten u. alle, d. Kinder lieb haben, sowie z. Selbstlesen f. act. Kinder. (241 m. 6 [3 farb.] Vollbildern.) 8⁰ Ravnsbg, O Maier (03). Geb. 3.50 d
Stokvis, J: Sein od. Nichtsein d. österr. Gerstenproduktion. (19 m. 7 Taf.) 8⁰ Prag, F Řivnač 05.   1 —
Stoklasser, O: Mein Leben, s.: Universal-Bibliothek.
Stokmann, G, u. B van d. Laan: Der Heidelberger Katech. Für Schul- u. Katechumenen-Unterr. bearb. 4. Afl. v. GH Stokmann. (159) 8⁰ Emd., W Haynel 03.   Kart. — 75 d
Stolberg, A: Tobias Stimmer, m. Beitr. z. Gesch. d. deut. Glasmalerei im 16. Jahrh., s.: Studien z. deut. Kunstgesch.
Stolberg, Graf FL zu: Andenken an d. hl. Exercitien, s.: Denis, M.
Stolberg, M: Hämatometra in cornu rudimentario uteri bicornis. (57) 8⁰ Lpzg, B Konegen 05.   3.40
Stolgebühren-Ordnung f. d. ev. Gemeinden d. Prov. Schlesien. (16) 8⁰ Schweidn., L Heege (02).   — 60 d
Stoll, A: Wir Engl. Dank schuldig! Vortr. (23) 8⁰ Cass. 02. (Berl., Hilfsver. deut. Lehrer.)   — 30 d
— dass. Festrede. 2. Taus. [S.-A.] (24) 8⁰ Cass., (Gebr. Gotthelft).   — 20 d

Stoll, F: Meine Erlebnisse bei d. holländ. Schutztruppe. 12 Jahre Dienstzeit in Ostindien. (136) 8⁰ Lpzg, T Grieben (02). 1.60; kart. 2 —
Stoll, GA: Eine Ferien-Radtour n. Marseille. (48) 8⁰ Straub, (C Attenkofer) 01.   — 80 d
Stoll, H: Alkohol u. Kaffee in ihrer Wirkg auf Herzleiden u. nervöse Störgn. (63) 8⁰ Karlsh.-Berl., H Friedrich (04). — 50 d
— dass. 2. Afl. (29) 8⁰ Lpzg, B Konegen 05.   — 50 d
Stoll, H: Meine Lieder. Gedichte. (132) 8⁰ Dresd., E Pierson 01.   2.50; geb. 3.50 d
— Der Spelz, s.: Gesch., Kultur u. Züchtg. (59 m. Abb.) 8⁰ Berl., P Paray 02.   1.20 d
Stoll, H: Gesch. d. Gesellsch. d. Freunde d. vaterländ. Schul-u. Erziehgwesens in Hamburg. Festschrift z. Hundertjahrfeier 1805—1905. (266 m. 14 Bildn.) 8⁰ Hambg, (C Boysen) (05).   Kart. 1.50; L. 2.50
— Geschichtl. Leseb. 1. u. 2. Tl. 8⁰ Ebd.   Geb. 4 —
   (Vollst., 3 Tle in 1 Bd geb.: 5.50)
1. Von d. Anfängen d. Germaneutums u. d. Christentums bis z. westfäl. Frieden. (189) 01.   2.50; Ausg. f. Hamburg. (200) 2.50
2. Vom westfäl. Frieden bis z. Ende d. französ. Revolution. (160) 02. 1.50
Stoll, J: Heft f. landw. Buchführg, z. Gebr. in d. obn. Kl. d. Volkssch., sowie in d. Feiertagssch. 8. Afl. (32 m. Text auf d. Umschl.) 4⁰ Landsh., FP Attenkofer 01.   nn — 30 d
Stoll, K: Die prakt. Ausbildg d. jungen Kaufmanns in d. Praxis, s.: Gesellschaft, schweiz., f. kaufmänn. Bildgs-wesen.
Stoll, O: Gesundheit u. Athletik-Sport! Anl. z. allseit. Ausbildg u. Gesunderhaltg d. Körpers. (11 m. 1 Taf.) 8⁰ Berl., Lebensreform 01. ‖ 2. Afl. (12 m. Fig.) 03.   Je — 25
— Suggestion u. Hypnotismus in d. Völkerpsychologie. 2. Afl. (738) 8⁰ Lpzg, Veit & Co. 04.   16 —; HF. 18.50
Stoll, W: Der Viehhandel u. d. Bestimmgn d. BGB. Vortr. (56) 8⁰ Berl., P Lpzg, G Weigel (04).   — 60 d
Stollberg, H: Wie sind Zahlgeinstellgn zu vermeiden u. zu überwinden? (48) 8⁰ Lpzg, G Weigel (04).   1 — d
Stolle, F: Hdb. f. Zuckerfabriks-Chemiker. Methoden u. Vorschriften f. d. Untersuchg v. Rohprodukten, Erzeugnissen u. Hilfsprodukten d. Zuckerindustrie. (583 m. Abb.) 8⁰ Berl., P Paray 04.   L. 15 —
Stolle, F: Deut. Pickwickier, s.: Roman-Perlen.
Stolle, I: Stimmzgsbeborene. Gedichte. (124) 8⁰ Dresd., E Pierson 02.   2 —; geb. 3 —
Stolle, ME: 2 Jahre im Irrenhause. (84) 8⁰ Jauer, O Hellmann 04.   1.50
Stolle, R: Prakt. Maschinenrechnen, s.: Weickert, A.
Stolle, R: Das Einmachen u. Conservieren d. Früchte u. Gemüse, sowie d. Bereitg v. Essig, Fruchtsäften, Gelees, Obstweinen u. Likören. 3. Afl. (61) 8⁰ Berl. 03. Oranienbg, W Möller.   — 50 d
— Mein Hausfreund. — Nenestes allg. Kochb., s.: Frauen-Buch, d. prakt.
Stolley, A: Der Gesangfreund. Sammlg d. schönsten 1-, 2- u. 3stimm. Lieder f. Schule, Haus u. Leben. Ausg. A. (In 3 Heften.) I. u. III. Heft. 8⁰ Kiel, Lipsius & T. 05. Kart. — 75 d
   I. 12 einstimm. Lieder f. d. Unterst. 11. Afl. (36) — 25 ‖ III. Zwei- u. dreistimm. Lieder nebst vorbereit. Tonübgn. 20. Afl. (96) — 46.
Stolley, E: Geolog. Mitteilgn v. d. Insel Sylt. III. [S.-A.] (40—110 m. 4 Taf.) 8⁰ Kiel, Lipsius & T. 01.   3.60 (I—III.: 6.60)
Stollreither, E: Aufg. a. d. Haupt-Prüfg d. Lehramtskandidatinnen f. neuere Sprachen in Oberbayern. Nachtr. (1896-1903). (23—98) 8⁰ Münch., Piloty & L. 04.   1 —; Schlüssel (46) 1.50 (Hauptwerk u. Nachtr. 2.50; in 1 Bd 2 —; m. Schlüssel 4 — resp. 3.50)
Stolp, H, s.: Archiv f. Verwaltgsrecht.
— Ortsges., örtl. Polizei-, Verwaltgs- u. Benutzgs-Ordngn, Dienst- u. Ausführgs-Anweisgn, wie Satzgn öffentl. u. gemeinütz. Einrichtgn u. Anst., Genossensch. u. Vereine. Fortgesetzt v. (H Klinckmüller u.) H Rousseau. 31—35. Jahrg. (608, 607, 607, 608 u. 624) 8⁰ Berl., P Stankiewicz 1900-04.   Je 4 — d
Stolpe, H: Meister Brummer. Schwank. (16) 8⁰ Lpzg, R Lipinski (03).   — s.: Arbeiterbühne.
— dass., s.: Arbeiterbühne.
Stolper, A: 1. Hilfe bei Zahn-Defekten u. -Schmerzen. (24) 12⁰ Lpzg (Goethestr. 1 III), Selbstverl. 01.   — 30 d
Stolper, P: Der beamtete Arzt. s.: Rapmund, O.
— Das Mikroskop, s.: Hager, H.
Stolte, KV: Gesch.-Auszüge, verbanden m. geograph. Belehrgn, z. Gebr. beim Gesch.-Unterr. in Stadtsch. in 3 konzentr. Kursen bearb. I. u. Kurs. 8⁰ Neubrandnbg, C Brünslow. 1.05 d
   I. Für Unterkl. (Elsäbthr.) 4. Afl. (45) 04. — 45 ‖ II. Für Mittelkl. 1. Afl. v. W Decker. (71) 02. Kart. — 60.
— Lehr- u. Übgsb. f. d. Unterr. in d. Geogr., in 4 konzentr. Kursen bearb. I.-III. Kurs. 8⁰ Ebd.   nn 1.65 d
   I.II. 12. Afl. (56) 05. Kart. nn — 65 ‖ III. 4. Afl. v. L Stolte. (392) 02. 1—; geb. 1.25.
— Prakt. Lehrg. f. d. Unterr. in d. deut. Sprache, in 5 Stufen u. e. Vorst. bearb. I—III. Stufe u. Stufe IIa. 8⁰ Ebd.   Kart. 1.70 d
   I. 45. Afl. v. L Stolte. (44) 04. — 40 ‖ IIa. Mittelst. 3. Afl. (36) 04. — 70 ‖ D. (Als Ergänzg hierzu: Stilübgn, 1. Tl.) 41. Afl. (36) 04. — 70 ‖ (Mittelst. 3. Afl. (36) 04. — 70. II. (56) 04. — 40. III. (Oberst. 2. Tl.) 25. Afl. (78) 04. — 40.
— Systemat. geordn. deut. Stilübgn f. Schulen. 1. Tl. Kursus zweijährig. 6. Afl. (78) 8⁰ Ebd. 05.   Kart. — 65
— Vorst. d. prakt. Lehrg. f. d. Unterr. in d. deut. Sprache. 2. Afl. v. L Stolte. (32) 8⁰ Ebd. 01.   — 25 d

Stolte, L: Lehrb. d. Geometrie, s.: Ernst, C.
Stoltenberg, G: Schreibsch. Nach d. Normalschrift f. schleswig-holstein. Schulen neu bearb. 4.Afl.Deut.Schrift. 10 Hefte.
(Je 24) 4° Kiel, Lipsius & T. (04). Je nn — 20 d
— dass. Latein. Schrift. 7 Hefte. (Je 24) 4° Ebd. (02). Je nn — 20
— dass. Abschlussheft. (24) 4° Ebd. (02). nn — 25 d
— dass. Probeschriften. 2 Hefte. 4° Ebd. (02). nn — 55 d
1. (32) nn — 25 ‖ 2. (40) nn — 30.
Stoltenberg, T: 4stimm. ausführl. Liturgie f. d. Gottesdienste
d. ev.-luther. Kirche d. Prov. Schleswig-H. (52 m. 5 Bl. Beil.)
8° Flensbg, A Westphalen 04 (Umschl. 05). 1.80 d
Stölting, R, u. E Arnim: Protokoll-Muster f. d. Hauptver-
handlg vor d. Strafkammer z. Handgebr. in d. Sitzg. (77)
8° Berl., R v. Decker 05. 1.50; L. 2 — d
Stoltze, F: Ges. Werke. 5 Bde. 12° Frankf. a/M., H Keller.
15 —; L. 18.75; einz. Bde 3 —; L. m. G. 4 — d
1. Gedichte in Frankfurter Mundart. 1. Bd. 25. Afl. (375 m. Bildnis.) 02.
‖ 2. Dass. 9. Bd. 15. Afl. (375 m. Titelbild.) 1900. ‖ 3. Novellen u. Erzählgn
in Frankfurter Mundart. 7. Afl. (379 m. Titelbild.) 1900. ‖ 4. Hochdeut.
Gedichte. 6. Afl. (367 m. Titelbild.) 1900. ‖ 5. Vermischte Schriften u. d.
Nachlass. Hrsg. u. m. e. Lebens-Abriss d. Dichters versehen v. O Hürth.
5. Afl. (22, 383 m. Bildnis.) 1900.
Stoeltzer, C v.: Fütterungsplan u. Futterrationen. Aufgestellt
n. d. Nährstofftab. in Mentzel u. v. Lengerkes Kalender.
2. Afl. (63) 8° Berl., P Parey 05. 1 — d
Stoeltzner, W: Pathol. u. Therapie d. Rachitis. (176 m. 3 Taf.)
8° Berl., S Karger 04. 4 —; geb. 5 —
— Histolog. Untersuchg d. Knochen v. 9 m. Nebennierensub-
stanz behandelten rachit.Kindern. [S.-A.] (189) 8° Ebd. 01. 2 —
— u. B Salge: Beitr. z. Pathol. d. Knochenwachsthums. (52
m. 8 Taf.) 8° Ebd. 01. 12 —
Stolz's Adress-B. d. Chemnitzer Umgegb. 1901. 3. Ausg. (737)
8° Jahnsdf. (Dresd., B Richter.) kart. nn 5 — d
Stolz. Mad. de: La maison roulante, s.: Bibliothèque franc.
(Rahu).
Stolz, A: Lehrb. d. Kraft- u. Muskelausbildg durch Hantel-
u. Gewichts-Uebgn. 1. u. 2. Afl. (56 m. Abb. u. 1 Taf.) 8°
Münch., A Stolz & Co. (01.04). 1.50
— u. C Endres: Die moderne Ringkampf-Kunst. Darstellg
sämtl. Stellgn, Griffe, Schwünge u. Paraden d. Stand- u. Bo-
den-Ringkampfes. (105 m. Abb.) 8° Ebd. (02). L. 3 —
Stolz, A: Ges. Werke. Bill. Volksausg. 3, Bd. 12° Freibg i/B.,
Herder. 1.80; kart. 2.20; L. 2.60 d
3. Das Vaterunser u. d. unendl. Gross. Kalender f. Zeit u. Ewigkeit
1845, 46, 47 u. 58. Neue Afl. (145, 129, 132 u. 127) 1900. kart.
kart. 2.20; L. 2.60 d
— Andenken f. Dienstmädchen. 11. Afl. (16) 16° Ebd. 01.
6 Stück — 30 d
— Der verbotene Baum, f. Katholiken u. Protestanten gezeigt.
7. Afl. (58) 8° Ebd. (04). — 50 d
— Besuch bei Sem, Cham u. Japhet, od. Reise in d. Hl. Land.
8. Afl. (455) 8° Ebd. 05. 1.80; kart. 2.20; L. 2.60 d
— Christi Vergissmeinnicht f. d. ganze Leben. Andenken f.
Mädchen, welche a. d. Schule entlassen werden. 18. Afl. (8)
16° Ebd. 01. 12 Stück — 95 d
— Edelsteine a.reicher Schatzkammer.Anregg schöner Stellen
a. d. Schriften v. St. Mit bes. Rücks. auf d. reif. Jugend
ausgew. v. H Wagner. (384 m. Bildn.) 8° Ebd. 05. 1.80; L. 2.40 d
— Die hl. Elisabeth. Ein Buch f. Christen. 12. Afl. (391 m. 1
Abb.) 8° Ebd. 04. 1.50; kart. 1.90; L. 2.60 d
— Ein Gläschen Schnaps. [S.-A.] (31) 16° Ebd. 01.
6 Stück — 50 d
— Kompass f. Leben u. Sterben. Kalender f. Zeit u. Ewigkeit
1843, 44, 59 u. 64. (135, 142, 128 u. 148) 8° Ebd. 05. 1.80
kart. 2.20; L. 2.60 d
— Christl. Laufpass, gültig bis z. Tod. Andenken f. männl.
Jugend, welche a. d. Schule entlassen wird. 22. Afl. (11) 16°
Ebd. (04). 12 Stück — 40 d
— Das Leben d. hl. Germana. Kalender f. Zeit u. Ewigk. 1879.
3. Afl. (139 m. Abb.) 8° Ebd. 04. — 60 d
— Legende od. d. christl. Sternhimmel. H. [Tit.-]Afl. (989 m.
Abb. u. 1 Farbdr.) 4° Ebd. [1895] 02. 8 —; HF. 11 — u. 13 —;
Saff. m. G. nn 20 —
— Der Mensch u. s. Engel. Gebetb. f. kathol. Christen. 12. Afl.
(496 m. 1 Farbdr.) 16° Ebd. 02. — 90; L. 1.20; Ausg. Nr. 3
m. gr. Druck. 13. Afl. (636 m. Titelbild.) (05.) 1.60; HF. 2 —
Ldr m. G. 3.20 d
— Das Menschengewächs od.: Wie d. Mensch sich u. andere
erziehen soll. Kalender f. Zeit u. Ewigkeit 1844. 19. Afl. (150
m. Abb.) 8° Ebd. 01. — 60 d
— Zwischen d. Schulbank u. d. Kaserne. Wegweiser f. d. Ju-
gend. 11. Afl. (38) 16° Ebd. 04. 6 Stück — 50 d
— Spanisches f. d. gebildete Welt. 10. Afl. (357) 12° Ebd. 03.
1.50; kart. 1.90; L. 2.30 d
— Unterr. üb. d. Männer-Vinzenz-Ver. 4. Afl. (48) 16° Ebd. 05.
— 30 d
— Versorggsanst. f. arme Sünder. Buss- u. Beichtbüchl. Ges.
v. F Hattler. (245 m. 1 Titelb.) 16° Ebd. 04. L. 1.50 d
— Vorläufiges f. Rekruten. 3. Afl. (53) 16° Ebd. 04. Kart. — 30 d
— Wachholder-Geist geg. d. Grundübel d. Welt: Dummheit,
Sünde u. Elend. Sammel-Ausg. d. Kalender f. Zeit u. Ewigk.
1873—78. (Neue Afl.) (512) 8° Ebd. 04. 1.80; kart. 2.20;
L. 2.60 d
Stolz, JF: 's Kätherl u. and. Erzählgn. (180) 8° Loeben, JH
Prosl 02. (Nur dir.) 1.50 d

Stolz, M: Grundr. d. geburtshilfl. Diagnostik u. Operationslehre. (259 m. Abb.) 8° Graz, Leuschner & L. 03. 6 —
— Studien z. Bakteriol. d. Genitalkanales in d. Schwangerschaft u. im Wochenbette. (318 m. 11 Tab.) 8° Ebd. 02. 12.50
— Die Therapie in d. Geburtshülfe an d. k. k. Univ.-Frauen-
klinik in Graz, s.: Therapie, d., an d. österr. Univ.-Kliniken.
Stolz, O: Beweis e. Satzes üb. d. Vorhandensein d. komplexen
Integrals. [S.-A.] (8) 8° Münch., (G Franz' V.) 05. — 20
— Ein Satz d. Integralgeometrie. [S.-A.] (1) 8° Wien, (A Höl-
der) 03. nn — 10
— u. JA Gmeiner: Theoret. Arithmetik. — Einl. in d. Funk-
tionentheorie, s.: Teubner's, BG, Sammlg v. Lehrbb. auf d.
Geb. d. mathemat. Wiss.
Stolz, P: Brömser v. Rüdesheim, s.: Vereinstheater, neues.
Stolze, E: Jagdl. Erinnergn, s.: Eckstein's Reise-Bibliothek.
Stolze, F: Chemie f. Photographen, s.: Enzyklopädie d. Photogr.
— Katech. d. Photogr. bes. als Lehr- u. Repetitionsbb. f. Lehr-
linge u. Gehülfen. (In 10—12 Heften.) 1—8. Heft. 8° Halle, W
Knapp. Je 1 —; L. je 1.50
1. Katech. d. Laboratoriumsarbeiten beim Negativverfahren. (26) 04.
2. Katech. d. Vorbereitgn a. Kopieren u. d. eigentl. Kopierens durch
Kontakt. (39) 04.
3. Katech. d. direkten Auskopierverfahren m. Albuminpapier, Mattpapier
(Whatmanpapier), Aristopapier(Chloralbergelatine) u. Celloidinpapier
(Kelloidonpapier). (46) 04.
4. Katech. d. Chromatverfahren. (82) 04.
5. Katech. d. Negativaufnahmen im Glashause. (84) 05.
6. Katech.d.Silberkopierverfahren m.Hervorrufg u. d.Vergrösserns.(50) 05.
7. Katech. d. allg. photograph. Optik. (99 m. Abb.) 05.
8. Katech. d. Eisen-Kopierverfahren im allg. u. d. Platinverfahren im
besond. (66) 05.
— Die Kunst d. Vergrösserns auf Papieren u. Platten, s.:
Enzyklopädie d. Photogr.
— s.: Notiz-Kalender, photograph.
— Optik f. Photogr., s.: Enzyklopädie d. Photogr.
Stolze, F: Das entschleierte Bild z. Saïs. Soz. Roman. (258)
8° Rost., CJE Volckmann 04. 4 —; L. 5 — d
Stolze, M: Zur Lautlehre d. altengl. Ortsnamen im Domesday
Book. [S.-A.] (50) 8° Berl., Mayer & M. 02. 1.30
Stolze, W: Anl. z. deut. Stenogr. Hrsg. v. F Stolze. 14.
d. deut. Stenogr. 1. Tl.) 67. Afl. (52) 8° Berl., ES Mittler &
S. 03. 1.25 d
— Theoretisch-prakt. Lehrb. d. deut. Stenogr. f. höh. Schulen
u. z. Selbstunterr. 1. Tl. 8° Ebd. 1 — d
1. Anl. z. deut. Stenographie. 66. Afl. v. F Stolze. (48) 1900. 1 —
Stölzel, A: Deut. Ebeschliessgsrecht. 4. Afl. v. O Stölzel. Anh.:
Ausländ. Eheschliessgsrecht. (179) 8° Berl., F Vahlen 04.
Kart. 2.50 d
— Die Entwicklg d. gelehrten Rechtsprechg untersucht auf
Grund d. Akten d. Brandenb. Schöppenstuhls. (In 2 Bdn.)
1. Bd. Der Brandenb. Schöppenstuhl. (609 m. 1 Abb.) 8° Ebd.
01. 12 —; geb. nn 14 —
— s.: Material, urkundl., a. d. Brandenb. Schöppenstuhlsakten.
— Schulg f. d. civilist. Praxis. 2 Thle. 8° Berl., F Vahlen.
17 —; Einbde je nn 1 — d
I. 6. Afl. (42, 400 u. 28) 04. 8 — ‖ II. 3. Afl. (35, 465) 02. 9 —
Stölzel, O: Das Personenstandsges. v. 6.II.1875 in heut. Gestalt,
s.: Gesetze, d., d. Deut. Reiches in kurzgef. Kommentaren.
— Rechtsweg u. Kompetenzkonflikt in Preussen. Nebst e. Anh.
enth. d. einschlag. Rechtsquellen. (633) 8° Berl., F Vahlen
01. 12 —; geb. nn 14.50 d
Stolzenberg, G: Neues Leben. 3. Heft. (169) 8° Berl. 03. Münch,
Piper & Co. 2 — (1—3: 6 —)
Stolzenberg, H: Liederhefte f. d. Klassengesang-Unterr. herausg.
v.hh. Lehranst. 1—5. Afl. (55) 8° Kass., E Hühn (o. J.).
Kart. nn 1.20
Stolzenberg, M v.: Die Jesuiten n. d. Urtheile unparteiischer
Gegner. (60) 8° Frankf. a/M., P Kreuer 01. — 50 d
Stolzenburg, R: Erklärg d. kl. Katech. Luthers. — Katech.-
Lehre, s.: Crüger, J.
— Lieder- u. Spruchb. f. d. ev. Schule. (84) 8° Brombg, Mittler
03. Kart. — 20 d
Stolzenburg, W, s.: Kirchenlieder, 80.
— Geistl. Lieder, s.: Anders, F.
Stölzle, H: Viehkauf (Viehgewährschaft), s.: Guttentag's
Sammlg deut. Reichsges.
Stölzle, R: A v. Köllikers Stellg z. Descendenzlehre. (179) 8°
Münst., Aschendorff 01. 1 — d
— Ernst v. Lasaulx (1805—61), e. Lebensbild. (302 m. 1 Bild-
nis.) 8° Ebd. 04. 5 — d
Stömmer, O: Taschenpl. f. d. 1. Hilfe. (1 Bl. m. Abb.) 4° Münch.,
Seitz & Sch. 05. Gebr. in Dose nn — 15 ‖ 4. Afl. (05). — 10 d
Stona, M [Frau M Scholz), s.: Jacobowski, Ludwig, im Lichte
d. Lebens.
— Im Spiel d. Sinne. Novellen. (162) 8° Bresl., Schles. Buch-
druckerei usw. 02. 2 —; geb. 3 — d
— Klingende Tiefen. Neue Gedichte. (153) 12° Berl. 03. Jena,
H Costenoble. L. 3 — d
Stone, O: Wie man Vermögen erwirbt. — Weltbildg n. Men-
schenkenntnis, s.: Gesetz, d. Erfolges.
Stönner, H: Zentralasiat. Sanskrittexte in Brähmischrift a.
Idikutšari, Chinesisch-Turkistan. I. Nebst Anh.: Uigur. Frag-
mente in Brähmischrift. [S.-A.] (9 m. 2 Taf.) 8° Berl., (G
Reimer) 04. ‖ II. (4 m. 1 Taf.) 04. Je — 50

Stooss, C, s.: Zeitschrift, schweiz., f. Strafrecht.
Stooss, CW: Dent. Gesch. Zum Gebr. in Volks- u. Fortbildgssch., sowie f. Schulaspiranten. (218) 8° Stuttg., (A Bonz & Co.) 01. 　　　1 — d
Stooss, M: Der Neuban d. Jennerschen Kinderspitals in Bern. **84.** medizin. Spitalbericht üb. d. J. 1901—3. (61 m. 9 Taf.) 8° Bern, (A Francke) 04. 　　　2 —
Frühere Berichte erschienen u. d. T.: Bericht, medizin., üb. d. Thätigk. d. Jennerschen Kinderspitales in Bern.
Stöpel, F, s.: Bibliothek d. Volkswirtschaftslehre.
Stoepel, KT: Die dent. Kaliindustrie u. d. Kalisyndikat. (329 m. 3 Kartenskizzen.) 8° Halle, Tausch & Gr. 04. 　12 —
— Reformvorschl. z. Organisation d. dent. Kaliindustrie (Fiskuskartell). (122 m. 3 Kart.) 8° Ebd. 02. 　　　4 —
Stoepel, P: Preussisch-deut. Gesetz-Codex. Suppl. 1900—1901 m. Reg., bearb. v. Brach. (520) 8° Frankf. a/O., Trowitzsch & S. 02. 　　　6 —; HF. 8 — d
Stapier, E, s.: Gesellschaften, d., m. beschränkter Haftg.
Stoppel, (P): Die wichtigsten Vokabeln d. 1. Buches v. Xenophons Anabasis. (22) 8° Wism., Hinstorff's V. 02. 　　— 50
Stoppel, V: Geschäftsaufsätze. Schönschreibhefte f. d. Oberst. 4. Volkssch., sowie f. Fortbildgssch. 5 Hefte. (Je 24) 8° Han., M Alberti (05). 　　　Je — 15 d
I. 126. Afl. ‖ II. 112. Afl. ‖ III. 119. Afl. ‖ IV. 120. Afl. ‖ V. Postbeft. 128. Afl.; dass. Parbig. (26) — 75.
— Netzzeichenhefte m. Vorzeichngn. (Vorstufe d. Freihandzeichnens.) 4 Hefte. (Je 16) 8° Ebd. (05). 　　Je — 20 d
I. 673. Afl. ‖ II. 637. Afl. ‖ III. 688. Afl. ‖ IV. 639. Afl.
— Zeichenhefte m. Vorzeichngn f. Volkssch. Ausg. A in 5 Heften. (Je 28) 4° Ebd. (04.05.) 　　　Je — 30
1. Gerade Linie, Winkel, Dreieck, Viereck. 673. Afl.
2. Die krumme Linie. 647. Afl.
3. Geradlin. Formen, welche auf d. Quadrat u.s.w. beruhen. 626. Afl.
4. Gerad- u. kreislinig begrenzte Formen. Krummlin. ornamentale Flächenformen. 627. Afl.
5. Für Knaben. Linearzeichnen. 585. Afl. — Für Mädchen. 588. Afl.
— dass. Ausg. B in 10 Heften. (Je 20) 4° Ebd. (04.05.) 　Je — 20
1. Gerade Linie, Winkel, Dreieck, Viereck. 642. Afl.
2. Rechteckgebilde, d. Vieleck, weit. Gebilde im Quadrat. Übgn im Verkleinern u. Vergrössern. 545. Afl.
3. Geomer. Ansichten v. einfach gestalt. Gegenständen. 651. Afl.
4. Bogenlinien, Kreis u. kreislin. Fig. 652. Afl.
5. Die Schlangen- u. Spirallinie, Gefässe, Blatt- u. Blütenformen. 634. Afl.
6. Geradlin. Formen, welche auf d. Quadrat u.s.w. beruhen. 612. Afl.
7. Formen, welche auf d. regelmäss. Dreieck, Sechseck u.s.w. beruhen. 644. Afl.
8. Krummlin. ornamentale Flächenformen. 641. Afl.
9. Für Knaben. Geometr. Konstruktionen u. darauf beruh. Formen. 624. Afl. — Für Mädchen. Stickmuster. 545. Afl.
10. Für Knaben. Frontansichten, Bauwerke u.s.w. 583. Afl. — Für Mädchen. Linienverziergn u.s.w. 534. Afl.
— dass. Auf Grund d. neuen Lehrpl. f. d. Zeichenunterr. in d. preuss. Volkssch. Ausg. C. 1—3. Heft. (Je 20) 8° Ebd. 　　　　　　　　　Je — 20
1. Zeichenstoff f. d. Unterr. in 1, 2, 3, 4 u. 5klass. Schulen.
2. Zeichenstoff f. d. Unterr. in 1. u. 2klass., bezw. d. unt. Abtlg. d. Mittelst. in 3, 4 u. 5klass. Schulen.
3. Zeichenstoff f. d. Körperzeichnen in 1—5klass. Schulen. 674. Afl. (20) d
— Zeichenschule. Prakt. Leitf. f. d. Zeichenunterr. in d. Volksschule. 4. Afl. 1. Tl: Mittelst. (Netz- u. Freihandzeichnen.) (72 m. Fig.) 8° Ebd. 01. 　1.25; geb. 1.50 d
Stopper, J: Apologet. Konferenz-Vorträge üb. Gott u. Mensch u. Relig. (150) 12° Münst., Alphonsus-Bh. 03. 　1.20 d
Storbeck: Leseb. f. berg- u. hüttenmänn. Fortbildgssch., s.: Wohlrabe.
Storch, A: Kurze Gesch. v. Friedberg u. s. Lehrerseminar. (22 m. Abb.) 8° Giess., E Roth (04). 　　— 60 d
— Heimat u. Vaterland. Gedichte. (90 m. Abb.) 8° Ebd. (02). 1.30; L. 1.60 d
Storch, C: Beitr. z. Kenntnis d. Caseïnogens d. Eselinmilch. [8.-A.] (19) 8° Wien, (A Hölder) 02. 　　— 40
— Chem. Untersuchgn auf d. Geb. d. Vetsrinärmedizin, Hygiene u. Sanitätspolizei. (23, 369 m. Abb.) 8° Wien, W Braumüller 03. 　　　　6.80; L. 8.40
Storch, E: Muskelfunction u. Bewusstsein, s.: Grenzfragen d. Nerven- u. Seelenlebens.
— Versuch e. psychophysiolog. Darstellg d. Bewusstseins, zugl. e. Beitrag z. Lehre v. d. Function d. Grosshirnrinds. [S.-A.] (140 m. Abb.) 8° Berl., S Karger 02. 　　4 —
Storch, K: Jahresabend u. Jahresmorgen. 12 Sylvester- u. Neujahrs-Predigten. (93) 8° Lpzg, F Jansa 05. 　1 —; geb. 1.60 d
— Sonnenstimmen einfangen. Erbauliches u. Beschauliches. (147) 8° Mgdbg, Creutz (03). 　　2 —; L. 3 — d
— Stille Wege. Allerlei Unmodernes. 1. u. 2. Afl. (303) 8° Ebd. 05. 　　　　　　　　　L. 3.60 d
Storck, J Ritter v.: Figurale Vorlageblätter f. d. Zeichenunterr. an Realsch., Gymnasien u. kunstgewerbl. Fachsch. Fortgesetzt v. A Liechtenstein. (4 Heliograv.) Fol. Wien, R v. Waldheim (01). 　　10 — (Vollst.: 30 —)
Storck, K: Gesch. d. Musik. 4 Abtlgn. (848) 8° Stuttg., Muth 05. 　　　(8 —) 10 —; L. 12 — d
— Jos. Joachim. (Moderne Musiker.) (41 m. 1 Bildnis.) 8° Lpzg (06). Berl., Harmonie. 　　　2 — d
— Jung-Elsass in d. Litt., s.: Flugschriften d. Heimat.
— Deut. Lit.-Gesch. 2. Afl. (10 Lfgn.) (496 m. 1 Taf.) 8° Stuttg., Muth 05. ‖ 3. Afl. (540 m. Titelbild.) 06. 　Je 5 —; L. 6 — d
— Nationale Noth im Elsass, s.: Bücherei, burschenschaftl.
— Das Opernbuch. Führer durch d. Repertoire d. deut. Opernbühnen. 2. Afl. (851) 12° Stuttg., Muth (01). ‖ 3. u. 4. Afl. (358) 05 (04). 　　　　　　　L. je 3 — d
Storck, K: Der Tanz, s.: Sammlung illustr. Monographien.
— Am Walensee. 3 Bde. (170, 158 u. 214) 8° Berl., O Janke 02. 　　　　　　　　　10 — d
Storm, W: Die letzten Dinge. Maspilli u. Gedichte verwandten Inhaltes, deutsch. (189) 8° Münst., Aschendorff 05. 　2.50: 　　　　　　　　　　L. 3 — d
— Das Buch Hiob. In stabreim. Langzeilen, deutsch. (104 m. Bildn.) 8° Ebd. 06. 　　　1.50; L. 2 — d
— Lieder u. Sprüche d. El. Schrift in stabreim. Langzeilen. (273) 8° Ebd. 05. 　　　　　　　2.50 d
— Die Psalmen in stabreim. Langzeilen. (233) 8° Ebd. 04. L. 3 — d
Stories and sketches. Für d. Schulgebr. hrsg. v. M Beck. (127) 8° Lpzg, G Freytag 02. 　Geb. 1.40; Wrtrb. (46) — 50
Storjohann, J: König David, s. Leben u. s. Psalmen. Aus d. Norweg. v. A Gleiss. 2. Bd. (280) 8° Gütersl., C Bertelsmann 01. 　　　3 — (Vollst.: 6 —; in 1 Bd geb, 7 —) d
— dass. (Ausg. ohne Anmerkgn.) 2 Tle in 1 Bde. (40, 191 u. 211) 8° Ebd. 1900.01. 　　　3.80?; geb. 4.50 d
Stork, W: St. Jörg am Oberrhein. (40 m. Abb.) 8° Freibg i/B., (Lorenz & W.) (05). 　　　　　　nn 2 — d
Stork, W: In Freundschaft, Liebe u. Wahrh.! Klänge d. Weihe. d. Brüdern d. Odd-Fellow-Ordens gewidmet. (71) 8° Lpzg, T Leibing (05). 　　　　　　　L. nn 1.80 d
— Gott schütze d. Marine, s.: Oesterwitz, H.
— Italien u. d. italien. Schweiz. Von Luzern bis Neapel. Von Nizza bis Venedig. (247 m. Kart. u. Pl.) 8° Dess., Anhalt. Verl.-Anst. 04. (?) (Lpzg, R Hoffmann.) 　　Geb. 4 —
— Für Kaiser u. Reich, s.: Oesterwitz, H.
— Kaiser u. Vaterland! é volkstüml. Vortr. f. patriot. Kreise, bes. f. Krieger-Ver. (48) 8° Dess., Anhalt. Verl.-Anst. (03). (?) (Lpzg, R Hoffmann.) 　　　　— 80 d
— Unter d. roten Kreuz, s.: Oesterwitz, H.
— Die Riviera. Planderein u. prakt. Winke f. alle Reisenden n. Italien. (Umschl.: Was muss jeder Besucher d. Riviera wissen?) (127 m. Abb.) 8° Dess., Anhalt. Verl.-Anst. (02). (?) (Lpzg, R Hoffmann.) 　　2 —; geb. 2.50
— Der Austritt a. d. landesherrl. Hause. (42) 8° Berl., O Häring 03. 　　　　　　　　　1.50 d
— s.: Recueil, nouveau, général de traités etc. de droit internat.
— Die agnat. Thronfolge im Fürstent. Lippe. (110) 8° Berl., O Häring 03. 　　　　　　　　　3 — d
Storm, D: Prakt. Arbitragerechngn, s.: Wiener, P.
Stoerkel, L: Kurzer Abriss d. deut. Grammatik. (16) 8° Nizza, L Gross (05). 　　　　　　　　　— 75
Stoerl, H: Sammlg gewerbl. Druckvorlagen. 5. Afl. Schülerausg. (68 m. Formularen.) 4° Lpzg, CG Naumann (02). 　　　　　　　　　　　　Du n 1 —
Storm's Kursb. fürs Reich m. Fabrkartenpreisen u. Frachtenberechng, intern. Hotel-Adressb. u. Spediteur-Adressb. Sommer 1905 u. Winter 1905 Okt./Dez. (672 bezw. 671 m. je 2 Kart.) 8° Lpzg, CG Röder. 　　Je — 70
— dass. XI. Ausg. f. Nord- u. Mitteldeutschl. Sommer u. Winter 1905. (Je 384 m. 1 Karte.) 8° Ebd. 　　Je — 40
— dass. Sonder-Beil. Die Fahrpl. d. Berliner Stadth-, Ringb.- u. Vorortzüge, d. elektr. Hoch- u. Untergrundb. u. d. Dampfschiffverbindgn. Ausg.: Winter 1904/05. (16) 8° Ebd. 　— 10
— Aquis submersus. Novelle. 6. Afl. (195) 8° Berl., ebr. Paetel 03. 　　　　　　　4 G-; L. 5 — d
— Bötjer Basch. Eine Gesch. 4. Afl. (118) 12° Ebd. 02. 　2 —; 　　　　　　　　　L. m. G. 3 — d
— Ein grünes Blatt. 2 Novellen. 5. Afl. (83) 12° Ebd. 03. 2 —; 　　　　　　　　　L. m. G. 3 — d
— Im Brauerhause, s.: Bibliothek Gabelsberger. — Jacht's Stenogr.-Bibliothek.
— Carsten Curator, s.: Bibliothek Gabelsberger.
— Zur Chronik v. Grieshaus. 6. Afl. (148) 12° Berl., Gebr. Paetel 04. 　　　　　　2 —; L. m. G. 3 — d
— Ein Doppelgänger. Novelle. 3. Afl. (124) 8° Ebd. 05. 　3 —; 　　　　　　　　　L. m. G. 3 — d
— Eekenhof, s.: Bibliothek Gabelsberger.
— dass. — ,,Im Braner-Hause". 2 Novellen. 2. Afl. (122) 12° Berl., Gebr. Paetel 02. 　　　2 —; L. m. G. 3 — d
— Gedichte. 14. Afl. (262 m. Bildnis.) 12° Ebd. 04. 　　4.50: 　　　　　　　　　L. m. G. 5 — d
— Geschichten a. d. Tonne. 5. Afl. (129) 8° Ebd. 03. 　4 —; 　　　　　　　　　L. m. G. 5 — d
— Von Jenseit d. Meeres, s.: Volksschüler, Wiesbad.
— Immensee. 61. Afl. (72) 12° Berl., Gebr. Paetel 02. 　2 —; 　　　　　　　　　L. m. G. 3 — d
— Hans u. Heinz Kirch. 2. Afl. (138) 8° Ebd. 05. 　2 —; 　　　　　　　　　L. m. G. 3 — d
— ,,Es waren 2 Königskinder". 1884. 4. Afl. (75) 12° Ebd. 04. 　　　　　　　2 —; L. m. G. 3 — d
— 3 Novellen. 3. Afl. (100) 8° Ebd. 04. 　2 —; L. m. G. 3 — d
— In St. Jürgen. 3. Afl. (81) 12° Ebd. 03. 　2 —; L. m. G. 3 — d
— dass.: Bibliothek, Gabelsberger.
— Der Schimmelreiter. Novelle. 9. Afl. (207) 8° Berl., Gebr. Paetel 06. 　　　　　　　　　L. 5 — d
— dass., s.: Bibliothek Gabelsberger.
— Schweigen. 2. Afl. (109) 12° Berl., Gebr. Paetel 02. 　　　　　　　　　L. m. G. 3 — d

Storm, T: Schweigen, s.: Bibliothek Gabelsberger.
— Die Söhne d. Senators. 4. Afl. (86) 12° Berl., Gebr. Paetel 04. 2 —; L. m. G. 3 — d
— dass., s.: Bibliothek Gabelsberger.
— Im Sonnenschein. 3 Sommergeschichten. 10. Afl. (65) 12° Berl., Gebr. Paetel. 02. 2 —; L. m. G. 3 — d
— Auf d. Universität. 5. Afl. (101) 12° Ebd. 04. 2 —;
L. m. G. 3 — d
— 2 Weihnachtsidyllen. 5. Afl. (113) 12° Ebd. 04. L. m. G. 3 — d
— Vor Zeiten. Novellen. 3. Afl. (474) 8° Ebd. 02. 5 —; L. 6 — d
— u. G Keller: Briefwechsel. Hrsg. u. erläut. v. A Köster. (236) 8° Ebd. 04. || 2. Afl. (272) 04. Je 5 —; L. je 6 — d
Störmann, B: Die gute Kongreganistin. Marian. Vereinsb. f. kathol. Jungfrauen. Ausg. f. Pfarrgemeinden. Jubiläumsausg. 35. Afl. (528 m. farb. Titel u. 1 Farbdr.) 16° Dülm., A Laumann 04. L. 1.50 d
Stormer, C, s.: Abel, NH, e. Brief an Edm. Jac. Külp.
— Verz. üb. d. wiss. Nachlass v. S Lie. 1. Mitteilg. [S.-A.] (31) 8° Christiania, (J Dybwad) 05. nn 1 —
Stoermer, M: Fehler bei d. Thonwaren-Fabrikation u. deren Abhilfe, m. bes. Berücks. d. Untersuchgsmethoden. (190 m. Abb.) 8° Freibg, Craz & G. 01. 6 —
2. Afl. u. d. T.:
— Untersuchgsmethoden d. in d. Thonindustrie gebrauchten Materialien, m. bes. Berücks. d. häufig auftret. Fabrikationsfehler, deren Ursachen u. Verhütg. 2. Afl. (191 m. Abb.) 8° Ebd. 02. 6 —
Storp, E: Die soz. Stellg d. Kranken-Pflegerinnen. (14) 8° Dresd., H Burdach (01). — 30 d
Störring, G: Die Erkenntnistheorie v. Tetens. (160) 8° Lpzg, W Engelmann 01. 4 —
— Moralphilosoph. Streitfragen. I. Tl: Die Entstehg d. sittl. Bewusstseins. (152) 8° Ebd. 03. 4 —
Störung, geist., od. Sinnlichkeit? Sachl. Darstellg u. krit. Beleuchtg d. Ehedramas im sächs. Königshause. (Umschl.: Geist. Störg od. Lüsternheit! Der Fall Kronprinzessin Louise u. Giron.) Von Graf A Edler v. Z . . . r. (48) 8° Lpzg, Verl.-Anst. M Minde (03). — 50 d
Störungen, d., im deut. Wirtschaftsleben währ. d. J. 1900 ff., s.: Schriften d. Ver. f. Socialpolitik.
— dass. in ihren Rückwirkgn auf d. industriellen, Effektenu. Geldmarktsverhältn. Österr., s.: Schriften d. Ver. f. Socialpolitik.
Stors, O: Reisebriefe a. Westafrika u. Beitr. z. Entwickelg d. deut. Kolonien in Togo u. Kamerun. (75) 8° Stuttg, J Hess 06. — 60 —; L. 1.40 d
Störmer, FB: Wie ist in d. Gemeinden d. Sinn f. d. Gesch. d. Heimat zu wecken u. zu pflegen? 2. Afl. (27 m. Abb.) 8° Lpzg, A Strauch (03). — 20 d
— Was d. Heimat erzählt. Heimatsgesch. in Bild u. denkwürd. Begebenh. a. Sachsen. I. Ostsachsen. 22 Lfgn. (528 m. Abb. u. 2 [1 farb.] Taf.) 8° Lpzg, A Strauch (04). 5.50; L. 8 — d
Stosch, d. Generals u. Admirals, 1 Chefs d. Admiralität A v. Denkwürdigk. Briefe u. Tagebuchblätter. Hrsg. v. U v. Stosch. 1—3. Afl. (375 m. Bildnis.) 8° Stuttg., Deut. Verl.-Anst. 04. 6 —; geb. nn 7 — d
Stosch, O: Das Deuteronomium, s.: Schroeder, FWJ.
— Der innere Gang d. Missionsgesch. in Grundlinien. (275) 8° Gütersl., C Bertelsmann 05. 4 —; geb. 4.80 d
— Für hl. Güter. Aphorismen z. geschichtl. Rechtfertigg d. alten Test. 1—3. Taus. (97) 8° Stuttg., M Kielmann 05. 1.60; geb. 2.50 d
— Das Heidentum als relig. Problem in missionswiss. Umrissen. (155) 8° Gütersl., C Bertelsmann 03. (1 —) geb. (1.50) 3 — d
— Alttestamentl. Studien. VI. Tl: Der geistl. Charakter Davids. (258) 8° Ebd. 03. 3 —; geb. 3.60 (I—VI.: 14 —; geb. 17.10) d
— Zeitgedanken in d. hl. Taufe. (95) 8° Ebd. 02. 1.20; geb. 1.50 d
Stoskopf, G: E Diplomat. — E Mordsaffär. 2 Lustsp. in Strassburger Mundart. 2. Afl. (35 m. Abb.) 8° Strassbg, Schlesier & Schw. 06. 1 — d
— D' Heimet, s.: Graber, J.
— D'r Hoflieferant. Elsäss. Komödie. 2. Afl. (108) 8° Strassbg, Schlesier & Schw. 06. 1.50
— Luschtiga üs'm Elsass. G'schpass un Ernscht. (94 m. Abb. u. Notenbeil.) Ebd. 05. 1.80; geb. 2.50
— D'Millioneparti, Schwank. (145) 8° Ebd. 01. 2 — d
— D'r Prophet. Drama. (160) 8° Ebd. 02. 4 — d
Stoss, P: Die Wiederverkörperg od. Reinkarnation. (33) 8° Schweidn., P Frömsdorf (04). — 80
Stossberg, F: Die Sprache d. altengl. Martyrologiums. (168) 8° Bonn, (P Hanstein) 05. 4 —
Stoessel, E: Die Schlacht bei Sempach. (75) 8° Berl., G Nauck 05. nn 1.50
Stoesser, V: Grabstätten u. Grabinschriften d. bad. Regenten in Linearabstammg v. Berthold I. Herzog v. Zähringen 1074-1811. (45, 171 m. 1 Lichtdr.) 8° Hdlbg, C Winter, V. 03. 8 —; geb. 10 —
Stoessl, O: Gottfr. Keller, s.: Literatur, d.
— Kinderfrühling, s.: Bibliothek Bard.
— Adalbert Stifter. (Biogr.) [S.-A.] (17) 8° Berl., A Weichert (02). 1 — d
Stössner, A: Das Experiment im Psychologieunterr. d. Seminars, s.: Beiträge z. Lehrerbild u. Lehrerfortbildg.

Stosst an, Göttingen lebe! Akadem. Taschen-Liederb. (107) 16° Gött., C Spielmeyer's Nf. (01). nn — 30 d
Stott, B: Rosemonde, s.: Unwin's library.
Stöttner, M: Geistl. Manuale z. Gebr. f. Institutszöglinge wie auch z. allg. Gebr. f. Mädchen u. Frauen. (400 m. Abb. u. 2 St.) 16° Einsiedl., Verl.-Anst. Benziger & Co. 03. Geb. 1.20; 1.80; 2.80 u. 4 — d
Stoetzer: Deut. Lieder in engl. Gewande. Zum Gebr. beim Unterr. u. z. eig. Studium. (77) 8° Bütz., S Berg (04). 1 — d
Stoetzer, H, s.: Lorey's Hdb. d. Forstwiss.
— Waldwegebankke nebst Darstellg d. Waldeisenb. 4. Afl. (245 m. Fig. u. 3 L.) 8° Frankf. a/M., JD Sauerländer 03. 4.80; geb. 5.60
— Waldwertrechng u. forstl. Statik. 3. Afl. (244) 8° Ebd. 03. 4 —; geb. 4.80
Stötzner, E, s.: Jugend- u. Hausbibliothek, deut.
— Lehr- u. Leseb. f. städt. u. gewerbl. Fortbildgsch. Ausg. f. Bayern, m. Benutzg Weber'scher Vorarbeiten u. unter Mitwirkg v. L Bauer u. JF Kneule. 10. Afl. (380) 8° Lpzg, J Klinkhardt 1900. Geb. nn 1.55 d
Stötzner, P: Das öffentl. Unterr.-Wesen Deutschlds in d. Gegenwart, s.: Sammlung Göschen.
Stoevesandt, J: Der Kampf geg. d. Tuberkulose in Bremen, s.: Kulenkampff, D.
Stowasser, JM: Griech. Schnadahüpfeln. Proben zwiesprach. Umdichtg. (72) 8° Wien, C Fromme (03). 1.50
Stoewer, R: Balt. Novellen u. Humoresken. (134) 8° Dresd., E Pierson 03. 2 —; geb. 3 — d
Stoewer, R: Leitf. f. d. ev. Relig.-Unterr. an höh. Schulen m. 6jähr. Kursus. 3. Afl. (106 m. 3 Kart.) 8° Berl., Weidmann 04. Kart. 1.20 d
Stöwer, W: Marine-ABC. (12 m. farb. Abb.) Fol. Lpzg, O Spamer (01). Geb. 4.50 d
— Der deut. Segelsport. Unter Mitwirkg v. G Belitz, Riess u. de Ahna. (315 m. Abb., 16 farb. Taf. u. 1 Pl.) 8° Lpzg, FA Brockhaus 05. L. 25 — d
— s.: Wandtafel deut. Kriegsschiffe.
Stöwesandt, F: Leseb. d. Kleinen, n. d. verein. Schreiblesen. Normalwortmethode, d. Grundsätzen d. Phonetik u. m. Berücks. d. Schwachbegabten bearb. Ausg. A in 2 Tln. 8° Mgdbg, OE Klotz. nn — 90; geb. nn 1.20 d
1. Für Volksschul. 1. Schulj. Für Hilfsschul. 1 u. 2. Schulj. 1—3. Afl. (24 m. 2. Tl farb. Abb.) 1900.02.03. nn — 35; geb. nn — 50 d
2. Für Volksschul. 2. Schulj. Für Hilfsschul. 3., bezw. 3. u. 4. Schulj. 1. u. 2. Afl. (90 m. Abb.) 1900.03. nn — 55; geb. nn — 70 d
— dass. n. d. verein. Schreiblese- u. Normalwortmethode u. d. Grundsätzen d. Phonetik bearb. Ausg. B. Für Mittel-, höh. Töchter-, Bürger- u. Vorsch.: 1. Schulj. Für Hilfsach.: 1. u. 2. Schulj. 3. Afl. (96 m. z. Tl farb. Abb.) 8° Ebd. 05. Geb. nn — 90 d
Stoy, E: Tab. z. Berechng hölzerner Träger m. bes. Berücks. jener Querschnitte, deren Breite z. Höhe sich wie 5 zu 7 verhält. 2. Afl. (45) 12° Wien, Lehmann & W. 02. 1.80
Stoy, H: Staat, Schule u. Erziehgsanst. Vortr. (18) 8° Lpzg, W Engelmann 01.
Straaden, A van (J Kaltenböck): Der Depeschenreiter, s.: Kamerad-Bibliothek.
Strabo's Erdbeschreibg. Übers. u. durch Anmerkgn erläut. A Forbiger. 5—7. u. 30—34. Lfg. 8° Berl.-Schöneb., Langenscheidt's V. (01-05). Je — 35 d
5.6. II. A6. (2. Bd. 1—96) || 7. II. A6. v. EA Bayer. (2. Bd. 97—144) — 34. II. A6. (4. Bd. 1—144)
Strache, Modernes Merkantil. — Der moderne Merkantil-Lithograph, s.: Steinbach.
Strachwitz, Gräfin A: Gedanken in Gedichtform. (51 m. Bildn.) 8° Dresd., E Pierson 03. 1 —; geb. 2 —
Strack, A, s.: Blätter, hess., f. Volkskde. — Zeitschrift, schau, volkskundl.
Strack, HL: Die Genesis, s.: Kommentar, kurzgef., zu d. hl. Schriften Alten u. Neuen Test.
— Bibl. Gesch., s.: Voelker, K.
— Grammatik d. Biblisch-Aramäischen. Mitd. n. Handschriften bericht. Texten u. e. Wrtrb. 4. Afl. (160 u. 60) 8° Lpzg, JC Hinrichs' V. 05. 2 —; L. 3 — d
— Hebr. Grammatik m. Übgsb. 8. Afl. (152 u. 122) 8° München, CH Beck 02. L. nn 4.80
— Hilfsbuch z. bibl. Leseb., s.: Voelker, K.
— s.: Himmelan. — Joma, d. Sohnes Sirachs, Sprüche.
— Joma, d. Mischnatraktat "Versöhnungstag", s.: Schriften d. Instit. judaicum in Berlin.
— Bibl. Leseb., s.: Voelker, K.
— s.: Nathanael.
— Paradigmata hebraica. Ed. V. (24) 8° Münch., CH Beck 02.
— Hebr. Schreibbuch. 3. Afl. (18) 4° Ebd. 03. — 50
— s.: Schrift, d. hl., n. d. Übersetzg Luthers im Ausz. u. m. kurzen Erläutergn hrsg. — Schrift, d. hl., d. Alten Test.
— Die Sprüche d. Väter (Pirqé Abôth), s.: Schriften d. Instit. judaicum in Berlin.
— Hebr. Vokabularium (in grammat. u. sachl. Ordng). 7. Afl. (24) 8° Münch., CH Beck 05. Kart. — 80
Strack, M, s. a.: Berg, W v.
— Nichts f. Backfische, s.: Naumburg's moderne Bibliothek.
Stracke, K: Leitf. d. Handelsgesch., s.: Handbibliothek d. Handelswiss.

Stracke, W: Der qualfreie Fang d. Haarraubzeuges m. d. Kastenfalle u. Prügelfalle in Jagdgehegen, Parkanlagen usw., nebst Beschreibg d. zweckmässigsten Einrichtg, Anfertigg u. Anwendg genannter Fallen. 3. Afl. (143 m. Abb.) 8° Neud., J Neumann 04.   2 — ; L. 3 — d

Strackerjan, K: Dän. Friedensstörer. Aus dän. Quellen erläut. 1. Tl: In Schleswig selber. (65) 8° Hadersl., J Dresen's Nf. 03.   — 60 d

Stradal, A: Franz Liszts Werke (im Verlage v. CF Kahnt Nf.), besprochen. (41 m. 1 Bildnis u. Fksm.) 8° Lpzg, CF Kahnt Nf. 04.   — 60

Stradal, H: „Auf einsamer Höhe". Drama. (65) 8° Berl.-Charlttnbg, TG Fisher & Co. 04.   1 — d
— Sonnenwende. (74) 8° Cass. 01. Berl.-Charlttnbg, TG Fisher & Co. 01.   1 — d
— „Der Spielmann". Drama. (34) 8° Ebd. 01.   1 — d
— Was d. Wildbach erzählt. (52) 8° Ebd. 02.   1 — d

Stradner, A: Der barmherz. Samaritan in s. Wirken in d. Diöc. Seckau. (147) 8° Graz, Styria 03.   1.20 d

Stradner, J: Der Fremdenverkehr. Volksw. Studie. (139) 8° Graz, Leykam 05.   1 — d
— Führer durch Graz, s.: Hassenberger, E.
— Neue Skizzen v. d. Adria. I—III. 8° Graz, Leykam. 3.70
   I. Von San Marco bis San Giusto. (176) 02. 1 — ǁ II. Istrien. (208) 03. 1.30 ǁ III. Liburnien u. Dalmatien. (216) 03. 1.40.
— dass. Versione dal tedesco di A Stefani. I e II. 8° Triest, FH Schimpff 03.   Je 1.50
   I. Da San Marco a S. Giusto. (151) ǁ II. Istria. (180)

Stradonitz s.: Kekule v. Stradonitz.

Strafanstalten u. Arbeitshäuser, d. in Deutschl. u. Oesterr.-Ungarn. [S.-A.] (70) 8° Kass. (02). Hdlbg, C Winter, V. 1 —

Strafbestimmungen, d., bei Vergehen wider d. Vereinszollges. (98) 8° Berl., E Schneider 01.   L. m. 1.40 d

Strafgesetz üb. Gefällsübertretgn u. Amtsunterr. f. d. z. Anwendg d. Strafges. etc. bestimmten Behörden u. Amter, s.: Handausgabe d. österr. Ges. u. Verordngn.
— allg. bürgerl., f. d. Kgr. Norwegen, übers. v. EH Rosenfeld u. A Urbye, s.: Sammlung ausserdent. Strafgesetzbb.
— d., üb. Verbrechen, Vergehen u. Uebertretgn, s.: Taschenausgabe, Manz'sche, d. österr. Ges.
— dass. v. 26.V.1852 (Anszng) u. Bestimmgn z. Hinterhaltg d. Trunkenheit, Ges. v. 19.VII.1877. (65) 16° Brody, F West (04).   — 50

Strafgesetzbuch, allg. bürgerl., f. d. Kgr. Dänemark, sowie Ges., betr. d. Behandlg ein. im allg. bürgerl. Strafgesetzb. behand. Verbrechen u. Ges. üb. Gewalt geg. schuldlose Personen, übers. v. H Bittl, s.: Sammlung ausserdent. Strafgesetzbb.
— d., f. d. deut. Reich. (96) 8° Neuweissens., E Bartels (o. J.).   1 — d
— dass. 1905. (110) 16° Berl. (S. 14, Dresdener Str. 80), L Schwarz & Co. (05).   — 80 d
— dass. Textausg. m. Sachreg. 3. Afl. (62) 8° Backnang (01). Stuttg., J Rath.   — 30 d
— dass. (Mit d. Ges. v. 25.VI.1900.) (99) 8° Reutl., Ensslin & L.   — 40 d
— d. portugies., übers. v. F Zander, s.: Sammlung ausserdent. Strafgesetzbb.

Strafgesetzgebung, d. norweg., d.J.'02, übers. v. A Teichmann, s.: Sammlung ausserdent. Strafgesetzbb.

Strafprozessordnung in d. Fassg d. EG. z. BGB. u. d. Ges. v. 17.V.1898, nebst d. Gerichtsverfassgges. in d. Fassg d. Bekanntmachg v. 20.V.1898 u. d. Ges., betr. d. Entschädigg d. im Wiederaufnahmeverfahren freigesproch. Personen. Textausg. m. kurzen Verweisgn u. Sachreg. (197) 12° Münch., CH Beck 02.   L. 1.50 d
— d., samt d. Vollzugsvorschrift, d. Geschäftsordngn f. d. Strafgerichte u. Staatsanwaltschaften, s.: Taschenausgabe, Mann'sche, d. österr. Ges.
— d. bulgar., v. 3.IV.1897, übers. v. A Teichmann, s.: Sammlung ausserdent. Strafgesetzbb.
— d. ottoman., übers. v. W Padel, s.: Sammlung ausserdent. Strafgesetzbb.

Strafrecht, deut., s.: Miniatur-Bibliothek.

Stragans, M: Hall in Tirol. Beitrag z. Gesch. d. tirol. Städtewesens. I. Bd. Gesch. d. Stadt bis z. Tode Kaiser Max I. (415 m. 1 Taf.) 8° Innsbr., H Schwick 03. 5 — ; RF. 6.70 d

Strahl, AC: Friedrich d. Gr. in volkstüml. Gedichten. (235) 8° Berl., R v. Decker 05. L. 5 — ; auf bess. Pap., m. G. 6.40 d Fürst Leopold v. Anhalt-Dessau (d. alte Dessauer) als Soldat. ǁ Balladen. (32) 8° Dess., (W Presting) 05.   1 — d

Strahl, E: Wie heile ich mein krankes Rein selbst? Anl. z. sich. Heilg aller, selbst ält. Beinschäden. 6. Afl. (152 m. Abb.) 8° Hambg, Dr. E Strahl's Selbstverl. 01.   2 — d

Strahl, H: Beitr. z. vergleich. Anatomie d. Placenta. [S.-A.] 59 m. 1 Fig. u. 10 Taf.) 4° Frankf. a/M., (M Diesterweg) 04. 9 —
— Primaten-Placenten, s.: Menschenaffen. — Studien üb. Entwickelgsgesch. d. Tiere.
   u. H Harpe: Üb. d. Placenta d. Schwanzaffen, s.: Menschenaffen. — Studien üb. Entwickelgsgesch. d. Tiere.

Strahl-Imhoof: Neuenegg, s.: Bibliothek vaterländ. Schausp. Eine Stufe höher. 2. bill. [Tit.-]Ausg. (289) 8° Aar., E Wirz 1899) 02.   2.40 d

Strahlen. Ein kl.Beitr. z.Erziehg heut. ideal veranlagter junger Leute. Von M B. (32) 8° Weida (01). (Triest, FH Schimpff.)
   — 50 d
— theosoph., z. Verbreitg d. göttl. Wahrb. d. Theosophie. Nr.1—18. 8° Berl., P Raatz.   Je — 10
   Boldt, M: Karma od. Was wir säen, d. ernten wir. (16) (02.) [11.] ǁ Corvinus, D: Die theosoph. Lehre d. Kreisläufe (Cyeles). (15) (01.) [2.] ǁ Green, T: Theosophie u. Naturwiss. od. d. Grundl. d. esoter. Philosophie. (16) (03.) [13.]
   John, E: Der Pichre Wert d. Lebens. (15) (01.) [6.] ǁ Judge, WQ: Aus HP Blavatskys Leben. (25) (04.) [15.16.] ǁ Das Entwickeln d. Konzentration. — Okkulte Kräfte u. deren Aneigug. (32) (02.) [7.8.]
   Notwendigkeit, d., d. Reinkarnation. (16) (01.) [1.]
   Raatz, P: Die theosoph. Bedeutg d. Geburt Jesu. (16) (02.) [12.] ǁ Angs. Brüderschaft. (15) (01.) [5.] ǁ Die esoter. Erklärg d. Gleichnisses v. verlorenen Sohn. (30) (04.) [17.18.] ǁ Die Karma-Lehre u. ihre Drakt. Anwendg. (16) (02.) [9.] ǁ Die 7fache Konstitution d. Menschen. (32) (01.) [3.4.]
   Vogel, A: Kampf d. Wahrheit m. d. Lüge. (20) (02.) [10.]
   Worte, ein., fürs tägl. Leben. Geschrieben v. e. „Meister d. Weish." (14) (04.) [14.]
   Das I. u. 2. Heft kosteten früher je — 20.

Strahlendorff, H: Verzierte Anfangsbuchstaben m. umgekehrter Schattenlage. (6 Taf. m. 1 Bl. Text.) 4° Berl., (G Grube) (04).   1 —
— s.: Archiv f. junge Kaufleute.
— Kurzer Geschäftsg. z. Einführg in d. dopp. italien., amerikan. u. einf. Buchführg, nebst Vorübgn f. d. Gewinn- u. Verlust-Ermittelg u. d. Bücher-Abschluss. 1. Tl. (38 m. Formularen.) 8° Berl., (G Grube) (02).   L. m 1.75
— Die Kopf- od. Conto-Schrift. Vorlagen. (5 Taf. m. 2 S. Text.) 4° Ebd. (03).   1 —
— Rundschrift. Vorlagen. Text f. Handels-, Gewerbe- u. Fortbildgsgesch. (4 Taf. m. 2 Linienblättern u. 4 S. illustr. Text.) 4° Ebd. (04).   1 —
— Selbst-Unterr. z. Aneigng e. schönen u. geläuf. kaufmänn. Handschrift. 2. Afl. (25 Taf. m. 4 Linienblättern u. 16 S.Text.) 4° Ebd. (02).   1 —
— u. H Minck: Lehrb. d. dopp. italien. Buchführg. (137) 8° Ebd. 02.   L. 3.50; Schlüssel. 1104 3.50

Strähler, E: Gibt Alkohol Kraft? od. d. Einfluss d. geist. Getränke auf d. menschl. Körper. 13—22. Taus. (20) 8° Berl., Mässigkeits-Verl. (03).   — 15 d

Strakosch, S: Amerikan. Landw. Reisestudie. (187 m. Abb. u. 1 Karte.) 8° Wien, W Frick 05.   6 —

Strakosch-Grassmann, G: Erziehg u. Unterr. im Hause Habsburg. 1. Heft. (82) 8° Wien, W Braumüller 03.   1.50
— Gesch. d. österr. Unterr.-Wesens. (372 m. Abb. u. 2 Beil.) 8° Wien, A Pichler's Wwe & S. 05.   7.50 d

Strand, B: Die Dictyniden, Dysderiden, Drassiden, Clubioniden u. Algaleniden d. Collett'schen Spinnen-Sammlg. [S.-A.] (16) 8° Christiania, (J Dybwad) 04.   — 85
— Neue norweg.Schmetterlingsformen. [S.-A.] (24) 8° Kristiania, A Cammermeyer 03.   1.12

Strand-Buch, d., m. Fahrplanordner. Notizen üb. deut. Ostseebäder u. Bornholm. Ausg. f. Mai u. Juni '05. (48 u. 36 m. 1 Karte.) 8° Ahlbeck, K Ernst.   — 25

Strandgut. Münch. literarisch-künstler. Monatsschrift. Red.: L Mohr. April—Dezbr 1905. 9 Nrn. (Nr. 1. 32 m. 1 Bildnis.) 8° Münch. (Berl.-Charlttnbg, Hassenstein.)   Viertelj. 1.50; einz. Nrn — 50 d

Stransky, E: Üb. Sprachverwirrtheit, s.: Sammlung zwangl. Abhandlgn a. d. Geb. d. Nervan- u. Geisteskrankh.

Strauts, F v.: Erinnergn a. meinem Leben. (272 m. Bildnis u. 14 Fksms.) 8° Hambg 02. Berl., KW Mecklenburg.   4 — d

Strauts, K v.: Das verwelschte Deutschtum jenseits d.Westmarken d. Reiches, s.: Luckhardt's zeitgeschichtl. Bibliothek.

Strauss, J, s.: Formularbuch f. d. freiwill. Gerichtsbark.
— Ein Protest geg. d. Wechselprotest. [S.-A.] (38) 8° Berl., O Liebmann 03.   1.20
— Die Rechtsanwaltschaft beim Reichsgerichte, s.: Veröffentlichungen d. Berliner Anwalt-Ver.
— u. M Straus: Allg. deut. Wechselordng (Neubearbeitg d. Borchardt-Ball'schen Ausg.), s.: Guttentag's Sammlg deut. Reichsges.

Straparola, GF: Die ergötzl. Nächte, s.: Liebhaber-Bibliothek, kulturhistor.

Strasburger, E: Anlage d. Embryosackes u. Prothalliumbildg bei d. Eibe, s.: Denkschriften d. mediz.-naturwiss. Gesellsch. zu Jena.
— Die stoffl. Grundl. d. Vererbg im organ. Reich. (58) 8° Jena, G Fischer 05.   2 —
— s.: Jahrbücher f. wiss. Botanik.
— Das kl. botan. Practicum f. Anfänger. Anl. z. Selbststudium d. mikroskop. Botanik u. Einführg in d. mikroskop. Technik. 4. Afl. (352 m. Abb.) 8° Jena, G Fischer 02. ǁ 5. Afl. (256 m. Abb.) 04.   Je 6 — ; geb. je 7 —
— Üb. Reduktionstellg. [S.-A.] (28 m. Abb.) 8° Berl., (G Reimer) 04.   1 —
— Streifzüge an d. Riviera. 2- Afl. (26, 481 m. farb. Abb.) 8° Jena, G Fischer 04.   10 — ; geb. 12 —
— F Noll, H Schenck, AFW Schimper: Lehrb. d. Botanik f. Hochsch. 5. Afl. (563 m. z. Tl farb. Abb.) 8° Ebd. 02.   7.50; geb. 8.50

Neue Afl. u. d. T.:
— F Noll, H Schenck, G Karsten: Lehrb. d. Botanik f. Hochsch.

6. Afl. (591 m. z. Tl farb. Abb.) 8° Jena, G Fischer 04. ‖ 7. Afl. (598 m. z. Tl farb. Abb.) 05. Je 7.50; geb. je 8.50
Strasburger, EH: Von d. Lieb. Gedichte.(59 m.Abb.) 8° Strasbg, J Singer (01). 3 —
— Lieder f. Kinderherzen. 2. Afl. (36 m. Abb.) 4° Berl., E Hofmann & Co. (01). Geb. 3.20 ‖ 6. u. 7. Taus. Volksausg. (38) 8° (05.) — 25 d
— s.: Tage, gold.
— Ungezogenes, s.: Trojan, J.
— u. T **Etzel**: Das fröhl. Tierb., m. (z. Tl farb.) Bildern v. C Hall. (72) 4° Münch., E Koch (03). Geb. 3 — d
— u. J **Trojan**: Gnck in d. Welt! Gedichte u. Erzählgn f. d. Kleinen. (50 m. z. Tl farb. Abb.) 4° Essl., JF Schreiber (03). Geb. 1 — d
Strasburger, A: Französ. Sprachsch. Schlüssel. (59) 8° Frankenbg, CG Rossberg 01.
Strasburger, J: Anstands-Büchl. f. d. Schuljugend. (76) 16° Münch., J Pfeiffer (05). Kart. — 40 d
— Neues Gratulationsbüchl. f. d. liebe Kinderwelt. (23) 16° Ebd. (03). — 20 d
Strassen, Gassen, Plätze v. Wien nebst Floridsdorf u. Jedlersdorf, nebst Anh.: Ministerien, Gesandtschaften, Consulate u. Hotels. (S.-A.) 47. Jahrg. (124) 8° Wien, A Hölder 05. — 40 d
— u. **Plätze** Münchens sowie v. Riesenfeld, Milbertshofen u. Villenkolonie Solln, m. Strassenskizzen z. Orientierg. 3. Afl. (236) 16° Münch., J Lück 05. — 30 d
Strassen, OL z.: Anthraconema, e. neue Gattg freileb. Nematoden, s.: Jahrbücher, zoolog.
— Gesch. d. T-Riesen v. Ascaris megalocephala, s.: Zoologica.
Strassenbahn, d. gr. Berliner, 1871—1902. Denkschrift a. Anlass d. vollständ. Durchführg d. electromotor. Betriebes. (259 m. Abb., 10 Vollbildern u. 3 Pl.) 4° Berl., J Springer 02. L. nn 15 —
Strassenbahnen, d. deut. elektr., Sekundär-, Klein- u. Pferdeb., sowie d. elektrotechn. Fabriken, Electricitätswerke samt Hilfsgeschäften im Besitze v. Aktien-Gesellschaften. Ausg. 1903/1904. 7. Afl. (382) 8° Lpzg 03. Berl., Verl. f. Börsen- u. Finanzlit. L. nn 15 —
Strassen-Brücken, d., d. Stadt Berlin. Hrsg. v. Magistrat. 2 Bde. (220 m. Abb. u. 93 Taf.) Fol. Berl., J Springer 02. L. 50 — Vorzg.
Strassen-Führer durch Berlin u. Vororte. Hrsg. v. Berliner Lokal-Anzeiger. 1905. (545) 16° Berl., A Scherl. — 20 d
Strassengesetze f. Kärnten. Nachtr. Ges. v. 11.XII.'04, durch welches gemäss Artikel I d. §§ 16 u. 31 d. Landesges. v. 7.IV. 1896 ausser Kraft getreten sind u. künftighin zu lauten haben. (2) 8° Klagenf., (J Heyn) (05). — 06
(Hauptwerk u. Nachtr.: — 72) d
Strassenkarte d. Erzh. Österr. unter d. Enns. Vom n.-b. Landesausschusse. Ende Dezbr 1903. 1:75,000. 12 Bl. je 75×60 cm n. 1 Beibl. 46,5×52,5 cm. Lith. Wien, (R Lechner's S.) (04). nn 36 —; einz. Bl. nn 4.50; Beibl. nn 3.25
— v. Südost-Bayern u. Nord-Tirol. Hrsg. v. deut. Touring-Club München (e. V.). (Neue Mitglieder-Ausg.) 1:250,000. 76,5×81 cm. Farbdr. Münch., (Lit.-artist. Anst.) (01). 2 —
Strassenordnung v. 7.VII.'02. — Verordng. betr. d. Fahrradverkehr v. 30.IX.1896 nebst Ergänzg: Gesperrte Strassen, Kreuzgn etc. Textausg. (64) 16° Hambg, C Boysen 02. — 60 d
— dass. Verordng betr. d. Fahrradverkehr. Droschkenordng. Verordng betr. d. Karrenhandel, Verkehr m. Kraftfahrzeugen, d. Feilbieten v. Ansichtskarten u.s.w., s.: Boysen's Sammlg Hamburger Ges.
— f. Hamburg, nebst Ges. betr. Radfahrordng. (47) 8° Hambg, O Meissner's V. 02. — 40 d
Strassen-Plan v. Reineckendorf. 65×96 cm. Autogr. Berl. (SW 12, Zimmerstr. 21), C Willum. 3 —
Strassenprofilkarte, deut., f. Radfahrer. 1:300,000. Bl. 1, 3, 4, 9, 12—16, 22—26, 30—35, 56—59, 64—68, 73 u. 73—77. In Landkarten- od. Profilmanier. Je etwa 30,5×37 cm. Farbdr. Nebst Text. (Je etwa 4 S.) 8° Lpzg, Mittelbach (02.03).
Auf L. in Futteral je 1.50
Berlin. 7. Taus. (Landkartenmanier.) [26.] ‖ Bielefeld. 12. u. 15. Taus. (Landkarten- u. Profilmanier.) [40.] ‖ Bonn. 12. u. 14. Taus. (Landkartenmanier u. Profilmanier.) [48.] ‖ Bremen. 10. Taus. (Landkartenmanier.) [33.] Cassel. 12. Taus. (Landkartenmanier. 8. u. 9. Taus. (Profilmanier.) [45.] ‖ Cassel. 12. Taus. (Landkartenmanier. Profilmanier.) [40.] ‖ Coburg. 13. u. 14.Taus. (Profilmanier.) [64.] ‖ Danzig. 4. Taus. (Landkartenmanier.) [9.] ‖ Dessau. 9. u.10.Taus. (Landkartenmanier.) [34.] ‖ Dresden. 27—29. Taus. (Profilmanier.) [42.] ‖ Erfurt. Taus. 9. u.10.Taus. (Profilmanier.) [41.] ‖ Flensburg. 4. Taus. (Landkartenmanier.) [1.] ‖ Frankfurt a. M. 17. Taus. (Landkartenmanier. Profilmanier.) [47.] ‖ Freiburg i/Bl. (Schlettstadt). 13. u. 14. Taus. (Landkarten- u. Profilmanier.) [59.] ‖ Fulda. 9. Taus. (Profilmanier.) [49.] ‖ Fürth. 5. Taus. (Profilmanier.) [59.] ‖ Glogau. 7. Taus. (Landkartenmanier.) [36.] ‖ Görlitz. 9. Taus. (Profilmanier.) [44.] ‖ Göttingen. 11. Taus. (Planprofilmanier.) [32.] ‖ Gotha. 9. u. 10. Taus. (Landkartenmanier.) [35.] ‖ Hamburg. 19. u. 20. Taus. (Landkartenmanier.) [13.] ‖ Hannover. 10. u. 11.Taus. (Landkartenmanier.) [23.] ‖ Ingolstadt. 6. Taus. (Profilmanier.) [67.] ‖ Ischl a.: Linz. ‖ Kiel. 13. u. 16. Taus. (Landkartenmanier.) [20.] ‖ Köln. 33. u. 39. Taus. (Landkarten- u. Profilmanier.) [38.] ‖ Leipzig. 39—41. Taus. (Profilmanier.) [41.] ‖ Linz (Ischl). 5. Taus. (Profilmanier.) [77.] ‖ Lübeck. 11. u. 12. Taus. (Landkartenmanier.) [4.] ‖ Magdeburg. 15. Taus. (Profil-

manier.) [38.] ‖ Mainz. 23—25. Taus. (Landkarten- u. Profilmanier.) [56.] ‖ Malchow. 6. Taus. (Landkartenmanier.) [15.] ‖ Metz. 6. u. 7. Taus. (Landkarten- u. Profilmanier.) [04.] ‖ Mülhausen. 4. Taus. (Profilmanier.) [73a.] ‖ München. 14. u. 15. Taus. (Profilmanier.) [75.] ‖ Neisse. 3. Taus. (Profilmanier.) [28.] ‖ Nürnberg. 13. Taus. (Landkarten- u. Profilmanier.) [55.] ‖ Oppeln. 5. Taus. (Profilmanier.) [54.] ‖ Osnabrück. 7. Taus. (Landkartenmanier.) [22.] ‖ Prag. 9.u.10.Taus. (Profilmanier.) [51.] ‖ Rathenow. 6.Taus. (Landkartenmanier.) [25.] ‖ Regensburg. 4. u. 5. Taus. (Profilmanier.) [66.] ‖ Salzburg. 7. u. 8. Taus. (Profilmanier.) [76.] ‖ Salawedel. 7. Taus. (Landkartenmanier.) [24.] ‖ Schlettstadt s.: Freiburg i/B. ‖ Schwerin. 12. u. 13. Taus. (Landkartenmanier.) [14.] ‖ Siegen. 11. Taus. (Landkarten- u. Profilmanier.) [39.] ‖ Stettin. 6. Taus. (Landkartenmanier.) [16.] ‖ Strassburg. 19. u. 20. Taus. (Landkartenmanier.) [65.] ‖ Stuttgart. 13. Taus. (Profilmanier.) [65.] ‖ Trautenau. 7. Taus. (Profilmanier.) [53.] ‖ Trier. 10. Taus. (Landkarten- u. Profilmanier.) [55.] ‖ Ulm. 9. Taus. (Profilmanier.) [74.] ‖ Wesel. 9. Taus. (Landkartenmanier.) [30.] ‖ Würzburg. 12. u. 13. Taus. (Profilmanier.) [57.] ‖ Zwickau. 16. u. 17. Taus. (Profilmanier.) [50.]

Strassenprofilkarte, deut., f. Rad- u. Motorfahrer. 1:300,000. Bl. 42, 43, 50, 54, 57, 66, 67, 74 u. 75. Ausg. B. (Landkartenmanier.) Je etwa 30,5×39 cm. Farbdr. Nebst Text. (Je 4) 8° Lpzg, Mittelbach (04.05). Auf L. in Futteral je 1.50
Dresden. 43. ‖ Ingolstadt. 67. ‖ Leipzig. 42. ‖ München. 75. ‖ Oppeln. 54. ‖ Stuttgart. 65. ‖ Ulm. 74. ‖ Würzburg. 57. ‖ Zwickau. 50.
— dass. Schweiz. 10.u.11.Taus. 1:600,000. 45,5×60,5 cm. Farbdr. Ebd. (02). Auf L. in Futteral 2 —
— dass. Steiermark. 5. u. 6.Taus. 1:600,000. 45×47,5 cm. Farbdr. Nebst Text. (15) 8° Ebd. (02). Auf L. in Futteral 2 —
— dass. Tyrol (Oberitalien). 14. u. 15.Taus. 1:600,000. 46×62 cm. Farbdr. Ebd. (02). Auf L. in Futteral 2 —
— v. Württemberg, Baden, Hessen-Darmstadt. Nördl. u. südl. Tl. (Neue Ausg.) Farbdr. (02). Auf L. in Futteral je 2.50
Nördl. Tl. 30,5×60 cm. ‖ Südl. Tl. 32,5×67 cm.
Strassenwärter, d. bayer. (Red.: A Härtlein.) 1. Jahrg. März-Dezbr 1901. 42 Nrn. (Nr. 15. 4) 4° Neum. ‖/Ob.-Pf., J Boogl. ‖ 2—5. Jahrg. 1902—5 je 52 Nrn. Viertelj. — 70 d
Strasser, A: Albuminurie u. physikal. Therapie, s.: Klinik, Wiener.
— u. H **Wolf**: Üb. Malariarezidive, s.: Klinik, Wiener.
Strasser, C: Ein Hochzeitsspiel. (157) 8° Bern, A Francke 05. 3 —
— Ein Sonnen. (159) 8° Ebd. 05. 2.50
Strasser, G: Der Übergang Berns im J. 1798. Zur 100jähr. Gedächtnisfeier. (64 m. Abb.) 8° Bern, Kaiser & Co. 1898. — 40 d
Strasser, H: Anl. z. Gehirnpräparation. (38) 8° Jena, G Fischer 01. — 76
Strasser, JE: Der Einj.-Freiwill. vor, währ. u. n. d. Ableistg d. einjähr. Präsenzdienstes. 3. Afl. (130) 8° Linz, Zentralst-vorm. E Mareis 05. — 80
Strasser, S: Phantasie u. Wahrheit. (115) 4° Berl., R Eckstein Nf. (04). 2 —
Strasser, T: Nesthäkchens Chronica. Merkbüchl. f. d. christl. Mütter. Mit Federzeichng v. Freiin M v. Odlershausen. (88) 4° Gotha (05). Perthes, Mörbaur., Berenburg'sche Buchdr. (05). L. m. G. (6 —) 4 — d
Strässer, J: Der Lehrplan f. d. ungeteilte Unterr.-Zeit, s.: Sammlung pädagog. Vorträge.
— Sind Sprachübgshefte in d. Volkssch. notwendig?, s.: Abhandlungen, pädagog.
Strässle, F, s. a.: Kamberg, F.
Strässle, Kl. Heimgarten f. d. Jugend. 5. Afl. (126 m. Abb.) 16° Einsied., Verl.-Anst. Benziger & Co. (01). L. 1.20 d
— Die schönsten Märchen, Sagen u. Schwänke f. Kinder. 6—12 Jahren. 2. Afl. (232 m. Abb. u. z. Tl farb. Taf.) 8° Steink. W Nitzschke (05). Geb. 5 — d
— Illustr. Naturgesch. f. d. Jugend. 8. Afl. v. H Fleischer. Neue m. 18 Farbtf. 8° Ebd. (05). Geb. 5 — d
— Schmetterlingsb., 5. Afl., s.: Fleischer, H.
Strassmann, F, s.: Medizin, gerichtl. — Vierteljahrsschrift f. gerichtl. Medicin.
Strassmann, P: Das Leben vor d. Geburt, s.: Sammlung d. Vortr.
Strassner, P: Sämtl. in d. Gabelsb.'schen Verkehrsschrift vorkomm. Abkürzgn (Sigel, Vorsilben u. Nachsilben). (20) 16° Wolfenb., Heckner 02. 2 —
Strastil, T v.: Aus d. Jugendzeit. Gedichte. (32) 8° Wien, C Konegen 01. 1 — d
Straszewski, M v.: Ideen z. Philosophie d. Gesch. d. Philosophie. Vortr. (50) 8° Wien, W Braumüller 1900. 1.20 d
Straten, A: Blutmord, Blutzauber, Aberglauben. Untersuchgn. bes. Berücks. d. jüd. Volkes. (108) 8° Sieg., Westdeut. Verl. Anst. 01. 2 — d
Sträter, C: Das Studienheft als Mittel z. Vertiefg d. Lektüre. (40) 8° Mgdbg, Creutz 04. 1 —
Stratmann: Anl. z. Pflanzg u. Pflege v. Obstbäumen, nebst e. Verz. empfehlenswerter Obstsorten. 5. Afl. (85) 8° Ess., Baedeker 03. — 90 d
Stratmann, C, s.: Geschäfts-Kalender u. Jahrbuch f. Barbiere usw.
Stratz, CH, s. a.: Hemskerk, H v.
— Die Entwicklg d. menschl. Keimblase. (32 m. z. Tl farb. Abb.) n. 3 farb. Taf.) 8° Stuttg., F Enke 04.
— Die rechtzeit. Erkeng d. Uteraskrebses. (18 m. z. Tl farb. Taf.) 8° Ebd. 04.
— Die Frauenkleidg. 2. Afl. (186 m. z. Tl farb. Abb.) 8° Ebd. 02. 7.50 ‖ L. 8.50
3. Afl. u. d. T.:

Stratz, CH: Die Frauenkleidg u. ihre natürl. Entwicklg. 3. Afl. (408 m. Abb. u. 1 farb. Taf.) 8° Stuttg., F Enke 04.   15 —;   L. 16.40
— Was sind Juden? Ethnographisch-anthropolog. Studie. (30 m. Abb.) 8° Wien, F Tempsky. — Lpzg, G Freytag 03. 2 —
— Der Körper d. Kindes. 1. u. 2. Afl. (250 m. Abb. u. 2 Taf.) 8° Stuttg., F Enke 03.04.   10 —; L. 11.40
— Die Körperformen in Kunst u. Leben d. Japaner. 1. u. 2. Afl. (196 m. Abb. u. 4 farb. Taf.) 8° Ebd. 02.04.   8.80; L. 10 —
— Naturgesch. d. Menschen. Grundr. d. somat. Anthropol. (408 m. z. Tl farb. Abb. u. 5 farb. Taf.) 8° Ebd. 04. 16 —; L. 17.40
— Die Rassenschönheit d. Weibes. (350 m. Abb. u. 1 Karte.) 8° Ebd. 01. 12 —; L. 13 — || 2—4. Afl. (358 m. Abb. u. 1 Karte.) 02.03. 12.80; geb. 14 — || 5. Afl. (400 m. Abb. u. 1 Karte.) 04.   14 —; geb. 15.40
— Die Schönheit d. weibl. Körpers. 10—12. Afl. (322 m. Abb. u. 6 [1 farb.] Taf.) 8° Ebd. 01.02. || 13—16. Afl. (334 m. Abb. u. 7 [1 farb.] Taf.) 02-04. Je 12 —; L. je 13.40 || 7. Afl. (438 m. Abb. u. 7 Taf.) 05. 15.60; geb. 17.60

Stratz, R: Alt-Heidelberg, du Feine . . . Roman e. Studentin. 1—7. Afl. (470) 8° Stuttg., JG Cotta Nf. 02-05. 3.50; L. 4.50 d
— Buch d. Liebe. 6 Novellen. 3. Afl. (216) 8° Ebd. 04. 2.50; L. 3.50 d
— Die ewige Burg. Roman a. d. Odenwald. 5. Afl. (356) 8° Ebd. 05.   3 —; geb. 4 — d
— Dienst! Kasernenroman in 3 Tagen. 4. Afl. (168) 8° Berl., E Fleischel & Co. 03.   3 —; geb. 3 — d
— Du bist d. Ruh'. Roman. 1—4. Afl. (384) 8° Stuttg., JG Cotta Nf. 05.   3.50; L. 4.50 d
— Du u. ich. Die Gesch. e. armen Offiziers. (195 m. Abb.) 8° Stuttg., Union (05).   3 —; L. 3 — d
— Die kleine Elten. Roman a. d. Berliner Bühnenwelt. 4. Afl. (247) 8° Berl., E Fleischel & Co. 02. 3.50; geb. 4.50 d
— Gib mir d. Hand. Roman. 1—7. Afl. (453) 8° Stuttg., JG Cotta Nf. 04.05.   4 —; L. 5 — d
— Die Hand d. Fatme. Erzählg. (238 m. Abb.) 8° Stuttg., Union (05).   2 —; L. 3 — d
— Ich harr' d. Glücks. Novellen. 1—3. Afl. (384) 8° Stuttg., JG Cotta Nf. 05.   3.50; L. 4.50 d
— Das weise Lamm, s.: Romane, moderne, aller Nationen.
— Unter d. Linden. Berliner Zeitroman a. d. neunz. Jahren. 5. Afl. (235) 8° Berl., E Fleischel & Co. 03. 3 —; geb. 4 — d
— Der Stern v. Angora. Novelle. (110 m. Abb.) 8° Lpzg (03). Stuttg., Union.   1 —; L. 2 — d
— Arme Thea! Roman. 3. Afl. (240) 8° Berl., E Fleischel & Co. 03.   3 —; geb. 4 — d
— Der weisse Tod. Roman a. d. Gletscherwelt. 11. Afl. (250) 8° Stuttg., JG Cotta Nf. 05.   3 —; L. 4 — d
— Es war e. Traum. Berliner Novellen. 1—4. Afl. (370) 8° Ebd. 05.   3.50; L. 4.50 d
— Vorbei. Eine Gesch. a. Heidelberg. (93 m. Abb.) 8° Stuttg., Union (04).   1 —; geb. 2 — d

Straub, C: St. Nikolaus, d. Weihnachtsmann. (3 m. farb. Abb.) 4° Münch. (01). Chromolith. (O Maier.)   Sechseckig ausgestanzt — 40 d Vergr.
Straub, G: Das Tier-Narren-Reich. Bilderb. f. kl. u. gr. Kinder. (32) 8° Münch., C Haushalter (01).   Kart. 2 — d
—   kolor. Ausg. (32) 4° Kart. 3 — d
— Die babylon. Verwirrg im Reiche d. Tiere. Bilderb. f. gr. u. kl. Kinder. (32 m. Abb.) 8° Ebd. (01).   Kart. 2 — d
Straub, K: Rechtsgesch. d. ev. Kirchgemeinden d. Landsch. Thurgau unter d. eidgenöss. Landfrieden (1523—1798). (242) 8° Frauenf., Huber & Co. 02.   2.40 d
Straub, LW: Aufsatzentwürfe, s.: Sammlung Göschen.
Straub, S: Exkursions-Flora d. Bez. Gmünd. 2. Afl. (216) 12° Stuttg., Muth 03.   L. nn 2 — d
Straub, T: Kurzgef. Anl. z. Darstellg d. Bauzeichngn. [S.-A.] (16 m. Fig.) 8° Lüb., C Coleman (05).   nn — 30
— Bogen u. Gewölbe. Zum Gebr. f. techn. Lehranst. (100 m. Abb.) 8° Ebd. (04).   2 —
Straube, J: Method. Hdb. f. d. Rechenunterr. in Volkssch. in zusammenhäng. Beisp. als Übgsstufen. (33) 8° Neisse, (J Herrmann) 02.   — 80 d
Straube, J: Berolina. Plan u. Führer v. Berlin. 1:22,000. 42× 52,5 cm. Farbdr. Nebst Text. (27) 8° Berl., J Straube (04). — 50
— Droschkenordng f. d. Ortspolizeibezirk Berlin v. 16.II.'05. Mit d. amtl. Wegemesser u. e. Verz. d. Strassen. (79 m. 1 Pl.) 8° Ebd. 05.   Kart. 3 — d
— Illustr. Führer. 1. Bd. 8° Ebd. 04. 1.50; geb. 2 —; wohlf. Ausg. 1 —
    1. Illustr. Führer durch Berlin, Charlottenburg, Schöneberg, Potsdam u. Umgebung. 33. Afl. (180 m. 17 Pl. u. Kart.) 03.04.   1.50; geb. 2 —; wohlf. Ausg. 1 —
— Neue Karte f. Automobilfahrer. 132 Quadrat-Meilen d. Umgegend v. Berlin. 1:130,000. 61×78,5 cm. Farbdr. Ebd. (04). 1.50
— dass. 500 Quadrat-Meilen d. Prov. Brandenburg. (Mittl. Tl.) Ringsum Berlin.) 1:130,000. 49,5×66 cm. Farbdr. Ebd. (04). 1.55
— Amtl. Karte z. Baupolizeiordng d. Regr.-Präsid. in Potsdam v. 22.VIII.1896 u. d. Polizei-Verordng v. 25.X.'01 u. 31.II.'03 f. Charlottenbg, Plötzensee u. f. d. Gemeinden Rummelsburg, Lichtenberg, Stralau, Deutsch-Wilmersdorf, Schöneberg, Tempelhof, Rixdorf u. Treptow, soweit diese innerhalb d. Ringbahn liegen, u. z. Baupolizeiordng f. d. Stadtkreis Berlin v. 15.VIII.1897 m. Angabe d. Bau-Inspektionsgrenzen. 3. Afl. 1:17,777. 62,5×78 cm. Pfarbig. Nebst Text. (34) 8° Ebd. 03.   5 —

Straube, J: Karte d. Umgegend v. Berlin, e. Gebiet v. ca 85 ☐ Meilen umfassend, m. Entferngsaugaben in Kilometern. 1: 130,000. (Ausg. 1902.) 58,5×54,5 cm. 5farbig. Berl., J Straube.   1 —; 3farbig — 50
— Gr. Karte d. weit. Umgegend v. Berlin, e. Gebiet v. ca 132 ☐-Meilen umfassend. 1:130,000. 62×78,5 cm. 3farbig. Ebd. (01).   1 —; 5farbig 1.50; auf L. 3.50;   Radfahrerausg. zu gleichen Preisen.
— Karte d. nord-östl. Tls d. Prov. Brandenburg, Berlin-Stettin, e. Gebiet v. 315 ☐-Meilen umfassend. 1:300,000. 40,5×51,5 cm. Farbdr. Mit Text. (16) 8° Ebd. (01).   1 —; auf L. 1.50;   Radfahrerausg. zu gleichen Preisen.
— Kl. Karte v. Grunewald. 2farbig. 1:60,000. 31×27,5 cm. Ebd. (04).   — 25
— Gr. Plan v. Berlin nebst Vororten u. vollständ. Stadt- u. Ringb. 1:17,777. 62,5×78 cm. Farbdr. Mit prakt. Führer. (30) 8° Ebd. (02).   1 —; auf L. od. Pappe 3 — Verkehrsplan) 1.50; auf L. od. Pappe 3 —
— Neuester Plan v. Berlin (ganzes Weichbild d. Stadt). (Ausg. 1904.) 1:17,777. Ausg. A (5farbig) 51×66 cm. Mit prakt. Führer. (27) 8° Ebd.   — 75; Ausg. B (3farbig). (27) — 50
— dass. Ausg. D. 44,5×60,5 cm. Farbdr. Nebst Verz. d. Strassen usw. (23) 8° Ebd. (04).   — 30
— Radfahrer-K. d. Umgegend v. Berlin, e. Gebiet v. ca 88 ☐-Meilen umfassend, m. Entferngsangaben in Kilometern. 1: 130,000. 58,5×54,5 cm. 3farbig. Ebd. (02). — 50; 3farbig 1 —
— Neuer Radfahrer-Pl. v. Berlin. 1:22,000. (Ausg. 1902.) 42,5× 52,5 cm. Farbdr. Nebst: Polizei-Verordng f. d. Stadtkreis Berlin betr. d. Fahren auf einsitz. Zweirädern (Niederrädern). (5) 8° Ebd.   — 50
— Neuer Schul-Plan v. Berlin. 1:22,000. 42,5×53 cm. Mit Strassenverz. auf d. Röcks. Ebd. (01).   nn — 10; farbig — 30
— Situationspl. d. Berliner elektr. Hoch- u. Untergrundb. 1: 22,000. 26,5×44 cm. Mit Fahrpl. auf d. Rücks. Ebd. (02). — 10
— Neue Spezialk. d. nördl. Vororte Berlin's. 1:36,000. 45,5× 62 cm. Farbdr. Ebd. (04).   1 —
— Spezialk. d. Laufes d. Oberspree (Dahme u. Umgebg). Umgegend v. Cöpenick, Friedrichshagen, Erkner, Schmöckwitz, Königswusterhausen. 1:60,000. 43,5×45 cm. Farbdr. Ebd. (02).   — 75
— Spezialk. d. Umgegend v. Oranienburg, Birkenwerder, Lehnitz, Velten, Kremmen. 1:60,000. 39,5×49,5 cm. Farbdr. Ebd. (05).   — 75
— Spezialk. v. Rheinsberg u. Umgegend (Gransee, Fürstenberg, Wesenberg). 1:60,000. 58,5×48,5 cm. Farbdr. Ebd. (05).   1 —
— Gr. Spezialk. v. Riesen- u. Isergebirge d. ganzen Krs Hirschberg umfassend einschl. d. Bober-, Katzbach-, Landeshuter-, Rehorn-, Raben-, Ueberschaar-Gebirges. 1:80,000. 12. Afl. 56×78 cm. Farbdr. Mit Namen-Verz. (14 m. 3 Kart.) 8° Ebd. (04).   1.20; auf L. 2 —
— Taschenpl. d. Stadt Berlin nebst ihren 3 Nachbar-Städten Charlottenburg, Rixdorf, Schöneberg u. ihren sämtl. Vororten. 1:35,000. 50,5×62,5 cm. Farbdr. Nebst Text. (31) 8° Ebd. (03).   1 —
— Übersichtsk. d. Geltgsgeb. d. Baupolizei-Verordng v. 21.IV. '03 f. d. Vororte v. Berlin. 1:130,000. 60×78 cm. Farbdr. Mit d. Baupolizei-Verordng u. e. graph. Darstellg d. Bauweisen. (60) 8° Ebd. 03.   5 —; auf Karton 7.50; m. Leisten 8 —
— Übersichts-K. d. Wasserläufe zw. Berlin—Rüdersdorf—Schmöckwitz—Fürstenwalde—Teupitz—Königswusterhausen—Leibsch. 1:120,000. 44×43,5 cm. Farbdr. Ebd. (04). — 50
— Übersichtspl. v. Berlin. 1:4000. Bl. H B, C, G, H, M u. N, U, G, VjW; III C, D, H, I, M, N, Q u. R; IV A, C, D, H, I, M, N, O, R, S, T, X u. Y. Je 32×42 cm. 8farbig. Ebd. 01.-03.   Je 2 —; 1farbig je 1.80
— dass. 1:10,000. Mittl. Tl. 58×73,5 cm. Farbdr. Ebd. (03).   nn 2 —
— Märk. Wanderb. Ausflüge in d. Mark Brandenburg. 31. Afl. d. „200 Ausflüge in d. Umgegend v. Berlin" v. A Hennes. Neu bearb. v. G Albrecht. 3 Tle. (428 m. 38 Kart.) 8° Ebd. 04.   2.50
— Offiz. Wegek. v. Jeschken-, Riesen- u. Isergebirge (Zittau-Reichenberg-Jeschken-Schneekoppe). 1:150,000. Ausg. B. 27,5 ×45,5 cm. Farbdr. Nebst Namens-Verz. (10) 8° Ebd. (04). — 50
— Offiz. Wegek. v. Riesen- u. Isergebirge. 1:150,000. 16. Afl. 27×44 cm. Farbdr. Nebst Namens-Verz. (12) 8° Ebd. (04). — 50

Strauch, F: Baupolizeiverordng f. d. platte Laud u. d. Städte d. Regr.-Bez. Breslau (mit Ausn. d. Stadt Breslau). (232) 8° Bresl., Schletter 05.   2.50 d
Strauch, H v.: Am Grenzwall. Eine Gesch. a. d. Decumaten-Land (135—140 n. Chr.). (333 m. 1 Karte.) 8° Freibg i/B., FE Fehsenfeld 01.   4 —; geb. 5 — d
Strauch, P, s.: Hermaea.
— Schiller. Rede. (32) 8° Halle, M Niemeyer 05.   — 80
Strauch, R: Anl. z. Aufstellg v. Futterrationen u. z. Berechng d. Futtermischgn u. d. Nährstoffverhältn. f. Rinder, Pferde, Schweine u. Schafe. 11. u. 18. Afl. (69) 8° Lpzg, H Voigt 05.   — 80 d
— Die Didaktik u. Methodik d. Unterr. an landw. Schulen, m. bes. Berücks. d. Herbart-Ziller'schen Lehrverfahrens. (456) 8° Ebd. 03.   12 —; geb. 13.50

Strauch, R: Grundr. d. allg. Ackerbaulehre. 9. Afl. (167 m. H.)
8° Lpzg, Landw. Schulbh. 05.   Geb. 1.80 d
— Grundr. d. landw. Betriebslehre. 7. Afl. (112) 8° Ebd. 03.
     Geb. 1.80 d
— Landw.-Lehre, s.: Arnstadt, A.
— Wie melke ich n. d. Hegelund'schen Melkverfahren? (8 S.
Abb. m. 1 S. Text.) 8° Lpzg, M Heinsius Nf. 04.   1 — d
— Die Rinderwage in d. Tasche od. d. Bestimmg d. Lebend-
Gewichts d. Rindes durch 2 Masse. Nach Klüver's Methode
umgearb. u. verb. 12. Afl. d. Klüver-Strauchschen Tab. Der
Umarbeitg 7. Abdr. (8 m. 1 Abb.) 8° Ebd. 04.   — 75 d
Früher u. d. T.: Die Viehwage in d. Tasche.
— Die Schweinewage in d. Tasche od. d. Bestimmg d. Lebend-
u. Schlachtgewichts d. Schweine durch 2 Masse. (8 m. 1 Abb.)
8° Ebd. 04.   — 75 d
— Die Viehwage in d. Tasche, s. oben: Rinderwage.
— Der landw. Vortrag. Entwürfe, Vorbereitgn u. Musterbeisp.
zu landw. Vorträgen. (229) 8° Lpzg, H Voigt 05.   4 — d
Sträuli, A: Der pavillonfähige Badant-Alberti-Bienenkasten
(Schubladen-Blätterstock m. Blatt-Breitwabe) unter bes. Be-
rücks. d. Königinzucht d. Amerikaners GM Doolittle. (Uber-
setzg v.: Scientific Queen-Rearing.) 2. Afl. (303 m. Abb.) 8°
Fracenf., Huber & Co. 02.   L. 2.80 d
Sträuli, H: Verfassg d. eidgenöss. Standes Zürich v. 18.IV.
1869. (257) 8° Winterth., Geschw. Ziegler 02.   3·50
Straumer, F: Allerlei a. d. Erzgebirge, s.: Tannengrün.
— Roland d. Schildträger. Schulkomödie. 3. Afl. (16) 8° Chemn.,
M Bülz (01).   — 30 d
Strauss, Vagel, s.: Schelmstück'.
Strauss, A: Im Burenlager. Dramat. Spiel z. Aufführg in Ver-
einen. (36) 8° Stuttg., Holland & J. (02).   — 40 d
— s.: Christbaum, d.
— Der Deserteur, s.: Dilettantenbühne, kathol.
— Im Försterhaus. Bramat. Spiel f. Jünglings-Ver. (19) 8°
Berl., E Fleischel & J. (01).   — 40 d
— Ein gefährl. Freund. Deklamatorium f. 10 Personen f. ev.
Männer- u. Jünglings-Ver. (17) 8° Hambg, Bundesbh.(1896.97).
   — 25 d
— In d. Heimat. Deklamatorium. (16) 8° Züllchow, M Bühle
(04). (Nur dir.)   — 40 d
— Von d. Heimatflur. Neue Geschichten. (120) 8° Lpzg, Sächs.
Volksschriften-Verl. 02.   (1 —) — 90; geb. (1.40) 1.20 d
— Förster Horst. Deklamatorium. (16) 8° Züllchow, M Bühle
(04). (Nur dir.)   — 40 d
— Hurrah Wilhelmia! Festsp. z. Aufführg an Kaisers Geburts-
tag. (15) 8° Ebd. 03.   — 40 d
— Des Kreuzes Siegeszug! Missions-Festsp. (26) 8° Bonn, J
Schergens 04.   — 80 d
— Im Märchenlande. Märchen u. Geschichten f. d. Jugend.
Neue Ausg. (176 m. 4 Farbdr.) 8° Reutl., Ensslin & L. (01).
   Geb. 2 — d
— Meeresgold! Dramat. Spiel. (30) 8° Züllchow, M Bühle 03.
(Nur dir.)   — 40 d
— Das neue Paradies. Dramat. Spiel z. Aufführg in Jüng-
lings-Ver. (11) 8° Stuttg., Holland & J. (01).   — 40 d
— Auf dunklem Pfad. Volkstüml. Aufklärg üb. geheimnisvolle
Erscheingn u. Kräfte. (366) 8° Gütersl., C Bertelsmann 05.
   4 — ; geb. 4.80 d
— Rita v. Stein. Dramat. Szene a. d. Zeit v. Preussens Auf-
erstehg. (23) 8° Züllchow, M Bühle 03. (Nur dir.)   — 50 d
— Auf Wache. Militär-Humoreske. Dramatisch bearb. (16) 8°
Berl., Bh. d. ostdeut. Jünglingsbundes (02).   — 40 d
— Eine rechte Weihnachtsfreude. Weihnachtsfestsp. f. christl.
Ver. 2. Afl. (36) 12° Dess. (1900). Stuttg., Holland & J. — 50 d
— Ein herrlich Zeugnis. Festsp. f. Melanchthonfeiern u. Re-
formationsfeste.(2.[Umschl.]-Afl.)(35) 12° Cöth. (1898). Stuttg.,
Holland & J.   — 50 d
Strauss, A: Zur Abortivbehandlg d. akuten Gonorrhoe. (18 S.
A.] (6) 8° Lpzg, Verl. d. Monatsschrift f. Harnkrankh. 05. — 60
Strauss, Cäcilie, d. Gründerin d. Armen-Erziehgs-Anst. Fried-
berg. Zur Feier ihres 50jähr. Bestehens gewidmet v. e. Freun-
din. (25 m. Bildnis.) 8° Aar., (HR Sauerländer & Co.) 01. — 80 d
Strauss, D: Der alte u. d. neue Glaube. Ein Bekenntnis.
15. Afl. (18, 278) 8° Bonn 03. Stuttg., A Kröner. 3.60; geb. 4.50 d
— dass. Volks-Ausg. in unverkürzter Form. 16. Afl. (116) 8°
Ebd. 04.   — 80 d
— Das Leben Jesu, f. d. deut. Volk bearb. 2 Tle. Afl. (8,
403 u. 395) 8° Ebd. 02.   5 —; geb. 6 — d
— dass. Volks-Ausg. in unverkürzter Form. 13. Afl. (164 u.
162) 8° Ebd. 04.   — 80 d
Strauss, E: Üb. e. Beziehg zw. Wandersgeschwindigk. u.
Form d. Ionen, s.: Korn, A.
— Studien üb. d. Albuminoide m. bes. Berücks. d. Spongins
u. d. Keratine. (126) 8° Hdlbg, C Winter, V. 04.   3.20
Strauss, E: Freund Hein. Eine Lebensgesch. 1—11. Afl. (384)
8° Berl., S Fischer 02-05.   4 —; L. nn 5 — d
— Kreuzgn. Roman. 1—3. Afl. (342) 8° Ebd. 04. 4 —; L. nn 5 — d
Strauss, Frau H, s.: Siking, F.
Strauss, H: Bedeutg d. Kryoskopie f. Diagnose u. Therapie
d. Nierenerkrankgn, s.: Bibliothek, moderne ärztl.
— s.: Fortschritte d. Medicin.
— Grundsätze d. Diätbehandlg Magenkranker, s.: Abhandlungen, Würzb., a. d. Ges.-Geb. d. prakt. Medizin.

Strauss, H: Die chron. Nierenentzündgn in ihrer Einwirkg auf
d. Blutflüssigk. u. deren Behandlg. (159) 8° Berl., A Hirschwald 02.   4 —
— Pathogenese u. Therapie d. Gicht im Lichte d. neueren
Forschgn, s.: Abhandlungen, Würzb., a. d. Ges.-Geb. d.
prakt. Medizin.
— u. F **Bleichröder**: Untersuchgn üb. d. Magensaftfluss. (Begriff, Entstehg, Behandlg, Stoffwechsel, patholog. Anatomie.) Klin. Tl v. St., patholog.-anatom. Tl v. B. [S.-A.] (94
m. Abb. u. 1 Kurve.) 8° Jena, G Fischer 05.   9 —
Strauss, H: Träume u. Schäume. Eine Sammlg v. ep.—pathet., lyr—satyr., hell lach. u. kranken Gedichten u. Gedanken. (95) 8° Gera, M Lange (04).   1.20; geb. 2 — d
Strauss, R: Feuersnot, s.: Wolzogen, E v.
— Instrumentionslehre, s.: Berlioz, H.
— s.: Musik, d.
— Salome. Drama n. O Wilde's gleichnam. Dichtg in deut.
Übersetzg v. H Lachmann. Musik v. St. (Textb.) (47) 8° Berl.,
A Fürstner (05).   — 60 d
— Taillefer. Ballade v. L Uhland. Für Chor, Soli u. Orchester
komp. Op. 52. Engl. Übersetzg v. P England. (Textb.) (9)
8° Ebd. (03).   † — 20
Strauss, R: Die Waffe d. Don Juan. Komödie. (46) 8° Wien,
L Weiss (01).   — 85 d
Strauss u. **Torney**, H v., s.: Alkoholismus, d.
— Das Ges. betr. d. Anlegg u. Veränderg v. Strassen u. Plätzen
in Städten u. ländl. Ortschaften. Vom 2.VII.1875. Des Kom-
mentars v. R Friedrichs 5. Afl. (31, 333) 8° Berl., J Gutten-
tag 05.   L. 5 — d
Strausefeld, W: Leitstern z. Himmel. Gebete u. Erwäggn f.
studier. Jünglinge. (301 m. farb. Titelbild.) 12,3×7,6 cm. Ess.,
Fredebeul & K. (05).   L. 1 —; Ldr m. G. 1.50; Bockldr 2 — d
Sträussler, J, s.: Adler's, A, commercielles Hdb.
Strauss-Torney, L v.: Balladen u. Lieder. (158) 4° Lpzg 02.
   2.50; geb. 3.50
— Aus Bauernstamm. Roman. 2 Tle in 1 Bde. (180 u. 197) 8°
Berl., O Janke (02).   (4 —) 3 — d
— Bauernstolz. Dorfgeschichten a. d. Weserlande. (217) 8°
Lpzg (01). Berl., E Fleischel & Co.   3 —; geb. 4 — d
— dass., s.: Volksbücher, Wiesbad.
— Das Erbe. Novelle. (100) 8° Berl., A Goldschmidt 05. — 2 —
   L. — 75 d
— Eines Lebens Sühne. Novelle. (92) 8° Ebd. 04. — 50; L. — 75 d
— Hinter Schloss u. Riegel u. and. Erzählgn, s.: Hesse's, M,
Volksbücherei.
— Ihres Vaters Tochter. Roman. (311) 8° Berl., E Fleischel &
Co. 05.   3.50; geb. 5 — d
Strauven, A: Das Handelsrecht. — Das Wechselrecht, s.: Beck,
d. prakt.
Streb, J: Ein toller Aprilscherz m. nützl. Folgen od.: Wie
Fritz Besenstiel v. d. Trunksucht geheilt wurde. — Bauer
u. Knecht od. Knecht, aber Ehrenmann! — Bruderhass u.
Bruderliebe. — Nr. 33,333 (d. gr. Loos), od.: Gottes Wege
sind oft wunderbar. — 3 Duelle. — Der Fluch d. Geizes od.
Der Mensch denkt u. Gott lenkt. — Die verhängnisvolle
Glatze od.: Das Glück am Namenstag. — Das Hauptmanns
bürschen Namenstag. — Die 1. Instructions-Stunde. — Liebe,
nicht Reichtum macht glücklich od.: Der Onkel a. Amerika
als Retter in d. Not. — Rechtsrat Pfifferling u. s. Klienten.
— Primmel, d. Eisenb.-Feind od. Primmels Glück durch d.
Eisenb. — Der Spieler od.: Leidenschaft — Leiden schafft.
— Im Stehseidel. — Ein Tag a. d. Leben e. Trödlers. — Der
Waldbauers Söhne. — Die Wilderer. — Zipperlein, d. Wunder-
doktor, s.: Theater, neues.
Strebel, H: Die bisher. Formen d. Lichttherapie, s.: Klinik,
Berliner.
— Hochfrequenzströme u. Lungentuberkulose. (24) 8° Münch.,
Verl. d. ärztl. Rundschau 02.   1 —
— Die Verwendg d. Lichtes in d. Therapie. (79 m. Abb. u. 6 Taf.)
8° Münch., Seitz & Sch. 02.   3 —; L. 3.50
— dass., s.: Abhandlungen, zwanglose, a. d. Geb. d. medizin.
Photogr.
Strebel, H: Üb. Ornamente auf Tongefässen a. Alt-Mexiko.
(31 m. 33 Taf.) 4° Hambg, L Voss (04).   18 —
Strebel, M, s.: Archiv, schweizer, f. Tierheilkde.
Strebel, R: Die deut. Hunde u. ihre Abstammg m. Hins.
u. 330 m. Abb. u. 27 z. Tl farb. Taf.) 8° Münch., E Ertel
(04.05). Je 1 —; auch in Abtlgn zu 5 — u. in 2 Bdn zu 12.50
   geb. 2, je 7 —
Strebel, V v.: Beitr. z. Kenntnis d. württemberg. Landw. (77)
8° Plieningen 04. Stuttg., E Ulmer.
— Die Holzheimer Rindviehherde. (92 m. 9 Taf.) 8° Stuttg.,
E Ulmer 01.   2 —
Streber, J: Bad Tölz-Krankenheil in Oberbayern. 3. Afl. (36
m. 1 Taf.) 8° Tölz, J Dewitz (03).   — 60 d
Streck, M: Die alte Landschaft Babylonien n. d. arab. Geo-
graphen. 2. Tl. (173—333) 8° Leid., Bh. u. Druckerei vorm.
EJ Brill 01.   nn 5 — (1 u. 2.: nn 10 —)
Streckenbach, J: Civilis. Ein Bataverfürst im Kampfe m. Rom.
Drama. (140) 4° Bresl., Schletter (03).   L. — d
— Hutten. Ein fränk. Edelmann im Kampfe m. Rom. Trag.
Schausp. (141) 8° Ebd. 04.   2.50 d
Streckenprofil Nr. 1—35. Hrsg. v. deut. Touring-Club München

(e.V.). Strassen-Kart. m.Strassen-Profil. Je ca 57,5×45,5cm.
Lith. Münch., (Lit.-artist. Anst.) 01-03. Je — 40
Strecker, CC: Auf d. Diamanten- u. Goldfeldern Südafrikas.
Schildergn v. Land u. Leuten, d. polit., kirchl. u. kulturellen
Zustände Südafrikas. (382 m. Abb., Titelbild u. 1 Karts.) 8°
Freibg i/B., Herder 01. 10 —; L. 12 — d
Strecker, K: Letzte Stunden. Schausp. Nach e. Motiv E Renans.
(87) 8° Berl., Schuster & Loeffler 03. 2 — d
— Totentanz. 1—3. Taus. (188 m. Titelbild.) 8° Hambg, A Harms
02. (?) (Komm.: CF Fleischer). 3 —; geb. 4 — d
Strecker, K, s.: Fortschritte d. Elektrotechnik.
— Die Telegr.-Technik. Leitf. f. Post- u. Telegr.-Beamte. 4. Afl.
d. Werkes v. C Grawinkel u. K Strecker. (436 m. Fig. u.
2 Taf.) 8° Berl., J Springer 04. 5 —; L. 6 —
Strecker, O: BGB., s.: Achilles, A. — Planck, G.
— Die Grundbuchordng. s.: Achilles, A.
Strecker, O: Die kirchlich-freiwill. Armenpflege. Vortr. [S.-A.]
(16) 8° Hannov., H Feesche 01. — 25 d
Strecker, R: Der ästhet. Genuss. (87) 8° Giess., (A Töpelmann)
01. 1.60 d
— Maifrost. (103) 8° Ebd. 02. 2 — d
Strecker, W: Erkennen u. Bestimmen d. Schmetterlingsblätter
(Papilionaceen, kleeartig. Gewächse). (180 m. Abb.) 8° Berl.,
P Parey 02. Kart. 3 — d
— dass. d. Wiesengräser. 4. Afl. (141 m. Abb.) 8° Ebd. 06.
Kart. 2.50 d
— Die Kultur d. Wiesen, ihr Wert, ihre Verbesserg, Düngg
u. Pflege. 2. Afl. (320 m. Abb.) 8° Ebd. 06. L. 5 — d
— Ratgeber bei Wahl u. Gebr. landw. Geräte u. Maschinen,
s.: Perels.
— Verwendg, Leistg u. Kosten landw. Motoren. Vortr. (40 m.
3 Tab.) 8° Dresd. 01. Lpzg, G Schönfeld. — 80 d
— Der Wasserhaushalt u. s. Bedeutg f. d. Landw., s.: Sammlung gemeinnütz. Vortr.
Streckfuss, A: Ein Familiengeheimnis, s.: Goldschmidt's Bibliothek f. Haus u. Reise.
Street, J: FB Meyer's Leben u. Wirken. Übers. v. F v. L. (181
m. 1 Bildnis.) 8° Berl., Deut. ev. Buch- u. Traktat-Gesellsch.
05. L. 2.50 d
Streffleur's österr. militär. Zeitschrift. Hrsg.: FG Ilger. Red.
v. K Kandelsdorfer u., seit 1902, J Jekelius. 42. u. 43. (d.
ganzen Folge 78. u. 79.) Jahrg. 1901 u. 2 je 12 Hefte. [1901.
1. Bd. 1. Heft. 86 u. 16] 8° Wien, LW Seidel & S. ij 44—46.
[80—82.] Jahrg. 1903—5. Red. v. V Grzesicki. Verantwortlich:
J Vorwahlner. Je nn 28 —
— dass., Beihefts, s.: Einzelschriften üb. d. russisch-japan.
Krieg.
Streffleur, M v.: Telegramm-Codex. Nach amerikan. Muster
zusammengest. (132) 8° Wien, (C Konegen) 1900. 1.50
Strehl, W: Grundr. d. alten Gesch. u. Quellenkde. 2 Bde. 8°
Bresl., M & H Marcus 01. L. 10 —
1. Griech. Gesch. 2. Aung u.j. Bds d. kurzgef. Hdb. d. Gesch., verm.
durch ergänz. Vorbemerkgn u. e. Namen- u. Sachreg. v. P Habel. (261)
4.40 ‡ 2. Röm. Gesch. (372) 5.60.
Strehle, H: Der Edelstein d. gottgeweihten Jungfräulichk., s.:
Seeböck, P.
— Jesus im hist. Altarsakrament. d. Magnet frommer Seelen.
Kommunionbüchl. Neu bearb. u. verm. v. P Seeböck. (406
m. farb. Titel u. 1 Farbdr.) 16° Salzbg, A Pustet (04). L. 1.15;
m. G. 1.35; 1.60 u. 1.90 d
— Kindlein! es ist d. letzte Stunde, s.: Seeböck, P.
Strehle, J: Zweimonatl. Geschäftspl. (einf. Buchhaltg). (15) 8°
Wien, F Deuticke 02. — 20
— dass. (dopp. Buchhaltg). (20) 8° Ebd. 02. — 24
— Lehrb. d. kaufmänn. Buchhaltg. I. Tl. (Einf. Buchhaltg.)
(150) 8° Ebd. 04. Geb. 2.20
Strehlenau s.: Niembsch, Edler v. Strehlenau.
Strehlendorff, H, s. a.: Schuster, GA.
— Schön- u. Schnellschreiben durch 8 Stunden Selbstunterricht.
(8 m. 3 Taf.) 8° Charlttnbg, GA Schuster (03). (— 80) — 60
Strehler, B, s.: Friedens-Blätter.
Strehl, W: Die Angen d. Schüler u. Schülerinnen d. Tübinger
Schulen. (21) 8° Tüb., J Pietzcker 04. nn — 80
Streich, H: Die Schneckenzucht. Ausführl. Beschreibg d. Wein-
bergschnecke u. ihrer Lebensweise, sowie Anl. z. Anlage v.
Schneckengärten, z. sammeln, füttern u. aufbewahren d. Schn.,
nebst e. Anh.: Die Schneckenküche. (58) 8° Heilbr., O Weber (03). — 75 d
Streich, TF, s.: Blätter f. Taubstumme.
— Illustr. Geogr. v. Württemberg. 50. Afl. (44) 8° Stuttg., J A
Lung (04). — 25; m. 4 Kärtchen — 40 d
— Illustr. Geogr. u. Gesch. v. Württemberg. Für Gauz. 42. Afl.
(44 u. 34) 8° Ebd. (01). — 40; m. 4 Kärtchen — 60 d
— Illustr. Gesch. v. Württemberg. Unter Mitwirkg v. W Ober-
meyer. 11. Afl. (34 m. 1 Stammtaf.) 8° Ebd. (01). — 20 d
— Handk. v. Baden, Württemberg u. Hohenzollern. 1:800,000.
54. Afl. 39,5×39,5 cm. Farbdr. Ebd. (04). nn —15; auf L. — 50
— Handk. v.Württemberg, Baden u. Hohenzollern. 1:800,000.
45. Afl. 39,5×30,5 cm. Farbdr. Ebd. (01). nn —15; auf L. — 50
— J **Bass,** M **Kohler** u. J **Wolf:** Realienb. f. d. Volks- u.
Mittelsch. wie auch f. d. Schulspiranten Württembergs.
3. Afl. (200) 8° Ebd. (01). nn — 70 d
— u. J **Vatter:** Kl. Bibelkde, nebst kurzgef. Geogr. Palästinas.
[S.-A.] 2. Afl. (16 m. 1 Karta.) 8° Ebd. (01). — 30 d

Streicher, A: Schiller's Flucht a. Stuttgart u. Aufenthalt in
Mannheim, s.: Museum, d. — Schiller's Flucht v. Stuttgart.
— Universa1-Bibliothek.
Streicher, G: Stephan Fadinger. Tragödie a. d. oberösterr.
Bauernkriege. Vertong d. Rebellenlieder v. H Wagner. (134
u. 10) 8° Linz (03). Wien, J Deubler. 2.50 d
— Am Nikolotage. Volksstück. (188) 8° Ebd. (02). 2 — d
— Die Schürze, s.: Huber, A.
Streichert, E: Prakt. Chemie f. gehob. Volkssch., Bürger-,
Töchter- u. Mittelsch. (132) 8° Langens., Schulbh. 01. 1.50 d
— Rechenb. f. Handwerker, Inngs- u. allg. Fortbildgssch. etc.
2—4. Stufe. 8° Warbg, FL Werth 05. nn 1.15 d
2. (65 m. Fig.) — 45 ‡ 3. (45) nn — 55 ‡ 4. (56) nn — 35.
Die 1. Stufe ist noch nicht erschienen.
— Die Rechtschreibg u. d. Diktat in Volks- u. Bürgersch. 1. Heft.
3. Afl. (39) 8° Pyrm., E Schnelle (03). — 25 d
— Methodisch-prakt. Richtlinien m. Stoffpl. n. d. Fordergn d.
Gegenwart. Zum tägl. Handgebr. d. Lehrers f. d. Unterr. in
Volks- u. Bürgersch. (213) 8° Weinh., F Ackermann 02. 2.40;
geb. 3 — d
— Die Satz-, Wort- u. Rechtschreiblehre in Beisp. u. Übgs-
aufg. f. Volks- u. Bürgersch. (80) 8° Arnsbg, FW Becker
1900. 1 — d
Streichmusik, die. Hrsg. v. L Hamann. Teilausg. d. Musik-
welt. Oktbr 1905—Septbr 1906. 52 Hefte. (1. Heft. 8 m. 1 Bildn.
u. Musikbeil. 8) 4° Berl.-Gr.-Lichterf., Verl. d. Musikwelt.
Viertelj. 1.75; einz. Hefte — 15
— dass., s.: Musik-Woche, d.
Streiff, C: Der Heiri Jenni im Sunnebärg. Erzählg in Glarner
Mundart. (257 m. Abb.) 8° Frauenf., Huber & Co. 04. L. 3.90 d
Streiflichter z. Gesch. d. Buchhandels. 1. u. 2. Heft. 8° Stuttg.,
E Leupoldt. Je — 80
1. Mit e. Anh.: Gehülfen im Buchhandel u. ihre Stellg zu d. Herren
Prinzipalen. Von Erasmus Reich d. Jüngeren, berüchster Buchhändler.
(32) (02.) d
2. Büchner, E: Der Buchhandel u. s. Leute. Die Lehrlinge im Buch-
handel. Vollständ. Ueberninhtupl. ihrer Ausbildg u. Fortbildg. Mit
einigau manierl. u. neuzeitgemässen Bemerkgn üb. d. Gehülfen. (37) (04.)
— auf d. österr. Wehrmacht, ihre Gesch. u. ihren Geist, s.:
Essays, militär.
Streifzüge u. Rastorte im Reichsl. u. d. angrenz. Gebieten.
2. u. 11—13. Heft. 8° Strassbg, JHE Heitz. 4.90 [1—3: 15.40]
Führer f. Reichswasser u. Umgebg. Hrsg. v. d. Vogesen-Sektion Reichen-
weier. (38 m. Abb. u. 3 Kart.) 03. [11.] 1.50
Herbig, M: Führer f. Barr u. Umgebg. 1. Tl. Nähere Umgebg. (79) 04.
[12.] 1.30 ‡ Dass. Obsteinborg, Hohwald u. weit. Umgebg. (76 m. 1 Kartea-
skizze.) 04. [13.] 1.30
Kirstein, W: Das Wasgenbad Niederbronn u. Umgebg. 3. Afl. (76 m. Abb.
u. 1 Karte.) (02.) [2.] d
Streik, d., d. Bergarbeiter auf Grube Marie I bei Senftenberg
N.-L. (43) 8° Grossenh. 05. Senftenberg, N.-L., Anhalt. Kohlen-
werke (Mariengrube). (Nur dir.) † 1.20 d
— d. d.Bergleute u. d. Sozialdemokratie. Briefe a. d. rheinisch-
westfäl. Industriebezirk. (40) 8° Kaiserslautern, Thiemessche
Druckereien (05). — 50 d
Streintz, F: Üb. d. elektr. Leitfähigk. v. gepressten Pulvern.
2. Mitteilg. Die Leitfähigk. v. Metall-Oxyden u. -Sulfiden.
[S.-A.] (34 m. Fig.) 8° Wien, (A Hölder) 02. — 80 (1 u. 2.: 1.30)
— Die Leitvermögen v. gepressten Pulvern. (Kohlenstoff- u.
Metallverbindgn.) [S.-A.] (52 m. Abb.) 8° Stuttg., F Enke
03. 1.20
— u. O **Strohschneider:** Versuche üb. Metallstrahlg. [S.-A.]
(8 m. 2 Taf.) 8° Wien, (A Hölder) 05. — 50
Streissler, A: Gedanken üb. e. Verfassgsreform f. Österr. (36)
8° Graz, Styria 05. — 85 d
— Die Regierungskunst. (126) 8° Wien, Manz 05. 2.20 d
— Wicht. Zeitfragen im Lichte thomist. Philosophie. 6 Vortr.
(157) 8° Graz, Styria 05. 1.20 d
Streins, F: Übd. d. Sprache, s.: Schiller, K.
— Die Unterschiede zw. d. alten u. d. neuen Rechtschreibg.
1. u. 2. Afl. (16) 8° Wien, A Hartleben (02.03). — 10 d
— Das Vaterunser im Got. u. in d. verschied. Entwicklgsstufen
d. deut. Sprache. Plakat. 84,5×69 cm. Wien, A Pichler's Wwe
& S. 05). — 1 —
Streissler, F, s.: Fachkalender f. d. Kolportage- u. Reise-Buchh.
— Kaufmann. Organisation. Prakt. Führer f. d. Leiter kauf-
männ. Grossbetriebe. (288) 8° Lpzg, Verl. d. mod. kaufm.
Bibliothek (06). L. 2.75
— Die Verlags-Praxis. (74) 8° Lpzg, H Hedewig's Nf. (1892). L. nn 2.50
— Wie leitet man Versamml'gn? (der Vereinsvorstand), s.: Minia-
tur-Bibliothek.
Streissler, I: Israelit. Küche, s.: Miniatur-Bibliothek.
Streit, d., um d. Echth. d. Grabtuches d. Herrn in Turin. Von
e. kathol. Geistlichen. (40) 8° Paderb., F Schöningh 05. 1.20 d
— d., üb. d. Zillmer'sche Methode in d. Lebensversicherg. Ant-
wort an d. Versichergstechniker v. Logophilus. (112) 8° Berl.,
(ES Mittler & S.) 02. nn 2 —
Streit, A: Das Theater. Untersuchgn üb. d. Theater-Bauwerk
bei d. klass. u. modernen Völkern. (267 m. Abb. u. 26 Taf.)
43×29,5 cm. Wien, Lehmann & W. 03. 52 —
Streit, A: Das Unteroffizierkorps d. Deut. Heeres. (168 m. 1 Bildnis.) 8° Elbg, (O Stracke) 05. 1.35 d
Streit, G: Üb. Bibelstunden. [S.-A.] (21) 8° Dresd., CL Ungelenk (02). — 25 d
Streitberg, Gräfin G v.: Das Recht z. Beseitigg keim. Lebens.

§ 218 d. Reichs-Straf-Ges.-B. in neuer Beleuchtg. (30) 8°
Oranienbg, W Möller (04). — 50 d
Streitberg, W, s.: Forschungen, indogerman. — Sammlung
german. Elementarbb.
Streiter, R: Die Schlösser zu Schleissheim u. Nymphenburg,
s.: Baukunst, d.
Streitfragen, forstl., in Preussen. Von Silvius. (151) 8° Lpzg,
A Stein 02. 3 — d
— soz. Beitr. zu d. Kämpfen d. Gegenwart. Hrsg. v. A Da-
maschke. 7. u. 9—15. Heft. 8° Berl., J Harrwitz Nf. Je — 50 d
Bücher, K: Die Ahnende in ihrer wirtschaftl. u. soz. Bedeutg. Referat.
(27) (02.) [12.]
Foster: Die Grundsteuer u. d. gemeinen Wert. Referat. Mit e. Anh.: Tat-
sachen u. Antworten. (24) (02.) [15.]
François, C v.: Staat od. Gesellsch. in uns. Kolonien? Referat. 2. u. 3.
Taus. (16) 01. [10.]
George, H: Moses. Vorlesg. (5. u. 6. [Umschl.-]Taus.) (16) 01. [7.]
Pohlmann, A: Die vergess. Grundrente. Beitrag z. Kanalfrage. 5. Taus.
(27) 01. [9.]
Rein, W: Ethik u. Volkswirtschaft? 2. u. 3. Taus. (24) (02.) [13.]
Schrameier: Wie d. Landordng v. Kiautschou entstand? 2. u. 3. Taus. (24)
(02.) [14.]
Wagner, A: Wohngenot u. städt. Bodenfrage. Referat. Mit e. Anh.: Die
soz. Bedeutg d. Erbbaurechts. Von P Oertmann u. R Sohm u. Die
finanz. Frage d. Erbbaurechts. Von A Eschenbach. (45) (01.) [11.]
Streitkräfte, d. k. u. k., auf n. vor Kreta 1897/98. Im Auftr.
d. k. u. k. Reichs-Kriegs-Ministeriums verf. (234 m. Abb. u.
1 Karte.) 8° Wien, (Hof- u. Staatsdr.) 01. 4 —
Streitschriften, freundschaftl. Nr. 69—74. 8° Barm., DB Wie-
mann. 3 — d
Franz Josef I., Kaiser, u. d. Jesuiten. Von FSch. D. (28) (01.) [71.] — 30
Liguori, d. Geburtshelfer d. Unfehlbarkeitsdogmas, e. Totengräber d.
Sittlichk. Ein Wort d. Entgegng og d. Herrn : Prälat Dr. Keller, Prinz
Max, Herzog zu Sachsen, Bischof Egger, Raimund Alderman u. e.
Verehrer Liguoris u. Gegner Grassmanns v. Petrus Philalethes. (84)
(02.) [74.]
Regge, B: Der Ablass u. d. römisch-kathol. Kirche. Ev. Antwort auf d.
diesjähr. Fasten-Hirtenbrief d. Erzbischofs Simar v. Köln. (24) (01.)
[70.]
Schreckenbach, P: Röm. Moraltheol. u. d. 6. Gebot, unter bes. Berücks.
d. Liguori-Broschüre d. Prinzen Max v. Sachsen geg. R Grassmann.
1. Tl: Grassmann u. d. Prinz v. Sachsen. (47) (01.) [79.] — 50 § 2. Tl:
Röm. Moralentscheidgn. (92) (01.) [73.] — 50
Unterscheidungslehren, die. Volksverständlich dargest. v. e. rhein. Pfarrer.
(37) (01.) [60.] — 30
Streiz, W: Die Getreide- u. Mehl-Prüfg. Ausg. 1903. (64 m.
Abb.) 8° Landsbg a/W. (Lpzg, S Schnurpfeil.) 1.50
Strekelj, K: Zur slav. Lehnwörterkde. [S.-A.] (89) 4° Wien,
(A Hölder) 04. 5.30
Strele, H, s.: Strahle, H.
Strelow, W: Was ist Gerechtigk.? Roman. (329) 8° Berl. (S.W. 29
Belle Alliancestr. 74), Strelow-Verl. (03). 3 —; L 4 — d
Stremler, L: Das beste bürgerl. Kochbuch. 15. Afl. (174) 8°
Landsbg, Volger & Kl. (02). Geb. 1.50 d
Strempel, Frl. D, s.: Stern, D.
Streng, E: Prakt. Anl. z. Bebandlg d. Rechenunterr. in d.
Volkssch. 2. Bd. Das Rechnen unter d. Mittel- u. Oberst. (4.,
bezw. 5—8. Schulj.), d. geometr. Formenlehre sowie d. Flächen-
u. Körperberechngn. 2. Afl. (429 m. Fig.) 8° Wien, A Pichler's
Wwe & S. 4.80 d
— Das 1. Schulj. Hilfsb. f. d. Unterr. in d. Elementarcl. 3. Afl.
(113 m. Abb. u. Tab.) 8° Ebd. 02. 1.50; geb. 1.90 d
Strenge, CF v.: Entwurf e. Ordng d. Gemeindekirchenräte u.
d. Landeskirchenrats im Herzogt. S.-Gotha. Vorlage d. Lan-
deskirchenratsvorstandes, rechtsgeschichtlich begründet u.
erläutert. (37) 8° Gotha, FA Perthes 04. — 60 d
Strenge, E v.: Gothaisches Gemeindeverfassgs- u. Gemeinde-
verwaltgsrecht. Mit e. Abdr. d. gothaischen Gemeindeges.
v. 11.VI.1858 u. einschläg. Ges. (191) 8° Gotha, FA Perthes
05. 4 —; geb. 4.50 d
Stresemann, G: Die Entwickelg d. Berliner Flaschenbierge-
schäfts. (95) 8° Berl. (O. 27, Blumenstr. 37), RF Funcke(02). 2 —
Stretton, H: Allein in London. Erzählg. Übers. v. MH. 5. Afl.
(126) 8° Bas., E Finckh 06. Kart. 1 —; L 1.80 d
— dass., s.: Familienbibliothek fürs deut. Volk.
— Alone in London, s.: Anthors, modern Engl. (H Saure).
— Heim, süss Heim, s.: Universal-Bibliothek f. d. christl. Haus.
— Jessikas Mutter. 4. Afl. (62 m. Abb.) 12° Bas., E Finckh 06. — 90 d
— Kein Ort ist schöner als d. Heimat, s.: Tannenzweige.
— s.: Vergebet, so wird euch vergeben.
Streublumen auf d. Lebensweg. Erzählgn, Schildergn u. Ge-
dichte z. Belehrg u. Unterhaltg f. d. Jugend. Hrsg. v. M Nigg.
(48, 94 u. 68) 8° Kornenburg, Frl. M Nigg 1900. (Nur dir.)
Kart. 2.50 d
Streuli, A: Die Zürcher Liegenschaften-Krise. (129) 8° Zür.,
Fäsi & B. 02. 2 — d
Strenvels, S: Sonnenzeit. Novellen. Übers. v. M Sommer. (234)
8° Berl., S Fischer 03. 4 —; geb. nn 5 — d
Strich, F: Franz Grillparzers Ästhetik, s.: Forschungen z.
neueren Lit.-Gesch.
Stricker, E: Ev. Christenlehre unter Zugrundelegg d. Heidelb.
Katech. (105) 8° Mülh. i/E., Ev. Bh. 04. Geb. — 60; L. — 70 d
— Die wichtigsten Unterscheidgs!ehren d. römisch-kathol. u.
d. ev. Kirche. [S.-A.] (11) 8° Ebd. 04. — 15 d
Strickler, G: Führer durch d. deut. Orthogr.f.schweiz.Volkssch.,
auch Fortbildgs- u. Gewerbesch. 2. Afl. (80) 8° Zür., Schulthess
& Co. 03. 1 —; kart. 1.20 d
— Übgn z. Befestigg in d. Rechtschreibg. (84) 8° Ebd. 04. 1 —;
kart. 1.20 d

Strickler, J: Gesch. u. Texte d. Bundesverfassgn d. schweiz.
Eidgenossensch., s.: Kaiser, S.
— s.: Sammlung, amtl., d. Acten a. d. Zeit d. helvet. Republik.
Strickler, S: Arbeitsschulbüchl. Umgearb. durch J Schärer.
3 Tle. 8° Zür., Schulthess & Co. 2 —; kart. 2.40:
in 1 Bd geb. 2.20; kart. 2.60 d
I. 7. Afl. (1—41 m. Fig.) 05. — 60; kart. — 70 § II. 7. Afl. (42—104 m. Fig.)
04. 1 —; kart. 1.30 § III. 5. Afl. (99—119 m. Fig.) 01. — 40; kart. — 50.
— Der weibl. Handarbeits-Unterr. s.: 1. Das Muster-
stricken, 2. d. Formenstricken, 3. d. Weisssticken. 2. Afl,
unter Mitwirkg v. J Schärer. (168 m. Fig. u. 2 L.) 8° Ebd. 05.
3 — d
Strick-Musterstreifen, d., in d. Schule u. s. prakt. Verwertg
zu verschied. Strickarbeiten, nebst e. Anl. z. Strumpfstricken
u. Strumpfstopfen. Von e. bad. Lehrfrau. 8. Afl. (97 m. Abb.)
8° Freibg i/B., Herder 02. — 70; geb. nn — 80 d
Strieder, J: Zur Genesis d. modernen Kapitalismus. Forschgn
z. Entstehg d. gr. bürgerl. Kapitalvermögen am Ausg. d.
M.-A. u. zu Beginn d. Neuzeit, zunächst in Augsburg. (238)
8° Lpzg, Duncker & H. 04. 5 —
— Die Inventur d. Firma Fugger a. d. J. 1527, s.: Zeitschrift
f. d. ges. Staatswiss.
Striedinger, I, s.: Festgabe, Karl Theodor v. Heigel gewidmet.
Striegler, E: Turn. Aufführgn. Hilfsb. f. Vereinsturnwarte.
(63 m. Abb.) 8° Lpzg-R., Gut Heil-Verl. (05). 1.50 d
— Der Contre-Tanz u. d. Quadrille à la cour. (16 m. Abb.) 8°
Ebd. (05). — 30 d
— 30 Freiübgsgruppen f. Schauturnen, s.: Volks-Turnbiblioth.
deut.
— 50 Marmorgruppen n. antiken u. neuzeitl. Bildwerken nebst
neuen plast. turner. Stellgn. (18 Bl. m. Text auf d. Umschl.)
18° Lpzg-R., Gut Heil-Verl. (05). 1 —
— 100 Pyramiden. (100 Bl. m. Text auf d. Umschl.) 8° Ebd.(04).
2.50; auch in 5 Heften zu — 60
I. 20 Pyramiden ohne Geräte. § II. 20 Leiter-Pyramiden. § III. 20 Stuhl-
Pyramiden. § IV. 20 Pyramiden am Bock u. am Pferd. § V. 20 Pyramiden
an e. Steigbm, e. m. aufgelagter Wippe, am Barren, an d. Ringen
u. am Tisch.
— Reigen f. Turner u. f. Turnerinnen z. Vorführg bei Schau-
turnen u. bei turner. Festlichk. (84) 8° Ebd. (05). 1.50 d
— Das deut. Turnen, s.: Universal-Bibliothek.
— W **Lorens:** Übgn f. d. Trockenschwimmen. Üb. Übgn
an d. Angel im Wasser. (12 m. Abb.) 8° Lpzg-R., Gut Heil-
Verl. (04). 1 —
Striegler, H: Mariann Tobisch. Volksstück. (74) 8° Dresd., E
Pierson 01. 1.50 d
Striemer, A: Anl. z. Anfertigg d. wiss. Arbeit f. d. 1. jurist.
Prüfg in Preussen. 3. Afl. (73) 8° Berl., HW Müller 01. 1.60 d
Strien, G: Der franzds. Anfangsunterr. Begleitwort zu d. Ele-
mentarb. d. franzds. Sprache. (14) 8° Halle, E Strien 03.
Unberechnet
— Elementarb. d. franzds. Sprache. Ausg. A: Für lateinlose
Schulen. 13. Afl. (104) 8° Ebd. 05. Geb. 1 — d
— dass. Ausg. B: Für Realgymnasien. 3. Afl. (120) 8° Ebd. 04.
Geb. 1.20 d
Hilfsb. dazu s.: Röhrs, W.
— Lehrb. d. franzds. Sprache. I—III. Tl. Ausg. A: Für lateinlose
Schulen. 8° Ebd. Geb. 4.75 d
I. 6. Afl. (147) 04. 1.40 § II. 5. Afl. (104) 04. 1.40 § III. 2. Afl. (158) 05. 1.95.
— dass. Ausg. B: Für Realgymnasien. I. u. II. Tl. 8° Ebd.
Geb. 3.45 d
I. 3. Afl. (152) 1.40 § II. 2. Afl. (192) 2 —
— Franzds. Leseb. f. Gymnasien u. d. Lehrpl. v. J. 1901. L.
II. Tl. 8° Ebd. Geb. je 2 — d
I. Für Quarta u. Untertertia. (193) 02. § II. Für Obertertia u. Sekunda.
(171) 05.
— Schulgrammatik d. franzds. Sprache. Ausg. A: Für latein-
lose Schulen. 3. Afl. (156) 8° Ebd. 03. Geb. 1.80 d
Strich, J: Die kathol. Unfehlbarkeitslehre u. -Vereine, sowie
d. katholisch-soz. Vereinsleben in d. Diöz. Limburg, s.: Limbur-
tas-Schriften.
Strigl, H: Leseb. z. Einübg d. engl. Stenogr. (System Gabels-
Richter). (82) 8° Wien, (L Weiss) 02. 1 — d
— Sprachl. Plaandereien. Kl. volkstüml. Aufsätze üb. d. Werden
u. Wesen d. Sprachen u. d. Naturgesch. einz. Wörter. (100)
8° Ebd. 02. 1.50 § 1. Folge. (127) 05. 2 — d
Strigl, J: Übgsb. z. Einübg d. latein. Satzlehre. Für d. III. u.
IV. Kl. österr. Gymnasien im Anschl. an d. latein. Schulgrammatik v. J Strigl unter Berücks. d. Grammatiken v.
Goldbacher, Scheindler, Schmidt u. Schultz u. unter Mitwirkg
v. A Popek. In 2 getrennten Tln : 1. Tl : A. Einzelsätze, B. Zusammenhäng. Stücke. — 2. Tl: Wortkde. (221) 8° Linz, FJ Ebenhöch 02. 5 — d
Strindberg's, A, Schriften. Deut. Gesamtausg. Unter Mitwirkg
v. E Schering v. Verf. selbst veranstaltet. 1. Abtlg. Dramen.
4. u. 9. Bd. 8° Berl., H Seemann Nf. 7 —; Einbde je 1 — d
4. Elf Einakter. Aus d. Schwed. v. E Schering. (2. Taus.) (266) Lpzg, nn
9. Die Kronbraut. — Schwanenweiss. — Ein Traumspiel. (222 m. 1 Bildn.)
Lpzg 02.
Bd 1—3 u. 5—8 sind noch nicht erschienen.
— dass. II. Abtlg. Romane u. Novellen. 3.u.10.Bd. 8° Ebd.
Anfang d. achtziger Jahre. Aus d. Schwed. v. E Schering. (360) Lpzg 02.
4 —; geb. 5 — § 10. Märchen. (112) 04. 1.50
— Blumenmalereien u. Tierstücke. Der Jugend gewidmet. (Deut.
Ausg. unter Mitwirkg v. E Schering als Übersetzer v. Verf.
selbst veranstaltet.) (105) 8° Ebd. (05). 1 —

Strindberg, A: Königin Christine. 3. Afl. Mit d. schwedisch noch nicht veröffentl. Essay Strindbergs üb. s. schwedisch-histor. Dramen. (Deut. Orig.-Ausg., unter Mitwirkg v. E Schering als Uebersetzer v. Verf. selbst veranstaltet.) (79 m. Bildnis.) 8° Berl., H Seemann Nf. (05). 1—
— Eine Ehegesch. (Deut. Orig.-Ausg., unter Mitwirkg v. E Schering als Übersetzer v. Verf. selbst vsranstaltet.) (81) 8° Ebd. (05). 1—
— Ehegeschichteu, s.: Bibliothek berühmter Autoren.
— Einsam. (Geschützte deut. Orig.-Ausg., unter Mitwirkg v. E Schering als Übersetzer v. Verf. selbst veranstaltet.) (130) 8° Berl., H Seemann Nf. 05. 2—d
— Erich XIV. Schausp. Deut. Ausg. Unter Mitwirkg v. E Schering v. Verf. selbst veranstaltet. (93) 8° Lpzg 03. Berl., H Seemann Nf. 1—
— Moderne Fabeln. (Übers. v. E Schering.) (96) 8° Berl., H Seemann Nf. (05). 1—
— Das Geheimnis d. Gilde. Aus d. Schwed. v. E Schering. (100) 8° Lpzg 03. Berl., H Seemann Nf. 1—
— Gustav Adolf. Schausp. (Deut. Orig.-Ausg. unter Mitwirkg v. E Schering als Übersetzer v. Verf. selbst veranstaltet.) (336 u. 8) 8° Dresd., E Pierson 01. 3.50
— Die Hemsöer. (Deut. Orig.-Ausg., unter Mitwirkg v. E Schering als Übersetzer v. Verf. selbst veranstaltet.) (83) 8° Berl., H Seemann Nf. (05). 1—
— Herren d. Meeres. Novellen u. Skizzen. (Deut. Ausg., unter Mitwirkg v. E Schering als Übersetzer v. Verf. selbst veranstaltet.) (98) 8° Ebd. (05). 1—
— Eine (Umschl.: Die) Hexe. (116) 8° Ebd. 04. 1—d
— Die Insel d. Seligen. Erzählg. (Deut. Ausg., unter Mitwirkg v. E Schering als Übersetzer v. Verf. selbst veranstaltet.) (117 m. Titelbild.) 8° Ebd. (05). 1—; geb. 2—d
— Eine Kindersage. Deut. Ausg. Unter Mitwirkg v. E Schering v. Verf. selbst veranstaltet. (61) 8° Lpzg 02. Berl., H Seemann Nf. 1—
— Die Nachtigall v. Wittenberg. (Deut. Orig.-Ausg., unter Mitwirkg v. E Schering als Übersetzer v. Verf. selbst veranstaltet.) (115) 8° Berl., H Seemann Nf. (05). 1—
— Schwed. Natur. (Deut. Orig.-Ausg., unter Mitwirkg v. E Schering als Übersetzer v. Verf. selbst veranstaltet.) (110 m. Titelbild.) 8° Ebd. (05). 1—
— Schweizer Novellen. Aus d. Schwed. v. E Schering. (214) 8° Lpzg 03. Berl., H Seemann Nf. 2.50
— Ostern. Passionssp. (Deut. Orig.-Ausg., unter Mitwirkg v. E Schering als Übersetzer v. Verf. selbst veranstaltet.) (116) 8° Dresd., E Pierson 01. 2—
— Russen im Exil. (Übers. v. E Schering.) (78) 8° Berl., H Seemann Nf. (05). 1—d
— Schlafwandlernächte an wachen Tagen. Gedicht in freien Versen. Aus d. Schwed. v. E Holm. (63) 8° Frankf. a/M., Lit. Anst. 09. 2—
— An off. See. Roman. Übers. v. M v. Borch. 3. Afl. (287) 8° Dresd., E Pierson 01. 3—; geb. 4—d
— Der Silbersee. (Deut. Orig.-Ausg., unter Mitwirkg v. E Schering als Übersetzer v. Verf. selbst veranstaltet.) (43) 8° Berl., H Seemann Nf. (05). 1—d
— Sylva sylvarum. (Deut. Orig.-Ausg., unter Mitwirkg v. E Schering als Übersetzer v. Verf. selbst veranstaltet.) (182 m. 1 Taf.) 8° Ebd. (05). 2—; geb. 3—
— Totentanz. (Deut.Orig.-Ausg., unter Mitwirkg v. E Schering als Übersetzer v. Verf. selbst veranstaltet.) (144) 8° Ebd. (04). 2—
— Der Vater. Trauersp. (Unter Berücks. d. französ. Orig. n. d. schwed. Orig. übers. v. E Schering.) (64) 8° Ebd. (05). 1—
— Aus d. latein. Viertel. Skizzen a. d. schwed. Universitätsleben. Uebers. v. SR Nagel. (238) 8° Bresl., Schles. Buchdr. usw. 01. 2.50; geb. 3.50 d
— Der bewusste Wille in d. Weltgesch. Skizze zu e. Buch. Deut. Ausg. Unter Mitwirkg v. E Schering v. Verf. selbst veranstaltet. (82) 8° Lpzg 03. Berl., H Seemann Nf. 1—
— Das rote Zimmer. Schildergn a. d. Künstler- u. Schriftstellerleben. (Übers. v. E Schering.) (394) 8° Berl., H Seemann Nf. 05. 4—; geb. 5.50
— Die got. Zimmer. Familienschicksale v. Jahrh.-Ende. (Deut. Orig.-Ausg. Unter Mitwirkg v. E Schering als Übersetzer v. Verf. selbst veranstaltet.) (339) 8° Ebd. 04. 4—d
Stringfellow, HM, s.: Bericht üb. d. usw. Pflanzversuche n. d. Vorschriften v. S.
— Der neue Gartenbau. Aus d. Engl. v. F Wannieck. 1. u. 2. Afl. (200 m. Abb. u. Bildnis.) 8° Frankf. a/O., Trowitzsch & S. 01. L. 3—d
Stritt, FJ: Magenbitter. Humorist. Gedichte. Mit Lebensabriss d. Dichters. (144 m. Abb. u. Bildnis.) 12° Offenburg i/B., H Zuschneid (02). (Nur dir.) 2.20; geb. 3—d
Stritt, Frau M, s.: Frauen-Kongress, d. internat., in Berlin '04.
— Häusl. Knabenerziehg, s.: Schriften z. Besten d. Ver. „Jugendschutz".
— s.: Zentralblatt d. Bundes deut. Frauenver.
Stritter: Die Disziplinarstrafordng f. d. Heer v. 31.X.1872. (91) 8° Berl., ES Mittler & S. 05. 1.50 d
Stritter, P: Die Heilerziehgs- u. Pflegeanst. f. schwachbefähigte Kinder, Idioten u. Epileptiker in Deutschl. u. d. übr. europ. Staaten. Unter Mitwirkg v. JP Gerhardt hrsg. (138

m. 1 Bildnis u. 1 Karte.) 8° Hambg, Agent. d. Rauhen H. 02. Kart. 2.50; Nachtr. (23) 04. — 50
Strnadt, J: Die einschild. Ritter im 13. Jahrh. um Kremsmünster. [Erweit. S.-A.] (15) 8° Linz, Zentraldr. vorm. E Mareis (05). 1—d
Strobach, R v.: Bad Fischau u. Umgebg. (53 m. Abb. u. 1 Karte.) 8° Wr.-Neust., A Folk 02. Kart. 1—
Stroebe, F: Wie gewinnt man gutes Trinkwasser? Beitrag z. Wasserversorggsfrage unter Hinweis auf d.Einfl. d. Schwemmkanalisation auf d. Beschaffenh. d. Flüsse. (99 m. Abb. u. 8 Vollbildern.) 4° Karlsr., (CF Müller) 01. 2.80
Strobel, AW: Das Münster in Strassburg, geschichtlich u. n. s. Theilen geschildert. 27. Afl. (39 m. Abb.) 8° Strassbg, F ull 05. — 80 d
Strobel, F, s.: Adressbuch d. leb. Physiker u.s.w.
Ströbel's, C, Armee-Einteilg u. Standortsliste d. deut. Reichsheeres, d. kais. Marine, d. kais. Schutztruppen, d. ostasiat. Besatzgs-Brigade u. d. Militär-Verwaltgsbehörden. Nach d. Stande v. 1.X.'01. (66) 8° Würzbg, (Gnad & Co.) 01. 1—d
Fortsetzg erscheint nicht bei Gnad & Co.
Strobl, A: Königgrätz. Kurze Darstellg d. Schlacht am 3.VII. 1866. Mit 6 Ordres de bataille u. 38 Skizzen. (177) 8° Wien, LW Seidel & S. 03. 8—
— Trautenau. Kurze Darstellg d. gleichnam. Treffens am 27. VI.1866 unter Anschl. v. applicator. Aufgaben auf Grund d. kriegsgeschichtl. Ereignisse. Mit 2 Ordres de bataille u. 10 Skizzen. (85) 8° Ebd. 01. 3.60
— Der Weg z. Einj.-Freiwill. u. Reserveoffizier, s. Afl., s.: Weg usw.
— Wysokow (Nachod). Kurze Darstellg d. gleichnam. Gefechtes am 27.VI.1866 unter Anschl. v. applicator. Übgn auf Grund d. kriegsgeschichtl. Ereignisse. Mit 2 Ordres de bataille u. 11 Skizzen. (110) 8° Wien, LW Seidel & S. 01. 3.60
Strobl, KH: Der Buddhismus u. d. neue Kunst. (53) 8° Lpzg 02. Berl., F Fontane & Co. 8—
— Die Eingebgn d. Arphaxat. Merkwürd. Geschichten. (295) 8° Mind., JCC Bruns 04. 4—; geb. 5—d
— Der Fenriswolf. Ein (österr.) Provinzroman. (403) 8° Lpzg (03). Berl., F Fontane & Co. 5—
— Aus Gründen u. Abgründen. Skizzen a. d. Alltag u. v. drüber. (175) 8° Ebd. (01). 3—d
— Arno Holz u. d. jüngstdeutsche Bewegg, s.: Essays, moderne, z. Kunst u. Litt.
— Und sieh', so erwarte ich Dich! Skizzenb. e. reifen Liebe. (97) 8° Lpzg (01). Berl., F Fontane & Co. 3—d
— Die Starken. Schausp. (79) 8° Ebd. 04. 1—d
— Die Vaclavbude. Prager Studentenroman. (266) 8° Ebd. 02. 3—; geb. 4—d
— Die Weltanschaug d. Moderne. (50) 8° Ebd. 02. 1—d
Stroedel, GA: Waldweben, s.: Tenerdank.
Strohal, E: Das deut. Erbrecht auf Grundl. d. BGB., s.: Recht, d., d. BGB. in Einzeldarstellgn.
— BGB, s.: Planck, G.
— Grenzen d. Urteilsrechtskraft bei betagter u. bedingter Berechtigg, s.: Beiträge, s, z. bürgerl. Recht.
— Komnt d. Vorgemerkten d. öffentl. Glaube d. Grundbuchs zu statten? (51) 8° Lpzg, (A Edelmann) 04. nn —75
Strohhut-Zeitung. Fachbl. f. d. Stroh- u. Damenfilzhutfabrikation, sowie d. ges. Hathandel u. alle Hilfs- u. Neben-Industrien. Begründet v. T Gampe. Red.: G Springer. 18—22. Jahrg. 1901 —5 je 24 Nrn. (Nr. 1. 8) 4° Dresd., Steinkopff & Spr. Viertelj. 2—d
Ströbl, HG: Städte-Wappen v. Österr.-Ungarn. 2. Afl. (106 m. Abb. u. 86 farb. Taf.) 4° Wien, A Schroll & Co. 04. L. 38—
Ströble, J: Aufsatz-Buch f. d. Schul- u. Selbst-Unterr. unter bes. Berücks. d. Prüfgs-Aufg. f. Stellen-Bewerbg d. Militäranwärter. (279) 8° Ulm, (E Reinecke) 04. 2.20 d
Strohmayer, W: Die Epilepsie im Kindesalter. Vortr. (30) 8° Altabg, O Bonde 02. — 80
Ströhmbein, O: Die Bekämpfg d. ansteck. Geschlechtskrankh. im Deut. Reich. (87 m. 1 Karte.) 8° Stuttg., F Enke 03. 2.40
Strohmer, F, s.: Zeitschrift, österr.-ungar., f. Zuckerindustrie u. Landw.
Strohmeyer, E: Schleswig-holstein. Wander- u. Reisebuch. (144 m. 13 Kart.) 8° Kiel, WG Mühlau (05). Geb. 2—
— dass. Sonderdr.: Seefahrten. (43 m. 4 Kart.) 8° Ebd. (05). — 50
Ströhmfeld, G: Esslingen in Wort u. Bild. Führer durch d. Stadt u. Umgebg. 3. Afl. (181 m. 2 Pl., 1 Karte u. 2 Panoramen.) 8° Essl., (A Weismann) 02. nn 2—
— Führer durch Stuttgart u. Umgebg. 11. Afl. (153 m. Abb., 1 Plan u. 1 Karte.) 8° Stuttg., JB Metzler (04). Kart. 1—
— s.: Führer, kl., durch Stuttgart
— Gesetzes-Kalender, s.: Kohlhammer, W.
— Metzinger Kronik. Gesch. d. Stadt Metzingen u.d. Gemeinde d. Umgegend. Hrsg. v. G Köllreutter. (264 m. Abb., 8 Taf. u. 1 Pl.) 8° Metzingen 02. (Rentl., CF Palm.) 7—d
— Stuttgart u. Umgebg in Wort u. Bild. (140 m. 1 Pl., 2 Kart. u. 1 Panorama.) 8° Stuttg., Greiner & Pf. 02. 2—
— s.: Schwäb. Wanderb. Eisenb.- u. Wanderführer durch Württemberg u. Hohenzollern. 3. Afl. (304 m. Abb., Pl., Panoramen u. 33 Kart.) 8° Stuttg., Union (04). Geb. 3.60
Strohschneider, O: Versuche üb. Metallstrahlg, s.: Streintz, F.
Strohschneider, R: Irin u. Elsa. Erzählg v. d. deut. Sprachgrenze in Böhmen. (97) 8° Dresd., E Pierson 04. 1.50; geb. 2.50 d

Ströll, A: Elementi di geometria. Geometria intuitiva scritta pel II°, III° e IV° corso delle scuole reali e per instituti affui. 2. ed. (222 m. Fig.) 8° Wien, A Hölder 03. 3 —

Στρωμάτιον ἀρχαιολογικόν. Mitteilgn, d. 2. internat. Congress f. christl. Archaeol. zu Rom gewidmet vom Collegium d. deut. Campo Santo. (139 m. Abb. u. 4 [1 farb.] Taf.) 8° Rom 1900. (Freibg i/B., Herder.) 7 —

Strombeck, FK v.: Henning Brabant, Bürgerhauptmann d. Stadt Braunschweig, u. s. Zeitgenossen. 2. Afl. (90) 8° Brnschw., W Scholz 04. 2 —; geb. 3 — d

Stromberger, CW: Biograph. Charakterbilder. (162 m. Bildnis.) 8° Prankf. a/M., Heyder & Z. 01. 2.50 d

Stromer, E: Geograph. u. geolog. Beobachtgn im Uadi Natrūn u. Fâgregh in Agypten. [S.-A.] (28 m. 1 Taf. u. 1 Kartenskizze.) 4° Frankf. a/M., (M Diesterweg) 05. 3 —
— Fossile Wirbeltier-Reste a. d. Uadi Fâregh u. Uadi Natrūn in Agypten. [S.-A.] (34 m. Abb. u. 1 Taf.) 4° Ebd. 05. 3 —

Stromer, T: Heringsdorf, Ahlbeck, Bansin. — Leipzig. — Misdroy u. Umgebg. — Die Schweiz. — Swinemünde (Stettin), s.: Grieben's Reiseführer.

Stromer v. Reichenbach, E: Bericht üb. e. v. M Blanckenhorn u. E Stromer v. Reichenbach ausgeführte Reise u. Aegypten. Ebil. u. Ein Schädel u. Unterkiefer v. Zeuglodon Osiris Dames. [S.-A.] (12) 8° Münch., (G Franz' V.) 02. — 20
— Die Wirbel d. Land-Raubtiere, s.: Zoologica.

Strömer: Der Goldbauer. Schausp. (36) 8° Wilhelmshaven, Dr Strömer 02. 1 — d

Strömgren, E: Genäherte Örter d. Fixsterne, s.: Kreutz, H.

Stromkarte d. Elbe v. Geesthacht bis Cuxhaven, Hrsg. v. Bureau f. Strom- u. Hafenbau, Hamburg. 1:25,000. Bl. II—V. Photolith. Hambg, (O Meissner's S.). Je 5 —
II. Hamburg. 64×57 cm. 02. ‖ III. Schulau. 54×57 cm. 02. ‖ IV. Glückstadt. 87×84 cm. 03. ‖ V. Freiburg. 87×84 cm. 01.

— d. Norderelbe v. Bunthaus bis Altona. Hrsg. v. Bureau f. Strom- u. Hafenbau, Hamburg. 1:3000. 9 Bl. Photolith. Ebd. Je 5 —
I. Moorwärder. 67,5×77,5 cm. 1898. ‖ II. Spadenland. 46×77,5 cm. 1895. ‖ III. Dove Elbe-Mündg. 62,5×77,5 cm. 04. ‖ IIIa. Dove Elbe-Brücke. 62,5 >×50 cm. 1899. ‖ IV. Kalte Hofe. 54×75 cm. 02. ‖ V. Elbbrücken. 102,5×75 cm. Neue Ausg. 04. ‖ VI. Grasbrook. 108×75,5 cm. 04. ‖ VII. St. Pauli. 102×75 cm. Neue Ausg. 04. ‖ VIIa. Kuhwärder-Neuhof. 126×96,5 cm. 04. ‖ VIII. Altona. 67,5×90 cm. Neue Ausg. 05.

— d. Oberelbe v. Geesthacht bis Bunthaus. Hrsg. v. Bureau f. Strom- u. Hafenbau, Hamburg. 1:5000. 12 Bl. Photolith. Ebd. Je 5 —
I. Geesthacht. 61×95,5 cm. 01. ‖ I. III. Beesenhorster Wiesen. 61×100 cm. 02. ‖ IV. Altengamm. 51,5×88,5 cm. 01. ‖ V. Neuengamm. 60×76,5 cm. 04. ‖ VI. Krauel. 46×75 cm. 01. ‖ VII. Bünriegesb. 51×77 cm. 04. ‖ VIII. Zollenspieker. 45×76,5 cm. 1900. ‖ IX. Hove. 42×75,5 cm. 1899. ‖ X. Warwisch. 46,5×77,5 cm. 03. ‖ XI. Hannoversche Haken. 67×84,5 cm. 01. ‖ XII. Gauert-Bunthaus. 40×56 cm. 1899.

— d. Ober-, Süder- u. Norderelbe v. Lauenburg bis Hamburg. Hrsg. v. Bureau f. Strom- u. Hafenbau, Hamburg. 1:6000. Bl. VI—XII. Photolith. Ebd. Je 5 —
VI. Zollenspieker. 58,5×97,5 cm. 04. ‖ VII. Warwisch. 76,5×88,5 cm. 08. ‖ VIII. Ortkathen. 58,5×83,5 cm. 04. ‖ IX. Moorwärder. 75×90 cm. 02. ‖ X. Hamburg. 75×106,5 cm. 04. ‖ XI. Wasserwerk. 75×90 cm. 04. ‖ XII. Hamburg. 75,5×106,5 cm. 04.

— d. Unter-Elbe v. Altona bis z. Ostermündg. Hrsg. v. Bureau f. Strom- u. Hafenbau, Hamburg. 1:6000. 19 Bl. Photolith. Ebd. Je 5 —
I. Teufelsbrück. 51,5×95,5 cm. Neue Ausg. 05. ‖ Ia. Francop. 50×95,5 cm. 01. ‖ II. Blankenese. 73,5×90,5 cm. Neue Ausg. 05. ‖ III. Schulau. 72,5× 90 cm. 03. ‖ IV. Lühe, Ost. 82×75 cm. 1900. ‖ V. Lühe, West. 76×90 cm. 01. ‖ VI. Bruushausen. 13×90 cm. 03. ‖ VII. Pinnau. 110×75,5 cm. 1900. ‖ VIII. Pagensand. 110×75,5 cm. 1900. ‖ IX. Elsflether Steindeich. 110× 75,5 cm. 01. ‖ X. Glückstadt. 110×75,5 cm. Neue Ausg. 04. ‖ XI. Störr. 110 >×75,5 cm. u. Ergänzgsbl. 18,5×75,5 cm. 1888. ‖ XII. Freiburg. 130×75,5 cm. 1892. ‖ XIII. Freiburg, West. 130×75,5 cm. 1899. ‖ XIV. Büsch. 130×75,5 cm. 1892. ‖ XV. Nord-Ostseekanal. 130×75,5 cm. 1892. ‖ XVII. Otte. 130×75,5 cm. 1892. ‖ XVII. Neufeld. 55×75,5 cm. 1892.

Strom- u. Schiffahrts-Polizei-Verordnung, d., f. die d. Reg.-Präsid. zu Potsdam unterstallten Wasserstrassen. (Neue Afl.) (102) 8° Berl., AW Hayn's Erben 04. 1.20 d

Ströse, A: Uns. Hunde. 2 Bde. (Mit Abb.) 8° Neud., J Neumann 02. 16 —; Einbde in L. je 2 — d
1. Form u. Leben d. Hundes. (355) 10 —
2. Zucht u. Pflege d. Hundes. Grundlehren d. Hundezucht. 2. [Tit.-]Afl. d. Grundlehren d. Hundezucht. (161 m. 29 Taf.) [1897.] 6 —
— Wesen, Erkenng. u. Vertragsmängel (beim Viehkauf), s.: Kriück- einz. Haupt- u. Vertragsmängel (beim Viehkauf), s.: Kriück- mann, P, Anfechtg. Wandelg u. Schadenersatz beim Viehkauf.

Ströse, K: Der gestirnte Himmel, s.: Hillger's Illustr. Volksbb.
— Die bild. Kunst in Anhalt währ. d. 19. Jahrh. (110 m. Abb. u. Titelbild.) 8° Dess., C Dünnhaupt 05. 3 —

Ströter, EF: Israel, d. Wundervolk. Ein Wort an Juden u. Christen. 5. Afl. (55) 8° Düsseldf., C Schaffnit (03). nn 1 —; geb. 3 — d
— Die Judenfrage u. ihre göttl. Lösg n. Römer Kapitel 11. (227) 8° Kass., E Röttger (03). 2 —; geb. 3 — d
— Das Königreich Jesu Christi. Ein Gang durch d. alttestamentl. Verheissgn. (141) 8° Gotha, Missionsbb. P Ott 04. 1.30; — kart. 1.50; geb. 2 — d
— Uns. Leibes Erlösg. (73) 8° Brem., Bh. u. Verl. d. Traktatb. (03). — 75 d

Strotkötter, G: La vie journalière od. Konversationsübgn üb. d. tägl. Leben in französ. u. deut. Sprache. (56) 8° Lpzg, BG Teubner 01. 1.20

Strotkötter, G: La vie journalière od. Konversationsübgn üb. d. tägl. Leben. 2. Afl. Ausg. A. (82) 8° Lpzg, BG Teubner 02. Geb. 1.40 ‖ Ausg. B. (128) 02. Geb. 1.30

Strott, GK: Techn. Chemie f. d. Bau- u. Maschinenwesen, m. bes. Rücks. auf Baustoffe u. deren Verarbeitg. 2. Afl. v. R Strott. (117) 8° Holzm., OC Müller 04. 1.20

Strouhal, V: Analyt. Darstellg [d. Lissajousschen Figuren. [S.-A.] (26 m. Fig.) 8° Prag, (F Řivnáč) 02. — 38

Strub, E: Bergbahnen d. Schweiz bis 1900. II. Reine Zahnradbahnen. (73—191 m. Abb., Profilen u. Tab.) 4° Wiesb., JF Bergmann 02. 6 — (1 u. 2: 12 —)
— Les chemins de fer de montagne de la Suisse jusqu'en 1900. I. Chemins de fer funiculaires. Traduit par F Schäle. (77 m. Fig., Profilen u. 3 Taf.) 8° Ebd. 01. 8 —
— Die Vesuvbahn. Mit e. Anh. üb. d. elektr. Einrichtg d. Bahn, v. H Morgenthaler. [S.-A.] (24 m. Abb.) Fol. Zür., Rascher & Co. 03. nn 1.30

Strubel, J: Chorsingsch. f. kathol. Cäcilienver. (48) 8° Bambg, OC Buchner's V. 01. — 80 d
— Notenschreibbuch. (23) 4° Ebd. 01. — 25

Strubell, A: Der Aderlass. (180) 8° Berl., A Hirschwald 05. 5 —

Strübin, K: Eine Harpocerasart a. d. unt. Dogger. (Zone d. Sphaeroceras Sauzei.) [S.-A.] (6 m. 1 Taf.) 4° Zür. 03. (Basel, Georg & Co.)

Strübing, F: Sprachstoff zu d. Winckelmann-Strübingschen Bildern f. d. Anschaugs- u. Sprachunterr. Neu bearb. v. K Geisler. 1. u. 2. Heft. (Mit Abb.) 8° Berl., Winckelmann & S. (05). Je 1.20; in 1 Bd geb. 3 — d
1. Bild I—IV. I. Der Frühling. II. Der Wald. III. Der Sommer. IV. Der Herbst. (128) ‖ 2. Bild V—VIII. V. Der Winter. VI. Menschenverkehr. VII. Garten. VIII. Gebirgsgegend (Alpental). (113)

Strūby, A: Die Alp- & Weidewirtschaft im Kt. Zug, s.: Alpstatistik, schweiz.
— u. O de Chastonay: L'économie elpestre du Bas-Valais, s.: Alpstatistik, schweiz.

Struck, A, s.: Rangliste d. mittl. Laufbahn d. kgl. pr. Zoll- u. Steuerverwaltg.

Struck, H: Radiergn, m. e. Essay v. M Osborn. (20 Bl. m. 16 B. Text.) 8° Berl., Berliner Verl. 04. 1 —

Struck, R: Beitr. z. Kenntnis d. Trichopterenlarven. I u. II. [S.-A.] (48 u. 52) 8° Lüb., (Berl., R Friedländer & S.) nn 4.60
I. (84 m. 1 Taf.) [No. e 4 —] II. (7 m. Abb.) [No. nn 80.]

Streckmann, A: Die Gegenwart Christi in d. hl. Eucharistie n. d. schriftl. Quellen d. vornizän. Zeit, s.: Studien, theolog., d. Leo-Gesellsch.

Struckmann, J, u. R Koch: Die CPO. f. d. deut. Reich, nebst d. auf d. Civilprozess bezügl. Bestimmgn d. Gerichtsverfassgs-ges. u. d. Einführgsges. In d. Fassg v. 20.V.1898. Kommentar unter Mitwirkg v. K Rasch, P Köll, G Struckmann. 8. Afl. 2 Bde.(40,775 u. 698) 8° Berl., J Guttentag 01. 30 —; HF. nn 34 — d
— Die Fettleibigk., ihre Entstehg, Verhütg u. naturgemässe Behandlg. (54) 8° Zbd. (01). 1.80
— Die Krankh. d. Verdauungsorgane, ihre Ursachen, Verhütg u. naturgemässe Behandlg. (294) 8° Lpzg, H Hässel 01. Gesunde Leben 06. 4 —

Strukel, M: Der Wasserbau. Nach Vortr. 1., 3. u. 4. Tl. 8° Helstngf., nn 47 — (Vollst.: nn 50 —)
1. Ursprg, Vorkommen u. Eigenschaften d. Wassers; Stauwerke; Fachwege. 2. Afl. (198 m. Fig. u. 15 Taf.) 04. nn 14 —
5. Schiffaschleusen, Schiffahebewerke u. geneigte Ebenen f. d. Schiffstransport. Uferbau. (110 m. Fig. u. 20 Taf.) 04. nn 19 —
4. Flussbau, Deiche, Häfen u. Schiffahrtszeichen. (200 m. Fig. u. 37 Taf.) 04. nn 18 —

Strümpell, A v.: Lehrb. d. spec. Pathol. u. Therapie d. inneren Krankh. 15. Afl. 3 Bde. (Mit Abb.) 8° Lpzg, FCW Vogel 04. Je 12 —; HF. je 14 —
1. Acute Infectionskrankh. Respirations- u. Circulationsorgane. (647)
2. Krankh. d. Verdauungsorgane, Harnorgane, Bewegsorgane. Constitutionskrankh. Vergiftgn. (746)
3. Krankh. d. Nervensystems. (781 m. 1 Taf.)
— Kurzer Leitf. f. d. klin. Krankenuntersuchg. 5. Afl. (40) 12° Ebd. 1900. L 1 —
— Üb. d. medizinisch-klin. Unterr. Erfahrgn u. Vorschläge. [S.-A.] (34) 8° Lpzg, A Deichert Nf. 01. 1 —
— s.: Zeitschrift, deut., f. Nervenheilkde.

Strümpfel, E: Was jedermann heute v. d. Mission wissen muss. 1—10. Taus. (191 m. Abb. u. 1 Karte.) 8° Berl., M Warneck 01. 1 —; geb. 1.50 d
— s.: Studien, missionswiss.

Strunck, U: Die Gesch. d. armen Lore. Ein Zeitbild, im Freilicht gemalt. (360) 8° Dresd., E Pierson 03. 3.50; geb. 4.50 d
— Kevelaer, Roman. (200) 8° Köln, A Ahn (05). 3 —

Strunz, F: Beitr. z. Entstehgsgesch. d. stoechiometr. Forschg. (150) 8° Berl., E Ebering) 01.
— Üb. antiken Dämonenglauben, s.: Sammlung gemeinnütz. Vortr.
— Naturbetrachtg u. Naturerkenntnis im Altertum. Eine Entwickelgsgesch. d. antiken Naturwiss. (168) 8° Hambg, L Voss 04. 3 —
— Theophrastus Paracelsus, s. Leben u. s. Persönlichk. (127 m. 3 Taf. u. 2 Fksms.) 8° Lpzg 03. Jena, E Diederichs. 4 —; geb. 5 — d
— Das Werden u. d. Lehre Friedrich Nietzsches, s.: Sammlung gemeinnütz. Vortr.

Strunz, K: Schemat. Leitf. d. Kunstgesch. bis z. Beginne d. 19. Jahrh. (152) 8° Wien, F Deuticke 05. 2 —
Struska, J: Lehrb. d. Anatomie d. Hausthiere. (828 m. Abb.) 8° Wien, W Braumüller 03. 20 —; geb. nn 22.50
Strutz, G: Das preuss. Einkommensteuerges., s.: Fuisting, B.
— Preussisch-deut. Gesetz-Sammlg 1806—1904, s.: Grotefend, GA.
— Das preuss. Gewerbesteuerges., s.: Fuisting, B.
— Der Staatshaushalt u. d. Finanzen Preussens, s.: Schwarz, O.
Strützki, E, u. S **Genzmer**: Leitf. z. Studium d. preuss. Rechts, 3. Afl., s.: Stephan, R, Hdb. d. ges. Rechts.
Struve, E: Beitr. z. Gesch. d. Biers u. d. Brauerei, s.: Delbrück, M.
Struve, H: Beobachtgn v. Flecken auf d. Planeten Jupiter am Refractor d. Königsberger Sternwarte. [S.-A.] (37) 8° Berl., - (G Reimer) 04. 2 —
— Mikrometermessgn v. Doppelsternen, s.: Publications de l'observatoire central Nicolas.
Struve, J: Die Kremper Marsch in ihren wirtschaftl. Verhältn. [S.-A.] (114) 8° Berl., P Parey 03. 2.50
Struve, P v., s.: Finanzminister, d., u. d. Reichsrat üb. d. finanz. Lage Russlds. — Materialien z. Arbeiterfrage.
Struwe, G: Dämon Gold. Roman frei n. d. Amerikan. (96) 8° Neuweissens., E Bartels (o. J.). 1 — d
Strüwing, C: Der innere Feind. Fundamentale Wahrh. wider Weltfriede u. Sozialismus. (64) 8° Adlershof b. Berlin 05. (Cöpen., R Schön.) — 60 d
Struwelpeter, p., e. lehrreiches Bilderb. f. d. Jugend. (Neue Afl.) (16 m. farb. Abb.) 8° Reutl., Ensslin & L. (05). — 60; geb. — 90 d
— d. moderne. Lust. Geschichten v. Onkel Franz. (Neue Afl.) (30 Bl.m. farb. Abb.) 4° Berl., Globus Verl. (03). Geb. 1.25 d
Stryjenski, C, s.: Potocka, d. Gräfin, Memoiren.
Stryk, W v.: Das Wappen d. Stadt Riga. 22×33 cm. Farbdr. Riga, F Deutsch 01. nn 3 —
Stremcha, P: Deut. Dichtg in Österr. im XIX. Jahrh. Blumenlese f. Schulzwecke. (255) 12° Wien, F Tempsky. — Lpzg, G Freytag 03. Geb. 2 — d
— Gesch. d. deut. National-Lit. Zum Gebr. an österr. Schulen u. z. Selbst-Unterr. 7. Afl. (221) 8° Wien, F Deuticke 04. Geb. 2.20 d
Strygowski, J, s.: Denkmäler, byzantin.
— Der Dom zu Aachen u. s. Entstellg. (100 m. Abb. u. 2 Lichtdr.) 8° Lpzg, JC Hinrichs' V. 04. (1 —) 5 —
— Kleinasien. Ein Neuland d. Kunstgesch. Kirchenaufnahmen v. JW Crowfoot u. JI Smirnov. (245 m. Abb.) 4° Ebd. 03. L. 28 —
— Hellenist. u. kopt. Kunst in Alexandria. Nach Funden a. Aegypten u. d. Elfenbeinreliefs d. Domkanzel zu Aachen vorgeführt. [S.-A.] (99 m. Abb. u. 3 Taf.) 8° Vienne 02. (Lpzg, Bh. G Fock.) nn 4 —
— Kopt. Kunst, s.: Catalogue général des antiquités égypt. du musée du Caire.
— Eine alexandrin. Weltchronik, s.: Bauer, A.
Stuart, E, Königin v. Böhmen: Briefe an ihren Sohn, d. Kurfürsten Carl Ludwig v. d. Pfalz, hrsg. v. A Wendland, s.: Bibliothek d. litterar. Ver. in Stuttgart.
Stubaibahn, die. (24 m. z. Tl farb. Abb.) 8° Innsbr., (A Edlinger) (05). — 50 d
Stubbs, A: Aufg. f. d. rechn. Geometrie. Für d. Oberkl. schob. Volkssch. sowie f. gewerbl. u. militär. Fortbildgsanst. 1. Heft: Aufg., welche durch d. 4 Spezies bestritten werden können. 7. Afl. v. G Krauss. (72) 8° Lpzg, E Kummer 05. — 90 d
— Aufg. z. Zifferrechnen f. Schüler in Stadt- u. Landsch. (In 6 Heften.) Heft I—III, IV a u. V. Neue Afl. v. Gutsche u. Teige. (Je 16) 12° Bunzl. (Lpzg, H Schultze.) Je — 15 d
1. 68. Afl. 1896. ‖ II. 63. Afl. 1900. ‖ III. 65. Afl. 1898. ‖ IVa. 35. Afl. 1896. ‖ V. 29. Afl. 1897.
— Sammlg algebr. Aufg., nebst Anl. z. Auflösg derselben durch Verstandesschlüsse. 15. Afl. v. K Backhaus. (192) 8° Altnbg, HA Pierer 03. 2 — d
Stubbe, O: Der deut. Ver. gegen d. Missbr. geist. Getränke. Sein Werden, Wachsen u. Wirken in d. ersten 30 Jahren. (92) 8° Berl., Mässigkeits-Verl. (03). 1.50; 2. — r
Stubbe, P: Nachweb. f. 8stuf. Schulen, s.: Brennert, E.
Stübben, J: Ausgeführte Arbeiter-Wohnhäuser d. gemeinnütz. Bauver., d. Stiftgn u. Gemeinden in d. Rheinprov., s.: Festschrift d. rhein. Ver. z. Förderg d. Arbeiterwohngswesens in Düsseldorf.
— Rhein. Arbeiterwohngsn. (14 m. 10 Taf.) 8° Bonn 01. Stuttg., A Kröner. Kart. 3 —
— Die Bedeutg d. Bauordngn u. Bebaugspl. f. d. Wohngswesen, s.: Wohnungsfrage, d., u. d. Reich. — s.: Zentralblatt f. allg. Gesundheitspflege.
Stuebe, R, s.: Polo, Marco, el libro.
Stübel, A: Karte d. Vulkauberge Antisana, Chacana, Sincholagua, Quilindaña, Cotopaxi, Rumißahuí u. Pasochoa. Ein Beisp. f. d. Ausserg eruptiver Kraft in räumlich kl. Abständen unter deutl. Anzeichen ihrer Abschwächg u. ihres Ersterbens innerh. begrenzter Zeiträume. 1:200,000. 82,5×30 cm. Photolith. Mit e. Begleitwort. (12) 8° Lpzg, M Weg 03. 2 —
— Martinique u. St. Vincent. [S.-A.] (36 m. Abb.) 4° Ebd. 03. 3 —
— Reisen in Süd-Amerika, s.: Reiss, W.
— Rückblick auf d. Ausbruchsperiode d. Mont Pelé auf Martinique 1902—03 v. theoret. Gesichtspunkte aus. (24 m. Abb.) 4° Lpzg, M Weg 04. 3.50
Stübel, A: Üb. d. genet. Verschiedenh. vulkan. Berge. Studie z. wiss. Beurtheilg d. Ausbrüche auf d. kl. Antillen im J. 1902. (85 m. Abb. u. 1 Taf.) 4° Lpzg, M Weg 03. 12 —
— Das nordsyr. Vulkangebiet. Diret et-Tulūl, Haurān, Dschebel Mānī u. Dschōllāu. Beschreibg d. im Grassi-Museum zu Leipzig ausgestellten Zeichngn d. vulkan. Schöpfgn dieses Gebietes. (21 m. 1 Karte.) Fol. Ebd. 03. 2.50
— Ein Wort üb. d. Sitz d. vulkan. Kräfte in d. Gegenwart. (15 m. Fig. u. 1 farb. Taf.) 4° Ebd. 01. 4 —
Stübel, B, s.: Instruktion, d., Karls V. f. Philipp II.
Stübten, L: Sein Sohn — ? u. and. Geschichten. (92) 8° Berl., C Freund 03. 1 — d
Stubenberg, M Gräfin, s. a.: Berg, MS.
— Eisblumen. Neue Gedichte. (160) 12° Lpzg, Breitkopf & H. 03. 2 —; geb. 3 — d
— Gedichte. 2. Afl. (183) 8° Dresd., E Pierson 05. 2.50; geb. 3.50 d
— Gabriel v. Herrenburg. Epische Dichtg. (115 m. Abb.) 8° Paderb., F Schöningh 02. 3 —; geb. 4 — d
— Myrten. Ein Brautkranz. Gedichte. (51 m. Abb.) 8° Wien, Gerlach & W. (04). Geb. 10 —
Stubenrath, FK, s.: Statistik, medizin., d. Stadt Würzburg.
Stubenrauch, E: Der Hassgau. Ein Wanderb. (79) 18° Schweinf., (E Stoer) 01. — 70 d
Stubenrauch, H: Bilder zu Fritz Reuters Werken, m. begleit. Text v. P Warncke. 22 Lfgn. (368) 8° Berl., R Eckstein Nf. (02). Je (— 50) — 25; in 1 L.-Bd (nn 12.50) 7 — d
Stubenrauch, L v.: Die Lehre v. d. Phosphornekrose, s.: Sammlung klin. Vortr.
Stubenrauch, M v.: Commentar z. österr. allg. BGB. Hrsg. v. M Schuster v. Bonnot u. K Schreiber. 8. Afl. 2 Bde. (27 Hefte.) (1057 u. 1064) 8° Wien, Manz 02.03. 32 —; geb. nn 37.50 d
Stüber, W: Hochbau-Lexikon, s.: Schönermark, G.
Stüber-Gunther, F, s. a.: Gunther, FS.
— Das Durchhaus. Wiener Skizzen. (153) 16° Wien, R Mohr 05. 1.50; geb. 2 — d
— Bucklige Welt. Kl. Sachen z. Weinen u. Lachen. (159) 16° Ebd. 06. 1.50; geb. 2 — d
— Wiener auf Reisen u. Daheim. Skizzeu u. Erzählgn. (182) 8° Linz (03). Wien, J Deubler. 3.80; geb. 4.30 d
Stüdjer, R: Geschäftsaufsätze u. allg. Gewerbevorschriften, s.: Ruprecht, E.
Stübler, E: Bewegg e. auf horizontaler Ebene roll. Kugel, deren Schwerpunkt im Mittelpunkt liegt. (35 m. 2 Taf.) 8° Stuttg., H Enderlen 02. 4 —
Stübler, H: Die Sächs. Schweiz. (Landschaftsbilder a. d. Kgr. Sachsen.) (48 m. Abb. u. 2 Kart.) 8° Meiss., HW Schlimpert 05. nn 1.25; kart. nn 1.75 d
Stühling, R, s.: Kalender f. Drechsler u. Holzindustrielle.
— Techn. Ratgeber auf d. Gebiete d. Holzindustrie, s.: Weber's illustr. Katechismen.
— Taschenb. f. Drechsler. (189 m. Abb.) 8° Berl., A Goldschmidt 03. 2.50 d
Stubmann, P: Holland u. s. deut. Hinterland in ihrem gegenseit. Warenverkehr, s.: Abhandlungen d. staatswiss. Seminars zu Jena.
— Die Störgn im deut. Verkehrsgewerbe, s.: Schachner, R.
Stuck, F: 28 Kunstholzschn. v. Meisterh. d. Meisters, m. Begleittext v. Ä Fendler. (20 Taf. m. 11 S. illustr. Text.) 43,5×36 cm. Lpzg, JJ Weber (04). In L.-M. 10 —
Stuckdecken, moderne. 1. Serie. 124 Entwürfe. (65 Taf. in 4°) Nebst e. Preisliste. (40 u. 40) 8° Berl., M Spielmeyer (01). 60 —
Stückelberg, A: Der Privatname im modernen bürgerl. Recht, m. bes. Berücks. d. Vorentwurfs f. e. schweiz. Zivilgesetzb. (170) 8° Bas., (CF Lendorff) 1900. 4 —
Stückelberg, EA: Aus d. christl. Altertumskde. 8 Aufsätze. (99 m. Abb. u. 1 farb. Taf.) 8° Zür., F Amberger 04. 4 —
— Archaeolog. Exkursiouen. Prakt. Winke. (19 m. Fig.) 8° Bas., CF Lendorff 05. — 70
— Gesch. d. Reliquien in d. Schweiz, s.: Schriften d. schweiz. Gesellsch. f. Volkskde.
— Die schweiz. Heiligen d. M.-A. (150 m. Abb., 1 Karte u. 1 Taf.) 8° Zür., F Amberger 03. 6.40; geb. 8 —
— Das Wappen in Kunst u. Gewerbe. (254 m. Abb.) 8° Zür. 01. (Lpzg., C Beck.) 6 —
Stückelberger, K: Die Armen- u. Kranken-Fürsorge in Basel. (55) 8° Bas., F Reinhardt 05. — 50 d
— Wie soll ich als Christ d. Geisteskranken beurteilen u. behandeln? (22) 8° Ebd. 04. — 35 d
Stucken, E: Astralmythen d. Hebräer, Babylonier u. Aegypter. 4. Tl. Esau. (189—450) 8° Lpzg, E Pfeiffer 01. 24 — (1—4.: 45.40)
— Beitr. z. oriental. Mythol., s.: Mitteilungen d. vorderasiat. Gesellsch.
— Gawân. Mysterium. (100) 8° Berl. 02. Halensee, Verl. Drei-lilien. Geb. 4 —
— Hine-Moa. Neuseeländ. Sage in Versen. (38) 12° Berl., Edm. Meyer 01. Kart. 3 — Vergr.
— Lanvâl. Drama. (150) 8° Berl.-Halensee, Verl. Dreililien 03. 4 —; geb. 5 —
Stuckenberg, A: Anthozoen u. Bryozoen d. unt. Kohlenkalkes v. Central-Russl. (Deutsch u. russisch.) [S.-A.] (109 m. 9 Taf.) 4° St. Petersbg 04. (Lpzg, M Weg.) nn 5.60

Stuckenberg, V: Der holden Worte süsser Klang, s.: Kürschner's, J, Bücherschatz.
Stücker, N: Neue Bestimmng d. spezif. Wärme ein. Metalle bei höh. Temperaturen. [S.-A.] (12 m. Fig.) 8° Wien, (A Hölder) 05. — 40
Stuckert, C: Die Propheten Israels. Für d. Jugend dargest. (119) 8° Bas., F Reinhardt 05. Kart. 1.20 d
Stuekert, FW, s.: Rheinland, W.
Stucki, G: Jeremias Gotthelf. Eine Abendunterhaltg in Töchterkreisen. (24) 8° Bern, G Grunau (05). nn — 50
— Schülerbüchl. f. d. Unterr. in d. Schweizer-Geogr. 4. Afl. (123 m. Abb.) 8° Zür., Art. Instit. Orell Füssli 02. Geb. 1 — d
Stückmann, H: Die Fürsorge f. d. gefährdete u. d. verwahrloste Jugend m. bes. Berücks. d. Ges. üb. d. Fürsorge-Erziehg Minderjähriger v. 2. VII. 1900. Vortr. 9. Afl. (52) 8° Dortm., (CL Krüger) 01. — 20 d
— u. J van Ekeris: Deut. Gedichte z. deut. Gesch. (224 m. 1 Bildnis.) 8° Dresd., H Jaenicke (04). Geb. 1 — d
Studemund, W, s.: Collectio libror. iuris anteiustiniani.
Studemund, W: Ist d. Christentum Wahrheit? (102) 8° Lpzg, HG Wallmann 03. — 75 d
— Gibt es e. Gott?, s.: Lehr u. Wehr für's deut. Volk.
— Der moderne Unglaube in d. unt. Ständen. (109) 8° Schwer., F Bahn 01. 1.60 d
Student, d., s.: Gabelsberger-Bibliothek.
— d. freie, u. d. Duell. Das Duell u. d. Ehrengerichtsfrage. Die Ehre u. ihr Schutz. Die Genugtug m. d. Waffe. Die Genugtug d. Duellgegner. Wie schützt d. freie Student s. Ehre. Hrsg. v. Vorstand d. deut. freien Studentenschaft. (52) 8° Karlsr., G Braun'sche Hofbuchdr. 04. — 30 d
— d. jüd. Organ d. Bundes jüd. Corporationen. Red.: H Loewe. 1. Jahrg. Apr. 1902—März 1903. 12 Nrn. (212) 8° Berl. (NW. 52, Melanchtonstr. 4), Dr. H Loewe. nn 3.60 ò ?
— dass. Vierteljahresschrift d. Ver. jüd. Studenten (im Bunde jüd. Corporationen). Red.: E Cohn. 1. Jahrg. Apr. 1904—März 1905. 4 Nrn. (122) 8° Berl.-Charlttnbg, Jüd. Verl. 2 —
Studenten-Almanach, Berliner. Sommer-Sem. 1905 u. Winter-Sem. 1905/6. 12. u. 13. Ausg. (290 u. 297 m. Abb.) 8° Berl., W Süsserott. Je — 60
Studenten-Kalender, Fromme's österr., Fortsetzg, s.: Fromme.
Studentenkonferenz, d. 5. u. 6. christl., d. deut. Schweiz, Aarau '01 u. '02. (50 u. 54) 8° Bern, H R Sauerländer & Co. 04. Je — 80
— d. 7. christl., d. deut. Schweiz, Aarau '05· (18) 8° Bern (Münzrain 3), Generalsekretariat, O Lauterburg 05. nn — 20
— d. 9. christl. Aarau '05· (80) 8° Bern, A Francke 05. 1 —
Üb. d. 8. Konferenz ist e. Bericht nicht erschienen.
Studer, J: Die Edeln v. Landenberg. Gesch. e. Adelsgeschlechtes d. Ostschweiz. (365 m. Abb., 3 [2 farb.] Taf. u. 13 Stammbäumen.) 8° Zür., Schulthess & Co. 04. 6.40; geb. 8 —
Studer, T: Fauna helvetica, s.: Bibliographie d. schweiz. Landeskde.
— Edm. v. Fellenberg, s.: Neujahrsblatt, hrsg. v. histor. Ver. d. Kt. Bern.
— Die prähistor. Hunde in ihrer Beziehg zu d. gegenwärtig leb. Rassen. [S.-A.] (137 m. 9 Taf.) 4° Zür. 01. (Bas., Georg & Co. — Berl., R Friedländer & S.) nn 9.60 ò ?
— Das Kesslerloch, s.: Nüesch, J.
— u. V Fatio: Katalog d. schweiz. Vögel. 3. Lfg: Incessores, Coraces, Scansores, Captores part. (193—418 m. 2 Kart.) 8° Bern, (A Francke) 01. nn 5 — (1—3.: nn 11 —)
Studer-Steinhäuslin,B:Die wichtigsten Speisepilze d.Schweiz. 3. Afl. (24 m. 12 Farbdr.) 8° Bern, A Francke 06. Kart. 2 — d
Studerus, L: Benediktus-Büchl. od. Regel- u. Gebetbüchl. f. Verehrer u. Oblaten d. hl. Benediktus. (256 m. Abb. u. 1 Lichtdr.) 16° Einsied., Verl.-Anst. Benziger & Co. 04. L. — 80; Ldr 1.50 d
Studia syriaca seu collectio documentor. hactenus ineditor. ex codicib. syriacis. Primo publicavit, latine vertit notisque illustr. I Ephraem II Rahmani. (72 u. 55) 8° Beirut 04. (Rom, Loescher & Co.) nn 8 —
Studie üb. d. Angriff. Von F S. (56) 8° Wien, LW Seidel & S. 03. 1 —
— üb. d. durch d. alkal. Sulfate verursachten Korrosionen d. Backsteinmauern. (Von G-Salemi-Pace.) (Deutsch u. französisch.) [S.-A.] (12 m. 2 Taf.) 4° Stuttg. 02. (Freibg i/B., J Bielefeld.) 2 —
— üb. d. Einf. d. Eindämmg d. Marchfeldes u. d. Stromverhältn. d. Donau, s.: Beiträge z. Hydrogr. Österr.
— üb. d. Einfl. e. ev. Eindämmg d. Tullnerbeckens auf d. Stromverhältn. d. Donau, s.: Beiträge z. Hydrogr. Österr.
— statist., üb. d. Zivilstaatsbediensteten n. d. Stande v. 30. VI.'01. Verf. im Departement f. Privatversicherg d. k. k. Ministeriums d. Innern. (42) 8° Wien, (Hof- u. Staatsdr.) 04. 1 — d
— volkstüml., üb. d. Frage d. Zollgebietes v. „Practicus". (Aus d. Ung. v. Verf.) (29) 8° Wien, W Frick 05. 1 —
Studien z. Alkoholfrage. 1—4. Heft. (95 [18.]) 5.50
Bode, W: Schule u. Alkoholfrage. (183) 02. [4.] 2.40
— Das gothenburg. System in Schweden. (32 m. Abb.) 01. [1.] — 50
— Das staatl. Verbot d. Getränkehandels in Amerika. (40) 01. [2.] — 50
Rowntree, J, u. A Sherwell: Engl. Gastbäuser n. Gotenburger System. Deutsch v. W Plessing. (92 m. Abb.) 02. [3.] 1.50

Studien z. alttestamentl. Einl. u. Gesch. Hrsg. v. C Holzhey. 2. u. 3. Heft. 8° Münch., JJ Lentner. 3.80 (1—3: 5.20)
Engert, T: Ehe- u. Familienrecht d. Hebräer. (108) 03. [3.] 2 —
Hoinhey, C: Die Bücher Ezra u. Nehemia. Untersuchgn ihres litterar. u. geschichtl. Charakters. (68) 02. [2.] 1.80
Das 1. Heft bildet: Holzhey, C: Das Buch d. Könige.
— archäolog., z. christl. Altertum u. M.-A., Fortsetzg, s.: Studien üb. christl. Denkmäler.
— architekton., neue Folge II, gefertigt unter Leitg v. H Jassoy. (28 [1 farb.] Lichtdr.) Fol. Stuttg., K Wittwer (01). In M. 16 — (I u. II.: 32 —)
— architekton., a. d. Atelier d. Geb. Baurat Prof. Dr. P Wallot an d. kgl. sächs. Akad. d. bild. Künste zu Dresden. (Neue [Tit.-]Ausg. v.: Entwürfe d. Studier. a. d. Atelier d. usw. Wallot.) 1. u. 2. Jahrg. 53,5×37 cm. Dresd., Gewerbe-Bh. In M. 40 —
1. (26 Lichtdr.) [1899] (02.03). 21 — § 2. (19 Lichtdr.) [1900] (03). 19 —
— dass. 3. Jahrg. (15 Taf.) 36×52 cm. Lpzg, Gilbers (02). In M. 15 —

Fortsetzg s. u. d. T.: Entwürfe, architekton.

— baltische. Hrsg. v. d. Gesellsch. f. pommersche Gesch, u. Altertumskde. Neue Folge. IV—VIII. Bd. Red.: M Wehrmann u. O Heinemann (Bd VII). 8° Stett., (L Saunier). Je 6 — d
IV. (192, 16 u. 32 m. Abb. u. 6 Taf.) 1900. § V. (280 n. 28 m. Abb. u. 5 Taf.) 01. § VI. (185 u. 57 m. Abb. u. 8 Taf., nebst Inhaltsverz. zu Bd I—XLVI : 62) 02. § VII. (260 m. 12) 03. § VIII. (170 n. 24 m. Abb. u. 8 Taf.) 04.
— ind.Bhagavad Gîtâ, Yoga d.Unterscheidg v.The Dreamer. Aus d. Engl. O H. (130) 8° Lpzg, T Grieben (04). 2.40
— bibl. Hrsg. v. O Bardenhewer. VI. Bd, 5 Hefte; VII. Bd, 5 Hefte; VIII. Bd, 4 Hefte; IX. u. X. Bd, je 5 Hefte. 8° Freibg i/B., Herder. 82.50
Bardenhewer, O: Mariä Verkündigg. Kommentar zu Lukas 1, 26—38. (179) 05. [X,4.] 4.90
Bludau, A: Die beiden 1. Erasmus-Ausg. d. Neuen Test. u. ihre Gegner. (143) 02. [VII,5.] 3.30
Dornstetter, P: Abraham. Studien üb. d. Anfänge d. hebr. Volkes. (378) 02. [VII,1—3.] 8.40
Fischer, J: Die chronolog. Fragen in d. Büchern Ezra-Nehemia. (98) 03. [VIII,3.] —
Henkel, K: Der Brief d. Apostelfürsten Petrus, geprüft auf s. Echtheit (89) 04. [IX,5.] 2.40
Herkenne, H: Die Briefe zu Beginn d. 2. Makkabäerb. (1, 1 bis 2, 18). (102) 04. [VIII,4.] 1.60
Hoberg, G: Moses u. d. Pentateuch. (124) 05. [X,4.] 2.90
Hontheim, J: Das Buch Job. Als stroph. Kunstwerk nachgewiesen, übers. u. erklärt. (385) 04. [IX,1—3.] 9 —
Hummelauer, F v.: Exegetisches e. Inspirationsfrage. Mit bes. Rücks. auf [VI,3.4.] 1 —
Julius, C: Die griech. Danielzusätze u. ihre kanon. Geltg. (185) 01. [VI,3.4.]
Kohlhofer, M: Die Einheit d. Apokalypse geg. d. neuesten Hypothesen d. Bibelkritik verteidigt. (143) 02. [VII,4.] 3.60
Meinertz, M: Der Jakobusbrief u. s. Verf. in Schrift u. Überlieferg. (325) 05. [X,1—3.] 7.50
Miketta, K: Der Pharao d. Auszuges. Exeget. Studie zu Exodus 1—15. (120) 03. [VIII,2.] 2.40
Royer, J: Die Eschatol. d. Buches Job, unter Berücks. d. vorexil. Prophetie dargest. (156) 01. [VI,5.] 2.60
Vom Münch.-Gelehrten-Kongresse. Bibl. Vortr., hrsg. v. O Bardenhewer. (200) 01. [VI,1.2.] 4.40
Werm, A: Die Irrlehrer im 1. Johannesbrief. (169) 03. [VIII,1.] 2 —
— z. Erläutg d. bürgerl. Rechts, hrsg. v. R Leonhard. 1—15. Heft. 8° Bresl., M & H Marcus. 48.80 (1—15.: 55.46)
Bruck, EF: Bedingsfeindl. Rechtsgeschäfte. Beitrag z. Lehre v. d. Unzulässigk. v. Bedingg u. Zeitbestimmg. (182) 04. [13.] 5 —
Freund, R: Der Eingriff in fremde Rechte als Grund d. Bereicherungsanspruchs. (89) 02. [7.] 2.80
Gaertner, M: Der geminderte Schutz geg. Besitzverlust n. röm. u. neuerem deut. Recht. (99) 04. [11.] 2.40
Hesse, A: Die rechtl. Natur d. Miete im deut. bürgerl. Recht. (88) 02. [8.] 2.40
Klingmüller, F: Der Begriff d. Rechtsgrundes. Seine Herleitg u. Anwendg. (117) 01. [6.] 3.20
Manigk, A: Das Anwendgsgeb. d. Vorschriften f. d. Rechtsgeschäfte. (404) 01. [5.] 11 —
Maschke, R: Die Persönlichkeitsrechte d. röm. Iniuriensystems. (108) '03. [10.] 4.40
Meumann, GA: Prolegomena zu e. System d. Vermögensrechts. 1. Abdlg. (208) 03. [12.] 5.80
Oltmer, W: Die rechtl. Wirkg d. Vormerkg n.Reichsrecht. (118) 02. [9.] 3.30
Seleilles, R: Einführg in d. Studium d. deut. bürgerl. Rechts, übers. h. hrsg. v. R Leonhard. (120) 05. [14.] 3.40
Thal, A: Die Vereinigg v. Recht u. Verbindlichk. beim Pfandrecht d. Forderg. (186) 05. [15.] 5.20
Westmann, S: Die Rechtsstellg d. a. mehreren Personen bestch. Verstande e. rechtsf. Ver. n. d. BGB. (99) 03. [1.] 1.60
— a. d. Collegium Sapientiae zu Freiburg im Br. 8—9. Bd. 8° Freibg i/B., (Geschäftsstelle d. Charitasverbandes). 5.80
Goeller, E: König Sigismunds Kirchenpolitik v. 'Tode Bonifaz' IX. bis z. Beruf d. Konstanzer Konzils (1404—13). (237) 02. [7.] 5 —
Kroener, A: Wahl u. Kröng d. deut. Kaiser u. Könige im Mittelalter (Deutsch). (191) 03. [6.]
Schmidlin, J: Ursprg u. Entfaltg d. habsburg. Rechte im Oberelsass, bis in d. ehemal. Herrsch. Landser. (104 m. 1 Karte.) 02. [8.]
— üb. christl. Denkmäler. Hrsg. v. J Ficker. Neue Folge d. archäolog. Studien z. christl. Altertum u. M.-A. 1—8. Heft. 8° Lpzg, Dieterich. 11.20
Jacoby, A: Das geograph. Mosaik v. Madaba. Die ält. Karte d. hl. Landes. (156 m. 2 Taf.) 05. [3.]
Michel, K: Gebet u. Bild in frühchristl. Zeit. (127) 02. [1.] 2.80
Reil, J: Die frühchristl. Darstellgn d. Kreuzigg Christi. (128 m. 5 Taf.) 04. [2.] 4 —
Bisher u. d. T.: Studien, archäolog., z. christl. Altertum u. M.-A.
— dermatolog., s.: Monatshefte f. prakt. Dermatol.

Studien, Prager deut. Hrsg. v. C v. Kraus u. A Sauer. 1. Heft. 8° Prag, C Bellmann. 2 —
Kosch, W: Adalb. Stifter u. d. Romantik. (123) 05. [1.] 2 —
— z. deut. Philol. Festgabe, d. germanist. Abteilg d. 47. Versammlg deut. Philologen u. Schulmänner in Halle z. Begrüssg dargebracht v. P Strauch, AE Berger, F Saran. (239) 8° Halle, M Niemeyer 03. 6 —
Hieraus einzeln:
Berger, AE: Der junge Herder u. Winckelmann. (36) 2 —
Saran, F: Melodik u. Rhythmik d. „Zueigne" Goethes. (71) 2 —
Schürebrand. Ein Traktat a. d. Kreise d. Strassburger Gottesfreunde. Hrsg. v. F Strauch. (97) 2 —
— engl., hrsg. v. E Kölbing. Generalreg. zu Bd 1—25, zusammengest. v. A Kölbing. (244) 8° Lpzg, OR Reisland 02. 8 —
— dass. Organ f. engl. philol. unter mitberücks. d. engl. unterr. auf höh. schulen. Gegründet v. E Kölbing. Hrsg. v. J Hoops. 29—35. Bd je 3 Hefte. (29—34. Bd: 472, 476, 454, 460, 454 u. 456) 8° Ebd. 01-05. Je an 15 —
— z. engl. Philol. Hrsg. v. L Morsbach. VIII., IX., XI—XIII. u. XV—XXI. Heft. 8° Halle, M Niemeyer. 60.60
—IX. XI—XIII u. XV—XXI.: 100.60)
Ausbüttel, E: Das persönl. Geschlecht ungersönl. Substantiva einschl. d. Tiernamen im Mittel-Engl. seit d. Aussterben d. grammat. Geschlechts. (135) 04. [XIX.] 3 —
Björkman, E: Scandinavian loanwords in Middle Engl. Part. 1L. (198— 360) 02. [XI.] 5 — (Vollst.: 11 —)
Bode, E: Die Learsage vor Shakespeare m. Ausschl. d. alt. Dramas p. d. Ballade. (160) 04. [XVII.] 4 —
Boerner, O: Die Sprache Rob. Mannyngs of Brunne z. ihr Verhältn. z. neuengl. Mundart. (312) 04. [XI.] 6 —
Erbe, T: Die Loctriesage u. d. Quellen d. Pseudo-Shakespeareschen Locrine. (73) 04. [XVI.] 2 —
Mac Gillivray, RS: The influence of christianity on the vocabulary of Old Engl. Part. I (1st half). (98, 171) 02. [VIII.] 6 —
Regina-Psalter, d. altengl. Eine lnterlinearversion in Hs. royal 2 B. 5 d. Brit. Mus. n. 1. Male vollst. hrsg. v. F Roeder. (32, 305) 04. [XVIII.] 10 —
Schomburg, RH: The taming of the shrew. Studie zu Shaksperes Kunst. (123) 04. [XX.] 3.60
Schürking, LL: Beowulfs Rückkehr. (76) 05. [XXI.] 2 —
— Die Grundz. d. Satzverknüpfg im Beowulf. II. Tl. (28, 149) 04. [XV.] 4 —
— Studien üb. d. stoffl. Beziehgn d. engl. Komödie z. italien. bis Lilly. (109) 01. [X.] 2 —
Wildhagen, K: Der Psalter d. Eadwine v. Canterbury. Die Sprache d. altengl. Glosse; e. frühchristl. Psalterium d. Grundlage. (257 m. 2 Taf.) 05. [XIII.] 8 —
X u. XIV sind noch nicht erschienen.
— Kieler, z. engl. Philol. Hrsg. v. F Holthausen. 5 Hefte. 8° Hdlbg, C Winter, V. 16.40
Diehm, O: Die Pronomina im Frühmittelengl. Laut- u. Flexionslehre. (100) 01. [1.] 2.80
Hartenstein, O: Studien z. Hornsage. Mit bes. Berücks. d. anglonormann. Dichtg v. wackern Ritter Horn u. e. Horubliblogr. versehen. (152) 02. [4.]
Heuk, O: Die Frage in d. altengl. Dichtg. Syntakt. Studie. (110) 04. [5.] 2.80
Holleck-Weithmann, F: Zur Quellenfrage v. Shakespeares Luatsp. „Much ado about nothing". (92) 02. [3.] 2.40
Schütt, H: The life and death of Jack Straw. Beitrag z. Gesch. d. elisabethan. Dramas. (160) 01. [2.] 4.40
— dass. Neue Folge. 1. u. 2. Heft. 8° Kiel, R Cordes. 5.50
Schön, E: Die Bildg d. Adjektivs im Altengl. (116) 05. [1.] 3 —
Schuldt, C: Die Bildg d. schwachen Verba im Altengl. (95) 05. [1.] 2.50
— Marburger, z. engl. Philol. 2—9. Heft. 8° Marbg, NG Elwert's V. 15.70 (1—9.: 18.70)
Bernigau, K: Orthogr. u. Aussprache in Rich. Stanyhursts engl. Übersetzg d. Äneide (1582). (114) 04. [6.] 3 —
Bucbart, SF: Sind d. Gedichte „Poem on pastoral poetry" u. „Verses on the destruction of Drumlanrig Woods" v. Robert Burns? (60) 02. [6.]
Chalmers, WP: Charakterist. Eigenschaften v. RL Stevensons Stil. (37) 03. [4.] 1.40
Dalrymple, CM: Kiplings Prosa. (105) 05. [9.] 2.50
Fischer, J: Das „Interlude of the Four Elements". Mit e. Einl. neu hrsg. [6a] 03. [8.] 1.60
Gaebel, K: Beitr. z. Technik d. Extehlg in d. Romanen Walter Scotts. (71) 01. [3.] 2 —
Neumann, O: Die Orthogr. d. Paston letters v. 1422—61. (126) 04. [7.] 3.20
Snoek, H: Die Wortstellg bei Bunyan. (88) 02. [5.] 2 —
— üb. Entwickelgsgesch. d. Tiere. Hrsg. v. E Selenka. Nach s. Tode auf Grund d. Nachlasses fortgeführt v. AAW Hubrecht, H Strahl u. F Keibel. 11—13. Heft. 4° Wiesb., CW Kreidel. In M. 59.60 (1—13.: 271.50)
11. Menchensßen (Anthropomorphae). Studien üb. Entwickelg u. Schädelbau. 2. Lfg. Walkhoof, O: Die diluvialen menschl. Kiefer Belgiens u. ihre pithekoiden Eigenschaften. (373—415 m. Abb.) 03. 11 —
12. Dass. 7. Lfg. Strahl, H: Primaten-Placenten. (417—491 m. Abb.) 03. 16.60
13. Dass. 8. Lfg. Strahl, H u. H Happe: Üb. d. Placenta d. Schwanzaffen. (493—531 m. 33 Taf.) 05. 30 —
Die z. 10. Heft u. d. T.: Selenka, E.
— Münch. geograph., hrsg. v. S Günther. 10—17. Stück. 8° Münch., T Ackermann. 16.40 (1—17.: 34.80)
Benl, O: Früh. u. spät. Hypothesen üb. d. regelmäss. Anordng d. Erdgebirge n. bestimmten Himmelsrichtgn. (32) 05. [17.] 1.60
Geidel, H: Alfred d. Gr. als Geograph. (100) 04. [13.] 3.20
Goll, F: Die Erdbeben Chiles. Ein Vert. d. Erdbeben u. Vulkanausbrüche in Chile bis z. Ende d. J. 1879 nebst ein. allg. Bemerkgn zu dissen Erdbeben. (137 m. 1 Taf.) 03. [14.] 3.20
Hoeberl, FX: Joh. Jac. Scheuchzer, d. Begründer d. phys. Geogr. d. Hochgebirges. (106) 01. [10.] 3.60
Krebbiel, A: Frans Joseph Hugi in sr Bedeutg f. d. Erforschg d. Gletscher. (91 m. 1 Kart.) 05. [12.] 1.60
Seindl, J: Die schwarzen Flüsse Südamerikas. Hydrograph. Studie auf geologisch-orograph., physikal. u. biolog. Grundl. (138 m. 1 Karte.) 03. [15.] 2.40
Schmöger, F: Leibniz in sr Stellg z. tellur. Physik. Beitrag z. Würdigg v. Leibniz in geophysikal. Hinsicht. (83) 01. [11.] 1.40
Vollkommer, M: Die Quellen Bourguignon d'Anvilles f. s. krit. Karte v. Afrika. (124) 04. [16.] 2.40

Studien, geolog., a. Südböhmen, s.: Archiv f. d. naturwiss. Landesdurchforschg v. Böhmen.
— Leipz., a. d. Geb. d. Geschichte. Hrsg. v. G Buchholz, K Lamprecht, E Marcks, G Seeliger. III. Bd. 2. Heft. 8° Lpzg, Duncker & H. 10.80 (III. Bd vollst.: 14.20)
Marx, K: Studien z. Gesch. d. niederländ. Aufstandes. (472) 02. [III.2.] 10.80
— dass. VII. Bd, 2—4. Heft; VIII. u. IX. Bd je 4 Hefte. 8° Lpzg, BG Teubner. Subskr.-Pr. 42 —; Einzelpr. 49.20
Bock, H: Jakob Wegelin als Geschichtstheoretiker. (115) 02. [IX.4.] 3 —; bezw. 3.60
Boerger, H: Die Belehngn d. deut. geistl. Fürsten. (152) 01. [VIII.1.] 3.60; bezw. 4.50
Ehrentraut, AM: Untersuchgn üb. d. Frage d. Frei- u. Reichsstädte. (175) 01. [IX.2.] 4.20; bezw. 4.60
Goldmann, S: Danz. Verfassgskämpfe unter poln. Herrschaft. (121) 01. [VII.2.] 3.60; bezw. 4 —
Goerlinz, W: Die histor. Forschgsmethode Joh. Jak. Maskovs. (70) 01. [VII.4.] 2 —; bezw. 2.40
Gritzner, E: Symbole u. Wappen d. alten Deut. Reiches. (182) 02. [VIII.3.] 3.40; bezw. 4.20
Kittel, O: Wilh. v. Humboldts geschichtl. Weltanschaug im Lichte d. klass. Subjektivismus d. Denker u. Dichter u. Königsberg, Jena u. Weimar. (139) 01. [VII.3.] 3.90; bezw. 4.20
Meyer, HB: Hof- u. Zentralverwaltg d. Wettiner in d. Zeit einheitl. Fürstenstaat üb. d. meissnisch-thüring. Lande 1248—1379. (351) 03. [IX.3.] 4.90; bezw. 5.40
Naibandian, W: Leop. v. Rankes Bildzgjahre u. Geschichtsanschaug. (108) 01. [VII.5.] 3 —; bezw. 3.60
Rachol, W: Verwaltgsorganisation u. Ämterwesen d. Stadt Leipzig bis 1627. (296) 02. [VIII.4.] 6.70; bezw. 7.20
Stühlin, K: Der Kampf um Schottl. u. d. Gesandtschaftsreise Sir Francis Walsinghams im J. 1583. (170) 02. [IX.1.] 4.60; bezw. 5.20
— geschichtl. Hrsg. v. A Tille. I. Bd. 1—3. Heft. 8° Gotha, FA Perthes. 8.40
Tschierschky, S: Die Wirtschaftspolitik d. schles. Kommerzkollegs 1716 —40. (122) 02. [T,2.] 2.40
Vasallef, M: Russisch-französ. Politik 1689—1717. (104) 02. [T,3.] 2.40
Zickurach, J: Die Kaiserwahl Karls VI. (1711). (187) 02. [I,1.] 2.60
— Prager, z. d. Geb. d. Geschichtswiss. Hrsg. v. J Bachmann. 8—11. Heft. 8° Prag, Rohlíček & Sievers. 8 — (1—11.: 18.80)
Binder, S: Die Regesten d. Prager im Hualtenkriege. 1. Tbl. (152) 01. [8.] § 2. Tl. (140) 05. [9.] Je 2 —
Loebl, AH: Zur Gesch. d. Türkenkrieges v. 1593—1606. II. Tl. (Oesterr. innere Zustände, d. 2. Kriegsj., d. Hilfsaktion.) (152) 04. [10.] 2 — (2 u. 11. 4 —)
Thiel, F: Krit. Untersuchgn üb. d. im Manifest Kaiser Friedrichs II. v. J. 1236 geg Friedrich II. v. Österr. vorgebr. Anklagen. (144) 05. [11.] 1 —
— z. Gesch. d. menschl. Geschlechtslebens. I. u. V. Tbl. 8° Berl., H Barsdorf. 17.50; L. 20 —
Dühren, E (I Bloch): Der Marquis de Sade u. s. Zeit. Beitrag z. Kultur-u. Sittengesch. d. 18. Jahrh. Mit bes. Beziehg auf d. Lehre v. d. Psychopathia sexualis. 3. Aufl. (537) 01. [I.] 6 — geb. 11 —; Luxusausg. 49 30 —
Laurent, E, u. P Nagour: Okkultismus u. Liebe. Studien z. Gesch. d. sexuellen Vatirrgn. Deutsch v. GH Berndt. (360) 03. [V.] 7.50; geb. 9 —
— dass. III. u. IV. Tbl. 8° Berl., M Lilienthal. Je 10 —; L. je 11.50 (I—V u. Ergänzgsbd: 52.50)
Dühren, E: Das Geschlechtsleben in Engl. Mit bes. Beziehg auf London. II. Der Einß. äuss. Faktoren auf d. Geschlechtsleben in Engl. (481) 03. [III.] III. Der Einß. iusserer Faktoren auf d. Geschlechtsleben in Engl. (360) 03. [IV.] Je 10 — (Vollst.: 30 —; Einbde je 1.50)
— z. Hamburg. Handelsgesch. III. Heft. 8° Berl., Puttkammer & M. 3.60
Freytag, C: Die Entwickelg d. Hamburger Warenhandels v. d. Entstehg d. Deut. Reiches bis z. Ende d. 19. Jahrh. (1871—1900). (105 m. 11 Tab.) 05. [III.] 3.60
Bd I sel bearb. v. EL v. Halle; Bd II bildet: Halle, EL v.: Zur Gesch. d. Maklerwesens in Hamburg (th. d. Kat. 1891/1900).
— histor. Veröffentlicht v. E Ebering. 19—52. Heft. 8° Berl., E Ebering. 176.70
Battelger, J: Der Pietismus in Bayreuth. (184) 03. [39.] 3.60
Chone, H: Die Handelsberiehgn Kaiser Friedrichs II. zu d. Seestädten Venedig, Pisa, Genua. (234) 02. [30.] 3.60
Christmann, C: Melanchthons Haltg im schmalkald. Kriege. (360) 02. [40.] 3.60
Dettmering, W: Beitr. z. Klt. Zunftgesch. d. Stadt Strassburg. (138) 03. [40.] 2.40
Fahling, F: Kaiser Friedrich II. u. d. röm. Cardinäle in d. J. 1227—29. (79) 01. [31.] 2.40
Fellner, R: Die fränk. Ritterschaft v. 1495—1524. Hauptsächlich n. Quellen v. d. Hochstift Würzburg. (212) 05. [50.] 4 —
Gerber, P: Die Schlacht bei Leuthen. (108 m. Skizzen) 01. [28.] 2.20
Graebert, K: Erasmus v. Mantenfiel, d. letzte kathol. Bischof v. Lebus mia (123) 04. [45.] (75) 03. [37.] 2.40
Grabner, A: Zur Politik d. Schmalkaldener vor Ausbr. d. schmalkald. Krieges. (255) 01. [29.] 4.50
Heil, A: Die polit. Beziehgn zw. Otto d. Gr. u. Ludwig IV. v. Frankr. (938—54). (110) 04. [46.] 2 —
Keller, K: Alexander d. Gr. n. d. Schlacht bei Issos bis zr Rückkehr a. Aegypten. (72) 04. [48.] 1.20
Koch, C: Manzgold v. Lautenbach u. d. Lehre v. d. Volkssouveränität unter Heinrich IV. (100) 02. [34.] 4.40
Krabbo, H: Die Besetzg d. deut. Bistümer unter d. Regierg Kaiser Friedrichs II. (91) 01. [34.] 2.40
Krause, J: Zur Rde d. deut. Privatlebens in d. Zeit d. sai. Kaiser. (132) 02. [30.] 3.60
Lehmann, J: Johann ohne Land. Beitr. zu sr Charakteristik. (250) 04. [45.] 4.60
Meyer, C: Preussens innere Politik in Ansbach u. Bayreuth in d. J. 1792 —97. Kmb. d. Denkschrift d. Staatsministers Karl Aug. v. Hardenberg. (210) 04. [49.] 4 —
Müller, E: Das Itinerar Kaiser Heinrichs III. (1089—56) m. bes. Berücks. sr Urkunden. (133) 01. [36.] 3.60
Niemeier, E: Untersuchgn üb. d. Beziehgn Albrechts I. zu Bonifaz VIII. (174) 1900. [19.] 5 —

Pfeiffer, E: Die Revuereisen Friedrichs d. Gr. bes. d. schles. n. 1763 u. d. Zustand Schlesiens v. 1763—86. (187) 04. [44.] 4.80
Roloff, G: Probleme a. d. griech. Kriegsgesch. (142) 03. [39.] 4.80
Scheffer-Boichhorst, P: Ges. Schriften. 1. Bd. Kirchengeschichtl. Forschgn. Mit e. Schilderg s. Lebens. (307 m. Bildnis.) 03. [42.] ‖ 2. Bd. Ausgew. Aufsätze u. Besprechgn. Mit e. Verz. d. Veröffentlichgn d. Verf. u. e. Übersicht v. Regestenbeitr. (439) 05. [43.] Je 7.50
Schmeidler, B: Der dux u. d. comune Venetiarum v. 1141—1229. Beitr. z. Verfassgsgesch. Venedigs, vornehmlich im 12. Jahrh. (95) 02. [35.] 2.80
Schmidt, E: Deut. Volkskde im Zeitalter d. Humanismus u. d. Reformation. (163) 04. [47.] 3 —
Schrohe, H: Der Kampf d. Gegenkönige Ludwig u. Friedrich um d. Reich bis z. Entscheidgsschlacht bei Mühldorf. Nebst Exkursen z. Reichsgesch. d. J. 1292—1322. (296) 02. [29.] 8 —
Schütte, L: Der Apenninenpass d. Monte Bardone u. d. deut. Kaiser. (137 m. 1 Karte.) 01. [27.] 4 —
Schütze, P: Die Entstehg d. Rechtssatzes: Stadtluft macht frei. (116) 03. [36.] 3.20
Sternfeld, R: Der Kardinal Joh. Gaëtan Orsini (Papst Nikolaus III.) 1244—77. (23, 376 m. 1 Stammtaf.) 05. [52.] 10 —
Süssheim, K: Preussens Politik in Ansbach-Bayreuth 1791—1806. (430) 02. [33.] 11.20
Weber, H: Der Kampf zw. Papst Innocenz IV. u. Kaiser Friedrich II. bis z. Flucht d. Papstes n. Lyon. (95) 1900. [20.] 2.80
Weicker, B: Die Stellg d. Kurfürsten z. Wahl Karls V. im J. 1519. (410 u. 16) 01. [22.] 11.20
Wendland, W: Versuche e. allg. Volksbewaffng in Süddeutschl. währ. d. J. 1791—94. (223) 01. [24.] 6 —
Wolf, G: Aus Kurköln im 16. Jahrh. (341) 05. [51.] 9 —

Studien, Freiburger histor. Hrsg. unter Leitg v. A Büchi, JP Kirsch, P Mandonnet, H Reinhardt, G Schnürer, F Steffens. I. 8° Freibg (Schweiz), Univ.-Bh. 2 —
Hoffmann, E: Das Konverseninstit. d. Cisterzienserordens in s. Ursprg u. sr Organisation. (104) 05. [I.] 2 —

— kirchengeschichtl. Hrsg. v. Knöpfler, Schrörs, Sdralek. V. Bd, 4. Heft u. VI. Bd, 4 Hefte. 8° Münst., H Schöningh. Subskr.-Pr. 16.80; Einzelpr. 23.40
Demski, A: Papst Nikolaus III. (364) 03. [VI,1.2.] 6 —; bezw. 8.40
Funke, B: Grundl. u. Voraussetzgn d. Satisfaktionstheorie d. hl. Anselm v. Canterbury. (166) 03. [VI,3.] 2.80; bezw. 3.80
Heidemann, J: Papst Clemens IV. 1. Tl: Das Vorleben d. Papstes u. s. Legationsregister. (248) 03. [VI,4.] 4 —; bezw. 5.60
Lübeck, K: Reichseinteilg u. kirchl. Hierarchie d. Orients bis z. Ausg. d. 4. Jahrh. (239) 01. [V,4.] 4 —; bezw. 5.60

— z. Kriegsgesch. u. Taktik. Hrsg. v. Gr. Generalstabe, kriegsgeschichtl. Abteilg I. 1—4. Bd. 8° Berl., ES Mittler & S. 55.50; HF. nn 68.50 d
Abbrechen, d., v. Gefechten. (270 m. 25 Kart.) 03. [2.] 16 —; geb. m. Kartenm. nn 19 —
Festung, d., in d. Kriegen Napoleons u. d. Neuzeit. (335 m. 29 Kart.) 05. [4.] 10 —; geb. nn 13.50
Heeresbewegungen im Kriege 1870—71. (287 m. 17 Karten sowie 6 Textskizzen.) 01. [1.] 13.50; geb. nn 16 —
Schlachterfolg, d., m. welchen Mitteln wurde er erstrebt? Mit e. Atlas, enth. 65 Skizzen in Steindr. (313) 03. [3.] 16 —; geb. nn 20 —

— krit. Von Plein-Air. (Japan. Kunst. — Die Impressionisten. — Die modernen Stilisten. — G Klimt. — Unmoral. Kunstwerke. — Anonyme Kritik. Ein Gespräch.) [S.-A.] (76) 8° Wien, A Schroll & Co. 04. 1.65

— z. deut. Kunstgesch. 28—66. Heft. 8° Strassbg, JHE Heitz. nn 332.50 (1—66.: nn 474.50)
Baumgarten, F: Der Freiburger Hochaltar. Kunstgeschichtlich gewürdigt. (72 m. Abb. u. 5 Taf.) 04. [49.] 5 —
Behncke, W: Albert v. Soest, e. Kunsthandwerker d. XVI. Jahrh. in Lüneburg. (112 m. Abb. u. 10 Lichtdr.) 01. [28.] 8 —
Beringer, JA: Peter A v. Verschaffelt, s. Leben u. s. Werk. (139 m. 2 Abb. u. 29 Lichtdr.) 02. [40.] 10 —
Bock, F: Die Werke d. Mathias Grünewald. (178 m. 31 Taf.) 04. [54.] 12 —
Bruck, R: Friedrich d. Weise als Förderer d. Kunst. (336 m. Abb. u. 41 Lichtdr.) 03. [45.] 20 —
Buchner, O: Die mittelalterl. Grabplastik in Nord-Thüringen m. bes. Berücks. d. Erfurter Denkmäler. (180 m. Abb. u. 17 Lichtdr.) 02. [37.] 10 —
Damrich, J: Ein Künstlerdreiblatt d. XIII. Jahrh. a. Kloster Scheyern. (89 m. 11 Taf.) 04. [52.] 6 —
Frankenburger, M: Beitr. z. Gesch. Wenzel Jamnitzers u. sr Familie. (95) 01. [30.] 4 —
Geisberg, M: Das ält. gestochene deut. Kartenspiel v. Meister d. Spielkarten (vor 1446). (56 m. 33 Taf.) 05. [66.] 10 —
— Der Meister d. Berliner Passion u. Israhel van Meckenem. Studien z. Gesch. d. westfäl. Kupferstecher im 15. Jahrh. (185 m. 6 Taf.) 03. [42.] 8 —
— Verz. d. Kupferstiche Israhels van Meckenem † 1503. (314 m. 9 Taf.) 05. [58.] 22 —
Gramm, J: Spätmittelalterl. Wandgemälde im Konstanzer Münster. Beitrag z. Entwicklgsgesch. d. Malerei am Oberrhein. (141 m. Abb. u. 20 Taf.) 05. [59.] 6 —
Haack, F: Hans Schüchlin, d. Schöpfer d. Tiefenbronner Hochaltars. (36 m. 4 Taf.) 05. [62.] 2.50
Hofmann, FH: Die Kunst am Hofe d. Markgrafen v. Brandenburg. Fränk. Linie. (271 m. Abb. u. 13 Taf.) 01. [32.] 12 —
Jung, W: Die Klosterkirche zu Zinna im M.-A. Beitrag z. Baugesch. d. Zisterzienser. (98 m. Abb. u. 7 Taf.) 04. [56.] 5 —
Kautzsch, R: Die Holzschnitte z. Ritter v. Turn (Basel 1493). Mit e. Einl. (24 S. u. 88 Bl. m. Abb.) 03. [44.] 4 —
Kehrer, H: Die „Heiligen 3 Könige" in d. Legende u. in d. deut. bild. Kunst bis Albr. Dürer. (132 m. Abb. u. 11 Taf.) 04. [53.] 8 —
Kossmann, B: Der Ostpalast, sog. „Otto Heinrichsbau", zu Heidelberg. (58 m. 4 Taf.) 04. [51.] 4 —
Lorenz, L: Die Mariendarstellgn Albr. Dürers. (86) 04. [55.] 3.50
Pauli, G: Hans Sebald Beham. Krit. Verz. sr Kupferstiche, Radirgn u. Holzschnitte. (521 m. 36 Taf.) 01. [33.] nn 35 —
Peltzer, A: Albr. Dürer u. Friedrich II. v. d. Pfalz. (54 m. 1 Abb. u. 3 Taf.) 05. [61.] 3 —
Pückler-Limpurg, S Graf: Die Nürnberger Bildnerkunst um d. Wende d. 14. u. 15. Jahrh. (180 m. Abb. u. 7 Lichtdr.) 04. [48.] 8 —
Hapke, K: Die Perspektive u. Architektur auf d. Dürer'schen Handzeichngn, Holzschnitten, Kupferstichen u. Gemälden. (88 m. 10 Lichtdr.) 02. [39.] 4 —
Raspe, T: Die Nürnberger Miniaturmalerei bis 1515. (78 m. 1 Abb. u. 10 Lichtdr.) 05. [60.] 5 —
Roth, V: Gesch. d. deut. Baukunst in Siebenbürgen. (127 m. 24 Taf.) 05. [64.] 10 —
Röttinger, H: Hans Weiditz d. Petrarkameister. (113 m. Abb. u. 21 Taf.) 04. [50.] 8 —
Schapire, R: Joh. Ludw. Ernst Morgenstern. Beitrag zu Frankfurts Kunstgesch. im XVIII. Jahrh. (73 m. 2 Lichtdr.) 04. [57.] 2.50
Scherer, V: Die Ornamentik bei Albr. Dürer. (140 m. 11 Lichtdr.) 02. [38.] 4 —
Schmerber, H: Studie üb. d. deut. Schloss- u. Bürgerhaus im 17. u. 18. Jahrh. (144 m. Abb.) 02. [35.] 6 —
Schmidt, P: Maulbronn. Die baugeschichtl. Entwicklg d. Klosters im 12. u. 13. Jahrh. u. s. Einfl. auf d. schwäb. u. fränk. Architektur. (128 m. 11 Taf. u. 1 Karte.) 03. [47.] 8 —
Schubert-Soldern, F v.: Von Jan van Eyk bis Hieronymus Bosch. Beitrag z. Gesch. d. niederländ. Landschaftsmalerei. (111) 03. [46.] 6 —
Schulze-Kolbitz, O: Das Schloss zu Aschaffenburg. (148 m. 29 Taf.) 05. [65.] 10 —
Siebert, K: Georg Cornicelius, s. Leben u. s. Werke. (199 m. 30 Taf.) 05. [63.] 10 —
Simon, K: Studien z. roman. Wohnbau in Deutschl. (280 m. 1 Taf. u. 6 Doppeltaf.) 02. [36.] 14 —
Singer, HW: Versuch e. Dürer-Bibliogr. (98) 03. [41.] 6 —
Stolberg, A: Tobias Stimmer. Sein Leben u. s. Werke m. Beitr. z. Gesch. d. deut. Glasmalerei im 16. Jahrh. (149 m. 20 Lichtdr.) 01. [31.] 8 —
Ulbrich, A: Die Wallfahrtskirche in Heiligelinde. Beitrag z. Kunstgesch. d. 17. u. 18. Jahrh. in Ostpreussen. (95 m. 6 Lichtdr.) 01. [29.] 7 —
Weigmann, OA: Eine Bamberger Baumeisterfamilie um d. Wende d. 17. Jahrh. Beitrag z. Gesch. d. Dieutzenhofer. (204 m. Abb. u. 32 Lichtdr.) 02. [34.] 12 —
Wiegand, O: Adolf Dauer. Ein Augsburger Künstler am Ende d. XV. u. zu Beginn d. XVI. Jahrh. (105 m. 15 Lichtdr.) 03. [43.] 6 —

Studien, kunstgeschichtl. Der Galleriestudien IV. Folge. Hrsg. v. T v. Frimmel. I. Bd. 8° Münch., G Müller. 15 —; geb. 18 —
Mander, C van: Das Leben d. niederländ. u. deut. Maler. (Holländ.) Textabdr. n. d. Ausg. v. 1617. Übersetzg u. Anmerkgn v. H Floerke. I. Bd. (460 m. 20 Taf.) 06. [I.] 15 —; geb. 18 —
Galleriestudien I—III s.: Frimmel, T v.

— z. vergleich. Litt.-Gesch. Hrsg. v. M Koch. 1—5. Bd je 4 Hefte. (516, 518, 514, 512 u. 512) 8° Berl., A Duncker 01-05. Je 14 —; einz. Hefte 4.50

— dass. 5. Bd. Ergänzgsheft. Zur 1. Hundertjahrfeier v. Schillers Todestag am 9.V. (413) 8° Ebd. 05. 7.50

— z. Gesch. d. Melodramas, s.: Publikationen d. internat. Musikgesellsch.

— missionswiss. Festschrift z. 70. Geburtstag d. Hrn Prof. Gust. Warneck v. K Axenfeld, G Müller, C Paul, J Richter, P Richter, E Strümpfel, J Warneck. (262) 8° Berl., M Warneck 04. 4.50 d

— z. Gesch. d. Musik in Böhmen. I—IV. 8° Prag, (JG Calve). 2.90 d
Batka, R: Studien z. Gesch. d. Musik in Böhmen. I u. II. [Erweit. S.-A.] (32 m. 1 Abb. u. 32) 01.04. [I.II.] Je — 60
Rychnowsky, E: Joh. Friedrich Kittl. Beitrag z. Musikgesch. Prags. 1. [Erweit. S.-A.] (46) 04. [III.] — 80 ‖ II. [S.-A.] (72) 04. [IV.] — 90

— musikal. IV—VI u. VIII—X. 8° Lpzg. Berl., H Seemann Nf. 15.40
d'Arienzo, N: Die Entstehg d. kom. Oper. Autoris. Uebers. v. F Lugscheider. (157) 02. [X.] 5 —; geb. nn 6.50
Bélart, H: Rich. Wagner in Zürich (1849—58). 2. Bd. (49) 01. [IV.] 2 — (1 u. 2.: 4 —; in 1 L.-Bd 5 —)
Heuberger, R: Musikal. Skizzen. (95) 01. [VI.] 2.40; geb. 3.20
Schmid, O: Musik u. Weltanschaug. Die böhm. Altmeisterschule Czernohorskys u. ihr Einfl. auf d. Wiener Classicismus. Mit bes. Berücks. Franz Tumas. (117) 01. [IX.] 2 —
Segnitz, E: Franz Liszt u. Rom. (74) 01. [VIII.] 2 —
— Rich. Wagner u. Leipzig (1813—33). (80) 01. [V.] 2 —
VII ist noch nicht erschienen.

— musikwiss., veröffentlicht v. E Ebering. 1—4. Heft. 8° Berl., E Ebering. 19.80
Ottzenn, C: Telemann als Opernkomponist. Beitrag z. Gesch. d. Hamburger Oper. (188) Mit e. Bande Noten-Beil. (48) 4° 02. [1.] 5 —
Pauli, W: Joh. Friedr. Reichardt, s. Leben u. s. Stellg in d. Gesch. d. deut. Liedes. (228) 03. [2.] 6 —
Sannemann, F: Die Musik als Unterr.-Gegenstand in d. ev. Lateinsch. d. 16. Jahrh. (166) 04. [4.] 6 —; geb. 7.50
Tischer, G: Die aristotel. Musikprobleme. (100) 03. [3.] 2.80

— pädagog. Neue Folge. Begründet v. W Rein. 23—26. Jahrg. Hrsg. v. M Schilling. Je 6 Hefte. (464, 448, 452, 448 u. 448) 8° Dresd., Bleyl & K. 02-05. Je 6 —; einz. Hefte nn 1.30

— pädagog. Sammlg wicht. u. zeitgemässer Abhandlgn, Vorträge etc. f. Erziehg u. Unterr. Hrsg. v. L Mittenzwey. 21., 171. u. 182—184. Heft. 8° Lpzg, Siegismund & V. 9.50
Iversen, H: Nationale Jugenderziehg od. d. obligator. Fortbildgsch. als notwend. Konsequenz d. soz. Entwicklg. (19) 03. [182.] — 50
Lehrplan f. e. 8klass. mittl. Volksch. Bearb. v. Lehrerkollegium d. XII. Bürgersch. zu Leipzig unter d. Vorsitz v. L Mittenzwey. 2. Afl. (226) 03. [171.] 3 —; geb. 3.80 d
Meerkatz, A: Der Zeichenunterr. in sr neuen Gestalt. (24) (03.) [184.] — 60 d
Mittenzwey, L: Des Lehrers ärztl. Beruf. (146) 03. [183.] 2.40 d
Seyffarth, LW: Joh. Heinr. Pestalozzi. Nach s. Leben u. a. s. Schriften dargest. Neue Ausg. (8. Afl.) (256) 04. [21.] 3 —; L. 3.80; HF. 4.20 d
Bisher unter d. Einzeltiteln aufgenommen.

— pädagog., f. Eltern, Lehrer u. Erzieher. 27. Heft. (38) 8° Ebd. (02). — 60 d

— pädagogisch-psycholog. Hrsg. v. M Brahn. 2—6. Jahrg. 1901—5 je 12 Nrn. (Je 48 m. Abb.) 4° Lpzg, E Wunderlich. Je 2 —; einz. Nrn — 20

— z. Palaeogr. u. Papyruskde, hrsg. v. C Wessely. I—V. 4° Lpzg, E Avenarius. 42 —
I.II. (52 S. u. 74 Bl. u. 8.) 01.02. Je 6 — ‖ III. (136) 04. 12 — ‖ IV. (58—147 m. 1 Taf.) 05. 6 — ‖ V. Wessely, C: Corpus papyror. Hermopolitanor. I. Tl. (26 S. u. 86 Bl.) 05. 12 —

— üb. d. Permschichten Böhmens, s.: Archiv f. d. naturwiss. Landesdurchforschg v. Böhmen.

— Leipz., z. class. Philol. Hrsg. v. H Lipsius, C Wachsmuth, F Marx. 20. Bd. (214) 8° Lpzg, S Hirzel 02. 10 — d F

Studien, Berner, z. Philosophie u. ihrer Gesch. Hrsg. v. L
Stein. 26—42. Bd. 8° Bern, Scheitlin, Spring & Co.   23 —
Friedmann, P: Darstellg u. Kritik d. naturalist. Weltanschaung Heinr.
Czolbes. (77) 05. [42.]   1.50
Rafs, J v.: JG Fichtes relig. Mystik n. ihren Ursprüngen untersucht. (63)
04. [35.]   1 —
Klein, R: Individual- u. Sozialethik in ihren gegenseit. Beziehgn. (80) 04.
[37.]   1.50
Rolges, D: Zur Vorgesch. d. modernen philosoph. Socialismus in Deutschl.
Zur Gesch. d. Philosophie u. Socialphilosophie d. Junghegelianismus.
(519) 01. [26.]   9 —
Manoloff, P: Willensunfreih. u. Erziehgsmöglichk. (Spinoza, Leibniz,
Schopenhauer). (74) 04. [38.]   1.50
Michalcezen, J: Darlegg u. Kritik d. Relig.-Philosophie Sabatiers. (97)
05. [34.]   1.50
Odier, H: Essai d'analyse psycholog. du mécanisme du langage dans la
compréhension. (112) 05. [41.]   1.50
Perlmutter, S: Karl Menger u. d. österr. Schule d. Nationalökonomie.
(84) 02. [32.]   1 —
Quarck, EW: Zur Gesch. u. Entwickelg d. organ. Methode d. Sociol. (68)
01. [28.]   1 —
Roos, FO: Die Lehre v. d. eingebor. Ideen bei Descartes u. Locke. Bei-
trag z. Gesch. d. Apriori. (34) 01. [31.]   1 —
Roth, L: Schellng u. Spencer. Eine log. Kontinuität. (63) 01. [29.]   1 —
Saltykow, W: Die Philosophie Condillacs. (73) 01. [27.]   1 —
Schapira, A: Erkenntnistheoret. Strömgn d. Gegenwart. Schuppe, Wundt
u. Sigwart als Erkenntnistheoretiker. (84) 04. [39.]   1.20
Seliger, J: Das soc. Verhalten d. menschl. Individuums z. menschl. Gesttg.
(72) 03. [36.]   1 —
Sinzreich, J: Der transcendentale Realismus od. Correlativismus uns.
Tage. (73) 05. [40.]   1.50
Syrkin, N: Empfindg u. Vorstellg. (66 m. 1 Fig.) 03. [33.]   1.50
Techewetchner, K: Die philosophiegeschichtl. Voraussetzgn d. Energetik.
(46) 01. [30.]   1 —

— **philosoph.** Hrsg. v. W Wundt. 18—20. Bd. 8° Lpzg, W
Engelmann.   75 —
17. 4 Hefte. (678 m. Fig. u. 3 Taf.) 01. 16 — | 18. 4 Hefte. (795 m. Fig. u.
15 Taf.) 01.03. 23 — | 19. Festschrift Wilh. Wundt z. 70. Geburtstage überr.
reicht v. s. Schülern. 1. Thl. (615 m. Fig. u. 2 Taf.) 02. 16 — | 2. Abteilg.
2. Thl. (717 m. Fig. u. 3 Taf.) 02. 18 — ; Einzelpr. d. 19. u. 20. Bds 45 —
— **dass.** Namen- u. Sachreg. zu Bd I—XX, bearb. v. H Lindau.
(172) 8° Ebd. 04.   10 —
*Erscheinen nicht mehr. — Als neue Folge gelten: Archiv f. d. ges.
Psychol. — Studien, psycholog.*
— **üb. d. Entwickelungsmechanik d. Primatenskelettes** m.
bes. Berücks. d. Anthropol. u. Descendenzlehre. Hrsg. v. O
Walkhoff. 1. Lfg. 4° Wiesb., CW Kreidel.   In M. 18.60
Walkhoff, O: Das Femur d. Menschen u. d. Anthropomorphen in sr
funktionellen Gestaltg. (50 m. 5 Taf.) 04. [1.]   18.60
— **psych. Monatl. Zeitschrift,** vorzüglich d. Untersuchg d.
wenig gekannten Phänomene d. Seelenlebens gewidmet. Neue
Folge. Begründet v. A Aksakow. Red. v. F Maier. 28—32. Jahrg.
1901—5 je 12 Hefte. (768, 776, 776, 776 u. 760 m. 2, 3, 5, 3 u.
4 Taf.) 8° Lpzg, O Mutze.   Halbj. 5 —
29—32. Jahrg. zus. 55 —; einz. Jahrg. 6 —
— **psycholog.** hrsg. v. F Schumann. (Aus d. psycholog. Instit.
d. Univ. Berlin.) I. Abtlg: Beitr. z. Analyse d. Gedächtnis- u. Lern-
nehmgn. 1. Heft. (160 m. Fig.) 8° Lpzg, JA Barth 04.   5 —
— **dass.** II. Abtlg: Beitr. z. Psychol. d. Zeitwahrnehmg. 1. Heft.
(166) 8° Ebd. 04.   5 —
— **psycholog.** Hrsg. v. W Wundt. Neue Folge d. philosoph.
Studien. I. Bd. 1—4. Heft. (1—304 m. Fig. u. 2 Taf.) 8° Lpzg,
W Engelmann 05.   9.40
— **Rostockerrechtswiss.,** hrsg. v. B Matthiass u. H Geffcken.
I. Bd., 5 Hefte; H. Bd, 7 Hefte u. HI. Bd, 1—4. Heft. 8° Lpzg,
A Deichert NI.   28.60
Auerbach, J: Merkmale u. Bedeutg d. Eigenbesitzes. Dargelegt unter
Berücks. d. Entwicklg d. röm. u. deut. Rechts. (45) 05. [III.3.]   1 —
Bett, K: Der Konkurs d. Aktiengesellsch. in ihrer Erneuerg. (191) 04.
[III.2.]   2.60
Braunwig, P: Die Handlgsfähigk. d. Geisteskranken n. d. BGB. (152) 02.
[I.1.]   2 —
Buchka, G v.: Die indirecte Verpflichtg z. Leistg. (48) 04. [II.4.]   1 —
Guss, A: Die Kontingentabschlüsse n. deut. Reichsrecht. (88) 04. [II.1.] 9 —
Mansel, H: Die Notverordng n. deut. Staatsrechte. Versuch e. Begriffs-
bestimmg. (62) 04. [II.2.]   1.50
Krumer, B: Die unterseeischen Telegr.-Kabel in Kriegszeiten. (84) 08.
[I.3.]   1.60
Krick, A: Der Bundesrat als Schiedsrichter zw. deut. Bundesstaaten.
(48) 05. [I.3.]   1 —
Kuhlmann, A: Üb. § 556 Abs. 3 d. ZPO. (26) 05. [III.4.]   — 60
Helta, C: Die Beamtenhaftpflicht n. § 839 BGB. (98) 04. [II.5.]   2 —
Plesen, R: Die Grundtl. d. modernen conditctio. (61) 04. [II.5.]   1.40
Köpcke, W: Das Seebaurecht. (196) 04. [II.7.]   3 —
Schultz, E: Die Pfandanaptiche n. § 1227 d. BGB. f. d. Deut. Reich.
(97) 05. [I.4.]   2.75
Sprenger, A: Der Eigentumserwerb durch Einverleibg i. e. Inventar.
(65) 04. [III.1.]   1.60
Stegemann, H: Die Vererbg e. Handelsgeschäftes. (184) 05. [I.2.]   2.60
Walsmann, H: Die Voraussetzgn d. Zwangsvollstreckg in d. Eingebrachte
n. d. Gesamtgut. (54) 04. [I,6.]   1.20
— **rechts- u. staatswiss.,** veröffentlicht v. E Ebering. 12—
30. Heft. 8° Berl., E Ebering.   76.70 (1—30.: 115.80)
Abrahamsohn, W: Die Schuldenhaftg d. nichtreichsfäh. Ver. u. höher.
Recht u. d. Recht d. BGB. (92) 01. [13.]   2.80
Alexander, K: Der Begriff d. Unwirksamkeit im BGB. (92) 03. [14.]   2.80
Baje:aki, K: Kritik u. Reformen d. deut. Staatsürterien als Finanz-
regelien. (93) 04. [25.]   2.80
Cohn, L: Gewerkschaftl. Organisations- u. Lohnkampfpolitik d. deut.
Metallarbeiter. (87) 04. [22.]   2.80
Beckstruth, M v.: Der öffentl. Weg. Versuch e. Darstellg d. Begriffes n.
d. heut. preuss. u. französ. Recht. (150) 02. [17.]   2.60
Goldschmidt, H: Die Nachlasspflegschaft d. BGB. u. Pflegschaft üb. e.
selbatänd. Sondervermögen, zugl. e. Versuch e. Grundlegg f. e. Lehre
d. Quasipersonen. (185) 06. [29.]   4.50
Goto, R: Die japan. Seefischfahrt. (51) 03. [15.]   2.80
Guns, H: Die rechtl. Natur d. Treuhänders im Hypothekenb. ges. (127)
03. [19.]   3.60

Guns, J: Das Vollgiro zu Inkassozwecken. (267) 03. [20.]   6.80
Hübener, E: Die deut. Wirtschaftskrisis v. 1873. (141) 06. [30.]   4 —
Jowanowitsch, JU: Berghau u. Bergbaupolitik in Serbien. (212 m. 2 Kart.)
04. [24.]   9 —
Kann, R: Die Klagenmehrheit bei e. Delikt. (84) 01. [44.]   2.40
Loewenthal, MJ: Das Untersuchgsrecht d. internat. Seerechts in Krieg
u. Frieden. (196) 05. [28.]   4.80
Löther, H: Thronstreitigk. u. Bundesrat. (104) 04. [26.]   2.80
Margolin, S: Kapitalzins. Darstellg u. Kritik d. Böhm-Bawerk-
schen Lehre. (179) 04. [23.]   4.50
Schindler, E: Die gewerbsmäss. Heiratsvermittlg. Ihre Gesch., Dogmatik
u. Behandlg im deut. Reichsrecht. (91) 01. [12.]   2.40
Steindlmann, D: Die Beuteorg d. Warenhäuser. (157) 03. [21.]   4.50
Thurow, R: Beitr. z. Lehre v. d. Erpressg. (15n) 07. [16.]   4 —
Warneck, M: Die Entwicklg d. deut. Bankmotenwesens. (226) 05. [27.] 8 —
Studien, roman., veröffentlicht v. E Ebering. 5. u. 6. Heft. 8°
Berl., E Ebering.   8 — (1—6.: 22 —)
Reuter, O: Der Chor in d. französ. Tragödie. (190) 04. [6.]   2 —
Tavernier, W: Zur Vorgesch. d. altfranzös. Rolandsliedes (Ueb. R im Ro-
landslied). (290) 05. [5.]   6 —
— **Leipz. semitist. Hrsg. v. A Fischer u. H Zimmern. I. Bd,**
6 Hefte. 8° Lpzg, JC Hinrichs' V.   18 —; geb. in 20.50
Büllenrücher, J: Gebete u. Hymnen an Nergal. (221) 04. [1.6.]   1.50
Daiches, S: Altbabylon. Rechtsurkunden a. d. Zeit d. Hammurabi-Dyna-
stie. (100) 03. [1.2.]   2.20
Hunger, J: Babylon. wahrsagg bei d. Babyloniern. Nach 2 Keilschrifttexten
a. d. Hammurabi-Zeit. (80) 03. [1.1.]   2.50
Ibn Ginni's Kitâb al-Mugtasab. Hrsg. u. m. e. Einl. u. Anmerkgn ver-
sehen v. E Pröbster. (22, 94) 04. [1.3.]   2.70
Stumme, H: Maltes. Märchen, Gedichte u. Rätsel in deut. Übersetzg. (102)
04. [1.4.]   3.50
— Maltes. Studien. Sammlg prosaischer u. poet. Texte in maltes. Sprache,
nebst Erläutergn. (124) 04. [1.4.]   4 —
— **z. Sozial-, Wirtschafts- u. Verwaltgsgesch.,** hrsg.
v. K Grünberg. 1. Heft. 8° Wien, C Konegen.   6 —
Leimdörfer, M: Vierteljahr u. Organisation d. Brandschadenversichere in
Österr. 1700—1848. (247) 05. [1.]   6 —
— **Wiener staatswiss.,** hrsg. v. E Bernatzik u. E v. Philippovich. III. Bd, 4 Hefte. 8° Tüb., JOB Mohr. Subskr.-Pr. 9 —;
Einzelpr. 11.50
Hartmann, LM: Preussisch-österr. Handelspolitik u. d. Crossener Zoll n.
üb. e. General-Commerz-Tractat z. Z. Karls VI. (86) 01. [III,1.] 2.40;
bezw. 3.20
Hecke, O: Das Problem d. verhältnismäss. Vertretg. (50) 02. [III,4.]
1.40; bezw. 1.80
Heller, V: Der Getreidehandel u. s. Technik in Wien. (163) 01. [III,2.]
3.60; bezw. 4.50
Herrmann v. Herrnritt, R: Die Staatsform als Gegenstand d. Verfassgs-
gesetzgebg n. Verfassgsänderg. (96) 01. [III,3.]   1.60; bezw. 3 —
— **dass.** IV—VI. Bd je 3 Hefte. 8° Wien, F Deuticke.
Subskr.-Pr. 33.70; Einzelpr. 42.30
Adler, M: Die Anfänge d. merkantilist. Gewerbepolitik in Österr. (121)
09. [IV,3.]   3.60; bezw. 4.60
Ruwaha, F: Studien z. österr. Friedhofrecht. (75) 04. [VI,1.] 2 —;
bezw. 2.50
Horácek, C: Das Ausgedinge. Mit bes. Berücks. d. böhm. Länder. (96)
04. [V,1.]   2.40; bezw. 3 —
Kelsen, H: Die Staatslehre d. Dante Alighieri. (152) 05. [IV,2.]   2.40;
bezw. 3 —
Kraus, S: Kinderarbeit n. gesetzl. Kinderschutz in Österr. (208) 04. [V,3.]
3.70; bezw. 4.70
Maláith, J Graf: Studien üb. d. Landarbeiterfrage in Ungarn. (150 m.
1 Karte.) 06. [VI,2.]   4 —; bezw. 5 —
Mises, L v.: Die Entwicklg d. gutsherrlich-bäuerl. Verhältn. in Galizien
(1772—1848). (144) 02. [IV,2.]   4 —; bezw. 5 —
Nawiasky, H: Die Frauen im österr. Staatsdienst. (246) 02. [IV,1.] 6.50;
bezw. 8 —
Pilorm, R: Der Lohnschutz d. gewerbl. Arbeiters n. österr. Recht. (152)
04. [V,2.]   4 —; bezw. 5 —
— **z. Oesch. d. Theol. u. d. Kirche,** hrsg. v. N Bonwetsch
u. R Seeberg. VI. Bd, 3. Heft. 8° Berl., Trowitzsch & S. 6 —
Grützmacher, G: Hieronymus. Biograph. Studie z. alten Kirchengesch.
1. Hälfte: Sein Leben u. s. Schriften bis z. J. 385. (296) Lpzg ut. [VI,3.] 6 —
Dieser Bd ist a. d. Sammlg in and. Verlag übergegangen.
— **dass.** VI. Bd, 4. Heft; VII. Bd, 3 Hefte; VIII. Bd, 5 Hefte u.
IX. Bd, 4 Hefte. 8° Lpzg, Dieterich.   42.60 (I—IX.: 114.65)
Boehmer, H: Die Fälschgn Erzbischof Lanfranks v. Canterbury. (175
04. [VIII,1.]   4 —
Dräseke, J: Johannes Scotus Erigena u. dessen Gewährsmänner u. s.
Werke De divisione naturae libri V. (87) 02. [IX,2.]   1.80
Fischer, E: Zur Gesch. d. ev. Beichte. 1. Die kathol. Beichtpraxis bei
Beginn d. Reformation u. Luthers Stellg dazu in d. Anfängen sr Wirk-
samk. (216) 02. [VIII,2.] § II. Niedergang u. Neubelebg d. Beichtinstituts
in Wittenberg in d. Anfängen d. Reformation. (282) 03. [IX,4.] Je 4.50
Huber, E: Die Entwicklg d. Relig.-Begriffs bei Schleiermacher. (244) 01.
[VII,3.]   5 —
Kruske: Johannes a Lasco u. d. Sacramentsstreit. (216) 01. [VII,1.] 4.50
Schulze, M: Meditatio futurae vitae. Ihr Begriff u. ihre herrsch. Stellg
im System Calvins. (90) 01. [VI,4.]   1 —
Walter, J v.: Die ersten Wanderprediger Frankreichs. Studien z. Gesch.
d. Mönchtums. 1. Th. Robert v. Arbrissel. (195) 03. [IX,1.]   5 —
Wolfram, G: Die Augsburger Reformation in d. J. 1533/34. (199) 01. [VII,2.]
3.50
Bei Abnahme e. Bds tritt e. Preisermässigg v. 20% ein.
— **theolog.** Mart. Kähler z. 6.I.'05 dargebracht v. F Giese-
brecht, K Kögel, K Bornhäuser, K Müller, C Stange, M Schulze,
W Lütgert, F Tschackert. (197) 8° Lpzg, A Deichert N. 05. 3.60
Hieraus einzeln:
Bornhäuser, K: Die Versuchg Jesu n. d. Hebräerbriefe. (15)   — 60
Giesebrecht, F: Die Degradationshypothese u. d. alttestamentl. Gesch.
(34)   — 60
Kögel, J: Der Begriff τελειος im Hebräerbrief im Zusammenh. m. d.
neutestamentl. Sprachgebr. (34)   — 60
Lütgert, W: Die Furcht Gottes. (24)   — 60
Müller, K: Beobachtgn z. paulin. Rechtfertiggslehre. (24)   — 60

Schulze, M: Relig. u. Sittlichk. (28) — 60
Stange, C: Relig. u. Sittlichk. bei d. Reformatoren. (24) — 60
Tschackert, P: Lorenz v. Mosheims Gutachten üb. d. theolog. Doktorat
  v. 9.VIII.1749. (11) — 40
Studien, theolog., d. Leo-Gesellsch. Hrsg. v. A Ehrhard u.
  FM Schindler. 1—13. 8⁰ Wien, Mayer & Co.   50.40
Döller, J: Geograph. u. ethnograph. Studien z. III. u. IV. Buche d. Königs.
  (40, 555 m. 1 Karte.) 04. [9.]   8.40
Faulhaber, M: Hohelied-, Proverbien- u. Prediger-Catenen, untersucht.
  (176) 02. [4.]   5.40
Hartig, J: Die Schadenersatzpflicht d. Erben f. Delikte d. Erblassers b.
  kanon. Rechte. Unter Berücks. d. Bestimmgn d. röm. u. german. Rechtes
  dargest. (87) 03. [6.]   3 —
Hirsch, E: Die Ausbildg d. konziliaren Theorie im XIV. Jahrb. (90) 03.
  [8.]   2 —
Kneib, P: Die „Heteronomie" d. christl. Moral. (71) 03. [7.]   2 —
— Die „Lohnsucht" d. christl. Moral. (96) 04. [11.]   1.20
Nagle, A: Ratzmann u. d. hl. Eucharistie. Zugl. e. dogmatisch-histor.
  Würdigg d. 1. Abendmahlstreites. (20, 315) 03. [5.]   5 —
Scherer, CC: Die Gotteslehre v. Immanuel Herm. v. Fichte. Beitrag z.
  Würdigg d. neueren Philosophie in ihrem Verhältnis z. Theol. (199)
  02. [3.]   3.90
Schmid, J: Die Osterfestfrage auf d. 1. allg. Konzil v. Nicäa. (151) 05.
  [13.]   5 —
Schulte, J: Theodoret v. Cyrus als Apologet. (169) 04. [10.]   3.60
— Das ewige Gesetz in sr Bedeutg f. d. phys. u. sittl. Weltordng.
  (98) 02. [2.]   1.80
Struckmann, A: Die Gegenwart Christi in d. hl. Eucharistie n. d. schriftl.
  Quellen d. vornicän. Zeit. (22, 322) 05. [12.]   7.80
Waldmann, M: Die Feindesliebe in d. antiken Welt u. im Christentum.
  (189) 02. [1.]   2.80
— **Strassburger** theolog. Hrsg. v. A Ehrhard u. E Müller.
  IV. Bd, 2—5. Heft; V. Bd, 4 Hefte; VI. Bd, 5 Hefte u. VII. Bd,
  1—3. Heft. 8⁰ Freibg i/B., Herder.   32.10
Bach, J: Jakob Baïde. Ein relig.-patriot. Dichter a. d. Elsass. (160) 04.
  [VI,3,4.]   4 —
Ernst, J: Üb. d. Notwendigk. d. guten Meing. Untersuchgn üb. d. Gottes-
  liebe als Prinzip d. Sittlichk. u. Verdienstlichk. (247) 05. [VII,2,3.] b —
Farine, MJL: Der sakramentale Charakter. (96) 04. [VI,5.]   2.40
Geller's u. Kaysersberg „Ars moriendi" n. d. J. 1497. Nebst e. Beicht-
  gedicht v. H Foltz v. Nürnberg. Hrsg. u. erörtert v. A Hoch. (111) 01.
  [IV,2.]   2.40
Kneib, P: Die Beweise f. d. Unsterblichk. d. Seele s. allg. psycholog.
  Tatsachen. (168) 02. [V,1.]   5 —
Rademacher, A: Die übernatürl. Lebensordng n. d. paulin. u. johannei-
  schen Theol. (256) 03. [VI,1,2.]   5 —
Richert, C: Die Anfänge d. Irregularitäten bis z. 1. allg. Konzil v. Nicäa.
  (151) 01. [V,3.]   3.40
Schermann, T: Die Gottheit d. hl. Geistes n. d. griech. Vätern d. 4. Jahrb.
  (187) 01. [IV,4,5.]   5 —
Weiss, K: Die Erziehgslehre d. 3 Kappadocier. (242) 03. [V,3,4.]   4.80
Zöllig, A: Die Inspirationslehre d. Origenes. (180) 02. [V,1.]   3.70
— **Münch.** volkswirtschaftl. Hrsg. v. L Brentano u. W
  Lotz. 43—74. Stück. 8⁰ Stuttg., JG Cotta Nf.   130.30
                      (1—74.) 30.80]
Aal, A: Das prenss. Rentengut. Seine Vorgesch. u. s. Gestaltg in Gesetz-
  gebg u. Praxis. (170) 01. [48.]   4 —
Bajkié, WJ: Die franzds. Handelspolitik 1890—1902. (498) 04. [63.] 10 —
Bothe, M: Die ind. Währgsreform seit 1893. (292) 04. [67.]   5 —
Buff, S: Das Kontokorrentgeschäft im dent. Bankgewerbe. (126) 04. [61.]
            2.80
Busching, P: Die Entwicklg d. handelspolit. Beziehgn zw. Engl. n. s.
  Kolonien bis z. J. 1860. Mit Anh.: Tabellar. Uebersicht üb. d. Kolonial-
  handel 1826—1900. (244 m. 4 Tab.) 02. [48.]   7 —
Colles, C: Der Staatsbankrott u. s. Abwicklg. (54) 04. [65.]   3 —
Engel, A: Die westfäl. Gemeinde Eversberg. (144) 02. [55.]   3 —
Friedrich, A: Schlesiens Industrie unter d. Einfl. d. Caprivischen Handels-
  politik 1889—1900. (102) 02. [46.]   4.50
Ginsberg, E: Die deut. Branntweinbesteuerg 1887—1902 u. ihre wirtschaftl.
  Wirkgn. (98) 03. [57.]   4 —
Glauer, F: Die Franziskan. Bewegg. Beitrag z. Gesch. soz. Reformideen
  im M.-A. (168) 03. [59.]   4 —
Haacke, H: Handel n. Industrie d. Prov. Sachsen 1880—99 unter d. Einfl.
  d. deut. Handelspolitik. (122) 01. [45.]   4 —
Halpern, G: Die jüd. Arbeiter in London. (84) 03. [60.]   1.80
Herold, B: Der Schweiz. Bund u. d. Eisenb. bis z. Jahrh.-Wende. Der
  altmühl. Sieg ermittelt. Tendenzen n. d. Durchführg d. Verstaatlichg.
  (372 m. 1 Karte.) 02. [49.]   6 —
Heymann, HG: Die gemischten Werke im deut. Grosseisengewerbe. (242)
  04. [65.]   7 —
Hoffmann, R: Zur Entstehg d. Kapitalismus in Venedig. (129) 05. [71.] 3 —
Hillenbrock, W: Die Deckg d. Kosten d. Krieges 1870/71. u. 1899—
  1902 auf Seite Englds. (100) 04. [66.]   3.40
Jüngs, A: Handelspolit. Interessen d. deut. Ostseestädte 1890—1900. Unter-
  suchg üb. d. Wirkg. d. deut. Handelspolitik u. Verkehrpolitik auf Getreide-
  handel, Mühlenindustrie, Holzhandel u. Reederei in d. grössten deut.
  Ostseestädte. (92) 03. [51.]   3 —
Jürgens, M: Finanzielle Trustgesellsch. (100) 02. [54.]   3.60
Katz, E: Landarbeiter u. Landw. in Oberhessen. (124) 04. [64.]   3 —
Koch, F: Der Londoner Goldverkehr. (116) 05. [72.]   3.60
Levy, H: Die Not d. engl. Landwirte u. Z. d. hohen Getreidezölle. (132)
  02. [56.]   3 —
Manus, L: Der Einfl. d. Maschine auf d. Schreinergewerbe in Deutschl.
  (127) 01. [44.]   2 —
Meyer, A: Die deut. Börsensteuern 1881—1900. Ihre Gesch. n. ihr Einfl.
  auf d. Bankgeschäft. (170) 02. [52.]   4 —
Mombert, P: Die deut. Stadtgemeinden u. ihre Arbeiter. (261) 02. [50.] 6 —
Nitzsche, M: Die handelspolit. Reaktion in Deutschl. (80) 05. [73.] 1.60
Pieper, L: Die Lage d. Bergarbeiter im Ruhrrevier. (290) 03. [58.] 5 —
Bishu, R: Das Konsumvereinswesen in Deutschl. Seine volksw. u. soz.
  Bedeutg. (291) 02. [51.]   4 —
Sals, A: Beitr. z. Gesch. u. Kritik d. Lohnfondstheorie. (201) 05. [70.] 4.50
Vogelstein, T: Die Industrie d. Rheinprov. 1888—1900. Beitrag z. Frage
  d. Handelspolitik u. d. Kartelle. (112) 02. [47.]   5 —
Wallich, P: Die Konzentration im deut. Bankwesen. (178) 05. [74.] 4 —
Walta, W: Vom Reinertrag in d. Landw. (121) 04. [69.]   2 —
Wissmüller, FX: Gesch. d. Teilg in Gemeindländereien in Bayern. (253)
  04. [69.]   5 —

Studien, züricher volkswirtschaftl. Hrsg. v. H Herkner.
  2. Heft. 8⁰ Zür., A Müller's V.   5 —
Gygax, P: Krit. Betrachtgn üb. d. schweiz. Notenbankwesen m. Bezieh g
  auf d. Pariser Wechselkurs. (405) 01. [2.]   5 —
— dass. 3—7. Heft. 8⁰ Zür., Rascher & Co. 19.30 (1—7.; 26.80)
Anrooy, J van: Die Hausindustrie in d. schweiz. Seidenstoffweberei.
  [S.-A.] (192) 04. [5.]   2.90
Bloch, S: Die Entwicklgstendenzen u. Betriebsformen im Tuchhandel d.
  Stadt Zürich. (189 m. 1 Taf.) 04. [4.]   3.20
Brande, B: Die Grundl. u. d. Grenzen d. Chamberlainismus. Studien z.
  Tariffreformbewegg im gegenwärt. Engl. (144) 05. [6.]   2 —
Naef, E: Tabakmonopol u. Bierstener. Beitrag z. schweiz. Wirtschafts-
  u. Finanzpolitik. (35, 380) 05. [3.]   4.50
Steinmann, A: Die ostschweiz. Stickerei-Industrie. Rückblick u. Ausschau.
  Mit e. Anh. üb. d. sanitär. Verhältn. in d. ostschweiz. Stickerei-Industrie.
  (209) 05. [7.]   2.80
— üb. Vorposten. Von e. k. u. k. Generalstabsoffizier. [S.-A.]
  (110 m. 12 farb. Taf.) 8⁰ Wien, LW Seidel & S. 05.   nn 9 —
— Wiener. Zeitschrift f. klass. Philol. Suppl. d. Zeitschrift
  f. d. österr. Gymnasien. Red.: E Hauler, H v. Arnim. 23—
  27. Jahrg. 1901—5 je 2 Hefte. (1901. 1. Heft. 184) 8⁰ Wien, C
  Gerold's S.   Je 10 —
— u. **Darstellungen** a. d. Geb. d. Gesch. Im Auftr. d. Görres-
  Gesellsch. hrsg. v. H Grauert. I. Bd, 2. u. 3. Heft; II. Bd,
  3 Hefte; III. Bd, 4 Hefte u. IV. Bd, 1. Heft. 8⁰ Freibg i/B.,
  Herder.   17.10 (I—IV, 1.: 19.10) d
Dürrwächter, A: Christoph Gewold. Beitrag z. Gelehrtengesch. d. Gegen-
  reformation u. z. Gesch. d. Kampfes um d. pfälz. Kur. (134) 04. [IV,1.]
          2.60
Fastlinger, M: Die wirtschaftl. Bedeutg d. bayer. Klöster in d. Zeit d.
  Agilolfinger. (192) 03. [II,2,3.]   3.40
Jansen, M: Papst Bonifatius IX. (1389—1404) u. s. Beziehgn z. deut.
  Reiche. (214) 04. [III,3,4.]   3.30
Kampers, F: Alexander d. Gr. u. d. Idee d. Weltimperiums in Prophetie
  u. Sage. Grundlinien, Materialien u. Forschgn. (192) 01. [1,2,3.] 3 —
Reichenberger, E: Wolfgang v. Salm, Bischof v. Passau (1540—55). (94)
  00. [II,1.]   1.50
Schnürer, G: Die ursprüngl. Templerregel. Kritisch untersucht u. hrsg.
  (187) 03. [III,1,2.]   1.60
— **Kritiken**, theolog. Zeitschrift f. d. ges. Geb. d. Theol.,
  begründet v. C Ullmann u. FWC Umbreit u. hrsg. v. J Köst-
  lin u. E Kautzsch. 75. Jahrg. 1902. 4 Hefte. (698) 8⁰ Gotha,
  FA Perthes. || 76—79. Jahrg. 1903—6. Hrsg. v. E Kautzsch n.
  G Haupt. (653, 653, 643 u. 644) 04. [6.] je Jahrg. 4.50 d
— u. **Mitteilungen** a. d. Benediktiner- u. d. Zisterzienser-
  Orden m. bes. Berücks. d. Ordensgesch. u. Statistik. Red.:
  M Kinter. 22—26. Jahrg. 1901—5 je 4 Hefte. (748, 760, 786,
  990 u. 736) 8⁰ Stift Raigern b/Brünn, Administr. (Nur dir.)
            Je 8 —
Studienausgabe österr. Gesetze, veranstaltet v. A Löffler. I.
  u. II. Bd je 9 Hlfn. 8⁰ Lpzg, CL Hirschfeld. 3 — ; geb. 18.20
Löffler, A: Das Strafrecht. 1. Hlfte. Die materiellen Strafges. (457) 04.
  [I,1.] 3.20; geb. 4 — | 2. Hlfte. Die Strafprozessgesetze. (354) 05. [1,2.]
           2.50; geb. 3.20
Mayr, R v.: Das bürgerl. Recht. 1. Hlfte. I. Das allg. BGB. f. d. Kaisert.
  Oesterr. II. Nehengss. u. Novellen z. allg. BGB. (568) 05. [II,1.] 3.90;
  geb. 4.60 | 2. Hlfte. III. Das Grundbuchrecht. IV. Das Immaterial-
  güterrecht. V. Das internat. Privatr. (396) 05. [II,2.] geb. 4.50; geb. 4.30
Studienkalender, bayer. Notiz- u. Nachschlägebuch unter bes.
  Berücks. d. bayer. Verhältn. f. Studierende am Mittel- u.
  Hochsch. Schul. 1905/1906. 15. Jahrg. (294 m. 1 Bildn. u. 1
  Stammtaf.) 16⁰ Münch., Buchdr. u. Verl.-Anst. C Gerber.
               L.— 75 ₰
Studienmappe f. d. keram. Industrie. Hrsg. v. C Wittmann
  (n. R Seidel). 1. Folg. V. d. 9 Hefte. (Je 4 z. Tl farb. Taf.)
  Fol. Plauen, C Stoll 01.02. || III. u. VIII. Jahrg. je 6 Hefte.
  (Je 8 Taf.) 03.04.   Der Jahrg. in M. 20 — 6 P
Studienplan f. Studier. d. Medizin an d. Albert-Ludwigs-
  Univ. zu Freiburg im Breisgau. Semester 1—5. 2. Abdr. (4)
  8⁰ Freibg i/B., Speyer & K. 04.   — 10
— f. Mediziner. Empfohlen v. d. medizin Fakultät d. schles. Lud-
  wig-Maximilians-Univ. München. 5. Afl., m. Anh.: Bekanntmachg d. Bundesrats v. 28.V.'01 betr. d. Prüfgsordng f. Ärzte,
  k. b. Verordng v. 6.II.1876, betr. d. Prüfg f. d. ärztl. Staatsdienst im Kgr. Bayern, sowie Bestimmgn üb. d. Doktorprüfgn
  u. Habilitationen an d. medizin. Fakultät d. Univ. München.
  (57) 8⁰ Münch., M Rieger 04.   1 —
Studienreise, d., d. baltisch-litthauischen Kartell-Kommission
  in d. Viehzucht-Bezirken d. Niederl. u. Ost-Preussens. 1904.
  (39 m. 1 Karte.) 8⁰ Jurj. (05). [Berl., Puttkammer & M.] 1.30
Studierstube, die, Kirchlich-theolog. Monatschrift. Hrsg.:
  Boehmer. 1. Jahrg. 1903. 12 Hefte. (588) 8⁰ Leipzig, Boehmer
  & Pf.   Vierteljl. 2 —
— dass. Theolog. u. kirchl. Monatschrift. Hrsg.: J Boehmer.
  2. u. 3. Jahrg. 1904 u. 5 je 12 Hefte. (588 u. 768) 8⁰ Ebd.
          Vierteljl. 2 — f
Studium-Behelf u. **Anhaltspunkte** f. Stabsofficiers-Aspiranten
  d. Truppe, Corps- u. Kriegsschul-Aspiranten aller 3 Waffen,
  nebst e. Sammlg takt. Aufg. sammt Lösgn v. „L". Graph.
  Darstellg d. formellen Durchführg z. Manriel-Angriffes, Kriegs-
  spiel-Entwürfe, 42 Annahmen z. applicator. Besprechgs-
  Durchführg u. Leitg derselben, takt. Tagsritte bei d. Truppe
  u. d. Reiterregts-Regiments-Übgn. (328 m. Skizzen u. 13 Beil.)
  8⁰ Lembg 02. [Wien, LW Seidel & S.]   8 —
Studnička, Jodl. d. schönen Form. Prakt. Aesthetik. (488
  m. Abb.) 12⁰ Sarajevo, J Studnička & Co. 1898. (Nur dir.) 3.50
— **Schattenlehre**, s.: Taschenbibliothek „Quelle".
Studnička, FJ: Eine neue Bedingg d. Convergenz unendl.
  Reihen. [S.-A.] (4) 8⁰ Prag, (F Řivnáč) 02.   nn — 40

Studnička, FJ: Bericht üb. d. astrolog. Studien d. Reformators d. beobacht. Astronomie Tycho Brahe. Weit. Beitr. z. bevorsteh. Saecularfeier d. Erinnerg an s. vor 300 Jahren erfolgtes Ableben. (55) 8° Prag, (F Řivnáč) 01. 1.50
— Ueb. äussere u. innere Bipolardreiecke e. Systems v. 3 Kreisen. [S.-A.] (8 m. 1 Fig.) 8° Ebd. 02. — 12
— Üb. d. charakterist. Eigenschaften d. sog. gleichseit. Ellipse. [S.-A.] (4 m. 1 Fig.) 8° Ebd. 02. nn — 10
— Bis an's Ende d. Welt! Astronom. Causerien. 3. Afl. (216 m. Abb.) 8° Ebd. 03. 3 —
— Eine neue analyt. Lösg d. Axenproblems d. Kegelschnitte. [S.-A.] (4) 8° Ebd. 02. — 10
— Ueb. d. independente Zerlegg v. gebroch. algebr. Functionen in Partialbrüche durch sphenoidale Derivationsdeterminanten. [S.-A.] (5) 8° Ebd. 01. nn — 10
Studnička, FK: Die Analogien d. Protoplasma-Fasergn d. Epithel- u. Chordazellen m. Bindegewebefasern. [S.-A.] (9 m. 1 Taf.) 8° Prag, (F Řivnáč) 02. — 40
— Ueb. d. 1. Anlage d. Grosshirnhemisphären am Wirbelthiergehirne. [S.-A.] (33 m. Fig.) 8° Ebd. 01. — 48
— Ueb. e. neue Anwendg d. Abbe'schen Kondensors. Vorläuf. Mitteilg. [S.-A.] (4) 8° Ebd. 05. — 20
— Beitr. z. Kenntniss d. Ganglienzellen. II u. III. [S.-A.] 8° Ebd. — 88 (I—III. 1.08)
II. Ein. Bemerkgn üb. d. feinere Struktur d. Ganglienzellen a. d. Lobus electricus v. Torpedo marmorata. (15 m. 1 Taf.) 01. — 45
III. Ueb. endocelluläre u. pericelluläre Blutkapillaren d. gr. Ganglienzellen v. Lophius. (19 m. 1 Abb. u. 1 Taf.) 03. — 40
— Ein. Bemerkgn z. Histol. d. Hypophysis cerebri. Vorläuf. Mittheilg. [S.-A.] (7 m. 1 Fig.) 8° Ebd. 01. — 20
— Ueb. e. eigenthüml. Form d. Sehnerven bei Syngnathus acus. [S.-A.] (9 m. Fig.) 8° Ebd. 01. — 20
— Ueb. e. neue Konstruktion d. Praeparier-Mikroskopes. [S.-A.] (4 m. 1 Abb.) 8° Ebd. 05. — 20
— Die Parietalorgane, s.: Oppel, A, Lehrb. d. vergleich. mikroskop. Anatomie d. Wirbeltiere.
— Ueb. Stachelzellen u. sternförm. Zellen bei Epithelien.[S.-A.] (9 m. 2 Taf.) 8° Prag, (F Řivnáč) 02. — 50
Studnička, F: Tropaeum Traiani, s.: Abhandlungen d. kgl. sächs. Gesellsch. d. Wiss.
Studnitz, C v., s.: Fürs Haus.
Studt: Die neuen preuss. Verwaltgsges., s.: Brauchitsch, M v.
Study, E: Geometrie d.Dynamen. Die Zusammensetzg v.Kräften n. verwandte Gegenstände d. Geometrie. 2 Lfgn. (605 m. Fig.) 8° Lpzg, BG Teubner 01./03. 21 —; geb. 23 —
Study-series. Semitic, ed. by RJH Gottheil and M Jastrow jr. Nr. I—V. 8° Leid., Bh. u. Druckerei vorm. EJ Brill, nn 16 —
Goeje, MJ de: Selection from the annals of Tabari, ed. with brief notes and a selected glossary. (12, 72) 02. [I.] nn 2 —
Ibn Khaldūn: Prolegomena. A selection with notes and an Engl.-German glossary by DB Macdonald. (III) 05. [III.] nn 2.50
Lau, BJ: The Abū Habba Cylinder of Nabunā'd (V Rawlinson Pl. 64). Autographed text by L., with an introduction and a glossary in Engl. and German by JD Prince. (10, 46) 05. [IV.] nn 1.50
— The annals of Ashurbanapal (V Rawlinson Pl. I—X). Autographed text. With a glossary in Engl. and German and brief notes by B Lang-don. (11, 68 u. 43) 05. [II.] nn 5 —
Text. the Hebrew, of the book of Ecclesiastics, ed. with brief notes and a selected glossary by I Lévi. (15, 85) 04. [III.] nn 3 —
Stußer, J: Die Heiligk. Gottes u. d. ewige Tod. Eschatolog. Untersuchgn m. bes. Berücks. d. Lehre d. Prof. Herm. Schell. (431) 8° Innsbr., F Rauch 05. 4 — d
— Die Theorie d. freiwill. Verstocktb. u. ihr Verhältnis z. Lehre d. hl. Thomas v. Aquin. Erwiderg auf d. Replik Prof. Kiefls: „Die Heiligk. Gottes u. d. ewige Tod". (73) 8° Ebd. 05. — 75 d
— Die Verteidigg Schells durch Prof. Kiefl. Erwiderg auf d. Abhandlg Prof. Kiefls: „Erwiderg Schell u.d. Ewigk. d. Hölle". (59) 8° Ebd. 04. — 60 d
Stühlen, A: Leitf. f. Krankenpfleger u. Pflegerinnen bei d. Pflege v. ansteck. Kranken in Krankenhäusern u. in d. Wohng. (66) 8° Berl., R Schoetz 05. Kart. 1.25 d
Stühlen's, P, Ingenieur-Kalender f. Maschinen- u. Hüttentechniker. 1906. Hrsg. v. C Franzen u. K Mathée. 41.Jahrg. 2 Tle. (210, Schreibkalender n. 230 m. Fig.) 8° Ess., GD Baedeker. Ldr, in Brieftaschenform u. geb. 3 —
Seit 1905 nur noch in lieser Ausg.
Stuhlfauth, G: Gott z. Ehr'. Ev. Predigten. (126) 8° Hdlbg, Ev. Verl. 04. L. 1.25 d
Stuhlmann, A: Begründg d. Methode d. Zeichenunterr., Neubearbeitg z. Böhling, W, Begründg u. Lehrg. d. Hamburger Methode d. Zeichenunterr.
— Zirkelzeichnen u. Projektionslehre z. Gebr. an Gewerbe- u. Bausch., gewerbl. Fortbildgssch. u.s.w. Allg. Tl. 23. Afl. (9 u. 19 Taf. m. Text auf d. Rücks.) 4° Dresd. (03). Lpzg, HAL Degener. Kart. 1 —
— dass. Ergänzgsheft f. Klempner u.s.w. 2. Afl. (4 u. 12 Taf. m. Text auf d. Rücks.) 4° Ebd. (01). Kart. (1.50) — 80
— dass. Ergänzgsheft f. Maschinenbauer, Schlosser, Mechaniker u. s.w. 2. Afl. (12 Taf. m. Text auf d. Rücks.) 4° Ebd. 01. Kart. (1.50) — 80
Stuhlmann's, P, Aufnahmen im Geb. d. Albert- u. Albert-Edward-Sees währ. d. Anton-Pascha-Exped. Mai 1891—Jan. 1892. Konstruirt u. gez. v. M Moisel. 1:300,000, 2 Bl. je 60×48,5 cm. Farbdr, Nebst Begleitworten v. M Moisel. [S.-A.] (8) 8° Hambg, L Friederichsen & Co. 01. 6 —
— Zoolog. Ergebnisse e. in d. J. 1888—90 in d. Küstengebiete

v. Ost-Afrika unternomm. Reise. 2. Bd. (Zusammengest. a. d. „Jahrb. d. hamburg. wiss. Anstalten".) (13, 9, 4, 56, 23, 27, 15, 12, 19, 22, 6, 23, 29, 8, 8, 38, 13, 12, 124, 26, 18 u. 73 m. Abb. u. 21 Taf.) 8° Berl., (D Reimer) 01. 40 — (1 u. 2.: 62 —)
Stuhrau, J: Üb. d. Notwendigk. od. d. Nichtnotwendigk. d. Krieges. (66) 8° Lpzg (02). Zür., A Wehner. 1.21
Stuhrmann, F: Krankenversicherungsges. in sr neuesten Fassg. (Ges. v. 15.VI.1883, m. d. abänd. Ges. v. 10.IV.1892, 30.VI. 1900 u. 25.V.'03.)2. Afl. (85) 12° Hannov., C Meyer 03. Kart. 1 — d
Stuhrmann, H: Die religiösen Bewegg d. Gegenwart. Was haben uns. Jünglingsver. v. ihnen zu lernen? (32) 8° Elberf., Westdtsch. Jünglingsbund 05. — 25 d
— Ein Halleluja unter Tränen.Ein Glaubenszeugnis a.schwerer Stunde f. schwere Stunden. Predigt. (11) 8° Weblan, CA Scheffler 02. nn — 25 d
— Die Missionsaufg. uns. Vereine. Vortr. (24) 8° Berl., Bh. d. ostdeut. Jünglingsbundes 03. — 20 d
— Vorwärts u. Kelch. Bunte Bilder f. ernste Leute u. solche, d. es werden wollen. (267) 8° Berl., Emil Richter 05. 1.50; geb. 2 — d
— Vorwärts! Aufwärts! Heimwärts! Biblisch-erweckl. Ansprachen u. Andachten f. ev. Männer- u. Jünglings-Ver. im Rahmen d. Kirchenj. (248) 8° Gotha 01. Berl., Emil Richter. 3.40; geb. 4.40 d
Stuhrmann, J: Die Idee u. d. Hauptcharaktere d. Nibelungen. 2. Afl. (91) 8° Paderb., F Schöningh 04. 1.20 d
Stülpnagel, F v.: Wandk. v. Europa z. Übersicht d. staatl. Verhältn. 6. Afl. v. V Geyer. 1:4,000,000. 9 Bl. je 43×52 cm. Farbdr. Gotha, J Perthes (03). m. St. 11.50; u. lackiert 14.50
Stülpnagel, H v.: Deut. Frauen-Mission im Orient. Rundschau üb. d. Arbeit d. morgenländ. Frauen-Ver. (286 m. Abb.) 8° Berl., M Warneck 04. 2 — d
Stümcke, H., s.: Fortsetzungen, Nachahmungen u. Travestieen, d., v. Lessings „Nathan d. Weise".
— Die Frau als Schauspielerin, s.: Frau, d.
— Hohenzollernfürsten im Drama. (306) 8° Lpzg, G Wigand 03. 5.50; geb. 7 — d
— Corona Schröter, s.: Frauenleben.
— Die 4. Wand. Theatral. Eindrücke u. Studien. (406) 8° Lpzg, G Wigand 04. 6 —; geb. 7 — d
Stumme, H: Arabisch, Persisch u. Türkisch, in d. Grundz. d. Formenlehre. (m. Formenlehre, einschl d. arab. Schrift dargest. (68) 8° Lpzg, JC Hinrichs' V. 02. L. 3 —
— s.: Diwan a. Centralarabien.
— Üb. d. deut. Gaunersprache u. and. Geheimsprachen, s.: Hochschul-Vorträge f. Jedermann.
— Maltes. Märchen, Gedichte u. Rätsel in deut. Übersetzg. — Maltes. Studien, s.: Studien, Lpzg. semitist.
Stummel, H: Die Paramentik v. Standpunkte d. Geschmackes u. Kunstsinnes. (76 m. Abb.) 8° Kevel., J Thum (05). 1.50
Stummer-Traunfels, R Ritter v.: Beitr. z. Anatomie u. Histol. d. Myzostomen, s.: Arbeiten a. d. zoolog. Instit. zu Graz.
Stump, J: Abstinenz od. Mässigkeit? Nehmen wir Lehrer in d. Frage Stellg od. nicht? Vortr. 7—8. Taus. (20) 8° Bas., Schriftstelle d. Alkoholgegnerbundes (durch F Reinhardt) (02). — 10 d
Stumpf, C, s.: Beiträge z. Akustik u. Musikwiss.
— Leib u. Seele. Der Entwickelgsgedanke in d. gegenwärt. Philosophie. 2 Reden. 2. Afl. (72) 8° Lpzg, JA Barth 03. Kart. 1.80
— u. KL Schaefer: Tontab., enth. d. Schwinggszahlen d. 12-stuf. temperirten u. 25-stuf. enharmon. Leiter auf C innerhalb 10 Octaven in 3 Stimmgn. [S.-A.] (10 m. 9 Tab.) 8° Ebd. 01. 2.50
Stumpf, EJG: Das Alter d. Menschheit. (144) 12° Hdlbg, EJG Stumpf 02. 1.60 d
Stumpf, H: Kreuznach, Münster a. Stein u. d. Nahetal, s.: Schneegans, W.
— Bad Kreuznach, Münster a. Stein u. Umgebg. Kl. Führer. (37 m. 1 Karte.) 8° Kreuzn., R Schmithals Nf. 04. — 90
Stumpf, W: Ekkehard. — Waldgeister, s.: Teuerdank.
Stumpfe, E: Die Besiedlg d. deut. Moore m. bes. Berücks. d. Hochmoor- u. Fehnkolonisation. (469 m. Tab. u. 4 Kart.) 8° Berl., P Wunder 03. Subskr.-Pr. 10 —; geb. 12 — j
— Der landw. Gross-, Mittel- u. Kleinbetrieb, s.: Jahrbücher, landw.
— Polenfrage u. Ansiedelgs-Kommission. Darstellg d. staatl. Kolonisation in Posen-Westpreussen u. krit. Betrachtgn üb. ihre Erfolge. (296 m. 1 Karte.) 8° Berl., D Reimer 02. 4 —
Stumpff, W v.: Gesch. d. grossh. oldenburg. Artill.-Korps u. d. Teilnahme an einzel. Batterien an d. Feldzuge geg. Frankr. 1870/71. (380 m. Kartenskizzen, 4 Taf., 1 Bildn. u. 1 Taf.) 8° Oldnbg, G Stalling's V. (05). 8.50; geb. 10 — d
Stumvoll, R: 15 Wandlesetaf. z. 1. Leseb. v. Warmholz u. Kurths. (Schreibschrift.) Je 56×84 cm. Mgdbg, (Creutz) (01). nn 7.50 d
Stündchen, s. im Schillerhaus, Geschenkgeitssp. v. S W. (24) 8° Frankf. a/M. 03. (Berl., H Seemann Nf.) 1 — d
Stunde, meine schönste. Mal-Buch. (10 [4 farb.] Bl.) 8° Hannov., A Molling & Co. (03). — 50 d
Stunden, trübe u. ernste. Texte zu Gesängen f. d. reif. weibl. Jugend, zusammengest. v. Königsberger Volksschullehrerinnenver. (73) 10° Köngsbg, (Gräfe & U., Bh.) 02. — 20 d

Stunden, fröhl. Malb. (20 m. z. Tl farb. Abb. ohne Text.) 16°
Hannov., A Molling & Co. (04). — 15 d
— m. Goethe. Für d. Freunde sr Kunst u. Weish. Hrsg. v. W
Bode. 1. u. 2. Bd je 4 Hefte. (368 u. 356 m. Abb. u. Taf.) 8° Berl.,
ES Mittler & S. 04-06. Geb. je 5 —; einz. Hefte 1 — d
— sonnige. (8 m. Abb. u. 6 farb. Taf.) 8° Essl., JF Schreiber (05).
Geb. 1.80; auf L. 2.40 d
— stille. Lieder christl. Glaubens f. Bekümmerte u. Verzagte.
Von e. Freund d. Armen. (80) 8° Berl., L Frobeen (01.) 1 —;
geb. 1.50 d
Stunden-Uhr, d., od. d. christl. Wanderer im Pilgerthal, s.:
Für Dich.
Stupar, A: Lehrb. d. terrestr. Navigation. (242 m. Fig. u. 1 Taf.)
8° Fiume 05. (Wien, C Gerold's S.) L. 5 —
Sturany, R: Beitrag z. Kenntnis d. kleinasiat. Molluskenfauna.
[S.-A.] (18 m. 2 Taf.) 8° Wien, (A Hölder) 02. — 90
Sturdza, D: La question du pétrole en Roumanie. (92) 8° Berl.,
Puttkammer & M. 06. 2 —
— Recueil de document relatifs à la liberté de navigation du
Danube. (34, 934 m. 8 Kart. u. Diagr.) 8° Ebd. 04. 30 —
Stürer, H: Fürst u. Sänger. Oriental. Parodie m. Gesang. (32
u. Musikbeil. 4) 8° Mannh., A Schenk (04). 1.50 d
Sturhahn, A: Zur systemat. Theol. Johs Tobias Becks, s.:
Beiträge z. Fördergt christl. Theol.
Sturm! Zeitschrift f. öffentl. Leben u. Kunst. Hrsg.: F Schmid.
Red.: F Hoeller. Jahrg. 1901. 36 Nrn. (Nr. 1. 16) 8° Münch.
Wien (II/2, Lichtenauerg. 4), Verl. „Sturm". (?) Viertelj. 1 —;
einz. Nrn — 10
— u. Stern. Gedichte v. Julia Virginia. (132 m. Bildnis.) 8°
Berl., Schuster & Loeffler 05. 3 —; geb. 4 — d
Sturm's Gustav-Adolf-Hefte. Nr. 5. 8° Dresd., F Sturm & Co.
10 d

Gemeinden, d. neuen ev., in Böhmen. Uebersicht üb. d. Erfolge d. Los
v. Rom-Beweg u. d. Stande v. 1903. (16 m. Abb.) [04.] [5.]
Bisher u. d. T.: Gustav-Adolf-Hefte, sächs.

Sturm: Monhaupt's Orig.-Citronensaftkur m. „Citromon", ihre
Anwendg u. Wirkg geg. d. harnsaure Diathese bei Rheuma-
tismus, Gicht, Gallenstein, Leber-, Magen-, Nervenleiden
Fettleibigk., Zuckerkrankh., Neigg zu Schlaganfällen u. Haut-
unreinigk.' (76) 12° Berl. (S 42, Wasserthorstr. 27), (Berolina-
Versand-Bh.) (01). — 20
Sturm, A: Deut. Vers- u. Tropenlehre, m. e. Anh. üb. d. Dichtgs-
arten. Zum Gebr. an Mittelsch. u. Bürgersch. f. Knaben u.
Mädchen. 2. Afl. (30) 8° Wien, A Hölder 05. — 56 d
Sturm, A: Gesch. d. Mathematik, s.: Sammlung Göschen.
Sturm, A: Deut. Balladen. (106) 8° Lpzg, CF Amelang 04. 1.50;
L. 2 — d
— Auf d. Höhe. Neue Lyrik. (166 u. 8 m. Bildnis.) 8° Hambg
(02). Berl., KW Mecklensburg. 3 —; geb. 4 — d
— Der König v. Babel. Epos. (56) 8° Wien, Verl.-Anst. neuer
Litt. u. Kunst (02). 1 —
— Die strafbaren Unterlassgn, insbes. d. fahrläss. Unterlassg
d. Arzte, Heilkünstler, gewerbsmäss. Gesundbeter u. Kur-
pfuscher. (52) 8° Berl., C Heymann 05. 1 —
Sturm, B: 's falsche Fensterln od. 's Reserl v. Ebrwald, s.:
Theater-Bibliothek, alpine.
Sturm, B (B Breitner): Für d. Farben. Ein Akt a. d. Studen-
tenleben. (66) 8° Berl., G Schuhr (04). 3.50; kart. 5 — d
— Jos. Lauff. — Wilh. Scholz, s.: Randglossen z. deut. Lit.-
Gesch.
— Will's tagen? Soz. Drama. (Neue [Tit.-]Ausg.) (159 m. 1
Vollbild.) 8° Berl., G Schuhr [02] (03). 2.50; geb. 3.50 d
Sturm, C: Abhandlg üb. d. Auflösg d. numer. Gleichgn, s.:
Ostwald's, W, Klassiker d. exakten Wiss.
Sturm, CE: Wahrhafte Abhärtg u. deren enormer Einfl. auf d.
Heilg aller Krankh. (24) 8° Berl., Hygien. Verl. (o. J.). — 80 d
— Wie wird d. Deutsche deutsch? Arzt-philosoph. Betrachtgn
üb. d. Entwickelg d. deut. Volkscharakters. (15) 8° Ebd. (05).
80 —
— Das soz. Elend. 1. Tl. Die Ursachen d. unglückl. Ehen
2. Afl. (29) 8° Ebd. (1890). — 80 d
— Die Entstehg d. Epilepsie, d. Veitstanzes, d. Hysterie, kurz
d. Nervenleiden bei d. Kindern u. deren naturgemässe Heilg.
(24) 8° Ebd. (o. J.). — 50 d
— Die Erziehg z. Gesundheit. (Anh. d. „psycholog. Nervenkur".
(57) 8° Ebd. (04). 1.60 d
— Die Krebsschäden d. modernen Gesellsch., beleuchtet in
„100 Fragen an d. aufgeklärte Jahrh." (47) 8° Ebd. (1893). — 80 d
— Warum gehen so viele Nervenkranke u. geistig Ueberarbeitete zu Grunde? (Der „Psycholog. Nervenkur" 1. Tl.) (31)
8° Ebd. (o. J.). 1.25 d
— Psycholog. Nervenkur. Schriftencyclus, bestehend a. folg.
Schriften: 1. Warum gehen so viele Nervenkranke u. geistig
Ueberarbeitete zu Grunde? (31) — 2. Die Entstehg (Umschl.:
Die Ursachen) d. Epilepsie, d. Veitstanzes, d. Hysterie, kurz
d. Nervenleiden bei d. Kindern u. deren naturgemässe Heilg.
(24) — 3. Die wahren Ursachen d. Nervosität u. deren psycholog. Behandlg. 5. Afl. (30) — 4. Wohlstand f. Alle. (Ueber-
klebter Umschlagtitel: Die Grundl. wahren Lebensglückes.)
1. u. 2. Afl. (218) 8° Ebd. (o. J.). 2 —
— Salz u. Pfeffer. Arztphilosoph. Satyren auf d. tägl. Leben.
(30) 8° Ebd. (o. J.). 1 — d
— Ist Syphilis überhaupt heilbar? Der „Männerkrankh." 2. Tl.
(31) 8° Ebd. (o. J.). 1 — d

Sturm, CE: Die Verhütg u. naturgemässe Heilg d. Frauenleiden. 8. Afl. (38 m. Abb.) 8° Berl., Hygien. Verl. 1806. 1.20 d
Das Erscheingsjahr d. ohne solches aufgeführten Schriften war
v. d. Verlagsh. nicht zu erfahren.
Sturm, F: Die strafrechtl. Verschuldg, s.: Abhandlungen, strafrechtl.
Sturm, G: Die Hämorrhoiden, ihr Wesen u. ihre Heilg. (12)
8° Zitt., (A Graun) (05)., s.: — 25
Sturm, G, s.: Tierstudien.
Sturm, G: Lehrb. z. Ausführg spiritist. Experimente, als Tisch-
rücken, Klopf-, Sprech- u. Schreibofffenbargn, Materialisa-
tion v. Geistern etc. 3. Afl. (86) 8° Berl., Neufeld & H. (04). 1.50
— 2 — 5. Taus.
(223) 8° Berl., R Eckstein Nf. (03). 2 —; geb. 3 —
— Ein freies Weib, s.: Eckstein's illustr. Romanbibliothek.
Sturm, H: Andreas Hofer u. d. Tiroler Freiheitskampf im J.
1809, s.: Jugendbibliothek, neue.
Sturm's, J, Flora z. Deutschl., 2. Afl. v. ER Mirsbach, EHL
Krause u. KG Lutz, s.: Schriften d. deut. Lehrer-Ver. f. Na-
turkde.
Sturm, J: Stille Andachtsstunden in frommen Liedern uns.
Tage. Neu bearb. v. G Gerok. 8. Afl. (490 m. Abb. u. Titel-
bild.) 8° Lpzg, CF Amelang 05. L. m. G. 6 — d
— Kinderleben in Bild u. Wort, s.: Richter, L.
Sturm, L: Führer durch d. Stadt Goldberg in Schl. u. ihre
Umgebg. 3. Afl. (59 m. Abb. u. 1 Taf.) 16° Goldbg, C Obst
05. — 75
— Naturkde. Lehr- u. Wiederholgsb. f. Schüler. Naturgesch.,
n. Lebensgemeinsch. geordnet. Naturlehre. 3. Afl. (80) 8°
Gross-Strehl., A Wilpert (08). — 30 d
Sturmband, M: Die Rahmen- od. Wollknüpf-Arbeit. (80 m.
Abb. u. 36 Taf.) 8° St. Gall., Buchdr. u. Verl.-Anst. Merkur
(03). (Nur dir.) in L.-M. nn 5.90
Sturmbock, der. (Festschrift d. Wiener Abstinenzvereine.)
Wien 26.III.'04. (8 m. z. Tl farb. Abb.) 47,5×28,5 cm. Wien
(04). (Münch., A Langen.) — 30 d
Stürmer, der. Halbmonatsschrift f. künstler. Renaissance im
Elsass. Hrsg.: R Schickele. Verantwortlich: O Flake. 1. Jahrg.
Juli—Novbr 1902. 9 Nrn. (Nr. 1. 16) 8° Strassbg, J Singer.
Viertelj. 1.25; einz. Nrn — 25 d o F
Stürmer, H: Unter d. Rauschen d. Gottesbrünnleins. Aus
Reden u. Worteu d. Heimgegangg. geo. (156 m. Bildnis.) 8°
Bethel bei Bielef., Bh. d. Anst. Bethel 02. L. 1.50 d
Sturmhoefel, A: Akustik d. Säle. — Anlagen z. Erzielg e.
guten Akustik, s.: Abhandlgn d. Architektur.
Sturmhoefel, K: Kurfürstin Anna v. Sachsen, s.: Biographien
bedeut. Frauen.
— Zu König Georgs Gedächtnis. (93 m. 1 Bildnis.) 8° Dresd.,
W Baensch 05. 1.50 d
— Deut. Nationalgefühl u. Einheitsstreben im 19. Jahrh. —
Wie wurde Sachsen e. Königreich?, s.: Hochschul-Vorträge
f. Jedermann.
— s.: Spamer's illustr. Weltgesch.
Sturmhoefel, MB: Die Nuss. (Ein Traum.) Drama. (114) 8°
Dresd., E Pierson 05. 1.50 d
Stursberg, G: Christian Nibin, e. dajakk. Schulmeister, s.:
Missionsschriften, rhein.
Stuertz: Prakt. Anl. z. Organisation v. Fürsorgestellen
Lungenkranke u. deren Familien. (118 m. 1 Tab.) 8° Wien,
Urban & Schw. 05. 4 —
Sturs, HP: Kl. Schriften. Hrsg. u. eingeleitet v. F Blei. (127)
8° Lpzg, Insel-Verl. 04. 2 —; geb. 3 —
Stursza, M Gräfin, s.: Thanyi, M.
Stutbuch d. kgl. preuss. Hauptgestüts Beberbeck. 2. Bd. Be-
arb. v. E Misckley. (25, 154 m. 1 Taf. u. 19 Tab.) 8° Berl.,
ES Mittler & S. 05. 5 —; geb. 10 —; geb. in 1. 2.: 14.50; geb. nn 16.50)
Der 1. Bd war bearb. v.: Oettingen, (B v. (1894/95.)
— Oldenburger. Einheitl. Registring d. Oldenburger schweren
Kutschpferdes im Anschl. an d. staatl. Stammregister u. d.
Oldenburger Gestütb., Bd I u. II. Hrsg. v. „Verbands
Züchter d. Oldenburger eleganten schweren Schlagpferdes
Rodenkirchen (Grossh. Oldenburg). III—VI. Bd. 8° Nebst
Beil., z. IV—VI. Bde: Alphabet. Verz. d. in d. J. 1893—1902
im nördl. Zuchtgebiet d. Herzogt. Oldenburg z. Zucht be-
nutzten Hengste. 8° Berl., Rodenkirchen (Oldenbg), Verband
d. Züchter d. Oldenburger eleganten schweren Kutschpfer-
des. L. Einzelpr. je 4.50 (I—VI, zusammenbez. 9 —
III. Ergänzgn u. Nachtr. f. 1892—1901. „Pferdzuchtges. f. d. Herzogt.
Oldenbg, v. 9.IV.1897". (41, 1145 m. 4 farb. Taf. u. 1 Karte.) (03.) IV.
(1056 m. 4 farb. Taf. u. 1 Karte.) (00.) J V. (1082 m. 5 farb. Taf. u. 1 Karte.)
(02.) J VI. (903 m. 5 farb. Taf. u. 1 Karte.) (02.)
Den III. Bd s. u. d. T.: Gestütbuch, Oldenburger, d. I. Bd s.:
Lübben, KF (im Kat. 1891/95).
— ostpreuss., f. edlen Halbblut Trakehner Abstammg. Hrsg.
v. landw. Zentral-Ver. f. Littauen u. Masuren in Insterburg.
III. Bd, Suppl. f. 1900 u. 1901. (136 u. 112) 8° Berl., P Parey
01.02. Kart. je 2 — IV. Bd. 2 Tle. (52, 2128) 04. 1. 26 —
[—IV m. Suppl. z. II. u. III. Bd: 94 —
— schles. 1. Bd. Hrsg. v. d. Landw.-Kammer f. d. Prov. Schlesien. (30) 8° Bresl., (WG Korn) 02. — 50 d
— d. kgl. preuss. Hauptgestüts Trakehnen. Bearb. v. B v. Oettingen. 2. Bd. (53, 677 m. Titelbild, 2 Taf. u. 2 Tab.) Nebst
31 Familientaf. in bes. Mappe. 8° Berl., P Parey 01. Geb. 30 —
[1 m. Nachtr. I—3 n. II.: 61 —]
Der 3. Nachtrag war auf d. Titel als IV. Bd bezeichnet.

Stutenhaus. Berghotel u. Pension am Adlersberg in Thüringen. Sommer- u. Winterkurort. (31 m. Abb.) 8° Erf., (C Villaret) (01).   — 40

Stüting, A: Das Pflanzeichnen f. d. angeh. Landschaftsgärtner. (39 m. 17 z. Tl farb. Doppeltaf.) 8° Lpzg, H Voigt 03.   L. 4 —

Stutz, E: Nhd. Schulgrammatik, s.: Blatz, F.

Stutz, J: Der glorreiche Kriegszug. — De Narr, s.: Sammlung schweiz. Dialektstücke.

Stutz, J: Zur Theorie d. halbringförm. Balkonträger. [S.-A.] (24) 8° Wien, Lehmann & W. 04.   nn — 60

Stutz, U, s.: Abhandlungen, kirchenrechtl.
— Das preuss. allg. Landrecht u. d. Eigentümer d. Kirchenguts. [S.-A.] (18) 8° Berl., F Vahlen 05.   — 80
— Das Münster zu Freiburg i. Br. im Lichte rechtsgeschichtl. Betrachtg. Rede. (36) 8° Tüb., JCB Mohr 01.   — 80 d
— Die kirchl. Rechtsgesch. Rede. (55) 8° Stuttg., F Enke 05. 1.20
— s.: Rechtsquellen, d., v. Höngg. — Zeitschrift d. Savigny-Stiftg f. Rechtsgesch.

Stutzer, A: Prakt. Anl. z. Berechng d. Futterrationen. (61) 8° Berl., F Parey 04.   — 80 d
— Die Behandlg u. Anwendg d. Stalldüngers. 2. Afl. v. „Die Arbeit d. Bakterien im Stalldünger". (168 m. Abb.) 8° Ebd. 03.   3 — d
— Düngerlehre. Kurzgef. Angaben üb. d. Eigenschaften u. d. Anwendg d. in d. Landw. gebrauchten Düngstoffe. 13. Afl. (128) 8° Lpzg, H Voigt 01.   2 —; geb. 2.50 d
Neue Afl. u. d. T.:
— Düngerlehre. In kurzer, gemeinverständl. Form. 14. u. 15. Afl. (162 bezw. 175) 8° Ebd. 03./06.
— Die Düngg d. Wiesen u. Weiden. (31 m. Abb.) 8° Berl., P Parey 04.   — 80 d
— Fütterglehre. In kurzer, gemeinverständl. Form. 4. Afl. (166) 8° Lpzg, H Voigt 04.   2 — d
— Zucker u. Alkohol. Die Eigenschaften v. Zucker u. Alkohol in physiolog., soz. u. volksw. Beziehg. (60) 8° Berl., P Parey 02.   1.50 d
— u. P Giesevius: Der Wettbewerb d. dän. u. d. schwed. Landwirte m. Deutschl. (112) 8° Stuttg., E Ulmer 04.   2.60

Stutzer, E: Goethe u. Bismarck als Leitsterne f. d. Jugend in 7 Gymnasialreden. (05) 8° Berl., Weidmann 04.   1.80 d
— Grundr. d. Gesch., s.: Andrä, JC.
— Hilfsb. f. geschichtl. Wiederholgn an höh. Lehranst. Mit Zahlenkanon f. mittl. Kl. 3. Afl. (100) 8° Berl., Weidmann 02.   Kart. 1.20 d

Stützer, F: Die grössten, ält. od. sonst merkwürd. Bäume Bayerns in Wort u. Bild. 2—4. Bd. (37—223 m. Abb. u. 33 Taf.) 8° Münch., Piloty & Loehle 01-05.   (10 —) 9 — d
   (Vollst.: 11.50; in 1 Bd geb. 12 —) d

Stutzke, F: Die Preussengängerei russisch- u. galizisch-poln. Arbeiter. (23) 8° Neud., J Neumann 03.   2 —

Stüve, JCB: Für Bürger u. Bauer. Kl. populäre Aufsätze. Ausgew. v. G Stüve. (305) 8° Hannov., Hahn 04.   2 — d
— u. JH Detmold: Briefwechsel in d. Jahren 1848—50, s.: Quellen u. Darstellungen z. Gesch. Niedersachsens.

Stueven, H: Fremde u. Heimat. (143) 8° Dresd., E Pierson 05.   3.50; geb. 3.50 d

Suáres, FG: Recuerdos de viaje ó cartas acerca de Roma, España, Lourdes y Colombia. 2. ed. (203 m. Abb.) 12° Freibg i/B., Herder 01.   1.60; L. 2.24

Submissions-Blatt, bayer., u. Centralorgan f. techn. u. gewerbl. Anzeigen in Bayern u. Süddeutschl. 2. Jahrg. Juli 1901—Juni 1902. 52 Nrn. (Nr. 1. 4) Fol. Münch., Verl. d. süddeut. Bauhütte.   Viertelj. 2 —
Fortsetzg u. d. T.:
— bayer. Central-Organ f. alle öffentl. Verdinggn, Versteigergn, Verkäufe u. Verpachtgn. 3. u. 4. Jahrg. Juli 1902—Juni 1904 je 52 Nrn. (Nr. 1. 8) 4° Ebd. Viertelj. 2 —
Fortsetzg z. u. d. T.: Bauindustrie, süddtd.

Sucha-Ripa, T: Traum u. Irrlicht. Skizzen u. Gedichte. (112) 8° Strassbg, J Singer 05.   2.50 d

Suchannek: Üb. Verheilkulome d. ob. Luftwege. (34) 8° Halle, C Marhold 01.   2 —

Suchen, d., d. Zeit. Blätter deut. Zukunft, hrsg. v. F Daab u. H Wegener. 1—3. Bd. (215, 211 u. 223) 8° Düsseldf, Langewiesche 03-05.   Je 1.80
Bd 1 u. 2 kosteten ursprünglich je 2.40.

Sucher, A: Birckenwald. [S.-A.] (8 m.Abb.u.2Taf.) 4° Strassbg i/E. (Brandtg. 2), Verl. d. illustr. elsäss. Rundschau 04.   2.80

Suchier: Die Behandlg d. Lupus vulgaris mittels stat. Elektrizität. [S.-A.] (48 m. Fig.) 8° Wien, Urban & Schw. 04. 2 —
— dass., s.: Klinik, Wiener.
— Der Orden d. Trappisten u. d. vegetar. Lebensweise. (20) 8° Münch., Verl. d. ärztl. Rundschau 02. — 80 || 2. Afl. (23) 06. — 60

Suchier, H, s.: Aucassin et Nicolette.
— Moliéres Kämpfe um d. Aufführgsrecht d. Tartuffe, s.: Rektorreden, Hallesche.
— Die französ. u. provenzal. Sprache u. ihre Mundarten, n. ihrer histor. Entwicklg dargest. 2. Afl. [S.-A.] (128 m. 12 Kart.) 8° Strassbg, KJ Trübner 06.   3.50; L. 4.50

Suchier, R: Treublia. Eine Sage a. d. Sachsengau u. Schwarzwald. (201 u. 2) 8° Freibg i/B., G Ragoczy 02. 2.80; geb. 3.50 d

Suchomel, V: Anl. z. Erklärg u. Verwertg d. Lesestücke d. Hinrichs' Fünfjahrskatalog 1901—1905.

— — —

deut. Leseb. f. allg. Volkssch." (Ausg. f. Wien), hrsg. im Ver. m. R Grossmann, H Lichtenecker u. A Nurrer. 4. Cl. (398) 8° Wien, A Pichler's Wwe & S. 02.   6 —; geb. 6.40

Suchsland, E: Die Klippen d. sozial. Friedens. Ernste Gedanken üb. Konsumver. u. Warenhänser. (31) 8° Halle, Bh. d. Waisenh. 04.   — 50 d
— Los v. d. Konsumver. u. Warenhäusern! 1—9. Afl. (32) 8° Ebd. 03./04.   — 50 d
— Notwahrh. üb. Konsumver. Diskussionsrede v. Kampfplatz m. d. Sozialdemokratie. 1—35. Taus. (30) 8° Ebd. 04.   — 30 d
— Schutz- u. Trutz-Waffen f. d. gewerbl. Mittelstand in sr Notwehr geg. d. Konsumver. u. Warenhäuser. (127) 8° Ebd. 04.   2.40; geb. 3 — d

Suck, H: Fürsorge f. d. schulentlass. Jugend, s.: Handbuch d. Hygiene.
— Gesundheitsfibel. (Neue [Tit.-]Ausg.) (90 m. Abb.) 8° Berl., Wiegandt & Gr. [1900] 02.   Geb. — 75 d
— Die Hygiene d. Schulbank. (74 m. Abb.) 8° Berl., 02.   2 —
— Lüftg u.Beheizg d. Schulräume, s.: Abhandlungen, pädagog.
— Wie kommen wir in d. Schulbankfrage vorwärts? [S.-A.] (20) 8° Charlttnbg, PJ Müller 04.   — 50
— Üb. d. Zersetzg d. Brombernsteinsäure u. ihrer Salze in wässer. Lösg. (68 m. 4 Taf.) 8° Freibg i/B., Speyer & K. 04.   2 —

Suckow, E (Express): Vollblut. Skizzen u. Studien a. d. Gestüt u. v. d. Rennbahn. (248 m. 20 Taf.) 8° Köln, P Neubner (01).   8 —; geb. 10 —

Suckdorff, V: Karel. Oebäude u. ornamentale Formen a. Zentral-Russisch-Karelies, s.: Blomstedt, Y.

Süd-Afrika (d. Burenfreund). Schriftleitg: B v. Kotze. 2. Jahrg. 4. Viertelj. Apr—Juni 1903. 6 Nrn. (Nr. 19. 20 m. Abb.) 4° Berl., Verl. Continent. || 3. Jahrg. Juli 1903—Juni 1904. 24 Nrn. || 4. Jahrg. 1904/5. Schriftleitg: Frhr v. Reibnitz. 24 Nrn.   Viertelj. 3 —
Das 1—3. Viertelj. d. 2. Jahrg. s. u. d. T.: Buren/freund, d.
— dass. Halbmonatschrift f. deut. Interessen in Süd-Afrika. Schriftleitg: Frhr v. Reibnitz. 5. Jahrg. Juli 1905—Juni 1906. 24 Nrn. (Nr. 1. 16) 4° Ebd.   Viertelj. 3 —

Süd-Amerika. Organ f. Ansiedlg u. Landerwerb, Ackerbau u. Viehzucht, Handel u. Statistik, Forschg u. Expeditionen u.s.w. in d. Republiken Argentinien, Bolivien, Brasilien, Chile, Paraguay, Peru u. Uruguay. 1—3. Jahrg. Oktbr 1903—Septbr 1906 je 12 Nrn. (Je 4 m. Abb.) 4° Münch. (Forstenriederstr. 2), J Greger.

Sudan-Pionier, der. Gegründet Jan. 1900. „Immanuel — kommt an. uns". Verantwortlich: Ziemendorff. 1903—5 je 12 Nrn. (Nr. 1. 8 m. Abb.) 8° Eisen. u. Wiesb. (Kass., E Röttger).   Je ¶1.40 d

Südekum, A, s.: Praxis, kommunale.

Südenhorst s.: Zwiedineck u. Zwiedineck v. Südenhorst.

Sudermann, H: Das Blumenboot. Schausp. 1—7. Afl. (188) 8° Stuttg., JG Cotta Nf. 05.   3 —; L. 4 —; HF. 4.50 d
— Die Ehre. Schausp. 32. Afl. (160) 8° Ebd. 03.   2 —; L. 3 —;
   HF. 3.50 d
— Es war. Roman. 40. Afl. (582) 8° Ebd. 04. 5 —; L. 6 —; HF. 6.50 d
— Geschwister. 2 Novellen. 28. Afl. (348) 8° Ebd. 03.   3.50;
   L. 4.50; HF. 5 d
— Das Glück im Winkel. Schausp. 15. Afl. (128) 8° Ebd. 05. 2 —;
   L. 3 —; HF. 3.50 d
— Heimat. Schausp. 34. Afl. (168) 8° Ebd. 03.   3 —; L. 4 —;
   HF. 4.50 d
— Johannisfeuer. Schausp. 20. Afl. (164) 8° Ebd. 03.   3 —;
   L. 3 —; HF. 3.50 d
— dass. II. Tl. (Parodie), s.: Nordermann, H. Fastnachtsfreuden.
— Johannes Hochzeit. Erzählg. 26. Afl. (110) 8° Stuttg., JG Cotta Nf. 03.   2 —; L. 3 —; HF. 3.50 d
— Der Katzensteg. Roman. 49. Afl. (552) 8° Ebd. 02. 3.50; L. 4.50; HF. 5 — || 50. Afl. (374 m. Bildnis.) 02. 4 —; Pergament 5.80 || 51. Afl. (374) 05. 3.50; geb. 4.50 u. 5 — d
— Es lebe d. Leben. Drama. 1—20. Afl. (173) 8° Ebd. 02. 3 —;
   L. 4 —; HF. 4.50 d
— Morituri. (Teja. Fritzchen. Das Ewig-Männliche.) 17. Afl. (157) 8° Ebd. 01.   2 —; L. 3 —; HF. 3.50 d
— Das Schmetterlingsschlacht. Komödie. 9. Afl. (170) 8° Ebd. 04.   2 —; L. 3 —; HF. 3.50 d
— Sodoms Ende. Drama. 23. Afl. (155) 8° Ebd. 01.   2 —;
   L. 3 —; HF. 3.50 d
— Frau Sorge. Roman. 84. Afl. (292 m. Bildnis.) 8° Ebd. 05. 3.50; L. 4.50; HF. 5 — d
— Stein unter Steinen. Schausp. 1—12. Afl. (162) 8° Ebd. 05.   2 —; L. 3 —; HF. 3.50 d
— Der Sturmgeselle Sokrates. Komödie. 1—14. Afl. (170) 8° Ebd. 03.   2 —; L. 3 —; HF. 3.50 d
— Die Sturmgesellen. Ein Wort z. Abwehr. (27) 8° Berl., F Fontane & Co. 03.   1 — d
— Verrohg in d. Theaterkritik. (56) 8° Stuttg., JG Cotta Nf. 02.   — 60 d
— Im Zwielicht. Zwanglose Geschichten. 31. Afl. (189) 8° Ebd. 04.   2 —; L. 3 —; HF. 3.50 d
— dass., s.: Kirchenliederdichter, uns.

Suderow, L: Simon Dach u. d. Königsberger Dichterkreis. (16) 8° Hambg, G Schloessmann (05).   — 15 d

Sudhoff, K: Iatromathematiker vornehmlich im 15. u. 16. Jahrh., s.: Abhandlungen z. Gesch. d. Medicin.

Sudhoff, K, s.: Mitteilungen z. Gesch. d. Medizin u. d. Naturwiss.
Sudhoff, K: Der Heidelberger Katech., n. d. ält. Ausgaben hrsg.,
z. bess. Verständn. zergliedert, durch Schriftstellen, bibl.
Beisp. u. Lieder belegt, m. e. Einl., e. Haustaf. u. e. Über-
sicht d. Unterscheidgslehren d. ev. u. röm. Kirche versehen.
11. Afl. (110) 12° Lpzg, R Voigtländer 01. Geb. — 80 d
Südmark-Kalender f. 1906. Ausg. f. Kärnten, hrsg. v. d. Männer-
ortsgruppe Klagenfurt d. Ver. Südmark. 33. Jahrg. (277 m.
Abb. u. Titelbild.) 8° Klagenf., (J Heyn). Kart. 1 — d
— dass. (Ausg. f. Steiermark.) (190 m. Abb.) 8° Graz, Deut.
Vereinsdr. u. Verl.-Anst. Kart. — 85 d
Bis 1905 geleitet v. KW Gawalowski u. A Polzer.
Südpolar-Expedition, d. deut., auf d. Schiff „Gauss" unter Leitg
v. E v. Drygalski, s.: Veröffentlichungen d. Instit. f. Meereskde
usw.
— dass., 1901—03. Hrsg. v. E v. Drygalski. I. Bd, 1. Heft u.
IX. Bd, 1. Heft. 4° Berl., G Reimer. Subskr.-Pr. 22 —;
Einzelpr. 26.50
  I. (Technik. Georgr.) 1. Heft. Stehr, A: Das Südpolararchif „Gauss" u.
  s. techn. Einrichtgn. (96 m. Abb. u. 12 Taf.) 06. 15 —; bezw. 18 —
  IX. (Zool. I. Bd.) 1. Heft. Michaelsen, W: Die Oligochaeten. Nebst Er-
  örterg d. Hypothese üb. e. früh. gyr., d. Südspitzen d. Kontinente
  verbind. antarkt. Kontinent. — Thiele, J: Leptostraken. (68 m. 2
  Taf. u. 1 Karte.) 06. 7 —; bezw. 8.50
Sue, E: Die Geheimnisse v. Paris. Sittenroman. (171 m. Abb.) 8°
Berl., Norddeut. Verl.-Anst. L Hohenstein & Co. (05).
— Romane. Illustr. Prachtausg. Die 7 Todsünden. 26 Hefte.
(I. Der Hochmut [Die Herzogin]. II. Der Neid [Friedrich Bastien].
III. Der Zorn [Der Höllenbrand]. IV. Die Unkeuschheit [Made-
leine]. V. Die Trägheit [Vetter Michael]. VI. Der Geiz [Die
Millionäre]. VII. Die Völlerei [Dr. Gasterini].) (248, 80, 100,
88, 72, 95 u. 89) 8° Stuttg., Franckh (01). Je — 20;
in 1 L.-Bd (8.50) 2.70 d
Süersen (sen.), W: Anl. z. Pflege d. Zähne n. d. Mundes, nebst
e. Anh.: Üb. künstl. Zähne. 13. Afl. v. G v. Walther-Süersen.
(111 m. 4 Taf.) 8° Stuttg., Union (05). 2 —; L 2.50 d
Süss, S: Gallizismen u. Redensarten a. d. französ. Umgangssprache. 4. Afl. (322) 8° Genf, R Burkhardt (03). 2.50 d
Sueton's Kaiserbiographieen. Verdeutscht v. A Stahr. 3., v. u.
6—12. Lfg. 3. Afl., z. Tl durchgesehen v. EA Bayer. (97—192
u. 241—554) 8° Berl.-Schönebg, Langenscheidt's We — 35 d
Süffert, C: Das Gemeindewahlrecht in Preussen. (32) 12° Gr.
Lichterf., Gesetzverl. Schulze & Co. 01. — 60 d
— Das Reichsgesetz, betr. d. Gewerbegerichte v. 29.VII.1900 in
d. Fassg v. 29.IX.'01. Text-Ausg. m. Hervorhebg d. Neuergn,
d. ergänz. Bestimmgn d. Gewerbeordng u. Sachreg. (32) 8°
Ebd. 01. 2 — d
Süffert, W: Der frische Deutschländer in Brasilien od. d. Muster-
reiterembryo. Ein harmlose Gedicht in harmlosen Versen.
2. Afl. (62) 8° Porto Alegre (01). (St. Louis, Concordia Publi-
shing House.) 1.60 d
Süffay, M v.: Die dalmatin. Privaturkde. [S.-A.] (166) 8° Wien,
(A Hölder) 04. 2.60
Sugg: Kopenhagen als Sommerfrischen-Station. (15) 8° Münch.,
Seitz & Sch. (05). — 20
Suggestion s.: Miniatur-Bibliothek.
— Monatsschrift d. Gesellsch. f. volkstümlich-wiss. Vorträge
zu Leipzig. 1. Jahrg. 1905. 12 Nrn. (Nr. 1. 27) 8° Lpzg-Co.,
O Siemens. Viertelj. 1.25
Suhr, HFC: Das gold. Buch d. Magie. 2 Tle in 1 Bde. 8° Stuttg.,
Schwabacher (01). L 4 — d
  1. Der Amateurzauberer. 2. Mephisto-Scherze. Mit e. Anh.: Die orien-
  tal. Zauberei im Salon. (162 u. 155)
— Das gr. Buch d. Zauberkunst (Magie). (222) 8° Berl., H Stei-
nitz (03). 4 — d
— Der Kartenkünstler. Sammlg neuer, leicht ausführbarer
Karten-Kunststückem. u. ohne Apparate. 4. Afl. (125) 8° Stuttg.,
Levy & M. (02). Kart. 1.50 d
— Die Magie im Salon. Ausw. neuer, leicht ausführbarer Karten-
Kunststücke ohne Apparate f. Dilettanten. Nebst e. Anh.: Ausl
d. 4. Dimension. 2. Afl. (104) 8° Ebd. (02). Kart. 1.50 d
— Mag. Tändeleien. Anl. z. Vorführg neuer, überrasch. Zauber-
kunststücke. (136) 12° Ebd. (01). Kart. 1.50 d
— Wunder a. d. 4. Dimension od. Jedermann Medium. Ent-
hüllg d. verschiedenartigsten spiritist. u. verwandten Phä-
nomene, sowie genaue Anl. z. Darstellg derselben in privaten
Kreisen durch Dilettanten. (164 m. Abb.) 8° Stuttg., Schwa-
bacher (04). 2 — d
Suhr, W: 1. Leseb. f. d. Schulen d. deut. Nordunarken. — Das
Vaterland. — Das „Vaterland" u. d. Kritik, s.: Lund, H.
Sühring, H: Deut. Fibel. — Neue Fibel. — Dent. Leseb., s.:
Miekley, W.
Suida, W: Die Jugendwerke d. Bartolommeo Suardi gen. Bra-
mantino, s.: Jahrbuch d. Kunsthistor. Sammlgn d. allerh.
Kaiserh.
— Florentin. Maler um d. Mitte d. XIV. Jahrb., s.: Zur Kunst-
gesch. d. Ausl.
— Wien. 2 Bde. (Moderner Cicerone.) 12° Stuttg., Union.
L. je 3 —; in 1 Bd geb. 5.50
  I. Die kaiserl. Gemälde-Galerie. (210 m. Abb. u. 1 Pl.) (03.)
  II. Die Gemäldegalerie d. k. k. Akad. d. bild. Künste, d. Sammlgs Liech-
  tenstein, Csernin, Harrach u. Schönborn-Buchheim. (196 m. Abb.) (04.)
Sukennikoff: M: Die Kinder. Drama. (In russ. Sprache.) (32)
8° Berl., M Sukennikoff 03. (Lpzg, C Cnobloch.) 1 —

Sukennikoff, M, s.: Kischinew.
— 1. Kongress russ. Studenten u. Studentinnen, abgeh. im
Auslande. (In russ. Sprache.) (44) 8° Berl., J Räde 02. 1 —
Sukadorf, HF: Der Weg z. Grösse uns. Volkes. (48) 8° Berl.,
(Thormann & G.) 03. — 50 d
Sulejman Efendi, S: Cagataj-osman. Wrtrb., bearb. v. I Kúnos,
s.: Publications de la section orientale de la soc. ethnograph.
hongroise.
Suleyman ibn Inger Abdullah: Ungarns Kolonie im Somali-
lande. Offiz. u. Orig.-Korrespondenzen. (111) 8° Budap., C
Grill 04. 2 — d
Sulger-Gebing, E, s.: Abhandlungen, germanist., Herm. Paul
dargebracht.
— Wilhelm Heinse. Charakteristik z. s. 100. Todestage. (89)
8° Münch., T Ackermann 03. — 80 d
— Hugo v. Hofmannsthal, s.: Beiträge, Breslauer, z. Lit.-Gesch.
— Herm. Kurz, e. deut. Volksdichter. Charakteristik. Nebst
e. Bibliogr. sr Schriften. (83 m. 1 Bildnis.) 8° Berl., G Reimer
04. 1.20 d
Sullivan, WRW: „Die Bibel in Fetzen". Aus d. Engl. v. H Riesz.
(78) 8° Wien, Moderner Verl. 04. 1.50
Sully, J: Untersuchgn üb. d. Kindheit. Psycholog. Abhandlgn
f. Lehrer u. gebild. Eltern. Aus d. Engl. übers. u. m. Anhängen versehen v. J Stimpfl. 2. Afl. (342 m. Fig.) 8° Lpzg,
E Wunderlich 04. 4 —; geb. 4.80 d
Sultan, G: Atlas u. Grundr. d. Unterleibsbrüche, s.: Lehmann's
medizin. Handatlanten.
— u. E Schreiber: Die i. Hilfe in Notfällen. Für Ärzte bearb.
u. Nichtärzte v. Heermann, Palm, Schieck u. Weber. (366
m. Abb.) 8° Lpzg, FCW Vogel 03. L 8 —
Sultan-Sirtkow, S v.: Der rote Tod im Zarenreich. Impres-
sionist. Kulturbild a. d. modernen Russl. (152) 8° Zür., C
Schmidt 05. 2 — d
— Vornehmes Varbrechertum. Kultur-Roman a. d. modernen
Russl. (160) 8° Ebd. 05. 2 —
Sulsbach, A: Dichterklänge a. Spaniens besseren Tagen. Ausw.
a. d. Meisterwerken jüdisch-span. Dichter, metrisch übers.
u. m. Noten versehen. 2. Afl. (144) 12° Frankf. a/M., J Kauff-
mann 03. L 3 — d
— Das Buch Esther. Übers. u. m. e. Einl. versehen. Mit d. Abend-
gebete am Purimabend. (In hebr. u. Deutsch.) (68 m. Abb.)
Rödelh., M Lehrberger & Co. 04. — 40 d
— Sefer Hachajim, s.: Blogg, SE.
— Ein alter Frankf. Wohltätigkeitsver. Beitrag z. Gesch. d.
Armenfürsorge in d. alten jüd. Gemeinden Deutschlds. [S.-A.]
(27) 8° Frankf. a/M., J Kauffmann 05. 1 —
Sulsbach-Rosenfeld, DA: Der Geist d. Bibel. Moses. [S.-A.]
(41 m. 1 Bildnis.) 8° Wien 05. (Frankf. a/M., J Kauffmann.)
1 — d
Sulsbacher, A: Raumlehre. — Rechenh., s.: Terlinden.
— Sammlg angewandter Aufg. f. d. Kopfrechnen, s.: Kauer, L.
— O Pfundt u. P Reinemann: Welche Anfordergn stellt d.
neuere Rechenmethodik an d. Gestaltg d. Rechenb.?, s.: Für
d. Schule a. d. Schule.
— — Rechen-Aufg. a. d. Kranken-, Unfall- u. Invalidenvers.-
sicherg, nebst kurzen Erläutergn. [S.-A.] 3. Afl. (12) 8° Berl.,
Heuser's V. 05. — 10 d
Sulsberger, A, s.: Sonntagsschul-Magazin.
Sulze, E: Die Beendigg d. Kampfes um d. Lehrges. durch d.
Erstarken d. relig.-soz. Richtg in d. ev. Landeskirchen. (48)
8° Bresl. 01. Görl., R Dülfer. — 50 d
— Der Fortschritt v. d. lehrgesetzl. Kirche z. Kirche d. relig.
Lebensgemeinschaft. Mit bes. Beziehg auf d. ev.-luther. Lan-
deskirche d. Kgr. Sachsen. (46) 8° Lpzg, OA Schulz V. 01.
— 75 d
— Nur durch d. Überwindg d. Katholizismus in beiden Kirchen
in d. ev. u. d. kathol., u. durch d. unumwund. Rückkehr z.
ursprüngl. Relig. Jesu ist d. wachs. Macht d. Atheismus zu
brechen. — Mayer, J: Der Kampf wider d. Atheismus. Vortr.
(40 n. 10) 8° Berl. Lpzg, M Heinsius Nf. 2 —
— u. Böhmert: Die Frage d. Patronatsrechts u. d. Wahl d.
Geistlichen durch d. Gemeinde. Vortr. (29) 8° Dresd., O
Böhmert 04. 1 —
Sulzer, G: Aufschl. üb. Spiritismus. (77) 12° Lorch, K Rohm.
— Die Bibelchristen als Bekämpfer d. Spiritismus u. d. christl.
Theosophie. (16) 16° Lorch 03. Ascona, C v. Schmidtz. — 8 d
— Die Darwin'sche Descendenz-Lehre im Lichte d. Spiritis-
mus. Vortr. (40) 8° Bitterf. (02). (Schmiedebg, FE Baumann.)
Sulzer, H: Bildar a. d. Gesch. d. Klosters Töss, s.: Neujahrs-
blatt d. Hülfsgesellsch. v. Winterthur.
— Das Dominikanerinnenkloster Töss, s.: Mitteilungen d. antiquar. Gesellsch. in Zürich.
Suman, J: Komentar z. öster. Patentges. (Ges. v. 11.I.1897,
betr. d. Schutz v. Erfindgn.) Bei vergleich. Heranziehg d.
deut. u. and. auswärt. Patentges. 1. Tl (Allg. Bestimmgn).
(250) 8° Wien, M Breitenstein 04. L 3 — d
Sumpf's, K, Anfangsgründe d. Physik. 12. Afl. v. A Pabst.
(183 m. Abb. u. 1 Taf.) 8° Hildesh., A Lax 06.
geb. 1.60 d
— dass., f. d. Gebr. an landw. Schulen bearb. 3. Afl., hrsg.
durch A Pabst. (108 m. Abb.) 8° Ebd. 03. Geb. 1.50 d
  Anh. s.: Mittag, M: Chemie u. Mineral.

Sumpf, K: Grundriss d. Physik. Ausg. A. 9. Afl. v. A Pabst. (312 m. Abb. u. 1 farb. Taf.) 8° Hildesh., A Lax 03. ‖ 10. Afl. (387 m. Abb. u. 1 farb. Taf.) 05.   Je 3.20; geb. je nn 3.70
— dass. Neue Ausg. B, vorzugsw. f. Realsch., höh. Bürgersch. u. verwandte Anst. bearb. v. A Pabst u. H Hartenstein. (216 m. Abb. u. 1 farb. Taf.) 8° Ebd. 02. ‖ 2. Afl. (236 m. Abb. u. 1 farb. Taf.) 05.   Je 2.20; geb. je nn 2.60
— Der prakt. Lehrer, s.: Magnus, KHL.
— Schulphysik. Method. Lehr- u. Übgsb. f. höh. Schulen in 2 Lehrst. 7. Afl. v. A Pabst. (402 m. Abb. u. 1 farb. Taf.) 8° Hildesh., A Lax 01.   4.50; geb. nn 5 —
Sunder, F: Das Finanzwesen d. Stadt Osnabrück v. 1648—1900, s.: Sammlung nationalökonom. u. statist. Abhandlgn.
Sundermann, H: Der landw. Arbeitsnachweis, s.: Schriften d. Centralstelle f. Arbeiter-Wohlfahrtseinrichtgn.
Sundermann, H: Fries. u. niedersächs. bestandteile in d. ortsnamen Ostfrieslands. (48) 8° Emd., W Haynel 01.   2 —
Sundermann, H: Unter d. Dajakken auf Beto, s.: Missions-Traktate, rhein.
— Die Insel Nias u. d. Mission daselbst, s.: Missionsschriften, rhein.
Sundermeyer, H: Lehr- u. Aufgabenb. f. d. Linearzeichnen, s.: Marten, A.
— Niedersächs. Leseb., s.: Elsner, G.
— Das Zirkelzeichnen, s.: Krönke, E.
Sundstral, F: Der letzte Kazike. Erzählg a. d. Zeit d. Kolumbus. Für d. reife Jugend. (419) 8° Lpzg, H Haessel, Comm.-Gesch. (05).   3 — d
— Aus d. Reiche d. Inkas. (03 m. Abb.) 8° Berl. 02. (Lpzg, H Haessel, Comm.-Gesch.)   2 — d
— Aus d. schwarzen Republik. Der Neger-Aufstand auf Santo Domingo od. d. Entstehgs-Gesch. d. Staates Haiti. (271 m. 1 Karte.) 8° Lpzg, H Haessel, Comm.-Gesch. 03.   3 —
Sünksen, C: Führer durch d. Dannewerk, s.: Philippsen, H.
Sunlicht-Roman-Bibliothek. (1—3. Bd.) 8° Rheinau, Sunlicht-Verl.   L. je 2 —; auch in Bdchn zu nn — 25 d
    Böttcher, M: Jugendfreunde. Roman. 5 Bdchn. (214) (05.) [3.]
    Eynatten, C v.: Anika's Brautstand. Roman. 4 Bdchn. (241) (05.) [2.]
    Boecker, O: Der „3. Mann". 6 Edchn. (350 m. Abb.) (05.) [1.]
Sunnegg, M v.: Hatschi-Bratschi's Luftballon, s.: Ginzkey, FK.
Suensson, E: Eine Stiefmutter, s.: Weichert's Wochen-Bibliothek.
Supan, A: Die Bevölkerg d. Erde, s.: Petermann's, A, Mitteilgn.
— Allg. Erdkde als Anh. z. deut. Schulgeogr. 3. Afl. (56 m. Fig.) 8° Gotha, J Perthes 04.   Kart. — 60 d
— Grundz. d. phys. Erdkde. 3. Afl. (852 m. Abb. u. 20 Kart.) 8° Lpzg, Veit & Co. 03.   16 —; Hf. 18.50
— Lehrb. d. Geogr. f. österr. Mittelsch. u. verwandte Lehranst. sowie z. Selbstunterr. 10. Afl. (301 m. Fig.) 8° Laib., J v. Kleinmayr & F Bamberg 01. Geb. 2 —‖ 11. Afl. (302 m. Fig.) 04.   Geb. 2.40 d
— Deut. Schulgeogr. 7. Afl. (240 m. Fig.) 8° Gotha, J Perthes 04.   Geb. 1.80 d
Supffe, K: Beitr. z. Kenntnis d. Vaccinekörperchen. (67) 8° Hdlbg, C Winter, V. 05.   1.50
Supffe, KF: Aufg. zu latein. Stilübgn. Mit bes. Berücks. d. Grammatiken v. Ellendt-Seyffert u. Stegmann, sowie m. Wrtrverz. u. Phraseol. I. Tl, 1. Abtlg u. II. Tl. 8° Hdlbg, C Winter, V.
    I. 1. Aufg. f Quarta. 21. Afl. v. G Süpfle u. C Stegmann. (197) 04. 2.20
    II. Aufg. f. Sekunda. 22. Afl. v. G Süpfle u. C Stegmann. (454) 05. 3.60
— dass. Mit Anmerkgn. II. Tl. 8° Wien, R Lechner & S. —
    Hdlbg, C Winter, V.   Geb. 3.60 d
    II. Aufg. f. ob. Kl. Für d. österr. Gymnasien u. d. 21. Afl. m. Verweisgn auf d. Schulgrammatiken v. A Goldbacher, A Scheindler u. K Schmidt (v Thanner) bearb. v. J Rappold. 3. Afl. (436) 04.   3.60
Süpffe, L: Engl. Chrestomathie f. Schulen u. Privatunterr. Mit erläut. Anmerkgn u. Wrtrb. (Methode Gaspey-Otto-Sauer.) 9. [Tit.-]Afl. v. J Wright. (431 m. 2 Kart.) 8° Hdlbg, J Groos [1893] 01.   Geb. 3.60 d
— Französ. Leseb. f. Schulen u. z. Privatunterr. Mit e. ausführl. erklär. Wrtrb. (Methode Gaspey-Otto-Sauer.) 11. Afl. v. A Mauron. (119 m. 2 Kart.) 8° Ebd. 01.   Geb. 3 — d
Süpffe, R: Das bad. Enteignungsrecht in systemat. Darstellg m. d. Texte d. bad. Enteignggses. v. 26. VI. 1899. (194) 8° Karls., G Braun'sche Hofbuchdr. 03.   L. 3 — d
Suphan, B: Abr. d. deut. Grammatik, s.: Bellermann, L.
— Goethe's Elegie September 1823, s.: Schriften d. Goethe-Gesellsch.
— Deut. Leseb., s.: Bellermann, L.
— Zum 9. V. '05, s.: Schriften d. Goethe-Gesellsch.
Supino, C, s.: Festgaben f. Adolph Wagner.
„**Supp", Gemüs' u. Fleisch**. Koch f. jede Haushaltg. 52. Afl. v. Frau E Dähnhardt, geb. Wolff-Küchler. (43, 411 m. Titelbild.) 8° Darmst., C Köhler 04.   1 —
Supp, A: Reiseb. d. Bez. Ober-Elsass f. Automobil-, Rad-Fahrer u. Touristen m. genauer Angabe d. Entferngn. 1:150,000. (42. 68×41 cm. Lith. Colmar, M Wettig 03.   nn 1 —
Supp, F: Bad Homburg. Führer durch d. Stadt u. Umgegend. Zugl. Wegweiser durch d. Taunus (Saalburg, Feldberg, Königstein, Cronberg, Soden). 7. Afl. v. A Berg. (136 m. Pl. u. Karte.) 12° Hombg, F Supp 03.   1.50
Suppan, CV: Wasserstrassen u. Binnenschiffahrt. (564 m. Abb.) 8° Grunew.-Berl., A Troschel 02.   18 —; geb. 20 —
Suppé, F v.: Dichter u. Bauer, s.: Silesius, F.

Supper, A: Da hinten bei uns. Erzählgn a. d. Schwarzwald. 4. Afl. (204) 8° Heilbr., E Salzer 05.   2.20; L. 3 — d
Suppes, E: Der Einredebegriff d. BGB. in ar prakt. Bedeutg. (52) 8° Lpzg, Veit & Co. 02.   1.50
Suppes, O: Generalreg., s.: Entscheidungen d. Reichsgerichts in Strafsachen.
Supplemente, judizielle. Hrsg. u. Red.: P Gruwe. 1. u. 2. Jahrg. März 1905—Febr. 1905 je 12 Nrn. (1. Jahrg. Nr. 1. 31 Bl.) 4° Graz, U Moser. Je 4 —; gummiert od. als Zettelkatalog je 5 — d
— dass. 3. Jahrg. März 1905—Febr. 1906. 12 Nrn. (Nr. 1. 72 Bl.) 32×10 cm. Wien, Manz. Gummierte, nicht gummierte Ausg. od. als Zettelkatalog je 6 — d
Supplementum Aristotelicum. Ed. consilio et auctoritate acad. litterar. reg. borussicae. Vol. III, pars II. 8° Berl. G Reimer.   5.50 (I—III. 2.: 48.50)
    III, 2. Aristotelis res publica Athenionsium. Ed. FG Kenyon. (150) 03. 6.50
Suprrian, K: Neue Fibel. — Deut. Leseb. — Schreib-Lesefibel.
Surbeck, H: Taschenb. f. d. Färberei u. Farbenfabrikation, s.: Gnehm, R.
Surber, A: Aufg. z. Übers. ins Latein. — Latein. Schulgrammatik, s.: Frei, J.
Suré, O: Moderne Frauentreue. Novellen. (114) 8° Dresd., E Pierson 03.   2 — d
Süring, R: Ergebnisse d. Gewitter-Beobachtgn, s.: Veröffentlichungen d. kgl. preuss. meteorolog. Instit.
— Ergebnisse d. Wolkenbeobachtgn in Potsdam, s.: Sprung, A.
Suermondt, A: Gesellschafts-Rücksichten. (123) 8° Berl., R Eckstein Nf. (02).   1.50
Susan, CV: Mit bunten Schwingen. Gedichte. (155) 8° Münch., G Müller 05.   2.50; geb. 3.50 d
Susan, S: Wörter, Sprichwörter u. Redensarten. Mit bes. Rücks. auf gleichlaut. Wörter u. d. Eigenth. d. deut. u. niederländ. Sprachen. 8. Afl. v. JC Knoest. (120) 8° Groning., P Noordhoff 1900.   nn 1 —
Suschnig, O: Neue Experimente m. Wirbelringen. [S.-A.] (16 m. Fig.) 8° Wien, (A Hölder) 02.   — 90
Suse, T: Merlin. Ein Buch Liebeslieder. (112) 4° Lpzg, S Hirzel 01.   1.80; geb. 3 — d
— Pygmalion. Lieder a. d. Rosenhag. Symphonien in Rosen u. Marmor. (142) 12° Ebd. 04.   3 —; geb. 4 — d
— Salome. Des Narren Traum. 2 Liederkreise. (180) 12° Ebd. 01.   3 —; geb. 4 — d
Susman, M: Mein Land. Gedichte. (107) 8° Berl., Schuster & Loeffler 01. ‖ 2. Afl. (111) 01.   Je 2 —; geb. je 3 —
Süss, A: Sommerfrischen u. Bäder im ges. Vogesengeb. 8. Afl. (150 m. Abb.) 8° Weissenbg, R Ackermann 05.   1 —
Suess, E: Das Antlitz d. Erde. III. Bd. 1. Hlfte. (508 m. Abb., 6 Taf. u. 1 Karte.) 8° Wien, F Tempsky. — Lpzg, G Freytag 01.   25 — (I—III. 1.: 76 —)
Süss, F: Röslein im Tal. Gedichte. 1. Bd. (150 m. Bildnis.) 8° Dresd., E Pierson 05.   2 —; geb. 3 —
Süss, FE: Bau u. Bild d. böhm. Masse, s.: Bau u. Bild Österr.
Süss, P: Handkommentar z. Arzneib. f. d. Deut. Reich, s.: Schneider, A.
Süss, W: Allg. Musiklehre u. Chorschule. „ABC-Buch" f. ernste u. strebsame Musik-Schüler. (Op. 14.) (63 m. Fig.) 8° Darmst., CM Kühn (05).   3 — d
Suess-Rath, H: Die Frau. Studie a. d. Leben. (54) 8° Wien, J Deubler (04).   1.50
Süssheimer, K: Sprache d. Cely-Papers, e. Sammlg v. engl. Kaufmannsbriefen a. d. J. 1475—88. (96) 8° Berl., E Ebering 05. 3 —
Süsserott's Kolonialbibliothek. 1—7. u. 9—11. Bd. 8° Berl., W Süsserott.   L. 25.30
    Duve, K: Deutsch-Südwest-Afrika. (203 m. Abb. u. 1 Karte.) 03. [5.] 4 —
    Peace, M: Der Pflanzenbau in d. Tropen u. Subtropen. 2. Bd. (275) 04. [7.] —
    Meue, C: Trop. Gesundheitslehre u. Heilkde. (203) 02. [2.] — —
    Pauli, C: Der Kolonist d. Tropen als Häuser-, Wege- u. Brückenbauer.
    (38 m. Abb. u. 4 Taf.) 04. [9.]   1.50
    Pommer-Esche, C v: Der Kakao. Inseln. (37 m. Abb.) 04. [11.]   1.80
    Reinecke, F: Samoa. (312 m. Abb. u. 1 Karte.) 02. [3.4.]   5 —
    Ross, R: Das Malariafieber, dessen Ursachen, Verhütg u. Behandlg. (56)
    [10.]   1.50
    Teppenbeck, E: Deutsch-Neuguinea. (175 m. Abb. u. 1 Karte.) 01. [1.] 3 —
    — Wie rüste ich mich f. d. Tropenkolonien aus? 4—6. Taus. (80) 05.
    [10.]   1.80
    Der 8. Bd ist noch nicht erschienen.
Süssheim, K: Preussens Politik in Ansbach-Bayreuth 1791—1806, s.: Studien, histor.
Süssmann, A: Ueb. Ichthoform. [S.-A.] (10) 8° Berl., J Goldschmidt 01.
Süsstoff-Ausgabebuch d. Apothekers. (12) Fol. Berl., Selbstverl. d. deut. Apotheker-Ver. (03).   nn — 70; (24) 1 — d
Süsstoff-Gesetz f. d. deut. Reich v. 7. VIII. '02. Text-Ausg. (8) 8° Plöha, A Peitz & S. 02.   — 25 d
— dass. nebst Ausführgsbestimmgn. (10) 8° Berl., Selbstverl. d. deut. Apothekerver. (03).   — 30
— dass. Hrsg. im Reichsschatzamte. (19) 8° Berl., R v. Decker 03.   — 50 d
Süsswasser-Aquarium, d., s.: Miniatur-Bibliothek.
Sust, T: Die Vertreter in d. Arbeiter-Versicherg u. deren Aufg. (24) 8° Hambg 01. Berl., Generalkommission d. Gewerkschaften Deutschlds.   — 50 d
Šusta, J: Die Ernährg d. Karpfens u. sr Teichgenossen. Grundl. d. Teichwirtschaft. 2. Afl. (251 m. 2 Taf. u. Taf.) 8° Stett., Herrcke & L. (05).   6 —

Swierczewski: Die Stellg z. bibl. Gottesglauben im Zeitgswesen d. Gegenwart, s.: Hefte d. freien kirchlich-soz. Konferenz.

Swift, J: Gullivers Reise n. Brobdingnag. Für d. Jugend frei bearb. v. W Pfleiderer. (61 m. Abb. u. 2 Farbdr.) 8° Nürnbg, T Stroefer (04). Kart. 1.80 d

— Gullivers Reise n. Lilliput. Für d. Jugend frei bearb. v. W Pfleiderer. (72 m. Abb. u. 3 Farbdr.) 8° Ebd. (04). Kart. 1.80 d

— Gullivers Reisen. Für d. Jugend bearb. (125 m. 3 Farbdr.) 8° Berl., Globus Verl. (02). Geb. †— 60 d

— Gullivers Reisen in weit entfernte Regionen d. Welt. Für d. Jugend frei bearb. v. W Pfleiderer. (133 m.Abb. u. 4 Farbdr.) 8° Nürnbg, T Stroefer (04). Kart. 3 — d

— Gullivers Reisen zu d. Zwergen u. Riesen. Für d. Jugend bearb. v. F Hanke. (128 m. Abb. u. 3 Farbdr.) 8° Berl., Verl. Jugendhort (04). Geb. 1.40 d

— dass. in d. Ländern Lilliput u. Brobdingnag. Für Knaben u. Mädchen v. 12. Jahre an. Nach F Kottenkamps Übersetzg a. d. Engl. v. H Schafstein. (102 m. 3 Farbdr.) 8° Köln, H & F Schaffstein 03. Kart. 3 — d

— dass., s.: Hanke, F, wundersame Reisen u. Abenteuer. — Meister, F. — Schafstein's Volksbücher f. d. Jugend.

— A voyage to Lilliput, s.: Authors, Engl.

Swillus, F: Beitrag z. Jahrfeier am 15.X.'02, d. 50jähr. Todestage d. „deut. Turnvaters". Die Bestrebgn Friedrich Ludwig Jahns, d. Turnen z. deut. Volkssache zu machen. 1—4. Afl. (34) 8° Königsbg, (Gräfe & U., Bh.) 02. — 25 d

— Turnvater Jahn. Lebensbild f. jeden Deutschen. (Umschl.: Der Alte im Barte.) (34) 8° Ebd. 03. — 40 d

Swinarski, W v.: Die Beleihg u. Verpfändg e. Lebensversicherungspolize. (69) 8° Bresl., Koebner 01. 1.20

Swinburne, AC: Atalanta in Calydon, s.: Bibliothek d. Gesamtlitt.

— dass. and Lyrical poems, s.: Collection of Brit. auth.

— Gedichte. Aus d. Engl. (Aus fremden Gärten. Metr. Übertragu v. O Hauser.) (100) 8° Grossenh., Baumert & R. 05. 1 — d

— Love's cross-currants, s.: Collection of Brit. auth.

Switalski, BW: Die erkenntnistheoret. Bedeutg d. Citats. Beitrag z. Theorie d. Autoritätsbeweises. (30) 8° Braunsbg, (E Bender) 05. 1 —

— Des Chalcidius Kommentar zu Plato's Timaeus, s.: Beiträge z. Gesch. d. Philosophie d. M.-A.

Swoboda u. **Mayer's** Naturlehre f. Bürgersch. In 3 konzentr. Lehrst. Nen bearb. v. JM Hinterwalder u. K Rosenberg. 8° Wien, A Hölder. Geb. 3.65 d
1. Für d. 1. Kl. 14. Afl. (119 m. H.) 1900. 1.20; 15. Afl. (119 m. H.) 03. 1.10. | 2. Für d. 2. Kl. 10. Afl. (150 m. H.) 02. 1.40; 11. Afl. (150 m. H.) 04. 1.35. | 3. Für d. 3. Kl. 9. Afl. (144 m. H.) 03. 1.30.

Swoboda, H, s.: Entscheidung, d., in d. Riesenthor-Frage.

— Konkurrenzen f. e. einfache Pfarrkirche, f. e. Reliquiar u. f. e. heil. Grab. (57 m. Abb.) 42,5×31,5 cm. Wien, (Gerlach & W.) (04). 12.50

— Zur Lösg d. Riesenthorfrage. Das Riezentor d. Wiener St. Stefansdomes u. s. Restaurierg. (30 m. 1 Taf.) 4° Wien, A Schroll & Co. 02. — 80

— Probleme u. Anreggn f. kirchl. Kunst. Vorstudien zu e. Concurrenz-Ausschreibg f. Gegenstände d. kirchl. Kunst. (30) 8° Wien, H Kirsch 01. 1.50

— Liturg.Wandtaf. f. d. kathol. Relig.-Unterr. 25 farb. Lithogr. n. Entwürfen v. J Reich u. R Jordan hrsg. u. m. erläut. Text versehen. 3. Afl. 60,5×70,5cm. Nebst Text. (20) 8° Münch., Allg. Verl.-Gesellsch. (03). 25 —

— Neue Wendgn in d. Leichenverbrennngsfrage, s.: Vorträge u. Abhandlungen, hrsg. v. d. Leo-Gesellsch.

Swoboda, H: Ges. Gedichte. (179 m. Bildnis.) 8° Lpzg,O Mutze (03). 2 —; geb. 3 — d

— Des Königsschlosses Geheimnis od.: Die Adelsverschwörg. Histor. Schausp. (75) 8° Ebd. (03). 1 — d

— In omnibus autem caritas u. Der Rosenkranz. 2 Erzählgn. (185) 8° Ebd. (03). 1.50; geb. 2.50 d

— Schön sein u. arm. Eine alltägl. Gesch. — Eduard u. Kunigunde. Eine traur. Komödie. (120) 8° Ebd. 05. 2 — d

Swoboda, H: Vorläuf. Bericht üb. e. archäolog. Expedit. n. Kleinasien, s.: Jüthner, J.

— Griech. Gesch., s.: Sammlung Göschen.

Swoboda, H: Die Perioden d. menschl. Organismus in ihrer psycholog. u. biolog. Bedeutg. (155) 8° Wien, F Deuticke 04. 4 —

— Studien z. Grundlegg d. Psychol. I. Psychol. u. Leben. II. Assoziationen u. Perioden. III. Leib u. Seele. (117) 8° Ebd. 05. 2.50

Swoboda, J: Der Asphalt u. s. Verwendg. (162 m. Abb.) 8° Hambg, L Voss 04. 2 —

Swoboda, O: Die kaufmänn. Arbitrage. 11. Afl. v. A Sandheim. (711) 8° Berl., Haude & Sp. 02. L. 13 — d
12. Afl. u. d. T.:

— Die Arbitrage in Wertpapieren, Wechseln, Münzen u. Edelmetallen. 12. Afl. v. M Fürst. (915) 8° Ebd. 05. L. 16 —

Swoboda, W: Lehrb. d. engl. Sprache f. höh. Handelssch. 1. Tl. Junior book, Lehr- u. Leseb. f. d. 1. Jahrg. d. engl. Unterr.(m. e. Wrtrb.). (174) 8° Wien, F Deuticke05. Geb. 2.40 d

— dass. f. Mädchenlyceen u. and. höh. Mädchensch. 1. Tl. 8° Ebd. Geb. 12.60
1. Elementarb. (170) 02. 2.20 d | 2. Engl. reader. (217, 52 u. 18 m. Abb. u. 4 Beil.) 03. 3.50 | 3. Literary reader. (175, 55 u. 64 m. Abb. u. 4 Beil.) 04. 3.60. u. geh. 3.90 | 4. Scholgrammatik d. modernen engl. Sprache. (214) 02. 2.50. d

Swoboda, W: Lehrb. d. engl. Sprache f. Realsch. 4 Tle. 8° Wien, F Deuticke. Geb. 10.80 d
I. Elementarb. (167) 04. 2 — | II. Engl. reader. (Lehr- u. Leseb. f. d. 6. Kl.) Mit e. Wrtrb. (203, 15 u. 56 m. Abb.) 05. 3 — | III. Literary reader. (Lehr- u. Leseb. f. d. 7. Kl.) (165, 69 u. 61 m. Abb. u. 1 Karte.) 05. 3 — | IV. Schulgrammatik d. modernen engl. Sprache. (205) 05. 2.80.

Sybel, H: Die Störgn in d. deut. Textilindustrie, s.: Potthoff, H.

Sybel, H v.: Die Begründg d. Deut. Reiches durch Wilhelm I. Vornehmlich n. d. preuss. Staatsacten. Volksausg. 7 Bde. (317, 412, 306, 329, 349, 329 u. 382 m. Bildnis.) 8° Münch., R Oldenbourg 01. L. je 3.50 d

— s.: Zeitschrift, histor.

Sybel, L v.: Gedanken e. Vaters z. Gymnasialsache. (64) 8° Marbg, NG Elwert's V. 03. 1 —

— Weltgesch. d. Kunst im Altertum. Grundriss. 2. Afl. (484 m. Abb. u. 3 Farbtaf.) 8° Ebd. 03. 10 —; geb. 12 —

Sycz, S: Ursprg u. Wiedergabe d. bibl. Eigennamen im Koran. (64) 8° Frankf. a/M., J Kauffmann 03. 2 —

Sydačoff s.: Bresnitz v. Sydačoff.

Sydow, A v., s.: Humboldt, W v., u. C v. Humboldt in ihren Briefen.

Sydow, E v., u. H **Habenicht**: Method. Wand-Atlas, Oro-hydrograph. Schulwandk., n. E v. Sydows Plan bearb. v. H Habenicht. Nr. 4, 6, 7, 11 u. 14. Farbdr. Gotha, J Perthes. 52 —;
auf L. in M. 78 —; m. St. 93 —; u. lackiert 108 —
4. Australien u. Polynesien. 1:6,000,000. 3. Afl. 12 Bl. je 56×49 cm. (98.) 19 —; bezw. 19 — | 21 — u. 24 —
6. Nord-Amerika. 1:6,000,000. 3. Afl. 9 Bl. je 56×49 cm. (02.) 10 —; bezw. 15 — | 16 — u. 21 —
7. Süd-Amerika. 1:6,000,000. 3. Afl. 9 BL je 56×49,5 cm. (02.) 10 —; bezw. 15 — | 16 — u. 21 —
11. Italien. 1:750,000. 2. Afl. 9 Bl. je 56×49 cm. (98.) 10 —; bezw. 15 — | 18 — u. 21 —
14. Brit. Inseln. 1:750,000. 2. Afl. 9 Bl. je 56×49 cm. (03.) 10 —; bezw. 15 — | 18 — u. 21 —

— u. E **Wagner's** method. Schul-Atlas. Entworfen, bearb. u. hrsg. v. H Wagner. 63 Haupt- u. 50 Nebenk. auf 47 Taf. (im Farbdr.). 12. Afl. (8 S. Text.) 4° Ebd. 05. Geb. 5 —;
einz. Blatt — 15; Nr. 22 u. 23 je — 30

Sydow, G: Das Krankenversichergsges., s.: Krankenkassen-Bibliothek.

— Sozialgesetzgebg u. Sozialreform in Deutschl., s.: Fortschritt, soz.

— Theorie u. Praxis in d. Entwicklg d. französ. Staatsschuld seit d. J. 1870. (218 m. 2 Fig.) 8° Jena, G Fischer 03. 5 —

Sydow, J v., s.: Annales mycologici.

Sydow, J v., s.: Buch, d., d. Hausfrau. — Jahrbuch f. d. Offizierfrau.

— Die prakt. Offizierfrau. Taschenb.-Ausg. d. Damen-Jahrb. 2. Afl. (276) 16° Oldnbg, G Stalling's V. 01. Kart. 1.50 d

Sydow, Frau M v., s. a.: Rosen, F.

— Anna Steinhofer, s.: Hesse's, M, Volksbücherei.

Sydow, M: Burkart v. Hohenfels u. s. Lieder. (70) 8° Berl., Mayer & M. 01. 2.40

Sydow, P: Sylloge fungor., s.: Saccardo, PA.

— Taschenb. d. wichtigeren essbaren u. gift. Pilze Deutschlds, Österr. u. d. Schweiz, s.: Sammlung naturwiss. Taschenbb.

— et H **Sydow**: Monographia Uredinearum seu specier. omnium ad hunc usque diem descriptio et adumbratio systematica. Vol. I. 5 fasce. Genus Puccinia. (35, 972, 768 m. 25 Taf.) 8° Lpzg, Gebr. Borntraeger 02-04. Subskr.-Pr. nn 64 —; Ladenpr. nn 75 —

Sydow, PGA, s.: Monatsblatt d. ev. Lehrerbundes.

— Volks- u. Jugendlektüre. Vortr. [S.-A.] (31) 8° Hambg, (Agentur d. Rauhen H.) 03. — 30 d

Sydow, R, u. L **Busch**: Die deut. Gebührenordng f. Rechtsanwälte u. d. preuss. Gebührenges.— Deut.Gerichtskostenges., nebst Gebührenordng f. Gerichtsvollzieher u. f. Zeugen u. Sachverständige. — ZPO. u. Gerichtsverfassgges. — Konkursordng u. Anfechtgsges. — ZPO. u. Gerichtsverfassgges., s.: Guttentag's Sammlg deut. Reichsges.

Sylloge epigraphica orbis romani. Cura et studio H de Ruggiero edita. Vol. II. Fasc. 8—23. 8° Rom (14 Via Nomentana), L Pasqualessi. Je nn 1.30
Fasc. 1. Inscriptiones Italiae regionum. I. II. III. IV. v. continens. Ed. D Vaglieri. Fasc. 8—28. (295—546) 1904-1904.

Syllwasschy, E : Die Schaufenster-Dekoration d. Drogenhandlg. (127 m. Abb.) 8° Brnschw., JH Meyer 05. 2.40; L. 3 — d

Sylt in Wort u. Bild (Königin d. Nordsee), s.: Meyer, C.

Sylva, C (zu deutsch Waldgesang) (Elisabeth Königin v. Rumänien), s.: Astra. — Aus 2 Welten.

— Unter d. Blume. (709) 16° Rgnsbg, W Wunderling 03. 2 —
Ldr 3 —

— Es ist vollbracht! Das Leben meines Bruders Otto Nicolaus Prinz zu Wied. (72 m. 6 Taf. u. 1 Fksm.) 4° Berl., A Duncker 02. L. 5 — d

— Es köpft. 5. Afl. (119 m. Bildnis.) 8° Rgnsbg, W Wunderling 03. 3 —; L. m. G. 4 — d

— In d. Irre.

— Islandischer, s.: Loti, P.

— Leidens Erdengang. Ein Märchenkreis. 6. Afl. (163) 8° Berl., A Duncker 04. 2 —; L. 3 — d

— In d. Lunca. Rumän. Idylle. (66 m. 2 Farbdr.) 4° Rgnsbg, W Wunderling 04. L. 4.50 d

— Märchen e. Königin. (341 m. Abb. u. Bildnis.) 8° Bonn (01). Stuttg., A Kröner. 4 —; L. 5 — d

Sylva, C (zu deutsch Waldgesang) (Elisabeth Königin v. Rumänien): Rheintochters Donaufahrt. 10—16.V.'04.(72 m. Abb.) 8° Rgnsbg, W Wunderling 05. 2.80
— Meine Ruh. 3. Afl. (149, 57, 70, 128 u. 153 m. Bildnis.) 8° Berl., A Duncker 01. 6 —; L. 7.50 d
    Hieraus einzeln:
    Balladen u. Romanzen. 3. Afl. (128) 1.50; geb. 2.50 || Blutstropfen. (154) 1.50; L. 2.50 || Höhen u. Tiefen. 3° Afl. (149) 1.50; L. 2.50 || Mutter u. Kind. 3.Afl. (57) 1 —; L. 2 — || Weltweisheit. 3. Afl. (70) 1 —; L. 2 — d
— Stürme. 4. Afl. (195) 8° Bonn 03. Stuttg., A Kröner, L. 3 — d
— Geflüsterte Worte. 1. u. 2. Afl. (215) 16° Rgnsbg, W Wunderling 08, || S. Afl. 1. Tl. (227) 05. Je 3 —; Ldr je 4 — (3. Afl. d)
— u. M **Kremnitz** (Dito u. Idem): Feldpost. Roman. 4. Afl. (432) 8° Bonn 03. Stuttg., A Kröner. 2 —; geb. 3 — d
Sylvester, E: Der Minne Sang. (91) 8° Lpzg, Modernes Verl.- Bureau 05. 1.50
Sylvester, H: Mit 13'Jahren u. anderes. — Die Maske d. Gehängten u. anderes, s.: Bibliothek Eros.
Sylvino, N: Auf Tod u. Leben, s.: Bibliothek, illustr. d. Reisen u. Abeuteuer.
Symmachus s.: Zum 25jähr. Pabstjubiläum Leo XIII.
Symons, B: German. Heldensage. Der 2. Afl. 2. Abdr. [S.-A.] (136) 8° Strasbg, KJ Trübner 05. 3.50; L. 4.50
Symons, P: La sculpture belge, s.: Hessling, E.
Sympathien, d., d. deut. Volkes im ostasiat. Kriege. (12) 8° Cass., C Vietor 04. — 30
Sympher: Emscherthallinie u. Kanalisirg d. Lippe. (16 m. 1 Karte.) 8° Berl., ES Mittler & S. 01. 40
— Karte d. Verkehrs auf deut. Wasserstrassen im J. 1900. 1:1,250,000. 4 Bl. Je 48×53 cm. Farbdr. Mit Erläutergn. (9) 8° Berl., Berliner lith. Instit. 02. 6 —; auf L. m. St. od. in M. 12 —
— Wasserwirtschaftl. Vorarbeiten. (103 m. Fig. u. 5 L.) 8° Lpzg, W Engelmann 01. 8 —
— Die wasserwirthschaftl. Vorlage. (148 m. 3 Kart.) 8° Berl., ES Mittler & S. 01. 1.50
Symposion. Deut. Serie I. 8° Prag (kgl. Weinberge Nr. 698), Symposion, H Kosterka. 1—
    Leppin, P: Die Thüren d. Lebens. (55 m. 1 Abb.) (02.) [1.] 1 —
— Belletres. Halbmonatsschrift. Lyrik, Dramatik, Novelle, Kritik. Hrsg. v. H Kiehne. 1—3. Bd. Juli—Dezbr 1901 u. 1902. (Je 96) 12° Kiel. Nordhausen, Herm. Kiehne. Der Bd 2.50 d
Synagogengemeinde, d. israelit., (Adass Jisroel) zu Berlin. (1860—1904.) Rückblick. (43) 8° Berl., L Lamm 04. — 80 d
Synnerberg, O: Randbemerkgn zu Minucius Felix. II. [S.-A.] (21) 8° Helsingf. 03. (Berl., Mayer & M.) 1 — (I u. II.: 1.80)
Synodalentag, d., zu Worms am 31.X.'04. Bericht üb. d. Vorträge, Verhandlgn u. Feiern, erstattet v. Arbeitsausschuss. 1—8. Afl. (96) 8° Frankf. a/M., M Diesterweg 04.05. — 50 d
Synodalpredigten. Neue Reihe. Nr. 5—7. Mit Anh.: Übersicht d. zürcher. Synodalpredigten seit 1884. 8° Zür., Schulthess & Co. Je — 45 (1—3 u. 5—7.: 2.80) d
    Bickel, O: Christl. Dienstpflicht. (22) 03. [7.]
    Bühler, H: Christengeist u. Kirchenseele. (32) 01. [6.]
    Simmler, E: Jesu Christo nach: (22) 1900. [5.]
Synodus Brixinensis, diebus 27—31.VIII.1900 praeside S Aichner celebrata. (9 u. 157) 8° Brix., (A Weger) 1900. 1.50; geb. 2 —
Synopticus s.: Springer, R.
Syra s.: Theater f. d. weibl. Jugend.
Syriani in metaphysica commentaria ed. Gu. (W) Kroll, s.: Commentaria in Aristotelem graeca.
Syrkin, N: Empfindg u. Vorstellg, s.: Studien, Berner, z. Philosophie u. ihrer Gesch.
— Die muss man v. d. Psychol. wissen? (68 m. 1 Fig.) 8° Berl., H Steinitz (01). 1 — d
Syrovátka-Pán, H: Das österr. Marktrecht. [S.-A.] (56) 8° Wien, M Perles 02. 1.20 d
Syrový, Č: Böhmisch, s.: Neufeld's Unterr.-Briefe f. d. Selbststudium.
Syrový, V: Lehrb. d. deut. Sprache f. Tschechen, s.: Jiřík, B.
Syrutschek, J: Anl. z. zweckmäss. Bewirthschaftg d. bäuerl. u. d. Gemeinde-(Gemeinschafts-)Waldes in Nieder-Österr. (62 m. Abb. u. 2 Taf.) 8° Wien, (W Frick) 05. 1.60 d
— Mutterherzen. Sloven. Dorfgeschichten a. Untersteiermark. (320) 8° Linz (02). Wien, J Deubler. 2.50; geb. 3.50 d
Szabó, E: Populäre Kanzelreden auf alle Sonn- u. Feiertage d. Jahres. Aus d. Ung. v. A Ribonyi. 4 Bde. 8° Budap. (Leobsch., O Schnurpfeil.) Bd 13.50 d
    I. Jahrg. 1. u. 2. Bd: Sonntagspredigten. Festtagspredigten. (479 u. 187) 1885. || II. Jahrg. Sonntagspredigten. (1. Bd.) (520) 1895. || III. Jahrg. Festtagspredigten. (3. Bd.) (432) 1895. — Suppl.-Bd 8-. 1. Jahrg. (Gelegenh.- u. and. Reden.) (304) 1893.
Szabó, E, s.: Bibliotheca economica universalis. — Catalogue de la bibliothèque de la chambre de commerce d'industrie de Budapest.
Szabó v. Bárd, L: Die Militär-Landkarte d. österr.-ungar. Monarchie. Studie üb. d. geodät. Arbeiten u. Karten d. k. u. k. militär-geograph. Instituts. Aus d. Ung. v. HD v. D. (78 m. 2 Taf.) 8° Budap., C Grill 01. 2 —
Szafranski, T, s.: Torn, TO v.
Szajnocha, L: Die Petroleumindustrie Galiziens. 2. Afl. (34 m. 3 Tab. u. 1 Karte.) 8° Krak. 05. (Lpzg, M Weg.) 1.50

Szalatnay, J: Die Evangelisationsarbeit in Königgrätz in Böhmen, s.: Festschriften f. Gustav-Adolf-Ver.
Szalay, E v., s.: Fejérvary de Komlos-Kereszta, Géza Baron.
Szalay, L v.: Die Blitzschläge in Ungarn in d. J. 1890—1900, s.: Publikationen d. kön. ung. Reichsanst. f. Meteorol.
— Neuere Daten z. Statistik d. Blitzschläge in Ungarn. [S.-A.] (Ungarisch u. deutsch.) (30 m. 1 Taf.) 4° Budap., (L Toldi) 05. 1 —
Szamoylenko, E: Muskulatur, Innervation u. Mechanik d. Schleuderzungen bei Spelerpes fuscus. (26 m.Abb.) 8° Freibg i/B., Speyer & K. 04. — 80
Szanto, E: Die griech. Phylen. [S.-A.] (74) 8° Wien, (A Hölder) 01. 1.70
Szarvassi, A: Üb. d. magnet. Wirkgn e. rotier. elektrisirten Kugel. [S.-A.] (13 m. 1 Fig.) 8° Wien, (A Hölder) 02. — 20
Szczawinski, W: Lehrb. d. deut. Sprache f. Polen, s.: Kunst, d., d. Polyglottie.
Szczepanska, E v.: Was muss e. junge Frau in d. Ehe wissen? 1. u. 2. Afl. (32) 8° Dess. (01.02). Lpzg, H Hedewig's Nf. — 80 d
— Was muss e. junges Mädchen vor u. v. d. Ehe wissen? 1—7. Afl. (44) 8° Ebd. (01.02). — 80 d
Szczepanski, P v.: Die Falzgräfin. — Eigene Geschichten, s.: Deva-Roman-Sammlung.
— Die Hofdame. Roman. 2. Afl. (572) 8° Berl., F Fontane & Co. (01). 6 —; geb. 7.50 d
— Der Narr d. Glücks. Roman. 2 Bde. (529) 8° Lpzg, G Wigand (01). 6 —; L. 8 — d
— Neu-Berlin. — Moderne Raubritter, s.: Deva-Roman-Sammlung.
— Sie emanzipiert sich. Novelle. (146) 8° Lpzg, G Wigand (02). 2 —; L. 3 — d
— Spartanerjünglinge. Eine Kadettengesch. in Briefen. (85) 8° Ebd. 01. 2 —; L. 3 —; auf Büttenpap., Kalbldr 12 — d
Szcsurat, V: Wundt's Apperzeptionstheorie. (28) 8° Brody, F West 03. 1 —
Szczytnicki, v.: Dienst-Unterr. d. bayer. Kavalleristen, s.: Giulini.
— Dienst-Unterr. d. deut. Kavalleristen. (246 m. Fig., 1 Bildnis u. 5 farb. Taf.) 8° Berl., Vossische Bb. 04. nn — 70; kart. nn — 80 d
Szécsi, F: Die Reise n. d. Witwenstand. Lustsp. Aus d. Ung. v. B Diósy. (132) 8° Budap., R Lampel 04. 3 —
Székely, S: Hermeneutica biblica generalis secundum principia catholica. (446) 8° Freibg i/B., Herder 02. 5 —; Hf. 6.80
Szemere, E: Kl. Hdb. d. Schachspiels. Unter Mitwirkg v. G v. Maróczy. (109 m. Diagr.) 12° Wien, A Hartleben (02). Geb. 1.80 d
Szendrei, J, s.: Chefs-d'oeuvre d'art de la Hongrie.
Szenen s., d.: Scenen.
— v. Welttheater. 1. Bd. 8° Zschopau, FO König. 2 — d
    Salter, T v.: Kathinka v. Saltanoff, d. Nichto d. Exzellenz. Interessante e. russ. Aristokratin währ. d. Belagerg v. Port Arthur. (168) (05.) [1.]
Szentkatolna, de, s.: Bálint-Illyés.
Szielasko, A: Die Bildgesetze d. Vogeleier bezüglich ihrer Gestalt. (23) 8° Gera-Untermh., FE Köhler 02. 1 —
Szikra (Gräfin I Teleki): Die Einwanderer. Roman a. d. ungar. Gesellschaft. Übers. v. AS Ebenthal. (404 u. Abb.) 8° Budap., F Sachs 05. 2 —
Szili, A: Augenspiegel-Studien zu e. Morphogr. d. Sehnerven-Eintrites im menschl. Auge. I. 24 Taf. Nebst Text. (92) 8° Wiesb., JF Bergmann 01. Kart. 18.80
Szmideberg, H: Poln. Erzählgn, s.: Weber's moderne Bibliothek.
Szmula: Das Feldartill.-Material 96. Untersuchg, Behandlg u. Gebr. d. Munition, Rohre, Lafetten, Protzen u. Wagen. Zusammengest. in Fragen u. Antworten. 1. u. 2. Afl. (56) 12° Berl., Liebel 04.05. 1 — d
— Das Feldhaubitz-Material 98. Untersuchg, Behandlg u. Gebr. d. Munition, Rohre, Lafetten, Protzen u. Wagen. Zusammengest. in Fragen u. Antworten. (47) 8° Ebd. 04. 1 — d
— Hdb. f. d. Offiziere, Sanitätsoffiziere, ob. Militärbeamten u. d. Offizieraspiranten d. Beurlaubtenstandes üb. d. allg. Dienst- u. Standespflichten. (45) 8° Ebd. 06. 1 — d
Szöllösi, E: Das öffentl. Unterr.-Wesen Ungarns in d. Gegenwart. 1. Tl. Volksschulwesen. 8° Berl., u. Mit: Das Unterr.-Wesen in Kroatien-Slavonien v. V Dominković. (160 u. 48) 8° Berl., (R Lampel) 04. 5 — d
Szombathy, J: Die Vorzüge d. Menschen, s.: Vorträge d. Ver. z. Verbreitg naturwiss. Kenntnisse in Wien.
Szontagh, N: Tátrafüher. Aus d. Ung. v. F Nikházi. 2. Afl. (218 m. 4 Kart.) 8° Budap., Singer & Wolfner 04. Geb. 3 —
Szuleszewski, A, s.: Beiträge z. Volkskde d. Prov. Posen.
Szymanski, A: Hanuschja. — Sibir. Novellen, s.: Deva-Roman-Sammlung.
Taaks, JA: Attestamenti. Chronologis. Mit e. Beil.: Tabellen. (119) 8° Uelzen 04, Osterode, A Sorge. (4.50) 4 —
— 2 Entdeckgn in d. Bibel. (52) 8° Ebd. 04. 1 —
Tabak. Fachbl. f. d. Gesamtinteressen d. deut. Tabakindustrie. Red. v. F Calebow. 1. Jahrg. Febr. 1904—Jan. 1905. 24 Nrn. (Nr. 1. 12 m. 1 Abb.) 4° Dresd., Calebow & Co. (?) Viertelj. 1.25 d

Tabak-Arbeiter. der. Organ d. Tabakarbeiter u. -Arbeiterinnen Deutschlds. Red.: F Geyer. Jahrg. 1901—5 je 52 Nrn. - (Nr. 1, 4) 47×32 cm. Lpzg, Leipz. Buchdr. Viertelj. — 75 d
Tabak-Industrie-Kalender. Hrsg. v. G Lewinstein. 5. Jahrg. 1902. (Notizkalender, 81 u. 63) 13° Lpzg, Schulze & Co.
L. 3 — 5 F
Tabak- u. Cigarren-Kalender f. 1906. 4. Jahrg. (Schreibkalender a. 220 m. 1 Karte.) 16° Hamm, TG Weber. L. 1.50 d
Tabak-Zeitung, deut. Red.: G Lewinstein u., seit 1903, i. V. C Krug u. A Matthies. 34—38. Jahrg. 1901—5 je 52 Nrn. (Nr. 1, 8) 47×53 cm. Berl., W Peiser. Viertelj. 3 —
Tabars u. Umgebungen. (Neue Reise-Führer v. J Perthes. (100 m. 1 Pl., 3 Kart. u. 1 Rundschauk.) 8° Gotha, J Perthes 04. Geb. 1.50
Tabea. Zeitschrift f. Frauen u. Jungfrauen. Red.: Frau F Fetzer, geb. Rauschenbusch. 19. u. 20. Jahrg. 1901 u. 2 je 12 Nrn. (Nr. 1, 16) 8° Cass., JG Oncken Nf. Je nn 1.60 || 21—23. Jahrg. 1903—5. je 1.75 d
Tabelle z. Berechng d. Empfängniszeit bei ausserehel. Geburten. (2) 4° Weimar, M Grosse (03). Auf Pappe nn — 40 d
- u. besond. Bestimmgn z. Berechng d. Honorars f. Brückenbauten u. Arbeiten im Eisenconstructionsfache. Hrsg. v. Österr. Ingenieur- u. Architekten-Ver. (2) Fol. Wien, (Spielhagen & Sch.) (o. J.). 2 —
- z. Invaliden-Versichergsges. Fol. Trier, F Lintz (01). 1.75; auf L. m. St. 4.75
- z. Umrechng v. Kauf- u. Pachtpreisen u. Erträgen v. Ländereien f. altes Mass in neues u. umgekehrt. (5) 12° Schwer., E Herberger 02. — 20
- zu landw. u. gewerbl. Berechngn u. zu d. Aufzeichngn in d. landw. Buchführg in d. Fortbildgssch. 2 Bl. Fol. Bruchs., O Katz (1898). — 25; auf L. — 60 d
- graph., z. Bestimmg d. Riemenbreit. (Von R Escher.) [S.-A.] (5 m. 1 Fig.) 8° Zür., Rascher & Co. (04). — 20
Tabellen f. Bautechniker. Auszug a. Bode's Westentaschenb. (Ergänzg zu P Stühlen's Ingenieur-Kalender). (72) 8,5×10 cm. Ess., GD Baedeker 03. Kart. — 75
- z. Währgs-Statistik. Verf. im k. k. Finanz-Ministerium. 2. Ausg. II. Thl. 1—4. Heft. Fol. Wien, (Hof- u. Staatsdr.). 10 — (I—II. 4.; 16,20)

II, 1. 11. Abschn.: Der auswärt. Handel. (Tab. 178—186) (67) 1900. 1 —
- 2. 12. Abschn.: „Effectencurve". (Tab. 181—223.) (69—211 m. 3 graph. Darstellgn.) 01. 2 —
- 3. 13. Abschn.: „Daten z. Zahlgsbilanz". (Tab. 224—458.) (213—247) 04. 5 —
- 4. 14. Abschn.: „Preise, Löhne, Kaufkraft d. Geldes." (Tab. 459—553.) (249—290) 04. 5 —
- dass. 3. Ausg. I—IV. Heft. Fol. Ebd. 4.80
L. I. Abschn.: Die Edelmetallproduction. — 2. Abschn.: Wert d. Edelmetalle. Wertverhältnis zw. Gold u. Silber. — 3. Abschn.: Die Münzen d. österr.-ungar. Monarchie. Rechngswert verschied. Währgs-u. Münzsorten in Kronenwährg. — 4. Abschn.: Die Edelmetallwährg. (105) 03. 1 —
II. 5. Abschn.: Ausmüngn. (101—187) 03. — 80
III. 6. Abschn.: Industrielle Edelmetallverwendg. Nachtr. z. 5. Abschn.: Ausmüngn '03. (189—224 u. 167 a—n m. 2 graph. Taf.) 04. 1 —
IV. 7. Abschn.: „Aus d. Statistik d. Zettelbanken. Staatl. Notenausg. (325—496) 04. 2 —
Tabernakelwache. Monatshefte f. d. Mitglieder d. Tabernakelwache. Mit d. Beil.: Das fromme Kind. Red.: R Kiel. 9. Jahrg. 1905, 12 Nrn. (Nr. 1. 8 u. 8 m. Abb.) 4° Lahrb. (Fulda, Fuldaer Actiendr.) 1 — d
Tabernakel-Wacht. Monats-Blätter z. Preise d. allerhlst. Altars-Sacraments, Hrsg. v. J Blum. 5. u. 6. Jahrg. 1901 u. 2 je 12 Hefte. (Je 288) 8° Dülm., A Laumann. Je 1.20 d
- dass. Monats-Blätter z. Belehrg u. Erbaug f. d. Verehrer d. allerhlst. Altars-Sakraments. Hrsg. v. d. Benediktiner-Abtei Merkelbeek bei Gangelt (Rhld). Red.: DKM Wirz. 7—9. Jahrg. 1903—5 je 12 Hefte. (Je 288 m. Abb.) 8° Ebd. Je 1.20 d
Táborlý, R: Das Leben in Fortsetzgn, s.: Meyer's Volksbb.
Táborský, F: s.: Schwaiger, H, Ausw. er Werke.
Tabulae, quibus antiquitates graecae et romanae illustrantur. Ed. S Cybulski. Tab. I, II, III b, XII, XIII, XIV u. b XV a. u. b u. XVI—XX. Farbdr. Lpzg, KF Koehler. 60 — ; Texte dazu, 8° 6 — (I—XX: 15 —)
Amelung, W: Vestitus Graecor. Je 60×62 cm. (03.) [XVI—XVIII.] Je 4 —
- Vestitus Romanor. Je 86×62 cm. (03.) [XIX.XX.] Je 4 — ; erklär. Text zu d. Taf. XVI—XX: Die Gewandg d. alten Griechen u. Römer. (61 m. Abb.) 1.50
Athena. Ed П u. R Loeper. 2 Bl. je 50×72,5 cm. (03.) [XIV u.b.] 10 — ; Text. (84 m. Abb.) 55. 1.50
Cybulski, S: Arma et tela Graecor. Ed. II. 77×57,5 cm. (03.) [I.] 4 — ; Milites graeci. Ed. III. 78,5×59,5 cm. (03.) [II.] 4 — || Theatrum. Ed. II. Je 77,5×59 cm. (02.) [XII.XIII.] Je 4 — ; erklär. Text. (98 m. Abb. u. 4 Taf.) 02. (90 m. Abb. u. 4 Taf.) 02.) 1 —
Fridik, E: Nummi romani. (Die röm. Münzen.) 89,5×78,5 cm. 02. [IIb.] 4 — ; Text. (36 m. 3 Abb.) 1 —
Rostowzew, M: Urba Roma antiqua. (Das alte Rom.) 78×96 u. 77×94 cm. 02. [XV a.b.] 10 — ; Text. (36 m. Abb.) 1 —
- dass. Texte zu Taf. IV—VII. 8° Ebd. 1.25
Cybulski, S: Die griech. u. röm. Schiffe. 5. Aft. v. E Kohlmann. (23 m. Abb.) 03. [IV.] 1.25
Fickelscherer, M: Das röm. Heer. (4 u. 3) 05. [VI.VII.] Unentgeltlich
- Die röm. Verteidigsg- u. Angriffswaffen. (11) (05.) [V.] — 25
Bisher u. d. T.: Cybulski, S, tabulae.
Taburno, J: Die Wahrh. üb. d. Krieg! Deutsch v. CM Kyber. (184) 8° Berl., S Cronbach 05. 2 — d
Tacheo-Graphia. Oder geschwinde Schreib-Kunst, vermittelst welcher a. jedweder d. teut. Sprache so geschwinde schreiben kann, als selbe mag geredet werden. Gedr. im J. 1678.

Neu hrsg. v. akadem. Stenogr.-Ver. u. Stolze-Schrey zu Berlin. (48 m. 1 Taf.) 8° Berl.. (Bh. d. Stenogr.-Verbandes Stolze-Schrey) (04). 4 — d
Tacheo-Graphia. Quod ab altissimo large datur timentibus eum, graté accipite, timentes pariter & diligentes Dominum. Anno M DC LXXVIII. Ed. nova. Akadem. Stenogr.-Ver. u. Stolze-Schrey zu Berlin. (45 u. 1 Titelbl.) 8° Berl., (Bh. d. Stenogr.-Verbandes Stolze-Schrey (04). 4 —
Tacitus. PC. Erklärt v. K Nipperdey. 1. Bd. Ab excessu divi Augusti I—VI. 10. Afl. v. G Andresen. (443) 8° Berl., Weidmann 05. 3 —
- Opera quae supersunt. Recens. I Müller. Ed. maior. Vol. I. Libros ab excessu divi Augusti continens. Ed. II. (338) 8° Lpzg, G Freytag. — Wien, F Tempsky 02. 3 —
- dass. Ed. minor. Vol. I. Libros ab excessu divi Augusti continens. Ed. II. (351 m. 3 Kart.) 8° Ebd. 03. Geb. 2.50
- Werke. Deutsch m. Erläutergn, Rechtfertiggn u. geschichtl. Suppl. v. CL Roth. 5., 12., 13., 16. u. 25. Lfg. 8° Berl.-Schöneg, Langenscheidt's V. Je — 35 d
3. Üb. Deutschl. Cap.31—Schl.—Agricola. 4. Afl. (1. Bd. 81—129)(91.) | 5. Annalen. 1. Lfg. 6. Afl. (2. Bd. 1—48) (04.) || 12.13. Dass. 5. u. 6. Lfg. 4. Afl. (4. Bdchn. 49—125) (02.05.) | 16. Dass. 12. Lfg. 6. Afl. (5. Bdchn. 1—48") (02) |23. Historien. 6. Lfg., 4. Afl. (257—292.) (05.)
- Codex laurentianus Mediceus 68 I et II phototypice editus, praefatus est H Rostagno, s.: Codices graeci et latini.
- Agricola. Hrsg. v. O Altenburg. Text. (47 m. 1 Karte.) 8° Lozg, BG Teubner 04. Geb. — 60; Erklärgn. (71) Geb. — 80
- Das Leben d. Agricola. Schulausg. v. A Draeger. 6. Afl. v. W Heraeus. (58) 8° Ebd. 05. — 50; geb. 1.20
- dass., s.: Bibliothek, kl.
- Lebensbeschreibg d. Julius Agricola. Für d. Schulgebr. hrsg. v. H Smolka. (52 m. 1 Abb. u. 1 Karte.) 8° Lpzg, G Freytag 02. — 60
- De vita et moribus Cn. Jul. Agricolae liber. Erklärt v. A Gudeman. (117 m. 1 Karte.) 8° Berl., Weidmann 02. 1.40
- dass. Nach Text u. Kommentar getrennte Ausg. (B) f. d. Schulgebr. v. K Knaut. 2. Afl. 2 Hefte. (23 u. 44) 8° Gotha, FA Perthes 02. — 80; geb. 1.10
- Annalen, s.: Bibliothek, kl.
- Annalen In Answ. u. d. Bataveraufstand unter Civilis. Hrsg. v. C Stegmann. Hilfsheft. (191 m. Abb., Titelbild u. 3 Taf.) 8° Lpzg, BG Teubner 03. Geb. 1.80 (Text m. Kommentar u. Hilfsheft: 5.40)
- Annalen u. Historien in Answ. Für d. Schulgebr. hrsg. v. A Weidner. 3. Afl. Mit e. Anh.: 3 Briefe d. jüng. Plinius u. d. Trajan u. Monumentum Ancyranum, bearb. v. R Lange. (230 m. Abb. u. 4 Kart.) 8° Lpzg, G Freytag 05. Geb. 1.80
- Annales. Für d. Schulgebr. erklärt v. W Pützner. I. Bdchn. Buch I u. II. 3. Afl. Ausg. A. (Kommentar unterm Text.) (140) 8° Gotha, FA Perthes 1898. || Ausg. B. (Text u. Kommentar in 2 Heften.) 4. Afl. (71 u. 75) 05. Je 1.30; geb. je 1.50
- Germania. Hrsg. v. O Altenburg. Text. (45 m. 1 Karte.) 8° Lpzg, BG Teubner 03. — 60; Erklärgn. (58 m. 4 Taf.) 03. Geb. — 80
- dass. Für d. Schulgebr. erklärt v. G v. Kobilinski. Text. (28 m. 1 Karte.) 8° Berl., Weidmann 03. Geb. — 60; Anmerkgn. (100) Geb. 1.20
- dass. Für d. Schulgebr. erklärt v. H Schweizer-Sidler. 6. Afl. v. E Schwyzer. (104) 8° Halle, Bh. d. Waisenh. 02. 2 —
- dass., s.: Bibliothek, kl. — Statuen deut. Kultur.
- De Germania libellus. Ed. notisque auxit L Okecki. (74) 8° Cracov. 03. (Lpzg, Simmel & Co.) 2 —
- Germania u. Agricola. Für d. Schulgebr. bearb. u. erläut. v. F Seiler. (Neudr.) Text. (25, 84 m. 2 Kart.) 8° Bielef., Velhagen & Kl. 04. Geb. 1.10; Kommentar. (102) 04. Geb. 1 —
- De origine, situ, moribus ac populis Germanor. liber. Für d. Schulgebr. erklärt v. G Egelhaaf. 5. Afl. Ausg. A. (Kommentar unterm Text.) (51) 8° Gotha, FA Perthes 03. — 60; Ausg. B. (Text u. Kommentar getrennt in 2 Heften.) (19 u. 34) — 60
- Historiar. libri qui supersunt. Schulausg. v. C Heraeus. 1. Bd. Buch I u. II. 3. Afl. v. W Heraeus. (243) 8° Lpzg, BG Teubner 04. — 80
- dass. Für d. Schulgebr. erklärt v. K Knaut. I. u. II. Bdchn. Ausg. A. (Kommentar unterm Text.) 8° Gotha, FA Perthes. Je 1.30; geb. je 1.60; Ausg. B. (Text u. Kommentar getrennt in 2 Heften.) Je 1.30; geb. je 1.60
I. Buch I, Ausg. A. (102); Ausg. B. (39 u. 63) 02. | II. Buch II. Ausg. A. (97); Ausg. B. (46 u. 51) 03.
- Historien, hrsg. v. J Müller. Für d. Schulgebr. bearb. v. AT Christ. (304 m. Abb. u. 3 Kart.) 8° Lpzg, G Freytag 03. Geb. 2 — d
Tacitus minor s.: Schlacht, d., bei Forbach.
Tack, J: Die Hollandsgänger in Hannover u. Oldenburg, s.: Abhandlungen, volkswirtschaftsgeschichtl.
Tadd, JL: Neue Wege z. künstler. Erziehg d. Jugend, Zeichnen, Handfertgk., Naturstudium, Kunst. Für Deutschl. hrsg. v. d. Lehrervereinigg f. d. Pflege d. künstler. Bildg in Hamburg. 2. Abdr. (212 m. Abb.) 2° u. 8° Lpzg, R Voigtländer 03. 5 —; geb. 6 — d
Tafel z. Ermittelg d. wahren Dichte (bei 15 Grad Celsius) d. z. Branntweindenaturirg dien. Aethers a. d. scheinbaren Dichte u. d. Temperatur. Amtl. Ausg. (7) 9° Rerl., R v. Decker 02. — 20 d

Tafel, A: Üb. d. Technik d. opt. Iridektomie. (62) 8° Freibg
i/B., Speyer & K. 03. 1.20
Tafel, E: Feldpostbriefe. Erinnerg an 1870/71. (155) 8° Berl.,
F Zillessen (03). L. 2 — d
Tafel, GLF. s.: Prosaiker, griech., in neuen Uebersetzgn.
Tafel, H: Die Geltg d. Territorialprinzips im deut. Reichs-
strafrecht. (97) 8° Stuttg., W Kohlhammer 02. 2 —
Tafelbilder a. d. Museum d. Stiftes Klosterneuburg. Aufgenommen u. C Drexler. Erläut. Text v. C List. (33 Lichtdr.
m. 15 S. illustr. Text.) Fol. Wien, F Schenk (02). In M. 35 —
Tafeln z. Bestimmg d. Kubik-Inhaltes v. Rundhölzern, samt
e.Tab.z.leichten Berechngd.Körperinhaltese.Baumstammes
n. Kubikschuhen. (18) 16° Wels, J Haas (1881). — 25 d
— naturgeschichtl., f. Schule u. Haus, Fortsetzg, s.: Raschke, W.
— naut. Hrsg. v. Reichs-Marine-Amt u. v. d. Inspection d.
Bildgswesens d. Marine. (195)8° Kiel, Univ.-Bh. 03. L. nn 6.50
Tag, d., Anderer. Von d. Verf. d. „Briefe, d. ihn nicht erreichten" (Baronin E v. Heyking, geb. Gräfin Flemming).
1—20. Afl. (221) 8° Berl., Gebr. Paetel 05. 4 —; L. 5 —
— 1., f. Denkmalpflege. Dresden 1900. [S.-A.] (66) 8° Berl.,
(ES Mittler & S.) 1900. — 50 d
— 2., f. Denkmalpflege. Freiburg i. Br. '01· Stenograph.
Bericht. (151) 8° Karlsr., (CF Müller) 01. 3 —
— 3.—6., d. Denkmalpflege. Stenograph. Bericht. 8° Berl.,
(Gropius). nn 10.60
3. Düsseldorf '02· (160) Karlsr. '03· +2 — || 4. Erfurt '03· (178) (04.) +2.80
|| 5. Mainz '04· (150 m. Abb.) (04.) +2.80 || 6. Bamberg '05· (184) (05.)
nn 3 —
— d. gebeil., (d. Christen). Gebet- u. Erbaugsb. Deutsch u.
Latein n. d. röm. Brevier. 10. Afl. (352 m. farb. Titel u.
Titelbild.) 16° Saarl., P Stein Nf. (03). — 45; L. — 55 d
— dass. Neue, völlig umgearb. Afl. (484 m. 1 St.) 16° Strassbg,
FX Le Roux & Co. (02). — 55; feine Ausg. — 80;
Einbde von — 80 bis 5 —
— dass. Gebetbüchl. f. Katholiken z. Gebr. beim öffentl. Gottesdienste u. bei d. Privatandacht. (288 m. 1 Farbdr.) 10×
6,5 cm. Einsied., Eberle, Kälin & Co. (03). Geb. nn — 44 —
nn — 64 u. nn 1.20 d
— d. grosse, nabet heran! od. Briefe üb. d. 1. Kommunion,
von e. ehemal. amerikan. Missionär. Nach d. 2. französ.
Ausg. bearb. u. hrsg. v. L Jung. 17. Afl. (189 m. 1 Farbdr.)
16° Münst., Regensburg 02. Geb. — 90 d
— e., in Salzburg. Kurzer Wegweiser. 15. Afl. (8 m. 1 Pl.)
8° Salzbg, H Dieter 04. — 60 || 16. Afl. (8 m. 1 Pl.) 05. — 36
Tage, 3, in Brüssel. Mit geschichtl. u. geograph. Binl. Ausflug n. Waterloo. 5. Afl. (115) 12° Brüssel, Kiessling & Co.
(01). 1.20
— 45. (Berechng d. Gültigkeitsdauer d. Rückfahrkarten.) 1902.
(29) 128° Dresd., H Jaenicke (02) — 10 d
— goldene. Kalender f. Deutschlds Jugend 1906. Begründet
u. hrsg. v. EH Strasburger u. W Kotzde. 1. Jahrg. (108 m.
Abb.) 8° Berl., Schall & Rentel. Kart. — 80 d
— 8, in Heidelberg. Hrsg. v. gemeinnütz. Ver. Heidelberg.
2. Afl. (47 m. Abb. u 2 Pl.) 12° Hdlbg, (G Koester) 1899. — 40
— d. Kindh, Erinnergn e. alten Frau v. C M. (89) 8° Lpzg,
Modernes Verl.-Bureau 05. 2 —
— d. letzten, d. Daniel Mann, hingerichtet im Dezember 1870
zu Kingston in Kanada. Aus d. Engl. 5. Afl. (63) 8° Elberf.,
R Brockhaus (durch J Fassbender) 02. — 25 d
— d. krit., v. Olmütz im Juli 1866. Vom Eintreffen d. Haupt-
quartiers d. Nordarmee in Olmütz am 9. bis z. Abend d.
15.VII. Mit Benützg d. Feldakten·d. k. u. k. Kriegsarchivs
bearb. v. e. Generalstabsoffizier. (251 m. 25 Beil.) 8° Wien,
LW Seidel & S. 03. 6 —
Fortsetzg s. u. d. T.: Operation, d. letzte, d. Nordarmee 1866.
Tageblatt d. allg. Ausstellg f. hygien. Milchversorgg in Hamburg '03· Unter Red. v. Schiller-Tietz. 10 Nrn. (174 m. Abb.)
4° Hambg, (C Boysen) (03). 2.20 d
— d. V. internat. Zoologen-Congresses, Berlin. '01· Hrsg. v.
Bureau d. Congresses. (4, 4, 6, 6, 4, 8, 4 u. 30) Fol. Berl.,
(R Friedländer & S.) 01. 4 —
Tagebuch f. 1906.(Schreibkalender.)55×12cm.Elberf.,S Lucas.
Geb. à 75 —
— f. d. Aufnahme m. d. Kippregel. 9. Afl. (20 m. 1 Taf.) 8°
Berl., ES Mittler & S. 05. nn — 50 d
— f. Comptoire u. Geschäftsleute. 1906. (384) 35,5×14,5 cm.
Düsseldorf, A Bagel. Geb. à 3 —
— f. d. Elementarsch. in Elsass-L., nebst I. Allg. Stoff-
angabe, II. Verz. d. Memorier- u. Ubgsstoffes, III. Stoffverteilgspl. f. I. Kurs., IV. Stoffverteilgspl. f. II. Kurs., entworfen v. e. prakt. Schulmann. (200 u. 260) 8° Metz, P Even
02. Geb. 1.75
— s. Erzieherin. Roman v. Dolorosa. 1—4. Taus. (205) 8°
Dresd. 04. Lpzg, Leipz. Verl. 3 —
— f. Hebammen. 8° Berl., J Springer (04). Ausg. A f. 72 Eintraggn — 60; Ausg. B f. 312 Eintraggn 1.40; einz. Bog. f.
21 Eintraggn + 10 d
— d. kgl. sächs. Hoftheater d. J. 1900—2. Vorw. v. F Gabriel u. L Knechtel. 84—85. Jahrg..(01, 91 u. 92) 8° Dresd.,
(H Burdach. — E Welse) 01-03. Je 2 — d
— dass. v. J. '03· Von A Ruffani u. L·Knechtel. 87. Jahrg.
(109) 8° Ebd. 04. 2 — || 1904. 88. Jahrg. (89) 05. nn 1.50 d
— mein. Mit 12 Monatsbildern u. Umrahmgn u. Aquarellen
v. RE Kepler. Gedichte v. V Blüthgen. 3. Afl. (144) 4° Stuttg.,
Union (01). L. 6 — d

Tagebuch f. d. tierärztl. Praxis. 8. Afl. (148 u. Register 92)
4° Berl., R Schoetz (03). L., Register durchsch. nn 7.50
— einer Verlorenen. Von einer Toten. Hrsg. u. überarb. v.
M Böhme. 1—66. Taus. (307 u. 2 in Fksm.) 8° Berl., F Fon-
tane & Co. 05. 3 —; L. 4 —
Tagegelder- u. Gebührenordnung f. d. Ausführg d. Arbeiten
gepruffter Landmesser u. Geometer. Festgestellt v. d. 22.
Haupt-Versammlg d. deut. Geometer-Ver. Düsseldorf '02. (3)
8° Stuttg, K Wittwer (02). 10 Stück 1 —
Täger, I: Gretchens Mädchenjahre. (224) 8° Dresd., E Pierson
04. 2.50; geb. 3.50 d
Tagesfragen, apologet. Hrsg. v.Volksver. f. d. kathol. Deutschl.
Nr.1—4. 8° M.-Gladb., Zentralstelle d. Volksver. f. d. kathol.
Deutschl. 3.50 d
Brill, A: Ist Jesus Christus d. Sohn Gottes? Unkrit. Federzeichgn in
d. krit. Schrift v. A Harnack: „Das Wesen d. Christentums". 1. u. 2.
Afl. (32) 02. [2.] — 50
Mausbach, J: Einige Kernfragen christl. Welt- u. Lebensanschaug. 1. u.
2. Afl. (100) 03. [1.] 1.50 || 3. u. 4. Afl. (110) 05. 1.20
— Weltgrund u. Menschheitzziel. 2 Vortr. 1—4. Afl. (56) 04.05. [4.] — 60
Meffert, F: Die geschichtl. Existenz Christi. 1—4. Afl. (95 bezw. 100) 04.
05. [3.] 1.70
— soz. Hrsg. v. Volksver. f. d. kathol. Deutschl. 1—83. Heft.
8° Ebd. 8.25 d
Ausgestaltung, d. prakt., d. Handwerker-Iungs u. -Genossenschaften.
3 Vortr. (Grundwald: Organisation d. Handwerks in Iungs u. Hand-
werkskammern, deren prakt. Ausgestaltg u. Thätigk. — Retzbach: Wie
kann d. Genossensch.-Ges. f. d. Handwerker nutzbar gemacht werden ?
— Schweitzer: Wie kann d. Gesellenver. bei d. Durchführg d. Hand-
werksorganisat. mitwirken?) (64) 1900. [16—18.] — 30
Bedeutung d. Organisation d. Arbeitskammern. 3. Afl. (34) 01. [2.3.] — 30
Bildung, d. polit., d. Arbeiterstandes. (44) 02. [26.] — 40
Engel, A: Detaillisten-Fragen. Nene Aufg. d. Kleinhandels. (106) 05. [32.]
1 —
Erzberger, M: Sozialdemokratie u. Zollpolitik. Auf Grund d. Parlaments-
akten u. Parteitagsprotokolle geschildert. (92) 05. [30.] — 55
Fürsorge f. d. Abwanderer v. Lande. (32) 05. [31.] — 40
Grüneberg: Organisation d. Handwerks, s.: Ausgestaltung, d. prakt., d.
Handwerker-Iungs.
Handwerker-Inungen u. -Genossenschaften, die. Ihre Bedeutg u. Aufg.
2. Afl. (50) 02. [5.] — 50
Herold, C: Die wichtigsten Agrarfragen. 2 Vortr. (35) 1900. [12.13.] — 30
Invalidenversicherung, die. Stellg d. Centrumfraktion z. Iuv.-Versicherg-
Inhalt u. Bedeutg d. Inv.-Versicherggges. v. 13.VII.1899. [S.-A.] (80)
1900. [6.7.] — 40
Ist e. Erhölg d. landw. Schutzzölle notwendig f. d. J. (128) 02. [26.] — 50
— d. Zentrum arbeiterfeindlich? Antwort auf sozialdemokrat. Angriffe,
unter bes. Berücks. d. Broschüre v. G Hoch: „Worte u. Thaten d. ar-
beiterfreundl. Zentrum". (64) 02. [29.] — 40
Kolpartage, kathol. Nebst e. Verz. geeigneter Schriften. [S.-A.] (36) 02.
[28.] — 40
Konferenzen, soz., unter d. Klerus. Ihre Organisation u. Thätigk. Mit e.
Anh. z. Empfehlungswerke Schrift z. Unterr. u. soc. Unterr.-Kurse für
Arbeiter- u. Gesellenver. 2. Afl. (48) 02. [4.] — 40
Müller, O: Kathol. Arbeitvereine. Ihre Notwendig, Aufg. u. Mittel. (74) 01. [19—
22.] || 2. Afl. (96) 04. — 40
Pieper, A: Mässigkeitsbestrebgn. Ihre Bedeutg, Aufg. u. Mittel. [S.-A.]
(42) 1900. [14.15.] — 40
— Volksbildgsbestrebgn. Ihre Notwendigk. u. ihre Mittel. [S.-A.] (33)
1899. [1.] — 30
Retzbach: Wie kann d. Genossensch.-Ges. f. d. Handwerker nutzbar
gemacht werden ?, s.: Ausgestaltung, d. prakt., d. Handwerker-Iungs.
Schweitzer: Wie kann d. Gesellenver. bei d. Durchführg d. Handwer-
kerorganisat. mitwirken ?, s.: Ausgestaltung, d. prakt., d. Handwerker-
Inugn.
Thissen, O: Soz. Tätigk. d. Gemeinden. Unterricht üb. d. Aufg. d. kom-
munalen Sozialpolitik auf d. Geb. d. Arbeiter- u. Handwerkerfrage.
Wohngarsform, Volksbygiene u. Bildgsfürsorge. In Verbindg m. CTrim-
born. 2. Afl. (102) 03. [11—11.] — 60
Unfallversicherung, die. Inhalt u. Bedeutg d. Unfallvers.-Ges. v. 30.VI.
1900. [S.-A.] (42) 01. [8.9.] — 40
Tages- u. Lebensfragen. Schriften-Sammlg, hrsg. v. CG Tien-
ken. Nr. 27 u. 28. 8° Lpzg, CG Tienken. Je — 25 d
Bonne, G: Uns. Trinksitten in ihrer Bedeutg f. d. Unsittlichk. nebst
deren Folgen. Vortr. (24) 01. [27.]
Hoppe: Erhöht d. Alkohol d. Leistgsfähigk. d. Menschen? (20) 02. [28.]
Tagmann, A: Der junge Hund. Prakt. Anl. z. Züchtg, Auf-
zucht, Pflege u. Dressur d. Hundes im 1. Lebensj. (190 m.
Abb.) 8° Zür., T Schröter's Nf. (05). Geb. 2 —
— Der illustr. Kaninchenfreund. 3. Afl. (120 m. Abb.) 8° Ebd.
(05). Geb. 1.50 d
Tago, P: Leitsätze fürs prakt. Leben. Wegweiser zu Glück
u. Wohlstand. (32) 8° Zür., T Schröter's Nf. 05. — 40 d
Tagwacht-Kalender, schwäb., f. 1906. Hrsg. v. Landesvor-
stand d. Sozialdemokraten Württembergs. I. A.: O Wasser.
(56 m. Abb.) 8° Stuttg., P Singer. — 30 d
Tagzeiten, kl., zu Ehren d. hlst. Herzens Jesu. In deut.
Uebersetzg hrsg. v. d. Red. d. „Sendboten d. göttl. Herzens
Jesu". (20) 16° Innsbr., F Rauch 01. — 20 d
Tahko, d. junge Indianer-Missionär, s.: Aus fernen Landen.
Taillenschnittmuster-Zusammenstellung z. Gebr. f. Atelier
u. Familie. 5 Bl. 67×42,5; 43,5×35,5; 55,5×33; 67×38;
56×19,5cm. Nebst Bl.Text.1°Stuttg.,Arch.JF Schweickhardt
(02). (Nur die) In Tasche 1.50
Taille, la. Journal des modes. Fachbl. f. einf. Pariser u.
Wiener Modelle. (In französ. u. deut. Sprache.) Juli 1905—
Juni 1906. 12 Hefte. (1. Heft. 8 m. Abb., 4 farb. Modenblätter
u. 2 Schnittbog.) 45×32,5 cm. Wien, B Finkelstein & Bruder.
— 1 —; halbj. 2.50 d
Tailor and cutter, the. Continental ed. & London Art Fashion
Journal. Printed and published by The J Williamson Com-
pany ltd. (Deut. Ausg.) Vol. 36. 12 Nrn. (Nr. 1. 8 m. Abb.)

4 [1 farb.] Taf. u. 1 Schnittbog.) 4° Lond., The John Williamson
Comp. 01.   16.40 ô H
Bisher u. d. T.: London Art Fashion Journal, the.
Táin bo Cualnge, d. altirische Heldensage, n. d. Buch v. Leinster
in Text u. Uebersetzg m. e. Einl. hrsg. v. E Windisch. (92,
1120) 8° Lpzg, S Hirzel 05.   36 —
Tainach, W v.: Die brenn. Frage. Humorist. Roman. (338) 8°
Dresd., C Reissner 01.   4 —; geb. 5 — d
Taine, E: Die Entstehg d.modernen Frankr. Bearb.v.L Katscher.
III. Bd: Das nachrevolutionäre Frankr. 1. Abtlg. 3. Afl. (381)
8° Lpzg, PE Lindner (04).   9 —; HF. 11.50 d
— Napoléon Bonaparte, s.: Prosateurs franç. (J Sahr). — Schul-
bibliothek französ. u. engl. Prosaschriften (A Schmitz).
— Les origenes de la France contemporaine, s.: Bibliothèque
franç. (Medem). — Klassiker-Bibliothek, französisch-engl.
(H Gassner). — Prosateurs franç. (J Sahr u, A Sturmfels). —
Schulbibliothek, französ. u. engl. (O Hoffmann).
— Philosophie d. Kunst. Aus d. Franz. v. E Hardt. 1. u. 2. Bd.
(284 u.340) 8° Lpzg 02.03. Jena, E Diederichs. Je 4 —; geb. je 5 — d
— Reise in Italien. Aus d. Franz. v. E Hardt. 1. u. 2. Bd. 8°
Ebd. 04.   Je 5 —; geb. je 6 —
   1. Rom u. Neapel. (371) ¦ 2. Florenz u. Venedig. (385)
Takaishi, S: Japans Frauen u. Frauenmoral. Aus d. Engl. v.
A Heinck. (70) 8° Rost., CJE Volckmann 03.   1.50
Takaoka, K: Die innere Kolonisation Japans, s.: Forschungen,
staats- u. sozialwiss.
Takayama, M: Beitr. z. Toxikolog. u. gerichtl. Medizin. (188
m. 1 Taf.) 8° Stuttg., F Enke 05.   7 — d
Taktik u. Bewaffnung, v. O v. N. (82) 8° Berl., Militär-Verl.
R Felix (01).   2 — d
Taky, A de: Totentänze. Novellen u. Skizzen. (98) 8° Münch.,
E Reinhardt 04.   1.50 d
Talab, O, s.: Fuchs-Talab, O.
Talbot, G. u. L **Wagels**: Deutschlds. üb. d. Wohlfahrts-Ein-
richtgn d. Stadt Aachen. (87) 8° Aach., A Jacobi & Co. 01. — 80
Talbot, R: Mémoires d'un idéaliste. (105) 8° Lpzg, Breitkopf
& H. 02.   2.50
Taler, d., im Wasserschaff. Der Mann im Fass, s.: Bilderbücher,
kl. lust.
Tales, six, by modern Engl. authors, hrsg. v. F Lotsch, s.:
Schulbibliothek, engl. u. französ.
Talismane z. Siege im Kampf u. Streit u. z. Festmachen geg.
Hieb, Stich u. Schuss. Sowie d. Kunst, Diebe zu stellen u.
Gestohlenes wiederzuerlangen. — Die Kunst, im Spiel u. in
d. Lotterie stets zu gewinnen. (48 m. 1 Fig.) 8° Lpzg, AF
Schlöffel (03).   1 —
Tallqvist, H: Lehrb. d. techn. Mechanik. I u. II. 8° Helsingf.
Zür., E Speidel.   24 —; Einbde je 2 —
   I. Geometr. Bewegungslehre. Mechanik d. materiellen Punktes. Statik d.
   starren Körper. Dynamik d. starren Körper. (750 m. Fig.) 05. 16 —
   II. Theorie d. Elasticität u. Festigk. Hydromechanik. (369 m. Fig.) (04.)
                                       8 —
Tallqvist, KL: Neubabylon. Namenb. zu d. Geschäftsurkunden
a. d. Zeit d. Šamaššumukin bis Xerxes. [S.-A.] (42, 338) 8°
Helsingf. 05. (Lpzg, E Pfeiffer.)   48 —
Talmud, d. babylon., im Einschl. d. vollständ. Mišnah. Hrsg.
m. d. 1. zensurfreien Bombergschen Ausg. (Venedig 1520—23),
nebst Varianten d. spät. v. S Lorja, J Berlin, J Sirkes u. aa.
rev. Ausg. u. d. Münch. Talmudhandschrift, möglichst sinn-
u. wortgetreu übers. u. in. kurzen Anmerkgn versehen v. L
Goldschmidt. II. Bd, 5. Lfg; VI. Bd. — 4. Lfg u. VII. Bd, 8 Lfgn.
4° Berl. (Lpzg, O Harrassowitz.)   nn 156 —
   II. — III: VI, 1—4 u. VII.: nn 313 —)
   II, 5. Der Traktat Joma. (Vom Versöhnungst.) (23 u. 749—1042) 01.
                          nn 21 — (II vollst.: nn 89.50)
   VI, 1—4. Traktate Quamma, Baba Meçiá. (Mittl. Pforte.) (454 u.
    915) 04.05.   nn 57.50
   VII. Civil- u.Strafrecht. Traktate Synhedrin (v. Synhedrion), Makkoth (v.
    d. Prügelstrafe), Schebuot (v. Eid), Aboda-Zara (v. Götzendienst),
    Horajioth (v. d. Entscheidgn). Edhjoth (Bekundgn), Aboth (Sprüche
    d. Väter), Reg. u. Titelbog. (31, 1194) 02.03.   nn 77.50
   *Einzelne Lfgn werden nicht mehr abgegeben, Einzelpr. sind er-
   loschen.*
Talon, JL: Marquesita. Span. Sittenroman. Übers. v. T Wolf-
gang. (320) 8° Budap., G Grimm 05.   3 — d
Talundberg, M: Spartakus. Tragödie. (102) 8° Strassbg, J Singer
05.   2.50
Tamborini, FF: Excelsior. Pädagog. Roman-Experiment. 1 —
4. Heft. (1—176) 8° Lpzg, R Uhlig (05.04).   Je — 50 d
Tambour, P: Edward Claim od.: Ein Stückelein Welt, durch
d. Briefmarken-Lupe betrachtet. Filatelist. Humoreske. 3. Afl.
(29) 12° Wien (II/3, Gr. Sperlgasse 1), Selbstverl. 02.   — 55
— Die Türkenbraut. Schwänklein v. heutzutag m. Gesang u.
Tanz. 12° Ebd. u. giesgrub. Kom. (44 u. 3) 8° Ebd. 01. — 90 d
Tamen s.: Stadttheater, d., in Salzburg.
Tamm, T: Im Lande d. Ingund. Roman. (451) 8° Berl., Con-
cordia (05).   4 —; geb. 5 — d
Tammann, G: Kristallisieren u. Schmelzen. Beitrag z. Lehre
d. Ändergn d. Aggregatzustandes. (348 m. Abb.) 8° Lpzg, JA
Barth 03.   8 —; L. 9 —
— s.: Zeitschrift f. anorgan. Chemie.
Tammes, T: Die Periodicität morpholog. Erscheingn bei d.
Pflanzen. [S.-A.] (118 m. 1 Taf.) 8° Amsterd., J Müller 03. 3.50
Tan: Durch d. Mandschurei, s.: Bibliothek berühmter Autoren.
Tanaka, T: Medicin. Wrtrb. d. deut., latein., engl. u. japan.
Hinrichs' Fünfjahrskatalog 1901—1905.

Sprache. Rev. v. U Ischiguro u. J Suzuki. (684 m. 1 Schrifttaf.) 8° Tokio 1900. (Berl., Ö Rothacker.)   L. nn 12 —
Tanck, W: Das Invalidenversicherungsges. v. 13.VII.1899. Hauptsächlich, was es d. Mittelstande, d. Handwerker u. Landmann
gewährt. (31) 8° Meldf, H Bremer 02.   — 40 d
Tancke, M, s.: Schülerinnen-Jahrbuch, deut.
Tancum-Jouddelowitz, L: Die Geschlechtskrankh. u. ihre Behandlg. 2. Afl. (166) 8° Halle, C Marhold 03.   3 —
Tandler, J, u. J **Halban**: Topographie d. weibl. Ureters m.
bes. Berüks. d. patholog. Zustände u. d. gynäkolog. Opera-
tionen. (32 farb. Taf. m. 70 S. illustr. Text.) 4° Wien, W Braumüller 01.   L. 30 —
Tanejev, S: Oresteia. Musikal. Trilogie n. Aeschylus. Text
v. A Wenkstern. Deutsch v. H Schmidt. Musik v. T. (1. Tbl:
Agamemnon. 2. Tbl: Die Choëphoren. 3. Tbl: Die Eume-
niden.) Vollständ. Textb. m.Inscenirg. (88) 8° Lpzg, MP Belaieff
01.   1 —
Tanera, K: Senhora Anninha. Brasilian. Roman. (397) 8° Berl.,
C Duncker (05).   4 — d
Die Norm d. Buches lautet: Wahre Liebe.
— Deutschlds Kämpfe in Ostasien, d. deut. Volke erzählt. (245
m. Abb., 17 Taf. u. 1 Karte.) 8° Münch., CH Beck 02. L. 9 —;
                        auch in 12 Lfgn zu — 50 d
— Hans v.Dornen, d.Kronprinzen Kadett. Erzählg a. d.deutsch-
französ. Kriege 1870—71 f. d. deut. Jugend. 4. Afl. (501 m.
16 Bildern u. 1 Karte.) 8° Bielef., Velhagea & Kl. 03. Geb. 8 — d
— Das Erbe d. Abencerrage. Romant. Erzählg f. d. reif. Jugend
a. d. Zeit d. Vertreibg d. Mauren a. Spanien. (278 m. 10 Bildern.) 8° Berl., Trowitzsch & S. (04).   Geb. 5.50 d
— Ernste u. heit. Erinnergn e. Ordonanzoffiziers im J. 1870/71.
2 Tle. 9. Afl. (310 u. 242 m. 1 Karte.) 8° Münch., CH Beck 05.06.
                       Je 1.80; kart. je 2.40 d
— Indische Fahrten od.: Der Auftrag e. sterb. Vaters. Erzählg
f. d. reif. Jugend. (251 m. 8 Vollbildern.) 8° Lpzg, Schmidt
& Spr. (01).   Geb. 4.50 d
— Der Freiwillige d. „Iltis". Erzählg a. uns. Tagen. Der reif.
deut. Jugend gewidmet. 9. Afl. (207 m. 8 Bildern.) 8° Lpzg,
F Hirt & S. 05.   3.50; geb. 5 — d
— Heinz d. Brasilianer. Der reif. deut. Jugend gewidmet. 1. u.
2. Afl. (224 m. 8 Bildern.) 8° Ebd. (03).   5.50; geb. 5 — d
— Frau Izuna. Japan.Roman. (479) 8° Berl., C Duncker (04). 5 — d
— Zur Kriegszeit auf d. sibir. Bahn u. durch Russl. Beise-
briefe. 1—5. Taus. (240 m. Abb., Bildnis u. 1 Karte.) 8° Berl.,
Trowitzsch & S. 05.   3 —; L. 4 — d
— Vom Nordkap z. Sahara. (299 m. Abb.) 8° Stuttg., Union (05).
                                L. 50 d
— Nser-ben-Abdallah,d.Araberfritz.Erlebnisse e.deut.Knaben
unter d. Arabern. 2. Afl. (461 m. Abb. u. 1 Karte.) 8° Stuttg.
03. Reutl., B. Bardtenschlager.   Geb. 7 — d
— Aus d. Prima n. Tientsin. Erzählg a. uns. Tagen. Der reif.
deut. Jugend gewidmet. 1—4. Afl. (223 m. 8 Bildern.) 8° Lpzg,
F Hirt & S. (02-06).   3.50; geb. 5 — d
— Rastlos vorwärts! Erlebnisse e. jungen Luftschiffers in
Europa u. Amerika. Erzählg f. d. reife Jugend. (272 m. Abb.)
8° Stuttg. (04). Reutl., B Bardtenschlager.   Geb. 4.50 d
— Der Rauhreiter. Erzählg f. d. reif. Jugend a. d. amerikan.
Leben d. Gegenwart. (298 m. 11 Bildern.) 8° Berl., Trowitzsch
& S. (02).   Geb. 4.50 d
— Raupenhelm u. Pickelhaube. Kriegserzählg a. d. J. 1866 u.
1870/71 f. d. reif. Jugend. 1. u. 2. Afl. (255 m. 8 Bildern.) 8°
Lpzg, F Hirt & S. 05.   3.50; geb. 5 — d
— s.: Reise um d. Erde.
— Das Vorgehen d. Japaner geg. Port Arthur u. d. Besetzg
v. Korea, s.: Kampf, d. russisch-japan., um d. Vorherrschaft
im Osten.
— Eine Weltreise. Reisebriefe. 2. Afl. (329 m. Abb.) 8° Berl.,
Allg. Ver. f. deut. Lit. 03.   6.50; L. od. HF. 8 — d
— Kaiser Wilhelm II. 1 Bildern aus d. Deutschlds Kaiserthron 1888
15.VI.1903. (32 m. Abb.) 8° Berl., A Duncker 03.   — 20 d
Tanger, O: Kurze systemat. Formenlehre d. engl. Sprache.
1. u. 2. Afl. (53) 8° Dresd., L Ehlermann 02.04.   — 40 d
— Lehrg. d. engl. Sprache, s.: Plate-Kares.
Tangl, F, s.: Arbeiten a. d. Geb. d. chem. Physiol. — Bei-
träge z. Futtermittellehre u. Stoffwechselphysiol. d. landw.
Nutztiere. — Jahresbericht üb. usw. pathogene Mikroorga-
nismen.
Tangl, M: Schrifttaf. z. Erlerng d. latein. Palaeogr., s.:
Arndt, W.
Tann, C v. d., s.: Wichern, E.
— Die Chokoladenmühle im San Martinothal. Erzählg f. Kinder.
(62) 12° Hambg, Agent. d. Rauhen H. (01). Kart. (— 50) — 30 d
— Ferien am Strande v. Pegli. Erzählg f. Kinder. (72) 12° Ebd.
(01).   Kart. (— 50) — 30 d
Tann-Bergler, O (H Bergler): „O du lieber Augustin!" Aus
d. Wienerstadt. 1. u. 2. Afl. (162) 16° Berl., R Mohr 04. 1.50;
                                       geb. 2 — d
— An d. schönen blauen Donau, s.: Universal-Bibliothek.
— Im Dreiviertel-Takt. Wienerisches. 4. Afl. (148) 16° Wien,
R Mohr 02.   1.50; geb. 2 — d
— Sr. Majestät, d. Kind". Kl. Geschichten v. uns. Kleinen.
(193) 8° Lpzg 02. Berl., H Seemann Nf.   3 —; geb. 4 — d
— Die alte Schachtel, s.: Berg, OF.
Tanna, E: Schöne Stimme u. Sprache u. wie sie zu erlangen.
(02.03). [Umschl.-]Afl. (214) 8° Lpzg, Modern-medizin. Verl
(02.03).   4.50 d

Tannenbaum, M: Blumensträusslein. Erzählgsbüchl. f. Kinder. 2. Afl. (96) 12⁰ Dülm., A Laumann 01. — 40 d

Tannengrün. Aus Natur u. Leben d. Erzgebirges. 1., 2. u. 4. Bd. 8⁰ Annabg, Graser. Je 1.80; geb. je 2.40 d
Montanus, H (H Jacob): Gaugstücke a. d. Erzgebirge. (160) 02. [3.]
Siegert, H: Geschichten a. d. ob. Erzgebirge. (150) 04. [4.]
Straumer, F: Allerlei a. d. Erzgebirge in Bildern u. Geschichten. 1. Bd. 3. Afl. (160) 03. [1.]
Den 2. Bd bildet: Straumer, F: Allerlei a. d. Erzgebirge in Bildern u. Geschichten. 2. Bd.
— u. Christbaum-Kerzen s.: Fest- u. Gelegenheitsgedichte.

Tannenzweige. Erzählgn f. Jung u. Alt. 13—32. Heft. (Je 2 —3 Bog.) 12⁰ Barm., Wuppertaler Traktat-Gesellsch. (01-05). Je — 25 d
Enth. Erzählgn v. W Berg, M Blumner, M Dahnow, M Frohmut, C Hagen, L Himmelmann, M Roos, E Seifert, K Stöber, H Stretton, M Titelius, I Weitbrecht, RPG Wendland, M Wittgen, O Wildermuth u. a.

Tannert, KA: Manila. [S.-A.] (45) 8⁰ Neisse (Bischofstr. 59), Selbstverl 1898. 2 — d

Tanquerey, A: Synopsis theologiae dogmaticae fundamentalis, ad mentem S. Thomae Aquinatis, hodiernis moribus accomodata. De vera religione, de ecclesia, de fontib. theologicis. Ed. VI. (656) 8⁰ Tournai (Belgien), Desclée, Lefebvre & Co. 03. 4.40
— Synopsis theologiae dogmaticae specialis, ad mentem S. Thomae Aquinatis, hodiernis moribus accomodata. 2 tomi. 8⁰ Ebd. 03. Je 4.40
I. De Deo uno et trino, de Deo creante et elevante, de verbo incarnato. Ed. VI. (642) || II. De Deo sanctificante et remuneratore seu de gratia, de sacramentis et de novissimis. Ed. VI. (776)
— Synopsis theologiae moralis et pastoralis, ad mentem S. Thomae et S. Alphonsi, hodiernis moribus accomodata. Tom. I—III. 8⁰ Ebd. Je 4.40
I. De poenitentia, de matrimonio et ordine. Ed. III. (634 u. 37) 04. || II. Theologia moralis fundamentalis. De virtutibus et praeceptis. (676) 05. || III. De virtute justitiae et de variis statuum obligationibus. (276, 847) 04.

Tante, d. schwarze Märchen u. Geschichten f. Kinder. (Von Frau C Fechner.) 6. Afl. (172 m. Abb.) 8⁰ Lpzg, Breitkopf & H. (05). L. 2 — d

Tanty, F: Gramática de la lengua francesa. (Grammaire franç. à l'usage des espagnols.) (Método Gaspey-Otto-Sauer.) (450 m. 1 Karte u. 1 Pl.) 8⁰ Hdlbg, J Groos 02. Geb. 4 — ; clave. (57) Kart. 1.60
— Gramática sucinta da la lengua francesa, s.: Otto, E.

Tantzscher, G: Friedr. Nietzsche u. d. Neuromantik. (102) 8⁰ Jurj.-Dorp., (JG Krüger) 1900. 2 — d
— Die Schulreform u. d. balt. Provinzen. [S.-A.] (25) 8⁰ Riga, Jonck & P. 01. — 50 d

Tantzscher, K: Zur Behandlg d. perforir. Bauchwunden, s.: Sammlung klin. Vorträge.

Tanzer, JF, s.: Schwarzau, H v. d.

Tänzer, A: Die Gesch. d. Juden in Tirol u. Vorarlberg. 1. u. 2. Tl. Die Gesch. d. Juden in Hohenems u. im übr. Vorarlberg. (35, 802) 8⁰ Meran, FW Ellmenreich 05. 17 —
— Judentum u. Entwicklgslehre. Nach e. üb. „Babel u. Bibel" geh. Vortr. (68) 8⁰ Berl., S Calvary & Co. 03.

Tänzer, A: Spiel u. Sang f. uns. Kleinen. Sammlg v. Liedern u. Spielen. (88) 8⁰ Halle, (Bh. d. ev. Stadtmiss.) 04. 1 — d

Taenzer, P, s.: Monatshefte f. prakt. Dermatol.

Tanzlehrer, der. Fachbl. f. d. berufl. Interessen d. Genossensch. deut. Tanzlehrer. Begründet v. JW Oldenburg. Z. Z. hrsg. v. Vorst. d. G.D.T. Schriftleiter i. V.: FWesner u., v. 11. Jahrg. an, J Schmidt. 10—14. Jahrg. Oktbr 1901—Septbr 1906 je 12 Nrn. (Nr. 1. 8) 4⁰ Berl., E Bloch. Halbj. 4.50; einz. Nrn àn — 75 d

Tanzlehrer-Zeitung, allg. deut. Fachbl. f. d. Berufs-Interessen aller deut. Tanzlehrer. Gegründet v. M Geissler-Meves. Hrsg. v. Haupt-Vorstand d. „Bundes deut. Tanzlehrer". Red.: M Geissler-Meves. 8. Jahrg. 1905. 12 Nrn. (Nr. 1. 8) 4⁰ Brandenburg a/H., Allg. deut. Tanzlehrer-Zeitg. (Nur dir.) 10 — d
— Die Hauptstelle deut. Arbeitgeberverbände. (20) 8⁰ Berl., J Guttentag 05. — 50 d
— u. A Poetter: Ärzteordng f. d. Kgr. Sachsen v. 15.VII.'04 u. d. f. d. Ärzt wicht. reichs- u. landesgesetzl. Bestimmgn. (128) 8⁰ Lpzg, CL Hirschfeld 04. 2.40; geb. 3 — d

Tanzschule, Wiener. Leichtfassl. Darstellg d. beliebtesten u. modernsten Tänze, nebst klarer Beschreibg u. Zeichng d. Figuren etc. Neue Ausg. 1. u. 2. Bdchn. 16⁰ Wien, Mor. Stern. Je — 60 d
1. Reisinger, H: Quadrille franç., wie sie jetzt allg. getanzt wird. Nebst Anweisg z. Erlerng d. Sechsschritt-Walzer. (36) 01.
2. Polonaise. Ergänzgstanz bei gr. Bällen. Les Lanciers en Carré. Contretanz in 5 Fig. Gez. u. beschrieben v. A Fauckinger. Die Pariser Holland. Matrosentanz. Beschrieben v. H Reisinger. Nebst Beschreibg d. Cotillons u. Angabe beliebter neuer Fig. (37 m. Fig.) 05.

Tapeten-Zeitung. Red.: M Roestel, 1903 u. 4 C Schnell, 1905 H Winterfeld. 14—17. Jahrg. 1901—4 je 24 Nrn. (1901. Nr. 1. 14) 4⁰ Darmst., Verl.-Anst. A Koch. || 18. Jahrg. 1905. 26 Nrn. Halbj. 4 — ; einz. Nrn — 50 d

Tapezierer u. Dekorateur, d. süddeut. Illustr. prakt. Fachzeitschrift. Hrsg. u. red. v. L Heilborn. Mit Beil.: Gute Unterhaltg. 1. Jahrg. 1905. 24 Hefte. (1. Heft. 20 m. 1 farbd. Taf. u. 1 Detailbog. u. 8 in 8°) 4⁰ Stuttg., Greiner & Pf. Vierteli. 4 — d

Tapezierer-Zeitung. deut. Red. v. R Schoch. 19—23. Jahrg. 1901—5 je 24 Nrn. (Nr. 1. 44 m. 2 Taf.) 4⁰ Berl., Berg & Schoch.

Halbj. 4 — ; gr. Ausg. m. 4 Beil.-Mappen, enth. je 5—6 z. Tl farb. Taf. in Fol. u. 4⁰ u. 2 Schnittmuster. Halbj. 6 — ; m. d. Sattler-Zeitg zus., kl. Ausg. 7 — ; gr. Ausg. 8.50 d

Tapisserist, der. Red.: W Flessner. 1. Jahrg. 1901. April—Dezbr 18 Nrn. (Nr. 1. 11 m. Abb.) 4⁰ Berl.-Rixdf. Darmst., Verl.-Anst. A Koch. || 2—5. Jahrg. 1902—5 je 24 Nrn. Vierteli. 1.50

Tapla, T: Grundz. d. nied. Geodäsie. I. Methoden u. Dispositionen (Dispositionslehre). (58 m. 2 L.) 8⁰ Wien, F Deuticke 01. 2.50

Tappe, F: Wie erzieht man d. Schüler durch d. Unterr. z. Selbsttätigk.?, s.: Lehrer-Prüfgs- u. Informations-Arbeiten.

Tappehorn, A: Brot d. Engel. Vollständ. Andachtsb. f. d. Verehrer d. allerhlst. Altarssakramentes. 25. Afl. (583 m. farb. Titel u. 1 St.) 16⁰ Dülm., A Laumann 02. L. 1.50 || Ausg. II. 23. Afl. (512 m. farb. Titel u. 1 St.) 01. L. 1 — || (Grobdr.-Ausg.) 11. Afl. (600 m. farb. Titel u. 1 St.) 05. L. 1.50 d
— Das Brot d. Lebens. Kathol. Gebetb. (672 m. 1 Farbdr.) 11.>< 7 cm. Kevel., Butzon & B. (04). L. m. G. 1.40 d
— Kathol. Haus- u. Kirchenb. Zur Belebrg u. Erbaug f. d. Familie. (656 m. 1 Farbdr.) 16⁰ Dülm, A Laumann 03. 1.50; geb. 2 — d
— Die Kunst, alt zu werden. (126) 16⁰ Ebd. 03. — 40 d
— Die Kunst, immer fröhlich zu sein. 2. Afl. (138) 16⁰ Ebd. 01. — 40 d
— Die Kunst, reich zu werden. 2. Afl. (144) 16⁰ Ebd. 03. — 40 d
— Das Leben d. hl. Willehad, 1. Bischofs v. Bremen. (50) 8⁰ Ebd. 01. — 75 d
— Mai-Andacht, s.: Eming, J.
— Maria, d. Hilfe d. Christen. Vollständ. Gebetb. 5. Afl. (496 m. farb. Titel u. 1 St.) 16⁰ Dülm., A Laumann 03. L. 1.50 d
— Myrtenblüthen. Gebet- u. Andachtsb. d. kathol. Frau. 15. Afl. (504 m. 1 St.) 16⁰ Ebd. 01. Ldr m. G. 2 — d
— dass. Ausg. I. 21. Afl. (564 m. farb. Titel u. 1 St.) 16⁰ Ebd. 04. L. 1.50 d
— Der Priester am Kranken- u. Sterbebette. Anl. z. geistl. Krankenpflege. 4. Afl. (263) 16⁰ Paderb., F Schöningh 03. 1.40; geb. im 1.90 d
— Der Priester am Kranken- u. Sterbebette. Anl. z. geistl. Krankenbette. 8. Afl. (126 m. Fig.) 12⁰ Münch., M Rieger 05. Je 1.90

Tappeiner, H v.: Anl. zu chemisch-diagnost. Untersuchgn am Krankenbette. 8. Afl. (126 m. Fig.) 12⁰ Münch., M Rieger 05. Je 1.90
— Lehrb. d. Arzneimittellehre u. Arzneiverordngslehre unter bes. Berücks. d. deut. u. österr. Pharmakopoe. 4. Afl. (536) 8⁰ Lpzg, FCW Vogel 01. || 5. Afl. (847) 04. Je 7 — ; geb. je 8.25

Tappenbeck, E: Deutsch-Neuguinea, s.: Süsserott's Kolonialbibliothek.
— 1908. Eine wirtschaftl. Studie üb. d. Zusammenschl. d. Brennereigewerbes u. s. Aussicht f. d. Zukunft. (107) 8⁰ Berl., W Süsserott 04. 1.60
— Wie rüste ich mich f. d. Tropenkolonien aus? (56) 8⁰ Ebd. 01. 1 — d
— dass., s.: Süsserott's Kolonialbibliothek.

Tapper, E: Auf d. Gauternfest, s.: Bloch's, L, Herren-Bühne.
— Ein famoses Quartier, s.: Lustspiele, turner.

Tappert, W: Rich. Wagner im Spiegel d. Kritik. Wrtrb. d. Unhöflichk., enth. grobe, höhn., gehäss. u. verleumder. Aussdrücke, d. geg. d. Meister Rich. Wagner, s. Werke u. s. Anhänger v. d. Feinden u. Spöttern gebraucht wurden. 2. Afl. d. „Wagnerlexikons". 4. Afl. (263) 16⁰ Lpzg, CFW Siegel 03. Geb. 2.50

Tappolet, E: Üb. d. Bedeutg d. Sprachgeogr. m. bes. Berücks. d. Mittelungen d. Gesellsch. f. deut. Sprache in Zürich, s.: Mitteilungen d. Gesellsch. f. deut. Sprache in Zürich.
— Üb. d. Stand d. Mundarten in d. deut. u. französ. Schweiz, s.: Mitteilungen d. Gesellsch. f. deut. Sprache in Zürich.

Tarassewitsch, T: Führer durch d. deut. usw. Bäder, s.: Wetscheslow, MG.
2. Jahrg. u. d. T.:
— Illustr. russ. Führer durch westeurop. Kurorte, Bäder u. Heilanstalten. 11. Jahrg. 1905. (23, 231) 8⁰ Berl., Deutschruss. Verl.-Gesellsch. 4.—
— Illustr. russ. Führer durch westeurop. Kurorte, Bäder u. Heilanstalten.

Tarchanof, P: First J v.: Rationelle Organotherapie, s.: Poehl, A v.

Tardel, H: „Der arme Heinrich" in d. neueren Dichtg, s.: Forschungen z. neueren Lit.-Gesch.
— Studien z. Lyrik Chamissos. (64) 8⁰ Brem., (G Winter) 02. 1 —

Tarnawa s.: Malczewski v. Tarnawa.

Tarnuszer, C: Mit d. Albulabahn in's Engadin. 1. u. 2. Afl. (20 m. Abb., 1 Karte u. 1 Profil.) 8⁰ Chur, (J Rich) (04). Kart. (engl. Ausg. (04) 2.50) 1.80; französ. Ausg. (04) 1.80
— Bündner Oberland, s.: Europe, illustrated. — Wanderbilder, europ.
— L'Oberland Grison, s.: L'Europe illustrée.
— Geolog. Verhältn. d. Albulatunnels. [S.-A.] (17 m. 2 Profilen.) 8⁰ Chur, (F Schuler) 04.

Taruffi, C: Hermaphrodismus u. Zeugungsunfähigk. Systemat. Darstellg d. anomalien d. menschl. Geschlechtsorgane. Deutsch v. R Teuscher. (417 m. Abb.) 8⁰ Berl., H Barsdorf 03. 20 — ; geb. 22 — d

Taschen-Atlas
Taschen-Almanach, buchgewerbl., f. 1904. (124) 12⁰ Lpzg, Hinzsche (durch Gressner & Schramm). 1.—
Taschen-Atlas, kl., üb. alle Teile d. Erde. (32 farb. Karten. m. 3 S. Text anf d. Umschl.) 8⁰ Lpzg, G Lang (02). — 50 d
— d. Städte Hamburg-Altona-Wandsbek. (68 m. farb. Pl. u. Text.) 16⁰ Hambg, Hamburg. Verl.-Anst. (04). Kart. — 90 d
— neuer vollständ., m. 33 Hauptk. u. 16 Nebenk., sowie erdkundl. u. volkswirtschaftl. Zahlenaufzeichngn. (38 farb. Bl.)

m. Text 16 S. u. 21, 28, 20, 20 u. 20 S. auf d. Rücks. d. Kart.) 16° Berl., J Singer & Co. (05). Geb. 1.20
Ausg. f. Österr.-Ungarn s. u. d. T.: Singer's usw. Taschen-Atlas.

Taschenausgabe d. gebräuchlichsten Ges. f. d. Kt. Aargau. Hrsg. v. G Schneider. 2. Bd. 2. Afl. (550) 12° Aar., E Wirz 02. L. 4.50 (1 u. 2.: 9 —)

— d. Vorschriften d. k. k. Landwehr. (Zusammengest. f. d. Feldgebr.) 1—17. Heft. 8° Wien, Hof- u. Staatsdr. 14.20 d
Beförderungs-Vorschrift f. d. Personen d. Soldatenstandes in d. k. k. Landwehr. (24) 03. [2.] — 50
Bestimmungen, organisator., f. d. höh. Commanden d. k. k. Landwehr. — Bestimmgn üb. d. Versehg d. Generalstabsdienstes bei d. k. k. Landwehr.— Durchführgs-Bestimmgn z. Organisation d. Generalstabsdienstes bei d. k. k. Landwehr. (15) 03. [8.] — 70
— organisator., f. d. k. k. Landsturmbezirks-Commanden. (35) 03. [6.] 1.40
— organ., f. d. k. k. Landwehr-Auditoriat. (7) 03. [4.] — 50
— organ., f. d. k. k. Landwehr-(Landesschützen-)Ergänzgsbezirks-Commanden. (33) 03. [9.] 1.40
— organ., f. d. k. k. Landwehrfusstruppen v. J. 1904. (16) 04. [14.] — 40
— organ., f. d. k. k. Landwehr-Gerichte. (9) 03. [3.] — 50
— organ., f. d. berittenen Landwehrtruppen v. J. 1894 (m. Berücks. d. 1. Nachtr. v. J. 1904). (32) 04. [15.] — 70
— organ., u. Dienstvorschrift f. d. Waffenmeister d. k. k. Landwehr. (20) 05. [17.] — 60
Inspicierungs-Vorschrift f. d. k. k. Landwehr. (31) 03. [13.] — 90
Instruction f. d. Verwaltg u. Verrechng d. Train-Materials d. k. k. Landwehr u. d. k. k. Landsturmes. (43) 03. [10.] 1.50
Organisation d. Landwehr-Stabsoffizierskurses in Wien v. J. 1904 (nebst e. Beil.: Lehrpl. f. d. Landwehr-Stabsoffizierskurs in Wien). (15) 04. [16.] — 50
Vorschrift üb. d. Beurlaubg d. im Gagebezuge steh. Personen d. k. k. Landwehr. (19) 03. [7.] — 80
— z. Rangbestimmg f. d. Personen d. Soldatenstandes in d. k. k. Landwehr. (11) 03. [11.] — 50
— f. d. ehrenräthl. Verfahren in d. k. k. Landwehr, sammt Anh., betr. d. Anwendg derselben auf d. k. k. Gendarmerie v. J. 1901. (38) 03. [1.] — 60
— z. Verfassg d. Qualifications-Listen üb. d. k. k. Landwehr-Auditore. (34) 03. [5.] 1.20
Wehrvorschriften, enth. d. Durchführgsbestimmgn z. Wehrges. 4. Thl. Evidenzvorschrift, betr. d. in e. Rangclasse eingetheilten Gagisten in d. nichtactiven k. k. Landwehr. (112) 03. [12.] 1.50

— d. mähr. Landesges. Nr. III. 12° Brünn, F Irrgang. 1.20 d
Bau-Ordnung f. d. Markgrafsch. Mähren m. Ausschl. d. Städte Brünn, Olmütz, Iglau u. Znaim u. deren Vororte. (Ges. v. 16.VI.1894.) 2. Afl. (2. Abdr.) (95) 02. [III.] 1.20

— d. Militär-Vorschriften. (Zusammengest. f. d. Feldgebr.) 10., 11., 32., 33., 80. u. 103. Heft. 8° Wien, Hof- u. Staatsdr. 8.30 d
Bestimmungen, organ., f. d. Artillerie-Zeugswesen. (31) 03. [80.] — 60
— organ., f. d. k. u. k. Militär-Erziehgs- u. Bildgs-Anst. v. J. 1900. (40) 01. [103.] — 70
Gebürenvorschrift f. d. k. u. k. Heer v. J. 1895. 1. Thl. Gebüren im Frieden. 1. Heft. Enth. Geld- u. Naturalgebüren, Befördergsmittel u. Gebüren bei Dienstreisen u. Märschen. Nachdruckaufl. m. Berücks. d. 1. u. 2. Nachtr. (24, 265) 02. [10.] 2 — ‖ 2. Heft. Enth. Futtergebüren d. Thiere, Servicegebüren, Pauschalgebüren, Gebüren d. Familien d. activen Personen d. Heeres, Anh. Nachdruckaufl. m. Berücks. d. 1. u. 2. Nachtr. (187) 02. [11.] 1.60
Gesetz (v. 19.IV.1872), betr. d. Verleihg v. Anstellgn an ausgediente Unterofficiere. II. Ges.-Artikel v. J. 1873, betr. d. Anstellg ausgedienter Unterofficiere. Ausführgs-Verordngn zu ob. Gesetzen. (56) 02. [33.] — 90
Vorschrift f. d. ökonomisch-administrativen Dienst bei d. Unterabteilgn d. k. u. k. Heeres, v. J. 1887. (222) 04. [32.] 2.50
Bisher u. d. T.: Militär-Vorschriften.

— Manz'sche, d. österr. Gesetze. Bd 1, I. Abtlg; 2; 3, I. u. II. Abtlg; 4, II Abtlgn; 5, II Abtlgn; 6, III Abtlgn; 7; 10, I. Abtlg; 11, II Abtlgn; 12, II Abtlgn; 13; 15; 16; 17, II Hlftn; 18; 21, I. Abtlg; 22, III—V. Abtlg; 24, II Abtlgn; 27, III Abtlgn u. 31. 8° Wien, Manz. 180.60; L. 212.70 d
Berggesetz, d. allg., v. 23.V.1854 samt d. Vollzugsvorschrift u. allen darauf Bezug nehm. Nachträgen, Verordngn u. Erläutergn, dann d. einschläg. Erkenntnissen d. Verwaltgsgerichtshofes. 10. Afl. (720) 04. [7.] 6 —; geb. 7 —
Bernatzky Edler v. Treuwart, E, A Carmine u. L Joas: Ges. u. Verordngn üb. d. Bierbesteuerg. 3. Afl. (26, 356 m. 11 Taf.) 03. [22, III.] 6 —; geb. 7 —
— — — dass. üb. d. Zollbehandlg u. Besteuerg d. Mineralöles. (337 m. 8 Taf.) 04. [22, V.] 4 —; geb. 5 —
Burckhard: Volksschulgesetze. Die Reichs- u. Landesges. m. d. einschläg. Ministerialverordngn u. Erlässen, erläut. durch d. Entscheidgn d. k. k. Verwaltgsgerichtshofes u. d. k. k. Reichsgerichtes. 3 Abtlgn. 3. Afl. v. Burckhard u. Heidlmair. (24, 714; 18, 752 u. 217) 04. [27.] 13.20; geb. 16.20
Calligaris, L: Die neuen Valuta- u. Bankges., nebst d. damit zusammenhäng. Ges. u. Verordngn, m. Berücks. d. ungar. Gesetzgebg, Bestimmgn f. d. Geschäftsverkehr m. d. oesterr.-ungar. Bank, Saldirgsver., d. Ges. üb. d. Abstempelg v. Prämien-Schuldverschreibgn u. ausländ. Werthpapieren u. d. k. k. Postsparcassen. (544) 01. [16.] 5 —; geb. 6 —
Eisenbahngesetze, d. österr. 5. Afl. 2 Hlftn. (20, 1518) 05. [17.] 16 —; geb. 18 —
Exekutionsordnung, d., v. 27.VI.1896 samt d. Einführgsges., d. Durchführgsverordngn u. d. ält. bezügl. Vorschriften m. e. Übersicht üb. d. Spruchpraxis d. k. k. Obersten Gerichtshofes. (791) 03. [6, III.] 6 —; geb. 7 —
Friedlaender, J: Die Konkursordng v. 25.XII.1868. 6. Afl. Mit e. Übersicht üb. d. konkursrechtl. Spruchpraxis d. k. k. Obersten Gerichtshofes. (214) 05. [3, II.] 1.70; geb. 2.30
— Die Vorschriften üb. Rechtsangelegenh. ausser Streitsachen. I. Verfahren ausser Streitsachen u. d. kais. Patente v. 9.VIII.1854 etc. etc. II. Notariatsordng u. d. Ges. üb. d. notarielle Errichtg ein. Rechtsgeschäfte v. 25.VII.1871 etc. etc. III. Ges. u. Verordngn üb. d. zivilgerichtl. Depositenwesen u. d. gemeinschaftl. Waisenkassen. Mit e. Übersicht üb. d. Spruchpraxis d. k. k. Obersten Gerichtshofes, sowie üb. d. einschläg. Entscheidgn d. k. k. Verwaltgsgerichtshofes. (Neue Afl.) (581, 182 u. 346) 04. [3, I.] 7.40; geb. 8.40
— Wechselordng. Stempel u. Gebühren in Wechselsachen. Ges. üb. d. Börsen- u. d. Handelsmäkler. Statuten d. Börsen in Wien, Prag, Graz, Linz u. Czernowitz. Usancen d. Wiener Börse (Effekten- u. Warensektion) u. d. Börse f. landw. Produkte in Wien. Gesetze üb. d. Promessen- u. Ratengeschäft m. Losen. 14. Afl. (650) 05. [11, II.] 3.90; geb. 4.80
Gesetze u. Verordnungen, d., üb. d. Zivilgerichtsverfassg, insbes. d. Gerichtsorganisationsges., d. Jurisdiktionsnorm samt Einführgsges. u. d. Advokatenordng, nebst allen einschläg. Vorschriften u. e. Übersicht üb. d. Spruchpraxis d. k. k. Obersten Gerichtshofes. (682) 03. [6, I.] 5 —; geb. 6 —
Gewerbe-Ordnung, d., sammt d. dieselbe ergänz. u. erläut. Ges., Verordngn u. Erlässen u. e. Uebersicht üb. d. einschläg. Spruchpraxis d. Verwaltgsgerichtshofes, d. Obersten Gerichtshofes, d. Reichsgerichtes, d. Gewerbegerichte u. d. Ministerien. 8. Afl. Von O v. Komorzynski. (7. Afl. v. F Müller.) (23, 1159) 04. [1, I.] 7.50; geb. 8.50
Jahn, A: Strafges. üb. Gefällsübertretgn. (96, 890) 05. [15.] 6.70; geb. 7.60
Koczynski, S: Das Gebühren-, Tax- u. Verbrauchsstempelwesen. 1. Abth. Das Gebührenges. sammt allen zu diesem Gesetze erlass. Nachtragsvorschriften u. d. einschläg. Judicatur. 17. Afl. (83, 918) 02. [12, I.] 6.50; geb. 7.50 ‖ 2. Abth. Die Effectenumsatzsteuer, d. Taxwesen u. d. Spielkartenstempel, samt d. dazu erlass. Nachtrags-Vorschriften u. d. einschläg. Judicatur. 17. Afl. (404) 02. [12, II.] 3.50; geb. 4.50
Koller, A: Das Militär-Strafges. üb. Verbrechen u. Vergehen v. 15.I.1855 sammt d. einschläg. u. ergänz. Ges. u. Verordngn. 2. Afl. (712) 01. [24, I.] 5 —; geb. 6 —
Lelewer, G: Die Militär-Str.PO., d. Vorschriften üb. d. Organisation d. Militär-Gerichte, deren Visitirg u. sonst. einschläg. Bestimmgn, sammt d. ergänz. u. erläut. Ges., Entscheidgn, Verordngn etc. (448) 01. [24, II.] 5 —; geb. 6 —
Militärgesetzgebung, die. I. Abtlg: Die Wehrgesetzgebg nebst d. einschläg. Verordngn u. publizierten Erlässen sowie d. Entscheidgn d. k. k. Verwaltgsgerichtshofes. 8. Afl. (768) 04. [10, I.] 6 —; geb. 7 —
Patzauer, H: Ges., Staatsverträge u. Verordngn betr. d. Binnenschiffahrtswesen in Österr. Nebst e. Anh.: Überfuhranst. u. Bau d. neuen Wasserstrassen. (22, 818) 02. [31.] 8.60; geb. 9.60
Pisko, O: Das allg. Handelsgesetzb. v. 17.XII.1862 samt d. Einführgsges. u. d. and. einschläg. Ges. u. Verordngn. Die Vorschriften üb. Handelsmäkler u. Börsen, Erwerbs- u. Wirtschaftsgenossensch., Versicherungsanst., Aktiengesellsch., Wäg- u. Messanst., Lagerhäuser, Ratengeschäfte, d. gemeinschaftl. Vertretg d. Besitzer v. Pfandbriefen u. Teilschuldverschreibgn u. d. Eisenbahntransport. 18. Afl. (885) 05. [11, I.] 5.50; geb. 6.40
Pitreich, A: Das allg. Grundbuchsges. sammt d. Instruction zu demselben, d. Vorschriften üb. Eisenbahnbb., Bergbb. u. Naphthabb., d. Ges. üb. d. Anlegg neuer Grundbb., nebst allen übr. einschläg. Ges. u. Verordngn. 7. Afl. (785) 02. [18.] 5.50; geb. 6.50
Röll, V: Oesterr. Steuerges. I. Abth.: Grund-, Gebäudesteuer, allg. Steuervorschriften. 5. Afl. (897) 01. [21.] 8 —; geb. 9 —
Schey, J Frhr v.: Das allg. BGB. f. d. Kaiserth. Oesterr. sammt d. einschläg. Ges. u. Verordngn u. e. Übersicht üb. d. civilrechtl. Spruchpraxis d. k. k. obersten Gerichtshofes. 17. Afl. (905) 02. [2.] 6 —; geb. 7 —
Strafgesetz, d., üb. Verbrechen, Vergehen u. Uebertretgn, v. 27.V.1852, sammt d. dasselbe ergänz. u. erläut. Ges. u. Verordngn. 19. Afl. I. Abth. (560) 02. [4.] 3.90; geb. 4.90; 20. Afl. (631) 05. 3.80; geb. 4.70 ‖ II. Abth. 19. Afl. (588) 02. [4.] 3.50; geb. 4.50; 20. Afl. (635) 05. 3.40; geb. 4.30
Strafprozess-Ordnung, d., v. 23.V.1873, sammt d. Vollzugsvorschrift, d. Geschäftsordngn f. d. Strafgerichte u. Staatsanwaltschaften u. allen ergänz. u. erläut. Ges. u. Verordngn. 10. Afl. (26, 1082) 01. [5.] 7 —; geb. 8 — ‖ 11. Afl. I. (684) 04. 4.40; geb. 5.40; II. (576) 04. 3.60; geb. 4.60
Thaa, G Ritter v.: Das Mass- u. Gewichtswesen u. d. Aichdienst in Österr. 2. Afl. (29, 426) 01. [13.] 4.40; geb. 5.40
Wolf, E, A Jahn u. A Haala: Ges. u. Verordngn üb. d. Wein-, Fleisch-, Linienverzehrgssteuer, Landes- u. Gemeindezuschläge zu diesen Steuern, dann selbständ. Gemeindeauflagen auf d. Privatverbr. v. Wein, Weinmost u. Obstmost. (31, 825) 04. [22, IV.] 8 —; geb. 9 —
Zivilprozessordnung, d., v. 1.VIII.1895 samt d. Einführgsges., d. Durchführgsverordngn u. d. ält. bezügl. Vorschriften, m. e. Übersicht üb. d. Spruchpraxis d. k. k. Obersten Gerichtshofes. (665) 03. [6, II.] 5 —; geb. 6 —
Bisher u. d. T.: Gesetze, österr., Manz'sche Taschenausg.

Taschenberg, EL: Buch d. Schmetterlinge u. Raupen, s.: Bockstroh, H.

Taschenberg, O, s.: Bibliotheca zoologica II.
— Die exot. Käfer, s.: Heyne, A.

Taschenbibliothek, allg. Nr. 1—8. 16° Münch., Monachia-Verl. (5.50) 3.30 d
Giasen, E: Kosmetik. Anl. z. Gesundheits- u. Schönheitspflege d. Haut, d. Nägel, Haare, Zähne u. Augen, m. Toilettegeheimnissen alter u. neuer [Z]eit u. zahlreichen Recepten z. Herstellg v. Toilettemitteln. (205) (04.) [7.] 1.20
Feuchtwanger, L: Die Einsamen. 2 Skizzen. (40) (03.) [4.] (— 50) — 15
Giardinetto. 12 Geschichten v. verschied. Autoren. (96) (03.) [3.] (1 —) — 25
Greussing, PR: Im Stubaital. Bilder, Sagen u. Skizzen. Mit Touristenführer u. Kärtchen. (165) (03.) [6.] — 50
Kurz-Elsheim, F: Niederrhein. Kleinstadt-Geschichten. (111) (03.) [5.] (— 30) — 25
Maupassant, G de: Boule de suif. Novelle. Übers. v. F Kwest. (56) (03.) [2.] (— 50) — 20
Normann, T: Auf d. Bergen. Novellen. (115) (03.) [1.] (1 —) — 25
Prechtl, H: Am Brenner. Führer f. Sommerfrischler u. Touristen m. Schildergn u. Erzählgn. (180 m. 1 Karte.) (04.) [8.] — 50

— „Quelle". Nr. 3—6. 8° Sarajevo, J Studnička & Co. (Nur dir.) 1.20 (1—6.: 2.20)
Hillmann, O: Deutsch-kroat. Gesprächb. (73) (05.) [3.4.] — 60
Studnička, A: Schattenlehre f. Schule u. Haus. (56 m. Abb. (05.) [5.6.] — 60
Nr. 1 u. 2 bildet: Fontanella, A: Schönheit, Scham u. Liebe.

Taschenbuch d. histor. Gesellsch. d. Kts Aargau f. 1902. (205) 8° Aar., HR Sauerländer & Co. 02. 2.60 ‖ 1904. (164) 04. 2 — d

— deut., f. Abstinenten, m. Kalendarium 1906. Hrsg. v. F Haft. (155) 8° Jena, F Haft. 1.20

— Gothaisches genealog., d. adel. Häuser. 1902—6. Der in Deutschl. eingeborene Adel (Uradel). 3—7. Jahrg. (932, 990, 984, 935 u. 921 m. je 1 St.) 16° Gotha, J Perthes. L. je 8 —; Prachtausg. je 12 — d

— genealog., d. adel. Häuser Österr. 1905. 1. Jahrg. (655 m. 3 Bildn. u. 2 farb. Taf.) 8° Wien (I, Wallfischgasse 10), O Maas' Söhne. L. nn 10.50

— f. Bäcker u. Konditoren. Zugl. Mitglieder-Verz. d. organisierten Inngn u. Genossensch. in d. Verbänden Baden, Elsass-L., Mitteldeutschl., d. Pfalz u. Württemberg. Hrsg. v. J Fürst. Jahrg. 1905 u. 06. (168) 8° Stuttg., Stähle & Friedel 05. L. 1 — d

— f. Bank-Beamte nebst Notiz-Kalender f. 1905. Hrsg. v.

Verband deut. Bankbeamten-Ver. (142) 8° Berl., Möller & Borel. — 50

Taschenbuch d. kgl. Baugewerksch. zu Münster i. W. Studienj. 1904/05. (84 m. 1 Karte u. 1 Pl.) 8° Münst., H Schöningh. L. — 50 ô F

— d. Berliner Beamten-Vereinigg. f. 1905. Hrsg. v. W Köhler. 12. Jahrg. (20, 145) 8° Berl., C Heymann. Kart. 1—d
Früher hrsg. v. L Kathariner u. B Fiebelkorn. L.

— neues Berner, f. 1901—5. Hrsg. v. H Türler. (338, 324, 294, 325 u. 339 m. Abb. u. 1, 1, 6, 1 u. 9 Taf.) 8° Bern, KJ Wyss 1900-4. Je 4 — d

— f. Braunkohlen-Interessenten Böhmens, Fortsetzg, s.: Becker's Taschenb. f. Kohlen-Interessenten.

— f. Conducteure. Fach-Kalender f. 1902. Bearb. unter Mitwirkg v. A Erbstein. 4. Jahrg. (180 m. Abb.) 12° Wien, JL Pollak. Kart. 1.40 ô F

— deutsch-nationales, m.Zeitweiser f.1904—2017.2.Jahrg. Hrsg.: K Habermann. (255) 16° Innsbr., Verwaltg. Geb.1.30 d
Fortsetzg war nicht zu erhalten.

— d. k. s. techn. Hochsch. zu Dresden. Winter-Sem. 1905/6. (52 m. Abb. u. 4 Bildn.) 8° Dresd., A Dressel. — 50
Eine Ausg. f. d. Sommer-Sem. erscheint nicht.

— f.d.Eisen- u.Metallhandel m.Kalenderf.1905.III.Jahrg. Bearb. u. hrsg. v. d. Red. d. „Der Eisenhändler". (Schreibkalender u. 292 m. Abb.) 8° Bunzl., (G Kreuschmer).
L. nn 3.50 (06 ô)

— f. Fähnriche u. Fahnenjunker. Hrsg. v. Schaarschmidt. Ausg. 1905. (266 u. 42 in 16°) 8° Oldenbg, G Stalling's V.
2.40; L. 2.75 d
Die 1. Ausg. erschien u. d. T.: Jahrbuch f. Fähnriche u. Fahnenjunker.

— z. prakt. Gebr. f. Flugtechniker u. Luftschiffer, hrsg. v. HWL Moedebeck. 2. Afl. (588 m. Abb. u. 1 Taf.) 12° Berl., WH Kühl 04. L. 10 —

— dienstl., f. Leiter v. Fortbildgsch. Jahrg. 1906. Ausg. D
d. Notizb. f. Lehrer u. Leiter an Fortbildgsch. Hrsg. v. A Boos. (111 u. Formulare.) 8° Gosl., FA Lattmann. L.1.50

— Gothaisches genealog., d. freiherrl. Häuser. 1902—06. 52—56. Jahrg. (896, 926, 903, 943 u. 919 m. je 1 St.) 16° Gotha, J Perthes. L. je 8 —; Prachtausg. je 12 — d

— f. d. ev. Geistlichen Württembergs f. 1906. Hrsg. v. W Breninger. 9. Jahrg. (186) 8° Stuttg., W Kohlhammer.
L. nn — 80 d

— f. Geologen, Paläontologen u. Mineralogen. Hrsg. v. K Keilhack. 4. Jahrg. 1901. (306) 12° Berl., Gebr. Borntraeger.
L. 3 —

Bisher u. später wieder u. d. T.: Kalender f. Geologen etc.

— Gothaisches genealog., d. gräfl. Häuser. 1902—6. 75—79. Jahrg. (1026, 1081, 1042, 1028 u. 1039 m. je 1 Stahlst.) 16° Gotha, J Perthes. L. je 8 —; Prachtausg. je 12 — d

— f. Gymnasiasten u. Realschüler, Fortsetzg, s.: Violet's Taschenb. f. Schüler höh. Lehranst.

— f. Handelskorrespondenz in deut. u. engl. Sprache. In 2 Tln. Ursprünglich hrsg. v. L Simon, C Vogel, HP Skelton & WC Wrankmore. 18. Afl. v. C Vogel & L Mason. 8° Lpzg, GA Gloeckner 01. Je 2 —; geb. je 2.60 d
1. Englisch-Deutsch- (205) § 3. Deutsch-Englisch- (232)

— dass. in französ. u. deut. Sprache, hrsg. v. C Vogel, s.: Taschenbücher d. Handelskorrespondenz.

— f. Jünglinge. Insbes. f. Mitglieder d. Jünglings-Sodalitäten u. and. Jugend-Ver., v. zwei Jugendfreunden. 1905. (96) 12° Mainz, Druckerei Lehrlingshaus. Geb. — 30 d

— Münch. akadem., f. Juristen. Studienj. 1904/5. Hrsg. v. T Ackermann. (74 m. 2 Bildn.) 16° Münch., T Ackermann. — 60 ô F

— Kieler akadem. 11. u. 12. Ausg. Sommer-Sem. 1905 u. Winter-Sem. 1905/6. (103 u. 107 m. Abb. u. je 1 Bildnis.) 8° Kiel, Lipsius & T. Kart. Je 1 —

— f. Leiter u. Helfer d. Kindergottesdienste. 12. Jahrg. f. 1905/6. Hrsg. v. P Zauleck. (77) 8° Brem., J Morgenbesser.
Kart. — 40 d

Früher hrsg. v. L Tiesmeyer, G Volkmann u. P Zauleck.

— d. Kriegsflotten. 6. Jahrg. 1. u. 2. Afl. Hrsg. v. B Weyer. (348 bezw. 356 m. Abb.) 8° Münch., JF Lehmann's V. L. 4 —
|| 7. Jahrg. 1906. (392 u. Nachtr. 8 m. Abb.) L. 4.50

— f. d. Kyffhäuser-Verband d. Ver. deut. Studenten. 4. Afl., hrsg. durch O Hötzsch. (164) 12° Berl., (G Nauck) 03.
L. nn 1.25 d

— f. d. Landwirt. (103) 8° Tiber., Dorn 05. L. 1 —

— landwirtschaftl., f.d. Grossherzogt. Mecklenburg f. 1906. 44. Jahrg. (Schreibkalender u. 171) 8° Wism., Hinstorff's V.
L. 2.50; Ldr 3 —; durchsch. 4 — d

— schleswig-holstein. landwirtschaftl. Begründet v. L Meyn. 46. Jahrg. 1906. (272) 8° Itzehoe. (Altona, Schlüter).
L. 1.50 d

Früher fortgesetzt v. J Brix u. hrsg. v. A Conradi.

— f. landwirtschaftl. Genossenschaften. Hrsg. v. d. Reichsverband d. deut. landw. Genossensch. zu Darmstadt. (2. Afl.) (82, 374) 12° Darmst. (Rheinstr. 231), Reichsverband d. deut. landw. Genossensch. L. 1 — d

— f. Landwirtschaftsschüler. 1905. (210) 8° Berl., Dent. Verl. L. 1 — ô F

— f. d. Lehrer an d. Gelehrten- u. Realsch. Württembergs f. d. Schulj. 1904/5, bearb. v. G Fehleisen. 2. Jahrg. (192) 8° Stuttg., F Lehmann. L. 1 — ô F

Taschenbuch f. d. Lehrer an höh. Unterr.-Anst., s.: Reisert, K.

— Münch. akadem., f. Mediziner. Studienj. 1904/5. Hrsg. v. T Ackermann. (79 m. 2 Bildn.) 16° Münch., T Ackermann.
— 60 ô F

— milchwirtschaftl., f. 1906. 30. Jahrg. Hrsg. v. B Martiny. 2 Tle. (Schreibkalender, 66, 48 u. 80) 8° Lpzg, M Heinsius Nf. L. u. geb. 2.50; Ldr u. geb. 3 —

— Münch. akadem. Studienj. 1905/6. Hrsg. v. T Ackermann. (32 m. 2 Bildn.) 16° Münch., T Ackermann. 60

— d. Univ. Münster i. W. VI. Ausg. S.-S. 1905. (Vollständ. Ausg. m. 3 Pl.) (92) 8° Münst., H Schöningh. In L.-Decke — 40
|| VII. Ausg. W.-S. 1905/06. (80) In L.-Decke — 60

— d. Patentwesens. Sammlg der d. Geschäftskreis d. kais. Patentamts berühr. Ges. u. ergänz. Anordgn, nebst Liste d. Patentanwälte. Amtl. Ausg. Mai 1905. (185) 8° Berl., C Heymann. Geb. 1 — d

— üb. d. Fortschritte d. physikalisch-diätet. Heilmethoden. Hrsg. v. Schilling. 3—4. Jahrg. (314, 235 u. 236) 8° Lpzg, B Konegen 02-04. Je 3 —; L. je 3.60 || 5. Jahrg. (34, 216) 05. 2.40; L. 3 —

— f. d. Pionieroffizier. (9, 52, 12, 13, 11, 33, 9, 17, 15 u. 21 m. Abb. u. 2 farb. Taf.) 8° Berl., A Bath 04. L. 3.30 —

— f. d. Pionier-Unteroffizier. (103, 31, 40, 18, 14, 15, 5, 1 u. 1 m. Abb. u. 2 farb. Taf.) 8° Berl., Ebd. 04. L. 3.30 d

— polizeil., f. d. Reg.-Bez. Breslau. (560) 12° Kattow., G Siwinna (03). L. 6 — d

— dass. f. d. Reg.-Bez. Liegnitz. (515) 12° Ebd. (03). L. 6 — d

— dass. 2. Tl. Die f. d. Reg.-Bez. Oppeln ergang. Polizei-Verordngn. (583) 12° Ebd. 03. L. 2 — d

— dass. 1. Nachtr. Fortgeführt bis z. 1.VI.'03. (122) 12° Ebd.
L. 2 — d

Den 1. Tl dazu bildet:

— dass. f. d. Prov. Schlesien. (511) 12° Ebd. (03). L. 6 — d

— f. Post- u. Telegr.-Beamte im Betriebsdienste, nebst Notiz-Kalender 1906. XV. Jahrg. Hrsg. v. A Haddenbrook. (320 u. 34 m. 4 Taf.) 8° Mgdbg, E Baensch jun. L. 3 —

— f.Präzisionsmechaniker, Optiker, Elektromechaniker u. Glasinstrumentenmacher f. 1906. (Jahrg. VI.) Hrsg. v. J Harrwitz. (384 m. Fig. u. Schreibkalender.) 8° Berl., Administr. d. Fachzeitschrift „Der Mechaniker". L. 2 —

— f. d. Rekruten-Offizier d. Infant. 3. Abschn. Genoss. Kalendarium. Notizb. u. Tabellen. [S.-A.] (50) 16° Berl., Mittler & S. 05. Geb. † — 40

— f. Schüler höh. Lehranst. f. d. Schulj. 1905/6. (256 m. 1 Bildn.) 16° Dresd., Pfeffl. Geb. † — 40

— f. dent. Schülerinnen f. 1905. (Kalendarium v. Michaelis '04 bis Ostern '06.) Hrsg. v. F Koch. (208 u. 48 m. Bildn.) 8° Lpzg, E Volkening. 1 Michaelis '05/6. (288 u. 44 m. Bildn.) Neu.-Ausg. (128 u. 44 m. Bildn.) Kart. je — 80 d

— f. k. k. Staatsbeamte u. Staatslehrpersonen f. 1906. Hrsg. v. M Fleischmann. 5. Jahrg. (251 u. Notizblätter.) 8° Wien (XV.), Sechshauserstr. 4), M Fleischmann.

— f. d. Stein- u. Zement-Industrie, hrsg. v. A Eisentraeger. 3. Jahrg. 1904. (32, 256 m. Abb. u. 2 Taf.) 8° Berl., Gebr. Borntraeger. L. nn 3.60
Fortsetzg war nicht zu erhalten.

— f. Stenogr.-Schüler u. solche, die es werden wollen. 1—5. Taus. (56 m. 1 Bildnis.) 16° Darmstadt (Zimmerstr. 19), Kammerstenogr. M Winkler.

— f. d. Tiefbau, hrsg. v. T Kamps u. E Dreessen. 2. Jahrg. 1906. 2 Tle. (272 m. Fig. u. Schreibkalender.) 8° Berl., Gebr. Borntraeger. L. u. geb. 5 —

— f. d. Ziegel-Industrie, hrsg. v. B Buschmann. 2. Jahrg. 1904. (32, 306 m. Abb. u. 1 Bildnistaf.) 12° Ebd. Geb. nn 4 —
Fortsetzg war nicht zu erhalten.

— Zürcher, f. 1902—6. Hrsg. v. e. Gesellsch. zürcher. Geschichtsfreunde. Neue Folge: 25—29. Jahrg. (306, 300, 278, 286 u. 292 m. Abb. u. 2, 3, 3, 6 u. 2 Taf.) 8° Zür., Fäsi & Beer. Je 3 —; geb. je 4 — d

Taschen-, Notiz- u. Adressbuch f. Taubstumme. Hrsg. v. Sandig u. O Kresse. 5. Afl. (120 m. Abb.) 16° Lpzg (Dufourstr. 20 III), R Sandig.

Taschenbuch-Apologie. 2. Bdchn. 16° Linz, Pressver.
(1 u. 2. 1.20)
Miskowiec, HRM: Die Gotth. Jesu Christi im Lichte d. Vernunft. [2.]
Das 1. Bdchn bildet: Gennari, K: Taschenbuch-Apologie.

Taschenbücher d. Handelskorrespondenz in 10 Sprachen. II. Abtlg. 3 Tle; III. Abtlg. 2 Tle; IV. Abtlg. 1. Tl u. X. Abtlg. 1. Tl. 8° Lpzg, GA Gloeckner. 15 —; geb. nn —

II. Tl. Taschenbuch d. Handelskorrespondenz in deut. u. franzö. Sprache. In 3 Tln. Ursprünglich hrsg. v. J Schantz, F Courvoisier, PH Hamilton, D Kalthbrunner u. CF Dönervand. 20. Afl. v. C Vogel. Deutsch-Französisch (248 u. 330) 03. Je 3 —; geb. b. geb. nn 3.60 03.

III. Locella, BG: Taschenb. d. Handelskorrespondenz in italien. u. deut. Sprache. In 2 Tln. Italienisch-Deutsch u. Deutsch-Italienisch. Je 2.50; geb. je —

IV. 1. Taschenbuch d. Handelskorrespondenz in span. u. deut. Sprache. (In 2 Tln.) Ursprünglich hrsg. v. H Robolsky u. Basto Domingo. 1. Tl. Spanisch-Deutsch. 6. Afl. v. C Vogel. (341) 05. 3 —; geb. nn

X. Pfeiffer, J: Taschenb. d. Handelskorrespondenz in russ. u. deut. Sprache. (In 2 Tln.) Hrsg. unter Mitwirkg v. A Markow u. B Jaworsky. 1. Tl. Russisch-Deutsch. 2. Afl. (192) 03. 3 —; geb. nn

Vgl. a.: Taschenbuch.

— illustr., f. d. Jugend. (Hrsg. v. d. Red. d. Guten Kameraden.) 13—25. Bd. 12° Stuttg., Union. Geb. je 1 — d
Bau, A: Der Käfersammler. 4. Afl. (112 m. Abb.) (03. [22.])

Bauer, H: Das techn. Studium, s.: Berufswahl.
Berufswahl. Bauer, H : Das techn. Studium. 2. Afl. (13s) (01.) [14.] ‖ Dill-
too, W: Der Staatsdienst. 3. Afl. (126) (05.) [21.]
Brendicke, H : Der Münzensammler. 2. Afl. (130) (01.) [17.]
Chemiker, d. junge. (142) (02.) [20.]
Dúltoo, W: Der Staatsdienst, s.: Berufswahl.
Experimentierbuch, chem. 2. Afl. (138) (05.) [25.]
Gast, G : Der junge Pappkünstler. (155 m. Abb.) (04.) [24.]
Heimbürger, A : Das Zauberbuch. 2. Afl. (12²) (01.) [16.]
Heineken, P : Lawn Tennis u. and. Spiele. (116) 02. [19.]
Lachmann, H : Die Pflege d. Hausttere. 2. Afl. (126 m. 9 Taf.) (01.) [15.]
Lehnert, G : Zimmerturnen. 2. Afl. (144) (05.) [23.]
Schertel, S : Das Mikroskop. 3. Afl. (142) (01.) [18.]
Schuster, A : Lust. Rechenkunst. 2. Afl. (12²) (01.) [12.]

Taschen-Fahrplan f. d. österr. Alpenländer m. d. Haupt-
anschl. d. Nord- u. Südbahn. Gültig ab 1.V. bezw. 1.X.'02. (78
u. 76) 12⁰ Linz, Zentraldr. vorm. E Mareis.　　Je — 20 ö F
- Augsburger. Sommer-Fahrordng 1904 u. Winter-Fahr-
ordng 1904/5. (32 u. 31 m. je 1 Karte.) 8⁰ Augsbg, Gebr. Reichel.　　　　　　　　　　　　　　　　　　　Je — 15
Fortsetzg war nicht zu erhalten.
- Eisenb.- u. Personenpost f. Baden, spez. bad. Oberland
u. d. Schweiz. Dampfschiffkurse auf d. Bodensee. Sommerdienst 1905 u. Winterdienst 1905/6. (64 u. 58 m. je 1 Karte.)
8⁰ Waldsh., H Zimmermann.　　　　　　　　Je — 10 d
Bis 1900 u. d. T.: Fahrplan.
- d. k. k. priv. böhm. Nordb., d. nordböhm. Industrieb.
Sächs.-böhm. Dampfschiffahrt. Gültig v. 1.V.'05. (32) 16⁰
Rumbg, H Pfeifer.　　　　　　　　　　　　　　— 10
- f. d. Dir.-Bezz. Breslau, Kattowitz u. Posen. Hrsg. v. d.
kgl. Eisenb.-Dir. Breslau. Gültig v. 1.V. bezw. 1.X.'05 ab.
(142 u. 140 m. je 1 Karte.) 8⁰ Bresl., WG Korn.　Je nn — 10
- Duisburger, Fortsetzg., s.: Taschen-Fahrplan f. d. rheinisch-westfäl. Industriebez., später Ewich.
- f. d. Dir.-Bezz. Elberfeld u. Essen, s.: Taschenfahrplan
d. kgl. Eisenb.-Direktion Elberfeld f. d. niederrhein.-west-
fäl. Industriegeb.
- f. Elsass-Lothringen u. Winter 1905/6. (Je 111 m.1 Karte.)
10,4×5,5 cm. Strassbg, Strassb. Dr. u. Verl.-Anst.　Je — 20
- f. d. Dir.-Bez. Essen, s.: Taschenfahrplan f. d. rheinisch-
westfäl. Industriebez.
- f. d. Eisenb.-Dir. Essen. Sommer-Fahrpl. 1905. (144)
16⁰ Ess., Fredebeul & K. — 15 ‖ Winter-Fahrpl. 1905/6. (136) — 20
- f. d. Gebiete: Mosel, Saar, Rhein, Nahe, Eifel, Hochwald,
Luxemburg, Elsass-L. u. Pfalz. Anh.: Die Land-Postverbindgn
m. d. Haltestellen im Ober-Postdir.-Bez. Trier. Gültig ab
1.V. bezw. 1.X.'05. (56 u. 52 m. je 1 Karte.) 8⁰ Trier, E Lintz.
　　　　　　　　　　　　　　　　　　　　　　Je — 25
- nassauischer. 1.V. bezw. 1.X.'05. (49 u. 50) 16⁰ Limbg,
Limb. Vereinsdr.　　　　　　　　　　　　　　Je — 10 d
- ö. kgl. Eisenb.-Dir. Elberfeld f. d. niederrheinisch-
westfäl. Industriegeb. Jahrg. 1905. (2 Nrn. (Nr. 1. 232 u. 20
m. 2 Kart.) 8⁰ Elberf., A Martini & Gr.　　　　Je — 20
- f. Ostfriesl. u. Umgebg. Gültig v. 1.V.—30.IX.'05 bezw.
1.X.'05—30.IV.'06. 10. u. 11. Ausg. (21 u. 23 m. je 1 Karte.) 8⁰
Aurich., D Friemann.　　　　　　　　　　　Je nn — 25 ö ö F
- f. d. Ostprovinzen, enth. sämtl. Fahrpl. d. Eisenb.-Dir.
Bezz. Bromberg, Danzig, Königsberg, Stettin u. Posen. Sommer-Fahrpl. 1905 u. Winter-Fahrpl. 1905/6. (100 u. 120 m. je
1 Karte.) 8⁰ Brombg, Mittler.　　　　　　　Je — 10
- Internat. Zugsverbindgn v. u. n. d. Ostschweiz. Sommer-
Saison 1903. (34 m. 1 Karte.) 8⁰ Zür., Art. Instit. Orell Füssli.
　　　　　　　　　　　　　　　　　　　　　　— 20
Fortsetzg war nicht zu erhalten.
- ostthüring., f. d. Sommerhalbj. 1904. (29) 8⁰ Weida, (Thomas).　　　　　　　　　　　　　　　　　　— 10 ö F
- f. d. rheinisch-westfäl. Industriebez., s.: Ewich.
-- dass. Hrsg. v. d. kgl. Eisenb.-Dir. Essen. Ausg. f. Mai,
Juli—Septbr bezw. Oktbr—Dezbr 1905 u. Jan.—Apr. 1906.
(Je 290 m. 1 Karte.) 8⁰ Ess., GD Baedeker.　　Je — 30
Bisher u. d. T.: Taschenfahrplan f. d. Dir.-Bez. Essen.
- f. sämtl. auf d. Eisenb. Siebenbürgens verkehr. Per-
sonen-u.Schnellzüge. Sommer-Fahr-Ordng 1905. VIII. Jahrg.
(34 m. 1 Skizze.) 16⁰ Hermannst., G Meyer.　　— 40
Winter erscheint nicht.
- Thüringer. Enth. Werra-Bahn u. sämtl. anschliess. Bahnen. Sommer 1905 u. Winter 1905/6. (Je 32 m. 1 Karte.) 16⁰
Hildburgh., Kesselring.　　　　　　　　　　Je — 25 d
- sämtl. Eisenb.-Züge in Tirol & Vorarlberg. Gegründet v.
M Glonner. Bearb. v. I Vogl. Nr. 81—83. Jahrg. 1905. (Je 82)
8⁰ Innsbr., Wagner.　　　　　　　　　　Gebr. in 16⁰ Je — 24

aschen-Gesetzsammlung. 1., 2., 6., 7., 12—14., 26., 28., 29.,
34., 36., 38., 42., 43., 46. u. 52—65. Bd. 12⁰ Berl., C Heymann.
　　　　　　　　　　　　　　　　　　　　　L. 59.50 d
Boehm, J, u. Sontag : Das Stempelsteuerges. v. 31.VII.1895. 3. Afl. (40o)
01. [96.]　　　　　　　　　　　　　　　　　　　　　2 —
Braun, E : Reichsges. betr. d. Verkehr m. Wein, weinhalt. u. weinähnl.
Getränken v. 24.V.'01, nebst d. Vorschriften f. d. chem. Untersuchg d.
Weines sowie d. amtl. ausf. dout. u. d. preuss. Ausführgsbestimmgn. (160)
01. [98.]　　　　　　　　　　　　　　　　　　　　　2 —
Delius : Das preuss. Vereins- u. Versammlgsrecht unter bes. Berücks. d.
Ges. v. 11.III.1850, d. Befugnisse d. Polizeibehörden u. d. privatrechtl.
Vorschriften d. Reichsges. 3. Afl. (275) 05. [28.]　　　　　　2 —
Evert, G : Die Dreiklassenwahl in d. preuss. Stadt- u. Landgemeinden
u. d. Ges. v. 30.VI.1900. (86) 01. [53.]　　　　　　　　　　1 —
Freytag, P : Ges., betr. d. Anstellg u. Versorgg d. Kommunalbeamten
v. 30.VII.1899, nebst Ausführgsanweisg v. 12.X.1899. 2. Afl. (355) 05.
[46.]　　　　　　　　　　　　　　　　　　　　　　2.50

Poisting, B: Das preuss. Einkommensteuerges. v. 24.VI.1891 nebst Aus-
führgsanweisgn. 2. Afl. v. Strutz. (505) 02. [1.]　　　　　　　2.40
— Das preuss. Gewerbesteuerges. v. 24.VI.1891 nebst Ausführgsanweisgn.
2. Afl. v. Strutz. (394) 04. [2.]　　　　　　　　　　　　　　3 —
Gebezr, F : Kirchengemeinde- u. Synodal-Ordng v. 10.IX.1873 u. General-
synodal-Ordng v. 20.I.1876. (516) 06. [64.]　　　　　　　　　1 —
— Verwaltgsordng f. d. kirchl. Vermögen in d. östl. Provinzen d. preuss.
Landeskirche. (336) 04. [61.]　　　　　　　　　　　　　　　1 —
Gerland, O : Das Recht d. Polizei-Verordngn in d. preuss. Monarchie.
2. Afl. (106) 01. [55.]　　　　　　　　　　　　　　　　　　1 —
Gesetzbuch, d. bürgerl., nebst d. Einführgsges. Vom 18.VIII.1896. 3. Afl.
(640) 04. [34.]　　　　　　　　　　　　　　　　　　　　　2 —
Hermes, J., u. H Fechner : Ges. z. Verhütg v. Hochwassergefahren v.
16.VIII.'05. (99) 06. [65.]　　　　　　　　　　　　　　　　2 —
Hippel, v. : Das Fleischbeschauges. v. 3.VI.1900, nebst Ausführgsbe-
stimmgn. Textausg. m. Einl., Anmerkgn, Ergänzgn u. Sachreg. (414) 02.
[55.] ‖ 2. Afl. (460) 03.　　　　　　　　　　　　　　Je 2.40
Hoffmann, F : Die Gewerbe Ordng m. d. ges. Ausführgsbestimmgn f. d.
Deut. Reich u. Preussen. 2. Afl. (20, 1022) 01. [36.] 4 — ‖ 3. Afl. (20, 1019)
02. 4 — ‖ in 2 Tle geb. 4.50 ‖ 4. u. 5. Afl. (20, 1139; bezw. 20, 1155)
04.06. 4 —
— Invalidenversicherges. v. 13.VII.1899 nebst Ausführgsbestimmgn.
3. Afl. (303) 05. [42.]　　　　　　　　　　　　　　　　　2 —
— Krankenversicherges. u. Ges. üb. d. eingeschrieb. Hülfskassen nebst
Ausführgsbestimmgn. Textausg. m. Anmerkgn. 3. Afl. (404) 03. [43.] ‖ 3. u. 4. Afl. (24, 363) 03.
‖ 3. Afl. (24, 408) 06.　　　　　　　　　　　　　　　Je 3 —
— Reichsges. betr. Kinderarbeit in gewerbl. Betrieben m. d. Ausführgsbestimmgn d. Reichs u. Preussens. (142) 04. [60.]　　　　　1.60
— Unfallversicherges. f. Land- u. Forstw. nebst Ges., betr. d. Abänderg d. Unfallversicherges. (404) 02. [57.]　　　　　　　2 —
Kade, C : Strafgesetzb. f. d. Deut. Reich. Text-Ausg. m. Anmerkgn. (214)
01. [14.]　　　　　　　　　　　　　　　　　　　　　1 —
Kappelmann, H : Die Städteordng f. d. 6 östl. Provinzen d. preuss. Monarchie v. 30.V.1853. Mit e. Anh.: Die Instruktion f. d. Stadtmagisträte
v. 20.VI.1853. (227) 01. [24.]　　　　　　　　　　　　　　1 —
Kautz, G : Das Verwaltgszwangsverfahren weg. Beitreibg v. Geldbeträgen.
2. Afl. (206) 01. [29.]　　　　　　　　　　　　　　　　　2 —
Lochte, D : Das Ges. üb. Kleinb. u. Privatanschlussb. (100 m. 2 Taf.) 03.
[59.]　　　　　　　　　　　　　　　　　　　　　　2 —
Meyeren, O v. : Das Reichsges. betr. Kaufmannsgerichte v. 6.VII.'04 m.
d. preuss. Ausführgsbestimmgn. (80, 166) 05. [63.]　　　　2 —
Neukamp, E : Das Reichsges. betr. d. Gesellsch. m. beschränkter Haftg
v. 20.IV.1892 in d. Fassg d. Bekanntmachg v. 20.V.1898. 2. Afl. (24, 369)
01. [7.]　　　　　　　　　　　　　　　　　　　　　2 —
Petersen, M : Ges. betr. d. Gründg neuer Ansiedlgn in d. Provv. Ost-
preussen, Westpreussen, Brandenburg, Pommern, Posen, Schlesien,
Sachsen u. Westfalen, v. 10.VIII.'04. (173) 05. [63.]　　　　1 —
Pfafferoth, C : Die deut. Gerichtskostenges. in d. Fassg v. 1898. Textausg. m. Anmerkgn u. Kostentab. 2. Afl. (112) 02. [39.]　　1 —
Roholski, H : Das Ges. betr. d. Schutz v. Gebrauchsmustern v. 1.VI.1891.
2. Afl. (114) 05. [13.]　　　　　　　　　　　　　　　　　1 —
— Das Patentges. v. 7.IV.'01. 2. Afl. (206) 01. [12.]　　　　2 —
Schultze-Görlitz, R, u. H Obernick : Die Angelegenh. d. freiwill. Ge-
richtsbark. Reichsges. v. 17.May.V.1898. Preuss. Ges. v. 21.IV.1899. (23,
352) 01. [49.]　　　　　　　　　　　　　　　　　　　2 —
Zehnter, J.A : Das Reichsges üb. d. privaten Versicherungsunternehmen,
nebst d. reichs- u. landesrechtl. Ausführgsbestimmgn u. d. bad. Verwaltgs-
Vorschriften d. Schweiz u. v. Oesterr. (24, 324) 02. [56.]　　2 —

Taschen-Handbuch f. d. Berliner Schornsteinfeger in Bezug
auf ihren Gewerbebetrieb im Stadtkreis Berlin. 2.—3. Afl.
(35 m. Fig.) 8⁰ Berl., GBO Rahn 1895.　　Geb. (— 50) — 75 d
Taschen-Keys, der. Fremdwrtrb. 7. Afl. v. A Fischer. (240)
16⁰ Berl., Neufeld & H. (05).　　　　　　　　　L. 1.20 d
Bisher bearb. v. B Klein.

Taschen-Kalender f schweizer Alpen-Clubisten f. 1905.
2. Jahrg. (275 m. 1 Karte.) 8⁰ Zür. (V. Seefeldstr. 5), A Tschopp.
　　　　L. 2 —; französ. Ausg. (274 m. 1 Karte.) 2 —
— 1903 z. Gebr. bei Handhabg d. Arbeiterversicherungsges. Hrsg. v. E Götze u. P Schindler. 15. Jahrg. 2 Thle. 12⁰
Berl., Liebel.　　L. Subskr.-Pr. 7 —; bezw. 9 —;
　　　　　　　　　　　　　einz. Thle 4 —; bezw. 5 —
1. Unfallversicherg. (39, 530) ‖ 2. Invalidenversicherg, Krankenversicherg
u. ortsübl. Tagelöhne etc. (29, 72²)
Fortsetzg s. u. d. T.: Jahrbuch d. Arbeiterversicherg.
— westdeut., f. Architekten u. Ingenieure. Hrsg. v. Techn.
Ver., Dortmund. Jahrg. 1905. (152) 8⁰ Dortm., R Kessler. L.1 —
— f. Aerzte. Begründet v. Lorenz. Hrsg. v. P Rosenberg.
1906. 19. Jahrg. (150 u. Schreibkalender.) 8⁰ Berl., S Rosenbaum.　　　　　　　L. m. 4 geh. Quartalsheften 9 —
— ärztl., 1905. Hrsg. v. Verband d. Ärzte Deutschlds. (166,
82, _19 u. Kalendarium m 4 Heften.) 8⁰ Lpzg-Co., Bh. d. Verb.
d. Ärzte Deutschlds.　　1.25; in einf. Tasche 2 —
　　　　　　　　　　　　　　　　　　in guter Ldrtasche 4 —
— ärztl., m. Tages-Notizb. 33. Jahrg. 1906. Hrsg. v. Steinschneider. (178 u. Tageb. m. 2 Bldn.) 16⁰ Wien, M Perles.
　　　　　　　　　　　　　　　　　　　　　　L. 3 —
— f. deut. Beamte, s.: Beamten-Kalender, deut.
— illustr., f. Bienenzucht, Obst- u. Gartenbau. 10. Jahrg.
1906. Hrsg. v. J Elsässer. (46 m. Schreibkalender.)16⁰ Ludwigsburg, Ungeheuer & Ulmer. (Lpzg, Fritzsche & Schmidt.)
　　　　　　　　　　　　　　　　　　　　Kart. — 60 d
— f. Bierhändler f. 1905. (Schreibkalender u. 46) 16⁰ Lüb.,
C Coleman.　　　　　　　　　　　　　　　　　L. 1 —
*Bis 1911 u. d. T.: Taschen-Kalender f. Bierverleger u. Bier-
händler.*
— f. d. deut. Blecharbeiter-Gewerbe 1905. 23. Jahrg.
(Schreibkalender m. 1 Musterbl. 4 Afl. 1 Karte, 1 Musterbog. u.
2 Beil. 36 u. 14 m. Abb.) 8⁰ Aue. (Schnesbg, BF Goedsche.)
　　　　　　　　　　　　　　　　　　　　　nn 2 —
*Fortsetzg s. u. d. T.: Fach-Kalender f. Blecharbeiter u. Installa-
teure.*
— braunschweig., f. 1906/1907. 7. Jahrg. (178 m. 1 Taf.) 16⁰
Brnschw., H Wollermann.　　　　　　　　　L. — 60 d

Taschen-Kalender f. d. Einjährig-Freiw. d. Infant. Hrsg. v. Nick. z. Jahrg. 1905/6. (213 m. Fig. u. 1 Bildn.) 8° Marbg, K Cauer. L. 1.50
— f. Eisenwarenhändler, Eisenwarenfabrikanten u. verwandte Gewerbetreib. f. 1906. 18. Jahrg. (Schreibkalender u. 316 m. Abb.) 8° Berl, O Elsner. L. 2.50; Ldr 3 —
— f. Fleischbeschauer u. Trichinenschauer. 6. Jahrg. 1906. Hrsg. v. A Johne. (Schreibkalender, 159 u. Beil. 32) 8° Berl., P Parey. L. 2.25 d
— f. d. Forstwirt f. 1906. 25. Jahrg. Begründet v. G Hempel. Fortgesetzt v. J Marchet u. F Hempel. (303 m. 1 Karte.) 8° Wien, M Perles. L. 3 —; in Ldr-Brieftasche 5 —
— f. d. Schüler d. höh. Lehranst. in d. Franckeschen Stiftgn zu Halle a. S. 1902. (Oktbr 1901—Dezbr 1902.) (152) 16° Halle, Bh. d. Waisenh. L. nn — 50 ö F
— f. Frauen- u. Kinderärzte, s.: Kalender.
— f. Geflügelzüchter. 1905. Bearb. v. P Hohmann u. R Pohl. 7. Jahrg. (240) 8° Berl., O Koobs. L. nn — 75
    Früher mit bearb. v. E Schmeisser u. O Koobs. — Fortsetzg s. u. d. T.: Geflügelzüchter-Kalender, Leipz.
— f. Gemeindebeamte f. 1905. Hrsg. v. Zentral-Verb. d. Gemeindebeamten Preussens. 6. Jahrg. (570) 8° Berl. (R Kühn). L. 2 — d
— f. d. deut. Haus- u. Landwirthe f. 1904. Begründet v. W Löwe. 46. Jahrg. (27, Schreibkalender u. 153) 16° Lpzg, Reichenbach. L. 2 —; Ldr 2.50 d
    Ausg. f. österr., f. preuss. u. f. sächs. Landwirthe zu gl. Preisen. — Fortsetzg s. u. d. T.: Löbe, W, landw. Taschen-Kalender.
— f. d. Heer, begründet v. W Frhr v. Fircks, hrsg. v. Fhr v. Gall. 29. Jahrg. 1906. (584) 16° Berl., A Bath. Ldr 4 —
— f. d. studier. Jugend. Red. v. L Auer jun. 1906. 28. Jahrg. (144 m. Abb.) 16° Donauw., L Auer. Geb. — 40 d
— f. hess. Justizbeamte, s.: Terminkalender.
— f. Kaufleute. Hrsg. v. schweiz. kaufmänn. Ver. 5. Jahrg. 1906. (148 m. 2 Tab.) 8° Zürich (Sihlstr. 20), Schweiz. kaufmänn. Ver. L. 1.60
— f. d. kathol. Klerus. 1906. Red.: CA Geiger. 28. Jahrg. (212) 8° Rgnsbg, Verl.-Anst. vorm. GJ Manz. L. 1 —
— f. d. Landwirt f. 1906. (Einbd: Hitschmann's Taschenkalender usw.) Begründet v. HH Hitschmann. Hrsg. u. red. v. R u. H Hitschmann. 28. Jahrg. (56, 160 u. Tageb. m. 1 Karte.) 8° Wien, M Perles. L. 2.40; Ldr 3.20
— d. deut. Landwirths f. 1904. 14. Jahrg. (351) 12° Berl., C Sagawe. L. 1.50; Ldr 2 —
    Fortsetzg war nicht zu erhalten.
— landwirtschaftl., s.: Löbe, W.
— bad. landwirtschaftl., f. 1906. 19. Jahrg. (259) 8° Karlsr., G Braun'sche Hofbuchdr. L. 1 — d
    Bis 1903 hrsg. v. Märklin.
— bayer. landwirtschaftl., f. 1906. Hrsg. v. F Maier-Bode. 1. Jahrg. (153 m. Abb. u. 2 Bildn.) 12° Stuttg, E Ulmer. L. 1.50 d
— illustr. landwirtschaftl., f. 1906. Hrsg. v. F Maier-Bode. 1. Jahrg. (153 m. Abb.) 12° Ebd. L. 1.50 d
— württemb. landwirtschaftl., f. 1906. Hrsg. v. F Maier-Bode. 1. Jahrg. (153 m. Abb.) 12° Ebd. L. 1.50 d
    Fortsetzg dieser 3 s. u. d. T.: Taschen- u. Schreibkalender.
— f. Schüler landwirtschaftl. Schulen. 1903—4. Hrsg. v. A Conradi. (205) 16° Lpzg, H Voigt. L. nn — 75 ö F
— f. Lehrer. 1906. 32. Jahrg. Hrsg. v. bayer. Volksschullehrer-Ver. Bearb. v. H Sandner. (178 m. 1 Karte.) 8° Münch., R Oldenbourg. L. nn — 90
    Früher bearb. v. J u. C Böhm.
— f. deut. Lehrer. 1904/5. 7. Jahrg. (158) 12° Berl., Hilfsver. f. deut. Lehrer. L. — 75
— dass. (Ausg. f. d. Vororte Berlins.) 5. Jahrg. (155) 12° Ebd. L. — 75
— f. Lithographen, Steindrucker, Karto- u. Chemigraphen, Zeichner u. verwandte Berufe. 1904. Hrsg. v. K Kluth. (136 m. Abb. u. 27 Taf.) 8° Karlsr. (Lpzg, G Hedeler.)
    Fortsetzg s. u. d. T.: Jahrbuch f. d. lithogr. Gewerbe.
— medizin. Hrsg. v. Kionka, Partsch, A. u. F Crämer. 19. Jahrg. 1906. 2 Tle. (175, 230 u. 12 Monatshefte je 32) 8° Berl., Vogel & Kr. Ldr u. geb. 8 —
— medicin., f. prakt. Aerzte. 1905. Von A Behr. (Schreibkalender u. 188) 8° Riga, Jonck & P. L. 4 —
— medicin., f. Jedermann. 1906. (64) 5,8×9,2 cm. Münch., Seitz & Sch. — 15
— 1905 f. Beamte d. Militär-Verwaltg. Hrsg. v. H Siekmann. 26. Jahrg. 2 Thle. (41, 385 u. 251) 16° Berl., A Bath. L. u. geb. 4 —
    Fortsetzg s. u. d. T.: Siekmann's Taschen-Kalender.
— f. Mineralwasser-Fabrikanten, s.: Kalender.
— f. Nerven- u. Irren-Ärzte 1904. Hrsg. v. H Kurella. (134 m. Abb. u. 12 Monatshefte je 32) 12° Berl., Vogel & Kr. Ldr 5 —
    Bis 1902 u. d. T.: Taschenkalender f. Nerven-Aerzte. — Fortsetzg s.: Kurella, H.
— pädagog., s.: Haese, K.
— pädagog., f. 1905 v. J Schiffels. (114 u. 21) 16° Trier, Loswenberg. L. — 70 d
— (Einbd: Kalender) f. Post u. Telegr. f. 1905. 5. Jahrg. Bearb. v. M Heindl. (316 m. 1 Karte u. 2 Bildn.) 8° Münch., Verl.-Anst. M Bickel. 1 —

Taschen-Kalender, 1906 f. Regiergs-Steuerbeamte, Hrsg. v. W Deimel. 12. Jahrg. (Schreibkalender u. 252 m. 1 Karte.) 16° Hamm, TO Weber. L. 2 — d
— f. d. Rheinschiffahrt 1906 (2. Jahrg.), hrsg. v. Schmitt u. Schnell. 2 Tle. (356 u. 59 m. 1 Taf.) 8° Mainz, J Diemer. L. u. geb. 2 —
— d. stenograph. Monatsschrift Stift Heil! 1905. (64) 24° St. Joachimsthal. (Prag, G Neugebauer.) nn — 25 ö F
— tierärztl., f. 1906. Bearb. u. hrsg. v. M Albrecht u. H Bürchner. X. Jahrg. 3 Tle. (359, 195 u. 46 u. Schreibkalender in d Vierteljahrsbetten.) 8° Straub., CAttenkofer.Ldr u. geb. 4 —
— f. Verwaltgsbeamte f. 1906. (Einbd: Kalender.) Hrsg. v. A u. R Petersille. 23. Jahrg. 2 Tle. (168 u. 418 m. 1 Bildn. u. Notizb.) 8° Berl., C Heymann. In 2 L.-Bdn 3 — d
— f. schweiz. Wehrmänner 1905. 29. Jahrg. (160 m. Fig., 1 Bildn., 5 farb. Taf. u. 2 Kart.) 16° Frauenf., Huber & Co. nn — 65
— dass. Anh. 16° Ebd. nn — 40
    Einteilg d. schweiz. Armee, nebst Verz. d. Instruktionspersonals, Tableau d. Militär-Schulen pro 1905 u. dienstl. Notizformularien. (78) 05. nn — 40
— f. Weinbau u. Kellerwirtschaft f. 1906. 22. Jahrg. Bearb. v. A dal Piaz. (188 u. Tageb. m. 1 Karte.) 8° Wien, M Perles. L. 3 —; Ldr 4.40
— Worpsweder. Merkb. m. 12 Federzeichngn v. H Vogeler. (Einschreibb. m. Wandkalender.) 16° Lübeck, L Möller (05). (Nur dir.) Geb. G. 6 —
— f. Zahnärzte u. Spezialärzte f. Zahn- u. Mundkrankh. 1909, hrsg. v. A Bünger. 1. Jahrg. (Schreibkalender u. 72) 16° Burg, A Hopfer. L. 2 — 5 F
— f. Zuckerfabrikanten, s.: Stammer.

Taschen- u. Schreibkalender, landw., f. 1906. Hrsg. v. F Maier-Bode. 5. Jahrg. (172 m. Abb.) 8° Stuttg., E Ulmer. L. 1 — d
— bayer. landw., f. 1906. Hrsg. v. F Maier-Bode. 5. Jahrg. (172 m. Abb. u. 2 Bildn.) 8° Ebd. L. 1 — d
— württemb. landw., f. 1906. Hrsg. v. F Maier-Bode. 5. Jahrg. (172 m. Abb.) 8° Ebd. L. 1 — d
    Der 1. Jahrg. dieser 3 erschien u. d. T.: Taschenkalender, bayer., illustr., bezw. württemb. landw.

Taschen-Kommersbuch. 400 Lieder a. Schauensburgs allg. deut. Kommersbuch. 17. Afl. (56) 8° Lahr, M Schauenburg (04). Geb. 1 —; m. Biernägeln 1.50 d
Taschen-Liederbuch. 57 d. bekanntesten Kommersbuch, gew. HS 4. Afl. (56) 16° Zwickau 1/S. (Wilhelmstr. 13), OA Günther (01). nn — 10 d
— Dresd. akadem. (92) 16° Dresd., E Engelmann's Nf. (05). — 30 d
— Freiburger. 395 d. beliebtesten Vaterlands-, Volks- u. Studentenlieder, nebst ein. Sologesängen, zumeist m. Melodie. 5. Afl. (287) 8° Freibg 1/B., Herder (05). Geb. 1.50 d
— f. Gabelsb.-Stenogr., s.: Reuter's Bibliothek f. Gabelsb.-Stenogr.
— f. kathol. Lehrervereine. (194) 8° Bresl., F Goerlich (04). nn — 20; geb. nn — 30 d Verz.
— neuestes. 18. Afl. (288) 16° Köln (01), Lpzg, J Püttmann. nn — 50
— neuestes. 4. Afl. (284) 8° Lpzg, Ernst (04). — 60; geb. — 75 d
Taschen-Notizbuch f. Imker f. 1904. Hrsg. v. d. Red. d. "Prakt. d. Bienenzucht". (110) 16° Berlin-Charltnbg, E Prager. nn — 50 d
Taschenpanorama d. d. u. ö. Alpen (Unschl.: Alpenverein's Taschen-Panorama). Nr. 1—7. Lith. Mit Text auf d. Rückls. Münch., J Lindauer. Je — 30
    1. Reachreiter, R: Rundschau v. d. Ellmauer Haltspitze. 12×25,5 cm. 02.
    2. Reachreiter, R: Rundschau v. d. Zugspitze. 17×25,5 cm. 01.
    3. Reachreiter, R: Rundschau v. Herzogstand. 17×25,5 cm. 01.
    4. Reachreiter, R: Rundschau v. Wallberg. 12×25,5 cm. 09.
    5. Reachreiter, R: Rundschau v. Spielkboden. 12×36,5 cm. 04.
    6. Reachreiter, R: Rundschau v. d. Plose bei Brixen. 12×77 cm. 04.
    7. Reachreiter, R: Rundschau v. Grossglockner 3797 m. Nach d. Natur.
— Reachreiteren Aufnahmen gez. 97×38,6 cm. 05.
Taschenplan v. Breslau u. Umgebg. 4. Afl. 55×52,5 cm. Farbdr. Nebst Strassenverz. (13) 8° Schweidn., G Brieger (04). nn — 25; m. Strassenverz. auf d. Rücks. 39,5×26,5 cm. 75 — d
Taschen-Rangliste d. VI. Armeecorps. Stand am 18.IV.04. (60) 16° Berl. 01. (Bresl., Hirt's S.) Kart. 1 —
— d. XI. Armee-Corps. Stand am 27.I.'04. Aufgestellt durch d. Registratur d. Generalkommandos XI. Armeekorps. 12° Cass., (M Siering) 02. Kart. — 50
— d. Behörden u. Truppentheile d. XVI. Armee-Korps, kgl.sächs.Fussartill.-Regimts Nr.12, d. kgl. bayer. 8.Inf.-Brigade u. d. kgl. bayer. 2. Fussartill.-Regts (Stab, 1. u. 2. Bataillon). Hrsg. v. K Freimark. 1. Jahrg. 1. u. 2. Heft. Stand am 1.IV. bezw. 1.X.'02. (93) 12° Metz, P Müller. Je — 50 d
Taschen-Schreib-Kalender f.1906. (324) 16° Jena, G Neuenhahn. Je — 50
Taschentagebuch f. deut. Fleisch- u. Trichinenschauer. Hrsg. v. R Reissmüller m. Beitr. v. Sandig. (35 u. Tageb.) 8° Chemn., R Reissmüller (05). Geb. nn 1 — d
Taschen-Termin-Kalender f. 1906/7. (70) 8° Bielef.-Gadderb., W Bertelsmann.
Taschenwörterbücher nr Sprachführer, prakt., hrsg. v. Roberts. I.—II. 10° Ravnsbg, O Maier. Kart. je 1.40 d
    Brombln, G: Franzõs. Konversations- u. Taschenwrtrb. Nebst kurzgef. Sprachlehre. (170 u. 80) (02.) [I.]
    — Italien. Konversations- u. Taschenwrtrb. Nebst kurzgef. Sprachlehre. (170 u. 81) (02.) [II.]

Newcomen, WF: Engl. Konversations- u. Taschenwrterb. Nebst kurzgef. Sprachlehre. (153 u. 78) (03.) [III.]

Tasker, JG: Haeckel's Lösg d. Welträtsel. Aus d. Engl. v. C Herrmann. (47) 8° Gross-Lichterf., C Herrmann 04. — 60

Tat, d. rett. Zur Beleuchtg d. ungar. Krise, v. e. Veteranen d. Politik. (19) 8° Wien, Szelinski & Co. 03. — 50

Tatarinoff, E: Die Schlacht bei Dornach 1499, s.: Verein f. Verbreitg guter Schriften, Basel.

Taten Jesu in uns. Tagen. Skizzen u. Bilder a. d. Arbeit d. inneren u. äuss. Mission, hrsg. v. M Hennig. 2—6. Taus. (343) 8° Hambg, Agent. d. Rauhen H. (05.) 3 —; geb. 3.50; Geschenkausg., m. 2 Titelbildern, L. 4.50 d
— u. **Ebenteuer**, lust., d. alten Klosterbruders Hannes v. Lehnin. ges. u. au's Licht gefördert a. Pater Petri Papieren v. A. D. 1589 durch K L. 4. Afl. 2 Bdchn. (160 u. 144 m. Abb.) 16° Bern (o. J.). (Wien, E Beyer.) 4.50 d

Tätigkeit, d., d. kgl. bayer. 3. Feld-Genie-Kompagnie währ. d. Feldzuges 1870/71. (Von K Müller.) [S.-A.] (64 m. 1 Karte u. 1 Abb.) 8° Münch., J Lindauer 03. 1 — d Vergr.
— d., d. Landgskorps S. M. S. „Habicht" währ. d. Herero-Aufstandes in Süd-West-Afrika, s.: Marine-Rundschau.
— d. bisher., d. physikalisch-techn. Reichsanst. Aus der d. Reichstage am 19.II.'04 überreichten Denkschrift. Mit e. Verz. d. Veröffentlichgn a. d. J. 1901—3. (26) 8° Braschw., F Vieweg & S. 04. 1 —

Tätigkeitsbericht d. städt. Arbeitsvermittlgsamtes in Brünn. Für d. Zeit v. 1.IV.—Ende Decbr '01 erstattet v. Ausschusse d. städt. Arbeitsvermittlgsamtes. (39 m. 9 Tab.) 8° Brünn, (C Winkler) 02. — 50
— d. Kulturgesellsch. d. Bez. Aarau üb.d. J. 1897—1901. Kassa-Bericht. — Mitglieder-Verz. Im Anh.: Die Koch- u. Haushaltgskurse d. Kulturgesellsch. d. Bez. Aarau. (14 u. 24) 8° Aar., (HR Sauerländer & Co.) 02. — 60 d

Tatra, d. hohe. 7 Farbendr. u. 26 Holzschn. u. Aquarellen v. ET Compton. Text v. P Habel. (21 [7 farb.] Taf.m.8S.illustr. Text u. 1 Karte.) 44×33 cm. Lpzg, JJ Weber (05). In M. 30 —

Taubald, J, s.: Geschichtsrepetition.

Taube, die. Monatsbl. f. ev. Vereins- u. Liebesthätigk. Hrsg.: J Ninck. 9 u. 10. Jahrg. Oktbr 1901—Septbr 1903 je 12 Nrn. (Nr. 1. 16 m.Abb.) 8° Winterth.,Bh.d. ev.Gesellsch. Je 1.50 d
— dass. Illustr. Monatsbl. f. ev. Vereins- u. Liebesthätigk. Red.: T Zimmermann, T Goldschmid (u.H Girsberger). 11—13.Jahrg. Oktbr 1903—Septbr 1906 je 12 Nrn. (Nr. 1. 16) 8° Brünn, ev. Gesellsch. Je 1.50 d

Taube v. der Issen, Freifrau H v., s.: Keyserling, Graf Alexander.

Taubenrassen, die. Ausführl. Hdb. üb. Zucht, Haltg u. Pflege d. Tauben. (Zugl. Bd II v. „Unser Hausgeflügel".) Bearb. v. A Lavalle u. M Lietze. 25 Lfgn. (728 m. Abb. u. 82 [16 farb.] Taf.) 8° Berl., J Pfenningstorff (05). Je — 50; in 1 Bd geb. 15 — (I u. II.: 30 —) d

Taubenspeck, E: Engl. Gedichte, s.: Kirchner, F.

Tauber v. Taubenfurt, J Frhr: Üb. meine Violine. Sonitu quatit ungula campum. Mit e. Einl. hrsg. v. R Tauber. (116) 8° Wien, AL Hasbach 05. 2 —; L. 3 — d

Taubert: Die sibir. Eisenb. u. d. russ. Arbeitsfeld in Ostasien, s.: Beiheft z. Militär-Wochenbl.

Taubert, M: Der Wiehtal Weihnachtslohn, s.: Bloch's, L, Kinder-Theater.

Taubert, O: Die Schlachtfelder v. Metz. 2.Lfg. (11 Taf.,Titelbl. u. 5 S. Text.) Fol. Berl., A Duncker 01. 12 —
(Vollst.: 24 —; in L.-M. nn 30 —) d

Taubert, W: 10 Kinderlieder, f. 2- u. 3stimm. Kinderchor eingerichtet u. z. Gebr. in Volks- u. Mittelsch. hrsg. v. W Trenkner. Op. 7. (20) 8° Hannov., C Meyer 05. — 20 d

Täubert, G: Ältester treuester Führer durch d. sächsischböhm. Schweiz. Mit kurzer Berücks. d. nächsten Umgebg Dresdens u. e. Teiles d. böhm. Mittelgebirges u. Erzgebirges (Kipsdorf, Altenberg, Geising). (206 m.Abb. u.Kart.) 8° Dresd., Albanus 04. Kart. 1 —

Täubler, A: Die Schule in Pfaffenklauen, s.: Lichtstrahlen.

Täubler, E: Die Parthernachrichten bei Josephos. (58) 8° Berl., E Ebering 04. 1.80

Täubner, K: Sprachwurzel — Bildgsgesetz u. harmon. Weltanschaug. (36 m. Abb., WH Kühl 05. 1.20

Täubner, W: Zwergkönig Hübig. Kinder-Festsp. 3. Afl. (30) 8° Freibg, H Sander (04). — 25 d
— Der Jahreslauf. Kinder-Festsp. 3. Afl. (30) 8° Ebd.(04). — 25 d
— Ein Weihnachtsmärchen. Weihnachtsfestsp. f. Volksech. 4. Afl. (16) 8° Ebd. (04). — 30 d

Taubstummenfreund, der. Hrsg.u.red.v.FranASchenck,geb. Fürstenberg. 30—34. Jahrg. 1901—5 je 24 Nrn. (1901. Nr. 1. 4) 4° Berl. (Elisabethstr. 45a), Frau A Schenck. Je nn 3 — d

Taubstummen-Führer, der. Kathol.Blätter z.Erbaug.Belehrg u. Unterhaltg f. erwachs. Taubstumme. Hrsg. v. J Ruschens (u. P Röntgen). 6—10. Jahrg. 1901—5 je 24 Nrn. (Nr. 1. 4 m. Abb.) 8° Trier, Paulinus-Dr. Halbj. 1.50 d

Tauchnitz' edition, s.: Collection of Brit. auth.

Tauchnitz, O: Die Buchführg f. Architekten. (102) 8° Lpzg, Eisenschmidt & Sch. (01). L. 1.80 d

Tauföchlein, d. Berner, v. 1528. Nach d. einzig erhalt. Exemplar d. Berner Stadtbibliothek hrsg. v. A Fluri. (25) 8° Bern, (E Baumgart) 04. — 80 d

Taunay, Visconde Ade: Innooencia. Brasilian. Roman. (Umschl.: 2. Aufl.) (290) 8° Berl., D Dreyer & Co. (03). — 50 d
— dass. Nach e. Übersetzg v. A Philipp bearb. v. C Schüler. (218 m. Abb.) 8° Ebd. (05). 2 — d

Taunus, der. (Album.) (12 Taf.) 16° Höchst, W GrafNf. (05). 2 —

Taunus-Führer, offiz. Mit bes. Berücks. d. Rheintales v. Mainz bis Koblenz u. d. Lahntales v. Giessen bis Lahnstein. Hrsg. v. Taunus-Klub in Frankfurt a/M. 4. Afl. (40, 174 m. Kart. u. Pl.) 8° Frankf. a/M., L Ravenstein (05). Geb. nn 2 —

Taurke, F: Die Feld- u. Wirtschaftssysteme d. Landbaues, deren Entstehg, Wesen u. Zweckmässigk. (52) 8° Schivelb., (F Puchstein) 03. 1 — d

Taurke, M, s.: Weiss, M.

Tausch, E: Moderne Innenkunst. 6 Lfgn. (80 Taf. m. 3 S. Text.) 46×36 cm. Dresd., G Kühtmann (04.05). In M. 36 —

Tauscher, H: Der Philosoph v. Rauda. Leben u. Streben d. Autodidakten Friedrich Theil. (16) 8° Altnbg, O Bonde 01. — 25 d
— dass. 2.Afl. (16 m.1Bildnis.) 8° Halle04. Jena, HW Schmidt. — 50 d

Tauscher's, M, Warenpreis-Berechngs- od. Kalkulations-Tab. f. Fabrikanten, Gewerbetreib., Gross- u. Kleinkaufleute jeder Art. Zugl. Umrechngs-Tab. deut. Geldes in ausländ. Werte u. umgekehrt. (50) 12° Lpzg, G Weigel (02). 1.20; geb. 1.50 d

Tauschverkehrbuch f. Postwertzeichensammler. (104) 4° Lpzg, (Verl. d. Universalbriefmarkenalbums) (03). 1.2 —

Taussig's illustr. Wiener Hausfrauen-Kalender pro 1906. Hrsg. v. d. Red. d. Wiener Hausfrauen-Zeitg. 27. Jahrg. (32, 130 u. 64) 8° Wien, M Perles. Kart. 1.20; L. 2 — d

Taussig, S: Der Weihnachtsposten, s.: Heidelmann's, A, Theaterbibliothek.

Taussig, S, u. G **Frühauf**: Behelf z. Lösg v. Aufg. a. d. operativen Sanitätsdienste u. d.Sanitätstaktik, s.: Publikationen, militärärztl.

Tauste, F de: Arte, bocabulario, doctrina christiana y catecismo de la lengua de Cumana, bajo: Obras, algunas, raras sobre la lengua cumanagota.

Tautphoeus, Frhr v.: Gesch. d. Füsilier-Regts v. Gersdorff, s.: Dechend.

Tautropfen a. Gottes Wort f. Kranke u. Schwache. Ges. v. e. Schwester d. Diakonissenh. zu Halle a. S. (407) 8° Halle, E Strien (05). L. 3 — d

Tautu, R: Uns. Post. Illustr. Ratgeber f. d. Post-, Telegramm- u. Fernsprech-Verkehr. (67 m. Abb.) 8° Nimptsch 04. (Bersl.: Priestatsch.) 75 d
— Der Verkehr m. d. Post. Illustr. Lehr- u. Übgsb. f. Volks-, Fach-, Fortbildgs- u. Gewerbesch. (72) 8° Ebd. — 75 d

Tavares, F J: Freie u. Unfreie. Roman. (207) 8° Berl., D Dreyer & Co. (03). — 50 d

Tavel, E: Chirurg. Infektion u. deren Prophylaxe, s.: Bibliothek, moderne ärztl.
— 6 Wochen in Marokko, s.: Verhandlungen d. deut. Kolonial-Gesellsch.

Tavel, R v.: Familie Landorfer. 1—3. Bd. 8° Bern, A Francke. 8.90; geb. 11.50 d

1. Jä gäll, so geit's! E luschtigi Gschicht us truuriger Zyt. 3. Afl. (272) 04. 2.50; geb. 3.50
2. Der Houpme Lombach. Berndeut. Novelle. Anschliessend a. d. Novelle „Jä gäll, so geit's". 2. Afl. (386) 04. 3.20; geb. 4 —
3. Gotti u. Gotteli. Berndeut. Novelle. Anschliessend an „Der Houpme Lombach". 1. u. 2. Afl. (329) 06. 3.90; geb. 4 —
— Jä gäll, so geit's. E luschtigi Gschicht us truur. Zyt. Berndeut. Novelle. (208 m. Abb.) 8° Ebd. 01. 2.40; geb. 2.80||2.Afl. (214) 02. 2.50; geb. 3.50 d
— Der Houpme Lombach. Berndeut. Novelle. Anschliessend an d. Novelle „Jä gäll, so geit's". (335) 8° Ebd. 03. nn 3.20; geb. 4 — d

Tavera s.: Schmit Ritter v. Tavera.

Tavernier, V: Zur Vorgesch. d. altfranzös. Rolandsliedes (üb. ß im Rolandslied), s.: Studien, roman.

Taxiliade. Von Ernst Jocosus. (128) 8° Lpzg, JG Findel 02. 1.50

Taxklassen, d., d. Handelshölzer in d. grössten deut. Forstverwaltgn. Zusammengest. v. „Holzmarkt" — Bunzlau. (31) 8° Bunzl., (G Kreuschmer) 04. — 50 d

Taylor, E: Normal plates of the development of the rabit, s.: Minot, CS.

Taylor, G, s.: Hausrath, A.

Taylor, Mrs H, s. a.: Guinness, G.
— Ein chines. Gelehrter. Bildgsgang u. Bekehrg e. Confucianisten. Aus d. Engl. v. H.Z. (193 m. Abb.) 8° Gütersl., C Bertelsmann 02. 2.40; geb. 3 — || 2. Bd. Pastor Hsi. Ein chines. Christ. (295 m. Abb. u. 1 Bildnis.) 04. 3.20; geb. 4 — d

Taylor, JH, s. a.: Hudson-Taylor, J.
— Die China-Inland-Mission. Aus d.Franz. v. KJ Wetter. 2.Afl. (104 m. Abb.) 8° Barm., Deut. China-Allianz-Miss. 1898. 1.20 d
— Verbindg u. Gemeinschaft. Gedanken üb. d. Hobelied (a. d. Engl. v. C P.). (Umschl.: Das Lied d. Lieder.) (128) 12° Ebd. (1898). 1.20; L. 1.80 d

Taylor, T: Die eleusin. u. bacchischen Mysterien. [S.-A.] (35) Fol. Wien, Manz. — Lpzg, Exp. d. Gnosis (03). — 85

Taylor, W: Auf Hearnesbouse. Das Bessch auf d. Plantage e. Sklavenhälterin in Virginia. (68 m. Titelbild.) 8° Dresd. 02. Lpzg, Leipz. Verl. || 2. Afl. (76) 03. Je 2 — d

Taylor, W: Im Lande d. Souldrivers. Geschichten a. d. Sklavenstaaten Nordamerikas. 1. u. 2. Bd. 8° Lpzg, Leipz. Verl. (05). Je 2 — d
1. Als Quarteronen verkauft. (81 m. Titelbild.)
2. Unter d. Peitsche Donna Isabellas. (79 m. Titelbild.)
— Quenqueza. Gesch. e. Sklaven. a. d. 2. Hälfte d. 19. Jahrh. (268 m. Abb.) 8° Dresd. 03. Lpzg, Leipz. Verl. 03. 5 — d
Teatro italiano. Fortsetzg., s.: Collezione di opere italiane.
Tebbitt, A: A list of German verbs, adjectives and participles with their appropriate prepositions. (Method Gaspey-Otto-Sauer.) (82) 8° Hdlbg, J Groos 03. 1 —
Tebbitt, F: Deutsch-engl. Gespräche z. Erleichterg d. Verkehrs zw. Zahnarzt u. Patient. (86) 8° Hdlbg, K Groos 04. — 80
Techen, R: Der Scheintod. Ein Mahnwort z. Vorsicht bei Benutzg d. Leichenhallen u. bei Beerdigg Verstorbener, insbes. in Berlin u. and. volksreichen Städten. (40) 8° Berl., K Pickhardt 05. — 50
Techentin, C, s.: Bandagisten-Kalender, dent.
Technik, d., Fortsetzg, s.: Zeitschrift f. Automobilen-Industrie u. Motorenbau.
Techniker-Jahrbuch, deut. 2. Jahrg. Für d. Studienj. 1904/5. Hrsg. v. T Glatz. (Sommer- u. Herbstausg.) (Je Schreibkalender u. 94 m. Fig.) 8° Stegl. Berl., C Malcomes. L. je 1.20
Techniker-Zeitung, deut. Hrsg. v. deut. Techniker-Verbande. Red.: H Knütter, E Dalchow u. W Koch. 18—22. Jahrg. 1901 —5 je 52 Nrn. (1901. Nr. 1. 8 m. Fig.) 4° Berl., (W & S Loewenthal). Viertelj. 3 —
Technisches v. d. Albulabahn. I. Die neuen Linien d. rhät. Bahn. Von F Hennings. II. Die gewölbten Brücken d. Albulabahn. Bearb. v. d. Red. d. schweiz. Bauzeitg. [Rev. S.-A.] (40 m. Abb.) 4° Zür., A Raustein 04. 2.40
Techow A: Entscheidungen d. kgl. preuss. Oberverwaltgsgerichts.
Techter, W: Die Prov. Hessen-Nassau, s.: Landeskunde Preussens.
Tecklenburg, A: Code-Wrtrb. „Never better" (Handelsmarke). 81 Millionen künstl. Wörter v. 10 Buchstaben in genauer Uebereinstimmg m. d. Beschl. d. internat. Telegr.-Konferenz London 1903 u. m. bes. Vorsichtsmassregeln gegen Verstümmelgn. (In deut., engl., französ. u. span. Sprache.) (24 m. 1 Tab.) 8° Hambg, L Friederichsen & Co. 05. nn 50 —
Tecklenburg, A: Gemeinverständl. Erörtergn üb. ein. Teile d. deut. BGB., s.: Lieber.
— Die Proportionalwahl als Rechtsidee. Mit e. Zusatz: Die Verbindg d. Proportionalwahl m. d. Dreiklassenwahlsystem im Hamburger Senatsantrag v. 10.V.'05. (53) 8° Wiesb., H Staadt 05. 2.50
— Wahlfreiheit u. Proportional-Listenkonkurrenz. Beitrag z. Frage d. passendsten Proportionalwahlsystems f. d. Wahl d. Beisitzer zu d. Kaufmanns- u. Gewerbegerichten. (34) 8° Ebd. 05.
— Lebzeit, Zuwendgn in ihrer Einwirkg auf d. Erb- u. Pflichtteilsberechng m. d. deut. BGB., dargest. auf d. Grundl. d. röm. u. german., d. gemeinen Rechts u. d. bedeutenderen Kodifikationen. (20, 215 m. 1 Tab.) 8° Marbg, NG Elwert's V. 04. 5 — d
Tecklenburg, A: Deut. Gesch. f. Schule u. Haus, s.: Weigand, H.
— dass. f. ev. Volkssch. ausg. f. d. Lehrer. Mit begründ. Vorwort, e. Zeittaf. u. e. Übersichts- u. Inhaltspl. u. Längs- u. Querschnitten. (102) 8° Hannov., C Meyer 01. Kart. — 90 d
— dass. als Lern- u. Leseb. f. d. Hand d. Schülers bearb. Mit e. Zeittaf. (102) 8° Ebd. 01. nn — 50; kart. nn — 60 d
— Der 1. selbständ. Gesch.-Unterr. auf heimatl. Grundl. in Theorie u. Praxis. Typisch dargest. in ausgeführten Lektionen u. in Lektionsentwürfen. (381) 8° Ebd. 04. 3.50; geb. 4 — d
— Lern- u. Leseb. f. d. Gesch.-Unterr. 1. Tl. Deut. Gesch. v. d. Urzeit bis z. Ende d. 30jähr. Krieges. Nach d. Grundlehrpl. d. Berliner Gemeindesch. f. d. Hand d. Schülers bearb. (94) 8° Ebd. 05. Kart. — 50 d
— Methodik d. Gesch.-Unterr. (110) 8° Lpzg, BG Teubner 05. 1.40 d
— s.: Protokolle üb. d. Sitzgn d. Ver. f. d. Gesch. Göttingens.
— Schülerb. f. d. Gesch.-Unterr. in Volks- u. Mittelsch. 1. Tl. Im Anschl. an d. Verf. „1. selbständ. Gesch.-Unterr. auf heimatl. Grundl." bearb. (62) 8° Hannov., C Meyer 04. — 40 d
— Univers. u. Volksschullehrer, s.: Brunotte, K, d. Schulaufsicht.
Tedeschi, P: Storia dell' arti belle, s.: Collezione di opere italiane.
Teetz, H: Aufg. a. deut. ep. u. lyr. Gedichten. 3—10. Bdchn 8° Lpzg, W Engelmann. Kart. 9.60 (1—10: nn 13.20) d
3. Das Lied v. d. Glocke. 2. Afl. (140) 04. 1 — | 4. Aufg. a. Uhlands Gedichten. 1. Tl. Für mittl. u. ob. Kl. (170) 01. 1.40 | 5. Dass. 2. Tl. Für mittl. u. ma). Kl. (163) 02. 1.40 | 6. Dass. 3. Tl. Für mat. Kl. (187) 02. 1.20 | 7. Aufgaben a. Goethes Gedichten. 1. Tl. Heidenröslein, d. König u. Thüle, Hans Sachsens poet. Sendg. d. Fischer, Erlkönig, d. Sänger. (18) 03. 1.20 | 8. Dass. 2. Tl. Zauberlehrling, Legende v. Hufeisen, Schatzgräber, Blümlein Wunderschön, Hochzeitlied, Johanna Sebus, d. wandelnde Glocke. d. getreue Eckart, Totentanz, Ballade v. vertrieb. u. zurückkehr. Grafen, zusammenfass. Aufg. (142) 03. 1.20 | 9. Aufg. a. Klopstocks Gedichten. (113) 04. 1 — | 10. Aufg. a. Goethes Gedankenlyrik. (151) 05. 1.20.
— s.: Schiller's, F v., Lied v. d. Glocke.
Teetzmann, W: Export u. Import in Theorie u. Praxis. Einfuhrg in d. Technik d. Export- u. Importgeschäfts, wie es v. Grosskaufleute betrieben wird. (192 m. Abb. u. 1 Karte.) 8° Lpzg, Verl. d. mod. kaufm. Bibliothek (03). L. 2.75
— Das internat. Frachtwesen usw., s.: Barth, H.
— u. M Harsmann: Das Grosshandelsgeschäft. Ausländ. Grosshandel, s.: Grosskaufmann, d. deut.

Tegeder, W: Aus welchen Gründen ist d. ungeteilte Unterr.-Zeit erstrebenswert, u. welche Schritte sind z. Einführg derselben zu tun?, s.: Abhandlungen, pädagog.
Tegge, A: Kompendium d. griech. u. röm. Altertümer. 2. Tl. röm. Altertümer. (216 m. Aub.) 8° Bielef., Velhagen & Kl. 01. Kart. 2 — (Vollst.: 3.20) d
Tegnér, E: Die Frithjofs-Sage. Aus d. Schwed. v. G Mohnike. (211 m. Abb.) 12° Ravnsbg, F Alber (03). L. 2.50 d
— dass. Übers. v. G Mohnike, neubearb. v. PJ Willatzen. 27. Afl. (186 m. Titelbild.) 12° Halle, H Gesenius (03). L. m. G. 3 — d
— dass. Übers. v. H Viehoff. In vereinf. deut. Stenogr., System Stolze-Schrey. (104) 8° Berl., Frz Schulze (05). Geb. 1.25
Teja, C: Bettler d. Lebens, s.: Frauen-Bibliothek, moderne.
— Wir Herzlosen. Roman. (203) 8° Lpzg (01). Berl., H Seemann Nf. 5 —; geb. 4 — d
— „Wie d. Peter am Kreuzweg". Roman. (261) 8° Ebd. 03. 2.50; geb. 3.50 d
— An d. Schwelle. 1 Akt. (38) 4° Ebd. 03. — 75
— Verse. (85) 8° Ebd. (02). 2.50 d
— Der Wille z. Glück. Drama. (77) 8° Ebd. 02. 2 — d
Teja, H: Die Maske herunter! Beitrag z. Judenfrage in Deutschl. (90) 8° Berl. (S.W. 11, Luckenwalderstr. 15), E Hahn 04. 1 —
Tejas: Die Regales od. Die königstreuen Cubaner, s.: Dilettantenbühne, kathol.
Teibler, H: G Bizet's Suite „Roma". — J Haydn's Symphonie in C-dur (l'ours) u. G-dur (Militär-Symphonie). — G Mahler's Symphonie No. 2 in C-moll, s.: Musikführer, d.
— Jules Massenet's Manon, s.: Opernführer.
— J Massenet's scènes pittoresques. — H Röhr's Ekkehard. — R Strauss' Macbeth. — P Tschaikowsky's 1812; Capriccio italien; Hamlet; Romeo u. Julia; 1. Suite, Dmoll, f. gr. Orchester; 4. Symphonie Fmoll. — R Wagner's Siegfried-Idyll f. kl. Orchester, s.: Musikführer, d.
— E Wolf-Ferrari's Aschenbrödel (Cenerentola), s.: Opernführer.
Teich's Vereinstheater. Nr. 1—20. 8° Lpzg, O Teich. Je 1 — d
Grubert, O: „Vesi, vidi, vici!" (teh kam, sah u. siegte!) Lustsp. (23) (05.) [12.]
Krautwerz, K: Die falsche Adresse. Schwank. (25) (05). [14.]
Philippi, S: Der Herr Kommissionerat. Schwank. (31) (05.) [17.]
Renker, F: Der Buttermann ist da! Schwank. (22) (05.) [13.] | Der Herr Disponent. Lustsp. (24) (04.) [5.] | Der Ehrenkreuzhof. Volksstück. (05.) (20.) | Eifersucht macht blind. Schwank. (15) (04.) [4.] | Freigesprochen! Lustsp. (21) (05.) [19.] | Gewitter-Regen. Militär. Lustsp. (30) (04.) [1.] | Auf d. Hochzeitsreise. Lustsp. (33) (04.) [7.] | Die 1. Junge. Lustsp. (90) (04.) [2.] | Ch. alles d. Pflicht. Schausp. (56) (05.) [10.] | Der neue Präsident. Lustsp. (20) (05.) [15.] | Die Schlummerrolle. Schwank. (28) (05.) [16.] | Der Herr Stadtbaumeister Schwank. (36) (05.) [11.] | Steinermanns Geschäftsreise. Lustsp. (26) (05.) [8.] | Der Weiberfeind od. Amor siegt. Lustsp. (32) (04.) [8.]
Sauer, L: Der Jäger-Franz od. Falschspieler h. rechten Zeit. Oberbayr. Volksstück m. Gesang. Musik v. L u. G Sauer. (22) (04.) [9.] | Ein Tag auf d. Alm. Singsp. Musik v. G Sauer. (25) (04.) [6.] | Walpurgisber. Singsp. Musik v. L u. G Sauer. (25) (04.) [6.]
Teich, M: Einführg in d. schriftl. Dienstverkehr d. bei d. Truppe eingeteilten Militärärzte, s.: Publikationen, militärärztl.
Teichel, J W: Was ist Blutarmuth? Prakt. Erläuterg u. Hensel's Ernährgstheorien. (16) 8° Lpzg, O Borggold 01. — —
— Epilepsie od. Fallsucht. Physiologisch u. chemisch erläutert auf Grundl. d. J Henselschen Ernärgstheorien. (14 m. 1 Bildnis.) 8° Ebd. (02).
— Die lebensgefahrl. Mineralstoffe im Blute uns. Haustiere. (...) 8° Ebd. (03).
Teichert, A: Auf d. Spuren d. Genius. Dichtg a. Italien u. Orient. (154) 8° Berl., Harmonie (01). 2.50; geb. 4 —
Teichert, K: Die Bakterien, s.: Hillger's Illustr. Volksbb.
— Bakteriologisch-chem. Studien üb. d. Antol in d. Prov. Posen m. bes. Berücks. d. Tuberkelbazillen. [S.-A.] (80) 8° Jena, G Fischer 04.
Teichmann, A: Kalbenheisp. z. stat. Berechng v. massiven Dreigelenkbrücken vermittelst Einflusslinien. Bearb. u. Grundzügen v. G Barkhausen. (32 m. 4 L.) 8° Wiesb., Kreidel 04.
Teichmann, A, s.: Strafgesetzgebung, d. norweg., d. J. 1902. Strafprozessordnung, d. bulgar.
Teichmann, B: prakt. Methode, Italienisch Sprechen u. Denken. 3—5. Taus. (205 m. Bildnis.) 8° Erf., H Güther 04. 3 — d
Teichmann, E: Aachen in Philipp Mouskets Reimchronik. Festschrift. d. Generalversammlg d. Gesamtver. d. deut, geschichts- u. Altertumsver. dargebracht.
Teichmann, E: Morgen- u. Abendsegen auf alle Tage d. Jahres. 7. Afl. (874 m. 1 St.) 8° Stuttg., E Geiger (02). HF. 8 — d
Teichmann's, E, Reiseführer f. Rad- u. Motorfahrer. W... Blätter. Abtlg I: Kgr. Sachsen m. Anschlussstrecken a... benachbarten Ländern. 1. Heft. (Blätter 1 bis m. 48 — Doppelblatt.) Nrn — m. Übersichtsmstz.) 8° Leuteritz-Cossebaude bei Dresden, E Teichmann 04.
Erschien früher u. d. T.: Teichmann's Wegeblätter usw.
Teichmann, E: Der Befruchtgsvorgang, s.: Aus Natur u. Geisteswelt.
— Kraft u. Leben in d. Natur, s.: Schaum, K.
— Vom Leben u. v. Tode. Ein Kapitel a. d. Lebenskde. 1 — d (112 m. 2 Abb.) 8° Stuttg., Franckh (05). 1 —; geb. 2 — d
Teichmann, G: Wo willst du hin, was suchest du? Ein Wort an uns. weibl. Jugend. (16 m. Titelbild.) 8° Strassbg, Bh... ev. Gesellsch. 03.
Teichmann, K: Konfirmandenbüchl. f. d. Jugend ev. Gemeinde. 3. Afl. (73) 8° Frankf. a/M., M Diesterweg 04. Kart. nn —

Teichmann, K. u. H Gross: 4stell. mathemat. Taf. 3. Afl. (19) 8° Stuttg., K Wittwer 04. — 60
Teichmann, L: Der Schorschl u. s. Streiche. 25 heitere u. ernste Erzählgn f. d. Jugend. (145 m. Abb.) 8° Nürnbg, F Korn 03. Geb. 1.20 d
Teichmann, L: Erlauschtes u. Erlebtes. (136) 8° Lpzg, Modernes Verl.-Bureau 04. 1.80
Teichmann, M: Marienberg, s.: Grohmann, M, d. Obererzgebirge.
Teichmann, O: Das Elztal in Wort u. Bild. (48) 8° Emmend., (Druck- u. Verl.-Gesellsch. vorm. Dölter) 04. — 25
Teichmann, R: Die Berechtigg d. Vernichtg d. kindl. Lebens m. Rücks. auf Geisteskrankh. d. Mutter, s.: Krauss, R.
Teichmüller, E: Abschiedspredigt in d. Schloss- u. Stadtkirche zu St. Marien in Dessau. (8) 8° Dess., A Haarth (01). — 30 d
— Bilder a. d. Kämpfen u. Opfern d. schott. Kirche. Vortr. (20) 8° Ebd. 03. — 30 d
— Konfirmation d. Prinzessin Antoinette Anna v. Anhalt in d. Kirche zu Wörlitz 1902. (9) 8° Ebd. (02). †— 30 d
— Die ev. Landeskirche im Herzogt. Anhalt währ. d. letzten halben Jahrh. (24) 8° Dess., C Dünnhaupt 05. 1.50 d
Teichmüller, F: Ambire, — tiosus, — tiose, — tus. Progr. (24) 4° Wittst. 01. (Lpzg., Bb. G Fock.) 1.20 d
— Grundbegriff u. Gebr. v. auctor u. auctoritas. 2 Tle. Progr. 4° Ebd. Je 1.20 d
(1. Auctor. (26) (1895.) § 2. Auctoritas. (36) (1899.)
Teichmüller, G: Bauordng f. d. Herzogt. Anhalt. Nach d. Fassg d. Ges. v. 19. VI. '05. (100) 8° Dess., C Dünnhaupt (05). L. 1.50 d
Teichmüller, J: Graph. Darstellgn u. Aufg. a. d. Theorie d. Wechselströme. (30 Taf.) 8° Karlsr., (W Jahraus) 03. In M. † 2.20
— Die Erwärmg d. elektr. Leitgn. [S.-A.] (272 m. Abb.) 8° Stuttg., F Enke 05. 8.4'; geb. 9.40
— Sammlg v. Aufg. z. Uebg im Entwerfen u. Berechnen elektr. Leitgn. 2. Afl.(/. (34 Taf, m. 34 Bl. Text.) Lpzg, S Hirzel 02. In M. 9 —
Teicke, P: Liebeslust u. -Leid. Tageb. in Liedern. (144/ 8° Dresd., E Pierson 01. 2 —; geb. 3 —
Teifen, CW (T Wollschack): Relig. od. Kirche?, s.: Flugschriften d. polit. Aufklärgsver.
— Wie d. Zölle Brot u. Fleisch verteuern u. wer diesen Raub am Volke einsteckt, s.: Lichtstrahlen.
Teigre: Aufg. z. Zifferrechnen, s.: Stubba, A.
Teige, J, s.: Ghetto, d. Prager.
Teil, d. schriftl., d. Post- u. Telegr.-Sekretär-Prüfg. Sammlg v. Dispositionen u. Ausarbeitgn. Hrsg. v. Verbande deut. Post- u. Telegr.-Assist. (200) 8° Berl., Verl. d. Verb. deut. Post- u. Telegr.-Assist. 01. 2 — d
Tein, R v.: Untersuchg d. Hochwasserverhältn. d. Main- bezw. Moselgeb., s.: Ergebnisse d. Untersuchg d. Hochwasserverhältn. im deut. Rheingebiet.
Teirich, J, s.: Berg- u. Hütten-Kalender, österr.-ungar.
Teisinger, H: Beheif z. Studium uns. Heerwesens, m. Aufg.-Beisp., dann tabellar., schemat. u. graph. Darstellgn. (37) 8° Wien, LW Seidel & S. 01. 5.60
— Zum Studium psych. u. and. Friktionen im Kriege. (112 m. 6 Skizzen.) 8° Ebd. 05. 3.60
Teitge, H: Die Frage n. d. Urheber d. Zerstörg Magdeburgs, s.: Abhandlungen, Hallesche, z. neueren Gesch.
Teiwes, O: Aufg.-Sammlg z. techn. Mechanik u. Festigkeitslehre, s.: Schwidtal, A.
— Umsteuerg e. Dampfmaschine mittelst Kulisse. [S.-A.] (31 m. Fig.) 8° Kattow., G Siwinna (05). 1 —
Teixeiro de Mattos, F: Die Buttermilch als Säuglingsnahrg. [S.-A.] (61) 8° Berl., S Karger 01. 2 —
Telegraphenassistent, der. Vorbereitg z. Ablegg d. Telegr.-Assistentenprüfg. Methode Rustin. Selbst-Unterr.-Briefe. 1—78. Lfg. (2652 m. Abb.) 8° Potsd., Bonness & H. (03-05). Subskr.-Pr. je — 90; Einzelpr. je 1.25 d
Telegraphenbauordnung. (379 m. Abb.) 8° Berl., R v. Decker 02. L. 2 — || Berichtigg Nr. 1—82. (20 Bl. m. Abb.) (05). — 90 d
Telegraphenordnung f. d. Deut. Reich v. 16. VI. '04. (23) 8° Berl., (R v. Decker) (04). — 40 d
(Handelsministerialverordng v. 18. IV. '05, erlassen auf Grund d. Allerh. Entschliessg v. 10. IV. '05.) (13) 8° Wien, (Hof- u. Staatsdr.) 05. †— 16 d
— u. **Telegraphentarif**. Amtl. Ausg. v. 1. VII.'05. (200) 8° Ebd. '5. 1 —
Telegraphensekretär, der. Vorbereitg z. Ablegg d. Telegr.-Sekretärprüfg. Methode Rustin. Selbst-Unterr.-Briefe. 1—78. Lfg. (2652 m. Abb.) 8° Potsd., Bonness & H. (03-05). Subskr.-Pr. je — 90; Einzelpr. je 1.25 d
Telegraphen-Tarif. Hrsg. v. k. k. Handelsministerium. Giltig v. 1. VII. '04. (168) 8° Wien, (Hof- u. Staatsdr.) 04. — 50
Telegraphenvertrag, internat., (abgeschl. zu St. Petersburg am 10./22. VII. 1875) nebst Ausführgs-Uebereinkunft d. d. internat. Telegr.-Verkehr (Londoner Revision v. 10. VII. '03). (128) 8° Berl., R v. Decker 04. 1.20 d
dass. u. Reglement f. d. internat. Dienst nebst Taxtab. (Londoner Revision v. '03.) (165) 8° Wien, (Hof- u Staatsdr.) '4.
Telegraphie, d., s.: Miniatur-Bibliothek.
la, sans fil, son état actuel et ses chances d'avenir d'après

les essais transatlantiques de Marconi. [S.-A.] (65) 8° Bern 02. Laus., Soc. suisse d'édition. — 80
Teleki, Gräfin I, s.: Szikra.
Telephon, das. Sächs. illustr. Familienbl. Red.: H v. Helden. 2. Jahrg. 1903. 52 Nrn. (Nr. 1—12. 192) 4° Lpzg, C Oberlaender. (?) Viertelj. 1.20; einz. Nrn — 10 d ô F Die „Sächs. Woche“ wurde Mitte Mai hiermit vereinigt.
Telephon-Adressbuch f. Bayern. Geordnet v. JB v. Seyffertitz. (2n6 u. 7) 8° Münch., (C Kaiser) (02). L. 2.50
— f. d. Deut. Reich. 2 Thle in 1 Bde. 21. Ausg. 1905. (14, 367, 88 u. 3448) 8° Berl., Mor. Warschauer. L. 18 —
— schweiz., hrsg. v. T Weber. Almanach d'adresses téléphon. Suisse. 3. Ausg. (1011) 8° Bas., Verl. d. schweiz. Telephon-Adressb. Th. Weber 02. Geb. 3 —
— dass. 1902/03. Sep.-Ausg. d. Taxen-Verz. f. Gespräche im In- u. Auslande. (132) 8° Ebd. — 80
Telephon- u. Handels-Adressbuch f. d. Deut. Reich, Fortsetzg, s.: Zimmermann, VF, Telefon- u. Handels-Adressb.
Teleschoff: Heimwärts!, s.: Pilgergrüsse.
Tell, T: Die Mietskaserne. Der Geburtstag. 2 Humoresken. (96 m. Abb.) 8° Dresd., E Pierson 06. 1.50; geb. 2.50 d
Tellen, A. u. B Tellen: Dormition. Oratorium f. gemischten Chor, Soli u. Orchester. Textb. (58) 16° Ess., Fredebeul & K. 02. — 20; Partitur. (58) 4° 6 — d
Teller, F, s.: Führer f. d. Exkursionen in Österr.
Teller, G: Die moderne Schaufenster-Dekoration. In Gedichtform verf. (84 m. Abb.) 8° Rost. (05). (Lpzg, Fritzsche & Schmidt.) 1.50
Tellheim, O: Jugend-Literatur. Ein Versuch in Skizze. (104) 8° Lpzg, E Kempe 05. 1.20 d
Telmann, F: Die guten Christen. Schausp. (40) 4° Lpzg 02. Berl., H Seemann Nf. — 75
— Die Litteraten. Lustrbild a. Oesterr. in 1 Akt. (38) 4° Ebd. 03. — 75
— Messenhauser. Drama. (121) 8° Wien, (M Perles) 04. 3 — d
— Der Sekundararzt. Schausp. (34) 4° Lpzg 02. Berl., H Seemann Nf. — 75
Telmann, K: Unter d. Dolomiten. Roman. 2 Tle in 1 Bde. 9. Afl. (194 u. 255) 8° Dresd., C Reissner 03. 7 —; geb. 9 — d
— Dramen. (359) 8° Ebd. 01. 6 —; geb. 8 — d
— An d. Eissbucht. Roman. (344) 8° Ebd. 01. 5 —; geb. 6 — d
— Zw. 2 Herzen, s.: Weichert's Wochen-Bibliothek.
— Unter röm. Himmel. Roman. 2. Afl. (447) 8° Dresd., C Reissner 02. 6 —; geb. 7 — d
— Das Spiel ist aus! Roman. 3. Afl. (524) 8° Ebd. 02. 5 —; geb. 6 — d
— Tod u. Leben. Roman. (271) 8° Ebd. 03. 3 —; geb. 4 — d
— Unheilbar, s.: Reclam's Unterhaltgs-Bibliothek.
— Visionen, s.: Eckstein's Miniaturbibliothek.
— Was ist Wahrheit? Roman. 2 Tle in 1 Bde. 2. Afl. (253 u. 233) 8° Dresd., C Reissner 03. 5 —; geb. 6 — d
— Schwarze Zöpfe. Erzählgn. 6—10. Taus. (127) 8° Berl. (01), Mülh. s/R., J Bagel. (1 —) — 90 d
— dass. 10 Bdn. Erzählgn. — Flitterwochen. Es fiel e. Reif. Erzählgn. (Umschl.: Novellen a. d. Süden.) (101 u. 96) 8° Mülh. s/R., J Bagel (04). — 60 d
Telones, F: Ein einz. Mann. Psycholog. Studie üb. d. Ehebruch d. Frauen in d. höh. Ständen. (89) 8° Berl., Verl. d. „Frauen-Rundschau“ (05). — 75 d
Telschow, R: Der ges. Geschäftsverkehr m. d. Reichsbank. 10. Afl. v. C Letzel. (301) 8° Lpzg, GA Gloeckner 05. L. 4 — d
Temme, ER: Geheimschriften f. Liebende. (14 m. 1 Abb.) 8° Lpzg, AF Schlöffel (1900). — 25 d
Temme, F: Festrede, geh. im Gymnasium zu Warendorf am 27.I.'03. (15) 8° Warendf, (J Schnell) (02). — 25 d
— Reise n. Palästina. Reiseeindrücke a. d. Schweiz, Italien. Aegypten, d. asiat. u. europ. Türkei. 2. Afl. (200 m. Abb.) 1x° Bonn, P Hauptmann 03. 1.50 d
Temme, JDH: Des Arztes Hilfe. Kriminal-Roman. (96) 8° Neuweissens., E Bartels (o. J.). 1 — d
— Der schwarze Domino. Kriminal-Roman. (239) 8° Ebd. (o.J.). 1 — d
— Gleich u. ungleich. Roman. 2. Afl. (425) 8° Breal., Schles. Buchdr. usw. 04. 3 —; geb. 4 — d
— Die Harfenistin. Kriminalgeschichte. (98) 8° Neu-Weissens., E Bartels (o. J.). 1 — d
— Eine Hyäne in Menschengestalt. Kriminal-Roman. — Ein Theologe als Verführer. Kriminal-Roman. — Ein Mörder a. Vaterliebe. (96) 8° Ebd. (o. J.) 1 — d
— Wildschütz Klostermann. Kriminal-Roman. — Die Macht d. Liebe. — Der falsche Diamant. (96) 8° Ebd. (o.J.). 1 — d
— Lic u. Leidenschaft. Kriminal-Roman. (96) 8° Ebd. (o.J.). 1 — d
— Der Pole od.: Ein geheimnisvoller Mord. Kriminal-Roman. (96) 8° Ebd. (o. J.) 1 — d
— Ein Vampyr im Priestergewande. Kriminal-Roman. (96) 8° Ebd. (o. J.) 1 — d
— Verkuppelt! Roman. (98) 8° Ebd. (o. J.). 1 — d
Temmink, C: Die Fortschritte d. Orthopädie in Deutschl. seit d. Mitte d. vor. Jahrh. (25) 8° Münst. 04. (Konst., E Ackermann.) — 75
Tempel, O: Ein Kampf um d. Wahrh. od.: Die glorreiche Rückkehr d. Waldenser. (85 m. Titelbild.) 8° Cass., JG Oncken Nf. (05). Geb. 1 — d

181

Tempel, M: Die Fleischbeschau- u. Schlachtvieh-Versichergs.-ges. u. Verordngn im Kgr. Sachsen. 2. Afl. (490) 8° Lpzg, RO Schmidt & Co. 03. L. 4.60 d
Tempelhoff, H v., s.: Heinz, T v.
Tempelkunst. Archiv d. Rich. Wagner-Gesellsch. f. d. ges. dramat. Kunst u. Kultur d. german. Welt. I, 1. Berlin-Wilmersdf 04. Charlttnbg, Kunst- u. Musikverl. d. Rich. Wagner-Gesellsch. nn — 30
Walter, Cl.: Prolegomena e. freien Akad. f. d. red. Künste u. e. paugerman. Nationaltheaters. 1. künstler. Tl. (34) [I.1.] — 80
Tempelschatz d. Grossen Loge Kaiser Friedrich z. Bundestrue. I—III. 8° Berl., A Unger 1894. 1.80 d
I. Den Lehrlingen. (82) — 50 | II. Den Gesellen. (82) — 50 | III. Den Meistern. (81) — 80.
Tempeltey, E, s.: Freytag, G, u. Herzog Ernst v. Coburg im Briefwechsel.
Temperatur-Tabellen u. Tages-Berichte f. Hebammen. 56 Bl. f. 56 Wöchnerinnen, jedes Bl. reicht v. 1. bis z. 10. Tage. 8° Berl., E Staude (02). nn — 60 d
Temperaturzettel f. Hebammen. (64 perforierte Bl.) 8° Berl., J Springer (04). nn — 50 d
Tempsky, E v.: Das Gastgeschenk u. and. Erzählgn. (112) 8° Mülh. a/R., J Bagel (04). — 30 d
— dass. — Gerstäcker, F: Irrfahrten. Humorist. Erzählg. (112 u. 120) 8° Ebd. (04). — 60 d
— Ein guter Rat, s.: Stavenow, B, u. E Mochow, d. Gespenst im Kürass.
— dass. — Ein modernes Duell. Novellette v. K v. Prenzlau. (112) 8° Mülh. a/R., J Bagel (02). — 30 d
Tenbieg, T: Der Registraturdienst in d. Landgemeinden. (49) 8° Düsseldf, L Schwann 04. Kart. 1.80 d
Tendeloo, NP: Studien üb. d. Ursachen d. Lungenkrankh. 2. (patholog.) Tl. (119—480 m. 1 Fig.) 8° Wiesb., JF Bergmann 02. 9 — (Vollst.: 12.60)
Tendering, F: La France litt., s.: Herrig, L.
— Lehrb. d. engl. Sprache. Ausg. A. 8. Afl. d. kurzgef. Lehrb. (140) 8° Berl., Weidmann 03. 1.40; geb. 1.70 d
— dass. Ausg. B. Neue Bearbeitg d. kurzgef. Lehrb. 3. Afl. (190) 8° Ebd. 03. 1.80; geb. 2.10 d
Tenge: Sammlg d. im Herzogt. Oldenburg gelt. Gesetze usw., s.: Fimmen.
Tenger's Adress- u. Hdb. f. d. Papier- u. Buchgewerbe in Österr.-Ungarn u. d. Balkanstaaten 1905—06. (476) 8° Wien (III/2, Salmgasse 23), Ign. Tenger (05). L. † nn 15 —
Tenger, M: Beethoven's unsterbl. Geliebte, m. zensur. Erinnergn. 3. Afl. v. E v. Hagen. (75 m. 3 Vollbildern.) 8° Bonn, F Cohen 03. 1.80 d
Tenholt: Die Untersuchg auf Anchylostomiasis m. bes. Berücks. d. wurmbehafteten Bergleute. 2. Afl. (6 m. 2 Taf.) 8° Boch., W Stumpf 04. 1.80 d
Teniers d. J., D: Die Versuchg d. hl. Autonius, s.: Meisterbilder fürs deut. Haus.
Tenne † u. Calderón: Die Mineralfundstätten d. Iber. Halbinsel. (348 u. 3) 8° Berl., Behrend & Co. 03. 10 —
Tenner, H: Leitf. z. Erteilg d. Fechtunterr. an k. u. k. Militär-Erziehgs- u. Bildgs-Anst. (36) 8° Wr.-Neust. 02. (Wien, LW Seidel & S.) || 2. Afl. (36) Trencsén 04. Je 3 —
Tennisspiel, d., dargestellt n. s. in Deutschl. z. allg. Gültigk. gelangten Regeln, Bestimmgn n. Bezeichngn. Von e. erfahrenen Spieler. Neue Ausg. (32 m. 2 Pl. u. 1 Schläger.) 8° Reutl., Ensslin & L. (02). — 25 d
Tennyson's A, Enoch Arden, illustr. v. P Thumann. Diamant-Ausg. 4. Afl. (69) 16° Berl., G Grote 01. L. m. G. 2.50 || 6. Afl. (71) 4° 01. L. m. G. 6 — d
— dass. Deutsch v. C Eichholz. 5. Afl. (56) 8° Hambg (02). Berl., KW Mecklenburg. L. m. G. 2 — d
— dass. Deutsch v. W Prausnitz. (55) 12° Halle, H Gesenius (01). L. m. G. 1.50 d
— dass. Übers. v. FW Weber. 3. Afl. (47) 12° Paderb., F Schöningh 1896. 1.50; geb. 2 — d
— dass. in vereinf. deut. Stenogr. System Stolze-Schrey. (64) 12° Berl., Frz Schulze (01). L. — 75
— dass. aud lyrical poems, s.: Authors, Engl. (E Dohlin).
— Aylmer's Field. Gedicht, übers. v. FW Weber. 2. Afl. (40) 12° Paderb., F Schöningh 1896. 1.50; geb. 2 — d
— ausgew. dramat. Werke. In deut. Nachbildg u. m. e. Geleitwort v. J Friedemann. (100) 8° Berl., Thormann & Goetsch (05). 3.60; geb. 4.50 d
Tenter, H: Hilfsb. f. d. ev. Relig.-Unterr. an höh. Lehranst., s.: Marx, H.
Teodorowicz, J: Das „Vater unser" d. Kultur. Rede. [S.-A.] (24) 8° Wien, St. Norbertus (05). — 10 d
Tepe van Heemstede, L, s. a.: Heemstede, L van.
— s.: Dichterstimmen d. Gegenwart.
Teplitz, MB v.: Gekrönte Messalinen. Geschichtl. Studien. 2. Afl. (173 m. 5 Bildnissen.) 8° Berl., J Gnadenfeld & Co. (02). 3 — d
Tepper-Laski, K v.: Rennreiten. Prakt. Winke f. Rennreiter u. Manager. 2. Afl. (184 m. 28 Taf.) 8° Berl., P Parey 03. 6 —
Teppich- u. Möbelstoff-Zeitung, deut. Hrsg. v. K Koch. 7—11. Jahrg. 1901—5 je 24 Hefte. (1901, 1—7. Heft. 140 m. Abb.) 4° Berl., K Koch-Krauss. Halbj. 5 —; einz. Hefte — 50
Terboroh, G: Das Konzert, s.: Meisterbilder fürs deut. Haus.
Terbrüggen, H: Ein junges Kleeblatt. 3 Erzählgn. (107) 8° Dresd., E Pierson 05. 1.50; geb. 2.50 d

Terburg, F (Frhr v. Hindenburg): Die Amerikanerin u. and. Novellen. (348) 8° Berl., C Freund 04. 3 —
— Crinett. Erzählg. (218) 8° Berl., E Goldschmidt 01. 3 — d
— Wolfgang u. Beate. Röm. Erzählg. (104) 8° Berl., C Freund 02. 2 —
Tereg, J: Grundr. d. Elektrotherapie f. Tierärzte. (222 m. Abb.) 8° Berl., P Parey 02. L. 7 —
Terenda, G: Die weisse Frau. Drama. (104) 8° Lpzg, R Maeder 03. 2 — d
Terentius, L (F Lorenz): Die gerettete Moral u. and. Satiren. 4. Afl. (45 m. Abb.) 8° Berl., Harmonie (05). 1.50 d
Terentius Afer, P. Codex Ambrosianus H. 75 inf., praefatus est E Bethe, s.: Codices graeci et latini photographice depicti.
— Komödien. Erklärt v. A Spengel. 2. Bdchn: Adelphoe. 2. Afl. (221) 8° Berl., Weidmann 05. 2.20
— Ausgew. Komödien. Zur Einführg in d. Lektüre d. altlatein. Lustsp. erklärt v. K Dziatzko. 2. Bdchn: Adelphoe. 2. Afl. v. R Kauer. (210) 8° Lpzg, BG Teubner 03. 2.40; geb. 2.90
— Das Mädchen v. Andros. Die Brüder, s.: Tragödien, röm.
Terherdi, J v., s. a.: Baumann, J.
— Der Räuber Kneissl od.: Der geplagte Redakteur. Posse. (16) 12° Speyer, Jäger 01. — 30 d
— Die Reblaus. Lustsp. (58) 12° Ebd. 02. — 60 d
— Wie d. Schauspieler wieder Studenten werden. Lustsp. (60) 8° Ebd. 05. — 60 d
— Wie Studenten Schauspieler werden. Lustsp. 2. Afl. (58) 8° Ebd. 05. — 60 d
Terks, F: Leitf. f. Botanik u. Zool. in 4 Kursen. I. u. II. Kurs. 8° Lpzg, J Klinkhardt. Kart. 1.40
I. 9. u. 10. (50 m. Abb.) — 60 || II. 10. Afl. (75 m. Abb.) 03. — 80.
— Leitf. f. Naturgesch. Nach d. amtl. Bestimmgn üb. d. höh. Mädchenschulwesen Preussens in 4 Kursen bearb. I—III. Kurs. (Kart. 3.40 d
I. 10. Afl. (48) 03. — 90 || II. 9. Afl. (72) 03. — 80 || III. 10. Afl. (107) 05. 1 —
— Leitf. f. d. Unterr. üb. Bau u. Leben d. menschl. Körpers. 6. Afl. (67 m. Abb. u. 9 farb. Taf.) 8° Ebd. 01. Kart. 1 — d
Terlinden's Raumlehre f. mehrklass. Volksach., Mittelsch. unter. Mädchensch. 4. Afl. v. A Sulzbacher, unter Mitwirkg v. O Pfundt u. P Reinemann, (51 m. 2 Taf.) 8° Neuw., Heuser's V. 02. Kart. — 80 d
— Rechenb. f. 1—8 klass. Volkssch. In 4 Heften v. L Kauer u. A Sulzbacher. Neu bearb. unter Mitwirkg v. O Pfundt u. P Reinemann. 8° Ebd. 02. Kart. 2.13
1. (²³) 1900. — 50 || 2. (58) 1900. — 45 || 3. (108 m. 1 Fig.) 01. — 60 || 4. (¹⁹) 01. — 60.
Ter-Mikaëlian, N: Das armen. Hymnarium. (110) 8° Lpzg, JC Hinrichs' V. 05.
Ter-Minassiants, E: Die armen. Kirche in ihren Beziehgn zu d. syr. Kirchen bis z. Ende d. 13. Jahrh., s.: Texte u. Untersuchungen z. Gesch. d. altchristl. Lit.
Termin-Kalender f. 1906. (Schreibkalender u. 52 m. 1 Karte.) 8° Düsseldf, A Bagel. L. 1.50; n. durchsch. 2.
in Ldr als Brieftasche 04.
— f. 1906. Für Beamte u. Geschäftsleute. 52. Jahrg. (56) Sulzb., JE v. Seidel. L. 2 — d
— f. hess. Justizbeamte pro 1906. 3. Jahrg. (Schreibkalender u. 153) 16° Mainz, J Diemer. L. 2 — d
— f. d. Justizbeamte in Preussen, Mecklenburg, Thüring. Staaten, Braunschweig, Waldeck, Lippe u. d. Hansestädten f. 1906. 63. Jahrg. (Schreibkalender u. 335) 8° Berl., C Heymann. L. 2 — d
— f. Justiz- u. Verwaltgs-Beamte in Elsass-L. f. 1906. (206 u. 118) 8° Strassbg, Strassb. Dr. u. Verl.-Anst. L. 2.80 d
— preuss., f. 1906. Bearb. im Bureau d. Justizministeriums. 54. Jahrg. 3 Tle. (Schreibkalender, 222, 498 u. 103 m. 3 Kart.) 8° Berl., R v. Decker. L. n. geb. 3.75; durchsch. nn 4.
— f. deut. Rechtsanwälte u. Notare f. 1906. Hrsg. v. Schroeder führeramt d. deut. Anwaltver. 47. Jahrg. Neue Folge. 8. Jahrg. (68, Schreibkalender u. 295) 8° Berl., C Heymann. L. 3.60; durchsch. 4 — d
Termin- u. Notiz-Kalender f. preuss. Verwaltgsbeamte f. 1906. Red. im Bureau d. Ministeriums d. Innern. 37. Jahrg. (Schreibkalender, 212 u. 205) 8° Potsd., A Stein. L. 3 —; durchsch. 3.50
Termin- u. Reproduktions-Kalender m. eingedr. Daten f. 1906. (112) 42×27 cm. Halberst., H Meyer. Geb. nn 3
Termin- u. Taschen-Kalender f. Gemeinde-Vorstände, Gemeinde-Vorsteher u. Standesbeamte im Kgr. Sachsen f. 1906. (52) 8° Flöha, A Peltz E S. L. nn 1.25
Termin- u. Geschäfts-Notizbuch, hannov., f. 1906. Hrsg. v. L Pockwitz. (Schreibkalender u. 240) 8° Stade, A Pockwitz. nn 2.25; L. 2.50; n. durchsch. nn 3 — d
Terra Mariana 1186—1888. Reproductionen d. v. d. röm. kathol. Kirche u. d. livländ. Ritterschaft dargebrachten Albums. 4 Lfgn. (72 Taf. m. je 1 Bl. Text u. 36 Text.) 4° Riga, F Deutsch 03 (04). nn — 1 Bl.
Terra, de: Alkohol u. Verkehrswesen. Vortr. (16) 8° Flensbg, Deutschlds Grosslogse II (03). nn — 40 d
Terra, M de: Ferd. v. Odontogr. d. Menschenrassen, s.: nn. Abb.) 8° Parchim 05. (Berl., Berlinische Verl.-Anst.) 9 —
Terra's, R de, internat. Gartenb.-Adressb. 2 Thle. 8° Berl., W Issleib. Kart. 11.50
1. Deut. Handelsgärtner-Adressb. 6. Afl. f. 1902/3. (278) 6 — | 2. 5. Afl. 1901—02. (309) 12.50.
— s.: Lehmann's internat. Handels-Gärtner-Adressb.

Terrabugio, A: Die kathol. Jungfrau. Prakt. Ratschläge. Aus d. Ital. v. A Waltor. (183) 8° Paderb., Bonifacius-Dr. 03. 1.50 d
Terrail s.: Ponson du Terrail.
Terrain-Lehre in Fragen u. Antworten u. Anl. f. d. Gebr. d. Rocksandič'schen Distanzmessers f. Unteroffiziere u. Unteroffiziers-Bildgsschüler. Zusammengest. v. E R. (34 m. Fig.) 16° Budap., C Grill 02. nn — 30 d
Terrakotten, d. antiken. Hrsg. v. R Kekule v. Stradonitz. 3. Bd. 2 Tle. 41×30 cm. Stuttg., W Spemann. Geb. nn 80 —
(1—3.: nn 220 —)
3. Winter, F: Die Typen d. figürl. Terrakotten. 2 Tle. (12, 130, 272 u. 440 m. Abb.) 03. nn 80 —
Bd I u. 2 sind s. Z. aufgenommen unter Kekulé, R.
— ausgew. griech., im Antiquarium d. kgl. Museen zu Berlin. Hrsg. v. d. Generalverwaltg. (37 Taf. m. 28 S. illustr. Text.) 41,5×31,5 cm. Berl., (ᵭ Reimer 03. L. 30 —
Terries, F: Die Syphilis d. Auges u. sr Annexe. Deutsch v. B Kayser. (320 m. Abb.) 8° Münch., E Reinhardt 05. 4 —
Terrier, F, u. E **Reymond**: Chirurgie d. Herzens u. d. Herzbeutels. Übers. v. G Beck u. m. Anmerkgn u. Ergänzgn versehen v. E Lardy. (184 m. Abb.) 8° St. Petersbg, KL Ricker 01. 4.80
Terroristen-Prozess, d. neueste. [S.-A.] (In russ. Sprache.) (36) 8° Stuttg. 04. Paris, A Schulz. 1 —
Tersch, F Rittor v., s.: Chronik d. Stadt Mähr.-Schönberg.
Terschak, E: Die Photogr. im Hochgebirg. 2. Afl. (62 m. Abb.) 8° Berl., G Schmidt 05. 2.50; geb. 3 —
Tersteegen, G: Beweis, dass n. d. reifen u. freien Einsicht e. Gotteskindes d. Abendmahlsfeier in d. äuss. Kirche gottgefällig u. v. Nutzen u. Segen sein kann. (16) 12° Elberf., (Bh. d. ev. Gesellsch.) (02). — 10 d
— Geistl. Blumengärtl. inn. Seelen, nebst d. Frommen Lotterie, n. d. Ausg. letzter Hand berichtigt u. m. ein. Zusätzen verm., sammt d. Lebenslauf d. Verf. (9. Abdr.) (24, 482) 8° Stuttg., JF Steinkopf (05). 1 —; L. 1.60;
feine Ausg., L. m. G. 2.80 d
— Tägl. Brosamen. Aus d. Verf. „Geistl. Brosamen" ausgew. u. m. e. Schlussreim u. s. Liedern u. Spruchsammlung versehen v. W Rotscheidt. (372 m. 1 Taf.) 8° Neukirch., Bh. d. Erziehgsver. (01). L. 3 — d
— Das Leben m. Christo in Gott. 2 Worte d. Ermahng. (11) 8° Ascona, C v. Schmidtz 05. — 25
— Tropfen z. Gesundheitspflege d. neuen Menschen. Mit e. Gebrauchsanweisg v. CJ Heinersdorff. 4. Afl. (64) 10,2×7,5 cm. Bonn, J Schergens 04. — 30 d
— Weg d. Wahrheit. Zur Belehrg u. Erbaug f. Christen aller Konfessionen. 10. Afl. (254) 8° Bas., Kober 03. 1.20; L. 2 — d
— dass. Nach d. letzten v. Verf. besorgten (4.) Afl. (484) 8° Stuttg., JF Steinkopf 05. 1.80; L. 2.40 d
Tertius s.: Konfirmanden, d., auf d. Berufsweg.
Tertulliani liber de praescriptione Haereticor., s.: Florilegium patristicum.
Terwelp, G: Die Reden u. Briefe d. Apostel m. Einschl. d. Apokalypse in deut. Nachbildg u. Erläuterg. (429) 8° Bonn, P Hanstein 03. 3 —; L. 5.60 d
Terwin, J: Wanderngen u. Menschen am Berge d. Erkenntnis. (127) 8° Zür., Art. Instit. Orell Füssli (05). 3 —
Tesch, E: Telephon. Indiscretionen, s.: Unterhaltungsbücher, neue, f. Stenogr.
Tesch, EWA: Deutsch. Vollständ. deut. Grammatik nebst Stillehre u. ausführl. Kapitel üb. d. neue Rechtschreibg. (96) 8° Berl., (Liebel) (03). || 2. Afl. (165) (05.) Je 1 — d
Tesch, J: Die Fachprüfg I. Kl. d. mittl. Beamten d. Staatseisenb. 1. Bd. 8° Lpzg, Luckhardt's Bh. f. Verkehrswesen. 5 —; geb. nn 5 — d
1. Katech. f. d. Vorbereitg z. Prüfg z. mittl. Beamten d. Staatseisenb. 4. Afl. (328) 01. 5 —; geb. nn 6 —
— Katech. f. d. Prüfgn z. Bremser, Wagenwärter u. Schaffner d. Staatseisenb., nebst e. bes. Tle f. d. Vorbereitg z. schriftl. Prüfg. 6. Afl. (202 m. Fig.) 8° Ebd. 01. Geb. 3 — d
— dass. z. Lademeister d. Staatseisenb., nebst e. bes. Tle f. d. Vorbereitg z. schriftl. Prüfg. 3. Afl. (298) 8° Ebd. 02. 4.50; kart. 5.50 d
— dass. z. Packmeister u. Zugführeranwärter d. Staatseisenb. Nebst e. bes. Tle f. d. Vorbereitg z. schriftl. Prüfg. 5. Afl. (267) 8° Ebd. 01. Geb. 3 — d
— dass. z. Rangiermeister u. Wagenmeister d. Staatseisenb., nebst e. bes. Tle f. d. Vorbereitg z. schriftl. Prüfg. u. Wagenmeister. 4. Afl. (305 m. Abb. u. 8 Taf.) 8° Ebd. 04. L. 3 — d
— dass. z. Wagenwärter u. Schaffner d. Staatseisenb., nebst e. bes. Tle f. d. Vorbereitg z. schriftl. Prüfg. 6. Afl. (202) 8° Ebd. 01. L. 3 — d
— dass. z. Weichensteller d. Staatseisenb., sowie f. solche Bahnwärter, welche elektr. Sprechapparate auf Hilfsteleg.-Stationen zu bedienen haben, nebst e. bes. Tle f. d. Vorbereitg z. schriftl. Prüfg. 5. Afl. (109 m. 3 Taf.) 8° Ebd. 01. Kart. 1.25 d
— dass. z. Weichensteller 1. Kl. d. Staatseisenb., nebst e. bes. Tle f. d. Vorbereitg z. schriftl. Prüfg. 3. Afl. (327) 8° Ebd. 01. 4 —; geb. nn 5 — d
— dass. z. Zugführeranwärter d. Staatseisenb., nebst e. bes. Tle f. d. Vorbereitg z. schriftl. Prüfg. 5. Afl. (267) 8° Ebd. 01. L. 3 — d
— Katech. d. Verfass u. Verwaltg d. preuss. Staates u. d. deut. Reiches. [S.-A.] (68) 8° Ebd. 01. 1 — d

Tesch, J: Katech. f. d. Vorbereitg z. Prüfg z. Eisenb.-Assistenten d. Staatseisenb., zugl. II. Tl z. Katech. f. d. Vorbereitg z. Fachprüfg I. Kl. d. mittl. Beamten d. Staatseisenb. 8. Afl. (622) 8° Lpzg, Luckhardt's Bh. f. Verkehrswesen 05. 2 —; geb. 10 — d
— Die Laufb. d. deut. Kolonialbeamten, ihre Pflichten u. Rechte. (251) 8° Berl., O Salle 02. 3.40; geb. 4 — || 2. Afl. (315) 05. 4.50; geb. 5 — d
— Die schriftl. Prüfg z. Eisenb.-Assistenten d. Staatseisenb. 5. Afl. (126) 8° Lpzg, Luckhardt's Bh. f. Verkehrswesen 01. 2 —; kart. 2.80 d
— u. E **Holsbecher**: Katech. f. d. Prüfgn z. Lokomotivheizer, Maschinenwärter u. Lokomotivführer d. Staatseisenb. 9. Afl. (430 m. 12 Kart.) 8° Ebd. 03. L. 5.50 d
Neue Afl. einz. Katech. erschienen '05 bei F Siemenroth in Berl.
Tesch, P: Patriot. Dichtgn z. Schulfeier an d. Kaisertagen. 2. Afl. (74) 8° Neuw., Heuser's Erben 04. — 60
— Deut. Fibel. Für d. Unterr. im Sprechen, Lesen u. Schreiben im 1. Schulj. bearb. 34. Afl. (70 m. farb. Abb.) 8° Bielef., Velhagen & Kl. 01. Geb. — 40 || 121—150. Taus. (73 m. farb. Abb.) 04. Geb. — 45 d
— Handb. d. Methodik aller Unterr.-Gegenstände d. Volkssch. (664 m. 1 Schrifttaf.) 8° Ebd. 01. 6 —; Hf. 8 — d
— Joh. Friedrich Herbart, s.: Klassiker d. pädagog.
— Deut. Leseb. f. d. Unterst. 6. Afl. (112) 8° Bielef., Velhagen & Kl. 05. Geb. — 50 d
— 58 Lieder, z. Einübg in 1- u. mehrklass. Volkssch. v. d. kgl. Regierg zu Düsseldorf bestimmt u. verm. durch e. Anh. v. 12 weit. Liedern z. Ausw. 27. Afl. (56) 8° Bresl., F Hirt 06. nn — 15 d
— Deut. Sprachgesch. u. Sprachlehre. Für Präparanden, Seminaristen u. Lehrer. (404) 8° Halle, H Schroedel 01. 3.50; geb. nn 4 — d
— dass. 2. Afl. 2 Tle. 8° Ebd. 02. nn 4 —; geb. nn 4.50 d
1. Rechtschreibg, Wort-, Wortbildgs- u. Satzlehre. (270) 2.70; geb. nn 3.20
2. Lautlehre, Mundarten, Sprachgesch. u. Bedeutgswandel. (144) nn 1.30;
geb. nn 1.60
— Vorbereitg u. Entwürfe z. Behandlg deut. Lesestücke. Mittelst. Mit e. Anh.: „Dichter d. Nation". 3. Afl. 4. Lfg. (193—260) 8° Neuw. 01. Bielef., Velhagen & Kl. — 75
(Vollst.: 3 —; geb. 4 —) d
— dass. Oberst. 4. Afl. (350) 8° Ebd. 02. 3.50; geb. 4.50 d
Teschemacher: Le diabète (Diabetes mellitus) et son traitement. Traduit de l'allemand par Maret. (60) 8° Metz, P Müller 03. 1.40
Teschner, K: Die Ermordg d. Herzogin v. Praslin u. sonst. Verbrechen, s.: Kriminal-Prozesse aller Zeiten.
— Das rent. Geld, s.: Weber's moderne Bibliothek.
— Immer lustig. s.: König, EA.
— Der Fall Rostin. Der Justizmord v. Toulouse, s.: Kriminal-Prozesse aller Zeiten.
— Ein Schwank im Dachstübchen u. and. Humoresken, s.: Zastrow, K, K v. Prenzlau u. A., Ernstes u. Heiteres a. d. Theaterwelt.
Tesdorf: Zum entscheid. Kampf um d. Militär-Pensionsgesetz-Novelle. Off., letzter Apell an d. beteiligten Regiergsfaktoren, Bundesrat u. Volksvertretg. (14) 8° Neustrel., Barnewitz' V. 05. 1 — d
Tesdorpf, W: Deut. Leseb. f. höh. Mädchensch., s.: Plümer.
Tessmann, E: Neue u. selt. Schmetterlinge a. d. Umgegend v. Stavenhagen. [S.-A.] (61) 8° Güstr., Opitz & Co. (02). — 80
— Verz. d. bei Lübeck gefang. Schmetterlinge. Neue u. selt. Schmetterlinge a. d. Umgegend v. Stavenhagen. [S.-A.] (61) 8° Lüb., Lübcke & N. 03. 1.50
Tessmar, Frl. H., s.: Hohenwald, H v. (im Katalog 1896/1900).
Tessmer's Nachrichten. Zeitschrift f. Anknüpfpunkr Geschäftsverbindgn im In- u. Ausl. 2. Jahrg. 1902. 52 Nrn. (Nr. 1. 8) 4° Berl., R Tessmer. 20 — || 3. Jahrg. 1903. Halbj. 15 — 6 F
Bisher u. d. T.: Firmen, neue.
Tessmer, R: Die deut. Reichsges. betr. d. Besteuerg d. Branntweins v. 24.VI.1887 u. v. 8.VII.1868 u. betr. d. Steuerfreiheit d. Branntweins zu gewerbl. Zwecken v. 19.VII.1879 m. d. v. 1.X.1900 an gültg. Ausführgsbestimmgn. 3.Afl.(354)12°Greifsw., J Abel 01. 2 —; durchsch. 4.50 d
— Die Zollabfertigg im Hafen. Zusammenstellg d. sämmtl., in Geltg befindl. Vorschriften f. d. Zollabfertiggsdienst im Hafen. (154) 12° Greifsw., (L Bamberg) 01. 1.50 d
— Die Zoll- u. Steuer-Kredite. (95 u. 27) 8° Berl., Imperium 04. 1.50 d
Testa, G del: Gold u. Flittergold, s.: Dilettantenbühne, kathol.
Testament, d., d. hl. Vaters Franziskus. (16) 16° Mainz, (Kirchheim & Co.) (05). nn — 15 d
— d. neuen Glaubens. (Von F Karl.) (476) 12° Bambg, Handels-Dr. u. Verlagsb. (03). 3 —; auf Büttenpap. 10. G — d
— d., d. unbefleckten Jungfrau u. Mutter Gottes Maria. Von e. Mitgliede d. ewigen Anbetg. 2. Afl. (71) 12×8 cm. Dülm., A Laumann 04. — 30 d
— d. neue, unsers Herrn Jesus Christus. Übers. u. erklärt v. A Arnoldi. Taschenausg. (620 m. Titelbild u. 2 Kart.) 16° Egersbg, F Pustet 06. 80; L. 1.30 d
— d. neue, unsers Herrn u. Heilandes Jesu Christi n. d. deut. Übersetzg Luthers. Mit Schnorr v. Carolsfelds Bildern. (224 u. 40) 8° Berl., H Hillger 03. Geb. 2 —; L. m. G. 3 — d
— dass. Nach d. bericht. deut. Übersetzg Luthers, m. kurzen Einleitgn, erbaul. Betrachtgn u. Gebeten hrsg. v. H Stähelin.

7. Afl. v. G v. Fellenberg. (1314 m. 1 St. u. 6 Kart.) 8° Bern,
KJ Wyss 02. L. 9 — d
Testament, d. Neue, uns. Herrn u. Heilandes Jesu Christi n.
d. Übersetzg Luthers. Im Auftr. d. deut. ev. Kirchenkonferenz
durchgeseh. Ausg. 4. Abdr. (In Korpusschrift.) (560 u. 135)
8° Halle, v. Canstein'sche Bibelanst. 05. nn — 60;
geb. von nn 1.25 bis nn 13.75 d
— dass. 4. Abdr. (In Nonpareilleschrift.) (494 u. 116) 8° Ebd.
02. nn — 30; geb. von nn — 70 bis nn 10 — d
— dass. (In Petitschrift.) (516 u. 123) 8° Ebd. 02. nn — 55;
geb. von nn 1 — bis nn 6.75 d
— dass., n. d. deut. Übersetzg Luthers. Nebst d. Psalmen Davids-
Durchgeseh. Ausg. m. d. v. d. deut. ev. Kirchenkonferenz genehm. Text. (516 u. 23 m. 4 Kart.) 12° Berl., Brit. u. ausländ.
Bibelgesellsch. 01. Ldr m. G. nn 1.60 d
— dass. (485 u. 118) 8° Ebd. 1899. Geb. in Glanzl. nn 1 — d
— dass. — Die Psalmen David's. Ster.-Ausg. d. preuss. Haupt-
Bibelgesellsch. (Gross-Oktav-Ausg.) (312 u. 557—628 m. Titelbild u. 2 Kart.) 8° Berl., Preuss. Haupt-Bibelgesellsch. 1895.
Geb. nn 1 —; nn 1.05 u. nn 1.25 d
— dass. (Klein-Fol.-Ausg.) (312 u. 72 m. Titelbild.) 4° Ebd. 1870.
Geb. nn 2 — u. nn 3 — d
— dass. Durchgesehen n. d. v. d. deut. ev. Kirchenkonferenz
genehm. Text. Halbsedez-Ausg. (518 u. 124 m. 2 Kart.) 16°
Ebd. 04. Geb. von nn — 35 bis nn 4.25 d
— dass. Sedez-Ausg. (384 u. 92) 8° Ebd. 04. nn — 12; geb. nn — 18;
m. 2 Kart. geb. von nn — 30 bis nn 15 — d
— dass. Ster.-Ausg. d. preuss. Haupt-Bibelgesellschaft. (Gross-
Oktav-Ausg.) (312 u. 557—628 m. Titelbild u. 2 Kart.) 8° Ebd.
02. Geb. von nn 1 — bis nn 3.25 d
— dass. (Klein-Fol.-Ausg.) (312 u. 72 m. Titelbild.) 4° Ebd. 1899.
Geb. nn 2 —; nn 3 — u. nn 5.50 d
— dass., nebst d. Psalmen David's, n. d. deut. Übersetzg Luthers.
Durchgesehen n. d. v. d. deut. ev. Kirchenkonferenz genehm.
Text. Duodez-Ausg. (484 u. 114 m. Titelbild u. 2 Kart.) 8°
Ebd. 04. Geb. von nn — 75 bis nn 19 — d
— dass. Illustr. Ausg. m. 100 Bildern n. Schnorr v. Carolsfeld.
(440 u. 92 m. 2 Kart.) 8° Ebd. 04. nn — 65 u. nn 1 —; Ldr nn 1.50;
m. G. nn 2 — d
— dass. Nach d. Beschlüssen d. deut. ev. Kirchenkonferenz
bericht. Text. Hundert-Bilder-Test. Neue illustr. Ausg. (512
u. 112 m. 4 Kart.) 8° Konst., C Hirsch (04). Geb. — 60; 1 —;
1.50 u. 2 — d
— dass. n. d. deut. Übersetzg Luthers. — Die Psalmen n. d.
deut. Übersetzg Luthers. Durchgesehen im Auftr. d. deut.
ev. Kirchenkonferenz. Neue Taschenausg. 5. Afl. (309 u. 74)
16° Stuttg. Priv. württ. Bibelanst. 05. Kart. nn — 10 d
— dass., in d. Duala-Sprache (Kamerun), Male ma penya ma
sango asu na musunger' asu Yesu Kristo. Neu übers. n. d.
Griech. v. E Schuler. (716 m. 5 Kart.) 12° Ebd. 01. L. nn 1 —
— N. Neue, uns. Herrn Jesus Christus. Nach d. Vulgata übertr.,
m. Einl. u. kurzen Erläutergn versehen v. B Grundl. 2 Tle.
2. Afl. (Mit 3 Kart.) 16° Augsbg, Lit. Instit. v. Dr. M Huttler
04. In 1 Bd geh. nn — 95; in 1 L.-Bd 1.80 u. 1.60; in 1 Ldr-Bd 2 —;
Karten allein — 15 d
1. Die 4 hl. Evangelien u. d. Apostelgesch. (495) nn —
L. — 90 u. nn 1.10; Ldr nn 1.60
2. Die Apostelbriefe u. d. geheime Offenbarg. (497—840) nn — 50;
L. — — 90; Ldr nn 1.40
— d. Neue, übers. v. C Weizsäcker. 9. Afl. (Neue) Ausg. (458)
8° Tüb., JCB Mohr 04. 1.50; L. 2 —; Ldr 3.50
— dass. (Grossoktavausg.) Nach d. 9. Afl. (288) 8° Ebd. 03. 1.50;
L. 2 —; Ldr 3 —
— dass. s.: Textbibel d. Alten u. Neuen Test.
— dass. übers. u. m. Anmerkgn begleitet v. H Wiese. Mit
Parallelstellen v. E Nestle u. e. Zeittafel v. T Zahn. (642 m.
2 Kart.) 8° Berl., M Warneck 05. Geb. 3 —; Ldr 4.50 d
Testamiento, nuevo, de nuestro Señor Jesucristo par uso de
las personas piadosas. Traducido al castellano por ER Amat
y brevemente anotado por ER Torio. (838 m. Titelbild.) 12°
Freibg i/B., Herder 03. 2.60; L. 3.20
Testamentum, novum, juxta Vulgatae editionis exemplaria
et correctoria romana ed. V Loch. Ed. IV. (607) 12° Rgnsbg.
Verl.-Anst. vorm. GJ Manz (02). Geb. nn 2.40
— novum, graece. Diligentissime recognovit M Hetzenauer.
(Studium biblicum Novi test. catholicum, Libri critici.) Ed.
altera. (868) 8° Innsbr., Wagner 04. 3.50
— dass. cum apparata critico ex ed. et libris manu scriptis
collecto, curavit E Nestle. Ed. III. (657 m. 5 Kart.) 12° Stuttg.,
Priv. Württ. Bibelanst. 01. nn — 80; Ldrl. nn 1.20; in Chagrinldr nn 2.40; m. G. nn 3 —; Ausg. auf Schreibpap. m. breitem
Rand. (664 m. 5 Kart.) 8° 01. HF. nn 3.50
— novum, graece et germanice. Das Neue Test. griechisch u.
deutsch. Hrsg. v. E Nestle. Der griech. Text m. abweich.
Lesarten a. Handschriften u. Ausg., d. deut. n. d. durchgeseh.
Ausg. v. Luthers Übersetzg, verglichen m. Luthers letzter
Ausg. v. 1545. 2. Afl. (657 Doppels. u. 7 St. m. 5 Kart.) 12° Ebd.
01. nn 1.40; Ldrl. nn 2 —; in Chagrinldr nn 3.20; m. G. nn 4.20;
in 2 L.-Bdn nn 2.50 d
— novum, graece et latine. Textus latinus ex vulgata versione
Sixti V., p. m. jussu recognita et Clementii VIII. p. m. auctoritate edita repetitus. Ed.XIV.(593) 12° Lpzg, B Tauchnitz 03. 3 —
— dass. Textum graecum recens., latinum ex Vulgata versione
Clementina adiunxit, breves capitolor. inscriptiones et locos
parallelos uberiores additit F Brandscheid. Ed. altera. II partes.

12° Freibg i/B., Herder 01. 5 —; Einbde in L. je 1 —; in 1 HF.-Bd
6.60; griech. Text allein (779) 3.50; L. 4.40; latein. Text allein
(24. 700) 3.30; L. 4 —
I. Evangelia. (24, 652) 2.40 § II. Apostolicum. (503) 2.60.
Tester, O: Ins Reich. — Normannenfahrt. — Vom Hochgebirg.
(357) 8° Zür., T Schröter's Nf. 01. 4 —; geb. 5.30 d
— Schlappina. Bilder v. Hochgebirg. 2. Afl. (128) 8° Ebd. 03.
1 —; geb. 2 — d
Testut, L, s.: Monatsschrift, internat., f. Anatomie u. Physiol.
Tetmajer, L v.: Die angewandte Elastizitäts- u. Festigkeitslehre.
2. Afl. (565 m. Abb. u. 10 Taf.) 8° Wien, F Deuticke 04. § 3. Afl.
(618 m. Abb. u. 11 Taf.) 05. 16 —; geb. je 17.60
— Die Ges. d. Knicks- u. d. zusammengesetzten Druckfestigk.
d. technisch wichtigsten Baustoffe. 3. Afl. (811 m. Abb. u.
6 Taf.) 8° Ebd. 03. 8 —
— — dass. — Methoden u. Resultate d. Untersuchg d. Aluminiums
u. sr Abkömmlinge, s.: Mitteilungen d. Materialprüfgs-Anst.
am schweiz. Polytechnikum in Zürich.
Tettau, Frhr v.: Die russ. Armee in Einzelschriften. I.Thl, 4.Heft
u. II. Thl. 8° Berl., Liebel. 9.50
I, 4. Taktik u. Reglements. 4. Heft. Felddienst u. Gefecht aller Waffen.
Nach d. russ. Felddienstordng d. J. 1901 (Entwurf). Neu bearb. v. Hofrichter. I. Afl. (96 m. Abb.) 02. 2 —
II. Ergänzg u. Organisation d. russ. Armee im Krieg u. Frieden. (336 m.
7 Taf.) 03. 7.50
— Die Jagdkommandos in d. russ. Armee. Organisation u. Aus-
bildg. Zugl. als Ergänzg zu Tettau: Die russ.Armee in Einzelschriften,
Thl I, Heft 6. [S.-A.] (47) 8° Ebd. 01. 1 —
— 2 Monate Gast im russ. Heere, s.: Beiheft z. Militär-Wochenbl.
— Zeichensschlüssel z. russ. Armee. Kart. 2. Afl. (16 m. 2 Taf.)
12° Lpzg 04, Berl., Zuckschwerdt & Co. nn — 50 d
Tettau, K Freiin v.: Lieder. (78) 8° Berl., Verl. Continent (04).
1.50; geb. 2.50 d
Tetzel, E: Neuer Lehrg. d. Klavierspiels, erläutert durch s.
Abhandlg üb. d. leit. Grundsätze in Form e. Broschüre. (70
u. 16 in 12°) 4° Berl.-Tempelhof, Einoldt & Rohkrämer (08).
3 —; Broschüre allein (16) — 80
— Allg. Musiklehre u. Theorie d. Klavierspiels. (48) 8° Berl.,
O Jonasson-Eckermann & Co. 02. 1.50
Tetzel, K: Richtet nicht! Erzählg f. d. reif. Jugend u. d. Volk.
(114) 8° Braschw., E Appelhans & Co. 02. 1 —; kart. 1.30 d
— Verirrt u. heimgefunden. Transatlant. Erzählg z. Unterhaltg
u. Belehrg f. d. Volk. (192 m. 8 Farbdr.) 8° Konst., C Hirsch
(03). Geb. 1 — d
Tetzner, F: Die Dampfkessel. (222 m. Fig. u. 34 L.) 8° Berl.,
J Springer 02. § 2. Afl. (250 m. Fig. u. 38 L.) 05. L. je 8 —
— Mathematisch-techn. Tab., s.: Kühne, H.
Tetzner, F: Die Slawen in Deutschl. Beitr. z. Volkskde d.
Preussen, Litauer u. Letten, d. Masuren u. Philipponen, d.
Tschechen, Mährer u. Sorben, Polaben u. Slowinzen, Ka-
schuben u. Polen. (20, 518 m. Abb., Kart. u. Pl.) 8° Braschw.,
F Vieweg & S. 02. 15 —
— Deut. Sprichwrtrb. — Wrtrverz. z. deut. Rechtschreibg, s.:
Universal-Bibliothek.
Teuber, O: Unter d. Doppeladler. Ein österr. Leseb. f. Volk
u. Heer. Vollendet u. hrsg. v. E Teuber. Mit Beitr. v. A Graf
Wickenburg. (215 m. Abb.) 8° Wien, LW Seidel & S. 01.
4 —; L. 5 — d
— Gesch. d. Hofburgtheaters, s.: Theater, d., Wiens.
Teubner's, BG, Sammlg deut. Dicht- u. Schriftwerke f. höh.
Töchtersch., hrsg. v. G Bornhak. 2., 3., 12., 14., 15. u. 27— Bd-
chn. 12° Lpzg, BG Teubner. Kart. 6.40 d
Goethe's Hermann u. Dorothea. Hrsg. u. bearb. v. G Hofmeister. 2. Afl.
(15, 68) (04.) [15.]
— Aus meinem Leben. Dichtg u. Wahrheit. Ausgew. u. hrsg. v. G Hof-
meister. 4. Afl. (204) (04.) [27.]
Grillparzer, F: Sappho. Trauersp. Hrsg. u. bearb. v. H Jantzen. (15, 66)
(03.) [29.]
Gudrunlied, das. Übers. u. bearb. v. G Bornhak. 3. Afl. (122) (03.) [2.]
Homer's Odyssee. Im Ausz. n. d. Übersetzg v. JH Voss, bearb. v. R Wetzel.
3. Afl. (10, 133) (02.) [13.]
Ludwig, O: Die Makkabäer. Trauersp. Hrsg. u. bearb. v. R Petsch. (12,
65) (02.) [23.]
Schiller, F v.: Wilhelm Tell. Schausp. Bearb. v. Baumann. 3. Afl.
(114) 05. [14.]
Wolfram v. Eschenbach: Parzival. Übers. u. bearb. v. G Bornhak. 2. Afl.
(10, 94) (05.) [3.]
— Sammlg v. Lehrbüchern auf d. Gebiete d. mathemat. Wiss.
m. Einschl. ihrer Anwendg. VI—VIII. Bd, 2 Abthlgn; X. Bd,
Abthlgn: VI—VIII. Bd; IX. Bd, 2 Hlftn; X. Bd, 1 Tl u. 2.
—XVI. Bd. 8° Ebd. L. 300.80
Bachmann, P: Nied. Zahlentheorie. 1. Tl. (402) 02. [X,1.]
Czuber, E: Wahrscheinlichkeitsrechng u. ihre Anwendg auf Fehleraus-
gleichg, Statistik u. Lebensversicherg. 2 Hlftn. (504) 02.03. [IX.] Je 13 —
in 1 Bd geb. 14 —
Dickson, LE: Linear groups with an exposition of the Galois Field theory.
(312) 01. [VI.]
Gleichen, A: Lehrb. d. geometr. Optik. (511 m. Fig.) 02. [VIII.] Geb. 8 —
Kraser, A: Lehrb. d. Thetafunktionen. (24,509 m. Fig.) 05. [XII.] Geb. 24 —
Loria, G: Spez. algebr. u. transcendente ebene Kurven. Theorie u. Geschichte.
Nach d. italien. Mskr. bearb. Ausg. v. F Schütte. 1. Hlfte. (416 m. 12 L.)
02. [V,1.] 16 — § 2. Hlfte. (21 u. 417—744 m. 4 L.) 02. 10 —
in 1 L.-Bd 28 —
Netto, E: Lehrb. d. Combinatorik. (260) 01. [VII.] Geb. 6 —
Seliwanoff, D: Lehrb. d. Differenzenrechng. (92) 04. [XIII.] Geb. 4 —
Stande, O: Analyt. Geometrie d. Punktes, d. geraden Linie u. d. Ebene.
8° Ebd. 05. [XVI.] Geb. —
Stolz, O, u. JA Gmeiner: Theoret. Arithmetik. 1. Abth. Allg. Die Lehre
v. d. rationalen Zahlen. 2. Afl. d. Allgem. u. 1-IV d. 1. Thls d. Vorles.
üb. allg. Arithmetik v. O Stolz. (98 m. Fig.) 01. [IV,1.] 3.40; geb. 4 —
2. Abth. Die Lehren v. d. reellen u. v. d. complexen Zahlen. 2. Abth.

d. Abschn. V—VIII, X, XI d. 1. u. I, II, V d. 2. This d. Vorlesgn üb. allg. Arithmetik v. O Stolz. (90—402 m. Fig.) 02. [IV,2.] 7.20; geb. 8 — ; in 1 Bd geb. 10.60

Stolz, O, u. JA Gmeiner: Einl. in d. Funktionentheorie. 2. Afl. d. „Theoret. Arithmetik" nicht berücksicht. Abschnitte d. „Vorlesgn üb. allg. Arithmetik" v. O Stolz. 1. Abtlg. (342 m. Fig.) 04. [XIV.]
— 2. u. 7. (Schl.-)Abtlg. (243—599 m. Fig.) 05. Geb. 9 —
Wallentin, I: Einl. in d. theoret. Elektrizitätslehre. (444 m. Fig.) 04. [XV.]   Geb. 12 —
Webster, AG: The dynamics of particles, and of rigid, elastic, and fluid bodies, being lectures on mathematical physics. (588 m. Fig.) 04. [XI.]   Geb. 14 —

Teubner's, BG, school texts. Standard Engl. authors. General editors F Doerr, HP Junker, M Walter. 1. Text u. notes. 8° Lpzg, BG Teubner.   1 — ; Text geb. 1.20
Shakespeare: Julius Caesar. With the assistance of HP Junker ed. by FW Moorman. (91 u. 86 m. Bildn.) 05. [1.]   1 — ; Text geb. 1.20
— kl. Sprachbücher. I—V. 8° Ebd.   L. 15.60
Becker, AL: Deutsch f. Ausländer. Das Notwendigste a. d. dent. Sprachlehre m. prakt. Beisp., Lese- u. Gesprächsübgn. (132 m. Abb.) 04. [V.] 2 —
Boerner, O: Leçon de franç. Kurze prakt. Anl. z. raschen u. sicheren Erlernen d. franzls. Sprache f. d. mündl. u. schriftl. freien Gebrauch. (256 m. 1 Karte, 1 Pl. u. 1 Taf.) 04. [I.]   2.40 d
Runge, H: Lecciones castellanas. Kurze prakt. Anl. z. raschen u. sicheren Erlernen d. span. Sprache. (141 m. 4 Abb.) 04. [IV.]   2.40 d
Scanferlato, A: Lezioni italiane. Kurze prakt. Anl. z. raschen u. sich. Erlernen d. italien. Sprache. L. Adl. (254 m. 1 Karte.) 06. [III.] 2.40 d
1. parte. Kurze prakt. Anl. z. Vervollkommnng in d. italien. Sprache. (116 u. 38) 04. Geb. u. geb. 2 — d
Thiergen, O: English lessons. Kurze prakt. Anl. z. raschen u. sicheren Erlernen d. engl. Sprache f. d. mündl. u. schriftl. freien Gebr. 2. Afl. (299 m. 3 Abb., 1 Pl. u. 1 Taf.) 04. [II.]   2.40 d

Teubner, H: Die ersten 50 Jahre d. Berliner Feuerwehr. Mit Skizzen v. H v. d. Schulenburg. (174) 8° Berl., M Pasch 01.   1.50; bess. Ausg. 8 — d

Teucher, F: Die Logik bei Stolze-Schrey, s.: Wettschreiben, e., zw. Roller u. Stolze-Schrey.

Teucher, H: Uebersichten d. a. d. deut. Reichsgeb. erfolgten Verweisgn v. Ausländern.

Teucher, O: Eintagsfliegen. Ein paar ernste u. heit're Gedichte. (88 m. Bildnis.) 16° Dresd., H Hackarath 01. 1. — d

Teudeloff, H: Ergebnisse a. d. Unterr. in d. deut. Grammatik. In 3 Stufen f. d. Hand d. Schüler in Volkssch. bearb. 4. Afl. (20) 8° Langens., E Beyer & S. 01.   — 20 d
— Stoff f. d. Unterr. in d. deut. Grammatik. In 3 Stufen f. einf. Schulverhältn. bearb. 4. Afl. (107) 8° Ebd. 01. Kart. — 80 d

Teuer erkauft, s.: Jugendheim.

Teuerdank. Fahrten u. Träume deut. Maler. Zwanglose Bilderfolgen leb. Künstler. 1—80. Folge. 4° Berl., Fischer & Fr. Einzelpr. 66.50; Subskr.-Pr. f. 12 Hefte je 1.50
▾ Barloesius, G: Bilderchronik d. Städte Berlin u. Cöln an d. Spree. (10 Bl.) (02.) [12.]   2.50
Bek-gran, H: Die deut. Frau, e. Bilderreihe. (10 Bl.) (02.) [30.] 2 —
Braune, HL: Dietrich v. Bern, s. Heldentaten u. Abenteuer, s. Glück u. Tod. (12 Bl.) (03.) [19.]   — 2.50 d
Bass, F: Schubert-Lieder. (10 Bl.) (02.) [23.] ‖ Sonnen-Märchen. (10 Bl.) (02.) [15.]   Je 2 —
Heine, H: Erwachsen. (10 Bl.) [9.]
Hirzel, H: Bögen. (10 Bl.) (02.) [17.]   2.50 d
— Stimmgn. (10 Bl.) (01.) [2.] 2 — ‖ Leucht. Tage. Neue Folge d. Stimmgn. (12 Bl.) (03.) [25.] 2.50 d
Horst-Schulze: Einsamkeit. (12 Bl.) (01.) [6.]
Jahn, G: Meeresstrand. (10 Bl.) (02.) [14.]
Koch, R: Die blaue Blume, e. Sage in Bildern. (10 Bl.) (02.) [19.] 2 —
Kolb, A: Sonne u. Erde. (12 Bl.) (03.) [26.]   2.50 d
— Vom Weibe. Aus Dichtg u. Leben. (10 Bl.) (02.) [21.]   2 — d
Kuthan, E: Erinnergn u. Träume d. Kindheit. (12 Bl.) (02.) [12.] 2.50
Liebermann, E: Alt-München. (12 Bl.) (01.) [5.]   2.50 d
— Aus deut. Märchenwelt. (10 Bl.) (01.) [10.]   2 —
— Die Poesie d. Landstrasse. (10 Bl.) (02.) [18.]   2 — d
— Allerei Wetter. (10 Bl.) (01.) [1.]
Müller-Münster, F: Rosa u. Reiter in Sage u. Legende. (10 Bl.) (02.) [20.] d
‖ Stürmen u. Drängen. (10 Bl.) (01.) [3.]   Je 2 —
Staasen, F: Faust. 12 Zeichngn a. II. Tle. (12 Bl.) (02.) [22.] d ‖ Götter. (10 Bl.) (01.) [4.]   Ge 2.50
Stroedel, GA: Waldwehen. (10 Bl.) (01.) [8.]
Stumpf, W: Ekkehard. 10 Zeichngn zu V v. Scheffel's Ekkehard. (10 Bl.) (03.) [29.] ‖ Waldgeister. (10 Bl.) (02.) [16.]   Je 2 —
Volkmann, H v.: Eifel-Bilder. (10 Bl.) (02.) [7.]
Wenig, B: Buchteszgaden. (10 Bl.) (03.) [24.]   2 —
Würtenberger, E: Alemann. Bildnisse. (10 Bl.) (02.) [11.] ‖ Bildnisse deut. Dichter u. Musiker. (10 Bl.) (02.) [27.]   Je 2.50 d

Fortsetzg s. u. d. T.: Steinzeichnungen deut. Maler.

Teufel Alkohol. (15) 8° Lpzg, (L Naumann) 04.   — 20 d
— d., im Kleider-Kasten od. Der geprellte Freier, s.: Gabelsberger-Bibliothek.
Teufel, M: Ueb. e. Fall v. Sarcom d. kl. Netzes m. Perforation d. Aorta abdominalis. (31) 8° Tüb., F Pietzcker 01. nn — 70
Teufelsbeschwörung, d., zu Wemding. (2. [Umschl.-Afl.) (11) 16° Bambg. Handelsdr. u. Verlagsh. (01).   — 20 d
Teufelspredigt, Nr. 1—3. 8° Harzbg, (R Stolle).   Je — 25 d (03.) [1.]
Teufelspredigt s. Walpurgisfeier am 30.IV./1.V.'04. Von e. Braunschweiger. (4) (04.) [3.]
Weisser, A: Standrede v. d. Teufels Grossmutter z. Walpurgisfeier am 30.IV./1.V.'04. (4) (04.) [2.]
Teufel, H: Präparat. zu Platons Apologien u. Kriton. 2. Afl. v. H Ludwig. (21) 8° Lpzg, BG Teubner 05.   — 40 d
Teufel, WS: Latein. Stilübgn. Aus d. Nachlasse hrsg. v. S Teuffel. 2. Afl. v. C John. (147) 8° Tüb., JCB Mohr 03. 3.60; geb. 4.—
Teuffenbach a Tiefenbach e Massweeg, Baron A de: Sunto storico della contea principesca di Gorizia e Gradisca fino alla sua unione con la casa d'Absburgo nell' anno 1500. Tradotto da A Carrara. (56) 8° Innsbr., Wagner 1000.   — 80

Teupser, K: Aufg. f. schriftl. Rechnen im Zahlenraum 1—1000. 2. Heft. (40) 8° Lpzg, A Hahn 02.   — 25 (Vollst.: — 50) d
— s.: Erinnerungsblätter a. d. Konfirmation.
— Method. Lehrgänge d. elementaren Rechenunterr. II—V. Tl. 8° Lpzg, A Hahn.   6.30; geb. 7.70 (Vollst.: 7.50; geb. 9.20) d
II. Der Zahlenraum 1—1000. (75) 02.   1.20; geb. 1.60 d
III. Der rich. Zahlenraum. Die Grundrechngn m. ungleichbenannten Zahlen. (118) 03.   1.70; geb. 1.80
IV. Die Dezimal-, Bruch- u. Schlussrechng. (132) 04.   1.60; geb. 1.80
V. Das bürgerl. Rechnen. (176) 05.   2 — ; geb. 2.40

Teuscher, M: Der Jugend Gartenb. Mit prakt. Unterweisg in Obstbau, Gemüsezucht, Blumenpflege, Pflanzen- u. Insektenkde verf. Erweit. v. H Frhr v. Schilling. (184 m. Abb.) 8° Frankf. a/O., Trowitzsch & S. 02.   L. 3 — d
Teut: Schmule. Lustige Reiseabenteuer in 4 Gesängen. (70 m. Abb.) 8° Wien, (F Schalk) (05).   2 — d

Teut II., s.: Deutschland u. d. Slaventum.

Teut, H: Auskunftgeber f. Beamte. 2. Afl. (192) 16° Fuhlsb. 1898. (Lpzg, Luckhardt's Bh. f. Verkehrswesen.) Kart. 1.50 d
— Hdb. f. Postverwalter. Hülfsb. bei Verwaltg e. Postamts III. 2. Afl. (188) 12° Ebd. 1898.   Kart. 1.50 d
— Der techn. Telegr.-Dienst bei d. verein. Post- u. Telegr.-Anst. (167 m. Abb.) 16° Ebd. 1898.   Kart. 2.40 d

Teutonia. Arbeiten z. german. Philol., hrsg. v. W Uhl. 1—3. Heft. 8° Köngsbg. Lpzg, E Avenarius.   14.50 d
Gloth, W: Das Spiel v. d. 7 Farben. (92) 02. [1.]   4 —
Goldstein, L: Moses Mendelssohn u. d. deut. Aesthetik. (240) 04. [3.] 5 — ; geb. 6 —
Nagelein, J v.: Das Pferd im arischen Altertum. (37, 175) 03. [2.] 7.50

Teutonicus, T: s.: Optik meteorolog.

Teutsch, F: Von d. Arbeitsfeld d. ev. Kirche A. B. in Siebenbürgen. Vortr. (28) 8° Hermannst., (W Krafft) 02. nn — 43 d
— Samuel v. Brukenthal, s.: Csaki, M.
— Rede bei d. Beerdigg d. Kurators d. ev. Landeskirche A. B. Alb. Arz v. Straussenburg. (11) 8° Hermannst., W Krafft 01.   nn — 17 d
— Rede bei d. Trauerfeier anlässlich d. Beerdigg Heinr. Wittstocks, Pfarrer in Heltau. (14) 8° Ebd. 01.   nn — 17 d
Teutsch, M: Rechenb., s.: Hiemsch, KH.
Teutsch-Lerchenfeld, D: Deutschl. z. See in Wort u. Bild. (Neue Ausg.) (94 m. 33 farb. Taf.) Nebst: Zerlegbares Modell e. modernen Kriegsschiffes v. C Volkert. (12 S. Text.) 38,5×52 cm. Lpzg, E Wiest Nf, 04.   In L.-M. 28 — d
— Dentschlds Wehr zu Lande u. z. See. (Neue [Tit.-]Ausg.) (6, 834. u. 49 m. farb. Taf.) 8° Ebd. [1900] 03.   L. 13.50 d
Teuwsen, E: Fahrten u. Spuren. Anl. z. Spüren u. Ansprechen f. Jäger u. Jagdliebhaber. (132 m. Abb.) 8° Neud., J Neumann (01).   Kart. 6 — d
Tevfïq, M: Ein Jahr in Konstantinopel, übertr. v. T Menzel, s.: Bibliothek, türk.
Teweles, H: Harzreise u. and. Fahrten. (130) 8° Prag, H Mercy Sohn 04. (Nur dir.)   1 — d
Tewes, F, s.: Anzeiger, numismat. — Aus Goethes Lebenskreise.
— Neue Gedichte. (94) 8° Hannov., O Tobies 04.   L. 2.50
— s.: Goethe's, JW v., Faust am Hofe d. Kaisers.
Tews, J: Die Bedeutg d. Volksbildg f. d. sittl. Entwicklg ums. Volkes. Vortr. (41) 8° Berl., Gesellsch. f. Verbreitg v. Volksbildg (01).   — 25
— Die freiwill. Bildgsbestrebgn u. d. Volksschullehrer. Vortr. (16) 8° Liegn. 01. Berl., Gesellsch. f. Verbreitg v. Volksbildg.   — 25 d
— Hdb. f. volkstüml. Leseanst. Theoretisch-prakt. Anl. z. Begründg u. Verwaltg v. Volksbibliotheken u. Lesehallen in Stadt u. Land. (144 m. Abb. u. 6 Beil.) 8° Berl., L Simion Nf. 04.   3 — d
— Konfession, Schulbildg u. Erwertbsthätigk, s.: Magazin, pädagog.
— Volkstüml. Leseanst. Leitf. z. Begründg u. Verwaltg v. Volksbibliotheken in Stadt u. Land. (57 m. 6 Taf.) 8° Berl., L Simion Nf. 04.   Kart. — 40 d
— Deut. Leseb. f. städt. u. gewerbl. Fortbildgssch. — Deut. Leseb. f. Mädchensch., s.: Ernst, A.
— Schulkompromiss, konfessionelle Schule, Simultansch. 2. Afl. (60) 8° Berl.-Schönebg, Verl. d. „Hilfe" 04.   — 30 d
— Deut. Sprachb., s.: Pretzel, CLA.
Text, the Hebrew, of the book of Ecclesiasticus, edited by J Lévi, s.: Study-series Semitic.
Textaufgaben franzls. u. engl. Schriftsteller f. d. Schulgebr., hrsg. unter Red. v. O Schmager. 30. Bd. Wrtrb. 16° Dresd., G Kühtmann.   nn — 25
Sagey, JR: The expansion of England. In gekürzter Fassg hrsg. v. G Opitz. (22) 02. [26.]   nn — 25; Anmerkgn (44) f. d. Lehrer kostenlos.
Textbibel d. Alten u. Neuen Test., hrsg. v. E Kautzsch. Das Neue Test. in d. Übersetzg v. C Weizsäcker. 2. Ausg. d. 1. Afl. (5—8. Taus.) (Ausg. A. Altes Test. m. d. Apokryphen d. Alten u. Neues Test.) (1181, 212 u. 288) 8° Tüb., JCB Mohr 04.   n. geb. m. in 5 Lfgn zu 1 — d
Textbibliothek, altdeut., hrsg. v. H Paul. Nr. 1, 3 u. 5. 11—15. 8° Halle, M Niemeyer.   14.60
Martmann'r v. Aue Werke. V. Der arme Heinrich. Hrsg. v. H Paul. 3. Afl. (40) 04. [3.]   — 40
Heiland O. Genesis. Hrsg. v. O Behaghel. Der Heliandausg. 2. Afl. (37, 270) (05. [4.]   3 —
Walther's v. d. Vogelweide Gedichte. Hrsg. v. H Paul. 3. Afl. (209) 05. [1.]   2 —

Woruber der Gartensaere: Meier Helmbrecht, hrsg. v. F Panzer. (17, 64) 02. [11.]   — 80
Wolfram v. Eschenbach, hrsg. v. A Leitzmann. 1. heft: Parzival buch I bis IV. (20, 203) 02. [12.] 2.40 § 2. heft: Dass. buch VII bis XI. (104) 03. [13.] 2 — § 3. heft: Dass. buch XII bis XVI. (197) 03. [14.] 2 — § 4. heft: Willehalm buch I bis V. (210) 05. [15.] 2 —

Textbibliothek, engl. Hrsg. v. J Hoops. 7—11. Bd. 8° Hdlbg, C Winter, V.   13 — (1—11.: 24.40)
Chaucer, G: The pardoner's prologue and tale. A critical ed. by J Koch. (79, 164) Berl. 02. [7.]   3 —
Garth's „Dispensary". Krit. Ausg. m. Einl. u. Anmerkgn v. W J Leicht. (175) 05. [10.]   2.40
Hackauf, E: Die älteste mittelengl. Version d. Assumptio Mariae. (33, 100) Berl. 02. [8.]   3 —
Longfellow's Evangeline. Krit. Ausg. m. Einl., Untersuchgn üb. d. Gesch. d. engl. Hexameters u. Anmerkgn v. E Sieper. (177) 05. [11.]   2.60
Villiers, G, second Duke of Buckingham: The Rehearsal. First acted 7.XII.1671, published 1672. Mit Einl. hrsg. v. F Lindner. (111) 04. [9.] 2 —
— **z. Musikführer.** Nr. 15—20 u. 30. 8° Berl., H Seemann Nf. 1.30
Dorn, O: Närodal. (79) Lpzg (01). [49.20.]   — 40
Freudenhymnus, d., in d. 9. Symphonie (op. 125) v. L van Beethoven u. Strophen a. F v. Schillers „Lied an d. Freude". (7) Lpzg (02). [30.] — 10 d
Grammann, C: Auf neutralem Boden. Oper. Dichtg v. F Koppel-Ellfeld. (32) Lpzg (1900). [15.16.]   — 40
Kulenkampff, G: König Drosselbart. Märchenoper. Dichtg v. A Delmar. (31) Lpzg (01). [17.18.]   — 40 d

Fortsetzg u. d. T.:
— **z. Musik- u. Opernführer.** Nr. 23—26, 28, 29, 33 u. 50—54. 8° Ebd.   1.50
Coerne, L A: Zenobia. Oper. Textdichtg v. O Stein. Für d. Bühne bearb. v. C Crome-Schwiening. (33) Lpzg (04). [50—53.]   — 40
Dorn, O: Närodal. Oper. (70) Lpzg (04.) [23—26.]   — 40
Gjellerup, K: Die Opferfeuer. Legendendichtk. Musik v. G Schjelderup. (16) Lpzg (04). [54.]   — 10
Händel, GF: Das Alexanderfest od. d. Macht d. Tonkunst. Ode v. J Dryden. Neubearbeitg d. Textes v. A Smollan. (12) Lpzg (02). [28.29.] — 40
Mendelssohn-Bartholdy, F: Loreley (Finale u. Chöre d. unvollendeten Oper). Op. 98. (16) Lpzg (01). [33.]   — 30 d

Text-Buch v. 100 in Volks-auch Volksliedern. (Von H Landsberg.) (36) 8° Landsbg, Volger & Kl. 1900. — 25 d
Texte, alt- u. mittelengl. Hrsg. v. L Morsbach u. F Holthausen. 3. Bd. I u. 4. Bd. 8° Hdlbg, C Winter, V. 4.30; I u. 5.40 (1—3 I u. 4.: 7.80; geb. 10.20)
Beowulf, nebst d. Finnsburg-Bruchstück. Mit Einl., Glossar u. Anmerkgn hrsg. v. F Holthausen. I. Ti: Texte u. Namenverz. (119) (05.) [3.] 2.70; geb. 2.80
Cynewulf's Elene. Mit Einl., Glossar, Anmerkgn u. d. latein. Quelle hrsg. v. F Holthausen. (16, 99) 05. [4.]   2 —; geb. 2.60
1 u. 2 s. u. d. T.: Texts, old and middle Engl.
— **babylonisch-assyr.,** übers. v. C Bezold, s.: Texte, kl., f. theolog. Vorlesgn u. Übgn.
— **deut.,** d.-A., hrsg. v. d. kgl. preuss. Akad. d. Wiss. I, II., IV. u. V. Bd. 8° Berl., Weidmann 24.40
Erzählungen, Fabeln u. Lehrgedichte, kleinere und. I. Die Melker Handschrift, hrsg. v. A Leitzmann. (14, 50 m. 1 Taf.) 04. [IV.] 2.40
Friedrich v. Schwaben, a. d. Stuttgarter Handschrift hrsg. v. M H Jellinek. (22, 127 m. 1 Taf.) 04. [I.]   4 —
Rudolfs v. Ems Willehalm v. Orlens, hrsg. a. d. Wasserburger Codex d. fürstl. Fürstenberg. Hofbibliothek in Donaueschingen v. V Junk. (48, 277 m. 3 Taf.) 05. [II.]   10 —
Volks- u. Gesellschaftslieder d. XV. u. XVI. Jahrh. I. Die Lieder d. Heidelberger Handschrift Pal. 343, hrsg. v. A Kopp. (18, 254 m. 1 Taf.) 05. [V.]   7.60
Der III. Bd ist noch nicht erschienen.
— **d. evangel. u. epistol., auf alle Sonntage u. Festtage d. Kirchenj. nebst e. Sammlg v. Gebeten,** s.: Gesangbuch f. d. ev.-luther. Gemeinden d. Herzogt. Oldenburg.
— **liturg. I. Zur Gesch. d. oriental. Taufe u. Messe im II. u. IV. Jahrh., hrsg. v. H Lietzmann,** s.: Texte, kl., f. theolog. Vorlesgn u. Übgn.
— **kl., f. theolog. Vorlesgn u. Übgn. Hrsg. v. H Lietzmann.** 1—16. 8° Bonn, A Marcus & E Weber. 5.70
Amos, d. Prophet. Hebr. u. griechisch hrsg. v. J Meinhold u. H Lietzmann. (32) 05. [15.16.]
Apocrypha. Hrsg. v. E Klostermann. I. Beste d. Petrusevangeliums, d. Petrusapokalypse u. d. Kerygma Petri. (16) 08. [3.] — 30 § II. Evangelien. (16) 04. [8.] — 40 § III. Agrapha, neue Oxyrhynchuslogia. Hrsg. v. E Klostermann. (20) 04. [11.] — 40 § IV. Die apokryphen Briefe d. Paulus an d. Laodicener u. Korinther. Hrsg. v. A Harnack. (20) 05. [12.] — 40
Augustin: 5 Festpredigten, s.: Predigten.
Didache, d. Mit krit. Apparat hrsg. v. H Lietzmann. (16) 08. [6.] — 30
Fragment, d. murator., u. d. monarchian. Prologe zu d. Evangelien. Hrsg. v. H Lietzmann. (16) 02. [1.]
Himmelfahrt, d., d. Mose. Hrsg. v. C Clemen. (10) 04. [10.] — 30
Martyrologien, 3 ältesten. Hrsg. v. H Lietzmann. (16) 08. [2.] — 40
Origenes' Homilie X üb. d. Propheten Jeremias, s.: Predigten, augew. Predigten, augew. I. Origenes' Homilie X üb. d. Prophetes Jeremias. Hrsg. v. E Klostermann. (16) 08. [4.] — 30 § II. Fünf Festpredigten Augustins u. gercinter Prosa. Hrsg. v. H Lietzmann. (16) 05. [18.] — 40
Papyri, griech. Ausgew. u. erklärt v. H Lietzmann. (16) 05. [14.] — 40
Ptolemaeus: Brief an d. Flora. Hrsg. v. A Harnack. (16) 04. [9.] — 30
Texte, babylonisch-assyr. Übers. v. C Bezold. I. Die Schöpfgslegende. (20) 04. [7.]
— liturg. I. Zur Gesch. d. oriental. Taufe u. Messe im II. u. IV. Jahrh. Hrsg. v. H Lietzmann. (16) 02. [5.]
— **u. Forschungen z. Gesch. d. Erziehg u. d. Unterr. in d. Ländern deut. Zunge. Hrsg. v. K Esterbach.** IV. u. V. Bd. A Hofmann & Co. 01. Je 2 — (I—V.: 12 —)
IV. Beiträge z. Gesch. d. Erziehg u. d. Unterr. in Bayern. Hrsg. v. d. Gruppe Bayern d. Gesellsch. f. deut. Erziehgs- u. Schulgesch. 1. Heft. Brand, E: Ueb. Vorbildg u. Prüfg d. Lehrer an d. bayer. Mittelschulen seit 1773. — Geble, J: Die Ausbildg d. Aufsicht bei d. Volksschh. in Bayern im Uebergange v. 18. z. 19. Jahrh. (141)
V. Dass. 2. Heft: Heigenmooser, J: Pfarrer Bartholomäus Bucher, e. Schulmann d. Chiemgaues a. d. Anfange d. 19. Jahrh. — Thalhofer, FX: Zur Gesch. d. Volksschulwesens in Dillingen v. Ende d. 16. bis z. Ende d. 19. Jahrh. — Flemisch, M: Die pädagog. Strömgn d. 19.

Jahrb. in d. pädagog. Programmen d. kgl. Wilhelmsgymnasiums in München. (155)
Fortsetzg s. u. d. T.: Mitteilungen d. Gesellsch. f. deut. Erziehgs- u. Schulgesch., Beihefte.

Texte u. Untersuchungen z. Gesch. d. altchristl. Lit. Archiv f. d. v. d. Kirchenväter-Commission d. kgl. preuss. Akad. d. Wiss. unternommene Ausg. d. ält. christl. Schriftsteller. Hrsg. v. O v. Gebhardt u. A Harnack. Neue Folge. VI—XI. Bd je 4 Hefte; XII. Bd; XIII. Bd, 4 Hefte u. XIV. Bd, Heft 1, 2a.b u. 3. Der ganzen Reihe XXI—XXVIII. u. XXIX, 1, 2a.b u. 3. 8° Lpzg, JC Hinrichs' V.   222.50
Augar, F: Die Frau im röm. Christenprocess, s.: Harnack, A, d. Vorwurf d. Atheismus.
Bauer, A: Die Chronik d. Hippolytos im Matritensis Graecus 121. Nebst e. Abhandlg üb. d. Stadiasmus Maris Magni v. O Cuntz. (288 m. 1 Abb. u. 5 Taf.) 05. [XIV,1.]   8.50
Berendts, A: Die handschriftl. Überlieferg d. Zacharias- u. Johannes-Apokryphen. — Üb. d. Bibliotheken d. Metoor. u. Ossa-Olymp. Klöster. (94) 04. [XI,3.]   3.70
Didaskalia, d. syr., s.: Quellen, d. ält., d. oriental. Kirchenrechts.
Eusebius, d., Kirchengesch. Aus d. Syr. v. E Nestle. (296) 01. [VI,2.] 9.50
— dass., Buch VI u. VII. Aus d. Armen. v. E Preuschen. (22, 109) 02. [VI,3.]
Flemming, J: Das Buch Henoch. Äthiop. Text. (16, 172) 02. [VII,1.] 11 —
Geffcken, J: Komposition u. Entstehgszeit d. Oracula Sibyllina. (78) 02. [VIII,1.]   4.50
Goltz, E Frhr v. d.: Λόγος σωτηρίας πρὸς τὴν παρθένον (de virginitate), e. echte Schrift d. Athanasius. (144) 05. [XIV,2a.]   5 —
— Tischgebete u. Abendmahlsgebete in d. altchristl. u. in d. griech. Kirche. (67) 05. [XIV,2b.]   1 —
Grossmann, H: Studien zu Eusebs Theophanie. (154 u. 69) 03. [VIII,3.] 5 —
Harnack, A: Analecta z. ält. Gesch. d. Christentums in Rom, s.: Koetschau, P, Beitr. z. Textkritik v. Origenes' Johannescommentar.
— Üb. verlor. Briefe u. Actenstücke, d. sich a. d. cyprian. Briefsammlg ermitteln lassen. — Klostermann, E: Eusebius Schrift περὶ τῶν τοπικῶν ὀνομάτων τῶν ἐν τῇ θείᾳ γραφῇ. — Hippolyts Kommentar z. Hohenlied, auf Grund v. N Marrs Ausg. d. grusin. Textes hrsg. v. GN Bonwetsch. (45, 98 u. 106) 02. [VIII,2.]   5 —
— Diodor v. Tarsus. 4 pseudojustin. Schriften als Eigentum Diodors nachgewiesen. (251) 01. [VI,4.]   3 —
— Der pseudocyprian. Traktat de singularitate clericor., e. Werk d. donatist. Bischofs Macrobius in Rom. — Die Hypotyposen d. Theognost u. d. gefälschte Brief d. Bischofs Theonas an d. Oberkammerherrn Lucian. (106) 03. [IX,3.]   3 —
— Der Vorwurf d. Atheismus in d. 3 ersten Jahrh. — Schultze, K: Das Martyrium d. Ablo v. Tiflis. — Augar, F: Die Frau im röm. Christenprocess. Beiträge z. Verfolgggesch. d. christl. Kirche im röm. Staat. 41 u. 92) 05. [XIII,4.]   3 —
Hippolytus: 3 georgisch erh. Schriften. Hrsg. v. GN Bonwetsch. Gegen Jakobs, d. Segen Moses, d. Erzählg v. David u. Goliath. (18, 58) 04. [XI,1a.]   2 —
— Kommentar z. Hohenlied, s.: Harnack, A, üb. verlor. Briefe u. Actenstücke usw.
Jansen, R: Das Johannes-Evangelium u. d. Paraphrase d. Nonnus Panopolitanus. Mit e. ausführl. krit. Apparat hrsg. (90) 03. [VIII,4.]
Klostermann, E: Üb. d. Didymus v. Alexandrien in epistolas canonicas enarratio, s.: Koetschau, P, Beitr. z. Textkritik v. Origenes' Johannescommentar.
— Eusebius Schrift περὶ τῶν τοπικῶν ὀνομάτων τῶν ἐν τῇ θείᾳ γραφῇ, s.: Harnack, A, üb. verlor. Briefe u. Actenstücke usw.
Koetschau, P: Beitr. z. Textkritik v. Origenes' Johannescommentar. — Harnack, A: Analecta z. ält. Gesch. d. Christentums in Rom. — Klostermann, E: Üb. d. Didymus v. Alexandrien in epistolas canonicas enarratio. (70, 9 u. 8) 05. [XII,3.]   5 —
Kraatz, W: Kopt. Akten z. ephesin. Konzil v. J. 431. Übersetzg u. Untersuchgn. (220) 04. [XI,2.]   6 —
Leipoldt, J: Saïd. Ausz. a. d. 8. Buche d. apostol. Constitutionen. (81) 04. [XI,1b.]
— Didymus, d. Blinde v. Alexandria. (148) 05. [XIV,3.]
— Schenüte v. Atripe u. d. Entstehg d. national-ägypt. Christentums. (199) 02. [VI,1.]
Passio s. Theclae virginis. Die latein. Übersetzgn d. Acta Pauli et Theclae, nebst Fragmenten, Auszügen u. Beil. hrsg. v. O v. Gebhardt. (190) 02. [VII,2.]
Quellen, d. ält., d. oriental. Kirchenrechts. 2. Buch: Die syr. Didaskalia. Übers. u. erklärt v. H Achelis u. J Flemming. (388) 04. [X,2.]
Reach, A: Der Paulinismus u. d. Logia Jesu in ihrem gegenseit. Verhältnis untersucht. (664) 04. [XII,] 20 —; Hlf. an 22.50; Einzelpr. auf
Resch, G: Das Aposteldecret in d. ausserkanon. Textgestalt untersucht. (179) 05. [XIII,3.]
Schermann, Th: Die Gesch. d. dogmat. Florilegien v. V—VIII. Jahrh. (104) 04. [XIII,1.]
Schmidt, C: Die alten Petrusakten im Zusammenh. d. apokryphen stellitt., nebst e. neuentdeckten Fragment, untersucht. (176) 03. [IX,1.]
Schubert, H v.: Der sog. Praedestinatus. Beitrag z. Gesch. d. Pelagianism. (147) 03. [IX,4.]
Schultze, K: Das Martyrium d. hl. Abo v. Tiflis, s.: Harnack, A, d. Vorwurf d. Atheismus.
Schwartz, J: Die Lukaskatene d. Niketas v. Herekleia. (116) [VI,4.]
— Titus v. Bostra. Studien in dessen Lukas-Homilien. (267) 01. [VI,1.]
— Üb. d. Cyprian. Briefsammlg. Gesch. ihrer Entstehg. Überlieferg. (96 m. 2 Tab.) 04. [X,3.]
Ter-Minassiants, E: Die armen. Kirche in ihren Beziehgn zu d. syr. Kirchen bis z. Ende d. 13. Jahrh. (218) 04. [XI,4.]
Urbain, A: Die Martyrologium d. christl. Gemeinde zu Rom am Anfang d. V. Jahrh. (266) 01. [VI,3.]
Weiss, H: Die Pseudoklementinen. Homilien u. Rekognitionen. (358) 04. [X,4.]
Wrede, W: Die Echtheit d. 2. Thessalonicherbriefs untersucht. (95) 02. [IX,2.]

— **— z. altgerman. Bibelgesch., hrsg. v. F Kauffmann.** 2. Bd. 4° Strassbg, K J Trübner.   9 — (1 u. 2.:
Dietrich, L: Die Bruchstücke d. Skeireins, hrsg. u. erklärt. (78, 1 Taf.) 03. [2.]
— **dass. Untersuchgn. 1. Bd. 8° Ebd.**
Kaufmann, F: Balder. Mythus u. Sage n. ihren dichter. u. relig. menten untersucht. (308) 02. [1.]

Textil-Exporteur, der. Special-Nummer d. Leipz. Monatschrift
f. Textil-Industrie. Unter Mitwirkg v. M Diezmann hrsg. v.
T Martin. (5.—6.) Jahrg. 1901—4 je 4 Nrn. (1901. Nr. 1. 26,
38 u. 8 m. Abb.) Fol. Lpzg, Verl. d. Leipz. Monatschrift f.
Textil-Industrie.   Je 6 —; einz. Nrn 1.60;
        f. Abonnenten d. Monatschrift unentgeltlich.
    Fortsetzg war nicht zu erhalten.
Textil-Industrie, d. deut., im Besitze v. Aktien-Gesellsch.
Statist.Jahrb. üb. d. Vermögensverhältn. u. Geschäftsergebn.
derselben im Betriebsj. 1904/5. 9. Afl. 9. Jahrg. (200) 8º Lpzg
'05. Berl., Verl. f. Börsen- u. Finanzlit.   Geb. 5 —
Textil-Kalender 1906. Hrsg. v. d. Red. d. Textil-Zeitg, Berlin.
5. Jahrg. (320 u. Notizkalender m. Abb.) 8º Berl., W & S Loewenthal.   L. 1.50
 — f. 1902. Jahrb. f. Kaufleute u. Industrielle d. Baumwoll-
branche. Begründet v. WH Uhland. 23.Jahrg. (Einbd: Kalender f. d. Textil-Industria.) (212 m. Fig. u. Schreibkalender.)
12º Dresd. Lpzg, HAL Degener.   L. 3 —;
            in Brieftaschenldrbd 5 —
 *Bis 1901 u, d, T.: Kalender f. d, Textil-Industrie. — Fortsetzg
 s. u, d, T.: Kalender f, d, Baumwoll-Industrie.*
 — (Österr.). 21. Jahrg. 1906. (16, 355 m. Fig.) 8º Wien, M Perles.
                                                     L. 3 —; Ldr 4 40
Textilkunst, moderne. Monatshefte f. d. ges. Textilindustrie.
Hrsg. v. O Haebler. 1. Jahrg. 1904/1905. 12 Hefte. (1—3. Heft.
18 farb. Taf.) 4º Plauen, C Stoll.   36 —; einz. Hefte 4 —
 Fortsetzg s. u. d. T.: Flächenkunst, moderne.
Textil-Zeitung Berlin. Red.: H Goetze. Jahrg.1901—5 je 52 Nrn.
(1901.Nr.1.26m.Abb.)4ºBerl., W&S Loewenthal. Viertelj.3.50
 Das „Centralblatt f. d. Textil-Industrie" wurde hiermit vereinigt.
Textil- u. Färberei-Zeitung. Wochenschrift f. d. Baumwoll-,
Woll- u. Seiden-Industrie, Färberei, Druckerei, Bleicherei,
Appretur, Spinnerei, Weberei, Tuchfabrikation. Hrsg. v. A
Buntrock u. im wirtschaftl. Tl v. Ver. d. deut. Textiver-
edlgsindustrie unter Red. v. S Tschierschky. 1. u. 2. Jahrg.
1903 u. 4 je 52 Nrn. (1903 u. 1112 m. Abb. u. 28 u. 32 Taf.) 4º
Berl., Verl. f. Textilindustrie.   Viertelj. 2 —
 — dass. Wochenschrift f. d. Baumwoll—, Leinen-, Jute-,
Woll- u. Seiden-Industrie, Färberei, Druckerei, Bleicherei,
Appretur, Spinnerei, Weberei, Tuchfabrikation. Hrsg. v. A
Buntrock u. im wirtschaftl. Tl v. S Tschierschky. 3. Jahrg.
1905. 52 Nrn. (Nr. 1 u. 2. 44 m. Abb.) 8º Ebd.   Viertelj. 2.50
 Erschien bis Ende Juni 1905 in Braunschweig.
Textor, A: Der Apfelbaum. Erzählg f. Kinder. (63) 12º Hambg,
Agent. d. Rauhen H. 01.   Kart. (— 50) — 30 d
Textor, M: Der Weg z. sofort. Gründg e. selbständ. Existenz
(ohne Fachbildg u. ohne od. mit geringem Capital). Gleichzeitig enth. Vorschläge u. Fingerzeige (f. Männer u. Frauen)
s. Erhöhg d. Einkommens durch Nebenerwerb. (36) 8º Charlttnbg, H Dalm (01).   — 20 d
 — f. Sonntags-Schulen u. Kindergottesdienste f. 1903—7. 1—
 5 Afl. (8) 8º Elberf., Bln. d. Erziehgs-Ver. (03-05).   — 15 d
Texts, old and middle Engl. Ed. by L Morsbach and F Holthausen. Vol. II. 8º Hdlbg, C Winter, V.   1.20
                      (I u. II.: 3.60; Einbde in L. je — 60)
Emare, ed. by AB Gough. (II, 39) 01. [II.]   1.20
 Fortsetzg s. u, d. T.: Texts, alt- u. mittelengl.
Tesmer, F: Die Ges. üb. d. Vereinsrecht v. 26.XI.1852 u. v.
15.XI.1867. — Das Ges. üb. d. Versammlsrecht v. 15.XI.1867,
nebst d. zu diesen Ges. ergang. Regulativen, Verordngn, Er-
lässen u. Entscheidgn. 3. Afl. (300) 12º Wien, Manz 01. 2.40;
                                                     geb. 3 — d
 — Die Successions- u. Verwandtenrechte d. Prinzen Alexander
 v. Oldenburg, gen. Graf v. Welsburg, auf Grund d. derzeit.
 oldenburg. Staats- u. Hausrechts. (128) 8º Berl., C Heymann
 05.   2 — d
 — Technik u. Geist d. ständisch-monarch. Staatsrechts, s.:
 Forschungen, staats- u. socialwiss.
 — Die deut. Theorieen d. Verwaltungsrechtspflege. [S.-A.] (311)
 8º Berl., C Heymann 01.   4 — d
 — Üb. Verwaltgsrechtspflege m. Hinblick auf d. neue sächs.
 Verwaltgsgerichtsgesetz. Vortr. (49) 8º Dresd., v. Zahn & J.
 01.   — 80 d
 — Die landesfürstl. Verwaltgsrechtspflege in Österr. v. Ausg.
 d. 15. bis z. Ausg. d. 18. Jahrh. 2. Heft. (170) 8º Wien, A
 Hölder 02.   3 — (1 u. 2. 6 —)
 — Die Wandlgn d. österr.-ungar. Reichsidee. Ihr Inhalt u. ihre
 polit. Notwendigk. (156) 8º Wien, Manz 05.   2.60 d
Thaa, G Ritter v.: Das Mass- u. Gewichtswesen u. d. Aichdienst
in Österr., s.: Sachenausgabe, Manz'sche, d. österr. Ges.
 — u. A Ritter v. **Dobiecki:** Das Mass- u. Gewichtswesen u.
 d. Eichdienst in Österr., s.: Gesetz-Ausgabe, Manz'sche.
Thackeray, WM: Becky Sharp, s.: Schulbibliothek, französ. u.
engl. (E Merhaut).
Thadden, H V., s.: Mellin, H.
Thadden-Trieglaff, Adolf v. Ein Lebensbild. (47) 8º Elberf.,
Lieber. Bücherver. 1897.
Thal, A: Die Vereinigg v. Recht u. Verbindlichk. beim Pfandrecht an Fordergn, s.: Studien z. Erläuterg d. bürgerl. Rechts.
Thal, H: Maria. Melodramat. Liedersp. Musik v. A Jensen.
(47) 8º Lpzg, A Foerster (01).   — 50 d

Thal, M: Deut. Sprachbch., s.: Baron, M.
Thal, M: Das Christentum u. d. moderne Frauenbewegg. I.
Bibel u. Frauenfrage. II. Christl. Ehe u. Ehe d. Zukunft. (27)
8º Bresl. 04. Gött., H Peters.   — 60 d
 — Sexuelle Moral. Ein Versuch d. Lösg d. Problems d. ge-
 schlechtl., insbes. d. sog. „doppelten Moral". (82) 8º Bresl.,
 Koebner 04.   1 — d
 — Mutterrecht, Frauenfrage u. Weltanschaug. (170) 8º Bresl.
 03. Gött., H Peters.   2.50; geb. 3.50
 — Schamgefühl u. gemeinsames Studium d. Geschlechter. (26)
 8º Berl., Verl. d. Frauen-Rundschau (04).   — 30 d
Thal, W (W Lilienthal): Eine Bombenkur, s.: Bliss, P.
 — Der Halsband-Prozess d. Königin Marie Antoinette. Car-
 touche,d.berücht.Räuber, s.:Kriminal-Prozesse aller Zeiten.
 — s.: Paris, d. lachende.
Thalacker's Adressb. u. Kalender 1905 (f. d. deut. Gartenbau).
(104, Schreibkalender u. 347 m. 1 Karte.) 8º Lpzg-Go., B Tha-
lacker (durch Thalacker & Schöffer, Lpzg, Inselstr. 12).
                                                     Geb. 2.50
Thalau, M: Verlitt'ne Tage. 19 Novellen. (201) 8º Heiligenst.,
FW Cordier (05).   2 —; geb. 2.50 d
Thalberg, Baron F v.: Der perfecte Kartenspieler. Mit Anh.,
enth. Koulette u. Trente et Quarante. 13. Afl. (223) 8º Berl.,
S Mode (05).   2 — d
Thale, „d. Perle d. Harzes", Sommerfrische u. klimat. Luft-
kurort, m. Soolquelle Hubertusbad. (30 m. Abb. u. 1 Pl.) 12º
Thale s/H., (Gemeinde-Vorstand) 03.   1 —
Thaler, C: Eine Mutter f. viele. Brief an d. Verf. v. „Eine f.
Viele". (35) 8º Lpzg 02. Berl., B Seemann Nf.   1 —
Thaler, K: Lehr- u. Gebetb. f. d. Mitglieder d. 3. Ordens d.
hl. Franziskus. 6. Afl. (759 m. 1 Farbdr.) 16º Bregenz, JN
Teutsch (05). L. 1.60 (Ausg. in Grobdr.) 8. Afl. (773 m. 1
                       Farbdr.) 8º 05. L. 2 — d
 — Taschenbüchl. f. d. Tertiaren d. hl. Franziskus. [S.-A.] (417
 m. 1 Farbdr.) 12,5×8 cm. Ebd. 05.   L. in 1.25 d
Thalheim, F: Die Kosten-Anschläge od. d. Veranschlagen v.
Hochbauten, s.: Stade, F, d. Schule d. Bautechniker.
Thalhofer, FX: Führer durch d. Stadt Donauwörth, deren
Gesch.u. Umgebg. (54 m.Abb.) 8º Donauw., L Auer 04. 1 — d
 — Zur Gesch. d. Volksschulwesens in Dillingen v. Ende d. 16.
 bis z. Ende d. 18. Jahrh., s.: Texte u. Forschungen z. Gesch.
 d. Erziehg u. d. Unterr.
Thalhofer's, V, Erklärg d. Psalmen u. d. im röm. Brevier
vorkomm. bibl. Cantica, m. bes. Rücks. auf deren liturg.
Gebr. 7. Afl. v. P Schmalzl. (879) 8º Regensb, G J Manz 04.
                                     10 —; HF. 11.60 d
Thalia. Nr. 55—121. 8º Mühlh. i/Th., G Danner.   Je 2 — d
    Bauermeister, M: Er ligt' Lustsp. (28) (01.) [74.] Die Stimme d. Her-
       zens. Orig.-Lustsp. (24) (1900.) [66.]
    Belly, G: Monsieur, M: Er ligt' Lustsp. Schwank. (36) (01.) [93.]
     — u. P Henrion: Hohe Gäste od. Excellenz u. Elefant. Schwank. (37)
       01. (64.)
    Bliss, F: Noblesse oblige. Lustsp. (36) (05.) [96.]
    Braune, E: Schwiegerpapachen. Schwank. (40) (05.) [121.]
    Ehrich, OF: Taub muss er sein. Schwank u. d. Franz. d. J Melnaux.
       (35) (1900.) [6.]
    Els, A: Er ist nicht eifersüchtig. Lustsp. Neu bearb. v. G v. Moser. (40)
       (03.) [101.]
    Eysell-Kilburger, C (Frau V Blüthgen): Meine Frau hintergeht mich.
       Schwank. (32) (01.) [66.] Im Sonnenschein. Lustsp. (27) (02.) [99.]
    Günther, A: In Hemdsärmeln. Schwank. (32) (02.) [95.] Ein passio-
       nierter Raucher. Schwank. (39) (03.) [96.]
    Hirthe, E: Der 1. Tote. Schwank. (34) (1900.) [70.] Eine Ueberraschg
       m. Hindernissen. Schwank. (32) (01.) [71.]
    Hoppe, H: Der 1. Ball. Lustsp. (40) (05.) [109.]
    Kistner, A: Eine eroberte Schwiegermutter. Schwank. (36) 01. [79.]
    Klemm, J: Nelly's Notizbuch. Schwank. (34) (03.) [106.]
    Kohlrausch, E: Angstküsse! Lustsp. (36) (05.) [97.]
    Koninski-Weiss, M: Die Denkmalenthüllg. Schwank. (82) (04.) [108.]
       Im Druck erschienen. Schwank. (34) (03.) [104.] Verbot. Früchte.
       Schwank. (40) (02.) [92.] Der Jubelprein. Lustsp. (33) (05.) [119.]
    Kressner, A: Der Rechte. Lustsp. (34) (01.) [78.]
    Krieger, T: Sie hat gerauckt! Schwank. (98) (01.) [79.]
    Mengewein, O: Liebe u. Glück. Lustsp. op. 81. (36) 04. [107.]
    Minrs, F v.: Die neue Oper. Schwank. (40) (05.) [116.]
    Moser, G v.: Die Gouvernante. Lustsp. (45) 01. [81.]
     — u. FR Lehnherd: Frau Bln. Lustsp. (40) (03.) [102.] Die Heiratsfalle.
       Lustsp. (32) (05.) [118.] Das Kind. Lustsp. (40) (04.) [117.] Klug zu
       d. Schlaugen! (32) (04.) [110.] Der Laubfrosch. Lustsp. (31) (04.) [108.]
     — Der Parlamentarier. Lustsp. (32) (05.) [112.] Im Riesengebirge.
       Schwank u. Gesang. Musik v. P Lineke. (40) (02.) [97.] Der Schäfer-
       hund. Lustsp. (38) (02.) [90.]
     — Schwank u. Tochter verborgt! Lustsp. (37) 01. [78.]
    Müller v. Königswinter, W: Sie hat ihr Herz entdeckt. Lustsp. Für d.
       Bühne eingerichtet v. D Schrutz. (40) (05.) [113.]
    Nesmüller, JF: Die wilde Toni. Liedersp. (40) (05.) [98.]
    Pául, CA: Das blau ich! Orig.-Lustsp. Von WE M. (CA Paul). (46) 01. [83.]
    Pfaume, MVB: Ein Liebesmahl. Lustsp. (31) (01.) [73.]
    Philippi, S: Gott sei Dank, d. Tisch ist gedeckt. Schwank, frei nach d.
       Franz. (27) (01.) [76.] Die Kranicke d. Ibykus. Schwank. (40) (04.) [111.]
    Salingré, H: Alles f. meine Tochter. Posse. (79) 01. [76.] Ein ruhiger
       Mieter. Schwank m. Gesang. (36) (01.) [75.]
    Sauer, L: Die schwarze Afra. Oberbayer. Volksstück m. Gesang. Musik
       v. G Sauer. (80) (04.) [113.] Stadt u. Land passt net z'sammn'. Ober-
       bayer. Singsp. Musik v. G Sauer. (74) (05.) [114.]
    Schrutz, D: Das Dorfgretel. Liedersp. (34) (03.) [106.] Wenn Frauen weinen. Lustsp. Nach d.
       Franz. (47) (1900.) [67.]
    Silesius, F: Sie weint. Lustsp. (nach M Bauermeister). (29) (1900.) [80.]
    Trützschler, H v.: Der Luftschiffer. Lustsp. (48) (02.) [89.]

Wexel, C: Auf d. Posten. Lustsp. (45) 01. [77.]
Wilken, H. u. G Kadelburg: Migräne. Lustsp. (26) 01. [80.]
Winterfeldt, D v.: Ein mächtig Blühen. Schwank. (32) (02.) [94.]

Thalia. Organ d. Verbandes dram. Vereine Sachsens. Red.: R
Peitz. 12. u. 13. Jahrg. 1904 u. 5 je je 12 Nrn. (Nr. 1—9. 28) 4⁰
Flöha, A Peitz & S. Jede Nr. — 20 d
— deut. Jahrb. f. d. ges. Bühnenwesen. Hrsg. v. FA Mayer.
1. Bd. (553) 8⁰ Wien, W Braumüller 02. L 12 — 0 F
Thallner, O: Konstruktionsstahl. Hdb. üb. d. Festigk.-Eigen-
schaften v. Stahl u. Eisen. (298 m. Abb.) 8⁰ Freibg, Craz &
G. 04. 8 —; geb. 9 —
— Werkzeugstahl. Kurzgef. Hdb. üb. Werkzeugstahl im Allg.,
d. Behandlg desselben bei d. Arbeiten d. Schmiedens, Glühens,
Härtens usw. u. s. Einrichtgn dazu. 2. Afl. (163 m. Abb.) 8⁰
Ebd. 04. 4 —; geb. 4.80
Thalmann, E: 25 Jahre Impfarzt. 1876—1901. (72) 8⁰ Münst.,
. Coppenrath 01. 1 —
Thalsperren im ob. Bodegebiete. Zum Ges. u. Concessions-
antrage d. deut. Thalsperren- u. Wasserkraft-Verwerthgs-
gesellsch. m. b. H. in Hannover. Nebst-Ergänzgsproject. (74
m. 4 Kart. u. 61 m. 1 Taf., 1 Tab. u. 1 Karte.) Fol. Hannov.,
(Dr. M Jänecke) 1898.1900. Je 4 —
Thalwitzer, F: Der Parademarsch, e. ärztl. Betrachtg. Vortr.
(21) 8⁰ Dresd. 04. Kötzschenbr., HFA Thalwitzer. (— 75) 1 — d
Thamar s.: Jacobi's neues Vereinstheater.
Thamm, AS: Der Harz. — Ost-Holstein, s.: Richter's Führer.
Thamm, M: First steps in Engl. conversation for use in schools.
Hilfsb. f. d. Gebr. d. Engl. als Unterr.- u. Schulverkehrs-
sprache. (66) 8⁰ Gotha, FA Perthes 02. — 80
Thamm, M: Femgericht u. Hexenprozesse, s.: Meyer's Volksb.
Thaer, A: Die landw. Unkräuter. Farb. Abb., Beschreibg u.
Vertilggsmittel derselben. 3. Afl. (24 farb. Taf. m. 50 S. Text.)
Berl., P Parey 05. L. 4 —
Tharandt, Stadt u. Akademie. Von Wandervogel. [S.-A.] (16
m. Abb. u. 1 Taf.) 8⁰ Neud., J Neumann 02. — 50 d
Thaer-Bibliothek. 2—4., 7., 9., 11., 17., 21., 26., 28., 31., 38., 57.,
62., 65., 68., 75., 76., 78., 79., 81., 83., 85., 90., 91., 93., 97. u.
100—106. Bd. 8⁰ Berl., P Parey. L. je 2.50
Albert, F: Die Konservierg d. Futterpflanzen u. verschied. Methoden.
(194 m. Abb.) 03. [103.] d
Bock, O: Die Ziegelei als landw. u. selbständ. Gewerbe. 3. Afl. (185 m.
Abb. u. 5 Taf.) 05. [7.] d
Bode, A: Gärtner. Betriebslehre. (153) 03. [104.] d
Borns, M v. d.: Künstl. Fischzucht. 5. Afl., hrsg. v. H v. Debschitz. (212
m. Abb.) 05. [11.] d
Bos, JR: Zool. f. Landwirte. 4. Afl. (240 m. Abb.) 05. [75] d
Burgtorf, F: Wiesen- u. Weidebau. 4. Afl. (171 m. H.) 05. [8.] d
Funk, V: Die Rindviehzucht. 5. Afl. (217 m. Abb.) 03. [31.] d
Goltz, T Frhr v. d.: Die landw. Buchführg. 5. Afl. (188) 03. [2.] ‖ Leitf.
d. landw. Betriebslehre. 2. Afl. (192) 03. [93.] d
Lintner, CJ: Grundr. d. Bierbrauerei. 3. Afl. (188 m. Abb.) 04. [85.] d
Löwenhern, M: Rechtsbeistand d. Landwirts. Gemeinverständl. Darstellg.
d. wichtigsten Rechts- u. Verwaltgs-Verhältn. n. Reichs- u. preuss. Ges.
3. Afl. (235) 03. [79.] d
Maercker's, M, Anl. z. Brennereibetrieb. 3. Afl. v. M Delbrück u. H Lange.
(204 m. Abb.) 04. [97.] d
May's Schweinezucht. 5. Afl. v. E Meyer. (260 m. Abb.) 03. [57.] d
Michelsen, E, u. F Nedderich: Geschh. d. deut. Landwirtsch. 4. Afl. v. F Nedderich. (272) 02. [4.] d
Müller, G: Der kranke Hund. Anl. z. Erkenng. Heilg u. Verhütg d.
hauptsächlichsten Hundekrankh. 2. Afl. (212 m. Abb.) 03. [91.] d
Noack, R: Der Obstbau. Kurze Anl. z. Anzucht u. Pflege d. Obstbäume,
sowie z. Ernte, Aufbewahrg u. Benutzg d. Obstes, nebst e. Verz. d.
empfehlenswertesten Sorten. 4. Afl. (183 m. Abb.) 03. [90.] d
Nowacki, A: Anl. z. Getreidebau auf wiss. u. prakt. Grundl. 4. Afl. (260
m. Abb.) 05. [63.] ‖ Prakt. Bodenkde. Anl. zu Untersuchgn, Klassifikation u. Kartierg d. Bodens. 4. Afl. (191 m. Abb. u. 1 farb. Taf.) 04. [47.] d
Oldenburg, F: Anl. z. Pferdezucht im landw. Betriebe. (195) 01. [103.] d
Passon, M: Die Beurteilg u. Begutachtg landw. wicht. Hilfsstoffe. (162
m. Abb.) 04. [152.] d
Perels u. Strecker: Ratgeber bei Wahl u. Gebr. landw. Geräte u. Ma-
schinen. 4. Afl. v. W Strecker. (279 m. Abb.) 02. [21.] d
Petri, K: Handelskde f. d. Landwirt. Prakt. Anl. f. d. Einkauf d. landw.
Bedarfsgegenstände u. Verkauf d. Erzeugnisse d. Ackerbaues u. d. Vieh-
zucht. (208) 04. [100.] ‖ Das Schriftwerk d. Landwirts. 3. Afl. (275) 03.
[90.] d
Pribyl's Geflügelzucht. Unter bes. Berücks. d. Eier- u. Fleischerzeugg
neuhearb. v. E Sabel. 5. Afl. (260 m. Abb.) 04. [58.] d
Schoenbeck, B: Ratgeber beim Pferdekauf. 5. Afl. (150 u. 16 m. Abb.) 06.
[78.] d
Schoenbeck, R: Reiten u. Fahren. Anl. z. Kenntnis d. Pferdes u. zu s.
Gebr. unter d. Sattel u. im Zuge. 4. Afl. (250 m. Abb.) 05. [66.] d
Schubert's, a. landw. Baukde. 7. Afl. v. G Meyer. (728 m. Abb.) 05. [0.]
‖ Die Geflügelställe, ihre baul. Anlage u. innere Einrichtg. 3. Afl. (157
m. Abb.) 02. [75.] d
Stebler, FG: Der rationelle Futterbau. 3. Afl. (240 m. Abb.) 03. [101.] d
Wagner, P: Anwendg künstl. Düngemittel. 3. Afl. (191 u. 9.) 01. [100.] ‖ 3. Afl.
(192) 03. d
Werner, H: Der Kartoffelbau u. s. jetz. rationellsten Standpunkts. 4. Afl.
(205) 02. [98.] d
Wolff's Düngerlehre. u. s. Einl. üb. d. allg. Nährstoffe d. Pflanzen u. d.
Düngerkapital d. Kulturbodens. 14. Afl. v. RC Müller. (177) (04.) [17.] d
Wüst's leichtfassl. Anl. z. Feldmessen u. Nivellieren. 5. Afl. v. A Nacht-
web. (100 m. Abb.) 01. [62.] d
Zajitek, JF: Der Landwirt als Kulturingenieur. 2. Afl. (231 m. Abb.) 02.
[62.] d

Thauer, H: Katech. d. modernen Zitherspiels, s.: Hesse's, M,
illustr. Katech.
— Poehlmann's Musiklehre. Neue Darstellg d. Musiktheorie
n. einz. Grundsätzen v. Poehlmann's Gedächtnislehre. (57)
8⁰ Münch. 05. (Lpzg, Jordan & Co.) 1.90
Thausing, JE, s.: Brauer- u. Mälzer-Kalender.
— Buchführg f. Bierbrauereien, s.: Pohl, J.

Theater, das. Illustr. Halbmonatsschrift. Red.: C Morgenstern.
1. Jahrg. Oktbr 1903—Septbr 1904. 14 Hefte. (200) 8⁰ Berl,
B Cassirer. Halbj. 2.50; kart. 3.50; einz. Hefte — 20;
1. Heft — 30 d
— dass. Blätter f. neuere Bestrebgn d. Bühne. Red.: C Morgen-
stern. 2. Jahrg. Oktbr 1904—Septbr 1905. 11 Hefte. (132 m.
Abb.) 8⁰ Ebd. Für 10 Hefte 2 —; einz. Hefte — 20 d 0 F
— dass. (Sammlg v. Monographieen.) Hrsg. v. C Hagemann.
1—15. Bd. 8⁰ Berl., Schuster & Loeffler. Kart. je 1.50;
Ldr je 2.50; Luxusausg. je 10 —
David, JJ: Mitterwurzer. 1. u. 2. Taus. (76 m. 8 Taf.) (05.) [13.]
Ewers, HH: Das Cabaret. (70 m. 12 Taf.) (04.) [11.]
Fuchs, G: Die Schaubühne d. Zukunft. (108 m. 5 Taf.) (05.) [15.]
Golther, W: Bayreuth. 1. u. 2. Taus. (94 m. 11 Taf.) (04.) [9.]
Gregori, F: Josef Kainz. 1. u. 2. Taus. (74 m. 7 Taf.) (04.) [8.]
Grube, K: Die Meininger. (75 m. 8 Taf. u. 1 Fksm.) (04.) [9.]
Hagemann, C: Wilhelmine Schroeder-Devrient. 1. u. 2. Taus. (85 m. 7 Taf.
u. 1 Fksm.) (04.) [7.]
Litzmann, B: Der grosse Schröder. 1. u. 2. Taus. (76 m. 5 Taf. u. 2 Fksms.)
(04.) [1.]
Lothar, R: Das Wiener Burgtheater. 1. u. 2. Taus. (76 m. 10 Taf.) (04.)
[5.] ‖ Sonnenthal. (57 m. 8 Taf. u. 1 Fksm.) (04.) [8.]
Moeller van d. Bruck: Das Theatre franç. (81 m. 9 Taf.) (05.) [14.]
Regener, EA: Iffland. (90 m. 7 Taf. u. 2 Fksms.) (04.) [10.]
Stein, P: Gottlie als Theaterleiter. 1. u. 2. Taus. (79 m. 9 Taf. u. 1 Fksm.)
(04.) [12.] ‖ Adalb. Matkowsky. 1. u. 2. Taus. (75 m. 7 Taf.) (04.) [6.]
Sternfeld, R: Alb. Niemann. 1. u. 2. Taus. (91 m. 6 Taf. u. 1 Fksm.)
(04.) [4.]
— buntes. Ernst v. Wolzogen's offiz. Repertoir. Hrsg. v. K
Frhrn v. Levetzow. 1. Bd. (119) 12⁰ Berl. 02. Lpzg, G Fock V.
Kart. 1 — ‖ 2. Bd. (113) 02. Kart. 1.25
— d. elsäss., zu Strassburg i.E. (64 m. Abb.) 8⁰ Strassbg, Schle-
sier & Schw. 01. 1 — d
— f. Herrenabende. Nr. 5—7 8⁰ Mühlh. i/Th., G Danner.
Je 1.50 d
Hock, S: Babel. Schwank. (24) (05.) [7.]
Meinhold, F: Der geleimte Onkel. Schwank. (22) (03.) [6.]
Weisagerer, C: Caperinne. Posse. (30) (01.) [5.]
— kleines. (Familien-u. Vereinstheater.) Nr.297—317, 319 u.
321—360. 8⁰ Paderb., B Kleine. 41.30 d
Beckmann, F: Der Eckensteher Nante im Verhör. Kom. Scene. (Umschl.
2. Afl.) (04) (03.) [321.]
Bergfreund, T: Die gold. Gans. Dramat. Märlein. (86) (02.) [321.] 1.20
— Der Trunk a.d. Stiefel. Carnevalist. litterkomödie. (88) (01.) [316.] 1.—
Binsfeld, F: Wolfram v. Bondorf, d. btiss. Brudermörder, od. Ursprg d.
Wolflinger Klause. Dramat. Schausp. (65) (03.) [344.]
Bükel, J v.: Der Onkel a. Batavia. Lustsp. f. kath. Vereine u. Corpora-
tionen. (46) (1904.) [304.]
Cinci, A: Fabiola u. Agnes. Drama. Aus d. Ital. v. BM Bergervoort. (88)
(1900.) [303.]
Franck, G: Die Süss. Lustsp. (34) (94.) [347.]
Fröllich, R: Der falsche Bräutigam. Posse. (16) (05.) [337.]
— Der Jugend-Trunk. Faschings-Komödie. (18) (05.) [350.]
— Das geprellte Portemonnaie. Lust. Criminal-Drama. (Umschl.: 2. Afl.)
(24) (03.) [329.]
— Der Regimentar. Posse. (Umschl.: 2. Afl.) (16) (03.) [328.]
— Texte zu leb. Bildern f. Weihnachten. (Umschl.: 2. Afl.) (15) (03.) [325.]
Gauther, A: Beim Engelstein. Weihnachtssp. Musik v. F Schilling. (Umschl.
3. Afl.) (32) (03.) [333.]
Grubert, O: Geld bei d. Loosg. Schwank. (19) (02.) [322.]
— Wenn man d. Schwiegermutter hat bei d. Bad. Schwank. (16) (03.) [346.]
— Lehrt uns nur d. Weiber kennen. Lustsp. (82) (03.) [341.]
— Wolken am Ehehimmel. Lustsp. (21) (01.) [311.]
Herold, K: Apollo. Lustsp. (36) (03.) [337.]
Jacola, A: Braune Bohnen. Lustsp. (16) (03.) [336.]
Jedrzejewski, A: Der verwechselte Schwiegersohn. Schwank. (28) (04.)
[351.] ‖ Das Wiedersehen. Schausp. (23) (04.) [350.] Je —
Jedrzejewski, F: Holl' d. Kuckuck d. Neujahrskarten. Posse. (24) (93.)
[323.]
Kalb, A: Die Schnupftaksfabrikanten od. Folgen e. Katzenjammers.
Lustsp. (23) (01.) [314.]
Kauertz: Kriegsgefangen od. Die v. Hohenberg. Schausp. a. d. Zeit d.
Freiheitskriege. (72) (04.) [346.]
Königs, G, Bild. Lustsp. v. Turn-Ver. Elsey. (22) (01.) [312.]
Koninski-Weiss, M: Ueb. d. Hintertreppe. Kom. Lebensbild. (20) (94.)
[304.]
— Das Lebenselixir. Schwank. (20) (05.) [355.]
Koschate, F: Hin zu Rom! Festsp. s. Papstfeier. (15) (02.) [364.]
Lorenz, K: Ein Engel auf Erden. Aloysius-Festsp. m. 6 leb. Bildern.
(1900.) [303.]
Mankowski, H: Die Jungfrau v. Orleans. Oberhaßl. Tranersp. (56)
(1904.)
Neuner, E: Bentier Pamperl, d. eingebildete Kranke, od.: Die Doctoren
werden nicht alle. Orig.-Scene m. Gesang f. 2 Herren u. 1 Dame. (16)
(04.) [340.]
Nieborowski, P: Die Revolution v. Rummelsburg. Schwank. (46) (02.)
[310.]
Osideoven, A: „Gegengift". Lustsp. (14) (1900.) [307.]
— Herzinsgefallen. Lustsp. (16) (03.) [332.]
— Das Soldaten Freud. 1 u. 9 Bildern. (26) (03.) [358.]
Paul, F: Der verkaufte Bart od. Der gr. Treffer d. Hamburger Lotterie.
Posse. (20) (03.) [367.]
Peschke, P: Eine Pillenschwiegermutter. Zeitbild. (Umschl.: 3. Afl.) (15)
(03.) [324.]
Philippi, S: Gegengift. Schwank. (24) (05.) [319.]
Raabe, E: Der Krugwirt v. Burgthal. Rhein. Lustsp. (72) (03.) [325.]
Renker, F: Die 2. Fran. Schwank. (14) (1900.) [309.]
— Mistris Entführg. Orig.-Schwank. (20) (02.) [315.]
Rüdiger, F: Columbia. Lustsp. (47) (02.) [310.]
Ruland, W: Athalia. Bibl. Schausp. n. Racine. (52) (03.) [355.]
— Mabil. Drama. (27) 01. [317.]
Scharbach, E: Der freudenreiche Rosenkranz. Leb. Bilder m. Gesang
(gemischter Chor u. Solo) u. Klavier od. Harmonium. m. Berücks.
Verhältn. eingerichtet. (3. (Umschl.: 4. Afl.) (32) (1900.) [360.]
Schauermann, K: Pflicht u. Liebe. Schausp. (56 m. Bildtats.) (91.)

Schlüter, F: List ist d. Studenten Talisman. Schwank. (31) (1900.) [310.] - 50
— Onkel Max od. „Es giebt ja keine Kinder mehr". Schwank. (26) (03.)
[345.] — 75
— Strohwittwer. Schwank. (20) (1906.) [309.] — 50
— „Per Telephon". Schwank. (Umschl.: 8. Afl.) (24) (03.) [292.] — 60
Schroth, D: Ross v. Tannenburg. Volksschausp. Nach C v. Schmid's Er-
zählg. [9. (Umschl.-]Afl.) (40) (1900.) [305.] — 75
— Ida v. Toggenburg. Schausp., n. C v. Schmid f. d. Volksbühne ein-
gerichtet u. bearb. [2. (Umschl.-]Afl.) (36) (1900.) [301.] — 75
Schulte, J: Ein schlimmer Tag od. Der Bursche als Stabsarzt. Posse.
(20) (03.) [343.] — 60
Schwestern, d. feindl. Schausp. f. junge Mädchen z. Aufführg bei Schul-
u. Familienfesten, hrsg. v. e. Freundin d. Jugend. (24) (03.) [280.] — 60
Seiler, T: Anton v. Thurn. Histor. Trauersp. (74) (1900.) [306.] 1.50
Spanke, A: Der Onkel a. Amerika. Weihnachtssp. (24) (04.) [348.] — 50
Urban, A: Heinrich v. Eichenfels. Weihnachtsstück. (54) (03.) [356.] — 90
Vinzs, B: Die Erbtante. Schwank. (38) (05.) [352.] — 75
Wiegelmann, F: In d. Dienstmännerkneipe. Lustsp. [2. (Umschl.-]Afl.)
(22) (1900.) [299.] — 50
— Musketier Knarke od. d. Unglücksrock. Militär. Humoreske. (20) (1900.)
[298.] — 50
— Der überlist. Polizeidiener. Humorist. Lachscene. (27) (1900.) [297.] — 50
Wirths, A: Kübentall? Kinder-Drama. (20) (03.) [353.] — 50
Nr. 313 u. 320 s. u. d. T.: Görlitzer, H, Prologe u. Hessel-
barth, d. Gr. Kurfürsten Traum.

Theater, neues. Sammlg leicht aufführbarer Theaterstücke
vorwiegend heiteren Inhalts u. meist f. männl. Rollen. 1—26.
Heft. 12° Aach., I Schweitzer. 13.60 d
Buse, J: Der Bauer als Geisterbeschwörer. Humoreske. (24) (04.) [22.] — 60
— Schuster, bleib bei deinem Leisten. Lustsp. m. Gesang. (32) (04.) [23.]
— 50
Collet, F: Ed (Umschl.: Et) weed getrennt. Lustsp. (in Aach. Mundart).
(15) (02.) [13.] — 40
Felician: Dynamit. Schausp. (34) (05.) [24.] 1.25
— Friede u. Heil. Mysteriensp. an Ehren d. unbefl. Empfängnis. (36) (05.)
[25.] — 60
— Alfons v. Ringbergen. Schausp. a. d. Zeit d. französ. Revolution. (64)
(03.) [26.] — 90
— Die Taufe am Waldbrunnen. Lyrisch-dramat. Gedicht. (32) (04.) [21.]
— 60
— Ein Weihnachtmärchen. Dramat. Spiel. (52) 04. [20.] — 60
Streb, J: Ein toller Aprilscherz m. nütl. Folgen od.: Wie Fritz Rosen-
stiel v. d. Trunksucht geheilt wurde. Lustsp. (23) (02.) [16.] — 50
— Bauer u. Knecht od. Reue u. Besserung! Schausp. (14) (03.) [17.] — 50
— Bruderhass u. Bruderliebe. Räuber-Schausp. (22) (01.) [2.] — 50
— Nr. 33,323 (d. gr. Los), od.: Gottes Wege sind oft wunderbar. Schausp.
(28) (01.) [10.] — 50
— 3 Duelle! Tragikom. Schausp. (21) (02.) [15.] — 45
— Der Fluch d. Geizes od.: Der Mensch denkt u. Gott lenkt. Schausp.
(20) (01.) [7.] — 45
— Die verhängnisvolle Glatze od.: Das Glück am Namenstag. Lustsp.
(20) (01.) [8.] — 40
— Des Hauptmannsburschen Namenstag od. d. verhängnisvolle Brief.
Kurze militär. Posse. (18) (01.) [1.] — 40
— Die 1. Instructions-Stunde. Militär. Posse. (12) (01.) [4.] — 40
— Liebe, nicht Reichtum macht glücklich, od.: Der Onkel a. Amerika
als Retter in d. Not. Schausp. (21) (03.) [18.] — 50
— Rechtsrat Pfifferling u. s. Klienten. Schwank. (15) (02.) [11.] — 40
— Primmel, d. Eisenb.-Feind od.: Primmels Glück durch d. Eisenb.
Lustsp. (21) (02.) [12.] — 45
— Der Spieler od.: Leidenschaft — Leiden schafft. Schausp. (22) (02.) [14.]
— 45
— Im Stehseidel. Lustsp. (15) (01.) [5.] — 30
— Ein Tag a. d. Leben u. Trödlern od.: Unrecht Gut gedeihet nicht.
Tragikom. Lustsp. (12) (01.) [6.] — 45
— Des Waldbauers Sühne. Schausp. (22) (01.) [6.] — 50
— Die Wilderer. Schausp. (22) (01.) [6.] — 50
— Zipperlein, d. Wunderdoktor. Lustsp. (28) (02.) [17.] — 50

— plattdeut. Nr. 6—13. 8° Mühlh. i/Th., G Danner. Je 1 — d
Grabe, F: Op Afwegen od. gründlich kureert. Burenspill m. Gesang. (24)
(01.) [8.] ‖ Woksem waacht dat Geschier? od.: An'n Hochtiedsdag.
Schwank. (23) (03.) [10.] ‖ En Heiratsandrag op'n Lann od.: De Holschen-
königin. Burenspill. (20) (04.) [12.] ‖ Spitzbüwken od. En ländl. Entführg.
Burenspill m. Gesang. (23) (01.) [7.]
Husmann, F: Ken' glück, Mus'tang od.: De angst för't Hunnlock.
Schwank. (22) (03.) [13.]
Worm, F: Hans mit frigen. Lustsp. (24) (1900.) [5.] ‖ Hei wil! wil!
frigen, swer blota „Eis". Lustsp. (20) (04.) [11.] ‖ De Schwigervadder
in de Klemm. Lustsp. (24) (03.) [9.]

— f. d. weibl. Jugend. 1, 2, 5, 7, 8, 10 u. 19—30. 12° Paderb.,
F Schöningh. 9.60 d
Commer, O: Fabiola. Dramat. Gedicht. Frei n. Wiseman Fabiola bearb.
3. Afl. (40) (02.) [19.] ‖ 2 geistl. Spiele. (Die 7 Engelfürsten als Beschützer
d. 7 hl. Sakramente. Die Weihnachtsfeier d. Natur. Krippensp.) 2. Afl.
(46 u. Musikbeil. 8) 04. [2.]
Deodata, M: Sankt Cäcilia. Relig. Drama. (40 u. Musikbeil. 4) 04. [22.]
‖ Die weisse Rose. Drama. (60) (04.) [15.]
Emer, M: Die Rose v. Sion. Schausp. (32) (05.) [25.]
Fries, AM: Christkindleins Lohn. Weihnachtssp. (26 u. Musikbeil. 3) (05.)
[26.]
Fues, M: Weihnachts-Überraschg. Schausp. (18) (04.) [23.]
Hay, B: Eine Ferienreise. Lustsp. (22) (05.) [30.]
Hohof, M: Die Hausaltgeschmiede. Lustsp. (26) (05.) [27.]
Justus: Die Erbtante. Lustsp. (32) (05.) [19.]
Nemo, J: Das böse Gewissen. 2. Afl. (20) (05.) [8.]
Pagin, H: Festsp. z. Jubelfeier, z. Namensfeste z. Lehrerin. (12) (05.)
— 50
— Das Märchen. Mit Liedern, angew. i. d. Bildern. (14) (05.)
[30.]
Schlager, M: Ein Missverständnis od.: Die Bekehrg in d. Kinderstube.
Heit. Komödie. (56 u. Musikbeil.)
Sermes, C: Muttersegen. Theaterstück f. Kinder. 2. Afl. (36) (05.) [5.] — 60
Syra. Nach Wisemans Fabiola. Dramat. Spiel. (78) (04.) [76.] — 90
Wilda, A: Am Christabend. — Bestrafte Eitelkeit. 2. Afl. (46) (03.) [7.]
— 60

— d., d. Welt.- Hrsg.: J Gumbinner u. H Forsten. Verant-
wortlich: J Gumbinner. 1. Jahrg. Oktbr 1901—Jan. 1902. 8 Nrn.
(Nr. 1. 19 m. Abb.) Fol. Berl. (S. W. 46, Halleschen Ufer 11),
Pacific-Verl. Viertelj. 3 —; einz. Hefte — 60 ö F
Hinrichs' Fünfjahrskatalog 1901—1905.

157—167. Heft. 8° Wien, P Knepler.
16.60 d
Barla, A: Der Zigeuner. Genrebild m. Gesang. Musik v. A Conradi. (27)
(03.) [163.] 1.70
Bittner, A: Domestikenstreiche. Posse m. Gesang. (35) (03.) [161.] 1.90
Bltask, A: Da Mearhof entern Berg'n. Ländl. Schwank m. Gesang. Musik
v. A Müller. (20) (04.) [166.] 1.50
Böhm, J: Nur 2 Gläschen. Schwank. (24) (05.) [167.] 1.20
Bohrmann-Riegen, B: Radetzky. Histor. Schausp. a. d. Zeit d. italien.
Feldzuges 1848 u. 49. (77) (03.) [164.] 1.90
Carl, C: „Vater unser!" Lebensbild m. Gesang. (36) 01. [160.] 1.60
Plasen, T: Die Rekrutierg im Krähwinkel. Burleske m. Gesang. (22)
(04.) [165.] 1.70
L'Arronge, A: Mein Leopold. Orig.-Volksstück m. Gesang. Musik v. CF
Konradin. (95) 01. [159.] 2 —
Reimer, W: Die Erbschaft. Lustsp. (34) 01. [157.] 1.60
— Ein Experiment. Lustsp. (Für d. Bühnen eingerichtet v. G Stubenvoll.)
(73) 05. [168.] 1.80
Wretschko, V: Die Verwalterstochter. Volksstück. (96) 01. [158.] 2.40
— d., Wiens. 26—39. Heft. Fol. Wien, Gesellsch. f. vervielfältig. Kunst. Je 6 —; Gründer-Ausg. f. je 6 Hefte 100 —
26.27. II. Bd. 2. Hlbbd. Teuber, O: Gesch. d. Hofburgtheaters. 3. u. 4. Heft.
(49—96 m. Abb., 6 Taf. u. 1 Fksm.) (01.)
28—31. II. Bd. 2. Hlbbd. 1. Thl. Wellen, A v.: Gesch. d. Hofburgtheaters.
5—8. Heft. (97—202 m. Abb. u. 12 Taf.) 02.05. (II,2 L: 48 —; geb. 50 —)
32—39. Desv. 2. Thl. 1—8. Heft. (1—200 m. Abb. u. 24 Taf.) 03-05.
Theater-Abend. Nr. 22. 8° Mühlh. i/Th., G Danner. 1.50 d
Brauns, E: Hoch d. Buren! od. Im gold. Löwen. (Kom.) Zeitbild. (48)
(01.) [27.]
Früh. Hefte u. d. Fortsetzg s. u. d. T.: Danner's, G, Theater-
Abend.
Theater-Album, militär. Nr. 5—8, 10, 19, 23, 34, 49, 63, 75, 88, 89,
95 u. 100—112. 8° Landsbg a/W., Volger & Kl. Je 1 — d
Berg, C v.: Mein Vetter a. Blasebalg. Schwank. (Seitenstück an „Jochen
Päsel".) 3. Afl. (16) (04.) [88.]
Fels, E v.: Ein Küchendragoner od. Köck u. Guste. Schwank m. Gesang.
3. Afl. (16) (01.) [19.]
Hellborn, H: Boxer. Militär. Schwank m. Gesang. (16) (01.) [102.] ‖ Es
geht los! Militär. Schwank m. Gesang. 2. Afl. (20) (03.) [95.]
Kaisers Geburtstag in d. Küche d. Frau Oberst. Schwank m. Gesang v.
H v. S. (15) (02.) [103.]
Lagro, J: Der Weg durch d. Küche od. 3 v. d. Artill. Militär. Schwank.
4. Afl. (16) (03.) [34.]
Paul, E: Gegen d. Heeres od. Freiwillige vor. Kolonialschwank m. Ge-
sang. (16) (04.) [110.] ‖ Der schöne Oscar. Schwank m. Gesang. (15) (01.)
[100.]
Praeger, O: Nur einer v. Militär od. Der Strohwitwer. Schwank. (15) (04.)
[108.]
Reglow, A: Ja, treu ist d. Soldatenliebe! Militär. Schwank m. Gesang.
(16) (03.) [107.]
Reuker, F: Der falsche Baron od. Ein unerwart. Schwiegersohn. Militär.
Orig.-Lustsp. (23) (01.) [101.] ‖ Bursche Päffig als Kriegsgott. 1. u. 2. Afl.
Schwank. (16) (08.05.) [106.] ‖ Bursche Stümper od. Nur auf Besuch.
Militär. Orig.-Schwank. (16) (01.) [100.] ‖ Tippel im Schlafrock. Militär.
Orig.-Lustsp. (15) (05.) [112.]
Schwarzen, A: Majestät kommt! Schwank. 2. Afl. (20) (03.) [99.]
Steinsov, W: Aus d. Jnst. Manöverzeit. Schwank. 1. u. 2. Afl. (20) (02.04.) [104.]
Volger, A: Ein moderner Mars od. Verschnappt. Schwank m. Gesang v.
H v. S. (20) [111.]
Volger, Fr: Eine gemischte Ehe od.: Infant. u. Ravall. Militär. Schwank
m. Gesang. 4. Afl. (15) (05.) [17.] ‖ Preuss. Farben. Militär. Schwank.
5. Afl. (15) (05.) [6.] od.: d. Kantine erzählt. Schwank. 3. Afl.
(16) (02.) [23.] ‖ Krieg u. Frieden od. Kutschke als Budiker. Schwank
m. Gesang. 4. Afl. (15) (03.) [49.] ‖ Uebertrumpelt. Schwank. (16) (04.) [109.]
‖ Zu Befehl, Herr Hauptmann! Militär. Schwank. 5. Afl.
(15) (03.) [75.] ‖ Jochen Päsel od.: Zu Befehl, Herr Leutnant! Schwank.
8. u. 9. Afl. (14) (03.) [10.] ‖ Ueberrumpelt. Schwank. (16) (04.) [109.]
Volger, Fr: Ein Viertelstündchen Feldwebel. Schwank. 2. Tsnd. (3. Afl.)
(14) (04.) [73.]
Wild-Queiner, R: Auf Urlaub. Militär. Schwank. 2. Afl. (16) (03.) [63.]
Theater-Allerlei. Sammlg einakt. Theaterstücke, Spielduette,
Sologszenen u.s.w. Nr. 1—12. 8° Neuweissaen., E Bartels (o.J.)
Je 1 — d
Behrends, E: Fatalitäten d. Liebe. Kom. Pantomime. (12) [10.]
Dalatkewicz, W: Goldregen. Schwank. (27) [1.] ‖ Am Hochzeitsvage od.
Neue Heringe. Posse. (16) [7.] ‖ Blaue Jungen od. Ein Spion in Kinot-
schon. Posse m. Gesang. (16) [5.] ‖ Die kurze Pfeife. Schwank m. Ge-
sang. Musik v. G Bühl. (14) [4.]
Gontard, M: Der Bauer als Advokat. Gesangs-Ensemble. Musik v. Winkel-
hofer. (12) [11.] ‖ Die Ebenefürstin od. Sie haben ja so Recht. Schwank
m. Gesang. Musik v. G Bühl. (16) [8.]
Paul, W: Ja Kisotschon od. Schöne Seelen finden sich. Schwank m. Gesang. Musik v. G Bühl. (16) [3.] ‖ Ein gebildeter Kälberdoktor. Posse
m. Gesang. Musik v. G Bühl. (16) [9.]
Wilda, F: Rosen-Montag. Posse m. Gesang. Musik v. Winkelhofer. (27)
[11.] ‖ In Treuersal od. Die gestörte Burenhochzeit. Pantomime. (15) [5.]
Will, F: Im Karfreitel. Schwank. (16) [2.]
Theater-Almanach, neuer. 1902—6. Theatergeschichtl. Jahr-
u. Adressen-B. (Begründet 1889.) Hrsg. v. d. Genossensch.
deut. Bühnen-Angehöriger. 13—17. Jahrg. (789, 744, 743, 797
u. 785 m. 9, 8, 8, 16 u. 14 Bildnissen.) 8° Berl., (FA Günther
& S.). L. je 6 —; m. Ldr-Rücken je nn 7 — ö
— Wiener 1902 u. 3. Hrsg. v. A Rimrich. 4. u. 5. Jahrg. (208
u. 15 u. 409 u. 15 m. Abb. u. Pl.) 8° Wien, O Knepler.
L. je 2.50 ö F
Theater-Bibliothek. 6., 15., 16., 19., 21. u. 22. Heft. 8° Kempt.,
Thomasdr. u. Bh. 6.75 d
Houben, H: Alarm im Bivouac. Lustsp. (19) (01.) [15.] — —
— Der Freivürbt. Nach d. gleichnam. Weberschen Oper als romant.
Schausp. m. Gesang f. d. Dilettantenbühne frei bearb. (Ausg. A.) (66)
(07.) 1.25; (Ausg. B.) (Ohne Frauenrollen.) (50) (05.) [19.] 1.25
— Die Jagd n. d. Adelstitel. Lustsp. 4. u. 5. Afl. (60) (01.05.) [19.] 1.25
— Reserve hat Ruh'! Lustsp. (30) (03.) [21.] 1 —
— In verschärftwohle. Uniform. Schwank. (27) (01.) [16.] 1 —
— Der Unterwelltlichen. Lustsp. 1. u. 5. Anfang f. sich allein a. u. d. T.:
„Im Carbot" als Schwank zu spielen. 1. Afl. (78) (05.) [6.] 1.25
Die fehl., sowie weit. Hefte s. u. d. Einzeltiteln.

Theater-Bibliothek. 1., 4., 7., 8. u. 12—36. Bdchn. 8° Limbg,
Limburger Vereinsdr. nn 21— d
Balder, JB: Das Brot d. Lebens. Drama z. Preise d. bochhl. Altars-
sakramentes. (44) (02.) [23.] — 60
Brückmann, T: Ein Kronenthaler f. e. Frau od. Eine Brautwerbg auf
d. Lande. Lustsp. m. e. Nachsp. „Der Hochzeitsmorgen". (84) (02.) [19.] 1 —
Faust, J: Die Bettelmusikanten. Schausp. (84) (02.) [18.] 1 —
— Elmar. Schausp. Nach Weber's „Dreizehnlinden". 5. Aß. (87) (04.) [1.]
[Sep.-Ausg. (Ohne Frauenrollen.) 3. Aß. (60) Je 1 —
— Frida od.: Christl. Charitas. Schausp. (51) (04.) [29.] nn — 80
— Im Glauben standhaft. Drama. Nach Spillmanns „Wunderblume v.
Woxindon". 2. Aß. (102) (02.) [7.] 1 —
— Judah. Schausp. Frei dramatisch bearb. n. „Ben Hur" v. Wallace.
1. u. 2. Aß. (110 besw. 108) (01.04.) [17.] 1 —
— Der enge Kragen. (Nach e. Militärhumoreske v. Kujawa.) (2. Aß.) (31)
(03.) [14.] — 50
— Im Kreuz ist Heil. Drama. (69) (04.) [30.] 1 —
— Der kl. Lord. Schausp. (70) (05.) [35.] 1 —
— Der Herr Professor als Landwehrmann. Schwank (Militärhumoreske).
(47) (02.) [24.] — 60
— Eine Sommersprossen-Reise. Lustsp. (45) (05.) [34.] — 80
— Die gewichsten Stiefelsohlen. Schwank. (28) (03.) [25.] nn — 80
— Das Stiftegfest d. Junggesellen. Schwank. 1—3. Aß. (31) (1900-05.) [1.]
nn — 50
— Die verhängnisvolle Visitenkarte. Schausp. (68) (03.) [27.] — 80
— Weihnachts-Bilder. I. Des Vaters Fluch am Weihnachtsabend. 2. Aß.
(26) (04.) [12.] ‖ II. Verloren u. wiedergefunden. Drama. 2. Aß. (51) (04.)
[13.] 1 —
Herr, J: Gott rufet mich! Dramat. Gedicht a. d. Leben d. hl. Aloysius
v. Gonzaga. (15) (02.) [22.] — 30
— Versühng Kaiser Otto I. m. s. Bruder Heinrich zu Frankfurt, am
Weihnachtsfeste 946. (Schausp.) (28) (02.) [21.] — 60
Hübler, M: Die Makkabäer. Schausp. (Für Mädchen-Sch. u. -Ver.) (94)
(02.) [20.] — 80
— Der Sarxeuein hl. Nacht. Weihnachtssp. (Für Mädchen-Sch. u. -Ver.)
(87) (08.) [26.] — 50
— Der Stern v. Bethlehem. Weihnachtssp. (Für Mädchen-Sch. u. -Ver.)
(59 u. Musikbeil. 10) (01.) [16.] — 80
Jacoby, A: Saulus. Drama. (68) (05.) [36.] — 80
Kiefer, W: Durchlaucht Assessor. Schwank. (45) (04.) [31.] nn — 80
— Die Bergsteiger. Schwank. (34) (05.) [37.] nn — 50
— Peter in d. Fremde. Schwank. 2. Aß. (29) (04.) [8.] — 50
Müller, EJ: Der Weihnachtsabend od. Ehrl. Arbeit segnet Gott. 2. Aß.
(45) (04.) [4.] — 80
Sandhage, P: Petrus da Vinea. Trauersp. (84) (04.) [28.] 1 —
Steeger, A: Der Weg z. Glücke. Schausp. (82) (05.) [35.] Je 1 —
— alpine. Nr. 1—3. 8° Dresd., B Sturm. Je 1.50 d
Amberger, B: Die Ueberbauernkomödie. Ein lustig G'spiel a. d. bayr.
Vorgebirge m. Tanz. (30) (04.) [3.]
Kraemer, E: Nord u. Süd od. Naß u. Nec. Schwank. (28) (04.) [2.]
Sturm, H: 'n falsche Fensterln od. 's Reserl v. Ehrwald. Charakterscene
a. d. Miesminger Gebiet m. Gesang u. Tanz. Musik v. O Baldamus. (32)
(04.) [1.]
— bunte. 1—7. Heft. 8° Berl., T Mayhofer Nf. Je — 60 d
Fulda, L: Zufall. Dialog. (08.) [7.]
Lea-Steding, G: Ueberbrettl-Damen-Vorträge. I. (84) (01.) [2.] ‖ Ueber-
brettl-Herren-Vorträge. I. (68 m.) Bildnis.) (01.) [1.]
Ostwald, H: Die Tippelschickse. Scene a. d. Vagabundenleben. (85) (01.) [3.]
Presber, R: Herbstzauber. Mondscheinscenchen. (27) (02.) [4.]
Schanzer, R: 3 Pantomimen. Pierrots Tücke, Traum u. Tod. Der ver-
liebte Haubenstock. Das Muttermal. (82) (01.) [4.]
Weichleben, OE (L Ely): Roseudienstag. Feldwebel-Tragödie. Musik v.
L Fall. (56) (02.) [5.]
— Regensburger. 3. Bdchn. 8° Rgnsbg, J Habbel. — 40 d
Baumüller, R: Der Bürmenschneider. Schwank. (26) (05.) [3.]
— f. Vereine. Hrsg. von v. Wenckstern. 45. Heft. 8° Salz-
gitter, Patriot. Verl. Schlegel. 1— d
Börker, W: In Wotaus Schutz. Fasnatesp. (19) Bruachw.
(01.) [45.]
— (f. Vereine u. Dilettantenbühnen). 31—34. Bdchn. 8° Trier,
Paulinus-Dr. 1.80 d
Auerbach, W: Der schlaue Peter od. Eine kl. Verwechselg. Militär.
Schwank m. Gesang. (80) 05. [34.] — 40
Becker, J: Die Heinskehr am Weihnachtsabend. Lebensbild. (24) 01. [31.]
— 40
Pfudel, F: Wie Hüttenmüllers Komödie spielen. Lustsp. (28) 02. [32.] — 50
— In d. rhein. Weinkneipe'. Lustsp. (30) 02. [33.] — 60
— Zwickauer. Nr. 6 u. 7. 8° Zwick., CR Moeckel. 6 —
(1.—7.: 16 —) d
Mundhass, B: Die Anni v. Lindenhofe. Thüringer Volksstück. (62) 03. [6.]
Trommer, E: Der sächs. Prinzenraub. Vaterländisch-histor. Ritterschausp.
Nach e. alten Mskr. v. 1882 bearb. (76) (03.) [7.]
Theater-Courier, der. Wochenschrift f. Theater, Musik, Litt.
u. Unterhaltg. Chef-Red.: E May. 8—10. Jahrg. 1901—3 je
52 Nrn. (Nr. 381, 4) Fol. Berl. (O., Frankf. Allee 41/42), C May.
Viertelj. postfrei 4 —
— dass. Chefred.: E May. Red. f. Berliner Theaterbriefe: J
Urgiss, f. d. übr. Inhalt: W Müller-Waldenburg. 11. u. 12.
Jahrg. 1904 u. 5 je 52 Nrn. (Nr. 523, 12) 4° Ebd.
Viertelj. postfrei 3 — d
Theaterspieler, der. Nr. 1—5 u. 7—9. 8° Lpzg-Go., A Spitzner's
Verl. Je 1.50 d
Förster, L: Die Rache. Schwank. (26) (1900.) [4.]
Horn, W: Der Herr Hoflieferant. Lustsp. f. d. Geburtstagefeier d. Lan-
desherrn. (24) (01.) [7.]
Blasing, M: Höldenloch. Patriot. Geurebild z. Kaisers-Geburtstagefeier.'
(26) (1900.) [3.] ‖ Der Kaisers-Geburtstags-Paradeḿarsch m. Hinder-
nissen. Kaisers-Geburtstags-Schwank. (24) (1900.) [2.] ‖ Eine Radikal-
kur. Schwank. (27) (1900.) [1.] ‖ Frau Sanitätsrat. Schwank. (23) (01.)
[9.] ‖ Ein gelungt. Streich. Militär. Schwank. (22) (01.) [8.]
Zimmer, P: Deut. Sinn. Patriot. Volksstück. (24½(1900.) [6.]
Nr. 6 u. 10 u. Folge 8, u. d. T.: Schauspieler, d.
Theaterwelt, die. 1. Jahrg. 1901. 12 Hefte. (1. Heft. 36 m. Abb.
u. 3 Taf.) 4° Berl.-Schönebg (Hauptstr. 24), Berth. Karf Gutmann. Je 2.50
Fortsetzg war nicht zu erhalten.

Theater- u. Brettl-Zeitung, bunte, s.: Brettl, d. moderne.
Theater- u. Musikzeitung. Hrsg. u. Red.: E Moser. Oktbr
1904—Septbr 1905. 12 Nrn. (Nr. 1—11. 96) 4° Königsbg i/Pr.,
E Moser. (Nur dir.) nn 4 —; viertelj. nn 1.50; einz. Nrn — 20
‖ 2. Jahrg. 1905/6. 52 Nrn. nn 4.80; viertelj. nn 1.50; einz.
Nrn — 20
Theatersensur, die. 5 Vortr., geh. im Berliner Goethebund.
(55) 8° Berl., S Fischer 03. — 50 d
Theatetpapyros. 19 Lichtdr.-Taf. Hrsg. v. d. General-Ver-
waltg d. kgl. Museen. 53×34 cm. Berl., Weidmann 05. nn 20 —
Theatre, modern English comic. Nr. 1, 51, 57, 58, 70 u. 80. 16°
Lpzg, H Hartung & S. Je — 40
Lille, H: At like as two peas. A farce. With notes in German by A
Diesmann. 2. ed. (35) (04.) [57.]
Lunn, J: Fish out of water. A farce. With notes in German by K Albrecht.
5. ed. (44) (04.) [51.]
Mistake, a slight, or, a prize in a german lottery. A comedy. (For female
charecters only.) With notes in German by K Albrecht. IV. ed. (22)
04. [70.]
Robertson, W: My wife's diary. A farce. With notes in German by A
Diesmann. 2. ed. (30) (04.) [58.]
Who is to inherit? or, the darkest hour is the hour before day. An ori-
ginal comedy. (For female characters only.) With notes in German by
K Albrecht. 7. ed. (36) 04. [60.]
Wilks, TE: Sudden thoughts. An original farce. With notes in German
by A Diesmann. 5. ed. by K Albrecht. (40) 04. [61.]
— franç. Ausg. A m. Anmerkgn z. Schulgebr. unter d. Text;
Ausg. B m. Anmerkgn in e. Anh. 5—8., 11., 13., 16., 20., 23—
25., 27., 28., 30., 31., 33., 35., 36., 38., 41—54., 56—58., 60.,
61., 63., 65., 69. u. 70. Lfg. (Neudr.) 12° Bielef., Velhagen &
Kl. Kart. od. geb.
Augier, É, et J Sandeau: Le gendre de M. Poirier. Comédie. Im Ausz.
hrsg. v. W Scheffler. Ausg. B. (95 u. 38) 04. [44.] 1.60
— La pierre de touche. Comédie. Hrsg. v. E Grube. Ausg. B. (130 u.
80) 03. [43.] 1.60
Bouilly, JN: L'Abbé de l'épée. Comédie. Hrsg. v. O Schulze.
Ausg. B. (86 u. 16) 04. [5.] 1 —
Corneille, P: Le Cid. Tragédie en vers. Ausg. A. Hrsg. v. A Benecke
u. G Carel. (30, 106) 03; Ausg. B. Hrsg. v. A Benecke. (106 u. 31) 03.
Je — 90
— Cinna ou la clémence d'Auguste. Tragédie. Hrsg. v. G Stern. Ausg. B.
(40, 70 u. 30) 03. [50.] — 90
— Horace. Tragédie. Hrsg. v. G Stern. Ausg. B. (44, 72 u. 40) 04. [36.]
— 90
— Polyeucte. Tragédie. Hrsg. v. W Mangold. Ausg. A. (144) 1900; Ausg. B.
(115 u. 29) 03. [3.] Je — 90
Delavigne, C: Les enfants d'Édouard. Tragédie. Hrsg. v. A Benecke.
Ausg. A. (146) 1900. [51.] 1 —
— Louis XI. Tragédie. Hrsg. v. A Benecke. Ausg. B. (219 u. 26) 05. [25.]
— 90
Dumas, A: Les demoiselles de Saint-Cyr. Hrsg. v. C Rauch. Ausg. A. (56)
02. [16.] — 90
Feuillet, O: Le village. Hrsg. v. A Krause. Ausg. B. (49 u. 22) 05. [55.] 1.20
Girardin, Mme É de: La joie fait peur. Hrsg. v. R Wastzoldt. Ausg. B.
(34 u. 4) 05. [46.] — 70
Hugo, V: Hernani. Drame. Ausg. A. Hrsg. v. R Holzapfel. (192) 01.;
Ausg. B. Hrsg. v. A Benecke. (84, 142 u. 26) 04. [61.] Je 1.20
Molière: L'Avare. Comédie. Hrsg. v. W Scheffler. Ausg. A. (187) 04;
Ausg. B. (107 u. 41) 04. [5.] Je 1.20
— L'École des femmes. Comédie. Hrsg. v. W Scheffler. Ausg. B. (104 u.
24) 03. [22.] — 90
— Les femmes savantes. Comédie. Hrsg. v. W Scheffler. Ausg. A. (172)
03; Ausg. B. (128 u. 48) 04. [47.] Je 1 —
— Les fourberies de Scapin. Comédie. Hrsg. v. W Scheffler. Ausg. B.
(84 u. 30) 1900. [11.] — 75
— Le bourgeois gentilhomme. Comédie-ballet (1670). Hrsg. v. W Schef-
fler. Ausg. B. (120 u. 70) 04. [39.] — 90
— Le malade imaginaire. Comédie-ballet. Ausg. A. Hrsg. v. E Friese.
(147) 01. [20.]; Ausg. B. Hrsg. v. A Benecke. (125 u. 37) 03. Je — 90
— Le misanthrope, comédie (1666). Hrsg. v. W Scheffler. Ausg. B. (91,
64 u. 36) 03. [30.] — 90
— Les précieuses ridicules. Comédie. (1659). Im Ausz. hrsg. v. W Schef-
fler. Ausg. B. (34, 54 u. 30) 04. [56.] — 75
— Le Tartuffe ou l'imposteur. Comédie. Hrsg. v. E Friese. Ausg. B. (128
u. 37) 04. [18.] — 90
Pailleron, É: Le monde où l'on s'ennuie. Comédie. Hrsg. v. E Werner.
Ausg. B. (140 u. 24) 04. [70.] 1 —
Ponsard: L'Honneur et l'argent. Hrsg. v. K Bandow. Ausg. A. (176) 01.
[36.]
Racine: Andromaque. Tragédie. Hrsg. v. G Stern. Ausg. B. (52, 67 u.
39) 04. [41.] — 90
— Athalie. Tragédie. Hrsg. v. d'écriture sainte 1691. Hrsg. v. A Benecke.
Ausg. A. (135) 1900; Ausg. B. (115 u. 24) 08 u. 24) 04 m. ‖ Neu brsg. von v.
Jarochowski. Einl. v. H Riegel. Ausg. B. (34, 81 u. 23) 05. [48.] — 90
— Britannicus. Tragédie. Hrsg. v. W Scheffler. Ausg. B. (28, 75 u. 37) 05.
[42.] — 90
— Esther. Tragédie. Hrsg. v. A Benecke. Ausg. B. (84, 60 u. 26) 04. [40.]
1 —
— Iphigénie. Tragédie. Hrsg. v. G Stern. Ausg. B. (42, 75 u. 28) 05. [41.]
— 90
— Mithridate. Tragédie. Hrsg. v. G Stern. Ausg. B. (106 u. 28) 03. [54.]
— 90
— Phèdre. Tragédie en vers. Hrsg. v. C Bauch. Ausg. B. (33, 67 u. 30) 02.
— 90 ‖ Neu hrsg. von v. Jarochowski. Einl. v. H Riegel. Ausg. B. (36,
67 u. 15) 05. [49.] — 70
— Les plaideurs. Comédie. Hrsg. v. D Rohde. Ausg. A. (90) 04. [49.] — 70
Sandeau, J: Mademoiselle de la Seiglière. Comédie. Im Ausz. hrsg. v. A
Krause. Ausg. B. (109 u. 32) 04. [35.] 1.60
Scribe, E: Bertrand et Baton ou Part de conspirer. Hrsg. v. A Krause.
Ausg. B. (18, 135 u. 19) 04. [13.] — 90
— Une maille. Hrsg. v. R Wastzoldt. Ausg. A. (67) 03; Ausg. B. (58 u. 9)
04. [26.] Je — 70
— Le verre d'eau ou les effets et les causes. Hrsg. v. C Bauch. Ausg. B.
(119 u. 42) 03.
— [31.] — 90 ‖ Les doigts de fée. Comédie. Im Ausz. hrsg. v. A Krause. Ausg. B.
(14, 148 u. 26) 04. [52.] 1.60

Scribe, E, et de Rougemont: Avant, pendant et après. Esquisses histor. Hrsg. v. G Opitz. Ausg. A. (111) 1900. [6.] — 70
Souveatre, E: Théâtre de la Jeunesse. Hrsg. v. J Jacoby. Ausg. A. (112) 04. [65.] — 70
Voltaire: Mérope. Tragédie en vers. Hrsg. v. S Waetzoldt. Ausg. A. (95) 04. [57.] — 70
— Zaïre. Tragédie en vers. Ausg. A. Hrsg. v. S Waetzoldt. (103 u. 90) 03; Ausg. B. Hrsg. v. S Waetzoldt u. A Benecke. (28, 72 u. 24) 03. [73.]   Je — 90

Théâtre franç. Collection Friedberg & Mode. Pourvue de notes et des petits vocabulaires. Nr. 2, 25 u. 39. 16° Berl., Friedberg & M.   Je — 30 ; kart. u. geb. je — 40
Corneille, P: Le Cid. Tragédie. Hrsg. v. E Kurtz. 18. éd. (85 u. 14) 02. [25.]
Molière: Le bourgeois gentilhomme. Comédie-ballet. Hrsg. v. A W Kastan. 14. éd. (104 u. 13) 02. [39.] ‖ Le Tartuffe. Comédie. Hrsg. v. A Mühlan. 13. éd. (98 u. 48) 02. [2.]
Theden, D: Der Advokatenbauer. — Die 2. Busse, s.: Sammlung ausgew. Kriminal- u. Detektiv-Romane.
— Fein gesponnen u. and. Geschichten, s.: Viktoria-Sammlung.
— Herzgold. Roman. (311) 8° Dresd., C Reissner 01.   4 — ; geb. 5 — d
— Leben um Leben. Roman. (373) 8° Berl., A Schall (03). 4 — ; geb. 5 — d
— Menschenhasser, s.: Kriminalromane aller Nationen.
— Neues Novelle. Ernste u. heit. Geschichten. (328) 8° Bresl., Schles. Buchdr. usw. 01.   3 — ; geb. 4 — d
— Ein Verteidiger. — Das lange Wunder u. and. Kriminalgesch., s.: Sammlung ausgew. Kriminal- u. Detektiv-Romane.
Theele: Chronik z. Kirche u. Pfarrei in Rollshausen, Kreis Duderstadt. (66) 8° Rollsh. 04. (Hildesh., F Borgmeyer.) 1 — d
Theen, R: Wilhelm Tell im Hamburger Elysium-Theater. Scherzsp. (32) 8° Hambg-Eimsb., O Raven 04.   — 50 d
Theile, A: Kleinleben in zr. Zeit. Weltgeschicht). Jugenderinnergn. (64) 12° Lpzg, F Jansa 04.   Kart. — 75 d
Theile, CGGu, s.: Biblia hebraica.
Theile, K: Schleiermachers Theol. u. ihre Bedeutg f. d. Gegenwart. [S.-A.] (51) 8° Tüb., JCB Mohr 03.   2.40
Theilen, B: Sammlg d. Polizei-Verordngn u. sonst. polizeil. Vorschriften f. d. Reg.-Bez. Stade. (764) 8° Stade, (A Pockwitz) 02.   HF. 12 — d
Theiler, P: Der schweiz. Bienenvater, s.: Kramer, U.
Theilhaber, A: Der Zusammenh. v. Nervenerkrankgn m. Störgn in d. weibl. Geschlechtsorganen, s.: Sammlung zwangl. Abhandlgn a. d. Geb. d. Frauenheilkde u. Geburtshilfe.
Theinburg s.: Pacher v. Theinburg.
Theinert, A: Das Blumenmädchen v. Maiori u. and. Novellen.
— Allerlei Käuze. 5 Novellen. (Umschl.: Allerlei Landsleute. Novellen.) (120 u. 127) 8° Mülh. a/R., J Bagel (04).   — 60 d
— Der gelbe Diamant u. and. merkwürd. Erzählgn. (112) 8° Ebd. (04).   — 30 d
— Eine gefahrvolle Erbschaft u. and. Erzählgn, s.: Bergmann, O.
— Kriegs-, Jagd- u. Sport-Erinnergn a. fl. Erdteilen. (125) 8° Mülh. a/R., J Bagel (04).   — 30 d
— dass., s.: Pajeken, FJ, unter heisser Sonne.
— Amerikan. Novellen. (120) 8° Mülh. a/R., J Bagel (04).   — 30 d ; m. Gerstäcker, Verhängnisse in 1 Bd — 60 d
— Ein verhängnisvolles Talent u. and. Novellen. (112) 8° Ebd. (05).   — 30 d
— Vergeltg. Novellen. (120) 8° Ebd. (04).   — 30 d
— dass. Der gelbe Diamant u. and. merkwürd. Erzählgn. (120 u. 112) 8° Ebd. (04).   — 60 d
Theis, C: Die Bleicherei baumwoll. Gewebe. 2 Bde. 8° Berl., M Krayn.   27.50 ; geb. 30.20
   I. Die Breitbleiche baumwollener Gewebe. (346 m. Abb.) 02. 7.50 ; geb. 8.70
   II. Die Strangbleiche baumwollener Gewebe. 10 Lfgn. (405 m. Abb.) 04, 05.   20 — ; geb. 21.50
— Khaki auf Baumwolle u. and. Textilstoffen. (181 m. Farbmustern.) 8° Ebd. 03.   Geb. 10 —
— dass. (Translated by EC Kayser.) (135 m. Abb.) 8° Ebd. 03.   L. 12 —
Theisen, E: Staatslotterie u. Reichsgericht. Ein Wort f. deut. Recht. (86) 8° Elberf., RL Friderichs & Co. 04.   1.50 d
Theiss, A: Höhen u. Tiefen. Eine Sammlg ausgew. Lyrik. (54 m. Bildnis.) 8° Darmst., (J Waitz) 03.   1.50 d
— Skizzen u. Anderes a. d. Leben f. d. Leben. (89 m. Bildnis.) 8° Ebd. 04.   2 — d
Theiss, A: Deutsch-span. technolog. Taschenwrtrb. (384) 12° Stuttg, JB Metzler 01.   L. 2.80
Theiss, C: Chorâle u. geistl. Lieder f. 4 Männerstimmen, d. Melodien d. neuen ev. Gesangb. f. Rheinl. u. Westf. angepasst unter Hinzufügg mehrerer rhythm. Melodieformen u. alter Meister-Tonsätze, vornehmlich f. d. Gebr. in Seminarchören. (56) 8° Neuw., Heuser's Erben (04).   1.50
Theklas, Frau, Zukunftspläne. (Ein Kaffeeklatsch.) Schwank.
— Josephine od. d. kurierten Leutnants. Schwank. Vom Dilettantenbund: JH Schütz, A Gapp, M Friedrich u. R Abels.
— Der verweigerte neue Hut od. 4 Bilder a. d. Eheleben d. Rentners Fass. (Schwiegermutter-Idylle.) Schwank. Vom JH Schütz. Ein Studentenulk od. Frau Nessel, d. Schwiegermutter d. serb. Thronfolgers. Humoristisch-satyr. Schwank. Vom Dilettantenbund: JH Schütz, A Gapp, M Friedrich u. R Abels. (20, 21, 18 u. 14) 12° Paderb., Junkermann 03.   1 — d
Theil: Grundsätze f. d. Bau v. Krankenhäusern, s.: Bibliothek v. Coler.
Thelemann's Westentaschen-Fahrpl. f. Bayern, Ober-, Mittel-

u. Unterfranken, Oberpfalz. Sommerdienst 1904. (89 v.8×6.9 cm. Hof, F Thelemann.   — 10
Fortsetzg war nicht zu erhalten.
Thelemann, O: Handreichg z. Heidelberger Katech. Für Prediger, Lehrer u. Gemeindeglieder. 3. Afl. (356) 8° Detm., C Schenk 03.   7 — ; HL. 8 — d
Thelen, A: Gegenüberstellg d. Unterschiede zw. d. alten u. d. neuen Rechtschreibg, s.: Meyer, J.
Thema-Büchlein d. Jugendbundes f. entschied. Christentum f. Bibelbesprechg, Gebetsstunde u. tägl. Bibellesen. 1906. (63) 11,1×7,3 cm. Friedrichsb.-Berl., Jugendbund-Verl.   — 10 d
— d. Kinderbundes f. entschied. Christentum f. 1905. (48) 11× 7,2 cm. Ebd.   — 10 d
— z. tägl. Lernen u. Lesen d. Wortes Gottes. Hrsg. v. Jugendbund f. entschied. Christentum. 1905. (In poln. Sprache.) (25) 16° Strieg., R Urban.   nn — 10
Themar, H, s.: Volks-Erzählungen, kl.
Themata, techn. u. militär., f. d. 1. Ausbildg d. Maschinisten-Anwärter u. Heizer d. H. Werftdivision auf S. M. Maschinenhulk „Leipzig". (Einbd: Instruktionsbuch.) Neue Afl. (90) 8° Wilhelmsh., F Schmidt 05.   Geb. 2.25 d
— 51, d. Offizier- u. Unteroffizierunterr. An d. Hand d. Dienstvorschriften dargest. v. e. aktiven Offizier. (120 u. 34) 12° Berl., Liebel 02.   1 — ; kart. 1.20 d
Themistii (Sophoniae) in Aristotelis metaphysicor. librum .i paraphrasis hebraice et latine. — In libros Aristotelis de caelo paraphrasis hebraice et latine. — In parva naturalia commentarium, s.: Commentaria in Aristotelem graeca.
Themistor, J, s.: Sammlung in. Erziehung, d., d. Geistlichen n. kathol. Grundsätzen.
Theml's, W, landw. Tab. 18 Taf. in 4° u. Fol. Kronenbg, J Kühkopf (03).   20 — d
Then, K: Die bayer. Kartenwerke in ihren mathemat. Grundl. (192 m. Abb. u. 5 Kart.) 8° Münch., R Oldenbourg 05.   4.80 d
Then-Bergh, J (C Matthias): Pieter Odendaal, d. jüngste Feldkornett, s.: Universal-Bibliothek f. d. Jugend.
Thenius, G: Die techn. Verwertg d. Torfes u. sr Destillationsprodukte. (437 m. Abb.) 8° Wien, A Hartleben 04.   6 — ; geb. 6.80 d
Theo am Bober s.: Reime, schles.
Theobald a Kempis: Der Zöllner. Roman a. d. Glaubensleben an d. Wende d. Jahrh. (107) 8° Dresd., E Pierson 03.   2 — ; geb. 3 — d
Theodor, F: Erfahrgn a. d. ärztl. Sprechstunde bei Ziehkindern. Vortr. [S.-A.] (10) 8° Lpzg, B Konegen 05.   1 —
— Prakt. Winke z. Ernährg u. Pflege d. Kinder in gesunden u. kranken Tagen. Mit e. Gewichtstab. f. d. 1. Lebensj. (als Anh.), sowie Massregeln z. Verhütg v. Obreitergn v. P Gerber (im Text). 2. Afl. (125) 8° Berl., H Steinitz (02). 2 — ‖ 3. Afl. (196) 05. Ebd.   Geb. 2.75 d
Theodor, J, s.: Bereschit Rabba.
Theodor, J (JT Glaser): Das Erntefest. Drama. (136) 8° Bresl., Schles. Buchdr. usw. 02.   2 — ; geb. 3 — d
— Aus Tag u. Traum. Novellen u. Studien. (184) 8° Ebd. 02.   1.50 ; geb. 2.50 d
Theodor Bar Kôni: Scholien z. Patriarchengesch. (Genesis XII—L). Hrsg. u. m. e. Einl. u. Anmerkgn versehen v. M Lewin. (37, 33) 8° Berl., Mayer & M. 05.   2.40
Theodore, E: Experimenteller Beitrag z. zeitl. Entwicklg d. Degeneration im Hunderückenmark. (19 m. 1 Taf.) 8° Strassbg, J Singer 02.   1 —
Theodoreti graecar. affectionum curatio. Ad codices optimos denuo castigavit recensuit I Raeder. (340) 8° Lpzg, BG Teubner 04.   6 — ; geb. 6.60
Theodosiani libri XVI cum constitutionib. Sirmondianis et leges novellae ad Theodosianum pertinentes. Edd. T Mommsen et PM Meyer. Vol. I pars 1 et 2 et vol. II. 8° Berl., Weidmann.   62 —
   I. Theodosiani libri XVI cum constitutionib. Sirmondianis. Ed. adeumpto apparatu P Kruegeri T Mommsen. Vol. I pars 1 et 2. (380 u. 399 u. 6 Taf.) 05.   37 —
   II. Leges novellae ad Theodosianum pertinentes, ed. adiotore T Mommsen PM Meyer. (119, 219) 05.   19 —
Theognis' Elegieen, nebst Phokylides' Mahngedicht u. Pythagoras' gold. Sprüchen. Deutsch im Versmaase d. Urschrift v. E Mörike u. F Notter. 3—6. Lfg. 8° Berl.-Schönebg, Langenscheidt's V.   Je — 35 d
Theokritos: Bion u. Moschos. Deutsch im Versmaase d. Urschrift v. E Mörike u. F Notter. 3—6. Lfg. 8° Berl.-Schönebg, Langenscheidt's V.   Je — 35 d
III.IV. 4. éd. (91—176) (04). ‖ V. VI. 3. Afl. (177—271) (04).
Theologus, d. Bedeutg d. Wortes ev. v. Theologen.
Theophil, GM: Gott mein Heil! Ev. Gebetb. m. auserles. Andachten. (436) 8° Pössn., B Feigenspan 03.   2 — ; elleg. geb. 3 — d
Theophila: Die hl. Elisabeth, s.: Erzählungen f. Schulkinder.
Theophilos s.: Welt- u. Kirchengeschichte, Berliner.
Theophilus, J: Der hl. Thomas v. Aquin, d. gr. Theolog u. Philosoph d. 13. Jahrh., s.: Welt- u. Kirchengeschichte, Berliner.
Theophilus, v. Touron, Delecluze u. H Hoertel. (91 m. 1 Bildnis.) 8° Augsbg, M Rieger 03.   1.25 ; kart. 1.50 ; geb. 2 — d
Theorie, d., d. opt. Instrumente. Bearb. v. wiss. Mitarbeitern an d. opt. Werkstätte v. C Zeiss. I. Bd. 8° Berl., J Springer.   18 —
   I. Bilderzeugung, d., in opt. Instrumenten v. Standpunkte d. geomet. Optik. Hrsg. v. M v. Rohr. (22, 587 m. Abb.) 04.   18 —

Theorie u. Praxis. Antwort auf K Bücher's Denkschrift: „Der deut. Buchhandel u. d. Wiss.", bearb. v. Vorstande d. Verbandes d. Kreis- u. Ortsver. im deut. Buchhandel. (171) 8° Hambg 03. (Lpzg, L Staackmann.) 1 — d
— — Fachbl. f. Maschinenbau u. Elektrotechnik. Schriftleitg: P Hartert u. F Thiem. 4—6. Jahrg. Oktbr 1903—Septbr 1906 je 12 Hefte. (4. Jahrg. 152 m. Abb.) 8° Ilmenau, R Petermann. Viertelj. 1 — 6 H
— — d. Sekundarsch.-Unterr. Diskussions-Vorlagen f. d. st. gall. Sekundarlehrerkonferenz. 10—15. Heft. Hrsg. v. d. Kommission. 8° Lichtenst. (St. Gallen, Fehr.) 11.90 (1—15.: 22.70) 10. (24, 86 u. 45 m. Abb.) 1900. 2.50 ‖ 11. (14, 62 m. Abb. u. 5 Bildnissen.) 01. 1.40 ‖ 12. (72 m. 1 Bildnis.) 02. 1 — ‖ 13. (138 m. 1 Bildnis u. 7 Tab.) 03. 1.50 ‖ 14. (272 m. 1 Bildnis.) (04.) 2.50 ‖ 15. (99 m. 6 Taf. u. 1 Tab.) (05.) 2 —
Theosophie, christl. Immanuel! (Gott m. uns.) Blätter f. Gottes- u. Menschen-Erkenntnis. Bibel-christl. Theosophie, Heilig u. Heilg. 49—52. Heft. Red. v. JH Walltisch. (10. Bd. 33—160) 12° Bitterf. 1900.01. Schmiedebg, FE Baumann. ‖ 53—55. Heft. (10. Bd. 161—192 u. 11. Bd, 1—64) 01. ‖ 56—90. Heft. Red. v. GO Löffler. (11. Bd. 65—192; 12—17. Bd. 191, 160, 160, 160, 160 u. 160) 01-04. Je — 25 d
— dass. Gott m. uns! Neue Gedanken auf relig. Grundl. Eine Schrift z. Förderg d. Bestrebgn d. Brüderschaft „Zum Hl. Gral". Hrsg. v. P Braun. 1—5. Heft. (1. Bd. 1—240) 8° Ebd. 65. Je — 50 d
Thera. Untersuchgn Vermessgn u. Ausgrabgn in d. J. 1895—1902. Hrsg. v. F Frhr Hiller v. Gaertringen. II. u. III. Bd u. IV. Bd, 1. Tl. 4° Berl., G Reimer. 98 — (I—IV, 1: 278 —)
II. Draguadorff, H: Thoraeische Gräber. (228 m. Abb. u. 8 Taf.) 08. L.50 — III. Hiller v. Gaertringen, F Frhr. u. P Wilski: Stadtgesch. v. Thera. (292 m. Abb., 15 Taf. u. 2 Pl.) 04. L. 40 — IV. Wilski, P: Klimatolog. Beobachtgn a. Thera. Unter Mitwirkg v. F Frhr Hiller v. Gaertringen u. E Vassilin bearb. 1. Tl. Die Durchsichtigk. d. Luft üb. d. Aegäischen Meere u. Beobachtgn d. Fernsicht v. d. Insel Thera aus. (55 m. Abb. u. 3 Beil.) 02. 8 — *Der I. Bd war v.: Hiller v. Gaertringen, F Frhr.*
Therapie, d. elektromagnet. (System Trüb.) 4 Abhandlgn. (43 m. Abb.) 8° Hambg, Gebr. Lüdeking 05. 1 —
— d., d. Gegenwart. Hrsg. v. G Klemperer. 42. Jahrg. Neueste Folge. 3. Jahrg. 1901. 12 Hefte. (564) 8° Berl., Urban & Schw. (10 —) 20 — ‖ 4—7. Jahrg. 1902—5. (562, 566, 568 u. 576) Je 10 —; einz. Hefte 1.50
— d. kausale. Zeitschrift f. kausale Behandlg d. Tuberkulose u. and. Infektionskrankh. Hrsg. u. Prof. v. E Klebs. 1. Jahrg. Oktbr 1903—Septbr 1904. 12 Nrn. (330) 8° Bremerh., L v. Vangerow. Viertelj. 2.50
— neue. Monatsschrift f. prakt. Aerzte. Hrsg. u. red. v. MT Schnirer. 1. Jahrg. 1903. 6 Hefte. (1. Heft. 40) 8° Wien, R Coën. 2 — ‖ 2. u. 3. Jahrg. 1904 u. 5 je 12 Hefte. Je 4 —
— d., an d. österr. Univ.-Kliniken. Hrsg. v. E Lederer. I. Tl u. II. Ausg. 8° Wien, A Hölder. Je 1 —
I. I. Gaspero, H di: Die Therapie d. Geisteastörgn an d. psychiatr. Klinik Prof. Antons in Graz. — 2. Stolz, M: Die Therapie in d. Geburtshilfe in d. k. k. Univ.-Frauenklinik in Graz. (200) 04. II. Nowotny, F: Die Therapie an d. Univ.-Klinik d. Prof. Pieniazek f. Nasen-, Rachen- u. Kehlkopfkrankh. in Krakau. — Bamberger, F: Die Therapie an d. k. k. böhm. dermatolog. Univ.-Klinik d. Prof. Dr. V Janovsky in Prag. — Koch u. Nebesky: Die Therapie an d. Innsbrucker Univ.-Frauenklinik. (112) 05.
Theremin, F: Reisegedanken. Neu hrsg. v. J Biegler. (95 m. Bildnis.) 8° Brem., Bh. u. Verl. d. Tractath. (03). L. 1.30 d
Therese: Gelegenheitsgedichte, s.: Fest- u. Gelegenheitsgedichte.
— Die 12 Monate d. Jahres, s.: Schul- u. Vereinsbühne, christl.
Theresia v. Jesu, d. hl., sämtl. Schriften. Neu deut. Ausg., bearb. u. verm. v. Petrus de Alcántara a. S. Maria. 1. Bd: Das Leben d. hl. Theresia v. Jesu u. d. besond. ihr v. Gott erteilten Gnaden, auf Geheiss ihrer Beichtväter v. ihr selbst beschrieben. (48, 612 m. 1 St.) 8° Rgnsbg, F Pustet 03. 3.30 d
Thesaurus linguae latinae. Ed. auctoritate et consilio academiar. 5 germanicar. Berolinensis, Gottingensis, Lipsiensis, Monacensis, Vindobonensis. Vol. I, fasc. 4—6 u. Vol. II, fasc. 1—7. 4° Lpzg, BG Teubner 01—05. Subsk.-Pr. 103.30 I, 1—9. (Sp. 225—2032) 24.30 (Vollst.) [02 —; HF. 70 —] 74 —: geb. 82 — II. 1—7. (Sp. 1—1680) Je 7.20
— dass. Index libror., scriptor., inscriptionum ex quibus exempla adferuntur. (109) 4° Ebd. 04. 7.20
Thetis, A: Die Macht d. Moral. Empirisch-philosoph. Abhandlg auf deduktiver Grundl. (54) 8° Strassbg, J Singer 06. 1.50
Thetter, JM: Schicksals Weben, s.: Erzählungen f. Jugend u. Volk.
Theuern, M v.: Die Sclaven d. Scheik v. Moezzia, s.: Dilettantenbühne, kathol.
Theuner, E, s.: Urkundenbuch z. Gesch. d. Markgrafent. Nieder-Lausitz.
Theuriet-Lusignan, G: Die moderne französ. Armee, s.: Blaess, J, neue Dokumente z. Krieg 1870/71.
— Das unbekannte Paris. (118) 8° Wiesb. 01. Dt.-Kylau, H Priebe & Co. 1 — d
Theuriet, A: Das Barbenhaus. Der Don Juan (v. Berxen), s.: Kürschner's, J, Bücherschatz.
— s.: Conteurs modernes.
— Erzählgn, s.: Hartmann's, KAM, Schulausg. (französ. Schriftsteller).
— Ausgew. Erzählgn, s.: Prosateurs franç. (K Falck). — Schulbibliothek, französ. u. engl. (A Gundlach).
— Der Pate d. Marquis, s.: Kürschner's, J, Bücherschatz.

Theuriet, A: Raymonde, s.: Prosateurs franç. (K Schmidt).
— Unter Rosen, s.: Engelhorn's allg. Romanbibliothek.
— Die Stiftsdame. Roman a. d. Zeit d. französ. Revolution. Uebers. v. K Muth. Mit e. biogr.-litterar. Einl. (267 m. Bildnis.) 8° Einsied., Verl.-Anst. Benziger & Co. 02. 3.20; L. 4 — d
Theusner, F: Die rechtl. Natur d. Kontokorrentvertrags. (58) 8° Halle, CA Kaemmerer & Co. 01. 1.30
Theyissen, H: Sammlg v. geschichtl. Lehrstoffen f. d. Mittelst. d. Volkssch., sowie f. unt. u. mittl. Kl. v. Mittelsch. u. höh. Mädchensch. 2 Tle in 1 Bde. (146 m. Abb.) 8° Düren, W Solinus (01). Kart. — 60 d
— Vorbereit. Unterr. z. Gesch. u. Gesch.-Unterr. auf d. Mittelst. d. Volkssch., sowie in unt. u. mittl. Kl. v. Mittelsch. u. höh. Mädchensch. (178 m. Abb.) 8° Ebd. (01). Kart. 1 — d
Thidigk: Lebensbeschreibg d. bekanntesten Heiligen Gottes. 4. Afl. (82 m. Abb.) 8° Braunsbg, E Bender 04. Geb. nn — 50 d
Thiébault, D de: Friedrich d. Gr. u. sein Hof. Persönl. Erinnergn an e. 20jähr. Aufenthalt in Berlin. 1. deut. Bearbeitg. 2 Bde. (343 u. 368 m. 6 Bildnissen.) 8° Stuttg., R Lutz 01. 9 —; L. nn 11 —; HF. 13 — d
— Memoiren a. d. Zeit d. franz. Revolution u. d. Kaiserreichs, s.: Memoirenbibliothek.
Thiede, M: Jung-Siegfried. Ein Vorgang a. d. deut. Götter- u. Heldensage f. d. Jugend in d. Volk. (77) 8° Dresd., E Pierson 04. 1 — d
Thiedig, K: Lese- u. Unterhaltgsbibliothek in gekürzter Schrift (Debattenschrift). n. d. Kürzgsverfahren n. Stolze-Schrey. — 1—8. Bd. (Je 32) 8° Berl., Frz Schulze (01.02). Je nn — 60
— Perlen deut. Dichtg. (In stenogr. Schrift.) 3. Afl. 2 Tle in 1 Bde. (80 u. 80) 8° Ebd. (05). L. M. G. 2 —
Thiel, A: Iuvenalis graecissans sive de vocibus graecis apud Iuvenalem. (152) 8° Bresl., Freuss & J. 01. 2 —
Thiel, BA: Kurzer Abr. d. Kirchengesch. f. höh. Volks- u. Mittelsch., Lehrerseminare u. ähnl. Anst. 10. Afl. (147) 8° Braunsbg, E Bender 06. Geb. 1.25 d
— Catecismo de la doctrina cristiana precedido de un resumen de la hist. de la relig. desde la creación del hombre hasta nuestros dias. 7. ed. (393) 8° Freibg i/B., Herder (05). — 80; kart. nn —
— Catecismo abreviado de la doctrina cristiana. 12. ed. (91 01). — 24; kart. — 32
— Ratgeber in bürgerl. Rechtsstreitigk. u. im Zwangsvollstreckgs-Verfahren u. prakt. Gebr. bei Führg v. Zivilprozessen. (94) 8° Schweidn., G Brieger (03). — 60 d
— Die Verfassg u. Verwaltg d. Deut. Reiches u. Preuss. Staates, nebst Einteilg d. deut. Armee u. kais. Marine, sowie d. d. Ministerium d. kgl. Hauses. (112) 8° Ebd. (05). — 60 d
Thiel, O: Heimatkde d. Kreises Wongrowitz. (36) 8° Lissa, F Ebbecke 05. — 20; m. Karte — 60 d
Thiel, P: L van Beethoven's Fidelio. — G Bizet's Carmen. — F v. Flotow's „Martha od. Der Markt zu Richmond". — C Gounod's Margarethe (Faust), s.: Hoursch's Opern-Führer.
— J Bach. Johann, litterar.
— R Leoncavallo's Bajazzi. — P Mascagni's Cavalleria rusticana. — GA Rossini's „Der Barbier v. Sevilla". — OLA Thomas' Mignon, s.: Hoursch's Opern-Führer.
Thiel, PJ: Deut. Heil-Odung statt schwed. Heil-Massage. 10 Heilbriefe. (19, 84 m. 4 farb. Taf.) 8° Elberf., A Martini & Gr. (03). 1.20 d
— Der Krankh.-Befund (Diagnose) a. d. Augen. — Maria in d. deut. Muttersbule. Briefe üb. Tochter-Erziehg, s.: Volks-Erziehungs-Schriften, Lebensheimer.
Thiel, WA, s.: Marine-Kalender f. Jedermann.
Thielbörger, K: Der 4. Aggregatzustand. (13) 12° Berl. (01). Oraujenbg, W Möller. — 20 d
Thiele's Adressb. d. ges. Gartenbaues. 2 Bde. 8° Berl. (W. 50, Thiele's Adressverl. 7), H Thiele & Co. 02. Kart. je 10 —; auch in 11 Tln 38.50

I. Privatgärtnerei en Deutschlds. 1. Mittel-Deutschl., enth. Anhalt, Braunsbg, Braunschweig. Prov. u. Kgr. Sachsen u. d. Thüring. Staaten. (110)
2. Nord-Deutschl., enth. Hannover, Hansastädte, Mecklenb.-Schwerin u. Strelitz, Oldenbg, Pommern, Schleswig-H. (75 u. 94) 3.50
3. Ost-Deutschl., enth. Ost- u. Westpreussen, Posen, Schlesien. (100) 3.50
4. Süd-Deutschl., enth.: Baden, Bayern, Württemberg u. Hohenzollernsche Lande. (56 u. 94) 3.50
5. West-Deutschl., enth.: Elsass-L., Rheinprov. u. Rheinpfalz, beide Hessen, Westf., Lippe-Detmold, Schaumburg-Lippe, Waldeck. (48 u. 94)
II. Handelsgärtnereien Mitteleuropas. A. Deutschl. 1. Tl. Mitteldeutschl. (Anhalt, Brandenburg, Braunschweig, Kgr. u. Prov. Sachsen u. Thüringen.) (111)
2. Norddeutschl. (Hannover, Bremen, Hamburg u. Lübeck, Mecklenb. Schw., Mecklenb.-Str., Oldenbg, Pommern u. Schleswig-H.) (55) 3 —
3. Ostdeutschl. (Ost- u. Westpreussen, Posen u. Schlesien.) (55) 3 —
4. Süddeutschl. (Baden, Bayern u. Württemberg, sowie Hohenzollern.) (44) 3 —

5. Westdeutschl. (Elsass-L., Grossherzogt. u. Prov. Hessen, Rhein-
pfalz u. Rheinprov., Lippe-Detmold, Schaumburg-Lippe u. Waldeck.)
(71) 3 —
B. Luxemburg, Oesterr.-Ungarn u. Schweiz. (70) 6 —
Thiele, A: Formular-B. in Handelsregistersachen f. Anmeldgn
z. Eintragg v. Firmen u. Prokuren in d. Handelsregister,
sowie Andergn u. Löschgn in demselben. (108) 8° Hannov.,
(O Meyer) (01). 2 — d
— Der Verkehr d. Genossensch. m. d. Register-Gerichts, s.:
Genossenschafts-Bibliothek.
Thiele, A: Hinauf z. bild. Kunst! Laiengedanken. [S.-A.] (40)
8° Chemn. 01. Dresd., B Richter. — 20 d
— dass. 2. Afl. (76) 8° Lpzg (01). Berl., H Seemann Nf. 1 — d
— Kunstförderg in d. Provinz. Der Flugschrift: „Hinauf z.
bild. Kunst" 2. Tl. (31) 8° Ebd. 02. — 75 d
— Zur Philosophie d. neuen Frauentracht. 2. Afl. (48 m. Abb.
n. 11 Taf.) 8° Ebd. 03. 1 — d
Thiele, A: Kater Mauz. Abenteuer e. Katers. (50) 8° Rost.,
CJE Volckmann (03). Kart. 2 — d
Thiele, A: Der lust. Postkarten-Zeichner. Zeichenschule m.
60, meist humorist., Postkarten-Vorbildern z. Nachzeichnen.
(30 Bl. m. 30 Pausen u. 6 S. Text.) 16° Lpzg, Aktueller Verl.
A Kade (05). 1 —
Thiele, G, s.: Aesop, d. illustr. latein., in d. Handschrift d.
Ademar.
Thiele, G: 100 Jahr unter Preussens Aar! 1802—1902. Fest-
schrift z. Feier d. 100jähr. Zugehörigk. d. Landkreises Mühl-
hausen i. Th. z. Krone Preussen. (144 m. 7 Taf.) 8° Mühlh. i/Th.,
(C Albrecht) (02). Geb. nn 1.60 d
Thiele, G: Philosoph. Streifzüge an deut. Hochsch. in zwangl.
Heften. 1. Heft: Einl.; d. objektive Idealismus v. J Berg-
mann in Marburg. (70) 8° Berl., C Skopnik 04. 1 —
Thiele, J: Beitr. z. Morphol. d. Arguliden, s.: Mitteilungen
a. d. zoolog. Museum in Berlin.
— Die beschalten Gastropoden d. deut. Tiefsee-Exped., s.: Mar-
tens, E v.
— Kieselschwämme v. Ternate. II. [S.-A.] (36) 4° Frankf. a/M.,
(M Diesterweg) 03. 3 — (I u. II: 9 —)
— Die Leptostraken, s.: Ergebnisse, wiss., d. deut. Tiefsee-
Exped. — Südpolar-Expedition, deut., 1901—3.
— Proneomenia amboinensis n. sp., s.: Denkschriften d. me-
dic.-naturwiss. Gesellsch. in Jena.
— Proneomenia Valdiviae n. sp., s.: Ergebnisse, wiss., d. deut.
Tiefsee-Exped.
Thiele, J: Reine u. techn. Chemie. Rede. (24) 8° Strassbg,
JHE Heitz 04. 1 —
Thiele, L: Wolfenbüttler Schulliederb., s.: Pardall, H.
Thiele, L, u. R Zarnack: Bilderb. zu d. hl. 10 Geboten. 10 Er-
zählgn. 4 Bde. 2. Afl. (382) 8° Schwer., F Bahn 02. 1 —
in 1 Bd geb. 5 — d
Thiele, M: Handelsgesetzb., s.: Litthauer, F.
— Die neuen Reichscivilges. nebst d. preuss. Ausführgsges.
u. Verordngn in ihrem gegenseit. Zusammenhange. 4—10. Lfg.
(481—1568) 8° Lpzg, CL Hirschfeld 01. Je 1.80 (Vollst.: 18 —;
HF. 21 —) ‖ 2. [Tit.-]Afl. (1568) 03. 10 —; geb. 12 — d
Thiele, O: Die Volksverdichtg im Reg.-Bez. Aurich, s.: For-
schungen z. deut. Landes- u. Volkskde.
Thiele, O: Die moderne Salpeterfrage u. ihre voraussichtl.
Lösg. Vom wirtschaftl. u. techn. Standpunkte dargest. (37)
8° Tüb., H Laupp 04. 1 —
— Salpeterwirtschaft u. Salpeterpolitik, s.: Zeitschrift f. d.
ges. Staatswiss.
Thiele, P: Der Mais als Futterpflanze. [S.-A.] (15) 8° Lpzg,
RC Schmidt & Co. (1899). — 50 d
Thiele, R: Bilder a. Erfurt's Vergangenh. Nach Konr. Stolle's
Chronik. (52) 8° Erf., C Villaret 01. — 50 d
— Bilder a. Thüringens Sage u. Gesch. Nach Konr. Stolle's
Chronik. (96) 8° Ebd. 04. — 75 d
— Das Forum Romanum m. bes. Berücks. d. neuesten Aus-
grabgn (1898—1903). (24 m. 1 Taf.) 8° Ebd. 04. — 60
— Die Gründg d. Akad. nützl. (gemeinnütz.) Wiss. zu Erfurt
u. d. Schicksale derselben bis zu ihrer Wiederbelebg durch
Dalberg (1754—76). [S.-A.] (128 m. 1 Bildnistaf.) 8° Ebd. 02. 2.50
— Horaz u. s. Säculargedicht. Vortr. [S.-A.] (29) 8° Ebd. 1900.
— 60
— Reiseerinnergn an Griechenl. (54) 8° Erf., H Neumann 03.
— 80 d
— Schülerkommentar z. Ausw. a. Ciceros rhetor. Schriften.
(214) 8° Lpzg, G Freytag. — Wien, F Tempsky 05. Geb. 1.60
— Kaiser Wilhelm d. Gr. Lebensbild. (47 m. Titelbild.) 8° Erf.,
C Villaret (1900). — 50 d
Thiele, R: General-Reg., s.: Rundschau, hygien.
— Das Leben uns. Heilands. 1—10. Taus. (119 m. Abb.) 8° Hambg,
G Schloessmann (04). — 60; L. 1.20 d
— dass. (126 m. Abb.) 8° Ebd. (04). L. s — d
Thielen, H: Üb. d. Sterblichk. frisch- u. rechtzeitig geborener
Kinder in d. ersten 9 Wochenbettstages. (40) 8° Freibg i/B.,
Speyer & K. 05.
Thielert, M: Die Burschenschaft. Roman a. d. Studentenleben.
(166) 8° Lpzg-H., Aug. Hoffmann (05). Kart. 2.50; geb. 3 — d
Thielscher, H (H Oderwald): Der neue Schmied. Komödie. (118)
8° Dresd., E Pierson 05. 2 — d

Thiem, C, s.: Monatsschrift f. Unfallheilkde.
Thiem, F, u. P Betz: Skizzen u. Tab. üb. Maschinen-Elemente.
(45 Taf.) 4° Ilmenau 01. Lpzg, M Schäfer. Kart. 6 — ‖ 2. Afl.
(56 Taf.) (04.) Kart. 10 —
Thiem, G: Der Alleebaum in d. Strassen d. Stadt u. auf d.
Lande. Kurze Anl. z. Pflanzg u. Pflege. (92 m. Abb.) 8° Stuttg.,
E Ulmer 06. 1.80 ‖; geb. 2.30 d
Thiem, P: Aufschwg. Dramat. Dichtg. I. Der Dichter. Dramat.
Dichtg. II. Der Prophet. Drama. (285) 8° Berl. 02. Lpzg, LW
Siedenburg. 2.50; geb. 3.50
Thiemann, A, s.: Kinderfreund-Jahrbuch.
Thiemann, A: Weihnachten im Dichtermund. I—III. Tl. 8°
Düsseldf, C Schaffnit. Je — 60 d
I. 88 Weihnachtsgedichte, Lieder u. Festspr. (60) (02.)
II. 91 Gedichte, Lieder u. Festspr. f. Weihnachten u. Neuj. (60) (04.)
III. 83 Gedichte, Lieder u. Festsp. f. Weihnachten u. Neuj. (66) (04.)
Thiemann, C: Die soz. Fürsorge in Göttingen einst u. jetzt.
[S.-A.] (33) 8° Gött., (Akadem. Bh. v. G Calvör) 04. — 50 d
Thiemann, M, s.: Sparkasse, d. städt., in Hildburgh.
Thieme, C: Stoffsammlg f. d. Sommerturnen in d. einf. Landsch.
3. Afl. (64 m. Fig.) 12° Markneuk., J Schmidt 04. — 80 d
Thieme, F: Ernst Abbe, s.: Warte-Bibliothek, Thüringer.
— Die Flucht d. Kassierers, s.: Kürschner's, J, Bücherschatz.
— Der Fall Gembalsky, s.: Deva-Roman-Sammlung.
— Der Offizialverteidiger. Die Flucht ins Gebirge, s.: Kürsch-
ner's, J, Bücherschatz.
— Stimmen d. Zeit u. d. Herzens. Gedichte. (254) 8° Jena, B
Vopelius 04. 3 — d
— Die einz. Zeuge, s.: Kürschner's, J, Bücherschatz.
— u. R Hirschberg-Jura: Unter falschem Verdacht, s.: Wei-
chert's Criminal-Bibliothek.
Thieme, FO: Abriss d. Gesch. d. Zeichenunterr. 5 Anschaugs-
kreise f. Kunstgesch. 2. Afl. (44 m. Fig.) 8° Dresd., A Huhle
01. — 60 d
— Anl. zu Skizzierübgn. IH. Zusammenstzng. a. Handzeichngn
v. Künstlern. IX. Afl. v. K Elssner. (40 Taf. m. 16 S. Text.)
4° Dresd., A Müller-Fröbelhaus 04. Kart. 5 —; geb. 6.50
— Beitrag zu d. „Lehrgang f. d. Zeichenunterr.", s.: Pfennigwerth, O.
— Lehrg. f. d. Zeichenunterr. in Volkssch. Unter Mitarbeit v.
Pfennigwerth. 5. Afl. (53 u. 43 m. Abb.) 8° Dresd., A Huhle
04. Kart. 1.70 d
— Skizzenhefte f. Anfänger I u. II, z. Gebr. beim Zeichenunterr. sowie z. Selbstunterr. f. d. Hand d. Schülers eingerichtet. In Gemeinschaft m. K Elssner bearb. u. unter
Mitwirkg v. Ö Pfennigwerth, P Hermann, F Elssner, O Kubel,
R Meth u. P Preissler hrsg. 1—4. Afl. 8° Dresd., A Müller-
Fröbelhaus 01-03. Geb. u. durchsch., Text geb. Je 1.50
‖. (28 u. 16 m. Abb.) ‖ II. (24 u. 16 m. Abb.)
Das 9. u. 10. Taus. s.: Elssner, K.
— Vorsch. zu Petermanns Aufg.-Buch f. d. schriftl. Gedanken-
ausdr. d. Kinder deut. Volkssch. 28. Afl. (28) 8° Dresd., A Huhle
05. nn — 15 d
— u. B Breuil: Utensilien, Modelle, Vorlagen u. method. Werke
f. d. Zeichenunterr. (39) 8° Dresd., A Müller-Fröbelhaus 1898.
— 60
— u. A Schlosser: Rechenübgn f. Volkssch. Ausg. A in 6 Heften.
I. u. VI. Heft. 8° Dresd., A Huhle. — 45 d
I. 77. Afl. (56 m. Abb.) 04. — 20 ‖ VI. 30. Afl. (56) 04. — 25.
— — dass. Lehrerheft. Ausg. A. II—VI. Heft. 8° Ebd. nn 3.70 d
‖I. (37) 03. nn — 60 ‖ III. (56) 02. nn 1 — ‖ IV. (58) 01. nn 1 — ‖ V. (68) 01. nn 1 —
(40) 03. nn — 60 ‖ VI. (78) 04. nn — 50.
— — dass. Ausg. B in 3 Heften. Mittelst. Bearb. v. A Schlosser.
2. Heft. 21. Afl. (64) 8° Ebd. 03. — 25 d
— — dass. Lehrerheft. Ausg. B. II. Heft. (108) 8° Ebd. 03. nn 1.20
‖ III. (70) 02. nn 1 —
Thieme, FW: Neues u. vollständ. Hdwtrb. d. engl. u. deut.
Sprache. 18. Afl. v. L Kellner. 2 Tle. 8° Brnschw., F Vieweg
& S. geb. in HF. je 1.50 d
1. Englisch-Deutsch. (48, 491) 02. 3.50 ‖ 2. Deutsch-Englisch. (44, 507)
03. 4.50.
Thieme, H: Leitf. d. Mathematik f. Gymnasien. 2 Tle. 8° Lpzg,
G Freytag. Geb. 3.20
1. Untert. (92 m. Fig.) 02. 1.40; 2. Afl. (102 m. Fig.) 05. 1.60 ‖ 2. Oberst.
(112 m. Fig.) 01. 1.80.
— — dass. f. Realanst. 2 Tle. 8° Ebd. Geb. 4.10
1. Untert. (108 m. Fig.) 01; 2. Afl. (128 m. Fig.) 05. Je 1.60 ‖ 2. Oberst.
(196 m. Fig.) 2.50.
Thieme, K: Abr. d. Oesch. d. Posthorns u. Sammlg histor.
Posthornstücke, s.: Gumbert, F, Posthornschule.
Thieme, K: Der Offenbargglaube im Streit üb. Babel u. Bibel.
(67) 8° Lpzg, Dörffling g Fr. 03. 1.20
Thieme, L, s.: Veröffentlichungen, Görbersdorfer, a. Dr. Breh-
mer's Heilanst. f. Lungenkranke.
Thieme, O: Monogr. d. Gattg Pedaliodes Butl. (Lepidoptera
Rhopalocera Satyridae.) [S.-A.] (99 m. 3 Taf.) 8° Berl., (R
Friedländer & S.) (05). nn 7 —
Thieme, P: Gesellschaftswiss. u. Erziehg. — Kulturdenkmäler
d. Muttersprache f. d.Unterr. in d. Mittl.Schulj., s.: Magazin,
pädagog.
Thielmich, M: Ueb. d. Entscheidg d. Stillfähigk. u. d. teilweise
Mutterwichtigk. (16) 8° Bresl., Preuss & J. 04. — 30 d
Thierack, H: Heimatkde d. Stadt Nordhausen, s.: Heine, H.
— s.: Warte, pädagog. — Zentralorgan f. Lehr- u. Lernmittel.
Thierbach, C: Gustav Adolf Wislicenus. Lebensbild a. d. Gesch.
d. freien, relig. Bewegg. (85) 8° Lpzg, T Thomas 04. 1.90

Thierbach, M : Das Buch d. Heilkraft. (112) 8º Dresd.-A. (Fürsten-str. 12), M Thierbach (03). 2 —; geb. 2.80 d
Thierer, A : Griech. Chrestomathie, s.: Mezger, L.
Thierfelder, H : Hdb. d. physiologisch- u. pathologisch-chem. Analyse, s.: Hoppe-Seyler, F.
Thierfelder, R : Neue Bahnen d. Pädagogik. Ernste Worte an alle Lehrer u. Erzieher. (59) 8º Berl., „Lebensreform" 04. 1 — d
Thiergen, O : Grammatik d. engl. Sprache. Im Anschl. an d. Lehrb. d. engl. Sprache f. d. Schulgebr. bearb. Ausg. C f. lateinlose Realsch., bearb. v. O Schöpke. 2. Afl. (162) 8º Lpzg, BG Teubner 03. Geb. 2 — d
— Grammatik u. Vokabular zu d. Lehrb. d. engl. Sprache. Unter Mitwirkg v. Frl. M Zieger hrsg. Ausg. D f. Bürger-u. Mittelsch. (126) 8º Ebd. 03. Geb. 1.40 d
— s.: Haberland's Unterr.-Briefe Englisch.
— Lehrb. d. engl. Sprache. Mit bes. Berücks. d. Übgn im mündl. u. schriftl. freien Gebr. d. Sprache. Ausg. B f. höh. Mädchen-sch. 3. Tl. 2. Afl. (236 m. Abb., 1 Pl. u. 1 Karte.) 8º Lpzg, BG Teubner 03. Geb. 2.40 d
— dass.: Unter Mitwirkg v. Frl. M Zieger hrsg. Ausg. D f. Bürger- u. Mittelsch. Mit e. grammat. Anh. in Tasche. (202 u. 44 m. 2 Bildern u. 1 Taf.) 8º Ebd. 03. Geb. u. geb. 2.60 d
— dass., s.: Boerner, O.
— Engl. lessons, s.: Teubner's kl. Sprachbücher.
— Methodik d. neuphilolog. Unterr. (183 m. Abb.) 8º Lpzg, BG Teubner 03. 3.60; geb. 4.20
— Oberst. 2. Lehrb. d. engl. Sprache. Gekürzte Ausg. C. Be-arb. v. O Schoepke. (256 m. Abb., 1 Pl. u. 2 Kart. 8º Ebd. 01. || 2. Afl. (278 m. Abb., 1 Pl. u. 2 Kart.) 04. Geb. je 2.80 d
— u., O Boerner: Lehrb. d. engl. Sprache. Mit bes. Berücks. d. Übgu im mündl. u. schriftl. freien Gebr. d. Sprache. Ausg. B, f. höh. Mädchensch. II. Tl. Stoff f. d. 2. Unterrichtsj. 3. Afl. (206 u. 36 m. 1 Vollbild.) 8º Ebd. 03. Geb. u. geb. 2.40 d
Die 2. Afl. s. u. d. T.: Boerner, O, u. O Thiergen, Lehrb. usw.
Thierry, G de : Seehäfen, s.: Franzius, L.
Thierry, GA : Das verschwund. Manuskript, s.: Viktoria-Samm-lung.
Thiers, A : Campagne d'Italie en 1800. Marengo, s.: Prosateurs franç. (K Bandow).
— Expédition de Bonaparte en Egypte, s.: Schulbibliothek, franzö. u. engl. (O Klein).
— Exped. de Bonaparte en Égypte et en Syrie, s.: Reform-bibliothek, neusprachl. (O Schulze).
— Exped. d'Égypte, s.: Prosateurs franç. (E Grube).
— Hist. de l'exped. d'Égypte, s.: Perthes' Schulausg. engl. u. franzö. Schriftsteller (C Beckmann).
— Napoléon à Sainte-Hélène (G Stern). — Waterloo (F Fischer), s.: Prosateurs franç.
Thiersch, A, s.: Bauernhaus, d., im bayer. Gebirge.
— Proportionen in d. Architektur, s.: Handbuch d. Architektor.
Thiersch, F : Anwendsgebiet u. rationelle Gestalt d. Privat-klage. (95) 8º Berl., J Guttentag 01. 2 — d
Thiersch, F v.: Der innere Ausbau d. neuen Justizpalastes zu München. Sammelmappe v. techn. Einzelheiten z. prakt. Gebr. a. d. Gebiete d. Schreinerei, Schlosserei, Steinarbeit u. Stuccatur. 24 Autografien im Massetabe v. 1:20, 1:10 u. 1:1. Fol. Münch., (L Werner) 01. In M. 18 —
— Die Augsburger Fassadenmalereien. Vortr. [S.-A.] (16 m. Abb. u. 2 [1 farb.] Taf.) 4º Münch., Südenst. Verl.-Anst. (03). 2 —
— Die neue protestant. Kirche f. Aeschach-Hoyren bei Lindau i. B. Baubericht. (32 m. Abb.) 8º Münch., (L Werner) (02). 1.50 d
Thiersch, H : Führer durch d. k. Antiquarium in München, s.: Christ, W.
— 2 altike Grabanlagen bei Alexandria. (18 m. Abb. u. 6 Taf.) 48,5×35 cm. Berl., G Reimer 04. Geb. 30 —
Thiersch, J : Die Schädigg d. weibl. Körpers durch fehlerhafte Kleidg, nebst Bemerkgn üb. d. Verbesserg d. Frauenkleidg. (45 m. Fig.) 8º Berl., Herm. Walther 01. 1 — d
Thies, F : Himmel u. Erde, ihre ew. Ges. u. ihre wahrnehm-baren Erscheinngn. (179 m. Abb.) 8º Lpzg, O Spamer 04. 2.80; geb. 3.60 d
— Der Weg z. Glück. 2. Afl. (144) 8º Hannov., Hahn 03. 1 — d
Thies, Frl. 1, s.: Seyth, A.
Thies, K : Fortbildgsb. f. Gabelsb.'sche Stenogr. Ausg. A. (128) 8º Wolfenb., Heckner 03. nn 1.75; geb. nn 2.25 || Ausg. B. II. Redeschrift. (75) 04. Geb. nn 1.50 (A u. B in 1 Bde : nn 2.50)
Thiesing : Das Vormundschaftsrecht. (76) 8º Berl., Verl. d. „Frauen-Rundschau" (05). 75 d
Thiesing, H : Die Lokal-Anaesthesie u. ihre Verwendg in d. zahnärztl. Praxis. (60) 8º Lpzg, A Felix 02. 1.60
Thiess, K : Die Hamburg-Amerika-Linie, e. Stütze d. deut. Volkswirtschaft. (Luxus-Ausg.) (58 m. Abb. u. 2 Taf.) 8º Berl., Pan-Verl. (05). L. 2 — d
— Mannschaftsbüchereien an Bord. Vortr. (15) 8º Berl., J Springer 05. nn — 50
— Organisation u. Verbandsbild in d. Handelsschiffahrt, s.: Nautesskunde.
Thiessing, J : Bern-Neuenburg-Bahn (direkte Linie). Illustr. Führer. (44) 8º Bern (02), Neuchâtel, E Magron. — 80
— Die eidgenöss. Gebäude in Bern. (64 m. Abb.) 8º Bern, Polyt. Verl.-Anst. (02). (?) 1.20; französ. Ausg. (61 m. Abb.) 1.20
Thietmar, Bischof v. Merseburg, Chronik, s.: Handschrift, d. Dresdner, usw.
Thijm, JAA : Niederländ. Erzählgn, s.: Bibliothek, kl.

Thikötter, J : Arnulf u. Julia. Erzählg a. d. Ende d. Römer-herrschaft am Rhein. (135) 8º Brem., J Morgenbesser (03). 2 —; L. 2.80 d
— Hildegard, s.: Erzähler, berg.
— Neue Hymnen. Nebst Briefen d. Fürsten v. Bismarck. (84) 8º Brem., M Nössler 02. 1.50; geb. m. G. nn 2.50
— Dr. Kalthoff's Schrift „Das Christnsproblem", beleuchtet. (63) 8º Brem., J Morgenbesser 03. 1 — d
— Dr. Kalthoff's Replik beleuchtet. (52) 8º Ebd. 03. 1 — d
Thilenius, G, s.: Archiv f. Anthropol.
— Ethnograph. Ergebnisse a. Melanesien, s.: Acta, nova, acad. etc. naturae curiosor.
Thilenius, UL : Bititkälim bil-'ârabî? (Sprechen Sie Arabisch?), s.: Koch's Sprachführer.
Thill, E : Das „Herz" in d. Herz Jesu-Andacht. [S.-A.] (31) 8º Linz, (Pressver.) 04. — 25 d
Thilo, CA : Fr. H. Jacobis Relig.-Philosophie. — Kants Relig.-Philosophie. — Die Relig.-Philosophie d. absoluten Idealis-mus. Fichte, Schelling, Hegel u. Schopenhauer. — Schleier-machers Relig.-Philosophie, s.: Religionsphilosophie in Ein-zeldarstellgn.
Thilo, Frl. M v.: Frauenkrankh., wie Unterleibs- u. Nerven-leiden, Blutarmut u. Bleichsucht u. deren Behandlg. (41) 8º Stuttg., Verl. „Reform" (05), 1 — d
— Gesundh., Kraft u. Schönh. d. Weibe, s.: Frauen-Buch, d. prakt.
— Die Hygiene d. Weibes. — Was sage ich meiner Tochter v. d. Entwicklgsjahren?, s.: Hausbücher f. Gesundheitspflege.
— Was sollen uns. erwachs. Töchter v. d. Ehe wissen? 1 —. 3. Afl. (58) 8º Zür., T Schröter's Nf. 01.03. — 80 d
Thimm, B, s.: Entwickelung, d. bisher., d. Fortbildgsschul-wesens in Pommern.
— Übersicht üb. d. Arbeit d. innern Mission in Pommern u. verwandte Bestrebgn, nebst d. Statuten u. Aufnahmebe-dinggn in d. weit. Kreisen dien. Anstalten. 2. Afl. (151) 8º Stett., J Burmeister 05. 2.25 d
Thimm, C : Stenograph. Lehrb. f. Kaufleute n. d. Einiggs-system Stolze-Schrey. 2. Afl. (68) 8º Potsd., (M Jaeckel) 03. Kart. 1.50
Thimm, J : Moderne Erziehgsfragen. Briefe e. Mutter. (56) 8º Berl., L Simion Nf. 03. 1 — d
Thimm, P : Therapie d. Haut- u. Geschlechtskrankh. 2. Afl. (457) 8º Lpzg, G Thieme 01. 5 —; L. 6 —
Thimme, A : Schillers Persönlichk., s.: Warte-Bibliothek, Thü-ringer.
Thimme, F : Die hannov. Heeresleitg im Feldzuge 1866. Krit. Beleuchtg d. Erinnergn d. hannov. Generalstabschefs Oberst Cordemann. (48) 8º Hannov., O Tobies 04. 1 — d
Thimme, G : Die relig.-philosoph. Prämissen d. Schleiermacher-schen Glaubenslehre. (88) 8º Hannov., Hahn 01. 1.50
Thimme, K : Luthers Stellg z. Hl. Schrift. (104) 8º Gütersl., C Bertelsmann 03. 1.80; geb. 2.40
Thimme, W : Aus einsamen Stunden. Lieder u. Gedichte. (61) 8º Strassbg, J Singer 06. 1 — d
Thirring, G : Die Hauptstadt Budapest im J. 1901, s.: Körösy, J v. — s.: Jahrbuch, statist., v. Budapest.
Thiselton-Dyer, WT, s.: Index Kewensis plantar. phanerogam.
Thissen, J : Illustr. Führer durch Aachen u. Umgegend. 2. Afl. (80 m. 6 Taf. u. 1 Pl.) 12º Aach., Barth'sche Bh. (1900). Geb. 1 —
Thissen, O : Beitr. z. Gesch. d. Handwerks in Preussen, s.: Beiträge z. Gesch. d. Bevölkerg in Deutschl.
— u., C Trimborn : Soz. Tätigk. d. Gemeinden, s.: Tages-Fragen, soz.
Thode, H : Arnold Böcklin. 1—3. Taus. [S.-A.] (23) 8º Hdlbg, C Winter, V. 05. — 60
— Böcklin u. d. Thoma. 8Vortr. üb. neudeut. Malerei. (178) 8º Ebd. 05. Kart. 3 —
— Franz v. Assisi u. d. Anfänge d. Kunst d. Renaissance in Italien. 2. Afl. (27, 643 m. 39 Taf.) 8º Berl., G Grote 04. 16 —; L. 18 —
— Die deut. bild. Kunst, s.: Meyer's Volksbb.
— Kunst, Relig. u. Kultur. Ansprache. 1—6. Taus. (15) 8º Hdlbg, C Winter, V. 01. — 60
— Leben od. Tod d. Heidelberger Schlosses. 8º Ebd. 04. — 90
Ebd. 04.
— Michelangelo u. d. Ende d. Renaissance. 1. u. 2. Bd. 8º Berl., G Grote. Je 9 —; geb. je 11 —
1. Das Genie u. d. Welt. (488 m. 1 Bildnis.) 02.
2. Der Dichter u. d. Ideen d. Renaissance. (467 m. 1 Bildnis.) 03.
— s.: Repertorium f. Kunstwiss.
— Schauen u. Glauben. 1—3. Taus. (15) 8º Hdlbg, C Winter, V. 03. — 60
— Hans Thoma. Betrachtgn üb. d. Gesetzmässigk. s. Stiles. 1—3. Taus. [S.-A.] (17) 8º Ebd. 05. — 60
— s.: Thoma, H, Gemälde.
— Tintoretto, s.: Künstler-Monographien.
— Wie ist Rich. Wagner v. deut. Volke zu feiern? Vortr. 1—3. Taus. (31) 8º Hdlbg, C Winter, V. 05. — 60
Thöle : Die Schussverletzgn, s.: Sicherungen.
Tholens, H : Lotte Wilkens, d. Lehrerstochter v. Borkum. Roman. (220 m. Titelbild.) 8º Emd., W Haynel 04. L. 3 — d
Thom, W, u. W Walde : Turnspiele, Aufmärsche u. Reigen f. Mädchen d. Volkssch. Nebst Anh.: Spiele, Aufmärsche u.

Reigen f. Knaben d. Volkssch. (240) 8° Boch. (05). (Lpzg,
Rauh & Pohle.) Kart. nn 1.30 d
Thom, W: Die neueren Arzneimittel, s.: Lüders, E.
Thoma, A: Moderne Entwürfe f. Buchdecken. (84 z. Tl farb.
Taf.) 8° Fratte di Salerno (02). (Lpzg, G Hedeler.) 5 —
Thoma, A: Bernhard v. Weimar, Lebensbild zu s. 300. Ge-
burtstage. (163 m. 5 Abb.) 8° Weim., H Böblau's Nf. 04. 1.50 d
— Das Drama, s.: Beiträge z. Lehrerbildg u. Lehrerfortbildg.
— Festp. z. Grossherzog-Jubiläum. (32 m. Abb.) 8° Karlsr.,
JJ Reiff 02. Kart. — 75 d
— Johs Gutenberg, d. Erfinder d. Buchdruckerkunst, s.: Loh-
meyer's J, vaterländ. Jugendbücherei.
— Karl Friedrich, Markgraf, Kurfürst u. Grossh. v. Baden.
(20 m. 1 Bildnis.) 8° Hdlbg, Ev. Verl. 03. — 20 d
— Kinder-Weihnachtsfeier f. Schule, Kirche u. Haus in Stadt
u. Dorf. (7. u. 8. Taus.) (50) 8° Karlsr., JJ Reiff (05). — 80 d
— Ev. Märtyrer in Baden, s.: Festschriften f. Gustav-Adolf-
Ver.
— Die Salzburger. Volksschausp. (96 m. 1 Abb.) 12° Karlsr.,
JJ Reiff 01. 1.20 d
— Das Studium d. Dramas an Meisterwerken d. deut. Klas-
siker, I. Lessing, s.: Beiträge z. Lehrerbildg u. Lehrerfort-
bildg.
— Konrad Widerholt, d. Kommandant v. Hohentwiel. (274 m.
Abb., 2 Kart. u. 1 Bildnis.) 8° Münch., JF Lehmann's V. 03.
L. 5 — d
— dass., s.: Lohmeyer's J, vaterländ. Jugendbücherei.
Thoma, F: Hausfrauen-Kochb. (424) 8° Lahr, M Schauenburg
(05). L. 3 —; m. Schutznägeln 3.20 d
Thoma, H: ABC-Bilderbuch. Text (m. Ausnahme d. Fabeln v.
W Hey) v.M Coester. (24 m. farb. Abb.) 4° Mainz, J Scholz
(05). Kart. 4 —; auf Pappe 5 — d
— Immerwähr. Bilderkalender. 2 Thle. Je 12 Orig.-Algraphien
55,5×43,5 cm. Frankf. a/M. (Rossmarkt 23), (JP Schneider jr.)
. 01.02. In Umschl. je 150 —
I. 12 Monatsbilder. ∥ II. Die 7 Planeten als Jahresregenten, d. 12 Him-
melszeichen n. ihre Bedeutg, immerwähr. Datumstabelle, Wetter- u.
Bauernregeln, Zeittafel wicht. Weltbegebenh.
— s.: Cosomati, E, 32 Radiergn.
— Endymion, s.: Meisterbilder für's deut. Haus.
— Gemälde. IV u. V. Hrsg. v. H Thode. 41,5×29,5 cm. Frankf.
a/M., H Keller. In L.-M. je 45 — (I.—V.: 201 —)
IV. Gemälde in Berlin, Bonn, Dresden, Hamburg, Mannheim, Nowimarow
(Croatien), Ridgehurst (Engl.), Stockholm, Wien u. an and. Orten.
(80 Bl. m. 7 S. Text.) 02.
V. Gemälde in Bayreuth, Berlin, Frankfurt a. M., Heidelberg, Karls-
ruhe, Marburg, München, New York, Partenkirchen u. Worms. (80 Bl.
m. 7 S. Text.) 06.
— Deut. Landschaften. (8 farb. Taf.) 31,5×41,5 cm. Mainz, J
Scholz (05). In L.-M. 10 —
— Der Landschaftsmaler. Malb. f. Kinder. 2 Sorten. (Je 8 [4 farb.]
Bl.) 8° Ebd. (04). Je (— 40) — 50
— Postkartenmaler. Landschaften. (8 [4 farb.] Bl.) 8° Ebd. (05).
— 50 d
— 5 Radiergn. Hrsg. v. d. Herausgebern d. Insel. 4° Berl. 01.
Lpzg, Insel-Verl. In M. 50 —
Thoma, L, s. a.: Schlemihl, P.
— Agricola. Bauerngeschichten. 7. u. 8. Taus. (124 m. Abb.) 8°
Münch., A Langen 06. 4 —; geb. 5 — d
— Die bösen Buben, s.: Heine, TT.
— Der hl. Hies. Merkwürdige Schicksale d. hochwürd. Hrn
Mathias Fottner v. Ainhofen, Studiosi, Soldaten u. später-
hin Pfarrherrn zu Rappertswyl. (43 m. z. Tl farb. Abb.) 8°
Münch., A Langen (04). L. 5 — d
— Hochzeit. Eine Bauerngesch. 1—10. Taus. (144) 8° Ebd.
02.05. 2 —; geb. 3 — d
— Assessor Karlchen u. and. Gesch., s.: Bibliothek Langen, kl.
— Lausbubengeschichten. Aus meiner Jugendzeit 1—15. Taus.
(161) 8° Münch., A Langen 05.06. 3 —; geb. 4 — d
— Die Lokalbahn. Komödie. (165) 8° Ebd. 02. ∥ 3. u. 4. Taus.
(171) 03. Je 2 —; geb. je 3 — d
— Die Medaille. Komödie. 1—6. Taus. (102) 8° Ebd. 01.06. 1.50;
geb. 2.50 d
— Pistole und Säbel? u. anderes, s.: Bibliothek Langen, kl.
— Andreas Vöst. Bauernroman. (434) 8° Münch., A Aangen 06.
6 —; geb. 7.50 d
— Die Wilderer, s.: Bibliothek Langen, kl.
— u. TT Heine: Die Prinzessin Luise v. Koburg, s.: Simplicissimus. Flugblatt.
— — Das gr. Malöhr im Juni 1903. Wahrheitsgetreu dargestellt.
(58 m. Abb.) 4° Münch., A Langen 03. Kart. — 80 d
— — dass. — Die Gräfin v. Montignoso od. Liebeslust u. -leid
in Florenz, s.: Simplicissimus-Flugblatt.
Thoma, R, W Kittel u. J Münch: Der Gesangunterr. in d.
sklass. Volkssch. Methodisch geordnete Sammlg v. Übgn,
Liedern u. Chorälen. 4 Hefte. Ausg. f. ev. Schulen. Neue
Afl. 8° Bresl., E Morgenstern, V. — 85 d
1. (Für Kl. 6 u. 5.) (16) (02.) — 15 ∥ 2. (Für Kl. 4.) (16) (01.) — 15 ∥ 3. (Für
Kl. 3.) (16) (02.) — 15 ∥ 4. (Für Kl. 2 u. 1.) (44) (01.) — 40.
— — — dass. Ausg. f. kathol. Schulen. 4 Hefte. 8° Ebd. — 85 d
1. (Für Kl. 6 u. 5.) 31. Taus. (16) (04.) — 15 ∥ 2. (Für Kl. 4.) Neue Afl.
(20) (1900.) — 15 ∥ 3. (Für Kl. 3.) 31. Taus. (16) (04.) — 15 ∥ 4. (Für Kl. 2
u. 1.) Neue Afl. (44) (01.) — 40.
— — — Methodisch geordnete Sammlg v. Übgn u. Liedern f.

Schulen. Neue Afl. 4 Hefte. 8° Bresl., E Morgenstern. — 85 d
1. (16) (04.) — 15 ∥ 2. (16) (1900.) — 15 ∥ 3. (16) (02.) — 15 ∥ 4. (44) (1900.)
— 40.
Thoma, T: Einstimm. Kirchenlieder f. d. kathol. Schulkinder.
(60) 16° Ambg, C Mayr 1900. nn — 25 d
Thomas, W: Kanon d. einzupräg. Jahreszahlen, s.: Haehnel, G.
Thomas, J: Sammlg v. Formeln u. Sätzen a. d. Geb. d. ellipt.
Funktionen nebst Anwendgn. (44) 8° Lpzg, BG Teubner 05.
Kart. 2.80
Thomä, J: Hat Nietzsche recht?, s.:Lehr u.Wehr fürs deut.Volk.
Thomä, K: Tante Wurzel u. ihr Kaffeekränzchen, s.: Humor,
uns.
Thomae, L: Wrtrb., s.: Gruner, F, u. Wildermuth, französ.
Chrestomathie.
Thomae, W: Der ehemal. Hochaltar in d. Karmelitenkirche
zu Hirschhorn a. N. (22 m. Abb. u. 16 Lichtdr.) 8° Hdlbg,
(G Koester) 03. Kart. 10 —
Thomae Aquinatis s.: Thomas v. Aquino.
Thomälen, A: Kurzes Lehrb. d. Elektrotechnik. (516 m. Abb.)
8° Berl., J Springer 03. L. 12 —
Thomalla, R: Ueb. d. Behandlg erkrankter Kassenmitglieder.
(Neue [Tit.-]Ausg.) (41) 8° Berl., Berlinische Verl.-Anst. [1894]
(03). — 50
— Kapellenberg. Drama. (143) 8° Berl., A Schall 03. 2 — d
Thomann, E: Elektr. Betrieb auf d. schweiz. Vollbahnen. (15)
8° Bern (02). Zür., Rascher & Co. — 20; französ. Ausg.(15) — 35
— u. E Huber: Ueb. d. neue Stromzuführgsanlage, System
Oerlikon. [S.-A.] (10) 4° Zür., (Rascher & Co.) (04). — 50
Thomann, HE: Die Baumwollspekulation u. ihre Bekämpfg,
s.: Publikationen, wirtschaftl., d. Zürcher Handelskammer.
Thomann, R: Die Entwicklg d. Turbinenbaues m. d. Fort-
schritten d. Elektrotechnik. Antrittsvorlesg. (19 m. Fig. u.
1 Taf.) 8° Stuttg., K Wittwer 01. — 80 d
Thomas: Allg. Tierarzneil. (18. Afl. v. e. Tierzüchter u. Tier-
arzt. (341) 8° Lpzg, H Voigt (04). Geb. 3 — d
Thomas, A: Hilfsb. f. d. Unterr. in d. Gesch., s.: Lohmeyer, K.
Thomas, C: Die Psychol. in ihrer Anwendg auf d. Schulpraxis,
s.: Maass, B.
Thomas, E: Die prakt. Erlerng moderner Sprachen m. bes.
Berücks. d. Hilfsmittel. 3. Afl. (120) 8° Lpzg, CF Müller 1899.
L. 1.50
— Die Praxis d. Reisebuchhandels. 2. Afl. (79) 8° Lpzg, W Fied-
ler 01. nn 3.50 d
— u. C v. Gütschow: Der Zeitgslieser. Handlexikon f. Poli-
tiker u. Zeitgsleser. (480 Sp.) 8° Berl., PJ Oestergaard 03.
1 —; L. 1.50
Thomas, E: Ältestes, Allerältestes, 1—3. Afl. (194) 8° Berl., B
Cassirer 04. 2.50 d
Thomas, F: Kurze Anl. z. Zimmerkultur d. Kakteen. 5. Afl.
(60 m. Abb.) 8° Berl., J Neumann 01. 1 —; geb. 1.50 d
Thomas, F: Jugendschriften. 1., 2. u. 8. Bdchn. 16° Reichenbg,
F Augsten. Kart. 1.85 d
1. Johann Liebig. Lebensbild. 2. Ausg. (50 m. 1 Bildnis.) 01. — 50
2. Garuhlage. Lebensbild. 2. Aufg. (65) (02.) — 70
3. Tonmeister Preksch u. Maler Führich. (68 m. 2 Bildnissen.) (03.) — 65
Thomas, F: Heilsgewissheit. Predigten f. Zweifelnde u. Su-
chende. Übers. v. A G. (111) 8° Gr. Lichterf.-Berl., E Runge
(03). 1.50 d
— Lebensfragen. Uebers. v. L Oehler. (287) 8° Bas., F Rein-
hardt (01). 3.20; geb. 4 — d
Thomas, G: Angewandte Anatomie f. Schuhmacher. (64 m. 1
Taf.) 8° Cöln, (Kölner Verl.-Anst. u. Dr.) 05. 1 —
— s.: Bock-Pyramiden.
— Freitbgs-Reigen, s.: Reigensammlung.
— In d. Heuernte. — Kostüm- u. Blumen-Reigen, s.: Kostüm-
Reigen.
— Kostüm- u. Charakterreigen. (38 m. 5 Taf.) 16° Probsth. (02).
Lpzg, Rauh & Pohle. 1.50 d
— Langstab-Reigen. — Stabübgsreigen, s.: Reigensammlung.
— Lustige Turner a. d. Reiche d. Mitte, s.: Kostüm-Reigen.
— Walzer-Reigen, s.: Reigensammlung.
— u. G Völker: Pferd- u. Leiter-Pyramiden. (16) 8° Probsth.
(03). Lpzg, Rauh & Pohle. 1 —
— Pyramiden m. langen Stäben. (18) 8° Ebd. (03). 1 —
— Verwandtigs-Pyramiden an 1 Barren. (7 Bl.) 8° Ebd.
(03). 1 —
— — dass. an 2 Paar Ringen. (8 Bl.) 8° Ebd. (03). 1 —
Thomas, K: Bilder a. d. Weltgesch. Für Bürgersch. u. höh.
Volkssch. d. ev. Landeskirche A. B. in d. siebenbürg. Landes-
teilen Ungarns. 1. Tl: Altertum. (60 m. 6 Taf.) 8° Brassó
(Kronst.), H Zeidner 04. Geb. nn 1 — d
— Bibl. Erzählgn f. d., 3. u. 4. Schulj. 2. Afl. (47) 8° Ebd.
01. Kart. — 45 d
Thomas, L: Üb. d. Klima u. d. Einrichtgn f. öffentl. Gesundheitspflege v. Freiburg im Br. (71) 8° Freibg i/B., (FP Lorenz) 04. — 60
— Die Kurorte u. Heilquellen d. Grossh. Baden, s.: Oeffinger, H.
Thomas, Ir: Buch d. denkwürdigsten Entdeckgn auf d. Geb.
d. Länder- u. Völkerkde. I. Die älst. Land- u. Seereisen bis
z. Auffindg d. Seewege n. Amerika u. Indien. 10. Afl. (236
m. Abb. u. Titelbild.) 8° Lpzg, O Spamer 04. 2 —; geb. 2.50 d
— Die denkwürdigsten Erfindgn im 19. Jahrh. Der reif. Jugend dargestellt. (Denkwürdigste Erfindgn d.) 11. Afl. v. M

Eschner. (220 m. Abb.) 8° Lpzg, O Spamer 01. 2 —; geb. 2.50
        (I u. II in 1 Bd geb.: 5 —) d
Thomas, L: Bibl. Gesch. — Lebensbilder, s.: Bertbelt, A.
— s.: Muttersprache, d.
— Rübezahl, s.: Musäus, JKA.
Thomas, NW, u. G Krueger: Berichtiggn u. Ergänzgn z. 2. Tl
        v. Murst-Sanders'encyklopäd.Wrtrb. d.engl. u. deut.Sprache,
        s.: Abhandlungen, neusprachl.
Thomas, OP: Gesch. d. Döbelner Schulwesens v. d. Anfängen
        bis z. Gegenwart. (106 m. 1 Bildnistaf.) 8° Döbeln, Adolph
        Thallwitz (04). (Nur dir.)   Geb. nn 1.75
Thomas, P: Burenschicksale. Dramat. Dichtg. (36) 8° Döb.,
        H Schmidt (02).   — 60 d
Thomas, P: Die Immannel-Kapelle auf d. Gesundbrunnen.
        Ihre Entstebg u. ihr Dienst. (48 m. Abb.) 8° Berl., Vaterländ.
        Verl.- u. Kunstanst. (01).   — 50 d
Thomas, P: Die falsche Miss Duncan. Aus d. Leben e. Halb-
        weltdame. (22) 8° Münch., T Heinrich (04).   — 40 d
Thomas, R: Unter Kunden, Komödianten u. wilden Tieren.
        Lebenserinnergn. Hrsg. v. JR Haarhaus. (478) 8° Lpzg, FW
        Grunow 05.   4.50; geb. 5 — d
Thomas, W: Die Anschaug d. Reformatoren v. geistl. Amte.
        (45) 8° Lpzg, BG Teubner 01.   1 —
— Christus ist d. Wahrheit. Predigten. (147) 8° Gera, H Ka-
        nitz' V. 02.   1 —; L. 1.50 d
— Das Erkenntnisprinzip bei Zwingli. (52) 8° Lpzg, BG Teubner
        02.   1.60
Thomas, WA: Sein od. Nichtsein? (59) 8° Strassbg, JHE Heitz
        05.   1.50 d
Thomas v. Aquino. Thomae Aquinatis, Sancti, doctoris an-
        gelici, opera omnia, iussu impensaque Leonis XIII P. M.
        edita. Tom. X u. XI. Fol. Romae. (Freibg i/B , Herder.)
        Ausg. I.Chinapap., je nn 17.80; Ausg. II. Handpap. 4° je nn 14.40;
        Ausg. III. Handpap. 4° je nn 12.80 (I—XI.: Ausg. I. nn 211.20;
                Ausg. II. nn 164 — ; Ausg. III. nn 144 —)
   X. Secunda secundae summae theologiae a quaestione CXXIII ad
     quaestionem CLXXXIX ad codicis manuscripti vaticanos exacta
     cum commentariis Thomae de Vio Caietani, cura et studio fratrum
     ord. Praed. (37, 564) 1899.
   XI. Tertia pars summae theologiae a quaestione I ad quaestionem LIX,
     ad codices manuscriptos vaticanos exacta cum commentariis Tho-
     mae de Vio Caietani, cura et studio fratrum ord. Praed. (52, 584) 02.
— Katech. od. Erklärg d. apostol. Glaubensbekenntnisses, d.
        Vater unser, Ave Maria u. d. 10 Gebote Gottes. 2. Afl., ver-
        mehrt m. e. Beil. v. 5 bisher nicht veröffentl. Stücken u. e.
        tisch. a. d. 13. u. 14. Jahrh. Uebers., m. Einleitgn u. Anmerkgn
        versehen v. A Portmann u. X Kunz. (240) 8° Luz., Räber &
        Co. 1899.   2 — d
— Summa philosophiae, pars I, Logica, ed. WP Englert, s.:
        Handbibliothek, wiss.
Thomas a Jesu, d., Seelenspiegel, s.:Anl. z. Prüfg u. Beurteilg
        d. geistl. Fortschrittes", in deut. Sprache angeboten v. Re-
        demptus a Cruce. (80) 8° Aach., I Schweitzer 04.   — 80;
                in 7 Einbdn von 1.30 bis 3.50 d
Thomas Hemerken a Kempis, A: Opera omnia. Voluminibus
        septem ed. additioque volumine de vita et scriptis eius dis-
        putavit MI Pohl. Vol. II, III, V et VI. 8° Freibg i/B., Her-
        der.   15.40; HF. 21.80; HPerg. 23.40
   II. De imitatione Christi quae dicitur libri XIII, cum ceteris autographi
     Bruxellensis tractatib. Adiectis epilogomenis, adnotations crit., in-
     dicib., tabulis photographicis ex autographo edidit MI Pohl. (516) 04.
                4.40; geb. 6 — u. 6.40
   III. Tractatuum asceticor. partem tertiam complectens. Meditatio de
     incarnatione Christi. Sermones de vita et passione domini. Alpha-
     betum monachi. Van goeden woorden to horen ende to spreken.
     Orationes de passione domini et beata virgine et alils sanctis. Adiectis
     epilogomenis, adnotatione critica, indicib. tabulis photographicis prae-
     te rorationes ex autographo ed.MI Pohl. (440) 04. 3.60; geb.5.20 u.5.60
   V. Daas. partem quintam complectens. Orationes et meditationes de vita
     Christi. Epilegomenis et apparatu critico instructas ad cod. manu
     scriptor. editionumque vetustar. fidem recognoscebat emendabatque
     MI Pohl. (462 m. Bildnis.) 02.   3 —; geb. 4.60 u. 5 —
   VI. Daas. partem sextam historicor. priorem complectens. Sermones ad
     novicios. Vita Lidewigis virginis. Adiectis epilegomenis, adnotatione
     critica, indicib., tabulis photographicis ex autographo ed. MI Pohl.
     (511) 05.   4.40; geb. 6 — u. 6.40
— Reife Aehren, s.: Bibliothek berühmter Mystiker.
— Armut, Demut u. Geduld. Aus d. Uebersetzg d. latein.
        Urtextes. (24) 8° Ascona, C v. Schmidtz (05).   Kart. — 75
— 4 Bücher v. d. Nachfolge Christi. Aus d. Nachlasse d. Hass-
        lacher. Hrsg. v. J Hertkens. Ausg. I m. Erwägzg. (450, 60
        u. 2 m. Titelbild.) 16° M. Gladb., A Riffarth (01). L. 1.25 d
— dass. Von A Jox. Nebst e. Biogr. d. gottsel. Verf. u. e. Anh.
        d. vorzüglichsten Gebete d. Christen. 33. Afl. v. L Thomas.
        (464 m. 1 St.) 16° Dülm., A Laumann 02.   L. 1 — d
— dass. Uebers. v. FX Müller. Nebst e. vollständ. Gebetb.
        Ausg. Nr. 3. (384 m. Titelbild.) 16° Düsseldf, L Schwann (01).
                — 40 d
— dass. Aus d. Lat. v. W Reuter. 9. Afl. (445 m. Titelbild.) 16°
        Saarl., F Stein Nf. (02).   L. — 55 d
— dass. Nach d. Reuter'schen Übersetzg bearb. u. m. prakt.
        Zugaben versehen v. P Weber. (32 m. 1 Farbdr.) 16°
        Ebd. 02.   — 80; geb. — 95; 1.75 u. 2.50 d
— dass., s: Bibliothek d. Gesamtlitt.
— Das 5. Buch v. d. Nachfolge Christi. Ein mittelalterl. Büchl.,
        erneuert durch A Innerkofler. (07) 16° Wien, H Kirsch 05.
                — 60 d
— Das gold. Büchl. v. d. Nachfolge Christi. Nach d. durch K

Hirsche hrsg. latein. Urtexte poetisch bearb. v. L Haupt.
        (104) 8° Schweidn., P Frömsdorf (04).   1.20
Thomas Hemerken a Kempis, A.: Gebete u. Betrachtgn üb.
        d. Leben Christi. Aus d. Lat. v. H Pohl. Mit e. Einl. v. J Pohl.
        1. u. 2. Afl. (376) 12° Köln, JP Bachem (04).   L. 2 — d
— Die 3 Hütten: Armut, Demut´u. Geduld. Ein kernhafter
        Auszug a. d. Uebersetzg d. latein. Urtextes. Bearb. v. JH S.
        (24) 8° Schweidn., P Frömsdorf (04).   — 25
— Imitación de Cristo. Traducción española de Luis de Gra-
        nada según la primera ed. hecha en Sevilla 1536. (Neudr.)
        (487 m. Titelbild.) 7,5×12 cm. Freibg i/B., Herder (05). — 80;
                L. 1.30
— De imitatione Christi tractatus IV. Textum autographi Tho-
        mani accurate descripsit et novo modo distinxit brevem in-
        troductionem et appendicem orationum addidit M Hetzenauer.
        (409 m. 1 St.) 16° Innsbr., F Rauch 01.   1 —
— Das Lilienthal. Ein kernhafter Auszug a. d. Uebersetzg d.
        latein. Urtextes. Bearb. v. JH S. (58) 8° Schweidn., P Fröms-
        dorf 04.   — 60
— s.: Lustgärtlein gottinn. Seelen.
— Die Nachfolge Christi. Mit e. Anh., d. gewöhnlichsten Ge-
        bete u. Ablassandachten aufs ganze Jahr enth., v. A Pfister.
        Neue Afl. (Kleiners Ausg.) Nr. 8) (399 m. 1 St.) 16° Freibg i/B.,
        Herder (05).   — 60; L. 1 — d
— dass. Ausg. in grobem Druck. (671 m. farb. Titelbild.) 16°
        Ebd. (01).   1.50; L. 2 — d
— dass. u. m. d. Lebensabrisse d. gottsel. Thomas, prakt. u.
        orbaul. Uebgn. Neue Afl. (46, 501 m. Titelbild.) 16° Ebd. (04).
                — 90; L. 1.30 d
— dass. Neu übers. Hrsg. v. P Frömsdorf. (247) 8° Schweidn.,
        P Frömsdorf (05).   2 —; geb. 3 —
— dass., s.: Bibliothek berühmter Mystiker.
— Das Rosengärtlein. Ein Auszug a. d. Uebersetzg d. latein.
        Urtextes. (36) 8° Ascona, C v. Schmidtz (05).   Kart. — 75
— dass. Ein kernhafter Ausug a. d. Uebersetzg d. latein. Ur-
        textes. Bearb. v. JH S. (58) 8° Ascona, C v. Schmidtz 04. — 40
— Das Tal d. Lilien. Auszug a. d. Uebersetzg d. latein. Ur-
        textes. (58) 8° Ascona, C v. Schmidtz (05).   Kart. — 80
Thomas v. Marga: Liber superior. seu historia monastica. —
        Liber fundator. monasterior. in regno Persar. et Arabum. —
        Homiliae Mar-Narsetis in Joseph. Documenta patrum de qui-
        busdam verae fidei dogmatibus ed. P Bedjan. (In syr.Sprache.)
        (9, 711) 8° Parisiis 01. Lpzg, O Harrassowitz.   nn 24 —
Thomas Villanova (T Wegener): Sanct Bonaventura u.d.Papst-
        thum. (107) 8° Breg., JN Teutsch 02.   1.50 d
— Geistesübgn d. seraph. Lehrers Sankt Bonaventura. (136) 8°
        Ebd. 03.   1.50 d
— Katholik od. Protestant? Hauptsächl. Unterscheidgslehren
        d. römisch-kathol. Kirche u. d. ev.-protestant. Relig.-Ge-
        nossensch. (59) 16° Innsbr., F Rauch 05.   — 20 d
— Unser hl. Vater Papst Pius X. Für d. Volk geschildert. (105
        m. 1 Bildnis.) 12° Brix., Pressver.-Bh. 04.   nn — 30 d
— Wegweiser z. christl. Vollkommenh., s.: David, Bruder, a.
        Augsburg.
Thomaschewski, A: Anl.z.Ausfüllg d.Zählkarten f.d.Konkurs-
        Statistik. (30) 8° Berl. (W., Steinmetzstr. 55), Rechngar.Thoma-
        schewski 1897.   †2 — d
Thomaschki, P: Der moderne Geisterglaube. (106) 8° Lpzg,
        G Strübig 02.   1 — d
— Der Krieg in China u. d. Mission. Vortr. (25) 8° Berl., Vater-
        länd. Verl.- u. Kunstanst. 01.   — 25 d
Thomasius, G: Grundlinien z.Relig.-Unterr. an d. mittl.Klassen
        gelehrter Schulen. (1. Kurs.), neubearb. v. G Holzhauser.
        8. Afl. v. W Engelhardt. (185 m. 8 Kart.) 8° Lpzg, A Deichert
        Nf. 01.   2.25
Thomas, G: Aufg. f. d. Rechenunterr., s.: Stockmayer, H.
Thomas-Correi, Frl. E, s.: El-Correi.
Thomé's, O, Flora v. Deutschl., Österr. u. d. Schweiz. I—IV.Bd,
        57 Lfgn u. V—VII. Bd, 1—24. Lfg. 8° Gera, F v. Zezschwitz
        01-05.   I—IV: nn 71.25; HF. nn 80.25
   I. 2. Afl. (376 u. 108 m. 150 Taf.) 05. nn 19.75; geb. nn 21 — ∥ II. (297 m.
     169 farb. Taf.) 04. nn 18.75; geb. nn 21 — ∥ III. (297 m. 142 farb. Taf.)
     05. nn nn 16.25; geb. nn 18.50 ∥ IV. (509 m. 151 farb. Taf.) 05. nn 18.75; geb.
                nn 19.75; auch in 66 Lfgn zu nn 1.35
   V. Kryptogamen-Flora. Von W Migula. I. Bd. Moose. 17 Lfgn. (512 m. 68
     meist farb. Taf.) 01.-04. 17 —; geb. 19 — ∥ VI. Daas. II. Bd. Algen.
     18—31. Lfg. (1—208 m. 35 meist farb. Taf.) 04.05. Je 1 —
— Ausländ. Kulturpflanzen, s.: Zippel, H.
Thoemes, H.: Blätter d. Erinnerg an Ludwig Windthorst, s.:
        Schröder, J.
— Festschrift z. silbernen Papstjubiläum Leo XIII. (31 m. 1
        Bildnis.) 12° Münst., Alphonsus-Bh. 02.   — 25 d
— Unser Windthorst. d. Perle v. Meppen. (32 m. 2 Bildern.)
        12° Münst., Alphonsus-Bh. 02.   — 30 d
— Zweihundertjahrfeier d. Königerbebg Preussens. Studien u.
        Lesefrüchte a. d. Akten d. vaterländ. Gesch. A—G. 8° Nordh.,
        Vincentius-Bh. 01.   4.40 d
   A. Anteil d. Jesuiten an d. preuss. Königskrone v.1701. I. F. Friedrich
     Baron v. Wolff zu Wien. Lesefrüchte a. d. Krungsakten u. d. Brief-
     wechsel d. Urkönigs. (31)
   B. Daas. II. F. Karl Moritz Vota an Warschau. (48)   — 70
   C. Daas. III. Für d. Königtum d. Hohenzollern u. d. Wiedervereinigg
     d. Konfessionen. Denkschrift d. P. Vota an d. Hof d. Kurfürstin
     Friedrich III., präsentiert zu Berlin, 18.X.1700. (25)   — 60
   D. Friedrichs d. gr. Bündnis m. d. Gesellsch. Jesu. 1. Tl: Schutzver-

beiwgn. Abmachg zw. d. König u. d. Jesuitengeneral 1747. Errichtg
e. bes. Ordensprovinz. (55) — 60
E. Dass. ?. Tl. Die Leistzg d. Jesuiten im Dienste d. Königs f. Kirchen-
politik. Unterr. u. Erziehg. Die Reform d. Univ. Breslau u. d. Gymna-
sien Schlesiens. (37—75) — 40
F. Dass. 3. Tl. Des Königs Schutz u. Schirm. Der 7jähr. Krieg. Das Auf-
hebgsj. 1773. Erfolgreiche Verhandlen zw. Berlin u. Rom 1774—76.
Die Fortexistenz d. Jesuiten in Preussen. (79—130) — 80
G. Rom u. Berlin z. Z. Friedrichs d. Gr. (1740—80). Benedikt XIV., Cle-
mens XIII. u. XIV., Pius VI. (27) — 60
Thommen, E, s.: Hunds-Stammbuch, schweiz.
Thommen, R, s.: Urkunden z. Schweizer Gesch. — Urkunden-
buch d. Stadt Basel.
Thompson, GF: Die Angora-Ziege. Deutsche Ausg. (76 m. 18
Taf.) 8° Berl., D Reimer 02. Kart. 2 —
Thompson, HB: Vergleich. Psychol. d. Geschlechter. Experi-
mentelle Untersuchgn d. normalen Geistesfähigk. bei Mann
u. Weib. Übers. v. JE Kötscher. (198 m. Fig.) 8° Würzbg.,
A Stuber's V. 05. 3.50
Thompson, SP: Faraday u. d. engl. Schule d. Elektriker. Vortr.
(43) 8° Halle, W Knapp 01. 1.50
— Opt. Hilfstafeln, Konstanten u. Formeln f. d.Optiker u.Augen-
arzt. Überarb. v. A Miethe u. CT Sprague. (147) 8° Ebd. 05. 4 —
— Die dynamoelektr. Maschinen. 6. Afl. Nach C Grawinkel's
Uebersetzg neu bearb. v. K Strecker u. F Vesper. 10—12. Heft.
(567—806 m. Abb. u. 4 Taf.) 8° Ebd. 01. Je 2 — (Vollst.: 24 —)
— Mehrphas. elektr. Ströme u. Wechselstrommotoren. 2. Afl.
Übers. v. K Strecker u. F Vesper. 10 Hefte. (546 m. Abb. u.
15 Taf.) 8° Ebd. 01-04. Je 2 —
Thompson, W: Untersuchg üb. d. Grundsätze d. Verteilg d.
Reichtums zu bes. Förderg menschl. Glücks, s.: Bibliothek
d. Volkswirtschaftslehre.
Thoms, G: Die Ergebnisse d. Dünger-Kontrole 1896/1902. 23—
35. Bericht. [S.-A.] (5d, 55 u. 59 m. je 1 Tab.) 8° Riga, Jonck
& P. 01-03. Je 1.20 d ô F
— Die landw.-chem. Versuchs- u. Samen-Control-Station am
Polytechnikum zu Riga. 10. Heft. 8° Riga, J Deubner. nn 4 —
(Vollst.: nn 42.50)
10. Bericht üb. d. Thätigk. d. Versuchsstation in d. J. 1897/98—1899/1900.
Nebst e. Inhaltsvers. d. Hefte I—III u. d. Hefte IV—IX d. Versuchsstation. Im Anh.: Die Bedeutg d. Chilisalpeters f. d. balt. Landw.;
d. Ergebn. d. Dünger-Controle 1897/98 u. 1898/99; Analyse d. Heizes
u. d. Asche v. Taxus baccata; Tarif d. Versuchsstation, Afl. VII. (16,
206) 01. nn 4 —
— Zur Werthschätzg d. Ackererden auf naturwiss.-statist.
Grundl. III. Mittheilg. Erläutert an d. Analysen v. 234 Boden-
proben, welche 39 Landgütern gelegentlich d. in d. J. 1893,
94 u. 95 ausgeführten kurländ. Enquête-Reisen entnommen
wurden. (115 m. 1 Karte u. 6 graph. Taf.) 4° Riga, N Kymmel's
S. 1900. 9 — (I—III.: 18 —)
Thoma, H, s.: Arbeiten a. d. pharmazeut. Instit. d. Univ. Berlin.—
Real-Enzyklopädie d. ges. Pharmazie. — Schule d. Pharmazie.
— Die Strophanthus-Frage, s.: Gilg, E.
Thomsen: Alter u. neuer Glaube, ist d. Unterschied wirklich
so gross?, s.: Zeugnisse, neue, f. alte Wahrheiten.
Thomsen, J: Grundr. d. deut. Verbrechensbekämpfgerechtes
(enth. d. deut. Straf- u. sonst. Bekämpfgs-Recht). (Allg. Tl.)
(43, 38) 8° Berl., Struppe & W. 05. 1 —
— Untersuchgn üb. d. Begriff d. Verbrechensmotivs. (354) 8°
Münch., CH Beck 02. 8 —
Thomsen, HL: Üb. irreponible Schultergelenksluxationen m.
bes. Berücks. d. v. Dollinger angegeb. Behandlgsmethode.
(25) 8° Freibg i/B., Speyer & K. 04. — 80
Thomsen, R, s.: Jahres-Bericht üb. usw. Landw.
Thomson, J: Elektrizität u. Materie, s.: Wissenschaft, d.
— Elektrizitäts-Durchgang in Gasen. Deut. Ausg., besorgt u.
ergänzt v. E Marx. (in 3 Lfgn.) 1. Lfg. (1—217 m. Fig.) 8°
Lpzg, BG Teubner 05. 5 —
Thon, A: Handlexikon zu d. Quellen d. röm. Rechtg, s.: Heu-
mann, HG.
Thon, K: Ueb. e. neue parasit. Atax-Art a. Texas. [S.-A.] (5 m.
1 farb. Taf.) 8° Wien, A Hölder 01. 1.20
— Üb. d. in Montenegro v. Dr. Mrázek ges. Hydrachniden.
[S.-A.] (7 m. 1 Taf.) 8° Prag, (F Řivnáč) 03. — 40
Thon, W: Uns. Kunst bleibt ewig. 5 Szenen a. d. Gesch. d.
sächs. Kantoreien. Für d. Jubelfeier d. Bitterfelder Kantorei-
Gesellsch. entworfen. Musikbeil. v. A Werner. (129) 8° Bitterf.,
W Meissner Nf. (03). 1 —
Thonindustrie s.: Tonindustrie.
Thonner, F: Exkursionsflora v. Europa. Anl. z. Bestimmen
d. Gattgn d. europ. Blütenpflanzen. (50 u. 356) 8° Berl., R
Friedländer & S. 01. 1 —
Thöns, C: Rechenb. f. deut. Schulen, s.: Liepe, F.
Thöny, E: Vom Kadetten z. General. Album. (32 farb. Bl.) 4°
Münch., A Langen 06. L. 6 —
— Der Leutnant. Album. 6—8. Taus. (30 Bl. m. z. Tl farb. Abb.)
4° Ebd. (04). L. 6 —
— Militär-Album. (32 Bl. m. z. Tl farb. Abb.) Fol. Ebd.(01). L. 6 —
Thöny, M: Der gewandte u. fidele Ansichtskartenschreiber. (35)
8° Zür., Frick-Vogel (01). — 50
Thor, F: Hammer-Schläge. Sozial-eth.Aphorismen. (79) 8° Lpzg,
T Pritsch 04. 1 —; geb. 1.50 d
Thorbecke, A, s.: Chronik d. Stadt Heidelberg.
— Deut. Leseb. f. höh. Mädchensch., s.: Keller, E.
Thorbecke, H: Graf Ernst z. Lippe-Bisterfeld, Regent d.
Fürstent.Lippe.(20m.1 Bildnis.)8°Detm., H Hinrichs 04. — 30 d
Hinrichs' Fünfjahrskatalog 1901—1905.

Thorbecke, H: Der Teutoburger Wald. Detmold, Hermanns-
denkmal, Externstein. Die Weser v. Münden bis Minden.
Kassel. 15. Afl. (156 m. Abb., 2 Kart. u. 1 Stammtaf.) 12°
Detm., H Hinrichs 05. 1.50 d
Thoreau, HD: Walden. Deutsch v. E Emmerich. 2. Afl. (19, 369)
8° Münch. (1900). Gött., Verl. Concord. 6 —; L. 6.60 d
— dass. od. Leben in d. Wäldern. Aus d. Engl. v. W Nobbe.
(23, 341 m. Bildn.) 8° Jena, E Diederichs 05. 5 —; geb. 6 — d
— Winter. Gedanken u. Stimmgsbilder. Den nachgelassenen
Werken entnommen u. übers. v. E Emmerich. 2. Afl. (288) 8°
Münch. (1900). Gött., Verl. Concord. 4.80; L. 5.40 d
Thorel, J: An d. Schwelle d. Glücks, s.: Kürschner's, J, Bücher-
schatz.
Thoressen, M: Ges. Erzählgn. Frei n. d. Norweg. v. O Häring.
3. Afl. (Ausw.) (640) 8° Berl., O Häring 01. 5 —; L. 6 — d
— Signes Geschichte. — Der Luknehof. — Niels Lochimhaus.
Erzählgn. (504) 8° Lpzg, FW Grunow 01. L. 6 — d
— Die Sonne d. Siljethals. — Pilt Ola. 2 Erzählgn. (443) 8°
Ebd. 02. 5.50; L. 6 — d
Thorland, G: Der Fasching. Szenen a. d. Münchener Leben.
(165) 8° Berl., Schuster & Loeffler 03. 2.50
Thormann, F, s.: Jahresbericht d. vogtländ. altertumsforsch.
Ver. zu Hohenleuben.
Thorn, AD: Internat. Ghettobilder, s.:Universal-Bibliothek, jüd.
Thorn, W: Die Stellg d. manuellen Umwandlg in d. Therapie
d. Gesichts- u. Stirnlagen, s.: Sammlung klin. Vortr.
Thorner, E: Tuberkalin u. Tuberkulose. [S.-A.] (11) 8° Lpzg,
F Leineweber 01. — 50
Thorner, W: Die Theorie d. Augenspiegels n. d. Photogr. d.
Augenhintergrundes. (134 m. Fig. u. 3 Taf.) 8° Berl., A Hirsch-
wald 03. 6 —
Thoroddsen, T: Island, s.: Petermann's, A, Mitteilgn.
— Geological map of Iceland, surveyed in the years 1891—98.
1: 500,000. 2 Bl. je 68×48,5 cm. Farbdr. Copenh. 01. (Hambg.
L Friederichsen & Co.) 12 —
Thorsch, B: Der Einzelne u. d. Gesellsch. (149) 8° Dresd., C
Reissner 06. 1.25 d
Thorsten, L: Der vierbein. Ehestifter, s.:Unterhaltungsbücher,
neue, f. Stenogr.
Thorwart: Die Form d. hesiod. Wagens, s.: Festschrift,
Strassb., z. 46. Versammlg. deut. Philologen u. Schulmänner.
Thrändorf, E: Beitr. z. Methodik d. Relig.-Unterr. an höh.
Schulen. 1. Heft. Die soz. Frage in Prima. Umgearb. Neudr.
(69) 8° Dresd., Bleyl & K. 05. 1.25 d
— Soz. Christentum. 1. Gustav Werner. 2. Die Christlichsozialen
in Engl. 3. Die kais. Botschaft v. 17.XI.1881. 4. Die Arbeiter-
schutzerlasse Wilhelms II. (24) 8° Ebd. 05. nn — 25 d
— Allg. Methodik d. Relig.-Unterr. 4. Afl. d., Behandlg d. Relig.-
Unterr. n.Herbart-ZillerschenGrundsätzen". (107,8° Langens.,
H Beyer & S. 03. 1.50
— Der Relig.-Unterr. im Lehrerseminar, s.: Beiträge z. Lehrerbildg.
— dass. auf d. Oberst. d.Volkssch. u. in d. Mittelkl. höh. Schulen.
2. Tl: Das Zeitalter d. Apostel u. d. 3. Artikel. 2. Afl. (127)
8° Dresd., Bleyl & K. 01. 2.50 d
— dass. auf d. Unterst. (1. Bd.) Jesusgeschichten. Das Leben
d. Erzväter. (Präparat.) 3. Afl. v. E Beyer. (74) 8° Ebd. 06.
1.20; geb. 1.60 d
— Ein Wort z. Simultanschulfrage, s.: Zur Pädagogik d. Gegenwart.
— u. H Meltzer: Der Relig.-Unterr. auf d. Oberst. d. Volkssch.
u. in d. Mittelkl. höh. Schulen. IV. Bd. Unterr. 1. Tl. Das
Leben Jesu u. d. 1. u. 2. Artikel. Von Th. 3. Afl. (192) 8° Dresd.,
Bleyl & K. 04. 2.50; geb. nn 3.50 d
Throwbridge, WRH: That little Marquis of Brandenburg, or
the boyhood of the Great Frederick, s.: Collection of Brit. auth.
Thucydides s.: Thukydides.
Thudichum, F: Die wahren Lehren Jesu. (208) 8° Lpzg, M Sänge-
wald 01. 3.50; L. 4 — d
— Geg. Orden u. Klöster. (31) 8° Ebd. 03. — 40 d
— Papsttum u. Reformation im 16. Jh. 1143—1517. (20, 502) 8°
Ebd. 05. 90 —
— Das Reichs-Beamtenrecht. [S.-A.] (133) 8° Lpzg 1876. Münch.,
J Schreitzer 8.
Thudichum, JLW: Die chem. Konstitution d. Gehirns d. Men-
schen u. d. Tiere. (339) 8° Tüb., F Pietzcker 01. 10 —
Thudium, J: Buchführg f. ländl. Fortbildgssch., s.: Fecht, A.
— Erklärt v. J Classen. 6. Bd. 6. Buch. 3. Afl. v.
J Stenp. (295 m. 2 Kart.) 8° Berl., Weidmann 05. 3 —
— Nach Text u. Kommentar getrennte Ausg. f. d. Schulgebr.
v. J Sitzler. VII. Buch. Ausg. B. Text u. Kommentar gebunt
in 2 Heften. 2. Afl. (50 u. 78) 8° Gotha, FA Perthes 01. 1.80
— Ausgew. Abschnitte, f. d. Schulgebr. bearb. v. C Harder.
1. Tl: Text. 2. Afl. (282 m. Titelbild u. 3 Kart.) 8° Lpzg, G
Freytag. — Wien, F Tempsky 05. Geb. 2 —
— Werke, s.: Bibliothek, kl.
— Gesch. d. peloponnes. Krieges. Übers. v. A Wahrmund. 3.
8. u. 12. Lfg. 8° Berl.-Schöenebg, Langenscheidt's V. Je—35 d
3. 4. Afl. (1. Bd. 99—133) (03.) [5. 7. Afl. v. H Uhle. (2. Bd. 1—37) (01.)
[12. 4. Afl. (5. Bd. 75—106) (01.)]

183

Tiedemann, A v.: Aus Busch u. Steppe. Afrikan. Expeditions-geschichten. (251 m. Abb.) 8° Berl., Winckelmann & S. 05.
3 — ; l° 4 — d
Tiedemann, A: Das gesetzl. Konkurrenzverbot u. d. Konkur-renzklausel d. Handlgsgehülfen n. d. neuen Handelsgesetzb. (188) 8° Lpzg, O Wigand 04. 2 —
Tiedemann, C v.: Aus 7 Jahrzehnten. Erinnergn. 1. Bd: Schles-wig-holstein. Erinnergn. (504) 8° Lpzg, S Hirzel 05. 9 —;
geb. 10 — d
Tiedemann, Freifrl. H v., s.: Vandersee, L.
Tiedke, H: Anklänge an Horaz bei Geibel. (21) 4° Berl., Weid-mann 03.
Tiedt, E: Inschriften-Lexikon f. Schau- u. Trinkgerät. Mit e. Anh.: Das Wirtshaus. (192) 8° Wien, A Hartleben (02). 3 — d
Tiefbau, d. städt. Hrsg. v. E Schmitt. III. Bd, 2. Heft; IV. Bd, 2. Heft u. V. Bd, 2. Heft. 8° Stuttg., A Kröner. 48 —
[I, 1. 2; II, 1—4; III, 1. 2; IV, 1. 2 u. V, 1. 2 : 130 —]
Büsing, FW: Die Städtereinigg. 2. Heft: Techn. Einrichtgn d. Städte-reinigg. (343—565 m. Abb. 01. [III,2.] 24 — (1 u. 2: 40 —)
Miller, O v.: Die Versorgg d. Städte m. Elektricität. 2. Heft. (133—482 m. Abb. u. 14 Pl.) 08. [V,2.] 28 — (1 u. 2: 28 —)
Niemann, M: Die Versorgg d. Städte m. Leuchtgas. 2. Heft. Verteilg d. Leuchtgases durch d. Stadtrohrnetz. (71—162 m. Abb.) 04. [IV,2.] 6 —
(1 u. 2: 10 —)
Tiefenbach u. Masswegg s.: Teuffenbach v. Tiefenbach u. Masswegg.
Tiegs, H: Deutschlds Steinkohlenhandel, s. Entwicklg u. Orga-nisation, sowie Schilderg d. gegenwärt. Lage m. bes. Be-rücks. d. Fiskus, d. Kohlenkartelle u. Konsumenten. (40) 8° Berl., H Spamer 04. 1.50 d
Thiele, CP: Gesch. d. Relig. im Altertum bis auf Alexander d. Gr. Deutsch v. G Gehrich. II. Bd. Die Relig. bei d. iran. Völkern. Bibliograph. Anmerkgn. Nachlese. 2. Hfte. (22 u. 187—442) 8° Gotha, FA Perthes 03. 4.40 (Vollst.: 16 —)
— Grundzüge d. Relig.-Wiss. Kurzgef. Einführg in d. Studium d. Relig. u. ihrer Gesch. Deutsch v. G Gehrich. (70) 8° Tüb., JCB Mohr 04. 1.80
— Kompendium d. Relig.-Gesch., übers. v. FWT Weber. 3. deut. Afl. v. N Söderblom. (426) 12° Bresl., T Biller 03. 4.50;
L, nn 5 —
Tiele, AKT (K Mickoleit): Die Dichtg d. Grafen Moritz v. Strach-witz, s.: Forschungen z. neueren Litt.-Gesch.
— Thanatos. Erzähl. Verss. (248) 8° Stuttg., A Juncker 05. 2 — d
Tiemann, E: Elias. Biblisch-histor. Erzählg a. d. Zeit d. alten Bundes. 2. [Tit.-]Afl. (169) 8° Hannov. [1891] (1899). Lpzg, PE Lindner. 2 — ; L. 2.80 d
— Vor 25 Jahren. Feldzugserinnergn a. Kriegsfreiwilligen. Neue Ausg. (113) 8° Brnschw., E Appelhans & Co. 04. 3 —
— Aus d. alten Sachsenlande. (Neue Folge.) Vaterländ.Erzählgn. II—IV. 8° Ebd. Je 1.15; geb. je 1.50 d
II. Wiben Peter. Eine Gesch. a. d. alten Dithmarschen. (149) 01.
III. Im Kaiserhause zu Goslar. 6 Geschichten zu d. Wandgemälden im Kaisersaale. (140) 02.
IV. Parricida. Geschichtl. Erzählg a. d. Osnabrücker Lande. (100 m. Titelbild.) 05.
— Unter d. Sternenbanner. Tagebuchblätter a. d. Nachlass eines Verschollenen, f. d. Jugend bearb. (102) 8° Ebd. 01. 1 — d
Tienken, CG, s.: Tages- u. Lebensfragen.
Tier-ABC, d. (18 m. z. Tl farb. Abb.) 4° Konst., C Hirsch (02). — 50 d
Tierarzt, der. Red.: Anacker. 40—44. Jahrg. 1901—5 je 12 Nrn. (1901. Nr. 1—3. 72) 8° Wetzl., Schnitzler. Je 3 —
Tierbilder. (8 Bl. m. farb. Abb.) 4° Reutl., Ensslin & L. (03). — 50 ; auf Pappe. (8 m. farb. Abb.) Geb. † — 90 d
— allerlei, a. Nah u. Fern. (10 farb. S. auf Pappe m. Text.) Fol. Duisbg, JA Steinkamp (o. J.). Kart. † 1 — d
— heitere. (24 m. farb. Abb.) 4° Münch., Braun & Schn. (01). 1 — d
Tierbilderbuch, grosses. (13 farb. S. auf Pappe.) 4° Essl., JF Schreiber (04). Geb. 3 — d
— mein. (6 farb. m. 2 Gedicht. Text.) 4° Ebd. (01). Kart. 1 — d
— neues. Unzerreissb. Leinw.-Bilderb. (12 m. z. Tl farb. Abb.) 8° Ebd. (02). — 50 d
— neues grosses. (12 m. farb. Abb. ohne Text; auf Pappe m. Text auf d. Einbd.) 4° Stuttg., W Nitzschke (05). Geb. 3 — d
— schönstes. (16 m. z. Tl farb. Abb.) 8° Reutl., Ensslin & L. (05). — 50 ; auf Pappe. (8 m. farb. Abb.) Geb. 1 — d
— schönstes, f. art. Kinder. (10 farb. Taf., auf Pappe.) 4° Stuttg., O Weise (02). Kart. 3 — d
Tier-Börse. Zeitg f. Thierzucht u. Thierhandel. Allg. deut. Zeitschrift f. Land- u. Forstw. — Deut. Sport- u. Jagd-Zeitg. Mit Beiblättern. Hrsg. u. Red.: Langmann. 15—19. Jahrg. 1901—5 je 52 Nrn. (1901. Nr. 1. 22 u. 4, 4 u. 4 m 4°) 46,5× 31 cm. Berl., Verl. d. Tierbörse. Viertelj. nn — 90 d
— südödeut. Illustr. Wochenschrift f. Geflügel-, Vogel-, Bienen-, Hunde-, Kaninchen- u. Fischzucht. Mit Beilagen. 12—14.Jahrg. 1903—5 je 52 Nrn. (1901. Nr. 1—14. 132) 4° Nürnbg, O Weber. Viertelj. — 45; einz. Nrn — 10 d
— westdeut. Wochenschrift f. Geflügel-, Nutztierzucht u. Haus-wirtschaft m. d. Beil. Der westdeut. Bauer. Red.: H Goebel. 1. Jahrg. Apr.—Dezbr 1904. 39 Nrn. (Nr. 6. 8 u. 4) 4° Hagen i/W. (Elberfelderstr. 64), J Fusangel. 8 Nrn. 1905. 52 Nrn. Viertelj. 1 — d
Tierbuch, e., f. uns. Kleinen. (6 farb. Taf. m. Text u. illustr. Text auf d. 1. inneren Umschlags.) 30,5×42 cm. Nürnbg, T Stroefer (03). Kart. 5 — d

Tiere a. Haus u. Hof. (13 m. farb. Abb.) 4° Nürnbg, T Stroefer (01). Auf Pappe geb. 3 — ; in Leporelloform 3 — d
— dass. (12 farb. Bl. m. untergedr. Text.) 8° Stuttg., Loewe (04). Kart. 2 — d
Tierfreund, allg. bayer., vormals „Südd. Blätter f. Geflügel-zucht" München. Illustr. Wochenschrift f. Geflügel-, Brief-tauben-, Vogel-, Hunde- u. Kaninchen-Zucht-, sowie Thier-schutz-Ver. Red.: F Ott. 26. u. 27. Jahrg. 1901 u. 2 je 52 Nrn. (1901. Nr. 1. 8) Fol. Veitshöchh.-Würzbg, Administr. Je 4 —
|| 28—30. Jahrg. 1903—5 Je 2 — d
— deut. (Illustr.) Monatsschrift f. Tierschutz u. Tierkde. Hrsg. v. R Klee u. W Marshall. Red.: R Klee. 5. u. 6. Jahrg. 1901 u. 2 je 12 Hefte. (1901. 1. Heft. 25) 4° Lpzg, (F Wagner). || 7—9. Jahrg. 1903—5. Red.: Falke u. M Rabe. Halbj. 1.50;
einz. Hefte — 50 d
— der. Organ d. deutschschweiz. Tierschutzver. Hrsg. v. Centralvorstand. Red. v. E Naef. 28. u. 29. Jahrg. 1901 u. 2 je 6 Nrn. (Nr. 1. 8) 4° Aar., E Wirz. || 30—32. Jahrg. 1903—5 je 12 Nrn. Je 1 — d
— d. illustr. Monatsschrift f. d. Ges.-Interessen d. Tierzucht. Hrsg. u. red. v. J Lehmann. 2. Jahrg. 1901. 12 Hefte. (192) 8° Wildpark-Potsd., Exped. 5 — ; einz. Hefte — 50 d F
— der. Mitteilgn d. württemberg. Tierschutzver. Red.: J Kammerer. 27—31. Jahrg. 1901—5 je 6 Nrn. (Nr. 1. 16) 8° Stuttg., (F Stahl). Je — 80 d
Tier- u. Menschenfreund. Zeitschrift z. Schutze d. Tiere u. z. Bekämpfg d. Vivisektion, hrsg. v. Internat. Ver. z. Be-kämpfg d. wiss. Tierfolter. Leiter: P Förster. 21. Jahrg. 1901. 12 Nrn. (Nr. 1. 12) 4° Dresd., Internat. Ver. z. Bekämpfg d. wiss. Tierfolter. 2 — ; einz. Nrn — 20 d
— dass. Allg. Zeitschrift f. Tierschutz. Vereinsbl. d. Internat. Ver. z. Bekämpfg d. wiss. Tierfolter. Leiter: P Förster. 22—25. Jahrg. 1902—5 je 12 Nrn. (Nr. 1. 12) 4° Ebd. 2 — ;
einz. Nrn — 20 d
Tiergarten, der. Zoolog. Modellierb. (16 z. Tl farb. S. m. Text.) 8° Nürnbg, T Stroefer (05). 1.20 d
Tiergeschichten. Für d. Jugend ausgew. v. Hamburger Ju-gend-Schriften-Ausschuss. (110) 8° Lpzg, E Wunderlich 02. || 11—20. Taus. (112) 03. || 3. Zehntaus. (131) 06. Geb. — 60
— kleine, Fabeln u. anderes. Für d. liebe Jugend. (44 m. z. Tl farb. Abb.) 8° Stuttg., Loewe (04). Geb. 1 — d
Tier- u. Pflanzenleben, d. heim., im Kreislauf d. Jahres. (In 48 Lfgn.) 1. bis 6 Lfgn. 8° Dresd., M Schultze 03. Je — 50 L Braess, M: Das heim. Vogelleben. 6 Lfgn. (274 m. Abb. u. 7 Taf.)
Erh. Pr. 3.60; geb. 4.50
Tiermaler, d. kl. Malb. (20 m. z. Tl farb. Abb. ohne Text.) 16° Hannov., A Molling & Co. (01). — 15 d
— dass. (12 m. z. Tl farb. Abb.) 8° Nürnbg, T Stroefer (01). — 30 d
Tiermärchen. Für d. Jugend ausgew. v. Hamburger Jugend-Schriften-Ausschuss. 1. u. 2.Zehntaus. (131) 8° Lpzg, E Wun-derlich 05. Geb. — 60
— f. d. liebe Jugend. (44 m. z. Tl farb. Abb.) 8° Stuttg., Loewe (04). Geb. 1 — d
Tier-Markt, deut. Internat. Tier-Zeitg f. Tier-Zucht u. Handel u. verwandte Gewerbe. Chefred.: R Gründler. 2. Jahrg. 1904. 26 Nrn. (Nr. 1. 8) Fol. Halle. Erfurt, H Wechsung. Viertelj. — 30 d

Fortsetzg war nicht zu erhalten.

— internat. Illustr. Wochenschrift f. Tier- u. Naturalienhandel, f. Tierzucht, Tierpflege u. zoolog. Sammlgn. Red. u. Hrsg. v. F Pfenningstorff. Mit d. Beil.: Deut. landw. Geflügel-Zeitg. Hrsg. v. B Blancke. 4. Jahrg. 4. Viertelj. Juli—Septbr 1901. 13 Nrn. (Nr. 40. 12) 4° Berl., F Pfenningstorff. || 5. Jahrg. Oktbr 1901 —Septbr 1902. 52 Nrn. —85 || 6.—9. Jahrg. 1902/6. Viertelj. 1 — d

Vgl.: Geflügelzeitung, deut. landw.

Tier-Modellierbuch. (6 farb. Taf. m. 4 S. illustr. Text.) 4° Nürnbg, T Stroefer (03). 1.20 d
Tierreich, das. Zusammenstellg u. Kennzeichng d. rezenten Tierformen. In Verbindg m. d. deut. zoolog. Gesellsch. hrsg. v. d. kgl. preuss. Akad. d. Wiss. zu Berlin. Generalred.: FE Schulze. 12—20., 22. u. 23. Lfg. (Mit Abb.) 8° Berl., R Friedländer & S. Subskr.-Pr. 107.90; Einzelpr. 141.40
(Probeltfg u. 1—20., 22. u. 23. Lfg: 209.60)
Red.: Für Acarina: H Lohmann. — Für Arachnoiden: F Dahl. — Für Aves: A Reichenow. — Für Lepidoptera: A Seitz. — Für Mollusca: W Kobelt. — Beincl f. Plattyhelminthes: M Braun.
Bürger, O: Nemertini. (151) 04. [20.] 7.40; bezw. 9.50
Fiasch, O: Zosteropidae. (55) 01. [15.] 3.60; bezw. 4.50
Graff, L v.: Turbellaria. I. Acoela. (55) 05. [23.] 2.40; bezw. 3 —
Hellmayr, CE: Paridae, Sittidae u. Certhiidae. (31, 255) 03. [18.] 12.80;
bezw. 17 —
Kobelt, W: Cyclophoridae. (39, 662 m. 1 Karte.) 02. [16.] 32 —; bezw. 42 —
Kraepelin, K: Palpigradi u. Solifugae. (159) 01. [12.] 6 —; bezw. 10 —
Lundenfeld, R v.: Tetraxonia. (168) 03. [19.] 8.40; bezw. 11 —
Lohmann, H: Malacaridae, s.: Piersig, R, Hydrachnidae.
Pagenstecher, A: Callidulidae. (28) 02. [17.] 1 —; bezw. 2 —
— Libytheidae. (16) 01. [14.] 1.50; bezw. 3 —
Piersig, R, u. H Lohmann: Hydrachnidae u. Halacaridae. (336) 01. [13.] 16 —; bezw. 21 —
Stichel, H, u. H Rifarth: Heliconidae. (290) 05. [22.] 14 —; bezw. 18 —
Lfg 21 ist noch nicht erschienen.

Tiersch: Gesch. d. schles. Pionierbataillons Nr. 6. (191 m. Abb.) 8° Lpzg, C Jacobsen (04). Geb. nn 5 — d
Tiersch, O: Kurze prakt. Generalbass-, Harmonie- u. Modu-lationslehre od.: Vollständ. Lehrg. f. d. homophonen Vocal-

satz (streng u. frei) in 24 Übgn. 2. Afl. (82) 8° Lpzg, Breitkopf & H. 02. 1.50; L. 2.50
Tierschau. Leporello-Album. (16 farb. S. ohne Text.) 8° Wes.,
W Düms (04). Auf Pappe — 80 d
Tierschutz-Jugendschriften. Zur Erweckg u. Verbreitg e.
edel-menschl. Gesinng auch gegen d. Tiere. Hrsg. v. Ber-
liner Tierschutz-Ver. u. deut. Lehrer-Tierschutz-Ver. 1. u.
2. Bdchn. (96 u. 94 m. Abb.) 12° Berl. (S. 42, Wasserthorstr.27)
(Berolina-Versandbh.) (03). Je — 20 d
Tierschutz-Kalender 1905. Hrsg. v. Berliner-Tierschutz-Ver.
u. deut. Lehrer-Tierschutzver. (48 m. Abb.) 8° Berl. (S. 42,
Wasserthorstr. 27). (Berolina-Versandbh.). —10 d
Bis 1902 u. d. T.: Kalender d. deut. Lehrer-Tierschutz-Ver. usw.
— deut., f. 1905. (32 m. Abb.) 16° Donauw., I Auer. — 10 ô ô F
Tierschutz-Zeitschrift, allg. Hrsg. v. E Heusslein. 22. Jahrg.
[28. Jahrg. d. Zeitschrift d. Tierschutz-Ver. f. d. Grossh.
Hessen.] 1901. 12 Nrn. (Nr. 1. 8) Darmst., (J Waitz). 2—ô ô H
Tiersot, J: Ronsard et la musique de son temps. Oeuvres
musicales de Certon, Goudimel, Janequin, Muret, Mauduit
etc. (78) 8° Lpzg, Breitkopf & H. 03. 2.40
Tierstudien. Als Zeichen-Vorlagen u.Zimmer-Schmuck. 2.Serie
v. G Sturm, J Schmitzberger, J Kerschensteiner u. W Hoffmann. (10 Taf.) Fol. Stuttg., J Hoffmann (1900). In M .12—;
einz. Taf. 1 — (1 u. 2.: 24 —)
Die 1. Serie ist v. F Specht.
Tierwelt, die. Zeitg f. Ornithol., Geflügel- u. Kaninchenzucht.
Red.: E Brodmann. 11—15. Jahrg. 1901—5 je 52 Nrn. (1901,
Nr. 1. 8) 4° Aar., HR Sauerländer & Co. Je 4 — d
— illustr.Organ f.alle Thierzüchter u.Thierfreunde in Deutschl.
u. Oesterr. Red.: EA Trapp. 1. Jahrg. April—Dezbr 1909.
18 Nrn. (Nr. 15. 16) 4° Münch., G Birk & Co. Viertelj. 1 — ô ô F
Tierzucht, deut. landw. (früher: allg. Centralzeitg f. Tier-
zucht). Mit d. 14tägg. Beil.: „Die Hausfrau auf d. Lande".
Hrsg. u. red. v. C Nörner. 5 u. 6. Jahrg. 1901 u. 2 je 52 Nrn.
(1901, Nr. 1. 16 m. Abb.) 4° Lpzg, RC Schmidt & Co. ‖ 7—9.
Jahrg. 1903—5. Hrsg. v. Brödermann u. Vogel. Red.: Momsen
(n. A Heber). Viertelj. un 1.75; einz. Nrn — 25 d
Bisher u. d. T.: Centralzeitung, allg., f. Tierzucht.
Tiesmeyer, J: Liedersammlg f. Schule u. Haus. 4. Afl. (164)
8° Ling., R van Acken 05. — 50 d
Tiesmeyer, L: Die Erweckgsbewegg in Deutschl. währ. d.
XIX. Jahrh. 1—6. Heft. 8° Kass., E Röttger. 1 —;
1—4 in 1 L.-Bd nn 5 — d
1. Minden-Ravensberg. u. Lippe. (82) (01.) ‖ 2. Das Siegerland, d. Dill-
thal u. d. Homburger Land. (85—178) (02.) ‖ 3. Das Wuppertal, d. Ober-
n. Niederberg. Land. (179—255) (03.) ‖ 4. Baden. (256—386) (04.) ‖ 5. Eue-
mal. Kurfürstent. Hessen. (50) (05.) ‖ 6. Grossh. Hessen. (77) (05.)
— e.: Kalender f. uns. Kinder. — Kindergottesdienst, d. —
Taschenbuch f. Leiter u. Helfer d. Kindergottesdienste.
— u. P Zaulick: Deut. Kindergesangb. f. Kirche, Schule u.
Haus. 11. Afl. (208) 8° Brem., J Morgenbesser 06. Geb. —1 d
— Frohe Weihnacht. Festbüchl. f. d. christl. Kinderwelt.
(16 m. Abb.) 12° Ebd. (02). — 07 d
Tiessen, E: China, d. Reich d. 18 Provinzen, s.: Bibliothek
d. Länderkde.
Tietjens, J: Die Bauformenlehre, s.: Lehrhefte, techn.
Tietsch: Rechenb. f. Stadtsch., s.: Braune, A.
Tietz, J, s.: Beiträge z. Typhusforschg.
Tietze, H: Die illuminierten Handschriften in Salzburg, s.:
Verzeichnis, beschreib., d. illuminierten Handschriften in
Österr.
Tietze,HG: DieErwerbsfähigk.d.weibl.Geschlechts in Deutschl.
m. bes. Berücks. d. Posener Verhältn., u. d. Wohngsfrage.
(48) 8° Pos., (E Rehfeld) 02. 1 — d
Tietze, S: Das Gleichgewichtsges. in Natur u. Staat. (38, 466)
8° Wien, W Braumüller 05. 8 —
Tigerstedt, R, s.: Archiv, skandinav., f. Physiol.
— Lehrb. d. Physiol. d. Menschen. 2 Bde. 3. Afl. (461 u. 481 m.
z. Tl farb. Abb.) 8° Lpzg, S Hirzel 02. 24 —; geb. 26 —‖
3. Afl. 2 Bde. (493 u. 488 m. z. Tl farb. Abb.) 05. Je 12 —;
geb. je 14 —
Tihanyi Gräfin Sturza, M: Das Gelübde e. 30jähr. Frau. Roman. (283) 8° Lpzg, A Cavael 05. 3 —; geb. 4 — d
— Verfehltes Leben! Verfehltes Lieben! Roman. (152 m. Bild-
nis.) 8° Wien 03. Dresd., E Pierson. (4—) 2 —; geb. 3 — d
Tiktin, H: Rumän. Elementarb., s.: Sammlung roman. Ele-
mentarbb.
— Grammatik d. rumän. Sprache. 2. Afl. [S.-A.] (44) 8°
Strassbg, KJ Trübner 05. 1 —
— Rumänisch-deut. Wrtrb. 6—8. Lfg. (1. Bd. 30 u. 321—498)
8° Bukar. 1900-03. (Lpzg, O Harrassowitz.) Je nn 1.50
(1—8.: 12.30)
Tilbe, HH: Dhamma od. d, Moral-Philosophie d. Buddha Gota-
ma. Deutsch v. KB Seidenstücker. (77 m. 1 Taf.) 8° Lpzg,
Buddhist. Verl. (04). 1 — d
— Sangha od. d. buddhist. Mönchs-Orden.Deutsch v. KB Seiden-
stücker. (44) 8° Ebd. (04). — 50
Tilemann, E: Gedichte. (84) 8° Dresd., E Pierson 03. 2 —;
geb. 3 — d
Tilemann, H: Speculum perfectionis u. legenda trium socio-
rum. Beitrag z. Quellenkritik d. Gesch. d. hl. Franz v. Assisi.
(152) 8° Lpzg, J Eger 02. 3 —
Tilger, F: Sprach- u. Rechtschreiblehre in Beispielen, Regeln

u. Übgn f. Volkssch. 2 Hefte. 8° Langens., H Beyer & S.
Kart. — 90 d
I. 1—4. Schulj. (46) 01. ‖ 2. Afl. 1—5. Schulj. (48) 03. Je — 40
II. 5—7. Schulj. (52) 01. ‖ 2. Afl. 5—7. Schulj. (54) 04. Je — 50
Tilger, F: Der grammat. Unterr. in d. Volkssch. (34) 8° Langens.,
H Beyer & S. 04. 40 d
Tiling, T: Individuelle Geistesartg u. Geistesstörg, s.: Grenz-
fragen d. Nerven- u. Seelenlebens.
Tiling, W v.: Russ. Zarentum u. deut. Kaisertum. (36) 8° Cass.,
G Dufayel (05). — 50
Till Eulenspiel s.: Eulenspiegel, Till.
Tille, A: Die Faustsplitter in d. Lit. d. 16—18. Jahrb., s.: Faust-
bücherei.
Tille, A: Die Kanalisierg d. Saar v. Brebach bis Konz. — Die
Preispolitik d. staatl. Saarkohlengruben 1892—1905, s.: Wirt-
schaftsfragen, südwestdeut.
— Der soz. Ultramontanismus u. s. „kathol. Arbeiterver." —
Der Wettbewerb weisser u. gelber Arbeit in d. industriellen
Produktion, s.: Zeitfragen, sozialwirtschaftl.
Tille, A, s.: Geschichtsblätter, deut. — Landesgeschichten,
deut. — Studien, geschichtl.
— Wirtschaftsarchive, s.: Zeitfragen, sozialwirtschaftl.
— u. J Krudewig: Übersicht üb. d. Inhalt d. kleineren Archive
d. Rheinprovinz, s.: Annalen d. histor. Ver. f. d. Niederrhein.
— — dass., s.:Publikationen d. Gesellsch. f. rhein. Geschichts-
kde.
Tille, D: Gesch. d. Stadt Niemes u. ihrer nächsten Umgebg.
(540 m. Abb., 1 Pl. u. 1 Karte.) 8° Niemes, A Bienert (05).
6.80; geb. 7.50 d
Tille, L: Höckchen-Döckchen. Bilder v. P Brockmüller. (12 farb.
Bl.) 4° Frankf. a/M., Lit. Anst. (04). Kart. 2 —; auf Pappe 3 — d
Tillian, H: Ev. Glaubenslehre z. Gebr. beim Unterr. Neu bearb. v. B Walbaum. (132) 8° Hdlbg, Ev. Verl. (08). L. 1.50 d
Tilhier, C: Belle-Plante u. Cornelius, s.: Universal-Bibliothek.
— Mein Onkel Benjamin. Deutsch v. P Heichen. (Umschl. 4—
6. Taus.) (334) 8° Lpzg, (G Fock V.) (03). 3 —; geb 4 — d
— dass. Deutsch v. L Pfau. 6. Afl. (246) 8° Stuttg., Franckh (05).
2 —; L. 3.50 d
Tillmann, H, s.: Ausflüge v. München.
Tillmann, W: Pflanzl. u. tier. Schädlinge uns. landw. Kulturpflanzen. (83 m. Abb.) 8° Berl., P Parey 05. L. 1.20 d
Tillmanns, H: Zur Gesch. u. Technik d. v. Esmarchschen
künstl. Blutleere. [S.-A.] (7) 8° Berl., J Goldschmidt 03. 1 —
— Lehrb. d. allg. u. spec. Chirurgie einschl. d. modernen Ope-
rations- u. Verbandslehre. 2 Bde. (Mit z. Tl farb. Abb.) 8°
Lpzg, Veit & Co. 56.50; HF. 64 —
1. Allg. Chirurgie. Allg. Operations- u. Verbands-Technik. Allg. Pathol.
u. Therapie. 8. Afl. (778) 01. 17.60; geb. 19.50 ‖ 9. Afl. (814) 04. 18.50;
geb. 21 —
2. Spec. Chirurgie. 7. Afl. 2 Tle. (767 u. 876) 01. 38 —; geb. 42 — ‖ 8. Afl.
(803 u. 882) 04. 38 —; geb. 42 —
— Die Verletzgn u. chirurg. Krankh. d. Beckens, s.: Chirurgie,
deut.
Tillmanns, J: Die wahre Lösg d. soz. Frage u. warum wir
trotz uns. soz. Gesetzgbg „d. Untergange in reis. Tempo"
(1. Enc. Pius X.) entgegengehen. Unter Mitarbeit v. T Oehmen
(1. Tl.) (190) 8° Maria-Martental bei Kaiserseesch 05.
(Coblenz a/R., Carl Th. Oehmen.) (Nur dir.) 2.40 d
Tillmanns, K: Das Eröffnen fremder Briefe n. heut. Strafrecht. (75) 8° Berl., Struppe & W. 05. 2 —
Tilsch, E: Der Einfl. d. Civilprocesges. auf d. materielle
Recht, u. in vorwiegend materiellrechtl. Ges. enth. pro-
cessualen Bestimmgn. 2. Afl. (360) 8° Wien, Manz 01. 7 —;
geb. 8 —
Tilschkert, V: Neue Formen d. Panzer-Fortification. Monta-
lemberts u. Erzherzog Maximilians Constructions-Ideg bei
Anwendg d. Eisens. Sauers sturmfreie Panzerthürme. Über-
tragbare Forts u. Noyau-Stützen. (42 m. Fig.) 8° Wien, LW
Seidel & S. 02. 3 —
Timann: Der Sanitätsdienst auf d. Schlachtfelde, m. e. histor.
Darstellg d. Sanitätsdienstes beim Gardekorps in d. Schlacht
bei St. Privat. (83 m. 1 Karte.) 8° Berl., R Eisenschmidt 01.
2 — d
Timann, P: Aus Herz u. Leben. Gedichte. (90) 8° Dresd., E
Pierson 03. 1.50; geb. 2.50 d
Timerding, HF: Die Geometrie d. linearen Funktionen, s.:
Festschrift, Strassbg, z. 46. Versammlg deut. Philologen u.
Schulmänner.
Timm, A: Führer durch Plau u. Umgegend. (32 m. 1 Karte.)
12° Plau, J Hancke (01). — 50 d
Timm, J: Einf. Gesch. e. einf. Mannes a. uns. Mission, d. Heide
war u. Christ wurde. — Gonga u. Portima od. Das Evan-
gelium u. Kraft Gottes, s.: Morgenrot in Indien.
Timm, J: Gesch. d. Entwicklgsgang d. deut. Gewerkschaftsbe-
wegg. Erweit. Vortr. Mit e. Nachwort v. L Sinzheimer üb.:
Die Stellg d. Gb. K.-U. z. Gesetzg. u. d. Gewerksch. (49) 8°
Münch., E Reinhardt 02. 1 — d
Timm, R: Copepoden, s.: Elb-Untersuchung, hamburg.
Timmel, J: Sammlg d. Volksschulges. f. d. Erzh. Österr. ob
d. Enns. 1—VI. Bd u. Nachtr. 86° Linz a/D., J Feichtinger's
Erben. (112) 17.90 d
I. 6. Afl. (316 u. 67) 1894. 2.50 ‖ II. 2. Afl. (218 u. 87) 1894. 2.30 ‖ III.
4. Afl. v. W Zenz. (270) 1896. 3. Afl. v. W Zenz. (279) 1900. 3 —
IV. 3. Afl. (543 u. 27) 1894. 2.50 ‖ VI. Ergänzt v. W Zenz. (255 u. 94) 1900. 3.70 ‖
V. (343 u. 27) 1894. 2.50 ‖ VI. Ergänzt v. W Zenz. (255 u. 94) 1900. 3.70 ‖
Nachtr. (85) 02. 1 —

Toldt, C: Anatom. Atlas, unter Mitwirkg v. A Dalla Rosa brsg.
4. Afl. 6 Lfgn. 8° Wien, Urban & Schw. 06. 50 —; L. nn 57.50;
    Einzelpr. 55 —; Einbde je nn 1.20
  1. A. Die Gegenden d. menschl. Körpers. B. Die Knochenlehre. (Fig.
    1—577 u. Reg.) (1—160)   5 —
  2. C. Die Bänderlehre. (Fig. 578—689 u. Reg.) (161—256) 5 —
  3. D. Die Muskellehre. (Fig. 490—640 u. Reg.) (257—399) 7 —
  4. E. Die Eingeweidelehre. (Fig. 641—932 u. Reg.) (401—582) 3 —
  5. F. Die Gefässlehre. (Fig. 933—1172 u. Reg.) (583—742) 17 —
  6. G. Die Nervenlehre. H. Die Lehre v. d. Sinneswerkzeugen. (Fig.
    1234—1566 u. Reg.) (743—974)   15 —
 — dass. Ergänzgsheft z. 1. u. 2. Afl. Enth. d. in d. 2. u. 3. Afl.
  neu hinzugekommenen n. verb. Abb. (48) 8° Ebd. 03. 3 —;
                          L. 4.20
 — Carl Langer Ritter v. Edenberg. Gedenkrede. [S.-A.] (26 m.
  1 Taf.) 8° Wien, W Braumüller 03.   — 70
 — Lehrb. d. systemat. u. topograph. Anatomie, s.: Langer, C v.
 — Der Winkelfortsatz d. Unterkiefers beim Menschen u. bei
  d. Säugetieren u. d. Beziehg d. Kaumuskeln zu demselben.
  [S.-A.] (66 m. 3 Taf.) 8° Wien, (A Hölder) 04. 2 —
                (2. Tl.) (162 m. Fig. u. 3 Taf.) 05. 3.80
Toldt, F, s.: Jahrbuch, berg- u. hüttenmänn. — Zeitschrift,
  österr., f. Berg- u. Hüttenwesen.
Toldt jun., K: Entwickelg u. Structur d. menschl. Jochbeines.
  [S.-A.] (48 m. 2 Fig. u. 2 Taf.) 8° Wien, (A Hölder) 02. 1.30
 — Die Querteilg d. Jochbeines u. and. Varietäten desselben.
  [S.-A.] (90 m. Fig., 1 Taf. u. 2 Doppeltaf.) 8° Ebd. 03. 2.90
Tolhausen, A: Technological dictionary in French, German
  and Engl. Revised by L Tolhausen. 4. ed. Grand suppl., in-
  cluding all modern terms and expressions in electricity,
  telegraphy and telephony. English-German-French. (189) 8°
  Lpzg, B Tauchnitz 02. 2 — (Hauptwerk u. Suppl.: 10 —)
Tolhausen, L: Dictionary of the Engl. and French languages,
  s.: James, W.
 — Pocket dictionary of the Engl. and French languages, s.:
  Wessely, JE.
 — Nouveau dictionnaire de poche espagnol-franç. et franç.-
  espagnol. 4. éd. 2 Tle in 1 Bde. (276 u. 206) 8° Lpzg, B Tauch-
  nitz 04.   1.50; L. 2.25
 — Neues spanisch-deut. u. deutsch-span. Wrtrb. 4. Afl. 2 Bde.
  8° Ebd.   15 —; L. 17.50; in HMarokko 20.50 d
  1. Spanisch-deutsch. (764) 03. 7.30; geb. 8.50 u. 10 — | 2. Deutsch-Spanisch.
  (572) 04. 7.50; geb. 9 —u. 10.50.
 — Technisches Wrtrb. in französ., deut. u. engl. Sprache m.
  bes.Berücks. d.Elektrotechnik u.verwandter Gebiete.Deutsch-
  Englisch-Französisch. Nachtr. (77) 8° Ebd. 02. 1 —
                (Hauptwerk u. Nachtr.: 9 —)
Tölke, H: Die Pflege d. Dichtkunst im alten Nürnberg, s.:
  Mummenhoff, E.
Tolkemith, A: Vom Norden n. d. Orient. Reiseplaudereien.
  (64) 8° Jauer, O Hellmann (05).   1.40 d
Tolkmitt, G: Leitf. f. d. Entwerfen u. d. Berechng gewölbter
  Brücken. 2. Afl. v. A Laskus. (105 m. Abb.) 8° Berl., W Ernst
  & S. 02.   5 —; L. 6 —
Toll, H Baron: Prinzessin-Auguste u. Württemberg, gest. auf
  Schloss Lohde in Estland 1788. [S.-A.] (86) 8° Rev., F Kluge
  02.   2 —
Tolle, K: Stenograph. Lese- u. Schreib-Übg m Anschl. an
  d. Lehrg. d. Roller'schen Stenogr. 55—59. Taus. ff. Schlüssel.
  (16 m. 8 Taf.) 8° Berl. 02. (Lpzg, JH Robolsky.) 1 —
Tolle, M: Die Regelg d. Kraftmaschinen. Berechng u. Kon-
  struktion d. Schwungräder, d. Massenausgleichs u. d. Kraft-
  maschinenregler in elementarer Behandlg. (461 m. Fig. u.
  9 Taf.) 8° Berl., J Springer 05.   L. 14 —
Tollens, B, s.: Journal f. Landw.
 — Einf. Versuche f. d. Unterr. in d. Chemie. Für agrikulturchem. Laboratorien. 3. Afl. (95 m. Abb.) 8° Berl., P Parey
  05.   L. 4.
Tollich, A: Die Gemeinde Pohorsch im Bez. Neutitschein,
  Mähren. Geschichtlich-topograph. Schilderg. (168 m. Abb.
  u. 1 Pl.) 8° Pohorsch 02. (Neutitsch., R Hosch.) 3 —
Tollin, H: Die adl. u. bürgerl. Hugenottenfamilien v. Lüneburg. — Jacques Péricard, d. Organisator d. modernen Armenpflege. — Salomon Péricard, d. Kolonisator, s.: Geschichtsblätter d. deut. Hugenotten-Ver.
Töllner, KF: Das Lied v. d. Treue. Eine ep. Bilderfolge a.
  d. Hohenstaufenzeit. (191) 8° Oldnbg, Schulze (05). 3 —;
                        geb. 4 —
Tolstoi Sohn, Graf LL: Chopin-Prélude. Uebers. v. C v. Gütschow. (79) 8° Lpzg, W Fiedler 01. 1 —
 — Ein Präludium Chopins. 7—9. Taus. (96) 8° Berl., Globus
  Verl. (03).   †— 30 d
 — dass. Deutsch v. W Thal. 4—6. Taus. (96) 8° Berl., H Steinitz
  01.   1 — d
 — Das blaue Heft. (68) 8° Berl., Globus Verl. (03). — 30 d
 — dass. Aus d. Russ. v. A Markow. 8—10. Taus. (68) 8° Berl.,
  H Steinitz (01).   1 — d
 — Die Verführg. Sittenbild. (88) 8° Berl., Globus Verl. †— 30 d
 — dass. Sittenbild. Deutsch v. A Markow. 4—6. Taus. (94) 8°
  Berl., H Steinitz 01. || 3. Afl. (88) 01.   Je 1 — d
Tolstoi, Graf LN: Sämtl. Werke. Von d. Verf. genehm. Ausg.
  v. R Löwenfeld. I. Serie. Sozial-eth. Schriften. 1—7. Bd. 8°
  Jena, E Diederichs.   18 —; geb. 22.50;
                  auch in etwa 60 Lfgn zu — 50 d
  1. Meine Beichte. 1—4. Taus. (140) Lpzg 01. 1.50; geb. 2 —
  2. Mein Glaube. 1—3. Taus. (354) Lpzg 02. 2.50; geb. 3.50

3. Was sollen wir denn thun? 1. Bd. Mit Anh.: Üb. d. Volkszählg in
  Moskau. (322) Lpzg 02.   2.50; geb. 3.50
4. Dass. 2. Bd. Mit Anh.: Brachstücke a. e. Privatbrief. (279) Lpzg 02.
                2.50; geb. 3.50
5. Das Leben. 1—3. Taus. (379) Lpzg 02. 2.50; geb. 3 —
6.7. Das Reich Gottes ist inwendig in Euch od. d. Christentum als e.
  neue Lebensauffassg nicht als e. myst. Lehre. 2 Bde. 1—3. Taus. (273
  u. 350) Lpzg 03.   Je 2.50; geb. Je 3.50
Tolstoj, Graf LN: Sämtl. Werke. Von d. Verf. genehm. Ausg.
  v. R Löwenfeld. H. Serie. Theolog. Schriften. 1. u. 2. Bd. 8°
  Jena, E Diederichs.   7.50; geb. 9.50 d
  1. Kritik d. dogmat. Theol. Übers. v. C Ritter. 1. Bd. (211) Lpzg 04.
  2. — ; geb. 3 — | 2. Dass. 2. Bd. (231) 04. 4.50; geb. 5.50.
 — dass. III. Serie. Dichter. Schriften. 1—10., 15. u. 17. Bd. 8°
  Ebd.   30.70; geb. 42.50 d
  1. Lebensstufen. 1. Bd. Kindheit. Knabenalter. 3. Afl. (329) Lpzg 05.
                  2 — ; geb. 3 —
  2. Dass. 2. Bd. Jünglingsjahre. 3. Afl. (299) Lpzg 03. 2 — ; geb. 3 —
  3. Der Morgen d. Gutsherrn. Aufzeichngn e. Marqueurs. Luzern. Albert.
    3. Afl. (356) Lpzg 01.   2 — ; geb. 3 —
  4. Die Kosaken. 3 Tode. Der Schneesturm. (356) Lpzg 01. 2 — ; geb. 3 —
  5. Sewastopol im Dezember. Sewastopol im Mai. Sewastopol im August.
    Der Herzschlag. Die Begegng im Felde. Der Überfall. 3. Afl. (387)
    Lpzg 01.   2 — ; geb. 3 —
  6. Eheglück. Polikuschka. Leinwandmesser. 3. Afl. (348) Lpzg 01. 2 — ;
                  geb. 3 —
  7. Herr u. Knecht. (412) 06.   3 — ; geb. 4 —
  8—10. Anna Karenina. Roman. 3 Bde. (363, 499 u. 414) 05. 6 — ; geb. 10 —
  15. Die Kreutzersonate samt Nachwort. 1—2. Taus. (187) Lpzg 04. 1.30 ;
                geb. 2 —
  17. Dramat. Dichtgn. Die Macht d. Finsternis. Die Früchte d. Bildg. Der
    1. Branntweinsbrenner. (18, 186, 171 u. 32) 05. 2.50; geb. 3.50
 — Antwort auf d. wichtigen Tagesfragen. (In russ. Sprache.)
  (31) 8° Berl.-Charlttnbg, F Gottheiner 01. — 80
 — And. arbeit. Volk. (In russ. Sprache.) (80) 8° Berl., H Steinitz
  03.   1.50
 — dass. Deutsch v. A Lubinow. 1—4. Taus. (109) 8° Ebd. (03).
                 1 — d
 — An d. Arbeiter. Mit Anh. Übers. v. R Löwenfeld. 1—4. Taus.
  (76) 8° Lpzg 01. Jena, E Diederichs. — 50 d
 — Die Arbeiterfrage. Ihr einz. Lösgsmittel. Deutsch v. N Syrkin. 3. Afl. (48) 8° Berl., H Steinitz (01). — 50 d
 — Auferstehg. Roman. (In russ. Sprache.) (518) 8° Berl. 01. 3.50
 — dass. (Übersetzg.) (640) 8° Ebd. (02). 2.50 d
 — dass. Aus d. Russ. v. LA Hauff. 2. Afl. (528) 8° Berl., O
  Janke (01).   2 — d
 — dass. Deutsch d. Hölle. (In russ. Sprache.) (45) 8° Berl., H
  Steinitz 03.   1.20
 — dass. Deutsch v. W Thal. (54) 8° Ebd. 03. — 80
 — Aufruf an d. Menschheit. Übers. v. W Czumikow. 1—6.
  Taus. (113) 8° Lpzg 01. Jena, E Diederichs. 1 — d
 — Die Bauernrevolten im städt. Russl. (In russ. Sprache.) (63)
  8° Berl., J Räde 02.   1 — d
 — Die Beichte. (In russ. Sprache.) (148) 8° Berl., H Steinitz
  02.   2 —
 — Meine Beichte. Deutsch v. W Lilienthal. 7. Afl. (132) 8° Ebd.
  (01).   1 — d
 — Besinnet Euch! (Tut Busse.) Ein Wort z. russisch-japan.
  Krieg. Übers. v. R Löwenfeld. 1—4. Taus. (100) 8° Jena, E
  Diederichs 05.   — 50 d
 — dass. Uebers. v. A Skarvan. (1—5. Taus.) (99) 8° Berl., F
  Fontane & Co. 04.   1 —
 — Zur soz. Bewegg in Russl. (In russ. Sprache.) (24) 8° Berl.,
  s.: Gabelsberger-Bibliothek.   1 —
 — Der 1. Branntweinbrenner. Des Teufels Knecht. Das Korn,
  s.: Gabelsberger-Bibliothek.
 — Brief an d. Geistlichk. (In russ. Sprache.) (48) 8° Berl., H
  Steinitz 03.   1.20
 — Briefe üb. Kischinew, s.: Gorki, M, Protest geg. d. Gesell-
  schaft.
 — Briefe üb. s. Lehre. (In russ. Sprache.) (55) 8° Berl., H Steinitz
  02.   1 — d
 — Ma confession. (Meine Beichte.) Einl. zu d. Werke „Worin
  besteht mein Glaube“. (In russ. Sprache.) (98) 8° Berl., J Räde
  (02).   1 —
 — Üb. d. Ehe. Aus d. Russ. v. K Holm. (134) 8° Münch., A Langen
  05.   1 — d
 — „Eines ist not“ (Üb. d. Staatsmacht.) Übers. v. A Hess. 1—
  5. Taus. (79) 8° Ebd. 06.   1 — d
 — Kaukas. Erzählgn. (Ein Überfall. Der Holzschlag. Eine Be-
  gegng im Felde.) Sewastopol. Schneesturm. Eheglück. Poli-
  kuschka. Leinwandmesser. Übers. v. R Löwenfeld. (Novellen.
  2. Bd.) 2. Afl. (Neue[Tit.-]Ausg.) (622) 8° Lpzg [1897] 01. Jena,
  E Diederichs.   1 — d
 — Verbot. Erzählgn, s.: Gorki, M.
 — Das Evangelium. Kurze Auslegg m. Anmerkgn a. d. Werke
  „Vereinigg u. Uebersetzg d. 4 Evangelien“. Deutsch v. N
  Syrkin. (192) 8° Ebd. (02).   2.50
 — Auf Feuer habe acht! Zwei Greise, s.: Volksbücher, Wiesbad.
 — Ueb. d. sexuelle Frage. (In russ. Sprache.) (156) 8° Berl.,
  H Steinitz 01.   2 —
 — dass. Deutsch. (117) 8° Berl., Globus Verl. (03). †— 50 d
 — dass. Deutsch v. H v. Carlawitz. (144) 8° Dresd., M Fischer
  (02).   — 50 d
 — dass. Übers. v. M Feofanoff. 1—5. Taus. (135) 8° Lpzg 01.
  Jena, E Diederichs 01.   1 — d

Tolstoj, Graf LN : Ueb. d. sexuelle Frage. Deutsch v. N Syrkin.
7. Afl. (117) 8º Bel., H Steinitz (02). 1 — d
— dass. Vollständ. Übersetzg. (131) 8º Berl., O Janke 01. 1 — d
— Die Früchte d. Aufklärg, s.: Bibliothek d. Gesamtlitt.
— Die Früchte d. Bildg. Lustsp. Übers. v. R Löwenfeld. (171)
8º Jena, E Diederichs 05. 1 — d
— dass. Schausp. Deutsch v. A Scholz. (153) 8º Berl., B Cassirer
(03). 1 — d
— Gedanken üb. Gott. (In russ. Sprache.) (40) 8º Berl., H Steinitz
1900. 1.20
— Gedanken weiser Männer. Deutsch v. A Hess. (398) 8º Münch.,
A Langen 04. 4.50; geb. nn 6 — d
— Der Gefangene im Kaukasus. Erzählg. Deutsch v. F Bobri-
scheck. (112) 8º Dresd., M Fischer (02). — 50 d
— Was ist Geld? (112) 8º Berl., Globus Verl. (03). † — 30 d
— dass. Deutsch v. A Perloff. 3. (Umschl.-)Afl. (111) 8º Berl.,
H Steinitz (01). 1 — d
— Ein düsteres Geschick. Roman. Deutsch v. H v. Carlawitz.
(103) 8º Dresd., M Fischer (02). — 50 d
— Mein Glaube. (In russ. Sprache.) (236) 8º Berl., H Steinitz
02. 4 —
— Ueb. Gott u. Christentum. Vorwort d. Uebersetzers — Ge-
danken üb. Gott — Leben u. Lehre Jesu — Wie soll man d.
Evangelium lesen u. worin besteht sein Wesen? (120) 8º Berl.,
Globus Verl. (03). † — 30 d
— dass. Deutsch v. N Syrkin. (5. [Umschl.-]Afl.) (114) 8º Berl.,
H Steinitz (01). || (7—10. [Umschl.-]Taus.) (120) (01., Je 1 — d
— Gott u. Unsterblichk. — Das Leben u. d. Lehre Christi. Du
sollst d. Bösen nicht Widerstand leisten. Aus d. Russ. v.
LA Hauff. (131) 8º Berl., O Janke (01). 1 — d
— Herr u. Knecht. Erzählg. Deutsch v. C Goritzky. (123) 8º
Dresd., M Fischer (02). — 50 d
— 2 Husaren. (Erzählg.) (112) 8º Berl., Globus Verl. (03). † — 30 d
— dass. (112) 8º Dresd., M Fischer (02). — 50 d
— dass. Deutsch v. A Hauff. 4—6. Taus. (112) 8º Berl., H Steinitz
(02). 1 — d
— dass. Tagebuchblätter e. Marqueurs, s.: Universal-Bibliothek.
— Husarenstreiche. Übers. v. H Roskoschny. (122) 8º Stuttg.,
Franckh (01). 1 — d
— 40 Jahre, s.: Bibliothek Langen, kl.
— Nach 40 Jahren u. and. Gesch. (128) 8º Berl,. Globus Verl.
(03). † — 30 d
— Jermak u. and. Gesch. (120) 8º Ebd. (05). † — 30 d
— dass. Deutsch v. C Wild. 4—6. Taus. (112) 8º Berl., H Steinitz
(02). 1 — d
— Julius. (Wandelt, dieweil Ihr d. Licht habt.) (135) 8º Berl.,
Globus Verl. (03). † — 30 d
— Iwan d. Dummkopf u. and. Gesch. (111) 8º Ebd. (03). † — 30 d
— dass. Deutsch v. A Scholz. 4—6. Taus. (111) 8º Berl., H Steinitz
(02). 1 — d
— Die Kosaken, s.: Universal-Bibliothek.
— Die Kreutzer-Sonate. (In russ. Sprache.) (236) 8º Berl., J
Räde 01. 1.50
— dass. Vollständ. Ausg. (In russ. Sprache.) (236) 8º Berl., H
Steinitz 01. 1.50
— dass. Erzählg. (102) 8º Neuweissans., E Bartels (o. J.). 2 — d
— dass. Deutsch v. H v. Carlawitz. (114) 8º Dresd., M Fischer
(02). — 50 d
— dass. Deutsch v. T v. Galetzki. (177 m. Abb. u. Bildnis.) 12º
Münch., A Schupp (01). (Lpzg, F Förster.) 1 : L. 1.20;
Luxusausg., geb. 1.50 d
— dass., übers. v. H Roskoschny, durchgesehen v. K Walther.
(127 m. Abb.) 8º Stuttg., Franckh (01). 1 — : L. 1.20 d
— dass. Mit e. Nachwort d. Verf. Aus d. Russ. v. LA Hauff.
15. Afl. (142) 8º Berl., O Janke (05). 1 — d
— dass. Aus d. Russ. (v. W Thal). (Umschl.: 100. Taus.) (128)
8º Berl., H Steinitz (04). 1 — d
— Geg. d. Krieg. I. Ueb. d. Buch v. AI Jerschow : Die Sebasto-
poler Erinnerg. II. „Carthago delenda est". (In russ. Sprache.)
(39) 8º Berl., H Steinitz 05. 1 —
— Krieg u. Frieden. Roman. Aus d. Russ. v. LA Hauff. 2. Afl.
(658) 8º Berl., O Janke (05). 4 — d
— dass. Übers. v. R Löwenfeld. 4 Tle. 2. Afl. (Neue [Tit.-]Ausg.)
(540, 583 u. 543 m. 1 Skizze.) 8º Lpzg [1897] 01. Jena,
E Diederichs. 12 — d
— Ueb. Krieg u. Kriegswerk. (In russ. Sprache.) (90) 8º Berl.,
H Steinitz 02. 1.50
— Üb. Krieg u. Staat. Deutsch v. N Syrkin. (111) 8º Berl.,
Globus Verl. (03). † — 30 d
— dass. (Wo ist d. Ausweg? — Patriotismus u. Regierg. —
Carthago delenda est. — Üb. d. Transvaal-Krieg u. a.) Deutsch
v. N Syrkin. (3.[Umschl.-]Afl.) (111) 8º Berl., H Steinitz (01).
— Ueb. Kunst. (126) 8º Berl., Globus Verl. (03). † — 30 d
— Ueb. d. Kunst. Fortsetzg v. „Was ist Kunst". 2. Afl. (126)
8º Berl., H Steinitz (03). 1 — d
— Was ist Kunst? (112) 8º Berl., Globus Verl. (03). † — 30 d
— dass. Übers. v. M Feofanoff. (322) 8º Lpzg 02. Jena, E Die-
derichs. 2.50; geb. 3.50 d
— dass. Deutsch v. A Markow. 4. Taus. (112) 8º Berl.,
H Steinitz (02). 1 — d
— Üb. d. Leben. Deutsch v. A Berger. 2. Afl. (226) 8º Berl.,
H Steinitz (01). 2 — d
— Lebens-Stufen. Kindheit, Knabenalter, Jünglingsjahre.

Übers. v. R Löwenfeld. 2 Tle in 1 Bde. 2. Afl. (Neue [Tit.-]Ausg.)
(116 u. 233) 8º Lpzg [1897] 01. Jena, E Diederichs. 4 — d
Tolstoj, Graf LN : 3 Legenden. Aus d. Mskr. übers. v. A Scholz.
1—6. Afl. (43 m. Bildnis.) 8º Berl., B Cassirer 04. — 80 d
— Eine Liebesheirat. Roman. Deutsch v. H v. Carlawitz. (139)
8º Dresd., M Fischer (02). — 50 d
— Die Macht d. Finsternis. Drama. Deutsch v. H v. Carlawitz.
(108) 8º Ebd. (02). — 50 d
— dass. od. Reich' d. Teufel d. Finger u. er hat dich ganz.
Schausp. Übers. v. R Löwenfeld. (155) 8º Lpzg 02. Jena, E
Diederichs. 1 — d
— dass., s.: Universal-Bibliothek.
— Warum d. Menschen sich betäuben. Mit Anh. Übers. v. R
Löwenfeld. 4. Afl. (66) 8º Lpzg 02. Jena, E Diederichs. — 30 d
— Wovon d. Menschen leben. Erzählg. Deutsch v. E Thal. (128)
8º Dresd., M Fischer (02). — 50 d
— Das einz. Mittel. (In russ. Sprache.) (56) 8º Berl., H Steinitz
01. 1 — d
— dass. Übers. v. R Löwenfeld. 1—4. Taus. (39) 8º Lpzg 01.
Jena, E Diederichs. — 50 d
— dass. Deutsch v. N Syrkin. (1—6. Tnus.) (108) 8º Berl., H
Steinitz (01). 1 — d
— Das Nichsthun. Mit e. Vorrede v. E Zola u. e. Briefe v. A
Dumas. (83) 8º Berl., H Steinitz (01). — 50 d
— dass. — Jemeljan. (63 u. 51) 8º Berl., Globus Verl.(03). † — 30 d
— Novellen u. kl. Romane. 1. u. 3. Bd. 8º Lpzg. Jena, E Diederichs.
6 — d
1. Der Morgen d. Gutsherrn. Aufzeichnge. e. Marqueurs. Luzern. Albert.
2 Husaren. 3 Tode. Die Kosaken. Übers. v. R Löwenfeld. 2. Afl. (Neue
[Tit.-]Ausg.) (356) [1897] 01. 4 —
3. Der Tod d. Iwan Iljitsch. — Wandelt, dieweil ihr d. Licht habt! —
Die Kreutzer-Sonate nebst Nachwort. Übers. v. W Henckel. (Neue
[Tit.-]Ausg.) (289 m. Bildnis.) [1899] 01. 2 —
Den 2. Bd bildet: Kaukasische Erzählngn.
— 3 Parabeln, ferner: Erzählgn, Humoresken, Skizzen etc. v.
M Gorjkij, A Tschechow, W Korolenko, A Ossipow u. e. Satire
v. M Ssaltykow-Schtschedrin. Aus d. Russ. v. W Henckel.
(170) 8º Lpzg, B Elischer Nf. (04). — 60 d
— Patriotismus. (113) 8º Berl., Globus Verl. (03). † — 30 d
— Patriotismus u. Frieden. Deutsch v. A Berger. 5. u. 6. Taus.
(112) 8º Berl., H Steinitz (03). 1 — d
— Patriotismus u. Regierg. Übers. v. W Czumikow. 6. u. 7. Taus.
(51 m. Bildnis.) 8º Lpzg 01. Jena, E Diederichs. — 50 d
— An d. Politiker. (In russ. Sprache.) (40) 8º Berl., H Steinitz
(03). 1.20
— Relig. (112) 8º Berl., Globus Verl. (03). † — 30 d
— Was ist Relig.? Deutsch v. N Syrkin. (112) 8º Berl., H Steinitz
(03). 1 — d
— dass. u. worin besteht ihr Wesen? Mit Anh. Übers. v. J
Ostrow. 1—5. Taus. (115) 8º Lpzg 02. Jena, E Diederichs. 1 — d
— Der Roman d. Ehe. Deutsch v. W Thal. (5. [Umschl.-]Afl.)
(140) 8º Berl., H Steinitz (01). 1 — d
— Roman e. jungen Frau. Übers. v. H Roskoschny. (126) 8º
Stuttg., Franckh 02. 1 — d
— 3 Satiren, s.: Gorki, M.
— Ein Schicksal. (111) 8º Berl., Globus Verl. (03). † — 30 d
— dass. Aus d. Russ. 5. Afl. (111) 8º Berl., H Steinitz 01. 1 — d
— Der Sneesturm, s.: Meisterwerke, russ., m. Accenten.
— Sendschreiben an d. Duchoborzen. (In russ. Sprache.) (53)
8º Berl, H Steinitz 02. —
— Ueb. d. Sinn d. Lebens. (In russ. Sprache.) (88) 8º Ebd. 01. 1.50
— dass. (96) 8º Berl., Globus Verl. (03). † — 30 d
— dass. Übers. v. W Czumikow. 1—7. Taus. (92) 8º Münch.,
A Langen 01. — 50 d
— dass. Deutsch v. N Syrkin. (1—6. Taus.) (96) 8º Berl., H
Steinitz (01). 1 — d
— dass. Antwort an d. Synod. Brief an d. Zaren' u. s. Leute.
Übers. v. R Löwenfeld. Mit M Feofanoff. 1—10. Taus. (124) 8º
Lpzg 01.02. Jena, E Diederichs. 1 — d
— Moderne Sklaven. Übers. v. W Czumikow. 6—7. Taus. (105)
8º Ebd. 01. 1 — d
— Die Sklaverei uns. Zeit. (In russ. Sprache.) 1. u. 2. Afl. (112)
8º Berl., H Steinitz 01. 1.50
— dass. Deutsch. (116) 8º Berl., Globus Verl. (03). † — 30 d
— dass. Aus d. Russ. v. LA Hauff. Mit e. erklär. Vorwort v.
O v. Leixner. (130) 8º Berl., O Janke 01. 1 — d
— dass. Deutsch v. N Syrkin. 10. Afl. (116) 8º Berl., H Steinitz
(01). 1 — d
— dass. Vollständ. Uebersetzg v. W Tronin. (109) 8º Genf, C
Kündig 01. — 80
— Russ. Soldatenleben. Deutsch v. C Goritzky. (128) 8º Dresd.,
M Fischer (02). — 60 d
— Staat u. Kirche. (In russ. Sprache.) (23) 8º Berl., H Steinitz
(o. J.). 1 —
— Der gr. soz. Sünde, s.: Fortschritt, soz.
— Du sollst nicht töten. — Der Christ u. d. Verhältnis z.
Staat. — Die Christenverfolg in Russl. 1895. Neue Schriften.
Aus d. Russ. v. LA Hauff. (135) 8º Berl., O Janke (01). 1 — d
— Ueb. Vernunft, Glaube u. Gebet. (In russ. Sprache.) (82) 8º
Berl., H Steinitz 01. —
— dass. Deutsch v. N Syrkin. (48) 8º Ebd. (01). — 50 d
— dass. u. Arbeiterfrage. (48) 8º Berl., Globus Verl. (03). † — 30 d
— An d. Volk! (109) 8º Berl. Ebd. (03). — 50 d

Tolstoj, Graf LN: Widersprüche d. empir. Moral. Deutsch v. L Flachs. 3. u. 4. Taus. (55) 8° Berl., H Steinitz (04).   1 —
— Wirt u. Knecht. (112) 8° Berl., Globus Verl. (03).   †— 30 d
— dass. Deutsch v. A Markow. 6. u. 7. Taus. (112) 8° Berl., H Steinitz (02).   1 — d
— u. **A Herzen**: Üb. Gewaltthätigkeiten. (In russ. Sprache.) (60) 8° Berl., H Steinitz 03.   1 —
— u. N **Kostomarow**: Das Gewissen, s.: Eckstein's moderne Bibliothek.
Tolstoi, Graf Leo, u. d. hl. Synod. (In russ. Sprache.) (75) 8° Berl., H Steinitz 01.   1.50 d
— dass. Deutsch. (77) 8° Berl., Globus Verl. (03).   †— 30 d
— dass. Deutsch v. N Syrkin. (77) 8° Berl., H Steinitz (01).   1 — d
Tolstoj-Buch. Ausgew. Stücke a. d. Werken L Tolstoj's. Hrsg. v. H Meyer-Benfey. (256 m. Bildnis.) 8° Berl., F Wunder 06.   2.50 d
Tolstoy, Graf A : Zar Iwan d. Schreckliche. Roman. Aus d. Russ. v. W Lange. 2. Afl. (491) 8° Berl., F Wunder (03). 4 —; L. 5 — d
Tolsien, G: Die Grossherzöge v. Mecklenburg-Schwerin. (36 m. 7 Taf.) 8° Wism., H Bartholdi 04.   — 90; geb. 1.60
Tom's, Onkel, Hütte. Das weltberühmte Buch üb. d. Elend d. Negersklaven (v. H Beecher-Stowe). Neu übers. v. H Andrae. (555) 12° Berlin-Westend, Verl. d. akad. Bh. W Faber & Co. 1900.   L. 1.50 d
Tomás de Kempis s.: Thomas Hemerken a Kempis.
Tomaszewski, Frau V : Orthopäd. Gymnastik, s.: Mikulicz, J v.
Tomaseth, H: Die Tändelnden. Tragikomödie. (172) 8° Wien, C Konegen 04.   2.50 d
— Die Tragikomödie d. Furchtlosen. I. Die Sinkenden. Drama. ('114) 8° Ebd. 02.   2 — d
Tomaszewski, V, u. T **Walde**: Lehrstoff im Turnen d. Mädchenvolksch. ohne Turnhalle. (45 m. Fig.) 12° Recklinghausen, J Bauer (01). (Nur dir.)   — 40 d
Tomberger, F: Geogr. u. Heimatkde unter bes. Berücks. d. österr.-ungar. Monarchie u. d. Erzh. Niederöster. 15. Afl. (72) 8° Wr.-Neust., A Folk (05).   3 —
Tombo, R : Kurzer Lehrg. d. Stenogr. n.Gabelsb.'s System. 2 Tle. 8° Barm., H Klein's H.   3 —
1. Korrespondenzschrift. 17. Afl. (In d. 2. Neubearbeitg d. 1.). (71) 05. 1.20 ‖ 2. Debattenschrift. 5. Afl. (103) 1900. 1.80.
Tomicich, H: Von welchem Werke Rich. Wagners fühlen Sie sich am meisten angezogen? Ansichten bekannter Persönlichkeiten üb. d. dramatisch-musikal. Schöpfgn d. Bayreuther Meisters. (184 m. Abb.) 8° Bayr., Grau 03. 3.50 ‖ 2. [Tit.-] Ausg. 04. 2.50
Tominšek, J : De compositione P. Terenti Phormionis. (24) 8° Laib. 02. Krainburg, Dr. Tominšek.   — 50
Tomola, L: Unser Bürgermeister Dr. Karl Lueger. Festschrift zu s. 60. Geburtstage. (39 m. Abb.) 8° Wien, Gerlach & Wiedling 04.   1 — d
Tomuschat, W: Deut. Leseb. f. Lehrerbildgsanst. 3 Tle. 8° Bresl., F Hirt.   Geb. 12.25 d
1. Für d. Präparandenanst. (20) 632] 05. 3.75 ‖ 2. Prosa f. d. Seminar. (359) 05. 4.50 ‖ 3. Poesie f. d. Seminar. (29, 494) 05. 4 —
Ton u. Eisen. Ein Spiegelbild v. H v. R. (52) 8° Berl., Deut. ev. Buch- u. Tractat-Gesellsch. (04).   3 —
Tondera, F : Üb. d. sympodialen Bau d. Stengels v. Sicyos angulata L. [S.-A.] (10 m. 2 Taf.) 8° Wien, (A Hölder) 02.   — 50
— Das Gefässbündelsystem d. Cucurbitaceen. [S.-A.] (37 m. 5 Taf.) 8° Ebd. 03.   1.80
Ton-Industrie, d., vormals : Allg. Anzeiger d. Thon-Industrie. Red. v F Calebow. 6. Jahrg. Oktbr 1901—Septbr 1902. 38 Nrn. (Nr. 1. 12) 4° Dresd., Calebow & Co. (?) Viertelj. 1.75 ‖ 7 —; 9. Jahrg. 1905. Viertelj. 1.25 [7 u. 8 d]
Den 5. Jahrg. s. u. d. T.: Anzeiger, allg., d., Thon-Industrie f. d. Kgr. Sachsen.
Tonindustrie-Kalender 1905. 3 Tle. (Schreibkalender, 288 u. 190 m. Abb.) 8° Berl., Tonindustrie-Zeitg. L u. geb. 1.50; Ldr u. geb. 2.50
— dass. 1905. 3 Tle. (Schreibkalender, 288 u. 190 m. Abb.) 8° Berl., Tonindustrie-Zeitg.
Tonindustrie-Zeitung u. Fachblatt d. Zement-, Beton-, Gips-, Kalk- u. Kunststeinindustrie. Hrsg.: Chem. Laboratorium f. Tonindustrie, H Seger u. E Cramer. Red. v. E Cramer, H Hecht, H Mäckler. 25—29. Jahrg. 1901—1905. Je 156 Nrn. (1901, Nr. 1. 8) Fol. Berl., Tonindustrie-Zeitg.   Viertelj. 3 — d
Bis 1901 u. d. T.: Thonindustrie-Zeitung.
Ton-u. Kunststeininteressent, der. Organ f. Ziegeleien, Töpfereien, Thonwaren, Cement-, Kalk-, Kalksandstein-, Gyps-, u. Chamotte-Fabriken. 7. Jahrg. 1903. 24 Nrn. (Nr. 15 u. 16 je 6) Fol. Neubrandenbg, H Sadelkow.   Viertelj. 1 — d
Fortsetzg s. u. d. T.: Baustein.
Tonkünstler- u. Verleger-Almanach d. Musikliterat. Blätter 1905. Abbildgn, Biographien u. Kompositionsverz. v. Tonsetzern u. Monogr. v. Musik-Verlagshäusern. Red. u. hrsg. v. F Pazdírek. (311) 8° Wien, Verl. d. Univ.-Hdb. d. Musiklit.   L. 10 —
Tönnies, F, s.: Festgaben f. Adolph Wagner.
— Politik u. Moral, s.: Flugschriften d. Neuen Frankf. Verlags.
— Schiller als Zeitbürger u. Politiker. (45) 8° Berl.-Schönebg, Verl. d. „Hilfe" 05.   1 — d
— Strafrechtsreform, s.: Zeitfragen, moderne.
— Vereins- u. Versammlgsrecht und d. Koalitions-Freiheit, s.: Schriften d. Gesellsch. f. soz. Reform.
Tonningh, Dr. Krogh, s.: Flugschriften, kathol.
Tonplattenschrift, der. (Von Mäser.) (88 m. 17 Taf.) 8° Lpzg-R., J Mäser (03).   L. 2 —

Hinrichs' Fünfjahrskatalog 1901—1905.

Tonwort, das. Blätter f. d. Hebg d. musikal. Allgemeinbildg d. Volkes, hrsg. v. C Eitz. 3 Nrn. (Je 4) Fol. Eisl. 02. (Lpzg, Breitkopf & H.)   — 60 d
Toop, P: Die rechtl. Bedeutg d. Übergabe d. Versichergsbedinggn vor Abschluss d. Versicherlgsvertrages. (40) 8° Berl., Puttkammer & M. 05.   1 — d
Toosbuy, JC, s.: Verzeichnis d. Hamburger Schiffe.
Topelius, Z: Ausgew. Märchen u. Erzählgn. Aus d. Schwed. v. F Rosenbach. (293 m. Abb. u. Bildnis.) 8° Gött. (01). Berl., F Wunder.   Geb. 2.50 d
Töpfer, C: Der Gasschlosser d. Neuzeit. 2. Afl. (191 m. Abb.) 8° Lpzg, BF Voigt 05.   3.75; geb. 5 — d
Toepfer, G: Die Oxalarie, s.: Klinik, Wiener.
Töpfer, KFG: Der Pariser Taugenichts, s.: Bibliothek d. Gesamtlitt.
Töpfer- u. Ziegler-Zeitung, deut. Begründet v.A Türrschmiedt. Hrsg. v. F Hoffmann, techn. Bureau. Red.: K Dümmler. 32—36. Jahrg. 1901—5 je 104 Nrn. (Nr. 1. 8 m. 1 Fig.) 4° Berl., Halle, W Knapp.   Viertelj. 3 — d
Seit 1904 m. d. Kunstbeil.: Keram, Monalshefte.
Toepfer, A : Zur Flora Mecklenburgs. [S.-A.] (18) 8° Güstr.,(Opitz & Co.) 05.   — 20
— Die Weiden in Mecklenburg. [S.-A.] (33) 8° Ebd. 02.   — 60
Töpffer, R : La bibliothèque de mon oncle (K Bandow). — Erzählgn a. Nouvelles genevoises (K Bandow), s.: Prosateurs franç.
Topholff, H: Die Rechte d. deut. Kaisers. (60) 8° Stuttg. 02. Münch., J Roth 02.   — 50 d
Toepke, G: Die Matrikel d. Univ. Heidelberg. 4. u. 5. Tl. Hrsg. v. P Hintzelmann. 8° Hdlbg, C Winter, V. 50 —(1—5.: un 130 —)
4. Von 1704—1807. Nebst e. Anh., enth.: I. Album promotor. in facultate philosophica ex parte catholicor. 1705—1905. II. Catalogus auditor. juris canonici et promotor. in jure tam canonico quam utroque 1726—70. III. Matricula et studiosor. et promotor. in facultate theologica ex parte reformator. 1706—1800. (656) 03. ‖ 5. Von 1807—40. (787) 04. Je 75 —
Töpke, H: Rechenb. f. Bürgersch. in 5 Heften. II., IV. u. V. Heft. 8° Brnschw., E Appelhans & Co.   1 — d
II. 11. Afl. (48) 03. — 50 ‖ IV. 16. Afl. (48) 03. — 30 ‖ V. 6. Afl. (88) 03. Kart. — 40.
Toeplitz, s.: Kalender f. d. höh. Schulwesen Preussens.
Toeplitz, F : Die Ernährg d. Kindes. (19) 8° Bresl., Preuss & J. 05.   — 60
— Licht u. Schatten im Schwestern-Beruf. (15) 8° Bresl., Schletter 03.   — 60
Töply, Ritter R, s.: Ricardus Anglicus, anatomie.
Topographie d. histor. u. Kunst-Denkmale im Kgr. Böhmen v. d. Urzeit bis z. Anfange d. XIX. Jahrh. Hrsg. unter d. Leitg v. J Hlávka. V, VI, IX, XIII u. XV. 8° Prag. (Lpzg, KW Hiersemann.)   5 — (I—VI, IX, X, XIII u. XV. 75 —)
Mareš, F, u. J Sedláček: Bez. Wittingau. (127 m. Abb. u.5 Taf.) 04. [V.] 4 — ‖ Podlaha, A: Bez. Melnik. (297 m. Abb. u. 10 Taf.) 01. [VI.] 11 — ‖ Bez. Příbram. (183) 02. [XIII.] 9 — ‖ Bez. Rokytzan. (192) 03. [IX.] 7 — ‖ — u. E Šittler: Bez. Karolinenthal. (390) 03. [XV.] 12 — ‖ Bez. Karlin-hausen. (170 m. Abb. u. 8 Taf.) 01. [V.] 8 —
— dass. Die kgl. Hauptstadt Prag: Hradschin. I. Der Domschatz u. d. Bibliothek d. Metropolitankapitels. 2 Abtlgn. 8° Ebd.   26.50
II.1. Podlaha, A, u. E Šittler: Der Domschatz in Prag. (216 m. Abb. u. 10 Taf.) 03. 11 — ‖ 2. Podlaha, A : Die Bibliothek d. Metropolitankapitels. (310 m. Abb. u. 5 Taf.) 04. 15.50.
I st noch nicht erschienen.
— v. Niederöster. (Schilderg v. Land, Bewohnern u. Orten.) Red. v. A Starzer. 5. Bd. Deralphabet. Reihenfolge (Schilderg) d. Ortschaften etc. 4. Bd. 13—19.(Schl.-)Heft. (777—1215) 4° Wien, (W Braumüller) 01-03.   Je nu 2 — d
— dass. Red. v. M Vancsa. 6. Bd. Der alphabet. Reihe d. Ortschaften 5. Bd. 1—8. Heft. (1—512) 4° Ebd. 03-05. Je nu 2 — d
— v. Flötekarte d. preuss. deutsches. Steinkohlenbeckens. Kartirt v. d. kgl. Oberbergamt zu Breslau. 1:10,000. Sect. Nr 3, 4, 7, 8, 12, 13, 16—20, 22, 24—27, 29, 30, 34. Je 41×50 cm. Lith. [Sect.] (Priebatsch) 04.   Je un 1.50; Graudruckansg. je nu 1.50 d
Alt-Zabrze. 16. ‖ Antonienhütte. 24. ‖ Beuthen. 13. ‖ Halemba. 30. ‖ Heiduk 25. ‖ Jauer. 34. ‖ Karf. 12. ‖ Katowitz. 29. ‖ Königshütte. 19. ‖ Kottowgore. 4. ‖ Laurahütte. 20. ‖ Makoschau. 22. ‖ Miechowitz-Dombrowa. 7. ‖ Morgenroth-Lipine. 18. ‖ Preiswitz. 29. ‖ Rosdzin. 27. ‖ Scharley. 6. ‖ Trockenberg. 3. ‖ Zabrze-Buda. 17.
Topolansky, M: Bestimmg d. Farben d. Raddeschen internat. Farbenskala. [S.-A.] (15 m. Fig.) 8° Wien, (A Hölder) 03.   — 40
Topp, E: Die Schlacht an d. Elster. 15.X.1080. (52) 8° Berl., E Ebering (05).   1.50
Topp, F: Catecismo de doutrina christã com varias orações. 5. ed. (146 m. Abb.) 16° Freibg i/B., Herder (01).   — 40 ‖ kart. nn — 50
Topp, Ror.: Gerbino u. Zoraide. Trauersp. (154) 8° Dresd., E Pierson 04.   2 — d
Töppe, H: An Kleeblatt us Thüringen. 3. [Tit.-]Afl. (126 m. Bildnis.) 8° Gotha, R Schmidt [1893] 01.   1 — d
Toeppen: Gesch. d. Infant.-Regts Graf Bönhoff (7. ostpreuss.) Nr. 44, s.: Erich.
Toeppen, K : Ali, d. ostafrikan. Seeräuber. Erzählgn a. d. Jugendwelt. d. Lamu-Leute Ende d. achtziger Jahre. (288 m. Abb., 8 Vollbildern u. 4 Farbdr.) 8° Berl., D Reimer 03.   Geb. (5 —) 3 — d
Toepper, A : Das Studium d. Chemie, nebst e. Anh., enth. im allgem. d. Prüfgsordngn f. Chemiker auf schweiz. u. österr. techn. Hochsch. m. deut. Unterr.-Sprache u. v. Verz. d. Univers. u. techn. Hochsch. d. Deut. Reiches, d. deut. Schweiz u. Deutsch-Österr. (70) 8° Wien, A Hartleben 03.   1.50; geb. 2.50 d

184

Topsch, F: Mariannens Hochzeit. Polterabendschnurre. Weisen v. R Schüller. (Textb.) (28) 12° Leina, J Hamann 02. — 20 d
Toptschjan, E: Die sozial-ökonom. Türkei, s.: Totomjanz, V.
To'r nedderdütt. rechtschrivung. Von ST U. (12) 8° Hambg. (J Kriebel) (02). — 50
Aus d. Handel gezogen.
Toral, CC: La educación cristiana de la juventud. 2. ed. (26, 750) 8° Freibg i/B., Herder 05. HF. 8.40
Toran, M: Vor d. Lebensfest. Drama. (116)'8° Dresd., E Pierson 04. — 2.50 d
— Der gold. Schlüssel. Schausp. (131) 8° Lpzg, O Mutze 02. 2 — d
Torbiörnsson, T: Die gemeinslav. Liquidametathese. [S.-A.] I. (107) 8° Upsala, Akadem. Bh. 01. nn 4.80 || II. (117) 03. nn 4 —
Torday, F v.: Ein. praktisch wicht. Missbildgn, s.: Klinik, Wiener.
Torge, P: Aschera ·u. Astarte: Beitrag z. semit. Relig.-Gesch. (59) 8° Lpzg, JC Hinrichs' V. 02. 2 —
Torggler, F: Das gespalt. Doppel-Speculum,·s.: Sammlung zwangl. Abhandlgn a. d. Gebiete d. Frauenkrankh. u. Geburtshilfe.
Torka, J: Im Reich d. Erfndgn. Eine illustr. Entwicklgsgesch. d. Technik. (760 m. 4 farb. Taf.) 8° Berl. (o. J.). (Lpzg, G Fock V.) Geb. 14 —; in Liebh.-Bd 15 — d
Tormin: Dr. med. Heinr. Lahmann als Magnetopath! Off. Brief an Herrn Dr. med. Lahmann. (32) 8° Dresd., (Calebow & Co.) 03. (?) — 80 d
Tormin, R: Der Bauratgeber. Neubearb. v. E Nöthling. 4. Afl. v. Tormins Bauschüssel. (894 m. Abb.) 8° Lpzg, BF Voigt 03. 7.50; geb. 9 —
— Hdb. f. Dekorations- u. Stubenmaler. Hrsg. v. E Ebelin. 8. Afl. v. Tormin, Gehilfe f. Haus- u. Stubenmaler. (258 m. Abb.) 8° Ebd. 04. 3.75 d
— Kalk, Zement ·u. Gips, ihre Bereitg u. Anwendg zu baul., gewerbl. u. landw. Zwecken, wie auch zu Kunstgegenständen. 4. Afl. v. E Nöthling. (188) 8° Ebd. 05. 3 — d
Torn, T v. (T Szafranski): Capriceen. Humoresken. (111 m. Abb.) 8° Lpzg (03). Stuttg., Dietz. 1 —; L. 2 — d
— Der Entontaus u. and. Humoresken, s.: Universal-Bibliothek.
— Eine gefahrvolle Erbschaft, s.: Bergmann, O.
— Der Garnisonschreck u. and. Militär-Humoresken, s.: Deva-Roman-Sammlung.
— Die Affäre Helmström u. and. Gesch. (110) 8° Berl., Globus Verl. (03). † — 50 d
— Die v. Hohen- u. Nieder-Weinberg. — Und zürne nicht, s.: Vobach's illustr. Roman-Bibliothek.
— In Liebeswinkeln, s.: Nagel's Bibliothek illustr. Humoresken.
— Offiziersgeschichten, s.: Universal-Bibliothek.
— Raupen, s.: Trinkewitz, M, unter d. Linde.
— Regiments-Indiskretionen. Roman. (268 m. Bildnis.) 8° Berl., W Vobach & Co. (04). 3 —; geb. 4 — d
— Der Verdacht, s.: Vobach's illustr. Roman-Bibliothek.
— Der Verwandlgskünstler u. and. Humoresken. (121) 8° Mülh. a/R., J Bagel (05). — 30 d
— Die weisse Weste, s.: Deva-Roman-Sammlung.
Törne, W: Üb. d. Alltag. Gedichte. (104) 8° Lpzg, Modernes Verl.-Bureau 05. 1.50
Törner, H: Liederb. f. Mitglieder u. Freunde d. deut. Gewerkver. 3. Ausg. (160 m. 1 Bildnis.) 16° Rathen. 02. (Rixdf, CMA Müller & Co.) — 50 d
Torney s.: Strauss u. Torney.
Tornier, G: Entstehen n. Bedentg d. Farbkleidmuster d. Eidechsen u. Schlangen. [S.-A.] (12 m. Abb.) 8° Berl., (G Reimer) 04. — 50
Tornier, G: Die gewerbl. Lehrverträge u. d. Rechtszustand auf d. Geb. d. Schutzges. f. Lehrlinge. (72) 16° Berl., C Heymann 02. Kart. — 60 d
Tornow, ML: Die wirtschaftl. Entwickelg d. Philippinen. (53 m. 10 Bildern, 4 Taf. u. 1 Karte.) 8° Berl., H Paetel 01. 4.80
Tornow, P: Grundregeln u. Grundsätze beim Restauriren (Herstellen) v. Baudenkmälern. Auszug a. e. Vortr. [S.-A.] (37) 12° Metz, R Lupus 02. — 40 d; französ. Ausg. (37) — 40
— Das neue Hauptportal d. Metzer Domes. Kurze Beschreibg d. figürl. Schmuckes u. Notizen z. Gesch. d. Portales. (28 m. 9 Taf.) 8° Metz, P Even 03. 1.50
Tornquist, A: Ergebnisse e. Bereisg d. Insel Sardinien. [S.-A.] (23) 8° Berl., (G Reimer) 02. 1 —
— Üb. e. eocäne Fauna d. Westküste v. Madagaskar. [S.-A.] (19 m. Fig. u. 1 Taf.) 4° Frankf. a/M., (M Diesterweg) 04. 2 —
— Geolog. Führer durch Ober-Italien, s.: Sammlung geolog. Führer.
— Der Gebirgsbau Sardiniens u. s. Beziehgn zu d. jungen, circum-mediterranen Faltenzügen. [S.-A.] (15) 8° Lpzg, (B Reimer) 03. — 50
— Die Gliederg u. Fossilführg d. ausseralpinen Trias auf Sardinien. [S.-A.] (20) 8° Ebd. 04. ·1 —
— Üb. mesozoische Stromatoporiden. [S.-A.] (9 m. Fig.) 8° Ebd. 01. — 50
Török-Kanizsa s.: Schulpe de Török-Kanizsa.
Torp, A: Die 2 Arzawa-Briefe, s.: Knudtzon, JA.
— Etrusk. Beiträge. 1. Heft. (110) 8° Lpzg, JA Barth ·02· 6 — || 2. Heft. (144) 03. 7.60

Torp, A: Lykische Beiträge. IH—V. [S.-A.] 8° Christiania, (J Dybwad). 4.20 (I—V.: nn 7.40)
II. (34) 1900. 1.10 § IV. (50) 01. 1.60 § V. (44) 01. nn 1.50.
— Die vorgriech. Inschrift v. Lemnos. [S.-A.] (70 m. 1 Taf.) 8° Ebd. 03. nn 3 —
— u. G Herbig: Einige neugefund. etrnsk. Inschriften. [S.-A.] (32 m. 4 Taf.) 8° Münch., (G Franz' V.) 04. 1 —
Torpedos u. Seeminen, s.: Miniatur-Bibliothek.
Torre s.: Dalla Torre.
Torre, R della: Die Waise a. Moskau od.: Die jugendl. Erzieherin, s.: Bibliothek f. d. reif. christl. Jugend.
Torres, G: Willensfreih. u. wahre Freih. Mit e. Anh. Üb. d. heut. Stand d. Frage v. freien Willen. (46) 8° Münch., E Reinhardt 04. 1 —
Torresani, C Baron: Ibi ubi. Ernste u. ausgelass. Soldatengesch. 3. Afl. (290) 8° Dresd., E Pierson 02. 4 — d
— Aus d. schönen wilden Lieutenants-Zeit. Roman a. d. österr. Cavallerieleben. 4. u. 5. Afl. 2 Bde. (356 u. 988) 8° Ebd. 04. 6 —; geb. 8 — d
— Die Familie Mikesch. Für Oester.: Die Mikesch-Mali. Wiener Sittenbild. (176) 8° Ebd. 01. 1.50 d
— Oberlicht. Die Gesch. e. Ehebruchs. 4. Afl. (392) 8° Ebd. 05. 5 —; geb. 6 — d
— Pentagramm. Novellen. 1. u. 2. Afl. (247) 8° Ebd. 04. 2.50; geb. 3.50 d
— Steyerische Schlösser. Roman. 4. Afl. (715) 8° Ebd. 04. 5 — d
— s.: Schönfeld, K Graf, Erinnergn e. Ordonnanzoffiziers Radetzkys.
Torrey, RA: Wie beten wir? Uebersetzg d. engl.: How to pray v. M K.-G. 1—3. Afl. (123) 8° Bas., Kober 03-05. — 80; L. 1.40 d
— Wie lernen wir uns. Bibel kennen? Übersetzg d. engl.: How to study the bible v. M K.-G. 1. u. 2. Afl. (120) 12° Ebd. 04.05. — 80; L. 1.40 d
— Was es kostet, nicht e. Gotteskind zu sein. Evangelisations-Ansprache. (12) 8° Gotha, Missionsbh. P Ott 05. nn — 10 d
— Helden u. Feiglinge. Evangelisations-Ansprache. (12) 8° Ebd. 05. nn — 10 d
— Die 4 grössten Kräfte u. d. grösste Frage, welche jeder stellen u. beantworten kann. Evangelisations-Ansprache. (19) 8° Ebd. 05. nn — 15 d
— Wie bringen wir Menschenseelen zu Christo? Uebertr. v. G Holtey-Weber. 3. Afl. (119 m. Bildnis.) 8° Mülh. a/R., Bh. d. Vereinsb. 05. 1 — d
— Welchen Nutzen d. Gottvertrauen e. Menschen bringt. Evangelisations-Ansprache. (12) 8° Gotha, Missionsbh. P Ott 05. nn — 10 d
— Eile, rette deine Seele. 5 Evangelisations-Ansprachen. (51) 8° Ebd. 05. nn — 10 d
— Seelen-Gewinnen. Nach e. Ansprache. (19) 8° Ebd. 04. — 20 d
— Die Taufe u. d. hl. Geist. Deutsch v. G Holtey-Weber. 1. u. 2. Afl. (57) 8° Barm., E Müller 04.05. — 75 d
— Meine Überzeugg. Ein Wort an d. Männerwelt üb. d. Bibel u. d. Christus d. Bibel. Übersetzg d. engl. Talks to men v. M K.-G. (152) 8° Bas., Kober 05. — 80; L. 1.40 d
— Zeugen-Kraft u. Zengen-Dienst. Ansprachen. (52) 8° Gotha, Missionsbh. P Ott 05. 40 d
Torriano-Williams, HL: Das elektr. Heizen u.·Kochen. (159 m. Abb.) 8° Aume, Jügelt's Buchdr. (02). 8 —; L. 9 —
Torrund, J (Frl. J Mose): Wenn's dunkel wird. (109) 8° Berl., A Goldschmidt 02. 1.50; L. 2 — d
— Weisse Narzissen u. and. Novellen, s.: Universal-Bibliothek.
— Ein dunkler Punkt. Novelle. (109) 8° Berl., A Goldschmidt 05. — 50; geb. — 75 d
Tosch, M: Schul-Wandk. v. Pommern, s.: Bohm, H.
Tosefta z. Tractat Chulin, neu geordnet u. m. e. Commentar „Higajon Arije" versehen v. A Schwarz. (In hebr. Sprache.) (81) 8° Frankf. a/M., J Kauffmann (01). 2.50 d
Toska, M, s.: Nokiry, M.
Totanus: Die Ohrenkrankh. m. kurzen Angaben üb. ihre Behandlg unter Berücks. d. Massage-Methode d. Dr. Marage u. e. Anh.: Die Nasen- u. Rachenkrankh. (64) 8° Lpzg, E Demme 04. 1.30
Totentanz, afrikan. 2—4. Tl. 8° Berl., Fussinger. Je 1 — (Vollst.: 4 —) d
2. Eusberg, E v.: Ladysmith — Bloemfontein. Sensationelle Enthüllgn a. d. Burenlager. Nach d. Erinnergn e. dent. Offiziers v. Stabe d. General Joubert. 5. Afl. (181) 01.
3. Eusberg, E v.: Bloemfontein u. Pretoria. Nach d. Erinnergn e. Feldcorrets unter d. Fahnen De Wets e. d. J. 1900. (152) 01.
4. Eusberg, E v.: Der Guerillakrieg 1901. Auszug a. d. Tageb. e. auf. ständ. Kaphölländers. (152) 01.
Der 1. Tl ist u. AC Rembe.
Tóth, L, s.: Corpus juris hungarici.
Totomjanz, V, u. E Toptschjan: Die sozial-ökonom. Türkei. (124) 8° Berl., RL Prager 01. 2 —
Totossy de Zepethnek, B, s.: Bolyai de Bolya, appendix.
Tottmann, A: Das Bindu, d. d. Geige od. d. Grundmaterialien d. Violinspieles. 2. Afl. (45) 8° Lpzg, CF Kahnt M. 04. — 60
Die 1. Afl. erschien unter d. Pseudonym: R Burg.
— Führer durch d. Violin-Unterr. Krit., progressiv geordnetes Verz. d. instruktiven, sowie d. Solo- u. Ensemble-Werke f. Violine. Nebst e. kurzgef. Repertorium d. Bratschenlitt. u. e. bibliograph. Anh. 3. Afl. (407) 12° Lpzg, J Schuberth & Co. 02. || 2. Bd. Werke, welche v. J. 1885 bis z. J. 1900 erschienen sind. (441) 1900. Geb. je 4 —

Tottmann, A: Die Hausmusik. Das Klavierspiel. (35) 8° Lpzg,
CF Kahnt Nf. 04. — 60
— Der Schulgesang u. s. Bedeutg f. d. Verstandes- u. Gemütsbldg d. Jugend. 2. Afl. (27) 8° Ebd. 04. — 60
Touchemolin, A: Quelques souvenirs du vieux Strasbourg.
(21 Taf. m. 15 S. Text.) 4° Strassbg, J Noiriel 03. 7.20
Touis, F: Die geolog. Gesch. d. Schwarzen Meeres, s.: Vorträge d. Ver. z. Verbreitg naturwiss. Kenntn. in Wien.
— Leitf. d. Mineral. u. Geol., s.: Hochstetter, F v.
— Das Nashorn v. Hundsheim, s.: Abhandlungen d. k. k. geolog.
Reichsanst.
— Der gegenwärt. Stand d. geolog. Erforschg d. Balkanhalbinsel u. d. Orients. [S.-A.] (156 m. 2 Kart.) 8° Wien 04. (Berl.,
R Friedländer & S.) nn 7 —
Toung pao. Archives pour servir à l'étude de l'hist., des langues, de la géogr. et de l'ethnogr. de l'Asie orientale (Chine,
Japon, Corée, Indo-Chine, Asie centrale et Malaisie). Rédigées par (G Schlegel,) H Cordier et E Chavannes. II. Série.
Vol. II—VI. Mars 1901—Fevr 1906 à 6 nrs. (420 m. 11 Taf.,
364, 448, 643 m. 9 Kart. u. 663) 8° Leid., Bh. u. Druckerei
vorm. EJ Brill. Je nn 23 —
Tour, E de la (MA v. Markovics): Von Generation zu Generation, s.: Weber's moderne Bibliothek.
Tourenkarte d. Ardeygebirges, hrsg. v. sauerländ. Gebirgsver.
zu Dortmund. (Angefertigt n. d. Schäferschen Relief d. Ardeygebirges.) 1:25,000. 41×42 cm. Farbdr. Mit Touren-Verz. (8)
8° Dortm., C Garms 04. — 80
Touren-Verzeichnis n. Umgebungskarte (1:25,000, 28×49 cm,
Farbdr.) f. d. Kurhaus „auf d. hohen Rinne". Hrsg. v. d. Section „Hermannstadt" S. K. V. (2) 12° Hermannstadt, (W Krafft)
01. Kart. 1.70
Tourist, der. Illustr. Zeitschrift z. Förderg d. Fremdenverkehrs in Deutschl. Red.: F Ramhorst. 18—22. Jahrg. 1901—05.
je 24 Nrn. (Nr. 1. 20) 4° Frankf. a/M., J Rosenheim.
Vierteljs. 1.25; einz. Nrn — 30
Touristen-Führer durch d. Sektionen Lobositz, Liebtowitz,
Milleschan-Wellemin, Wopparn etc. d. Mittelgebirgs-Ver.
(15 m. 2 Kart.) 16° Lobositz, F Lauterbach (05). — 80
Touristen-Karte d. Aussiger Gebirgs-Ver. m. d. angrenz.
Gebieten d. Nachbarver. 2. Afl. 1:75,000. 36,5×42,5 cm. Farbdr.
Auss., (A Becker) (01). — 45
— d. Egge-Gebirges. Hrsg. v. Egge-Gebirgs-Ver. 1:75,000.
73×44,5 cm. Lith. Faderb., Junfermann (01). 1.70; auf L. 2.50
— d. m. Farbenzeichen versch. Wege in Oberhessen u. d.
angrenz. Gebieten. Hrsg. v. oberhess. Touristen-Ver. (Marburg). Unter Benutzg d. v. Taunusklub hrsg. Karte v. nordöstl. Taunus n. östl. Lahngebiet. 1:100,000. 60×54,5 cm. Farbdr.
Marbg, NG Elwert's V. 01. 1.50; auf L. 2 —
— v. Pirna u. Umgebg. 1:50,000. 52,5×63,5 cm. Farbdr. Pirna,
C Diller & S. (01). 1 —; auf L. 1.50
— v. Salzungen u. Umgebg (westl. Thüringerwald u. nördl.
Rhön). 1:100,000. 50,5×56 cm. Farbdr. Salz., L Scheermasser
(02). 1 —; auf L. 1.50
Auch m. Umschl.: Touristenkarte d. westl. Thüringer Waldes u.
d. nördl. Rhön.
— neue, Stuttgart u. weit. Umgebg. 1:200,000. 40×49 cm.
Farbdr. Stuttg., P Mähler (04). 1.20; auf L. 1.60
— d. westl. Thüringerwaldes u. d. nördl. Rhön, s.: Touristen-Karte v. Salzungen u. Umgebg.
— neue, v. Vogelsberg m. Wegmarkiergn. Hrsg. v. Vogelsberger Höhen-Club. 1:50,000. 34,5×45 cm. Farbdr. Nebst Routenverz. (16) 8° Giess., E Roth (05). 1.50; auf L. 1 —
— d. Zillertaler-Alpen. 1:100,000. 60,5×43 cm. Farbdr.
Innsbr., Wagner (05). 1 —; auf L. 2 —
Tourneau: Kommentar zu d. Ges. betr. d. Erhebg v. Kirchensteuern, s.: Schmedding, A.
Tournebise, E: Vom Zweifel z. Glauben, s.: Wissenschaft u.
Religion.
Tournier, C: Am Lebenswege. Erinnergn e. alten Elsässers.
(129) 8° Strassbg, E van Hauten 03. 2.50; L. 3 —
m. Goldtitel 3.50 d
Tournier, E, s.: Recueil de contes et récits pour la jeunesse.
Toussaint, JP: Gesch. d. hl. Kunigunde v. Luxemburg, Kaiserin v. Deutschl. (135 m. farb. Titelbild.) 8° Faderb., Bonifacius-
Dr. 01. 1.50 d
— Der christl. Handwerker in sr Andacht. (189) 16° Saarl.,
F Stein Nf. 01. — 50; L. — 60 d
— „Dein Heiland kommt". — Der hl. Joseph an d. Krippe, s.:
Blüten a. d. Himmelsgarten.
— Leitsterne auf d. Wege d. Tugend. Lehr- u. Gebetbuch f.
Jungfrauen in d. 1. Jahren n. d. hl. Erstkommunion (13—
15 Jahren). 1. u. 2. Afl. (386 m. farb. Titelbild.) 16° Donauw.,
L Auer 01.05. Geb. — 60; m. G. 1 —
— Maria, d. seligste Tugendkönigin od. 32 kurze Maibetrachtgn
üb. d. Tugenden d. hl. Mutter Gottes. 2. Afl. (216 m. 1 St.)
16° Dülm., A Laumann 05. L. — 75 d
— Mater admirabilis. Die wunderbare Mutter. Maiandacht. 2. Afl.
(212) 16° Mainz, Kirchheim & Co. 04. L. 1 — d
— Rette deine Seele! 50 Missionspredigten. 4. Afl. (630 m. Bildnis.) 8° Laumann 01. 3.50 d
— Theresien-Büchl. od. Leben, Grundsätze u. Kommunionlied
d. hl. Theresia. 2. Afl. (158 m. Titelbild.) 16° Münst., Alphonsus-Bh. 05. L. — 50 d
— Weihnachtsoktave od. gute Gedanken u. fromme Bitten auf

d. 8 Tage n. d. Hochfeste d. Geburt Christi, s.: Blüten a. d.
Himmelsgarten.
Toussaint, JP: St. Zita-Büchl. z. Belehrg u. Erbang d. christl.
Dienstmägde. (160 m. Titelbild.) 16° Saarl., F Stein Nf. 02.
— 45; L. — 50 d
Toutain, J, s.: Inscriptiones graecae ad res romanas pertinantes.
— Observations sur quelques formes religieuses de loyalisme,
particulières à la Gaule et à la Germanie romaine. [S.-A.]
(11) 8° Lpzg, Dieterich 02. — 80
Tovote, H: Abschied. Novellen. 11. Afl. (199) 8° Berl., F Fontane & Co. 02 2 —; geb. 3 — d
— Frau Agna. Roman. 1—11. Afl. (312) 8° Ebd. 01-04. 3.50;
geb. 4.50 d
— Heisses Blut. Novellen. 15. Afl. (199) 8° Ebd. 04. 2 —; geb. 3 — d
— Das Ende v. Liede. Roman. (Der modernen Liebestragödie
1. Tl.) 13. Afl. (318) 8° Ebd. 05. 3.50; geb. 4.50 d
— Der Erbe. Roman. 9. Afl. (180) 8° Ebd. 04. 2.50; geb. 3.50 d
— Fallobst. Wurmstich. Geschichten. 11. Afl. (192) 8° Ebd. 04.
2 —; geb. 3 — d
— Frühlingssturm. (Der modernen Liebestragödie 3. Tl.) Berliner Liebesroman. 10. Afl. (317) 8° Ebd. 03. 3.50; geb. 4.50 d
— Ich. Nervöse Novellen. 13. Afl. (222) 8° Ebd. 05. 2 —;
geb. 3 — d
— Ich lasse dich nicht!.. 3 Phasen e. Junggesellendramas.
(116) 8° Ebd. 05. || 2. u. 3. Afl. (Bühnenfassg.) (110) 05. Je 2 —;
geb. je 3 — d
— Klein Inge. Novellen. 1—9. Afl. (203) 8° Ebd. 05. 2 —;
geb. 3 — d
— Die rote Laterne. Novellen. 7. Afl. (200) 8° Ebd. 02. 2 —;
geb. 3 — d
— Die Leichenmarie. Novellen. 1—7. Afl. (200) 8° Ebd. 04. 2 —;
geb. 3 — d
— Heiml. Liebe. Novellen. 19. Afl. (192) 8° Ebd. 05. 2 —; geb. 3 — d
— Im Liebesrausch. (Der modernen Liebestragoedie 1. Tl.) Berliner Roman. 17. Afl. (320) 8° Ebd. 04. 3.50; geb. 4.50 d
— Mutter! Roman. Der modernen Liebestragödie. 2. Tl. 8. Afl.
(265) 8° Ebd. 02. 3.50; geb. 4.50 d
— Der letzte Schritt. Roman. 1—12. Afl. (213) 8° Ebd. 03.04.
3.50; geb. 4.50 d
— Sonnemanns. Roman. 1—8. Afl. (236) 8° Ebd. 04. 2.50;
geb. 3.50 d
Towers-Clark, E: Die 4 Jahreszeiten f. d. engl. Konversationsstunde n. Hölzel's Bildertaf. — Übgn f. d. engl. Konversationsstunde n. Hölzel's Bildertaf., s.: Konversationsunterricht im Engl.
Toy, CH: The book of the prophet Ezekiel, s.: Books, the
sacred, of the Old and New test.
Tozza, A: Augustulus, s.: Giron, A.
Traber: Die Anatomie d. Geschlechter. (26 m. Abb. u. 2 zerlegbaren Modellen [Mann u. Weib].) 8° Berl., H Bermthaler
(04). Kart. 2.50
Trabert, W: Isothermen v. Österr. [S.-A.] (117 m. 6 Kart.) 4°
Wien, (A Hölder) 01. 9.50
— Meteorol., s.: Sammlung Göschen.
— Meteorol. n. Klimatol., s.: Erdkunde, d.
Traber-Zuchtbuch, österr.-ungar. Hrsg. v. Wiener Trabrenn-
Ver. Bearb. v. RF Brandtner u. T Kallus. II. Bd. (85, 928) 8°
Wien, (P Beck) 03. L. 20 — (II. II.: 40 —)
Trabold, R: Stolze Träume. Gedichte. (80) 8° Wien, Verl.-
Anst. neuer Lit. u. Kunst (02). 1 —
Trächtigkeits-Kalender f. Haustiere. (1 farb. Taf. auf Pappe
m. drehbarer Scheibe.) 44×32 cm. Ulm, J Ebner (04). 1 — d
Tractatus Brandeburgensis, hrsg. v. A Schönfelder, s.: Sammlung mittelalterl. Abhandlgn üb. d. Breviergebet.
— Misnensis de horis canonicis. Hrsg. v. A Schönfelder. (24,
161) 8° Bresl., GP Aderholz. 6 —
Tracy, L: Die Diamanten d. Sultans, s.: Kriminalromane
aller Nationen.
Traducteur, le. Halbmonatsschrift z. Studium d. französ. u.
deut. Sprache. Journal bimensuel destiné à l'étude des langues allemande et franç. 9—13. année. 1901—5 à 24 nrs. (Nr. 1.
16) 8° La Chaux-de-Fonds, Verl. d. Tracteur. (Nur dir.)
Halbj. nn 2 —
Bildet zugl. d. Fortsetzg v. Journal franç., le petit.
Träger, C: Der Zimmer- u. Balkongärtner od.: Wie behandle
ich meine Topfpflanzen. (46) 12° Berl., W Frey (o. J.). — 20 d
Traeger, L: Der Kausalbegriff im Straf- u. Zivilrecht. (391)
8° Marbg, NG Elwert's V. 04. 7.50
Tragl, A: Vaterland. Aufsätze f. d. Unterst. d. österr. Mittelsch.
(95) 8° Innsbr., Wagner 02. 1.90 d
Tragödie, d. d. Kronprinzen Österr.-Ungarns weil. Erzherzog Rudolph im Jagdschlosse zu Meyerling nächst Wien am
30.I.1889. Wahrheitsgetreuer Bericht üb. d. Todesursache d.
Prinzen. Zur Richtigstellg jener total falschen Angaben,
welche angeblich v. e. Hofdame d. † Kaiserin Elisabeth veröffentlicht worden sind. (23) 8° Zür., C Schmidt 04. — 50 d
— d. Weibes. Roman v. einer, d. daran verblutet. (157) 8°
Berl., Verl. Continent (04). 2.50; geb. 4 — d
Tragoedien, griech. Übers. v. U v. Wilamowitz-Moellendorff.
1—3. Bd. 8° Berl., Weidmann. L. 17 —
1. I. Sophokles: Oedipus. II. Euripides: Hippolytos. III. Euripides: Der
Mütter Bittgang. IV. Euripides: Herakles. 2. Afl. (355) 01. § 4. Afl.
(369) 04. Je 6 —
2. (Aischylos:) Orestie. 4. Afl. (317) 04. 6 —
3. VIII. Euripides: Der Kyklop. IX. Euripides: Alkestis. X. Euripides: Medea. XI. Euripides: Troerinnen. (363) 06. 6 —

184*

Tragoedien, griech. Übers. v. U v. Wilamowitz-Moellendorff. Einzelausg. Nr. 1, 2, 4, 5 u. 6—11. 8° Berl., Weidmann. Geb. 10.40
Aischylos: Agamemnon. 3. Afl. (118) 03. [5.] 1.20 ‖ Das Opfer am Grabe. 2. Afl. (87) 01. [6.] 1 — ‖ Die Verschwg. 3. Afl. (107) 01. [6.] 1.20
Euripides: Alkestis. (95) 05. [9.] 1 — ‖ Herakles. 2. Afl. (95) 04. [4.] 1 — ‖ Hippolytos. 2. Afl. (99) 03. [7.] 1 — ‖ Der Kyklop. (62) 06. [8.] — 80 ‖ Medea. (97) 06. [10.] 1 — ‖ Troerinnen. (107) 06. [11.] 1.30
Sophokles' Oedipus. 4. Afl. (86) 04. [1.] 1 —
Trägrdh, I: Beitr. z. Kenntnis d. Dipterenlarven. 1. Zur Anatomie u. Entwicklgsgesch. d. Larve v. Ephydra riparia Fall. [S.-A.] (42 m. 4 Taf.) 8° Stockh. 03. (Berl., R Friedländer & S,) 2 —
Trainer, T: Kl. Kochb., s.: Davidis, H.
Trainunterricht. I u. II. Tl u, Figurenheft z. II. Tl. 8° Wien, (Hof- u. Staatsdr.) 04. 9 —
I. Reitzeug u. Beschirrg. (205 m. Abb.) 2.50 ‖ II. Fuhrwerke. (257 m. Abb.] 2.50 ‖ Figurenheft. (35 Taf. m. 4 S. Text.) 4 —
Traité de l'appréciation du bétail suisse de race tachetée. Méthode du pointage et du mesurage. Publié par le comité de la fédération suisse des syndicats d'élevage et de la race tachetée rouge. 4. éd, (78, 23, 12 u. 12 m. Abb. u. 2 Bl. auf Kart.) 8° Bern, KJ Wyss 03. Kart. 1.50
Traktat, e., z. Apokalypse d. Ap. Johannes in e. Pergamenthandschrift d. k. Bibliothek in Bamberg. Zum 1. Mal veröffentlicht v. K Hartung. (22) 8° Bambg, (G Duckstein) 04. — 60
— üb. d. Reichstag im 16. Jahrb., hrsg. v. K Rauch, s.: Quellen u. Studien z. Verfassgesch. d. Deut. Reiches.
Traktate, kl., a. d. Brüdermission. Nr. 32—37. (Mit je 1 Bild a. d. Umschl.) 12° Herrnh., Missionsbh. Je — 05 d
Kluge, H: Besuch auf Groot Chatillon, d. Aussätzigenasyl. ‖ Weiss nachgezählt. (16) [02.] [33.] ‖ Zu d. Sumu-Indianern. Besucherreise in d. Ur- wälder Nicaragua's, G Carlsson nacherzählt. (16) [02.] [34.] ‖ Sprosa, Saaten. Aus d. Leben u. Arbeiten auf d. Station Mapun, Nord-Queensland, Hey nacherzählt. (16) [03.] [35.]
Schreve, T: Gangama. Ein Heidenleben a. d. Bergen d. Himalaya. (16) [02.) [87.]
Wolter, M: St. Jan u. s. Missionar. (16) [02.] [36.] ‖ Ein Sonntag in Friedensfeld auf St. Croix. (15) [02.] [35.]
Bandausg, s, u, d, T: Erlebnisse u. Erfahrungen a, d. Arbeit d. Brüdermission.
— zeitgemässe, a. d. Reformationszeit. Hrsg. v. C v. Kügelgen. 2—6. Heft. 8° Lpzg, Gött., Vandenhoeck & R. 5.55 (1—6.: 7.05) d
Bugenhagen's christl. Vermahlngn d. Böhmen. Nach d. Orig.-Druck v. J 1540 neu hrsg. v. C v. Kügelgen. (16, 19 m. Bildnis.) 03. [2.] 1 —
Hus, J: Von Schädlichk. d. Tradition. Nach d. Altenburger Orig.-Druck neu hrsg. v. C v. Kügelgen. (72, 8 m. 1 Taf.) 05. [6.] 1 —
Hutten's Briefe an Luther. Nach d. Orig.-Drucken neu hrsg. v. E Spranger. (30, 23 m. Bildnis.) 05. [3.] 1.30
Melanchthon's Einl. in d. Lehre d. Paulus v. J 1520. Nach d. Wittenberger Urdruck neu hrsg. v. JKF Knaake. (21, 35 m. Bildnis.) 04. [5.] 1.50
Zwingli's Vademekum f. gebildete Jünglinge. Nach d. Basler Urdruck v. J. 1528 neu hrsg. v. C v. Kügelgen. (18, 37 m. Bildnis.) 04. [4.] — 85
Das 1. Heft bildet: Hus, J, Gefangenschaftsbriefe.
Trampe, E: Syrien vor d. Eindringen d. Israeliten. II. (Studien zu d. Thontaf. v. Tell el-Amarna.) (29) 4° Berl., Weidmann 04. 1 — (I u. II.: 2 —)
Tramway-Tarif, d. neue. Darstellg d. neuen Zonen- u. Sektoren-Einteilg sowie d. neuen Fahrpreise n. d. Gemeinderatsbeschlusse v. 12.V.'03. Hrsg. im Auftr. d. Dir. d. städt. Strassenb. 31×40 cm. Farbds. Mit Text an d. Seiten. Wien, G Freytag & B. 3 —
Tränckner, C: Ein fröhl. Bursch. Liederb. f. d. gesell. Abende an deut. Lehrerbildgsanst. (284) 12 Oldesl., LH Meyer 04. Kart. 1.50 d
— Die bibl. Poesie, bes. d. alttestamentl., u. ihre Behandlg in d. Schule. (256) 8° Gotha, EF Thienemann 02. 3.60; geb. 4.30 d
— Das Recht d. Kunst auf d. Schule, s.: Beiträge z. Lehrerbildg n. Lehrerfortbildg.
Tränkner, H: Üb. Talern u. Tiefen. Dichtgn. (153) 8° Dresd., E Pierson 03. 2 —; geb. 3 —
Transactions of the internat. association for the protection of industrial property. Vol. VII. 1703. (202) 8° Barth, C Heymann 04. 5 — ‖ VIII. '04. Part. I. (380) 05. 10 —
Vol, I—VI sind nicht in engl. Ausg. erschienen.
Transfeldt: Dienstunterr. f. d. Infanteristen d. deut. Heeres. 4º, Afl. v. Transfeldt. Ausg. m. Gewehr 88. (164 m. Abb., 1 Bildn. u. 19 [4 farb.] Taf.) 8° Berl., ES Mittler & S. 05. nn — 60; kart. nn — 60; Ausg.m.Gewehr98.(190) nn — 50; kart. nn — 60 d
— dass. Ausg. f. Pioniere. Ausg. m. Gewehr 88. (184 u. 4) 8° Ebd. 05. nn — 50; kart. nn — 60; Ausg. m. Gewehr 98. (184 u. 4) nn — 50; kart. nn — 60 d
Translator, The. Halbmonatsschrift z. Studium d. engl. u. deut. Sprache. A semimonthly for the study of Engl. and German. Vol. I and II. 1904 and 5 à 24 nrs. (Nr. 1, 16) 8° La Chaux-de-Fonds, Verl. d. Traducteur. (Nur dir.) Halbj. 10 r
Transvaal boven! (Buren-Lieder.) (Von E Schwechten u. JH Wilke.) (16) 8° Berl., „Deut. Hochwacht" (01). — 30 d
Trapp, A: Rechenb. f. Fortbildgsgesch., s.: Wenzel, K.
— u. E Weirup: Geschäfts-Aufsätze. Zum Gebr. bes. in ländl. Schulen aller Art u. in händl. Fortbildgsgesch. 2. Afl. (87 m. 5 Formularen.) 8° Hildesh., Gerstenberg 01. Kart. 1 — d
Trapp, AM: Andachtsbüchl, f. d. 7 Freitage zu Ehren d. gr. Wundertäters, d. hl. Vinzentius Ferrerius a. d. Predigerorden. Nach P Ranzan u. d. ungenannten Werke v. Fages bearb. (230 m. Titelbild.) 16° Dülm., A Laumann Co. L — 75 d
— Leitstern d. Rosenkranz-Bruderschaft. 4. Afl. (115) 16° Ebd. 02. L. nn — 65 d
— Officium b. Mariae virginis. d. i. kl. Tagzeiten zu Ehren

d. allersel. Jungfrau Maria n. d. Ritus d. Prediger-Ordens lateinisch u. deutsch f. d. Mitglieder d. 3. Ordens v. d. Busse d. hl. Dominikus. 6. Afl. (374 m. 1 St.) 16° Dülm., A Laumann 03. L. 1 — d
Trapp, E, s.: Katalog, illustr., d. Litt. auf d. Geb. d. Geflügelzucht usw.
2. Afl. u. d. T.:
— Illustr. Ratgeber auf d. Gebiete d. Geflügelzucht, Taubenzucht, Ornithol., Kaninchenzucht, Hundesport etc. 2. Afl. (68 m. Abb.) 8° Dresd., H Schultze 02. nn — 30
Trapp, E, u. H Pinske: Das Bewegspspiel. Seine geschichtl. Entwicklg, s, Wert u. s. method. Behandlg, nebst e. Sammlg v. üb. 200 ausgew. Spielen u. 25 Abzählreimen. 8. Afl. (219 m. Fig.) 8° Langens, H Beyer & S. 05. Geb. 1.60 d
Trapp, H v.: Istrian. Rosengarten. (88) 8° Dresd., E Pierson 06. 1.50; geb. 2.50 d
Trappe's, A, Schul-Physik. 15. Afl. v. T Maschke. Mit e. Anh.: Die einfachsten chem. Erscheingn m. Berücks. d. Mineral. v. J Schiff. (412 u. 84 m. Abb.) 8° Bresl., F Hirt 03. Geb. 4.50 d
Trappmann, L:Wie d. treuen Hirten Hand d. verirrte Schäflein fand. 1. u. 2. Afl. (39) 8° Barm., Elim (03.04). — 25 d
— Warum bist du nicht frei? Eine Frage an Jünglinge. 1. u. 2.Afl. (22) 8° Neumünst., Vereinsb, GIhloff & Co. (04.05). — 15 d
Trarbach, P: Konzentration d. Unterr. in d. Volkssch. (99) 8° Berl., L Oehmigke's V. 03. 2 —; kart. 2,20 d
— dass. nebst e. Lehrpl. 2. Afl. Ausg. B: Anordng d. Lehrstoffs n. Gruppen. (136) 8° Ebd, 05. 2.20; geb. 2.50 d
Trattato di chimica, tecnologia chimica, merciologia e tecnologia meccanica per le secuole sup. di commercio e gli istituti affini. Versione italiana di G Medanich. (3 voll.) Vol. I e II. 8° Milano, A Hölder. Je 1.72
Oppelt, E: Trattato di chimica inorganica e organica chimica. (160 m. Abb.) 04. [I.] ‖ Trattato di chimica organica e tecnologia chimica. (163 m. Abb.) 05. [II.]
Trau, schau, wem! Ein Wort d. Warng geg. d. neuen Propheten d. „rein christl. Gottesweisheit". (8) 8° Güstr., (Opitz & Co.) (02). nn — 05 d
Traub, B: Das Strafgesetzb. f. d. Deut. Reich, nebst d. wichtigeren auf d. Strafrecht bezügl. Reichs- u. bad. Landesges. 6. Afl. (627) 8° Mauuh, J Bensheimer's V. 1897. (4 —; geb. 5 —) 1.50; L, 2.50 d
Traub, G: Arbeit u. Arbeiterorganisation, s.: Festgaben f. Fried. Jul. Neumann.
— s.: Beiträge z. Weiterentwicklg d. christl. Relig.
— Ethik u. Kapitalismus. Grundz. e, Sozialethik. (255) 8° Heilbr., E Salzer 04. 4.20; geb. 5 —
— Gott. Vortr. (15) 8° Dortm., Köppen (02). — 30 d
— Materialien z. Verständnis u. z. Kritik d. kathol. Sozialismus, s.: Geschichts-Wahrheiten.
— Die Wunder im neuen Test., s.: Volksbücher, relig.-geschichtl.
Traub, T: Christfest, Jahresschluss, Neujahr. 3 Predigten. (36) 8° Stuttg., M Kielmann (02). — 50 d
— Johannes Chrysostomus. 347—407. Lebensbild. (40) 8° Stuttg., Bh. d. ev. Gesellsch. 03. Kart. — 60 d
— Auch e. „Schillerpredigt". (18) 8° Ebd. 05. — 50 d
— Wider d. Spiritismus. (72) 8° Ebd. 04. — 60 d
— dass. Mit d. Antwort auf GA Lange's Gegenschrift. 2. Afl. (84) 8° Ebd. 04. — 80 d
— Tod u. Zwischenzustand. Spiritismus. 2 Predigten. (29) 8° Stuttg., M Kielmann 03. — 50 d
— dass. 2 relig. Vorträge. 2. Afl. (29) 8° Ebd. 04. — 50 d
Traube, d. rhein. Red. v. G Maier. 28. u. 29. Jahrg. 1904 u. 5 je 12 Nrn. (Nr. 1. 16) 8° Grundschöttel-Volmarstein. (Kass., JG Oncken Nf.) Je¹1.50 d
Traube,J: Grundr. d. physikal. Chemie. (360 m. Abb.) 8° Stuttg., F Enke 04. 9 —; L. 10 —
Traube, L: Acta Archelai. Vorbemerkg zu e. neuen Ausg. [S.-A.] (17) 8° Münch., (G Franz' V.) 04. — 40
— Palaeograph. Forschgn. 3. u. 4. Tl. [S.-A.] 8° Ebd. 04. 5 —
8. Traube, L:, in Ehwald: Jean-Baptiste Maugérard. Beitrag z. Bibliothekgesch. (87 m. 2 Taf.) 5 —
4. Bamberger Fragmente d. 4. Dekade d. Livius. Anonymus Cortesianus. (56 m. 7 Taf.) 3 —
Tl I u. 2 sind noch nicht erschienen.
— Die Gesch. d. tiron. Noten bei Suetonius u. Isidorus. [S.-A.] (20 m. Fig.) 8° Berl., Thormann & G. 01. — 75
— s.: Hieronymus, chronicor, codicis fragmenta.
— Perrona Scottorum, a. Beitr. z. Ueberlieferzgesch. u. z. Palaeogr. d. M.-A. [S.-A.] (70) 8° Münch., (G Franz' V.)(1900. 1 —
— s.: Quellen u. Untersuchgn z. latein. Philol. d. M.-A.
Traudt, V, s.: Dichterbuch, hess.
— Prakt. Normen- u. Raumlehre. — Schafft frohe Jugend, s.: Henck, W.
— Lehrer Korn. Eine Mondbürgergesch. (1—3. Taus.) (315) 8° W.-Jena, Thüringer Verl.-Anst. 06. 2.50; geb. 3 — d
— Fröhl. Lernen, s.: Henck, W.
— Leute vom Burgwald. Erzählg a. d. oberhess. Volksleben. (286) 8° Marbg, NG Elwert's V. (02). 3 —; geb. 4 — d
— Hausswirtschaftl. Rechenb., s.: Henck, W.
Traue, D, u. A. Errichtg guter Düngerstätten, s.: Kinzel, W.
Trauer, E: Chronik d. Dorfes Marieney i. Vogtl. bis z. Einverleibg d. sächs. Landeskirche. (111 u. Nachtr. 3 m. Th.) 8° Plauen, (A Kell) 03. 2.40 d
Trauerfeier f. d. Staatsminister, Oberpräs. d. Prov. Westpreussen Herrn D. Dr v. Gossler. (23 m. 1 Bildnis.) 8° Danz., Ev. Vereins-Bh. 02. — 40 d

Treiben, d., d. russ. Geistlichk. (In russ. Sprache.) (60) 8°
Berl., H Steinitz (03). 1.50
Treiber, FA: Die Praxis d. Geschäftslebens. Wegweiser zu
Erfolg u. Wohlstand. Nach d. Piening'schen Übersetzg v.
ET Freedley's „practical treatise on business" neu bearb.
4. Afl. (170) 8° Lpzg, GA Gloeckner 05. 3 —; geb. nn 3.50 d
Treibl, A: Fragen d. Getreidehandels u. d. Getreidebörsen.
(38) 8° Wien, (W Frick) 04. 1.50 d
— Die Kursnotierg an landw. Börsen (Getreidebörsen). (78) 8°
Ebd. 06. 2.60
— Die Wiener Produktenbörse. Börse f. landw. Producte in
Wien. (416 S. u. 6 Bl. m. 2 Tab.) 8° Wien (II/4, Börsensekre-
tariat), Selbstverl. 05. 5 —; geb. 7 — d
Treichel, A: Hugin u. Munin. Novellen. (243) 8° Berl., R Taendler
(01). 3 —; geb. 4 — d
Treillard, H: Lehr- u. Lernb. d. französ. Sprache, s.: Pünjer, J.
Treit, S: Stimmgs-Bilder. (64 m. Bildnis.) 8° Münch., (C Beck
[L Haile]) 01. Geb. m. G. 2 — d
Treitel: Ohr u. Sprache od. üb. Hörprüfg mittelst Sprache,
s.: Vorträge, klin., a. d. Geb. d. Otol. usw.
Treitel, R: Die Unmöglichk. d. Leistg u. d. Verzng bei Unter-
lassgsverbindlichk. (73) 8° Berl., Struppe & W. 02. 2 —
— u. M Berol-Konorah: Artistenrecht. Hdb. üb. d. Varieté-
Engagementsvertrag. (217) 8° Berl. (W. 8, Leipzigerstr. 41 II),
(Das Programm) 05. L. 4 —
Treitschke, H v.: Histor. u. polit. Aufsätze. 6. Afl. 1—3. Bd.
8° Lpzg, S Hirzel 03. Je 6 —; geb. je nn 8 — d
1. Charaktere, vornehmlich a. d. neuesten deut. Gesch. (499)
2. Die Einheitsbestrebgn vertheilter Völker. (569)
3. Freiheit u. Königthum. (645)
— Deut. Gesch. im 19. Jahrh., s.: Staatengeschichte d. neuesten
Zeit.
— Lessing, Heinr. v. Kleist. — Luther. Fichte, s.: Bücherei,
deut.
— Politik. Vorlesgn. Hrsg. v. M Cornicelius. Reg. (f. Abnehmer
d. 1. Afl.). (577—652) 8° Lpzg, S Hirzel 01. 1.50
Treller, F: Athene parthenos. Novelle. (108) 8° Cass., F Scheel
06. (1.50] 1.25; geb. (2.25) 1.80 d
— Der Enkel d. Könige. (326 m. Abb.) 8° Stuttg., Union (04).
L. 3 — d
— Der Held v. Trenton. Erzählg a. d. amerikan. Unabhängig-
keitskampfe. (208 m. 4 Farbdr.) 8° Stuttg., G Weise (03).
Geb. 3.50 d
— Hung-lii. (268 m. Abb.) 8° Stuttg., Union (05). L. 4.50 d
— Das Kind d. Prairie. Erzählg f. d. reif. Jugend. (195 m. 4
Farbdr.) 8° Stuttg., G Weise (01). Geb. 3.50 d
— Der König d. Miamis. Erzählg a. d. Kämpfen um d. Ohio-
thal. (214 m. 4 Farbdr.) 8° Ebd. (02). Geb. 3 — d
— Der Sohn d. Gaucho, s.: Kamerad-Bibliothek.
— Die Söhne Arimunts. Erzählg a. deut. Vorzeit f. d. Jugend.
(194 m. 4 Farbdr.) 8° Stuttg., G Weise (02). Geb. 3 — d
Treller, H: Der neue Bursche, s.: Vereinstheater.
Treller, R: Der Myrte Ehrentag, s.: Hochzeits-Album.
Tremp, A: Bischof Greith u. d. Mystik. [S.-A.] (85) 8° Luz.,
(Räber & Co.) 1899. nn — 50 d
Trempenau, W: Prakt. Buchführg f. Detail-Geschäfte, ins-
bes. auch Kolonial-, Material- u. Gemischtwaren-Geschäfte.
2. Afl. v. B Trempenau. (155) 8° Lpzg, G Weigel (02). 3 —;
geb. 1.80 d
— Die Hotel-Buchführg. 3. Afl. v. J Morgenstern. (138) 8° Lpzg,
BF Voigt 03. 2.50 d
— Rechte u. Pflichten d. Kaufleute u. Gewerbetreib. n. d. neuen
Reichsges. 3. [Tit.-]Afl. (212) 8° Neuw., Heuser's Erben [1899]
(03). 1 — d
— Wie bewirkt man sich um off. Stellen geschickt u. Erfolg
versprechend? 12. Afl. (157) 8° Lpzg, G Weigel (04). — d
geb. 1.80 d
Trench, RC: Die Erklärg d. Bergpredigt a. d. Schriften d. hl.
Augustinus. Deutsch v. E Roller. (99, 47 u. 6) 8° Neukirch.,
Bh. d. Erziehgsver. (04). 2 —; geb. 3 —
— Die Gleichnisse d. Herrn in St. Matthäus XIII, betrachtet.
Deutsch v. M Schuchard. (78) 8° Lpzg, G Strübig 03. 1.50;
geb. 2 — d
— Die Versuchg Christi. Aus d. Engl. v. M Schuchard. (63)
8° Brem., Bh. u. Verl. d. Tractath. (02). — 40 d
— Die Wunder d. Herrn. Deutsch v. E Roller. (151 m. Bild-
nis.) 8° Neukirch., Bh. d. Erziehgsver. (08). 5.50; geb. 7 —
Trenck, v. d.: Kannst Du Deinen Katech. noch? (48) 12° Dresd.,
CL Ungelenk 01. — 30 d
— 40 Konfirmations-Zeugnisse, m. Randzeichngn v. O Plesch.
1. Sammlg. Ausg. A. 3. Afl. 4° Lpzg, A Dürr (02). 1.50 d
— Recht frei. [S.-A.] (12) 8° Lpzg, F Jansa 03. — 40 d
— Womit nicht ich dienen? [S.-A.] (20) 8° Ebd. 04. — 10 d
Trendelenburg, A: Der gr. Altar d. Zeus in Olympia. (44 m.
3 Taf.) 4° Berl., Weidmann 02. 1 —
— Erläutergn zu Platos Menexenus. (30) 8° Ebd. 05. 1 —
Trendies, O: Das l. Geständnis, s.: Barthel's, K, Theater-Bibliw.
Trenkel s.: Hof- u. Staats-Handbuch f. d. Herzogt. Anhalt.
Trenkner, A: Aufg. z. Buchführg f. Handwerker. Bearb. v. W
Bahr. (67 u. 8) 8° Altona, J Harder, 3. 05. Kart. 1.20
— Leseb. f. gewerbl. u. kaufmänn. Fortbildgsschr., s.: Schmarje, J.
Trenkner, B: Die Anwendg d. künstl. Düngemittel im Garten-
bau. „Unter bes. Berücks. d. Chilisalpeters". (79 m. Abb.) 8°
Lpzg, H Voigt 04. 1 — d

Trenkner, K: Erläutergn zu Goethes Reineke Fuchs, s.: Kö-
nig's, W, Erläutergn zu d. Klassikern.
Trenkner, W: 10 Kinderlieder, s.: Taubert, W.
Trenkwalder, F: Die österr. Executionsordng, s.: Heller, M.
Trentovius, G v.: Synopt.-Tab. d. Seidenzucht. (1 Bl. m. Abb.)
Fol. Riga, (J Deubner) 01. — 80 d
Treplin: Relig.-Unterr. in d. Fortbildgssch. 2. Lehrj. (50) 8°
Neumünst., (G Schnippel) 1900. — 60 (Vollst.: 1.20) d
Trepplin, G: Werden. (143) 8° Münch., A Schupp (01). (Lpzg,
F Förster.) 2 — d
Treppner, M: Die gebiet. Stunde. Gedichte. (109 m. Bildnis.)
8° Würzbg, FX Bucher (03). 1.60; geb. 2.60 d
Trepte, A: Jünglingsglaube. Ev. Predigten f. Werdende u.
Suchende. (203) 8° Lpzg, A Deichert Nf. 03. 2.80; geb. nn 3.60 d
(47) 8° Cöln, Westdeut. Schriftenver. 06. — 40 d
Treptow, E: Der altjapan. Bergbau u. Hüttenbetrieb, dargest.
auf Rollbildern. [S.-A.] (12 m. Abb. u. 3 farb. Taf.) 8° Freibg,
Craz & G. 04. 3 —
— Die Gesch. d. Bergbaus im 19. Jahrh. Vortr. [S.-A.] (34 m.
1 Karte u. 3 Tab.) Ebd. 01. 1.50
— Grundz. d. Bergbankde u. Aufbereitg. 3. Afl. (458 m. Abb.)
8° Wien, Spielhagen & Sch. (03). 10 —; L. nn 11 —
— Die Mineralbestng in vor- u. frühgeschichtl. Zeit. [S.-A.]
(43 m. Abb. u. 4 Taf.) 8° Freibg, Craz & G. 01. 2 —
— s.: Plötziade.
Treptow, L: Wem gehört d. Kind?, s.: Vereinstheater.
Tresor, der. Zeitschrift f. Volkswirtschaft u. Finanzwesen.
Hrsg. u. Red.: S Heller. 30—34. Jahrg. 1901—5. 38—42. Bd
je 52 Nrn. (Nr. 1. 8) 40,5×26 cm. Wien, (A Hölder). Je 16 —
Tress, G: Im letzten Augenblick. — Das Gebet d. Mutter. —
Priesterl. Heldenmut. — Aus Kolpings' Leben, s.: Dilettauten-
bühne, kathol.
Trettin, A: Zusammenhäng. engl. Handelskorrespondenz —
Lehrb. d. engl. Sprache, s.: Krüger, R.
Treu zum Centrum! Mahnwort an d. kathol. Wähler. Von e.
Zentrumsveteranen. (63) 12° Düsseldf 03. Cöln, JP Bachem.
(— 60) — 40 d
— zu Rom. Nr. 1—4. 8° Wien, St. Norbertus. 2s nn — 10 d
Hilarion: Der missglückte Familienabend. (64) 02. [1.] | Die Grundstein-
legg. (59) 03. [2.] | Die Kirchweih. (66) 04. [5.] | Der christl. Lehrbau.
(64) 05. [4.]
— bis in d. Tod. Lebensbild d. Missionars Dr. Friedrich Ribben-
trop. 6. Afl. (3) 31. 8° Frieden.-Dorf., Bh. d. Gossner'schen Miss.
(05). — 25 d
Treu: Die Ursache u. d. Verhütg d. Familienlasten u. vieler
unglückl. Ehen. Ärztl. Ratgeber z. Beschränkg e. allzureichen
Nachkommenschaft. 10. Afl. (60 m. Abb.) 8° Lpzg, O Weber
(04). 1.80 d
Treu, A: Selke. Ein Mortara d. 16. Jahrh. 2. Afl. (122) 8° Brüon,
(M Friedländer) 01. 1.30 d
Treu, A, s.: Triepel, G.
Treu, E (Frl. L Griebel): Bergan. Erzählgn. (361) 8° Lpzg (02).
Stuttg., Union. 3 —; L. 4 — d
— Erlebtes u. Erträumtes. Erzählgn. 2. Afl. (310) 8° Ebd. (03).
3 —; L. 4 — d
— Frei! Studentenstück (Festsp.). (35) 8° Flensbg, Deuschf833
Grosslogo II (04). — 60 d
— Helles u. Dunkles. Erzählg. 2. Afl. (230) 8° Glückst., M
Hansen (04). 1.20; geb. 2 — d
— Jungmädelsgeschichten.Erzählgn f.Mädchen v.11—13Jahren.
(385) 8° Ebd. (04). 2 —; geb. 3 — d
— Jungvolk. Novellen. (358) 8° Lpzg 03. Stuttg., Union. 3 —;
L. 4 — d
— Reiner Klang. Erzählgn. (340) 8° Ebd. (01). 3 —; L. 4 — d
— Miteinander. Erzählg f. Mädchen v. 11—13 Jahren. Sehr frei
h. d. Engl. (187) 8° Glückst., PE Perthes 05. L. 3.40 d
— Fräulein Sausewind. Nach d. Engl. f. d. deut. Jugend bearb.
(128) 8° Glückst., M Hansen (05). L. 1.50 d
Treu, G, s.: Entwürfe, d. preisgekrönten, z. Bismarck-Denkmal
f. Hamburg.
Treu, H: Kurze Zusammenstellg üb. Zucht u. Pflege d. Ziege.
(16) 12° Hohenwest. (1807). (Lpzg, RC Schmidt & Co.) — 15 d
Treu, KU, s.: Jahrbuch d. Zoll- u. indirekten Steuer-Ver-
waltgn. — Kalender f. Zoll- u. Steuer-Beamte.
Treu, L: Im fernen Westen, s.: Bibliothek, illustr., d. Reisen
u. Abenteuer.
Treu, M: Der Bankrott d. modernen Strafvollzuges u. s. Reform.
Off. Brief an d. Reichsjustizamt. (107) 8° Stuttg., R Lutz
04. 1.50
— Strafjustiz, Strafvollzug u. Deportation, s.: Rechtsfragen.
Treu, M: Das ewige Gericht. Gesch. e. Menschen. (343) 8° Berl.
(05) Gr.-Lichterf., Kahlenberg & G. 4 —; L. 5 —
Treuber, (O): Hdb. d. Weltgesch., s.: Dürr, J.
Treuber, W: Allg. Münz-, Mass- u. Gewichtsb. m. bes. Berücks.
d. Deut. Reichs. 3. Afl. v. Hahn. (18, 182 u. 58) 8° Dresd.,
F Jacobi 03. Geb. 3 — d
Treuer, F: Die Sonne als Ursache d. hohen Temperatur in
d. Tiefen d. Erde, d. Aufrichtg d. Gebirge u. d. vulkan. Er-
scheinqn. (68) 8° Münch., M Kellerer 04. 1.80
Treuenfeld, B v.: Das Jahr 1813. Bis z. Schlacht v. Dresden
Görschen. (544 u. 240 m. 7 Kart.) 8° Lpzg 01. Berl., Zuck-
schwerdt & Co. 20 — d
Treuenfest s.: Amon v. Treuenfest.
Treuenschwert s.: Knebel v. Treuenschwert.

Treuge, J: Leitf. beim Unterr. in d. deut. Grammatik. — Deut.
Leseb. f. unt. Kl. höh. Lehranst., s.: Bassmann, E.
— Liederb. f. d. Schulgesang. Zum Gebr. f. d. unt. Kl. höh. Lehr-
anst. 5, Afl. (112) 12° Münst., H Schöningh 01. Kart. — 80 d
Treugold, F: Alt-Stuegert. Herren-, Burger- u. Wengertars-Lie-
der, G'schichten, Sagen u. Sprüch. (Poet. Schriften.) (64) 8°
Stuttg., (Glaser & Sulz) 03. — 60 d
— Sadrach A. B. Daego, e. babylon. Keilschriftlehrar. 130 In-
schriften, entziffert u. umgedichtet. 10. Afl. (108) 12° Stuttg.,
R¸ Lutz (02). 1 — ; L. 1.25 d
— Volkmar, d. Spielmann v. Stuttgart. Episode a. d. Leben d.
Herzogs Ulrich v. Württemberg. Ein Sang. (83) 16° Stuttg.,
(Glaser & Sulz) 1900. 1 — d
— Weihnachts-Aufführgn. (Poet. Schriften.) II. Nikolaus. Der
Christengel. Die Weihnachtsgesch. in leb. Bildern. 2. Afl. (32)
8° Ebd. (05). — 30 d
Treumann, J: Auf stürm. See. Roman a. d. amerikan. Leben.
(269) 8° Mannh., J Bensheimer's V. (03). 3 — d
Treumund, J: Schloss Friedelhausen. Sittengemälde a. d. J. 1615.
2. Afl. (103) 8° Herb., Bh. d. nass. Colportagever. 03. nn — 70 ;
geb. 1 — ; L. 1.20 d
Treupel, G: Ueb. d. operative Behandlg gewisser Lungenkrankh.
u. ihre Indikationen, s.: Klinik, Berliner.
Trentlein, P: Übgsb. f. d. Rechenunterr. an Mittelsch. 1. u.
2. Tl. 3. Afl. 8° Lahr, M Schauenburg 05. Kart., je — 50 d
1. Das Rechnen m. d. natürl. Zahlen, (04) ‖ 2. Das Rechnen u. gebroch.
Zahlen. (113)
Treuwart s.: Bernatzky Edler v. Treuwart.
Treus, FW, s.: Künstlerschriften.
Trewendt's Haus-Kalender f. 1903. 56. Jahrg. (80 u. 32 m. Abb.
u. 1 farb. Bildnis.) 12° Bresl. Berl., E Trewendt. — 40 ;
kart. u. durchsch. — 50 d
— dass. f. 1906. 59. Jahrg. (100 u. 39 m. Abb. u. 1 Farbdr.) 8°
Bresl., JU Kern. Kart. u. durchsch. — 50 d
— Jugendbibliothek. 7., 16., 18., 29., 34., 37., 39., 40., 48., 53., 60.
u. 62. Bd. 12° Berl., E Trewendt. Kart. je — 75 d
Baron, B: Das Christfest in d. Familie Frommbold. Weihnachtsgesch.
4. Afl. (119 m. 4 St.) Bresl. (01). [15.] ‖ Geschwister-Leid u. -Freud'.
3. Afl. (99 m. 4 Bildern.) (00.) [45.] ‖ Kalifornien in d. Heimat. 4. Afl.
(112 m. 4 St.) (03.) [29.] ‖ König u. Kronprinz. Geschichtl. Sitten- u.
Charaktergemälde. 4. Afl. (122 m. 1 St.) (04.) [16.] ‖ Ein Landwehrmann.
Erzählg a. d. Sommerkriege v. 1866. 3. Afl. (112 m. 4 St.) Bresl. (01).
[40.] ‖ Aus d. Leben zweier Schüler. 3. Afl. (106 m. 4 St.) Bresl. (01).
[19.] ‖ Deut. Mut in jungem Blut. Bilder a. d. Kriege v. 1870. 3. Afl.
(110 m. 4 Bildern.) Bresl. (00). [53.]
Hoffmann, H: Stadt u. Land. Frei n. Porchat bearb. 2. Afl. (132 m. 4 St.)
Bresl. (07). [39.]
Hoffmann, J: Hass u. Liebe. 4. Afl. (158 m. 1 St.) Bresl. (01). [7.]
Roth, R: Prinz Eugen, d. edle Ritter. 2. Afl. (118 m. 4 Bildern.) Bresl,
(07). [62.] ‖ Gott bracht es an d. Tag. 2. Afl. (109 m. 4 St.) (05.) [60.]
Schüller, J: Die Tataren in Schlesien. Erzählg a. d. vaterländ. Gesch.
3. Afl. (126 m. 4 St.) Bresl. (01). [37.]
— dass. Neue Folge. 10., 22. u. 57—62. Bd. (Mit je 1 Titelbild.)
8° Ebd. — 60 ; kart. je — 75 ; L. je — 90 d
Braun, H: Christsamaria. (140) (03.) [60.] ‖ Vera. (Neudr.) (117) (05.) [29.]
Clement, B: Deutsche Treue. (134) (03.) [59.]
Freytag, A: Der Dorfschäfer v. Panten. Erzählg a. d. Zeit d. 7jähr. Krieges.
(137) Bresl. (02). [58.]
Meissner, M: Ein Wildling. Erzählg. (92) (04.) [62.]
Michaut, S: Gott lenkt. Erzählg. (135) Bresl. (02). [57.]
Pedermani-Weber, J: Die Hussiten in d. Mark. Ein Bild deut. Bürger-
mutes im 15. Jahrb. (117) (04.) [61.]
Roth, R: Der Tigerjäger od. bleibe im Lande u. nähre dich redlich.
2. Afl. (109) (04.) [10.]
Tribüne, die. Wochenschrift f. Aufklärg, Belehrg u. Unterhaltg.
Red.: R Lautenbach. 1. Jahrg. Oktbr—Dezbr 1905. 13 Nrn.
(Nr. 1. 8) 47×32 cm. Berl., Verl. d. „Tribüne". 1.20 ;
einz. Nrn — 10 d
Tricard, H: Alfred d. Gr., s.: Esser's, J, Sammlg leicht auf-
führbarer Theaterstücke.
— Garcia Moreno. — Vitus, s.: Schul- u. Vereinsbühne.
Trichinenschauer, d., s.: Fleischbeschauer, d. empir.
Tricbe, neue. Novelle. — Aus d. Leben d. polit. Verbannten.
(In russ. Sprache.) (293) 8° Berl., H Steinitz 03. 1.75
Triebel, H: Die wichtigsten Abschnitte d. Kirchengesch., f.
ev. Schulen erzählt. [S.-A.] 7. Afl. (32 m. 1 Abb.) 8° Königsbg,
JH Bon's V. 05. nn — 13 d
— Bibl. Gesch., s.: Preuss, AE.
— Zweimal 48 bibl. Historien, s.: Wolke, CL.
— Die gebräuchlichsten Lieder d. ev. Kirche. — 20 Psalmen,
s.: Schultz, F.
Triebs, F: Studien z. Lex Dei. 1. Heft. Das röm. Recht d. Lex
Dei üb. d. 5. Gebot d. Dekalogs. (219) 8° Freibg i/B., Herder
05. 2 — d
Triepel, G (A Treu): Gratulationsb., s.: Cotta, J.
Triepel, H: Quellensammlg z. deut. Reichsstaatsrecht, s.:
Quellensammlung z. Staats-, Verwaltgs- u. Völkerrecht.
— Der Streit um d. Thronfolge im Fürstent. Lippe. (125) 8°
Lpzg, CL Hirschfeld 03. 4 — d
Triepel, H: Einführg in d. physikal. Anatomie. 1. Tl: Allg.
Elasticitäts- u. Festigkeitslehre in elementarer Darstellg.
— 2· Tl: Die Elasticität u. Festigk. d. menschl. Gewebe u.
Organe. (232 m. Fig. u. 3 L.) 8° Wiesb., JF Bergmann 02. 6 —
Trier, H: Lebenswürdige., e. illustr. Führer durch d. Stadt
Trier u. deren nähere Umgebg. 5. Afl. (77 m. 1 Pl.) 8° Trier,
F Lintz 05. Kart. — 75 ; auf Kunstdr.-Pap. 1 —
Trietsch, D, s.: Palaestina.
Trifkovic, K: Der französisch-preuss. Krieg. Ich gratuliere !

Grosse Wahl schafft gr. Qual. Ein Liebesbrief, s.: Bibliothek
ausgew. serb. Meisterwerke.
Trillich, H: Anl. zu hygien. Untersuchgn, s.: Emmerich, R.
— Gewerbl. Betriebskde. (73) 8° Lpzg, H Klasing 02. L. 2.40
Trilon, H: Die neuen Perikopen d. Kirchenj., schulmässig er-
klärt. 3 Tle. 8° Lpzg, Dürr'sche Bh. 6 — d
1. Ev. Perikopen. (316) 01. 2.50 ‖ 2. Episiol. Perikopen. (262) 02. 3.50.
— Die Traktate n. Predigten Veghes, untersucht auf Grund d.
‚lectulus floridus' d. Berliner Handschrift. (252) 8° Halle, M
Niemeyer 04. 6.40
Trilsbach, G: Die Lautlehre d. spätwestsächs. Evangelien.
(174) 8° Bonn, (P Hanstein) 05. 4 —
Trimberg s.: Hugo v. Trimberg.
Trimborn, K: Die Pflichten d. höh. Stände auf soz. u. chari-
tativem Gebiet, s.: Charitas-Schriften.
— Soz. Tätigk. d. Gemeinden, s.: Thissen, O.
Trimmel, R: Eindrücke u. Beobachtgn a. d. Boerenkriege.
Nach e. Vortr. (23) 8° Wien, LW Seidel & S. 01. 1 —
Trine, RW: Das Grösste was wir kennen. Aus d. Engl. v. M
Christlieb. (80) 8° Stuttg., J Engelhorn 06. Kart. 1 — d
— In Harmonie m. d. Unendlichen. Aus d. Engl. v. M Christ-
lieb. 1—10. Taus. (284) 8° Ebd. 05. L. 3.50 d
— Was die Welt sucht. Aus d. Engl. v. M Christlieb. (304) 8°
Ebd. 06. L. 3.50 d
Trinius, A: Alldeutschl. in Wort u. Bild. Auszug, n. d. Orig.-
Werkbearb. v. K Thiedig. (In stenogr. Schrift, System Stolze-
Schrey.) 2 Tle. (71 u. 72 m. je 1 Abb.) 8° Berl., Frz Schulze
(01). Je nn — 75 ; in 1 L.-Bd 2 —
— Miss Annie u. and. Gesch. — Dem Lichte zu. Prinzessin
Übermut. Im Schiffbruch, s.: Reclam's Unterhaltgs-Bibliothek.
— Ein Gang durch d. Wartburg. 1—3. Afl. (29 bezw. 59 m. Abb.
u. 15 Vollbildern.) 8° Eisen., (E Laris Nf.) 03.05. Geb. 1.50
— Goethe-Stätten u. and. Erinnergn a. Thüringen. (152) 8°
Berl., L Simion Nf. 04. 2 — ; L. 2.75 d
— Im Jahresreigen. Skizzen a. d. Thüringer Walde. (272) 8°
Münch., M Grosse (05). L. 2.80
— Neues a. Lerchenthal: Allerlei Geschichten. („Kleinstadt-
luft: Neue Folge".) (180) 8° Berl., Fischer & Fr. (02). 3 —
(1 u. 2.: 6 —; Einbde in L, je 1.50) d
— Wilde Rosen u. and. Erzählgn. (144) 8° Berl., L Simion Nf.
05. 2 — ; L, nn 2.75 d
— Durch's Saalthal. (247) 8° Mind., JCC Bruns (01). 3.25 ;
geb. 4.25 d
— Wenn d. Sonne sinkt, s.: Hesse's, M, Volksbücherei.
— Thüringer Stimmgsbilder. Aus d. Skizzenb. d. Thüringer
Wandersmannes. (175) 8° Münch., G Müller (03). 3 — d
geb. 3 — d
— Streifzüge durchs Thüringer Land, s.: Sammlung belehr.
Unterhaltgsschriften f. d. deut. Jugend.
— Vom Thüringer Walde. Geschichten. (276 m. Bildnis.) 8°
Mind., JCC Bruns (02). 3 — ; geb. 4 — d
— Thüringer Wanderbuch. 8. Bd. (269 m. Bildnis.) 8° Ebd. 02.
5 — (Vollst.: 40 —; Einbde je 1 —) d
Trinkaus, O: Germanias Ehrenschatz, s.: Universal-Bibliothek.
Trinkewitz, M: Unter d. Linde. Erzählg. — Torn, T v.: Raupen.
Skizze. In vereinf. deut. Stenogr. System Stolze-Schrey. (24)
8° Berl., Frz Schulze (02). 20
Trinks, J: Lebensführg e. deut. Lehrerin. Erinnergn an Deutschl.,
Engl., Frankr. u. Rumänien. (Christl. Lebensbilder f. d. deut.
Haus.) 3. Afl. (288 m. Bildnis.) 8° Gotha, FE Perthes 04.
L. 4 — d
Trinksitten, d., im Heere. Ansprache an d. Offiziersfrauen v.
e. Kavallerieoffizier a. D. (32) 8° Dresd., OV Böhmert 1900.
— 30 d
Trinte, R: Geschäftsgänge f. d. Unterr. in d. gewerbl. Buch-
führg d. Goldarbeiter, s.: Scharf, T.
Trip, J: Die kgl. Gärten Oberbayerns, s.: Zimmermann, W.
Tritte, gewisse. Erzählg v. H v. R. (124) 8° Berl., Deut. ev.
Buch- u. Tractat-Gesellsch. (05). 1.20 ; geb. 1.50 d
Triumph d. Liebe. Aus d. Papieren eines Geächteten. Hrsg. v.
Pugnator. (87) 8° Lpzg, M Spohr 02. 1 — d
Triumphlied d. Tyrannen Alkohol. (4) 8° Barm., Elim (02).
100 Stück 1 — d
Triwunatz, M: Guillaume Budé's De l'institution du prince,
s.: Beiträge, Münch., z. roman. u. engl. Philol.
Troeh, E: Die wirtschaftl. Bedeutg d. staatl. u. prov. Boden-
reinertrags. In Deutschl. f. d. ländl. Besitz, s.: Sammlung
national-ökonom. u. statist. Abhandlgn.
Troeltsch, E: Gross v. Trockau.
Trockenbrodt, G: Aschoberger Sprüch'. Gedichte in Aschaffen-
burger Mundart. 3. Afl. (72 m. Abb.) 8° Aschaffenbg, C Krebs
06.‖ Neue Folge. 1. u. 3. Afl. (67 m. Abb.) 04. Je 1.20 ; L. je 1.60 d
Trog, E: Hans Sandreuter, s.: Neujahrsblatt d. Kunstgesellsch.
in Zürich.
Troeger: Der relig. Lernstoff, s.: Decke.
Troeger, C: Aus d. Anfängen d. Regierg Friedrichs d. Gr. (50)
4° Berl., (W Weber) 01. 1.60 d
Trojan, J: Berliner Bilder. 100 Momentaufnahmen. 1. u. 3. Afl.
(246) 8° Berl., G Grote 03. 3 — ; L. 4 — d
— Durch Feld u. Wald, durch Haus u. Hof. Lust. Kinderschrift.
5. Afl. (20 m. 19 farb. Bildern.) 4° Hambg (02). Berl., KW
Mecklenburg. Geb. 2.50 d
— Guck in d. Welt, s.: Strasburger, JH.
— Aus d. Leben. Gedichte. (258) 8° Berl., G Grote 05. 3 — ;
geb. 4 — d

Trojan, J: Das Puppenhaus, s.: Lechler, C.
— Scherzgedichte. 5. Afl. (298) 8° Stuttg., JG Cotta Nf. 05. 3 —
  · ‖ Neue Scherzgedichte. (267) 03. 2.50; Einbde in L. je 1 — d
— Auf d. and. Seite. Streifzüge am Ontario-See. (236) 8° Berl.,
  G Grote 02.   2 —; geb. 3 — d
— L Holle, L Fürst: Austern, Hummern, Krebse, Kaviar, s.:
  Brand's oenolog. u. gastrosoph. Bibliothek.
— u. EH Strasburger: Ungezogenes. Ein lust. Versbuch. 4. Afl.
  (92) 8° Berl., Berliner Verl. 05.   1.50; geb. 2.50 d
Trojanowsky, C v.: Erzähign e. Gerichtsarztes,' s.: Sammlung
  ausgew. Kriminal- u. Detektiv-Romane.
— Aus d. Provinz. Nach eig. Erlebnissen. (200 m. Bildnis.) 8°
  Dresd., E Pierson 06.   2 —; geb. 3 — d
Troitzsch, W; Allg. Bauges. f. d. Kgr. Sachsen. — Meister-
  büchl. — Reichsges. betr. Kinderarbeit in gewerbl. Betrieben,
  s.: Handbibliothek, jurist.
Tröl, TV v.: Aus d. slav. Welt. 2 Bde. (151 u. 235 m. Bildnis.)
  8° Lpzg, P List 02.   Je 2 —; geb. je 3 —
Troll, A. s.: Weihnachtsbuch, deut. .
Troll-Borostyáni, I v.: Katech. d. Frauenbewegg. 1. u. 2. Afl.
  (83) 8° Lpzg 03. Berl., Verl. d. „Frauen-Rundschau".   — 50
— Der Moralbegriff d. Freidenkers. Vortr. (8) 8° Salzbg, (E Höll-
  rigl) (03).   nn — 20 d
— Dem Verdienste s. Krone. Novellen. (204) 8° Berl., D Dreyer
  & Co. (03).   — 50 d
Troels-Lund: Gesundh. u. Krankh. in d. Anschaug alter Zeiten.
  Übers. v. L Bloch. (233 m. Bildnis.) 8° Lpzg, BG Teubner 01.
                                   4 —; geb. 5 — d
Tröltsch, A v., s.: Archiv f. Ohrenheilkde.
Tröltsch, E v.: Die Pfahlbauten d. Bodenseegebietes. (255 m.
  Abb.) 8° Stuttg., F Enke 02.   8 —
Troeltsch, E; Die Absoluth. d. Christentums u. d. Relig.-Gesch.
  Vortr. (23, 129) 8° Tüb., JCB Mohr 02.   2.75
— Polit. Ethik u. Christentum. 1. u. 2. Taus. (43) 8° Gött., Vanden-
  hoeck & R. 04.   1 — d
— Das Historische in Kants Relig.-Philosophie. Zugl. e. Beitrag
  zu d. Untersuchng üb. Kants Philosophie d. Gesch. [S.-A.]
  (154) 8° Berl., Reuther & R. 04.   3 —
— Ueb. histor. u. dogmat. Methode d. Theol., s.: Niebergall,
  üb. d. Absoluth. d. Christenthums.
— Psychol. u. Erkenntnistheorie in d. Relig.-Wiss. Unterschätzg
  üb. d. Bedeutg d. Kantischen Relig.-Lehre f. d. heut. Relig.-
  Wiss. Vortr. (55) 8° Tüb., JCB Mohr 05.   1.20
— s.: Religion, d. christl.
Trömel, FM: Lehrg. d. Stenogr. — Lese- u. Übgsb. bei Erlerng
  d. Gabelsb.'schen Stenogr. — Übgsb. u. Kürzgsbeisp. f. Gabelsb.-
  sche Stenogr., s.: Reuter's Bibliothek f. Gabelsb.-Stenogr.
— Übg macht d. Meister! Neues Hilfsmittel z. leichten Erlerng
  d. Stenogr. Gabelsb.'s. Vorst. u. Mittel- u. Oberst. 4° Lange-
  brück, M Trömel.   1.20
  Vorst. (8) 03. — 20 ‖ Mittel- u. Oberst. Mit e. Schreibheft. (32 u. 22) 03.
Tromholt, S: Catalog d. in Norwegen bis Juni 1878 beobacht.
  Nordlichter. Nach d. Tode d. Verf. hrsg. v. JF Schroeter.
  (23, 422) 4° Kristiania, (J Dybwad) 02.   nn 14 d
Tromholt, S: Streichholzspiele. 10. Afl. (150 m. Abb.) 12° Lpzg,
  O Spamer (05).   — 75 d
Trommer, E: Der sächs. Prinzenraub, s.: Repertoire d. sächs.
  Marionettentheaters. — Theaterbibliothek, Zwickauer.
Trommer, LE: Eisenb.-Zeitfragen. Folge d. grundleg. Vor-
  arbeiten f. e. neue Verkehrsordng u. künft. Verkehrswiss.
  (120) 8° Zür., Art. Instit. Orell Füssli 02.   3 —
Trommershausen, E: Die Wiss. Berechtigg d. christl. Welt-
  anschaug (m. Beziehg auf Prof. Ladenburg u. Prof. Häckel).
  2 Vortr. (52) 8° Gütersl., C Bertelsmann 04.   — 80 d
Trommershausen, M (Andrae-Romanek): Sanftmut. Roman.
  (346) 8° Hag., O Rippel (05).   4.20 d
— In Stellg. (239) 8° Berl. (01). Lpzg, M Heinsius Nf.
                                   L. 4.20 d
Tromnau's, A, kl. Erdkde. 2. Afl. v. K Schlottmann. (110 m.
  Abb.) 8° Halle, H Schroedel 01.   nn — 50 d
— Heimatkde d. Prov. Ostpreussen. Durchgesehen v. F Tromnau.
  (16 m. 2 Kart.) 8° Lpzg, BG Teubner (04).   — 20 d
— dass. d. Prov. Posen. 9. Afl. v. F Tromnau. (20 m. 2 Kart.)
  8° Ebd. (04).   — 25 d
— Kulturgeogr. d. Deut. Reiches u. s. Beziehgn z. Fremde.
  Hilfsb. f. d. Schul- u. Selbstunterr. 3. Afl. v. M Eckert. (172)
  8° Halle, H Schroedel 04.   2 —; geb. 2.40 d
— Landeskde d. Prov. Posen. 2. Afl. (84 m. Abb.) 8° Bresl., F
  Hirt 02.   1.90 d
— Lehrb. d. Schulgeogr. II. Tl. Länderkde m. bes. Berücks.
  d. Kulturgeogr. 2. Afl. v. C Schöne. 3 Abtign. 8° Halle, H
  Schroedel.   5.60; Einbde je — 40 d
  1. Die fremden Erdteile. (180) 02. 1.80 ‖ 2. Europa. (178) 02. 1.60 ‖ 3. Das
  Deut. Reich. (228) 02. 2 —
— dass. Neu bearb. v. E Schöne. 2. Bd. Länderkde m. bes. Berücks. d. Kulturgeogr. Ausg. B f. Präparandenanst. 3. Afl.
  (412) 8° Ebd. 05.   4 — d
— Schulerdkde f. höh. Mädchensch. u. Mittelsch. 2 Tle. Neue Afl.
  v. K Schlottmann. 8° Ebd.   nn 2.05; geb. 2.40 d
  1. Grundstufe B. 6. Afl. (190 m. Abb.) 05. nn — 65; geb. — 80; L. 1 —
  2. Oberst. 7. Afl. (218 m. H.) 04.   nn 1.40; geb. 1.60
Bisher u. d. T.: Tromnau, Schuigeogr.
— d. Unterr. in d. Heimatskde. In sr geschichtl. Entwicklg

u. method. Gestaltg dargelegt. Neu bearb: v. F Wulle. (112)
  8° Halle, H Schroedel 01.   1.50; geb. 2 — d
Tromnau, F: Gesch. d. deut. Ritterordens, s.: Hirt's, F, Realienb.
— Deut. Leseb. f. mehrklass. Schulen, s.: Schmidt, OF.
— Preussen unter d. Königskrone. Kl. Ausg. 31—76. Taus. (48
  m. Abb.) 8° Bres., F Hirt 01.   — 25 d
Trompeter, d. schwed., s.: Schulze's Zehnpfennigbücher. In
  vereinf. deut. Stenogr.
Troost, E: Samoan. Eindrücke u. Beobachtgn. (75 m. Abb.) 8°
  Berl., AW Hayn's Erben (01).   1.20 d
Tropenpflanzer, der. Zeitschrift f. trop. Landw. Nebst: Beihefte. Wiss. u. prakt. Abhandlgn üb. trop. Landw. Hrsg. v. O
  Warburg u. F Wohltmann. 5. u. 6. Jahrg. 1901 u. 2 je 12 Nrn.
  (1901. Nr. 1. 46 m. Abb., nebst Kolonial-Handels-Adressb. 1901.
  184 m. Pl. u. 1 Kartentaf.) 8° Berl., (ES Mittler & S.). ‖ 7 —
  9. Jahrg. 1905—5. Nebst: Wiss. u. prakt. Beihefte. Je 10 —
Tropfke, J: Gesch. d. Elementar-Mathematik in systemat. Darstellg. 2 Bde. 8° Lpzg, Veit & Co. 20 —; Einbde in L, je 1 —
  1. Rechnen u. Algebra. (332 m. Fig.) 02.   8 —
  2. Geometrie. Logarithmen. Eb. Trigonometrie. Sphärik u. sphär. Trigonometrie. Reihen. Zinseszinsrechng. Kombinatorik u. Wahrscheinlichkeitsrechng. Kettenbrüche. Stereometrie. Analyt. Geometrie. Kegelschnitte. Maxima u. Minima. (406 m. Fig.) 03.   12 —
Troschel: Gesch. d. pommerschen Pionier-Bataillons Nr. 2. 3. Afl.
  v. Metzke. (290) 8° Berl., ES Mittler & S. 04. 7.50; geb. nn 8 —
Troschel, J: Generalreg., s.: Arbeiter-Versorgung, d..
Troschke, P: Hdb. d. freien ev. Liebesstätig. in d. Prov. Branden-
  burg. (289) 8° Berl., M Warneck 06.   L. 4 — d
Troschke, F v.: Das Gefecht in u. bei Lüneburg am 3. IV. 1813,
  s.: Beiheft z. Militär-Wochenbl.
Troske, L: Die Pariser Stadtbahn. Ihre Gesch., Linienführg,
  Bau-, Betriebs- u. Verkehrsverhältnisse. [Erweit. S.-A.] (174
  m. Fig. u. 2 Taf.) 4° Berl., J Springer 05.   L. 7 —
Trost, A, s.: Schwind, M v., d. Hochzeit d. Figaro.
Trost, G: Das Amt d. Vormundes, Pflegers, Gegenvormundes,
  Beistandes, Waisenraths u. d. BGB. f. d. Deut. Reich v. 18. VIII.
  1896, nebst d. Einführgsges. u. d. preuss. Ges., betr. d. Ge-
  richts- u. Stempel-Kosten in Vormundschaftssachen, u. Formulare z. prakt. Gebrauch. Ferner d. Ges. v. 17. V. 1898 üb. d.
  Angelegenh. d. freiwill. Gerichtsbark., u. d. Ausführgsges.
  z. BGB. v. 20. IX. 1899, sowie d. Ges. v. 2. VII. 1900 üb. Fürsorge u. Erziehg Minderjähriger. Reglement z. Ausführg d.
  § 17 d. Ges. v. 2. VII. 1900, betr. d. Fürsorgeerziehg Minderjähriger. Vom 15. III.'01. (184) 16° Berl., AW Hayn's Erben.
  02.   Kart. 1.50 d
— Der Auktionator. Vorschriften d. Ministers f. Handel u. Gewerbe v. 10. u. 11. VII.'02. Text-Ausg. (85) 12° Ebd. (03). 1.20 d
Trost, J: Die Dornburg u. deren Umgebg. Neu bearb. v. H
  Grimm. (40 m. Fig. u. 1 Karte.) 8° Wiesb., R Bechtold & Co.
  (01).   — 40
Trost, K: Goethe u. d. Protestantismus d. 20. Jahrh. (84) 8°
  Berl., A Duncker 02.   1 —; L. nn 1.60 d
— Wunderthätig u. Gottesglaube. Betrachtgn e. Protestanten.
  (36) 8° Berl., O Duncker (02).   — 75
Trost-Büchlein f. Leidende u. Betrübte. (75) 16° Augsb., Lit.
  Instit. v. Dr. M Huttler (01).   — 20 d
Tröster, H: Die Lehrerinnenfrage, s.: Bausteine, pädagog.
Trostspende f. d. Trauerjahr u. d. Seelenfeier. (Hrsg. v. S
  Bachenheimer.) (32) 8° Geestem. 01. Prankf. a/M., J Kauff-
  mann.   L. (3 —) 2 — d
Tröstungen u. Ratschläge a. d. Erfahrg. Auszug a. d. Tageb.
  eines Betrübten. 7. Afl. Aus d. Franz. Mit d. Vorwort v. JT
  Beck wiederbrg. v. T Häring. (32) 8° Tüb., F Fues 01.
                              — 60; Kart. L. 1 —; m. G. 1.40 d
Trotha, T v.: Edles Blut, s.: Bonn, F.
— Von d. Donau bis Plewna. Ein Blatt a. d. strateg. Gesch.
  d. Balkan-Feldzuges v. 1877. (124 m. 3 Kart.) 8° Berl., R Schrö-
  der 03.   3 — d
— So keck kann nur e. Lieutenant sein, s.: Bloch's, E, Theater-
  Korrespondenz.
— Der Litteraturbaron, s.: Rosée, A.
— Oltenizza, s.: Beiheft z. Militär-Wochenbl.
— Madame de Pompadour. Lustsp. (124) 8° Berl., Freund & J.
  03.   2 —; geb. 3 — d
— Port Arthur als Festg u. Kriegshafen, s.: Sammlung mili-
  tärwiss. Einzelschriften.
Trotha, W v.: Eine Hochzeitsreise auf blauen Wogen. (244 m.
  Abb.) 8° Berl., AW Hayn's Erben (03).   3 — d
Trott, K: Die Einrichtg usw. d. Fabrik- u. Gewerbe-Betriebe,
  s.: Herrmann, A.
Trotter, JL: Gleichnisse u. Kreuze. Übers. v. E Roller. (32
  m. 16 farb. Taf.) 16° Neukirch., Bh. d. Erziehgsver. (05).
                                        2.50; geb. 3 — d
Trotter, W: Friede durch Glauben. Briefwechsel m. e. Person,
  welche, in ihrem Gewissen beunruhigt, ängstlich Frieden
  sucht. Aus d. Engl. 6. Afl. (48) 8° Elberf., R Brockhaus (durch
  J Fassbender) 05.   — 25 d
Trouessart, E-L: Catalogus mammalium tam viventium quam
  fossilium. Quinquennale suppl., anno 1904. Fasc. I—IV. 8°
  Berl., R Friedländer & S. 44 —. (Hauptwerk u. 1. Suppl.: 110 —)
  I. Primates, Prosimiae, Chiroptera, Insectivora, Carnivora, Pinnipedia.
  (288) 04. 12 — ‖ II. Rodentia. (289—546) 04. 14 — ‖ III. Tillodontia, Ungulata.
  (547—752) 05. 12 — ‖ IV. (Schl.) Cetacea, Edentata, Mar-
  supialia, Allotheria, Monotremata. — Index alphabeticus. (753—929) 05. 9 —.
Trovatori, i, minori di Genova, hrsg. v. G Bertoni, s.: Gesellschaft f. roman. Lit.

Trowbridge, WRH: A girl of the multitude, s.: Collection of
 Brit. auth.
Trowitzsch's Christbaum-Kalender f. 1906. 15. Jahrg. (96 m.
 Abb. u. 1 Farbdr.) 8° Berl., Trowitzsch & S. — 50 d
— Damen-Kalender f. 1906. 59. Jahrg. (238 m. 1 Lichtdr.) 16°
 Ebd. Geb. 1.50 d
— Kalender f. Stadt u. Land f. 1906. 206. Jahrg. Ausg. in Quart-
 format. (96 m. Abb. u. 1 Farbdr.) 8° Ebd. — 50 d
 Bildet seit 1906 zugl. d. Fortsetzg zu: Haushaltungs-Kalender
 f. d. kgl. preuss. Provv. Brandenburg, Pommern u. Sachsen,
 u. Kalender, historisch-geograph.
— Notiz-Kalender f. 1906. (298) 8° Ebd. L. 1.75
— kl. Notiz-Kalender f. 1906. (82) 16° Ebd. L. 1.25
— landw. Notiz-Kalender f. 1906. 43. Jahrg. (371) 8° Ebd.
 L. 1.50; Ldr 2 —
— Reichs-Kalender 1906. (207 m. Abb. u. 3 Vollbildern.) 8° Ebd.
 L. 1 — d
 Ausg. d. Volkskalenders ohne Jahrmärkte.
— Volks-Kalender 1906. 79. Jahrg. (244 m. Abb. u. 3 Vollbil-
 dern.) 8° Ebd. L. 1 — d
 Ausg. d. Reichskalenders m. Jahrmärkten.
Troyani, G: Debolezze umane. Romanze dei tempi passati. (346)
 8° Triest, FH Schimpff 1900. 2 —
 Bildet d. Fortsetzg zu „Follie", Romanzo d'attualita.
— Mensch. Schwächen, s.: Ensslin's Roman-u. Novellenschatz.
Trübenbach, K, s.: Mundus novus.
Trueber, H: De hymno in Venerem Homerico, s.: Disserta-
 tiones philologicae Halenses.
Truberg, E (Knaudt): Die Kinder auf Karlshagen od. Auf d.
 Lande. Für meine Kinder erzählt. 2. Afl. (190 m. 5 Bildern.)
 8° Schwer., F Bahn 03. L. 2.50 d
— Die Professorskinder. Erzählg. 3. Afl. (328 m. 4 Bildern.) 8°
 Ebd. 05. L. 3 — d
Trubeski, Fürst: Memoiren. (In russ. Sprache.) (80) 8° Berl., H
 Steinitz (03). 1.50
Trübner, K, s.: Minerva.
— Wiss. u. Buchhandel. Zur Abwehr. Denkschrift d. deut. Ver-
 legerkammer unter Mitwirkg v. G Fischer. (128) 8° Jena, G
 Fischer 03. † — 80 d
Trübswasser, J: Chryses. Märchendrama. (113) 8° Dresd., E
 Pierson 01. 1.50 d
 8° Bas., Kober 04. — 40 d
Trudel, D: 12 Hausandachten, geb. in Männedorf. 9. Afl. (76)
Trudel, Dorothea. Lebensbild. Aus d. Franz. (45 m. Bildnis.)
 8° Neumünst., Vereinsbh. G Ihloff & Co. (05). — 40 d
True, ET, and O Jespersen: Spoken Engl. Everyday talk with
 phonetic transcription. 6. ed. (60) 8° Lpzg, OR Reisland 04. — 80
Truhart, H: Pankreas-Pathol. 1. Thl. Multiple abdominale Fett-
 gewebsnekrose. (26, 498) 8° Wiesb., JF Bergmann 02. 12 —
Truhelka, C: Die Königsvögel, s.: Sammlg d. Sehenswürdigk.
 (79 m. Abb.) 4° Sarajevo, J Studnička & Co. 04. (Nur dir.) 4 —
Truhlář, J: Catalogus cod. manu scriptor. latinor., qui in
 c. r. bibliotheca palatina atque univ. Pragensis asservantur.
 Pars I. Codices 1—1665. Forulor. I—VIII. (19, 616) 8° Prag,
 (F Řivnáč) 05. nn 15 —
Trúk, M: Ueb. d. Vorkommen v. Harncylindern ohne Albu-
 minurie. (25) 8° Tüb., F Pietzcker 02. nn 70 —
Truloff, F, s. a.: Liebetreu, CF.
— Berliner Humor vor Jahrzehnten, s.: Berlin, wie es weint
 u. lacht.
Trümpelmann, A: Ein Herzensbund u. s. Bruch! Schausp. (66)
 8° Berl., CA Schwetschke & S. 04. 1 — d
— Die Predigt am Muldenstein, s.: Bühne, christl.
— Die moderne Weltanschaug u. d. apostol. Glaubensbekenntn.
 (385) 8° Berl. 01. Lpzg, M Heinsius Nf. 7 — d
 s.: Zeitfragen.
— Die Zerstörg Magdeburgs. Drama. (136) 8° Mgdbg, Faber'sche
 Buchdr. 02. 1.50; geb. 2.25 d
Trümpert, R: Prälat D. Karl Zimmermann in Darmstadt, s.:
 Mitbegründer d. Gustav-Adolf-Ver., s.: Festschriften f. Gu-
 stav-Adolf-Ver.
Trumpp, J: Atlas u. Grundr. d. Kinderheilkde, s.: Hecker, R.
— Entstehg u. Verhütg d. Körperl. Missgestalt, s.: Lange, F.
— Gesundheitspflege im Kindesalter, s.: Bibliothek d. Gesund-
 heitspflege.
— Gesunde Jugend, s.: Grawitz, E.
— Die Magen-Darmkrankh. im Säuglingsalter, s.: Abhandlun-
 gen, Würzb., a. d. Ges.-Geb. d. prakt. Medizin.
— Mutter u. Kind, s.: Schäffer, O.
Trunk, H: Die Anschaulichk. d. geograph. Unterr. 4. Afl. (252)
 8° Wien, C Graeser & Co. — Lpzg, BG Teubner 02. 3.40;
 geb. 4 —
Trüper, J: Die Anfänge d. abnormen Erscheingn im kindl.
 Seelenleben. (32) 8° Altnbg, O Bonde 02. — 80
— Friedr. Wilh. Dörpfelds soc. Erziehg in Theorie u. Praxis.
 (265) 8° Gütersl., C Bertelsmann 01. 3 —; geb. 3.60 d
— Zur Frage d. eth. Hygiene unter bes. Berücks. d. Unterrichts.
 (16) 8° Altnbg, O Bonde 04. — 60
 s.: Kinderfehler, d.
— Psychopath. Minderwertigk. als Ursache v. Gesetzesver-
 letzgn Jugendlicher, s.: Beiträge z. Kinderforschg.
Truppenübungsplatz-Vorschrift (Tr. P. V.) v. 8.I.'03. (D. V. E.
 No. 246.) (105 m. Abb.) 8° Berl., ES Mittler & S. 03. † — 80
 kart. † 1 — d

Truscott, LP: Stars of destiny, s.: Unwin's library.
Truth (G Pinkus): Der Apoll v. Bellevue, s.: Eckstein's illustr.
 Roman-Bibliothek.
— Baden-Baden. High-Life-Roman. 3. Afl. (216) 8° Berl., R Eck-
 stein Nf. (02). 2 —; geb. 3 —
— Frauenehre — Frauenliebe. Geschichten a. d. Leben. 5. Afl.
 (176) 8° Ebd. (01). 2 —; geb. 3 —
— Uebermenschen. Novellen. Ausgew. neue Folge. 2. Afl. (222)
 8° Berl., R Eckstein Nf. (03). 2 —; geb. 3 —
Trutzer, O, u. J Keidel: Das Unfallversichergsges. f. Land-
 u. Forstw., s.: Reichsgesetzgebung, d., auf d. Geb. d. Ar-
 beiter-Versicherg.
Trützschler, H v.: Der Luftschiffer, s.: Thalia.
Truxa, HM: Bilder u. Studien a. d. Armenleben d. Grossstadt
 Wien. (150 m. Abb.) 8° Wien, W Braumüller 05. 1.80 d
— s.: Kaiser-Jubiläums-Dichterbuch.
— Richard v. Kralik. Lebensbild m. e. Ausw. a. s. Dichtgn
 u. e. Sammlg krit. Stimmen. 3. Afl. (71 m. 1 Bildnis.) 8° Wien,
 C Fromme 05. 1 — d
Trybom, F, u. A Wollebaek: Übersicht üb. d. Seefischerei
 Schwedens an d. süd- u. östl. Küsten dieses Landes, s.:
 Publications de circonstance du conseil permanent internat.
 pour l'exploration de la mer.
Tschache, O: Deut. Aufsätze. Sammlg v. Musterstücken, Ent-
 würfen u. Andentgn f. d. ob. Kl. höh. Töchtersch. 3. Afl. (239)
 8° Bresl., JU Kern 04. 3.50 d
— Aufsatz-Übgn f. Volkssch. Für d. Mittelst. 5. Afl. v. R Hantke.
 (120) 8° Ebd. 04. II Oberst. 4. Afl. v. R Hantke. (120) 04. Je 1.60 d
— Diktierstoff n. d. Regeln f. d. deut. Rechtschreibg. Für
 Volkssch. u. unt. Kl. höh. Lehranst. 5. Afl. v. R Hantke.
 (116) 8° Ebd. 03. Kart. 1 — d
Tschackert, P: Antonius Corvinus' ungedr. Bericht v. Kol-
 loquium zu Regensburg 1541, s.: Archiv f. Reformationsgesch.
— Die unveränd. augsburg. Konfession, deutsch n. lateinisch,
 nach d. besten Handschriften a. d. Besitze d. Unterzeichner.
 Krit. Ausg., m. d. wichtigsten Varianten d. Handschriften
 u. d. Textus receptus. (231 m. 2 Beil.) 8° Lpzg, A Deichert
 Nf. 01. 7 —; Textausg. (54) 1 —
— Das echte Lutherbild. Vortr. (26) 8° Lpzg, (C Braun) 04. — 30 d
— dass., s.: Flugschriften d. Ev. Bundes.
— Lorenz v. Mosheims Gutachten üb. d. theolog. Doktorat,
 s.: Studien, theolog.
— Staat u. Kirche im Kgr. Preussen. Rede. (20) 8° Gött., Vandenhoeck & R. 01. — 40
— s.: Zeitschrift d. Gesellsch. f. niedersächs. Kirchengesch.
Tschadderdschi, KT: Zum Licht od. Wie e. Brahmane Christum fand, s.: Missionsschriften, neue.
Tschaikowsky, M: Das Leben Peter Iljitsch Tschaikowsky's
 nach d. Russ. v. P Juon. (2 Bde in) 17 Lfgn. (539 u. 882 m. Abb.
 u. Fksms.) 8° Mosk.-Lpzg, P Jürgenson 01-04. Je nn — 90
Tschakert, A: Lieder u. Gebete z. Gebr. in d. kathol. Kirche
 d. Gablonzer Vikariates. 1. u. 2. Afl. (144) 8° Gabl., H Röss-
 ler (02.03). Geb. nn — 90 d
Tschamler, I: Eine Reise in d. Geb. d. Erdschias-Dagh, s.:
 Penther, A.
Tschampel, H: Gedichte in schles. Gebirgsmundart. Mit e.
 Widmgs-Gedicht v. M Heinzel. 6. Afl. (191) 8° Schweidn., L
 Heege (03). 1.50; geb. 2 — d
Tschanduknutti u. Krischnan. 2 Sucher d. Wahrheit. 3. Afl. (23
 m. Abb.) 8° Bas., Basler Missions-Bh. 04. 10 d
Tscharner, F v.: Zur Einführg v. Gebirgstruppen, s.: Einzel-
 schriften, militär., üb. Tagesfragen d. schweiz. Armee.
Tschauder, F: Bilder u. Einzelzüge a. d. Gesch. Schlesiens.
 Ergänz z. Realienb. schles. Volkssch. 4. Afl. (26) Bresl., H
 Handel 03. nn — 15 d
— Hilfsb. f. d. Gesch.-Unterr., s.: Stark, F.
Tschebyscheff, PL: Elemente d. Zahlentheorie. (Theorie d.
 Congruenzen.) Deutsch v. H Schapira. Neue, wohlf. [Tit..]
 Ausg. (314 u. 32) 8° Berl., Mayer & M. [1889] 02. 7 —
Tschechoff (Tschechow), AP: Ges. Werke. 2—5. Bd. 8° Jena,
 E Diederichs. 9 — [1—5.: 12 —; Einbde je 1 —] d
 2. Das skandalöse Kunstwerk. Humorist. Geschichten. Aus d. Russ. v.
 W Czumikow. 1—3. Taus. (231) Lpzg 01. 2 —
 3. Dramen. Aus d. Russ. v. W Czumikow. (3 Schwestern. Onkel Wanja.
 Die Möwe.) (110, 87 u. 96) Lpzg 02. 5 —
 4. Die Bauern. Aus d. Russ. v. W Czumikow. 1—5. Taus. (232) Lpzg
 02. 2 —
 5. Kleinstädtleben. Aus d. Russ. v. M Budimir. 1—3. Taus. (231) 04. 2 —
— Ausgew. Werke. 1. u. 2. Bd. Deutsch v. C Berger. (193 m.
 Bildnis u. 205) 8° Lpzg 01.02. Berl., J Gnadenfeld & Co.
 Je 1.50; geb. je 2.50 d
— Eine gottgefäll. Anstalt. Deutsch v. C Berger. (109) 8° Ebd.
 02. 1 —; geb. 1.50 d
— Aus d. Aufzeichngn e. alten Mannes. (Chers. v. M Feofa-
 noff.) (114) 8° Lpzg, Insel-Verl. 03. 1.50; geb. nn 2.50 d
— Der Bär. Ein Heiratsantrag, s.: Universal-Bibliothek.
— Ein Duell. Novelle. Aus d. Russ. v. LA Hauff. (136) 8° Berl.,
 O Janke (09). 1 — d
— Erzählgn, s.: Tolstoj, LN, 3 Parabeln.
— Eine kunstlide. Frau u. and. Erzählgn. Deutsch v. C Berger.
 (95) 8° Lpzg 01. Berl., J Gnadenfeld & Co. 1 —; geb. 1.50 d
— Ja, d. Frauenzimmer ! u. and. Novellen, s.: Bibliothek Lan-
 gen, kl.

Tschechoff (Tschechow), AP: Im Glückesrausch u. and. Novellen, s.: Ensslin's Roman- u. Novellenschatz.
— Ein Glücklicher u. and. Gesch. Aus d. Russ. v. E Roth. (119) 8° Berl., H Steinitz (03). 1 — d
— Hatschi!! u. and. Gesch. 17 kl. Erzählgn. Aus d. Russ. v. Josephson. (127) 8° Berl., Globus Verl. (03). † — 30 d
— Die Hexe u. and. Novellen, s.: Bibliothek d. Gesammtlitt.
— dass. — Ein Zweikampf. Aus d. Russ. v. T Kroczek. (280 u. 96 m. Bildnis.) 8° Halle, O Hendel (04). In Geschenkbd 2.50 d
— Das Kätzchen. — Von d. Liebe, s.: Bibliothek berühmter Autoren.
— Der schwarze Mönch u. and. Erzählgn. Deutsch v. C Berger. (95) 8° Lpzg 01. Berl., J Gnadenfeld & Co. 1 —; geb. 1.50 d
— Die Möwe. Schausp. Für d. deut. Bühne übers. v. M Beneke. (68) 8° Berl., J Harrwitz Nf. 02. — 60 d
— dass. Übers. v. W Czumikow. (98) 8° Lpzg 02. Jena, E Diederichs. 1 — d
— dass., s.: Universal-Bibliothek.
— Müde. Die Fürstin. Rothschilds Geige, s.: Meyer's Volksbb.
— In d. Passagierstube u. and. Erzählgn. Deutsch v. C Berger. (93) 8° Lpzg 02. Berl., J Gnadenfeld & Co. 1 —; geb. 1.50 d
— Schatten d. Todes, s.: Bibliothek Langen, kl.
— Das Schwanenlied u. and. Novellen (Kalchas), s.: Bloch's, L, Herren-Bühne.
— 3 Schwestern. Drama. Übers. v. W Czumikow. (110) 8° Lpzg 02. Jena, E Diederichs. 1 — ;
— dass. Deutsch v. A Scholz. (133) 8° Berl., Vita 02. 1 — ; geb. 2 — d
— dass., s.: Universal-Bibliothek.
— Die Simulanten (u. and. Gesch.). (112) 8° Berl., Globus Verl. (03). † — 30 d
— Ein Sommerfrischler, s.: Bloch's, L, Herren-Bühne.
— Das schwed. Streichholz u. and. Gesch. Deutsch v. C Berger. (93) 8° Berl., J Gnadenfeld & Co. 08. 1 — d
— dass. Deutsch v. C Berger. (95) 8° Stuttg., Franckh (04). — 50 d
— Sünde u. and. Gesch. (136) 8° Berl., Globus Verl. (05). † — 30 d
— dass. Deutsch v. N Moebring. 1—4. Taus. (136) 8° Berl., H Steinitz (02.03). 1 — d
— Starker Tabak u. and. Novellen, s.: Bibliothek Langen, kl.
— Verhängnis u. and. Erzählgn, s.: Eckstein's moderne Bibliothek.
— Zum Wahnsinn!, s.: Weichert's Wochen-Bibliothek.
— Onkel Wanja. Szenen a. d. Landleben. Übers. v. W Czumikow. (87) 8° Lpzg 02. Jena, E Diederichs. 1 — d
— dass. Deutsch v. A Scholz. (104) 8° Berl., Vita 02. 1 — ; L. 2 — d
— Weiberregiment. In d. Verbanng. Irrwisch, s.: Universal-Bibliothek.
— Ein Zweikampf, s.: Bibliothek d. Gesammtlitt. — Bibliothek Langen, kl.
Tschedrin (Schtschedrin), N: Neue Erzählgn f. Kinder gehör. Alters. (In russ. Sprache.) (62) 8° Berl., H Steinitz (03). 1.50
— 3 Gesch. f. erwachs. Kinder. (In russ. Sprache.) (40) 8° Ebd. (03). 1.20
— 3 Satiren, s.: Gorki, M.
— Wie man z. wirkl. Staatsrat durchgeprügelt hat od. d. n. innen gekehrten Taschkenter. (In russ. Sprache.) (58) 8° Berl., H Steinitz 03. 1 —
Tschelebi, Mehmed. Ein ursprünglich türkisch verf. Schwank in neupers. Übersetzg. Nach e. Handschrift hrsg. u. übertr. v. L Pekotsch. Nach d. türk. Vorlage u. e. arab. Version untersucht u. m. textkrit. Abmerkgn versehen v. M Bittner. (20 u. 62) 8° Wien, A Hölder 05. 7.80
Tschenett, J : Kubik- u. Preisberechngstab. f. Rund- u. Schnittholzmaterialien. Berechnet n. Meter u. teils n. österr. Fussmass in Kronenwährg. (35) 8° Meran, CJandl 04. Kart. 1 — d
Tscherkoff: Wereschtschagin, s.: Essays moderne.
Tschermak, A : Üb. d. therm. Verhalten d. elektr. Organs v. Torpedo, s.: Bernstein, J.
Tschermak, E : Üb. Veredelg u. Nenzüchtg landw. u. gärtner. Gewächse. [S.-A.] (18) 8° Lpzg 1898. Stuttg., E Schweizerbart. — 50
Tschermak, G : Darstellg d. Orthokieselsäure durch Zersetzg natürl. Silikate. [S.-A.] (12 m. Fig.) 8° Wien, (A Hölder) 05. — 30
— Üb. d. chem. Konstitution d. Feldspate. [S.-A.] (20) 8° Ebd. 03. — 40
— Lehrb. d. Mineral. 6. Afl. (682 m. Abb. u. 2 farb. Taf.) 8° Ebd. 05. 18 —; HF, m 19.40
— Mineralog. u. petrograph. Mitteilgn, hrsg. v. F Becke. (Neue Folge.) 20—24. Bd je 6 Hefte. (20. Bd. 1. Heft. 88 m. Fig. u. 2 Taf.) 8° Ebd. 01-05. Je 16 —
Tschernischewsky s.: Tschernyschewsky.
Tschernyschew, T : Die obercarbon. Brachiopoden d. Ural u. d. Timan. Text. (Russisch u. deutsch.) (758 m. Abb. u. 63 Taf.) 4° St. Petersbg 02. (Lpzg, M Weg.) nn 38.90
Tschernyschewsky, NG : Was haben wir es gelernt? (In russ. Sprache.) (31) 8° Berl., H Steinitz (04). 1 —
— Prolog d. Prologes. Roman a. d. Anfange d. 60er Jahre. (In russ. Sprache.) (285) 8° Lpzg, EL Kasprowicz (02). 4 —
Tscherton, F : Der Brückenbau. Leitf. z. Gebr. an d. k. u. k. Militär-Bildganst. & k. u. k. Einj.-Freiwill.-Schulen, zugl. auch f. Techniker z. Selbststudium. (494 m. Abb.) 8° Wiesb., CW Kreidel 03. 9.60; geb. 11 —

Tscherton, F : Der Strassenbau. Leitf. f. d. Unterr. an d. k. u. k. Militärbildgsanst. sowie z. Gebr. f. Techniker. (202 m. Abb. u. 5 L.) 8° Wien, LW Seidel & S. 05. 6 —; geb. 7.50
Tscheuschner, E : Ueb. d. Bewerthg v. Thongruben im Enteigngsverfahren. [S.-A.] (12) 8° Berl., (Tonindustrie-Zeitg.) 1890. 1 —
— s.: Glas-Industrie-Kalender. — Ziegelei-Kalender, deut.
Tscheuschner, K : Die philosophiegeschichtl. Voraussetzgn d. Energetik, s.: Studien, Berner, z. Philosophie.
Tschierschky, S : Die zollpolit. Interessen d. deut. Textilveredlgsindustrie, s.: Schriften d. „Ver. d. deut. Textilveredlgsindustrie".
— Kartell u. Trust. Vergleich. Untersuchg üb. deren Wesen u. Bedeutg. (129) 8° Gött., Vandenhoeck & R. 03. 2.80 d
— Die Neuordng d. zollfreien Veredlgsverkehrs. (88) 8° Ebd. 04. 2.40 d
— Die Organisation d. industriellen Interessen in Deutschl. (84) 8° Ebd. 05. 2 — d
— s.: Textil- u. Färberei-Zeitung.
— Der zollfreie Veredlgsverkehr in d. Textilveredlgsindustrie. (58) 8° Düsseldf 01. (Berl., F Siemenroth.) 1 —
— Die Wirtschaftspolitik d. schles. Kommerzkollegs 1716—40, s.: Studien, geschichtl.
Tschinkel, H : Die Gymnasialfrage — e. nationale Frage, s.: Sammlung gemeinnütz. Vortr.
Tschirch, O , s.: Jahres-Bericht d. histor. Ver. zu Brandenburg a. d. H.
— Lehrb. d. Gesch., s.: Schultz, F.
Tschirch, W : Musikal. Hausschatz d. Deutschen, s.: Fink, GW.
Tschirikow, E : Auf Bürgschaft. (In russ. Sprache.) (72) 8° Münch., Etzold & Co. (04). 1 —
— Die Juden. Schausp. (In russ. Sprache.) (128) 8° Ebd. (04). 1.50
— dass. Deutsch v. G Polonskij. (112) 8° Ebd. 04. 2 —
— Unter Polizeiaufsicht, s.: Bibliothek berühmter Autoren.
Tschirn, G : Hat Christus überhaupt gelebt? Vortr. 1—5. Taus. (18) 8° Bambg, (Handels-Dr. u. Verlagsh.) 03. — 40 d
— Freidenker-Ktech. Kurzgef. Summa, dessen, was d. Freidenker u. Freireligiöse wissen muss. 1—5. Taus. (54) 16° Ebd. (02). — 20 d
— Zur 60jähr. Gesch. d. freirelig. Bewegg. (207 m. 10 Bildnistaf.) 8° Gottesbg 04.05. (Bambg, Handelsdr. u. Verlagsh.) 3.50 d
— DieKirche als Gegnerind. Wiss. (20) 16° Bresl. 1898. Bambg, Handels-Dr. u. Verlagsh. — 20 d
— Neue Ausg., s.: Volksschriften z. Umwälzg d. Geister.
— Friedrich Nietzsche, dargest. u. beurteilt. (81 m. 1 Bildnis.) 8° Ebd. 04. — 60 d
— Die ewige Verdammnis! Streitschrift wider d. kirchl. Jenseitsglauben, nebst beigefügter Inhalts-Wiedergabe e. diesbezügl. öffentl. Diskussion d. Verf. m. Hrn General-Superint. Dr. theol. B. in Königsberg i. Pr. (55) 8° Bambg, Handels-Dr. u. Verlagsh. 02. 1 — d
— ist d. Welt geschaffen od. ewig?, s.: Volksschriften z. Umwälzg d. Geister.
— Weltenträtselg! Grundr. d. Ideal-Realismus als d. Versöhng v. Natur u. Geist. (146) 8° Bambg, Handels-Dr. u. Verlagsh. (01). 1 — d
Tschitscherin, B : Ueb. d. poln.-jüd. Frage. (In russ. Sprache.) 3. Afl. (64) 8° Berl., H Steinitz 01. 1 —
Tschlenoff, I : Naturheilkde u. wiss. Medicin. Antrittsvorleag. (47) 8° Stuttg., F Enke 01. 1.20
Tschoepe, T : Der Traber-Sport, s.: Bibliothek f. Sport u. Spiel.
Tschorn, B : Die Rauch-Plage. [S.-A.] (74 m. Abb.) 8° Jena, G Fischer 03. 2.40
— dass., s.: Handbuch d. Hygiene.
Tschorn, H : Die 80 Kirchenlieder d. Schulregulative n. d. Texte zsgest. f. ev. Gemeinden Schlesiens. 10. Afl. (66) 8° Salzbg., G Maske (04). (?) 1 —
Tschudakoff, I : Ueb. d. epidem. Auftreten d. Scorbuts im Zusammenh. m. Hungersnot. (32) 8° Berl., M Günther 01. — 60
Tschudi, v : Der Unterr. d. Luftschiffers. 2. Afl. (366 m. Abb., 1 Bildn. u. 1 Tab.) 8° Berl., R Eisenschmidt 05. 3 — d
Tschudi, C : Elisabeth, Kaiserin v. Osterr. u. Königin v. Ungarn, s.: Universal-Bibliothek.
Tschudi, H v., s.: Böcklin's, A, Werke in d. Nationalgalerie d. kgl. Museen zu Berlin. — Gemälde-Galerie, d., d. kgl. Museen zu Berlin.
— Edouard Manet. (46 m. Abb.) 4° Berl., B Cassirer 02. Kart. 3.50
— s.: Repertorium f. Kunstwiss.
Tschümperlin, J : Altarssakraments-Andachten. (240 m. Abb. u. 1 Bt.) 16° Einsied., Verl.-Anst. Benziger & Co. 04. L. — 80;
— Apostel-Büchl. Gebet- u. Erbauungsb. f. kathol. Christen. (318 m. Abb. u. 1 Farbdr.) 16° Ebd. 04. L. — 80; Ldr m. G. 1.50
— Franziskus-Xaverius-Büchlein. (256 m. Abb.) 16° Ebd. 02. L. — 80; Ldr m. G. 1.50
— Johannes-Büchl. Gebet- u. Andachtsb. zu Ehren d. hl. Johannes d. Täufers. (256 m. Abb. u. 1 Farbdr.) 16° Ebd. 02. L. — 80; Ldr m. G. 1.50 d
— Karwochen-Büchl. od. d. hl. Karwoche in ihrer Bedeutg. in ihrem Gottesdienste. (270 m. 1 Bt.) 16° Ebd. 03. L. — 80; Ldr m. G. 1.50 d
— Kommunion-Büchl. (256 m. Abb. u. 1 Farbdr.) 16° Ebd. 04. L. — 80; Ldr m. G. 1.50 d
— s.: Messbuch f. Weltleute.
— Psalmen-Büchl. Psalmen zu Ehren d. heil. Herzens Jesu, d.

allersel. Jungfrau Maria u. d. Heiligen Gottes. (238 m. Abb.
u. 1 Farbdr.) 16° Einsied., Verl.-Anst. Benziger & Co. 04.
     L. — 80; Ldr m. G. 1.50 d
Tschupick, JN: Sämtl. Kanzelreden. Neu bearb. u. hrsg. v. J
Hertkens. 4. u. 5. Bd. 8° Paderb., Bonifacius-Dr.   6.60
                          (Vollst.: 16.90) d
   4. Fastenpredigten. 1—4. Jahrg. (514) 02.   3.30
   5. Verschied. Predigten. 1. u. 2. Tl. (480) 03.   3.30
Tschuprow, AA: Die Feldgemeinschaft, s.: Abhandlungen a.
d. staatswiss. Seminar zu Strassburg.
Tschusi zu Schmidhoffen, V Ritter v., s.: Jahrbuch, orni-
tholog.
Tsen-fen-thau: Das Wichtigste a. d. Tagen meines Lebens,
s.: Missionsschriften, neue.
Tsugaru: Die Lehre v. d. japan. Adoption. (24, 228) 8° Berl.,
Mayer & M. 03.   6
Tuberculosis. Monatsschrift d. internat. Centralbureaus z.
Bekämpf. d. Tuberkulose. — Bulletin mensuel du bureau cen-
tral internat. pour la lutte contre la tuberculose. — Monthly
publication of the central internat. bureau for the prevention
of consumption. Hrsg. v. G Pannwitz. Vol. 1—4 Je 12 Nrn.
(Vol. 1—3: 300 m. 1 Karte, 588 m. 1 Taf. u. 552) 8° Lpzg, JA
Barth 02-05.   Je 6 —
Tuberkulose, v. E v. Behring, P Römer u. WG Ruppel, s.:
Beiträge z. experimentellen Therapie.
Tuberkulose-Arbeiten a. d. kais. Gesundheitsamte. 1—4. Heft.
8° Berl., J Springer. 35 — ; f. Abnehmer d. Veröffentlichgn
                         d. kais. Gesundheitsamtes 28.40
   1. (166 m. 5 Taf.) 04. 4 — || 2. Hamel: Dent. Heilstätten f. Lungenkranke.
   Geschichtl. u. statist. Mitteilgn. I. (365 m. 12 Taf.) 04. 8 — ; bezw. 6 —
   || 3. (160 m. 6 [3 farb.] Taf.] 05. 11 — ; bezw. 8.80 || 4. (205 m. 8 Taf.)
   12 — ; bezw. 9.60.
Tuberkulose-Konferenz, d. 1. internat. Berlin 1902. Bericht.
Hrsg. v. Pannwitz. (In deut., engl. u. französ. Sprache.) (30,
461) 8° Berl. 03. (Lpzg, JA Barth.)   L. 10 —
Tubeuf, C Frhr v.: Der echte Hausschwamm, s.: Hartig, R.
— Die Schüttelkrankh. d. Kiefer u. ihre Bekämpfg, s.: Flug-
blätter d. kais. Gesundheitsamtes.
— s.: Zeitschrift, naturwiss., f. Land- u. Forstw.
Tuchatsch: Gewerbeordng f. d. Deut. Reich. Textausg. m. Er-
läutergn. 2. Afl. (301) 8° Zwick., R Zückler 01.   4 — d
Tuchschmid, A: Zur Erinnerg an Prof. Dr. LP Liechti. (8
m. 1 Bildn.) 4° Aar., (HR Sauerländer & Co.) 04.   — 60
Tücking, K: Grundr. d. brandenb.-preuss. Gesch. 13. Afl. (104
m. 1 Karte.) 8° Paderb., F Schöningh 01. — 80; geb. nn 1.10 d
Tiesek, F; Geisteskrankh. u. Irrenanstalten. (69) 8° Vortr.
Marbg, NG Elwert's V. 02.   1.20 d
Tüffers, PA: Rechenb. f. Lehrerbildgsanst., s.: Genau, A.
Tugan-Baranowsky, M: Theoret. Grundl. d. Marxismus. (289)
8° Lpzg, Duncker & H. 05.   5 —
Tugendacke, 33, zu Ehren d. Lebensj. uns. Herrn Jesu Christi.
(20 m. Titelbild.) 16° Insbr., Rauch V. Ranch 01.   — 10 d
Tugenden, d., d. Damen d. ? Husarenregts. Erzählgn e. Kavall.-
Offiziers. (93) 8° Lpzg, A Cavael 05.   — 80 d
Tugendübungen f. d. Herz-Jesu-Monat. 30 Bl. 16° Dülm., A
Laumann (03).   — 15 d
— f. d. Monat Mai. 31 Bl. 16° Ebd. (02).   — 15 d
Tuhr, A v.: Zur Lehre v. d. abstrakten Schuldverträgen n.
d, BGB. [S.-A.] (26) 8° Lpzg, CL Hirschfeld 03.   — 80
Tujati: Schneeflocken. (119) 8° Dresd., E Pierson 04.   2 — ;
                                  geb. 3 —
— Weder ja noch nein. Roman. (64) 8° Ebd. 04. 1.50; geb. 2.50 d
Tuijn, WJ: Alte holländ. Städte u. Dörfer an d. Zuidersee,
s.: Veldheer, JG.
Tulon, F: Enfants célèbres, s.: Schulbibliothek französ. u.
engl. Prosaschriften.
Tuma, J: Eine Methode z. Vergleichg v. Schallstärken u. z.
Bestimmg d. Reflexionsfähigk. verschied. Materialien. [S.-A.]
(9) 8° Wien, (A Hölder) 02.   — 30
Tuma, Z: Die Geheimnisse d. Wahrsagekunst. (96) 8° Lpzg,
AF Schlöffel (04).   1.50; m. Wahrsagekarten 2.50 d
Tumbüll, O: Die fürstl. Thurn- u. Taxis'sche Residenzstadt Donau-
eschingen. Führer durch Stadt u. Umgebg. 3. Afl. (53 m. 15
Taf. u. 1 Pl.) 8° Freibg i/B., FP Lorenz (05).   — 60
— s.: Mitteilungen a. d. f. Fürstenberg. Archive.
Tümler, B : Ein Kapitel a. d. Vogelleben, s.: Unterhaltungs-
Bibliothek, Steyler.
— Schutzmasken u. Schutzfarben in d. Tierwelt. Protektive
Mimikry. (211 m. Abb.) 8° Steyl, Missionsdr. 05.   L. 3.50 d
— Tierleben a. Süd u. Nord, in Bild u. Wort. 1. Tl. Jagd- u.
Lebensbilder a. d. Säugetierwelt. (316 m. 24 Vollbildern.) 8°
Ebd. 03.   Geb. 4 — d
Tumlirz, K : Die Lehre v. d. Tropen u. Figuren, nebst e. kurzgef.
deut. Metrik. Zum Gebr. f. d. Unterr. an höh. Lehranst. 4. Afl.
(116) 8° Lpzg, G Freytag 02.   Geb. 2 —
— Deut. Schulgrammatik. 4. Afl. (232) 8° Ebd. 03.   Geb. 3 —
Tumlirz, O: Die innere Arbeit bei d. isothermen Ausdehng d.
trocken gesätt. Wasserdampfes. [S.-A.] (8) 8° Wien, (A Hölder)
04.   — 20
— Compressibilität u. Cohäsion d. Flüssigk. [S.-A.] (12) 8° Ebd.
                                       — 30
— Eine Ergänzg z. van d. Waal'sschen Theorie d. Cohäsions-
druckes. [S.-A.] (29 m. 1 Fig.) 8° Ebd. 02.   — 60
— Die Gesamtstrahlg d. Hefner-Lampe. [S.-A.] (15 m. Fig.) 8°
Ebd. 03.   — 40

Tumlirz, O: Die Wärmestrahlg d. Wasserstoffflamme. [S.-A.]
(2) 8° Wien, (A Hölder) 04.   — 30
— Die stabilen u. labilen Zustände d. Flüssigk. u. Dämpfe.
[S.-A.] (21 m. Fig.) 8° Ebd. 05.   — 50
Tümpel, W: Das deut. ev. Kirchenlied d. 17. Jahrh., s.: Fischer, A.
Tumpowsky, A: Der Mängelanspruch d. Mieters n. d. BGB.
f. d. Dent. Reich. (117) 8° Lpzg, CL Hirschfeld 02.   2.80
Tuneld, E., s.: Methode Toussaint-Langenscheidt Schwedisch.
Tuor, P: Die Freien v. Laax. Beitrag z. Verfassgs- u. Standes-
gesch. (200) 8° Chur, (J Rich) 03.   1.80
— Die mors litis im röm. Formularverfahren. (44) 8° Lpzg, A
Deichert Nf. 06.   1 —
Tupetz, T: Bilder a. d. Gesch. f. Bürgersch. Einteil. Ausg.
(188 m. Abb. u. 6 Kart.) 8° Wien, F Tempsky. — Lpzg, G
Freytag 03.   Geb. 2.20 d
— dass. f. Knabenbürgersch. 1. u. II. Tl. 8° Ebd. 02.
                                   Geb. je 1.70 d
   I. Gesch.-Bilder f. d. 1. Bürgerschulkl. 3. Afl. (116 m. Abb., 3 Kart. u.
   Titelbild.) || II. Für d. 2. Bürgerschulkl. (131 m. Abb., 3 Kart. u.
   Titelbild.) || III. Für d. 3. Bürgerschulkl. 8. Afl. (194 m. Abb. u. 3 Kart.)
— dass. f. Mädchenbürgersch. 3 Tle. 8° Ebd. 02.   Geb. 4.90 d
   I. Gesch.-Bilder f. d. 1. Bürgerschulkl. 3. Afl. (112 m. Abb., 2 Kart. u.
   Titelbild.) || II. Für d. 2. Bürgerschulkl. 8. Afl. (119 m. Abb. u. Titel-
   bild.) 1.70 || III. Gesch.-Bilder f. d. 3. Bürgerschulkl. 3. Afl. (106 m. Abb.,
   2 Kart. u. Titelbild.) 1.50.
— Allg. Erziehgslehre, s.: Lindner, GA.
— Gesch. d. Erziehg u. d. Unterr. f. Lehrer- u. Lehrerinnen-
bildgsanst. 3. Afl. (158 m. Abb.) 8° Wien, F Tempsky. — Lpzg,
G Freytag 02.   Geb. 2 —
— Gesch. d. deut. Lit. m. bes. Rücksichtnahme auf d. Geistes-
leben Österr. Lehrb. f. österr. Lehrer- u. Lehrerinnen-Bildgs-
anst. 4. Afl. (94) 8° Ebd. 05.   Geb. 1.40 d
— Gesch. d. österr.-ungar. Monarchie. Verfassg u. Staatsein-
richtgn derselben. Lehrb. f. d. 3. Jahrg. d. k. k. Lehrer- u.
Lehrerinnenbildgsanst. 5.Afl. (243 m. Abb., Titelbild u.1 Kart.)
8° Ebd. 02.   Geb. 3.50
— Lehrb. d. allg. Gesch. f. Lehrer- u. Lehrerinnenbildgsanst.
2 Tle. 8° Ebd.   Geb. 5.90
   I. Von d. ält. Zeiten bis z. Vertrage v. Verdun. 5. Afl. (168 m. Abb.
   6 Kart. u. 2 farb. Taf.) 03. 2.70 || II. Vom Vertrage v. Verdun bis auf d.
   Gegenwart. 4. Afl. (274 m. Abb. u. 6 Kart.) 02. 3.20
— Lehrb. d. Gesch. f. d. I.—VI. Kl. d. Mädchenlyzeen. 8° Ebd.
                                    Geb. 13.10
   II. (142 m. Abb. u. 5 Kart.) 02. 2.50 || III. (142 m. Abb., 2 farb. Taf. u.
   2 Kart.) 02. 2.80 || IV. (234 m. Abb. u. 8 Kart.) 03. 4.30 || V.VI. (164 m.
   Abb. u. 5 Kart.) 03. 3 geb.
— s.: Schulausgaben pädagog. Klassiker.
— Allg. Unterr.-Lehre. Lehrb. f. d. 3. Jahrg. d. österr. Lehrer-
u. Lehrerinnen-Bildgsanst. 2. Afl. (99 m. Fig.) 8° Wien, A
Pichler's Wwe & S. 04.   L. 1.50 d
Turba, G: Beitr. z. Gesch. d. Habsburger. II u. III. [S.-A.]
8° Wien, (A Hölder) 01.   3.50 (I—III.: 6.80)
   II. Zur Reichs- u. Hauspolitik d. J. 1548—58. (76)   1.70
   III. Zur dent. Reichs- u. Hauspolitik d. J. 1553—58. (87)   1.90
— Gesch. d. Thronfolgerechtes in allen habsburg. Ländern
bis z. pragmat. Sanktion Kaiser Karls VI. 1156—1732. (415)
8° Wien, C Fromme 03.   8 —
— Üb. d. rechtl. Verhältnis d. Niederl. z. deut. Reiche. (223)
8° Ebd. 03.   — 50
Turbine, die. Zeitschrift f. modernen Schnellbetrieb, f. Dampf-,
Gas-, Wind- u. Wasserturbinen. Red.: R Mewes. In Oesterr.:
Ungarn verantwortlich : P Krebs. f. d. Red. MF Feldner.
1. u. 2. Jahrg. Oktbr 1904—Septbr 1906 je 12 Hefte. (1. Jahrg.
1. Heft. 28 m. Abb.) 4° Berl., M Krayn.   Viertelj. 3 — ;
                                  einzeln: Hefte 1.50
Türok, H : Eine neue Faust-Erklärg. (82) 8° Berl., O Elsner
01.   1 — ; 2—4. Afl. (150) 01.02.06. 2 — ; geb. 3 — d
— Hamlet e. Genie. 2. Afl. (29, 190) 8° Ebd. 02. 2.50; geb. 3.50 d
— Der geniale Mensch. 6. Afl. (422) 8° Berl., F Dümmler's V. 03.
                                   4.80; geb. 6 — d
Türcke,L Frhr v.: Das Husaren-Regt König Wilhelm I.(1.rhein.)
Nr. 7, s.: Deines, A v.
Türcke, P: Die Kohlen-Verschwendg u. d. durch sie bedingten
enormen Kapitalverluste. Zugl. e. Beitrag z. Lösg d. Ranch-
u. Russfrage. (17) 8° Dresd., W Baensch 01.   — 60 d
Türcke, R, K Niedenführ u. P Winter: Das bürgerl. Recht.
Das BGB. nebst Einführgsgesetz u. Nebengesg. in gemeinverst. Aus-
führgsgesz. u. sämmtl. v. 1.1.1900 ab gelt. Reichs- u. preuss.
Landesges. m. d. dazu ergang. Erlassen, Verordngn, Be-
weisgn u. d. Entscheidgn d. höchsten Gerichtshöfe. II—V. Bd.
8° Lpzg, Rossberg'sche Verl.-Bh.   Je 10 —
             (Vollst.: 50 — ; Einbde in HF. je 2 —) d
   II. (34, 550 u. 360) 1900.01. 8 — || III. 2 Hälften. (2, 664 u. 533) 1900.03. || IV. (?,
   588 u. 94) 02. || V. (34, 524 u. 491) 03.
   Bis Bd III u. Türcke u. Niedenführ allein bearb.
— — dass. 2. Afl. 1. Bd. (24, 745) 8° Lpzg 04. Stuttg., W
Kohlhammer.   HF. 12 — d
Tureck, P: Perchè si deve concimare mediante concimi arti-
ficiali. (17) 8° Triest, FH Schimpff 02.   — 50
Turin, off., u. off. Fenster. Offenbarg 3, 8.— Maleachi 3, 10.
(13) 8° Barm, W Langewiesche.   — 25 d
Turino, d., s.: Veröffentlichgn d. Frauenmissions-Gebetsbundes. (39) 8° Berl. (02).
(Bonn, J Schergens.)   — 25 d
Turf, russ. (Statistik d. Rennen in Russl.) 1900—4. Jahrg. V.
d. Red. d. „Pferd in Russland“. 5—9. Jahrg. 12° Riga, E Plates.
                                      36 —
   1900. V. (706) 01. 8 — || '01. VI. (646) 02. 8 — || '02. VII. (751) 03. 8 —
   || '03. VIII. (568) 04. 6 — || '04. IX. (587) 05. 6 —

Turgénjew's (Turgenjeff), IS, ausgew. Werke. Autoris.Ausg.
1., 5., 8. u. 9. Bd. 8° Mitau, E Behre. Je 3 —; geb. je 4 — d
1. Väter u. Söhne. 3. Aß. (383) 02.
5. Ein König Lear d. Dorfes. Frühlingsfluthen. 2 Novellen. 2 Aß. (377) 01.
8.9. Skizzen a. d. Tageb. e. Jägers. 2 Thle. 2. Aß. (348 u. 326) 02.
— 5 Erzählgn, s.: Bibliothek d. Gesamtlit.
— Der Fatalist. Vor d. Sturme, s.: Weich ert's Wochen-Bibliothek.
— Gedichte in Prosa. Übertr. v. T Comichau. (107) 8° Lpzg,
Insel-Verl. 03. 1 —; geb. 2 —
— Der Pope. Erot. Poem. (In russ. Sprache.) (23) 8° Berl., H
Steinitz (03). 1 —
Turgot, ARJ: Betrachtgn üb. d. Bildg u. d. Verteilg d. Reichtums. Aus d. Franz. v. V Dorn u. eingeleitet v. H Waentig.
(77) 8° Jena, G Fischer 03. — 80
Turk, K: Handk. v. Gebiete d. mittl. Ruhr, d. unt. Lenne,
d. Volme u. Ennepe. Kreise: Hörde, Hagen-Land, Hagen-
Stadt, Schwelm, Witten-Stadt. Bearb. u. d. Schulwandk.
d. Gebiets. 32×30 cm. Farbdr. Nebst Text. (4) 8° Arnsbg, J
Stahl (01). — 30
— Schulwandk. z. Heimatkde d. Gebietes d. mittl. Ruhr, d.
unt. Lenne, d. Volme u. Ennepe. Kreise: Hörde, Hagen-
Lande, Hagen-Stadt, Schwelm u. angrenz. Bezirke. 1:20,000.
191×181 cm. Farbdr. Ebd. (01). Auf L. m. St. 25 —
— Sprach- u. Lesefibel f. d. 1. Schulj. (Neudr.) (78 m. Abb.) 8°
Bielef., Velhagen & Kl. 05. Geb. nn — 45 d
Türk, O: Liederb. Für d. Schulgebr. bearb. (202) 8° Cöbg, A
Seitz 05. Geb. 1.10 d
— dass. Unter- u. Mittelst. (55) 8° Ebd. 05. Kart. — 40 d
Tuerk, E, s.: Eschricht, E.
Türk, JB: Jugend- u. Kriegs-Erinnergn. Hrsg. v. F Khull.
(60 m. Bildnis.) 8° Graz, (Leuschner & L.) 02. 1.50 d
Türk, K: Aufg. z. Zifferrechnen, s.: Blümel.
Türk, T: 75 Tage an Bord d. Kreuzers „Restaurador". Aus
d. Tageb. e. Seemannes. [S.-A.] (27 m. Abb.) 8° Lüb., (Gebr.
Borchers) 04. — 60 d
Türk, W: Vorlesgn üb. klin. Hämatol. 1. Tl: Methoden d.
klin. Blutuntersuchg. Elemente d. normalen u. patholog.
Histol. d. Blutes. (402 m. Abb.) 8° Wien, W Braumüller 04. 8 —
Türk, W: Untersuchg üb. Knochenarterien, s.: Lexer, E.
Türke, O: Deut. Liederb. f. Mittel- u. Volkssch. (In 3 Heften.)
1. u. 3. Heft. 8° Lpzg, J Klinkbardt (05). — 85 d
1. Enth. 85 einstimm. Lieder u. Gesänge u. e. musikalisch-elementaren
Anh. 23. Aß. (52)
3. Enth. 110 zwei- u. dreistimm. Lieder u. Gesänge. 11. Aß. (132) — 50
Türkel, S: Die kriminellen Geisteskranken. Beitrag z. Gesch.
d. Irrenrechts- u. Strafvollzugsreform in Österr. (1850—1904).
(64) 8° Wien, M Perles 05. 1.50
— Psychiatrisch-kriminalist. Probleme. I. Die psychiatr. Exper
tise. II. Üb. Zurechng u. Zurechngsfähigk. III. Psychopath.
Zustände als Strafausschliessgsgründe im Strafrechte. [S.-A.]
(72) 8° Wien, F Deuticke 05. — 40 d
Türkheim, A: Ernste Gedichte. (226) 8° Hambg, Jürgensen &
Becker 05. † 3 — d
Türkheim, J: Zur Psychol. d. Geistes. Tier- u. Menschengeist.
(153) 8° Lpzg, CG Naumann (04). 3 —; geb. 4 —
Türkisches im Christenthum. 2. Aß., s.: Weiber-Regiment, d.,
i. d. Pfarrhäusern.
Türler, EA: Der Schiffs-Ganymed d. Vierwaldstätter Sees.
(In deut., französ. u. engl. Sprache.) (62) 8° Luzern, Fried.
Ryser-Hoz (01). (Nur dir.) — 40
Türler, H: Das alte Biel, s.: Popper, EJ.
— Das Franziskanerkloster in Bern, s.: Haag, F, d. hohen
Schulen zu Bern.
— s.: Taschenbuch, neues Berner.
Turley, B: Schwed. Volksmärchen. 3. Aß. (314 m. H. u. 4 Farbdr.)
8° Lpzg, Abel & M. 05. Geb. 3 — d
Turley, E: Anl. z. stat. Berechng armierter Betonkonstruk-
tionen unter Zugrundelegg d. Systems Hennebique. (23 m.
Abb.) 8° Lpzg, A Felix 02. 3 — d
Türmer, der. Monatsschrift f. Gemüt u. Geist. Hrsg.: JE Frhr
v. Grotthuss. 4.—8. Jahrg. Oktbr 1901—Septbr 1906 je 12 Hefte.
(4. Jahrg. 1. Heft. 128 m. 1 Taf.) 8° Stuttg., Greiner & Pf.
Viertelj. 4 —; einz. Hefte 1.50 d
Türmer's Bilderschatz. Kunstblätter d. Türmers. Mit erläut.
Text v. W v. Oettingen. (15 Taf. in Photograv. m. je 3 S.
Text.) 4° Stuttg., Greiner & Pf. (03). In L.-M. 9 —;
einz. Bl. — 50 d
Türmer-Jahrbuch. Hrsg.: JF Frhr v. Grotthuss. (1902—6.)
(Mit Abb.) 8° Stuttg., Greiner & Pf. L. 33 — d
'02. (444 m. 10 Taf.) (01.) 6 — ‖ '05. (412 m. 9 Taf.) (04.) 8 — ‖ '04. (464
m. 14 Taf.) (03.) 6 — ‖ '05. (560 m. 17 Taf.) (04.) 8 — ‖ '06. (348 m. 19 Taf.)
(05.) 6 —
Turmkater, d., s.: Kornblumen.
Tarnau, W, u. K Förster: Das Liegenschaftsrecht n. d. deut.
Reichsges. n.d.preuss.Ausführgsbestimmgn. 2 Bde. 8° Paderb.,
F Schöningh. 50 —; Einbde in HF. je 2.50 d
1. Das Sachenrecht d. BGB. 2. Aß. (51, 935) 02.
2. Die Grundbuchordng. (29, 661) 01. 11 — ‖ 2. Aß. (88, 762) 03. 14 —
Turnblätter, deut. Schriftleitg: K Meyer. 8—10.Jahrg. 1901—3
je 12 Nrn. (Nr. 1. 8) 4° Ausb., C Brügel & B. 05. — 60 ‖ 11. u.
12. Jahrg. 1904 u. 5. Je — 75 d
Turnbull, V: Lehrg. d. persönl. Magnetismus, s.: Flower's
Kollektion.
Turnbundsblätter, akadem. Zeitschrift d. A. T.-B., d. Ver-

bandes nichtfarbentrag. akadem. Turnver. auf deut. Hochsch.
Leiter u. Hrsg.: 15. J. Gerber; 16—18. J., P Vassel; 19. J.
Scotti. 15—19. Jahrg. Oktbr 1901—Septbr 1906 je 12 Nrn.
(Nr. 1. 44) 8° Berl., (Friber & Lammers). Je nn 3.50;
einz. Nrn nn — 35 d
Turner, der. Illustr. Zeitschrift f. d. Ver.-Turnen. Hrsg.: P
Hanschke. 16—20. Jahrg. 1901—5 je 24 Hefte. (1901. 1. Heft.
24) Nebst: Der Kneipwart. Humorist. Monatsbeil. Je 12 Nrn.
8° Berl., P Hanschke. Viertelj.1.25; m. Unfallversicherg 1.50 d
Turner's Ziel u. Streben. 3 leb. Bilder m. verbind. Text f.
Arbeiter-Turnver. von W. VIII. (11) 8° Probsth. (03). Lpzg,
Rauh & Pohle. 1 — d
Turner, CH, s.: Ecclesiae occidentalis monumenta iuris anti-
quissima.
Turner, E: Quaestionis (!) criticae in Platonis Lachetem, s.:
Dissertationes philologicae Halenses.
Turner, J: Der Temeraire, s.: Meisterbilder fürs deut. Haus.
Turnerbundes-Liederbuch, deut. Hrsg. v. Bundesrate d. deut.
Turnerbundes. (353 u. 12) 16° Wien, (A Amonesta) 1900.
Kart. 1 — d
Turner-Hort, deut. Zeitschrift f. d. Angelegenh. d. „Deut.
Turnerbundes", „Niederöster. Turngaues" u. aller deutsch-
völkisch gesinnten Turnverbände in- u. ausserh. d. „Deut.
Turnereisaft". Schriftleiter: J Zimmermann. 11. u. 12.Jahrg.
1901. u. 2 je 24 Nrn. (1902. Nr. 1—12. 125) 4° Wien(IV., Hech-
tengasse 3), L Slepiza. Je 3 — d
Fortsetzg war nicht zu erhalten.
Turnerkneipe, d. fidele. Anl. z. Abhaltg e. fidelen Kneipe nebst
allg. Comment, sowie d. Straf- u. Kneipges. f. d. Mitglieder.
(8) 16° Stuttg., P Mähler 02. — 20
Turner-Liederbuch. 12. Aß. (96) 16° Dresd., Dresdner Turnver.
v. 1867 (05). (Durch Bur.-Assist. R Jahn, Alemannenstr. 23 Π.)
† — 15 d
Turner- u. Wanderliederbuch, neues, Sangeslust. (84) 16°
Stuttg., P Mähler (03). nn — 20; kart. — 25 d
Turner-Pantomimen. Nr.1—8. 8° Lpzg, Rauh & Pohle. Je 1 — d
Baum, G: Der geprellte Bauer od. d. lust. Schornsteinfeger am Reck.
(6) (05.) [5.]
Fischer, O: Die Wunderműhle od. Wie alte Frauen wieder jung ge-
macht werden. (7) Probsth. (03). [3.]
Geyer, W: Der Spuk in d. Küche od. Verunglückte Turnerliebe. (5 S.
u. 1 Bl. m. 3 Fig.) (04.) [7.]
Jenthe, G: Der Affe als Liebhaber. (8) Probsth. (02). [2.] ‖ Die furn.
Alpenwirtin od. Die gestörte Ruh. (8) Probsth. (02). [1.]
Liebers, Kl: Eine Scene auf d. Trockenplatze od. Die bösen Turner. (8)
(04.) [6.]
Pape, J: Ein Studelsen im Gasthause. (6) (04.) [3.] ‖ Der Zirkus auf d.
Bühne. (5) (04.) [4.]
Turnerschafter, der. Hdb. d. deutschen V.-C.-Studenten. 8. Aß.
v. H Meyer. S.-S. 1901. (243 m. z. Tl farb. Fig. u. 1 farb. Taf.)
8° Lpzg-R., A Hoffmann 01. L. 2.50 d
Turn-Fahrten, zusammengest. v. Turnfahrten-Ausschuss. (12.
bayer. Turnfest zu Kempten '05.) (57 m. Abb. u. 1 Karte.) 8°
Kempt., (J Kösel) 05. — 40 d
Turnliederbuch, deut., s.: Lieder, deut.
Turnvorschrift f. d. k. u. k. Fusstruppen. (104 m. Abb.) 8°
Wien, (Hof- u. Staatsdr.) 05. — 80; geb. 1.20
Turnzeitung, akadem. Schriftleitg: Bock. 18—21. Jahrg.
(S.-S. 1901 u. W.-S. 1901/1905.) Je 18 Hefte. (1.—5. Heft. 176)
8° Lpzg-R., A Hoffmann. Je 8.55; halbj. 3.30 ‖ 22. Jahrg. (S.-
S. 1905 u. W.-S. 1905/1906.) Red.: J Vaders. 24 Hefte. (1. Heft.
22) 3.50 d
— deut. Verantwortlich: P Erbes, 46—50. Jahrg. 1901—5 je
52 Nrn. (7—24 m. Abb.) 4° Lpzg, (P Eberhardt).
Viertelj. 1.50 d
— deut., f. Frauen. Hrsg. u. Schriftleitg: M Thurm. 3—7.
Jahrg. 1901—5 je 26 Nrn. (Nr. 1. 8) 4° Kref., G
Hohns. Viertelj. 1.25 d
— dass., hrsg. v. jüd. Turnver. „Bar Kochba"(-Berlin). Red.-
Ausschuss: H Jalowicz, M Zirker. Red.: H Jalowicz. 3.Jahrg.
12 Nrn. (Nr.1.16) 8° Berl., M Poppelauer. 2 — ‖ 3.Jahrg.
1902. Red.: M Zirker. 3 —; einz. Nrn — 30
— dass. Monatsschrift f. d. körperl. Hebg d. Juden. Hrsg. v.
jüd. Turnver. „Bar Kochba"-Berlin. 4. Jahrg. 1903. 12 Nrn.
(Nr. 1. 18 m. Abb.) 8° Ebd. ‖ 5. Jahrg. 1904. Red.: R Blum u.
E Tuch. Je 3 —; einz. Nrn — 30
— dass. Hrsg. v. jüd. Turnverschaft. Red.: M Zirker. 6. Jahrg.
1905. 12 Nrn. (Nr. 1. 20) 8° Berl.-Charlttbg, Verl. d. jüd. Turn-
zeitg. 3 —; einz. Nrn — 30
— schweiz. Red.: JJ Egg, J Spühler, E Zschokke. 14—18.
Jahrg. 1901—5 je 52 Nrn. (Nr. 1. 8) 8° Zür. (Lpzg, P Eberhardt.) Je 6 — d
Turovius, B: König Heinrich, s.: Jugend- u. Volksbibliothek,
deut.
— Am Rande d. Abgrunds, s.: Blüten u. Früchte.
Turquan, J: Eine Adoptivtochter Napoleon I. Stephanie, Grossh.
v. Baden. Übertr. v. O Marschall v. Bieberstein. (192) 8°
Lpzg, H Schmidt & G Günther 02. 3.60; geb. nn 4.50 d
— Die Generalin Bonaparte, s.: Napoleon I.
— Die Herzogin v. Chevreuse, Palastdame d. Kaiserin Jose-
phine. Ein Kampf um Minu. Übertr. u. bearb. v. O
Marschall v. Bieberstein. (105) 8° Lpzg, H Schmidt & G Gün-
ther 05. 2 —; geb. nn 3 — d
— Die Königin Hortense. — Die Kaiserin Josephine, s.: Na-
poleon I.

Turquan, J: Das Liebesleben Napoleon I. Uebertr. u. bearb.
v. () Marschall v. Bieberstein. 2. Afl. (265) 8° Lpzg, H Schmidt
& C Günther 04. 4.60; geb. nn 5.60 d
— dass. — Caroline Murat, Königin v. Neapel, s.: Napoleon I.
— Frau Récamier u. ihre Freunde. In freier Übertragg v. O
Marschall v. Bieberstein. (338 m. 1 Bildnis.) 8° Lpzg, H
Schmidt & C Günther 03. 4.60; geb. 5.60 d
— Die Schwestern Napoleons, Elisa u. Pauline Borghese. Nach
Aeussergn ihrer Zeitgenossen. Uebertr. u. bearb. v. O Mar-
schall v. Bieberstein. 2. Afl. (295 m. Abb.) 8° Ebd. 04. 4.60;
geb. 5.60 d
— dass. — Die Bürgerin Tallien. — Welt u. Halbwelt unter
d. Konsulat u. d. I. Kaiserreich, s.: Napoleon I.
Tursch, Z (T): Eine eifersücht. Frau, s.: Heidelmann's, A,
Theaterbibliothek.
— Herren-Humor. Heit. u. drast. Vortr. f. Herren-Abende.
(112) 8° Mühlh. i/Th., G Danner (05). 1 — d
Turský, A: Fibel, s.: Kaulich, J, Leseb.
Tusa, P: Der graue Stein. (Dichtg.) (51) 8° Dresd., E Pierson
03. 1 —; geb. 2 —
Tuschke, O: Führer durch Grünberg u. Umgebg. (88 m. 1 Pl.,
1 Karte u. 1 Panorama.) 12° Grünbg, Brocke 01. — 60 d
Tusskai, O: Kardiopathie u. Schwangerschaft, s.: Sammlung
klin. Vortr.
— s.: Kinderheilkunde u. Kinderschutz in Ungarn.
Tutte, K: Der polit. Bez. Saaz. Heimatkde. (In 8—10 Lfgn.)
1—4. Lfg. (1—264 m. 63 Taf.) 8° Saaz, (A Ippold's Nf.) 04.05.
Je nn 1 — d
Tuttle, H: Die Philosophie d. Geistes u. d. Geisterwelt. Uebers.
v. GE Weiss. (24, 249) 8° Lpzg, O Mutze 04. 3 —; geb. 4 — d
Tuxen, F: Taschengeld. Prahlerei u. Unwahrheit, s.: Goldkörner.
— Ein Weihnachtsgeschenk, s.: Blumen u. Sterne.
Tuxson, J: Anatom. u. mykolog. Untersuchgn üb. d. Zersetzg
u. Konservierg d. Rotbuchenholzes. (90 m. Fig. u. 3 farb. Taf.)
8° Berl., J Springer 05. 5 —
Twain's, M (SL Clemens), humorist. Schriften. Neue Folge.
6 Bde. 8° Stuttg., R Lutz. Je 2 —; geb. je 3 —; ermäss. Ge-
samtpr. 11 —; geb. 17 —; auch in 30 Lfgn zu — 40 d
1. Tom Sawyers neue Abenteuer. (Tom Sawyer im Luftballon. Tom, d. kl. Detektiv.) (304) 03.
2. Querkopf Wilson. Roman. (280) 03.
3.4. Meine Reise um d. Welt. 1. u. 2. Abtlg. (346 u. 330) 03.
5. Adams Tageb. u. and. Erzählgn. (305) 03.
6. Wie Hadleyburg verderbt wurde. Nebst and. Erzählgn. (320) (03.)
— Die Abenteuer Huckleberry Finns, s.: Bibliothek d. Gesamt-
litt.
— Adams Tageb. u. and. Bezech. Autorisiert. (275) 8° Stuttg.,
R Lutz 01. 2 —; L. 3 — d
Aus d. Handel gezogen.
— A double-barrelled detective story, etc., s.: Collection of
Brit. auth.
— Erzählgn u. Plaudereien, s.: Meyer's Volksbb.
— Huck Finns Fahrten u. Abenteuer. Jugendausg. (351 m.
Abb.) 8° Stuttg., R Lutz (04). Geb. 3.50 d
— König u. Betteljunge, bearb. v. H Stökl, s.: Bücherei f. d.
Jugend.
— Die 1,000,000 Pfundnote u. and. humorist. Erzählgn u. Skiz-
zen, s.: Hesse's, M, Volksbücherei.
— The prince and the pauper, s.: Library, Engl. (CT Lion).
— Schulbibliothek französ. u. engl. Prosaschriften (E Lobe-
danz).
— Prinz u. Bettelknabe. Erzählg f. d. reif. Jugend. Deutsch
v. H Lobedan. 2. Afl. (236 m. Abb.) 8° Stuttg., Loewe (05).
Geb. 4 — d
— Prinz u. Bettler, s.: Brunner, R.
— 5 tales, s.: Kipling, R.
— Tod od. lebendig, s.: Hesse's, M, Volksbücherei.
— Tom, d. kl. Detektiv, s.: Sammlung ausgew. Kriminal-
Detektiv-Romane.
— Toms Abenteuer u. Streiche. Jugendausg. (307 m. Abb. u.
Bildnis.) 8° Stuttg., R Lutz (04). Geb. 3.50 d
— A tramp abroad. Ausgew. Kapitel, f. d. Schulgebr. hrsg. v.
M Mann. I. Tl: Einl. u. Text. H. Tl: Anmerkgn. (112) 8°
Lpzg, G Freytag 01. Geb. u. geb. 1.20; Wrtrb. (46) — 50 d
— Des Teulosen Ende, s.: Detectiv-Romane, amerikan.
— Querkopf Wilson, s.: Sammlung ausgew. Kriminal- u. De-
tektiv-Romane.
— dass. — Wie d. Stadt Hadleyburg verderbt wurde. 2 Er-
zählgn. Uebers. v. M Jacobi. 2. Afl. (584) 8° Stuttg., R Lutz
01. 2.50; L. 3.50 d
Aus d. Handel gezogen.
Twardowski, J v.: Statist. Daten üb. Oesterr. (Mit e. Anh.
üb. Ungarn.) (125) 8° Wien, F Deuticke 02. Kart. 2.50
Twardowski, K v.: Üb. begriffl. Vorstellgn, s.: Vorträge u.
Besprechungen d. Wien. Akad. d. Begriffe.
Twiehausen, O, s. a.: Krausbauer, T.
— Naturgesch. IH. Der naturgeschichtl. Unterr. in ausgeführten Lektionen. (In 5 Abtlgn.) Nach d. neuen method. Grundsätzen f. Behandlg u. Anordng (Lebensgemeinschaften) bearb. III. Abtlg: Oberst. 5. Afl. (415) 8° Lpzg, E Wunderlich
01. 3.80; geb. 4.40 d
— Rousseaus Pädagogik u. d. Nachwirkgn derselben bis auf
d. Neuzeit, s.: Lehrer-Prüfungs- u. Informations-Arbeiten.

Twistel: Wasser-, Licht- u. Kraft-Varsorgg kl. Städte. (78 m.
1 Tab.) 8° Mews 04. (Königsbg, W Koch.) nn 2 —
Twrdy, K: Lehrb. d. Mineral. u. Geol. f. d. ob. Cl. d. österr.
Realsch. (188 u. 16 m. Abb., Titelbild u. 1 Tab.) 8° Wien, F
Deuticke 02. Geb. 2 —
Tykorinski, H: Stiftgsb. d. Stadt Leipzig, s.: Geffcken, H.
Tynan, K: Lady Molly, s.: Ensslin's Roman- u. Novellenschatz.
Typhus-Merkblatt. Bearb. im kais.-Gesundheitsamte. Unter
Mitwirkg v. Kirchner, R Koch u. Krieger. (4) Fol. Berl.,
J Springer (03). nnn — 05; 10 Stück nn — 50 d
Tyrka-Gebell, S: Silhouetten. Eine Sammlg a. realist. Ro-
manen d. Frühmoderne u. Moderne. (151) 8° Münch., A Schupp
(03). (Lpzg, F Förster.) 2 — d
Tyrkowski, A: Amor auf Irrwegen. — Angstmeier. — Im
weissen Röss'l. — Die Tante a. Polzin. — Die Wahrsagerin,
s.: Album f. Liebhaber-Bühnen.
Tyrman, J: Die Verletzgn d. Ohres, deren Folgezustände u.
ihre gerichtsärztl. Beurteilg. (120) 8° Wien, M Perles 03. 2.80
Tyrol, M: Frau Antonie, s.: Frauen-Bibliothek, moderne.
Tyrolt, R: Aus d. Tageb. e. Wiener Schauspielers 1848—1902.
(355 m. 9 Bildern.) 8° Wien, W Braumüller 04. 6.80; L. 8.40 d
Tyrská, F W: Dr. Solf u. Samoa. (34) 8° Berl.-Charlttbg,
Deut. Kolonial-Verl. 04. 75 d
Tzschucke, H: Wie stählt d. junge Kaufmann am besten s.
Charakter in d. Versuchgn u. Schwierigk. s. Lebens? 1. u.
2. Afl. (40) 8° Lpzg, Verl. d. mod. kfm. Bibliothek (03). — 50

Ubaid-Allâh Ibn Kais ar-Rukajjât: Der Diwân. Hrsg., übers.
m. Noten u. e. Einl. versehen v. N Rhodokanakis. [S.-A.]
(340) 8° Wien, (A Hölder) 02. 7.40
Uebe, F, u. M Müller: Grammatik d. engl. Sprache f. kommerz. Lehranst. Auf Grund d. Grammatik d. engl. Sprache
v. O Thiergen bearb. u. hrsg. (199) 8° Wien, K Graeser & Co.
03. Geb. 3.20 d
— Lehrb. d. engl. Sprache f. kommerz. Lehranst. Auf Grund
d. Lehrb. d. engl. Sprache v. O Boerner u. O Thiergen bearb. u. hrsg. (337 m. Abb. u. 1 Münztaf.) 8° Ebd. 03. Geb. 3.60 d
— Lehrb. d. engl. Sprache f. Handelssch. Auf Grund d.
Lehrb. d. engl. Sprache v. O Thiergen bearb.
u. hrsg. (337 m. Abb. u. 1 Taf.) 8° Lpzg, BG Teubner 03.
Geb. 3.60 d
— Französ. Leseb. f. kommerz. Lehranst. 2. Afl. (378) 8°
Wien, A Hölder 05. Geb. 3.10
— u. E Kunger: Lehrb. d. engl. Sprache f. Handels- u.
Gewerbesch. Auf Grund d. Lehrb. d. engl. Sprache v. Thier-
gen-Boerner bearb. u. hrsg. (232 m. 1 Taf. u. 1 Karte.) 8°
Lpzg, BG Teubner 05. Geb. 2.60 d
Uebel, A: Die Alkoholfrage v. pädagog. Standpunkte aus. (36) 8°
Lpzg, Dürr'sche Bh. 04. — 60 d
— Aufg. z. Buchführg e. Gewerbetreib. — Aus Hellas u. Rom.
— Aus vergang. Tagen. — Im Tempel zu Jerusalem, s.:
Heymann, T.
— Übgsstoffe z. deut. Sprachlehre u. Rechtschreibg. Neube-
arbeitg in 6 Heften a. d. Bestimmgn d. „Grundlehrpl. d. Ber-
liner Gemeindesch." u. d. neuesten Rechtschreibg f. Schüler
d. deut. Volkssch. 8° Berl., L Oehmigke's V. nn 1.75 d
1. (2. Schulj.) (40) 03. nn — 20 ‖ 2. (3. Schulj.) (65) 03. nn — 25 ‖ 3. (4. Schulj.) (95) 03. nn — 25 ‖ 4. (5. Schulj.) (96) 03. nn — 25 ‖ 5. (6. Schulj.) (92) 03. nn — 20 ‖ 6. (7.—8. Schulj.) (114) 04. nn — 50.
— Üb. d. Verhältnis d. Kunstbildes z. Anschaugsbilde. [S.-A.]
(31) 8° Lpzg, A Hahn 03. — 50
— Aus d. Zeit d. Pharaonen, s.: Heymann, T.
Uebelacker, H: Untersuchgn üb. d. Bewegg v. Lokomotiven
m. Drehgestellen in Bahnkrümmgn, s.: Organ f. d. Fort-
schritte d. Eisenb.-Wesens.
Uebelacker, M: Gr. deut. Aufsatzschule f. d. Schul- u. Selbst-
unterr. 10. Afl. (416) 8° Berl., Aug. Schultze's V. 03. kart. 3.50 d
— Richtig deutsch durch Selbst-Unterr. od. gr. deut. Sprach-
lehre. 10. Afl. (191, 128 u. 32) 8° Ebd. 03. 3 —; kart. 3.50 d
Auf d. Titelblatt ist d. Verf. Ubelacker genannt.
— Gr. deut. Muster-Briefsteller f. d. ges. Privat- u. Handels-
Korrespondenz u. alle sonst. Schreibereien, welche man im
tägl. Leben u. Verkehr zu machen hat. 10. Afl. (96, 80, 128,
76 u. 128) 8° Ebd. 05. 3 —; kart. 3.50 d
— Die neue amtl. Rechtschreibg f. d. Selbst-Unterr., nebst
Interpunktionslehre u. d. in d. Schreibschule am Schreib-
weise besonders zu merken ist. 10. Afl. (128 u. 32) 8° Brnschw.,
F Euler 02. 1 — d
— Ausführl. orthograph. Wrtrb. aus gr. Fremdwrtrb. 8. Afl.
(463) 8° Berl., Aug. Schultze's V. 03. 3 —; kart. 3.50 d
Ubell, H: Zur Ikonogr. d. Florianslegende. (22 m. 7 Taf.) 8°
Linz a/D., Museum Francisco-Carolinum 04. (Nur dir.) — 40
— Kapitel vom Thanatos, s.: Abhandlungen d. archäologisch-
epigraph. Seminars d. k. k. Franzens-Univ. Graz.
— Phidias. — Praxiteles, s.: Kunst, d.
— Stundenreigen. Gedichte. (57 u. 2) 4° Wien, CW Stern 03. 1 —
— Die griech. Tragödie, s.: Literatur, d.
Uebelnseiten: Ausw. 12 Fälle v. Kephalocranioklasie n. Zweifel.
(38) 8° Tüb., F Pietzcker 02. nn 1 —
Uber, R: Die Strafanst. u. Gefängnisse in Preussen, s.: Krohne, C.
Ueber d. Autonomie u. d. finanz. Selbständigk. d. Verhandlgn
d. tiroler Landtages. (45 u. 34) 8° Innsbr., Vereins-Bh. u.
Buchdr. 02. 1 — d
— Berg u. Thal. Organ d. Gebirgsver. f. d. sächs. Schweiz.
Schriftleitg: A Meiche. 24—28. Jahrg. 1901—5 je 12 Nrn. (111,

128, 113, 108 u. 261 m. Abb.) 4° Dresd., CC Meinhold & S.
Je 2 —
Ueber d. gegenwärt. Lage d. biolog. Unterr. an höh. Schulen.
Verhandlgn d. verein. Abteilgn f. Zool., Botanik, Geol., Anatomie u. Physiol. d. 73. Versammlg deut. Naturforscher u.
Aerzte, Hamburg '01. (43) 8° Jena, G Fischer 01.   1 —
— d. Notwendigk. eth. Unterweisg durch d. Schule. Beitrag
z. Schulreformfrage. Von Frau P v. B . . . w. (15) 8° Lpzg,
Fel. Dietrich 04.   — 50
— Einrichtg u. Ordng v. Familien-Archiven. Von C M.
(27) 8° Wien, (St. Norbertus) 01.   — 50
— d. Dienst d. Frauen. Nach d. Franz. v. F P. 2. Afl. (27) 8°
Elberf., R Brockhaus (durch J Fassbender) 1899,   — 08 d
— d. Gefechtswert v. Truppen auf d. Rückzuge, s.: Beiheft z. Militär-Wochenbl.
— d. Feststellg regelwidr. Geisteszustände bei Heerespflichtigen u. Heeresangehörigen, s.: Veröffentlichungen a.
d. Geb. d. Militär-Sanitätswesens.
— Gemeindeversammlgn. [S.-A.] (77) 8° St. Louis, Mo,
02. (Zwick, Schrifteu-Ver.)   1 d
— d. Produktion u. volksw. Bedeutg d. schweiz. Gewerbe.
[S.-A.] (26) 4° Bern, (Büchler & Co.) 1900.   1 —
— d. Verhalten d. Gläubigen in d. Tagen d. Verfalls. 2. Afl.
(53) 8° Elberf., R Brockhaus (durch J Fassbender) 1900. — 20 d
— Hausaufg., s.: Abhandlungen, pädagog.
— d. hauswirtschaftl. Unterweisg d. Mädchen in Kärnten.
Gutachten, erstattet v. d. Curatorium f. d. Fortbildgsunterr.
in Kärnten unter dessen Vorsitzenden L Frhrn zu Aichelburg-Labia. (42 m. 1 Tab.) 8° Klagenf., (F v. Kleinmayr) 01.
   — 60 d
— d. Erhaltg d. Heidelberger Schlosses. Berichterstatter: v. Oechelhaeuser u. Hofmann. [S.-A.] (81) 8° Karlsr. 05.
(Berl., Gropius.)   Je 2 —
— Heilstätten- u. Tuberkulin-Behandlg in gegenseit.
Ergänzg. I. Die bisher. in Heilstätten erzielten Dauererfolge, v. T Weicker. — II. Der gegenwärt. Stand d. Tuberkulin-Behandlg, v. J Petruschky. (36) 8° Lpzg, F Leineweber
01.   1 —
— Erkenng u. Beurteilg v. Herzkrankh., s.: Veröffentlichungen a. d. Geb. d. Militär-Sanitätswesens.
— Hufbeschlag. Hrsg. v. d. kgl. Commission f. d. Veterinärwesen zu Dresden. (15 m. Abb.) 8° Dresd. 01. Lpzg, G
Schönfeld.   — 40 d
— Kunst d. Neuzeit. 1. u. 6—11. Heft. 8° Strassbg, JHE Heitz.
15.50 (1—11.: 34.30)
Brieger-Wasservogel, L: Deut. Maler. 6 Porträts. (111) 03. [10.]   2 —
— Auguste Bodin. (56) 03. [9.]   1.50
Demolder, E: Constantin Meunier. Uebers. v. H Neter-Lorsch. (31) 03. [8.]   2.50
Fred, W: Modernes Kunstgewerbe. Essays. (126) 01. [6.]   2.50
Ruettenauer, B: Der Kampf um d. Stil. Aussichten u. Rückblicke. (208) 05. [11.]   3.50
Schuhmacher, F: Im Kampfe um d. Kunst. Beitr. zu architekton. Zeitfragen. 2. Afl. (144) 02. [1.]   1.50
— Land u. Meer. Red.: E Schubert u., v. 47. Jahrg. an, CA
Piper. 44—48. Jahrg. Oktbr 1901—Septbr 1906 je 52 Nrn. (45—
48. J. 1148, 1170, 1200 u. 1250 m. z. Tl farb. Abb.) 41×29,5 cm.
Stuttg., Deut. Verl.-Anst.   Viertelj. 3.50;
auch in je 26 Heften zu — 60; einz. Nrn — 30 d
— dass. Illustr. Oktav-Ausg. 18. u. 19. Jahrg. Aug. 1901—Juli
1903 je 13 Hefte. (1. Heft. 128 m. [2 farb.] Taf. u. z. Tl
farb. Textabb.) 8° Ebd.   Je 1 — d
— dass. Oktav-Ausg.: Der Monat. Red.: CA Piper. 21. u. 22. Jahrg.
Oktbr 1901—Septbr 1906 je 12 Hefte. (1. Heft. 112 m. Abb. u.
Taf.) 8° Ebd.   Je 1 — d
Beim 22. Jahrg. fehlt d. Zusatz: Der Monat. — Den 20. Jahrg.
s. u. d. T.: Monat, d.
— d. da wohnen im finstern Lande, scheinet es helle, s.: O
du fröhliche usw. Weihnachtzeit.
— d. wahre Leben. Von e. Priester d. Väter v. Hl. Geiste.
(92) 8° Rgnsbg, Verl.-Anst. vorm. GJ Manz 06.   1 —
— Neuergn auf d. Geb. d. landw. Maschinenwesens. Sammlg
v. Sonderabdr. a. „Fühlings landw. Zeitg". Hrsg. v. A Nachtweh. 1. Heft. 1—56. Bericht. (83 m. Abb.) 8° Stuttg., E Ulmer
03.   2 — d
— d. Einführg d. 2jähr. Präsenzdienstzeit in d. österr.-
ungar. Armee. Von e. höh. Offizier. [S.-A.] (23) 8° Wien, LW
Seidel & S. 03.   — 90
— Probenrelationen. Mittheilg a. d. Justizprüfgskommission. 4. Afl. (101) 8° Berl., F Vahlen 02.   Kart. 2 — d
— Wesen u. Behandlg d. Schreibkrampfes u. verwandter
Krankh. (11) 8° Bielef., A Helmich (02).   — 40
— d. Synkretismus. Abhandern z. kirchl. Frage v. Neuojd.
(37) 8° Gütersl., C Bertelsmann 02.   — 50 d
— d. Trinkzwang beim Broterwerb. Vortr. (Von G Bonne.)
(16) 8° Flensbg, Deutschlds Grossloge II 03.   nn — 10 d
— Typhus-Schutzimpfgn. (Aus d. Akten d. kgl. preuss.
Ministeriums d. geistl., Unterr. u. Medizinal-Angelegenh.)
I. Bericht d. Instit. f. Infektionskrankh. in Berlin. Von Gaffky,
H. Vergleich.Untersuchgn üb. verschied.Verfahren d.Typhusschutzimpfg. A. Allg. Tl. Von W Kolle, B. Spezieller Tl. Von
Hetsch u. Kutscher. [S.-A.] (32 m. 4 Kurven u. 6 Tab.) 8°
Jena, G Fischer 05.   1.50
Ueber'n gr. Teich. Pietsch u. Krause auf d. Weltausstellg in
St. Louis, s.: Lustige Blätter-Bibliothek.

Ueberall. Illustr.Wochenschrift (seit 1904 Zeitschrift) f. Armee•
u. Marine. Chef-Red.: Graf Reventlow. (Red. d. Armeeits:
v. Trotha.) 4. u. 5. Jahrg. Oktbr 1901—Septbr 1903 je 52 Hefte.
(4. Jahrg. || u. 2. Heft. 46) Fol. Berl., Boll & Pickardt. || 6. Jahrg.
1. Viertelj. Oktbr—Dezbr 1905. 13 Hefte. Viertelj. 3.25; einz.
Hefte — 30 || 6.Jahrg. 2 —4. Viertelj. Jan.—Septbr 1904. 20 Hefte.
|| 7. u. 8. Jahrg. 1904/5. Je 26 Hefte. Viertell. 3 —; einz.
Hefte — 60 d
Bildet zugl. d. Fortsetzg v.: „Armee u. Marine". Illustr. Wochenschrift.
Ueberblättl, das. Red.: A Philips. 1. Jahrg. März—Apr. 1904.
4 Nrn. (Nr. 1 u. 2. 14 m. z. Tl farb. Abb.) Fol. Soden (Taunus), Ueberblättl-Verl.   Je — 10 d ö F
Ueberbrettl-Theater s.: Spezialitäten-Theater.
Uebereinkommen, internat., üb. d. Eisenb.-Frachtverkehr v.
14.X.1890 m. d. Andergn u. Ergänzgn in d. Zusatzvereinbarg v. 16.VII.1895 u. in d. Zusatzübereinkommen v. 16.VI.
1898 u. Zusatzerklärg v. 20.IX.1893, vereinbart zw. Belgien,
Dänemark, Deutschl., Frankr., Italien, Luxembg, d. Niederl.,
Oesterr. u. Ungarn, Russl. u. d. Schweiz. Vom 10.X.'01 an
gült. Text, zusammengest. v. Central-Amt in Bern in Vollziehg e. Beschlusses d. Pariser Revisions-Konferenz. (In deut.
u. französ. Sprache.) (102 Doppels. m. Formularen.) 4° Zür.,
Art. Instit. Orell Füssli (01).   n 1.90
— betr. d. gegenseit. Wagenbenutzg im Bereiche d. Ver,
deut. Eisenb.-Verwaltgn. (Vereins-Wagen-Uebereinkommen
= V.W.U.) Nebst 7 Anlagen : I. Allg. Vorschriften f. d. Bauart u. d. Einrichtg d. Wagen. II. Vorschriften üb. d. zollsichere Einrichtg d. Eisenb.-Wagen im internat. Verkehr.
III. Verz. d. Mängel, welche z. Zurückweisg d. Wagen berechtigen. IV. Vorschriften f. d. Behandlg d. z. Viehbeförderg benutzten Wagen. V. Preise f. Wiederherstellg fremder
Wagen. VI. Vorschriften f. d. Behandlg d. Güterwagen. VII.
Vorschriften f. d. Einrichtg u. Behandlg d. Kesselwagen im
Bereiche d. Ver. deut. Eisenb.-Verwaltgn. Giltig v. 1.IV.1897
an. Ausg. v. d. geschäftsführ. Verwaltg d. Vereins. Berlin,
im Dezbr 1896. (106 m. Abb.) 8° Berl., (J Springer). nn — 60 ;
III. Nachtr., giltig v. 1.I.'05 an. Ausg. im Dezbr 1904. (14 m.
Abb.) nn — 15
Ueberfall, d., auf d. kathol. deut. Studentenverbind „Carolina" in Graz, s.: Sammlung zeitgemässer Broschüren.
— d., im Wildbad, od. schwäb. Bauerntreue. Dichtg v. E Hoffmann-Hemmingen. In Jamben v. A W. Zur Aufführg f. Schulen
u. Ver. 2. Afl. (16) 8° Stuttg., JF Steinkopf 01.   — 30 d
— d., gegen d. kathol. Glauben v. Desinfektoren.
(37) 8° Trier, A. Sonnenburg (02).   — 25 d
Ueberkinderblättl. Illustr. Halbmonatsschrift f. d. moderne Jugend in ihre Freunde. 1. Jahrg. 1903. 21 Nrn. (Nr. 1. 16) 8°
Berl. (NW 52, Paulstr. 31), US Fessel.   Viertelj. — 75;
einz. Nrn — 20 d ö F
Ueberlée, A, u. U **Wangemann**: Sammlg weltl. u. geistl. Chorgesänge f. Gymnasien, Realgymnasien u. höb. Bürgersch.
5. Afl. v. O Wangemann u. R Böttcher. (188) 8° Berl. (S. 59,
Planufer 92 II), A Frantz 03.   1.25; geb. 1.60 d
Ueberlegenheit, d., d. protestant. Völker, s.: Broschüren,
Frankf. zeitgemässe.
Uebersberger, H: Österr. u. Russl. seit d. Ende d. 15. Jahrh.
1. Bd. Von ält. Zeiten—1605. (Veröffentlichgn d. Kommission f. neuere
Gesch. Österr.) (584) 8° Wien,W Braumüller 06.   12.50 ; HF. 15.50
Ueberschaer, M: Zum 18.I.'01. Festschrift z. e. allg. Feier in
d. Schulen d. preuss. Staates, sowie zu öffentl. patriot. Festen.
Lehrer-Ausg. 3. Afl. (76) 8° Langens., Schulbh. 01.   — 80 d
— dass. Festschrift f. Schule u. Volk. Schüler-Ausg. 3. Afl. (95
m. 9 Bildnissen.) 8° Ebd. 01.   — 60 d
— Schulrechts-Lexikon, s.: Laacke, K.
— Die Volksschullehrer als Pioniere d. Roten Kreuzes. Mit e.
Vorwort v. H Göring u. e. Einleitgswort v. F Behrens. (96)
8° Stend., Franzen & Gr. S. 02.   1 — d
Uebersicht üb. d. Geschäftsthätigk. d. preuss. Hauses u. d. Abgeordneten, Fortsetzg, s.: Geschäftsübersicht d. preuss.
Hauses d. Abgeordneten.
— üb. d. in Preussen vorhand. kommunalen od. m. kommunaler
Unterstützg betrieb. Anstalten z. Berufsausweisestellen u.
d. Stande am 1.I.'02. (21) 4° Berl., C Heymann (02).   — 60 d
— d. gegenwärt Standes u. d. Amtsbez.-Eintheilg d. k. u. k.
österr.-ungar. Consularämter. Zusammengest. in k. u. k.
Ministerium d. k. u. k. Hauses u. d. Aussern u. d. Stande v.
31.XII.'04. (21) 8° Wien, (Hof- u. Staatsdr.) 05.   — 40
— üb. d. Leistgn d. Deutschen Böhmens auf d. Gebiete d.
Wiss., Kunst u. Lit. in d. J.1895—97. Hrsg. v. d. Gesellsch. z.
Förderg deut. Wiss., Kunst u. Lit. in Böhmen. (367) 8° Prag,
(JG Calve) 1899.
— üb. d. seit d. letzten Tagg d. Kolonialrats vorgefall. Ereignisse. (19) 8° Berl., ES Mittler & S. (05).   — 40 d
— monatl., d. bedeut. Erscheingn d. deut. Buchhandels.
36—40. Jahrg. 1901—5 je 13 Nrn. (Je 208) 8° Lpzg, JC Hinrichs' V.   Je 1.50
— üb. neuere Apparate f. d. Gasfach. 1903. Ihren Geschäftsfreunden gewidmet v. d. Berlin-anhalt. Maschinenbau-Aktien-
Gesellsch., Berlin NW. u. Dessau. 2 Tle. (240 u. 46 m. Abb.)
4° Berl., (Polyt. Bh. A Seydel).   nn 5 —
— d. Geschäfte d. ordentl, streit. Gerichtsbark. bei d.
grossh. Oberlandesger. zu Darmstadt u. bei d. Gerichten u.
Staatsanwaltsch. im Bezirke desselben, sowie d. freiwill. Ge-

richtsbark. bei d. Amtsgerichten, s.: Beiträge z. Statistik d.
Grossh. Hessen.
Uebersicht üb. d. Wirksamk. d. deut. Handelskammern auf d.
Geb. d. kaufmänn. Fortbildgsschulwesens, s.: Veröffentlichungen d. deut. Ver. f. d. kaufmänn. Unterr.-Wesen.
— tabell., üb. d. Bestimmgn d. Ges. betr. Kinderarbeit in
gewerbl. Betrieben, v. 30.III.'03. (Mit d. Text d. Ges.) (22)
8° Düsseldf, L Schwann 05. nn — 25 d
— d. Kleinbahnen in Preussen, auf die d. Bestimmgn unter
B.1—9 d. Ausführgsanweisg zu § 9 d. Kleinbahng:es. v. 28.VII.
1899 Anwendg finden. Vom 26.IX.'04. (99) 8° Berl., ES Mittler
& S. 04. †— 70; kart. †— 90 d
— tabellar., üb. d. im J. 1903 stattfnd. Kunst-Ausstellgn.
(12) 4° Berl. (W 9, Bellevuestr. 5), Berl. Kunst-Herold. — 20
— dass. im J. 1905. (Umschl.: Kunst-Ausstellgs-Katalog f.
1905/6. Hrsg. v. H Weiss.) [Sonderausg. d. „Berliner Kunst-
Herold".] (15) 4° Ebd. — 50
— üb. d. Jahresberichte d. öffentl. Anst. z. techn. Untersuchg
v. Nahrgs- u. Genussmitteln im Deut. Reich f. 1902.
(Nebst e. Anh. f. 1901.) Bearb. im kais. Gesundheitsamt. (218)
8° Berl., (J Springer) 05. nn 4.40 d
— vergleich., d. Reichstagswahlen v. 1898 u. 1903, auf
Grund d.Berichte d.Wahlkommissare aufgest. im kais. statist.
Amt. [S.-A.] (67) 4° Berl., Puttkammer & M. 03. 1 — d
— alphabet., sämmtl. Ortschaften d. Kgr. Sachsen m. Angabe d. polit. Gemeinde, d. Amtshauptmannschaft usw., sowie d. vorläufig ermittelten Einwohnerzahl bei d. Volkszählg
am 1.XII.1900. [S.-A.] (113) 8° Dresd., C Heinrich 01. — 75;
kart. 1 — d
— histor., d. Shakespeareschen Königsdramen. (16 m. 1
Stammtaf.) 8° Berl. 03. (Wien, CW Stern.) — 60 d
— d. 10 Wortarten. Plakat. 75,5×55 cm. Korneubg, J Kühkopf 04. 30; aufgez. 1.30 d
Uebersichten üb. d. Arbeiterverhältn. in d. Betrieben
1. d. Reichs-Marineverwaltg, 2. d. kgl. preuss. Heeresverwaltg, 3. d. kgl. bayer. Heeresverwaltg, 4. d. kgl. sächs.
Heeresverwaltg, 5. d. kgl. württemberg. Heeresverwaltg. (327)
4° Berl., (C Heymann) 02. 4 — d
— a. d. Berliner Statistik f. 1904. [S.-A.] Hrsg. v. statist.
Amte d. Stadt Berlin. (64) 16° Berl., P Stankiewicz 05. nn — 50
— tabellar., d. Hamburg. Handels in d. J. 1900—04, zusammengest. v. d. handelsstatist. Bureau. (Hamburgs Handel u. Schiff-
fahrt 1900—04.) 4° Hambg, (Herold). 16.50
1900. (82, 120, 150 u. 22) 01. 5.40 ‖ '01. (84, 120, 152 u. 22) 02. 5.40 ‖ '02.
(84, 120, 152 u. 22) 03. 4 — ‖ '03. (84, 120, 154 u. 26) 04. 4 — ‖ '04. (84,
126, 156 u. 25) 05. 4 —
— tabellar., d. Lübeck. Handels in d. J. 1900—05. Zusammengest. im Bureau d. Handelskammer. (146, 58, 59, 59 u. 61) 4°
Lüb., Lübcke & N. 01-05. Je 2 d
— statist., betr. d. auswärt. Handel d. österr.-ungar. Zollgebietes, s.: Archiv, österr. Wirtschaftspolit. — Nachrichten
üb. Industrie, Handel u. Verkehr.
— d. im J. 1902—5 a. d. deut.Reichsgeb. erfolgten Verweisgn
v. Ausländern. Bisher hrsg. v. F Nonnenmacher, fortgeführt
v. H Teucher. 30—33. Jahrg. je 4 Nrn. (1902. Nr. 1 u. 2, 11 u. 27)
8° Ansb., (C Junge). Je nn 2 — d
Bis 1891 unter F Nonnenmacher aufgenommen. — Von 1892—1901
nicht im Handel.
— d. Weltwirtschaft. Begründet v. FX Neumann-Spallart,
hrsg. v. F v Juraschek. (VII. Bd.) Jahrg. 1890—1904 (m. Ergänzgn teilweise bis 1904.) (In 10 Abtlgn.) 1 Abtlg. (80) 8°
Münch. (05). Brünn, F Irrgang. 5 —
Uebersichts-Karte d. Aachener Bergwerks-Bez. Hrsg. v. d.
Ver. d. Steinkohlenwerke zu Aachen. 1:25,000. 4 Bl. n. 2 Bl.
Profile je 62×74 cm. Lith. Aach., (M Jacobi) 1900. nn 24 —
— v. Baden in 6 Bl. Bearb. in d. kartogr. Abteilg d. kgl.
preuss. Landesaufnahme 1903/4. 1:200,000. Farbdr. Berl., (R
Eisenschmidt) (04). nn 11 —; auf L. nn 15 —
1 n. II. Je 30×56 cm. Je nn 1.50; auf L. je nn 1.90 ‖ III.-VI. Je 55×
57,5 cm. Je nn 2 —; auf L. je nn 2.40.
— d. nordwestböhm. Braunkohlenbeckens. (Umschl.:
Uebersichts-Karte d. nordwestböhm. Braunkohlenbeckens
Eger-Aussig.) Ausg. 1903. 1:144,000. 20,5×85,5 cm. Lith. Mit
Text am Fusse. Nebst tabellar. Grubenverz. u. Erläutergn.
Zusammengest. v. A Becker. 60×85,5 cm. Tepl.-Schönau, A
Becker. 2 —
— neue, v. Central-Europa, resp. d. österr.-ungar. Monarchie. Hrsg. v. k. u. k. militär-geograph. Instit. in Wien.
1:750,000. Blatt G 8 u. H 8, je 47×47 cm. Farbdr. Wien, (R
Lechner's S.), Je nn 2 —; hypsometr. Ausg. je nn 2 —
[8 d. Cattaro. ‖ H 8. Skoplje.
— topogr., d. Deut. Reiches. Hrsg. v. d. kartogr. Abt. d.
kgl. preuss. Landesaufnahme. 1:200,000. Nr. 10—15, 24—31,
41—67, 63—73, 75—78, 81—83, 86, 91—99, 105—110, 118—134,
132—135, 137—139, 144—147, 150, 152, 156, 157, 162, 170, 171,
176—179, 186—188, 191 u. 192, 204 cm. Kpfrst. u. kol.
Berl., (R Eisenschmidt) 01-05. Je nn 1.50
Aachen. 122. ‖ Arnsberg. 110. ‖ Arnswalde. 63. ‖ Bentheim. 53. ‖ Beuthen.
147. ‖ Breslau. 119. ‖ Brieg. 134. ‖ Celle. 72. ‖ Cleve. 95. ‖ Coblenz. 139.
‖ Cochem. 137. ‖ Czarnikau. 90. ‖ Demmin. 96. ‖ Dinkelsbühl. 170. ‖ Erkelenz. 105. ‖ Eutin. 54. ‖ Frankfurt a/M. 139. ‖ Frankfurt a/O. 91. ‖ Glatz.
145. ‖ Glogau. 105. ‖ Gnesen. 81. ‖ Göppingen. 171. ‖ Göttingen. 99. ‖ Greifswald. 27. ‖ Hannover. 86. ‖ Harburg. 57. ‖ Hirschberg f. Schl. 133. ‖ Hohen-
schin. 156. ‖ Karthaus. 31. ‖ Kaufbeuren. 188. ‖ Kolberg. 79. ‖ Köln s. Rh.
123. ‖ Konstanz. 188. ‖ Krotoschin. 107. ‖ Küstrin. 78. ‖ Labes. 46. ‖ Landes-
berg i. O.Schl. 131. ‖ Lauenburg a. d. Elbe. 58. ‖ Lauenburg i. Pom. 15.
‖ Lewin. 144. ‖ Liegnitz. 118. ‖ Lindau. 187. ‖ Lissa. 106. ‖ Lübeck. 41.

Lublinitz. 135. ‖ Ludwigslust. 59. ‖ Mainz. 150. ‖ Markirch. 176. ‖ Minden.
45. ‖ Münster i/W. 97. ‖ Neubrandenburg. 43. ‖ Neustrelitz. 50. ‖ Offenburg. 177. ‖ Oels. 120. ‖ Oltingen. 192. ‖ Osnabrück. 84. ‖ Pürt. 191. ‖ Pless.
157. ‖ Posen. 93. ‖ Prenzlau. 61. ‖ Ratibor. 146. ‖ Rostock. 25. ‖ Rothenburg
a. d. Tauber. 162. ‖ Sagard. 13. ‖ Salzwedel. 74. ‖ Schleswig. 10. ‖ Schwald-
nitz. 183. ‖ Schwerin i. M. 49. ‖ Schwerin a. d. Warthe. 70. ‖ Siegen. 134.
‖ Sigmaringen. 178. ‖ Sorau. 105. ‖ Stettin. 62. ‖ Stolp. 30. ‖ Stolpmünde.
14. ‖ Stralsund. 26. ‖ Stuttgart. 170. ‖ Swinemünde. 44. ‖ Treptow a. d.
Rega. 28. ‖ Ulm. 179. ‖ Wesel. 96. ‖ Wester-Marksdorf. 11. ‖ Wiek s. R.
13. ‖ Wollin. 45. ‖ Wreschen. 54. ‖ Würzburg. 153. ‖ Züllichau. 92.
**Uebersichts-Karte d. Eisenb. Deutschlds. Bearb. im Reichs-
Eisenb.-Amt. 9. Afl. '01. (am 15.IV.). 1:1,000,000. 8 Bl. je 63×
54,5 cm. Farbdr. Nebst e. Verz. d. deut. Eisenb.-Stationen u.
ihrer Verwaltgn. (147) 12° Berl., M Pasch. 9 —;
auf L in M. od. m. St. 16.50
— d. Elbe v. Geesthacht bis Cuxhaven. Gez. u. lith. v. W
Kanisch. Hrsg. v. Bureau f. Strom- u. Hafenbau, Hamburg,
M Buchheister. 1:100,000. 2 Bl. 33×137 cm. Farbdr. Hambg,
(O Meissner's S.) 01. 5 —
— v. Görz, Gradiska, Istrien, Dalmatien u. Herzegovina,
unter spec. Berücks. v. M Oransz, Fügl u. C Ehrmann bearb. 125 Tourenbeschreibg. Hrsg. v. österr. Touring-Club.
1:600,000. 53×54 cm. Farbdr. Wien, (R Lechner's S.) 02.
Auf L. nn 1.80
— v. Kärnten m. d. angrenz. Ländern. 1:600,000. 28×38 cm.
Farbdr. Münch. (04). Klagenf., F v. Kleinmayr. 1 —
— geolog., d. Königr. Kroatien-Slavonien, hrsg. durch d.
k. kroatisch-slavon.-dalmat. Landesregierg, Sektion f. innere
Angelegenh. Aufgenommen u. bearb. v. K Gorjanović-Kramberger. 1:75,000. (In deut. u. kroat. Sprache.) 1—3. Lfg. 38,5×
53 cm. Farbdr. Mit Erläutergn in deut. u. kroat. Sprache.)
8° Agr., L Hartman. 14 —
1. Zone 20, Col. XIV. Pettau u. Vinica. (31 m. Fig.) 02. 4 —
2. Zone 21, Col. XIII. Rohitsch u. Drachenburg. (25) 04. 4 —
3. Zone 21, Col. XIV. Krapina u. Zlatar. (15) 04. 4 —
— d. obergerman. u. raet. Limes. [S.-A.] 1:1,260,000. 19×
28,5 cm. Lith. Heilbg, O Petters 04. — 10
— v. d. Niederschlagsgeb. d. Oder m. Ausnahme desjenigen
d. russ. Warthe. Bearb. v. d. Oderstrom-Bauverwaltg in Breslau im Dezbr 1903. Mit farb. Höhenkurven. 1:800,000. 88,5×
64,5 cm. Glog., C Flemming 04. 6 —; auf L. m. St. 10 —
— dass. Mit Darstellg d. mittl. jährl. Niederschlagshöhen a.
d. neuesten veröffentl. Beobachtgn d. hydrolog. Jahrzehnts.
1:800,000. 88,5×64,5 cm. Farbdr. Ebd.04. 7.50; auf L. m.St.11.50
— d. Eisenb. d. österr.-ungar. Monarchie nebst d. angrenz.
auswärt. Landesthln, hrsg. v. d. k. k. General-Insp. d. österr.
Eisenb. 1:1,000,000. Ausg. 1904. 6 Bl. je 60,5×60,5 cm. Farbdr.
Wien, (Artaria & Co.). 10 —; auf L.in M. nn 18 —; m.St.nn 19.50;
m. Rollen nn 24 —
— d. Dislocation d. k. u. k. österr.-ung. Heeres, d. Landwehren u. d. Gendarmerie-Corps im J. 1902/03. 1:1,800,000.
65,5×95 cm. Farbdr. Mit Text am Fusse. an d. Seiten. Wien,
G Freytag & B. 02. 3 —
— d. Kreises Pillkallen (Frühj. 1902). 1:200,000. 27×27,5 cm.
Farbdr. Pillkall., P Müller (02). — 75
— d. Verwaltgs-Bezirke d. kgl. preuss. Eisenb.-Direktionen
u. d. kgl. preuss. u. grossh. hess. Eisenb.-Direktion in Mainz.
1:600,000. Bearb. im kartograph. Bureau d. Ministeriums d.
öffentl. Arbeiten. 10. Afl. 1904. (1.IV.) 9 Bl. je 44,5×67 cm.
Farbdr. Berl., (S Schropp). nn 6 —
— dass. Bearb. im Ministerium d. öffentl. Arbeiten 1901. (1.IV.)
1:1,000,000. 4 Bl. je 51×62 cm. Farbdr. u. kol. Berl., M Pasch.
5 —; auf L. in M. nn 6 —
— d. weit.Rhein-Neckar-Gebietes. 1:500,000. [S.-A.] 27×
22 cm. Farbdr. Köln (02). Mannh., A Bender. — 30
— d. Eisenb. (Haupt-, Neben-, Zechen- u. Strassenb.), sowie
d. Anschlussgleise im Ruhr-Kohlen-Geb. m. d. darin im
Betrieb befindl. Zechen, Schächten u. industriellen Werken.
6. Afl. 1:80,000. 50,5×108 cm. Farbdr. Hierzu e. Verz. d. vorhand. Anschlussgleise u. Zechen-Schächte u. Basitzer,sowie d.Zechen
u. Schächte m. Nachweis ihrer Lage. (43 u. 4) 8° Hag., O
Hammerschmidt 04. 5 —
— d. russisch-japan. Kriegsschauplatzes. Bearb. in d. kartograph. Abteilg d. kgl. preuss. Landes-Aufnahme. 1:3,360,000.
82,5×79,5 cm. Farbdr. Berl., (R Eisenschmidt) 04. nn 2 —
— topograph., d. Kgr. Sachsen. Im Auftr. d. kgl. sächs.
Finanzministeriums als Grundl. f. d. geolog. Uebersichtsk.
bearb. im kartograph. Instit. v. Giesecke & Devrient in Leipzig. Abgeschl. im J. 1901. 1:250,000. 66×97,5 cm. Farbdr.
Lpzg, (JC Hinrichs' S.) (02). nn 5 —
— f. d. grösseren Truppenübgn d. XVI. Armee-Korps 1902.
1:200,000. 43×57 cm. Farbdr. Mit Text am Rande. Metz.
(P Müller) (02). — 50
— d. Umlade-Stationen d. z. deut. Eisenb.-Verkehr-Ver-
bande gehör. Verwaltgn. Hrsg. v. dent. Eisenb.-Verkehrs-
Verband. 1:1,000,000. 4 Bl. je 51×59 cm. Farbdr. Berl., M
Pasch (02). 3 —; auf L. 5 —
— d. Hauptwege, Eisenb. usw. im Wappergeb. als Führer
durch d. Berg. Land hrsg. v. Berg. Landes-Ver. 1:50,000.
3. Afl. 55,5×55 cm. Lith. Lennep, R Schmitz 05. — 50
— d. Verkehrsanstalten nebst Umgebg bis z. Rhein u. z. Ruhr.
(Zugl.Touristen-K.f.Ausflüge n. d.Rhein u. d.Ruhr.) 1:40,000.
9. Afl. 60×76 cm. Farbdr. Elberf., E Loewenstein (04). 1.50
— d. Kgr. Württemberg, hrsg. v. d. k. statist. Landesamt
1905. Bearb. v. Finckh. 1:400,000. 49×51 cm. Farbdr.
Stuttg., (H Lindemann). nn 1.20; auf L. nn 2 —
— geolog., v. Württemberg u. Baden, d. Elsass, d. Pfalz

u. d. weiterhin angrenz. Gebieten. Hrsg. v. d. k. württemberg. statist. Landesamt. Bearb. v. C Regelmann. 5. Afl. d.
geognost.Uebersichtsk. 1:600,000. 51×49,5 cm.Farbdr. Stuttg.,
(H Lindemann) 05.   nn 3 —; auf L. nn 3,80
Uebersichtsplan (Umschl.: Stadtplan) d. Stadt Basel 1903.
47,5×54 cm. Farbdr. (Nebst Strassen-Verz. auf d. Rücks.)
Bas., B Schwabe.   — 50
— dass, 1:10,000. 5. Afl. 34,5×40 cm. Farbdr. Mit Strassenverz.
(5) 8° Zür., Art. Instit. Orell Füssli (04).   — 50
— v. Bocholt. Entworfen im Stadt-Bauamt. 1:7500. 66×68 cm.
Lith. Bocholt, E Grote (02). (Nur dir.)   Auf L. nn 1.35;
                                               auf Pappe nn 1.50
— f. d. einf. Buchführg d. Sortimenters in Tabellenform
(Text u. 2 Einl.). 38,5×97 cm. Mit Text. (6) 8° Tüb., Osiander (05).   nnn 1 —
— v. Charlottenburg. (Neue Afl.) 1:6250. 2 Bl. je 99×84 cm.
Farbdr. Berl., D Reimer 04.   nn 6 —
— v. Elberfeld. Bearb. im J. 1901 auf d. Stadt-Vermessgs-
amt. 6 Bl. je 61,5×70 cm. Lith. Elberf., (Wick & Janssen)
(02).   nn 20 —
— neuester, v. Em der Hafen. 2. (Umschl.: 3.) Afl. 1:10,000.
38,5×82 cm. Farbdr. Emd., W Haynel (02).   1 —
— v. Heidelberg u. Umgebg. 12.Afl.1905.1:7,500.41×85,5 cm.
Farbdr. Mit Strassenverz. an d. Seiten. Hdlbg, O Petters. — 60
— v. Quedlinburg. Aufgenommen u. gez. durch d. Vermessgs-
bureau v. A Meyer. 1:4000. Farbdr. Quedlnbg, H Schwanecke
(03).   1.50
Uebersichts-Skizze f. d. Manöver d. XIII. (k. w.) Armee-Korps
'01. Hrsg. v. topogr. Bureau d. kgl. württ. Kriegsministeriums.
1:900,000. 25×30 cm. Lith. Stuttg., (H Lindemann) (01). nn 20 —
Uebersichts-Tafeln, vergleich., üb. Kapital, Rücklagen, Ab-
schreibgn, Roh- u. Reingewinn u. dgl. d. Aktiengesellsch.
d. Bez. d. Handels-Kammer Dresden in d. J. 1819—1901, nebst
Berechngn a. diesen Ziffern. Bearb. u. hrsg. v. d. Handels-
Kammer Dresden. (22) 4° Dresd., (H Burdach) 02. 1.60 d
— dass. üb. Kapital u. Ertrag d. Aktiengesellsch. d. Bez. d.
Handelskammer Dresden in d. J. 1902—04. Bearb. u. hrsg.
v. d. Handelskammer Dresden. (24) 4° Ebd. 05. 1.60 d
Ueberweg's, F, Grundr. d. Gesch. d. Philosophie. 4 Tle. Hrsg.
v. M Heinze. 8° Berl., ES Mittler & S.   32.50;
                                    Einbde in HF. je nn 1.50
1. Das Alterthum. 9. Afl. (484) 08.   7.50
2. Die mittl. u. d. patrist. u. scholast. Zeit. 9. Afl. (403) 05. . 7 —
3. Die Neuzeit bis z. Ende d. 18. Jahrh. 9. Afl. (417) 01. . 7 —
4. Das 19. Jahrb. 9. Afl. (625) 02.   11 —
Ueberwunden s.: Saat u. Ernte.
Ubl, E: Ein Missionär. Novelle. (97) 8° Lpzg, AH Payne (02).
                                                          — 80 d
— Tirol u. Vorarlberg, s.: Achleitner, A.
Ueblacker, A: Der Hundearzt. (140 u. 5 m. Abb.) 8° Münch.,
E Ertel (05).   — 3 —; geb. 4 — d
Uebrick, R: Thorn, s.: Städte u. Landschaften, nordostdeut.
Ubungen, schriftl., f.Fortbildgs-Schulen.Vorschul. 4. Afl.
4° Arnsbg, J Stahl 05.   nn 1 — d
— sprachl., z. hess. Leseb. Ausg. B, C u. D. Hrsg. v. hess.
Schulmännern. 6. Afl. (18) 8° Giess., E Roth 04.   nn 5 —;
                                             geb. nn — 80 d
Ubungs-Bibliothek, engl. Nr. 4, 20 u. 21. 8° Dresd., L Ehler-
mann.   Geb. 3 — d
Benedix, R: Das Gefängnis. Lustsp. Zum Ubers. a. d. Deut. in d. Engl.
  bearb. v. J Morris. (112) (1892.) [20.]   1 —
Fulda, L: Unter 4 Augen. Lustsp. Zum Ubers. a. d. Deut. in d. Engl.
  bearb. v. P Hangen. (92) 05. [21.]   1 —
Gutzkow: Zopf u. Schwert. Lustsp. Zum Ubers. a. d. Deut. in d. Engl.
  bearb. v. H Plate. 5. Afl. v. P Hangen. (194) (02.) [4.]   1.30
— französ. Nr. 3, 5 u. 13. 8° Ebd.   Geb. 3.90 d
Benedix : Das Lügen. Lustsp. Zum Ubers. a. d. Deut. in d. Französb. bearb.
  v. H Zschalig. 3. Afl. (108) 02. [3.]   1.20
— Ein Lustspiel. Lustsp. Zum Ubers. a. d. Deut. in d. Französb. bearb.
  v. H Schindler. 2. Afl. (147) 03. [5.]   1.20
Fulda, L: Unter 4 Augen. Lustsp. Zum Ubers. in d. Französb. bearb. v.
  J Sahr. (96) 04. [18.]   — 80
Uebungsblatt f. Scheithauers Stenogr., Fortsetzg, s.: Scheithauer's Stenogr.-Zeitg.
— stenograph. System Gabelsberger. Hrsg. v. Leipz. Lehrern.
1—3. Jahrg. 1903—5 je 12 Nrn. (Je 120) 8° Lpzg, E Zehl. Je 1 —
Uebungsbuch z. Abriss d. deut. Grammatik. 8. Afl. (153—181)
8° Münch., E Pohl (03).   — 20 d
— d. deut. Sprache. Für Volkssch. Ausg. A in 2 Tln f. 1-, 2-
u. 3klass. Schulen. Hrsg. v. ostfries, Lehrerver. 8° Bielef.,
Velhagen & Kl.   Geb. nn 1.25 d
1. Mittelst. (86) 1900: 5. Afl. (77) 03. Je nn — 50 | 2. Für d. Oberst. mehr-
   klass. Volkssch. Neue Afl. (126) 02. nn — 75.
— dass. Ausg. B in 1 Tl f. einklass. Schulen. 2. Afl. (111) 8°
Ebd. 03.   Geb. nn — 75 d
— f. Sprachlehre, Rechtschreiben u. Aufsatz. 5 Hefte. Hrsg. v.
Bez.-Lehrerver. München. 8° Münch., M Kellerer (05).
                                              Kart. nn 1.65 d
I. (3. Schulj.) 15. Afl. (56) — 25 | II. (4. Schulj.) 10. Afl. (80) nn — 35 |
III. (5. Schulj.) 10. Afl. (86) nn — 85 | IV. (6. Schulj.) 9. Afl. (77) nn — 85
| V. (7. Schulj.) 9. Afl. (78) nn — 35.
Uebungsbücher u. Fortbildgssch. Heft Ia, b;
II u. IV. 8° Wittnbg, R Herrosé.   nn 2 — d
Ia. Schanze, J, u. T Jaeger: Rechnen (m.d. Wichtigsten a. d Wechsel-
  lehre). 1. Heft. (4. u. 5. Stufe.) 15. Afl. (64) 05.   nn — 35
Ib. Dass. 2. Heft. (2. u. 1. Stufe.) 15. u. 14. Afl. (70) 05. nn — 35
II. Schanze, J: Prakt. Geometrie in 3 Kursen m. 241 geometr. Rechn-

113 Konstruktionsaufg. u. Kostenanschlägen f. d. Bauhandwerker.
  8. Afl. (81 m. Fig.) 05.   — 50
IV. Jaeger, T: Der gewerbl. Aufsatz. 4. Afl. (114) 02.   — 80
Ubungsformulare f. d.Geschäftsverkehr. Gr.Heft-Ausg. 50 Formulare. (47) 4° Wien, A Pichler's Wwe & S. (02). 1 — II (Neue
Afl.) 52 Formulare u. 1 Bl. Übgs-Brief- u. Stempelmarken.
                                             (48) (03.) — 60
— dass. Kl. Heft-Ausg. 13 Formulare. (16) 4° Ebd. (03). — 40
Ubungs-Heft f. d. gewerbl. Buchführg u. Kalkulation. (Von
G Baer.) (46) Fol. Zweibr., F Lehmann (03).   nn — 70
— f. ländl. Fortbildgssch. 1—4. Afl. (42) 4° Salz., L Schneer-
messer 01-04.   — 25 d
— f. d. Geschäfts-Aufsatz in d. Volkssch. u. in Fortbildgssch.
im Anschl, an d. Leseb. v. Crüwell. Afl. Fol. Trier, J Lintz
01.   — 40 d
Ubungsschule in d. deut. Sprache. Hrsg. v. Lehrerver. Han-
nover-Linden. 3 Stufen. 8° Hannov., Hahn. Geb. nn 1.30 d
I. 20. Afl. (40) 02. — 90 | II. 20. Afl. (130) 03. nn — 50 | III. 14. Afl. (140)
03. — 60.
Ubungsstoff zu d. Sammlg arithmet. u. geometr. Aufg. z. Vorbereitg auf d. Lehrerinnen-Prüfg. Bearb. v. e. ehemal. Mitgliede zweier preuss. Prüfgs-Kommissionen f. Lehrerinnen
an Volks-, mittl. u. höh. Mädchensch. (61) 8° Lpzg, Jaeger
04.   — 90; Lösgs-Heft (14) — 60 d
— f. d. Rechenunterr. in Vorsch. Bearb. v. Lehrern d. kgl.
Vorsch. zu Berlin. 3 Hefte. 8° Berl., L Oehmigke's V. 05.
                                             Kart. je — 60 d
1. Stoff f. d. ersten 2 Sem. 9. Afl. (64 m. Abb.) | 2. Stoff f. d. 3. u.
4. Sem. 9. Afl. (92) | III. Stoff f. d. 5. u. 6. Sem. 9. Afl. (92)
Uebungstafel zu Sandow's Leichtgewicht-System auf streng
physiolog. Grundl. Extrakt d. weltberühmten Sandow'schen
Kraftentwickelgs-Methode. (1 Bl. m. Abb.) 41×58 cm. Lpzg,
AF Schlöffel (03).   — 50 d
Uchard, M: Mein Onkel Barbassou. Roman. Uebers. u. bearb.
v. J Max. 1. u. 2. Afl. (298) 8° Lpzg 02. Berl., H Seemann Nf.
                                            3 —; geb. 4 — d
Ucke, A: Üb. Derivate d. Parajodbenzaldehydes. (29) 8° Freibg
i/B., Speyer & K. 05.   — 80
Uckeley, A: Die Stadtkirche zu Wildungen. Führer. (23) 8°
Bad Wildung., P Pusch 04.   — 50
Uecker, F: Heimatkundl. Leseb. f. Stettin u. d. Prov. Pom-
mern. 3 Tle. 2. Afl. 8° Stett., A Schuster 05.   1.05;
                                            in 1 Bd geb. nn 1.30 d
1. Stettin. 4—6. Taus. (24) — 25 | 2. Pommern. 4—6. Taus. (48) — 40 |
3. Geschichtliches. 4—7. Taus. (58) — 40.
— Pommern in Wort u. Bild. 1—5. Taus. (408) 8° Stett., (F
Wittenhagen) 04.   L. 6 — d
Ude, H, s.: Jahresbericht d. naturhistor. Gesellsch. zu Hannover.
— Der S. V.-Student. Hdb. f. d. Sonderhäuser Verband, Kar-
tell-Verband deut. Studenten-Gesangver. (191 m. 4 farb. Taf.)
8° Hannov., (E Wendebourg) 03.   Geb. 3 — d
Ude, I: Doctrina Capreoli de influxu Dei in actus voluntaria
humanae secundum principia Thomismi et Molinismi collata.
(348) 8° Graz, Styria 04.   8.50
Udeis: Der modernes Gott! Kritik d. Vortr. d. Prof. Dr. Ladenburg. (90) 8° Berl., Germania 03.   — 60 d
Ueding, P: Ludwig d. Bayer u. d. niederrhein. Städte, s.:
Beiträge, Münstersche, z. Gesch.-Forschg.
Ufer, C, s.: Beiträge z. Kinderforschg. — Bibliothek, internat.,
f. Pädagogik.
— Die Ergebnisse u. Anreggn d. Kunsterziehgstages in Wei-
mar. (63) 8° Altnbg, O Bonde 04.   1 — d
— s.: Kinderfehler, d.
Ufer-Held, F: Wie fang ich's an? Ein Wort an d. Frauen.
21—22. Taus. (48 m. Titelbild.) 8° Barm., Elim (04).   — 20 d
— Du wirst genesen! Ein Wort an junge Mädchen. (39) 12°
Barm., (E Müller) (02).   — 90 d
— Wie Gott führt. Erzählgn f. junge Mädchen. (64) 12° Barm.,
(Elim) (01).   Kart. — 40 d
— Saatkorn, Halm u. Ähre. Erzählgn f. junge Mädchen. (63)
12° Ebd. (08).   Kart. — 40 d
— Tiefer hinein! Ein Wort an solche, d. in Gottes Weinberg
arbeiten, bes. an Leiterinnen v. Jungfrauenver. (128) 12° Ebd.
01.   — 90 d
— Deine Tochter! Ein Wort an d. Mütter. 2. Afl. (46 m. Titel-
bild.) 12° Barm., (Elim) (01).   — 20 d Vergr.
— Unser Zeugnis f. Gott. Ein Fragewort. (58) 8° Ebd. (02)
                                                     — 15 d
Uffelmann, J, s.: Jahresbericht üb. usw. Hygiene.
Uffinger, G: Kathol. Relig.-Unterr, u. Katechet in d. Münch.
Volkssch. Aktensammlg. (83) 8° Münch., JJ Lentner 06.
                                             Geb. 1.80 d
Uganda. Das Evangelium an d. Ufern d. Viktoria Njansa,
8. Afl. (64 m. Abb.) 8° Bas., Basler Missions-Bh. 03. — 90 d
Uhde, C: Die Konstruktionen u. d. Kunstformen d. Architektur. Ihre Entstehg u. geschichtl. Entwickelg d. verschied.
Völkern. (In d. Abb.) I—III. 2g. 4° Berl., E Wasmuth. 70 —;
                             geb. 82.50; f. d. vollständ. Werk 75 —; geb. 90 —
1. Die Konstruktionen u. d. Kunstformen. Ihre geschichtl. systemat. Entwickelg, begründet durch Material u. Technik. (189 m. Abb.) 02. 15 —;
                                                           geb. 18.50
2. Der Holzbau. Seine künstler. u. geschichtlich-geograph. Entwickelg,
   sowie s. Einfl. auf d. Steinarchitektur. (448 m. Abb.) 02. 28 —; geb. 32 —

3. Der Steinbau in natürl. Stein, d. geschichtl. Entwicklg d. Gesimse in d. verschied. Baustilen. (260 m. Abb. u. 2 farb. Taf.) 04. 28 —; geb. 37 —

Uhde, F v.: Die hl. Nacht, s.: Meisterbilder fürs deut. Haus.
Uhde, W: Gerd Burger. Roman. (338) 8° Lpzg 03. Berl., H Seemann Nf. 3 —; geb. 4 — d
— Der alte Fritz, s.: Kultur, d.
— Am Grabe d. Mediceer. Florentiner Briefe üb. deut. Kultur.
2. [Tit.-]Ausg. (150) 8° Dresd., C Reissner [1899] 04. 2 —; geb. 3 — d
— Ich bin e. Subalternbeamter u. and. Gesch., s.: Seemann's kl. Unterhaltgsbibliothek.
— Jung Heidelberg. Aus d. Leben e. Heidelberger Korpsstudenten. (197) 8° Lpzg (03). Berl., H Seemann Nf. 1.50 d
— Paris, s.: Kunst, d.
— Perikles. (21) 8° Dresd., C Reissner 02. — 50
— Vor d. Pforten d. Lebens. Aus d. Papieren e¡nes Dreissigjähr. (110) 8° Lpzg (01). Berl., H Seemann Nf. 3 — geb. 3 —
— Savonarola. Schausp. (114) 8° Dresd., C Reissner 02. 2 —;

Uhde-Bernays, H: Catharina Regina v. Greiffenberg (1633—94). (116 m. 1 Bildnis.) 8° Berl., E Fleischel & Co. 03. 2 —; geb. 3 — d
— Nürnberg, s.: Kunst, d.
— Der Mannheimer Shakespeare, s.: Forschungen, litterarhistor.
Uhl, F: Zur Prophylaxe d. Geschlechtskrankh. [S.-A.] (15) 8° Berl., Vogel & Kr. 02. — 40
Uhl, G: Der deut. Buchhandel u. d. Wiss. Vademecum f. Hrn Dr. Karl Bücher. (88) 8° Lpzg, H Hedewig's Vf. (04). 1.50 d
— Buchhändler-Humor. Allerlei Fröhliches u. Witziges f. Buchhändler u. üb. Buchhändler in Prosa, Vers u. Bild. (80) 8° Friedenau-Berl., F Schönert 02. 1.50 d
— Buchhändler-Kalender f. 1906. (112) 16° Lpzg, G Chl. Geb, nnn — 50 d
— Unterr.-Briefe f. Buchhändler. I. Bd. 1., 3., 4., 10. u. 11. Lfg. Bericht. Neudr. 8° Ebd. Je nnn 1.50 d
I.1. Der prakt. Sortimenter. (40) (01.) § 3. Die Korrespondenz d. Sortimenters. (51—120) (04.) § 4. Der Musikalienhandel. (121—180) (02.) § 10. Der Kolportage- u. Reisebuchhandel. (397—436) (02.) § 11. Die Antiquariat. (437—495) (03.)
Uhl, M v.: Verse u. Sprüche. (47) 8° Berl., E Ebering 1900. 1.50; geb. 2 — d
Uhl, W: Entstehg u. Entwicklg uns. Muttersprache, s.: Aus Natur u. Geisteswelt.
— s.: Teutonia.
Uhland, E: Die Finanz-Organisation d. deut. Städteverwaltgn. — (171) 8° Münch., J Lindauer 03. 2.80; geb. 3.20 d
Uhland's, L, Werke. 2 Bde. (Neue Ausg.) (325 u. 449) 8° Lpzg, C Grumbach 02. 4. — ; Hℱ. 6 — d
— sämtl. Werke. Mit e. litterarisch-biograph. Einl. v. L Holthof. (19, 1129 m. Bildnis.) 8° Stuttg., Deut. Verl.-Anst. (01). 4. — ; feine Ausg., geb. 8 — ; Hℱ. 10 — d
— Ernst Herzog v. Schwaben. Trauersp. Für d. Schulgebr. hrsg. v. R Eickhof. 3. Aſl. (112) 12° Lpzg, G Freytag 04. Geb. — 60 d
— dass. Für d. Schulgebr. hrsg. v. J Löhrer. (164) 8° Münst., Aschendorff 01. Geb. — 75 d
— dass. Schulausg. m. Anmerkgn v. H Weismann. (Neue Ausl.) (42, 99) 8° Stuttg., JG Cotta Nf. 04. Geb. — 60 d
— dass., s.: Velhagen & Klasing's Sammlg deut. Schulausg. (R Richter). — Weiss's, K, deut. Bücherei (E Wolf-Harnier).
— Gedichte. 2 Tle in 1 Bde. (127 u. 188 m. Abb. u. Bildnis.) 8° Berl., A Weichert (o. J.). 1.20; m. Goldschn. 1.50 d
— dass., s.: Bibliothek d. Gesamtlitt. — Handbibliothek, Cottasche. — Vademecum f. d. deut. Jugend. — Velhagen & Klasing's Sammlg deut. Schulausg. (R Richter).
— Ludwig d. Baier, s.: Handbibliothek, Cotta'sche. — Meisterwerke, d., d. deut. Bühne.
— Deut. Sagen, s.: Grimm, J.
— Des Sängers Fluch, f. d. Darstellg m. leb. Bildern eingerichtet v. D Schrutz, s.: Heidelmann's, A, Theaterbibliothek.
Uhland, WH: Branchen-Ausg. d. Skizzenb. f. d. prakt. Maschinen-Konstrukteur. III. Bd, 3. Ergänzgsheft u. VI. Bd, 3. Ergänzgsheft. 8° Dresd. 02. Lpzg, HAL Degener. 7.20
III. Dampfkessel- u. Maschinenb. 02. Lpzg, HAL Degener. 7.20 LII. Dampfkessel- u. Maschinenb. (40 Taf.) (Hauptwerk u. 1—3. Ergänzgsheft: 70.40) VI. Luft- u. Gasmotoren, Göpel u. Windräder. 3. Ergänzgsheft. (35 Taf.) (Hauptwerk u. 1—3. Ergänzgsheft: 14 —)
— s.: Kalender f. d. Baumwoll-Industrie. — Kalender f. Maschinen-Ingenieure. — Maschinen-Konstrukteur, d. prakt.
— Mühlen-Kalender, deut.
— Normalkonstruktionen v. Maschinenelementen, Triebwerken u. Armaturen. 2 Tle. 8° Lpzg, HAL Degener. In L.-M. je 12 —
1. Triebwerke. (26 z. Tl farb. Taf. m. 5 S. Text) 1900. b) Rohre u. Armaturen. b) Maschinenteile. (109 z. Tl farb. Taf. m. 10 S. Text) 04.
— techn. Rundschau. In Verbindg m. d. prakt. Maschinen-Konstrukteur u. m. Uhland's Verkehrszeitg u. Industrielle Rundschau hrsg. v. WH Uhland. 15—17. Jahrg. 1901—3 je 52 Nrn. (1901. Nr. 1, 12, 12 u. 12 m. Abb. u. 2 Taf.) 4° Ebd. Viertelj. 4 —
— dass. in Einzelausg. f. d. wichtigsten Industriezweige. Ausg. I. Metallindustrie, Bergbau u. Hüttenwesen. Waffenindustrie, Motorwagen u. Fahrradindustrie. Jahrg. 1901—5 je 12 Hefte. (1901. 1. Heft. 12, 12, 12 u. 30 m. Abb. u. 2 Taf.) 4° Ebd. Je 5 —
— dass. Ausg. II. Bau-Industrie, Hochbau u. Wohngseinrichtg, Beleuchtg, Heizg u. Lüftg, Wasserversorgg, Abfuhr u. Kanalisation, Bau- u. Unterhaltg städt. Strassen, Holzindustrie u. verwandte Gewerbe. Glasindustrie, Zement-, Stein- u. Tonindustrie. Jahrg. 1901—5 je 12 Hefte. (1901. 1. Heft. 12, 12, 12 u. 24 m. Abb. u. 2 Taf.) 4° Lpzg, Uhland's techn. Verl. Je 5 —

Uhland's, WH, techn. Rundschau in Einzelausg. Ausg. IV. Industrie d. Nahrgs- u. Genussmittel. Landw. u. Gartenbau. Jahrg. 1901—5 je 12 Hefte. (1901. 1. Heft. 10, 12, 12 u. 22 m. Abb. u. 2 Taf.) 4° Lpzg, Uhland's techn. Verl. Je 5 —
— dass. Ausg. V. Chem. Industrie. Papierindustrie. Unter Mitwirkg v. L Utz hrsg. Jahrg. 1901—5 je 12 Hefte. (1901. 1. Heft. 12, 12, 12 u. 22 m. Abb. u. 2 Taf.) 4° Ebd. Je 5 —
— s.: Textil-Kalender.
— Wochenschrift f. Industrie u. Technik. In Verbindg m. d. „Prakt. Maschinen-Konstrukteur". Hrsg. v. WH Uhland. 15—17. Jahrg. 1901—3 je 52 Nrn. (1901. Nr. 1, 4, 12, 12 u. 12 m. Abb. u. 2 Taf.) 4° Lpzg, WH Uhland. Viertelj. 5 —; m. d. „Prakt. Maschinen-Konstrukteur" 8 — II 18. u. 19. Jahrg. 1904 u. 5.

Uhland's techn. Rundschau, Wochenausg., wurde hiermit vereinigt.

Uhle, v.: Dienst-Reglement I. Tl f. d. k. u. k. Heer. Applikotarisch bearb. 2. Aſl. (64) 16° Wien, W Braumüller 03. — 70 d
Uhle, D: Gesch.-Wiederholgn in vergleich. u. gruppier. Zusammenfassgn f. d. Schüler d. ob. u. mittl. Kl. höh. Lehranst. (61) 8° Halle, CA Kaemmerer & Co. 04. — 80 d
Uhlenbeck, CC: Beitr. zu e. vergleich. lautlehre d. bask. dialecte. [S.-A.] (105) 8° Amsterd., J Müller 03. 3 —
Uhlenhuth: Zur Lehre v. d. Unterscheidg verschied. Eiweissarten m. Hilfe spezif. Sera, s.: Festschrift z. 60. Geburtstage v. Rob. Koch.
— Das biolog. Verfahren z. Erkeng u. Unterscheidg v. Menschen- u. Tierblut sowie and. Eiweisssubstanzen u. s. Anwendg in d. forens. Praxis. (152) 8° Jena, G Fischer 05. 3 —
Uhlenhuth, E: Blumen-Studien. Naturaufnahmen. (55 Bl. m. 1 Bl. Text.) Fol. Stegl.-Berl., Neue photograph. Gesellsch. (01). In L.-M. 30 —; einz. Bl. — 60
— Die Veste Coburg. Orig.-Aufnahmen. (10 Taf. m. 4 S. Text u. 1 Pl.) 4° Cobg, E Riemann (03). 4 —; wohlf. Ausg. 2seitig bedr. (03.) 2 —
— Jagdbilder. Naturaufnahmen. (10 Bl.m. 1 Bl. Text.) Fol. Stegl.-Berl., Neue photograph. Gesellsch. (01). In L.-M. 30 —; einz. Bl. 1.50
Uhler, K: Histor. Festschrift z. Thurgauischen Centenarfeier in Weinfelden im Juli 1898. (148 m. Abb.) 8° Weinfelden (Schweiz), W Schläpfer 1898. (Nur dir.) nn 1.20 d
— Lebensbilder a. d. deut. Lit.-Gesch. Für d. reif. Jugend. (204 m. 12 Vollbildern.) 8° Frauenf., Huber & Co. 05. L. 2.40 d f. Stenogr.
— s.: Stenograph. Lehre f. stenogr. Wunsch, s.: Erzählungen a. d. Unterhaltgsbl.
Uhlfelder, H: Ueb. d. Reinigg städt. Abwässer insbes. d. Frankfurter Klärbecken. Vortr. [S.-A.] (6) 8° Lpzg, F Leineweber 01. — 70
Uhlhorn, F: Die Kirchenzucht u. d. Grundsätzen d. luther. Kirche. (42) 8° Hannov., C Meyer 01. — 75 d
— Gerhard Uhlhorn, Abt zu Loccum. Lebensbild. (372 m. 1 Bildnis.) 8° Stuttg., D Gundert 03. 4.80; Hℱ. 6 — d
Uhlhorn, G: Kämpfe u. Siege d. Christentums in d. german. Welt. 2. Aſl. (352) 8° Stuttg., D Gundert 05. 3 —; L. 4 — d
— Hannov. Kirchengesch. in übersichtl. Darstellg. (137) 8° Ebd. 02. 3.20; Hℱ. 4.20 d
— s.: Zeitschrift d. Gesellsch. f. niedersächs. Kirchengesch.
— u. L Ihmels: M. Antonius Corvinus. 2 Vortr. (36) 8° Hannov., (H Feesche) (01). — 50 d
Uhlich, H: Leitf. d. Hufbeschlages m. Anh. Der Klauenbeschlag (4. Aſl. d. ET Walther'schen Buchs), s.: Weber's illustr. Katech.
Uhlich, P: Lehrb. d. Markscheidekde. (402 m. Fig.) 8° Freibg, Craz & G. 01. 14 —
Uhlig, G, s.: Gymnasium, d. humanist.
Uhlig, V: Bau u. Bild d. Karpathen, s.: Bau u. Bild Österr.
— Beitr. z. Geol. d. Fatrakrivän-Gebirges. [S.-A.] (43 m. Fig., 1 Karte u. 3 Taf.) 4° Wien, (A Hölder) 02. 8.50
— s.: Beiträge z. Paläontol. u. Geol. Österr.-Ungarns u. d. Orients.
— Bericht üb. d. seism. Ereign. d. J. 1900 in d. deut. Geb. Böhmens, s.: Mitteilungen d. Erdbeben-Commission d. kais. Akad. d. Wiss. in Wien.
— Üb. d. Cephalopodenfauna d. Teschener u. Grodischter Schichten. [S.-A.] (87 m. Fig. u. 9 Taf.) 4° Wien, (A Hölder) 01. 11.80
— Üb. Gebirgsbildg. Vortr. (34) 8° Ebd. 04. — 50
Uhlirz, K: Das Gewerbe. (1205—1527.) [Aus: „Gesch. d. Stadt Wien, hrsg. v. Alterthumsver. zu Wien".] (150 m. 7 Taf.) Fol. Wien, A Holzhausen 01. 5 —
— Jahrbücher d. Deut. Reiches unter Otto II. u. Otto III. 1. Bd: Otto II. 973—983. (Jahrbücher d. deut. Gesch.) (293) 8° Lpzg, Duncker & H. 03. 8 — d
— Die Rechnungsbücher d. Stadt Wien. — Rechnungen, d. d. Kirchenmeisteramtes v. St. Stephan Fasc. 01—13.
Uhlmann sen., EO: Kirchen-Irrtum. (26) 16° Zür., C Schmidt 01. — 40 d
— Selbstkontrolle. Für d. ges. Buchhaltg. Fehlerfinder. (6. Aſl.) (11) 8° Dresd., E Uhlmann (05). 1 — d
Uhlmann, F: Der deutsch-russ. Holzhandel. (112 m. Tab.) 8° Tüb., H Laupp 05. 3 —

Uhlmann, H: Christi Vorbild u. Vorschrift z. Erfüllg d. hl.
10 Gebote. Beitrag z. christozentr. Behandlg d. 1. Haupt-
stückes in d. Volkssch. (40) 8° Borna, R Noske 01. — 60 d
— Handk. d. Bez. Borna, s.: Kuhnert, M.
— Der kl. Katech. Luthers im Dienste d. christl. Jugender-
ziehg. Vortr. (32) 8° Borna, R Noske (01). — 40 d
Uhlmann, H: Kaisers-Geburtstag in d. Auslandschule. Reden,
Gedichte u. Gesänge. (79 u. 26) 8° Wolfenb., Heckner 05. 2.50
Uhlmann, ST: Lederbook. Hunnert ole u. nië leder, tomeist
unt d. hoogdütt. sängerwoold. (111) 8° Brem., C Schüne-
mann 03. — 75
Uhlworm, O, s.: Zentralblatt f. Bakteriol. usw. — Zentralblatt,
botan.
Uhr, d., d. Kaufmanns. (2 S. in Farbdr.) 4° Kahla (01). Papier-
mühle b/Roda, Gebr. Vogt. Kreisförmig ausgestanzt — 50
Uhrmacher, d. deut. Fachzeitschrift d. Uhrmacherkunst. Red.:
A Wruck u., 1902, H Tischmann. 2. u. 3. Jahrg. 1901 u. 2 je
24 Nrn. (1901. Nr. 1. 12 m. Abb.) 4° Berl. (O 27, Blumenstr. 37).
(RF Funcke). Viertelj. 1.50; einz. Nrn nn — 30 δ. F
Uhrmacher-Kalender, deut., f. 1906. (Grossmann's Notizka-
lender, 29. Jahrg.) (52, 164 u. Schreibkalender.) 8° Berl., (WH
Kühl). L. nn — 35
— Leipz. 1905. Hrsg. v. d. Leipz. Uhrmacher-Zeitg. (67) 8°
Lpzg, W Diebener. — 60
Uhrmacher-Zeitung, allg. Red.: C Schulte. 14. Jahrg. 1. Viertelj. Jan.—März 1901. 6 Nrn. (Nr. 1. 12 m. Abb.) Fol. Fürstenwalde, H Richter. (Nur dir.) nn 1.25
— dass. Red.: C Schulte. 14. Jahrg. 2—4. Viertelj. Apr.—Dezbr
1901. 18 Nrn. u. 15—18. Jahrg. 1902—5 je 24 Nrn. (Je etwa 300
m. Abb.) Fol. Berl. (SW 12, Kochstr. 25), C Schulte.
Halbj. 3 —
— deut. Red.: W Schultz. 25—29. Jahrg. 1901—5 je 24 Nrn.
(1901. Nr. 1. 16 m. Abb.) 4° Berl., (WH Kühl). Viertelj. 1.50
— Leipz. Handels-Zeitg f. d. ges. Uhren-Industrie usw. 8—
12. Jahrg. 1901—5 je 24 Nrn. (Nr. 1. 12 m. Abb.) 4° Lpzg, W
Diebener. Viertelj. 1.25; grosse Ausg. m. d. Beil. „Schmuck
u. Mode" u. „Die Uhr" je m Nrn 1.75
— dass. Export-Ausg. in Verbindg m. d. deut. Goldschmiede-
Zeitg. Red.: H Wildner. Jahrg. 1904. 2 Hefte. (1. Heft. 20 m.
Abb. u. 4 Taf.) 4° Ebd. 1.50; in Verbindg m. d. deut. Ausg. 9 —
— österr.-ungar. Hrsg.: A Heidvein u., v. 21. Jahrg. an, JE
Heller. Red.: J Flamm. 20—22. Jahrg. Aug. 1901—März 1905
je 12 Nrn. (m. Abb.) Fol. Berl. Nr. 1—4. 48 m. Abb.) 4° Wien (VIH,
Reichenfelderstr. 122), Administr. u. Exp. Je nn 5 —
Fortsetzg war nicht zu erhalten.
— schweiz. Red.: C Graf-Link. 23—27. Jahrg. 1901—5 je 24 Nrn.
(1901. Nr. 1. 10 m. Abb.) Fol. Romanshorn, Exp. (Nur dir.)
Viertelj. postfrei nn 1.60
— süddeut.,m.Bezugsquellen-Anzeiger. Red.:G Windeck. Jahrg.
1905. 24 Nrn. (Nr. 10. 8) 4° Augsbg, Süddeut. Uhrmacher-Zeitg.
Viertelj. 1 —
Uhrmann, K: Üb. Butterbereitg. (16) 8° Annabg, (Graser) (04).
— 30 d
Uhrmann, K: Musterhefte f. gewerbl. Buchführg. 3 Hefte. (16
u. 30 S. u. 15 Doppels.) 8° Cref., J Greven (05). In Umschl. 1 —
Uthoff, W: Die Augenveränderngn bei Vergiftgn, s.: Graefe,
A, u. T Saemisch, Hdb. d. ges. Augenheilkde.
— Beziehgn d. Allg.-Leiden u. Organerkrankgn zu Veränderngn
u. Krankh. d. Sehorgans, s.: Groenouw, A.
— s.: Monatsblätter, klin., f. Augenheilkde. — Neisser, A,
stereoskop. medizin. Atlas.
Ujvary, A: Die Lungenschwindsucht, ihre Entstehg u. natur-
gemässe Heilg. 3. Afl. (30) 8° Lpzg, W Besser (04). — 30 d
Ukert, FA, s.: Geschichte d. europ. Staaten.
Ukrainy s.: Leuz Ukrainy.
Ulanowski, B, s.: Acta capitulor. nec non indicior. ecclesiasticor.
Ular, A, s.: Lao-Tse, d. Bahn u. d. rechte Weg.
— Die russ. Revolution. (384) 8° Berl., S Fischer 05. 4.50
Ulaszyn, H v.: Üb. d. Entpalatisierg d. urslav. e-Laute im Poln.
(1.2) 8° Lpzg 05. Hdlbg, O Fischer. — 80
Ulbersdorf s.: Zimmer v. Ulbersdorf.
Ulbrich, A: Die Wallfahrtskirche in Heiligelinde, s.: Studien
z. deut. Kunstgesch.
Ulbrich, J: Lehrb. d. österr. Verwaltgsrechtes. 2 Hlftn. (584)
8° Wien, Manz 03.04. 15 —; geb. 17 — d
— Das österr. Staatsrecht, s.: Handbuch d. öffentl. Rechts.
— s.: Staatswörterbuch, österr.
Ulbrich, M: Altes u. Neues. Volkserzählgn. Neue Ausg. (112
m. Titelbild.) 12° Reutl., Ensslin & L. (02). Geb. — 60 d
— Seliger Dienst. Klänge a. d. Diakonissenleben. (32) 8° Neu-
dietendf, Eifert & Scheibe (05). Geb. — 50 d
— Ueb. ernste Dinge. 13 Mal 7 Sprüche. (13) 8° Strieg., R
Urban (01). — 15 d
— Giebt es e. Ewigkeit? Gedanken üb. d. Vorhandensein e.
Jenseits. (15) 8° Berl., F Zillessen 01. — 25 d
— Gerechtfertigt, s.: Blumen u. Sterne.
— Unter Gottes Rute, s.: Schneeflocken.
— Auf d. Lebensweg. Blütenstrauss christl. Poesie, ausgew.
a. Dichterstimmen d. Gegenwart. (182) 8° Schweidn., C Lerch
02. L. m. U. 8.3.80 d
— Johann Mentzer, Knorr v. Rosenroth, Appelles v. Löwenstern,
s.: Kirchenliederdichter, uns.
— Im Rachen d. Todes, s.: Schneeflocken.
— Der Ritter v. Malta od. d. Sieg d. Kreuzes, s.: Goldkörner.

Ulbrich, O: Elementarb. d. französ. Sprache f. höh. Lehranst.
Ausg.A. 17.Afl. (209) 8° Berl., Weidmann 04. 1.50; geb. 2 — d
— dass. Ausg. B. 4. Afl. (218) 8° Ebd. 05. Geb. 2 — d
— Schulgrammatik d. französ. Sprache f. höh. Lehranst. 11.Afl.
(220) 8° Ebd. 05. Geb. 2.40 d
— Kurzgef. französ. Schulgrammatik f. höh. Lehranst. 4. Afl.
(144) 8° Ebd. 04. Geb. 1.70 d
— Übgsb. z. Übers. a. d. Deut. in d. Französ. f. d. mittl. u.
ob. Kl. höh. Lehranst. 11. Afl. (179) 8° Ebd. 05. Geb. 1.80 d
— Kurzgef. Übgsb. z. Übers. a. d. Deut. in d. Französ. 4. Afl.
(132) 8° Ebd. 04. Geb. 1.50 d
— Vorst. z. Elementarb. d. französ. Sprache f. höh. Lehranst.
8. Afl. (79) 8° Ebd. 04. Kart. — 80 d
Ulbricht, E: Erzählgn a. d. deut. Gesch. v. Karl d. Gr. bis z.
Ende d. 30jähr. Krieges. Hilfsb. f. d. Gesch.-Unterr. auf d.
Unterst. höh. Lehranst. 4. Afl. (157) 8° Dresd., C Damm 03.
Geb. 1.25 d
— Grundz. d. Gesch., s.: Kaemmel, O.
— Grundz. d. alten Gesch. I u. II. 3. Afl. 8° Dresd., C Damm
02. Geb. 3.60 d
1. Griech. Gesch. (134) 1.60 ‖ II. Röm. Gesch. (166) 2 —
— Grundz.d.Gesch.d.M.-A. 3.Afl. (231) 8°Ebd. 02. Geb. 2.50 d
Ule, E: Blumengärten d. Ameisen am Amazonenstrom. — Epi-
phyten d. Amazonasgebietes, s.: Vegetationsbilder.
Ule's, O, Warum u. Weil. Fragen u. Antworten a. d. wich-
tigsten Geb. d. ges. Naturlehre. Physik. 9. Afl. v. K Andreas.
(288 m. Zt.) 8° Berl., Klemann 04. 3.50; geb. 4 — d
— Die Wunder d. Sternenwelt. Ein Ausflug in d. Himmelsraum.
4· Afl. v. HJ Klein. (315 m. Abb. u. 4 Taf.) 8° Lpzg, O Spamer
06. 7.50; L. 8.50 d
Ule, W: Halle—Saalfeld—Nürnberg—München u. zurück, s.:
Rechts u. links d. Eisenb.
— Lehrb. d. Erdkde f. höh. Schulen. Ausg. A in 2 Tln. 5. Afl.
Mit z. Tl farb. Abb.) 8° Lpzg, G Freytag 05. Geb. 2.50 d
1. Für d. unt. Kl. (144) 1.80 ‖ 2. Für d. mittl. u. ob. Kl. (339) 3 —
— dass. Ausg. B in 1 Bd. (267 m. Abb.) 8° Ebd. 04. Geb. 2.85 d
— Niederschlag u. Abfluss in Mitteleuropa, s.: Forschungen
z. deut. Landes- u. Volkskde.
— Der Würmsee (Starnbergersee) in Oberbayern, s.: Veröffent-
lichungen, wiss., d. Ver. f. Erdkde zu Leipzig.
Ulfers, S: Ostloorn. Holländ. Dorfgeschichten. Aus d. Holl.
v. K Emrich. (363) 8° Hag., O Rippel (04). 3 —; L. 4 — d
Ulk, R: Im Vermittlugs-Bureau, s.: Schul- u. Vereinsbühne,
christl.
Ulke, T: Die elektrolyt. Raffination d. Kupfers, s.: Monogra-
phien üb. angewandte Elektrochemie.
Uellenberg, E: Zum Strande d. Seligen. (103) 8° Dresd., E
Pierson 01. 2 —; geb. 3 — d
Ullmann: Das gesetzl. und. Güterrecht in Deutschl. 2, Afl.
(315) 8° Berl., F Siemenroth 03. 6 —; L. nn 7 — d
Ullmann, D, s.: Vierteljahrsschrift, krit., f. Gesetzgebg u.
Rechtswiss.
Ullmann, E v., s.: Vierteljahrsschrift, krit., f. Gesetzgebg u.
Rechtswiss.
— Die Fortschritte d. Chirurgie in d. letzten Jahren.
(277) 8° Wien, F Deuticke 02. 8 —
Ullmann, G: Die Apparatefärberei. (250 m. Fig.) 8° Berl., J
Springer 05. L. 6 —
Ullmann, H: Elementares Zeichnen, s.: Lukas, H.
Ullmann, H: Jugendsp. f. Volks- u. Bürgersch. 2. Afl. (110 m.
Fig.) 16° Wien, A Pichler's Wwe & S. 06. — 90 d
Ullmann, K, s.: Veröffentlichungen d. Zentralverbandes d.
Balneologen Österr.
Ullo: Die Flagellomanie. Ihre Erscheingsformen bei Anwendg
d. Straf- u. Erziehgsmittel. Aufzeichngn a. d. Leben, d. Litt.
u.Vergangenh. (76 m. Abb. u. 6 Taf.) 8° Dresd. 01. Lpzg, Leipz.
Verl. 5 — d
Ullos, A de, s.: Optik, meteorolog.
Ullrich, s.: Rechentafel.
Ullrich, A: Geschichtl. Dichtgn in deut., engl. u. französ.
Sprache. — Lehrb. d. Gesch. f. höh. Mädchensch., s.: Stöckel, H.
— Materialien z. Übers. a. d. deut. ins Französ., s.: Bauer, J.
Ullrich, E, s.: Spielregeln d. Rugby-Fussballspieles.
Ullrich, F: Erkenne Dich selbst. Vollständ. Lehrb. f. d. Selbst-
unterr. in Körperlehre, Gesundh.-Lehre, Krankh.-Lehre, m.
d. Anh.: Entwicklg u. Pflege d. Kindes. 1. u. 2. Lfg. (1—56 m.
Abb.) 8° Halle, F Ullrich 03. Je — 25
Ullrich, F: Volksklänge in Altenburger Mundart. Mit e. Anh.:
Ausw. a. d. Erzählgsmittel. 4 v. K Gleissner, Z Kresse u. a. Hrsg.
v. E Daube (Sporgel). (70) 8° Altnbg, O Bonde 05. geb. 1 — d
Ullrich, H, s.: Mitteilungen a. d. Markscheiderwesen.
Ullrich, H: Leitf. f. d. Konfirmanden-Unterr. 31. Afl. (80) 8°
Lpzg, E Ungleich 05. Kart. nn — 80 d
Ullrich, H: Deut. Musteraufsätze. Stilistisch-rhetor. Leseb., f.
d. Mittel- u. Oberkl. höh. Schulen. 2. Afl. (299) 8° Lpzg, BG
Teubner 05. Geb. 2.80 d
— Die französ. unregelmäss. Verben. Hilfsb. f. Schüler bes.
lateinloser Schulen. 3. Afl. (36) 8° Lpzg, Ronger 02. — 60 d
Ullrich, J: Führer durch Neutitschein u. d. Umgebg. 3. Afl.
(198 m. 1 Abb. u. 2 Kart.) 8° Neutitsch., R Hosch 05.
Geb. nn 2 — d
— Grillparzer im gräfl. Seilern'schen Hause. (27) 8° Ebd. 04.
— 50 d
Ullrich, K: Französ. Leseb., s.: Fetter, J.

Ullrich, MW: Bibliothek d. Selbst- u. Menschenkenntnis u.
Erziehg. Nr. 7, 12 u. 14. 8° Berl., MW Ullrich.   3.60
7. Phrenolog. Studien. (Neue [Tit.-]Ausg. v. „Mod.rne Phrenol.") (96 m.
Abb.) [1896] (02).   1.50
12. Der Geschlechtstrieb u. s. Einfl. auf d. Gesundheitszustand, d. Charakter u. d. gesellschaftl. Leben. 2. Afl. (48 m. Abb.) (02.)   — 60
14. Charakterstudien n. Kopfform u. Gesichtsausdruck. Zugl. Nachrichtenbl. d. phrenolog. Vereinigg (Deutschl., Oesterr., Schweiz).
Ausg. A. (46 m. Abb. n. 1 Taf.) (03.)   1.50 d
— Die Phrenol. als Erfahrgswiss., ihre wiss. Berechtigg nachge-
wiesen. (84) 12° Ebd. 01.   — 80 d
Ullrich, R, s.: Mandschurei, D.
Ullrich, R: Benutzg u. Einrichtg d. Lehrerbibliotheken an
böh. Schulen. Prakt. Vorschl. zu ihrer Reform. [Erweit. S.-A.]
(20, 148) 8° Berl., Weidmann 05.   2.80
Ullrich, W: Wegweiser f. d. postal. u. geschäftl. Verkehr f.
Stadt- u. Landsch. u. Fortbildgssch. Schüler-Heft. 4. Afl. (25)
Formulare.) 8° Bunzl., G Kreuschmer 05.   nn — 25;
Lehrerheft 3. Afl. 03. nn — 30 d
Ulistein's Sammlg prakt. Hausbücher. 1—25. Bd. 8° Berl., Ul-
stein & Co.   L. je 1 — d
Barfuss, J: Die Obstverwertg. Ueb. 290 Rezepte z. Dörren u. Einmachen
aller Arten Obst, a. Bereitg v. Geléen, Fruchtsäften, Obstwein, Marme-
laden u. s. w. (160 m. Abb.) (03.) [34.]
Bauer, M: Allotria. Ein Buch d. Gesellschaftskünste. (143 m. Abb.) (01.)
[10.] ∥ Die Elektrizität in Haus u. Gewerbe. 1. u. 2. Afl. (156 m. Abb.)
(01.02.) [11.]
Bernhard, G: Geld u. Credit. Ratgeber in allen Geld-, Geschäfts- n.
Hypotheken-Angelegenh. (151)(08.)[20.] ∥ Der Verkehr in Wertpapieren.
(8. Afl. (210) 01. [5.9.]
Biberfeld: Der Rechtsbeistand d. Handlgsgehilfen n. Ratgeber d. Kauf-
manns im Rechtsverkehr m. s. „kaufmänn. Personal". (191) (02.) [15.]
Commenta, M: Gewerbl. Buchführg. (215) (03.) [77.]
Daniel, A: Das Gesindrecht. Nebst s. Anh. üb. d. Rechts-Verhältn. d.
Portiers. (115) (01.) [12.] ∥ Mein eig. Rechtsanwalt. Die Führg v. Pro-
zessen in Civil- u. Strafsachen, obne d. Vertretg u. Verteidigg vor d.
Amtsgericht. (173) (02.) [17.]
Feld, Frau FR: Häusl. Ratgeber. 400 erprobte Hausmittel f. Kleidg,
Wohng u. Gesundheits-Pflege. (127) (03.) [28.]
Fürst, L: Körper- u. Schönheitspflege. (176) (02.) [18.]
Goerges, T: Das Kind im 1. Lebensj. (136) (02.) [16.]
Hahn, G: Ratgeber in allen Militär-Angelegenh. Vom Beginn d. Militär-
pflicht bis z. Uebertritt in d. Landsturm. 1. u. 2. Afl. (116) (01.02.) [1.]
Koch, C: Das Mietrecht n. d. BGB. 4. Afl. (112) (01.) [4.]
Kremski: Ratgeber in Steuersachen. Die Einkommensteuer, Ergänzgs.
steuer, Gemeinde-Einkommensteuer, Gewerbesteuer, Grundsteuer, m.
Reklamations-Mustern. (243) (03.) [25.]
Lenz, K: Der ärztl. Verkehr m. Behörden. 1. u. 2. Afl. (114) (01.) [7.]
Meissner, F: Die Blumenpflege im Zimmer. (174 m. Abb.) (02.) [13.] ∥ Der
Hausgarten. Prakt. Anl. z. Anlage, Ausschmückg u. Pflege v. Haus-
gärten, m. bes. Berücks. d. Lauben u. Laubenkolonien. (197 m. Abb.)
02. [14.]
Perls, A: Reichs- u. Staats-Bürgerb. (146) 01. [7.]
Pilz, H: Wie gründet u. leitet man e. Verein ? Volkstüml. Darstellg d.
neuen Vereins- u. Versammlgsrechtes u. d. Regeln parlamentar. Ver-
handlgn. 1. u. 2. Afl. (101) (01.03.) [3.]
Steinold, E: Der Amateur-Photograph. (164 m. Abb. u. 1 Taf.) (03.) [21.]
Voigt, TF: Berufswahl f. Knaben. (156) (01.) [8.] ∥ Moderne Mädchen- u.
Frauenberufe. (147) (01.) [9.]
Zürn, EG: Der Kanarienvogel, s. Natur-, Haltgs- u. Zuchtgesch. uew.
s. Gesang u. s. Gesangsreinigg. (169 m. Abb. u. 4 farb. Taf.) (02.) [19.]
Ulm, E: Der kund. Steuer-Reklamant. 14. Afl. unter Berücks.
d. neuen preuss. Steuerges. (151) 8° Lpzg, G Weigel (02).
  1.50; geb. 1.80 d
Ulmann, S: Illustr. Wiener Kegelbuch. (108) 8° Wien, A Hart-
leben (05).   Kart. 1.50 d
— Illustr. Wiener Vannakbuch. Mit Anh.: Die beiden Alt-
vordern d. Vannakspiels. (148) 8° Ebd. (05).   Kart. 2 — d
Ulmen, B: Mara. Erzählg. a. d. Zeit d. Waldenserverfolgen
(95 m. Abb.) 8° Stuttg., Bh d. ev. Gesellsch. 02.   L. 1 — d
Ulmer, F: Aus d. Leben, f. d. Leben. Neubearb. n. d. Buche
„Tobias". (258) 8° Breg., JN Teutsch 04.   Geb. 1.80 d
Ulmer, G: Ephemeriden d.: Ergebnisse d. Hamburger Magal-
haens. Sammelreise.
— Üb. d. Metamorphose d. Trichopteren. [S.-A.] (154 m Abb.
u. 4 Taf.) 4° Hambg, L Friederichsen & Co. 03.   6 —
— Trichopteren, s.: Elb-Untersuchung, hamburger. — Ergebnisse
d. Hamburger Magalhaens. Sammelreise.
Ulrich, A: Herr Lehrer, s.: Sammlung moderner Kampfschrif-
ten.
Ulrich, Herzog, u. d. Pfeifer v. Hardt. Frei n. Hauff's Lichten-
stein. Zur Aufführg f. unsere u. Schulen. Von J L. 2. Afl. (15)
8° Stuttg., JF Steinkopf 01.   — 30 d
Ulrich, A: Rechenaufg., s.: Schmelzkopf, J.
Ulrich, A: Das anhalt. Ges. üb. d. Urkunden-Stempelsteuer.
— Die Ges. üb. d. anhalt. Staats-, Kreis- u. Kommunal-
steuern, sowie üb. d. Kirchensteuer u. d. Handelskammer-
beiträge, s.: Sammlung anhalt. Ges.
Bisher ohne Angabe s. Hrsg. erschienen.
— Die Reichseinkommensteuer. Möglichst u. Notwendigk. e.
solchen. (35) 8° Dess., Anhalt. Verl.-Anst. 02. (7) (Lpzg, R Hoff-
mann.)   — 60
Ulrich, A: Eriken. — Myrthen, s.: Radetzki, gärtner. Kultur.
Anweisgn.
Ulrich, A: Zur Kenntnis d. Oxyisocarbostyrils. (38) 8° Lpzg,
G Schlemminger 03.   1 —
Ulrich, B: Ein harmon. Todesmahl. 1. krit. Tl d. Beitr. z.
Lehre d. „Stanprinzips". (59) 8° Strassbg, C Bongard 06. 1 —
Ulrich, C: Leitf. f. d. Unterr. im Obstbau. (97) 8° Bautz., E
Hübner 04.   Kart. nn 1.30; geb. 1.60 d
Ulrich, E: Ein röm. Bannfluch v. Heute. Bilder a. d. Tagen

e. heissen Kampfes geg. d. österr. Klerikalismus. (43) 8°
Wien, F Schalk 02.   — 70 d
Ulrich, F: Zur Kenntnis d. Luftsäcke bei Diomedea exulans
n. Diomedea fuliginosa, s.: Ergebnisse, wiss., d. deut. Tief-
see-Exped.
Ulrich, J: Die rumän. Ballade. Vortr. (39) 8° Zür., A Raustein
01.   — 80 d
— Eine span. Bearbeitg d. Pseudo-Cato. [S.-A.] (24) 8° Erl.,
F Junge (04).   nn — 75
— s.: Duin de Lavesne, Trubert. — Erzählungen, d. 100 alten.
— Proben d. latein. Novellistik d. M.-A. — Schelmennovellen,
roman.
— Italien, Volksromanzen, ausgew. u. m. Anmerkgn versehen.
(204) 8° Lpzg, Renger 02.   4 —; geb. 5 —
Ulrich, K: Die Bestellg d. Gerichte in d. modernen Republiken.
(217) 8° Zür., Fäsi & B. 04.   3 —
Ulrich, M: Heimkehr u. and. Novellen, s.: Kürschner's, J,
Bücherschatz.
Ulrich, R: Gr. Haverei. Die Havariegrosse-Rechte d. wich-
tigsten Staaten im Orig.-Text u. in Übersetzg nebst Kom-
mentar u. e. vergleich. Zusammenstellg d. verschied. Rechte.
2. Afl., mitbearb. v. P Brüders. 1. u. 2. Bd. 8° Berl., ES Mittler
& S.   30 —; geb. 33.50
1. Dent. Recht. (767) 03. 10 —; geb. 11.50 ∥ 2. Ausländ. kodifazierte Rechte.
(570) 06. 20 —; geb. 22 —
Ulrich, R: Die Kartoffel u. ihre Kultur, s.: Landmann's, d,
Winterabende.
— Der prakt. Wiesenwirt. Leitf. f. d. Unterr. an landw. Lehr-
anst., sowie z. Selbstbelehrg. (112 m. Abb.) 8° Lpzg, H Voigt
01.   1.50 d
Ulrich, W: Der franzõs. Examinator od. Repetition d. fran-
zõs. Grammatik in Frage u. Antwort. 2. Afl. (180) 8° Berl.
1878. Lpzg, Luckhardt's Bh. f. Verkehrswesen. 1.20; geb. 1.50 d
— Hülfsbüchl. z. Erlerng d. franzõs. Konversationssprache.
Petit manuel de la conversation franç. 7. Afl. (72) 12° Langens.,
H Beyer & S. 02.   Kart. — 75
— Prakt. Vorbereitg f. d. engl. Kontor. 6. Afl. (132) 8° Lpzg,
M Heinsius Nf. 03.   2 — d
Ulrich-Kerwer, GW: Bilder u. Spiegel. Streiflichter auf relig.
Wahrh. f. Jung u. Alt. (167) 8° Hag., O Rippel 03.   1.50
  geb. 2.50 d
— Bibl. Jungfrauenbilder in zwanglosen Rahmen. 3. Afl. (404)
8° Gütersl., C Bertelsmann 02.   L. 4 —; m. G. nn 4.60 d
— Bibl. Jünglingsbilder in zwanglosen Rahmen. 3. Afl. (458)
8° Ebd. 02.   L. 4 —; m. G. nn 4.60 d
Ulrici, G: Die moderne Humanität u. d. Verachtg d. Thieres.
(36) 8° Cobg, Dietz'sche Hofbuchdr. 1898.   — 80 d
Ulsamer, JA: Gottessegen in d. Pflanzenwelt. Sammlg alt-
erprobter Heilpflanzen. Durchgesehen u. geprüft u. m e. ärztl.
Begleitwort versehen v. F Mayer. 2. Afl. (320 m. Abb.) 8°
Klagenf., Buch- u. Kunsth. d. St. Josef-Ver. 03.   — 68 d
— Haus-Apotheke. Alterprobte Heilkräuter, d. in keiner wohl-
eingerichteten Hausapotheke fehlen sollten. 7. Afl. (175 m.
Abb.) 8° Kempt., J Kösel 01.   1.30; geb. 1.60 d
— Pflanzen. — Unschuldig Verurteilte in Tier- u. Pflan-
zenwelt, s.: Jugend- u. Volksbibliothek, naturwiss.
Ulsch, P: Weihnachts-Festspiel, s.: Maier, A.
Ultsch, H: Ueb. d. Verhältnis v. Glück, Sittlichk. u. Christen-
tum. (91) 8° Münch., C Kaiser 05.   1 —
Ultzen, W: Entwurf e. Neudruckes d. Landeskatech. f. Mecklen-
burg-Schw. (77) 8° Schwer., F Bahn 02.   1.25 d
Ulzer, F: Analyse d. Fette u. Wachsarten, s.: Benedikt, R.
Um s, s.: Alm.
Umar Ibn Abi Rebi'a: Der Diwan. Nach d. Handschriften
zu Cairo u. Leiden m. e. Sammlg anderweit überlieferter
Gedichte u. Fragmente hrsg. v. P Schwarz. 1. Hälfte. (67 u.
130) 4° Lpzg, Dieterich 01. 16 — II II. Hälfte. 1. Tl. (68—126 u.
130) 02. 15 —
Umbreit, E: Beitrag z. Behandlg d. kongenitalen Hüftgelenks-
luxation. (38) 8° Freibg i/B., Speyer & K. 03.   — 80
Umbreit, P: Die Bedeutg u. Aufg. d. Gewerkschafts-Kartelle.
(95) 8° Berl., Generalkommission d. Gewerksch. Deutschlds
03.   — 30; geb. — 50 d
Umfrid, O: Bismarcks Gedanken u. Erinnergn im Lichte d.
Friedensidee. e. Antwort u. Kritik nationalsoz. Afterpolitik.
(42) 8° Essl., W Langguth 05.   — 50 d
— s.: Friedens-Bote.
— Recht, Gewalt u. Zukunftskrieg. (16) 8° Essl., W Langguth
(01).   — 20
Umgebung v. Burghausen. Bezeichng v. lohn. Ausflugsorten.
(Mit e. Anh.: Raitenhaslach u. s. näh. u. weit. Umgebg.) (30
m. 2 Taf.) 8° Burgh., W Trinkl (o. J.).   — 50
Umgebungs-Karte v. Bozen u. Gries. Ausg. 1905. 1:30.000.
59,5×59,5 cm. Farbdr. Bozen, F Moser. 1 —; auf L. 2.20
— v. Bad-Gastein. Ges. u. hrsg. v. A V. Skrzeszewski. 3. Afl.
1:50,000. 36,5×49 cm. Farbdr. Nebst : Rundschau v. Gamskar-
Kogl. 43×50 cm. Lith. Olmütz, L Promberger (05).   2.40
— d. Hohkönigsburg (Schlettstadt—Rappoltsweiler). 1:50,000.
31,5×31 cm. Farbdr. Freibg i/B., FP Lorenz (02).   — 50
— v. Passau. 1:100,000. 28,5×36,5 cm. Lith. Pass., M Waldbauer (01).   (— 75) — 50
— v. Sternberg in Mähren. 1:75,000. 40,5×53,5 cm. Lith. Sternbg,
AR Hitschfeld (04).   nn 1.50

Umgebungs-Karte v. Tübingen. 1:25,000. 2. Afl. 80,5×60,5 cm.
Farbdr. Tüb., F Fues 03. nn 2.20; aufgez. nn 3 —
— v. Wien. Hrsg. v. k. u. k. militär-geograph. Instit. 1:25,000.
Bl. A6, B6, C6, D5, 6 u. E1—6. Je 29×38,5 cm. Farbdr.
Wien, (R Lechner's S.) (05). Je nn — 80; Bl. A6, B6 u. C6
m. Wegmarkierg v. R Lechner je nn 1.20
A6. Altenmarkt. ‖ B6. Gaaden. ‖ C6. Baden. ‖ D5. Laxenburg. ‖ D6. München-
chendorf. ‖ E1. Fillichsdorf. ‖ E2. Süssenbrunn. ‖ E5. Aspern a. d. Donau.
‖ E4. Schwechat. ‖ E5. Rauchenwarth. ‖ E6. Gramatneusiedl.
Früher Blatt s.: Karte.

Umgestaltung, d., d. Verkehrs d. Wiener Stadtbahn. Kurzer
Auszug a. z. Entwurf d. Denkschrift d. v. niederösterr. Ge-
werber. z. Studium dieser Frage eingesetzten Komitees.
(Von G v. Pacher.) (26 m. 3 [2 farb.] Taf. u. 1 Karte.) 8º
Wien, (R Lechner's S.) 04. 1.20 d

Umhöfer, Frau, s.: Frensson, M.

Umhöfer, H: Leitf. d. Kirchengesch. m. Einschl. d. Gesch.
d. Kirchenliedes f. höh. Mädchensch. u. verwandte Anst. (144
m. Abb.) 8º Bresl., F Hirt 02. Geb. 1.50 d

Umlauf, A, u. LR v. Stockert: Donau-Oder-Kanal. Welches
d. beiden preisgekrönten Hebewerksprojekte soll ausgeführt
werden? (3 m. Abb.) 4º Wien, (Lehmann & W.) (05). nn 1.20

Umlauf, V: Hdb. f. Schützen. Erweit. u. vielfach ergänzte
Ausg. d. gleichnam. Entwurfes. (96 m. Abb., 5 Tab. u. 1 Plan-
skizze.) 8º Wien, (C v. Hölzl) 05. 2 — d

Umlauff, K, s.: Chronik d. Stadt Mähr.-Schönberg.

Umlauft, F: Kl. Führer durch Wien. 2. Afl. (64 m. Titelbild
u. 1 Pl.) 12º Wien, A Hartleben 03. Geb. 1.10
— Lehrb. d. Geogr. f. d. unt. u. mittl. Kl. österr. Gymnasien
u. Realsch. 1. u. 2. Kurs. (Ausg. f. Gymnasien.) 7. Afl. 8º
Wien, A Hölder 03. Geb. 3.80 d
1. Grundz. d. Geogr. (Für d. 1. Kl.) (58 m. Fig.) 1.10
2. Länderkde. im Anh.: Mathemat. Geogr. (Für d. 2. u. 3. Kl.) (186) 1.70
— dass. 1. u. 2. Kurs. (Ausg. f. Realsch.) 5. Afl. 8º Ebd. Geb. 3.26 d
1. Grundz. d. Geogr. (62 m. Fig.) 02. 1.13
2. Länderkde. im Anh.: Mathemat. Geogr. (Für d. 2. u. 3. Kl.) (196) 02. 2.10
— Namenbuch d. Strassen u. Plätze v. Wien. (124) 8º Wien,
A Hartleben 04. 2 —; geb. 3 — d
— s.: Rundschau, deut., f. Geogr. u. Statistik.
— Histor. Schul-Atlas, s.: Hannak, E.
— Schul-Wandk. d. deut. Reiches u. d. angrenz. Länder Dänemark, Niederl. u. Belgien. Für Mittelsch. bearb. Physikal.
Ausg. 6 Bl. je 83,5×65,5 cm. Farbdr. Wien, G Freytag & B.
(03). 13 —; polit. Ausg. 15 —
— Schulwandk. d. Karstländer Küstenl., Dalmatien, Bosnien
u. Herzegovina. Für Mittelsch. bearb. 1:300,000. Physikal.
Ausg. 6 Bl. je 83,5×65 cm. Farbdr. Ebd. (03). 12 —;
polit. Ausg. 15 —
— Schulwandk. d. Erzherzogt. Österr. unter d. Enns, s.: Roth-
aug, JG.
— Kl. statist. Taschenb., s.: Hartleben, A.
— Wand-Plan v. Wien, s.: Freytag, G.

Umrechnungs-Tabellen französ. Fassdauben aller Dimensionen v. 1—20000 Stück, berechnet auf 38[1] 4—6. m. Anleitg
f. d. übl. Umrechnungsarten d. verschied. Dimensionen u. Cate-
gorien, ferner e. Formular z. Zusammenstellg V. Dimensions-
listen u. als Anh. „Handels-Usancen f. franz. Fassdauben"
v. J J. (79 m. 1 Tab.) 8º Sissek, S Jünker 01. L 2 —

Umschau, die, Übersicht üb. d. Fortschritte u. Bewegg auf
d. Ges.-Geb. d. Wiss., Technik, Litt. u. Kunst, hrsg. v. JH
Bechhold. 5. Jahrg. 1901.52 Nrn. (Nr. 1.20 m.Abb.) 4º Frankf.a/M.,
H Bechhold. Viertelj. 3 —; einz. Nrn — 40; Luxusausg. viertelj. 5.50 ‖ 6—9. Jahrg. 1909—5. (05: 1040) Viertelj. nn 3.80;
Luxusausg. 6 —
— relig. Organ f. d. Freunde relig. Freiheit. Hrsg. v. Schieler.
1. Jahrg. März—Dezbr 1903. 20 Nrn. (Nr. 1. 4) Pol. Danz.,
John & Rosenberg. 1.—3. Jahrg. 1904 u. 5 je 26 Nrn. Viertelj. — 80; einz. Nrn — 10 d
— auf d. Geb. d. Weihnachts-Lit. 1904. (12) 16º Lpzg, (HG
Wallmann) L 30 d 6 F
— d., auf d. Geb. d. Steuerwesens. Nebst d. Beil. Die
Welt im Bilde. Hrsg. v. A Schneider. 20. u. 21. Jahrg. 1901
u. 2 je 48 Nrn. (Nr. 1. 10) 4º Berl., Eug. Schneider. Viertelj. 1.75 d
— dass. Deut. Zoll- u. Steuerbeamten-Zeitg. Nebst d. Beilage
Die Welt im Bilde. Hrsg. v. A Schneider. 22—24. Jahrg.
1903—5 je 48 Nrn. (Nr. 1. 10) 4º Ebd. Viertelj. nn 1.75 d

Umsturz, d., im Reichstag. Darstellg d. Kämpfe um d. Zolltarif u. d. amtl. Stenogramm. Mit e. tabellar. Uebersicht d.
wichtigsten Abstimmg. (32) 8º Berl., Bh. Vorwärts 03. — 20 d

Unbekannt, O: Präparat. zu d. Psalmen, s.: Heiligstedt, A.

Unberufen, Thomistor, s.: Selbstverteidigung, d., in Strafsachen.

Unbescheid, WH: Aus d. Akten e. deut. Familie. (Beil. 1.
„Chronik d. Familie Unbescheid".) 2. Heft. (29—84) 8º Kahla
01. Papiermühle p/Roda, Gebr. Vogt. — 75 ‖ 3. Heft. (85—128)
01. — 80 (Vollst. in 1 Bde: 2 —; L. 2.50) d
— Chronik u. Stammbaum in 100 Sprüchen. (38 m. Bildnis.) 8º
Papiermühle bei Roda, Gebr. Vogt (04). L. 1.50 d
— Die Störche. Tierepos. (108 m. 1 Taf.) 8º Ebd. 06. 1.50 d
„Und Gott lebt!" Der Vollmensch zu Exzerbustra d. Über-
menschen. Eine altwert. Weihnachtsskizze v. e. deut. Edel-
frau. (51) 8º Halle, Tausch & Gr. 05. — 80 d

Undeutsch, H: Theorie, Konstruktion, Prüfg u. Regelg d. Fallbremsen u. Energie-Indikatoren einschl. d. Beanspruchg d.

Prüfg d. Schachtförderseile auf Stoss-, Freifall-, Fang- u.
Indikator-Versuche. (244 m. Abb. u. 2 Taf.) 8º Wien, F Deuticke 05. 10 —

Undritz, AO: Der Kindergottesdienst. Jubiläumsschrift als
Werbebüchl. (80) 8º Rev., Kluge & Ströhm 04. 1.20 d
— Treu zu Kaiser u. Reich. Ein zeitgemässes Wort an alle
reichstreuen Untertanen d. Kaisers Nikolai II. (24) 8º Rev.,
Cordes & Schenk 05. — 40 d

Unentbehrlich f. jedermann! (12) 8º Zwick., Schriften-Ver.
(03). — 10 d

Unfallfürsorgegesetz f. Beamte u. Personen d. Soldatenstandes. Vom 18.VI.'01. Mit Gegenüberstellg d. Ges., betr.
d. Fürsorge f. Beamte u. Personen d. Soldatenstandes infolge v. Betriebsunfällen. Vom 15.III.1886. (8) 8º Berl. 01.
Grunew., Verl. d. Arbeiter-Versorgg A Troschel. — 20 d

Unfallstatistik f. Land- u. Forstw., s.: Nachrichten, amtl.,
d. Reichs-Versicherungsamts.

Unfallverhütungs-Vorschriften beim österr. Bergbau. Hrsg.
v. k. k. Ackerbauministerium. I. Nachtr. (819 m. Fig.) 8º
Wien, Manz 01. (2.60) 2.25; geb. 2.95 ‖ II. Nachtr. (399 m. 1
farb. Taf.) 03. 3.80; geb. 4.50 (Hauptwerk m. 1. u. 2. Nachtr.:
10.55; geb. 12.65) d
— d., d. Berufsgenossensch. d. chem. Industrie. Anh.: Bekannt-
machgs betr.: 1. Anl. z. Herstellg v. Alkalichromaten; 2.
Anl. z. Herstellg v. Bleifarben u. and. Bleiprodukten; 3. Anl.
z. Vulkanisierg v. Gummiwaren; 4. Anl., in denen Thomas-
schlacke gemahlen od. Thomasschlackenmehl gelagert wird.
3. Afl. (219) 12º Berl., C Heymann 04. 1.30
— abgeänderte, d. See-Berufsgenossenschaft f. Dampfer (Ausg.
1905). (39) 8º Hambg, (L Friederichsen & Co. — Eckart & Mes-
torff). 1 —
— dass. f. Segelschiffe (Ausg. 1903). (58) 8º Ebd. †1 —

Unfallversicherung, d., s.: Tages-Fragen, soz.

Unfallversicherungsgesetz f. Land- u. Forstw. Vom 30.VI.
1900. Nach d. Bekanntmachg d. Reichskanzlers v. 5.VII.1900.
nebst d. Abänderg d. Unfallversicherungsges. Vom
30.VI.1900. (100) 12º Dülm., J Horstmann (01). — 50 d

Ungard Edler v. Othalom, A: Der Suezkanal. Seine Gesch.,
seine Bau- u. Verkehrsverhältn. u. s. militär. Bedeutg. (104
m. 6 farb. Kart.) 8º Wien, A Hartleben 05. 1 —; geb. 5 —

Unger, A, s.: Blätter f. Rechtspflege in Thüringen u. Anhalt.

Unger, C: Entwicklg d. Zement-Forschg nebst neuen Versuchen auf diesem Gebiet. (67 m. Abb.) 8º Stuttg., K Wittwer
04. — 60 d

Unger, E: Führer durch Fürstenwalde a. d. Spree u. Umgebg
(Spreetal,Rauen — Markgrafenstein —, Scharmützelsee, Mark.
Schweiz, Woltersdorfer Schleuse, Frankfurt a. O., Beeskow-
Storkow.) (48 m. Abb. u. 1 farb. Karte.) 16º Fürstenw., J Sey-
farth (03). — 60

Unger, F: Aufg. f. d. Zahlenrechnen. — Prakt. Rechnen f.
Realsch., s.: Löwe, M.

Unger, F: Wann d. Auerhahn balzt, s.: Bibliothek, polysoph.
— Balubrecher zur Wohlstand u. Lebensglück. (Ein Buch v. d.
Kunst, durch Selbsterziehg energisch, willensstark u. selb-
ständig zu werden.) (24) 8º Münch. 03. Wien, FC Mickl. 1.50
— s.: Flagellanten, d., v. Einst u. jetzt.
— Geistl, u. weltl. Flagellation. [S.-A.] (16) Münch. (02). Wien,
FC Mickl. — 50
— dass. — Das Nichts d. Todes, s.: Hausbibliothek, geheimwiss.
— Die Geissler, s.: Fischer, E.
— Johann v. Leyden u. d. Wiedertäufer-Königreich in Münster.
— Die schwarze Magie, ihre Meister u. ihre Opfer, s.: Col-
lection rätselhafte Naturen.
— Sünden, d. man verzeiht, s.: Naturen, rätselhafte.
— Verbrecher am Kinde. — Im Zeichen d. Grausamk., s.:
Collection rätselhafte Naturen.

Unger, F, s.: Dienstunterricht f. d. deut. Kavalleristen.

Unger, H: Der Apothekenboykott u. d. Krankenkassen in
Berlin. [S.-A.] (16) 8º Grunew.-Berl., Verl. d. Arbeiter-Versorgg A Troschel 02. — 60 d

Unger, J: Die Gravitation ist e. Fiction, ebenso d. Trägh. d.
Körper u. können d. ellipt. Umlauf d. Planeten nicht erklären. Lösg dieses Problems, ferner das d. Sonnenlichtes,
d. Sonnenflecken u. d. Mondesphasen m. allen rätselhaften
Erscheingn auf natürl. Weise, währ. d. Methoden d. öffentl.
Schulen ungenügend u. falsch sind. Mit Anh.: Entdeckg d.
wahren Theorie d. Jahresumlaufes d. Erde um d. Sonne.
2. Afl. (16 u. 11) 8º Wien, A Amonesta (1900). 1.30 d
— Off. Schreiben an d. k. Akad. d. Wiss. in Wien. Womit dieselbe aufgefordert wird, d. Schulunterr. üb. d. Jahreslauf d.
Erde wie den d. Mondesphasen zu korrigieren, da solcher nicht
nur unwissensch. sondern ganz falsch ist, wie solches in
e. Gespräche m. Prof. E Weiss bewiesen werden wurde. (12) 8º Ebd.
(03). — 10 d

Unger, J: Handeln auf eig. Gefahr. Beitrag z. Lehre v. Schadenersatz. 3. Afl. (159) 8º Jena, G Fischer 04. 2.50 d

Unger, JJ: Fest- u. Sabbathpredigten. (288) 8º Prag, JB Brandeis
05. L. 3.90 d

Unger, (K) v.: Auszug a. d. Exerzier-Regl. f. d. Kavall. Zum
Taschengebr. f. Unteroffiziere u. Mannschaften. (108) 16º
Berl., Liebel (04). — 50
— Hülfsb. f. d. Unterr. u. d. Ausbildg d. Einj.-Freiw., Offi-
zier-Aspiranten u. Offiziere d. Beurlaubtenstandes d. Kavall.;

zugl. z. Gebr. f. Fahnenjunker, Fähnriche u. jüngere aktive Offiziere. (580 m. Abb., 1 Bildnis u. 6 [5 farb.] Taf.) 8° Berl., Vossische Bh. 04. nn 6.50; geb. nn 7.50 d
Unger, (K) v.: 3 Jahre im Sattel. Ein Lern- u. Leseb. f. d. Dienstunterr. d. deut. Kavalleristen. 9. Afl. (485 u. 4 m. Abb., farb. Taf. u. 1 Bildn.) 8° Berl., Liebel 06. Kart. nn — 85 d
— Die Schlacht v. Zorndorf am 25.VIII.1758, s.: Beiheft z. Militär-Wochenbl.
Unger, L: Das Kinderbuch d.Bartholomäus Metlinger 1457—76. (45) 8° Wien, F Deuticke 04. 2 —
— Lehrb. d. Kinderkrankh. in systemat. Darstellg. 3. Afl. (671 m. Abb. u. 1 L.) 8° Ebd. 01. 16 —
— Untersuchgn üb. d. Morphol. u. Faserg d. Reptiliengehirns. [S.-A.] (20 m. 2 Taf.) 8° Wien, (A Hölder) 04. — 70
Unger, R: Hamanns Sprachtheorie im Zusammenh. s. Denkens. Grundleggzu e. Würdigg d. geistesgeschichtl. Stellg d. Magus im Norden. (272) 8° Münch., CH Beck 05. 6.50 d
— Platen in s. Verhältnis zu Goethe, s.: Forschungen z. neueren Lit.-Gesch.
Unger, T: Steir.Wortschatz, als Ergänzg zu Schmellers bayer. Wrtrb. gesammelt, f. d. Druck bearb. u. hrsg. v. F Khull. (24, 661) 8° Graz, Leuschner & L. 03. 12.50 d
Unger, T: Die Gebühren techn. Sachverständiger u. d. deut. Prozess- u. Gebührenordngn. (18) 8° Wiesb., CW Kreidel 04. — 80
— Kommt d. Wohngsnot? Die Wohngsfrage in gr. Städten als Folge d. Bodenwuchers, d. Beleihgs- u. Schätzgswesens. Auf Grund d. Wohngsstatistik d. Stadt Hannover besprochen. (50 m. 3 Taf.) 8° Hannov., Berenberg'sche Buchdr. 02. 1 —
Unger, W v.: Georg Engelhardt v. Löhneysen, e. Meister deut. Reitkunst vor 300 Jahren, s.: Pferde, uns.
— Wie ritt Seydlitz? Studie üb. Pferde, Reiter u. Reitkunst in d. Kavall. Friedrichs d. Gr. (140 m. 3 Taf.) 8° Berl., Vossische Bh. 06. 2 —; geb. 2.75 d
— Eine militär. Studienfahrt n. Oberitalien, s.: Beiheft z. Militär-Wochenbl.
Ungeringer, G: Der wichtigste Krankendienst. Ein Büchl. f. Gesunde u. Kranke. (62) 8° Linz, Pressver. 02. — 35 d
Ungern-Sternberg, E Frhr v.: Zeitfragen d. christl. Volksreligion.
Ungern-Sternberg, E Frhr v.: Die Hexactinelliden d. senonen Diluvialgeschiebe in Ost- u. Westpreussen. [S.-A.] (20 u. 1 m. 3 Taf.) 4° Köngsbg (W Koch) 03. 2 —
Ungern-Sternberg, I Freifrau v., geb. Freiin v. d. Pahlen: Nietzsche im Spiegel sr Schrift. (175 m. 1 Bildnis u. 29 Fksm. Beil.) 8° Lpzg, CG Naumann (02). 6 —; L. 7.50
Ungern-Sternberg-Berg, Baronin W v., geb. Gräfin V. Berg, s.: Fuchs, d. gefang.
— Lazarus. Dichtgn. Mit Benutzg e. Gelegenheitsrede E Bersiers. (37) 8° Riga, J Deubner 03. Mit G. 1.50
— Das Licht. Dichterisch bearb. Mit Benutzg e. Schrift Flammarions u. e. Predigt Bersiers. (51) 8° Ebd. 02. 3 —
— Das Lied vom Bären. (88) 12° Ebd. (02). 1.60 d
Ungeschminkt. Zeitschrift f. Theater, Musik u. Tagesereignisse. Red.: F Koch. 1. Jahrg. Novbr 1904—Jan. 1905. 12 Nrn. (Nr. 1. 16) 8° Berl., Verl. d. Zeitschrift „Ungeschminkt". (?) (Lpzg, O Maier.) 2 —; einz. Nrn — 20;
f. Dezbr 1904 unentgeltlich. d 6 F
Ungewitter, C: Die Rattenplage u. ihre rationelle Bekämpfg. (45) 12° Erf., F Bartholomäus (01).
Ungewitter, G: Lehrb. d. got. Konstruktionen. 4. Afl. v. K Mohrmann. 3—9. Lfg. (161—690 m. Abb. u. Taf.) 8° Lpzg, CH Tauchnitz 01-03. Je 3 — (Vollst.: 27 —; in 2 HF.-Bdn 32 —)
— Goth. Musterb., s.: Statz, V.
Ungewitter, R: Wieder nacktgewordene Menschen (Lichtluft-Bäder), s.: Volksschriften z. Aufklärg üb. d. natürl. Lebensweise.
— Die Nährwerte d. Nahrgsmittel u. ihre Verwendg z. rationellen Ernährg nach Dr. Lahmann nebst Uebersichts-Tab. (61×47,5 cm.) 2. Afl. (1/8) 8° Stuttg., (A Koch & Co.) (03). — 50 d
Unglaub, K: Neue Gesangsch., s.: Mason, LW.
Uniform, die. Fach- u. Anzeigebl. d. ges. Uniform- u. Militäreffekten-Branche u. deren solide Livrée-, Sportbekleidgs- u.Kostüm-Industrie. Red.: E Demme. 3. Jahrg. 1901. 24 Nrn. (Nr. 1. 8) 4° Berl., Mor. Warschauer. 1.50
— dass. Fachbl. f. d. ges. Uniform- u. Militäreffekten-Branche. Anzeiger f. Armee- u. Marine-Bedarf. Red.: P Berger. 9—12. Jahrg. 1902—05. je 24 Nrn. (1902, Nr.1—7. 56) 4° Ebd. Viertelj. 1.50; einz. Nrn — 30; m. Schnittmusterbeil. — 50
Uniformen, d., d. deut. Armee. 2 Abthlgn. 8° Lpzg, M Ruhl. 4.50; Einbde je — 50
1. Uebersichtl. Farbendarstellgn d. Uniformen. (32 farb. Taf. m. Taf. Erklärgn.) Mit anschliff. Liste d. sämmtl. Truppentheile u. deren Bataillione m. Angabe d. Standquartiere u. genauen Erläutergn d. Farbendarstellgn. 29. Afl. (62) 05. 3.50
2. Die Abzeichen d. Uniformen d. deut. Armee, nebst Abb. d. Lanzenflaggen, Fahnen, Standarten u.s.w. 10. Afl. (28 farb. Taf.) Mit Erläutergn. (52) 05. 2.50
Union. Illustr. General-Anzeiger f. Landw., Pferdezucht, Sport, Jagd u. Hund, Automobilismus, Bäder u. Verkehr, Kunst u. Kunstgewerbe. Red. F v. Wedel. 1. Jahrg. Apr.—Dezbr 1903. 39 Nrn. (Nr.1. 16) 40,5×26 cm. Berl. (NW7, Sonnenstr. 5), F v. Wedel. ‖ 2. Jahrg. 1904. 26 Nrn. Viertelj. 1.50;
einz. Nrn 1903 — 20; 1904 — 30
Fortsetzg war nicht zu erhalten.

Union. Unabhäng.Organ f. d.Interessen d.deut.Industrie u. d. Handels. Red.: J Stablecker. 20—24. Jahrg. 1901—5. (Ausg. in deut., engl., französ. u. span. u. e. Beil. in russ. Sprache.) Deut. Ausg. je 24 Nrn, d. übr. je 12 Nrn. (Nr. 1. 12 m. Abb.) 45×31 cm. Berl., F Stankiewicz. Je jede Ausg. jährlich 5 —
— positive. Kirchl. Monatsschrift. Organ d. landeskirchl. Vereinigg d. Freunde d. positiven Union. Hrsg. u. Schriftleiter: Flaischlen, 1905: Dietrich. 1. u. 2. Jahrg. 1904 u. 5 je 12 Nrn. (296 u. 312 u. 15) 8° Berl., Verl. d. landeskirchl. Vereinigg d. Freunde d. positiven Union. Viertelj. 1.30; einz. Nrn — 40 d
Bildet d. Fortsetzg zu: Wochenschrift, kirchl., f. ev. Christen. — Der 1. Jahrg. erschien anfänglich in Halle.
— postale. Journal publié par le bureau internat. de l'union postale universelle. 26—30. vol. Année 1901—5 ‖ 12 nrs. (1901. Nr. 1. 16) 4° Bern, (H Körber). Je 4.80
Union-Sammlung moderner Romane aller Nationen. 23—35. (Schl.-)Bd. 8° Stuttg., Union. Je — 75; L. je 1 — d
Bourget, P: Ihr Schatten. (Le Fantôme.) Aus d. Franz. v. C Rocco. (207) (02.) [79.]
Erlin-Schmeckebier, H: Gezeichnet. (220) (02.) [80.]
Godin, A: Mutter u. Sohn. 2 Bde. (Neue Ausg.) (247 u. 242) (04.) [84.35.]
Harte, FB: Der Kreuzzug d. „Excelsior". Übers. v. WH Meyer. (231) (02.) [99.]
Hartwig, G: Das Dorfkind. (235) (01.) [22.]
Jensen, G: Das Paradies. Aus d. Schwed. v. F Haro. (212) (03.) [32.]
Krause, GJ: Ums Geld. (225) (02.) [27.]
Loti, P: Aziyadeh. Uebers. v. R Froelss. (226) (09.) [25.]
Skowronnek, R: Die Frau Leutnant. (244) (01.) [34.]
Weber, A: Die gold. Lore. (234) (02.) [26.] ‖ Verfrühling. (212) (04.) [33.]
White, F: Westend. Roman. s. d. engl. Gesellschaft. Übers. v. M Walter. (216) (03.) [31.]
Bisher u. d. T.: Romane, moderne, aller Nationen.
Universal-Adressbuch f. russ. Importeure. (In deut. u. russ. Sprache.) IX. Jahrg. 1905. Nebst: Neuester russ. Zolltarif, giltig f. d. europ. u. asiat. Russl., excl. Finnl., rev. auf Grund d. bis Ende Dezbr '04 erlass. Entscheidgn d. kais. russ. Zoll-Departements. Nebst: Allg. russ. Zolltarif v. 13./26.I.'03 u. neuer Vertrags-Tarif v. 15./28.VII.'04, welche am 16./1.III.'06 in Kraft treten u. bis 18./31.XII.1917 in Kraft bleiben werden. (26, 320, 160 u. 39) 8° Leipzig (Weststr. 18), A Pieszczek & Co. nn 6.50
Universal-Automobil-Karte. Berichtigt v. G Müller. Mit Nebenk. auf d. Rücks. Nr. 1—16. Farbdr. Lpzg, T Thomas (05). Auf L. in Futteral 37 —
1. Kgr. Sachsen. (Kl. Ausg.) (Mit 3 Nebenk.) 1:500,000. 39×46 cm. 1.50
2. Prov. Sachsen, Anhalt, Braunschweig, Hannover, östl. Thl. Mit 2 Nebenk. 1:500,000. 34×40 cm. 2.50
3. Prov. Brandenburg. Mit 2 Nebenk. 1:500,000. 39,5×57 cm. 2.50
4. Thüring. Staaten. Kgr. Bayern nördl. Tl. Mit 2 Nebenk. 1:500,000. 40×49 cm. 2.50
5. Kgr. Bayern mittl. Tl. Mit 2 Nebenk. 1:500,000. 39,5×57 cm. 2.50
6. Kgr. Bayern südl. Tl. Mit 2 Nebenk. 1:500,000. 39,5×57 cm. 2.50
7. Kgr. Sachsen nebst Tln d. angrenz. Länder. (Gr. Ausg.) Mit 3 Nebenk. 1:400,000. 49,5×62,5 cm. 2.50
8. Rheinprov., Westf. südl. Tl, Hessen-Nassau, Ober-Hessen, Waldeck. Mit 5 Nebenk. 1:500,000. 40,5×56 cm. 2.50
9. Kgr. Württemberg, Grossh. Hessen u. Baden nordöstl. Tl. Mit 5 Nebenk. 1:500,000. 37,5×42 cm. 2.50
10. Elsass. Grossh. Baden südwestl. Tl. Mit 1 Nebenk. 1:500,000. 37,5 ×37,5 cm. 1.50
11. Lothringen. Bayr. Pfalz. Luxemburg. Rheinprov. südl. Tl. Mit 1 Nebenk. 1:500,000. 37×55 cm. 1.50
12. Prov. Schlesien. Mit 2 Nebenk. 1:500,000. 50,5×64,5 cm. 2.50
13. Prov. Hannover, Oldenburg, Westf. nördl. Tl, Lippe, Hamburg, Bremen, Niederl. östl. Tl. Mit 3 Nebenk. 1:500,000. 50,5×60 cm. 2.50
14. Prov. Schleswig-H., Hamburg, Lübeck etc. Mit 2 Nebenk. 1:500,000. 54×42 cm. 2.50
15. Grossh. Mecklenburg. Vorpommern. Brandenburg nördl. Tl. Mit 3 Nebenk. 1:500,000. 54×42 cm. 2.50
16. Prov. Posen. Gau Nr. 25 u. s. Tl No. 26. Frankfurt a/Oder. Mit 2 Nebenk. 2.50
Universal-Bibliothek. Nr. 85—87, 1250, 1341—1345, 1411—1415, 1541—1545, 1590, 1615, 1616, 1635, 1681—1686, 1704, 1781, 1782, 1981—1990, 2218, 2291—2295, 2511, 2430, 2623, 2624, 2634, 2732, 2744, 2778, 2871, 2872, 2874, 2875, 3110, 3143—3145, 3176, 3177, 3291—3295, 3328, 3376—3380, 3511—3515, 3531—3540, 5564, 5565, 3571—3575, 3635, 3681—3688, 3814, 4006, 4053 u. 4131—4740. 16° Lpzg, P Reclam jun. Je 0 —
About, E: Der Pater d. Berge. Erzählg. Aus d. Franz. v. A Baumeister. (223) (01.) [4222.55.] ‖ Die Spielhölle in Baden-Baden. (Trente et Quarante.) Aus d. Franz. v. A Baumeister. (192) (03.) [4465.66.]
Achleitner, A : Eisenbahnstreik. Roman. (144) (04.) [4557.58.] Geb. — 80
Adlersfeld-Ballestrem, E v.: Halali. — Der Fall Stachelberg. 2 Kriminal-novellen. (180) (03.) ‖ Die Rosen d. Herrn v. Bredow. Vaterländ. (03.) [4440.] ‖ Tiere u. Menschen. Heitere Geschichten. (96) (04.) [4558.]
Alexis, W (W Häring): Cabanis. Vaterländ. Roman. 2 Bde. (538 u. 368) (02.) [4571—4.] Geb. 1.30 ‖ Der Roland v. Berlin. Roman. 2 Bde. (368 u. 386) (02.) [4351—56.] Geb. 1.75 ‖ Der Werwolf. Vaterländ. Roman. 2 Bde. (378 u. 357) (03.) [4448—53.] Geb. je 1.30
Andrea, A : Aus d. Frauenleben. Erzählg. (111) (02.) [4227.]
Andrejew, L: Novellen. Aus d. Russ. v. A v. Krusenstjerna. (107) (02.) 2.50
Auerbach, A: Schwabestreich', у ländl. Komödien. (D' Erbschaft. D'r Erlkuntergang.) (48) (05.) [4465.]
Bandlow, H: Ernst Spilbaum. Eine heit. Gesch. (104) (05.) [4415.] ‖ Starenfegels. Humorist. Geschichten. 5. Bd. (96) (02.) [4276.] ‖ Lustig Tügs. Humoresken. 1. Bd. (104) (04.) [4159.]
Barrill, AG: Kapitän Dodero. Erzählg. Aus d. Ital. v. A Dulk-Pressigny. (92) (04.) [4598.]
Baselow's, JB, Vorstellg an Menschenfreunde. Mit Einl. u. Anmerkgn hrsg. v. T Fritzsch. (112) (05.) [4663.] Geb. — 66
Baudissin, E Gräfin v.: Daheim u. Draussen. Humoresken. (96) (1900.) [4132.]

Universal-Bibliothek. Fortsetzg.

Baudits, S: Schneespuren. Winternovelle. Aus d. Dän. übertr. u. m. e. biographisch-literarhistor. Einl. versehen v. C Küchler. (88) (02.) [4275.]

Beaulieu, G v.: Grossstadt-Originale. Humoristisch-satir. Skizzen. (99) (03.) [4405.]

Beckmann, F: Der Schnepfenjäger, s.: Wittmann, CF, Solo-Spiele.

Benedix, R: Aschenbrödel. Schausp. Bühneneinrichtg v. E Albert. (109) (04.) [4504.] ‖ Die Dienstboten. Lustsp. Bühneneinrichtg. (39) (04.) [4547.]

— Das Dienstmädchen, s.: Solo-Spiele.

— Die Eifersüchtigen. Lustsp. Souffiierb. (32) (04.) [4586.] ‖ Eigensinn. Lustsp. Bühneneinrichtg. (30) (04.) [4492.] ‖ Das Gefängnis. Lustsp. Bühneneinrichtg v. E Albert. (79) (04.) [4552.]

— Die Grossmutter, s.: Solo-Spiele.

— Das bemooste Haupt od. Der lange Israel. Schausp. Mit e. biograph. Einl. Bühneneinrichtg. (79 m. Bildnis.) (04.) [4491.] ‖ Die Hochzeitsreise. Lustsp. Bühneneinrichtg. (48) (04.) [4534.] ‖ Ein Lustspiel. Lustsp. (96) (04.) [4576.]

— Der Mädchen Waffen, s.: Kruse, GR, dramat. Zwiegespräche.

— Der Störenfried. Lustsp. Bühneneinrichtg v. E Albert. (95) (04.) [4568.] ‖ Die relegierten Studenten. Lustsp. Bühneneinrichtg v. E Albert. (104) (04.) [4535.] ‖ Die zärtl. Verwandten. Lustsp. Bühneneinrichtg v. E Albert. (95) (04.) [4493.] ‖ Der Vetter. Lustsp. Bühneneinrichtg v. E Albert. (64) (04.) [4596.] ‖ Der Weiberfeind. Lustsp. Souffiierb. (32) (04.) [4626.] ‖ Doktor Wespe. Lustsp. Bühneneinrichtg v. E Albert. (94) (04.) [4524.]

Benzmann, H: Moderne deut. Lyrik. Mit e. literargeschichtl. Einl. u. biograph. Notizen. (592) (04.) [4511—15.] Geb. 1.50; m. G. 2 —

Berg, OF: Die alte Schachtel. Wiener Posse m. Gesang. Erneuert v. O Tann-Bergler. Musik v. R Raimann. (71) (03.) [4435.]

— u. D Kalisch: Berlin, wie es weint u. lacht. Volksstück m. Gesang. Musik v. A Conradi. (80) (05.) [4689.]

Berger, R: Die Scholle. Schausp. Bühneneinrichtg. (63) (04.) [4579.]

Bergmann, A(T): Ernst Staas, Advokat. Skizzen u. Bilder. Aus d. Vläm. m. e. biograph. Skizze v. H Pottmeyer. (172) (02.) [4266.67.]

Bern, M: Deklamatorium. Mustersammlg ernster u. heit. Vortragsdichtgn a. d. Weltlitt. 7. Afl. (636) (03.) [2291—95.] Geb. 1.50; m. G. 2 —

Berti, O: Teremtette. Schwank. (24) (01.) [4228.]

Björnson, B: Der König. Drama. Nach d. ursprüngl. Passg übers. v. E Klingenfeld. Bühneneinrichtg. (114) (03.) [4479.]

Bleibtreu, K: Kaiser u. Dichter. Eine Aventüre. (224) (05.) [4701.02.] ‖ Karma. Schausp. Bühneneinrichtg. (106) (01.) [4166.]

Blüthgen, V: Ein „ehrl. Makler“. Asra. 2 Novellen. (88) (04.) [4601.] ‖ Aus gärender Zeit. Roman. (376) (01.) [4232—35.]

Börner, W: Ferd. Raimund, s.: Dichter-Biographien.

Bötticher, G: Allerlei Schnick-Schnack. (92) (02.) [4300.] ‖ Leichte Ware. Neue Schnurren. (95) (05.) [4740.] Geb. je — 60

Boy-Ed, I: Aus Tantalus Geschlecht. Roman. (362) (01.) [4211—14.] Geb. 1.20

Bremer's Handlexikon d. Musik. Neu hrsg. v. B Schrader. (555) (05.) [1681—86.] Geb. 1.75

Brentano, F: Der Posaunist u. and. Humoresken. (104) (04.) [4614.]

Brinckman, J: Kasper-Ohm un ick. Hrsg. v. H Bandlow. (216) (01.) [4189.90.] Geb. — 80

Brümmer, F: Lexikon d. deut. Dichter u. Prosaisten d. 19. Jahrh. 5. Afl. 4 Bde. (574, 604, 584 u. 522) (01.) [1981—90. 3531—40.] In 2 Bde geb. 5 —

Buchanan, R: Der Deserteur. Roman. Aus d. Engl. v. B Katscher. (363) (02.) [4345—48.]

Bülau, F: Geheime Geschichten u. rätselhafte Menschen. Sammlg verborg. od. vergess. Merkwürdigk. In neuer Ausw. 9. Bdchn. Graf Philipp Christoph v. Königsmark u. d. Prinzessin v. Ahlden. (93) (01.) [4255.] ‖ 10. Bdchn. (79) (02.) [4277.]

Burg, J: In d. Manege. Skizzen a. d. Artistenwelt. (96) (01.) [4147.]

Caccianiga, A: Briefe e. Gatten an s. verstorb. Frau. Übers. v. K Brenning. (168) (05.) [4737.38.]

Carlyle, T: Ueb. Helden, Heldenverehrg u. d. Heldentüml. in d. Gesch. Übers. v. E Pfannkuche. Mit Einl. u. Anmerkgn hrsg. v. A Pfannkuche. (331) (01.) [4191—98.] Geb. 1 —

Champol: Eine Gewissensfrage. Roman. Aus d. Franz. v. E Bagge. (223) (05.) [4719.20.]

Cholmondeley, M: Diana. Roman. Aus d. Engl. v. A Kellner. (376) (04.) [4617—20.] Geb. 1.20

Chop, M: Rich. Wagners flieg. Holländer u. Tannhäuser, s.: Erläuterungen zu Meisterwerken d. Tonkunst.

Cornelius, P: Der Barbier v. Bagdad. Kom. Oper. Text u. Musik v. C. Vollständ. Buch. Hrsg. u. eingeleitet v. GR Kruse. (104) (05.) [4643.] ‖ Gedichte. Ausgew. u. m. e. Einl. hrsg. v. E Sulger-Gebing. (96 m. Bildnis.) (05.) [4671.] Geb. — 60

Dahl, J: Ernstes u. Heiteres. Norweg. Erzählgn u. Schildergn. Deutsch v. H Holm. (108) (01.) [4187.]

Davis, G: Das Heiratsnest. Lustsp. (101) (03.) [4436.]

Deledda, G: Versuchgn u. and. Novellen. Aus d. Ital. v. E Müller-Röder. (104 m. Bildnis.) (05.) [4670.]

Demosthenes' Rede üb. d. Chersonesfrage u. Rede geg. Leptines. Deutsch v. F Spiro. (99) (03.) [4438.]

Dichter-Biographien. 6. Bd: Kiesgen, L: Heinr. v. Kleist. (127 m. 1 Bildnis.) (01.) [4218.] ‖ 7. Bd: Gottschall, R v.: Christian Dietrich Grabbe. (82 m. 1 Bildnis.) (01.) [4247.] ‖ 8. Bd: Gottschall, R v.: Nikolaus Lenau. (100 m. 1 Bildnis.) (02.) [4330.] ‖ 9. Bd: Zipper, A: Franz Grillparzer. (104 m. 1 Bildnis.) (03.) [4443.] ‖ 10. Bd: Riemann, R: Gottfr. Aug. Bürger. (111 m. 1 Bildnis.) (04.) [4630.] ‖ 11. Bd: Börner, W: Ferd. Raimund. (104 m. 1 Bildnis.) (05.) [4672.] Geb. je — 60

Dilling, L: Kildenbauers Witwe u. and. Erzählgn. Deutsch v. I Anders. (95) (03.) [4437.]

Donizetti, G: Der Liebestrank. Kom. Oper. Dichtg v. F Romani. (JC Grünbaum.) Vollständ. Buch. Durchgearb. u. hrsg. v. CF Wittmann. (99) (01.) [4144.]

Dufresne, J: Kl. Lehrb. d. Schachspiels. 7. Afl. v. J Mieses. (536 m. Diagr.) (02.) [1411—15.] Geb. 1.50

Dumas, A: 20 Jahre später. Fortsetzg v. Die 3 Musketiere. Deutsch v. H Conrad. 2 Tle. (520 u. 517) (01.) [4176—85.] Geb. 2.50

Dürow, J v.: Zwei arme Junker. Erzählg. (96) (04.) [4498.]

Echegaray, J: Schlechte Erbschaften. Schausp. Aus d. Span. v. Wittmann u. Schell. (72) (04.) [4508.] ‖ Galeotto. Drama. Deutsch v. CF Wittmann u. P Voss. (76) (02.) [4306.]

Edgren-Leffler, AC: 3 Erzählgn. Aus d. Schwed. v. L Wolf. (128) (02.) [4290.]

Ekkehard v. St. Gallen: Das Waltharilied. Übers. u. hrsg. v. H Drees. (75) (01.) [4174.] Geb. — 60

Elz, A: Er ist nicht eifersüchtig. Lustsp. Hrsg. u. durchgearb. v. CF Wittmann. (39) (03.) [4398.]

Erläuterungen zu d. Meisterwerken d. deut. Litt. 11. Bd. Zipper, A: Goethes Reineke Fuchs. (99) (01.) [4199.] ‖ 12. Bd. Zipper, A: Goethes Egmont. (40) (02.) [4284.] ‖ 13. Bd. Zipper, A: Schillers Wallenstein. I. Wallensteins Lager. II. Die Piccolomini. III. Wallensteins Tod. (196)

Universal-Bibliothek. Fortsetzg.

(02.) [4316.17.] ‖ 14. Bd. Zipper, A: Lessings Nathan d. Weise. (64) (04.) [4539.] ‖ 15. Bd. Zipper, A: Goethes Torquato Tasso. (56) (05.) [4665.]

Erläuterungen zu Meisterwerken d. Tonkunst. 1. Bd. Chop, M: Rich. Wagners flieg. Holländer. (91) (05.) [4709.] ‖ 2. Bd. Chop, M: Rich. Wagners Tannhäuser u. d. Sängerkrieg auf Wartburg. (95) (05.) [4725.]

Eulenberg, H: Ein halber Held. Tragödie. (76) (03.) [4429.] ‖ Leidenschaft. Trauersp. Bühneneinrichtg. (93) (01.) [4202.]

Ewald, C: Bilder a. d. Tier- u. Pflanzenleben. Aus d. Dän. v. O Reventlow. (117) (05.) [4699.]

Eysell-Kilburger, C (Frau V Blüthgen): Brillanten u. and. heit. Geschichten. (101) (04.) [4560.]

Fath, R: Eine amerikan. Heirat. Novelle. Aus d. Franz. v. E Ragge. (135) (01.) [4159.]

Feth, AA: Gedichte. Im Versmass d. russ. Originals v. F Fiedler. (96 m. Bildnis.) (03.) [4463.] Geb. — 60

Feuerbach, L: Das Wesen d. Christentums. Krit. Ausg. Mit Einl. u. Anmerkgn hrsg. v. K Quenzel. (526) (04.) [4571—75.] Geb. 1.50

Fischer, O: Waldherrschaft. Volksdrama. Bühneneinrichtg. (64) (04.) [4516.]

Forster, G: Ansichten v. Niederrhein, v. Brabant, Flandern, Holland, Engl. u. Frankr. im April, Mai u. Junius 1790. Hrsg. u. m. Anmerkgn versehen v. R Geerds. 3 Tle. (227, 223 u. 214 m. je 1 Titelbild.) (05.) [2729—34.] In 1 Bd geb. 1.75

Frapan-Akunian, I: Die Retter d. Moral. Drama. (75) (05.) [4664.]

Frerking, W: Eintagsfliegen. Humoresken u. Skizzen. (104) (01.) [4257.]

Friedmann, A: Gallier u. Hellenin. Inez de Castro. Der Alte v. Nervi. 3 Novellen. 3. Afl. (107) (04.) [3814.] ‖ Kirchenraub. Falsche Freundschaft. 2 Arbeiternovellen. 9. Afl. (135) (02.) [2260.] ‖ Lebensmärchen. 3 Novellen. 5. Afl. (132) (04.) [1250.] ‖ Der letzte Schuss. Die Erzählg d. Henkers v. Bologna. Ein Kind sr Zeit. 3 Novellen. 7. Afl. (187) (04.) [2871.72.] ‖ Der Todesring. Der Venusdurchgang. 2 Gelehrten-Novellen f. Ungelehrte. 9. Afl. (128) (03.) [2430.]

Fritz, S (F Singer): Ein Jahr. Duette a. d. Eheleben. 3. Afl. (103) (03.) [4389.]

Gallet, L: Kapitän Satan od. Abenteuer d. Cyrano de Bergerac. Aus d. Franz. v. H Dévidé. (464) (03.) [4431—34.] Geb. 1.20

Gaskell, E: Cranford. Aus d. Engl. v. H Jahn. (224) (03.) [4441.42.]

Gassmann, T: Er reist f. Bollinger. Schwank. Durchgesehen u. hrsg. v. CF Wittmann. Bühneneinrichtg. (55) (02.) [4314.] ‖ Plauderstunden. Lustsp. Durchgesehen u. hrsg. v. CF Wittmann. (29) (03.) [4445.]

Gensichen, OF: Jungbrunnen. Schausp. Bühneneinrichtg. (90) (01.) [4195.]

— Was ist e. Plauderei?, s.: Kruse, GR, dramat. Zwiegespräche.

Gerstäcker, F: Unter d. Äquator. Javan. Sittenbild. (616) (04.) [4561—65.] Geb. 1.50 ‖ Das sonderbare Duell u. 2 and. humorist. Erzählgn. (119) (03.) [4395.] ‖ Die Flusspiraten d. Mississippi. Roman. (544) (03.) [4406—10.] Geb. 1.50 ‖ Herrn Mahlhubers Reiseabenteuer. Erzählg. (127) (03.) [4468.] ‖ Die Regulatoren in Arkansas. Roman. (526 m. Bildnis.) (03.) [4371—75.] Geb. 1.50 ‖ Der Wilderer. Drama. Nach d. letzten Einrichtg f. d. Bühne hrsg. v. CF Wittmann. (69) (03.) [4414.]

Gesetzbuch, d. österr. allg. bürgerl. Textausg. m. Hinweisen auf d. zugehör. Dekrete, Ges. u. Verordngn u. m. sonst. Anmerkgn. 3. Afl. v. G Schen. (672) (05.) [3291—95.] Geb. 1.50

Gewerbe-Unfallversicherungsgesetz nebst Ges., betr. d. Abänderg d. Unfallversichergsges., v. 30.VI.1900, unter Berücks. d. zu d. verblieb. Vorschriften d. seither. Unfallversichergsges. ergang. Verordngen, Regulativen u. Rundschreiben, sowie d. Seitens d. Reichsversichergsamtes getroff. Entscheidgn u. Bescheide. Textausg. m. Anmerkgn. Hrsg. v. e. prakt. Juristen. 4. Afl. (272) (03.) [2623.24.]

Giers, JH: Unterm Weihnachtsbaum. Charakterbild. Bühneneinrichtg. (22) (03.) [4487.]

Gluck, CW: Orpheus u. Eurydike. Oper. Italien. Orig.-Text v. Ranieri di Calzabigi. Nach d. französ. Bearbeitg d. Moline, deutsch v. JD Sander. Vollständ. Buch. Hrsg. u. eingeleitet v. GR Kruse. (55) (04.) [4566.]

Glümer, C v.: Frau Domina. Novelle. (192) (02.) [4285.86.] ‖ Dönninghausen. Roman. (366) (02.) [4331—34.] ‖ Erinnergn an Wilhelmine Schröder-Devrient. 3. Afl. (176 m. 1 Bildnis.) (04.) [4611.12.] Geb. — 80 ‖ Lutin u. Lutine. Erzählg a. d. Béarn. (155) (04.) [4577.78.]

Gobineau, Graf: Die Renaissance. Histor. Szenen. Deutsch v. L Schemann. Neue Ausg. (30, 384) (05.) [3511—15.] Geb. 1.50 ‖ Die Tänzerin v. Schemacha. Novelle. Deutsch v. R Schlösser. (80) (04.) [4551.] Geb. — 60

Goltz, B: Aus G.'s Schriften. Hrsg. v. P Stein. 1. Tl. Aus „Jugendleben“ u. „Buch d. Kindheit“. (103) (01.) [4227.]

Gorjkij, M: Die alte Isergil u. and. Erzählgn. Aus d. Russ. v. A v. Krusenstjerna. (128) (04.) [4587.] ‖ Malwa. — Die Gesch. e. Verbrechens. 2 Erzählgn. Deutsch v. F Bertuch. (102) (02.) [4368.] ‖ Mein Reisegefährte u. and. Erzählgn. Aus d. Russ. v. H Mexin u. P Losch. (88 m. Bildnis.) (01.) [4221.] ‖ Der Taugenichts u. and. Erzählgn. Deutsch v. A v. Krusenstjerna. (101) (05.) [4673.] ‖ Der Vagabund u. and. Erzählgn. Aus d. Russ. v. F Bertuch. (101) (02.) [4271.]

Goethe: Jery u. Bätely. Singsp. Musik u. vollständ., neue Bühneneinrichtg v. G Hartmann. (32) (05.) [4651.]; Klavierauszug. (40) 8° 1.50

— u. Zelter: Briefwechsel in d. J. 1799—1832. Mit Einl. u. Erläutergn hrsg. v. L Geiger. 1. Bd. 1799—1818. (599) (04.) ‖ 2. Bd. 1819—27. (573) (04.) ‖ 3. (Schl.-)Bd. 1828—32. (689) 04. [4581—85, 91—95, 4606—10.] Geb. je 1.50

Gottfried v. Strassburg: Tristan u. Isolde. Höf. Epos. Aus d. Mhd. v. K Pannier. 2 Bde. (381 u. 295 m. Titelbild.) (03.) [4471—76.] In 1 Bd geb. 1.75

Gottschall, R v.: Der Götze v. Venedig. Schausp. (79) (01.) [4171.]

— Christian Dietrich Grabbe. — Nikolaus Lenau, s.: Dichter-Biographien.

— So zahlt man s. Schulden! Verslustsp. n. e. altengl. Idee. (88) (04.) [4510.]

Grillparzer, F: Die Ahnfrau. Trauersp. (102) (03.) [4377.] ‖ Ein Bruderzwist in Habsburg. Trauersp. (104) (03.) [4393.] ‖ Ein treuer Diener s. Herrn. Trauersp. (82) (03.) [4383.] ‖ Esther. Dramat. Fragment. — Hannibal u. Scipio. Dramat. Szene. (44) (03.) [4392.] ‖ Gedichte. In Ausw. hrsg. v. A Zipper. (200 m. Bildnis.) (03.) [4401.02.] Geb. — 80; m. G. 1.20 ‖ Die Jüdin v. Toledo. Histor. Trauersp. (70) (03.) [4394.] ‖ Libussa. Trauersp. (89) (03.) [4391.] ‖ Des Meeres u. d. Liebe Wellen. Trauersp. (80) (03.) [4384.] ‖ König Ottokars Glück u. Ende. Trauersp. (111) (03.) [4382.] ‖ Sappho. Trauersp. (73) (03.) [4378.] ‖ Der arme Spielmann. Das Kloster bei Sendomir. 2 Novellen. (83) (03.) [4430.] ‖ Der Traum, e. Leben. Dramat. Märchen. (93) (03.) [4385.] ‖ Das gold. Vliess. Dramat. Gedicht. 1. u. 2. Abtlg: Der Gastfreund. Die Argonauten. (96) (03.) [4379.] ‖ 3. Abtlg: Medea. (80) (03.) [4380.] ‖ Weh' dem, d. lügt! Lustsp. (74) (03.) [4381.]

Grolier, B: In schlechter Form u. and. Novellen. (104) (05.) [4710.] ‖ Der olle ehrl. Lehmann u. and. Gesch. (99) (02.) [4370.]

Grube, C: Dr. Ritter a. Chicago. Lustsp. Bühnenbearbeitg. (30) (02.) [4344.]

Gruppe, OF: Gedichte. In Ausw. hrsg. v. d. Sohne d. Dichters. (164) (04.) [4521.22.] Geb. — 80

Grüttner, A, u. P Exner: Lehrerleben, s.: Wittmann, CF, Festspiele.

Universal-Bibliothek. Fortsetzg.

Gundlach, F: Französ. Lyrik seit d. gr. Revolution bis auf d. Gegenwart. In Übertraggn hrsg. (455) (04.) [4621—25.] Geb. 1.50; m. G. 2 —

Gyllembourg, T: Eine Alltagsgesch. Aus d. Dän. übers. u. m. e. biograph. Einl. versehen v. H v. Lenk. (69) (01.) [4163.]

Haffner, C: Therese Krones. Genrebild m. Gesang u. Tanz. Musik v. A Müller. Bühneneinrichtg. (92) (02.) [4295.]

Halm, F: Camoens. Dramat. Gedicht. Durchgearb. u. hrsg. v. CF Wittmann. (36) (02.) [4349.] ‖ Die Marzipan-Lise. — Die Freundinnen. 2 Erzählgn. (87) (04.) [4520.]

Hartmann, M: Der Krieg um d. Wald. Historie. (178) (04.) [4536.37.]

Hauff, W: Lichtenstein. Romant. Sage. (Neue Afl.) (415) (05.) [85—87.] Geb. 1 —

Hebbel, F: Agnes Bernauer. Ein deut. Trauersp. Bühneneinrichtg. (96) (02.) [4268.]

Heiberg, H: Der Landvogt v. Pelworm. Der Chronik nacherzählt. (103) (02.) [4273.]

Heijermans, H: Ahasver. Schausp. Aus d. Holl. v. P Raché. (32) (04.) [4615.] ‖ Ghetto. Schausp. Aus d. Holl. v. P Raché. (72) (03.) [4469.] ‖ Die Hoffng auf Segen. Ein Seestück. Aus d. Holl. v. F de Graaff. (88) (05.) [4684.]

Held, L: Die Näherin. Posse m. Gesang. Musik v. K Millöcker. Bühnenbearbeitg. (78) (01.) [4219.]

Henckel, M: Anna Sophie Reventlow. Roman a. d. Zeit Friedrichs IV. v. Dänemark. Aus d. Dän. v. M Mann. (214) (02.) [4312.13.]

Herbart, JF: Allg. Pädagogik, a. d. Zweck d. Erziehg abgeleitet. Mit Einl. u. Anmerkgn hrsg. v. T Fritzsch. (240) (02.) [4339.40.] Geb. — 80

Herbst, E, u. CF Wittmann: Die Dilettanten-Bühne. Anl. zu Liebhabertheater-Aufführgn. 4. Afl. (108 m. Abb.) (03.) [2778.]

Herczeg, F: Die Operettensängerin. Roman. Aus d. Ung. v. H Farkas. (182) (04.) [4505.06.]

Herder, JG: Schulreden. Hrsg. v. H Michaelis. (216) (03.) [4459.60.] Geb. — 80

Herrmann, F: Das Buch Ruth. Aus d. Grundtext übers. u. m. Erläutergn versehen. (77) (02.) [4265.] Geb. — 60

Hersch, H: Die Anna-Lise. Histor. Lustsp. Durchgesehen u. hrsg. v. CF Wittmann. (72) (01.) [4141.]

Hiller, JA: Die Jagd. Kom. Oper. Dichtg v. CF Weisse. Text u. Musik neu bearb. v. A Lortzing. Vollständ. Buch. Zum 1. Mal hrsg. u. m. e. geschichtl. Einl. versehen v. GR Kruse. (112) (04.) [4556.]

Hirschberg-Jura, R: Hans im Glück. Humorist. Roman. (216) (05.) [4666.67.]

Hochstedt, J: Ein neuer Sommerhut, s.: Solo-Spiele.

Hocking, SK: Im Kampfe m. d. Schicksal. Roman. Aus d. Engl. v. B Treumann-Koner. (276) (05.) [4694—96.] Geb. 1 —

Hopfen, H: Der Böswirt. Eine bayr. Dorfgesch. (91) (03.) [4400.] Geb. — 60 ‖ Mein Onkel Don Juan. Eine Gesch. a. d. 18. Jahrh. Neue Ausg. (387) 04. [4541—44.] Geb. 1.20.

Hopp, F: Doktor Fausts Hauskäppchen od.: Die Herberge im Walde. Posse m. Gesang. Musik v. M Hebenstreit. Durchgearb. u. hrsg. v. CF Wittmann. (88) (02.) [4289.]

Jahn, C: Die Nachtglocke, s.: Wittmann, CF, Solo-Spiele.

Jahn, ER: In d. Kaltwasserheilanstalt. Erheit. Erzählgn. (86) (02.) [4296.]

Jahn, FL, u. E Biselen: Die deut. Turnkunst z. Einrichtg d. Turnplätze. Eingeleitet u. hrsg. v. H Rühl. (192) (05.) [4712.14.] Geb. — 80

Jensen, W: Die Erbin v. Helmstede. Roman. 2. Afl. (277) (03.) [4421—23.] Geb. 1 —

Jerome, JK: Bunte Skizzen. (Sketches in lavender.) Aus d. Engl. v. F Sigismund. (207) (04.) [4517.18.]

Jónasson, J: Lebenslügen. 4 Erzählgn. Aus d. Neu-Isländ. v. C Küchler. (120) (05.) [4657.]

Junghans, S: Unter d. Ehrenpforte. Novelle. (122) (03.) [4412.]

Kaiser, F: Stadt u. Land od. Der Viehhändler a. Oberösterr. Posse m. Gesang. Musik v. A Müller sen. Hrsg. u. m. e. biograph. Einl. versehen v. E Weiland. (71) (05.) [4697.]

Kalisch, D: Einer v. uns. Leut'. Posse m. Gesang, n. OF Berg f. d. norddeut. Bühne bearb. u. m. Couplets versehen. Musik v. Stolz u. Conradi. Hrsg. u. n. d. Partitur durchgesehen v. CF Wittmann. (85) (03.) [4427.] ‖ 100 000 Taler. Posse m. Gesang. Musik v. W Gährich. (91 m. Bildnis.) (03.) [4439.]

Kant, I: Grundlegg d. Metaphysik d. Sitten. Hrsg. v. T Fritzsch. (106) (04.) [4507.] Geb. — 60

Katscher, L: Aus China. Skizzen u. Bilder. 2. Bdchn. (112) (1900.) [4131.]

Keller, J: Mädel, sei schlau! Lustsp. (24) (01.) [4188.]

— Der Sylvester-Engel, s.: Wittmann, CF, Festspiele.

Kleegen, L: Heinr. v. Kleist, s.: Dichter-Biographien.

Kleinecke, R: Bergbauern u. Stadtleut'. Geschichten a. d. Alpen. (104) (04.) [4196.]

Kleist, H v.: Amphitryon. Tragikomödie n. Molière. Umgearb. v. W Henzen. Bühnenausg. (63) (04.) [4519.]

Köhler, B: Antje. Schausp. (31) (03.) [4478.]

— Allg. Trachtenkde. Mit Kostümbildern. 4. Tl. M.-A. 3. Abtlg. (212) (01.) [4145.46.] ‖ 5. Tl. Neuere Zeit. 1. Abtlg. (279) (01.) [4172.73.] ‖ 6. Tl. Dass. 2. Abtlg. (280) (01.) [4203.4.] ‖ 7. Tl. Dass. 3 Abtlg. (281) (01.) [4223.24.] (Vollst. in 2 Bde geb.: 4 —)

Köhler's, F, englisch-deut. u. deutsch-engl. Taschen-Wrtrb. Neu bearb. v. H Lambeck. (798) (03.) [1341—45.] Geb. 1.50 ‖ Italienisch-deut. u. deutsch-italien. Taschen-Wrtrb. Neu bearb. v. R Kleinpaul. (708) (02.) [1541—45.] Geb. 1.50

Koran, der. Aus d. Arab. übertr. u. m. e. Einl. versehen v. M Henning. (611) (01.) [4206—10.] Geb. 1.50

Kraemmer, E: Pröhl. Bürger. Norweg. Kleinstadtgeschichten. Übers. v. C Feldtmann. (125) (02.) [4320.] ‖ Väter d. Stadt. Norweg. Kleinstadtgeschichten. Übers. v. C Feldtmann. (133) (02.) [4321.]

Krickeberg, E: Ohne Liebe. — Der tolle Graf. 2 Erzählgn. (215) (03.) [4455.56.]

Kröger, T: Die Wohng d. Glücks. Novellenkranz. (95) (04.) [4570.]

Kruse, GR: Dramat. Zwiegespräche. Für d. Berufstheater u. d. Dilettantenbühne ges. u. m. d. vollständ. Regiebearbeitg hrsg. 6. Bdchn. (Gensichen, OF: Was ist e. Plauderei? Plauderei. — Lehmann, J: Kehraus. Plauderei n. d. Dän., bearb. v. H Braumüller. — Stoklasser, O: Mein Leben. Szene. — Benedix, R: Der Mädchen Waffen. Vorsp.) (72) (05.) [4728.]

Kugler, F: Gesch. Friedrichs d. Gr. Mit Einl. u. Anmerkgn hrsg. v. M Mendheim. (519) (02.) [4361—65.] Geb. 1 50

Kurz, H: Das Arcanum u. and. Novellen. (95) (01.) [4175.]

Kvapil, J: Freie Wolken. Schausp. Aus d. Tschech. v. R Sandek. (56) (05.) [4726.]

Lagerlöf, S: Eine Gutsgeschichte. Aus d. Schwed. v. M Buchholz. (143 m. Bildnis.) (01.) [4229.30.]

Lassalle, F: Franz v. Sickingen. Histor. Tragödie. (182) (05.) [4716.17.]

Lazarevic, LK: Serb. Erzählgn. Übers. v. J Beckmann. (109) (03.) [4470.]

Universal-Bibliothek. Fortsetzg.

Lehmann, J: Kehraus, s.: Kruse, G, dramat. Zwiegespräche.

— Oberarzt II. Klasse. Lustsp. (29) (03. [4404.] ‖ Die Schrippe. Kom. Begebenh. in 1 Aufzug. Soufflierb. (21) (02.) [4359.]

Lehmann-Haupt, T: Warum d. Frühling kommen musst'! Dramat. Ostermärchen. Musik v. L Lehmann. (55) (04.) [4499.]

Lenk, H: Die Gesch. Transvaals v. d. Gründg d. Staates bis z. Wahl d. Präsidenten Paul Krüger. 1852—83. 1. Bdchn. Bis z. Annexion durch Engl. 1877/80. (120) (02.) [4322.] ‖ 2. Bdchn: Der Freiheitskampf 1880/81 u. d. freie Transvaal bis z. Beginn d. Präsidentschaft Krügers 1883. (143) (02.) [4358.] ‖ Dass. unter d. Präsidentschaft Paul Krügers bis z. Ausbr. d. gr. Krieges. 1884—99. Nebst e. kurzen Gesch. d. Oranje-Freistaats 1854—99. (165 m. 2 Bildnissen.) (04.) [4494.95.] ‖ Die Wanderg d. Buren bis z. Gründg ihrer Staaten 1652—1854. (101) (01.) [4251.] (Nr. 4251, 4322, 4358, 4494 u. 4495 in 1 Bd geb. 1.50)

Léon, V: Die grünen Bücher. Lustsp. (39) (05.) [4646.]

Lindau, P: Die beiden Leonoren. Lustsp. (88) (04.) [4590.] ‖ Der Schatten. Schausp. (87) (05.) [4637.]

Lortzing, GA: Die Opernprobe. Kom. Oper frei n. Poisson u. JF Jünger. Dichtg u. Musik v. L. Vollständ. Buch. Durchgearb. u. hrsg. v. CF Wittmann. (56) (02.) [4272.] ‖ Hans Sachs. Kom. Oper. Text n. Deinhardsteins dramat. Gedicht frei bearb. v. P Reger. Vollständ. Buch m. d. nachkomp. Finale u. sonst. Ergänzgn n. d. handschriftl. Partitur, hrsg. v. GR Kruse. (104) (03.) [4488.]

Loti, P: Die Islandfischer. Aus d. Franz. v. E Bagge. (182) (01.) [4244.45.]

Lubahn, P: Prometheus, s.: Solo-Spiele.

Lucretius Carus, T: Von d. Natur d. Dinge. Übers. v. KL v. Knebel. Neu hrsg. v. O Güthling. (311) (01.) [4258—60.] Geb. 1 —

Macaulay's krit. u. histor. Aufsätze. 8. Bd. William Pitt. Aus d. Engl. übers. u. m. Anmerkgn versehen v. H Lampel. (85) (04.) [4627.]

Maikow, AN: Gedichte. Verdeutschg im Versmass d. Originals v. F Fiedler. (96 m. Bildnis.) (01.) [4246.] Geb. — 60

Makowski, L: Zu Befehl, Herr Rittmeister! Schwank. (23) (01.) [4158.]

Mannstädt, W, u. A Weller: Die wilde Katze. Gesangsposse. Musik v. G Steffens. Bühneneinrichtg. (83) (1900.) [4136.]

Marsano, W: Die Helden. Lustsp. Hrsg. u. durchgesehen v. CF Wittmann. (40) (02.) [4328.]

Maeterlinck, M: Der Eindringling. Die Blinden. 2 Dramen. Aus d. Franz. v. E Soling. (50) (03.) [4411.]

Maupassant, G de: Ausgew. Novellen. Aus d. Franz. v. H u. A Moeller-Bruck. 1—4. Bdchn. (96, 101, 101 u. 96) (02.03.) [4297.4315.4424.4698.]

Maurik jun., J van: Mein Vortragsabend u. and. Humoresken. Aus d. Holl. v. E Otten. (111) (04.) [4525.]

Mehring, S: Ungebundenes in gebund. Form. Launige Vortragslyrik. (103) (01.) [4161.] Geb. — 60

— Die Verlobg, s.: Solo-Spiele.

Merrick, L: Der Theaterdirektor. Roman. Aus d. Engl. v. A Kellner. (128) (02.) [4318.]

Meyerbeer, G: Dinorah od. Die Wallfahrt n. Ploërmel. Kom. Oper. Dichtg v. J Barbier u. M Carré. (JC Grünbaum.) Vollständ. Buch. Durchgearb. u. hrsg. v. CF Wittmann. (128) (01.) [4215.]

Heyr, M: Ende gut, alles gut. Erzählg a. d. Ries. (128) (03.) [4390.] ‖ Die Lehrersbraut. Erzählg a. d. Ries. (154) (02.) [4341.42.] ‖ Ludwig u. Annemarie. Erzählg a. d. Ries. (119) (02.) [4299.] ‖ Der Sieg d. Schwachen. Erzählg a. d. Ries. (152) (03.) [4477.]

Mieses, J: Das Buch d. Schachmeisterpartien. 2. Tl. (188 m. Diagr.) (01.) [4164.65.]

Mikszáth, K: Szelistyne, d. Dorf ohne Männer. Aus d. Ung. v. C Goldner. (123) (03.) [4413.]

Molière: Der flieg. Arzt. Posse. Übertr. v. A Fresenius. (40) (04.) [4613.]

Möller, M: Blondelfchen od. Im Zauberreich d. Hutibrass. Weihnachtsmärchen. Musik v. JH Matthey. (75) (04.) [4603.] ‖ Jung Habenichts u. d. Silberprinzesschen. Weihnachtsmärchen. Musik v. O Findeisen. (75) (05.) [4735.] ‖ Prinzess Tausendhändchen od. Die Wunderharfe d. Tannenkönigin. Weihnachtsmärchen. Musik v. K Osterloh. (80) (05.) [4706.]

Moltke, H v.: Die beiden Freunde. Erzählg. Hrsg. v. R Herzog. (82) (01.) [4160.] Geb. — 60

Moser, G v.: Die Leibrente. Schwank. Bühneneinrichtg. (108) (01.) [4198.] ‖ Der Nimrod. Lustsp. Bühneneinrichtg. (84) (01.) [4243.]

Mozart, WA: Der Schauspieldirektor. Kom. Operette. Dichtg v. L Schneider. Vollständ. Buch. Hrsg. u. eingeleitet v GR Kruse. (63) (05.) [4739.]

Muellenbach, E: Waldmann u. Zampa u. and. Novellen. (87) (04.) [4500.] Geb. — 60

Müller, A: Die Verschwörg d. Frauen od. Die Preussen in Breslau. Histor. Lustsp. Hrsg. u. eingeleitet. v. GR Kruse. (80) (05.) [4669.]

Müller v. Königswinter, W: Sie hat ihr Herz entdeckt. Lustsp. Bühneneinrichtg. (40) (04.) [4559.]

Multatuli (ED Dekker): Kl. Erzählgn u. Skizzen. Aus d. Holl. übers. u. m. e. Einl. versehen v. P Raché. (101) (02.) [4335.] ‖ Fürstenschule. Schausp. Deutsch v. E Ludwig u. D Troelstra. (95) (02. [4274.]

Musiker-Biographien. 11. Bd: Wittmann, H: Lortzing. 2. Afl. (111) (02.) [2634.] ‖ 23. Bd: Voss, P: Vincenzo Bellini. (95) (01.) [4238.] ‖ 24. Bd: Runze, M: Carl Loewe. (120) (05.) [4088.]

Nacht, 1001. Aus d. Arab. v. M Henning. XXIV. Nachtr. 7. Tl. (244) (1900.) [4134.35.] (Vollst. in 8 L. Bdn: Je 1.50)

Nekrassow, NA: Gedichte. Im Versmass d. Originals v. F Fiedler. (102 m. Bildnis.) (02.) [4305.] Geb. — 60

Nestroy, J: Tannhäuser. Zukunftsposse m. vergang. Musik u. gegenwärt. Gruppiergn (nach H Wollheim). Musik v. K Binder. Hrsg. u. eingeleitet v. GR Kruse. (40) (04.) [4599.] ‖ Frühere Verhältnisse. Posse m. Gesang. Durchgesehen u. hrsg. v. CF Wittmann. (40) (05.) [4718.]

Neuert, H: Der Tiroler Franzl. Oberbayer. Volksstück m. Gesang. Bühneneinrichtg. (72) (01.) [4186.]

Nordmann, R: Gefallene Engel. Ein Stück a. d. Volksleben. Bühneneinrichtg. (92) (03.) [4399.]

Olden, G: Eine brillante Idee. — Die Versöhng. 2 heit. Novellen. (95) (04.) [4496.] ‖ Die Musterehe. Lohnender Nebenverdienst. Schmidtchen. 3 Novellen. (95) (04.) [4605.]

Ortmann, R: Der Teufelswalzer u. 7 and. Novellen. (109) (03.) [4428.]

Oesterreicher, R: Gummiradler. Posse. Musik v. R Raimann. Regie- u. Soufflierb. (88) (04.) [4588.]

Otto, T: Ein Pensionsstreich. Lustsp. (23) (02.) [4307.]

Ouida: Fürstin Zouroff. Roman. Aus d. Engl. v. A Boehl. (179) (02.) [4309.10.]

Pagat, H: Der Tischgast. Lustsp. Deutsch v. E Bema. (22) (01.) [4248.]

Pálsson, G: Grausame Geschicke. 2 Erzählgn a. d. Neu-Isländischen. Übers. v. C Küchler. (94) (02.) [4360.]

Pannier, K: CPO. f. d. Deut. Reich in d. Fassg d. Ges. v. 17.V.1898. Textausg. m. kurzen Anmerkgn. 5. Afl. (387) (02.) [3143—45.] Geb. 1 —

— Gerichtsverfassgsges. f. d. Deut. Reich (Fassg d. Bekanntmachg v. 20.V.1898), nebst Einführgsges. u. Ergänzgsbestimmgn. Textausg. m. kurzen Anmerkgn. 2. Afl. (110) (02.) [4006.] Geb. — 80

— BGB. f. d. Deut. Reich nebst d. Einführgsges. v. 18.VIII.1896. Text-

Universal-Bibliothek. Fortsetzg.

Tschechow, A: Der Bär. Groteske. — Ein Heiratsantrag. Scherz. Aus d. Russ. v. L Flachs-Fokschaneanu. Bühneneinrichtg. (40) (03.) [4454.] ‖ Die Möwe. Schausp. Für d. deut. Bühne bearb. v. H Stümcke. Bühneneinrichtg. (62) (02.) [4319.] ‖ Die 3 Schwestern. Drama. Für d. deut. Bühne bearb. v. H Stümcke. Bühneneinrichtg. (79) (02.) [4264.] ‖ Weiberregiment. In d. Verbanng. Irrwisch. 3 Novellen. Aus d. Russ. v. E Lockenberg. (96) (05.) [4650.]

Tschudi, C: Elisabeth, Kaiserin v. Österr. u. Königin v. Ungarn. Aus d. Norweg. v. C Küchler. (181 m. 9 Abb.) (02.) [4241.42.] Geb. — 60

Verdi, G: Amelia od. Ein Maskenball. Oper. Dichtg v. A Somma u. FM Piave. (JC Grünbaum.) Vollständ. Buch. Durchgearb. u. hrsg. v. CF Wittmann. (109) (01.) [4236.] ‖ Ernani. Oper. Dichtg n. V Hugos Drama Hernani v. FM Piave. (Deutsch v. J Ritter v. Seyfried.) Vollständ. Buch. Durchgearb. u. hrsg. v. CF Wittmann. (76) (03.) [4398.] ‖ Rigoletto. Oper. Dichtg v. FM Piave. (JC Grünbaum.) Vollständ. Buch. Durchgearb. u. hrsg. v. CF Wittmann. (93) (01.) [4256.] ‖ La Traviata. (Violetta.) Oper. Dichtg n. Dumas d. Jüng. Roman La dame aux Camélias v. FM Piave. (Deutsch v. N v. Grünhof.) Vollständ. Buch. Durchgearb. u. hrsg. v. CF Wittmann. (90) (02.) [4357.] ‖ Der Troubadour. Oper. Dichtg v. S Cammarono. (H Proch.) Vollständ. Buch. Durchgearb. u. hrsg. v. CF Wittmann. (84) (02.) [4323.]

Voss, P: Vincenzo Bellini, s.: Musiker-Biographien.

Wach, R: Ein Sonnenstrahl. Schausp. Bühneneinrichtg. (31) (04.) [4526.]

Wagh: Ausser Dienst. Schausp. (87) (03.) [4489.] ‖ Nimbus. 3 lose Akte. (87) (04.) [4545.]

Wagner, O: Im Bahnwärterhäusel. Schausp. Bühneneinrichtg. (31) (04.) [4616.]

Waldenburg, S: Auf d. Alm, s.: Wittmann, CF, Solo-Spiele.

Walther, O, u. L Stein: Die Lustspielfirma. Lustsp. Bühneneinrichtg. (68) (1900.) [4137.]

Weil, J: Das Recht zu lieben u. and. Novellen. (96) (02.) [4298.]

Wentzel, H v.: Nach Tisch in Sans Souci. Lustsp. 2. Tl. d. Dramenzyklus „Fridericus Rex". (36) (05.) [4638.]

Werner, A: Geburtstagsfreuden, s.: Wittmann, CF, Solo-Spiele.

Westkirch, L: Die Basis d. Pyramide. Der rote Shawl. 2 Erzählgn. (103) (02.) [4350.] ‖ Junker Freds Roman. Erzählg. (96) (05.) [4727.] ‖ Das Recht d. Liebe u. 2 and. Novellen. (109) (04.) [4509.] ‖ Urschels Fundgut. Erzählg. (101) (01.) [4201.] Geb. — 60.

Wichert, E: Im Dienst d. Pflicht. Schausp. (88) (01.) [4222.] ‖ Des Königs Dank. Schausp. (71) (03.) [4458.]

Wichmann, F: Die Parze. Novelle. (104) (04.) [4504.]

Wilde, O: Salome: Drama. Deutsch v. Kiefer. Bühneneinrichtg. (40) (04.) [4497.]

Wilhelm's II., Kaiser, Reden in d. J. 1896—1900. Ges. u. hrsg. v. J Penzler. 2. Tl. (256) (04.) [4548—50.] Geb. 1 —

Winter, JS: Ohne Fehl. Roman. Aus d. Engl. (364) (02.) [4292—94.]

Wittmann, CF: Festspiele. 6. Bdchn. Lehrerleben. 6 Bilder m. Prolog u. verbind. Dichtg v. A Grüttner u. P Exner. Der Sylvester-Engel. Berliner Genrebild v. J Keller. Die Feier d. Verdienstes. Fest-Dichtg v. JCM Reinecke. Germanias Erwachen. Vaterländ. Festsp. f. Mädchensch. v. O Trinkaus. (80) (01.) [4254.]

— Solo-Spiele. 8. Bdchn. Werner, A: Geburtstagsfreuden. Für 1 Dame. — Beckmann, E: Der Schnepfenjäger. Für 1 Herrn. — Jahn, C: Die Nachtglocke. Für 1 Herrn. — Waldenburg, S: Auf d. Alm. (In Berliner Mundart.) Für 1 Herrn u. H Schmidt. (36) (01.) [4157.]

Fortsetzg s.: Solo-Spiele.

— Vorträge. Scherz u. Ernst. Zur Belehrg, Belustigg u. Unterhaltg in gesell. Kreisen. 2. Bdchn. (112) (01.) [4225.]

Wittmann, H: Lortzing, s.: Musiker-Biographien.

Wolff, CAH: Elementar-Gesanglehre. Hdb. f. Sologesang, Männer- u. gemischte Gesangschöre. (120) (03.) [4426.] Geb. — 60

Wolfram v. Eschenbach: Parzival. Höf. Epos. Aus d. Mhd. v. K Pannier. 2. Afl. 2 Bde. (424 u. 437 m. Titelbild.) (02.) [3681—88.] Geb. 2.25

Wolters, W, u. Königsbrun-Schaup: Der Hochzeitstag. Schwank. (79) (05.) [4649.]

Wolzogen, E v.: Ein unbeschrieb. Blatt. Lustsp. Bühneneinrichtg. (88) (02.) [4338.]

Zeitler, R: Jagdgeschichten. (109) (03.) [4403.]

Zipper, A: Goethes Egmont, Reineke Fuchs, Torquato Tasso, s.: Erläuterungen zu d. Meisterwerken d. deut. Lit.

— Franz Grillparzer, s.: Dichter-Biographien.

— Lessings Nathan d. Weise. — Schillers Wallenstein, s.: Erläuterungen zu Meisterwerken d. deut. Litt.

Zobeltitz, F v.: Tyrannen d. Glücks. Lustsp. Bühneneinrichtg. (93) (04.) [4604.]

Zobeltitz, H v.: Das Brett d. Karneades. Novelle. (90) (02.) [4311.] ‖ König Pharaos Tochter u. and. Novellen. (100) (01.) [4200.] Geb. — 60.

Zola, E: Das Fest in Coqueville u. and. Novellen. Aus d. Franz. m. e. Einl. v. H Dévidé. (181 m. 2 Portr.) (01.) [4142.43.] ‖ Der Sturm auf d. Mühle u. and. Novellen. Aus d. Franz. v. H Dévidé. (183) (03.) [4396.97.] Geb. — 80

— christl. Nr. 1—6 u. 9—14. 8° Lpzg, LA Klepzig. 3.45 d

Falk's, J, Schriften. 1. Bd. (36) (02.) [2.] — 15

Hause, W: Christl. Vergissmeinnicht f. Kinder. (92) (02.) [3.] — 30

Lenk, H: Wer war Jesus? Beantwortet. (250) 03. [9—14.] 1.80; geb. 3 —

Spitta, KJP: Bibl. Andachten. 2 Tle. (92 u. 94) 02. [5.6.] Je — 30

— Psalter u. Harfe. Eine Sammlg christl. Lieder z. häusl. Erbaug. 1. Sammlg. (88) (02.) [1.] ‖ 2. Sammlg. (52 u. 12) (02.) [4.] Je — 30

Nr. 7 u. 8 sind noch nicht erschienen.

— f. d. christl. Haus. Nr. 1—4 u. 7—12. 12° Lpzg, E Sonnenhol (03). 2.20 d

Bunyan, J: Die Pilgerreise n. d. sel. Ewigk. (163) [3.4.] — 40

Caspari, KH: Schuld u. Sühne od.: Geiz ist d. Wurzel alles Uebels. Dorfsagen. (85) [2.] — 25

— Der Schulmeister u. s. Sohn. Erzählg a. d. 30jähr. Kriege. (134) [7.8.] — 40

Jung-Stilling: Aus d. Geisterreiche. (160) [9.10.] — 40

Nathusius, M: Aus d. Tageb. e. armen Fräuleins. (186) [11.] — 25

Spurgeon, E(C)H: Die Jagd n. d. Glück. (63) [1.] — 25

Stretton, H: Heim, süss Heim. (84) [12.] — 25

Nr. 5 u. 6 sind noch nicht erschienen.

— jüdische. Nr. 83—97. 16° Prag, R Brandeis. Je — 20 d

Buchheim, K: Die Königsbraut. Roman. (169) (05.) [95.96.] ‖ Aus bangen Tagen. Erzählg a. d. röm. Kaiserzeit. (104) (01.) [85.]

Fried, B: 1001 Nacht in d. Jeschiwa. Erzählg. (132) (01.) [83.]

Goldschmidt, MA: Jüd. Erzählgn. Aus d. Dän. übertr. u. m. Erklärg versehen v. E Jonas. (147) (02.) [90.]

Gordon, S: Russ. Juden. Erzählgn. Aus d. Engl. v. A Kellner. (103) (02.) [94.] ‖ Die Schwestern. Erzählg. Aus d. Engl. v. A Kellner. (107) (05.) [97.]

Honigmann, D: Das Grab in Sabbioneta. Geschichtl. Novelle. (242) (01.) [86.87.]

Sippurim. Sammlg jüd. Volkssagen, Erzählgn, Mythen, Chroniken, Denkwürdigk. u. Biographien berühmter Juden aller Jahrh., bes. d. M.-A. 10—12. Bdchn. (132, 157 u. 296) (01.02.) [84. 88. 91—93.]

Thorn, AD: Internat. Ghettobilder. (126) (02.) [89.]

Universal-Bibliothek f. d. Jugend. Nr. 381—416. (Jede Nr. m. 2 Abb.) 12° Stuttg., Union. Je — 20; Einbde f. jedes Werk — 40 d

Gast, G: Märchenbilder a. d. Reiche d. Mitte. Auf Grund v. chines. Uebersetzgn. (72) (01.) [386.] ‖ Nansens Reise n. d. Nordpol. Auf Grund v. Nansens Werk „In Nacht u. Eis" erzählt. (208 m. 1 Kartenskizze.) (06.) [406—08.]

Gerstäcker, F: Die Regulatoren in Arkansas. Erzählg a. d. Waldleben Amerikas. Frei bearb. v. R Kleinecke. (171) (04.) [401—3.]

Glaubrecht, O: Die Heimkehr od. Was fehlt uns? Erzählg f. d. Volk. Für d. reif. Jugend bearb. v. W Werther. (444) (01.) [381.82.] ‖ Leiningen in Dorfbildern, geschildert f. d. Volk. Bearb. v. W Werther. (108) (03.) [397.98.] ‖ Die Schreckensjahre v. Lindheim. — Die Goldmühle. Bearb. v. W Werther. (106) (05.) [413.14.]

Horn, WO v.: Das Büchlein v. Feldmarschall Blücher. — Ein Kongo-Neger. Bearb. v. G Gast. (174) (02.) [392—94.] ‖ Die Burenfamilie v. Klaarfontein. — Die Belagerg v. Wien. Bearb. v. G Gast. (198) (01.) [383—85.] ‖ Prinz Eugen, d. edle Ritter. — Deut. Treue. Neu bearb. v. G Gast. (113) (03.) [399.400.] ‖ Eine Korsarenjagd im ind. Inselmeer. — Die Pelzjäger d. Hudsonsbai-Kompanie. Neu bearb. v. R Reichbardt. (136) (05.) [415.16.] ‖ Ein Ostindienfahrer. — Scharnhorst. Neu bearb. v. J Keuper. (158) (02.) [389—91.]

Jaschtschenko u. Kupffer: Krissas Abenteuer. (134) (04.) [404.5.]

Keuper, J: Im hohen Norden. AE Nordenskiölds Entdeckgsfahrten. (120 m. 1 Karte.) (02.) [395.96.]

Reuter, F: Ut de Franzosentid. Mit e. biograph. Einl. u. e. Nachwort v. J Keuper. (232) (05.) [409—12.]

Then-Bergh, J: Pieter Odendaal d. jüngste Feldkornett. Erzählg a. d. Heldenkampf d. Buren. (144) (01.) [387.88.]

— f. Musiklitt. Nr. 26 u. 27. 8° Trier, H vom Ende. Je — 50

König, A: Der deut. Männerchor. (128) Köln (04). [26.27.]

Universal-Briefmarken-Album. Neue Afl. (295 m. Abb.) 4° Lpzg, Verl. d. Univ.-Briefmarken-Album (04). Geb. 3 —

— dass. Reform-Ausg. Nur d. Postmarken aller 5 Erdteile enth. 7. Afl. 2 Bde. (1. Bd. 1840—90; 2. Bd. Von 1891 bis z. Neuzeit.) (414 u. 450 Bl.) 4° Ebd. 04. 12.50; 1. Bd einzeln 7.50; 2. Bd einzeln 8.50; in 1 Bd geb. 15 —; holzfreies Pap. 18 —; in 2 Bde geb. 20 —; einz. Bde je 12.50; Velinpap. 22.50; einz. Bde je 13.50; in HF. m. G. 40 —; einz. Bde je 25 —; in länderweiser Anordng 16 —; in 2 Bde geb. 20 — u. 25 —

Universal-Briefsteller, neuester, f. d. geschäftl. u. gesell. Leben. Anl. z. Anlegg d. dopp. u. einf. Buchführg. (120 u. 64) 8° Neuweissens., E Bartels (o. J.). 1 —; geb. 2 — d

„**Universal"-Expositions-Messer** v. JH Smith & Co., Zürich. (2 S. auf Karton.) Nebst Hülfstab. (15) 16° Zür. (02). (Lpzg, E Liesegang.) 1.25; in Ldr-Etui 2 —

Universal-Handbuch d. Musiklit. aller Zeiten u. Völker. Hrsg. v. F Pazdirek. 1. Tl. Die ges., durch Musikalienhandlgn noch beziehbare Musiklit. aller Völker. (In etwa 18 Bdn.) 1—3. Bd. (29, 420 u. 880) 8° Wien, Verl. d. Universal-Hdb. d. Musiklit. (04.05). Je 15 —; HF. 18 —; engl. u. französ. Ausg. zu gl. Pr.

Universal-Kalender, illlustr., f. 1906. 3 Bde. (144, 33—112, 33—144, 16 u. 16 m. Abb. u. 10 Taf.; 144, 33—96, 33—112, 49—96, 16 u. 16 m. Abb. u. 10 Taf. u. 144, 33—128, 49—152, 97—128, 16 u. 16 m. Abb. u. 12 Taf.) 8° Winterbg, J Steinbrener. Geb. je 2 — d

Universal-Lexikon d. Kochkunst. 7. Afl. 2 Bde. (35, 48, 657 u. 694 m. Abb., 7 Taf., 49 Fksms u. 1 Karte.) 8° Lpzg, JJ Weber (01). HF. 24 —; m. Eichenregal 32 —; m. Nussbaumregal 36 — d

Universal market, the. Journal for German industries, import and export trades. Red.: H Böttger u., seit 1902, K Sachisthal. 15. u. 16. annual series 1901 and 2 je 12 nrs. (Nr. 1. 10) 4° (Berl. u.) Brnschw., A Limbach. Je 4 —

— dass. Journal for the import and export trades. Red.: K Sachisthal. Vol. 17 and 18. 1903 and 4 je 12 nrs. (Nr. 1 u. 2. 46) 4° Ebd. Je 4 —

— dass. Red.: K Sachisthal. Ed. A. Export review of the machinery, metal and mining trades. Vol. 19. 1905. 12 nrs. (Nr. 1. 20) 4° Ebd. 4 —

— dass. Ed. B. Journal of the import and export trades. Vol. 19. 1905. 12 nrs. (Nr. 1. 18) 4° Ebd. 4 —

Vgl.: Marché, le, universel. — Weltmarkt, d.

Universal-Militär-Taschen-Kalender „Austria" f. d. bewaffnete Macht d. österr.-ungar. Monarchie 1906. (Militär. Jahrb.) 22. Jahrg. Red. v. OJ Schmid. (32, 362 m. Fig. u. 1 Karte.) 16° Wien, (LW Seidel & S.). L. nn 2.90

Universal-Modenzeitung f. Herren-Garderobe. Red.: R Tiesler. 42. u. 43. Jahrg. 1902 u. 3 je 12 Nrn. (1902. Nr. 1. 4 u. 10 m. Abb., 3 [2 farb.] Modebildern, Reduktionsschema u. Schnittmuster.) Fol. Dresd., Exp. d. europ. Modenzeitg. Viertelj. 4 — d

— dass. Fachbl. f. Herrenmoden. Red.: R Tiesler. 44. u. 45. Jahrg. 1904 u. 5 je 12 Nrn. (Nr. 1. 8 u. 8 m. Abb., 3 [1 farb.] Modebildern, Reduktionsschema u. Schnittmuster.) Fol. Ebd. Viertelj. 4 —

Universal-Ratgeber, d. praktische. Illustr. Haus- u. Nachschlageb. f. alle Fälle d. tägl. Lebens. Hrsg. v. A Schroot. Mit Anh.: 1) Fremdwrtrb. 2) Wrtrverz. d. neuen deut. Rechtschreibg. 30 Lfgn. (896, 45 u. 11) 4° Stuttg., C Weber & Co. (03.04). Je — 30; in 1 L.-Bd 12 — d

Universal-Verkehrskarte v. Deutschl. 1:800,000. 102×125 cm. Mit Orts-Verz. (41—56) Fol. Lpzg-Schl. (03). Dresd.-N. (Radebeulerstr. 5), Neuschütz & Heyme. 1 —

Universal-Volkslexikon, kathol., f. jedermann. Von N Thoemes. 13—86. Heft. (1. Bd. Sp. 779—2538 u. 2. Bd Sp. 1—2912

Hinrichs' Fünfjahrskatalog 1901—1905.

187

m. 2 Taf., 1 Bildnis u. 7 Kart.) 8º Nordh., Vincentius-Bb. 1900-
05.   Je — 25; 1. Bd. L. 12.50 d
Universität u. Kirche. Akten z. Fall Wahrmund. (52) 8º
   Frankf. a/M., Neuer Frankf. Verl. 02.   — 50 d
Universitätsfrage, d. italien., in Österr. Eine deut. Stimme
   a. d. Küstenlande. (22) 8º Innsbr., Wagner 05.   — 40 d
Universitäts-Frauenklinik, d. kgl., in Würzburg 1889—1903.
   Berichte u. Studien. Dem X. Kongress d. deut. Gesellsch.
   f. Gynäkol. gewidmet v. M Hofmeier. (227 m. Abb.) 8º Stuttg.,
   F Enke 03.   7 —
Universitäts-Kalender, Basler. Hrsg. v. H Lichtenhahn-
   Sommer-Sem. 1905 u. Winter-Sem. 1905/6. (103 u. 130) 8º Bas.,
   Helbing & L.   Je † nn — 40
 — Berner, f. d. Sommer-Sem. 1905 u. Winter-Sem. 1905/6.
   (145 u. 144 m. je 1 Bildn.) 8º Bern, KJ Wyss.   Je — 80
 — Bonner. Winter-Sem. 1903/04 u. Sommer-Sem. 1904. (96 u.
   92) 8º Bonn, F Cohen.   Je — 75
 — deut. 59. u. 60.. Ausg. Sommer-Sem. 1901 u. Winter-Sem.
   1901/2. Hrsg. v. F Ascherson. 2 Thle. (Schreibkalender u. 420
   bezw. 433) 12º Berl., L Simion Nf.   In 1 L.-Bd je 3 —;
                     H. Thl allein geh. je 2.25
 — dass. begründet v. F Ascherson. 67. Ausg. Sommer-Sem.
   1905. Hrsg. v. T Scheffer u. G Zieler. 2 Tle. 8º Lpzg, JA Barth.
                                    2.70
   1. Die Univ. im Deut. Reich. (371) 1.50 ‖ 2. Die deut. Univ. Österr. u. d.
   Univ. d. Schweiz, nebst e. Anh., umfassend d. Univ. Christiania u. d.
   holländ. Univ. (306) 1.20.
 — dass. 68. Ausg. Winter-Sem. 1905/06. 3 Tle. 8º Ebd. Je 1 —
   1. Die Univ. im Deut. Reich. (380) ‖ 2. Die Univ. im benachbarten Ausl.
   (195) ‖ 3. Die student. Vereinigg an d. Univ. im In- u. benachbarten
   Ausl. (122)
 — Freiburger. 16. u. 17. Ausg. Sommer-Sem. 1905 u. Winter-
   Sem. 1905/6. Hrsg. v. H Borst. (45 u. 49 m. je 1 Pl. u. 1 Karte.)
   8º Freibg i/B., Lorenz & W.   Je — 50
 — Giessener. Sommer-Sem. 1905 u. Winter-Sem. 1905/6. 14.
   u. 15. Ausg. (116 u. 64) 8º Giess., J Ricker.   Je 1 —
 — Göttinger. 20. u. 21. Ausg. Sommer-Sem. 1905 u. Winter-
   Sem. 1905/6. (52 u. 63) 8º Gött., L Horstmann.   Je 1 — d
 — Greifswalder. Greifswald. Gegenw.-Sem. 1905 u. Winter-Sem.
   16. u. 17. Ausg. (Je 92) 8º Greifsw., Bruncken & Co. Je — 50
 — Hallescher. Sommer-Sem. 1905 u. Winter-Sem. 1905/6.
   (88 u. 39) 8º Halle, E Anton.   Je 1 — d
 — dass. Sommer-Sem. 1905 u. Winter-Sem. 1905/6. (150 u. 184
   m. Abb., je 1 Bildnis, 1 Pl. u. 2 Kart.) 8º Halle, L Nebert.
                                   Je 1 —
 — Heidelberger. Hrsg. v. O Petters. 24. u. 35. Ausg. Sommer-
   Halbj. 1904 u. Winter-Halbj. 1904/5. (Je 67 m. 1 Bildn. u.
   1 Pl.) 8º Hdlbg, Bangel & Schm.   Je 1 —
 — Leipz. 30. u. 31. Ausg. Sommer-Sem. 1905 u. Winter-Sem.
   1905/6. (154 u. 148 m. je 1 Pl. u. 2 Abb.) 8º Lpzg, Bh. G Fock.
                                      Je — 60
 — Münch. Sommer-Sem. 1905 u. Winter-Sem. 1905/6. 24. u.
   25. Ausg. (90 u. 40) 8º Münch., Dr. H Lüneburg's N. Je — 50
 — Österr., Jahrg. 1905/6. 27. Jahrg. d. akadem. Kalenders
   f. d. deut. Hochsch. Oesterr. Neue Folge. 2. Jahrg. (116 u.
   Tageb.) 8º Wien, M Perles.   Je 1 —
   Bis z. 25. Jahrg. u. d. T.: Kalender, akadem., f. d. deut. Hochsch.
   Oesterr.
 — Rostocker, f.d.Sommer-Sem. 1902. Hrsg. v. E Volckmann.
   (119 m. Abb., 1 Pl. u. Kartenskizzen.) 12º Rost., CJE Volck-
   mann. 1 — ‖ Winter-Sem. 1902/3. (111 m. Abb., 1 Pl. u. Kar-
                           tenskizzen.) — 75 5 F
 — Tübinger. 11. u. 12. Jahrg. Sommer-Sem. 1905 u. Winter-
   Sem. 1905/6. (107 u. 113 m. je 1 Bildnis.) 16º Tüb., H Laupp.
                                    Je nn — 50
Universitäts- u. Hochschul-Kalender, allg. deut. Winter-Sem.
   1905/6. Hrsg. v. O Schröder. (318) 8º Rost., (GB Leopold). 1 —
   Bisher u. d. T.: Hochschul-Kalender, allg. deut.
Universitäts-Taschenbuch, Giessener. Winter-Sem. 1905/6.
   23. Ausg. (80 m. Abb. u. 1 Bildn.) 8º Giess., A Fress. nn — 50
 — Strassburger. 26. Ausg. Winter-Halbj. 1905/6. (32) 16º Strassbg,
   E d'Oleire.   — 50
University of California publications, Egyptian archaeology,
   vol. I, s.: Reisner, GA, the Hearst medical papyrus.
Universum. Lexikon d. Bade- u. Curorte v. Europa. 1. Bd:
   Österr. Red. v. K Pollak. Technisch zusammengest. u. f. d.
   Red. verantwortlich: G Grünhut. (107, 735 m. Abb.) 8º Wien,
   (G Szelinski) (01).   L. 17 —
 — d. neue. Die interessantesten Erfindgn u. Entdeckgn auf
   allen Gebieten. 22—26. Jahrg. Mit e. Anh. u. Beibl. "Deutsch
   Häusl. Werkstatt". (884, 474, 474, 474 u. 474 m. z. Tl farb.
   Abb.) 8º Stuttg., Union (01-06).   Je 6.75;
              auch in je 12 Heften zu — 50 d
Universum-Jahrbuch, illustr., 1904. (30, 624 m. Abb. u. 1 Taf.)
   8º Lpzg, P Reclam jun.   L. 7.50 d
Unkauf, F: Harburg im Ries, Kurzer Abr. sr Gesch. (47 m.
   Abb.) 8º Nördl., T Reischle 1900.   — 60 d
Unkauf, K, s.: Künstlerschriften f. d. moderne Kunstgewerbe.
Unkel, H: Erste Liebe, s.: Mehrakter.
Unna: Die Bestimmg rationeller Mörtelmischgn unter Zugrunde-
   legg d. Festigk., Dichtigk. u. Kosten d. Mörtels. 3. Afl. (15
   m. 5 farb. Taf.) 8º Köln, P Neubner (02).   8 —
Unna, J: Die Sprache John Heywood's in s. Gedichte The
   spider and the flie. (44) 8º Berl., Mayer & M. 03.   1.20

Unna, I: Die Leichenverbrenng v. Standpunkt d. Judenthums.
   Vortr. Nebst e. Anh.: Kritik d. Wiener'schen Gutachtens üb.
   d. Feuerbestattg. (29) 8º Frankf. a/M., J Kauffmann 03. — 60 d
Unna, PG, s.: Arbeiten a. Dr. Unna's Klinik f. Hautkrankh.
   in Hamburg.
 — Histolog. Atlas d. Pathol. d. Haut, s.: Monatshefte f. prakt.
   Dermatol.
 — Pathol. u. Therapie d. Ekzems. (254 m. 5 Taf.) 8º Wien, A
   Hölder 03.   5 —; geb. nn 6 —
Unna, S: Kurzgef. Grammatik d. hebr. Sprache. 2. Afl. (28) 8º
   Frankf. a/M., J Kauffmann 01.   Geb. — 40 d
Unnützchen s.: Christblumen.
Unold, J: Aufg. u. Ziele d. Menschenlebens, s.: Aus Natur u.
   Geisteswelt.
 — Die höchsten Kulturaufg. d. modernen Staates. (171) 8º Münch.,
   JF Lehmann's V. 02.   (3 —) 2.40
 — Wie d. Wahlrecht war, wie es ist, u. wie es, zumal in deut.
   Einzelstaaten, werden soll, s.: Fortschritt, soz.
Unrecht, d., am eig. Bilde. Porträt-Karikaturen a. d. Ausstellg
   d. Verbandes deut. Illustratoren 1904. (29 Taf. m. 4 S. Text.)
   8º Friedenau-Berl., H Brücker (04).   1 — d
Unrechte, d., u. doch d. Rechte, s.: Esser's, J, Sammlg leicht
   aufführbarer Theaterstücke.
Unruh, CM v.: Amerika noch nicht am Ziele! Transgerman.
   Reisestudien. (210) 8º Frankf. a/M., Neuer Frankf. Verl. 04.
                                 3 —; geb. 4 —
 — Von Jena bis Neisse, s.: Blumen, CF v.
Unruh, E v.: Die Welträtsel u. Prof. Ernst Haeckel. (79) 8º
   Halle, Bh. d. Waisenh. 05.   1 —
Unruh, F: Sammlg franzö. Gedichte, s.: Perthes' Schulausg.
   engl. u. franzö. Schriftsteller.
Unschuld v. Melasfeld, M: Die Hand d. Pianisten. Method.
   Anl. z. Erlangg e. schönen, brillanten Klaviertechnik mo-
   dernen Stiles u. Principien v. T Leschetizky. 1. u. 2. Afl.
   (86 m. Abb.) 8º Lpzg, Breitkopf & H. 01.03. 4 —; geb. 5 —;
   engl. Ausg. Translated by HM Dare. (88 m. Abb.) 03. 5 —;
   geb. 6 —; französ. Ausg. (89 m. Abb.) 02. 5 —; geb. 6 —
Unschuldig im Irrenhause od. d. Opfer v. Schloss Falken-
   stein. Sensationelle Enthüllgn. Volksroman. 100 Hefte. (2400
   m. je 1 Vollbild.) 8º Berl., Verlagshaus f. Volkslitt. u. Kunst
   (01.02).   Je — 10; auch in 20 Bdn zu — 50 d
Unter preuss. Banner. Friedens- u. Kriegserinnergn e. alten
   deut. Offiziers. Von KG M. (Kressner). (250) 8º Berl., CA
   Schwetschke & S. 04.   4 —; geb. 5 — d
 — gastl. Dach. Von . . . . . (77) 8º Brnschw., H Wollermann
   05.   — 80 d
 — d. Flügelrad. Nr. 4 u. 5. 8º Berl., Schriftenvertriebsanst.
                               Je — 50 d
   Ross, A: Bahnmeister Küster u. and. Erzählgn. (83) (05.) [5.] ‖ Verstöhnt
   u. and. Erzählgn. (83) (03.) [4.]
 — d. Flügelrad. Zeitschrift f. d. Angehörigen deut. u. österr.
   Eisenb.-Verwaltgn. Hrsg.: P Mayer. Jahrg. 1903. 12 Nrn. (Nr. 1
   36 m. Abb. u. 2 Taf.) 4º Diess., JC Huber. Viertelj. 1 — d ö F
 — Gablenz u. Tegethoff 1864. Festschrift z. 40. Jahresge-
   denkfeier an d. Grosstaten uns. Armee u. Marine im deutsach-
   dän. Kriege 1864. Hrsg. v. "Danzer's Armee-Zeitg". (28) 4º
   Wien, (LW Seidel & S.) 04.   1 — d
 — d. Knute. Aus d. Leben e. Soldaten. (In russ. Sprache.)
   (30) 8º Berl., E Steinitz (03).   1 —
 — d. Deckmantel d. Krankenpflege. Beitrag z. Gesch. d.
   hohen kgl. preuss. Johanniter-Ordens. (Von H Müller.) (32)
   8º Zür., C Schmidt 05.   — 50 d
 — d. roten Kreuz. Zeitschrift d. Frauen-Ver. f. Krankenpflege
   in d. Kolonien. Red.: E co. Gräfin v. Monts u., seit 1903, Frau
   Lehr. 12—ff. Jahrg. 1901—5 je 12 Nrn. (Nr. 1. 12) 4º Berl.,
   C Heymann.   Je 6 —; einz. Nrn nn — 50 d
 — d. Kreuze. Kirchl. Volksbl. a. Niedersachsen, nebst kirchl.
   Anzeiger f. d. hannov. ev.-luth. Freikirche. Red.: E Bing-
   mann. 26. u. 27. Jahrg. 1901 u. je 52 Nrn. (Nr. 1. 8) 8º
   Berl., (GB Leopold). Viertelj. 1 — d ö F
 — d. Fahne Mariens! Sodalen-Korrespondenz f. marian. Kongregationen. Hrsg. F Doll. Red v. G Harrasser. Verantwortlich: L Feix. 10. Jahrg. 1904. 12 Nrn. (Nr. 1 u. 2. 28 m. Abb.)
   4º Wien (IX, Canisiusg. 12), Canisiushaus. 2.50 ‖ 11. Jahrg.
                   1905. Red.: G Harrasser. nn 2.50
   Bisher u. d. T.: Sodalen-Korrespondenz f. marian. Kongregationen.
 — d. Pescherähs. Allen Gardiner's Tod u. dessen Frucht
   im Feuerlande, s.: Missions-Traktate, kleine.
's Unterbrettl. Buntes Parodie- u. Travestie-Theater. 2. Abend.
   8º Berl., A Hofmann & Co.   1 — d
   Friedlaender, M J: Johannisnacht od. Erzieher Delilas beim Schützenfest
   in d. "Ejebe". (72) 01. [9.]
   Nr. 1 bildet: Stettenheim, J, Fuhrmann Henschel.
Unterhaltungsbibliothek. Nr. 1164—1179. (Je 32) 16º Reutl.,
   Ensslin & L. (03).   Je — 10 d
   Enth.: Erzählgn v. A Bredow u. LW Graepp.
 — f. Jung u. Alt. 7—9. Bd. (Mit Abb.) 12º Ess., Fredebeul & K.
                               Geb. je 1 — d
   Camps, JH: Robinson d. Jüngere. Neue zeitgemäss bearb. Ausg. (175)
   02. [8.]
   Horn, WO v.: Der alte Fritz, d. Held u. Liebling d. deut. Volkes. (183)
   02. [7.]
   Kohlrausch, F: Die deut. Freiheitskriege 1813, 14 u. 15. (158) 02. [9.]

Unterhaltungsbibliothek, moderne. Nr. 1—11. (Mit Abb.) 8°
Lpzg., GG Steinbach.　　　　　　　　　　Je — 15 d
　Abtheilg Agar: Türk. Spionage-Geschichten. I. Der Mann ohne Kopf.
　(100) (04.) [10.]
　Branne, K: Wie d. Färbers Gosl. Novellen. (96) (04.) [11.]
　Carus, F: Die Lore v. Drachenfels. Grossstadt-Roman. (122) (01.) [1.]
　Cassan, C: Der Lindwarm u. aud. Novellen. (112) 02. [6.]
　Felden, K: Dors. Roman. (124) (03.) [9.]
　Hennig, S: Sünde. (90) 03. [8.]
　Le Verdier, H: D. K. L. 17 poste restante! Pariser Roman, n. d. Franz.
　Frei bearb. v. P Squens. (125) 02. [8.]
　Porth, M: Der Hohn d. Liebe. Szenen a. Berlin W. (100) 02. [7.]
　Squens, P: Aischa-Hanum. Ein Harems-Abenteuer n. aud. Novellen. (119)
　02. [4.]
　Wefel, O: Die Pflicht u. aud. Skizzen n. d. Leben. (192) 02. [7.]
　Wichmann, F: Die Schönhe d. Enbmes n. aud. Novellen. (135) 02. [8.]
— Steyler, f. Jung u. Alt. Nr. 1—26. 12° Steyl, Missionsdr.
　　　　　　　　　　　　　　　　　　　　Je — 10 d
　Enth. Erzählgn v. H Berger, M Hardt, I Eidel, H Hirschfeld, M Höbler,
　M Ludolff-Hayn, G Riehm, Schneider, GM Stens, B Tümler, J Wesse-
　ler u. a.
Unterhaltungsblatt, illustr.schweiz., f.Stenographen, Einiggs-
　system Stolze-Schrey, s.: Stenograph, d. Schweizer.
— stenograph. Hrsg.: D Kennerknecht. 36—40. Jahrg. 1901—5
　je 50 Nrn. (Je 4) 8° Bambg. (Schmidt).　　　　Je 4 —
Unterhaltungs- u. Übungsblatt, stenograph. Beilage z. Praxis
　d. stenograph. Unterr. 1—3. Jahrg. Oktbr 1902—Septr 1905
　je 12 Nrn. (Nr. 1. 8 u. 2) 8° Osterw., AW Zickfeldt. Je 1 —
Unterhaltungsblätter, illustr. stenograph. System Stolze-
　Schrey. Begründet v. d. stenograph. Gesellsch. zu Berlin. 88.
　Jahrg. 1901. 12 Nrn. (Nr. 1. 3l) 8° Berl., Frz Schulze. nn 3 —
— dass. Hrsg. v. d. stenograph. Gesellsch. zu Berlin. 27. Jahrg.
　1902. 12 Nrn. (380 u. 92) 8° Berl., K Bontemps.　　geb. nn 2 —
— dass., m. d. Buchdruckbeil.: Der Beobachter. 28—30. Jahrg.
　1903—5 je 12 Nrn. (Nr. 1. 32 u. 4 u. 16 in 12°) 8° Ebd.
　　　　　　　　　　　Je 3 —; L. je nn 3.30
Unterhaltungsbücher f. d. Jugend. Nr. 84—86. (Je 32) 16°
　Reutl., E Bardtenschlager (04).　　　　　　　　Je — 10 d
　Enth. Erzählgn v. A Bredow.
— neue, f. Stenogr. In vereinf. deut. Stenographie. System
　Stolze-Schrey.) Nr. 1—14. (Je 16) 16° Berl., K Bontemps.
　　　　　　　　　　　　　　　　　　　　Je — 10 d
　Enth. Erzählgn usw. v. M Blank, F Ernst, Á Gillwald, E Hachette, H
　Heinrich, W Herchenbach, R Kraft, R Ortmann, E Perschkan, H Rich-
　ter, E Tesch, L Thorsten u. A Zapp.
Unterhaltungs-Kalender, Linzer, f. 1906. 27. Jahrg. (112 m.
　Abb.) 8° Linz, Ö.-Ö. Buchdr.- u. Verl.-Gesellsch.　nn — 32 d
— Zwickauer, f. 1905. 215. Jahrg. (43 m. Abb.) 8° Zwick., B
　Zückler.　　　　　　　　　　　　　　　　nn — 18 d
Unterhaltungsschriften, stenotachygraph. Parlamentar.
　Abende bei Bismarck. (32 m. 1 Bildnis.) 8° Eisleben (O. Park-
　str. 3) Stenotachygraphenver. (durch L Rennert) (1900).　— 50 d
Unterkofler, PP: Atlas f. Bürgersch. u. mehrklass. Volkssch.
　33 Haupt- u. 28 Nebenk. auf 40 (farb.) Kartens. 4° Wien, M
　Perles 04.　　　　　　　　　　　　　　　　　1.80
— s.! Bericht üb. d. 1903 abgeh. Bürgersch.-Enquete.
Unterleibstyphus, d., s.: Miniatur-Bibliothek.
Unterm Kreuze. Liturg. Feier am Karfreitag-Nachmittag.
　Ausg. B. f. d. Gemeinde. 5. Afl. (8) 8° Elberf., Luther. Bücher-
　ver. (05).　　　　　　　　　　　　　　50 Stück 2 — d
— Weihnachtsbaum, s.: Lastspiele, turner.
Unteroffizier, der. Erzählg. (In russ. Sprache.) (72) 8° Berl.,
　H Steinitz (04).　　　　　　　　　　　　　　　　1.80
Unteroffizier-Kalender, deut., f. 1906. Hrsg. v. d. „Unter-
　offizier-Zeitg". 19.Jahrg. (20,138) 16° Berl., Liebel. L. nn — 90;
　m. Berits.-Korporalschafts- od. Geschützfährerb. 1.30 d
Unteroffizier-Zeitung. Militär-Wochenschrift f. Deutschlds
　Heer u. Marine. Leiter: Hilken n., seit 1902, v. Zawadzky.
　28—32. Jahrg. 1901—05 je 52 Nrn. (1901. Nr. 1. 16 m. Abb.) 4°
　Berl., Liebel.　　　　　　　　　　Viertelj. nn 1.50 d
Unterredungen m. Epiktet. Ausgew. u. übertr. v. J Grabisch.
　(157) 8° Jena, E Diederichs 05.　　　　　　　3 —; geb. 4.50;
　　　　　　　　　　　　　　　Luxusausg., in Perg. 20 —
Unterricht, der. Zeitschrift f. d. Methode d. Unterr. an höh.
　u. mittl. Lehranst. Hrsg. v. H Gruber. 2. Jahrg. 1902. 12
　Hefte. (1. Heft. 32) 8° Potsd., A Stein.　　　Viertelj. nn 2 —;
　　　　　　　　　　　　　　　　　　einz. Hefte — 80
— dass. Ausg. A: an höh. Knabensch. (gymnasialen u. realen
　Lehranst.). Ausg. B: an höh. Mädchensch. (Lehrerinnen-Se-
　minare u.s.w.) Hrsg. v. H Gruber u. J Koch. 3. Jahrg. 1903.
　12 Hefte. (Je1.Heft. 16)8°Ebd.Viertelj.1.50; jedeAusg. — 80 d F
— f. d. Ballonabteilg. (305 m. Abb. u. 4 Taf.) 8° Wien,
　(Hof- u. Staatsdr.) 05.　　　　　　　　　　　　　3.50 d
— d., an Baugewerksch. Hrsg.: M Girndt. 1. 8° Lpzg, BG
　Teubner.　　　　　　　　　　　　　Kart. 1.50
　Jessen, K, u. M Girndt: Leitf. d. Baustofflehre. (34 m. Fig.) 04. Kart.150
— f. d. Belenchtagsabteilg.d.k.u.k.Festsgartill. H. T1.
　1. Hefte; III. T1), 2 Hefte u. IV. T1. 8°Wien, (Hof- u. Staatsdr.)
　　　　　　　　　　　　　　　　　　　　16.90 d
　II, 1. Beschreibg d.Beleuchtgsmateriales. 1. Heft. b) 35 cm Beleuchtgs-
　apparat M. 97 u. M. 98. (76 m. 6 Taf.) 04.　　　　　　4 —
　- III, 1. Betrieb u. Instandhaltg. (171 m. 6 Taf.) 04.　　　　5.60
　- 2. Sammlg einschlägig. Ges., Verordng, Normalien u.s.w. (219 m. 1
　Taf.) 04.　　　　　　　　　　　　　　　　　4.50
　IV. Verwaltg u. Verrechng d. Materiales. (48 m. 2 Taf.) 04.　　2.80
　Der I. T1 ist noch nicht im Handel.
— briefl., d. Wissens f. d. breiten Schichten d. Volkes z.
　Selbststudium in leichtfassl., jedermann verständl. Form.

Hrsg. v. R Höfler. (In etwa 52 Briefen.) 1—34. Brief. (1—1104
　u. 7 m. Abb. u. 25 Kart.) 8° Wien, C Fromme (04.05).　Je — 70
　　　　　　　　　　　　　　　(1. u. 2. Bd, L. je 13.50)
Unterricht, techn., f. d. k. u. k. Eisenb.-Truppe. Tl 1—4, 5a
　u. b, 6—10, Fig.-Heft z. 9. u. 10. Tl, Tl 11 a. u. b, nebst Fig.-
　Heften, Tl 12 a u. b; 13 a u. b; 14; 15a—c u.16. 8° Wien, Hof-
　u. Staatsdr.　　　　　　　　　　　　　　58.86 d
　1. Vorkenntnisse. (162 m. Fig.) 1900. 3 — | 2. Erd-, Bekleidgs- u. Zimmer-
　manns-Arbeiten. (144 m. Fig.) 1900. 3 — | 3. Strassen- u. Wasserban. (59
　m. Fig.) 1900. 1 — | 4. Lagerarbeiten. (96 m. Fig.) 1900. 1.20 | 5a. Feld-
　u. bestänl. Befestigg. (195 m. Fig. u. 5 Taf.) 1900. 3 — | 5b. Festgskrieg.
　(185 m. Abb. u. 4 Taf.) 04. 1 — | 6. Sprengarbeiten. (212 m. Fig.) 1900.
　3 — | 7. Feldmäss. Zerstörg v. Brücken u. Viaducten. (167 m. Fig. u. 6
　Taf.) 1900. 4 — | 8. Telegraphenbes. (207 m. Fig. u. 11 Taf.) 1900. 3 — |
　9. Wasserfahren, Verankorn u. Überschiffen. (Mit 1 Fig.-Hefte in 4°)
　(150) 1900. 2.60 | 10. Tracieren u. Eisenb. (122 m. Abb.) Mit e. Fig.-Hefte.
　(12 ferb. Taf.) 04. 6 — | 11a. Strassenbrücken. (Mit 1 Fig.-Hefte in 4°)
　(116) 1900. 4.80 | 11b. Eisenb.-Proviserien. (Mit 1 Fig.-Hefte in 4°) (146
　m. Fig.) 1900. 10 — | 12a. Bahnkörper. (108 m. Fig.) 1900. 2 — | 12b. Tun-
　nelarbeiten. (62 m. Abb.) 04. — 64 | 13a. Eisenb.-Oberbau. (61 m. 13 Taf.)
　1900. 2 — | 13b. Bahnhof-Einrichtgn. (47 m. 22 Taf.) 1900. 3 — | 14. Eisenb.-
　Fahrbetriebsmittel. (36 m. Abb. u. 1 Taf.) 04. — 45 | 15a. Verkehrsdienst
　(71) 04. — 32 | 15b. Eisenb.-Signaldienst. (98 m. Fig. u. 1 Taf.) 04. 1.10
　| 15c. Eisenb.-Telegraphendienst. (68 m. Abb. u. 7 Taf.) 04. 1.75 | 16. Ausb.
　(115 m. Abb. u. 4 Taf.) 04. 1.70.
— fremdsprachl. Hl. 8° Lpzg, Dürr'sche Bh.　Geb. 2.40
　　　　　　　　　　　　　　　　(I—III.: 3.40) d
Walker, L: Grammat. Übgsb. f. d. engl. Unterr. Nach d. analyt. Methode.
　(202) 05.　　　　　　　　　　　　　　　　　　2.40
　I u. II s.: Spies, L.
— techn., in Fragen u. Antworten f. d. Infant.-Unteroffi-
　ziere u. Unteroffiziers-Bildgsschüler d.k.u.k. gemeinsamen
　Heeres, d. k. k. u. k. u. Landwehr. Zusammengest. v. E B.
　(43 m. Abb.) 16° Endap., O Grill 02.　　　　nn — 40 d
— d. landw., im Seminar, n. Stoff u. Form auf Grund d. mini-
　steriellen Bestimmgn v. 1.VII.'01. 3 Tle. 8° Bresl., F Hirt.
　　　　　　　　　　2.80; in 1 L.-Bd 3 — d
　1. Witt, L, u. E Zimmermann: Ackerbaulehre. (80 m. Fig.) 03. — 80
　2. Kynast, P: Anl. z. Betriebe d. Obst- u. Gartenbanes im Schulgarten.
　(46. (129 m. Abb. u. 4 Taf.) 04.　　　　　1.40; geb. 1.75
　3. Lawin, C: Anl. z. Unterweisg in d. Bienenzucht. Mit e. Anh. üb. Sei-
　denraupenzucht. v V Lastsamm. (47 m. Abb.) 05.　　　　— 90
— üb. d. Erzbruderschaft d. christl. Mütter. (Gewöhnlich
　„Mütter-Ver." gen.) 27. Afl. (16) 16° Donauw., L Auer (05).
　　　　　　　　　　　　　　　　　　　　— 06 d
— üb. d. Spendg d. Nottaufe u. üb. d. Standespflichten d.
　Hebammen. Vorw. u. Priester d. Erzdiöz. Freiburg. 5. Afl. (12,
　40) 16° Freibg i/B., Herder.　　　　— 35; kart. — 40 d
— techn., f.d.k.u.k. Pionnier-Truppe. 5. Thl. B. Festgs-
　krieg. (Arbeiten d. Pionnier-Truppe.) (125 m. Abb. u. 4 Taf.)
　8° Wien, (Hof-u.Staatsdr.)02. 1.40 (1—5a u. b.—12.: 50.50 d)
— techn., f.d. Pionnierge n.Escadrons-Pionniere d. k. u.
　k. Cavall. (134 m. Abb.) 8° Ebd. 1900.　　　　　4 — d
— dass. Anh. Ausrüstg d. Cavall. m. Werkzeugen, Schwimm-
　säcken u. Sprengmitteln sammt Verpackgs-Erfordernissen.
　(k.u.k.Cavall.-Schwimmsäcke.(48 m.11Taf.)8°Ebd.(03).1.50 d
— d. ges., auf d.Unter-,Mittel- u.Oberst. d. 2sprach. Volksschle.
　Hrsg. v. Schulmännern Oberschlesiens, Posens u. West-
　preussens. 3 Tle. 8° Bresl., F Hirt.　4.65; in 1 Bd 5.50 d
　Rennitzak, F: Unterr. (34 m. 4 Tab.) 01. [1.] 1.35 | Mittelst. (212 m. 6
　Abb. u. 2 Tab.) 03. [2.] 1.60 | Oberst. (130 m. 4 Tab.) 03. [3.] 1.80
Unterrichtsblätter f. Mathematik u. Naturwiss. Hrsg. v. (B
　Schwalbe u.) F Pietzker. 7—11.Jahrg. 1901—5 je 6 Nrn. (1901.
　Nr. 1. 20 m. Fig.) 4° Berl., O Salle.　Je 3 Nrn. — 60
Unterrichts-Briefe f. Buchdrucker. Hrsg. v. Technikum f. Buch-
　drucker, Lpzig-B. 30 Drucker-Briefe. (Je 16—32 m. Abb. u.
　Taf.) 8° Lpzg-R., J Mäser (02-04).　　　Subskr.-Pr. je — 75
　　　　　　　　　　　　　　　　　Einzelpr. je — 75
— dass. 30 Setzer-Briefe. (Je 10—44 m. Abb. u. Taf.) 8° Ebd.
　(02-04).　　　　Subskr.-Pr. je — 50; Einzelpr. je — 75
— f. d. Selbststudium d. ges. Elektrotechnik. System Karnack-
　Hachfeld. Red. v O Karnack (Müller). 115—179. (Schl.-Hft.
　(1911 m. Abb. u. 21 Taf.) 8° Potsd., Bonness 8° H. (01—03).
　　　　　　　　　　Subskr.-Pr. je — 60; Einzelpr. je — 90 d
Unterrichtsbuch f. freiwill. Krankenpfleger. Auszug a. d.
　Unterr.-Buch f. Sanitätsmannsch. v 27.IX.'02. Hrsg. auf Ver-
　anlassg d. kais. Kommissars d. Militärinspektion d. freiwill.
　Krankenpflege. (271 m. Abb.) 8° Berl., ES Mittler & Co.
　　　　　　　　　　　　　　　　1 —; geb. 1.50 d
— f. Sanitätsmannschaften (U. f. S.)(v.27.XI.'02). (D. V. E.No.59.)
　(m. Abb.) 8° Ebd. 02.　　　　　　+1.50; kart. +1.50; L. +2 — d
Unterrichts-Kursus, e., üb. d. Heilmagnetismus, s.: Flower's
　Kollektion.
Unterrichtsleiter, der. Monatsschrift d. deut. Vereinigg steno-
　graphier. Lehrer. Schriftleiter: E Böge. 5. u. 6. Jahrg. 1904
　u. 5 je 12 Nrn. (Nr. 1. 8) 8° Liegn., Dr. v. Kunowski. nn 2 —
　Bisher u. d. T.: Lehrer-Zeitung, allg. stenograph.
Unterrichtsstoffverteilung f. d. einklass. Volkssch. u. Halb-
　tagssch. (44 m° 4 Arnsbg, J Stahl 04.　　　　　nn 3.40 d
Unterrichtstafeln, augenärztl. Hrsg. v. H Magnus. In u. XXIII.
　(m. XXIII.)
　Magnus, H: Anl. z. Diagnostik d. centralen Stärgn d. opt. Apparates.
　(48 m. Abb.51 cm. Farbdr. Nebst Text. (12) 4° 02. [1.]
— als Abschn. Farbdr. Nebst Text. (12) 4° 02. [1.]
　Greeff, R: Der Bau d. Augenlider. 110×37 cm. Farbdr. Mit Text an d.
　Seiten. 03 [XXIII.]
Unterrichts-Werke (Methode Hittenkofer) f. Selbstunterr.
　Bureau u. Schule. Lehrfach Nr. 7; 8; 12; 17; 19 Anh.; 24;
　34 II; 36 A; 37 I; 40; 43. A V 1—5, u. T; 44; 51; 56—58;
　60; 61; 71 VI u. VII; 85; 86; 87 I u. II; 89; 90—92; 104; 113;

114; 115 a; 116; 128; 139 I; 140 I; 142 u. 143. 8° Strel., M Hittenkofer.

7.8. Schröder, M: Aufnahmen d. Modelle (Holzverbände.) ‖ Darstell. Geometrie. 5. Afl. (20 m. Abb.) (05.) 1.25
12. Bennewitz: Perspektiv. Zeichnen. 2. Afl. Unterweisgn u. Aufg. (28 m. Abb.) (03.) 2 —; 10 Übgstaf. 1.50; Lösgsheft — 75
17. Hittenkofer: Aquarellieren. (In 3 Tln.) 1. u. 2. Tl. 2. Afl. Unterweisgn u. Aufg. (19 m. Abb. u. 1 farb. Taf.) (04.) 1.60; Übgstaf. I. (6 Bl.) — 90; II (8 Bl.) 1.20
19. Bennewitz: Zimmererkunst. Anh. z. Lehrheft. (20 m. Abb.) (04.) 1.60 d
24. Bennewitz: Der Grundbau (Fundamente). 4. Afl. Unterweisgn u. Aufg. (51 m. Abb.) (05.) 3 —
34, II. Bennewitz: Konstruieren. (Selbständ. Gebäudeteile.) II. Eiskeller. Unterweisgn u. 1 Aufg. (12 m. Abb.) (03.) — 80
36 A. Bennewitz: Das Entwerfen d. Fabrikgebäude. 2. Afl. Unterweisgn u. Aufg. (48 m. Abb. u. 5 Taf.) (03.) 3 —
37, I. Hittenkofer: Baumschlag. 1. Tl: Federzeichngn. 4. Afl. (54 m. Abb.) (03.) 3.60 d
40. Hittenkofer: Das Entwerfen d. Grundrisse. Unterweisgn u. Aufg. 2. Afl. (36 m. Abb.) (1897.) 2.50 d
43 A, V, 1. Berechnqn d. Eisenkonstruktionen. Bearb. v. E Fölzer. 1. Tl. Säulen u. Stützen. (35 m. Abb.) (04.) 2.40 d
2. Dass. 2. Tl: Licht- u. Leitgsmaste. (29 m. Abb.) (04.) 2 — d
3. Dass. 3. Tl: Aussichtstürme, Motormaste, Gerüste zu Seilgetrieben. (19 Abb. u. 3 Taf.) (04.) 1.25 d
4. Dass. 4. Tl: Berechng schmiedeeiserner Fabrikschornsteine. (14 m. Abb.) (04.) 1 — d
5. Dass. 5. Tl: Die schmiedeeisernen Wasserbehälter u. Wassertürme. (26 m. Abb. u. 5 Taf.) (04.) 1.80 d
7. Dass. 7. Tl: Decken unter Anwendg v. Eisen. (26 m. Abb. u. 2 Taf.) (04.) 1.65 d
44. Bennewitz: Schnellentwerfen. 2. Afl. Unterweisgn u. Aufg. (88 m. Abb.) (03.) 2 — d
51. Deutsch. 2. Afl. v. R Scharf. (63) (04.) 3 —
56. Algebra. II. Tl. 7. Afl. Unterweisgn u. Aufg. v. H Schwarz. (32) (04.) 2 —
57. Krüger, R: Eb. Trigonometrie. 7. Afl. Unterweisgn u. Aufg. (30 m. Abb.) (05.) 2 —
58. Lübeck, O: Stereometrie. 6. Afl. Unterweisgn u. Aufg. (42 m. Abb.) (05.) 2.40
60. Lübeck, O: Mechanik I (Statik). 6. Afl. Unterweisgn u. Beisp. (79 m. Abb.) (03.) 5 — d
61. Lübeck, O: Festigkeitslehre. 7. Afl. Unterweisgn u. Beisp. (60 m. Abb.) (04.) 3.60 d
71, VI. Bauveranschlagen. (In 6 Tln.) VI. Tl: Wohnhaus in Fachwerk. 3. Afl. v. K Conradi. (52 m. 3 Taf.) (05.) 3.60
VII. Dass. VII. Massenberechng f. e. Plattendurchlass. (Von Schendera.) (4 m. 1 Taf.) (04.) — 40
85. Maschinenelemente. II. Gruppe. Maschinen-Elemente f. d. Kraft- bezw. Beweggsübertragg durch dreh. Bewegg. Kupplgn. 2. Afl. Unterweisgn. u. Aufg. v. P Haberstolz. (47 m. Abb.) (03.) 2.80 d
86. Dass. Lager. 2. Afl. v. P Haberstolz. (107 m. Abb.) (05.) 6.60 d
87, I. Dass. I. Riementrieb. 2. Afl. v. E Lohmar. (64 m. Abb.) (04.) 4 — d
II. Dass. II. Gruppe. Maschinenelemente f. d. Kraft- bezw. Beweggsübertragg durch dreh. Bewegg. Seiltrieb. 2. Afl. v. E Lohmar. (64 m. Abb.) (04.) 3.60
89. Dass. II. Gruppe. Maschinenelemente f. d. Kraft- bezw. Beweggsübertragg durch dreh. Bewegg. Reibgsräder. 2. Afl. v. O Grosser. (26 m. Abb.) (04.) 1.60
90. Dass. II. Gruppe f. d. Kraft- bezw. Beweggsübertragg durch dreh. Bewegg. Zapfen u. Achsen. 2. Afl. Unterweisgn u. Aufg. v. E Lohmar. (40 m. Abb.) (03.) 2.50
91. Dass. Die Wellen. 2. Afl. v. E Lohmar. (40 m. Abb.) (05.) 2.50
92. Lohmar, E: Die Kolben, Kolbenstangen, Stopfbüchsen. 2. Afl. Unterweisgn u. Aufg. (54 m. Abb.) (05.) 3.50
104. Hess, H: Turbinen. 2. Afl. Unterweisgn u. Aufg. (52 m. Abb.) (04.) 3.20
113. Lübeck, O: Abgelr. Analysis. 2. Afl. Unterweisgn u. Beisp. (31 m. Abb.) (05.) 2 —
114. Lübeck, O: Analyt. Geometrie. Unterweisgn. u. Aufg. (76 m. Abb.) (04.) 3.60
115a. Lübeck, O: Differentialrechng. 2. Afl. Unterweisgn u. Aufg. (111 m. Abb.) (05.) 7 —
116. Lübeck, O: Wärmelehre. Unterweisgn u. Aufg. (42 m. Abb.) (04.) 2.60
128. Weber, W: Anl. f. d. Übgn im elektrotechn. Praktikum. II. Die charakterist. Kurven d. Gleichstrommaschinen u. Wechselstromgeneratoren. (40 m. Abb.) (04.) 3 —
139, I. Schendera: Geodät. Praktikum. (23 m. Abb. u. 1 farb. Taf.) (04.) 1.60
140, I. Stein- u. Kunstbauten I. 2. Afl. v. W Abstreiter v. E Fölzer. (26 m. Abb. u. 9 Taf.) (05.) 2.80
142. Fölzer, E: Betoneisenkonstruktionen. (45 m. Abb. u. 10 Taf.) (05.) 3.60 d
143. Fölzer, E, u. L Kraus: Hydromechanik od. d. Lehre v. Gleichgewicht u. d. Bewegg d. Wassers. (62 m. Abb.) (05.) 4 —

Bisher u. d. T.: Hittenkofer, M, Unterr.-Werke. — Lehrfach 41 kl. Ausg. s.: Hittenkofer.

Unterrichtswesen, d., im Deut. Reich. Aus Anlass d. Weltausstellg in St. Louis hrsg. v. W Lexis. 4 Bde u. Anh. in 7 Tln. 8° Berl., Behrend & Co. 04. 40 —; in 6 Tle geb. 46.60
I. Lexis, W: Die Univ. im Deut. Reich. (655) 10 —; geb. 11.20
II. Rethwisch, C, R Lehmann, G Bäumer: Die höh. Lehranst. u. d. Mädchenschulwesen im Deut. Reich. (426) 04. 7 —; geb. 8.20
III. Gizycki, P v., E Clausnitzer, E Walther, J Matthies: Das Volksschulwesen u. d. Lehrerbildgswesen im Deut. Reich. (441) 7 —
Anh. Gizycki, P v.: Wohlfahrtseinrichtgn im Anschl. an d. Volkssch. im Deut. Reich. (128) 04. 2 —; III. Bd u. Anh. geb. 10.20
IV, 1. Lexis, W: Das techn. Unterr.-Wesen. 1. Tl. Die techn. Hochsch. im Deut. Reich. (303) 5 —; geb. 6 —
2. Dass. 2. Tl. Die Hochsch. f. bes. Fachgeb. im Deut. Reich. (245) 4 —; geb. 5 —
3. Dass. 3. Tl. Der mittl. u. nied. Fachunterr. im Deut. Reich. (334) 5 —; geb. 6 —

— kaufmänn., f. weibl. Angestellte, s.: Veröffentlichungen d. deut. Verbandes f. kaufmänn. Unterr.-Wesen.

Unterrichts-Zeitung, land- u. forstw. Red. v. F Ritter v. Zimmerauer. 15—19. Jahrg. 1901—5 je 4 Hefte. (1901. 1. u. 2. Heft. 145 u. 68) 8° Wien, A Hölder. Je 8 —

Untersberger, J: Das Kirchenjahr in Bildern. 47 Bilder, komp. u. in Tusche ausgeführt. Mit erläut. Vorwort v. FS Hattler. (109) 4° Innsbr., F Rauch 02. Geb. nn 3.40 d

Unterscheidungslehren, d., s.: Streitschriften, freundschaftl.

Unterstein, K: Die natürl. Gotteserkenntnis n. d. Lehre d. kappadoc. Kirchenväter Basilius, Gregor v. Nazianz u. Gregor v. Nyssa. 1. u. 2. Tl. (76) 8° Straub., (H Appel) (02.03). Je 2 —

Unterstützung, d., d. Handelsmarine freier Schiffahrt in verschied. Staaten. Für d. v. ständ. Verkehrs- u. Tarif-Ausschusse d. Industrierathes z. Vorberathg d. Anträge, betr. d. Seeverkehr, eingesetzte Subcomité bearb. v. Bureau d. Industrierathes im k. k. Handelsministerium. (131) 8° Wien, (Hof- u. Staatsdr.) 02. — 80 d

Untersuchungen z. Gesch. u. Altertumskde **Aegyptens**. Hrsg. v. K Sethe. II. Bd. 3. u. 4. Heft; III. Bd, 2 Hlftn; IV. Bd, 3 Hefte u. V. Bd, 1. Heft. 8° Lpzg, JC Hinrichs' V. Subskr.-Pr. 73.20; Einzelpr. 88.70 (I—V, 1.: 106.60)
Borchardt, L: Zur Baugesch. d. Amonstempels v. Karnak. Mit e. Anh. hieroglyph. Texte. (47 m. Abb. u. 1 farb. Bl.) 05. [V,1.] 12 —; bezw. 15 —
Gardiner, AH: The inscription of Mes. A contribution of the study of Egyptian judicial procedure. (54) 05. [IV,3.] 8 —; bezw. 9.60
Schäfer, H: Die Mysterien d. Osiris in Abydos unter König Sesostris III. Nach d. Denkstein d. Oberschatzmeisters I-cher-nofret im Berliner Museum. (42 m. 1 Doppeltaf.) 04. [IV,2.] 8 —; bezw. 9.60
— Die altägypt. Prunkgefässe m. aufgesetzten Randverziergn. (48 m. Abb.) 03. [IV,1.] 7.60; bezw. 9 —
Sethe, K: Beitr. z. ält. Gesch. Ägyptens. 1. Hlfte. (1—64) 03. [III,1.] 10.50; bezw. 13 — ‖ 2. Hlfte. Mit e. Beitr. v. E Meyer. (65—147) 05. [III,2.] 13.50; bezw. 16 —
— Dodekaschoinos, d. Zwölfmeilenland an d. Grenze v. Aegypten u. Nubien. (36) 01. [II,3.] 6 —; bezw. 7.50
— Imhotep, d. Asklepios d. Aegypter, e. vergötterter Mensch a. d. Zeit d. Königs Doser. (Nebst Reg. zu Bd I u. II d. Untersuchgn.) (26 u. 15) 02. [II,4.] 7.60; bezw. 9 —

— üb. **Arbeitslöhne** a. d. volksw.-statist. Seminar d. kgl. techn. Hochsch. zu Dresden, hrsg. v. V Böhmert. 2. Heft. 8° Dresd., OV Böhmert. 1.50 (1 u. 2.: 3 —) d
Beck, H: Lohn- u. Arbeitsverhältn. in d. deut. Maschinenindustrie am Ausg. d. 19. Jahrh. (71) 02. [2.] 1.50

— üb. d. Elasticität u. Festigkeit d. österr. **Bauhölzer**, s.: Mitteilungen a. d. forstl. Versuchswesen Österr.

— **chem.** u. medicin. Festschrift z. Feier d. 60. Geburtstages v. Max Jaffe. Mit Beitr. v. M Askanazy, P Baumgarten, M Bernhardt, R Cohn, T Cohn, W Eliassow, A Ellinger, J Frohmann, P Hilbert, Lassar-Cohn, D Lawrow, E v. Leyden, W Lindemann, W Lossen, H Meyer, E Neumann, H Nothnagel, E Salkowski, W Scheele, L Schreiber, A Seelig, S Stern, O Weiss, R Zander. (472 m. 1 Abb. u. 7 Taf.) 8° Brnschw., F Vieweg & S. 01. 12 —

— üb. d. **Fauna** d. Gewässer Böhmens, s.: Archiv f. d. naturwiss. Landesdurchforschg v. Böhmen.

— z. **Gegenstandstheorie** u. Psychol. Hrsg. v. A Meinong. (634) 8° Lpzg, JA Barth 04. 18 —

— **geschichtl.**, hrsg. v. K Lamprecht. I. u. II. Bd je 4 Hefte u. III. Bd, 1. Heft. 8° Gotha, FA Perthes. 21.10 (I vollst., erm. Pr. 12 —; II vollst., ermäss. Pr. 6 —)
Arens, F: Das tiroler Volk in s. Weistümern. (436) 04. [I,3.] 8 —
Dörfel, J: Gervinus als histor. Denker. (66) 04. [II,2.] 1.20
Herrmann, F: Die Geschichtsauffassg Heinr. Ludens im Lichte d. gleichzeit. geschichtsphilosoph. Strömgn. (125) 04. [II,3.] 2 —
Beussi, K: Die Kirchengeschichtschreibg Johann Lorenz v. Mosheims. (77) 04. [I,4.] 1.20
Köhler, A: Verfassg, soz. Gliederg, Recht u. Wirtschaft d. Tuareg. (64) 04. [II,1.] 1.20
Renz, F: Jean Bodin. Ein Beitr. z. Gesch. d. histor. Methode im 16. Jahrh. (84) 05. [III,1.] 1.20
Rühlmann, P: Die öffentl. Meing in Sachsen währ. d. J. 1806—12. (121) 02. [I,1.] 2.40
Schneider, H: Das kausale Denken in deut. Quellen z. Gesch. u. Lit. d. 10., 11. u. 12. Jahrh. (115) 05. [II,4.] 2.40
Werner, V: Ursprg u. Wesen d. Erbgrafentums bei d. Siebenbürger Sachsen. (66) 02. [I,2.] 1.50

— z. ält. **griech.** Prosalitt. Mit Beitr. v. K Emminger, H Kullmer, V Schneider, M Vogt. Hrsg. v. E Drerup. Wilh. v. Christ z. 70. Geburtstage dargebracht. [S.-A.] (586 m. 1 Taf.) 8° Lpzg, BG Teubner 01 (Umschl. 02). 20 —

— üb. d. **Heimarbeit** d. Frauen in Dresden (v. P Scheven u. R Wuttke), s.: Schriften d. Dresd. Gesellsch. f. soc. Reform.

— üb. **Kapillarität** u. Benetzgs-Erscheingn, s.: Abhandlungen, wiss., d. kais. Normal-Aichgs-Kommission.

— z. **Naturlehre** d. Menschen u. d. Thiere. Begründet v. J Moleschott, red. v. G Colasanti u. W Erhardt. XVII. Bd. 3. u. 4. Heft. (179—376 m. H. u. 2 L.) 8° Giess., E Roth 01. 6 — (1—4.: 12 —)

— **philolog.**, hrsg. v. A Kiessling u. U v. Wilamowitz-Moellendorff. 16. u. 17. Heft. 8° Berl., Weidmann. 17 — (1—17.: 100.40)
Jacoby, F: Apollodors Chronik. Sammlg d. Fragmente. (416) 02. [16.] 14 —
Passow, W: Studien z. Parthenon. (65 m. Abb.) 02. [17.] 3 —

— **psycholog.** Hrsg. v. T Lipps. I. Bd. 1. u. 2. Heft. 8° Lpzg, W Engelmann. 9 —
Aster, E v.: Untersuchgn üb. d. log. Gehalt d. Kausalgesetzes. (205—328) 05. [I,2.] 3.40
Lipps, T: Bewusstsein u. Gegenstände. (203) 05. [I,1.] 5.60

— z. neueren **Sprach-** u. **Lit.-Gesch.** Hrsg. v. OF Walzel. 1—8. Heft. 8° Bern, A Francke. 17.50
Blaser, O: Conr. Ferd. Meyers Renaissancenovellen. (151) 05. [8.] 2.80
Bloesch, H: Das junge Deutschl. in s. Beziehgn zu Frankr. (136) 03. [1.] 2.40
Gschwind, H: Die eth. Neuergn d. Früh-Romantik. (136) 03. [2.] 2.40
Hirzel, L: Wielands Beziehgn zu d. deut. Romantikern. (92) 04. [4.] 1.50

z. Kraftübertragg, Beleuchtg, Elektrometallurgie, Galvano-
plastik, Telegr., Telephonie u. im Signalwesen. 6. Afl. (Ehe-
mals T Schwartze, E Japing u. A Wilke). (160 m. Abb.) 8°
Wien, A Hartleben 01. Geb. 1.50
Urbanitzky, A Ritter v.: Das elektr. Licht u. d. elektr. Heizg,
s.: Bibliothek, elektrotechn.
Urbanitzky, R, s.: Wasserstrasse, d., v. Budweis an d. Donau.
— Wasserverwüstg u. Wasserregeln. (23) 8° Linz, Oberösterr.
Buchdr.- u. Verl.-Gesellsch. (04). — 40
Urbantschitsch, V: Üb. d. Beeinflussg subjektiver Gesichts-
empfindgn, s.: Vorträge u. Besprechungen üb. d. Wesen d.
Begriffe.
— Üb. method. Hörübgn u. deren Bedeutg f. Schwerhörige,
Ertaubte u. Taubstumme. [S.-A.] (43) 8° Wien, Urban & Schw,
01. — 80
— Lehrb. d. Ohrenheilkde. 4. Afl. (594 m. H. u. 8 Taf.) 8° Ebd.
01. 12 —; HF. nn 14 —
Urbar d. St.Martins-Kirche in Gufidaun 1483. Hrsg. v.F v.Wieser.
(Umschl.: Das ist daz Urbarpuch d. Herren saud Martein zu
Gufidawn.) (Von H Koburger.) (29 in Rot- u. Schwarzdr.) 8°
Innsbr., Wagner 04. 1 — d
— d. habsburg., hrsg. v. P Schweizer u. W Glättli, s.: Quellen
z. Schweiz. Gesch.
Urbar, E: Zacht, s.: Seemann's kl. Unterhaltsbibliothek.
Urbare, d., v. S. Pantaleon in Köln, s.: Publikationen d. Ge-
sellsch. f. rhein. Geschichtskde.
— österr. Hrsg. v. d. kais. Akad. d. Wiss. I. Abtlg. Landes-
fürstl. Urbare. 1. Bd, Die landesfürstl. Urbare Nieder- u. Ober-
Österr., a. d. 13. u. 14. Jahrh. Unter Mitwirkg v. W Levec hrsg.
v. A Dopsch. (357, 482 m. 3 Kart.) 8° Wien, W Braumüller
04. 30 —
Urbas, E: Das Jahr d. Liebe. Sonette. (27 Bl.) 8° Wien, (LW
Seidel & S.) (05). 2 —
Urbat, R: Ein Studienaufenthalt in Engl. (52) 8° Bresl., Tre-
wendt & Gr. 04. — 80
Urbye, A, s.: Strafgesetz, alg. bürgerl., f. d. Kgr. Norwegen.
Urtace, d., u. s. Umgebg. Die grösste Talsperre Europas. (43
m. 6 Abb. u. 1 Karte.) 8° Trier, H Stephanus 05. — 60
Urgiss, J: A Adam's Postillon v. Lonjumeau. — P Cornelius'
Barbier v. Bagdad. — JF Haléy's „Die Jüdin", s.: Hoursch's
Opern-Führer.
— Allg. Musiklehre, s.: Miniatur-Bibliothek.
— O Nicolai's „Die lust. Weiber v. Windsor". — S Wagner's
„Der Bärenhäuter", s.: Hoursch's Opern-Führer.
Urgrossvater, d., s.: Immergrün.
Url. Land u. Leute, nebst prakt. Reiseführer f. Alpenfreunde.
(142 u. 5 m. Abb. u. 1 Karte.) 8° Altdf 02. (Lnz., E Haag.) 2 —
Urkunde, d. ält., d. Klosters Putna, z. 400jähr. Gedenkfeier
d. Todes Stephans d. Gr. hrsg. v. EA Kozak. (7 m. 1 Abb.)
8° Czernow., (H Pardini) 04. nn 1 —
Urkunden, ägypt., a. d. kgl. Museen zu Berlin. Hrsg. v. d.
Generalverwaltg. Griech. Urkunden. III. Bd, 7—12. Heft. (Bl.
193—352 u. 44 S. m. 2 Lichtdr.) 4° Berl., Weidmann 01-03.
|| IV. Bd, 1—3. Heft. (Bl. 1—96) 04.05. Je 2.40 (I—IV, 3.: 93.60)
— dass, Kopt. Urkunden. I. Bd, 2—7. Heft. (Bl. 33—194 u. 13)
4° Ebd. 02-05. || II. Bd, 1. Heft. (Bl. 195—226) 04. Je 2.40
(I—II, 1.: 19.20)
— d. ägypt. Altertums. Hrsg. v. G Steindorff. I. u. II. Abtlg
je 1. u. 2. Heft; III. Abtlg. 1. Heft u. IV. Abtlg. 1. u. 2. Heft.
4° Lpzg, JC Hinrichs' V. 35 —
I, 1.2. Urkunden d. alten Reichs. I.II. Bearb. v. K Sethe. (102) 03.
Je 5 —
II, 1. Urkunden, hieroglyph., d. griechisch-röm. Zeit. 1. Bearb. v. K
Sethe. Historisch-biograph. Urkunden a. d. Zeiten d. makedon. Kö-
nige u. d. beiden ersten Ptolemäer. (80) 04. 5 —
2. Dass. II. Bearb. v. K Sethe. Historisch-biograph. Urkunden a. d.
Zeiten d. Könige Ptolemäus Philadelphus u. Ptolemäus Euergetes I.
(81—158) 04. 5 —
III, 1. Urkunden d. ält. Äthiopenkönige. 1. Heft. Bearb. v. H Schäfer.
Siegesinschrift d. Fianchi. — Traumstele. Bruchstück Berlin 1068.
(79) 05. 5 —
IV, 1. Urkunden d. 18. Dynastie. Bearb. v. K Sethe. 1. Heft. Historisch-
biograph. Urkunden a. d. Zeiten d. Hyksosvertreiber u. ihrer ersten
Nachfolger. (78) 05. 5 —
2. Dass. 2. Heft. Historisch-biograph. Urkunden a. d. Zeit d. Königs
Thutmosis' I u. II. (79—154) 06. 5 —
Die Schlusshefte d. Abtlgn I—III sind noch nicht erschienen.
— a. d. Zeit d. 3. babylon. Dynastie. In Urschrift, Umschrift
u. Übersetzg hrsg. v. FE Peiser. Dazu Rechtsausführgn v. J
Kohler. (44) 4° Berl., W Peiser 05. 12 —
— d., d. kgl. Stiftes Emaus in Prag. 1. Bd. 8° Prag, (JG Calve)
—
1. Registrum Slavorum, d. vollständ. Hrsg. v. L Helmling u. A Horcicka.
(25, 296 m. 1 Taf.) 04. 5 —
— z. Güterverwaltg d. Univ. Frankfurt a. O., hrsg. v. E
Vosberg, s.: Akten u. Urkunden d. Univ. Frankfurt a. O.
— z. Entstehgsgesch. d. 1. Leipz. Grosshandelsvertretg.
— Der 1. Leipz. Handlgsgehilfenver. Hrsg. v. d. Handelskammer zu Leipzig. Verf. v. S Moltke. (105, 138 m. 3 [2 farb.]
Taf. u. 4 S. in Fksm.) 8° Lpzg, (A Twietmeyer) 04. 10 —
— d. ält., d. Stadt Hettstedt im Mansfelder Gebirgskreise.
Ges. u. hrsg. v. H Grössler. [S.-A.] (102) 8° Eisleben, Prof.
Dr. H Grössler 1904. 1.60
— vatikan., d. XIV. Jahrh. z. Gesch. d. Hauses Hohenzollern.
Mitgeteilt v. HV Sauerland. [S.-A.] (15) 8° Rom, Loescher &
Co. 03. nn — 80

Urkunden z. Gesch. hugenott. Gemeinden in Deutschl., hrsg.
v. A Vinay, s.: Geschichtsblätter d. deut. Hugenotten-Ver.
— z. Gesch. d. ehem. Hauptamts Insterburg. Nach d. Originalen im kgl. Staatsarchiv zu Königsberg u. d. kgl. geh.
Staatsarchiv zu Berlin gefertigt v. H Kiewning u. M Lukat.
2. u. 3. Heft. (97—232) 8° Insterbg, (J Krauss Nf.) 1896.97.
nn 3.25 (Vollst.: nn 4.50)
— d., d. deut. Kaiser u. Könige, s.: Urkunden Heinrichs II.
u. Arduins, s.: Monumenta Germaniae historica.
— z. pfälz. Kirchengesch. im M.-A. In Regestenform veröffentlicht v. FX Glasschröder. (403) 8° München (Friedrichstr. 2 III), Reichsarchivr. Dr. Glasschröder 03. †8 —
— d. Markgrafen v. Meissen u. Landgrafen v. Thüringen,
hrsg. v. H Ermisch, s.: Codex diplomaticus Saxoniae regiae.
— d. fürstl. Salm-Salm'schen Archives in Anholt, bearb.
v. L Schmitz, s.: Veröffentlichungen d. histor. Kommission
d. Prov. Westfalen.
— dass. in Coesfeld u. d. herzogl. Croy'schen Domänenadministration in Dülmen, hrsg. v. L Schmitz-Kallenberg, s.: Veröffentlichungen d. histor. Kommission d. Prov. Westfalen.
— z. schweiz. Gesch. a. österr. Archiven. Hrsg. v. R Thommen. 2. Bd. 1371—1410. (551) 4° Bas., (Basler Buch- u. Antiquariatsh. vorm. A Geering) 1900. 18.40 (1 u. 2.: 40.80)
— d., d. Pfarrarchivs v. St. Severin in Köln. Bearb. u. hrsg.
v. J Hess. (470) 4° Köln, H Theissing 01. 15 —
— ausgew., z. deut. Verfassgsgesch. v. G v. Below u. F
Keutgen. 1. Bd. 2. Hlfte. 8° Berl., E Felber. 5.40 (Vollst.: 9 —)
Keutgen, F: Urkunden z. städt. Verfassgsgesch. 2. Hlfte. (15—38 u. 210—
671) 01. [I.] 5.40 (Vollst.: 9 —)
— u. Akten z. Stadt Strassburg. III. Abth. Die alten Matrikeln
d. Univ. Strassburg 1621—1793. Bearb. v. GC Knod. 3. Bd.
Personen- u. Ortsreg. (557) 8° Strassbg, KJ Trübner 02.
15 — (I, 1—7, H, 1—3, III, 1—3 u. IV, 1.: 365 —)
— u. Aktenstücke z. Gesch. d. Kurfürsten Friedrich Wilhelm
v. Brandenburg. 17. u. 18. Bd. 8° Berl., G Reimer. 58 —
(I—18.: 360 —)
17. Polit. Verhandlgn. 10. Bd. Hrsg. v. B Brode. (566) 01. 24 —; 18. Bearb.
11. Bd. Hrsg. v. F Hirsch. (854) 02. 32 —
— z. Regesten z. Gesch. d. Benedictinerstiftes Göttweig, vor-
bereitet v. A Dungel, bearb. v. AF Fuchs, s.: Fontes rer.
austriacar.
— vatikan., z. Gesch. Lothringens, bearb. v. HV Sauerland,
s.: Quellen z. lothring. Gesch.
— z. Gesch. d. Rheinlande u. d. vatikan. Archiv, bearb.
v. HV Sauerland, s.: Publikationen d. Gesellsch. f. rhein.
Gesch.-Kde.
— z. Geneal. derer v. Scheven. 1. Heft. Für d. Familien-
verband zusammengest. u. erläut. v. C v. Scheven. (85 m. 7
Stammtaf. u. 1 Karte.) 8° Berl., (JA Stargardt) 03. 6 —
Urkundenbuch d. altfriesen Geschlechter d. Barone, Grafen u.
Herren v. Alten. aus gedr. u. ungedr. Quellen als Handschrift gedruckt. (Von Baron Ed v. Alten.) (454 m. 2 Taf.)
4° Weim., (H Böhlau's Nf.) 01. L. 20 —
— Asseburger Urkunden u. Regesten z. Gesch. d. Geschlechtes Wolfenbüttel-Asseburg u. sr Besitzungen. 3. Thl.
Bis z. J. 1500. Hrsg. a. d. Nachl. d. J Graf v. Bocholtz-Asse-
burg v. Grafen Ev d. Asseburg. (598 m. 6 Taf.) 8° Hannov.,
Hahn 05. 25 — (Vollst.: nn 49 —)
— d. Stadt Basel. Hrsg. v. d. histor. u. antiquar. Gesellsch.
zu Basel. 6. u. 8. Bd u. 9. Bd, 2 Tle. 4° Bas., Helbing & L.
79.30 (1—9.: 235.10)
6. Bearb. durch A Huber. (501) 02. 25.40 || 8. Bearb. durch R Thommen.
(581) 01. 29.50 || 9. Bearb. durch R Thommen. 2 Tle. (925) 04.05. 24.40
— d. Stadt Braunschweig. Hrsg. v. L Haenselmann u. H
Mack. III. Bd. 1321—40. 3 Abtlgn. 8° Berl., CA Schwetschke
& S. 05. 37.60 (Vollst.: 103.80)
1. Abth. 1921—31. (1—240) 01. 12 — || 2. Abth. 1321—40. (241—025) 02.
14.40 || 3. Abth. Reg. u. Pikos. (339—781 m. 3 Pl.) 05. 11.20.
— brem. Hrsg. v. DR Ehmck u. W v. Bippen. V. Bd. 3. Lfg.
(581—614) 4° Brem., Diercksen & W. 02. nn 10 —
(I—V.: nn 125 —)
— d. Stadt Budweis. bearb. v. K Köpl, s.: Städte- u. Urkundenbücher a. Böhmen.
— Coesfelder. I. Tl (bis 1400), m. e. Einl. üb. d. Gründg d.
Stadt Coesfeld v. F Darpe. (164 m. 1 Karte.) 8° Coesf., B Witt-
neven 1900. 3.30
— d. Stadt Esslingen, bearb. v. A Diehl, s.: Geschichtsquellen, württemberg.
— Reichsstadt Frankfurt, s.: Codex diplomaticus Moeno-
francofuranum.
— d. Stadt Friedberg. Hrsg. v. G Frhr v. d. Ropp. 1. Bd:
1216—1410. Bearb. v. M Foltz. (Veröffentlichgn d. histor. Kommission f. Hessen u. Waldeck.) (698) 8° Marbg, NG Elwert's V.
04. 16 —; geb. 17.50
— d. Stadt Goslar, bearb. v. G Bode, s.: Geschichtsquellen
d. Prov. Sachsen.
— d. Stadt Hameln. bearb. v. E Fink, m. e. geschichtl. Einl. v.
E Fink, s.: Quellen u. Darstellungen z. Gesch. Niedersachsens.
— d. Stadt Hannov. v. f. hans. Gesch. VI. u. IX. Bd. 8° Lpzg,
Duncker & H. 49.80 (I—VI, VIII u. IX.: 169)
VI. 1415—33. Bearb. v. K Kunze. (666) 05. 22.80 || IX. 1463—70. Bearb.
v. W Stein. (45, 751)05. 27 —
— d. Stadt Heilbronn, bearb. v. E Knupfer, s.: Geschichtsquellen, württemberg.
— d. Hochstifts Hildesheim u. sr Bischöfe, bearb. v. H Hoogeweg, s.: Quellen u. Darstellungen z. Gesch. Niedersachsens.

Urkundenbuoh d. Stadt Hildesheim. Hrsg. v. R Doebner.
8. Thl. Von 1481—1597. Mit Nachtr. u. Berichtiggn zu Thl I—
VIII. (1055 m. 1 Lichtdr.) 8° Hildesh., Gerstenberg 01. 26 —
    (Vollst. m. Glossar zu I—IV.: 160 —)
— **hohenlohisches.** Hrsg. v. K Weller. 2. Bd. 1311—50.(815)
8° Stuttg., W Kohlhammer 01.   15 — (1 u. 2.: 25 —) d
— d. Stadt Jena u. ihrer geistl. Anst., unter Benutzg d. Nachlasses v. JEA Martin hrsg. v. E Devrient, s.: Geschichtsquellen, thüring.
— d. Stiftes Kaiserswerth, bearb. v. H Kelleter, s.: Urkundenbücher d. geistl. Stiftgn d. Niederrheins.
— d. Klosters Kaufungen in Hessen. Bearb. u. hrsg. v. H
v. Roques. II. Bd. (614 m. 1 Karte.) 8° Cass., (M Siering) 02.
     15 — (Vollst.: 30 —)
— **liv-, est- u. kurländ.** Begründet v. FG v. Bunge, fortgesetzt v. H Hildebrand, P Schwartz u. L Arbusow. I. Abtlg,
11. Bd u. II. Abtlg, 2. Bd. 8° Riga, (J Deubner) 05.   50 —
(I, 11.—11; H, 1.2 u. Register z. 7—9. Bd erh. Preis: nn 555 —)
I,11. 1450—59. Hrsg. v. P Schwartz. (24, 783) 05. 30 — ‖ 11,2. 1501—5.
Hrsg. v. L Arbusow. (20, 760) 05. 30 —
— d. Stadt Lübeck. Hrsg. v. d. Ver. f. lübeck. Gesch. u. Altertumskde. II. Thl 1—6. Lfg. (600) 4° Lüb., Lübcke & N. 02-04.
     27 —
— **meklenburg.** Hrsg. v. d. Ver. f. meklenburg. Gesch. u.
Alterthumskde. XX. u. XXI. Bd. 4° Schwer., (Bärensprung'sche
Hofbuchdr.).   Je 16 — (I—XXI.: nn 336 —)
XX. 1381—86. (500 u. 167) 1900. ‖ XXI. 1386—90. (461 u. 146) 03.
— d. Klosters Neuenwalde. Bearb. v. H Büther. (390 m.
5 Lichtdr. u. 1 Karte.) 8° Hannov., Hahn 05.   7.50
— z. Gesch. d. Markgraf't. Nieder-Lausitz. I. Bd, 1. Abtlg:
Urkundenb. d. Klosters Neuzelle u. sr Besitzgn, hrsg. v. E
Theuner.(186 m. 1 Lichtdr.) 4° Lübb. 1897. (Münster i/W., Klein-
mannstr. 7, Dr. E Theuner.)   Kart. nn 8 — d ‖ H
— **niederöster.** (Acta Austriae inferioris.) Hrsg. v. Ver.
f. Landeskde v. Niederöster. H. Bd. Urkundenb. d. aufgeho-
hob. Chorherrenstiftes Sanct Pölten. (Codex canonicor. S.
Ypoliti.) 2. Thl: 1368—1400. Bearb. v. J Lampel. (63, 488) 8°
Wien, (LW Seidel & S.) 1893-1901.   10 — (I u. II.: 36 —)
— Osnabrücker. Bearb. u. hrsg. v. M Bär. IV. Bd. Die Urkunden d. J. 1281—1300 u. Nachtr. (510) 8° Osnabr., (Rackhorst) 02.   14 — (Vollst.: 50 —)
— d. Klosters Paulinzelle, hrsg. v. E Anemüller, s.: Geschichtsquellen, thüring.
— d. Klosters Pforte, bearb. v. P Boehme, s.: Geschichtsquellen d. Prov. Sachsen.
— **pommersches.** Hrsg. v. kgl. Staatsarchiv zu Stettin.
IV. u. V. Bd. Je 2 Abtlgn. 4° Stett., P Niekammer.   33.50
     (I—V.: 78.50) d
IV,1. Bearb. v. G Winter. 1. 1301—06. (264) 02. 7 — ‖ 2. 1307—10. (265—
299) 03.   7 —
V. Bearb. v. O Heinemann. 1. 1311—16. (1—298) 03. 7.50 ‖ 2. 1317—20.
(299—721) 05.   12 —
— neues preuss. Publication d. Ver. f. d. Gesch. v. Ost- u.
Westpreussen. Ostpreuss. Thl. 2. Abth. Urkunden d. Bisthümer, Kirchen u. Klöster. 2. Bd. Urkundenb. d. Bisth.
Samland. Hrsg. v. CP Woelky u. H Mendthal. 3. Heft. (255
—367.) 4° Lpzg, Duncker & B. 04. 4.40 (2. Bd vollst.: 14.40)
— d. aufgehob. Chorherrnstiftes Sanct Pölten (Codex canonicor. S. Ypoliti), hrsg. v. J Lampel, s.: Urkundenb, niederösterr.
— z. Gesch. d. Deutschen in Siebenbürgen. Von F Zimmermann, C Werner u. G Müller. 3. Bd: 1391—1415. Nr. 1260—
1785. (763 m. 5 Taf.) 8° Hermannst., (F Michaelis) 02.   10 —
     (1—3.: [48 —] 19 — 3 u. 2 zus. 12 —)
— d. Herzogth. Steiermark. Bearb. v. J v. Zahn. Hrsg. v.
histor. Ver. f. Steiermark. IH. Bd: 1246—60. (467 m. 1 Karte.)
(Leuschner & L.) 03.   12 — (I—III.: 42 —)
— v. Torgau, zusammengest. v. C Knabe. (93 u. 7) 4° Torgau, (Magistrat) 02.   Nicht im Handel.
— **westfäl.** Fortsetzg v. Erhards Regesta historiae West-
faliae. 7. Bd: Die Urkunden d. köln. Westfalens v. J. 1300
—1300. I—IV. Abth. 4° Münst., (Regensberg.)   Je nn 3.50
L 1300—37. Bearb. v. H Finke. (1—300) 01. ‖ II. 1287—56. Bearb. v. Staatsarchiv Münster. (201—400) 01. ‖ III. 1256—69. Bearb. v. Staatsarchiv Münster. (401—600) 03. ‖ IV. 1269—80. Bearb. v. Staatsarchiv Münster. (601—
800) 04.
— **wirtemberg.** Hrsg. v. d. kgl. Staatsarchiv in Stuttgart.
8. Bd. (551) 4° Stuttg., (H Enderlen) 03. nn 10 — (1—8.: nn 77 —)
— d. Stadt u. Landschaft Zürich. Bearb. v. J Escher u. P
Schweizer. 3. Bd. 2. Elfte u. VI. Bd. 3 Elfte. 4° Zür., (Fäsi
& B.   Subskr.-Pr. nn 19.25; Ladenpr. nn 21.60
     (I—VI.: nn 79 —; bezw. nn 87.45)
V. 1277—88. 1 Hlfte. (201—398 m. 1 Taf.) 01. nn 6.25; bezw. nn 7 —
VI. 1298—96. (414) 03.05. nn 13 —; bezw. nn 14.60
Sigelabbildgn dazu s.: Sigelabbildungen.

Urkunden- u. Regestenbuoh d. ehemal. Klarissinnen-Klos-
sters in Krummau. Hrsg. v. JM Klimesch. (20, 528) 8° Prag,
(JG Calve) 04.   8 —
Urkundenbücher d. sächs. Gymnasien, s.: Veröffentlichungen
z. Gesch. d. gelehrten Schulwesens im albertin. Sachsen.
— d. geistl. Stiftgn d. Niederrheins. Hrsg. v. Düsseldorfer
Geschichtsver. I. 8° Bonn, P Hanstein.   24 —
I. Urkundenbuch d. Stiftes Kaiserswerth. Bearb. v. H Kelleter. (55, 672)
04.

Urlaub, A, u. P **Dresler:** Feucht-Fröhliches f. d. Buchhandlgs-

Gehilfen-Ver. 1. u. 2. Heft. (20 u. 28) 8° Lpzg, Buchhandlgs-
Gehilfen-Ver. (04.05).   Je nnn — 25 d
(15.) 8° Wien, Verl. „Wahrheit" 04.   — 30
Urlaub, JM: Justizkabalen u. d. Korpsgeist im Recht. [8.-A.]
Urlichs, HL: Denkmäler griech. u. röm. Skulptur, s.: Furtwängler, A.
Urquhart, J: Die Bücher d. Bibel od. Wie man d. Bibel lesen
soll. 1. Bd. Übers. v. E Spliedt. (176) 8° Stuttg., M Kielmann
04. ‖ 2. Bd.(Ohne Angabe d. Übers.) (203) 06. Je 2 —; geb. je 2.60 d
— Die neueren Entdeckgn u. d. Bibel. 1—5. Bd. Ushers. v. E
Spliedt. 8° Ebd.   Je 4 —; L. je 5 — d
1. Von d. Schöpfg bis zu Abraham. 4. Afl. (341) 04.
2. Von Abraham bis z. Auszug a. Aegypten. 1—3. Afl. (331 m. Abb.) 02.03.
3. Vom Auszug a. Aegypten bis z. Philisterzeit. 1. u. 2. Afl. (351) 03.
4. Von d. Philisterzeit bis z. babylon Gefangenschaft. 1. u. 2. Afl. (333
     m. Abb. u. 1 Karte.) 03.
5. Von den Büchern d. Chronika bis z. Ev. Johannes. 1. u. 2. Afl. (376
     m. Abb.) 04.
— Reiners Gründe. Ein Gespräch üb. d. „Irrtümer d. Bibel".
Deutsch v. L H. (46) 8° Lpzg, M Költz 03.   — 30
— Die erfüllten Weissaggn od. Gottes Siegel auf d. Bibel.
Übers. v. E Spliedt. 3. u. 4. Afl. (189) 8° Stuttg., M Kielmann
03.   2 —; geb. 3 — d
Ursachen, d. natürl., d. Eiszeit. Vom Verf.: „Wie ist d. Welt
entstanden? (L Elbe-Carnitz). (26) 8° Stett., (H Dannenberg
& Co.) (05).   — 75 d
— d., d. Herero-Aufstandes u. d. Entschädiggsansprüche d.
Ansiedler. Dargestellt v. d. Ansiedler-Abordng. (Von F Erd-
mann.) (18) 8° Berl., W Baensch 04.   nn — 50 d
— d. eigentl., d. Ordensverfolgg, s.: Broschüren, zwanglose.
Ursin, NR af: Die Arbeiterfrage Finnlds. (71) 8° Berl., Mayer
& M. 04.   1 —
Ursinus, O, s.: Kalender f. Tiefbohr-Ingenieure usw.
Ursprach, d. Der gregorian. Choral u. d. „Choralfrage". (21)
8° Stuttg. (01). Münch., J Roth.   — 30
Ursprung, A: Die physikal. Eigenschaften d. Laubblätter, s.:
Bibliotheca botanica.
— Ursprung, d., d. Stundismus, s.: Hefte z. christl. Orient.
Ursya-Prusuyński, S Ritter v.: Uns. Cavall. in d. Schlacht v.
Custoza im J. 1866, in russ. Beleuchtg. Aus d. Russ. (58 m.
1 Beil.) 8° Wien, (LW Seidel & S.) 04.   2 —
— Die japan. Wehrmacht. (47) 8° Ebd. 04. ‖ 2. Afl. (55) 04. Je 1 —
Urteil d. fürstl. Landgerichts Detmold v. 21.VI.'02 (richtig '03)
zwischen d. Grafen u. Edlen Herrn Erich zu Lippe-Biester-
feld-Weissenfeld geg. Sa. Durchl. d. Grafen u. Edlen Herrn
Ernst z. Lippe-Biesterfeld, Regent d. Fürstent. Lippe, wegen
Aberkenng v. Familienrechten. (74) 8° Detmold, Willy Bruder
04. (Nur dir.)   — 50 d
Urtel, H., s.: Elisabeth Gräfin v. Nassau-Saarbrücken, u. Huge-
Scheppel.
Urthaler, A: Das freie Naturzeichnen od. freie bildl. Darstellg
körperl. Formen. (39 m. 44 Taf.) 8° Innsbr., (Wagner) 01.
     Geb. 3 — d
Usama Ibn Munkidh. Memoiren e. syr. Emirs a. d. Zeit d.
Kreuzzüge. Aus d. Arab. übers. u. m. e. Einl. u. Anmerkgn
Anmerkgn versehen v. G Schumann. (299) 8° Innsbr., Wagner
05.   9 —
Uschner, KRW, s.: Chrusen, PP.
Uschold, G: Das bayer. Ges. üb. d. öffentl. Armen- u. Kranken-
pflege in d. Fassg d. Bekanntmachg v. 30.VII.1899 u. d. kgl.
Deklaration v. 10.V.'02. Handausg. m. d. bisher ergang. Voll-
zugsvorschriften u. d. einschläg. Entscheidungen bayer. k. Verwaltgs-
gerichtshofes. 2. Afl. (278) 8° Münch. 02. (Aschaffung, C Krebs.)
     Kart. nn 3 — d
— Reichsges., betr. d. Schlachtvieh- u. Fleischbeschau v. 3.VI.1900
nebst Ausführgsbestimmgn u. d. bayer. Vollzugsanordng.
2. Afl. (249) 8° Ebd. 04.   Kart. nn 2.60 d
— Die bürgerlich- u. öffentlich-rechtl. Vorschriften in Bezug
auf d. Dienstbotenwesen im Kgr. Bayern. (151) 8° Ebd. 1900.
     Kart. nn 2 — d
— Die neuen Vorschriften üb. d. Anlage v. Kirchen- u. Pfründe-
Stiftgskapitalien in Werthpapieren. (48) 8° Ebd. 1900.
     Kart. nn 1.20 d
Usedom, O: Üb. d. Ocean. Roman. (306) 8° Lpzg (02). Berl.,
H Seemann Nf.   2.50; geb. 3.50 d
Usener, H, s.: Museum, rhein., f. Philol.
— Üb. vergleich. Sitten- u. Rechtsgesch., s.: Dieterich, A., üb.
Wesen u. Ziele d. Volkskde.
Usiel, Ben, s.: Hirsch, SR.
Usingen, s.: Arnold de Usingen.
Usinger: Gewerbeordng f. d. Deut. Reich in d. Fassg d. Be-
kanntmachg v. 26.VII.1900, nebst d. f. d. Deut. Reich u. d.
Grossh. Hessen erlass. Vollzugsverordngn u. Ausführgsvor-
schriften. (679) 8° Mainz, J Diemer 01.   L. 5.40 d
— dass. 1. u. II. Fortsetzg. 8° Ebd.   Kart. nn 2 — d
I. Die Dampfkessel, deren Anlage u. Betrieb u. Beaufsichtigg u. bess. Recht.
02. 1.90 ‖ II. Anhang v. Nachtr. 1901—05 einschl. (300) 05. 2.20.
Uslar, H v.: Drum prüfe, wer sich ewig bindet. Krit. u. ästhet.
Studie üb. d. Ursachen moderner Ehekatastrophen in Anlehng an d. Fall d. Exkronprinzessin v. Sachsen.(94) 8° Hameln,
A Müller (03). (?) (Lpzg, KF Koehler.)   1 —
Uslar, M v.: Das Gold. Vorkommen, Gewinng u. Bearbeitg.
(60 m. Abb. u. 2 Taf.) 8° Halle, W Knapp 03.   2 —
— Reise-Skizzen a. Russl., s.: Kreuz u. Quer durchs Leben.
— v. G Erlwein: Cyanid-Prozesse z. Goldgewinng, s.: Mono-
graphien üb. angewandte Elektrochemie.

Vairagyananda: Hindu-Hypnotismus. Theorie u. Praxis d. Fakir-Illusionen u. hypnot. Experimente. In freier Wiedergabe v. H Bondegger. 1—5. Taus. (48) 8° Berl., C Georgi (05). 1 —

Valaori, J: Der delph. Dialekt. (83) 8° Gött., Vandenhoeck & R. 01. 2.60

Valatin, B: Die neuen elektr. Lokomotiven d. Veitlinbahn. [S.-A.] (20 m. Abb. u. 4 Taf.) 4° Münch., R Oldenbourg 05. 3 —

Valdagne, P: Nicaisens Beichte. Roman. Übersetzg. (316) 8° Budap., G Grimm 03. 3 — d
— Mein Sohn, s. Frau u. meine Freundin. Aus d. Franz. (303) 8° Ebd. 04. 3 — d

Valencic, J: Bester Vervollkommner u. Glücksquell f. alle Menschen. Unentbehrl. Buch f. jedermann, um sich selbst u. and. gründlichst erziehen, veredeln u. ausbilden zu können. (416) 8° Wien, (G Szelinski) 01. 2.50 d

Valenta, E: Beitr. z. Photochemie q. Spectralanalyse, s.: Eder, JM.
— Die Rohstoffe d. graph. Druckgewerbe. I. Bd. Das Papier s. Herstellg. Eigenschaften, Verwendg in d. graph. Drucktechniken, Prüfg u.s.w. (280 m. Abb.) 8° Halle, W Knapp 04. 8 —
— Unveränderlichk. d. Wellenlängen im Funken- u. Bogenspektrum d. Zinks, s.: Eder, JM.

Valentin: Marian. Sprachunterr. 9 Betrachtgn od. Briefe üb. d. Gebr., welchen Maria, d. Mutter Gottes v. ihrer Zunge gemacht hat. (69) 16° Münch., J Pfeiffer 04. — 60 d

Valentin, J: Der tägl. Gang d. Lufttemperatur in Österr. [S.-A.] (97) 4° Wien, (A Hölder) 01. 5.80
— Der Staubfall v. 9—12.III.'01. [S.-A.] (50 m. 3 Taf.) 8° Ebd. 02. 1.50

Valentin, P, s.: Mond, d., u. d. Mai.
Valentin, V, s.: Bobertag, B.
Valentin, V: Der Blumen Rache, s.: Mädchen-Bühne.
— Die klass. Walpurgisnacht. Mit e. Einl. üb. d. Verf. Leben v. J Zieben. (32, 172) 8° Lpzg, Dürr'sche Bh. 01. 5.40

Valentiner, S: Üb. d. Abhängigk. d. Verhältnisses $\frac{c_p}{c_v}$ d. spez.
Wärmen d. Stickstoffs v. Druck bei d. Temperatur d. flüss. Luft. [S.-A.] (51 m. 1 Taf.) 8° Münch., (G Franz' V.) 04. 1 —
— Üb. d. Dichte u. d. Abhängigk. derselben v. Druck d. Stickstoffs bei d. Temperatur d. flüss. Luft, s.: Bestelmeyer, A.
— Die elektromagnet. Rotation u. d. unipolare Induktion in kritisch-histor. Behandlg. (70 m. Abb.) 8° Karlsr., G Braunsche Hofbuchdr. 04. 2 —
— u. R Schmidt: Üb. e. neue Methode d. Darstellg v. Neon, Krypton, Xenon. [S.-A.] (5 m. 1 Abb.) 8° Berl., (G Reimer) 05. — 50

Valentiner, T: Kant u. d. Platon. Philosophie. (94) 8° Hdlbg, C Winter, V. 04. 2.40 d

Valentiner, W, s.: Handwörterbuch d. Astronomie.
— Katalog d. Sterne zw. d. Äquator u. d. 8. Grad südl. Deklination 1855 bis z. 8. Grössenkl. f. d. Äquinoktium 1890, s.: Veröffentlichungen d. grossh. Sternwarte zu Heidelberg.
— s.: Mitteilungen d. grossh. Sternwarte zu Heidelberg.

Valentiner, WR: Rembrandt u. s. Umgebg, s.: Zur Kunstgesch. d. Ausl.

Valer, M: Die Bestrafg v. Staatsvergehen in d. Republik d. 3 Bünde. Beitrag z. mittelalterl. Rügegerichtsbark. u. z. Gesch. d. Demokratie in Graubünden. (287) 8° Frkf, F Schuler 04. L. 4 —
— Die Beziehgn d. III Bünde zu Tirol währ. d. Regierg d. Erzh. Claudia u. d. Erzh. Ferdinand Karl. 1632—52. (116) 8° Ebd. 03. 2.50

Valerian, J: Neue Wege im Relig.-Unterr. (59) 8° Würzbg, FX Bucher 02. — 50 || 2. Afl. (82) 03. — 75 d

Valeton, IMJ, s.: Muemosyne.

Valette, TGG: Dutch conversation-grammar. (Method Gaspey-Otto-Sauer.) 2. ed. [Tit.-Afl.] (344 m. 2 Kart.) 8° Hdlbg, J Groos [1893] 03. Geb. 5 —
— Nouv. grammaire néerlandaise.(Méthode Gaspey-Otto-Sauer.) 2. éd. [Tit.-Afl.] (321 m. 2 Kart.) 8° Ebd. [1894] 03. Geb. 4.80
— Niederländ. Konversations-Grammatik. (Methode Gaspey-Otto-Sauer.) 2. Afl. (355 m. 2 Kart.) 8° Ebd. 02. Geb. 4.80 d
— Lectures néerlandaises. (Méthode Gaspey-Otto-Sauer.)2. éd. [Tit.-Afl.] (253 m. 2 Kart.) 8° Ebd. [1895] 03. Geb. 2.80
— Niederländ. Leseb. (Methode Gaspey-Otto-Sauer.) 2. [Tit.-] Afl. (243 m. 2 Kart.) 8° Ebd. [1895] 03. Geb. 2.80
— Dutch reader. (Method Gaspey-Otto-Sauer.) 2. ed. [Tit.-] Afl. (252 m. 2 Kart.) 8° Ebd. [1895] 03. Geb. 2.80

Valette St. George, v. la, s.: Archiv f. mikroskop. Anatomie u. Entwicklungsgesch.

Vallée Poussin, L de la, s.: Mūlamadhyamakakārikās usw.

Vallentin, R, u. A Berend: Neues Kinder-Theater. Tier-Spiele u. Gesang u. Tanz. Musik v. B Zepler, Bilder v. C Berend. (Ausg. ohne Noten.) (24 m. 5 Farbdr.) Fol. Berl., Harmonie (02). Kart. 2 — ; Ausg. m. Noten 3 — ; auch in 4 Heften zu 1 — d
— dass., s.: Berend, A.

Vallentin, W: Der Burenkrieg. Mit Benutzg d. amtl. Materials d. Burenregierg. 2 Bde. (327 u. 311 m. Abb., 73 z. Tl farb. Taf. u. 1 Karte.) 4° Wald-Solingen, Rhein. Verlagshaus 02.03. Geb. je 12.50; auch in 32 Heften zu — 50 d

Vallentin, W: Die Gesch. d. Süd-Afrikan. Republik. Transvaal. 2. u. 3. Bd. 8° Berl., (H Paetel) 01. Je (8 —) 4 —
(Vollst.: [24 —] 12 —)
2. Die Buren u. ihre Gesch. 2. Afl. (312 m. Abb.)
3. Kultur- u. Wirthschaftsgesch. v. Transvaal. Die polit. Verwicksign d. letzten Jahre. 2. Afl. (251)
— Hunnen in Süd-Afrika! Betrachtgn üb. engl.Politik u.Kriegsführg. (136) 8° Berl., E Hofmann & Co. 02. 1.50

Vallés, C: Nuevo método para aprender el idioma aleman segun el sistema de F Ahn. 3 Kurse m. Schlüssel. 8° Lpzg, FA Brockhaus 05. 3.80
I. 2. ed. (100) 1 — || II. 7. ed. (144) 1.20 | III. Trozos escogidos de lit. alemana, acompañados de notas explicativas. 6. ed. (100) 1 — | Clave para los ejercicios de traduccion del 1. y 2. curso. 6. ed. (36) — 50.

Valley, EA: Der Weg z. Selbstständigk. Leitf. f. Kaufleute. (70) 8° Hambg, H Paustian (05). 2 —

Valois: Die Kreuzfahrt S. M. S. „Augusta" a. d. französ. Küste. Episode a. d. gr. Kriege 1870—71. (92 m. Abb.) 8° Berl., D Reimer 03. L. 3 —

Valuy, B: Leitsterne f. d. Leben u. Wirken d. Priesters. Aus d. Franz. Neue Afl. v. F Miller. (192) 8° Egnsbg, Verl.-Anst. vorm. GJ Manz 04. 1.20; L. 1.50 d

Vambéry, H (Arminius): Die gelbe Gefahr. (36) 8° Budap., F Kilián's Nf. 04. 1 —
— Alt-osman. Sprachstudien. Mit e. azerbaïžan. Texte als Appendix. (232) 8° Leid., Bh. u. Druckerei vorm. EJ Brill 01. nn 7 —
— The story my struggles, s.: Unwin's library.
— Üb. e. wahnsinn. Beitr. z. Gesch. d. Medicin in Pressburg. (307) 8° Pressbg 02. (Budap., Stampfel.) nn 2.40 d

Vancsa,M: Gesch. Nieder- u. Oberösterr., s.: Staatengeschichte, allg.
— Polit. Gesch. d. Stadt Wien. (1283—1522.) [S.-A.] (93 m. Abb. u. 2 Taf.) Fol. Wien, A Holzhausen 01. nn 24 —
— Üb. d. Gründg e. niederösterr. Landesmuseums in Wien. Vortr. (36) 8° Wien, (Gerold & Co.) 04. — 40
— Üeb. Landes- u. Ortsgesch., ihren Werth u. ihre Aufgaben. Vortr. (18) 8° Ebd. 02. — 80
— Schubert u. s. Verleger. Vortr. (15) 8° Wien, (Sallmayer'sche Bh.) 05. — 60 d
— s.: Topographie v. Niederösterr.

Vandalin-Mniszech, Graf: Quo vadis Austria? Ein Maigeschenk f. d. k. k. Ministerium u. d. — Socialdemokratie. (101) 8° Wien, (C Stetter) 01. 1 —

Vandenesch: Schulordngn f. d. Reg.-Bez. Minden, s.: Hechtenberg, A.

Vandenhoff, B: Exegesis psalmor., imprimis messianicor., apud Syros Nestorianos, e codice usque adhuc inedito illustrata. (60 m. 70) 4° Rheine 1899. (Lpzg, O Harrassowitz.) nn 4.50

Vandérem, F: Charlie. Roman. Übers. v. N Zurhellen. (296) 8° Münch., A Langen 01. 3 — ; geb. 4 —

Vanderlip, FA: Amerikas Eindringen in d. europ. Wirtschaftsgebiet. 2. Ausg. (81) 8° Berl., J Springer 03. 1 —

Vandersee, L (Freifrl. H v.Tiedemann): Heimatlicht. Gedichte. (141 m. Bildnis.) 8° Berl., W Vobach & Co. (03). 5 — ; geb. 6 — d

Vandervelde, E: Die Entwicklg z. Socialismus. Aus d. Franz. v. A Südekum. (28) 8° Berl., Verl. d. socialist. Monatshefte 02. 3 — ; geb. 4.50

Vandóry, J: Verhinderg elektr. Strassenb.-Unfälle, welche durch Ueberfahren verursacht werden. (32 u. 4 m. 2 Taf.) 8° Budap., (L Toldi) 01. 1 —

Vanhöffen, E, s.: Bericht üb. d. wiss. Leistgn in d. Naturgesch. d. nied. Thiere.
— Die acraspeden Medusen. — Die craspedoten Medusen, s.: Ergebnisse, wiss., d. deut. Tiefsee-Exped.

Vanino, L: Anl. f. d. Unterr. d. Mediziner im chem. Laboratorium. Zum chem. Laboratorium d. Staates zu München. (50 m. 2 Fig.) 8° Münch., (M Rieger) 02. † 1.50 || 2. Afl. (51 m. Fig.) 04. † 2 —
— Der Formaldehyd. Seine Darstellg u. Eigenschaften, s. Anwendg in d. Technik u. Medicin. Bearb. unter Mitwirkg v. E Seitter. (90 m. Abb.) 8° Wien, A Hartleben 01. 2 — ; geb. 2.80 d
— Der Paraguay-Tee, s.: Neger, FW.
— u. E Seitter: Die Patina. Ihre natürl. u. künstl. Bildg auf Metallen. (58) 8° Wien, A Hartleben 03. 1.80; geb. 2.60 d

Vanselow, LK, s.: Geschlecht u. Gesellschaft. — Schönheit, d. — Schulhaus, d.
— Von Weib u. Welt. Gedichte. (126 m. Bildnis.) 8° Berl., d. Schönheit 03. 1.50; geb. 2.50 || 4. Afl. (100 m. Abb.) (04.) L. 8.75 d

Vanzype, G: Claire Fantin, s.: Seemann's kl. Unterhaltungs-Bibliothek.

Várdai, C: Einf. Formen u. Motive d. wichtigsten Typen d. Flachornamentes z. Unterr. im Freihandzeichnen. (109 z. Tl farb. Taf.) 4° Wien, Lehmann & W. (02). In M. 20 —

Varenius, O: Gustav Adolfs schwed. Nationalstaat. Rede. Übers. v. F Arnheim. (21) 8° Lpzg, BG Teubner 01. — 50

Vári, R, s.: Scriptoris, incerti, byzantini saeculi X. liber de re militari.

Variété. Ein Buch d. Autoren d. Wiener Verlages. 1—10. Taus. (147) 12° Wien, Wiener Verl. 02. — 40 d

Variété. Kl. stenograph. Leseb., System Scheithauer. (16) 16⁰
 Naunh. 02. Lpzg, K Scheithauer. — 20
Varieia. Mittheilgn a. d. Archive d. voigtländ. alterthums-
 forsch. Ver. Hrsg. v. F Alberti. 3. Lfg. (142 m. 1 Taf.) 8⁰
 Lpzg 1834. Hohenleuben, Vogtländ. altertumsforsch. Ver. (Nur
 dir.) †1.50 d
 *Fortsetzg s. u. d. T.: Jahresbericht d. voigtländ. altertumsforsch.
 Ver.*
Varley, H: Der Fluch d. Mannheit. 2 Vorlesgn f. Männer. Nach
 d. 180. Taus. d. engl. Ausg. übers. v. R v. Zwingmann. 16. Afl.
 (103) 8⁰ Münd. (04). Lpzg, H Hedewigs Nf. (1 —) — 50 d
Varlez, L: Die Organisation d. Industrie- u. Arbeitsräte in
 Belgien, s.: Schriften d. Gesellsch. f. soz. Reform.
Varna, B: Le Horla, s.: Seemann's kl. Unterhaltgsbibliothek.
Varnhagen, H, s.: Beiträge, Erlanger, z. engl. Philol.
— Üb. Byrons dramat. Bruchstück „Der umgestaltete **Miss-**
 gestaltete". Rede. (27) 8⁰ Erl., (F Junge) 05. — 80
— Zur Gesch. d. Legende d. Katharina v. Alexandrien. [S.-A.]
 (14) 8⁰ Lpzg, A Deichert Nf. 01. — 60
— s.: Historia, la, di Maria per Ravenna. — Novella, la, di
 dno preti et un cherico inamorati d'una donna.
— Das französ. Ostheer unter Bourbaki v. Anbeginne bis z.
 Gefechte v. Villersexel (19.XII.1870—9.I.1871). (110 m. 6 Taf.)
 8⁰ Berl., R Eisenschmidt 04. 3 —
— Die Vorgänge auf französ. Seite währ. d. 1. Abschn. d. Ge-
 fechtes v. Villersexel am 9.I.1871. (58 m. 4 Ansichten u. 1
 Kärtchen.) 8⁰ Erl., F Junge 02. 1.50
Varnhagen, R, s.: Rahel.
Varrentrapp, C: Nicolaus Gerbel, s.: Festschrift, Strassb., z.
 46. Versammlg deut. Philologen u. Schulmänner.
— Landgraf Philipp v. Hessen u. d. Univ. Marburg, s.: Reden,
 Marburger akadem.
Varronis, MT, rer. rusticae. libri, s.: Catonis, MP, de agri-
 cultura liber.
Vása, P: Böhmisch, s.: Neufeld's Sprachführer. — Neufeld's
 Unterr.-Briefe f. d. Selbststudium.
— Böhmisch-u. deutsch-böhm. Taschenwrtrb., s.: Kunz, A.
Vasari, G: Die Lebensbeschreibgn d. berühmtesten Architekten,
 Bildhauer u. Maler. Deutsch v. E Jaeschke. II. Bd. Die floren-
 tiner Maler d. 15. Jahrh. (205) 8⁰ Strassbg, JHE Heitz 04.
 5 —; geb. 6 — d
 Der I. Bd. ist noch nicht erschienen.
Vasconcellos s.: Michaëlis de Vasconcellos.
Vasel, A: Sammlg graph. Kunstblätter, nebst Anb.: Aquarelle
 u. Handzeichgn, zusammengest. u. beschrieben. (388 m. Abb.)
 8⁰ Wolfenb., J Zwissler 03. 6 —
Vasel, R: Wie steht es m. deiner Bekehrg? 2. Afl. (18) 12⁰ Gotha,
 Missionsbh. P Ott 02. nn — 15 d
— Gibt es völl. Heilsgewissh.? (8) 8⁰ Ebd. 03. nn — 10 d
— Die Macht d. Sünde u. d. Gnade. (16) 16⁰ Ebd. 02. nn — 05 d
— Naemann, s. Heilg u. Bekehrg. (14) 8⁰ Strieg., R Urban 05.
 — 20 d
— Vor d. engen Pforte. 2. Afl. (16) 16⁰ Gotha, Missionsbh. P Ott
 (02). nn — 05 d
Vassileff, M: Russisch-französe. Politik 1680—1717, s.: Studien,
 geschichtl.
Vassits, MM: Die neolith. Station Jablanica bei Medjulužje
 in Serbien. [S.-A.] (66 m. Abb.) 4⁰ Brnschw., F Vieweg & S.
 02. 5 —
Vater, F: Heiligg d. Lebens im Dienste Gottes u. Mariens.
 (854 m. 1 St.) 16⁰ Warnsdf, A Opitz 1900. 1 —; Ldrm. G. 3.50 d
Vater, H: Das Elbenstocker Granitmassiv. Vortr. [S.-A.] (21
 m. 2 Taf.) 8⁰ Freibg, Craz & G. 01. — 75 d
— Tabellar. Uebersicht üb. d. wichtigeren **Mineralien.** 2. Afl.
 (27) 8⁰ Freibg, Craz & G. — Tharandt, Akadem. Bh. 01. — 75
Vater, O, s.: Mobiliar-Verzeichnis (f. d. Feuerversicherg.)
Vater, R: Dampf u. Dampfmaschine, s.: Aus Natur u. Geistes-
 welt.
Vater, d. apostol., hrsg. v. FX Funk, s.: Sammlung ausgew.
 kirchen- u. dogmengeschichtl. Quellenschriften.
— württemberg. Hrsg. v. Calwer Verlagsver. 2.—4. Bd. 8⁰ Calw
 u. Stuttg., Vereinsbh. L. je 2 — d
 *Back, F: Bilder a. d. christl. Leben Württembergs im 19. Jahrh. 1. Hlfte:
 Aus Kirche u. Mission. 2 Hlfte. Mission. § 2. Hlfte. Aus d. Gemeinschaften. (Je 336 m.
 Abb.) 05. [2.]
 Claus, W: Von Brastberger bis Dann. Bilder a. d. christl. Leben Württembergs. 2. Afl. (340 m. Abb.) 05. [2.]*
Vaterhers. e., spricht: Sei verflucht! Ein Menschenschicksal
 a. d. Leben. (135) 8⁰ Schweidn., P Frömsdorf 03. 3 —
Vaterland, das. Patriot. Kalender. 1905. 11. Jahrg. (56 m. Abb.
 u. 1 Farbdr.) 8⁰ Berl., Schriftenvertriebsanst. — 25 d
— unser, Japan. Ein Quellenb., zusammengeschrieben v. Japanern. (26,
 736 m. 1 Tab.) 8⁰ Lpzg, EA Seemann 04. 6 —; geb. 7.50 d
Vaterlands-Kalender, illustr. deut., f. 1904. 42. Jahrg. (72 u.
 8) 4⁰ Veitshöchh.-Würzbg, Etlinger. — 30 d
 In kathol. u. protestant. Ausg.
Vater-Unser! Das Unser u. Heilandes; dargest. v. M v. O.
 (48 m. Abb.) 8⁰ Schwer., F Bahn 03. L.1.50 d
Vaterworte, vertraul., d. hl. Antonius v. Padua an s. Pflege-
 kinder. Verf. v. e. Klosterfrau d. ew. Anbetg. (128) 16⁰ Mainz,
 (Kirchheim & Co.) (05). — 25 d
Vatter, J: Kl. Bibelkde, s.: Streich, TF.
— s.: Organ d. Taubstummen-Anst. in Deutschl.

Vaubel, W: Lehrb. d. theoret. Chemie. 2 Bde. (Mit Abb. u. je
 1 Taf.) 8⁰ Berl., J Springer 03. 32 —; L. 35 —
 1. Materie u. Energie. — Molekül u. Lösg. (796)
 2. Zustandsänderga u. chem. Umsetzga. (792)
— Die physikal. u. chem. Methoden d. quantitativen Bestimmg
 organ. Verbindgn. 2 Bde. (593 u. 530 m. Fig.) 8⁰ Ebd. 02.
 24 —; L. 26.40
Vaudère, J de la: Die Amazone d. Königs v. Siam. Roman.
 Uebers. v. T Wolfgang. (303) 8⁰ Budap., G Grimm 02. 3 — d
— Die Androgynen. Aus d. Franz. v. G Reinberg. (256) 8⁰ Budap.,
 F Sachs 03. 3 — d
— Die Courtisanen Brahmas. Roman. Ubers. v. T Wolfgang.
 (303) 8⁰ Budap., G Grimm 03. 3 — d
— Ind. Liebesgeheimnisse. („Le mystère de Kama".) Aus d.
 Franz. v. V Ribberg. (280) 8⁰ Budap., F Sachs 02. 3 — d
Vaux, d., s.: Carra de Vaux.
Vávra, W(V): Süsswasser-Cladoceren, s.: Ergebnisse d. Ham-
 burger Magalbaens. Sammelreise.
— Untersuchg d. Elbeflusses u. sr Abwässer, s.: Fritsch (Friš), A.
Vavrovsky, J: Lehr- u. Übgsb. d. Arithmetik f. d. IV. Kl. d.
 Mädchenlyceen. (84 m. Fig.) 8⁰ Wien, A Pichler's Wwe & S.
 01. Kart. 1.20
Vay, Baronin AE v., s.: Augustus, d. Sphären zw. d. Erde u.
 Sonne.
— Bilder a. d. Jenseits. Medianime Diktate v. HC Andersen
 u. And. (272) 8⁰ Wien, (R Lechner's S.) 05. 3 —
— s.: Hephata.
Veber, J: Das Blutbuch v. Transvaal. 21—30. Taus. (24 m. z.
 Tl. farb. Abb.) 4⁰ Berl., Verl. d. „Lust. Blätter" (01). — 60
Veckenstedt, E: Das Paradies u. d. Bäume d. Paradieses sowie
 ihre angebl. Ebenbilder bei d. Chaldäern, Persern, Indern,
 Griechen, Nordgermanen u. Norddeutschen n. Relig., Mythol.,
 Meteorol., Naturwiss. u. Volkssanschag. (110) 8⁰ Halle, Haym-
 mann's Bchh. 1896. 2.50
Vedanta-Philosophie. Hrsg. v. EA Kernwart. 1—13. Heft. 8⁰
 Lpzg, Jaeger. Je — 80
 *Abbedânanda, S: Wer ist d. Erlöser d. Seelen? Übersetzg. (30) (04.) [3.]
  | Göttl. Gemeinschaft. Übersetzg. (24) (04.) [5.] | Warum verwirrt n.
  Hindu d. moderne Kirchentum, obgleich er Christus anerkennt? Über-
  setzg. (26) (02.) [1.] | Warum sind d. Hindus Vegetarier? Übersetzg.
  (37) (03.) [2.] | Die Philosophie d. Guten u. Bösen. Übersetzg. (32) (03.)
  [4.] | Die Relig. d. Hindus. Übersetzg. (39) (04.) [11.] | Existiert d. Seele
  n. d. Tode? Übersetzg. (36) (04.) [7.] | Der Weg u. Glückszkldn. Über-
  setzg. (32) (04.) [1.]
  Vivekânanda, S: Du bist DAS, d. Eine ohne e. Zweites. Übersetzg. (28)
  (04. [6.] | Gibt es e. persönl. Gott? Übersetzg. (24) (04.) [9.] | Der
  Mensch u. s. Erscheinug. Übersetzg. (46) (04.) [13.] | Die Relig. d. Er-
  kenntnis. Übersetzg. (40) (03.) [6.] | Prakt. Vedânta. Übersetzg. (36)
  [03.] [5.]
  — dass. 1. u. 2. Bd. 8⁰ Ebd. 6.50
  1. Abbedânanda, S: Flammen a. d. Orient. Deutsch v. EA Kernwart.
   (172) [02.03.] (04.) 4 —
  2. Vivekânanda, S: Prakt. Vedânta. Deutsch v. EA Kernwart. (190) [03.]
   (04.) 1.60
  Neue Titel-Ausg. d. in einz. Heften erschienenen Werkes.*
Vedropolje s.: Mayerhoffer v. Vedropolje.
Veesenmeyer s.: Predigten, 7, bei d. 56. Hauptversammlg d.
 ev. Ver. d. Gustav Adolf-Stiftg geh.
Vega's, G Frhr v., logarithmisch-trigonometr. Hdb. Bearb.
 v. C Bremiker. 80. Afl. (28, 575) 8⁰ Berl., Weidmann 03. 4.20
Vega Carpio, F Lope F de: Wozu haben sie d. Augen?, s.:
 Bibliothek d. Gesamtlitt.
— Comedias, s.: Bibliothek span. Schriftsteller (A Kressner).
— Seine Sklavin, s.: Bibliothek d. Gesamtlitt.
Vegesack, M v.: Zur Verstaatlichg d. preuss. Eisenb. (80 m.
 1 farb. Taf. u. 2 Tab.) 8⁰ Berl., E Ebering (05). 3 —
Vegetation, d., d. Erde. Sammlg pflanzengeograph. Mono-
 graphien, hrsg. v. A Engler u. O Drude. [V—VI. 8⁰ Lpzg,
 W Engelmann. Subskr.-Pr. 56 —; Einzelpr. 80 —
 [I—VI.]: 94 —; Einzelpr. 126 —; Einbde je nn 1.50)
 *Beck v. Mannagetta, G Ritter: Die Vegetationsverhältn. d. illyr. Länder,
  begreifend Südcroatien, d. Quarnero-Inseln, Dalmatien, Bosnien u. d.
  Hercegovina, Montenegro, Nordalbanien, d. Sandžak Novipazar u. Ser-
  bien. (534 m. Abb., 6 Vollbildern u. ? Kart.) 01. [IV.] 20 —; bezw. 30 —
  Drude, O: Der bercyn. Florenbez. Grundz. d. Pflanzenverbreitg im mit-
  teldeut. Berg- u. Hügelande v. Harz bis z. Rhön, bis z. Thüringen u. d.
  Böhmer Walde. (671 u. Fig., 6 Vollbildern u. 1 Karte.) 02. [VI.] 20 —;
  bezw. 30 —
  Graebner, P: Die Heide Norddeutschlds u. d. anch anschliess. Formatio-
  nen in biolog. Betrachtg. Schilderg ihrer Vegetationsverhältn., ihrer
  Existenzbedingg v. ihrem Beziehgn zo d. übr. Formationen, bes. zo Wald
  u. Moor in Mitteleuropa. [Formationen Mitteleuropas Nr. 1.] (330 m.
  1 Karte.) 01. [V.] 16 —; bezw. 30 —*
Vegetationsbilder, hrsg. v. G Karsten u. H Schenck. I. u.
 II.-Reihe je 8 Hefte u. HI. Reihe, 1—5. Heft. 4⁰ Jena, G Fischer.
 Subskr.-Pr. je 2.50; Einzelpr. je 4 —
 *Bessey, EA: Vegetationsbilder a. Russisch Turkestan. (6 Taf. m. 6 S.
  Text.) 05. [III,2.]
  Büsgen, M: Vegetationsbilder a. W Busse: Vegetationsbilder a. Mittel- u. Ost-
  Java. (6 Taf. m. 7 S. Text.) 04. [III,3.]
  Karsten, G: Die Mangrove-Vegetation. (6 Taf. m. 10 S. Text.) 04. [II,2.] | Vegetationsbilder
  a. d. malaischen Archipel. (6 Taf. m. 10 S. Text.) 05. [I,7.] | Mexikan.
  Wald d. Tropen u. Subtropen. (6 Taf. m. 5 S. Text.) 03. [I,4.]
  Schenck, H: Mittelmeerbäume. (6 Taf. m. 10 S. Text.) 05. [III,4.] | Trop.
  Nutzpflanzen. (6 Taf. m. 12 S. Text.) 03. [I,3.] | Strandvegetation Bra-
  Klein, L; Charakterbilder mitteleurop. Waldbäume. I. (30 Taf. m. 24 S.
  Text.) 04. [II,5—7.]
  E Stahl: Mexikan. Kakteen.-Agaven u. Bromeliaceen-Vegetation.
  (6 Taf. m. 7 S. Text.) 03. [I,5—7.]*

siliens. (6 Taf. m. 6 S. Text.) 02. [I,7.] ¶ Vegetationsbilder a. Südbrasilien.
(6 Taf. m. 12 S. Text.) 03. [I,1.] ¶ Vegetationsbilder a. Südwest-Afrika.
(6 Taf. m. 11 S. Text.) 03. [I,5.]
Schweinfurth, G: Vegetationstypen a. d. Kolonie Eritrea. Text u. d.
Aufzeichngn G Schweinfurth's bearb. v. L Diels. (6 Taf. m. 6 u. 11 S.
Text.) 05. [II,6.]
Stahl, E: Mexikan. Nadelhölzer. — Mexikan. Xerophyten. (12 Taf. m.
29 S. Text.) 04. [II,3.4.]
Ule, E: Blumengärten d. Ameisen am Amazonenstrome. (6 Taf. m. 14 S.
Text.) 06. [III,1.] ¶ Epiphyten d. Amazonasgebietes. (6 Taf. m. 12 S. Text.)
04. [II,1.]
Wettstein, R v.: Sokótra. (6 Taf. m. 16 S. Text.) 05. [III,5.]
Vegetius Renatius, P: Digestor. actis mulomedicinae libri,
ed. E Lommatzsch. Accedit Gargilii Martialis de curis boum
fragmentum. (42, 343) 8° Lpzg, BG Teubner 05 (05). 6 —: geb. 6.60
Veh, H: Das Fatum. Drama. (120) 8° Bremerh., A Troschke
& Co. (05). 1 — d
Vehse, E: Friedrich d. Gr. u. s. Hof. [S.-A.] (240 m. Abb. u.
— Taf.] 8° Stuttg., Franckh (02). L. 5 — d
— Illustr. Gesch. d. preuss. Hofes, d. Adels u. d. Diplomatie
v. gr. Kurfürsten bis zu Wilhelm I., fortgesetzt v. Vehse
redivivus. 2 Bde. 8° Ebd. (01./02). Je nn 7.50 ; L. je nn 9.25:
HF. je nn 10 —; auch in 30 Heften zu — 50 od. 6 Abtlgn zu 2.50 d
1. Vom gr. Kurfürsten bis z. Tode Friedrichs d. Gr. (496 m. 21 Taf. u.
4 Fksms.) ¶ 2. Von Friedrich Wilhelm II. bis z. Tode Kaiser Wilhelms I.
(448 m. 21 Taf. u. 19 Fksms.)
Vejdovský, F: Ueb. d. Nephridien v. Aeolosoma u. Mesencly-
traeus. [S.-A.] (11 m. 1 Taf.) 8° Prag, (F Řivnač) 05. — 40
— Ueb. ein. Süsswasser-Amphiopoden. III. Die Augenreduktion
bei e. neuen Gammariden a. Irland u. üb. Niphargus Caspary
Pratz a. d. Brunnen v. München. [S.-A.] (40 m. Fig. u. 2 Taf.)
8° Ebd. 05. — 80 (I—III.: 2.80)
— u. A **Mrázek**: Ueb. Potamothrix (Clitellio?) Moldaviensis
n. g. n. sp. [S.-A.] (7 m. 1 Taf.) 8° Ebd. 02. — 40
Veisi, E: Üb. Beziehg z. Motilitätsstörgn d. Darms u. d.
Magens. (22) 8° Tüb., F Pietzcker 04. nn — 70
Veil, H: Am Scheidewege. Richtlinien u. Leitsterne f. uns.
ins Leben hinausrret. Söhne. (193) 8° Strassbg, JHE Heitz
04. 5 —
Veit, E: Ein Wort in 12. Stunde an d. deut. Volk. Das gesellschaftl. u. Familienleben d. Gegenwart im Lichte d. bl. 10 Gebote. 3. Afl. (123) 8° Bitterf.(02). Schmiedebg, FE Baumann. 1 — d
Veit, E: Statist. Uebersicht üb, d. in d. J. 1896—1901 in d. Tüb.
Augenklinik beobacht. Augenkrankh. (24) 8° Tüb., F Pietzcker
02. nn — 70
Veit, F: Ostdorfer Studien. 1.—3. Heft. 8° Tüb., G Schnürlen. 9.20 d
1. (33) 01. 1.20 ¶ 2. (71) 03. 3 — ¶ 3. (137) 02. 5 —
Veit, J, s.: Frommel's, R, Jahresbericht üb. usw. Geburtshilfe.
— Geburtshilfe u. Gynäkol. in ihren Beziehgn zu d. übr. Medizin
u. zu d. Naturwiss. Akadem. Antritts-Rede. (23) 8° Wiesb.,
JF Bergmann 03. 1 —
— Lehrb. d. Geburtshülfe, s: Olshausen, R.
— Ueb. gynaekolog. Operationen ohne Chloroformnarkose, s.:
Sammlung zwangl. Abhandlgn a. d. Geb. d. Frauenheilkde
u. Geburtshilfe.
— Die Verschleppg d. Chorionzotten (Zottendeportation). (116
m. 8 Taf.) 8° Wiesb., JF Bergmann 05. 4.60
Veit, M: Der Haus-Konditor. 454 Rezepte z. Bereitg aller Arten
Backwerke, Bonbons, Konserven usw., desgl. erprobte Vor-
schriften z. Bereitg geist. u. kühl. Getränke. 3. Afl. (192) 8°
Berl., S Mode (02). 2 — d
Veit, W: Brauchen wir neue Offenbargn?, s.: Hefte z. „Christl.
Welt".
Veith, M: Der rechtl. Einfl. d. Kantone auf d. Bundesgewalt
n. schweiz. Bundesstaatsrecht. (153) 8° Schaffh. 02. (Lpzg,
Bh. G Fock.) 1.60
Veith, W, s.: Einsicht, d.
Velasques: Bildnis e. Herrn.—Alessandro del Borro, s.: Meister-
bilder fürs deut. Haus.
— Gemälde, m. e. biograph. Einl. v. W Gemel, s.: Klassiker
d. Kunst.
— Die Infantin Maria Teresa. — Philipp IV., s.: Meisterbilder
fürs deut. Haus.
Velde, CF van de: Arwed Gyllenstierna, s.: Erzählungen, klass.,
d. Weltlitt.
Velde, H van de: Folkwang-Museum, Carl Ernst Osthaus,
Hagen i. W. [S.-A.] (44 m. Abb.) 4° Darmst., Verl.-Anst. A
Koch 02. 4.50
— Kunstgewerbl. Laienpredigten. (195) 8° Lpzg (02). Berl., H
Seemann Nf. 2 —: geb. 5 —
— Die Renaissance im modernen Kunstgewerbe. 1. Afl. u. Neue
[Tit.-]Ausg. (148) 8° Berl., B Cassirer 01./03. Kart. 4 —
Velde, TH van de: Ueb. d. Zusammenh. zw. Ovarialfunction,
Wellenbewegg u. Menstrualblutg, u. üb. d. Entstehg d. sog.
Mittelschmerzes. (39 m. 17 Kurventaf.) 8° Haarl. 05. Deka,
G Fischer. 3 —
Velde d. J., W van de: Der Kanonenschuss, s.: Meisterbilder.
Veldens, A: Anita. Röm. Novelle. (169) 8° Stuttg., Strecker
& Schr. 05. 1.50; geb. 2.40 d
Veldheer, JG: Alte holländ. Städte u. Dörfer an d. Zuidersee.
Gez. u. in Holz geschn. v. V., unter Mitwirkg v. WOJ Nieuwen-
kamp. Nach d. Holl. v. JG Veldheer u. WJ Tuijn m. deut.
Text v. O Kirchner. (30 Taf. m. Text auf d. Röcks. u. 4 S.
Text.) 4° Lpzg 02. Jena, E Diederichs. 10 —
Velenovský, J: Flora v. Bulgarien. Neue Nachtr. [S.-A.] (20)
8° Prag, (F Řivnač) 02. — 30 ¶ Nachtr. (28 m. 1 Taf.) 05. — 70

Velenovský, J: Vergleich. Morphol. d. Pflanzen. I. Tl. (279 m.
Abb. u. 2 L.) 8° Prag, (F Řivnač) 05. 9 —
— Die Verzweiggsart d. Gattg Dracaena Vand. [S.-A.] (7 m.
1 Taf.) 8° Ebd. 03. — 40
Vélez, B: El discipulo del corazón de Jesus. Manual. (455
m. Titelbild.) 16° Freibg i/B. Herder (04). 1.20; L. 1.80
Velhagen & Klasing's Monatshefte. Hrsg.: TH Pantenius (u.
H v. Zobeltitz). 16—20. Jahrg. Septbr 1901—Aug. 1906 je 12
Hefte. (Jährlich 2 Bde zu etwa 704 m. z. Tl. farb. Abb. u.
Taf. u. Roman-Bibliothek 192) 8° Bielef., Velhagen & Kl.
Je 1.50 d
— Sammlg deut. Schulausg. Hrsg. v. J Wychgram. 1.—7.,
10—16., 18—21., 23., 24., 26., 28—30., 33—37., 39—52., 55—57.,
59., 60., 62—64., 66., 68., 70., 71., 74., 75., 78. u. 81—113. Lfg.
8° Ebd. Kart. u. geb. d
Achelis, T: Grundz. d. Lyrik Goethes. (120) 1900. [81.] 1.20
Anfsätze zeitgenöss. Schriftsteller. Ausgew. u. zusammengest. v. E Lemp.
1. Zur Relig. u. Ethik. (154) 05. [103.] 1 — ¶ II. Zur deut. Litt.-Gesch.
(192) 05. [104.] 1.80 ¶ III. Zur deut. Gesch. (200) 04. [105.] 1.60 ¶ IV. Zur
Kunst. (160) 04. [106.] 1.70 ¶ V. Aus Natur u. Leben. (163) 04. [109.]
1.20 ¶ VI. Aus deut. Landen. (155) 05. [112.] 1.70
Hoxberger, R: Wielands Leben u. Werke, s.: Heinemann, K, Klopstock.
Epik d. deut. Sagenkreise. Der arme Heinrich v. Hartmann v. Aue. König
Rother. Uebertr., eingeleitet u. erklärt v. G Legerlotz. (39, 144) 04. [107.]
1.30
Ernst, K: Proben deut. Mundarten. (25, 152) 04. [102.] 1.20
Frensz, R: Herders Leben u. Werke. — Löschhorn, H: Lessings Leben
u. Werke. (167) 01. [63.] — 90
— Hilfsb. zu Lessing. (160) 01. [87.] 1.20
— Hilfsb. zu Schiller. (196) 05. [96.] 1.80
Goethe: Egmont. Trauersp. Hrsg. v. G Bötticher. (100) 04. [3.] — 60
— Faust. Tragödie. Im Ausz. hrsg. v. C Nohle. 1. Tl. (124) 1900. [55.] — 90
¶ 2. Tl. (156) 1900. [55.] 1 —
— Gedichte. Ausw. Hrsg. v. R Franz. (191 m. Bildnis.) 05. [1.] — 80
— Götz v. Berlichingen m. d. eisernen Hand. Schausp. Hrsg. v. R Boxr.
(127) 04. [7.] — 70
— Hermann u. Dorothea. Hrsg. v. J Wychgram. (72) 05. [1.] — 50: brosch.
— 70
— Iphigenie auf Tauris. Hrsg. v. S Waetzoldt. (128) 04. [2.] — 60
— aus meinem Leben. Dichtg u. Wahrheit. Hrsg. v. W Nöldeke. 2 Bdchn.
(351 u. 140 m. je 1 Bildnis.) 04. [5.6.] 1.90
— Mignon. Ausz. a. Wilh. Meisters Lehrjahren. Hrsg. v. Lörcher. (77)
02. [90.] 1 —
— Kleinere Prosaschriften. Hrsg. v. W Nöldeke. I. Briefe a. d. Schweiz.
Das röm. Carneval. Sankt-Rochusfest zu Bingen. Novelle. (112) 03.
[85.] — 75
— Torquato Tasso. Hrsg. v. R Palm. (118) 03. [50.] — 60
— u. Schiller's Briefe im Ausw. Hrsg. v. O Meissner. (178) 04. [92.] 1.30
Grillparzer, F: Sappho. Trauersp. Hrsg. v. H Löschhorn. (91) 05. [93.]
— 80
— Das gold. Vliess. Dramat. Gedicht in 3 Abtlgn. Hrsg. v. E Lange.
1. Bdchn: Der Gastfreund. Die Argonauten. (19, 112) 05. [94.] 1 —
2. Bdchn: Medea. (93) 03. [99.] — 90
Grimmelshausen, HJC v.: Der abenteuerl. Simplicissimus. Im Ausz. hrsg.
v. A Bielschowsky. (194) 03. [48.] — 75
Gudrun. Übertr. u. hrsg. v. G Legerlotz. (140 u. 16) 04. [52.] 1 —
Hebbel, F: Agnes Bernauer. Ein deut. Trauersp. Hrsg. v. W Haynel.
(116) 04. [108.] 1.30
— Herodes u. Mariamne. Tragödie. Hrsg. v. R Petsch. (20, 132) 02. [95.]
1.80
— Die Nibelungen. Deut. Trauerspiel. Hrsg. v. H Gaudig. (16, 160) 05.
[84.] — 90
Heine, G: Ausd. altb. Dichter Nf. Ausw. usw. Litt. Mörike, Ludwig, Hebbel
u. CF Meyer. (95) 05. [111.] — 90
Heinemann, K: Goethes Leben u. Werke. Neue Afl. (122) 03. [33.] — 75
— Klopstocks Leben u. Werke. — Boxberger, R: Wielands Leben u.
Werke. (100) 04. [40.] — 60
Herder, JG: Der Cid. Nach span. Romanzen besungen. Hrsg. v. E Groth.
(97.) 05. [51.] — 60
— Ausgew. Prosa. 3. Bdchn. Hrsg. v. T Matthias. (12, 99) 01. [60.] — 90
(1—3.: 2.55)
Homer's Ilias im Ausz. In d. Übersetzg v. JH Voss. (152) 05. [12.] 1 —
— Odyssee im Ausz. In d. Übersetzg v. JH Voss. (152) 05. [12.] 1.10
— Odyssee im Ausz. In d. neuer Übersetzg hrsg. v. O Hubatsch. 2.—3. Tl.
(153) 05. [46.] 1.10
Klee, G: Die deut. Heldensage. (126) 03. [75.] — 90
— Deut. Mythol. (102) 02. [74.] — 70
Kleist, H v.: Prinz Friedrich v. Homburg. Schausp. Hrsg. v. H Windel.
(109) 05. [11.] — 60
— Michael Kohlhaas. Aus e. alten Chronik. Histor. Erzählg. Hrsg. v. J
Wychgram. (119) 03. [10.] — 60
Körner, J: Jung Siegfrieds Dichtgn. Hrsg. v. K Heinemann. (127) 04. [45.] — 75
Körner, T: Fritz Theodor. Hrsg. v. G Carel. (109) 04. [34.] — 60
Legerlotz, G: Mhd. Leseb. Mit Einl. u. Wrtvb. nebst e. Anh. v. Denk-
mälern deut. Prosa. 2. Afl. (20, 135) 05. [62.] 1.30
Lessing, GE: Minna v. Barnhelm od. d. Soldatenglück. Lustsp. Hrsg. v.
A Thorbecke. (126) 05. [12.] — 60
— Nathan d. Weise. Dramat. Gedicht. Hrsg. v. A Thorbecke. (154) 04.
[41.] — 90
— F Thorb. Mit Einl. u. Anm. v. A Thorbecke. (161) 04. [42.] — 80
— Laokoon od. Üb. d. Grenzen d. Malerei u. Poesie. Mit e. Anh. (Winckel-
mann üb. d. Laokoon). Hrsg. v. A Thorbecke. [94.] 1.10
— Emilia Galotti. Trauersp. Hrsg. v. J Lyon. (106) 05. [14.] — 60
— Laokoon od. Üb. d. Grenzen d. Malerei u. Poesie. Mit e. Anh. (Winckel-
mann üb. d. Laokoon). Hrsg. v. A Thorbecke. (161 04. [42.] — 80
[14.] [81.] — 70
— Nathan d. Weise. Dramat. Gedicht. Hrsg. v. A Thorbecke. (154) 04.
[41.] — 90
— Kleinere prosaische Schriften. Hrsg. v. F Violet. I. Briefe, d. neueste
Litt. betr. (147) 01. [13.] — 90 ¶ II. Abhandlgn üb. d. Fabel. Wie d.
Alten d. Tod gebildet. (126 u. 34) 02. [23.] 1 —
Löschhorn, H: Lessings Leben u. Werke, s.: Franz, R, Herder.
Luther, M: Ausw. kleinerer Prosaschriften. Hrsg. v. G Schöppus. (109) 04.
[44.] — 75
Lyon, O: Ausrw. deut. Gedichte. 3. Afl. (257) 03. [91.] 2.20
— Schillers Leben u. Werke. (196) 05. [89.] — 75

Matthias, A: Die patriot. Lyrik d. Befreigskriege. (142) 05. [75.] · — 90
— Das deut. Volkslied. (142) 04. [42.] — 90
Nibelungenlied, d. im Ausz. Übertr. u. hrsg. v. G Legerlots. 81—90. Taus.
(143 u. 8) 05. [15.] 1 —
— u. Gudrun. Übertr. u. hrsg. v. G Legerlotz. Ausz. f. d. Unterr. an
höh. Mädchensch. Mit Beigaben a. Jordans Nibelungen, Hebbels Nibelungen u. Geibels Gedichten. (164) 05. [55.] 1 —
Prosa, dent. I. Tl. Redner. Prosa. Ausgew. v. J Wychgram. (156) 04.
[50.] — 90 § II. Tl. Patriot. Prosa a.d.J.1806—15. Ausgew. v. H Windel.
(141) 03. [60.] — 90 § III. Moderne erzähl. Prosa. Ausgew. v. J Wychgram. v. G Porger. 1. Edchn. (27,155) 04. [97.] 1 — § IV. Tl. Dass. 2. Bdchn. (29,
197) 05. [98.] 04. 1.20 § V. Tl. Dass. 3 Bdchn. (24,145) 04. 1 — § VI. Tl. Dass.
4. Edchn. (25,179) 05. 1 — § VII. Tl. Dass. 5. Bdchn. (17,190) 04. [111.] 1 —
Sachs, H. Answ. a. s. Dichtgn. Hrsg. v. U Zernial. (27, 199) 04. [92.] — 90
Schiller: Kleinere philosoph. Aufsätze. Hrsg. v. J Imelmann. (154) 04.
[36.] — 75
— Die Braut v. Messina od. d. feindl. Brüder. Trauersp. m. Chören.
Hrsg. v. R Franz. (116) 04. [16.] — 75
— Don Karlos. Dramat. Gedicht. Hrsg. v. E Franz. (232) 03. [15.] — 90
— Gedichte. Answ. Hrsg. v. H Löschhorn. (211 m. 1 Bildnis.) 04. [99.] 1 —
— Die Jungfrau v. Orleans. Romant. Tragödie. Hrsg. v. J Wychgram.
(150 m. 1 Karte.) 05. [19.] — 75
— Maria Stuart. Trauersp. Hrsg. v. C Ranch. (152) 05. [20.] — 75
— Wilhelm Tell. Schausp. Hrsg. v. A Thorbecke. (160 m. 1 Karte.) 05.
[21.] — 66; brosch. — 45
— Wallenstein. Dramat. Gedicht. Hrsg. v. C Michaelis. 1. Bdchn. Wal-
lensteins Lager. Die Piccolomini. (20, 181) 05. [22.] § 2. Bdchn. Wallen-
steins Tod. (150) 05. [24.] — 45 broach. je — 45
Shakespeare. V. Julius Cäsar. Hrsg. v. E v. Sallwürk. (112) 05. [26.]
— 70 § VII. Macbeth. In Schillers Bearbeitg hrsg. v. E v. Sallwürk.
(118) 01. [56.] — 90
Sophokles' Antigone. In neuer Übersetzg v. O Hubatsch. (58) 03. [19.]
— 60
— König Ödipus. In neuer Übersetzg v. O Hubatsch. (67) 03. [71.] — 60
Uhland, L: Ernst, Herzog v. Schwaben. Trauersp. Hrsg. v. R Richter.
(18, 80) 05. [64.] — 60
— Gedichte. Answ. Hrsg. v. R Richter. (150 m. 1 Bildnis.) 04. [63.] 1 —
Walther v. d. Vogelweide in ausl. Lyriker d. M.-A. Answ. Übertr. u.
hrsg. v. G Legerlots. (38, 162 u. 8) 04. [46.] 1.10
Wolfram v. Eschenbach: Parzival. Im Ausz. übertr. u. erklärt v. G Leger-
lotz. (34, 200) 03. [91.] 1.80
Wychgram, J: Hilfsb. f. d. Unterr. in d. deut. Litt.-Gesch. 7. Afl. (163)
04. [56.] 1.40

Velhagen & Klasing's Sammlg französ. u. engl. Schulausg.
Reform-Ausg. m. fremdsprachl. Anmerkgn. Nr. 1—18. 8°
Bielef., Velhagen & Kl. Geb.
Burnett, FH: Little Lord Fauntleroy. Abriged ed. With preface and
annotations by H Reinke u. JW Stoughton. (128 u. 56 m.
Abb.) 04.05. [6.] 1.10
Carlyle, T: On heroes, hero-worship and the heroic in history. Abrid-
ged ed. With preface and annotations by L Lindenstead. (138 u. 56 m.
Abb.) 04.05. [6.] 1.30
Choix de nouvelles modernes, Contes d'écrivains franç. contemporains.
Annotée par J Wychgram. Éd. franç. par R Riegel. Tome I. A Daudet.
H de Hornier. A Theuriet. G de Maupassant. P Arène. (74 u.36) 05. [11.]
— 90
Daudet, A: Onze récits tirés des lettres de mon moulin et des contes
du lundi. Extraits accompagnés d'une introduction et de notes en franç.
publiés par J Wychgram. Traduction et révision par G Dansac. (78 u.
36) 05. [18.] — 90
Dickens, C: A christmas carol, being a ghost story of christmas. Abridged ed. With preface and annotations by O Thiergen and JW Stoughton. (128 m. Bildn.) 05. [17.] 1.10
— A tale of two cities. Abridged ed. With preface and annotations by
JW Stoughton. (172 u. 44) 05. [14.] 1.40
François, Mme H: A travers les journaux franç. 1. Ausg. u. Neudr. (161
n. 40) 04.05. [10.] 1.40
Fuchs, M: Tableau de l'hist. de la litt. franç. 1. Ausg. u. Neudr. (228
u. 32 m. Abb.) 04.06. [9.] 1.40
Jerome, JK: Three men in a boat (to say nothing of the dog). Abridged ed. With preface and annotations by K Horst and GF Whitaker.
1. Ausg. u. Neudr. (134 u. 43 m. Abb. u. 1 Pl.) 04.05. [8.] 1.30
Irving, W: The sketch book. Abridged ed. With preface and annotations
by K Boerhke and A Lindenstead. Vol. I. (190 u. 40) 05. [17.] 1.10
Laurie, A: Mémoires d'un collégien. Texte abregé et annoté par E Wol-
ter. (130 u. 32) 04. [1.] 1.40
Macaulay, TB: Lord Clive. Abridged ed. With preface and annotations
by O Thiergen and A Lindenstead. (107 u. 50 m. 1 Karte.) 04. [8.] 1 —
Molière: L'Avare. Comédie. Éd. par W Scheffler et J Combes. Biogra-
phie et notice par R Riegel. (20, 99 u. 41 m. 3 Abb.) 05. [14.]
Geb. u. geh. — 90
Monod, A: Hist. de France. (224) 05. [15.] 1.60
Rambles through London streets. Rewritten, with annotations by MR
Ferrars. 1. Ausg. u. Neudr. (139 u. 44 m. Abb. u. 1 Pl.) 04.05. [7.] 1.30
Sandeau, J: Mademoiselle de la Seiglière. Comédie. Edition par Krause,
augmentée d'une introduction et de notes en franç. par R Riegel. [126
u. 32] 04. [1.] 1.20
Sarcey, F: Le siège de Paris. Annotée par A Krause et E Montanbrie.
(114 u. 58) 04. [5.] 1.40
Seeley, JR: The expansion of Engl. Two courses of lectures. Abridged
ed. With preface and annotations by A Stürmfels and A Lindenstead.
1. Ausg. u. Neudr. (76, 120 m. 54) 04.05. [4.] 1.40
— — Sammlg pädagog. Schriftsteller z. Gebr. an Lehrer- u.
Lehrerinnen-Seminarien. Hrsg. v. J Wychgram. 1.—8. Lfg. 8°
Ebd. Geb. u. kart. 9 — d
Baltzer, J: Die wichtigsten Pädagogen d. XIX. Jahrh. (90,179 m. 3 Bildn.)
05. [8.] 1.80
— Die wichtigsten preuss. Schulordngn d. letzten 3 Jahrh., nebst e. Anh.,
enth. d. Schulmethodus Herzog Ernsts d. Frommen. (18,128) 04. [4.] 1—
Comenius. Answ. a. s. pädagog. Schriften, hrsg. v. H Luthmer. (155 m.
Abb. u. 1 Taf.) 03. [4.] 1.20
Herbart. Answ. a. s. pädagog. Werken. Hrsg. v. P Richter. (130) 02. [9.]
1.30
Nieden: Hilfsb. z. Unterr. in d. Gesch. d. Pädagogik. (140 m. 1 Abb.)
04. [6.] 1 —
Pestalozzi, H: Wie Gertrud ihre Kinder lehrt. Ein Versuch, d. Müttern
Anl. zu geben, ihre Kinder selbst zu unterrichten. In Briefen. Hrsg.
v. R Lehmann. (122) 02. [1.] 1.60
— Lienhard u. Gertrud. Im Ausz. hrsg. v. A Thorbecke. (10, 236) 05. [7.]
1.60
Salzmann, G: Ameisenbüchl. Mit e. Einl. u. Anhang m. kl. Schriften
E v. Rochows hrsg. v. F Jonas. (19, 191 m. 2 Bildnissen.) 03. [2.] 1 —
— — neuer Volks- u. Familien-Atlas in 100 Karten. Hrsg.

v. A Scobel. 20 Lfgn. 50 Bl. je 37×49 cm. Farbdf. (4 S. Text.)
Bielef., Velhagen & Kl. 01. Gebrochen in Fol. je — 50;
in 1 Bd geb. 12.50
Velhagen: Ueb. d. Papillombildg auf d. Conjunctiva, s.: Samm-
lung zwangl. Abhandlgn a. d. Geb. d. Augenheilkde.
Velich, F: Die Lüftg u. Heizg d. Schulen, s.: Kabrhel, G.
Veličković, J, s.: Novellenbuch, südslav.
Velics, A v.: Ueb. Ursprg u. Urbedeutg d. Wörter. (80) 8° Bu-
dapest (VII, Elisabethring 37), Dr. v. Velics 04. ô H
— Versuch e. natürl. Systems in d. Etymol. (74) 8° Bresl.,
(Preuss & J.) 05. 2 —
Velsen, v.: Die römisch-kathol. Kirche im Lichte d. Evange-
liums, dargestellt f. ev. Christen (bes. f. d. Konfirmanden-
Unterr.). (16) 8° Duisbg, Dietrich & Hermann 04. nn —10 d
Velten, C: Prakt. Anl. z. Erlerng d. Schrift d. Suaheli. (105)
8° Gött., Vandenhoeck & R. 01. 5 —; geb. 5.60 d
— Desturi zu Wasuaheli na khabari za desturi za sheri'a za
Wasuaheli. (364) 8° Ebd. 05. 12 —; geb. 12.80
— Safari za Wasuaheli. (Suaheli-Leseb.) (283) 8° Ebd. 01. 9 —;
L. 9.60
Deutsche Übersetzg s. u. d. T.: Schilderungen d. Suaheli.
— Sitten u. Gebräuche d. Suaheli nebst m. Anh. üb. d. Rechts-
gewohnh. d. Suaheli. (425) 8° Ebd. 03. 8 —; geb — d
— Prakt. Suaheli-Grammatik nebst e. Deutsch-Suaheli-Wrtr-
verz. (308 m. 2 Tab.) 8° Berl., W Baensch 04. L. 3.50 d
Veltheim, H v.: Capitola. Erzählg, n. d. Engl. d. G Nick frei
bearb. 4.Afl.(476) 8° Mainz, Kirchheim & Co. 01.4 —; geb. 5.20 d
— Eine Irrfahrt im Omnibus. Erzählg, n. d. Engl. frei bearb.
(367) 8° Ebd. 04. 3.50; L. 4.50 d
Veltman, H: Der Steindorfer Depotfund. [S.-A.] (22) 8° Wetzl.,
Schnitzler 04. — 25 d
Veltzé, A, s.: Kriegsjahr, d., 1809.
— Die Schlacht bei Adua. 1.III.1896. (Aus d. Memoiren Bara-
tieris.) (91 m. 9 Skizzen u. 3 graph. Beil.) 8° Wien, CW Stern
04. 3 —
— Die Wiener Stadtguardia 1531—1741. [S.-A.] (224 m. Abb.
u. 4 Taf.) 4° Wien, (Gerold & Co.) 02. 7.50
— Österr. Thermopylen 1809. (Umschl.: 2. Afl.) (94 m. Abb. u.
1 Karte.) 8° Wien, CW Stern 05. 1.50
Vely, A, U Miral: Herr Sanftleben, s.: Bloch's, L, Herren-
Bühne.
Vely, E: Anker geworfen! Roman. (218) 8° Mannh., J Bens-
heimer's V. (03). 3 — d
— Arbeit. Roman. (258) 8° Ebd. (02). 3 — d
— Bocce della Verità, s.: Kürschner's, J, Bücherschatz.
— Erbschaft. Roman. (267) 8° Berl., H Steinitz 01. 3 — d
— Lore. Roman. (206) 8° Mannh., J Bensheimer's V. (02). 3 — d
— Obdach s.: Eckstein's illustr. Romanbibliothek.
— Regenbogen. Roman. (252) 8° Berl., H Steinitz (05). 2 — d
— Wandelbilder a. d. soc. Leben. III. Bd. Allerweltsleute. (426)
8° Bresl., Schles. Buchdr. usw. 09. 3.50
(1.—III.: 13 —; Einbde je 1 —) d
I u. II erschienen u. d. T.: Vely: Wandelbilder v. d. Landstrasse.
— Wohltätig. Roman. (192) 8° Mannh., J Bensheimer's V. (04).
3 — d
**Velzen, HT van: Aesthet. Betrachtgn. (107) 8° Lpzg 01. Sachsa,
H Haacke. 3.20
— System d. relig. Materialismus. I. Wiss. d. Seele. (467) 8°
Lpzg, (OR Reisland) 03. 9 —
Venator jocosus s.: Ernst, F.
Venator, F, s.: Kierkegaard, S, a. d. Tiefen d. Reflexion.
Venator, M: Deutsch-spanisch-französisch-engl. Wrtrb. d.
Berg- u. Hüttenkde sowie deren Hülfswiss. 1. u. 3. Bd. 8°
Lpzg, A Twietmeyer. L. je 5.60 (1—3: 16 —)
1. Deutsch vorau. 3. Afl. (116) 05. § 3. Spanisch vorau. (90) 05.
Vendramin, U: High Life. Groteske Komödie. (119) 8° Münch.,
A Langen 02. 1.50; geb. 2.50 d
Venedien, H: Predigten auf alle Sonntage d. Kirchenj. Nebst
eig. Zugaben v. H Oechsler. (255) 8° Freibg i/B., Herder 03.
2.70; L. 3.70 d
Venefica, S, s.: Sibylle, d. berühmte Kartenlegerin.
Venegas, J: Der Todeskampf, s.: Konrad, F.
**Venezia, la bella. 4 acquarelli. 4° Berl., W Schultz-Engelhard
Nf. (02). 1 —
Venn's, J, deut. Aufsätze, verbunden m. e. Anl. z. Anfertigen
v. Aufsätzen vorzugsw. f. d. ob. Kl. d. Gymnasien u. höh. Lehr-
anst. 86. Afl. (420) 8° Altnbg, HA Pierer 05. 1 — d
— deut. Wrtrb. m. d. nenen antl. Rechtschreibg f. Schule u.
Haus. 15. Afl. (323) 8° Lpzg, FA Berger 05. L. 3 — d
Venske, O: Zur Theorie derjenigen Raumcurven, bei welchen
d. 1. Krümmg e. gegeb. Function d. Bogenlänge ist. [S.-A.]
(10 m. Fig.) 8° Berl., (G Reimer) 05. — 50
**Ventil, dass. Zeitschrift f. d. Praxis d. Fabrikbetriebes. Red.:
BW Goldhahn, 3. Jahrg. A Klemm, 4. Jahrg. J Paul. 2—5
Jahrg. (Okt. 1901—Septbr 1905 je 12 Nrn. (2. Jahrg. Nr. 1
12 m. Abb. u. 1 Taf.) 4° Lpzg 8° Schnurpfeil. Viertelj. — 50
Ventura, P: Christentum u. Ultramontanismus. Aus d. Franz.
(180) 8° Lpzg, G Strübig 01. 2 —
**Venus. Die Apotheose d. Weibes. Der weibl. Schönheitstypus
in d. bild. Kunst. Mit e. Text v. F Fuchs. (In 24 Heften.)
1—17. Heft. (Je 16 m. Abb.) 4° Berl., W Kraus 04.05. Je 1 —
(—12 in M.; 15 —; in Ganzleinen v. Heft 24: 20 —)
— Erscheinen v. Heft 24: 20 — d
Venzl, J: Der Pingensatz auf d. Violine u. d. hieraus ent-
spring. Konsequenzen, sowie d. a. langjähr. Lehrtätigk.

hervorgegang. Erfahrgn auf d. Geb. d. Violin-Unterr. (32)
8° Hannov., L Oertel 04. 1.50
Veöreös, E v.: Nemzeti Könyv. Nationalb. üb. d. Berechtigg
u. Ausdehng d. ungar. Nationalansprüche. (237) 8° Gyor (Raab),
(Pannonia) 03. (Nur dir.) 3.90
Veprek, I: Zur Kenntnis d. anatom. Baues d. Maserbildg an
Holz u. Rinde. [S.-A.] (18 m. 1 Doppeltaf.) 8° Wien, (A Höl-
der) 02. — 70
Vera: Eine f. Viele. Aus d. Tageb. e. Mädchens. 1—17. Afl.
(110) 8° Berl., H Seemann Nf. 02-05. 2 —
Die ersten Afl. erschienen noch in Lpzg.
Vera-Buch, d., s.: Frauen, neue? Neue Männer!
Veraguth, O: Kultur u. Nervensystem. (42) 8° Zür., Schult-
hess & Co. 04. 1 —
Veränderungen im Stande d. Gewerbe währ. d. beiden Pe-
rioden 1898/99 u. 1899/1900. Auf Grund d. v. d. Handels- u.
Gewerbekammern gelieferten Gewerbekataster-Ausweise bearb. v. k. k. arbeitsstatist. Amte im Handelsministerium.
(66, 386) 4° Wien, (Hof- u. Staatsdr.) 03. 3 —
*Früher u. d. T.: Ergebnisse d. in Österr. vorgenomm. Gewerbe-
zählg.*
Verbandsblätter. Kaufmänn. Reform. Organ d. Verbandes
deut. Handlgsgehülfen u. sr Kassen zu Leipzig. Schriftleitg
u. Red.: G Hiller. 17. Jahrg. 1901. 52 Nrn. (Nr. 1. 8) Fol.
Lpzg, Verband deut. Handlgsgehülfen. Viertelj. 1.20; gr. Ausg.
m. wöchentlich zweimal. Liste off. Stellen 3.20 ‖ 18—21. Jahrg.
1902—5. Viertelj. 1 — d
Die Kaufmänn. Reform wurde hiermit vereinigt.
Verbands-Feuerwehr-Zeitung, österr. 25—29. Jahrg. 1901—5
je 24 Nrn. (1901. Nr. 1. 10 m. Abb.) 4° Brünn, RM Rohrer.
Je 4 — d
Verbands-Schriften d. deutsch-österr.-ungar. Ausschusses f.
Binnenschiffahrt. Nr. 60. 8° Berl.-Grunew., A Troschel. — 75
Egan, E: Die Schiffahrts-Einrichtg am Eisernen-Thor-Kanal d. unt. Donau.
(29 m. 1 Taf.) 1900. [60.] — 75
Nr. 59, bei Erscheinen nicht eingesandt, ist vergriffen.
— dass. Neue Folge. Nr. 1—16 u. 18—31. 8° Ebd. 32.15
Abeloff, E: Wasserwirtschaft u. Landw. (16) 03. [27.] — 50
Behrend: Zur Frage d. Schiffahrtsaugaben auf künstl. Wasserstrassen.
(23) 03. [25.] — 75
Bericht üb. d. bisher. Ergebnisse d. Schiffsverkehrs am Eisernen Tor.
Zusammengest. durch d. kgl. ungar. Schiffahrtsbehörde in Orsova. (23
m. 5 Beil.) Budapest 03. [14.] — 85
Brand: Interessengemeinschaft v. Eisen- u. Wasserstrassen od. d. gegen-
seit. Ergänzg u. d. Handinhandgehen dieser beiden Verkehrsmittel. (23)
03. [16.] — 75
Büsser, O: Rentabilität d. Binnenschiffagefässe. (20) 01. [4.] — 75
Chrzaszczewski, SR v.: Der Oder-Weichsel-Dniestr-Kanal. (11 m. 1 Karte-
skizze.) 01. [10.] 1 —
Ditthorn, F: Die Bedeutg d. Donauwasserstrasse f. d. Petroleumeinfuhr.
(15) 03. [15.] — 50
Eisenlohr: Industriebahn bes. Berücks. d. Anlagen am Rhein. (33)
03. [24.] — 75
Enzinghaus: Interessengemeinschaft v. Eisen- u. Wasserstrassen od. d.
gegenseit. Ergänzg u. d. Handinhandgehen dieser beiden Verkehrsmittel. (20) 03. [18.] — 50
Faber, E: Ueb. d. Stand d. Arbeiten f. d. Herstellg e. generellen Entwurfs zu e. Grossschiffahrtswege zw. Donau u. Main. (9) 02. [13.] — 50
— Studien üb. d. Verbesserg d. Schiffbarkeit d. Donau v. Kelheim bis
b. Ulm. (31 m. 3 Taf.) 03. [19.] 1.60
Gothein, G: Die wirtschaftl. Bedeutg süddeutschlds zu d. Verkehrsgebiet d. Donau-Oderkanals u. sr Verbindg m. Weichsel u. Dniestr.
(51) 01. [5.] 1.75
Haack: Die Eisenbahn d. Schiffe u. ihr Einfl. auf d. Binnenschiff. Nebst
e. Betrachtg üb. d. Kolmar'schen Wollmann'schen Flügel.
(50 m. Abb.) 01. [9.] — 60
Hamel: Blick- u. Ausblicke auf d. Ausbau d. Oder. — Scholta, v.: Ent-
wickelg d. Breslauer Hafenverhältnisse. (20 m. 1 Lageplanskizze.) 01.
[11.] 1 —
Herbst, A: Fortschritte in d. Ausbildg d. Fahrrinne in d. österr. Donau.
(7? m. 3 Beil. u. 6 Taf.) 01. [8.] 2.75
Hrásky, JV: Ueb. d. Einheitlichk. d. techn. Lösg f. Wasserstrassen u. d.
Bodenmelioration d. anliog. Gelandes. (10) 03. [26.] — 40
Kanalisierung, d. d. Neckars u. e. Verbindg v. Rhein u. Donau durch
Württemberg. Vortr. (12) 04. [31.] — 40
Krasny, A: Das Bau- u. Enteignungsrecht in sr Anwendg auf d. österr.
Wasserstrassen. (13) 04. [29.] — 40
Krisztinkovich, E v.: Die Bedeutg d. Donau-Theiss- u. d. Donau-Save-
Kanals f. d. mitteleurop. Wasserverkehr. (23) 03. [22.] 1 —
Landgraf, J: Zur Frage d. Schiffahrts-Abgaben auf bisher abgabenfreien
off. Strömen in Deutschl. (39) 01. [2.] 1 —
Lauda, E: Fortschritte auf hydrograph. Gebiete in Oesterr. (26 m. 1 Taf.)
01. [7.] 1 —
Oelwein, A: Der gegenwärt. Stand d. Wasserstrassenfrage in Oesterr.
(10) 03. [21.] 1 —
Rabitz, H: Uferbefestigg an Flüssen u. Kanälen. (9 m. 3 farb. Abb.)
01. [3.] 1.50
Ranner: Die Beziehg d. Seeschiffahrt z. Binnenschiffahrt. (15 m. 5 Taf.)
01. [6.] 1.50
Scholtz, v.: Entwickelg d. Breslauer Hafenverhältn., s.: Hamel, Rück- u.
Ausblicke auf d. Ausbau d. Oder.
Smrdeck, A: Der Pardubitz-Prerau-Krakauer-Kanal u. s. Zusammenh. m.
d. Donau-Oder-Kanal. (17 m. 2 Taf.) 04. [30.] 1 —
Stern, S: Ausbildg d. Fahrrinne d. oberösterr. Donau. (50 m. 3 Taf.) 03.
[28.] 1.75
Verlauf d. 5. Verbandstages, Breslau '01. (76 u. 80 m. 3 Taf.) 02. [12.] 2.50
Vogt: Die unterird. Gewässer, deren Beziehgn u. Bedeutg f. d. Binnen-
schiffahrt. (14 m. 6 Taf.) 03. [23.] 1 —
Weiss: Die Einrichtg e. Grossschiffahrt auf d. Neckar u. d. Verbindg v.
Rhein u. Donau durch Württemberg. (17) 03. [20.] — 50
Nr. 17 ist noch nicht erschienen.

Verbandstag, 27., d. kaufmänn. Vereine Württembergs. Ebingen
'04· (34 m. Abb.) 8° Ebing., (U Nefflen) 04. — 50 d

Verbandsversammlung u. Arbeitsnachweiskonferenz, 3., s.:
Schriften d. Verbandes deut. Arbeitsnachweise.
Verbeck, O: Der erste Beste. Erzählg. 2. Afl. (242) 8° Lpzg,
FW Grunow 02. 2.50; L. 3 — d
— Maria Neander. Die Neuenhofer Klucke. 2 Erzählgn. 2. Afl.
(341) 8° Ebd. 03. L. 4.50 d
Verbö s.: Cséti v. Verbö.
Verce, Edler v., s.: Fornasari.
Vercrysse's, B, neue prakt. Betrachtgn auf alle Tage d.
Jahres f. Ordensleute. Aus d. Franz. v. W Sander. 6. Afl.
v. JB Lohmann. 2 Bde. (615 u. 619) 8° Paderb., Junfermann
04. 6 —; HF. nn 8.50 d
Verdaguer, MJ: Blumen v. Kalvarienberge. Ein Buch d. Trostes
f. Viele. Aus d. Catalan. v. F v. B. (185 m. Bildnis.) 12°
Paderb., F Schöningh 04. L. m. G. 3 — d
Verdaro, G : Antologia tedesca di prose e poesi. Raccolta e
annotata a uso delle scuole italiane. (Metodo Gaspey-Otto-
Saner.) (263 m. 1 Karte u. 1 Pl.) 8° Hdlbg, J Groos 01. Geb. 3 —
Verdauungsstörungen, d. akut-chron., s.: Volks- u. Haus-
arzt, deut.
Verdeutschungsbücher d. allg. deut. Sprachver. II, IV, V u.
VIII. 8° Berl., Verl. d. allg. deut. Sprachver. 2.50 d
Brenn, K : Die Amtssprache. Verdeutschg d. hauptsächlichsten im Ver-
kehre d. Gerichts- u. Verwaltgsbehörden gebrauchten Fremdwörter.
4. Afl. (140) 01. [V.] ‖ 7. Afl. (176) 03. Je — 50
Khull, F: Deut. Namenbüchlein. Nachsb. z. Mshrg d. Verständnisses uns.
heim. Vornamen u. z. Förderg deut. Namengebg. 3. Afl. (63) 03. [IV.]
— 50
Kunow, O : Die Heilküde. Verdeutschg d. entbehrl. Fremdwörter a.
Sprache d. Ärzte u. Apotheker. 4. Afl. (97) 03. [VIII.] — 60
Magnus, K : Der Handel, Geldverkehr, Buchhaltg, Briefwechsel, Waren-
verkehr u. Versicherungswesen. Verdeutschg d. entbehrl. Fremdwörter
Handelssprache nebst 4 Vorl. f. deut. Wechselvordrucke. 3. Afl. (87)
02. [II.] — 60
Verdi, G : Amelia od. e. Maskenball, Dichtg v. A Somma u.
FM Piave. — Ernani, Text v. FM Piave, s.: Universal-Bi-
bliothek.
— Rigoletto, Dichtg v. FM Piave, s.: Sammlung internat.
Operntexte.
— La Traviata (Violetta), Dichtg v. FM Piave. — Der Trou-
badour, Dichtg v. S Cammarano, s.: Universal-Bibliothek.
Verdy du Vernois, F v.: Beitr. z. Gesch. d. völkerrechtl. Be-
ziehgn d. ottoman. Pforte. 1. Heft. Die Frage d. Hl. Stätten
Palästinas. (104 m. 1 Grundr.) 8° Berl., ES Mittler & S. 01. 2.25
Verdy vi Vernois, J v.: Im Hauptquartier d. russ. Armee in
Polen 1863—65. Persönl. Erinnergn. (200) 8° Berl., ES Mittler
& S. 05. 4 —; geb. m 5.25 d
— Studien üb. d. Krieg. Auf Grundl. d. deutsch-französ. Krie-
ges 1870/71. II. Thl, 2. u. 3. Heft u. III. Thl, 1—4. Heft. 8°
Ebd. 20.95 (I—III. A.f. 31.65) d
II. Operationspläne. 2. Heft. Operationen u. d. Studien: Ueb. Strategie.
(136) 01. 3 — ‖ 3. Heft. (207 m. 1 Skizze u. 2 L.) 01. 4 —
III, 1. Strategie. 1. Heft. Einl. Charakteristik d. Strategie im Allg. (164
m. 2 Skizzen.) 02. 3.60
2. Dass. 2. Heft. Einzelgeb. d. Strategie. I. Gruppe: Operationsobjekte. -Basis u. -Linien. 1. Abtlg: Operationsobjekte. (127 m. 3
Skizzen.) 03. 3.50; geb. m 4.75
3. Dass. 3. Heft. 2. Abtlg: Operationsbasis. (149 m. 4 Skizzen.) 04.
3.60; geb. m 4.75
4. Dass. 4. Heft. 3. Abtlg: Operationslinien. 1. Unterabtlg: Zeitraum
vor Verwertg d. Eisenb. in d. Kriegführg. (134 m. 1 Pl.) 05. 3.25;
geb. m 4.50
— Der Zug n. Bronzell (1850). Jugend-Erinnergn. (69 m. 4 Abb.)
8° Ebd. 05. 2.50 d
Vere Staopoole, de, s.: Staopoole.
Verehrer, d., Mariä. Gebete u. Andachtsübgn z. Verehrg u.
Anruf d. allersel. Gottesmutter Maria. (224 m. 1 Farbdr.)
11,4×7,5 cm. Dülm., A Laumann 03. L. — 75 d
Verein z. Wahrg gemeinsamer Wirtschaftsinteressen d. deut.
Elektrotechnik. Nr. 1—5. 8° Berl., (G Siemens) 05. 2.60 d
Bürner, R : Die Schaffg e. freiwill. Schiedsgerichtes f. Gebrauchsmuster-
schutz-Streitigk. in d. elektrotechn. Industrie. Materialien. (11) 04. [2.] — 50
— Tätigkeitsbericht üb. d. Wirken d. Vereins j. v. 1.IV.'04—31.III.'05. (10) [5.] — 50
Geschäftslage, d., d. deut. elektrotechn. Industrie im J. 1904. (56) [1.] 1 —
Verhandlungsbericht d. Jahresversammlg Berlin '05. (11) [3.] — 50
Vorschriften, d. russ., üb. Errichtg, Installation u. Revision elektr. Anl.
m. Niederspanng (bis zu 250 Volt.). Aus d. Russ. v. E Bing. (22) [5.] — 50
— e. bildend. Kreuzweges, v. Papst Leo XIII. im J. 1900 in
Ablässen gesegnet, nebst Aufnahmescheinen. (12° 16° Innsbr.,
F Rauch 02. 100 Stück 1.50 d
— f. Verbreitg guter Schriften, Basel. Nr. 33 u. 39—67. 8° Bas.,
Ver. f. Verbreitg guter Schriften. nn 4.80 d
Adelung, S v.: Mammon. (23) 01. [46.] nn — 10
Chamisso, A v.: Peter Schlemihls wunderasame Geschichte. (63) 1897. [33.] nn — 20
Claudius; Rnth. Novelle. Aus d. Holl. v. J Rotter. — Horn, WO v.; Änneli
Engelberger. (45) 1900. [45.] nn — 10
Erckmann-Chatrian: Madame Therese. Deutsch v. T Bergfeldt. (141) 03. [34.] nn — 10
Wird nur an Schweizer Firmen geliefert.
Frey, J: Die feindl. Dörfer. Die Erbkatze. (45) 1890. [41.] nn — 10
Fries, JA: Lajla. Aus d. Norweg. v. M Langfeldt. (150) 02. [32.] nn — 20
Ganghofer, L: Das Grab d. Mutter. Aus dem Urlaub. [S.-A.] (48) (03.)
[53.] nn — 10
Gerstäcker, F : Irrfahrten. Humorist. Erzählg. (104) 05. [52.] nn — 10
Hartmann, A: Der Glückschütze vom Glärnisch. Der Heimatlore: 2 Er-
zählgn. 1901 1900. [46.] nn — 10
Horn, WO v.: Wie Patron Jönsson erlebt hat. Deutsch v. M Langfeldt.
(95) 01. [51.] nn — 10
— Frau Westbergs Kostgänger. Novelle. Aus d. Schwed. v. M Langfeldt.
(95) 01. [51.] nn — 20
Horn, WO v.: Änneli Engelberger, s.: Claudius, Ruth.

Jensen, W: Unter d. Linde. (60) 05. [67.] nn — 10
Joachim, J: Frau Susann. (64) 04. [60.] nn — 10
Kelterborn, R: Höhere Mächte. (56) 05. [64.] nn — 10
Kompert, L: Die Prinzessin. (92) 01. [40.] nn — 10
Kurz, H: Wie d. Grossvater d. Grossmutter nahm. — Ein Herzensstreich. Erzählgn. (43) 04. [61.] nn — 10
Lindau, R: Nach d. Niederlage. Novelle. (80) 02. [53.] nn — 10
Meerheim, J v.: Jobs Gutenberg u. Peter Schöfer. Histor. Novelle. (102) 1899. [43.] nn — 20
Mylius, O: Das Bäschen v. Lande. Familiengeschichte. (168) 1896. [93.] nn — 30
Pichler, K: Quintin Messis. Novelle. (62) 1899. [40.] nn — 10
Reuter, F: Abendteuer d. Entspekter Bräsig, bärtig a. Mekelborg-Schwerin, v. ihm selbst erzählit. [S.-A.] (62) 05. [66.] nn — 10
Ribaux, A: Zarte Fäden. (64) 04. [62.] nn — 10
— Geborgen. Übers. v. A Bruch. (102) 01. [51.] nn — 20
— Silberhochzeit. — Das Testament. — Weihnachtsblumen. Deutsch v. E Wiepking. (46) 03. [57.] — 10
Schaumberger, H: Glückl. Unglück. Bilder a. d. oberfränk. Dorfleben. (76) 03. [56.] nn — 20
Schweichel, R: Der Uhrmacher v. Lac de Joux. Roman. (160) 03. [59.] nn — 30
Sommer, W: Der Plan d. Notars. Eine elsäss. Gesch. [S.-A.] (106) 1900. [47.] nn — 20
Tatarinoff, E: Die Schlacht bei Dornach 1499. (64 m. 1 Pl. u. 1 Taf.) 1899. [42.] nn — 15
Zschokke, H: Der Flüchtling im Jura. (112) 03. [58.] — 20 Vergr.
— Die Rose v. Disentis. Gekürzt. (200) 04. [63.] nn — 30
Verein f. Verbreitg guter Schriften. Bern. 10, 11, 13, 14 u. 30—59. 8° Bern. (Bas., Ver. f. Verbreitg guter Schriften.) nn 5.50 d
Altherr, A: Das fatale Almosen. Erzählg. (96) 1896. [31.] nn — 15
Brugger, H: Aus bernischer Volkssage, s.: Scloberet, P, Marie.
Carnot, M: Bündnerbint. Novelle. (59) 04. [58.] nn — 10
Conscience, H: Der Rekrut. Aus d. Vlkm. v. OLB Wolff. (92) 09. [49.] nn — 10
— Der Besuch. Erzählg. — Reinhart, J: Mariann, d. Franeli. Ein a. em Land. (90) 01. [42.] nn — 20
— Kurt v. Koppigen. (136) 03. [51.] nn — 25
— Michels Brautschau. (164 m. 1 Taf.) 04. [54.] nn — 20
— Der Oberamtmann u. d. Amtsrichter. (60) 05. [59.] nn — 10
— Segen u. Unsegen. Erzählg. — Niggi Jo. Lebensbild. (51) 1899. [92.] nn — 10
— Die Wege Gottes u. d. Menschen Gedanken. — Frey, J: Kindersegen. (55) 1900. [88.] nn — 10
Grillparzer, F: Der arme Spielmann. Erzählg. (48) 1899. [30.] nn — 10
Hansjakob, H: Der Christian. Treu n. d. Leben erzählit. [S.-A.] — Villinger, H: Mutter Rosin. [S.-A.] (55) 1896. [10.] nn — 10
Hauff, W: Das Bild d. Kaisers. Novelle. (59) 05. [57.] nn — 10
— Jud Süss. (92) 05. [57.] nn — 10
Horn, WO v. (W Oertel): Die Boerenfamilie v. Klaarfontein. Eine Gesch. a. d. Boerenleben im Kaplande Südafrikas. (107) 1900. [37.] nn — 20
Kübler, J: Im Kriegszeiten. Lebensbild a. d. helvet. Revolution. (134) 1899. [85.] nn — 20
Meyer-Merian, T: Dienen u. Verdienen. Dorfbotengeschichten. (96) 1898. [11.] nn — 15
Niklaus, FH: Eine Amerikafahrt im J. 1884. Hrsg. v. H Zahler. (76) 01. [40.] nn — 10
Nyblom, H: Ein Junggesellenleben. Aus d. Schwed. v. C Gohl. (59) 03. [48.] nn — 10
Olivier, U: Raimund d. Pflegling. Eine Waadtländer Dorfgesch. Nach d. Uebersetzg v. O Sutermeister bearb. v. EB. (116) 01. [41.] nn — 10
Reinhart, J: Mariann, d. Franeli. Ein ab em Land, s.: Gotthelf, J, d. Besuch.
Rode, L: Wachsamk. geht üb. List, s.: Westkirch, L, d. 2 Gesichter d. Welt.
Rosegger, P: Sein Geld will er haben. — Schmitthenner, A: Friede auf Erden. — And. Geschichten. (88) 02. [47.] nn — 20
Schmitthenner, A: Das Ehe-Examen. — Gaudy, F: Der Katzen-Raffael. (80) 04. [55.] nn — 10
— Friede auf Erden. And. Geschichten, s.: Rosegger, P, s. Geld will er haben.
Schneider, C: 3 Jahre in Amerika. [S.-A.] (55) 1898. [14.] nn — 10
Scioberet, P: Marie, d. Flechterin. Dorfgesch. Aus d. Franz. v. H Brugger. — Brugger, H: Aus bern. Volkssage. 1. Der Linkenmähder v. Madiswyl. 2. Die Weiberschlacht auf d. Langmatt. (87) 02. [44.] nn — 10
Villinger, H: Mutter Rosin, s.: Hansjakob, H, d. Christian. Walkmeister, C: Der dumme Hans. Erzählg a. d. Anf. d. 19. Jahrh. (108) 05. [56.] nn — 20
— Der kl. Tambour. Erzählg a. d. Bündnerland. (74) 1899. [34.] nn — 15
Westkirch, L: Die 2 Gesichter d. Welt. Erzählg. — Rode, L: Wachsamk. geht üb. List. Patriot. Erzählg a. d. 1799. (60) 1896. [18.] nn — 15
Zschokke, H: Der Millionär. Eine Doppelgesch. (96) 05. [56.] nn — 10
— Kleine Ursachen. Eine Doppelgesch. (108) 04. [52.] nn — 20
— dass., Zürich. Nr. 31—37 u. 39—59. 8° Zürich. (Bas., Ver. f. Verbreitg guter Schriften.) à 4.30 d
Behrli, G: Irrfahrten. Jugenderinnerg e. alten Arbeiters. (115) 03. [50.] nn — 20
Berlepsch, G v.: Spätrot. — Rosen im Schnee. Schweizer Novellen. (76) 05. [59.] nn — 15
Cremer, J: Der Vetter a. Geldern. Tante Zina. Holländ. Novellen. [S.-A.] (79) 1900. [40.] nn — 15
Droste-Hülshoff, A Freiin v.: Die Judenbuche. (56) 1899. [88.] nn — 10
Eichendorff, J Frhr v.: Das Schloss Dürande. Novelle. — Geijerstam, G af: Schneewinter. (71) 1899. [85.] nn — 10
Ernst, J: Cäcilie. Erzählg. (118) 03. [51.] nn — 10
Frey, J: Die Erbschaft. Der Tannenapicher. Das Huhn d. alten Pfarrers. Erzählgn. — Gotthelf, J: Eine alte Gesch. au neuer Erzang. (88) 1899. [92.] nn — 15
Fröhlich, AE: Der Tüchler, s.: Meyer v. Schauensee, e. Sturm.
Geijerstam, G af: Schneewinter, s.: Eichendorff, J Frhr v., d. Schloss Dürande.

Goethe, JW v.: Hermann u. Dorothea. Nebst: Sprüche u. Sprichwörtt. lichst a. Goethes Gedichten. (79 m. Bildnis.) 1900. [37.] nn — 15
Gotthelf, J: Eine alte Gesch. au neuer Erbaug, s.: Frey, J, d. Erbschaft.
Grossé, J: Vetter Isidor. (92) 01. [42.] nn — 15
Haggenmacher, O: Der Sänger d. Freiheit. Bilder a. d. Leben Friedrich Schillers. (105 m. Abb.) 05. [58.] nn — 25
Höller, R: Die Freunde. (70) 04. [53.] nn — 10
Hünmann, P, u. E Faller: Der Flüchtling. Erzählg a. d. Zeit d. 30jähr. Krieges. (67) 1896. [21.] nn — 15
Hofn, WO v.: Das Maileben. Aus d. Leben e. Vogelsbergers in Krüg v. Frieden. 2 Theile. Dorfgesch. (100) 01. [41.] nn — 20
Hofst, GA: Zwei in e. Nest. Heitere Erzählg a. Oberbayern. (84) 04. [55.] nn — 15
Lienert, M: Meins 1. Liebe. — Claudels Erbteil. Erzählgn a. d. Ur-Schweiz. (92) 05. [57.] nn — 15
Meyr-Merian, T: Friedeli „im Boden". Das verzauberte Haus. Erzählg. (92) 02. [48.] nn — 15
Meyr v. Schauensee, L: Der alte Soldat. (79) 04. [56.] nn — 15
— Ein Sturm auf d. Vierwaldstätter-See. Erzählg. — Fröhlich, AE: Der Tüchler. Novelle. (63) 1899. [36.] nn — 10
Rank, J: Bärteli, d. Knechtlein. Erzählg. (101) 1899. [34.] nn — 20
— Die Nachbar'n a. Röchtitn u. Linken.— Bunsé, FW (M Nicolaus): Mein Freund Wolf. Erzählg. (67) 04. [54.] nn — 15
Rosen, L: Der Geburtstag d. alten Schulmeisters. Novelle. Das Felsengrab. [S.-A.] (55) 01. [44.] nn — 10
Bunsé, FW (M Nicolaus): Mein Freund Wolf, s.: Rank, J, d. Nachbar'n.
Schött, J: Reicher Bube u. armes Mädchen. Brzählg. (64) 03. [49.] nn — 15
Schmitthenner, A: Der Ad'm, s.: Zahn, E, d. Nottaufe.
Spyri, J: In Leuchtensee. (64) 1900. [89.] nn — 15
Sücher, A: Der Waldstg. Studie. (67) 02. [48.] nn — 10
Wichert, E: Der Schatzarp. Eine litauische Gesch. (99) 02. [47.] nn — 20
Würtig, L: Geld u. Herz. Eine Gesch. (71) 01. [43.] nn — 10
Zahn, E: Bergkinder. 3 Skizzen. (40) 05. [52.] nn — 10 Vergr.
— Die Nottaufe. — Der Held. Skizzen. — Schmitthenner, A: Der Ad'm. (86) 02. [40.] nn — 15
Die fehl. Nrn d. drei Vereine sind vergriffen.
Verein, d. histor., f. Steiermark v. 1850 bis 1900. Gedenkbl. (54 m. 7 Bildnissen.) 4° Graz, Leykam 1900. 2 —
Vereinbarungen, techn., üb. d. Bau u. d. Betriebseinrichtgn d. Haupt- u. Nebeneisenb. u. d. Beschlüssen d. am 28—30.VII. 1896 zu Berlin abgeh. Vereins-Versammlg. Hrsg. v. d. geschäftsführ. Verwaltg Berlin, d. 1.1.1897. 2. Nachtr. (7 m. 1 Taf.) 8° Berl. 1900. (Wicsh., CW Kreidel.) nn — 10 || 3. Nachtr. (1 Bl.) 02. — 03 || 4. Nachtr. (3 m. 3 Taf.) 05. — 24 || 5. Nachtr. 2 —
(3) 04. — 03 (Hauptwerk m. 1—5. Nachtr.: nn 3.50)
— z. einheitl. Untersuchg u. Beurtheilg v. Nahrgs- u. Genussmitteln sowie Gebrauchsgegenständen f. d. Deut. Reich. Entwurf, festgest. n. d. Beschl. d. auf Anregg d. kais. Gesundheitsamtes einberuf. Kommission deut. Nahrgsmittel-Chemiker. 3. Heft. (184) 8° Berl., J Springer 03. 5 — (Vollst.: 13 —)
Vereinfachungen d. französ. Rechtschreibg. Satzlehre. (Frei übers. v. J Hertel.) (8) 8° Dresd., Bleyl & K. 01. nn — 20
Vereinigung, f. internat. gegens. Arbeiterschutz (L'Association internat. pour la protection légale des travailleurs), s.: Schriften d. internat. Vereinigg f. gesetzl. Arbeiterschutz. — schweiz., z. Förderg d. internat. Arbeiterschutzes. 11. Heft. 8° Bern, (Scheitlin, Spring & Co.). 2 — d
Reichenberg, N: Beartsebgn u. Erfolg d. internat. Vereinigg f. gesetzl. Arbeiterschutz u. d. internat. Arbeitsamtes. (45) 05. [11.] 2 —
1—10, 12 u. 13 sind nicht im Handel.
— d. sächs. ev.-soz., im J. 1904. (48) 8° Dresd., CL Ungelenk (05). — 50 d
— freie, Darmstädter Künstler. (16 Taf. m. 1 Bl. Text.) Fol. Darmst., (A Bergstraesser) (01). 30 —; Vorzugsdrucke m. eigenhänd. Unterschrift d. Künstler 50 —
— f. gerichtl. Psychol. u. Psychiatrie im Grossh. Hessen, Bericht üb. d. Eröffnungsversammlg, hrsg. v. A Dannemann, s.: Grenzfragen, juristisch-psychiatr.
Vereins-Almanach, Münch., f. 1903|4. 1. Jahrg. (431) 8° Münch., (P Zipperer). 2 —
Vereinsamten, den. Bosheit d. Einsamen. Ein Franzenzwist. Die letzten Tage d. alten Kultur. Ein Zukunftstraum. (94) 8° Dresd., E Pierson 05. 2 —; geb. 3 — d
Vereinsblatt d. pfälz. Aerzte. Red.: Demuth u. Zahn. 30. u. 31. Jahrg. 1904 u. 5 je 12 Nrn. (Nr. 1. 32) 8° Frankenth., L Göhring & Co. Je 4 —
— ärztl., f. Deutschl. Organ d. deut. Aerztevereinsbundes. Begründet v. HE Richter. Red.: (Wallichs u.) Heinze. 30. u. 31. Jahrg. 1901 u. 2 je 24 Nrn. (Nr. 1. 23 Sp.) 4° Lpzg, (FCW Vogel). Je 5 — 0 H
— kathol. Red. v. J Scheicher. 15. Jahrg. 1901. 24 Nrn. (Nr. 1. 8) Fol. Nebst Beil.: Die kirchl. Kunst. Red. v. J Geistberger. 8. Jahrg. 24 Nrn. (Nr. 1. 8) 8° Wien, J Heindl. nnn 2 — d 0 H
— d. landw. Haupver. f. d. Grossh. Mecklb.-Strelitz. Fachschrift f. Landw., Viehzucht, Obst- u. Gartenbau u. Bienenwirtschaft. Hrsg. v. C Schultz. 2. Jahrg. 1. Halbj. Jan.—Juni 1901. 6 Nrn. (Nr. 1. 6) 8° Neubrandenbg, (C Brünslow). 1 —; geb. 1 —
— f. d. Quartalsschrift d. naturw. Ver. d. preuss. Rheinl. s. ... . 4. Jahrg. 1901. 6 Nrn. je 1.50 || 5—6. Jahrg. 1902—5 je 12 Nrn. Je 3 — d 0 H
— f. deut. Versicherungswesen. Red.: J Neumann. 29. u. 30. Jahrg. 1901 u. 2 je 12 Nrn. (Nr. 1. 44) 8° Berl., ES Mittler & S. Halbj., 6 — 0 F
Vereinsbote, der. Organ d. kath. Volksschullehrer-Ver. f. Württemberg. Red.: F Ruf. 36—38. Jahrg. 1901—3 je 52 Nrn. (Nr. 1. 2. 36) 8° Horb, (P Christian). Je 2.70 ;
m. d. Quartalschrift f. Erziehg u. Unterr. je 4 — d 0 H
vereinsbühne. Sammlg v. Theaterstücken f. kathol. Vereine. Hrsg. a. d. Theater-Archiv d. Grazer Gesellenver. I. u. III. Bd. 8° Graz, U Moser. 9.50 d
1. Spork, E: Die Geburt d. Herrn. Bibl. Schausp. — Romani: Das Ver-

brechen in d. Christnacht. Volksstück. — Schindler, J: Die Jagd n. e. Fracke. Lustsp. 2. Aß. (126) 01.
III. Wöhr, J: St. Johannis Liebe. Dramatisierte Legende. (56) 01. — 70
Vereins- u. Gesellschaftsbühne, neue. 1—7. Bdchn. 12° Münst., Alphonsus-Bh. 3.95 d
— Maythofer, J: Galil/er, Du hast gesiegt! Ein Bild a. d. 4. Jahrh. (31) (02.) [3.] — 35
— Gespensternächte. Lustsp. (57) (05.) [6.] — 60
— Hakon Jarl od. Die untergeh. Götter. Trauersp. Frei n. d. Dän. bearb. (133) 03. [4.] 1 —
— Der König v. Granada. Schausp. (56) (02.) [1.] — 50
— Maiendämmerg. Lyrische Szene. Musik v. J Kreitmaier. (16) (03.) [2.] — 80
— Seleukus u. Stratonike. Schausp. (31) 04. [7.] — 70
— Waldberg, W v.: Der verpflanzte Bauernjunge. Lustsp. Frei n. e. älteren. Komödie. (83) (02.) [5.] — 50

Vereins-Hebammen-Zeitung, sächs. Hrsg.: Die Direktoren d. kgl. Frauenkliniken u. Hebammensch. in Dresden u. Leipzig: Leopold u. Zweifel. Schriftleiter: H Füth u. Weindler. 1. Jahrg. 1904. 12 Nrn. (144 m. Abb.) 4° Dresd., v. Zahn & J. 3 — d
Fortsetzg s. u. d. T.: Hebammen-Zeitung, sächs.

Vereins-Kalender, illustr. landw., f. d. Kgr. Sachsen. 1906. 30. Jahrg. Hrsg. v. A Endler. (88) Dresd. (Lpzg, G Schönfeld.) — 40 d

Vereins-Katalog. (Regennen 1870.) Die v. d. Referenten-Kollegium d. „Allg. Cäcilien-Ver." f. d. Diöz. Deutschlds, Österr.-Ungarns u. d. Schweiz" u. d. „Vereins-Katalog" aufgenomm. kirchenmusikal. od. auf Kirchenmusik bezügl. Werke enth. 10—13. Heft. (Neue Folge.) Nr. 2175—3000. (2. Bd. 185—296 u. 3. Bd. 1—256) 4° Rgnsbg, F Pustet 1900-03. 4.20 (1—13.: 12.10)
— dass. Alphabet. u. sachl. Generalreg. zu Nr. 2101—2500. Sep.-Ausg. (22) 4° Ebd. 1900. — 85 (Nr. 1—2500.: 1.65)
Vereinslieder d. Blauen Kreuzes. Zur Ehre d. Erretters! Text-Ausg. 4. Aß. (189) 16° Barm., Elim (04). nn — 80 d
Vereins-Rat, der. Prakt. Winke u. Ratschläge in allen Angelegenh. d. gesell. Ver. Hrsg. v. e.Fachmann. (88) 8° Mühlh. i/Th., G Danner (01). 1 — d
Vereinsrecht, d., n. d. neuen BGB, s.: Miniatur-Bibliothek.
Vereins- u. Versammlungsrecht, d., in Deutschl. in ausführl. Erläuterg u. Darstellg. Vereins-Ges. v. 11.III.1850 u. e. Uebers. d. Vereins- u. Versammlgsrechts n. d. reichsgesetzl. u. landesrechtl. Vorschriften. 2. Aß. (128) 8° Berl., Bh. Vorwärts 05. Geb. 1.25 d
Vereinsredner, d. christl. Material zu Vortr. in christl. Vereinen. Hrsg. v. Fridolin. 1. u. 2. Bdchn. 8° Linz, Pressver. Je 1 — d
1. Ueb. Presse u. Schule. (110) 02.
2. Soz. Frage. Vortr. f. kath. Jünglings-, Gesellen- u. Arbeitervereine. (120) 03.
Vereinstheater. Nr. 98—153. 8° Mühlh. i/Th., G Danner. Je 1 — d
Angely, L: Das Fest d. Handwerker. Kom. Lebensbild m. Gesang u. Tanz. Neu bearb. v. S Philippi. (39) (05.) [120.]
Benedix, R: Die Dienstboten. Lustsp. Neubearb. v. G v. Moser. (54) (04.) [140.] — Ein altes Sprichwort. Lustsp. Neubearb. v. G v. Moser. (32) (04.) [127.] — Versailleen. Lustsp. Neubearb. v. G v. Moser. (39) (04.) [142.]
Bernhard, O: Höllenqualen. Posse. (46) (02.) [116.]
Birum, M J: Der neue Hilfslehrer. Schwank. (36) (01.) [107.] ‖ Freund Hirschmann. Schwank. (36) (01.) [109.]
Braune, R: Ein patenter Bengel. Schwank. (32) (04.) [134.] ‖ Karnickel hat angefangen: Gesnbild. (32) (03.) [114.] ‖ Die Landpomeranze od. Cousin Harlekin. Schwank. (48) (03.) [113.] ‖ Eine Maief od. Einquartierg im Spreewald. Soldatenschwank. (37) (01.) [105.] ‖ Tante Mühselig. Gesnbild. (37) (03.) [120.] ‖ Puseman's Geheimnis. Posse. (45) (02.) [122.] ‖ Uns. Suschen. Schwank. (32) (03.) [111.] ‖ Trudeheu's Schatz. Schwank. (45) (03.) [124.]
Ely, L: Ein armes Mädchen. Volksstück. (36) (02.) [112.] ‖ Ein solider Mann. Posse. (32) (02.) [110.] ‖ Familie Ziegenspeck. Posse. (40) (01.) [106.] Grabe. F: Nunnes Kriegserlebnisse. Militär. Schwank m. Gesang. (36) (02.) [104.]
Heidelberg, E: Unter erschwer. Umständen. Posse. (40) (03.) [129.]
Höwe, F: 3 Paar Stiefel. Schwank. (32) (03.) [117.]
Kosinski-Weiss, M: Der Hochstapler. Schwank. (36) (02.) [116.]
Lehnhard, FB: Zu Befehl, Herr Hauptmann! Lustsp. (34) (04.) [141.] ‖ Der Cousin. Lustsp. (35) (04.) [131.] ‖ Eine Mussof-Ehe. Schwank. (32) (03.) [145.] ‖ Stillgestanden! Schwank. (34) (04.) [132.]
Meinhold, P: Der falsche Emil. Schwank. (34) (04.) [133.] ‖ Wie deutsche Sie Ob. Japan? Schwank. (37) (04.) [144.] ‖ Professor Mammut. Schwank. (34) (04.) [133.] ‖ Papa's Rock. Schwank. (36) (02.) [119.] ‖ Wer ist Herr gefallen? od. Die Wette. Schwank. Frei n. F Röder. (16) (03.) [122.] Oppermann, P: Der entlarvte Jungegeselle. Schwank. (32) (03.) [147.] ‖ Der Soldatenfeind. Schwank. (32) (03.) [151.]
Peters jun., P: Das verrat. „Du". Schwank. (24) (03.) [121.] ‖ Ein modernes Geheimnis. Lustsp. (30) (04.) [142.]
Philippi, S: Das Amtsgeheimnis. Schwank. (32) (01.) [104.] ‖ Die Fuchsfalle. Schwank. (40) (01.) [105.] ‖ Die Herren d. Schöpfg. Schwank. (32) (04.) [138.] ‖ Blanke Knöpfe. Schwank. (36) (01.) [105.] ‖ Bescheert u. Bertram. d. lust. Vagabunden. Posse m. Gesang. (35) (01.) [100.]
Rahnfeld, P: Jettes Landslieute in d. Köche. Schwank. (32) (05.) [152.] ‖ Liebesgeschichten. Schwank. (32) (05.) [148.] ‖ In d. Pfandlkche. Lustsp. (30) (05.) [149.] ‖ Zimmer zu vermieten.! Schwank. (24) (05.) [146.]
Ranker, F: Major's Röcke auf Werde! Militär. Oflg.-Schwank. (30) (05.) [150.]
Ritter, A: Der Raubmörder. Posse. (30) (01.) [96.] ‖ Waldlieschen. Lustsp. (30 m. 1 Fig.) (01.) [101.]
Schmazow, A, u. M Reichhardt: Der Schlagdämmusch. Posse. (32) (04.) [139.]
Schruts, D: Wenn man s. Hut verliert. Lustsp. Frei n. e. französ. Stoffe. (32) (01.) [95.]
Treller, H: Der neue Bursche. Schwank. (31) (03.) [152.]
Trptow, L: Wem gehört d. Kind? Schwank. (40) (05.) [136.]
Wochsmann, A: Ein fahiger Tag. Schwank. (32) (03.) [155.]
Waldan, F: Mampe's Fürstenworte. Posse m. Gesang. Musik v. R Thiele. (32) (02.) [117.]
Wendt, J: Das Geheimnis. Lustsp. (46) (04.) [130.]
Weyber, M: Die schwarze Frau. Lustsp. (40) (02.) [118.]

Vereinstheater, erzgebirg. 7. u. 8. Heft. 8° Annabg, Graser. 1 — d
Hach, A: Erwartg. Treg. Szene in erzgebirg. Mundart. (12) 05. [7.] — 40
Körner, F: A Hauptprub in Klaawurselbach. Schwank in erzgebirg. Mundart. (29) 05. [8.] — 60
Bisher u. d. T.: Familien- u. Vereinstheater, erzgebirg. — Das 6. Heft bildet: Hermann, Christus ward heut geboren!' — Fortsetzg s. unter Einzeltiteln.
— neues. Nr. 32—61 u. 64—66. 8° Ess., Fredebeul & K. 17.70 d
Capr, W: Der beehrte Dichter. Lustsp. (56) 02. [44.] — 60
Dahlen, H: Höll, Leo, Dir! Festzp. z. 25jähr. Papst-Jubiläum Papst Leo XIII. (15) 05. [52.] — 50
— Der Bierbruder. Schausp. (23) 02. [50.] — 50
Edel, L: Sanct Barbara, d. jugendl. Märtyrin v. Nicomedien, v. Vater d. Todt überliefert. Christl. Drama. Aus d. Frans. v. P Sutter. (56) 02. [47.] — 60
Haidri, W (W Brockmann): Dat solle Leed met'n niee Tax od. Dn bählier winnt! Gr. Posse m. Gesang. (30 u. 22) 03. [51.] 1 —
Hohnerlein, M: Erwischt. Posse f. nur männl. Rollen. Nach J Néstroy frei bearb. (48) 05. [34.] — 60
Jedrzejewski, A: Tante Malchens 1. Liebe. Schwank. (43) 02. [45.] — 50
— Die Wahrheit. Komödie. (45) 02. [49.] — 60
Jedrzejewski, F: Segen d. Mission. Gelegenheitssp. (30) 02. [42.] — 50
Kademann, F: Frührot. Schausp. (19) 04. [61.] — 50
Kiefer, W: Hans Schnuckelmayer d. Freiwillige. Militär. Schwank. (31) 02. [38.] — 50
Edel, L: Ironie d. Schicksals. Lustsp. (34) 02. [55.] — 50
Lambert, A: Der geprellte Onkel. Lustsp. (40) 02. [43.] — 50
— Im Redaktionsbureau. Schwank. (19) 02. [53.] — 50
— Der Theaterdirektor. Lustsp. (39) 02. [40.] — 50
Marcos, E (Natschmer): Unse Dörfken od. Latiensche Buren od. Was krauchst da in d. Busch herum? Gr. Volksstück m. Gesang u. Tanz. (75) 05. [64.] — 50
Möder, P: Die Jagdeialsdg. Lustsp. (37) 05. [65.] — 50
Michler, KW: Flickstunde. Soldatenschwank. (16) 05. [56.] — 50
Natschmer (E Matron): Uy Bruntschau of Threaken u. Rüsseken. Keh-Mädchensp. (24) 05. [57.] — 50
— Jans Kraz of dat solle Schamlesken. Verwesselg, nao een solö Stückschen torecht stuckedeert. (24) 05. [58.] — 60
— Länings Lena of Mien Ees un Alles. Truerige Elkriensgeschichte tom Dantlachen. (24) 05. [59.] — 60
Niedurny, M: Leb. Bilder a. d. Bergmannsleben. (32) 04. [60.] — 50
Schulb, J: Die besteuerte Katze. Schwank. (34) 04. [59.] — 50
Stolz, P: Brömser v. Rüdesheim. Ritterschausp. a. d. Zeit d. Kreuzzugs. (31) 04. [54.] — 50
Sutter, F: Ein Studentenstreich. Schwank. (37) 01. [36.] — 50
— Das Testament d. Frau Fläschke. Humoreske a. d. Frans. (23) 02. [37.] — 50
— Der Triumph d. Kreuzes od. Kaiser Julians Buße. Christl. Drama. Nach d. Frans. (32) 03. [34.] — 50
— Der Widerspruchsgeist od.! Sie will u. muss Recht haben. Schwank. (27) 02. [46.] — 50
Turin, d. Unverbesserliche, andmomende a. „Calderons, Der gr. Frau v. Fea" u. umgearb. f. d. Bühne d. Arbeiter-, Gesellen- u. Dilettanten-Ver. v. e. kathol. Pfarrer. (22) 02. [41.] — 50
Weddigen, O: Auf falscher Spur. Dramat. Szene. (34) 05. [66.] — 50
Werle, K: Weihnachtsfestsp. Andachg d. Hirten u. Weise f. Schule u. chrtstl. Ver. m. Gesang u. lebd. Bild. (29) 1900. [33.] — 50
Westef, C: Ze lebd d. König. Trauersp. a. d. Zeit d. französ. Bevölkerion. (54) (1900.) [35.] — 50
Windolph, R: Mister Box. Schwank. (27) 02. [39.] — 50
Nr. 62 u. 63 sind: Volksbühne, plattdeut., Nr. 1 u. 2.
Vereinswoche, uns., 1903. (138 m. Bildnissen.) 12° Berl., Tonindustrie-Zeitg. — 60
Vereinszeitung, österr. ärztl. Hrsg. u. red. v. C Kohn. 25—29. Jahrg. 1901—5 je 24 Nrn. (196, 198, 188, 196 u. 192) 4° Wien (XIX, Döbling, Hauptstr. 88), Administr. Je 4 —; [07] einz. Nrn — 30

Vererbung, d., d. bäuerl. Grundbesitzes im Kgr. Preussen. Hrsg. v. M Sering. X u. XII. 8° Berl., P Parey. 7.50 (I—VI u. VIII—XIV.: 49 —)
Housselle u. P Hillmann: Prov. Pommern. (181 m. 2 Kart.) 1900. [X.] 5 — Wenckstern, A v., u. K Böhme: Prov. Ostpreussen. (99 m. 1 Karte.) 05. [XII.] 2.50
VII ist noch nicht erschienen.
— dass., s.: Jahrbücher, landw.
Vererbungsweise, d., d. bäuerl. Besitzes in d. früheren Geb. d. franzos. Rechts m. Rücks. auf d. Erhaltg d. Bauernstandes. Hrsg. v. deut. Landw.-Rat. [S.-A.] (34) 8° Berl., (P Parey) 04. nn 1 — d
Verfall, sittl., d. deut. Studententums. Mittel z. Rettg u. dessen Beseitigen. Von e. deut. Studenten OBT. Strassburg i. E. (25) 8° Lpzg, Modernes Verl.-Bureau 05. — 50
Verfassung, d., d. Deut. Reiches, d. bad. Landesverfassg u. d. bad. Gemeindeordng, als Stoff z. Übg im Lesen verschied. Handschriften zusammengest. (Von A Ott.) (103) 8° Bonndf, Spachholz & Ehrath 01. nn — 40 d
— d. ev. Landeskirche Augsburger Bekenntnisses in d. siebenbürg. Landesteilen Ungarns. Hrsg. v. Landeskonsistorium. (Ausg. 1902.) (111) 8° Hermannst., F Michaelis. 1.50 d
— u. Verwaltg. d. Kgr. Serbien v. 6.IV.'01. Deutsch v. H Marcuse. (42) 8° Berl., Berliner Verl.-Gesellsch. 02. 1 — d
— u. Verwaltungsorganisation d. Städte, s.: Schriften d. Ver. f. Socialpolitik.
Verfügung, gemeinschaftl., d. Ministers d. Medizinal-Angelegenh. u. d. Ministers d. Innern, betr. d. Bildg v. Gesundheitskommissionen u. d. Erlass e. Geschäftsanweisg f. diese, v. 18.III.'01. (7) 8° Berl., C Heymann (01). — 20 d
Verga, G: Das Liebeszeichen, s.: Bibliothek berühmter Autoren.
Vergebet, so wird euch vergeben. Von d. Verf. v. „Allein in London", „Cassy" u. „Die Fischer v. Derby-Hafen" (H Stretton). Ushers. v. M H. Neue Ausg. (143 m. 4 Farbdr.) 8° Konst., C Hirsch (04). Geb. — 75 d

Vergebung, d., staatl. Arbeiten u. Liefergn. Allerh. Verordng
v. 2.IV.'03. (30) 8º Münch., C Haushalter 03. nn — 25
— u. Friede. Ein Wort f. d. um ihr Seelenheil Bekümmerten.
Deutsch v. C F. 2. Afl. (16) 8º Gotha, Missions-Bh. P Ott 03.
— 15 d
Vergilius (Virgilius) Maro, P. 3., 5. u. 7. Lfg. Deutsch im
Versmasse d. Urschrift v. W Binder. 8º Berl.-Schönebg, Langenscheidt's V. Je — 35 d
3. Landbau (Georgica), Gesang 3, Vers 180 bis Schluss. Jugendgedichte.
6. Afl. (1. Bd. 97—146) (04.)
5. Aeneis. 2. Lfg. 6. Afl. (2. Bd. 49—96) (04.) ∥ 7. Dass. 4. Lfg. (2. Bd.
1—481) (03.)
— Aeneide. Textausg. f. d. Schulgebr. v. O Güthling. (330) 8º
Lpzg, BG Teubner 05. Geb. 2 —
— dass. Für d. Schulgebr. erläutert v. K Kappes. 1. Heft:
Aeneis I—III. 6. Afl. v. M Fickelscherer. (120) 8º Ebd. 04.
1.40; geb. 1.90
— dass. (in Ausw.). Hrsg. v. M Fickelscherer. 2. Afl. Text. (195
m. 1 Karte.) 8º Ebd. 1900. ∥ 3. Afl. Text u. Einl. (34, 195 m.
Abb.) 04. Geb. je 1.40; Kommentar. (221) 1900. Kart. 1.60
— Aeneidos epitome cum delectu ex Georgicis et Bucolicis.
Für d. Schulgebr. hrsg. v. E Hoffmann. 5. Abdr. d. 2. Afl,
verm. durch e. Einführg in d. Lectüre Virgils u. e. Erklärg
d. Eigennamen. (24, 308) 12º Wien, C Gerold's S. 01. Kart. 1.60 d
— Aeneis. Ausg. f. d. Schulgebr. v. O Brosin. I—III. u. V. Bdchn.
Neue Afl. v. L Heitkamp. Ausg. A, Kommentar unterm Text;
Ausg. B, Text u. Kommentar getrennt in 2 Heften. 8º Gotha,
FA Perthes. 6.20
I. Buch 1 u. II. 9. Afl. Ausg. B. (44 u. 88) 05. 1.80 ∥ II. Buch III u. IV.
Ausg. B. 5. Afl. (40 u. 74) 01. 1.50 ∥ III. Buch V u. VI. 4. Afl. Ausg. A.
(104) 01. 1.80; Ausg. B. (49 u. 111) 01. 1.80 ∥ V. Buch X—XII. 2. Afl.
(Ausg. A.) (187) 05. 1.80.
— dass. Für d. Schulgebr. hrsg. v. W Klouček. 3. Afl. (364) 8º
Wien, F Tempsky. — Lpzg, G Freytag 05. Geb. 2.50
— dass. Buch VI. Erklärt v. E Norden. (423) 8º Lpzg, BG Teub-
ner 03. 12 —; geb. 13 —
— dass. Ausw. f. d. Schulgebr., bearb. u. erläut. v. T Becker.
Text. (Neudr.) (240) 8º Bielef., Velhagen & Kl. 01. Geb. 9 —
— dass., nebst ausgew. Stücken d. Bukolika u. Georgika. Für
d. Schulgebr. hrsg. v. W Klouček. 5. Afl. (406) 8º Wien, F
Tempsky. — Lpzg, G Freytag 04. Geb. 2.20
— Carmina selecta. Für d. Schulgebr. hrsg. v. J Golling. 2. Afl.
(32, 288) 8º Wien, A Hölder 01. Geb. 1.90
— Gedichte. Erklärt v. T Ladewig u. C Schaper. 2. u. 3. Bdchn.
8º Berl., Weidmann. Je 2.40
2. Buch I—VI d. Äneis. 12. Afl. v. P Deuticke. (294) 02. ∥ 3. Buch VII—
XII d. Äncis. 9. Afl. v. P Deuticke. (308 m. 1 Karte.) 04.
— Hirtengedichte, im Versmass d. Urschrift übers. v. R See-
lisch. (32) 8º Erf., (C Villaret) 04. — 40 d
Vergissmeinnicht. Ausw. d. gebräuchlichsten u. schönsten
Gebete f. kathol. Christen. 2. Afl. (216 m. 1 St.) 16º Dülm.,
A Laumann 03. Ldr m. G. 1.20 d
— Lehr- u. Gebetbüchl. f. d. kathol. Schuljugend. (192 m. 1
Farbdr.) 9×6 cm. Einsied., Eberle, Kälin & Co. (03).
Geb. nn — 22; L. nn — 28; m. G. nn — 32 d
— Sammlg d. schönsten Stammbuch-Verse u. Denksprüche f.
a e Verhältn. u. Lebens. (16) 8º Neuweissens., E Bartels
(dl f.). — 25 d
— christl. 3. Afl. (384 m. 10 Farbdr.) 16º Hambg, Internat. Traktatgesellsch. (1900). L. m. G. 2 d
— christl. (Neue) illustr. Ausg. (384 m. 4 Farbdr.) 9,7×7,5 cm.
Konst., C Hirsch (04.) L. m. G 2 d
— christl. (384 m. 12 Taf.) 16º Lengerich, Bischof & Kl. (05).
L. m. G. 2 — d
— dass. (Kleinere Ausg.) (255 m. 6 Taf.) 10×7 cm. Ebd. (05).
L. m. G. 1.50 d
— christl., m. Geleitswort v. O Funcke. 41. Afl. (384 m. 5 Farbdr.)
16º Stuttg., Bh. d. ev. Gesellsch. 04. L. — 80; m. G. 1 —;
wattiert m. G. 1.20 d
— dass. 42. Afl. (384 m. 12 Farbdr.) 16º Ebd. 03. L. m. G, 1.50
u. 2 —; wattiert m. G. 2 —; in Saff. m. G. 2.80 d
— christl. Mit e. Geleitswort v. G Weitbrecht. 6. Afl. (376) 11×
8,3 cm. Heilbr., E Salzer (02). L. m. G. 1 — d
m. G. (m. farb. Titelbild) 1 — d
— christl. Gedenkbüchl. in Spruch u. Lied f. alle Tage d. Jahres.
Illustr. Ausg. (384 m. 4 Farbdr.) 24º Hugsweier (01). Freibg
i/B., O Fleig. L. m. G. 2 — d
— m. Aussprüchen v. Klassikern. (384 m. 2 Farbdr.) 16º Linz-
GA Wagenmann (01). L. m. G. 2 — d
— klass. Gedenkb. f. alle Tage d. Jahres. (Neue Ausg.) (374
m. 6 Farbdr.) 9,7×7,5 cm. Konst., C Hirsch (04). L. — 60 d
„Vergissmeinnicht"-Erzählungen f. d. Jugend. Hrsg. v. A Hirsch.
(Je 16) 8º Konst., C Hirsch (01-05). Je — 10;
in 1 L.-Bd (3—7. Bd. [Je 160]) je 1 — d
Buth. Erzählng v.: M Asmus, O Bayer, K Dora, T Dorsch, M Eimer, A
Eimér, H Fahrenkrug, M Gevon, O Glaubrecht, M Grabil, L Himmelmann, O Jaedicke, S v. Keller, F v. Kronoff, M Liebrecht, A Linden, K
Maftin, M v. Panitzs, E Pilger, GH v. Schubert, E v. W., C Werner,
E v. Winterfeld-Warnow, C Zöller u. a.
Vergleich d. steuerpflicht. Bruttomietzinse in d. J. 1890 in
1900 a) als Häuser, welche schon im J. 1890 ganz hauszinssteuerpflichtig waren; b) ein Häuser, welche im J. 1890 ganz
od. bis auf relativ geringfüg. Bestandteile teils d. Ertr. d. Bau-
führg steuerfrei, im J. 1900 aber ganz od. bis auf relativ geringfüg. Bestandteile hauszinssteuerpflichtig waren u. zwar:
Ausweis A f. Orte m. 26⅔% Hauszinssteuer, Ausweis B f.
Orte m. mehr als 10,000 Einwohnern, welche ganz d. 20%

(in Tirol d. 15%) Hauszinssteuer unterliegen. (209) 8º Wien,
(Hof- u. Staatsdr.) 03. †1.60
Vergleich d. Zolltarifgesetzentzwurfes m. d. gelt. Zolltarifes.
u. Vergl. d. Zolltarifentwurfes m. d. autonomen u. vertrags-
mäss. Sätzen d. gelt. österr.-ungar. Zolltarifes. (193—533) 4º
Wien, (Hof-u. Staatsdr.) 03. 1.20 d
Vergnügen in d. Andacht. Kathol. Gebetbüchl. f. Alle, welche
hier glücklich u. dort ewig selig werden wollen. (288 m. Titel-
bild.) 11×7 cm. Einsied., Eberle, Kälin & Co. (03).
L. nn — 52; m. G. nn — 72; m. Rahmen u. Schloss nn 1.20 d
Vergnügungseck, das. 1—4. Bd. 8º Dresd., CA Koch. Je 1 — d
Bouret, GA: Ptologe u. Erdüngsraden f. festl. Gelegenh. 2. [Tit.-]Afl.
(88) [1892] (01). [1.]
Reuter, F: Sämmtl. Werke. Ergänzgsbde. Volksausg. in 2 Bdn. 1. Bd:
Lustsp.: Der 1.IV.1856 od. Onkel Jakob u. Onkel Jochen. — Fürst
Blücher in Teterow. 3. Afl. (165) 1891. [3.]
— Dass. 2. Bd: Julklapp! Polterabend-Gedichte in hochdeut. u. nieder-
deut. Mundart. 3. Afl. (185) 1891. [4.]
Trausil, M: Leitf. f. Dilettanten u. Gründl. Aufträen. 2. [Tit.-]Afl. (100)
[1887] (01). [2.]
Vergnügungsreise, e. Die Pfeifer wider Willen, s.: Zehnpfennig-
Unterhaltungshefte f. Nationalstenogr.
Vergütung, d., d. Umzugskosten an Beamte u. Bedienstete
d. Zivilstaatsdienstes u. d. neuen Bestimmgn. Abdr. d. Allerh.
Verordng u. d. dazu v. kgl. Finanzministerium erlass. Voll-
zugsbestimmg. (A, 2) (9) 8º Münch., J Lindauer (03). — 15
Verhältnisse, d., d. Civilstaatsdiener im Kgr. Sachsen, s.: Vorträge üb. Gesetzeskde u. Verwaltg.
— persönl. Dienst- u. Einkommens-Verhältn. d. Militärapotheker. [S.-A.] (7) 8º Berl., Selbstverl. d. dent. Apotheker-
Ver. 02. — 20
— d. wirtschaftl. Obersteiermarks 1896—1900. Bericht d. Han-
dels- u. Gewerbekammer Leoben. (180 m. 141 Taf. u. 5 Diagr.)
4º Leob., (L Nüssler) 04. 12.50
— d., im Schuhmachergewerbe. Auf Grund d. durchgeführten
Vernehmg v. Auskunftspersonen hrsg. v. k. k. arbeitsstatist.
Amte im Handelsministerium. (181) 8º Wien, A Hölder 05. 1.80
Verhandlung vor d. Gerichte d. 13. Division zu Münster in
Westf. am 23.V.'05 wider Divisionspfarrer Bachstein a. Minden weg. Beschimpfg d. kathol. Kirche. (72) 8º Mind., (JCC
Bruns) (05). — 40 d
Verhandlungen d. Hauses d. Abgeordneten. 20. Legisl.-
Periode, 1. Sess. 1904/5. Stenograph. Berichte u. Anlagen.
(1. Sitzg. 10 Sp. u, Drucksache Nr. 6. 52) 4º Berl., (W Moeser). Für 100 Bog. +7 — d
— d. anatom. Gesellsch., hrsg. v. K v. Bardeleben, s.: Anzeiger, anatom.
— d. 2. Generalversammlg d. Komitees d. internat. Vereinigg
f. gesetzl. Arbeiterschutz, s.: Schriften d. internat. Vereinigg f. gesetzl. Arbeiterschutz.
— d. Verbandes bayer. Arbeitsnachweise. Nr.1. 8º Münch.,
J Schweitzer V. 2.80
1. Verhandlungen d. I. Verbandsversammlung u. Arbeitsnachweiskonferenz,
München '09. Arbeitslosenhilfe. — Statistik d. Arbeitsnachweise. —
Wie kann d. Umachauen d. Arbeitnach. Ostgegengetreten werden?
— Die Leistgn d. Staatts auf d. Geb. d. gemeindl. Arbeitsvermittlg.
(188 m. Fig.) 02.
— d. Ver. d. Aerzte zu Halle a. S. v. 1.I.1900—31.III.'04. [S.-A.]
8º Münch., JF Lehmann's V. 13.20
1.I.1900—30.IV.'01. Hrsg. v. C Pfaenkdl. (176 m.Abb.) 01. 4 — ∥ 1.V.'01—
31.III.'02. Hrsg. v. C Pfaenkdl. (141) 02. 4 — ∥ 1.V.'02—31.III.'03. Hrsg.
v. C Pfaenkdl. (133) 04. 3.60 ∥ 1.V.'03—31.III.'04. Hrsg. v. H Schmidt-
Rimpler. (202) 04. 3.60.
Bisher u. d. T: Sitzungsberichte d. ärztl. Ver. Halle a. S.
— d. unterelsäss. Aerztever. in Strassburg. Hrsg. v. d. Vorstande. Jahrg. 1902—04. [S.-A.] (24, 25 u. 25) 8º Lpzg, G Thieme
04-05. Je 1 —
— d. ärztl. Ver. zu Hamburg. Hrsg. v. d. Vorstands. Jahrg.
1902 u. 03. [S.-A.] (134 u. 137 m. Abb.) 8º Ebd. 04. Je 4.50
— d. allg. Arztl. Ver. zu Köln im 29. Vereinsj. 1899/1900. [S.-A.]
(78) 8º Münch., JF Lehmann's V. 01. 2 —
Fortsetz z. u. d. T: Sitzungsberichte.
— d. 1. p. allg. dent. Bankiertages. 8º Berl. u. Frankfurt a/M. (Frankf. a/M., Mahlau & W.) Je nn 3 —
V. Protokoll u. Ref. (150) 02. ∥ II. Berl. '04. (106) 04.
II liefern auch: Drk, Puttkammer & M.
— d. botan. Ver. d. Prov. Brandenburg. 42—46. Jahrg. 1900—04.
Red. u. hrsg. v. E Gilg, A Weisse (u. T Loessner). 8º Berl.,
Gebr. Borntraeger. nn 63.50
47. 1900. (42, 294 m. Abb. u 2 Taf.) 01. 15 — ∥ 43. '01. (64, 151) 02. 9 — ∥
44. '02. (301 176 m. Abb. u 3 Taf.) 02. 10.50 ∥ 45. '03. (60, 292 m. Abb. u.
3 Taf.) 04. 14 — ∥ 46. '04. (75, 248 m. Abb. u 1 Bildnis.) 05. nn 15 —
— d., m. Senat u. Bürgerschaft d. freien Hansestadt Bremen.
Jahrg. 1901—04. (Jahrl. Nr. 1. 2) Fol. Brem., (C Schünemann).
Je 30 — ∥ 1905. 12 —; einz. Bog. + 20 d
— d. freien Vereinigg d. Chirurgen Berlins. Hrsg. v. E Sonnenburg, J Israël, XV—XVII. Jahrg. [S.-A.] 8º Lpzg, G Thieme.
30 —
XV. '02. (134 m. 65.) 03. 7 — ∥ XVI. '05. Hrsg. im Verein m. J Rotter.
(99 u. 64 m. Abb.) 04. 6 — ∥ XVII. '04. (133 u. 92 m. Abb.) 05. 7 —
Waren früher nicht im Handel.
— d. deut. Gesellschaft f. Chirurgie. 29—34. Congress, Berlin
1900—05. 8º Berl., A Hirschwald. Je 33 —
29. '00. (757 m. Abb. u. 11 Taf.) 1900. § 30. Mit Nachtr.-Verzeichn. v. Bd 21
(1892)—Bd 30 (1901). (64, 227 u. 800 m. Abb. u. 7 [4 farb.] Taf.) 01. § 31.
(70, 674 m. Abb. u 9 Taf.) 02. § 32. (76, 664 m. Abb. u. 6 Taf.) 03. § 33.
(81, 666 m. Abb. u. 13 Taf.) 04. § 34. (72, 248 u. 732 m. Abb. u. 6 [3 farb.]
Taf.) 05.

Verhandlungen d. dent. Gesellsch. f. orthopäd. Chirurgie.
1—4. Congress, Berlin 1902—4. [S.-A.] (Mit Abb.) 8° Stuttg.,
F Enke. 53 —
1. (240 m. 1 Taf.) 02. 10 — § 2. (215) 03. 14 — § 3. (40 u. 305 m. 4 Taf.) 04.
13 — § 4. (20, 32 u. 331) 05. 14 —
— d. Berliner dermatolog. Gesellsch. Hrsg. v. d. Vorstande.
Jahrg. 1899/1905. [S.-A.] 8° Berl., S Karger. 20 —
1899(1900). (120) 01. 3 — § 1900/01. (180) 02. 3 — § '01/02. (130) 03. 3 —
§ '02/03. (192) 04. 4 — § '03/04. (180 m. Abb.) 05. 4 — § '04/05. (112 m. Abb.)
05. 3 —
— d. deut. dermatolog. Gesellsch. 7. Kongress. Hrsg. v.
A Neisser. (50, 569 m. Abb. u. 15 Taf.) 8° Berl., u. Bell.:
Blaschko, A: Die Nervenverteilg in d. Haut in ihrer Beziehg
zu d. Erkrankgn d. Haut. (53 m. Abb. u. 26 Taf.) Fol. Wien,
W Braumüller 01. 20 —
Fortsetzg s.: Bericht.
— d. H. Konferenz d. Direktoren d. Mittelsch. im Erzherzogt.
Österr. unter d. Enns. Hrsg. v. J Scheindler. Der Verhandlgn
d. nö. Mittelschuldirektoren-Konferenzen 1. Bd. (209) 8° Wien,
A Hölder 05. 5.20
— d. Direktoren-Versammlng in d. Provv. d. Kgr. Preussen
seit d. J., 1879. 61—70. Bd. 8° Berl., Weidmann. 38.20
61. XII. Versammlg in d. Prov. Schlesien. 1901. (156) 01. 3.60
62. XII. Versammlg in d. Prov. Posen. 1901. (74) 03. 1.80
63. IX. Versammlg in d. Prov. Hannover. 1903. (116) 03. 2.80
64. IX. Versammlg in d. Prov. Sachsen. 1903. (299) 03. 7 —
65. VIII. Versammlg in d. Rheinprov. 1903. (205) 03. 5 —
66. XIV. Versammlg in d. Prov. Pommern. 1903. (188) 03. 4.40
67. VIII. Versammlg in d. Prov. Schleswig-H. 1903. (135) 03. 3 —
68. XI. Versammlg in d. Provv. Ost- u. Westpreussen. 1903. (171) 03. 4 —
69. XXV. Versammlg in d. Prov. Westfalen. 1903. (95) 03. 2.40
70. XIII. Versammlg in d. Prov. Schlesien. 1905. (179) 05. 4 —
— d. 2. Eisenacher Konferenz. '03- Hrsg. v. J Lepsius. (160)
8° Berl. 03. Gr. Lichterf., Tempel-Verl. 2 — d
Die 1. Konferenz s. u. d. T.: Eisenacher, d. 1. Eisenacher.
— dass. 3. Konferenz. '04- Hrsg. v. J Lepsius. (126) 8° Gross-
lichterf., Deut. Orient-Mission 05. 2 — d
— d. Gesellsch. f. Erdkde zu Berlin. Hrsg. v. G Kollm. 28. Bd.
1901. 10 Nrn. (Nr. 1. 112 m. 1 Karte.) 8° Berl., WH Kühl.
ES Mittler & S. 6 —: m. d. Zeitschrift d. Gesellsch. 15 —
Fortsetzg s. u. d. T.: Zeitschrift d. Gesellsch. f. Erdkde zu Berlin.
— d. 13. u. 14. allg. Conferenz d. internat. Erdmessg.
Red. v. HG van de Sande Bakhuyzen. 1. Thl: Sitzgsberichte
u. Landesberichte üb. d. Arbeiten in d. einz. Staaten. —
Comptes rendues des séances de la conférence générale de
l'association géodés. internat. — 2. Thl. Spezialberichte u.
wiss. Mitteilgn. 4° Berl., G Reimer. Je 6 —
13. Paris 1900. 2 Thle. (793 m. 41 L. u. Kart. u. 444 m. Fig.) 02. Je 6 —
14. Kopenhagen '03- 2 Thle. (258 m. 10 L. u. Kart. u. 472 m. 30 L. u. Kart.)
04.05. Je 6 —
— d. gelehrten estnischen Gesellsch. 19. Bd. Nachtr. (183—202)
8° Jurj. (Dorp.) 02. (Lpzg, KF Koehler.) nn — 50
(19. Bd. m. Nachtr.: nn 3 —) d § 21. Bd. m. Nachtr. (148) 04. 4 —
— d., d. 12—16. ev.-soz. Kongresses. 8° Gött., Vandenhoeck
& R. 10.40 d
12. Braunschweig '01- (140) 01. 2 — § 13. Dortmund '02- (160) 02. 2 —
§ 14. Darmstadt '03- (157) 03. 2 — § 15. Breslau '04- (186) 04. 2.40 § 16.
Hannover '05- (132) 05. 2 —
— d. 17—21. oester. Forstkongresses. 8° Wien, W Frick.
12.20
17. '01- (258) 01. 3 — § 18. '02- (191) 02. 2 — § 19. '03- (293) 03. 2.40 § 20.
'04- (355) 04. 2.40 § 21. '05- (195) 05. 2.40.
— d. Forstwirte in Mähren u. Schlesien. Red. v. F Kraetzl.
53—56. Jahrg. 1901—5 je 4 Hefte. (Der ganzen Folge 204—
223. Heft.) (1901. 1. Heft. 88 m. 1 Abb. u. 1 Taf.) 8° Brünn, (C
Winiker). Je 8 — d
— d. Vereinigg d. Breslauer Frauenärzte. Jahrg. 1902—3.
[S.-A.] (123 m. Abb.) 8° Berl., S Karger 03. 4 —
— d. Gesellsch. f. Geburtshilfe zu Leipzig in d. J. 1900—04.
8° Lpzg, Breitkopf & H. Kart. je 1 —
1900. (83 m. 1 Abb.) 01. § '01. (77 m. 2 Abb.) 02. § '02. (91 m. 1 Abb.) 03.
§ '03. (63 m. Abb.) 04. § '04. (99 m. Abb.) 05.
— d. russ. Gesellsch. f. Geburtshülfe u. Gynaekol. Jahrg. 1901
—5. [S.-A.] 8° Berl., S Karger. 6 —
'01. (21) 02. 2 50 § '03. (34) 03. 1.50 § '03. (46) 05. 2 —
Bisher u. d. T.: Sitzungsberichte d. geburtshülflich-gynaekolog. Gesellsch. zu St. Petersburg.
— d. 5. ordentl. Generalsynode d. ev. Landeskirche Preussens,
eröffnet am 3.IX.'03, geschl. am 4.XI.'03. Hrsg. v. d. Vorstande.
2 Bde. (1055 u. 426) 8° Berl., Wiegandt & Gr. 04. 16 — d
— d. 7. internat. Geographen-Kongresses Berlin 1899.
2 Thle. (455 u. 981 m. Abb. u. 30 Taf.) 8° Berl., WH Kühl. L 20 —
Die Verhandlgn d. 5. Kongresses erschienen u. d. T.: Compte-rendu
du Vme congrès internat. des sciences géograph. Die Verhandlgn d.
6. Kongresses sind nicht in Deutschl. erschienen.
— d. 13. u. 14. deut. Geographentages. Hrsg. v. G Kollm.
8° Berl., D Reimer. Je 8 —
13. Breslau '01- (46, 302, 50 u. 8 m. 3 Kart.) 01.
14. Cöln '03- (70, 369 m. Abb. u. 4 [2 farb.] Taf.) 03.
— d. k. k. geolog. Reichsanst. Jahrg. 1901—5 je 18 Nrn. (01—03:
451, 477 u. 448) 8° Wien, (R Lechner's R.). Je nn 6 —
— d. 1. Kongresses d. deut. Gesellsch. z. Bekämpfg d. Geschlechtskrankh., Frankfurt a. M. 1903, hrsg. v. Vorstande.
Zeitschrift f. Bekämpfg d. Geschlechtskrankh. 1. Bd.) (22, 405)
8° Lpzg, JA Barth 03. 12 —
— dass. 2. Kongr., s.: Zeitschrift f. Bekämpfg d. Geschlechtskrankh.

Verhandlungen d. Ver. z. Beförderg d. Gewerbefleisses.
Red.: W Wedding. Jahrg. 1901—5 je 10 Hefte. (1901. 1. Heft.
128 u. 44 m. Abb. u. 12 Taf.) 4° Berl., L Simion Nf. Je 30 —
— dass. Ergänzgsheft. 8° Ebd. 6 —
Büczing, A: Gesch. d. Metalle. (274) 01. 6 —
— d. deut. Gesellsch. f. Gynäkol. 9. u. 10. Versammlg. Lpzg,
Breitkopf & H. 26 —; Einbds in L. je 1.50
9. Giessen '01- Hrsg. v. H Löhlein u. J Pfannenstiel. (32, 623 m. Abb.)
01.
10. Würzburg '03. Hrsg. v. M Hofmeier u. J Pfannenstiel. (32, 609 m. Abb.)
04.
— d. dost- u. westpreuss. Gesellsch. f. Gynäkol. Hrsg. v. d.
Vorstande. Jahrg. 1902/3 u. 4. [S.-A.] (31 u. 31) 8° Lpzg, G
Thieme 04.05. Je 1 —
— dass. Jahrg. 1903. [S.-A] (101) 8° Berl., S Karger 03. 2.50 ll '04-
(131 m. Abb.) 04. 3.50
— d. gynäkolog. Gesellsch. in Breslau. Jahrg. 1903—4. (98 m.
Abb.) 8° Ebd. 04. 3 — ll 04/5. [S.-A.] (85 m. Abb.) 0⁵. 2.50
— d. pommersch. gynäkolog. Gesellsch. Jahrg. 1901—4.
[S.-A.] 8° Ebd. Je 2.50
'01- 02. (88) 02. § '03. (87) 03. § '04. (69 m. Abb.) 04.
— d. deut. Handelstages, Fortsetzg, s.: Vollversammlung,
27., d. deut. Handelstages.
— d., d. Heidelberger Schlossban-Konferenz v. 15.X.'01.
Amtl. Aktenstücke, veröffentlicht im Auftr. d. grossh. bad.
Finanzministeriums. (60 m. 1 Abb.) 8° Karlsr., (G Braun'sche
Hofbuchdr.) 02. ll 2. Konferenz. 17./18.IV.'02. (32 m. 1 Taf.) 02.
Je — 60 d
— d. ver. f. wiss. Heilkunde in Königsberg i. Pr. I—III. Heft.
(51—53. Vereinsj.) Zusammengest. v. P Hilbert. [S.-A.] 8°
Lpzg, G Thieme. 8.50
I. 11.XI.'01—26.V.'02. (79) 02. 2.50 § II. 27.X.'02—18.V.'03. (91) 03. 3 —
III. 3.XI.'03—30.V.'04. (87) 04. 3 —
— d. Ver. f. Heil- u. Naturkde zu Pozsony, Fortsetzg, s.:
Verhandlungen d. Ver. f. Natur- u. Heilkde zu Presburg.
— d. Hils-Solling-Forst-Ver. Jahrg. 1900 u. 02. 80. u.
81. Hauptversammlg. 8° Hildesh., A Lax. 2.70 d
81. Einbeck 1900. (106 m. Abb.) 02. 1.50 § 32. Münden '02- (70 m. 1 Taf.)
03. 1.20;
— üb. Fragen d. höh. Unterr. Berlin 1900. Nebst e. Anh.
V. Gutachten, hrsg. im Auftr. d. Ministers d. geistl., Unterr.
u. Medizinal-Angelegenh. (414) 8° Halle, Bh. d. Waisenh. 01.
5 —; geb. 7 —; geb. 8 — d
— d., d. Centralverbandes deut. Industrieller u. d. Vereinigg d. in Deutschl. arbeit. Privat-Feuerversicherungsge-
sellsch., s.: Verhandlungen, Mittheilungen u. Berichte d.
Centralverbandes deut. Industrieller.
— d. 12. Jahreskonferenz d. Vorstände-Verbandes d. ev. Jungfrauenver. Deutschlds, Hannover '04-. [S.-A.] (52) 8° Berl.,
(Bh. d. ostdeut. Jünglingsbundes 04.) — 40 d
Die früh. Verhandlgn wurden nicht eingesandt.
— d. 25. deut. Juristentages. Hrsg. v. Schriftführer-Amt
d. ständ. Deputation. III. Bd: 26. Tag, 3 Bde; 27. Tag, 4 Bde
u. 28. Tag, 1. Bd. 8° Berl., J Guttentag. 74.80 d
III. Bd: 1. (Verhandlgn.) (46, 400) 01. 4 — § 2. (Vollst.: 14 —)
29., 1. (Gutachten.) (302) 02. 4 — § II. (Gutachten.) (349) 02. 4 — § III.
(Verhandlgn.) (60, 643) 03. 13.80 (1 u. 2 vergr.)
29., 1. (Gutachten.) (296) 04. 4 — § II. (Gutachten.) (426) 04. 9 — § III.
(Gutachten.) (300) 04. 6 — § IV. (Stenograph. Berichte.) (48, 699) 05. 12 —
28., 1. (Gutachten.) (332) 05. 5.50
— kontradiktor, üb. deut. Kartelle. Die v. d. deut. Regierg
(v. Reichsamt d. Innern) angestellten Erhebgn üb. d. inländ.
Kartellwesen in Protokollen u. stenograph. Berichten. 1—10.
Heft. 8° Berl., F Siemenroth, nn 29.30; Subskr.-Pr. f. je S.
1—1200 10 —; 1. Bd vollst.: (10 —; geb. nn 12 —) 7.50;
geb. nn 9.50) d
1. Einleit. Sitzg v. 14.XI.'02— § II. Sitzg v. 26./27.II.: Das rheinisch-westfäl. Kohlen-Syndikat. (315) 03. (4.50) 3 —
2. Verhandlungen üb. d. oberschles. Kohlenkonvention u. d. rheinisch-
westfäl. Kohlensyndikat am 26. u. 27.III.'03 zu Berlin. (319—604) 03.
(4.50) 2.60
3. Verhandlungen üb. d. westfäl. Kokssyndikat im Reichsamt d. Innern
am 12. u. 13.V.'03. (605—799) 03. (2.70) 2 —
4. Verhandlungen üb. d. Verband deut. Druckpapier-Fabriken G.m.b.H.
im Reichsamt d. Innern am 25. u. 26.IX.'03. (260) 03. (4.50) 2.60
5. Bericht üb. d. Kartellwesen in d. inländ. Eisenindustrie. Verhandlgn
üb. d. rheinisch-westfäl. Roheisensyndikate am 30.XI. u. 1.XII.'03.
(365) 04. (4.50) 2.60
6. Verhandlungen üb. d. Halbzeug-Verband am 2. u. 3.XII.'03. (367—573)
04. (4.50) 2.60
7. Verhandlungen üb. d. Börsenver. d. deut. Buchhändler am 11. u.
12.IV.'04. (207—649) 04. Einzelpr. nn 4.50 [Tl II, Druckpapier u. Buchhandel, s. 7: nn 6.50)
8. Verhandlungen üb. d. deut. Drahtwalzwerke u. d. Verband
deut. Drahtstiftfabrikanten am 30.VI.'04. (575—699) 04. 2.40
9. Verhandlungen üb. d. Weissblechverband am 19.VI.'05 zu Berlin. (721)
05. 2.60
10. Verhandlungen üb. d. Stahlwerksverbande am 20. u. 21.VII.'05 zu Berlin. (4. Bd. 232—596) 05. 4.50
— d. 47. General-Versammlg d. Katholiken Deutschlds,
Bonn 1900. Hrsg. v. d. Lokal-Komitee. (375 u. 72 m. 7 Bildnistaf.) 8° Bonn, (P Hauptmann) 1900. 4 — d
— dass. 48. Versammlg, Osnabrück '01- Hrsg. v. d. Lokal-
Komitee. (576 m. 8 Taf.) 8° Osnabr., F Schöningh 01. 4 —;
geb. nn 5 — d
— dass. 49. Versammlg, Mannheim '02- Hrsg. v. Lokalkomitee. (689 m. 9 Bildnistaf.) 8° Mannh., J Gremm 02. 4 —;
L. 5.50 d
— dass. 50. Versammlg, Köln '03- Hrsg. v. Lokalkomitee.
(537 m. 24 Bildnissen.) 8° Köln, JP Bachem 03. 4 — d
— dass. 51. Versammlg, Regensburg '04- Hrsg. v. Lokal-

komitee. (823 u. 16 m. Abb.) 8° Rgnsbg, J Habbel 04. 4 —;
L. 5 — d
Verhandlungen d. 17—21. Versammlg d. Gesellsch. f. Kinderheilkde in d. Abtlg f. Kinderheilkde d. 72—76. Versammlg
d. Gesellsch. deut. Naturforscher u. Ärzte. Hrsg. v. E Pfeiffer.
8° Wiesb., JF Bergmann. 41.40
17. Aachen 1900. (260 m. 1 Taf.) 01. 8 — ‖ 18. Hamburg '01. (264 m. 7 Taf.)
02. 8.40 ‖ 19. Karlsbad '02. (202 m. Abb.) 03. 8.40 ‖ 20. Cassel '03- (272 m.
8 Taf.) 04. 8.50 ‖ 21. Bresslau '04- (220 m. 3 Taf.) 05. 8 —
— d. 5. Haupt-Versammlg d. freien kirchlich-soz. Konferenz, s.: Hefte d. freien kirchlich-soz. Konferenz (im Katalog 1896/1900).
— d. deut. Kolonial-Gesellsch., Abtlg Berlin-Charlottenburg. V. Bd, 1900/1, 2—4. Heft; VI. Bd, 1901/2, 6 Hefte; VII. Bd,
1902/3, 3 Hefte u. VIII. Bd, 1903/4, 4 Hefte. 8° Berl., D Reimer.
14.80
Bornhaupt, C v.: Die Kongo-Akte u. d. Freihandel. (29) 02. [VI,4.] — 80
Erlanger, C Ffhr v.: Meine Reise durch Süd-Schoa, Galla u. d. Somal-
Länder. (25 m. 1 Karte.) 02. [VI,2.] .1 —
Fischer: Reise-Eindrücke a. Schantung. (24) 02. [VII,1.] — 80
Franck, O: Was lehrt uns d. ostasiat. Gesch. d. letzten 50 Jahre? (24)
(03.) [VIII,4.] ‖ Geist. Strömgn im heut. China. (29) 04. [VIII,1.] Je — 60
Füllebora, F: Ueb. d. Nyassa-Länder. (21 m. 6 Taf.) 01. [V,3.] 1.20
Gaedertz, A: Schantung. (24 m. 1 Karte u. 21 Lichtdr.) 03. [VI,6.] 2 —
Katz, J: Die eventuelle Errichtg v. Lungenheilstätten in Deutsch-Süd-
westafrika. (66) 03. [VII,5.] 1 —
Knochenhauer, B: Kaffee. (23 m. 1 Karte.) 01. [V,4.] 1.20
Messing, O: Stoeff- u. Finanzwesen Chinas an d. Hand d. Gesch. (26
m. 1 Karte.) 03. [VI,5.] — 80
Ortloff: Die Landgewerbkultr. an d. Küste Deutsch-Südwestafrikas. (30
m. 3 Kartenskizzen.) 02. [VI,2.] 1 —
Rohrbach, P: Persien u. d. deut. Interessen. (19 m. 1 Karte.) 01. [VI,1.] 1 —
Schoenfeld, ED: Die mohammedan. Bewegg im ägypt. Sudan. (38) 05.
[VIII,3.] — 60
Schrameier: Die Grundl. d. wirtschaftl. Entwicklg in Kiautschou. (36)
05. [VII,3.] 1 —
Tavel, E: 6 Wochen in Marokko. (22 m. 13 Lichtdr. u. 1 Karte.) 01.
[V,2.] 1.90
Wolf, E: Die Durchquerg d. Gazellenflnsgebiet, Bismarckarchipel. (24)
04. [VIII,3.] — 60
— d. deut. Kolonialkongresses 1902, Berlin '03- (858) 8°
Berl., D Reimer 03. L. 30 —
— d. Komitees f. Krebsforschg. Hrsg. v. E v. Leyden,
Kirchner, Wunzdorff, v. Hansemann, G Meyer. I—III. Heft.
[S.-A.] 8° Berl. (Lpzg, G Thieme.) 10 —
I. 1900—3. (90 m. graph. Darstellgn u. 2 Kaft.) 02. 4 — ‖ II. 1902—3. (68)
03. 3 — ‖ III. 1903—4. (71) 04. 3 —
— d. landeskirchl. Versammlg d. ev. Vereinigg. Halle a. S-
'05- Hrsg. v. d. geschäftsführ. Vorstande. [S.-A.] (27) 8° Halle,
E Strien 05. — 50 d
— d. kgl. Landes-Ökonomie-Kollegiums, s.: Jahrbücher, landw.
— d. 7. ev.-luther. Landessynode im Kgr. Sachsen 1901.
Verantwortlich: Clemens. Red.: Fuchs. Mit Schlagw. u.
alphabetisch geordneter Rednerliste. Bearb. v. R Fuchs. (524
u. 23) 4° Dresd., (BG Teubner) 01. 5 — d
— d. Ver. süddeut. Laryngologen 1894—1905. 8° Würzbg,
A Stuber's V. 20.50
1894—1903. Hrsg. v. G Avellis. (705) 04. 15 —; geb. 16.50 ‖ '04. Hrsg. v.
G Avellis. (81) 04. 2.50 ‖ '05. Hrsg. v. F Blumenfeld. (125) 05. 2 —
— d. deut. laryngolog. Gesellsch. auf d. I. Versammlg, Heidelberg '05- Hrsg. v. G Avellis. (85) 8° Ebd. 05. 1.50
— d. Strafkammer zu Saarbrücken geg. Ludwig Lehmann,
Red. d. Neunkirchener Zeitg, wegen Beleidigg d. Geheimrats
Hilger, d. Vorsitzenden d. kgl. Bergwerks-Direktion Saarbrücken u. d. Beamten derselben am 15., 19., 21., 22. u. 23.
XII. '03. (312 u. 36) 8° Trier, Paulinus-Dr. 04. — 70 d
— d. 34—37. allg. schleswig-holst. Lehrerversammlg. 8°
Flensbg, A Westphalen.
34. Husum 1900. Hrsg. v. Je 1.50 d
34. Hadersleben '01- (142) 01. ‖ 35. Rendsburg '02- (147) 02. ‖ 36. Itzehoe
'05- (158) 03. ‖ 37. Segeberg '04- (149) 04.
— d. 3. internat. Mathematiker-Kongresses, Heidelberg '04- Hrsg. v. A Krazer. (756 m. Fig. u. 2 Taf.) 8° Lpzg,
BG Teubner 05. L. 18 —
Die Verhandlgn d. 2. Kongresses erschienen in Paris.
— d. Kongresses f. innere Medizin. Hrsg. v. E v. Leyden u.
E Pfeiffer. 21—22. Kongress. 8° Wiesb., JF Bergmann. Je 12 —
19. Berlin '01- (85, 614 m. Abb. u. 9 Taf.) 01. 20. Wiesbaden '03- (58,
606 m. Abb. u. 7 Taf.) 02. ‖ 21. Leipzig '04- (59, 608 m. Abb. u. 11 Taf.)
04. ‖ 22. Wiesbaden '05- (58, 536 m. Abb. u 9 Taf.) 05.
— dass. General-Reg. zu Bd I—XX. Bearb. v. W Pfeiffer. (75)
8° Ebd., 02. 1.80
— Ver. f. innere Medizin in Berlin. Hrsg. v. d. Vorst.
21—24. Jahrg. 1901—04. [S.-A.] (Mit Abb.) 8° Berl. (Lpzg, G
Thieme.) Je 10 —
21. 1901/2. (32, 502) 02. ‖ 22. '02/3. (36, 488 m. 1 Taf.) 03. ‖ 23. '03/4- (39,
454) 04. ‖ 24. '04/5- (35, 524) 05.
Die früheren Jahrgänge kamen nicht in d. Handel.
— d. 4. nord. Kongresses f. innere Medizin, hrsg. v. H Köster,
s.: Archiv, nord. medizin.
— d. Berliner medizin. Gesellsch. a. d. Gesellschaftsj. 1900—4.
[S.-A.] Hrsg. v. Vorst. 31—35. Bd. 8° Berl., (A Hirschwald).
Je 20 —
31. 1900. (43, 248 u. 51 m. Abb.) 01. ‖ 32. '01. (44, 724 u. 481 m. Abb.) 02.
‖ 33. '02- (45, 257 u. 427 m. Abb.) 03. ‖ 34. '03- (48 Abb. u. Abb.) 04.
‖ 35. '04- (49, 408 m. Abb.) 05.
— d. medicin. Gesellsch. zu Leipzig in d. J. 1900—3. [S.-A.]
8° Münch., JF Lehmann's V. 17 —
1900. (190 m. Abb.) 01. 8 — ‖ '01- (176 m. Abb.) 02. 5 — ‖ '02- (199 m. Abb.)
03. 5 — ‖ '03- (184) 04. 4 —

Verhandlungen d. medizin. Ver. zu Greifswald. Hrsg. v.
H Schulz u. O Busse. Jahrg. 1902—3. [S.-A.] (142) 8° Lpzg,
G Thieme 04. 4.50
— d. russisch-kais. mineralog. Gesellsch. zu St. Petersburg.
(Deutsch u. russisch). 2. Serie. 38. u. 39. Bd. [38. Bd. 490 u.
60 m. Abb. u. 9 Taf. u. 39. Bd. 1. Lfg. 336 u. 37 m. Abb. u.
8 Taf.] 8° St. Petersbg, Eggers & Co. 1900.01. Je nn 10 —
— d. I. Konferenz v. Berufsarbeiterinnen d. inneren Mission
in Berlin ('02). Hrsg. v. Vorstände-Verband d. ev. Jüng-
frauenver. Deutschlds. (61) 8° Berl., (Bh. d. ostdeut. Jünglingsbundes) 03. — 60 d
— d. 31. Kongresses f. innere Mission, Eisenach '01- Hrsg.
im Auftr. d. Sekretariats. (271) 8° Eisen., Hofbuchdr. Eisenach, H Kahle 01. nn 2.50 d
— dass. 32. Kongress, Braunschweig '03- Hrsg. v. Sekretariat.
(260) 8° Brnschw., H Wollermann 03. nn 2.50 d
— d. 10. kontinentalen Missions-Konferenz, Bremen '01-
(174) 8° Berl., Bh. d. Berliner ev. Missionsgesellsch. 1.40 d
‖ II. Konf. '05- (181) 05. 1.50
— d. naturforsch. Gesellsch. in Basel. XIII. Bd, 3 Hefte;
XIV. Bd; XV. Bd, 3 Hefte; XVI. u. XVII. Bd u. XVIII. Bd,
1. Heft. 8° Bas., Georg & Co. 52.80
XIII.1,2. Nöbst: Naunhauser u. Sachsrg. d. Bde 6—12, 1875—1900, v. GWA
Kabisban. (390 u. 71) 01. 5.40 ‖ 3. Heft. (391—602 m. 12 Taf.) Nöbst Anh.:
Zur Erinnerg an Tycho Brahé 1546—1601. Vorzr. v. F Burckhardt. (26 m.
1 Tkam.) 02. 4.40; Anh. allein — 40 ‖ XIV. (345 m. 50 z. Tl Farb. Taf.)
01. 10 — ‖ XV. (517 m. 5 Taf., 1 Karte u. Bildn.) 03.04. 12 — ‖ XVI.
(492 m. 3 Taf.) 03. 8 — ‖ XVII. Oppelsroeder, F: Studien üb. d. Ans-
wendg d. Capillaranalyse I. bei Harnuntersuchgn, II. bei vitalen Tink-
tionsversuchn. (384 u. 151 m. 39 Taf., 4 Bildnissen u. 1 Karte.) Wismuth.
05. nn 5 —
— d. schweiz. naturforsch. Gesellsch. 81—87. Jahresversammlg. 8° (Bas., Georg & Co.) nn 31.20
81. Bern 1898. (506) Bern 1899. nn 2.40 ‖ 82. Neuenburg (Neuchatel), 1899.
(235 u. 33 m. 1 Taf.) Neuchatel 1900. nn 2 — ‖ 88. Thusis 1900. (235 u. 96
m. Abb.) Chur 01. nn 2.30 ‖ 84. Zofingen '01- (356 u. 155 m. 2 Taf.) Zofingen
02. nn 4 — ‖ 85. Basel '02- (830 u. 105 m 3 Taf.) Genève 02. nn 4 — ‖ 86.
Locarno '03- (424 u. 115 m. Abb. 19 Taf. u. 7 Kaft.) Zür. 04. nn 5 — ‖ 87.
Winterthur '04- (384 u. 151 m. 59 Taf., 4 Bildnisse u. 1 Karte.) Winterth.
05. nn 5 —
— d. Gesellsch. deut. Naturforscher u. Ärzte. 72—75. Versammlg. Hrsg. v. A Wangerin. Je I. Thl u. II. Thl 2 Hlftn
u. 76. Vers. I. Thl. 8° Lpzg, FCW Vogel. 82 —
72. Aachen 1900. I. Die allg. Sitzgn u. gesellsamm Sitzgn d. naturf.
wiss. u. d. medicin. Hauptgruppe. (236 m. Abb.) 01. 4 — ‖ II. 1. Hftn. Die
allg. Abtlgn. (186 m. Abb.) 01. 4 — ‖ II.2. Medicin. Abtlgn. (544 m.
Abb.) 01. 8 —
78. Hamburg '01- I. Die allg. Sitzgn, d. Gesammtsitzg beider Hauptgruppen u. d. gemeinschaftl. Sitzgn d. naturwiss. u. d. medicin. Hauptgruppe. (275 m. Abb.) 01. 4 — ‖ II.1. Naturwiss. Abtlgn. (297 m. Abb.)
02. 6 — ‖ II.2. Medicin. Abtlgn. (649 m. Abb.) 02. 12 —
74. Karlsbad '02- I. Die allg. Sitzgn, d. Gesammtsitzg beider Hauptgruppen u. d. gemeinschaftl. Sitzgn d. naturwiss. u. d. medicin. Hauptgruppe. (264 m. Abb.) 03. 4 — ‖ II.1. Naturwiss. Abtlgn. (276 m. Abb.)
03. 6 — ‖ II.2. Medicin. Abtlgn. (71, 670 m. Abb.) 03. 12 —
75. Cassel '03- I. Die allg. Sitzg, d. Gesammtsitzg beider Hauptgruppen
u. d. gemeinschaftl. Sitzgn d. naturwiss. u. d. medicin. Hauptgruppe.
(292 m. Abb) 04. 4 — ‖ II.1. Naturwiss. Abtlgn. (245 m. Abb.) 04. 6 —
‖ II.2. Medicin. Abtlgn. (567 m. Abb.) 04. 12 —
76. Breslau '04- I. Die allg. Sitzgn, d. Gesammtsitzg beider Hauptgruppen
u. d. gemeinschaftl. Sitzgn d. naturwiss. u. d. medizin. Hauptgruppe.
(296 m. Abb.) 05.
— d. naturhistor. Ver. d. preuss. Rheinlde, Westf. u. d.
Reg.-Bez. Osnabrück. (Hrsg. v. W Voigt.) 57—61. Jahrg. Je
2 Hlftn. 8° Nebst Sitzgsberichte d. niederrhein. Gesellsch.
f. Natur- u. Heilkde zu Bonn. 1900—4 je 2 Hlftn. 8° Bonn,
(F Cohen). Je 9 —; Sitzgsberichte allein je 3 —
57. (521 m. Fig. u. 1 Karte u. 36 u. 54) 1900. ‖ 58. (281 m. Fig. u. 3 Taf.
u. 103 u. 60 m. 3 Taf.) 01. ‖ 59. (207 u. 121 m. Fig. u. 6 Taf. u. 144 u. 77)
02.03. ‖ 60. (300, 132 m. 1 Taf. u. 101 u. 113) 03.04. ‖ 61. (48 u. 215
m. Fig. u. 6 Taf. u. 60 u. 102) 04.05.
— d. naturhistorisch-medizin. Ver. zu Heidelberg. Neue
Folge. VI. Bd, 4. u. 5. Heft; VII. Bd, 5 Hefte u. VIII. Bd, 1
u. 2. Heft. 8° Hdlbg, C Winter, V. 53.60
VI.4,5. (267—470 u. 23—86 m. Abb. u. 9 Taf.) 1900. 10.50 (Vollst. 20.80) ‖
VII. (30, 708 m. Abb. u. 17 Taf.) 01-04. 31.90 ‖ VIII,1,2. (176 u. 8 m. Abb.
u. 3 Taf.) 04.05. 11 —
— d. Ver. f. naturw. u. Heilkde zu (Pozsony) Pressburg.
Neue Folge: X—XVI., d. ganzen Reihe XIX—XXV. Bd. Jahrg.
1897—1904. Red. v. J Fischer, (A Kornhuber,) T Ortvay. (Auch
m. ungar. Titel.) 8° Pressbg, (G Heckenast's Nf.). Je 3 —
X. 1897—1898. (116 u. 78 m. 1 Abb.) 1899. ‖ XI. 1899. (187 m. Abb.) 1900.
‖ XII. 1900. (158) 01. ‖ XIII. '01- (187) 02. ‖ XIV. '02- (200) 03. ‖ XV. '03-
(94, 120) 04. (178) 05.
Bisher u. d. T: Verhandlungen d. Ver. f. Heil- u. Naturkde zu
Pozsony. — Fortsetzg nur in ungar. Sprache.
— d. Ver. f. naturwiss. Unterhaltg zu Hamburg. 1898—1903.
Veröffentlicht v. F Ohaus. XI. u. XII. Bd. 8° Hambg, L Friederichsen & Co. 10 — (—XII.: 70 —)
XI. 1898—1900. (94, 205) 01. 6 — ‖ XII. 1900—03. (28, 111) 04. 4 —
— der Breslaue Naturforscher-Versammlg üb. d. naturwiss.
u. mathemat. Unterr. an d. höh. Schulen. Hrsg. v. A Wangerin. [S.-A.] (77) 8° Lpzg, FCW Vogel 05. 2 —
— d. naturwiss. Ver. in Hamburg 1900—4. 3. Folge. VIII—
XII. 8° Hambg, L Friederichsen & Co. nn 31 —
1900. VIII. (86, 70) 01. ‖ IX. (94, 73) 02. 5 — ‖ '02- V. (99, 50) 03.
Abb.) '03- 5 — ‖ '03- XI. (86, 68 m. Abb. u. 1 Karte.) 04. 5 — ‖ '04- XII.
(94, 108 m. Abb.) 05. 5 —
— d. naturwiss. Ver. in Karlsruhe. 14—17. Bd. 8° Karlsr.,
(G Braun'sche Hofbuchdr.). 21 —
81. 1900—01. (27, 132 m. Abb. u. 6 Taf.) 02. 5 — ‖ XV. '01—'02. (24, 25 u.
198 m. Abb. u. 1 Taf.) 02. 6 — ‖ XVI. '03—'03. (21, 22 u. 137 m. Abb. u. 1
Karte.) 03. 5 — ‖ XVII. '03—04. (38, 29 u. 187 m. 5 Taf.) 04. 5 —

Verhandlungen d. 9. u. 10. allg. deut. Neuphilologen-
tages. 8° Hannov., C Meyer. 4.50
9. Leipzig 1900. Hrsg. v. Vorst. d. Versammlg. (191) 01. 2.40 | 10. Breslau
'02. Hrsg. v. Volst. d. deut. Neuphilologen-Verbandes. (172) 03. 2.20.
— dass. 11. Tag v. Cöln am Rhein '04· Hrsg. v. Vorstande d.
Verbandes. (290) 8° Cöln. P Neubner 05. 3 —
— d. histor. Ver. f. Niederbayern. 37—41. Bd. (362, 350,
317, 321 u. 371) 8° Landsh., (P Krüll) 01-05. Je 4 — d
— d. histor. Ver. d. Oberpfalz u. Regensburg. 52—56. Bd
d. ges. Verhandlgn u. 44—48. Bd d. neuen Folge. 8° Egnsbg,
(A Coppenrath's S.), Je 4 — d
52. (368 m. 5 Taf.) 1900. | 53. (389 m. 2 [1 farb.] Taf. u. 1 Karte.) 01. | 54.
(419 m. 15 Taf.) 02. | 55. (368 m. 16 Taf.) 03. | 56. (364 n. 54 m. 5 Taf. u.
2 Pl.) 04.
— d. Berliner ophthalmolog. Gesellsch. in d. J. 1893—1904.
Hrsg. v. d. Vorstand. (118 m. Fig.) 8° Lpzg, Veit & Co. 05. 3 —
— d. XIII. internat. Orientalisten-Kongresses, Hamburg '02· (479) 8° Leid., Bh. u. Druckerei vorm. EJ Brill 04.
nn 8 —
Die Verhandlgn d. 10. Kongresses erschienen u. d. T.: Actes du
congrès internat. des Orientalistes. — Die Verhandlgn d. 11. u.
12. Kongresses sind in Florenz erschienen.
— d. Berliner otolog. Gesellsch. Hrsg. v. d. Vorstande. Jahrg.
1901/4. [S.-A.] 8° Lpzg, G Thieme. 9 —
'01.02. (27) 02. 4 — | '03. (92) 04. 3 — | '04. (51) 05. 2 —
— d. deut. otolog. Gesellsch. auf d. 10—14. Versammlg. 10—13
hrsg. v. A Hartmann, 14 v. A Denker. 8° Jena, G Fischer. 36 —
10. Berlin '01. (396 m. Abb. u. 2 [1 farb.] Taf.) 01. 8 —
11. Trier '02. (153 u. 46 m. Abb.) 02. 7 —
12. Wiesbaden '03. Abt. 1. Fortsetzg d. Vers. d. in d. Bibliothek d. deut.
otolog. Gesellsch. durch Druckschriften. (158, 6 u. 32 m. Abb.) 03. 7 —
13. Berlin '04. (21, 183 m. Abb. u. 2 Taf.) 04. 7 —
14. Homberg v. d. H. '05. (70, 211 m. Abb. u. 1 Taf.) 05. 7 —
— d. deut. patholog. Gesellsch. Hrsg. v. E Ponfick. 3—5. Tagg.
8° Berl., G Reimer. 31 —
3. Aachen 1900. (170 m. 2 Taf.) 01. 5 — | 4. Hamburg '01· (275 m. 2 Fig.,
10 Taf. u. 1 Bild.) 02. 12 — | 5. Karlsbad '02· (433 m. Fig. u. 6 Taf.) 03.
14 —
— dass., hrsg. v. G Schmorl, s.: Zentralblatt f. allg. Pathol.
u. patholog. Anatomie.
— d. 8. Gnadauer Pfingstkonferenz, Schönebeck a. d.
Elbe '02· (88) 8° Stuttg., Bh. d. deut. Philadelphia-Ver. (02).
—75 d
Die Verhandlgn d. 7. Konferenz sind nicht erschienen. — Die
Verhandlgn d. 9. Konferenz s. u. d. T.: Reich, d. ewige, uns.
HErrn Jesu Christi.
— d. 62. Pfingstkonferenz Hannover '04· 1. Hardeland:
Die schrift- u. bekenntnismäss. Lehre v. hl. Abendmahl im
Gericht d. neuesten Kritik. Vortr., nebst Debatte. — 2. Steinmetz, A: Die Gefährdg d. Relig.-Unterr. durch d. ihm vorgezeichneten neuen Bahnen. Vortr., nebst Debatte. [S.-A.]
(40) 8° Hannov., H Feesche 04. —50 d
Bisher nicht als Sep.-Abdr. erschienen. — 63. Konf. nur in d.
Hannov. Pastoral-Konferenz.
— d. 46. u. 47. Versammlg deut. Philologen u. Schulmänner.
8° Lpzg, BG Teubner. Je 6 —
46. Strassburg (Elsass) '01· Zusammengest. v. M Erdmann. (210) 02.
47. Halle a. d. S. '03. Zusammengest. v. M Adler. (191) 04.
— d. physikal. Gesellsch. zu Berlin. Alphabet. Namenreg. zu
Jahrg. 1—17 (1882—98). Hrsg. v. K Scheel. (20) 8° Brnschw.,
F Vieweg & S, 04. — 60
— d. deut. physikal. Gesellsch. 1901 u. 2. 3. u. 4. Jahrg. Hrsg.
v. A König u., seit 1902, K Scheel. (1901. 1 Heft. 6 m. Fig.) 8°
Lpzg, JA Barth. Je 4 —
Fortsetzg s. u. d. T.: Berichte.
— d. physik.-med. Gesellsch. zu Würzburg. Neue Folge.
34—37. Bd. 8° Würzbg, A Stuber's V. Je 14 —
34. Hrsg. v. O Schultze, J Müller, J Sobotta. (355 m. Abb., 2 L. u. 1 Bildnis.) 02.
35. Hrsg. v. O Schultze, W Nieberding, J Müller. (417 m. Abb. u. 4 Taf.) 03.
36. Hrsg. v. O Schultze, W Weygandt, A Schmincke. (383 m. Abb. u. 8
Taf.) 04.
37. (Nr. 1. 11 m. Fig. u. 1 Taf.) 04.
— d. 22. deut. Protestantentages, Berlin '04. Hrsg. v. Schrift-
führer d. deut. Protestantenver. (81, 5, 27, 23, 40, 10, 5, 12
u. 14) 8° Berl. 04. Lpzg, M Heinsius V [. 2.80
Ein Bericht üb. d. Verhandlgn d. 21. Protestantentages ist nicht
erschienen.
— d. Reichstags. 10. Legislaturperiode. 2. Session 1900/3.
10 Bda. (1334 Bog.) Fol. Berl., Norddent. Buchdr. u. Verl.-Anst.
(03). †89 — (1. Abschn. 1900/1. [300 Bog.] †25.40; 2. Abschn.
1901/2. [396 Bog.] †26.40; 3. Abschn. 1902/3. [558 Bog.] †37.20
ǁ 11. Periode. 1. Sess. 1903/4. Für 100 Bog. †9 — d
— d. internat. Ver. z. Reinhaltg d. Flüsse, d. Bodens u. d.
Luft auf d. 27. Generalversammlg Frankfurt am Main '05.
(Nebst e. Verz. d. Lit. üb. d. Reinhaltg d. Flüsse u. d. Städte
als Abh.) (56) 8° Hambg, Gebr. Lüdeking 05. 1.20
— d. H. internat. Kongresses f. angew. d. Relig.-Gesch., Basel
'04· (382) 8° Bas., Helbing & L. 05. 9 —
Der I. Kongress wurde in Paris abgehalten.
— d. deut. Röntgen-Gesellsch. 1. Bd. Verhandlgn u. Berichte d. 1. Kongr. Berlin '05. abgeh. v. d. Röntgen-Vereinigg
zu Berlin E. V. Red. v. A Schönberg. (248 m. Abb.) 4° Hambg,
L Gräfe & S. 05. 8 —
— d. Jahresversammlg d. allg. deut. Ver. f. Schulgesundheitspflege, s.: Jugend, gesunde.
— gw. d. Akadem. Schutzver. u. d. Börsenver. d. deut. Buchhändler zu Leipzig. Stenograph. Bericht üb. d. '04 im deut. Buch-

händlerhaus zu Leipzig abgeh. Kommissionssitzg. (103) 8° Lpzg,
Geschäftsstelle d. Börsenver. d. deut. Buchhändler 04. 1 — d
Verhandlungen d. internat. seismolog. Konferenz. (Comp-
tes-rendus des séances de la conférence sismolog. internat.)
red. v. E Rudolph, s.: Beiträge z. Geophysik.
— d. Parteitages d. deut. Sozialdemokratie Oesterr., Graz
1900. (173) 8° Wien, Wiener Volksbh. 1900. nn — 50 d
— d. Ver. f. Socialpolitik üb. d. Lage d. in d. Seeschiffahrt
beschäft. Arbeiter u. üb. d. Störgn im deut. Wirtschaftsleben
währ. d. J. 1900 ff., s.: Schriften d. Ver. f. Socialpolitik.
— d. 4. allg. preuss. Städtetages, Berlin '04. (49) 4° Berl.,
O Heymann 05. 1 — d
Die Verhandlgn d. 1—3. Tages sind nicht im Handel.
— d. schweiz. Ver. f. Straf- u. Gefängniswesen u. d.
interkantonalen Vereinigg d. schweiz. Schutzaufsichtsver.,
22. u. 23. Versammlg. De 2 Hefte in 1 Bds. A. u. d. T.: Actes
de la soc. suisse pour la réforme pénitentiaire et de l'assoc.
intercantonale des sociétés de patronage. 8° Aar., HR Sauerländer & Co. Je 3.20
22. Zürich '01· (155 u. 146) 02. | 23. Genf '04. (136 u. 116) 05.
— d. 25—27. Jahresversammlg d. Synode d. ev.-luth. Freikirche in Sachsen u. a. St. a. D. '01—03. 8° Zwick., Schriften-
Ver. 3.35 d
25. Ueb. d. Pflichtmus. (158) 01. 1.25 | 26. Ueb. Heilagewissheit. (190) 02.
1 — | 27. Ueb. Heilagewissheit. II. (107) (04.) 1 —
— d. österr. Ingenieur- u. Architekten-Ver. üb. d. Zulässigk.
d. Verwendg d. Thomasflusseisens zu Brückenconstruc-
tionen. (86 m. Abb.) 4° Wien, (Spielhagen & Sch.) 01. 3 —
— d. ständ. Tuberculose-Commission d. Gesellsch. deut.
Naturforscher u. Aerzte in Hamburg 1901. Hrsg. v. F Hueppe.
(156) 8° Berl., A Hirschwald 02. 3.60
— d., d. 14. deut. Turnlehrer-Versammlg u. d. 2. Turnlehrer-
tages d. deut. Turnlehrer-Ver., hrsg. v. F Kessler, H Schröer,
Rein, Friebel, s.: Monatsschrift f. d. Turnwesen.
— d. Ver. f. Socialpolitik üb. d. Wohngsfrage u. d. Handelspolitik, s.: Schriften d. Ver. f. Socialpolitik.
— d. Konferenz am 4. IV. '05 betr. d. Wurmkrankh., s.: Sammlung amtl. Veröffentlichgn a. d. Reichs- u. Staatsanzeiger.
— d. V. internat. Zoologen-Congresses, Berlin '01· Hrsg.
v. P Matschie. (26, 1187 m. Abb. u. 19 Taf.) 8° Jena, G Fischer
(30 —) 40 —
— d. deut. zoolog. Gesellsch. auf d. 11—15. Jahresversammlg.
11 hrsg. v. JW Spengel, 12—15 hrsg. v. E Korscheit. 8° Lpzg,
W Engelmann. 58.20
11. Berlin '01· (14) 01. — 60 | 12. Gießen '02· (221 m. Fig. u. 2 Taf.) 02.
8.80 | 13. Würzburg '03. (176 m. Fig. u. 4 Taf.) 03. 8 — | 14. Tübingen '05·
(222 m. Fig. u. 11 — | 15. Breslau '05· (240 m. Fig. u. 1 Taf.) 05. 10 —
— d. k. k. zoologisch-botan. Gesellsch. in Wien. Red. v.
A Handlirsch. Jahrg. 1901—5. 51—55. Bd d. Verhandlgn. 1901.
1. Heft. 42 m. 1 Taf.) 8° Wien, (A Hölder). Je 30 —
— u. Aktenstücke d. preuss. Landtags im J. 1901 üb. höh.
Schulwesen u. Angelegenh. d. höh. Lehrerstandes. Hrsg. v.
Kannengiesser. (136) 8° Schalke (01). Gelsenk., (E Kannengiesser). 1.50 d
— **Beschlüsse** d. Industrierates. Hrsg. v. Bureau d. Industrierates im k. k. Handelsministerium. 1—9. Heft. 8° Wien,
(Manz). 9.55 d
1. Die Erneuerg d. Lloydvertrages. I. (144) 05. 1.40
2. Gesetzentwurf, betr. d. Haftg f. Schäden a. d. Betriebe v. Automobilen. (21 u. 7) 05. —50
3. Erweiterg d. Triester Hafens. (135) 05. 1.40
4. Gesellschaften m. beschr. Haftg. I. (107) 05. 1.50
5. Abänderg u. Ergänzg d. Gewerbeordng. I. (206, 63 u. 31) 05. 7.70
6. Revision d. Normalerklässe, betr. d. Bewilligg gewerbl. Übertragendn.
(57) 05. 1 —
7. Verwendg d. Wasserkräfte an d. neuen Alpenbahnen m. Ausnutzg
d. Wasserkräfte. (45 m. 1 Karte.) 05. 1 —
8. Gesellschaften m. beschr. Haftg. II. (36) 05. —50
9. Die Aufnahme d. Barzahlgn. (79 u. 18) 05. 2 —
— — d. Generalversammlg d. Rabbiner-Verbandes in Deutschl.
Frankfurt a. M. '02· (130) 8° Frankf. a/M., J Kauffmann 03. 1 — d
— u. **Korrespondenzen** d. schles. Fürsten u. Stände, s.: Acta
publica.
— u. **Mitteilungen** d. Ver. f. öffentl. Gesundheitspflege in
Magdeburg. 26—31. Jahresheft. Red.: Rosenthal. 8° Mgdbg,
Faber'sche Buchdr. 7.50 d
26.27. (193 m. Abb.) 01. 2.50 | 28.29. (1900 u. 01.) (178 m. Abb., 1 Fl. u. 1
Bildnis.) 02. 2.50 | 30.31. (1902 u. 03.) Mit e. Generalreg. üb. d. Jahrs-
hefte 91—31. (217 m. Abb. u. 1 Taf.) 04. 2.50
— d. siebenbürg. Ver. f. Naturwiss. zu Hermannstadt. 49—
52. Bd. Jahrg. 1899—1902. 8° Hermannst., (F Michaelis). Je 6 —
49. 1899. (49, 45 m. 5 Tab.) 1900. | 50. 1900. (46, 106 m. Abb.) 01. | 51. '01·
(46, 990 m. Abb.) 02. | 52. '02· (59, 96) 03.
— **Berichte** d. Centralverbandes deut. Industrieller.
Nr. 89—100. Hrsg. v. HA Bueck. 8° Berl., J Guttentag. 22 — d
89. Febr. '01· (293) 1.50 | 90. Juli '01· (138) 1.50 | 91. Oktbr '01· (264)
1.50 | 92. Juli '01· Vertragsfähigkeit (95) 1.50 | 93. (Aug. '02.) Verhandlgn d. Central-
verbandes deut. Industrieller m. d. Vereinigg d. in Deutschl. arbeit.
Berlin '02· (174) 1.50 | 94. Oktbr '02· (154) 1.50 | 95. Febr. '03. 1 — | 96.
Oktbr '03. (124) 1.50 | 97. Apr. '03· (220 u. 9) 1.50 | 98. Novbr '03· (211)
1.50 | 99. Jan. '04· (95) 2 — | 98. Mai '04· (136) 2.50 | 99. Dezbr '04· (144)
04. 2.50 ǁ 100. Mai '05· (207) 05. 3 —
— u. **Untersuchungen** d. d. preuss. Stein- u. Kohlenfall-
Commission. [S.-A.] 1—6. Heft. 4° Berl., W Ernst & S. 36 —
1. (130 m. Abb.) 01. 4 — | 2. (192 m. Abb. u. 1 Taf.) 01. 5 — | 3. (201—310 m.
Abb. u. 4 Taf.) 02. 4 — | 4. (311—413 m. Abb. u. 12 Taf.) 03. 4 — | 5. (415
—526 m. Abb. u. 9 Taf.) 03. 3 — | 6. (527—619 m. Abb. u. 6 Taf.) 03. 5 —
Verhandlungsbericht d. Generalversammlg d. Komitees d.
internat. Vereinigg f. gesetzl. Arbeiterschutz, s.: Schriften
d. internat. Vereinigg f. gesetzl. Arbeiterschutz.

Verhandlungsbericht d. mittelrhein. Gesellsch. f. Geburtshülfe u. Gynaekol. Jahrg. 1903 u. 4. [S.-A.] 8° Berl., S Karger. 6.50
'05. Erstattet v. Sippel u. Walther. (96) 05. 2.50
'04. Erstattet v. Pfannenstiel u. H Kayser. (113) 04. 4 —

Verhandlungsschrift u. **Zeitungsstimmen** üb. d. 6—8. deut. Handlgsgehilfentag, m. e. Bericht üb. d. Verhandlgn d. Verbandstages u. d. dort genehm. Geschäftsbericht u. d. Abrechng d. Verbandes. 8° Hambg, (Deutschnationaler Handlgsgehilfen-Verband). Je — 50 d
6. Mannheim '01. (80) 02. ‖ 7. Magdeborg '02. (134) 02. ‖ 8. Köln a. Rh. (84) 03.

Verhaeren, E: Ausgew. Gedichte, in Nachdichtg v. S Zweig. (90 m. Bildnis.) 8° Berl., Schuster & Loeffler 04. 5 —; geb. 4 —; Luxusausg. 20 —

Verhoeff, KW: Beitr. z. Kenntnis paläarkt. Myriopoden, XVI, z. vergleich. Morphol., Systematik u. Geogr. d. Chilopoden.
— Beitr. z. vergleich. Morphol. d. Thorax d. Insekten m. Berücks. d. Chilopoden. — Ueb. d. Endsegmente d. Körpers d. Chilopoden, Dermapteren u. Japygiden u. z. Systematik v. Japyx, s.: Acta, nova, academiae etc. naturae curiosor.
— Gliederfüssler: Arthropoda, s.: Bronn's, HG, Klassen u. Ordngn d. Tier-Reichs.
— Ueb. d. Häutungsvorgang d. Diplopoden. — Üb. vergleich. Morphol. d. Kopfes nied. Insekten m. bes. Berücks. d. Dermapteren u. Thysanuren. — Zur vergleich. Morphol. u. Systematik d. Embriden. — Ueb. Tracheaten-Beine (Chilopoda u. Hexapoda), s.: Acta, nova, academiae etc. naturae curiosor.

Veridicus, B: Hinter gewählten Mauern. Aus d. Papieren e. Klostergeistlichen. (250) 8° Berl., H Bermühler 05. 3.50; geb. 4.50 ‖ 2. Afl. (Volksausg.) (250) 05. 3 — d

Vering: Lehrb. d. Mathematik, s.: Boyman, JR.

Veriphantor s.: Zur Psychol. uns. Zeit.

Veritas s.: Wilhelm II., Kaiser, d. Kunst u. d. Kunstverständniss d. Massen.

Veritas (H Schreiber) s.: Wie schützt sich d. Kapitalist vor Verlusten an d. Börse?

Verkauf, L: Die Alters-, Invaliditäts- u. Stellenlosigk.-Versicherg d.Privatbeamten u.Handelsangestellten.Krit.Darlegg d. Bestimmgn d. in d. 17. Session d. österr. Reichsrathes eingebrachten Ges.-Entwurfes. Mit e. Anh.: Wortlaut d. Ges.-Entwurfes, betr. d.Pensionsversicherg d.in privaten Diensten Angestellten. (98) 12° Wien, Wiener Volksbh. 01. — 50 d
— Die Arbeiter u. d. Bleierkrankgn, s.: Volksschriften üb. Gesundheitswesen u. Sozialpolitik.
— Zur Gesch. d. Arbeiterrechtes in Oesterr. [Erweit. S.-A.] (105) 8° Wien, Wiener Volksbh. 05. 2 —
— Reform u. Ausbau d. österr. Arbeiterversicherg. Krit. Studie z. Regierungsprogramm. (138) 8° Ebd. 05. 3 —

Verkaufs-Preisvereinbarung zu Handwaffen. (H.V.P.) Vom 25.VI.'01. (D. V. E. Nr. 186.) (47) 8° Berl., ES Mittler & S. 01. †— 40; kart. †— 55 d

Verkehr, der. Zeitschrift d. Bundes d. deut. Verkehrs-Vr. Red.: T Stemmer. 1. Jahrg. Mai 1905—April 1906. 12 Nrn. (Nr. 1. 8) 4° Lpzg, Darmst., E Roether. 3 —
— m. Butter, Käse, Butterschmalz, Schweineschmalz u. deren Ersatzmitteln. (8) 8° Klagenf., (J Heyn) 02. — 16 d
— numismat. Lexikon. Münzen, Medaillen, Bücher etc. Hrsg. v. CG Thieme. 39—43. Jahrg. 1901—5 je 4 Doppel-Nrn. Nebst: Blätter f. Münzfreunde. Je 12 Nrn. (1901. Nr. 1 u. 2. 26) 4° Dresd., CG Thieme. Je 5 —
— d., auf d. deut. Wasserstrassen 1903. Bearb, im kais. statist. Amt. [S.-A.] (38 m. 4 farb. Taf.) 4° Berl., Puttkammer & M. 05. 1 — d

Verkehrsatlas v. Europa. Unter Benutzg v. W Koch u. C Opitz, Eisenb.- u. Verkehrs-Atlas v. Deutschl., Russl. u. d. Schweiz. Enth. 66 Sektionen (in 4°) in dreifachem Farbendr. m. m. e. alphabet. Stationsverz. v. Europa. (72) Fol. Lpzg, JJ Arnd 01/02. L., in 30 Nrn.
— dass. Neue Afl. Enth. 80 Sektionen in 4- bis 8fachem Farbendr., 6 Übersichtsk., 34 Nebenk., m. e. alphabet. Stationsverz. v. Europa, nebst e. alphabet. Übersicht selbständ. Eisenb. u. Bahnbetriebe Europas u. e. separaten Verkehrskte. (91 u. 51) 4° Ebd. 05. L. 30 —
— dass. Ausg. f. Österr.-Ungarn. Enth. 80 Sektionen in 3—8-fachem Farbendr., 6 Übersichtsk., 34 Nebenk., u. e. alphabet. Stationsverz. v. Europa, e. Anh.: d. Einrichtg u. Anwendg d. Eisenb.-Gütertarife in Deutschld. u. Österr.-Ungarn e. Ortsreg. v. Österr.-Ungarn. (95 u. 51) 4° Wien, C Konegen 05. Geb. 30 —

Verkehrsblätter, bayer. Zeitschrift f. Eisenb.-, Post-, Telegr.-u Telephon-Wesen. Hrsg.: Der B, V.-B.-V. (e. V.) zu München. Red.: J Gierlinger. Fachred.: J Schmitt. 17—31. Jahrg. 1901—5 je 24 Nrn. (1901. Nr. 1. 12, 10 u. 8) 4° Münch., (H Lukaschik). Je 6 —; einz. Nrn — 30
— deut. Wochenschrift f. Eisenb.-, Post-. u. Telegr.-Wesen. Schriftleitg: H Oesten. 21. Jahrg. 1905. 52 Nrn. (Nr. 1. 4) 4° Berl., A Bodenburg. Viertelj. 2 — d
Bisher u. d. T.:
— deut., u. allg. deut. Eisenb.-Zeitg. Wochenschrift f. Eisenb.-, Post- u. Telegr.-Wesen. Hrsg. v. R Krause u., seit 1903, H Oesten. 17—20. Jahrg. 1901—4 je 52 Nrn. (Nr. 1 u. 2. 18) 4° Ebd. Viertelj. 2 — d

Verkehrsbuch, bayer. Bayern rechts d. Rheins. Hrsg. v. Ver.

z. Förderg d. Fremdenverkehrs in München u. im bayer. Hochland (e. V.) in Verbindg m. d. Ver. z. Förderg d. Fremdenverkehrs in Nürnberg u. Umgebg (e. V.). (132 m. Abb., 16 Kart. u. 1 Pl.) 8° Münch., (Buchdr. u. Verl.-Anst. C Gerber) (05). — 50

Verkehrsbuch f. Gloga. 1904/5. (314 m. 1 Pl. u. 1 Karte.) 16° Glog., C Flemming. — 30; Decke dazu — 40
— f. Norddeutschl. Hrsg. v. d. „Hamburger Nachrichten", enth. Eisenb.- u. Dampfschiffs-Fahrpläne. Sommer-Ausg, 1905 u.Winter-Ausg.1905/6. (44, 160 bezw.48, 149) 8° Hambg (Speersort 11), Hermann's Erben. Je — 20
— oberschles. Führer durch d. Industrie-Bezirk. Sommer-Ausg. 1905. u. Winter-Ausg. 1905/6. (239 u. 48 m. 3 Kart. bezw. 255 m. 2 Kart.) 8° Kattow., G Siwinna. Je — 20 d
Frühere Winter-Ausg. u. d. T.: Verkehrs-Handbuch f. Oberschlesien.
— württb., enth. sämtl. Städte, Dörfer, Höfe, Weiler, Häuser, Mühlen, Kapellen etc. m. Angabe d. Einwohnerzahl, Relig.-Gemeinde-, Oberamts- u. Postbezirke, Eisenb.-Stationen f. Personen- wie Güter-Beförderg u. Frachtboten-Verkehr. (143) 4° Stuttg., J Rath (03). Kart. (2,50) 2 — d

Verkehrs- u. **Hotel-Buch,** tiroler, hrsg. v. Landesverband f. Fremdenverkehr in Tirol. 3. Afl. 1905. (161 u. 64 m. Abb. u. 1 Karte.) 8° Innsbr., A Edlinger. — 70
Bisher unter d. Verf. aufgenommen: v. Zimmeter. — Neus afl. erscheint im Verl. d. Landesverbandes f. Fremdenverkehr in Tirol in Innsbr. u. wird gratis geliefert.

Verkehrsbüchlein, Bielefelder. Sommer 1902. Mai-Ausg. Zusammengest. v. R Trautmann. (45, 51) 16° Bielef., E Siedhoff. — 10 d
Fortsetzg s.: Siedhoff's Verkehrsbüchl.

Verkehrs-Fahrplan u. **Reisebeschreibung** f. d. Oberweser. (80 m. Abb. u. 1 Karte.) 8° Hann. (05). (Lpzg, Woerl's Reisebücherverl.) — 50

Verkehrsfragen, süddeut. 1. Beitr. 8° Stuttg., Hobbing & B. — 75 d
Faber, E: Die Verbesserg d. Schiffbark. d. bayer. Donau u. d. Durch. führg d. Grosschiffahrt bis z. Ulm. Vortr. (44 m. 2 Pl.) 04. [1.] — 75

Verkehrs-Handbuch f. Oberschlesien. Nachschlage-Buch f. d. Industrie-Bezirk. Winter-Ausg. 1905/4. (176) 12° Beuth. Kattow., G Siwinna. — 40
Weitere Ausg. s. u. d. T.: Verkehrsbuch, oberschles.
— kl., f. d. bayer. u. bad. Pfalz. Sommerdienst 1905 u. Winterdienst 1905/6. (101 bezw. 97 m. je 1 Karte.) 16° Ludwigsh., (A Lauterborn). Je — 20
Bisher u. d. T.: Kohler's Taschen-Fahrpl.

Verkehrsheft, bayer., f. Fortbildg im Verkehrsdienste. Red.: J Schmitt u. O Mayer. 8. Bd. 8° Münch., (J Lindauer). Viertelj. 2 — ‖ 4—6. Bd. 1902—4. Je 1.50 d ö F
— **Verkehrs-Karte** v. Kgr. Bayern. 1:500,000. 4. Afl. 63×68 cm. Farbdr. Nebst Ortsverz. (23) 8° Nürnbg, F Korn (01). 3 —
— topograph., d. Kreises Düren u. Umgegend, umfassend d. Bez. v. Köln bis Aachen u. v. Grevenbroich bis Commern. 59,5×73,5 cm. Farbdr. (07) 8° W Solinus (02). 1 —; auf L. 1.75; m. M. od. St. 2 —
— v. Harz u. Kyffhäuser. 1:100,000. 53,5×72,5 cm. Farbdr. Brnschw., R Wunder (01). — 50
— v. Ingolstadt. 27×34 cm. Farbdr. Nebst Abgangs- u. Ankunftszeiten d. Züge. (1 Bl.) 12° Ingolst., Krüll (01). — 15 Vergr.
— v. Löba u 1.5. m. w.weit. Umgebg. 25,5×32,5 cm. Farbdr. Nebst Anknnfts- u. Abgangszeiten d. Züge. (2) 12° Löb., JG Walde (01). — 10
— f. Mosel-, Saar- u. Nahegebiet, Eifel, Hochwald u. Luxemburg. 98×33,5 cm. Farbdr. Trier, H Stephanus (02). — 85
— v. Pirmasens m. weit. Umgebg. 25,5×32,5 cm. Farbdr. Pirmas., Braun & Kohlermann (1900). (— 20) — 10
— neue, v. Prov. Sachsen u. Thüringen sowie d. angrenz. Landesthle. 1:600,000. 3. Afl. 57,5×48,5 cm. Farbdr. Lpzg, B Franke (01). — 50
— neue sächsisch-thüring. Hergestellt m. Zugrundelegg d. Wiebenhovschen Karte v. Mittel-Europa in 164 Bl. 1:300,000. 54×72,5 cm. Farbdr. Frankf. a/M., J Ravenstein (03). 1 —
Neue Ausg, der: Karte d. Kaiser-Manöver 1903.
— d. Schweiz m. d. Grenzgeb. d. umlieg. Länder. 1:450,000. 5. Afl. Farbdr. Mit Ortsverz. (32) 8° Bern, Geograph. Karten-Verl. (02). — 80
— d. Schweiz. m. bes. Berücks. d. schweiz. Postverkehrs. — Carte postale et commerciale de la Suisse. Bearb. v. A Zwahlen u. O Mayer. 1:200,000. 4 Bl. je 59,5×89 cm. Farbdr. Winterth. (02). (Bern, Geograph. Kartenverl.) 10 —; gefalzt 10.50; in Atlasform geb. 11.50; auf L. 16 —
— v. Württemberg u. Baden im. d. bayer. Pfalz; zugl. Strassen- u. Ortsentfernngk. 1:333,333 1/3. 99×76 cm. Farbdr. Münch. (04). (Freibg 1/B., P Waetzel.) 6 —; auf L. in Taschenformat od. m. Ösen z. Aufhängen 8.50; m. St. 9 —

Verkehrs- u. **Radfahrkarte** d. Ober- u. Nieder-Lausitz sowie deren nächste Umgebg. 26×38 cm. Farbdr. Laub., G Reipprich (04). — 20

Verkehrskarten, Muth'sche. Nr. 1—3. 6. Afl. Farbdr. Stuttg., Muth 05. Je — 30
1. Württemberg u. Baden. 1:600,000. 46×41 cm. ‖ 2. Baden u. Württberg. 1:600,000. 46×41 cm. ‖ 3. Bayern u. Pfalz. 1:800,000. 46,5×44 cm.
1. Afl. u. d. T.: Muth's neue Verkehrskarten.

Verkehrs-Lexikon, Berliner, m. Fahrpl. d. Strassenb., Hoch- u. Untergrundb., Omnibusse, Dampfschiffe, Eisenb. 39. u. 40. Sem. Sommer 1905 u. Winter 1905/6. (138, 121 u. 40 bezw. 138, 112 u. 41 m. je 1 Pl.) 18° Berl., M Schildberger. Je — 40; geb. je — 60
— Leipz. Enth. d. Fahrpläne sämtl. v. Leipzig a. verkehr. Eisenb.-Züge, d. elektr. Strassenb., Droschken-Tarif, Führer durch d. Sehenswürdigk. etc. Sommer-Ausg. 1905 u. Winter-Ausg. 1905/6. (167 bezw. 165) 16° Lpzg, Schulze & Co. Je — 20
Verkehrs- u. Strassenpolizei, Wiener. Sammlg d. darauf bezügl. Ges., Verordngn, Entscheidgn etc. Hrsg. v. Zentral-Inspektorate d. Wiener k. k. Sicherheitswache. (616 m. Abb.) 8° Wien, (G Szelinski) 05.   Kart. 7 — d
Verkehrssteuergesetz f. Elsass-L. v. 14.XI.'04. (49) 8° Strassbg, Strassb. Druckerei & Verl.-Anst. 04.   1 — d
Verkehrs-Wandkarte v. Mittel-Europa. (Neue Afl.) 6 Bl. je 54×70 cm. Farbdr. Weim., Geograph. Instit. (02).   20 — ; auf L. 25 —

Vekehrs-Zeitung, deut. Organ f. d. Post- u. Telegr.-Wesen u. f. d. Interessen d. deut. Verkehrs-Beamten. Leitg: H Pastenaci. 25—29. Jahrg. 1901—5 je 52 Nrn. (1901. Nr. 1. 8) 4° Berl., B Brigl.   Viertelj. 2 — d
Verlaine, P: Gedichte. Uebertr. v. E Singer. (87) 8° Wien, Verl.-Anst. neuer Lit. u. Kunst (02).   2 —
— dass. Anthol. d. besten Übertraggn, hrsg. v. S Zweig. 1. u. 2. Afl. (122 m. Bildnis.) 8° Berl., Schuster & Loeffler 02. 1 — ; geb. 2 —
— Ausgw. Gedichte, übers. v. O Haendler. (117) 8° Strassbg, JHE Heitz (03).   L. 3 — d
Verlauf d. 5. Verbandstages d. deutsch-österr.-ungar. Verbandes f. Binnenschiffahrt, s: Verbands-Schriften d. deutsch-österr.-ungar. Verbandes f. Binnenschiffahrt.
Verlegerlisten f. Schriftsteller, s.: Schriftstellerbibliothek.
Verlegung, d., d. höh. Forstlehranst. v. Weisswasser in. Reichstadt, (Von S Schmid.) (13 m. 1 Taf., 1 Karte u. 1 Pl.) 8° B. Leipa 04. (Prag, JG Calve.)   †3.50
Verlosungs-Anzeiger d. Mercur f. 1905 d. österr. u. ausländ. Lotterie-Effecten, verlosbaren Staats- u. Privat-Obligationen, Eisenb.- u. Industrie-Actien etc. (34, 176 m. 1 Tab.) 4° Wien. (Berl., Haude & Sp.)   2 —
Verlosungs-Kalender f. 1904, nebst Verz. d. bis Ende Decbr '03 gezog. Serien v. Lotterie-Anleihen m. Ausschl. derjen. Serien, welche vollständig eingelöst sind. Hrsg. v. d. Verwaltg d. "Aktionärs". (55) 4° Frankf. a/M. (Lpzg, Jaeger.) nn 1.50
Fortsetz war nicht zu erhalten.
— f. 1905, enth. Ziehgstags, Anlehensbetrag, höchsten u. kleinsten Treffer, Zahlbark. u. Ziehgsende aller in Deutschl. eingeführten Lose, ferner Restantenliste, enth. sämmtl. bis Ende '04 in d. Serie gezog. Lose. (46) 4° Nürnbg, (M Edelmann).   — 40
Vermächtniss d. hl. Vaters Franziskus f. s. Kinder u. d. Dienste, welche er v. ihnen fordert. Verf. u. hrsg. v. d. Klosterfrauen d. ew. Anbetg zu Mainz. 3. Afl. (109) 9,5×6 cm. Mainz, (Kirchheim & Co.) (05).   — 20 d
Vermeer, J, a. Delft, s.: Hooch, P de, 1630—77.
— u. **K Fabritius**: Photogravüren n. ihren bekannten Gemälden. Mit biograph. u. beschreib. Text v. C Hofstede de Groot. (In 4 Lfgn.) 1. Lfg. (10 Bl.) 68×53,5 cm. Lpzg, KW Hiersemann (05).   125 —
Vermeersch, A: Quaestiones de justitia ad usum hodiernum scholastice disputatae. (31, 661 m. 1 Taf.) Brugis 01. Rgnsbg, F Pustet.   nn 5.20
Vermessung, d. d. deut. Kiantschou-Gebiets. Darstellg d. Methoden u. Ergebnisse m. 11 Kartenanlagen (in Kart.). Bearb. im Reichs-Marine-Amt auf Grund d. Aufnahmen im Schutzgebiet in d. J. 1898—1900. (90) Fol. Berl. (D Reimer) 01. 10 —
Vermessungs-Nachrichten, allg. 17. Jahrg. 1905. 36 Nrn. (Nr. 1—11. 124) 8° Liebenw., R Reiss. Viertelj. nn 1.25; einz. Nrn nn — 50
Vernaison, L: Aus fremder Erde. Gedichte. (68) 8° Berl., Dr. F Ledermann 06.   1.50; geb. 2.50 d
Verne's, J, Werke. 1—60. Bd. Vollständ. Ausg. m. Einl. u. Erläutergn v. W u. P Heichen. (Mit Abb.) 8° Berl., A Weichert. Je — 50; geb. je — 75 d
1. Die Reise um d. Erde in 80 Tagen. (216) (01.)
2. Von d. Erde z. Monde. Direkte Ueberfahrt in 97 Stunden 20 Minuten. (176) (01.)
3. Die Reise um d. Mond. Romao. (192) (01.)
4. Reise s. Mittelpunkt d. Erde. (220) (01.)
5. Fünf Wochen im Ballon. Entdeckgsreise dreier Engländer in Afrika, wiederersählt n. d. Aufzeichngn d. Dr. Fergusson. (244) (01.)
6.7. Zwanzigtausend Meilen unter d. Meere. (180 u. 168) (01.)
8. Abenteuer v. 3 Russen u. 3 Engländern in Süd-Afrika. (160) (01.)
9. Die Drangsale e. Chinesen in China. (184) (01.)
10. Die 500 Millionen e. ind. Prinzessin. (Les 500 millions de la Bégum.) (147) (01.)
11. Schwarz-Indien. Roman. (175) (02.)
12. Eine Phantasie d. Dr. Ox. — Ein Drama in d. Lüften. — Meister Zacharius. — Eine Winterkampagne im Eise. (204) (02.)
13. Der Südstern od.: Das Land d. Diamanten. (224) (02.)
14.15. Abenteuer d. Kapitäns Hatteras. 1. Bd. Engl. am Nordpol. (211) (02.) | 2. Bd. Im weiten Eise. (191) (02.)
16—18. Die Kinder d. Kapitäns Grant. 1. Welttheater: "Südamerika". (220) (02.) | 2. Welttheater: Australien. (224) (02.) | 3. Welttheater: Oceanien. (191) (02.)
19.20. Das Land d. Pelze. (174 u. 181) (02.)
21. Die Blockadebrecher. — Eine schwimm. Stadt. (201) (03.)
22.23. Michael Strogoff, d. Kurier d. Zaren. (184 u. 175) (03.)
24. Die Schule d. Robinsons. (192) (03.)

25.26. Ein Kapitän v. 15. Jahren. (168 u. 175) (03.)
27. Der grüne Strahl. (176) (03.)
28—30. Die geheimnisvolle Insel. 1. Bd: Im Luftballon schiffbrüchig. (184) (03.) | 2. Bd: Im Weltmeer auf einsamem Felsen. (180) (03.) | 3. Bd: Das Geheimnis d. Insel. (192) (03.)
31. Der Chancellor. Tageb. d. Schiffspassagiers JR Kazallon. (196) (03.)
32.33. Das Dampfhaus od.: Im Elefantenlokomobil durch Nord-Indien. (187 u. 155) (04.)
34. Ein Drama in Mexiko. 10 Stunden auf Jagd. Die Meuterer in d. Südsee. F-r-r-ritt—F-l-i-atsch. Martin Paz, d. Sohn d. Berge. 5 Erzählgn. (154) (04.)
35.36. Die Jangada. 800 Meilen auf d. Amazouenstrom. (160 u. 152) (04.)
37. Der Archipel in Flammen. (176) (04.)
38—40. Mathias Sandorf. (156, 148 u. 144) (04.)
41. Ein Lotterie-Los. (Nr. 9672.) Roman a. d. Norwegener Land. (158) (04.)
42.43. Keraban, d. Starrkopf. (156 u. 160) (04.)
44. Robur, d. Eroberer. (184) (04.)
45.46. Nord geg. Süd. Eine Gesch. a. d. nordamerikan. Bürgerkrieg. (139 u. 148) (04.)
47. Alles in Ordng. (Sans dessus dessous.) (160) (04.)
48.49. Hektor Servadacs Abenteuer auf zr Reise durch d. Sternenwelt. (164 u. 180) (05.)
50. Das Karpathenschloss. (160) (05.)
51.52. Meister Antifers wunderbare Wagnisse, Glücks- u. Unglücksfahrten. (160 u. 173) (05.)
53.54. Claudius Bombarnac. Tagebuch e. Berichterstatters üb. s. Fahrt auf d. gr°. Transasiatb." m. Reminiscenzen a. d. Lande Tibet u. an dessen Dalai-Lama. (137 u. 150) (05.)
55.56. Das Testament eines Excentriciens. (164 u. 180) (05.)
57.58. Zwei Jahre Ferien. Ein Pensionat v. Robinsons, od. Jung-Europas Forschgs- u. Entdeckgs-Fahrten in jungen Welten. (192 n. 186) (05.)
59.60. Jungchens Findling od. Warenhaus Little Boy & Co. (180 u. 200) (05.)
Verne, J: Collection Verne. 79—87. Bd. (Mit je 1 Titelbild.) Autoris. Ausg. 8° Wien, A Hartleben. Je — 75; L. je 1 — d
79. Das Dorf in d. Lüften. (270) (01.)
80. Die Historien v. Jean-Marie Cabidoulin. (263) (01.)
81.82. Die Gebrüder Kip. 2 Bde. (256 u. 250) (02.)
83.84. Reisestipendien. 2 Bde. (226 u. 220) (03.)
85. Ein Drama in Livland. (270) (03.)
86. Herr d. Welt. (293) (04.)
87. Der Einbruch d. Meeres. (264) (05.)
— Von d. Erde z. Mond, s.: Kürschner's, J. Bücherschatz.
— Goldenes Geschichtenb., s.: Schubert, GH v.
— Zwanzigtaus. Meilen unterm Meere. Erzählg. Für d. Jugend bearb. 2. Afl. (103) 12° Berl., HJ Meidinger. Kart. — 60
    3. Afl. (103 m. Titelbild.) (05.) Geb. — 75 d
— Le tour du monde en 80 jours, s.: Prosateurs, franç. (K Bandow).
— Bekannte u. unbekannte Welten. Abenteuerl. Reisen. (Prachtsg. m. Abb.) 77—86. Bd. 8° Wien, A Hartleben. 42 — ; Einbde in L. f. jedes Werk 3 — d
77.78. Das 2. Vaterland. (462) (01.)   3 —
— 70. Das Dorf in d. Lüften. (282) 02.   4.50
80. Die Historien v. Jean-Marie Cabidoulin. (217) 02.   4.50
81.82. Die Gebrüder Kip. (481) 03.   3 —
83.84. Reisestipendien. (401) 04.   3 —
85. Ein Drama in Livland. (294) 05.   4.50
86. Herr d. Welt. (292) 05.   4.50
— 5 Wochen im Reich d. Lüfte, s.: Kürschner's, J, Bücherschatz.
Verner, E: Abandlung u. Briefe. Mit e. Biogr. d. Verf. v. M Kluckhohn. (In dän. u. deut. Sprache.) (92, 372 m. Fig., 1 Bildnis u. 1 Fksm.) 8° Kobenh. 03. Lpzg, O Harrassowitz. nn 10 —
Verneuil, MP, s.: Grotesklinie, d., u. ihre Spiegelvariation im modernen Ornament.
Vernichtung, d., d. Sozialdemokratie durch d. Gelehrten d. Centralverbandes deut. Industrieller. Hrsg. im Auftr. d. Parteivorstandes d. deut. Sozialdemokratie (v. K Kautsky). (48) 8° Berl., Bh. Vorwärts 03.   20 d
Veröffentlichung, 3., d. **Fuldaer** Gesch.-Ver. 4° Fulda, (Fuldaer Actiondr.).   1.50 (1—3.: 6 —)
Vonderau, J: 2 vorgeschichtl. "Schlackenwälle" im Fuldaer Lande. (19 m. 2 Pl., 1 Bell. u. 2 Taf.) 01. [3.]   1.50
— d. kgl. preuss. geodät. Instit. Neue Folge. Nr. 5, 7, 9, 14—16, 19—21, 23 u. 24. 4° Berl., P Stankiewicz. nn 54.50
Arbeiten, astronomisch-geodät, 1. Ordng. Bestimmg d. Längendifferenz Potsdam—Borkum u. d. Polhöhe auf Station Borkum im J. '04. (48) 06. [24.]   nn 3 —
— dass. Potsdam—Bukarest im J. 1900. (56) 01. [5.]   nn 5 —
— dass. Potsdam—Greenwich im J. '03. (77) 04. [15.]   nn 5 —
— dass. Potsdam—Pulkowa im J. '01. (59) 02. [7.]   nn 4 —
Bestimmung d. Polhöhe u. Intensität d. Schwerkraft in d. Nähe d. Berliner Meridians v. Arkona bis Elstwerwda sowie auf ein. and. Stationen mit Astronmiessgn auf 3 Stationen.' (302 m. 2 Taf.) [9.]   nn 15 —
Borrass, E: Relative Bestimmg d. Intensität d. Schwerkraft auf d. Stationen Bukarest, Tiglina bei Galatz, Wien, Charlottenburg u. Pulkowa im Anschl. an Potsdam. (67) 05. [23.]   nn 4 —
Haasemann, L: Bestimmg d. Intensität d. Schwerkraft auf 66 Stationen im Harze u. sr weit. Umgebg. (140 m. 1 Taf. u. 2 Kart.) 05. [19.] nn 8 —
Becker, O: Seismometr. Beobachtgn in Potsdam in d. J. 1902 u. '03. XII.'03. (36) 04. [16.]   nn 1.50 | 04. [19] 05. nn 4 —
Polhöhe, d. v. Potsdam. 3. Heft. (51 m. 2 L.) 05. [20.]   nn 4 —
Schumann, R: Ergebnisse s. Untersuchg üb. Veränderg v. Höhenunterschieden auf d. Telegraphenberg bei Potsdam. (42 m. 4 Taf.) 04. [14.]   nn 3 —
— dass. Neue Folge. Nr. 18. 8° Potsd. Lpzg, BG Teubner. 1.60
Krüger, L: Üb. d. Ausgleichg v. bedingten Beobachtgn in 2 Gruppen. (24) 05. [18.]   1.60
Nr. 4, 6, 8, 13 u. 17 sind nicht im Handel; Nr. 10 u. 11 sind vergr.; Nr. 22 ist noch nicht erschienen.
— d., d. Berliner Schlittschuh-Club. 8° Berl., JF v Fontane & Co.   1 —
Helfrich, G: Die Dame auf Schlittschuhen. (48 m. Abb.) 06. [2.] 1 —
Nr. 1 bildet: Helfrich, G, prakt. Winke f. Kunsteisläufer.
Veröffentlichungen d. grossh. bad. Sammlgn d. Altertums- u. Völkerkde in Karlsruhe u. d. Karlsruher Altertums-

ver. 3. Heft. 1902. (86 m. Abb. u. 6 Taf.) 4° Karlsr., G Braun'-
sche Hofbuchdr. 02. 5 — (1—3.; 15 —)

Veröffentlichungen d. Berliner Anwalt-Ver. 14—20. Heft.
8° Berl., F Vahlen. 5 — (1—20.; 17.35.)
Benedict, W: Die selbständ. Erhebg d. Vertheidigers u. d. Strafprozess.
reform. Vortr. (34) 01. [14.] — 50
Goldmann, E: Das gemeinschaftl. Testament unter bes. Berücks. d. sog.
Berliner Testaments. Vortr. [S.-A.] (21) 04. [16.] — 50
Irmler, W: Notwendigk. u. Ziele e. Revision d. deut. Gebührenordg f.
Rechtsanwälte. Vortr. (45) 05. [20.] —
Oberneck: Die Eigenthümerhypothek im Lichte d. Praxis. Vortr. [S.-A.]
(39) 05. [15.] — 50
Pinner, A: Die Revision d. Börsenges. Vortr. (27) 04. [17.] — 50
Salinger, M: Üb. die d. Reichstag vorlieg. Novelle z. ZPO. Vortr. (29)
05. [19.] — 80
Strenz, J: Die Rechtsanwaltschaft beim Reichsgerichte. Vortr. (28) 05.
[18.] — 80
— d. Ver. z. Fürsorge f. kranke Arbeiter zu Posen. 1—4.,
6. u. 7. Heft. 8° Pos., J Jolowicz. 2.30 (1—7.: 2.50)
Haegermann, P : Arbeiter-Wohlfahrtseinrichtgn im Reg.-Bez. Posen. Vortr.
(40) 05.) [7.] 1 —
Kassel, C: Die Hebg d. Proletariats durch d. Vorsch., unter bes. Berücks. d. Verhältn. Posens. Vortr. (16) 02. [3.] — 30 d
Landsberg: Die Mängel d. Heilverfahrens u. Vorschl. zu deren Beseitigg
unter bes. Berücks. d. Verhältn. Posens. Vortr. (25) 03. [4.] — 30 d
Radomski, S: Üb. Förderg d. Wohngahygiene in Posen. Vortr. (27) 01.
[1.] 2 —
Wernicke, E: Der neueste Stand d. Tuberkuloseforschg u. daraus f. d.
Bekämpfg d. Tuberkulose in d. Stadt Posen sich ergeb. notwend. Massnahmen. Vortr. (22) 04. [6.] — 20 d
— Üb. Volksernährg m. bes. Berücks. d. Posener Verhältn. Vortr. (34)
02. [5.] — 30 d
Das 5. Heft bildet: Wernicke, E: Birgt d. Errichtg e. Erholgs-
stätte f. Tuberkulöse in d. Forst zu Unterberg e. Ansteckgsgefahr
in sich?
— d. kgl. astronom. Rechen-Instit. zu Berlin. Nr. 13—28.
4° Berl., (F Dümmler's.) 27 — (1—28.; nn 46.20)
Bauschinger, J: Geäherte Oppositions-Ephemeriden v. 62 kl. Planeten
f. '01 Jan. bis Aug. Unter Mitwirkg v. A Berberich u. P Neugebauer
hrsg. (22) 01. [13.] ¶ 59 kl. Planeten f. '01 Juli—Dezbr. (22) 01. [14.]
¶ 57 kl. Planeten f. '02 Jan. bis Aug. (20) 02. [17.] ¶ 42 kl. Planeten
'02 Juli bis '03 Jan. (15) 02. [18.] ¶ 36 kl. Planeten f. '03 Jan.—Aug. (14)
02. [19.] ¶ 37 kl. Planeten f. '03 Aug. bis '04 Jan. (11) 03. [21.] ¶ 41
kl. Planeten f. '04 Jan. bis Aug. (15) 03. [22.] ¶ 42 kl. Planeten f.'04
Aug. bis Dezbr. (15) 04. [24.] ¶ 34 kl. Planeten f. '05 Jan. bis Aug.
(13) 04' [26.] ¶ 43 kl. Planeten f. '05 Aug. bis '06 Jan. (15) 05. [28.]
Je 1.30
— Ueb. d. Problem d. Bahnverbesserg. (35 m. 1 Taf.) 03. [23.] 3 —
— Tab. z. Geschw. u. Statistik d. kl. Planeten. Unter Mitwirkg v. P V
Neugebauer bearb. (77) 01. [16.] 5 —
Festschrift z. Feier d. 70. Geburtstages d. Hrn Prof. Dr. Wilh. Foerster,
dargebracht v. k. astronom. Rechen-Institut. (196 m. Fig.) 02. [20.] 8 —
Graff, K: Formeln u. Hülfstaf. z. Reduktion v. Mondbeobachtgn u. Mond-
photographieen. (49 m. Fig.) 01. [14.] 2 —
Neugebauer, PV: Abgekürzte Taf. d. Mondes nebst Taf. z. Berechng d.
tägl. Auf- u. Untergänge d. Gestirne. (35) 05. 2 —
— dass. d. Sonne u. d. gr. Planeten. (34) 04. [25.] 2 —
— d. Zentralverbandes d. Balneologen Oesterr. Bericht üb.
d. IH. u. IV. österr. Balneologen-Kongress. Hrsg. v. Zentral-
verbande, red. v. K Ullmann. 8° Wien, (M Perles). 1 —
III. Wien '02. (80, 19, 14, 13, 9, 9, 8, 54, 7, 13, 4, 19, 5, 12, 2, 4, 8,
10, 3, 4, 1 u. 9 m. Abb.) 03. 5 —
IV. Abbazia '04 u. d. nächstl. Kurortereise. (212) 05. 5 —
— d. Bibelbundes. Nr. 9 u. 10. 8° Brnschw., H Wollermann.
1.40 d
Beyer, T: St. Petri Zeugnis üb. d. Alte Test. Vortr. (42) 04. [10.] — 40
Finke, G: Der Stern z. Jakob. Betrachtg d. messian. Weissagg d. Alten
Test. (113) 01. [9.] 1 —
— d. Ver. f. Gesch. d. Mark Brandenburg, s.: Buch's, DS
v., Tagebuch. — Kirchenbücher, d., usw. d. General-Super-
intendentur Berlin.
— d. wirtschaftl. Abteilg d. Ver. »Versuchs- u. Lehranst. f.
Brauerei in Berlin«. Hrsg. v. E Struve. 1. Heft. 8° Berl.,
P Parey. 1 — d
Materialien z. Frage d. Braunsteuer-Erhöhg im norddeut. Braunsteuerge-
biet. (70) 05. [1.]
— a. d. fürstlichbisch. Diöz.-Archive zu Breslau. I. Bd., 1. Tl
u. II. Bd., 1. Tl. 8° Bresl., GP Aderholz. Je nn 20 —
I, 1. Visitationsberichte d. Diöz. Breslau. Archidiakonat Breslau. 1. Tl.
Nebst Visitationsordng hrsg. v. J Jungnitz. (503) 02.
II, 1. Dass. Archidiakonat Oppeln. 1. Tl. Hrsg. v. J Jungnitz. (678) 04
Der Schluss d. I. Bds ist noch nicht erschienen.
— d. histor. Ver. zu Dillenburg. Nr. 3. 8° Dillenbg, C Seel's
Nf. 1.50 d
3. Dönges, C: Belagerg, Zerstörg u. Schleifg v. Schloss u. Festg Dillen-
burg. (43 u. 111 m. 1 Abb.) 04.
Nr. 1 u. 2 bilden: Album d. Wilhelmsturm u. Burggarten zu
Dönges, C, Gesch. d. ev. Stadtkirche u. Kirchengemeinde zu
Dillenburg.
— wiss., d. Ver. f. Erdkde zu Leipzig. V. u. VI. Bd. 8° Lpzg,
Duncker & H. 18 — (I—VI.: 54.40)
V. Ule, W: Die Würmsee (Starnberger See) in Oberbayern. Limnolog.
Studie. Mit 1 Atlas v. 8 Taf. (in Fol.). (211 m. Fig.) 01. 10 —
VI. Beiträge z. Biogeogr. u. Morphol. d. Alpen. I. Reisbauer, H: Höhen-
grenzen u. Vegetation in d. Stubaier Alpen u. in d. Adamellogruppe.
— II. März, C: Der Seenkessel d. Solern, e. Karwendelkar. (316)
04. 8 —
— d. erdmagnet. Observatoriums bei d. kgl. Sternwarte in
München. 1. Heft. 4° Münch., (G Franz' V.). 5 —
Messerschmidt, JB: Magnet. Beobachtgn in München a. d. J. 1899 u. 1900.
(93 m. 3 Taf.) 04. [1.] 4 —
— d. Centralbureaus d. internat. Erdmessg. Neue Folge.
Nr. 4 u. 8. 8° Berl., G Reimer. 15 —
Albrecht, T: Anl. z. Gebr. d. Zenittelskops u. d. internat. Breiten-
stationen. 2. Ausg. (70 m. 2 Taf.) 03. [4.] 3 —

Albrecht, T: Resultate d. internat. Breitendienstes. 1. Bd. (173 m. 12 Taf.)
03. [8.] 12 —
Nr. 3, 5 u. 7 sind nicht im Handel.
Veröffentlichungen a. d. Archiv d. Stadt Freiburg im Br.
IV. Thl. 8° Freibg i/B., F Wagner. 4 —; geb. nn 5.50
(I—IV.; 15.50) d
IV. Flamm, H: Geschichtl. Ortsbeschreibg d. Stadt Freiburg i. Br. II. Bd.
Häuserstand 1400—1806. (46, 417 m. 1 Pl.) 03. 4 —;
geb. nn 5.50 (1 u. 2.: 8 —)
Der I. Bd ist bearb. v. A Poinsignon.
— d. kais. Gesundheitsamtes. Ges.-Inhaltsverz. z. d. Jahrg.
1885—einschl. 1900. (237) 4° Berl., J Springer 03. 5 — d
— dass. 25—29. Jahrg. 1901—js 52 Nrn. (23, 1226; 66, 1284;
53, 1376; 44, 1378 u. 46, 1410) 4° Ebd. Halbj. nn 6.25 d
Beihefte s. u. d. T.: Arbeiten a. d. kais. Gesundheitsamte.
Mitteilungen, medizinal-statist., a. d. kais. Gesundheitsamte.
— Görberdorfer, a. Dr. Brehmer's Heilanst. f. Lungenkranke v. RJ Petri, F Köhler, Voss (richtig Foss), H Cybulski, L Thieme. (100) 8° Berl., Vogel & Kr. 02. 2.50
— d. Gregorian. Akad. zu Freiburg (Schweiz). Hrsg. v. P
Wagner. 1. Heft. 8° Freibg (Schw.), (Univ.-Bh.). nn 1 —
Kreuzohl, F: Üb. d. Ambitus d. Gregorian. Messgesänge. (132 m. 3 Tab.)
05. [1.] nn 1 —
— dass. II. Heft. 8° Rgnsbg, (A Coppenrath's V.). 2.80
Weinmann, C: Hymnarium Parisiense. Das Hymnar d. Zisterzienser-Abtei
Pairis im Elsass. Aus 2 Codices d. 12. u. 13. Jahrh. hrsg. u. kommen-
tiert. (73 m. 2 Abb.) 05. [II.] 2.80
— d. Gutenberg-Gesellsch. I—IV. 4° Mainz, Gutenberg-
Gesellsch. Nur f. Mitglieder, Jahresbeitrag nn 10 —
I. Zedler, G: Die kltl. Gutenbergtype. (37 m. 13 Lichtdr.) 02.
II. Schwenke, P: Die Donat- u. Kalender-Type. Nachtr. u. Übersicht.
Mit e. Abdr. d. Donattextes u. Abb. (46) 03.
III, 1. Schröder, E, G Zedler, H Wallau: Das Mainzer Fragment. Welt-
gericht. — 2. Falk, F, u. H Wallau: Der Canon Missae v. J. 1458.
(35 m. Abb. u. 11 [10 farb.] Taf.) 04.
IV. Zedler, G: Das Mainzer Catholicon. (75 m. Abb. u. 12 Taf.) 05.
— a. d. Hamburger Stadtbibliothek. 1. 48×36 cm. Hambg,
L Gräfe. (nn 40 —) nn 80 —
Elisabeth, Gräfin v, Nassau-Saarbrücken: Der Huge-Scheppel, a. d. Handschrift d. Hamburger Stadtbibliothek, hrsg. v. H Urtel. (26 u. 111
m. Abb. u. 8 farb. Taf.) 05. [1.] (nn 40 —) nn 80 —
— d. histor. Kommission f. Hessen u. Waldeck. I. 3. u. 4. Lfg.
8° Marbg, NG Elwert's V. Je 5 —
Justi, F: Hess. Trachtenbuch. 3. u. 4. Lfg. (16 farb. Bl. u. Text 43—95 m.
Abb. u. 1 Karte.) 03/05. Je 5 — (Vollst. in M.: 24 —)
— dass. Hess. Landtagsakten. Hrsg. v. H Glagau. 1. Bd. (1508—
21. (593) 8° Ebd. 15 —; geb. 16.50
Weit. Veröffentlichgn s. a.: Urkundenbuch d. Stadt Friedberg.
— d. Hufeland. Gesellsch. in Berlin im J. 1899—1902. Hrsg.
v. Vorst. 8° Berl., A Hirschwald. 14.40
1899. (119 m. Abb.) 4 — I 1900. (31) 03. 4 — I '01. (116) 03. 4 — I '02.
(m. Abb.) 05. 4 —
— dass. 22—25. öffentl. Versammlg d. balneolog. Gesellsch.
Hrsg. v. Brock. 8° Berl., E Grosser. 13 —
22. '01. (16, 882) 01. 4 — I 23. '02. (24, 300) 02. 3 — I 24. '03. (16, 324) 05.
3 — I 25. '04. (16, 310) 05. 3 —
— dass. 26. öffentl. Versammlg d. balneolog. Gesellsch. '05.
Hrsg. v. Brock. (354) 8° Berl., A Hirschwald 05. 4 —
— d. hydrograph. Amtes d. k. u. k. Kriegs-Marine in Pola.
Fortlauf. Nr. 11—30. Fol. Pola, (Wien, Gerold & Co.) 71 —
(nr. 135.80)
Jahrbuch d. meteorolog., erdmagnet. u. seism. Beobachtgn. Neue Folge.
V. Bd. (29. Jahrg. d. ganzen Reihe.) Beobachtgn d. J. 1900. Hrsg. v. d.
Abtlg »Geophysik«. (39, 172 m.Abb.u.7 Taf.) 01. [11.] ¶ VI. Bd. (30. Jahrg.)
'01. (49, 194 m. Abb.) ¶ VII. Bd. (31. Jahrg.) '02. (56, 174 m.
10 Taf.) 03. [16.] ¶ VIII. Bd. (32. Jahrg.) '02. (25, 207 m. 9 Taf.) 04. [18.]
¶ IX. Bd. (33. Jahrg.) '04. (38, 190 m. 8 Taf.) 05. [20.] Je 12 —
Kesslitz, W, u. H Marchetti: Ergebnisse d. meteorolog. Beobachtgn in
Pola f. d. Lustrum 1896—1900. (85) 01. [12.] 1 —
Kismdlefen-Beobachtgn, nächtl., zu Verdalla. Ausgeführt 1902/03. Hrsg.
v. d. Abtlg »Sternwarte«. (19 m. 1 Taf.) 04. [16.] 2 —
Kooperation, internat. erdmagnet., 1902—3. Erdmagnet. Simultan-Be-
obachtgn währ. d. Südpolar-Forschg in d. J. 1902—3. Hrsg. v. d. Abtlg.
»Geophysik«. (84) 03. [17.] 3 —
Reise-Beobachtgn, erdmagnet. III. Heft. Ausgeführt in d. J. 1896—1900
währ. d. Reisen S. M. Schiffe »Albatros« 1896/97, »Frundsberg« 1896/00.
»Saida« 1898/99 u. »Donau« 1900/01. (55) 02. [15.] 2 — (I—III.: 7 —)
Schwerebestimmungen, relative, durch Pendelbeobachtgn. III. Heft. Beobachtgn währ. d. Reisen S. M. Schiffe »Donau« 1897/98, »Frundsberg«
1898/99 u. »Donau« 1900/01, u. Resultate e. d. Schwerebestimmgn durch
Pendelbeobachtgn, ausgeführt v. k. u. k. See-Officieren in d. J. 1892—1901.
(57 m. 1 Karte.) 04. [14.] 3 —
— d. Bureau f. Statistik d. Juden. 1. Heft. 8° Berlin-Halensee (Westfäl. Str. 46), Bureau f. Statistik d. Juden. 1.50
1. Der Anteil d. Juden am Unterr.-Wesen in Preussen. (50) 05. 1.50
— d. internat. Gesellsch. f. Förderg d. kaufmänn. Unterr.-
Wesens. 1. Bd. 8° Lpzg, BG Teubner. 1.20
Bericht üb. d. konstituir. Versammlg d. Gesellschaft Zürich '01—25, 4—,
7 u. 18) (30) [1.] 1.20
— d. deut. Verbandes f. d. kaufmänn. Unterr.-Wesen. 11—
13., 15—31., 33. u. 34. Bd. 8° Ebd.
Bericht üb. d. Ausschuss-Berathgn d. deut. Verbandes f. d. kaufmänn.
Unterr.-Wesen. Wesen. M. Schiffe »Donau« 1897. (56) 05. [31.] 1.50
Engels, A: Wie stäblt d. junge Kaufmann am besten s. Charakter in d.
Versuchgn u. Schwierigk. s. Lebens? (21) 03. [25.] 1 —
Errichtung u. Handelspraktikan. Berichte, erstattet in d. Generalvers. d.
deut. Verbandes f. d. kaufmänn. Unterr.-Wesen. Weimar 1900. (59)
1900. [16.] 1 —
Gomberg, L: Handelsbetriebslehre u. Einzelwirtschaftslehre. (29) 05.
[31.] 1 —
Grundekizze f. d. Behandlg d. einf. u. dopp. Buchführg an kaufmänn. Unterr.-
Anst. (Ergebnisse e. v. deut. Verbande f. d. kaufmänn. Unterr.-Wesen
ausgearbeitet. Preisaufg.) (78) (02.) [29.] 1.80

Heinig, A: Wie stählt d. junge Kaufmann am besten s. Charakter in d. Verucbgn u. Schwierigk. s. Lebens ? (19) 03. [27.] — 50
Herrmann, A: Der Stand d. kaufmänn. Unterr.-Wesens f. weibl. Angestellte. (16]) (05.) [34.] 2 —
Kongress, IV., d. deut. Verbandes f. d. kaufmänn. Unterr.-Wesen Mannheim '02. Stenograph. Bericht. (½, 178) 03. [25.] 4 —
Lehrlingswesen, kaufmänn. Verhandlgn, Gutachten u. Vorschläge. (31, 29, 11, 8, 16, 6, 12 u. 11 m. 1 Formular u. 1 Tab.) 04. [30.] — 80
Privathandelsschulwesen, d., u. s. gesetzl. Regelg in d. deut. Bundesstaaten. Mit e. Anh.! Das Privathandelsschulwesen in d. wichtigsten Staaten d. Auslandes. (31) 02. [21.] 1.20
Schleichert, F ; Wie stählt d. junge Kaufmann am besten s. Charakter in d. Versuchgn u. Schwierigk. s. Lebens? (26) 03. [25.] — 60
Schlossmacher u. Behrend; Anl. z. Gründg, Einrichtg u. Leitg kaufmänn. Fortbildgssch. (15) 1900. [11.] nn — 30
Stern, R : Muster-(Uebgs-)Kontore. 1. Tl. A. Zusammenfass. Ueberblick. B. Die in Deutschl., Norwegen, Oesterr., Schweden u. d. Schweiz bestehl. Einrichtgn. (67) 03. [27.] 3 —
Ueberbericht üb. d. Wirksamk. d. deut. Handelskammern auf d. Geb. d. kaufmänn.Fortbildgsschulwesens, zusammengest. v.d.Vorst.d.Zwickauer Kaufmannschaft, ergänzt im Bureau d. deut. Verbandes f. d. kaufmänn. Unterr.-Wesen. (24) (02.) [10.] — 50
Unterrichtswesen, kaufmänn., f. weibl. Angestellte. Berichte, erstattet in d. Ausschuss-Sitzg d. Verbandes. Weimar '01- (38) 01. [19.] 1.20
Verzeichnis r. Prämienbüchern u. Büchern f.Schülerbüchereien kaufmänn. Fortbildgssch. Zusammengest. v. d. dazu eingesetzten Kommission. (30) 02. [17.] — 60
Vorbereitung, d., d.Frau f. d. kaufmänn. Beruf.Berichte.(19)(05.)[33.] — 50
Wilke, E : Der geograph. Unterr. in d. kaufmänn. Fortbildgssch. (31) 03. [34.] 1.20
Ziegler, B: Lit. üb. d. ges. kaufmänn. Unterr.-Wesen u. d. kaufmänn. Unterr.-Bücher. 2. Thl (bes. d. im J. 1900 erschien. Werke enth.). (40) 01. [18.] — 90 (I. u. II.: 2.70)
Zieben: Wie können d. scheinbar widerspech. Fordergn e. anreich. allg. u. fachl. Ausbildg d.jungen Kaufmanns auf d. Gebiete d. kaufmänn. Unterr.-Wesens ausgeglichen werden? Vortr. (12) (1900.) [13.] — 70
Den 10. u. 14. Bd bilden: Wolff, W, d. deut, Verband f. d. kaufmänn. Unterr.-Wesen u. Ziegler, B, Lit. üb. d. ges. kaufmänn. Unterr. — Wesen. — Der 32. Bd ist noch nicht erschienen.

Veröffentlichungen a. d. kirchenhistor. Seminar München. Hrsg. v. A Knoepfler. (I. Reihe) Nr. 5—12 u. II. Reihe, Nr. 1—8. 8° Münch., JJ Lentner. 45.20 (I—II, 8.: 55.60)
Albers, B : Untersuchgn a.d. klt. Mönchsgewohnh. Beitrag z.Benediktinerordensgesch. d. X—XII.Jahrh. (139 m. 1 Taf.)05.[II,8.] 3.80; Einzelpr. 3.30
Bigelmair, A : Die Beteiligg d. Christen am öffentl. Leben in vorconstantin. Zeit. (340) 02. [I,6.] 6.40 ; Einzelpr. 8 —
Eisenhofer, L ; Das bischöfl. Rationale. Seine Entstehg u. liturg.Auslegg. Abb.) 04. [II,4.] 1.60 ; Einzelpr. 1.80
Gillmann, F : Das Instit. d. Chorbischöfe im Orient. (136) 03. [II,1.] 1.20 ; Einzelpr. 3.50
— St. Dominikus u. d. Rosenkranz. (47) 03. [I,12.] — 60
Holsapfel, H : Die Anfänge d. Montes Pietatis (1462—1515). (140) 03. [I,11.] 2.60; Einzelpr. 3.60
Holsher, C: Die Thekla-Akten. Ihre Verbreitg u. Beurteilg in d. Kirche. (116) 05. [II,7.] 2.20 ; Einzelpr. 2.60
Julian's v. Speier Chorälie zu d. Reimoffizien d. Franziscus- u. Antoniusfestes. Mit e. Einl. u. Hss hrsg. v. JE Weis. (34 u. 36 m. 1 Taf.) 01. [I,6.] 2.30
Koeniger, AM; Burchard I. v. Worms u. d. deut. Kirche zr Zeit (1000—25). (244) 05. [II,5.] 4.40 ; Einzelpr. 4.80
Rabani Mauri de institutione clericor. libri tres. Textum recens., adnotationib. critice et exegetici illustravit, introductionem atque indicem add. A Knoepfler. (79, 300 m. Abb.) 01. [I,5.] 5 —
Schermann, T : Eine Elfapostelmoral od. d. X.-Rezension d. „beiden Wege". Nach neuem handschriftl. Material hrsg. u. untersucht. (90) 03. [II,2.] 1.80 ; Einzelpr. 2 —
— Die griech. Quellen d. hl. Ambrosius in 11. III de spir. s. (107) 02. [I,10.] 2.20 ; Einzelpr. 3 —
Schmidt, J : Des Basilius a. Achrida, Erzbischofs v. Thessalonich, bisher unedierte Dialoge. Beitrag z. Gesch. d. griech.Schiasma. (54) 01. [I,7.] 1.80
Schnitzer, J : Quellen u. Forschgn z. Gesch. Savonarolas. I. Bartolomeo Redditi u. Tomaso Ginori. (110) 02. [I,9.] 2.10 ; Einzelpr. 2.50 ∥ II. Savonarola u. d. Feuerprobe. (175) 04. [I,3.] 3.60 ; Einzelpr. 3.90 ∥ III. Bartolomeo Cerretani. (50, 110) 02. [I,4.] 3.40 ; bezw. 3.90
Für d. Schriften, bei denen nur 1 Preis angegeben ist, besteht kein Einzelpr.

— d. Centralverbandes d. Kohlenhändler Deutschlds. I. 8° Berl., A Unger. 1 — d
Polster, O; Zur Gesch. u. Entwicklg d. Kohlenhandels. (24) (03.) [I.] 1 —
— d. Ver. deut. Konserven- u. Präservenfabrikanten. 1. u. 2. Bd. 8° Lpzg, BG Teubner. 3 —
Generalversammlung d. Ver. deut. Konserven- u. Präservenfabrikanten. 8. Stenograph. Bericht. (96) 03. [2.] 1 —
Kongress u. Generalversammlung 1, Braunschweig '02. Stenograph. Bericht. (116) 02. [1.] 2 —
— d. Komitee's f. Krebsforschg, hrsg. v. E v. Leyden, Kirchner, Wutzdorff, v. Hansemann, G Meyer, H. Ergänzgsbd z. klin. Jahrb. (32 m. 1 Kurve u. 1 Taf.) 4° Jena, G Fischer 02. 3.50; f. Abnehmer d. klin. Jahrb. 2.50
Den 1. Ergänzgsbd s. u. d. T.: Bericht üb. d. Komité f. Krebsforschg erhob. Sammelforschg.
— d. Landw.-Kammer f. d. Rheinprovinz. 1903, Nr. 1 u. 3—5 ; 1904, Nr. 1, 3. Nr. 1. 8° Bonn, Landw.-Kammer f. d. Rheinprov. (Nur dir.) nn 3.40 d
Behring, v: Tuberkulosetilgg, Milchkonserviery u. Kälberaufzucht. Vortr. nebst Diskussion. (27) 04. [3.] — 50
Bestimmungen üb. d. Tätigk. d. Rindviehkontrollver. in d. Rheinprov. (14) '03. [5.] 1 —
Goltz, Frhr v. d.: Die Entwicklg d. deut. Landw. im 19. Jahrb. (74) 04. [4.] — 90
Grundsätze f. d. z. Fördeg d. Rindviehzucht in d. Rheinprov. zu ergreif. Massnahmen, sowie Bestimmgn üb. deren Durchführg. (32 m. 1 Karte) 03. [1.] — 40
Kreus, M: Bericht üb. d. Entwickelg d. landw. Winterschulwesens u. Wanderlehrtums in d. Rheinprov. in d. letzten 25 Jahren. (107) 05. [1.] — 75
Setzregen f. s. kleineren Rindviehversichergsver. auf Gegenseitigk. (Gemässe d. Vorschriften d. Reichsges. üb. d. privaten Versichergsunternehmgn v. 12.V.'01.) (15) 04. [1.] — 25

Schellmann : Die Versicherg u. d. Invalidenversichergsges. v. 18.VII.1899 unter bes. Berücks. d. freiwill. Versicherg. Für d. landw. Bevölkerg dargest. 1—10. Taus. (15) 04. [2.] — 25
Stand, d., u. d. Massnahmen z. Hebg d. Schweinezucht in d. Rheinprov. (42) 08. [3.] 25
— — dass. z. Hebg d. Ziegenzucht in d. Rheinprov. (78) 08. [4.] — 30
1903 Nr. 2, enth. d. Jahresbericht d. Molkerei-Lehr- u. Versuchsanstalt d. Landw.-Kammer zu Zülpich, ist vergriffen.
Veröffentlichungen d. internat. Kommission f. wiss. Luftschiffahrt. Beobachtgn m. bemannten, unbemannten Ballons u. Drachen sowie auf Berg- u. Wolkenstationen 1901.
I. Bd. Dezbr 1900—Mai 1901. (In deut. u. französ. Sprache.) (204 m. 6 Taf.) 8° Strassbg, (KJ Trübner) 03. 12 — ∥ II. Bd. Juni—Dezbr 1901. (205—457 m. 4 Taf.) 03. 12 — ∥ Jan.—Dezbr '02- Hrsg. v. H Hergesell. (211) 04. (24 —) 15 —
— dass. Jahrg. 1903 u. 4 je 12 Hefte. (1903. 1—3. Heft. 115 m. 3 Taf.) 4° Ebd. 05. Je 24 — ö H
— d. Instit. f. Meereskde u. d. geograph. Instit. an d. Univ. Berlin. Hrsg. v. F Frhr v. Richthofen, 1—6. Heft. 8° Berl., ES Mittler & S. 30 —
Chalkiopoulos, L : Sitia. d. Osthalbinsel Kreta's. (138 m. Abb. u. 3 farb. Taf.) (03.) [4.] 5 — ; geb. nn 7 —
Krümmel, O: Die deut. Meere im Rahmen d. internat. Meeresforschg. Offentl. Vortr. (36 m. Abb. u. 3 Taf.) 04. [6.] 1.50; geb. nn 3 —
Südpolar-Expedition, d. deut., auf d. Schiff „Gauss" unter Leitg v. E v. Drygalski. Bericht üb. d. wiss. Arbeiten auf d. Fahrt v. Kiel bis Kapstadt, 11.VIII—27.XI.'01 u. d. Errichtg d. Kerguelen-Station. (6, 108 m. 1 Textskizze, 3 Abb. u. 4 Beil.) (02.) [1.] 3 — ∥ Dass. auf d. Fahrt v. Kapstadt bis n d. Kerguelen, 27.XI.'01—2.I.'02 u. d. Tätigk. auf d. Kerguelen-Station bis 17.'02. (73 m. Abb. u. 1 Beil.) 02. [2.] 1.50 ∥ Dass. seit d. Abfahrt v. Kerguelen bis z. Rückkehr n. Kapstadt, 31.I.'02—9.VI.'03; u. d. Tätigk. auf d. Kerguelen-Station, v. I.IV.'02—1.IV.'03. (131 m. Abb. u. 2 Beil.) 04. [5.] 6 — ; geb. nn 8 —
Wiedenfeld, K : Die nordwesteurop. Welthäfen London — Liverpool — Hamburg — Bremen—Amsterdam — Rotterdam—Antwerpen—Havre in ihrer Verkehrs- u. Handelsbedeutg. (376 m. 6 L.) 03. [3.] 9 —
— d. kgl. preuss. meteorolog. Instit. Hrsg. durch W v. Bezold. Zugl. deut. meteorolog. Jahrb. Beobachtgssystem d. Kgr. Preussen u. benachbarter Staaten. 1896, 3. Heft ; 1897, 1. Heft; 1898, 3. Heft; 1899, 3. Heft u. 1900, 1. u. 3. Heft. 4° Berl., Behrend & Co. nn 50—
1896, 3. Ergebnisse d. Beobachtgn an d. Stationen II. u. III. Ordng im J. 1896. (16 u. 111—336 m. 1 Karte.) 01. nn 12 — (1896 vollst.: nn 18 —)
1897, 3. Dass. im J. 1897. Von V Kremser. (111—372 m. 1 Karte.) 02. nn 18 — (1897 vollst.: nn 27 —)
1898, 3. Dass. im J. 1898. Von V Kremser. (22 u. 111—342 m. 1 Karte.) 03. nn 11 — (1898 vollst.: nn 17 —)
1899, 3. Dass. im J. 1899. Von V Kremser. (133—270 m. 1 Karte.) 04. nn 8 — (1899 vollst.: nn 15 —)
1900, 1.2. Ergebnisse d. Beobachtgn an d. Stationen II. u. III. Ordng im J. 1900. (123) 01. Je nn 3.50
— dass. Ergebnisse d. Arbeiten am aëronaut. Observatorium in d. J. 1900 u. '01- Von E Assmann u. A Berson. (379 m. Abb.) 4° Ebd. 02.
— dass. X.XI—XII.'02. Von R Assmann u. A Berson. Mit 2 Beil.: 1. Die Entstehg u. Auflösg d. Nebeis, v. E Elias ; 2. Bericht üb. Drachen-Aufstiege auf d. Ostsee, d. norweg. Gewässern u. d. nördl. Eismeere, v. A Berson u. H Elias. (201, 41 u. 30 m. 11 Taf.) 4° Ebd. 04. nn 3 —
— dass. Ergebnisse d. Gewitter-Beobachtgn in d. J. 1898. 1899 u. 1900. Von R Süring. (39, 56 m. 2 Abb. u. 4 Taf.) 4° Ebd. nn 3 —
— dass. Ergebnisse d. magnet. Beobachtgn in Potsdam im J. 1900. 2. Heft. (43 m. 4 Taf.) 4° Ebd. nn 3.50
Das 1. Heft ist noch nicht erschienen.
— dass. Ergebnisse d. meteorolog. Beobachtgn in Potsdam in d. J. 1899—1901. 4° Ebd. 02. nn 26.50
1899. (190) 01. nn 8.50 ∥ 1900. Von A Sprung. (200) 02. nn 8.50 ∥ '01. Von A Sprung. (93 u. 279 m. Abb. u. 3 Taf.) 4° Ebd. 03.
— dass. Ergebnisse d. Niederschlags-Beobachtgn in d. J. 1897—1901. 4° Ebd.
1897. (95, 216 u. 231. 2 Kart.) 01. nn 20 — ∥ 1899.1900. Von G Hellmann. (33, 197 u. 246 m. Fig. u. 2 Kart.) 03. nn 15 — ∥ '01. Von G Hellmann. (53, 237 m. Fig. u. 1 Karte.) 03. nn 13 —
1898. Von G Hellmann. (52, 199 m. 1 Karte.) 02. nn 14 —
— d. Hülfsstationen in Deutschl. in d. J. 1896 u. 1897. Von A Sprung u. R Süring. (93 u. 279 m. Abb. u. 3 Taf.) 4° Ebd. 03.
— d. meteorolog. Observatoriums Aachen. Hrsg. durch P Polis. Ergebnisse d. Beobachtgn am Observatorium u. dessen Nebenstationen in d. J. 1900—3. 6—9. Jahrg. (Umschl.: Deut. meteorolog. Jahrb. f. 1900—3, Aachen. 6—9. Jahrg.) Karlsr., (G Braun'sche Hofbuchdr.)
1900. (91 m. Fig., 12 Taf. u. 1 Karte.) 01. 6 — ∥ '01 sowie f. Aachen d. Lautmass 1900—02. (95 m. Fig., 13 Taf. u. 1 Karte) 02. 6 — ∥ '02. (87 m. Fig. u. Taf.) 03. 6 — ∥ '03. (73 m. Fig. u. 1 Taf.) 05. 7 —
Bisher u. d. T.: Deut. meteorolog.
— a. d. Gebiete d. Militär-Sanitätswesens. Hrsg. v. d. Medizinal-Abth. d. kgl. preuss. Kriegsministeriums. 18—31. Heft. 8° Berl., A Hirschwald. nn 75.10 (1—31.: nn 141.10)
Arbeiten a. d. kgl. reinigsch-chem. Untersuchgsstation. zusammengest. a. d. Medizinal-Abteilg d. kgl. preuss. Kriegsministeriums. L. TL (39½) 05. [74.] 2.40
Beiträge z. Schutzimpfg geg. Typhus. Bearb. in d. Medizinal-Abteilg d. kgl. preuss. Kriegsministeriums. (63 m. 10 Kurven.) 05. [28.] 1.60
Beobachtungen u. Untersuchungen üb. d. Ruhr (Dysenterie). Die Ruhr-Epidemie auf d. Truppenübungsplatz Döberitz im J. '01 u. d. Ruhr in d. ostasiat. Expeditionskorps. Zusammengest. in d. Medizinal-Abteilg d. kgl. preuss. Kriegsministeriums. (160 m. Abb. u. 8 Taf.) 02. [30.] 10 —
Busch: Cerb. plöta. Tetraplegie m. bes. Berücks. d. militärärztl. Verhältn. (65) 02. [26.] — 50
Genickstarre-Epidemie, d., beim bad. Pionier-Bataillon Nr. 14 (Kehl) im J. 1905/04. (125 m. 3 Kurven u. 1 Grundr.) 05. [31.] 3.60

Koch, R: Die Bekämpfg d. Typhus. Vortr. (22) 03. [21.] nn — 50
Kriegschirurgen s. Feldärzte, d., Preussens u. and. deut. Staaten in Zeit-
u. Lebensbildern. 2. Thl. Bock u. Hasenknopf: Kriegschirurgen u. Feld-
kranke d. 1. Hälfte d. 19. Jahrh. (1795—1848). Mit e. Einl. v. A Koehler. (350 m.
Portr., Abb. u. 7 Taf.) 01. [18.] 14 — ‖ 5. Tl. Kimmle: Kriegschirurgen u.
Feldärzte in d. Zeit v. 1848—69. (294 m. Portr., Abb. u. 14 Taf.) 04. [24.]
14 — ‖ 4. Tl. Köhler, A: Kriegschirurgen u. Feldärzte d. Neuzeit. (385
m. Abb. u. 4 Taf.) 04. [27.] 13 — (1—4. 55 —)
Mitteilungen, kleinere, üb. Schussverletzgn. Aus d. Verhandlgn d. wiss.
Senats d. Kaiser Wilhelms-Akad. f. d. militärärztl. Bildgswesen u. B. VI.
'05. Bearb. in d. Medizinalabteilg d. Kriegsministeriums. (55 m. 2 Taf.)
03. [23.] 2 —
Momburg: Ueb. penetrir. Brustwunden u. deren Behandlg. (90) 02. [13.] 3.40
Schiff: Ueb. d. Entstehg u. Behandlg d. Plattfusses im jugendl. Alter.
(79 m. Abb.) 04. [25.] 2 —
Ueber d. Feststellg regelwidr. Geisteszustände bei Heerespflichtigen u.
Heeresangehörigen. Beratgsergebnisse a. d. Sitzg d. wiss. Senats bei
d. Kaiser Wilhelms-Akad. f. d. militärärztl. Bildgswesen am 17.II.'05.
(35 m. 3 Kurventaf.) 05. [30.] 3 —
— Erkenng u. Beurteilg v. Herzkrankh. Vortr. a. d. Sitzg d. wiss. Senats
bei d. Kaiser Wilhelms-Akad. f. d. militärärztl. Bildgswesen am 31.III.
'03 (43) 03. [22.] 1.30

Veröffentlichungen d. histor. Commission f. Nassau. III u.
IV. 8º Wiesb., JF Bergmann. 16 — (I—IV.: 34 —)
Korrespondenzen, nassau-orau. Meinardus, O: Der Katzenelnbog. Erb-
folgestreit. II. Bd. 1. Abtlg. Geschichtl. Darstellg bis z. endl. Ausgleich
(1557). (113 m. 1 Bildnis.) 02. ‖ 2. Abtlg. Briefe u. Urkunden 1538—67.
(377 m. 1 Bildnis.) 02. [IV.] 13 —
Necrologium, d., d. Klosters Clarenthal bei Wiesbaden. Hrsg. v. F Otto.
(190) 01. [III.] 4 —
— z. niedersächs. Gesch. 4. u. 5. Heft. 8º Hannov., M & H
Schaper. Je 1 — (1—5.: 5 —)
Grütter, F: Der Loid-Gau. Beitrag z. Elt. Gesch. d. Fürstenth. Lüneburg.
Hrsg. v. O Jürgens. (B.4.) (22) 01. [4.] d
Schmidt, H: Die Kurfürstin Sophie v. Hannover. Mit e. Anh.: Die bild.
Kunst in Hannover z. Z. d. Kurfürstin Sophie, v. A Haupt. (48 m. 1 Bild-
nis.) 03. [5.] d
— d. nordfries. Ver. f. Heimatkde u. Heimatliebe. (Umschl.:
Mitteilgn usw.) Jahrg. 1903/04. 1. Heft. (192 m. Abb. u. 1 Taf.)
8º Husum, (CF Delff) (04). nn 4 — d
— wies., d. deut. Orient-Gesellsch. 2—4. u. 6. Heft. 4º
Lpzg, JC Hinrichs' V. 63 — ; f. Mitglieder d. Gesellsch. 51 —
(1—4 u. 5.: 67 — ; bezw. In 54 —)
Koldewey, R : Die Pflastersteine v. Aiburschabu in Babylon. (10 m. 1 Karte
u. 4 Doppeltaf.) 01. [2.] 1 — ; bezw. 8 —
Timotheos-Papyrus, der. Gefunden bei Abusir am 1.II.'02. Lichtdr.-Ausg.
(7 Taf.) (Mit Text v. U v. Wilamowitz-Möllendorff.) (10 m. 2 Abb.) 03.
[3.] 12 — ; bezw. 9 — ; L.-Mappe 3 —
Watzinger, C: Griech. Holzsarkophage a.d. Zeit Alexanders d. Gr. (Ausgrabgn d. deut. Orient-Gesellsch. in Abusir 1902—04. III.) (96 m. Abb.,
4 farb. Taf. u. 1 Pl.) 05. [6.] 35 —; bezw. nn 30 —; Einbd nn 2.50
Weissbach, FH : Babylon. Miscellen. (32 m. Fig. u. 16 Taf.) 03. [4.] 10 —
bezw. 9 —

Das 5. Heft ist noch nicht erschienen.

— d. Kommission f. neuere Gesch. Österr., s.: Uebersberger,
H, Österr. u. Russl. seit d. Ende d. 15. Jahrh.
— s. d. Heidelberger Papyrus-Sammlg. I. 4º Hdlbg, C
Winter, V. Kart. 26 —
I. Septuaginta-Papyri, d., u. and. altchristl. Texte d. Papyrus-Sammlg.
Hrsg. v. A Deissmann. (107 m. 60 Lichtdr.) 05. 26 —
— dass. II. Lpzg, JCHinrichs' V. Ausg. A. Textbd geh., Tafelbd
in Umschl. 36 — ; Tafelbd. B. Textbd in HSaff., Tafelbd in
Umschl. 38.40 ; Ausg. C. Text- u. Tafelbd in HSaff., an
Fälze gehängt 42 — ; Ausg. D. Textbd in HSaff., Tafelbd
in L.-M. 41 —
II. Acta Pauli. Aus d. Heidelberger kopt. Papyrushandschrift Nr.1 hrsg. v.
C Schmidt. Übersetzg, Untersuchgn u. kopt. Text. (240 u.50) 8º Tafelbd.
(40 Lichtdr. m. 12 S. Text.) Fol. 04. Ausg. A. 36 — ; Ausg. B. 38.40 ;
Ausg. C. 42 — ; Ausg. D. 41 —

III wird bei C Winter's Univ.-Bh. in Heidelberg erscheinen.

— d. kais. Aufsichtsamts f. Privatversicherg. 1. u. 2. Jahrg.
1902 u. 3 je 4 Nrn. (192 u. 158) 8º Berl., J Guttentag. Je 2.50 ;
einz. Nrn nn — 70 ‖ 3. u. 4. Jahrg. 1904 u. 5. (3. J. 185) Je 6 — d
— d. bayer. Ver. f. gewerbl. Rechtsschutz, e. V., Nürnberg. 1. u. 2. Heft. 8º Nürnbg, JL Schrag. nn — 75
Cahn, H: Urheberrechtl. Schutz d. Fabrikkataloge. Vortr. (42) 04. [1.] — 75
Pieth, H: Was kann als Gebrauchsmuster geschützt werden? Vortr. (45)
04. [2.] — 75
— d. städt. Schulmuseums zu Breslau. Nr. 2—5. 8º Bresl.,
(F Hirt) 2.70 (1—5.: 3.10)
Hübner, M : Die deut. Schulmuseen. (126 m. 1 Karte u. 2 Tab.) 04. [5.] 1.50
— Das städt. Schulmuseum zu Breslau. Seine Einrichtg, Verwaltg u. Entwicklg in d. ersten 10 Jahren z. Bestehen, v. 1891—1901. (32 m. 1 Taf.)
02. [3.] — 40
— Das Schulmuseum zu Tokio. Unter Mitwirkg v. Y Miwa, K Haushon
u. U Oschi hrsg. Nebst e. Orig. d. Führers durch d. japan. Schulmuseum —
gemalt v. Shiokoku im Mai d. J. 31. Muidji (1898) — u. e. Situationspl.
(14) 03. — 40
— Die Wandbilder f. d. Relig.-Unterr. Beitrag z. Gesch. d. relig. Anschauungsbilder, zugl. e. Führer durch d. gleichnam. Abteilg. d. Breslauer
Schulmuseums. (30) 01. [2.] — 40
IV. I bildet: Hübner, M: Die Apparate f. instrumentales Rechnen
(im Katalog 1896/1900).
— z. Gesch. d. gelehrten Schulwesens im albertin. Sachsen. Hrsg. im Auftr. d. sächs. Gymnasiallehrerver. 2. Tl.
8º Lpzg, BG Teubner. 5 —
II. Altwürdenbücher d. sächs. Gymnasien. I. Quellenh. z. Gesch. d. Gymnasiums in Zittau. 1. Heft. Bis z. Tode d. Rektors Christian Weise
(1708). Bearb. v. T Gärtner. (142) 05. 5 —
— d. statist. Seminars d. Univ.-Graz. 1. u. 2. Heft. 8º Graz,
(Styria). 1.80 d
Neuwirth, L : Zur Frage d. Erforschg d. Umfanges d. Arbeitslosigk. Vortr.
(21) 03. [1.] — 80
Schwechler, K : Die städt. Hausdienstboten in Graz. Beitr. z. Dienst-
boten-Statistik. (41) 03. [1.] 1 —

Kapper, A: Mitteilgn a. d. k. k. Statthaltereiarchive z. Graz. (106) 02.
[XVI.] d
Krones, F v.: Ergebnisse e. archival. Reise n. Linz Herbst 1899. (08)
01. [XIII.] ‖ Styriaca u. Verwandtes im Landespräsidial-Archiv u. in d.
k. k. Ständen-Bibliothek zu Salzburg. (81) 01. [XIV.] ‖ Urkunden z. Gesch.
d. Landesfürstenths., d. Verwaltg u. d. Ständewesens d. Steiermark v.
1283—1411 in Regesten u. Auszügen. (148) 1899. [IX.] d
Lang, A: Beitr. z. Kirchengesch. d. Steiermark u. ihrer Nachbarländer
z. röm. Archiven. (196) 03. [XVIII.]
Loserth, J: Urkundl. Beitr. z. Gesch. Erzherzog Karls II. in d. beiden
1. Regierungsj. (Die Errichtg d. Regierg u. Kammer in Graz.) (27) 1898.
[V.] ‖ Briefe u. Acten z. steiermärk. Gesch. unter Erzherzog Karl II.
z. d. kgl. bayr. Reichs- u. Staatsarchiv zu München. (41) 1899. [X.] ‖
Die Gegenreformation in Graz in d. J. 1582—86. 145 Actenstücke z. 2
bisher unbek. Actensammlgn v. J. 1585. (92) 1900. [XII.] ‖ Archival.
Studien in Wiener Archiven z. Gesch. d. Steiermark im 16. Jahrh. (22)
1898. [VI.] d
Luschin v. Ebengreuth, A: Materialien z. Gesch. d. Behördenwesens u.
d. Verwaltg in Steiermark. I. Das Landschreiberamt in Steiermark.
(51) 1898. [VIII.] d
Meil, A: Das Archiv d. steir. Stände im steiermärk. Landesarchive. Be-
richt üb. d. vorläuf. Ordng desselben. (5f) 03. [XXI.] ‖ Regesten z.
Gesch. d. Familien v. Teufenbach in Steiermark. I. 1074—1547. Auf
Grund d. handschriftl. Sammlg im Besitze d. Wirkl. Geheimen Rates
Kämmerers u. Feldzeugmeisters A Reichsfreiherrn v. Teuffenbach zu Tie-
fenbach u. Massweg. (189) 05. [XX.]
Pantz, A v.: Beitr. z. Gesch. d. Inneberger Hauptgewerkschaft. (57 m.
8 Taf.) 03. [XIX.]
Starzer, A: Die landesfürstl. Lehen in Steiermark v. 1421—1546. (296)
03. [XVII.] d
Zahn, F: Beitr. z. Geneal. u. Gesch. d. steir. Liechtensteine. (64 m. 2
Stammtaf.) 02. [XV.] d
— s. d. Jahres-gewidm. Steiermärk. Landesarchive. Bericht üb. d. vorläuf. Ordng desselben. (5f) 05. [XXI.] ‖ Regesten z.
Gesch. d. Familien v. Teufenbach in Steiermark. I. 1074—1547.
Felsztin bei Lis. II. Tkl. Urkunden, Actenstücke u. Briefe, d. Adels-
familien Eibeswald, Miadorf, Schrottenbach, Welzenstein, Zingl zu Rieder u. ander. (105) 1896. [I.] ‖ III. Tkl. Urkunden, Actenstücke u.
Briefe d. Freiherrl. u. gräfl. Familie Lamberg betr. (190) 1899. [XI.]
— d. kgl. Sternwarte zu Bonn. Hrsg. v. F Küstner. Nr. 5
—7. 4º Bonn, F Cohen. 17 — (1—7.: 43 —)
5. Beobachtgn v. 4292 Sternen zw. 76º u. 80º nördl. Declina-
nation, am Repsold'schen Meridiankreise d. Bonner Sternwarte unter
Mitwirkg v. C Mönnichmeyer ausgeführt u. bearb. (14 u. 115) 01. [5.] 8 —
‖ 6. Beobachtgn v. 2294 Sternen zw. 80º u. 81º nördl. Declination, am Repsold'schen Meridiankreis d. Bonner Sternwarte unter Mitwirkg v. C
Mönnichmeyer ausgeführt u. bearb. (14 u. 95) 02. [6.] 5 —
‖ 7. Beobachtgn d. internat. Polhöhensterne, am Repsoldschen Meridiankreise d. Bonner Sternwarte ausgeführt u. bearb. (183)
04. [7.] 4 —
— d. grossh. Sternwarte zu Heidelberg. (Astrometr. Instit.)
Hrsg. v. W Valentiner. 1—3. Bd. 4º Karlsr., G Braun'sche
Hofbuchdr. Je 20 —
1. (374) 1900. ‖ 2. Valentiner, W: Katalog d. Sterne zw. d. Äquator u.
3. u. 6. Grad südl. Deklination 1855 bis z. 6. Grössenkl. f. d. Aequinoktium
1890. Nach Beobachtgn am Meridiankreis d. grossh. Sternwarte zu Karlsruhe in d. J. 1882—94 bearb. u. hrsg. (24, 147) 03. ‖ 3. Courvoisier, L:
Untersuchgn üb. d. astronom. Refraktion. (236) 04.
*Bildet d. Fortsetzg d. Veröffentlichgn d. grossh. Sternwarte zu
Karlsruhe.*

— a. d. Jahres-Veterinär-Berichten d. beamteten Tierärzte
Preussens f. 1900—03. 1—4. Jahrg. je 2 Tle. 8º Berl., P Parey.
26 —
1900. Von Bermbach. (04 u. 49 m. 2 Taf.) 01. 5 — ‖ '01. Von Bermbach.
(148 u. 99 m. 17 Taf.) 02. 7.50 ‖ '02. Von Bermbach. (203 u. 129 m. 17 Taf.)
03. 10 — ‖ '03. Von Nevermann. (148 u. 177 m. 17 Taf.) 05. 10 —
— d. Altertums-Ver. zu Torgau. 13—17. Heft. 8º Torg., (F
Jacob). 3.25 d
13.14. (70 u. 98) 01. 1.85 ‖ 15.16. (59) 03. 1 — ‖ 17. (92) 04. 1 —
— d. deut. Ver. f. Versichergs-Wiss. Hrsg. v. A Manes.
1—6. Heft. 8º Berl., ES Mittler & S. 28 —
Abhandlungen, statist. u. mathemat., z. Versichergs-Wiss. (294 m. 1 Tab.)
05. [4.] 4 —
Berichte üb. d. '02 abgeh. wiss. Mitgliederversammlg d. deut. Ver. f. Versicherungs-Wiss. (119) 03. [1.] 4 —
Kritik d. Gesetzentwurfs üb. d. privaten Versicherungsunternehmgn. Be-
richt d. Mitglieder-Versammlg d. deut. Ver. f. Versicherungs-Wiss. am 19.
11. 12.XII.'03. (419) 04. [3.] 5 —
Pfeiffer, L: Die Impflitäuseln in d. Weltpolicen d. Lebensversicherungs-
Gesellsch. (92) 05. [5.] 4 —
Steuergesetzgebung, d., d. deut. Bundesstaaten üb. d. Versicherungen u.
(Hrsg. v. A Emminghaus.) (190) 05. [6.] 4 —
Vorschläge z. Förderg d. Versicherungs-Wiss. Materialien z. Gesetzg d.
Versicherg. (140) 04. [2.] 3 —
— a. d. kgl. Museum f. Völkerkde zu Berlin. VII. Bd. 1—4
Heft ‖ Suppl.-Heft. Fol. Berl., G Reimer. d
Grübe, W: Zur Pekinger Volkskde. (100 m. 10 Taf.) 01. [VII,1—4.] 30 —
Huth, G: 9 Mahan-Inschriften. Entzifferg, Uebersetzg. Erklärg. (19 m.
8 Photogr.) 01. (Suppl.)
— d. deut. Gesellsch. f. Volksbäder. Hrsg. v. d. geschäfts-
führ. Ausschuss. 7—9. Heft; II. Bd. 5. Heft. III. Bd. 1—4.
Heft. 8º Berl., A Hirschwald. 18.60
Heft 1—8. Red. F Pelz. 9 Hefte. (639 m. Abb.) 02—04. Je ‖ 5 ‖ III,1—4.
(m. Abb.) 04.05. 5.60.
— d. deut. Ver. f. Volks-Hygiene. Hrsg. v. K Beerwald.
8º Berl. d
Doll, K: Die Naud. Pflege d. Hauses. Krankh. insbes. bei ansteck.
Kinderkrankh. z Vortr. Hrsg. v. d. deut. Ver. f. Volks-Hygiene. (28) 05. [1.]
Fessler, J: Notbilfe bei Verletzgn. 1. u. 2. Aufl. (69 m. Fig.) 02—04. [3.]
Je — 30
Fraenkel, C: Gesundheit u. Alkohol. Vortr. (47) 03. [4.] ‖ 2. u. 3. Aufl. 04.
(m. 1 Fig.) 05. Je — 30
Gesundheitslehre: Hygiene d. Herzens. (48) 05. [5.] — 30
Hahn, M: Berufswahl u. körperl. Anlagen. Unter Mitarbeit v. Nadelcamp.
E Hirt, H Schneider, F Lange u. H Hansemann. (40 ‖ u. 2. Aufl. 04.
[2.] — 30
Leyden, E v.: Verhütg d. Tuberkulose. Vortr. (41 m. Fig. u. 1 Titelbild.)
02. [1.] ‖ 2. u. 3. Aufl. (43) 03. ‖ 5. Aufl. (06) 04. Je — 30

Neuberger: Die Verhütg d. Geschlechtskrankh. 1. u. 2. Afl. (47) 04.05.
[s.] — 30
Nickel: Die Gesundheitspflege auf d. Lande. (66) 04. [7.] — 40
Wassermann, A: Die Bedeutg d. Bakterien f. d. Gesundheitspflege. (35 m. Abb.) 05. [s.] — 30

Veröffentlichungen d. histor. Kommission d. Prov. Westfalen. Inventare d. nichtstaatl. Archive d. Prov. Westfalen. I. Bd. Reg.-Bez. Münster. 2. u. 3. Heft. 8° Münst., Aschendorff.
7 — d
2. Kreis Borken. Bearb. v. L Schmitz. (160) 01. 3 —
3. Kreis Coesfeld. Bearb. v. L Schmitz-Kallenberg. (271) 04. 4 —
— dass. I. Beibd. I. u. II. Beiheft. 8° Ebd. 9 —
(1—3 m. I. u. II. Beiheft: 17.50) d
I. 1. Heft. Kreis Borken. I. Beiheft. Urkunden d. fürstl. Salm-Salm'schen Archives in Anholt. Bearb. v. L Schmitz. (341) 02. 3 —
II. 2. Beiheft. Urkunden d. fürstl. Salm-Horstmar'schen Archives in Coesfeld u. d. herzogl. Croy'schen Domänenadministration in Dülmen. Bearb. v. L Schmitz-Kallenberg. (352) 04. 6 —
— dass. Rechtsquellen. Westfäl. Stadtrechte. 1. Abtlg. Die Stadtrechte d. Grafsch. Mark. 1. u. 2. Heft. 8° Ebd. 11 — d
1. Lippstadt, bearb. v. A Overmann. (111 u. 150 m. 1 Fksm., 1 Pl. u. Karte.) 01. 6 —
2. Hamm, bearb. v. A Overmann. (72 u. 138 m. 1 Fksm. u. 1 Pl.) 03. 5 —
— dass., s.: Hamelmann's, H, geschichtl. Werke.
— d. mitteleurop. Wirtschaftsver. 1. u. 2. Heft. 8° Berl., G Reimer. 11 —
Glier, L: Die Meistbegünstigungs-Klausel. Entwicklungsgeschichtl. Studie unter bes. Berücks. d. deut. Verträge m. d. Verein. Staaten v. Amerika u. m. Argentinien. (19, 436) 05. [1.] 10 —
Materialien betr. d. mitteleurop. Wirtschaftsver. Hrsg. v. J Wolf. 2. Ausg. (78) 04. [1.] 1 —

Verordnung betr. d. Einrichtg e. Standesvertretg d. Apotheker v. 2.II.'01. (8) 8° Berl., Selbstverl. d. deut. Apotheker-Ver. (02). — 20
— betr. d. Verkehr m. Arzneimitteln. Vom 22.X.'01. (12) 12° Berl., J Springer (01). — 20
— dass. u. preuss. Polizei-Verordng üb. d. Handel m. Giften v. 24.VII.1895 bezw. 10.X.'01. (12) 8° Berl., Selbstverl. d. deut. Apotheker-Ver. 01. — 50
— d. k. k. Statthalters f. Steiermark v. 10.VI.'04, m. welcher f. dieses Verwaltgsgeb. provisor. Bestimmgn bez. d. Fahrens m. d. Automobil wagen u. Motorrade auf d. öffentl. Strassen u. Wegen, u. zwar hinsichtlich d. öffentl. nicht-ärar. Strassen u. Wege im Einvernehmen m. d. steiermärk. andes-Ausschusse, erlassen werden. (8) 8° Graz, Leykam (04). — 20 d
— d. Vorschriften über d. Ausbildg u. Prüfg f. d. höh. Staatsdienst im Baufache betr.; v. 25.II.'04. (35) 4° Dresd., CC Meinhold & S. (04). — 40 d
— betr. d. Anlage u. d. Betrieb v. Dampfkesseln. Ordonnance concernant l'établissement et le fonctionnement des chaudières à vapeur, u.: Gesetzsammlung f. Elsass-L.
— Allerh., üb. d. Ehrengerichte d. Offiziere im preuss. Heere, v. 2.V.1874, u. Ergänzgsordres. (54) 8° Berl., ES Mittler & S. 01. † — 35; kart. † — 50 d
— üb. d. Ehrengerichte d. Sanitätsoffiziere im bayer. Heere v. 25.V.'03, nebst Vollzugsbestimmgn u. Erläuterg. (D. V. 31 a.) 12° 8° Münch., (Lit.-artist. Anst.) 03. Kart. — 60 d
— üb. d. Ehrengerichte d. Sanitätsoffiziere in d. Marine. (33) 8° Berl., ES Mittler & S. 01. — 40 d
— Allerh., üb. d. Ehrengerichte d. Sanitätsoffiziere im preuss. Heere. Vom 2.V.'01. [S.-A.] 8° Ebd. (01). † — 20 d
— d. Eisenb.-Ministeriums v. 28.VIII.'04, betr. d. Eisenb.-Brücken, Bahnüberbrückgn u. Zufahrtsstrassenbrücken m. eisernen od. hölzernen Tragwerken. (32) 8° Wien, (Hof-u. Staatsdr.) 04. † — 60 d
— kgl. sächs., welcht entzündl. Stoffe betr.; v. 8.III.'05. (13) 8° Flöha, A Peitz & S. 05. — 15 d
— d. Ausführg d. Ergänzgssteuer-Ges. v. 2.VII.'02 betr. f. d. Kgr. Sachsen, v. 2.II.'03. (150) 8° Ebd. 03. Kart. 1 — d
— d. k. k. Statthalters v. 17.V.'02 m. welcher auf Grund d. Strassen-Polizei-Ordng v. 1.IX.1829 Bestimmgn bezügl. d. Fahrens m. d. Fahrrade auf d. öffentl. Strassen u. zwar hinsichtlich d. öffentl. nicht ärar. Strassen im Einvernehmen m. d. Tiroler u. Vorarlberger Landes-Ausschusse erlassen werden, nebst Zusatzbestimmgn f. d. Geb. d. Landeshauptstadt Innsbruck. (Umschl.: Bestimmgn bezügl. d. Fahrens m. d. Fahrrade.) (12) 12° Innsbr., Wagner 02. — 20 d
— d. Verkehr m. Fahrrädern auf d. öffentl. Wegen betr. v. 2.IV.'01. In Kraft getreten am 1.VI.'01. (8) 16° Flöha, Peitz & S. (01). — 10
— d. Gerichtskosten betr., v. 23.XII.1899. (31) 8° Darmst., (J Jonghaus) 02. nn — 50 d
— kgl. sächs., üb. d. Gewerbebetrieb d. Gesindevermittler u. Stellenvermittler v. 6.VIII.'02. Vorschriften f. d. Personen, d. fremde Rechtsangelegenh. u. bei Behörden wahrzunehmn. Geschäfte gewerbmässig besorgen, od. d. üb. Vermögensverhältnisse od. persönl. Angelegenh. gewerbsmässig Auskunft erteilen; v. 15.VIII.'02. Text-Ausg. (23) 8° Flöha, A Peitz & S. 02. — 50 d
— f. d. Organisation d. Gewerbeaufsichtsdienstes u. Dienstanweisg f. d. Gewerbeaufsichtsbeamten. [S.-A.] (24) 4° Darmst., (G Jonghaus) 02. nn — 40 d
— üb. d. Heirathen d. Militärpersonen d. preuss. Heeres u. d. preuss. Landgendarmerie. (Heiraths-Verordng.) H. V. D. V. E. No. 129. (28) 8° Berl., ES Mittler & S. 02. † — 15; kart. † — 30 d

Hinrichs' Fünfjahrskatalog 1901—1905.

Verordnung d. Justizministeriums im Einvernehmen m. d. Finanzministerium v. 30.VII.'02, betr. d. Kanzleihilfs-personal d. Justizverwaltg. (24) 8° Wien, (Hof-u. Staatsdr.) (02). — 16
— d. Landes-Heil- u. Pfleganst. f. Geisteskranke u. Epileptische, d. Pfleganst. f. Geisteskranke, d. Landes-Krankenhaus u. d. Landes-Hospital betr.; v. 1.III.'02. Text-Ausg. (97) 8° Flöha, A Peitz & S. 02. Kart. 1.25 d
— d. Prüfgn f. d. Lehramt an Volkssch. betr., s.: Schulgesetze.
— d. k. k. steiermärk. Landesschulrates v. 18.XII.'04, m. welcher im Einvernehmen m. d. steiermärk. Landesausschusse gemäss § 15, letztes Alinea d. Ges. v. 17.V.1877 in d. durch d. Ges. v. 25.II.1888 gegeb. Fassg d. Ausmass d. Übersiedlgsgebühren d. v. a. Dienstesrücksichten versetzten Lehrpersonen d. allg. öffentl. Volks- u. Bürgersch. geregelt wird. (4) 8° Graz, Leykam (05). — 12 d
— d. Handelsministeriums v. 10.VI.'02, womit neue Bestimmgn üb. d. Abgabe d. Postsendgn erlassen werden, s.: Handausgabe d. österr. Ges. u. Verordngn.
— d. Reifeprüfg an d. Oberrealsch. betr. [S.-A.] (7) 8° Darmst., (G Jongbaus) (01). — 20 d
— (R v. Decker) (03). — 10 d
— f. d. Schiffahrt auf d. Unterelbe v. 20.IV.'04. (14 m. 3 Kart.) 4° Hambg, L Friederichsen & Co. (04). 1.20 d
— provisor., d. Tiroler Landesschulrathes v. 3.X.'01, betr. d. Schulbesuch. (11) 4° Innsbr., (Wagner) (01). — 20 d
italien. Ausg. (11) — 50
— v. 18.III.'04 weg. Abänderg d. Verordng v. 15.XI.1899, betr. d. Verwaltgszwangsverfahren weg. Beitreibg v. Geldbeträgen, nebst Ausführgsanweisg v. 4.VII'04. Amtl. Ausg. (33) 8° Berl., R v. Decker (04). — 20
— kgl. sächs., z. Ausführg d. Reichsges. v. 23.VI.1880 u. 1.V. 1834, d. Abwehr u. Unterdrückg v. Viehseuchen betr. v. 31.VIII.'05. (27) 8° Flöha, A Peitz & S. 05. — 40 d
— d. Zulassg v. Volksschullehrern zu akadem. Studien betr., u. Prüfgsordng f. d. Studier. d. Pädagogik im Grossh. Hessen. (51 u. 15) 4° Darmst., (G Jonghaus) 03. nn — 25 d
— d. k. k. Statthalters in Steiermark v. 29.V.'02, betr. d. Wetterschiessen, nebst Instruction f. d. m. d. Wetterschiessen Beschäftigten üb. d. Handhabg d. Schiessvorrichtgn. (16) 8° Graz, Leykam 02. nn — 20 d
— d. Ausführg d. Ges. üb. d. Wohngsfürsorge f. Minderbemittelte v. 7.VIII.'02 betr. [S.-A.] (6) 4° Darmst., (G Jonghaus) 03. — 15 d
— u. Anweisung d. Vollzug resp. d. Ausführg d. Ges., betr. d. Kinderarbeit in gewerbl. Betrieben, v. 30.III.'03. [S.-A.] (10) 4° Ebd. (04). — 20 d
Verordnung, Allerh., üb. d. Ehrengerichte d. Offiziere u. Sanitätsoffiziere in d. kais. Marine v. 26.VII.1895 u. 3.VI.'01, sowie üb. d. Ehrengerichte d. Offiziere u. Sanitätsoffiziere d. kais. Schutztruppen v. 15.VI.1897 u. 7.XI.'01, nebst Ergänzgsordres. (116) 8° Berl., ES Mittler & S. 02. † — 75; kart. † — 90
— d., v. 5.V. u. 17.V.'05, betr. Anlegg v. Geldern d. Kultusstiftgn u. Kirchengemeinden. Anh. z. 4. Afl. d. LH Krickenberg betr. d. Verwaltg d. Kirchenvermögens u. Kirchenpfründen eingel. Geldern. (J Kösel) 05. — 30 d
— d. Verkehr m. Kraftfahrzeugen auf d. öffentl. Wegen im Kgr. Sachsen. (29) 8° Flöha, A Peitz & S. 01. || 2. Tl. (56) 03. || 3. Tl. (56) 05. Je — 50
Verordnungsblatt f. d. Kiautschougebiet. Beil. z. Marine-verordngbl. Hrsg. v. Reichs-Marine-Amt. Jahrg. 1903—5. (1903. Nr. 1. 3) 8° Berl., ES Mittler & S. Je 1.25 d
— Kgl. Bayer. Kriegsministerium. Jahrg. 1901—5. (1901. Nr. 1. 8 u. 7.) 8° Münch., (T Ackermann). Je 48 — d
— d. ev.-luther. Landeskonsistoriums f. d. Kgr. Sachsen. Jahrg. 1901—5. (1901. Nr. 1. 3) 8° Dresd., (CC Meinhold & S.) Je 2 — d
— f. d. Schulwesen im Herzogt. Kärnten. Red. im k. k. Landesschulrate. Nebst: Fachblatt. Hrsg. v. k. k. Landesschulrate. 1. u. 2. Jahrg. 1904 u. 5 je 24 Nrn. (1904. Nr. 1 u. 2. 11 u. 4) 4° Klagenf. (F v. Kleinmayr) Je 8 —: ohne Fachbl. 4 —: Fachbl. allein 2 — d
Verpflegungsvorschrift f. d. deut. Heer im Frieden. (Friedens-Verpfleggsvorschrift.) Fr.V. V. 3. 4.'02. (D. V. E.Nr. 43.) (59) 8° Berl., ES Mittler & S. 02. † 1.80; kart. † 2 — d
Verrat, d., am Volke. Der liberale Mord d. freien Wahl in Bayern. Von e. Volksfreund. (32) 8° Münch., Abels-schriften-Verl. 04. — 15 d
Verrier, P: Petite grammaire allemande, s.: Otto, E.
— Nouv. grammaire angl., s.: Mauron, A.
— Lectures allemandes, s.: Otto, E.
— 1. (deut.) Leseb. f. franz. Kinder. (258 m. Abb., 1 Karte u. 1 Pl.) 8° Berl., J Groos 03. Geb. 2.40 d
— dass. (f. Portugiesen). (Sonderausg. v.: 1. deut. Leseb. f. franz. Kinder.) (258 m. Abb., 1 Karte u. 1 Pl.) 8° Ebd. 05. Geb. 2.50 d
Versammlung, öffentl., abb., d. Centrumspartei in Mannheim '04. Roeren, H: Nationalismus u. Ultramontanismus. — Wacker, T: Bedeutg u. Aufg. d. Centrums. 1. u. 2. Afl. (36) 8° Mannh., Leykam (04). — 50
— 73., deut. Naturforscher u. Aerzte, in Hamburg. (Festlieder.) (112) 12° Hambg, (C Boysen) 01. — 50

190

Versatzamt, d. k. k., in Wien v. 1707 bis 1900. Hrsg. v. d. Direction. (104 u. 39 m. 6 Taf.) 8° Wien, (Manz) 01.   1 —
Verschuer, OC Frhr v.: Die Hessen u. d. and. deut. Hülfstruppen im Kriege Gross-Britanniens geg. Amerika, s.: Lowell, EJ.
Verschwörung, e., geg. d. neue Gouvernante, s.: Easer's, J, Sammlg leicht aufführbarer Theaterstücke.
Verse, letzte, v. armen Kurti (K Kamlah), s.: Reigen, lyr.
Versell, M: Ueb. d. Entwicklg d. bündner. Strassen- u. Eisenb.-Wesens u. d. Fremdenverkehrs. (45) 8° Chur, (J Rich) 03.   Kart. 1.80 d
Vershofen, WL: Wir Drei, s.: Kneip, J.
Versicherten, d., Vortells a. d. Invalidenversicherg (Unfall- u. Krankenkasse), (34) 8° Güstr., (Opitz & Co.) (04).   — 20 d
Versicherung, d., d. Rindviehbestände. Ges. v. 26.VI.1890/12. VII.1898, nebst d. Vollzugsvorschriften. (87) 8° Karlsr., G Braun'sche Hofbuchdr. 03.   1.30 d
— dass. in d. Fassg v. 22.VII.'04, nebst d. Vollzugsvorschriften. (87) 8° Waldsh., (H Zimmermann) 04.   nn — 30 d
Versicherungs-Kalender, deut., f. 1906. 27. Jahrg. (Tageb. u. 831) 8° Gr.-Lichterf., Wallmann.   L. nn 10 —
— österr.-ungar., 1906. Hrsg. u. red. v. H Loewenthal. 11. Jahrg. (160 u. Tageb.) 8° Wien, M Perles.   L. 4 —
Versicherungs-Post. Zeitschrift f. d. Organe d. Versicherungs-Gesellsch. Red.: O Kuphal. 6—10. Jahrg. Apr. 1901—März 1906 je 52 Nrn. (1901. Nr. 26.) 8] Fol. Gr.-Lichterf., Wallmann.   Viertelj. nn 3 —
Versicherungs-Rundschau. Beibl. d. National-Oekonom. Hrsg. u. Red.: B Irányi. 3—7. Jahrg. 1901—5 je 12 Nrn. (Nr. 1. 8] 4° Wien, (J Eisenstein & Co.).   Je 1.70
Versicherungs-Statistik f. 1902 üb. d. unter Reichsaufsicht steh. Unternehmgn. Hrsg. v. kais. Aufsichtsamte f. Privatversicherg. (77, 384) 8° Berl., J Guttentag 05.   10 —
Versicherungsunternehmungen, d. pr vaten, in d. im Reichsrate vertret. Königreichen u. Ländern in d. J. 1898—1902. Amtl. Publikation d. k. k. Ministeriums d. Innern. (295, 335, 352, 372 u. 389) 4° Wien, (Hof- u. Staatsdr.) 01-04. Je 8 — d
Versicherungs-Welt. Organ f. d. ges. Assekuranz. 4—8. Jahrg. Apr. 1901—März 1906 je 52 Nrn. (Nr. 1. 16) 8° Gr.-Lichterf., F Schiffmann. Je nn 30 —; viertelj. nn 8 —; einz. Nrn nn — 65
Versicherungswesen.Amtl. Handausg. 1. u. 2. Heft. 8° Darmst., G Jonghaus.   — 95 d
Gesetze, d. Brandversicherganst. f. Gebäude betr., v. 28.IX.1900 in d. Fassg d. Bekanntmchg v. 30.IX.1899 u. d. Abänderggegs. v. 5.VIII.'02. (36) 06. [2.]   — 60
Schlichtvlehversicherung, d. staatl., im Grossh. Hessen, u. zwar Ges. n. Verordng, d. staatl. Schlachtviehversicherung betr., heide v. 12.IV.'05. Mit Motiven, Erläuterga u. e. Sachreg. (Bearb. v. Hölzinger.) (35) 06. [1.]
Versicherungs-Zeitung, norddeut. Wochenschrift f. alle Zweige d. Versicherungswesens. Hrsg.: H Schade. 1. Jahrg. Jan.—März 1904. 13 Nrn. (Nr. 1 u. 2. Je 8) 45×30 cm. Hambg, HO Persiehl.   5 —; einz. Nrn — 65 0 F
— österr. Internat. Assecuranz-Organ. Begründet v. A Ehrenzweig. Red.: P Maschlufsky u. seit 1904, RC Sness. 38—31. Jahrg. 1901—4 je 52 Nrn. (1901. Nr. 1—3. 16) Fol. Wien (VIII, Albertg. 31), Administr. Je nn 21 — || 22. Jahrg. 1905. nn 22.10
Versionen, d. Wolfenbütteler mittelniederdeut., d. Benediktinerregel, hrsg. v. EA Koch. (124) 8° Wolfenb., A Schönning. noth Nf. 03.   2.50
Versluys, J: Die Gorgoniden d. Siboga-Exped. I. Die Chrysogorgiidae. (120 m. Fig.) 4° Leid., Bn u. Dr. vorm. EJ Brill 02.   nn d 6.25
Versöhnungstrunk, der. Frauenkomödie v. Aristus. (36) 8° Lpzg, (Leipz. Buchdr.) (04).   — 50 d
Versuch e. themat. Analyse d. Musik zu 3 Wagner's „Kobold". Als Anh. z. Textb. zusammengest. v. E G., eingeführt durch CF Glasenapp. (50) 8° Lpzg, M Brockhaus 04.   — 80
**Versuche d. Dünger-Abteilg in Verbindg m. landw. Versuchsstationen, s.: Arbeiten d. deut. Landw.-Gesellsch.
— m. Fussboden-Öl n. s. Verwendg in Schulen. (Aus d. kgl. hygien. Instit. zu Posen.) 2. Tl. Von Schwer. (28) 8° Lpzg, F Leineweber 03.   — 50
Den 1. Tl s. u.: Wernicke, E.
— z. Prüfg d. Empfindlichk. gefrorener u. halbgefrorener Nitroglyzerinsprengstoffe gegenüber plastischen. A. Mitteilgn a. d. Zentralstelle f. wiss.-techn. Untersuchgn zu Neubabelsberg. Von W Will. B. Berichte d. kgl. Bergwerksdirektion zu Saarbrücken. (S.-A.) (36 m. Abb.) 8° Berl., W Ernst & S. 05.   1
— u. **Ergebnisse** d. Lehrervereinigg f. d. Pflege d. künstler. Bild in Hamburg. 3. Aß. (171 m. 1 Taf.) 8° Hambg, A Janssen 02.   2 —; L. 3 —
— u. **Vorarbeiten**, relig.-geschichtl., hrsg. v. A Dieterich u. R Wünsch. I. Bd u. H. Bd, 1—4. Heft. 8° Giess., A Töpelmann.   11.95
Blecher, G: De extipicio capita tria, accedit de Babylonior. extispicio C Bezold suppl. (75 u. 7 m. 3 Taf.) 05. [II,4.]   2.80
Zahn & J.: De poetar. Romanor. doctrina magica quaestiones selectae. (64) 04. [II,3.]   1.60
Gressmann, H : Musik u. Musikinstrumente im Alten Test. (32) 03. [II,1.]   — 75
Hepding, H: Attis, s. Mythen u. s. Kult. (244) 03. [I.]   4 —
Ruhl, L: De mortuorum iudicio. (73) 03. [II,2.]   1.80
Versuchs-Kornhaus, d., u. s. wiss. Annahmen. Eine Sammlg v. Aufsätzen u. Vortr., hrsg. v. JF Hoffmann (593 m. Abb., 2 Taf. u. 6 Pl.) 8° Berl., (P Parey) 04.   L. nn 12 —

Versuchs-Stationen, d. landw. Organ f. naturwiss. Forschgn auf d. Gebiete d. Landw. Hrsg. v. F Nobbe, 62. Bd v. O Kellner. 55—62. Bd. Je 6 Hefte. (Je 480 m. Abb. u. Taf.) 8° Berl., P Parey 01-05.   Je 12 —
Verteidigung, d., d. Blockhäuser Malborghet u. Predil im J. 1809. Zwei Ruhmesblätter österr. Kriegsgesch. [S.-A.] (25 m. Abb. u. 2 Bildnissen.) 8° Wien, (LW Seidel & S.) 01.   1.50; L. 2.50
Verteilung d. Lehrstoffes f. d. Berliner Gemeindesch. Hrsg. v. Berliner Rektoren-Ver. (171) 8° Berl., (Nicolai's V.) 04.   nn — 75 d
— d. Unterr.-Stoffes auf Klassen n. Monate f. d. Präparanden-Anst. in Wunstorf. Tab. in Fol. Bannov., C Meyer 01.   1 — d
Vertesi, A: Leere Herzen, s.: Weichert's Wochen-Bibliothek.
Vertrag, d. internat., z. Schutze d. gewerbl. Eigenthums, ddo. ‖Paris, 20.III.1883, sammt dessen Neben- u. Abändergsverträgen. (36) 8° Wien, (Hof- u. Staatsdr.) 01.   1 — d
— Brüsseler, üb. d. Behandlg d. Zuckers v. 5.III.'02 u. Entwurf e. Ges. weg. Abänderg d. Zuckersteuerges. m. Denkschrift u. Anlagen. (77) 4° Berl., C Heymann 02.   2 — d
Vertragszolltarif, d. deut. Zusammenstellg d. bisher. u. zukünft. autonomen u. vertragsmass. Zollsätze d. deut. Zolltarifs. Hrsg. v. Centralverband deut. Industrieller. (184) 4° Berl., Deut. Verl. 05.   3.50 d
Vertrau auf Gott! Christl. Dichtgn. (64 m. 4 Farbdr.) 8° Konst., C Hirsch (04).   L. 1.20 d
Vertrauens-Gesellschaften f. Gasthaus-Verwaltg. Engl. Schriftstücke z. Erwägg f. deut. Leser. Hrsg. v. deut. Ver. f. Gasthaus-Reform. (32 m. 2 Taf.) 8° Weim., (W Bode) 02.   — 60 d
Vertreibung, d., d. ev. Zillertaler, s.: Flugschriften d. ev. Bundes.
Vertun: Zur Prophylaxe d. Geschlechtskrankh. (§ 4 d. Merkbl. d. D. G. B. G.) [S.-A.] (4) 8° Lpzg, Verl. d. Monatsschrift f. Harnkrankh. 04.   — 50
Verus s.: Aus d. Schule. — Einer f. .Viele. — Invaliden, d., d. Geschlechtsverkehrs. — Kinderprügeln u. Sexualtrieb.
Verus (H Ortlof), s.: Kandidatur d. Herzogs Karl August v. Sachsen-Weimar f. d. ungar. Königsthron. — Karl August v. Sachsen-Weimar u. d. Univ. Jena.
Verwaltung, d., d. öffentl. Arbeiten in Preussen 1890—1900. Bericht au Se. Maj. d. Kaiser u. König, erstattet v. d. Minister d. öffentl. Arbeiten. (330 m. z. Tl farb. graph. Darstellgn, 8 Taf. u. 2 Kart.) 8° Berl., J Springer 01. Kart. nn 10 — d
— d., d. Stadt Essen im 19. Jahrh. m. bes. Berücks. d. letzten 15 Jahre. 1. Verwaltgsbericht d. Stadt Essen, erstattet v. Zweigert, bearb. v. städt. statist. Amt. (599 m. Abb. u. 54 z. Tl farb. Kart. u. Taf.) 4° Ess., (GD Baedeker) 02. HL. 48 — d
— d., d. Stadt Zürich. Hrsg. v. A Bosshardt. [S.-A.] (230) 8° Zür., Art. Instit. Orell Füssli 03.   2 —
Verwaltungsarchiv.Zeitschrift f.Verwaltgsrecht u.Verwaltgsgerichtsbark. Hrsg. u. M Schultzenstein u. A Keil. 10—14. Bd je 6 Hefte. (10. Bd. 730) 8° Berl., C Heymann 01-06. Je 12 —; österr. Hrsg. v. F Schmid. 1. Jahrg. 4 Hefte. (1. Heft. 120) 8° Wien, F Tempsky. — Lpzg, G Freytag 04. 16 —; einz. Hefte 5 — || 2. Jahrg. ca 6 Hefte. (1. Heft. 64) 04.05. 16 —; einz. Hefte 3 — || 3. Jahrg. 6 Hefte. (480) 05.06. 16 —. Hefte 2 —
Verwaltungsbeamte, der. Lehrb. z. Erlangg derjen. Kenntnisse, welche nötig sind, um f. d. prov.-Verwaltg Annahme zu finden u. d. spätere Prüfg zu bestehen. Methode Rustin. Selbst-Unterr.-Briefe in Verbindg m. eingeh. Fernunterricht. (Red. v. C Ilzig) 36—178. Lfg. (4920 m. Abb., 1 Tab. u. 15 Kart.) 8° Potsd., Bonness & H. (04-05). Subskr.-Pr. je — 90; Einzelpr. je 1.25 d
— der. Zeitschrift f. Verwaltgsbeamte u. alle Zweige d. Verwaltg. Hrsg. v. W Bertelsmann. 4. u. 5. Jahrg. 1901 g. 2 je 24 Nrn. (192 u. 428) 4° Bielef.-Gadderb., W Bertelsmann. Je 2 — d 0 F
Verwaltungsbericht d. deut. Ver. „Arbeiterheim" pr. 1899/1903, erstattet durch v. Bodelschwingh. 8° Bielef. (Bethel, Bh. d. Anst. Bethel.)   Je — 20
1899/1900. (44 m. Fig.) 1900. ‖ 1900/01. (30) 01. ‖ '01/02. (31) 02. ‖ '02/03. (35) 03.
— d. Arbeiter-Sekretariates Nürnberg f. d. Geschäftsj. 1898. Berichte üb. Gewerkschaftsorganisationen u. Lohnbewegg, sowie e. Referat d. Arbeiterbeisitzer d. Gewerbegerichts Nürnberg. (117) 8° Nürnbg, Arbeiter-Sekretariat 1899.   — 50 d
Die früh. Berichte u. d. Fortsetzg s. u. d. T.: Jahres-Bericht d. Arbeiter-Sekretariates Nürnberg.
— d., d. kgl. Polizei-Präsidiums v. Berlin f. 1891—1900. (963 m. 1 farb. Taf. u. 7 Pl.) 4° Berl., C Heymann 02. L. 20 — d
— d. Magistrats d. Stadt Breslau f. d. 3 Rechngsj. v. 1.IV.1898-31.III.'01. (768 u. 316) 8° Berl., R Mongenstern, V.) (03).   nn 15 — d
— d. Bathes d. Stadt Dresden f. 1899—1905. Fol. Dresd., v. Zahn & J.   Je nn 3 — d
1899. (348 m. 2 graph. Taf.) 01. ‖ 1900 (614 m. 2 graph. Taf.) 02. ‖ '01. '02. (350 m. 2 graph. Taf.) '02.'03. ‖ '03. (90, 623 m. 3 graph. Taf.) 04.
— d. Rathes d. Stadt Leipzig f. 1899—1903. 8° Lpzg, Duncker & H.   L. je 10 — d
1899. (609 m. 1 Pl.) 01. ‖ 1900. (976) 02. ‖ '01. (754) 03. ‖ '02. (769 m. 25 Taf.) 04. ‖ '03. (769 m. 2 Taf.) 05.

Verwaltungsbericht d. Stadt Nürnberg f. 1896—1903. Mit d. Gemeinderechngn in summar. Fassg. Hrsg. v. Stadtmagistrat. 8° Nürnbg, (JL Schrag).　94.10 d
1896.99. (944 m. Tab. u. 5 Taf.) 02. 4 — | 1900. (686 u. 171 m. Tab. u. 18 Taf.) 03. 4 — | '01. (696 u. 179 m. Tab. u. 19 Taf.) '04. 5.50 | '02. (660 u. 170 m. 21 Taf. u. 2 Tab.) 04. †5.40 | '03. (635 u. 160 m. 17 Taf. u. 1 Tab.) 05. †5.40.
— d. Reichsbank f. 1901. Vorgelegt in d. General-Versammlg am 8.III.'02. (79) 4° Berl., (Puttkammer & M.) (02).　1 — d
Von d. weil. Einsendg wurde abgesehen.
— d. kgl. württemberg. Verkehrsanst. f. d. Etatsj. 1899—1903. (1.IV.1899—31.III.'04.) Hrsg. v. d. kgl. Ministerium d. auswärt. Angelegenh., Abth. f. d. Verkehrsanst. (454, 436, 400, 393 u. 399 m. je 1 Karte.) 8° Stuttg., JB Metzler 01-04.　Je nn 10 —
— d. Kreisstadt Zwickau in Sachsen f. 1902—04. 8° Zwick. (Gebr. Thost).　Kart. nn 9.50 d
'02. (260 m. 3 Taf. u. 2 Pl.) 03. nn 3 — | '03. (253 m. 7 Taf. u. 4 Pl.) 04. nn 3 — | '04. (772 m. 10 Taf.) 05. nn 3.50.
Verwaltungsberichte d. Gewerbe-Aufsichtsbeamten in Elsass-L. f. 1900—03. (123, 119, 129 u. 127) 8° Berl. 01-04. (Strassbg, E d'Oleire.)　Je 1.50 ‖ '04. (153) 05. 1 — d
1899, bei Erscheinen nicht eingesandt, ist vergriffen.
Verwaltungs-Blatt, preuss. Wochenschrift f. Verwaltg u. Verwaltgsrechtspflege in Preussen. Hrsg. u. Red.: J Hoffmann. 23—27. Jahrg. Oktbr 1901—Septbr 1906 je 52 Nrn. (Nr. 1. 16) 4° Berl., C Heymann.　Halbj, 10 —; einz. Nrn — 60 d
— dass. Hauptreg. zu d. Jahrgängen 1—25. 2 Tle in 1 Bde. (40 u. 320) 4° Ebd. 05.　L. 16 — d
Verwaltungsgerichte u., u. d. Organisation d. Verwaltgsgerichtspflege im Kgr. Sachsen, s.: Vorträge üb. Gesetzeskde u. Verwaltg.
Verwaltungsstrafgesets, d., v. 16.VIII.'03 nebst d. dazu erlass. Ausführgsvorschriften u. d. wichtigsten m. d. Verwaltgsstrafverfahren zusammenhäng. sonst. Bestimmgn. Amtl. Ausg. (95) 8° Brnschw., (JH Meyer) 03.　L. 2.80 d
Verwaltungsvorschrift f. Artilleriedepots (Vv. f. Ad.) v. 26. II.'03. (D. V. E. No. 31.) (451) 8° Berl., ES Mittler & S. 03.　†4 —; kart. †4.30 d
Verwendungs-Nachweisebuch (f. freiwill. Krankenpflege im Kriege). (24) 12° Berl., ES Mittler & S. (08).　†— 20 d
Verwesung d. Helsingfors'schen Polizei. Von *。*°. (In russ. Sprache. (37) 16° Berl., (H Steinitz) 02.　1.20
Verwey, A, u. L van Deyssel: Aufsätze üb. Stefan George u. d. jüngste dichter. Bewegg. Übertr. v. F Gundolf. (40) 8° Berl., A Juncker (05).　2 —
Verworn, M: Die Aufg. d. physiolog. Unterr. Rede. (28) 8° Jena, G Fischer 01.　— 60
— s.: Beiträge z. Frage d. naturwiss. Unterr. an d. höh. Schulen.
— Die Biogenhypothese. Eine kritisch-experimentelle Studie üb. d. Vorgänge in d. lebend. Substanz. (114) 8° Jena, G Fischer 03.　2.50
— Die archaeolith. Cultur in d. Hipparionschichten v. Aurillac (Cantal), s.: Abhandlungen d. kgl. Gesellsch. d. Wiss. zu Göttingen.
— Die Lokalisation d. Atmg in d. Zelle, s.: Denkschriften d. mediz.-naturwiss. Gesellsch. zu Jena.
— Naturwiss. u. Weltanschaug. Rede. 1. u. 2. Afl. (48) 8° Lpzg, JA Barth 04.
— Allg. Physiol. Grundr. d. Lehre v. Leben. 3. Afl. (631 m. Abb.) 8° Jena, G Fischer 01. ‖ 4. Afl. (652 m. Abb.) 03. Je 15 —; HF. Je 17 —
— Prinzipienfragen in d. Naturwiss. Vortr. [Erweit. S.-A.] (28) 8° Ebd. 05.　— 80
— s.: Zeitschrift f. allg. Physiol.
Verwüstung, d., in Kischinew. Theile u. herrsche! — Wer hat d. Nutzen? — Bericht d. israelit. Gesellsch. — Russ. Proklamationen. — Revolutionszen russ. Gesellsch. im Ausl. — Die Metzeleien in Kischinew u. d. Meing d. z.Vilisierten Welt. [S.-A.] (In russ. Sprache.) (40 m. 4 S. Abb.) 8° Stuttg. 03. (Paris, A Schulz.)　2 —
Verzeichnis d. Advokaten d. k. k. Notare in d. im Reichsrate vertret. Königr. u. Ländern d. österr.-ungar. Monarchie 1905. Hrsg. v. k. k. Justizministerium. 22. Jahrg. (Nach d. Stande v. Mitte März '05.) (134) 8° Wien, Hof-u. Staatsdr. 1.20
— d. Arzneimittel u. Bedarfsartikel z. Krankenpflege, d. in Medizinal-Drogerien vorrätig gehalten u. zu d. festgesetzten Verkaufspreisen abgegeben werden. (Kais. Verordng v. 27.I.1890 u. 25.X.'01.) Zusammengest. v. wass.-lothr. Drogisten-Ver. (29) 12° Strassbg, F Engelhardt 02. 1.20
— wöchentl., d. in deut. Zeitschriften u. Zeitgn erschien. Aufsätze. Nach Wiss. geordnet, m. Sach- u. Verfasserreg. u. in z. Ausschneiden d. Titel geeigneter Weise gedruckt. 1. Jahrg. 1902. Nr. 1. (96 Sp. u. 19 S.) 4° Lpzg, Fel. Dietrich.　1 — 6 F
— d. im Handelsregister eingetrag. Fabrik- u. Handels-Firmen u. Agentur-Geschäfte in Augsburg 1903 nebst Verz. d. Mitglieder d. Augsb. Handelskr., Mitglieder u. Bevollmächtigten d. Börse zu Augsburg, u. Kursmakler. (45) 8° Augsbg, (Lampart & Co.).　— 50
— d. städt. Kunst- u. Gemälde-Sammlg in Bamberg. (147 m. 3 Taf.) 8° Bambg, (Handelsdr. u. Verlagsh.) 1900.　1 —
— sämtl. Häuser d. Stadt Basel m. Flächhünningen m. Angabe d. Eigentümer. 1904. (166 m. 1 Pl.) 8° Bas., (B Schwabe).　Geb. †nn 3 —

Verzeichnis d. Behörden u. Beamten d. Kt. Basel-Stadt, sowie d. schweiz. Bundesbehörden f. 1903. (184) 8° Bas., (B Schwabe).　1.30
— d. im Preuss. Staate u. bei Behörden d. Deut. Reiches angestellten Baubeamten. 30.XII.'04. (28) 4° Berl., W Ernst & S. 05.　3 —
— d. Flächeninhalte d. Bach- u. Fluss-Geb. im Kgr. Bayern m. e. Flussgeb.-Atlas (1:200,000), bearb. u. hrsg. v. kgl. hydrotechn.Bureau.(Flächen-Verz.)1—5.u. 8. Heft. 4° Münch. (A Buchholz).　nn 11.50
1. Stromgeb. d. Donau v. d. Quellen bis unterh. d. Lechmünde. (46) (05.)　nn 2 —
2. Dass. v. d. Lechmündg bis unterh. d. Naabmündg. (47—92) 03. nn 2 —
3. Dass. d. Naab bis z. Inn. (93—168) 04.　nn 2 —
4. Dass. Inn u. v. Inn bis z. völl. Austritt z. Bayern. (169—220) 04.　nn 2 —
5. Vorwort u. erläut. Bemerkgn. Stromgebiet d. Donau. Gebietsübersicht u. Flächen-Tab., Berichtign, Ergänzgn. u. Nachtr., alphabet. Namensverz., Anh. Uebersichtl. Zusammenstellg. u. Karte. (221—259 u. 15) 05.　nn 2 —
8. III. Stromgebiet d. Elbe, IV. Stromgebiet d. Weser. (37) 05. nn 1.50
— d. italien. Bildwerke d. kgl. Museen zu Berlin. (30) 8° Berl., (G Reimer) 1893.　†— 40
Heft 6 u. 7 sind noch nicht erschienen.
— d. in d. Handels-Register d. kgl. Amtsgerichts I zu Berlin eingetrag. Einzelfirmen, Gesellschaften u. Prokuren. Zusammengest. bis Jan. '01 v. W Nothnagel. 37. Jahrg. Nebst d. Verz. d. vereideten Kurs-Makler u. d. kgl. Amtsgericht I zugelass. Konkursmassen-Verwalter. (1225) 8° Berl. (N.W., Lüneburgerstr. 3), Bendix & Krakan 01.　Kart. nn 11.50
— d. Lesesaal- u. Landbibliothek d. kgl. Univ.-Bibliothek zu Berlin. 4. Ausg. (208) 8° Berl., (W Weber) 03.　2 —
— d. Rektoren, Lehrer u. Lehrerinnen an d. Berliner Gemeinde-Schulen f. 1902/1903, nebst Mitteilgn. a. d. Berliner Schulwesen. 59. Jahrg. (Begründet v. H Gaulke.) Hrsg. v. Berliner Lehrerver. Red: H Rosin. (211 m. 1 Pl.) 8° Berl., (W & S Loewenthal) 02.　nn 1.35 d
— d. Schulleiter, Lehrer u. Lehrerinnen in d. Vororten Berlins u. im Reg.-Bez. Potsdam. (58) 12° Berl., Hilfsver. deut. Lehrer (05).　†2.70
— d. im Handels- u. Genossenschaftsreg. eingetrag. Firmen, Handelsgesellsch., Aktiengesellsch., Kommanditgesellsch., Gesellsch. m. b. H., Genossensch. u. Gewerksch. d. Handelskammerbez. Bochum (Kreise Bochum Stadt u. Land, Gelsenkirchen Stadt u. Land, Hattingen u. Witten), hrsg. v. d. Handelskammer Bochum. (354) 8° Boch., O Hengstenberg (05).　4 —
— d. Sammlgn d. Börsenver. d. deut. Buchhändler. II. Katalog d. Bibliothek d. Börsenver. d. deut. Buchhändler. 2. Bd. Zuwachs 1885—1901. Mit e. Gesammtreg. üb. beide Bde. (20 u. 655—1406) 8° Lpzg, Geschäftsstelle d. Börsenver. d. deut. Buchhändler 03.　10 — (I—III.: 30 —)
— d. vollständ., sämtl. Gesangswerke v. Johs Brahms. (20) 8° Berl., N Simrock (03).　— 20
— themat., sämmtl. im Druck erschien. Werke v.Johs Brahms. Neue Ausg. (175) 8° Ebd. 04.　4 —
— d. Konfirmanden in d. ev. Gemeinden d. Stadt Braunschweig 1904. (57) 8° Brnschw., J Neumeyer.　nn — 40 d
— d. im deut. Buchh. neu erschienen u. neu angefolgten Bücher. Landkarten, Zeitschriften etc. 1900. 2. Halbj. Mit Stichwort-Reg., wiss. Übersicht, Voranzeigen v. Neuigkeiten, sowie Verlags- u. Preisändergn a.d. 2. Halbj. 1900. (Hinrichs' Halbjahrskatalog. 205. Fortsetzg.) 2 Tle. (1004 u. 368) 8° Lpzg, JC Hinrichs' V. (01).　nn 8 —
in 2 Bde geb., Text in HF., Reg. in L. nn 9.50 d
Fortsetzg s. u. d. T.: Hinrichs' Halbjahrs-Katalog.
— d. Bevollmächtigten z. Bundesrat sowie alphabet. Verz. d. Mitglieder d. Reichstages m. angehängter Fraktionsliste. Abgeschl. am 18.XI.'05. (34) 8° Berl., (C Heymann).　— 50 d
— d. ältesn Burschenschafter m. d. Stande v. Ende d. Sommersem. '02· Hrsg. v. Vorort München. (291) 8° Ebd. 03.　Kart. 2 —
— d. Civilvorsitzenden d. im Deut. Reiche bestäb. Ersatzkommissionen. Mit e. Ortschaftsverz. [S.-A.] 3. Afl. (44) (273 m. Abb. u. 1 Grundriss.) 8° Köln, (JG Schmitz) 02. 1.20 d
— dass. Im Anh. enth. d. Verz. d. Prüfgskommissionen f. Rinj.-Freiwill. (74) 8° Berl., R v. Decker 09.　1.20 d
— 'd. Gemälde d. städt. Museums Wallraf-Richartz zu Cöln. (278 m. Abb. u. 1 Grundriss.) 8° Köln, (JG Schmitz) 02. †1.60
— d. in Danzig bestäb. Stiftgn, Wohltätigk.-Anst. u. gemeinnüt. Ver. Nach d. Stande am Schlusse d. J. 1902. Zusammengest. v. d. Armen-Amt. (110) 4° Danz., (L Saunier) 03.　1 —
— d. Kurorte u. Sommerfrischen Deutsch-Böhmens. 8. Jahrg. 1908. Verf. v. F Hantschel. (212 m. Abb.) 8° B. Leipa, J Künstner.　1 — d
— d. d. neu erschien. Litt. v. d. kgl. Bibliothek zu Berlin u. d. preuss. Univ.-Bibliotheken erworb. Druckschriften. 1900—04. (1235, 1219, 1431 u. Nachtr. 16, 1578 u. Nachtr. 15 u. 1655) 8° Berl., Behrend & Co. 1900-05.　Je nn 35 —; einseitig bedruckt je nn 34 —
— d. Eisenb.-Stationen m. Angabe. od. ähnl. Namensbezeichng. Ausg. v. d. geschäftsführ. Verwaltg d. Ver. deut. Eisenb.-Verwaltgn. (288) 8° Berl., (J Springer) 03.　nn 1.80
— neuestes, sämtl. deut. Eisenb.-Stationen m. Güterabfertig. Mit Angabe d. zugehör. Direktions-Bez. bezw. d.

Landes, in dem dieselben liegen. Ferner Verz. d. zu Eisenb.-
Gütersendgn erforderl. Zollpapiere u. Frachtbriefe. (Von J
Hoepfel.) (279) 8° Würzbg (03). Lpzg, Mittelbach. 3 —
Verzeichnis d. Gemeinden in Elsass-L. m. Angabe d. Post-
bestellbezirke, d. Amtsgerichtsbezirke usw. [S.-A.] (95) 8°
Strassbg, F Bull 04. Kart. 1.20 d
— d. Medizinal-Personen in Elsass-L. n. d. Stande v. 1.I.'05.
(36) 8° Ebd. — 80
— d. an d. Univ. Leipzig erschien. Dissertationen u. Fakul-
tätsschriften auf engl. Gebiet. (7 u. Nachtr. bis '04 2) 8°
Lpzg, Dr. Seele & Co. 01. — 50
— d. Bibliothek d. Ver. f. d. Gesch. u. Altertumskde v. Erfurt. Aufgestellt im Herbst '04· [S.-A.] (122) 8° Erf., (G
Güther) (05). 1 —
— v. Sommer-Wohngn im Erzgebirge '05· Zusammengest.
u. hrsg. v. Press- u. Verkehrs-Ausschuss im Ges.-Vorst. d,
Erzgebirgsver.(56 m.Abb.)8° Schwarzenbg.(Annabg, Graser.)
— 10 d
— d. Exporteure u. Importeure Hamburg-Bremen. (284) 12°
Hambg, Pöntt & v. Döhren 02.03. Kart. 1 —
— empfehlenswerter Bücher u. Lehrmittel f. Fortbildgsunt.
Im Auftr. d. Sektion f. Fortbildgsschulwesen im Chemnitz
zusammengest. (15) 8° Chemn., C Winter 01. — 40 d
— d. auf d. Geb. d. Frauenfrage währ. d. J. 1851—1901 in
Deutschl. erschien. Schriften, hrsg. v. deutsch-ev. Frauen-
bund. (292) 8° Hannov., (H Feesche) 03. L. nn 4.50 || Neue Ausg.
m. Nachtr. 1902—04. (292 u. 80) 04. Geb. nn 5 —; Nachtr. (80)
allein — 60
— d. alkoholfreien Gasthöfe u. Wirtschaften d, Schweiz.
2. Afl. Mit e. Anh.: Die Trinkerheilstätten d. Schweiz.(Deutsch
u. französisch.) (39 m. 1 Tab.) 12° Bas., Schriftstelle d. Alkoholgegnerbundes (durch F Reinhardt) (02). nn — 25 Vergr.
l. Afl. s.: Verzeichnis d, usw. Wirtschaften.
— d. (in d. Gast- u. Schankwirtschaft . . .) beschäft.
Gehülfen u. Lehrlinge u. diesen gemäss Ziffer 4 d. Bestimmgn d. Bundesraths üb. d. Beschäftigg v. Gehülfen u.
Lehrlingen in Gast- u. Schankwirthschaften v. 23.I.'02 gewährten Ruhezeiten. (107) 4° Münch., Buchdr. u. Verl.-
Anst. C Gerber (02). Geb. 1.50 d
— dass. m. Eintragg d. gewährten längeren Ruhezeiten n.
Verz. d. Tage, an denen Ueberarbeit stattgefunden hat.
Nebst: Bekanntmachg d. Reichskanzlers betr. d. Beschäftigg
v. Gehülfen u. Lehrlingen in Gast- u. Schankwirtschaften.
Vom 23.I.'02. (16) Fol. Bielef.-Gadderb., W Bertelsmann (02).
— 60
— e. Auswahl d. besten Gebet-, Andachts- u. Erbauggsb.
(94) 8° Münch., J Pfeiffer (02). † — 70;
Verleger-Schlüssel. (3) nnn — 60 d
— d. Gemeinden u. Wohnplätze d. Deut. Reichs v. mindestens 2000 Einwohnern. Nach d. Erg. d. Volkszählg
v. 1.XII.1900. Bearb. im kais. statist. Amt. [S.-A.] (54) 4°
Berl., Puttkammer & M. 02. — 1 d
— d. wichtigsten Geschichtszahlen. Für d. Schulgebr. hrsg.
Lehranst. zusammengest. 5. Afl. (44) 8° Brnschw., JH Meyer
01. Geb. — 30
— d.Bücher-Sammlg kais. d. Gesundheits-Amtes. 3. Ausg.
(1154) 8° Berl., (J Springer) 02. Kart. nn 12 — d
— d.Gewerbe-, Landw.- u.Handels-Sch.im Geschäftsbereiche d. kgl. sächs. Ministeriums d. Innern. Zusammengest. auf Anordng d. Ministeriums. 1902.'(359) 8° Dresd., Ministerium d. Innern (03). Kart. †3.50 d
— d. im Deut. Reiche besteh. Ver. gewerbl. Unternehmer
z. Wahrg ihrer wirtschaftl. Interessen. Zusammengest. im
Reichsamte d. Innern. (928) 8° Berl., ES Mittler & S. 03.
14 —; geb. 16 — d
— üb. d. auf Grund d. Gewerbeordng in d. im Reichsrate vertret. Königr. u. Ländern z. Absatze v. Giften berecht. Ge-
werbeleute, n. d. Stande v. 31.X.04.(74) 8° Wien, Hof- u. Staatsdr. 05. — 80 d
— d. Inhaber v. Giro-Konten bei d. Reichsbank. Abgeschl.
am 10.V.'05. (718) 8° Berl., A Bath 05. L., m. Nachtr. 4 —
— alphabet. wichtigster Hafen- u. Handelsplätze ausserh.
Deutschlds. Zum Gebr. f. d. Statistik d. auswärt. Handels.
3. Afl. Hrsg. v. kais. statist. Amt. (45) 8° Berl., Puttkammer
& M. 05. 1 — d
— d. in d. Handelsreg. u. in d. Genossenschaftsreg. d. Amtsgerichts Hamburg eingetrag. Firmen. Zusammengest. bis
Jan. '05 u. hrsg. v. d. Amtsgerichte Hamburg. 1. Jahrg. (751
u. 150 u. Nachtr. 26) 8° Hambg, (A Frederiksng) 05.
Kart. u. geb. 12 —
— d.Hamburger Schiffe. 1905. Zusammengest. v. F Schneider
u. C Lübeke.(81)16° Hambg,(Eckardt & M.— L Friederichsen
& Co.). 2.40
Bis 1904 zusammengest. v. JC Toosbuy u. A v. Appen.
— Hamburger Volks-Schullehrer u. ·Lehrerinnen. Schulj.
1905/6. (14. Jahrg.) Hrsg. v. d. Gesellsch. d. Freunde vaterländ. Schul- u. Erziehgswesens usw. (221) 8° Hambg, (CAH
Kloss). 1.40 d
— d. im Deut. Reich besteh. Handelskammern u. kaufmänn. Korporationen n. d. Stande am Anfang d. J. 1901.
[S.-A.] (9) 4° Berl., ES Mittler & S. 01. — 40 d
— beschreib. d. illuminierten Handschriften in Österr.
Hrsg. v. F Wickhoff. (Publikationen d. Instit. f. österr.

Geschichtsforschg.) 1. u. 2. Bd. 4° Lpzg, KW Hiersemann.
L. 150 —
*Hermann, HJ: Die illuminierten Handschriften in Tirol. (307 m. Abb. u.
22 Taf.) 05. [1.]* 120 —
*Tietze, H: Die illuminierten Handschriften in Salzburg. (109 m. Abb. u.
9 Taf.) 05. [2.]* 40 —
Verzeichnis 125 empfehlenswerther Touren f. 1—4 Tage im
Harz. Hrsg. v. Harzklub, Zweigver. Magdeburg. 7. Afl. (49)
8° Mgdbg, (J Neumann. — Quedlnbg, HC Huch) 04. — 20
— alphabet. d. Wohnplätze im Grossh. Hessen, n.: Beiträge
z. Statistik d. Grossh. Hessen.
— sämmtl. Ortschaften d. Prov. Hessen-Nassau u. d. Grossh.
Hessen, d. Fürstenth. Waldeck u. d. Kreises Wetzlar. Zum
Dienstgebr. f. d. Postanst. bearb. (25, 275) 8° Frankf. a/M.,
(Reitz & Koehler) 01. Geb. 3 —
— alphabet, d. aktiven Hof- u. Staatsbeamten d. ob. Kl.
d. Gehaltstarifs d. Grossh. Baden nebst kurzen Personal-
nachrichten. 6. Ausg. (Nach d. Stande v. März 1901.) (296) 8°
Karlsr., G Braun'sche Hofbuchdr. 01. Kart. 4.60
— sämtl. in Druck erschienenen Werke v. JE Hummel. (49)
8° Wien, C Kulm 03. † 1 —
— 31., d. Mitglieder d. österr. Ingenieur- u. Architekten-
Ver. Nach d. Stande v. 30.VI.'01 zusammengest. v. Vereins-
Secretariate. (91) 8° Wien, (Spielhagen & Sch.). 1 —
— d. Inkunabeln u. Handschriften d. Schaffhauser Stadtbibliothek. Nebst e. Verz. d. handschriftl. Nachlasses v. Johs
v. Müller. (157) 8° Schaffh., (C Schoch) 03. nn 2 —
— d. Inngs-Krankenkassen d. Deut. Reiches. (16) 8°
Eberswalde, C Müller's Buchdr. (01). (Nur dir.) — 80 d
— d. Büchersammlg d. ger. u. vollk. St. Johannis-Loge
Friedrich z. gold. Zepter in Breslau. 1. Nachtr. Nach d. Bestande v. 1.I.'04. (76) 8° Bresl., (Maruschke & B.) 04. 1 —
(Hauptwerk u. Nachtr.: nn 5.50)
— v. Jugend- u. Volksschriften, nebst Beurteilg derselben. Unter bes. Berücks. d. Bedürfnisse kathol. Schüler
u. Familien hrsg. v. Ver. kathol. Lehrer Breslaus. I.—IV. u.
VII. Heft. 8° Bresl., GP Aderholz. Je 1.20 d
*I. 2. Afl. (96) 04. § II. 5. Afl. (90) 04. § III. nn 6 m. Anh.: Schüler-
bibliothek f. Kinder v. 10—14 Jahren. (104) 01. § IV. 2. Afl. Mit e. Anh.: Empfehlenswerte Schriften f. Volks- u. Familien-Bibliotheken. (110) 05. Anh.
allein (16) + — 15 § VII. (150) 05.*
— beschreib., d. Gemälde im Kaiser Friedrich-Museum.
(Kgl. Museum zu Berlin.) 5. Afl. (472) 8° Berl., G Reimer 04.
1 —; m. 82 Lichtdr., L. 10 —
— d. Büchersammlg d. Kaiser-Wilhelms-Akad. f. d.
militärärztl. Bildgswesen. (3. Ausg.) (1055) 8° Berl., A Hirschwald 06. 16 —
— d. Lehrpersonen an d. Bürger- u. Volkssch. Kärntens n.
d. Stande v. 1.I.'05. (13) 8° Klagenf., (F Kleinmayr). — 85 d
— d. kais. deut. Konsulate. Jan. '05· Auswärt. Amt d. Deut.
Reiches. (156) 8° Berl., ES Mittler & S. 1.25
— d. Konsuln im Deut. Reich. März '05· (62) 8° Ebd. 1.25 d
— d. laut Verfügg d. Reichskanzlers v. 8.XI.'03 z. Annahme
v. Praktikanten ermächt. Krankenhäuser u. mediz.-wiss.
Instit. (20) 8° Berl., A Hirschwald 04. — 30
— literar. Erscheingn v. u. üb. Nikolaus Lenau (Nik. Franz
Niembsch, Edler v. Strehlenau). [S.-A.] (7) 8° Lpzg, O Orack-
lauer 02. † — 30 d
— d. Leuchtfeuer aller Meere. Hrsg. v. d. Reichs-Marine-
Amt. 8 Hefte. Abgeschl. am 31.I.'05. (Mit je 1 farb. Taf.) 8°
Berl., (ES Mittler & S.) 05. nn 6 —; Einbde in L. je nn — 60
*I. Ostsee, Belte, Sund, Kattegat u. Skagerrak. (Betr. Kart. Titel I u. II.)
(509) — 75 § 2. Nordsee. Nördl. Eismeer. (Betr. Kart. Titel III u. XIII.)
(509) — 75 § 3. Engl. Kanal, Westküste v. Engl. u. Schottl., d. Küsten v.
Irland. (Betr. Kart. Titel IV.) (264) nn — 50 § 4. Mittelmeer, Schwarzer
u. Asowsches Meer. (Betr. Kart. Titel V u. VII.) (374) nn — 1 § 5. Nördl. Atlant.
Ozean. (Betr. Kart. Titel VI.) (392) 1.50 § 6. Westindien u. Südl. Atlant.
Ozean. (Betr. Kart. Titel VII u. VIII.) (274) — 60 § 7. Ind. Ozean u. Ostind.
Archipel. (Betr. Kart. Titel IX u. X.) (240) — 60 § 8. Nördl. u. Südl. Stiller
Ozean. (Betr. Kart. Titel XI u. XII.) (358) — 60.*
— d. Leuchtfeuer u. Semaphor-Stationen im Adriat. Meere.
Abgeschl. Ende Mai 1900. Hrsg. v. hydrograph. Amte d. k.
u. k. Kriegs-Marine, Abth. Seekarten-Depot. IV. Afl. (78 m.
1 farb. Taf.) 8° Pola 1900. (Triest, FH Schimpff.) Kart. nn 2 —
— d. Märkte u. Messen im J. 1906. (16) 8° Berl., Schriften-
vertriebsant. — 05 d
— sämmtl. Ortschaften d. Grossherzogth. Mecklenburg-
Schwerin u. -Strelitz (m. Ausn. d. Städte). 4. Ausg. am
1.X.'05. (156) 8° Güstr., Opitz & Co. 05. Geb. 1.60 d
— militär. Werke u. Karten. (191 m. 3 Kart.) 8° Berl., Eisenschmidt's Bh. (05). † 1.40 d
— d. Beamten d. Militär-Verwaltg u. d. ihnen zusteh.
Wohngsgeldzuschusses. Verfügg v. 19.I.'01. [S.-A.](8) 8° Berl.,
ES Mittler & S. 01. † — 15 d ö H
— V., d. Dubletten d. kgl. Münzkabinets zu Berlin, welche
unter Leitg v. A Weyl 1893 versteigert werden. (125. Auk-
tions-Katalog v. A Weyl.) (132 m. 3 Lichtdr.) 8° Berl., (J
Lehmann) 1893. † 1 —
— d. in d. J. 1900—4 erschien. Musikalien, auch musikal.
Schriften u. Abbildgn m. Anzeige d. Verleger u, Preise. (49—
53. Jahrg. u. 9. Reihe 3—7. Jahrg. 4° Lpzg, F Hofmeister.
Je 22 —; auf Schreibpap. je 25 —
*1900. (68 u. 294) (01.) § '01. (240 u. 72) (02.) § '02. (99 u. 250) (03.) § '03. (58
u. 292) (04.) § '04. (70 u. 294) (05).*
— d. Musikalien f. Militärmusik d. Kapelle . . . (Formular
Nr. 3.) (100) 4° Berl., A Parrhysius (02). Geb. 2.50 d
— d. Musikalien f. Streichmusik d. Kapelle . . . (Formular
Nr. 4.) (120) 8° Ebd. (02). Geb. 2.50 d

Verzweifelt. Gesch. e. Theologie-Studierenden. (95) 8° Dresd.
02. Blasew., R v. Grambkow. 1.50 d
2. Afl., s.: Häussler, G.
Vesper, E: Heil Gabelsberger! Stenograph.Festsp.m.anschliess.
leb. Bild. (19) 12° Wolfenb., (Heckner) (1900). nn — 30 d
Vesper, W: Die Erde, s.: Bonsels, EW.
— s.: Hohelied, d., Salomonis.
— Der Segen. Dichtgn. (79) 8° Münch., CH Beck 05. 2.40
— s.: Statuen deut. Kultur.
Vesperale romanum concinnatam ex editionibus typicis anti-
phonarii romani. Cura et auctoritate sacror. rituum congre-
gationis digestam. (Ed. nova.) (Ausg. in Schwarzdr.) (22,
396, 180, 64, 4 u. 2) 8° Rgnsbg, F Pustet 04. 3 —; geb. 4.40
Vesper-Andachten, liturg., f. d. St. Matthäus-Gemeinde. 10. Afl.
(86) 8° Berl., (Schriftenvertriebsanst.) 1900. — 50 d
Vesperbuch, neues, m. Noten. Auszug a. d. grösseren röm.
Vesperale. (Lütticher Ausg.) 21. Afl. (374 m. Titelbild.) 16°
Saarl., F Stein Nf. (01). — 45; L. — 70
Vespucci, A, s.: Mundus novus.
Veteran, der. Deut. Krieger-Zeitg. Mit Unterhaltgsbl. Red.:
C Matthias u., seit 1904, FW Kunze. 8—12. Jahrg. 1901—5 je
52 Nrn. (1901. Nr. 1. 12 u. 4 m. 1 Abb.) 4° Lpzg (Hainstr. 31),
Verl. d. Verbandes dent. Kriegs-Veteranen. Viertelj. 1 — d
Veteranen- u. Krieger-Kalender, bayer., f. 1904. 38. Jahrg.
Hrsg. v. W Reichel. (120 m. Abb. u. 1 Farbdr.) 8° Augsbg,
Gebr. Reichel. nn — 50 d ô H
Veteranen- u. Landsturm-Kalender f. 1906. 28. Jahrg. (32,
132 m. Abb.) 8° Wien, M Perles. — d ô F
Veterator (Maistre Patelin) u. **Advocatus,** 2 Pariser Studen-
tenkomödien, hrsg. v. J Bolte, s.: Litteraturdenkmäler, la-
tein., d. XV. u. XVI. Jahrh.
Veterinär-Kalender f. 1906. Hrsg. v. Koenig. u. Abtlgn. (462,
Tagebuch u. 485) 8° Berl., A Hirschwald. Ldr u. geh. 3 —
— pro 1906. Verf. u. hrsg. v. A Koch. 39. Jahrg. (337 m. 1 Bildn.
u. Tageb.) 8° Wien, M Perles. L. 3 —; Ldr 4.40
— dent., f. 1905—6. Hrsg. in 2 Tln v. R Schmaltz. (286, Schreibkalender u. 245) 8° Berl., R Schoetz. Ldr u. geh. 5 —
Veterinär-Sanitäts-Bericht, statist., üb. d. preuss. Armee f.
d. Rapportj. 1900. (254 m. graph. Fig.) Berl., ES Mittler & S.
01. 8 — d
— dass. u. d. XIII. (kgl. württemberg.) Armeekorps f. d. Rapportj. 1901—4 (Mit graph. Fig.) 4° Ebd. 8 — d
'01—8. (307, 190 u. 192) 02—04. Je 7 j '04. (342) 05. 9 —
Veth, J: Streifzüge e. holländ. Malers in Deutschl., s.: Bibliothek ausgew. Kunstschriftsteller.
Vetter, a., a. Bremen. Haus- u. Familienkalender f. 1905.
23. Jahrg. (197 m. Abb.) 8° Brem., H Drewes. — 50 d
— d., v. Rhein. Illustr. Volkskalender f. 1901. (104) 4° Lahr,
C Schömperlen. (Nur dir.) 30 — d
— d. neue, a. Schwaben. 1905. (49 u. 7 m. Abb.) 8° Stuttg., K
Daser. — 20 d
Vetter, B: Die moderne Weltanschaug. u. d. Mensch, 6 öffentl.
Vortr. 3. Afl. (153) 8° Jena, G Fischer 01. 4 — 4. Afl. (144 m.
Bildnis.) 03. Je 2 —; geb. je 2.50 d
Vetter, F, s.: Beiträge z. Erklärg u. Gesch. d. Werke Jere-
mias Gotthelfs.
— Sankt Gallus. Festsp. zur 100jähr. Jubelfeier d. Kt. Sankt
Gallen. (57) 8° St. Gall., A & J. Köppel 02. 1.30 d
— Klosterbüchlein. Beschreibg d. S. Georgen-Klosters zu
Stein am Rhein. (28 m. Abb. u. Grundr.) 8° Bern, H Körber 02.
— 90 d
— Schillers Flucht a. Stuttgart. Spiel z. Schillerfeier '05-
[S.-A.] (28) 8° Zür., Rascher & Co. 05. — 50 d
— Schule u. Kirche im alten u. im neuen Jahrh. Vortr. (22)
8° Bern, Neukomm & Z. 01. || 2. Afl. (27) 01. Je — 80 d
— Die Schweiz — a. „deut. Provinz"? Meine Nürnberger Rede
u. ihre Folgen. (70 m. Bildnis.) 8° Berl., Herm. Walther 02. 1 —
Vetter, J: Die Bibel — d. Schwert d. Geistes. (116) 8° Gotha,
Missionsbh. P Ott 03. — 80 d
— Persönl. Christentum oder? Eine zeitgemässe Aufforderg
an alle, d. sich zu d. Auserwählten Gottes bekennen. 2. Afl.
(46) 12° Barm., Deut. China-Allianz-Miss. 02. — 10 d
— Warum starb Christus? — Evangelium f. d. verlorensten
Sünder, s.: Gruss a. d. Zelt-Mission.
— Meinen Frieden. Rede. (13) 12° Gotha, Missionsbh. P Ott (02).
— 10 d
— Der Hl. Geist u. d. Blut Jesu. (24) 12° Ebd. 02. nn — 15 d
— Höchstes Glück auf Erden. (35) 12° Ebd. 01. — 10 d
— Freie Gnade in Christo. Evangelisationsreden. (239) 8° Ebd.
03. (1.50) 1.90; kart. (2 —) 1.50 d
— Gottes Mitarbeiter in Erweckgn. (Aus e. Ansprache.) (27)
12° Düsseldf, (C Schaffnit) 02. — 20 d
— Was soll ich denn machen m. Jesu? 2.(Umschl.-)Afl. (31) 12°
Barm., Deut. China-Allianz-Miss. (01). (— 15) — 20 || 3. Afl.
(30) 02. — 12 || 4. Afl. (05). — 15 d
— Marsch retour! od. Busse zu Gott, s.: Gruss a. d. Zelt-
mission.
— Hinter d. engen Pforte od. Winke u. Ratschläge f. neube-
kehrte Zionspilger. 4. Afl. (63) 12° Gotha, Missionsbh. P
Ott 04. — 25 d
— Unser Programm. (Zeltmission.) (24) 12° Ebd. (02). — 10 d
Vetter, I: Gesch.-Büchl. d. Stadt Stein, s.: Beiträge z. Steiner
Gesch.
Vetter, J: Chronik d. Stadt Luckau im Markgraft. Nieder-

lausitz. Neue Afl. v. A Petersen. (258) 8° Luckau, F Meissner
04. nn 3 — d
Vetter, L: Deut. Fibel. 2 Tle. 8° Metz, P Even 03. Kart. je — 40 d
I. Für d. Unteret. d. Elementarsch. 16. Afl. (64)
II. Leseb. f. d. ob. Abteilg d. Unterst. kathol. Elementarsch. 13. Afl. (76)
— dass. 1. Tl f. d. Unterstufe d. Elementarsch. 18. Afl. Nach
phonet. Grundsätzen bearb. v. A Birkemeyer. (70 m. Abb.)
8° Ebd. 05. Kart. — 50 d
— Deut. Fibel u. Leseb. f. d. Unterst. einklass. Volkssch.
6. Afl. (101) 8° Ebd. 03. Kart. — 50 d
Vetter, L: Das Bad d. Neuzeit u. s. histor. Entwicklg. (261
m. Abb., Tab. u. Pl.) 8° Stuttg., Deut. Verl.-Anst. 04. 4 —;
geb. 5 —
Vetter's, LH, Tab. z. schnellen u. richt. Berechng d. Zinsen
a. 1 bis 50 000 Mark Kapital v. 1—365 Tagen zu 1, 3, 3^1/$_2$, 3^3/$_4$,
4, 4^1/$_4$, 4^1/$_2$, 4^3/$_4$, 5, 5^1/$_4$, 5^1/$_2$, 5^3/$_4$ u. 6%. Nebst Zeitberechngs-,
Zins- u. Münzreduktions-Tab. Mit e. Anh.: Zinstaf. a. 1—
50 000 Mark Kapital v. 1—39 Tagen u. 1 bis zu 12 Monaten zu
3, 3^1/$_2$, 3^3/$_4$, 4, 4^1/$_4$, 4^1/$_2$, 5 u. 6%, d. Jahr zu 360 Tagen gerechnet.
6. Afl. (380 u. 41) 8° Freibg i/B., Herder 03. Geb. 3.70 d
— Zinstaf. z. Berechng d. Zinsen a. 1—50,000 Mark Kapital
v. 1—29 Tagen u. 1—12 Monaten zu 1, 3, 3^1/$_2$, 3^3/$_4$, 4, 4^1/$_4$, 4^1/$_2$,
5 u. 6%, d. J. zu 360 Tagen gerechnet. 8. Afl. (41) 8° Ebd. 03.
— 70; geb. 1 — d
Vetter, P, s.: Quartalschrift, theolog.
Vetter, PK: Das verb. Stratifications-Verfahren m. wider-
standsfähig veredelten Reben. (31 m. Abb.) 8° Pressbg 02.
(Budap., Stampfel.) 2 — d
— Der Traubenwickler „Cochylis ambiguella" (auch Heu- u.
Sauerwurm), e. gefährl. Schädling d. Weinbaues. Vortr. üb.
d. Entwicklgs-Gesch. d. Insektes, m. e. auf dieselbe sich
stütz. Anl. z. erfolgreichen Bekämpfg d. Schädlings. (48 m.
Abb. u. 1 farb. Taf.) 8° Ebd. (03). 2 — d
Vetter, R: Die Fürsorge f. d. beranwachs. weibl. Jugend.
Vortr. [S.-A.] (24) 8° Berl. 04. (Lpzg, HG Wallmann.) — 50
Vetter, T: Joh. Jak. Heidegger, e. Mitarbeiter GF Händels,
s.: Neujahrsblatt, hrsg. v. d. Stadtbibliothek Zürich.
Vetterlein, E: Heimat-Kunst. (31 m. Abb.) 8° Lpzg, B Richter
05. 1.20 d
Vettern, d., a. Berlin, s.: „Vergissmeinnicht"-Erzählungen.
Vetters, H: Zur Geol. d. Kl. Karpathen, s.: Beck, H.
Vetters, K: Lehrb. d. darstell. Geometrie. (285 m. Fig.) 8°
Hannov., Dr. M Jänecke 02. L. 5.60
Vever, F, s.: Novellenbuch, südslav.
Vèse, s.: Saint-Hilaire, Mlle Rosseuw de.
Via Franciscana ad coelestem Hierusalem continens s. regu-
lam et testamentum s. patris Francisci una cum precib. se-
lectis et iis, quae e rituali saepissime occurrunt. (32, 287
u. 101 m. Titelbild.) 16° Paris, J Rauch 01. 1 —
Vianello, L: Der Eisenbau, s.: Oldenbourg's techn. Handbiblio-
thek.
— Der durchgeh. Träger auf elastisch senkbaren Stützen. [S.-A.]
(28 m. Abb. u. 1 Taf.) 8° Berl., J Springer 04. 1 —
Vianna, A dos Reis Gonçalves: Portugais, s.: Skizzen leb.
Sprachen.
Viaud, J, s.: Loti, P.
Vibaek, M: Karl Verner, s.: Verner, K, Abhandlgn u. Briefe.
Vibrans, C: Die Wirtschaft Lupitz u. ihre Erträge, s.: Arbeiten
d. dent. Landw.-Gesellschaft.
Vibrans, O: Doktor Veit. Dichtg. (119) 8° Wolfenb., J Zwissler
04. 2 —; geb. 3 — d
Victima, una, del secreto de la confesión. Novela fundada en
un suceso verídico. Por un padre de la compañía de Jesús.
(367 m. Abb.) 8° Freibg i/B., Herder 03. 2.40; HL. 3 —
Victoire, la. Journal de modes pour dames. (In französ., deut.
u. engl. Sprache.) Red.: H Nowatschek. Oktbr 1905—Septbr
1904. 12 Nrn. (Nr. 1. 8 m. Abb. u. 12 farb. Modebildern.) Fol.
Paris, (Wien, R Spanbauer.) Je 4 —
Fortsetzg war nicht zu erhalten.
Victor, E: Die Cyankalium-Langg v. Golderzen. J Park's „Cya-
nide process of gold extraction" frei bearb., verm. u. ein-
geleitet. (906 m. Abb., Titelbild u. 14 Taf.) 8° Wien, A Hart-
leben 02. 5 —; geb. 5.80 d
Victoria, zu Berlin u. ihre Volksversicherg! 30 in d. „Pschütt"-
Caricaturen erschien., d. Machinationen dieser beri—hmten
Gesellsch. schongelos geiss. Enthüllgn. 2. Afl. (54) 8° Wien
(01). (Lpzg, Litt. Anst.) nn 1 — d
Victoria-Sammlung, s.: Viktoria-Sammlung.
Vicuir: Die Aufg. d. Ostmarken. [S.-A.] 8° Berl., Volldampf-Verl.
03. — 50
Vilmar, CJ: Methodik d. kathol. Relig.-Unterr. an allg. Volks-
u. Bürgersch. 2. Afl. (236) 8° Wien, C Fromme 03. 2 — d
— Theolog. Repetitorium, s.: Jehly, J.
Viebahn, G v.: Blicke in d. Herz e. Helden. [S.-A.] (23) 8°
Berl., Deut. ev. Buch- u. Tractat-Gesellsch. (02). — 50 d
— Kann e. glaub. Christ d. Weg d. Zweikampfes gehen? [S.-A.]
(26) 8° Ebd. 02.
— s.: Waltend u. Schild.
— Röm. Soldatenstolz. [S.-A.] (24) 8° Berl., Deut. ev. Buch-
u. Tractat-Gesellsch. 02. — 50 d
— „Wachend u. wartend". Vortr. (19 m. Abb.) 8° Lpzg, M Költz
04. — 20 d
Aus d. Handel gezogen.
— Zeugnisse e. alten Soldaten an s. Kameraden. VI—X. Jahrg.

1900/1905. (Je 53 Nrn zu 4) 8° Berl., Deut. ev. Buch- u. Tractat-
Gesellsch. 01-05. Je — 60; geb. je 1 — d
Viebig, C (Frau C Cohn): Das tägl. Brot. Roman in 2 Bdn.
9. Afl. (309 u. 312) 8° Berl., E Fleischel & Co. 05. 8 —;
geb. 10 — d
— Dilettanten d. Lebens. Roman. 4. Afl. (328) 8° Ebd. 05. 3.50;
geb. 5 — d
— Gespenster. Sie muss ihr Glück machen. 2 Novellen. (158
m. Abb.) 8° Stuttg., C Krabbe (04). 2 —; Ldr nn 3.50 d
— Wen d. Götter lieben. — Vor Tau u. Tag. Novellen. (151
m. Abb.) 8° Ebd. (03). 2 —; Ldr nn 3.50 d
— Das schlaf. Heer. Roman. 1—17. Afl. (518) 8° Berl., E Fleischel
& Co. 04.05. 6 —; geb. 7.50; Luxisausg. geb. 12 — d
— Der Kampf um d. Mann. Dramenzyklus. 1—5. Afl. (160) 8°
Ebd. 05. 2 —; geb. 3 — d
— Kinder d. Eifel. Novellen. 6. Afl. (303) 8° Ebd. 04. 3.50;
geb. 5 — d
— Es lebe d. Kunst! Roman. 4. Afl. (475) 8° Ebd. 05. 6 —;
geb. 7.50 d
— Vom Müller-Hannes. Eine Gesck. a. d. Eifel. 1—11. Afl. (816)
8° Ebd. 03-05. 3.50; geb. 5 — d
— Naturgewalten. Neue Geschichten a. d. Eifel. 1—10. Afl. (276)
8° Ebd. 05. 3.50; geb. 5 — d
— Rheinlandstöchter. Roman. 6. Afl. (548) 8° Ebd. 04. 6 —;
geb. 7.50 d
— Die Rosenkranzjungfer u. anderes. 1—6. Afl. (375) 8° Ebd.
01-03. 3 —; geb. 4.50 d
— Simson u. Delila, s.: Hesse's, M, Volksbücherei.
— Vor Tau u. Tag. Novellen. 3. Afl. (267) 8° Berl., E Fleischel
& Co. 04. 3 —; geb. 4.50 d
— Am Totenmaar. Margrets Wallfahrt. Das Miseräbelchen.
Der Osterquell, s.: Volksbücher, Wiesbad.
— Die Wacht am Rhein. Roman. 1—16. Afl. (475) 8° Berl., E
Fleischel & Co. 02-05. 6 —; geb. 7.50 d
— Das Weiberdorf. Roman a. d. Eifel. 16. Afl. (289) 8° Ebd. 04.
3.50; geb. 5 — d
Viedebantt, H: Tägl. Seelenmanna f. Pilger n. Jerusalem und.
Betrachtgn f. alle Tage d. Jahrs. 5. Afl. (368) 8° Calw u. Stuttg.,
Vereinsbh. 01. L. 1.50 d
Viehoff, H: Hdb. d. deut. Nationallitt. v. Luther bis z. Gegen-
wart f. d. ob. Klassen höh. Lehranst. 25. Afl. v. H Leisering.
3 Tle. (596 u. 391) 8° Brnschw., G Westermann 01. L. 7 — d
Viehstands- u. Obstbaumlexikon v. J. 1900 f. d. preuss. Staat.
Bearb. v. kgl. statist. Bureau. 13 Hefte. 8° Berl., Verl. d.
kgl. statist. Landesamts 03. 31.20 d
L. Ostpreussen. (206) 4 — ‖ II. Westpreussen. (135) 2 — ‖ III. Stadtkreis
Berlin u. Prov. Brandenburg. (215) 2.80 ‖ IV. Pommern. (153) 2.60 ‖ V.
Posen. (211) 2.80 ‖ VI. Schlesien. (360) 4.80 ‖ VII. Sachsen. (184) 2.80 ‖ VIII.
Schleswig-Holstein. (93) 1.40 ‖ IX. Hannover. (196) 2.60 ‖ X. Westfalen.
(91) 1.80 ‖ XI. Hessen-Nassau. Mit e. Anh. üb. Waldeck u. Pyrmont. (119
u. 8') 1.80 ‖ XII. Rheinland. (151) 2.20 ‖ XIII. Hohenzollernsche Lande.
(7) — 40.
Viehweger, KE: Die Baukonstruktion in Stein, Holz u. Eisen,
s.: Leu, E.
— Die Gewölbe. — Lehrb. d. Bau-Veranschlagens, s.: Für
Schule u. Praxis.
Vielhauer, P: Wohlstandsquellen u. Wohlstandsgefahren, s.:
Weigand, C.
Vielwisser, d., s.: Zeitungsleser, d. gebildete.
Viemann, F: Einfamilien-Häuser. Freistehende, angebaute u.
eingebaute. (36 z. Tl farb. Taf. m. 8 S. Text.) 8° Halle, L Hof-
stetter, V. 04. M. 12.50
Vierath, W: Frauen-Elend, s.: Bibliothek d. Seelen- u. Sexual-
lebens.
— Die Phrenol. (Kopfformen-Kde) u. ihre Bedeutg f. d. Er-
ziehg u. Heilkde, s.: Möller's, W, Bibliothek f. Gesundheits-
pflege.
— Sinnlichk. beim Weibe, s.: Bibliothek d. Seelen- u. Sexuallebens.
— Wie erkenne ich Talente, Neiggn u. Charakter bei mir u.
Anderen? (86 m. Abb.) 8° Oraniengb, Orania-Verl. (03). 1 —
‖ 2. Afl. (86 m. Abb.) (04.) 1.50 d
Viereck, E (E Schmidt-Viereck): Sansara. Skizzen u. Novellen.
(153) 8° Zür., C Schmidt (04). 4 — d
Viereck, GS: Gedichte. With an appreciation by L Lewisohn.
(54) 8° New York. Brentano's 04. Kart. 3 —
Viereck, L: Hdb. d. allg. Gesch., s.: Assmann, W.
— d. preuss. Prov. Hannover u. d. Herzogt. Braunschweig,
s.: Landes- u. Provinzial-Geschichte.
— 2 Jahrb. deut. Unterr. in d. Verein. Staaten. (293 m. 13 Bildern.)
8° Brnschw., F Vieweg & S. 03. 5 —; L. 6 —
— Leitf. beim 1. Unterr. in d. Gesch., s.: Beck, J.
Vieregge, KH, s.: Bundespredigten, ev.
— Heilige sie in Deiner Wahrheit. 12 Predigten v. d. Heiligg.
(114) 8° Mgdbg, Ev. Bh. 02. (2 —) 1.50; geb. (3 —) 2 — d
— Vorwärts im Werk d. Herrn, s.: Buschmann, E.
Viergutz, F: Leitf. f. d. Unterr. in d. deut. Gesch., s.: Schillmann, R.
Vierhapper, F, u. K Linsbauer: Bau u. Leben d. Pflanzen.
12 Vortr. (204 m. Abb.) 8° Wien, C Konegen 05. 3.50
Vierhaus, F: Üb. d. soz. u. wirtschaftl. Aufg. d. Zivilprozess-
gesetzgebg. [S.-A.] (40) 8° Berl., O Liebmann 03. 1 —
— Formularb. z. d. deut. Prozessordngn, s.: Weizsäcker, J.
— z. Zeitschrift f. deut. Zivilprozess.
Vierordt, H: Ausgew. Dichtgn. (152) 8° Hdlbg, C Winter, V.
06. Kart. 1 — d

Vierordt, H: Gemmen u. Pasten. Tagebuchblätter a. Italien.
(150) 12° Hdlbg, C Winter, V. 02. 2 —; L. 3 — d
— Kosmoslieder. (151) 8° Ebd. 05. 2 —; geb. 3 — d
— Meilensteine. Dichtgn a. d. Leben. (149) 12° Ebd. 04. 2 —;
L. 3 — d
— Vaterlandgesänge. 2. Afl. (151) 12° Ebd. 03. 2 —; L. 3 — d
Vierordt, H: Kurzer Abr. d. Perkussion u. Auskultation. 7. Afl.
(75) 8° Tüb., F Pietzcker 01. ‖ 8. Afl. (72) 04. Geb. je 2 —
— s.: Enzyklopädie d. prakt. Medizin.
Vierordt, O: Die Askaridenerkrankg d. Leber u. d. Bauch-
speicheldrüse, s.: Sammlung klin. Vortr.
— Diagnostik d. inneren Krankh. auf Grund d. heut. Untersuchungsmethoden. 6. Afl. (711 m. Abb.) 8° Lpzg, FCW Vogel
01. 14 —; geb. nn 15.80 ‖ 7. Afl. (21, 754 m. Abb.) 05. 14 —;
geb. nn 16 —
— Die Säuglingsabteilg, Säuglingsambulanz u. Milchkühe d.
Luisenheilanst. (Kinderklinik) zu Heidelberg. (48 m. 5 Taf.)
8° Stuttg., EH Moritz 04. 1.80; geb. 2.50
Vierow: Stammliste d. Offiziere, Sanitätsoffiziere u. Beamten
d. Infant.-Regts General-Feldmarschall Prinz Friedrich Karl
v. Preussen (8. Brandenburg.) Nr. 64, sowie derjen. Reserve-
u. Landwehroffiziere etc., welche bei ihm an e. Feldzuge
Theil genommen haben. (332) 8° Oldnbg, G Stalling's V. 02.
nn 6.75 d
Vierow, CS: Lehrb. d. Navigation, s.: Albrecht, MF.
Vierssen, GW: Weite Herzen. Roman. (372) 8° Dresd., E Pierson
03. 4 —; geb. 5 — d
Viertel, A: Busbeeks Erlebnisse in d. Türkei in d. J. 1555—62.
Nach s. Briefen dargest. (41) 8° Gött., (Vandenhoeck & R.)
02. 1.20
Vierteljahresbericht, krit., üb. d. berg- u. hüttenmänn. u.
verwandte Lit. 19—23. Jahrg. 1901—5 je 4 Nrn. (Nr. 1, 8) 8°
Freibg, Craz & G. Je 2 —
Vierteljahrsberichte d. Wiener Ver. z. Förderg d. physikal.
u. chem. Unterr. Red. v. K Haas. 6—10. Jahrg. 1901—5 je
4 Hefte. ('01—4: 180, 229, 234 u. 174 m. Abb.) 8° Wien, (F Deuticke). Je 2 —
Vierteljahrshefte z. Statistik d. Deut. Reichs. Hrsg. v. kais.
statist. Amt. 10—14. Jahrg. 1901—5 je 4 Hefte. (1. Hefte.
304 m. 2 Kart. u. 2 graph. Darstellgn.) 4° Berl., Puttkammer
& M. Je 8 — d
— dass. Ergänzgsheft zu 1903, Heft I, II u. IV; 1904, I u. IV u.
1905 I u. II. 4° Ebd. Einzelpr. 9 —; z. Hauptheft unberechnet. d
'03- I. Ergebnisse, d. J. Viehzählg v. 1.XII.1900 im Deut. Reich. (213
m. 4 farb. Taf.) 03. 1.50
II. Forsten u. Holzungen, d. im Deut. Reich. d. Erhebg d. J. 1900.
(145 m. 2 Kart.) 02.
IV. Statistik, allg., d. Reichstagswahlen v. '03- (95 m. 1 Karte.) 04. 1 —
'04. I. Statistik, allg., d. Reichstagswahlen v. '03. (95 m. 1 Karte.)
04.
IV. Flagge, d. deut., u. d. ausserdeut. Häfen. 1. Tl. Europ. Häfen.
(45) 04. 1 —
'05- I. Deutschen,d., im Ausl.u.d Ausländer im Deut.Reich.(50 u.133) 05. 2
II. Flagge, d. deut., u. d. ausserdeut. Häfen. 2. Tl. Ausser-europ.
Häfen. (52) 05. 1 —
— f. d. geograph. Unterr. Hrsg. v. F Heiderich. 1. Jahrg. Oktbr
1901—Septbr 1902. 4 Hefte. (310 m. 2 Kart.) 8° Wien, E Hölzel.
10 —; einz. Hefte 2.50 ‖ 2. Jahrg. 1903. (Oktbr 1902—Septbr
1903.) 4 Hefte. (1. Heft. 60) 7.50 ö F
— f. Truppenführg u. Heereskde. Hrsg. v. Gr. Generalstabe.
1. u. 2. Jahrg. 1904 u. 5 je 4 Hefte. (1. J. 704 m. Textskizzen
u. 20 Kart.) 8° Berl., ES Mittler & S. 15 —; einz. Hefte 4 — d
— württemberg. f. Landesgesch. Neue Folge. 10—14. Jahrg.
(01—4: 488, 434, 508 u. 478) 8° Stuttg., (W Kohlhammer). Je 4 — d
Vierteljahrskarte f. d. Nordsee u. Ostsee. 1902/d. Je 4 Nrn.
Mit Nebenkart. od. Text auf d. Rücks. 51.5×79,5 cm. Farbdr.
Hambg, (Eckardt & M.) Die Nr. — 75
Vierteljahrs-Katalog d. Neuigk. d. deut. Buchh. nach d. Wiss.
geordnet. 55. Jahrg. 1900. 4. Heft. Oktbr—Dezbr. (583—989)
8° Lpzg, JC Hinrichs' V. 2.50 (Vollst.: nn 9.10) ‖ 56. Jahrg.
1901, 4 Hefte. (1031) nn 8.60 ‖ 57. Jahrg. 1902, 4 Hefte. (1098)
nn 9.10 ‖ 58. Jahrg. 1903. 4 Hefte. (1156) 9.80 ‖ 59. Jahrg. 1904.
4 Hefte. (1200) 9.80 u. 60. Jahrg. 1—3. Heft. (795) 6.60 d
Hieraus einzeln:
Bau- u. Ingenieurwiss. 1900. 4. Heft. (29—32) ‖ '01—4 je 4 Hefte. (40, 46,
48 u. 50) ‖ '05- 1—2. Heft. (25) Das Heft — 20
Erziehg u. Unterr. Jugendschriften. 1900. 4. Heft. (73—116) ‖ '01—4 je 4
Hefte. (195, 146), 157 u. 150) ‖ '05. 1—3. Heft. (86) Das Heft — 40
Hass-, Land- u. Forstw. 1900. 4. Heft. (27—36) ‖ '01—4 je 4 Hefte. (31,
34, 34 u. 40) ‖ '05- 1—2. Heft. (25) Das Heft — 30
Kriegswiss., Pferdekde u. Karten. 1900. 4. Heft. (27—32) ‖ '01—4 je 4
Hefte. (21, 46, 34 u. 48) ‖ '05- 1—3. Heft. (24) Das Heft — 20
Medizin, Naturw. u. Mathematik. 1900. 4. Heft. (91—126) ‖ '01—4 je 4
Hefte. (178, 140, 146 u. 152) ‖ '05- 1—3. Heft. (107) Das Heft — 40
Theol., Philosophie (u. Theosophie). 1900. 4. Heft. (61—84) ‖ '01—4 je 4
Hefte. (106, 111, 119 u. 120) ‖ '05- 1—3. Heft. (62) Das Heft — 40
Vierteljahrsschrift d. astronom. Gesellsch. Hrsg. v. R Lehmann-Filhés u. G Müller. 36—40. Jahrg. 1901—5 je 4 Hefte.
8° Lpzg, (W Engelmann). Das Heft 2 —
— '01- (302 m. 2 Bildn.) ‖ 37. '02- (406 m. 1 Bildn.) ‖ 38. '03- (296 m.
1 Bildn.) ‖ 39. '04- (328 m. 1 Bildn. u. 1 Karte.) ‖ 40. '05- (308 m. 1 Bildn.)
— f. Bibelkde, talmud. u. patrist. Studien, hrsg. v. M Alt-
schüler. 1. u. 2. Jahrg. (1. Jahrg. 1. Heft. 160) 8° Berl., S Calvary & Co. 03.04. Je 15 —
— f. körperl. Erziehg. Hrsg. v. L Burgerstein u. V Pimmer.
1. Jahrg. 1905. 4 Hefte. (1. Heft. 57 m. Abb.) 8° Wien, F Deuticke). 3.60; einz. Hefte 1 —

Vierteljahrsschrift, österr. [früher Monatsschrift] f. Forstwesen. Hrsg. v. österr. Reichsforstver. Red. v. A Ritter v.
Guttenberg. Neue Folge. 19—23. Bd. Der ganzen Folge 51—
54. Bd. Jahrg 1901—5 je 4 Hefte. (1901. 1. Heft. 127 m. Abb.)
8° Wien, (M Perles). Je 10 —; einz. Hefte nn 3 — d
— krit., f. Gesetzgebg u. Rechtswiss., hrsg. v. K Birkmeyer,
F Hellmann, (K v. Maurer, M v. Seydel,) Frhr C v. Stengel u.
E Ullmann. (Fortsetzg d. krit. Ueberschau d. deut. Gesetzgebg u. Rechtswiss., u. d. Heidelberger krit. Zeitschr.) 3. Folge.
7—10. Bd. (Der ganzen Folge 43—46. Bd.) Je 4 Hefte. (644,
630, 638 u. 632) 8° Tüb., JCB Mohr 01-04. Je 14 —;
einz. Hefte 4 — d
— deut., f. öffentl. Gesundheitspflege. Red. v. A Spiess
u. M Pistor, v. 37. Bd an M Pistor u. S Merkel. 33—37. Bd
je 4 Hefte. 8° Brnschw., F Vieweg & S. 143.50
33. (840 m. Abb. u. 1 Taf.) 02. 34 — | 34. (962 m. Abb.) 02. 27 — | 35. (1078
m. Abb., 8 Taf. u. 1 Bildn.) 03. 30 — | 36. (1005 m. Abb. u. 2 Kart.) 04.
79 — | 37. (996 m. Abb. u. 6 Taf.) 05. 33.50.
— dass. Suppl. z. 32—36. Bd. 8° Ebd. 60 —
17. Jahresbericht üb. d. Fortschritte u. Leistg auf d. Geb. d. Hygiene.
Begründet v. J Uffelmann. Jahrg. 1899. Hrsg. v. A Pfeiffer. (625) 01.
11 — | 18—20. Jahrg. 1900—02. (674, 660 u. 575) 02-04. Je 12 — § 21. Jahrg.
03. (673) 05. 15 —
— histor. Hrsg. v. G Seeliger. Neue Folge d. deut. Zeitschrift
f. Gesch.-Wiss. 4—8. Jahrg. 1901—5. Der ganzen Folge 12—
16. Jahrg. je 4 Hefte. (Je 1. Heft. 136 u. 32) 8° Lpzg, BG
Teubner Je 20 —
— jurist. Hrsg. v. (D Ullmann,) O Frankl u. A Finger. 33—
37. Bd. Der neuen Folge 17—21. Bd. Je 4 Hefte. (33. Bd. 1. u.
2. Heft. 128) 8° Wien, Manz 01—05. Je 5 —
— kirchenmusikal. Hrsg. v. Salzburger Diöz.-Cäcilien-Ver.
Red.: B Feuersinger. 16—19. Jahrg. 1901—4 je 4 Hefte. (1. Heft.
32) 8° Salzbg, (A Pustet). Je 2 — d ö F
— d. bayer. Landw.-Rathes, zugl. Organ d. landw. Lehranst.,
d. Landesmoorkultur-Anst. u. Versuchsstationen Bayerns.
Neue Folge d. Zeitschrift d. landw. Ver. in Bayern. Red. v.
O May. 6. Jahrg. 1901. 4 Hefte. (1. Heft. 176 u. 107 m. Abb.)
8° Münch., (A Ackermann's Nf.). 4 — d
Fortsetzg war nicht zu erhalten.
— f. gerichtl. Medizin u. öffentl. Sanitätswesen. Hrsg. v. AL
Schmidtmann u. F Strassmann. 3. Folge. 21—30. Bd. Jahrg.
1901—5 je 4 Hefte. (21. Bd. 1. Heft. 209) 8° Berl., A Hirschwald. Der Jahrg. 14 —
— dass. Suppl.-Hefte z. 21., 23—27. u. 29. Bd. 8° Ebd. 46.60
31. (319 m. Abb.) 01. 8 — | 23. (282 m. Abb.) 02. 8 — | 24. (119) 02. 4.60
| 25. (354) 03. 8 — | 26. (196) 03. 5 — | 27. (338 m. 4 Taf.) 04. 9 — | 29.
(240 m. 1 Taf.) 05. 6 —
— dass. General-Reg. Jahrg. 1859—1901 incl. (307) 3° Ebd. 02. 6 —
— d. naturforsch. Gesellsch. in Zürich. Hrsg. v. F Rudio.
46—50. Jahrg. 1901—5 je 4 Hefte. ('01—4: 404, 508, 523, 434
m. 12, 22, 6 u. 12 Taf.) 8° Zür., (Fäsi & B.). Je nn 7.20
— f. prakt. Pharmazie. Hrsg. v. P Barth. 25. Jahrg. Red.:
H Salzmann u. W Wöbbe. 1. u. 2. Jahrg. 1904 u. 5 je 4 Hefte.
(1904. 1. Heft. 108) 8° Berl., Selbstverl. d. deut. Apotheker-
Ver. Je 5 —; einz. Hefte 1.25
— f. wiss. Philosophie, gegründet v. R Avenarius, in Verbindg m. E Mach u. A Riehl hrsg. v. P Barth. 25. Jahrg.
1901. 4 Hefte. (1. Heft. 144) 8° Lpzg, OR Reisland. nn 12 —;
einz. Hefte †4 —
— dass. u. Soziologie, gegründet v. R Avenarius, in Verbindg
m. E Mach u. A Riehl hrsg. v. P Barth. 26—29. (neue Folge
1—4.) Jahrg. 1902—5 je 4 Hefte. (1902. 1. Heft. 141) 8° Ebd.
Je nn 12 —; einz. Hefte †4 —
— f. aarg. Rechtsprechg, hrsg. v. Obergericht d. Kt. Aargau. 1—5. Jahrg. 1901—5 je 4 Hefte. ('01—4: 208, 206, 220 u.
270) 8° Aar., HR Sauerländer & Co. Je 4 — d
— f. Social- u. Wirtschaftsgesch. Hrsg. v. S Bauer, G
v. Below u. LM Hartmann. Red.-Sekr.: K Kaser. 1. u. 2. Bd
je 4 Hefte. (628 u. 640) 8° Lpzg, CL Hirschfeld 03-04. Je 20 —
— dass. 3. Bd. 4 Hefte. (670) 8° Stuttg., W Kohlhammer 05. 20 —
— f. Wappen-, Siegel- u. Familienkde. Hrsg. v. Ver.
„Herold" in Berlin, unter Leitg v. AM Hildebrandt. 29—
33. Jahrg. 1901—5 je 4 Hefte. (1901. 1. Heft. 69 m. 1 Abb.)
8° Berl., C Heymann. Je 8 —; einz. Hefte 2 — d
— österr.-ungar., f. Zahnheilkde. Hrsg. v. J Wiess. 17—
21. Jahrg. 1901—5 je 4 Hefte. (1901. 1. Heft. 144 m. Abb.) 8°
Wien, (Wallishausser). Je 6 —
— schweiz., f. Zahnheilkde. Hrsg. v. d. schweiz. odontolog.
Gesellsch. — Revue trimestrielle suisse d'ontologie. Red.: E
Kollbrunner u., seit 1904, O Runenberger, O Redard. 12—15. Bd.
Jahrg. 1902—5 je 4 Hefte. (1902—4: 376, 318; 355, 314 u. 406,
348 m. Abb.) 8° Zür. (L Speidel). nn — 05 d
Postfrei je nu 10 —; einz. Hefte nn 2.50
Vierthaler's, FM, pädagog. Hauptschriften, s.: Sammlung d.
bedeutendsten pädagog. Schriften.
Vieth, A: Eisengiesserei. Giessereieisen u. Gusswaren. Kurze
Beschreibg d. z. Giessen verwend. Eisensorten u. d. daraus
erzeugten Gusswaren. (49 m. Abb.) 8° Brem., G Winter 05.
Kart. 1 — d
Vieth, P: Die wichtigsten chem. u. physikal. Verhältn. d. Kuh-
milch. Tab. 76×64,5 cm. Farbdr. Ham., T Fuendaling (03).
Mit St. 2.50
Vietinghoff, L Baronin v.: Backfischchens Lehr- u. Wander-
jahr. (334) 8° Stuttg., Union (04). 4 —
Vietinghoff-Scheel, G Frhr v.: Das Duell. — Kaiser Wil-
helm II. — Der Ruin d. höh. Mittelst. — Verstaatlichg d.

Bankwesens, zunächst z. Zwecke d. Ablösg d. Grundschulden. — „Ich bin d. Weg". (80) 8° Riga, Jonck & P. 01. 1.20 d
Vietor, L, s.: Echo d. engl. Umgangssprache.
Viëtor, W: Wie ist d. Aussprache d. Deut. zu lehren? Vortr.
3. Afl. (30) 8° Marbg, NG Elwert's V. 01. — 60
— Die Aussprache d. Schriftdeutschen. Mit d. „Wrtrverz. f.
d. deut. Rechtschreibg z. Gebr. in d. preuss. Schulen" in
phonet. Umschrift, sowie phonet. Texten. 5. Afl. (119 m. 1 Taf.)
8° Lpzg, (OR Reisland 01. 1.50; kart. 1.70 || 6. Afl. (119 m. 1 Taf.)
05. 1.60; kart. 1.80
— Einführg in d. Studium d. engl. Philol. m. Rücks. auf d.
Anfordergn d. Praxis. Mit e. Anh.: Das Engl. als Fach d.
Frauenstudiums. 3. Afl. (120) 8° Marbg, NG Elwert's V. 03.
2.50; geb. 3 —
— Elemente d. Phonetik d. Deut., Engl. u. Französ. 5. Afl. (386
m. Fig. u. Titelbild.) 8° Lpzg, OR Reisland 04. 7.20; geb. 8 —
— s.: Lauttafel, französ.
— Deut. Leseb. in Lautschrift. Als Hilfsb. z. Erwerbg e. muster-
gült. Aussprache. 2 Tle. 8° Lpzg, BG Teubner. Geb. je 3 —
I. Fibel u. 1. Leseb. (Zugl. in d. amtl. Schreibg). 2. Afl. (158) 04.
II. 2. Leseb. (Zugl. in d. deut. Schulscireibg). (139) 02.
— Die Methodik d. neusprachl. Unterr., s.: Vorträge u. Abhandlungen, neuphilolog.
— Kleine Phonetik d. Deut., Engl. u. Französ. 2. Afl. Der 4.Afl.
d. Orig.-Ausg. entsprechend. (132 m. Fig.) 8° Lpzg, OR Reis-
land 01. 2.40 || 4. [5.] Afl. (132 m. Fig.) 05. 2.50; kart. 2.80
— German pronunciation: Pratice and theory. The best German. — German sounds, and how they are represented in
spelling. — The letters of the alphabet, and their phonetic
values. — German accent. — Specimens. 3. ed. (137 m. 1 Abb.)
8° Ebd. 03. 1.60; geb. 2 —
— s.: Sprachen leb. Sprachen. — Sprachen, d. neueren. — Sprachunterricht, d., muss umkehren!
— u. F Dörr: Engl. Leseb. Unterst. 7. Afl. (24, 294 m. Abb.,
1 Karte, 1 Pl., 1 Münztaf. u. 22 Taf.) 8° Lpzg, BG Teubner
04. L. 3 —
— dass. 6. Afl. 1. Tl. Ausg. in Lautschrift v. ER Edwards.
(76) 8° Ebd. 01. 1.80; geb. 2.20
Vietske, E: Wiederholgs- u. Übgsb. f. d. Behandlg poet. Stoffe
an Präparandenanst., in Andeutgn u. Ausführgn behufs. 3. Afl.
(122) 8° Gotha, EF Thienemann 05. Kart. 1.80 d
Vieweg, W: Die Bestandteile uns. Atmosphäre, s.: Vorträge
u. Abhandlungen, hrsg. v. d. Zeitschrift „Das Weltall".
— Die Chemie auf d. Weltausstellg zu St. Louis '04- [S.-A.]
(96) 8° Stuttg., F Enke 05. 2.40
Viewéger, H: Aufg. u. Lösgn a. d. Geb. d. Gleich- u. Wechsel-
stromtechnik. (272 m. Fig. u. 2 Taf.) 8° Mittw., Polyt. Bh.
L. 5.50
— Die Schule d. Elektrotechnikers, s.: Holzt, A.
Viese, H: Domitians Chattenkrieg im Lichte d. Ergebnisse d.
Limesforschg. (30) 4° Berl., Weidmann 02. 1 —
Vigée-Le Brun, MLE: Selbstbildnis, s.: Meisterbilder fürs deut.
Haus.
Vigelius, C: Hdb. f. Sparkassen. 5 Lfgn. (375) 8° Bresl., M &
H Marcus 02. Je 1 —; in 1 L.-Bd 6 — d
— Kommentar zu d. Polizei-Verordng üb. d. Bauten f. d. Städte
u. d. platte Land d. Prov. Pommern v. 7.III.'05. (136) 8°
Berl., AW Hayn's Erben 03. 3 —; geb. 3.50 d
— Die Städte-Ordng f. d. Rheinprov. v. 15.V.1856 in ihrer durch
d. neueste Gesetzgebg bedingten Fassg. (313) 8° Lpzg, OEM
Pfeffer 04. L. 5.75 d
— Das Wildschonges. v. 14.VII.'04 u. d. einschläg. Jagdges.
Preussens. (163 m. AW Hayn's Erben 05. 3 —; geb. 4 — d
Vigener, F: Bezeichngn f. Volk u. Land d. Deutschen v. 10.
bis z. 13. Jahrh. (271) 8° Hdlbg, C Winter, V. 01. 6 —
Vigener, J: Üb. dreikant. Bandwürmer a. d. Familie d. Taeni-
iden. [S.-A.] (120) 8° Kass., (Th. Weichardt) 03. 1.60 d
Vigny, Comte A de: La canne de jonc et le cachet rouge. —
Cinq-Mars ou une conjuration sous Louis XIII., s.: Schul-
bibliothek, französ. u. engl. (G Strien).
— 2 Erzählgn a. Servitude et grandeur militaires, s.: Prosa-
teurs franç. (R Broest).
— La veillée de Vincennes, s.: Auteurs franç. modernes (H
Saure).
Vigouroux, O: Zur Gesch. d. französisch-reformierten Ge-
meinde in Hamburg, s.: Barrelet, T.
Viktor, P: Der Hungerlöwe. Der Elfenrigion. Herzlieb, Das
Weihnachtsgeschenk. Den Kindern dargereicht. (32) 8° Bas.,
Ver. f. Verbreitg guter Schriften (05). nn — 05 d
Viktoria-Sammlung (spann. u. interess. Erzählgn). Nr. 1—11.
8° Bonn, Verl. Rhein. Union (05). 16 — d
Atherton, G: Eine Tochter d. Westens. Uebers. v. M Balmson. (174) [5.] 1 —
Birrenhoven, Mrs MC: Scherben. Uebers. v. H Lobedan. (219) [8.] 1 —
Blumenreich, P: Eine glückl. Hand u. and. Erzählgn. (174) [9.] 1 —
Boisgobey, F du: Das Drama au Montmartre. Kriminalroman. Uebers.
v. L Wachsler. (192) [7.] 1 —
Green, AK: Engel u. Teufel. Kriminal-Roman. Bearb. v. RA Baer. (246)
[10.] 1 —
Jacobsen, F: Das Schwert. Uebers. W Gaude. (160) [1.] 1 —
Jura, R: Die Varietéprinzessin. (290) [6.] 2 — *
Mordtmann, AJ: Die Perlen d. Alexandrino. (319) [2.] 1 —
Theden, D: Fein gesponnen. Kriminalerzählg, n. amt. Gesch. (160) [4.] 1 —
Thierry, GA: Das verschwund. Manuskript. Uebers. v. W Thal. (160)
[11.] 1 —
Wille, H: Der Privatsekretär. (318) [6.] 2 —
Zum Tl u. d. T.: Victoria-Sammlung.

Viktoria-Theater. Neue Sammlg wirkgsvoller Einakter. Nr. 1
—3. Lpzg-Co., A Spitzner's V. Je 2 — d
Horn, W: Der Deserteur. Schwank x. Geburtstagsfeier d. Landesherrn.
(24) (05.) [1.]
Rössing, W: Musketier Jochen s. „Kleene". Schwank. (24) (06.) [3.] § Ludmilla's Verlobg od. Die Kaisers Geburtstags-Bowle. Schwank. (24)
(06.) [?.]
Viktorin, H: Die Meeresprodukte. Darstellg ihrer Gewinng,
Aufbereitg u. chemisch-techn. Verwertg nebst d. Gewinng
d. Seesalzes. (453 m. Abb.) 8° Wien, A Hartleben 06. 6 —;
geb. 6.80 d
Vlas, H v.: Der Arzt u. Philosoph Asklepiades v. Bithynien.
(82) 8° Wien, W Braumüller 03. 1.80
Viljoen, B: Die Transvaaler im Krieg m. Engl., s.: Im Kampf
um Südafrika.
Villa, G: Einl. in d. Psychol. d. Gegenwart. Aus d. Ital. v.
CD Pflaum. (484) 8° Lpzg, BG Teubner 02. 10 —
Villamaria s.: Timm, Frau M.
Villanova s.: Thomas Villanova.
Villaret: Die Gründg d. Colonie Hameln u. d. Manufacturen.
— Das französ. Koloniegericht u. d. Koloniekommissar zu
Hameln, s.: Geschichtsblätter d. deut. Hugenotten-Ver.
Villatte,C: Parisismen. Alphabetisch geordn. Sammlg d. eigen-
art. Ausdrucksweisen d. Pariser Argot. 6. Afl. (326) 8° Berl.-
Schönebg, Langenscheidt's V. 06. 5 —; geb. nn 5.60
— Taschenwrtb. d. französ. u. deut. Sprache. 2 Tle. (Langen-
scheidt's Taschenwrtrb.) 2. Bearbeitg. 26—35. Taus. (440 u.
472) 12° Ebd. (02). L. je 2 —; in 1 L.-Bd. 3.50 d
Bisher u. d. T.: Notwörterbuch d. französ. Sprache.
— Encyklopäd. französisch-deut. u. deutsch-französ. Wrtrb.,
s.: Sachs, K.
— u. R Scherffig: Land u. Leute in Frankr., s.: Langen-
scheidt's Sachwörterbb.
Villen u. Einfamilienhäuser, moderne. Sammlg moderner
Wohngebäude, Villen u. Einfamilienhäuser a. Stadt u. Land,
ausgeführt v. d. ersten Architekten d. Jetztzeit. (50 Lichtdr.
m. 4 S. Text.) Fol. Berl., E Wasmuth 02. Geb. 24 —
Viller, F: Der schwarze Diamant, s.: Sammlung ausgew.
Kriminal- u. Detectiv-Romane.
— Der Geldschrank d. Bankiers. Der Rock d. Pfandleihers, s.:
Kriminal- u. Detectiv-Romane, moderne.
Villeroy, C: Engl&s Opfer. Politisch-histor. Romane. 1. u. 2.
Bd. 8° Dresd.-A. (Rabenaerstr. 6), H Obst. Je 2 — d
1. Piet Pretorius. (17v) 03. § v. Unter ind. Würgern. (163) (04.)
— Uncle Sam Imperator. Politisch-histor. Romane. 1. u. 2. Bd.
8° Ebd. Je 2 — d
1. Auf vulkan. Boden. (202) 03. § 2. Die schlimmsten Tyrannen. (160) 03.
Villers, v., s.: Jahrbuch, internat. homöopath.
Villicus, F: Muster- u. Übgshefte f. d. gewerbl. Buchhaltg z.
Gebr. an gewerbl. Fortbildgssch. 1. Heft. Kassenbuch. 4. Afl.
(15) 4° Wien, A Pichler's Wwe & S. 03. — 24
— dass. an Knaben-Bürgersch. 3 Hefte. 5. Afl. (Je 16) 4° Ebd. 04.
Je — 24
I. Kassebuch. § II. Journal. § III. Hauptbuch u. Inventor.
— dass. z. Gebr. an Mädchen-Bürgersch. 3 Hefte. 6. Afl. (Je 16)
4° Ebd. 05. Je — 24
I. Kassenbuch. § II. Journal. § III. Hauptbuch u. Inventur.
— u. E Schiebel: Rechenb. f. Bürgersch., Ausg. in 1 Bde, s.:
Schiebel, E.
— — Rechenb. f. Knaben-Bürgersch. 1—3. Cl. 8° Wien, A Pichler's Wwe & S. Kart. 3.16 d
1. 5. Afl. (75) 1900. — 76 § II. 6. Afl. (119) 04. 1.30 § III. 7. Afl. (139) 02. 1.30.
— — dass. f. Mädchen-Bürgersch. 1—3. Cl. 8° Ebd. Kart. 3 — d
1. 2. Afl. (72) 01. — 80 § II. 2. Afl. (84) 01. 1 —; neue Afl. (116) 03. 1.10
§ III. (116) 1900. 1.10.
Villiers, Mme A de: Mal was andres. Eine Sammlg erprobter
fremdländ. Kochrezepte f. Feinschmecker. 1—3. Afl. (166) 8°
Lpzg, CF Amelang 01.02. § 4. Afl. (186) 04. L. m. G. je 5 —;
HF. m. G. je 5.50 d
Villiers, G, second Duke of Buckingham : The Rehearsal, s.:
Textbibliothek, engl.
Villiers de l'Isle-Adam, Graf de: Grausame Geschichten.
Deutsch u. M Ewers. (181) 8° Gr.-Lichterf. 04. Berl., E Eisselt.
2.50 d
Villiger, B, s.: Notizen, geschichtl., z. Kirchenbau Meren-
schwand.
Villiger, E: Gehirn u. Rückenmark. Leitf. f. d. Studium d.
Morphol. u. d. Faserverlaufs. (187 m. z. Tl farb. Abb.) 8°
Lpzg, W Engelmann 05. L. 9 —
Villiger,J : General-Reg., s.: Liebig's J v., Annalen d. Chemie.
Villiger, W : Üb. d. Newton'sche Phänomen d. Scintillation,
s.: Exner, K.
Villiger-Strasser, E: Neue schweiz. Küche. (197 m. Abb. u.
Taf.) 8° Reutl., R Bardtenschlager (04). Geb. 1.20; L. 2 — d
Villinger, H : Bincben Bimber. Eine Gesch. (359 m.
Abb.) 8° Stuttg., A Bonz & Co. 02. 4 —; L. 5 — d
— Eine Gewitternacht u. anderes, s.: Meyer's, O, Bücherei.
— „Aus d. Jugendzeit, a d. Jugendzeit, klingt e. Lied mir
immerdar", Mein Klostertageb. (147 m. 4 Bilderu.) 8° Heilbronn,
G Weise (04). Geb. 3 — d
— Aus d. Kleinleben. Erzählgn. 4. Afl. (251 m. Abb.) 12° Lahr,
M Schauenburg (01). 3 — d
— Knöpfche. Uf Karlsruh! Er ka's Lebe nit leide. Der Sänger
v. Denkerbach, s.: Volksbücher, Wiesbad.
— Mutter u. Tochter. Roman. 1. u. 2. Afl. (224) 8° Stuttg., A
Bonz & Co. 05. 2 —; L. 3 — d

Villinger, H : Mutter Rosin, s.: Verein f. Verbreitg guter Schrif-
ten, Bern.
— Der neue Tag. Eine Gesch. 1—3. Afl. (272 m. Abb.) 8° Stuttg.,
A Bonz & Co. 03. 3 —; L. 4.20 d
— Der Weg d. Schmerzen. Erzählg. 1—3. Afl. (178 m. Abb.)
8° Ebd. 04. 2 —; L. 3 — d
— Wo geht es hin? Kl. Geschichten. (254) 8° Ebd. 06. 2.40;
L. 3.40 d
— Zenz. Novelle. (106 m, Abb.) 8° Stuttg., Union (04). 1 —;
geb. 2 — d
Villiot, J de: Ihr Herr. Histor. Roman. Übertr. v. Dolorosa.
(188) 8° Dresd. 04. Lpzg, Leipz Verl. 5 — d
Villon's, Maistre F, Werke. Mit Einl. u. Anmerkgn hrsg. v.
W v. Wurzbach. (186) 8° Erl., F Junge 03. 3 —
Vilmar, AFC: Gesch. d. deut. National-Litt. 26. Afl. Mit e.
Fortsetzg: „Die deut. National-Litt. v. Tode Goethes bis z.
Gegenwart" v. A Stern. (774) 8° Marbg, NG Elwert's V. 05.
5 —; HF. 6.75 d
— Wetterbüchl. 3. Afl. (43 m. 1 Tab.) 12° Ebd. 03. — 50 d
[S.-A.] (12) 8° Lpzg, B Konegen 04. 1 —
Vilmar, E {Frl. M Lepehne): Von e. Stamme, s.: Weichert's
Wochen-Bibliothek.
Vilmar, W, s.: Lesebuch, deut., f. höh. Lehranst.
Vinay,A,s.:Urkunden z. Gesch. hugenott. Familien in Deutschl.
Vincenti, ZH : Zu Ihm: Der Weg z. wahren Leben. (26) 8°
Brem., Bh. u. Verl. d. Tractath. (02). — 25 d
— Meine Kirche: Die Kirche d. wahren Lebens. (46) 8° Ebd.
(02). — 30 d
Vincent, P: Deutsch-französ. Handelskorrespondenz, s.: Weber,
B.
— et B Weber: Correspondance commerciale franç.-allemande.
(2 Tle in 1 Bde.) (136 u. 115 m. 2 Taf.) 8° Wiesb. 05. Lpzg,
O Nemnich. Geb. 2.20
Vincent, RH: Die Elemente d. Hypnotismus. Herbeiführg d.
Hypnose, ihre Erscheingn, ihre Gefahren u. ihr Nutzen. Aus
d. Engl. v. R Teuscher. 3. Afl. (304 m. Abb.) 8° Berl., Neu-
feld & H. (03). 5 —
Vincenti, A Ritter v.: Die altengl. Dialoge v. Salomon u. Sa-
turn, s.: Beiträge, Münch., z. roman. u. engl. Philol.
Vincentii Lerinensis commonitoria, s.: Florilegium patri-
sticum.
Vincens: Kommet zu mir! Geistl. Strauss, d. heil. Herzen
Jesu gewidmet, od.: Kl. Herz-Jesu-Monat. 3. Afl. (155 m. Titel-
bild.) 16° Kevel., J Thum 03. L. — 50 d
Vintselberg, J : Finanzierg u. Bilanz. Anl. z. Feststellg d.
Kaufpreises e. Firma, d. Umsatzes, Kredits u. Betriebskapi-
tals, sowie z. richt. Lesen e. Bilanz. (32) 8° Berl., H Spamer
(04). 1 —
Viola, Friedhofsblumen, s.: Erzählungen f. Schulkinder.
Viola, CM: Grundz. d. Kristallogr. (389 m. Abb.) 8° Lpzg, W
Engelmann 04. 5 —
Viola, M: Die Brüder. Novelle. (78) 8° Budap., S Deutsch &
Co. 02. 1 — d
— „Furor Teutonicus" od. 8 Tage in Berlin. (60) 16° Budap.,
C Grill 03. 1 — d
— Dr. Gutmann. Roman. 2. Afl. (258) 8° Bresl., Schles. Buchdr.
etc. 1900. 2 —; geb. 4 — d
— Das letzte Lied. Gedichte. (150) 8° Berl., S Cronbach 05. 2 —
— Salomon Tulpenthal. Moderner Roman. (328) 8° Ebd. 03.
4 —; geb. 5 — d
Violet's Ratgeber f. weibl. Berufe. Übersicht üb. d. Erwerbs-
gelegenh. f. Mädchen u. Frauen. (91) 12° Stuttg., W Violet
03. Geb. 1 — d
— Taschenb. f. Schüler höh. Lehranst. 9. Afl. d. Taschenb. f.
Gymnasiasten u. Realschüler. (281) 8° Ebd. 05. Kart. 2 —
Bisher u. d. T.: Taschenbuch f. Gymnasiasten u. Realschüler.
— dass. f. Schülerinnen höh. Lehranst. 4. Afl. d. Taschenb.
f. Gymnasiasten u. Realschüler. (281) 8° Ebd. 05. Kart. 2 —
— Wegweiser bei d. Berufswahl. Übersicht üb. d. männl. Be-
rufe auf Grund d. Berechtiggn d. höh. Lehranst. in Nord-
u. Süddeutschl. 4. Afl. (79) 12° Ebd. 03. Geb. 1 — d
Violet, B: Ein zweisprach. Psalmfragment a. Damaskus. Be-
richt. [S.-A.] (59 m. 1 Abb.) 4° Berl., W Peiser 02. 2.50
Violet, F: Aus Gesch. u. Sage. Bilder u. Erzählgs f. d. Vorst.
d. geschichtl. Unterr. in höh. Mädchensch., auf Grund d.
amtl. d. Gesch. f. höh. Lehranst. v. K Schenk bearb. (Ausg. E
Vorst.) Kurzstdf d. V. u. IV. Kl. (158 m. Abb.) 8° Lpzg, BG
Teubner 05. 1 —
— Lehrb. d. Gesch. f. höh. Lehranst., s.: Schenk, K.
— Lehrb. d. deut. Lit., s.: Stohn, H.
Violoncellisten d. Gegenwart in Wort u. Bild. (204 m. Bild-
zin. Hrsg. v. J O sh. red. v. O Israel. 171—193. Bd. XVII.
Folge 10 Bde n. XVIII. Folge. 1. u. 2. Bd. Je 8 Hefte (171. Bd.
1. Heft. 179 m. Fig. u. 5 Taf.) 8° Berl., G Reimer 03-05.
Der Bd 14 —
Virchow, H: Üb. d. Tenon'schen Raum u. d. Tenon'sche Kapsel.
[S.-A.] (19 m. 2 Taf.) 4° Berl., (G Reimer) 02. Kart. 3 —
Virchow, R: 3 histor. Arbeiten z. Gesch. sr Vaterstadt Schi-
velbein, s.: Zur Erinne.g an Rudolf Virchow.
— Archiv f. patholog. Anatomie u. Physiol. u. f. klin. Medi-
zin. Hrsg. v. J O sh. red. v. O Israel. 171—193. Bd. XVII.
Folge 10 Bde n. XVIII. Folge. 1. u. 2. Bd. Je 8 Hefte (171. Bd.
1. Heft. 179 m. Fig. u. 5 Taf.) 8° Berl., G Reimer 03-05.
Der Bd 14 —
Bisher u. d. T.: Archiv f. patholog. Anatomie, Physiol. u. klin.
Medicin.

Virchow, R: Archiv f. patholog. Anatomie u. Physiol. u. f. klin. Medizin. Hrsg. v. J Orth, red. v. O Israel. Suppl.-Heft z. 174. u. 177. Bd. 8° Berl., G Reimer. 9.40
174. (193 m. Fig.) 03. 4 — ǀ 177. Sauerbeck, Ssobolew, Gutmann, Adler: Zur Pathol. d. Pankreas. 4 Abhandlgn. (160 m. 4 Taf.) 04. 5.40.
— s.: Jahresbericht üb. usw. Anatomie u. Physiol. — Jahresbericht üb. etc. d. ges. Medicin. — Museum, d. neue pathol., d. Univ. zu Berlin. — Sammlung gemeinverständl. wiss. Vorträge. — Zeitschrift f. Ethnol.
Virchow-Bibliographie. 1843—1901. Bearb. v. W Becher, J Pagel, J Schwalbe, C Strauch, T Weyl, hrsg. v. J Schwalbe. (188) 8° Berl., G Reimer 01. 3 —
Virgilius Maro, P, s.: Vergilius Maro, P.
Vischer: Winke f. d. Anfertigg v. Krokis u. Skizzen. An 3 Übgsbeisp. erläut. (31 m. 8 Kart.) 8° Berl., R Eisenschmidt 03. 3 — d
Vischer, A, s.: Jahresbericht üb. d. chirurg. Abteilg usw. d. Spitals in Basel.
Vischer, E: Das Christentum Bismarcks. Vortr. (46) 8° Bas., Helbing & L. 05. 1 —
— Die Paulusbriefe, s.: Volksbücher, relig.-geschichtl.
— Ist d. Wahrh. d. Christentums zu beweisen? (54) 8° Tüb., JCB Mohr 02. 1.30
Vischer, F: Der Kt. Basel v. d. Auflösg d. Nationalversammlg bis z. Ausbr. d. 2. Koalitionskrieges (Apr. 1798—März 1799). (264 m. 7 Taf. u. 1 Karte.) 8° Bas. 05. (Lpzg, C Beck.) 4 —
Vischer, FT: Auch Einer. Eine Reisebekanntschafte. 10. Afl. 2 Bde. (397 u. 426 m. Bildnis.) 8° Stuttg., Deut. Verl.-Anst. 03. 9 —; geb. nn 11 —; Liebh.-Bd nn 13 — d
— dass. 25. Gesamt-Afl. Jubiläums-Ausg. (540) 8° Ebd. 04. Ldr 7 — d
— dass. 26—28. Gesamt-Afl. 1—18. Taus. d. Volksausg. in 1 Bde. (540) 8° Ebd. 04. 4 —; L. 5 — d
— Nicht I, a. Schwäb. Lustsp. 2. Afl. (104) 8° Stuttg., A Bonz & Co. 04. 1.80; L. 3 — d
— s.: Schartenmayer, PU, d. deut. Krieg 1870—71. — Schiller-Reden.
— Vorträge. Für d. deut. Volk hrsg. v. R Vischer. II. Reihe. Shakespeare-Vorträge. 1 u. 3—6. (Schl.-)Bd. 8° Stuttg., JG Cotta Nf. 40 — (I—II, 6.: 52 —; Einbde je 1 —) d
1. Einl. Hamlet, Prinz v. Dänemark. 2. Afl. (72, 512) 05. 5 —
3. Othello. König Lear. (392) 01. 7 —
4. König Johann. Richard II. Heinrich IV. Heinrich V. (405) 01. 8 —
5. Heinrich VI. Richard III. Heinrich VIII. (402) 02. 8 —
6. Julius Cäsar. Antonius u. Kleopatra. Coriolan. (399) 05. 8 —
Vischer, R: Peter Paul Rubens. Ein Büchl. f. unzünft. Kunstfreunde. (142 m. 1 Bildnis.) 8° Berl., B Cassirer 04. Kart. 4.20 d
Visio monachi de Eynsham. Zum 1. Male kritisch hrsg. v. M Huber. [S.-A.] (93) 8° Erl., F Junge (03). 2.40
Visitationsberichte d. Diöz. Breslau. Archidiakonate Breslau u. Oppeln, hrsg. v. J Jungnitz, s.: Veröffentlichungen a. d. fürstlbischöfl. Diöz.-Archive zu Breslau.
Visser, MW de: Die nicht menschengestalt. Götter d. Griechen. (372) 8° Leid., Bh. u. Dr. vorm. EJ Brill 03. nn 5 —
Vissering, E: Nordsee-Klima u. Kinderkrankh. (61) 12° Nord., D Soltau (01). — 80
Vita sexualis. Zeitschrift z. Erforschg d. Geschlechtslebens u. z. Ausbreitg d. Verständnisses f. d. anthropolog., kriminellen u. hygien. Seiten desselben. Hrsg. v. E Paul. 3. Jahrg. Oktbr 1902—Septbr 1903. 12 Nrn. (Nr. 1. 12) 4° Asiago bj|Vicenza, E Paul. Halbj. 1.50; einz. Nrn — 30
Fortsetzg s. u. d. T.: Zeitschrift f. Gesundheitspflege.
Vitae sancti Bonifatii, archiepiscopi Moguntini, recogn. W Levison, s.: Scriptores rer. germanicar.
— sanctorum antiquiorum, ed. K Conti Rossini, s.: Corpus scriptor. christianor. orientalium.
— sanctor. indigenar. ed. K Conti Rossini, s.: Corpus scriptor. christianor. orientalium.
Vital, A: Die Kartenentwurfslehre, s.: Erdkunde, d.
— Studie üb. d. österr.-ungar. Handels-Marine. [S.-A.] (32) 8° Triest, (FH Schimpff)·01. 1 —
— 5 stell. mathemat. u. astronom. Taf., s.: Bidschof, F.
— e F Bidschof: Tavole e prontuari per i calcoli di navigazione. Ed. ster. (210 u. 30) 8° Wien, F Deuticke 03. L. 7 —
Vitalis, J, s.: Bergpredigt, d.
Vité, L: Der kl. Franzose od. d. Kunst, d. französ. Sprache in kurzer Zeit verstehen, lesen, schreiben u. sprechen zu lernen. 6. Afl. (204) 16° Berl., Friedberg & M. (01). 1.25; Kart. 1.50
— Der perfecte Franzose od. prakt. Unterr. in d. französ. Umgangssprache f. Jedermann ohne Hilfe d. Lehrers. 8. Afl. (345) 12° Ebd. (03). Kart. 2.25 d
— Hdb. d. französ. Umgangssprache od. prakt.Anl., sich im Französ. richtig u. geläufig auszudrücken. 8. Afl. (345) 12° Ebd. (03). Geb. 2.50 d
Vitis, C de: Der Roman d. Arbeiterin. Roman a. d. Pariser Leben. 4. Afl. (463) 8° Köln, JP Bachem (04). 4.50; in Salonbd 6 — d
Vitrus, E: Kampf. Bekenntnisse eines Fünfundzwanzigjähr. (154) 8° Dresd., E Pierson 03. 2 —; geb. 3 — d
Vittorelli, P v.: Röm. Rechtsgesch., s.: Heilfron, E.
— Zusammenstellg d. anweis. Behörden u. auszahl. Cassen im Sinne d. § 295 d. Executionsordng. Bearb. unter Mitwirkg v. H Fischböck u. J Berkovits. (145) 8° Wien, Manz 01. Kart. 3 —
Vitus, H: Die Erbtante, s.: Theater, kl.

Vitzthum, E Graf: In ernster Zeit e. ernstes Wort. Zum 8.VIII. '03. (24) 8° Dresd., v. Zahn & J. 03. — 30 d
Vitzthum, G Graf: Bernardo Daddi. (92 m. Abb.) 8° Lpzg. KW Hiersemann 03. 4 —
Vivanti, A: Marion, d. Sängerin d. Café-chantant, s.: Seemann's kl. Unterhaltgsbibliothek.
Vivekânanda, s: Du bist DAS, d. eine ohne e. zweites. — Gibt es e. persönl. Gott?, s.: Vedânta-Philosophie.
— Karma Yog od. d. Weg z. Vollkommenh. durch Werke. Aus d. Engl. (128) 8° Lpzg, Lotus-Verl. 01. 2 —
— Der Mensch u. s. Erscheing. — Die Relig. d. Erkenntnis. — Prakt. Vedânta, s.: Vedânta-Philosophie.
Vivell, C: Der gregorian. Gesang. Studie üb. d. Echth. ar Tradition. Festschrift z. 1300jähr. Jubiläum d. hl. Gregor d. Gr. (305) 8° Graz, Styria 04. 3.60
Vives, JC: Compendium iuris canonici beatae Mariae virgini dicatum. Ed. IV. (450) 8° Rom, F Pustet 05. 3.20
— Compendium theologiae dogmaticae beatae Mariae virgini dicatum. Ed. IV. (533) 8° Ebd. 05. 4 —
— Homiliarius breviarii romani, dominicales ac feriales homilias in breviario romano abbreviatas ex integro continens aliasque pro singulis anni feriis propria homilia carentib. cum quotidianis variisque documentis. 2 tomi. (1400) 8° Ebd. 03. 20 —
Vizetelly, EA: Emil Zola. Sein Leben u. s. Werke. Aus d. Engl. v. H Möller-Bruck. (378 m. 5 Taf.) 8° Berl., E Fleischel 04. 6 —; geb. 7.50 d
Vladar, E v.: Zur Thätigk. d. Cavall. imZukunfts-Kriege. Applicator. Besprechg einz. Fragen d. Aufklärgsdienstes. Verwendg d. Divisions-Cavall. (202 m. Fig. u. 5 Skizzen.) 8° Budap., (C Grill) 01. 7 — d
Vleuten, M van: Die Grunddienstbark. n. alt-westnord. Rechte. (183) 8° Münch., T Ackermann 02. 3.60 d
Vlieger, A de: Kitâb al Qadr. Matériaux pour servir à l'étude de la doctrine de la prédestination dans la théologie musulmane. (213) 8° Leid., Bh. u. Dr. vorm. EJ Brill 03. nn 4 —
Vloten, G van, s.: Abu Othman Amr Ibn Bahr Al-Djahiz Basrensi, tria opuscula.
Vobach's illustr. Roman-Bibliothek. I. u. H. Serie je 12 Bde u. HI. Serie, 1.—7. Bd. 8° Berl., W Vobach & Co. 29.80; L. 35.75 d
Borchart, E : Der Liebe Gebot. 2 Bde. (175 u.179) (04.) [II,7.8.] 2 —; geb.1.25
— Ilse Römer. 2 Bde. (196 u. 200) (05.) [III,3.4.] 2 —; geb.1.25 in 1 Bd geb. 3 —
Braddon, ME: Du bist d. Mann. Aus d. Engl. (219) (04.) [II,5.] 1 —; geb.1.25
Burg, A: Die gauld. Frau, s.: Kaltenhauser, F, d. Rainhoferin.
Castello Branco, C der Liebe bis s. Verderben. Familientragödie. (204) (04.) [II,12.] geb. 1.25
Corony, R: Der Treue. (208) (05.) [I,8.] — 90; geb. 1.—
Danckel, M: Weltunterganag. (196) (04.) [II,8.] 1 —; geb.1.25
Faltenhorst, C: Der Goldmacher. — Kranse, H v.: An d. Schwelle. Eine Hofgesch. (116 u. 64) (03.) [I,10.] — 90; geb. 1.—
Gersdorff, A v.:(Baronin Maltzahn): Stolze Herzen. (191) (03.) [I,9.] ǀ Durch Kampf z. Krone. (192) (03.) [I,3.] Je — 90; geb. 1.—
Granath, W: Bis in d. Tod. (173) (03.) [I,6.] — 90; geb. 1 —
Höcker, PO: Prinzessin Fee. (200 u. 196 m. Bildnis.) (05.) [II,1.2.] 2 —; geb. 2.50; in 1 Bd geb. 3 —
Kaltenhauser, F: Der Berghaldenhof. (160) (03.) [I,6.] — 90; geb. 1.—
— Die Rainhoferin. — Burg, A: Die gauld. Frau". (114 u. 72) (04.) [II,6.] 1 —; geb. 1.25
Kraze, H v.: An d. Schwelle, s.: Falkenhorst, C, d. Goldmacher.
Kraze, FH: Unter d. Dornenkranz. — Römer, A : Die Spree-Loreley. (137 u. 54) (03.) [I,11.] 1 —; geb. 1.—
Maussmann, C: Gräfin Klara. — Snewwittchen. (117 u. 74) (05.) [III,7.] 1 —; geb. 1.25
Ortmann, R : Malves Mitgift. 2 Bde. (207 u. 205) (05.) [III,1.2.] 2 —; geb.1.25
Pardo-Bazan, E : Die Schwindsucht. Aus d. Span. v. H Katz. (184) (03.) [I,4.] — 90; geb. 1.—
Pemberton, M: Die Insel d. Gefächsten. Aus d. Engl. (109) (04.) [II,11.] — 90; geb. 1.—
Perfall, A v.: Klippen. — König Lear d. Sümpfe. Erinnerg a. d. Westen. (144 u. 37) (04.) [II,4.] 1 —; geb. 1.25
Rohmann, L: Geb. d. Strom. (200) 03. [I,7.] — 90; geb. 1 —
Römer, A: Die Spree-Loreley, s.: Kraze, FH, unter d. Dornenkranz.
Schumacher, H V: Bernois. 2 Bde. (206 u.208) (04.) [II,9.10.] 2 —; geb. 2.50; in 1 Bd geb. 3 —
Selloe, H v.: Zum Frieden. Roman a. d. Leben n. Tagebuchblättern. (197) (05.) [I,5.] — 90; geb. 1 —
Torn, T v.: Die v. Hohen-n. Nieder-Weinberg. Eine ganz verwickelte Geschichte.— Und stürme nicht. Humorist. Erzählg. (150 u. 49) (05.) [III,5.] 1 —; geb. 1.25
— Der Verdacht. (207) (03.) [I,1.] — 90; geb. 1 —
Wangerhof, F : Uebers Ziel hinaus. (206) (05.) [III,6.] 1 —; geb. 1.25
Bildst d. Fortsetzg zu: Illustr. Hausbibliothek.
Vocabularium iurisprudentiae romanae, iussu instituti Savigniani compositum. Vol. I. Fasc. IV. (Sp. 737—1160) 4° Berl., G Reimer 03. 10.60; U vollst.: 38 — d
Vochazer, F: Gedichte. (144) 12° Lpzg (02). Stuttg., Union. L. 3 — d
Vocke, G: Kants Lehre v. d. Grenzen d. menschl. Erkenntnis. Populärer Vortr. (38) 8° Günzbg, A Hug 03. — 75
Vocke's, K, Reise-Taschenb. f. junge Handwerker u. Künstler. Allg. Wegweiser durch ganz Deutschland u. d. angrenz. Länder. 21. Afl. v. E Blümel. (244 m. 1 Karte.) 8° Elsi., Kuhnt 01. 1 —; kart. 1.10 d
Vockenhuber, F: Weltgesch., s.: Weiss, JB v.
Vockeradt, H: Blätter d. Erinnerg a. vaterländ. Freuden- u. Trauertagen. 9 Reden. (160) 12° Paderb., F Schöningh 02. 1.50 d
— Erläutergn zu Webers Dreizehnlinden in d. Form v. Aufsatzentwürfen. 2. Afl. (190 m. 1 Kartenskizze.) 8° Ebd. 04. 1.60; geb. nn 2.60 d

Vockeradt, H: Prakt. Ratschläge f. d. Anfertigg d. deut. Aufsatzes auf d. mittl. Kl. d. höh. Lehranst. in Regeln u. Beisp. (148) 8° Paderb., F Schöningh 03. 1.20; geb. nn 1.70 d
— dass. auf d. ob. Kl. 5. Afl.(124) 8° Ebd. 04. 1 —; geb. nn 1.40 d
— Ein letztes Wort in d. Abschiedsstunde. 12 Schulreden, bei d. Entlassg d. Abiturienten geh. (107) 12° Ebd. 02. 1.90 d
Voege, W: Untersuchgn üb. d. Strahlgseigenschaften d. neueren Glühlampen. [S.-A.] (33 m. Abb. u. 4 Taf.) 8° Hambg, (L Gräfe & S.) 04. 2 —
Vogel, s.: Führer durch d. landw. Tierzucht in Bayern.
Vogel's homöopath. Hausarzt. 22. Afl. v. H Billig, (474) 8° Lpzg, Dr. W Schwabe 1900. 3.75; L. 4.50 d
Vogel: Eine Mittelmeerfahrt v. Hamburg üb. Gibraltar in d. Bosporus. (198 m. Abb.) 8° Hambg (02). Berl., KW Mecklenburg. 3 —
Vogel, A: Kampf d. Wahrheit m. d. Lüge, s.: Strahlen, theosoph.
— Tamayori Hime, s.: Itchikawa, D.
— u. C **Vogel**: Was u. C **Vogel**: Was d. Ostseewellen rauschen. Märchen u. Sagen in Lied u. Wort. (219 m. 3 Farbdr.) 8° Berl., R Gahl (01).
Vogel, A: Altklass. Dichterhain. Ausw. d. bekanntesten Stellen aus griech. u. latein. Dichtern f. realistisch gebildete Leser. Im Zusammenh. dargest. u. m. e. Einl. sowie m. e. Verz. d. Eigennamen versehen. 2 Bde. 2. Afl. 8° Langens., Schulbh. 03. 6.60; geb. 8.05 d

1. Griech. Dichter. (275) 4 —; geb. 4.75 ‖ 2. Latein. Dichter. (180) 2.50; geb. 3.30.

— Gesch. d. Pädagogik als Wiss. Nach d. Quellen dargest. u. m. ausführl., wortgetreuen Ausz. a. d. Hauptwerken d. angegeb. Pädagogen versehen. 2. Ausg. (410) 8° Gütersl., C Bertelsmann 03. L. 4.50
— Die philosoph. Grundl. d. wiss. Systeme d. Pädagogik. (Locke, Kant, Hegel. Schleiermacher, Herbart, Beneke.) (Einl. in Grässler's Klassiker d. Pädagogik".) 3. Afl.(187) 8° Langens., Schulbh. 03. 3.30 d
— Ausführl. grammatisch-orthograph. Nachschlageb. d. deut. Sprache m. Einschl. d. gebräuchlicheren Fremdwörter u. Angabe d. schwierigeren Silbentrenngn. (508) 8° Berl.-Schöneberg, Langenscheidt's V. 02. L. 2.80 d
— Überblick üb. d. Gesch. d. Philosophie in ihren interessantesten Problemen. 2 Tle. 8° Lpzg, F Brandstetter. 4.20; Einbde je — 40 d

1. Die griech. Philosophie. (Alt e. Anh., enth. d. Erklärg d. vorkomm. Fremdwörter u. philosoph. Ausdrücke.) (127 m. 1 Bildnis.) 04. 1.80 ‖ 2. Die neue u. d. neueste Philosophie. (Mit e. Anh., enth. d. Erklärg d. vorkomm. Fremdwörter u. philosoph. Ausdrücke.) (300 m. 1 Bildnis.) 05. 2.60

Vogel, C: Karte d. Deut. Reiches. — Karte v. Frankr. — Karte v. Italien. — Karte v. Österr.-Ungarn. — Karte d. Pyrenäischen Halbinsel, s.: Stieler.
— u. B **Domann**: Karte d. Balkanhalbinsel, s.: Stieler.
Vogel, C: Grammaire espagnole, s.: Schilling, J.
— s.: Taschenbuch d. Handelskorrespondenz in deut. u. engl., bezw. franzöz. Sprache. — Taschenbücher d. Handelskorrespondenz.
Vogel, C: Was d. Ostseewellen rauschen, s.: Vogel, A.
Vogel, CH, s.: Vogel, HC.
Vogel, E, s.: Mitteilungen, photograph.
— Taschenb. d. prakt. Photogr. 13. u. 14. Afl. v. P Hanneke. (327 m. Abb., 14 Taf. u. 20 Bildvorl.) 8° Berl., G Schmidt 05. L. 2.50

Vogel, E: Deut. Leseb., s.: Lampe, A.
— Rechenb. f. d. Vorsch. 1 u. 8° Berl., Trowitzsch & S. Geb. 1.15

L. Übersstoff f. d. 2. Schulj. (85) 05. — 80 ‖ II. Übersstoff f. d. 3. Schulj. 37. Afl. (54) 05. — 75; Resultate. (16) 08. nn — 25.

— Rechenfibel. 38. Afl. (55) 8° Ebd. 04. Geb. — 50 d
— Die Rektionslehre d. deut. Sprache. Nebst e. Anh. üb. d. Interpunktionslehre. 2. Afl. (79) 8° Berl., JM Spaeth 04. Geb. 1 — d
Vogel, E: Der französ. Unterr. u. d. preuss. Lehrpl. v. '01- Lehrg. (bes. am Realgymnasium) u. Lehrverfahren. Mit 2 Beigaben: 1. Bibliogr. seit '01- 2. Allg. Gesprächsformeln. (144) 12° Aach., P Urlichs 02. Kart. 1.50
Vogel, E, s.: Jahrbuch d. Musikbibliothek Peters.
Vogel, E: Zur Flexion d. engl. Verbums im XI. u. XII. Jahrh. (70) 8° Berl., Mayer & M. 03. 1.60
Vogel, FW: Die Kriegs im neue Schulneulinge z. Wissen, s.: Bausteine, pädagog.
— Fibel f. d. verein. heimatkundl. Anschaungs-, Sprech-, Schreib- u. Leseunterr. 2. Afl. (88 m. Abb.) 8° Annabg, Graser 04. Geb. — 50 d
Vogel, FW: Merkmale d. Epochen griech. Plastik. (31) 8° Strassbg, JHE Heitz 02. 1 — d
Vogel, G, s.: Flora v. Ost- u. Westpreussen.
Vogel, G: Die Blutgn bei Frauenleiden. (85) 8° Stuttg, F Enke 04. 2 — d
Vogel, G: Erzählgn zu Aufsatzübgn f. d. Schüler an Mittel- u. Volkssch. (62) 8° Bambg, CC Buchner's V. 01. — 90 d
Vogel, G: Eisenstein u. Umgebg. Wegweiser f. Sommerfrischler u. Touristen, nebst Schilderg v. Land u. Leuten. (109 m. 1 Karte.) 12° Eisenst. 01. (Pilsen, C Maasch.) Kart. nn 1.25
— Führer durch d. Böhmer- u. Bayer. Wald. 1. Heft. 1. Ausflugsgebiet: Der Hohe Bogen. (56 m. Abb.) 8° Eisenstein (in B.), Selbstverl. 04. — 50

Vogel, G: Heimatsklänge. Erzählgn, Schildergn, Skizzen, Humoresken etc. I. u. II. Serie. Je 12 Hefte. (I. Serie. 196, 105. 37 u. 33) 8° Eisenstein (in B.), Selbstverl.1900-04. Je — 25 d
Vogel, G: Wie gewinnen wir uns. gebild. Töchter dauernd f. christl. Liebesarbeit? Referat. (7) 8° Berl., (Bh. d. ostdeut. Jünglingsbundes) 01. — 20 d
Vogel, G: Erlebtes u. Geschautes. Ländl. Bilder u. Geschichten. (107) 8° Bruschw., B Goeritz 04. 1.25; L. 2 — d
Vogel, G: Lehrb. d. Geburtshilfe f. Hebammen. (176 m. z. Tl farb. Abb. u. 1 Taf.) 8° Stuttg., F Enke 01. 4.20; L. 5 — d
— Leitf. d. Geburtshülfe. (402 m. Abb.) 8° Ebd. 02. 6 —; L. 7 —
Vogel, H: Das Tageb. d. Braumeisters, s.: Brauer- u. Mälzer-Kalender.
Vogel, H: Bösart. Geschwülste d. Keilbeinkörpers m. bes. Berücks. ihrer orbitalen Symptome u. ihrer Nachweisbark. durch d. Rhinoscopia media (Killian). (62) 8° Freibg i/B., Speyer & . 03. 1.2⁰
Vogel, H, sK **Vogel**, KH.
Vogel, H: Bilder- u. Geschichtenbuch. (96 m. Abb.) 4° Münch., Braun & Schn. (03). L. 10 — d
Vogel, HC: Populäre Astronomie, s.: Newcomb-Engelmann.
— Üb. d. Bewegg d. Orionnebels im Visionsradius. [S.-A.] (8) 8° Berl., (G Reimer) 02. — 50
— Der spectroskop. Doppelstern Mizar. [S.-A.] (5 m. 1 Kurve.) 8° Ebd. 01. — 50
— Der spectroskop. Doppelstern o Persei. [S.-A.] (9) 8° Ebd. 02. — 50
— s.: Publikationen d. astrophysikal. Observatoriums zu Potsdam.
— Üb. d. Spectrum d. Nova Persei [S.-A.] (5 m. Fig.) 8° Berl., (G Reimer) 02. — 50
— Untersuchgn üb. d. spectroskop. Doppelsternsystem β Aurigae. [S.-A.] (21 m. Fig.) 8° Ebd. 04. 1 —
Vogel, HW, u. P **Hanneke**: Das Pigment-Verfahren (Kohledruck), s.: Bibliothek, photograph.
Vogel, J: Aus Deut. Reich, s.: Köppen, F v.
Vogel, J: „Blicke in's Menschenleben". Wollen wir Knaben? Wollen wir Mädchen? Es steht in uns. Macht! Unter Widerlegg Prof. Schenk's u. aller besten. Zeuggstheorien. (40) 8° Berl., Novitas 02. 1.50
Vogel, J: Rechenbücher, s.: Nagel, J.
— s.: Aus Goethes röm. Tagen. Kultur- u. kunstgeschichtl. Studien z. Lebensgesch. d. Dichters. (330 m. 33 Taf.) 8° Lpzg, EA Seemann 05. 5 —; geb. 9 — d
— Otto Greiner. (40 m. Abb. u. 6 Taf.) Fol. Ebd. 05. Kart. 6 —
— Das röm. Haus in Leipzig. (84 m. Abb. u. 12 Lichtdr.) 4° Lpzg, Breitkopf & H. 03. Geb. 20 —
— Max Klingers Leipziger Skulpturen. Salome, Kassandra, Beethoven, d. bad. Mädchen, Franz Liszt. 2. Afl. (121 m. Abb.) 8° Lpzg 02. Berl., H Seemann Nf. 3 —; geb. 4 —
— s.: Seemann's Wandbilder.
— Toteninsel u. Frühlingshymne. 2 Gemälde Boecklins im Leipz. Mus. (4 Taf.) 8° Lpzg 02. Berl., H Seemann Nf. 1 —
Vogel, J: Korpulenz, bezw. d. Verbums im XI. u. XII. Jahrh.
Vogel, JG, s.: Blätter f. d. Schulpraxis.
Vogel, JH: Acetylenzentralen. Gemeinverständl. Darstellg d. zeit. Standes d. Beleuchtg ganzer Ortschaften m. Acetylen. (139 m. Abb.) 8° Halle, C Marhold 01. 2 —
— Hdb. f. Acetylen, s.: Caro, N.
— s.: Jahrbuch f. Acetylen u. Carbid. — Wasser, d.
Vogel, KD: Die Umsatzsteuer-Frage in Sachsen. (112) 8° Annabg, (Graser)04. 2.50 d
Vogel, KH: Anthropol. u. Gesundheitslehre. Für Schüler mehrklass. Volks- u. Töchtersch. bearb. 14. Afl. (32 m. Abb.) 8° Lpzg, Dürr'sche Bh. 02. — 20 d
— dass. Wiederholgsb. f. mehrklass. Volks- u. Mädchensch. 16. Afl. (47 m. Abb.) 8° Ebd. 05. nn — 25 d
— Erdkde. Ausg. A. 3. Heft. Geogr. v. Asien, Afrika, Amerika u. Australien. Für mehrklass. Volks- u. Töchtersch. bearb. 2. Afl. (56) 8° Wittnbg, R Herrosé 05. — 30 d
— Naturgesch. Für mehrklass. Volks- u. Töchtersch. bearb. 1. Stufe. 6. Afl. (56 m. Abb.) 8° Lpzg, Dürr'sche Bh. (03). — 30; vollst., 3 Stufen in 1 Bd geb. 1.80 d
— Kl. Naturgesch. Für einf. Schulverhältn. bearb. 1. Heft: Tierkde u. Anthropol. m. Gesundheitslehre. 4. Afl. (72 m. Abb.) 8° Ebd. 05. — 40 d
— Physik. Für mehrklass. Volks- u. Mädchensch. bearb. 4. Afl. (227 m. Abb.) 8° Ebd. 04. 1.80; geb. 2 — d
Vogel, M: Die 1. Hilfe bei Unfällen m. bes. Berücks. d. Unfälle im Bergbau u. in d. verwandten Betrieben. (95 m. Abb.) 8° Berl., C Heymann 02. 1.— ; L. 1.50 d
Vogel, M: Lebensbeschreibgn d. Heiligen Gottes auf alle Tage d. Jahres, m. beilsamen Lehrstücken versehen. Neu bearb. Ster.-Ausg. (395 m. Abb. u. Titelbild.) 8° Münst., Aschendorff V. (91). 8° 3 — d
— dass. Neu bearb. u. hrsg. v. W Cramer. Volks-Ausg (307 m. H. u. 6 Farbdr.) 8° Berl. 02. 7 —; HLdr 8.90; L. 9.80 d
— dass. Neu bearb. v. JH Schouls. 12 Hefte. (1304 m. Abb.) 4° Steyl, Missionsbd. 1900. Je — 75; in 1 Bd geb. 10.50 ‖
— 2 Bde geb. 13 —; in 1 Prachtbd 15.50 d
— Gold. Legende, neue Bearbeitg, s.: Auer, W.
Vogel, M: Liederb. f. höh Mädchensch. Sammlg 1-, 2-, 3- u.

4stimm. Lieder u. Gesänge, geistl. u. weltl. Inhalts. Oberst.
Ergänzgsbd. (211) 8° Lpzg, Hug & Co. 01. Kart. 1 —
(Vollst. m. Ergänzgsbd.: 2.80) d
Vogel, MA: Eine Liebe. Gedichte. (137) 4° Münch., GDW.Call-
wey (04). 3 — d
Vogel, N: Erziehg d. Kinder im Geiste d. kathol. Kirche.
(255) 8° Steyl, Missionsdr. 05. L. 1.50 d
Vogel, O, s.: Jahrbuch f. d. Eisenhüttenwesen.
Vogel, O, K Müllenhoff u; **P Röseler**: Leitf. f. d. Unterr. in
d. Botanik. 3 Hefte. 8° Berl., Winckelmann & S. 05. Kart. 4.60
I. Kurs 1 n. 2. (§ 1—50.) 23. Afl. (164 m. Abb. u. 24 Taf. in Dreifarbendr.)
1.90 || II. Kurs. 3 u. 4. (§51—100.) 16. Afl. (208 m. Abb. u. 18 Taf. in Dreifarbendr.)
1.80 || III. Kurs. 5. (§ 101—126.) 10. Afl. (79 m. Abb.) 1 —
— — — dass. in d. Zool. I. u. II. Heft. 8° Ebd. Kart. je 1.40;
neue Afl. je 1.60
I. Kurs. 1 n. 2. (§ 1—50.) 23. Afl. (204 m. Abb.) 02 ; 21. Afl. (188 m. Abb.
u. 4 farb. Taf.) 04. || II. Kurs. 3 u. 4. (§ 51—100.) 17. Afl. (187 m. Abb.)
02 ; 18. Afl. (160 m. Abb. u. 6 farb. Taf.) 04.
— u. **O Ohmann**: Zoolog. Zeichentaf. Im Anschl. an d. Leitf.
f. d. Unterr. d. Zool. v. O Vogel, K Müllenhoff, P Röseler
hrsg. 3 Hefte. 4° Nebst Text. 8° Ebd. 03. 3.05
I. (Taf. I—XVI, nebst tiergeograph. Taf.) 9. Afl. (6) 02. — 80 || 2. (Taf.
I—XXIV.) 8. Afl. (17) 04. 1.25 || 3. (Taf. I—XVI.) 5. Afl. (25) 03. 1 —
Vogel, P: Fritz Reuter's Ut mine Stromtid, s.: Dichter, deut.,
d. 19. Jahrh.
— Schülerkommentar zu Lysias' ausgew. Reden. (45) 8° Lpzg,
G Freytag. — Wien, F Tempsky 05. — 50
Vogel, P: Die Bewirtschaftg d. Moor- u. Heideteiche u. ihre
Sonderstellg im modernen Teichwirtschaftsbetriebe. s. Spe-
zial-Lehrb. d. modernen Teichwirtschaft unter besond. Wür-
digg d. Karpfen- u. Schleienzucht, d. Forellenkultur in Teichen,
auf Moor- u. Heideböden u. Ödeländereien des. Art, m. e.
Führer durch d. moderne Teichwirtschaftslehre. In 10—12
Lfgn.) 1—7. Lfg. (1—368) 8° Bautz., E Hübner (04.05).
Je 1 — d ô F
— Ausführl. Lehrb. d. Teichwirthschaft, Ergänzgsbd. (727 u.
27 m. Abb. u. 5 Taf.) 8° Ebd. 1900. 12 —; geb. m 13.50 d
— dass. 8. Bd als weitere Ergänzg d. beiden Vorbände f. d.
alljährl. Teichbodenkultur — Teichdüngg — sommerl. Teich-
wasserdüngg — Spezialbewirtschaftg d. Moor- u. Heideteiche
— moderne Karpfen- u. Schleienzucht — Stammb. d. Kar-
pfen-Rassen u. Stämme Deutschlds u. Österr.-Ungarns —
moderne Forellenzucht im Grossbetrieb u. d. Kleintierhaltg
im Teichwirtschaftsbetrieb. Mit e. Führer durch d. [Fischerei-
u.] moderne Teichwirtschaftslehre. (902 m. Abb. u. 2 Taf. u.
56) 8° Ebd.05. 12 —; geb. m 13.50 (1—3.: 34 —; geb. m 38.50) d
— Illustr. prakt. Ratgeber f. d. rationelle Besetzg v. Fisch-
teichen u. f. e. sachgemässe, erfolgreiche Hebg d. Fischbe-
stände in Landseen, Flüssen, Bächen u. Feldtümpeln. (134)
8° Ebd. 01. 1 — d
Vogel, P: Die Schleienzucht als Nebennutzg in Karpfenteichen. Lehrb.
d. Schleienbruterzeugg u. Aufzucht d. Spiesschleien, nebst
e. Anh.: Bezugsquellenanzeigen d. Karpfen-, Schleien- u.
Forellenteichwirtschaften. (92 m. Abb. u. 2 Taf.) 8° Ebd. 05.
1.60 ; L. 2 — d
Vogel, P: Ich weiss, an wen ich glaube! Kurze Verantwortg
uns. ev. Glaubens n. Luthers kl. Katech. f. Konfirmanden.
4. Taus. (24) 8° Dresd., CL Ungelenk (03). — 20 d
Vogel, R: Architekton. Perspektiven, s.: Stade, F, d. Schule
d. Bautechnikers.
Vogel, R: Frau Märe. Märchen u. Schwänke f. Jung u. Alt.
Seinen Kindern erzählt. 3 Bde. (Mit Abb.) 8° Freibg i/B., F
Waetzel. L. 12.10 d
1. 2. Afl. (125) (01.) 4.50 ; 3. Afl. (218 m. Bildn.) (05.) 3.80 || II. Glücka-
kindln. (239 u. 12) (02.) 4.50 || III. Spinnweiblein. (188 m. Bildn.) 02. 3.80.
Vogel, RP: Jesus, d. göttl. Kinderfreund. Gebetbüchl. f. d.
lieben Kleinen. (190 m. Abb.) 24° Saarl., F Stein Nf. 02.
Geb. — 15 d
— Das fromme Kind in sr Andacht. (96 m. Abb.) 24° Ebd. 02.
Geb. † nn — 10 d
Vogel, T: In d. Aula d. Dreikönigschule. Schulreden; (258) 8°
Dresd., C Damm (04). 3 — d
Vogel, T: Goethes Selbstzeugnisse üb. s. Stellg z. Relig. u.
zu relig.-kirchl. Fragen. 2. Afl. (262) 8° Lpzg, BG Teubner
03. 3.90 ; L. 4 — d
Vogel, W: Ankauf, Einrichtg u. Pflege d. Motorzweirades.
(144 m. Abb.) 8° Berl., Phönix-Verl. (W Vogel) 04. Kart. 2.85
|| 2. Afl. (173 m. Abb.) 05. 2.85; kart. 3.50
— Der Motorwagen u.s. Behandlg, s.: Motorfahrzeug-Bibliothek.
— Das Motor-Zweirad u. s. Behandlg. (154 m. Abb.) 8° Berl.,
G Schmidt 02. || 2. Afl. (142 m. Abb.) 05. Je 1.50
— Ratschläge f. d. Ankauf v. Motorfahrzeugen jeder Art. (97
m. Abb.) 8° Berl., Phönix-Verl. (W Vogel) 05. 3.75; kart. 4.50
— Schule d. Automobil-Fahrers. (180 m. Abb. u. 12 Vollbildern.)
8° Berl., G Schmidt 02. 3.60; geb. 4.20
Vogel v. Falckenstein: Karte d. Hirschberger Thales m. d.
preuss. Riesengebirges. 1 : 100,000. (Ausg. '04.) 54×
47 cm. Photolith. Glog., C Flemming.
— u. E Hartwig: Touristen-K. f. Salzbrunn, Görbersdorf u.
Charlottenbrunn. 1 : 50,000. 6. Afl. 48,5×60,5 cm. Photolith.
Ebd. (01). 1 —
Vogel vom Spielberg, A, s.: Astl-Bernhard, A.
Vogelarten, nützl., u. ihre Eier. 41. bis 45. Taus. (69 m. 25
farb. Taf.) 8° Halle, H Gesenius (05). L. 2 — d
Vögele, A: Das Tragische in d. Welt u. Kunst u. d. Pessimismus. (97) 8° Stuttg., (O Hager) 04. 1 — d

Vogeleis, M: Festschrift z. internat. Kongress f. gregorian.
Gesang, Strassburg i. E. '05- (99 m. Abb.) 8° Strassbg, FX Le
Roux & Co. 05. † 2.20
— Der Strassburger Chronist Königshofen als Choralist, s.:
Mathias, FX.
Vogeler, A: Die Sturmglocke. Trauersp. (180) 8° Berl. 01.
Mind., JCO Bruns. 2.50
— dass. 2.Afl. (180) 8° Mind., JCOBruns (04). 3.—; geb. 3.50 d
Vogeler, B: Pflegekde d. Pferdehufe u. Pferdebeine in Wort
u. Bild. (184) 8° Erfurt, Bernh. Vogeler (01). (Nur dir.)
Kart. 2 — d
Vogeler, F: Stenograph. Leseb. Im Anschl. an H Bungenstocks
Lehrmittel d. vereinf. Stenogr., Stolze-Schrey, bearb. (32) 8°
Hannov. (03). (Lpzg, JH Robolsky.) nu — 60
Vogelfreund. Ueb. Pflege u. Behandlg einheim. Vögel, sowie
d. Kanarienvogels. Hrsg. v. Ver. d. verein. Vogelhändler
Berlins u. Umgegend. (15) 8° Berl. (S.W. 42, Wassertborstr. 27),
(Berolina-Versand-Bh.) (03). — 20
Vogelgesang, C: Zur Gesch. d. Aachener Münzwesens. [S.-A.]
(78) 8° Aach., Cremer 03. 2 —
Vogelsang, A: Die Heilmittel u. Indicationen v. Tarasp-Schuls-
Vulpera. (Engadin.) (58) 8° Bas., Georg & Co. 01. 1 —
Vogelsang, Frhr F K v., s.: Monatsschrift f. christl. Sozial-
Reform.
Vogelsanger, E: Gewerbl. Bleivergiftgn. Vortr. (19) 8° Aar.,
HR Sauerländer & Co. 03. — 50 d
Vogelsberg, KR: Univ.-Handelsmuseum. Nachschlagewerk f.
d. deut. Kaufm., Kunst-, Musikalien-, Galanterie-, Papier- u.
Schreibwarenhandel u. d. verwandten Zweige d. graph. Ge-
werbes. Mit e. Einl.: Der buchhändler. Geschäftsverkehr.
(129) 8° Lpzg, G Uhl (05). nnn 1 —
— Zeitg f. Kaninchen-Züchter. Mai—Dezbr 1905. 33 Nrn. [278
m. Abb.] 4° Lpzg, G Reusche. 3 —
Nr. 1 u. 2 erschienen u. d. T.: Vogelsberg's Leip:. allg, Zeitg
f. Kaninchen-Züchter.
Vogelstein, H: Die Anfänge d. Talmud u.d. Entstehg d.Christen-
tums. Vortr. (28) 8° Königsbg, Ostdeut. Bh. 02. — 50
— Rede, geh. anlässlich d. Feier d. 100. Geburtstags d. Dr.
Raphael Kosch am 4.X.'03 auf d. alten jüd.Friedhof zu Königs-
berg i. Pr. (8) 8° Königsbg, Hartung (03). — 20
Vogelstein, T: Die Industrie d. Rheinprov. 1888—1900, s.: Stu-
dien, Münch. volksw.
— Die Störgn in d. deut. Montan- u. Eisenindustrie, s.: Bos-
selmann, O.
Vogesigena, T, s.: Ringmann, M.
Vogl, A: Katechesen üb. d. Beicht-Unterr. f. Erstbeichtende,
s.: Handbibliothek, katechet.
Vogl, A v.: Die wehrpflicht. Jugend Bayerns. (96) 8° Münch.,
JF Lehmann's V. 05. 2.40
Vogl, F: Maria, Mutter v. d. immerwähr. Hilfe. Gebetb. 6. Afl.
(496 m. 1 Farbdr.) 16° Rgnsbg, F Pustet 04. 1.20;
geb. 1.70; 2.40 u. 2.80 d
Vogl, I, s.: Taschen-Fahrplan usw. f. Tirol u. Vorarlberg.
Vogl, JN: Lyr. Gedichte, Balladen u. Erzählgn. (318) 8° Wien,
C Konegen 02. 3.50; geb. 4.50 d
— Der Retter, s.: Jugend-Bibliothek d. kathol. Schulver. f.
Österr.
— Schnadahüpfln, s.: National-Bibliothek, allg.
— Volks-Kalender f. 1905. Red. v. J Wichner. 61. Jahrg. (64.
190 m. Abb.) 8° Berl., C Fromme. — 70; geb. 1.10 d
Vogler, A: Elektrizitäts-Unterr. Anl., Lehrmittel u. Anl. f.
d. Unterr. in Magnetismus u. Elektrizität f. Lehrer u. z.
Selbstbelehrg. (208 m. Abb.) 8° Lpzg, M Schäfer 03. 5 —;
geb. 5.50
— Jedermann Elektrotechniker. Anl. z. Herstellg d. haupt-
sächlichsten elektr. Apparate u. elektr. Leitgn u. Anstellg
elektr. Versuche. I. u. IV. Bändch. (Mit Abb.) 8° Ebd. 2.25;
(I—IV.: 5.45; Einbde je — 50)
I. 6. Afl. (110) 01. 1.50 || IV. Die elektr. Wellen, deren Erzeugg u. An-
wendg z. drahtlosen od. Funkentelegr., Regelg d. Uhren u. Fernzeiger,
Steuerg d. Tarpedos usw. (44) 01. — 75.
Vogler, A: Moderne Entwürfe f. d. Praxis d. Dekorations-
Malers. 2. Serie. (16 Taf.) 4° Berl., M Spielmeyer (04.) 5.50 d
Die 1. Serie, im Selbstverl. in Essen-Ruhr erschienen, ist nicht
im Buchhandel.
Vogler, A, s.: Grundlehren d. Kulturtechnik.
— Joh. Heinr. Lambert u. d. prakt. Geometrie. Festrede. (21)
8° Berl., P Parey 02. 1 —
Vogler, CH: Der Maler u. Bildhauer Joh. Jak. Oechslin s. Schaff-
hausen, s.: Neujahrsblatt d. Kunstver. usw. Schaffhausen.
— Der Bataillonmaler Joh. Georg Ott s. Schaffhausen, s.: Neu-
jahrsblatt d. historisch-antiquar. Ver. usw. d. Stadt Schaff-
hausen.
Vogler, P: Die Eibe (Taxus baccata L.) in d. Schweiz, s.: Ex-
kursionen, biolog., u. pflanzengeograph. Studien in d. Schweiz.
Vogler, R: Der Präparator u. Konservator. Prakt. Anl. z.
Erlernen d. Ausstopfens, Konservierens u. Skeletierens v.
Vögeln u. Säugetieren. 2. Afl. (148 m. Abb.) 8° Mgdbg, Creutz
(03). 2 —; geb. 2.50 d
Vogrich, M: Der Buddha. Grosse Oper. Text. (48) 8° Lpzg,
F Hofmeister 01.
— Die Hochland-Witwe. Dramat. Szene n. W Scott. (Textb.)
(24.) 8° Ebd. 04. — 50
Vogrinec, A: Nostra maxima culpa! Die bedrängte Lage d.

kathol. Kirche, deren Ursachen u. Vorschläge z. Besserg.
(339) 8° Wien, C Fromme 04. 3.40
Vogt, s.: Rechtsprechung d. Oberlandesgerichts Colmar i. Els.
in Strafsachen.
Vogt, A: Hülfsb. f. d. 1. Relig.-Unterr. in Haus u. Schule. (40)
8° Hannov., C Meyer 04. — 80 d
— Lehrpl. f. d. ev.-luther. Relig.-Unterr. in Schulen m. e. Lehrer.
1. Tl. Unterst. (48) 8° Ebd. 04. — 80 d
Vogt, C, u. O **Vogt**: Zur Erforschg d. Hirnfaserg. — Die Markreifg d. Kindergehirns währ. d. ersten 4 Lebensmonate u.
ihre methodolog. Bedeutg, s.: Denkschriften d. medic.-natur-
wiss. Gesellsch. zu Jena.
Vogt, E: Schul-Wandk. zu Schillers Wilhelm Tell. 3. Afl. 2 Bl.
je 80,5×50 cm. Farbdr. Bresl., E Morgenstern, V. (02). 4 —;
auf L. m. St. nn 6.50
— u. H **Ziesché**: Geschäftsaufsätze u. Postverkehr. Muster-
u. Übgsheft f. Volks- u. Fortbildgssch. (57) 8° Bresl., WG
Korn 05. — 60 d
Vogt, E: Die hl. Handschrift Gottes. Naturbetrachtgn. f. ka-
tholl. Christen. (370) 12° Bresl., GP Aderholz 03. 1.20; L. 1.80 d
Vogt, E: Erzbischof Mathias v. Mainz (1321—28). (68) 8° Berl.,
Weidmann 05. 2 —
— Die Reichspolitik d. Erzbischofs Balduin v. Trier in d. J.
1328—34. Beitrag z. Gesch. Kaiser Ludwigs d. Bayern. (112)
8° Gotha, FA Perthes 01. 1.60
Vogt, F: Anstandsbüchl. 12. Afl. (192) 16° Donauw., L Auer
(05). Kart. — 50 d
Vogt, F: Der 6. August. Militär. Festsp. (20) 8° Berl., M Böhm
(01). 1.50 d
— Lustig! Lustig am Rhein! Lustsp. (24) 8° Ebd. (01). 1.50 d
Vogt, F, s.: Abhandlungen, germanist.
— Gesch. d. mhd. Lit. 2. Afl. [S.-A.] (202) 8° Strassbg, KJ Trüb-
ner 02. 4.50; geb. 5.50
— s.: Mitteilungen d. schles. Gesellsch. f. Volkskde. — Schlesiens volkstüml. Überlieferg.
— u. M **Koch**: Gesch. d. deut. Lit. v. d. ält. Zeiten bis z.
Gegenwart. 2. Afl. 2 Bde. (355 u. 509 m. Abb., 27 z. Tl farb.
Taf. u. 34 Beil.) 8° Lpzg, Bibliograph. Instit. 04. HF. je 10 —;
auch in 18 Lfgn zu 1 — d
Vogt, G: Die arzneilose anticollām. Radikalkur geg. alle
Krankh. u. chron. Leiden, kombiniert m. d. epochemach. Ent-
deckg d. Collämie durch A Haig, sowie d. erprobten Methoden
u. Theorien v. A Cantani, Schroth, Lahmann, Kellogg, Lié-
beault u. Lévy. 15. Afl. (296 m. 1 Bildn.) 8° Lpzg, G Vogt
(05). Geb. 6.50 d
Vogt, G: Die Grundl. d. modernen Wirtschaftslebens. (100) 8°
Hannov., Hahn 05. Geb. 1.50 d
— Die Vorteile d. Invalidenversicherg u. ihr Einfl. auf d. deut.
Volkswirtschaft. (452) 8° Grunew.-Berl., Verl. d. Arbeiter-
Versorgg A Troschel 05. 6 —; geb. 7 — d
Vogt, H: Üb. Gleichh. u. Endlichgleichh. v. Prismen u. Pyra-
miden. (21 m. 3 Taf.) 8° Bresl., (Maruschka & Z. Ka.). 1 —
Vogt, H: Üb. d. Anatomie, d. Wesen u. d. Entstehg mikro-
cephaler Missbildgn, nebst Beitr. üb. d. Entwickelgsstörgn
d. Architektonik d. Zentralnervensystems, s.: Arbeiten a. d.
hirnanatom. Instit. in Zürich.
Vogt, J: Hdb. d. kathol. Eberechts. 2. Afl. (219) 8° Cöln, H
Theissing 04. L. 5 —
Vogt, JG: Entstehen u. Vergehen d. Welt als kosm. Kreis-
prozess. Auf Grund pyknot. Substanzbegriffes. 2. Afl., er-
gänzt durch d. Behandlg d. wichtigsten Probleme e. realen
Weltanschaug v. durchaus neuen Gesichtspunkten: d. er-
kenntnistheoret. Problem, d. Raumanschaug, d. Kunst, d.
Entstehg d. Lebens, d. Problem d. Vererbg, d. Darwinsche
Entwickelgsprinzip in geklärter u. erweit. Form, d. Ethik.
1005 m. Abb.) 8° Lpzg, E Wiest Nf. 01. (12 —) 6 —;
HF. (15 —) 7.50
Vogt, JHL: Die Silikatschmelzlösgn m. bes. Rücks. auf d.
Mineralbildg u. d. Schmelzpunkt-Erniedrigg. I u. II. 8° Chri-
stiania, (J Dybwad). nn 15.75
I. Üb. d. Mineralbildg in Silikatschmelzlösgn. (167 m. Fig. u. 2 Taf.) 03.
nn 6.55 ‖ II. Üb. d. Schmelzpunkt-Erniedrigg d. Silikatschmelzlösgn. (236
m. Fig. u. 4 Taf.) 04. nn 9.50.
Vogt, K: Hdb. f. Vorturner, s.: Buley, W.
Vogt, KF: Der Kampf um Jerusalem. Eine deutl. Erklärg d.
Propheten Daniel u. d. Offenbarg Johannes. 2 Tle. 8° Stuttg.
02. (Bonn, J Schergens.) 6.50; in 1 Bd 6 —; geb. 7.50 d
1. Der Prophet Daniel in kurzer u. prakt. Auslegg. (248) ‖
2. Die Offenbarg Johannes in kurzer u. prakt. Auslegg od. d. Zeichen
d. Zeit. 2. Afl. (340) 3.50
Vogt, L: Zur deut. Rechtschreibg. Ihre mögl. Vereinfachg.
(Deut. Fragen.) (33) 8° Grossenh., Baumert & R. (05). — 55
Vogt, M, s.: Untersuchungen z. ält. griech. Prosalitt.
Vogt, NC: Harriet Blich, s.: Frauen-Bibliothek, moderne.
Vogt, O, s.: Arbeiten, neurobiolog. — Journal f. Psychol. u.
Neurol.
— Zur Erforschg d. Hirnfaserg. — Die Markreifg d. Kinder-
gehirns, s.: Vogt, C.
Vogt, O: „Der gold. Spiegel" u. Wielands polit. Ansichten,
s.: Forschungen z. neueren Lit.-Gesch.
Vogt, P, s.: Beowulf.
Vogt, P: Entscheidgn d. hanseat. Oberlandesgerichts in Straf-
sachen, Fortsetzg, s.: Entscheidungen.
Vogt, P: Himmelskrone, s.: Hausherr, M.

Vogt, T, s.: Jahrbuch d. Ver. f. wiss. **Pädagogik**.
— Immanuel Kants Biogr., s.: Bibliothek pädagog. Klassiker.
— s.: Seminar-Reform, d. neue preuss., unter pädag. Beleuchtg.
Vogt, W: Die Wortwiederholg, e. Stilmittel im Oemin u. Wolf-
dietrich A u. in d. mhd. Spielmannsepen Orendel, Oswald u.
Salman, u. Morolf, s.: Abhandlungen, germanist.
Vogtherr, M: Die Chemie, s.: Hausschatz d. Wissens.
Voegtlin, A: Das neue Gewissen. Roman. 2. [Tit.-]Afl. (310)
8° Lpzg, H Haessel V. [1897] (01). 3 —; geb. 4 — d
— Meister Hansjakob, d. Chorstuhlschnitzer v. Wettingen. No-
velle. 3. Afl. (275) 8° Ebd. 01. 3 —; geb. 4 — d
— Liebesdienste. Novellen u. Geschichten. (322) 12° Stuttg., A
Bonz & Co. 04. 2.60; L. 3.60 d
— Heilige Menschen. Novellen. 2. [Tit.-]Afl. (313) 8° Lpzg, H
Haessel V. [1895] 01. 3 —; geb. 4 — d
— Rentier Säger. Komödie. (187) 8° Aar., HR Sauerländer &
Co. 01. 2.20
— Sephora, s.: Hesse's, M, Volksbücherei.
— Stimmen u. Gestalten. Gedichte. (207) 8° Zür., Müller, Werder
& Co. 01. 2.40; geb. 3.20 d
Voegtlin, K: Beitr. z. Kenntnis d. Phenyläthers u. sr Homo-
logen. (38) 8° Freibg i/B., Speyer & K. 04. 1 —
Vogtlin, J: Betrachtgn f. Lehrpersonen. (132) 12° Geld., LN Schaff-
rath (03). L. 1 — d
— Der gute Kongreganist. Marian. Vereinsb. f. kathol. Jüng-
linge. (284 m. 1 Titelbild.) 12×8 cm. Dülm., A Laumann 04.
L. — 75 d
— Predigten auf d. weissen Sonntag. (40) 8° Ebd. 05. — 50 d
Vöhringer, L: Deut. Rechtschreib- u. Aufsatzb. nebst sprachl.
Übgn, in 4 stufenmässig geordn. Kursen f. höh. n. nied.
Schulen m. Berücks. d. Normallehrpl. f. d. württemberg.
Volkssch. methodisch bearb. 8° Stuttg., JB Metzler. Kart. 2.30 d
1. Afl. (60) 02. — 50 ‖ II. 5. Afl. (66) 02. — 55 ‖ III. 5. u. 6. Afl. (76) (04.)
— 60 ‖ T. Afl. (77) 02. — 80 ‖ IV. 5. Afl. (79) 02. — 65.
Vohsen, E: Zur deutsch-ostafrikan. Seenbahn-Frage. (30 m.
1 Karte.) 8° Berl., D Reimer 01. — 60
Voigos, W: Irrenanstalten, s.: Handbuch d. Architektur.
Voigt: Kurze Anleitg z. Betriebe d. Rindviehzucht. (32) 8°
Hannov., J Neumann 02. — 50 d
Voigt: Die unterird. Gewässer, deren Beziehgn u. Bedeutg
f. d. Binnenschiffahrt, s.: Sammel-Schriften d. deutsch-österr.-
ungar. Verbandes f. Binnenschiffahrt.
Voigt: Der Gemeindewaisenrat, s. Rechte u. Pflichten. Mit e.
Abh., d. preuss. Gesetz üb. d. Fürsorgeerziehg Minderjähr.
v. 2. VII. 1900. (96) 12° Gr.-Lichterf., Gesetzverl. Schulze & Co.
01. Geb. 1.20 d
Voigt, A: Anl. z. Photographieren freileb. Tiere, s.: Kiesling, M.
Voigt, A: Bibl. Gesch. als Vorst. z. systemat. Relig.-Unterr.
96. Afl. (136) 8° Cöln, JP Thienemann 02. Geb. — 60 d
Voigt, A: Thorner Denkwürdigk. v. 1345—1547, s.: Mitteilungen
d. Copernicus-Ver. f. Wiss. u. Kunst in Thorn.
Voigt, A: Exkursionsb. z. Studium d. Vogelstimmen. 3. Afl.
(255) 8° Dresd., H Schultze 03. L. 3 — d
Voigt, A, u. P **Geldner**: Kleinhaus u. Mietkaserne. Untersuchg
d. Intensität d. Bebaug v. wirtschaftl. u. hygien. Standpunkt.
(384 m. Abb. u. 1 Taf. u. L.) 8° Berl., J Springer 05. 6 —
Voigt, C: Chorāle f. 2 Soprane u. Alt, z. Gebr. f. Schulen bearb.
11. Afl. (72) 8° Hambg, O Meissner's V. 05. Geb. — 80 d
Voigt, E: Zweckmäss. Obstbau im landw. Mittel- u. Kleinbe-
trieb unter Wahrg d. Landw. als Hauptbetrieb! (44 m. Fig.)
8° Dresd., C Heinrich 04. — 75 d
Voigt, E: Das neue ABC. Mit Bildern u. Reimen. 2 Sorten.
(Je 12 m. z. Tl farb. Abb.) 4° Wesel, W Düms (05). Je — 30;
auf Pappe. (13) Geb. — 90; auf L. (12 Bl.) Geb. 1.50 d
— Junges Blut. frohgemut. — Grüss Gott, s. Steinkamp, A.
— Was Grossmütterchen erzählt, s.: Weinert, H.
— Für neuer Herzblättchen. Unzerreissb. Bilderb. (8 farb. S.
auf Pappe m. eingedr. u. 3 S. Illustr. Text.) 8° Duisbg, JA
Steinkamp (o. J.). Kart. † — 75 d
— Für unser Kind. — Des Kindes Lieblingsb. — Für Mamas
rot, s.: Steinkamp, A.
— Viel zu seh'n. Anschaubilderb. f. d. Kleinen. (8 farb. Taf.)
4° Duisbg, JA Steinkamp (o. J.). Kart. † — 50 d
— Gold. Zeiten, s.: Steinkamp, A.
— u. A **Steinkamp**: Für kl. Leute. Unzerreissb. Bilderb. m.
feinen Farbendr.-Bildern, n. Aquarellen v. V. u. Versen v. S.
(8 S. auf Pappe m. eingedr. u. 1 S. Text.) 4° Duisbg, JA
Steinkamp (o. J.). Kart. †1.50 d
— Im Sonnenschein. Ein Buch m. Reimen u. Bildern, d.
Freuden d. Kindheit zu schildern. Zeichngn v. V., m. Versen
v. S. (8 farb. S. auf Pappe m. eingedr. u. 1 S. Text.) 4° Ebd.
o. J.). Kart. †1.50 d
— Sonnige Tage. Unzerreissb. Bilderb. m. feinen Farbendr.-
Bildern, n. Aquarellen v. V. u. Versen v. S. (8 S. auf Pappe
m. eingedr. u. 1 S. Text.) 4° Ebd. (o. J.). Kart. †1.50 d
Voigt, E: Fürs Forsthaus. Ein wirtschaftl. Ratgeber f. d. Frau
d. Postmannes. (285 m. Abb.) 8° Neud., J Neumann 06. 3.50 d
L. 4.50 d
Voigt, G: Die Bedeutg d. Herbartschen Pädagogik f. d. Volkssch.
2. Afl. (92) 8° Lpzg, Dürr'sche Bh. 01. 1.20 d
— Christentum u. Bildg. Vortr. 2. Afl. (31) 8° Ebd. 03. — 60 d
Voigt, G: Pädagogik, s.: Schumann, JCG.
— Lehrb. d. pädagog. Psychol., s.: Bibliothek, pädagog.
— Ev. Religionsb. insbes. f. Lehrerseminare u. Relig.-Lehrer.

1. Bd. Aus d. Urkunde d. Offenbarg. 2. Afl. (345) 8° Lpzg, Dürr-
sche Bh. 02. || 3. Afl. (277) 04. Je 4.60; geb. je 5.40 d
Voigt, G: Münzen-Umrechngstab., d. Wertberechng e. Landes-
munze in d. and., auf Grundl. d. Goldwährg u. gesetzl. Be-
stimmgn d. Feingehalts u. Feingewichts geprägter Gold-
münzen d. Länder Deutschl., Oesterr., Engl., Frankr., Ver-
ein. Staaten v. Nordamerika, Russl. (Dänemark, Schweden,
Norwegen), Holland, [Belgien, Schweiz, Italien (Lire), Spanien
(Pesetas), Griechenl. (Drachm.), Serbien (Dinar), Rumänien
(Leï), wie Frankr. (Spalte Francs).] In deut., engl. u. französ.
Sprache. 2. Afl. (35) 8° Mersebg, G Voigt (05). 2 —
— Papiergewichtstab. f. d. Papier-Export u. Import-Handel.
(Titel u. Text in deut., engl. u. französ. Sprache.) (48) 8°
Ebd. (02). 2.50
— Vergleichgstab. üb. 1) Längenmaasse: Inches u. Yards in Centi-
meter u. Meter; Centimeter u. Meter in Inches u. Yards. 2) Ge-
wichte: engl. Pfunde (lbs) in Kilogr.; Kilogr. in engl. Pfunde (lbs).
3) Hohlmaasse: Imperial Gallons in Liter; Liter in Imperial
Gallons. 4) Preisberechng: Pence u. Shillings pro Yard, pro
1 engl. Pfund (lb), pro 1 Gallon; in Pfennigen u. Mark pro
1 Meter; pro 1 kg., pro 1 Liter; in Hellern u. Kronen O. W.
pro 1 Meter, pro 1 kg., pro 1 Liter; in Centimes u. Francs
pro 1 Meter, pro 1 kg., pro 1 Liter; in Oeren u. Kronen N.
W. pro 1 Meter, pro 1 kg., pro 1 Liter; in Cents u. Dollar
pro 1 Yard, pro 1 engl. Pfund (lb), pro 1 Gallon, u. umgekehrt in allen Währgn. Titel u. Text in deut., engl. u. französ.
Sprache. 2. Afl. (80) 12° Ebd. (01). 2 —
Voigt, H: Kronprinzjäger in Feindesland. 1870—71. Tagebuch-
blatter u. Erinnergn. (205 m. 1 Karte, 4 Skizzen u. 1 Bildnistaf.) 8° Lpzg, FE Fischer 03. L. 2.50 d
Voigt, HG: Der Missionsversuch Adalberts v. Prag in Preussen.
[S.-A.] (81 m. 1 Karte.) 8° Königsbg, F Beyer 01. 1.50
— Der Verf. d. röm. Vita d. hl. Adalbert. Untersuchg m. An-
merkgn üb. d. and. ält. Schriften üb. Adalbert, sowie ein.
stritt. Punkte sr Gesch. [S.-A.] (171) 8° Prag, [F Řivnáč] 04. 2.20
Voigt, HG: Perpetua. Dramat. Gemälde a. d. Zeit d. Christenverfolggn. (95) 8° Stuttg., JF Steinkopf 05. Geb. 1.24 d
— Wendgn. Historisch-dramat. Dichtg üb. d. Zeit Gregors VII.
(80) 8° Ebd. 04. Kart. 1.20 d
Voigt, Frau J, s.: Ambrosius, J.
Voigt, JF: Geschichtliches üb. d. Versorgg Hamburgs m. Milch.
(65 m. Abb.) 8° Hambg, C Boysen 03. 1.50
Voigt, K: Beitr. z. Diplomatik d. langobard. Fürsten v. Bene-
vent, Capua u. Salerno, (seit 774), m. e. Anh.: Die Fälschgn
im Chronicon Beneventani monasterii S. Sophiae bei Ughelli.
(82 m. 6 Taf.) 4° Gött., (Akad. Bh. v. G Calvör) 02. 8 —
Voigt, L: Beobachtgn üb. Impfschäden u. vaccinale Misch-
erkrankgn, s.: Sammlung klin. Vortr.
Voigt, L: Kl. französ. Grammatik f. Handelssch. 2. Afl. (109)
8° Wien, A Hölder 04. Geb. 1.24 d
— Deut. Handelsschul-Atlas, s.: Brunner, A.
— s.: Kalender f. Handelsbranst.
— Deut. Leseb. f. Handelssch. 17—20. Afl. (416) 8° Dresd., A
Huhle 05. Geb. 3.50 d
Winke z. Benutzg desselben s.: Orlopp, W.
— Die Organisation d. kaufmänn. Unterr.-Wesens in Frankfurt a. M. (27) 8° Frankf. a/M., Kesselring 03. — 40 d
— Übgsaufg. z. Lehre v. d. Satzzeichen. 4. Afl. (28) 8° Dresd.,
A Huhle 04. — 30 d
— Übgsb. z. französ. Grammatik f. Handelssch. I. Tl (Unterst.).
2. Afl. (103) 8° Wien, A Hölder 03. Kart. 1.24 d
— u. **A Doerr:** Handelsbetriebslehre. 2 Tle. 8° Lpzg, BG Teub-
ner. 2 —
1. Kleinhandel u. Grosshandel. (145) 03. 1.60
2. Bankgeschäft u. gewerbl. Unternehmgn. (75) 05. 1.20
— u. **A Schneider:** Musterbriefe u. Aufg. f. d. Unterr. in d.
deut. Handelskorrespondenz. I. Tl. (82) 8° Ebd. 04. — 80 d
II. Tl. (132) 05. Kart. 1.60 d
— u. **J Weyde:** Einführg in d. deut. Handelskorrespondenz.
H. Thl. (2. Unterrichtsj.) (64) 8° Wien, A Hölder 02. Kart. — 72
(I u. II.: 1.44 d)
Voigt, L: Kein Opfer, s.: Ensslin's Roman- u. Novellenschatz.
Voigt, M: Brüderchen u. Schwesterchen. Bilderb. (32 m. z.
Tl farb. Abb.) 4° Stuttg., G Weise (04). (Eb.) 3 —
auf Pappe 3 —; auf dicker Pappe 3.60 d
Voigt, M: Röm. Rechtsgesch. 3. Bd. (373) 8° Stuttg., JG Cotta
Nf. 03. 12 — (Vollst.: 71 —)
Voigt, O: Historiens du XIX° siècle, s.: Schriftsteller d. engl.
u. französ., d. neueren Zeit.
Voigt, O: Uns. nützl. Gartenvögel u. deren Hegg. (29 m. Abb.
u. 3 farb. Taf.) 8° Gernr. (1898). (Lpzg, H Dege.) 1 —
Voigt, P: Grundrente u. Wohngsfrage in Berlin u. s. Vor-
orten. 1. Tl. (276 m. 1 Karte u. 5 Pl.) 8° Jena, G Fischer
01. 7 —
Voigt, P: Aus Lissas 1. Blütezeit. (151 m. 1 Taf.) 8° Lissa,
F Ebbecke 05. 2 — d
Voigt, R: Die Blumenzwiebel-Kultur. — Orchideen, s.: Ra-
detzki, gärtner. Kultur-Anweisgn.
Voigt, TCO: Seelentöne. Gedichte. (47) 8° Lpzg, Modernes
Verl.-Bureau 04. 1 —
Voigt, TP: Berufswahl f. Knaben. — Moderne Mädchen- u.
Frauenberufe, s.: Ullstein's Sammlg prakt. Hausbb.
Voigt, W: Thermodynamik, s.: Sammlung Schubert.
Voigt, W: Der Einfl. d. Konkurses auf d. schweb. Prozesse d.
Gemeinschuldners. (241) 8° Lpzg, Veit & Co. 03. 6 —

Voigt, W, u. F Wirtgen: Bericht üb. d. Vorarbeiten z. Herausg.
e. forstbotan. Merkb. f. d. Rheinprov. [S.-A.] (22) 8° Bonn,
(F Cohen) 05. — 30
Voigt, W: Chronik d. Stadt u. Festg Spangenberg, s.: Sie-
bald, W.
Voigt-Aly, M: Der Lawinrig. Eine Tetralogie d. Menschen-
tums. 1. Tl: Itieu. Schausp. im nordostarab. Mesopotamien
z. Z. d. Gründg Babels. (192) 8° Dresd., H Schultze 04. 3 —
Voigt-Diederichs, H (Frau H Diederichs): Schleswig-holsteiner
Landleute. 3. Afl. (197) 8° Lpzg 04. Jena, E Diederichs. 2.50;
geb. 3.50 d
— Leben ohne Lärmen. (205) 8° Ebd. 03. 2.50; geb. 3.50 d
— Zw. Lipp' u. Kelchesrand, s.: Volksbücher, Wiesbad.
— Dreiviertel Stund vor Tag. Roman a. d. niedersächs. Volks-
leben. (312) 8° Jena, E Diederichs 05. 4 —; geb. 5 —;
Liebhaberausg. 15 — d
— Unterstrom. Gedichte. (95) 8° Lpzg 01. Jena, E Diederichs.
4 —; geb. 5.50 d
— Regine Vosgerau. Aus d. schleswigschen Volksleben. (185)
8° Ebd. 01. 2.50; geb. 3.50 d
Voigtel, M: Die direkten Staats- u. Gemeindesteuern im Grossh.
Baden, u. Darstellg ihrer Entwickelg u. Ergebnisse v. 1886—
1901. (190) 8° Jena, G Fischer 03. 2.80
Voigtländer's Bad Kreuznach, neue Afl., s.: Messer, J, Führer
durch Bad Kreuznach usw.
Voigtländer, R: Die Ges. betr. d. Urheberrecht u. d. Verlags-
recht an Werken d. Litt. u. d. Tonkunst, s.: Handbibliothek, jurist.
— Der Verlags-Vertrag üb. Schriftwerke, musikal. Komposi-
tionen u. Werke d. bild. Künste. 3. Afl. (62) 8° Lpzg, Ross-
berg'sche Verl.-Bh. 01. Kart. 1.20 d
Voigts, K: Vorschl. z. Anderg d. sächs. Landtagswahlrechts.
(18) 8° Dresd., A Urban (05). — 40 d
Vojnović, K v., s.: Statuta confraternitatum et corporatio-
num Ragusinar.
Voit, C v.: Max v. Pettenkofer z. Gedächtniss. Rede. (160) 4°
Münch., (G Franz' V.) 02. 3 —
— s.: Zeitschrift f. Biol.
Voit, E, s.: Sammlung elektrotechn. Vortr.
Voit, K: Zur Frage uns. Wasserstrassen. Gutachten üb. d.
Rückwirkg u. d. Einfl. d. zu erricht. Wasserstrassen auf d.
Interessensphäre d. Holzhandels, d. Holzindustrie u. d.
Forstw. (28) 8° Prag, (F Řivnáč) 02. — 50
Vokabularien, französ. u. engl., z. Benutzg bei d. Sprech-
übgn üb. Vorkommnisse d. tägl. Lebens. I. Französ. Vokabu-
larien. 2., u. 3. Bdchn. 8° Lpzg, Renger. Je — 40 (1—6.: 2.40) d
Goerlich, E: Die Stadt, engl. im Anschl. an d. bel E Hölzel orachlen.
Anschaugsbild: Die Stadt. 2. Afl. (48) 05. [3.]
Wallenfels, H: Der Sommer. Zugl. im Anschl. an d. bel E Hölzel er-
schien. Anschaugsbild: Der Sommer. (26) 02. [6.]
— dass. II. Engl. Vokabularien. 6. Bdchn. 8° Ebd. — 40
(1—6.: 2.40) d
Wallenfels, H: Die Schule. (28) 02. [6.]
1—5 sind v.: Goerlich, E.
Volapükabled lezenodik. (Calabled vpa.) Hrsg. u. Red.: K
Zetter. Jahrg. 1901—5 je 12 Nrn. (Nr. 241. 4) Fol. Graz, Ad-
ministr. (Nur dir.) Je nn 3.50
Volbach, F: Beethoven. Die Zeit d. Klassizismus. (Weltgesch.
in Karakterbildern, hrsg. v. F Kampers, S Merkle u. M Spahn.)
1—5. Taus. (118 m. Abb. u. 4 Beil.) 8° Münch. 05. Mainz,
Kirchheim & Co. Kart. 4 — d
— E Bossi's Das hohe Lied, s.: Musikführer, uns.
— Liederbuch, uns.
— WA Mozart's gr. Messe in Cmoll. — G Verdi's Quattro
pezzi sacri, s.: Musikführer, d.
Volbehr, L: Die Bäuerin v. Nuvenich, s.: Frauen-Bibliothek,
moderne.
— Schwester Fides. Schausp. (101) 8° Lpzg (02). Berl., H See-
mann Nf. 2 —
— Führe uns nicht in Versuchg. Geschichten. (163) 12° Ebd.
(02). 2.50; geb. 3.50 d
— Ihr Gott. Drama. (88) 8° Ebd. 02. 2 —
— Stephan Heulein. Roman. (239) 8° Ebd. (02). 2 —; geb. 3 — d
— Die neue Zeit. Roman. (400) 8° Berl., O Janke (05). 3 — d
Volbehr, T: Bau u. Leben d. bild. Kunst, s.: Aus Natur u.
Geisteswelt.
— Hinter d. Erdentag. Träumereien. (57 m. Abb.) 4° Berl.,
Fischer & Fr. (02). Kart. (8 —) 6 — d
— Gibt es Kunstgesetze, s.: Führer z. Kunst.
— Das Verlangen n. e. neuen deut. Kunst. Ein Vermächtnis
d. 18. Jahrh. (114) 8° Lpzg 01. Jena, E Diederichs. geb. 3 —
Volck, W: Die alttestamentl. Heilsgesch., s.: Handreichung
z. Vertiefg christl. Erkenntnis.
— Auf d. Höhen d. Kirchenj. Ausgew. Festpredigten. Hrsg.
v. V Wittrock. (168 m. Bildnis.) 8° Jurj. (Dorpat), JG Krüger
05. 3 —; geb. 4.50 d
— Zum Kampf um Bibel u. Babel. (32) 8° Rost., Stiller 03. — 60
— Lebens- u. Zeitfragen nicht d. Bibel. Letzte Gedanken.
Hrsg. v. AW Hunzinger. (90 m. Bildnis.) 8° Wism., H Bar-
thold 05. 1.80 d
Volcker, R: Im russ. Reiche od. e. Zusammenbruch. Erlebnisse
e. Arztes in Russl. (Roman.) (248) 8° Berl., C Georgi (05).
3.50 d

Voelcker, H: Bericht üb. d. Kartellwesen in d. inländ. Eisenindustrie, f. d. im Reichsamt d. Innern stattfind. kontradiktor. Verhandlgn üb. Kartelle d. Eisenindustrie erstattet. 1. Tl. (155) 8° Berl., F Siemenroth 03. Für vollständig (6 —) 3.60 d
— Bericht üb. d. zw. d. Wiss. u. d. Buchhandel entstand. Meinungsverschiedenh. Erstattet f. d. im Reichsamt d. Innern stattfind. kontradiktor. Verhandlgn üb. d. Börsenver. d. deut. Buchhändler. (46) 8° Ebd. 04. — 70 d
Völckers, A: Brocke unn Krimmele. Gedichte in Frankfurter Mundart. (64) 8° Frankf. a/M.-Bockenh., A Kullmann 03.
(1 —) — 80; geb. (1.75) 1.25 d
Volckmann, E: Deutschlds Seebäder. IV. 8° Rost., CJE Volckmann. 1.50
(108 m. Abb., Kart. u. Pl.) 04.
— Doberan, Heiligendamm u. Umgebg. Illustr. Führer. 3. Afl. (20 m. 3 Kärtchen.) 8° Ebd. (03). — 50
— Illustr. Führer durch d. Seebäder Müritz u. Graal. (18 m. Kart. u. Pl.) 8° Ebd. 04. — 50
— dass. durch Rostock u. Umgegend. 7. Afl. (55 m. 2 Pl. u. 1 Karte.) 8° Ebd. 02. — 50
— dass. durch Warnemünde u. Umgebg. 4. Afl. (33 m. 3 Kart. n. 1 Pl.) 8° Ebd. 06. — 50
— Kopenhagen u. nächste Umgebg. Prakt. Stadt- u. Reiseführer. 3. Afl. (88 m. Abb., 1 Karte u. 1 Pl.) 8° Ebd. 05. 1 —
— Kopenhagen, Umgebg u. Südschweden bis Trollhättan, Marstrand u. Gotland, nebst Touren durch Dänemark u. d. Insel Bornholm. 3. Afl. (202 m. Abb., Kart. u. Pl.) 8° Ebd. 05. 2 —
Volckmar, E: Kurzes Lehrb. d. Chemie zunächst f. d. Unterr. an höh. Lehranst. 2. Afl. (292 u. 8 m. Abb.) 8° Cass. 01. Berl.-Charlttnbg, TG Fisher & Co. 2.40; geb. 3 — d
Volckmar, W, u. G Zanger: Deut. Lieder f. Schule, Haus u. Leben. 1. Heft. 2. Afl. (20) 8° Lpzg, Dürr'sche Bh. (01).
— 15 (Vollst. in 1 Bd geb.: 1 —) d
Völderndorff, O Frhr v.: Vom Reichskanzler Fürsten v. Hohenlohe. Erinnergn. [S.-A.] (57 m. 2 Bildnissen u. 1 Fksm.) 8° Münch., Bayer. Druckerei u. Verl.-Anst. 02. 1.50 d
Volger's Damen-Bühne. Nr. 1—5. 8° Landsbg, Volger & Kl. Je 1.50 d
(05.) [5.]
Ewald, F: Ein modernes Aschenbrödel od. Talentlos. Schwank. (20) (05.) [5.]
Schloss, M: In d. Sommerfrische od. Ein kl. Irrtum. Lustsp. (16) (05.) [4.]
Volger, F: Miss Hercules. Schwank. (Seitenstück zu „Monsieur Hercules".) (12) (05.) [3.] | Beim Tässchen Kaffee! Scherz. 4. Afl. (15) (03.) [1.] | Im Warte-Salon. Scherz. 2. Afl. (15) (05.) [2.]
— Herren-Bühne. Nr. 1—8. 8° Ebd. Je 1.50 d
Gräf, C: Modelle. Schwank. (Umsschl.: 2. Afl.) (15) (03.) [5.]
Leo, E: Ein Tenor a. Kyritz. Schwank. 3. Afl. (15) (03.) [5.]
Nobody, C: Robert u. Bertram od. Die lust. Vagabunden. Schwank. 3. Afl. (16) (04.) [8.]
Rosen, W: O alte Burschenherrlichk. Schwank m. Gesang. Musik v. O Vogel. (Umsschl.: 3. Afl.) (15) (03.) [6.] | Ein ruhiger Miether. Schwank. (Umsschl.: 2. Afl.) (14) (03.) [7.]
Volger, F: Jochen Päsel od.: Zu Befehl, Herr Leutnant! Schwank. 3. u. 9. Afl. (14) (03.) [4.] | Aufd. Schöffengericht. Schwank m. Gesang. Musik v. C Heyer. 3. Afl. (15) (03.) [3.] | Sonntags-Jäger. Posse. 3. Afl. (15) (03.) [1.]
— Vaudeville-Theater. Nr. 4 u. 5. 8° Ebd. Je 1.50 d
Blasius, A: Der Schäfer Toni. Alpines Lustsp. m. Gesang. (20) (05.) [4.]
Gericke, W: Una. Wäschermädel. Orig.-Burleske m. Gesang u. Tanz. 2. Afl. (25) (04.) [5.]
— Vereins-Bühne. Nr. 1—6. 8° Ebd. Je 1.50 d
Blas, P: Schwerenöter. Schwank. (20) (04.) [1.]
Ewald, F: Ein modernes Aschenbrödel od. Talentlos. Schwank. (20) (05.) [5.]
Praeger, O: Die Schützenbrüder. Schwank. (16) (04.) [2.]
Renker, F: Ein schöner Empfang od. 2 Eifersüchtige. Orig.-Schwank. (18) (04.) [3.] | Eine ödele Spritzenprobe od. Der abgekühlte Freier. Orig.-Feuerwehr-Schwank. (16) (05.) [6.]
Schloss, M: In d. Sommerfrische od. Ein kl. Irrtum. Lustsp. (16) (05.) [4.]
Volger, A: Ehre sei Gott in d. Höhe od. Urlaubers Weihnacht, s.: Weihnachts-Bühne.
— Das tapferste Herz, s.: Mehrakter, patriot.
— Ein moderner Marsch od. Verschnappt, s.: Theater-Album, militär.
— Prolog u. Festrede z. Geburtstagsfeier Kaiser Wilhelms II. z. 27.J.'02. (4) 8° Landsbg, Volger & Kl. (01). — 75 d
Volger, B: Das goldne Buch d. Kaufmanns. Lehr- u. Lernb., d. Ganze d. kaufmänn. prakt. u. theoret. Wissens klar u. allgemeinverständlich behandelnd. 8 Bde. (400 u. 440 m. Abb.) 8° Lpzg 02.03. Chemn., Backfeld & Co. L. 15 —; auch in 100 Lfgn zu — 20 ℔ (Neue Afl.) 2 Bde. (400 u. 440 m. Abb.) 03. L. 14 — d
— Böcherei f. d. Gewerbe- u. Handwerkerstand. 1—5. Bd. 8° Berl., A Goldschmidt. L. 2 —
Lenétek, O: Illustr. gewerbl. Materialienkde. (574) 05. [5.] 4 —
Mertig, J, u. B Volger: Die Buchführg d. Gewerbetreib. (f. jeden Gewerbebetrieb anwendbar), nebst 97 Buchhaltgs- u. Wiederholgsfragen u. s. Anh.: Wechsellehre. (194) 03. [3.] 2 —
— Der prakt. Geschäftsbetrieb f. d. Gewerbetreib. u. Handwerker. Ratschlägt u. Winke f. Geschäftsführg u. Formularbde. u. Abastgebiete. (200) 02. [4.]
Volger, B: Die schriftl. Arbeiten d. Gewerbetreib. m. Handwerkers. Nebst e. Anh.: Gewerbl. (allg.) Formularkde.) (235) 05. [1.] 2 —
— Allg. Gesetzeskde. (264) 03. [2.] 2 —
— Die Buchführg d. Gewerbetreib., s.: Mertig, J.
— Die Entwicklg d. Börsenver. d. Buchhändler in Wort u. Bild. [S.-A.] (75 m. 20 Bildnissen.) 8° Weim., R Leutloff (04). (?) (Lpzg, F Förster.) † 2 —
— Der prakt. Geschäftsbetrieb f. d. Gewerbetreib. u. Handwerker, s.: Mertig, J.

Volger, B: Der Handelsangestellte, s. Recht u. s. Pflichten. (12?) 8° Münch., EKoch 03. (Lpzg, CF Fleischer.) 1.20; geb. 1.80 d
— Der Kaufmann im schriftl. Verkehr m. d. ges. Behörden. (84) 8° Lpzg, GA Gloeckner 06. 1 — d
— Die Kunst d. Reklame. Lehrb. d. modernen Geschäftspropaganda. (145 m. Abb.) 8° Lpzg, O Seiler (01). 2.25; geb. 2.80 d
— Vom Lehrling z. Lehrherrn! Ratgeber f. junge Kaufleute. (160) 8° Stuttg., Schwabacher (05). Geb. 1 — d
— Ratgeber f. d. Steuerzahler. Auskunftsb. f. alle Steuersachen. insbes. e. Anl.; wie man richtig deklariert u. m. Erfolg reklamiert. An d. Hand d. sächs. u. preuss. Einkommensteuergs. bearb. (68) 8° Lpzg, GA Gloeckner 03. 1 — d
— Allerlei Sünden. Grossstadtgeschichten. (114) 8° Hambg. W Digel (01). 1.50 d
— Das gold. Taschenb. d. Arbeiters, s.: Siwinna's moderne Taschenbücherei.
— Grisch. u. Deut. Wein-Lyrik. (216 m. Abb.) 12° Lpzg-G., Hoffmann, Heffter & Co. (Nur dir.) L. m. G. 5 — d
Volger, E: Komische Käuze. 6 Humoresken.(Neue(Tit.-)Ausg.) (96) 8° Lpzg, Picknick-Verl. [1895] (05). — 80 d
Volger, F: Deutschland. Fragment e. Gedichtes v. F. v. Schiller. Vortr. (16) 8° Altnbg, Ö Bonde (02). — 30 d
— Herzog Ernst v. Sachsen-Altenburg. Ein Bild s. Wirkens u. Gedichte zu s. Geburtstage. (32 m. 1 Bildnis.) 8° Ebd. 01. — 30 d
— Gedenkb. z. 50jähr. Regiergs-Jubiläum d. Herzogs Ernst v. Sachsen-Altenburg. (88 m. 3 Abb.) 8° Ebd. 03. — 50 d
— Ibsens Drama „Nord. Heerfahrt" u. d. altnord. Sagen. Vortr. (17) 8° Ebd. (04). — 30 d
— Herzogin Marie v. Sachsen-Altenburg, geb. Herzogin v. Mecklenburg-Schwerin. Zur Erinnerg an ihren 100.Geburtstag. (96 m. Abb.) 8° Ebd. 03. 1 — d
Volger, F: Eine gemischte Ehe od. Infant.u. Kavall. — Preuss. Farben. s.: Theater-Album, militär.
— Miss Hercules, s.: Volger's Damen-Bühne.
— Hurrah! Kaiser Wilhelm II. Neue Prologe z. Geburtstagsfeier Kaiser Wilhelms II. 2. Heft. 3. Afl. (16) 8° Landsbg, Volger & Kl. (03). — 75 d
— Was sich d. Kantine erzählt. — Krieg u. Frieden od. Kutsche als Budiker. — Die Ordre ist Schnarchen od.: Zu Befehl, Herr Hauptmann, s.: Theater-Album, militär.
— Jochen Päsel od.: Zu Befehl, Herr Leutnant, s.: Theater-Album, militär.
— Aufd.Schöffengericht.—Sonntags-Jäger,s.:Volger'sHerren-Bühne.
— Beim Tässchen Kaffee, s.: Volger's Damen-Bühne.
— Ueberrumpelt, s.: Theater-Album, militär.
— Im Warte-Salon, s.: Volger's Damen-Bühne.
Volger, G: Die amerikan. Buchführg als Ersatz f. d. italien. — Die einf. Buchführg. — Die dopp. italien. Buchführg, s.: Wissens, eigenes.
— s.: Handbuch d. Grundbesitzes im Deut. Reiche.
— Schneidig!, s.: Theater-Album, militär.
Volger, P: Der fidele Agent. — Das gestohl. Rad od.: Manchmal da geht's, s.: Liebhaber-Bühne, neue.
— Ein Viertelstündchen Feldwebel, s.: Theater-Album, militär.
Volger, WF, s.: Blätter, Lüneburger.
Volhard, J: Anl. z. qualitativen chem. Analyse, s.: Pechmann, H v.
— s.: Liebig's, J v., Annalen d. Chemie.
— u. E Fischer: Aug. Wilh. v. Hofmann. (284 m. Abb. u. 2 Bildnissen.) 8° Berl., (R Friedländer & S.) 02. 9 —
— u. GF Knapp: Justus v. Liebig. Gedenkblätter zu dessen 100jähr. Geburtstag. [S.-A.] (61 m. 1 Bildnis.) 8° Lpzg, CF Winter 03. 1.20
Volk, C: Entwerfen u. Herstellen. Anl. z. graph. Berechnen d. Bearbeitgszeit v. Maschinenteilen. (56 m. Fig., 18 Skizzen u. 2 Taf.) 8° Berl., J Springer 05. L. 2 —
— Geräthe u. Maschinen z. bergmänn. Förderg. Mit theilweiser Benutzg d. JRV.Hauer'schen Schriften. (114 m. Abb.) 8° Berl., A Felix 01. 6.50
— Das Skizzieren v. Maschinenteilen in Perspektive. (31 m. Skizzen.) 8° Berl., J Springer 02. L. 1.40
Volk, B: Allg. üb. d. biolog. Verhältn. d. Elbe bei Hamburg u. üb. d. Einwirkg d. Sielwässer auf d. Organismen d. Stromes, s.: Elb-Untersuchung, hamburg.
— Die bei d. hamburg. Elbe-Untersuchg angewandten Methoden z. quantitativen Ermittelg d. Planktons. [S.-A.] (48 m. 3 Taf.) 8° Hambg, (L Gräfe & S.) 01. 2 —
Volkart, H: A Volkart-Schlatter: Kochbüchlein. Leitf. f. Koch-, Haushaltgs- u. Töchterfortbildgssch., sowie f. jede Hausfrau. 3. Afl. 1. Tl v. Buch d. einfachen Hausfrau. (148) 8° Hannover, C Meyer. (194) 03. [3.] Kart. 1.50 d
Bisher u. d. T.:
— Koch-, Haushaltgs- u. Gesundheitsbüchl. Leitf. f. Koch-, Haushaltgs- u. Töchterfortbildgssch., sowie f. jede Hausfrau. 2. Afl. (497 m. Abb. u. 4 L.) 8° Zürich III, A Coradi-Maag 02. (Nur dir.) L. 3.60 d
Volkart, M: Errungen. Lieder-Zyklus. (81) 8° Dresd., E Pierson 03. 1.50; geb. 2.50 d
— Huldigg d. Stände, s.: Festspiele zu Kaisers Geburtstage.
— Verbotene Liebe. Lieder-Cyklus. (158) 8° Dresd., E Pierson 01. 2 —; geb. 3 — d
— Mutter. Lieder-Cyklus. (19 m. 11 Taf. u. Bildnis.) 4° Ebd. 02. 3 —; L. m. G. 4.50 d

Voelkel: Offizier-Stammliste d. grossh. mecklenburg. Jäger-Bataillons Nr. 14. (26, 124 m. 1 Bilduis.) 8° Oldnbg, G Stalling's V. 04. 5 —; geb. nn 6.50 d
Völkel, Gebr. R: Figurale Malereien, Amoretten, Allegorien, Trink- u. Jagdszenen, Landschaften, figürl. u. and. moderne Entwürfe f. d. prakt. Gebr. d. Dekorationsmalers. I. Serie. (60 farb. Taf.) 48,5×38 cm. Wien, F Wolfrum & Co. (05). In M. 100 —
— Moderne Villen in Meisteraquarellen. I. Serie. 4 Abtlgn. (Je 16 [12 farb.] Taf.) 47×37 cm. Ebd. (03.04). Je 25 —
Volkelt, J: Ästhetik d. Tragischen. 2. Afl. (488) 8° Münch., CH Beck 06. 9 —; L. 10 — d
— Die Kunst d. Individualisierens in d. Dichtgn Jean Pauls. [S.-A.] (64) 8° Halle, M Niemeyer 02. 2 —
— Was Schiller uns heute bedeutet. Nachwort z. Schillerfeier. (26) 8° Lpzg, A Edelmann 05. — 60
— System d. Ästhetik. (In 2 Bdn.) 1. Bd. (17, 592) 8° Münch., CH Beck 05. 10.50; L. 12 —
Volkening, B, s.: Monatsblatt, ev., f. Westfalen.
Volker, H: Manöveradler u. and. Militär-Humoresken. (254) 8° Dresd., E Pierson 03. 3 —; geb. 4 — d
Völker, G, s.: Barren-Pyramiden. — Bock-Pyramiden.
— Pferd-Pyramiden f. 10—24 Mann. (40) 8° Probsth. (02). Lpzg, Rauh & Pohle. 1.50
— Pferd- u. Leiter-Pyramiden. — Pyramiden m. langen Stäben. — Verwandlgs-Pyramiden, s.: Thomas, K.
Völker, JA: Deut. Fibel. — Leseb. f. Fortbildgssch. — Hess. Leseb. f. Fortbildgssch. — Mineralkde u. Chemie, s.: Müller, P.
— Rechenb., s.: Niepoth.
— dass. f. Fortbildgssch., s.: Müller, P.
Voelker, K: Hilfsb. f. d. Relig.-Unterr. in Volkssch. (Anh. zu d. bibl. Leseb. f. ev. Schulen v. Volker u. Strack. Altes Test. Ausg. B.) (78) 8° Lpzg, BG Teubner 01. — 25 d
— s.: Schrift. d. hl., u. d. Übersetzg Luthers im Ausz. u. m. kurzen Erläutergn. — Schrift, d. hl., d. Alten Test.
— u. HL **Strack**: Bibl. Gesch. f. d. ersten 5 Schulj. (Vorst. z. Bibl. Leseb. f. ev. Schulen"). 3. Afl. (333) 8° Ebd. 04. 2.80; geb. nn 3.30 d
— — dass. Ausg. B. Für höh. Schulen. (136 m. 2 Kart.) 8° Ebd. 03. Geb. nn — 90 d
— — Hilfsb. z. bibl. Leseb. (84 m. 2 Abb.) 8° Ebd. 05. — 40 d
— — Bibl. Leseb. f. ev. Schulen (zugl. bibl. Geschichtsb.). 12. Afl. (592 u. 40 m. Abb. u. Kart.) 8° Ebd. 04. Geb. nn 1.80 d
— — dass. 12. Afl. Neues Test. (285—592 u. 40 m. Abb. u. Kart.) 8° Ebd. 04. Geb. nn 1 — d
— — Bibl. Leseb. f. ev. Volkssch. (zugl. bibl. Geschichtsb.). (268 m. Abb. u. Kart.) 8° Ebd. 04. Geb. nn 1 — d
Völkerhass† od. **Völkerfrieden**? Eine Fragesteilg auf d. Zeit. (Von A Bastian.) (28) 8° Berl., D Reimer 02. — 50
Völkerschau. Illustr. Monatsschrift, gegründet u. hrsg. v. BK Renz. 1. Jahrg. Apr. 1901—März 1902. 12 Hefte. (1. Heft. 40 m. Abb.) 8° Münch. (Lpzg, Woerl's Reisebücher-Verl.) Je einz. Hefte — 50 || 2. Jahrg. Apr. 1902—März 1903. 12 Hefte. Halbj. 3 —; einz. Hefte — 50
— dass. Populär-wiss.Quartalsschrift.Hrsg.v.BCRenz. 3.Jahrg. 1904. 4 Hefte. (1. Heft. 96 m. Abb.) 8° Leutk., J Bernklau. 6 —; einz. Hefte 2 — ô F
Volkert, C: Zerlegbares Modell e. modernen Kriegsschiffes, s.: Teutsch-Lerchenfeld, B, Deutschl. z. See.
Volkes, d., Lieblingslieder. (64) 8° Crimmitsch., R Raab (05). — 10 d
Volkhausen: Der Unterleibstyphus in Detmold im Sommer u. Herbst 1904. [S.-A.] (40 m. Skizzen u. 1 Pl.) 8° Berl., Fischer's med, Bh. (05). nn 1 —
Volkh, J: Anna-Buch. Anl. z. Nachfolge u. Verehrg d. hl. Mutter Anna. 16. Afl. v. L Wiedemayr. (831 m. 1 St.) 16° Indsbr., Vereins-Bh. u. Buchdr. 03. 2 —; L. 3 — d
— Der hl. Josef als Vorbild u. Schutzpatron d. christl. Ehemänner. 6. Afl. (563 m. 1 St.) 16° Ebd. 04. 1.40; geb. 2 — d
Volkmann, F: Null u. Unendlich. (82) 8° Berl., G Nauck 01. — 60 d
— Relig. u. Philosophie. (28) 8° Ebd. 02. — 60 d
— Die Vergeistigg d. Stoffs. (26) 8° Ebd. 03. — 60 d
Volkmann, G, s.: Kindergottesdienst, d. — Taschenbuch f. Leiter u. Helfer d. Kindergottesdienstes.
Volkmann, H: Neues üb. Beethoven. 1. u. 2. Afl. (90) 8° Berl., H Seemann Nf. 04 (Sonderabdr. 05). 2 —
Volkmann, H v.: Bilder v. Rhein u. v. d. Eifel, s.: Meyer, KT.
— Eifelbilder, s.: Teuerdank.
— Robert Volkmann. Sein Leben in Werke. (197 m. Abb.) 8° Lpzg 03. Berl., H Seemann Nf. 3 —; geb. 4.50
— Aus d. schönen weiten Welt, s.: Eigenbrodt, W.
Volkmann, H: Das Weidwerk in Oesterr. m. bes. Berücks. d. Hochgebirges. 3. Afl. v. H Ramsauer. (447 m. Abb. u. 6 Vollbildern.) 8° Wien, Szelinski & Co. 02. 9 —; geb. 10 — d
Volkmann, JFA: Der Jubilar. Komödie u. d. Arbeiterleben m. Gesang. Musik v. Lier, Strzelewicz u. Treu. (24) 8° Berl., A Hoffmann (03). 1 — d
— Kriegskameraden, s.: Winckler, E.
— Die Sozialdemokraten kommen! Posse. (28) 8° Berl., A Hoffmann (05). 1 — d
— Stimm, stimm! d. deut. Michels Wahllied. Parodie. (8) 8° Ebd. (01). — 10 d
— Der Streikführer, s: Bork, K.

Volkmann, L: Lessings Emilia Galotti, s.: Klassiker, d. deut., erläut. u. gewürdigt f. höh. Lehranst.
Volkmann, L: Die Erziehg z. Sehen. Vortr. 1—3. Afl. (48) 8° Lpzg, R Voigtländer 02.03. — 75 d
— Grenzen d. Künste. Auch e. Stillehre. (256 m. Abb.) 8° Dresd., G Kühtmann 03. 6 —; geb. 8 —
— Naturprodukt u. Kunstwerk. Vergleich. Bilder z. Verständnis d. künstler. Schaffens. (119 m. Abb. u. 32 Taf.) 4° Ebd. 02. || 2. Afl. (127 m. 32 Taf.) 03. Je 6 —; geb. je 8 —
— Padua, s.: Kunststätten, berühmte.
Volkmann, R: Rhetorik d. Griechen u. Römer. 3. Afl. v. C Hammer, s.: Handbuch d. klass. Altertums-Wiss.
Volkmann-Leander, R v., s.: Sammlung klin. Vortr.
— Träumereien an französ. Kaminen. Märchen. 29. Afl. (189) 12° Lpzg, Breitkopf & H. (03). || 30. Afl. (123 m. Abb.) 01. L. je 3 — d
— dass., s.: Schulbibliothek Stolze-Schrey.
Volkmann, W: Die Nekyia im 6. Buche d. Aeneide Vergils. [S.-A.] (11) 8° Bresl., GP Aderholz 03. — 50
Volkmann, W: Der Aufbau physikal. Apparate a. selbständ. Apparatenteilen (physikal. Baukasten). (98 m. Fig.) 8° Berl., J Springer 05. 2 —
Volkmar, E: Vortermin u. Gerichtsferien. [S.-A.] (19) 8° Hannov., Helwing 03. — 50
Volkmar, H: Deut. Bühnenspiele. Heimkehr. (170) 8° Berl., J Sassenbach 03. 2 — d
Volkmar, P, s.: Elisabeth Charlotte Herzogin v. Orleans, Hof-Gesellschaft in Frankreich.
Volkmer: Grundr. d. Volksschul-Pädagogik in übersichtl. Darstellg. 2 Bde. 8° Habelschw., Franke. 6 —;
Einbde je nn — 50 d
1. Elemente d. Psychol., Logik u. systemat. Pädagogik. 6. Afl. (396) 01. 2.50 || 7. Afl. (366) 04. 3 —
9. Gesch. d. Erziehg u. d. Unterr. Nebst Anh., enth. e. kurze Gesch. d. spez. Methodik d. Volksschulunterr. sowie d. Jugendlit. 9. Afl. (330) 03. 2.70 || 10. Afl. (372) 05. 3 —
In früh. Afl. waren d. Bde umgestaltt.
— Ausführl. Lehrpl, d. 3- u. d. 1klass. Seminarsch. zu Habelschwerdt. 9.-Afl. (333) 8° Ebd. 04. 2.80; geb. nn 3.30 d
Volkmer, A: Redner. Prosa, s.: Schöningh's Ausg. deut. Klassiker.
— Deut. Sprachlehre f. Lehrerbildgsanst., s.: Schindler, K.
Volksabende, hrsg. v. H Kaiser. Nr. 1—7. 8° Gotha, FE Perthes. 5.86 d
Bürkner, E: Ludwig Richter. (28) 04. [6.] — 75
— Hans Sachs. (46) 03. [1.] 1 —
Greiner, H: Der Kyffhäuser. (28) 04. [7.] 1.30
— M. Luther d. Johann Sebastian Bach. (29) 03. [5.] — 60
Mossapp, H: Wilhelm Hauff. (47) 04. [2.] — 75
— Luther als deut. Volksmann. (49) 04. [3.] — 50
Müller-Bohn, H: Königin Luise. (31) 03. [4.] 75.
Volksanwalt. Unabhäng. Organ f. d. Kampf um volkstüml. Recht u. z. Abwehr d. Juristenherrschaft. Reindeut. Erziehg u. Volksveredelg. Hrsg. v. Lehmann-Hohenberg. 5. Jahrg. 2. Jahr e. neuen Zeit (d. Wissens v. Leben u. d. Kunst zu leben). (Nr. 1—11. 88) 8° Kiel(03). Verl. d. Rechtshort. 2 — d
Fortsetzg war nicht zu erhalten.
Volks- u. Hausarzt, deut. I. Serie. 8 Hefte u. II. Serie, 2. Heft. 8° Bielef. Lpzg, Modern-medicin. Verl. Je — 50 d ô F
[...]
Burkart-Lungenleiden. (45) 02. [1.7.] || Frauen! reformiert eure Kleidg!
Küchen- u. Hausaklaverei. Hauspflege d. Frauen. (50 m. Abb.) 02. [II.2.]
|| Frauenleiden. (38) (02.) [1.2.]; 2. Tl. Wie erreicht man leichte, glückl. Geburten? (48) 02. [1,5.] || Nervenleiden. (44) 02. [I.6.] || Rheumatismus. (46) 02. [1,5.] || Verdauungsstörungen, d. akut-chron., u. ihre üblen Folge-u. Begleiterscheingn. (38) 02. [I,4.]
Das I. Heft d. II. Serie bildet: Adam, wo bist Du?
Volks-Atlas d. Schweiz. Vogelschuk. d. Schweiz. Gezeichnet v. G Maggini. III. B. u. 11. 32,5×46,5 cm. Farbdr. Zür., Art. Instit. Orell Füssli. Je (1.50) 1 —
6. Zürich u. Umgebg. (04.) || 11. Vierwaldstätters. (01.)
Volksaufklärung. Kleine Hand-Bibliothek z. Lehr' u. Wehr f. Freunde d. Wahrheit. Hrsg.: R Herdach. Nr. 3—5, 19, 23, 26, 27 u. 33—88. 16° Warnsdf., A Opitz. Je — 08;
je 10 Nrn in 1 L.-Bd 1.75 d
Angriffe, missglückte, auf d. modernen Berichte. Von R 8. (45) (01) [40.]
Bankerott d. Los v. Rom-Apostel. Von Gracchus. Unter Zugrundelegg d. Schrift: "Der deut. Protestantismus an Beginn d. 20. Jahrh." Nach protestant. Zeugnissen dargest. v. Ruppert. (62) (03.) [55.56.]
Boisai, F: Die göttl. Einsetzg d. Papstthums. Vortr. — Das Papstthum in s. Segegn. Vortr. (64) (03.) [57.58.]
Bonaventura: Was tut d. Arbeit. Kirche f. d. Volk? (42) [...]. Kirche u. Charitas i*** Rede. — Voltaire. Das Leben u. Ende s. Gotteshassers. Von J G. (39) [59.]
Buch, d., d. Bücher, s.: Nikel, Babel u. Bibel.
"Duldsamkeit", d., d. Reformation. Von 2 Freunden d. Wahrh. (62) (03.) [63.64.]
Egger, A: Die Beschimpfg d. Beichtinstitutes. (37) (01.) [35.] || 5. Patriotismus. Vortr. (59) (04.) [75.76.]
Erler, A: Wie d. Los v. Rom-Prediger auskneifen, wenn man ihnen auf d. Leib rückt. (35) (05). [35.]
Etwas v. Unglauben. Seine Haltlosigkeit u. s. Ursprg. Von H B. (38) (02.) [51.]
Fleck, H: Die christl. Familie in ihrer Bedeutg f. Kirche u. Staat. Vortr., erweitert v. K H. — Schutz i. d. Ehe. (33) (01.) [51.]
Freiheit, Gleichheit, Brüderlichkeit in d. Praxis od. Sozialdemokratism unter sich. Von Registrator. — Sklaverei, d., u. d. Christenthum. Nach Bebel u. s. -w. d. marx. Gesch.-(Umschl.)Afl. (39) (02.) [8.]
Fuchs, J: Kirche u. Cultur. Tatsachen u. Antworten auf Fälschgn u. Aneropaign. — Hackel, V.! d. Glaube zu Wunder widersinnig? 2. (Umschl.-)Afl. (40) (02.) [4.]
— Kirche u. Schule. Die Phrase v. d. "planmässig betrieb. Volksver-

dammg" d. kathol. Kirche im Lichte v. Thatsachen beleuchtet. 2.(Umschl.-)
Afl. (36) (02.) [5.]
Garnemann: Giordano Bruno. (32) 03. [65.]
Hackel, V: Ist d. Glaube an Wunder widersinnig ?, s.: Fuchs, J, Kirche
u. Cultur.
Hamerle, A: Ist d. Relig. nur f. d. Volk? (32) (05.) [60.]
Heiter, A: Der Indifferentismus, d. Irrlicht uns. Zeit. (31) 04. [70.] § Die
Socialdemokratie vor d. Richterstuhle d. Vernunft. Vortr. (69) (04.)
[71.72.]
Herdach, K: Die eigentl. Führer d. Socialdemokratie. Christl. Arbeiter-
Fürsorge. 4. (Umschl.-)Afl. (47) (02.) [2.]
Hirtin, d., d. Völker. Von R 8. (36) (02.) [47.]
Jatsch, J: Katholizismus u. Protestantismus in Bezug auf d. zeitl. Wohl-
fahrt d. Völker. (60) (02.) [53.54.]
Jesuiten, d., u. ihre Widersacher. Von Gracchus. (40) (01.) [36.]
Jesus v. Nazareth. Von R S. (29) (01.) [41.]
Kamshoff, O: Ein Wohlthäter d. Menschh. (44) (05.) [70.]
Katholizismus u. Protestantismus als sittl. Erzieher d. Jugend. Von R S.
(40) (03.) [56.]
Kirche, d., als Lehrerin d. Welt. Von R S. (31) (01.) [45.]
— d., als Mutter d. Glkuhigen. Von R S. (32) (02.) [46.]
— d. wahre. Von R s. (40) (01.) [44.]
Kirsch, HW: Paulus Melchers, d. Bekennerbischof. Lebensbild a. d. Kultur-
kampf in Deutschl. (63) (04.) [77.78.]
Krueckemeyer: Der Illuminatenorden. Beitrag z. Gesch. d. Freimaurerei.
(76) (02.) [49.50.]
Kurse, J: Die häusl. Erziehg. Anl. zu e. guten Kinder-Erziehg. 2. Afl.
(96) (02.) [26.27.]
Lerch, W: Die moderne Ehrenhaftigkeit. (40) (03.) [66.] § Die Gefühls-
relig., d. moderne Relig. (30) (02.) [52.]
Löffler: Die Unwandelbarn. d. kirchl. Lehre trotz d. Wandlgn d. menschl.
Geistes. Vortr. (36) (03.) [45.]
Märchen, d., v. d. Päpstin Johanna, s.: Papst u. Kirche.
Matzbach: Autorität u. Freiheit. (32) (01.) [35.]
Nikel: Babel u. Bibel. Vortr. — Buch, d., u. Bücher. Von K H. (64) (03.)
[61.62.]
Offenbarung, Wunder u. Geheimnisse. Von R S. (47) (01.) [39.]
Papst u. Kirche. Für Freund u. Feind. — Märchen, d., v. d. „Päpstin
Johanna". 2. (Umschl.-)Afl. (32) (02.) [19.]
Perl, J: Die Tuberkulose u. ihre Bekämpfg. Nach e. Vortr. (32) (04.) [72.]
Publicus, J: Die moderne Schaudfrmen. Nach ihrem eig. Leistgn be-
leuchtet. 2. (Umschl.-)Afl. (47) (02.) [23.]
Reiners, A: Die Wunder v. Lourdes vor d. Richterstuhle d. gebild. Welt.
(49) (01.) [38.]
Richter jr, A: Relig. u. Naturwiss. od. Die Relig. u. d. Urteile d. grössten
Forscher d. XIX. Jahrh. (64) (05.) [52.53.]
Sauda, A: Fortschritt u. Konservatismus in d. Kirche. (29) (05.) [81.]
Schicksal, d., v. Verfolgern d. Kirche. Von J G. (63) (04.) [67.63.]
Schlauch: Üb. d. Ehe. s.: Fleok, H, d. wahr. Familie.
Schmüdinger, JM: Für Kirche u. Papst! Beitrag zeg. d. „Los v. Rom"-
Bewegg. (32) (01.) [37.]
Schütz, J: Aus Englds Schreckenzeit. Bilder a.d Zeit d. Abfalles Englds
v. d. kathol. Kirche. (56) (05.) [55.56.]
Sklaverei, d., u. d. Christenthum, s.: Freiheit, Gleichheit u. Brüderlichkeit.
Volksstaat, d. socialist., wie er sein würde u. nicht wie ihn d. Sozial-
demokraten ausmalen. — (Kapitalist. Produktions.) [S.-A.] (37) (04.) [74.]
Voltaire. Das Leben u. Ende e. Gotteshassers, s.: Bonaventura, was tut
d. kathol. Kirche www.
Warum d. latein. Kirchensprache? Von K H. (30) (04.) [69.]
Willems, C: „Ekkehard" od.: Wie man Zeitromane schreibt. (47) (02.) [48.]
Zentralfrage, d., d. Christenthums. Von R S. (43) (02.) [42.43.]
Ergänzungshefte s. u. d. T.: Broschüren, zwanglose.

Volksbibel, erklärte deut., in gemeinverständl. Auslegg d.
Anwendg m. apologet. Tendenz, hrsg. v. E Rupprecht. Je
A. T. 1150, Apokryphen 77, N. T. 616 u. Familienchronik 8 m.
Abb., 40 Taf. u. 8 Kartens.) 4° Hannov. 03. Frankf. a/M., O
Brandner. 20—; L. 24—; m. G. 27—; Bockldr m. G. 30—;
in 2 Bde geb. 27—; bezw. 31— u. 38—; Altes Test. allein
15—; geb. 18.50; 21— u. 23.50; Neues Test. allein 8—;
geb. 11—; 12.50 u. 15.50 d

Volks-Bibliothek, deut. Nr. 1. 8° Lorch, K Rohm. — 10 d
Landauberger, J: Stuttgarter Hexen-Geschichten. (22) (05.) [1.] — 10
— **Frankfurter**, s.: Zehn-Pfennig-Bibliothek, Frankf.
— **kathol.** I. Serie, Nr. 4 u. 10—24 u. II. Serie, Nr. 1—11, 13—15
u. 18—22. 12° Ravnsbg, F Alber. 15.65 d
Assmann, A: Jesus v. Nazareth — wessen Sohn ist Er? (141) (02.) [1,24.] — 50
Ballmann, P: Eine deut. Eiche od. Friedrich Leop. Graf zu Stolberg.
(93) (01.) [1,11.] — 35
— Zum Katholisch-werden: od.: Anser d. Kirche kein Heil. (63) (02.)
[1,20.] — 40
— „Leben" heisst „Geniessen". (90) (02.) [1,23.] — 40
— Mehr Licht! Mehr Bildg! (75) (02.) [1,17.] — 35
— Panem et Circenses: verdentscht: Trinken u. Essen. (64) (02.) [1,21.] — 35
Bergmann, J: Sprüche u. Stiche. (34) (08.) [II,1.] — 30
Blessing, Bs: Nach Lourdes! Erinnergn u. Bilder s. e. Pilgerreise. (87)
(04.) [II,20.] — 30 § Reise-Bilder u. Kloster-Bilder. (56) (04.) [II,19.] — 30
§ Eine Romfahrt. (67) (04.) [II,18.] — 30
Bochtler, K: Die Arbeit ihre sittl. u. ecc. Bedentg. (140) (01.) [I,15.] — 50
— Christentum u. Socialismus od. Der Kampf zw. d. christl. u. heidn.
Weltanschaug. (187) (02.) [I,22.] — 70
Bodenthal, O: Ein wackerer Soldat Jesu Christi: General de Sonis. (70)
(01.) [I,10.] — 35
Drexler, E: Wann lebte Adam? (67) (06.) [II,13.] — 30
Eichert, F: Wetterleuchten. 3 Tle. 9—11¼ Taus. (132 u. 194) 04. [II,14.15.]
Je 1 —
Famulus, T: Gottesbeweise. Ans d. Holl. (69) (02.) [I,19.] — 35
— Die Weisheit d. Gottesleugner od. ein. gewöhnl. Einwendgn geg. d.
Dasein Gottes. Ans d. Holl. (150) (02.) [I,19.] — 50
Foiel, R: Des Christen Kreuzestrost. (92) (03.) [I,7.] — 40
Haw, J: ne gute Beicht! Ein Mahnruf an viele Katholiken. 3. Afl. (100)
04. [I,4.5.] — 40
— Der Himmel auf Erden! (79) (04.) [II,8.] — 35
— Die Hölle. Etwas a. d. dunklen Jenseits f. Leichtsinnige. (29) (01.) [I,6.]
§ 2. Afl. (129) 04. Je — 50
Matthias v. Bremscheid: Floch d. Unglaubens. (36) 03. [II,10.] § Thorb. d.
Unglaubens. (24) 05. [II,11.] — 25
Quadt, J Gräfin: D'Loni u. and. Erzählgn. (164) (05.) [II,22.] — 60
Reiber, JB: Der Papst, d. Vater d. Christenheit. (47) (02.) [II,1.] — 25

Hinrichs' Fünfjahrskatalog 1901—1905.

Reiter, J: Liberalismus u. Katholizismus. (108) (01.) [I,14.] — 40
Thuma, K: Gedichte. Hrsg. v. E Scheffold. 1. Bd. Gottesllob in Harfen-
klängen. (84 m. Bildnis.) (03.) § II. Bd. Gottes-wunder in d. Notar. (02)
(03.) § III. Bd. Lied u. Lebre. (96) (03.) § IV. Bd. Frauen u. ernster Ruog.
(88) (03.) [II,2—8.] Je — 40
Wetzel, FX: Der sel. Petrus Canisius. 4. Afl. (49) (01.) [I,12.] — 30
— Aurb d. Männer müssen lernen. 1—10. Taus. (32) (01.) [I,13.] — 70
II, Nr. 12, 16 u. 17 s. u. d. T.: Bleibet treu eurem kathol. Glauben. — Roth, J, z. 25jähr. Papstjubiläum Leo XIII. u. Pietl,
G, d. Ursachen d. Unglaubens. — Bisher nicht unter Sammeltitel erschienen, daher unter d. Einzeltiteln aufgenommen.

Volks-Bibliothek, kathol., Hrsg. v. K Kümmel. 7. u. 8. Bd.
8° Kempta, J Kösel. 3.80; geb. 5 — (1—8.: 16.10; geb. 20.90) d
7. Holschen, G: Veronika od. an d. Krippe u. unter'm Kreuze. Erzählg
a. d. Zeit Christi. (239 m. Abb.) 1900. 1 90; geb. 2.40
8. Leitenberger, O: Eine Feuerwehr-Gesch. — Leonertn, J: Der arme
Bastian od. Wolzthun bringt Zinsen. Erzählg. — Rosterl, M: Erzählten
u. Novellen. (71, 48 u. 131 m. Abb.) 1900. 2 —; geb. 2.60

— **medizin**. 1., 2. u. 10. Bd. 8° Berl., O Coblentz. 2.25 d
Hoffa: Gymnastik u. Massage als Heilmittel. (25) 04. [1.] — 50
Kann, A: Der Haarausfall. Ursache u. Behandlg. 1. u 2. Afl. (84 m. Abb.)
04. [10.] — 75
Reeligmüller, A: Kopfschmerz. (69) 03. [2.] 1 —

— **wiss**. Nr. 17—20, 29, 30 u. 39—96. 16° Lpzg, S Schnurpfeil.
Je — 20 d
Baringer, M: Die Chemie als Wiss. u. in ihrer prakt. Anwendg. (314) (01.)
[29—32.]
Candolle's, A de, Darwin. Sein Leben. s. Lehre u. s. Bedentg. Nach C.'s
Schrift erweit. u. deutsch bvrg. v. A Südekum. 4. Afl. (60) (05.) [17.]
Eisler, R: Fyrebol. im Umriss. Darstellg d. Grundgesetze d. Seelenlebens.
3. Afl. (104) (03.) [29.30.]
Renan, E: Das Leben Jesu. Nach d. 40. Afl. a. d. Franz. übers. v. F
Streisaler. 2. Afl. (119) (02.) [18—20.]
Zaborowski: Der Ursprg d. Sprache. Aus d. Franz. (306) (02.) [94—96.]

Volks- u. Gesundheitsbibliothek f. jedes Haus. 3—5. Bd. 8°
Lpzg, A Strauch. 3 — (1—5.: 5.70) d
Berberyat, BB: Die Heilg d. siecherhaften Krankh. Uebersetzg. (39) 01. [3.] 1 —
— Die Krankh. d. Leber, u. deren naturgemässe Heilg. Aus d. Engl.
(41) (01.) [5.] 1 —
Kraus, T: Die Wurmkrankh. (Helminthiasis) u. deren Heilg. (31 m. Abb.)
(01.) [4.] 1 —

Erscheint nicht mehr unter Sammeltitel.

Volks- u. Jugend-Bibliothek, kathol., hrsg. v. Red.: AC Jessen.33. Bdchn.
12° Wien, A Pichler's Wwe & Sohn. Kart. — 70 d
Niedergesäss, R: Lebre u. Wanderjahre. Erzählg s. d. Handwerkerleben.
3. Afl. (97 m. Titelbild.) (03.) [33.]

Volksbibliotheken, kathol. Kurze Anl. üb. Gründg u. Erhaltg
derselben. (36) 12° Linz, Pressver. 02. — 20 d

Volksbildung (früher „Bildungs-Verein"). Zeitschrift f. öffentl.
Vortragswesen, Volkslesesanst. u. freies Fortbildgswesen in
Deutschl. 35. Jahrg. 2—4. Viertelj. Apr.—Dezbr 1905, 18 Nrn.
(Nr. 4. 16) 8° Berl., Gesellsch. f. Verbreitg v. Volksbildg.
Viertelj. 1 —; einz. Nrn — 20 d
Bisher u. d. T.: Bildungs-Verein, d.

Volks-Bildungs-Blätter. Hrsg. v. Allg. n.-ö. Volksbildgsver-
eine". Schriftleiter: J Wichner. 19. u. 20. Jahrg. 1904 u. 5. je
12 Nrn. (Je 192 m. Abb.) 4° Krems, (F Oesterreicher).
Postfrei je n. 2.60 d
Auch alle früheren Jahrgge sind jetzt v. Oe. zu beziehen.

Volksblatt, allg., f. Stadt u. Land. Red.: W Faber. 10. Jahrg.
1901. 52 Nrn. (Nr. 1. 8 m. Abb.) 4° Berl.-Westend, Verl. d.
Akadem. Bln. Westend f. d. — Viertelj. — 50 d ö F
*Auch in Ausg. f. Altenburg, Hannover, d. Neumark, Reuss ä. L.,
Sachsen, Schlesien u. Westfaln. — A. u. d. T.: Simeonsbote, d.*
braunschweig. Hrsg.: R Knopf. 35—39. Jahrg. 1901—5.
je 52 Nrn. (Nr. 1. 8) 4° Nebst: Braunschweiger Arbeiter-
Freund. Wochenbl. f. Stadt u. Land. Red.: E Hülle u., seit
1902, H Pankow. 11—15. Jahrg. Je 52 Nrn. (Nr. 1. 8 m. Abb.)
8° Brnschw., Grüneberg. Viertelj. 1 — d
— deut., f. Stadt u. Land. 1—3. Jahrg. Oktbr 1903—Septbr
1906 je 52 Nrn. (Nr. 1. 12 m. Abb.) 4° Berl., R Hobbing.
Viertelj. — 55 d
Vgl.: Volksblatt, pommersches, f. Stadt u. Land.
— hygien. Organ z. Bekämpfg d. Kurpfuscherthums. Mit
bes. Abtlg f. Tuberkulose u. Gewerbekrankh. Red.: (G Flatau u.) T Sommerfeld. 2. u. 3. Jahrg. 1901 u. 2. Je 24 Nrn. (1901.
Nr. 1—19. 150) 4° Berl., Vogel & Kr. Viertelj. 1 — d
einz. Nrn — 20
*Bisher u. d. T.: Blätter z. Bekämpfg d. Kurpfuscherthums, jedoch
vergriffen.*
— dass. Red. v. G Flatau. Mit bes. Abteilg f. Tuberkulose u.
Gewerbekrankh., red. v. T Sommerfeld, u. f. Geschlechtskrankh., red. v. R Ledermann. 4. Jahrg. 1903. 24 Nrn. (Nr. 1
u. 2. 24) 4° Ebd. Viertelj. 1 —; einz. Nrn — 20 d
— dass. Offiz. Organ d. Deut. Gesellsch. z. Bekämpfg d. Kurpfuscherthums. Red. v. G Flatau. Bes. Abteilg f. Tuberkulose
u. Gewerbekrankh., red. v. T Sommerfeld. 5. Jahrg. Jan.—
Juni 1904. 12 Nrn. (Nr. 1. 12) 4° Ebd. Viertelj. 1 —:
einz. Nrn — 20 d ö F
— jüd. Unabhäng. Organ f. d. Interessen v. Gemeinde, Schule
u. Haus. Hrsg. v. L Neustadt. 7—11. Jahrg. 1901—5 je 52 Nrn.
(Nr. 1. 10) 4° Breslau (III, Neue Graupenstr. 2). Je
Viertelj. nn 1.22 d
— ostdeut., vereinigt m. d. deut. Landwacht. 3. Jahrg. Oktbr
1905—Septbr 1906. 52 Nrn. (Nr. 1. 12 m. Abb.) 4° Berl., R Hobbing. Viertelj. — 60 d
Die deut. Landwacht wurde hiermit vereinigt.
— pommersches, f. Stadt u. Land. 3. Jahrg. Oktbr 1905—

Septbr 1906. 52 Nrn. (Nr. 1. 12 m. Abb.) 4° Berl., R Hobbing. Viertelj. — 55 d
Vgl.: Volksblatt, deut., f. Stadt u. Land.

Volksblatt, relig. Red.: (E Brändli u.) W Kambli. 32—36. Jahrg. 1901—5 je 52 Nrn. (Nr. 1. 8) 8° St. Gall. (Bern, H Körber.) Je 4.80 d

Volksbööker, Hamborger. Nr. 1—3. 8° Hambg, (G Kramer V.). 1.05 d
Dusendschön, H: Plattdüt. Rimels ut ohlen Tieden för plattdüt. Lüüd. (41) 02. [1.] — 50
Schacht, H: Plattdüt. Schipperleeder. För vergneugte Seelüd. (40) 03. [3.] — 30
Schacht-Krüger: De plattdüt. Pulterobend. (40) 02. [2.] — 25

Volksbote. Volkskalender f. 1906. 69. Jahrg. (32, 224 u. Notizkalender 16 m. Abb.) 8° Oldnbg, Schulze. — 50 d
— f. Baden u. d. Pfalz. Kalender f. Stadt u. Land. 54. Jahrg. 1906. Hrsg. v. ev. Ver. f. innere Mission A. B. in Karlsruhe. (62 m. Abb. u. 1 Farbdr.) 8° Karlsr., (JJ Reiff). — 20 d
Bis 1905 u. d. T.: Volksbote, d., a. Baden.
— christl., a. Basel. Red.: T Sarasin-Bischoff. 69—73. Jahrg. 1901—5 je 52 Nrn. (1901. Nr. 1. 8) 8° Bas., F Reinhardt. Je 4.40 d
— d. deut. 1906. (48 u. 8 m. Abb.) 8° Stuttg., K Daser. — 20 d
— d. deut. Kalender f. 1906. Hrsg. v. C Nicklas. (18. Jahrg.) (35, 29 u. 114 m. Abb.) 8° Berl., Vaterländ. Verl.- u. Kunstanst. — 50 d
Auch in Ausg. f. Brandenburg, Pommern, Sachsen u. Ostpreussen.
— d. deut. Deutschvölk. Wochenschrift. Mit d. Beil.: „Das illustr. Blatt d. Erfindgn u. Entdeckgn" u. „Prakt. Mitteilgn f. Gewerbe u. Handel, Land- u. Hausw." Hrsg. u. Schriftleiter: A Kiesslich. Verantwortlich: A Fritsche. 13—15. Jahrg. 1903—5 je 52 Nrn. (Nr. 8 u. 9 je 10) Fol. Prag (II, Krakauerg. 11), Verwaltg. Viertelj. nn 2.50 d
— evangel. Kalender d. Ev. Bundes. Hrsg. im Auftr. d. Zentralvorstandes. 17. Jahrg. 1906. (71 u. 9 m. Abb. u. 1 Taf.) 8° Lpzg, (C Braun). — 25 d
In Ausg. f. Norddeutschl. u. f. Süddeutschl. — Die Ausg. f. Württemberg erscheint seit 1905 nicht mehr.
— illustr. Kalender f. 1906. (16, 48 u. 16) 8° Stuttg., C Weber & Co. — 25 d
— d., a. Württemberg. Illustr. Kalender f. 1906. (49 u. 7) 8° Stuttg., K Daser. — 20 d

Volksboten, d., Schweizer-Kalender f. 1905. 63. Jahrg. (80 m. Abb.) 8° Bas., F Reinhardt. — 30 d

Volksboten-Kalender f. 1904. 3. Jahrg. Hrsg. v. Pressver. (112 m. Abb. u. 1 Farbdr.) 8° Brix., Pressvereins-Bh. — 50 d ô F
— bayer. 1903. 8. Jahrg. (48) 8° Rgnsbg, Verl.-Anst. vorm. GJ Manz. — 10 d ô F

Volksbroschüre, kathol. Nr. 2—12. 16° Linz, Pressver. 1.35 d
Ja od. Nein? Eine Antwort auf 12 Gewissensfragen e. Abfallspredigers. (48) 01. [2.] — 10
Karl, M: Ist d. Marienverehrg d. Katholiken verwerflich? (47) 02. [12.] — 20
Morsey, Frhr v.: Rede üb. d. Orden. [S.-A.] (46) 01. [4.] — 20
Pfeneberger, J: Katholisch od. protestantisch? [S.-A.] (19) 02. [3.] — 10
— Wahrheit, Freiheit, Bildg od.: Der grösste Ehrenname. (20) 02. [9.] — 10
Scherndl, B: Ist d. kathol. Kirche heilig? (12) 02. [10.] — 10
Schlagwerte, moderne, geg. d. kath. Priester. Von Catholicus Laicus. (43) 02. [7.8.] — 20
Stingeder, F: Ein unglücksel. Tausch od. warum e. denk. Katholik nicht protestantisch wird. [S.-A.] (29) 02. [11.] — 15
Wem sollen wir glauben, d. Lehramte d. kath. Kirche od. d. Bibel allein? od. Das „reine Evangelium" d. Abfallsprediger kritisch beleuchtet v. 2 Cooperatoren. (39) 02. [5.6.] — 20
Nr. 1 bildet: Ich glaube an d. hl. kathol. Kirche.

Volksbücher, biograph. Nr. 108—111. 8° Lpzg, R Voigtländer. Je — 25; Einbde je nn — 25 d
Berneker, E: Graf Leo Tolstoj. (115 m. 1 Bildnis.) 01. [108—11.]
— d. deut. Dichter-Gedächtnis-Stiftg. 1—10. Heft. 8° Hambg, Deut. Dichter-Gedächtnis-Stiftg 05. 2.20; geb. 6.10 d
Brentano, C: Gesch. v. braven Kasperl u. d. schönen Annerl. (Einl. v. M Morris.) (59 m. Bildnis.) [6.] — 15; geb. — 50
Byth, M: Der blinde Passagier. (Einl. v. A Stern.) [S.-A.] (68 m. Bildnis.) [10.] — 20; geb. — 60
Goethe: 60 Gedichte. (95 m. Bildnis.) [1.] — 20; geb. — 60
Halm, F: Die Marzipanliese. Die Freundinnen. (Einl. v. M Necker.) (124 m. Bildnis. [8.] — 20; geb. — 60
Hoffmann, ETA: Das Fräulein v. Scuderi. (Einl. v. RM Meyer.) (113 m. Bildnis.) [7.] — 20; geb. — 60
Reuter, F: Woans ick tau 'ne Fru kamm. (61 m. Bildnis.) [9.] — 15; geb. — 50
Schiller's Balladen. (108 m. Bildnis.) [3.] — 20; geb. — 60
— Wilhelm Tell. (190 m. 1 Taf.) [2.] ‖ Wallensteins Lager. Die Piccolomini. (215 m. Bildnis.) [4.] ‖ Wallensteins Tod. (222 m. Bildnis.) [5.] Je — 30; geb. je — 70
— genossenschaftl. Nr. 1—7. 8° Hambg, Verl.-Anst. d. Zentralverbandes deut. Konsumver. v. H Kaufmann & Co. 1.50 d
Englandreise, uns.! Bericht d. Geschäftsführers u. d. Aufsichtsratsmitglieder d. Grosseinkaufs-Gesellsch. deut. Consumver. m. b. H. üb. d. Besichtigg d. „Co-operative Wholesale Soc. Lim. (engl. Grosseinkaufs-Gesellsch.) u. d. engl. Konsumver. 3. Afl. (47 m. Abb. u. 1 Bildnistaf.) 04. [1.] — 20
Fleissner, H: Zur Gesch. d. Umsatzsteuer in Sachsen. (48) 04. [7.] — 20
Genossenschaftsbewegung, d., in Nord- u. Ost-Europa im J. '03. (47) 04. [3.] ‖ Dass. in West-Europa im J. '03. (64) 04. [4.] Je — 20
Riehn, R: Die Umsatzsteuer im Herzogt. Braunschweig. (48) 04. [6.] — 20
Staudinger, F: Zur Abwehr! (40) 04. [5.] — 20
— Von Schulze-Delitzsch bis Kreuznach. (78) 03. [2.] — 30
— d. Gesundheitspflege, Fortsetzg, s.: Bibliothek d. Gesundheitspflege.
— Hamburger, s.: Volksbööker, Hamburger.

Volksbücher f. Jung u. Alt, hrsg. v. OC Wohlleben. I. Bd. (1. Tl.) 8° Köln. Gütersl., C Bertelsmann. Geb. 1 — d ô F
Rademacher, C: Als ich klein war. (63 m. Abb.) 02. [I,1.] 1 —
— f. Naturkde u. Technik. 2—4. Bd. 8° Stuttg., EH Moritz. Je — 80; L. je 1 — d
Ahrens, FB: Einführg in d. prakt. Chemie. Organ. Tl. (144 m. Abb.) (02.) [4.] ‖ Unorgan. Tl. (160 m. Abb.) (01.) [3.] In 1 Bd geb. 2 —
Kleinstüber, A: Die Entwickelg d. Eisenindustrie u. d. Maschinenbaues im 19. Jahrh. (180) 01. [2.]
Der 1. Bd ist noch nicht erschienen. — Fortsetzg s. u. d. T.: Bibliothek d. Naturkde u. Technik.
— neue. Nr. 478—493. Neue Ausg. 8° Reutl., Ensslin & L. (02-05). Je — 25 d
Enth. Erzählgn v.: A Bredow, LW Graepp u. E Romschsteark.
— neue. Hrsg. v. d. Vereinigg v. Freunden christl. Volks-Litt. 68—86. Bdchn. 8° Berl., Schriftenvertriebsanst. Kart. 8.20 d
Adelung, S v.: Mammon. — Monika. Erzählgn. (107 m. Titelbild.) (04.) [81.] — 40
Dietrich-Melander, M: Von Wellen umspült. Irrfahrten. Erzählgn. (102 m. Abb.) 03. [74.] — 40
Forst, E: Der Prozesser. Volkserzählg. (124) (05.) [85.] — 40
Grabi, M: Das Burenvolk u. s. Freiheitskämpfe. (220 m. Abb.) 03. [75.] — 60
Jónasson, J: Ein Eid. Erzählg. — Känel, F v.: Auf d. Edelhofe. Nach d. Dän. — Känel, F v.: Gold unterm Heidekraut. Nach d. Dän. (90) (03.) [79.] — 40
Känel, F v.: Auf d. Edelhofe. Gold unterm Heidekraut, s.: Jónasson, J, e. Eid.
— Im Moorgut. Die Bernsteinschnur. Aus d. Dän. (115 m. Abb.) 02. [70.] — 40
— Wind. — Alte u. Junge. Nach d. Dän. (79 m. 4 Vollbildern.) (03.) [78.] — 40
Krause, H (C v. Hellen): Der Schatz d. Pfarrers v. Poppenburg. Erzählg a. d. Zeit d. 30jähr. Krieges. — Heimat. Erzählg. (94) 04. [82.] — 40
Krieg, d., in China u. uns. Ost-Asiaten v. GP v. S. (185 m. Abb. u. 4 Kart.) 01. [68.] — 50
Liliencron, A v.: Pieter Lafras u. s. Familie. Erzählg a. d. Freiheitskriege d. Buren. (151 m. Abb.) 03. [71.] — 50
— Die Macht d. Liebe. (85) (05.) [84.] — 40
Lüttwitz, S v. (F v. Ell): General-Feldmarschall Graf v. Roon. Lebensbild. (189 m. 1 Bildnis.) 03. [76.] — 60
Rickmeyer, M: Manneswort, s.: Roemer, F, es soll nicht sein.
Rivulet, H (G v. Schlippenbach): Ein Mutterherz. — Ehre Vater u. Mutter. — Unser 1. Weihnachtsbaum. Erzählgn. (95 m. Abb.) 03. [73.] — 40
Roemer, F: Es soll nicht sein. — Eickmeyer, M: Manneswort. (101 m. Abb.) 02. [69.] — 40
Schmidt, P v.: 100 Jahre vaterländ. Vergangenh. Schildergn u. Charakterbilder f. Jugend u. Volk. 1. u. 2. Tl. (91 u. 112 m. Abb.) 04.05. [80 u. 86.] Je — 40
Sohn, e. verlorener. Erzählg v. A R. (104 m. Abb.) 03. [72.] — 40
Winter, C (M Eickmeyer): Der Anerbe vom Ellernhof. Erzählg. (89 m. Titelbild.) (03.) [77.] ‖ Steffen Klüvers Nachfolger. (93) 05. [83.] Je — 40
— ostpreuss. 1. u. 2. Bdchn. 8° Gumb., C Sterzel. L. je — 75 d
Jung, F: Freud u. Leid. (127) 05. [2.] ‖ Maienregen, Gottessegen. (93) 04. [1.]
— d. Rechts- u. Staatskde. (Einbd: Bibliothek d. Rechts- u. Staatskde.) 1—3. u. 5. Bd. 8° Stuttg., EH Moritz. L. 4.50 d
Bernhöft, F: Das neue bürgerl. Recht in gemeinverständl. Darstellg m. Beisp. a. d. prakt. Leben. I. Einl. u. allg. Tl. (204) 02. [5.] 1.50
Poellath, K: Der Arbeiterschutz. Der Schutz d. gewerbl. Arbeiter Deutschlds, soweit er Aufgabe d. Gewerbeinspektion ist. (166) (01.) [1.] — 80; geb. 1 —
Sinzheimer, L: Die Arbeiterwohngsfrage. (190) 02. [2.3.] 1.60; geb. 2 —
Fortsetzg s. u. d. T.: Bibliothek d. Rechts- u. Staatskde.
— relig.-geschichtl., f. d. deut. christl. Gegenwart. Hrsg. v. FM Schiele. I. Reihe, 1—7., 9. u. 11. Heft; II. Reihe, 2., 5. u. 14. Heft; III. Reihe, 1—7. Heft u. V. Reihe, 1—3. Heft. 8° Halle. Tüb., JCB Mohr. 8.35; Kartonnagen f. jedes Werk — 20 d
Bertholet, A: Seelen-Wanderg. 1—10. Taus. (63) 04. [III,2.] — 40
Bousset, W: Jesus. 1—10. Taus. (103) 04. [I,2.3.] — 60; in Geschenkbd 1 —
Budde, K: Das prophet. Schrifttum. (Quellenkde d. israelit. u. jüd. Relig.-Gesch. II. Tl.) 1—10. Taus. (68) 06. [II,5.] — 40
Dobschütz, E v.: Das apostol. Zeitalter. 1—10. Taus. (72) 04. [I,9.] — 40
Hackmann, H: Der Buddhismus. 1. Tl. Der Ursprg d. Buddhismus u. d. Gesch. sr Ausbreitg. (74) 05. [III,4.] ‖ 2. Tl. Der südl. Buddhismus u. d. Lamaismus. 1—10. Taus. (86) 05. [III,5.] ‖ 3. Tl. Der Buddhismus in China, Korea u. Japan. 1—10. Taus. (80) 06. [III,7.] Je — 40
Hollmann, G: Welche Relig. hatten d. Juden als Jesus auftrat? 1—10. Taus. (83) 05. [I,7.] — 40
Holtzmann, H: Die Entstehg d. Neuen Test. 1—10. Taus. (48) 04. [I,11.] — 35
Küchler, F: Hebr. Volkskde. 1—10. Taus. (62) 06. [II,2.] — 40
Löhr, M: Seelenkämpfe u. Glaubensnöte vor 2000 Jahren. 1—10. Taus. (48) 04. [II,14.] — 35
Niebergall, F: Welches ist d. beste Relig.? 1—10. Taus. (78) 05. [V,1.] — 40
Petersen, J: Naturforschg u. Glaube. 1—10. Taus. (42) 05. [V,3.] — 35
Pfleiderer: Vorbereitg d. Christentums in d. griech. Philosophie. 1—10. Taus. (82) 04. [III,1.] — 40
Söderblom, N: Die Religionen d. Erde. 1—10. Taus. (66) 05. [III,3.] — 40
Traub: Die Wunder im neuen Test. 1—10. Taus. (74) 05. [V,2.] — 40
Vischer, E: Die Paulusbriefe. 1—10. Taus. (81) 04. [I,4.] — 40
Wendland, J: Die Schöpfg d. Welt. 1—10. Taus. (52) 05. [III,6.] — 40
Wernle, P: Die Quellen d. Lebens Jesu. 1. u. 2. Afl. (88) 04.05. [I,1.] — 40
Wrede, W: Paulus. 1—10. Taus. (113) 04. [I,5.6.] — 70; geb. 1.10
— dass. I. Reihe. Die Relig. d. Neuen Test. 1. Bd. 8° Ebd. Geb. 3.40 d
Die Quellen d. Lebens Jesu. — Jesus. — Das apostol. Zeitalter. — Die Paulusbriefe. — Paulus. (89, 103, 72, 81 u. 113) 05. [1.] L. 3.40
— Wiesbad. Hrsg. v. Volksbildgsver. zu Wiesbaden. Nr. 6—70. 12° Wiesb., (H Staadt). nn 11 — d
Almquist, KJL: Die Kolonisten auf Grimstahamn. (Grimstahamns Nybygge.) Erzählg. Aus d. Schwed. v. G Simon. 1—15. Taus. (52) 02. [23.] — 10
Björnson, B: Ein fröhl. Bursch. 1—20. Taus. (120) 04. [57.] — 20
Dreyer, M: Vater u. Sohn. [S.-A.] 1—20. Taus. (57) 05. [64.] — 15
Droste-Hülshoff, A Freiin v.: Die Judenbuche. Sittengemälde a. d. gebirg. Westfalen. 1—15. Taus. (62) 02. [26.] — 15
Ebner-Eschenbach, M v.: Krambambuli u. Der gute Mond. 2 Erzählgn. (53) 01. [12.] — 10

Fischer, W: Das Licht im Elendhause. [S.-A.] (1—20. Taus.) (76) 03. [37.] — 15
François, L v.: Fräulein Muthchen u. ihr Hausmaier. Erzählg. (86) 01. [14.] — 15
Frapan, I: Altmod. Leute. Erzählg. (46) 02. [20.] — 10
Gerstäcker, F: Der Schiffszimmermann. Das Wrack. 2 Erzählgn. (128) 03. [38.] — 25
Goethe, JW v.: Hermann u. Dorothea. 1—15. Taus. (80) 05. [59.] — 15
Gotthelf, J: Elsi, d. seltsame Magd. Erzählg. 1—15. Taus. (40) 02. [24.] — 10
Greinz, R: Das 5. Rad am Wagen. Eine lust. Gesch. a. Tirol. (51) 01. [7.] — 10
Grillparzer, F: Der arme Spielmann. Erzählg. 1—15. Taus. (62) 03. [32.] nn — 15
Grimm, J: Walthari-Lied. — Grimm, W: Der arme Heinrich. 1—20. Taus. (54) 04. [51.] — 15
Hauff, W: Die Karawane. Märchen. (134) 01. [8.] — 25
— Jud Süss. Erzählg. (1—15. Taus.) (96) (03.) [34.] — 20
Hebbel, F: Meine Kindheit. — Mutter u. Kind. 1—20. Taus. (113) 04. [42.] — 20
Heiberg, H: Peter Brede. — Jeg elsker Dig. 2 Erzählgn. (60) 03. [43.] — 15
Heyse, P: Der verlorene Sohn. Erzählg. (60) 01. [10.] — 15
Hoefer, E: Rolof d. Rekrut. [S.-A.] 1—20. Taus. (54) 05. [67.] — 15
Hoffmann, H: Spätglück; Sturmwolken. 2 Erzählgn. (50) 01. [9.] nn — 15
Horn, WO v. (W Oertel): Meine 1. Braut. — Ein Stücklein v. d. Mosel. (1—20. Taus.) (64) 05. [66.] — 15
— Friedel. Eine Gesch. a. d. Volksleben. 1—15. Taus. (192) 03. [28.] — 40
Jacobs, WW: Ein voreil. Experiment. Der schwarze Kater. 1—20. Taus. (47) 06. [62.] — 10
Jensen, W: Magister Timotheus. Novelle. (44) 01. [6.] — 10
Keller, G: Das Fähnlein d. 7 Aufrechten. Erzählg. (84) 02. [16.] — 15
Kleist, H v.: Michael Kohlhaas. Erzählg. (1—15. Taus.) (117) 03. [36.] — 20
Kompert, L: Christian u. Lea. Erzählg. (101) 02. [19.] — 20
— Gottes Annehmerin. Novelle. 1—20. Taus. (53) 04. [45.] — 15
Liliencron, D v.: Gedichte. 1—20. Taus. (45) 04. [54.] — 20
— Umzingelt. — Der Richtgspunkt. 2 Kriegsnovellen. [S.-A.] (1—20. Taus.) (46) 03. [33.] nn — 10
Mathy, K: Aus d. Leben e. Schullehrers. [S.-A.] 1—20. Taus. (41) 04. [40.] — 10
Mérimée, P: Colomba. Aus d. Franz. v. L Schneegans. [S.-A.] 1—15. Taus. (190) 03. [40.] — 35
Meyr, M: Regina. Erzählg a. d. Ries. 1—20. Taus. (94) 04. [48.] — 20
— Der Sieg d. Schwachen. (156) 02. [15.] — 25
Mosen, J: Meines Grossvaters Brautwerbg. Ismael. 1—20. Taus. (69) 04. [55.] — 15
— Das Heimweh. 1—15. Taus. (72) 03. [30.] — 15
Muellenbach, E: Franz Friedrich Ferdinand. Zwischenblätter a. d. Chronik e. Kleinstaats. [S.-A.] (1—20. Taus.) (72) 04. [44.] — 20
— Johannissegen. Die Silberdistel. 1—15. Taus. (44) 03. [29.] — 15
Müller, O: Münchhausen im Vogelsberg. Erzählg. 1—20. Taus. (109) 05. [70.] — 30
Niese, C: Um d. Weihnachtszeit. [S.-A.] 1—20. Taus. (37) 05. [69.] — 10
Ompteda, G Frhr v.: Der Major. — Ein Weihnachtsabend. — Das Schützenfest. [S.-A.] 1—20. Taus. (44) 04. [47.] — 10
Pasqué, E: Wer hat dich, du schöner Wald . . ? Eine Lieder-Erzählg a. d. Leben Felix Mendelssohn-Bartholdys. (41) (03.) [35.] nn — 10
Pichler, A: Der Einsiedler. Erzählg a. d. Tiroler Bergen. 1—20. Taus. (70) 04. [52.] — 20
Raabe, W: Die schwarze Galeere. Erzählg. (66) 02. [18.] — 15
Reuter, F: Ut de Franzosentid. 1—15. Taus. (198) 05. [61.] — 35
Rietschel, E: Jugenderinnergn. 1—20. Taus. (98) 04. [53.] — 30
Rosegger, P: Das Ereignis in d. Schrun. s'Guderl. Die Nottaufe. 1—20. Taus. (74) 05. [60.] — 20
Saar, F v.: Tambi. [S.-A.] (1—20. Taus.) (44) 03. [41.] — 10
Schiller: Ausgew. Gedichte. 1—17. Taus. (159 m. Titelbild.) 05. [63.] — 30
Schmidt, M: Der vergangene Auditor. Ein Geschwisterkind. 2 lust. Gesch. [S.-A.] 1—20. Taus. (52) 04. [56.] — 15
Schmitthenner, A: Der Ad'm. Friede auf Erden. 2 Novellen. [S.-A.] 1—20. Taus. (41) 04. [50.] — 10
Silberstein, A: Der Gerhab. (1—20. Taus.) (89) 04. [58.] — 20
Sohnrey, H: Der Hunnenkönig. — Wie d. Woldhäuser Kaisers Geburtstag feierten. [S.-A.] (1—20. Taus.) (41) 03. [39.] — 10
Spindler, K: Der Hofzwerg. Erzählg. 1—20. Taus. (64) 04. [46.] — 15
Starklof, L: Sirene. Eine Schlösser- u. Höhlen-Gesch. (179) 01. [11.] — 30
Stern, A: Das Weihnachtsoratorium. Novelle. 1—15. Taus. (79) 03. [31.] — 20
Stifter, A: Granit. Erzählg. 1—15. Taus. (47) 02. [22.] — 10
Storm, T: Von Jenseit d. Meeres. Erzählg. (57) 02. [17.] — 15
Strauss-Torney, L v.: Bauernstolz. 1—20. Taus. (75) 05. [68.] nn — 15
Tolstoi, Graf L: Auf Feuer habe acht! Zwei Greise. Deutsch v. E v. Glehn. 1—15. Taus. (68) 03. [27.] — 15
Viebig, C: Am Todtenmaar. Margrets Wallfahrt. Das Miseräbelchen. Der Osterquell. Erzählgn. [S.-A.] (62) 01. [13.] — 15
Villinger, H: Knöpfche. Uf Karlsruh! Er ka's Lebe nit lide. Der Sänger v. Denkerbach. Erzählgn. [S.-A.] 1—15. Taus. (46) 02. [25.] — 10
Voigt-Diederichs, H: Zw. Lipp' u. Kelchesrand. [S.-A.] 1—20. Taus. (45) 06. [65.] — 10
Wilbrandt, A: Der Lotsenkommandeur. Erzählg. 1—15. Taus. (73) 02. [21.] — 15

Volksbücher, württemberg. Sagen u. Geschichten. Hrsg. v. württ. ev. Lehrer-Unterstützgs-Ver. (192) 8° Stuttg., Holland & J. (05). L. 1 — d

Volksbücherei. Nr. 1—108. 8° Graz, Styria. Je — 20 d
In geb. Bdn: I. (1 u. 5) nn — 90 ‖ II. (2—4, 6 u. 10) nn 1.30 ‖ III. (7, 8, 18 u. 19) 1.30 ‖ IV. (9, 20 u. 21) 1.10 ‖ V. (11—13) 1.10 ‖ VI. (15—17) 1.30 ‖ VII. (22—28) 2 — ‖ VIII. (29 u. 30) — 90 ‖ IX. (31—33) 1.10 ‖ X. (34—36) 1.10 ‖ XI. (37—39) 1.80 ‖ XII. (40—48) 2.50 ‖ XIII. (49 u. 50) — 90 ‖ XIV. (52—56) 1.50 ‖ XV. (51 u. 66) — 90 ‖ XVI. (59—65) 2 — ‖ XVII. (57 u. 58) — 90 ‖ XVIII. (67—69) 1.10 ‖ XIX. (70—72) 1.10 ‖ XX. (73—81) 2.50 ‖ XXI. (82.83) — 90 ‖ XXII. (84.85) — 90 ‖ XXIII. (88.89) — 90 ‖ XXIV. (86. 87. 90. 91. 104.) 1.50 ‖ XXV. (92—97) 1.80
Achleitner, A: Der wilde Galthirt. Tiroler Novelle. (54 m. Abb.) 02. [5.] ‖ Der Lawinenpfarrer. Eine Tiroler Novelle. (69 m. Abb.) 02. [1.]; 3. Afl. (72 m. Abb.) 03; 4. Afl. 70 m. Abb.) 05. ‖ Der Radmeister v. Vordernberg. Gewerkschaftsbild a. d. ehernen Mark. (112 m. Abb.) 02. [11.]
Bestnahöhle, die. Erzählg insbes. f. d. reif. Jugend. (Von W Bauberger.) (126 m. Titelbild.) 05. [68.69.]
Conscience, H: Der Bahnwächter. Erzählg. Aus d. Fläm. (71) 05. [72.] ‖ Der Löwe v. Flandern. Geschichtl. Roman. Aus d. Fläm. (502 m. Titelbild.) 05. [59—65.] ‖ Der Rekrut. Erzählg a. d. fläm. Volksleben. Aus d. Fläm. (76 m. Titelbild.) 05. [70.71.]
Droste-Hülshoff, AE Freiin v.: Gedichte. (Ausw.) Mit Einl. u. Anmerkgn. 1—11. Taus. (20, 96 m. Bildnis.) 05. [84.] ‖ Die Judenbuche. Ein Sittengemälde a. d. gebirg. Westfalen. (64) 05. [85.]
Dyherrn, G Frhr v.: Am Alpsee. Eine Gesch. a. d. Hochland. 1—11. Taus. (96 m. Abb.) 05. [90.91.] ‖ Auf d. Schwaige. Hochlandsnovelle. Mit Einl. (107 m. Abb.) 05. [86.87.] ‖ Stasi. Eine Gesch. a. d. bayr. Hochland. 1—11. Taus. (79 m. Abb.) 05. [104.]
Ebersberg, J: Gesch. e. alten Commissmantels. Von ihm selbst erzählt. — Die Sühne. Begebenh. a. d. Soldatenleben vergang. Zeit. (150) 02. [35.36.]
Fleuriot, Z: Eine unsichtbare Kette. Aus d. Franz. v. H u. L Schwalke. (205 m. Titelbild.) 04. [31—33.] Geb. 1.10
Flir, A: Bilder a. d. Kriegszeiten Tirols. Geschichtl. u. poet. Erzählgn. 1—10. Taus. (20, 192) 06. [100—03.]
Freithal, F vom: Das Hochgericht in Birkachwald. Lebens- u. Culturbild a. d. obersteir. Murthale. 1—4. Afl. (142) 02-05. [3.4.]
Gerstäcker, F: Das sonderbare Duell. Humorist. Erzählg. (92) 06. [37.] ‖ Herrn Mahlhubers Reiseabenteuer. (Humorist. Erzählg.) (160) 05. [107.8.] ‖ Verhängnisse. Erzählg. (163) 04. [38.39.] ‖ Der Wilddieb. Novelle. (128 m. Bildnis.) 05. [105.6.]
Grillparzer, F: Die Ahnfrau. Trauersp. Mit e. Einl. v. J Ranftl. (124 m. Titelbild.) 03. [14.15.] ‖ Ein treuer Diener s. Herrn. Trauersp. (88) 05. [58.] ‖ König Ottokars Glück u. Ende. Trauersp. Mit e. Einl. v. J Ranftl. (143 m. Titelbild.) 03. [16.17.] ‖ Weh dem, d. lügt! Lustsp. (78) 05. [57.]
Hoffmann, ETA: Meister Martin, d. Küper, u. s. Gesellen. Erzählg. (90) 03. [9.]
Kleist, H v.: Michael Kohlhaas. Histor. Erzählg. (140 m. Titelbild.) 03. [20.21.]
Körber, KFP: Hie Teufel — hie Engel! Schwarzwälder Weihnachtsgesch. (80) 03. [30.] — 20
Künstlergeschichten. Lebensgesch. u. Charakteristiken berühmter Künstler. (108 m. Abb.) 06. [98.99.]
Ludwig, O: Zw. Himmel u. Erde. Novelle. (230 m. Bildnis.) 06. [92—95.]
— Aus d. Regen in d. Traufe. Novelle. (103) 05. [96.97.]
Messner, J: Die Handwerksburschen. Bilder a. d. Wanderleben. (140) 02. [12.13.]
Pauli, J, u. J Wickram: Aus „Schimpf u. Ernst" u. a. d. „Rollwagenbüchlein". Kurzweil. Geschichten. Neubearb. v. A Plattner. (40 m. Abb.) 04. [84.]
Reimmichl: Aus d. Tiroler Bergen. Lustige u. leid. Geschichten. (114) (04.) [49.50.]
Rosegger, P: Steir. Geschichten. 1—10. Taus. (78) 03. [29.]
Schiller, F v.: Wilhelm Tell. Schausp. Hrsg. v. A Sattler. (145 m. 1 Bild u. 1 Karte.) 05. [88.89.] Geb. — 90
Schmid, C v.: Hirlanda, Herzogin v. d. Bretagne. Eine Gesch. a. älterer Zeit. (63 m. Titelbild.) 05. [67.]
Schuppe, A: Laura Bassi. — Emanuel Astorga. 2 geschichtl. Novellen. (93) (04.) [51.]
Schwab, G: Die deut. Volksbb. I. Die Gesch. d. Doktor Faustus. (112) 05. [82.83.] Geb. — 90
Sienkiewicz, H: Ums liebe Brod u. andere Novellen. Aus d. Poln. v. T Kroczek. (96 m. Titelbild.) (04.) [52.53.] ‖ Janko d. Musikant u. andre Novellen. (Orso. Die Komödie d. Irrgn.) (97—164) (04.) [54.] ‖ Die Kreuzritter. Histor. Roman a. d. 15. Jahrh. Nach d. Verf. Volksausg. a. d. Poln. übertr. v. T Kroczek, m. e. Einl. v. J Ranftl. 2 Bde. (23, 568 m. 6 Bildern.) 04. L. 2.50 ‖ Der Leuchtturmwächter. — Lilian Moris. Novellen. (165—283) (04.) [55.56.] ‖ Quo vadis? Histor. Roman a. d. Zeit d. Kaisers Nero. Aus d. Poln. v. T Kroczek. Mit e. Einl. v. J Ranftl. (538 m. 9 Bildern u. 1 Skizze.) 05. [73—81.] Geb. 2.50
Spindler, C: Nach Amerika! Der glückl. Herd. 2 Geschichten a. d. Leben. (79) 02. [2.]; 11—17. Taus. (63) 06. ‖ Der Hofzwerg. Erzählg. (72) 02. [10.] ‖ Ritter u. Bürger. — Ein echter Edelmann. 2 Erzählgn. (57) 02. [6.]
Stifter, A: Feldblumen. Erzählg. (151) 03. [18.19.] ‖ Der Hochwald. — Das Heidedorf. 2 Erzählgn. (182) 02. [7.8.]
Widmayer, PB: Bunte Geschichten. Erzählgn a. d. Leben. (64) 06. [66.]
Wiseman, N: Fabiola od. d. Kirche d. Katakomben. Übers. v. J Okorn. (584 m. Abb.) 03. [22—28.] Geb. 2 —

Volksbücherei. Erzählgn f. Jung u. Alt. 3. u. 6. Bd. 8° Kass., E Röttger. Je 1 —; L. je 1.50 d
Keller, S (E Schrill): Oberlicht. 3. Afl. (191) (05.) [6.] ‖ Wenne Pridik. 2. Afl. v. „Zum Sonntagabend". (190) (02.) [3.]
Fortsetzg s. u. d. T.: Röttger's Volksbücherei.

— medizin. Laienverständl. Abhandlgn, hrsg. v. K Witthauer. 1—25. (Schl.-)Heft. 8° Halle, C Marhold. 8.45 d
Ackermann, O: Natur- u. Kunstheilg. (22) 05. [23.] — 30
Brüning, H: Die Ernährg d. Kindes. (13) 04. [8.] — 30
Christel: Von d. Blinddarm-Entzündg, Perityphlitis od. Appendizitis. (19) (04.) [14.] — 30
Fürbringer: Medizin. Winke fürs Radfahren. (19) 04. [12.] — 20
Gellhorn: Die Nervosität d. Erwachsenen. (23) 05. [24.] — 30
Goldstücker: Die tier. Lebewesen im menschl. Darme. (22) (04.) [18.] — 30
Gräfe, M: Wie soll sich d. Frau währ. d. Schwangerschaft u. im Wochenbett verhalten? (16) (04.) [10.] — 25
Grunert, K: Die Pflege d. Ohres u. d. Verhütg v. Ohrerkrankgn. (35) 04. [2.] — 50
Kaliski, F: 1. Hilfeleistg bei Unglücksfällen. (19 m. Abb.) (04.) [15.] — 30
Kittsteiner: Üb. Gallensteinkrankh. (27) 05. [20.] — 40
Krebs, W: Die Wasserbehandlg u. ihre Grenzen. (24) 04. [13.] — 40
Levy-Dorn, M: Die Röntgenstrahlen, e. Mittel z. Erkenng u. Heilg v. Krankh. (18) 04. [3.] — 30
Lubarsch, O: Üb. d. sog. Vivisektion. (44) 05. [25.] — 50
Merzbach, G: Das Zeuggsvermögen. (16) (04.) [19.] — 30
Mohr, H: Allg. üb. d. Krebs. (28) 04. [1.] — 40
Moll, A: Hypnotismus, tier. Magnetismus, Spiritismus. (20) (04.) [16.] — 30
Oefele, F Frhr v.: Der Aberglaube in d. Krankenstube, n. s. Ursprge betrachtet. (19 m. Abb.) 04. [5.] — 30
Pfeiffer, E: Pocken u. Impfg. (18) 04. [4.] — 30
Rehm, P: Schlaf u. Schlaflosigk. (28) 05. [22.] — 40
Ribbert: Vererbg. (16) 04. [7.] — 25
Saalfeld, E: Üb. Haut- u. Haarpflege. (16) 04. [11.] — 25
Singer, E: Üb. vegetar. Kost u. Lebensweise überhaupt. (25) 04. [6.] — 40
Weber, H: Die ansteck. Krankh. (Typhus, Cholera, Tuberkulose, Diphtheritis usw.) u. d. Mittel zu ihrer Verhütg. (19 m. 1 Abb.) (04.) [17.] — 30
Witthauer, K: Etwas üb. Frauen-Krankh. (19) (04.) [9.] — 30
Wolf, K: Die gesundheitsgemässe Einrichtg uns. Wohng. (43) 05. [21.] — 60

Volks-Bücherschatz. Hrsg.: G Wettermann. Nr. 1—3. 8° Jever, (CL Mettcker & S.) (05). Je — 15 d
Reuter, F: Humoresken. (64) [1.]
— Stromtid I. (63.) [2.]
Zimmerli, GW: Ausgew. Gedichte. [S.-A.] (62 u. 2) [3.]

Volksbühne. Theaterorgan (Zeitg) f. d. Volkstheater. 7—11. Jahrg. 1901—5 je 22 Nrn. (1902. Nr. 1—8. 60) 4° Grüning., J Wirz. Je 5 — d
— die. Blätter f. deut. Bühnensp. Zeitschrift f. dramat. Kunst u. Litt. Hrsg.: E Wachler. Schriftleitg: H Foerster. 2. Jahrg. Oktbr—Dezbr 1901. 3 Hefte. (1. Heft. 32 Sp.) 4° Berl., Gose & T. 1.50 d ó F

Volksbühne, d. neue freie. Oesch. ihrer Entstehg u. Entwicklg. Hrsg. v. Vorstande. (55) 8⁰ Berl. (NW., Bremerstr. 59), Verl. d. „Neuen freien Volksbühne" 05. — 20 d
— niederdeut. Graf Tucks u. s. Nachkommen; Mester Tüntelpott, Söfken v. Gievenbeck, Hoppmarjännken, Kirro de Buck. 5 plattdeut. Volksstücke, aufgeführt v. d. Abendgesellsch. d. zoolog. Gartens zu Münster i/W., verf. v. E Marcus, W Pollack, H Schmitz, E Rade. (274) 8⁰ Münst., H Mitadörffer 04.
                                                 3 — ; geb. 4 — d
— plattdeut. Nr. 1 u. 2. 8⁰ Münst. Ess., Fredebeul & K. 1 — d
Natsohme (E Marcus): Härtens-Fennand off Buernacoba un Klötter-junge. Komediensp. (22) 02. [2.]   (— 40) — 50
— De graute Komeet of Weg met'n Dreck! 2. Afl. (19) 04. [1.] — 50 d
Volkserzählungen s.: Jungbrunnen.
— kleine. Nr. 2675—2818. (Je etwa 64) 12⁰ Mülh. a/R., J Bagel (01.02).   Je — 15 d
Enth. Erzählgn v.: E Alto, E v. Barfus, R Becker, A Bredow, F Dents, F Eckstein, AH Fogowitz, L Frehse, W Frey. M Fuhrmann, P Füllgrap, A Gillwald, G Grundmann, a Hafner, B u. JO Hansea, W Herchenbeck, H Hoffmann, R Keil, H u. M Kümmel, F Lilla, F Lindenberg, P Marquardt, F Moser, F u. M Müller, G Mylius, F Platorius, H Themar, R Weber, H Wilhelmi, K Zastrow u. a.
— neue. Nr. 46—49. (Je 48) 8⁰ Styr., A Spaarmann (1899).
                                                         Je — 20 d
Enth. Erzählgn v.: W Holm u. G Kirchner.
Volkserzieher, der. Blatt f. Familie, Schule u. öffentl. Leben. Begründer u. Red.; W Schwaner. 5—9. Jahrg. 1901—5 je 26 Nrn. (Nr. 1. 8) 4⁰ Berl.-Schlachtensee, Volkserzieher-Verl. Viertelj. 1 — d; m. Beibl. (seit 1.'IV.'03) Der Bücherfreund 1.50;
                                         Bücherfreund allein — 50
Volks-Erziehungs-Schriften, Lebensheimer. Nr. 3—8. 8⁰ Elberf., (A Martini & Gr.).   5 — d
Meyer-Wellentrup, A: Lebensheimer Aufsätze. Positive Vorschl. z. Heil d. Staates. (11²) 02. [4.5.]   1 —
Thiel, PJ: Der Krankh.-Befund (Diagnose) a. d. Augen. 7 Briefe. 1— 4. Taus. (48 m. 7 [5 farb.] Taf.) 02. [6—8.] 1.50; 2. Afl. (70 m. Abb. u. u. 5 farb. Taf.) 05. [6.] 2.50
— Maria in d. deut. Mutterschule. Lebensheimer Erziehgsbriefe an e. junge Mutter üb. Tochter-Erzieha v. Mutterschoss bis z. Mutterschch. ('34) 1900. [3.]   — 2)
Nr. 9—11 bildet: Thiel, PJ, deut. Heil-Ödg.
Volksfreund geg. d. Alkoholismus u. f. Gesundheitspflege. Hrsg.; J Neumann. 7—9. Jahrg. 1903—5 je 12 Nrn. ('05: 158) 4⁰ Werden-Heidhausen a/R., St. Kamillushaus.   Je — 80 d
Biaher u. d. T.: Volksfreund z. Beförderg d. Mässigkeit.
— katbol., v. Regensburg. Wochenbl. f. d. christl. Familien. Red.; J Beer. 34. u. 35. Jahrg. 1901 u. 02 je 52 Nrn. (1901. Nr. 1 —10. 80 m. Abb.) 4⁰ Rgnsbg, J Habbel.   Viertelj. — 80 d
Fortsetzg z. u. d. T.: Sonntagsblatt, kathol. bayer.
— z. Beförderg d. Mässigkeit u. Gesundheitspflege. Monatl. Organ d. Mässigkeits- u. Trinkerrettgsver. Hrsg.; J Neumann. 5. u. 6. Jahrg. 1901 u. 2 je 12 Nrn. (Nr. 1. 8) 4⁰ Werden-Heidhausen a/Rt., St. Kamillushaus.   Je — 50 d
Jahrg. 1901 erschien noch im Honnef. — Fortsetzg z. u. d. T.: Volksfreund geg. d. Alkoholismus.
Volksfreund-Kalender, d., f. 1906. 2. Jahrg. (108 m. Abb.) 8⁰ Ung.-Weisskirchen, P Kuhn. (Nur dir.)   — 33 d
Volksgeselligkeit. Blätter f. Volksbildg u. edle Volkserholg. In Verbindg m. d. Wochenschrift „Volkswohl" hrsg. Red.; V Böhmert. 13—17. Jahrg. 1901—5 je 12 Nrn. (1901. Nr. 1—3. 18) 4⁰ Dresd., QV Böhmert.   Viertelj. — 50; einz. Nrn — 20 d
Volksgesundheit. Blätter f. Mässigkeit u. gemeinnütz. Gesundheitspflege. Hrsg. v. V Böhmert u. P Scherven. Red.; V Böhmert. 18—22. Jahrg. 1901—5 je 12 Nrn. (Nr. 1. 4) 4⁰ Dresd., QV Böhmert.   Viertelj. — 50; einz. Nrn — 20 d
Volks-Hausschatz, neuer prakt. (64) 8⁰ Neuweissens., E Bartels (o. J.).   — 75 d
Volksheim, d., in Hamburg. Bericht üb. d. 2. Geschäfts]. 1902/03. (65) 8⁰ Hambg, (H Seippel) (03).   — 60
Der 1. Bericht sowie d. Fortsetzg waren nicht zu erhalten.
Volks-Kalender 1906. 26. Jahrg. (16, 48 m. Abb. u. 1 Taf.) 8⁰ Neuweissens., E Bartels.   — 50 d
— f. 1902. 39. Jahrg. (48 m. Abb.) 8⁰ Sulzb., JE v. Seidel.
                                                       — 15 d ò F
— althess., f. 1905. Hrsg. v. W Hopf. 30. Jahrg. (40 m. Abb.) 8⁰ Melsung., W Hopf.   — 40 d
— altkathol., f. 1906. 16. Jahrg. (77 m. Abb. u. 1 Taf.) 8⁰ Bad.-B., E Sommermeyer.   — 40 d
— Amberger, f. 1906. (104 m. Abb.) 8⁰ Rgnsbg, J Habbel.
                                                         — 20 d
— Bamberger illustr., f. 1904. (Bamberger Kalender.) ('80) 4⁰ Bambg, Handels-Dr. u. Verlagsh.   — 35 d ò F
— bayer., f. 1906. (104 m. Abb.) 8⁰ Rgnsbg, J Habbel. — 20 d
— braunschweig. illustr., f/ Schwartz. 36. Jahrg. 1906. ('87 m. Abb. u. 1 Taf.) 8⁰ Brnschw., Grüneberg.   — 40; geb. — 65 d
— christkathol. 1905. 15. Jahrg. (Ausg. f. d. Schweiz.) (60 m. Abb. u. 1 Taf.) 8⁰ Bad.-B., E Sommermeyer.   — 40 d
— christl., e. freundl. Erzähler u. Ratgeber f. d. liebe Christenheit, f. 1906. Mit tägl. Bibelsprüchen, als Losgn, u. e. Psalmen-Lesetafel f. d. ganze Jahr. 45. Jahrg. (58 u. Jahrb. 112 m. Abb. u. 1 Farbdr.) 8⁰ Kaisersw., Bh. d. Diakonissan-Anst. — 40; durchsch. — 50; feine Ausg., u. durchsch. — 80 d
— dass. Ausg. f. d. ev. Gemeinden Köln, Bayenthal, Deutz, Ehrenfeld, Lindenthal, Nippes, Kalk u. Porz. (95 u. Jahrb. 112 m. Abb.) 8⁰ Köln, (C Roemke & Co.).   — 50 d
— dass. f. 1906. 62. Jahrg. Ausg. f. Österr.-Ungarn. (56 u. Jahrb. 112 m. Abb. u. 1 Farbdr.) 8⁰ Kaisersw. (Wien, Stähelin & L.)   — 60 d ò F

Volks-Kalender, christl., a. Minden-Ravensberg f. 1906. 47. Jahrg. (88 u. 128 m. Abb.) 8⁰ Gütersl., C Bertelsmaun. — 75 d
— christlich-soz., f. 1906. 3. Jahrg. (91 m. Abb.) 8⁰ Sieg., Westdeut. Verl.-Anst.   — 25 d
— deut., f. 1904. (25 u. 4 m. Abb. u. 1 Farbdr.) 4⁰ Dresd., H Grünberg.   — 20 d
Fortsetzg war nicht zu erhalten.
— deut., f. 1906. Red. v. A Jekelius. 2. Jahrg. Gr. Ausg. (34⁰ m. Abb. u. 1 Taf.) 8⁰ Kronst., H Zeidner.   — 35;
                                   m. 3 Photogr. — 60; kl. Ausg. (S. 1—200 u. S. 249) — 25 d
— deut., f. d. Länder d. ungar. Krone 1904. Hrsg. v. G Brenner u. F Gerster. 1. Jahrg. (103) 8⁰ Ung. Weisskirchen, Administr. d. Ung.-Weisskirchner Volksblatt.   — 40 d
Fortsetzg war nicht zu erhalten.
— deutsch-bannov., f. 1902. Hrsg. v. d. deutsch-bannov. Partei. 5. Jahrg. Hrsg.: B Jacob. (70 m. Abb.) 4⁰ Hannov., (H Feesche).   — 50 d
— evangel., f. Bayern, f. 1906. (68 m. Abb.) 8⁰ Rothenbg o/T., J P Peter.   — 20 d
— gemeinnütz., f. 1903. 63. Jahrg. (80 u. 112 m. Abb. u. 1 Farbdr.) 12⁰ Neuhaldensleben, CA Eyraud's V. (Nur dir.)
                                                     — 50 d ò F
— bannov. 1906. 37. Jahrg. Hrsg.; Freytag. (97 m. Abb.) 8⁰ Hannov., H Feesche.   — 50 d
— Hermannsburg., f. 1906. (96, u. 16 m. Abb. u. 1 Farbdr.) 8⁰ Hermannsbg, Missionshandlg.   — 50 d
— hygien., f. 1906. Im Auftr. d. deut. Bundes d. Ver. f. naturgemässe Lebens- u. Heilweise (Naturheilkde) hrsg. v. W Möller. (116 m. Abb. u. 1 Bildn.) 8⁰ Oranienbg, W Möller.— 60 d
— illustr., f. 1906. 31. Jahrg. (45 m. 1 Farbdr.) 8⁰ Altona. (Hambg, H Carly.)   — 50 d
Bis 1904 u. d. T.: Familien-Kalender, illustr.
— illustr., 1906. (16, 48 m. 1 Taf.) 8⁰ Neuweissens., E Bartels.   — 50 d
— Frankf. israelit., nebst jüd. Hotel-Adressb. f. 5666. 23. Jahrg. (Vom 30.IX.'05—19.X.'06.) (142 u. 36) 16⁰ Frankf. a/M., J Kauffmann.   — 25 d
— jüd., f. d. Jahr d. Welt 5665 (1904—05). 3. Jahrg. (153 m. Abb.) 8⁰ Brünn, Verl. „Jüd. Volksstimme"   — 70
— katbol., f. 1906. Hrsg. v. christlich-soz. Volksver. f. d. Land Vorarlberg. (32, 136 m. Abb. u. Titelbild.) 8⁰ Feldk., (F Unterberger)   nn — 80 d
— kathol., f. 1906. (160 u. 5 m. Abb. u. 1 Taf.) 8⁰ Lahr, M Schauenburg.   L. 1 — d
— Lichtenfelser, f. 1905. (48 m. Abb.) 8⁰ Lichtenf., (HO Schulze).   — 20 d ò F
In kathol. u. protestant. Ausg.
— Molotschnaer, f. d. deut. Ansiedler in Süd-Russland f. 1905. (116) 8⁰ Prischib (Post Halbstadt, Gonv. Taurien), G Schaad. (Nur dir.)   — 50 d
— neuer, f. 1906. 17. Jahrg. (184 m. Abb.) 8⁰ Hermannst., W Krafft.   — 25; laudw. Ausg. (200 m. Abb.) — 25 d
— neuer, f. 1906. (52) 16⁰ Wien, M Perles.   — 14 d
— Neumarkter, f. 1906. (104 m. Abb.) 8⁰ Rgnsbg, (J Habbel).
                                                         — 20 d
— illustr. Neutitscheiner, f. 1906. Mit Anh.: Personal-HB. d. Neutitscheiner Kreises. 27. Jahrg. (144 u. 33) 8⁰ Neutitsch., R Hosch.   Kart. — 75 d
— kl. Neutitscheiner, f. 1906. 12. Jahrg. (80 m. Abb.) 8⁰ Ebd.   — 34 d
— niederbayer., f. 1906. 10. Jahrg. (74 m. Abb.) 8⁰ Pass., (M Waldbauer).   — 20 d
— illustr. österr., f. 1906. 62. Jahrg. Red. v. R Holzer. (32, 157) 8⁰ Wien, M Perles.   1 — ; geb. 1.80 d
— österr.-ungar., f. 1904. Hrsg. u. red. v. FA Dorfmeister. (144 m. Abb.) 8⁰ Wien, Dorfmeister.   Kart. — 45 d
Fortsetzg war nicht zu erhalten.
— ost-u. westpreuss., f. 1906. (25 u. 136 u. 136.) 8⁰ Königsbg. Hartung.   — 30; durchsch. — 40 d
Bis 1904 u. d. T.: Kalender, ost- u. westpreuss.
— Regensburger, f. 1906. (104 m. Abb.) 8⁰ Rgnsbg, J Habbel.   — 20 d
— rhein., m. Plauder-Stübchen d. bad. Vetter f. 1906. 29. Jahrg. (77 u. 6 m. Abb. u. 1 Farbdr.) 8⁰ Mainz, (Kirchheim & Co.)   — 25 d
— sächs., 1906. (80 m. Abb. u. 1 Farbdr.) 8⁰ Dresd., Niederl.
— illustr. u. z. Verbreitg christl. Schriften.   — 20 d
— schles., f. 1906. Jahrg. (64 m. Abb. u. 1 Farbdr.) 8⁰ Berl., Schriftenvertriebsanst.   — 25 d
— schles., f. 1906. Hrsg. v. d. schles. Prov.-Ver. f. innere Mission. 26. Jahrg. (48 u. 80 m. Abb. u. 1 Farbdr.) 8⁰ Liegn., (Bh. d. schles. Prov.-Ver. f. innere Mission).   — 30 d
Fortsetzg war nicht zu erhalten.
— schlesisch-mähr, f. Haus- u. Landw. f. 1906. 18. Jahrg. (80) 8⁰ Freudenth., M Kramer.   — 25 d
— f. Schleswig-H. f. 1906. 32. Jahrg. (32, 154 m. Abb. u. 1 Farbdr.) 8⁰ Brekl., Christl. Bh.   — 40 d
— tirolerkärntne., f. 1906. Mit e. Adressb. als Anh. (15. Jahrg.) (50, 112, 16 u. 26) 8⁰ Wolfsbg, E Plötz.   nn — 70 d
Fortsetzg war nicht zu erhalten.
Volks- u. Geschichten-Kalender, kgl. sächs. konzess. Dresdner, f. 1906. 172. Jahrg. (48 u. 8 m. Abb. u. 1 Farbdr.) 8⁰ Dresd.-Blasew., Gustav-Adolf-Verl.   — 50 d
Die mittle u. kleine Ausg. erscheinen nicht mehr.

Volks- u. Hauskalender, Stuttgarter kathol., f. Württemberg. 58. Jahrg. Jahrg. 1906. (92 m. Abb.) 8° Stuttg., Deut. Volksblatt. — 30 d
Umschl.: Volks- u. Hauskalender, kathol., f. Württemberg.
Volks- u. Wirthschafts-Kalender f. Tirol u. Vorarlberg. 1906. 84. Jahrg. (90 m. Abb.) 8° Innsbr., Wagner. — 40 d
Volks- u. Kinderkatechismen, 5, a. d. M.-A. Ins Deut. übers. u. hrsg. v. FX Kunz. (Sep.-Ausg. d. Anh. zu Thomas v. Aquin, Katechismus.) (241—455) 8° Luz., Räber & Co. 1900. 2 — d
Volkskraft. Zeitschrift d. internat. Ordens f. Regeneration d. Menschheit. Red.: L Schwiers. 1. Jahrg. Oktbr—Dezbr 1901. 6 Nrn. (Nr. 1. 6) 4° Brem., Verl Volkskraft. 2 — d
— dass. Deut. Zeitschrift d. Ordens f. Regeneration. Red.: L Schwiers. 2. Jahrg. 1. Halbj. Jan.—Juni 1902. 12 Nrn. 4° Ebd. 1.25 ‖ 2. Halbj. Juli—Dezbr 1902. 12 Nrn. [1902. 192] 1.35 ‖ 3. Jahrg. 1903. 24 Nrn. Viertelj. 1.35 d
— dass. Monatsschrift f. neue Kultur. Organ d. deut. Bundes f. Regeneration. Hrsg. u. Schriftleitg: E Peters. 4. Jahrg. 1905. 12 Nrn. (100) 8° Köln-Lindenth., M Hummel. Viertelj. 1 — d
1904 u. 5. T.: Regeneration.
Volkskunde, sächs. Hrsg. v. R Wuttke. 2. Abdr. (578 m. Abb., 4 Farbdr. u. 1 Karte.) 8° Lpzg, F Brandstetter 03. L. 10 — d
Volkslied, d. deut. Taschenliederb. m. bes. Berücks. beliebter schwäb. Volkslieder. (120) 16° Stuttg., P Mähler (04). Kart. —43 d
— d. deut. Zeitschrift f. s. Kenntnis u. Pflege. Unter d. Leitg v. J Pommer u. H Fraungruber. Hrsg. v. d. deut. Volksgesang-Ver. in Wien. 3. u. 4. Jahrg. 1901 u. 2 Je 10 Hefte. (1901. 1. Heft. 20) 8° Wien, (A Hölder). ‖ 5. Jahrg. 1903. Unter d. Leitg v. J Pommer, F F Kohl u. K Kronfuss. 8 u. 9. Jahrg. 1904 u. 5. Unter d. Leitg v. J Pommer, H Fraungruber u. K Kronfuss. Je 4 — d
Volkslieder, 130. Mit e. Anh. Verm. Aﬂ. d. v. Seminarlehrer-Kollegium in Ludwigslust ausgew. 100 Volkslieder. (Neue Aﬂ.) (96) 8° Neubrandbg, C Brinslow 04. — 30 d
— deut. (192) 16° Neuweissens., E Bartels (o. J.). 1 — ;
gr. Ausg. (384) Geb. m. Nägeln 2.50 d
— 50 geistl., als Anh. z. Militärgesangb. hrsg. v. ev. Pädagogium Godesberg. (32) 16° Godesbg, Bh.d. ev. Pädagogiums 01. — 20 d
— a. d. bad. Pfalz. Ges. u. hrsg. v. ME Marriage. (404) 8° Halle, M Niemeyer 02. 8 — d
— a. d. Toscana. Uebertr. v. E Kurz. (96) 8° Tüb., H Laupp jr. 04. 1.60; geb. 2.50
Volks- u. Gesellschaftslieder d. XV. u. XVI. Jahrh., s. Texte, deut., d. M.-A.
Volks-Liederbuch, deut. 19. Aﬂ. (84) 11×8 cm. Ess., O Radke's Nf. 01. — 10 d
— grosses. (544) 16° Reutl., R Bardtenschlager (02). — 80;
geb. 1.20 d
— illustr. (408) 16° Lahr, M Schauenburg (02). Geb. 1 — d
— neuestes, f. Sänger- u. Sangesfreunde. Ster.-Ausg. (80) 19° Reutl., R Bardtenschlager (02). — 30 d
Volks- u. Commers-Liederbuch, deut. 2. Sammlg. (88) 11× 8 cm. Ess., O Radke's Nf. 09. — 10 d
Volksliedertexte, 100, f. Schule u. Haus. 4. Aﬂ. (29) 8° Berl., G Wattenbach (04). — 15 d
Volksruf. (Orig.-Aufsätze z. Förderg d. Los v. Rom-Bewegg.) Schriftleitg: W Flähret. 4. Jahrg. 1901. 24 Nrn. (Nr. 1. 3) 4° Münch., J Kutschera & Co. (?) 4 — ; einz. Nrn — 20 d ◊ F
Volksschriften Nr. 1—20. 12° Berl., Wiegandt & Gr. Je — 20 d
Frommel, E: Moderne Faulenzer. [S.-A.] (32) 04. [8.] ‖ Das letzte Haus im Dorf. Wie Gott euch durch warnt heiden mass. [S.-A.] (36) (04.) [23.] ‖ Eine gute preuss. Klinge. [S.-A.] (36) (04.) [18.19.] ‖ Leutnant u. Rekrut. Ein preuss. Standartenjunker. [S.-A.] (32) (04.) [6.] ‖ Gottlieb Mayer gen. d. „Unglücksmayer". [S.-A.] (40) (04.) [11.] ‖ beeidigte Notariat. [S.-A.] 1. u. 2. Aﬂ. (36) (04.) (04.) [4.] ‖ Das 5. Rad am Wagen. [S.-A.] 1. u. 2. Aﬂ. (80) (05.04.) [2.2.] ‖ Bunte Reisegesellen u. e. Nacht im Tannenhause. [S.-A.] (32) (04.) [10.17.] ‖ Mein Urlaub. [S.-A.] (36) (04.) [16.11.] ‖ Aus d. Skizzenbuch e. Malers. [S.-A.] (372) (04.) [14.] ‖ Storchnester auf allerhand Häusern. [S.-A.] 1. u. 2. Aﬂ. (32) (05.04.) [6.] ‖ Aus d. Tiefe. [S.-A.] (36) (04.) [13.] ‖ Die Vögtin u. d. Tobel. An d. Mittagstafel im Kurhause. [S.-A.] (32) (04.) [13.] ‖ Das Wahrzeichen v. Ingolstadt od. Zwei im e. Nacht bleibt. [S.-A.] 1. u. 2. Aﬂ. (32) (05.04.) [3.] ‖ Zwei in e. Mühle. [S.-A.] (36) (04.) [7.] ‖ Wie 9 in e. Nacht kuriert werden. [S.-A.] 1. u. 2. Aﬂ. (32) (05.04.) [9.]
Fortsetzg s: Frommel, E, Erzählgn.
— Neu hrsg. v. F Jonas. 2. Heft. 8° Berl., L Oehmigke's V. — 40 d
Zschokke, H: Das Goldmacherdorf. Zum Gebr. in Fortbildgssch. eingerichtet v. F Jonas. 3. Aﬂ. (117) 01. [2.]
— d. Arbeiterfreundes. Nr. 3—10. 12° Bern (01-03). Barm., Klim. Je — 05 d
3. Wie einen Blinden d. Augen aufgingen. — Der Vorschuss. — Der Klage a. Kindermund. — Das 1. Glas. (16) ‖ 4. Warum man bei Peter Holzer wieder singen lernte. — Es klebt Blut daran. — Oeﬂae d. Hand. (16) ‖ 5. Abschied u. Heimkehr. — Endlich gewonnen. (16) ‖ 6. Saufhaunse u. Meister Peterhans. — Die verborch. Flasche. — Moral. Mut. (12) ‖ 7. Ich will d. Hand wieder abbauen. — Es gingt e. guter Mann. — Ein guter Gedanke. (16) ‖ 8. 9 Gläschen Schnaps. — Paul Gertsurds Zeitg. — Ein wirk-sames Plakat. (15) ‖ 9. Ein Braud a. d. Feuer gerissen. — Geach. e. Scheerenschleifers. (16) ‖ 11. Wo tut d. Vater? (Gedicht.) — Die 2 Christbäume. (16)
— Dresdner. Nr. 4—11. 8° Dresd., OV Böhmert. — 50
(1—11.) — 65 d
Doehn: Wie schütze ich mich vor Nachtheilen bei Käufen? (12) 01. [9.] — 05
Hofmann: Ueb. d. Pﬂichten u. Rechte d. Eltern a. d. BGB. (9) 01. [7.] — 05
Kaiser: Wodurch entstehen Frauen-Krankh.? Nach e. Vortr. (8) 01. [5.] — 05
Kautzsch, K: Heidentum u. Christentum in China. Vortr. (12) 02. [10.] — 10

Law, E: Die Reformkleidg in wiss. u. gesundheitl. Bezichg. (6) 01. [4.] — 05
Schiebler: Wie errichtet man e. Testament? (12) 01. [9.] — 05
Schubert, G: Rechte u. Pﬂichten d. Ehefrau n. d. neuen bürgerl. Recht. Vortr. (9) 01. [6.] — 0t
Schürer, G: Johanns Ambrosius, d. Dichterin im bäuerl. Gewande. (12. Vr. 11.] — 10
Volksschriften, elsäss. Nr. 46—60. 8° Stassbg, JHE Heitz. 10.60 d
„Ditsch, Strossburjer", in 4 Jahrhunderten. 1687—1905. (Von C Mündel., (112 m Abb.) [55.] [59.] — 8a
Horsch, DGA: 2 Strossburger. Komödie. (2. Serie.) — E Surprise. E klein. Komödie. — E Stariker! Schwank freij noch e-me and. Stück. (272 09. [49.] — 60 (1. u. 2.: 1.90)
Jordan, E: Aus Strossburgs Vergangenh. 4 kurze Erzählge. (31) (05.) [54.] — 40
Lau, A: Aus d. Bippernantgasse. Cordula. 2 Erzählgn. (44) (03.) [54.] — 8a
— im Frühlicht d. Reformation. Aus Strassburg Chronik. 1509—53. (45) (02.) [51.] — 40
— Herr Heinrich v. Müllenheim. (133b.) — In Augst n. Not. (1333.) (37) (02.) [56.] — 8a
— Strassburger Märe e. Barberousse Zeit. 1184—59. (36) 04. [56.] — 4a
— Und es war Nacht. (161—5d.) (68) 04. [67.] — 8a
— Der junge Philipp Jakob Spener in Strassburg (1650—86). (55) 04. [64.] — 8a

Rebe, M: Fallend' Laub. (196) (01.) [46.] 1 —
— Vogesengrün. Erzählge. a. d. Elsass. (95 m. Abb.) (02.) [53.] 1 —
Riﬀ, J: Bieje — aber nit brecht! Charaktersttck. (32) 02. [47.] — 40
— D'r Pfetter vom Land od'r e Eindtauf m. Hindernisse. Orig.-Komödie. (31) (03.) [50.] — 40
— Telegraphir ohni Droht. Orig.-Schwank. (31) 02. [48.] — 40
Schaller, A: Unterm Weihnachtsbaum. Weihnachtsausﬂüg f. junge Mädchen. (9v) [55.] [60.] — 7v
Dietze: Die Schulden d. enrop. Staaten. (09) (05.) [58.]
Faust, K: Ehrenskalau u. Schandpfähle, s. Frank, J, d. Fluch in d. Schule. d. Liebe.
Die Herrschaft d. Toten. 2. Aﬂ. (45) (02.) [3.] d ‖ Die neue Weltansschaug. — Zukunftsgedanken. 2. Aﬂ. (62) (01.) [4.] d
Fischer, E: Von Gottes Gnaden. [S.-A.] (47) (02.) [34.] d ‖ Was ist Relig.? e. Kämpfern. Nr. 1. Freiretig. Gedichte u. Verwandtes. 2. Aﬂ. (63) (05.) [12.] d Nr. 2. Polit. Gedichte. 3. Aﬂ. (64) (05.) [18.]
Geritz, C: Entstehen — Sein — Vergehen. Theorien n. Tatsachen a. d. ew. Kreislauf. (72) (04.) [46.] d
Germann, K: Die Klöster vor d. Volksgericht. (34) (05.) [26.] d
Heigl, F: Freistaat u. Monarchie. Rede. 2. Aﬂ. (40) (01.) [29.] d ‖ Lieder e. Kämpfers. Nr. 1. Freiretig. Gedichte u. Verwandtes. 2. Aﬂ. (63) (05.) [12.] ‖ Nr. 2. Polit. Gedichte. 3. Aﬂ. (64) (05.) [13.]
Jesuiten, d., u. deren Geheimnisse (Monita secreta). Nach d. Makr. d. Jesuitenpaters Brother. (32) (05.) [17.] d
Laser, SF: Entwicklg n. Weltanschaug. (44) (03.) [38.] d
Lipp, S: Handel u. Verkehr im 19. Jahrh. (60) (04.) [47.]
Rüdt, PA: Giordano Bruno's Leben, Wirken u. Weltanschaug. Rede. (36) (02.) [33.] d ‖ Byzantinertum u. Selbstständig od.: Wie sich keine Grossmächte machen, die ihr anbetet. (88) (05.) [35.] d ‖ Klöster u. Mönchenei. Protest gen. Geistesknechtschaft u. Volksverdummg. (61) (02.) [10.] d ‖ Die Natur als Lehrmeisterin u. Erzieherin d. Menschheit. (v) (05.) [55.] d ‖ Eine Schule u. neue Religwesen. (61) (05.) [38.]
Schoeler, H v.: Die höchste Wahrheit. Philosoph. Märchen. (62) (05.) [46.] d
Spitzer, M: Der Krieg u. d. Moral. (39) (04.) [43.]
Torhivn: Die Kirche als Gegnerin d. Wiss. (20) (05.) [40.] d ‖ Ld d. Welt geschaffen od. ewig? 2. Aﬂ. (54) (04.) [22.] d
Was ist Krankheit? od. Medizin ist wiss. Aberglanbe. Ein Programm f. Naturheilvereine. 3. Aﬂ. (54) (03.) [11.] d
Westphalen, E: Gibt es e. Hölle? (60) (05.) [51.] d
Wolfsdorf, E: Das jüngste Gericht d. Toten. (62) (04.) [31.] d ‖ Das Gebet. (32) (04.) [18.] d ‖ Das jüngste Gericht. (47) (08.) ‖ 2. Aﬂ. (50) (05.) [29.] d ‖ Gotteswort od. Menschenwerk. (61) (01.) [28.] d ‖ Auf d. Grenze zweier Weltanschaug. Abrechnaabetruchtg. (60) (02.) [31.] d ‖ Jene Liebe. (55) (05.) [41.] d

— d. österr. Gesellsch. f. Gesundheitspflege. Nr. 13—18. [S.-A.] 12° Wien, (M Perles). Je nn — 20
Hofbauer, L: Zur Frage d. Prophylaxe v. Tuberculose u. Nervosität. (40) 06. [14.]
Klein, H: Üb. d. Frauenkleidg u. Standpunkte d. Hygiene. Vortr. (40) 06. [16.]
Kratter, J: Die Gefahren d. elektr. Betriebes. Vortr. (34 m. 1 Taf.) 01. [13.]
Kraupholz, J: Die Malaria-Hygiene n. neuen Grundsätzen. Vortr. (45) 05. [15.]
Merklbaum, A: Üb. Entstehg u. Bekämpfg d. Tuberkulose. Nach e. Vortr. 3. Aﬂ. (45 m. 1 Taf.) 04. [17.18.]
— üb. Gesundheitswesen u. Sozialpolitik. 1—6. Bdchn. 8° Wien, Wiener Volksbh. nn — 90 d
Sternbeck, M: Belehrgn üb. d. Geschlechtskrankh. (12) 05. [6.] — 10
Erbes, S: Nervosität. Nach e. Vortr. (19) 04. [4.] — 15
Fröhlich, E: Alkohol als Krankh.-Ursache. (29 m. Abb.) 04. [3.] — 15
Schlattzer, B: 1. Hilfe bei plötzl. Erkrankgn u. Verletzgn. (22 m. Abb.) 04. [5.] — 15
Sternberg, M: Der Kampf geg. d. Tuberkulose. Nach e. Vortr. (27) 04. [7.] — 15
Verkauf, L: Die Arbeiter u. d. Bielerkrankg. (87) 04. [2.] — 15

— hygien., hrsg. v. T Sommerfeld. 14 Nrn. 8° Berl., Vogel & Kr. Je — 20 d ◊ F
Auerbach, N: Pflege u. Säuglinge. (16) 02. [5.]
Brieger: Die Bedentg d. Wasser- u. Massage-Behandlg. (15) 02. [1.]
Bruck, A: Gesundheitspflege d. Ohres. (16) 02. [3.]
Hartmann: Schutz geg. Unfallgefahren u. gewerbl. Betrieben. (16) 02. [2.]
Holstein, G: Welche Rechte gewährt d. reichsgesetzl. Unfallversicherg. d. arbeit. Klassen? (16) 02. [9.]
Lenshoﬀ, G: Die Hygiene d. Haushalts u. ihre Verhütgg. (16) 02. [4.]
Lipschitz, M: Zahn- u. Mundpflege. (16) 04. [13.]
Martin, A: Gesundheitspflege d. Wochenbettes. (16) 03. [11.]
Richter, P: Ueb. Hautpflege. (16) 02. [8.]
Schlesinger, H: Die Krankenkost. (20) 03. [12.]
Seeligsohn, W: Gesundheitspflege d. Auges (16) 04. [14.]
Sommerfeld, T: Die Tuberkulose u. ihre Bekämpfg. (14) 02. [6.]

Steinthal, S : Wie sollen wir uns ernähren? (14) 0 2. [7.]
Zadek: Der Alkohol. (16) 02. [3.]

Volksschriften, Münchener. Nr. 1—25. 8° Münch., Münch.
Volksschriften-Verl.   Je — 15; je 5 in 1 L.-Bd 1.35;
1—10 in 1 L.-Bd 2.50 d

Bern, W: Die Zens. — Wann d. Kirschbaum blüht. (80) (05.) [23.]
Beol, M: Der Bader v. Saakt Margrethen. Eine Tirolergesch. a. neuester Zeit. (80) (04.) [8.]
Butscher, A : Krattenmachers v. Gershausen. (96) (05.) [16.17.] | Der Krautschneider. Kriminalgesch. (140) (05.) [21.22.]
Cardaous, H : Gretchen v. Eigelstein. — Der Burggraf v. Drachenfels. (74) (04.) [3.]
Fernwalder, L: Der Ffeigeist v. Winterberg. Erzählg a. d. Schwarzwalde. (128) (04.) [6.7.] | Düstere Wolken. Erzählg a. d. Bauerfulehen. (41) (04.) [10.]
Gerstäcker, F: Herrn Mahlhubers Reiseabenteuer. (124) (05.) [12.13.] Handel-Mazetti, Bafonie E v.: 's Engerl. Wiener Erzählg. (58) (05.) [11.] | Fahrlässig getötet. (58) (05.) [25.]
Jacoby, A : Auf stein. Erds. Die Grossmutter. (04) (05.) [20.]
Keiter, H : Von Stufe zu Stufe. (64) (05.) [14.]
Kolping, A : Das LindenrFenz. (79) (04.) [4.]
Kümmel, K : Der Spitzeljörg. (80) (05.) [19.]
Mutschlechner, B : Heimatlos. Blind. (64) (05.) [18.]
Oertel, W: Das Jaworlt. Erzählg a. d. Hunsrücker Hochlande. (64) (05.) [24.]
Schmidt, M : Der Bettler v. Englmar. (62) (04.) [5.]
Schott, A : Landstreicher. Die Eimbauernleut'. (59) (04.) [1.] | EinSchwarzkünstler. — Der Koberl. 2 Erzählgn a. d. Walde. (62) (05.) [15.]
Silesia : Wie d. Saat, so d. Erate. (58) (04.) [2.]
Wörner, B : Auf Leben u. Tod. (80) (04.) [5.]

— z. Aufklärg üb. natürl. Lebensweise. Hrsg.: R Blum.
1—3. Heft. 8° Stuttg., Heimdall.   Je — 20 d
Kempf, E: Die natürl. Haut- u. Haafpflege als einzig wirksames Mittel z. Erhaltg d. Haare u. e. gesunden Haafbodens. 1.—2. Taus. (16) 04. [1.]
Ungewitter, R : Wiedef nacktgeword. Menschen, e. Beiträg f. d. Notwendigk. d. Lichtluft-Badens n. Zwecke d. Volkagesundg im körperl. geist. u. sittl. Beziehg. (80) 05. [3.]
Wagener, H : Was ist's m. d. Alkohol? 1.—3. Taus. (11) 04. [2.]

Volks- u. Jugendschriften-Rundschau. Monatsbl. z. Förderg d. Kritik d. Jugend- u. Volkslitt. Hrsg. v. PGA Sydow. Oktbr 1904—Septbr 1906 je 12 Nrn. (Je 96) 4° Stuttg., T Benziger.
Je 2 — d

Volksschriften-Verlag Hermannstadt. 20—26. Heft. 8° Hermannstadt, W Krafft.   1.19 d
Heimkehr' a. Amerfka. Eine Gesch. a. d. Altland. (56 m. Abb.) 01. [20—22.]   — 51
Laudef, G : Losealhend u. Volksfcherfei. Vortr. 03. [23.]   — 17
Schellef, GA, u. R Nemenz : Aus d. Leben d. Gemeinde Gross-Alisch. Festschrift. (63) 03. [24—26.]   — 10

Volksschularchiv, preuss. Zeitschrft f. Rechtsprechg u. Verwaltg auf d. Volksschulgebiete unter Berücks. d. mittl. Schulen u. d. Forthildgssch. Hrsg. v. K v. Rohracheidt. 1.—4. Jahrg. Je 4 Hefte. (388, 398, 398 u. 405) 8° Berl., F Vahlen 02-05.   Je 5 —; geb. je 6 — d

Volks-Schul-Atlas, kl., f. einf. Schulverhältn. Hrsg. v. Ausschusse d. schwäb. permanenten Schulausstellg zu Augsburg. 9. Afl. (20 farb. Kartens. m. Text auf d. Rücks.)
Augsbg. Schwäb. permanente Schulausstellg 02.   nn — 35
|| 10. Afl. (34 farb. Kartens.) 05. nn — 40 ; geb. nn — 60

Volksschulbote, hannov. Schriftleiter: A Kreipo u. H Lohmann. 46—50. Jahrg. 1901—5 je 24—26 Nrn. (1901. Nr. 1. 20) Nebst: Hannov. Fortbildgssch. Jahrg. 1901—5. (1901. Nr. 1. 12) 8° Hildesh., (Gerstenberg).   Viertelj. nn — 70 ;
einz. Nrn nn — 20 d

Volksschule, die. Sammlg v. Verordngn u. Bekanntmachgn d. kgl. Regierg. Abteilg f. Kirchen- u. Schulwesen, zu Königsberg in Pr., nebst Erlassen u. Entscheidgn and. Behörden, sowie d. wichtigsten d. Volksschulwesen betr. gesetzl. Bestimmgn. (31, 701) 8° Königsbg, Hartung 05.   6 —;
geb. nn 7 — d

— die. Zeitschrift d. württ. Volksschullehrerver. Hrsg. v. G Honold. 61—65. Jahrg. 1901—5 je 24 Nrn. (1901. Nr. 1. 32) 8° Stuttg., (A Bonz & Co).   Je 5 — d

— evangel. (Deut.Lehrerzeitg). Hrsg.v.d.Vorst.d.deut.ev.Schulkongresses. 14—18.Jahrg. 1901—5 je 104 Nrn. (Nr. 1. 8) 8° Berl., F Zillessen.   Viertelj. 1.50 d

— d. zweisprach. Pädagog. Monatschrift. Im Ver. m. (A Jelitto,) P Hinz u. P Odelga hrsg. v. F Rzesnitzek. 9—13.Jahrg. 1901—5 je 12 Hefte. Mit d. Beil.: Kindergärtchen. 9—13. Jahrg. Red.: A Jelitto, 1905 J Sannig. 8° Bresl., F Hirt. Viertelj. 1—;
einz. Hefte —50 d

Volksschulen, d., d. Reg.-Bez. Mersoborg n. Besetzg. Einkommen, Schülerzahl etc. f. 1904 u. 05. Hrsg. v.Pohle. 41.Jahrg. (418) 8° Mersebg, (F Stollberg) (04).   2 — d

Volksschulfreund, der. Zeitschrift, begründet v. AE Preuss, hrsg. v. E Krantz. 65—69. Jahrg. 1901—5 je 52 Nrn. (1901. Nr. 1. 12) 4° Köngsbg, JH Bon's V.   Viertelj. 1.25;
einz. Nrn — 20 d

Volksschul-Liederbuch, enth. d. amtlich Verfügg d. kgl. Regierg zu Düsseldorf v. 13.IV.1887 z. Einübg vorgeschrieb. 58 Lieder. Hrsg. v. e. Lehrerver. in Düsseldorf. 19. Afl. (49) 8° Düsseldf, L Schwann (02).   Kart. nn — 25 d

Volksstaat, d. sozialist., wie er sein würde n. nicht wie ihn d. Sozialdemokraten ausmalen, s.: Volksaufklärung.

Volks-Statistik. 5 Hefte. 4° Wien, G Freytag & B.   Je — 50
I. Leben u. Sterben im Deut.Reiche. (8 farb. Taf. m. Text auf d. Rücks.) (03.) | II. Was d. Deut. Reich einnimmt u. vzraucht. (6 farb.Taf.m.Text auf d. Bücka. u. 2 S. Text) (08.) | III. Flügelfad u. Dampfschraube im Deut. Reiche. (7 farb. Taf. m. Text auf d. Rücks. u. 2 S. Text) (03.) | IV. Kulturgeogfaph. Atlas d. Deut. Reichs. (10 farb. Taf. m. Text auf d. Rücks. u. 2 S. Text) (09.) | V. Das deut. Bodens u. d. deut. Volkes Arbeit. (9 farb. Taf. m. Text auf d. Röcks. u. 2 S. Text) (03.)

Volksstimme, deut. (Frei Land.) 12. u. 13. Jahrg. 1901 u. 2 Hrsg.: A Damaschke. Organ d. Bundes d. deut. Bodenreformer. Je 24 Nrn. ('01: 768) 8° Berl., J Harrwitz Nf.   Viertelj. 1 — ;
einz. Nrn nn — 25 || 14—16. Jahrg. 1903—5. Viertelj. 1.50 ; cinz. Nrn — 20 d

Volkstum, d. deut. Hrsg. v. H Meyer. 2. Afl. 2 Tle. (402 u. 438 m. 43 z. Tl farb. Taf. u. 1 Karte.) 8° Lpzg, Bibliograph. Instit. 03.   L. je 9.50 ; in 1 HF.-Bd 18 — ; auch in je 8 Lfgn zu 1 — d

Volks-Turnbücher, deut. Hrsg. v. R Gasch. 1—34. Heft. (Mit Abb.) 8° Lpzg, M Hesse.   8.65 d
Auefbach, W : 40 Gruppen v. Eisenstabübgn. (77) (01.) [15.16.]   — 50
Erbes, A : Gemeiübgn f. d. Gerätturnen d. Mädchen u. Frauen. (128) (01.) [12—14.]   — 75
— : Schrittarten, Tanzwechsel u. Reigen. (68) (05.) [29.30.]   — 50
— : Stabübgn f. Frauen u. Mädchen in Verbindg m. Ordngsübgn als Einzelübgn, Gemeinübgn u. Reigen. (61) (05.) [27.28.]   — 50
Gasch, R : Der Gantorunwart. 15 Beisp. f. Vorturnerstunden. (34c) (01.) [22.23.]   — 50
— : 50 Turntaf. f. d. Gerätefurhen d. Männer. (I—III. Riege.) (74, 79 u. 80) (01.) [9—10.13.]   — 50
— : 33 Turntaf. f. d. Keulenschwingen. (78) (01.) [1.2.]   — 50
— u. J Nestler : 12 Aufziehiche. Lieder, Noten n. Zeichngn, nebst 20 yiegern zu bekannten Marschweisen. (41) (02.) [24.]   — 39
Gfuppner, F : 40 Übgsgruppen f. d. Mänelfiege an einf. u. zusammengestellten Gefäten. (72) (01.) [19.20.]   — 50
Bentzschel, P : Gemeiübgn an d. Gefäten f. d. Tufnen d. Knaben u. Männer. (67) (01.) [17.18.]   — 50
Kohler, F : 25 Übgsgruppen f. Musterriegen. (45) (01.) [21.]   — 30
Meyef, H : Anlage u. Ausstattg v. Tufnplätzen u. Tufnhallen f. d. Schul- 6.Vereinstornen. (57 m. 6 Taf.) (05.) [31.32.]   — 50
Römmer, A : 50 Hantelübgsfiguren f. Alfuerreinigen. Für d. Betfieb m. Musik zusammengest. (64) (05.) [33.34.]   — 50
Seidel, AM: Die Schwimmkunst. (66) (01.) [3.4.]   — 30
Stringler, H : 39 Freiübgsgruppen f. Schunturnen. (72) (02.) [25.26.]   — 50

Volks-Universal-Lexikon. Hrsg. v. E Dennert. Neue Lfgs-Ausg. 13—24. Taus. 44 Lfgn. (2592 Sp. m. Abb., 30 [7 farb.] Taf. u. 23 Kart.) 8° Berl., U Meyer (02.03).   Je — 25 d

Volksunterhaltung, die. Zeitschrift f. d. ges. Bestrebgn auf d. Geb.d.Volksunterhaltg. Hrsg. v. R Löwenfeld. 3. u. 4. Jahrg. 1901 u. 2 je 12 Nrn. (1901. Nr. 1 u. 2. 16) 8° Berl., Volksunterhaltgs-Verl. Je 2 — d || 5—7. Jahrg. 1903—5.

Volksverein, der. Stimmen a. d.Volksver. f. d. kathol. Deutschl. Verein z. Förderg d. Socialreform. Red. durch A Pieper. 15. Jahrg. 1905. 3 Hefte. (I. Heft. 16) 8° M. Gladb., Zentralstelle d. Volksver. f. d. kath. Deutschl.   1.50 d

Volksvereins-Kalender, Tyroler. 1904. (120 m. Abb. u. 1 Taf.) 4° Innsbr., (Vereins-Bh. u. Buchdr.).   — 50 d
Fortsetzg war nicht zu erhalten.

Volkswarte, techn. Red.: W Mayer. 2. Jahrg. 1904. 24 Hefte. (1. u. 2. Heft. 16 m. Abb.) 4° Nürnbg, Exped. Viertelj. nn — 85
Fortsetzg war nicht zu erhalten.

Volkswirtschaft, d. deut., u. d. Weltmarkt, s.: Flugschriften, handelspolit.

Volkswirtschaftslehre, d., s.: Miniatur-Bibliothek.

Volkswohl. Allg. Ausg. d. Sozial-Korrespondenz. Organ d. Zentralver. f. d. Wohl d. arbeit. Klassen: Hrsg. v. V Böhmert u. P Schewen. Red. (L.) v. V Böhmert. 25—29. Jahrg. 1901—5 je 52 Nrn. (1901. Nr. 1—13. 72) 4° Dresd., (OV Böhmert).   Viertelj. nn — 75 ; einz. Nrn nn — 15 d

Volkswohlfahrt. Prakt. Vermittlgsbl. f. Stellengesuche u. -Angebote aller Berufsarten. (Neue Folge d. Frauen-Wohlfahrt.) Red.: R Kleinert. 3. Jahrg. Juni—Dezbr 1901. 31 Nrn. (Nr. 22. 10) 4° Quakenbr., R Kleinert.   Monatlich — 90 d
— Prakt. Vermittlgsbl. f. d. ges. Arbeitsmarkt. Red.: R Kleinert. 4.—7. Jahrg. 1902—5 je 52 Nrn. (Nr. 1. 8) 4° Ebd.   Monatlich — 90 ; einz. Nrn — 50 d
Januar—Mai 1901 s. u. d. T.: Frauen-Wohlfahrt. — Nur noch reines Inseratenblatt u. d. T.: Fraenwohlfahrt.

Volkswohl-Schriften. Hrsg. v. V Böhmert. 28. u. 29. Heft. 8° Dresd., OV Böhmert.   Je — 30 d
Wie wirtschaftet man gut u. billig bei e. jährl. Einkommen v. 800—1000 Mark? (Hrsg. v. d. volksstrot. Anstellg f. Haus u. Hefd in Dresden.) (84) 04. [28.]
— : dass. bei e. jährl. Einkommen v. 1400—2000 Mark? 2. Afl. (24) 04. [29.]

Volkswohlstand, d., u. s. Feinde. 1. Heft. 8° Lpzg, F Luckhardt.   2 — d
Giese, W: Vorwärts od. zurück? Beitr. z. Revision d. Börsenge. (120) 04. [1.]

Volkszählung, d. Berliner, v. 1900, s.: Grundstücks-Aufnahme, d., Ende Oktbr 1900.
— d., v. 1.XII.1900 im Brem. Staate. Hrsg. v. brem. statist. Amt. 1. u. 2. Bd. 8° Berl., (F Leuwer).   Kart. 15 —
I. Einl. I. Tl. (Hauptergebnstatistik.) (291 m. Fig., 4 Fl. u. 2 farb.Taf.) 05. 7.50
2. II. Tl. (Die Zählg d. Gebäude u. Wohngn. Sonderdarstellg. s. alig. Statistik u.z. Wohngsstatistik.) (36, 90, 16, 25, 83, 90 u. 5 m. 5 Fl.) 05. 7.50
— dass. bei e. v.1.XII.1900 im Deut. Reich. Bearb. im kais. statist. Amt. (S.-A.) (204 m. 15 [14 farb.] Taf.) 4° Berl., Puttkammer 3 — d
— eidgenöss., v. 1.XII.1900. Gemeindeweise Uebersichten d. Ergebnisse. Zahl d. Häuser, d. Haushaltgn, d. Bevölkerg. Unterscheidg d. Wohnbevölkerg n. Heimat, Geschlecht, Geburtsort, Konfession u. Muttersprache. Die Schweizerbürger n. Heimatkanton. Auszug a. d. 1. Bd. (193) 8° Bern, (A Francke) 04.   4 — ; französ. Ausg. 4 —

Voll, K, 8°: Meisterwerke, d., d. kgl. Gemälde-Galerie zu Cassel. — Meisterwerke, d., d. National Gallery zu London.
— Meisterwerke, d., d. Rijks-Museums zu Amsterdam.

Volland, C: Lehrb. d. vereinf. deut. Stenogr., Einiggs-System
Stolze-Schroy. 7. Afl. (24) 8° Kahla (02). Papiermühle b/Roda,
Gebr. Vogt (02). (1 —) — 75
Volland, CE: Die Fabrikation d. Wagenfette, Maschinenfette,
Ledercrèmes, Pechsiederei etc. (24) 8° Norrköping (Schweden),
Selbstverl. 02. 3.50
Volland, GC: Die Dachkonstruktionen, s.: Lehrhefte, techn.
Volland, L: Kurz gef. Fragen u. Antworten a. d. deut.Wechsel-
Ordng. nebst e. gew.Sammlg v.Wechseln m. Erläuterg. 6.Afl.
(32) 8° Heilbr., E Salzer 05. — 30 d
Vollard-Bockelberg, v.: Die Verwendg u. Führg d. Kavall.
Taktisch-strateg.Studie, dargest. and.Ereignissen v.Weissen-
burg u. Wörth. (138 m. 4 Kart.) 8° Berl., ES Mittler & S. 03.
3.75; geb. im 5.25 d
Vollborth, F: Neuester fertig englisch sprech. Kellner. 5.Afl.
(154) 16° Nürnbg, F Korn (01). 1 — d
Vollbrecht, C (Frl. O Söllner): Nach d. Sturme. Der Supplent.
Novellen. (256) 8° Bresl., Schles. Buchdr. usw. 02. 2.50;
geb. 3.50 d
Vollbrecht, F: Wrtrb. zu Xenophons Anabasis. Für d. Schul-
.-gebr. bearb. 10. Afl. v. W Vollbrecht. (252 m. Abb., 3 Taf. u.
1 Karte.) 8° Lpzg, BG Teubner 05. 1.80; geb. 2.20
Vollbrecht, W: Üb. e. neue Hypothese inbetreff d. Herausg.
d. Dichtgu d. Horaz. (19) 4° Altona 02. (Lpzg, Bh. G Fock.) 1 —
— Mäcenas, s.: Gymnasial-Bibliothek.
„Volldampf". Zeitschrift f. Handel u. Industrie, Weltmarkt
u. Welthandel. Hrsg.: E Volkening. 9—11. Jahrg. 1901—3 je
24 Nrn. (1901. Nr. 1. 32 m. Abb.) Fol. Berl., Volldampf-Verl.
Je 10 —; einz. Nrn 1 —
Erschien bis 1901, Nr. 5 in Lpzig. — Fortsetzg war nicht zu
erhalten.
Vollenweider, W: Die Zwangsliquidation d. Eisenb. (Art. 30,
Ziff. 1 d.Bundesges.üb.Schuldbetreibg u.Konkurs v.11.VI.1889).
(41) 8° Zür., Schulthess & Co. 01. 2.40
Voller, A: Grundl. u. Methoden d. elektr. Wellenlelegr. (sogen.
drahtlosen Telegr.).Vortr. Erweit. Abdr. (52m. Fig.)8° Hambg,
L Voss 03; 1.80
— Das Grundwasser in Hamburg. Mit Berücks. d. Luftfeuch-
tigk., d. Lufttemperatur, d. Niederschlagsmengen u. d. Fluss-
wasserstände. IX—XIII.Heft, enth.Beobachtgn a. d.J.1900—4.
[1° Beiheft 2. Jahrb. d. hamburg. wiss. Anst.] 4° Hambg, [L
Gräfe & S.). 16 — (I—XIII.: 46.50)
IX.X. 1900.01. (Je 6 m.3,Taf.) 02.01. Je 3.50 ‖ XI—XIII. 1902—4. (7, 6 u. 7
m.5 Taf.) 03-5. Je 3 —
Völler, FJ, s.: Natur u. Kultur.
Vollers, G: Schulbauprogramm, s.: Meyer, HTM.
Vollers, K, s.: Mutalammis, d., Gedichte.
Vollert, P: Deut. Leseb. f. höh. Mädchensch. u. verwandte
Anst. in Bayern. 5—8. Schulj. 8° Nürnbg, F Korn Geb. 8.80
(2—8.: nn 12.85) d
5. II. Afl. (19, 270) 03. 1.60 ‖ 6. (16, 397) 01. 2.40 ‖ 7. (18, 337) 02. 2.40 ‖
8. (11, 337) 02. 2.40.
— Deut. Lesestücke, ges. f. d. Mittelst. höh. Mädchensch. (286)
8° Ebd. 04. Geb. 2.50 d
Vollert, W: Tertullians dogmat. u. eth. Grundanschaugn, s.:
Beiträge z. Förderg christl. Theol.
Völling, A: Predigten f. d. Tertiaren d. hl. Franziskus an
d. Hand d. Ördensregel. 3. Tl. (332) 8° Faderh., Junfermann
02. 3 —; geb. 3.60 (1 u. 2.: 5 —; geb. 6.90) d
Vollkommenheit, die. Wo findet sie sich u. was ist sie? 3. Afl.
(23) 8° Elberf., R Brockhaus (durch J Fassbender) 04. — 25 d
Vollkommer: Aus d. Verkehrswelt. 5 Erzählgn. (132) 8° Bambg,
(Schmidt) 1900. Geb.1.50 d
Vollkommer, M: Die Quellen Bourguignon d'Anvilles f. s.
krit. Karte v. Afrika, s.: Studien, Münch. geograph.
Vollmann, R: Wortkde in d. Schule auf Grundl. d. Sachunterr.
1—3. Tl. 8° Münch., M Kellerer. 7.80; geb. nn 9.20 d
1. Heimat- u. Erdkde. (127) 03. 2 —; geb. nn 2.40 ‖ 2. Geschichte. (199)
2.50; geb. nn 3.90 ‖ 3. Naturkde. (709) 03. 3 —; geb. nn 3.50.
Vollmar, A: Eine Eisenbahnfahrt. Erzählg. (7) 8° Berl., Wilh.
Schultze (05). nn — 10 d
— Grossmutter. Erzählg. f. Alt u. Jung. 6. Afl. (112 m. 1 Abb.)
8° Berl., Wiegandt & Gr. (01). 1 —; geb. 1.80 d
— s.: Heimatglocken.
— Jenseit d. Meeres. Erzählg f. Alt u. Jung. (15) 8° Berl.,
(Wilh. Schultze) (02). nn — 15 d
— Nicht zu spät. Eine Erzählg f. Alt u. Jung. (23 m. Abb.)
8° Ebd. (01). — 25 d
— Das Pfarrhaus im Harz. Erzählg. 18. Afl. (200 m. Bildnis.)
8° Berl., Wiegandt & Gr. 05. 3 —; geb. 4 — d
— Das Pfarrhaus in Indien. Erzählg. 10. Afl. (331) 8° Ebd.
3 —; geb. 4 — d
— Zum Segen. Erzählg f. Alt u. Jung, n. e. wirkl. Begebenh.
(20 m. Abb.) 8° Berl., (Wilh. Schultze) (01). — 20 d
— Im goldnen Stern. Erzählg f. Alt u. Jung. (16 m. 1 Abb.)
8° Ebd. (01). nn — 15 d
— Das Testament. Erzählg f. Alt u. Jung. (24 m. Abb.) 8°
Ebd. (01). — 25 d
— Der Thalhofbauer. Erzählg f. Alt u. Jung. (15 m. 1 Abb.)
8° Ebd. (02). nn — 15 d
— Vergieb. Erzählg f. Jung u. Alt. (32 m. 1 Abb.) 8° Berl.
— 20 d
— Was wir sollen. (62 m. 1 Abb.) 8° Ebd. (05). Geb. 1 — d
Vollmar, C: Der Kampf geg. Traubenwickler od. Heu- u. Sauer-
wurm (Tortrix ambiguella), sowie, geg. d. echten Mehltau
(Oidium tuckeri). (16) 8° Neuw., Heuser's Erben 02. — 30 d

Vollmar, G v.: Lehren u. Folgen d. letzten Reichstagswahlen.
(27) 8° Münch., G Birk & Co. (03). — 30 d
Vollmar, H: Kathol. militärkirchl. Dienstordng, s.: Richter, M.
— Die Königskrone im Lichte d. Christentums. Predigten,
geh. am Geburtsfeste d. Kaisers u. 3 Eidesroden. 2. Afl. (91)
8° Dülm., A Laumann 04. 1 — d
Vollmer, F: Goethes Egmont. — Goethes Götz v. Berlichingen,
s.: Klassiker, d. deut., erläut. u. gewürdigt f. höh. Lehranst.
— s.: Merobaudes, F, reliquiae.
— Das Nibelungenlied, s.: Klassiker, d. deut., erläut. u. ge-
würdigt f. höh. Lehranst.
— Die Überliefergsgesch. d. Horaz. [S.-A.] (64) 8° Lpzg, Die-
terich 05. 1.60
Vollmer, H: Anl. z. Bedizpg u. Instandhaltg v. Aufzügen jegl.
Art, m. e. Anh.: Vorschriften v. 19.I.1900 betr. Einrichtg,
Beaufsichtigg u. Betrieb v. Aufzügen. (32) 8° Prankf. a/M.-
Bockenh., A Kullmann 02. 1.25 d
Vollmer, H: Jesus u. d. Sacaesaopfer. Relig.-geschichtl. Streif-
lichter. (32) 8° Giess., A Töpelmann 05. — 60
— Der deutsch-franzÖS. Krieg 1870/71, s.: Sammlung belehr.
Unterhaltgsschriften f. d. deut. Jugend.
— Franz Stuck, s.: Männer, bedeut., a. Vergangenh. u. Gegen-
wart.
Vollmer, H: Lehrb. d. Photogr. Mit bes. Berücks. d. Film-
photogr. u. e. Anh. üb. bildmäss. Photogr. (97 m. Abb. u. 4
Taf.) 8° Lpzg, W Möschke (05). — 60
Vollmer, K: Modell-Mappe. 85 Modelle in natürl. Grösse f.
geschweifte Geschirrteile. 7 Taf. (je 101×70 cm.), nebst er-
läut. Text. (7) 8° Berl., Berg & Schoch (02). In M. 6 — d
— Der Sattler als Wagengarnierer. Unter Berücks. d. deut.,
franzÖs. u. engl. Arbeitsmethoden u. d. deut. franzÖs. u.
engl. Geschmacks. (81 m. Abb. u. 8 Taf.) 8° Ebd. (02). L. 4 — d
— Der prakt. Sattler, Riemer u. Täschner. (691 m. Abb. u. 8
Schnittmusterbog. in M.) 8° Lpzg, JJ Arnd (04). L. 18 — d
Vollmer, W: Hannov. Leseb., s.: Schlepper, H.
Vollmoeller, (CO): Assüs, Fitne u. Sumurud. Trauersp. (Assüs,
d. Findling, d. treue Pitne u. d. Herrin Sumurud od.: Die
Gesch. d. 3 unglückl. Liebenden.) (165) 8° Berl., S Fischer 04.
5 —; geb. nn 6 —
— Catharina, Gräfin v. Armagnac u. ihre beiden Liebhaber.
(74) 8° Ebd. 03. 4 —; geb. 5 —
— Parcival. Die frühen Gärten. (95) 8° Ebd. 03. 4 —; geb. 5 —
Vollmöller, D: Die Fürsorge f. d. Handlgsgehülfinnen. Vortr.
(16) 8° Dresd., H Burdach 03. — 40 d
Vollmöller, K., s.: Forschungen, roman. — Jahresbericht üb.
usw. romao. Philol.
Vollpracht, H: Das Rechnen e. Vorbereitg z. allg. Arithmetik.
Regeln u. Formeln d. Rechnens, Vergleiche m. d. allg. Arith-
metik u. Hinweise auf Geometrie u. Physik, f. Lehrer u. Schüler
d. mittl. u. unt. Kl. d. höh. Lehranst., d. Progymnasien u.
Vorbereitgsschl. (44) 8° Lpzg, BG Teubner 02. — 50 d
Vollschwitz': Alphabet. Samchg, s.: Telegr.-Bauordng. (60) 8°
Cass., G Dufayel 04. 1 — d
Vollversammlung, 27—31., d. deut. Handelstags, in Berlin.
Stenograph. Bericht. 8° Berl., Liebbeit & Th. Je 1.50
27. Jan. '01. (102) 01. ‖ 28. (ausserordentl.), Septbr. '01. (76) 01. ‖ 29. März
'06. (102) 03. ‖ 30. März '04. (106) 04. ‖ 31. Febr. '05. (145) 05.
Bisher u. d. T.: Verhandlungen d. deut. Handelstages.
Volquardts, G, s.: Baukalender, norddeut. — Baukalender,
süddeut.
Volschow, A: Die Zucht d. Seidenspinner. (83 m. 7 [3 farb.]
Taf.) 8° Schwerin (M., Selbstverl. 02. nn 3.50; geb. nn 4.50
Volta, A: Untersuchgn üb. d. Galvanismus, s.: Ostwald's, W,
Klassiker d. exakten Wiss.
Voltaire: Briefwechsel, s.: Friedrich d. Gr. als Kronprinz im
Briefwechsel m. Voltaire.
— Guerre de la succession d'Espagne (chap. XVII—XXIII du
siècle de Louis XIV). Éd. précédée d'une notice biograph. et
suivie d'un commentaire, d'un répétiteur et d'une carte par
J Ellinger. Revue par J Belàge. 2 Tle. (142 u. 42) 8° Wien,
K Graeser & Co. — Lpzg, BG Teubner 03. Geb. n. geh. 1.80
— Les guerres de Louis XIV pour le rétablissement des Stuarts
et la succession d'Espagne, s.: Schriftsteller, engl. u. franzÖs.,
m. Anmerk. u. Wörterbuch. (O Glüde).
— Hist. de Charles XII., s.: Prosateurs franç. (O Ritter).
— s.: Jungfrau, d., v. Orleans.
— Kandide od. es ist doch d. beste Welt! Nach d. 3., 1705 er-
schien. Afl. d. 1. deut. Uebersetzg. 2 Bde. (187 u. 114 m. Abb.)
12° Münch., A Schupp (01). (Lpzg, F Förster.) 1.50; L. 2 —)
Luxusausg., geb. jeder Bd 1.50 d
— dass. od. d. beste d.Welten, s.: Liebhaber-Bibliothek, kul-
turhistor.
— Mérope, s.: Théâtre franç. (S Waetzoldt).
— Le siècle de Louis XIV, s.: Prosateurs franç. (O Schmager).
— Zaïre, s.: Théâtre franç. (S Waetzoldt u. A Benecke).
— Diderot, Rousseau: Morceaux choisis, s.: Prosateurs franç.
(P Voelkel).
Voltaire. Das Leben u. Ende e. Gotteshassers, s.: Volksauf-
klärung.

Voltairiana inedita, s. d. kgl. Archiven zu Berlin hrsg. v. W Mangold. (91) 8º Berl., Wiegandt & Gr. 01.　5 —
Voltelini, H v.: Die Entstehg d. Landgerichte im bayrisch-österr. Rechtsgeb. [S.-A.] (40) 8º Wien, (A Hölder) 05. — 90
— Die ält. Pfandleihbanken u. Lombardenprivilegien Tirols. [S.-A.] (70) 8º Innsbr., Wagner 04.　— 50
— Die ält. Statuten v. Trient u. ihre Überlieferg. [S.-A.] (187) 8º Wien, (A Hölder) 02.　4.10
Völter, D.: Aegypten u. d. Bibel. Die Urgesch. Israels im Licht d. ägypt. Mythol. (113) 8º Leid., Bh. u. Dr. vorm. EJ Brill 03.|| 2. Afl. (116) 04.　Je nn 2.50
— Die Offenbarg Johannis, neu untersucht u. erläutert. (171) 8º Strassbg, JHE Heitz 04.　3.50
— Paulus u. s. Briefe. Krit. Untersuchgn zu e. neuen Grundlegg d. Paulin. Briefllit. u. ihrer Theol. (331) 8º Ebd. 05. 7 —
— Die apostol. Väter, neu untersucht. I. Tl. Clemens, Hermas, Barnabas. (472) 8º Leid., Bh. u. Dr. vorm. EJ Brill 04. nn 8 —
Völter, lE: Wittenberger Concordie. Jubelschrift z. 350jähr. Gedächtnis d. 23.V.1536. 100. Afl.(32) 8º Winnenden 04.(Stuttg., JF Steinkopf.)　— 20 d
— Wünschet Jerusalem Glück. Reden a. d. Judenmission. 16. Afl. (112) 8º Ludwigsbg 03. (Stuttg., JF Steinkopf.)　nn 1 — d
— Zur Konkordien-Jubelfeier 25.VI.1880. 3. Afl. (277) 8º Ebd. 03.　nn 2.50 d
Voltz: Rechenb., s.: Nigetiet.
Voeltzkow, A: Beitr. z. Entwicklgsgesch. d. Reptilien. II—VI. [S.-A.] 4º Frankf. a/M., (M Diesterweg). 24 — (I—VI.: 54 —)
　II. Die Bildg d. Keimblätter v. Podocnemis madagascariensis Gfaund. (38 m. Abb. u. 4 Taf.) 01.　6 —
　III. Zur Frage n. d. Bildg d. Bauchrippen. Mit L Döderlein. (24 m. 1 Abb. u. 2 Taf.) 01.　3 —
　IV. Keimblätter, Dottersack u. 1. Anlage d. Blutes u. d. Gefässe bei Crocodilus madagascariensis Gfaund. (32 m. Abb. u. 7 Taf.) 01. 9 —
　V. Epiphyse u. Parhphyse bei Krokodilen u. Schildkröten. (12 m. 3 Taf.) 03.　3 —
　VI. Geschtablidg u. Entwicklg d. äuss. Körperform bei Chelone imbricata Schweigg. (10 m. 7 Taf.) 03.　3 —
— Üb. Coccolithen u. Rhabdolithen, nebst Bemerkgn üb. d. Aufbau u. d. Entstehg d. Aldabra-Inseln. [S.-A.] (3 Abb.) 4º Ebd. 01.　3 —
— Wiss. Ergebnisse d. Reisen in Madagaskar u. Ostafrika, s.: Abhandlungen, hrsg. v. d. Senckenburg. naturforsch.Gesellsch.
— Die v. Aldabra bis jezt bekannte Flora u. Fauna. [S.-A.] (37) 4º Frankf. a/M., (M Diesterweg) 02.　1 —
Volumina aegyptiaca ordinis IV. grammaticor. pars l. 8º Lpzg, BG Teubner.　1.20; geb. 1.50
　Didymi de Demosthene commenta cum anonymi in Aristocratem lexico post ed. Berolinensem recogn. H Diels et W Schubart. (26) 04. [I.] 1.20; geb. 1.50
Volz, B: Geograph. Charakterbilder, s.: Daniel, HA.
Volz, GB: Die Erinnergn d. Prinzessin Wilhelmine v. Oranien an d. Hof Friedrichs d. Gr. (1751—67), s.: Quellen u. Untersuchungen z. Gesch. d. Hauses Hohenzollern.
Volz, P: Jüd. Eschatol. v. Daniel bis Akiba. (412) 8º Tüb., JCB Mohr 03.　7 —; geb. 8.20
Volz, W: Zur Geol. v. Sumatra, s.: Abhandlungen, geolog. u. paläontolog.
Volze, A: Das Schwingen m. d. Keule. (146 m. Abb.) 8º Frankf. a/M., Kesselring (01).　Geb. 2.50 d
Volzer, F: Kinderpflege u. Ernährg. Leitf. f. junge Mütter u. Pflegerinnen. (56) 16º Lorch 04. Ascona, C v. Schmidtz. — 50 d
— Des Kindes 1. Lebensperiode, s. Pflege u. Ernährg. (56) 8º Ascona, C v. Schmidtz 05.　— 60 d
Vom österr. Kampfplatz geg. d. Alkoholismus. Raimann. E: Alkohol u. Geisteskrankh. Vortr. — Pilcz, A: Alkohol u. Entartg. — Jahr, e., kathol. Mässigkeitsarbeit in Österr. Literaturverz. — Österr. Ver. geg. Trunksucht. (56) 8º Wien, (Bh. „Reichspost") 03.　1 — d
— Bodensee z. Rheinfall. 37 See- u. Landschaftsbilder n. künstler. Orig.-Aufnahmen. (22) 4º Köln, Hoursch & Bechstedt (03).　3 —
— klugen Elefanten. (24 m. farb. Abb.) 4º Münch., Braun & Schn. (02).　1 — d
— Fels z. Meer. Die weite Welt. Red.: P Dobert, f. Oesterr.-Ungarn: B Wirth. 20. Jahrg. Septbr 1900—Aug. 1901. 23—26. Heft. (24. Heft. 76 m. z. Tl farb. Abb.) 4º Berl., A Scheri.|| 21—24. Jahrg. Septbr 1901—Aug. 1905. Red.: P v. Szczepanski. Je 26 Hefte.　Je — 50 d
— dass., vereinigt m. Gartenlaube. Red.: H Tischler. In Österr.-Ungarn verantwortlich: A Bettelheim. 24. Jahrg. (8. Bd.) Septbr—Dezbr 1905. 9 Nru. (Nr. 1. 48 u. 22 m. Abb. u. 1 farb. Taf.) 4º Lpzg, E Keil's Nf.　Je — 50 d
　Wochenausg. s.: Welt, d. weite. — Von 1906 an m. d. Gartenlaube vereinigt.
— Münch. Gelehrten-Kongresse; bibl. Vorträge, hrsg. v. O Bardenhewer, s.: Studien, bibl.
— künft. Gott m. s. Knlt. Ein 1. Wort. (Von J Moltmann.) (83) 8º Lpzg, O Wigand 04.　— 90 d
— dass. od. Psychotheismus statt Kosmotheismus. Ein 1. Wort. (Von J Moltmann.) 2. Afl. (33) 8º Ebd. 05.　1.20 d
　Weitere Ausführgn s.: Lessing's Sehnsucht.
— Grossvater z. Enkel, s.: Gabelsberger-Bibliothek.
— Himmel hoch, da komm' ich her! Erzählgn v. d. gewinn. u. beselig. Macht d. Weihnachtsevangeliums v. N Fries, E Schöne, D Schlatter u. a. 1—3. Bd. (144,144 u. 160) 8º Konst., C Hirsch (03-05).　L. je 1.20 d

Vom bodenlosen Höllenschlund! Abhandlg üb. d. menschl. Qual diesseits u. jenseits d. Grabes. Von Saladin (WS Ross). Verdeutscht v. W Schaumburg. (216) 8º Zür., W Schaumburg (01).　3 —
— Irrtum z. Wahrheit. Geschichten v. Übertritt röm. Katholiken z. Protestantismus, s.: Gustav-Adolf-Hefte, sächs.
— Mannheimer Katholikentag. Auszugs. d. Reden d. öffentl. Versammlgn u. d. General-Versammlg d. Volksver. (97 m. 7 Bildnissen.) 8º Mannh., J Gremm 02.　25 d
— dass. (Die Reden v. Schädler u. Bonaventura im stenograph. Wortlaut.) 5—11. Taus. (14, 115 m. 7 Bildnissen.) 8º Ebd. 02.　25 d
— Katholizismus z. Protestantismus. Briefe e. Katholiken an e. kathol. Geistlichen. Von *₂*. (61) 8º Berl., Herm. Walther 02.　1 — d
— Kreuz auf Golgatha. (In poln. Sprache.) 2. Afl. (32 m. Abb.) 16º Strieg, R Urban (04).　— 10
— Christl. abschied a. diesem tödl. leben d. Ehrwird. Herrn D. Martini Lutheri (bericht/ durch D. Justum Jonam, M Michaelem Celium vnd andor, d. dabey gewesen /kurtz zusamen gezogen. Gedr. zu Wittemberg durch Georgen Rhaw. Anno M. D. XLVI. (Fksm.-Ausg.) (32) 8º Berl., E Frensdorff (05).　1.50 d
— Osterhäschen u. and. Kindergesch. f. uns. lieben Kleinen. (40 m. Abb. u. 8 farb. Taf.) 4º Essl., JF Schreiber (01).　Geb. (2 —) 1.20 d
— Sozialisten z. Christen. Hrsg. v. CCH R. (23) 8º Gotha, Missionsbh. P Ott 05.　nn — 15 d
— Dilettantismus in d. Stenogr. Krit. Praeambeln z. neu'sten, aller-neu'sten System derer v. Kunowski. (8) 12º Naunhof. 02. Lpzg, K Scheithbauer.　10
— Theater. Ein Halbjahrsb. 1904 I. (222 m. Abb.) 8º Berl., Harmonie(04). Erh.Pr.3— || Neue Folge. (260 m. Abb.)(05.)1.50
Vomáčka, A: Des Frisiersalons Nebenerwerb: Haarpflegemittel. (97) 8º Wien, A Hartleben (04).　2 —
— Haus-Spezialitäten. 2. Afl. (196 m. Abb.) 8º Ebd. 04.　geb. 3.80 d
— Taschenbuch. bestbewärter Vorschriften f. d. gangbarsten Handverkaufs-Artikel d. Apotheken u. Drogenhandlgn. 3. Afl. (102) 8º Ebd. 04.　1.50; geb. 3.80 d
Vombey, A de: Wie muss man in Monte-Carlo spielen? (15 m. Abb.) 16º Nizza, (L Gross) 04.　— 80 Vergr.
Vömel, A: Errettet v. Grabesrand. Was mir e. gerettater Trinker a. s. Leben schrieb. 3. Afl. (15) 8º Bern (04). Barm., Elim.　— 10 d
— Folge mir nach! Worte d. Liebe f. d. Lebensweg junger Christen. (198 m. 12 Farbdr.) 8º Konst., C Hirsch (01). L. m. G. 3 — || 2. Afl. (198 m. Titelbild.) (01.) Geb. m. G. 2.50; m. 6 Farbdr. 3 — d
— Ein Schlangenbiss. Nach 6. wahren Begebenheit. (16) 8º Bern (04). Barm., Elim.　— 10 d
— Sündenfall u. Erlösg. Predigt. (15) 8º Emmish., Ev. Bh. (05).　15 d
— Wegweiser. (I u. II.) Je 100 zweiseit. Traktate. 8º Strieg., R Urban (02.04).　Je — 30 d
Vömel, R: Die Bedeutg f. Gnade f. unser Leben auf Grund d. Neuen Test. (37) 8º Gütersl., C Bertelsmann 05.　— 50 d
— Der Begriff d. Gnade im Neuen Test., s.: Beiträge z. Förderg christl. Theol.
Von Asdod n. Ninive im J. 711 v. Chr. Von O(lga) z(u) E(ulenburg). 1. Folge. (179) 8º Lpzg, O Wigand 04. 2.50 || 2. Folge. Eridu, d. babylon. Gottesgarten. (48) 05. 1 — (Hauptwerk m. 1. u. 2. Folge: 5 —)
— d. Beichte. Gedanken u. Erfahrgn e. Beichtkindes. (22) 8º Gotha (02), Arnst., Verlagsbureau.　Je — 50 d
— Bethlehem n. Golgatha. Das Leben Jesu in Bildern u. Geschichten. 4 Nrn. (Je 18 m. z. Tl farb. Abb.) 8º Konst., C Hirsch (02).　Je — 40 d
— Haus zu Haus. Wochenschrift f. d. deut. Frauenwelt, hrsg. v. A Wothe. 15—19. Jahrg. Oktbr 1901—Septbr 1906 je 52 Nrn. (15. Jahrg. Nr. 1. 44 m. Abb.) 4º Lpzg, Verein. Verl.-u. Reisebuchhdlg.　Viertelj. 1.50; einz. Nrn — 15 d
— schwarzen, braunen u. gelben Kindern, s.: Missionstraktate, kl.
— d. Küsten u. s. See. Organ d. deut. Gesellsch. z. Rettg Schiffbrüchiger. Hrsg. u. Red. v. Vorst. Jahrg. 1901—5 je 4 Hefte. (1901. 1. Heft. 16) 8º Brem., Diercksen & W.　Je 1.25 einz. Hefte — 40
— Land zu Land. Illustr. Familienbl. f. Unterhaltg u. Belehrg. Verantwortlich: L Schrader, M Niedner. Hrsg. u. Red. l. Österr.-Ungarn: H Bayer. Red. v. Heft 23 an: S Hochstein. D Kieswetter, H Steffahny. 1. Jahrg. Septbr 1905—Dezbr 1904. 52 Hefte. Nebst: Mode u. Handarbeit. 9 Nrn. (Nr. 1. 16 u. 9 Fol. Berl., W Vobach & Co.　Je — 15 d
　Erschien bis Heft 22 in Leipzig.
— dass. (Im häusl. Kreise.) Mit 7 Beil. Verantwortlich (l. d-3 Mode u. Handarbeitsteil: M Backe: f. d. unterhalt. Teil: S Hochstein. 20. Jahrg., m. Mode. 2. Jahrg. 1905. 26 Hefte. (1. Heft. 20, 8, 12 u. 4 m. 1 Taf. u. l. Schnittmusterbg.) 4º Ebd. Viertelj. 1.95; einz. Hefte — 30 d
　Die Zeitschrift: „Im häusl. Kreise" wurde hiermit vereinigt.
— d. Leber weg. Ein Gespräch m. d. jungen Truppenärzte, s.: Publikationen, militärärztl.

Von d. Liebe. Eine Sammlg v. Altem u. Neuem, hrsg. v. M,
1—5. Tans. (155) 8° Konst., C Hirsch (01). Kart. 1.50 d
— d. Peitsche z. gelben Billet. Neue Taten d. Regierg u,
alte Erinnergu e. Arbeitsmannes. (In russ. Sprache.) (43) 8°
Berl., H Steinitz (03). 1.20
— d. Renaissance zu Jesus. Bekenntnisse e. modernen Studenten. (Von F Spemann.) 1—5. Afl. (80) 8° Stuttg., JF Steinkopf 03.04. Kart. 1 — d
— d. Schiller-Feier 1905 in Plauen. Günther, E: Szen.
Prolog bei d. v. kgl. Gymnasium im Stadttheater veranstalt. Vorstellg. — Rödiger, K: Festrede bei d. öffentl. Feier.
(2t) 8° Plauen, A Kell (05). — 40 d
— d. See, s.: Jugend-Bibliothek, stenograph.
— Versailles u. Damaskus. Gedanken e. Laien. Mit e. Vorwort v. G Meyer v. Knonau u. A Ritter. (135) 8° Zür., Schulthess & Co. 03. 3.40
— d. Nahrg d. Vögel. I. Herman, O: Nahrg d. Vögel. — II.
Csiki, E: Positive Daten üb. d. Nahrg uns. Vögel. (Deutsch
u. ungarisch.) [S.-A.] (61) 8° Budap., (F Kilián's Nf.) 04. nn 2.50
— e. göttl. Vorsehg. Von Ben. O. Cap. (46) 16° Augsbg, Lit.
Instit. v. Dr. M Huttler (02). — 10 d
— d. Wiege bis z. Grab. Sittenbilder a. d. Missionsgeb. d.
Brüdergemeine. Hrsg. v. T Bechler. 1. u. 2. Heft. (Mit Abb.)
8° Herrnh., Missionsbh. Je — 20 d
Lebau, d., d. Grönländern. (38) 03. [1.]
— d., d. Labrador-Eskimo. (Von A Martin.) (39) 03. [2.]

Vonderau, J: 2 vorgeschichtl. „Schlackenwälle" im Fuldaer
Lande, s.: Veröffentlichung d. Fuldaer Gesch.-Ver.
Vonderlinn, J: Darstell. Geometrie f. Bauhandwerker. 1. Tl.
Geometr. Konstruktionen, Elemente d. Projektionslehre, Kon-
struktion d. Durchdringan zw. Ebenen u. Körpern, recht-
winkl. u. schiefwinkl. Axonometrie, einf. Dachausmittelgu.
2. Afl. (228 m. Fig.) 8° Bremerh., L v. Vangerow (04). 3 —
— Lehrb. d. Projektionszeichnens. IV. Tl. 1. Hlfte: Eb. u.
Raumkurven. Abwickelbare Fläche. Die Kugelfläche. Bearb.
n. System Kleyer. (252 m. Fig.) 8° Ebd. 03. 6 —
(I—IV, 1.: 21.50 ; Einbde je nn 1 —)
— Parallelperspektive. Rechtwinkl. u. schiefwinkl. Axonome-
trie. — Schattenkonstruktionen, s.: Sammlung Göschen.
— Statik f. Hoch- u. Tiefbautechniker. 2. Afl. d. Statik f. Bau-
handwerker. (283 m. Abb.) 8° Stuttg. 02. Bremerh., L v.
Vangerow. 4 —
— Geometr. Zeichnen, s.: Becker, H.
Vonderploiz, J: Das Siegtal. Eine Wandarg v. d. Mündg d.
Sieg bei Mondorf bis Siegen. (51 m. Abb. u. 1 Karte.) 8°
Siegbg, C Dietzgen 03. 1 —
Vonhausen, A: Abhandlgn d. kaufmänn. Brauereibetrieb.
(96) 8° Dortmund (Nikolaistr. 21a), Jaeger & Co. 04. 2 —
Vonhöne: Festgabe z. 1100 Jahr-Feier d. Gymnasium Caro-
linum zu Osnabrück. 1. Terz. d. Lehrer. 2. Verz. d. Abiturienten seit 1830. (48) 8° Osnabr., F Schöningh 04. — 50 d
Vonschott, R: Zur Reform d. deut. Strafprozesses, s.: Broschüren, Frankf. socialreform.
Vontade, Mme J: Der Roman e. anständ. Frau. Aus d. Franz.
v. H Dellwig. (315) 8° Berl., Vita (02). nn 3.50 ; geb. 4.50 d
— u. d. Schwurgerichte! Beitrag z. harn. Königstragödie u.
z. Illustration uns. konstitutionellen Zustände. (Von Heigl.)
2. Afl. (37) 8° Bambg, Handels-Dr. u. Verlagsh. (03). — 30 d
— u. hinter d. Vorhang. Theater- u. Konzert-Scherze. Hrsg.
v. d. Regisseuren u. Kapellmeistern d. „Flieg. Blätter". (184
m. Abb.) 8° Münch., Braun & Schn. (05). Kart. 3 — d
Voran! Fachzeitg f. d. deut. Gewerbe d. Blecharbeiter, Installateure, Elektriker u. Kupferschmiede, d. deut. Lampen-
u. Metallwarenindustrie, d. Maschinen- u. Werkzeugfabriken,
sowie d. gas. Beleuchtgs-, Lüftgs- u. Heizgsbranche. 5. Jahrg.
1901. 52 Nrn. (Nr. 1—40. 524) Fol. Cannstatt-Stuttg., Voran-
Verl. Henking. nn 5 — d 6 H
Vorarbeiten zu e. pflanzengeograph. Karte Österr., s.: Ab-
handlungen d. k. kgl. zool.-botan. Gesellsch. in Wien.
— **Erd-**, **Grund-**, **Strassen-** u. **Tunnelbau**, hrsg. v. L v. Will-
mann, s.: Handbuch d. Ingenieurwiss.
Vorbeck, F v.: Ruhig, Philister! Lustige Geschichten. (280)
8° Berl., Freund & J. 03. 3 —; geb. 4 —
— Aus d. Zeit d. Stockprügel u. Gavotten. (155) 8° Wiesb., R
Bechtold & Co. (01). 2.25 d
Vorbereitung, d., d. Frau f. d. kaufmänn. Beruf, s.: Ver-
öffentlichungen d. deut. Verbandes f. d. kaufmänn. Unterr.-
Wesen.
Vorberg, A: Der Zweikampf in d. Strafgesetzb. f. d. deut.
Reich. (56) 8° Berl., G Bondi (02). — 60
Vorberg, G: Zur klin. Differentialdiagnose d. Sklerosis' mul-
tiplex cerebrospinalis. (38) 8° Freibg/B., Speyer & K. 03. — 80
— Kurpfuscher! (88) 8° Wien, F Deuticke 05. 2.60
— Ratschläge f. Nervenleidende. Katech. f. Neurastheniker.
(40) 8° Stuttg., EH Moritz 05. — 80 d
Vorberg, G, s.: Kirchenbücher, d., usw. d. General-Superin-
tendentur Berlin.
Vorberg, M: Geschichten a. alter u. neuer Zeit. 1—9. Folge.
1. Afl. u. 2. [Tit.-]Afl. (221 u. 209) 8° Halle, CE Müller [02.u3]
Je 2.70; geb. je 3.50 d
— Der Lutherhof v. Gastein. 4. Afl. (178 m. 2 Bildern.) 8° Gotha,
FA Perthes 03. 3 — d
— Die deut. Nationallitt. d. Neuzeit, s.: Barthel, K.
— Vater Unser! 9 Predigten. (90) 8° Berl., Wilh. Schultze 03. — 80 ;
geb. 1.25 ; m. G. 1.60 d

Vorberg, M: Die Worte Jesu. Systemat. Zusammenstellg a.
d. neuen Test., vollendet u. hrsg. v. G Vorberg. (194) 8° Gr.-
Lichterf.-Berl., E Runge (01). 1.70 ; L. 2.50 ;
Geschenk-Ausg. (181) 2.20 ; L. 3.50 d
— Die 7 Worte am Kreuz. 7 Predigten. (60) 8° Berl., Wilh.
Schultze 04. — 80 ; geb. nn 1.25 ; m. G. 1.60 d
Vorberichte f. d. 4. Verbandsversammlg u. Arbeitsnachweis-
konfarenz, s.: Schriften d. Verbandes deut. Arbeitsnachweise.
Vorbilder, dekorative. Sammlg v. figürl. Darstellgn, kunst-
gewerbl. Verziergu, plast. Ornamenten usw. 18—17. Jahrg.
Apr. 1901—März 1906 je 12 Hefte. (Je 5 Taf.) 4° Stuttg., J
Hoffmann. In M. je 15 —; einz. Hefte 1 —
Vorbilder-Hefte a. d. kgl. Kunstgewerbe-Museum zu Berlin,
hrsg. v. J Lessing. 27—33. Heft. Fol. Berl., E Wasmuth.
Je 10 (1—33.: 440 —)
Boffmann, R: Geschnittene Gläser d. 17. u. 18. Jahrh. (15 Taf. m. 8 S.
illustr. Text.) 01. [27.]
Lessing, J: Chines. Bronzegefässe. (15 Lichtdr. m. 4 S. Text.) 02. [29.]
Liar, H: Kronleuchter u. Laternen. 2 Hefte. (Je 15 Lichtdr. m. 4 u. 3 S.
Text.) 03. [30.31.]
Swarzenski, G: Mittelalterl. Bronzegeräth. (15 Lichtdr. m. 4 S. Text.)
02. [28.] Bühlke. 3. Lfg. 16—18. Jahrh. (15 Lichtdr. m. 4 S. Text.) 05. ;
4. Lfg. Vofnehmlich 19. Jahrh. (15 Lichtdr. m. 4 S. Text.) 05. [32.33.]
Vorbildersammlung f. Entwürfe einf. Bauern- u. Bürger-
häuser im Reg.-Bez. Trier als Ergebnis e. v. Reg.-Präsi-
denten zu Trier ausgeschrieb. öffentl. Wettbewerbs. (60 Taf.
m. 5 S. Text.) 46×32 cm. Lpzg, Seemann & Co. 04. In M. 25 —
Mappentitel: Entwürfe einf. Bauern- u. Bürgerhäuser.
Vorbrodt, G: Beitr. z. relig. Psychol.: Psychobiol. u. Gefühl.
(173) 8° Lpzg, A Deichert Nf. 04. 3.50
Vorbrodt, W: Deutsch f. d. Mittelschullehrer- u. Rektorats-
prüfg, s.: Mittelschullehrer- u. Rektoratsprüfung, d.
— Dispositionen u. Themen zu deut. Aufsätzen u. Vorträgen
f. Lehrer- u. Lehrerinnen-Bildgsanst. u. Volksschullehrer-
Prüfgn. (188) 8° Halle, H Schroedel 02. 2 —; geb. 2.50 d
— Erläutergn deut. Lesestücke, s.: Hotop, G.
— Kirchengesch. Hilfsb. f. d. ev. Relig.-Unterr., zunächst in
Seminarien. (160) 8° Bresl., C Dülfer 05. 1.80; geb. 2.20 d
— Quellenh. f. d. ev. Relig.-Unterr. in Seminaren wie auch
f. Lehrer u. Lehrerinnen. (189) 8° Ebd. 05. 1.60; geb. 2 — d
— Schulgrammatik d. deut. Sprache, s.: Martin, F.
Vordemfelde, H: Lehrb. d. vereinf. deut. Stenogr., s.: Räder-
scheidt, W.
Vorentwurf zu e. schweiz. Strafgesetzb. u. zu e. Bundesges.
betr. Einführg d. schweiz. Strafgesetzb. Nach d. Beschlüssen
d. v. d. eidgenöss. Justizdepartement m. d. Durchsicht d.
Vorentwurfes v. 1896 beauftragten Expertenkommission. Juni
1903. (106 u. 14) 8° Bern, (A Francke) 03. 1.50 ;
französ. Ausg. (104 u. 14) 1.50
— d., zu e. schweiz. Strafgesetzb., s.: Zeitfragen, gewerbl.
Voretzsch, C: Die Anfänge d. roman. Philol. an d. deut. Univ.
u. ihre Entwicklg an d. Univ. Tübingen. Antrittsrede. (32)
8° Tüb., H Laupp 04. — 75
— Einführg in d. Studium d. altfranzös. Sprache, s.: Sammlung kurzer Lehrbb. d. roman. Sprachen u. Lit.
Voretzsch, W v. Wachsmuth u. Ludw. G Blanc, d. Begründer d.
romanist. Professur an d. Univ. Halle. (40) 8° Halle, M Nie-
meyer 05. 1.20
Voretzsch, M: Die Beziehgn d. Kurfürsten Ernst u. d. Herzogs
Albrecht v. Sachsen z. Stadt Altenburg. (58) 8° Altenburg,
S.-A. (Querstr. 5), Prof. Dr. Voretzsch 1900. — 75 d
— Herzog Ernst II. v. Sachsen-Gotha-Altenburg. Festrede.
(35 m. 2 Taf.) 8° Altnbg. (Schnuphase) 04. 1 —
Vorgänge, schul- u. kirchenpolit., im Reich u. in Preussen.
Nebst e. Erläuterg d. Schulantrags Hackenberg u. G. (60)
8° Berl., A Duncke (04). — 50 d
Vorkämpfer d. Jahrhunderts. Sammlg v. Biographien. 4. Bd.
(62) 8° Berl., G Bondi. 2.50; geb. 3.50 d
Golts, F Frhr v.: Moltke. (218 m. 10 Kaftenskizzen) 03. [4.]
Vorlage-, allg. Bericht u. Bericht üb. d. I—XXI. Ansichts-
bez. d. k. k. Gewerbe-Inspectoren- üb. ihre
Amtsthätigkeit im J. 1900. 8° Wien, Hof- u. Staatsdr. 01.
Je — 40
1. Wien. (47, 15) § 2. Wien. (47, 16) § 3. Linz. (47, 15) § 4. Graz. (47, 20) § 5.
Leoben. (47, 18) § 6. Klagenfurt. (47, 12) § 7. Triest (47, 16) § 8. Innsbruck.
(47, 16) § 9. Prag. (47, 17) § 10. Reichenbg. (47, 20) § 11. Tetschen. (47, 13)
§ 12. Pilsen. (47, 17) § 13. Pilsen. (47, 17) § 14. Budweis. (47, 17) § 15. Königgrätz. (47, 17) § 16. Brünn. (47, 17) § 17. Olmütz. (47, 37) § 18. Troppau. (47, 16)
§ 19. Lemberg. (47, 14) § 20. Krakau. (47, 16) § 21. Czernowitz. (47, 15)
— d., Special-Gewerbe-Inspectors f. d. Schiffergewerbe
auf Binnenwässern (Amtssitz: Wien) u. d. Berichte d. k.
k. Gewerbe-Inspectoren üb. ihre Amtsthätigkeit im J. 1900.
(47, 12) 8° Ebd. 01. — 40
Fortsetzg z. u. d. T.: Bericht d. k. k. Gewerbe-Inspectoren.
Vorlage-Blätter f. Photographen. Hrsg. v. A Miethe. IV. Jahrg.
3. Heft. Gruppen-Aufnahmen. (16) Autotypien m. 28 S. Text.)
4° Halle, W Knapp 01. ll V. Bd. Hrsg.: F Matthies-Masuren.
4 Hefte. (Je 16 Taf. m. 4 S. Text.) 02.03. Das Heft 4 —;
f. Abonner d. „Atelier d. Photographen" 3 — d
Vorlagen f. Brandmalerei. 96—103. Lfg. Lpzg, E Haberland. 53.50
96. Vorlagen, farb., f. Brandmalerei u. Tiefbrand, Aquarell- u. Glasmalerei.
(6 Bl.) Fol. (01.17 —) Dass. (4 Bl.) Fol. (01.) 5 — § 98. Dass. (6 Bl.)
Fol. (01.) 4 § 99. Dass. (4 Bl.) Fol. (01.) 5 —
100.101. Entwürfe, farb., f. Brand- u. Holzmalerei. 2 Hefte. (Je 6 Bl. m.
8 u. 6 Pausen.) 43,50×31,5 cm. (03.) Je 3.50
102. Entwürfe, 30 farb., f. Brand- u. Holzmalerei, Tiefbrand. (30 farb. Taf.)
4° (04.) 10 —

103. Entwürfe, farb., f. Brand- u. Holzmalerei. (6 Bl.) Je etwa 53×71 cm. (04.) 9 —
Vorlagen, farb., f. Brandmalerei u. Tiefbrand, Aquarell- u. Glasmalerei, s.: Vorlagen f. Brandmalerei.
— f. Brandmalerei, f. flachen u. plast. Tiefbrand, f. Pyroskulptur n. v. Weissenbach, f. Pinselbrand, Brandmalerei in Verbindg m. Kerbschnitt, f. Kerbschnitt u. Flachschnitt, Lederschnitt, f. Laubsägearbeiten, Intarsia u. Metallätze, f. Holzmalerei, Glas- u. Aquarellmalerei, Zeichenvorlagen. Aus d. Verlage v. E Haberland in Leipzig-R. (90 m. Abb.) 4° Lpzg, E Haberland (02). — 75 d
— f. Buchbinder-Lehrlinge. Anfangsgründe. (12 Bl.) 4° Dresd., (A Müller-Fröbelhaus) (02). ||3. Afl. Hrsg. v. d. Buchbinder-Inng zu Dresden. (14 Taf.) (03.) Je nn 3.50
— farb., f. moderne Decken- u. Wandmalereien. Hrsg. v. Heidelberger Mal- u. Zeichen-Instit. 1. Heft. (10 Taf.) 42,5×31 cm. Berl., M Spielmeyer (03.) 9 —
— zu d. Fröbel'schen Beschäftiggn in Kindergärten, Kinderbewahranst., Schule u. Haus. Hrsg. v. d. Ver. f. Kindergärten u. Kinderbewahranst. in Oesterr. 1—7. 8° Wien, A Pichler's Wwe & S. 5.70
1. Das Bauen. (25 Taf. m. 4 S. Text.) (1895.) — 10
2. Das Legen m. rundl. Körpern. (16 Taf. m. 2 S. Text.) (o. J.) — 90
3. Das Ringelegen. (30 Taf. m. 2 S. Text.) (o. J.) — 1
4. Das Stäbchenlegen. (16 Taf. m. 2 S. Text.) (1896.) — 90
5. Das Täfelcheulegen. (18 Taf. m. 2 S. Text.) (1895.) — 20
6. Das Flechten. (10 Taf. m. 2 S. Text.) (01.) — 60
7. Das Formen m. Sand u. Thon. (10 Taf. m. 2 S. Text.) (01.) — 80
— z. Einübg d. griech. Schrift. (24) 4° Lpzg, BG Teubner (02). — 40
— f. d. Häkelunterr., II. Afl., s.: Diehl, S, u. E Fuchs, Vorl. f. d. Handarbeitsunterr.
— f. d. Handfertigk.-Unterr. Ausgeführte Arbeiten d. Strassb. Kunstgewerbesch. 2 Tle. (Je 20 Taf. m. 5 Bl. Text.) 4° Strassbg, L Beust 03. L. je 6 —
1. Schlosserei — Kunstschlosserei — Modellieren.
2. Schreinerei — Drechslerei — Holzschnitzerei.
— f. Handwerkersch. Hrsg. v. d. grossh. Zentralstelle f. d. Gewerbe in Darmstadt. Die Arbeiten d. Maurers. (22 z. Tl farb. Bl.) 41,5×53,5 cm. Bensh., (Lehrmittelanst., J Ehrhard & Co.) (04.) nn 14 — d
— dass. Lehrg. d. darstell. Geometrie. (22 z. Tl farb. Bl.) 32,5×47,5 cm. Nebst: Anweisg f. d. Erteilg d. Unterr. in d. darstell. Geometrie (Projektionslehre) an d. Handwerker-Sonntagsschulensch. (Sin.Fig. u. 6 Taf.) 8° Darmst. 04. (Bensh., Lehrmittelanst, J Ehrhard & Co.) nn 10 — d
— dass. Vorl. f. d. geometr. Zeichnen. (18 z. Tl farb. Bl. u. 1 Bl. Text.) 30,5×46 cm. Bensh., (Lehrmittelanst, J Ehrhard & Co.) (04.) nn 10 — d
— Münch., f. Laubsägearb., Schnitzarei. Holzbrandt., Einlege- u. Metall-Arbeiten. 31. Serie. (50 Bl.) 57,5×45,5 cm. Münch., Mey & W. (05.) 7.50; einz. Bl. — 15
— f. Schaufenster-Decorationen d. Tabakbranche. (88 m. Abb.) 4° Berl., Berliner Union (05). 5 —
— f. d. Schn. u. plast. Tiefbrand n. d. Richter-Methode. Neue Serie. 4. Hefte. Je 5 Pausen je 75×100 cm u. 1 farb. Taf. 30×39 cm. Lpzg, E Haberland (01). Je 4 —
— dass., sowie f. Flachschnitt u. Lederschnitt. III. Werk. 1—4. Heft. Je 5 Pausen je 75×100 cm u. 1 farb. Taf. 30×39 cm. Ebd. (02./03). Je 4.50
Das I. Werk ist nicht im Handel.
— moderne, f. Tonplattenschnitt. Farb. Motive a. d. Pflanzen- u. Tierreich etc. in d. ornamentalen u. dekorativen Auswendg im Buchdruck. Zum Durchpausen auf Mäser's Tonplatten f. direkte prakt. Verwendg. 2. Heft. (10 Taf.) 4° Lpzg-R., J Mäser (1900). nn 1.50 (1 u. 2.: nn 3 —)
— dass. 1—5. Heft. (Je 10 Taf.) 4° Ebd. Je 1 —
1. Naturfalst. Zweige, Blätter u. Blumen. (03.)
2. Naturfalst. Zweige, Blätter u. Blumen. — Kuvert-Aufdrucke. (03.)
3. Moderne Umrahmgn f. Speisen-, Wein- u. Tanzkarten, Menus, Zirkulare u. Programme. (04.)
4. Moderne Karten, Prospektköpfe u. Schmucktitel. (04.)
5. Moderne Umschläge allef Art u. Titenaufdruck. (04.)
Vorländer, K: Die neukant. Bewegg im Sozialismus. [S.-A.] (62) 8° Berl., Reuther & R. 02. 1.50
— Gesch. d. Philosophie, s.: Bibliothek, philosoph.
— Marx u. Kant, Vortr. [S.-A.] (28) 8° Wien (VIII, Langegasse 15), E Fernerstorfer 04. nn 1 — d
Vorlaender, MO: Mathemat. Modellieren in sr Anwendg auf d. Konstruktion v. Seeschiffskörpern. (102 m. Fig., 1 Taf. u. 1 Taf.) 8° Obernbeck bei Löhne i/W., Schiffbaumstr. Vorlaender 04. nn 5 — d
Vorlaender, O: Aufnahmen mittelalterl. Wand- u. Deckenmalereien Deutschlds, s.: Borrmann, R.
Vorlesungs-Verzeichnisse d.Univers.,techn.u.Fach-Hochsch. v. Deutschl., Deutsch-Oesterr. u. d. Schweiz. 26. u. 27. Ausg. Sommer-Sem. 1905 u. Winter-Sem. 1905/6. Hrsg. v. d. Red. d. "Hochschul-Nachrichten". (107 u. 124) 8° Münch., Academ. Verl. München 05. Je — 60
Voerman, GL: Untersuchgn üb. d. Bildgsverhältn. d. ozean. Salzablagergn, s.: Hoff, JH van't.
Vormbrock, H: Die Unterstützg v. Familien d. zu Friedensübgn einberuf. Mannschaften. Reichsges. v. 10.V.1892, nebst d. Ausführgsvorschriften d. Bundesrats v. 2.VI.1892/34.VI.1898. (56) 8° Bielef.-Gadderb., W Bertelsmann 01. 1 — d
Vormeng, K: Dr. Fritz. Leiden u. Freuden e. Arztes. (404) 8° Berl., Borstell & R. 05. 4 — d

Vormeng, K: Aus d. Mappe e. alten Arztes. Berliner Skizzen. (309) 8° Berl., Borstell & R. 02. 3 —; geb. 4 — d
— Dr.Ferd.Ranke.Gedenkbl. zu s.100jähr.Geburtstage(26.V.'02). (26 m. 4 Taf.) 8° Ebd. 02. — 75
Vormerk-Blätter f. 1906. (54Bl.) 8°Wien, MPerles, Kart. — 80 d
Vormeyer, M: Säk'sche Boesien! Berishmde Gedichde v. Goehde'n, Schiller'n, Uhland'n unw. in's reenste Deitsch iwerdr. u. Eegenes. (Neue Afl.) (52) 8° Lpzg, (O Weber) (04). 1.50 d
Vörner, H: Bakteriol. u. Sterilisation im Apothekenbetrieb, s.: Stich, C.
Vöros, A: Der Zigeunerkonig u. Rauberhauptmann Farkas Mór, genannt: DieGeissel d. schwarzen Berge. Sensations-Roman. 2—100. Heft. (25—2398 m. je 1Vollbild.) 8°Berl., AWeichert (01). Je — 10 (Vollst.: 10 —) d
Als Verf. ist auf d. Umschl. A Gabos genannt.
Vörösmarty, M: Csongor u. Tunde Schausp. Aus d. Ung. v. H Gärtner. (143) 8° Strassbg, J Singer 04. 2 —
— Ausgew. Gedichte. Aus d. Ung. v. P Jekel. (95 m. Bildnis.) 8° Lpzg, P Schimmelwitz 01. 1.50; geb. 2 —
Vorschläge z. Aufstellg v. Orts-(Kreis-)Statuten f. Gewerbe-Gerichte auf Grund d. Gewerbegerichts-Ges. v. 30.VI.'01. Nebst Erläutergn. [S.-A.] (18 Bl.) Fol. Berl, C Heymann 02. — 50 d
— dass. Veröffentlicht auf Anordg d. Ministers f. Handel u. Gewerbe. (22) Fol. Berl, F Kortkampf 02. 1 — d
— zu e. Ortsstatut f. Kaufmannsgerichte, s.: Denkschrift d. Verbandes deut. Handlgsgehülfen.
— ein., zum Kochen unter Benutzg d. Kochkiste. Hrsg. v. vaterländ. Frauenver., Unterwesterwaldkreis. 3. Afl. (40) 8° Montab., (W Kalb) 04. — 20 d
— z. Beschaffg v. Büchern f. Kreislehrer-Bibliotheken, ausgearb. v. d. Redakteur-Verband pädagog. Zeitschriften. (11) 4° Lpzg, E Wunderlich 01. — 40
— üb. d. Einrichtg e. Sondergerichtsbark. in Patentsachen sowie z. Reform d. Patentrechts, d. Warenzeichenrechts u. d. Bekämpfg d. unlaut. Wettbewerbs. Denkschrift üb. d. bisher. Arbeiten d. deut. Ver. f. d. Schutz d. gewerbl. Eigentums 1891—1903. (12, 37) 8° Berl., C Heymann 03. 1 —
— d.deut.Juristentags f. d.Artd.Anführgv.Rechtsquellen, Entscheidgn u. wiss. Werken. Beschl. v. d. 27. deut. Juristentag. 1. Ausg. (48) 8° Berl., J Guttentag 05. — 40 d
— z. Förderg d. Versichergs-Wiss. Materialien z. Besteuerg d. Versichergg, s.: Veröffentlichungen d. deut. Ver. f. Versichergs-Wiss.
Vorschrift f. Artill.-Direktionen 'm. Dienstanweisg f. d. Artill.-Offiziere d. Plätze (V. f. Ad. D.) v. 21.III.'05. (D. V. E. Nr. 30.) (21) 8° Berl., ES Mittler & S. 05. kart. † — 50 d
— üb. d. ärztl. Untersuchg d. Aspiranten f. d. Aufnahme in Militär-Erziehgs-u.Bildgsanst.(25)8°Wien,(Hof-u.Staatsdr.) 04. — 20 d
— provisor., üb. d. Aufnahme v. Aspiranten in d. k. u. k. tierärztl. Hochsch. in Wien, dann f. d. Ausbildg z. militäriärztl. Hochsch. in Budapest behufs Heranbildg zu militäriärztl. Berufsbeamten. (32) 8° Ebd. 05. — 20
— üb. d. Beurlaubg d. im Gagebezuge steh. Personen d. k. k. Landwehr, s.: Taschen-Ausgabe d. Vorschriften d. k. k. Landwehr.
— f. d. Prüfgn d. Büchsenmacher d. Heeres v. 27.IV.'04. (D. V. E. No. 99) (25) 8° Berl., ES Mittler & S. 04. † — 20; kart. † — 25 d
— f. d. ehrenräthl. Verfahren in d k. k. Landwehr, sammt Anh., betr. d. Anwendg derselben auf d. k. k. Gendarmerie, s.: Taschen-Ausgabe d. Vorschriften d. k. k. Landwehr.
— üb.d. Einrichtg, Handhabg u. Untersuchg d. Feldschuhen d. k. k. Artill. (69 m. Abb.) 8° Wien, Hof- u. Staatsdr. 05. 1 —
— f. Friedensablösgstransporte d. kais. Marine üb. See. (E E. Nr. 364.) (53) 8° Berl., (ES Mittler & S.) 03. — 55
— f. d. Ausw. d. Grössennummern d. wichtigsten Gross-Bekleidgsstücke, s.: Dienstanweisung f. d. Bekleidgsämter.
— f. d. Berechng u. Zahlg v. Honoraren bei d. Bildgsanst. am Lande u. auf d. Schulschriften. (H. V.) (18) 8° Berl., (ES Mittler & S.) 02. — 40 d
— f. d. Verpflegsgsbetrieb d. Marineteile am Lande in d. Heimat. (L. V.) (33) 8° Ebd. 05. — 60 d
— üb. d. Führg d. Militärmatrikeln. (34) 8° Wien, Hof- u. Staatsdr. 04. — 30 d
— f.d. Militärtransport explosiver Gegenstände auf Strassen führwerken u. Tragtieren. (20) 8° Ebd. 05. — 20
— f. d. Militärtransport auf Wasser. (2. Afl.) (188 m. Fig. u. Tab.) 8° Ebd. 01. 1 — d
— f. d. Annahme, Ausbildg u. Prüfg v. Anwärtern f. d. höh. Militärverwaltgsdienst. (D. V. E. No:10.) (23) 8° Berl., ES Mittler & S. 05. † — 20; kart. † — 55 d
— provisor., üb. d. Beurlaubg d. Militärveterinär-akademiker d. k. u. k. tierärztl. Hochsch. in Wien u. d.
— f.d.Beurlaubg d. Militärveterinärakademiker d. k. u. k. tierärztl. Hochsch. in Wien u. d. tierärztl.Hochsch.in Budapest.(5,7)8°Wien,(Hof-u.Staatsdr.) 04. — 30

k. u. tierärztl. Hochsch. in Budapest, m. e. Anh. (5, 8) 8° Wien,
(Hof- u. Staatsdr.) (05). — 40 d
Vorschrift, provisor., üb. d. Klassifikation d. Militärveterinärakademiker d. k. u. k. tierärztl. Hochsch. in Wien
u. d. k. u. tierärztl. Hochsch. in Budapest. (5, 15) 8° Wien.
(Hof- u. Staatsdr.) 05. — 60 d
— üb. d. Militärvorspann in d. im Reichsrate vertret.
Königr. u. Ländern. (53) 8° Ebd. 05. — 30 d
— üb. d. Ergänzg d. Offiziere d. Friedenstandes (Offizier-Ergänzgs-Vorschrift) (O. E. V.), nebst Dienstordng f. d. Ober-Militär-Prüfgskommission v. 18.III.'05. (D. V. E. Nr. 29.) (89)
8° Berl., ES Mittler & S. 05. †—55; kart. †—75 d
— f. d. ökonomisch-administrativen Dienst bei d.
Unterabteilgn d. k. u. k. Heeres v. J. 1887, s.: Taschenausgabe d. Militär-Vorschriften.
— z. Verfassg d. Qualifications-Listen üb. d. k. k. Landwehr-Auditore u.: Taschen-Ausgabe d. Vorschriften d. k. k.
Landwehr.
— z. Rangbestimmg f. d. Personen d. Soldatenstandes in
d. k. k. Landwehr, s.: Taschen-Ausgabe d. Vorschriften d. k.
k. Landwehr.
— üb. d. Reitzeug u. d. Beschirrg f. d. k. u. k. Artill. 1. Heft.
(Feld-Batterien.) 2 Tle. (222 m. 15 Taf.) 8° Wien, Hof- u.
Staatsdr. 02. nn — 10
— üb. d. Säbel- u. Bajonettfechten f. d. Gendarmerie
d. im Reichsrate vertret. Königr. u. Länder. (14) 8° Ebd. 05.
nn — 10
— f. d. Schriftverkehr d. kgl. sächs. Armee. Nr. 9 d. S.
D. V. E. Deckblätter Nr. 1—19. 12° Dresd., (C Heinrich) 03.
†—25 (Hauptwerk u. Deckblätter: †1—) d
1—19. (6 Bl.) †—12 | 19. †—25 † 10.
— üb. d. Ergänzg d. Sekretariats- u. Registraturbeamten bei d. Militär-Intendanturen v. 16.X.'03. (D. V. E.
Nr. 2.) (19) 8° Berl., ES Mittler & S. 05. †—20; kart. †—35 d
— f. d. Behandlg d. Sperrfahrzeuge. (D. V. 544.) (63) 8°
Ebd. 01. 1 —; kart. 1.20 d
— üb. d. Deponierg, Conservierg, d. Umsatz u. Transport d.
Spreng- u. Zündmittel d. k. u. k. Heeres. (43 m. 10 Taf.)
8° Wien, (Hof- u. Staatsdr.) 03. 1.50 d
— üb. d. Verleihg militär-ärztl. Stipendien. (50) 8° Ebd. 01.
— 40 d
— f. d. Betrieb d. Torpedoschiessplatzanlage in Mürwik. Entwurf. (D. V. E. No. 363.) (8 m. 1 Tab.) 8° Berl., (ES
Mittler & S.) 03. — 30 d
— f. d. Betrieb u. d. Verwaltg d. Truppenküchen. (Kch. V.)
[S.-A.] (67) 8° Ebd. 02. †—35; kart. †—50 d
— f. d. Instandhaltg d. Waffen bei d. Truppen m. Gewehren
u. Seitengewehren 98 v. 10.VII.1901, s.: Taschenausgabe. (115
m. 2 Taf. u. 1 Tab. u. Deckbl. 12 Bl.) 8° Ebd. 05. †—11;
kart. †1.30 d
— f. d. Gebr. d. Winkerflaggen (W. V.) v. 27.I.'03. (D. V. E.
No. 379.) (21 m. 2 Taf.) 12° Ebd. 03. †—20; kart. †—35 d
Vorschriften betr. d. Einrichtg, Beaufsichtigg u. d. Betrieb
v. Aufzügen, Nachtr., s.: Polizei-Verordnung betr. d. Einrichtg u. d. Betrieb v. Aufzügen.
— üb. Badekuren u. sonst. aussergewöhnl. Heilverfahren
f. Militärpersonen (Kurvorschriften. K. V.) v. 10.V.'05. (D.
V. E. No. 90.) (97) 8° Berl., ES Mittler & S. 05. †—70;
kart. †—90 d
— üb. d. Ausbildg u. Prüfg f. d. Staatsdienst im Baufache
v. 1.VII.1900. [S.-A.] 2. Aufl. (32) 8° Berl., W Ernst & S. 02. — 60
— dass. im Grossh. Hessen. Amtl. Handausg. (115) 8° Darmst.,
(G Jonghaus) 1900. 2.40
— üb. d. Ausbildg u. Prüfg f. d. höh. Staatsdienst im Baufache. [S.-A.] (47) 8° Berl., J Springer 04. — 40 d
— f. d. baul. Einrichtgn in d. Städten u. Vorstädten v.
20.VI.'01, nebst d. Abänder.gn v. 13.XI.'01, v.4.VIII.'05, u.
22.I.'04. Nachtrag zu d. Ges. d. Brandversicherungsgesellsch.
. f. d. Städte d. Grossherzogt. Mecklenburg-Schwerin u. -Strelitz. [S.-A.] (20) 8° Güstr., Opitz & Co. 04. — 25
(Hauptwerk u. Nachtrag: 1.25) d
Das Hauptwerk erschien u. d. T.: Gesetze d. Brandversicherungs-Gesellsch., usw.
— baupolizeil., f. d. Reg.-Bez.Posen. Nachtr. enth. 1. d. Baupolizeiverordng f. d. Städte d. Reg.-Bez. Posen, v. 28.IV.'04,
2. d. Baupolizeiverordng f. d. platte Land d. Reg.-Bez. Posen,
v. 28.IV.'04. (48) 8° Berl., AW Hayn's Erben 04. — 70
(Hauptwerk u. Nachtr.: 4.20) d
*Das Hauptwerk bildet: Kotze, O, baupolizeil. Vorschriften f. d.
Reg.-Bez. u. d. Prov.-Hauptstadt Posen.*
— oberpolizeil., d. k. bayr. Staatsministeriums d. Innern z.
Schutze d. bei Bauten beschäft. Personen v. 1.I.'01. Plakat
f. Baustellen, auf denen mehr als 10 Arbeiter beschäftigt werden. Pol. Würzbg, Stahel's V. (01). — 30 d
— üb. d. Aufstellg u. Anwendg d. Etats, d. Kassen- u. Naturalverwaltg u. d. Anfertigg d. Vermögens- u. Ertragsberechnung
im Bereiche d. Berg-, Hütten- u. Salinenverwaltg
v. 2.XI.'05. Nebst d. f. d. Buch- u. Rechngsführg erforderl.
Mustern. Amtl. Ausg. (339) 8° Berl., J Springer 05.
Kart. nn 1 — d
— betr. d. Bierwürze-Kontrollmessapparat (Patent
Erhard-Schau), s.: Handausgabe d. österr. Ges. u. Verordngn.

Vorschriften f. d. Entworfen d. Brücken m. eisernem Überbau auf d. preuss. Staatseisenb. Eingeführt durch Erlass v.
1.V.'03. (12 m. Abb.) 4° Berl., W Ernst & S. (05). — 60
— dass. Mit e. Anh., enth. Hilfswerte z. wesentl. Vereinfachg
u. Erleichterg d. Berechng v. F Dircksen. (24 m. Abb.) 4°
Ebd. 03. 1 —
— betr. d. Anlegg, Beaufsichtigg u. d. Betrieb v. Dampfkesseln u. Dampffässern, m. e. Anl. z. Anfertigg d. Antrages um Genehmigg z. Inbetriebsetzg e. Dampfkesselanlage
u. z. Herrichtg d. Kessel z. Abnahme, z. Wasserdruckprobe
u. inneren Untersuchg, n. d. Vereinbargn d. Verbandes d.
Dampfkessel-Ueberwachgs-Vereine. 5. Aufl. (99) 12° Hag., O
Hammerschmidt 03. Kart. 1 — d
— üb. d. Dienstwohn u n d. Reichsbeamten v. 16.II.'03. (D.
V. E. No. 32.) (27) 8° Berl., ES Mittler & S. 03. †—20;
kart. †—35 d
— üb. d. Disciplinarbehandlg d. k.k. Beamten u. Diener,
s.: Handausgabe d. österr. Ges. u. Verordngn.
— d. gelt., üb. d. anhalt. Einkommensteuer u. feste Grundsteuer u. d. Stande d. Ges. u. Verordngn v. Juli '04· 3. Aufl.
(128) 8° Dess., C Dünnhaupt 04. Geb. 1.50 d
— f. Lieferg v. Eisen u. Stahl, angestellt v. Ver. dent. Eisenhüttenleute. Düsseldorf 1901. (45) 8° Düsseldf, (A Bagel) 01. — 40
— d. russ., üb. d. Errichtg, Instandhaltg u. Revision elektr.
Anlagen m. Niederspanng, übers. v. E Bing, s.: Verein z.
Wahrg gemeinsamer Wirtschaftsinteressen d. deut. Elektrotechnik.
— üb. d. Prüfg u. Bestellg d. öffentl. Feldmesser u. d.
Ausführg d. Vermessgsarbeiten im Kgr. Württemberg. (52)
8° Stuttg., W Kohlhammer 02. — 90
— üb. d. Ausbildg u. Prüfg d. Bewerber um kgl. Forstkassen-Rendanten-Stellen. Vom 12.II.'04. (7) 8° Neud., J Neumann 04. — 20 d
— üb. d. Freibord f. Dampfer u. Segelschiffe in d. langen
u. atlant. Fahrt sowie in d. gr. Küstenfahrt. 1903. Hrsg. v.
d. See-Berufsgenossensch. (49 m. Tab. u. Abb.) 8° Berl. (04).
(Hambg, Eckardt & M.) — 1
— üb. d. Verkehr m. Geheimmitteln u. ähnl. Arzneimitteln
nebst Angaben üb. d. Zusammensetzg d. in d. Anl. A u. B
d. Verordng verzeichneten Mittel. (14) 8° Berl., Selbstverl.
d. deut. Apothekerver. 04. — 40
— f. d. Gerichtsvollzieher in d. am 1.VII.'03 gelt. Fassg.
Tl I. Gerichtsvollzieherordng. Tl II. Geschäftsanweisg f. d.
Gerichtsvollzieher. Tl III. Gebührenvorschriften f. Gerichtsvollzieher. Amtl. Ausg. (339) 8° Berl., R v. Decker 03.
Geb. 2.25 d
— betr. d. Dienst- u. Geschäftsverhältn. d. Gerichtsvollzieher in Elsass-L. Amtl. Ausg. (70) 8° Strassbg, (W Heinrich) 02. Kart. 1.20 || H. Tl: Geschäftsanweisg f. d. Gerichtsvollzieher v. 1.III.'04. (71—319) 04. Kart. 3.50 d
— d. landesrechtl., üb. d. Grundbuchführg im Grossh. Baden. Amtl. Ausg. v. Juni 1901. Nebst: Amtl. Muster z. Grundbuchdienstweig. (56, 663 u. 277) 4° Karlsr., CF Müller 01.
L. 2 — d
— ortspolizeil., u. örtl. Satzgn d. Stadt Hof nebst d. wichtigsten oberpolizeil. Vorschriften. Hrsg. v. Stadtmagistrat.
(461) 8° Hof, (GA Grau & Co.) 04. nn 2.50 d
— d., üb. d. Ausbildg d. Juristen in Preussen. 3. Aufl. (84)
16° Berl., F Vahlen 04. Kart. — 90 d
— d. jurist. Prüfgn u. d. Vorbereitg z. höh. Justizdienst
betr., im Bez. d. gemeinschaftl. thüring. Oberlandesgerichts
zu Jena, zu v. 1.III.'05 ab gelt. Fassg. Anh. Die Bedingg
z. Erlangg d. Doktorwürde bei d. Juristenfakultät Jena. 3. Aufl.
(32) 8° Jena, G Rassmann 05. — 80 d
— üb. d. jurist. e. Prüfg f. mittl. Kommunalbeamten im
Reg.-Bez. Arnsberg. (7) 8° Arnsbg, FW Becker 05. — 25 d
— neue, üb. d. Ausstellg v. Konsular-Fakturen f. Brasilien. Dekret v. 21.XI.'03. (Aus d. Portugies.) (11) 8° Brem.,
(J Morgenbesser) 04. nn — 20 d
— allgg., welche beim Verkehre v. Kranken d. dabei Anwes.
zu beobachten haben. 7. Aufl. (2) 16° Freibg i/B., Herder 01.
6 Stück — 12 d
— üb. d. Prüfg f. d. Lehramt an Gymnasien u. Realsch.,
Lehrerbildgsanst., Handelssch. usw. in Österr. (92) 8° Wien,
A Pichler's Wwe & S. 01. — 50
— f. d. Verfahren d. Gerichtsärzte bei d. gerichtl. Untersuchg
menschl. Leichen. (24) 8° Berl., A Hirschwald 05. — 60
— f. d. Lichtmessg an Glühlampen nebst photometr. Einheiten, hrsg. v. Verband deut. Elektrotechniker. (4 m. 1 Fig.)
12° Berl., J Springer 05. — 90
— vorläuf., f. d. Benutzg d. kgl. Materialprüfgsamts
d. techn. Hochsch. Berlin, Postamt Gr.-Lichterfelde West 3.
(28) 8° Berl., J Springer (04). nn — 30 d
— ortspolizeil., f. d. unmittl. Satzgn d. Stadt Nürnberg. Hrsg.
v. Stadtmagistrat. (573 u. Nachtr. 8, 1, 3, 1, 1, 2, 1, 2, 1, 1,
3, 1, u. 1) 8° Nürnbg, (JL Schrag) 04. — 90 d
— d. oberbergpolizeil., f. d. Kgr. Bayern. v. 30.VII.1900.
Textausg. (46) 8° Münch., J Schweitzer V. 01. — 50 d
— üb. d. Beurkundg d. Personenstandes u. d. Eheschliessg.
(D. V. E. Nr. 18.) (40) 8° Berl., ES Mittler & S. 05. †—30;
kart. †—40 d
— dass. im Grossh. Baden, nebst d. Dienstvorschriften f. d. Standesbeamten. Amtl. Ausg. (Einbd: Dienstvorschriften f. d. Standesbeamten.) (257) 8° Karlsr., (CF Müller) 01. L. 2 — d

Vorschriften z. Selbstbereitg pharmazeut. Spezialitäten. Hrsg. v. d. deut. Apotheker-Ver. (54) 8° Berl., Selbstverl. d. deut. Apotheker-Ver. 03.   1 — d
— z. gleichheitl. Herstellg pharmazeut. Zubereitgn, welche weder im Arzneib. f. d. Deut. Reich, noch in d. v. deut. Apothekerver. hrsg. Ergänzgsbde enth. sind. II. Afl. v. C Bedall. Nachtr. '01- (8 Bl.) 8° Münch., J Grubert. — 40 || Nachtr. '02- (4 Bl.) — 30 (Hauptwerk u. Nachtr.: 2.70) || III. Afl. (120) 03. L. nn 3 —; Nachtr. (20) 05. nn — 50
— üb. d. Rechtsstudium u. d. jurist. Prüfgn in Preussen, s.: Sammlung, Heymann'sche, v. Prüfgsbestimmgn.
— f. d. Satteln, Packen u. Zäumen in d. k. u. k. Cavall. (46 m. Abb. u. i Taf.) 12° Wien, LW Seidel & S. 09.   1 —
— üb. d. Ausbildg, Prüfg u. Anstellg im Schiffbaufache u. im Maschinenbaufache d. kais. Marine. [S.-A.] (28) 8° Berl., ES Mittler & S. 02.   — 40 d
— f. d. Ausbildg d. Schiffsjungen. (Schj. V.) (61) 8° Ebd. 01.   — 80 d
— f. d. Ergänz d. Seeoffizierkorps nebst Ausführgsbestimmgn f. d. Annahme u. Einstellg als Seekadett in d. kais. Marine. 1899. (Seeoffz. E. V.) Neuabdr. (25) 8° Ebd. 05. — 40 d
— d. Deut. Reichs üb. d. Seestrassenrecht. Zusammengest. im Reichsamt d. Innern. Nachtr. (5) 12° Berl., R v. Decker 01. — 20 (Hauptwerk u. Nachtr.: — 60) || 2. Ausg. (39) 04. — 40 d
— d. reichs- u. landesrechtl., üb. d. Verkehr m. Sprengstoffen. 6. Afl. (40) 8° Berl., C Heymann 03.   — 40 d
— f. d. Bemessg d. Gehälter d. etatsmäss. unmittelbaren preuss. Staatsbeamten n. Dienstaltersstufen. Gültig v. 1.VII.'05 ab. [S.-A.] (14) 8° Berl., Kaiser-Wilhelm-Dank (05). — 20 d
— f. d. Verwaltg d. verein. preuss. u. hess. Staatseisenb. Ausg. v. 1.X.'02- Amtl. Ausg. (1038) 4° Berl., C Heymann 03.   20 — d
— d., üb. d. Befähigg f. d. württemberg. Staats-Forstdienst. (27) 8° Tüb., G Schnürlen 04.   — 45 d
— f. d. Herstellg v. Telegr.-, Telephon- u. Rohrpostlinien. Hrsg. v. k. k. Handelsministerium. (Verordng v. 11.VI.'01.) (636 m. Fig. u. 3 Taf.) 8° Wien, Hof- u. Staatsdr. 01.   Kart. 8 —
— üb. d. Ausführg d. Unfallversicherggses. v. 30.VI.1900 im Ressort d. kais. Marine. (15) 8° Berl., ES Mittler & S. 1900.   — 20; kart. — 45 d
— üb. d. Umfang d. Befugnisse u. Verpflichtgn, sowie üb. d. Geschäftsbetrieb d. Versteigerer. (24) 8° Schlesw., J Ibbeken (02).   — 30 d
— d. beamtengesetzl., f. d. deut. Volksschullehrer nebst Ergänzgsvorschriften. (190) 8° Karlsr., J Lang 02. L. 1.30 d
— f. d. Vormund, Gegenvormund, Pfleger u. Beistand. (32) 8° Tuttl., (EL Kling) 1900.   — 30 d
— üb. d. Erzeugg u. d. Verkehr v. Waffen u. Munitionsgegenständen, s.: Handausgabe d. österr. Ges. v. Waffenvorschriften.
— f. Wasserstands-Beobachtgn nebst Anl. z. Beobachtg d. Wassertemperatur. Hrsg. v. k. k. hydrograph. Zentralbureau. (Hydrograph. Dienst in Österr.) (18 m. 3 Formularen.) 8° Wien, (W Braumüller) 04.   nn — 80
— üb. d. Geschäftsführg d. Verwalter, welche bei d. Zwangsverwaltg bestellt werden. Amtl. Ausg. (13) 8° Berl., R v. Decker 04.   — 30 d
— u. Formularion f. d. Zählg d. gewerbl. u. landw. Betriebe Niederösterr., s.: Mitteilungen, statist., d. niederösterr. Handels- u. Gewerbekammer.

Vorstädter, L: Synopt. Taf. z. Diagnostik d. Herzklappenfehler, nebst anatomisch-physiolog. Schemata d. Circulationsapparates. 5 Taf. m. 27 col. Schematas, darunter: 1 transparentes u. 1 verschiebbares (in Fol.) z. automat. Einstellg d. Diagnosen. (121) 8° Berl., A Hirschwald 01. In Futteral 8 —
Vorsteher-Schmidt, KA: Frühlingsblüten. Lieder. 2. Afl. (244) 8° Elberf., (A Martini & Gr.) 03.   3 —; Prachtb.
Vorstehrund, der. Hrsg. v. E V. Otto. 6. Bd. 1904. 12 Nrn. (Nr. 1. 28 m. 2 Taf.) 8° Lpzg, (P Ehrlich.)   '5 — d 0 F
Vorstellung, u. s.: Gabelsberger-Bibliothek.
Vortisch H: Alemann. Gedichte. Lörracher Mundart. (111) 8° Aar., HR Sauerländer & Co. 02.   1.50; geb. 2.80
— Üb. Sehnervenerkrankg bei Turmschädel. (29) 8° Tüb., F Pletzcker 01.   nn 1 —
Vortmann, G: Anl. z. qualitativen chem. Analyse, s.: Blasiwetz, H.
— Uebgsanltg. a. d. quantitativen chem. Analyse durch Maassanalyse. Unter Mitwirkg v. A Waegner bearb. (55 m. Abb.) 8° Wien, F Deuticke 02.   1.25
— 30 Übgsaufg. als 1. Anl. z. quantitativen Analyse, s.: Weselsky, P.
— Übgsbeisp. a. d. quantitativen chem. Analyse durch Gewichtsanalyse einschl. d. Elektroanalyse. 2. Afl. (57 m. Abb.) 8° Wien, F Deuticke 04.   1.25
Vortmann, W: Lehrb. f. Buchführg u. Kontokorrent, nebst Erklärg kaufmänn. Ausdr. 2. Afl. — Manuel de la tenue des livres et des comptes-courants suivi d'une explication des termes commerciaux. 2. éd. (187) 8° Mülh. i/E., C Detloff 03.   L. 2.40
— Lehrb. d. deut. Handels-Korrespondenz f. kaufmänn. Schulen. 3. Afl. (346) 8° Ebd. 06.   L. 2.50
Vorträge, apologet. 1. Heft. (Von F Meffert.) 1—10. Taus. Hrsg. v. Volksver. f. d. katbol. Deutschl. (238) 8° M. Gladb., Zentralstelle d. Volksver. f. d. kath. Deutschl. 04.05. 1 — d

Vorträge üb. Arbeiterversicherg u. Arbeiterschutzgesetzgebg. Geh. im Charitékrankenhause. Red. v. Schaper. [S.-A.] (205) 8° Berl., A Hirschwald 01.   5 —
— 8 bibl. Geh. im Gemeindehause zu Salzuflen. (119) 8° Salzuflen 04. (Stuttg., JF Steinkopf.)   1 — d
— üb. d. bürgerl. Gesetzb. [S.-A.] (582) 8° Lpzg, Rossberg'sche Verl.-Bh. 01.   10 — d
— üb. d. unbefl. Empfängnis d. allersel. Jungfrau u. Gottesmutter Maria v. Vbl. Studium d. V. V. Kapuziner in Solothurn. Hrsg. v. M Künzle. (78) 8° Solothurn, Buch- u. Kunstdr. Union 04. (Nur dir.)   — 85
— üb. Erziehg auf christl. Grundlage. 4 Vortr., geh. im kirchl. Ver. zu Hamburg. (Grützmacher, RH: Materialismus u. relig. Erziehg. Unterweisg. — Wagner, M: Die bibl. Gesch. als Grundl. d. relig. Unterweisg. — Brammer, H: Der Katech.-Unterr. als Abschl. d. relig. Unterweisg. — Castens, A: Moral- u. relig. Erziehg.) (67) 8° Hambg, Ev. Bh. 05.   1.20 d
— geheimwiss. Hrsg. v. A Weber. 1—7. u. 15—24. Heft. 8° Lpzg, Theosoph. Centralbh.   Je — 30
Böhme, E: Das Gedankenleben u. s. Beherrachg. (36) (36.) [21—23.] || Die „Internat. theosoph. Verbrüderg" u. d. „Theosoph. Gesellschaften". (47) (05.) [16.]
Hartmann, F: Der wiss. Beweis d. Unsterblichk. u. d. occulte Philosophie. (91) (05.) [15.] || Üb. d. Verkehr m. d. Geisterwelt. (62 m. Bildnis.) (05.) [18—20.]
Rudolph, H: Das Christentum, v. Standpunkte d. occulten Philosophie betrachtet. (34) (05.) [3.] || Die Eizelw. d. Geheimlehre. (52) (05.) [24.] || Die „Theosoph. Gesellsch.", ihr Zweck u. ihre Verfassg. (34) (05.) [2.] || Warum verfällt d. „Theosoph. Gesellsch." d. Pfinzip d. Toleranz? (56) (05.) [4.] || Karma, d. Ges. d. Wiedervergeltg u. Harmonie im Weltall. (42) (04.) [5.] || Die Lebendigen u. d. Toten. (36) (04.) [7.] || Der Pattuitismus u. d. theosoph. Verbrüderg d. Menschh. (38) (05.) [17.] || Keine Relig. ist höher als d. Wahrheit. (26) (02.) [1.] || Der verlorene Sohn. (Ev. Lucas 15, 11—82) (32.) (04.) [6.]
Heft 8—14 sind noch nicht erschienen.
— dass. 1. Bd. 8° Ebd.   2.50; geb. 3.50
Rudolph, H: Die Relig. d. Zukunft. (204) (04.) [1.]
— üb. Gesetzeskde u. Verwaltg. Hülfsmittel z. Vorbereitg f. d. Beamten-Prüfgn. Hrsg. v. Ver. d. Finanz-Beamten zu Dresden. 2—8., 22., 23. u. 31—36. Heft. 8° Dresd., C Weiske. 6 — d
Bestimmungen, d. wesentl., üb. d. Handelsgesellsch. nebst e. Anh.: Einiges üb. Inhaberpapiere. (Neue Afl.) (10) 1900. [7.]
Francke, H: Die Zwangsvollstreckg. Nachtrag zu d. Abschnitt üb. d. jur.'01, enth. d. inzwischen in Kraft getret. Ges., insbes. d. Zwangsvollstreckg. weg. Geldbeträge in Verwaltgssachen n. d. sächs. Ges. v. 28.VII.'02. (7) enth. 20
Grundbuchrecht, d. v. 1.1.1900 ab gelt. (Bearb. v. Rosenmüller.) (Neue Ausg.) (28) (01.) [5.6.]
Krankenversicherung, d., im Deut. Reich. 2 Afl. (9) 03. [8.] — 40
Reichsbehörden, d. deut. Zusammengest. auf Grund d. Hdb. f. d. Deut. Reich. (31) (01.) [31.]
Rossbach: Das Gerichtsverfassgsges. u. d. Gerichtswesen im Deut. Reiche o. insbes. im Kgr. Sachsen. (21) 01. [32.]   — 40
Schubert, HA: Die kaufmänn. Buchführg. Kurzgef. Übersichtdh. Wesen d. einf. u. d. dopp. Buchführg. 2 Afl. (39) 03. [24.] — d
— Das Registratur- u. Aktenwesen. 2 Afl. (30) 03. [92.73.]   — 40
Vermittlungs-, d. d. Civilstaedtieuer im Kgr. Sachsen. Zusammengestellt d. wesentlichsten gesetzl. Bestimmgn nebst bes. Berücks. d. Vorschrift ten üb. d. Pensionsverhältnisse u. d. Anrechng v. Dienstzeit. 3. Afl. (35) (02.) [7.]
Verwaltungsgerichte, d., u. d. Organisation d. Verwaltgsgerichtspflege im Kgr. Sachsen n. d. Ges. v. 19.VII.1900. (16) 01. [33.] — 40
Weise: Das sächs. Enteignugsrecht n. d. Ges. v. 24.VI.'02. (15) (04.) [36.]   — 40
— Die sächs. Gemeindeordng. (14) (05.) [36.]   — 40
— humorist. I. 55 Vorträge. Hrsg. e. urkom. Charakterkomiker. (63) 12° Berl., W Frey (o. J.).   — 30 d
— humorist., f. gesell. Kreise. 3. Afl. (333) 8° Berl., Neufeld & H. (02).   1 — d
— populär-wiss., üb. jüd. Gesch. u. Lit. Hrsg. v. J Gossel. 1. Bd. (372) 8° Frankf. a/M., J Kauffmann 02. 4 — d
— geh. auf d. Versammlg v. Juristen u. Ärzten in Stuttgart, 1903 04. 5., 3. Grenzfragen, juristisch-psychiatr. — kom u. V. S Hartmann, H Müller u. a. 1. u. 2. Edchn. (Je 48) 8° Mülh. a/R., J Bagel (04).   Je — 25 d
— kom., u. heit. Couplets in Poesie u. Prosa f. heit. Gesellsch. (Umschl.: Der Komiker.) (32) 8° Hambg (o. J.). (Neuweissens. E Bartels.)   — 25 d
— dass. (Umschl.: Der Komiker u. Couplets-Sänger.) (96) 8° Neu-Weisens., E Bartels (02.)   1 — d
— üb. ärztl. Kriegswiss. I. Zentralkomitee f. d. ärztl. Fortbildgswesen in Preussen, red. v. R Kutner. [S.-A.] (333 m. Abb., Diagr. u. 1 Taf.) 8° Jena, G Fischer 02.   geb. 7 —

Hieraus einzeln:
Bergmann, E v.: 1. Hilfe auf d. Schlachtfelde u. Asepsis u. Antisepsis im Kriege. (44 m. Abb.) [5.6.]   1.50
— Schusswunden d. behaarten Kopfes. (18 m. Abb.) [9.]   — 60
Kirchner, M: Ernährg u. Trinkwasserversorgg im Felde. (28) [2.] — 80
Koch, R: Seuchenbekämpfg im Kriege. Referat. (6) [1.]   — 30
Köhler, A: Ueb. Hieb- u. Stichwunden im Kriege. (16) [10.] — 60
König, F: Schussverletzgn am Rumpfe, insbes. am Unterleib. (16 m. 1 Abb.)   — 50
Kroeker: Bekleidg u. Ausrüstg d. Soldaten. (28 m. 1 Taf.) [4.] 1.50
Kübler: Kriegs-Sanitätsstatistik. (38 m. Diagr. u. 2 Taf.) [23] [14.] 1.30
Küttner, H: Üb. Schusswunden u. d. Entfernitäten. (32 m. Abb.) [7.] 1 —
Schaper, H: Die Kleidung im Kriege. (16) [13.]   — 80
Schjerning, O: Die Organisation d. Sanitätsdienstes im Kriege. (20 m. 1 Taf.) [11.]   — 80
Schumburg: Hygiene d. Marsches u. d. Truppenunterkunft. (36) [8.] — 40
Werner, FEO: Krankentransport u. -Unterkunft im Kriege. (34 m. Abb.) [12.]   1 —

— 6, a. d. Geb. d. soz. Medizin, geh. im Rostocker Aerzte-

ver. 1901/2. [S.-A.] (107 m. 1 Tab.) 8° Münch., JF Lehmann's V. 03. 3 —

Vorträge auf d. Lausigker Missionslehrkursus. Nr. 1—4. 8° Lpzg, Verl. d. ev.-luther. Mission zu Leipzig. Je — 20 d

Gehring: Tamul. Studenten d. Theol. Darlegg ihres Bildgsganges m. bes. Berücks. d. Predigerseminars in Trankebar. (25 m. 1 Abb.) 01. [4.]
Hofmann, J: Geburt, Heirat u. Tod bei d. Wakamba. (25 m. Abb.) 01. [3.]
Hofstätter: Aufg. u. Ziel d. Missionsseminars. [S.-A.] (17) 01. [2.]
Schwartz, v.: Die Mission u. d. Hebg d. nied. Volksschichten. [S.-A.] (20) 01. [1.]

— f. christl. Müttervér. 2. Bd. 8° Rgnsbg, Verl.-Anst. vorm. GJ Manz. 2.50 d

Huber, M: Dreifacher Cyklus v. je 12 Vortr. 2. Afl. (183) 03. [2.] 2.50

— d. Ver. z. Verbreitg naturwiss. Kenntnisse in Wien. [S.-A.] 41. Jahrg. 13 Hefte; 42. Jahrg. 16 Hefte; 43. u. 44. Jahrg. je 15 Hefte u. 45. Jahrg. 17 Hefte. 8° Wien, (W Braumüller). nn 61.20

Bamberger, M: Üb. colloidale Metalle. (27 m. Abb. u 1 Taf.) 02. [42,XV.] nn — 70
Bauer, A: Humphry Davy. (1778—1829.) (55 m. 1 Bildnis.) 04. [44,V.] nn 1.20
— Üb. d. Schwefel. (29) 02. [42,I.] nn — 60
Becke, F: Einiges üb. krystalline Schiefer. (17) 02. [42,XIII.] ‖ Üb. d. vulkan. Laven. (18) 04. [44,X.] ‖ Üb. d. Uranpechers v. Joachimsthal. (12) 05. [45,XI.] Je nn — 50
Böck, F: Chemie d. Küche. (36) 04. [44,XIII.] ‖ Einiges a. d. Chemie u. Technik d. Explosionen u. Sprengstoffe. (22 m. 1 Taf.) [43,VIII.] Je nn — 70
— Neuergn im Rettgsdienste u. Schlagwetterexplosionen. (21 m. 5 Taf.) 05. [45,XV.] nn 1 —
Böhm, A v.: Das Karlseisfeld einst u. jetzt. (20 m. 1 Taf.) 03. [43,XIII.] nn — 60
Elschnig, A: Üb. Gesichtstäuschgn. (26 m. Abb.) 03. [43,III.] nn — 80
— Neueres üb. d. Sehen. (24 m. Abb.) 01. [41,VIII.] nn — 70
Engelhardt, V: Üb. Herstellg v. Stahl im elektr. Ofen. (52 m. Abb. u. 1 Taf.) 05. [45,XVI.] nn 1.30
Freund, L: Die physikal. Therapie in d. Vorzeit u. in d. Gegenwart. (40) 02. [42,XII.] nn — 60
Grassberger, R: Üb. d. Rauschbrandkrankh. (25) 02. [42,X.] nn — 50
Gruber, M: Die Quelle d. Muskelkraft. (21) 01. [41,XII.] nn — 60
Hassack, K: Üb. Cacao u. Chocolate. (34) 02. [42,II.] nn — 70
— Einiges üb. d. Tabak. (44 m. 3 Taf.) 03. [43,IV.] nn 1.20
— Die Erzeugg d. Papieres. (37 m. 5 Taf.) 05. [45,I.] nn 1 —
— Der Kautschuk u. s. Industrie. (41 m. 4 Taf.) 01. [41,IV.] nn 1.20
— Üb. Zelluloid u. verwandte Erzeugnisse. (39) 04. [44,II.] nn — 80
Hepperger, J v.: Üb. Kometen. (31) 05. [45,VI.] nn — 60
Hillebrand, K: Beleuchtgsverhältn. bei totalen Mondesfinsternissen. (21 m. Abb.) 04. [44,VII.] nn — 50
Hochenegg, K: Üb. elektr. Arbeitsübertragg. (38 m. Abb.) 05. [45,XVII.] nn 1 —
Jäger, G: Der Druck d. Lichtes. (20 m. Abb.) 04. [44,XV.] nn — 60
— Neue hydrodynam. Experimente. (22 m. Abb.) 05. [45,XIV.] nn — 70
— Tönende Stäbe, Flüssigkeits- u. Gassäulen. (18 m. 2 Abb.) 01. [41,II.] ‖ Das infrarothe Wärmespectrum. (18 m. Abb. u. 1 Taf.) 02. [42,IV.] Je nn — 60
— Das Zeemanphänomen. (27 m. Abb.) 03. [43,IX.] nn — 80
Joseph, H: Der Begriff d. Individuums in d. Zool. (41 m. Abb.) 03. [43,XII.] nn 1 —
Jüptner v. Jonstorff, H Frhr: Neues v. Eisen. (28 m. Abb. u. 4 Taf.) 05. [45,IV.] nn 1.20
— Neuere Richtgn in d. Chemie. (33 m. Abb.) 04. [44,VI.] nn — 70
Kostersitz, K: Die Spectralanalyse d. Himmelskörper u. deren Förderg durch Bergobservatorien, m. bes. Berücks. d. projectierten astrophysikalisch-meteorolog. Bergobservatoriums im Semmeringgeb. bei Wien. Erweit. Bearbeitg. (99 m. 2 Abb. u. 1 Taf.) 02. [42,XVI.] nn 2.40
Kress, W: Üb. dynam. Luftschiffahrt. (23) 02. [42,V.] nn — 50
Lampa, A: Üb. Capillarität. (26 m. Abb.) 01. [41,IX.] ‖ Üb. Strahlg. (34 m. Abb.) 02. [42,VII.] Je nn — 80
Ludwig, E: Üb. d. Arsen. (22) 03. [43,X.] ‖ Üb. Mineralwässer. (30) 01. [41,XI.] Je nn — 60
Meyer, S: Üb. d. Wachstum d. Kristalle. (17 m. 7 Taf.) 03. [43,VI.] nn 1 —
Obermayer, A v.: Das Fliessen fester Körper unter hohem Drucke insbes. d. Eises. (32 m. Abb.) 04. [44,IX.] nn — 70
Penck, A: Der Bodensee. (26 m. 1 Karte. 02. [42,VI.] nn — 70
— Üb. d. Karstphänomen. (38 m. Abb.) 04. [44,I.] nn — 80
Pernter, JM: Bes. Gattgn gefürcht. Winde bei uns u. anderwärts. (27) 04. [44,XIV.] nn — 60
— Die scheinbare Gestalt d. Himmelsgewölbes u. d. scheinbare Grösse d. Gestirne. (33 m. Abb.) 01. [41,VII.] ‖ Luftspiegelgn u. Fata Morgana. (33 m. Abb.) 02. [42,XIV.] Je nn — 80
— Allerlei Methoden, d. Wetter zu prophezeien. (36 m. Abb.) 03. [43,XIV.] nn 1 —
Pintner, T: Einiges üb. Regeneration im Tierreiche. (27 m. Abb.) 05. [45,XII.] nn — 80
— Die Grubenwurmkrankh. u. ihr Erreger (Ankylostoma). (32 m. Abb.) 05. [45,II.] nn — 70
Rebel, H: Zur Biol. d. Blüten. (27) 01. [41,V.] nn — 60
Reckenschuss, R v.: Die Albulabahn. (34 m. 14 Taf.) 04. [44,XII.] nn 1.60
Reithoffer, M: Der Drehstrom. (21 m. Abb. u. 3 Taf.) 01. [41,XIII.] nn 1 —
— Elektr. Licht. (20 m. 2 Taf.) 05. [45,XIII.] nn — 70
Reuss, A v.: Üb. d. Blindh. u. ihre häufigsten Ursachen. (50) 04. [44,IV.] nn 1 —
— Die Kosmetik in d. Augenheilkde. (39) 05. [45,V.] nn — 80
Sahulka, J: Üb. d. Grundwirkgn elektr. Ströme. (22) 05. [45,X.] nn — 60
Schaffer, FX: Reisebilder a. Cilicien. (18 m. 5 Taf.) 03. [43,V.] nn 1 —
Schattenfroh, A: Üb. Buttersäuregährg. (16) 02. [42,III.] nn — 50
— Die hygien. Einrichtgn Wiens. (24) 03. [43,II.] nn — 60
— Moderne Tuberkulosebekämpfg. (45) 05. [45,VII.] nn 1 —
— Neuere Wasserreiniggs-Verfahren. (26) 04. [44,III.] nn — 60
Sieger, R: Die Adria u. ihre geograph. Beziehgn. (48) 01. [41,X.] nn 1 —
Sorgo, J: Üb. d. Arten d. Tuberkuloseinfektion. (40) 04. [44,VIII.] nn — 80
— Die Bedeutg d. Schilddrüse. (53 m. 1 Taf.) 01. [41,VI.] nn 1.20
— Üb. d. Beziehgn zw. menschl. u. tier. Tuberkulose u. üb. echte u. Pseudotuberkelbacillen. (42) 03. [43,XI.] nn — 90
— Üb. d. Disposition z. Tuberkulose. (42) 05. [45,III.] nn — 80
— Üb. Staubkrankh. (43) 02. [42,IX.] nn — 90
Szombathy, J: Die Vorläufer d. Menschen. (35 m. Abb.) 03. [43,I.] nn — 90
Toula, F: Die geolog. Gesch. d. Schwarzen Meeres. (51) 01. [41,I.] nn 1 —
Wegscheider, R: Üb. radioaktive Substanzen. (39) 05. [45,VIII.] nn — 80
Weiss, E: Üb. d. Ursache d. Ausbleibens d. Leoniden nebst Notizen üb. Yey-Sings Sternwarten. (27 m. 1 Abb. u. 1 Taf.) 03. [43,XV.] nn — 60
Wettstein, R v.: Die Biol. uns. Wiesenpflanzen. (21) 04. [44,XI.] nn — 50
— Die Lianen. (23 m. Abb. u. 2 Taf.) 02. [42,XI.] ‖ Das Pflanzenleben d. Meeres. (27 m. Abb.) 05. [45,IX.] Je nn — 70
Zeynek, R v.: Üb. d. Blutfarbstoffe. (23 m. 2 Taf.) 02. [42,VIII.] nn — 70
— Üb. d. Fermente. (25) 01. [41,III.] nn — 60
— Üb. d. Kupfer. (23) 03. [43,VII.] nn — 60

Vorträge, klin., a. d. Gebiete d. Otol. u. Pharyngo-Rhinol. Hrsg. v. Haug. IV. Bd, 3—6. Heft; V. Bd, 1—8. u. Ergänzgsheft. 8° Jena, G Fischer. Für d. Bd 10 —

Burger, H: Ohrenerkrankgn u. Lebensversicherg. (22) 01. [V,4.] — 60
Fink, E: Das Heufieber u. and. Formen d. nervösen Schnupfens. (62) 02. [V,6.] 1.50
Gradenigo, G: Die Hypertrophie d. Rachentonsille. (214 m. Abb. u. 3 Taf.) 01. [IV,4.] 7.50
Grosskopff, W: Die Entzündgn d. äuss. Gehörganges. (16) 01. [IV,6.] — 60
— Die Ozaena. (44) 02. [V,5.] 1.20
Hasslauer: Die Bakteriol. d. akuten Mittelohrentzündg. (98) 01. [V,3.] 2.50
Heiman, T: Üb. letale Ohrerkrankgn. (104) 01. [V,2.] 2.50
Jacobson, L: Zur Behandlg d. „trock." Mittelohraffektionen, insbes. m. d. federnden Drucksonde. (18 m. Abb.) 01. [IV,5.] — 60
Lamann, W: Das natürl. Schutzsystem d. ob. Wege als Fremdkörpertheorie. Aus d. Russ. neu bearb. (42) 03. [Erg.-Heft.] 1 —
Sendziak, J: Laryngeale Störgn bei d. Erkrankgn d. centralen Nervensystems, m. bes. Berücks. laryngealer Störgn bei Tabes dorsalis. (40) 01. [IV,3.] 1 —
Spira, R: Ueb. Erschütterg d. Ohrlabyrinthes (Commotio labyrinthi). (70) 01. [V,1.] 1.80
Treitel: Ohr u. Sprache od. üb. Hörprüfg mittelst Sprache. (16) 02. [V,7.] — 50
Zimmermann, G: Ziele u. Wege d. Funktionsprüfg d. Ohres. (30) 02. [V,8.] — 80

— 62 wirksame u. erprobte, f. Polterabend u. Hochzeit. Ausgew. v. E v. F. (64) 12° Berl., W Frey (o. J.). — 20 d

— populär-wiss. I—V. 16° Stuttg., Deut. Volksblatt. Je — 20 d

Baur, L: Friedrich Nietzsche. (34) 04. [V.]
Günter: Die Toleranz in d. Gesch. (20) 03. [II.]
Sägmüller: Kirche u. Staat. (18) 04. [IV.]
Schanz, v.: Die Entwicklgslehre. (31) 03. [I.]
Schweitzer: Buddhismus u. Christentum. (22) 03. [III.]

— üb. Syphilis, Gonorrhoe u. deren Folgekrankh. Geh. im Charitékrankenhause. Red. v. Schaper. [S.-A.] (378) 8° Berl., A Hirschwald 01. 8 — ‖ II. Cyklus. [S.-A.] (73) 02. 2 —

— d. hess. u. nass. theolog. Ferienkurses. 1. u. 2. Heft. 8° Giess., A Töpelmann. 3.10 d

Achelis, EC: Der Dekalog als katechet. Lehrstück. (75) 05. [1.] 1.50
Holtzmann, O: Der christl. Gottesglaube. Seine Vorgesch. u. Urgesch. (80) 05. [2.] 1.60

— d. theolog. Konferenz zu Giessen. 17—23. Folge. 8° Ebd. 6.45

Budde, K: Das Alte Test. u. d. Ausgrabgn. (39) 03. [18.] — 80
Dechent, H: Herder u. d. ästhet. Betrachtg d. hl. Schrift. (34) 04. [22.] — 75 d
Drews, P: Die Predigt im 19. Jahrh. Krit. Bemerkgn u. prakt. Winke. (59) 03. [19.] 1 — d
Eibach, R: Unser Volk u. d. Bibel. Nachwort z. Bibel- u. Babelstreit. (39) 03. [20.] — 60 d
Holtzmann, O: Die jüd. Schriftgelehrsamkeit z. Z. Jesu. (32) 01. [17.] — 50 d
Köhler, W: Katholizismus u. Reformation. Krit. Referat üb. d. wiss. Leistgn d. neueren kathol. Theol. auf d. Geb. d. Reformationsgesch. (88) 05. [23.] 1.80
Wiegand, F: Das apostol. Symbol im M.-A. (52) 04. [21.] 1 —

— üb. prakt. Therapie. Hrsg. v. J Schwalbe. 1—7. Heft. [S.-A.] (560) 8° Lpzg, G Thieme 05. Je — 80

— u. Abhandlungen, gemeinverständl. darwinist. Hrsg. v. W Breitenbach. 1—13. Heft. 8° Brackwede, Dr. W Breitenbach. 17.75 d

Borchardt, B: Die Entstehg u. Bildg d. Sonnen-Systems. (44 m. Abb.) Odenk. 02. [4.] 1 —
Breitenbach, W: Die Biol. im 19. Jahrh. Vortr. (31) Odenk. 01. [2.] — 75
— Ernst Haeckel. Ein Bild s. Lebens u. s. Arbeit. (107 m. 1 Bildnis u. Fksm.) Odenk. 04. [11.] 2 —
Errera, L: Gemeinverständl. Vortr. üb. d. Darwin'sche Theorie m. Berücks. ein. neueren Untersuchgn. Aus d. Franz. v. G Michels. (44 m. Abb.) Odenk. 02. [6.] 1 —
Francé, RH: Die Weiterentwickelg d. Darwinismus. (136 m. Abb.) Odenk. 04. [12.] 2.50
Jacobi, A: Die Bedeutg d. Farben im Tierreiche. (56 m. Abb.) 04. [13.] 1 —
Meyer, JG: Die Kulturgesch. im Lichte d. Darwin'schen Lehre. (87) Odenk. 04. [10.] 1.50
Plate, L: Die Abstammgslehre. Mit e. Brief E Haeckel's als Vorwort u. e. Glossarium v. H Schmidt. (51 m. Abb.) Odenk. 01. [1.] 1 —
Schmidt, H: Haeckels biogenet. Grundgesetz u. s. Gegner. (107 m. Abb.) Odenk. 02. [5.] 2 —
— Die Urzeugg u. Prof. Reinke. (48) Odenk. 03. [8.] 1 —
Schnee, P: Darwinist. Studie auf e. Korallen-Insel. (46) Odenk. 03. [9.] 1 —
Schoenichen, W: Der Scheintod als Schutzmittel d. Lebens. (107 m. Abb.) Odenk. 03. [7.] 2 —
Simroth, H: Die Ernährg d. Tiere im Lichte d. Abstammgslehre. (49 m. Abb.) Odenk. 01. [3.] 1 —

— — hrsg. v. d. Leo-Gesellsch. 14—22. Heft. 8° Wien, Mayer & Co. 6.95 d

Ehrhard, A: H Stewart Chamberlain's „Grundl. d. 19. Jahrh.", kritisch gewürdigt. (25) 01. [14.] — 60
Giesswein, A: Determinist. u. metaphys. Gesch.-Auffassg. (40) 05. [22.] — 80
Hilgenreiner, K: Die kirchl. Vorcensur u. d. Partikularrecht. (39) 01. [17.] — 80
Mantuani, J: Üb. d. Beginn d. Notendruckes. (29) 01. [16.] — 70
— P. Hartmanns Oratorium „St. Petrus". [S.-A.] (16) 04. [21.] — 40
Poestion, JC: Zur Gesch. d. isländ. Dramas u. Theaterwesens. (79) 03. [20.] 1.50
Seeber, J: Die Wodan-Relig. (49) 02. [18.] — 80
Senfelder, L: Die Katakomben bei St. Stephan. Medicinisch-histor. Studie. (29 m. 1 Pl.) 02. [19.] — 75
Swoboda, H: Neue Wendgn in d. Leichenverbrennungsfrage. (24) 01. [15.] — 60

— — neuphilolog. (Umschl.: Sammlg neuphilolog. Vorträge

Voss, A, s.: Gartenrat-Kalender.
— Wrtrb. d. deut. Pflanzennamen, s.: Salomon.
Voss, CA: Die Leute a. d. alten gr. Hause. Eine heiml. Gesch. (298) 8° Berl., O Janke (05). 3 — d
Voss, E: Heidelblume. Novelle. 3. Afl. (184 m. Abb.) 8° Brnschw., H Wollermann 03. 2 —; L. 3 — d
Voss, E: Rubens' eigenhänd. Original d. hl. Familie (la vierge au perroquet) in Antwerpen. (12 m. Abb.) 4° Berl. 03. Lpzg, KW Hiersemann. 1 —
Voss, EL: Beitr. z. Klimatol. d. südl. Staaten v. Brasilien, s.: Petermann's, A, Mitteilgn.
Voss, F: Das Beizen u. Färben d. Holzes in modernen Farben. (51 m. 34 farb. Taf.) 8° Düsseldf, F Wolfrum (04). 4.50
— Allerlei Haus- u. andere Türen, Wandvertäfelgn etc. etc. im modernen, engl., Louis XVI.- u. Empire-Stil. Orig.-Entwürfe. 4 Lfgn. (40 farb. Taf. u. 20 Detailbog.) 46×33 cm. Nebst Text. (18 S.) 8° Ebd. (04). Je 10 — (In M.: 45 —)
Voss, G, s.: Bau- u. Kunst-Denkmäler Thüringens.
— Grabdenkmäler in Berlin u. Potsdam. Aus d. Zeit d. Neubelebg d. antiken Stils Ende d. 18. u. Anfang d. 19. Jahrh. (30 Lichtdr. m. 7 S. Text.) 4° Berlin, O Baumgärtel (03). In M. 15 —
— s.: Kalender, Berliner.
Voss, G: Lieder e. Toten, v. s. einz. Freunde V. (96) 8° Lpzg, Modernes Verl.-Bureau 05. 2 —; geb. 3 —
Voss, H, s.: Monatsblatt d. ev. Lehrerbundes.
Voss, H: Magdeburgs Kohlenhandel einst u. jetzt, s.: Sonderberichte d. Handelskammer zu Magdeburg üb. einz. Geschäftszweige.
— Rechtshdb. f. deut. Frauen. (87) 8° Kiel (03). (Gött., H Peters.) 1.50 d
Voss, J: Von de Waterkant. Plattdüt. humorist. Gedichte un allerhand. Geschichten. (157) 8° Bielef., A Helmich (01). 2.25 —; geb. 3 — d
Voss, JH: Der 70. Geburtstag, s.: Schulze's Zehnpfennigbb.
— Idyllen. — Lieder, s.: Hempel's Klassiker-Bibliothek.
— Luise. Mit 6 Bildarn v. A Frhr v. Ramberg u. P Thumann u. Ornamentstücken v. G Rehlender. 23. Taus. (88) 4° Berl., G Grote 03. L. m. G. 12 — d
— dass., s.: Hempel's Klassiker-Bibliothek. — Hesse's, M, Volksbücherei.
Voss, K: Die Rache d. Bauern Püffikus. — Der letzte Streich e. Leutnantsburschen, s.: Heidelmann's, A, Theaterbibliothek.
Voss, M: Chronik d. Gasthauses z. Ritter St. Jürgen zu Husum. (185 m. Abb.) 8° Husum, F Petersen 02. 2 —; L. 3 —
— Chronik d. Kirchengemeinde Ostenfeld. (155 m. Abb., 6 [5 farb.] Taf. u. 1 Karte.) 8° Ebd. 05. nn 2 — d
— Fremden-Führer durch Husum u. nächste Umgebg. (26 m. Abb., 1 Pl. u. 1 Karte.) 8° Ebd. 03. — 30
— Die Inngn u. Zünfte in Husum. (174) 12° Ebd. 1896. 1.50 d
Voss, P: Vincenzo Bellini, s.: Universal-Bibliothek.
— Giuseppe Verdi. Lebensbild. (80) 8° Diessen, J C Huber 04. 2.50 d
Voss, R v.: Grundz. d. Gleichstromtechnik, s.: Lehrhefte, techn.
Voss, R: Der Adonis v. Molarathal u. and. Novellen. (163 m. Abb.) 8° Stuttg., C Krabbe (01). 2 —; Ldr nn 3.50 d
— Der gute Ton d. vornehmen. u. andre Gesch., s.: Engelhorn's allg. Roman-Bibliothek.
— Michael Cibula. Roman. 3. Afl. (584 m. Abb.) 8° Stuttg., A Bonz & Co. 05. 5.80; L. 6.80 d
— Die neue Circe, s.: Engelhorn's allg. Roman-Bibliothek.
— Allerlei Erlebtes. 1. u. 2. Afl. (188 m. Bildnis) 12° Stuttg., A Bonz & Co. 02. 2 —; L. 3 — d
— Villa Falconieri. Die Gesch. e. Leidenschaft. (Engelhorns allg. Romanbibliothek. Salon-Ausg.) 2 Tle in 1 Bde. (144 u. 183) 8° Stuttg., J Engelhorn 06. HL. 3 — d
— Röm. Fieber. Roman. 1—3. Afl. (496) 8° Stuttg., Dent. Verl.-Anst. 02. 6 —; geb. nn 7 — d
— Neue röm. Geschichten. (111 m. Abb.) 8° Stuttg., Union 04. 1 —; geb. 2 — d
— Der neue Gott. Roman. (Neue [Tit.-]Ausg.) (340) 8° Stuttg., Deut. Verl.-Anst. [1897] (02). 1 —; geb. 1.25 d
— Juliane, s.: Deva-Roman-Sammlung.
— Ein Königsdrama, s.: Engelhorn's allg. Roman-Bibliothek.
— Die Leute v. Valdarè. Roman a. d. Dolomiten. 1—3. Afl. (428 m. Abb.) 12° Stuttg., A Bonz & Co. 03. L. 5.50 d
— Die Reise in. Mentone, s.: Engelhorn's allg. Roman-Bibliothek.
— Die neuen Römer. Roman a. d. röm. Wildnis. 2 Bde. 4. Afl. (247 u. 255) 8° Dresd., H Minden 05. 6 —; geb. nn 7.20 d
— Samum. Roman a. d. modernen Rom in 3 Tin. (485) 8° Stuttg., J Engelhorn 05. 4 —; L. 5 — d
— dass., s.: Engelhorn's allg. Roman-Bibliothek.
— Santina u. anderes Römisches. (99 m. Abb.) 8° Stuttg., Union 05. L. 1 — d
Voss, W: Lehrb. d. engl. Sprache bes. f. Gewerbe- u. Fortbildgssch. (342) 8° Dresd., G Kühtmann 03. 2.20; geb. 2.40 d
Voss, W v.: Der Feldzug in d. Pfalz u. in Baden im J. 1849. (522 m. 18 Kartenskizzen, 1 Karte u. 1 Pl.) 8° Berl., R Eisenschmidt 03. 13 —; geb. 14 — d
— Die Regiments-Namen d. altpreuss. Armee. (95) 8° Ebd. 04. — d
Vosseler, J: Die Amphipoden, s.: Ergebnisse d. Plankton-Exp. d. Humboldt-Stftg.
Vosselmann, A: Die reichsstädt. Politik König Ruprechts v. d. Pfalz, s.: Beiträge, Münstersche, z. Gesch.-Forschg.
Vossen, FK: Ges. betr. d. Voraussleistgn z. Wegebau, nebst

Anmerkgn, Ausführgsbestimmgn u. Anl. (Formularen etc.). (96) 8° Düsseldf, L Schwann 03. 1.80; L. 2.40 d
Vossen, L: Kartelle, Trusts, Ringe u. d. dent. Juristentag — d. deut. Kaufmannstand. Keine Spezialges. geg. d. Syndikate! (30) 8° Hannov., Helwing (04). 1 — d
— Kartellgegnerschaft, Industriegegnerschaft. Eine Gefährdg d. Volkswohls u. wirtschaftl. Gefahr! (51) 8° Ebd. 06. 1 — d
Vossius, A: Ein Beitr. z. Aetiol., Pathol. u. Therapie d. Diphtheritis conjunctivae. [S.-A.] (14) 8° Münch., Seitz & Sch. 01. 1 —
— Ueb. d. hemianop. Pupillenstarre. s.: Sammlung zwangl. Abhandlgn a. d. Geb. d. Augenheilkde.
Vossler, K: Die philosoph. Grundl. z. „süssen neuen Stil" d. Guido Guinicelli, Guido Cavalcanti u. Dante Alighieri. (110) 8° Hdlbg, C Winter, V, 04. 3.60
— Positivismus u. Idealismus in d. Sprachwiss. (98) 8° Ebd. 04. 2.80
— Sprache als Schöpfg u. Entwicklg. Theoret. Untersuchg m. prakt. Beisp. (154) 8° Ebd. 05. 4 —
Vota: Denkschrift, s.: Thoemes, X, Zweihundertjahrfeier d. Königerhebg Preussens.
Votsch, W: Grundr. d. latein. Sprachlehre, s.: Sammlung Göschen.
— Präparat. zu Cicero s catilinae. Reden. 1. Heft: I. u. H. Rede. 2. Afl. (27) 8° Lpzg, BG Teubner 05. — 40 d
Votteler, C: Zum Anschauen. Ein neues Bilderb. (11 farb. Bl.) 4° Stuttg., Loewe (02). Geb. 2 — d
— Uns. Haustiere. (12 farb. Bl.) 8° Stuttg., G Weise (04). Auf Pappe, geb. 2.40 d
— dass. Mit Text v. K Fritzsche. 2 Sorten. (Je 6 farb. Bl. m. untergedr. Text.) 8° Ebd. (04). Je — 60; 12 Bl. 1.20: m. Text auf d. Rücks., auf Pappe, geb. 3 — d
— Der kl. Zeichenkünstler. 21 Vorlagebl. in systemat. Reihenfolge. 8° Reutl., Ensslin & L. (03). †— 25
— dass. (Neue Ausg.) 4 Hefte. Je 21 Vorlageblätter in systemat. Reihenfolge. 8° Ebd. (05). Je — 30
— s.: Zeichenschule, gr.
— Zeichen-Vorlagen in planmäss. Reihenfolge. (42 Bl.) 8° Reutl., Ensslin & L. (03). — 50
— Neueste Zeichen-Vorl. in planmäss. Reihenfolge. 43 Vorl. Neue Folge. 8° Ebd. (05). — 50
Vötter, B: Heimatl. Pflanzen a. Wald u. Flur. Mit 6 Farbendr.-Taf., nebst erläut. Text (auf d. Rücks.). (4) 8° Lpzg, (T Thomas) (01). 1 — d
Voetter, O, s.: Collection Ernst (Prinz) Fürst zu Windisch-Grätz.
Vouillème, E: Der Buchdruck Kölns im 15. Jahrh., s.: Publikationen d. Gesellsch. f. rhein. Gesch.-Kde.
Vowinckel, E: Der engl. Roman d. Gegenwart. (62) 8° Mettm., H v. d. Heyden (04). 1.20
Vowinckel, E: Erfahrgn u. Beobachtgn a. d. Arbeit im Werke d. Herrn m. bes. Berücks. d. Gemeinschaftsbewegg. (348) 8° Neuk., Bh. d. Erziehgsver. (05). 3.50 d
— s.: Freiwillige, d.
— Menschenseele u. Menschenschicksal. Vortr. (27) 8° Mettm., H v. d. Heyden 01. — 50 d
— Nietzsche u. Jesus v. Nazareth, s.: Flugschrift, kirchlich-soz.
— Ruhe f. d. Seele. Evangelisationsansprachen. (109) 8° Neuk., Bh. d. Erziehgsver. (03). — 80; geb. 1.60 d
Voye, E: Üb. d. Höhe d. verschied. Zinsarten u. ihre wechselseit. Abhängigk. Die Entwicklg d. Zinsfusses in Preussen v. 1807—1900, s.: Sammlung nationalökonom. u. statist. Abhandlgn.
Voyé, W: Augenblicksbilder a. d. Kriege 1870/71. (45 m. Bildnis.) 8° Wetzl., Schnitzler 04. — 60 d
— Geheime Liebe od. d. Rückkehr a. d. Bade, s.: Heidelmann's, A, Theaterbibliothek.
Voynich, EL: Die Stechfliege. (The gadfly.) Aus d. Engl. v. E Wasmuth. (327) 8° Berl.-Charlttnbg, F Gottheiner 04. 4 — geb. 5.50
Vrba, R: Oesterr. Bedränger. Die Los-v.-Rom Bewegg. (642) 8° Prag, (F Řivnáč) 03. 10 —
Vrbka, A: Die Chronik d. Stadt Znaim, s.: Heimatkunde d. polit. Bez. Znaim.
— Die Kriegsbegebenh. d. J. 1866 in Znaim u. Umgebg, s.: Beiträge z. Heimatkde v. Znaim.
Vrchlický, J: Viktoria Colonna. Gedicht. Aus d. Böhm. v. J Spáčil. (43) 8° Dresd., E Pierson 03. 1 —; geb. 2 — d
Vrčic, JB: Geheiliget werde Dein Name! Gebet- u. Gesangbüchl. 2. Afl. (312 m. Titelbild.) 16° Graz, U Moser 04. L. 1 — ; Ldr 1.50 d
Vries, H de: Anwendg d. Zuklgov. auf d. Lehre v. d. eb. Curven. [S.-A.] (57) 8° Amsterd., J Müller 04. 1.60
— Befruchtg u. Bastardierg. Vortr. (62) 8° Lpzg, Veit & Co. 03. 1.50
— Die Lehre v. d. Zentralprojektion im 4dimensional en Raume. (78 m. Fig.) 8° Lpzg, (J) Göschen 05. 3 —
— Die Mutationen u. Mutationsperioden bei d. Entstehg d. Arten. Vortr. (64 m. Abb.) 8° Lpzg, Veit & Co. 01. 1.40
— Die Mutationstheorie. Versuche u. Beobachtgn üb. d. Entstehg d. Arten im Pflanzenreich. 2—6. Lfg. 8° Ebd. 01. (Vollst.: 43 —; 2 Einbde in HF. je 3 —)
T.F. 1. Bd. Die Entstehg d. Arten durch Mutation. 2. u. 3. Lfg. (196—648 m. Abb. u. 5 farb. Taf.) 01. 14 — (Vollst.: 20 —)

4.5. H. Bd. Die Bastardierg. 1. u. 2. Lfg. (496 m. Fig. u. 4 farb. Taf.) 02.03.
Je 8 — || 6. Elementafe Bastardlehre. (407.—752) 03. 7 — (Vollst.: 23 —)
Vries, S de, s.: Breviarium, d., Grimani. — Codices graeci et latini.
Vrieslander, JJ: Variété. (12 Taf.) Fol. Lpzg (01). Berl., H Seemann Nf. In L.-M. 6 —
— u. H **Zarth**: Schwarz-Weiss. (50 Bl.) 8° Münch. (02). (Berl., T Mayhofer Nf.) 12 —
Vrijens, E, s.: Aloysius, Bruder.
Vrijman, C: Burenlieder. (65) 8° Dresd., E Pierson 02. 1 —; geb. 2 — d
Vukits, L: Für uns. Mädchen, s.: Bergmeister, JM.
Vulcanus: Der Autler. Tourenb. f. Bayern I (Nordbayern) m. angrenz. Touren in Württemberg u. Baden. (32, 240) 12° Nürnbg, C Koch 04. Geb. 1.50 d
Vulliemin, C: Nouv. grammaire italienne, s.: Sauer, CM.
Vulpinus, T, s.: Renaud, T.
Vulpius, O: Einiges üb. d. heut. Behandlg v. Frakturen. [S.-A.] (16) 8° Münch., Seitz & Sch. 01. 1 —
— Üb. d. orthopäd. Behandlg d. Wirbelsäulenerkrankqg. (32) 8° Lpzg, B Konegen 05. — 80
— Das Krüppelheim. (39) 8° Hdlbg, C Winter, V. 02. — 60 d
— Die Sehnenüberpflanzg u. ihre Verwertg in d. Behandlg d. Lähmgn. (245 m. Abb.) 8° Lpzg, Veit & Co. 02. 6 —
— Der heut. Stand d. Sehnenplastik. Nach e. Referat. [S.-A.] (26 m. Abb.) 8° Wien, Urban & Schw. 04. 1 —
— dass., s.: Klinik, Wiener.
Vusio, Don EM: Oester. am Scheidewege. (39) 8° Wien, (R Lechner & S.) 03. — 50
— Der Reichthum d. Nationen u. Staaten n. e. neuen Systeme. (161) 8° Wien, (Mayer & Co.) 02. 1 —
— Ein neues System d. Volkswirtschaft u. Finanzpolitik f. Öster. u. d. europ. Staaten. (39) 8° Wien (IX, Schubertg. 14, 4) Ver. neues System f. Volkswirtschaft u. Finanzpolitik 1899. 1 —
Vymazal, I, u. WB **Mielck**: Prakt. russ. Sprachlehre, s.: Miniatur-Bibliothek.
Waack, C: Rich. Wagners Tristan u. Isolde. Kurz u. übersichtlich gef. musikalisch-dramat. Erläutergn nebst Notenbeisp. (32 u. 5) 8° Lpzg, Breitkopf & H. 04. — 50
Waag, A: Das Schmuckbuch, s.: Rücklin, R.
Waag, A: Bedeutgsentwicklg uns. Wortschatzes. Auf Grund v. H Pauls „Deut. Wrtrb." in d. Haupterscheinugn dargest. (200) 8° Lahr, M Schauenburg 01. 3 —
— Ueb. Sprache u. Schrift im Hinblick auf d. jüngste orthograph. Konferenz u. d. neue deut. Einheitsschreibg. Vortr. (19) 8° Ebd. 02. — 50
— Deut. Sprachlehre, s.: Sütterlin, L.
Waag, H: Der Bolongaro-Palast zu Höchst am Main. (60 m. Abb. u. 7 Taf.) 8° Frankf. a/M., Gebr. Knauer 04. 2.50
Wage s.: Wage.
Waage, T, s.: Adressbuch d. landw. Bezugs- u. Absatzgenossensch. im Deut. Reiche. — Adressbuch d. Getreide- usw. Handels. — Düngstoff-Industrieen, d., d. Welt.
— Handelsgebr. im Getreide-, Saaten-, Dünge- u. Futtermittelhandel an d. Hauptplätzen d. Deut. Reiches. Mit Nachträgen '03, '04 n. '05- (168, 55, 56 u. 40) 8° Berl. (02-05). (Hambg, GW Seitz Nf.) L. u. geb. 2 —
Waagen, L: Die systemat. Stellg u. Reduktion d. Schlosses v. Aetheria nebst Bemerkgn üb. Clessinella Stranyui nov. subgen., nov. spec. [S.-A.] (30 m. 2 Fig. u. 1 Taf.) 8° Wien, (A Hölder) 05. — 80
Waal, A: de: Katakomben-Bilder. 6 Erzählgn a. d. ersten Jahrhunderten d. röm. Kirche. 2 Bde. 3. Afl. 8° Rgnsbg, F Pustet 03. 4 —; L. 6 — d
1. 1. Krans u. Krone. 2. Domitian. 3. Welt u. Weisheit. (456 m. Abb.)
II. 4. Die Verbannten. 5. Soteris. 6. Der kl. Künstler. (392 m. Abb.)
— Das Leben d. Christen in d. ersten 3 Jahrh., s.: Proschwitzer, F.
— Papst Pius X. Lebensbild. Mit e. Rückblick auf d. letzten Tage Leos XIII. (164 m. Abb. u. Titelbild.) 8° Münch., Allg. Verl.-Gesellsch. (03). Geb. 4 — d
— s.: Quartalschrift, röm., f. christl. Altertumskde u. f. Kirchengesch.
— Roma Sacra. Die ewige Stadt in ihren christl. Denkmälern u. Erinnergn alter u. neuer Zeit. (786 m. Abb. u. 9 farb. Taf.) 8° Münch., Allg. Verl.-Gesellsch. (05). 12 —; L. 14 — d
— Der Rompilger. Wegweiser zu d. wichtigsten Heiligtümern u. Sehenswürdigk. d. ew. Stadt, sowie d. Hauptstädte Italiens. 8. Afl. (428 u. 4 m. Abb., Titelbild, 1 Karte u. 1 Pl.) 8° Rgnsbg, Herder 04. L. 5 —
— Der 20. September. Erzählg a. d. Belagerg u. Eroberg Roms 1870. (176 m. Abb.) 8° Rgnsbg, F Pustet 01.. || 2. Afl. (199 m. Abb.) 04. Je 2 —; L. je 3 — d
— Die Streiter d. hl. Vaters. Episode a. d. Eroberg Roms am 20.IX.1870. Schansp. 3. Afl. (45 u. Musikbeil. 2 in 4°) 8° Rgnsbg 01. — 60 d
— Tim, d. Negerknabe, s.: Dilettanten-Theater.
— Valeria od. d. Triumphzug a. d. Katakomben. Histor. Erzählg. 4. Afl. (382 m. Abb.) 8° Rgnsbg, F Pustet 02. 3 — d L. 4 — d
Waas, L, s.: Frisch's, F, Amts- u. Termin-Kalender. — Kohlhammer's, W, Gesetzes-Ausgabe.
— Studienpl. z. Vorbereitg auf d. nied. Dienstprüfg, 2. Afl., s.: Wolfarth, K, Leitf.

Waas, L: Die Verjährgsfristen, s.: Wolfarth, K.
Waeber, R: Lehrb. f. d. Unterr. in d. Botanik. 7. Afl. v. L Imhäuser. (330 m. Abb. u. 16 farb. Taf.) 8° Lpzg, F Hirt & S. 01. Geb. nn 3.75 || 8. Afl. (336 m. Abb. u. 23 farb. Taf.) 04. Geb. 4 — d
— dass. in d. Chemie m. Berücks. d. Mineral. u. chem. Technol. 15. Afl. (264 m. Abb.) 8° Ebd. 04. Geb. 3.50 d
— dass. in d. Physik m. Berücks. d. physikal. Technol. u. d. Meteorol. 13. Afl. (318 m. Abb. u. 1 farb. Taf.) 8° Ebd. 02. || 14. Afl. v. J Unverricht. (343 m. Abb. u. 1 Taf.) 04. Geb. je 3.75 || 15. Afl. (372 m. Abb. u. 1 farb. Taf.) 05. Geb. 4 — d
— Leitf. f. d. Unterr. in d. Chemie. 15. Afl. (80 m. Abb.) 8° Ebd. Kart. — 80 d
— dass. in d. Physik. 14. Afl. (128 m. Abb.) 8° Ebd. 05. Kart. 1.25 d
— Kl. Schul-Naturgesch., s.: Schilling, S.
Wahner, R: Die Bewetterg d. Bergwerke. (250 m. 30 Taf. in 4°) 8° Lpzg, A Felix 03. Geb. n. kart. 16 —
Wach, A: Die kriminalist.Schulen u.d. Strafrechtsreform. Rede. (30) 8° Lpzg, Duncker & H. 02. — 80
Wach, F: Kgl. sächs. Ges., d. Organisation d. Behörden f. d. innere Verwaltg betr., s.: Handbibliothek, jurist.
Wach, J, s.: Recht, d. öster.
Wach, K: Enthüllgn üb. d. Treiben d. Geheimpolizei in Oesterr. (64) 8° Lpzg, Verl.-Anst. M Minde (01). 1 — d
Wach, R: Ein Sonnenstrahl, s.: Universal-Bibliothek.
Wacha-Wachtl, H: Ein Stück a. d. Leben. Volksstück. (72) 8° Dresd., E Pierson 04. 1.50 d
Wachenfeld, F: Homosexualität u. Strafgesetz. Beitrag z. Untersuchg d. Reformbedürftigk. d. § 175 St.G.B. (148) 8° Lpzg, Dieterich 01. 3 —; geb. 4 — d
Wachenfeld, G: Thermalbad od. Strudelbad? (6) 8° Friedbg, C Bindernagel 01. — 35; engl. Ausg. — 35
Wachenhusen, F: Von Cuxhaven n. Helgoland. — Lübeck u. Umgegend. — Malerisches a. Hamburg, s.: Heimat.
Wachenhusen, H: Heimchen am fremdem Herd, s.: Weber's moderne Bibliothek.
„**Wachet** u. Betet!" od. „Durch Ihn zu Ihm!" Eine wahre Gesch., f. d. Volk erzählt v. Wilhelm Immanuel (GW Schulze). 36. Afl. (60) 8° Barth, B. d. nass. Colportagever. 05. — 20 d
Wachler, A: Goldalschen. Nach E Marlitts Erzählg „Goldelse" f. d. weibl. Jugend bearb. 9. Afl. (232 m. Abb. u. 4 Vollbildern.) 8° Berl., HJ Meidinger (05). L. 3 — d
Wachler, E, s. a.: Herbstfest. — Neujahrsnacht. Schwank n. Zschokkes Novelle. (61) 8° Weim., M Grosse (04). — 50 d
— Schles. Brautfahrt. Schausp. (128) 8° Berl. 02. Münch., G Müller 01. 2 — d
— Unter d. goldn. Brücke. Idyll e. künstler. Prosa. (174) 8° Münch., G Müller 04. 2 — d
— Die Elfe. Novelle. (67) 8° Weim., Verl. d. Iduna 04. 3 — d
— Heimat u. Volksschausp., s.: Blätter, grüne, f. Kunst u. Volkstum.
— s.: Iduna.
— Mittsommer. Trauersp. m. Chören f. d. Bühne unter freiem Himmel. Musik v. K Goepfart. (41) 8° Münch., G Müller 05. — 50 d
— Rhein-Dämmerg. Gespräche auf d. Lande. (89 m. 1 Abb.) 8° Berl. 02. Münch., G Müller. 1.50 d
— s.: Spielmann, d.
— Walpurgis. Festsp. z. Frühlingsfeier. Nebst e. Ansprache z. Eröffng d. Spielhauses am Hexentanzplatz, geb. v. d. lust. Person. Musik v. P Gast u. A Emge. (32) 8° Lpzg, CF Amelang 05. 2 — d
— Wie kann Weimar zu e. neuen litterar. Blüthe gelangen? Mit e. Anh.: Pflichten e. führ. Bühne, dramaturg. Studie. [S.-A.] (53) 8° Weim., H Böhlau's Nf. 03. — 80 d
— Widukind. Trauersp. m. Chören. Musik v. K Goepfart. (84) 8° Münch., G Müller 04. 2 — d
— s.: Zeitschrift, deut.
— Üb. d. Zukunft d. deut. Glaubens. [S.-A.] (19) 8° Berl., Gose & T. 01. — 50 d
Wachler, P: Das kgl. sächs. Einkommensteuerges. v. 24.VII. 1900, s.: Handbibliothek, jurist.
— u. E **Naundorff**: Rechtsgrundsätze d. kgl. sächs. Cherverwaltgsgerichts. 1. Bd. (139) 8° Lpzg, Rossberg'sche Verl.-Bh. 3.20; geb. 4 — d
Wachli, F: Sprichwörter u. sprichwörtl. Redensarten. — Proverbes et locutions proverbiales. 9. Tl. (127) 8° Aar., HR Sauerländer & Co. 04. Kart. 1.60 (1 u. 2: 3.20) d
Wachlin, H: Neue Gedichte. (96) 8° Berl., G Nauck (05). L. 2 — d
Wachs, D: Der moderne Gott. Drama. (101) 8° Dresd., E Pierson 05. 2 — d
Wachs, O: Arabiens Gegenwart u. Zukunft. [S.-A.] (20 m. 1 Abb.) 8° Berl., ES Mittler & S. 02. — 75 d
— Die engl. Etappenstrassen v. Grossbritannien üb. d. kanad. Dominion n. d. westl. Häfen d. Pacific u. n. Indien, s.: Sammlung militärwiss. Einzelschriften.
— Malta, s. kriegshistor. Vergangenh, u. s. heut. strateg. Bedeutg. [S.-A.] (14) 8° Berl., ES Mittler & S. 01. — 50 d
— Schlagslichter auf Ostasien u. d. Pacific, s.: Sammlung militärwiss. Einzelschriften.
Wachs, P: Rationelle Organotherapie, s.: Poehl, A v.
Wachsmann, A: Ein ruhiger Tag, s.: Vereinstheater.
Wachsmann, B: Illustr. vegetar. Kochb., s.: Weilshäuser, E.

Wachsmuth, C: Athen. [S.-A.] (62 u. 4 Sp. m. 1 Pl.) 8° Stuttg.,
JB Metzler 03.　　　　　　　　　　　　　　2 —
— s.: Studien, Leipz., z. class. Philol.
— Worte z. Gedächtnis an Theodor Mommsen. [S.-A.] (21) 8°
Lpzg, BG Teubner 04.　　　　　　　　　　— 60
Wachsmuth, F: Ratgeber f. Stellesuch. aller Berufszweige.
3. Afl. (44) 8° Lpzg, GA Gloeckner 03.　　　　1 — d
Wachsmuth, R: Festrede z. Feier d. 25jähr. Bestehens d. Kaiser
Wilhelms Gymnasiums zu Hannover. (16) 4° Hannov., Dr. M
Jänecke 1900.　　　　　　　　　　　　　— 50
Wacht, d., Fortsetzg, s.: Stenograph, d. deut.
— die! Organ z. Vertretg d. Interessen d. Kleinstadt- u. Land-
lehrer d. preuss. Monarchie. Hrsg. u. Schriftleiter: A Wehner.
1. Jahrg. Dezbr 1905—Novbr 1906. 52 Nrn. (Nr. 1. 12) 4°
Eilenbg, CW Offenhauer.　　　　　　　Viertelj. 1.20
— die. Illustr. Wochenschrift f. d. ges. christl. Leben. Hrsg.:
H Stuhrmann u. P Pittius. 1. Jahrg. Apr.—Dezbr 1904. 39 Nrn.
(Nr. 1. 20) 4° Berl., Emil Richter. ‖ 2. Jahrg. 1905. 52 Nrn.
Viertelj. 1.20 ; einz. Nrn — 20 d ‖ F
— ärztl. Monatsschrift f. d. soz. Interessen d. ärztl. Standes
sowie f. d. ges. Verhältn. d. Praxis. Red.: Lesshafft. 1. Jahrg.
Dezbr 1903—Novbr 1904. 12 Nrn. (Nr. 1. 24) 8° Berl. (N.W. 6,
Karlstr. 19 pt.), Mediceum.　　Viertelj. 1 — ; einz. Nrn — 30
Fortsetzg war nicht zu erhalten.
— d. finanzielle. Organ f. d. Kapitalisten Oesterr.-Ungarns u.
Deutschlds. Hrsg. u. Red.: L Berger. Jahrg. 1905. 24 Nrn.
(Nr. 1. 16) 4° Budap. (IV, Kleine Brückeng. 8), Redaktion.
Halbj. 4 —
Wachtelborn, K: Die Heilkde auf energet. Grundl. u. d. Ge-
setz d. Seuchen. (338) 8° Lpzg, M Altmann 05. 4 — ; geb. 5 — d
— Mehr Kraft. Mehr Geist. Mehr Licht. Streiflichter üb. me-
dizin-wiss. Zeit- u. Streitfragen. Das Leben. — Besseltе
Heilkde. — Der Hypnotismus. (38) 8° Berl. (1900). Orauienbg,
W Möller.　　　　　　　　　　　　　　— 75 d
Wachter, F: Ostfriesl. unter d. Einfl. d. Nachbarländer, s.:
Abhandlungen u. Vorträge z. Gesch. Ostfrieslds.
Wachter, OE: Ueb. e. Fall v. erworb. Dislokation u. Atrophie
e. Niere. (26) 8° Freibg i/B., Speyer & K. 05.　　— 80
Wachter, W: Das Feuer in d. Natur, im Kultus u. Mythus, im
Völkerleben. (166) 8° Wien, A Hartleben 04. 3 — ; geb. 4 —
— Wo liegt d. Salomon. Goldland Ophir? [S.-A.] (18) 8° Stuttg.,
E Schweizerbart 03.　　　　　　　　　　40
— Ueb. d. Pharmakodynamik kohlensaurer Mineralwässer.
[S.-A.] (36) 8° Berl., M Brandt & Co. 1899.　　1.25
Wächter, d., unterm Kreuz. Ein treuer Rathgeber in allerlei
Leibes- u. Seelenangelegenh. f. Jedermann in Städten u. Dör-
fern. Red. u. hrsg. v. FA Ruhmer. Jahrg. 1901—5 je 52 Nrn.
(Nr. 1. 8) 4° Alt-Tschau bei Neusalza a/O. (Lpzg, E Ungleich.)
　　　　　　　　　　　　　　　Je 3.20 d
*Beil. dazu s. u. d. T.: Stadt- u. Dorfmissionar, ev., a. Neusalz
a. d. Oder.*
Wächter's Schülerfreund. Übersetzgn u. Präparationen latein.
u. griech. Schulklassiker. 3. Tl. Ovidius Naso. Die Metamor-
phosen. 14 Hefte. (693) 16° Halle, L Nebert (03).　Je — 30
Wächter, A: Die Schwestern. (70 m. Abb. u. 4 Taf.) 8° Mgdbg,
E Baensch jun. (01).　　　　　　　　　L. 2.50 d
Wächter, A: Der Verfall d. Griechentums in Kleinasien im
XIV. Jahrh. (70) 8° Lpzg, BG Teubner 03.　　2.90
Wächter, C: Schulwandk. d. Reg.-Bez. Wiesbaden, s.: Dill-
cher, H.
Wächter, C: Method. Leitf. f. d. Unterr. in d. Tierkde. 4. Afl.
2. Tl. Die wirbellosen Tiere. (150 m. Abb. u. 4 farb. Taf.) 8°
Brnschw., F Vieweg & S. 02.　　　　　　1 —
Begleitwort. (16) Unberechnet. (1 u. 2.: 4 — ; Einbde je — 40) d
— Übgsb. z. Liedersammlg. Hrsg. v. pädagog. Ver. in Altona.
3 Hefte. 8° Altona-Ottens., T Christiansen 01.　　1 — d
s. (Mitteilz. (52) —44) 2. (Oberfz.) (47) — 80.
Wächter, E: Die Erde u. ihre Völker, s.: Hellwald, F v.
Wächter, E: Die Anwendg d. Elektrizität f. militär. Zwecke,
s.: Bibliothek, elektrotechn.
Wächter, G: Kleinstadtleben in d. Grosseltern jungen Jahren.
Kulturgeschichtl. Bilder a. Mecklenburg. (105) 8° Plau, L
Hancke 04.　　　　　　　　　　　　1 — d
Wächter, G: Aus d. Erzgebirge. Gedichte. (80) 8° Dresd., C
Heinrich 03.　　　　　　　　　　　　Kart. 1.20 d
— Hinauf in. Hinans. Gedichte. (84) 8° Ebd. 01. — 75 ; geb. 1 — d
Wächter, M: Die Kleinbahnen in Preussen. (268) 8° Berl., J
Springer 02.　　　　　　　　　　　　5 —
Wächterstimmen. Vierteljahrsschrift z. Stärkg u. Aufmunterg
im Werke d. Herrn. Red. v. H Maun. 31—35. Jahrg. 1901—5
je 4 Hefte. (1901. 1 u. 2. Heft. 64 m 1 Abb.) 8° Brem., Bh. u.
Verl. d. Traktath.　　　　　　　　　Je 2 — d
Wächtler, A: Das Evangelium v. d. mitleid. Hohenpriester,
s.: Predigt-Hausschatz, ev.
— Die ev. Kirche in Kärnten, s.: Wartburghefte.
— Von d. Leben, das d. Tod Christi in uns weckt, s.: Predigt-
Hausschatz, ev.
— Ev. Pfarramtskde. (398) 8° Halle, E Strien 05. 6 — ; L. 7 —
Wächtler, W: Christenlehr-Bdh. f. Seelsorger, Katecheten u.
jedes christl. Haus. Erklärg d. v. österr. Ges.-Episcopat
approb. mittl. u. gr. Katech. d. katbol. Relig. (664) 8° Innsbr.,
F Rauch 01. 6 — ‖ 2. Afl. 2 Bde. (532 u. 495 u. 14) 05. 6.20 d
— Der Maimonat u. d. Jubeljahr. Sammlg v. Gebeten u. Lie-
dern f. jede Maiandacht, sowie f. d. 50jähr. Jubiläum d.
Hinrichs' Fünfjahrskatalog 1901—1905.

feierl. Verkündigg d. Glaubenslehre v. d. unbefl. Empfängnis
Mariens. (174 m. Titelbild.) 16° Warnsdf, A Opitz 04. — 40 d
Wächtler, W: Der alte treue Radetzky. 4. Afl. (160 m. Abb.)
8° Warnsdf, A Opitz 1900.　　　　　　　1 — d
Wacht-Vorschrift f. Berlin. (W. V. B.) (74) 8° Berl., ES Mittler
& S. 03.　　　　　　　† — 70; kart. † — 90 d
Wackenroder, WH, s.: Herzensergiessungen e. kunstlieb.
Klosterbruders.
Wacker, E: Der Diakonissenberuf. 2. Tl. Der Diakonissenbe-
ruf n. s. geistl. Bedinggn u. Zielen. (192) 8° Gütersl., C
Bertelsmann 02.　　　　　　　　　　2 —
　　　　　(1 u. 2.: 4 — ; Einbde je — 50; in 1 Bd geb. 4.80) d
— Diakonissenspiegel. Ges. Betrachtgn. 3. Afl. (406) 8° Ebd. 05.
　　　　　　　　　4 — ; geb. 4.80; m. G. 5 — d
— Die Heilsordng. 2. Afl. (383) 8° Ebd. 05. 4 — ; geb. 4.80 d
— Phöbe. Ges. Betrachtgn. (348) 8° Ebd. 03. 3 — ; geb. 3.60 d
— Samariterliebe. Skizzen u. Betrachtgn z. Evangelium v.
barmherz. Samariter. 3. Afl. (185 m. Titelbild.) 8° Ebd. 04.
　　　　　　　　　　　　1.80 ; geb. 2.75 d
Wacker, F: Comes pastoralis ad usum sacerdotum in functionib. sacris passim obviis, et praesertim in cura infirmor.
ac morientium. Accedit appendix piar. precum in usum pri-
vatum sacerdotum. Ed. IV. (288) 16° Faderb., Junfermann 04.
　　　　　　　　　1.50 ; Ldr 2.40 ; m. G. 2.75
— Geschichten f. Neukommunikanten f. d. Zeit vor u. n. d.
1. hl. Kommunion. 5. Afl. (319) 12° Münst., Alphonsus-Bh. 03.
　　　　　　　　　　　　　L. 1.80 d
— Mensis eucharisticus sive preces ante et post missae celebrationem. Nova ed. (448) 8° Faderb., F Schöningh 01. 2 — ;
　　　　　　　　　　　　　geb. 3 —
Wacker, H: Nationale Kultur- u. Familiengemeinschaften.
Vorschlag z. Lösg d. Nationalitätenfrage. (35) 8° Lpzg,(R Strel-
ler) 03.　　　　　　　　　　　(— 60) — 75 d
Wacker, K: Hilfsb. f. d. Lese-Unterr. n. d. Leseb. f. höh.
katbol. Mädchensch. v. Wacker. In Verbindg m. Wichterich,
Herold u. Reinke bearb. 2—4. Lfg. (81—320) 8° Münst., H Schöningh 01.02.　　　　　　Je 1.80 (1—4.: 7.20) d
— Aus allen Jahrhunderten, s.: Werra.
— Deut. Leseb. f. katbol. höh. Mädchensch. 1—3. Tl. 8° Münst.,
H Schöningh 05.　　　　　　　　Geb. 9 — d
L. 1. u. 3. Schulj. 7. Afl. (20, 253) 2.90 ‖ II. 4., 5. u. 6. Schulj. 9. Afl. (19,
407) 3.20 ‖ III. 7., 8., 9. (u. 10. Schulj.) 8. Afl. (23, 420) 3.60.
— dass. 4. Tl. Für Lehrerinnen-Bildgsanst. u. wahlfreie Lehr-
kurse. A. Answ. a. d. deut. Dichtg in ihrer geschichtl. Ent-
wickelg. (23, 611) 8° Ebd. 05.　　　4 —; geb. 4.80 d
— s.: Nibelungenlied u. Gudrun.
— Sammlg deut. Gedichte f. d. Mittel- u. Oberst. höh. Mäd-
chensch. 2. Afl. (127) 8° Münst., H Schöningh 02. Geb. 1 — d
Wacker, T: Aufg. u. Aussichten d. Centrums in Baden beim
Kampfe um d. 63 Kammer-Mandate, auf Grund d. amtl. u.
statist. u. statist. Materials dargest. 4. Afl. (64) 8° Karlsr.,
A.-G. Badenia 1899.　　　　　　　　35 d
— Wer gefährdet in Baden d. Interessen u. Rechte d. Krone?
Schattenbilder a. d. Gesch. d. nationalliberalen Partei Ba-
dens, nebst Streiflichtern auf d. Kirchenpolitik d. „neuen
Aera". (48, 376) 8° Ebd. 1899.　　　　　— 35 d
— Wer sucht bei uns in Baden d. Einführg d. direkten Wahl
zu verhindern? Auf Grund d. Verhandlgn d. 2. bad. Kammer
v. 1869—99 beantwortet. 2. Afl. (59) 8° Ebd. 1899.　— 35 d
— Bedeutg u. Aufg. d. Centrums, s.: Versammlung, öffentl., d.
Centrumspartei in Mannheim.
— Entwicklg d. Sozialdemokratie in d. 10 ersten Reichstags-
wahlen (1871—98). Mit e. Nachtr. Die Sozialdemokratie in
d. Reichstagswahl v. 1903. (55, 438) 8° Freibg i/B., Herder
03.　　　　　　　　　　　8 — ; L. 9.20 d
— Wer fördert d. Umsturzbestrebgn? Wer hat d. Sozialdemokratie bei Wahlen direkte u. indirekte Hilfe geleistet? (32,
190) 8° Karlsr., A.-G. Badenia 1900.　　　1.70 d
Wackermann, C: Charakteristik v. 80 d. gebräuchlichsten
homöopath. Medikamente z. Anwendg in d. Familie u. am
Krankenbette. Mit e. Anh. üb. 1 Hülfe bei plötzl. Unglücksfällen. (121) 16° Berl.-Schönebg 02. Rixdf, C Wackermann.
　　　　　　　　　　　　　　L. nn 2 —
Wackernagel, J: Altind. Grammatik. II. 1. Einl. z. Wortlehre.
Nominalkomposition. (329) 8° Gött., Vandenhoeck & R. 05.
　　　　　8 — ; HF. 9.40 (I u. II. 1.: 16.60; geb. 19.40)
— s.: Literatur u. griech. Perfektum. (34) 8° Gött., Vandenhoeck
& R. 04.　　　　　　　　　　　　nn — 50
Wackernagel, R, s.: Concilium Basiliense. — Jahrbuch, Bas-
ler. — Repertorium d. Staatsarchivs zu Basel.
Wackernell, JE: Beda Weber 1798—1858 u. d.tirol. Litt. 1800
—48, s.: Quellen u. Forschungen z. Gesch., Litt. u. Sprache
Österr.
Wackwitz, OM: 3 Predigten. Zur Erinnerg an d. am 23.VI.'03
Heimgegangenen gedr. (34) 8° Lpzg, JCHinrichs'V. 03. — 30 d
Waclawicsek, J, s.: Deutsch-Oesterreich, d. literar.
Waddy, SD: The Engl. echo. A practical guide to the con-
versation and customs of every-day life in Great-Britain.
Prakt. Anl. z. Englisch-Sprechen. 24. Afl. (122 u. 84) 8° Stuttg.,
W Violet 04.　　　　　　　　　　Geb. 1.50 d
Wadsack, A: Lehrg. e. human-erziehl. Schulgesang-Unterr.
(112) 8° Lpzg, C Merseburger 01.　　　　— 90 d
— dass. Kl. Ausg. f. d. Hand d. Schüler. (42) 8° Ebd. (05). — 30 d

Wagner, E: Die Bevölkerngsdichte in Südhannover u. deren
Ursachen, s.: Forschungen z. deut. Landes- u. Volkskde.
— Kurze Landeskde v. Palästin'a. Begleitwort z. Schulwandk.
v. Palästina. (40) 8º Lpzg, H Wagner & E Debes 04. — 40;
f.kathol.Schulen m.:Begleitwort z.Stadtpl. d. alten Jerusalem
v. C Mommert. (4) 05. — 40 d
— Schulwandk. v. Palästina z. bibl. Gesch. Ausg. f. ev. Volks-
Schulen, bearb. auf Grund d. Wandk. v. Fischer-Guthe.
1:200,000, 6 Bl. Je 59×72 cm. Farbdr. Nebst Text: Kurze
Landeskde v. Palästina, v. E Wagner. (40) 8º Ebd. (05). 6 —;
auf L. m. St. 13—; m. breiten Kartenschutz u. 2 Ldrriemen 14 —
Die Ausg., f. kathol. Schulen s.: Mommert, C.
Wagner, E: Aussig n. Umgebg. 2. Tl. (48 m. 1 Abb. u. 21 Taf.)
8º Auss.. (A Grohmann) 02. 1 — (u. 2.: nn 1.60)
Wagner, E: Taschen-Atlas d. Schweiz. 26 kolor. Karten. 3. Afl.
(Mit deut. u. französ. Text.) (20 Bl. u. 33 S. Text.) 8º Bern.
Geograph. Kartenverl. (05). L. 5.20
Wagner, E: Das Billardspiel. (71 m. Fig.) 8º Berl., H Steinitz
(04). 1 — d
— Was muss man v. Erbrecht wissen? Die gesetzl. Erbfolge
d. Verwandten u. Ehegatten. (76) 8º Ebd. (01). 1 — d
Wagner, E: Neuer prakt. Briefsteller. 10. Afl. (440) 8º Stuttg.,
Fleischhauer & Sp. 05. Geb. 1.60 d
— Neuer Ratgeber in Rechtsangelegenh. (149) 8º Ebd. 05. — 60 d
Wagner, E: Aus d. Gesch. d. Neumarkts in 8 Jahrhunderten.
(82 m. 3 Lichtdr.) 8º Halle, Wischan & Burkhardt (01). 1 — d
— Der Herr ist mein Hirte. Worte d. Erinnerg an Einsegnungs-
tage '05 in Halle a. S. (7) 8º Halle, E Strien (05). — 10 d
Wagner, E: Unter d. schwarzen Adler. Bilder a. Schlesiens
militär. Gesch. (224) 8º Berl., R Eisenschmidt 05. L. 5 — d
— Kann Deutschl. s. Bedarf an Brotgetreide erzeugen? (32)
8º Bresl. (IX, Scheitnigerstr. 23), A v. Busse 01. — 60 d
— Wirthschaftl. Fürsorge f. Angehörige Dstinirter. 2. Afl. (89)
8º Bresl., WG Korn 1900. 1 —
Wagner, E: Vollständ. Darstellg d. Lehre Herbarts, s.: Gressler's, FGL, Klassiker d. Pädagogik.
— Die Praxis d. Herbartianer. Der Ausbau u. gegenwärt. Stand
d. Herbartschen Pädagogik, übersichtlich u. systematisch
geordnet u. zusammengesezt, nebst zahlreichen Unterr.-Beisp.
u. Musterlektionen. Zugl. e. Kommentar zu d. Verf. Werk:
Vollständ. Darstellg d. Lehre Herbarts etc.· 9. Afl. (319) 8º
Langens., Schulbbh. 04. 3 —; geb. 3.75 d
Wagner, EO: Die Entwicklg d. französ. Volkssch. im Kampfe
geg. d. Kongregationen. (75) 8º Lpzg, A Hahn 04. 1 —
Wagner, F: Ausflugsk. v. Stuttgart-Cannstatt & Umgebg.
(Umschl.: Neue Specialk. v. Stuttgart's Umgebg, umfassend
d. Gebiet im Umkreis v. 25 Kilometern.) 1:80,000. 2. Afl. 34,5×
38,5 cm. Farbdr. Cannst., C Hopf (01). — 60; auf L. 1 —
Wagner, F: Deut. Lebensbilder u. Sagen. Für d. Gesch.-Unterr.
auf d. Mittelst. höh. Mädchensch. bearb. 3. Afl. v. E Lampe.
(103) 8º Lpzg, F Hirt & S. 05. Kart. 1 — d
Wagner, F: Erzählige a. d. Kirchengesch. Für d. Relig.-Unterr.
in d. Bürgersch. bearb. 12. Afl. (87) 8º Wien, F Tempsky 03.
Geb. 1 — d
— Zeremonien d. kathol. Kirche. Für d. Relig.-Unterr. in d.
Bürgersch. bearb. 9. Afl. (56) 8º Ebd. 03. — 50 d
Wagner, F: Geheimnisse a. d. feinen Küche. (124) 8º Wien,
(C Kravani) (02). 2 —
Wagner, F v.: Ueb. d. Hummeln als Zeugen natürl. Formen-
bildg, s.: Friese, H.
— Schmarotzer u. Schmarotzertum in d. Tierwelt, s.: Samm-
lung Göschen.
Wagner, F: Bureaub. d. Rechtsanwalts u. Notars. 3. u. 4. Afl.
(3x, 830) 8º Berl., C Heymann 04. 10 —; geb. 12 — d
— Der Schuldnachlass, e. Versuch z. Regelg e. Zwangsver-
gleichs ausserh. d. Konkursverfahrens. (41) 8º Ebd. 04. — 80 d
— u. **Vosberg:** Polenstimmen, e. Sammlg v. Aeusserg d. poln.
Presse. (237) 8º Berl., Goss & T. 02. 1.50 d Vergr.
— dass. Mit Anh.: Wagner, F: Der Polenring. Mit e. Sammlg
poln.Pressstimmen. Berl.1899.(237 u.90) 8º Ebd.02. 2 — d Vergr.
Wagner, F: Die bayer. Hopfensorten, ihre Entstehg, Verbreitg
u. Eigenschaften. (4 u. 3—92 m. 1 Abb. u. 38 Taf.) 8º Stuttg.,
F. Ulmer 05. 3 — d
Wagner, F: Unterricht. Behandlg d. Leseb. I f. d. württem-
berg. Volkssch., s.: Kohler, M.
— Leitf. f. d. biograph. Vorstufe d. Gesch.-Unterr., s.: Wer-
nicke, C.
— Erziehender Relig.-Unterr. auf d. Unterst. Unterrichtl. Be-
handlg d. bibl. Gesch. I. Afl. (230) 8º Stuttg.,
A Lung (04). 2.80; geb. 3.20 d
Wagner, FH: Deut. Fibel f. d. verein. Schreib-, Lese- u. Sprach-
unterr. (88 m.Abb.) 8º Riga, CJ Sichmann 1900. Kart. — 60 d
Wagner, G: Die Kultur d. Katholizismus. Vortr. (11) 8º Augsbg,
Lat. Instit. v. Dr. M Huttler (04). — 10 d
Wagner, G: Ein neuer stroboskop. Schlüpfgsmesser f. asyn-
chrone Wechsel- u. Drehstrommotoren. (16 m. Abb. u. 1 Taf.)
4º Berl., J Springer 04. 1.60
Wagner, G: Die Berg- u. Badestadt Friedrichroda in Th. u.
ihre Umgebg. 22. Afl. (199 m. Abb., Pl. u. Kart.) 12º Friedrichr.,
J Schmidt & Co. (02). Kart. nn 1.25 d
Wagner, G: Wahre u. falsche Heilkde, s.: Gerling, R.
Wagner, G: Die Beziehgn Augusts d. Starken zu s. Ständen
währ. d. ersten Jahre sr Regierg (1694—1700). (222) 8º Lpzg
(03). (Rochl., B Pretzsch Nf.) 3 —

Wagner, G: Arndt, Schenkendorf u. Rückert, s.: Kirchenlieder-
dichter, uns.
— Fibel, s.: Wendling, P.
— Deut. Kinderfreund, s.: Schneider, KT.
— Schleswig-holstein. Kinderfreund. Leseb. f. cinf. Schulver-
hältn. 2. Afl. (453) 8º Neuw., Heuser's V. 03.1.25; geb. nn 1.60 d
Wagner, G: Die Flaute, s.: Schulze's Zehnpfennigbücher.
Wagner, G, u. Schöninger: Wechsellehre u. Wechselrecht,
s.: Handbibliothek d. ges. Handelswiss.
Wagner, GC: 12 Choral-Vorsp. f. d. Orgel z. gottesdienstl.
Gebr., wie z. Studium an Seminarien. (19) 8º Wermsdf, R
Seibod (01). 1.50 d
Wagner, GF: Die Abbauern, s.: Flüggen, C.
— Die Schulmeisterwahl. Schwäb. Volksstück. Für d. Bühne
bearb. a. eingerichtet v. C Flüggen. (79) 12º Münch., Eubin-
verl. (01). 2 — d
Wagner, H: Wandk. v. Elsass-L. 1:200,000. (Neue Ausg.) 2 Bl.
je 61,5×97 cm. Farbdr. Strassbg, Strassb. Druckerei u. Verl.-
Anst. (04). 5 —; auf L. m. St. nn 10 —
Wagner, H: Die Dampfturbinen. Ihre Theorie, Konstruktion
u. Betrieb. (146 m. Abb. u. 1 Taf.) 8º Bannov., Dr. M Jänecke
04. L. 8 —
Wagner, H: Theoretisch-prakt. Musik- u. Harmonielehre, s.:
Heinze, L.
Wagner, H: Neues Leben. Ein Jahrg. relig. Betrachtgn üb.
d. 2. ev. Perikopenreihe. (217) 8º Hermannst., W Kraft 03.
nn 1.25 d
Wagner-Wittenberg, H: „Herbstlese". Gedichte. (96) 8º Wiesb.,
R Bechtold & Co. 05. 1 —; geb. 1.50 d
Wagner, H: Tasso daheim u. in Deutschl. Einwirkgn Italiens
auf d. deut. Lit. (404) 8º Berl., Rosenbaum & Hart 05. 8 —;
geb. 9.50
Wagner, H, s.: Wagner, HL.
Wagner, H: Edelsteine a. reicher Schatzkammer, s.: Stolz, A.
Wagner, H: Anlage d. Gebäudes. — Allg. Grundz. d. architekton. Komposition. — Vorräume, Treppen-, Hof- u. Saal-
anlagen, s.: Handbuch d. Architektur.
— Bauliche, f. Kur- u. Badeorte usw., s.: Lieblein, J.
— Blindenanst., s.: Henrici, K.
— Museen. — Pensionate u. Alumnate, s.: Handbuch d. Architektur.
— u. H Koch: Schankstätten u. Speisewirtschaften; Kaffee-
häuser u. Restaurants. — Öffentl. Vergnüggsstätten, s.: Hand-
buch d. Architektur.
Wagner, H, s.: Beiträge z. Frage d. naturwiss. Unterr. auf
d. höh. Schulen.
— Lehrb. d. Geogr. 7. Afl. v. Guthe-Wagner's Lehrb. d. Geogr.
1. Bd. Einl. Allg. Erdkde. (918 m. Fig.) 8º Hannov., Hahn 03.
12 —; geb. 14 —
— Method. Schultalas, s.: Sydow, E v.
— Übersichts-Karten (Index-Charts, Tableaux d'Assemblage,
Quadri d'Unione) f. d. wichtigsten topograph. Karten Europas
u. einiger and. Länder. 6. Afl. (S., 23 farb. Kartens.) 8º
Gotha, J Perthes 03. 1.20
Wagner, H: Orometrie d. ostfäl. Hügellandes links d. Leine,
s.: Forschungen z. deut. Landes- u. Volkskde.
Wagner, H: Die eb. Trigonometrie in rein geomet. Behandlg.
(20 m. 1 Taf.) 4º Hambg, (Herold) 01. nn 2.50
Wagner, H: Entdeckgsreisen in Berg u. Thal. 8. Afl. (174 m.
Abb. u. farb. Titelbild.) 8º Lpzg, O Spamer 06. 2 —; geb. 2.50 d
— dass. in Feld u. Flur. 12. Afl. (168 m. Abb. u. 2 Farbdr.) 8º
Ebd. 05. 2 —; geb. 2.50 d
— dass. in Haus u. Hof. 11. Afl. (185 m. Abb. u. farb. Titelbild.) 8º Ebd. 06. 2 —; geb. 2.50 d
— dass. in Stadt u. Land. Streifzüge in Mitteldeutschl. 6. Afl.
(190 m. Abb. u. farb. Titelbild.) 8º Ebd. 05. 2 —; geb. 2.50 d
— dass. im Wald u. auf d. Heide. 12. Afl. (200 m. Abb. u. 4 [2 farb.]
Taf.) 8º Ebd. 05. 2 —; geb. 2.50 d
— dass. in d. Wohnstube. 8. Afl. (160 m. Abb. u. 2 [1 farb.] Taf.)
8º Ebd. 05. 2 —; geb. 2.50 d
— Illustr. deut. Flora. Beschreibg d. im Deut. Reich, Deutsch-
Österr. u. d. Schweiz einheim. Gefässpflanzen. 3. Afl. Nach
d. A Garcke besorgten 2. Afl. 16 Lfgn. (40, 792) 8º Stuttg.,
Verl. f. Naturkde 05-05. Je — 75; in 1 HF.-Bde 15 —
— Illustr. Spielb. f. Knaben. 21. Afl. (382 m. 8 farb. Taf.) 8º
Lpzg, O Spamer 06. 4 —; geb. 4.50 d
— u. C Freyer: Beschäftiggs-Buch f. d. reif. Jugend. 7. Afl.
v. C Freyer. (296 m. Abb. u. 4 Taf.) 8º Ebd. 05. 4 —; geb. 4.50 d
Wagner, H: Synthese v. Derivaten d. Benzo-4-Pyranols, e.
neuen Farbstoffklasse u. d. Benzo-4-Pyrans. (65) 8º Tübg, F
Pietzcker 01. nn 1.20
Wagner, H: „Klar z. Gefecht!" Fingerzeige z. Verteidigg d.
Christentums gg. d. moderne Weltanschaug. (96) 8º Gü-
tersl., C Bertelsmann 04. 1 —; geb. 1.50 d
Wagner, HF: Der Dürrnberg bei Hallein. [S.-A.] (58 m. 1 Karte.)
8º Salzbg, (H Nägelsbach) 04. 1 — d
— Mittelalterl. Hofpoesie in Salzburg. [S.-A.] (30 m. 1 Stamm-
taf.) 8º Salzbg, (H Dieter) (01). — 50 d
— Aug. Radnitzky, d. Fink v. Mattsee, s.: Radnitzky, A, Ge-
dichte in Salzburger Mundart.

Wagner, HF: Robinson u. d. Robinsonaden in uns. Jugendlit. (20) 8° Wien, (Kubasta & V.) 03. — 60
Wagner, HL: Confiskable Erzählgn, s.: Bibliothek litterar. u. kulturhistor. Seltenh.
— Die Kindermörderin, s.: Bibliothek d. Gesamtlit.
Wagner, J.: Die Erkältgskraukh., s.: Hausbibliothek, medizin.
Wagner, J: Musterbeisp. zu deut. Aufsätzen f. Elementar-, Volks-, Fortbildgs- u. Präparandensch. 2. Edcbn. 4. Afl. (147) 8° Langens., Schulbh. 01. 1.20 d
— Sprichwörter, deren Erklärg als Musterbeisp. zu deut. Auf- sätzen f. d.Oberst. d.Volkssch.,f.Präparandenanst. usw. 3.Afl. (111) 8° Paderb., J Esser 06. 1.20 d
Wagner, J: Die Zwangsversteigerg u. d. Zwangsverwaltg, s.: Wenz, P.
Wagner, I: Der moderne Ausbau, s.: Bauer, R.
Wagner, J: Anatomie d. Palaeopneustes niasicus, s.: Ergeb- nisse, wiss., d. deut. Tiefsee-Exped.
Wagner, J: Realien d. griech. Alterthums f. d.Schulgebr. 4.Afl. (129 m. Abb.) 8° Brünn, C Winiker 02. 2.60
— Realien d. röm. Alterthums f. d. Schulgebr. 4. Afl. (128 m. Abb. u. 2 Kart.) 8° Ebd. 02. 2.60
Wagner, J: Kommentar z. BGB. f. d. Deut. Reich, s.: Kom- mentar. — Staudinger, J v.
Wagner, J: Üb. d. Anfangsunterr. in d. Chemie. Nach d. An- trittsvorlesg. (37) 8° Lpzg, JA Barth 03. 1.20
— s.: Beiträge z. Frage d. naturwiss.Unterr. an d. höh. Schulen.
Wagner, JA: Helicinenstudien. [S.-A.] (94 m. 9 Taf.) 4° Wien, (A Hölder) 05. 9 —
Wagner, JA Frhr v., s. a.: Renatus, J.
— s.: Allerlse a. dar Aberlausitz.
— Johannes Franka. Eine Gesch. a. d. Mitte d. 19. Jahrh. 2. Afl. (343 m. Abb.) 8° Lpzg, M Spendig (05). 3 —; L. 3.80 d
Wagner, K: Sing Sang. Gedichte. (77) 8° Dresd., E Pierson 05. 1.50; geb. 2.50
Wagner, K: Ein Besuch beim Versichergstechniker. Plaude- reien f. jedermann üb. Grundl. u. Bedeutg d. Lebensver- sicherg. (64 m. 4 Taf.) 8° Stuttg., A Kröner 02. 1 — d
— Das Ungeld in d. schwab. Städten bis z. 2. Hälfte d. 14. Jahrh. (120) 8° Frankf. a/M., Gebr. Knauer (04). 3 —
Wagner, K: Litt. d. Landes- u. Volkskde d. Grossh. Baden, s.: Kienitz, O.
Wagner, L: Moderne Decorations-Malereien in farb. Ausführg. (32 Taf.) Fol. Düsseldf, P Wolfrum (01). 18.—
Wagner, L: Die Überbürdg in d. Schule, s.: Bibliothek, natur- u. kulturphilosoph.
Wagner, LA: Vom Glück. Dramat. Dichtg. (157) 8° Bielef., R Klinker (05). 2.50 d
Wagner's, LF, Stadtpl. v. Stuttgart. 1: 10,000. 2. Afl. — Um- gebgsk. v. Stuttg. 1: 35,000. 3. Afl. Je 25×33 cm. Farbdr. Stuttg., Holland & J. 02. (nn — 25) — 18 ;
Stadtpl. u. Umgebgsk. allein je (nn — 25) — 18
Wagner, M: Die bibl. Gesch. als Grundl. d. relig. Unterweisg. Vortr. (16) 8° Hambg, Ev. Bh. 05. — 30 d
— dass., s.: Vorträge üb. Erziehg auf christl. Grundl.
Wagner, M: Zifferntaf. "Uuerschöpflich". Hunderte v. Übgn, Hunderttausende v. Aufg. auf e. Karton v. 200 qcm. (32 m. Fig. u. 1 Zifferntaf.) 8° Lpzg, E Wunderlich 04. — 60
Wagner, M: Beitr. z. Frage d. Arbeitslosenfürsorge in Deutschl. (95) 8° Berlin-Grunew., Verl. d. Arbeiter-Versorgg A Tro- schel 04. 2 —
Wagner, O: Im Bahnwärterhäusel, s.: Universal-Bibliothek.
— Berliner Zigeuner. Eine wahre Erzählg a. d. Leben. (66) 8° Berl., M Regenhardt 03. 1 — d
Wagner, O: Moderne Architektur. 3. All. (188 m. Abb.) 4° Wien, A Schroll & Co. 02. Kart. 12.50
— Einige Skizzen, Projekte u. ausgeführte Bauwerks. III. Bd. 3—7. Heft. (24 Taf. m. 44 S. illustr. Text.) 4/3,×30,5 cm. Ebd. 01.04. Je 7 — (I—III, 7.: 189 —)
— s.: Wagnerschule.
Wagner, P: Liederb. f. Volkssch., s.: Kindervater, J.
Wagner, P: Praxis d. neuen Zeichenmethode f. d. Volkssch. I. u. Tl. Waldenbg. Bresl., Priebatsch. 8.45
I. Untcrt.: Der Erfolg im Gedächtnniszeichen: a) Methodik. b) Sammlg einfachster Lebensformen. (80 Zeichngn.) c) Stoffplänne. d) Materfalien. (102) 16° (04.) Kart. ua 1 —; 2. Afl. (102) 06. Kart. 1.20
II. Mittelst. 1. Freihandzeichnen a. d. Gedächtnis. 66 Unterr.-Entwürfe. 2 Freihandzeichndes in d. Natur. 70 Motive. 3. Malübgn. 126 Motive. Information üb. Methodik, Technik, Stoffeintheilg u. Lehr- u. Lehrmittel. (80 m. 76 Taf.) 8° (05.) 3.25
Wagner, P: Illustr. Führer durch d. Museum f. Länderkde (Alphons Stübel-Stiftg). (70 m. Abb., 2 Kart.) 8° Lpzg, Beckmann 05. † — 50 (Königsplatz), Städt. Museum f. Völkerkde 05. † — 50
Wagner, P, s.: Lesebuch, deut., f. sächs. Gymnasien.
Wagner, P: Aufg.-Sammlg a. d. elementaren Arithmetik, nebst e. Anl. z. Lösen bes. schwier. Aufg. f. Seminaristen u. Lehrer. (122) 8° Bruschw., A Graff02. Geb. 1.50; Aufl0sgn (10) — 80 d
Wagner, P: Die Fortschritte a. d. Nierenchirurgie im letzten Dezennium, s.: Klinik, Berliner.
Wagner, P: Ostfriesl. u. d. Hof d. Grätin Anna in d. Mitte d. 16. Jahrh., s.: Abhandlungen u. Vorträge z. Gesch. Ostfrieslds.
Wagner, P: Anwendgkünstl. Düngemittel, s.: Thaer-Bibliothek.
— dass. im Obst- u. Gemüsebau, in d. Blumen- u. Gartenkultur. 4. Afl. (96 m. Abb.) 8° Berl., P Parey 1900. 1.50 d
— DieBestimmg d. zitronensäurelösl.Phosphorsäure inThomas- mehlen. In Gemeinschaft m. R Dorsch, F Aschoff u. R Kunze, s.: Mitteilungen d. Vereinigg deut. landw. Versuchsstationen.

Wagner, P: Die Düngg m. schwefelsaurem Ammoniak u. or- gan. Stickstoffdüngern im Vergl. z. Chilisalpeter, s.: Arbeiten d. deut. Landw.-Gesellsch.
— Düngsfragen unter Berücks. neuer Forschgsergebnisse be- sprochen. IV—VI. Heft. 8° Berl., P Parey. 3.90 (I—VI.: 7.10) d IV. 4. Afl. (89 m. Abb.) 01. 1.50 ‖ V. (60 m. Abb.) 04. 1.20 ‖ VI. (78) 04. 1.20.
— Versuchs üb. d. Kalidüngg d. Kulturpflanzen, s.: Arbeiten d. deut. Landw.-Gesellsch.
— R Dorsch u. G **Hamann**: Die Ausführg v. Felddunggsver- suchen u. exakter Methode u. verchied. Fragen d. Salpeter- u. Ammoniaksalzdüngg, s.: Mitteilungen d. Vereinigg deut. landw. Versuchsstationen.
Wagner, P: Üb. traditionellen Choral u. traditionellen Choral- vortrag. (47) 8° Strassbg, FX Le Roux & Co. 05. — 60
— Einführg in d. gregorian. Melodien. 2. Afl. 1. Tl. Ursprg u. Entwicklg d. liturg. Gesangsformen bis z. Ausg. d. M.-A. (344) 8° Freibg (Schweiz), Univ.-Bh. 01. L. (6 —) 3 —
— dass., 2. Tl. Normenkde, s.: Collectanea Friburgensia.
— Kyriale. Die gewöhnl. Messgesänge n. uns. ält. Handschriften bearb. u. in moderne Noten umgeschrieben. (63) 8° Graz, Styria 04. — 40; kart. — 60; Orgelbegleitd dazu. (78) 4.20; kart. 4.50
— Kyriale sive ordinarium missae cum cantu gregoriano quaeo ex vetustissimis codicib. manuscriptis cisalpinis collegit et hodierno usui accommodavit W. (64) 8° Ebd. 04. — 50; L. — 85
— s.: Veröffentlichungen d. gregorian. Akad. zu Freiburg (Schweiz).
Wagner, P: Zur Lehre v. d. Streiterlediggsmitteln d. Völker- rechts. (102) 8° Darmst., (C Köhler) 1900. 2 —
Wagner, P: Deutsch-engl. Briefsteller, s.: Rothwell, JSS.
— Hdb. d. engl. Umgangssprache, s.: Flaxman, R.
— Lehr- u. Leseb. d. engl. Sprache f. d. Schul- u. Privatunterr. 3. Afl. d. Elementar-Grammatik. (410 m. 1 Pl.) 8° Stuttg., A Bonz & Co. 01. Kart. 3.40 d
Wagner, P: Das Solbad Salzungen, m. Berücks. d. Karmittel u. deren Wirkgn. 5. Afl. (13 m. Kart.) 8° Salz., L Scheermesser 01. 1.20
Wagner, R: Die hellen. Kultur, s.: Baumgarten, F.
— Präparat. zu Xenophons Anabasis. 2. Heft: Buch II. 4. Afl. (25) 8° Lpzg, BG Teubner 05. — 40 ‖ 3. Heft, Buch III u. IV. (44) 02. — 60 (I—III: 1.50)
— dass. zu Xenophons Hellenika. 1. Heft: Buch I. (24) 8° Ebd. 02. — 40
Wagner R v.: Hdb. d. chem. Technol., s.: Fischer, F.
— s.: Jahres-Bericht üb. usw. chem. Technol.
Wagner, R: Aether u. Wille od. Haeckel u. Schopenhauer. Eine neue Lösg d. Welträtsel. (239) 8° Lpzg 01. Berl., H Seemann Nf.
Wagner, R: Luther u. Savonarola, s.: Wartburghefte.
Wagner, R: Beethoven. 3. Afl. (71) 8° Lpzg, CFW Siegel 05. 1.50; L. 2.50 d
— Briefs an Aug. Röckel. Eingeführt durch La Mara. 2. Afl. (84) 8° Lpzg, Breitkopf & H. 03. 2 —; geb. 3 — d
— Briefs an Otto Wesendonk 1852—1870. Neue vollständ. Ausg. 1—4. Afl. (134 m. 2 Bildn.) 8° Berl., A Duncker 05. 2 —; L. 3 —; HF. 4 —
— Gedichte. (186) 8° Berl., G Grote 05. Kart. 3 —; geb. 4 —
— Der flieg. Holländer. Romant. Oper. Mit d. Partitur über- einstimm. Textb.) (47) 8° Berl., A Fürstner 01. — 80
— Üb. d. "Flieg. Holländer" d. Entstehg Gestaltg. u. Dar- stellg d. Werkes. Aus d. Schriften u. Briefen d. Meisters zusammengest. (57) 8° Lpzg, CFW Siegel 01. — 60
— Die Meistersinger v. Nürnberg, m. Bildern u. Buchschmuck v. G Barlösius. (114) 4° Berl., Fischer & Fr. 01.
Ldr m. Metallknöpfen u. Schliessen 75 — d
— s.: Musik, d., u. ihre Klassiker.
— Rienzi, d. letzte d. Tribunen. Gr. trag. Oper. Mit d. autogr. resp. d. 1. gestoch. Partitur übereinstimm. Ausg. (Textb.) (64) 8° Berl., A Fürstner (01). — 80
— dass. Neue vollständ. Bühnenausg. (m. d. Orig.-Partitur übereinstimmend.) (Textb.) (78) 8° Ebd. 01. 3 —
— Nachgelass. Schriften u. Dichtgn. 2. Afl. (216) 8° Lpzg, Breitkopf & H. 02. 4.80; geb. 5.80 d
— augew. Schriften üb. Staat u. Kunst u. Relig. (1864—81.) (20, 380) 8° Lpzg, CFW Siegel (01). 3 — d
— Tannhäuser u. d. Sängerkrieg auf Wartburg. Vollständ. m. d. Partitur d. neuen Bearbeitg übereinstimm. Ausg. (Textb.) (61) 8° Berl., A Fürstner 01. — 80
— dass. Vollständ. m. d. Partitur d. 2. Bearbeitg überein- stimm. Ausg. (Textb.) (57) 8° Ebd. 01. — 80
— Tristan u. Isolde. 4. Afl. (110) 8° Lpzg, Breitkopf & H 02. 1 —; geb. 2 — d
— dass. (1857.) Textb., m. Angabe d. Leitmotive, d. führ. Or- chesterinstrumente, d. Seitenzahlen in Partitur (Taschen- format) u. Klavierauszug nebst Notenbeisp. im Anh. hrsg. v. C Waack. Neue Bühnenausg. (65) 8° Ebd. (05). 1 —
— an Mathilde Wesendonk. Tagebuchblätter u. Briefe 1853—71. 1—18. Afl. (32, 367 m. 4 Taf. u. 3 Fksms.) 8° Berl., A Duncker 04. 5 —; L. 6 —; HF. 7.50
— dass. Traduction par G Khnopff. 2 vols. (244 u. 260 m. 2 Bildn.) 8° Ebd. 05.
Wagner, R: Führer v. Karte d. sächs. Schweiz. (42 m. 3 Tab.) 8° Lpzg/-R., Gerichtsweg 8), Rud. **Wagner** (04). , — 75; ohne Karte — 50
— Neue Karte d. sächs. Schweiz. 1 : 75,000. 30,5×44,5 cm. Farbdr. Ebd. (03). , — 75

Wagner, R: Die Gruppe d. Hochlantsch. (98 m. Abb. u. 1 Karte.) 8° Graz, (Styria) (05). nn 1 — d
— Panorama v. Reichenstein. 2166 m. In d. Runde gez. v. A Richter. 48×48 cm. Lith. Mit Text auf d. Rücks. Leoben, (L Nüssler) (02). — 50
Wagner, R: Ein neues Aizoon a. Südaustralien. [S.-A.] (6 m. Abb.) 8° Wien, (A Hölder) 04. — 80
— Üb. d. Bau u. d. Aufblühfolge d. Rispen v. Phlox paniculata L. [S.-A.] (85 m. Fig. u. 1 Taf.) 8° Ebd. 02. 1.90
— Beitr. z. Kenntnis d. Anemone ranunculoides L. u. d. A. lipsiensis Beck. [S.-A.] (20 m. Fig.) 8° Ebd. 02. 1.20
— Beitr. z. Gattg Trochodendron Sieb. et Zucc. [S.-A.] (14 m. Abb.) 8° Ebd. 03. — 70
Wagner, R: Die Festigk. d. Zylinderköpfe v. Grossgasmotoren. [S.-A.] (20 m. Fig.) 4° Berl., Boll & P. (04). 1 —
Wagner, S: Bruder Lustig. (Textb.) (72) 8° Lpzg, M Brockhaus (05). — 80
— Der Kobold. (Textb.) (116) 8° Ebd. (03). — 80; geb. 1.50
— dass. Dichtg, m. d. wichtigsten Leitmotiven u. themat. Analyse im dah. Hrsg. v. E G. (115 u. 50) 8° Ebd. (04). 1.60
— Herzog Wildfang. (Textb.) (114) 12° Ebd. (01). — 30
Wagner, S: Salzburga Gsangs. 2. Afl. Hrsg. v. HF Wagner. (23, 122 m. Bildnis.) 12° Salzbg, H Dieter 01. 1.60; geb. 3 — d
Wagner, W: Die Hausandacht. Ein Wort am christl. Hauseltern nebst Beisp. a. d. Erfahrg. 2. Afl. 6—10. Taus. (27) 8° Herb., Bh. d. nass. Colportagever. 04. nn 1.20 d
Wagner, W: Der Christ u. d. Welt n. Clemens v. Alexandrien. Ein noch unveralt. Problem in altchristl. Beleuchtg. (96) 8° Gött., Vandenhoeck & R. 03. 2.40 d
Wagner, W:Bad-Nauheim u.Umgebng,s.: Grieben's Reiseführer.
Wagner, W: Sturmadler, Patriot. Gedichte f. d. deut. Heer. (103) 8° Berl., K Siegismund (03). feine Ausg. 2 —; L. 3 — d
Wagner, W: Die Studentenschaft u. d. Volksbildg, s.: Vorträge u. Aufsätze a. d. Comenius-Gesellsch.
Wagner redivivus, R: Lohengrin. 2. Tl. Melodramat. Scherzsp. (11) 8° Strieg., A Hoffmann 03. — 50 d
Wagner, A: Uebgsaufg. a. d. quantitativen chem. Analyse durch Maassanalyse, s.: Vortmann, G.
Wagner, W: Nordisch-german. Götter- u. Heldensagen, s.: Nover, J.
— Deutsche Heldensagen f. Schule u. Volk. Auszug d. 2. Bds s. grossn. Werkes „Nordisch-german. Vorzeit". Sagenkreis d. Amelungen. Sagenkreis d. Nibelungen. Gudrun. Beowulf. Karolings. Sagenkreis. König Artus u. d. hl. Gral. 4. Afl. v. F Wägner. (268 m. Abb. u. Titelbild.) 8° Lpzg, O Spamer 01. 1.60; geb. 2 — d
— dass., s.: Spamer's, O, neue Volksbb.
— Hellas. Das Land u. Volk d. alten Griechen. 9. Afl. v. F Baumgarten. (672 m. Abb., 5 Beil. u. 1 Karte.) 8° Lpzg, O Spamer 02. 10 —; L. 12 — d
— Rom. Gesch. u. Leben d. röm. Volkes. 7. Afl. v. Kultur. 8. Afl. v. OE Schmidt. (826 m. Abb. u. 2 Kart.) 8° Ebd. 03. 10 —; L. 12 — d
— dass. Gesch. d. röm. Volkes u. s. Kultur. 8. Afl. v. OE Schmidt. (846 m. Abb. u. 2 Kart.) 8° Ebd. 03. 10 —; L. 12 — d
— Unsre Vorzeit II. Deut. Heldensagen. In Schildergn f. Jugend u. Volk. 7. Afl. v. G H. (494 m. Abb.) 8° Ebd. 02. 7.50 (Vollst.: 15 —; Einbde in Lje 1 —) d
— u. J Wägner: Prinz Eugen, d. edle Ritter u. s. allzeit bereiter Wachtmeister. Erzählg f. Jugend u. Volk. 3. [Tit.-] Afl. (506 m. Abb. u. 8 Farbdr.) 8° Ebd. [1891] 04. 5 —; geb. 6 — d
Wagner-Schule '01, s.: Architekt, d.
— dass. '02. (81 m. Abb.) 4° Wien (03). Lpzg, Baumgärtner. Kart. (15 —) 8 —
— dass. 1902:03 u. 1903:04. Projekte, Studien u. Skizzen a. d. Spezialsch. f. Architektur d. Oberbaurat Otto Wagner. (79 m. z. Tl farb. Abb.) 31,5×40,5 cm. Ebd. 05. Gub. 16 —
Wagon, E: Die finanzielle Entwicklg dent. Aktiengesellsch. v. 1870—1900 u. d. Gesellsch. m. beschränkter Haftg im J. 1900, s.: Sammlung nationalökonom. u. statist. Abhandlgn.
Wahl's Taschen-Kalender f. Kaninchen-Züchter f. 1905 u. s. Hrsg. v. d. Red. d. Wochenschrift „Der Kaninchenzüchter". (456) 8° Lpzg, Dr. F Poppe. L. 1 — d
Wahl, A: Polit. Ansichten d. offiziellen Frankreich im 18. Jahrh. Vortr. [S.-A.] (40 m. Fig.) JCB Mohr 03. 1 —
— Studien z. Vorgesch. d. französ. Revolution. (168) 8° Ebd. 01. 4 — d
— Vorgesch. d. französ. Revolution. Ein Versuch. 1.Bd. (370) 8° Ebd. 05. 7 — d
Wahl, B v.: Auf! Kunstgewerbe-Entwürfe. 12 Hefte. (Je 6 Lichtdr. m. 1 Bl. Text.) 4° Münch., Verein. Kunstanst. 01-03. In M. 12 —; einz. Hefte (2 —) 1 —
Wahl, E v.: Über e neue geolog. Hypothese z. Erklärg d. Eiszeiten v. Raibisch u. Simroth. Vortr. (41) 8° Esv., (Kluge & Ström) 04. — 50 d
— Der moderne Seekrieg u. s. Kampfmittel. Vortr. [S.-A.] (47 m. 1 Taf.) 8° Ebd. 04. 1.20 d
— Der Wille als elektroide Energieform. Vortr. [S.-A.] (27) 8° Ebd. (05). — 50 d

Wahl, E: Ein armes Grossstadtkind. Ein Jugendleben. 2. Afl. (144 m. 4 Farbdr.) 8° Stuttg., Loewe (04). Geb. 3 — d
Wahl, F: Die strafrechtl. Haftg d. verantwortl. Redakteurs u. § 21 d. Reichspressges. (54) 8° Mainz, J Diemer 04. — 80
Wahl, G: Joh. Christoph Rost. Beitrag z. Gesch. d. deut. Litt. im 18. Jahrh. (181) 8° Lpzg, JC Hinrichs' V. 02. 3.20; L. 4.20 d
Wahl, H: Muster im Sezessions- u. Jugendstil, s.: Hochfelden, P.
Wahl, L, s.: Betrachtungen f. Geistlich u. Weltlich.
Wahl, R: Das kgl. sächs. Ges. üb. d. Erbschaftsstener, s.: Handbibliothek, jurist.
Wahl, T: Der Anarchismus. — Was lehrt uns d. Babel-u-Bibelstreit? — Uns. Rechtspflege in d. Volksbewusstsein. — Der Wormser Synodalentag u. d. synodale Bewegg im ev. Deutschl., s.: Zeitfragen d. christl. Volkslebens.
Wahlen, rothe! 1903. Red.: W Paetzel. (8 m. Abb.) 4° Berl., Bh. Vorwärts (03). — 10 d
Wahlgesetz f. d. deut. Reichstag v. 31.V.1869 nebst Regl. z. Ausführg d. Wahlges. v. 28.V.1870 in d. Fassg d. Bekanntmachg v. 28.IV.'03. Amtl. Handausg. (28) 8° Darmst., G Jonghaus 03. nn — 25 d
Wahlgren, E: Üb. ein. Zetterstedt'sche Nemocerentypen. [S.-A.] (19 m. Abb.) 8° Stockh. 04. (Berl., R Friedländer & S.) nn — 80
— Aphanipterolog. Notizen nebst Beschreibg neuer Arten. [S.-A.] (15 m. 3 Taf.) 8° Ebd. 03. 1—
Wahl- u. Sängersprüche. Ges. v. d. Liedertafel „Frohsinn", Linz. (250) 16° Linz, (V Fink) 05. L. nn 1.50 d
Wahlström, I: Was Frühling, Liebe u. Musen mir heimlich sangen ins Ohr. Gedichte. (159) 8° Dresd., E Pierson (05). 2.50; geb. 3.50 d
— Poet. Kaleidoskop. (239) 8° Ebd. 03. 3.50; geb. 4.50 d
Wahlund, C: Die altfranzös. Prosaübersetzg v. Brendans Meerfahrt, n. d. Pariser Hdschr. Nat.-Bibl. fr. 1553 v. neuem m. Einl., lat. u. altfrz. Parallel-Texten. Anmerkgn u. Glossar hrsg. (90, 335) 8° Upsala 1900. Lpzg, O Harrassowitz. nn 8.50
Waehmer, K: Das Asthma. (47) 8° Berl., Deut. Verl. (03). — 75 d
— Die Leberkrankh. u. Gallenleiden. (53) 8° Ebd. (02). 1 — d
— Die Lungenkrankh. (54) 8° Ebd. (03). 1 — d
Wahn, M, s.: Kunstdenkmäler, elsäss. u. lothring.
Wahner, J: Aufg. a. d. deut. Prosalektüre d. Prima, s.: Probasel, P.
Wähner, F: Das Sonnwendgebirge im Unterinnthal. Ein Typus alpinen Gebirgsbaues. 1. Tbl. (356 m. Abb., 19 Lichtdr. u. 1 Karte.) v° Wien, F Deuticke 03. 35 —
Wahnschaffe, F: z. Anl. z. wiss. Bodenuntersuchg. 2. Afl. (190 m. Abb.) 8° Berl., P Parey 03. L. 5 —
— Geologisch-agronom. Darstellg d. Umgebg v. Geisenheim am Rhein, s.: Leppla, A.
— Die Ursachen d. Oberflächengestaltg d. norddent. Flachlandes. 2. Afl. Zugl. 2. Afl., v Forschgn z. deut. Landes- u. Volkskde VI. Bd. 1. Heft. (258 m. Abb. u. 9 Beil.) 8° Stuttg., J Engelhorn 01. 5 — d
Wahnschaffe, U: 75 Jahre Turnen am Gymnasium zu Wolfenbüttel 1828—1903. (50) 8° Wolfenb., (J Zwissler) 03. Kart. 1 —
— u. P Zimmermann: Album d. herzogl. Gymnasiums (d. herzogl. grossen Schule) zu Wolfenbüttel 1801—1903. 2. Ausg. (196 m. 2 Bildnistaf.) 8° Ebd. 03. Kart. 2.50 Bildet e. Ergänz u. Fortsetzg d. r. F Koldewey 1877 erschienenen Albums.
Wahrheit. Halbmonatsschrift f. Zeit- u. Streitfragen auf polit., soz., wiss. u. künstler. Geb. Hrsg. u. Red.: A Martin (M Boreos). 1. Jahrg 1905. 2 Hefte. (1. Heft. 48) 8° Wien, Verl. „Wahrheit" (A Martin). Je — 50 ö F
— die. Hrsg.: A Kansen, 1904/5: F Franziss. 7—11. Bd 1901—5 je 12 Hefte. (Je 576) 8° Leutk., J Bernklau. einz. Hefte — 50 d
— d., üb. d. Cölibat. Vom e. kathol. Priester. (50) 8° Wien, Verl. „Sturm" 01. (?) — 60
— d., üb. d. Heer u. s. Offiziere, v. Gottfried, s.: Broschüren-Folge „Continent".
— d., üb. d. Kronprinzenpaar v. Sachsen. Von einem Eingeweihten. (176) 8° Zür., C Schmidt 03. 2.80 d
— d., üb. d. Flucht d. Kronprinzessin v. Sachsen. Von einem Eingeweihten. (32) 8° Dresd., (Kansen & Co.) (03). — 30 d
— in Liebe. Festpredigt u. wiss. Vortr. z. 50. Stiftgsfeste d. akad.-theolog. Ver. zu Berlin. 8° Berl., (G Nauck) 04. 1.30 d
Müller, G): Festpredigt (Ephesef 4, V. 15). — Schmidt, F: Die berufl. Vorbildg d. ev. Theologen in d. Gegenwart. (47)
— in d. Liebe. Hefte z. Verständnis d. Gemeinschaftsbewegg. Hrsg.: J Warns. Mai—Dezbr 1904. 6 Hefte. (1. u. 2. Heft. Je 16) 8° Schildesche. (Bonn, J Schergens.) 1 — l Jahrg. 1905. 12 Hefte. Barmen. nn 2 —; einz. Hefte — 20 d
— d., in d. Frage d. Überbürdg uns. Schüler. Von e. erfahrenen Schulmanne. 2. Afl. (72) 8° Dresd., B Sturm 04. 1 — d
Wahrheitsfreund, der, Wochenbl. f. d. kathol. Volk. Red.: O Ruff. Mit Beil. „Der Heimgarten. 27—31. Jahrg. 1901—5 je 52 Nrn. (1901. Nr. 1. 12 u. 4) 8° Augsbg, Kranzfelder. Je 2 —
— kathol. Hrsg. v. Paulusver. zu Graz. Red.: F Fuchas. 53— Jahrg. 1901—5 je 52 Nrn. (Nr. 1. 8) 4° Graz, U Moser. Je 4 —
Wahrheitspiegel, der, Monatsschrift d. neuen Richtg. Göttl. Heilkde od. Geistes-Wiss. Hrsg. v. E Roth. 2. Jahrg. 1903/04. 12 Nrn. (Nr. 1. 16) 8° Handschuchheim. (Wien, FC Mickl). Halbj. 1.50 d

Wahrheitszeuge, der. Zeitschrift f. Gemeinde u. Haus. Organ
d. deut. Baptisten. 23. Jahrg. 1901. 50 Nrn. (Nr. 1. 8) Fol.
Cass., JG Oncken Nf. nn 4.40 || 24—26. Jahrg. 1902—4. Je 4.60
‖ 27. Jahrg. 1905. 5 — d
Wahrheitszeugnisse, ev., in Predigten v. verschied. Predigern
d. ev. Gemeinschaft. 3. Bd. 12 Lfgn. (542) 8⁰ Stuttg., Christl.
Verlagshaus (04).   Je — 40; in 1 L.-Bd 5 —
Wahrmund, L: Akadem. Plaudereien z. Frauenfrage. 4 rechts-
u. culturgeschichtl. Vortr. in populärer Form. (162) 8⁰ Innsbr.,
Wagner 01.   2 —
— s.: Quellen z. Gesch. d. römisch-kanon. Processes im M.-A.
— Das deut. Reich u. d. komm. Papstwahlen. (36) 8⁰ Frankf.
a/M., Neuer Frankf. Verl. 03.   — 50 d
— s.: Universität u. Kirche.
Wahrmund. T: Der niederösterr. Landtag u. d. arbeit. Volk.
(23) 12⁰ Wien, Wiener Volksbh. (02). .   nn — 10 d
Währschafts-Ordnung, neue, f. Frankfurt a. M. (Hrsg. v. B
Geiger.) (20) 8⁰ Frankf. a/M. (Holzgraben 13), Gebr. Fey 04.
— 75 d
Waibel, K: Leitf. f. d. Nachprüfgn d. Hebammen. 4. Afl. (12,
98 m. farb. Abb.) 8⁰ Wiesb., JF Bergmann 03.   L. 2 — d
— Leitf. f. Unfallgutachten. (424) 8⁰ Ebd. 02.   8 —
Waidwerk s.: Weidwerk.
Wajner-Wajnerowský, JF: v. Kralič's Ablagerg u. Verbreitg
d. stein- bezw. Kalisalze sowie ihre Verwendg. 2. Afl. Mit
e. Anh. üb. d. geschichtl. Entwickelg d. durch d. Aufschliessg
d. Kalisalzlager entstand. Kali-Industrie. (84 m. Abb.) 8⁰ Wien
03, Linz, Oberösterr. Buchdr.- u. Verl.-Gesellsch.   2.50
Die 1. Afl. erschien u. d. T.: Kralič Edler v. Wojnarowsky, FW,
d. Verbreitg d. Stein- bezw. Kalisalzlagers in Norddeutschl.
Wainstahl, W: Der Stadtsee u. d. heil'ge Kirche. Komödie.
(80) 8⁰ Dresd., E Pierson 03.   1.50 d
Wais, J: Albführer. Wandergn durch d. schwäb. Alb nebst
Hegau u. Randen. (263 m. 20 Kart.) 12⁰ Stuttg., Union (03).
Geb. 2.20
Waisenkind, das. Monatschrift f. Kinder u. Kinderfreunde.
Hrsg. u. Red.: F Sixt. 18—22. Jahrg. 1901—5 je 12 Nrn. (Nr. 1.
16 m. Abb.) 8⁰ Wien, ("St. Norbertus").   Je 1.70 d
Waitz: Quellenkde d. deut. Gesch., s.: Dahlmann.
Waitz, E: Ausw. d. Gemeindelieder, Kollekten u. Versikel f.
d. Hauptgottesdienst in d. hannov. ev.-luther. Landeskirche.
3. Afl. (27) 8⁰ Gött., Vandenhoeck & R. 04.   1 —
Waitz, H: Das pseudotertullian. Gedicht Adversus Marcionem.
(158) 8⁰ Darmst., J Waltz 01.   5.40
— Gesch. d. Wingolfbundes. 2. Afl. (400) 8⁰ Ebd. 04. L. 6 — d
— Die Pseudoklementinen, s.: Texte u. Untersuchungen z.
Gesch. d. altchristl. Lit.
Waitz, S: Brixen, Südtirol. Jahrtausendfeier. 901—1901. 26—
27.X. (68 m. Abb. u. 14 Lichtdr.) 8⁰ Nebst: Brixener Chronik.
Festnummer. (8 m. Abb.) Fol. Brix., (Pressver.-Bh.) (01).
M. 6 — d
Walb, H: Ueb. d. Notwendigk. stationärer Kliniken in Ver-
bindg m. d. Polikliniken f. Ohren-, Nasen- u. Halskranke.
[S.-A.] (6) 8⁰ Jena, G Fischer 04.   — 40
Walbaum, O, s.: Beiträge z. patholog. Anatomie.
Walbaum, R: Ev. Glaubenslehre, s.: Tillian, H.
Walchegger, J: Brixen. Geschichtsbild u. Sehenswürdigk.
(143 m. Abb. u. Titelbild.) 8⁰ Brix., Pressver.-Bh. 01. Kart. 4 — d
Walcker, K: Betrachtgn üb. d. moderne Militärwesen u. Völ-
kerlehen. (105) 8⁰ Sondersh., FA Eupel 04.   1 —
— Die Duellfrage. (38) 8⁰ Lpzg, Rossberg'sche Verl. 03.   — 50
— Gesch. d. Nationalökonomie u. d. Sozialismus. 5. Afl. (124)
8⁰ Ebd. 02.   1 —
— Kritik d. Bismarckschen Politik. (26) 8⁰ Sondersh., FA Eupel
04.   1 — d
— Der Liberalismus, s. Wesen u. s. Machtmittel. (32) 8⁰ Ebd.
(03).   1 — d
— Priesterherrschaft od. Laienherrschaft? (35) 8⁰ Ebd. 01. 1 — d
— Der Tierschutz u. d. Tierquälereien. Einleit. Betrachtgn.
(35) 8⁰ Ebd. 05.   1 —
Walcker, M: Fürs Kinderherz. (168) 8⁰ Papiermühle b/Frankf.
Gebr. Vogt 03.   Geb. 2 —; m. 15 Farbdr. 3 — d
Wald, A: Wald- u. Heide-Novellen. (114) 8⁰ Dresd., E Pierson
01.   1.50; geb. 2.50 d
Wald, H: Die Gleichstellg d. Katholiken in Preussen. (87) 8⁰
Hamm, Breer & Th. 01.   1 — d
Wald, M: Die Fibel, e. rechte Gehilfin d. Lehrers, s.: Ab-
handlungen, pädagog.
— Heimatkde d. Kreises Teltow u. d. Städte Charlottenburg,
Schöneberg u. Rixdorf. 3. Afl. (44 m. 1 Pl. u. 3 Kart.) 8⁰ Berl.,
F Zillessen 03.   — 60 d
Wald-Zedtwitz, E v.: Chic. Humoresken n. leb. Mustern. (112)
8⁰ Berl., Globus Verl. (03).   1 — d
— Potz! Blitz!, s.: Eckstein's Reise-Bibliothek.
Waldaestel, H: Gedichte. (64) 8⁰ Lpzg, Verl. f. Lit., Kunst u.
Musik 05.   1.50; L. 2.50 d
Waldau, D: Was mich betrifft. Gedichte. (78) 8⁰ Czernow.,
(H Pardini) 02.   2 — d
System Stolze-Schrey. (24) 8⁰ Berl., Frz Schulze (03).   — 80
Waldau, F: Mampe's Flitterwochen, s.: Vereins-Theater.
Waldau, K: Beppo u. s. Freunde in Not u. Bedrängnis. Er-
zählg f. d. Jugend. Fortsetzg zu: Bellinis Kinder u. d.
Ziegen-Beppo. (162 m. Abb.) 8⁰ Köln, JP Bachem (01). 2.50;
geb. 3.50 d

Waldau, L, s.: Fuhr, L.
Waldberg, A v.: Horaz. Eine kritisch-satir. Betrachtg. (68) 8⁰
Dresd., E Pierson 05.   1.50 d
— Schlaglichter a. d. Sphäre d. Gymnasiums. (96) 8⁰ Ebd. 05.
1 —; geb. 2 — d
— Schulgedanken e. Gymnasialabiturienten v. 1903. (72) 8⁰
Ebd. 04.   1 — d
Waldberg, M Frhr v., s.: Forschungen, literarhistor.
Waldberg, W v.: Der verpfänd. Bauernjunge, s.: Vereins- u.
Gesellschaftsbühne, neue.
Wald- u. Feld-Brevier. Ein Schock Liebeslieder. (40) 16⁰ Wien,
(LW Seidel & S.) 01.   — 85 d
Waldburg, S (Gräfin S Waldburg-Syrgenstein): Erschautes
u. Erdachtes. Gedichte. (258) 8⁰ Dresd., E Pierson 04. 3 —;
geb. 4 — d
Waldburger, A, s.: Zeitschrift, schweiz. theolog.
Waldburger, E: Bericht üb. d. I. Jahresversammlg d.' schweiz.
Gesellsch. f. kaufmänn. Bildgswesen, s.: Flury, W, Handels-
stand u. Handelsschule.
Walde, A: Latein. etymolog. Wrtrb., s.: Sammlung indoger-
man. Lehrbb.
Walde, CH: Moderne Möbeltischlerei. [S.-A.] (308—551 m. Fig.
u. 80 Taf.) 8⁰ Lpzg, JJ Arnd 02.   10 —; geb. 12 — d
— Der prakt. Tischler. Hdb. f. Bau- u. Möbeltischler. 2. Afl.
30 Lfgn. (666 m. Abb. u. 80 Taf.) 8⁰ Ebd. 02.03. Je — 50;
in 1 L.-Bd 18 — d
— u. H Knoppe: Hdb. d. Drechslerei, s.: Weber's illustr. Katech.
Walde, E: Reichs-Militärges., s.: Handbibliothek, jurist.
Walde, F vom: Die Madonna v. Liesse, s.: Dilettanten-Theater.
Walde, T: Fahnenspiele. Turner. Fahnengruppierg f. Tur-
ner u. Turnerinnen. (7 m. Abb. u. 1 Taf.) 8⁰ Lpzg, Rauh &
Pohle (03).   Je — 40
— Lehrstoff im Turnen, s.: Tomaszewski, V.
— Turnleimp! f. Knaben- u. Mädchenturnen in d. Volksseh.
(46) 8⁰ Boch., Verl. d. Hermann-Hubertus-Stiftg (04). 1.25 d
— Turnspiele usw., s.: Thom, V.
Waldeck, A: Prakt. Anl. z. Unterr. in d. latein. Grammatik
n. d. neuen Lehrpl. 3. Afl. (217) 8⁰ Halle, Bh. d. Waisenh. 03.
3 —; geb. 3.60 d
Waldeck, H: Vunn dr Lewwer weg. Humorist. Gedichte u.
Humoresken in Pfälzer (Mannheimer) Mundart.(185) 8⁰ Mannh.,
E Aletter (03).   2 —; geb. 2.80 d
Waldeck, Karl, Komponist u. Domkapellmeister in Linz. † d.
25.III.'05- (15 m. Bildnis.) 8⁰ Linz, Zentraldr. vorm. E Mareis
05.   4.60; Einbde je — 40 d
Die 2. Afl. s. unt. d. Verf.: Gräflinger, F.
Waldeck, L, s. a.: Dimitz, L.
— Edelholz. Poet. Erzählg a. d. Alpen. (288) 8⁰ Lpzg, A Twiet-
meyer 04.   3 — d
— Una. Kaisers Waidwerk. [S.-A.] (15 m. Abb.) 4⁰ Klagenf.,
J Leon sen. (02).   2 —
Waldeck, M: Hdb. d. katbol. Relig.-Unterr. auf Grundl. d.
in d. Diöz. Breslau, Erml., Fulda, Hildesheim, Cöln, Limburg, Münster, Paderborn u. Trier eingeführten Katech. Zunächst f. Präparandenanst. begeb. 2 Tle. 8⁰ Freibg i/Br., Herder 05.   4.60; Einbde je — 40 d
1. Die Relig.-Lehre. (318) 2.80 || 2. Das Kirchenj. u. d. kirchl. Leben.
(192) 1.80.
— Kirchenlieder u. Hymnen f. d. Erzdiöz. Cöln. (27) 8⁰ Ebd.
05.   — 40 d
— dass. f. d. Diöz. Trier. (30) 8⁰ Ebd. 05.   — 40 d
— Lehrb. d. katbol. Relig. auf Grundl. d. in d. Diöz. Breslau,
Ermland, Fulda, Hildesheim, Cöln, Limburg, Münster, Paderborn u. Trier eingeführten Katech. Zum Gebr. an Lehrer-
u. Lehrerinnen-Seminaren u. and. höh. Lehranst. sowie z.
Selbstbelehrg. 7. u. 8. Afl. (572) 8⁰ Ebd. 05. 5 —; geb. 6 — d
— s.: Monatschrift f. katbol. Lehrerinnen.
Waldeck, O: Aus vergilbten Blättern. Satir. Idylle in 5 Auf-
zügen. (48) 8⁰ Wien 01. (St. Georgen b/Fressburg), Osc. Wal-
deck.   1 — d
— Pan's Gelächter. Satiren. 1. Serie, (63) 8⁰ Pressbg, (Ph.
Schwarz.) (?)   1.70 || 2. Serie. (63—143) 02. 2 —
— Die Schmarotzer. Komödie. (56) 8⁰ Ebd. 05.   2 — d
Waldeck, O: Deut. Gebetb. f. d. israelit. Jugend. (174) 16⁰
Wien (05). (Prag, JB Brandeis.)   b. 1 —; m. G. 1.40 d
Waldeck, W v.: Prozess Treuberg, s.: Kaufmann's moderne
Zehnpfennig-Bibliothek.
Waldegg, s.: Heusinger v. Waldegg.
Waldegg, O: Prakt. Denken u. Handeln im Kampfe d. Lebens,
s.: Weg. d., z. Reichtum.
Waldegger, P: Sursum corda!, s.: Baldauf, G.
Waldemar, H: Freud u. Leid. Erzählgn f. Mädchen. 3. Afl.
(112 m. 6 Farbdr.) 8⁰ Stuttg., Loewe (02).   4 — d
— Aus vornehmen Kreisen. 2 Erzählgn f. d. reif. Mädchen-
alter. 4. Afl. (192 m. 2 Vollbildern.) 8⁰ Stuttg. (03). Reutl.,
R Bardtenschlager.   Geb. 3.50 d
Waldemar, R: Witz üb. Witz! Anekdoten. I u. II. (Je 16) 8⁰
Wien, Szelinski & Co. (05).   Je — 40 d
Walden, A v (L Krapp): Christus. Gedichte. 1. u. 2. Taus. (185)
8⁰ Mainz, Kirchheim & Co. 03.   2 —; geb. 3 — d
— Johs Jörgensen. d. Dichterphilosoph. [S.-A.] (18) 8⁰ Ebd. 04.
— 30 d
— Krenzesblüten. Gedichte. (51) 8⁰ Düllm., A Laumann 01. — 50 d
— Opferfeuer. Geistl. Gedichte f. d. Volk. (64) 8⁰ Münst., Al-
phonsus-Bh. (04).   L. 1.60 d

Walden, F (F Hillmann): Aus dunklen Talen. Verse. (60) 8°
Erf., W Schenker 04. — 60 Vergr.
Walden, PW: Ostwald. Mit e. Bibliogr. (120 m. 2 Taf.) 8° Lpzg,
W Engelmann 04. 4 —
Waldenburg, A: Das isocephale blonde Rassenelement unter
Halligfriesen u. jüd. Taabetummen. (46 m. 1 Tab.) 8° Berl.,
S Calvary & Co. 02. 2 —
Waldenburg, M (M Peschmann): Bunte Blätter. Scherz u.
Ernst in Vers u. Prosa. (118) 8° Schweidn., G Brieger (03).
t — d
— Frisch vo d. Laber! Gedichte in schles. Mundart. (99) 8°
Ebd. (02). — 80 d
— 's lberbraat'l. Scenen, Couplets, Lieder u. Gedichte in schles.
Mundart. (2. Taus.) (92 u. Musikbeil. 17) 8° Ebd. 01. 1 — d
— Der Leierkasten. Heiteres u. Ernstes f. Gesellschaft u. Hans.
1—4. Heft. 8° Ebd. Je — 50 d
1. Einl. Der Kampf m. d. Lindwurm. Eine höchst traur. Posse in schönen Versen. (25) (03.)
2. Eine Nacht im Panoptikum. Burleske. — Der Sängerkrieg auf d. Narrenburg. Kafuevalistisch gewagnetes Musikdrama. (Ein Karneval-
Tafblied. (26—62) (04.)
3. Die Boten. Kom. Scene m. Gesang. (63—86) (04.)
4. Humorist. Vorträge. (86—130) (04.)
— Spoass muss sein! Gedichte in schles. Mundart. 2. Afl. (84)
8° Ebd. (04). — 80 d
Waldenburg, S: Auf d. Alm (in Berliner Mundart), s.: Universal-Bibliothek.
Walder, A: Sie müssen nicht. Ein off. Wort a. d. christl. Ge-
sellsch. an Hrn Pfarrer Kutter. (40) 8° Zür., Art. Instit. Orell
Füssli 04. 1 — d
Walder, E: Latein. Schulgrammatik, s.: Frei, J.
Walder-Appenzeller, H: Caspar Appenzeller, s.: Neujahrs-
blatt d. zürcher. Hülfsgesellsch.
Waldersee, Gräfin E v.: Botinnen Jesu Christi z. bibl. Be-
gründg d. Frauenarbeit im Reiche Gottes. Vortr. (8) 8° Berl.,
(Bh. d. ostdeut. Jünglingsbundes) 02. — 5 d
— Jahwe ist Gott, s.: Für Dich.
— Zu Jesu Füssen! Off. Brief an uns. gebild. Töchter. (16) 12°
Berl., (Bh. d. ostdeut. Jünglingsbundes) 01. — 15 d
— Jesu Seelsorge — e. Vorbild f. unsre Einzelpflege in d. Ver-
einen. Vortr. (11) 8° Ebd. 03. — 25 d
— Vorbilder im Alten Bunde. I. Tl u. H. Tl, 2 Hfte. 8° Kass.,
E Röttger. 6 —; geb. 8 —; in 1 bd geb. 7.50;
auch in Lfgn zu 1 — d
L. Die Schöpfg u. d. Erzväter. Col. 1, 26.27. (244) (01.) 2 —; geb. 3 —
II. Gottes Bund m. Israel. 2 Hften. (516 m. Abb.) (02.03.) 4 —; geb. 5 —
— Wahrheit u. Freiheit! Versuch e. Beantwortg d. Pilatus-
Frage Joh. 18, 38. (Vortr.) (16) 8° Ebd. (02). — 15 d
Waldersee, FG Graf v.: Leitf. f. d. Dienstunterr. d. Infanteristen.
141. Afl. v. FG Graf v. Waldersee. (Ausg. m. Gewehr 88.)
(239 m. Abb., 5 farb. Taf. u. 1 Bildnis.) 8° Berl., Vossische
Bh. 05. nn — 60; Ausg. m. Gewehr 98. (333 m. Abb. ...
Waldersee, P Graf v.: Chronologisch-themat. Verz. sämtl.
Werke Wolfg. Amade Mozarts, s.: Köchel, L Ritter v.
Waldesrauschen — Waldesfrieden. (Christl. Volkszählgn.)
11—28. Heft. (Je 16) 8° Lengerich, Bischof u. Klein (02.03.)
Je — 10; je 4 Nrn in 1 Bd kart. [Bd 1—7] je — 40 d
Eath.: Erakhija v.: O Bayer, M Eitner, L Gregof, F Hofmann, L Him-
melmann, J Jung, H Krüger, M v. Panitza, R Pfannschmidt-Beutnef, M
Eirkmeyef, A Schwaffe, F v. Welck, C Wehaef, C Wintef u. a.
Waldeyer, W, s.: Archiv f. Anatomie u. Physiol. — Archiv f.
mikroskop. Anatomie u. Entwicklgsgesch.
— Bemerkgn üb. d. „Tibiale externum". [S.-A.] (7) 8° Berl., (G
Reimer) 04. — 50
— Gedächtnisrede auf Rudolf Virchow. [S.-A.] (52) 8° Ebd. 03.
2 —
— Hdb. d. Anatomie d. Menschen, s.: Krause, W.
— s.: Jahresbericht üb. usw. Anatomie u. Physiol. — Jahres-
bericht üb. usw. d. ges. Medicin.
— Die Kolon-Nischen, d. Arteriae colicae u. d. Arterienfelder
d. Bauchhöhle, nebst Bemerkgn z. Topogr. d. Duodenum u.
Pankreas. [S.-A.] (64 m. 4 farb. Taf.) 4° Berl., (G Reimer) 1900.
Kart. 4.50
— Das Trigonum subclaviae. (11 m. 2 farb. Taf.) Fol. Bonn,
F Cohen 03. Kart. 7 —
Waldfeuerlöschordnung, d. württemberg. v. 4. VII. 1900. Mit
Erläutergn u. d. Vollzugsvorschriften. (84) 12° Stuttg., W
Kohlhammer 01. — 60 d
Wald- u. Wiesengürtel, d. u. d. Höhenstrasse d. Stadt Wien.
(26 m. Abb., 3 Taf. u. 5 Pl.) 8° Wien, (Gerlach & W.) 05. nn 1.20
„Waldheil". Kalender f. deut. Forstmänner u. Jäger f. 1906.
18. Jahrg. (230 u. 48 m. Schreibkalender u. 1 Karte.) 8° Neud.,
J Neumann. Geb. 1.50; stärkere Ausg. 1.80 d
Waldheim, s.: Schürer v. Waldheim.
Waldheim's Kontorhdb. u. Geschäftskalender f. 1906. (40. Jahrg.)
(251) 32×12,8 cm. Wien, R V Waldheim. Kart. 2 —
Waldheim, F v.: Beitr. z. Physiol. u. Pathol. d. Haut. (Die Stachel-
zellnerven-Hypothese.) (135) 8° Wien, F Deuticke 04. 4 —
Waldheim, M v.: Die Serum-, Bakterientoxin- n. Organ-Präpa-
rata. Darstellg, Wirkgsweise u. Anwendg. (404) 8° Wien, A
Hartleben 01. 6 —; geb. 6.80 d
— Chemisch-techn. Spezialitäten u. Geheimnisse, s.: Capann-
Karlowa, CF.
Waldheim, R v., s.: Bote, d. Wiener.
Waldhofer, d. Familie, s.: Edelweiss.

Waldhoven, M: Gedichte. (235) 8° Dresd., E Pierson 05. 3 —;
geb. 4 — d
Wäldler, A: Was mir d. alte Reinhold erzählt hat. Eine südd-
brasilian. Kolonistengesch. (188) 8° Porto Alegre, (Krahe & Co.)
01. 4 — d
Wald- u. Waidmanns-Lieder, s.: Jungbrunnen.
Waldmann, K: Der Strampel-Peter. Bilderb. f. art. u. unart.
Kinder. (30 m. farb. Abb.) 4° Ravnsbg, O Maier (02). Geb. 2.50 d
Waldmann, M: Die Feindesliebe in d. antiken Welt u. im
Christenthum, s.: Studien, theolog., d. Leo-Gesellsch.
Waldmann v. d. Au, s. a.: Bürgenmaier, S.
— Laetitia. 4. Bdchn. 50 Männerchöre. 2. Afl. (132) 8° Strassbg.
Strassb. Druckerei u. Verl.-Anst. 04. 1 —; kart. nn 1.10
Bisher unter „Laetitia" aufgenommen.
— Liedergarten. 100 alte u. neue Gesänge im Volkston f. 4stimm.
gemischten Chor. 2. Afl. (234) 8° Ebd. 04. 1.25; kart. nn 1.50
Waldmühle, die. Schles. Vierteljahrsblätter d. litterar. Ver.
„Waldmühle" zu Warmbrunn. Hrsg.: W Loewig u. J Eich-
horn. Verantwortlich: J Eichhorn. 3. Jahrg. 1902. 4 Nrn. (Nr. 1.
20) 8° Warmbr. (Bresl., GC Bürkner.) 2 — d
Fortsetzg war nicht zu erhalten.
Waldmüller, R (CE Duboc): Don Adone. Dem berühmten Fahu-
lanten v. d. „Spiaggia della Marinella" in Neapel GF Sabattini
nacherzählt. 2. Afl. (440) 8° Lpzg, FW Grunow 01. L. 6 — d
— Das Amulet. Roman. (Neue [Tit.-]Ausg.) (237) 8° Stuttg.,
Deut. Verl.-Anst. [1896] (01). 1 —; kart. 1.25 d
Waldner: Gesch. d. Stadt Colmar, s.: Städte u. Burgen in
Elsass-L.
Waldner, A: Tracirgs-Hdb., s.: Hanhart, H.
Waldner, J: Jesus, d. Krone d. Jungfrauen. Vollständ. Lehr-
u. Gebetb. f. Jungfrauen, d. in d. Welt od. im Kloster leben.
Nach d. 12. Afl. d. Ausg. v. J. 1775 hrsg. v. e. Kuratpriester.
19. Afl. (576 m. farb. Titel u. 1 St.) 16° Paderb., Bonifacius-
Dr. (04). 1 — d
— s.: Jesus u. d. christl. Jungfrau.
— Die christl. Jungfrau in ihrem Gebet u. Wandel. 4. Afl. (526
m. farb. Titelbild.) 16° Freibg i/B., Herder (03). 1.60; L. 2 —;
Ldr m. G. 3 — d
Waldow: Artillerist. Ausbildg v. Reiter u. Pferd, s.: Pferde, uns.
Waldow, A: Katech. d. Buchdruckerkunst, 7. Afl., s.: Weber, JJ.
Waldow, E: Hdwrtrb. d. Hochbauwesens im Kgr. Sachsen.
2. Afl. (373) 8° Lpzg, Eossberg'sche Verl.-Bh. 02. 12 —;
geb. 14 — d
Waldow, E v. (L v. Blum): Der gläserne Pantoffel, s.: Kürsch-
ner's, J, Bücherschatz.
Waldpredigten d. Bruders Traugott. Andachten u. Betrachtgn.
(195) 8° Pössn., B Feigenspan (03). L. 50 d
Waldschläger, W: Gott segne Hannover! Vaterländ. Dichtg.
(80) 8° Hannov., (W Otto) 03. 1 —; geb. 1.50 d
Waldschmidt, J, s.: Alkoholismus, d.
— Die Aufg. d. Armenpflege gegenüber trunksücht. Personen,
s.: Samter.
Waldschmidt, W: Dante Gabriel Rossetti, d. Maler u. d. Dichter.
Die Anfänge d. präraphaelit. Bewegg in Engl. (163 m. 16 Taf.)
8° Jena, E Diederichs 05. 6 —; geb. 8 —; Liebhaberausg. 20 —
Waldseemüller, M (Ilacomilus): Die ält. Karte m. Namen
Amerika a. d. J. 1507 u. d. Carta Marina a. d. J. 1516. Hrsg.
v. J Fischer u. FR v. Wieser. (26 Bl.) 52×71 cm. Nebst Text
in deut. u. engl. Sprache. (55 m. Abb.) 53×38 cm. Innsbr.,
Wagner 03. In M. 65 —; HF. 70 —; auf L. 83 —
Waldstein, O: Üb. longitudinale Schwinggn v. Stäben, welche
a. parallel z. Längsaxe zusammengesetzten Stücken bestehen.
[S.-A.] (5) 8° Wien, (A Hölder) 02. — 30
Waldthausen, A v., s.: Geschichte d. Steinkohlenbergwerks
Verein. Sälzer u. Neuak.
Waldvogel, J, s.: Lösungen d. Absolutorial-Aufg. a. d. Mathe-
matik an d. humanist. Gymnasien Bayerns.
Waldvogel, R: Die Acetonkörper. (274 m. 1 Abb.) 8° Stuttg.,
F Enke 05. 9 —
— Die Gefahren d. Geschlechtskrankh. u. ihre Verhütg. Akadem.
Vorlesgn. (87 m. 2 Abb.) 8° Ebd. 05. 1.60 d
— Die spec. Tuberculose d. Knochen u. Gelenke, s.: Koenig, F.
Walfeld, E v.: Die Hofdame, s.: Kaufmann's moderne Zehn-
pfennig-Bibliothek.
— Lieblings d. Glücks, s.: Weber's moderne Bibliothek.
Walfort, H, s.: Pillmeyer's Express.
Walfrid, E: Die letzten Flavier, s.: Dilettantenbühne, katbol.
Walhalla. Bücherei f. vaterländ. Gesch., Kunst u. Kulturgesch.,
begründet u. hrsg. v. U Schmid. 1. Bd. (151 u. 6 m. Abb. u.
Taf.) 8° Münch., GDW Callway 05. Kart. 4 — d
Walk, F, s.: Handbibliothek, katechet.
Walker, EF: Die elektr. Aufzüge z. Personen- u. Warenbe-
förderg. (144 m. Abb. u. 6 Taf.) 8° Lpzg 01. Berl., Dr. W Roth-
schild. 6 —; geb. 7 —
Walker, G: Grundr. d. Exekutionsrechtes, s.: Grundriss d.
österr. Rechts.
Walker, J: Elementare anorgan. Chemie. Übers. v. M Ege-
brecht u. E Bose. (326 m. Abb.) 8° Brunschw., F Vieweg & S.
4.50; L. 5 —
— Einführg in d. physikal. Chemie. Nach d. 2. Afl. d. Originals
übers. u. hrsg. v. H v. Steinwehr. (438 m. Abb.) 8° Ebd. 04.
6 —; L. 7 —
Walker, L: Grammat. Übgsb. f. d. engl. Unterr., s.: Unterricht, fremdsprachl.

Walkhoff, E: Architekturverändergn d. Knochensystems bei patholog. Bedinggn, s.: Bibliotheca medica.
Walkhoff, O: Das Femur d. Menschen u. d. Anthropomorphen in ihr funktionellen Gestaltg, s.: Studien üb. d. Entwickelgsmechanik d. Primatenskelettes.
— Die normale Histol. menschl. Zähne einschl. d. mikroskop. Technik. (185 m. Abb. u. 9 Lichtdr.) 8° Lpzg, A Felix 01. 8.50
— Die diluvialen menschl. Kiefer Belgiens u. ihre pitbekoiden Eigenschaften, s.: Menschenaffen. — Studien üb. Entwickelgsgesch. d. Tiere.
— Die diluvialen menschl. Knochenreste in Belgien u. Bonn in ihrer structurellen Anordng u. Bedeutg f. d. Anthropol. (Vorläuf.Mittheilg.)[S.-A.] (6) 8° Münch., (G Franz' V.) 02. — 20
— Der Unterkiefer d. Anthropomorphen u. d. Menschen, s.: Menschenaffen. — Selenka, E, Studien üb. Entwickelgsgesch. d. Thiere.
Walkmeister, C: Der dumme Hans. — Der kl. Tambour, s.: Verein f. Verbreitg guter Schriften, Bern.
Wall, V: Morgendämmerg. Roman. (324) 8° Münch., G Müller 04. 5 —; geb. 6 — d
Wallace, AR: Des Menschen Stellg im Weltall. Studie üb. d. Ergebnisse wiss. Forschg in d. Frage n. d. Einzahl od. Mehrzahl d. Welten. Deutsch v. F Heinemann. 3. Afl. (306 m. 1 Taf.) 8° Berl., Vita (04). 8 —
Wallace, Sir DM: Russland. 4. deut. Afl. Nach d. 5. Orig.-Afl. übers. v. F Purlitz. 2 Bde. (398 u. 418) 8° Würzbg, A Stuber's V. 06. 12 —; geb. 16 —
Wallace, L: Ben Hur od. d. Tage d. Messias. Für d. reif. Jugend bearb. v. W Eichner. (223 m. 5 Vollbildern.) 8° Berl., A Weichert (01). Geb. 5 — d
— dass. Erzählg a. d. Zeit uns. Herrn u. Heilandes. Frei n. d. Engl. v. E v. Feilitzsch. (317 m. Abb. u. Taf.) 8° Konst., C Hirsch (04). L. 2 —; m. Goldpressg 3 — d
— dass. Erzählg a. d. Zeit Christi. Frei n. d. Engl. bearb. v. B Hammer. 2 Bde. 17. Afl. (371 u. 360 m. Bildnis.) 8° Stuttg., Deut. Verl.-Anst. (04). 5 —; L. nn 7 — d
— dass. Volksausg. in 1 Bde. 103. Afl. (371 u. 360 m. Bildnis.) 8° Ebd. (05). 1.75; L. 2 —; in Geschenkbd 3 —
— dass. Deutsch v. J Krauss. (582 m. Abb.) 8° Reutl., Enßlin & L. (03). 2.50; Volksausg. (2 —) 1.75; geb. 1.25 d
— dass. Frei n. d. Engl. v. P Moritz. (415 m. Abb.) 8° Stuttg., K Thienemann (04). L. 4 —; Prachtausg. 6 —; Liebhaberausg., in Moleskin m. G. 7.50; in Ldr m. G. 10 — d
— dass. Aus d. Amerikan. v. M Winter. (571 m. Bildn. u. 11 Vollbildern.) 8° Graz, Styria 06. L. 3.75 d
— Der Prinz v. Indien od. d. Fall v. Konstantinopel. Uebersetzg. 2. Afl. 2 Bde. (520 u. 572) 8° Freibg i/B., FE Fehsenfeld 01. 5 —; geb. nn 6.50 d
Wallach, H: Die neue Logik. (119) 8° Berl., S Calvary&Co. 04. 1.50
Wallach, O, s.: Berzelius, J u. F Wöhler, Briefwechsel. —
Liebig's, J v., Annalen d. Chemie.
Wallantschek, K: Die gewerbl. Buchführg. — Lehrb. d. gewerbl. Buchführg, s.: Gruber, J.
Wallaschek, R: Anfänge d. Tonkunst. (349 m. Abb. u. 4 L.) 8° Lpzg, JA Barth 03. 9 —; geb. 10 —
— Psychol. u. Pathol. d. Vorstellg. Beitr. z. Grundlegg d. Aesthetik. (323) 8° Ebd. 05. 8 —; L. 9 —
Wallau, H: Der Canon Missae v. J 1458, s.: Falk, F.
— Das Mainzer Fragment v. Weltgericht, s.: Schröder, E.
Wallauer, J: Korrespondenz u. Registratur in techn. Betrieben. Prakt. Winke u. Ratschläge. (118) 8° Zür., Art. Instit. Orell Füssli (05). 2 —
Wallbrunn, C Frhr v., s.: Partenheim, W v.
Wallburg, E Baron: Ein Justizmord! Enthüllgn d. Erzherzogs-Sohnes W. üb. d. morganat. Ehe s. Vaters Erzherzog Ernst. (224 m. Abb., 1 Bildnis u. 1 Fksm.) 8° Budap., Bibliograph. Anst. (04). 8 —
Walle, P: El. Knoblauch. Abriss s. Lebens. (51 m. Abb. u. 1 Bildnis.) 8° Berl., W Ernst & S. 02. 3 —; L. 3.60
— Materialien z. Kritik d. Doctor-Ingenieurs. (79) 8° Berl., (E Grosser) 02. 1.50
— Schlüters Wirken in Petersburg. Mit e. Anh. meist unbekannter Briefe u. Berichte. [S.-A.] (28 m. Abb.) 8° Berl., W Ernst & S. 01. 1 —
Walleiser, K: Der Berliner Invalidenkirchhof. (19) 8° Oldnbg, G Stalling's V. 04. 1 —
Wallenberg, A, s.: Bericht üb. usw. Anatomie d. Centralnervensystems.
— Untersuchng üb. d. Vorderhirn d. Vögel, s.: Edinger, L. Untersuchng üb. d. vergl. Anatomie d. Gehirnes.
Wallenberg, B v.: Die Blutnacht im Königspalast v. Belgrad. (32) 8° Berl., Deut. Verl.-Anst. „Patria" (08). 1 — d
Wallenberg, G, s.: Jahrbuch üb. usw. Mathematik.
Wallenfels, H, s.: Vokabularien, französ. u. engl.
Wallenstein, A: im deut. Böhmerlande, s.: Festschriften f. Gustav-Adolf-Ver.
Wallenstein, H: Konversationsunterr. im Deut. 1. u. 5. Heft. 8° Giess., E Roth. Je — 40 d
— 1. I. d. Die 4 Jahreszeiten, bearb. f. d. deut. Sprechstunde n. Hölzels Bildertafeln. 1. Heft. Der Frühling. 3. Afl. (31 m. 1 Bild.) (01.)
5. II. Bd. Übg f. d. deut. Sprechstunde, n. Hölzels Bildertaf. 5. Die Stadt. 2. Afl. (39 m. 1 Bild.) 02.
— dass. 4. Bd. 8° Ebd. — 80; geb. nn 1 —
(1—4.: 4.80; geb. nn 5.80) d
4. Wallenstein, H, u. C Auerbach: Berlin. Übgn f. d. deut Sprechstunde n. Hölzels Wandbild Berlin. (46 m. 1 Taf.) 04. — 80; geb. nn 1 —

Wallentin, F: Maturitätsfragen a. d. Mathematik. Zum Gebr. f. d. obersten Kl. d. Gymnasien u. Realsch. 8. Afl. (200) 8° Wien, C Gerold's S. 05. Geb. 4 —; Auflösgn. 4. Afl. (221) 02. Geb. 4 —
Wallentin, IG: Einl. in d. theoret. Elektrizitätslehre, s.: Teubner's, BG, Sammlg v. Lehrbb. auf d. Geb. d. mathemat. Wiss.
— Grundz. d. Naturlehre f. d. unt. Kl. d. Gymnasien. 6. Afl. (188 m. H.) 8° Wien, A Fichler's Wwe & S. 03. Geb. 2.20
— dass. f. d. unt. Kl. d. Realsch. 4. Afl. (178 m. H.) 8° Ebd. 05. Geb. 2.20
— Lehrb. d. Physik f. d. ob. Kl. d. Mittelsch. u. verwandter Lehranst. 13. Afl. Ausg. f. Gymnasien. (298 m. H. u. 1 farb. Taf.) 8° Ebd. 02. Geb. 3 —
— dass. Ausg. f. Realsch. 11. Afl. (317 m. H. u. 1 farb. Taf.) 8° Ebd. 05. Geb. 2.80
Waller, A: „Surrogation". Studie a. d. modernen Privatrecht, unter bes. Berücks. d. jurist. Bedeutg z. Problems d. Einheit u. Identität. (117) 8° Bonn, L Röhrscheid 04. 1.50
Waller, AD: Die Kennzeichen d. Lebens v. Standpunkte elektr. Untersuchg. 8 Vorlesgn, Uebers. v. E, P u. R du Bois-Reymond. (328 m. Fig.) 8° Berl., A Hirschwald 05. 6 —
Waller, E: Meierei-Lehre. (Nach d. 3. Afl. d. Orig. '02.) Aus d. Schwed. v. E v. Samson-Himmelstjerna. (57 m. Abb.) 8° Rev., Kluge & Ströhm 04. 1.60 d
Waller, JR, and M Kaatz: Engl.-German and German-Engl. medical dictionary. I. part. 8° Wien, F Deuticke. L. 4 —
I. Kaatz, M: Englisch-deut. medizin. Wrtrb. 2. Afl. v. M Weisz. (299) (05.) 2 —
Waller, L v.: Jugendtraum. Märchensp. (95) 8° Wien, (F Deuticke) 05. 1 — d
Wallerstein, J: Üb. d. Fistula urethrae penis congenita vera. (54) 8° Strassbg, J Singer 04. 1 —
Wallerstein, M: Gesangstechnik, s.: Imhofer, R, d. Krankh. d. Singstimme.
Wallerstein, S: Quantitative Bestimmg d. Globuline im Blutserum u. in and. thier. Flüssigk. (30) 8° Strassbg, J Singer 02. 1 —
Walleser, M: Die buddhist. Philosophie in ihrer geschichtl. Entwicklg. 1. Tl. Die philosoph. Grundl. d. ält. Buddhismus. (148) 8° Hdlbg, C Winter, V. 04. 4.80
— Das Problem d. Ich. (88) 8° Hdlbg, vorm. Weiss'sche Univ.Buchh. 03. 1.50
Wallfahrts-Kalender, Telgter, f. 1904. (86 m. Abb. u. 3 Taf.) 4° Warendf, J Schnell. — 50 d
Fortsetzg war nicht zu erhalten.
Wallfisch, H: Theoretisch-prakt. Anl. n. eig. Fantasie regelrecht zu musizieren u. in geringen Vorkenntnissen bekannte Melodien selbständig wiederzugeben n. richtig zu akkompagnieren. 2. Afl. (104) 8° Berl., S Cronbach 03. 2.50 d
Wallfisch, JH: Lehrb. d. Theo-Psycho-Therapie. Gott-seel. Heilweise — Gnaden-Heilmethode, z. Heilg Akut-, bes. aber Chronisch-Kranker. Biblisch-psychologisch begründet u. aufgestellt. (275) 8° Bitterf. 1900. Schmiedebg, FE Baumann. 3 — d
— s.: Theosophie, christl.
Walli, JJ: Gesch. d. Herrsch. Herdern. Zugl. e. Beitr. z. Gesch. derer v. Hohen- u. Breitenlandenberg. (297 m. 2 Abb.) 8° Frauenf., (Huber & Co.) 05. L. 5.20 d
Wallich, D: Die Konzentration im deut. Bankwesen, s.: Stadien, Münch. volksw.
Wallies, G: Sammlg v. Vorfällen a. d. prakt. Geschäftsleben z. Übg in d. einf. u. dopp. Buchführg. Für Fortbildgs-, Handwerker- u. Handelssch. hrsg. 1. u. 2. Heft. 8° Berl., L Oehmigke's V. Je nn — 25
1. Geschäftsvorfälle in e. Kolonialwarengeschäft. 8. Afl. (24) 05. 2. Dass. in e. Möbelsfabrk. 4. Afl. (16) 05.
Wallisch, W: Leitf. d. zahnärztl. Metallarbeit. (80 m. Abb.) 8° Lpzg, A Felix 05. 3 —; L. 3.60
Wallmann's Versichergs-Zeitschrift. Red.: O Kuphal. 36—40. Jahrg. Oktbr 1901—Septbr 1905 je 2 Bde in 156 Nrn. (Nr. 80. 16) gr. 8° Lichterf., Wallmann. Viertelj. nn 15 —; einz. Nrn — 50
Wallmerich, O v.: Die Stellg d. Frauen. — Die Stellg d. modernen Krankenhaus. (48) 8° Münch., JF Lehmann's V. 02. 1 — d
Wallner, A: Deut. Mythus in d. tschech. Ursage. (55) 8° Laib., I v. Kleinmayr & F Bamberg 05. — 60
Wallner, E: Das gr. Buch d. Toaste u. Tischreden. 10. Afl. (542) 8° Erf., F Bartholomäus (01). 5 — d
— Der Deklamator. Sammelwgen. Vorträge in Poesie u. Prosa. Nebst e. Anl. z. Deklamieren. 2. Bd. Sammlg kom. Vorträge. 4. Afl. (119) 8° Erf., F Bartholomäus 04. 1.50 —
— Der Festredner bei Vereinsfesten u. gesell. Verbindgn. 7. Afl. (208) 8° Ebd. (08). 1.50 d
— Gesellschaftsspiele im Zimmer wie im Freien. 7. Afl. (307 m. Abb.) 8° Ebd. (01). 1.50 d
— Prologe u. Festgedichte. 11 Bde, 8° Ebd. (05). Je nn 75 d
1. Zu Vereinsfesten im Allg. (insb. f. gesell. Vereine passend). (54) ¶ 2. Im Musik.-u. Gesang-Ver., im Lit.-, dramat.-, wiss.- u. Kunst-Ver. (45) ¶ 3. Im Krieger- u. Militär-Ver., im Schützen-Ver. (45) ¶ 4. Im Turn-Ver., Feuerwehr-, Radfahrer-, Rudrer-(Segler-)Ver. (62) ¶ 5. Bei Vereinsfesten im Lehrkr., Beamten-, kaufmänn.-, Gewerbe-, Buchhändler- Buchdrucker- u. Buchbinder-, Handwerker-, landw.-, Sanitäts-Ver. im Stenogr.-Ver. Im christl. Arbeiter-Ver. im Frauen-Ver. (54) ¶ 6. Prologe zur Sedan. Gedenkfeiern an Kaiser Wilhelm I., Kaiser Friedrich III., Bismarck u. and. vaterländ. Gedenktagen u. Festen. (50) ¶ 7. Prologe u. Epiloge f. Thea-

ter-Anführgn u. Darstellg leb. Bilder. (58) ¶ 8. Bei Wohlthätigk.-Veranstaltgn. (44) ¶ 9. Zur Weihnachtsfeier f. d. verschiedensten Gelegenh.-Weihnachtsgedichte f. Kinder. Für Sylvester u. Neujahr. (63) ¶ 10. Zum Geburtstag d. Kaisers u. Geburtstagen v. Landesfürsten (Fürstinnen). (58) ¶ 11. Zu Jubiläen (Amts- u. Berufsjubiläen). (56)

Wallner, E: Toaste u. Tischredeu bei Familienfesten u. im Freundeskreise. 4. Afl. (187) 8° Erf., F Bartholomäus 01. 1.50 d
— Kom. Vorträge in Poesie u. Prosa, s.: Drobisch, T.
Wallner, J: Katbol. Volks-Gesangb., s.: Schönberger, F.
Wallner, P: Der Hubmair Franzl. Eine Gesch. a. d. niederösterr. Wald. 2. Taus. (281 m. Titelbild.) 8° Graz, U Moser 02. 3 —; geb. 4 — d
Wallner's, S, Erzählgn. (127) 4° Linz (03). Wien, J Deubler. 3.50; geb. 4.50 d
— Linzer Skizzen. (152) 8° Linz, V Fink 04. 2.40; geb. 3 — d
Wallner-Thurm, T: Von d. Kammerzofe z. Königin! Die Ereignisse am Hofe zu Serbien. (190) 8° Brnschw. 05. Lpzg, R Sattler. 2.50; geb. 3.50 d
Wallot, P, s.: Entwürfe, architekton., a. d. Atelier d. usw.
Wallot. — Studien, architekton., a. d. Atelier d. usw. W.
Walloth, CA: Der Automobilismus auf öffentl. Strassen. [S.-A.] (92) 8° Wiesb., JF Bergmann 04. — —
— Die Eisenb.-Bremsfrage u. insbes. e. Vorschlag z. Abbremsen auf Steilb. [S.-A.] (48) 4° Ebd. 03. 2.80
Walloth, W: Ein Sonderling. Roman a. d. italien. Renaissance. (309) 8° Lpzg, Lotus-Verl. 01. 5 —; geb. 6 — d
Wallpach, A v.: Bergbrevier. Berglieder a. Tirol. In Verbindg m. A Renk, A Burckhardt, K Dallago u. P Rossi hrsg. (144) 8° Innsbr., A Edlinger 05. 2 —; geb. 3 — d
— Kreienfener u. Herdflammen. Neue Gedichte. (121) 8° Linz (03). Innsbr., Dr. A v. Wallpach. 2 —; geb. (2.50) 3 — d
— Sturmglock'. Polit. u. soz. Gedichte. (108) 8° Ebd.(02). 3 — d
— u. T Klein: Es will tagen. Ketzersprüche. (66) 8° Innsbr. (02), Wien, Verwaltg d. Scherer. 1.25 d
Wallsee, HE: Der Nordland- u. Spitzbergenfahrer. Erlebtes u. Erlesenes. (175 m. Abb. u. 2 Kart.) 8° Hambg (02). Berl., KW Mecklenburg. 5 —; Ldr 6.50 ¶ 2. [Tit.-]Afl. (03.) 3 —; geb. 4.50
Walny, A, s.: Bote, bosn.
Waelsch, E: Üb. Binäranalyse. I—III. Mitteilg. [S.-A.] 8° Wien, (A Hölder). 1.10
— [II] 03. — 50 ¶ II. (7) 03. — 30 ¶ III. (20) 03. — 40.
— Üb. Reihenentwicklgn mehrfachbinärer Formen. [S.-A.] (9) 8° Ebd. 04. — 04
— Üb. d. Resultate binärer Formen. [S.-A.] (4) 8° Ebd. 05. — 20
— Üb. d. lineare Vektorfunktion als binäre doppeltquadrat. Form. [S.-A.] (25) 8° Ebd. 04. — 50
— Üb. d. höh. Vektorgrössen d. Kristallphysik als binäre Formen. [S.-A.] (15) 8° Ebd. 04. — 40
Walsemann, H: Die Anschaug. Ges. Beiträge z. pädagog. Psychol. (208) 8° Berl., Gerdes & H. 03. 2.80
— Method. Lehrb. d. Psychol. Für d. Seminar- u. Selbstunterr. (196) 8° Potsd., A Stein 05. 2.50; L. 3 —
— JH Pestalozzi's Rechenmethode. Historisch-kritisch dargest. u. auf Grund experimenteller Nachprüfg f. d. Unterr.-Praxis erneuert. (212 m. 1 Abb. u. 2 Taf.) 8° Hambg, A Lefèvre Nf. 01. 3 —; geb. 4 —
— Pädagog. Psychol. (196 m. Fig.) 8° Potsd., A Stein 05. 2.50; L. 3 —
Walser: Die Hautkrankh. od. Hautausschläge. (70) 8° Lpzg, E Demme 02. 1 —
— 2 moderne Heilfaktoren: Elektr. Lichtbehandlg u. Vibrationsmassage. (75) 8° Ebd. 02. 1 —
— Luft u. Licht! Luftbad u. Sonnenbad, od. Bedeutg u. Heilwirkg d. atmosphr. Knt. (90) 8° Ebd. 02. 1 —
— Die Nervosität, d. Modekrankh. uns. Zeit. Ihre Grundursache, d. moral. u. körperl. Selbstvergiftg sowie deren Heilg durch e. erprobtes naturgemässes Entgiftgsverfahren. 2. Afl. (79 m. Abb.) 8° Ebd. 04. 1.30
Walser, H: Dörfer u. Einzelhöfe zw. Jura u. Alpen im Kt. Bern, s.: Neujahrs-Blatt d. litterar. Gesellsch. Bern.
— Die Schweiz. Begleitwort z. eidgenöss. Schulwandk. 1. u. 2. Afl. (118 m. Abb.) 8° Bern, A Francke 02. 1.20; geb. 1.60
Walser, I: Die ew. Anbetg d. allerhlst. Altarssacramentes. Neu bearb. v. e. Mitgl. d. Kapuziner-Ordens. Aug. m. grobem Druck. 6. Afl. (720 m. Titelbild.) 8° Dülm., A Laumann 05. nn 2.50 d
— dass., s.: Muff, C, eucharist. Anbetgsstunden.
— Die hl. Stunde. Andachtsb. f. katbol. Christen. Nach W v. P Seeböck. (364) 16° Einsied., Verl.-Anst. Benziger & Co. 04. L. 1.50 d
Walser, R: Fritz Kocher's Aufsätze. (128 m. Abb.) 8° Lpzg, Insel-Verl. (05). 3.50; Ldr 5 — d
Walsh, G: Das Geheimnis d. Arztes, s.: Kriminalromane aller Nationen.
Walsleben, M: Lederstrumpf. — Der Wildtöter, s.: Cooper, JF, Lederstrumpf-Erzählgn.
Walsmann, H: Die streitgenöss. Nebenintervention. (312) 8° Leipzg, A Deichert Nf. 05. 4.80
— Die Voraussetzgn d. Zwangsvollstreckg u. d. Eingebrachte u. d. Gesamtgut, s.: Studien, Rostocker rechtswiss.
Waltenberger, A: Allgäu, Vorarlberg u. Westtirol nebst d. angrenz. Geb. d. Schweiz. Mit bes. Berücks. d. Bodenseegeb., Bregenzerwaldes u. d. Arlbergbahn. 9. Afl. v. E Waltenberger. (318 m. 16 Kart.) 8° Innsbr., A Edlinger 04. Geb. 4 —

Hinrichs' Fünfjahrskatalog 1901—1905.

Waltenberger, E: Special-K. d. Wetterstein-Gebirges. 1:40,000. 42×72 cm. Farbdr. Münch., J Lindauer (02). 2 —
Waltenhofen, A v.: Die internat. Masse, insbes. d. electr. Masse. 3., zugl. als Einl. in d. Electrotechnik bearb. Afl. (306 m. Fig.) 8° Brnschw., F Vieweg & S. 02. 8 —; geb. 9 — d
Walter, B: Üb. d. Entstehgsweise d. Blitzes. [S.-A.] (37 m. 5 Taf.) 8° Hambg, (L Gräfe & S.) 03. 3 —
Walter, CL: Babel, Bibel u. — Bebel. Relig.- u. gesch.-philosoph. Rückblick u. Ausblick. (174) 8° Weim., R Leutloff 03. (?) (Lpzg, F Förster.) 1.80; geb. 2.60 d
— Otto Borngräbers Giordano Bruno u. König Friedwahn in ihrer Stellg z. Gesamtkunstwerk R Wagners. [S.-A.] (34) 8° Berl.-Wilmersdf 04. Charlttnbg, Kunst- u. Musikverl. d. Rich. Wagner-Gesellsch. — 30
— s.: Hochland.
— Prolegomena e. freien Akad. f. d. red. Künste u. e. pangerman. Nationaltheaters, s.: Tempelkunst.
Walter, E: Das Feigenblatt, s.: Seemann's kl. Unterhaltgsbibliothek.
— Passionen. (95) 8° Lpzg, F Rothbarth (03). 2 — d
— Taxameter-Fahrten u. and. Skizzen. (116 m. Abb. u. Bildnis.) 8° Dresd., E Pierson 05. 2 —; geb. 3 —
— Die Wagner-Kette, s.: Seemann's kl. Unterhaltgsbibliothek.
Walter, Fr: Die Fischerei als Nebenbetrieb d. Landwirtes u. Forstmannes. (801 m. Abb.) 8° Neud., J Neumann 02. 14 —; 16 — d
— Zur Förderg d. Kleinteichwirtschaft. Bericht üb. d. im J. '03 durch d. mecklenburg. Fischerei-Ver. veranstalt. Besetzg v. Kleinteichen m. schnellwüchs. zweisömmer. Karpfen. (60) 8° Ebd. 04. 1.80 d
— Die Karpfennutzg in kl. Teichen. 2. Afl. v.: Die Bewirtschaftg u. Ausnützg d. kl. Dorf- u. Hausteiche durch Besetzg m. schnellwüchs. Karpfen. (104 m. Abb.) 8° Ebd. 03. Kart. 1.60 d
— Die Kleinteichwirtschaft. Kurze Anweisg z. Aufzucht v. Karpfen, Forellen, Schleien, Karauschen, Raubfischen u. Krebsen in kl. Teichen, Tümpeln, Seen u. and. Wasseransammlg. (132 m. Abb.) 8° Ebd. 06. Kart. 1.20 d
— Die Schleienzucht. (39) 8° Ebd. 04. Kart. 3 — d
Walter, E: Was muss man v. d. Graphol. wissen? Wie beurteilt man d. Charakter a. d. Handschrift? (54) 8° Berl., H Steinitz (04). 1 — d
Walter, E: Am Webstuhl d. Gesch. Kulturhistor. Episode a. d. 19. Jahrh. (426) 8° Dresd., E Pierson 04. 4 —; geb. 5 — d
Walter, ET: Liten tysk språkläre förbunden med öfversättnings- läs- och samtalsöfningar. (Metod Gaspey-Otto-Sauer.) (195 m. 1 Karte u. 1 Pl.) 8° Hdlbg, J Groos 03. Geb. 3 — d
Walter, F: Aberglaube u. Seelsorge m. bes. Berücks. d. Hypnotismus u. Spiritismus, s.: Seelsorger-Praxis.
— Sozialismus u. moderne Kunst. Nach d. neueren sozialist. Litt. dargest. (102) 8° Freibg i/B., Herder 01. 1.50 d
— Sozialismus u. Praxis in d. Moral. (152) 8° Paderb., F Schöningh 05. 2 —
Walter, F, s.: Chronik d. Hauptstadt Mannheim.
— Friedrichsfeld. Gesch. e. pfälz. Hugenottenkolonie. [S.-A.] (50 m. 5 Taf. u. 1 Karte.) 8° Mannh., F Nemnich 03. L. 1.40 d
— Gesch. d. Frankenthaler Porzellanfabrik. (15) 8° Mannh. Mannheimer Altertumsver. 1899. (Nur dir.) nn 1.50 d
— dass., s.: Heuser, E, Katalog d. Ausstellg v. Frankenthaler Porzellan.
— Die Siegelsammlg d. Mannheimer Altertumsver. Katalogisiert u. beschrieben. (160 m. 10 [1 Farb.] Taf.) Fol. Mannh., (T Löffler) 1897. Kart. nn 10 — d
— Das Mannheimer Stadtwappen. Historisch untersucht. [S.-A.] (14 m. 2 Taf.) 4° Mannh., Mannheimer Altertumsver. 1897. (Nur dir.) nn 1.50 d
Walter, F: Uns. Landesgeistlichen v. 1888—99. Biograph. Skizzen sämtl. mecklenburg-schwerinschen Geistlichen.(103) 8° Schwer., (F Bahn) 1900. ¶2.40 d
Walter, G: Anatom. Tab. (n. d. neuen Baseler Nomenclatur) f. Präparierübgn u. Repetitionen. 2 Hefte. 8° Lpzg, G Thieme 01. nn 6.40
1. (Bänder, Muskeln, Schleimbeutel u. Schleimscheiden, Canäle u. Oefngn u. dafür verlauf. Gefässen u. Nerven.) (119) 3 —
2. (Arterien u. Nerven.) (121—263) 3.40
Walter, G, s.: Reihen, PG.
Walter, H, s.: Schlosser- u. Schmiede-Kalender, deut.
— u. P Weiske: Stat. Berechng d. Träger u. Stützen a Beton m. Eiseneinlagen im stabilen Spanngszustande. (44 m. Abb.) 8° Kass., (F Kessler) (02). 2 —
Walter, H (G Przibram): Christus. Drama. (80) 8° Wien, P Kneubbr 02. 1 —
— dgleiche. 2. Afl. (96) 12° Wien, R Lechner's St. 03. 1.20 d
— Ihr führt ins Leben uns hinein. Roman. 1. u. 2. Afl. (295) 8° Stuttg., Deut. Verl.-Anst. 06. 3 —; geb. 4 — d
Walter, H: Die Gebührenordng f. Rechtsanwälte, 4. Afl., s.: Joachim, A.
— Der Gerichtsvollziehebrdienst in Preussen. 2. Afl. v.: „Der preuss. Gerichtsvollzieher". (In 3 bdn.) 1. Bd. Die preuss. Gerichtsvollzieherordng v. 31.III.1900. (350) 8° Berl., F Siemenroth 01. 6 —; L. nn 7 — d
— s.: Zeitschrift f. Vollstreckgs-, Zustellgs- u. Kostenwesen.

Walter, H: 6 Monate Gefängnis. Aufzeichnng e. Redakteurs währ. sr Gefängnishaft. 2. Afl. (304) 8° Berl., Verl. Continent (04). 2 —; geb. 3 — d
Walter, H. s.: Bernardus I., speculum monachor.
— Leben, Wirken u. Leiden d. 77 sel. Märtyrer v. Anam u. China. (322 m. Titelbild.) 8° Freibg i/B., Herder 03. 2.80; L. 3.60 d
Walter, J: Aufg. z. Zifferrechnen, s.: Blümel.
— Hilfsb. f. d. orthograph. u. grammat. Unterr. in d. unt. Kl. höh. Lehranst. 3. Afl. (36) 8° Bresl., Maruschke & B. 04. Geb. — 50 d
Walter, J: Aus d. Praxis d. Anilinfarbenfabrikation. (337 m. Abb. u. 12 Taf.) 8° Hannov., Dr. M Jänecke 03. L. 22 —
Walter, J: Der relig. Gehalt d. Galaterbriefes. (257) 8° Gött., Vandenhoeck & R. 04. 5 —
Walter, J v.: Die ersten Wanderprediger Frankreichs. I. Robert v. Arbrissel, s.: Studien z. Gesch. d. Theol. u. d. Kirche.
— Das Wesen d. Religion n. Erasmus u. Luther. Vortr. (29) 8° Lpzg, A Deichert Nf. 06. — 60
Walter, J: Die Beicht, mein Trost. Belehrgs- u. Erbaugsb. (266) 8° Brix., Pressvereins-Bh. 04. L. 1.50 d
— Die notwendigsten Gebete f. Schulkinder z. Vor- u. Nachbeten sowie z. Auswendiglernen. 2. Afl. (56 m. Titelbild.) 16° Ebd. (05). Geb. — 30 d
— Der hl. Geist in s. Gnaden u. Gaben. (438 m. Titelbild.) 16° Ebd. 02. L. 1.50 d
— Die hl. Messe, d. grösste Schatz d. Welt u. d. Weise, ihn zu benützen. 6. Afl. (554 m. 1 St.) 12° Ebd. 01. L. 9.60 d
— Der kathol. Priester in s. Leben u. Wirken. Geistl. Lesgn. (262) 12° Ebd. 03. || 3. Afl. (478) 04. L. je 4 — d
— Verheissgn d. göttl. Herzens Jesu. (56) 12° Ebd. 03. — 20 d
Walter, J: Zum Gedächtnis Kants. Rede. (24) 8° Köngsbg, Gräfe & U., Bh. 04. — 60
Walter, K: Theorie u. Praxis d. Ganz-Damast-Weberei, s.: Kinzer, H.
Walter, K: Chronol. d. Werke CM Wielands (1750—60). (158) 8° Greifsw. 04. (Lpzg, A Duncker.) 3 —
Walter, K: Die Maximaldosen in Versen n. d. Arzneib. d. Deut. Reiches. IV. Afl. 1900. (7) 16° Gött., Deuerlich 01. — 30
Walter, K: Der Most. Beitrag z. Alkoholfrage m. bes. Berücks. d. württemberg. Verhältn. [Aus: „Die Alkoholfrage".] (18) 8° Dresd., OV Böhmert 04. — 50
Walter, K: Kl. Orgelbau-Lehre, s.: Kothe, B.
Walter, K: Kinderzeichnen. Vorl. f. Schule u. Haus. 24 Taf. Zugl. e. Materialsammlg für Gedächtniszeichnen. (2 S. Text.) Fol. Ravnsbg, O Maier (03). 2 — d
— Die Neugestaltg d. Zeichenunterr. Positive Vorschläge. (52) 8° Ebd. 03. — 80 d
— Das Pinselzeichnen. Vorbilder u. Vorl. 1. u. 2. Serie. (Je 12 Taf. m. 6 S. Text.) 8° Ebd. (05). Je 1.50 d
— Vorbilder f. d. ornamentale Behandlg v. einf. Naturformen im Zeichenunterr. Vorl.- u. Motivensammlg. 1. Serie. (16 z. Tl farb. Taf. m. 12 S. Text.) 4° Ebd. 04. 5 — d
— Zeichen-Kunst, s.: Hoffmann, C.
Walter, L: Uns. einheim. Stubenvögel, s.: Weller, H.
Walter, M, s.: Collection Teubner. — Teubner's, BG, school texts.
Walter, M: Kurzgef. Gesch. d. Garde-Fussartill.-Regts. Für Unteroffiziere u. Mannschaften bearb. (75 m. Abb.) 8° Berl., M Oldenbourg (03). 1 — d
— Hdb. f. d. Regiments- u. Bataillonsschreiber, Abteilgsschreiber, Feldwebel u.Wachtmeister. (134) 8° Berl., ES Mittler & S. 05. 1.75 d
Walter, M: Der Brandstifter, s.: Bibliothek, interessante.
— Ein Dämon. Kriminalroman. (239) 8° Berl., H Steinitz (03). 2 — d
— Der rote Dolman, s.: Kürschner's, J, Bücherschatz.
— Im Netz gefangen, s.: Kriminal-Bibliothek, neue.
— Der Herr Postdirektor, s.: Kriminal-Bühren, FT.
— Die böse Schwiegermutter, s.: Siedenburg's Sammlg v. Einaktern.
— Spurlos verschwunden, Detektiv-Roman a. d. Amerikan. (132) 8° Erf., F Bartholomäus (04). — 60 d
Walter, M: Die magnet. Ablenkbark. d. negativen Glimmlichtes als Funktion d. magnet. Feldstärke. (53 m. Fig. u. 6 Taf.) 8° Darmst. 02. (Gött., Vandenhoeck & R.) 2.80
Walter, M: Der Gebr. d. Fremdsprache bei d. Lektüre in d. Oberkl. Vortr. (32) 8° Marbg, NG Elwert's V. 05. — 70
Walter, P, s.: Fels, G v.
Walter, P: Die Hindus. (16 m. Abb.) 8° Friedenau-Berl., Bh. d. Gossner'schen Miss. 04. nn — 15 d
Walter, PW: Gretchen als Erzieher od. d. Weib als Seelengans. 1. Tl. Das engl., d. deutsche, d. Allerwelts-Gretchen. (128) 8° Berl., R Eckstein Nf. (04). 5 —
Walter, R: Was ist d. Mensch, dass du seiner gedenkest. Ein Pastorenleben in St.Petersburg. (366 m. Bildnis.) 8° Lpzg, A Deichert Nf. 04. 4.50; geb. 5.50 d
Walter, T: Die Grabschriften d. Bez. Oberelsass v. d. ält. Zeiten bis 1820 (Alsatia superior sepulta.) (293 m. Abb.) 8° Gebw., J Boltze 04. 8 —
Walter, W: Schulgemässe Erklärg d. „Ausw. geistl. Gesänge d. Normallehrpl. f. d. kathol. Schulen Elsass-L." u. e. Anzahl and. Kirchenlieder a. d. Strassb. Diöz.-Gesangb. „Psallite". Nebst Methodik u. e. kurzen Gesch. d. deut. kathol.

Kirchenliedes. (256) 8° Strassbg, FX Le Roux & Co. (01). Kart. 2.40 d
Walter, W, u. M **Michel**: Leseb. f. Fortbildgssch. u. verwandte Anst. in Elsass-L. Ausg. f. ländl. Fortbildgssch. (424) 8° Strassbg, F Bull 03. Geb. nn 1.40 d
— — dass. Ausg. f. städt. Fortbildgssch. (416 m. Abb.) 8° Ebd. 05. Geb. nn 1.40 d
Walter, W: Nischt fürr Ungutt. Neue Schnaaka u. Versche. (54) 8° Hayn., C Piétzsch's Nf. 03. 1 — d
Walter-Bok, A: Gedichte u. Gespräche f. Kinder in elsäss. Mundart u. hochdeut. Sprache. Zum Gebr. bei festl. Veranstaltgn an Weihnachten u. an Kaisers Geburtstag. (56) 8° Gebw., J Boltze 05. — 50; 2. Afl. (69) 06. Kart. — 80 || 2. Bdchn. (51) 06. Kart. — 80 d
Walter v. Walthoffen, H: Die Gottesidee in relig. u. speculativer Richtg. (425) 8° Wien, W Braumüller 01. 8.40; L. 10 — || Neue wohlf. [Tit.]Ausg. 04. 3.60
— Das Weltproblem u. d. Weltprozess. (338) 8° Ebd. 04. 5 —
Waltershausen s.: Sartorius Frhr v. Waltershausen.
Walthard, M: Zur Aetiol. d. Ovarialadenome. [S.-A.] (97 m. 15 Taf.) 8° Stuttg., F Enke 03. 7 —
Walthari, H, s.: Siegesallee, d., in Berlin.
Walthari, OK: Aus Indiens gärender Zeit! Erinnerg an d. Sipahi-Aufstand d. J. 1857. (301 m. Abb. u. farb. Titelbild.) 8° Berl., W Müller 05. 3 —; geb. 4 — d
— Magnetismus d. Sünde. Ein ungeschminkter Sittenroman a. d. modernen Grossstadtleben. (131) 8° Ebd. 06. 1.50 d
Waltharii poesis. Das Waltharilied Ekkehards I. v. St. Gallen, n. d. Geraldushandschriften hrsg. u. erläut. v. H Althof. 2. Tl: Kommentar. (22, 416) 8° Lpzg, Dieterich 05. 13 — (1 u. 2.: 17.80)
Waltharilied, das. Ein Heldensang a. d. 10. Jahrh., im Versmasse d. Urschrift übers. u. erläut. v. H Althof. Gröss. Ausg. m. authent. Abbildgn. (226) 8° Lpzg, Dieterich 04. 4.50; geb. 5.50 d
— dass., s.: Sammlung Göschen.
— Der arme Heinrich. Lieder d. alten Edda. Übers. v. d. Brüdern Grimm. 1—3. Taus. (120) 8° Hambg, Gutenberg-Verl. Dr. E Schultze 05. L. 5 — d
Walther, B (W K.): So bin ich Spielmann worden. Erzählg s. alter Zeit. (53) 8° Dresd., E Pierson 02. 1.50; geb. 2.60
Walther, C: Der Handlgsangestellte auf d. Höhe d. Zeit, s.: Kremer, F.
Walther, CFW: Goldkörner. Predigten. 2. Afl. (183 m. Bildnis.) 8° Zwick., J Herrmann 01. 1.75; L. 2.40 d
— Warum hangen wir so fest an d. luther. Kirche? 4. Afl. (20) 8° Zwick., Schriften-Ver. 03. — 15 d
— Soll e. Lutheraner bei sr Kirche bleiben u. sich nichts bewegen lassen, v. ihr abzufallen? [S.-A.] 2. Afl. (24) 8° Ebd. 03. — 20 d
Walther, E: Hans Sachsens Tragödie Tristrant u. Isalde in ihrem Verhältnis z. Quelle. (29) 8° Münch. 02. (Lpzg, Bh. G Fock.) 1.20 d
Walther, E, s.: Blätter f. Taubstummenbildg.
— Leseb. f. Landsch. 3. Afl. (305 m. Abb.) 8° Bielef., Velhagen & Kl. 09. Geb. nn 1.90 d
— Das Volksschulwesen u.d. Lehrerbildgswesen im Deut. Reich, s.: Giżycki, P v.
Walther, E: Der Unterr. in d. Naturkde, n. biolog. Gesichtspunkten bearb. 3 Abtlgn. 8° Lpzg, A Hahn. Je 3 —; geb. je 2.50 d
1. Unterr. (180) 03. § 2. Mittelst. (308) 03. § 3. Oberst. (70, 150) 04.
Walther, E: Ortsgesch. v. Freiamt zugl. Gesch. d. Schlosses Keppenbach u. d. Klosters Thennenbach. d. im Freiamtgebiet liegen. (149 m. Abb.) 8° Emmend., (Druck- u. Verl.-Gesellsch. vorm. Dölter) 03. nn 2 — d
Walther, E: Bibelwort u. Bibelwiss. m. bes. Beziehg auf d. ev. Relig.-Unterr. (103) 8° Berl., ES Mittler & S. 03. 1.75
— u. H **Karow**: Ev. Gesangb. f. höh. Schulen, nebst Luthers Katech. u. Spruchb. 4. Afl. v. E Walther bearb. (178) 8° Potsd., A Stein (04). Geb. 1.40 d
Walther, EG: Die Grundz. d. Pädagogik Ignatz v. Felbigers. (94) 8° Lpzg, Dr. Seele & Co. 03. 1.50
Walther, EH: Verzeichn moderner Möbel. Neue [Tit.-]Ausg. (20 Taf.) 47,5×33 cm. Lpzg, Gilbers [1899] (05). In M. 15 —
Walther, ET: Ueb. Erkenng d. Alters beim Pferd, nebst Verhaltgsmassregeln beim Kaufabschluss u. e.Anh.: Hauptmängel u. Gewährsfristen beim Viehhandel. 26—27. Taus. v. D Höhler. (24 m. 2 H. u. 4 L.) 8° Bautz., E Hübner 04. 1 — d
— Hufschmied. 9. Afl. s.: Bautz., E Hübner 04. L. 1.50 d
— Katech. d. Hufbeschlages. 4. Afl., s.: Uhlich, H, Leitf. d. Hufbeschlages.
— Kurzgef. Leitf. f. d. tierärztl. Unterr. in landw. Winteru. Ackerbausch. 3. Afl. v. E Semmig. (70 m. Abb.) 8° Bautz., E Hübner 02. Kart. 1.20 d
— Landw. Tierheilkde. 9. Afl., v O Köhler. (392 m. H. u. 1 Taf.) 8° Ebd. 05. L. 4.50 d
— dass. 2. Österr., bearb. v. M Kalbacher. 8. Afl. (403 m. Abb. u. 4 Taf.) 8° Ebd. 04. L. 4.50 d
Walther, F: Schiffahrtsabgaben auf d. deut. Strömen. [S.-A.] (47) 8° Lpzg, Rossberg'sche Verl.-Bh. 04. 1.20 d
Walther, F: Der Zusammenst. zw. Verstandesentwicklg u. Relig. (132) 8° Stuttg., W Kohlhammer 04. 2 — d

Walther, F (W v. Eynern): Wenn uns. Augen sich öffnen. Drama f. stille Menschen. (22) 8° Elberf., Martini & Gr. 04.
1 — d
— Entehrt? Dramat. Szene a. d. Offiziersleben d. Gegenwart. (24) 8° Ebd. 04.
— 80 d
— Zur Verurteilg d. Zahnarztes Hrn Manfred Prinz durch d. Elberfelder Strafkammer. Rechtfertiggsschrift. (12) 8° Ebd. (05).
— 10
Walther, FO: Ueb. d. psych. Kraft d. Weibes. Zugl. e. Entgegng auf d. Broschüre „Ueb. d. physiolog. Schwachsinn d. Weibes" v. JP Möbius. [S.-A.] 1. u. 2. Afl. (21) 8° Lpzg, O Mutze 01.
— 40
Walther, G: Die Christfeier in d. Schule. (31) 8° Langens., Schulbb. 06.
— 50 d
— Erdkde., s.: Dilcher, A.
— Erläutergn deut. Sprachstoffe a. d. gangbarsten Lesebüchern. Für d. Ober- u. Mittelst. in Stadt- u. Landsch: 2. Afl. 1. Tl: Erzählgn. Poet. Erzählgn. Beschreibgn u. Schildergn. Abhandelnde Darstellgn. Reflektier. Darstellgn. Fabeln. Parabeln. (116) 8° Lpzg, Dürr'sche Bb. (01). 1 —; geb. nn 1.40 d
— Verz. d. auswendig zu lern. Bibelsprüche, Psalmen u. Lieder. Für d. Frankfurter Bürgersch. zusammengest. (31) 8° Frankf. a/M., Kesselring (05).
nn 6 —
Walther, H: Gesetzeskde u.Volkswirtschaftslehre, s.: Pache, O.
Walther, H: Ueb. d. Abortus m. bes. Berücks. d. Therapie in d. Landpraxis, s.: Sammlung zwangl. Abhandlgn a. d. Geb. d. Frauenheilkde u. Geburtshilfe.
— Die Krankh. d. Frauen in übersichtl. Darstellg f. Hebammen. (38 m. Abb.) 8° Berl., E Staude 02.
— 60 d
— Leitf. z. Pflege d. Wöchnerinnen u. Neugeborenen z. Gebr. f. Wochenpflege- u. Hebammenschülerinnen. 2. Afl. (23, 161 m. Fig. u. 25 Temperaturzetteln.) 8° Wiesb., JF Bergmann 05.
L. 2.40 d
— s.: Verhandlungsbericht d. mittelrhein. Gesellsch. f. Geburtshilfe u. Gynaekol.
Walther, H: Üb. d. Echth. u. Abfassg d. Schriften d. Corpus Caesarianum, s.: Festschrift usw. d. Friedrich Wilhelms-Realgymnasiums zu Grünberg in Schl.
Walther, J, s.: Beiträge z. Frage d. naturwiss. Unterr. an d. höh. Schulen.
— Die Fauna d. Solnhofener Plattenkalke, s.: Denkschriften d. mediz.-naturwiss. Gesellsch. zu Jena.
— Geolog. Heimatskde v. Thüringen. (176 m. Abb. u. Profilen.) 8° Jena, G Fischer 02. 2.40 || 2. Afl. (245 m. Abb. u. Profilen.)
03. 3 —; geb. 3.50
— Vorsch. d. Geol. (144 m. Abb.) 8° Ebd. 05. 3.50; geb. nn 3 — || 2. Afl. (230 m. Abb. u. 8 Kart.) 06. 2 —; geb. 2.60
Walther, J: Weissasg u. Erfüllg im Leben Jesu Christi, s.: Walther, W.
Walther, K, u. M **Röttinger:** Techn. Wärmelehre (Thermodynamik), s.: Sammlung Göschen.
Walther, K: Der Metilstein, e. Markstein d. Landgrafen-Gesch. Thüringens, s.: Beiträge z. Gesch. Eisenachs.
— Tiefurt, d. Herzogin Anna Amalia Musenheim. 1. u. 2. Afl. (65 m. Abb. u. 1 Pl.) 12° Weim., H Böhlau's Nf. 02.03.
Geb. 1 — d
Walther, L: Der christl. Jüngling. Ein Mahn- u. Weckruf. 2. Ausg. (116) 8° Manz, F Kirchheim 01.
1.20
Walther, L: Gruss in d. Altenstübchen. 2. Afl. (72) 12° Hambg, Agent. d. Rauhen H. (01).
— 60; L. m. G. 1.20 d
— Aus meiner Jugendzeit. (110) 8° Gotha 01. Hambg, G Schloessmann.
L. m. G. 3 — d
— Reisekost auf d. Lebensweg. Ihren jugendl. Schwestern dargereicht. 4. Afl. (190) 8° Hambg, Agent. d. Rauhen H. (02).
L. m. G. 3 — d
Walther, O, u. L **Stein:** Die Lustspielfirma, s.: Universal-Bibliothek.
Walther, T (W Schild): Ägir. 3 Sagen v. Meere. (147) 8° Dresd., E Pierson 04.
2 —; geb. 3 — d
Walther, T: 2 Tage a. d. Leben Friedrich Schillers. (24) 8° Zerbst, F Gast 05.
— 30 d
Walther, W: Taf. z. Erleichterg e. schnellen Auffindg v. Signalen d. internat. Signalb. (2) 4° Hambg, Eckardt & M. (05).
— 50; auf Pappe 1 —
Walther, W: Weissagg u. Erfüllg im Leben Jesu Christi, f. d. christl. Volk dargest. in 48 Kunstblättern. m. erläut. Text v. J Walther. (190) 4° Dresd.-Niedersedl., HG Münchmeyer (05).
L. 16 — d
Walther, W: Denifles Luther, e. Ausgeburt röm. Moral. (70) 8° Lpzg, A Deichert Nf. 04.
1.90 d
— Das Erbe d. Reformation im Kampfe d. Gegenwart. 1. u. 2. Heft. 8° Ebd.
3.40; kart. nn 3.85 d
1. Der Glaube an d. Wort Gottes. (92) 03. 1.60; kart. 2 — d
2. Rechtfertigg od. relig. Erlebnis. (94) 04. 1.80; kart. 2 — d
— Ad. Harnacks Wesen d. Christentums f. d. christl. Gemeinde geprüft. 1. u. 2. Afl. (168) 8° Ebd. 01. 2.70; kart. nn 3 — d
Wohlf. (5.) Afl. (174) 04. 1.50 d
— Das Leben im Glauben. Predigten u. Betrachtgn f. d. festlose Hälfte d. Kirchenj. (157) 8° Ebd 01, 2.60; geb. 3.40 d
— Das Licht d. Welt. Neue Predigten in Betrachtgn f. d. 1. Hälfte d. Kirchenj. (132) 8° Ebd. 05. 3.25; geb. 3 — d
— Für Luther wider Röm. Hdb. d. Apologetik Luthers u. d. Reformation d. röm. Anklagen gegenüber. (759) 8° Halle, M Niemeyer 06.
10 —
Walther-Locher, S, s.: Bode, H.

Walther-Süersen, G v.: Anl. z. Pflege d. Zähne, s.: Süersen, W.
Walther v. der Vogelweide. Textausg. v. W Wilmanns, s.: Sammlung germanist. Hilfsmittel f. d. prakt. Studienzweck.
— m. e. Answ. a. Minnesang u. Spruchdichtg, hrsg. v. O Günther, s.: Sammlung Göschen.
— Gedichte, s.: Textbibliothek, altdent.
— Lieder u. Sprüche, s.: Jungbrunnen-Bücherei.
— u. and. Lyriker d. M.-A., Ausw., s.: Velhagen & Klasing's Sammlg deut. Schulausg. (G Legerlotz).
— u. d. Minnesangs Frühling, ausgew. v. K Kinzel, s.: Denkmäler d. ält. deut. Lit.
Walthoffen, s.: Walter v. Walthoffen.
Walton, Mrs: Heim, ach nur heim! Erzählg, frei a. d. Engl. v. M K.-G. 5. Afl. (41 m. Titelbild.) 12° Bas., Kober 01. — 20 d
Walton, T: Rennt Ihr Euer Schiff? Eine einf. Auseinandersetzg üb. Stabilität, Trim. Konstruktion, Tonnage u. Freibord d. Schiffe, nebst vollständ. Ausführg d. gewöhnl. Schiffsberechngn n. gegeb. Plänen. Nach d. 6. Afl. d. engl. Orig. v. C Fesenfeld. (361 m. Abb. u. 1 Taf.) 8° Oldnbg, G Stalling's V. 03.
5 —; geb. 6 — d
Walz, A: Bibliogr. de la ville de Colmar. (21, 539) 8° Mülh. i.E., (C Detloff) 02.
nn 6 —
— s.: Chauffour, F-H-J, chronique de Colmar.
Waltz, O: Fr. Bartolomé de las Casas. (39) 8° Bonn, H Hager 05.
1 —
— Die Denkwürdigk. Kaiser Karl's V. (47) 8° Ebd. 01. 1.20 d
Walz, W: Vom Reinertrag in d. Landw., s.: Studien, Münch. volkswirtschaftl.
Wals, E: Ueb. d. Prüfg d. parlamentar. Wahlen n. bad. Recht. [S.-A.] (131) 8° Hdlbg, (A Emmerling & S.) (02).
1 — d
Walz, H: Deut. Leseb. f. höh. Lehranst., s.: Evers, M.
Walz, K: Hygiene d. Blutes, s.: Bibliothek d. Gesundheitspflege.
Walzberg, T: Die Gallensteine u. ihre Behandlg. (59 m. 1 farb. Taf.) 8° Mind., (JCC Bruns) 05.
3 —
Walzel, OF: Friedr. Schiller. Rede. (24) 8° Bern, A Francke 05.
— 60
— s.: Untersuchungen z. neueren Sprach- u. Lit.-Gesch.
— Zeitschriften d. Romantik, s.: Houben, HH.
Wambach, H: Das junge Mädchen in Familie n. Gesellschaft. (39) 8° Nürnbg, Bh. d. Ver. f. innere Miss. 03.
— 60 d
Wamser, A: Wandk. v. Deutschld. 1:750,000. 6 Bl. Je 2 Bl. 52× 91,5 cm, 66,5×91,5 cm u. 75×91,5 cm. Farbdr. Giess., E Roth (03).
15 —; auf L. m. St. 30 —
— Neue Karte v. Deutschl. 1:5,000,000. 29,5×28 cm. Farbdr. Ebd. (04).
— 20; auf Pappe — 35; auf L., kart. in 8° — 45
— Neue Karte in Höhenschichten-Darstellg u. Relief-Manier d. Kreises Giessen. Ausg. f. Touristen m. Wege-Markiergn. 1:100,000. 34,5×41,5 cm. Farbdr. Nebst Text. (3) 16° Ebd. (04).
— — 60
— Kreisk. v. Giessen in Höhenschichten- u. Relief-Darstellg, bearb. f. d. Schulgebr. (Wamser's Kreiskarte No. 1.) 1:100,000. 34,5×41 cm Farbdr. Ebd. (04). nn — 20; auf L. in Kart. nn — 45
— Neue Karte v. Grossh. Hessen. 1:150,000. 4 Afl. 38,5×27,5 cm. Farbdr. Ebd. 04. — 20; auf Pappe — 35; auf L. in Decke nn — 45
— Wandk. v. Grossh. Hessen. 1:100,000. 2. Afl. 4 Bl. je 97,5× 69 cm. Farbdr. Ebd. 01.
auf L. m. St. 20 —
Wanach, B: Observations faites à l'instrument des passages établi dans le premier vertical, s.: Nyrén, M.
Wanckel, A Haufen Dumma-Gunga-Straach, s.: Röder, K.
Wand, H v.: Die Gemeinde-Ordng f. d. Pfalz. 2. Afl. (692) 8° Kirchheimbolanden, Thieme'sche Druckereien 1901. nn 8.50;
HF. nn 9.50 d
Wandbilder z. deut. Götter- u. Sagenwelt, hrsg. v. J Lohmeyer. m. Texten v. F u. T Dahn. Nach Originalen v. W Friedrich, J Gehrts, H Hofmann u. A Zick. 1. u. 8. Serie. (Je 4 Lichtdr.) 91×66 cm. Mit Bd. d. Waisenh. 04.06. Je 90 —; auf L. je 24 —; einz. Taf. 6; auf L. 7 —; 1. u. 2. Textheft. (18 u. 15 m. Abb.) 8° Je 1 — d
— z. Gesch. Württembergs u. sr Fürsten. (Nach Entwürfen v. C v. Häberlin.) (12 Bl.) 62×74 cm. Essl., JF Schreiber (04).
12 —; einz. Bl. 2 — d
Textheft dazu s.: Lauffer, F.
Wandelt, H: Das ges. Recht d. Deut. Reiches in Frage u. Antwort z. Vorbereitg f. d. Referendarexamen u. d. jurist. Doktorprüfg. 7 Bde. 8° Berl., E Walther. Je 3 —; geb. 3.50
1. Allg. Tl. (147) 02. | 2. Recht d. Schuldverhältn. einschl. Handelsrecht. (219) 02. | 3. Sachenrecht. (143) 03. | 4. Familienrecht. Erbrecht. (143) 03. | 5. Röm. Rechtsgesch. Civilprozess. Konkurs. (221) 02. | 6. Röm. Rechtsgesch. einschl. StaatsRecht. KirchenRecht. (219) 02. | 7. Strafrecht. Strafprozess. Völkerrecht. (213) 03.
— dass. 2 völlg 9 Bde. 8° Ebd. Je 3 —; geb. 3.50
1. Allg. Tl. (173) 04 | 2. Recht d. Schuldverhältn. einschl. Handelsrecht. (221) 04. | 3. Sachenrecht. (145) 06. | 4. Familienrecht. (145) 05. | 5. Erbrecht. (157) 05. | 6. Röm. Rechtsgesch. Deut. Rechtsgesch. (171) 05. | 7. Civilprozess. Konkurs. (201) 05. | 8. Strafrecht. Strafprozess. (175) 05. | 9. Kirchenrecht. Völkerrecht. Nationalökonomie. (179) 05.
Wander, E: Das gr. Buch d. Likörfabrikation. (128) 8° Berl., H Steinitz (04).
2 — d
Wander, KFW: Der poet. Kinderwelt. Eine Sammlg reicher, sorgfältig ausgew. u. geordneter Gedichte. 1. Bd. Für d. Alter v. 5—10 Jahren. 42. Afl. (24, 176) 8° Lpzg, IT Wöller 08.
— 75; geb. 1.50 d
Wander, O: Fremdwtrb. Nebst e. Anh., enth.: d. Namen d. Städte, Flüsse u. Länder in deut., latein, französ. u. engl.

195*

Sprache. 37. [Tit.-]Afl. (37º) 12º Lpzg, O Wigand [1900] 03.
Geb. 1.50 d
Wanderbilder, bad. (Von E Schuster.) I. Das Murgthal v.
Rastatt bis Freudenstatt m. Albthal u. Enzthal. (67 m. 1 Karte.)
8º Freibg i/B. (01). Lahr, Gross & Sch. 1 —
— dass. III u. IV. 8º Freibg i/B., (FP Lorenz) (01). Je — 50 d
III. Eisenbahn v. Freiburg u. Donaueschingen. (Höllenthalbahn.) (02)
IV. Elsthalbahn v. Denzlingen Üb. Waldkirch n. Elzach u. d. anlieg.
Gebiete. (40)
Fortsetzg s, u, d. T.: Schuster, E, Schwarzwald-Wanderbilder.
— europ. Nr.9, 9a, 18, 89—91, 114—116, 250—252 u. 256—263. (Mit
Abb.) 8º Zür., Art. Instit. Orell Füssli. Je — 50
9.9a, Jung, L: Badeu-Baden. 2. Afl. (49 m. 1 Karte.) (02.)
18. Schaffhausen u. d. Rheinfall. 3. Afl. (37 m. 1 Karte.) (01.)
*9—91. Hardmeyer, J: Locafno u. s. Tälef. 2. Afl. (111 m. 1 Karte.) (03.)
114—116. Hardmeyer, J: Lngano u. d. Verbindgslinie nw. d. Soberitalien.
Seen. 3. Afl. (109 m. 4 Karte.) (03.)
250. Bürgenstock, d. Kufoft, am Vierwaldstädtersee. 3. Afl. (81 m. 2 Voll-
bilderfn, 1 Farbdr., 1 Pl. u. 1 Karte.) (01.)
251. Rigviertel, J., in Zürich. 2. Afl. (27 m. 1 Karte.) (02.)
252. Stoos ob Brunnen, Kufoft. 2. Afl. (88 m. 1 Karte.) (04.)
256. Tarnusser, C: Illustr. Bündoef Oberland. Mit e. geschichtl.
Beitr. v. JC Muoth. (164 m. Karte.) 05.
259—261. Camenisch, C: Die rhät. Bahn m. bes. Berücks. d. Albula-Route.
(113 m. 8 Taf. u. 1 Karte.) (04.)
262. Haidenthaler, J: Jodsoolbad Bad-Hall in Ober-Oesterr. (36 m. 1 Pl.
u. 1 Karte.) (04.)
263. Arx, K v.: Vom Bodensee z. Rheinfall. Konstanz-Schaffhausen. Binz.
Strandsampeffahrt d. Schweis. (28) 08.
Wanderbuch, deut. Hrsg. v. Vorstande d. Verbandes deut.
Touristenver. 1. Tl: Süddeutschl. (260 m. 8 Kart.) 12º Stuttg.,
Franckh 03. Geb. 1.50
— Hamburger, v. A Blass, F Gabain, R Kohfahl u. P Roth
unter Mitwirkg v. O Meissner jr. 4. Afl. 2 Tle. (96 u. 138 m.
23 Kart.) 8º Hambg, O Meissner's V. 01. Kart. 3.60
u. 159 m. 25 Kart.) 04. Kart. 3.60
— f. d. Riesen-, Iser-, Bober-Katzbach- u. Waldenburger Gebirge. 10. Afl. Von d. Ortsgruppen d. R.-G.-V. rev. (190 m.
1 Panorama m. 1 Karte.) 12º Warmbr., E Grohn (01). 1 —
— f. d. Solling u. d. Oberwesergebiet, d. Vogler, Hils, Elfas,
Bramwald u. Reinhardswald, m. Berücks. d. Bäder u. Sommerfrischen. Hrsg. v. Sollingver. 3. Afl. (175 m. 1 Karte.) 12º
Holzm., CC Müller (02). 2 —
— Trierer. 115 Spaziergänge u. Ausflüge in d. Umgebg Triers.
2. Afl. (102 m. 1 Karte.) 8º Trier, H Stephanus (05). Geb. 1.40
— Zwickauer, nebst Führer durch d. Stadt Zwickau. Bearb.
v. Mitgliedern d. Erzgeb.-Zweigver. Zwickau. 3. Afl. 1. Tl:
Ausflüge zu Fuss. (136 m. 2 Kart.) 8º Zwickau i/S. (Wilhelm-
str. 3), CA Günther Nf. 01. Kart. 1.90 d
Wanderbüchlein, Stuttgarter. 100 Wandergn in d. engere u.
weit. Umgebg Stuttgarts u. d. Endpunkten : Ludwigsburg-
Leonberg—Kirchheim u. T.—Schorndorf. (47) 12º Stuttg., Holland & J, 03. (m — 20) — 25; m. Peip's Ausflugsk. 1 — d
Wanderer, der. (Neuer schweizer) Kalender f. 1906. Red.: U
Kollbrunner. (152 m. Abb. u. 1 farb. Taf.) 8º Zür., Fäsi & R.
1 — d
— der. Geograph. Unterhaltng u. Litt.-Berichte, hrsg. v. A
Aprilis. 1.Jahrg. 1901/1902. 4 Nrn. (Nr.1. 24 m. Abb.) 4º Lpzg-
Stötter., Baum's V. 1 — d ô F
— deut. Illustr. Volks-Kalender. 26. Jahrg. 1906. (34, 16, 32,
46 u. 48) 8º Neuweissens., E Bartels. 50 d
Wanderer's Freund m. Beil. in niederdeut. Mundart: Plattdütsch Sünndagsbladd. Centralorgan f. Verschönergs-, histor.
u. Gebirgsver. im Teutoburger Wald, Wesergebirge, Deister,
Sauerland, Harz, in d. Rheinprov. u. in d. Nachbargebieten.
Red.: H Anders. 7—9.Jahrg. Apr. 1901—März 1904 je 24 Nrn.
(Nr. 1, 8 u. 4) 4º Bielef., A Helmich. Viertelj, 1,25 d
— dass. m. Beibl. in niederdeut. Mundart: Plattdütsch Sünndagsbladd. Für Heimatschutz-, Verschönergs-, histor. u. Gebirgsver. im Teutoburger Wald, Wesergebirge, Deister, Sauerland, Harz, in d. Rheinprov. u. in d. Nachbargebieten. Red.:
H Anders. 10. u. 11. Jahrg. Apr. 1904—März 1906 je 12 Nrn.
(Nr, 1, 8 u. 4) 4º Ebd. Halbj. 1 — d
Wanderer, R: Ikara. (200) 8º Berl., Schuster & Loeffler 02. 3 — d
Wandergnen, A: Neuester Führer in d. Tal d. Abr v. Remagen
bis Adenau m. Abstechern z. Laacher See. 3. Afl. (73 m. 1
a eu. 5 Ansichtspostk.) 8º Bonn (Stockenstr. 8), S Foppen
(05.) t — 50
— Der neueste Führer zu d. schönsten Punkten d. Siebenge-
birges u. linksrheinisch v. Remagen bis Bonn. 3. Afl. (65 m.
1 Karte u. 5 Ansichtspostk.) 8º Ebd. (05). 50 d
Wanderkarte v. Braunschweig u. Umgebg. 1:75,000. 3. Afl. v.
R Reiss. 54×72,5 cm. Farbdr. Braschw., A Graff 01. 1 —
auf L. 1.50
— v. Eibenstock im Erzgebirge u. Umgebg. Gez. v. O Findeisen. 1:75,000. 24×33 cm. Farbdr. Mit Text am Rande. —
Panorama v. Auersberge. Gez. v. A Schäfer (auf d. Rücks.).
43,5×43,5 cm. Farbdr. Nebst Beil.: Wegestrecken m. Längen-
u. Zeitangaben f. Zusammenstellgn v. Wandergn in belieb.
Ansdehng. Hrsg. v. Erzgebirgsver. Eibenstock. 3. Afl.
(7) 16º Eibenst., (B Kändler) (04). 50 d
— d. Erzgebirges m. d. v. Erzgebirgs-Ver. farbig bezeichn.
Wegen in Rotdruck. 1:125,000. 57×86 cm. Lith. Annabg,
(Graser) (04). — 40
— d., Umgegend. v. Hannover f. d. Gebiete d. Weser, Leine,
Innerste u. d. Teutoburger Waldes. 1:200,000. Neue Revision
v. 1901. 37×50 cm. Farbdr. Hannov., Schmorl & V. S. Nf. 1 —
— d. hannov. Touristen-Ver., umfassend: Deister, Osterwald,

Süntel, Weserberge, Bückeberge u. s. w. 1:100,000. 2. Afl.
38,5×53,5 cm. Farbdr. Nebst Touren-Zusammenstellg. (20)
8º Hannov., F Wehdemann (05). — 75
Wander-Liederbuch. Hrsg. v. Verband deut. Post- u. Telegr.-
Assistenten. (76) 16º Berl., Verband deut. Post- u. Telegr.-
Assistenten (03). 10 —
Wandern u. Reisen. Illustr. Zeitschrift f. Touristik, Landes-
u. Volkskde, Kunst u. Sport. 1. u. 2. Jahrg. 1903 m. 4 je
24 Hefte. (744 m. 1 Panorama u. 660 m. Abb., Kart. u. 4 bezw.
3 farb. Taf.) 4º Düsseldf, L Schwann. Geb. je 16 —
viertelj. 3 — ; einz. Hefte — 50 d ô F
Wandersleb : Die Melodien zu d. neuen Gesangb.(25) 8º Brnschw.,
J Neumeyer (03). — 20 d
Wanderungen durch deut. Gaue, neue Ausg., s.: Deutschland
u. s. Kolonieen.
— durch d. deut. Land. Heimatkundl. Skizzen f. uns. Jugend.
Hrsg. v. JWO Richter. (O v. Golmen.) 1—3. Bd. (Mit Abb.)
8º Glog., C Flemming. L. je 3 — d
1. Von d. Nordsee rheinaufwärts bis z. Bodensee. (174) (02)
2. Im Donaugebiete. — Von d. Rhön bis z. Nordsee. (135) (03.)
3. Von d. unt. Elbe bis z. böhm. Grenze. Von Oberschlesiens bis z. Ostsee. Durch d. Provv. West- u. Ostpfeussen bis z. russ. Gfenze. (176) (03.)
— durch d. roman¹. Eichsfeld. I. Serie. 1. Lfg. Heiligenstadt
u. Umgegend. (91 Taf., Titelbl. u. 1 Bl. Inhaltsverz.) 8º
Heiligenst., FW Cordier (01). In M. 6 — d
— im Erzgebirge, nebst Abstechern n. Böhmen u. ins Vogtland. Hrsg. v. Erzgebirgs-Zweigver. zu Leipzig. 5. Afl. v.
E Lange. (22 m. 1 Karte.) 12º Lpzg, (Alwin Schmidt) (03).
m — 25 d
— 50 d. schönsten in d. Umgebg v. Trier. 3. Afl. d. v. d.
Trierer Wanderbund hrsg. 50 Wandergn. (36) 8º Trier, F
Lintz 05. — 50 d
Wandervogel s.: Tharandt, Stadt u. Akademie.
Wandervogels, d., Liederb. Hrsg. v. „Wandervogel", E. V.
Steglitz b.Berlin. (120) 16º Osterw., AW Zickfeldt05. L. — 50 d
Wander-Vorträge, medicin. 57—05. Heft. 8º Berl., Fischer's
med. Bh. 5 —
Bayer, C: Spina bifida. (48) 02. [62.] 1 —
Ekstein: Ueb. Gebofts- u. Wochenbffts-Hygiene. (16) 01. [60.] — 50
Fischl, R: Einiges üb. Fortschritte in d. Erkenntnis u. Behandlg d. acuten
Infectionskrankh. (27) 1900. [58.] — 50
Jakach, R v.: Ueb. d. medcfhe Behandlg d. Herzaffektionen in Bezicg
auf Frauenbad als Herzheilbad. (18 m. 2 Tab.) 04. [65.] — 50
Knapp, L: Ueb. puefpefals Infections-Erkrankgn u. ihfe Behandlg. (27)
01. [61.] — 50
Piering, O: Ueb. Massage bei Frauenkraukh. (17) 01. [59.] — 50
Pißl, O: Ueb. acute Mittelohrentzündg u. ihfe Behandlg. (36) 1900. [57.]
— 50
Randnitz, RW: Ueb. ein. Ergebnisse d. Harnenfefsuchg bei Kindefn. (76)
02. [56.] — 50
Singer: Neuefes a. d. Geb. d. Nierenkraukh. (22) 03. [64.] — 50
Wandibel. Ausg. A in Schreib- u. Druckschrift z. Fibel-Ausg. A.
24 Taf. Je 67,5×87 cm. Dortm., W Crüwell (02). 5 — ; auf
12 Papptaf. nn 13 — ; Taf. — 1.1 3 — ; auf Pappe nn 7 — ; Taf.
— 12—24 3.50 ; auf Pappe nn 8 — d
— Ausg. B in deut. Druckschrift z. Fibel-Ausg. B. (14 Taf.)
87×67 cm. Ebd. (08). 4 —
— dass. Ausg. W. (15 Taf.) 87×87,5 cm. Ebd. (08). †5.40 :
auf 8 Papptaf. 12 — d
— (zu d. Schreiblesefibel), hrsg. v. Lehrerver. Hannover-Lin-
den e. V. (20 Taf.) 75×106 cm. Hannov., Hahn (05). 5 — d
— z. hess. Leseb. (28 Taf.) 69×100 cm. Giess., E Roth (05).
nn 6 — ; auf 14 Papptaf. m. Osen nn 15 —
— f. pfälz. Volkssch. 38 Taf. Je 200×66,5 cm. Münch., R Oldenbourg (03). 12.50 d
Wandgemälde, d., in d. Aula d. Melanchthon-Gymnasiums
zu Wittenberg. (Von H Guhrauer.) (15 m. 1 Taf.) 8º Wittnbg,
P Wunschmann 02. — 80 d
Wandkarte d. Stadt- u. Landkreises Aachen. 1:25,000. 6 Bl.
Je 47,5×64 cm. Farbdr. Dür., W Solinus (05). 14 — ;
auf L. m. St. 20 —
— d. Kreises Ahaus, Reg.-Bez. Münster. 1:35,000. 2 Bl. Je
119×61 cm. Farbdr. Berl., D Reimer (03). 10 —
— d. Kreises Cassel, Reg.-Bez. Cassel. 1:35,000. 2 Bl. Je
54,5×96,5 cm. Farbdr. Ebd. (03). 10 —
— d. Herzogt Coburg. 1:35,000. 2 Bl. je 59,5×109,5 cm. Farbdr.
Berl., D Reimer (03). (Alleinvertrieb : Kobg, JF Albrecht.) 10 —
— d. Kreises Düren. 1:25,000. 6 Bl. Je 68,5×54 cm. Farbdr.
Dür., W Solinus (02). auf L. m. St. 22 —
— d. Kreis Düsseldorf u. Nenss, Reg.-Bez. Düsseldorf.
1:35,000. 2 Bl. je 60×93 cm. Farbdr. Berl., D Reimer 04.
7.50; auf L. m. St. 12.50
— d. Elbe-Trave-Kanals. 1:100,000. 44×70 cm. Farbdr.
Lüb., Gebr. Borchers 01. 1.50; m. St. 50; auf L. m. St. 3 —
— v. Elsass-L. 1:150,00. (Neue Ausg.) 4 Bl. 8º 80×65,5 cm.
Farbdr. Strassbg, Strassb. Druckerei u. Verl.-Anst. (04).
6,40; auf L. m. St. lackiert nn 12 —
— d. Kreise Eupen u. Montjoie, Reg.-Bez. Aachen. 1:35,000.
2 Bl. Je 60×109,5 cm. Farbdr. Berl., D Reimer (03). 10 —
— d. Kreises Fulda, Reg.-Bez. Cassel. 1:35,000. 2 Bl. Je
52×112 cm. Farbdr. Ebd. (03). 10 —
— d. Kreises Gelnhausen, Reg.-Bez. Cassel. 1:35,000. 2 Bl.
je 68,5×112 cm. Farbdr. Berl. (03). Hanau, Clauss & Fedder
sen. 10 —; auf L. m. St. nn 12.50
— d. Kreises Hanau, Reg.-Bez. Cassel. 1:35,000. 2 Bl. Je 52×
93 cm. Farbdr. Hanau, Clauss & Feddersen (01). 10 —;
auf L. m. St. nn 12.50

Wandkarte d, Kreises Lauterbach, Grossh. Hessen. 1:
35,000. 2 Bl. Je 65×106 cm. Farbdr. Berl., D Reimer (03). 10 —
— d. Kreises Lingen, Reg.-Bez. Osnabrück. 1:35,000. 2 Bl.
Je 60,5×103,5 cm. Farbdr. Ebd. (03). 10 —
— v. Magdeburg u. Umgegend. 1:30,000. 4 Bl. je 73×73 cm.
Farbdr. Mgdbg, Creutz (03). 15 —; auf L. m. St. 22 —
— d. Kreises Malmedy, Reg.-Bez. Aachen. 1:35,000. 2 Bl.
Je 70×108 cm. Farbdr. Berl., D Reimer (03). 10 —
— d. Kreise Marburg u. Kirchhain, Reg.-Bez. Cassel. 1:35,000.
2 Bl. Je 107×52 cm. Farbdr. Marbg, NG Elwert's Sort. 03.
10 —; auf L. 14 —
— d. Kreises Oels, Reg.-Bez. Breslau. 1:35,000. 4 Bl. Je 65×
62 cm. Farbdr. Berl., D Reimer (03). 10 —
— d. Prov. Posen. 4. Afl. 1:200,000. 4 Bl. je 71,5×61 cm.
Farbdr. Pos., L Türk 02. 8 —; auf L. m. St. 15 —
— d. Kreises Prüm, Reg.-Bez. Trier. 1:35,000. 2 Bl. Je 64,5×
119,5 cm. Farbdr. Berl., D Reimer (03). 10 —
— d. Oberamts Reutlingen. 1:25,000. 2 Bl. je 68,5×97 cm.
Farbdr. Tüb., F Fues (04). Auf L. m. St. u. lackiert 12.50
— d. Kreises Schleiden, Reg.-Bez. Aachen. 1:35,000. 2 Bl.
Je 57×107 cm. Farbdr. Berl., D Reimer (03). 10 —
— v. d. kgl. württ. Oberamt Spaichingen, m. geognost.
Kärtchen. 1:37,500. 64,5×84 cm. Farbdr. Spaich., M Kupferschmid (01). Auf L. m. St. od. in Taschenform (6 —) 2 —
Text dazu s. u. d. T.: Dolderer, JG, Beschreibg d. Oberamts
Spaichingen.
— d. k. w. Oberamtsbez. Tübingen. 1:30,000. 2. Afl. 4 Bl.
je 52×47 cm. Farbdr. Tüb., F Fues 04.
Auf L. m. St. u. lackiert 9 —
— d. Kreises Warburg, Reg.-Bez. Minden. 1:35,000. 2 Bl.
Je 47,5×100,5 cm. Farbdr. Berl., D Reimer (03). 10 —
Wandl, J: Sprachübgn, s.: Merth, B.
— Das Wichtigste üb. d. richt. Aussprache d. Neuhochdeutschen.
(13) 8° Krems, (F Oesterreicher) 04. — 20 d
Wandolleck, B, s.: Bericht üb. usw. Entomol.
— Mikrophotogr. f. Liebhaber-Photogr. (44 m. Abb.) 8° Berl.,
Unger & Hoffmann 03. 1 —
Wandschneider, A: Die Metaphysik Benekes. (155) 8° Berl.,
ES Mittler & S. 03. 2.50
Wandtafel deut. Kriegsschiffe. Unter Mitwirkg v. W Stöwer
bearb. 3. Afl. 6 Bl. je 85×104 cm. Farbdr. Nebst Text: Die
wichtigsten deut. Kriegsschiffsarten. 2. Afl. (47 m. 1 Taf.)
8° Lpzg, G Lang (01). 14.50; auf L. m. St. 20.50
Wandtafeln f. d. militär. Anschags-Unterr. Serie 2 B, 8a u.
b, 10 u. 11. 40×52 cm. Lpzg, M Ruhl (04). 9.75
(1, 2 A u. B, 3—11 u. 13: 29.75)
2 B. Die russ. Armee II. (4 farb. Taf.) (04.) 3 —
8a. Die Abzeichen b. d. deut. Armee, Marine u. Schutztruppe. A.: Armee
u. Schutztruppen. (2 farb. Taf.) (04.) 1.50
b. Dass. B.: Marine u. Schutztruppen. (3 farb. Taf.) (04.) 1.25
10. Die Orden u. Ehrenzeichen d. Deut. Staaten. II. (Bayern.) (2 farb.
Taf.) (04.) 2.75
11. Dass. III. (Sachsen.) (1 farb. Taf.) (03.) 1 —
— naturgeschichtl. Unter Mitwirkg v. M Wilckens, C Rothe,
L Meyer hrsg. v. T Eckardt. 2. Abth. Taf. 3, 4 u. 6 je 63×
88 cm. Farbdr. Nebst Text. (12 m. Abb.) 4° Wien, E Hölzel
01. 7.20; m. L.-Einfassg u. Oesen 8.40; auf L. m. St. 12 —;
cinz. Taf. 2.40; bezw. 2.80 u. 4 — (1 u. 2: 16.80, bezw. 20 —
u. 28 —)
3. Schaf. ǁ 4. Schwein. ǁ 6. Haushuhn.
— 105, f. d. naturgeschichtl. Anschagsunterr. (Von Zeitunger.)
I. Abthlg. Zool. Taf. 1—6, 8—12, 15, 16, 19—22, 25, 27—29,
34, 36—39, 41, 43, 47, 50, 51, 53, 57, 59, 61, 62 u. 64; II. Abtlg.
Botanik. Taf. 1—11 u. 14 u. HI. Abtlg. Bäume. Taf. 1, 5,
8—11, 13, 15, 17, 18 u. 20. (Neue Afl.) Je etwa 70×55 cm.
Farbdr. Wien, C Gerold's S. (03-05). Je 1.60; auf starkem
Pap. m. L.-Rand u. Oesen je 1.90; lackiert je 2.10; auf Pappe
m. Oesen u. lackiert je 2.60
I, 1. Orang-Utang. ǁ 2. Ohrenfledermaus. Spitzmaus. Igel. Maulwurf. ǁ 3.
Hanskatze. Luchs. ǁ 4. Löwe. ǁ 5. Leopard. Tiger. ǁ 6. Jagdhund.
Pudel. ǁ 8. Wolf. Schakal. ǁ 9. Fuchs. Gestreifte Hyäne. ǁ 10. Wiesel.
Hoffmelin. Iltis. ǁ 11. Haus- od. Steinmalder. Dachs. ǁ 12. Brauner
Bär. ǁ 15. Gemeines Eichhörnchen. Hausmaus. Feldmaus. Wander-
ratte. Hamster. Alpen-Murmeltier. ǁ 16. Gemeiner Hase od. Feld-
hase. Biber. ǁ 19. Pferd m. Fohlen. ǁ 20. Esel. Zebra. ǁ 21. Rind. ǁ 22.
Zahmes Schaf. Zahme Ziege. ǁ 25. Edelhirsch. ǁ 27. Zweihöckeriges
Kamel. ǁ 28. Zahmes Schwein. Wildschwein. ǁ 29. Ind. Elephant.
ǁ 34. Steinadler. ǁ 36. Sperber. Steinkauz. Schleiereule. ǁ 37. Schwarz-
specht. Grünspecht. Gr. Buntspecht. Kukuk. Eisvogel. ǁ 38. Uhu m.
Jungen (gr. Obreule). ǁ 39. Nachtschwalbe. Gemeiner Kolibri. Alm-
sel. Goldammel. Nachtigall. Uspel. Nachtigall. ǁ 41. Kohlmeise. Feld-
lerche. Hausperling. Stieglitz. Edel- od. Buchfink. Zeisig. Kreuz- od.
Krummschnabel. ǁ 47. Der eigentl. Kolkrabe. Schwarzkrähe. Saatkrähe. Nebelkrähe. ǁ 47. Hausbuhn. ǁ 50. Hausgans. Hausente. Eider-
ente. ǁ 51. Griech. Landschildkröte. Eurep. Sumpfschildkröte. Grüne
u. grüne Eidechse. Ringelnatter. Viper od. Kreuz-
otter. ǁ 53. Laubfrosch m. Verwandlg. Wasser- od. Teichfrosch. Gras-
od. Wiesenfrosch. Unke od. Feuerkröte. Gemeine Kröte. Feuer-
salamander od. gefleckter Erdmolch. Wasser- od. Kammolch. ǁ 57.
Forelle. Häring. Aal. ǁ 59. Maikäfer. Gold- od. Roasikäfer. Hirsch-
käfer. Kupferrother Laufkäfer. Moschuskäfer. Todtengräber. Trotzkopf. Johanniswürmchen. Span. Fliege. ǁ 61. Honigbiene. Erdhum-
mel. Hornis. Ameise. Kupfergoldwespe. ǁ 62. Baumweissling. Kohl-
weissling. Admiral. Seidenspinner. Ringelspinner. Kiefernspinner.
ǁ 64. Reblaus m. Verwandlg. Frostkäfer. Medizin. Blutegel. Acker-
Nacktschnecke. Gr. Weinbergschnecke. Gr. Teichmuschel. Eckte Peri-
muschel.
II, 1. Blaues Leberblümchen. Busch-Windröschen. Sumpf-Dotterblume.
Goldlack. Garten-Mohn. Garten-Nelke. Kräutige Baumwollstaude.
Chines. Theestrauch. ǁ 4. Hirtentasche. Schaffer Hahnenfuss. Blauer
Eisenhut. Stiefmütterchen. Wohlriech. Veilchen. Gemeine Küchen-

schelle. Wohlriech. Reseie. ǁ 5. Aprikosenbaum. Johannisbeerstrauch.
Erdbeere. Stachelbeerstrauch. Himbeerstrauch. Mandelbaum. ǁ 4.
Peterrülle. Möhre. Weinstock. ǁ 5. Champignon. Herveupilz. Eier-
pilz. Hallimasch. Stockmorchel. Fliegenschwamm. Spitzmorchel.
Mutterkorn u. Keulenköpfchen. Rentierflechte. Ind. Flechte. ǁ 6.
Weisse Seerose. Erbse. Linse. Feuerbohne. Wiesenklee. Luzerner
Klee. Gebrüuchl. Lein od. Flachs. ǁ 7. Schlehdorn. Wilde Rose od.
Hundsrose. Brombeere. Kümmel. Fenchel. Hundspeterrille. Gefleckter Schierling. ǁ 8. Schwarzer Nachtschatten. Bitterdüsser Nachtschatten. Schwarzes Bilsenkraut. Tollkirsche. Stechapfel. Kartoffel.
Tabak. ǁ 9. Vergissmeinnicht. Heidelbeere. Preiselbeere. Sonnen-
blume. Frühlings-Schlüsselblume. Rotef Fingerhut. ǁ 10. Maiglöckchen. Schneeglöckchen. Franzenschuh. Einbeere. Weisse Lilie. Gar-
tentulpe. Reis. ǁ 11. Gänseblümchen. Majoran. Salbei. Echter Laven-
del. Kaffeebaum. Flieder. Schwarzer Hollunder. ǁ 14. Gefleckte Taubnessel. Hanf. Garten-Hyacinthe. Weizen. Roggen. Korn. Gerste. Taumellolch. Hafer.
IH, 1. Grossblätter. od. Sommerlinde. ǁ 4. Bärbaum. ǁ 5. Rosskastanie.
ǁ 8. Oelbaum. ǁ 30. Fichte od. Rottanne. ǁ 11. Edel-Tanne. ǁ 13. Rot-
Föhre. ǁ 15. Pyramiden-Pappel. ǁ 17. Apfelbaum. ǁ 18. Eiche (Stiel-
Eiche). ǁ 20. Wallnussbaum.
Wandtafeln, ausgew., f. d. Unterr. im freien Zeichnen in
Volks- u. höh. Schulen. Hrsg. v. Ver. z. Förderg d. Zeichen-
unterr. in d. Prov. Brandenburg. 9. u. 10. Reihe je 6 Bl. je
82,5×63,5 cm. Berl., L Oehmigke's V. (01.02). Je 4 —
(Vollst.: 41 —) d
Wand-Tarif f. d. ges. Post- u. Telegr.-Verkehr. 118×107 cm.
Cass., G Dufayel (05). 3 —
Wang u. Frhr v. **Meerscheidt-Hüllessem:** In u. um Peking
währ. d. Kriegswirren 1900—01. (70 m. 38 Taf.) 8° Berl.-
Schöneig, (Meissenbach, Riffarth & Co.) 02. Geb. 25 —
Wang, F: Grundr. d. Wildbachverbaug. 1. Thl. (309 m. Abb.)
8° Lpzg, S Hirzel 01. 6 — ǁ 2. (Schl.-)Thl. (480 m. Abb.) 03. 16 —
Wangelin, B v.: ¡Habla Vd castellano?, s.: Castres, GHF de.
Wangemann: Beitr. z. Entwickelgsgesch. d. heut. Kriegs-
technik. (52) 8° Berl., R Eisenschmidt 02. — 75 d
— Für d. leichte Feldhaubitze!, s.: Zeitfragen, militär.
— Das Kriegsmaterial auf d. Weltausstellg in Lüttich. [S.-A.]
(30 m. Abb.) 8° Berl., Boll & P. 05. 1 — d
Wangemann, L, s.: Anschauungsbilder. 20, f. d. 1. Unterr.
in d. bibl. Gesch.
— Der 1. bibl. Anschaugsunterr. Anweisg z. Gebr. d. „20 Anschaugsbilder". 8. Afl. (144 m. Abb.) 8° Lpzg, G Reichardt
04. 1.80 d
— Bibl. Gesch. (Mit Abb.) 2 Tle. 8° Ebd. 05. 1.50; geb. od. 2.05 d
1. Für d. Elementarst. 35. Afl. (108) 05. — 90; geb. — 90 ǁ 2. Gearbeit
u. bearb. zu biograph. Gesch.-Bildern. 12. Afl. (212 m. 3 Kart.) 05. 1 —;
geb. am 1.25.
— Handreichg beim Unterr. d. Kleinen in d. Gotteserkenntnis. Anweisg z. Gebr. d. „bibl. Gesch. f. d. Elementarst."
nebst e. Pl. f. Relig.-Unterr. in mehrklass. Schulen. 17. Afl.
(336) 8° Ebd. 05. 3 —; geb. 3.50 d
Wangemann, O: Sammlg weltl. u. geistl. Chorgesänge, s.:
Überlée, A.
Wangemann, P: Die Calciumcarbidindustrie, s.: Mitteilungen
d. gesellsch. f. wirtschafil. Ausbildg.
Wangerin, A, s.: Jahresbericht d. deut. Mathematiker-Vereinigg. — Verhandlungen d. Gesellsch. deut. Naturforscher
u. Ärzte. — Verhandlungen d. Breslauer Naturforscher-Versammlg üb. d. naturwiss. n. mathemat. Unterr. an d. höh.
Schulen.
Wangerin, CA: Üb. Alkaloide. [S.-A.] (10) 8° Stuttg., E Schwei-
zerbart 02. — 30
Wangerin, E: Das Gustav-Adolphs-Lied v. 1633. Mit e. literar. Einl. u. histor. Anmerkg, nen wieder bekannt gemacht
u. hrsg. (40) 8° Duisbg, J Ewich 05. — 60 d
Wangk, A v.: Im letzten Licht. (123 m. Abb.) 8° Berl., Schuster &
Loeffler 05. 2 —; geb. 3 —
Wank, H: Die Sonnefelder Kombattanten im Feldzuge 1870/71.
1. Hlfte. (123 m. 4 Bildnissen.) 8° Sonnef. 02. (Ochg, JF Albrecht.) 2 —
Wanka, J: Das Konsularwesen u. d. diplomat. Missionen. [S.-A.]
(33, 9 u. 60) 8° Prag, G Neugebauer 04. 1.35
— Das Postwesen in Österr. nebst Berücks. d. Postwesens in
Deutschl. u. d. weit. Ausl. 3.—5. Heft. 8° Ebd. 6.50 (1.—5.: 11.50)
3. Eigenschaften d. Post in Österr. Postregie im Sachen- u. Personen-
Transporte. 2. Afl. (57) 05. 1.60
4. Post-Transport (Regale) zu Wasser (Posten auf Wasserstrassen, See-
posten). (92) 01. 1.50
5. Seeposten in Deutschl. etc., Seewesen, z. Gesch. d. Seeschiffahrt, z.
Gesch. d. Postbeförderg z. See, Konsularwesen u. diplomat. Missio-
nen. (18, 267 u. 81 m. Abb.) 05. 9.90
— Seeposten in Deutschl. u. d. weit. Ausl. [S.-A.] (32) 8° Ebd.
04. — 90
— Seewesen. [S.-A.] (125 u. 5 m. 2 Taf.) 8° Ebd. 05. 1.90
Wanka, O v.: Wir Menschen. Bühnensp. (95) 8° Wien, CW
Stern 04. 2 — d
Wankie, O: Psychiatrie u. Pädagogik, s.: Grenzfragen d. Ner-
ven- u. Seelenlebens.
— Psychotherapie. [S.-A.] (16) 8° Lpzg, B Konegen 02. 1 —
Wankel, O: Schnick-Schnack, s.: Kosmahl, A.
Wanner, O: Der Familienschatz, s.: Berlepsch, L Freifr. v.,
Romanbibliothek.
Wanner, E: Subconjunctivale Injektionen bei infectiösen Pro-
cessen u. Staroperationen. (31) 8° Tüb., F Pietzcker 01. an — 70
Wanner d. Ältere, H: Des Maurers Wanderb. Wegweisg auf
d. Geb. maurer. Gesch. u. Lehre. (299 u. 4) 8° Hannov., T
Schulze (01). 4 —

Jahrbuch d. Entscheidgn auf d. Geb. d. Zivil-, Handels- u.
Prozessrechts.
Warnow, E V., s.: Winterfeld-Warnow, E v.
Warns, J, s.: Wahrheit in d. Liebe.
Warnstorf, C: Laubmoose. — Leber- u. Torfmoose, s.: Krypto-
gamen-Flora d. Mark Brandenburg.
Warnungsstimme f. uns. Jugend. Belehrg üb. d. gefährlichsten
Jugendfeind (Onanie, Selbstbefleckg), dessen Folgen, Heilg
u. Verhütg. Von e. Jugendfreunde. 2. Afl. (Von CA Merkel.)
(112) 12° Gernsb. 01. (Bonn, A Falkenroth.) — 85 d
Warren, EM: A seaside story, s.: Reader, engl.
Warsberg, Frhr A v.: Dalmatien. Tagebuchblätter a. d. Nach-
lasse. (125 m. Abb. u. 1 Karte.) 8° Wien, C Konegen 04. 5 —;
geb. 6 —
— Von Palermo z. Scylla u. Charybdis. Aus d. Nachlasse. (124
m. Abb. u. 1 Karte.) 8° Ebd. 01. L. 5 —
Warschstka, F: Die Manipulationsschule. 4. Afl. (138) 8° Temesvár 04. (Wien, LW Seidel & S.) ng 3 —
— Die Stempelpflicht im k. u. k. Heere, einschl. d. k. k. Landwehr. 3. Afl. (154 u. 1. Nachtr. 20) 8° Ebd. 02.04. 2 —
— Die Unterabteilg im Felde. Darstellg d. ökonomisch admi-
nistrativen Tätigk. derselben währ. d. Mobilitäts- u. Kriegs-
verhältn., dann bei d. Demobilisierg. 2. Afl. (20, 194) 8° Ebd.
04. 4 —
Warschauer, A: Die städt. Archive in d. Prov. Posen, s.: Mitteilungen d. k. preuss. Archivverwaltg.
Warschauer, E: Zur Therapie d. Prostata-Abszesses. [S.-A.]
(4) 8° Lpzg, Verl. d. Monatsschrift f. Harnkrankh. 04. — 50
Warschauer's, H, Übgsb. z. Übers. a. d. Deut. in d. Latein.
hrsg. v. OG Dietrich. 2 Tle. 8° Lpzg, G Reichardt. 2.80;
m. d. Vokabularien in je 1 Bd geb. 4.50; Vokabularien allein
1 — d
1. Aufg. z. Einübg d. Kasuslehre. 7. Doppeld. (132) 03. 1.70;
Vocabularium. (31) — 40; in 1 Bd geb. 2 —
2. Aufg. z. Wiederbolg d. Kasuslehre u. z. Einübg d. thr. Syntax. 8. Doppelafl.
(214) 03; Vokabularium dazu. Zugl. e. Sammlg d. gebräuchlichsten
Redensarten d. klas. Latinität. (106) — 60; in 1 Bd geb. 2.50
— dass. Wrtrverz. z. 1. Tl. Nach d. Übgsstücken geordnet v.
OG Dietrich. 4. Afl. (54) 8° Ebd. 04. || Zum 2. Tl. 7. Afl. (86) 04.
Je — 40 d
Warschauer, O: Physiol. d. deut. Banken, s.: Bibliothek f.
Politik u. Volkswirtschaft.
— Die Reorganisation d. Aufsichtsratswesens in Deutschl. (81)
8° Berl., Berliner Verl.-Gesellsch. 1 — d
Wartburg, die, Deutsch-ev. Wochenschrift. Hrsg.: Meyer, Eisen-
kolb. Schriftleiter: Eckardt, F Hochstetter. 1. Jahrg. April—
Dezbr 1902. 39 Nrn. (156 u. 364) 4° Münch., JF Lehmann's
V. || 2—4. Jahrg. 1903—5 je 52 Nrn. (208, 508; 212, 534 m. 6
Taf. u. 498 m. 2 Taf.) Viertelj. 1 —; einz. Nrn — 10 d
Wartburg-Bibel. Das ist d. ganze hl. Schrift. Deutsch durch
M Luther. Aufs Neue verglichen m. d. Ausg. letzter Hand
v. J. 1545. 14. Afl. Mit e. Familienchronik. (909 u. 247 m. 1 St.)
8° Gotha. FA Perthes (01). HF. 6 — || 15. Afl. (909 u. 247 m.
1 Heliogr.) HF. 8 —; m. G. 15 —; Ldr im G. 18 — d
Wartburger, M: Martin Luther. Lebensgesch. d. Reformators.
Mit d. 24 Bildern d. Luther-Galerie. gemalt v. W Weimar.
(80) 4° Berl., Histor. Verl. Bankmärtel 05. L. 10 — d
Wartburghefte. Für d. Ev. Bund u. dessen Freunde. 1. u. 16—
35. Heft. 8° Lpzg, (C Braun). Je nn — 10 d
Bankwitz, W: Bernhard v. Weimar. (17) (04.) [24.] || Johann Friedrich d.
Grossmütige, Kurfürst v. Sachsen. (23 m. Abb.) 05. [35.]
Carl Alexander, Grossh. v. Sachsen. (Gedächtnispredigt) v. Kieser u.
Nachruf d. Centralvorstandes d. Ev. Bundes.) (12 m. 2 Bildnissen.) 01. [17.]
Fey, C: Luthers Käthe. (30 m. Abb.) 02. [19.]
Horn, F: Willibald Beyerklag. (29 m. 1 Abb. u. 1 Bildn.) 05. [31.]
Jacobs, E: Wilhelm v. Oranien. (30 m. Abb.) 02. [20.]
Jahrs, s, Los v. Rom-Bewegg in Östern. (18 m. Abb.) 03. [22.]
Kadner, S: Luther im Kampfe f. d. Evangelium. Vortr. (34) 02. [21.]
Katan v. Hofe, J: Die Jesuiten u. d. Gegenreformation in Deutschl. (31)
(04.) [23.]
Klackholtn, A: Gustav Adolf. (24 m. Abb.) 01. [18.]
Möbius: Bilder a. d. ev. Bewegg in d. Steiermark. [S.-A.] (22) 01. [18.]
Mnlot, R: Die Hugenotten in Frankr. bis z. Aufhebg d. Edikts v. Nantes.
(39 m. 1 Abb.) 05. [22.73.]
Schäfer: Bonifatius u. Luther. (29 m. Abb.) 05. [34.]
Schulze, T: Begrebbaven in Lübeck. (32 m. Abb.) 04. [30.]
Wächtler, A: Die ev. Kirche in Kärnten. (40 m. Abb.) 04. [26.79.]
Wagner, C: Jean Baptist Harth, weil. röm. Priester, gestorben als luther.
Stadtpfarrer in Homburg v. d. H. (26) (04.) [26.]
Wagner, R: Luther u. Savonarola. (29 m. Abb.) 05. [35.]
Warbebbchlein. 3. Afl. (29 m. Abb.) 05. [1.]
Wiesemann: Philipp d. Grossmütige, Landgraf v. Hessen. (29 m. Abb.)
04. [27.]
Wartburg-Kalender d. ev.-luth. Synode v. Jowa n. and. Staaten
f. 1905. (147 m. Abb.) 8° Chicago, Wartburg Publishing House.
— 50 d
Wartburg-Sprüche. Mit d Strichzeichngn. (79) 8° Eisen., (E
Laris Nf.) (04). 1 — d
Wartburgstimmen. Hrsg.: HKE Buhmann. Monatsschrift f.
d. relig., künstler. u. philosoph. Leben d. deut. Volkslebens
u. d. staatspädagog. Kultur d. german. Völker. Red.: E Clausen. 1. Jahrg. April 1903—März 1904. 12 Hefte. (1. Heft. 160)
Lpzg, Deut. Kulturverl. Halbj. 7.50
— dass. Thüring. Monatsschrift f. deut. Kultur. Red.: E Clausen.
1. Jahrg. April 1903—März 1904. 12 Hefte. (1. Heft. 160) 8°
Ebd. Halbj. 7.50 ô F
— dass. Halb-Monatsschrift usw. Begründet v. HKE Buhmann.

Red.: E Clausen. 2. Jahrg. April 1904—März 1905. 24 Nrn.
(Nr. 1. 72) 8° Eisen. Lpzg, Deut. Kulturwelt. Viertelj. 4 — d
Fortsetzg s.: Kultur, deut.
Warte, die. Ein Blatt z. Förderg d. Pflege jeder Reichsgottes-
arbeit in allen Landen. Hrsg. v. Graf A v. Bernstorff u. E
Lohmann. Schriftleitg: H v. Redern. 1. Jahrg. 1—3. Viertelj.
April—Septbr 1902. 6 Nrn. (Nr. 3. 12 m. Abb.) 4° Berl., Emil
Richter-Viertelj. — 45 || 4. Viertelj. Oktbr—Dezbr 1902. 13 Nrn;
2. Jahrg. 1903. 52 Nrn u. 3. Jahrg. 1. Viertelj. Jan.—März
1904. 13 Nrn. Viertelj. 1.25; einz. Nrn — 20 d
Fortsetzg s. u. d. T: auf d. Warte.
— die. Monatsschrift f. Lit. u. Kunst. Hrsg. u. Red.: J Popp.
7. Jahrg. Oktbr 1905—Septbr 1906. 12 Hefte. (1. u. 2. Heft.
128) 8° Münch., Allg. Verl.-Gesellsch. Viertelj. 2 —;
einz. Hefte — 75 d ô F
Bisher u. d. T.: Warte, literar.
— die. Zeitschrift f. Schüler u. Schülerver. d. vereinf. deut.
Stenogr. (Einiggs-System Stolze-Schrey). Verantwortlich:
E Patzig, Behnsen, H Weidt. 11. Jahrg. Apr. 1901—März 1902.
12 Nrn. (Nr. 1.24 u. Beil. 16 m. 1 Abb.) 8° Hildburgh., (Kessel-
ring).|| 12. Jahrg. 1902/3. Hrsg. v. C Kümpel. Halbj. nn 1.50
— dass. Zeitschrift f. Anh. d. Einiggssystems Stolze-Schrey
an Universitäten, Hochsch., höh. u. mittl. Schulen. Hrsg. v.
C Kümpel. 13—15. Jahrg. Apr. 1903—März 1906 je 12 Nrn.
(15. J. 260 u. Beil. 192) 8° Ebd. Halbj. nn 1.50
— freie. Sammlg moderner Flugschriften.Hrsg.v. L Jacobovs-
ki. 4. u. 5. Heft. 8° Mind., JCC Bruns. 1.40 (Vollst.: 3.50) d
Bernau, AJ: Hunger u. Liebe in d. Frauenfrage. (31) 01. [5.] — 60
Mauke, W; Das neue Lied. Zur Ästhetik d. modernen musikal. Lyrik. (44)
1900. [4.] 80
— hohe. Illustr. Halbmonatsschrift f. d. künstler. geist. u.
wirtschaftl. Interessen d. städt. Kultur. Begründet v. JA
Lux. Red.: JA Lux. 1. u. 2. Jahrg. Oktbr 1904—Septbr 1906
je 24 Hefte. (1. Jahrg. 1 Heft 24 m. Abb.) 4° Wien, Verl.
„Hohe Warte". Halbj. 9 —; einz. Hefte 1 —
— literar. Monatsschrift f. schöne Lit. Begründet u. hrsg.
v. A Lohr (u. C Conte Scapinelli). 3—6. Jahrg. Oktbr 1901—
Septbr 1905 je 12 Hefte. (764, 768, 768 u. 776) 8° Münch., Allg.
Verl.-Gesellsch. Viertelj. 1.50; einz. Hefte — 60 d
Fortsetzg s. u. d. T: Warte, die.
— pädagog. Zeitschrift f. Lehrerfortbildg, Konferenzwesen
u. pädagog. Kritik. Mit d. Gratis-Beil.: Aus d. Praxis — f.
d. Praxis. Sammlg v. Lehrbeisp. u. allen Unterr.-Geb. u.
Blätter f. Rechtskde. Hrsg. v. M Thurm u. H Thierack, v.
10. Jahrg. an M Thurm u. KO Boetz. 8—10. Jahrg.Juli 1901—
Juni 1904 je 24 Hefte. (8. Jahrg. 1—11. Heft 540 m. Abb.)
8° Osterw., AW Zickfeldt. Viertelj. 1.50; einz. Hefte — 50 d
— dass. Zeitschrift f. Wiss. Pädagogik, Lehrerfortbildg, Konferenzwesen, Tagesfragen u. pädagog. Kritik. Hrsg v. KO
Boetz u. A Rude. 11. Jahrg. Juli—Dezbr 1904. 12 Hefte. (576
u. 8) 8° Ebd. Geb. 4 —; viertelj. 1.50 || 12. Jahrg. 1905. 24 Hefte.
Viertelj. 1.50; einz. Hefte — 50 d
— techn. (früher: Der Berg- u. Hüttenmann. Techn. Volkswarte). Zeitschrift f. d. Fortschritte in d. Maschinen- u.
Elektrotechnik, sowie im Berg- u. Hüttenwesen. Red. v. W
Mayer. 18. Jahrg. Oktbr 1904—Septbr 1905. 36 Nrn. (Nr. 1.
12) 4° Dresd., Calebow & Co. (?) Viertelj. 1 —
Bisher u. d. T.: Berg- u. Hüttenmann, d.
— Thüringer. Monatsschrift f. d. geist., künstler. u. wirtschaftl. Interessen Thüringens. Hrsg. v. d. Elgersburger
Ritterschaft. Red.: H Haupt. 1. u. 2. Jahrg. April 1904—März
1906 je 12 Nrn. (1. Jahrg. 580 m. Abb. u. Taf.) 8° Pössn., 3
Feigenspan. Viertelj. 1.50; einz. Hefte — 60 d
— vegetar. Vegetar. Rundschau. Vereinsbl. f. Freunde d.
natürl. Lebensweise, begründet v. E Baltzer. Hrsg.: „Deut.
Vegetarier-Bund". Chefred.: E Hering. Organ d. Deut. Vegeta-
33. Jahrg. 1901—5 je 24 Nrn. (1901. Nr. 1. 24) 8° Lpzg, Frankf.
a/M., Gesellschaft vegetar. Verlage d. deut. Vegetarier-Bundes.
Halbj. 2.50; einz. Nrn — 25
Warte-Bibliothek, Thüringer. Hrsg. v. H Haupt. [S.-A.] 1—
3. Heft. 8° Pössn., 3 Feigenspan (05). Je nn — 60 d
Dithmar: Die landesmitttert. Farsorge d. Landgräfin Hedwig Sophie f.
d. Hersch. Schmalk. (1869—83). (90) [3.]
Thieme, F: Ernst Abbe. Lebens- u. Charakterbild. (32 m. 1 Bildn.) [1.]
Thimme, A: Schillers Persönlich. (19) [2.]
Warteberghe, E V., s.: Gublen, Frhr v.
— Ceterum censeo! Militär. Bedenken (1904 u. 05). (334) 8° Dresd.,
H Minden (05). 3 —; geb. nn 4 — d
— Meine Verteidigungsschrift. (67) 8° Berl., Verl. Vilh. (05). 1 — d
Wartenberg, M: Das idealist. Argument in d. Kritik d. Mate-
rialismus. (72) 8° Lpzg, JA Barth 04. 1.50 d
Wartenberg, W: Übergstücke z. Übers. ins Latein. im Anschl.
an d. Cäsarlektüre. Mit e. grammat. Anh. Lernstoff d. Mittelkl.
(173) 8° Hannov., Norddeut. Verl.-Anst. 02. Geb. 2.50 d
— Vorschule z. latein. Lektüre f. reif. Schüler. 3. Afl. (235) 8°
Ebd. Geb. 1.50 d
Wartenburg s: Yorck v. Wartenburg, Graf.
Wartenburg, K: Aus d. Herzen e. Tierfreundes. Erzählgn u.
Abhandlgn. Gesm. u. hrsg. v. G Kalb. (206) 8° Lpzg-Go., R
Kalb 01. 1.50 d Vergr.
Wartenburg, W v.: Erinnergn an Franz Grillparzer. Frag-
mente a. Jugendblättern. (63) 8° Wien, C Konegen 01. 1.50 d
Wartensleben, JC Graf v.: Veränderte Zeiten. Eindrücke v.
Weltreisen u. Reflexionen.(214) 8° Berl., D Reimer 04. L. 5 —
Wartenstein, C: Briefsteller f. Liebende. 18. Afl. (160) 8° Lpzg.
Ernst (03). 1.50 d

Warth, O: Allg. Baukonstruktionslehre, s.: Breymann, GA. Gesellsch.
Wartmann s.: Bericht üb. d. Thätigk. d. St. Gall. naturwiss. Gesellsch.
Wartmann, H, s.: Briefsammlung, d. vadian., d. Stadtbibliothek St. Gallen.
— Industrie u. Handel d. Schweiz im 19' Jahrh. [S.-A.] (104 m. Abb.) 8° Bern, A Francke 02. Kart. 2 — d
Warum giebt es auch f. d. deut. Armee e. Alkoholfrage? [S.-A.] (16) 8° Berl., Mässigkeits-Verl. (03). — 10 d
— bin ich evangelisch u. nicht katholisch? Dem protestant. Volke zu ernster Beachtg dargereicht durch d. elsäss. Hauptver. d. Ev. Bundes. (50) 8° Strassbg, (JHE Heitz) 04. nn — 30 d
— wir evangelisch und u. bleiben. Kurze Darstellg d. inneren Überlegenh. d. Protestantismus üb. d. röm. Katholizismus u. d. Hauptzügen d. Unterscheidungslehren, v. e. Schlesier. (51) 8° Bresl. 01, Görl., R Dülfer. — 75 d
— man bei Peter Holzer wieder singen lernte. Es klebt Blut daran. Oeffne d. Hand, s.: Volksschriften d. Arbeiterfreundes.
— konnte d. Jahrhundertfrage nicht einheitlich gelöst werden? 1900 od. 1901. (Von G B.) (8 m. 1 farb. Abb.) 8° Dresd., G Kühtmann 01. 1 —
— d. latein. Kirchensprache?, s.: Volksaufklärung.
— bleibe ich römisch-katholisch? Beantwortet v. e. römisch-kathol. Geistlichen d. Bisth. Seckau. (192 m. Abb. u. 1 Bildnistaf.) 8° Graz, (Styria) 01. nn — 40 d
— kann d. amerikan. Volkssch. nicht leisten, was d. deut. leistet? s.: Sammlung pädagog. Vortr.
— d. Einj.-Freiwill. Hans Wohlgemuth nicht zum Sommerleutnant geworden ist. Gänzlich harmlose Schwänke u. Ränke a. d. Einj.-Dasein d. Helden, v. e. heit. Zoologen d. Neuzeit. (45) 8° Münch. 03. Lpzg, A Giegler. 1 — d
Warsok, G: Was ist e. jeder Arbeiter, in betriebsversichergspflichtiger Beschäftigg stehend, in Unfall- u. Invalidenversichergs-Angelegenh. in formaler Hinsicht im Wesentlichsten zu wissen verpflichtet? (11) 8° Berlin-Grunew., Verl. d. Arbeiter-Versorgg A Troschel 04. — 20 d
Was fordern d. Arbeiterinnen in Oesterr.? Bericht üb. d. 2. Konferenz d. sozialdemokrat. Frauen Oesterr., Wien 03. (31) 8° Wien, Wiener Volksbb. 03. — 10 d
— wird a. d. ev. Arbeitervereinen? Beitrag zu d. Frage im Verbande d. ev. Arbeiterver. ausgebroch. Differenzen. Von e. erfahr. Freunde d. guten Sache. (24) 8° Bochum (02). (Volmarstein, Bh. d. Verbands-Anst. ev. Arbeiter-Ver.) — 30 d
— ist Bekehrg? 5. Afl. (52) 8° Elberf., R Brockhaus (durch J Fassbender) 03. — 08
— geht d. Bauer denn d. Bibel an? (34) 8° Ascona, (C v. Schmidtz) (03). — 15 d
— d. Blumen sagen. Bedeutg d. Blumen u. ihrer Sprache. Mit e. Anh.: Das Bleigiessen. (56) 12° Berl.-Charlottnbg (o.J.), Berl., W Frey. — 10 d
— Handwerker u. Kleingewerbetreib. v. d. Buchführg u. v. Wechsel wissen sollen. Buchführgsheft m. Anl. u. Mustern. (40) 8° Zab., A Fuchs (05). nn — 35
— lehrt man in d. Kirche Christi d. Scientisten? (23) 8° Berl. 01. Lpzg, M Heinsius Nf. — 30 d
— ist das? Anschaungs-Bilderb. in Abb. a. Haus u. Hof, Wald u. Feld. (8 farb. Taf. m. Text auf d. Rücks.) 4° Stuttg., G Weise (03). Kart. (1.50) 1 —; unzerreissbar 2 — d
— sollen wir morgen essen? Vorschläge zu e. zweckmäss. Zusammenstellg e. einf. Mittags- u. Abendtisches f. alle Tage d. Jahres, v. M v. M. (110) 8° Riga, Jonck & P. 04. Kart. 1.50 d — will d. Ver. „Freie Schule?" (17) 8° Wien, (Zentral-Antiquariat u. Bh.) 05. — 08
— sind d. Freimaurer u. was wollen sie? Von e. Br. Freimaurer. 4. Neubearbeitg. 9. Afl. Verm. durch e. Anh.: Was sind Odd-Fellow-Bruder u. was wollen sie? (115) 8° Lissa, F Ebbecke 05. 1 — d
— soll d. Volk v. 3. Geschlecht wissen? Hrsg. v. wiss.-humanitären Comitee. 19. Afl. (26 m. 2 Bildnissen.) 8° Lpzg, M Spohr 03. 1 — d
— müssen wir tun, um gesund zu bleiben? 20 Regeln f. Schulkinder. Plakat. 50×30 cm. Schwetz, W Moeser (04). Auf Pappe — 50 d
— Gott tut, das ist wohlgetan, s.: Vergissmeinnicht-Erzählungen.
— d. neuen Handelsverträge bringen, s.: Bibliothek f. Politik u. Volkswirtschaft.
— ist d. Heiligg n. d. Schrift? 4. Afl. (36) 8° Elberf., R Brockhaus (durch J Fassbender) 05. — 15 d
— sagt d. hl. Schrift üb. d. Geist? (48) 8° Allegheny, Pa. 01. (Elberf., Verl. d. Wacht-Turm.) nn — 80 d
— bedeutet Indien? Eigenes u. Entlehntes in neuer Beleuchtg. Beitrag z. Mission. (34) 8° Strassbg 02. Ascona, C v. Schmidtz. ll 2. [Tit.-Afl. Von Philhind. Ascona, 04. Je — 50 d
— d. Kind freut. (17 farb. S. ohne Text auf Pappe.) 8° Stuttg., G Weise (03). 2 — d
— errettet uns a. d. Kolonialmüdigkeit? Bericht üb. d. seitens d. Ortsgruppe Berlin d. alldeut. Verbandes veranstalt. Versammlg. (28) 8° Berl., W Süsseroth 04. — 40 d
— ist Kraukh.? od. Medizin ist wiss. Aberglaube, s.: Volksschriften z. Umwälzg d. Geister.
— sagt d. Wort Gottes üb. Krankh. u. Heilg? Ein Wort z. Bewahrg kranker u. gesunder Kinder Gottes vor d. verwirr. Irrlehren uns. Zeit. (18) 8° Bern, KJ Wyss 04. — 25 d
— f. e. Ausgang nimmt d. japanisch-russ. Krieg? Ein Blick

in d. Zukunft. Von e. Offizier. (36 m. 2 Kart.) 12° Lpzg, A Twietmeyer 04. 1 —
Was meinem Liebling gefällt. (21 farb. S. auf Pappe in Leporelloform.) 16° Stuttg., G Weise (04). Kart. 1.20 d
— halten d. Protestanten v. Maria d. Mutter Jesu? Von e. deut. Frau u. früh. Katholikin. (26) 8° Gr.-Lichterf.-Berl., E Runge (02). — 30 d
— d. Mäuschen wissen muss. Der dumme Bär, s.: Bilderbücher, kl. lust.
— d. Brandruine d. ehemal. Klosters Muri erzählt. Von J B. (05 m. Abb.) 8° Luz., Räber & Co. 03. 1 — d
— offenbart sich im Naturgefühl? Zur Hygiene d. Volksseele. (8) 8° Danz., (L Saunier) 03. — 30 d
— muss man in Paris gesehen haben? Mit Hilfsb. f. Deut. auf französ. Sprachgeb. m. Aussprache. (76, 40 u. 8 m. 1 Pl.) 8° Berl., H Steinitz (04). 1 — d
— e. guter Rat wert sein kann — wenn auch nicht f. jeden Fall u. jedermann, s.: Gabelsberger-Bibliothek.
— verlangen wir v. Richterstande? Eine jurist. Studie in soz.-pädagog. Beleuchtg v. Irenaeus Pilatus (V Schulz). (95) 8° Dresd., E Pierson 05. 13 Afl. (92) 05. Je 1 — d
— ist e. Sekte? (7) 8° Elberf., R Brockhaus (durch J Fassbender) (o.J.). — 08 d
— muss ich thun, dass ich selig werde? Hrsg. v. d. deutschamerikan. ev.-luth. Traktat-Ver. (Abdr. f. Dentsch.) 3. Afl. (16) 12° Zwick., Schriften-Ver. (01). — 10 d
— will d. Sozialdemokratie? Das Wiener Programm d. sozialdemokrat. Abeiterpartei in Oestrr., beschlossen am Gesammtparteitag zu Wien 01: Nebst d. v. Brünner Gesammtparteitag beschloss. Nationalitätenprogr. u. d. Organisationsstatut d. sozialdemokrat. Gesammtorganisation in Oestrr. 8° Wien, Wiener Volksbb. 02. † — 03 d
— sagt d. hl. Schrift üb. d. Spiritismus? Sie beweist, dass er Dämonismus ist. Auch: Wer sind d. „Geister im Gefängnis"? u. Warum sind sie daselbst? (60) 8° Allegheny, Pa., 1900, (Elberf., Verl. d. Wacht-Turm.) — 30 d
— vor mehr als e. halben Säculum Stadtbach u. Aare einander erzählt haben. Von e. alten Kantonsschüler. (Umschl.: Erinnergn an d. aarg. Kantonssch. Von e. seit bald 50 Jahren im fernen Ausland leb. alten Kantonsschüler.) (4 m. 1 Taf.) 8° Aar., E Wirz 03. 1 — d
— lehrt d. I. deut. Städte-Ausstellg Dresden '03? Hrsg.: R Lebius. (108 m. Fig.) 8° Dresd. (03). Berl.-Halensee (Joachim Friedrichstr. 15), R Lebius. 1 — ll 2. Afl. (140 m. Abb.) (03.) 1.50 d
— ich nach meinem Tode erlebte. Gedanken u. Beobachtgn eines Gestorbenen. 2. Afl. (24) 8° Lpzg, KF Pfau (05). — 50
— ist e. Verfassg? Eine Stimme a. d. Demokratie. (38) 8° Görl., R Dülfer 05. — 50
— d. preuss. Volksschullehrer v. Gemeinde, Staat u. Kirche gesetzlich fordern u. beanspruchen kann. 6. Afl. (322) 16° Langens., Schulbb. 02. 1.80 d
— ist Wahrh.? Eine Frage, gestellt an d. Grafen Paul Hoensbroech v. Pilatus. (186) 8° Augsbg, Kranzfelder 02. 1.80 ll 2. Afl. (167) 03. 2 — d
— ist Wahrh.? Was ist Gott? (Von E Roth.) (8) 12° Lpzg, Theosoph. Centralbb. (01). nn — 15
— werde ich?, s.: Miniatur-Bibliothek.
— soll ich werden? Prakt. Führer durch verschied. männl. u. weibl. Berufsgeb. 5. Afl. (112) 8° Wien, Verl. Deutsch-österr. Bürgerschullehrer-Bund 05. 1 — d
— will das werden? Eine nüchterne Betrachtg, als Vorbereitg f. d. nächste Reichstagswahl d. gelernten deut. Arbeiter gewidmet v. P K. (16) 8° Lpzg, Dürr'sche Bh. 04. — 15 d
— willst Du werden? Die Berufsarten d. Mannes in Einzeldarstellgn. Nr. 4—6, 10, 15, 17, 25, 30, 41, 44, 52, 55 u. 58—65. 8° Lpzg, P Beyer. Je — 50 d
[small type block of entries with numbers]
— dass, Der Arzt. 3. Afl. (36) 8° Ebd. (04). — 50 d
— dass, s.: Miniatur-Bibliothek. Nr. 500—575.
— d. „Wirtschaftl. Schutzverband" will! Hrsg. v. Vorst. zu Harburg a. E. (48) 8° Harbg, (G Elkan) 1900. 1 — d
— wir wollen. Nach d. 20. Jahrh. neu bearb. v. St. Bernhards-Verl. (47) 8° Münch., St. Bernhards-Verl. 04. — 50
Wasastjerna, N: Baukunst in Finnl, Aussen- u. Innenarchitektur. (In schwed., finn., deut. u. französ. Sprache.) (In ca. 12 Heften.) 1. u. 3. Heft. (Je 20 Taf. m. 8 u. 4 S. Text.) 4° Helsingf. (05). Lpzg, G Hedeler.) Je 6 —
Waescher, J: Die Casseler Frauenver. 1812—1904. Im Anh.: Sonstige d. Volkswohl dien. Ver., Anst., Stiftgn u. Vermächtnisse. (426) 8° Cass., (E Hühn) 04. 2.50 d

Wäscherei-Centralblatt, internat. Neue Folge d. Internat Centralblattes f. d. Wäscherei-Industrie u. verwandte Branchen. 3. u. 4. Jahrg. 1904 u. 5 je 52 Nrn. (Nr. 1, 8) 4° Gött., E Kalterborn. Viertelj. 1.50 d
Wäscherei-Zeitung, deut. 4. Jahrg. 1902. 27 Nrn. (Nr. 1, 3) Fol. Halle, M Boerner. Viertelj. 1 —
— dass. Red.: A Wirth. 7. Jahrg. 1905. 36 Nrn. (Nr. 1, 16 m. Abb.) 4° Berl. (W. 50, Würzburgerstr. 16), H Lang. 6 —; viertelj. 3 —
Bei vorm Jahrg., 5 u. 6 erschienen sind, war nicht zu erfahren.
— internat. Hrsg.: C Bohmen jr. 6. u. 7.Jahrg. 1903 u. 4 je 52 Nrn. (1903. Nr. 1. 26 m. Abb.) 4° Berl., O Dreyer. Je 10 —; 8. Jahrg. 1905. 12 —
Wäsche-Zeitung. illustr. Gebrauchsbl. m.Zuschneidebog. Red.: E Calé. 12—15. Jahrg. 1902—5 je 12 Nrn. (Je 96) 4° Berl., JH Schwerin. Viertelj. — 60 d
Waschinski, E: Gesch. d. Johanniterkomturei u.StadtSchöneck Westpr., m. e. Anh. v. Urkunden. (23, 206) 8° Danz., F Brüning 04. 3 —; geb. 4 — d
Wäschke, H: Anhalt vor 100 Jahren, s.: Neujahrsblätter a. Anhalt.
— Die Askanier in Anhalt. Genealog. Hdb. (120) 8° Dess., C Dünnhaupt 04. 2.50
— Das Zerbster Bier, s.: Neujahrsblätter. Hrsg. v. d. histor. Kommission f. d. Prov. Sachsen u. d. Herzogt. Anhalt.
— Die alten Dessauers Leben u. Thaten, s.: Wärdig, L.
— Anhältsche Dorfgeschichten. 1. u. 3—5. Bdchn. 8° Cöth., P Schettlers Erben. Je 1.50 (1—5.: 7.50; Einbde je nn — 50) d
1. Paschlewwer Geschichten. I. 4. Afl. (134) (02.) ¶ 2. De Miehme Wewern ihr Watterock. 1. u. 2. Afl. (166) (01.05.) ¶ 4. Töffchen un s. Notisbuch. (151) (02.) ¶ 5. Paschlewwer Geschichten. III. (194) (03.)
Das 2. Bdchn bildet : Paschlewwer Geschichten, 2. Bdchn.
— Die Dessauer Elbbrücke, s.: Neujahrsblätter. Hrsg.v.d.histor. Kommission f. d. Prov. Sachsen.
— s.: Jahrbuch, Zerbster. — Mitteilungen d. Ver. f. anhalt. Gesch. u. Altertumskde.
— Dr. Heinrich Mohs. Lebensbild e.Arztes u.Menschenfreundes. (133 m. Abb. u. Titelbild.) 8° Dess. 03. Ballenst., P Baumann. 2 —; L. 3 — d
— s.: Regesten d. Urkunden d. herzogl. Haus- u. Stadtarchivs zu Zerbst.
Waschow, J: Deut. Leseb. f. Lehrerseminare. Für kathol. u. parität. Anst. n. d. Bestimmgn üb. d. Präparanden- u. Seminarwesen v. 1.VII.'01 ausgew. u. hrsg. 1. u. 2. Tl. 8° Lpzg, BG Teubner. Geb. 8.80 d
1. Deut. Nationallit. v. d. Anfängen bis z. Gegenwart. (90, 352) 03. 4 —
2. Prosa a. Relig., Wiss. u. Kunst: Reden, Briefe, Erlasse. (416) 03. 4.80
— dass. f. Präparandenanst. Für kathol. u. parität. Anst. n. d. Bestimmgn üb. d.Präparanden- u.Seminarwesen v. 1.VII.'01 ausgew. u. hrsg. 3 Tle. 8° Ebd. Geb. 9.20 d
1. Poesie u. Prosa f. d. 3. Kl. (283) 02. 2.60 ¶ 2. Poesie f. d. 2. u. 1. Kl. (176) 03. 2.20 ¶ 3. Prosa f. d. 2. u. 1. Kl. (470) 03. 4.40.
— Verordnung, betr. d. Volksschulwesen d. Reg.-Bez. Bromberg. 1.Nachtr. (268) 8° Bresl., F Hirt 1900. Geb. 1 — Nachtr. (308) 04. Geb. 5 — (Hauptwerk m. 1. u. 2. Nachtr. 17 —) d
Waser, H: Wir Frauen gegen d. Alkohol. Ansprache. 1—5. Taus. (14) 8° Basl., Schriftstelle d. Alkoholgegnerbundes (durch F Reinhardt) (02). — 10 d
— Ulrich Hegner. Ein schweiz. Kultur- u. Charakterbild. (348) 8° Halle, M Niemeyer 01. 8 —; geb. 9.20
Waser, O, s.: Graff, A, Bildnisse.
Washington, BT: Vom Sklaven empor. Selbstbiogr. Uebers. v. E du Bois-Reymond. (254 m. Bildnis.) 8° Berl., D Reimer 02. 7 —
Wasianski. CAC: Immanuel Kant, s.: Jachmann, RB.
Wasielewski, JW v.: Instrumentalsätze v. Ende d. XVI. bis Ende d. XVII. Jahrh. (als Musikbeil. zu „Die Violine im XVII. Jahrh.). Neuer m. e. Inhaltsverz. versh. Abdr. (86) 8° Berl., L Liepmannssohn (05). 2 —
— Die Violine u. ihre Meister. 4. Afl. (651 m. Abb.) 8° Lpzg, Breitkopf & H. 04. 9 —; geb. 10 — d
Wasielewski, T v.: Studien u. Mikrophotogramme z. Kenntnis d. pathogenen Protozoen. 1. Heft. 8° Lpzg, JA Barth. 6 — 1. Untersuchgn üb. d. Bau, d. Entwicklg u. üb. d. pathogene Bedeutg d. Coccidien. (118 m. Abb. u. 7 Lichtdr.) 04.
Wasielewski, W v.: Goethe u. d. Descendenzlehre. (61) 8° Frankf. a/M., Lit. Anst. 03. 1.80 d
Wasikowski K: Kl. Taschenwrtrb. d. deutsch-poln. u.polnisch-deut. Sprache. (316) 16° Berl., H Steinitz (05). Geb. 2 — d
Wasiljev, J: Übersicht üb. d. heidn. Gebräuche, Aberglauben u. Relig.d.Wotjaken in d.Gouv.Wjatka u. Kasan, s.: Mémoires de la soc. finno-ougrienne.
Wasilkowski, F: Tab. f. Zucker-Chemiker, s.: Slaski, J.
Wasmann, E: Die moderne Biol. u. d. Entwicklgstheorie. 2. Afl. (328 m. Abb. u. 4 z. Tl farb. Taf.) 8° Freibg i/B., Herder 04. 5 —; L. 6.20 d
— Off. Brief an Herrn Prof. Haeckel (Jena). [S.-A.] (11) 8° Ebd. (05). Unentgeltlich. d
— Instinkt u. Intelligenz im Tierreich. 3. Afl. (276) 8° Ebd. 05. 4 —; L. 4.80 d
— Zur Kenntniss d. Gäste d. Treiberameisen u. ihrer Wirthe am ob. Congo, s.: Jahrbücher, zoolog.
— Menschen- u. Tierseele. [S.-A.] 1. u. 2. Afl. (15) 8° Köln, JP Bachem 04. — 60 d
— s.: Neue Malereien. 1. Folge. Sammlg prakt. Vorbilder. d. Werkstatt u. Schule. 9. u. 10. Lfg. (8 je 8 Taf. in Hinrichs' Fünfjahrskatalog 1901—1905.

Farb.- u. Lichtdr.) 50×84 cm. Berl., E Wasmuth (01.02). Je 10 — (1—10: 100 —) d
Fortsetzg s.: Malereien, neue.
Wazner, A: Der Stadt- u. Landkreis Schweidnitz. Beitrag z. Heimatskde f. Schule u. Haus. (68 m. Abb.) 8° Schweidn., L Heege (03). ¶ 2. Afl. (75 m. Abb.) (03.) Je — 30; m. 1 Karte je — 40 d
Wazner, G : Walter Eichstädt. Roman. (262) 8° Berl., E Fleischel & Co. 03. 3 —; geb. 4 — d
— Fran Ilse. Ein paar Jahre Frauenleben. (328) 8° Ebd. 02. 3.50; geb. 5 — d
— Ein Kleinstadtroman. 1. u. 2. Afl. (Je 306) 8° Ebd. 04. 3.50; geb. 5 — d
— Seine Liebe. Roman. (Neue [Tit.-]Ausg.) (309) 8° Ebd. [1899]02. 3.50; geb. 5 — d
— Frau v. Röhloff, s.: Deva-Roman-Sammlung.
— Steine. Berliner Roman. (438) 8° Berl., E Fleischel & Co. 05. 6 —; geb. 7.50 d
— Die Stelle im Wege. Roman. (246) 8° Ebd. 03. 3 —; geb. 4 — d
— Auf Umwegen. — Der Leutnant v. Warnow, s.: Deva-Roman-Sammlung.
Wasser, das. Referier. Zeitschrift üb. Leistgn u. Fortschritte d. ges. Wasserkde. Hrsg. u. red. v. JH Vogel. Jahrg. 1901—3 je 24 Hefte. ('03. 383) 4° Berl. (Spittelmarkt 2), KO Thomas. Je 20 —
Fortsetzg war nicht zu erhalten.
Wasserbau, d., hrsg. v. JF Bubendey, G Franzius, A Frühling, F Kreuter, L Franzius, T Rehbock u. E Sonne, s.: Handbuch d. Ingenieurwiss.
Wasser- u. Wegebau, der. Zeitschrift f. d. Geb. d. Wasser- u. Wegebaues, d. Kulturtechnik, d. Brücken-, Hafen- u. Seebaues, sowie d. Wasserversorggn u.Städteentwässerung. Schriftleiter: H Schmidt. 2. Jahrg. d. Hydrodekt. 2. Halbj. Oktbr 1903—März 1904. Nr. 13—24. (Nr. 13. 16 m. Abb.) 4° Jena, H Costenoble. 3. Jahrg. Apr.—März 1905. 24 Nrn. Viertelj. 2.50; einz. Nrn — 50
Bisher u. d. T.: Hydrodekt, d. — Erschien ursprünglich in Berlin.
— dass. Fachbl. f. d. ges. Wasser- u. Wegebautechnik. Wasserwirtschaft u. Wassertechn. Zeitschrift f. Wasserversorgg u. Abwässerreinigg. Schriftleiter : M Knauff, f. d. wirtschaftl. Tl : H Lottes. 4. Jahrg. Apr.—Dezbr 1905. 18 Hefte. (1. Heft. 23 m. Abb.) 4° Ebd. Viertelj. 2.50; einz. Nrn — 50 — bisher u. d. T.: „Wasser- u. Wegebau". Viertelj. 3 — einz. Hefte — 50 6 F
Wasserburger, E: I. deut. Kurpfuscher-Kongress, abgeh. am 1.IV. im gr. Gesundbete-Saale zu Berlin. Orig.-Bericht. (43) 8° Münch., Seitz & Sch. 04. — 50
Wasserburger, P v.: Liebesstürme. 3 Novellen a. d. Alkas. Hellas. (137) 8° Wien, G Gerold's S. 05. 2.50 d
Wasserkarte v. Hamburg u. Umgebg insbes. d. Entwässerungsgebiete d. Alster u. Bille. 1:100,000. 58×51,5 cm. Farbdr. Hambg, (O Meissner's S.) (01). 5 —
Wassermann, A: Die Bedeutg d. Bakterien f. d. Gesundheitspflege, s.: Veröffentlichungen d. deut. Ver. f. Volks-Hygiene.
— Experimentelle Beitr. z. Frage d. aktiven Immunisierg d. Menschen, s.: Festschrift z. 60. Geburtstage v. Rob. Koch.
— Hämolysine, Cytotoxine u. Präcipitine, s.: Sammlung klin. Vortr.
— s.: Handbuch d. pathogenen Mikroorganismen. — Psychiatrie usw.
Wassermann, J: Alexander in Babylon. Roman. 1—3. Afl. (270) 8° Berl., S Fischer 05. 3.50; L. nn 4.50; Ldr 5.50 d
— Die Gesch. d. jungen Renate Fuchs. 7. Afl. (522) 8° Berl. Ebd. 05. 6 —; geb. nn 7.50 d
— Die Kunst d. Erzählg, s.: Literatur, d.
— Der neueste Roman. 1. u. 2. Afl. (500) 8° Berl., S Fischer 03. 6 —; geb. nn 7.75 d
— Der niegeküsste Mund. — Hilperich. 2 Novellen. (135) 8° Münch. 03. Berl., S Fischer. 2 —; L. 3 — d
— Die Schaffnerin. Die Mächtigen. — Schlafst du, Mutter? Ruth, s.: Bibliothek Langen, kl.
Wassermann, M, s.: Anschluss, d., d. Deut. Reichs an d. internat. Union f. gewerbl. Rechtsschutz.
Wasserrab, E: Soc. Frage, Socialpolitik u. Carität. (273) 8° Lpzg, Duncker & H. 03. — 80 d
Wasser-Rekord, e. in Hamburg u. Altona. (Von: Amphora.) [S.-A.] (7) 8° Lpzg, F Leineweber 02. — 70
Wassersport. Fachzeitschrift f. Rudern, Segeln u. verwandte Sportzweige. Hrsg.: G Belitz. 19—22. Jahrg. 1901—4 je 52 Nrn. (1901. Nr. 1. 10 m. 1 Abb.) 4° Berl., Wassersport-Verl. Je 18 — viertelj. 5 —; einz. Nrn — 50 ¶ 23. Jahrg. 1905. Mit d. Beil. Von Fluss u. See. 22 —; viertelj. 6 —; einz. Nrn — 50
„Wassersport"-Almanach f. 1905. Red. u. hrsg. v. d. Red. d. „Wassersport". 30. Jahrg. (397 m. Fig.) 16° Berl., Wassersport-Verl. 1.50
Wasserstrasse, d., v. Strachwitz a. d. Donau. (21 m. 1 Taf.) 8° Wien, Lehmann & W. 02. 1 — d
— dass. Erwiderg auf d. gleichnam. Broschüre d. Wiener Donau-Moldau-Elbe-Kanal-Komitées. (Von O.-ö. Handels- u. Verl.-Gesellsch.) H v. Hirst.) 8° Linz, (O.-ö. Handels- u.Verl.-Gesellsch.) 02. — 50
— d., Wien—Korneuburg—Budweis. Antwort auf d. Broschüre: „Die Wasserstrasse v. Budweis an d. Donau" d. Herren Erbanitzky u. v. Hirst. Hrsg. v. Donau-Moldau-Elbe-Canal-Comité. (17) 8° Wien, Lehmann & W. 03. — 50 d

Wasserversorgung, d., sowie d. Anlagen d. städt. Electricitätswerke, d. Wienflussregulierg, d. Hauptsammelcanäle, d. Stadtbahn u. d. Regulierg d. Donaucanales in Wien. Bearb. v. Stadtbauamte. (260 m. Abb. u. Taf.) 8° Wien, (Gerlach & W.) 01. L. nn 7—

Wasserwerk, d. Remscheider, m. d. Thalsperre. 3. Afl. (Von J Lieser.) (16 m. 1 Ansicht u. 1 Grundr.) 8° Remsch., W Witzel 03. — 40

Wassersieher, E: Erläutergn zu Shakespeares Sommernachtstraum, s.: König's, W, Erläutergn zu d. Klassikern.

— Von Haparanda bis San Francisco. Reise-Erinnergn. (110) 8° Witten, Märk. Druckerei u. Verl.-Anst. 02. nn 1.50 d

— Leben u. Weben d. Sprache. (167) 8° Arnsbg, FW Becker 01. 1.50 d

— Dent. Lyrik seit d. Ausg. d. klass. bis z. neuesten Zeit, s.: Hesse's, M, Volksbücherei.

— Sammlg französ. Gedichte, s.: Gerhard's französ. Schulausg.

— Shakespeares König Richard III., s.: Klassiker, d. ausländ., erläut. u. gewürdigt f. höh. Lehranst.

— Fr. W Weber's Dreizehnlinden, s.: Dichter, deut., d. 19. Jahrb.

Wassilieff, AS: Beobachtgn d. Planeten Venus, angest. im J. 1892. [S.-A.] (60 m. 8 Taf.) 4° St. Petersbg 1900. (Lpzg, Voss' S.) 3 —

Wassing, A: Die indifferente Therme Bad Gasteins radioaktiv. (88) 8° Wien, W Braumüller 05. — 70

Wassmann, C: Entdeckgn z. Erleichterg u. Erweiterg d. Violintechnik durch selbständ. Ausbildg d. Tastgefühls d. Finger. 2. Afl. (34) 4° Heilbr., CF Schmidt 01. 2 —

Wasmuth, A: Zur Analyse d. Blutserums durch Messen d. Leitfähigk. desselben im unverdünnten u. verdünnten Zustande. [S.-A.] (34) 8° Wien, (A Hölder) 05. — 70

Wasmuth, A: Ub. d. bei d. Biegg v. Stahlstäben beobacht. Abkühlg. [S.-A.] (13 m. 1 Fig.) 8° Wien, (A Hölder) 03. — 40

— Üb. e. Ableitg d. allg. Differentialgleichg d. Bewegg e. starren Körpers. [S.-A.] (11) 8° Ebd. 02. — 30

— Apparate z. Bestimmen d. Temperaturverändergn beim Dehnen od. Tordieren v. Drähten. [S.-A.] (17 m. Fig.) 8° Ebd. 02. — 60

— Das Restglied bei d. Transformation d. Zwanges in allg. Coordinaten. [S.-A.] (27) 8° Ebd. 01. — 60

Wassner, L: Das Donauthal Pleinting-Passau-Aschbach. Geolog. Skizze. [S.-A.] (33 m. 2 Taf.) 8° Pass., (M Waldbauer) 01. 1 —

— Flora v. Niederbayern (m. Ausschl. d. Juragebietes). (48, 168 m. Fig.) 8° Ebd. 05. L. 3.50

Wastler, J: Hand- u. Lehrb. d. nied. Geodäsie, s.: Hartner, F.

Waszynski, S: Die Bodenpacht. Agrargeschichtl. Papyrusstudien. 1. Bd. Die Privatpacht. (179) 8° Lpzg, BG Teubner 05. L. nn 3.50 d

Waterstraat, H: Chronik d. Inng d. Baugewerke zu Stettin v. J. 1380—1903. (264 m. 3 Taf. u. 1 Pl.) 8° Stett., (F Wittenhagen) (04). L. nn 3.50 d

Waterstraat, L: Die Bestimmgn Sb. Tagegelder, Reise- u. Umzugskosten d. preuss. Staatsbeamten. Nebst e. Anh.: Die Rangverhältn. d. Staatsbeamten. (327) 8° Berl., HW Müller 03. 7 —; geb. 8.50; Nachtr. (22) (04.) — 50 d

Waetge, A: Buchstaben u. Muster in Kreuzstich f. Schule u. Haus. (8) 8° Brem., G Winter (05). — 20 d

Watson, J, s.: Maclaren, J.

Watson, S: Meister Frank, d. Einbrecher, od.: Die Sünde ist d. Leute Verderben. Frei n. d. Engl. v. S v. B. (71) 16° Brem., Bh. u. Verl. d. Tractath (01). — 25 d

— Die Gesch. e. Schauspielers, od.: Ist jemand in Christo, so ist er e. neue Kreatur". Frei n. d. Engl. v. S v. B. (79) 16° Ebd., (01). — 25 d

— Der verschwund. Graf, od.: Gott ist d. Liebe. Frei n. d. Engl. v. S v. B. (79) 16° Ebd. — 25 d

— Vermisst od. Gottes Pfad in gr. Wassern. (Erlebnisse auf hoher See.) Frei n. d. Engl. v. S v. B. — "II. Im hohen Norden. (79) 16° Ebd. (01). — 25 d

— Das Weib e. Verbrechers od. d. Blut Jesu Christi macht uns rein v. aller Sünde. Frei n. d. Engl. v. S v. B. — II. Vater Johannes. III. Unverhoffte Hilfe. (79) 16° Ebd. (01). — 25 d

Watt, J: Das Zukunftskleid d. Frau. Die Gesundg d. Frauenmode. Prakt. Ratschläge u. genaue Anl. z. Selbst-Anfertig v. Reformkleidern n. d. Schnittübersichten. (25 m. Abb.) 4° Berl., W Threade & Co. (02). 1 —

— dass. 2. Afl. (75 m. Abb.) 4° Lpzg 03. Jena, E Diederichs. 2 —

Watteau: Die Einschiffg n. Cythere. — Gilles, s.: Meisterbilder fürs deut. Haus.

Wattenbach, W: Deutschlds Geschichtsquellen im M.-A. bis z. Mitte d. 13. Jahrb. 1. Bd. 7. Afl. v. E Dümmler. (20, 513 m. Bildnis.) 8° Stuttg., JG Cotta Nf. 04. 11 —; L. 12.50

Wattendorf, L: Ein engl. Conquistador d. 18. Jahrb., s.: Broschüren, Frankf. zeitgemässe.

Wattenwyl, J v.: Wünsche in betr. d. Red. d. in Revision befindl. Disciplinar-, I. d. schweiz. Truppen im Felde. Kapitel IVe, Vorpostendienst. (38) 8° Bern, A Francke 01. — 50

Watterott, I: Erziehg u. Unterr. in geistl. Internaten. (94) 8° Asch., J Schweitzer 02. 1.90; L. 1.70 d

Waetzel, P: Baden-Baden. Neuester Führer durch d. Stadt u. ihre Umgegend. 3. Afl. v. F Spies. (104 u. 20 m. Abb., 1 Pl. u. 1 Karte.) 12° Bad.-B., F Spies 04. Kart. 1.50

Watzinger, C: Griech. Holzsarkophage a. d. Zeit Alexanders d. Gr., s.: Veröffentlichungen, wiss., d. deut. Orient-Gesellsch.

— Magnesia am Maeander, s.: Humann, C.

— Das Relief d. Archelaos v. Prie' e, s.: Programm z. Winckelmannsfeste d. archäolog. Gesellsch. zu Berlin.

Watzlawek, R, s.: Sanneck, R.

Watzlawik, A: Irma. Giebt es noch Liebe? (112) 4° Lpzg (02). 1.50

Waetzoldt, S: Die Jugendsprache Goethes. Goethe u. d. Romantik. Goethes Ballade. 3 Vortr. 2. Afl. (76) 8° Lpzg, Dürr'sche Bh. 03. 1.60 d

— eut. Schulgrammatik. — Übgsb. z. deut. Schulgrammatik, sB Gurcke, G.

Waetzoldt, W: Friedrich Hebbel. (Biogr.) [S.-A.] (42) 8° Berl., A Weichert (02). — 1 d

— Das Kunstwerk als Organismus. (55) 8° Lpzg, Dürr'sche Bh. 05. 1.60

— William Shakespeare. (Biogr.) [S.-A.] (45) 8° Berl., A Weichert (02). 1 — d

Waubke, A: Streiflichter z. modernen Lit., Sudermann, Wolzogen, v. Kahlenberg, Hartleben u. a. u. ihre Bedeutg fürs christl. Volksleben. (12) 8° Bielef., O Fischer (04). — 20 d

Wauer, A: Soz. Erzkde. Hilfebb. f. d. Hand d. Schüler in Volks- u. Fortbildgssch. z. Einführg in d. Landes- u. Gesellschaftskde. I; II, 1. u. 2. Abtlg; III u. IV. 8° Dresd., A Müller-Fröbelhaus. nn 2.10

I. Sachsen. (48 m. 4 Skizzen, 29 Bildern u. 1 Karte.) (04.) — 30

II, 1. Deutschl. 1. Kurs. 1. Abtlg: Vorwiegend Landschaftskde. (48 m. 4 Skizzen, 29 Bildern u. 1 Karte.) (04.) — 30

2. Dass. 2. Abtlg: Gesellschaftskde. (49—88 m. 3 Skizzen u. 16 Bildern.) (04.) — 30

III. Deutschl. (II. Kurs.) im Kampfe um e. Erhaltg u. Wohlfahrt. (88 m. 37 Bildern, 7 Skizzen u. 1 Karte.) (04.) nn — 60

IV. Europa. (80 m. 51 Bildern u. 8 Skizzen.) (05.) — 60

Wauer, H: Der Burggraf v. Nürnberg od. Die Hohenzollern weltgeschichtl. Beruf. Histor. Volks-Schauep. 17. Afl. (143) 8° Berl. 04. (Gött., H Peters.) 2 — d

Wayss & Freytag, Neustadt a. d. Haardt u. München. Bauten im Stampfbeton, Monierbeton u. Moniermauerg. Fabrikation v. Monier- u. Betonröhren. Fabriken in Neckarau bei Mannheim u. Neustadt a. d. Haardt. (79 m. Abb. u. 26 Taf.) 8° Berl. 1895. (Stuttg., K Wittwer.) L. 5—

— — Der Betoneisenbau, s. Anwendg u. Theorie. Theoret. Tl bearb. v. E Mörsch. (118 m. Fig.) 8° Stuttg., K Wittwer 02. L. 6 —

2. Afl. s.: Mörsch, E.

Webb: Die 55 Möbelstyle, s.: Timms.

Webber, CW: Ein Ausflug in d. Felsengebirge. — Gefahrvolle Flucht, s.: Zehn-Pfennig-Bibliothek, Frankfurter.

Webber, E: Techn. Wrtrb. in 4 Sprachen. I. Deutsch-italienisch-französisch-englisch. 2. Afl. (611) 12° Berl., J Springer 04. nn 5 —

Webel, O: Handlexikon d. deut. Presse u. d. graph. Gewerbes. 20 Lfgn. (1172 Sp. m. 2 farb. Taf.) 8° Lpzg, Webel's V. 04. 05. Geb. 12 — d

— Die Pflicht u. and. Skizzen a. d. Leben, s.: Unterhaltungsbibliothek, moderne.

Weber's moderne Bibliothek. 17—84. Bd. 8° Heilbr., O Weber. Je — 20 d

Belot, A: Das Gesellschaftsfräulein. Aus d. Franz. v. A Roehl. (120 m. Abb.) (05.) [48.]

Brame, CM: Vergib uns uns. Schuld. Aus d. Engl. v. A Braune. — Zepoleke, G: Der 1. Schnee. Aus d. Poln. v. H Semideberg. (126) (01.) [21.].

Bruno, C: Aus aus Leben — Eicke, T: Die Tochter d. Rebellen. (128) (01.) [19.]

Cassau, C: Ein Agitator. (128 m. Abb.) (05.) [76.] † Schwere Lasten. Histor. Novelle. (128) (05.) [80.] † Liebe um Liebe. (128) (05.) [84.]

Conring, I v.: Elisabeth v. Ellern. — Sermage, R Graf: Im Exil. (144 m. Abb.) (01.) [29.] † Teuer erkauft. (144 m. Abb.) (05.) [77.]

Daudet, E: Berenin Amelti. (128) (04.) [55.]

Dombrowsky, I: Idylle, s.: Markovics, MA v., d. Geheimnis Draginyanus.

Eicke, T: Auf falscher Fährte. Nach d. Engl. — Kraze, FH: Gestillter Durst. (128) (05.) [63.]

— Die Tochter d. Rebellen, s.: Bruno, C: Aus an grosser Liebe.

Fahrow, E: Ein goldenes Herz. (128 m. Abb.) (05.) ǁ Im Sturm. (128) (05.) [57.]

Friedrichstein, M: Ob er Wort hält? (113 m. Abb.) (05.) [78.]

Gerhard, C: Dem Glücke wiedergegeben. — Pieta. (144) (01.) [34.] ǁ Ueberwunden u. and. Novellen. (127) (05.) [56.]

Grass, H: Ferdinand v. Lans. Die Gesch. e. Abenteurers. Erzählg a. d. modernen Leben. — Wichmann, F: Das Heiligtum. (171) (01.) [76.]

Greville, H: Frisch u. Vatern. Deutsch v. B Neumann. (128 m. Abb.) (05.) [48.]

Harte, F: Ein Schiff v. anno '49. Deutsch v. A Roehl. (111 m. Abb.) (05.) [45.]

Hirschfeld, H: Ein wunderl. Freiersmann. — Kraze, FH: Rein. — Sieukiewicz, H: Sei glücklich. Ein Liebesidyll. Deutsch v. FW Selbach. (127) (05.) [58.]

Hockfeldt, H: Reuschel treiben. (160 m. Abb.) (05.) [79.]

Hyan, H: Mörder. Aus d. Papieren d. Pariser Geheimpolizisten. (127) (03.)

Jenkin, M: Thereaé. Aus d. Franz. v. T Schwarz. (141 m. Abb.) (04.) [40.]

Johannes, AW: Verschlungn. Pfade. (127 m. Abb.) (02.) [42.]

Jokai, K: Seines Vaters Sohn. Deutsch v. L Wechsler. (126) (04.) [56.]

Kahle, A: In Liebesketten. — Wichmann, F: Pilatus. (127) (01.) [72.]

Karlsen, H: Angela Ritter. (119 m. Abb.) (02.) [58.]

Köhler, H: Lynchjustiz. Erzählg a. d. amerikan. Leben. Kastor u. Pollux. (144 m. Abb.) (04.) [69.]

Kraze, FH: Gestillter Durst, s.: Eicke, T, auf falscher Fährte.

— Rein, s.: Hirschfeld, H, e. Namenloser.

Linden, A: Stolz-Cilla. (Eine Gesch. a. rhein. Bergen.) (127 m. Abb.) (06.) [71.]
Lobde, C: Kastell Belcaro. (144 m. Abb.) (03.) [51.]
Lynn, A: Die Tochter d. Piratenkapitäns. (125 m. Abb.) (02.) [43.]
Mai, C: Das Geheimnis d. Stollens. (126 m. Abb.) (02.) [38.]
Marasse, M: Die Brücke, s.: Winter, JS, d. Mädchen a. d. Fremde.
— Das Wunder d. Madonna, s.: Schumann-Arndt, O, d. rote Pepi.
Markovics, MA v.: Das Geheimnis Draginyanus. Rmän. Erzählg. — Markovics, MA v.: Auf eig. Füssen. — Samideberg, H: Poln. Erzählgn. — Dombrowsky, I: Idylle. (128) (01.) [18.]
— Rauschgold. (127) (01.) [24.] ‖ Vom Seine-Strand. (125) (03.) [55.]
Matthias, C: Unter d. roten Kreuz. (144) (05.) [73.]
Mdeuko, E v.: Petschorin, s.: Tour, E de la, v. Generation zu Generation.
Paschwitz, T v.: Versunken Eiland. (128) (01.) [32.]
Plöhn, R: Im Feuerzauber d. Leidenschaft. (Erzählgn.) (128 m. Abb.) (05.) [69.]
— Das Problem d. Glückes, s.: Wichmann, F, d. Goldtrupf.
— Wienerinnen. (128 m. Abb.) (04.) [64.]
Pollacsek, M: Der Assessor. (128 m. Abb.) (05.) [78.]
Pont-Jest, R de: Fürstin Olsdorf. (Uebersetzg.) — Smith, CS: Der rote Hut. Deutsch v. FW Selbach. (126 m. Abb.) (02.) [37.]
Reuss, Z v.: Irene. (127 m. Abb.) (04.) [59.]
Reval, P: Treu bis in d. Tod. (128) (05.) [82.]
Salias, Graf: Leonida. Criminal-Novelle a. d. Russ. v. F Palm-Nasareff. (125) (01.) [20.]
Saworra, B: Ein Opfer. Aus d. Engl. (121) (01.) [25.]
Schlott, T: Max u. Moritz. Eine einfache Liebesgesch. (112) (01.) [23.]
Schmeling, K: Der falsche Graf. Kriminal-Roman, n. d. Verhandlgn d. Pariser Assisen. (144 m. Abb.) (03.) [49.]
Schott, C: Um d. Ehre willen. (112 m. Abb.) (03.) [47.] ‖ Der Waldwächter. (128 m. Abb.) (02.) [41.]
Schumann-Arndt, O: Die rote Pepi. Orig.-Kriminalroman. — Marasse, M: Das Wunder d. Madonna. (127) 01. [28.]
Schwarz (Umschl.: Swwarz), V: Lea. (Frei n. d. Engl.) (160 m. Abb.) (04.) [68.] ‖ Verschollen. (144) (04.) [66.]
Seefeld, H: Der Kaplan v. St. Marien. (Eine deut. Gesch. a. Ungarn.) (127) (06.) [83.]
Sermage, R Graf: Im Exil, s.: Conring, I v., Elisabeth v. Ellern.
Seyffert-Klinger, A: Käthchens Geheimnis. (127 m. Abb.) (04.) [61.] ‖ Die Perlen d. Grossmutter. (144) (03.) [54.] ‖ Der silberne Pfeil. (143 m. Abb.) (02.) [45.] ‖ Umsonst gebüsst. (143) (04.) [67.]
Sienkiewicz, H: Sei glücklich, s.: Hirschfeld, H, e. Namenloser.
Smith, CS: Der rote Hut, s.: Pont-Jest, R de, Fürstin Olsdorf.
Steiner, S: Fieber. Roman. (126) (1900.) [17.]
Stöckert, F: Die Jugend. (128 m. Abb.) (02.) [44.]
Szmideberg, H: Poln. Erzählgn, s.: Harkovics, MA v., d. Geheimnis Draginyanus.
Teschner, K: Das rett. Geld. (Kriminal-Roman.) (127 m. Abb.) (04.) [60.]
Tour, E de la: Von Generation zu Generation. — Mdenko, E v.: Petschorin. — Wichmann, F: Der Brillant. (127) (01.) [30.]
Wachenhusen, H: Heimchen an fremdem Herd. (127) (06.) [75.]
Walfeld, K v.: Lieblinge d. Glücks. (127 m. Abb.) (03.) [56.]
Wehren, M v.: Zusammengeschmiedet. (128) (05.) [74.]
Wenden, H: Wie ich dazu kam. (126) (01.) [31.]
Wichmann, F: Der Brillant, s.: Tour, E de la, v. Generation zu Generation.
— Die Goldtrupf. — Plöhn, R: Das Problem d. Glückes u. and. Novellen. (127 m. Abb.) (03.) [53.]
— Das Heiligtum, s.: Grans, H, Ferdinand v. Lanz.
— Pilatus, s.: Kahle, A, in Liebesketten.
Winter, JS: Das Mädchen a. d. Fremde. Bearb. v. S Spiegel. — Harasse, M: Die Brücke. (128) (01.) [22.]
Zapolska, G: Der 1. Schnee, s.: Brame, CM, vergib uns unsere Schuld.
Zell, C v.: Heimatlos. (160 m. Abb.) (05.) [70.]

Weber's illustr. Katech. 1., 2., 4., 6., 8., 10—13., 15., 17., 20., 23., 25., 27., 28., 31., 39., 41—47., 50., 53—58., 61., 62., 66., 68—71., 75., 79., 80., 83., 91., 96., 109., 110., 114., 115., 119—122., 128., 129., 133., 134., 137., 144., 148., 151., 157., 158., 160., 174., 176., 179., 186., 187., 191., 209., 211., 214., 218., 226., 227. u. 229—254. Bd. 8° Lpzg, JJ Weber. L.

Aster, G: Familienhäuser f. Stadt u. Land. 2. Afl. (256) 05. [174.] 5 — d
— Villen u. kl. Familienhäuser. 10. Afl. (298) 04. [148.] 5 — d
Bendt, F: Algebr. Analysis. (158) 01. [229.] 2.50 d
— Differential- u. Integralrechng. 2. Afl. (268) 01. [157.] 3 — d
— Trigonometrie. 3. Afl. (136) 01. [114.] 2 — d
Benedix, R: Redekunst. Anl. z. mündl. Vortrage. 6. Afl. (109) 03. [68.] 1.50 d
— Der mündl. Vortrag. Lehrb. f. Schulen u. z. Selbstunterr. 1. Tl. Die reine u. deutl. Aussprache d. Hochdeut. 10. Afl. (80) 05. [238.] 1.50 ‖ 2. Tl. Die richt. Betong u. d. Rhythmik d. deut. Sprache. 5. Afl. (248) 04. [239.] 3 — ‖ 3. Tl. Schönheit d. Vortrags. 5. Afl. (323) 01. [240.] 3.50 d
Blackie, JS: Selbsterziehg. Wegweiser f. d. reif. Jugend. Deutsch v. F Kirchner. 3. Afl. (138) 03. [245.] 2 — d
Cappelli, A: Lexicon abbreviaturar. Wrtrb. latein. u. italien. Abkürzgn, wie sie in Urkunden u. Handschriften bes. d. M.-A. gebräuchlich sind, nebst e. Abhandlg üb. d. mittelalterl. Kurzschrift, e. Zusammenstellg epigraph. Sigel, d. alten röm. u. arab. Zählg u. d. Zeichen f. Münzen, Masse u. Gewichte. (51, 548) 01. [53.] 7.50
Dreher, F: Klempnerei. 1. Tl. Materialien. Die Arbeitstechniken d. Klempnerei u. d. dabei z. Verwendg komm. Werkzeuge, Maschinen u. Einrichtgn. (284) 02. [231.] ‖ 2. Tl. Die heut. Arbeitsgebiete d. Klempnerei. (350) 02. [232.] Je 4.50 d
Eisler, R: Allg. Kulturgesch. 3. Afl. (260) 05. [91.] 3.50 d
— Deut. Kulturgesch. (224) 05. [253.] 3 — d
— Soziologie. Die Lehre v. d. Entstehg u. Entwickelg d. menschl. Gesellsch. (306) 03. [31.] 4 — d
Findeisen, CF: Kaufmänn. Korrespondenz. 6. Afl. v. F Hahn. (234) 02. [115.] 2.50 d
Fischbach, H: Forstbotanik. 6. Afl. v. R Beck. (317) 05. [6.] 3.50 d
Fischer, R: Deut. Handelsrecht u. d. Handelsgesetzb. f. d. Deut. Reich v. 10.V.1897. 4. Afl. (173) 01. [56.] 2 — d
Fischer, T: Leitf. d. Metallurgie. (438) 04. [235.] 5 —
Friedrich, W: Liebhaberkünste. Leitf. d. häusl. Hand- u. Kunstfertigk. 2. Afl. (222) 05. [158.] 2.50 d
Frimmel, T v.: Hdb. d. Gemäldekde. 2. Afl. (286) 04. [151.] 4 — d
Fürst, L: Das Kind u. s. Pflege. 5. Afl. (440) 1897. [211.] 5 — d
Ganswindt, A: Leitf. d. Färberei. 3. Afl. Neubearbeitg d. 2. Afl. v. Grothes „Katech. f. Färberei u. Zeugdruck". (486) 04. [119.] 6 — d
— Wollwäscherei u. Karbonisation, m. e. Anh.: Die Kunstwollfabrikation. (318) 05. [250.] 4 — d
Garten, S: Leitf. d. Mikroskopie. 2. Afl. (262 m. 1 farb. Taf.) 04. [120.] 4 — d
Gewerbeordnung f. d. Deut. Reich. Textausg. m. Sachreg. (161) 01. [27.] 1.20 d
Goldberg, O: Die Handelswiss. auf volksw.-rechtl. Grundl. 6. Afl. (d. Arenz'schen Handelswiss.). (259) 03. [13.] 3 — d
Guttmann, O: Die aesthet. Bildg d. menschl. Körpers. 3. Afl. (24, 278) 02. [236.] 4 — d
— Die Gymnastik d. Stimme, gestützt auf physiolog. Gesetze. 6. Afl. (213) 02. [186.] 3.50 d
Haas, H: Geologie. 7. Afl. (243 m. 1 Taf.) 02. [42.] 3.50 d
— Versteinergskde (Petrefaktenkde, Paläontol.), e. Übersicht üb. d. wichtigeren Formen d. Tier- u. Pflanzenreiches d. Vorwelt. 2. Afl. (237 m. 1 Taf.) 02. [121.] 3.50 d
Heerwart, E: Einführg in d. Theorie u. Praxis d. Kindergartens. (183) 01. [45.] 2.50 d
Hiebfechtschule, deut., f. Korb- u. Glockenrapier. Hrsg. v. Ver. deut. Univ.-Fechtmeister. 2. Afl. (87) 01. [227.] 1.50 d
Hirzel, H: Chemie. 8. Afl. (453) 01. [23.] 5 — d
Hoch, J: Technol. d. Schlosserei. 3. Tl: Kunstschlosserei u. Verschönergsarbeiten d. Eisens. (315) 01. [179.] 4.50 (Voll-t.: 16.50) d
Hofmann, R: Die Musikinstrumente, ihre Beschreibg u. Verwendg. 6. Afl. (274) 03. [47.] 4 — d
Huber, P: Mechanik. 7. Afl. v. W Lange. (269) 02. [70.] 3.50 d
Hussak, E: Mineral. 6. Afl. (245) 01. [46.] 3 — d
Jäger, H: Nutzgärtnerei od. Grundz. d. Gemüse- u. Obstbaues. 6. Afl. v. J Wesselhöft. (272) 05. [10.] 3 — d
— Ziergärtnerei od. Belehrg üb. Anlage, Ausschmückg u. Unterhaltg d. Gärten, sowie üb. Blumenzucht. 6. Afl. v. J Wesselhöft. (299) 01. [15.] 3.50 d
Ihering, A v.: Leitf. d. mechan. Technol. 2. Afl. (290) 04. [122.] 4 —
Kanitz, F: Ornamentik. Leitf. üb. d. Gesch., Entwickelg u. charakterist. Formen d. Verziergsstile aller Zeiten. 6. Afl. (183) 02. [66.] 2.50 d
Kersting, P, u. M Horn: Chem. Technol. 2 Tle. (358 u. 322) 02. [233.34.] Je 5 —
Kleiber, M: Angewandte Perspektive. Nebst Erläutergn üb. Schattenkonstruktion u. Spiegelbilder. 4. Afl. (214 m. 7 Taf.) 04. [137.] 3 — d
Klemich, O: Kaufmänn. (einf. u. dopp.) Buchführg. 6. Afl. (257 m. 3 Formularen.) 02. [58.] 3 — d
Klemm, B: Tanzkunst. Nebst e. Anh. üb. Choreogr. 7. Afl. (223) 01. [25.] 3 — d
Kloss, M: Leitf. d. Turnkunst. 7. Afl. v. O Schlenker. (413) 06. [8.] 4 — d
Köhler, G: Leitf. d. Bergbaukde. 3. Afl. (332) 03. [129.] 4 — d
Köhler, L: Der Klavierunterr. Studien, Erfahrgn u. Ratschläge f. Klavierpädagogen. 6. Afl. v. R Hofmann. (348) 05. [187.] 4 — d
Kollert, J: Physik. 6. Afl. (593) 03. [57.] 7 — d
Kothe, H: Gedächtniskunst. 9. Afl. v. G Pietsch. (106) 05.] [17.] 1.50 d
Krichler, F: Die Hunderassen. 2. Afl. v. G Knapp. (236) 06. [144.] 3 — d
— Katech. f. Jäger u. Jagdfreunde. 2. Afl. v. G Knapp. (214) 02. [134.] 3 — d
Krüger, R: Leitf. d. Brückenbaues. (439 m. 20 Taf.) 05. [248.] 9 — d
— Leitf. d. Erd- u. Strassenbaues. (414) 04. [247.] 5.50 d
Langbein, G, u. A Friessner: Galvanoplastik u. Galvanostegie. Kurzgef. Leitf. 4. Afl. (265) 04. [62.] 3.50 d
Lange, W: Die Wasserversorgg d. Gebände. (212 m. 2 Taf.) 02. [237.] 3.50 d
Lange, W: Die Blumenbinderei. (196) 03. [242.] 3 — d
Lebl, M: Zimmergärtnerei. 2. Afl. (235) 01. [128.] 3 — d
Lehnert, WM: Leitf. d. modernen Kältetechnik, ihr Anwendgsgeb., ihre Maschinen u. ihre Apparate. (186 m. 12 Taf. u. 12 Tab.) 05. [252.] 4 — d
Lobe, JC: Kompositionslehre. 7. Afl. v. R Hofmann. (310) 02. [50.] 3.50 d
— Musik. 27. Afl. (170) 1900. [4.] ‖ 28. Afl. v. R Hofmann. (170) 04. Je 1.50 d
Marshall, W: Zool. 2. Afl. (d. CG Giebel'schen Katech.). (612) 01. [83.] 7.50 d
Migula, W: Die Bakterien. 2. Afl. (191) 03. [191.] 2.50 d
Musiol, R: Grundr. d. Musikgesch. 3. Afl. v. R Hofmann. (412 m. 22 Taf.) 05. [80.] 4.50 d
Ofterdinger, L: Maschinenelemente. (423) 02. [241.] 6 —
Pagenstecher, A: Gicht u. Rheumatismus. 4. Afl. (106) 03. [209.] 2 — d
Passon, M: Agrikulturchemie. 7. Afl. (d. E Wildt'schen Katech.). (275) 01. [1.] 3.50 d
Pauly, M: Die Feuerbestattg. (182) 04. [251.] 2 —
Peter, B: Kalenderkde. Belehrgn üb. Zeitrechng, Kalenderwesen u. Feste. 2. Afl. (140) 01. [75.] 2 — d
Pietsch, C: Feldmesskunst. 7. Afl. (96) 03. [44.] 1.80 d
Pietsch, M: Chemikalienkde. 2. Afl. (235) 03. [96.] 3 — d
Portius, KJS: Schachspiel-Kunst. 12. Afl. (288 m. Diagr.) 01. [20.] 2.50 d
Preller: Die Massage. 2. Afl. v. B Wichmann. (250) 03. [218.] 3.50 d
Presinsky, F: Engl. Kugel- u. Ballspiele. (254) 03. [243.] 3.50 d
Prölss, R: Ästhetik. Belehrgn üb. d. Wiss. v. Schönen u. d. Kunst. 3. Afl. (366) 04. [11.] 3.50 d
Raupp, K: Hdb. d. Malerei. 4. Afl. (179 m. 9 Taf.) 04. [133.] 3 — d
Reiser, N: Lehrb. d. Spinnerei, Weberei u. Appretur. 4. Afl. (d. Grothe-Ganswindt'schen Katech.). (513) 01. [43.] 6 — d
Riedel, E: Prakt. Arithmetik. 4. Afl. (d. E Schick'schen Katech.). (317) 01. [54.] 3.50 d
Rüffert, FW: Uhrmacherkunst. 4. Afl. (244 m. 5 Tab.) 01. [55.] 4 — d
Runze, G: Metaphysik. (424) 05. [249.] 5 — d
— Relig.-Philosophie. (324) 01. [230.] 4 — d
Sacken, E Frhr v.: Baustile od. Lehre d. architekton. Stilarten v. d. ält. Zeiten bis auf d. Gegenwart. 14. Afl. (196) 01. [39.] 2 — d
Sanders, D: Zitatenlexikon. 2. Afl. (712) 05. [176.] 6 —; in Geschenkbd 7 — d
Schiffmann, C: Leitf. d. Wasserbaues. (559 m. 6 Taf.) 06. [254.] 7.50 d
Schober, H: Grundr. d. Volkswirtschaftslehre. 6. Afl. v. EO Schulze. (536) 05. [41.] 6 — d
Schurig, R: Algebra. 5. Afl. (236) 03. [71.] 3 — d
Schwartze, T: Dampfkessel, Dampfmaschinen u. and. Wärmemotoren. 7. Afl. (442 m. 12 Taf.) 01. [110.] 5 —
— Elektrotechnik. 7. Afl. (479) 01. [109.] 5 —
— Allg. Maschinenlehre. (410) 03. [214.] 6 —
Schweitzer, G: Bank- u. Börsenwesen. 2. Afl. (242) 02. [160.] 3.50 d
Sieber, F: Gesangskunst. 6. Afl. (178) 03. [12.] 2.50 d
Stern, A: Grundr. d. allg. Lit.-Gesch. 4. Afl. (430) 06. [2.] 4 — d
Stern, R: Das kaufmänn. Rechnen. (475) 04. [246.] 5 — d
Stübling, R: Techn. Ratgeber auf d. Gebiete d. Holzindustrie. (451) 01. [226.] 6 — d
Uhlich, H: Leitf. d. Hufbeschlages. Mit e. Anh.: Der Klauenbeschlag. 4. Afl. (d. ET Walther'schen Buches). (202) 05. [61.] 2.50 d
Walde, CH, u. H Knoppe: Hdb. d. Drechslerei. (447) 03. [244.] 6 — d
Weber, JJ: Buchdruckerkunst. 7. Afl. (d. A Waldow'schen Katech.). (331 m. farb. Beil.) 01. [26.] 4.50 d
Zetzsche, KE: Eb. u. räuml. Geometrie. 4. Afl. v. F Zetzsche. (408) 05. [89.] 4 — d
Zorn, A: Grundz. d. Völkerrechts. 2. Afl. (315) 03. [79.] 4 — d

Weber: Moderne Schriften, s.: Brückmann.

Weber, A: Die Gefahren d. „Freimachens" v. Militärdienst. Nebst d. gesetzl. Bestimmgn Deutschlds u. Österr. üb. d. Auswanderg vor Ableistg d. Dienstpflicht. (154) 8° Berl., H Barsdorf 05. 5 —

Weber, A: Die Lehre v. d. Kindsabtreibg, s.: Fabrice, H v.
Weber, A, u. CAF **Kluge**: Die persönl. Macht u. d. geheimnisvollen Kräfte d. Fascination, d. Suggestion, d. Magnetismus u. d. Hypnotismus. (84) 8° Lpzg, Modern-medizin. Verl. (05).
    2 — d
Weber, A: Die Beweggsspiele d. Kindergartens. — Die Praxis d. Kindergartens, s.: Köhler, A.
Weber, A: Sabine Bucher. Roman. (199) 8° Stuttg., Union (05).
    3 —; L. 4 — d
— Die gold. Lore, s.: Union-Sammlung moderner Romane.
— Der gr. Ueberwinder, s.: Deva-Roman-Sammlung.
— Vorfrühling, s.: Union-Sammlung moderner Romane.
Weber, A: Üb. Bodenrente u. Bodenspekulation in d. modernen Stadt. (211) 8° Lpzg, Duncker & H. 04.
    4.40
— Depositenbanken u. Spekulationsbanken. Vergleich deut. u. engl. Bankwesens. (303) 8° Ebd. 02.
    5.80
Weber, A: Bericht üb. 100 in d. Landpraxis operativ behandelte Geburten. [S.-A.] (23) 8° Münch., Seitz & Sch. 01.
    1 — d
Weber's, A, Heimatkdebücher. 1. Bd. 8° Münch., M Kellerer.
1. Weber, A, u. A Weber: Heimatkde v. München u. Umgebg in Wort u. Bild. (6. Afl.) (180 m. 2 Kart.) (05.)
    1 —
— u. A **Weber**: Bilder a. d. Naturgesch. u. Gesch. d. Heimat. (Im Anschl. an d. Heimatkde.) Für d. Schüler u. Schülerinnen d. Volkssch. Münchens zusammengest. (Der Heimatkde. 3. Teil.) (151 m. Abb.) 8° Ebd. 04.
    Kart. 1.20 (1.—3.: 3.70) d
Weber, A: Anl. f. d. Übgn im elektrotechn. Praktikum II, s.: Unterrichts-Werke (Methode Hittenkofer) f. Selbstunterr.
Weber, A: Ved. Beitr. IX. Text-Correcturen im Veda. [S.-A.] (12) 8° Berl., (G Reimer) 01.
    — 50 (VI—IX.: 3 —)
I—V sind nur in d. Sitzsber. d. preuss. Akad. d. Wiss. erschienen.
Weber, A: Die gemeinsamen wirtschaftl. Interessen Deutschlds u. Oesterr., s.: Flugschriften d. polit. Aufklärgsver.
Weber, A: Der hl. Hieronymus. Ein neu aufgefund. Gemälde Albrecht Dürers. [S.-A.] (4 m. 6 Taf.) 4° Münch. (Herrenstr. 85), Verein. Druckereien u. Kunstanst. 01.
    3 —
Weber, A: Grundablösg od. Reguliorg? Technisch-wirtschaftl. Studie üb. d. Reguliorg d. Drauflussstrecke Friedau-Poistrau. [S.-A.] (13 m. 1 Karte.) 8° Wien, (Lehmann & W.) 05.
    1 —
Weber, A, s.: Blätter, katechet.
— Ausgeführte Katechesen üb. d. Gebote Gottes f. d. 3. Schulj. (510) 8° Kempt., J Kösel 04.
    3.40; geb. 4 — d
— Ausgeführte Katechesen üb. d. 3. Hauptstück f. d. 5. Schulj. (352) 8° Ebd. 04.
    2.60; geb. 3.20 d
— Die Münch. katechet. Methode. (203) 8° Ebd. 05.
    2.40 d
Weber, A: Die Obst- u. Beerenweinbereitg. 2.Afl., s.: Schneider, J.
Weber, A: Die Bewusstseinsreiche im Weltall. (96 m. 1 Taf.) 8° Lpzg, Theosoph. Centralbh. (04).
    2 —; geb. 3 —
— s.: Reichenbach, Frhr v., odisch-magnet. Briefe.
— Üb. d. Unsterblichk. d. menschl. Seele u. deren harmon. Entwicklg. (15) 8° Haimh. (03). Ascona, C v. Schmidtz.
    — 25
— s.: Vorträge, geheimwiss. — Wegweiser, theosoph.
Weber, A: Welches sind d. bisher. Ergebnisse d. Streites üb. Babel u. Bibel? Vortr. [S.-A.] (26) 8° Mühlh. i/Th., T Pecena (03).
    nn — 10 d
Weber, AO: Cornichons. Gereimte Satiren. (160) 8° Berl. 05. Lpzg, F Rothbarth.
    2 — d
— Frech u. froh! 1—3. Taus. (133 m. Bildnis.) 8° Lpzg, F Rothbarth 06.
    2 — d
— Herren-Abend-Vorträge. (68) 8° Berl., Berolina (F Cronmeyer) (02).
    3 — || 4. Afl. (61) (03.) 2 —
— Durch d. Lupe. Sammlg ausgew. Satiren f. Damen u. Herren. (212) 8° Lpzg, F Rothbarth (05).
    L. 3 — d
— Ohne Maulkorb. Gereimte Satiren. 1—11. Taus. (126) 8° Ebd. 04.05.
    1.80 d
1—4. Taus. erschienen in München.
— Mixed pickles. Gereimte Satiren. (152) 8° Berl. 04. Lpzg, F Rothbarth.
    2 — d
— „Satyr lacht — —". 7. Taus. (130) 8° Lpzg, F Rothbarth 06.
    2 — d
— „Und Satyr lacht — —" (Neue Satiren.) (128) 8° Ebd. 05.
    2 — d
Weber, B: Das Thal Passeier u. s. Bewohner. 2. Afl. v. A Schatz. (460 u. 12 m. Bildnis.) 12° Meran, C Jandl 02 (Umschl. 03).
    nn 2.50 d
Weber, B: Der Abschluss e. Aktien-Gesellsch. in schemat. Bearbeitg. Mit kurzer Darstellg d. Geseh. d. A.-G., ihrer Bedeutg in d. Volkswirtschaft, d. Bestimmgn im Handelsgesetzb. u. ihrer Eigentümlichk. in d. Buchführg. Ausg. A (25) Fol. Mannh., (J Bensheimer's V.) (03).
    nn — 80 d
— dass. Ausg. B. Für Selbststudium. (25 u. 23) Fol. Ebd. 03.
    1 — d
    1.80 d
— Correspondance commerciale franç.-allemande, s.:Vincent,P.
— u. C **Kaiser**: Deutsch-engl. Handelskorrespondenz. II. T!: Englisch. (110) 8° Lpzg, O Nemnich 05.
    Geb. 1.40
Der I. Tl ist noch nicht erschienen.
— u. P **Vincent**: Deutsch-französ. Handelskorrespondenz.2 Tle.
1. Deutsch. (115) 04. 1.80 || 2. Französisch. (136 m. 3 Taf.) 05. 1.40.
    8° Wiesb. Lpzg, O Nemnich.
Weber, C: Grundr. d. Physik f. d. Unterr. an landw. Wintersch. 2. Afl. (88 m. Abb.) 8° Stuttg., E Ulmer 05.
    Kart. 1.80 d
— Leitf. f. d. Unterr. in d. landw. Chemie an mittl. u. nied. landw. Lehranst. P. Afl. (119 m. Abb.) 8° Ebd. 05. Kart. 1.40 d

Weber, C: Leitf. f. d. Unterr. in d. landw. Pflanzenkde an mittl. bezw. nied. landw. Lehranst. 4. Afl. (203 m. Abb.) 8° Stuttg., E Ulmer 04.
    Geb. 2.50 d
— dass. in d. Physik an Ackerbausch. u. landw. Wintersch. 3. Afl. (190 m. Abb.) 8° Ebd. 03.
    Kart. 2.40 d
Weber, C: Ausw. italien. Lesestücke. (57) 8° Halle, M Niemeyer 03.
    1.20
Weber, CA: Beitr. z. Kenntnis d. Dauerweiden in d. Marschen Norddeutschlds, s.: Emmerling, A.
— Der Duwock (Equisetum palustre). — Der Fleisch-, Milch-u.Futterertrag ein. Dauerweiden, s.: Arbeiten d. deut. Landw.-Gesellsch.
— Üb. e. frühdiluviale u. vorglaziale Flora bei Lüneburg, s.: Müller, G.
— Üb. d. Vegetation u. Entstehg d. Hochmoors v. Augstumal im Memeldelta. m. vergleich. Ausblicken auf and. Hochmoore d. Erde. (252 m. Abb. u. 3 [2 farb.] Taf.) 8° Berl., P Parey 02.
    7 —
— u. J **Mestorf**: Wohnstätten d. ält. neolith. Periode in d. Kieler Föhrde. [S.-A.] (34 m. Abb.) 8° Kiel, (Lipsius & T.) 04.
    . nn 1 —
Weber, CJ, s.: Demokritos.
— Eine Rundreise durch d. bayer. u. bad. Pfalz zu Grossvaters Zeiten. Aus „W.'s Briefen u. in Deutschl. reis. Deutschen". Neu hrsg. u. eingeleitet v. O Steinel. (66) 8° Kaisersl., H Kayser 04.
    H
Weber, CL: Erläutergn zu d. Vorschriften f. d. Errichtg v. elektr. Starkstromanlagen. (Sicherheits-Vorschriften d. Verbandes deut. Elektrotechniker.) 5. Ausg. (228) 8° Berl., J Springer 03.
    Kart. 3 —
Neue Afl. u. d. T.:
— Erläutergn zu d. Sicherheitsvorschriften f. d. Errichtg elektr. Starkstromanlagen. 6. Ausg. (217) 8° Ebd.04. || 7. Ausg. (233) 05.
    L. je 4 —
Weber, CO: Grundz. e. Theorie d. Kautschuk-Vulkanisation. [S.-A.] (19 m. 1 Taf.) 8° Dresd., Steinkopf & Spr. 02.
    1 —
— Reise n. e. Kautschuk-Plantage in Columbien. [S.-A.] (39) 8° Ebd. 04.
    1 —
Weber, D: Leitf. f. d. Unterr. in d. Orthogr. u. Interpunktionslehre. 4.Afl. (58) 8° Frankf. a/M., Kesselring (05).
    — 60
Weber, E: Wrtrverz. u. Übersstoffe f. d. Rechtschreibg. t. u. 2. Heft. 3. Afl. 8° Lpzg, J Klinkhardt 02.
    — 25 d
1. Für Unterkl. (37) — 10 || 2. Für Oberkl. u. Fortbildgssch. (48) — 15.
— Zeichensetzg in Regeln u. Beispielen. IV. Heft. Für Oberkl. 2. Afl. (32) 8° Ebd. 01.
    — 15 d
Weber, E: Die Brettspiele. 1. Tl. Dame, Mühle, Puff, Halma. (68 m. Fig.) 12° Berl., W Frey (o J.).
    — 90 d
Weber, E v.: Das Imaginäre in d. Geometrie d. nonfokalen Flächen II.Ordng. [S.-A.] (87) 8° Münch., (G Franz' V.)04.— 60
— Liniencomplexe im R₄ u. Systeme Pfaffscher Gleichgn. [S.-A.] (42) 8° Ebd. 1900.
    — 60
— Zur Theorie d. Kreisverwandtschaften in d. Ebene. [S.-A.] (42) 8° Ebd. 01.
    — 60
Weber, E: Gr. kosmopolit.-spiritist. Vater Unser m. Vorwort. (16) 8° Dresd., H Hackaratli 01.
    — 80
Weber, E: Fälzer Humor. Gedichte u. Erzählgn. (187) 8° Kaisersl., H Kayser 04.
    2 —; geb. 2.50 d
— Neue Kinderlieder. 1—5. Taus. (64 m. z. Tl farb. Abb.) 4° Hambg 02. Berl., KW Mecklenburg.
    Geb. 4 — d
— s.: Märchen, neue.
— Neue Märchen f. d. Jugend, s.: Schafstein's Volksbb. f. d. Jugend.
Weber, E: Die Beziehgn v. Röm. 1—3 z. Missionspraxis d. Paulus, s.: Beiträge z. Förderg christl. Theol.
Weber, E: Jugenderinnergn. 1886—51. (112 m. Abb.) 8° Hambg. O Meissner's V. 04.
    Geb. 3 — d
Weber, E: Kommeutar z. Forstges., s.: Ganghofer, V.
Weber, E: Wie muss man geistig arbeiten? (64) 8° Berl., H Steinitz (04).
    1 — d
Weber, E: Jugendträume. Gedichte. 1. u. 2. Tl. 8° Münch., J Haushalter.
    L. 4 — d
1. Der Barde. Balladen u. Romanzen. Erste Gedichte. (122) 02. 1.50;
2. Der Troubadour. Welt- u. Liebeslyrik. (147) 04. Geb. 2 —
— Zum Kampf um d. allg. Volkssch., s.: Magazin, pädagog. d. deut.
Weber, E: Die Gestaltg d. Rechtsverhältn. bei u. n. d. Verfolgg d. hypothekar. Anspruchs an e. im Miteigentum beschränkt. Grundstücke. (58) 8° Freibg i/B., Speyer & K. 01. 1.20
Weber, E: Vom Oangos z. Amazonenstrom. Reiseskizzen. (178 m. Abb. u. 3 Kart.) 8° Berl., D Reimer 03.
    L. 6 —
Weber, E: Ursachen u. Folgen d. Rechtshändigk. (116) 8° Halle, O Marhold 05.
    1.50
Weber, EA: Das wahre deut. Bürger-Kochb. f. d. tägl. Tisch d. Jetztzeit angepasst. 33. Afl. (266 m. Abb.) 8° Lpzg, H Matthes 03.
    Kart. 1.50 d
Weber, EH: Tastsinn u. Gemeingefühl, s.: Ostwald's, W, Klassiker d. exakten Wiss.
Weber's, F, Orig.-Couplets u. Vorträge m. Melodie-Angabe. (79) 8° Köln, A Ohler (05).
    — 60 d
Weber, F: Anl. zu d. chem. Untersuchgsmethoden d. Braners. (332 m. Abb.) 8° München, (E Scherzer) 1900.
    L. 4 —
Weber, F: Freut euch d. Lebens. Liederb. f. fröhl. Kreise. (96) 8° Bresl., F Goerlich (04).
    — 10 d

Weber, F: Hausbibliothek. Nr. 1—114. 8° Bresl., F Goerlich
(05). Je — 10 d
Chamisso, A v.: Ausgew. Gedichte. (336) [76—84.] ¶ Peter Schlemihls wundersame Gesch. (27) [25—27.]
Droste-Hülshoff, A Freiin v.: Ausgew. Gedichte. (191) [106—12.] ¶ Ausgew. lyr. Gedichte. (22) [8.] ¶ Das geistl. Jahr. Nebst e. Ausk. relig. Gedichte. (160 m. Bildnis.) [53—55.] ¶ Die Judenbuche. Ein Sittengemälde a. d. gebirg. Westfalen. (56) [36,37.]
Eichendorff, J Freih. v.: Ausgew. Gedichte. Mit Biogr. d. Dichters. (190) [92—97.] ¶ Aus d. Leben e. Taugenichts. (95) [7—9.] ¶ Das Marmorbild. Das Schloss Dürande. (87) [33—35.]
Goethe, JW v.: Egmont. Trauersp. (92) [101.2.] ¶ Götz v. Berlichingen m. d. eisernen Hand. Schausp. (113) [106—8.] ¶ Hermann u. Dorothea. (80 m. Bildnis.) [1.2.] ¶ Iphigenie auf Tauris. Schausp. (77) [106.7.] ¶ Torquato Tasso. Schausp. (116) [47—49.]
Körner, T: Alfred d. Gr. Der Kampf um d. Drachen. Die Bergknappen. (96) [96.97.] ¶ Erzählgn. (62) [85.86.] ¶ Das Fischermädchen od. Hass u. Liebe. Lyr. Drama. (73) [46.] ¶ Gedichte. (192) [64—66.] ¶ Die Gouvernante. Posse. Der vierjähr. Posten. Singsp. (36) [65.] ¶ Hedwig. Drama. (56) [87.88.] ¶ Joseph Heyderich od. deut. Treue. Eine wahre Anekdote, als Drama. (24) [45.] ¶ Leier u. Schwert. (13) [8.4.] ¶ Der Nachtwächter. Posse in Versen. (36) [70.] ¶ Toni. Drama. (38) [44.] ¶ Der Vetter aus Bremen. Spiel in Versen. (22) [19.] ¶ Zriny. Trauersp. (87) [14—16.]
Lessing, GE: Minna v. Barnhelm od. Das Soldatenglück. Lustsp. (101) [31.32.] ¶ Emilia Galotti. Trauersp. (82) [113.14.]
Schiller, F v.: Die Braut v. Messina od. d. feindl. Brüder. Trauersp. m. Chören. (106) [28—30.] ¶ Ausgew. Gedichte. (154) [50—52.] ¶ Die Jungfrau v. Orleans. Roman. Tragödie. (162) [12—13.] ¶ Maria Stuart. Trauersp. (184) [98—100.] ¶ Wilhelm Tell. Schausp. (146) [10—12.] ¶ Wallenstein. Dramat. Gedicht. 1. Tl. Wallensteins Lager. — Die Piccolomini. (166) [70—72.] ¶ 2. Tl. Wallensteins Tod. Trauersp. (160) [73—75.]
Stifter, A: Abdias. (109) [93—95.] ¶ Bergkristall. (60) [61.62.] ¶ Bergmilch. (36) [8.] ¶ Das Heidedorf. (36) [92.] ¶ Der Hochwald. Mit Biogr. d. Dichters. (116 m. Bildnis.) [91—93.] ¶ Kalkstein. (74) [40.41.] ¶ Katzensilber. (76) [59.60.] ¶ Der Kondor. — Brigitta. (82) [58.39.] ¶ Der Waldsteig. (72) [42.43.]
— Jugendbibliothek. Nr. 1—44. 8° Ebd. 4.40; geb. 6.60 d
Schmid, C v.: Das Blumenkörbchen. Neue Ausg. m. gr. Schrift. (128 m. Titelbild.) (04.) [72—83.] ¶ Heinrich v. Eichenfels. Der Kanarienvogel. Die Wasserfrei am Rhein. Neue Ausg. m. gr. Schrift. (60, 32 u. 46 m. Titelbild.) (03.) [5—8.] ¶ Das beste Erbteil. Der Wasserkrug. Die Himbeeren. Das Johanniskäferchen. Neue Ausg. m. gr. Schrift. (30, 32, 36 u. 10 m. Titelbild.) (04.) [37—40.] ¶ Gottfried, d. junge Einsiedler. Die Kupfermünzen. Die Kirschen. Neue Ausg. (76, 24, 14 u. 14 m. Titelbild.) (04.) [21—24.] ¶ Die Hopfenblüten. Das alte Raubschloss. Die Waldkapelle. Neue Ausg. m. gr. Schrift. (18, 14 u. 20 m. Titelbild.) (04.) [25—28.] ¶ Das Lämmchen. Das Marienbild. Die Feuersbrunst. Neue Ausg. m. gr. Schrift. (20, 24 u. 42 m. Titelbild.) (04.) [17—20.] ¶ Ludwig, d. kl. Auswanderer. Der Diamantring. Der Kuchen. Das Vogelnestchen. Neue Ausg. m. gr. Schrift. (74, 27, 12, 12 u. 8 m. Titelbild.) (04.) [13—16.] ¶ Die Ostereier. Das Täubchen. Das blühende Kreuz. Neue Ausg. m. gr. Schrift. (52, 22 u. 44) (03.) [1—4.] ¶ Der Rosenstock. Die 2 Brüder. Die Melone. (Erzählgn. 9. Bd.) Neue Ausg. m. gr. Schrift. (42, 62, 16 u. 8 m. Titelbild.) (04.) [29—32.] ¶ Timotheus u. Philemon. Die rosen u. d. weissen Rosen. Neue Ausg. m. gr. Schrift. (36 m. Titelbild.) (04.) [41—44.] ¶ Der Weihnachtsabend. Die Kapelle bei Wolfsbühl. Das Rotkehlchen. Neue Ausg. m. gr. Schrift. (36 u. 26 m. Titelbild.) (03.) [9—12.]
Je — 40; geb. je — 60

Nr. 45—60 s.: Schmid, C v., Erzählgn 12—15. Bd.
— Der gute Kamerad. Liederb. f. Militär- u. Kriegerver. (152 m. 1 Bildnis.) 16° Ebd (02). — 20; geb. — 30 d
— Deut. Kommersb. (52 m. Taus. (156 bezw. 150) 16° Ebd. (02-04). — Neue Ausg. m. gr. Schrift. (03.) [33—35.] ¶ Das beste Erbteil. Der Wasserkrug. — 60 d kart. — 2 d
— Kl. Kommersb. 1—80. Taus. (96) 16° Ebd. (02-04). — 10; kart. — 2 d
— Liederb. f. Buchhändler. (240) 8° Ebd. (04). — 30; geb. — 80; m. Goldpressg 1 — d
— Liederb. f. Kaufleute. 1—3. Taus. (244) 16° Ebd. (04). nn — 30; geb. nn — 40 d
— Liederb. f. Militär- u. Kriegerver. (191 m. 1 Bildnis.) 16° Ebd. (03.) ‖ 21—30. Taus. (208 m. 1 Bildnis.) (03.) Je — 25; geb. je — 35 d
— Liederb. f. Radfahrer. (194) 8° Ebd. (04). nn — 20; geb. nn — 30 ‖ 2. Afl. (204) (04.) nn — 30; geb. nn — 40 d
— Liederkranz. Volks-, Liebes- u. Gesellschaftslieder. (94) 16° Ebd. (02). — 10; kart. — 20 d
— Das deut. Soldaten Liederb. (152 m. 1 Bildnis.) 16° Ebd. (02). — 20; geb. — 30 d
— Studentenliederb. (160) 16° Ebd. (04). nn — 30 d
— Taschenliederb. f. Lehrer. (155) 16° Ebd. (04). nn — 20; geb. nn — 30 ‖ 2. Afl. (192) (05.) nn — 30; geb. nn — 40 d
— Das deut. Turners Liederb. (152 m. 1 Bildnis.) 16° Ebd. (02). — 20; geb. — 30 d ‖ Neue Afl. (251 m. 1 Bildnis.) (03.) — 30; geb. — 40 d ‖ 11—20. Taus. (272 m. 1 Bildnis.) (04.) nn — 30; geb. nn — 40 d
Weber, F: Üb. d. Kali-Syenit d. Piz Giuf, s.: Beiträge z. geolog. Karte d. Schweiz.
Weber, F: Neue Ges.- u. Verordngs-Sammlg f. d. Kgr. Bayern, s.: Weber, K.
Weber, F: Lehrb. d. Geogr. m. bes. Berücks. d. Verkehrs-Geogr. 2. Afl. (211) 8° Stuttg., W Kohlhammer 03. Kart. 2.60 d
— Post u. Telegr. im Kgr. Württemberg. (342 m. Abb., 2 Taf. u. 3 Kart.) 8° Ebd. 01. — 7. L. 8 — d
Weber's, FA, Hdwrtrb. d. deut. Sprache, nebst d. gebräuchlichsten Fremdwörtern, Angabe d. Betong u. Aussprache u. e. Verz. d. unregelmäss. Zeitwörter. 22. Afl. v. M Moltke. Mit Regeln u. Wrtrverz. f. d. neue Rechtschreibg v. G Berlit. (66, 790) 8° Lpzg, B Tauchnitz 02. — 4 d
— Neues vollständ. italienisch-deut. u. deutsch-italien. Wrtrb. 5. Afl. 2 Tle in 1 Bde. (482 u. 590) 8° Lpzg, O Holtze's Nf. 03. 9 —: HF. 10.25 d
Weber, FE: Leitf. f. Bewirtschaftg d. Teiche. (48 m. Abb.) 8° Stuttg., E Ulmer 05. Kart. — 75 d
— Preisfrage d. Reuningstifts: „Welche Bodenrente kann v. e. bestimmten Fläche durch Klein-Teichwirtschaft bei sach-

gemässem Betriebe etc. erzielt werden? 2. Afl. (34) 8° Landsbg a/L., (G Verza — Lpzg, P Stiehl) 04. 1 — d
Weber, FE: Ländl. Teichwirtschaft, s.: Landmann's, d., Winterabende.
Weber, FW: Bad Pyrmont u. s. Heilmittel. (128) 8° Paderb., F Schöningh 03. 1.60
Weber, FW: Dreizehnlinden. 100. Afl. (381 m. Bildnis.) 12° Paderb., F Schöningh 01. Liebh.-HF. m. G. 7 — ‖ 124. Afl. (381) 05. 5 — ; L. m. G. 6.80; HF. m. G. 7 — d
— dass. Mit Erläutergn d. Verf. Billige Ausg. 1—10. Taus. (263 m. Bildnis.) 8° Ebd. 05. L. 2.50 d
— Gedichte. 29. Afl. (393) 12° Ebd. 03. 4.50; geb. m. G. 6 — d
— Goliath. 21—24. Afl. (131) 8° Ebd. (02). 2.80; geb. 4 — d
— Herbstblätter. Nachgelass. Gedichte. 13. u. 14. Afl. (390 m. Bildnis.) 12° Ebd. 03. 4.80; geb. 6 — d
— Marienblumen. Gedichte. 4. Afl. (103) 8° Köln, A Ahn (05). 2.50; L. m. G. 3 — d
— Spruchschatz. Aus dessen Werken gesammelt, geordnet u. hrsg. v. L Wills. 2. Afl. (75) 12° Paderb., F Schöningh (03). — 50; geb. nn 1 — d
Weber's, FW, kurzgef. Einl. in d. hl. Schriften Alten u. Neuen Test. f. höh. Schulen u. gebild. Schriftleser. In neuer Bearbeitg v. M u. J Deinzer. 11. Afl. v. M Deinzer. (431) 8° Münch., CH Beck 02. 4 — ; L. nn 4.50 d
Weber, G, s.: Aus d. zürcher. Konzertleben d. 2. Hfte d. vergang. Jahrh.
Weber, G: Irreführg d. protestant. Volkes. Wie d. Proff. W Herrmann, T Kolde, A Kitschl, A Harnack u. a. ihre Zuhörer u. leser üb. d. kathol. Relig. u. d. Christentum aufklären. (98) 8° Mainz, Druckerei Lehrlingshaus 04. 1.20 d
— Die deut. Jubiläums-Wallfahrt n. Rom im hl. J. 1900. (151 m. 1 Bildnis.) 8° Freibg i/B., (Geschäftsstelle d. Charitasverbandes f. d. kath. Deutschl.) 01. — 80 d
— Die Köln. Volkszeitg u. d. wiss. Kritik. (39) 8° Mainz, Druckerei Lehrlingshaus 04. — 50 d
Weber, G: Katech. d. Dekorations-Malers. 5. Afl. (278 m. Abb.) 8° Lpzg, Jüstel & G 05. 3 — ; L. 3.50 d
— s.: Maler-Kalender, illustr.
Weber's, G, Lehr- u. Hdb. d. Weltgesch. 21. Afl. v. A Baldamus. 1., 2. u. 4. Bd. 8° Lpzg, W Engelmann. Je 6 —:
L. je 7 —; HF. je 8.25 d
1. Altertum. 1.—4. Taus. (610) 07.05. ‖ 2. M.-A. 1.—5. Taus. (754 m. 15 Stammtaf.) 02.05. ‖ 4. Neuere Zeit. (20, 604) 05.
Der 3. Bd. ist in neuer Bearbeitg noch nicht erschienen.
— Weltgesch. in übersichtl. Darstellg. 21. Afl. v. O Langer. (691) 8° Ebd. 05. 4 —; geb. 4.80 d
Weber, G: Liedersammlg f. höh. Mädchensch., Mittelsch. u. and. Lehranst. 2. Heft. Mittelst.: 2stimm. Gesang. 5. Afl. (75) 8° Freibg i/B., Herder 05. Kart. — 45 d
Weber, GA: Albr. Dürer. Sein Leben, Schaffen u. Glauben. 2. Afl. (250 m. Abb.) 8° Rgnsbg, F Pustet 03. 2.40; L 3 — d
— s.: Evangelien, d. 4 heil.
Weber, GV: Die Verbesserg d. Medicaea. Mit bes. Rücksicht d. Musica sacra 1901 Nr. 1 beigegeb. Beil.: „Warum halten wir an d. offic. Choral-Ausg. fest?" (24) 8° Mainz, F Kirchheim 01. — 40 d
Weber, H: Die Privilegien d. alten Bist. Bamberg, s.: Bericht, 60., üb. Bestand u. Wirken d. histor. Ver. zu Bamberg.
Weber, H: Latein. Elementargrammatik. I. Tl. Elemente d. latein. Formenlehre nebst d. wichtigsten syntakt. Regeln f. d. 3 ersten Schulj. v. R Flex. 3. Afl. (196) 8° Gotha, FA Perthes 03. 2 — d
Weber, H: Die Kirchgemeinde Hönggs. 2. Afl. (248 m. Titelbild.) 8° Zür., Gebr. Leemann & Co. 1899. — 4 d
Weber, H: Der Kampf zw. Papst Innocenz IV. u. Kaiser Friedrich II. bis z. Flucht d. Papstes n. Lyon, s.: Studien. histor.
Weber, H: Bundesrat Emil Welti. Lebensbild. (224 u. 154 m. 1 Bildnis.) 8° Aar., HR Sauerländer & Co. 08. 4.80; geb. 6.40 d
Weber, H, s.: Abhandlungen a. d. Geb. d. Mathematik etc.
— Die partiellen Differential-Gleichgn d. mathemat. Physik. Nach Riemann's Vorlesgn in 4. Afl. neu bearb. II. Bd. (527 m. Abb.) 8° Brnschw., F Vieweg & S. 01. 10 —
(Vollst.: 20 —; Einbde in HF. je 1.50)
— u. J Wellstein: Encyklopädie d. Elementar-Mathematik. (In 3 Bdn.) 1. u. 2. Bd. 8° Lpzg, BG Teubner. L. 21.60
1. Encyklopädie d. elementaren Algebra u. Analysis. Bearb. v. H Weber. (447 m. Fig.) 03. 8 — ; 2. Afl. (540 m. Fig.) 06. 9.60
2. Elemente d. Geometrie. Bearb. v. H Weber, J Wellstein u. W Jacobsthal. (560 m. Fig.) 05. 12 —
Weber, H: Hamann u. Kant. Beitrag z. Gesch. d. Philosophie im Zeitalter d. Aufklärg. (238) 8° Münch., CH Beck 04. geb. 4.80 d
— s.: Hamanniana, neue.
Weber, H: Nikolaus Manuel, s.: Neujahrsblatt, hrsg. v. histor. Ver. d. Kt. Bern.
Weber, H: Das Verhältnis Deutschlds zu England. Rede. (26) 8° Pos., Merzbach 04. — 80 d
Weber, H: Der Kräutersepp v. Haslach. Ein Stück elsäss. Volkslebens a. böser Zeit, d. Jugend geschildert. (103 m. 1 Bildnis.) 8° Strassbg, F Bull 05. 2 —: geb. 2.40 d
Weber, H, s.: Kinder-Moden, prakt. deut.
— Kreuzstich-Arbeiten. (52 m. Abb. u. 4 Musterbog.) 8° Lpzg. Verl. d. Deut. Moden-Zeitg (05). 1.25 d

Weber, H: Zur Reform-Mode, s.: Hochfelden, B.
— Sonnen-Spitzen, s.: Niedner, M.
Weber, H: Das Auguste-Victoria-Kranken- u. Schwestern-Haus v. Rothen Kreuz d. Zweigver. Berlin d. vaterländ. Frauen-Ver., m. Berücks. d. bes. Gesichtspunkte f. Gründg, Bau u. Betrieb e. Kranken- u. Schwestern-Hauses v. Rothen Kreuz. (166 m. Abb. u. 1 Taf.) 8° Berl., A Hirschwald 03.   4.50
Weber, Sir H: Die Verhütg d. frühen Alterns. Mittel u. Wege z. Verlängerg d. Lebens. [S.-A.] 1. u. 2. Afl. (91) 8° Lpzg, Krüger & Co. 04.05.   1.50; geb. 2 —
Weber, H: Die ansteck. Krankh. (Typhus, Cholera, Tuberkulose, Diphtheritis usw.) u. d. Mittel zu ihrer Verhütg, s.: Volksbücherei, medizin.
Weber, H: Lesebücher, s.: Jütting, WU.
— Heimatkde v. Kgr. Sachsen. 2 Kurse. 8° Lpzg, J Klinkhardt.
    — 45 d
L. Land u. Leute. 6. Afl. (32) (05.)   — 20; m. Karte — 30
II. Das Volk u. s. Gesch. 7. Afl. (48) 02.   — 25
— Lehr- u. Leseb. f. ländl. Fortbildgsch. 9. Afl. Ausg. A. (320) 8° Ebd. 02. || 10. Afl. v. A Schreyer. (320) 03.   Je 1.10;
    geb. je nu 1.35 d
— Lehr- u. Leseb. f. Fortbildgsch. m. Gewerbe u. Landbau treib. Bevölkerg. Ausg. B. Bearb. v. Schreyer. 3. Afl. (400) 8° Ebd. 03.   Geb. nn 1.55 d
— Deut. Sprache u. Dichtg. Hilfsbüchl. f. d. Unterr. in d. deut. Nationallit. u. e. Ratgeber z. Fortbildg durch Lektüre. Für höh. Bürgersch., Mittelsch., Töchtersch. usw. 14. Afl. v. H Schillmann. (84) 8° Ebd. 05.   Kart. — 60 d
— Die Welt im Spiegel d. Nationallit. II Tle. 5. Leseb. z. Pflege nationaler Bildg. A. Ausg. f. 8klass. Schulen. 8° Ebd.
    Geb. nn 2.75 d
I. 6. Schulj. 10. Afl. (224) 06.   nn 1.10
II. 7. u. 8. Schulj. 10. Afl. (422) 04.   nn 1.65
— dass., Neu bearb. v. H Schillmann. Ausg. A f. 5—8klass. Schulen. 7. u. 8. Schulj. 8. Afl. (512) 8° Ebd. 04.   Geb. nn 1.70 d
— dass. Ausg. B f. Mittelsch. 7. u. 8. Schulj. 8. Afl. (478 u. 80) 8° Ebd. 04.   Geb. nn 2 — d
— u. G Siegert: Kgr. Sachsen, s.: Landes- u. Provinzialgeschichte.
Weber, H: Die Heilg d. Lungenschwindsucht durch Beförderg d. Kohlensäurebildg im Körper. (55) 8° Halle, C Marhold 06.   1 —
Weber, J: Neuestes vollständ. Fremdwrtrb. m. Angabe d. richt. Aussprache. 18. Afl. (303) 16° Lpzg, Ernst (01).   1 —;
    geb. 1.25 d
Weber, J: Glückwunsch-Büchl. f. Kinder. 3. Afl. (127) 8° Schweidn., G Brieger (03).   — 50 d
— Neue Polter-Abendscherze, Hochzeits-Gedichte u. Tafel-Lieder. 2. Afl. (63) 8° Ebd. (01).   30 d
Weber, J: Holzmassenermittelgn am steh. Stamm auf Grund photograph. Aufnahmen. (37 m. 2 Fig., 8 Tab. u. 4 Taf.) 8° Giess., (E Roth) 02.   2 —
Weber, J: Jedermann Heilmagnetiseur od. d. Lebensmagnetismus als Volksheilmittel! (50) 8° Lpzg, Ficker's V. 1900.   1.25
Weber, JJ: Katechb. d. Buchdruckerkunst, 7. Afl. d. A Waldow-schen Katech., s.: Weber's illustr. Katech.
Weber, JM: Bibl. Schattenbilder zu d. Hauptsünden, s.: Handbibliothek, katechet.
Weber, K: Bayer. Gemeindeordng f. d. Landesteile diesseits d. Rheins. (Ges. v. 29.IV.1869.) Handausg. m. Anmerkgn. 7. Afl. (262) 8° Münch., CH Beck 04.   L. 2.50 d
— Neue Ges.- u. Verordngs-Sammlg f. d. Kgr. Bayern m. Einschl. d. Reichsgesetzgebg. Begründet v. K W Forchuführt v. Lfg 291 an v. F Weber. 265—318. Lfg. (27. Bd. 321—784; 28—31. Bd. 785, 809, 801, 801 u. 32. Bd. 1—540) 8° Münch., CH Beck 01-05.
    Je 1.25 (Jeder Bd: 12.50; Hft nn 14.50) d
— dass. Generalreg. zu Bd 1—30. (227) 8° Ebd. 04.   6 —;
    HF. nn 8 — d
Weber, KM v., u. T Hell: Oberon, König d. Elfen, s.: Sammlg internat. Operntexte.
— u. F Kind: Der Freischütz, s.: Sammlung internat. Operntexte.
Weber, L: Christentum u. Kulturfortschritt, s.: Lehr u. Wehr für's deut. Volk.
— s.: Christoterpe, neue.
— Die relig. Entwicklg d. Menschh. im Spiegel d. Weltlit. Zusammenhäng. Einzelbilder u. verschied. Verff. (555) 8° Gütersl., C Bertelsmann 01.   4 —; geb. 7 — d
— Die Förderg d. kirchlich-soz. Bestrebgn durch d. preuss. Generalsynode. — Oeffentl. Meing u. christl. Volksbildg. 2 Hefte d. freien kirchlich-soz. Konferenz.
Weber, L: Der strafrechtl. Schutz d. Tiere. Vortr. (34) 8° Aar., (E Wirz) (04).   nn — 30
— u. A Brüstlein: Das Bundesges. üb. Schuldbetreibg u. Konkurs. 2. Afl. v. A Reichel. 2—7. Lfg. (34 u. 81—540) 8° Zür., Schulthess & Co. 1900.   1 — (Vollst.: 7 —) d
— Die Wünschelrute. (62 m. 2 Fig.) 8° Kiel, Lipsius & T. 05.   1 —
Weber, L: Vinzenz Haller. Novelle. (78) 8° Münch., GDW Callwey (02), || 2. Afl. (120) (03.)   Je 1.50 d
— Der Schlosser Peter, s.: Gabelsburger-Bibliothek.
Weber, L: Bologna, s.: Kunststätten, berühmte.
— Kain. Schausp. (102) 8° Lpzg, CF Poeschel 05.   1.50
— San Patronio in Bologna, s.: Beiträge z. Kunstgesch.
Weber, LB: Installation u. Berechng elektr. Anlagen z. Selbst-

unterr. f. jeden Techniker. 1. u. 2. [Tit.-]Afl. (226 u. 9 m. Abb.) 8° Lpzg, E Wiest Nf. 01.05.   Geb. 8 — d
Weber, LW: Beitr. z. Pathogenese u. patholog. Anatomie d. Epilepsie. (100 m. 1 Fig. u. 2 Taf.) 8° Jena, G Fischer 01.   4 —
— Die Beziehgn zw. körperl. Erkrankgn u. Geistesstörgn, s.: Sammlung zwangl. Abhandlgn a. d. Geb. d. Nerven- u. Geisteskrankh.
Weber, M: Weihnachtsrosen. Gedichte z. Feier d. hohen Christfestes in Familie u. Schule. (112 m. Titelbild.) 12° Frankf. a/M., F Kreuer 1900.   — 60 d
Weber, M, s.: Abhandlungen, volksw., u. Bad. Hochsch. —Archiv f. Sozialwiss. u. Sozialpolitik. — Landarbeiter, d., in d. ev. Gebieten Norddtschlds.
Weber, M: Der indo-austral. Archipel u. d. Gesch. sr Tierwelt. Nach e. Vortr. (46 m. 1 Karte.) 8° Jena, G Fischer 02.   1 —
— Die Säugetiere. Einführung in d. Anatomie u. Systematik d. recenten u. fossilen Mammalia. (866 m. Abb.) 8° Ebd. 04.
    20 —; geb. 22.50
Weber, MP: Ratgeber f. katbol. Eltern, s.: Cüppers, AJ.
— Illustr. Wegweiser durch d. Kurorte u. Sommerfrischen. 1—3. Bd. Mit bes. Berücks. d. katbol. Verhältn. 12° Bad.-B., P Weber. 4.20
1. Rheinlande, 1. Tl. Niederrhein, Eifel, Hunsrück, Westerwald u. Taunus. 1901/2. (145) (01.) 1.20; 2. Afl. (172 m. Abb. u. 3 Kart.) 04. Geb. 1.50
2. Das. 2. Tl. Oberrhein: Pfalz, Vogesen, Odenwald, Neckarthal, Schwarzwald. 1902/03. (226 m. 1 Karte.) (02.)   1.20
3. Seebäder d. Nord- u. Ostsee v. N Lambrécht Belg., holländ., däu. u. deut. Küste. (109) (03.)   L. 1.50
Weber, O: Evangelien-Predigten f. d. häusl. u. kirchl. Gebr. 2 Bde. 8° Eisl., Christl. Ver. im nördl. Deutschl. 1898.
    Geb. 3 — d
I. Predigten üb. d. Sonn- u. Festtagsevangelien v. 1. Sonntag im Advent bis z. Trinitatisfest. (419)   1.60
II. Predigten üb. d. Evangelien d. 27 Sonntage u. Tinitatis, sowie f. Ehrsdankfest, Reformationsfest u. Buss- u. Bettag. Mit e. Anh.: Predigt am Todtenfest, sowie am 3. hl. Weihnachtsfeiertage u. am Sonntag n. Neujahr. (264)   1.40
Weber, O: Arabien vor d. Islam. — Sanherib, König v. Assyrien 705—681, s.: Orient, d. alte.
— Stadien z. südarab. Altertumskde, s.: Mitteilungen d. vorderasiat. Gesellsch.
— Theol. u. Assyriol. im Streite um Babel u. Bibel. (31) 8° Lpzg, JC Hinrichs' V. 04.   — 90 d
Weber, O: 1848, s.: Aus Natur u. Geisteswelt.
Weber, P: Kurze Anl. z. Rosenkranzgebet. (24) 16° Saarl., F Stein Nf. 02.   —.10 d
— Mein Begleiter. Kurzes Gebetb. f. gebildete Christen. (191 m. 1 Farbdr.) 16° Ebd. 02.   L. — 80; Chagr. m. G. 1.35 u. 1.80 d
— Trier. Jubiläumsbüchl. f. d. Jubiläum d. J. 1901. 1—11. Afl. (64) 12° Trier, Paulinus-Dr. 01.   — 20 d
Weber, P, s.: Jahrbuch, Jenaer.
— Die Zweinbilder a. d. 13. Jahrh. im Hessenhofe zu Schmalkalden. [S.-A.] (24 m. Abb. u. 5 Taf.) 4° Lpzg, EA Seemann 01.   2.50
— Die Pflege uns. kirchl. Altertümer. (20) 8° Weim., (H Böhlau's Nf.) 03.   nn — 30 d
— Was können d. Stadtverwaltgn f. d. Erhaltg d. histor. Charakters ihrer Städte thun? Vortr. [S.-A.] (31) 12° Weim. 02. (Jena, Frommann'sche Hofbh.)   — 50 d
Weber, R, s.: Volks-Erzählungen, kl.
Weber, R, s.: Helvetia.
Weber, R, s.: Augustini ab Hortis jun., S, topograph. Beschreibg d. Flusses Poprad. — Buchholtz d. ält., G, d. weit u. breit erschollt. Zipser-Schnee-Gebürg.
— Gedenkrede auf Georg Buchholtz, ausführln ev. Pfarrer zu Gross-Lomnicz u. Senior d. gewes. XXIV-städter Fraternität (1643—1724). (15) 8° Kesmark 01. (Budap., L Kókai.) — 20 d
Weber, RO: General-Reg., s.: Selbstverwaltung, d.
Weber, S: Zwangsgedanken u. Zwangszustände in pastoral-psychiatr. Beurteilg, s.: Seelsorger-Praxis.
Weber, S: Fiorenzo di Lorenzo, s.: Zur Kunstgesch. d. Ausl.
Weber, S: Das Christentum u. d. Einsprüche sr Gegner, s.: Vosen, CH.
— Der Gottesbeweis a. d. Bewegg bei Thomas v. Aquin auf s. Wortlaut untersucht. (43) 8° Freibg i/B., Herder 02.   — 90
— Die katbol. Kirche in Armenien. Ihre Begründg u. Entwicklg vor d. Trenng. (532) 8° Ebd. 03.   9 —; HF. 11 —
Weber, T: Marine-Studien. (6 farb. Bl.) Fol. Berl., W Schultze, Engelhard Nf. (02).   4.80
Weber, T: Die Stellg d. Altkatholizismus z. röm. Kirche. (22) 8° Gotha, FA Perthes 04.   — 60 d
— Trinität u. Weltschöpfg, d. Grundl. d. positiven Christentums. (58) 8° Ebd. 01.   — 60 d
— Kaiser Wilhelm II. u. Admiral Hollmann üb. „Babel u. Bibel". (24) 8° Ebd. 03.   — 30 d
Weber, T, s.: Export-Firmen-Lexikon; deut. — Fabrikanten-Adress-Buch d. Schweiz. — Führer durch d. Glas-Industrie Deutschlds. — Führer durch d. keram. Industrie Deutschlds.
— Radfahrer-Poesie. Sammlg v. Denk-, Sinn- u. Trinksprüchen, Sprichwörtern etc. f. Radfahrer. Neue [Tit.-]Ausg. (44 m. 4 Taf.) 8° Lpzg, T Weber [1890] (03).   Geb. m. G. 1.50 d
— s.: Telephon-Adressbuch, schweiz.
Weber, W: Der Galaterbrief a. sich selbst bezüglich erklärt. [S.-A.] (28°) 8° Ravnsbg 01. Freibg i/B., Herder.   1.80
Weber, W: Sprachb. f. Volkssch. Mit e. Wrtrverz. 1. u. 2. Afl. (87) 8° Detm., C Schenk 02.   Kart. — 60 d
Weber, W, u. R Kohlrausch: 5 Abhandlgn üb. absolute elektr.

- Strom- u. Widerstandsmessg, s.: Ostwald's, W, Klassiker
  d. exakten Wiss.
Weber, W: GF Händel's Oratorien, übers. u. bearb. v. F
  Chrysander, erlaut. III. Saul. Oratorium in 3 Thln. (26) 8°
  Augsbg, JA Schlosser 02. — 30 (I.—III.: — 90) d
— Das verlorene Paradies (il paradiso perduto). Symphon.
  Dichtg f. Soli, Chor. Orchester u. Orgel. Poet. Handig n.
  J Milton v. LA Villanis. Deutsch v. J Bernhoff u. W Weber,
  Musik v. ME Bossi. op. 125. Erläut. Einführg. (34) 8° Lpzg,
  J Rieter-Biedermann 03. nn — 50
Weber-Bell, N: Naturwiss. u. Stimmerziehg. (30) 8° Lpzg, M
  Schmitz 03. 1 —
Weber-van Bosse, Frau A: Ein Jahr an Bord I. M. S. Siboga.
  Beschreibg d. holländ. Tiefsee-Exped. im niederländisch-
  ind. Archipel 1899—1900. Nach d. 2. Afl. a. d. Holl. übertr.
  v. Frau E Rage-Baenziger. (370 m. Abb., 26 Taf. u. 1 Karte.)
  8° Lpzg, W Engelmann 05. 6 —; L. 7 —
Weber-Lutkow, H (H Pokorny): Die schwarze Madonna. Ge-
  schichten a. Klein-Russl. (87) 8° Linz (01). Wien, C Konegen.
  1.50; geb. 2 — d
Webern, C v.: Leitf. f. d. Unterr. im österr. Bergrechte, s.:
  Zechner, F.
Webschulen, d. höh., u. **Fachschulen** f. Textilindustrie
  Deutschlds. Ihre Lehrziele, Organisation, Studienkosten etc.
  (16 m. Abb.) 8° Stegl. 02, Berl., C Malcomes. — 40
Websky, J, s.: Monatshefte, protestant.
Webster, AG: The dynamics of particles, and of rigid, elastic,
  and fluid bodies, s.: Teubner's, BG, Sammlg v. Lehrbb. auf
  d. Geb. d. mathemat. Wiss.
Webster's, FA. neuestes vollständ. Wrtrb. d. engl. u. dent.
  Sprache. 2 Thle in 1 Bde. 17. Afl. (498 u. 462) 8° Lpzg 04.
  Berl., Verl. f. Börsen- u. Finanzlit. L. 6.50 d
Webster, J: Lawn-Tennis. Nebst e. Anh.: Wie man e. Lawn-
  Tennis-Platz anlegt. 4. Afl. (27 m. Abb. u. 1 Pl.) 8° Frankf. a./M.
  (02). Lpzg, M Heinsius Nf. 1 —
Webster, JC: Die Placentation beim Menschen. Darstellg d.
  Vorgänge in d. Uterusschleimhaut u. d. m. ihr verbund.
  fötalen Gebilden währ. d. Schwangerschaft. Deutsch v. G
  Kölischer. (84 m. Abb. u. 27 Taf. m. Erklärgn auf d. Rücks.)
  4° Berl., O Coblentz 04. 10 —
Wechmar, C Frfr. v., geb. Freiin v. Scharffenstein: Andachts-
  büchl. zu Ehren d. schmerzhaften Muttergottes auf Monte
  Calvaria zu Jerusalem. (124 m. Abb. u. farb. Titelbild.) 16°
  M.-Gladb., B Kühlen 04. — 30; L. — 50 d
Wechmar, E Frhr v.: Hassassa! Reiter-Lieder, Jäger-Lieder,
  Wander-Lieder u. and. Lieder, m. e. Anh.: Heinrich v. Mo-
  rungen, episch-lyr. Dichtg a. d. Minnesänger-Zeit. (168 m.
  1 Bildn.) 8° Münch., J Schön 01. 1 — d
Wechner, A: Aufgesessen u. Ledig! 2 einf., leicht aufführ-
  bare Enakter f. nur männl. Rollen). (78) 8° Brix., Press-
  ver.-Bh. 03. 1 — d
— Die sonderbare Beisteuer od. Liebe macht erfinderisch!
  Schausp. f. weibl. Instit., Jungfrauen-Congregat. usw. (39)
  8° Buchs, Verl. d. Emmanuel 02. — 40 d
— Mesner u. Ministrant. (259) 16° Boz., „Tyrolia" 05. L. 1.80 d
— Der brave Ministrant. [S.-A.] (85) 8° Ebd. 05. Ebn. — 60 d
— Notburga, „Die Perle v. Tirol", s.: Schul- u. Vereinsbühne,
  christl.
— Der Schwarzkünstler. Lustsp. f. männl. Rollen. (68) 12°
  Brix., Pressver.-Bh. 03. — 80 d
— Die Wohlthätigkeitsvorstellg im Gockelhausen od.: „Nichts
  ist so fein gesponnen, es kommt doch an d. Sonnen". Posse
  f. nur männl. Rollen. (87) 8° Ebd. 02. — 80 d
— Die Zauberringlein od. Geschwisterliebe, s.: Schul- u. Ver-
  einsbühne, christl.
Wechsel- u. Scheckformulare z. Schulgebr. (enth. 14 ver-
  schied. Formulare). 1. u. 2. Afl. Fol. Hanau, Clauss & Fed-
  dersen (02.04). † — 20
Wechselkunde u. **Wechselrecht**. Erläutert durch Beisp. a. d.
  Korrespondenz, unter Berücks. d. deut., österr. u. schweiz.
  Wechselordng. [S.-A.] 2. Afl. (76) 8° Berl.-Gr. Lichterf.-Ost,
  Dr. P Langenscheidt (03). 1 —
Wechselmann, HJH, s.: Wenden, H.
Wechselordnung, allg., Stempel u. Gebühren in Wechsel-
  sachen, s.: Gesetz-Ausgabe, Manz'sche.
— russ. Allerh. bestätigt am 27.V./9.VI.'02. Übers. u. erläut.
  v. H Keyssner u. Neubecker. [Erweit. S.-A.] (86) 8° Stuttg.,
  F Enke 03. 2.40 d
— dass. a/s d. Russ. v. F Nicolaus. (43) 8° St.Petersbg, Eggers
  & Co. 02. 1 —
Wechselstempelsteuergesetz nebst Ausführgsbestimmg. (23)
  8° Berl., (C Heymann) 01. — 50
Wechselstromtechnik, die. Hrsg. v. E Arnold. 1—4. Bd. 8°
  J Springer. L. 56 —
  Arnold, E: Die Wicklgn d. Wechselstrommaschinen. (366 m. Fig.) 04. [3.]
  12 —
  — —, JI. La Couf: Die Transformatoren. Dire Theorie, Konstruktion, Be-
  rechng u. Arbeitsweise. (370 m. Fig. u. 3 Taf.) 04. [2.] 11 —
  — — Die synchronen Wechselstrommaschinen. GeneFatoren, Motoren u.
  Umformer. Dire Theorie, Konstruktion, Berechng u. Arbeitsweise. (548
  m. Fig. u. 13 Taf.) 04. [4.] 20 —
  La Cour, JL: Theorie d. Wechselströme u. Transformatoren. (423 m.
  Fig.) 02. [1.] 12 —
Wechsler, T: Prakt. Lehrb. d. rumän. Sprache, s.: Kunst, d.,
  d. Polyglottie.

Wechsler, A: Friedrich d. Gr. Histor. Charakterbild. 2. Afl.
  (88) 8° Ulm, H Kerler 03. 1 — d
— Sesenheim. Charakteridylle. (69) 8° Ebd. (02). 1 — d
— Sigurd a. Brynhilde. Tragödie. (70) 8° Ebd. 05. 1 — d
— Die Weiber v. Schorndorf. Histor. Lustsp. 3. Afl. (104) 8°
  Ulm, (J Ebner) 01. 1 — d
Weck, J, s.: „Koche auf Vorrat!"
Weckbecker, W Frhr v., s.: Handbuch d. Kunstpflege in
  Österr.
Wecken, M: Die Hermannsburger Mission in Südafrika in u.
  n. d. Burenkriege, s.: Missionsschriften, kl. Hermannsburger.
Weckerling: Führer durch Worms a. Rh... s.: Beckmann.
Wecklein, N: Studien z. Dias. (61) 8° Halle, M Niemeyer
  05. 1.60
— Platon. Studien. [S.-A.] (22) 8° Münch., (G Franz' V.) 01. — 40
— Die kykl. Thebais, d. Oedipodee, d. Oedipussage u. d. Oedi-
  pus d. Euripides. [S.-A.] (32) 8° Ebd. 01. — 60
— Wrtrverz. d. deut. Rechtschreibg, s.: Ammon, G.
Weckruf, der. Einf. Verlust, zehnfacher Gewinn, s.: Gabels-
  berger-Bibliothek.
— ins neue Jahrh. Weitergn a. u. zu D. Gebhardts bäuerl.
  Glaubens- u. Sittenlehre. Von E E(hrlich). (112) 8° Berl.,
  Herm. Walther 01. 1.90 d
— wissenschaftl. Illustr. Organ f. Sozialhygiene u. Reformen.
  Red.: F Jezek. 1. Jahrg. 1905. 14 Nrn. (Nr. 3. 8) 4° Bas.,
  Kampf-Verl. 3.20; einz. Nrn — 25
Weckrufe an d. kathol. Volk! Organ d. kathol. Schulver. f.
  Oesterr. Hrsg. v. C Schwarz. Red.: K Reischl. 6—10. Jahrg.
  1901—5 (à 12 Nrn. (1901. Nr. 1. 20) 4° Wien, Bh. d. kath. Schul-
  ver. f. Oesterr. Je 1 — d
Weckstimmen. 1. 8° Gr.-Lichterf.-Berl., E Eunge. 1 — d
  1. Piening, J: Herzensfriede! Bittruf an alle Suchendea. (73) (02.) 1 —
  — I u. II. Je 100 zweiseit. Traktate. 8° Strieg., R Urban.
  Je — 30 d
  I. Von Edel, v. d. Nahmer, Ruprecht, Schmidt, FP Schmolke, M Ur-
  ban, Voemel. (02.)
  II. Von J Paul, K Kolisa, Frau Schmolke, J Urban. (04.)
— Erzählgn f. d. reif. Jugend. Hrsg. v. B Mehmke. 7. Heft.
  (62 m. Abb. u. 1 Farbdr.) 12° Stuttg., (Holland & J.) (03).
  — 30 (1.—7.: 2.10) d
Weesrzik, Edler v. **Planheim**, K: Die Lage d. Sionhügels.
  Übersicht üb. d. Ergebnisse d. Sionfrage. (23 m. 1 Skizze.)
  8° Wien, E Kirsch 05. 1 —
Wedde, J: Gedichte. Ausw. a. d. ges. Werken. Mit e. Einl.
  v. W Hübbe. (84) 8° Hambg, A Janssen 03. — 50
Weddigen, O: Ges. Werke. Wohlf. Volks-Ausg. 3 Bde. (Neue
  (Tit.-)ausg.) (350, 135 ; 186, 536 u. 381, 134 m. Bildnis u. 1 Taf.)
  8° Berl., Concordia (1891—99) 04. L. 12 —
— Aufsätze u. Reden. Ges. kleinere Schriften. (165) 8° Wald,
  FW Vossen & Söhne 02. Geb. 4 — d
— Lord Byrons Einfl. auf d. europ. Litt. d. Neuzeit. Nebst e.
  Anh.: Ferd. Freiligrath als Vermittler engl.Dichtg in Deutschl.
  2. Afl. (153) 8° Ebd. 01. 2 —
— Erinnergn a. meinem Leben. (135 m. Bildnis.) 8° Gotha 02.
  Berl., Concordia. 2 —; geb. 3 — d
— Die Favoritin d. Königs. Kultur- u. Sittengemälde a. d.
  Jahrh. Ludwigs XIV. (181) 8° Lpzg (01). Berl., H Seemann
  Nf. 2 —; geb. 3 — d
— Gesch. d. ebemal. kgl. Theaters in Charlottenburg. [S.-A.]
  (16 m. Abb. u. 2 Taf.) 8° Berl., E Frensdorff 05. 1.50 d
— Gesch. d. Theater Deutschlds, in 100 Abhandlgn, nebst e.
  einleit. Rückblick z. Gesch. d. dramat. Dichtkunst u. Schau-
  spielkunst. (In 30 Lfgn.) 1—19. Lfg. (1—796 m. Abb., 48
  u. 53 Taf. u. 58 Fksms.) 8° Ebd. (04.05). Je 1 — d
— Auf d. Heiratsbureau, s.: Heidelmann's, A, Theaterbiblio-
  thek.
— Deut. Jugendb. Sammlg neuer Märchen, Erzählgn, Fabeln,
  Gedichte u. Rätsel f. Kinder v. 9—12 Jahren. (187 m. farb.
  Abb.) 8° Berl., (Globus Verl. (1900). Geb. +1.50 d
— Jung-Siegfried. Ep. Dichtg. Ergänz. Einl: z. Nibelungen-
  liede. (31) 8° Oldnbg, Schulze (05). — 40 d
— Litt. u. Kritik. Betrachtgn üb. d. litterar. Zustände in
  Deutschl. 2. Ausg. (142) 12° Lpzg (02). Berl., H Seemann Nf.
  2 — d
— Den Manen Schillers. Des Dichters Leben, s. Ruhestätte u.
  Denkmäler im deut. Sprachgebiete. [Verm. S.-A.] (48 m. Abb.)
  8° Halle, H Gesenius 05. || 2. Abdr. (48 m. Abb.) 05. Je — 60 d
— Der Raub d. Odaliske. Novelletten u. Skizzen. (189) 8° Lpzg
  (01). Berl., H Seemann Nf. 3 —; geb. 4 — d
— Die Ruhestätten u. Denkmäler'uns. deut. Dichter. (208 m.
  Abb. u. 4 Photograv.) 8° Halle, H Gesenius 04. 5.50;
  L. m. G. 7 — d
— Die deut. Sage u. d. deut. Volksmärchen, s.: Lehmann's
  Volksbüchnen.
— Auf falscher Spur, s.: Vereinstheater, neues.
Wedding, H: Das Eisenhüttenwesen, s.: Aus Natur u. Geistes-
  welt.
— Ausführl. Hdb. d. Eisenhüttenkde. 2. Afl. v. d. Verf. Bear-
  beitg v. „J Percy's Metallurgy of iron and steel". (In 4 Bdn.)
  Mit Abb. u. Taf. II. Bd. 4. Lfg. u. III. Bd. 1. u. 2. Lfg. 8°
  Braschw., F Vieweg & S. 43 — (I—III, 2.: 108 —)
  II. Die Grundstoffe d. Eisenerzeugg. 4. Lfg. (21—28 u. 617—1217) 02.
  15 — (II vollst.: 44 —; geb. 46 —)
  III. Die Gewinng d. Eisens a. d. Erzen. 1. u. 2. Lfg. (1—662) 04. 28 —
Wedding, W: Üb. d. Wirkgsgrad u. d. prakt. Bedeutg f. ge-

bräuchlichsten Lichtquellen. [S.-A.] (94 m. Abb.) 8° Münch.,
R Oldenbourg 05. 2.50
Wedegärtner, J, u. R **Reu**: Einfache Möbel im neuen Stil.
I. Serie. (In 3 Lfgn.) 1. Lfg. (10 Taf.) Fol. Berl., M Spiel-
meyer (02). 8 —
Wedekind, D: Bébé rose. (Das rote Röckchen.) 24 Erzählgn u.
Skizzen. 3. Afl. (174) 8° Zür., C Schmidt 04. 2.50 d
— Das interessante Buch m. d. Anfangsgesch. Bébé Rose. Er-
zählgn u. Skizzen. (143) 16° Ebd. (01). — 80 d
— Oh, mein Schweizerland! Novellen u. Erinnergn. (150) 8°
Berl., M Lilienthal 05. 2 —
— Ultra montes. Roman. (295) 8° Berl. 03. Jena, H Costenoble,
4 —; geb. 5 — d
Wedekind, E: Die Santoningruppe. [S.-A.] (46) 8° Stuttg., F
Enke 03. 1.20
— Stereochemie, s.: Sammlung Göschen.
— Die heterocykl. Verbindgn d. organ. Chemie. (458) 8° Lpzg,
Veit & Co. 01. 16 —
Wedekind, F: Die Büchse d. Pandora. Tragödie. (87) 8° Berl.,
B Cassirer (04). (Wien, Heller & Co.) 2 —; geb. 3 — d
Im Deut. Reich Vernichtg ausgesprochen.
— Feuerwerk. Erzählgn. (192) 8° Münch., A Langen 06. 3 —;
geb. 4 — d
— Frühlings Erwachen. Eine Kindertragödie. 3. Afl. (148) 8°
Ebd. 03. 1.50; L. 2.50 d
— Hidalla od. Sein u. Haben. Schausp. (112) 8° Münch., Etzold
& Co. (04). 2 —; geb. 3 — d
— Die 4 Jahreszeiten. Gedichte. (175) 8° Münch., A Langen
05. 3 —; geb. 4 — d
— So ist d. Leben. Schausp. (134) 8° Ebd. 02. 2 —; geb. 3 — d
— Lulu. Dramat. Dichtg in 2 Tln. 1. Tl: Erdgeist. Tragödie.
2. Afl. (196) 8° Ebd. 03. 2.50; geb. 3.50 d
— Mine-Haha od. üb. d. körperl. Erziehg d. jungen Mädchen,
s.: Bibliothek Langen, kl.
— Totentanz. 3 Szenen. (62) 8° Münch., A Langen 06. 1 —;
geb. 2 — d
Wedel's, v., Leitf. f. d. Unterr. in Geogr., Gesch., Schrift-
verkehr u. Zeichnen in d. Kapitalanten-Schule. 11. Afl. (112
m. Abb., Taf. u. 2 Kart.) 8° Berl., E Eisenschmidt 04.
Geb. 1 — d
— Offizier-Taschenb. f. Manöver, Uebgsritte, Feldgeschr., Kriegs-
spiel, takt. Arbeiten. 28. Afl. v. Reich. (212 m. Tab. u. Taf.)
8° Ebd. 05. Geb. 1.50 d
— Vorbereitg f. d. Examen z. Kriegs-Akad. 8. Afl. v. 6 Alt.-
aktiven Offizier. (268 m. 3 Taf., 6 Planskizzen u. 9 Anlagen.)
8° Ebd. 03. 6 —; geb. m 7.50 d
Wedel, v.: Der Kompagniechef, s.: Handbibliothek d. Offiziers.
Wedel, A v.: Lieder d. Gegenwart. Mussestündchen f. d. liebe
Jugend. (43) 8° Stett. 02. Eberswalde (Zimmerstr. 1), Selbst-
verl. nn — 50 d
— Fritz Püffikus. 16 Ränke u. Schwänke f. Jung u. Alt. 90
Zeichngn v. W Krause. 2. Afl. (95) 4° Hambg, G Fritzsche
(03). Geb. 2 — d
Wedel, G: 50 Weihnachtslieder, Advents- u. Neujahrslieder
f. 2stimm. Gesang m. leichter Klavierbegleitg. Mit e. Anh.:
Kindergebete u. Gedichte. 1. u. 2. Afl. (48) 8° Lpzg, Ernst
(01,02). — 75 d
Wedel, H v.: Deutschlds Ritterschaft, ihre Entwickelg u. ihre
Blüte. (92) 8° Görl., CA Starke 04. 3 —; L. 3.50 :
anf Büttenpap. in Liebhaberbd 8 — d
— Herr Walther v. d. Vogelweide auf d. Fahrt v. Wien n. d.
Wartburg Nebst e. Liederanh. (29) 8° Charltnbg, (Foerster
& Mewis) 05. 1.20 d
Wedel, M Gräfin, s.: Witilo, M.
Wedel-Bérard. WEE gesch. Gräfin v.: Regina Bertolina. Drama.
(79) 8° Zür., C Schmidt 02. 1.50 d
— Aus d. Katakomben!!! Histor. Liebes-Aventüren meiner Vor-
fahren. (180 m. Bildnis.) 8° Ebd. 01. 5 — d
— Seine Madonna. Sitten-Gemälde. (123) 8° Ebd. 02. 3 — d
Wedemeyer, JH: Was werde ich od. d. Weg zu d. Berufen,
zu denen d. Gymnasium, d. Realgymnasium, d. Ober-Realsch.,
d. Realsch. u. d. höh. Bürgersch. berechtigen. (54) 8° Hildesh.,
F Borgmeyer 01. 1 — d
Wedemeyer, K: General-Reg., s.: Biedermann's Centralbl. f.
Agriculturchemie.
Wedemeyer, W: Der Abschluss e. obligator. Vertrages durch
Erfüllgs- u. Aneigngshandlgn. (140) 8° Gött., Vandenhoeck
& R. 04. 3.60 d
— Auslegg u. Irrtum in ihrem Zusammenh. (68) 8° Ebd. 03. 1.80 d
Wedensky, NE: Die Erregg, Hemmg u. Narkose. [S.-A.] (152
m Fig.) 8° Bonn, M Hager 04. 4 — d
Wedewer, H: Die Gesellsch. Jesu in Wahrheit u. Dichtg. Vortr.
(40) 8° Wiesb., G Quiel 03. — 40
— Lehrb. f. d. kathol. Relig.-Unterr. in d. ob. Kl. höh. Lehr-
anst. 1. u. 2. Abtlg. 8° Freibg i/B., Herder. 3.30; geb 3.80 d
1. Grundr. d. Kirchengesch. 9. Afl. (117 m. Abb.) 03. 1.50; geb 1.80 d
2. Grundr. d. Apologetik. 4. Afl. (112) 04. 1.50; geb. 1.80
Woditz, A: Des Lumpensammlers Pflegekind; s.: Für d. Feierabend.
Wedl's, C, Pathol. d. Zähne. 2. Afl. v. J Ritter v. Meitviz u.
G Ritter v. Wunschheim. II. Bd. (288 m. H.) 8° Lpzg, A Felix
03. 8.40 (Vollst.: 14 —)

Weeber, JC, u. F **Krauss**: Liedersammlg f. d. Schule. 4 Abtlgn.
Neu durchgesehen v. KF Breuninger. 5 Hefte. 12° Stuttg.,
(JB Metzler). 1.05 d
1. Zum Gebr. im Elementarkl. 64 Liedchen u. Lieder enth. 14. Afl. (34)
03. — 10
2. Zum Gebr. in Mittelkl. 88 Lieder enth. 15. Afl. (36) 04. — 15
3. Zum Gebr. in Mittel-- u. Oberkl. 65 Liedchen u. Lieder (69 Texte)
enth. 16. Afl. (36) 04. — 36
4. Zum Gebr. in Oberkl., Fortbildgsch., Frauenver. usw. 49 zwei- u.
dreistimm. Lieder (51 Texte) enth. 12. Afl. (94) 03. — 30
5. Anh. (Ergänzgsheft z. 3. Heft). 48 zwei- u. dreistimm. Lieder enth.
14. Afl. (49) 05. — 25
— dass. Ergänzgsheft zu Heft I u II. Neu Bearb. u. hrsg v. KF
Breuninger. 2. Afl. (32) 12° Ebd. 01. — 15 d
Weech, F v., s.: Biographien, bad.
— s.: Böckmann, JL, e Schweizerreise d. Markgrafen Karl
Friedrich v. Baden im Juli 1775.
— Karlsruhe. Gesch. d. Stadt u. ihrer Verwaltg. 19—25. Lfg.
8° Karlsr., Macklot 01-04. Je 1 — (Vollst.: 25 —) d
— Staatsminister Dr. Wilh. Nokk. (59 m. 1 Bildnis.) 8° Hdlbg,
C Winter, V. 04. 1 — d
— s.: Siegel d. bad. Städte.
Weeder, A: Hohberechngs- u. Waldtaf. m. gemeinverständl.
Gebrauchsanweisg u. Rechngs-Beisp. (84) 12° Wels, J Haas
02. 1 — d
— Wandtaf. f. Fischzucht. 4 Taf. Je 60,5×47 cm. Ebd. (o. J.).
2.50 d
Woerth, O: Das Papier u. d. Papiermühlen im Fürstent. Lippe.
[S.-A.] (130 m. Abb.) 8° Detm., H Hinrichs 04. 2 — d
Weeger, E: Die Aufzucht d. Forelle u. d. and. Salmoniden.
4. Afl. v. G Ritter v. Gerl. (62 m. Abb. u. 6 Taf.) 8° Wien,
(C Gerold's S.) 05. 2.50 d
Weerts, H: Das kathol. Kreuzbündnis z. Bekämpfg d. Alko-
holismus. (32) 16° Ess., Fredebeul & K. 05. — 25 d
Weese, A: Franz Stuck. [S.-A.] (31 m. Abb. u. 3 Heliograv.)
41×31 cm. Wien, Gesellsch. f. vervielfältig. Kunst 03. 12 —
Wefing, C: Einführg in d. brem. Heimatkde u. Gesch. 1. Bd.
Brem. Heimatkde. 2. Afl. (395) 8° Brem., Rühle & Schl. 05.
5 —; L. 6 — d
Weg, der. Wochenschrift f. Politik u. Kultur. Hrsg.· F Hertz,
R Charmatz. Red. F Hertz. 1. Jahrg. Oktbr 1905—März 1906.
26 Hefte. (1. Heft. 16) 4° Wien, Wiener Verl. Viertelj. 2.50;
einz. Hefte —.30 6 F
— d., z. Einj.-Freiwill. u. Reserveoffizier in d. k. u. k.
Armee. Mit e. Anh., betr. d. Modalitäten, unter welchen d.
Aktivierg v. Einj.-Freiwill., Reserveoffizieren etc. stattfindet.
5. Afl. (188 m. 1 Formular.) 8° Wien, LW Seidel & S. 02. 2 — d
Bisher bearb. v. A Strohl.
— d., Gottes z. Errettg d. Menschen. Von A M. (40) 8° Lpzg,
M Költz (04). — 10 d
— d., göttl. Zeugnisse. Vorträge. II—V. Jahrg. Je 6 Hefte.
8° Elberf., Bh. d. ev. Gesellsch. Je — 20; d. Jahrg. geb. 1.20 d
Buddeberg, E: Der Freundschaftswund zw. David u. Jonathan. (90) 03.
[IV,4.]
Busch, W: Joseph. (24) 04. [V,5.] ‖ Samuel, e. Reformatorengestalt s.
alter zit. (16) (02.) [III,2.] ‖ Die Alte Test. u. d. Hoffng. (36) 05.
[V,3.]
Christlieb, A: Naemans Dienstpersonal. (9) 04. [V.1.] ‖ Die Verwertg d.
alttestamentl. Geschichten zu Gleichnissen f. d. innere Leben. (16) 03.
[V,2.]
Coerper, F: Die Bergpredigt. (30) 04. [V,2.] ‖ Das Bild JEsu Christi. (16)
03. [IV,3.] ‖ Der Glaube u. d. Evangelium d. Johannes. (32) 01. [II,4.]
Haarbeck, J: Einige Züge a. d. Erweckgsbewegg in Engl. z. J. Wesleys
u. Whitefields. (36) 04. [V,3.]
Herbst, F: Die Rechte Absonderg. (16) 05. [IV,1.] ‖ Eitelkeit d. Eitelkei-
ten! (16) 01. [II,2.] ‖ Gebet zum d. Gläubigen beim Kommen
d. Harrn? (16) (03.) [III,4.] ‖ Die Taufe. (20) 04. [V,4.]
Hohagen, H: Paulus als Seelsorger. (21) (02.) [III,6.]
Huyssen, M: Nokk. (20) 03. [IV,3.]
Keeser, H: Judas Ischarioth. (12) (02.) [III,1.]
Kraft, H: Jesaja, d. Evangelist d. Alten Bundes. (34) 01. [II,1.]
Krichhaus, L: Der Prophet Amos. (34) (02.) [III,5.]
Löhr, W: Mose d. Knecht Gottes. (24) 01. [II,2.] ‖ Der Pfingstgeist, u.
Wesen u. s. Wirken. (24) (02.) [III,3.]
Niemöller, H: Die Propheten Israels, u. ihre Bedeutg f. uns. Zeit. (30)
04. [V,5.]
Röhrig, W: Die Redentg d. Werke u. d. Schrift. (32) 01. [II,6.]
Rothweiler, H: Bileam. Zum Verständnis s. Berufs u. Charakters. (34)
01. [II,3.]
— dass. 6 Vortr. 6. Jahrg. (107) 8° Ebd. 05. L. 1.20 d
Die Hefte werden nicht mehr einzeln geliefert.
— z. Heil, in 3 Briefen kurz u. einf. Einfalt unter 3 Graden
d. Glaubens vorgestellt in diesen Tagen u. s. ungenannten
Verf.(Erstmals erschienen 1772 zu Solingen.) (144) 16° Stuttg.,
JF Steinkopf 03. L. 1.20 d
— d., z. Himmel, s.: Tannenzweige.
— d., z. Reichtum. 4 Tle. 8° Berl., Psycholog. Verl. (05).
Mit G. in L.-M. 20 —
1. Stone, G: Weltbildg u. Menschenkenntnis. (104) ‖ 2. Gerhard, W: Die
Formen d. guten Gesellschaft. (100 m. Abb.) ‖ 3. Stone, G: Wie man Vermögen erwirbt. (100 m. Abb.) ‖ 4. Waldegg, O: Prakt. Denken u. Han-
delu im Kampfe d. Lebens. (100 m. Abb.)
Weg, M, s.: Brockhaus, d. grosse. — Buchhändler-Lehrbuch
d. — Sekretierung, d., d. Börsenblattes.
Wege in Weimar. Monatsblätter v. F Lienhard. 1. Jahrg. Oktbr
1905—Septbr 1906. 12 Hefte. (288 u. 288 m. 5 u. 6 Bildn.) 8°
Stuttg., Greiner & Pf. Viertelj. 1.50; einz. Hefte — 50 d
in 2 Bde geb. 3.50 d
— u. Markirungen in d. Umgebg v. Lana-a. d. Etsch,

nebst Markirgs-Plan (25,5×40 cm). (4 Bl.) 12° Lpzg, M Ruhl (03). Kart. — 60
Wege u. **Markirungen** in d. Umgebg v. San Martino di Castrozza. (16 Bl. in Leporelloform m. farb. Wegemarken.) 8° Lpzg, M Ruhl (01). Geb. — 60 ‖ 2. Afl. (32 Bl.) (05.) Geb. — 40
Wegehaupt: Zur Frage d. Einheitssch. — Hoppe, E: Ein Beitr. z. Zeitbestimmg Herous v. Alexandrien. (9 u. 9) 4° Hambg, (Herold) 02. nn 2.50
Wegekarte s. a.: Wegkarte.
— d. Gegend um Breslau im Umkreise v. ca 5 Meilen. 1: 150,000. 38×45,5 cm. Lith. Schweidn., G Brieger (01). nn — 25
— d. Umgebg v. Breslau, d. Glatzer-, Eulen- u. Waldenburger-Gebirges. 1: 150,000. 70,5×57,5 cm. Farbdr. Ebd. (03). — 60
— v. Friedrichrodas Umgebgn. 1: 25,000. [S.-A.] 25×29,5 cm. Farbdr. Gotha, J Perthes (04). — 50; auf L. — 80
— f. d. nächste Umgebg v. Jena. (Umschl.: Neueste Umgebgs-Karte.) 2. Afl. 1: 37,000. 31,5×30 cm. Farbdr. Jena, Akad. Bh. A Bassmann (03). — 40
— f. d. Kaisermanöver 1903. 1: 300,000. 52,5×77 cm. Farbdr. Berl., R Eisenschmidt 03. — 75; auf L. 1.75
— dass. 1904. 1: 300,030. 59×67,5 cm. Farbdr. Ebd. 04. — 50; auf L. 1.50
— dass. 1905. 1: 300,000. 54×58 cm. Farbdr. Ebd. 05. — 50; auf L. 1 —
— v. Oberhofs Umgebgn. [S.-A.] 1: 23,000. 27,5×33,5 cm. Farbdr. Gotha, J Perthes (04). — 50; auf L. — 80
— d. Rigaschen Kreises m. d. Kirchspiels- u. Gutsgrenzen. Hrsg. v. livländ. Landeskultur-Bureau. 1: 210,000. 50,5×70,5 cm. Photolith. Riga, (Jonck & P.) 02. — ; farbig 3 —
— v. Tabarz' Umgebgn. 1: 25,000. [S.-A.] 25,5×30 cm. Farbdr. Gotha, J Perthes (04). — 50; auf L. — 80
— d. Walk'schen Kreises m. d. Kirchspiels- u. Gutsgrenzen. Hrsg. v. liv-estländ. Landeskulturbureau. 1: 210,000. 50×83 cm. Lith. Nebst Namens-Verz. d. Güter, Pastorate u. d. zugehör. Gemeindeverwaltg (auf d. Umschl.). Riga, Jonck & P. 04. 2 —; farbig 3 —
— d. Wendenschen Kreises m. d. Kirchspiels- u. Gutsgrenzen. Hrsg. v. liv-estländ. Landeskulturbureau. 1: 210,000. 51,5×64 cm. Photolith. Nebst Namens-Verz. d. Güter, Pastorate u. d. zugehör. Gemeindeverwaltg (auf d. Umschl.). Ebd. 03. 2 —; farbig 3 —
— Wilhelmshaven-Oldenburg. 1: 100,000. 47,5×50 cm. Wilhelmsh., Gebr. Ladewigs (01). Auf L. 2 —
— d. Wolmarschen Kreises m. d. Kirchspiels- u. Gutsgrenzen. Hrsg. v. liv-estländ. Landeskulturbureau auf Grund d. im Besitz d. livländ. Ritterschaft befindl. Kreis-Wegekarte. 1: 210,000. 58,5×42 cm. Lith. Nebst Namens-Verz. d. Güter-Pastorate u. d. zugehör. Gemeindeverwaltgn (auf d. Umschl.). Riga, Jonck & P. 03. 2 —; farbig 3 —
Wegele, C: Üb. ein. Fortschritte in d. Diagnostik u. Therapie d. Magen-Darmerkrankgn, s.: Abhandlungen, Würzb., a. d. Ges.-Geb. d. prakt. Medizin.
— Die diätet. Küche f. Magen- u. Darmkranke. Nebst genauen Kochrezepten v. J Wegele. 3. Afl. (96) 8° Jena, G Fischer 04. Geb. 1.60
— Die Therapie d. Magen- u. Darmerkrankgn. 3. Afl. (424 m. Abb.) 8° Ebd. 05. 7 —; geb. 8 —
Wegele, H: Erd- u. Felsarbeiten, s.: Häseler, E.
— Lehrb. d. Tiefbaues, s.: Landsberg.
— Vorarbeiten f. Eisenb. u. Strassen, s.: Oberschulte, L.
Wegener, A: Die Alfonsin. Tafeln f. d. Gebr. e. modernen Rechners. (63 m. 1 Taf.) 8° Berl., E Ebering 05. 3 —
Wegener, A: Babel u. Bibel, was sie verbindet u. scheidet. Vortr. (23) 8° Mosk., J Deubner 03. 60 d
Wegener, F: Sei getreu bis in d. Tod! Das Lebensbild v. 2 Vereins-Veteranen. Für d. Jugend kurz erzählt. (18 m. 3 Bildnissen.) 8° Elberf., Westdeut. Jünglingsbund 1900. — 10 d
Wegener, F: Die Arbeiten d. Maurers u. Zimmermanns, d. Tischlers u. Dachdeckers, sowie d. Feuersanlagen. (374 m. Abb.) 8° Lpzg, JJ Arnd 03. L. 9 —
Wegener, F: Dornröschen, e. scherzhaft Märlein f. gr. u. kl. Kinder. Auf's neue erzählt. (51) 4° Berl. (01). (Potsd., Bonness & H.) Kart. 1.50 d
— Altstädt. Langgasse Nr. 29. Studien z. Gesch. e. Königsberger Buchdruckerei. (70 m. Abb.) 8° Königsbg i/Pr., Ostpreuss. Druckerei u. Verl.-Anst. 01. — 60 d
Wegener, G: Deutschl. im Stillen Ozean, s.: Land u. Leute.
— Zur Kriegszeit durch China 1900/01. 2. Afl. (405 m. Abb. u. 1 Karte.) 8° Berl., Allg Ver. f. deut. Litt. 02. 7.50; geb. 9 —
— Nach Martinique, s.: Sammlung belehr. Unterhaltgsschriften f. d. deut. Jugend.
— Reisen im westind. Mittelmeer. Fahrten u. Studien in d. Antillen, Colombia, Panama u. Costarica im J. '03. 2. Afl. (302 m. Abb. u. 4 Kart.) 8° Berl., Allg. Ver. f. deut. Litt. 04. 6 —; L. od. HF. 7.50 d
— Tibet u. d. engl. Exped., s.: Geographie, angewandte.
Wegener, H: Pfarrer Bourrier in Paris, s. Übertritt u. s. Werk. (47 m. Abb.) 8° Düsseldf. C Schadhüt 02. — 30 d
— Der Gustav-Adolf-Ver. in d. Schule. (144) 8° Lpzg, A Strauch (04). 1.50 d
— Morgendämmerg in d. Steiermark. Erlebtes u. Erlauschtes a. d. Los v. Rom-Bewegg. (Neue (Tit.-)Ausg.) (175 m. Abb.) 8° Moers, A Steiger [02] 04. 1.20 d
Hinrichs' Fünfjahrskatalog 1901—1905.

Wegener, H, s.: Reden, 3, z. Gedächtnis d. usw. Dr. Johs Zahn.
— Suchen, d., d. Zeit.
Wegener, H: Was ist's m. d. Alkohol?, s.: Volksschriften z. Aufklärg üb. d. natürl. Lebensweise.
Wegener, J: Leben d. hl. Aloysius, s.: Brockmann, JH.
Wegener, J: Die Zainer in Ulm, s.: Beiträge z. Bücherkde d. XV. & XVI. Jahrh.
Wegener, L: Lehrb. d. Pädagogik, s.: Ostermann, W.
Wegener, L: Der wirtschaftl. Kampf d. Deutschen m. d. Polen um d. Prov. Posen. (319 m. 1 Taf.) 8° Pos., J Jolowicz 03. 6 —; geb. 7 —
Wegener, M: Die steier. Eiskellergemeinde Fürstenfeld, s.: Festschriften f. Gustav-Adolf-Ver.
Wegener, P: Das Verhältn. d. Realsch. u. Mittelsch. in Preussen. [S.-A.] (20) 8° Lpzg, BG Teubner 01. — 60 d
Wegener, T: Hilfsb. f. d. Relig.-Unterr. in d. unt. u. mittl. Kl. höh. Lehranst. Ausg. B. Unveränd. Abdr. (201) 8° Berl., ES Mittler & S. 04. 1.80; geb. nn 2.10 d
Wegener, T, s. a.: Thomas Villanova.
— Geschichtl. Erinnergn an d. gottsel. Anna Katharina Emmerich a. d. Zeit n. ihrem Tode. Das neue Emmerichhaus. (28) 8° Dülm., J Horstmann 03. — 30 d
Weger, H: Die Schulmeister in Berlin. Roman. 2 Tle in 1 Bde. 2. [Tit.-]Afl. (271 u. 279) 8° Bresl. [1900] 02. Berl., E Trewendt. 2 —; L. 3 — d
Wegerer, A v.: Das Ende v. Liede. Ein Opfer ihrer Zeit, s.: Kürschner's, J, Bücherschatz.
Wegkarte s. a.: Wegekarte.
— f. d. Umgegend v. Klosterlausnitz. 1: 37,500. 45×49,5 cm. Farbdr. Klosterlausnitz (Thür.), Verkehrsausschuss (1899). (Nur dir.) nn — 50
— v. Stuttgart u. Umgebg, m. d. farb. Weg-Bezeichng, Hrsg. v. d. Ortsgruppe Stuttgart d. schwäb. Albver. u. d. Ver. f. Fremdenverkehr in Stuttgart. 1: 75,000. 39,5×42,5 cm. Farbdr. Mit Text auf d. Rücks. Stuttg., (HWildt) 02. — 40; auf L. — 75
— v. Zollikon — Küsnacht — Erlenbach — Zumikon. 1: 12,500. 45×55,5 cm. Farbdr. Zür., Hofer & Co. 1900. nn — 60 d
Wegleitung, kurze, durch d. städt. Altertums-Sammlg zu Göttingen. 9. Ausg. März 1904. (27) 8° Gött., (LHorstmann). — 25
Wegmann, F: Der ostasiat. Krieg u. d. Völkerrecht. (58) 8° Frauenf., Huber & Co. 05. 1.20 d
Wegmann, H: Licht- u. Schattenseiten d. häusl. Erziehg. (88) 8° Zür., Art. Instit. Orell Füssli (05). 1.20 d
Wegmarkierungskarte d. Salzkammergutes. Hrsg.: Sektion Gmunden d. österr. Touristenklubs. 1: 75,000. 70,5×56 cm. Farbdr. Mit Text auf d. Rücks. Gmund. (04). (Linz, R Pirngruber.) nn 2.40
Wegner, d. buchführ. Landwirt. 8. Afl. (140) 8° Nord., D Soltau (04). 2.25; geb. nn 3 — d
Wegner, F: Die Lage d. Arbeiterinnen, s.: Fortschritt, soz.
Wegner, G: Deut. Gebührenordg f. Zeugen u. Sachverständige 30.VI.1878/20.V.1898, nebst d. n. ff 13 u. 14 in Betracht komm. bes. preuss. Taxvorschriften n. Bestimmgn üb. Tagegelder u. Reisekosten. 3. Afl. v. „Petri u. Wegner, Gebührenordg etc.". 2 Lfgn. (198) 8° Berl., A Nauck & Co. 05. kart. nn 3.50 d
Wegner, R: Gesch. d. Schwetzer Kreises, II. Bd. Eine poln. Starostei u. e. preuss. Landrathskreis. Gesch. d. Schwetzer Kreises 1466—1873 v. H Maercker. [S.-A.] (597 m. 1 Taf. u. 1 Karte.) 8° Danz. 1886.88 (Schwetz, W Moesser). Geb. 7.50 Vergr.
Wegner, R: Die Einheit d. Naturkräfte in d. Thermodynamik. Mathematisch-physikalisch-spekulative Abteilg d. chem. zw. d. rein mechan. Sonderkräfte, einschl. d. Schwerkraft a. d. kinet. Energie bewegter unelast. Körper- u. Äther-Atome. (132 m. Abb.) 8° Lpzg, Veit & Co. 04. 4 —
Wegner, R, s.: Auf Missionspfaden.
— Neue Sammlg v. Lebensbildern a. d. rhein. Mission, s.: Missions-Traktate, rhein.
Wegner-Zell, B, s.: Herzblättchens Zeitvertreib. — Töchter-Album.
Wegscheider, M, s.: Aëtios v. Amida, Geburtshülfe u. Gynäkol.
— Die künstl. Frühgeburt in d. Praxis, s.: Sammlung zwangl. Abhandlgn a. d. Geb. d. Frauenheilkde u. Geburtshilfe.
Wegscheider, R: Üb. simultane Gleichgewichte u. d. Beziehg zw. Thermodynamik u. Reactionskinetik homogener Systeme. [S.-A.] (58) 8° Wien, (A Hölder) 01. 1.10
— Üb. d. Grenzen zw. Polymorphie u. Isomerie. [S.-A.] (28 m. Fig.) 8° Ebd. 01. — 5 d
— Üb. radioaktive Substanzen, s.: Vorträge d. Ver. z. Verbreitg naturwiss. Kenntnisse in Wien.
Wegscheider-Ziegler, Frau: Die arbeit. Frau u. d. Alkohol. (11 u.)8° Berl., d. deut. Arbeiter-Abstinenten-Bundes (05). — 10 d
Wegweiser, der, Kalender d. deut. Protestantenver. 1:03. Hrsg. v. M Christlieb. (139 m. Abb.) 8° Hambg, Greefe & Tiedemann. — 50 d
— dass. 1905. Hrsg. v. M Christlieb. (143 m. Abb.) 8° Kaisersl., E Crusius. — 50 d
— dass. 1906. Hrsg. v. O Raupp. (138 m. Abb.) 8° Berl., Centralstelle d. deut. Protestantenver. f. Schriften-Vertrieb. — 50 d ‖ F — d., e. Volkskalender f. 1906. (74 m. Abb.) 8° Stuttg., (Süddeut. Verl.-Instit.). — 20 d

Wegweiser, kurzer, in d. apologet. Lit. f. gebild. Katholiken aller Stände. (34) 8° Freibg i/B., Herder 04. — 20 d
— f. Arbeiterinnen. Hrsg. v. Komitee z. Errichtg v. Arbeiterinnenheimen. (24) 8° Grunow.-Berl., Verl. d. Arbeiter-Versorgg A Troschel 05. — 10 d
— illustr. prakt., f. Bayreuther Festspielbesucher 1904. (164 m. Taf., 1 Bildnis, 3 Fksms, 2 Taf. Notenbeisp. u. 1 Pl.) 8° Bayr., Niehrenheim & Bayerlein. 1.50
— durch Bern u. Umgebg. (34 m. 12 Ansichts-Postk.) 16° Bern, F Semminger (01). 1.20
— bibl., f. 1906. 56. Jahrg. (39) 8° Dresd., Niederl. d. Ver. z. Verbreitg christl. Schriften. — 15 d
  1902 bearb. v. A E Laube; 1903 v. A Mättig; 1904 v. e. em. Pastor; 1905 v. J Püschmann u. 1906 v. Schmieder.
— prakt. f. Bienenzüchter. 6—10. Jahrg. 1901—5 je 24 Hefte. (1—8. Heft. 136 m. Abb.) 8° Oranienbg, E Freyhoff. Je 3 — d
— durch d. Chorgesang litt., nebst Beibl.: Der Sänger. Ratgeber f. Gesangver. u. Dirigenten. 3—5. Jahrg. Oktbr 1901—Septbr 1904 je 12 Nrn. (Nr.1. 12) 4° Köln. Trier, H vom Ende. Je 1.50; einz. Nrn — 20
  Fortsetzg z. u. d. T.: Chorgesang, d. deut.
— auf d. Geb. d. Geld- u. Verkehrswesens, s.: Hohmann, A.
— z. häusl. Glück f. Mädchen. Kurze Belehrg üb. alle Hausu. Handarbeit u. Kochen, Gesundheits- u. Krankenpflege, zugl. e. prakt. Leitf. f. d. Haushaltsgunterr. 24. Afl. Hrsg. v. e. Kommission d. Verbandes „Arbeiterwohl". (236 m. 1 Taf.) 18° M. Gladb., A Riffarth (1900). Kart. — 75 d
— durch Hamburg u. Umgebg. 4. Afl. Hrsg. v. Ver. z. Förderg d. Fremden-Verkehrs in Hamburg. (153 m. Abb., 1 Pl. u. 1 Karte.) 8° Hambg, (J Kriebel) (05). Kart. — 60
— illustr., durch d. Harz in 30 ein- bis dreitäg. Touren. 2. Afl. (32 m. 7 Kart.) 16° Lpzg (Nürnb. Str. 25), C Milde 01. — 30
— im Haushalte u. in d. Küche, 2. Ausg., s.: Holtzendorff, M Gräfin v.
— d. Jugendrettg (2. Afl. d. Handbüchl. d. Jugendfürsorge), s.: Charitas-Schriften.
— kleine. 25 Evangelisations-Traktate. Nr. 7—9. (Je 16 u. 8) 16° Gotha, (Missionsbh. P Ott) (05). — 6 d
  Nr. 1—6 sind Veri. d. Evangelist W Fischer in Rüte, Kt. Zürich, aber nicht im Handel.
— durch d. Wohlfahrtseinrichtgn d. Stadt Köln f. Fachleiten. Hrsg. v. d. soc. Konferenz v. Geistlichen d. Stadt Köln. (32) 8° Köln, JP Bachem (02). — 30 d
— durch d. Konfirmations-Lit., m. Berücks. d. Passions-u. Osterzeit. (Neue Afl.) (44 m. Abb.) 8° Altnbg (05). (Lpzg, BG Wallmann.) — 30 d
— f. Lehrmittel, Schulausstattg, Sammlgn u. Jugendbeschäftigg. Schriftleitg: A Bennstein. 3. Jahrg. Septbr 1901—Aug. 1902. 12 Nrn. (Nr. 1. 20 m. Abb.) 8° Berl., G Winckelmann. 2.50 ll 9. u. 10. Jahrg. 1902/4. Je 3 — d ö F
— literar. Beilage z. pädagog. Jahresrundschau u. d. Korrespondenzbl. Hrsg. v. JSchiffels. 10. Jahrg. 1904. 12 Nrn. (Nr. 1—3. 48) 8° Trier, Löwenberg. 1 — d
— dass. Beil. z. Korrespondenzbl. f. katbol. Lehrer. 11. Jahrg. 1905. 12 Nrn. (Nr. 1. 16) 8° Ebd. 1 — d
— auf d. Obstmarkt. Kurzer prakt. Ratgeber bei Einkauf, Aufbewahrg u. Behandlg d. Kernobstes (Äpfel u. Birnen), nebst Sortenverz. m. Angabe d. Genussreife, Haltbark. u. Verwendbark. d. Früchte. (40) 16° Dresd., C Heinrich02. — 30 d
— durch d. Curorte u. Sommerfrischen Österreichs, (Mit Abb.) Hrsg. u. Red.: F Heller. Saison 1905/6. 7 Hefte. 4° Wien, (R Mohr). Je — 60
  1. Nieder-Österr. (46) ll 2. Ober-Österr. (46) ll 3. Steiermark. (58) ll 4. Kärnten, Krain, Küstenland u. Dalmatien. (30) ll 5. Salzburg. (76) ll 6. Tirol u. Voralberg. (72) ll 7. Böhmen. Mähren. Schlesien u. Galizien. (30)
— durch d. pädagog. Lit. Red.: F Pichler jun. 26. u. 27. Jahrg. 1900 u. 1 je 12 Nrn. (88 u. 48) 8° Wien, A Pichler's Wwe & S. Je 2 — d ö F
— Pressburger, s.: Adressbuch.
— bei Anlage v. Privat-Bibliotheken, sowie bei Ausw. v. Festgeschenken. Weihnachten 1904. (134 m. Abb. u. 1 Farbdr.) 8° Münch., T Ackermann. nn — 60 d
— durch d. St. Gallische Staats- u. Gemeindeverwaltg. Hrsg. v. d. Staatskanzlei. (202) 8° St. Gall., (A & J Köppel) 00. nn 1.50 d
— Sarajevoer. (16 m. 1 Pl.) 16° Sarajevo 04. (Wien, G Szelinski.) 1.35
— auf d. gr. sibir. Eisenb., hrsg. v. Ministerium d. Wegekommunikationen unter Red. v. AI Dmitrijev-Mamonow u. AF Zdziarski. Aus d. Russ. v. A Lütschg. (602 m. Abb., 4 Kart. u. 3 Pl.) 8° St.-Petersbg 01. (Berl., Polyt. Bh. A Seydel.) 13 —; HF. 15.75
— durch d. Strehlener Berge, 2. Afl., s.: Führer durch d. Strehlener Berge.
— am Theetische u. in d. Vorrathskammer, 2. Ausg., s.: Holtzendorff, M Gräfin v.
— theosoph., z. Erlangg d. göttl. Selbsterkenntnis. Monatsschrift z. Verbreitg e. höh. Weltanschaug u. z. Verwirklichg e. adle u. allg. Menschenverbrüderg auf Grundl. d. Erkenntnis d. wahren Menschennatur. Hrsg. u. Red.: A Weber. 4—5. Jahrg. Oktbr 1901—Septbr 1905 je 12 Hefte. (6—8. J.: 360, 380 u. 360) 8° Lpzg, Theosoph. Centralbh. Je 5 —; geb. Je 7 —
— illustr., durch Thüringen u. d. Kyffhäuser-Gebirge. 6. Afl. (166 m. 6 Kart.) 12° Erf., F Bartholomäus (01). Kart. 1 —
— kl., zu d. Sehenswürdigk. v. Wien. 7. Afl. (46 u. 16 m. 3 Pl., 1 Karte u. 1 Abb.) 8° Wien, A Hartleben (02). Geb. — 75

Wegweiser, neuester Wiener, u. prakt. Führer durch Wien u. Umgebg. 1903/4. (479) 16° Wien, Szelinski & Co. †— 30 d
— z. Zukunftsstaat. Sozialist. Wochenschrift. Hrsg. u. Red.: A Jacobsen. Dezbr 1905. 4 Nrn. (Nr. 1. 8) 8° Berl., Phönix-Verl. — 40; einz. Nrn — 10 ö F
Wegzeichen im Bez. d. Verschönergs-Ver. Pirmasens u. d. angrenz. Geb. (5 m. farb. Fig. u. 1 Karte.) 8° Pirmasens, (Litzel & Co.) 04. Geb. nn 1.20 d
Wehberg, H: Menschheitsleiden. Gedichte. (48) 8° Lpzg, Modernes Verl.-Bureau 04. 1 —
Wehinger, A: 600 Kochrezepte nebst 2 vierwöchentl. Speisezetteln f. gewöhnl. u. besseren Mittagstisch. 4. Afl. (275) 12° Dornh., F Rusch 03. Geb. 2.20 d
Wohl, F: Ges. dramat. Werke. 1. Bd. 3. Afl. (200) 8° Lpzg, P Reclam jun. (04). 1.50 d
Wehle, RG: Das Auswendigschreiben als Mittel d. Sprachbildg Schwachsinniger. [S.A.] (23) 4° Brnschw., (H Wollermann) 03. — 30
Wehmann, W: Geschäftsvorfälle zu d. Lehrg. in d. einf. Buchführg f. Maschinenbauer, e. 2monat. Geschäftsgang e. Maschinenfabrik m. etwa 20 Arbeitern. (16) 8° Elberf., (J Fassbender) 04. nn — 30
Wehmeier, B: Warum u. in welcher Weise muss d. Volkssch. d. Schönheitsgefühl ihrer Schüler bilden?, s.: Lehrer-Prüfungs- u. Informations-Arbeiten.
Wehmer, C: Die Pilzgattg Aspergillus in morpholog., physiolog. u. systemat. Beziehg, unter bes. Berücks. d. mitteleurop. Species. [S.-A.] (159 m. 5 [1 farb.] Taf.) 4° Genéve 01. (Bas., Georg & Co.) nn 16 —
Wehmer, R, s.: Handbuch, enzyklopäd., d. Schulhygiene.
— Die neuen Medicinal-Ges. Preussens. (557) 8° Berl., A Hirschwald 02. 10 — d
— s.: Medizinal-Kalender.
Wehnelt, A: Strom- u. Spanngsmessgn an Kathoden in Entladgsröhren. (50 m. Fig.) 8° Lpzg, S Hirzel 01. 1 —
Wehner, A: Bad Brückenau, kgl. bayer. Mineralbad, u. s. Kurmittel. 4. Afl. (90 m. Abb. u. 1 Karte.) 8° Würzbg, Stahel's V. (01). 1 —
— Terrain-K. v. Bad Brückenau u. Oertel's System. 1: 25.000. 31×30 cm. Farbdr. Ebd. (01). — 20
Wehner, H: Die Sauerkeit d. Gebrauchswässer als Ursache d. Rostlust, Bleilösg u. Mörtelzerstörg u. d. Vakuumrieslg. (93 m. Abb.) 8° Frankf. a/M., J Rohm 04. L. 2 —
Wehner, H: Ueb. d. Kenntnis d. magnet. Nordweisg im frühen M.-A., s.: Vorträge u. Abhandlungen, hrsg. v. d. Zeitschrift „Das Weltall"
Wehner, H: Leitf. f. d. stereometr. Unterr. an Realsch. 2. Afl. (65 m. Fig.) 8° Lpzg, BG Teubner 01. Kart. 1 —
Wehner, H: Bomben u. Granaten z. Verteidigg d. kathol. Glaubens f. jung u. alt. Beweise f. d. Dasein Gottes. (182) 8° Paderb., J Schöningh 05. — 60 d
— Die entlarvte Kartenschlägerin. — Eine wahre Begebenh. a. d. Siegkreise, s.: Volksschriftbünde, Laumann'sche.
Wehner, M: Die Bedeutg d. Experimentes f. d. Unterr. in d. Chemie, s.: Sammlung naturwiss.-pädagog. Abhandlgn.
Wehner, W: Die privatrechtl. Sonderstellg d. hess. Standesherrn. (248) 8° Mainz, J Diemer 03. 3 — d
Wehofer, TM: Untersuchgn z. altchristl. Epistologr. [S.-A.] (230 m. Fig.) 8° Wien, (A Hölder) 01. 5 —
Wehr u. Waffe f. d. Jugend. Red.: H v. Redern. 6. u. 7. Jahrg. 1904 u. 5 je 53 Nrn (Je 4 m. Abb.) 8° Berl., F Zillessen. Viertelj. — 40 ö F
Wehr u. Waffe-Kalender f. 1906. Red.: H v. Redern. (64 m. Abb.) 8° Berl., F Zillessen. — 10 d
Wehrbach, HC: Schüleraufsätze. Aufsatzübgn d. Volksschüler. 2 Tle. 8° Mind., C Marowsky. 2 — d
  1. Unter- u. Mittelst. (56) 03. — 60 ll 2. Oberst. (108) (04.) 1.20.
Wehren, E v.: Eva. Eine Herzensgesch. (388) 8° Dresd., E Pierson 03. 4 —; geb. 5 — d
Wehren, M v.: Zusammengeschmiedet, s.: Weber's moderne Bibliothek.
Wehrenfennig, E: Üb. d. Untersuchg u. d. Weichmachen d. Kesselspeisewassers. Unter Mitwirkg v. F Wehrenfennig. 4. Afl. (185 m. Abb. u. 1 L.) 8° Wiesb., CW Kreidel 05. 7.50
Wehrenfennig, G: Das kann ich auch. Neues Zeichen-Bilderb. m. Versen. 1. u. II. Serie. (Je 32) 8° Triest, FH Schimpff (05). 3 — d
— Neue Tierbilder, s.: Heubach, W.
— Der hl. Zeichner. 100 Lebensformen in entwickelnder Darstellg. Elementarübgn. 1. u. 3. Afl. (32) 8° Triest, (FH Schimpff) (01/02). Kart. nn — 60 d
— dass. I. Heft. 3. Afl., II. Heft 1. u. 2. Afl. u. III—V. Heft. (Je 48) 8° Ebd. 02/05. Kart. Je nn 1 —
Wehrfritz, M, u. F Wehrfritz: Die Küche im dent. Bürgerhause. (477) 8° Bensh. 01. Wiesb., H Staadt. L. 4 — d
Wehrgesetzgebung, d., s.: Taschenausgabe, Manz'sche, d. österr. Ges.
Wehrhahn s.: Bericht üb. d. Verbandstag d. Hilfssch. Deutschlds.
Wehrheit durch Erziehg. Hrsg. v. E V. Schenckendorff u. H Lorenz. 1. u. 3. Afl. (259 bezw. 287 m. 1 Bildn.) 8° Lpzg, BG Teubner 04/05. 3 — d
  Tritt f. 1904 an Stelle d. Jahrb. f. Volks- u. Jugendspiele.

Wehrl. A: General-Reg., s.: Bayern's Ges. u. Gesetzbb.
Wehrli, HJ: Beitrag z. Ethnol. d. Chingpaw (Kachin) v. Ober-Burma, s.: Archiv, internat., f. Ethnogr.
Wehrmacht, d., Bulgariens, auf Grundl. ihrer Entwicklg dargest. v. R. (95 m. 1 Karte u. 1 Tab.) 8° Wien, (LW Seidel & S.) 04. 2.50
— d. italien. [S.-A.] (52 m. 1 Skizze u. 3 Beil.) 8° Ebd. 06. 1.50
Wehrmann: Die ersten 5 Jahre d. Charitasverbandes f. d. kath. Deutschl., a.: Charitas-Schriften.
Wehrmann, K: Realsch. u. allg. Geistesbildg. I. (32) 8° Kreuzn., (R Schmithals Nf.) 1900. † — 70
Wehrmann, M: Die Begründg d. ev. Schulwesens in Pommern bis 1563, s.: Mitteilungen d. Gesellsch. f. deut. Erziebgs- u. Schulgesch.
— Gesch. v. Pommern, s.: Staatengeschichte, allg.
— Landeskde d. Prov. Pommern. 4. Afl. (40 m. Abb.) 8° Bresl., F Hirt 04. Kart. — 50 d
— Aus Pommerns Gesch. 6 Vortr. (103) 8° Stett., L Saunier 02. 1.80; geb. 2 — d
Wehrmeister, C: Hermenegild. Erzählg a. d. Gesch. d. Westgoten. (32 m. Abb.) 8° St. Ottilien, Missionsverl. (05). — 30 d
— Die Jungfrau v. Orleans. Ihr Leben u. ihre Taten. [S.-A.] (46 m. Abb.) 8° Ebd. (05). — 50 d
— Licht u. Leben. (Erzählgn für's Menschenherz.) Das' Weg z. hohen Schlosse. Ein Märchen. (Warum? — Kann denn d. noch Liebe sein? Kleinmut u. Frevel.) (16, 16, 16 u. 15) 8° Ebd. 1897. — 10 d
— Die hl. Ottilia. Ihre Legende u. ihre Verehrg. (170 m. Abb. u. Titelbild.) 8° Ebd. 02. L. 3.50 d
— Parcival. Nach d. Dichtg Wolframs v. Eschenbach f. d. reif. Jugend bearb. [S.-A.] (59 m. Abb.) 8° Ebd. (05). — 50 d
— Rebus-Büchl. Sammlg v. Bilderrätseln u. ein. and. Rätselarten. (96) 16° Ebd. 02. — 70 d
— Die Sterne d. Glücks. (80) 16° Ebd. 03. — 50 d
Wehrordnung, deut., v. 22.XI.1888. Neuabdr. unter Berücks. d. bis April '04 eingetret. Ändergn. (D.V.E. No. 141.) (39 u. 15) 8° Berl., ES Mittler & S. 04. 1.60; kart. nn 1.85; L. 2 — d
— dass., v. 22.VII.'01. Mit Mustern u. Anl. (1—3. [Umschl.-]Afl.) (1844) 4° Berl., C Heymann 01. Kart. 1.20 d
Wehrpflicht, d., d. Volksschullehrers. Unter bes. Berücks. d. württemberg. Verhältn. hrsg. v. württemberg. Volksschullehrerver. (29) 8° Stuttg., (A Bonz & Co.) 02. — 20 d
Wehrvorschriften, enth. d. Durchführgsbestimmgn z. Wehrges. 2 Thle. (Nachdrucksausg. v. J. 1889 m. Berücks. d. Nachtr.) 8° Wien, Hof- u. Staatsdr. 7.50 d
 1. Vorschrift üb. d. Ergänzg d. Heeres, d. Kriegs-Marine u. d. Landwehr. 2. Afl. (392) 04. 5 —
 2. Vorschrift üb. d. Erfüllg d. Dienstpflicht im Heere u. in d. Kriegsmarine. 3. Afl. (272) 04. 2.50
— dass., s.: Taschen-Ausgabe d. Vorschriften d. k. k. Landwehr.
Weib, d. hyster., in Familie u. Gesellschaft. Ärztlich-psychol. Betrachtgn z. Falle d. Kronprinzessin v. Sachsen. (32) 8° Dresd., E Pierson 03. ‖ 6. Afl. (36) 03. Je — 60 d
 11. Afl. s.: Bottermund, W.
— d., v. Manne erschaffen. Bekenntnisse a. Frau. Aus d. Norweg. v. T Bentsen. 1. u. 2. Afl. (136) 8° Berl., B Cassirer 04. 2.50; geb. 3.50 d
Weibel, W: Junge Tannen. s.: Hodel, RJ.
Weiberregiment, d., an d. Höfen Europas in d. letzten 3 Jahrh. (Umschl.: An d. Höfen Europas in d. letzten 3 Jahrh.) VI— XI. 8° Berl., H Steinitz. Je 2 — (Vollst.: 22 —) d
 Ahrenleben, E, v.: An deut. Höfen. (159) (92.) [X.] ‖ An italien. Höfen. (167) 02. [X.]
 Hellbach, E v.: Am Madrider Hofe. (184) 01. [VII.] ‖ Am Hofe Napoleons III. (215) (92.) [VI.] ‖ Am Wiener Hofe. (163) 01. [XI.]
 Meltenborn, E v.: An d. Höfen d. Balkanstaaten. (179) (91.) [VIII.]
— d., am Hofe Frankreichs unter Ludwig XIV. u. Ludwig XV. v. *₀*. 3. Taus. (159) 8° Ebd. (03). 2 — d
— d., in d. Pfarrhäusern od. Türkisches im Christentum. (Von O Lempens.) 7. Afl. (96) 8° Münch., OT Scholl 02. 1 — d
 Die 1. Afl. erschien u. d. T.: Türkisches im Christenthum.
Weiber-Spiegel, d., od. Gallerie interessanter, galanter u. berücht. Frauen u. Mädchen. (16 m. Bildnissen.) 8° Chemn., CA Hager (04). — 15 d
Weichardt, C: Le palais de Tibère et autres édifices romains de Capri. Traduit par JA Simon. (123 m. Abb.) 4° Lpzg, KF Koehler (01). L. 10 —
Weichardt, O: Neue Gesichtspunkte z. völl. Bekämpfg d. Reblaus u. z. Erhaltg uns. heim. Weinbaues. (38 m. Abb.) 8° Erf., (JC Schmidt) 04. — 80 d
Weichberger, K: Schorlemorle, s.: Reigen, lyr.
Weichberger, S, s.: Kling-Klang.
Weichbrodt, F: Sünden d. 20. Jahrh. od. Es lebe d. Korruption. Eine moderne Kreuzzugrede. (100) 8° Werdohl 05. Lpzg, Scholz & Maerter. nn 1.50
Weichelt: Predigt bei d. Jahresversammlg d. sächs. Landesver. d. ev. Bundes zu Chemnitz. (11) 8° Lpzg, (C Braun) 03. nn — 10 d
Weichelt, H, s.: National-Bibliothek, allg.
Weichelt, H: Nietzsches Mission. Christlich od. modern, s.: Hefte z. „Christl. Welt".
— Relig. u. Kunst. Vortr. (16) 8° Chemn., G Ernesti 04. — 40 d
— John Ruskin u. d. Freude. (43) 8° Zschop., FO König 02. — 80 d

Weichelt, H: Die Else v. Sternhof. Erzählg a. Schwaben. (127) 8° Lpzg, A Stein 01. 1.50 d
Weichelt, W: General-Reg., s.: Jahrbuch d. Chemie.
Weicher's Kunstbücher. Nr. 1. 16° Lpzg, W Weicher. — 80; Liebh.-Ausg. 2 —
 Robens: Meisterbilder. 60 Reproductionen n. F Hanfstaengls Orig.-Aufnahmen. (72) 05. [1.]
Weichert's Criminal-Bibliothek. 1—14. Bd. 8° Berl., A Weichert (05). Je 1 — d
 Anders, NJ: 170 000 Mk. Depot! Roman n. d. hinterlassenen Papieren e. Hotel-Kommissars. (104) [11.]
 Brenckendorf, L: Um 5 Minuten. (96) [9.]
 Casetter, J: Der Mcrd im Pfarrhause. Aus d. Engl. (96) (05.) [12.]
 Hellmuth, W: Der Staatsanwalt. (104) [9.]
 Herrmann, F: Ein Infantenhalsband. (104) [8.]
 Onslow, W: Ein weibl. Geheimpolizist. (104) [4.]
 Ortmann, R: Widel' d. Recht. (104) [10.] ‖ Die Schätze d. alten Hanses. (96) [7.] ‖ Stumme Verkität. (100) [12.] ‖ Zu fein gesponnen. (96) [1.]
 Plügge-Brock, M: Ihre Schuld. (103) [3.]
 Thieme, F, u. B Hirschberg-Jara: Unter falschem Verdacht. 2 Kriminal-Erzählgn. (104) [2.] [17.]
 Wolfhardt, H: Mächte d. Finsternis. (108) [5.]
 Zapp, A: Verurteilt. (86) (05.) [14.]
— Wochen-Bibliothek. Romane u. Erzählgn. 97—187. Bd. (Mit je 3 Vollbildern.) 8° Ebd. Je — 20 d
 d'Aghonne, M: In uulösbaren Banden, s.: Zola, E, d. Erstürmg d. Mühle.
 d'Alton, H: Verzweifelte Mittel. Kriminalroman. (94) (02.) [134.]
 Anders, NJ: Faldas Lieblinge. Humorist. Erzählg a. d. Conlissenwelt. (96) (02.) [137.] ‖ Ein unheiml. Hochzeitsgast. (92) (04.) [112.]
 Anberl, E: Margit. Aus d. Norweg. v. F v. Känel. (96) (01.) [118.]
 Bałneř-Asgaard, C v.: Das Armband. Aus d. Dän. v. K Asgaard. (96) (04.) [158.] ‖ Die Pflegeschwestern. Aus d. Dän. (96) ('03.) [155.]
 Beckett, AW A: Herausgebohrt! Kriminal-Erzählg. Deutsch v. J Cassifer. (96) (05.) [137.]
 Belot, A: Ein guter Tropfen. Die unzerbrechl. Puppe, s.: Heichen, P, d. Diebstahl im Warenhause.
 Bergmann, O: Der Halbgott. (96) (05.) [153.] ‖ Die Bächerin. (96) (04.) [150.]
 Blumenfeld, F: Harte Köpfe. — Knopp & Sohn. (104) (05.) [178.]
 Braune, M: Seine Muse. Humorist. Roman. (96) (05.) [121.]
 Breuano, F: Schrimmchen u. and. lust. Geschichten. (96) (05.) [143.]
 Brentano-Bauck, A: Eine gläns. Partie. — Die Vergangenheit. (96) (04.) [159.]
 Burnett, FH: Der hübsche Polly Pemberton. Deutsch v. W Heichen. (96) (01.) [106.]
 Cavelaign, A: Villa Ortensia. Uebers. v. C Brenning. (100) (01.) [116.]
 Carloe-Duchow, H: „— wenn sie erwachsen" (96) (04.) [171.]
 Claasen-Smidt, D: Irrgänge d. Liebe. (96) (04.) [167.]
 Cyrill, E: Leichenschatten. 2 Erzählgn. (96) (05.) [167.]
 Dilling, L: Begabt. Aus d. Norweg. v. B Mann. (100) (02.) [192.] ‖ Hänsl. Scenen u. Andefes. Aus d. Norweg. v. I Anders. 1. Hänsl. Scenen. 2. Frauenblende. 3. Blinds. 4. Wechselbeziehungen. (108) [112.]
 Enckhausen, M (H Herzog): Eine Familie. (96) (03.) [145.] ‖ Eine stolze Seele. (96) (01.) [99.]
 Fischef-Sallstein, C: Duell-Sünden. (96) (05.) [179.] ‖ Fürstengunst. (96) (05.) [151.]
 Forster, W (M Mancke): Um Ehre u. Leben. (96) (04.) [163.] ‖ Aus verkung. Tagen. Memoiren u. Sonderlings. (96) (05.) [150.]
 Geinborg, W: Auf Japan. Erde. (96) (01.) [106.]
 Giorgieri-Contri, C: Begehrt. Uebers. v. K Brenning. (96) (04.) [173.]
 Goldós, F: Avantura vert. Roman. s.: E Jonas. — Kemmerich J: Blitzgestreift. (96) (05.) [133.]
 Grabow, B: Der Sieg d. Liebe. Roman a. d. M.-A. (96) (04.) [189.]
 Haidheim, L: In bösem Schein. (104) (05.) [181.]
 Haneke, O: Erlöschende Sterne. Theaterinnergn, Kulissengesch. u. and. Humoreskes. (96) (01.) [103.]
 Hedentjerus, A: Die Wildkatze. Deutsch v. M Lepehne. (91) (02.) [139.]
 Heichen, P: Der Diebstahl im Warenhause. Kriminal-Erzählg a. d. Belot schen Roman. Belot, A: Ein guter Tropfen. Deutsch v. P Heichen. — Belot, A: Die unzerbrechl. Puppe. Deutsch v. P Beichen. (96) (01.) [101.]
 Heichen, W: Ein polit. Pastor. (96) (01.) [105.]
 Herrmann, F: Auf Trümmeřn d. Glücks. (87) (01.) [112.]
 Hefnoz, L: Eva. (95) (01.) [98.] ‖ Tragödie d. Lebens. (96) (01.) [97.] ‖ Der Einsame. — Onkel Befuhend. (96) (03.) [140.] ‖ Zu spät. (100) (01.) [100.]
 Höcker, O: Unter blend. Hülle. Kriminalnovelle. — Lechmann-Tharnau, P: Die Falschmünzer. Kriminalerzählg. (96) 02. [136.]
 Hood, F: Vos bier u. dort. Kriminalgeschichten, Abenteuer u. Skizzen. (96) (04.) [165.]
 Jonas, E: Viola. Ein modernes Lebensbild frei a. d. Schwed. (96) (01.)
 Kahle, A: Der Kriminalbeamte. Kriminal-Erzählg. (96) (02.) [132.] ‖ Verbrecherwege. Kriminalroman. (96) (03.) [119.]
 Köhler, H: Ein Verschwörer. — Lay, M: Der Heff Intendant. (96) (01.) [115.]
 Lay, M: Der Herr Intendant. s.: Höcker, G, unter blend. Hülle.
 Lechmann-Tharnau, P: Die Falschmünzer, s.: Höcker, O, unter blend. Hülle.
 Lillecrona, A v.: In letzter Minute. (88) (02.) [123.] ‖ Wintersonne. (85) (08.) [138.]
 Lüeld, O: Leonoře. (96) (05.) [156.]
 Lohlay, E de: Ihr erster Roman. Deutsch v. P Heichen. — Suensson, F: Eine Stiefmutter. (95) (05.) [148.]
 Mancke, M: In Unifres tree. (96) (02.) [129.]
 Mosef, E: Vefgangenheit. (96) (04.) [166.]
 Motzkau, J: Wie sie sich fanden u. Anderes. Novellen u. Kriminalgeschichten. (96) (04.) [141.]
 Muschi, JB: Der Marquis. (96) (05.) [149.]
 Narř, C: Späte Sühne. (96) (05.) [176.] ‖ Herzensirrgn. (96) (04.) [164.] ‖ Der Mann m. d. eisernen Kette. (96) (05.) [175.] ‖ Die Schwalbe v. Naporow. — Potap d. Werwolf. (96) (05.) [142.]
 Ortmann, R: Fürstin Baranow. — Der Einbrecher. (96) (03.) [147.] ‖ Das Mädchen d. Marquise. — Uechtlich Volk. (96) (02.) [131.] ‖ Der Elsabhnasen. (96) (03.) [192.] ‖ Harte Herzen. (96) (01.) [95.] ‖ Das gold. Kalb. (96) (01.) [108.] ‖ Blinde Liebe. (96) (05.) [157.] ‖ Maren v. Wraterland. (97) (01.) [117.] ‖ Mordende Sklavinnen. (96) (01.) [174.] ‖ Vaterlandsliebe. (96) (01.) [154.]
 Oulda's Garderelter. Aus d. Engl. v. A Roehl. (87) (02.) [121.]
 Pieratoni-Mancini, G: Costanza. Uebers. v. C Brenning. (100) (01.) [113.]
 Samalow, G: Der Vetter d. Kaisers. Ein Blatt Papieř. (96) (02.) [126.]

Schiener, JL: Der 1. Maskenball, s.: Vertesi, A, leere Herzen.
— Die schöne Ulrike. — Das Geheimnis d. Barons. 2 Kriminal-Erzählgn. (96) (02.) [188.] § Auf dunklen Wegen. (96) (01.) [110.]
Schirmacher: Aus d. Tagen d. Not. Erzählg v. Oberrhein. (96) (03.) [144.]
Schmidt-Cartlow, M: Die Strandprinzessin, s.: Stöckert, F, Zukunftslos.
Schott, C: Frau Kathi. (96) (01.) [105.]
Senden, H: Verdorben. (96) (02.) [155.]
Seyffert-Klinger, A: Die Rache d. Verschmähten. — Ich will richten! —. 2 Kriminal-Erzählign. (96) (02.) [130.]
Sienkiewicz, H: Am sonnigen Gestade. 8 Frauen. Deutsch v. T Kroczek. (95) (04.) [170.] § Studentenliebe. Aus d. Poln. v. T Kroczek. (96) (04.) [161.]
Simeon, AE: Das Waldgeheimnis. Dorfgeschichte. (96) (01.) [107.]
Stöckert, F: Zukunftslos u. Andres. — Schmidt-Cartlow, M: Die Strand-prinzessin. (96) (02.) [124.]
Suensson, F: Eine Stiefmutter, s.: Lonlay, E de, ihr erster Roman.
Telmann, K: Zw. 2 Herzen. (96) (05.) [183.]
Tschechoff, AP: Zum Wahnsinn! (96) (05.) [177.]
Turgenjeff, J: Der Fatalist. Vor d. Sturme. Aus d. Russ. v. W Lange. (96) (05.) [164.]
Vertesi, A: Leere Herzen. Aus d. Ung. v. C Langsch. — Schiener, JL: Der 1. Maskenball. (96) (04.) [156.]
Vilmaf, E: Von e. Stamme. Nach d. Holl. (96) (04.) [162.]
Wild-Queisner, R: Die neue Religion. (96) (05.) [150.] § Die Skatratte. Humoreske. (96) (05.) [166.]
Wingfield, L: Die bolde Wang. Eine lust. Gesch. a. China. Deutsch v. J Cassifer. (96) (02.) [129.]
Zola, E: Die Erstürmg d. Mühle. Das Tanzbüchlein. — D'Aghonne, M: In unlösbaren Banden. Deutsch v. P Heichen. (94) (05.) [148.] § Der Traum. Deutsch v. P Heichen. (96) (01.) [111.]
Weichert, A: Die Legio XXII primigenia. Beitrag z. Gesch. d. röm. Heerwesens in d. Rheinlanden. [S.-A.] (101) 8° Trier, J Lintz 03.
Weichert, J: Turnsp. u. Liederreigen f. Volkssch. 5. Afl. 2 Tle. 8° Danz., AW Kafemann 01. Kart. 1.80; in 1 Bd kart. 1.60 d L (90 m. Fig.) 1 — § 8 (54 m. Fig.) — 80.
Weichert, L: Grundz. d. Strafvollstreckg n. Reichsrecht. (178) 8° Lpzg, Dieterich 02. 5 —; geb. 6 — d
Weichleben, OE, s. a.: Ely, L
Weichselbaum, A: Das Theater-Bibliothek, bunte.
Weichselbaum, A: Ub. Entstehg u. Bekämpfg d. Tuberkulose, s.: Volksschriften d. österr. Gesellsch. f. Gesundheitspflege.
— u. **Henning**: Schädigg lebenswicht. Organe durch Alkohol-genuss. 105×70 cm. Farbdr. Wien, Hof- u. Staatsdr. (03). (Lpzg, KGT Scheffer.) 3.50; Textheft (Die gesundheitsschädl. Wirkg d. Alkoholgenusses. Von A Weichselbaum. (5) 8° — 90
Weicht, AH: Bau v. Strassen u. Strassenb. (192 m. Abb.) 8° Stegl. bei Berl., M Weicht (02). 15 —
Weick, G, s. a.: Paschali.
— Heimatkde v. Elsass-L. 3. Afl. (89 m. Abb. u. 1 Karte.) 8° Zab., A Fuchs 03.
— dass. 3. Afl. Ausg. B ohne unterrichtl. Bemerkgn. (77 m. Abb., 1 Taf. u. 1 Karte.) 8° Ebd. 05. — 50; geb. — 80 d
Weick, J: Causeries pour les enfants. Hilfsb. f. d. Mittelst. d. französ. Unterr. an weibl. Lehranst. 4. Afl. (112) 8° Bielef., Velhagen & Kl. 09. geb. 1.60
Weicke, R: Wie macht man e. angenehme Seereise? Zusam-menstellg v. Schiffstouren, deren Fahrtdauer, Abfahrtzeiten u. Fahrpreisen. (60) 8° Halle, L Nebert (03). — 80 d
— Methodik d. Unterr. im Deutschen n. d. Volkssch. (74) 8° Wittlich, G Fischer 05. Geb. nn 1.25 d
Weicker, B: Die Stellg d. Kurfürsten z. Wahl Karls V. im J. 1519, s.: Studien, histor.
Weicker, G: Der Seelenvogel in d. alten Litt. u. Kunst. (218 m. Abb.) 4° Lpzg, BG Teubner 02. Kart. 28 —
Weicker, G: Schule u. Leben. Reden u. Ansprachen. Mit Lebens-abriss. Aus d. Nachlass hrsg. (171 m. Bildn.) 8° Halle, Bh. d. Waisenh. 05. 2.50 d
Weicker, H: Beitr. z. Frage d. Volksheilstätten. Mittellgn a. Dr. Weicker's „Krankenheim". V. (70 m. 1 Kurve.) 8° Berl., A Hirschwald 01. 2 —
— dass. VI u. VII. (Jahresbericht 1900 u. '01.) (Je 38) 8° Lpzg, F Leineweber 02./03. Je 1.50 § VIII. (123 m. 16 Taf.) 03. — 90 J—IV sind im Buchh. nicht erschienen.
— Tuberkulose — Heilstätten — Dauererfolge. (55) 8° Ebd. 03. 1.50
Weicker, M: Joha Knipstrow, d. 1. General Superint. Pom-merns, wolgast. Tles, s.: Saat u. Ernte.
— Bewegte Zeiten. Erinnergsbl. z. 50jähr. Jubiläum d. Parochie Cammin i. P., s.: Altes u. Neues a. d. luth. Kirche.
Weicker, T: Die bisher. in Heilstätten erzielten Dauererfolge, s.: Über Heilstätten- u. Tuberkulin-Behandlg.
Weickert, A, u. R Stolle: Prakt. Maschinenrechnen. 4. Afl. (262 m. Abb.) 8° Berl., Polyt. Bh. A Seydel 01. L. 4.80 § 5. Afl. (292 m. Abb.) 02. Geb. 5 —
Weickum, K: Weihnachtsspiele. Dramat. Vorstellgn u. d. bibl. Mittellgn üb. d. Geburt Christi. I. Die Berufg d. Hirten. I. Die Berufg d. Heiden. III. Die Herrlichk. d. Herrn in sr Niedrigk. 4. Afl. (83) 8° Freibg i/B., Herder 05. 1.40 d
Weidauer, A: Abschiedsgrüsse beim Scheiden v. Amt u. Ge-meinde. (35) 8° Glauch., A Peschke 03. 2 —
Weidauer, A: Hdb. d. Liebesthätigk, im Kgr. Sachsen. Dar-stellg d. kirchl. Liebesthätigk., wohlthät. gemeinnütz. Anst., Vereine u. Stiftgn, sowie d. Fürsorgeanst. d. Staates, d. Be-zirke u. gröss. Gemeinwesen. (47, 508) 8° Dresd., (Niederl. d. Vor. z. Verbreitg christl. Schriften) 02. (4.50) 3 —; L. (4.50) 3.50 d
— Die Herberge z. Heimat, s.: Bausteine, kl.

Weidemann: Neuer thüring. Kinderfreund, s.: Kühner.
Weidemann, L: Karl Maria Kasch. (Auch e. Leben.) 1—5. Taus. (177) 8° Hambg, A Janssen 04./05. 2 —; L. 3 — d
— Wintersturm. Ein Sang v. d. Ostsee. (84) 8° Ebd. 05. L. 3 — d
Weidemann, M: Reform d. Frauenkleidg als sittl. Pflicht. (51 m. Abb.) 8° Kiel, Lipsius & T. 03. 1 —
Weidemann, W: Der mittelbare Besitz d. BGB. (72) 8° Berl., E Ebering 02. 2
— Die Ursachen d. Kriminalität im Herzogt. Sachsen-Mei-ningen, s.: Abhandlungen d. kriminalist. Seminars an d. Univ. Berlin.
Weidenfeld, S: Beitr. z. Klinik u. Pathogenese d. Pemphigus a. d. k. k. Univ.-Klinik f. Dermatol. u. Syphilis d. Prof. Riehl in Wien. (105) 8° Wien, F Deuticke 04. 3 —
Weidenhagen, R, s.: Jahrbuch, deut. meteorolog. (Magdeburg).
Weidenhammer, G: Rechenbücher, s.: Böhme, A.
Weidenmüller, A: Im Steinbachhof. Roman. (309) 8° Hambg, Agent. d. Rauhen H. (04). 3 —; L. 4 — d
Weidlich: Winke f. d. Ausbildg d. Kavalleristen m. d. Kara-biner 88 z. Schul- u. Gefechtsschiessen. 5. Afl. (108) 12° Berl., Zuckschwerdt & Co. 05. 1 — d
Bisher u. d. T:
— u. V. B: Winke usw. 4. Afl. (112 m. Fig.) 12° Lpzg 02. Ebd. 1.20 d
Weidlich, K: Wann u. warum sehen wir Farben? (44 m. Fig.) 8° Lpzg, (JJ Weber) 04. 1 —
Weidlich, K: Die engl. Strafprozesspraxis u. d. deut. Straf-prozessreform. (78) 8° Berl., J Guttentag 06. 1.80 d
Weidling, F: 8 deut. Psyche-Dichtgn (Schulze, Psyche—Hamer-ling, Amor u. Psyche—Meyer, Eros u. Psyche). (23) 8° Jauer, O Hellmann 03. — 50 d
Weidling, K: Die Haude u. Spenersche Buchhandlg in Berlin in d. J. 1614—1890. (83 m. 1 Bildnis.) 8° Berl., Haude & Sp. 02. L. 4 — d
Weidmann, der, Blätter f. Jäger u. Jagdfreunde. Seit 1.X.1899 vereinigt m. d. Darmstädter Jagdzeitg u. d. Grätsbbll. d. deut. Gebrauchshund-Stammb. Red. v. F Vincent. 32. Jahrg. Oktbr. 1900 — Septbr 1901. 52 Nrn. (Nr.1—27. 340) 4° Berl.-Schönebg, Verl. Die Jagd. Halbj. 2.50; einz. Nrn — 20
— dass. Settd.0.VIII.'01 vereinigt m. d. „Rhein. Jäger" in Köln. (Nr.1.12) 4° Ebd. 33. u. 35. Jahrg. 1903/4. Red. von v. Bause : f. d. jagdl. T: v. Bause, f. d. kynolog. T: C Koch. § 36. Jahrg. 1904/5. Nebst Beil.: Der Jagdhund. § 37. Jahrg. 1905/6. Red.: L Salle, v. Nr. 14 an: L Stahy. Viertelj. 2 —; einz. Nrn — 20 d Erschien e. Oktbr 1901—Ende Dezbr 1905 in Braunschweig.
Weidmann's Heil! Forst- u. Jagdkalender f. 1906. 1. Jahrg. (239 m. 1 Taf.) 8° Nürnbg, C Koch 06. L. 1.20
Vgl.: Weidmannsheil.
Weidmann, C: Zwanglauf. Regelg d. Verbrenng bei Verbrennungs-maschinen. (138 m. Fig. u. 3 Taf.) 8° Berl., J Springer 05. 4 —
Weidmann, F: Rass. argemaul. Wrtrb. 3. Afl. (79) 4 Lpzg, CF Amelang 01. geb. 1.80
Weidmann, H: Aus d. Berliner Arbeiterbewegg, s.: Grosstadt-Dokumente.
Weidmann, R: Aus 35 Dienstjahren. Gelegenheitsreden s.: Er-innerg an gemeinsame Arbeiten u. Freuden. Kämpfe. Leiden, wie als Beitrag z. Osnabrücker Lokalgesch. (284 m. Bildnis u. 2 Taf.) 8° Osnabr., Rackhorst 02. 3 —; geb. nn 4 — d
Weidner, F: Kurzgef. Gesch. d. Infant.-Regts v. Horn (3. rhein.) Nr. 29. Unter Benutzg d. v. Wellmann verf. Regts-Gesch. f. d. Unteroffiziere u. Mannschaften neu bearb. 2. Afl. (55 m. 12 Bil-dern u. 5 Kartenskizzen.) 8° Trier, F Lintz 03. — 60 d
Weidner, O: Goeth's Stoff. Ein Weltzyklus. Lyrisch-philosoph. Dichtg. (116) 8° Dresd., E Pierson 03. 1.50; geb. 2.50 d
— Waldeinsamkeit. Lyrisch-philosoph. Dichtg. (88) 8° Ebd. 03. 1.50; geb. 2.50 d
Weidner, W: Der gegenwärt. Stand d. Zuckerfrage. (38) 8° Mgdbg, Schallehn & W. 03. 1.20
Weidtman, s: Jahrbuch f. d. Oberbergamtsbez. Dortmund.
**Weidwerk, d., in Wort u. Bild. Illustr. jagdl. Unterhal-blätter z. deut. Jäger-Zeitg". Red.: H v. Nathusius. 5 Jahrg. (308, 332, 400, 392 u. 428) 8° Neud., J Neumamm 1900-05. Je 3 —; L. je 5 — d
Wien, K: Aus d. Berliner Verbrecherleben. Enthüllgn a. d. Praxis. 6. Afl. (60) 8° Berl., G Schuhr (05). 1 — d
Weierstrass, K: Mathemat. Werke. III. u. IV. Bd. 4° Berl., Mayer & M. 64 —; HF. nn 70.50; auf Schreibpap., geb. 86 — d — [I—IV.: 190 —; geb. nn 118.50; auf Schreibpap. 248 —]
III. Abhandlung III. (362 m. Bildnis.) 03. 24 —; geb. nn 27 —; auf Schreibpap. 32 —
IV. Vorlesgn üb. d. Theorie d. Abelschen Transcendenten. Herausg. v. G Hettner u. J Knoblauch. (562) 02. 40 —; geb. nn 43.50; auf Schreibpap. 54 —

Weiffenbach, J: Militärrechtl. Erörtergn. 1. Heft. (63) 8° Berl.,
ES Mittler & S. 02. 1.50; L. nn 2.25 d
— Einführg in d. Militärstrafgerichtsordng. Mit e. Anlage, enth.
Hinweise auf d. Rechtsprechg d. Reichsmilitärgerichts u. auf
neuere bemerkenswerte Entscheidgn d. Reichsgerichts. 3. Afl.
(270) 8° Ebd. 04. 3 —; kart. 3.60 d
Weiffenbach, W: Die Frage d. Wiederkunft Jesu, nochmals
kurz erörtert. [S.-A.] (38) 8° Friedbg, (C Bindernagel) 01.
1 — d
Weigall. AEP: Die Mastaba d. Gem-ni-kai, s.: Bissing, FW v.
Weigand, C, u. P Vielhauer; Wohlstandsquellen u. Wohlstandsgefahren, s.: Landmann's, d., Winterabende.
Weigand, F: Die mechan. Vorrichtgn d. chemisch-techn. Betriebe. (416 m. Abb.) 8° Wien, A Hartleben 05. 8 —; geb. 8.80 d
Weigand's, FA, Auskunftei. Ratgeber üb. alle im tägl. Leben
vorkomm. Fragen. Bearb. v. GA Zimmer u. K Weigand jun.
(257) 8° Chemn., FA Weigand 05. L. 3 —
— „Pilzsammler". Volks- u. Schulausg. Nebst Beschreibg, so-
wie Anl. z. Einsammeln u. z. Zubereitg. (33 m. 9 farb. Taf.)
8° Ebd. (04). — 75
Weigand, G: Linguist. Atlas d. dacorumän. Sprachgebietes.
1 : 600,000). 3—6.Lfg. Je 8 Bl. je 52,5×49 cm. Lith. u. kol. Lpzg,
JA Barth (02-05). Je nn 4 — (1—6.: nn 24 —)
— Die Dialekte d. Bukowina u. Bessarabiens. (102 u. 4 m. Titel-
bild u. Musikbeil.) 8° Ebd. 04. 8 —
— Die Dialekte d. Moldau u. Dobrudscha. (99) 8° Ebd. 02. 3 —
— Die Dialekte d. gr. Walachei. (91) 8° Ebd. 02. 2 —
— Prakt. Grammatik d. rumän. Sprache. (342) 8° Ebd. 03.
Geb. 4.50 d
— s.: Jahresbericht d. Instit. f. rumän. Sprache zu Leipzig.
Weigand, H: Geschäfts-Aufsätze d. Landwirte. 2. Afl. (48) 8°
Berl., Trowitzsch & S. 01. Kart. — 60 d
— Der Geschichts-Unterr. n. d. Fordergn d. Gegenwart, s.:
Bibliothek, pädagog.
— Ges.- u. Staaten-Kde f. d. Kgr. Preussen. Enth. Reichs- u.
Landesges. (20, 318) 8° Hannov., C Meyer 02. 2 —; geb. 2.50 d
— Merkb. f. d. deut. Gesch. (64) 8° Ebd. 04. — 30 d
— Nachschlageb. in Rechtssachen. Enth. Reichs- u. Landesges.
f. d. Geb. d. Kgr. Preussen. (318) 8° Ebd. 05. 2 —; geb. 3 — d
— u. A Tecklenburg: Deut. Gesch. f. Schule u. Haus. 9. Afl.
Ausg. A f. vielgliedr. Schulen, Fortbildgssch. u. z. Selbst-
unterr. (205 m. Titelbild.) 8° Ebd. 02. Kart. 1 — || 10. Afl. (216) |
05. Kart. 1.20 d
Weigand, J: Prakt. Ratschläge. Hilfsbüchl. f. jeden. (16) 8°
Oberb. 04. (Lpzg, F Schneider.) — 20 d
Weigand, L: Übgsordng f. d. sächs. Feuerwehren. 5. Afl. (134)
8° Chemn., (M Bülz) 02. Kart. — 80 d
Weigand, W, s.: Bayersdorfer's, A, Leben u. Schriften.
— Die Frankenthaler. Roman. 3. Afl. (Neue [Tit.-]Ausg.) (343)
8° Münch., G Müller [02] 04. 4 —; geb. 5 —; in Liebhaberbd 6 — d
Erschien bisher in Berlin.
— In d. Frühe. Neue Gedichte (1894—1901). (223) 8° Berl. 01.
Münch., G Müller. 4 —; L. 5 — d
— Gedichte. Ausw. (140) 8° Münch., G Müller 04. 1.50; geb. 2.50 ;
in Liebhaberbd 3.50 d
— Florian Geyer. Deut. Trauersp. (143) 8° Berl. 01. Münch.,
G Müller. 2 —; L. 3 — d
— Agnes Korn. Drama. 2. Afl. (100) 8° Münch., G Müller 04.
2 — d
— Lolo. Eine Künstler-Komödie. (94) 8° Ebd. 04. 2 — d
— s.: Monatshefte, süddeut.
— Novellen. 1. Bd. Michael Schönherrs Liebesfrühling u. and.
Novellen. (306) 8° Münch., G Müller 04. 4 —; geb. 5 — d
— Die Renaissance. Damencyclus. 4 Tle. 8° Ebd. Je 2.50 ;
I. Tassa. Tragödie. 2. Afl. Neue [Tit.-]Ausg. (194) [01] 04. || II. Savonarola.
Trag. Dichtg. 2. Afl. (171) 03. || III. Cäsar Borgia. Bühnendichtg. 2. Afl.
(390) 03. || IV Lorenzino. Tragödie. 3. Afl. Neue [Tit.-]Ausg. (162) [01] 04.
— Stendhal, s.: Essays, moderne, z. Kunst u. Litt.
Weigel: Anl. z. militär. Planzeichnen, Kartenlesen u. Kro-
kieren. (64 m. Abb. u. 6 Taf.) 8° Berl., Vossische Bh. 04.
2 —; kart. 2.40 d
Weigel u. Becker: Dienst-Unterr. d. sächs. Infanteristen.
(220 m. Fig., 1 Bildnis u. 5 farb Taf.) 8° Berl., Vossische
Bh. 04. nn — 65; kart. nn — 75 d
Weigel, F: Griech. Elementarb., s.: Schenkl, K.
— Griech. Schulgrammatik, s.: Curtius, G.
— Übgsb. z. Übers. a. d. Deut. ins Griech., s.: Schenkl, K.
Weigel, G: Kommentar z. Militär-Strafgesetzb. f. d. Deut.
Reich, s.: Koppmann, C v.
— Die Zuständigk.-Grenzen zw. Militär- u. Zivilgerichtsbark.
im Deut. Reiche. (360) 8° Münch., CH Beck 02. L. 8.50 d
Weigel, JJ: Gustav Adolf. Festsp. f. ev. Arbeiter- u. Hand-
werkerver. 2. Afl. (68) 8° Rothenbg o/T., Ev. Arbeiterver. 01.
— 40 d
Weigel, M: Deut. Reichs-Post-Katech., s.: Lüdemann, G.
Weigel, M: Führer durch d. Stadt Rothenburg ob d. Tauber.
5. Afl. (47 m. Abb. u. 1 Pl.) 8° Rothnbg o/T., CH Trenkle 03. — 60
Weigeldt, OO, s.: Sammlung ausgeführter Stilarbeiten.
Weigeldt, P: Aus allen Erdteilen. Kommentar zu A Lehmanns
geograph. Charakterbildern. 2. u. 3. Heft. 8° Lpzg, Lpzg,
Schulbilderverl. v. FE Wachsmuth. Je 1.20 (1—3.: 3.60) d
2. Aus d. Alpen. (113 m. Abb.) 01. || 3. Aus Europa. (92 m. Abb.) 03.
Weigelin, E: Das Recht z. Aufrechng als Pfandrecht an d.
eig. Schuld. (186) 8° Hannov., Helwing 04. 3.50

Weigelin, S: Der Einfl. d. Vollkorrektion auf d. Progression
d. Myopie u. d. Material d. Tübinger Univ.-Augenklinik. (39
m. 1 Tab.) 8° Tüb., F Pietzcker 05. nn 1 —
Weigelt: Hdb. f. d. Einj.-Freiwill. sowie f. d. Reserve- u. Landwehr-Offiziere d. Fussartill. 2 Tble. 3. Afl. 8° Berl., ES Mittler & S. 02. 9.25; Einbde in L. je nn — 50 d
1. Heereseinrichtg, innerer Dienst u. Ausbildg zu Fuss. (196 m. Abb.) 3.25
2. Munition, Geschütze u. Ausrüstg; artillerist. Ausbildg; Felddienst.
(347 u. 19 m. Abb., 1 Beil. u. 4 L.) 6 —
4. Afl. u. d. T.:
— Hdb. f. d. Einj.-Freiwill., Offizieraspiranten u. Offiziere d.
Beurlaubtenstandes d. Fussartill. 4. Afl. (24, 639 m. Abb.
7 Taf., 1 Beil. u. 1 Karte.) 8° Berl. 05. 10 —; geb. 11 — d
Weigelt, C: Die Abwässer v. Textil-Industrieen in Langenbielau u. d. Zustand ihrer Aufnahmegewässer. (32 m. Abb.)
8° Berl., C Heymann 03. 1 —
— Uns. natürl. Fischgewässer, wie sie sein sollten u. wie sie
geworden sind, nebst e. Anh., enth. Vorschriften f. d. Ent-
nahme v. Wasserproben f. d. Untersuchg. [S.-A.] (241 m. Abb.)
8° Stuttg., E Ulmer (02). 6 —
Weigelt, C: Der rationelle Zwergobstbau n. neuer Richtg.
Nebst e. Anh. üb. d. richt. Topfobstzucht v. F Kunert. Hrsg.
v. Weigelt & Co. (3. Afl.) (128 m. Abb.) 8° Erf. (03). (Lpzg,
Fritzsche & Schmidt.) 1.20 d
Weigert: Weisellose u. drohnenbrüt. Völker u. deren Behandlg.
(48) 8° Lpzg, Lpzg. Bienenzeitg (05). nn — 60 d
Weigert, C, s.: Bibliotheca medica. — Enzyklopädie d. mikro-
skop. Technik.
Weigert, F: Erfahrgn üb. d. Kindermehle im allg. u. spez. d.
Kufekesche. [S.-A.] (8) 8° Lpzg, B Konegen 03. 1 —
Weigert, F: Üb. umkehrbare photochem. Reaktionen im homo-
genen System, s.: Luther, R.
— Synthese d. s, s-Diäminocapronsäure, s.: Fischer, E.
— Untersuchgn üb. d. Bildgsverhältn. d. ocean. Salzablagergn,
s.: Hoff, JH van't.
Weigert, R: Kl. Unarten, s.: Brettl- u. Theater-Bibliothek,
bunte.
Weigl, A: Führer durch d. Donautal v. Melk bis Grein, s.:
Enderes, R Ritter v.
2. Afl. u. d. T.:
— u. R Ritter v. Enderes: Führer durch d. Wachau (d. Donau-
tal zw. Krems u. Melk), m. kurzer Beschreibg d. in der-
selben geleg. grösseren Ortschaften. (27 m. 14 Ansichtspostk.)
15° Krems, F Österreicher (03). 1.20
Weigl, E: Die Heilslehre d. hl. Cyrill v. Alexandrien; s.:
Forschungen z. christl. Lit.- u. Dogmengesch.
Weigl, F: Heilpädagog. Jugendfürsorge in Bayern. — Zur
Orientierg üb. d. Grundfragen d. Schulbankkonstruktion, s.:
Zeitfragen, pädagog.
— Prakt. Volksschulbildg. Histor. u. sachl. Beleuchtg e. grund-
leg. Schulreformfrage. (68) 8° Rgnsbg, Verl.-Anst. vorm. GJ
Manz 04. — 75
Weigl, J: Jugenderziehg u. Genussgifte, s.: Zeitfragen, pä-
dagog.
— Der Kaffeegenuss, e. Schädigg d. Leistgsfähigk. 2. Afl. (20)
8° Münch., E Reinhardt 04. nn — 50
— Kaffeetrinken n. Gesundh. 2. Afl. (16) 8° Ebd. 04. nn — 10 d
— Das Koffein. 3. Afl. (7) 4° Lpzg, B Konegen (05). 1 —
— Die Koffeingefahr. 2. Afl. (24) 8° Münch., E Reinhardt 04.
nn — 50
Weigl, L: Studien z. d. unedierten astrolog. Lehrgedicht d.
Johannes Kamateros. (58) 8° Würzbg 02. (Münch., A Buch-
holz.) 1.60
Weigle: Der Einfl. d. Jugendver. auf d. sittl. u. relig. Ent-
wickelg d. männl. Jugend. (39) 8° Elberf., (Schwäbl. Jüng-
lingsbund) (02). — 20 d
Weiglsperger, H: Kirchenlieder. (35) 12° Waidh., FM Kargl's
Wwe (01). nn — 50 d
Weigmann, H, s.: Arbeiten d. Versuchsstation f. Molkerei-
wesen in Kiel.
Weigmann, OA: Eine Bamberger Baumeisterfamilie (Dientzen-
hofer) m. d. Wende d. 17. Jahrh., s.: Studien z. deut. Kunst-
gesch.
— Die Lachner-Rolle, s.: Schwind, M v.
— Moritz v. Schwind. [S.-A.] (46 m. Abb. u. 12 Taf.) 4° Münch.,
F Hanfstaengl (05). 8 —
Weigt, K: Almanach d. Feuerbestattg. (38 m. Abb.) 8° Münch.,
(F Cross) 05. nn — 50
— Katech. d. Feuerbestattg. Auskunfts- u. Nachschlagebüchl.
üb. alles Wissenswerthe a. d. Geb. d. Feuerbestattg. 2. Afl.
(148) 12° Ebd. 01. Geb. 1 — Vergr.
Weih, M: kleiner Schwesterseele. Gedichte. (148) 8° Strassbg,
J Singer 06. 2.50
Weihe, d.: Bismarcksäule auf d. Wartenberg bei Eisenach
am 19.X.'02. (24) 8° Eisen., Hofbuchdr. Eisenach H Kahle (02).
— 40 d
— d., d. deut. Burschenschafts-Denkmals zu Eisenach am
27.V.'03. — Das burschenschaftl. Wartburgfest am 23.V.'02.
— Vortr. a. d. Theilnehmer an d. Einweihg d. deut. Burschenschaft (21—23.V.'02). 2 Thle. (80 u. 78 m. 1 Bildnis.) 8° Ebd.
(02). 1.50 d
— d., e. Kirche u. d. Weihe e. Altars ausser d. Kirchenweihe
n. d. röm. Pontifikal. (131) 16° Strassbg, FX Le Roux & Co.
(01). nn — 50; kart. nn — 65; L. nn 1 — d

Weihe, d., d. Lebens. Von e. Priester d. Bisth. Basel, (254 m.
farb. Titelbild.) 24° Einsied., Verl.-Anst. Benziger & Co. 01.
Geb. v. — 80 bis 2.50 d
Weihegottesdienst z. Einweihg d. erneuerten Lutherskirche
in Plauen i. V. Weiherede v. R Lieschke. — Ansprache v.
Lotichius. — Festpredigt v. T Weisflog. (20) 8° Plauen, A Kell
(01). — 20 d Vergr.
Weihnachten. Nr. 1—16. (Je 12—36) 8° Berl., Deut. ev. Buch-
u. Tractatgesellsch. (01.02). Je — 10 d
Kath. Erzählgn v.: O Bayer, M v. O, H v. R u. a.
— II—IV. 8° Berl., (Bh. d. ostdeut. Jünglingsbundes). — 80
(I—IV.: 1.05) d
Mercator, B: Der Neger. Weihnachtserzählg. (32) 02. [II.] — 25
Redern, H v.: Bis dass er's findet! Weihnachtserzählg. (31 m. Abb.) 03. [III.] — 25
Zarnack, R: Seine unausosprechl. Gnade. Weihnachts-Erzählg. (32) 02. [IV.] — 30
[bildet: Zarnack, R, d. Licht a. Bethlehem (im Kat. 1896|1900).
— drei, s.: Esser's, J, Sammlg leicht aufführbarer Theater-
stücke.
— fröhl.! Advents- u. Weihnachtsgedichte, Aufführgn, Litur-
gien etc. 2 Bde. 8° Konst., C Hirsch. Geb. Je 1—d
I. 105 Weihnachts-Gedichte, Deklamationen f. 2 Personen u. Zwiege-
sprüche. (160) [09.]
II. Dichtgn u. Gespräche, f. mehrere Personen. Aufführgn in Schule u.
Haus, sowie Liturgien f. d. kirchl. Feiern d. Sonntags- u. Kleinkindersch.
(160) [09.]
— merkwürd. 2 theosoph. Weihnachts-Erzählgn. Aus d. Engl.
v. M Messala. (59) 8° Berl., P Raatz (04). 1—; geb. 1.75
Weihnachts-Aufführungen. Nr. 11 u. 12. 8° Berl., E Bloch.
Je 1.50
Berg, L: Der Ring d. Glücks. Märchen m. 3 Reigen nebst Prolog im e.
Weihnachtsfestsp. (55) Frankf. a/M. (1909). [II.] d
Schumm, O: Die 3 Haslemknecken. Weihnachtsmärchen m. Gesang. (45)
(05.) [12.] d § Klavier-Auszug. Musik v. O Schumm. (5) 4° 1.50.
Fortsetzg u. d. T:
Weihnachts- u. Neujahrs-Aufführungen. Nr. 13 u. 14. 8°
Berl., E Bloch. Je 1.50 d
Borgstede, E v.: Knecht Ruprechts Macht. Weihnachts-Märchensp. (26)
(04.) [13.]
Steiner, O: Unterm Christbaum. Volksstück m. Gesang. (26) (04.) [14.]
Weihnachts-Bilderbuch, neues. (7 farb. S. ohne Text u. 4 S.
Text.) 4° Wes., W Düms (03). — 60; auf Pappe, geb. 1— d
Weihnachtsbuch, deut. II. Tl: Erzählgn. Hrsg. v. A Troll.
(96) 8° Berl., J Räde (04). Geb. (— 60) — 75 d
Den I. Tl s. u. d. T.: Weihnachtsbüchlein, deut.
Weihnachtsbüchlein: Vom kl. Elschen. Am hl. Abend. Weih-
nachten. (Festgrüsschen m. Antiquaschrift IV.) (16) 8° Zür.,
Bh. d. ev. Gesellsch. (05). — 20
I—III u. d. T.: „Festgrüsschen" sind vergriffen.
— deut., f. d. Schulgebr. Hrsg. v. W Kotzde. (64 m. Titelbild.)
8° Berl., J Räde (04). Geb. (— 60) — 75 d
Den II. Tl s. u. d. T.: Weihnachtsbuch, deut.
Weihnachts-Bühne. Nr. 1—4. 8° Landsbg a/W., Volger & Kl.
Je 1.50 d
Benedix, R: Weihnachten. Familienbild. (22) (04.) [1.]
Esser, E: Vor d. Bescherg. Weihnachtsmärchen. (15) (05.) [4.]
Volger, R: Ehre sei Gott in d. Höhe od. Unterhalts Weihnacht. (20)
(06.) [5.]
Weiss, O: Friede auf Erden od. Im Felde. (20) (04.) [2.]
Weihnachtsdichter, u., s.: Fest- u. Gelegenheitsgedichte,
Weihnachtsfeier, e. gesegnete, u. and. Erzählgn, s.: O du
fröhl. usw. Weihnachtszeit.
— in Sonntagssch. Anl. in Schriftwort, Gesang u. Deklamation
v. M v. O. (16) 8° Schwer., F Bahn 02. nn — 15 d
Weihnachtsfeiern, 3, in Deutsch-Ostafrika, s.: Missionsbilder, ostafrikan.
Weihnachtsfest, e. gesegnetes, u. and. Erzählgn, s.: „Ver-
einsgemeinnicht"-Erzählungen.
— f. d. Krippe. Hirtensp. — Die hl. Nacht. Hirtensp.
— Die hl. 3 Könige. Weihnachtssp. (54) 8° Münst., Aschendorff 05. — 36 d
Weihnachts- u. Neujahrs-Gedichte. Deklamationen f. Erwachsene u. Kinder. Enth.: 1. Des Kindes Weihnachtsgedanken v. E Söhngen. — 2. Stille Nacht! Dunkle Nacht!•,•.
— 3. Des armen Mannes Weihnachten v. E Söhngen. — 4. Zum
neuen Jahr. Sylvester-Betrachtgn v. E Söhngen. (8) 8° Berl.,
A Hoffmann (04). Je 1.60;
Weihnachtshefte. 3 Serien. Je 20 Hefte. (Je etwa 24) 12°
Hambg, Agent. d. Rauhen H. (02.03). Je 1.50;
einz. Hefte — 10 d
Weihnachts-Katalog 1905. (29. Jahrg.) 8° Wes., Doppels. 41—
63 u. S. 64—118 m. Abb.) 4° Lpzg, F Volckmar. †nn — 50;
auf starkem Pap. (40 S. Doppels. 41—63 u. S. 64—120 m. Abb.)
† — 65 d
— 1905. Katalog e. Answ. deut. Werke, d. sich bes. zu Geschenken eignen. (50. Jahrg.) (100 m. Abb.) 8° Lpzg, JC Hinrichs' V. — 40
— literar. 17. Jahrg. 1904. (166 Sp. m. Abb.) 8° Lpzg, KF
Koehler, Barsort. †nn — 50
— illustr. literar., 1905. (94) 8° Dresd., W Baensch. †nn — 50
Weihnachtslicht s.: Blumen u. Sterne.
Weihnachtslieder. (15) 10×8,5 cm. Dortm., R Dreist (04). — 10 d
— d. beliebtesten u. schönsten. (31) 16° Reutl., R Bardtenschlager (04). — 10 d
— f. d. kathol. Haus. (20) 16° Hamm, Breer & Th. (04). — 10 d
Weihnachts-Perlen. Gespräche u. Gedichte z. Weihnachts-

Feier. Für Kirche, Schule, Sonntags-Schule u. Familie. 2—
4. Serie. (Je48) 12° Zeitz (01-03). Brem., Bh. u. Verl. d. Trak-
tath. Je — 45; in losen Blättern in dopp. Anzahl je — 65
(1—4.: 1.80; bezw. 2.60) d
Weihnachtsschimmer, e., s.: O du fröhl. usw. Weihnachtszeit.
Weihnachtszeit, o du fröhl., o du sel. gnadenbring. Neue
Ausg. m. Farbdr.-Bildern (auf d. Umschl.). 61—64. Heft. (Je
16) 8° Hambg 1898-1900. Konst., C Hirsch. Je — 08 d
Vgl. a.: O du fröhl. usw. Weihnachtszeit.
Weihrich, F: Res lusitanae. (14 m. 1 Stammtaf.) 8° Wien,
(A Hölder) 02. — 50
Weikert, G: Christbaum-Lieder, s.: Reich, R.
Weikert, TA: Grammatica linguae hebr. cum chrestomathia
et glossario. (440) 8° Rom, Tipographia poliglotta della S.
C. de Propaganda fide 04. 9.60
Weil, d. Privat-Gestüt d. Königs Wilhelm H. v. Württemberg.
Kurze Beschreibg, zusammengest. v. d. Gestütsleitg. (77 m.
Abb., Stammtaf. u. 1 Pl.) 8° Stuttg., Schickhardt & E. 02.
L. 3 —
Weil, A: Schwierige Übgsstücke z. Übers. a. d. Deut. ins
Französ. Neueren französ. Autoren entnommen, übers. u. m.
Präparat. f. d. Rück-Übersetzg versehen. Schlüssel. 6. Afl.
(82) 8° Berl.-Schönebg, Langenscheidt's V. 05. 1.50; geb. 1.90
Nur f. Lehrer.
Weil, B: Juden in d. deut. Burschenschaft. (64) 8° Strassbg,
J Singer 05. 1—
Weil, E: Üb. d. Einwirkg v. Thiophenolen auf Chlornitroderi-
vate d. Naphthalins. (34) 8° Freibg i/B., Speyer & K. 05. 1—
Weil, J: Elektrizität gegn. Feuersgefahr. Hdb. d. elektr. Feuer-
polizei u. Sicherheitstelegr. (227 m. Abb.) 8° Lpzg, T Tho-
mas 05. 7.50; geb. 9 —
Weil, J: Das Recht zu lieben u. and. Novellen, s.: Universal-
Bibliothek.
Weil, K: Die Burgruine Hohengerhausen (Rusenschloss) bei
Blaubeuren. (16 m. 2 Abb. u. 1 Pl.) 8° Blaubeuren, (F Man-
gold's 5) 04. nn — 50 d
Weil, L: Quartalsbericht üb. Nierenkrankh. (1. Viertelj. '04.)
[S.-A.] (47) 8° Lpzg, Verl. d. Monatsschrift f. Harnkrankh.
04. 1.80
Weil, L: Die Aufreizg z. Klassenkampf, s.: Abhandlungen,
strafrechtl.
Weil, M: Die operative Behandlg d. Hirngeschwülste, s.: Samm-
lung zwangl. Abhandlgn a. d. Geb. d. Nerven-u.Geisteskrankh.
Weil, R: Dem Leben abgerungen. (176) 8° Berl. 02. Jena, H
Costenoble. 3—; geb. 4 — d
Weil, R: Der Gustav Adolf-Ver. in s. Entwicklgsgang, s.:
Festschriften f. Gustav Adolf-Ver.
Weil, R: Die Atmgskunde u. d. Atmgskunst. 2. Afl. (64 m.
Abb.) 8° Berl., K Siegismund 05. — 80
— Die Atmgskur u. d. Wert richt. Atmg. — Die sachgemässe
Behandlg kleinerer Wunden u. Verletzgn, s.: Möller's, W,
Bibliothek f. Gesundheitspflege.
— Leitf. f. d. Untersuchg d. Urines z. rechtzeit. Erkenng v.
Krankh. — Gesunde Lungen!, s.: Hausbücher f. Gesundheits-
pflege.
— Die Massage d. Augen, s.: Möller's, W, Bibliothek f. Gesund-
heitspflege.
— Verhaltgsmassregeln bei ansteck. Geschlechtskrankh. (7)
12° Berl. (02). Oranienbg, W Möller. — 20
Weil, T: Die elektr. Bühnen- u. Effekt-Beleuchtg, s.: Biblio-
thek, elektrotechn.
Weiland, B: Deutschl. z. See. Bau u. Einrichtgn deut. Kriegs-
schiffe in (2) zerlegbaren Modellen dargest. u. m. erklär.
Text v. W., u. e. Einl. v. A Müller. (6 farb. Taf. m. 5
u. 18 S. Text.) Fol. Lpzg, H Zieger (01). L. u. geb. 6 —
Weiland, E: General-Reg., s.: Nord u. Süd.
Weiland, F: Christoph Columbus. Schausp. I. Tl. (118) 8°
Diess., JC Huber 09. 2 — d
Weiland, H: Struktur u. Rechtssphäre d. Gesellschaftsschul-
den u. gesellschaftsähnl. Verbindlichk. im BGB. (59) 8° Bonn,
L Röhrscheidt 02. 2 — d
Weiland, J: Gertrude. (72 m. Bildn.) 8° Lpzg, Modernes Verl.-
Bureau 05. 1.50
Weiland, W: Ueb. d. Einfl. v. Kohlensäurehalt. Bädern auf
d. Blutverteilg im menschl. Körper. (14) 8° Tüb., F Pietzcker
05. nn — 60 d
Weilandt, C: Der Aluminiumdruck. (Algraphie.) Seine Ein-
richtg u. Ausübg in d. lithograph. Praxis. (59 m. Abb.) 8°
Wien, A Hartleben (02). 2 —; geb. 2.80 d
Weilen, A v.: Gesch. d. Hofburgtheaters, s.: Theater, d.,
Wiens.
— Zur Wiener Theatergesch. Die v. J. 1629 bis z. J. 1740 am
Wiener Hofe z. Aufführg gelangten Werke theatral. Cha-
rakters u. Oratorien. (140) 8° Wien, A Hölder 01. 2 —
Weilenmann, A: Die elektr. Wellen u. ihre Anwendg z. draht-
losen Strahlentelegr. u. Marconi, s.: Neujahrsblatt, hrsg. v.
d. naturforsch. Gesellsch. in Zürich.
Weiler, L: 3 Reden, geh. am Versöhnungstage d. J. 5661 (1900).
(18) 8° Frankf. a/M., AJ Hofmann 01. — 50 d
Weiler, P: Der Pfarrer v. Konradscheid od.: Undank ist d,
Welt Lohn. (47) 12° Paderb., (Junfermann) 1900. — 50 d
Weiler, W: Wandk. z. deutsch-französ. Kriege, s.: Meinke, O.
Weiler, W: Chemie fürs prakt. Leben. (494 m. Abb.) 8° Rä-
vnsbg, O Maier (05). 7 —; geb. 7.80; auch in 10 Lfgn zu — 70 d

Weiler, W: Physikal. Experimentier- u. Lese-Buch, s.: Bibliothek Schreiber, kl.
— Die galvan. Induktionsapparate. Leichtfassl. Anl. z. Anfertigg, Erhaltg u. Berechng d. Ruhmkorff-, Tesla- u. medizin. Rollen, deren Verwendg m. Geissler- u. Röntgen-Röhren nsw. (216 m. Abb.) 8° Lpzg, M Schäfer (02). 3 —; geb. 3.50
— Leitf. f. d. Unterr. in d. Physik, s.: Baenitz, C.
— Physikbuch. Lehrb. d. Physik z. Selbstbelehrg u. f. d. Schulunterr. (292, 22, 435 u. 14 m. farb. Abb.) 8° Essl., JF Schreiber (02). L. 13 — d
— dass., s.: Bibliothek Schreiber, kl.
— Schaltgab. f. elektr. Anlagen. (20, 144 m. Abb.) 8° Lpzg, M Schäfer 06. 4 —; geb. nn 4.50 d
Weiler, W v.: Von Nachtigall u. Eule. Gedichte. (107) 16° Freibg i/B., C Troemer 01. 1.80 d
Weilhammer, H: Erstlinge. Gedichte. (54) 8° Frankf. a/M., Gebr. Knauer 02. (1.50) 1 — d
Weilhart, O (O Gerzer): Das neue Dorf, s.: Hafner, J.
— Der Geist ist willig. Liebesdrama. (53) 8° Linz, Ob.-österr. Buchdr.- u. Verl.-Gesellsch. (02). 1 — d
— u. J Hafner: Das Märchen v. 2. Leben. Schausp. (27) 8° Ebd. 1899. — 40 || (Neue [Tit.-]Ausg.) (04.) — 80 d
Weilheim, A: Katalog e. Wiener Grillparzer-Sammlg. Mit bibliograph. Anmerkgu, s. Verz. d. Bildnisse d. Dichtern u. Proben a. d. Übersetzgslit. (110) 8° Wien, W Braumüller 05. 2.50
Weilinger, A, s.: Kalender d. Leipz. Bienen-Zeitg.
Weill: Gesetze u. Mysterien d. Liebe. Nach d. 13. Afl. v. "Lois et mystères de l'amour". Übertr. v. K Weissbrodt. 8. u. 9. Taus. (152) 8° Berl., H Steinitz (03). 3 —
Weill, G: Die Lage d. Kanalschiffer in Elsass-L. (191) 8° Strassbg, J Singer 05. 4 —
Weill, L: Französ. Gesprächs- u. Wiederholgs-Grammatik. (Methode Dunker-Bell.) 2. Afl. 2 Tle. (1000) 8° Stett. 1897. Lpzg, Dent. Kulturverl. 18 —| in 2 L.-Bdn nn 20 —| auch in 31 Lfgn nn — 75 d
Weill, NE: Die Solidarität d. Geldmärkte. Studie üb. d. Verschiedenh. d. gleichzeit. Diskontsätze verschied. Länder. (115) 8° Frankf. a/M., JD Sauerländer 03. 2.40
Weilshäuser's, E. illustr. vegetar. Kochb. 6. Afl. Bearb. unter Mithilfe v. B Wachsmann v. E Hering. (197 m. Abb. u. 5 farb. Taf.) 8° Lpzg, T Grieben 03. 1.20; geb. 1.50 d
Weimann, E: Heldensagen. 20 Erzählgn a. d. Sagenschatze d. german. Völkerstämme. 1. Bd. (292 m. Abb.) 4° Elberf., S Lucas (01). || 3. Bd. 9 Erzählgn. (322 m. Abb.) (02.) Geb. je 3 — d
Weimar in Wort u. Bild. 4. Afl. (106) 8° Jena, Frommann'sche Hof bh. (05). Kart. 3 — d
Weimar, A: Ges. u. Verordng üb. Besoldgn, Ruhegebalte, Sterbequartale, Hinterbliebenenversorgg, Tagegelder, Reisekosten u. Umzugskosten d. hess. Staatsbeamten. (35) 8° Beerf. 1899. (Gross-Umstadt, K Zibulski.) — 75 d
— Alphabet. Verz. d. Wohnorte u. Gemarkgn Hessens u. deren Eintheilg in Kontrol-, Distriktseinnehmerei-, Unterreheb- u. Amtsgerichts-Bezirke. (30) 8° Ebd. 1900. — 30 d
— Die reichsgesetzl. u. im Grossh. Hessen gelt. Vorschriften üb. d. Führg d. Vereinsregisters u. d. Anmeldgn zu diesem Register. (34) 8° Ebd. 1900. — 40 d
Weimar, G: Alttestamentl. Leseb. f. Schule u. Haus. (212) 8° Gött., Vandenhoeck & R. 03. Geb. 1.10 d
— Geistl. Liederb. 187 Schülerchöre, zugleich 2- u. 3stimmig, f. Kirche, Schule u. Haus in neuer Taktierg. Zugl. 2. Tl v. dessen Untersuchgn üb. Choralrhythmus. (38, 231) 8° Giess., A Töpelmann 01. L. 2.50 || 2. [Tit.-]Ausg. 05. Geb. 1 — d
Weimar, W: Blumen-Aufnahmen, n. d. Natur photographirt. (30 Lichtdr. m. 7 S. Text.) Fol. Frankf. a/M., H Keller 01. In M. 15 —
Weimer, H: Gesch. d. Pädagogik, s.: Sammlung Göschen.
Wein, d. deut. Blatt f. Winzer, Händler u. Freunde d. deut. Weines. Red.: H Ritter. 1. Jahrg. Jan.—Septbr 1905. 18 Nrn. (Nr. 1—12. 192) 4° Trier, J Lintz. Viertelj. 1 — d
— Pfälzer. Von e. Pfälzer. (Einbd: Die Weine d. Rheinpfalz in Wort u. Bild.) (60 m. 46 Taf.) 8° Kaisersl., Thieme'sche Druckereien (01). L. 3 —
Weinand: Die Rechte u. Pflichten d. Gast- u. Schankwirte. 1. u. 2. Abdr. (86) 8° Neuw., Heuser's Erben 01.02. Geb.1.50 d
Weinbach, B Freifr. v., geb. Kaulbach, s.: Aus d. Werkstatt d. Herzogin v. Abrantés.
Weinbau, illustr. Organ d. deut. Weinbau-Ver. Red.: (HW Dahlen, P v. Zabern u.) V Benndorf. 19—23. Jahrg. 1901—5 je 52 Nrn. (1901. Nr. 1. 10) 4° Mainz, Ph. v. Zabern. Viertelj. 3 — d
— — dass. Wochenschrift f. Weinbau, Weinhandel u. Kellertechnik. Red.: V Benndorf. 19—23. Jahrg. 1901—5 je 52 Nrn. '23. Jahrg. N. 8) 4° Ebd. Viertelj. 3 — d
Weinbau-Kalender, illustr., f. 1906. Gegründet u. AW Frhrn v. Babo. Hrsg. v. A Frhrn v. Babo. Red. v. H Pfeiffer. 35. Jahrg. (109) 8° Klosterneabg. (Wien, W Frick.) Kart. nn 1 — d
— österr. Hrsg. v. F Reckendorfer. 1906. 1.Jahrg. (80 m.Abb.) 8° Wien, C Fromme. — 70 d
Weinbau- u. Weinkellerei-Kalender, deut., f. 1906. Hrsg. v. H Würtenberger. 16. Jahrg. (Schreibkalender u. 182) 8° Kreuzn., (F Harrach's Nf.). L. 2 —

Weinbau-Karte d. Nahe-Gebietes f. d. Reg.-Bez. Coblenz u. angrenz. preuss., bayer. u. hess. Gebietsteile. 1:50,000. 78,5 ∞80 cm. Farbdr. Kreuzn., F Harrach's Nf. 01. 3 —
Weinbaum, D: Gesch. d. jüd. Friedhofs in Dybernfurth. (24) 8° Bresl., Koebner 06. — 50 d
Weinberg, A: Lehrb. d. Warenkde f. 2klass. Handelslehranst. u. verwandte Schulen. 2. Afl. (264 m. Abb.) 8° Wien, A Pichler's Wwe & S. 03. Geb. 3.50 d
Weinberg, G: Einführg in d. engl. Handelskorrespondenz. (174) 8° Stuttg., Muth 05. Geb. 2.50 d
Weinberg, M: Die hebr. Druckereien in Sulzbach (1669—1851). (Ihre Gesch., ihre Drucke; ihr Personal.) [S.-A.] (189) 8° Frankf. a/M., (AJ Hofmann) 04. 4 —
Weinberg, R: Orania livonica. Untersuchng z. praehistor. Anthropol. d. Balticum. [S.-A.] (92 m. 5 Taf.) 8° Jurjew-Dorp., (JG Krüger) 02. (Berl., R Friedländer & S.) 6 —
Weinberg, S: Teilnahme an fahrläss. Handlgn n. gelt. Rechte. (84) 8° Berl., Struppe & W. (04). 2 —
Weinberger, A: Das Reichsges. üb. d. Freizügigk. v. 1.XI. 1867. (113) 8° Ansb., C Brügel & S. 05. L. 2.40 d
Weinberger, KF: Hdb. f. d. Unterr. in d. Harmonielehre. Unter bes. Berücks. d. prakt. Orgelspiels f. Lehrerbildgsanst. bearb. 2 Abtlgn. 8° Münch., CH Beck. L. nn 6.50 d
1. Lehrstf. d. Präparandensch. 2. Afl. (229) 01. 2.90; geb. nn 2.40; 3. Afl (134) 05. Geb. nn 3.60 (o geb.) | 2. Lehrstof d. Schullererseminarien. (381—422) 2.40; geb. nn 2.90.
— Die steh. Vespergesänge u. Responsorien, f. liturg. u. instruktive Zwecke m. Orgelbegleitg eingerichtet. Op. 50. (39. 4° Rgnsbg, JG Boessenecker 1899. 1.80
Weinberg, M: Atlas d. Radiogr. d. Brustorgane. (50 Lichtdr. m. 26, 204 S. illustr. Text.) Fol. Wien, EM Engel (01). Geb. 25 —
Weinberger, R: Die patholog. Anatomie d. Puerperal-Eclampsie u. Urämie. (192) 8° Strassbg, J Singer 03. 2 —
Weinberger, W: Catalogus catalogor. Verz. d. Bibliotheken. d. ält. Handschriften latein. Kirchenschriftsteller enth. (56) 8° Wien, F Tempsky. — Lpzg, G Freytag 02. 4 —
Weinblatt, das, Allg. deut. Weinfachzeitg. Red.: H Kerber. 1. Jahrg. Septbr—Dezbr 1903. 17 Nrn. (135) 4° Neust. a. d. H., D Meininger. || 2. u. 3. Jahrg. 1904 u. 5 je 52 Nrn. Viertelj. 2 —
Wein-Börse. Rundschau n. zum gelieferten Berichten üb. Wein u. Spirituosen. 7—10. Jahrg. Dezbr 1901—Dezbr 1905 je 3—4 Nrn. (1. Jahrg. 80 m. Abb.) 8° Leipzig-Gohlis, Hoffmann, Heffter & Co. (Nur dir.) Je 1 —; einz. Nrn — 35 d
Weinbuch, L: 1. Hilfe bei Unfällen m. kurzem Ueberblick üb. Improvisation. 3. Afl. (98 m. Abb.) 8° Herzog-Wilhelmstr. 21/1), Geschäftsstelle d. „Illustr. ärztl. Hausfreund." L. 1.50
Weindler, F, s.: Berichte a. d. Privat-Frauenklinik v. W.
Weine, die, d. Rheinpfalz in Wort u. Bild. Von e. Pfälzer. (111 m. 1 Kart.) 8° Kaisersl., Thieme'sche Druckereien. Geb. 2 —
Grosse Ausg. s. u. d. T.: Wein, Pfälzer
Weineck: Die Bedeutg d. Brache f. d. neuzeitl. landw. Betrieb. (20) 8° Lpzg, H Voigt 03. — 60 d
Weineck, F: Schulatlas f. d. unt. u. mittl. Unterr.-Stufen, s.: Debes, E.
Weinek, L: Graph. Darstellg d. Sternkoordinatenänderg zufolge Präzession nebst Ableitg d. bezügl. Grundgleichgn. [S.-A.] (7 m. Fig.) 8° Wien, (A Hölder) 03. — 50
— Die Lehre v. d. Aberration d. Gestirne. [S.-A.] (68 m. Fig.) 4° Ebd. 04. 6 —
— Graph. Nachweise z. Olbers'schen Methode d. Kometenbahnbestimmg, u. Satze d. konstanten Flächengeschwindigk., u. z. Ephemeridenrechng. [S.-A.] (30 m. Fig.) 8° Ebd. 04. 1 —
— Zur Theorie d. Planetenvorübergänge vor d. Sonnenscheibe. [S.-A.] (26 m. Fig.) 8° Ebd. 03. — 70
— Zur Theorie d. Sonnenuhren. [S.-A.] (11 m.Fig.) 8° Ebd. 05. — 50
— Zur Theorie d. Spiegelsextanten. [S.-A.] (12 m. Fig.) 8° Ebd. 02. — 40
Weinel, H: Die mährisch Jesu, s.: Aus Natur u. Geisteswelt.
— Jesus im 19. Jahrh. 1—7. Taus. (316) 8° Tüb., JCB Mohr 03.04. 3 —; geb. 4 — d
— Die Nichtkirchlichen u. d. freie Theol. Meine Vorträge in Solingen, ihre Gegner u. ihre Freunde. 1. u. 2. Afl. (76) 8° Ebd. 03. — 80 d
— Paulus, s.: Lebensfragen.
Weiner, J m., O Grünewald: Verkehrssteuerges. f. Elsass-L. v. 14.XI.'04. Textausg. m. Anmerkgn. Mit e. Anh., enth. d. Ausfürgsbestimmg. z. d. Verkehrssteuerverwaltg, nebst s. Ausführgsbestimmg. (101) 8° Strassbg, F Bull 05. Kart. 1.50 d
Weinelt, JE: Die mährisch-schles. höh. Forstlehranst. Kassen — Eulenberg — Mährisch-Weisskirchen 1852—1902. [S.-A.] (16 m. Ansichten u. Plänen). 8° Wien (I, Gelbergasse 9). Oberforstmstr Weinelt († 09). 2 —
— Der österr. Reichsforstver. 1852—1902. Seine Begründg, Entwicklg, Wirksamk. u. Bedeutg. [S.-A.] (8 m. 1 Ergänzbilde.) 8° Ebd. 02. — 85 d
Weiner, M: Matt.: Prakt. Hydrotherapie. Freie deut. Bearbeitg v. Z Duval, iza de l'hydrothérapie. (260 m. Abb.) 8° Frankf. a/M., J Alt 01. 5 —; L 6 —
Weinert, B: Deut. Sprachsch., s.: Stein, M.
Weinert, H: Grundbegriffe d. Chemie, s.: Heussi, J, Leitf. d. Physik.

Weinert, H: Was Grossmütterchen erzählt. Märchen f. Kinder. (32 m. 8 farb. Taf.) 4° Duisbg, JA Steinkamp (o. J.). Kart. † 1 — d
— u. F v. **Kronoff**: Es war einmal. Ein neues Märchenb. f. unser Kind. (74 m. 8 farb. Taf.) 4° Ebd. (o. J.). Geb. † 2 — d

Weinert, L: Die Mühlhofbäuerin. Dorftragödie. (88) 8° Prag, G Neugebauer 01. 1.80 d

Weinfach-Kalender f. 1906, 23. Jahrg. Bearb. v. F Goldschmidt. (263 m. Abb. u. 1 Karte.) 8° Mainz, J Diemer. L. 2.50

Weingart, A: Kriminaltaktik. Hdb. f. d. Untersuchen v. Verbrechen. (420) 8° Lpzg, Duncker & H. 04. 8 —; L. 9.20; HF. 10.60 d

Weingart's, H, Antrittspredigt in Borgfeld. 2. Taus. (14) 8° Brem., E Hampe 02. — 10 d
— Uns. Kinder — uns. Muster u. Meister. Vortr. (16) 8° Hdlbg, Ev. Verl. 02. — 20 d
— Suchen u. Finden, s.: Predigt-Bibliothek, moderne.

Weingarten's Zeittaf. u. Überblicke z. Kirchengesch. 6. Afl. v. CF Arnold. (264) 8° Lpzg, JC Hinrichs' V. 05. 4.80; L. 5.80

Weingartner, F: Bayreuth (1876—96). 2. Afl. (70) 8° Berl. 04. Lpzg, Breitkopf & H. 1.50; geb. nn 2.50 d
— Üb. d. Dirigieren. 3. Afl. (61) 8° Lpzg, Breitkopf & H. 05. 1.50; L. 2.50
— Das Gefilde d. Seligen. Op. 21. (Kl. Konzertführer.) (10) 8° Ebd. (04). — 10 d
— König Lear. Symphon. Dichtg. Op. 20. Erläutergn z. Einführg in s. Werk v. Komponisten. (Kl. Konzertführer.) (7) 8° Ebd. (04). — 10 d
— Orestes. Trilogie n. d. „Oresteia" d. Aischylos. I. Thl: Agamemnon. II. Thl: Das Todtenopfer. III. Thl: Die Erinyen. Op. 30. (Dichtg.) (85) 8° Berl. 04. — 80
— Carl Spitteler, s.: Broschüren, Münchner.
— Die Symphonie n. Beethoven. 2. Afl. (109) 8° Berl. 01. Lpzg, Breitkopf & H. 1.50; geb. 2.50 d

Weingartner, L: Bilder a. d. Gesch. f. d. 2. Kl. österr. Mädchen-Lyzeen. (222) 8° Wien, Manz 03. 1.80; geb. 2.30 d
— Grundz. d. Erdbeschreibg f. d. 1. Kl. d. Mittelsch. 3., n. Herr 15. Afl. (84) 8° Ebd. 03. 1.10; geb. 1.40 d
— Länder- u. Völkerkde f. d. 2. u. 3. Kl. d. Mittelsch. 2., v. Herr 15. Afl. (210 m. H.) 8° Ebd. 04. Geb. 2.80 d
— Lehrb. d. Gesch. d. Altertums f. d. 3. Kl. österr. Mädchen-Lyzeen. (221 m. Abb.) 8° Ebd. 04. Geb. 2.50 d
— dass. f. d. 2. Kl. d. österr. Mittelsch. 2. Afl. (164 m. Abb.) 8° Ebd. 04. Geb. 1.90 d

Weinhardt, F: Neue Weihnachtslieder f. 2 stimm. Gesang m. Klavierbegleitg. 30 Lieder f. Weihnachtsfeiern. (32) 8° Reutl., Ensslin & L. (03). — 20 d
— 60 Weihnachtslieder f. 2 stimm. Gesang m. Klavierbegleitg, f. Weihnachtsfeiern u. z. Erbaug. (64) 8° Ebd. (03). — 50; geb. — 75 d

Weinhardt, M: Klinisch-statist. Bericht üb. 1122 Enukleationen d. Augapfels. (27) 8° Tüb., F Pietzcker 05. nn — 70

Weinhart, G: Der Sohn Gottes als d. Opfergabe d. kathol. Christen in d. hl. Messe u. im Rosenkranzgebete. (15) 16° Augsbg, Lit. Instit. v. Dr. M Huttler 04. nn — 10 d

Weinheim s.: Horneck v. Weinheim.

Weinhold, A: Guter Ton u. feine Sitte, s.: Grethlein's prakt. Hausbibliothek.

Weinhold, AF: Physikal. Demonstrationen. Anl. z. Experimentieren im Unterr. an Gymnasien, Realgymnasien, Realsch. u. Gewerbsch. 4. Afl. 3 Lfgn. (987 m. Fig. u. 4 Taf.) 8° Lpzg, Quandt & H. 04./05. Je 9 —; in 1 HF.-Bd 30 —

Weinhold, K, s.: Abhandlungen, germanist.
— Kl. mhd. Grammatik. 3. Afl. v. G Ehrismann. (111) 8° Wien, W Braumüller 05. 2 —
— s.: Zeitschrift d. Ver. f. Volkskde.

Weininger, O: Üb. d. letzten Dinge. Mit e. biograph. Vorwort v. M Rappaport. (27, 183) 8° Wien, W Braumüller 04. 5 —; L. 6.40
— Geschlecht u. Charakter. (23, 599) 8° Ebd. 03. || 2. Afl. (24, 608) 04. Je 8 —; L. je 9.40 || 3. Afl. (22, 608 m. Bildnis.) 04. geb. 10 — || 4.—6. Afl. (22, 608) 05. 5 —; L. 6.40

Weinland, DF: Kuning Hartfest. Lebensbild a. d. Gesch. uns. deut. Ahnen, als sie noch Wuodan u. Duonar opferten. 2. [Tit.-]Afl. (292 m. Abb. u. Titelbild.) 8° Lpzg, O Spamer [1897] 03. || 3. Afl. (304 m. Abb. u. Titelbild.) 05. Je 4 —; geb. je 5.50 d
— Rulaman. Erzählg a. d. Zeit d. Höhlenmenschen u. Höhlenbären. 5. [Tit.-]Afl. (256 m. Abb. u. Titelbild.) 8° Ebd. [1899] 03. 4 —; geb. 5.50 d

Weinland, R: Anl. z. Massaanalyse u. zu d. massanalyt. Bestimmg d. Deut. Arzneib. IV. (92) 8° Tüb., (G Schnürlen) 05. L. u. durchsch. † 4 —

Weinlaube, die, Zeitschrift f. Weinbau u. Kellerwirtschaft. Gegründet v. AW Frhru v. Babo. Hrsg. u. red. v. A Frhrn v. Babo. Red.: J Terasch. 33—37. Jahrg. 1901—5 je 52 Nrn. (Nr. 1. 12 m. Abb.) 4° Wien. (Berl., P Parey.) Halbj. 6 —; etc. Nrn nn — 25 d

Weinlechner: Üb. Herzchirurgie, s.: Klinik, Wiener.

Weinmann, C: Hymnarium Parisiense, d. Hymnar d. Zisterzienser-Abtei Pairis im Elsass, s.: Veröffentlichungen d. gregorian. Akad. zu Freiburg (Schweiz).

Weinmarkt. Weinbau- u. Weinhandelsbl. „Mosel u. Saar" ist hiermit vereinigt. 21—25. Jahrg. 1901—5 je 24 Nrn. (1901. Nr. 1. 16 m. Abb.) 4° Trier, J Zeimet. (Nur dir.) Je 10 —

Weinmeyr, M: Der Obstbaum u. s. Pflege. (32 m. Abb.) 8° Neubg a/D., Griessmayer (01). — 25 d

Weinnoldt, E: Leitf. d. analyt. Geometrie. (80 m. Fig.) 8° Lpzg, BG Teubner 02. Kart. 1.60

Weinold, J: Gedichte. (92 m. Bildn.) 8° Dresd., E Pierson 01. 1.50; geb. 2.50

Weinrich, A v.: Die Haftpflicht weg. Körperverletzg u. Todtg e. Menschen n. d. im Deut. Reiche gelt. Rechten. 2. Afl. (301) 8° Berl., C Heymann 02. 3 —

Weinrich, D: Märchen. (95) 8° Lpzg (03). Berl., H Seemann Nf. 2 —

Weinrich, P: Uebgsstof f. d. Gesangunterr. (96) 8° Berl., L Oehmigke's V. 03. — 40 d

Weinschenk, E: Anl. z. Gebr. d. Polarisationsmikroskops. (133 m. Fig.) 8° Freibg i/B., Herder 01. 3 —; L. 3.50
— Beitr. z. Petrogr. d. östl. Zentralalpen spez. d. Gross-Venedigerstockes. III. Die kontaktmetamorph. Schieferhülle u. ihre Bedeutg f. d. Lehre v. allg. Metamorphismus. [S.-A.] (80 m. 5 Lichtdr. u. 1 Kartenskizze.) 4° Münch., (G Franz V.) 03. 3 — (I.—III.: 7.20)
— Grundz. d. Gesteinskde. 2 Tle. 8° Freibg i/B., Herder. 13 —; geb. 14.30
    1. Allg. Gesteinskde als Grundl. d. Geol. (156 m. Fig. u. 3 Taf.) 02. 4 —; geb. 4.60 || 2. Spez. Gesteinskde m. bes. Berücks. d. geolog. Verhältn. (331 m. Fig. u. 9 Taf.) 05. 9 —; geb. 9.70.
— Die Kieslagerstätte im Silberberg bei Bodenmais, s.: Gruber, K. d. Schwefel- u. Magnetkiesbergbau am Silberberge bei Bodenmais.
— Die gesteinsbild. Mineralien. (146 m. Fig. u. 18 Tab. in 4°) 8° Freibg i/B., Herder 01. L. u. geb. 5.60; Tab. allein 1.60

Weinschenk, FW: Chronik v. Wachau. (187) 8° Lpzg, R Maeder (03). 3 — d

Weinstein, B: Einl. in d. höh. mathemat. Physik. (390 m. Fig.) 8° Berl., F Dümmler's V. 01. L. 7 —
— Thermodynamik u. Kinetik d. Körper. I. u. II. Bd u. III. Bd, 1. Hlbbd. 8° Brnschw., F Vieweg & S. 40 —
    I. Allg. Thermodynamik n. Kinetik u. Theorie d. idealen u. wirkl. Gase u. Dämpfe. (464 m. Abb.) 01. 12 —
    II. Absolute Temperatur. — Die Flüssigk. — Die festen Körper. — Thermodynam. Statik n. Kinetik. — Die (nicht verdünnten) Lösgn. (566) 02. 16 —
    III. 1. Die verdünnten Lösgn. — Die Dissociation. — Thermodynamik d. Elektricität u. d. Magnetismus (1. Thl). (464) 05. 12 —

Weinstein, NI: Zur Genesis d. Agada. Beitrag z. Entstehgsu. Entwickelgsgesch. d. talmud. Schriftthums. II. Thl. Die alexandrin. Agada. (275) 8° Gött., (Vandenhoeck & R.) 01. 7 — Der I. Thl ist noch nicht erschienen.

Weinstock, A: Deut. Lese- u. Bildgsb. f. kathol. Lehrerbildgsanst., s.: Wimmers.
— Sprachübgn. 4. Heft. 4. Afl. (39) 8° Düsseldf, L Schwann (01). || 2. Heft. 3. Afl. (40) (01). Jo nn — 25 d

Weintraud, W, s.: Lehrbuch d. klin. Untersuchgsmethoden.

Weinwurm, R: Method. Anl. z. elementaren Gesangunterr. 6. Elementar-Gesangb., m. Rücks. auf d. Bedürfnisse d. öffentl. Schulen, sowie d. Lehrer- u. Lehrerinnen-Bildgsanst. verf. 3. Afl. (130) 8° Wien, A Pichler's Wwe & S. 1900. Geb. 3 — d
— Elementar-Gesangb. f. allg. Volksch. 13. Afl. (54) 8° Ebd. 05. — 50 d
— Allg. Musiklehre od. musikal. Elementarlehre, insbes. m. Rücks. auf d. Bedürfnisse an höh. Schulen verf. 5. Afl. (154) 8° Wien, A Hölder 01. Geb. 2.10 d

Wein-Zeitung, allg. Illustr. Zeitg f. Weinbau u. Kellerwirtschaft. Hrsg.: HH, R u. H Hitschmann. Red.: A dal Piaz. 18—22. Jahrg. 1901—5 je 52 Nrn. (Nr. 1. 10) 4° Wien, (C Gerold's S.). Viertelj. 3 — d
— deut. Rhein. Wein-Berichte u. Rheingauer Weinblatt. Red.: E u. F Goldschmidt. 38—42. Jahrg. 1901—5 je 96 Nrn. (1901. Nr. 1. 10) 43×32 cm. Mainz, J Diemer. Postfrei je nn 15 — d
— rhein. Organ f. Weinbau u. Weinhandel. 5—8. Jahrg. 1901—4 je 52 Nrn. (Nr. 1. 10) 4° Pol. Kreuzn., F Harrach Nf. Viertelj. 1.50 d
Fortsetzg war nicht zu erhalten.

Weinzierl, T Ritter v.: Das neue Anstaltsgebäude d. k. k. Samen-Kontroll-Station (k. k. landw.-botan. Versuchsstation). [S.-A.] (15 m. 14 Taf.) 8° Wien, (W Frick) 04. — 80
— Alpine Futterbauversuche, zugl. II. Bericht üb. d. im alpinen Versuchsgarten auf d. Sandlingalpe durchgeführten wiss. prakt. Untersuchgn in d. J. 1890—1900. [S.-A.] (276 m. 11 Lichtdr., 5 Autotyp., 24 chromolith. Diagr. u. 11. Situationspl.) 8° Ebd. 01. nn 12 —
— 19—24. Jahresbericht d. k. k. Samen-Kontroll-Station (k. k. landw.-botan. Versuchsstation) in Wien. 8° Ebd. Je — 80
    19. Bericht). v. 1.VIII.1898—31.VII.1899. (23) 1900. d || 20. Bericht). v. 1.VIII.1899—31.VII.1900. (49) 01. || 21. Bericht). v. 1.VIII.1900—31.VII.'01. (90) 02. || 22. '02. (67) 03. || 23. '03. (61) 04. || 24. '04. (47) 05.
— Regeln u. „Normen" f. d. Benützg d. k. k. Samen-Kontroll-Station in Wien. 3. Afl. (24) 8° Ebd. 01. — 50 d
    4. Afl. (54 m. 1 Tab.) 8° Ebd. 05. nn — 50

Weippl, T: Der Bau d. Bienenhauses. — Die Faulbrut d. Bienen, s.: Bibliothek, d., d. Bienenwirtes.

Weirauch, M: Hdb. d. deut., bezw. d. deut. u. preuss. Gesetzgebg, s.: Schönrock, L.

Weirup, E: Geschäfts-Aufsätze, s.: Trapp, A.
— Ostbau. Zum Gebr. f. landw. Lehranst. u. z. Selbstbelehrg. (59 m. Abb. u. 4 Taf.) 8° Lpzg, H Voigt 05. 1 — d

Weis, F: Die Bakterien, s.: Schmidt, J.

Weis-Liebersdorf, JE: Christus- u. Apostelbilder. Kinfl. d. Apokryphen auf d. ält. Kunsttypen. (124 m. Abb.) 8° Freibg i/B., Herder 02. 4 —
— Das Jubeljahr 1500 in d. Augsburger Kunst. **2 Tle**. (341 m. Abb.) 4° Münch., Allg. Verl.-Gesellsch. 01. Je 5 —
— s.: Julian's v. Speier Choräle zu d. Reimoffizien d. Franziscus- u. Antoniusfestes. — Wochenschrift, theolog.

Weis, K: Der poln. Jude. Volksoper. Text u. Erckmann-Chatrian v. V Léon u. R Batka. (Textb.) (48) 8° Lpzg, M Brockhaus (01). — 50
— Die Zwillinge. Kom. Oper. Text u. W Shakespeares „Was ihr wollt". Musik v. W. (Textb.) (71) 8° Berl., A Fürstner 02. — 50

Weis, L: Blauer Montag od.: Die Kneipe „Zum verrosteten Löfel". Singsp. (8) 8° Halle, Graph. Verl.-Anst. 01. — 25 d

Weis, L: Joseph Dietzgens sozialdemokrat. Relig.-Philosophie. (110) 8° Kiel, Lipsius & T. 05. 1.30 d
— Gedanken zu Gust. Glogaus Philosophie. Naturwiss. u. Philosophie. Mit e. Nachwort v. La Roche. (56) 8° Ebd. 05. 1 — d
— Kant: Naturgesetze, Natur- u. Gotteserkennen. Kritik d. reinen Vernunft. (257) 8° Berl. 03. Lpzg, M Heinsius Nf. 3.60 d
— Kulturgesch. u. Naturwiss., s.: Christentum u. Zeitgeist.

Weis, N: Leben d. Heiligen Gottes, s.: Räss, A.

Weisar, V: Meine Auferstehg. Aus d. Böhm. v. M K. (27) 8° Schweidn., P Frömsdorf 04. 25

Weisbach, A: Synopsis mineralogica. Systemat. Übersicht d. Mineralreiches. 4. Afl. v. F Kolbeck. (95) 8° Lpzg, A Felix 06. 3 —
— Tab. z. Bestimmg d. Mineralien mittels äusserer Kennzeichen. 6. Afl. v. F Kolbeck. (120) 8° Ebd. 05. 3 —; geb. 3.60

Weisbach, J: Lehrb. d. Ingenieur- u. Maschinen-Mechanik. 3. Tbl: Die Mechanik d. Zwischen- u. Arbeitsmaschinen. 2. Afl. v. G Herrmann. 3. Abth. Die Maschinen z. Formveränderg. 20—22. Lfg. (1865—2200 m. H.) 8° Brnschw., F Vieweg & S. 01. 9.50 (Vollst.: 181.60; geb. 195.60) d
— Taf. d. vielfachen Sinus u. Cosinus, sowie d. vielfachen Sinus verz. v. kl. Winkeln, nebst Taf. d. einf. Tangenten. 7. Ausg. (28) 8° Berl., Weidmann 03. 1 —

Weisbach, W: Francesco Pesellino u. d. Romantik d. Renaissance. (133 m. Abb. u. 18 Taf.) Fol. Berl., B Cassirer 01. Kart. 45 —

Weisbecker: Eine neue Serumtheorie. (Unter teilweiser Benutzg e. Vortr. üb.: „Serumtherapie u. -theorie".) (38) 8° Frankf. a/M., J Alt 03. — 80

Weise: Das sächs. Enteignungsrecht. — Die sächs. Gemeindeordngn, s.: Vorträge üb. Gesetzeskde u. Verwaltg.

Weise, FO: Kurzer Abriss d. Logik u. d. Psychol. f. höh. Lehranst. (26) 8° Lpzg, BG Teubner 05. — 50 d
— Prakt. Anl. z. Anfertigen deut. Aufsätze. 7. Afl. d. „Prakt.-Anleitg" v. L Cholevius. (141) 8° Ebd. 04. Geb. 1.60 d
— Ästhetik d. deut. Sprache. (309) 8° Ebd. 03. ‖ 2. Afl. (328) 05. L. je 2.80 d
— Charakteristik d. latein. Sprache. 3. Afl. (150) 8° Ebd. 05. 2.80; geb. 3.40
— Dispositionen u. Musterentwürfe zu deut. Aufsätzen, s.: Menge, K.
— Musterbeisp. z. deut. Stillehre. (30) 8° Lpzg, BG Teubner 04. — 30 d
— Musterstücke deut. Prosa z. Stilbildg u. z. Belehrg. (144) 8° Ebd. 03. Geb. 1.40 ‖ 2. Afl. (166) 05. Geb. 1.60 d
— Uns. Muttersprache, ihr Werden u. ihr Wesen. 5. Afl. (264) 8° Ebd. 04. L. 2.60 d
— Schrift- u. Buchwesen in alter u. neuer Zeit, s.: Aus Natur u. Geisteswelt.
— Deut. Sprach- u. Stillehre. 1. u. 2. Afl. (192 bezw. 111) 8° Lpzg, BG Teubner 01. 06. Geb. 2 — d
— Wie denkt d. Volk üb. d. Sprache?, s.: Polle, F.
— Die deut. Volksstämme u. Landschaften, s.: Aus Natur u. Geisteswelt.

Weise's, G, Bilderwelt. 1. Anschaugs-Unterr. in 400 Abbildgn a. Haus u. Hof, a. Wald u. Feld. (24 farb. Taf. m. Text auf d. Rücks.) Fol. Stuttg., G Weise (02). Geb. 3.50 d
— Naturgesch. in Bildern. Das Tierreich. (24 farb. Taf. m. Text auf d. Rücks.) 4° Ebd. (04). Geb. 3.50 d

Weise, H, s.: Hinrichs' Fünfjahrs-Katalog.

Weise, F: Marbod, König d. Markomannen. Drama. (72) 8° Dresd., (O Damm) (02). 1.20 d
— Überraschung. Lustsp. (78) 8° Ebd. (04). — 75 d

Weise, J: Coccinelliden u. Hispiden a. Kamerun. [S.-A.] (9 m. 1 Taf.) 8° Stockh. 03. (Berl., R Friedländer & S.) — 90 d

Weise, J: Zins-Tab. f. jeden Kapitalbetrag, Zinssatz u. Zinsraum. (52) 4° Düsseldf, F Disse (04). Kart. 4 —

Weise, K: Familienleben in Dichtgn. 3. Afl. (182) 16° Berl., A Goldschmidt 02. L. 1.50 d

Weise's, K, deut. Bücherei. Nr. 2—10. Mit Einl. u. Anmerkgn. 8° Berl., A Anton & Co. L. 1.50 d
Goethe, JW v.: Götz v. Berlichingen m. d. eisernen Hand. Schausp. Hrsg. v. CLA Pretzel. (129) [05.) [10.] ‖ Hermann u. Dorothea. Hrsg. v. KWeise. (80, 87) (03.) [2.]
Kleist, v.: Prinz Friedrich v. Homburg. Schausp. Hrsg. v. A Troll. (86) (04.) [4.]
Schiller, F v.: Die Jungfrau v. Orleans. Romant. Tragödie. Hrsg. v. H Berdrow. (140 m. 1 Karte.) (ub.) [4.] ‖ Maria Stuart. Trauersp. Hrsg. v. A Knospe. (151) (04.) [7.] ‖ Wilhelm Tell. Schausp. Hrsg. v. H Heilmann. (131 m. 1 Karte.) [05.) [8.] ‖ Wallenstein. Dramat. Gedicht. Hrsg. v P Schneider. (296) (03.) [5.9.]

Uhland, L: Ernst, Herzog v. Schwaben. Trauersp. Hrsg. v. E Wolf-Harlier. (79) (05.) [4.]
Den 1. Tl bildet: Lessing, GE, Minna v. Barnhelm, hrsg. v. G Gramberg.

Weise, K: Deut. Liederschatz. 305 Lieder f. Schule u. Haus. 2. Afl. (157)16° Berl., (T Fröhlich's Nf.)01. ‖ 3. Afl. 311 Liedertexte. (160) (02). Je — 20; geb. je — 30 d

Weise, L: Unfreie Liebe. Roman. (352) 8° Berl., Gebr. Paetal 01. 4 —; L. 7 — d

Weise, L: Neues, prakt. Zeichnen- u. Zuschneide-System d. Herren-Bekleidgskunst ohne Reduktions-Schema u. richt., am Körper abgenomm. Centimetern. 6. Afl. (75 m. Abb. u. 1 Schnittmuster.) 8° Berl., Dobberke & Schl. (03). 5 — d

Weise, O, s.: Weise, FO.

Weise, P: Deut. Leseb., s.: Meyer, AG.

Weise, P: Rotes Haar. — Im Westend-Hotel, s.: Deva-Roman-Sammlung.

Weise, P: Beitr. z. Gesch. d. röm. Weinbaues in Gallien u. an d. Mosel. (38) 8° Hambg, (Herold) 01. 2 —

Weise, R: Das brandenburg. Jägerbataillon, s. Gesch. u. s. Heim. (74 m. Abb. u. 1 Bildn.) 8° Neud., J Neumann (01). Kart. 3 — d
— Das lauenburg. Jäger-Bataillon Nr. 9, s. Gesch. u. s. Garnisonen. (77 m. Abb.) 8° Ebd. (02). 2 — d
— Die Entwürfe f. moderne Verglasg. (18 [3 farb.] Taf. m. 4 S. Text.) 52×37 cm. Berl., M Spielmeyer (05). In M. 20 —

Weise, R: Die Fürsorge d. Volkssch. f. ihre nicht schwachsinn. Nachzügler, s.: Magazin, pädagog.
— Universal-Hdb. Prakt. Ratgeber z. Selbstbelehrg, enth.: Musterbeisp. zu schriftl. Arbeiten, vorschriftsmässig ausgefüllte Formulare f. alle vorkomm. Fälle im persönl., örtl. u. öffentl. Verkehr. (71 m. Formularen.) 4° Meiss., Sächs. Schulbh. (05). Geb. 3 —

Weise, W, s.: Hefte, Mündener forstl. — Jahrbuch d. preuss. Forst- u. Jagdgesetzgebg u. -Verwaltg.
— Leitf. f. Vorlesgn auf d. Geb. d. Ertragsregelg. (202 m. Abb.) 8° Berl., J Springer 04. 4 —; L. 5 — d
— Leitf. f. d. Waldbau. 3. Afl. (226) 8° Ebd. 03. 3 —; L. 4 — d
— Tages-Fragen üb. forstl. Unterr. in Preussen. (36) 8° Ebd. 01. — 60 d
— s.: Zeitschrift f. Forst- u. Jagdwesen.

Weisen, 60, z. Singen in fröhl. Kreisen. 5. Afl. (79 m. 1 Abb.) 16° Höxt., O Buchholtz (04). — 20

Weisenberger, J: KurzeHeimatkde v.Unterfranken, s.: Ruckert, AJ.
— Wandk. d. kgl. Reg.-Bez. Unterfranken u. Aschaffenburg. 1:125,000. 2 Bl. je 57×64 cm. Farbdr. Würzbg, Stahel V. (02). 13 —; auf L. nn 17 —

Weisenböhler, O: Gesch. d. Relig.-Lehrb. u. ev. Volkssch. Württembergs, s.: Beiträge z. erzieh. Unterr.

Weisengrün, P: Der neue Kurs in d. Philosophie. Eine Revision d. Kritizismus. (95) 8° Wien, Wiener Verl. 05. 1.50 geb. nn 2.50

Weisensee, G: Stenograph. Fortbildgskurs n. Gabelsb.'s System. (29) 8° Giess., E Roth 02. — 50 d
— Stenograph. Lehrb. n. Ubgsb. n. Gabelsb.'s System. 2 Tle. 8° Ebd. Je 1 — d
1. Verkehrsschrift. (Wortbildg u. Wortkürzg.) 13. Afl. (67) 05.
2. Redeschrift. (Satzkürzg.) 5. Afl. (46) 05.

Weisenthal-Reinhardt: Kaufmännisch-phraseolog. Wrtrb. Deutsch-Englisch. (229) 8° Frankf. a/M. (03). (Berlin [S. 42. Wasserthorstr. 27., Berolina-Versand-Bh.) 3 —; L. 4 — d
— dass. Deutsch-Französisch. (233) 8° Ebd. (03). 3 —; L. 4 — d
— dass. Deutsch-Italienisch. (226) 8° Ebd. (03). 3 —; L. 4 — d
— dass. Deutsch-Spanisch. (228) 8° Ebd. (03). 3 —; L. 4 — d

Weiser, C: Engl. Litt.-Gesch., s.: Buchner, W.
— u. FH Hedley: Grammatik d. engl. Sprache. Ausg. f. Mädchen-Lyceen. (295) 8° Wien, Manz 01. Geb. 3.30 d
— Lehrb. d. engl. Sprache. (295) 8° Lpzg, GA Gloeckner. — Wien, Manz 02. 4 — d

Weiser, K: Zu Grunde. — Loki. — Parenthesen, s.: Bibliothek d. Gesamtlitt.
— Propheten-Tod. Dramat. Requiem. (Zu Schillers Gedächtnis.) (19 m. 2 Pl.) 8° Weim., M Grosse (05). — 20 d
— Weihegottesdienst z. Einweihg d. erneuerten Lutherkirche in Worms. (121) 8° Ebd. 04. 1.50 d

Weisflog, K, s.: Gefunden.
— Der Pudelwitz26. Geburtstag, s.: Schulbibliothek Stolze-Schrey.

Weisflog, T: Altes u. Neues a. d. Gesch. d. Lutherkirche. (38 m. 9 Taf.) 8° Planen, A Kell (01). 1 — d
Auf d. Buche lautet d. Name irrtümlich Weissflog.
— Posaunenklänge a. d. Ewigkeit! Fest-Predigt. (8) 8° Dresd., Verbandsbh. (E Zacharias) (02). — 15 d
— Zum Gedächtnis! Einweihg d. erneuerten Lutherkirche in Worms, s.: Weihegottesdienst.

Weishäupl, J: Die Dampfturbine System „Zoelly". [S.-A.] (7 m. Abb.) 4° Zür., Rascher & Co. 04. — 50

Weishaupt, A: Üb. d. Selbstkenntnis, ihre Hindernisse u. Vorteile. Nach d. Originale v. 1794 im Anftr. d. Illuminaten-Ordens neu hrsg. v. L Engel. (66 m. Bildnis.) 8° Dresd., LC Engel (02). 1.50

198

Weishaupt, H: Das Ganze d. Linearzeichnens f. Gewerbe- u. Realsch., sowie z. Selbstunterr. 4 Abtlgn in 149 Taf., nebst erläut. Text. 3. u. 4. Abtlg. 4. Afl. v. M Richter. 8° Mit Atlas (in Fol.). Lpzg, H Zieger. 16 — (Vollst.: 40 —)
3. Geometr. Schattenkonstruktion, nebst d. Grundz. d. Beleuchtgskde. (102 m. 18 Taf.) 01. Kart. u. geb. 6 —
4. Axonometrie u. Perspektive. (294 m. Fig. u. 37 Taf.) 03. Geb. 10 —
Weiske, GA: Die griech. anomalen Verba f. d. Zweck schriftl. Übgn in d. Schule bearb. 12. Afl. v. K Weiske. (44 m. 1 Tab.) 8° Halle, Bh. d. Waisenh. 01. — 75 d
Weiske, J, s.: Sachsenspiegel, d.
Weiske, P: Stat. Berechng d. Träger u. Stützen a. Beton, s.: Walter, H.
— Kerntheorie u. Dachpfettenberechng. Nebst ein. weit. Kapiteln a. d. Festigk.-Lehre u. e. Anh.: Anwendg d. Trägh.-Kreise. (120 m. Abb.) 8° Stuttg., A Kröner 02. 3 —; L. 3.60 d
— Graphostat. Untersuchg d. Beton- u. Betoneisenträger, s.: Forscherarbeiten a. d. Geb. d. Eisenbetons.
Weikönig, P: Fibel. Bearb. n. d. Normalwörter-Methode m. planmäss. Anschaugsunterr. 5. Afl. (80 m. H.) 8° Lpzg, Dürr'sche Bh. (1897). — 30 d; geb. — 45 d
Weiskopf, H: Kais. Verordng, betr. d. Hauptmängel u. Gewährfristen bei Viehhandel, s.: Guttentag's Sammlg deut. Reichsges.
— Viehseuchen-Belehrg f. Landwirte. (42) 8° Münch., J Schweitzer V. 01. — 40 d
Weisl, EF: Die Auswandergsfrage. (Mit bes. Berücks. d. Auswanderg a. Deutschl., Italien, Österr.-Ungarn.) (39) 8° Berl., W Süsserott 05. — 80 d
— Der neue Gesetzentwurf betr. d. Reform d. französ. Militär-StrPO. (67) 8° Wien (VII, Mariahilferst. 48), Verl. d. österr.-ungar. Heereszeitg 02. †2.40
— Das Heeres-Strafrecht. Besond. Tl. (177) 8° Wien. 3.40 (Vollst.: 7.90) müller 05.
Weislein, K: Myrten u. Cypressen. 2 Geschichten, Dichtg u. Wahrheit. (333) 8° Dresd., E Piersen 04. 3 —; geb. 4 —
Weismann, A: Vortr. üb. Descendenztheorie. 2 Bde. (456 u. 462 m. Abb. u. 3 farb. Taf.) 8° Jena, G Fischer 02. 20 —; geb. nn 22.50 || 2. Afl. 2 Tle in 1 Bde. (340 u. 344 m. Fig. u. 3 farb. Taf.) 04. 10 —; geb. 12 —
Weismann, J: Lehrb. d. deut. Zivilprozessrechtes. 1. Bd. (574) 8° Stuttg., F Enke 03. 13 — || 2. (Schl.-)Bd. (322) 05. 7.40 || Einbde in Lg. z. 1.20 d
Weismayr, A Ritter v.: Die Lungenschwindsucht, ihre Verhütg, Behandlg u. Heilg. (131) 8° Wien, W Braumüller 01. 1.40 d
— s.: Pathologie, d. chem., d. Tuberculose.
Weisner, M: Ein Wildling, s.: Trewendt's Jugendbibliothek.
Weiss od. roth, s.: Gabelsberger-Bibliothek.
Weiss: Was kann d. Kirche tun, um d. Pflege d. Kranken auf d. Lande zu fördern?, s.: Werner, C.
Weiss: Die Einrichtg d. Grossschiffahrt auf d. Neckar u. d. Verbindg v. Rhein u. Donau durch Württemberg, s.: Verbands-Schriften d. deutsch-österr.-ungar. Verbandes f. Binnenschiffahrt.
Weiss, A: Das Gaswerk d. Stadt Zürich. Rückblick auf d. Entwicklg in d. letzten 10 Jahren u. Beschreibg d. neuen Werkes in Schlieren. [S.-A.] (56 m. Abb., 3 Taf. u. 1 Pl.) 4° Zür., (Rascher & Co.) 03. 2 —
Weiss, A: Erinnergschrift a. Anlass d. 40jähr. Bestehens d. städt. Riemerschmid'schen Handelssch. f. Mädchen in München. (31 m. Abb.) 8° Münch., M Kellerer 02. 1 —
— Der Handwerker sonst u. jetzt. (109) 8° Lpzg, H Klasing 02. L. 2.50
— Lehrb. d. Gabelsb.'schen Stenogr. 2. Afl. Sonderausg. f. Bayern. (162) 8° Lpzg (03). (Münch., M Kellerer.) Kart. 2.50
— Stenograph. Leseb. f. Handels- u. Realsch. Gabelsb.'sche M Stapf. (200) 8° Münch., M Kellerer 01. Geb. (3.50) 2 —
— dass. 2. Afl. 3 Tle. 8° Ebd. 4.10
1. Verkehrsschrift. (176 m. 1 Bildn.) 03. 2.60 || II. Redeschrift. (66) 04. 1.50.
— Stenogr. f. Kaufleute. Lehrb. d. Gabelsb.'schen Stenogr. f. Handels-, Real-, Gewerbe- u. höh. Bürgersch. usw. Schrift d. 1. Tls v. A Weiss; d. 3. Tls v. M Stapf. (140) 8° Lpzg, Verl. d. mod. kaufm. Bibliothek (01). 2.75
Weiss, A: Fallendes Laub. (83) 8° Strassbg, J Singer 05. 2 — d
Weiss, A: Dur u. Moll. Dichtgn u. Nachdichtgn. 6. Sammlg. (157) 8° Kiel, A Missfeldt 05. 2 — d
Die 1—5. Sammlg hatten besonderes Titel,
— Lehrkursus d. prakt. Trichinen- u. Finnenschau f. angeh. u. angestellte Trichinenschauer im Deut. Reich u. in Preussen. 6. Afl. (127) 12° Düsseldf, L Schwann (03). L. 1.50 d
— Poln. Novellenb. in deut. Gewande, s.: Bibliothek d. Gesamtlitt.
— Schneeflocken. Dichtgn u. Nachdichtgn. 2. Afl. (144) 8° Wes. (02). Berl., Militär. Verl.-Instit, KH Düms (02). L. 3 — d
— Tatra-Geschichten, s.: Balucki, M.
— Waldtraut. Bühnendichtg. (18) 8° Kiel, A Missfeldt 05. — 50 d
Weiss, A, s.: Krall's, JB, österr.-ungar. Bank- u. Börse-Kalender.
Weiss, A: Beitr. z. Gesch. d. österr. Elementarunterr. — Gesch. d. Theresian. Schulreform in Böhmen, s.: Beiträge z. österr. Erziehgs- u. Schulgesch.
— Gesch. d. österr. Volkssch. 1792—1848, s.: Beiträge, ausserordentl., z. österr. Erziehgs- u. Schulgesch.

Weiss, A: Schweigen. Schausp. (143) 8° Münch., A Langen 04. 2 —; L. 3 — d
Weiss, A: Ideales u. prakt. Odd-Fellowtum. — Rabe, F: Der Wert d. Odd-Fellow-Tage. 2 Vortr. (29) 8° Lpzg, T Leibing 05. — 50
Weiss, AM: Apologie d. Christentums. 1., 4. u. 5. (Schl.-)Bd. 8° Freibg i/B., Herder. 22.60; HF. 30.30 d
1. Der ganze Mensch. Bild. d. Ethik. 4. Afl. (947) 05. 6.60; geb. 8.80
4. Soz. Frage u. soz. Ordng od. Hdb. d. Gesellschaftslehre. 4. Afl. 2 Tle. (1219) 04. 9 —; geb. 12.50
5. Die Philosophie d. Vollkommenh., d. Lehre v. d. höchsten sittl. Aufg. d. Menschen. 4. Afl. (968) 05. 7 —; geb. 9 —
— Die relig. Gefahr. 1—3. Afl. (20, 521) 8° Ebd. 04. 4.50; L. 5.50 d
— Die Herrlichk. d. göttl. Gnade, s.: Scheeben, MJ.
— Die Kunst zu leben. 3. u. 4. Afl. (541) 8° Freibg i/B., Herder 01. || 5. Afl. (565) 04. Je 3 —; L. je 4 —; HF. je 5.80 d
— Lebensweisheit in d. Tasche. 10. Afl. (504) 8° Ebd. 04. 3 —; L. 4 —; HF. 5.80 d
— Worte, gesprochen bei d. Leichenfeier f. Heinr. Denifle. (11 m. 1 Bildnis.) 8° Münch., JJ Lentner 05. — 20
Weiss, B: Die Apostelgesch., kathol. Briefe, Apokalypse im bericht. Text m. kurzer Erläuterg z. Handgebr. bei d. Schriftlektüre. 2. Afl. (534) 8° Lpzg, JC Hinrichs' V. 02. 3 —; HF. 10 —
— Wie lerne ich d. Bibel lesen u. gebr.? Vortr. (18) 8° Ebd. 05. — 80 d
— Die Briefe Pauli an Timotheus u. Titus, s.: Kommentar, kritisch-exeget., üb. d. Neue Test.
— Entstehgsgesch. d. Neuen Test. [Erweit. S.-A.] (20) 8° Lpzg, JC Hinrichs' V. 04. — 20 d
— Die Evangelien d. Markus u. Lukas, s.: Kommentar, kritisch-exeget., üb. d. Neue Test.
— Das Geheimnis d. Kreuzes. Vortr. [S.-A.] (36) 8° Berl., Trowitzsch & S. 03. — 40 d
— Die Geschichtlichk. d. Markusevangeliums, s.: Zeit- u. Streitfragen, bibl.
— Der Jakobusbrief u. d. neuere Kritik. (50) 8° Lpzg, A Deichert Nf. 04. 1 — d
— Die Johannes-Evangelium, s.: Kommentar, kritisch-exeget., üb. d. Neue Test.
— Das Leben Jesu. 2 Bde. 4. Afl. (541 u. 600) 8° Stuttg., JG Cotta Nf. 02. 18 —; HF. 22 — d
— Die d. bibl. Theol. d. Neuen Test. 7. Afl. (680) 8° Ebd. 03. 12 —; HF. 13.50 d
— Die Relig. d. neuen Test. (321) 8° Ebd. 03. 6 —; HF. 7.50 d
— Das Neue Test. Handausg. Bericht. Text m. kurzer Erläuterg z. Handgebr. bei d. Schriftlektüre. 3 Bde. 8° Lpzg, JC Hinrichs' V. 94 —; Einbde in HF. je 2 —
1. Die 4 Evangelien. (604) 02; 2. Afl. (616) 05. Je 4 —
2. Die paulin. Briefe u. d. Hebräerbrief. 2. Afl. (604) 02. 3 —
3. Die Apostelgesch., kathol. Briefe, Apokalypse. 2. Afl. (534) 02. 3 —
— dass. Auszg. in 11 Heften. 8° Ebd. 02. 26 —
1. Evangelium Matthaeus. (1. Bd. 18—170) 2 —
2. Evangelium Marcus. (1. Bd. 171—277) 2 —
3. Evangelium Lucas. (1. Bd. 278—446) 2 —
4. Evangelium Johannes. (1. Bd. 447—604) 2 —
5. Brief an d. Römer. 2. Afl. (2. Bd. 153—220) 2.75
6. Korinther-Briefe. 2. Afl. (2. Bd. 153—220) 2 —
7. Brief an d. Galater, Epheser, Philipper, Kolosser, Thessalonicher. 2. Afl. (2. Bd. 321—390) 2.20
8. Hebräerbrief u. Briefe an Timotheus, Titus, Philemon. 2. Afl. (2. Bd. 591—694) 2.20
9. Apostelgesch. 2. Afl. (3. Bd. 10—261) 4 —
10. Die kathol. Briefe. 2. Afl. (3. Bd. 263—416) 2.20
11. Die Apokalypse. 2. Afl. (3. Bd. 417—534) 2.20
— Das Neue Test. n. M Luthers bericht. Übersetzg m. fortlauf. Erläuterg versehen. 2 Hlftn. 8° Ebd. 04. Je 5 —
L. je 6 —; auch in 20 Lfgn zu — 50 d
1. Evangelien u. Apostelgesch., m. kurzer Entstehgsgesch. d. Neuen Test. (20, 566) || 2. Briefe u. Offenbarg Johannis. (546)
Weiss, B: Eth. Worte. (125) 12° Lpzg, O Weber (02). L. 2.50
Weiss, B: Abendmahlsreform. (25) 8° Brem., G Winter 03. — 50 d
— Konfirmations-Rede. (9) 8° Ebd. 04. — 50 d
— Am d. Märchenwelt. Scherzhafte u. ernste Erzählgn. 3. u. 4. Taus. (184 m. 4 [1 farb.] Bildern.) 8° Gotha, FA Perthes 04. Geb. 2 — d
Weiss, B: Mehr als 50 Jahre auf Chatham Island. Kulturgeschichtl. u. biograph. Schildergn in Bearbeitgn u. Auszügen a. d. Briefen eines Deutschen. (99 m. 1 Taf.) 8° Berl.-Charlittnbg, Deut. Kolonial-Verl. 01. 1.80 d
Weiss, C: Verjährg u. gesetzl. Befristg n. d. bürgerl. Rechte d. deut. Reiches. (149) 8° Münch., J Schweitzer V. 05. 3.60 d
Weiss, Frau C: Kochb. f. vegetar. u. gemischte Küche. 9. Afl. (167) 8° Chem., C Winter (03). Kart. 1.50
Weiss, D: Die Grundz. d. Baumschnittes. Mit e. Abhandlg üb. d. Leben d. Obstbaumes u. Anfügg e. solchen üb. Düngg d. Obstbäume, sowie e. Verz. d. f. Zwergkultur bes. empfehlenswerten Kernobstsorten. (2. [Umschl.-]Afl.) (45) 8° Tetmair [1896] (1898). Lpzg, H Adler. — 90; geb. 1.20 d
Weiss, D: Ärztl. Gedanken. (62) 8° Wien, RLöwit 01. nn — 80 d
— Das Ges. d. Arbeit d. Dickdarmmuskulatur. 1. Allg. Tl. (79 m. 2 Taf.) 8° Prag, JG Calve 05. 3 —
Weiss, E, s.: Eisenbahn-Technik, d., d. Gegenwart.
Weiss, E: Arbeiten, astronom., d. k. k. Gradmesegs-Bureau.
— Höhenberechng d. Sternschnuppen. [S.-A.] (102) 4° Wien, (A Hölder) 05. 5.40
— Üb. d. Ursache d. Ausbleibens d. Leoniden, nebst Notizen

ub. Yey-Sings Sternwarten, s.: Vorträge d. Ver. z. Verbreitg naturwiss. Kenntnisse in Wien.

Weiss, E: Militär u. Volksgygiene. Nach e. Vortr. (22) 8° Halle, C Marhold 05. — 50

Weiss, E: Retinitis pigmentosa u. Glaukom, s.: Sammlung zwangl. Abhandlgn a. d. Geb. d. Augenheilkde.

Weiss, E: Basels Anteil am Kriege geg. Giangiacomo de Medici, d. Kastellan v. Musso. 1531—32. (166 m. Titelbild.) 8° Bas., Helbing & L. 02.   2.50 d

Weiss, FJ Kondensation. Lehr- u. Hdb. üb. Kondensation u. alle damit zusammenhäng. Fragen, auch einschl. d. Wasserrückkühlg. (374 m. Fig.) 8° Berl., J Springer 01.   L. 10 —

Weiss, H, s.: Übersicht, tabellar., üb. d. stattfind. Kunst-Ausstellgn.

Weiss, H Ritter v.: Wie werde ich Officier, s.: Berufsarten d. Mannes.

Weiss, H: Weihnachtsbuch. (8 Bl. in Farben-Steindr.) 4° Berl. 04. (Hambg, Gutenberg-Verl. Dr. E Schultze.)   nn 6 —
— dass. (Neue Afl.) (16 m. z. Tl farb. Abb.) 23×35,5 cm. Hambg, Gutenberg-Verl. Dr. E Schultze 05.   Kart. 5 — d

Weiss, H, s.: Kalender f. Elektrotechnik.

Weiss, H: 1001 Gedanke. Aphorismen f. Geist u. Herz. 6. Afl. (560) 8° Dresd., H Weiss (04).   L. m. G. 6 — d

Weiss, H: Ein Hilferuf f. uns. armen Kranken. Streiflichter auf d. Krankenpflege in Österreich· (67) 8° Wien, M Perles 03.   1 —

Weiss, H: Roland Stürmer, s.: Sakolowski, P.

Weiss, H: Die messian. Vorbilder im Alten Test. (100) 8° Freibg i/B., Herder 05.   2.50

Weiss, J: Etwas üb. dopp. Buchführg (italien. u. amerikan.) im allg. u. d. „Register-Buchführg m. Schlüssel im bes. (16) 8° Lpzg, Webel's V. 04.   — 60 d

Weiss, J: Reise n. Jerusalem u. Wandergn im hl. Lande. 1. Thl. (163 m. Abb., 1 Pl. u. 1 Panorama.) 8° Graz, Styria 03. 1.20 d

— s.: Rundschau, gregorian.

Weiss, J: Das ält. Evangelium. Beitrag z. Verständnis d. Markus-Evangeliums u. d. ält. ev. Überlieferg. (414) 8° Gött., Vandenhoeck & R. 03.   10 —; geb. 11 —
— Die christl. Freiheit n. d. Verkündigg d. Apostels Paulus. Vortr. (38) 8° Ebd. 02.   1 —
— Üb. d. Kraft. Björnsons Drama u. d. relig. Problem. Vortr. (29) 8° Berl., G Nauck 02.   — 50 d
— Die Offenbarg d. Johannes, s.: Forschungen z. Relig. u. Lit. d. Alten u. Neuen Test.
— s.: Schriften, d. d. Neuen Test.

Weiss, J: Unterr.-Briefe f. kaufmänn. Stenogr., System Gabelsberger. (In 10 Briefen.) 1—9. Brief. (72) 8° Wien, C Konegen 05.   Je — 50

Weiss, J: Unser Bayerland, s.: Denk, O.
— s.: Jahrbuch, histor.

Weiss, J: Aus d. Memoiren e. Wickelkindes. Vertraul. Mitteilgn. 3. Afl. (Neue [Tit.-]Ausg.) (228) 8° Lpzg, Picknick-Verl. [1888] (05).   1,80 d

Weiss, J, s.: Vierteljahrsschrift, österr.-ungar., f. Zahnheilkde.

Weiss, J, s.: Bibliothek d. ges. medicin. Wiss. — Gesundheit, d. — Heilkunde, d.

Weiss, JB v.: Weltgesch. 41—170. Lfg. 8° Graz, Styria (01-05).   Je — 85 d

[Bd. 5. Afl. (731) 01. ‖ 5. Bd. u. n. 5. Afl. (796) 03. ‖ 6. Bd. 4. u. 5. Afl. (872) 04. ‖ 7. Bd. 4. u. 5. Afl. (1007) 04. ‖ 8. Bd. 4. u. n. 5. Afl. (966) 05. ‖ 9. Bd. 4. u. 5. Afl. (748) 1898. ‖ 10. Bd. 4. Afl. (897) 1896. ‖ 12. Bd. 4. Afl. (293 — 862) 1900. ‖ 13. Bd. 4. Afl. (780) 1899. ‖ 14. Bd. 4. Afl. (664) 1899. ‖ 15. Bd. 4. u. 5. Afl. (664) 1900. ‖ 16. Bd. 4. u. 5. Afl. (742) 1900. ‖ 17. Bd. 4. u. 5. Afl. (676) 02. ‖ 18. Bd. 4. u. 5. Afl. (752) 03. ‖ 19. Bd. 4. u. 5. Afl. (370) 02. ‖ 20. Bd. 4. u. 5. Afl. (745) 02.

— dass. Neue Afl. v. F Vockenhuber. 4—8. u. 17—22. Bd. 8° Ebd.   Je 7 —; Einzelpr. je 9 —; Einbde in HF, je 1.70

4. Der Islam. Karl d. Gr. Greogr. VII. 5. Afl. (731) 01. ‖ 5. Die Zeit d. Kreuzzüge. 4. u. 5. Afl. (896) 03. ‖ 6. Von Rudolf v. Hababurg bis Sigismund. 4. u. 5. Afl. (872) 04. ‖ 7. Die neue Welt. Maximilian I. Die Reformation. Karl V. 4. u. 5. Afl. (1007) 04. ‖ 8. Relig.-Streit v. 1530—1618. Lit. u. Kunst. 4. u. 5. Afl. (966) 05. ‖ 17. Die Schreckenszeit. Krieg in Belgien u. am Rhein. Bürgerkrieg. Sieg d. Berges üb. d. Gironde. Charlotte Corday u. Marat. Glorreicher Aufstand in d. Vendée u. Bretagne. Die Verfassg v. 1793. Das Revolutions-Tribunal od. Blutgericht u. s. Opfer. Parteikampf im Innern. Das Fest d. höchsten Wesens. Höhe u. Fall d. Schreckensystems. Ende d. Convents. 4. u. 5. Afl. (731) 01. ‖ 19. Polen. Das Directorium. Der gr. Krieg 1796—99. 4. u. 5. Afl. (370) 02. ‖ 20. Allg. Gesch. v. 1800—06. 4. u. 5. Afl. (746) 02. ‖ 21. Allg. Gesch. v. 1806—09. 4. u. 5. Afl. (785) 05. ‖ 22. Napoleons Höhe u. Fall. Der Wiener Congress. 4. u. 5. Afl. (985) 06.

Weiss, JE, s.: Blätter, prakt., f. Pflanzenschutz.
— Grundr. d. Botanik. Leitf. f. d. botan. Unterr. z. Gebr. an Mittelsch. u. z. Selbstunterr. 5. Afl. (334 m. Abb.) 8° Münch., R Oldenbourg 05.   Geb. 3 — d
— Der Haus- u. Küchengarten, s.: Hilger's illustr. Volksbb.
— Kurzgef. Lehrb. d. Krankh. u. Beschädigan uns. Kulturgewächse. (179 m. Abb.) 8° Stuttg., E Ulmer. 01. Geb. 1.75 d
— s.: Natur u. Glaube.
— Der Pflanzenarzt, s.: Landmann's, d., Winterabende.

Weiss, K, s.: Karlweis, C.
Weiss, K: Die Erziehgslehre d. 3 Kappadozier, s.: Studien, Strassb. theolog.
— Kant u. d. Christentum. (103) 8° Köln, (JP Bachem) 04. 1.80 d
Weiss, K: Beichtbuch bzw. Beichtmoral d. römisch-kathol. Kirche. Mit Ausz. a. d. Lehrbb. d. Moraltheol. d. AM de Liguori, J Gury, A Lehmkuhl u. J Aertnys. Christkathol.

Antwort auf e. römisch-kathol. Angriff. 1—10. Taus. (144) 8° St. Gallen, Buchdr. u. Verl.-Anst. Merkur 01. (Nur dir.) — 50 d

Weiss, K: Hohentwiel. Erinnergsblatt. (47 m. Abb.) 8° St. Gall. (01). Singen, T Schneider.   — 5/

— 25 Jahre im Kampfe geg. Rom. Gesch. d. christkathol. Gemeinde St. Gallen. (308 m. Abb.) 8° St. Gallen, Buchdr. u. Verl.-Anst. Merkur 03. (Nur dir.)   5.2° d

Weiss, K: Die gewerbl. Ausbildg durch Fortbildgs- u. Fachsch., Lehrwerkstätten u. Kunstgewerbesch. (112) 8° Lpzg, H Klasing 03.   Geb. 2.50

— Die Tarife d. deut. Strassenb., s.: Abhandlungen, volksw., d. bad. Hochsch.

Weiss, M (M Taurke): Franzõs. Grammatik f. Mädchen. I. Tl. Mittelst. 4. Afl. (200) 8° Paderb., F Schöningh 03.   geb. nn 2.20 d

— Livre de lecture. Tome I. Recueil d'historiettes et de poésies pour l'enfance. 5. éd. (231) 8° Bresl., E Morgenstern, V. 05.   1.60; geb. nn 1.90
— Vorsch. f. d. Unterr. in d. franzõs. Sprache, begründet auf d. Anschaugsmethode. 4. Afl. (180 m. H.) 8° Ebd. 04.   1.60; geb. 1.9° d

Weiss, M, u. J Roos: Fränzeli. Geheilter Aberglaube. — Das Fronfastenkind. Christians Vermächtnis u. Opfer. Das Dorforakel. Küferpauls Jahrzeit. Der Ansichtskartensporren. Meine Nachbarn, s.: Bergkristalle.

Weiss, M: „Caïssa Bambergensis!" 111 Schach-Probleme Bamberger Autoren. (80 m. Diagr.) 8° Bambg, (WE Hepple) 02. 2.20
— 200 in Problemturnieren je m. d. 1. Preise ausgezeichnete dreizüg. Schachaufg. (109 m. Diagr.) 8° Ansb., C Brügel & S. 03.   1 —
— 240 Schachaufg., s.: Shinkman, WA.
— 120 Schachprobleme, s.: Loyd, S.
— 200 in Problemturnieren ausgezeichnete Zweizüger. (107 m. Diagr.) 8° Ansb., C Brügel & S. 05.

Weiss, M: Geol. u. Landw. Abhandlg üb. d. allg. geologischlandw. Verhältn. d. norddent. Flachlandes u. d. bes. d. Bl. Königsberg Nm. (31) 8° Königsbg Nm., JG Strïess 03. — 50 d
— Landw. Inventar. Mit Anl. z. Inventur d. landw. Betriebes. (40) Fol. Berl., Trowitzsch & S. 01. 1.60 ‖ 2. Afl. (48) 05. 2 —

Weiss, M: Engl.-German and German-Engl. medical dictionary, s.: Waller, JR.

Weiss, M, s.: Menachem ben Josef ben Jehuda Chazan, Seder Troyes.

Weiss, Frau M, s.: Koninski-Weiss, M.

Weiss, O, s.: Handbuch d. Physiol. d. Menschen. — Untersuchungen, chem. u. medicin.

Weiss, O: Friede auf Erden od. Im Felde, s.: Weihnachts-Bühne.

Weiss, O: Spitzen-Motive. (18 Lichtdr.) 48×32 cm. Plauen, C Stoll (05).   In M. 13 —

Weiss, O: So seid Ihr! Aphorismen. (180) 8° Stuttg., Dtsch. Verl.-Anst. 06.   3 —; geb. 4 — d

Weiss, R: D. d. Bakterienflora d. sauern Gährg ein. Nahrgsu. Genussmittel. (121) 8° Karlsr. 1899, Lpzg, O Nemnich. 4 —

Weiss, R: Doctor Peschka, s.: Kalisch, D.

Weiss, V: Üb. e. gewisse projective Beziehg v. 4 Strahlenbüscheln I. Ordng. [S.-A.] (8 m. 1 Fig.) 8° Wien, (A Hölder) 02.   — 90
— Eine Construction e. quadrat. Verwandtschaft zweier eb. Punktfelder a. 7 Paaren entsprech. Punkte. [S.-A.] (7 m. 1 Fig.) 8° Ebd. 02.   — 30

Weiss, W: Die Aufg. d. Schule im Kampfe geg. d. Alkoholismus. Vortr. 2—8. Taus. (31) 8° Bas., Schriftstelle d. Alkoholgegnerbundes (durch F Reinhardt) (01-04).   — 10 d

Weiss, WEE: Üb. d. Begriff d. Minderkaufmanns. (44) 8° Lpzg, Veit & Co. 05.   1 —

Wassaguns-Freund. Hrsg. v. verbund. Freunden d. prophet. Worts. 29—33. Jahrg. 1901—05 je 6 Nrn. (1901. Nr. 1. 8) 4° Bas., Kober.

Weissbrodt, FH: Babylon. Miscellen, s.: Veröffentlichungen, wiss., d. deut. Orient-Gesellsch.
— Das Stadtbild v. Babylon, s.: Orient, d. alte.

Weissbach, K: Wohnhäuser, s.: Handbuch d. Architektur.

Weissbach, J: Contre-danse u. Quadrille à la cour. (8) 16° Berl. (SW.42, Wasserthorstr.27).(Berolina-Versand-Bh.(o.J.).—15

Weissbein, S, s.: Gesundheit, d., in Wort u. Bild. — Rundschau, russ. medicin.

Weissberg, J: Krit. Studien üb. d. Vorgänge d. Autoxydation, s.: Engler, C.

Weissbrodt, J: Officium divinum. Gebet- u. Andachtsb., lateinisch d. deutsch n. d. Sprache d. hl. Kirche. 11. Afl. (788 m. Titelbild.) 16° Saarl., F Stein Nf. (03).   1.10; L. 1.20

Weissbrodt, K: Gesetze u. Mysterien d. Liebe, s.: Weill.
— Die ehel. Pflicht. Ein ärztl. Führer zu heilsamem Verstand. niss u. nothwend. Wissen im ehel. Leben. 7. Afl. (254) 12° Berl., L Frobeen 04.   — 60 d

Weissbuch. Vorgelegt d. Reichstage in d. I. u. II. Session d. 10. Legislatur-Periode. 20—22. Thl. Fol. Berl., C Heymann.   17 — d

20. (517) 1900. 6 —; 21. (795) 01. 5 —; 22. (359) 02. 6 —

Weissdorf, s.: Leuckart v. Weissdorf.

Weisse, A, s.: Verhandlungen d. botan. Ver. d. Prov. Brandenburg.

Weisse, CF: Die Jagd, s.: Hiller, JA.
— Richard III., s.: Literaturdenkmale, deut., d. 18. u. 19. Jahrb.

Weisse, H: Der dynam. Flug-Apparat. Seine Verfehmg, natur-
gesetzl. Grundl. u. Zukunft. (88 m. 1 Taf.) 8° Berl., (WH
Kühl) (01). — 50
Weisse, L: Der vollkomm. Hochzeit-Dichter. Material z. Zu-
sommenstellg v. Festzeitgn. 5. Afl. (95) 12° Köln (01). Lpzg,
J Püttmann. — 50 d
Weisse, M: Positiones mediae stellar. fixar. in zonis Regio-
mantanis a Besselio inter — 15° et + 15° declinationis ob-
servatar, s.: Facsimile-Edition.
Weisse, O: Die Führg d. Standesregister, s.: Erichsen, A v.
— Standesamts-Archiv. Sammlg d. bis z. J. 1900 ergang. Ges.,
Verordngn, Beschlüsse u. Entscheidgn üb. d. Beurkundg d.
Personenstandes u. d. Eheschliessg im Deut. Reich u. in s.
Einzelstaaten. (32, 715) 8° Berl., E Grosser 04. — 5 — d
Weissenbach, H Frhr v: Theorie u. Praxis d. neudeut. Stickerei.
(38 m. Abb.) Fol. Lpzg, Verl. d. „Deut. Moden-Zeitg" (03).
1 — d
Weissenbach, P: Die Eisenb.-Verstaatlichg in d. Schweiz. [S.-A.]
(192) 8° Berl., J Springer 05. 4
Weissenborn, E: Aufg. z. Übers. ins Griech. im Anschl. an
Xenophons Hellenika. 2 Hefte. 2. Afl. 8° Lpzg, BG Teubner
01. 1.40; in 1 Bd geb. 1.60 d
1. Zur Einübg d. Kasuslehre. (58) — 50
2. Zur Repetition d. griech. Kasuslehre. (39) — 60
— Aufg.-Sammlg z. Übers. ins Griech. im Anschl. an d. Lektüre
v. Xenophons Anabasis f. d. mittl. Kl. d. Gymnasien. 2 Hefte.
4. Afl. 8° Ebd. 01. 1.60; in 1 Bd geb. 2 — d
1. (103) 1 — ‖ 2. Zur Einübg d. Kasuslehre. (60) — 60.
— Leben u. Sitte bei Homer. Hilfsheft z. Würdigg u. Erklärg
v. Ilias u. Odysses in deut. Übersetzg. (68 m. Abb., Titelbild u. 1 Karte.) 8° Ebd. 01. — 80 d
— Wrtrb. zu d. Übersetzgsaufg. im Anschl. an Xenophons
Anabasis u. Hellenika. 4. Afl. (92) 8° Ebd. 01. — 80 d
Weissenborn, F: Gesichtspunkte zu e. Bearbeitg d. Lehrpl.
f. d. Zeichenunterr. an d. Leipz. Volkssch. Vortr. nebst Leit-
sätzen. (23) 8° Lpzg, A Hahn 04. 50
Weissenborn, W: Verz. d. wichtigeren Lehrbb. u. Unterr.-Mittel
auf d. Geb. d. ges. Fortbildgsschulwesens, s.: Schüttler, C.
Weissenburg u. **Wörth.** Erinnergsblätter f. Besucher d. beiden
Schlachtfelder. 30 Orig.-Bilder, aufgenommen v. R Morat.
Mit beschreib.Text. Deut. Ausg. (12) 8° Mülh.i/E. (05). Strassbg,
J Singer. L. (6 —) †2.50
Weissenfels, O: Die Bildgswirren d. Gegenwart. (384) 8° Berl.,
F Dümmler's V. 01. 5 —; geb. 5 — d
— Kernfragen d. höh. Unterr. (352) 8° Berl., Weidmann 01.
‖ N, F. (380) 03. Je 6 —; geb. je 7.80 d
Weissenfels, P: Griech. Lese- u. Übgsb. f. Tertia m. e. Anh.
z. unvorbereit. Übers. a. d. Griech. f. Obertertia u. Unter-
sekunda. 2. (74) 8° Lpzg, BG Teubner 03. Geb. 2.80 d
Weissenhofer, R: Kunimund u. Felix, s.: Für Hütte u. Palast.
— Schausp. f. jugendl. Kreise. 3. Das Hirtenmädchen v. Lourdes.
3. Afl. v. A Salzer. (64) 12° Wien, H Kirsch 01. — 80 d
Weissenthurn, M v.: Briefe e. Mutter. 3. Afl. (349) 8° Dresd.,
E Pierson 05. 3 —; geb. 4 — d
— Nemesis u. and. Novellen, s.: Naumburg's moderne Bibliothek.
Weisser, A: Standrede v. d. Teufels Grossmutter z. Walpurgis-
feier, s.: Teufelspredigt.
Weisshog, T, s.: Weisheg, T.
Weissgerber, C: Casparinne, s.: Theater f. Herrenabende.
— Das Künstlerheim.Frankfurter Lokalschwank.(18)12°Frankf.
a/M., C Blazek (01). 1 — d
Weissheimer, W: Press-Manipulationen d. Wagner-Syndikats
geg. Weissheimer's „Erlebnisse m. Rich. Wagner". (16)
Berl., (Bh. Vorwärts) 01. — 50 d
Weisshun: Dienst-Unterr. d. Infanterie-Gemeinen. Fortgeführt
durch Weisshun. Mit e. kurzen Abriss v.Brandenb.-Preussens
Gesch. 36. Jahrg. (128 u. 24 m. Abb., 1 Bildnis, 4 Farbdr. u.
1 Karte.) 8° Berl., R Schröder 03. — 40 d
— Gewehr 98. (189) nn — 50 d
Neue Afl. u. d. T.:
— Dienstunterr. d. Infanteristen. 39. Jahrg. v. Immanuel. Mit
e. Uebersicht d. Gesch. Brandenb.-Preussens. (Ausg. m. Gewehr 88.) (159 m. Abb., 1 Karte u. 5 Taf.) 8° Ebd. 06. — 40 ¦
Ausg. m. Gewehr 98. (151) — 40 d
— dass. Ausg. f. Württemberg m. Gewehr 88. Mit e. Uebersicht d. württemberg. Gesch. (155 u. 4 m. Abb., 1 Karte u.
5 Taf.) 8° Ebd. 05. — 40 d
Weisskopf, E: Die Erklärgspflicht n. § 301 E.O. [S.-A.] (47)
8° Wien, Manz 01. — 80 d
Weissl, A: Gute Gesellschaft. Roman. (206) 8° Berl., R Eckstein Nf. (05). 2 —; geb. 3 —
— Ich—Du: Wir. Ein Ausschnitt a. d. Liebesleben. (99) 8° Lpzg
(02). Berl., H Seemann Nf.
— Gräfin Julie, s.: Seemann's Unterhaltungsbibliothek.
Weisslahnbad, d: Dolomitenhotel, am Rosengarten bei Bozen
in Tirol. (16 m. farb. Abb.) 12° Innsbr., A Edlinger (03). 1 —
Weissler, A, s.: Archiv, preuss.
— Formularb. f. d. freiwill. Gerichtsbark., s.: Hilse, B.
— Gesch. d. Rechtsanwaltschaft. (623) 8° Lpzg, C&M Pfeffer
05. 12 —; geb. 14.50
— Preuss. Landesprivatrecht. Sammlg d. neben d. BGB. in

Kraft bleib. Quellen d. preuss. Privatrechts. 8. u. 9. Lfg.
(2. Bd. 545—750) 8° Lpzg, C&M Pfeffer 01. 3.70
(Vollst.: 23.80; L. 26 —) d
Weissler, A, s.: Zeitschrift d. deut. Notarver.
Weissmann, A: Musikal. Anlage u. Erlerng fremder Sprachen.
(9) 4° Berl., Weidmann 03. 1 —
Weissmann, K: Beitr. z. Erklärg u. Beurteilg griech. Kunst-
werke. I. 1. Das sog. Harpyienmonument v. Xanthos. 2.
Der Ostfries d. Athena-Nikotempels auf d. Burg v. Athen.
3. Zur Rekonstruktion d. Erechtheionfrieses. (50) 8° Schweinf.,
(E Stoer) 03. 1 —
Weissmann, R: Die Bedeutg d. Hetolbehandlg d. Tuberkulose
f. d. ärztl. Praxis. Vortr. [S.-A.] (8) 8° Lpzg, B Konegen 05. 1 —
— Ueb. Enteroptosie (Magen- u. Darmatonie). (34) 8° Münch.,
Verl. d. ärztl. Rundschau 05. — 80
— Die Hetol-(Zimtsäure-)Behandlg d. Lungenschwindsucht,
ihre Begründg durch Prof. Dr. Landerer u. ihre bisher. Er-
folge. (17) 8° Ebd. 05. — 60
Weissmann sen., R: Ueb. Nerven-Krankh., Neurasthenie
(Nervenschwäche) u. Schlagfluss (Apoplexie — Hirnlähmg).
Vorbeugg u. Heilg. 33. Afl. (46 u. 12 m. Bildnis.) 8° Celle 01.
Hannover u. Celle, Schulbb. (?) — 30 d
Weinstein, G, s.: Kuriosa, Berliner.
Weisswage, W: Einwirkg starker Tertiärbasen auf d. Chlo-
ride ein. organ. Säuren. (76) 8° Tüb., F Pietzcker 04. nn 1.20
Weissweiler, J: Leitf. f. preuss. Gemeindewaisenräthe unter
d. Herrschaft d. BGB. 17. Afl. (82) 8° Hannov., C Meyer 05.
Kart. 1 — d
Weisweiler, FC: Liederb. f. Fortbildgssch. 1. Heft. (78) 12°
Dür., L Vetter & Co. 02. Kart. nn — 40 d
Weisz s.: Weiss.
Weit, Rais, Heininger, Zluhan: Das Sachrechnen n. sr ge-
schichtl. Entwicklg, sr psycholog. Begründg u. sr method.
Gestaltg. (110) 8° Cannst., G Hopf 04. 1.80
Weitbrecht, C: Das deut. Drama. Grundzüge sr Aesthetik.
2. [Tit.-]Afl. Volks-Ausg. (268) 8° Berl., Harmonie [1900] 03.
4 —; geb. 5 — d
— Ges. Gedichte. (336) 12° Stuttg., A Bonz & Co. 05. L. 3.50 d
— Deut. Litt.-Gesch. d. 19. Jahrh. — Dass. d. Klassikerzeit,
s.: Sammlung Göschen.
Weitbrecht, G v., s.: Bundespredigten, neue.
— Der christl. Ehestand. (385) 8° Stuttg., JF Steinkopf 01.
4 —; L. 5 —; m. G. 5.60 d
— Der Fels in d. Wellen. Altes u. Neues. 2. Afl. (373) 8° Ebd.
02. 4 —; L. 5 — d
— Das Gebet zu Jesus. Vortr. (22) 8° Ebd. 05. — 20 d
— Heilig ist d. Jugendzeit. Ein Buch f. Jünglinge. 15. Afl.
(446 m. Titelbild.) 8° Ebd. 03. L. 5 —; m. G. 5.60 d
— s.: Jugendblätter.
— Maria u. Martha. Ein Buch f. Jungfrauen. 9. Afl. (458 m.
Titelbild.) 8° Ebd. 03. JF Steinkopf 04. 4 —; L. 5 — d
— s.: Predigten, 3 bis d.55.Hauptversammlg d.ev.Ver.d.Gustav-
Adolf-Stiftg geh.
— Das hl. Vaterunser. 12 Predigten. (179) 8° Stuttg., JF Stein-
kopf 02. Kart.1.50; L. 2.40 d
— Was uns not ist. Festpredigt. (13) 8° Lpzg, (C Braun) 03.
nn — 10 d
Weitbrecht, I, s.: Arbeiterkalender, süddeut. ev.
— Geläutert, s.: Tannenzweige.
— Georg, s.: Christblumen. — Tannenzweige.
— Konrad od. Ein schöner Sieg, s.: Tannenzweige.
— Wiedergefunden, s.: Christblumen. — Tannenzweige.
Weitbrecht, R, s.: Christenbuch, d.
— Verzwickte Geschichten. Luschtiche Schwobagschichta. (68 m.
Abb.) 8° Ulm, J Ebner (01). — 80 d
— Deut. Heldenb. Deut der Volke erzählt. 2. Afl. (491 m. Abb.)
8° Stuttg., Union (03). Geb. 5 — d
— Der Leutfresser u. s. Bub, s.: Lohmeyer's, I, vaterland.
Jugendbücherei.
— Simplizius Simplizissimus, d. Jäger v. Soest. Ein Soldaten-
leben a. d. 30jähr. Kriege, n. HJC v. Grimmelshausen f. d.
Jugend u. Familie erzählt. 4. Afl. (338 m. Abb.) 8° Berl., Neu-
feld & H. (04). Geb. 5 — d
— In Treuen fest. Festsp. z. Feier d. 400. Geburtstags Philipps
d. Grossmüt. (46) 8° Darmst., J Waitz 04. — 50
— s.: Vergissmeinnicht, christl.
— Wie gewinnen wir uns. Volk f. d. ev. Bund? Ansprache.
(12) 8° Lpzg, (C Braun) 02. nn — 10 d
Weitbrecht, T, s.: Jugendblätter.
Weitbrecht, W: Prakt. Geometrie. Leitf. f. d. Unterr. an techn.
Lehranst., sowie f. d. Selbstunterr. Wichtig v. Landmesserelevren in ihren
Beruf u. z. Gebr. f. praktisch thät. Techniker u. Landwirte.
(219 m. Fig.) 8° Stuttg., K Wittwer 01. L. 3.50
— Taschenb. z. Abstecken d. Kurven an Strassen- u. Eisenb.,
s.: Knoll, Cv.
Weitemeyer, M: Die Arbeit u. ihre soz. Bewertg. Vortr. [S.-A.]
(26) 8° Erf., C Villaret 1900. — 50
Weith, H: Eine Stimme. Gedichte. (140) 8° Dresd., E Pierson
02. 2.50; geb. 3.50
Weitkamp, H: Pestalozzis Gertrud als Muster e. Mutter u.
Erzieherin, s.: Abhandlungen, pädag.
Weitlaner, F: Neue Untersuchgn üb. d. Seekrankh. (28) 8°
Wien, (W Braumüller) 02. — 70
Weitra, E v.: Die trauernde Madonna. Ein Spiel a. d. M.-A.
(39) 8° Saarbr., (H Hecker) 03. — 50 d

Weittenhiller, E v.: Es werde Licht! Dramat. Dichtg. (76) 8°
 Wien, P Knepler (04). 1.60 d
Weitz, C: Die ersten Klänge d. Muse. Gedichte. (236) 8° Dresd.,
 E Pierson 03. 3 —; geb. 4 — d
Weitz, M: Der Chilisalpeter als Düngemittel. (481 m. Abb. u.
 3 Taf.) 8° Berl., P Parey 05. L. 12 —
Weitzel, E: Blätter d. Erinnerg a. 3 Jahrzehnten in Ulm.
 Ausw. v. Festreden u. Vortr. (184) 8° Ulm, (J Ebner) 05. 2 — d
Weitzel, KG: Die Schule d. Maschinentechnikers. 3. Bearbeitg,
 hrsg. v. A Holzt. (In 100—120 Heften.) 1—27. Heft. (656 m. Abb.
 u. 26 g. Tl farb. Taf.) 8° Lpzg, M Schäfer (03-05). Je — 50
Weitzel, L: Kerndeut. Worte in Reimen. (24) 8° Dresd., (E
 Weise) 1900. — 75 d
Weitzel, V: Lehr- u. Hdb. d. ges. einf. bürgerl. u. ländl. Haus-
 wirtschaft. (408 m. Abb. u. 4 farb. Taf.) 8° Ulm, J Ebner 01.
 L. 4 — d
— Die Natur als Lehrmeisterin d. Landmannes. — Der Pfennig
 in d. Landw. — Peter Schmid, d. Fortschrittsbauer, s.: Möhr-
 lin, F.
Weitzel, W: Die deut. Kaiserpfalzen u. Königshöfe v. 8. bis
 z. 16. Jahrh. (131 m. Abb.) 8° Halle, Bh. d. Waisenh. 05. 3 —;
 geb. 3.80 d
Weitzenböck, G: Lehrb. d. französ. Sprache, s.: Lehrbuch d.
 französ. Sprache.
Weitzer, D: Verschwundete Kräfte. (57) 8° Lpzg, Theosoph.
 Centralbh. 02. 1.20; geb. 2.20 d
Weitzer, J: Die Flucht d. Prinzessin Luise v. Sachsen-Coburg-
 Gotha a. Bad Elster. 5. Afl. (76 m. 2 Bildnissen.) 8° Floridsdf,
 A Lehar 04. 1.50
Weitzmann's, C, sämmtl. Gedichte in schwäb. Mundart. Voll-
 ständ. Ausg. 12. Afl. (300) 16° Strassbg, Strassb. Druckerei
 u. Verl.-Anst. (03). Kart. 1 — d
Weitzmann, M: Auf d. Lebens Wogen. Erzählg. (41) 8° Vor-
 halle 02. Wetter, V Engelmann. — 50 d
Weixler, A: Bearbeitg d. trigonometr. Gradmessgsnetzes f.
 Zwecke d. Landesvermessg. [S.-A.] (32 m. Fig. u. 1 Taf.) 8°
 Wien, (R Lechner's S.) 01. nn 1 — Vergr.
Weixenberg, A: Licht u. Schatten. Betrachtgn. (123 m. 2 Taf.)
 8° Jurjeff, (J Anderson) 1900. 3 — d
Weixmann, K: Lehr- u. Übgsb. d. Gabelsb.'schen Stenogr. (Ver-
 kehrsschrift u. Debattenschrift). 8. Afl. (158 u. 79 m. 1 Bildnis.)
 8° Wien, Manz 04. Geb. u. geb. 2.80
— Stenograph. Leseb. (System Gabelsb.) f. Verkehrsschrift u.
 Dabattenschrift. (192 m. 1 Bildnis.) 8° Ebd. 04. Geb. 2.90
Weiszäcker, C, s.: Testament, d. Neue.
— Untersuchgn üb. d. ev. Gesch., ihre Quellen u. d. Gang ihrer
 Entwicklg. 3. Afl. (379) 8° Tüb., JCB Mohr 01. 7 —; geb. nn 8 —
— Das apostol. Zeitalter d. christl. Kirche. 3. Afl. (700) 8° Ebd.
 02. 16 —; geb. nn 18.50
Weiszäcker, H: Formularb. zu d. deut. Prozessordngn f. d.
 Gebr. d. Gerichte u. Staatsanwaltschaften. 1. Abth.: Formu-
 lare z. CPO. u. z. Konkursordng. Auf d. Grundl. d. Formular-
 v. F Vierhaus bearb. 9. Afl. (331) 8° Berl., R Kühn 01. 3.20;
 geb. 5 — d
— u. K Lorenz: Formularb. f. d. freiwill. Gerichtsbark. z.
 Gebr. d. preuss. Gerichte. (Anastat. Neudr.) (336) 8° Ebd.
 1900 (01). 3.60; geb. 5.60 ∥ 3. Afl. (369) 04. 5 —; HF. 7 — d
Weiszaecker, T: Wildbad im württemberg. Schwarzwald. Füh-
 rer f. Kurgäste. (122 m. Abb., Kart. u. Pl.) 8° Stuttg., Holland
 & J. 01. 1 — ∥ 2. Afl. (156 m. Abb. u. Pl.) 05. 1.40
Welchert, W: Reisebilder a. Syrien, Palästina u. Italien. (281)
 8° Lage, H Welchert 02. 1.50 d
Welck, F v.: Ein Bekenntnis, s.: Waldesrauschen — Waldes-
 frieden.
— Das Marienbild, s.: Handesfreund, neuer.
Welck, H Frhr v.: Die Prüfgsordng f. Aerzte, s.: Handbiblio-
 thek, jurist.
Welck, R v.: Gedichte. (80) 8° Strassbg, J Singer 05. 1.50
Welcseck, A v.: Die (deut.) Frau in d. öffentl. Armen- u. Waisen-
 pflege, s.: Fortschritt, soz.
Welderen Baron Rengers, E van: Die staatl. Massregeln z.
 Förderg d. Rindviehzucht in d. Schweiz u. in Dänemark. (360)
 8° Halle, (JM Reichardt) 01. 2.50
Weldige-Cremer, de, u. Fahrenhorst: Die Grundstücksumlegg
 in Stadtfeldmarken u. in d. Südostfeldmark Dortmund. I. Die
 Entwicklg d. Bebaug Dortmunds u. d. Vorteile d. Grundstücks-
 umlegg f. städt. Strassennetze. Von W.-C. — II. Die Um-
 legg städt. Feldmarken. in Gesetz u. Praxis u. d. Zusammen-
 legg d. Südostfeldmark Dortmund. Von F. (32 m. 3 Kart.)
 8° Dortm., (FW Ruhfus) 03. 1.50 d
Well Bey Bolland (W Bolland): Kl. deut. Sprachlehre. Bearb.
 f. d. Türkische. (Methode Gaspey-Otto-Sauer.) (348 m. 2 Schrift-
 taf., 1 Karte u. 1 Pl.) 8° Hdlbg, J Groos 04. Geb. 3 — d
Weling, A v.: Von d. ev. Allianz. (4) 12° Blankenbg i/Th., Ev.
 Allianzhaus (1900). — 05 d
Welker, G: Die Entstehg d. verschied. Religionen. Vortr. im
 Anschl. an d. Babel-Bibel-Frage. (19) 8° Ludwigsh., (A Lauter-
 born) 03. — 25
— Die vielverleumdete Festrede d. Predigers W. bei d. Dewet-
 Feier in Schierstein. (14) 8° Wiesb., Wiesbad. Verl. „Huma-
 nität" 01. — 30 d
— Freireilig. Predigten. Beitr. z. Verbreitg e. vernünft. relig.
 I. Bd. 2 Afl. (215) 8° Ebd. 01. 2.40; geb. 3 — d
Wellen, H v. (A Norz): Führer durch Nizza. Saison 1902. (63
 m. Abb. u. 1 Pl.) 12° Nizza, (L Gross). — 70 Vergr.

Wellenhof s.: Hohmann v. Wallenhof.
Wellenkamp, D, u. a.: To Pulterabend un Hochtied. Platt-
 deut. Dichtgn. 3 Edchn. 8° Erf., F Bartholomäus (01).
 Je — 75 d
I.II. Nebst e. Anh. v. Julklapp-Versen als Begleiter zu Geschenkes. (7°
 u. 96) ∥ III. (80)
Weller's Archiv f. Stamm- u. Wappenkde. Früher: Der Wap-
 pensammler. 2. Jahrg. Juli 1901—Juni 1902. 12 Nrn. (Nr. 1.
 16 m. Abb., 3 [1 farb.] Taf. u. 2 Stammtaf.) 8° Papiermühle b.
 Roda, Gebr. Vogt. 4 — ∥ 3. Jahrg. 1902. Viertelj. nn 1.25
 Bisher u. d. T.: Wappensammler, d. — Erschien 2. Ti noch in
 Kahla. — Fortsetzg s.: Archiv f. Stamm- u. Wappenkde.
Weller, A: Die wilde Katze, s.: Mannstädt, W.
Weller, GA: Ja od. Nein? Jugend-Predigt. (12) 8° Barm., Wup-
 pertaler Traktat-Gesellsch. (04). — 10 d
— Unser Kaiser. Deklamatorium f. Schulen, Vereine, Soldaten
 u. A. (11) 12° Elberf., Westdeut. Jünglingsbund 04. — 10 d
— Wer ist e. Mann? Predigt. (14) 12° Barm., Wuppertaler Trak-
 tat-Gesellsch. (02). — 10 d
— Falsche Propheten. Ein Wort wid. d. Mormonen. (16) 12°
 Ebd. (02). — 10 d
— Rosen u. Dornen. Dichtgn f. d. Freuden- u. Trauertage d.
 christl. Hauses. 2 Tls. 8° Barm., E Biermann (04). Geb. je 1 —:
 in 1 L.-Bd. m. G. 3 — d
 1. Für d. Freudentage. Nebst e. Anh.: Für Vereins- u. Schulfeste. (112;
 2. Für d. Trauertage. (90)
Weller, H: Der Kanarienvogel, sowie uns. and. gefiederten
 Freunde. Ihre Behandlg, Zucht u. Pflege in gesunden u.
 kranken Tagen. Mit e. Anweisg, Vögel zu fangen, zu zäh-
 men u. zu unterrichten, sowie e. Anl. z. Abbalgen u. Ausstopfen derselben. 18. Afl. (130 m. Abb.) 8° Lpzg, Ernst (05).
 1 — d
— Uns. einheim. Stubenvögel. Naturgesch., Aufzucht u. Pflege
 uns. bekannten einheim. Wald- u. Singvögel. Nebst e. Anl.
 üb. d. Einfangen d. Vögel u. d. Behandlg ihrer Krankh. Mit
 e. Anh.: Die Behandlg d. Kanarienvogel in d. Hecke. 5. Afl.
 v. L Walter. (143 m. Abb.) 8° Ebd. (02). 1 — d
Weller, K: Gesch. d. Hauses Hohenlohe. (In 3 Tln.) 1. Tl. Bis
 z. Untergang d. Hohenstaufen. (154) 8° Stuttg., W Kohlhammer 04. 4 — d
— s.: Urkundenbuch, Hohenlohisches.
— Die Weiber v. Weinsberg. [S.-A.] (42) 8° Stuttg., W Kohlhammer 03. — 80 d
Weller, P: Joshuah Sylvesters engl. Übersetzgn d. relig. Epen
 d. Du Bartas. (111) 8° Tüb., G Schürlen 02. 2.40
Wellershaus, W: Chemie f. Ackerbau- u. landw. Winter-Schulen.
 1. Tl: Anorgan. Chemie. 2. Afl. (43) 8° Berl., P Parey 03.
 Geb. nn — 70 d
Wellhausen, J: The book of Psalms, s.: Books, the sacred,
 of the Old and New Test.
— Einl. in d. 3 ersten Evangelien. (116) 8° Berl., G Reimer
 05. 3 —
— Das Ev. Lucae. Übers. u. erklärt. (146) 8° Ebd. 04. 4 —
— Das Ev. Marci. Übers. u. erklärt. (146) 8° Ebd. 03. 4 —
— Das Ev. Matthaei. Übers. u. erklärt. (152) 8° Ebd. 04. 4 —
— Israelit. u. jüd. Gesch. 5. Ausg. (395) 8° Ebd. 04. 10 —:
 HF. 11.80
— Die relig.-polit. Oppositionsparteien im alten Islam, s.: Ab-
 handlungen d. kgl. Gesellsch. d. Wiss. zu Göttingen.
— Prolegomena z. Gesch. Israels. 6. Ausg. (434) 8° Berl., G
 Reimer 05. 8 —; HF. 9.80
— Die arab. Reich u. s. Sturz. (352) 8° Ebd. 02. 9 —
— s.: Religion, d. christl. — Zum ält. Strafrecht d. Kultur-
 völker.
Wellisch, S: Fehlerausgleich u. d. Theorie d. Gleichgewich-
 tes elast. Systeme. (44 m. Fig.) 8° Wien, (M Möbius) 04. 1.20
Wellmann, M, s.: Fragmentsammlung d. griech. Ärzte.
Wellmer, A: De olle Pfeifer un sine Wildswien, s.: Gabels-
 berger-Bibliothek.
Wellnau, R: Amor u. Hymen. Kom. Vorträge u. Tafel-Lie-
 der f. Polterabend u. Hochzeit. (176) 8° Barl., A Weichert
 (01). — 1 d
Wellner, FG: Fernsprecher f. d. Hausbedarf. — Die Prüfg,
 Wartg u. Instandsetzg v. elektr. Klingelanlagen, s.: Bernard, G.
Wells, AR: Jugendbund-Grüsse. Hdb. z. Unterweisg u. d.
 Rates f. neue Mitglieder. (32) 8° Friedrichsh., Jugendbund-
 Verl. (04). — 25
Wells, HG: Anticipations of the reaction of mechanical and
 scientific progress upon human life and thought, s.: Collec-
 tion of Brit. auth.
— Anschluss and d. Folgen d. techn. u. wiss. Fortschritts f.
 Leben u. Denken d. Menschen. Deutsch v. FP Greve. (348)
 8° Mind., JCC Bruns (05). 4.25; geb. 5.25
— Doktor Moreaus Insel. Roman. s.: Collection of Brit. auth.
— Der Krieg d. Welten. Roman. Aus d. Engl. v. GA Crüwell.
 (244) 8° Mind., M Perles 01. 3 — d
— Mankind in the Making. — The first men in the moon, s.:
 Collection of Brit. auth.
— Doktor Menschen im Mond. Deutsch v. FP Greve. (418)
 8° Mind., JCC Bruns (05). 4 —; geb. 5 —
— Die Riesen kommen!! Deutsch v. FP Greve. (388) 8° Ebd.
 (04). 2.50; geb. 3.25
— Die Riesen kommen!! Deutsch v. FP Greve. (388) 8° Ebd.
 (04). 4.25; geb. 5.25

Wells, HG: The sea lady. — Twelve stories and a dream. — A modern utopia. — The weels of chance, s.: Collection of Brit. auth.
— Die Zeitmaschine. Deutsch v. FP Greve. (176) 8° Mind, JCO Bruns (04). 2.25; geb. 3 —
Wellstein, G, s.: Bericht d. XI. Kommission (d. Reichstags) üb. d. Entwurf e. Ges. üb. d. Verlagsrecht.
— Das Reichsges. üb. d. Angelegenh. d. freiwill. Gerichtsbark. Vom 17.V.1898. (In d. Fassg v. 20.V.1898.) 2. Afl. (484) 8° Berl., HW Müller, 06. Kart. 8 — d
Wellstein, J: Encyklopädie d. Elementar-Mathematik, s.: Weber, H.
Welp: Beitr. z. Bauchchirurgie, s.: Kehr, H.
Welsbach s.: Auer v. Welsbach.
Welsch, H: Bibl. Hdwrtrb. (432 m. Abb. u. 8 Kart.) 8° Paderb., F Schöningh 05. 3.60 d
— Jubiläums-Büchl. f. d. allg. Jubiläums-Ablass, nebst d. oberhirtl. Anordgn f. d. Diöc. Speyer. 2. Afl. (43) 16° Speyer, Jäger 01. — 20 d
Welsch, H: Anwendg u. Wirkg d. Heilquellen u. Kurmittel v. Bad Kissingen. 8. Afl. (126) 8° Kiss., F Weinberger 04. 1 —
— dass. Engl. Ausg. 2. ed. (97 m. 1 Karte.) 8° Kiss., Brückner & Renner 05. 1.50
— Die mannigfachen Ursachen d. Stuhlträgheit (Constipation) u. deren Behandlg m. d. Kissinger Kurmitteln. 4. Afl. (23) 8° Kiss., F Weinberger 01. — 60
Welschinger, H: Mirabeau in Berlin als geheimer Agent d. französ. Regierg, s.: Napoleon I.
Welschnofen, Sommerfrische u. Luft-Kurort, 1180 Meter üb. d. Meere, bei Karersee in Tirol u. dessen Umgebg. (64 m. Abb. u. 1 Kartenskizze.) 8° Welschnofen-Karersee 04. (Bozen, Deut. Bh.) — 40
Welschnofen-Karersee in d. Bozener Dolomiten. Hrsg. v. Verschönergs-Ver. Welschnofen. (28 m. farb. Abb. u. 1 Karte.) 12° Innsbr., A Edlinger (02). 1 —
Welt, die. Wochenschrift f. d. mod. Volk. 3. u. 3. Bd. (1. Jahrg. 2. Halbj. u. 2. Jahrg. 1. Halbj.) Oktbr 1900—Septbr 1901 59 Hefte. (1. Heft. 20 m. Abb.) 4° Berl., Germania. einz. Hefte — 10 d
— dass. Illustr. Wochenschrift f. d. deut. Volk. Red.: F Kempel. 4. Bd. (2. Jahrg. 2. Halbj.) Oktbr 1901—März 1902, 26 Nrn. (Nr. 1. 20) 4° Ebd. || (3—5. Jahrg.) 5—10. Bd. Red.: P Müller. Apr. 1902—März 1905 je 52 Nrn. || (6. Jahrg. 1. Halbj.) 11. Bd. Apr.— Septbr 1905. 26 Nrn. Viertelj. 1.95; einz. Nrn — 15 || (6. Jahrg. 2. Halbj.) 12. Bd. Red.: C Küchler. Septbr 1905—März 1906. 26 Nrn. Viertelj. 1.30; einz. Nrn — 10 d
— die. Hrsg. u. Red.: B Feiwel u., seit 1902, AH Reich. 5. u.6.Jahrg. 1901 u. 2 je 52 Nrn. (Nr. 1. 16) 4° Wien. Köln, Verl. Die Welt. Viertelj. 3.43; einz. Nrn — 30
— dass. (Central-Organ d. zionist. Bewegg.) Hrsg.: AH Reich. Red.: J Uprimny. 7—9. Jahrg. 1903—5 je 52 Nrn. (Nr. 1. 16) 4° Ebd. Viertelj. 3.43; einz. Nrn — 30
— alle. Romansammlg 43—50.(Schl.-)Bd. (Mit Abb.) 8° Berl., A Weichert (01). Je — 10 d
Berger, W: Anna e. Klautschou-Fahrt. Eine tragikom. Gesch. a. d. himml. Reiche. (47) [46.]
Felden, K: Liebe u. Ehre. (48) [45.]
Hahn, A v.: Russisch Blut. (46) [43.]
Hyan, H: Johannistrieb. — Das Kind. (48) [43.]
Lewil, H: Der Glückabauten. Histor. Kriminal-Erzählg. (45) [47.]
Litten, R: Mano Miela. Erzählg a. Litauen. (48) [40.]
Wichmann, F: Ein Vermieter. Erzählg a. Südtirol. (48) [44.]
Zela, E: Rasch tritt d. Tod d. Menschen an. — In Hochwassernot. Deutsch v. P Heichen. (56) [50.]
— alte u. neue. Illustr. kathol. Familienbl. z. Unterhaltg u. Belehrg. Mit d. Beil.: „Rundschau in Wort u. Bild" u. „Für d. Frauen u. Kinder". 36—40. Jahrg. 1902—6. (Aug. 1901— Juli 1906.) je 24 Hefte. (768, 768, 832, 810 u. 966) 4° Einsied., Verl.-Anst. Benziger & Co. Das Heft — 35 d
37. u. 38. J. erm. Pr. je 4 —; geb. je 6 —
— d. buddhist., s.: Buddhist, d.
— d. christl. Ev. Gemeindebl. f. Gebildete aller Stände. Hrsg.: Rade. 15—19. Jahrg. 1901—5 je 52 Nrn. ('01—04: 1256, 1256, 1260 u. 1272 Sp.) 4° Marbg, Verl.-Trept., Verl. d. christl. Welt. Viertelj. 3 — einz. Nrn — 20 d
— Fromme's elegante, Fortsetzg, s.: Fromme.
— d. feine. Elegantes Tage- u. Notizb. pro 1906. 80. Jahrg. (248 m. 1 Bildn.) 16° Wien, M Perles. L. m. G, 2.50
— d. gefiederte, Wochenschrift f. Vogelliebhaber. Begründet v. K Russ. Hrsg. u. Schriftleitg: K Neunzig. 30—34. Jahrg. 1901—5 je 52 Nrn. (Nr. 1. 8 m. Abb.) 4° Mgdbg, Creutz. Viertelj. 1.50; einz. Nrn — 20; m. Farbentaf. — 50
— d. graph. Deut. Faktoren-Zeitg. Hrsg.: A Stadthagen (Red.: H Thieme.) 5—10. Jahrg. 1901—5 je 26 Nrn. 1—8. 102 m. Abb. u. 1 Taf.) 4° Berl., (C Heymann). Halbj. 2.50; einz. Nrn nn — 30
— heitere. Illustr. Wochenschrift. Red.: E Nagel. 6. u. 7. Jahrg. 1901 u. 2 je 52 Nrn. (Nr. 1. 16) 4° Berl.-Schönebg, GE Nagel. Je 6 —; halbj. 3.50; viertelj. 2 —; einz. Nrn — 15 d
A. u. d. T.: Blätter, lose. — Deutschland, d. humorist., lust. — Fortsetzg s. u. d. T.: Nagel's humorist., fliegg. Blätter Heitere Welt.
— illustr. Deut. Familienb. Red.: W Wetter. 50. Jahrg. 1902. (Aug. 1901—Juli 1902.) 28 Hefte. (1. Heft. 28 m. z. Tl farb. Textabb. u. 1 farb. Taf.) Fol. Stuttg., Deut. Verl.-Anst. Je — 30 d
— dass., vereinigt m. „Buch f. Alle". Red.: T Freund, f. Österr.:

Ungarn: E Perles. Jahrg. 1903. (Aug. 1902—Juli 1903.) 26 Hefte. (1. Heft. 26 m. 2 Farbdr.) Fol. Stuttg., Union. Je — 30 d
Fortsetzg s. u. d. T.: Buch, d., f. Alle.
Welt, d. kathol. Illustr. Familienbl. Mit d. Beil.: „Für d. Frauen u. Töchter" u. „Der Büchertisch". Red.: L Niderberger. 14— 18. Jahrg. Oktbr 1901—Septbr 1906 je 13 Hefte. (Je 576) 4° Limbg, Kongregat. d. Pallottiner. Je — 40 d
— lustige. Nagel's humorist. flieg. Blätter. Red.: E Nagel. 1901 u. 69 je 52 Nrn. (Nr. 1. 16 m. Abb.) 4° Berl.-Schönebg, GE Nagel. Viertelj. 1.80; einz, Crn — 10 d
A. u. d. T.: Welt, heitere. — Blätter, lose; Deutschland, d. humorist., u. Gesellschaft, uns., wurden 1902 hiermit vereinigt.
— Fortsetzg s. u. d. T.: Nagel's lustige Welt:
— photograph. Monatsbl. f. Amateur-u. Fachphotogr. Früher „Der Amateurphotograph". Red.: H Spörl. 19. Bd. 2. Halbj. Juli—Dezbr 1905. 6 Hefte. (7. Heft. 16 m. Abb. u. 2 Taf.) 8° Lpzg, E Liesegang. Viertelj. 1.25
Bisher u. d. T.: Amateur-Photograph, d.
— d., auf Reisen. Central-Organ f. Touristik u. Weltverkehr. Hrsg.: P Gisbert. 1. Jahrg. 1901. 24 Nrn. (Nr. 1. 24 m. Abb.) 4° Berl. (W 62, Nettelbeckstr. 26), Verl. v. Die Welt auf Reisen. Viertelj. 2.50; einz. Nrn — 50 || 2. Jahrg. 1902. Hrsg.: G Müller. Viertelj. 1.50; einz. Nrn — 25
— dass. Hrsg.: J Landau. Verantwortlich: G Müller. 3—5. Jahrg. 1903—5 je 24 Nrn. (Nr. 1. 20 m. Abb.) 4° Ebd. Halbj. 3 —; einz. Nrn — 25
— d., d. Technik. Techn. Rundschau f. d. Gebildeten aller Stände. Hervorgegangen a. d. „Polytechn. Centralbl." Red.: M Geitel. Jahrg. 1905. 65. d. Gesamt-Folge. Oktbr—Dezbr 8 Nrn. (Nr.1. 16 m. Abb.) 4° Berl., O Elsner. || Jahrg. 1904 u. 5. 66. u. 67. d. Gesamt-Folge. Je 24 Nrn. Viertelj. 2 —
Bisher u. d. T.: Z(C)entralblatt, polytechn. — Ackermann, JC, illustr. Wiener Gewerbe-Zeitg wurde 1904 hiermit vereinigt.
— d. übersinnl. Halb-Monatsschrift f. okkultist. Forschg. Hrsg.: A Weinholtz. Red.: M Rahn. 9. u. 10. Jahrg. 1901 u. 2 je 24 Nrn. (1901. Nr. 1. 20 m. Abb. u. 1 Taf.) 8° Berl., A Weinholtz. Viertelj. 2 —; einz. Nrn — 50
— dass. Monatsschrift f. okkultist. Forschg. Hrsg.: A Weinholtz. Red.: M Rahn. 11—13. Jahrg. 1903—5 je 13 Nrn. (Nr. 1. 40 m. 1 Taf.) 8° Ebd. Viertelj. 2 —; einz. Nrn 1 —
— vornehme. Zeitschrift f. d. Gesellschaft. Red.: OF v. Schlichtegroll-Engelswacht. Jahrg. 1901. 24 Nrn. (Nr. 1. 12 m. Abb.) Fol. Berl., R Tessmer. Viertelj. 3 —; einz. Nrn — 50
Seit 1.III./01 wieder u. d. T.: Adels-Herold.
— d. weite. Vom Fels z. Meer-Wochenausg. Red.: P Dobert. 20. Jahrg. 1901. Nr. 45—52 (Juli—Septbr). (Nr. 45. 36 m. z. Tl farb. Abb.) 4° Berl., A Scherl. Je — 25 d
— dass: Red.: P v. Szczepanski, f. Österr.-Ungarn B Wirth. 21—24. Jahrg. Septbr 1901—Aug. 1905 je 52 Nrn. (21. Jahrg. Nr. 1. 37 m. Abb.) 4° Ebd. Je — 25 d
— dass., vereinigt m. Gartenlaube. Red.: H Tischler. In Österr.-Ungarn verantwortlich: A Bettelheim. 24. Jahrg. (3. Bd.) Septbr—Dezbr 1905. 13 Nrn. (Nr. 1. 24 u. 22 m. Abb. u. 1 farb. Taf.) 4° Lpzg, E Keil's Nf. Je — 25 d
1906 u. d. Gartenlaube vereinigt.
— d., d. Wissens. Mons. Wochenschrift f. d. Gebildeten aller Stände. Hrsg.: J Wiese. Schriftleiter: W Schindler. Jahrg. Novbr 1905—Oktbr 1906. 52 Nrn. (Nr. 1. 16) 4° Berl., Verl. Welt d. Wissens. Viertelj. 1.80; einz. Nrn — 10 d
— u. Haus vormals Die ob. Zehntausend. Wöchentl. Unterhaltgsbl. m. Kunstbeil. Red.: R Bühle. 1. Jahrg. Oktbr—Dezbr 1902. 13 Nrn. (Nr. 31. 857—888) 4° Lpzg, Verl. d. Wochenschrift Welt u. Haus. || 2. u. 3. Jahrg. 1903 u. 4. Red.: C Weichardt. 52 Nrn. || 4. Jahrg. Jan.—Septbr 1905. 39 Hefte. Viertelj. 1.50; einz. Nrn — 20 d
Bisher u. d. T: Zehntausend, d. obern. Nr. 27/30 erschienen noch unter diesem Titel.
Welt-Adressbuch d. ges. Musikinstrumenten-Industrie. Hrsg. v. P de Wit. Ausg. 1903. (796) 8° Lpzg, P de Wit. Geb. 20 —
Weltall, das. Illustr. Zeitschrift f. Astronomie u. verwandte Gebiete. Hrsg. v. FS Archenhold. 1—3. Jahrg. Oktbr 1900— Septbr 1903 je 24 Hefte. (224, 300 u. 312 m. Abb. u. 7, 11 u. 14 Taf.) 4° Berl.-Trept., Verl. d. Treptow-Sternwarte. Viertelj. 2 —; einz. Nrn — 50 || 4—6. Jahrg. Oktbr 1903—Septbr 1906. (4. J. 454 m. 10 Taf.) Viertelj. 3 —; einz. Hefte — 60
Weltalter, d. neue, s.: Propheten. Von e. Protestanten. (168) 8° Dresd., E Pierson 05. 2.50
Weltanschauung, d. neue. Beitr. zu ihrer Gesch. u. Vollendg. 1—3. 8° Berl., A Kohler. 7.10 d
Georgy, EA: Das Tragische als Gesetz d. Weltorganismus. (244) 05. [2.] 4.50; geb. 5.50
Lauer, F: Physis und Monismus. (56) 05. [1.] 1 —
Lory, C: Nietzsche als Gesch.-Philosoph. (68) 04. [1.] 1.60
Seiling, M: Ed d. Relig. d. Menschh.) Hrsg.: H Molenaar. 4 Hefte. (1. Heft. 48 m. 1 Bildnis.) 8° Münch. (Holzkirchnerstr. 5), Dr. H Molenaar 04.05. 4 —
Bisher u. d. T.: Religion, d., d. Menschh.
Weltausstellung, d. Pariser, in Wort u. Bild. Red. v. G Malkowsky. 23—29. Lfg. 8° Berl., A Dochow 1900. Je — 40 (Vollst. in L.: 12 —)
Liefert G Fock V. in Lpzg f.: + 5 —
Welt-Bibliothek. 1—7. Bd. 8° Lpzg, Schulze & Co. 7.50 d
Harraden, B: Hilda Strafford. Kaliforn. Gesch. Deutsch v. L Niemeyer. (190) 01. [5.] 1 —
Kreutzewakaja, M: Sein eins. Sohn. Aus d. Russ. v. C Berger. (185) 05. [4.] 1 —

Misinski, T: Der Roman e. Lehrerin. Novelle. Deutsch v. C Hillebrand. (182) 03. [4.]   1 —
Schlijkrewski, A: Ein Ritualmord? Kriminalgesch. Deutsch v. C v. Gut-schow. (99) 03. [7.]   1 —
Senoa, A: Der Judas w. Zengg. (Cwat) se senjske ruke.) Histor. Novelle. Aus d. Kroat. v. J Kaiser. (306) 02. [2.]   1.50
Sienkiewicz, H: Die 3. Braut. Erinnerga e. Malers. Deutsch v. R Löwen-feld. (96) 02. [1.]   2 —
— Lilian Morís. (Durch d. Steppen Amerikas.) Deutsch v. R Löwenfeld. (115) 02. [2.]   1 —
Welte's Kirchenlexikon, s.: Wetzer.
Welten. O: Nicht f. Kinder! Novellenbuch. 7. Afl. (297) 8° Dresd., E Pierson 05.   2.50; geb. 3.50 d
Weltenbummler, der. Interess. Unterhaltgsbl. f. Jedermann. Red.: A Brinitzer. 1. Jahrg. Septbr—Dezbr 1905. 18 Nrn. (Nr. 1—6. 100 m. Abb.) 4° Berl., Humboldt-Verl. Je — 10 d
Welten-Untergang, e., od.: Die furchtbare Katastrophe auf d. Insel Martinique u. d. Vernichtg v. ca 50,000 Menschen-leben durch Ausbruch d. feuerspeienden Berges Mont Pelé am 8.V.'02. (47) 8° Berl., A Weichert (02).   — 50 d
Welter's Lehrb. d. Weltgesch. f. höh. Lehranst., bearb. u. hrsg. v. A Hechelmann. 3 Tle. 8° Münst., Coppenrath.   Geb. 7.90 d
1. Altertum. 43. Afl. (368) 03. 2.50 ‖ 2. M.-A. 36. Afl. (335) 2.40 ‖ 3. Neuere Zeit. 35. Afl. (430) 04. 3 —
— dass. f. Schulen. Auszug, bearb. u. hrsg. v. A Hechelmann. 48. Afl. (452) 8° Ebd. 04.   Geb. 3 — d
Welter, N: Theodor Aubanel, e. provenzal. Sänger d. Schön-heit. (223 m. 1 Bildn.) 8° Marbg, NG Elwert's V. 02.   3 —; geb. 4 — d
— Frühlichter. Gedichte. 2. Afl. (116) 8° Münch., Allg. Verl.-Gesellsch. 03.   2 —; geb. 2.80 d
— Griselinde. Dichtg. (126) 8° Luxembg (Avenue Monterey 6), M Huss 01.   2 —; geb. 3 — d
— Die Söhne d. Oeslings. Bauerndrama a. d. Zeit d. französ. Revolution. (118) 8° Diekirch (Luxembg), J Schroell 06. (Nur dir.)   nn 2 — d
Welter, O: Zur Kenntnis d. p-Xylylaldehydes. (37) 8° Freibg i/B., Speyer & K. 04.   1 —
Weltgeschichte. Hrsg. v. HF Helmolt. II. Bd, 3 Hlftn; III. Bd, 2. Hlfte; V. Bd, 2 Hlfte u. VIII. Bd, 2 Hlftn. 8° Lpzg, Biblio-graph. Instit.   Jede Hlfte 4 —(Jeder Bd vollst.: 8 —)
   Einbde in HF je 2 —; I—V, VII u. VIII.: 56 —) d
II. Ostasien u. Ozeanien. Der Ind. Ozean. Von K v. Brandt, H Schurtz, K Weule u. E Schmidt. (638 m. Abb., 10 Kart. u. 22 [6 farb.] Beil.) 02.
III. Westasien u. Afrika. Von H Winckler, H Schurtz u. C Niebuhr. 2. Hlfte. (389—755 m. Abb. u. [im ganzen Bd] 7 Kart. u. 29 [7 farb.] Taf.) 01.
V. Südeuropa u. Osteuropa. Von R v. Scala, H Zimmerer, K Pauli, HF Helmolt, B Bjezholz, W Mitkowicz u. H v. Wislocki. (690 m. 5 Kart. u. 30 [4 farb.] Beil.) 04.05.
VIII. Westeuropa, 2. Tl. Der Atlant. Ozean. Von A Kleinschmidt, W Zwiedineck-Südenhorst, H Friedjung, G Egelhaaf, H Mayr u. K Wenle. (646 m. Abb. u. 18 [8 farb.] Taf.) 02.03.
— d., in Bildern. Sammelwerk d. hervorragendsten künstler. Darstellgn a. d. Gesch.-. Länder- u. Völkerkde. Nach Ge-mälden d. berühmtesten Künstler aller Nationen reproducirt in Meisterwerken d. Holzschneidekunst. 2—40.(Schl.-)Heft. (21—635) 4° Dresd., RH Dietrich (02.03).   Je — 30 d
Das 1. Heft s.: Dietrich, R.
— in Umrissen. Federzeichngn eines Deutschen, e. Rückblick am Schlusse d. 19. Jahrh. (Von Graf Yorck v. Wartenburg.) 8. Afl. (525 m. 1 Bildn.) 8° Berl., ES Mittler & S. 04.   HF. 11 — d
Welt- u. Kirchengeschichte, Berliner. Glossen zu R Seebergs Schrift: „An d. Schwelle d. 20. Jahrh." Von Theophilos. [S.-A.] (80) 8° Melsung., W Hopf 02.   — 50 d
Welthandels-Adressbuch. Hrsg. v. Export-Ver. im Kgr. Sach-sen, Dresden-N. (690) 8° Dresd. 04. (Lpzg, Bb, G Fock.) L. 10 —
Welthumor, der. Humoristisch-satyr. Echo. „Der Dieb". 3. Jahrg. 4. Viertelj. Oktbr—Dezbr 1904. 13 Nrn. (Nr. 40. 12 m. Abb.) 4° Wien (Wollzeile 16), F Krauss.   1.25; einz. Nrn —10
Das 1—3. Viertelj. u. u. d. T.: Dieb, d. — Fortsetzg war nicht zu erhalten.
Welti, FE: Das Stadtrecht v. Bern.—Die Stadtrechte v. Kaiser-stuhl u. Kingnau, s.: Sammlung schweiz. Rechtsquellen.
Welti-Kettiger, H: Weihnachtspoesie. 2. Afl. (71) 8° Aar., HR Sauerländer & Co. 01.   1.20
Welt-Jahrbuch. Welt-Kalender f. 1906. (145 m. Abb. u. 2 Taf.) 8° Berl., Germania.   1 —; geb. 1.50 d
Bis 1903 u. d. T.: Welt-Kalender.
Welti-Mappe. Hrsg. v. Kunstwerk. (17 Bl. m. 8 S. Text u. 1 Weber.) 4° Münch., GDW Callwey (05).   6 —
Welt-Kalender, d. bunte, f. 1906. (144, 16 u. 16 m. Abb. u. 3 Taf.) 8° Winterbg, J Steinbrener.   — 70; geb. — 80 d
— illustr., d. Welt, f. 1905. (96) 8° Berl., Germania.   — 50 d
Bis 1902 u. d. T.: Sankt Bonifatius-Kalender, Berliner. — Seit 1904 u. d. T.: Welt-Jahrbuch.
Weltkarte, philatelist. Von F v. E. 1:30,000,000. 69,5×100 cm. Farbdr. Nebst Text. (23) 4° Berl., Vossische Bh. (04).   1 —
Weltkurier, der. Illustr. Monatsschrift f. Welten. Red.: A Eidlitz. 1. Jahrg. Dezbr 1905—Novbr 1906. 12 Hefte. (1. Heft. 28) 4° Berl., Hobbing & Co. 2 —; einz. Hefte — 25
Erschien bis Ende Juli 1906 in München.
Weltmann, d. vollendete. Neuestes Komplimentirb. Nebst e. Anh. d. beliebtesten Gesellschaftsspiele u. Pfänderlösgn. (80) 8° Neuweissens., E Bartels (o. J.).   — 75; geb. 1.25 d

Weltmarkt, der. Zeitschrift f. Deutschlds Industrie, Innen-u. Aussenhandel. Hrsg. u. Red.: H Böttger. 15. Jahrg. 1901. 24 Nrn. (Nr. 1. 18) 4° (Berl. u.) Brnschw., A Limbach. 10 —;
deut., engl. u. französ. Ausg. zusammen (48 Nrn.) 18 —
— dass. Zeitschrift f. Maschinen-, Eisen- u. Metall-Industrie u. Handel. Red.: P Gartmann. 16. u. 17. Jahrg. 1902 u. 3 je 24 Nrn. (Nr. 1. 20) 4° Ebd. Je 10 —‖18. Jahrg. 1904. 6 —
— dass. Zeitschrift f. Maschinen- u. Metall-Industrie, Berg-u. Hüttenwesen. Verantwortlich: A Ohnstein u. P Gartmann. 19. Jahrg. 1905. 52 Nrn. (Nr. 1. 28) 4° Ebd.   6 — d
Vgl.: Marché, le, universel. — Universal-Marks, the.
Weltner, AJ: Gedichte. (199) 8° Wien, St. Norbertus 05. 2 — d
Weltner, W. s.: Archiv f. Naturgesch. — Bericht üb. d. usw. Naturgesch. u. nied. Thiere.
Welt-Panorama, d. gr., d. Reisen, Abenteuer, Wunder, Ent-deckgn u. Kulturthaten in Wort u. Bild. (1—5. Bd.) (605, 603, 602, 602 u. 602) 8° Stuttg., W Spemann (01-05). L. je 7.50 d
Erschien ursprünglich in Berlin.
Weltreich, d. neue. (Beitrag z. Gesch. d. 20. Jahrh.) Psycholog. u. polit. Phantasieen, m. erläut. Anmerkgn versehen u. in 3 Tln hrsg. v. Mehemed Emin Efendi. (Pseudonym.) 1. u. 2. Tl. 8° Lpzg, O Gracklauer.   5 —
1. (Neue [Tln-]Ausg.] (146) [01.] (03.) 3 — ‖ 2. Von d. Eroberg Konstanti-nopels bis z. Ende Österr.-Ungarns. (110) 03. 2 —
Die 1. Afl. d. 1. Tl erschien s. Z. in München.
Weltrich, R: Wilh. Hertz. 2 litteraturgeschichtl. u. ästhetisch-krit. Abhandlgn. (92) 8° Stuttg., JG Cotta Nf. 02.   1.50; HF. 3 — d
— Rich. Wagners Tristan u. Isolde als Dichtg. Nebst ein. allg. Bemerkgn üb. Wagners Kunst. (172) 8° Berl., G Reimer 04.   2.40; L. 3.20 d
Weltspiegel. Mit 4 Monatsbeil.: Im Heim d. Hausfrau. Lust. Welt. Spiel u. Beschäftigg. Deut. Jugendpost. 17. Bd. (Neue Ausg.) 52 Hefte. (1. Heft. 12 u. 4) 4° Lpzg, Leipz. Verl.- u. Spar-Gesellsch. 04.   — 15 d
Welruhr, A, nebst Datumdifferenz. Entworfen v. L Fialowski. Construirt v. C Kogutowicz. (Farb. drehbare Scheibe, 2 S.) (Lpzg, Leipz. Lehrmittel-Anst.)   1.25
Weltsegler, d., ausser Dienst, s.: Gabelsberger-Bibliothek.
Welt-Vereins-Jahrbuch, offic., 1905. Verz. d. Mitglieder d. Weltver. u. Leser d. Weltvereins-Zeitgn. (70) 8° Münch., J Winkler.   3 —
Weltwarte. Offiz. Organ d. freien internat. humanist. Ver-einigg „Weltwarte". Chefred.: H Rhaue. 1. u. 2. Jahrg. Oktbr 1904—Septbr 1906 je 12 Nrn. (Nr. 1. 24 m. Abb.) 4° Lpzg-St., Verl. d. Weltwarte.   Viertelj. 1.50
Erschien bis Oktbr 1905 in Berlin.
Weltwirtschaft, die. Zeitschrift f. Kolonialwesen u. Handels-geogr. Red.: J Halperson. 1. Jahrg. 1905. 12 Hefte. (1. Heft. 24 m. 2 Taf.) 8° Wien, CW Stern.   8.50; einz. Hefte — 80
Weltzien, K: Die n[te] Wurzel a. e. linearen Substitution. (22) 4° Berl., Weidmann 05.   1 —
Weltzien, O: Zur Gesch. Parchims. Streifzüge durch 7 Jahr-hunderts. (258) 8° Parch., H Wehdemann 03. 1.80; geb. 2.50 d
— Tossamischt Wor. Gerimtes un Ungerimtes. (68) 8° Plau, L Hancke (03).   — 80 d
Weltzien, V v.: Lungenheilstätten, s.: Handbuch d. Archi-tektur.
Wely, J (Umschl. E): Das Ewig-Weibliche. Zeichngn m. d. Pariser Leben. (Umschl.: 2. Afl.) (24 [14 farb.] Bl. m. 1 Bl. Text.) 4° Lpzg, Verl. d. Album (04).   3 —
Welzei, A: Deutsch-chines. Taschenwrtrb. m. Aussprachebe-zeichngn d. chines. Wörter, unter bes. Berücks. d. Schan-tungdialectes. (148 u. 5) 12° Tsingtau (02). (Berl., ES Mittler & S.)   3 —
Welzel, B: Deut. Leseb., s.: Mühlan, A.
Welzhofer, H: Kaiser Otto III. Drama. (151) 8° Dresd., E Pier-son 02.   2 — d
— Semiramis. Drama. (160) 8° Ebd. 05.   2 — d
Welzhofer, L: Die Komposition d. Staatsreden d. Demosthe-nes. L Die 3 olynth. Reden. (56) 8° Straub., (H Appel) (04). 2 —
Wem sollen wir glauben d. Lehramte d. kath. Kirche od. d. Bibel allein? od.: Das „reine Evangelium" d. Abfallsprediger, s.: Volksbroschüre, kathol.
Wenborn, Mrs J: Philipp's Vermächtnis, s.: Berlepsch, L Frei-frau v., Romanbibliothek.
Wenclius, A: Analyt. Methoden f. Thomasstahlhütten-La-boratorien. Deutsch v. E de Lorme. (92 m. Fig.) 12° Berl., J Springer 03.   L. 2.40
Wenck: Aus Borna's Vergangenh., s.: Plan v. Borna.
Wenck, K: Landgraf Philipp d. Grossmüt. Rede. [S.-A.] (13) 8° Marbg, NG Elwert's V. 04.   — 40
— Philipp d. Schöne v. Frankr., s. Persönlichk. u. d. Urteil d. Zeitgenossen. Im akad. Urkund. Beitr. z. Gesch. d. Er-werbg Lyons f. Frankr. (74) 4° Ebd. 05.   2.50
Wenck, M: Die Gesch. d. Nationalsozialen v. 1895—1903. [S.-A.] (140) 8° Berl.-Schönebg, Verl. d. „Hilfe" 05.   L. 2.50 d
Wenckebach, KF: Die Arhythmie als Ausdruck bestimmter Funktionsstörgn d. Herzens. (193 m. Fig. u. 7 Taf.) 8° Lpzg, W Engelmann 03.   6 —
Wenckstern, A v.: Einführg in d. Volkswirtschaftslehre. (239) 8° Lpzg, Duncker & H. 04.   4 — d
— Frieden im Land. Ansprachen in d. sozialdemokrat. Wäh-lerversammlg am 23.IV.'03 in d. Berliner Bockbrauerei m.

d. Berichten d. „Vorwärts" als Vorwort u. d. Bericht d.
„Berliner Tageblattes" als Nachwort. 1—10. Taus. (16) 8°
Berl., H Schild (03). — 10 d
Wenckstern, A v.: Die neuen Handelsverträge; ihre Wirkg
auf unser wirtschaftl. Leben. Referat. (40) 8° Berl. 05. (Frie-
den., Allg. Verl.-Agentur.) nn — 50 d
— Ist er etwas? Schausp. (196) 8° Dresd., E Pierson 02. 2.50 d
— u. K **Böhme:** Die Vererbg d. ländl. Grundbesitzes in d.
Prov. Ostpreussen, s.: Vererbung, d., d. ländl. Grundbesitzes
in Preussen.
Wende, B: Elias. Humoreske n. Busch. 2. Afl. (50 m. Abb.) 8°
Lpzg., H Beyer (05). 1 — d
Wende, F: Buchführg f. Kaufleute. 2 Tle. 8° Berl., ES Mittler
& S. 05. Je — 75; geb. je 1 —
1. Einfachere Vorfälle d. Warengeschäfte. (34) | 2. Schwierigere Vorfälle
m. Berücks. d. Kommissions-, Speditions- u. Partizipationsgeschäftes,
amerikan. Buchführg u. Steuererklärg. (31)
— Rechenb. f. Handwerker- u. gewerbl. Fortbildgs-Sch., s.:
Pagel, F.
Wende, G: Deutschlds Kolonien in 12 Bildern. 7. Afl. (56) 8°
Hannov., C Meyer 05. — 60 d
Wendel, C: Wortreg., s.: Sammlung d. griech. Dialekt-In-
schriften.
Wendel, G: Wie schütze ich mich vor Ansteckg? Buch f.
Männer. (27 m. 2 Abb.) 8° Oranienbg, Orania-Verl. (02). 1 — d
— Der Krankh. letzte Ursache, s.: Bibliothek d. Seelen- u.
Sexuallebens.
Wendel, H: Bibl. Gesch. d. alten u. neuen Test., f. Schulen
m. d. Worten d. Schrift erzählt u. m. Bibelsprüchen u. Lie-
derversen erläut. Neu bearb. v. J Wendel. Ausg. A. 287. Afl.
(224 m. H. u. 3 Kart.) 8° Bresl., C Dülfer. || 314. Afl. v. J Wen-
del. (232 m. 3 Kart.) 05. Je — 55; geb. je — 75 d
— dass. Ausg. B. Mit Kirchengesch. 286. Afl. (272 m. H. u.
3 Kart.) 8° Ebd. 02. || 310. Afl. v. J Wendel. (280 m. 3 Kart.)
05. Je — 65; geb. je nn — 85 d
— Geistl. Lieder, s.: Anders, F.
— Luther's kl. Katech., unter Zugrundelegg d. alten Breslau-
Ölser, ursprünglich Lüneburg-Celleschen Katech. in Frag u.
Antwort erklärt u. durch Bibelsprüche n. bibl. Gesch., sowie durch Kirchenlieder erläut. 74. Afl. (150) 8° Bresl., C
Dülfer. || 75. Afl. (147) 04. Je — 50; geb. je nn — 65 d
— m.: 80 Kirchenlieder, geb. je nn — 80 d
— u. J **Wendel:** Ev. Relig.-Buch f. Schulen. Der bibl. Gesch.
282. Afl. (356 m. 3 Kart.) 8° Ebd. 04. — 80; geb. nn 1 — d
— — dass. Allg. Ausg. C. 311. Afl. (352 m. Abb. u. 3 Kart.) 8°
Ebd. 05. — 80; geb. nn 1 — d
— — dass. Ausg. D f. Schlesien. 315. Afl. (352 m. Abb. u. 3
Kart.) 8° Ebd. 05. — 80; geb. nn 1 — d
— — dass. Ausg. E f. Brandenburg. 313. Afl. (352 m. Abb. u.
3 Kart.) 8° Ebd. 05. — 80; geb. nn 1 — d
Wendel, J: Bibelkde. [S.-A.] (13) 8° Bresl., C Dülfer (01). — 10 d
— Kl. Bibelkde. 2. Afl. [S.-A.] (16 m. Abb.) 8° Ebd. (02). — 10 d
— Bilder a. d. Kirchengesch. [S.-A.] 47. Afl. Abf. 8° Ebd. 05.
— 15; kart. — 20 d
— Luthers kl. Katech. m. 184 Bibelsprüchen, 50 Kirchenlieder
u. 10 Psalmen. II. Auh. zu H Wendel's Bibl. Gesch. 9. Afl.
(64) 8° Ebd. (02). — 15; kart. — 20 d
— Memorierstoff f. d. ev. Relig.-Unterr. Allg. Ausg. 10. Afl.
[S.-A.] (72) 8° Ebd. (03). — 20; steif brosch. — 25 d
— dass. Ausg. f. Brandenburg. 19. Afl. [S.-A.] (72) 8° Ebd. (05).
— 20; steif brosch. — 25 d
— dass. Ausg. f. Schlesien. 8. Afl. [S.-A.] (72) 8° Ebd. (05).
— 20; steif brosch. — 25 d
Wendel, M: Wesen u. Heilwerth d. Luft- u. Badekuren am
Ostseestrande bei Riga. (184) 8° Riga, E Bruhns 09. nn 1.40
Wenden, H [HJH Wechselmann]: St. Elmsfeuer, s.: Miniatur-
Bibliothek, deutsch-österr.
— Die Tote. Artistengeschichte. (205) 12° Lpzg 02. Berl., H
Seemann Nf. 2.50; geb. 3.50
— Tropenkoller. Kolonial-Roman. 1—3. Taus. (205) 8° Berchw.
04. Lpzg, R Sattler. 3.50 d
— Wie ich dazu kam, s.: Weber's moderne Bibliothek.
Wenden, M v.: Verwehte Blätter. Ges. Gedichte. (43) 8° Dresd.-
Potschappel, H Limbach 1900. (Nur dir.) 1.25 d
Wendenburg, A: Früchte d. Jugend. Drama. (76) 8° Lpzg 04.
Berl., H Seemann Nf. 2 —
Wendenburg, F: Märchenherrlichk. a. d. Weihnachtszeit!
Festsp. f. Kinder. (12) 8° Leipzig, L Staackmann 04. 1 — d
Wender, M, s.: Zeitschrift f. d. ges. Kohlensäure-Industrie.
Wender, N, s.: Brennerei-Zeitung, österr.
— Die Kohlensäure-Industrie. Darstellg d. Entwickelg u. d.
gegenwärt. Standes derselben. [S.-A.] (176 m. Abb. u. 1 Karte.)
8° Berl., M Brandt & Co. 01. 2 —
— Die Verwertg d. Spiritus f. techn. Zwecke. (174 m. Abb.) 8°
Wien, A Hartleben 04. 5 —; geb. 6.50
— u. G **Gregor:** Ueb. d. Untersuchg u. Beurtheilg v. Limo-
nade-Essenzen. [S.-A.] (15) 8° Berl., M Brandt & Co. 1900. 1 —
Wendisch, E: Der Champignon v. d. Spore bis z. Konsum.
3. Afl. v. „Die Champignonskultur in ihrem ganzenUmfange".
(152 m. Abb.) 8° Neud., J Neumann 05. Kart. 3 — d
Wendland: Illustr. Führer durch Schleswig-H. u. Lauenburg.
(105 m. 1 Karte.) 8° Altona (04). (Hambg, J Kriebel. — Kiel,
K Beuck.) — 50
Wendland, A, s.: Stuart, E, Königin v. Böhmen, Briefe an ihren
Sohn.

Wendland, J: Die Schöpfg d. Welt, s.: Volksbücher, relig.-
geschichtl.
Wendland, P: Anaximenes v. Lampsakos. Studien z. ält. Gesch.
d. Rhetorik. (104) 8° Berl., Weidmann 05. 2.80
— Christentum u. Hellenismus in ihren litterar. Beziehgn.
Vortr. [S.-A.] (19) 8° Lpzg, BG Teubner 02. — 60
— Schlussrede d. 48. Versammlg deut. Philologen u. Schul-
männer nebst e. Zukunftsprogramm. [S.-A.] (20) 8° Ebd. 05.
— 80
Wendland, R, s.: Wendlandt, R.
Wendland, W: Versuche e. allg. Volksbewaffng in Süddeutschl.
währ. d. J. 1791—94, s.: Studien, histor.
Wendlandt: Beobachtgn üb. ein. bemerkenswerthe palaearct.
Lepidopteren. Vortr. [S.-A.] (15) 8° Wiesb., JF Bergmann
01. — 60
Wendlandt, F: Zum Gedächtnis an D. Ludw. Wiese. An-
sprache an s. Sarge. (14) 8° Berl. 1900. Lpzg, Krüger & Co.
— 40 d
Wendlandt (Wendland), R: Russ. Vögel od.: Die Spione, s.:
Album f. Liebhaber-Bühnen.
Wendlandt, R: Der Wendenhof. Roman. (368) 8° Berl., G Grote
01. 3.50; geb. 4.50 d
Wendlandt, RPG: Das Christgeschenk. Weihnachtsbild. (24)
8° Stuttg., Holland & J. (05). — 40 d
— Der Findling d. Fenlandes, s.: Bücherschatz, Barmer.
— Ein Gottesgeschenk, s.: Christblumen. — Tannenzweige.
Wendlandt, W: Die Förderg d. Aussenhandels. Entstehen u.
Wirken d. Handelsmuseen, Exportmusterlager, Handelsaus-
kunftsstellen u. ähnl. Einrichtgn d. In- u. Ausl. u. d. sich
im Interesse d. deut. Aussenhandels daraus ergeb. Fordergn.
(157) 8° Halle, Gebauer-Schwetschke (05). 2.40
Wendlandt, W: Der Marinedirektor. Lustsp. (119) 8° Emd.,
W Schwalbe 04. 2 — d
Wendler: Aufg. f. d. Zahlenrechnen in Realsch. I. Tl: Für
Sexta. (42) 8° Mittw. 03. Dresd., A Huhle. — 60;
Resultate (nur f. Lehrer) (82) nn 1 —
— dass. I. u. II. Tl. 8° Dresd., A Huhle 04. Je — 60;
Auflösgn je — 50
I. Für Sexta. (Neue Ausg.) (40 m. 1 Fig. u. 8 Taf.) Auflösgn. (8)
II. Für Quinta. (52); Auflösgn. (16)
Wendler, A: Der Bleischnitt. Was muss d. Akzidenzsetzer üb.
d. Bleischnitt wissen? (18 m. Abb.) 8° Lpzg, S Schnurpfeil
(04). — 50
— s.: Linie, d. moderne.
— Neue Ornamentiersformen, s.: Broschüren f. Accidenzsetzer.
Wendler, A: Üb. d. Flächen, welche d. partikulären Integrale
d. Differentialgleichg $\frac{d^2z}{dx\,dy} = 0$ entsprechen. (48 m. 1 Taf.)
8° Münch., E Reinhardt 1900. 1.50
Wendling, E: Ur-Marcus. Versuch e. Wiederherstellg d. ält.
Mitteilgn üb. d. Leben Jesu. (75) 8° Tüb., JCB Mohr 05. 1.50
Wendling, J, s.: Kirchen- u. Hauskalender f. d. kathol. Elsass.
Wendling, P: Fibel n. vereinf. analytisch-synthet. Methode.
Unter Mitwirkg v. Wagner u. Schmarje bearb. Ausg. B im.
Schreibschrift beginnend). 3. Afl. (82 m. Abb. u. 1 Taf.) 8°
Neuw., Heuser's V. 04. — 30 d
Wendorff, F: Ex usu convivali Theoguideam syllogen fluxisse
demonstratur. (80) 8° Berl., (E Ebering) 02. 2.40
Wendorff, W: Der Kampf d. Deutschen u. Polen um d. Prov.
Posen. (47) 8° Pos., F Ebbecke 04. — 50 d
Wendrich, A: a schlesisches Bichel, ei damselba stübn a virtel-
hundert schlesische Gedichte gereimt, wie si ei d. Schlesch
ufm Durfe sprecha. (74) 8° Schweidn., G Brieger (04). — 80 d
Wendriner, B: Der Diabetes mellitus. Zuckerharnruhr im
Lichte d. modernen Forschg. Mit chem. Tabl. u. Diätvor-
schriften v. F Kaeppel. (98) 8° Bonn (Stockenstr. 8), S Foppen
(05). 1.20
Wendriner, H: Ärztl. Winke f. Lungenkranke. (98) 8° Paderb.,
F Schöningh 02. — 90 d
Wendt: Lernheft z. Erdkde. (49) 8° Kass., (F Kessler) (04).
— 60 d
Wendt, A: Nozomi no boshi, s.: Nakamura, Shun- u.
— Sogoro. Lebensbild a. Alt-Japan. (152) 12° Hdlbg, Ev. Verl.
01. L. m. G. (5 —) 1.50 d
— In d. Tropen, s.: Ensslin's Roman- u. Novellenschatz.
Wendt, E: Sammlg kaufmänn. Formulare, bestimmt f. d.
Unterr. in d. Kontorkde. 2 Tle. Cöln a/Rh. (Maybachstr. 174),
Selbstverl. 04. Kart. 1.80
Wendt, E: Was muss man v. d. Kaninchenzucht wissen? (70)
8° Berl., H Steinitz (04). 1 — d
Wendt, FM: Vergelt's Gott tausendmal! Selig sind d. Barm-
herzigen, s.: Pichler's Jugendbücherei.
— Psycholog. Kindergartenpädagogik. 3. Afl. Hrsg. u. durch
e. biograph. Abr. u. 40 Jahre pädagog. Tätigk. verm. v. I Spon-
ner-Wendt. (142 m. Abb.) 8° Wien, K Graeser & Co. 03. (Lpzg,
BG Teubner.) 2 —
Wendt, G: Didaktik u. Methodik d. deut. Unterr. a. d. philo-
soph. Propädeutik. 2. Afl. [S.-A.] (155) 8° Münch., CH Beck
05. 3.50; L. 4.50
— Grundr. d. deut. Satzlehre f. unt. Kl. d. Gymnasien u. Re-
alsch. 23. Afl. (58) 12° Berl., G Grote 05. Kart. — 50 d
— Sammlg deut. Gedichte f. Schule u. Haus. 9. Afl. (536) 8°
Ebd. 04. 3 —; geb. 3.60 d
— Griech. Schulgrammatik. 6. Afl. (285) 8° Ebd. 04. Geb. 2.50 d

Wendt, G: Die alte u. d. neue Schule. Ein Wort an gebild. Laien. (40) 8° Hambg, A Janssen (02).   1 — d
— Das Vokabellernen im französ. Anfangsunterr. (38) 8° Lpzg, BG Teubner 01.   — 50
Wendt, G: Ueb. d. Verhältnis zw. Staat u. Gesellschaft. Mit bes. Berücks. d. Grosskapitalismus u. d. Agrarnot. (42) 8° Berl. 03. Dt. Eylau, H Priebe & Co.   1.50
Wendt, H, s.: Geschichte d. Bergwerkagesellsch. Georg v. Giesche's Erben.
Wendt, H: Bilder a. d. Gesch. d. Erziehg. — Grundr. d. Pädagogik, s.: Rassfeld, K.
— Rechenaufg. f. d. ob. Kl. d. Mädchensch. Auf Grund d. Rechenaufg. v. A Büttner u. E Kirchhoff bearb. 2. Afl. 9—11. Taus. (44) 8° Lpzg, F Hirt & S. (03).   — 30 d
Wendt, HH: Die Lehre Jesu. 2. Afl. (640) 8° Gött, Vandenhoeck & R. 01.   12 —; geb. 13.85
Wendt, J: Die Ansichtskarte, s.: Siedenburg's Sammlg v. Einaktern.
— Das Geheimnis, s.: Vereinstheater.
— Verehre Charron als Pädagoge unt. bes. Berücks. s. Verhältn. z. Michael de Montaigne. (88) 8° Neubrandnbg. C Brünslow 03.   1.60
Wendt, M: Geschäftsgänge f. d. Buchführgs-Unterr., s.: Scharf, T.
Wendt, O: Lübeck's Schiffs- u. Warenverkehr in d. J. 1368 u. 69 in tabellar. Uebersicht auf Grund d. Lübecker Pfundzollbücher a. denselben Jahren. (65 m. 2 Tab.) 8° Lüb., Lübcke & N. 02.   †1.50
Wendt, O: Studium u. Methodik d. französ. u. engl. Sprache, e. prakt. Hilfsmittel f. Lehrer u. Studierende. Unter Berücks. d. Lehrpl. u. Lehraufg. v. 1.VII.'01. (176) 8° Lpzg, Dürr'sche Bh. 03.   2.50 d
Wendt, O, s.: Archiv f. d. civilist. Praxis.
— Ueb. d. Sprache d. Gesetze. Rede. (35) 4° Tüb., (G Schnürlen) 04.   1 —
— Unterlassgn u. Versäumnisse im bürgerl. Recht. [S.-A.] (307) 8° Tüb., JCB Mohr 01.   6.60 d
Wendtland s.: Jahrbuch d. dent. Handelskammern.
Wendtland, C: 3 Novellen. (107) 8° Dresd., E Pierson 01.   1.50; geb. 2.50 d
Wendtling, J: Lillis Lebenslauf. Skizzen a. d. Gesellschaft. 1. u. 2. Afl. (50 m. Abb.) 8° Lpzg, O Weber (03).   1 —
— Mizi v. Ballet. Szenen a. d. Theaterleben. (55 m. Abb.) 8° Ebd. (03).   1.50; kart. 2 —; geb. 2.50
Wengen, F v. d.: Der letzte Feldzug d. hannov. Armee 1866. [S.-A.] (79) 8° Berl., A Bath 01.   1.50
Wenger, G: Die internat. Wurst- u. Fleischwaren-Fabrikation, s.: Merges, N.
Wenger, K: Histor. Romane deut. Romantiker (Untersuchug üb. d. Einfl. W Scotts), s.: Untersuchungen z. neueren Sprach- u. Lit.-Gesch.
Wenger, L: Papyrusforschg u. Rechtswiss. Vortr. (56) 8° Graz, Leuschner & L. 03.   1 —
— Rechtshistor. Papyrusstudien. (173) 8° Ebd. 02.   4.50
— Röm. u. antike Rechtsgesch. Antrittsvorlesg. (31) 8° Ebd. 05.   — 70
Wenger, R: ABC f. Töchter u. and. Leute, d. nicht zu weise sind, um noch etwas zu lernen. 3. Afl. (15) 8° Bas., (Basler Missionsbh.) 01.   — 10 d
— Für Zeit u. Ewigkeit. Bruchstücke a. Andachten u. Predigten. 2. Afl. (142) 8° Calw u. Stuttg., Vereinsbh. — St. Gall., Bh. d. ev. Gesellsch. 02.   1 —
Wenger-Reuts, L: Das blaue Märchenbuch. (225) 8° Frauenf., Huber & Co. (05).   L. 4 — d
Wengerhoff, P (Frau C Wenghoffer): Adam u. Eva, s.: Ensslin's Roman- u. Novellenschatz.
— Im Herzensnot, s.: Eckstein's Miniaturbibliothek.
— Vor verschloss. Pforte. Roman. (197) 8° Berl., A Goldschmidt 05.   1 —; L. 1.50 d
— Nach äuss. Schein. Roman. (277) 8° Lpzg, P List (01). 3 —; geb. 4 — d
— Sühne. (112) 8° Lpzg, G Müller-Mann (05).   1 —
— Tragödie a. Ehe, s.: Eckstein's moderne Bibliothek.
— Uebers Ziel hinaus, s.: Vobach's illustr. Roman-Bibliothek.
Wengersky, ML Gräfin v.: Wider dieselbe. (14) 8° Lpzg, Sächs. Volksschriftenverl. 01.   — 30 d
Wenghart, EF: Geometr. Formenlehre f. Mädchen-Bürgersch., s.: Močnik, F.
Wenghoffer, Fran C, s.: Wengerhoff, P.
Wenghöffer, L, s.: Zeitschrift f. angewandte Chemie.
Wengler, A, s.: Wochenblatt, sächs.
Wengler, G: Viel Humor! Sammlg heit. Vortr. (144) 8° Reutl., R Bardtenschlager (05).   — 75; kart. 1.20 d
Wenig, B: Berchtesgaden, s.: Teuerdank.
— Exlibris. (59 Bl. m. 7 S. Text.) 4° Berl., Fischer & Fr. 02.   Geb. 9 — d
Wenig's, C, Hdwrtrb. d. deut. Sprache. 9. Afl. v. J Buschmann. (980) 8° Köln, M Du Mont-Sch. 06.   10 —; geb. 11.50 d
Wenig, J: Beitr. z. Kenntnis d. Geschlechtsorgane v. Lumbricalus variegatus Gr. [S.-A.] (11 m. 1 Fig. u. 1 Taf.) 8° Prag, (F Řivnáč) 02.   — 40
— Üb. neue Sinnesorgane d. Isopoden. [S.-A.] (12) 8° Ebd. 03.   — 40
Wenin, H, s.: Fleimstalbahn, d. deut., Neumarkt-Predazzo.

Weninger, FX: Ostern im Himmel. Betrachtgn üb. d. Freuden d. Himmels. 4. Afl. (240) 8° Mainz, Kirchheim & Co. 05.   1.50; L. 2 — d
Wenisch, F: Grundr. d. Weinbaues u. d. Kellerwirtschaft. (266 m. Abb.) 8° Lpzg, Landw. Schulbh. 05.   L. 2.60 d
Wenisch, J: Dr. W Kienzl's „Der Evangelimann", s.: Opernführer.
Wenkstern, A: Oresteia, s.: Tanejew, S.
Wenn ich Ihn nur habe! Erzählg v. M v. O. 1. u. 2. Afl. (288) 8° Schwer., F Bahn 05.   3 —; geb. 4 — d
Wenn's regnet! Zur Unterhaltg in d. Sommerfrische. (112 m. Abb.) 8° Münch., Braun & Schn. (03).   1.50; kart. 1.80 d
Wenner, V, s.: Assanierung, d., v. Zürich. — Ingenieur-Kalender, schweiz.
Wenng, G: Warbek. Tragödie. 6. Afl. Bühnenausg. (Eingerichtet v. L Ackermann.) (169) 8° Gosl., Nordwestdeut. Kunstverl. u. Antiquariat 02.   2.50 d
Wenng's, L, Spezialkarten v. Bayern. Neue Afl. 1 : 300,000. 2—8. Bl. Farbdr. Würzbg, J Staudinger's V.   14.25
2. Kreis Niederbayern. 67×66 cm. (02.) 7.25 ‖ 3. Kreis Rheinpfalz. 42×49 cm. (1900.) 1.50 ‖ 4. Kreis Oberpfalz. 64,5×53,5 cm. (1900.) 2 — ‖ 5. Kreis Oberfranken. 54,5×73,5 cm. (02.) 2 — ‖ 6. Kreis Mittelfranken. 61,5×55,5 cm. (04.) 2 — ‖ 7. Kreis Unterfranken u. Aschaffenburg. 81,5×59 cm. (1900.) 2 — ‖ 8. Kreis Schwaben & Neuburg. 2 Bl. Ja 47×70,5 cm. (1900.) 1.50.
— neueste Verkehrs- u. Reisek. d. Kgr. Bayern, Württemberg, Baden u. Hessen, m. e. Stadtpl. v. München. 1 : 800,000. (Neue Afl.) 48×62 cm. Farbdr. Ebd. (02).   1.2 ?
Went, K: Üb. ein. melanokrate Gesteine d. Monzoni. [S.-A.] (51 m. Fig. u. 1 Taf.) 8° Wien, (A Hölder) 03.   1.80
Went v. Römö, K: Ein Soldatenleben. Erinnergn e. österr.-ungar. Kriegsmannes. (212) 8° Wien, W Braumüller 04. 2.50; geb. 4.20 d
Wentscher, E: Das Kausalproblem in Lotzes Philosophie, s.: Abhandlungen z. Philosophie u. ihrer Gesch.
Wentscher, M: Ethik. 1. Thl. (368) 8° Lpzg, JA Barth 02. 7 — ‖ 2. Thl. (396) 05. 9 —; Einzelpreis je 10 —
— Das Problem d. Willensfreiheit bei Lotze. [S.-A.] (46) 8° Halle, M Niemeyer 02.   1.30
Wentzcke, P: Joh. Frischmann, e. Publizist d. 17. Jahrh. (163) 8° Strassbg, W Heinrich 04.   4 —
Wentzel, CA: Das Disziplinarges. v. 21.VII.1852 in s Anwendg auf d. Lehrer an d. öffentl. Volkssch. in Preussen. (74) 8° Langens., Schulbh. 01.   — 90 d
— Die Fortbildg d. Volksschullehrers, zugl. e. Vorbereitg auf d. Mittelschullehrerprüfg. I. Bd. (224) 8° Ebd. 03.   2.25 ‖ II. Bd, 1. Tl. (256) (04.) 2.50 d
Der II. Bd ist noch nicht erschienen.
— Aus d. Praxis f. d. Praxis! Handreichg f. Lehrer z. Erzielg e. geordneten u. gewissenhaften Verwaltg ihres Amtes. (172 m. 1 Tab.) 8° Ebd. (02).   Kart. 2 —
— Repetitorium d. Didaktik, Hodegetik u. Schulkde. 4. Afl. (51) 8° Ebd. 01.   Kart. 1 —
— dass. d. Gesch. d. Pädagogik. 8. Afl. (124) 8° Ebd. 05.   Kart. 1.50 d
— dass. d. speciellen Methodik. 2 Tle. 4° Berl., A Katz. 2.70 d
1. Relig., Deutsch u. Rechnen. 4. Afl. (117) ‖ 2. Raumlehre, Realien, Zeichnen, Gesang u. Turnen. 3. Afl. (80) 1.90
— dass. d. Psychologie. Als Anh.: Des Volksschullehrers Aufg. hinsichtlich d. körperl. Erziehg d. Jugend. 5. Afl. (102) 8° Ebd. 05.   Kart. 1.50 d
— Das Züchtiggsrecht d. Lehrer im Lichte d. neueren Rechtsprechg. 1. u. 2. Afl. (36) 8° Ebd. 01.05.   — 50 d
Wentzel, H V: Das Fähnrichsexam., s.: Eckstein's Miniaturbibliothek.
— Die Stärkere. Roman. (254) 8° Berl., C Freund 05.   3 —
— Nach Tisch in Sans Souci, s.: Universal-Bibliothek.
Wentzel, W v.: Im Wirbelsturm d. Freiheitskriege. Lebenserinnergn. Hrsg. v. H v. Wentzel. (133) 8° Berl., G Stilke 05.   1 —
Wentzky, O: Beitrag z. physikalisch-chem. Analyse d. Mineralwässer. [S.-A.] (12) 8° Berl., M Brandt & Co. 1900.   1 —
— Die Sommersparbahnen u. ihre volksw. Bedentg. Vortr. (24 m. Oesterr. (24 m. 1 Karte.) 8° Wien, W Braumüller 05.   1 —
— Die Sommersparbahnen u. ihre volksw. Bedentg. Vortr. [S.-A.] (46) 8° Ebd. 04.   1 —
Wenusch, J Ritter v.: Denkschrift üb. e. Bahnverbindg Zaras m. Oesterr. (24 m. 1 Karte.) 8° Wien, W Braumüller 05.   1 —
— Einiges üb. Kleintierzucht. Versuchsresultate einz. Zweige d. Kleintierzucht. [S.-A.] (37) 8° Wien, W Braumüller 05.   1 —
Wenz, E: „Der freie Glaube" od. Was ist Glauben, welches ist d. rechte Glauben, wer ist Christus. (12) 8° Haimh. 05. Ascona, C v. Schmidtz.   — 20
— Willst du gesund werden? od. Die wahre Lebenskunst als Heilmittel geg. zunehm. Versuchg u. Entartg d. Mensch. (81 m. 1 Taf.) 8° Ebingen, (U Nefflen) 05.   — 60 d
Wenz, F: Das Immobiliar- u. Hypothekenrecht h. d. BGB. u. d. Grundbuchordng. (190) 8° Königsb., K Vater 06.   3.50 d
— u. **J Wagner**: Die Zwangsversteigerg u. d. Zwangsverwaltg n. d. Reichsges. u. d. Ausführgsbestimmg d. gröss. Bundesstaaten. 2. Afl. v. d. Verf. getreunt hrsg. Schriften üb. d. Zwangsversteigerg. 2 Lfgn. [S.-A.] 8° Ebd. 01.   Je 2.50; in 1 Bd geb. 6.20 d
Wenz, P: Die Kuppel d. Domes Santa Maria del Fiore zu Florenz. Beitrag z. Kenntnis d. Lebens u. d. Werke d. Baumeisters Filippo Brunelleschi. (72) 8° Berl., E Ebering 01. 2 —

Wenzel, FJ: Die Kontorarbeiten d. Malers. (130) 8° Münch., GDW Callwey 02.   r'   3 — d
— Das Vermessen u. Berechnen v. Maler- u. Anstreicher-Arbeiten nebst d. notwendigsten Hilfswiss. (125) 8° Ebd. 03. 3 — d
— Warenbestellg u. Wareneinkauf, s.: Flugblätter, techn., d. deut. Malerzeitg Die Mappe.
Wenzel, G: Klimatol. v. Oberösterr. (138 m. Fig.) 8° Linz a/D., (Museum Francisco-Carolinum) 1898. (Nur dir.)   — 85
Wenzel, J: Gewerbl. Sonntagsruhe u. Zentrum, s.: Zeitfragen, soz. u. polit.
Wenzel, K: Die schriftl. Arbeiten a. d. bürgerl. Geschäftsleben, s.: Kerl, O.
— Geschäftsgänge f. d. Unterr. in d. gewerbl. Buchführg f. Buchbinder, Maler, Maurer, Schlosser, Tischler, Zimmerer, s.: Lehrheft d. Einzelunterr. an Gewerbe- u. Handwerkersch.
— Raumlehre, s.: Schmidt, P.
— Rechnb. f. kaufmänn. Fortbildgssch. I. u. II. Tl. 8° Hannov., C Meyer.   1.40 d
   I. 3. Afl. (04) 04. — 60 || II. 4. Afl. (111) 05. — 80.
— dass. Lehrerheft. 2 Tle. 2. u. 3. Afl. (88 u. 72) 8° Ebd. 04.05.   1.50 d
— Rechnb. f. Handwerker- u. gewerbl. Fortbildgssch., s.: Magnus, KHL.
— A Trapp u. KHL Magnus: Rechenb. f. Fortbildgssch. (Wintersch., ländl. u. kleinere gewerbl. Schulen). Ausg. B in 2 Tln. 1. Tl. 2. u. 3. Afl. (63) 8° Hannov., C Meyer 02. — 40
   || 2. Tl. 2. u. 3. Afl. (107) 03. nn — 70 d
— — dass. Lehrerheft. 2 Tle. 2. u. 3. Afl. (68 u. 72) 8° Ebd. 04.05.   Je 1.35 d
Wenzel, L: Garmisch, Partenkirchen u. Umgebg. (78 m. Abb. u. 1 Karte.) 8° Partenk., L Wenzel (05).   1 —
— Partenkirchen, Garmisch, Kainzenbad u. Umgebg. (Umschl.: 3. Afl.) (78 m. Abb. u. 1 Karte.) 8° Ebd. (05).   1 —
Wenzel, O, s.: Adressbuch u. Waarenverzeichnis d. chem. Industrie d. Deut. Reichs. — Berufsgenossenschaft, d.
Wenzelburger, KT: Die Gesch. d. Buren. 6—20. Lfg. (129—464 m. Abb.) 8° Nürnbg, F Banckwitz 01.03.   Je — 50
   (Vollst.: 1 —; geb. 11.50)
Umschl. u. d. T. u. bisher so aufgenommen: W.: Um Gold u. Diamanten.
Wenzelstein, s.: Sallwürk v. Wenzelstein.
Wenzely, J: Lehrb. d. kaufmänn. Arithmetik. 3. Tl. 4. Afl. (265—462.) 8° Lpzg, Renger 02.   2.70; geb. 3 —
   (Vollst. in 1 Bd geb.: nn 7.50)
— Notions de correspondance commerciale, s.: Le Bourgeois, F.
— Prakt. Rechnen. Für Handels-, Real-, Gewerbe- u. höh. Bürgersch., kaufmänn. u. gewerbl. Fortbildgssch. 2. Afl. 2 Tle. (Je 96) 8° Lpzg, Renger 05.04.   Je 1 —; geb. nn 1.30
— Übersicht d. Münzen, Masse u. Gewichte d. 45 wichtigsten Verkehrsländer. [S.-A.] (1 Bl.) 29×54,5 cm, 8° Ebd. — 30;
   auf Pappe — 50
— Unterr. in deut. Handelskorrespondenz, s.: Sammlung kaufmänn. Unterr.-Werke.
— u. D Dahlgren: Svensk handelskorrespondenz, s.: Sammlung kaufmänn. Unterr.-Werke.
Wenzel, J, s.: Bericht üb. d. I. österr. Mediziner-Kongress.
Wer ist d. Angreifer im konfessionellen Kampfe? Öffentl. aktenmäss. Antwort auf d. Landtagsrede d. Hrn Dr. Piehler v. 14.V.'04. Erteilt v. Hauptver. d. Ev. Bundes in Bayern. (75) 8° Nördl., CH Beck 04. || 2. Afl. (82) 05.   Je — 80 d
— hilft? Beantwortet durch d. Hl. Schrift. (24 m. Abb.) 16° Strieg., R Urban (05).   — 10 d
— ist das? Ein menschl. Rätsel. Eine wahre Gesch. a. 2 Welttellen. 6—100. Heft. (121—2400 m. je 1 Vollbild.) 8° Berl., Verlagshaus f. Volkslitt. u. Kunst (1900.01).   Je — 10)
   auch in 20 Bdn zu — 50 (Vollst.: 10 —) d
— ist's? Uns. Zeitgenossen. Zeitgenossenlexikon, enth. Biographien nebst Bibliographien. Zusammengest. u. hrsg. v. HAL Degener. (150, 720, 253) 8° Lpzg, HAL Degener (05).   L. 9.50
— will lachen? Bilderb. f. Jung u. Alt. (32 m. farb. Abb.) 4° Münch., Braun & Sehn. (04).   Kart. 2 — d
— ist d. Pflaumendieb?, s.: Kinderfreund, d.
— hat recht? Antwort v. Anti-Heinl. (28) 8° Ravnsbg, F Alber 04.   — 20 d
— gewinnt die Wahlen? Von e. alten Parlamentarier. (56) 8° Lpzg, F Luckhardt 05.   1 — d
— war sie? Die ehemal. Kronprinzessin Luise u. d. Beisetzgsfeierlichk. in Dresden. Eine Vision a. d. jüngsten Vergangenh. (63) 8° Zür., C Schmidt 05.   1 — d
— will zeichnen lernen? Einführg uns. Kleinen in d. Anfangsgründe d. Zeichnens. 2. Serien. (Je 16 m. Abb. ohne Text.) 8° Wes., W Düms (01).   Je — 25 d
Werb, S: Kleines deutsch-russ. Taschen-Wrtrb. (64) 8° Berl., Friedberg & M. (05).   — 60 d
Werbatus, G: Pflege u. Behandlg d. Kindes währ. s. 1.Lebensj., s.: Werbatus, M, Grundlinien d. Erziehg.
Werbatus, M: Abr. d. Heilsgesch. nebst Bibelkde. Für d. ob. Kl. höh. Lehranst. (128) 8° Lpzg, A Deichert Nf. — Riga, N Kymmel's V. 01.   Kart. 2 — d
— Grundlinien d. Erziehg. Jungen Eltern dargebracht. Nebst e. Anh. üb. d. Pflege u. Behandlg d. Kindes währ. s. 1. Lebensj., v. G Werbatus. (104) 12° Riga, N Kymmel's V. 03. Kart. 1.50 d
— Leitf. durch d. Gesch. d. christl. Kirche f. d. ob. Kl. höh.

ev. Lehranst. 6. Afl. (168) 8° Riga, N Kymmel's S. (05).   Kart. 1.80 d
Werbe, G: Ernährg u. Pflege d. Säuglings m. bes. Berücks. d. Magendarmkatarrhs" u. d. „engl. Krankh." (32) 8° Hambg, P Constrôm 02.   — 60
Werbebüchlein f. d. Ev. Bund, s.: Wartburghefte. .
Werbke: Übersicht üb. d. ev. Kirchenland. 110,5×42,5 cm. Charltnbg, Amelang (04).   Auf L. m. St. 2.50
Werblunski, SL: Hdb. d. russ. Umgangssprache. 3. Afl. (244 u. 64) 12° Berl., Friedberg & M. (04).   Geb. 2.50 d
— Neues ausführl. Hdwrtrb. d. russ. u. deut. Sprache. 2 Tle. 4. Afl. 16° Ebd. 05.   Je 4 —; Hf. je nn 5 — d
   I. Russisch-Deutsch. (898) || 2. Deutsch-Russisch. (1017)
— Der perfekte Russe od. prakt. Unterr. in d. russ. Umgangssprache. 2. Afl. (244 u. 64) 12° Ebd. (04).'   Kart. 3 — d
— Russ. Taschen-Grammatik. (112) 8° Ebd. (05).   1 — d
Werbrun, G: Entsteng u. Wesen d. gegenwärt. braunschweig. Regentschaft. (63) 8° Berl., Strappe & W. 04.   1.80.
Werck, J: Die Kultur d. Zwergobstbäume u. Beerensträucher. Formen sowie d. Kultur d. Beerenfrüchte, nebst e. Anh.: Der immerwähr. Arbeitskalender. 5. Afl. v. U Kiebler. (157 m. Abb.) 8° Aar., E Wirz 05.   Geb. 3.20
Werckmeister, K: Das 19. Jahrh. in Bildnissen. 62—75. Lfg. (Je 3 Autotyp. m. Illustr. Text 795—912 u. 12) 4° Berl., Photograph. Gesellsch. 1900.01.   Je 1.50
   (Vollst. geb. in 5 HF.-Bdn je 30 —)
Werckshagen, C, s.: Dienst, d, am Wort. — Protestantismus, d., am Ende d. 19. Jahrh. — Schrift, d. hl., in Bildern.
Werde gesund! Zeitschrift f. Volksgesundheitspflege u. Krankheitsverhütg. Hrsg. v. G Liebe. Des Heilstättenboten 4. u. 5. Jahrg. 1904 u. 5 je 12 Hefte. (362 u. 350) 8° Erl., T Krische. Viertelj. — 75; vollst. L. je 4 — d
   Bisher u. d. T.: Heilstättenbote, d.
Werden. 3. Afl. v. Briefe, d. ihn erreichten. (243) 8° Wien, Szelinski & Co. (04).   5 —; geb. 6 —
Werden, H v.: Der engl. Bulldog. (111 m. Abb.) 8° Frankf. a/M., Kern & Birner (03).   2.50; geb. 3.50
Werdenden, die. Vers u. Prosa d. litterar. Vereinigg „Die Werdenden". (219) 12° Jena, H Costenoble 01.   2 — d
Werder, F v.: Gesch. d. Pädagogik, s.: Schorn, A.
— Lehrpl. f. Präparandenanst. u. Lehrerseminare. (144) 8° Lpzg, Dürr'sche Bh. 02.   3 — d
Werder, H (A v. Bonin, geb. Zanthier): Im Burgfrieden. Roman. 2 Tle in 1 Bde. (196 u. 208) 8° Berl., O Janke (05).   4 — d
— Frühlingsstürme. Erzählg. (155) 8° Ebd. (02).   1 — d
— Junker Jürgen. Roman. 5. Afl. (372) 8° Ebd. 04.   4 — d
— Quer durch d. Manducherei in d. Kämpfen geg. China 1900/01. Feldzugserinnergn u. Erzählg. Aus d. Russ. v. Ullrich. (200) 8° Mülh. a/Rh., CG Künstler Wwe 03.   2 — d
— Der Pommernherzog. Roman a. alter Zeit. 3 Bde. (198, 183 u. 178) 8° Ebd. 01.   6 — d
— Der wilde Reutlingen. Roman a. d. Zeit d. gr. Königs. 3 Tle in 1 Bde. 5. Afl. (220 u. 190) 8° Ebd. 05.   5 — d
Werder, LO: Dentelles nouvelles. Types dans le style nouveau pour dentelles, broderies et rideaux. 2. série. (30 Lichtdr.) Fol. St. Gall. 02. (Plauen, Ch. Stoll).   28 — (1 u. 2 : 56 —)
Werdachschagin, AW: Vom Kriegsschauplatz in d. Mandschurei. Ges. Erzählgn v. Mitkämpfern bei d. Broberg d. Mandschurei 1900/1901. Uebers. v. R Ullrich. (229) 8° Berl., K Siegismund (04).   3 — d
— dass. Russ. Kriegsbilder a. Ostasien. Feldzugserinnergn. Oebers. v. R Ullrich. (891) 8° Ebd. (04).   5 — d
— Russ. Truppen u. Offiziere in China in d. J. 1901 u. 02. Deutsch v. Ullrich. (159 m. Abb.) 8° Ebd. 02.   2.50 d
Weresajew (Weressajeff), W: Beichten e. prakt. Arztes. Versehen u. Fehlschlüsse. Erinnergn. Deutsch v. C v. Gütachow. (314) 8° Lpzg, Leipz. Verl.-Comptoir 02. 3 — || (Billige Volksausg.) 1—9. Taus. (314) 02. 1.50
— Bekenntnisse e. Arztes. Uebers. v. H Johannson. 1—4. Afl. (286 m. Bildnis.) 8° Stuttg., R Lutz 02.03. 2 —; geb. 3 — d
— Jung-Russland, s.: Gorki, M.
— Die Kolossowos, s.: Novellen-Bibliothek, internat.
— Ohne Weg. Novelle. Aus d. Russ. v. H Harff. (183) 8° Berl., Dr. F Ledermann 05.   2 —; geb. nn 3 — d
— Auf redl. Wege. (Das Ende d. Alexandra Michailowna.) Erzählg. (in russ. Sprache.) (96) 8° Münch., Etzold & Co. (03). 1 —
Werfel, R : Die österr. Handschuh-Industrie u. d. neuen Handelsverträge. (61) 8° Prag, (Prag) 01.   nn — 70
Werfer, A: Bibl. Gesch., s.: Schmid, C v.
— Gottes Herrlichk. in s. Werken. 3. Afl. (538 m. Abb. u. 4 Farbdr.) 12° Ulm, J Ebner 04.   4 —; L. m. G. 5 — d
Werfer, A: Krit. Zusammenstellg d. in d. J. 1897—1902 in d. Tübinger Poliklinik z. Behandlg gekomm. Fälle v. croupöser Pneumonie. (86) 8° Tüb., F Pietzcker 04.   nn — 80
Werft- u. Maschinenbesitzer, der. Vaterländ. Zeitg f. d. Angehörigen v. Werften, Hafenbetrieben u. verwandten Berufszweigen. Red.: H Böttger. 4. u. 5. Jahrg. 1901 u. 2 je 104 Nrn. (Nr.1, 4) Fol. Mit d. Unterhaltgsbl. „Fürs deut. Haus" je 53 Nrn. 4° Berl., C Heymann. || 6. Jahrg. 1. Halbj. 49 Nrn. Viertelj. — nn 2 d
Werke alter Meister. Mal. Kunstsammlg Berlin. (32) 4° Berl., Globus Verl. (05).   L. 1 —
— dass. 3 Tle. Je 32 Reproduktionen n. Originalen d. kgl. Museum. Berlin. (Je 32) 4° Ebd. (03).   L. je † 1.20
— dass. 30 Reproduktionen n. Originalen d. kgl. Gemälde-Galerie, Cassel. (30) 4° Ebd. (05).   Geb. † 1.20

Werke alter Meister. 30 Reproduktionen n. Originalen d. kgl. Gemälde-Galerie Dresden. (30) 4° Berl., Globus Verl. (03). Geb. †1.20
— dass. (32) 4° Dresd., E Engelmann's Nf. 03. Kart. 1.50
— dass. 100 Reproduktionen n. Originalen d. kgl. Gemälde-Galerie Dresden. (Prachtausg.) (100 S. m. 4 S. Text.) 4° Ebd. (04). L. 4.50; einseitig bedr. (100 Bl. m. 5 S. Text.) Geb. 5 —
— dass. 500 Reproduktionen n. Originalen a. europ. Galerien. (504) 4° Berl., Globus Verl. (05). L. 12 —
— dass. 30 Reproduktionen n. Originalen d. Galerien Pitti u. Uffici, Florenz. (30) 4° Ebd. (03). Geb. †1.20
— dass. 30 Reproduktionen n. Originalen d. Galerien im Haag u. in Haarlem. (30) 4° Ebd. (05). Geb. †1.20
— dass. 30 Reproduktionen n. Originalen a. d. Prado in Madrid u. and. span. Galerien. (30) 4° Ebd. (03). L. †1.20
— dass. 32 Reproduktionen n. Originalen d. kgl. alten Pinakothek, München. (30) 4° Ebd. (03). Geb. †1.20
— dass. 100 Reproduktionen n. Originalen d. kgl. älteren Pinakothek, München. (6 S. Text.) 4° Münch., GC Steinicke (04). Geb. 4.50
— dass. 30 Reproduktionen n. Originalen d. Louvre in Paris. (30) 4° Berl., Globus Verl. (03). L. †1.20
Werkenthin, A: Die Zähne in hygien. u. aesthet. Beziehg. 3. Afl. (131) 8° Berl., Berlinische Verl.-Anst. (05). 2 —
— Werkenthin, AE: Der silberne Mohrenkopf. Roman. 2 Tle in 1 Bde. (339 u. 245) 8° Brnschw. 04. Lpzg, R Sattler. 6 —; geb. 7 — d
Werker, P: Ratgeber f. Handwerker-Kranken- u. Sterbekassen sowie f. Inngskrankenkassen. (117) 8° Lpzg, H Klasing 02. g. 2.75
Werkhaupt, G: Russ. Chrestomathie. Ausw. mustergült. Lesestücke a. d. russ. Lit. Accentuierte Texte m. Wrtrb. (163) 8° Lpzg, CF Amelang 01. Geb. 2 —
— Einführg in d. russ. Handelskorrespondenz. (225) 8° Dresd., E Haendcke 03. Geb. 4 — d
— Russ. Konversations-Leseb. Akzentuierte Texte m. deut. Übersetzg, Sprachübgn u. Wrtrvrz. (Methode Gaspey-Otto-Sauer.) (123 m. 2 Kart.) 8° Hdlbg, J Groos 02. Geb. 2 — d
— Russ. kaufmänn. Korrespondenz-Grammatik f. Anfänger. (107) 8° Lpzg, GA Gloeckner 03. 2.40; geb. 2.75 d
— s.: Sammlung russ. Schriftsteller.
— Schlüssel, s.: Alexejew. W, neues Lehrb. d. russ. Sprache.
— Übgsheft f. russ. Schreibschrift. (20) 8° Lpzg, CF Amelang 02. — 50 d
— Wrtr-Verz. zu Homers Odysse. Nach d. Reihenfolge d. Verse. Nebst Erklärg d. homer. Formen. 1. Heft: Gesang I u. II. (52) 8° Paderb., F Schöningh 1900. — 75
— et E Roller: Lectures russes. Avec exercices de conversation. (Methode Gaspey-Otto-Sauer.) (123 m. 2 Kart.) 8° Hdlbg, J Groos 02. Geb. 2 —
— — Russian reader with exercices of conversation. (124 m. 2 Kart.) 8° Ebd. 02. Geb. 2 —
Werkkunst, die. Zeitschrift d. Ver. f. deut. Kunstgewerbe in Berlin. Schriftleitg: G Lehnert. 1. Jahrg. Oktbr 1905—Septbr 1906. 24 Hefte. (384 m. Abb. u. 52 Taf.) 8° Berl., O Salle. 10 —; einz. Hefte — 50
Werkmann, J (J Medelsky): Justina Dunker. Komödie. (90) 8° Wien, J Eisenstein & Co. 05. 2 —
— Der Kreuzwegstürmer. Volksschausp. (122) 8° Ebd. 02. || 2.Afl. (104) 04. Je 2 —
— Liebessünden. Ländl. Drama. 1. u. 2. Afl. (86) 8° Ebd. 03.05. 2 — d
Werkmeister-Kalender 1905. Bearb. u. hrsg. v. R Mittag. 13. Jahrg. (259, Schreibkalender u. Beil. 352 m. Abb. u. 1 Karte.) 8° Berl., R Tessmer. L. u. geb. 2.50 ('06 0)
Werkstatt, die. Meister Konrads Wochenextg. 18—21. Jahrg. Oktbr 1901—Septbr 1905 je 52 Nrn. (18. Jahrg. Nr. 1—7. 56 m. Abb.) Fol. Wiesb., F Woas. Viertelj. 1 —; einz. Nrn —10 d
— dass. Meister Konrads Fachbl. f. Schlossereien, Schmieden, Maschinen-Fabriken, mechan. Werkstätten, Eisen- u. Stahlwerke, Eisenb.- u. Artillerie-Werkstätten, sowie Eisenwaarenhandlgn. 18—21.Jahrg. Oktbr 1901—Septbr 1905 je 52 Nrn. (18. Jahrg. Nr. 1—7. 56 m. Abb.) Fol. Ebd. Viertelj. 1 —; einz. Nrn —10 d
— d., d. Kunst. Organ f. d. Interessen d. bild. Künstler. Hrsg.: JF Hartung. Schriftleiter: F Hellwag. 1. Jahrg. Novbr 1901—Oktbr 1902. 52 Nrn. (Nr. 1. 16) 4° Münch., Verl. d. Werkstatt d. Kunst. (†) (Lpzg, G Brauns.) Viertelj. nn 1.50 || 2. Jahrg. Oktbr 1902—Septbr 1905. Schriftleiter: E Closs. 52 Nrn. || 3. Jahrg. 1. Viertelj. Oktbr—Dezbr 1903. 13 Nrn. Viertelj. 3 —; einz. Nrn — 40 || 3. Jahrg. 2—4. Viertelj. Jan.—Septbr 1904. 39 Nrn. Viertelj. 3.25 d
— dass. Mit d. Beil.: Münchner kunsttechn. Blätter. Leitg: E Berger. 4. Jahrg. Oktbr 1904—Septbr 1905. 52 Nrn. (Nr. 1. 3. 44 u. 8) 8° Ebd. Viertelj. 3.25; einz. Nrn — 40 d F
— dass. Künstler-Kalender f. 1902. Hrsg. v. d. „Werkstatt d. Kunst". (Schreibkalender u. 34) 4° Ebd. 1 — d ô F
Werktags-Morgenbetrachtungen u. Gebete, 52 undogmat., a. Busstagsbetrachtg, u. Sonntagsbetrachtg. Gesammelt u. hrsg. v. H. (148) 8° Dresd., (W Ulrich) 01. nn 1.50; geb. nn 2 —
Werle, A: Almrausch. Almlieda a. Steiermark. 2. [Tit.-]Afl. (488) 12° Graz, JA Kienreich [1884] 02. 1.70; geb. 2 — d
Werle, K: Der Köhlersepp, s.: Jugend-Bibliothek, Laumann'sche.
— Weihnachtsfestsp., s.: Vereinstheater, neues.

Wermann, J: Der Freischütz, s.: Mehrakter.
— Kl. Leitf. f. Dilettantenbühnen, sowie deren Regisseure u. Darsteller. (64 m. Abb.) 8° Mühlh. i/Th., G Danner 01. 1 — d
Wermann, O: Choralb. f. 4stimm. Männerchor, enth. sämtl. Melodien d. sächs. Landeschoralb. m. untergelegtem Text. 5. Afl. (160) 8° Dresd., A Huhle 03. Geb. 1.20 d
Wermbter, H: Die höh. Schullaufbahn in Preussen, statistisch beleuchtet. (66) 8° Schalke 01. Gelsenk., E Kannengiesser. 1 —
Wermelskirchen, CM: Katechet. Predigten. Fortgesetzt v. A Höhne. 15 Hefte. 8° Aach., R Barth, V. Je 1 — d
1. Bd. Vom Glauben. (416) 02. || 2. Bd. Von d. Geboten. (251) 02. || 3. Bd. Von d. Gnadenmittela. Fortgesetzt v. A Höhne. (319) 06.
Werminghoff, A: Gesch. d. Kirchenverfassg Deutschlds im M.-A 1. Bd. (301) 8° Hannov., Hahn 05. 7 —
Warmuth, A, u. H Brendel: Börsenges., s.: Guttentag's Sammlg deut. Reichsges.
Wernack, Schloss, d. Kreis-Irrenanst. f. Unterfranken. (80 m. Abb., 9 Taf. u. 2 Pl.) 8° Würzbg, (Stahel's S.) 05. †2.80; geb. †3.50
Wernecke: Taschenb. f. d. Rekruten-Offizier d. Fussartill. (344 m. Fig. u. 3 Taf.) 16° Berl., Vossische Bh. 02. 3.50; geb. 4 — d
Wernecke, R: Heimatkundl. Anschaugsunter. im 2. u. 3. Schulj. Lehrstoffe u. Lehrproben. 2. Afl. (277) 8° Lpzg, BG Teubner 02. Geb. 3.30 d
— Der bibl. Gesch.-Unterr. in d. Elementarklasse. In ausgeführten Lektionen methodisch bearb. 3. Afl. (193) 8° Delitzsch, R Pabst 04. 1.50; geb. 1.80 d
— dass. auf d. Mittelst. Afl. 2. 2 Tle. 8° Ebd. 04. Geb. je 2 —; in 1 Bd 4.50 d
1. Altes Test. (235) || 2. Neues Test. (247)
— dass. in d. Volkssch. III. Bd. Oberst. Bearb. v. R Wiener. 2 Tle. 8° Ebd. 3.60; Einbde je — 40 d
1. Altes Test. (156) 05. 1.60 || 2. Neues Test. (274) 02. 2 —
Bd 1 u. II bilden' Der bibl. Gesch.-Unterr. in d. Elementarkl. bezw. auf der Mittelst.
— Die Praxis d. Elementarklasse. Führer auf d. Geb. d. Elementarunterr. 4. Afl. (391) 8° Lpzg, BG Teubner 01. 3.50; geb. 4.40 d
— Schreiblese-Fibel. Auf Grund d. verein. Anschaugs- u. Sprachunterr. Ausg. A (in 1 Hefte). Neubearbeitg m. phonet. Aufbau. 6. Afl. (116 m. Abb.) 8° Ebd. 03. Geb. nn — 60 d
— dass. Ausg. B (in 2 Heften). Neubearbeitg m. phonet. Aufbau. 1. Heft. 18. Afl. (88 m. Abb.) 8° Ebd. 05. Geb. nn — 50 d
— dass. Ausg. B II. 14. Afl. (113 m. Abb.) 8° Ebd. 04. Geb. nn — 50 d
Werneke, B: Prakt. Lehrg. d. deut. Aufsatzes f. d. ob. Kl. d. Gymnasien u. and. höh. Lehranst. 5. Afl. (382) 8° Paderb., F Schöningh 02. 3.80; geb. nn 4.40 d
Werneke, H: Die deut. Dichtg, s.: Buchner, W.
— Versuch e. formalen Kritik d. deut. Wortschatzes. (42) 8° Mülh. (Ruhr) 02. Ess., GD Baedeker. — 80
Wernekinck, A: St. Petersburg, s.: Grieben's Reiseb.
Wernekke, H: Goethe u. d. königliche Kunst. (194 m. 12 Taf. u. 1 Fksm.) 8° Lpzg, Insel-Verl. 05. 5 —; L. 6 —
Werner: Die Jugend- & Volksbibliotheken im Bez. Lenzburg. Referat. [S.-A.] (27) 8° Seengen 02. Lenzburg (Schweiz), Leur. Werner. 40 d
Werner: Bestimmgn üb. d. Diensteintritt d. Einj.-Freiwill. im deut. Heere u. in d. Marine. (83) 8° Berl., Liebel 04. 1.50 d
— Prakt. Winke f. Einj.-Freiwill., s.: Hilken.
Werner: Der Kampf geg. d. Trunksucht als Aufg. d. Gemeindeglieder u. kirchl. Organe. Referat. (15) 8° Haynau 05. (Liegn., Bh. d. sohles. Prov.-Ver. f. Inn. Miss.) nn — 10 d
Werner, A: Vergissmeinnicht f. d. christl. Haus. Mit Tagesspruch, Gebetsvers u. Leseabschnitt f. jeden Tag d. Jahres. (572 m. 1 Farbdr.) 8° Reutl., Ensslin & L. (03). L. 2 —; geb. L. m. G. 3 —; nn 20 Farbdr., L. m. G. 4 — d
Werner: Rede bei d. Trauerfeier f. d. Opfer d. russ. Unglücksverfolgg. (23) 8° Münch., (T Ackermann) (05). — 60 d
Werner, A: Michael Kohlhaas, d. Räuber u. Bandit a. verlorener Ehre od.: Geliebt — gelitten — gefehlt u. gesühnt. Histor. Roman. 2—10. Heft. (25—2398 m. je 1 Vollbild.) 8° Berl., A Weichert (1900.01). Je — 10 (Vollst.: 10 —) d
Werner, A: Neuere Anschaugn auf d. Geb. d. anorgan. Chemie, s.: Wissenschaft, d.
— Lehrb. d. Stereochemie. (474 m. Abb.) 8° Jena, G Fischer 04. 10 —; geb. 11 —
Werner, A: Liebesglut. Gedichte d. Liebe. (44) 16° Oranienburg, Alb. Werner (03).
Werner, A: Gesch. d. ev. Parochien in d. Prov. Posen. Überarb. v. J Steffani. 2. [Tit.-]Afl. (444) 8° Lissa, F Ebbecke [1857] 04. L. 4.50 d
Werner, A: Lehrb. d. französ. Sprache, s.: Oberländer, S.
Werner, A: Geburtstagsfreuden, s.: Universal-Bibliothek.

199*

Werner, A: Eine Weltumseglg. Reiseerinnergn a. d. Tageb. (100 m. Titelbild.) 12⁰ Brix., Pressvereins-Bh. 04. — 80 d
Werner, A: Die Wasserkräfte d. Stadt Augsburg im Dienste v. Industrie u. Gewerbe. (172 m. 3 Pl. u. 4 Taf.) 8⁰ Augsbg, M Rieger 05. 6.50; geb. nn 7.50
Werner, A v.: Die Kunstdebatte im deut. Reichstag am 16.II. '04· 1. u. 2. Afl. (22) 8⁰ Berl., C Heymann 04. — 50
— Rede bei d. Trauerfeier d. kgl. Akad. d. Künste f. Adolph v. Menzel. (15) 8⁰ Berl., ES Mittler & S. 05. — 60
Werner, A: Bad-Kissingen als Kurort. (58) 12⁰ Kiss., F Weinberger 02. — 60
— dass. 3. Afl. (77) 8⁰ Berl., O Rothacker 04. 1 —
Werner, A: Gesch. d. Kantorei-Gesellschaften im Geb. d. ehemal. Kurfürstent. Sachsen, s.: Publikationen d. internat. Musikgesellsch.
— Die Kantorei-Gesellsch. zu Bitterfeld. (28 m. 1 Bildnis.) 8⁰ Bitterf., (W Meissner Nf.) 03. — 40 d
— Liederb. f. höh. Knabensch., s.: Kuhne, R.
Werner, A: Helden d. christl. Kirche. Lebens- u. Kulturbilder f. Haus u. Schule. 4. [Tit.-]Afl. (384 m. Abb.) 8⁰ Lpzg, O Spamer [1899] 04. 5 —; L. nn 6.50 d
Werner, A: Die Reform-Ehe, s.: Bloch's, L; Sammlg v. Zwie- u. Dreigesprächen.
Werner, O: Zur Erinnerg an Johs Werner, Kandidaten d. ev. Predigtamtes, gest. am 4.I.'01. Lebensbild, nebst d. letzten Predigt d. Heimgegangenen. (31) 8⁰ Dess., A Haarth 01. — 25 d
— u. G Friesleben: Zur Erinnerg an e. hl. Weihestunde. Weihrede u. Festpredigt, geh. bei d. Einweihg d. Petruskirche in Dessau. (16) 8⁰ Dess. 03. Ballenst., P Baumann. — 25 d
— u. Weiss: Was kann d. Kirche tun, um d. Pflege d. Kranken auf d. Lande zu fördern u. in d. rechten Bahnen zu leiten? Referat, Korreferat u. Leitsätze. (30) 8⁰ Stuttg., C Grüninger 04. — 40 d
Werner, C: Gesch. d. brandenb.-preuss. Staates. Lehrb., zunächst f. d. Unterr. an Seminaren u. Präparanden-Anst. bearb. 5. Afl. (286 m. Abb. u. 1 Karte.) 8⁰ Heiligenst., FW Cordier (04). 2.50 d
Werner, C: Rechenb., s.: Ebni.
Werner, C, s.: Urkundenbuch z. Gesch. d. Deutschen in Siebenbürgen.
Werner, O: Die Massage u. Heilgymnastik. Ihre Anwendg, Technik u. Wirkg. 13. Afl. v. E Below. (120 m. Abb.) 8⁰ Berl., H Steinitz (02). 2 —
Werner, O: Unser Bäckerjunge, s.: Edelweiss.
— Der Brief im Waldhaus od.: Denen, d. Gott lieben, müssen alle Dinge z. Besten dienen, s.: Aus lichten Höhen.
— Wie Gott e. Bergmann zu Weihnachten bescherte, s.: O du fröhl. usw. Weihnachtszeit.
— Gottes u. nicht d. Menschen Rat, s.: Himmelsblumen.
— Hans u. Lenchens Palmenzweige, od.: Wie d. Herr Jesus in e. Dorfe Einzug hielt, s.: Aus lichten Höhen.
— Das Kirchenfenster, s.: Edelweiss.
— Der Laternen-Anzünder, s.: Vergissmeinnicht-Erzählungen.
— Meine Reisebekanntschaft, s.: Waldesrauschen — Waldesfrieden.
— Unser Uhrmacher, s.: Vergissmeinnicht-Erzählungen.
— Veilchen u. Nesseln in d. Gartenecke (d. Veilchen unter d. Nesseln), s.: Waldesrauschen — Waldesfrieden.
— Das Weihnachtslicht, s.: O du fröhl. usw. Weihnachtszeit!
— Frau Willers u. ihr Kräuterthee, s.: Vergissmeinnicht-Erzählungen.
— Treue Zeugen, s.: Familienbibliothek, Calwer.
Werner, E: „Kein Herz?!" Soz. Sittenbild in 1 Aufzuge. (68) 8⁰ Dresd., J Pierson 03. 1.50 d
Werner, E (Frl. E Buerstenbinder): Ein Gottesurteil. Roman. 3. Afl. (264) 8⁰ Münch., Richter & K. (02). 4 —; geb. 5 — d
— Ges. Romane u. Novellen. Illustr. Ausg. Neue Folge. 6 Bde. 8⁰ Stuttg., Union (02.03). Je 3 —; L. je 4 — ;
auch in 45 Lfgn zu — 40 d
1. Freie Bahn! (375) | 2. Flammenzeichen. (296) | 3. Gewagt u. Gewonnen. (296) | 4. Fata Morgana. | 5. Hexengold u. and. Erzählgn. (361) | 6.
— Runen. Roman. (390) 8⁰ Ebd. (03). 3 —; L. 4 — d
Werner, E: Beitr. z. Kenntnis d. kohlensauren Kalkes. (49) 8⁰ Freibg i/B., Speyer & K. 03. 1.20
Werner, F: Das Ohr d. Menschen in zerlegbaren (farb.) Abb. (Zweifach vergrössert.) Kurze, leichtfassl. Darstellg d. einz. Teile d. Ohres u. sr Funktionen. (12 S. Text.) 8⁰ Essl., JF Schreiber (03). Geb. 2 — d
Werner, F: Heimatluft, Roman a. d. Ostmark. (199) 8⁰ Berl., D Dreyer & Co. (03). — 50 d
— dass. Briefe a. d. Ostmark. (396 m. Bildnis.) 8⁰ Ebd. (05). L. u. in Kästchen 3 — d
Werner, F: Die Dermapteren- u. Orthopterenfauna Kleinasiens. [S.-A.] (48 m. 2 Taf.) 8⁰ Wien, (A Hölder) 01. 1.70
— Ergebnisse e. zoolog. Forschgsreise n. Ägypten u. d. ägypt. Sudan. I. Die Orthopterenfauna Ägyptens m. bes. Berücks. d. Eremiaphilen. [S.-A.] (80 m. 1 Taf.) 8⁰ Ebd. 05. 1.60
— Reptilien u. Batrachier, s.: Ergebnisse d. Hamburger Magalhaena. Sammelreise.
— Ueb. Reptilien u. Batrachier a. Guatemala u. China in d. zoolog. Staats-Sammlg in München, nebst e. Anh. üb. selt. Formen a. and. Gegenden. [S.-A.] (44 m. 1 farb. Taf.) 4⁰ Münch., (G Franz' V.) 03. 1.20

Werner, F: Die Reptilien- u. Amphibienfanna v. Kleinasien. [S.-A.] (65 m. 3 farb. Taf.) 8⁰ Wien, (A Hölder) 02. 2.20
— Die Reptilien- u. Batrachierfauna d. Bismarck-Archipels, s.: Mitteilungen a. d. zoolog. Sammlg d. Museums f. Naturkde in Berlin.
Werner, FEO: Krankentransport u. -Unterkunft im Kriege, s.: Vorträge üb. ärztl. Kriegswiss.
Werner, G: Führer durch bürgerl. Recht u. Prozess f. Gerichtsschreibereibeamte. (55) 8⁰ Berl., F Vahlen 02. Kart. 1.40 d
— Vorträge üb. d. Binnenschiffahrtsrecht. (124) 8⁰ Mgdbg, (Heinrichshofen's S.) 03. 2.50; geb. 3 — d
Werner, G: Die Konfirmationsfragen. (20) 8⁰ Lpzg, A Deichert Nf. 05. — 15; Geleitswort. (12) — 40 d
Werner, H, s.: Kalender f. preuss. Lehrer-Bildgsanst.
Werner, H: Die Kunst, d. latein. Sprache zu erlernen, s.: Kunst, d., d. Polyglottie.
Werner, H: Die Flugschrift „onus ecclesiae" (1519), m. e. Anh. üb. sozial- u. kirchenpolit. Prophetien. (106) 8⁰ Giess., A Töpelmann 01. 2 —
Werner, H, s.: Wolf's, H, Briefe an Osk. Grohe.
Werner, H: Die Kolik d. Pferdes u. ihre Behandlg. (90) 8⁰ Lpzg, RC Schmidt & Co. 04. L. 3 —
Werner, H: Der Sezessions-Tischler. Entwürfe v. Gebrauchsu. Ziermöbeln in streng moderner Stilrichtg. I. Serie. 4 Lfgn. (24 [Abbild.] m. 3 Bl. Text.) 42,5×33 cm. Berl., B Hessling (02.03). Je 4.50 d F
Werner, H: Christi Leidensgesch. d. Meisterwerk d. göttl. Vorsehg, s.: Handreichung z. Vertiefg christl. Erkenntnis.
Werner, H: Die Verwertg d. hohen. Flora, in reichem Farbenbr., f. d. Freihandzeichen-Unterr. an gewerbl. Lehranst., Seminarien, Präparandien, Gymnasien, Real-, höh. Mädchen-, Mittel-, Bürger- u. Volkssch. 2. Serie. (40 Taf.) Fol. Nebst Textheft. (20) 8⁰ Elbing (Innerer Georgendamm 9). Subsortverl. (01). In M. nn 26— (1 u. 2.: nn 46 —) d
— Verwertg d. heim. Flora f. d. Freihandzeichenunterr. Kl. Sep.-Ausg. f. d. Volkssch. Bayerns. I. Serie. 3. Afl. (34 Taf.) 53×34,5 cm. Augsbg (Schwab. permanente Schulausstellg) (05). In M. nn 7.60; Text-Heft. (24) 8⁰ nn — 50 d
Werner, H: Anl. f. d. Richten v. Rindern, s.: Lydtin, A.
— Der Kartoffelbau, s.: Thaer-Bibliothek.
— Die Rinderzucht. Körperbau, Schläge, Züchtg, Haltg u. Nutzg d. Rindes. 2. Afl. (638 m. Abb. u. 128 Taf.) 8⁰ Berl., P Parey 02. L. 20 — d
Werner, HH: Zwei d. Stillen im Land u. and. Novellen. (183) 8⁰ Lpzg, E Avenarius 04. 3 —; L. 4 — d
Werner, J: Beitr. z. Kde d. latein. Lit. d. M.-A., s. Handschriften gesammelt. 2. Ausg. (227) 8⁰ Aar., HR Sauerländer & Co. 05. 4 —
— Notkers Sequenzen. Beitr. z. Gesch. d. latein. Sequenzendichtg. (130) 8⁰ Ebd. 01. 2.50
Werner, J, s.: Mühlen, d. unterird.
Werner, J: Letzte Predigt, s.: Werner, C, z. Erinnerg an Johs Werner.
Werner, J: Dogmengeschichtl. Tab. 3. Afl. (45) 6⁰ Gotha, FA Perthes 03. Kart. 1.80
Werner, J, s.: Schneider, S, Titelzeichngn zu d. Werken Karl Mays.
Werner, J: Deutschtum u. Christentum. Gedenkreden. 2.Afl. (83) 8⁰ Hdlbg, C Winter, V. 06. Kart. 1.80 d
— Johann Eberlin v. Günzburg. Ein reformator. Charakterbild a. Luthers Zeit. 2. Afl. (30) 8⁰ Ebd. 05. 1 — d
— aec e s „Welträtsel" im Lichte d. Vernunft u. d. Bibel, sH Lekrlu. Wehr für's Volk.
— „Das Licht d. Lebens". Zeitpredigten auf Ewigkeitsgrunde. Reden u. Skizzen. (516) 8⁰ Gütersl., C Bertelsmann 03. L. 5 — d
— s.: Predigten, 3, bei d. 55. Hauptversammlg d. ev. Ver. d. Gustav Adolf-Stiftg geh.
Werner, K: Ein Wort d. grössten Missionars v. d. Mission. (16) 8⁰ Kass., E Röttger (02). — 20 d
Werner, M: Sammlg kleinerer strafrechtl. Reichsges., s.: Guttentag's Sammlg deut. Reichsges.
Werner, O: Rechenb. f. Volkssch., s.: Möbius, H.
Werner, R: Leitf. d. Naturgesch., s.: Hummel, A.
— Liederb. f. Gymnasien, s.: Billig, F.
— Allg. Musiklehre. Leitf. f. d. Unterr. in Präparanden-Anst. u. Musikach. 2. Afl. (84) 8⁰ Bannov., C Meyer 04. Geb. 1.25 d
Werner, R v.: Das Buch v. d. deut. Flotte. 8. Afl. d. Buches v. d. norddent. Flotte. (616 m. Abb. u. 2. Tl farb. Taf.) 8⁰ Bielef., Velhagen & Kl. 02. 8 —; L. 10 — d
— Deutschlds Ehr im Weltenmeer. Die Entwickelg d. deut. Marine u. Skizzen a. d. Leben an Bord. (298 m. Abb. u. 4 Farbdr.) 8⁰ Berl. 09. Lpzg, F Hirt & S. L. (5 —) 3 — d
— Erinnerg u. Bilder a. d. Seeleben, s.: Sammlung belehr. Unterhaltgsschriften f. d. deut. Jugend.
— Stortebeker. Erzählg. in vereinf. deut. Stenogr. (Einigssystem Stolze-Schrey). (144 m. Abb.) 8⁰ Berl., Frz Schulze (04). Geb. 2 —
— Auf blauem Wasser, s.: Meyer's, O, Bücherei.
Werner, R: Rich. Wagners dramat. Dichtgn in franzö. Übersetzg. 1—3. Tl. (26, 40 u. 34) 4⁰ Berl., Weidmann 01. Je 1 —
Werner, RM, s.: Geisteshelden.
— s.: Hebbel-Kalender.
Werner, S: Die Fingerübgn in d. ersten Jahren d. Klavier-

unterr. u. ihre Anwendgsweise. (64) 8° Lpzg, Breitkopf & H.
05. 2 —; L. 3.50
Werner, S: Ruth u. and. moderne Gedichte. (90 u. Musikbeil.
3 in 4°.) 8° Wien 05. Köln, Verl. d. Welt. 2.10; L. 3 — d
Werner, V: Ursprg u. Wesen d. Erbgrafentums d. Siebenbürger Sachsen, s.: Untersuchungen, geschichtl.
Werner, W: Der ev. Konfirmanden-Unterr., n. Luthers kl.
Katechismus einheitlich entwickelt u. in Grundlinien dar-
geboten. (115) 8° Halle, Gebauer-Schwetschke 04. 1.50;
geb. 2 — d
Werner-Ehrenfeucht: Hdb. f. d. Einj.-Freiwill. u. Reserve-
offizier-Aspiranten d. deut. Infant., Jäger, Schützen u. Pio-
niere. (28, 300) 8° Stuttg. (03). Lpzg, F Engelmann. || 2. Afl.
u. Neue (Tit.-)Ausg. (32, 321) (05) u. Lpzg 06. L. je 3 — d
— Die Praxis d. Kompagnie-Chefs, s.: Sammlung militärwiss.
Hdb.
Wernerus, C: Präparat. zu Cäsars gall. Kriege, s.: Ranke, F.
Werner der Gärtner; Meier Helmbrecht. (Nach O Schröders
Text-Übersetzg.) Die ält. deut. Dorfgesch. Für Schule u.
Haus hrsg. v. Wohlrabe. 3. Afl. (78) 8° Lpzg, Dürr'sche Bh.
06. Geb. 1 — d
— dass., s.: Denkmäler d. ält. deut. Lit. (G Bötticher). — Text-
bibliothek, altdeut. (F Panzer).
Wernick, F: Elbing, Ersatz, s.: Dorr, R.
Wernick, G: Zur Psychol. d. ästhet. Genusses. (148) 8° Lpzg,
W Engelmann 03. 2.40
Wernicke's, A, Lehrb. d. Mechanik in elementarer Darstellg,
m. Anwendgn u. Übgn a. d. Geb. d. Physik u. Technik. I. Tl,
2. u. 3. Abtlg. 8° Brnschw., F Vieweg & S. 16 —; geb. 17.60
(I u. II.: 25 —; geb. 27.80) d
1. Mechanik fester Körper. Von A Wernicke. 4. Afl. 2. Abtlg. Statik u.
Kinetik d. starren Körper. (312—809 m. Fig.) 01. 6 —; geb. 6.90 ‖ 3.
Statik u. Kinetik elastisch-fester Körper (Lehre v. d. Elasticität u. Festigkeit). (511—1635 m. Abb.) 03. 10 —; geb. 11 — (I vollst.: 20 —; geb.
22.90)
Wernicke, A, s.: Abhandlungen a. d. Geb. d. Mathematik usw.
— Die Theorie d. Gegenstandes u. d. Lehre v. Dinge-an-sich
bei Immanuel Kant. (32) 4° Brnschw., JH Meyer 04. 1 —
Wernicke, C: Lehrb. d. Weltgesch. f. höh. Töchtersch. 33. Afl.
v. W Zellmer. Mit e. Anh.: Lehrb. d. brandenb.-preuss. Gesch.
v. W Zellmer. (292 u. 106 m. 3 Kart.) 8° Berl., (A Nauck & Co.)
04. Geb. 3.60 d
— Leitf. f. d. biograph. Vorst. d. Gesch.-Unterr., fortgeführt
v. F Wagner u. K Wernicke. 15. Afl. v. H Flemming. (127) 8°
Attbg, HA Pierer 05. 1 — d
Wernicke, C, s.: Monatsschrift f. Psychiatrie u. Neurol.
Wernicke, E: Die Bekämpfg d. Infektionskrankh. (19) 8° Pos.,
Merzbach 05. — 30 d
— Üb. d. biolog. Blutnachweis, s.: Festschrift, d. Ärztever. d.
Kreise Birnbaum usw. gewidmet.
— Birgt d. Errichtg e. Erholgsstätte f. Tuberkulöse in d. Forst
zu Unterberg e.Anstecksgsgefahr in sich? [S.-A.] (42) 8° Pos.,
(J Jolowicz) 03. — 20 d
— Der neueste Stand d. Tuberkuloseforschg, s.: Veröffent-
lichungen d. Ver. z. Fürsorge f. kranke Arbeiter in Posen.
— Verbreitg u. Bekämpfg d. Lungentuberkulose in d. Stadt
Posen, s.: Festschrift z. 60. Geburtstage v. Rob. Koch.
— Versuche im Fussboden-Öl u. s. Verwendg in Schulen. 1. Tl.
[S.-A.] (18) 8° Lpzg, F Leineweber 03. — 70
Fortsetzg s.: Versuche.
— Üb. Volksernährg m. bes. Berücks. d. Posener Verhältnisse,
s.: Veröffentlichungen d. Ver. z. Fürsorge f. kranke Arbeiter
zu Posen.
Wernicke, E: Beitrag z. Frage d. Zusammenh. zw. Katarakt
u. Struma. (40) 8° Freibg i/B., Speyer & K. 03. 1 —
Wernicke, F: Die Fabrikation d. feuerfesten Steine. (107) 8°
Berl., J Springer 05. 3 —
Wernicke, H: Anl. z. deut. Normalpräparation v. Schmetter-
lingen. (16 m. Abb.) 8° Blasew.-Dresd. 1899. (Berl., W Junk.)
(2.80) †1.40
Wernicke, J: Die Sonder-Umsatzsteuern im Lichte d. Ge-
werbefreiheit u. Gewerbeordng, sowie d. allg. Rechts- u.
Steuerprinzipien. (63) 8° Berl., J Guttentag 03. — 80 d
Wernicke, K: Antike Denkmäler z. griech. Götterlehre, s.:
Müller, CO.
Wernicke, M: Poesie u. Prosa. Dichtgn. (142) 8° Dresd., E
Pierson 04. 1 —; geb. 2 — d
Wernigk: Hdb. f. d. Einj.-Freiwill., sowie f. d. Reserve- u.
Landwehr-Offiziere d. Feldartill. Zugl. neue Afl. d. Hdb. v.
Abel. 2 Lfgn. 8° Berl., ES Mittler & S. 6.50;
Einbde je nn — 50 d
- I. 7. Afl. (208 m. Abb.) 01. 3 —; 2. 2. 8. Afl. (296 m. Abb.) 05. 3.50.
- dass. 8. Afl. 2 Abtlgn in 1 Bde. (20, 272 u. 226 m. Abb. u.
Taf.) 8° Ebd. 03. 7.50; geb. 8.50 d
1. Das Feldartill.-Material 96. (75 m. Abb.) 02. 1.60
2. Das Feldhaubitz-Material 98. (75 m. Abb.) 02. 1.75
Neue Afl. u. d. T.:
— Hdb. f. d. Einj.-Freiwill., Offizier-Aspiranten u. d. Offiziere
d. Beurlaubtenstandes d. Feldartill. 9. Afl. m. Nachtr.: Das
Schiessen geg. Schildbatterien. (22, 529 u. 13 m. Abb. u. Taf.)
8° Ebd. 05. 7.50; geb. 8.50 d
— dass. 1. Nachtr.: Das Feldartill.-Material 96. 3. Afl. (88 m.
Abb.) 8° Ebd. 05. 1.60; geb. 1.85 d

Wernigk: Taschenb. f. d. Feldartill. 21. Jahrg. 1906. (307 m.
Abb.) 8° Berl., ES Mittler & S. 06. 2.25; Ldr nn 2.80 d
— u. Trautz: Der Dienstunterr. f. d. Kanonier u. Fahrer d.
Feldartill. (322 m. Abb. u. 4 L.) 12° Ebd. 01. kart. nn — 75 d
— — dass. 5. Afl. Ausg. f. leichte Feldhaubitzbatterien. Mit
Anh.: Einteilg u. Standorte d. deut. Heeres, d. kais. Marine,
d. kais. Schutztruppen u. d. ostasiat. Besatzgs-Brigade. (432
u. 30 m. Abb., 4 Bildnistaf. u. 4 farb. Taf.) 8° Ebd. 05.
nn — 65; kart. nn — 75 d
— — dass. Ausg. f. Feldkanonen-Batterien. (432 u. 30 m. Abb.,
4 Bildnistaf. u. 4 farb. Taf.) 8° Ebd. 06. nn — 65;
kart. nn — 75 d
Wernitz, J: Vorschlag u. Versuch z. Heilg d. akuten Sepsis,
s.: Sammlung klin. Vortr.
Wernitz, J: Betrachtgn üb. d. Wesen u. d. Grund d. Kultur-
entwickelg u. d. auf dieselbe günstig od. ungünstig einwirk.
Faktoren. (52) 8° Lpzg, (KF Koehler) 01. — 80 d
Wernle, P: Die Anfänge uns. Relig. (410) 8° Tüb., JCB Mohr
01. ‖ 2. Afl. (20, 514) 04. Je 7 —; geb. je 8 —
— Die Christenhoffng u. ihre Bedeutg f. unser gegenwärt. Leben.
Referat. (19) 8° Bern (Münzrain 3), Generalsekretariat d.
christl. Studentenkonferenz (04). nn — 25
— Was haben wir heute an Paulus? (48) 8° Bas., Helbing & L.
1 — d
— Die Quellen d. Lebens Jesu, s.: Volksbücher, relig.-gesch.
— Die Reichsgotteshoffng in d. ält. christl. Dokumenten u. bei
Jesus. (58) 8° Tüb., JCB Mohr 03. 1.20
— Die Renaissance d. Christentums im 16. Jahrh., s.: Samm-
lung gemeinverständl. Vorträge u. Schriften a. d. Geb. d.
Theol. u. Relig.-Gesch.
Wernly, G: Aufg. üb. d. Elemente d. Algebra, s.: Ribi, D.
— Grundr. d. Planimetrie u. Stereometrie, s.: Zwicky, M.
Wertadorf, J: Grundr. d. Systems d. Soziol. u. d. Theorie d.
Anarchismus. I. Bd. (104) 8° Jena, (HW Schmidt) 04.
Werr, G: Grundr. d. französ. Sprache, s.: Boerner, O.
Werra u. Wacker: Aus allen Jahrhunderten. Histor. Cha-
rakterbilder f. Schule u. Haus. 3 Bde. 2 Afl. Münst., H Schö-
ningh. 8 —; L. 10.40; in bess. Bde 12 —; in 1 L.-Bd 9.90 d
1. Altertum. (181 m. Abb. u. 5 Taf.) (1900.) 2.20; geb. 2 —; 8.80
2. M.-A. (215 m. Abb. u. 1 Taf.) (02.) 3 —; geb. 3.60 u. 4.40
3. Neuzeit. (222 m. Abb. u. 1 Taf.) (02.) 3 —; geb. 3.60 u. 4.40
Werra, L v.: Die Krisis in d. schweiz. Pferdezucht. (28) 8° Aar.,
(E Wirz) (05). 1 —
Werrow, W: Primula veris. Gedichte. (144) 8° Dresd., E Pierson 05. 2 —; geb. 3 — d
Wersch, B, s.: Lesebuch nebst fachkundl. Anhängen f. Fort-
bildgs-, Fach- u. Gewerbesch.
Wershoven, FJ: Ascensions, voyages aériens, évasions, s.:
Schulbibliothek, französ. u. engl.
— s.: Biographies histor.
— Conversations franç. Stoffe u. Vokabular zu französ. Sprech-
übgn. (92) 8° Cöth., O Schulze, V. 03. Geb. 1.10
‖ 2. Afl. (114) 04. Geb. 1.25 d
— England. Engl. Lese- u. Realienb. f. höh. Lehranst. 2. Afl.
(115 m. Abb. u. 1 Karte.) 8° Ebd. 04. Geb. 2.40 d
— Erzählgn a. d. französ. Schulleben, s.: Schulbibliothek,
französ. u. engl.
— Femmes célèbres de France, s.: Schriftsteller, engl. u. fran-
zös., d. neueren Zeit.
— Frankreich. Realienb. f. d. französ. Unterr. Geogr. u. Gesch.
Frankreichs. Staatseinrichtgn. Gesch. d. französ. Sprache
u. Litt. Stoffe zu Sprechübgn u. freien Arbeiten. Reden.
Synonyma. 3. Afl. (234) 8° Cöth., O Schulze, V. 03. Kart. 2.25
— Hauptregeln d. engl. Syntax. Mit Anh.: Synonyma. 3. Afl.
(47) 8° Trier, J Lintz 05. Kart. — 60 d
— Hist. de Napoléon I., s.: Schriftsteller, engl. u. französ., d.
neueren Zeit.
— Hist. de la révolution franç., s.: Schulbibliothek französ.
u. engl. Prosaschriften.
— Engl. hist. — Lectures histor., s.: Schulbibliothek französ.
u. engl.
— Französ. Leseb. f. höh. Lehranst. 6. Afl. (346) 8° Cöth., O
Schulze, V. 05. 2.35; geb. 2.70
— Paris, s.: Schriftsteller, engl. u. französ., d. neueren Zeit.
— Engl. school life, s.: Schulbibliothek französ. u. engl.
— Zusammenhäng. Stücke z. Übers. ins Engl. 4. Afl. (163) 8°
Trier, J Lintz 05. Kart. 1.40 d
— O Keesebitzer: Au lycée, s.: Schulbibliothek französ. u.
engl. Prosaschriften.
Wersin, Frau V: Suppen- u. Limonaden-Büchl. Anl. z. Her-
stellg. (31) 8° Pos., (F Ebbecke) 03. — 40
Wert, welchen hat d. preuss. Verfassg f. uns. Volk? v. Pro-
lytikus, (39) 8° Görl., R Dülfer 05. — 80 d
Werth, M: Wasch- u. Plätt-Buch. (27) 8° Berl., Lehrbücher-
Verl. 04. — 50; kart. — 75 d
Werth, P: Kl. Leute. (Lütte Lüd.) 3 Einakter. (101) 8° Lpzg,
Modernes Vert.-Bureau 05. 1.50
Werth, R: Üb. d. Erfolge e. verschärften Wundschutzes bei
gynäkolog. Laparotomie, s.: Festschrift, d. med. Fakultät d.
Univ. Kiel...
s.: Jahrbuch, klin.
— Untersuchgn üb. d. Einfl. d. Erhaltg d. Eierstockes auf d.
spät. Befinden d. Operierten u. d. supravaginalen Amputa-
tion u. vaginalen Totalexstirpation d. Uterus. [S.-A.] (74) 8°
Jena, G Fischer 02. 1.50

Werth, R: Flächen- u. Körperberechngn f. gewerbl. Fortbildgsschch. 3. Afl. (75 m. Fig.) 8° Duisbg, J Ewich 04.
Kart. — 60 d
Werthauer, J: Berliner Schwindel, s.: Grossstadt-Dokumente.
Wertheim, G: Anfangsgründe d. Zahlenlehre. (427 m. 4 Bildnissen.) 8° Brnschw., F Vieweg & S. 02. · 9 —
Wertheimer, E: Der Herzog v. Reichstadt. Lebensbild. (487 m. 6 Lichtdr. u. 1 Fksm.) 8° Stuttg., JG Cotta Nf. 02. 9 —;
L. 10 —
Wertheimer, J, s.: Pasquino.
Wertheimer, L: Geschlechtskrankh. u. Rechtsschutz, s.: Flesch, M.
Wertheimer, P: Neue Gedichte. (95) 8° Münch., G Müller 04.
2 —; geb. 3 — d
— Hugo Salus, s.: Sammlung gemeinnütz. Vortr.
Wertheimer, RT: Die Mischges. d. deut. Strafgesetzb., s.: Abhandlungen, strafrechtl.
Werther, CW: Östl. Streiflichter. Krit. Beobachtgn u. Reiseskizzen. (154 m. 9 Taf.) 8° Berl., H Paetel 03. 3 —; L. 4 — d
Werther, F: Der Landsknecht. Operette v. K Schwalb. Musik v. W. Regie-Buch. (44) 8° Brem., Praeger & M. (05). 3 —;
Text-Buch. (48) 8° nn 1 — 50
Werther, O v.: Recht d. Rechtlosen! (47) 8° Bambg, Handels-Dr. u. Verlagsh. (04). — 40 d
Werther, W: Im Amt, s.: Heinze, W.
— Leiningen in Dorfbildern, s.: Glaubrecht, O.
Werthmann, L: Italien. Beichtspiegel, m. italien. Gebeten f. Kranke u. Sterbende, sowie Ermahngn f. d. Empfang d. hl. Kommunion, d. letzten Ölg u. d. Ehesakramentes. 2. Afl. (103) 12° Freibg i/B., Geschäftsstelle d. Charitasverbandes f. d. kath., Deutschl. 01. Geb. — 70 d
—s.: Charitas.
Wertisch, A: Chron. Magenkatarrh, Stuhlverstopfg, habituelle Blutarmut, Hypochondrie, Melancholie, Neurasthenie (Nervenschwäche), Nervosität, Schlaflosigk. u. Hämorrhoiden durch d. Wasserkur geheilt. (56) 8° Reichenbg (B.) 05. (Zitt., A Grann.) 1 —
Werunsky, E: Österr. Reichs- u. Rechtsgesch. 5. Lfg. (321—400) 8° Wien, Manz 04. 1.60 (1.—5.; 8 —) d
Weseloh, H: Gottes Wort, e. Gotteskraft. An Beisp. a. alter u. neuer Zeit gezeigt. (229) 8° St. Louis, Mo. 03. (Zwick., Schriften-Ver.) HF. 3.60 d
Weselsky, P, u. R Benedikt: 30 Übgs-Aufg. als 1. Anl. z. quantitativen Analyse. 3. Afl. v. G Vortmann. (39 m. Abb.) 8° Wien, F Deuticke 02. 1.25
Wesemann, H: Was muss e. preuss. Staatsbürger wissen, um e. Veranlagg z. Einkommensteuer prüfen zu können? (8) 12° Hannov., Hahn 04. — 30 d
Wesemeyer, A, u. W Gorgass: Zusammenstellg d. Frachtsätze d. Spezialtarife I u. III f. d. Beförderg v. Zucker (Rübenzucker u. Rohzucker jeder Art) im Verkehr v. d. deut. Zuckerfabriken u. Raffinerien n. deut. Zucker-Raffinerien, Handelsu. Wasser-Umschlagplätzen. (80) 8° Mgdbg, (A Rathke) 01.
L. nn 12 —
Bilded d. Fortsetzg zu: Koch, P, deut. Eisenb.-Tarif f. d. Beförderg v. Rohzucker.
Wesen, d., d. Dramas, s.: Miniatur-Bibliothek.
— u. Werden, d., d. Protestantismus. 5 Vortr. (1.: E Kuck: Der Protestantismus u. die Kirche u. als Kulturmacht. 2. F Mezgoz: Die Orthodoxie. — 3. R Will: Der Pietismus. — 4. A Ernst: Rationalismus u. Aufklärung. — 5. A Schweizer: Der Protestantismus u. d. theolog. Wiss.) (90) 8° Strassbg, E van Hauten 03. 1 — d
Wesendong, K: Briefe an s. Pflegeschwester Emil, s.: Musste es sein?
Wesener, F: Ueb. Säuglingssterblichk. u. Säuglingsfürsorge m. bes. Berücks. Aachens. Nach e. Vortr. (40) 8° Aach., (Barth'sche Bh.) 04. — 60
Wesener, P: Griech. Elementarb., zunächst n. d. Grammatiken v. Curtius-Hartel, Koch-(Sachse) u. Franke-Bamberg bearb. 2 Tle. 8° Lpzg, BG Teubner. L. 3.10 d
1. Das Nomen u. d. regelmäss. Verbum auf ω nebst e. systematisch geordn. Vokabular. 'Der alten Ausg. 19. Afl.) (173) 04. 1.40 | 2. Verba auf μι u. unregelmss. Verba nebst e. etymologisch geordn. Vokabular. Der alten Ausg. 13. Afl. (173) 1905. 1.70.
— dass., zunächst n. d. Grammatiken v. Curtius-Hartel, Kägi, Koch-(Sachse) u. Franke-Bamberg bearb. Neue Ausg, n. d. Bestimmgn d. preuss. Lehrpl. v. J. '01- 3 Tle. 8° Ebd.
L. je 1.60 d
1. Das Nomen u. d. regelmäss. Verbum auf ω. 9. Afl. (150) 04. | 2. Verba auf μι u. unregelmäss. Verba. 6. Doppel-Afl.(156) 04. | 3. Syntax. (180) 05.
— dass. 2. Tl. Verba auf μι u. unregelmäss. Verba. Ausg. B m. e. Anh. v. Übersetzgsaufg. z. Einübg d. Hauptregeln d. Syntax. (190) 05. 1.80 d
— Latein. Elementarb. 2. Tl. (Quinta.) 4. Afl. (227) 8° Ebd. 01.
— Griech. Leseb. f. d. Anfangsunterr. (88) 8° Ebd. 08. Geb. 1 d
— Paradigmen z. Einübg d. griech. Formenlehre im Anschl. an d. griech. Elementarb. D. Verf. 4. Afl. (76) 8° Ebd. 01.
Kart. 1 — d
Weser, E: Im Jahrh. d. Niederganges. Gedanken u. Empfindgn e. Kulturbürgers. (127) 8° Brem., O Melchers (05). 2 — d
Wesley, J: Ausgew. Predigten, s.: Predigt d. Kirche.

Wesner, F: Rationelle Körperausbildg u. Pflege n. anatomischphysiolog. Grundsätzen f. Erwachsene u. grössere Kinder. (32 m. Fig.) 8° Lpzg, Alwin Schmidt 04. (1.50) — 60 d
— Gesellschaftl. Tanzkunst, s.: Miniatur-Bibliothek.
Wespy, L: Festschrift d. höh. Töchtersch. I (am Graben) z. Feier d. 50jähr. Bestehens unter städt. Patronate. (128 m. Abb. u. 2 Tab.) 8° Hannov., (Dr. M Jänecke) 03. · 2.50
— Üb. d. Stand d. höh. Mädchensch. in Preussen. Vortr. Mit e. Anzeige v. Rissmüller als Anh. [S.-A.] (24) 8° Lpzg, BG Teubner 05. — 80
Wessel, A: Schriftbetrachtgn z. Vorbereitg auf d. hl. Abendmahl. (96) 8° Lage, H Welchert 1899. Kart. 1 — d
Wessel, M: Die Organisation d. Polizei in d. Stadt Danzig u. in ihrem Hafen n. Einverleibg derselben in d. preuss. Monarchie. (68 m. 2 Taf.) 8° Danz., (L Sannier) 05. nn 2 — d
Wessel, P: Lehrb. d. Gesch. f. d. mittl. Kl. höh. Lehranst. Dent. Gesch. Anh.: Ausgeführte Zeittaf. 2. Afl. (154 u. 38) 8° Gotha, FA Perthes 1900. 1.80 d
— dass. f. d. Quarta höh. Lehranst. Griech. u. röm. Gesch. (bis z. Tode d. Augustus). Anh.: Zeittafeln. 3. Afl. (52) 8° Ebd. 05. — 80; geb. 1.20 d
— dass. f. d. Ober-Secunda höh. Lehranst. Das Altertum. Anh.: Ausgeführte Zeittafeln. 2. Afl. (113 u. 25) 8° Ebd. 1899. 1.40 d
— dass. f. d. Prima höh. Lehranst. 2 Tle. Mit Anh.: Zeittaf. 8° Ebd. 05. Je 2.40; geb. je 2.80 d
1. M.-A. u. Neuzeit (bis 1648). 4. Afl. (201 u. 35) | 2. Neuzeit. 3. Afl. (134 u. 28)
Wessel, W: Heimatkundl. Anschaugs-Unterr., s.: Niessen, J.
Wesseler, J: In Bethlehem u. Nazareth. — An d. hl. Stätten Jerusalems, s.: Unterhaltungs-Bibliothek, Steyler.
Wesselhöft, J: Der Garten d. Bürgers u. Landmannes, insonderh. d. Geistlichen u. Lehrers auf d. Lande. 5. Afl. (494 m. Abb.) 8° Langens., H Beyer & S. 05. 4 —; geb. 5 — d
— Nutzgärtnerei, s.: Jäger, H.
Wessely, C: Ein Altersindizium im Philogelos. [S.-A.] (47) 8° Wien, (A Hölder) 04. 1.20
— Die Stadt Arsinoë. (Krokodilopolis) in griech. Zeit. [S.-A.] (58) 8° Ebd. 02. 1.40
— Corpus papyror. Hermopolitanor., s.: Studien z. Palaeogr. u. Papyruskde.
— s.: Dioscurides, codex Aniciae Iulianae.
— Karanis u. Soknopaiu Nesos. Studien z. Gesch. antiker Cultur- u. Personenverhältn. [S.-A.] (171) 4° Wien, (A Hölder) 02. 9.30
— Topogr. d. Faijûm (Arsinoites Nomus) in griech. Zeit. [S.-A.] (182 m. 1 Karte.) 4° Ebd. 04. 10.80
Wessely, G: Das geheimnissvolle Haus. Kriminal-Roman n. d. Engl. (96) 8° Neuweissens., E Bartels (o. J.) 1 — d
Wessely, JE: Das Ornament u. d. Kunstindustrie in ihrer geschichtl. Entwickelg auf d. Geb. d. Kunstdruckes. 3. Bd. Bl. 201—300 (in Fksm.-Druck). (6 S. Text.) Fol. Berl. 1878. (Lpzg, KW Hiersemann.) In M. 100 — (Vollst., erm. Pr.: 180 —)
— Pocket dictionary of the Engl. and French languages. 26. ed. by L Tolhausen and A Payn. In collaboration with E Heymann. (372 u. 231) 12° Lpzg, B Tauchnitz 02. · 1.50; L. 2.25
— Pocket dictionary of the Engl. and Italian languages. 29. ed. by G Rigutini and G Payn. (292 u. 199) 12° Ebd. 03. 1.50;
L. 2.25
— Neues englisch-deut. u. deutsch-engl. Taschenwrtrb. 28. Afl. v. C Stoffel u. G Payn, unter Mithilfe v. G Berlit. (250 u. 538) 12° Ebd. 04. 1.50; L. 2.25 d
— Neues französisch-deut. u. deutsch-französ. Taschenwrtrb. 9. Ausg. (220 u. 242) 12° Ebd. 04. || 10. Afl. v. W Otto. (349 u. 292) 05. Je 1.50; L. je 2.25 d
— u. Girone's: Pocket dictionary of the Engl. and Spanish languages. 26. ed. by L Tolhausen & Payn. (218 u. 255) 8° Ebd. 04. 1.50; L. 2.25
Wessely, K: Auge u. Immunität, s.: Klinik, Berl.
Wessely, K: Zur Gesch. d. deut. Lit. Proben literarhistor. Darstellg. (169) 8° Lpzg, BG Teubner 05. Geb. 1.20 d
— Vereinf. griech. Schulgrammatik. 1. Tl: Formenlehre, nebst Anh., enth. d. Nötigste a. d. Syntax n. d. homer. Lautu. Formenlehre, sowie d. wichtigsten Vokabeln. (118) 8° Ebd. 04. Kart. 1.40 d
Wessely, V: Leitf. d. Vermessgsarbeiten zunächst als Studie f. alle, d. in d. prakt. Geodäsie u. Geometrie thätig sind. (561 m. 5 Taf.) 8° Ebd. 04. 8 — d
Wessely, Z. Ritter v.: Die Wasserversorgg Prags u. d. Projekte d. böhm. Sparkasse. Vortr. [S.-A.] (28) 8° Lpzg, F Leineweber 01. — 70
Wessen bedarf gegenwärtig d. deut. Volk, insbes. d. Arbeiterstand, zu er Befriedigg auf d. Geb. s. wirtschaftl. u. soz. Lebens? (Umschl.: Die wirtschaftl. u. soz. Lebensfrage uns. Handarbeiter.) Betrachtgn e. parteilosen u. unparteiischen Mannes. (23) 8° Cass., C Vietor 04. — 80 d
Wessenberg, P: Der Angelsport. Prakt. Ratgeber f. Fliegenfischer nebst Anl. z. Grundangeln. (172 m. Abb.) 8° Wien, L Weiss 02. L. 3 — d
Wesser, R: Der Holzbau m. Ausnahme d. Fachwerkes, s.: Beiträge z. Bauwiss.
Wesskalnys, J: Ex eat! Schmollis d. Ganzen! u. Anderes. (252) 8° Dresd., E Pierson 03. 3 — d
Wessmann: Philippus Thai, e. treuer Nationalhelfer im Bawendalande, s.: Missionsschriften f. Kinder.

West, JH: Verfehlte Akkordpolitik. [S.-A.] (7) 8° Berl., (Deut.
Verl.) 05. — 25 d
— Off. Brief an Zar Nicolaus v. Russl. Die neue Kultur u. d.
Warenzölle. Mit e. Geleitwort v. B v. Suttner. (24) 8° Berl.,
F Siemenroth 03. — 40
— Hie Europa! Hie Amerika! Aus d. Lande d. krassen Utilität.
(55) 8° Ebd. 04. 1 —
— Falsche Selbstkostenberechng in Fabrikbetrieben. [S.-A.]
· (7) 8° Berl., (Deut. Verl.) 05. — 25 d
— Richt. Selbstkostenberechng in Fabrikbetrieben. [S.-A.] (12)
8° Ebd. 05. — 50 d
West, LE: Der moderne Mädchenhandel. (47) 8° Berl., C Messer
& Co. 03. (?) 1 —
— Homosexuelle Probleme. (260) 8° Ebd. (03). 6 —
— Die Prostitution bei allen Völkern v. Altertum bis z. Neu-
zeit. (282) 8° Ebd. (03). 6 —
*Laut Börsenblatt 1903 Nr. 97 als Nachdruck a. d. Handel ge-
zogen.*
Westarp, Graf v.: Gesch. d. Feld-Artill.-Regts v. Pencker
(schles.) Nr. 6. Unveränd. Neuabdr. (320 u. 73) 8° Berl., ES
Mittler & S. 02. — ; L. nn 9.50 d
Westarp, A Graf v.: Späte Blumen. Gedichte. (103) 8° Dresd.,
E Pierson 03. 1.50 ; geb. 2.50 d
— Herzblut. Neue deut. Lieder. 2. Afl. (104) 8° Münch., JF Leh-
mann's V. (01). 1.50 d
Westberg, F: Die Fragmente d. Toparcha goticus (Anony-
mus tauricus) a. d. 10. Jahrh. [S.-A.] (126 m. 10 Taf.) 8° St.
Petersbg 01. (Lpzg, Voss' S.) 3.75
— Zur Wanderg d. Langobarden. [S.-A.] (35) 4° Ebd. 04. 1 —
Westberg, H: Grundz. d. deut. Schulgrammatik z. Gebr. in
Elementarsch. u. beim häusl. Unterr. 18. Afl. (74) 8° Mit., E
Behre 02. Kart. — 75 d
Westberg, N: Elektr. Betrieb auf Vollb. m. bes. Berücks. d.
schweiz. Eisenb. 1902. (50 m. Fig.) 8° Bern (01). Zür., Raescher
& Co. (— 50) — 50
Westcott, EN: David Harum, Amerikas ungekrönter König.
Übers. v. G Hainholz. (412) 8° Berl., L Simion Nf. 06. 4 — ;
L. 5 — d
Westemeyer, J: Duorplui. Lose Skizzen a. d. westfäl. Dorf-
leben in sauerländ. Mundart. (102) 8° Ess., Fredebeul & K.
03. — 75 d
Westenberger: Die Pflege d. Mundhöhle u. d. Zähne. (34) 8°
Lpzg, W Schumann Nf. 02. Geb. 1.50 d
Westenhoeffer, J: Französ. Dolmetscher, s.: Albert, L.
Westenhoeffer, M: Ueb. d. Grenzen d. Uebertragbark. d. Tu-
berculose durch Fleisch tuberculöser Rinder auf d. Menschen.
(48) 8° Berl., A Hirschwald 04. 1 —
— Ueb. Impftuberkulose. [S.-A.] (24) 8° Ebd. 04. — 80
Westentaschen-Fahrplan, Essener. Sommerdienst 1905 u.
Winterdienst 1905/6. (73 bezw. 70) 7,5×5,3 cm. Ess., O Radke's
Nf. Je — 10 d
Westentaschen-Kalender f. prakt. Aerzte u. Studier. Oktbr
1905—Dezbr 1906. (69) 10,7×6,5 cm. Münch., Verl. d. ärztl.
Rundschau. Kart. — 30
Westentaschen-Liederbüchlein. (165 u. 6) 128° Kirchheim-
bolanden, Thieme'sche Druckereien (o. J.). Kart. — 35 ;
Ldr — 60 d
Wester, C: Es lebe d. König! s.: Vereinstheater, neues.
Westerblad, J, s.: Methode Toussaint-Langenscheidt Schwe-
disch.
Westergaard, H: Die Lehre v. d. Mortalität u. Morbilität.
Anthropologisch-statist. Untersuchgn. 2. Afl. (702) 8° Jena,
G Fischer 01. 20 —
Westerlund, CA: Synopsis Molluscor. in regione palaearctica
viventium ex typo Clausilia Drap. [S.-A.] (37, 203) 4° St.
Petersbg 01. (Lpzg, Voss' S.) 12 —
Westermaier, M: Botan. Untersuchgn im Anschl. an e. Tropen-
reise. 3. Heft. Ueb. gelenkaart. Einrichtgn an Staammorganen.
[S.-A.] (26 m. 2 Taf.) 8° Freibg (Schweiz), Univ.-Bh. 01. 1 —
(Vollst.: 3 —)
Westermann's illustr. deut. Monatshefte f. d. ges. geist. Leben
d. Gegenwart. Red. v. A Glaser u. F Düsel. 46—50. Jahrg.
Oktbr. 1901—Septbr 1906 je 12 Hefte. [91—100. Bd.] (91. Bd.
1. Heft. 162 m. z. Tl farb. Abb. u. Taf.) 8° Brnschw., G Wester-
mann. Viertelj. 4 — ; einz. Hefte 1.40 d
Westermann, E: Deut. Grammatik f. d. mittl. Unterr.-Anst.
Russlds. 2. Afl. (87) 8° Riga, N Kymmel's S. 1899. Kart. 1 —
— Deut. Leseb. f. d. mittl. Unterr.-Anst. Russlds. 1—3. Jahr.
8° Ebd. Geb. 3.80 d
I. 3. Afl. (92) 02. 1.40 ‖ II./III. 2. Afl. (174) 01. 2.40.
— Materialien f. d. deut. Sprachunterr. (212) 8° Ebd. 03.
Geb. 1.40 d
Westermarck, E: Gesch. d. menschl. Ehe. Aus d. Engl. v.
L Katscher u. R Grazer. 2. [Tit.-]Afl. (44, 589) 8° Berl., H
Barsdorf [1893] 02. 10 — ; geb. 11.50 d
Westermayer, A: Griech., bezw. röm. Gesch., s.: Roth, KL.
Westermeier, O: Leitf. f. d. Försterprüfg. 10. Afl. d. Leitf.
f. d. preuss. Jäger- u. Försterexamen. (532 m. H., 1 Taf. u.
1 Tab.) 8° Berl., J Springer 04. 5 — ; L. 6 — d
Westermeier, N: Baierw. Wirtschaftsbetrieb in e. rein landw.
Gemeinde Nordböhmens. (144 m. 1 Karte.) 8° Tetsch., (O
Henckel) (03). nn 6 —
Western, A: Engl. Lautlehre f. Studierende u. Lehrer. 2. Afl.
(144) 8° Lpzg, OR Reisland 02. 3 —

Western, C: Geläut. Gold u. and. Novellen, s.: Ensslin's Roman-
u. Nov-Ullenschatz.
Westey, LL: The rogue with a past, deut. Ausg., s.: Frost, J,
d. Prinzess ohne Namen.
Westfal, B: In Liob' u. Leid. Gedichte. (60) 8° Berl. (S. 59,
Plan-Ufer 92 b Tl) A Frantz (01). — 60 ; L. 1.20 d
Westhoff, W: Bergbau u. Grundbesitz n. preuss. Recht unter
Berücks. d. übr. deut. Bergges. I. Bd. Der Bergschaden. (22.
(407) 8° Berl., J Guttentag 04. L. 9 —
— Das preuss. Gewerkschaftsrecht unter Berücks. d. übr. deut.
Berggesetze. (380) 8° Bonn, A Marcus & E Weber 01. L. 6 —
Wetthoven, H v.: Die deut. Staatslotterien. I. Vergleichg d.
Lotterien bez. ihrer grösseren od. geringeren Günstigk. 1.
n. 2. Afl. (15) 8° Hannov., A Sponholtz V. (03). — 20 d
Westkirch, L: Die Basis d. Pyramide. Der rote Shawl. —
— Geschichten v. d. Nordkante, s.: Universal-Bibliothek.
— Geschichten v. d. Nordkante, s.: Engelhorn's allg. Roman-
Bibliothek.
— Die 2 Gesichter d. Welt, s.: Verein f. Verbreitg guter Schriften,
Bern.
— König Hass. Roman. (305) 8° Berl., Concordia (04). 3.50 ;
geb. nn 4.50 d
— Aus d. Hexenkessel d. Zeit. Frauenschuld u. Frauengrösse.
Roman. 2. [Tit.-]Afl. (428) 8° Berl., A Schall [1894] (02). 3.50 ;
geb. 4.50 d
— dass., 3: Romane, deut.
— Jenseits v. Gut u. Böse. Roman. 2 Tle in 1 Bde. (308 u. 214.
8° Lpzg, P Reclam jun. (02). 4 — ; geb. 5 — d
— In d. Joachimsklamm, s.: Meyer's, U, Bücherei.
— Um e. Liebesglück. Roman. (338) 8° Berl., A Schall (03). 3.50 ;
geb. 4.50 d
— Loreley. Roman. (314) 8° Berl., O Janke (04). 3 — d
— Das Recht d. Liebe u. and. Novellen, s.: Universal-Bibliothek.
— Unter schwarzwaldtannen. Roman. 1. u. 2. Afl. (283) 8° Stuttg.,
Union (04). 5 — ; L. 4 — d
† Im Teufelsmoor. Erzählg. (179) 8° Lpzg 01. Stuttg., Union.
2 — ; L. 3 — d
— Urschels Fundgut, s.: Universal-Bibliothek.
Westland, E: Universität, Politik u. Dummheit. (243) 8° Berl.,
Lebensreform 01. nn 1.75
Westmann, S: Die Rechtsstellg d. a. mehreren Personen be-
steh. Vorstandes e. rechtsfäh. Ver. n. d. BGB., s.: Studien
z. Erläuterg d. bürgerl. Rechts.
Westphal: Theus Bloem, s.: Missionsschriften, neue.
Westphal, A, s.: Lehrbuch d. Psychiatrie.
Westphal, F, s.: Christl. Vergissmeinnicht auf d. Lebenswege.
12. Afl. (384) 10,8×7,8 cm. Stuttg., K Daser 04. L. m, G.1 — d
Westphal, F, s.: Hilfskalender f. Helfer u. Helferinnen an
ev. Sonntagssch.
Westphal, G: Untersuchgn üb. d. Quellen u. d. Glaubwürdigk.
d. Patriarchenchroniken d. Mari Ibn Sulaimān, 'Amr Ibn
Matai u. Ṣalība Ibn Johannān. I. Abschn.: Bis z. Beginn
d. nestorian. Streites. (170) 8° Kirchh. 01. (Berl., Mayer & M.)
2.50
Westphal, J: Gesch. d. kgl. Salzwerks zu Stassfurt unter Berücks. d. allg. Entwickelg d. Kaliindustrie. [S.-A.] (91 m.
9 Taf.) 4° Berl., W Ernst & S. 01. Kart. 6 —
Westphal, J, s.: Briefsammlung.
Westphal, J : Hilfsb. f. d. Relig.-Unter. an ev. Präparanden-
anst. (140) 8° Lpzg, Dürr'sche Bh. 02. 1.70 d
— Das ev. Kirchenlied n. sr geschichtl. Entwickelg. (138) 8°
Ebd. 01. 2.70 d
— Religionsb. f. ev. Präparandenanst., zugl. e. Hdb. f. d.
Relig.-Unterr. in Volks- u. Mittelsch. sowie in d. unt. Kl.
höh. Lehranst. 3 Tle. 8° Ebd. Kart. 6 — d
1. Die Heiligesch. d. Alten Test. (143) 03. 1.50 ‖ 2. Das Leben Jesu. (176)
02. 2.90 ‖ 3. Die Kirche Christi u. d. Apostelgesch. u. in Bildern a. d.
Kirchengesch. (157) 04. 2 —
Westphal, M: Die deutsch-span. Handelsbeziehgn, s.: For-
schungen, staats- u. sozialwiss.
Westphal, P: Ein ehemal. Klosterterritorium in Pommerellen.
(138 m. 2 Kart. u. 1 Pl.) 8° Danz., (F Brüning) 03. 3.50
Westphalen, E: Ueber e. Hölle?, s.: Volksschriften z. Um-
wälzg d. Geister.
Westram, O: Der Titelsatz, s.: Mäser, J.
Westram, s.: Das Pferd u. d. Automobil, s.: Pferde, uns.
Westrem s. Gutacker, R v.: Gesch. d. thüring. Husaren-Regts
Nr. 12. (143 m. 4 Lichtdr., 1 Uniformbild u. 3 Kartenskizzen.)
Berl., R Eisenschmidt 01. Geb. 6.50 d
Wetekamp, W : Volksbildgsarbeit in Dänemark. [S.-A.] (38)
8° Berl., Gesellsch. f. Verbreitg v. Volksbildg 01. — 30 d
Wetherell, E: Die weite, weite Welt, s.: Jacobi, M.
Wethly, G: Dramen d. Gegenwart. (203) 8° Strassbg, L Beust
03. 3.50 ; geb. 4.50
— Schiller u. s. Idee v. d. Freih. (16) 8° Ebd. 05. — 80
Wetmore, HC: Buffalo-Bill, d. letzte gr. Kundschafter. Lebens-
bild d. Obersten William F Cody, erzählt v. sr Schwester.
Aus d. Engl. v. A Vischer. (304 m. Abb. u. Titelbild.) 8°
Stuttg., J Engelhorn 02. 4 — ; L. 5 — d
Wetscheslow, MG, u. T Tarassewitsch: Führer durch d. deut.
u. sonst. westeurop. Bäder, Kurorte u. Heilanstalten. (In
russ. Sprache.) 1. Jahrg. (236) 8° Berl., Deutsch-russ. Verl.-
Gesellsch. (04). L. 2 —
*Den 1. Jahrg. s. u. d. T.: Tarassewitsch, T, Führer durch west-
europ. Kurorte.*

Wettbewerb um e. neues Rathaus f. Dresden. (46 Lichtdr. m. 8 S. Text u. 1 Abb.) Fol. Berl., E Wasmuth (01). 18.50
— unlaut. Monatsschrift f. gewerbl. Rechtsschutz. Hrsg. v. J Lubszynski. 1—4. Jahrg. Oktbr 1901—Septbr 1905 je 12 Nrn. (Nr. 1. 16) 4° Berl., Verl. Dr. Wedekind & Co. Viertelj. 2 —; einz. Nrn 1 — d
— dass. Nebst Beil.: „Der Markenschutz", red. v. M Wassermann. 5. Jahrg. Oktbr 1905—Septbr 1906. 12 Nrn. (Nr. 1. 12) 4° Ebd. Viertelj. 2 —; einz. Nrn 1 — d
Vom I.III.'06 an u. d. T.: Markenschutz u. Wettbewerb.
Wette, A: Für uns. Kleinen, s.: Schäfer, W.
— u. E **Humperdinck:** Deut. Kinderlieder. 1—5. Taus. (79 m. farb. Titelbild.) 4° Gotha, FA Perthes (03-05). Geb. 4 —
Wette, H: Krauskopf. Roman. (392) 8° Lpzg, FW Grunow 03. 3.50 || 2. u. 3. (Schl.-)Buch. (466 u. 500) 04.05. Je 4.50; Einbde in L. je 1 — d
— Simson. Tragödie n. Worten d. Alten Test. (82) 8° Ebd. 04. 2 — d
— Widukind. Drama. 2. Afl. (111) 8° Gotha, FA Perthes 03. 2 — d
Wettendorfer's Zeitschrift Die Spiritus-Industrie. Red.: G Wettendorfer. 19—28. Jahrg. 1901—5 je 24 Nrn. (Nr. 429. 8) 4° Wien (XVII)/1, Veronikagasse 36), G Wettendorfer. Je 8 — d
Wettendorfer, A: Der Kurort Baden bei Wien. Führer f. Ärzte u. Kurgäste. 3. Afl. (132 m. Bildnis u. 2 Pl.) 8° Wien, W Braumüller 03. Kart. 1.50
Wetter, das. Meteorolog. Monatsschrift f. Gebildete aller Stände. Hrsg. v. R Assmann. 18. u.'19. Jahrg. 1901 u. 2 je 12 Hefte. (1. Heft. 24 m. Abb. u. 1 Karte.) 8° Berl., O Salle. Je 6 —; einz. Hefte — 75 d
— dass. Monatsschrift f. Wittergskde. 17. v. R Assmann. 20—23. Jahrg. 1903—5 je 12 Hefte. (1. Heft. 24 m. Abb. u. 1 Karte.) 8° Ebd. Je 6 —; einz. Hefte — 75 d
Wetter, M: Altrhein. Geschichten u. Schwänke. (300) 12° Lpzg 03. Berl., H Seemann Nf. 2.50
— Der Kurfürst. Schausp. (a. Kölns Vergangenh.). (182) 8° Köln, P Neubner (1900). 2 —
— Polyxena. Dramat. Dichtg. (40) 8° Ebd. (05). Kart. 2 —
— Verse. (118) 8° Ebd. (01). Kart. 2 —
— Vittorio. Dramat. Gedicht. (140) 12° Ebd. (04). Geb. 2.50
Wetterer, A: Bruchsal vor 200 Jahren. (64) 8° Bruchs., (W Ott) 03. nn — 30; kart; nn — 40 d
Wetter-Kalender u. krit. Tage f. 1906. Jan.—Juni. (78) 13× 7,7 cm. Berl., H Steinitz (05). 3 — d
Bisher u. d. T.: Falb's, R, neuer Wetterkalender.
Wettig, H: Eisenach u. s. Umgebg. s.: Reisebücher, Thüringer.
— Die Sommerfrische Finsterbergen im Thüringer Walde u. ihre Umgebg in Wort u. Bild. (84 m. 1 Karte.) 8° Friedrichr. (01). (Gotha, Thienemann's Hofbh.) Kart. 1.20 d Vergr.
— Die Leicheuverbrennng u.d. Feuerbestattgs-Apparat in Gotha. 4. Afl. (45 m. 1 Abb. u. 5 Taf.) 8° Gotha, R Schmidt (02). 1 —
Wettschreiben, s. zw. Roller- u. Stolze-Schrey. [S.-A.]. Teucher, F: Die Logik bei Stolze-Schrey. (4 u. 4) 8° Berl. (01). (Lpzg, JH Robolsky.) nn — 30
Wettstein, A: Zurück z. kathol. Kirche? Begründe d. kathol. Glaubenslehre, bes. f. ev.-protestant. Christen. 12 Aufl. nn. G Schröch 03. — 75 d
Wettstein, E: Zur Anthropol. u. Ethnogr. d. Kreises Disentis (Graubünden). (132 m. Abb. u. 4 Taf.) 8° Zür., Rascher & Co. 02. 2.40
Wettstein, G: Das Kassenschrankfach-Geschäft (Coffre-Fort). 1. u.2.(Tit.-)Ausg.(123 u.9)8°Zür.,Schulthess & Co. [08] 05. 2.50
Wettstein, O: Die Tagespresse in uns. Kultur. Antrittsvorlesg. (34) 8° Zür., A Müller's V. 03. — 60 d
— Üb. d. Verhältnis zw. Staat u. Presse, m. bes. Berücks. d. Schweiz. (94) 8° Ebd. 04. 2.50
Wettstein, O: Das Telegr.-Strafrecht d. Entwurfs zu e. schweiz. Strafgesetzb. unter Berücks. d. Telegr.-Strafrechts and. Staaten.(96) 8° Bern 03. (Lpzg, Bh. G Fock.) 2.50
Wettstein, RR v,: Üb. directe Anpassg. Vortr. (27) 8° Wien. (A Hölder) 02. — 60
— Die Biol. uns. Wiesenpflanzen, s.: Vorträge d. Ver. z. Verbreitg naturwiss. Kenntnisse in Wien.
— Hdb. d. systemat. Botanik. 1. Bd. (901 m. Abb.) 8° Wien f Deuticke 02. 7 —|| II. Bd, 1, Tl. (100 m. Abb. u. 1 farb. Taf.) 9 —
— Leitf. d. Botanik. 2. Afl. (232 m. H. u. 3 farb. Taf.) 8° Lpzg, G Freytag. — Wien, F Tempsky 02. Geb. 3.50
— dass. f. d. ob. Cl. d. Mittelsch. 2. Afl. (232 m. H. u. 5 farb. Taf.) 8° Ebd. 01. Geb. 3.50
— Die Lianen, s.: Vorträge d. Ver. z. Verbreitg naturwiss. Kenntnisse in Wien.
— Der Neo-Lamarckismus u. s. Beziehg z.Darwinismus. Vortr. m. Anmerkgn u. Zusätzen. (30) 8° Jena, G Fischer 03. 1 —
— Das Pflanzenleben d. Meeres, s.: Vorträge d. Ver. z. Verbreitg naturwiss. Kenntnisse in Wien.
— Sokotra, s.: Vegetationsbilder.
— Descendenztheoret. Untersuchg. I. Untersuchgn üb. d. Saison-Dimorphismus in Pflanzenreiche. [S.-A.] (42 m. Fig. u. 9 Taf.) 4° Wien, (A Hölder) 1900. 6.80
— Vegetationsbilder a. Südbrasilien. (55 m. Abb. u. 69 [4 farb.] Taf.) 8° Wien, F Deuticke 04. In M. 24 —
— s.:Vorträge u. Besprechungen üb. d. Krisis d. Darwinismus. — Zeitschrift, österr. botan.
Wettstein, W: Register, s.: Dändliker's, K, Gesch. d. Schweiz.

Wettstein, W: Die Staatsangehörigk. im schweiz. Auslieferasrecht, s.: Beiträge, Zürcher, z. Rechtswiss.
Wetturnordnung, d. deut. u. schweiz. Taschenausg. (42) 16° Stuttg., P Mähler (03). — 40 d
— dass. nebst prakt. Winken u. Ratschlägen f. Wetturner. Taschenausg. (49) 16° Ebd. (03). — 50 d
Wetz, W, s.: Zeitschrift f. vergleich. Litt.-Gesch.
Wetzel, A: Lehr- u. Stoffverteilgspl. f. d. einklass.Volksach. d. Prov. Pommern. In Gemeinschaft m. K Schröder u. O Engelmann gearb (47 m. 10 Tab.) 8° Stett., J Burmeister 01. 2 — d
Wetzel, A: Ein Beitrag z. Frage d. tox. Eiweisszerfalls beim Carcinom. (18) 8° Tüb, F Pietzcker 04. nn — 70
Wetzel, C: Die Bearbeitg v. Glaskörpern bis zu d. neuesten Fortschritten. (236 m. Abb.) 8° Wien, A Hartleben 01. 4 —; geb. 4.80 d
— Die Herstellg u. Brauchbark. künstl. Pflastersteine bis zu d. neuesten Fortschritten. (181) 8° Mittw., Polytechn. Bh. 01. 3 — d
Wetzel, E, u. F **Wetzel:** Grundr. d. deut. Grammatik. Nebst e. Plane, enth. d. Verteilg d. Lehrstoffes f. Schulen v. verschied. Klassenzahl. 108. Afl. v. E Wetzel. (110) 8° Bielef., Velhagen & Kl. 02. Geb. 1.10 d
— Leitf. f. d. Unterr. in d. deut. Sprache. Schulgrammatik f. höh. Lehranst. 53. Afl. v. E u. F Wetzel. (246 nebst Hdb. d. Rechtschreibg z. Gebr. f. Schüler 65) 8° Ebd. 02. Geb. 2.50 d
— Die deut. Sprache. Grammatik f. höh. Lehranst. u. z. Selbstunterr. 12. Afl. v. E Wetzel. (115) 8° Ebd. 04. 4.50; geb. 5.40 d
Wetzel, F: Deut. Leseb., s.: Büttner, A.
— H **Menges,** J **Menzel,** C **Richter:** Sammlg deut. Gedichte. Zugl. als „Poet. Anh." zu d. Schul-Leseb. Neu bearb. v. K Schumann. (Neudr.) (112) 8° Berl., Stubenrauch 05. — 30; geb. — 50 d
— — — Schul-Leseb. Neu bearb. v K Schumann. Ausg. A in 2 Tln f. mehrklass. Schulen 8° Ebd. 05. 1.95; geb. nn 2.65 d
1. Vorst. Für d. Mittelkl. 115. Afl. (320) — 70; geb. nn 1 — || 2. Für d. Oberkl. 66. Afl. (566) 03. 1.25; geb. nn 1.65.
— J **Menzel,** C **Richter:** Schul-Leseb. Neu bearb. v. K Schumann. Ausg. B. Für einf. Schulverhältn. 94. Afl. (484) 8° Ebd. 05. 1.15; geb. 1.50 d
Wetzel, FX: Der Berg d. Seligkeiten. 1—22. Taus. (111) 16° Ravensbg, F Alber (03). 3 — d
— Der sel. Petrus Canisius, s.: Volksbibliothek, kathol.
— Warum wir glauben. 1—20. Taus. (108) 16° Ravnsbg, F Alber (02). — 35 d
— Das christl. Haus. Für Braut- u. Ehelente. (105, 132, 111 L. 3.40 d
— Der Herr kommt. Büchl. f. Erstkommunikanten. 1—20. Taus. (121) 16° Ebd. (03). — 35 d
— Das Herz Jesu. 1—20. Taus. (120) 16° Ebd. (02). — 35 d
— Der prakt. Katholik. 1—20.Taus. (101) 16° Ebd. (01). — 35 d
— Der röm. Katholizismus gegenüber d. einf. Evangelium. 1—22. Taus. (124) 16° Ebd. (03). — 35 d
— Das Kind im Verkehr m. Gott, s.: Koneberg, H.
— Das Kinderglück. Für Kinder v. 7—15 Jahren. (99, 109, 112 u, 123) 16° Ravnsbg, F Alber (01). L. 3.40 d
— Leitsterne f. d. männl. Jugend u. strebsame Männer. 4. Afl. (314) 16° Ebd. (03). 1.30; geb. 2.60 d
— Auch d. Männer müssen beten, s.: Volksbibliothek, kathol.
— Die falschen Propheten. Die grösste Gefahr d. Gegenwart. (359) 8° Ravnsbg, F Alber (04). 1.50 d
— Reisebegleiter f. Jünglinge. 1—20. Taus. (98) 16° Ebd. (03). — 35 d
— Reiseführer f. Mädchen. 1—20. Taus. (98) 16° Ebd. (01). — 35 d
— Heim 7. Schulj. Tageb. e. Schülers. (236 m. Abb. u. 6 Taf.) 8° Ebd. (01). 2.80; L. 3.50 d
— Das Sonntagsglück. 1—20. Taus. (124) 16° Ebd.(08). — 35 d
— Das „Vaterhaus" u. s. Gegner. 4. Afl. (99) 16° Ebd. (03). — 35 d
— Der Wegz.Himmel.Lehr- u. Gebetbüchl. 3. Afl. (238 m. 1 Lichtdr.) 10,9×7,2 cm. Ebd. 05. L. 1 —; Ldr 1.40 d
— Dr. Otto Zardetti, Erzbischof v. Mocissus. Erinnergsblätter. (63 m. 1 Bildnis.) 8° Einsied., Verl.-Anst. Benziger & Co. 02. 1.90
Wetzel, H: Die Verweigerg d. Heerdienstes u. d. Verurteilg d. Krieges u. d. Wehrpflicht in d. Gesch. d. Menschh. (03.) 8° Potsdam (Spandauerstr. 28), Dr. H Wetzel 05. 1 —
Wetzel, M, s.: Gymnasium.
— Latein. Schulgrammatik, s.: Schultz, F.
— Die wichtigsten latein. Synonyma. 3. Afl. v. A Wirmer. (20) 8° Paderb., F Schöningh 03. — 30 d
Wetzel, P: Übgsstücke z. deut. Rechtschreibg. In Anlehng an d. Satzlehre z. Gebr. in höh. Schulen sowie z. häusl. Benutzg. 4. Afl. (127) 8° Berl., Weidmann 03. Kart. 1.30 d
Wetzel, R: Das Evangelium im h. Lande, s.: Festschriften f. Gustav-Adolf-Ver.
Wetzel, T: Präparat. zu Ciceros Rede f. d. König Deiotarus. (16) 8° Lpzg, BG Teubner 03. — 30
— Präparat. zu Ciceros Rede f. Q. Ligarius. (12) 8° Ebd. (03). — 30
— Präparat. zu Lysias' Rede geg. Eratosthenes. (18) 8° Ebd. 04. — 40

Wetzer u. Welte's Kirchenlexikon od. Encyklopädie d. kathol. Theol. u. ihrer Hülfswiss. **2.** Afl., begonnen v. J Hergenröther, fortgesetzt v. F Kaulen. 130—132. Heft. (13. Bd. Sp. 1537—2106) 8° Freibg i/B., Herder 01. Je 1 —
(Jeder Bd: 11 —; geb. nn 13.40) d
— dass. Namen- u. Sachreg. zu allen 12 Bdn. Von HJ Kamp. Mit e. Einl.: Zur Benutzg d. Kirchenlexikons. Von M Abfalter. (38, 604) 8° Ebd. 03. 9 —; HF. nn 11 — d
Wetzler, B: Wohngsnoth u. Wohngsreform. Zur Frage d. Bekämpfg d. Tuberculose. (44) 8° Wien, (F Deuticke) 02. — 80
Weule, K: Gesch. d. Erdkenntnis u. d. geograph. Forschg, zugl. Versuch u. Würdigg beider in ihrer Bedeutg f. d. Kulturentwicklg d. Menschh. [S.-A.] (180 u. 256 m. Abb., Kart. u. 40 Taf.) 8° Berl., Deut. Verlagshaus Bong & Co. 04.
25 — d
— Das Meer u. d. Naturvölker. Beitrag z. Verbreitgsgesch. d. Menschheit. [S.-A.] (52) 8° Lpzg, Dr. Seele & Co. 04. 2 —
— Völkerkde u. Urgesch. im 20. Jahrh. (43) 8° Eisen. 02. Lpzg, Thüring. Verl.-Anst. 1 —
— s.: Weltgeschichte.
Wevelmeyer, KE: Der Kinderfreund. Fibel n. 1. Leseb. 2. Afl. (108 m. Abb.) 8° Berl., G Grote 03. Geb. 1 —;
Begleitwort f. Lehrer. (15) Unberechnet. d
Wevers: Der Segen theolog. Seminarbildg. — Dibelius: Pia desideria f. d. Heilsverkündigg in unsern Tagen. Vortr. (39) 8° Berl., M Warneck 04. — 50 d
Wewel: Auf Apostelpfaden od. d. Missionars Freud u. Leid, s.: Unterhaltungs-Bibliothek, Steyler.
Wewer, J: Buchführgshefte f. kaufmänn. u. gewerbl. Fortbildgssch. 5 Hefte. (12, 11, 11, 32 u. 18) Fol. Dortm., FW Ruhfus 01. 1.80 d
2. *Afl. u. d. T.:*
— Buchführgshefte f. Fortbildgssch. Ausg. A: Einf. Buchführg. 2. Afl. 4 Hefte. Fol. Ebd. 02. 1.20 || 3. Afl. (16, 20, 16 u. 36)
(03.) 1.20 d
1. Inrentnrb. (nebst Steuererklärg u. Hilfsb.). (14) || 2. Memorial. (10) || 3. Kassab. (2 Doppels.) || 4. Hauptb. (12 Doppels. u. 3 S.)
— dass. Ausg. B. Dopp. Buchführg. 2. Afl. Heft 1, 2a u. b u. 3. Fol. Ebd. 02. 2.40
1. Inrentnrb. (nebst Steuererklärg u. Hilfsb.). (22) || 2a. Einkaufsb. (8) || 2b. Verkaufsb. (8) || 3. Memorial. (12) || 4. Kassab. (5 Doppels.) || 5. Contocorrentb. (12) || 7. Hauptb. (20) || 8. Amerikan. Journal. (11)
— Der Geschäftsmann. Ratgeber bei d. schriftl. Arbeiten d. Gewerbetreib. 7. Afl. (264) 8° Ebd. 04. Kart. 1.60; geb. 2.40 d
— Vaterländ. Gesch. Für Volks- u. Mittelsch. bearb. Ausg. B: f. konfessionell gemischte nassauische Schulen. 2. Afl. (131) 8° Wiesb., E Behrend 02. Kart. nn — 60 d
— Vaterländ. Gesch. — Gesch. f. d. Mittelsch. d. Stadt Frankfurt am Main, s.: Froning, R.
— Lehrb. d. deut. Handelskorrespondenz in Verbindg m. Kontorarbeiten u. Handelsbetriebslehre. Im Anschl. an d. Übgsheft f. d. Handelskorrespondenz u. d. Kontorformulare d. Kaufmanns" bearb. 3 Tle. 8° Dortm., FW Ruhfus.
5.60; geb. 8 — d
1. 1. u. 2. Afl. (134 bezw. 148) 08.05. 1.60; geb. 2 — || II. (180) 04. 2 —; geb. 2.40 || III. (214) 04. 3 —; geb. 3.60.
— Übgsheft f. d. schriftl. Arbeiten d. Gewerbetreib. Ausg. I in 5 Heften. Für Fortbildgssch. u. Gewerbetreib. 4° Ebd.
Je — 30 d
1. (Unterst.) 3. Afl. (32) 04. || 2. (Mittelst.) 7. Afl. (32) 04. || 3. (Oberst.) 7. Afl. (32) 05. || 4. (Kaufführgsheft) 1. Afl. (30) 05. || 5. (Kalkulationsheft) (27) 03.
— dass. II: Kleinere Ausg. in 2 Tln. 1. Heft 3. Afl. u. 2. Heft 2. Afl. (Je 32) 8° Ebd. 05.02. Je — 30 d
— dass. Ausg. C (in 3 Arbeitsheften nebst Vorlagenmappen, dazu, Heft 4 [Buchführgsheft] u. Heft 5 [Kalkulationsheft]. Ausg. I]). 4° Ebd. (04). 2.20 d
1. (Unterst.) (20) — 60 || 2. (Mittelst.) (24) — 50 || 3. (Oberst.) (32) — 90.
— Übgsheft f. d. Kontokorrent-Rechng. (32) 8° Ebd. 05. — 40 d
— Übgshefte f. d. Handelskorrespondenz u. d. Kontorformulare d. Kaufmanns. 3 Doppelhefte (u. 1 Korrespondenzheft A u. 1 Formularheft B). 4° Ebd. 2.80 d
1. Unterst. A. (16 Bog. Schreibpap.) — B. (39 S. Formulare.) 03. 1.60 || 2. Mittelst. A. (16 Bog. Schreibpap.) — B. (46 S. Formulare.) 03. 1.60 || 3. Oberst. A. (6 Bog. Schreibpap.) — B. (56 S. Formulare.) 02. 2.80.
— dass. Ausg. II (in 3 Arbeitsheften [m. Schreibpap.] nebst · Vorlagenmappen [Formulare]. 8° Ebd. (05). 3.40 d
1. (Unterst.) 1 — || 2. (Mittelst.) 1.20 || 3. (Oberst.) 1.20.
Wewiorka, H: Berg- u. Hüttenlieder f. Schule u. Haus. (24) 8° Kattow., G Siwinna (01). — 20 d
Wexel, C: Auf d. Posten, s.: Thalia.
Wey, X : Die Laminectomie. (145 u. 4) 8° Zür., (E Speidel) (03). 1.50
Weyde, F : Die Wittergs-u. Wasserstands-Verhältn. in Budweis. (48 m. 1 Karte.) 8° Budw., (LE Hansen) 01. 1.80
Weyde, J: Üb. d. Beziehgn d. deut. u. d. tschech. Sprache. — Sprach- u. Naturwiss., s.: Sammlung gemeinnütz. Vortr.
— Wrtrb. f. d. neue deut. Rechtschreibg. Mit kurzen Wort- u. Sacherklärgn, Verdeutschgn u. Fremdwörter u. Rechtschreibregeln. 1—45. Taus. (271) 8° Wien, F Tempsky. — Lpzg, G Freytag 02. || 2. Afl. (249) 04. Geb. je 1.50 d
Weyde, J: Einführg in d. deut. Handelscorrespondenz, s.: Voigt, L.
Weyden, Rogier van d. (Rogier de la Pasture.) 1400?—64. Hinrichs' Fünfjahrskatalog 1901—1905.

7 Lfgn. (Je 5 Lichtdr.) 40,5×31 cm. Haarl., H Kleinmann & Co.
Je 6 —
1 — L. Kgl. Museum Antwerpen, National-Gallerie London, Louvre Paris. Mauritshuis Haag, Uffizi-Galerie Florenz. (01.)
5. Kgl. Gemälde-Galerie, Berlin; Städel-Kunstsammlg, Frankfurt; kgl. Museum, Antwerpen. (02.)
6. Collection R v. Kaufmann-Berlin, CL Cordon-Brüssel, C Sedelmeyer. Paris, Museum Neapel. (2 S. Text.) (03.)
7. Kgl. Museum Brüssel, National-Museum, Prado, Escurial Madrid. (2 S. Text.) (05.)
Weyel: Deut. Leseb. f. höh. Lehranst., s.: Schulz, B.
Weyer, B. s.: Taschenbuch d. Kriegsflotten.
Weyer, G: Bau-Unfallversichergsges. nebst Ges., betr. d. Abänderg d. Unfallversichergsges., Verordngn üb. d. Verfahren vor d. Schiedsgerichten u. d. Reichs-Versichergsamt, Ausführgsbestimmgn u. Tab. (122) 8° Berl., Gesetzverl. Schulze & Co. 01. Geb. 1.80 d
Weyermann, MR: Das Verlagssystem d. Lauschaer Glaswaren-Industrie u. s. Reformierg, s.: Wirtschafts- u. Verwaltungsstudien.
Weyermüller, F: Gebet e. luther. Christengemeinde um e. treuen Hirten. (4) 8° Zwick., J Herrmann (05). — 10 d
Weygandt, C, s.: Imkerschule, d.
Weygandt, W: Atlas u. Grundr. d. Psychiatrie, s.: Lehmann's mediz. Handatlanten.
— Die Behandlg d. Neurasthenie, s.: Abhandlungen, Würzburger, a. d. Ges.-Geb. d. prakt. Medizin.
— Beitrag z. Lehre v. d. psych. Epidemien. (102) 8° Halle, C Marhold 05. 7.50
— Weitere Beitr. z. Lehre v. Cretinismus. [S.-A.] (54 m. Abb. u. 2 Taf.) 8° Würzbg, A Stuber's V. 04. 3 —
— Üb. Idiotie. — Leicht abnorme Kinder. — Der heut. Stand d. Lehre v. Kretinismus, s.: Sammlung zwangl. Abhandlgn a. d. Geb. d. Nerven- u. Geisteskrankh.
— Verhütg d. Geisteskrankh., s.: Abhandlungen, Würzburger, a. d. Ges.-Geb. d. prakt. Medizin.
Weyher, W: Die schwarze Frau, s.: Vereinstheater.
Weyl, A; Die Bedeutg d. Hauses im alttestamentl. Erziebgsplane. [S.-A.] (27) 8° Frankf. a/M., J Kauffmann 03. 1 —
— Direktor Dr. Mendel Hirsch. Gedächtnisrede. (15) 4° Frankf. a/M., AJ Hofmann 01. — 50
Weyl, F: Die Standesherrnqualität d. Grafen v. Altleiningen-Westurburg zu Ilbenstadt. (111) 8° Giess., A Töpelmann 01. 2.40
Weyl, M: Das 2. Josephs-Gedicht v. Narses. Nach 2 Handschriften d. kgl. Bibliothek zu Berlin. (24 u. 45) 8° Berl., M Poppelauer 01. 1.50
Weyl, R: Der Name d. Findelkinder u. and. Namenlosen. (Civilrechtl. Studie. [S.-A.] (75) 8° Meider.-Duisbg, A Heiland & Co. 03. 1 — d
— System d. Verschuldensbegriffe im BGB. f. d. Deut. Reich. (665) 8° Münch., J Schweitzer V. 05. 21 — d
Weyl, T: Assanierg. Die Abwehr gemeingefährl. Krankh., s.: Handbuch d. Hygiene.
— s.: Assanierung, d., d. Städte in Einzeldarstellgn. — Fortschritte d. Strassenhygiene.
— Zur Gesch. d. soz. Hygiene, s.: Handbuch d. Hygiene.
Weymann, C: 4 Epigramma d. hl. Papstes Damasus I. Festgabe z. 50jähr. Priesterjubiläum d. Erzbischofs v. München-Freising Dr. FJ v. Stein. (43) 8° Münch., JJ Lentner 05. 1.40
— Die Epitome d. Iulius Exuperantius, s.: Landgraf, G. The long night.—Starvecrow farm, s.: Collection of Brit. auth.
Weymann, K: Das Invalidenversichergsges. v. 13.VII.1899 u. d. zugehör. Reichs-Ausführgsbestimmgn. 2. Afl. 3. Lfg. (32 u. 161—704) 8° Berl., F Vahlen 01.02. 9.50
(Vollst. 12 —; HF. 14 —) d
— dass., s.: Rechtsbücher f. d. deut. Volk.
— Die Unfallversicherg d. Deut. Reichs. (99) 8° Berl., F Vahlen 04. — 90 d
— Die sozialpolit. Wirkg d. §§ 46 u. 146 Invalidenversichergsges. Vorschläge z. Beseitigg d. Erlöschens d. Anwartschaft. [S.-A.] (20) 8° Grunew.-Berl., Verl. d. Arbeiter-Versorgg A Troschel 04. — 50 d
Weymann, O: Ein Kampf ums Glück. Aus d. Blättern e. Tageb. (81) 8° Dresd., E Pierson 01. 2 — d
Weymann, SJ: Meine Schiefertafel. Die 1. Zeichenvorl. f. uns. Lieblinge. (13 Taf.) 8° Strassbg, Schlesier & Schw. (05). 1 —
Weyr, E: Zum Normalenproblem d. Ellipse. [S.-A.] (6) 8° Prag, (F Řivnáč) 02. — 12
Weyrauch, JJ: Grundr. d. Wärmetheorie. 1. Hlfte: I. Erhaltg d. Energie. 1. Hauptsatz. — II. Wärme u. Arbeit. 3. Hauptsatz. — III. Üb. Wärmemotoren im allg.—IV. Üb. d. Gasen.— V. Üb. Luftmaschinen.—VI. Üb. d. Chemie, kinet. Gastheorie.—VII. Üb. Verbrennungsmotoren. (384 m. Fig.) 8° Stuttg., K Wittwer 05. 12 —; L. 13.20
Weyrauch, M: Die mittelengl. fassgn d. sage v. Guy of Warwick u. ihre altfranzös. vorlage, s.: Forschungen z. engl. sprache u. lit.
Weyrauch, R: Unterlagen z. Dimensionierg städt. Kanalnetze. (67 m. Fig.) 8° Stuttg., F Grub (04). 2 —
Weysar, D: Märchen a. d. Tierleben. (101 m. 13 Farbdr.) 8° Berl., JM Spaeth (05). Geb. (4.50) 3 — d
Weyssenhoff, J Baron: Ein Uebermensch. Leben u. Gedanken d. Herrn Siegmund v. Podfilipski. Aus d. Poln. v. BW Segel. 1. u. 2. Afl. (324) 8° Stuttg., Deut. Verl.-Anst. 02. 2 —; geb. 3 — d

20)

Whipple, IL: The ventral surface of the mammalian Chiridium, with special reference to the conditions found in man. [S.-A.] (108 m. Abb. u. 2 Taf.) 8° Stuttg., E Schweizerbart 04. 8 —
Whist s.: Miniatur-Bibliothek.
Whistler's, J McN, Zehnuhr-Vorlesg (ten o'clock). Deutsch v. T Knorr. (44) 8° Strassbg, JHE Heitz 04. 1 — d
Whist- u. **Skatspieler**, d., nebst e. gründl. Anweisg z. Erlerng d. L'Hombrespiels. 11. Afl. (156) 8° Lpzg, Ernst (03). 1 — d
White, AD: Aus meinem Diplomatenleben. Aus d. Engl. v. R Mordaunt. (457) 8° Lpzg, R Voigtländer 06. 10 —; L. 12 — d
White, EG: Christus uns. Heiland. 30. Taus. (158 m. Abb.) 8° Hambg, Internat. Traktatgesellsch. 1900. Kart. 2 —; L. 3.50 d
— Gedanken v. Berg d. Seligpreisgn. 17. Taus. (167 m. Abb.) 8° Ebd. 01. Kart. 2 —; L. m. G. 3 — d
— Der Weg zu Christo. 40. Taus. (160 m. Abb.) 8° Ebd. 1900. 1 —; L. m. G. 2 — d
White, HA: The book of Leviticus, s.: Driver, SR.
White, P: The new christians. — The countess and The king's diary. — Park Lane. — The patient man. — A millionaire's daughter. — A parsiouate pilgrim. — The triumpf of Mrs St. George. — The system. — The west end, s.: Collection of Brit. auth.
— Westend, s.: Union-Sammlung moderner Romane.
Whiteing, R: The life of Paris. — The yellow van, s.: Collection of Brit. auth.
Whitfield, EE: Engl. Handelskorrespondenz, s.: Sammlung Göschen.
Whitman, S: Fürst v. Bismarck. Persönl. Erinnergn an ihn a. s. letzten Lebensj. (241 m. Titelbild.) 8° Stuttg., Union (02). L. 7 — d
— Life of the Emperor Frederick, based upon the German of M v. Poschinger, s.: Collection of Brit. auth.
Whitman, W: Grashalme. Ausw. Übers. v. K Federn. (28, 192 m. Bildnis.) 8° Mind., JCC Bruns 04. 1.50 d
— dass. In Ausw. a. d. Engl. übertr. u. m. Einl. v. W Schölermann. (182 m. Bildnis.) 8° Lpzg 04. Jena, E Diederichs. 5 —; geb. 4 —
— Novellen. Deutsch v. T Ettlinger. (102) 8° Mind., JCC Bruns (01). 1.50; geb. 2 — d
— Prosaschriften, s.: Fruchtschale, d.
Who is to inherit? or, the darkest hour is the hour before day, s.: Theatre, modern Engl. comic.
Wilbelt, A: Die lesten Blomen. Vertellsels ut'n Mönsterlanne. (238) 8° Ess., Fredebeul & K. 05. 2.40; geb. 3 — d
— Wilde Blumen. Gedichte f. d. junge Welt. (75 m. Abb.) 8° Ebd. 01. — 60; kart. — 70 d
— Hus Dahlen. Erzählg in Münsterländer Mundart. (287) 8° Ebd. 03. 2.40; geb. 3 — d
— Drücke-Möhne. Lust. Geschichten in münsterländ. Mundart. 2 Tle. 3. Afl. (338 u. 328) 8° Münst. 03. Ess., Fredebeul & K. Je 2.60; L. je 3.60 d
— Im bunten Rock. Aus meinem Tagbde. (154) 8° Ess., Fredebeul & K. 01. 1.50; L. 2 — d
— De Strunz. Erzählg in münsterländ. Mundart. (278) 8° Ebd. 02. 2.40; L. 3 — d
— Wildrups Hoff.Erzählg in münsterländ.Mundart. (177 m. Abb.) 8° Ebd. 1900. 2.40; L. 3 — d
— dass. m. d. Fortsetzg Mariechen Wildrups. 2. Afl. (358 m. Abb.) 8° Ebd. 02. 2.40; geb. 3 — d
— Schulte Witte. Erzählg in Münsterländer Mundart. 2 Tle. 8° Ebd. 06. Je 2.40; L. je 3 — d
1. In de Stadt. (286) ‖ 2. Trüg up't Land. (292)
Wibel, H: Beitr. z. Kritik d. Annales regni Francor. u. d. Annales q. d. Einhardi. (294) 8° Strassbg, Schlesier & Schw. 02. 7 — d
Wibert v. Toul: Leben d.hl.Papstes Leo IX.Übers.v.PP Brucker. (155 m. 2 Abb.) 8° Strassbg, FX Le Roux & Co. (02). — 60 d
Wichelhaus, H: Populäre Vorlesgn üb. chem. Technol. (379 m. Abb.) 8° Berl., G Siemens 02. 10 — ‖ 2. Thl. (193 m. Abb.) 04. 5 —; Einbde in 1x. d
Wichels, J: Alkoholismus u. Erziehg. Vortr. (16) 8° Geestem. (JH Henke) 04. 1 — d
Wicherkiewicz, W: Poln. Konversations-Grammatik. 2. Afl. v. M v. Wyczliński. (Methode Gaspey-Otto-Sauer.) (357) 8° Hdlbg, J Groos 04. geb. 4.50; Schlüssel. (108) Kart. 3 — d
Wichern, C: Alte u. neue Weihnachtslieder f. Schule u. Haus. 13. Afl. (48) 12° Hambg, Agent. d. Rauhen H. (03). — 90; kart. — 80 d
Wichern, E, s.: Tann, C v. d.
— Das Rosenhäuschen am Genfer See. Erzählg f. Kinder. (76) 12° Hambg, Agent. d. Rauhen H. 03. Kart. (— 50) — 30 d
Wichern, G: Üb. Chinolinazine. (52) 8° Hambg, W Mauke Söhne 05. 1 —
Wichern, H: Üb. primäre Endotheliome d. Pleuroperitonealhöhle. (53) 8° Hambg, W Mauke 02. 1 —
Wichern's, JH, ges. Schriften. II—IV. 8° Hambg, Agent. d. Rauhen H. 29.60; L. 33.80 (I—IV.: 35.60; geb. 41 —) d
II. Briefe u. Tagebuchblätter. Hrsg. v. J Wichern. 2. Bd. 1840—57. (508 m. Bildnis.) 01. 6.80; geb. 7.80
III. Prinzipielles u. inneren Mission. Die wichtigsten Aufsätze, Vorträge u. Abhandlgn üb. Fragen u. Aufg. d. inneren Mission. Hrsg. v. F Mahling. (1275) 02. — u. 1 geb. 18 —
IV. Zur Geffängnis-Reform. Reden, Denkschriften u. Gutachten üb. d. Gefängniswesen, spez. d. Durchführg d. Einzelhaft in Preussen. Hrsg. v. J Wichern. (491) 05. 7 —; geb. 8 —

Wichers, F: Marienpreis! Vollständ. Gebet- u. Andachtsb. f. alle frommen Verehrer d. allersel. Jungfrau. (384 m. farb. Titel u. 1 Farbdr.) 16° Dülm., A Laumann 01. L. 1.50 d
Wichert's, E, ges. Werke. 1—8. u. 16—18. Bd. 8° Dresd., C Reissner. Je 3 —; geb. je 4 — d
1—8. Heinrich v. Plauen. Histor. Roman. 3 Bde. 9. Afl. (884, 404 u. 337) 05. ‖ 16. Littauische Geschichten. 1. Bd. 3. Afl. (354) 04. ‖ 17. Dass. 2. Bd. 2. Afl. (360) 01. ‖ 18. Die Thorner Tragödie. Roman. (296) 02.
— Im Dienst d. Pflicht, s.: Universal-Bibliothek.
— Gedichte u. Sprüche. (122) 8° Dresd., C Reissner 04. 2 —; geb. 3 — d
— Geschichten im Schnee. (249) 8° Ebd. (03). 3 —; geb. 4 — d
— Herrenmoral. Roman. 2. [Tit.-]Ausg. (285) 8° Ebd. [1897] 01. 2 —; geb. 3 — d
— Der Hinkefuss u. and.Novellen. (248)8°Ebd.01. 3 —; geb. 4 — d
— Des Königs Dank, s.: Universal-Bibliothek.
— Der zerbrochene Krummstab. Novelle. (164) 8° Dresd., C Reissner 02. 2 —; geb. 3 — d
— s.: Monatsschrift, altpreuss.
— Monte-Carlo u. and. Gosch. 2. [Tit.-]Ausg. (268) 8° Dresd., C Reissner [1898] 01. 2 —; geb. 3 — d
— Mütter. 2 Novellen. (290) 8° Ebd. (04). 3 —; geb. 4 — d
— Der Schaktarp, s.: Verein f. Verbreitg guter Schriften, Zürich.
— Der Sohn s. Vaters, s.: Goldschmidt's Bibliothek f. Haus u. Reise.
— Für todt erklärt, s.: Reclam's Unterhaltgs-Bibliothek.
— Ein Wohltäter, s.: Bücherei, deut.
Wichert, F: Zw. Auf- u. Niedergang. Gedichte. (73) 12°Dresd., C Reissner 03. Kart. 1 — d
Wichmann, A: Fibel, n. prakt. Grundsätzen bearb. Ausg. A. 29. Afl. (139) 8° Berl., Stubenrauch 04. Geb. nn — 65 d
— u. A **Lampe**: Fibel auf Grundl. d. Schreiblese- u. Normalwortmethode. Ausg. B. 21. Afl. 2 Tle. (68 u. 64 m. Abb.) 8° Bielef., Velhagen & Kl. 05. Je — 25; in 1 Bd geb. — 65 d
Wichmann, A: Die Eheschliessg im internat. Verkehr, s.: Schmitz, L.
Wichmann, F: Abendsterne, s.: Gabelsberger-Bibliothek.
— Der Brillant, s.: Weber's moderne Bibliothek.
— Die 3 Eisheiligen u. and. Novellen, s.: Erzähler, deut.
— Lustige Geschichten, s.: Ensslin's Roman- u. Novellenschatz.
— Die Goldtrupf. — Das Heiligtum, s.: Weber's moderne Bibliothek.
— Am Hochzeitstage u. anderes. Erzählgn. (136) 8° Lpzg (04). 1 — d
— Erfurt, F Kirchner. 1 — d
— Die Parze, s.: Universal-Bibliothek.
— Pilatus, s.: Weber's moderne Bibliothek.
— Die Schuhe d. Ruhmes u. and. Novellen, s.: Unterhaltungsbibliothek, moderne.
— Vergangenheit, s.: Echtlitz, H v.
— Ein Vermisster, s.: Welt, alle.
Wichmann, F: Bonaparte u. Bourbon. Histor. Drama a. d. Zeit Napoleons I. (114) 8° Brnschw. 03. Berl., R Sattler. 2 — d
— Der Kampf um d. Weinverbesserg im deut. Reiche, s.: Abhandlungen d. staatswiss. Seminars zu Jena.
Wichmann, H, s.: Perthes', J, Taschen-Atlas.
Wichmann, K: Die Beweislast beim Kauf n. Probe. (251) 8° Berl., Struppe & W. 05. 5 —
Wichmann, R: Einiges v. d. medikamentösen Behandlg d. Neurasthenie. [S.-A.] (8) 8° Lpzg, B Konegen 02. 1 —
— Chron. Gelenkrheumatismus u. verwandte Krankh. [S.-A.] (8) 8° Ebd. 03. 1 —
— Lebensregeln f. Neurastheniker. 3. Afl. (58) 8° Berl., O Salle 01. ‖ 4. Afl. (72) 05. Je 1 — d
— Geistige Leistgsfähigk. u. Nervösität bei Lehrern u. Lehrerinnen. (36 m. 1 Tab.) 8° Halle, C Marhold 05. 1.50
— Die Massage, s.: Preller.
— Die Neurasthenie in ihrer Behandlg. 3. Afl. (187 m. Abb.) 8° Berl., O Salle 04. 2 — d
— Die Überbürdg d. Lehrerinnen. Vortr. (24) 8° Halle, C Marhold 04. — 80 d
— Die Wasserkuren. Innere u. äussere Wasseranwendg im Hause. 3. Afl. (92 m. Abb.) 12° Berl., O Salle 03. 1 — L. nn 1.25 d
Wichmann, Y: Kurzer Bericht üb. e. Studienreise zu d. Syrjänen 1901—2. [S.-A.] (47 m. 4 farb. Taf.) 8° Helsingf. 03. (Lpzg, O Harrassowitz.) 3 — d
— Wotjak. Chrestomathie, s.: Hilfsmittel f. d. Studium d. finnisch-ugr. Sprachen.
— Die tschuwass. Lehnwörter in d. perm. Sprachen, s.: Mémoires de la soc. finno-ougrienne.
Wichner, J: Im Frieden d. Hauses. — Im Schneckenhause. — Im Studierstädtlein (Feldkirch), s.: Für Hütte u. Palast.
— In freien Stunden. Geschichten f. d. Jugend. 2. Afl. (121) 8° Wien, H Kirsch 04. Geb. 1.20 d
— Volks-Kalender, s.: Vogl, JN.
— Zeitvertreib, s.: Für Hütte u. Palast.
Wichterich: Hilfsb. f. d. Lese-Unterr., s.: Wacker, K.
Wichtiges a. d. Geb. d. Waldbaues, d. Forstbenutzg d. Forstschutzes u. d. Forstges., z. Gebr. an Landw. Schulen, sowie f. Wald besitz. Landwirte. (Von H Richter.) (31) 12° Neumarkt i/Ob.-Pf., (J Boegl) (02). — 90 d
Wichtigste, d. a. d. schweiz. Fabrik- & Haftpflichtgesetzgebg., s.: Gewerbe-Bibliothek.

Wichulla, A: Die automat. Bewässerg u. Düngg f. Gärten, Wiesen u. Felder. (67 m. z. Tl farb. Abb.) 8° Neud., J Neumann 02.   Kart. 3 —
— Die Werterhöbg d. Grnd u. Bodens um 500 % f. Wassermühlen- u. Grundbesitzer, Kapitalisten u. Behörden. (47) 8° Berl., J Harrwitz Nf. (04).   2 —
Wick, A: Ein neues Eden. Roman. (175) 8° Berlin-Stegl. Dt. Eylau, H Priebe & Co.   2.50; geb. 3 — d
— Seltsame Geschichten. Novellen. 4—6. Taus. 2, Afl. (138) 8° Ebd. (04).   1.50; geb. 2 — d
— Neue Menschen. (Philosoph.) Roman. 1—3. Afl. (199) 8° Ebd. (03.04).   2.50; L. 3 — d
— u. G **Pekár:** Aus Evas Reich. Novellen u. Skizzen. (69 m. Abb.) 8° Ebd. (03).   1 — d
Wick, H: Die Kuhmilch, e. Nahrgsmittel f. Säuglinge u. ihre Verwertg in landw. Betrieben. (37) 8° Neuw., Heuser's Erben 03.   — 60 d
Wick, L: Die warmen Quellen u. Kurorte Gasteins. 3. Afl. (153 m. 1 Lichtdr., 1 Pl. u. 1 Karte.) 8° Wien, W Braumüller 02.   Kart. 1.40
— Ueb. d. physiolog. u. therapeut. Wirksamk. d. wärmesteigernden Bäder, s.: Klinik, Wiener.
— u. A **Bum:** Der chron. Gelenkrheumatismus, s.: Klinik, Wiener.
Wick, W: Grundr. d. Handelswiss. — Leitf. d. Handelswiss., s.: Sammlung kaufmänn. Unterr.-Werke.
Wicke, W, s.: Bilderbogen, architekton.
Wickede, F v., u. W **Bahl:** Polizei-Strafges. u. Verordng f. d. Reg.- u. Stadtbez. Wiesbaden. (873) 8° Wiesb., J Pharuus 05.   L. 10 — d
Wickede, F v.: Elemente d. natürl. Tonbildg. (39) 8° Berl., M Aronhold 03.   — 80 d
Wickede, FC v.: Amerikan. Jagd- u. Reise-Abenteuer, s.: Jugendbibliothek, deut.
— Der letzte Mohikaner. — Der Wildtöter, s.: Cooper, JF.
Wickenhagen, E: Herzogt. Anhalt, s.: Landes- u. Provinzialgeschichte.
— Vaterländ. Gesch., s.: Andrä, JC.
— Kurzgef. Gesch. d. Kunst, d. Baukunst, Bildnerei, Malerei, Musik. 10. Afl. (318 m. Abb. u. 1 Taf.) 8° Stuttg. 03. Essl., P Neff.   L. 5 — d
Schulausg. u. d. T.:
— Leitf. f. d. Unterr. in d. Kunstgesch., d. Baukunst, Bildnerei, Malerei u. Musik. 10. Afl. (318 m. Abb.) 8° Ebd. 03.   L. in 3.75 d
— dass. Adapté de l'allemand par J Bainville. (262 m. Abb.) 8° Ebd. 01.   5 —
Wickenhagen, H, s.: Jahrbuch f. Volks- u. Jugendspiele. — Körper u. Geist.
— Das Rudern an d. höh. Schulen Deutschlds. (56 m. Abb. u. Pl.) 8° Lpzg 03. (Rendsbg, Coburg.)   1.40 d
Wickert, F: Der Rhein u. s. Verkehr, s.: Forschungen z. deut. Landes- u. Volkskde.
Wickhoff, F, s.: Anzeigen, kunstgeschichtl.
— Die Bilder weibl. Halbfiguren a. d. Zeit u. Umgebg Franz I. v. Frankreich. — Giulio Romano. — Aus d. Werkstatt Bonifazios, s.: Jahrbuch d. kunsthistor. Sammlgn d. allerh. Kaiserhauses.
— s.: Verzeichnis, beschreib., d. illuminierten Handschriften in Östarr.
Wickram's, G(J), Werke, s.: Bibliothek d. literar. Ver. in Stuttgart (Tübingen).
— Der Goldfaden, erneuert v. C Brentano, s.: Fruchtschale, d.
— Aus „Schimpf u. Ernst", s.: Pauli, J.
— Schwänke a. d. Rollwagenbüchl., s.: Jungbrunnen.
Wickström, VH: Was Jesus in Östersund erlebte. Aus d. Schwed. v. F v. Känel. (141) 8° Berl., E Hofmann & Co. 02.   1.80; geb. 2.80 d
Wiclif's, J, de veritate sacrae scripturae. Aus d. Handschriften z. 1. Mal hrsg., kritisch bearb. u. sachlich erläutert v. R Buddensieg. In 3 Bdn. (113, 408; 371 u. 377 m. 1 Taf.) 8° Lpzg, Dieterich 04.   36 —
Widensius, K: Tekumtha (Tekumseh). 1. Tl. Histor. Tragödie. (166) 8° Halle, CA Kaemmerer & Co. 05.   3 — d
— Weihnacht bei Winterschläfern, s.: Bücher, L, Kinder-Theater.
Widdam, P, s.: Pensenverteilung f. d. Volkssch.
— u. G **Huckert:** Übgsheft z. Erlerng d. gewerbl. Buchführg. (12) 8° Merzig, M Regler (05).   — 30 d
Widdern s.: Cardinal v. Widdern.
Widemann, AC: Bank u. Börse f. d. Unterr. in Handelssch. sowie z. Selbststudium. 3. Afl. (87) 8° Bas., (B Schwabe) (05).   2.40
— Die resultier. Buchhaltg. (122) 8° Ebd. (03).   4 —
— Allg. Handelsrecht f. d. Unterr. in Handelssch. 4. Afl. (62) 8° Ebd. (05).   1.20
— Münz-, Mass- & Gewichtskde sämtl. Länder d. Erde, nebst Nomenclature sowie d. Zinseszins- u. Annuitäts-Tab. 3. Afl. (63) 8° Ebd. (05).   1.20
— **Kaufmänn.** Terminol. 2. Afl. (56) 8° Ebd. (02).   1.20
Widemayr, L, s.: Müller's, JN, Volks-Predigten.
Widenbauer, G: Die Gründg d. k. Isarkreis-Landw.- u. Gewerbsch. München. (32) 8° Münch., (M Kellerer) (04).   1 —
Widerhofer, A v., s.: Jahrbuch f. Kinderheilkde.

Widerhold, Konrad, Kommandant auf Hohentwiel. Ein Bild a. d. 30jähr. Kriege. Zur Aufführg f. Schulen u. Vereine v. E Mg. (35) 8° Stuttg, JF Steinkopf 01.   — 50 d
Widman's Chronica d. Stadt Hall, s.: Geschichtsquellen, württemberg.
Widmann, B: Leichte 1- u. 2stimm. Gesangübgn f. Kinderstimmen. Op. 15. 2. Afl. (50) 8° Lpzg, CMerseburger 05. — 40 d
— s.: Lesebuch, deut., f. Bürgersch.
— Neue Trutz-Nachtigall, s.: Müller, HF.
— Volksliedersch. Vereinf., rationelle Methode f. d. Volkssch.-Gesangunterr. III Hefte. 8° Lpzg, C Merseburger.   — 70 d
     [I. 3. u. 4. Schulj. 7. Afl. (36) 02. — 16 ‖ II. 5. u. 6. Schulj. (50) 01. — 20.
     — 24 ‖ III. 7. u. 8. Schulj. 3. Afl. (92) 01. — 30.
— dass. III Hefte. Neubearb. v. H Herborn. 8° Ebd. 05.   — 70 d
     [I. 3. u. 4. Schulj. 5. Afl. (40) — 16 ‖ II. 5. u. 6. Schulj. 7. Afl. (45) — 24 ‖
     III. 8. Afl. (92) — 30.
— u. S **Widmann:** Gockel, Hinkel u. Gackeleia, s.: Brentano, C.
Widmann, B: P. Alberich Zwyssig als Komponist. (43 m. 3 Taf.) 8° Bregenz 05. (Luzern, Baessler, Drexler & Co.) — 80
Widmann, H: Moderne Salzburger Dichter. — Marie Eugenie delle Grazie, s.: Randglossen z. deut. Lit.-Gesch.
— s.: Mitteilungen d. Gesellsch. f. Salzburger Landeskde.
Widmann, J: Aus d. and. Weltteil. 2 Erzählgn. (215) 8° Bas., Verein f. Verbreitg guter Schriften 06.   Kart. 1.25 d
Widmann, JV: Calabrien — Apulien u. Streifereien an d. oberitalien.-Seen. (272) 8° Frauenf., Huber & Co. 04.   L. 3.60 d
— Festakt z. Eröffng d. neuen Stadttheaters in Bern 1903. (18) 8° Bern, A Francke 03.   — 50 d
— Der Heilige u. d. Tiere. 1—4. Taus. (187) 8° Frauenf., Huber & Co. 05.   Geb. in Zelluloid 4 —
— An d. Menschen e. Wohlgefallen. Pfarrhausidyll. 3. Afl. (186) 12° Ebd. 01.   L. 2.70 d
— Die Muse d. Aretin. Drama. (185) 8° Ebd. 02.   2.50 d
— Die Patrizierin. Novelle. 2. Afl. (280 m. 1 Bildnis.) 8° Bern, A Francke 04.   3.50; geb. 4.50 d
Widmann, SP: Gesch. d. dent. Volkes. 2. Afl. (915 m. 9 Bildnissen.) 8° Faderb., F Schöningh 05. 8 —; L. 9.60; Hf. 10.50 d
— Kanon d. Jahreszahlen. (32) 8° Lpzg, BG Teubner 04. — 60 d
— P **Fischer** u. W **Felten:** Illustr. Weltgesch. in 4 Bdn. (In 40 Lfgn.) 1—12. Lfg. 8° Münch., Allg. Verl.-Gesellsch. (05).   Je 1 —; auch in 8 Hlbbdn zu 5 — d
     4. Bd. Gesch. d. neuesten Zeit. Von d. gr. französ. Revolution 1789 bis z. Jetztzeit v. S Widmann. (300 m. 22 z. Tl farb. Taf. u. 9 Buk.) 10 —; geb. 12.50 ‖ 5. Bd. (1—48)
Widmann, W: Die Echtb. d. Mahnrede Justins d. M. an d. Heiden, s.: Forschungen z. christl. Litt.- u. Dogmengesch.
Widmark, J, s.: Mitteilungen a. d. Augenklinik d. carolin. medico-chirurg. Instit. zu Stockholm.
Widmayer, P, s.: Schattenfiguren z. Ausschneiden fürs Schattenspiel.
Widmayer, PB: Bunte Geschichten, s.: Volksbücherei.
Widmer, A: Aufg.-Sammlg z. Systemkrde d. vereinf. Stenogr. (Einiggssystem Stolze-Schrey). 3. [Umschl.-Afl.) (18) 8° Wetzik.-Zür. (01). (Lpzg, JH Robolsky.) — 25‖4. Afl.
     (14) 03. zu — 30‖5. Afl. (16) 04. — 40 d
Widmer, A: Das Blutgericht in d. aarg. Rechtsquellen. (157) 8° Bern 01. (Aar., E Wirz.)   2.80
Widmer, E: Kommentar z. Ges. betr. d. directen Personalsteuern, s.: Bugno, E.
Widmungen z. Feier d. 70. Geburtstages Ferd. v. Saar's. Hrsg. v. R Specht. (264) 8° Wien, Wiener Verl. 05.
     Geb. in Segeltuch 5 —; auf Büttenpap., Ldr 10 — d
Widmann, J: Die Erdmännlein u. and. Märchen. Der Jugend erzählt. (48 m. farb. Abb.) 8° Nürnbg, E Nister (05). Geb. 3.50 d
Widor, CM: Die Technik d. modernen Orchesters. Suppl. zu Berlioz' Instrumentationslehre. Aus d. Franz. v. H Riemann. (284) 8° Lpzg, Breitkopf & H. 04.   10 —; L. 11 — d
Widukindi, monachi Corbeiensis, rer. gestar. saxonicar. libr. tres. — De origine gentis Swevor., s.: Scriptores rer. germanicar.
Wie studiert man Archäol.? Von e. Archäologen. (41) 8° Lpzg, Rossberg'sche Verl.-Bh. 04.   — 80 d
— lerne ich leicht u. gut Arithmetik u. Algebra, s.: Hilf dir selbst.
— bezahle ich meinen Arzt? (12) 8° Danz., AW Kafemann 03.   — 25
— e. Blinden d. Augen aufgingen. Der Vorschuss. Die Anklage a. Kindermund. Das 1. Glas, s.: Volksschriften 0.
— e. Brand a. d. Feuer. Meine Lebensgesch., erzählt z. Preise d. Lammes. Von einer Geretteten. (23) 8° Neumünst., Vereinsbh. G Ihloff & Co. (05).   — 15 d
— sollen Eltern sich geg. ihre Kinder verhalten in Bezug auf d. 5. Gebot? Von e. schwäb. Landpfarrer. (7) 8° Rothenbg o/T., JF Peter (03).   — 05 d
— man Frieden erlangt. (In Form e. Zwiegesprächs.) 6. Afl. (32) 8° Elberf., R Brockhaus (durch J Fassbender) 1898. — 15 d
— kommt's z. wahren Frieden d. Seele? 4 Vortr., üb. Bekehrg v. O Stockmayer; Glauben v. Eichhorn; Heilsgewissheit v. Paul; Jesus a. A. O v. Herbst. (48) 8° Potsd. (05).   — 50 d
— Oranienbg, „Siloah".   — 50 d
— erreicht man leichte, glückliche Geburten? s.: Volks- u. Hausarzt, deut.
— kann jedermann Geschlechtskrankh. u. deren Folgen auf natürl. Wege heilen? (v. L Godai), s.: Hausbücher, medizin.

Wie man sein eig. Grossvater werden kann. (3) 8° Neu-Weissens., (E Bartels) (02). — 10
— erzieht u. bildet d. Gymnasium uns. Söhne? (Gewidmet im Ver. m. F Rasefeld, H Schurig u. H Menzel v. F Fauth.) (94) 8° Berl., Reuther & R. 02. 1.50 d
— bleibt d. Handwerker gesund?, s.: Gewerbe-Bibliothek.
— Hans Görge u. Seffe im alten Hoftheater d. Freischütz gesehen haben. 2. Afl. Erzählt in Altenburger Bauernmundart v. L. (8) 8° Altnbg. (Schnuphase) (03). — 15 d
— wir uns. Heimat sehen. Anreggn z. intimen Betrachtg d. Leipz. Heimat. Hrsg. v. Ver. d. Leipz. Zeichenlehrer. (46 m. Abb.) 8° Lpzg, KGT Scheffer 03. — 80 || 2. Folge. (76 m. Abb. u. 2 Taf.) 05. 2 — d
— dass. Eine Folge deut. Landschaftsschildergn in Wort u. Bild als Anreggn zu besinnl. Betrachtg d. Heimat. Hrsg. v. B Riedel. 8° Ebd. 4 — d
Schwindrazhoin, O: Hamburg. Federzeichngn, Studien u. Skizzen. (147) 06.
— studiert man Jurisprudenz? Mit e. tabellar. Übersicht üb. d. Bestimmgn z. Erlangg d. jurist. Doktorwürde an d. Univ. Deutschlds u. d. sächs. Verordng. d. Vorbereitg f. d. höh. Justizdienst betr. Von e. prakt. Juristen. 6. Afl. (83) 8° Lpzg, Rossberg'sche Verl.-Bh. 05. 1 — d
— schützt sich d. Kapitalist vor Verlusten an d. Börse? Von Veritas (H Schreiber). IV. Jahrg. 1—10. Taus. (125) 8° Berl., Deut. Verl.-Anst. „Patria" (05). 3 — d
— studiert man Kunstgesch.? Von e. Kunsthistoriker. (31) 8° Lpzg, Rossberg'sche Verl.-Bh. 04. 80 d
— sollen wir leben? Neue Monatsblätter, begründet z. Förderg v. Gesundheit u. Wohlstand in Volk u. Haus. Red.: (W Schmidt-Breitenstein,) K Dietmar. Jahrg. 1901 n. 2 je 12 Hefte. (1901. 1. Heft. 24) 8° Langens., Deut. Druck- u. Versandthaus. Je 1.20; einz. Hefte — 10 d
— dass. Monatsblätter z. Förderg v. Gesundheit u. Wohlstand in Volk u. Haus. Jahrg. 1903—5 je 12 Hefte. (1. Heft. 16 u. 4) 8° Ebd. Je 1.20; einz. Hefte — 10 d
— ich einst e. Lehrerbildner wurde, s.: Abhandlungen, pädagog.
— gestaltet man d. tägl. Mahlzeiten reichhaltiger?, s.: Bibliothek, gastronom., Hegenbarth-Florie.
— ich e. Mann bekam auf d. nicht mehr ungewöhnl. Wege. Answ. d. auf e. Heiratsgesuch eingegang. Briefe u. hierauf erfolgren Korrespondenzen. Hrsg. v. C V. Sz. 2. Afl. (58) 8° Zür. (03). Lpzg, Verl.-Anst. M Minde. — 50 d
— d. Mariele z. e. Gais kam, s.: Grüss Gott.
— studiert man Musikwiss.? Mit e. Anh., enth. i. d. musikwissenschaftl. Vorlesgn an d. deut. Univers. v. 1902—5. 2. Die einzelng. Bestimmgn z. Erlangg d. philosoph. Doktorwürde. 3. Satzgn ein. Musikhochschulen. Von e. Musikhistoriker. (75) 8° Lpzg, Rossberg'sche Verl.-Bh. 05. 1.20 d
— bebt man d. Obstbau in kleinbäuerl. Verhältn.? Erfahrgn d. Kreisverwaltg d. Kreises Westerburg im Westerwald Hessen-Nassau. Hrsg. v. d. Kreisausschusse. 2. Afl. (64) 8° Neud., J Neumann 06. 2 — d
— muss d. junge Offizier wirthschaften, um m. sr Zulage auszukommen. Von e. alten Praktiker. 2 Thle. 8° Oldnbg, G Stalling's V. (01). Kart. u. geb. 1.35; 3. Tl allein — 75 d [1. (17) 12. Einnahmen u. Ausgaben. (50) Kart.
— ist d. Mangel an Offizieren in d. k. u. k. österr. Kavall. abzuhelfen? (48) 8° Graz, F Pechel (04). 1 —
— es kam, dass Otto e. Held wurde, s.: Rosen-Knospen.
— bestehe ich meine Prüfg? Hilfsbücher f. Schüler z. Anfertigg v. Hansaufg. u. Klassenarbeiten. 1—3., 5.'n. 6. Bd. 8° Lpzg, Verein. wiss. V., Reise-Buchhdlgn. Je 1 —
Jordan, EF: Arithmetik u. Algebra. Repetitorium d. wichtigsten Formeln n. Lehrsätze. (46) 04. [5.] | Planimetrie. Übersichtl. Repetitorium a. d. Geb. d. eb. Geometrie. (21 m. Fig.) 04. [6.]
Kaiser, E: Französisch. Gründl. Repetitorium z. Vademekum sämtl. Regeln d. franzis. Formenlehre u. Syntax in kurzgef. Form. (60) (03) [2.] | Lateinisch. Gründl. Repetitorium u. Vademekum sämtl. Regeln d. latein. Formenlehre u. Syntax in kurzgef. Form. (79) (03.) [1.]
Madsen, J: Englisch. Ausführl. u. übersichtl. Repetitorium d. engl. Sprachlehre nebst e. Examen, d. wichtigsten Prüfgsfragen enth. (79) (03.) [5.]
Den 4. Bd bildet: Zuschlag, H, d. versteckte Griechischschüler.
— wird man schnell reich? Von BE Nevolus. (16) 8° Münch., Verl. d. Komplemente zu Reisebüchern M v. Hartung 05. (Lpzg, R Friese.) — 50
— soll man Schaufenster ausstatten?, s.: Gewerbe-Bibliothek.
— treibt man Schuldfordergn im Ausl. ein? Hrsg. v. M Wieland. 1—6. Bd. 8° Berl., Verl.-Anst. Universum. L. je 3 —
Farka, L: Die Beitreibg v. Schuldfordergn in Russl. (100) (04.) [4.] | Farkas, J: Die Beitreibg v. Schuldfordergn in Ungarn. (181) (06.) [2.] | Harder, A v.: Die Beitreibg v. Schuldfordergn im Deut. Reich. (156)
Haller, K: Die Beitreibg v. Schuldfordergn iu Oesterr. (164) 02. [7.] | Schnitzler, PC: Die Beitreibg v. Schuldfordergn in d. Verein. Staaten v. Amerika. (149) (04.) [3.] | Wieland, M: Die Beitreibg v. Schuldfordergn in d. Schweiz. (128 u. 12) 01. [1.]
— ich mein Selbst fand. Äuss. u. innere Erlebnisse e. Okkultistin. (278) 8° Berl. 01. Lpzg, M Altmann. 4 —; geb. 5 — d
— spielt man Skat? (51) 8° Lpzg, Ernst (03). — 75 d
— d. Sortimenter u. Umsatz u. Reingewinn erhöhen kann! (20) 8° Berl., Verl. d. Buchhändler-Warte 05. †1.40 d
— bewerbe ich mich schriftlich um e. Stelle? Ratgeber in d. Abfassg v. Schreiben aller Art. (48) 8° Zwickau i/S. (Wilhelmstr. 13), CA Günther Nf. (03). nn — 50 d

„Wie d. Stelles-Bauers. Nachbar Müller e. Weihnachtsfest bereitet." (12) 8° Stuttg., Holland & J. (03). — 20 d
— man Verbrecher erkennt (Bertillon's System), s.: Jung's kl. Taschen-Bibliothek.
— erwarbe, verwalte u. vermehre ich e. kl. Vermögen? 3. Afl. (52) 8° Dresd., C Heinrich (04). — 75 d
— gründet u. leitet man ländl. Volksbibliotheken? [Erwelt. S.-A.] 6. Ausg. (20) 12° Berl, Gesellsch. f. Verbreitg v. Volksbildg 01. 25 d
— ist d. Welt entstanden? Eine völlig neue Erklärg d. Entstehg d. Erde. (Von L Elbe-Carnitz.) (45) 8° Stett., H Dannenberg & Co. (03). 1.25 d
— wirtschaftet man gut u. billig bei e. jährl. Einkommen v. 800—1000; bezw. 1400—2000 Mark, s.: Volkswohl-Schriften.
— erhält man e. Wirthschafts-Concession? (45) 12° Ebersw., (H Langewiesche) (02). Kart. 1.20 d
— kann man Württemberg u. Hohenzollern in 15 Tagen genussreich bereisen?, s.: Führer, neuer, durch Württemberg u. Hohenzollern.
Wiebach, F: Abgeblitzt!, s.: Dilettanten-Theater.
Wiebe, Kf: Taf. üb. d. Spannkraft d. Wasserdampfes zw. 76 u. 101,5 Grad bezogen auf d. Luftthermometer, m. e. Beibl., enth. d. Correctionen auf d. Wasserstoff-Thermometer. 2. Ausg. (30) 8° Brnschw., P Visweg & S. 03. 3 —
— s.: Zeitschrift f. Heizg, Lüftg u. Beleuchtg.
Wiebel, F: Der prakt. Bau-Schreiner, 6 Hefte. (Je 4 Taf. m. 4, 3, 3, 2, 3 u. 3 Bl. Details.) Fol. Stuttg., W Kohlhammer (02). Je 2 — d
— Der prakt. Möbel-Schreiner. 6 Hefte. (Je 4 Taf. m. 4, 3, 4, 2, 3 u. 4 Bl. Details.) Fol. Ebd. (02). Je 2 — d
Wiechel, H: Berufsklassen-Wahlkreise. Vorschl. z. Umgestaltg d. sächs. Landtagswahlrechts u. z. Neuabgrenzg d. Reichstagswahlkreise. (40 m. 2 Taf.) 8° Dresd., C Heinrich 03. 1 — d
— Kartogramm z. Reichstagswahl, s.: Haack, H.
Wiechert, E: Theorie d. automat. Seismographen, s.: Abhandlungen d. kgl. Gesellsch. d. Wiss. zu Göttingen.
Wiechowski, K: Die Unterbrechg d. Kausalzusammenh., s.: Abhandlungen, strafrechtl.
Wieckowski, W: Frauenleben u. -Bildg in Prag im 19. Jahrh. (23) 8° Lpzg (03). Berl., Verl. d. Frauen-Rundschau. — 50 d
Wieck, M: Meine Kriegserinnergn a. d. Feldzuge 1870/71. Vorträge. (38) 8° Berl.-Grunew. 04. Berl., M Schildberger. 1 —
Wiecki, E v.: Carlyle's „Helden" u. Emerson's „Repräsentanten" ih. Hinweis auf Nietzsche's „Übermenschen". (76) Köngsbg, B Teichert 03. 2 —
— Es war einmal . . . Roman a. d. Gegenwart. (204) 8° Dresd., E Pierson 03. 2.50; geb. 3.50 d
— Jul. Wolffs neuere Dichtgn. (58) 8° Köngsbg, Gräfe & U., Bh. 01. 1 — d
Wied, G: Eine Abrechng. Komödie. (88) 8° Stuttg., A Juncker (04). 1.50 d
— Die leibhaft. Bosheit. Roman. Aus d. Dän. v. M Mann. (302) 8° Münch., A Langen 01. 3 —; geb. 4 — d
— Erotik. Satyrspiel. Aus d. Dän. v. M Mann. (179) 8° Ebd. (03). 2 —; geb. 3 — d
— Das schwache Geschlecht. 4 Satyrspiele. (211) 8° Berl., S Fischer 01. 3 —; geb. 4 — d
— Die Karlsbader Reise d. leibhaft. Bosheit. (Übers. v. M Mann.) (325) 12° Stuttg., A Juncker (05). 1 — d
— 4 Satyrspiele. Aus d. Dän. v. M Mann. (204) 8° Münch., A Langen 01. 2 —; geb. 3 — d
Wied, K: Leichtfassl. Anl. z. Erlerng d. türk. Sprache. — Grammatik d. deut. Sprache f. Deut. u. Ausländer, s.: Kunst, d. Polyglottie.
Wiedemann: Was muss d. Arzt v. Krankenversichergsges. wissen? (12) 12° Münch., Seitz & Sch. 04. 1.50
Wiedemann, A: Die sächs. Eisenb. in historisch-statist. Darstellg. (263) 8° Lpzg, T Thomas (02). 8 —
Wiedemann, A: Magie u. Zauberei im alten Ägypten. — Die Toten u. ihre Reiche im Glauben d. alten Ägypter. — Die Unterhaltgslitt. d. alten Ägypter, s.: Orient, d. alte.
Wiedemann, C: Wiederholgn a. d. Lektüre. 1. Tl. (108) 8° Köngsbg Nm., (JG Strisse) 04. Geb. 1.50 d
Wiedemann, CP: Die geschichtl. Entwicklg d. schweiz. Eisenb.-Gesetzgebg. (116) 8° Zür., Schulthess & Co. 05. 2.40
Wiedemann, E: Üb. Lumineszenz, s.: Abhandlungen. || 8° Lpzg, A Deichert Nf. 01.
— u. H Ebert: Physikal. Praktikum. 5. Afl. (30, 596 m. Abb.) 8° Brnschw., F Visweg & S. 04. 10 —; geb. 11 —
Wiedemann, F: 1000 Figuren. Zeichensch. f. d. Kleinen. Auf Netzlinien entworfen u. stufenweise geordnet. 4. Afl. (80 Taf. m. 4 S. Text,) 4° Lpzg (02). Eisb., A Oehmigke. 2 — d
— Wie ich meinen Kleinen d. bibl. Gesch. erzähle. 16. Afl. (269 m. Abb.) 8° Dresd., CC Meinhold & S. 03. Geb. 1.80; in Geschenkbd 2 — d
— Der treue Knecht od. wahre u. falsche Freunde, s.: Spiegelbilder a. d. Leben.
— Der Lehrer d. Kleinen. Prakt. Ratgeber f. junge Elementarlehrer. 9. Afl. (408) 8° Lpzg, A Oehmigke. 4 —; geb. 5 — d
— Lieblingsgeschichten. Erzählgn f. brave Kinder v. 8—12 Jahren. Der „35 Lieblingskapitel" 7. Afl. (176 m. 6 Farbdr.) 8° Ebd. (01). Geb. 4 — d

Wieland's, CM, Werke. Ausg. in 5 Büchern. Mit e. biograph. Einl. v. R Steiner. (28, 189, 278, 169, 158 u. 135 m. Bildnis.) 8° Berl., A Weichert (05). In 1 L.-Bd 3 — d
— ausgew. Werke in 4 Bdn. Hrsg. v. W Bölsche. (62, 196, 170, 168 u. 209 m. 2 Bildnissen, 2 Taf. u. 1 Fksm.) 12° Lpzg, M Hesse (02). 1.25; in 1 L.-Bd 1.75; auf bess. Pap. in HF. 2.70; Luxus-Ausg. in Lieb.-HF. 3.50 d
— Die Abenteuer d. Don Sylvio v. Rosalva. — Agathodämon. — Der neue Amadis. — Aristipp u. ein. sr Zeitgenossen. — Aufsätze üb. d. französ. Revolution. — Beitr. z. geheimen Gesch. d. Menschh. — Kleinere Dichtgn. — Feen- u. Geistermärchen. — Gandalin od. Liebe um Liebe, s.: Hempel's Klassiker-Bibliothek.
— Geron d. Adelige. Das Sommermärchen, Hann u. Gulpenheb. Der Vogelsang, s.: Hesse's, M, Volksbücherei.
— Gesch. d. Abderiten. — Gesch. d. Agathon, s.: Hempel's Klassiker-Bibliothek.
— Gesch. d. Prinzen Biribinker, s.: Liebhaber-Bibliothek, kulturhistor.
— Gesch. d. weisen Danischmend. — Zur Gesch., Lit. u. Kunst d. Griechen u. Römer. — Göttergespräche, Gespräche im Elysium. — Das Hexameron v. Rosenhain. — Idris u. Zenide. — Kleinere Jugenddichtgn. — Zur ausländ. Lit. — Menander u. Glycerion. Krates u. Hipparchia. — Musarion. Das Wintermärchen. — Nachlass d. Diogenes v. Sinope, s.: Hempel's Klassiker-Bibliothek.
— Oberon. Ein ep. Gedicht. Hrsg. v. R Hanke. 12—14. Taus. v. A Lichtenheld. (178) 8° Lpzg, BG Teubner. — Wien, K Graeser & Co. (05). 1 — d
— dass. Romant. Heldengedicht in 12 Gesängen. Neue Taschenausg., ausgew., rev. u. eingeleitet v. F Deibel. (316) 8° Lpzg, Insel-Verl. 05. 3 —; Ldr 4.50
— dass. Romant. Heldengedicht in 10 Gesängen. Answ. Für d. Schulgebr. hrsg v. E Wasserzieher. (190 m. Bildnis.) 8° Münst., Aschendorff 04. Geb. 1.10 d
— dass., s.: Handbibliothek, Cotta'sche. — Hempel's Klassiker-Bibliothek. — Hesse's, M, Volksbücherei.
— Peregrinus Proteus, s.: Hempel's Klassiker-Bibliothek.
— Schach Lolo. Fervonte. Die Wasserkuve, s.: Hesse's, M, Volksbücherei.
— Kleinere Schriften z. Culturgesch. — Kleinere philosoph. Schriften. — Kleinere polit. Schriften. — Vermischte Schriften.
— Singsp. Lustsp. Cantaten. Kleinere Gedichte. — Das Sommermärchen. Geron d. Adelige. — Der goldne Spiegel od. d. Könige v. Scheschian. — Zur deut. Sprache, Dichtg u. Lit., s.: Hempel's Klassiker-Bibliothek.
— Kleine Vers-Erzählgn. Neue Taschenausg., ausgew., rev. u. eingeleitet v. F Deibel. (354) 8° Lpzg, Insel-Verl. 05. 3 —; Ldr 4.50
Wieland, E: Ueb. Ursachen u. Verhütg d. Säuglingssterblchk. Vortr. (38) 8° Bas., (CF Lendorff) 04. — 70 d
Wieland, FJ: Freih., Gleichh., Brüderlichk. (516) 8° Lind. 05. (Kempt., A Klein.) n 5 — d
Wieland, G: Pfarrer Seb. Kneipp's Tes. Deren Bereitg. Anwendg u. Wirkg in d. verschied. Krankh. Mit kurzer Biogr. d. Hrn Prälat Kneipp. 19. Afl. (44 m. Abb.) 8° Würzbg, Göbel & Sch. 05. — 90 d
Wieland, H: Wie baut u. wie bepflanzt man e. Alpinium? (24 m. Abb.) 8° Erf., JC Schmidt (04). — 50 d
Wieland, J: Der Kerbschnitt. Lehrg. u. Mustersammlg. 1.Heft. (11 Bl.) Fol. Nebst: Erläutergn. (16) 8° Köln, (Verl.-Anst. Benziger & Co.) 1900. nn 2 — d
Wieland, M: Die Betreibg v. Schuldforderung in Ausl. ein? s.: Wie regelt man d. Betreibg im Ausl. ein?
Wielandt, F: Neues bad.Bürgerb. Sammlg d. wichtigsten Ges. u. Verordngn a. d. Verfassgs- u. Verwaltgsrecht d. Grossh. Baden. Nebst d. einschlägg. Ges. d. Deut. Reiches. 2 Bde u. Nachtr. 8° Hdlbg, A Emmerling & S. 13.30; geb. n. gbn 15.50 d I. 7. Afl. (796) 05. 5.30; geb. nn 6.20; Nachtr. (60) 05. — 80 d; II. Afl. (1280) 1900. 7 — ; geb. nn 8.20; 7. Afl. (1285) 05. 7.50; geb. nn 8.70.
Wielandt, R: Heidelbergs herrl. Vergangenh. (45 m. 1 Bildnis.) 8° Hdlbg, Heidelb. Verl.-Anst. u. Dr. 04. 3 —
— Herders Theorie v. d. Relig. u. d. relig. Vorstellgn. (127) 8° Berl. 04. Lpzg, M Heinsius Nf. 3 —
— Recht u. Pflicht d. Frau im Kampf gegc d. Unsittlichk. Vortr. [S.-A.] (16) 8° Hdlbg, Heidelb. Verl.-Anst. u. Dr. 05. — 30 d
Wieleitner, H: Bibliogr. d. höh. algebr. Kurven f. d. Zeitabschn. v. 1890—1904. (58) 8° Lpzg, GJ Göschen 05. 1.50
— Theorie d. eb. algebr. Kurven höh. Ordng, s.: Sammlung Schubert.
Wieler, A: Untersuchgn üb. d. Einwirkg schwefl. Säure auf d. Pflanzen. Nebst e. Anh.: Oster: Exkursion in d. Stadtwald v. Eschweiler z. Besichtigg d. Hüttenrauchschädigung am 5.IX.1887. (427 m. Abb. u. 1 Taf.) 8° Berl., Gebr. Borntraeger 05. 13 —
— Allg. Warenkde, s.: Kaufmann, d. deut.
Wielowieysky, H Ritter v.: Üb. nutritive Verbindgn d. Eizellen m. Nährzellen im Insektenovarium u. amitot. Kernprozesse. (Vorläuf. Mitteilg.) [S.-A.] (11 m. 2 Taf.) 8° Wien, (A Hölder) 04. — 60
Wieman, B: „Er zog m. sr Muse'. (178) 8° Kösel 05. 2.50; geb. 3.50 d
— Wiemann's Hausbibliothek. Sammlg ausgew. Erzählgn. 6 — 8. Bd. 8° Barm., DB Wiemann. 10 —; geb. 14.50 d Heide, A: Vaterland. (355) 01. [6.]

Kühl, T: Die Reidings. (296) [02.] [8.] 3 —; geb. 4.50
Wörishöffer, S: Der Fluch d. Schönheit. (348) (01.) [7.] 4 —; geb. 5.50
Wiemann, B: Die Pflicht d. Presse im Kampfe geg. d. unsittl. Lit. (12) 8° Barm., DB Wiemann (04). — 15
Wiemann, W: Musketier Quäbicker u. Anderes. Kleine Erzählgn a. gr. Zeit. 1870/71. (81 m. 1 Bildnis.) 8° Lpzg(Nürnb. Str. 35), C Milde 02. — 50; kart. 1 — d
Wiemker, J: Lehrpl. f. d. Zeichenunterr. Die neue Zeichenmethode in d. Praxis d. Volksschule. (16 m. 21 Taf.) 8° Hüdesh., F Borgmeyer 05. In M. 3 — d
Wien. Illustr. Wegweiser durch Wien u. Umgebgn. 9. Afl. (152 m. 8 Pl. u. 1 Karte.) 12° Wien, A Hartleben (01). Kart. — 90
— am Anfang d. XX. Jahrh. Führer in techn. u. künstler. Richtg. Hrsg. v. österr. Ingenieur- u. Architekten-Ver. Red. v. P Kortz. 2 Bde. (1. Bd. 388 m. Abb. u. 17 Taf.) 8° Wien, Gerlach & W. 05. L., f. vollständ. 60 —
— im Lichte d. Zahlen. (12 farb. Taf. 10 m 4°, 1 farb. Pl. 74×62 cm, 1 farb. Karte 74×52 cm u. 14 S. Text.) 8° Wien, G Freytag & B. (03). Kart. 2.50
Wien, F: Üb. Entscheidgsgründe. (32) 8° Wien, F Tempsky. — Lpzg, G Freytag 02. — 50
Wien, W: Üb. Elektronen. Vortr. (28) 8° Lpzg, BG Teubner 05. 1 —
Wienbarg, L: Die deut. Revue, s.: Gutzkow, K.
Wienbeck, s.: Aliscans.
Wienecke, E: Anschaul. Darstellg d. Hauptsätze d. Planimetrie n. d. Prinzip d. Bewegg. Begleitschrift zu Wienecke's bewegl. geomet. Fig. 1. Serie. (16 m. Fig.) 8° Berl., G Winckelmann (03). — 60; m. Modellen, Ausg. A. 20 —;
Ausg. B. 28 — d
Berl., L Oehmigke's V. 01. — 40 [] 2. u. 3.Afl. m ca 400 Übgsaufg. (77 m. Fig.) 02.05. nn — 45 d
— Die Lösg geomet. Konstruktionsaufg. durch geomet. Örter in schulgemässer Weise erläut. an 250 Aufg. (74 m. Fig.) 8° Berl. 01. 1.20 d
— Eb. Trigonometrie m. reichem Aufg.-Material nebst Lösgn, z. Gebr. an gewerbl. Fortbildgsanst. u. Seminaren. (71 m. Fig.) 8° Berl., G Winckelmann 02. 1 — d
— Der geomet. Vorkursus in schulgemässer Darstellg. (97 m. Fig.) 8° Lpzg, BG Teubner 04. Kart. 2.90
Wiener: Deutschl. u. d. Vorgänge im russ. Reich, s.: Reusner,v.
Wiener, A: Die Gesetzgebg üb. d. Katastervermessg u. d. Fortführgs- u. Lagerbuchwesen im Grossh.Baden. 2.Afl. d. II.Tls a. Buchenberger, Landw.-Recht u. Landw.-Pflege. (800) 8° Karlsr., J Lang 05. L. 4 — d
Wiener, C: Die Begründg d. Sittenlehre u. ihre geschichtl. Entwicklg. (54) 8° Darmst., E Roether 1879. — 80
Wiener, F: Die Weissgerberei, Sämischgerberei u. Pergament-Fabrikation. 2. Afl. (371 m. Abb.) 8° Wien, A Hartleben 04. 5 —; geb. 5.80 d
Wiener, FA: Die Börse. Studie üb. d. Entwicklg d. Rechts u. d. Verfassg d. deut. insbes. d. Berliner Börse u. d. hauptsächlichsten Börsen d. Ausl. Mit e. Anh. üb. d. Begriff „Börse' u. ihre volkswirtschaftl. Bedeutg. (282) 8° Berl., Puttkamner & M. 05. 5 —
Wiener, H: „Gute Küche'. Bnth. üb. 1000 Recepte d. bürgerl. u. feinen Küche. 2. Afl. (24, 239) 8° Kaisersl., (E Crusius) 02. L. 3 — d
Wiener, H: Die Einteilg d. eb. Kurven u. Kegel 3. Ordng in 13 Gattgn, s.: Abhandlungen, mathemat.
Wiener, H: s.: Aber, — Herr Sudermann!!
— Alma's Ende. Roman a. d. Berliner Leben. Fortsetzg d. Schauspiels „Die Ehre' v. H Sudermann. 5. Afl. (229) 8° Berl., J Gnadenfeld & Co. (02). 1.50 d
— Die wandernde Hand, s.: Collection Geister- u. Gespenster-Romane.
— Mein Vater ist e. kl. Mannchen, s.: Bloch's, E, Orig.-Deklamatorium.
Wiener, M, s.: Moses Maria. — Wort, d., Gottes.
Wiener, O: Balladen u. Schwänke. (85 m. Abb. u. farb. Titelbild.) 4° Mind., JJC Bruns 05. 3 —; kart. 3.50 d
— Das deut. Kinderlied, s.: Sammlung gemeinnütz. Vortr.
— Das had d. liebe Liebe getan. Liederb. (102) 8° Mind., JCC Bruns 05. 1.50 d
Wiener, P, u. W Stoerk: Prakt. Arbitragerechngn auf Grund v. Beisp., d. durchweg d. Praxis entnommen sind. Im bes. d. Gold-Devisen u. Effektenarbitrage auf Basis österr.-ungar. Verhältn. (80) 8° Lpzg, Verl. d. mod. kaufm. Bibliothek (05). L. 2.75
Wiener, R: Der bibl. Gesch.-Unterr., s.: Wernecke, R.
Wiener, R: Vorschl. z. Schutze d. Pfandbriefe. (29) 8° Berl., C Heymann 02. — 50 d
Wiener, S: Bibliogr. d. Oster-Haggadah. 1500—1900. (54 n. 7) 4° St. Pétersbg 02. (Lpzg, Voss' S.)
Wienhold, H: Lemierres Tragödien. (150) 8° Lpzg, Dr. Seele & Co. 05.
Wienholdt, A: Eintagsfliegen. (131) 8° Köngsbg, Hartung 02. L. 2 — d
Wienke, F: Zieglerlieder. Gedichte. 2. Afl. (132) 8° Lage, H Welchert 1900. Kart. — 75 d
Wienskowitz, E: Lehrb. z. schnellen u. gründl. Erlerng d.

Clavierspiels. (74) 4° Lpzg (1861). W.-Jena, Thüringer Varl.-Anst. 5 —; geb. 4.50

Wienstein, F: Friedr. Wilh.Dörpfeld, s.:Klassiker, d. pädagog.
— Frauenbilder a. d. Erziehgsgesch. (165) 8° Arnsbg, J Stahl 04. Geb. 3 — d

Wiepen, E: Palmsonntagsprozession u. Palmesel. Kultur- u. kunstgeschichtlich-volkskundl. Abhandlg z. Kölner Palmesel d. kunsthistor. Ausstellg zu Düsseldorf 1902 (Sammlg Schnütgen). (58) 8° Bonn, P Hanstein 03. 1 —

Wisprecht, O: Entwerfen u. Berechnen v. Heizgs- u. Lüftgsanlagen. 2. Afl. (105 m. Fig., 1 Tab. u. 1 Taf.) 8° Halle, C Marhold 01. 2 — || 3. Afl. (126 m. Fig. u. 1 Taf.) 05. L 3 —

Wiercinski: Bestimmg üb. d. neuen Lehrpl. f. d. Zeichenunterr. in Preussen. (29) 8° Pless, A Krummer 05. — 50 d

Wjerin, G: Unter d. Joche d. Absolutismus, s.: Freiheits-Bibliothek, rass.

Wierleuker, FW: In stiller Stunde. Erzählgn f. d. liebe Jugend a. d. Volk. (216) 8° Warendf, J Schnell (04). Geb.1 — d

Wiernikowski, I: Das Buch Hiob u. d. Auffassg d. rabbin. Litt. in d. ersten 5 nachchristl. Jahrh. 1. Tl. (92) 8° Bresl. 02. (Berl., M Poppelauer.) 2 —

Wiersch, FJ: Nach Lourdes! Erinnergsblätter an Lyon, Lourdes u. Paray-le-Monial. (278 m. 2 Taf.) 8° Mainz, Druckerei Lehrlingshaus 04. 2 —; geb. 3.75 d

Wieruszowski, A: Hdb. d. Eherechtes m. Ausschl. d. Eheschliessgs- u. Ehescheidsrechtes. 2 Bde. 8° Düsseldf, L Schwann. 15 — d
   I. Die allg. Wirkgn d. Ehe. (Neue Ausg. m. Reg.) (307) (1900) 04.
   II. Das ehel. Güterrecht. Allg. Tl. (insbes. internat. u. intertemporales Güterrecht) u. d. Güterstand d. ehemänl. Verwaltg u. Notzniessg. 1. 2 Abtlgn. (696) 03-04. 12 —

Wiesbaden. Festsp. 1902 v. 11—19.V. (59 m. 14 Taf.) 8° Wiesb., ‹ Moritz & M.) (02). || '05 v. 17—20.V. (42 m. 6 Taf.) 05. Je nn 1.50 d

1903 u. 04 nicht erschienen.

Wiesbaur, JB: Kulturproben a. d. Schulgarten d. Stiftgs-Obergymnasiums Duppau. (26) 8° Duppau, (A Uhl) 04. 1 — d
— Theralith im Duppauer Gebirge. [S.-A.] (10) 8° Tepl.-Schönau, (A Becker) (02). 1 —

Wiese, B: Mathematik f. d. Mittelschullehrerprüfg, s.: Mittelschullehrer- u. Rektoratsprüfung, d.
— Rechenb. f. Landsch., s.: Backhaus, E.
— dass. f. Lehrerbildgsanst., s.: Lichtblau, W.
— dass. f. mehrklass. Volkssch., s.: Backhaus, E.
— W Lichtblau u. E Backhaus: Raumlehre f. Lehrerseminare (Lehrerbildgsanst.). 3 Tle. 8° Bresl., F Hirt. Geb. je 2.25 d
   1. Planimetrie (Flächenlehre). 8. Afl. (190 m. Fig.) 02.
   7. Stereometrie u. Trigonometrie. (Körperlehre u. Dreiecksrechng.) 4. Afl. (207 m. Fig.) 05.
— — dass. Neue Afl. 1. Tl, 2 Abtlgn u. II. Tl]. 8° Ebd. Geb. nn 5.50 d
   I, 1. Planimetrie(Flächenlehre). 1. Abtlg. Der Lehrstoff f. d. Präparandenanst. 7. Afl. (150 m. Fig.) 05. nn 1 d
   2. Dass. 2. Abtlg. Der Lehrstoff f. d. Seminar. (106 m. Fig.) 04. nn 1.35
   II. Stereometrie u. Trigonometrie u. Dreiecksrechng.) 3. Afl. (226 m. Fig.) 04. 2.50

Wiese, B: Altitalien. Elementarb., s.: Sammlung roman. Elementarbb.
— Italien. Sprachführer, s.: Kleinpaul, R.
Wiese, E: Die Politik d. Niederländer währ. d. Kalmarkriegs u. ihr Bündnis m. Schweden u. d. Hansestädten, s.: Abhandlungen, Heidelberger, z. mittl. u. neueren Gesch.
Wiese, H, s.: Testament, d. Neue.
Wiese, H, u. H Fricke: Vereiniger alter Orden d. Druiden. (196 m. Abb.) 8° Hambg 04. (Münch., M Kellerer.) L. 3 —
Wiese, L: Das höh. Schulwesen in Preussen. 4. Bd, 1874—1901 (1902), hrsg. v. B Irmer. (32, 966) 8° Berl., Wiegandt & Gr. 02. 26 —
Wiese, L, s.: Blondel de Nesle, Lieder.
Wiese, L.v.: Beitr. z. Gesch. d. wirtschaftl. Entwicklg d. Rohzinkfabrikation. (231 m. 3 Taf.) 8° Frankf. a/M. (03). Jena, G Fischer. 3 —
Wiese, M: Mnemotechnik d. Maximaldosen d. Pharmacopoea Austriaca. Auf Grund d. Ed. III. d. „Pharm. austriaca", Wien, 1899 u. d. Nachtr. v. J. 1900 zusammengest. (29) 8° Wien, R Coën 02. 1 —
Wiese u. Kaiserswaldau, H v.: Friedrich Wilhelm Graf v. Goetzen, Schlesiens Held in d. Franzosenzeit 1806—7. (286 m. 1 Bildnis u. 2 Skizzen.) 8° Berl., ES Mittler & S. 02.
— Stadt u. Festg Silberberg. (47) 8° Silberbg 03. (Frankenst., E Philipp.) — 50 d
Wieseler, F: Antike Denkmäler z. griech. Götterlehre, s.: Müller, OO.
Wiesemann: Hdb. d. Verwaltgsstrafgesetzes, s.: Leitzmann.
Wiesen, V (Frau O Riesen): Eine kl. Gefälligk., s.: Bloch's, E, Theater-Korrespondenz.
— Echtes Glück, s.: Ensslin's Roman- u. Novellenauswahl.
— Aus d. Jugendzeit, s.: Liebhaber-Theater.
— Der Schatzgräber u. anderes, s.: Ensslin's Roman- u. Novellenauswahl.
— Die Spielgefährten. Roman in 2 Bdn. (102 u. 97) 8° Berl., A Goldschmidt 06. 1 —; geb. 1.50 d
— Freie Wahl, s.: Liebhaber-Theater.
Wiesenberger, F: Ernstes u. Heiteres f. d. Jugend. — Aus Natur u. Leben. — Robinson, s.: Jugendschriften, hrsg. v. Lehrerhausver. f. Oberöster.

Wiesendanger, M: Harmonien u. Dissonanzen. (139 m. Bildnis.) 8° Zür., C Schmidt 02. 2 — d
Wiesendanger, R: Neues üb. d. Schicksal Andrées. Tellur. u. kosm. Plauderei. (16 m. Fig.) 8° Bitterf. 02. (Schmiedebg, FE Baumann.) — 40
— Ist Frau Anna Rothe e. Medium? (52) 8° Lpzg, O Mutze 02. — 50 d
Wiesengrund, B: Die Elektrizität. Ihre Erzeugg, prakt. Verwendg u. Messg. 5. Afl. v. Rassner. (80 m. Abb.) 8° Frankf. a/M. (02). Lpzg, M Heinsius Nf. 1 —
Wiesenthal: Merkzahlen f. d. Unterr. in d. Geseh. n. Erdkde am Progymnasium u. d. Realsch. zu Schwelm. (31) 8° Schwelm, M Scherz 05. nn — 80 d
Wiesenthal, H: Deutschlds Braunkohle, s.: Hotop, E.
Wiesenthal, M: Friedr. Nietzsche u. d. griech. Sophistik. Vortr. [S.-A.] (30) 8° Hdlbg, C Winter, V. 04. — 60 d
Wieser, A Ritter v., s.: Gemeindeverwaltung u. Gemeindestatistik v. Brünn.
Wieser, F Frhr v.: Die Ergebn. u. d. Aussichten d. Personaleinkommensteuer in Österr. (147) 8° Lpzg, Duncker & H. 01. 3.20 d
— Die deut. Steuerleistg u. d. öffentl. Haushalt in Böhmen. [S.-A.] (93) 8° Ebd. 04. 2 — d
— Üb. Vergangenh. u. Zukunft d. österr. Verfassg. (171) 8° Wien, C Konegen 05.
Wieser, FR v., s.: Ringmann, M, grammatica figurata. — Urbar d. St. Martins-Kirche in Gufidaun 1453. — Waldseemüller, M, d. ält. Karte m. d. Namen Amerika.
Wieser, L: Die 3 Töne c, d, e als Wurzel d. Tonal-Systems. 4 Hefte. (17, 30, 35 u. 51) 8° Wien, C Kulm (03-05). Je 1.25
Wieser, S, s. a.: Ausshart, S.
— Rosen u. Rosmarin. Neue Lyrik. (193 m. Bildn.) 8° Burgh., W Trinkl 05. 2.50; L. nn 3.50
Wiesing, H: Agnes v. Paltental. Geschichtl. Erzählg. 4. Afl. (289 m. 6 Vollbildern.) 8° Graz, Styria 06. L. 1.20 d
Wiesinger, W, s.: Einführung, d., in d. Entwerfen.
Wiesmann, P, s.: Chirurgie d. Kopfes u. d. Speiseröhre.
Wiesner, B, s.: Archiv f. physikal. Medizin u. medizin. Technik.
— Kompendium d. Röntgenogr. — Leitf. d. Röntgen-Verfahrens, s.: Neusser, A.
— s.: Monatshefte, physikalisch-medizin.
— Rückblick auf d. Entwicklg d. Röntgentechnik, s.:Dessauer, F.
Wiesner, J: Deut. Lit.-Kde f. österr. Gymnasien u. verwandte Lehranst. (172 m. 1 Karte.) 8° Wien, A Hölder 03. 2.30; geb. 2.80 d
— dass. f. österr. Mittelsch. 2. Afl. (168 m. 1 Karte.) 8° Ebd. 05. 2.30; geb. 2.80 d
Wiesner, Dr J: Beitr. z. Gesch. d. Papieres. [S.-A.] (26) 8° Wien, (A Hölder) 04. — 70
— Elemente d. wiss. Botanik. 3. Bd. Biol. d. Pflanzen. Mit e. Anh.: Die histor. Entwicklg d. Botanik. 2. Afl. (340 m. Abb. u. 1 Karte.) 8° Ebd. 02. 8.30; geb. nn 10.20 (Vollst.: 34.30; geb. nn 39 —)
— Karl Freiherr v. Hügel, Hortologe, Geograph u. Staatsmann. Gedenkrede. (41) 8° Ebd. 01. 1 —
— Jan Ingen-Housz. Sein Leben u. s. Wirken als Naturforscher u. Arzt. (252 m. Titelbild, 2 Abb. u. 1 Fksm.) 8° Wien, C Konegen 05. 6 —
— Das Pflanzenleuleben d. Meeres, s.: Jahresbericht d. Ver. z. Förderg d. wiss. — Erforschg d. Adria.
— Die Rohstoffe d. Pflanzenreiches. Versuch e. techn. Rohstofflehre d. Pflanzenreiches. 2. Afl. 6—12. Lfg. (2. Bd. 1070 m. Fig.) 8° Lpzg, W Engelmann 01-03. Subskr.-Pr. je 5 —; Einzelpr. je 7.50 (2. Bd: 35 —; vollst.: 60 —; Einbde je 3 —)
— Studien üb. d. Einfl. d. Schwerkraft auf d. Richtg d. Pflanzenorgane. [S.-A.] (70 m. 7 Taf.) 8° Wien, (A Hölder) 02. 3.20
— Franz Unger. Gedenkrede. [S.-A.] (17) 8° Ebd. 02. — 75
— Mikroskop. Untersuchg alter osttürkestan. u. asiat. Papiere, nebst histolog. Beitr. z. mikroskop. Papierunterschg. [S.-A.] (50 m. Fig.) 4° Ebd. 02.
— Photometr. Untersuchgn auf pflanzenphysiolog. Geb. [IV.-V. Abhandlg.] [S.-A.] 8° Ebd. 2 — (I.-V.: 6.90)
   IV. Üb. d. Rinß. d. Sonnen- u. d. diffusen Tageslichtes auf d. Laubentwicklg sommergrüner Holzgewächse. (96) 04. — 60
   V. Üb. trop. d. Lichtgenuss d. Pflanzen im Yellowstonegeb. n. in and. Gegenden Nordamerikas. (74 m. 2 Fig.) 05. 1.40
Wiesner, O: Obgebn-Sammlg. Liederb. f. d. Gesangsunterr. an Volkssch. Ausg. in 3 Bdn. 8. Afl. (136) 8° Zür., Art. Instit. Orell Füssli 04. Kart. 1.20
Wiesner, O: Patent-Industrie u. Verbrechertum, Patentanwalt u. Patentbureau. 3. Afl. (36) 8° Berl. (W. 57, Dennewitzstr. 5), Verl. d. Börsenwoche (04). — 50
Wiesner, O: Das Darsemoor. — Falsch gemünzt. — Ein Gefreiter. — Der Heldensäbel. — Irrfahrten (Verlaufen. — Vergondelt), s.: Jugend- u. Volksbibliothek, deut.
— Die Meineidigen. Dorfgeschichte d. Warthebruch. (110) 8° Berl., Vaterländ. Verl.- u. Kunstanst. (01). Geb. 1 — d
Wiesner, V: Das Werden d. Welt u. ihre Zukunft. (180) 8° Wien, Stähelin & Lauenstein 03.
— dass. (Neue Afl.) (166) 8° Dresd., H Schultze 05. 2 —; geb. 4 — d
Wiest, W: Das Reichsges. betr. d. Erwerbs- u. Wirthschafts-Genossensch. in d. v. 1.I.1900 ab gelt. Fassg. (156) 8° Stuttg., W Kohlhammer 01. 2 —; geb. 2.40 d
Wietholtz, Frl. M, s.: Noress, M.

Wieting: Das Arteriensystem d. Menschen. — Deformitäten u. Missbildgn. — Frakturen d. ob. u. unt. Extremitäten. — Fremdkörper, Sarkom u. Osteomyelitis d. Schenkels. — Die kongenitalen Hüftgelenksluxationen, s.: Hildebrand.

Wieting, J: Erinnergn a. d. süd-afrikan. Kriege. (159.) 8° Bremerh., L v. Vangerow 03.   1.50; L. 2 — d
— Kriegserfahrgn a. d. südafrikan. Kriege, s.: Flockemann, A.

Wietlisbach, H: Album Rottenbuchense. Verz. aller Pröpste u. Religiosen d. Regular-Augustinerstiftes Rottenbuch, welche seit d. Stiftg bis n. d. Aufhebg verstorben sind. (112 m. Abb. u. Beil.) 8° Münch., (JJ Lentner) 02.   / . 3.50 d

Wiets, H, u. C **Erfurth:** Hilfsb. f. Elektropraktiker. 3. Afl. (436 m. Abb., 2 Taf. u. 1 Karte.) 12° Lpzg, Hachmeister & Th. 02. [4. Afl. (461 m. Abb., 2 Taf. u. 1 Karte.) 03. L. je 3 —
— — dass. 5. Afl. 2 Tle. 8° Ebd. 05. L. je 2.50; in 1 L.-Bd 4.50
1. (Schwachstrom.) (220 m. Fig.) § 2. (Starkstrom.) (372 m. Fig., 2 Taf. u. 1 Karte.)

Wigalois: Der Tempel zu Rethra u. s. Zeit. (150) 8° Berl. (N., Müllerstr. 160), P Wendland (04).   1.50 d

Wigand,. Frau A: Dem Möchel Pudernäs sien Droom odder Watt Möchel Pudernäs noam Starwe önne Hell terläwt. Gedicht. (11) 8° Köngsbg i/Pr. (Wagnerstr. 10), Selbstverl. 01.
  — 40 d

Wigand's, G, neue Volks- u. Jugend-Bibliothek. 1—3. Bd. 8° Lpzg, G Wigand.   Geb. je — 75 d
Hübuer. M: Deut. Märchen. 2 Tle. 2. Afl. (Je 80 m. Abb.) (03.) [1—2.]

Wigand, P: Das hl. Abendmahl. 4 Vortr. (83) 8° Bas., Basler Buch- u. Antiquariath. vorm. A Geering 01.   1.20 d

Wiget, T: Die formalen Stufen d. Unterr. Einführg in d. Schriften Zillers. 3. Afl. (117) 8° Chur, J Rich 05.   2 —;
  geb. nn 2.50

Wigge, H: Lehrpl. f. 6- bis 9stuf. Volks- u. Mittelsch. n. d. Prinzip d. Konzentration. (16, 80) 8° Berl., Gerdes & H. 04. 2.50

Wigger s.: Jahrbücher d. Ver. f. mecklenburg. Gesch.

Wiggermann, G: Der ehrwürd. Diener Gottes P. Januarius Maria Sarnelli, s.: Heiligen, d., d. Kirche.

Wiggers, J: Aus meinem Leben. (367) 8° Lpzg, CL Hirschfeld 01.   7.50; geb. 9 — d

Wiggert, E, u. L **Burgemeister:** Die Holzkirchen u. Holztürme d. preuss. Ostprovinzen Schlesien — Posen — Ostpreussen — Westpreussen — Brandenburg u. Pommern. Text v. L Burgemeister. (80 m. Abb. u. 40 Taf.) 4° Berl., J Springer 05.   Kart. 25 —

Wiggin, KD: Penelope's Irish experiences. — Rebecca of Sunnybrook Farm, s.: Collection of Brit. auth.
— Rebekka vom Sonnenbachhof. Aus d. Engl. v. N Rümelin. (378) 8° Stuttg., J Engelhorn 05.   L. 4 — d
— M **Findlater,** J **Findlater,** A **Mc Aulay:** The affair at the inn, s.: Collection of Brit. auth.

Wighart, H: Zw. Kreuz u. Tempel. Roman a. d. Gegenwart. 2. [Tit.-Afl. 2 Tle in Bd. (319 u. 317) 8° Bresl., Schles. Buchdr. usw. [1880] 06.   4.50; geb. 5.50 d

Wihan, J: Karl Adam Kaltenbrunner als mundartl. Dichter. (116 m. 1 Bildnis.) 8° Linz a/D., J Feichtinger's Erben 04. (Nur dir.)   2 — d

Wihan, R: Menschenglück u. Veredlg. Versuch, alle unanfechtbaren Thesen in diesen wichtigsten Fragen d. Menschheit festzustellen u. z. Anerkenng zu bringen. Begründg e. voraussetzgslosen Vernunftmoral. (64) 8° Trautenau (Böhmen) Prof. Wihan 02.   nn 1.50
— Spiritismus u. Theosophie v. Standpunkte d. Philosophie. (59) 8° Lpzg, O Mutze (04).   1 —

Wijk, N van: Der nominale Genetiv-Singular im Indogerman. in s. Verhältn. z. Nominativ. (98) 8° Zwolle 02. (Lpzg, KF Koehler.)   2.50

Wiklund, KB: Kleine lapp. Chrestomathie, s.: Hilfsmittel f. d. Studium d. finnisch-ugr. Sprachen.

Wikmark, E: Die Frauenfrage. Unter spez. Berücks. d. schwed. Bürgertums. (203) 8° Halle, C Marhold 05.

Wilamowitz-Moellendorff, Graf v.: Beateht e. gelbe Gefahr? (86) 8° Potsd., A Stein (05).   1.50

Wilamowitz-Moellendorff, U v.: Choriambk. Dimeter. [S.-A.] (32) 8° Berl., (G Reimer) 02.   1 —
— Ein Gesetz v. Samos üb. d. Beschaffg v. Brotkorn a. öffentl. Mitteln, s.: Wiegand, T.
— Hieron u. Pindaros. [S.-A.] (46) 8° Berl., (G Reimer) 01. 2 —
— Alexandrin. Inschriften. [S.-A.] (7) 8° Ebd. 02.   — 50
— Griech. Leseb. 2 Tle in 4 Bdn. 8° Berl., Weidmann. Geb. 9.40
I. Text. 1. 1—4. Afl. (179) 02-04. 2.60 § 2. 1. u. 2. Afl. (181—403) 07. 3.60
II. Erläutergn. 1. 1—125) 02-04. 1 — ; (1—125) 02.04. § 2. (197—270) 07.
— s.: Literatur u. Sprache, d. griech. u. latein. — Poetarum graecor. fragmenta.
— Reden u. Vorträge. 2. Afl. (278) 8° Berl., Weidmann 02.
  6 — ; HF. 8 —
— Satzgn e. miles. Sängergilde. [S.-A.] (22 m. 1 Taf.) 8° Berl., (G Reimer) 04.
— 3 Schlussscenen griech. Dramen. (I.—III.) [S.-A.] 8° Ebd. 05.   1.50
— I.II. (30) 1 — § III. (14) — 50.
— Die hippokrat. Schrift περί ίρῆς νούσου. [S.-A.] (22) 8° Ebd. 01.   1 —
— Die Textgesch. d. griech. Lyriker, s.: Abhandlungen d. kgl. Gesellsch. d. Wiss. zu Göttingen.
— s.: Timotheos, d. Perser. — Timotheos-Papyros, d. — Tra-

goedien, griech. — Untersuchungen, philolog. — Zum ält. Strafrecht d. Kulturvölker.

Wilberg, W: Priene, s.: Wiegand, T.

Wilbrand, F: Grundz. d. Chemie in chem. Untersuchgn. Ausg. A. Im Anh.: Die wichtigsten Kristallformen u. Bemerkgn z. Ausführg d. Versuche. 6. Afl. (92 m. H.) 8° Hildesh., A Lax 04.   1.20; geb. 1.50
— dass. **Ausg.** B. Zum Gebr. an landw. Schulen u. höh. Bürgersch. Nebst e. Anh.: Bemerkgn z. Ausführg d. Versuche. 4. Afl. (88 m. H.) 8° Ebd. 05.   Geb. 1.50 d
— Leitf. f. d. method. Unterr. in d. Chemie. 8. Afl. (248 m. Abb.) 8° Ebd. 05.   3.50; geb. nn 4.20

Wilbrand, H, u. A **Saenger:** Die Neurol. d. Auges. II. Bd u. III. Bd, 1. Abtlg. 8° Wiesb., JF Bergmann.
  (I—III, 1.: 41.90)
II. Die Beziehgn d. Nervensystems zu d. Thränenorgaaen, z. Bindehaut u. z. Hornhaut. (36, 324 m. Abb.) 01.   8.80
III, 1. Anatomie u. Physiol. d. opt. Bahnen u. Centren. (21, 474 m. Abb. u. 26 Taf.) (04).   18.60

Wilbrandt, A: Meister Amor. Roman. 3. Afl. (442) 8° Stuttg., JG Cotta Nf. 01.   3.50; geb. 4.50 d
— Das leb.Bild u. and. Gesch. (345) 8° Ebd. 01. 3 — ; geb. 4 — d
— Der Dornenweg. Roman. 4. Afl. (318) 8° Ebd. 01.   3.50;
  geb. 4.50 d
— Erinnergn. 1. u. 2. Afl. (258 m. Bildnis.) 8° Ebd. 05.   3 —;
  L. 4 — d
— Fesseln. Roman. 1—3. Afl. (300) 8° Ebd. 04.   3 — ; L. 4 — d
— Hermann Ifinger. Roman. 6. Afl. (392) 8° Ebd. 01.   4 —;
  geb. 5 — d
— Irma. Roman. 1—3. Afl. (300) 8° Ebd. 05.06. 3 — ; L. 4 — d
— Heinr. v. Kleist's Leben, s.: Hempel's Klassiker-Bibliothek.
— Der Lotsenkommandeur, s.: Volksbücher, Wiesbad.
— Villa Maria. Roman. 1—3. Afl. (282) 8° Stuttg., JG Cotta Nf. 01.   3 — ; L. 4 — d
— Ein Mecklenburger. Roman. 1—3. Afl. (372) 8° Ebd. 01. 3 —;
  L. 4 — d
— Der Meister v. Palmyra. Dramat. Dichtg. 10. Afl. (191) 8° Ebd. 02.   3 — ; geb. 4 — d
— Novellen a. d. Heimat, s.: Handbibliothek, Cotta'sche.
— Die Osterinsel. Roman. 4. Afl. (443) 8° Stuttg., JG Cotta Nf. 02.   4 — ; geb. 5 — d
— Familie Roland. Roman. 1—3. Afl. (339) 8° Ebd. 02.   3 —;
  L. 4 — d
— Der Rosengarten. Novelle. (111 m. Abb.) 8° Lpzg (03). Stuttg., Union.   1 — ; L. 2 — d
— Die Rothenburger. Roman. 6. Afl. (266) 8° Stuttg., JG Cotta Nf. 01.   3 — ; geb. 4 — d
— s.: Sophokles' ausgew. Tragödien.
— Timandra. Trauersp. (134) 8° Stuttg., JG Cotta Nf. 03.   2 —;
  L. 3 — d
— Grosse Zeiten u. and. Gesch. 1—3. Afl. (356) 8° Ebd. 04.
  3 — ; L. 4 — d

Wilbrandt, L, s.: Handbuch d. Frauenbewegg.
Wilbrandt, R, s.: Handbuch d. Frauenbewegg.

Wilck, M: 80 Aufg. a. d. Methodik d. deut. Sprachunterr., s.: Liek, G.

Wilcke, E: Aquarien u. Terrarien. Gründl. Anl. z. Bau, z. Ausstattg, Einrichtg u. Bevölkerg d. Süss- u. Seewasser-Aquarien, sowie d. Insassen u. unheizbaren Terrarien. 2. Afl. (96 m. Abb.) 8° Duderst. (1888). Göttingen, F Haensch. (Nur dir.)   1.20 d

Wilcke, F: Der Bau v. Feuergn, Heizgn, Kessel- u. Maschinenhäusern, Kalk- u. Ziegelöfen. (216 m. Fig.) 8° Lpzg, (A Felix) 03.   L. 3 — d
— Der prakt. Heizer u. Maschinist. 2 Tle. 8° Ebd.   Geb. 7.30
1. Der Heizer. (211 m. Fig.) 01. 2.80 § 2. Der Maschinist. (300 m. Fig.) 02. 4.50.

Wilcken, U, s.: Archiv f. Papyrusforschg.
Wilckens, F: „Der Ihrige". Pädagog. Briefe, nebst 2 Vortr. üb. Diesterweg u. Comenius. Mit Lebensbild d. Verf. (208 m.Bildnis.) 8° Flensbg, A Westphalen 05.   3.20 ; L. 4 — d
Wilckens, K, s.: Fromme's Taschen-Kalender f. d. k. k. Landwehr.

Wilckens, M: Grundr. d. Naturgesch. d. Haustiere. 2. Afl. v. JU Duerst. (403) 8° Lpzg, RC Schmidt & Co. 05.   L. 6 —
— Landw. Haustierlehre. 3. Afl. v. O Hagemann u. J Hansen. 2 Bde. 8° Tüb., H Laupp.   Je 4 — ; geb. je nn 5 —;
  in 1 Bd geb. nn 9.35 d
1. Form u. Leistg d. landw. Haustiere. Durchgesehen u. ergänzt v. O Hagemann. (196 m. Abb.) 04. § 2. Züchtg u. Pflege d. landw. Haustiere. Durchgesehen u. ergänzt v. J Hansen. (167 m. Abb.) 05.

Wilcocks, T: Worte d. Ermahng an alle Heiligen u. Sünder. Aus d. Engl. (44) 8° Neumünst., Vereinsbh. G Ihloff & Co. (05.)

Wilczek, E: Die officinellen Drogen, s.: Rabow, S.
Wild u. Hund. Illustr. Jagdztg. Red.: E Stahlecker. 7.—11. Jahrg. 1901—5. je 52 Nrn. (839, 839, 832, 848 u. 832 m. je 25 Kunstbll.) 4° Berl , P Parey. Geb. je 12 — ; viertelj. 2 — d
Wild u. Hund-Kalender. Taschenb. f. deut. Jäger. 6. Jahrg. (1.VII.'05—31.XII.'06, (Hrsg. v. d. illustr. Jagdzeitg „Wild u. Hund". 2 Tle in 1 Bd u. 1 Karte.) 8° Berl., P Parey.

Wild, A' u. CA **Schmid:** Vademecum f. Armenpfleger. (253) 8° Zür., Füssl & B. 02.   3.60; geb. 4 —;
Materialien dazu. (65) 02. nn — 90; in 1 Bd geb. 5.20 d

Wild, C: Baden-Baden u. Umgegend, s.: Schnars, KW.
— Neuester Plan v. Baden-Baden. 1: 4000. 88,5×59,5 cm. Farbdr. Mit Strassenverz. an d. Seiten. Bad.-B., C Wild 04. — 50
Wild, C v.: Wie behüten wir uns. Frauen u. Mädchen vor nervösen Erkrankgn? (Nach e. Vortr.) (31) 8° Cass., E Hühn (03). — 50
— Die Verhütg u. Behandlg d. chron. Verstopfg bei Frauen u. Mädchen. [S.-A.] 2. Afl. (24) 8° Halle, C Marhold 04. — 80
Wild, CG, s.: Gedichte u. Geschichten in erzgebirg. Mundart.
Wild, E: Mirabeaus geheime diplomat. Sendg u. Berlin. (202) 8° Hdlbg, C Winter, V. 01. Prakt. Hdb. f. Festspielbesucher. 4.80 d
Wild, F: Bayreuth 1901. Prakt. Hdb. f. Festspielbesucher. (199, 44, 19, 64, 10 u. 7 m. Abb., Bildnissen 1 Pl. u. 1 Fksm.-Taf.) 8° Lpzg, C Wild. 3 —; engl. Ausg. (29, 35, 39, 51—62 u. 13) u. französ. Ausg. (40, 16, 39, 51—64 u. 13) zu gl. Preise.
— dass. 1902. (12, 24, 199, 44 u. 32 m. Abb., Bildnissen u. 1 Pl.) 8° Ebd. (02). 3 —; engl. Ausg. (29, 33 u. 14 m. Abb., Bildnissen u. 1 Pl.) franzöz. Ausg. (17, 40 u. 14 m. Abb., Bildnissen u. 1 Pl.) 2 —
Wild, F: Bibl. Geschichte d. Alten u. Neuen Test. Für d. Hand d. Schüler bearb. Ausg. B. Unter- u. Mittelst. 28. Afl. (144 m. 1 Karte.) 8° Dresd., A Huhle 03. Kart. — 60 d
— Bibl. Geschichten, s.: Bartko, J.
Wild, H: Ueb. d. Föhn u. Vorschl. z. Beschränkg s. Begriffs. [S.-A.] (59 m. 18 Taf.) 4° Zür. 01. (Bas., Georg & Co.) nn 11.20
Wild, I: Ein Liebesschicksal in Liedern. (139 m. 1 Taf.) 8° Dresd., E Pierson 04. 2 —; geb. 3 — d
Wild, K: Bilderatlas z. badisch-pfälz. Gesch. (80 B. m. eingedr. u. 4 S. Text.) 4° Hdlbg, C Winter, V. 04. Gbb. 4 —
— Lothar Franz v. Schönborn, Bischof v. Bamberg u. Erzbischof v. Mainz 1693—1729, s.: Abhandlungen, Heidelberger, z. mittl. u. neueren Gesch.
— s.: Steinmüller's, J, Tageb. üb. s. Teilnahme am russ. Feldzug 1812.
Wild, O: Die Untersuchg d. Luftröhre u. d. Verwendg d. Tracheoskopie bei Struma. [S.-A.] (110 m. Abb. u. 5 Taf.) 8° Tüb., H Laupp 05. 12 —
Wild-Lüthi: 2 Weihnachtsabende. Schausp. (56) 8° Aar., HR Sauerländer & Co. 06. — 70 d
Wild-Queisner, R: Die Goldräuber, s.: Fehsenfeld's Romansammlg.
— Es lebe d. Jugend. Lieder u. Gedichte f. Jünglinge zw. 20 u. 60 Jahren. 1. u. 2. Afl. (79) 8° Freibg i/B., Thalia-Verl. 03.
— Die Kunst d. Schiessens m. d. Büchse. (100 m. Abb. u. 6 Taf.) 8° Berl., P Parey 03. L. 3.50 d
— Die neue Relig. — Die Skatratte, s.: Weichert's Wochen-Bibliothek.
— Auf Urlaub, s.: Theater-Album, militär.
Wilda, E: Wozu d. österr. Ingenieur- u. Architekten-Ver. d. gesetzl. Schutz d. Ingenieurtitels begehrt? (16) 8° Brünn, C Winiker 02. — 60
Wilda, F: Rosen-Sonntag. — In Transvaal ud. Die gestörte Burenhochzeit, s.: Theater-Allerlei.
Wilda, H: Die Dampfturbine als Schiffsmaschine. [S.-A.] (23 m. Abb.) 8° Hannov., Dr. M Jänecke 05. 1 —
— Diagramm- u. Flächenmesser. Vollständ. Ersatz f. d. Planimeter z. schnellen u. genauen Ausmessen beliebig begrenzter Flächen, Dampfdiagr. usw. (1 Bl. auf Zelluloid.) 8° Mit Gebrauchsanweisg. (1 Bl. m. 2 Abb.) 8° Ebd. (05). 2 —
— Die Schiffsmaschinen. Ihre Berechng u. Konstruktion u. Einschl. d. Dampfturbinen. Atlas. (64 Taf.) Mit Text. (12) 61,5×46,5 cm. Ebd. In M. 50 —; engl. Ausg. 55 — || Hdb. (429) 8° L. 20 —
— Der Schiffsmaschinenbau. Grundl. d. Theorie, Berechng u. Konstruktion. Auf Grund d. Werkes „Maschines marines" v. LE Bertin bearb. (612 m. Abb. u. 1 Taf.) 8° Ebd. 01. L. 24 —
— Schiffsmaschinenkde m. bes. Berücks. d. Hilfsmaschinen. 3. Afl. (55 farb. Taf. m. 8 S. Text.) 4° Hambg, Eckardt & M. 03. L. 16 —
Wilda, J: Von Hongkong u. Moskau. Ostasiat. Reisen. (312 m. Abb., 1 Karte u. 1 Fksm.) 8° Altnbg, S Geibel 09. 4.50; geb. 6 — d
— "S.M.Y. „Meteor". Sportliches u. Amerika-Erinnergn. (175 m. 4 Taf. u. 1 Karte.) 8° Berl., H Paetel 02. 3 —; geb. 4 —
— Reise auf S.M.S. „Möwe". Streifzüge in Südseekolonien u. Ostasien. 2. Afl. (304 m. 19 Vollbildern u. 1 Karte.) 8° Berl., Allg. Ver. f. deut. Litt. 03. 6 —; L. od. HF. 7.50 d
Wildberg, B (HL v. Dickinson-Wildberg), s.: Hoftheater, d. Dresdner, in d. Gegenwart.
— Standen u. Sterne. Neue Gedichte. (70) 8° Wien, J Deubler (03). 2 —; geb. 3 — d
Wildbolz: Die Verwendg uns. Kavall. (40) 8° Frauenf., Huber & Co. 02. — 90
Wilde, E: Der Chinakrieg (d. Verbrechens Sühne im Reiche d. Bezopften). Schausp. (13) 8° Halberstadt, Selbstverl. (01). 3 — d
— Therese Humbert, d. Hundert-Millionen-Schwindlerin. Orig.-Lebensbild. (126) 8° Ebd. 03. 3 — d
— Königin Luise in uns. Helden. Reihenfolge 3 tele. Bilder m. Prologen. (7) 8° Ebd. (01). 1 — d
— Wie spiele u. inszeniere ich Vereins-Vorstellgn. (29) 12° Ebd. (02). 75 d
Wilde, F: Beisp. u. Aufg. z. kaufmänn. Rechnen, s.: Roesler, JK.

Hinrichs' Fünfjahrskatalog 1901—1905.

Wilde, G: Giordano Bruno's Philosophie in d. Hauptbegriffen Materie u. Form. (65) 8° Bresl., (M & H Marcus) 01. 2 —
Wilde, M: Kirchl. u. christl. Leben in uns. Gemeinden. Vortr. (32) 8° Greifsw., J Abel 04. — 60 d
Wilde, O, s.: Ballade, d., v. Zuchthause in Reading.
— Das Bildnis d. Mr. W H. — Lord Arthur Saviles Verbrechen. Deutsch v. FP Greve. (50, 136) 8° Mind., JOC Bruns (07). geb. 2.50
— Das Bildnis Dorian Grays. Deutsch v. FP Greve. (387) 8° Ebd. (03). 3.50; geb. 4.50
Neue Afl. u. d. T.:
— Dorian Grays Bildnis. Deutsch v. FP Greve. 2. u. 3. Afl. (367) 8° Ebd. (04.05). 3.50; geb. 4.50
— Ernst sein! (The importance of being earnest.) Eine triviale Komödie f. seriöse Leute. Deutsch v. H Frhrn v. Teschenberg. (115) 8° Lpzg, M Spohr 03. 2 — d
— Fingerzeige. Deutsch v. FP Greve. (268) 8° Mind., JCC Bruns (03). 3 —; geb. 4 —
— Eine Frau ohne Bedeutg. Deutsch v. II. Pavia u. H Frhrn v. Teschenberg. (94) 8° Lpzg, M Spohr 02. 1.80 d
— Ein idealer Gatte. Deutsch v. II. Pavia u. H Frhrn v. Teschenberg. (132) 8° Ebd. 03. 2 — d
— Das Gespenst v. Canterville u. 5 and. Erzählgn. (Deutsch v. F Blei.) (89 m. Abb.) 8° Lpzg, Insel-Verl. 05. 8 —; in HPerg. 10 —
— Das Granatapfelhaus. (Deutsch v. FP Greve.) (103) 8° Ebd. 05. (5 —) 4 — || 2. Afl. (91) 05. 4 —; in HPerg. 5 —
— Dorian Gray. Aus d. Engl. v. J Gaulke. (203) 8° Lpzg, M Spohr (01). 3 —; L. 4 — d
— Die Herzogin v. Padua. Tragödie a. d. 16. Jahrh. Deutsch v. M Meyerfeld. 1. u. 2. Afl. (176) 8° Berl., E Fleischel & Co. (04). 3 —; geb. 4 — d
— Intentionen. Übers. v. I u. A Roessler. (24, 213 m. Bildnis.) 8° Lpzg, F Rothbarth (04). 2 —; geb. 3 —
— Der glückl. Prinz, s.: Seemann's kl. Unterhaltsbibliothek.
— dass. u. and. Erzählgn. Aus d. Engl. v. J Gaulke. (62) 8° Lpzg, M Spohr 03. 1.50 d
— De profundis. Aufzeichngn u. Briefe a. d. Zuchthaus in Reading. Hrsg u. eingeleitet v. M Meyerfeld. 1.—5. Afl. (115) 8° Berl., S Fischer 05. 3 —
— Salome. Tragödie. Übertr. v. H Lachmann. (79 m. Abb.) 8° Lpzg, Insel-Verl. 03. 5 —; geb. 6.50 || Neue Ausg. (75 m. Abb.) 03. 2 —; geb. 3 —
— dass. Drama. Deutsch v. II. Pavia u. H Frhrn v. Teschenberg. 1.—4. Afl. (44) 8° Lpzg, M Spohr 03.04. 1.50 d
— dass., ins Poln. übers. v. H Gonsowska. (93) 4° Münch., Etzold & Co. (04). 1.25
— dass., s.: Universal-Bibliothek.
— Der Sonnettenproblem d. Herrn W H. (the portrait of Mr. W H.). Aus d. Engl. übers. u. eingeleitet v. J Gaulke. (57) 8° Lpzg, M Spohr (02). 1.50 d
— Der Sozialismus u. d. Seele d. Menschen. Aus d. Zuchthaus zu Reading. Aesthet. Manifest, s.: Meister, verscholl., d. Lit.
— Lady Windermere's Fächer. Das Drama e. guten Weibes. Deutsch v. II. Pavia u. H Frhrn v. Teschenberg. (93) 8° Lpzg, M Spohr (02). 1.50 d
Wilde, R: Heimatklänge u. Pilgerweh. Gedichte. (360 m. Bildnis.) 8° Dresd., E Pierson (05). 3.50; geb. 4.50
Wilde, R: III. Seebataillon 2. Compagnie, s.: Bloch's, L, Militär-Festmappe.
Wilde, T, s.: Schnetzchen on Schnarze.
Wildeboer, G: Die Lit. d. Alten Test. n. d. Zeitfolge ihrer Entstehg. Aus d. Holl. v. F Risch. 2. wohlf. [Tit.-]Ausg. (464) 8° Gött., Vandenhoeck & R. [1895] 05. 2 —; L. 3 —
Wildeboer, M: Lichtstrahlen. Eine wahre Erzählg. Aus d. Holl. v. D Hagmann. (45) 12° Elberf., Bb. d. ev. Gesellsch. (03). — 25 d
Wildeck, H: Der Biberfänger, s.: Horn, WO v.
Wildeck, L v.: Adjutanten-Ritte in Südwest-Afrika, s.: Zehn-Pfennig-Bibliothek, Frankf.
Wildeis, G: Schulk. d. deut. Reichs, s.: Goldberg, L.
— Schulhandk. u. Kgr. Sachsen. 1: 640,000. 26. Afl. v. K Jacob. 27,5×40,5 cm. Farbdr. Lpzg, A Hahn (03). — 10;
auf Pappe — 20
— Schulwandk. v. Kgr. Sachsen. 1:142,000. 4. Afl. v. K Jacob. 4 Bl. je 68×90 cm. Farbdr. Ebd. (01). 8 —; auf Lw. m. St. 16 —
Wilden, J: Zur Ausdehng d. Reichsarmenrechts auf Elsass-L. (138) 8° Strassbg, JHE Heitz 04. 2.50 d
— Grundr. d. Gesch. d. deut. Handwerks, s.: Handwerkerbibliothek, neue.
Wilden, J, s.: Will, J.
Wilden, W: Der Festsänger. 30 Fest- u. Trauerklänge f. 4-stimm. Männerch. (p. 6. (74) 8° Bonn, A Heidelmann 04. 1.20 d
Wildenbruch, E v.: Der Astronom. 10. Taus. (167) 8° Berl., G Grote 03. 3 —; geb. 4 —
— Das edle Blut. Erzählg. Neue Ausg. Der Reihe n. 70. Taus. (86 m. Abb.) 12° Ebd. 04. Kart. 1.50; geb. 2.20 d
— dass. In vereinf. deut. Stenogr. System Stolze-Schrey. (73) 12° Berl., Fr Schulze (03). — 60; L. 1 —
— Grossh. Carl Alexander †. Gedenkbl. z. 5.I.'01. [S.-A.] (15) 8° Weim., H Böhlau's Nf. 01. — 40 d
— Claudia's Garten. Eine Legende. Neue Ausg. Der Reihe n. 14. Afl. (112 m. Abb.) 12° Berl., G Grote 03. Kart. 1.50; geb. 2.30 d

Wildenbruch, E v.: Die Danaide. Erzählg. Neue Ausg. (103 m. Abb.) 12° Berl., G Grote 02. Kart. 1.50; geb. 2.20 d
— Der unsterbl. Felix. Hauskomödie. (184) 8° Ebd. 04. 3 —; geb. 3 — d
— Unter d. Geissel. Erzählg. 1—3. Taus. (184) 12° Ebd. 01-04. Kart. 2.20; geb. 3 — d
— Der Generalfeldoberst. Trauersp. im deut. Vers. Neue Ausg. (232) 8° Ebd. 01. 2 —; geb. 3 — d
— dass. Ein Vorwort z. Aufführg. (15) 8° Weim., H Böhlau's Nf. 01. || 2. Afl. (16) 01. Je — 20 d
— Harold. Trauersp. 7. Afl. (152) 8° Berl., G Grote 05. 2 —; geb. 3 — d
— Heros, bleib bei uns! Gedicht z. Hundertjahrestag v. Schillers Heimgang. (11) 8° Ebd. 05. — 20
— Das schwarze Holz. Roman. (357) 8° Ebd.05. 4 —; geb. 5 — d
— Kindertränen. 2 Erzählgn. 30. Taus. Neue Ausg. (121) 8° Ebd. 03. Kart. 1.50; geb. 2.20 d
— Lach. Land. Humoresken u. Anderes. 14. Afl. d. „Humoresken". (247) 8° Ebd. 01. 4 —; L. 5 — d
— König Laurin. Tragödie. (233) 8° Ebd. 02. 2 —; geb. 3 — d
— Eifernde Liebe. Roman. 14. Taus. (312) 8° Ebd. 01. 4 —; geb. 5 — d
— Die Lieder d. Euripides. Schausp. m. Musik. (100 m. Abb.) 8° Ebd. 05. 2 —; geb. 3 — d
— Aus Liselottes Heimat. Ein Wort z. Heidelberger Schlossfrage. (59 m. Abb. u. 1 Bildnis.) 8° Ebd. 04. 1 — d
— Christoph Marlow. Trauersp. 2. Afl. (125) 8° Ebd. 02. 2 —; geb. 3 — d
— Neid. Erzählg. 19. Taus. (176) 12° Ebd. 03. Kart. 2.20; geb. 3 — d
— Novellen. 9. Afl. (350) 8° Ebd. 1897. 4 —; geb. 5 — d
— Neue Novellen. 10. Afl. (248) 8° Ebd. 02. 4 —; geb. 5 — d
— Die Quitzows. Schausp. Neue Ausg. Der Reihe n. 20. Taus. (195 m. Abb.) 8° Ebd. 02. 3 —; geb. 4 — d
— Schwester-Seele. Roman. 14. Afl. (467) 8° Stuttg., JG Cotta Nf. 06. 4 —; geb. 5 — d
— Semiramis. Erzählg. (320) 8° Berl., G Grote 04. Kart. 3 —; geb. 3.60 d
— Väter u. Söhne. Schausp. 4. Afl. (144) 8° Ebd. 03. 2 —; geb. 3 — d
— Vice-Mama. Erzählg. 1—14. Taus. (306) 12° Ebd. 04. Kart. 3 —; geb. 3.60 d
— Ein Wort üb. Weimar. (27) 8° Ebd. 03. — 60 d
Wildenburg, E v.: Ueb. d. Gesch. u. Pflege d. kath. deut. Kirchenliedes. (41) 8° Breg., JN Teutsch (02). — 45
Wildenfels, C v., s.: Clasen-Schmid, M.
Wildenradt, J v.: Gesch. u. Dichtg, s.: Jugendbibliothek, deut.
— Herzensrechte. Novelle. (226) 8° Berl., O Janke (03). 3 — d
— Meister Josephus. 3 Tage a. d. Leben e. Künstlers. (159) 8° Ebd. (05). 3 — d
— Melitta. Einem altdeut. Meistersang nachgedichtet. (77) 8° Glücksb., M Hansen 05. L. 3 — d
— Signelil. Episches Gedicht. (267) 8° Hambg, O Meissner's V. 02. L. 5 — d
— Zu spät! Schausp. (136) 8° Ebd. 02. L. 5 — d
Wildenstein, K, s. a.: Klausemann, AO.
— Dolf d. Burenheld. Gefahren u. Erlebnisse e. jungen Deutschen im jüngsten Burenkriege. Erzählg f. d. Jugend. 5. Afl. (156 m. 12 [4 farb.] Bildern.) 8° Stuttg., Loewe (02). Geb. 3 — d
Wildermann, M, s.: Jahrbuch d. Naturwiss.
— Naturlehre f. d. Unterr. an Mittelsch. u. höh. Mädchensch., sowie f. d. Selbstunterr. 3. Afl. (144 m. Abb.) 8° Freibg i/B., Herder 01. 1 —; geb. 1.25 d
— Nociones de fisica. 3.ed.(181 m.Abb.) 8° Ebd.02. 1.36; kart. 1.60
Wildermann, R, s.: Monatsblätter f. d. kathol. Relig.-Unterr. an höh. Lehranst.
Wildermuth: Französ. Chrestomathie, s.: Gruner, F.
Wildermuth, HA: Üb. d. Aufg. d. Pflegepersonals bei Epileptischen. 3. Afl. (16) 8° Halle, C Marhold 04. — 50 d
— s.: Zeitschrift f. d. Behandlg Schwachsinniger u. Epileptischer.
— Üb. d. Zurechnungsfähigk. d. Hysterischen, s.: Grenzfragen, juristisch-psychiatr.
Wildermuth, O, s.: Kinder-Glückwünsche.
— Schäfers Margareth, s.: Christblumen. — Tannenzweige.
Wildgans, A: Vom Wege. Gedichte. (47) 8° Dresd., E Pierson 03. 1.50; geb. 2.50 d
Wildhagen, E, geb. Friedrich-Friedrich: Aus Trotzkopfs Ehe. 3. Bd z. „Trotzkopf" v. E v. Rhoden (E Friedrich-Friedrich). Wohlf. Ausg. 16. Afl. (226) 8° Stuttg., G Weise (05). L. 3 — d
Wildhagen, K: Der Psalter d. Eadwine v. Canterbury, s.: Studien z. engl. Philol.
Wildner, A: Fridewald. Ein Sang a. Böheims Alten. Bergen. (87) 8° Diessen, JC Huber 04. 2 — d
Wildschongesetz v. 14.VII.'04. (7) 8° Berl., (R v. Decker) (04). — 26 d
— dass. Mit Erläutergn u. Ausführgsbestimmgn. (16) 8° Berl., J Springer 05. — 40 d
Wildt, E: Katech. d. Agrikulturchemie, 7. Afl., s.: Passon, M.
Wildt, J: Prakt. Beisp. a. d. darstell. Geometrie f. Lehranst. m. dazu gehör. kunstgewerbl. Richtzg. 1/2 (12 farb. Bl. m. 3 S. Text.) Fol. Nebst Textheft. (28 m. Fig.) 4° Wien, A Pichler's Wwe & S. 02. 17 — (1 u. 2; 31 —)

Wildt, J: Vorlagenwerk f. geometr. u. Projektionszeichnen an gewerbl. Fortbildgsch., Handwerkersch. u. Bürgersch. 3. Afl. (31 Bl.) 39,5×53 cm. Mit erklär. Text. (5) 8° Wien, A Pichler's Wwe & S. (05). In M. 7 —
— u. J **Schleschka**: Leitf. f. d. Unterr. in d. Geometrie u. Projektionslehre an allg. gewerbl. Fortbildgsch. f. d. Hand d. Lehrers. (90 m. Fig.) 8° Ebd. 05. 2 —
Wilfarth, H, u. G **Wimmer**: Die Wirkg d. Kaliums auf d. Pflanzenleben, s.: Arbeiten d. dent. Landw.-Gesellsch.
Wilfert, A: Presshefe, Kunsthefe u. Backpulver. Ausführl. Anl. z. Darstellg. 3. Afl. (216 m. Abb.) 8° Wien, A Hartleben 04. 2 —; geb. 2.80 d
Wilhelm, J: Diät f. Nervenkranke. — Führer f. Nervenkranke. — Der Gesundheits-Sport. — Heilg d. Nervosität u. Neurasthenie. — Die Naturärzte u. d. Naturheilverfahren, s.: Hausbücher, medizin.
— Die modernen Nervenheilanst.? Welchen Nutzen haben sie f. Nervöse? (59) 8° Wien, A Reitinger 04. — 70
— Nervosität, Neurasthenie, nervöse Erschöpfg nebst d. modernen hygien. Heilfactoren Licht, Luft, Wasser, Turnen, Elektricität u. d. Heilagentien d. modernen Naturheilverfahrens. 8. Afl. (120) 8° Wien, Huber & L. Nf. 02. 2 —
— Die Nervosität d. Frauen. — Ratgeber f. Herzkranke, s.: Hausbücher, medizin.
Wilhelm s. a. Willem.
Wilhelm u. **Martus Radja Israel** s.: Missions-Traktate, kl.
Wilhelm I., Kaiser, u. **Bismarck**, s.: Bismarck, Fürst O v., Gedanken u. Erinnergn.
Wilhelm's d. Gr., Kaiser, Briefe, Reden u. Schriften. Ausgew. u. erläut. v. E Berner. 1797—1888. 2 Bds. 1—3. Afl. (23, 504 u. 23, 429) 8° Berl., ES Mittler & S. 06. 6 —; geb. 8 — d
— Flucht u. Engl. im J. 1848. (55) 8° Zür., C Schmidt 05. 1 — d
Wilhelm II., Kaiser, s.: Kaiserrede, d., zu Aachen. — Kaiserreden.
— Reden in d. J. 1896—1900, hrsg. v. J Penzler, s.: Universal-Bibliothek.
— Worte u. Reden. Ausw., hrsg. v. K Handtmann. (111) 8° Berl., Vaterländ. Verl.- u.Kunstanst. (05). — 80; geb. nn 1.25 d
Wilhelm II., wie er geschildert wird u. wie er ist. Von e. alten Diplomaten. (471) 8° Zür., C Schmidt 04. 6.50; geb. 8 — d *Im Deut. Reiche verboten.*
— Kaiser, d. Kunst u. d. Kunstverständnis d. Massen. Ein off. Wort an Alle. d. es m. d. Kunst ernst meinen. Von Veritas. (29) 8° Stuttg., H Koch 02. — 60
— als Soldat u. Seemann. Zugl. Gesch. d. Reichsheeres u. d. Flotte seit 1871. Hrsg. v. J Kürschner. (406 Sp. m. Abb. u. 7 z. Tl farb. Beil.) 4° Berl., CA Weller 02. L. 5 — d
Wilhelm, Prinz v. Baden. Festgabe z. Enthüllg s. Denkmals in Karlsruhe. (32 m. Abb.) 8° Karlsr., JJ Reiff 01. nn — 90 d
Wilhelm, Prinzessin v. Preussen, geb. Prinzessin Marianne v. Hessen-Homburg: Briefe an ihren Bruder Ludwig, veröffentlicht v. E Droescher, s.: Mitteilungen d. Ver. f. Gesch. u. Altertumskde zu Homburg v. d. Höhe.
Wilhelm, A: Gedächtnis. Prakt. Wegweiser z. Verhütg d. Gedächtnisschwäche u. Erlangg e. guten Merkvermögens. (40) 8° Burg bei Magdeburg (04). Brieg (Bez. Breslau), Alfons Wilhelm. 1.50
Wilhelm, E: Texasfred. Erzählg a. d. wilden Westen. (128) 8° Erf., F Bartholomäus (1900). — 60 d
Wilhelm, C: Im Traum u. Leben. Dichtgn. (102) 8° Berl., Rosenbaum & H. 02. 1.50 d
Wilhelm, E: Sind Frauen Staatsbürgerinnen? (102) 8° Berl., s.: Bibliothek f. deut. Schüler.
Wilhelm, F: Blitz-Taschen-Fahrpl.f Bremen,Hamburg, Lübeck, Oldenb., Harz u. Wesergebirge. Sommer 1901. (64 m. 1 Karte auf d. Umschl.) 16° Brem., W Valett & Co. — 25 ô F
Wilhelm, F: Uns. Heimat — d. Lausitz. Heimatkundl. Lehrb. u. Leseb. f. Stadt u. Land. Ausg. f. d. Bez. Bautzen. (232 m. Abb.) 8° Lpzg, A Strauch (05). Geb. 1.30; L. 1.60 d
Wilhelm, F: Regesta imperii. V, s.: Böhmer, JF.
Wilhelm, F: Unternehmer u. Bilanz u. d. Grundsätze ordngsmäss. Buchführg im Warenhandel wie im Fabrikationsgeschäft u. kaufmänn. Auffassg. (66) 8° Chemn., (O May) (05). Kart. 2.25
Wilhelm, F: Die Gesch. d. handschriftl. Überlieferg v. Strickers Karl d. Gr. (290 u. 11 S. Tab.) 8° Ambg, H Böss 04. 8 —
Wilhelm, H, s.: Volks-Erzählungen, kl.
Wilhelm, H: Idyllen a. Musopolis. (Schulhumoreska.) 2. Heft. Schäumchens Herzeleid 02.: Wahrhafte Gesch. d. 1. Liebe d. sigl. preuss. Gymnasial-Oberlehrers Friedrich Schäumchen. (39 m. Abb.) 12° Brnschw. (02). Lpzg, R Sattler. — 50 (1 u. 2.: 1 —) d
Wilhelm, J: Mona Vanna, s.: Lindau, C.
Wilhelm, O.: Tauf- u. Rufnamen im Herzogt. Coburg. (33) 4° Cobg, (H Bonsack) 02. 2 — d
Wilhelm, R: Deutsch-chines. Lectionen. 5. Afl. d. P Kranzschen chines. Lectionen. (59) 8° Tsingtau 04. (Berl., S Calvary & Co.) 3 —
— Deutsch-chines. Lehrb. 2. Afl. 3 Tle. 8° Ebd. 3 —
Chines. Text. (55) 05. || Dent. Text. (64) 05. || Vocabular, Grammatik u. Umschreibg d. chines. Textes. 30 Lectionen. 2. Afl. (145) 04.

Wilhelm, T: Das sexuelle Leben u. s. Bewertg in d. Erziehg d. Kinder. (63) 8° Donauw., L Auer 05.　— 50
.Wilhelm, WW: Eine Pfeife Haschisch. Reiseskizze a. d. Orient. (16) 8° Lpzg, Modernes Verl.-Bureau 05.　— 50
Wilhelmi, A: Gesch. d. Chemie im 19. Jahrh., s.: Jahrhundert, d. deut., in Einzelschriften.
Wilhelmi, A: Die Kälber in d. ersten Lebensperiode, ihre wichtigsten Krankh. u. deren Verhütg. (31 m. 6 Taf.) 8° Aar., E Wirz 03. ǁ 2. Afl. (36 m. Abb. u. 6 Taf.) 05.　Je 1 — d
Wilhelmi, A: Die mecklenburg. Aerzte v. d. ält. Zeiten bis z. Gegenwart. Neuausg., Vervollständigg u. Fortsetzg d. A Blanck'schen Sammelwerkes. (288 m. Bildnissen u. Titelbild.) 8° Schwer., E Herberger 01.　8 —
*h 1. Afl. v. A Blanck bearb.
Wilhelmi, FC, s.: Kirchengeschichte in Lebensbildern f. Schule u. Haus.
Wilhelmi, H, s.: Volks-Erzählungen, kl.
Wilhelmi, L: Gewerbeordng f. d. Deut. Reich, s.: Berger, TP. (Berolina-Versand-Bh.) 1899.
— Das Handwerkerges. v. 26.VII.1897. Mit Einl. u. Bemerkng unter bes. Berücks. d. Ausführgs-Anweisgn d. grösseren Bundesstaaten. (344) 8° Berl., J Guttentag 02. 5 —; L. 6 — d
— u. M Fürst: Das Gewerbegerichtsges. in d. Fassg d. Bekanntmachg v. 29.IX.'01. In 1. Afl. als „Reichsges., betr. d. Gewerbegerichte v. 29.VII.1890" erläutert. 2. Afl. v. L Wilhelmi u. R Bewer. (26, 504) 8° Berl., C Heymann 03. 11 —; geb. 12 — d
Wilhelmi, R: Das Geschlechtsleben e. Kunst. (103) 8° Berl., P Speier & Co. (05).　2 — d
Wilhelmshaven. Führer durch Wilhelmshaven u. Umgebg. (90 m. Abb. u. 1 Pl.) 12° Wilhelmsh., F Schmidt 03.　1.25
Wilhelmy: Die Bakterienflora d. Fleischextracte u. ein. verwandter Präparate. [S.-A.] (42 m. 3 Taf.) 8° Wiesb. 03. Lpzg, O Nemnich.　4.50
Wilhelmy, A: Wie Ludwig d. Mogeln verlernte, s.: Kornblumen.
Wiligut, KM (Lobesam): Seyfrieds Runen (Rabensteinsage). (81) 8° Wien, F Schalk 03.　2 — d
Wilk, E: Die Formengemeinschaften — e. Irrweg d. Geometriemethodik. (61) 8° Dresd., Bleyl & K. 04.　1.20
— Geometrie d. Volkssch., s.: Pickel, A.
— Grundbegriffe d. Meteorol. f. höh. Schulen u. z. Selbstunterr. 3. [Tit.-]Afl. (59 m. Fig. u. 5 Kart.) 8° Lpzg, J Baedeker [1892] 02.　1 — d
— Der gegenwärt. Stand d. Geometrie-Methodik, s.: Zur Pädagogik d. Gegenwart.
— Das Werden d. Zahlen u. d. Rechnens im Menschen u. in d. Menschh. auf Grund v. Psychol. u. Gesch. II. Tl: Die ganzen Zahlen. [S.-A.] (103 m. Fig.) 8° Dresd., Bleyl & K. 04.　1.80
Wilk, M: Liederstrauss, s.: Buchholzer, A.
Wilkan, s.: Lieres u. Wilkau, G v.
Wilke, A: Der elektrotechn. Beruf. Kurzgef. Darstellg d. Bildgsganges u. d. ausbildung d. Elektrotechnikers, d. Elektrochemikers u. d. elektrotechn. Gewerbtreibenden, nebst Nachweis üb. d. bestehl. Anst. f. Ausbildg d. Elektrotechniker. 3. Afl. (127) 8° Lpzg, O Leiner 03.　2 —; L. 2.60
— Die Elektricität, s.: Schwarze, T.
— s.: Handbuch d. elektrotechn. Praxis.
Wilke, C: Aufsätze f. Fortbildgs- u. Gewerbesch. sowie z. Selbstunterr. 2. Afl. (132) 8° Lpzg, J Klinkhardt 05.　1.40; geb. nn 1.80 d
Wilke, CG: Clavis Novi Test. philologica, ed. IV., s.: Grimm, CLW, lexicon graeco-latinum in libros Novi Test.
Wilke, E: Einführg in d. geschäftl. Englisch. Anh. z. „Einführg in d. engl. Sprache". 2. Afl. (59) 8° Lpzg, R Gerhard 02.　— 60
— Einführg in d. engl. Sprache. Elementarb. f. höh. Schulen, 5. Afl. d. Stoffe zu Gehör- u. Sprechübgn. (235) 8° Ebv. 05.　1.80; geb. 2.20
— u. Déservaud: Anschaugsunterr. im Französ. m. Benutzg v. Hölzels Bildern. 1., 3., 4. 6. u. 7. Heft. 8° Ebd. J e — 30; m. Bildern je nn — 45
1. Le printemps. 4. Afl. (16) 04. ǁ 3. L'été. 3. Afl. (10) 04. ǁ 4. La forêt. 2. Afl. (16) 1900. ǁ 6. La montagne. 2. Afl. (16) 1900. ǁ 7. L'hiver. 3. Afl.
Wilke, E: Fibel, s.: Schlimbach, G.　•
— Lehr- u. Übgsb. f. d. Unterr. in d. Muttersprache. IV. Tl d. Sprachhefte f. Mittelsch. Ausg. C. (6—9. Schulj.) (169) 8° Halle, H Schroedel 02.　Kart. 1 — d
— Lehr- u. Übgsbuch f. d. Deutschunterr. im 2. Schulj. Vorzugsw. z. Sprachheften. (20) 8° Ebd. 02.　nn —15 d
— Schriftdeutsch u. Volkssprache. Heft f. Lehrer- u. Lehrerinnenseminare. (215 m. Abb. u. 1 Karte.) 8° Lpzg, F Brandstetter 03.　Geb. 3 — d
— Sprachhefte f. 8stuf. Schulen, s.: Schmidt, H.
— dass. f. Volkssch. Ausg. (A) in 3 Schülerheften. 8° Halle, H Schroedel.
I. 4. Afl. (30) 06. — 20 ǁ II. 4. Afl. (50) 02. — 30 ǁ III. (Oberst.) 4. Afl. (128) 03. Kart. nn — 50.
— dass. f. Mittelsch. u. verwandte Lehranst. Ausg. (C) in 4 Heften. 1.—3. Heft. 8° Ebd. 02.　— 85 d
I. (3. Schulj.) (18) — 25 ǁ 2. (4. Schulj.) (21) — 30 ǁ 8. (5. Schulj.) (68) — 30.
— dass. Begleitwort. (30) 8° Ebd. 02.　— 80 d
— Der geograph. Unterr. in d. kaufmänn. Fortbildgssch., s.:

Veröffentlichungen d. deut. Verbandes f. d. kaufmänn. Unterr.-Wesen.
Wilke, E: Deutsche Wortkde. Hilfsb. f. Lehrer u. Freunde d. Muttersprache. 3. Afl. (368) 8° Lpzg, F Brandstetter 05. 4 —; geb. 4.40 d
— u. F Herbst: Sprachhefte f. einf. Schulverhältn. Ausg. D. 2 Hefte. 8° Halle, H Schroedel.　— 70 d
1. (3—6. Schulj.) (56) 02. — 30 ǁ 2. (7. u. 8. Schulj.) (96) 03. — 40.
Wilke, F: Jesaja u. Assur. Exegetisch-histor. Untersuchg z. Politik d. Propheten Jesaja. (125) 8° Lpzg, Dieterich 05. 3 —
Wilke, F: Der Held v. Fehrbellin. Die Mühle v. Leuthen. Vor Paris, s.: Liebhaber-Theater.
Wilke, G: Gedichte. (92) 8° Dresd., E Pierson 06.　1.50; geb. 2.50 d
Wilke, JH, s.: Transvaal boven!
Wilke, K: 10 Ausflüge durch Oderbergs romant. Umgebg. (Umschl.: Führer durch Oderberg i. M. u. s. romant. Umgebg.) (48 m. Abb. u. 1 Karte.) 8° Berl. (S. 42, Wasserthorstr. 27), (Berolina-Versand-Bh.) 1899.　— 20 d
Wilke, R, s.: Formularbuch f. d. freiwill. Gerichtsbark.
Wilke, T: Karte d. Grossherzogt. Mecklenburg (Schwerin u. Strelitz). 1:750,000. 6. Afl. 26×86,5cm. Farbdr. Güstr., Opitz & Co. (05).　— 10
— Relig. Lernstoff. Durch ministerielle Verordng f. alle uns. ev.-luther. Schulen ausgew. 5. Afl. (80) 8° Ebd. (05). — 50 d
— Mecklenburg. Schulspruchb. (Neue Afl.) (32) 8° Ebd. (02).　— 20 d
— Vaterlandskde d. Grossherzogt. Mecklenburg-Schwerin u. Mecklenburg-Strelitz. 5. Afl. (36 m. Fig., 2 Kartenskizzen u. 1 Karte.) 8° Ebd. (05).　— 50 d
— u. M Wilke: Meine Fibel. Ausg. A. (Schreibschrift n. Hamburger Duktus.) (104 m. Abb.) 8° Berl., W Süsserott (05). Geb. — 55 d
— — dass. Ausg. C. (Schreibschrift n. Schmarje-Duktus.) (104 m. Abb.) 8° Ebd. (05).　Geb. — 60 d
Ausg. B ist nicht z. Ausg. gelangt.
Wilke, T: Vorteile u. d. Invalidenversicherg (Unfall- u. Krankenkasse) f. d. Versicherten, s.: Fortschritt, soz.
Wilke, T: Einträgl. Gemüsebau m. Berücks. d. Vor-, Zwischen- u. Nachkulturen. (131 m. Abb.) 8° Neud., J Neumann (03).　Kart. 3 — d
Wilke, T: Nervosität u. Neurasthenie u. deren Heilg. (191) 8° Hildesh., F Borgmeyer 02.　2 —; geb. 2.50 d
Wilken, H, u. G Kadelburg: Migräne, s.: Thalia.
Wilken, A: Untersuchg üb. Poincarésche period. Lösgn d. Problems d. 3 Körper, s.: Abhandlungen, astronom.
— Untersuchg üb. e. neue Kl. period. Lösgn d. Problems d. 3 Körper. [S.-A.] (43 m. 2 Fig.) 8° Wien, (A Hölder) 05. — 90
— Natur dargest. 1. Mappe. (30 Bl.) 4° Hemelingen (04. Brem., J Morgenbesser.)　In M. 10 — d
Wilkens, H: Linien u. Formen in Blättern u. Blüten, n. d. Natur dargest. 1. Mappe. (30 Bl.) 4° Hemelingen (04. Brem., J Morgenbesser.)　In M. 10 — d
Wilkens, W: Bleibet im Herrn! Ein Wort auf d. Lebensweg. 2. Afl. (109) 8° Oldnbg, G Stalling's V. (01).　Kart. — 50 d
Wilkes, J: Lautlehre zu Aelfric's Heptateuch u. Buch Hiob, s.: Beiträge, Bonner, z. Anglistik.
Wilking, F, s.: Elektro-Ingenieur-Kalender.
Wilking, W: Stenograph. Lese- u. Diktierh. f. Anfängerkurse in d. Gabelsb.'schen Stenogr. (40) 12° Wolfenb., Heckner (03).　nn — 80
Wilkins, M: Hanna, s.: Hausfreund, neuer.
Wilkinson, CA: König Ernst August v. Hannover. Erinnergn an s. Hof n. s. Zeit. Übers. v. H Veranus. Nebst e. biograph. Skizze. (48, 438 m. 1 Bildnis.) 8° Brnschw. (02). Lpzg, K Sattler.　5 —; L. 6 — ǁ 2. [Tit.-]Ausg. '04. 2 —; geb. 3 — d
Wilkinson, J: Israel, meine Herrlichkeit! od. Israels Mission u. Missioner f. Israel. 2. Afl. (343) 8° Berl., Deut. ev. Buch- u. Tractat-Gesellsch. 04.　L. 3 — d
Wilks, TE, Esq.: Sudden thoughts, s.: Theatre, modern Engl. comic.
Will, D: Der Mietvertrag n. deut. Recht. 1—3. Afl. (32) 8° Strassbg, Agentur v. B Herder 02.　— 80 d
— Die neueste Steuerreform in Elsass-L. (141) 8° Strassbg, (FX Le Roux & Co.) 03.　nn 1 — d
Will, F: Zur Kenntnis d. Jodiniumverbindgn. (26) 8° Freibg i/B., Speyer & K. 02.　— 60
Will, F: Im Kaffeelokal, s.: Theater-Allerlei.
Will, J: Die wichtigsten Forstinsekten. (132 m. Abb. u. 1 Taf.) 8° Neud., J Neumann 04.　Kart. 2.50 d
Will, J (J Wilden): Sidera cordis. Lieder u. Gedichte. (88) 8° Dresd., E Pierson 05.　1.50; geb. 2.50
Will, L: Coelenterata, s.: Chun, C.
Will, L: Der Pietismus, s.: Wesen u. Werden, d., d. Protestantismus.
— Jakob Sturm, s.: Lebensbilder, ev., a. d. Elsass.
Will, R: Der Amtsunterr. f. d. Amtsvorstände bei Post- u. Telegr.-Ämtern I—III. Kl. (194) 8° Wien, C Konegen 05. 3 —
Will, R: Postverwalter. (285) 8° Wien, C Fromme 03.　3.50
— Der Organismus d. österr. Post- u. Telegr.-Anst. (223) 8° Ebd. 01.　2.50
— Die Postanst. u. ihre Bediensteten. Aus d. Nachlass hrsg. v. O. Natter. (226) 8° Wien, C Konegen 05. 3 —
Will, W: Anl. z. stat. Berechng v. Eisenkonstruktionen im Hochbau, s.: Schloesser, H.

Will, W, s.: Versuche z. Prüfg d. Empfindlichk. gefror. u. halbgefror. Nitroglyzerinsprengstoffe usw.
Will-Miltenstein: Maria. Drama. (57) 8° Lpzg, Breitkopf & H. 01. 1 — d
Willam, F: Blüthen d. Gebets. Andachtsb. f. kathol. Christen. 15. Afl. (416) 16° Saarl., F Stein Nf. (01). — 60;
in Chagr. m. G. 1.30 d
— Das Brot d. Lebens. Vollständ. Kommunionb. f. kathol. Christen. Nach d. Lat. 5. Afl. v. e. Ordensmitgliede. (812 m. 1 St.) 16° Einsied., Verl.-Anst. Benziger & Co. 01. L. 1.60;
Ldr m. G. 3 — d
— Gebetablüthen. Andachtsb. f. kathol. Christen. 15. Afl. (Ausg. d. Blüthen d. Gebets m. rotem Rand.) (416) 16° Saarl., F Stein Nf. (01). — 70; in Chagr. m. G. (1.95) 1.35 d
Willareth, O: Die Lehre v. Übel in d. gr. Systemen d. nachkant. Philosophie u. Theol. (128) 8° Sand (Amt Kehl), Pfr. Dr. Willareth 03. 3 —
Willborn, J, s.: Jahrbnch d. Schweriner Ver. f. Lehrerinnen.
Wille, B: Das lebend. All. Idealist. Weltanschaug auf naturwiss. Grundl. im Sinne Fechners. 1—6. Taus. (84) 8° Hambg, L Voss 05. 1 — d
— Auferstehg. s.: Flugschriften d. Giordano Bruno-Bundes.
— Die Christus-Mythe als monist. Weltanschaug. (120) 16° Berl., Vita (03). Kart. 1.20 d
— Die freie Hochsch. als Mittel z. Steigerg uns. Volkskultur, s.: Bibliothek f. modernes Geistesleben.
— s.: Jugend, d. freie.
— Lehrb. f. d. Jugend-Unterr. freier Gemeinden. 1. Thl: Gedichte, Lieder, Sprüche u. freirelig. Gespräche. 2. Afl. (234) 12° Berl., (A Hoffmann) 1900. Geb. 1.20 d
— Obringbargn d. Wachholderbaums. Roman e. Allsehers. 3. Bd. (402) 8° Lpzg 01. Jena, E Diederichs. 4 — || 2. Afl. 2 Bde. (335 u. 402) 03. 8 —; geb. 10 — d
— Die Sagenhalle d. Riesengebirges (Schreiberhau). Der Mythus v. Wotan-Rübezahl in Werken d. bild. Kunst. 8 (farb.) Bilder v. H Hendrich, Standbild v. H Schuchardt, Basrelk v. P Engler, Erläuterg v. W. (16 m. 2 Abb.) 4° Lpzg 03. (Warmbr., M Leipelt.) 1.50 d
— dass. der schlaf. Wotan, Standbild v. R Maison. 11—50. Taus. (16 m. 2 Abb.) 8° Berl. 04. Mittel-Schreiberhau, Verl. Sagenhalle. 1 — d
Wille, C, s.: Für Schule u. Praxis.
Wille, F v.: Bilder a. d. Eifel, s.: Steinzeichnungen deut. Maler.
— Bilder v. Rhein u. v. d. Eifel, s.: Meyer, KT.
Wille, G: Zweimal 50 bibl. Fest. f. d. Unter- u. Mittelst. 6. Afl. (79 m. Abb. u. 3 Kart.) 8° Lpzg, Dürr'sche Bh. — E Peter 05. — 30; geb. 10 — 40 d
Wille, H: Lehrb. d. europ. Moden-Akademie, s.: Gunkel, A.
Wille, H, s. a.: Blumenreich, P.
— Der Privatsekretär, s.: Viktoria-Sammlung.
Wille, J: Elisabeth Charlotte Herzogin v. Orleans (Die Pfälzer Liselotte), s.: Frauenleben.
— Die deut. Pfälzer Handschriften d. XVI. u. XVII. Jahrh. d. Univ.-Bibliothek in Heidelberg; m. e. Anh.: Die Handschriften d. Batt'schen Bibliothek, s.: Katalog d. Handschriften d. Univ.-Bibliothek in Heidelberg.
Wille, N: Die Schizophyceen d. Plankton-Exped., s.: Ergebnisse d. usw. Plankton-Exped. d. Humboldt-Stiftg.
— Studien üb. Chlorophyceen. I—VII. [S.-A.] (46 m. 4 farb. Taf.) 8° Christiania, (J Dybwad) 01. † 4 —
Wille, O: Nervenleiden u. Frauenleiden. Nach e. Vortr. (48) 8° Stuttg., F Enke 02. 1.20
Wille, R: Entwicklg d. Verschlüsse f. Kanonen unter bes. Berücks. d. neusten Verschlüsse System Ehrhardt. (123 m. Abb. u. 4 Taf.) 8° Berl., R Eisenschmidt 03. 4 —
— v. Mannlichers Selbstlade-Karabiner u. Karabiner-Pistole m/1901. (47 m. Abb. u. 6 Taf.) 8° Ebd. 02. 3.50
— v. Mannlichers Selbstlade-Pistole m/1901. (40 m. Abb. u. 5 Taf.) 8° Ebd. 02. 3 —
— Selbstlader-Fragen. 1. Heft. (60 m. 4 Taf.) 8° Ebd. 02. 3 —
— Waffenlehre. 2. Afl. 2 Tle in 1 Bde. (23, 964 m. Abb. u. 8 Taf.) 8° Ebd. 1900.01. 24 —; HF. 25 — d
— dass. 3. Afl. 3 Bde. 8° Ebd. 05. 25 —; geb. 29 — d
I. (395 m. Abb. u. 3 Taf.) 7.50; geb. 8.50 || II. (439 m. Abb. u. 3 Taf.) 9 —; geb. 10.50 || III. (370 m. Abb. u. 4 Taf.) 8.50; geb. 10 —
— dass. 3. Afl. 1. Ergänzungsheft. Handfeuerwaffen, Selbstlader u. Maschinengewehre. (71 m. Abb. u. 2 Taf.) 8° Ebd. 05. 4 — d
Wille, U: Die Entwicklg d. Manöver in uns. schweiz. Miliz-armee, s.: Neujahrsblatt d. Feuerwerker-Gesellsch. in Zürich.
— Alter, wdhrer Soldatengeist, s.: Einzelschriften, militär., üb. Tagesfragen d. schweiz. Armee.
Willehelm Magister s.: Bankrott d. pädagog. Oberkonsistorialkünste in Bayern.
Willem un Jedde op Reisen. Humoristisch-satir. Reisebeschreib v. JF F, (48) 8° Hambg, (CAH Kloss) (04).
(— 60) — 50 d
Willemoes-Suhm, H v.: Savonarola. Tragödie. (179) 8° Berl., F Grunert, Sep.-Cto 02. 2 —; geb. 3 — d
Willems, C: „Ekkehard" od.: Wie man fromme Zeitromane schreibt, s.: Volksaufklärung.
Willen, K: Der dramat. Inhalt v. Goethes „Faust". (183) 8° Wien, C Konegen 02. 3 —
Willenberg, G: Leitf. f. d. engl. Unterr., s.: Deutschbein, K.

Willenbücher: Das Kostenfestsetzgsverfahren, d. deut. Gebührenordng f. Rechtsanwälte u. d. landesgesetzl. Vorschriften üb. d. Gebührenn d. Rechtsanwälte in Preussen, Bayern, Sachsen, Württemberg u. Baden, m. Erläutergn. 2. Afl. (293) 8° Berl., HW Müller 06. Kart. 6 — d
— Das Liegenschaftsrecht d. BGB. u. d. Reichs-Grundbuchordng m. Erläutergn. Ausg. f. Preussen. (518) 8° Ebd. 04. L. 10 —; Ausg. f. d. Deut. Reich. (404) 04. Geb. 8 — d
— Die Reichs-Grundbuchordng v. 24.III.1897 (in d. Fassg d. Bekanntmachg v. 20.V.1898) m. Anmerkgn u. Sachreg. 3. Afl. Ausg. f. d. Reich. (149) 8° Berl., HW Müller 05. Kart. 1.50;
Ausg. f. Preussen. (242) 2.40 d
Willenbücher, F: Die strafrechtsphilosoph. Anschaugn Friedrichs d. Gr., s.: Abhandlungen, strafrechtl.
Willers, H: Die röm. Bronceeimer v. Hemmoor. Nebst e. Anh. üb. d. röm. Silberbarren a. Dierstorf. (251 m. Abb. u. 13 Lichtdr.) 4° Hannov., Hahn 01. 15 —
Willert, H: Erläutergn zu französ. Schriftstellern im Anschl. an Schulausg. (19) 4° Berl., Weidmann 02. 1 —
Willfort, M: Die Schlacht bei Aspern am 21. u. 22.V.1809. (31 m. 2 Abb. u. 1 Pl.) 8° Wien, (LW Seidel & S.) 02. 1.50 d
Willgeroth, G: Bilder a. Wismars Vergangenh. Ges. Beitr. z. Gesch. d. Stadt Wismar. (365 m. Abb.) 8° Wism., Willgeroth & Menzel 03. 4 — d
Willhelmi: Hdb. f. bespannte Batterien u. Bespanngsabteilgn d. Fussartill. (114 m. Abb.) 8° Berl., ES Mittler & S. 04. 1.60; kart. 2 — d
Willi's Werdegang, v. Rideamus, s.: Brettl- u. Theater-Bibliothek, bunte.
Willi, D: Leichenrede auf Dr. Ernst Lieber. (7 m. 1 Bildnis.) 12° Limbg, Limb. Vereinsdr. (02). — 20 d
Williams, R: Erläutergsbericht z. Project f. d. Elsterberichtigg in Gera (Reuss). (51 m. Fig. u. 9 Taf.) Fol. Lpzg, W Engelmann 02. 5 —
Willibald, B, s.: Kehren, B.
Willich: Sammlg d. im Herzogth. Oldenburg gelt. Gesetze usw., neue Bearbeitg, s.: Fimmen u. Tenge.
Willich, J: Herr, Dein Wille geschehe! Gebetb. f. Katholiken. 6. Afl. (447 m. Titelbild.) 16° Saarl., F Stein Nf. 03. — 60;
L. — 70 d
Willig, A, s.: Handbuch, statist., üb. d. Schul- u. Gehaltsverhältn. usw. d. Reg.-Bez. Hannover.
Willig, H: Der Sonnenstandsmesser, e. neues Lehrmittel f. d. Unterr. in d. mathemat. Geogr. Messblatt. Nebst: Hilfsfigur z. Herstellg d. Messblatts f. d. Orte zw. 0° u. 56° Geogr. Breite (auf d. Rücks.). 40—65 cm. Mit 2 Zeigern. Nebst Begleitheft. (27 m. Fig.) 8° Weinh., F Ackermann 05. nn 3.25;
Begleitheft allein — 40
Willig, TA: Taschenb. f. Zeichenlehrer. 2. Afl. (150) 8° Bresl., F Hirt 02. Geb. 3.50
— Neue Zeichensch. (In 2 Ausg.) Ausg. A. 1—16. Heft. 4° Ebd. nn 4.90 d
1. Das Netzzeichnen f. d. Hand 8. Abdr. (35) 04. — 50
2. Netzheft f. d. Hand d. Schüler. 34. Abdr. (30) 05. — 14
3. Symmetr. Fig., welche auf d. Zwei- u. Vierteilg beruhen. 17. Abdr. (16) 05. — 20
4. Fig., welche auf d. Drei-, Sechs- u. Achtteilg beruhen. 16. Abdr. (14) 05. — 20
5. Frontansichten u. Seitenansichten o. verjüngtem Massstabe. 12. Abdr. (16) 05. nn — 15
6. Schülerheft ohne Zeichng, nur m. Zentimeterrand. 22. Abdr. (24) 05. nn — 15
7. Symmetr. Fig., welche auf d. Sechs-, Acht- u. überhaupt Vielteilg d. Seiten beruhen. 13. Abdr. (34) 04. — 30
8. Stichbogen, Spitzbogen, Karnies, Wellenlinie, Viertel- u. Halbkreisbogen in symmetr. Verbindg. 10. Abdr. (24) 05. — 30
9. Der Kreisbogen u. s. Verwendg. Spiralen u. Doppelspirale in symmetr. Verbindg. 11. Abdr. (24) 05. — 30
10. Ellipse, Eilinie, Eierstäbe, Wasser- u. Herzlaub u. Grundzug u. Verwendg: Hersform, Palmetten, Wappenschilder usw. 9. Abdr. (24) 05. — 30
11. Fortsetzg u. Erweiterg d. Stoffes a. Heft 10. Blatt- u. Rosengebilde; Borten, Perlstab, Kapitäl etc. 6. Abdr. (24) 04. — 30
12. Zeichnen f. d. Oberkl. d. Mädchensch., in bes. Beziehg z. Handarbeits-Unterr. 1. Abtlg. Karb. Muster f. Kettenstich, Litzenbesatz, Borten u.a.w. 9. Abdr. (32) 03. — 30
13. Zeichnen f. d. Oberkl. d. Mädchensch., in bes. Beziehg z. Handarbeitsunterr. 2. Abtlg. 9 bunte Taf. f. Kreuzstich u. 24 schwarze Taf. f. Plattstich. 6. Abdr. (32) 04. — 30
14. Netzheft f. Kreuzstich. 9. Abdr. (24) 05. nn — 15
15. Körperzeichnen f. d. Oberkl. 1. Abtlg. Enth. Würfel, vierseit. Pyramide, sechsseit. Säule u. Pyramide in verschied. Zusammenstellg u. Lagen. 5. Abdr. (32) 04. — 40
16. Körperzeichnen f. d. Oberkl. 2. Abtlg. Kreis u. Ellipse, Cylinder u. Kegel, Geräte u. Gefässe. 4. Abdr. (32) 02. — 50
— dass. Ausg. B. 1—3., 6—8. u. 10. Heft. 4° Ebd. 1.90 d
1. Symmetr. Fig. auf Grundl. d. Zwei- u. Vierteilg. 8. Abdr. (24) 04. — 30
2. Symmetr. Fig. auf Grundl. d. 4-, 5- u. vielteilg. 8. Abdr. (24) 04. — 30
3. Symmetr. Fig. auf Grundl. d. Acht-, Zehn- u. überhaupt Vielteilg d. Seiten. 4. Abdr. (24) 04. — 30
4. Stich u. Spitzbogen, Karnies, Wellenlinie, Viertel- u. Halbkreisbogen in symmetr. Verbindg; steil. Blattrosetten. 3. Abdr. (24) 04. — 30
5. Ellipse, Eilinie, Eierstäbe, Wasser- u. Herzlaub u. Grundzug u. Verwendg; Palmetten; Wappenschilder. 3. Abdr. (24) 04. — 30
6. Der Kreisbogen u. s. Verwendg; 4-, 6-, 8- u. steil. Rosettengebilde; Spirale u. Doppelspirale in symmetr. Verbindg. 3. Abdr. (24) 04. — 30
8. Ellipse, Eilinie, Eierstäbe, Wasser- u. Herzlaub u. Grundzug u. Verwendg; Palmetten; Wappenschilder; Blättornformen; Rankenornamente. 3. Abdr. (24) 04. — 30
10. Zeichnen n. Wandtafeln. 41—45. Taus. (10 Bl.) 02. — 10
Willing, C: Grundz. e. genet. Schulgrammatik d. latein. Sprache. In 12 Lehrproben entwickelt. (93) 8° Halle, Ct Waisenh. 03. 1.30

Willing, C: Zur Methodik d. Lateinunterr. in d. unt. u. mttl. Kl. d. humanist. Gymnasiums. (38) 8° Halle, Bh. d. Waisenh. 04.   — 80
Willkomm, M: Die wahre luther. Kirche ist auch heute noch fest u. wohl gegründet. Rede. (18) 8° Zwick., Schriften-Ver. (02).   — 15 d
— s.: Luthers Schwert u. Kelle.
— Wer ist e. Lutheraner? Reformationsfestpredigt. (15) 8° Zwick., Schriften-Ver. (05).   — 10 d
— Ueb. d. Rationalismus od. Vernunftglauben. Predigt. (16) 12° Ebd. (04).   — 10 d
Willkomm, M: Bilder-Atlas d. Pflanzenreichs, n. d. natürl.-System bearb. 4. Afl. (124 Farbdr. m. 148 S. Text.) 8° Essl., JF Schreiber (01).   L. 3 — d
— Waldbüchlein. Vademecum f. Waldspaziergänger. 4. Afl. v. M Neumeister. (31, 223 m. Abb.) 12° Lpzg, CF Winter 04. L. 3 — d
— Die Wunder d. Mikroskops od. Die Welt im kleinsten Raume. 7. [Tit.-]Afl. v. H Trautzsch u. H Schlesinger. (361 m. Abb.) 8° Lpzg, O Spamer [1899] 02.   4 —; L. 5 — d
Willkomm, OHT: Bibel, Lutherbibel, rev. Bibel. Vortr. 2. Afl. (34) 8° Zwick., J Herrmann 01.   — 40 d
— Wie dünket euch um Christo? (32) 8° Zwick., Schriften-Ver. 05.   — 40 d
— Gedanken üb. Relig.-Freiheit. Mit bes. Berücks. d. kirchl. Zustände im Kgr. Sachsen. (22) 8° Ebd. 01.   — 30 d
— Halte, was Du hast. Warng an d. deut. luther. Christenvolk vor d. rev. Bibel. 4. Afl. (30) 8° Ebd. 04.   — 15 d
— s.: Hausfreund, d. ev.-luth.
— Vom tägl. Hausgottesdienste. Predigt. 2. Afl. (16) 8° Zwick., Schriften-Ver. (04).   — 10 d
— Was verliert uns. Volk durch d. Bibelrevision? Vortr. nebst Diskussion u. e. Vorwort v. ABF Hanewinckel. (24) 8° Zwick., J Herrmann 01.   — 30 d
Willkommen! Erinnergn an uns. Gäste. (200 m. Randverzierg. u. 1 Farbdr.) 4° Konst., C Hirsch (01). L. m. G. 6 — d
— dass. Ein Herbergsb. f. uns. Gäste. Mit Zeichngn v. A Wagen u. e. Geleitwort v. P Rosegger. (192) 4° Bas., F Reinhardt (01).   L. m. G. 8 —; Ldr 10 — d
— Ein Mädchenb., z. Unterhaltg u. Belehrg hrsg. v. B Clément. (336 m. Abb., 24 [12 farb.] Vollbildern u. 1 Spielbog.) 8° Stuttg., G Weise (03).   Geb. 4.50 d
Willkommengruss d. Gemeinde Gabelbach an d. erlauchte Goethegesellschaft am 25.V.'02. 2. Afl. (15) 8° Weim., (A Huschke Nf.) (02).   — 35
Willmann, C, s.: Zauberwelt, d.
Willmann, L V.: Erd- u. Felsarbeiten, s.: Häseler, E.
— s.: Handbuch d. Ingenieurwiss.
— Lehrb. d. Tiefbaues, s.: Landsberg.
— Der Strassenbau, s.: Laissle, F.
— Vorarbeiten, Erd-, Grund-, Strassen- u. Tunnelbau.
Willmann, O: Didaktik als Bildgslehre, n. ihren Beziehgn z. Socialforschg u. z. Gesch. d. Bildg dargest. 3. Afl. 2 Bde. Brnschw., F Vieweg & S. 03.   14 —; Einbde in HF. je 2 — d
   1. Einl. — Die geschichtl. Typen d. Bildgswesens. (455)   6.50
   2. Die Bildgswerke. — Der Bildgsinhalt. — Die Bildgsarbeit. — Das Bildgswesen. (38, 606)   7.50
— Didaktik u. Logik in ihrer Wechselbeziehg. Üb. d. Anwendg d. Psychol. auf d. Pädagogik, s.: Zeitfragen, pädagog.
— Aus Hörsaal u. Schulstube. Les. kleinere Schriften z. Erziehgs- u. Unterr.-Lehre. (328) 8° Freibg i/B., Herder 04.   L. 4.50 d
— Philosoph. Propädeutik f. d. Gymnasialunterr. u. d. Selbststudium. 1. u. 3. Tl. 8° Ebd.   4.20; L. 5.20;
   Begleitwort f. d. Hand d. Lehrers. (4) Unentgeltlich.
   1. Logik. 1. u. 2. Afl. (182 bezw. 184) 01.05.   1.60; geb. 2.30
   3. Empir. Psychol. (174) 04.   2.40; geb. 2.90
— Das Prager pädagog. Univ.-Seminar in d. 1. Vierteljahrh. s. Bestehens. (21) 8° Ebd. 01.   — 50 d
— Pädagog. Vortr. üb. d. Hebg d. geist. Tätigk. durch d. Unterr. 4. Afl. Mit e. Anh.: Der subjektive u. d. objektive Faktor d. Bildgserwerbs. (144) 8° Lpzg, G Gräbner 05. 2 — d
Willmanns, C: Formularb. zu d. Reichsges. üb. d. Zwangsversteigerg, s.: Lorenz, K.
Willner, H, s.: Adelard v. Bath, d., Traktat De eodem et diverso.
Willner, M: Landw. Gesellschaftsreise durch d. Verein. Staaten v. Amerika, s.: Arbeiten d. deut. Landw.-Gesellsch.
— s.: Jahres-Bericht üb. usw. Landw.
Willomitzer, F: Deut. Grammatik f. österr. Mittelsch. 11. Afl. (252) 8° Wien, Manz 05.   Geb. 2.10
Willomitzer, J: Heitere Träume. Scherzgeschichten. 2. Afl. (159) 8° Berl., Concordia 03.   2 —; geb. 3 — d
Willram, Bruder, s.: Müller, A.
Willroider, L: Landschaften. I. (12 Bl.) 4° Münch. 03. Lpzg, F Rothbarth.   In M. 5 —
Wills, L, s.: Weber's, FW, Spruchschatz.
Willst du gesund werden? Demme's Haus- u. Volksbibliothek hygien. Schriften. Nr. 5. 8° Lpzg, E Demme.   — 80
   Paczkowski: Die chron. Darmschwäche od. Stuhlverstopfg, d., Grund-übel d. modernen Kulturmenschen u. deren Eind. auf d. ges. Körper-funktionen, ihre Ursachen u. naturgemässe Heilg. 3. Afl. (34) 05. [3.]   — 80 *Bisher unter d. Einzeltiteln angekündigt.*
— dass. Zeitschrift f. Homöopathie u. Naturheilkde. Hrsg. u. red. v. R Reuther. 8—8. Jahrg. Oktbr 1900—Septbr 1903 je

12 Nrn. (Nr. 1. 16) 8° Lpzg-R. (Rathausstr. 50 III), R Reuther.   Postfrei je 2 — d
Fortsetzg s. u. d. T.: Rundschau, homöopath.
Willstätter, R, u. E **Mayer**: Ueb. Chinondiimid. [S.-A.] (4, 8° Münch., (G Franz' V.) 04.   — 30
Willy (H Gauthier-Villars): Die Beichte, s.: Bibliothek berühmter Autoren.
— Claudine's Ehe (Claudine en ménage). Deutsch n. d. 69. Afl. d. Originals v. G Nördlinger. (303) 8° Budap., G Grimm 02.   7.—
— Claudine geht. Deutsch n. d. 58. Afl. d. Originals v. G Nördlinger. (286) 8° Ebd. 03.   3 — d
— Claudine in Paris. Deutsch n. d. 58. Afl. d. Originals v. F Hofen. 1. u. 2. Afl. (300) 8° Ebd. 02.   5 — d
— Claudine's Schuljahre (Claudine à l'école). Deutsch n. d. 55. Afl. d. Originals v. G Nördlinger. (317) 8° Ebd. 02. 3 — d
— Die Geliebte d. Prinzen Jean. Roman. Übers. v. T Wolfgang. Mit d. Verteidiggsrede d. Maitre P Boncour vor Gericht. (29, 352 m. Abb.) 8° Ebd. 04.   3 — d
— Pariser Nächte. (La môme Picrate.) Aus d. Franz. 1—5. Taus. (332) 8° Wien, Wiener Verl. (04). 3 —; geb. m. 4.50 d
— Ysolde. Aus d. Franz. v. FL Leipnik. (208) 8° Budap., F Sachs (04).   2 — d
Willy, R: Friedrich Nietzsche. (279) 8° Zür., Schulthess & Co. 04.   4.20
— Gegen d. Schulweish. Eine Kritik d. Philosophie. (219) 8° Münch., A Langen 05.   5 —; geb. 6.50 d
Willys, AA: Schweizer Helden, s.: Jugendbibliothek, deut.
Wilm, D: Der Weg z. Ewig-Lebendigen. (95) 4° Lpzg 03. Jena, E Diederichs.   3 —; geb. 4.50 d
Wilm, E: Sprachvergleiche u. Sprachgeoch. in Mädchensch. u. Seminaр (56) 8° Halle, Gebauer-Schwetschke 03.   — 80
Wilm, H: Die innere Herrlichk. d. Wortes Gottes. (63) 8° Berl., L Oehmigke's V. 02.   1 — d
Wilm, M v.: Mann u. Weib. Beleuchtg d. so benannten Beltexschen Buches nebst elg. Betrachtgn üb. dies Thema. (43) 8° Berl., L Oehmigke's V. 02.   1 — d
Wilm, W: Erziehg, Schulbildg, Berufswahl f. Knaben u. Mädchen, s.: Buch, d. prakt.
— Der Kaiser u. d. Jugend: Die Bedeutg d. Reden Kaiser Wilhelm II. f. Deutschlds Jugend. (142 m. 1 Bildn.) 8° Berl., Hempel (05).   L. 4 — d
— Umgangslehre. — Das Verkehrswesen, s.: Buch, d. prakt.
Wilmanns, E: Der Lübecker Friede 1629. (83) 8° Bonn, H Behrendt 05.   1.50 d
Wilmanns, W: Deut. Schulgrammatik nebst Regeln u. Wrtrverz. f. d. deut. Rechtschreibg n. d. amtl. Festsetzg. 2 Tle. 8° Berl., Weidmann.   Kart. 2.05 d
   1. Für d. untersten Kl. bis Sexta, hrsg. v. H Poppelreuter u. W Wilmanns. 11. Afl. (111) 02.   —75
   2. Für d. Kl. v. Quinta bis Tertia. 10. Afl. (147) 03.   1.23
Übgsaufg. s.: Bandow, K.
— Der Untergang d. Nibelunge in alter Sage u. Dichtg, s.: Abhandlungen d. kgl. Gesellsch. d. Wiss. zu Göttingen.
Wilmans: Krankenkassen u. Krankenhäuser grösserer Betriebe. (62 m. 1 Taf. u. 1 Tab.) 8° Berl., R Schröder 01.   geb. 2.60
Wilmers, J, s.: Beier, T.
Wilmers, W (Gu.): De fide divina libri IV. Opus postumum. ed. cura A Lehmkuhl. (415) 8° Rgnsbg, F Pustet 02.   4.80;   HChagr. 6.30
— Gesch. d. Relig. als Nachweis d. göttl. Offenbarg n. ihrer Erhaltg durch d. Kirche. 2 Bde. 7. Afl. (535 u. 413) 8° Münst., Aschendorff 04.   9.50; HF. an 12 — d
— Kurz gef. Hdb. d. kathol. Relig. 4. Afl. (587) 8° Rgnsbg, F Pustet 05.   1.50 d
— Lehrb. d. Relig. Hdb. zu Deharbes kathol. Katech. u. Leseb. z. Selbstunterr. 8. Afl. v. A Lehmkuhl. 1—3. Bd. 8° Münst., Aschendorff.   19.45; Einbde in HF. je 1.20 d
   1. Lehre v. Glauben überhaupt u. v. Glauben an Gott d. Dreieinigen u. Erschaffer (1. Glaubensartikel) insbes. (606) 02.   6.70
   2. Von Jesus Christus d. verheiss. Erlöser, v. h. Geiste, v. d. Kirche, v. d. Vollendg. (2—11. Glaubensartikel.) (792) 02.   7.75
   3. Von d. Geboten. (679) 05.   6 —
Wilmowski, G v.: Deut. Reichs-Konkursordng. Fortgesetzt v. K u. A Kurlbaum u. W Kühne. 6. Afl. 1—5. Lfg. (1—512). 8° Berl., F Vahlen 02-04.   10.70 d
Wilms, M, s.: Chirurgie d. Extremitäten.
— Chirurgie d. ob. Extremitäten, s.: Friedrich, PL.
— Die Mischgeschwülste. III. Heft. 1. Tl: Mischgeschwülste d. Brustdrüse. 2. Tl: Mischgeschwülste d. Speicheldrüsen u. d. Gaumens. 3. Tl: Allg. Geschwulstlehre. (169—275 m. Abb.) 8° Berl. 01. Lpzg, G Thieme.   5 — (Vollst.: 13 —)
— u. C Sick: Die Entwickelg d. Knochen d. Extremitäten v. d. Geburt bis z. vollendeten Wachstum, s.: Fortschritte auf d. Gebiet d. Röntgenstrahlen.
Wilms, W: Um d. Volkes Seele. Gedichte. (99) 8° Berl., F Wunder (03).   2.50 d
Wilner: Ungarisch, s.: Paukert.
Wilpert, J: Die Malereien d. Katakomben Roms. 2 Bde (506 m. Abb. u. 267 [133 farb.] Taf.) Ausg. v. 4° Freibg i/B., Herder 03.   In 520 —; HSchweinsldr in 530 —
Wilpert, O: Diktate z. Einübg d. Rechtschreibg u. Zeichensetzg. Für d. Volkssch. zusammengest. (48) 8° Gross-Strehl., A Wilpert 02.   — 60 d
— Kurze vaterländ. Gesch., s.: Haese, K.

Wilpert, O: Kl. Heiligenlegende. 3. Aufl. Mit e. Anh.: Das Kirchenj. (48) 8° Gross-Strehl., A Wilpert 01. — 10 || 4. Aufl. (48) 05. — 12 d
— **Heimatkde f. d. Schulen d. Prov. Schlesien, s.:** Rücker, J.
— **s.:** Lehrer-Kalender, allg. deut.
— Der Numerus d. verbalen Prädikats bei d. griech. Prosaikern. (11) 4° Opp. 04. (Gross-Strehl., A Wilpert.) 1 —
— Die deut. Rechtschreibg. Regeln u. Wrtrverz. (87) 8° Gross-Strehl., A Wilpert 02. — 25 d
— s.: Rechtschreibung, d. neue.
— Neueste Schulk. d. Prov. Schlesien. 1 : 1,500,000. 18,5×28 cm. Farbdr. Gross-Strehl., A Wilpert (04). — 05
— Kl. deut. Sprachlehre. Auf Grund d. Lehrpl. d. kgl. Regiergs f. Volkssch. hrsg. 3. Aufl. (27) 8° Ebd., 03. — 20 d
— Wrtrb. d. deut. Rechtschreib. Wrtrverz. u. Regeln d. Rechtschreibg u. Zeichensetzg. (48) 8° Ebd. 08. — 15 d
Wilpert, R v.: Irmgard od. Weibertreu. Vers-Lustsp. (112) 8° Lpzg, O Mutze (02). 2 — d
— Die Jungfernstift od. Die gezähmte Widerspenstige. Lustsp. (88) 8° Ebd. (02). 1.50 d
— Der Leibarzt od. Das vergnügte Krankenhaus. Lustsp. (85) 8° Ebd. (02). 1.50 d
— Mongkut od. Die Stiefgrossschwiegermutter. Versschausp. (88) 8° Ebd. (02). 1.50 d
— Naladi od. Königswild. Ind. Vers-Drama. (90) 8° Ebd. (02). 1.50 d
Wilsdorf, M: Unterr. im Feldmessen m. d. einfachsten Messgeräten. (Landw. Unterr.-Bücher.) 3. Aufl. v. G Wilsdorf. (47 m. Abb.) 8° Berl., P Parey 04. Geb. 1.40 d
Wilsdorf, O: Gräfin Cosel. Lebensbild a. d. Zeit d. Absolutismus. 3. Aufl. (78) 8° Dresd., H Minden (02). 1 — d
— Gräfin Charlotte v. Kielmannsegge. Lebensbild a. d. Zeit d. Romantik. 3. Aufl. (80) 8° Ebd. 04. 1 — d
— Realienb., s.: Lettau, H.
Wilser, L: Vorgeschichtl. Chirurgie. Nach e. Vortr. [S.-A.] (13) 8° Hdlbg, C Winter, V. 02. — d
— Die Germanen. Beitr. z. Völkerkde. (448) 8° Eisen. (04). 6 —; L. 7 —
— Die Herkunft d. Baiern, m. Anh.: Stammbaum d. langobard. Könige. (36 m. 1 Stammtaf.) 8° Wien, Akadem. Verl. 05. 1.30 d
Wilsing, H: Der Chemiker, s.: Was willst Du werden?
Wilsing, J: Üb. d. Einfl. d. sphär. Abweichgn d. Wellenfläche auf d. Lichtstärke v. Fernrohrobjektiven, s.: Publikationen d. astrophysikal. Observatoriums zu Potsdam.
— Untersuchgn an d. Spektren d. helleren Gasnebel, s.: Scheiner, J.
Wilsing, W: Wie sollen wir uns. Wiesen behandeln? Vortr. (13) 8° Brombg, Mittler 02. — 50 d
Wilski, P: Klimatolog. Beobachtgn a. Thera, s.: Thera.
— Karten v. Thera. u. d. Ausgrabgn v. 1896—1902. [S.-A.] 2 Bl. Farbdr. Berl., G Reimer. 2 —
1. Umgegend d. Stadt Thera. 1 : 5000. 51×46 cm. || 2. Die alte Stadt Thera. 1 : 1000. 18,5×37 cm.
— Stadtgesch. v. Thera, s.: Hiller v. Gaertringen, F Frhr.
— Das Kastell Urspring, s.: Fabricius, E.
Wilson, G, s.: Dürer, Albrecht, d. Evangelist d. Kunst.
Wilson, HA: Untersuchgn üb. d. Bildgsverhältn. d. ocean. Salzablagergn, s.: Hoff, JH van't.
Wiltberger, A: Deut. Kirchenlieder z. Gebr. beim Schulgottesdienste. Für 2 Kinderstimmen gesetzt u. hrsg. op. 29. 5. Aufl. (72) 12° Düsseldf, L Schwann (01). nn — 25 d
— Liederb. f. Volkssch. 4. Aufl. (114) 12° Cöln, M Du Mont-Sch. 03. nn — 60 d
— Psallite Domino, s.: Scharbach, E.
— Sammlg mehrstimm. Männerchöre, s.: Blied, J.
Wilterdink, JH: Catalog v. 10339 Sternen, s.: Katalog d. astronom. Gesellschaft.
Wiltz, M: 300 Fragen a. d. Postordng, s.: Bartels, E.
— Das Ges. üb. d. Telegr.-Wesen d. Deut. Reichs (Telegr.-Ges.) v. 6. IV. 1892. (14) 8° Strassbg, Wolstein & Teilhaber 05. — 60 d
— Orig.-Unterr.-Briefe z. Vorbereitg auf d. Postsekretärprüfg. 3. Aufl. I. Mündl. Tl. 52 Lehrbriefe, 52 Wiederholgsbriefe u. 1 Prüfgsbrief. (Je 1—1¹/₂ Bog.) 8° Ebd. 04. In L.-M. 88.30 d
— dass. II. Schriftl. Tl. 12 Übgsbriefe, 1 Beiheft u. 1 Prüfgsbrief. (Je ¹/₂—1 Bog.) 8° Ebd. 04. In L.-M. 6 —; m. d. I. Tl zusammen 68 — d
— dass. 1—9. Nachtr. (13, 33, 14, 8, 8 Bl., 21 Bl. u. S. m. Abb. u. 2 Taf.; 25 Bl. u. S. m. Abb.; 11 Bl. u. 1 Taf. u. 9 Bl.) 8° Ebd. (04.05). Je — 60 d
— dass. auf d. Telegr.-Sekretärprüfg. I. Mündl. Tl. 1, 3—5. u. 7. Lehrbrief. (26, 30, 27, 24 u. 19) 8° Ebd. (05). Je — 60 d
— dass. 1., 3—5. u. 7. Wiederholgsbrief. (10, 10, 10, 8 u. 6) 8° Ebd. (05). Je — 60 d
Brief 2 u. 6 sind noch nicht erschienen.
— dass. II. Schriftl. Tl. (In 12 Briefen.) 1. Übgsbrief. (8) 8° Ebd. (05). 1 — d
— dass. Beiheft zu d. Übgsbriefen. (27) 8° Ebd. (05). 1 — d
— Übersichtsk. d. wichtigsten Eisenb.-Kurse im Deut. Reiche u. im Ausl. 41,5×52 cm. Farbdr. Nebst Verz. d. Bahnpostämter u. d. ihnen zugeteilten Eisenb.-Kurse, d. wichtigeren Bahnpostkurse im Deut. Reiche, d. Eisenb.-Verbindgn u. d. Ausl. usw. [S.-A.] (31) 8° Ebd. 04. 1.40 d

Wilutzky, P: Vorgesch. d. Rechts. Prähistor. Recht. 3 Tle. 8° Berl., E Trewendt 03. 16 —; Einbde je 1 —
1. I. Mann u. Weib. Die Eheverfassgn. (251) Bresl. 6 —
2. II. Eltern u. Kinder. III. Künstl. Verwandtschaft u. Blutsbrüderschaft. IV. Kommunismus u. Hausgenossenschaften. Die Anfänge d. Vermögensrechts. (192) 5 —
3. V. Stammesverfassg u. Anfänge d. Staatsrechts. VI. Blutrache. Anfänge d. Strafrechts u. d. Prozesses. VII. Berührg d. Völker u. Sklaverei. (218) 5 —
Wiman, A: Üb. d. angenäherte Darstellg v. ganzen Funktionen. [S.-A.] (7) 8° Stockh. 03. (Berl., R Friedländer & S.) — 50
— Üb. d. durch Radikale auflösbaren Gleichgn 9. Grades. [S.-A.] (16) 8° Ebd. 04. nn — 70
— Note üb. d. ganzen Funktionen zweier Veränderlichen. [S.-A.] (4) 8° Ebd. 03. — 50
Wimmenauer, K, s.: Forst- u. Jagd-Zeitung, allg. — Jahresbericht usw. d. Forstwesens.
Wimmenauer, T: Arithmet. Aufg. nebst Lehrsätzen u. Erläutergn. 3. Ausg. (312) 8° Bresl., F Hirt 01. 3.25; geb. 3.60 d
Wimmenauer, W: Beitr. z. Kritik d. Determinismus a. neuester deut. Philosophie. (64) 8° Giess., v. Münchow 04. 1 —
**Wimmer's Fahrplan d. Bahnen d. österr. Alpenländer u. d. angrenz. Verkehrsgeb. usw. 1905. 4 Nrn. (Nr. 2. 292 m. 2 Kart.) 16° Linz. (Wien, Schwordla & H.) Je — 50
Wimmer, A, s.: Albertus Magnus, tractatus de forma orandi.
— Mai-Blüthen auf d. Altar d. jungfräul. Gottes-Mutter Maria. Nach überlass. Papieren e. Freundes hrsg. — 2—5. Serie. 8° Kempt., J Kösel. Je 1.60 (1—5.: 8 —; Einbde je — 60) d
2. Einfluss d. Marien-Verehrg auf d. sittl. Leben. (290) 01.
3. Mariä Stellg im Erlösgs-Werke, ausgespr. im Lobgesang Mariä „Magnikat" u. vorgebildet durch d. bibl. Frauen d. alten Test. (303) 02.
4. Mariä, d. Mutter d. schönen Liebe, dargest. im Geheimnisse v. Bethlehem. (196) 03.
5. Mariä, Mutter d. Glaubens u. Glaubenslebens, dargest. im Ev. v. d. hl. 3 Königen. (183) 04.
Wimmer, E: Die im Kgr. Sachsen üb. d. Verkehr m. Nahrgsmitteln, Genussmitteln u. Gebrauchsgegenständen gelt. reichsu. landesgesetzl. Vorschriften, s.: Handbibliothek, jurist.
Wimmer, F: Das Quadrat-Flächenmass. Umrechngs-Tab. v. Joch u. Klafter in Hektar, Ar u. Meter u. umgekehrt. (40) 8° Wels, J Haas 03. — 50 d
Wimmer, G: Die Wirkg d. Kaliums a. d. Pflanzenleben, s.: Wilfarth, H.
Wimmer, J: Gesch. d. deut. Bodens m. s. Pflanzen- u. Tierleben v. d. keltisch-röm. Urzeit bis z. Gegenwart. (475) 8° Halle, Bh. d. Waisenh. 05. 8 —; geb. 9 —
— Palästinas Boden m. sr Pflanzen- u. Tierwelt v. Beginn d. bibl. Zeiten bis z. Gegenwart. (128) 8° Köln, (JB Bachem) 02. 1.80 d
Wimmer, J: Üb. d. Einfl. mechan. Gesetzmässigk. auf d. Entwicklg d. Lebewesen. (49 m. 4 Taf.) 8° Wien, (LW Seidel & S.) 02. 2 —
— Mechanik d. Entwicklg .d. tier. Lebewesen. Vortr. (64) 8° Lpzg, JA Barth 05. 1 —
— Die Mechanik im Menschen- u. Thierkörper u. deren physiolog. Einfl. auf d. Entwicklg d. Lebewesen. Nebst e. spec. Behandlg d. Mechanik d. Fechtens u. Reitens. (59 m. 5 Taf.) 8° Wien, (LW Seidel & S.) 01. 3 —
Wimmer, K: Lehrg. d. französ. Sprache. 2 Tle. 8° Stuttg., F Lehmann. Geb. je 3 — d
1. Die vollständ. Formenlehre. (302) Zweibr. 02. || 2. Die Syntax. (243) 02.
— Französ. Leseb. f. mitti. Kl. (185) 8° Nürnbg, C Koch 02. 1.80
— Deutsch-französ. Übgsb. (24) 8° Stuttg., F Lehmann 03. 1 —; kart. nn 1.30 d
— u. J Danner: Lehrg. d. Stenogr. Gabelsb.'s. 2 Tle. 8° Neust. a/H., W Marnet. Je 1 —
1. Verkehrsschrift. (47) || II. Redeschrift m. Anh.: Diktierb. (26)
Wimmer, P: Rankengebete. [S.-A.] (31) 16° Tüb., JCB Mohr 04. † — 05 d
— Sterbegebete. [S.-A.] (15) 16° Ebd. 04. † — 06 d
Beide im Alleinvertrieb d. Ev. Ver. in Heidelberg.
Wimmer, W: Die rechtl. Stellg d. Post u. d. einfache Postfrachtgeschäft n. schweiz. Recht, s.: Abhandlungen z. schweiz. Recht.
Wimmers u. a. Weinstock: Deut. Lese- u. Bildgsb. f. kathol. Lehrerbildgsanst. 2 Tle. 8° Bresl., H Handel. 6.10; geb. 7.30 d
1. Für Präparandenanst. (480) 02. 3 —; geb. nn 3.60 || 2. u. 3. Aufl. (632) 08.04. 3.90; geb. nn 4.50
2. Für Lehrerseminarte. (392) 04. 2.90; geb. nn 2.80
Wimmershof, W: Oper od. Drama? Die Notwendigk. d. Niedergangs d. Oper. (35) 8° Lpzg, O Gracklauer 02. — 50 d
Wimpfheimer, H: Üb. e. Construction d. reellt. Recht. (111) 8° Karlsr., G Braun'sche Hofbuchdr. 03. 2.80
Winchenbach, R: Aus d. Einsamkeit. Gedichte. (61) 12° Berl., Schriftenvertriebsanst. 08. L. 1 — d
Winckel, F V., s.: Handbuch d. Geburtshülfe.
— Das Hervortreten v. Darmschlingen am Boden d. weibl. Beckens, s.: Sammlung klin. Vortr.
— Üb. d. Missbildgn v. äquivalent entwickelten Früchten u. deren Ursachen. (49 m. 9 Taf.) 4° Wiesb., JF Bergmann 02. 12 — d
— Üb. menschl. Missbildgn (bes. Gesichtsspalten u. Zystenbygrome), s.: Sammlung klin. Vortr.
— Die ersten Mutterpflichten, s.: Ammon, FA v.

Winckel, F v.: Neue Untersuchgn üb. d. Dauer d. menschl. Schwangerschaft, s.: Sammlung klin. Vortr.

Winckelmann, O: Zur Erklärg d. Strassennamen in d. Neustadt Strassburgs. (59) 8° Strassbg, E van Haaten 03. — 80 d
— Handschriftenproben d. 16. Jahrh., s.: Ficker, J.

Winckelmannsprogramm, postumes 24. Hallisches. 4° Halle, M Niemeyer.   3 — d

  Robert, C: Niobe. Ein Marmorbild a. Pompeii. Festgross d. archäolog. Museums d. Univ. Halle-Wittenberg an d. archäolog.Section d.47. Versammlg deut. Philologen u. Schulmänner. (12 m. 1 farb. Taf.) 03. 2 —

Winckelsett-Zumbroock, L: Aus d. Leben, s.: Jugend- u. Volksbibliothek.
— In Not u. Gefahr, s.: Bachem's Jugend-Erzählgn.

Winckler, A: Schreib- u. Lesefibel, s.: Gurcke, G,

Winckler, A: Kritik d. Vegetarismus. (Neue [Tit.-]Ausg.) (30) 8° Berl., Berlinische Verl.-Anst. [1891] (03).   — 80

Winckler, AJ: Wir Drei, s.: Kneip, J.

Winckler, E: Kriegskameraden. Schwank. Bearb. v. JFA Volkmann. (15) 8° Berl., A Hoffmann 04.   1 — d

Winckler, F v.: Kochb. f. Zuckerkranke u. Fettleibige unter Anwendg v. Aleuronatmehl. 4. Afl. (28, 164) 8° Wiesb., JF Bergmann 03.   — ∥ 5. Afl. (26, 164) 04. Geb. 2.40 d

Winckler, H: Deut. Burgen. Vortr. (26 m. 24 Taf.) 4° Mgdbg, (CE Klotz) (05).   1 — d
— Die Stecklenburg im Harz. (8 m. 3 Taf.) 8° Ebd. (05). — 50 d

Winckler, H: Abraham als Babylonier, Joseph als Aegypter. Der weltgeschichtl. Hintergrund d. bibl. Vätergesch. auf Grund d. Keilinschriften dargest. (38) 8° Lpzg, JC Hinrichs' V. 03.   — 70
— Arabisch-Semitisch-Orientalisch, s.: Mitteilungen d. vorderasiat. Gesellsch.
— Auszug a. d. vorderasiat. Gesch., s.: Hilfsbücher z. Kde d. alten Orients.
— Die polit. Entwickelg Babyloniens u. Assyriens. — Die Euphratländer u. d. Mittelmeer, s.: Orient, d. alte.
— Altorient. Forschgn. 2. Reihe. III. Bd. 2. Heft u. 3. Reihe. I. Bd, 3 Hefte u. II. Bd, 3 Hefte (XV—XX. d. ganzen Folge). 8° Lpzg, E Pfeiffer.   Subskr.-Pr. f. e. Bd 8 —
  2,III.2. (433—579) 01. 6 — (III vollst. erm. Pr.: 9 —; 2. Reihe: 27 —: L. 7+.60) ∥ 3,I,1/2. (144) 01.02. Je 5.90 ∥ 3,I,1. (185—249 m. Fig.) 02. 3.60 ∥ 3. (749—280) 05. 4 — ∥ 2. (291—384) 05. 3.50.
— Gesch.d.Stadt Babylon.—Die Gesetze Hammurabis,Königs v. Babylon, s.: Orient, d. alte.
— Die Gesetze Hammurabis, in Umschrift u. Übersetzg hrsg. Dazu Binl., Wörter-, Eigennamen-Verz., d. sog. sumer. Familiengesetze u. d. Gesetztafel Brit. Mus. 82-7-14, 988. (32, 116) 8° Lpzg, JC Hinrichs' V. 04.   5.60: geb. 6.20
— Himmels- u. Weltenbild d. Babylonier als Grundl. d. Weltanschaug u. Mythol. aller Völker, s.: Orient, d. alte.
— Die Keilinschriften u. d. Alte Test., s.: Schrader, E.
— Die babylon. Kultur in ihren Beziehgn z. unsr. Vortr. 1. u. 2. Afl. (54 m. Abb.) 8° Lpzg, JC Hinrichs' V. 02.   — 80; kart. nn 1.30 d
— Der alte Orient u. d. Bibel nebst e. Anh. Babel u. Bibel — Bibel u. Babel, s.: Ex Oriente lux.
— Krit. Schriften. I—IV. [S.-A.] 8° Berl., W Peiser.   7 — I. (126) 01. 2.50 ∥ II. (126) 02. 2 — ∥ III. (120) 04. 1.50 ∥ IV. Herm. Guthe, Gesch. d. Volkes Israel. (60) 05. 1 —
— Keilinschriftl. Textb. z. Alten Test., s.: Hilfsbücher z. Kde d. alten Orients.
— Die Völker Vorderasiens, s.: Orient, d. alte.
— Die Weltanschaug d. alten Orients, s.: Ex Oriente lux.
— s.: Weltgeschichte.

Wind, CH: Oberflächentemperaturmessgn in d. Nordsee, s.: Everdingen, E van.
— Prüfg v. Strommessern u. Strommessgsversuche in d. Nordsee, s.: Roosendaal, AM van.

Windaus, A: Üb. Cholesterin. (37) 8° Freibg i/B., Speyer & K.   1 —

Windberg, A: Gesch. d. Dörfer Gross- u. Klein-Lübs. (145) 8° Mgdbg 04. (Braschw., W Scholz.)

Windeck, H v., s.: Joesten, J.

Windel H: Lateinisch-deut. u. deutsch-latein. Hdwrtrb., s.: Mühlmann, G.
— s.: Prosa, deut.

Windel, R: Dichter d. Freiheitskriege. Gedichte v. EM Arndt, T Körner, M v. Schenkendorf, F Rückert. Für d. Schulgebr. hrsg. 2. Afl. (135) 12° Lpzg, G Freytag 02.   Geb. — 70 d

Windelband, R: Deut. homöopath. Arzneimittellehre, s.: Faulwasser, E.
— s.: Zeitschrift d. Berliner Ver. homöopath. Aerzte.

Windelband, W: Die Gesch. d. neueren Philosophie in ihrem Zusammenh. m. d. allg. Kultur u. d. bes. Wiss. dargest. 2 Bde. 3. Afl. 8° Lpzg, Breitkopf & H. 04.   18 —; geb. 21 —. I. Von d. Renaissance bis Kant. (546) ∥ 2. Von Kant bis Hegel u. Herbart. (Die Blütezeit d. deut. Philosophie.) (410)
— Gesch. u. Naturwiss. Rede. 3. Afl. (27) 8° Strassbg, JHE Heitz 04.   — 60
— Immanuel Kant u. s. Weltanschaug. Gedenkrede. (32) 8° Hdlbg, C Winter, V. 04.   1 — d
— Lehrb. d. Gesch. d. Philosophie. 3. Afl. (575) 8° Tüb., JCB M br 03.   12.50; geb. 15 —
— s⁰: Philosophie, d., im Beginn d. 20. Jahrh.
— Platon, s.: Frommann's Klassiker d. Philosophie.
— Zu Platon's Phaidon, s.: Festschrift, Strassb., z. 46. Versammlg deut. Philologen u. Schulmänner.

Windelband, W: Präludien. Aufsätze u. Reden z. Einl. in d. Philosophie. 2. Afl. (396) 8° Tüb., JCB Mohr 03.   6.60: geb. nn 7.60 d
— Schiller u. d. Gegenwart. Rede. (36) 8° Hdlbg, C Winter, V. 05.   — 60 d
— Üb. Willensfreiheit. 12 Vorlesgn. 1. u. 2. Afl. (228) 8° Tüb., JCB Mohr 04.05.   3.60; geb. 4.50 d

Winderlich, K: Stoff z. Diktieren. 7. Afl. v. H Winderlich. (148) 8° Bresl. 03. Berl., E Trewendt.   2 — d

Windhaus, G: Führer durch d. Odenwald u. d. Bergstrasse sowie d. angrenz. Tle d. Main- u. Neckar-Tals. 8. Afl. v. E Anthes. (220) 8° Darmst., A Bergstraesser 03.   Geb. 2 —

Windheim, P v.: Zusammenstellg d. wichtigsten Bestimmgn f. d. Unteroffiziere d. Kavall. im Kriege als Führer weitgeh. Patrouillen, unter bes. Berücks. usw. Verhältn. 6. Afl. (24) 8° Metz, R Lepus 02.   — 80 d

Windheuser, E: Tuberkulosebekämpfg u. Schule. [S.-A.] (24) 8° Hambg, L Voss 02.   — 50

Windhols, JL: Das neue Leben. Ein moderner Roman. (190) 4° Lpzg (02). Berl., H Seemann Nf.   2.50; geb. 3.50 d

Windisch, E, s.: Abhandlungen f. d. Kde d. Morgenl. — Táin bo Cúalnge, d. altir. Heldensage. — Zeitschrift d. deut. morgenländ. Gesellsch.
— G Gerland, W Deecke, W Meyer-Lübke, F Kluge, C Seybold u. KS Jensen: Die vorroman. Volkssprachen d. roman. Länder. 2. Afl. [S.-A.] (166) 8° Strassbg, KJ Trübner 05.   3.50; geb. 4.50

Windisch, K: Anl. z. Untersuchg v. Most u. Wein f. Praktiker. (347 m. Abb.) 8° Wiesb., G Windisch 04. L. nn 7.50 d
— Die Rebendünggs-Kommission in d. J. 1892—1901, s.: Arbeiten d. deut. Landw.-Gesellsch.
— Wein-Ges. Ges., betr. d. Verkehr m. Wein, weinhalt. u. weinähnl. Getränken, v. 24.V.'01. Vom techn. Standpunkte erläut. (159) 8° Berl., P Parey 02.   L. 4 — d
— Wie hast sich d. Weinges. v. J. '01 bewährt? Vortr. [S.-A.] (16) 8° Neust. a. H., D Meininger 05.   — 50

Windisch, W: Anl. z. Untersuchg d. Malzes auf Extraktgehalt sowie auf s. Ausbeute in d. Praxis, nebst Tab. z. Ermittelg d. Extraktgehaltes. 3. Afl. (86) 8° Berl., P Parey 01.
— Das Bier auf s. Wege v. Fass ins Glas. Volkstüml. Vortr. (64) 8° Ebd. 03.   — 50
— s.: Jahrbuch d. Versuchs- u. Lehranst. f. Brauerei in Berlin.
— Das chem. Laboratorium d. Brauers. Anl. z. chemischtechn. Betriebskontrolle. 5. Afl. (23, 378 m. Abb.) 8° Berl., P Parey 02.   L. 15 — d

Windmüller, F: Lehr- u. Leseb. f. Fortbildgs- usw. Schulen. — Rechenb. f. gewerbl. u. kaufmänn. Fortbildgssch. — Rechenb. f. Handwerker- u. gewerbl. Fortbildgssch., s.: Buchmann, F.

Windmüller, E: Die Bedeutg u. Anwendgsfälle d. Satzes pretium nequivit in locum rei, res in locum pretii n. gemeinem Rechte u. BGB. (110) 8° Hdlbg, C Winter, V. 02. 2.90

Windolph, H: Mister Box, s.: Vereinstheater, neues.

Winds, A: Die Technik d. Schauspielkunst. (325) 8° Dresd., H Minden (04).   4 —; geb. nn 5 — d
— Aus d. Werkstätte d. Schauspielers. (202) 8° Dresd., E Haendcke 03.   Geb. 3 — d

Windscheid, B: Ges. Reden u. Abhandlgn. Hrsg. v. P Oertmann. (86, 434 m. Bildnis.) 8° Lpzg, Duncker & H. 04. 9.60; geb. 11.60 d

Windscheid, F: Der Arzt als Begutachter auf d. Geb. d. Unfall- u. Invalidenversicherg, s.: Handbuch d. soz. Medizin.
— Aufg. u. Grundsätze d. Arztes bei d. Begutachtg v. Unfallnervenkranken. Antrittsvorlesg. (30) 8° Lpzg, Veit & Co. 03.   — 80

Windscheid, K: Erziehg u. Bildg uns. Töchter. Vortr. (16) 8° Lpzg, (JC Hinrichs' S.) 05.   nn — 40 d
— Schiller's Bedeutg f. d. deut. Nation. Vortr. (26) 8° Berl., P Beyer (05).   — 50

Windschek, K: Tab. z. Satzberechng. (55) Wien 01. (Lpzg, Kohlgartenstr. 48, R Härtel.)

Windschild, K: Um Christi willen. Scene a. d. Zeit d. Christenverfolggn. 2. Afl. (22) 12° Stuttg., Holland & J. 03. — 30 d
— Der Fall Magdeburgs, s.: Festschriften f. Gustav-Adolf-Ver. (44) 8° Stuttg., Holland & J. (03).   — 80 d

Windstosser, J: Dienstb. f. bayer. Staatsverwaltgs- u. Gemeinde-Beamte, s.: Reger, A.
— Das Ges. d. Abmarkg d. Grundstücke betr., v. 30. V. 1900, m. d. dazu ergang. Vollzugsvorschriften u. Formulardrücken. (158) 8° Ansb., C Brügel & S. 01.   L. 2 — d

Windt, K, u. S Kodíček: Daktyloskopie. Verwertg v. Fingerabdrücken zu polizei- u. identifiziergszwecken. (125 m. Abb., 15 Taf., u. 2 Beil.) 8° Wien, W Braumüller 04.   L. (4.20) 3.12

Windthorst, L: Ausgew. Reden, geh. in d. Zeit v. 1851—91. 3 Bde. 8° Osnabr., B Wehberg.   B a. 1.50; geb. 2 — d I. 1. u. 2. Afl. (390) 01.03. ∥ II. (326) 02. ∥ III. (360) 04. (36¹ m. Bildnis.) 02.

Winfried, A: Los v. Rom, hin zu Christus! (271) 8° Graz 01. Wien, A Jedeck.   (4 —) 2.50· d

Winfried, E: St. Bonifatius-Gedenkblätter z. 1150. Jahre d. Martyrertodes d. Apostels Deutschlds. (31 m. Abb.) 16° Heiligenst., FW Cordier (05).   1 — d

Wingerath, HH: Choix de lectures franç. à l'usage des écoles secondaires. 2 Tle. 8° Köln, M DuMont-Sch. 5 —
1. Classes inférieures. Précédée d'exercices de lecture et accompagnée d'un vocabulaire. 11. éd. (94, 255) 05. 2 —
2. Classes moyennes. 7. éd. (400) 02. 3 —
— Lectures choisies d'après la méthode intuitive. 6. éd. (37, 99) 8° Ebd. 04. Kart. — 80
— New Engl. reading-book for the use of mittle forms in German high-schools. 2. ed. (367 m. 1 Karte.) 8° Ebd. 05. 3 —; geb. 3.50
— Petit vocabulaire franç. d'après la méthode intuitive. 6. éd. (54) 8° Ebd. 04. Kart. — 50
Wingfeld, L: Die holde Wang, s.: Weichert's Wochen-Bibliothek.
Winicky, O: Cantilenen d. Einsamkeit. Gedichtb. (46) 4° Mind., JCC Bruns 02. — 75
Winke f. Leiterinnen v. Bewahranst. Von Martha. Nebst e. Anh. v. Versen, Liedern u. Spielen. (56) 12° Donauw., L Auer 02. — 25 d
— f. d. tägl. Abschnitte d. internat. Bibel-Lese-Bundes nebst Mitgliedskarte f. 1905. Hrsg. v. d. christl. Traktatgesellsch. zu Kassel. (56) 16° Cass., (JG Oncken Nf.). — 15 d
— f. junge Kaufleute a. d. Praxis f. d. Praxis. Hrsg. v. Stuttgarter Handelsver. 4. Afl. (271) 8° Stuttg., JB Metzler 04. Geb. 1.80 d
— f. Lotteriespieler. 5. Afl. (14) 16° Chemn., CA Hager (04). 2 — d
— f. Badegäste d. kgl. Seebades Norderney. 25. Jahrg. Saison 1903. (90 u. Fluttabelle 29 m. Pl., 1 Tab. u. 1 Karte.) 32° Nord., D Soltan. — 50
— praktisch-theosoph., v. e. Okkultistin (H v.Schewitsch). (78) 8° Lpzg, T Grieben 04. 1 —; geb. 1.60
— f. d. Reichstagswahlen. (16) 16° Berl., Bh. Vorwärts 03. — 10 d
— f. d. Sichern, d. Verzagten u. d. Leichtsinnigen. Nach ö. ältern Traktat neu hrsg. (15) 12° Bas., (Basler Missionsbh.) 1891. — 10 d
— u. Rathschläge, jurist., im Sinne d. BGB., v. A. (1. Bd.) (78) 8° Bunzl., (G Kreuschmer) 02. 2 —
— — z. Herstellg v. besproch. Walzen, s.: Mitteilungen z. Hebg d. Industrie sprech. Maschinen.
— prakt., f. Wetturner. Von e. früh. erfolgreichen Wetturner (A M.). (7) 18° Stuttg., P Mähler (05). — 30 d
Winkel, P: Stella od. d. Sterntaler, s.: Winter, G.
Winkel, J te: Gesch. d. niederländ. Lit. 2. Afl. [S.-A.] (109) 8° Strassbg, KJ Trübner 02. 2.50; geb. 3.50
Winkelmann, A: Ernst Abbe. Rede. (23) 8° Jena, G Fischer 05. — 60
— : Handbuch d. Physik.
Winkelmann, A: Gusow u. Platkow. Bilder a. d. letzten 100 Jahren. (184 m. 1 Bildnis.) 8° Berl., (G Nauck) 04. 1.50 d
— Kain. (Dichtg.) (59) 8° Dresd., E Pierson 05. 1 —; geb. 2 — d
Winkelmann, C: Reichsges. betr. d. Unterstützg v. Familien d. zu Friedensübzg einberuf. Mannschaften v. 10.V.1892 nebst d. Ausführgsvorschriften d. Bundesraths v. 2.VI.1892 u. 24. XI.1898. Im Anh.: Reichsges. v. 28.II.1888 betr. d. Unterstützg v. Familien in d. Dienst eingetret. Mannschaften. 2. Afl. (28) 8° Berl., Liebel 02. 1 — d
Winkelmann, E: Regesta imperii. V, s.: Böhmer, JF.
Winkelmann, F: Das Kastell Pfünz. [S.-A.] (75 m. Abb. u. 22 Taf.) 4° Hdlbg, O Petters 01. 15 —
Winkelmann, JCA: Lehrg. d. engl. Sprache f. Anfänger. 3. Afl. (150) 8° Lpzg, F Hirt & S. 1877. (1.50) — 50 d
Winkelmann, T: Stille Gedichte. (19) 8° Dresd., E Pierson 05. — 75; geb. 1.75 d
Winkelmann, W: Gleichstromerzeuger u. -Motoren. — Synchronmaschinen f. Wechsel- u. Drehstrom, s.: Repetitorien d. Elektrotechnik.
Winkelmüller, O: Fachzeichnen f. Böttcher; Bautischler; Möbeltischler u. Stellmacher, s.: Lehrhefte f. d. Einzelunterr. an Gewerbe- u. Handwerkersch.
Winkerrose, die. (Anl. .z. Erlernen d. Signalisierens m. d. Winkerflagge.) (3 Bl.) 16° Berl., Vossische Bh. 02. Auf L. nn — 10 auf Pappe nn — 15
Winkert, E: Eine volkswirtschaftl. Betrachtg üb. d. Entwicklg Lothringens in d. letzten 10 Jahren (1893—1902). (90) 12° Metz, R Lupus 03. — 25
Winkler: Kalte Füsse, ihre Ursachen, Bedeutg u. sichere Beseitigg. (54) 8° Berl., M Richter 02. 1 —
— Die Nasen- u. Gesichts-Röte, s.: Bibliothek f. rationelle Körperpflege.
Winkler, A: Das Wichtigste a. d. Heimatkde d. Kreises Wohlau. (15) 8° Glog., C Flemming (05). — 10 d
Winkler, A: s.: Einführung, d., in d. Entwerfen.
Winkler, BM: Geistl. Führer auf d. christl. Tugendwege, s.: Scaramelli, JB.
Winkler, C, s.: Camper, Petrus.
Winkler, C: Die Hexenprozesse in Türkheim in d. J. 1628—30. (47 m. Abb.) 8° Colmar, (H Hüffel) (04). nn 1.50 d
Winkler, C: Lehrb. d. techn. Gasanalyse. 3. Afl. (294 m. Abb.) 8° Lpzg, A Felix 01. geb. 9 —
— Pract. Uebgn in d. Maassanalyse. Anl. z. Erlerng d. Titrirmethode. 3. Afl. (164 m. Abb.) 8° Ebd. 02. 6 —; geb. — 7
Winkler, E: Verein. Eisenb.-Routen- u. Lademass-K. v. Mittel-Europa. Ausg. 1901. 74×105 cm. Farbdr. Mit Verz. d. Eisenb.-

Verwaltgn. (27 m. Fig.) Fol. Dresd., A· Urban. 2.50 ‖ Ausg. 1905. 101,5×149,5 cm. (36 m. Fig.) 4 —
Winkler, F: Beitr. z. experimentellen Pathol. (100 m. Fig.) 8° Wien, Urban & Schw. 02. 3 —
— Pharmakotherapie. Übersicht d. gegenwärt. Arzneibehandlg. (370 Sp.) 8° Ebd. 01. 6 —; L. nn 7.50
— Studien üb. d. Beeinflussg d. Hautgefässe durch · therm. Reize. [S.-A.] (29 m. Fig.) 8° Wien, (A Hölder) 02. — 70
Winkler, G: Die Regeneration d. Verdaugsapparates bei Rhynchelmis Limosella Hoffm. [S.-A.] (34 m. 2 Taf.) 8° Prag, (F Řivnáč) 02. 1 —
Winkler, H: Die Zollern u. d. Reich, s.: Zuschneid, K.
Winkler, H: Skizzen a. d. Völkerleben. I. Aus Osteuropa. II. Aus d. Magyarenlande. (198) 8° Berl., F Dümmler's V. 03. 2 —
Winkler, H: Betulaceae, s.: Pflanzenreich, d.
Winkler, JB: Ein Besuch in Kairo, Jerusalem u. Konstantinopel. 2. Afl. m. prakt. Winken f. Pilgerreisende. (184 m. 2 Kart.) 8° Linz, FJ Ebenhöch 1886. 1.60 d
— Durch Griechenl. n. Konstantinopel. Reiseskizzen. [S.-A.] (64 m. Abb.) 8° Linz, Pressver. 05. 1.20 d
— Der Libanon u. Damaskus. Reise-Erinnerg. (24 m. Bildnis.) 8° Innsbr. 1898. (Linz, FJ Ebenhöch.) — 60 d
Winkler, J: Deut. Sprach- u. Aufsatzlehre f. Bürgersch. Mit bes. Berücks. d. gewerbl. Aufg. dieser Anst. I—III. Stufe. 8° Wien, F Tempsky. — Lpzg, G Freytag. Geb. 3.20 d
I. 5. Afl. (102) 02. 1.20 ‖ II. 6. Afl. (94) 04. 1 — ‖ III. 4. Afl. (94) 03. 1 —
Winkler, J: Prakt. Winke f. Lehrlinge, überhaupt f. junge Leute, d. tücht. Männer werden wollen. (8) 12° Zwick., A Scherel 02. (— 25) — 10 d
Winkler, L: Gesch. d. kurbayer. Heeres, s.: Staudinger, K.
Winkler, M: Graph. Darstellg d. Verbreitg d. deut. Stenogr.-Systeme. Bis z. J. 1901 erweitert. 51,5×55 cm. Darmst. (02). (Osterw., AW Zickfeldt.) — 30
— Gabelsberger-Fibel. Kurz gef. Lehrg. d. stenograph. Verkehrsschrift. 1. Tl d. Redezeichenkunst Gabelsb.'s. (32) 8° Ebd. 03. 1 — d
— Karte d. Verbreitg d. Stenogr. im Deut. Reiche, Oesterr. u. d. Schweiz. 60,5×65,5 cm. Farbdr. Ebd. 02. 1.85
— Lehrb. d. Gabelsb.'schen Stenogr. (Verkehrsschrift). 3. Afl. (Kl. Ausg.) m. Schlüssel f. Selbstlernende. (29) 8° Ebd. 04. — 50 d
— Stenograph. Schönschreibheft Nr. 1—3. (Je 24) 8° Ebd. Je — 20
I. — 5. Afl. 02-05. ‖ II. 1. u. 2. Afl. 03.04. ‖ III. 08.
— Schreibheft Nr. 1 z. Gabelsb.-Fibel. (24) 8° Ebd. (02). — 20
Winkler, O: Die Trockengelatts-Bestimmg d. Papierfaserstoffe (Ermittelg d. Wassergehalts). Grundsätze u. Methoden d. Papierprüfgs-Anst. in Leipzig. (26 m. Abb.) 8° Lpzg, (G Hedeler) 02. 3 —; geb. 5 — ‖ 2. Afl. (39 m. Abb.) 04. Geb. 3 —
— u. H Karstens: Papier-Untersuchg. Wissenswerthes üb. Papierkauf, Eigenschaften, Bestandtheile u.-Fabrikationsmaterial v. Papier. (122 m. Abb. u. 3 Taf.) 8° Lpzg, Eisenschmidt & Sch. 02. L. 6 —
Winkler, P: Des Erlösers Leidensstunden. Relig. Dichtg. (37) 8° Paderb., F Schöningh 04. franz. Ausg. 1. Afl. Geb. 3 —
— Harfenklänge am Throne d. Himmelskönigin. (206) 12° Ebd. 02. L. m. G. 3 — d
— Der Unbefleckten Bild u. Verehrg in d. kathol. Kirche. Vortr. (16) 8° Ebd. 04. 2.20 d
— Verbrennen od. Begraben? Ein Wort z. Feuerbestattgs-Frage. (16) 16° Innsbr., F Rauch 02. — 10 d
Winkler, R: Buchführg u. Wechsellehre f. Fortbildgs- u. Gewerbeschüler. 4. Afl. v. Hardtmann. (195) 12° Lpzg, F Reinboth (02). 1.50 d
— Der kl. Kaufmann u. s. Buchführg. 4. Afl., s.: Hardtmann.
Winkler, R: Naturgeschichtl. Bilder f. d. Unterr. in d. Volkssch. Anh.: Der menschl. Körper u. s. Pflege. (176 m. Abb.) 8° Steyl. Missionsdr. 01. Geb. 1.50 d
— Dent. Lesesb. f. allg. Volkssch., s.: Jacobi, A.
Winkler, Frau T, s.: Messerer, T.
Winkler, W: Zur Reform d. sog. Spiritismus. Argumente u. Probleme, gewonnen a. 10jähr. Erfahrgn m. d. Medium Femme masquée. (36) 8° Lpzg, M Altmann 05. — 60 d
Winkler, W: Atemgymnastik, ihre Pflege im Leben n. in d. Schule. Vortr. [S.-A.] (16) 8° Wien, A Hölder 05. — 44
Winneberger, L: Deut. Leseb., s.: Paldamus, FC.
Winnecke, A: Was ist innere Mission? Vortr. (31) 8° Strassbg. Bh. d. ev. Gesellsch. 03. — 60 d
Winnecke, J: F Festsp. f. d. Kinderweihnacht in d. Gemeinde. (30) 8° Strassbg, CA Vomhoff 03. — 50 d
Winnefeld, H: Priene, s.: Wiegand, T.
Winner, G: Sein Glück machen n. System Safety. Anl., s. Vermögen planmässig, sicher u. doch hochverzinslich u. gewinnbringend anzulegen. (128) 8° Münch. 03. Lpzg, F Rothbarth. 2 —; geb. Rothb.
Winsch, W: War Jesus e. Nasiräer? [S.-A.] (15) 8° Berl. 04. (Lpzg, K Lentze.) — 20
— Wie ist d. heut. Kirchenglaube in betreff d. Abendmahls entstanden? [S.-A.] (12) 8° Lpzg, K Lentze 04. — 20

Winsch, W: Die Lösg d. Abendmahlsfrage. (64) 8° Berl., M Breitkreuz 03.   1 —; geb. 1.50 d
Winzelmann: Wiss. Medizin u. Naturheilkde. (31) 8° Bremerh., Schipper, Mocker & Co. 05.   — 50 d
Winslow, O: Geh' u. sag' es deinem Jesu! 3. Afl. (44) 8° Flensbg, T Kordt 04.   — 15 d
Winteler, F: DieAluminium-Industrie.(108 m.Abb.)8°Brnschw., F Vieweg & S. 03.   6 —
Winteler, F: Allerhand neue u. alte Gedanken üb. d. Weltordng. 2. Afl. (131) 8° Zür., T Schröter's Nf. 05.   2.40 d
Winteler, J: Erinnergn an Dr. Jacob Hunziker, Prof. d. aarg. Kantonsschr. 1859—1901. (31 m. 1 Bildnis.) 4° Aar., HR Sauerländer & Co. 02.   — 80
— Nachtigallen-u. Sprosserlaunen. (S.-A.) (9) 8° Ebd. 03. — 40 d
Winter, in Bayern. (16 m. Abb. u. 1 Karte auf d. Umschl.) 8° Münch.. Ver. z. Hebg d. Fremdenverkehrs (04). (Nur dir.)   † — 15
Winter: Reise-Hdb. f. Ost-Asien. (160 m. 1 Karte.) 12° Kiel, R Cordes 04.   L. 3 —
Winter, A: Hölzels Wandbilder f. d. Anschaugs-Unterr. in ihrer prakt. Verwendg beim Sprachunterr. 3. Afl. (120 m. Abb.) 8° Wien, E Hölzel 04.   1.60 d
— Sagen u. geschichtl. Erzählgn d. Stadt Wien, s.: Holczabek, JW.
Winter, A: Atlas f. d. bayer. Mittelsch. — Atlas f. d. Münch. Volkssch., s.: Lorsch, C.
— Wrtrvers. 5. Afl. (61) 8° Münch., Piloty & L. 03.   — 40 d
Winter, C, s. a.: Rickmeyer, M.
— Der Anerbe v. Ellernhof, s.: Volksbücher, neue.
— Müller Christel. Carsten Michel's Sylvesterfeier, s.: Waldesrauschen — Waldesfrieden.
— Was e. Gruss vermag, s.: Schneeflocken.
— Die Himmelsgasse im Mühlental. Des Glückes Geheimnis, s.: Jugend-u. Volksbibliothek, deut.
— Steffen Klüvers Nachfolger, s.: Volksschriften, neue.
— Wenn d. Mauern fallen! Erzählg f. Jung u. Alt. (75) 8° Schwer., F Bahn 05.   — 90; geb. 1 — d
Winter, F: Der Hildesheimer Silberfund, s.: Terrakotten, d. antiken.
— Die Typen d. figürl. Terrakotten, s.: Terrakotten, d. antiken.
Winter, F: Festpredigt beim II. Landesfest d. ev. Bundes in Bayern diess. d. Rh. (12) 8° Nördl., CH Beck (01).   — 20 d
Winter, F: Das österr. Parlament. Die Gewählten u. ihre Wähler. Parlamentar. Handbüchl. n. d. Wahlergebnissen d. allg. Reichsrathswahlen im J. 1901. (63) 12° Wien, Wiener Volksbh. 02.   — 50 d
Winter, FJ, s.: Winter, JF.
Winter, G: König Albert als Feldherr u. Regent. (28 m. 1 Bildnis.) 8° Meiss., CF Klinkicht & S. (02).   — 15 d
Winter, G: Deut. Gesch. im Zeitalter d. Hohenstaufen, s.: Jastrow, I.
— s.: Urkundenbuch, Pommersches.
Winter, G: Die Bekämpfg d. Uteruskrebses. (76) 8° Stuttg., F Enke 04.   2 —
— Ursachen u. Behandlg d. Prolapse, s.: Sammlung zwangl. Abhandlgn a. d. Geb. d. Frauenheilkde.
Winter, G: Stella u. Lucia. Märchendichtg v. F Winkel. Für Kinderchor u. Soli, Klavier u. Harmonium komp. W. Op. 30. Textb. (21) 8° Düsseldf, L Schwann (04).   — 50 d
Winter, Frau G, geb. v. Möllendorff: Landmollusken, s.: Möllendorff, OF v.
Winter, G: Das neue Gebäude d. k. u. k. Haus-, Hof- u. Staatsarchivs zu Wien. (26 m. 15 Taf.) Fol. Wien, (C Gerold's S.) 03.   10 —
— Die Gründg d. k. u. k. Haus-, Hof- u. Staatsarchivs. 1749—62. [S.-A.] (82) 8° Wien, (A Hölder) 02.   1.90
Winter, G: Der prakt. Klempner. (302) 8° Berl., L Oehmigke's V. 03.   5 — d
— Klempnerlehrgang, s.: Aufgaben z. Buchführg e. Gewerbetreib.
— Rechenb. f. gewerbl. Fortbildgssch., insbes. f. Klempner-Fachsch. (40) 8° Berl., L Oehmigke's V. 03.   — 40 d
Winter, H: Lehrb. d. alten Gesch. m. Einschl. d. Sagen- u. Kulturgesch. f. höh. Lehranst. 4. Afl. (290 m. Abb. u. 7 Kart.) 8° Münch., R Oldenbourg 05.   Geb. nn 2.45 d
— Lehrb. d. deut. u. bayer. Gesch. m. Einschl. d. wichtigsten Tatsachen d. ausserdeut. Gesch. u. d. Kulturgesch. f. höh. Lehranst. 2 Bdchn. 8° Ebd.   Geb. nn 5 — d
   1. M.-A. u. neue Zeit bis z. westfäl. Frieden. 3. Afl. (216 m. Abb. u. 1 Kart.) 04. nn 2.40 | 2. Neuere Zeit v. westfäl. Frieden bis z. Gegenwart. 3. Afl. (238 m. Abb. u. 12 Kart.) 06. nn 2.60.
— Kurzer Lehrg. d. alten Gesch. unter Mitberücks. d. Sagen- u. Kulturgesch. f. Mittelsch. 3. Afl. (160 m. Abb. u. 7 Kart.) 8° Ebd. 06.   Kart. nn 1.75 d
— Kurzer Lehrg. d. vaterländ. Gesch. unter Mitberücks. d. allg. Kulturgesch. f. Mittelsch. 2 Bdchn. (Mit Abb. u. 12 Kart.) 8° Ebd.   Geb. je nn 1.75 d
   1. M.-A. u. neue Zeit bis z. westfäl. Frieden. (189) 05.
   2. Neuere Zeit v. westfäl. Frieden bis z. Gegenwart. (184) 05.
Winter, H: Der Genueser-Schmuggler. — Auf d. Jagd n. Gold, s.: Zehn-Pfennig-Bibliothek, Frankf.
Winter, HM: Die Landesdefensoren. Drama. Zum Gedächtnis d. bayer. Volkserhebg 1705/6. (113) 8° Münch., JJ Lentner 05.   2 — d
Winter, JF, s.: Arbeiterpredigten. — Predigt, d., d. Kirche.
— Das geschichtl. Werden christl. Sittlichk. u. Sitte. (36) 8° Lpzg, B Richter 03.   1 — d

---

Winter, JS: Ohne Fehl, s.: Universal-Bibliothek.
— Das Mädchen a. d. Fremde, s.: Weber's moderne Bibliothek.
Winter, M: Anschaugn e. alten „Afrikaners" in deutsch-ostafrikan.Bewirtschaftgs-Fragen.(33)8° Berl.,D Reimer 05. 1 —
Winter, M: Bas gold. Wiener Herz, s.: Grossstadt-Dokumente.
— Im Purzlinerlandl. Stadie üb. d. Leben d. nordwestböhm. Porzellanarbeiter. (81) 8° Wien, Wiener Volksbh. 01. 1 — d
— Im dunkelsten Wien. 1—10. Taus. (152) 8° Wien, Wiener Verl. 04.   — 50; geb. nn 1 — d
— Im unterird. Wien, s.: Grossstadt-Dokumente.
Winter, P: Gesamtreg., s.: Recht, d.
— BGB. nebst Einführgsges. Für Preussen zusammengest. unter Einfügg d. sämtl. preuss. Ausführgsbestimmgn. Text-Ausg. m. Sachreg. 2. [Tit.-]Ausg. (757) 8° Berl., J Guttentag [1900] 01.   L. 3 — d
— Das bürgerl. Recht, s.: Türcke, R.
— Die Schadenersatzpflicht, insbes. d. Haftpflicht d. Lehrer n. d. neuen Bürgerl. Recht, s.: Magazin, pädagog.
Winter, R: Die gerichtl. Exekutionsführg z. Hereinbringg v. Steuern u. Gebühren durch d. k. k. Steuerämter. (22, 286 u. 302) 8° Wien, Manz 04.   8 —; geb. 9 —
Winter, W: Grundr. d. Mechanik u. Physik f. Gymnasien. 4. Afl. (282 m. Abb.) 8° Münch., T Ackermann 04.   2.40
   geb. nn 2.90 d
— Lehrb. d. Physik z. Schulgebr. 6. Afl. (460 m. Abb.) 8° Ebd. 05.   3.50; geb. nn 4 — d
— Trigonometrie. Lehrb. u. Aufgabensammlg f. Schulen. 3. Afl. (80 m. Fig.) 8° Ebd. 1900.   1 —; kart. nn 1.15 d
Winter, Z, s.: Ghetto, d. Prager.
Winters, L: Stift Braunau im Dienste d. Kultur. (85) 8° Braunau, (F Bocksch) 04.   1.60 d
Winterberg, J: Die chron. Erkrankgn d. Gelenke u. ihre Behandlg, s.: Klinik, Wiener.
Winterberger: Ernstes u. Heiteres a. d. J. 1870. (106) 12° Weim., H Böhlau's Nf. 03.   Kart. 2 — d
Winterbeschäftigung, d. 1. theoret., n. Erscheinen d. Entwurfes z. neuen Infant.-Reglement, v. F K. (31 m. 3 Beil. u. 1 Karte.) 8° Wien, LW Seidel & S. 02.   1.50
Winterfeld, A v.: Die Einquartierg u. and. Humoresken. (120) 8° Berl., Globus Verl. (03).   — 30 d
— Lust. Geschichten a. d. Ehestandsleben, s.: Mylius, O.
— Lust. Geschichten, s.: Eckstein's Reise-Bibliothek.
— Unheiml. Geschichten. In deut. Bearbeitg v. AB Edwards u. EA Poe. (Neue [Tit.-]Ausg.) 1. u. 2. Bd. 8° Stuttg., Franckh 04.   Je — 50 d
   1. Die Schnellzuge u. and. Gesch. (155) [1891.] | 2. Der Goldkäfer u. and. Gesch. (157) [1895.]
— Humoresken. 1—12. Bd. 4. Afl. 8° Berl., Schreiter (01).   Je 1 — d
   1. Die unheiml. Wohng u. and. Humoresken. (140) | 2. Der Brief v. d. Tante u. and. Humoresken. (140) | 3. Onkel Heinrich u. and. Humoresken. (160) | 4. Eine Jagdgesch. u. and. Humoresken. (155) | 5. Die schlimme Stelle. Humoresken. (138) | 6. Die Hochzeitsreise u. and. Humoresken. (155) | 7. Alles f. meinen Sohn u. and. Humoresken. (138) | 8. Der Landesverrater u. and. Humoresken. (153) | 9. Der Regenwurm u. and. Humoresken. (156) | 10. Ein Giftmord u. and. Humoresken. (157) | 11. Die Gespenstreise u. and. Humoresken. (159) | 12. Der Schwiegeronkel u. and. Humoresken. (144)
— Immer lustig, s.: König, EA.
— Militärhumoresken. 1—12. Bd. 5. Afl. 8° Berl., Schreiter (01).   Je 1 — d
   1. Ein Führrich m. e. Fehler u. and. Militärhumoresken. (158) | 2. Der Leutnant v. Methusalem u. and. Militärhumoresken. (160) | 3. Eine Nachtparrouille u. and. Militärhumoresken. (150) | 4. Plato im Lederhosen u. and. Militärhumoresken. (148) | 5. Miss Kitty m. d. Stummel u. and. Militärhumoresken. (152) | 6. Die zugemauerte Trompete u. and. Militärhumoresken. (147) | 7. Der grüne Schnarrbart u. and. Militärhumoresken. (155) | 8. Memoiren e. Offizierburschen u. and. Militärhumoresken. (157) | 9. Apollo m. d. roten Kragen u. and. Militärhumoresken. (155) | 10. Die Abenteuer d. Leutnants Fuhlmann u. and. Militärhumoresken. (154) | 11. Mein Bursche d. General u. and. Militärhumoresken. (152) | 12. Die Gesch. v. d. Kanonen u. and. Militärhumoresken. (160)
— Humorist. Romane. Neue Volksausg. 1. Serie. (In 8 Bdn. 1—8. Bd.) 8° Jena, H Costenoble. Je 1.50; geb. je 2.50 d ö f
   v. d. Knast. Humorist. Kriegsroman. (480) 04.) | 2. Der Kamerad v. d. Kom. Soldaten-Roman. (352) (05.) | 3. Schwippe u. Wipp-of. 2 Erfreinde. Kom. Roman a. d. Zeitan d. deut. Kleinstaaterei. (417) (05.
— Lust. Soldaten-Geschichten. 1. u. 2. Sammlg. (Neue Afl.) (Je 136) 8° Lpzg, Bibliograph. Anst. A Schumann (03). Je 1 — d
— Alte Zeit d. d. 4 Töchter d. Rittmeisters Schimmelmann. Kom. Soldatenroman. 5. Afl. (460 m. Abb.) 8° Jena, H Costenoble 05.   6 — || 6. [Tit.-]Afl. 03. 3 —; geb. 4 — d
Winterfeld, O v.: Gesch. d. 3 glorreichen Kriege v. 1864, 66 u. 70/71. I. Der dänisch-deut. Krieg v. 1864. II. Der preuss.-deut. Krieg v. 1866. III. Der französisch-deut. Krieg v. 1870/71. 3. Afl. (247) 8° Berl., R Schröder 05.   1.50 d
Winterfeld, P v.: Gedichte. (88) 8° Münch., CH Beck 05.   L. 1.50 d
— s.: Hrotsvitae opera.
— Der Rhythmus d. Satzschlüsse in d. Vita Bennonis, s.: Scheffer-Boichorst, P, Norberts Vita Bennonis Osnabrugensis episcopi z. Fälschg?
Winterfeld-Warnow, E v. (Frau E v. Winterfeld): Bei Tante Charlotte. Ein Jahr a. d. Leben e. jungen Mädchens. (230) 8° Berl., Globus Verl. (03).   Geb. † 1 —; Geschenkausg., m. Titelbild 1.40 d
— Dreieichen, s.: Kornblumen.
— Deut. Frauen in schwerer Zeit. Roman a. d. J. 1806—12 n.

Wirtschaftsbuch. 1. u. 2. Aſl. (64) 4° Salzung., L Scheermesser
(01.04). — 50 d
— f. deut. Beamte f. 1906. Mit Vorwort u. e. Einl.: Üb. d. Ordng
d. Hauswirthschaft m. bes. Rücks. auf d. Haushalt d. Beamten,
v. R Bosse. (114) 8° Hannov., B Pokrantz. Kart. nn 1.55 d
— f. deut. Beamtenfrauen f. 1906. (26. Jahrg.) (40) 8° Ebd.
Kart. nn — 65 d
— f. sparsame Hausfrauen. Hrsg. v. d. Wochenschrift „Fürs
Haus". (102) Fol. Berl., Deut. Druck- u. Verlagsbaus (03).
Kart. 1 —
— f. durchschnittl. häusl. Verhältn. Von e. Hausfrau. (82) 4°
Wolfenb., J Zwissler 02. Kart. 1 —
Wirtschafts- u.Haushaltungsbuch, nebst e. Verz. empfehlenswerter Bücher, welche zu Festgeschenken geeignet sind. (144
u. 56) 8° Hildesh., F Borgmeyer (05). Kart. 1 —
Wirtschaftsfragen, südwestdeut. Veröffentlichgn d. Ver. z.
Wahrg. d. gemeinsamen wirtschaftl. Interessen d. Saarin-
dustrie u. südwestl. Gruppe d. Ver. deut. Eisen- u. Stahl-
industrieller. Hrsg. v. A Tille. 1.—4. Heft. 8° Saarbr., J Gras.
Je 1 — d
Eisenteil, d., d. österr.-ungar. Zolltarifentwurfes v. '05 nebst Begründ.
(62) 03. [1.]
Entwurf e. Schemas f. d. Eisenwaren d. neuen amtl. Warenverz. f. d.
Deut. Reich. (54) 04. [2.]
Tille, A: Die Kanalisierg d. Saar v. Brebach bis Konz. Denkschrift. (66)
04. [3.]
— Die Preispolitik d. staatl. Saarkohlengruben 1892—1905. [S.-A.] (20)
04. [4.]
Wirtschafts-Genossenschaft, die. Zeitschrift d.Beamten-Wirt-
schafts-Ver. zu Berlin, e. G. m. b. H. Red.: F Becker. 1. u.
2. Jahrg. 1904 u. 5 je 12 Hefte. (1904. 185) 8° Berl., C Heymann. Je 4 —; einz. Hefte — 40 d
Wirtschafts-Kalender, österr., f. Land- u. Forstwirte, Wein-
bauer, Gartenbesitzer u. Bienenzüchter f. 1906. (212 m. 3 Bildn.)
8° Pilsen, Volksschriften-Verl. Kart. 1 —
Wirtschafts- u. Haus-Kalender, kl., f. 1906. (48, 16 u. 16 m.
Abb.) 8° Winterbg. J Steinbrener. — 85 d
Wirtschafts- u. Historien-Kalender, neuer concessionirter.
1906. (84 m. Abb. u. 2 Taf.) 8° Meiss., HW Schlimpert. — 20 d
— neuverbess. Neustädter, f. 1906. (68 m.Abb.) 8° Ebd. — 20 d
Bilden d, kl. u. mittle Ausg. v. Zeitbote, d.
— — neuer Zwickauer, f. 1906. (68 m. Abb.) 8° Ebd. — 20 d
Wirtschaftspolitik, deut. Red.: Borgius. Mit Beil.: Mitteilgn
d. Handelsvertragsver. Red.: P Köpcke. 2) Jahrg. Oktbr
1902—Dezbr 1903. 18 Nrn. (Nr. 31. 10 u. 4) 4° Berl., F Siemenroth. Viertelj. 2.50 d ð F
— dass. Hrsg. u. Red.: W Borgius. 2. Jahrg. Jan.—Septbr 1904.
18 Nrn. (Nr. 1. 24) 4° Ebd. Viertelj. 2.50 d ð F
Wirtschafts-u.Verwaltungsstudien m.bes.Berücks.Bayerns.
Hrsg. v. G Schanz. XI.—XXI, XXIII u. XXIV. 8° Lpzg, A
Deichert Nf. 48.70 (I—XXI, XXIII u. XXIV.: 89.50) d
Haberbrunner, F: Die Lohn-, Arbeits- u. Organisations-Verhältn. im
deut. Baugewerbe m. bes. Berücks. d. Arbeitgeber-Organisation. (260)
08. [XIX.]
Hartung, G: Das Problem d. Landstrassen, ihre Entwicklg im 19. Jahrh. u.
ihre Zukunft. (167) 02. [XVI.] 2 —
Herzfelder, E: Das Problem d. Krediversicherg m. bes. Berücks. d.
berufsmäss. Auskunftserteilg u. d. aussergerichtl. Vergleichs. (226) 04.
[XX.] 4.80
Hoebsch, E: Die zukünft. Verkehrsentwicklg auf d. regulierten Main m.
bes. Berücks. d. Stadt Würzburg. (74) 01. [XIV.] 1.60
Hübschmann, A: Die obligator. Mobiliarbrandversicherg in d. Schweiz.
(91) 03. [XVII.] 1.60
Kamba, M: Der russisch-japan. Krieg u. d. japan. Volkswirtschaft. (73)
06. [XXIV.] 1.60
Limburg, H: Die kgl. Bank zu Nürnberg in ihrer Entwicklg 1780—1900.
(162) 03. [XVIII.] 4.85
Lohmann, F: Die Entwicklg d. Lokalbahnen in Bayern. Mit Angabe d.
Anlagekapitals, Verkehrs u. d. Betriebsergebnisse d. einzelnen Linien d.
bayer. Vicinal- u. Lokalb. bis z. J. 1900. (240 m. 1 Karte.) 91. [XI.] 6.50
Maier, AC: Der Verband d. Glacéhandschuhmacher u. verwandten Arbeiter
Deutschlds. 1869—1900. (397 m. 3 Abb.) 01. [XII.] 7 —
Pernwerth v. Bärnstein, J: Die Dampfschiffahrt auf d. Bodensee u. ihre
geschichtl. Entwicklg währ. ihrer 1. Hauptperiode. (1824—47.) (241) 06.
[XXI.] 4.40
Rusmann, O: Zur Frage d. Mobiliar-Feuerversicherg im Kgr. Bayern. (92)
01. [XIII.] 1.60
Steiner, V: Zur Frage d. Naturalteilg. Untersuchg üb. d. bäuerl. Ver-
hältnisse d. früuk. Gaufeldes. (96) 05. [XXIII.] 1.50
Weyermann, MR: Das Verlagsaystem d. Lauscher Glaswaren-Industrie
u. s. Entwicklung. (164) 02. [XV.] 3.50
XXII ist noch nicht erschienen.
Wirtschafts-Zeitung, deut. Zentralbl. f. Handel, Industrie u.
Verkehr. Hrsg: v. M Apt u. H Völcker. Red.: Haas. 1. Jahrg.
1905. 24 Nrn. (Nr. 1 u. 2. 96 Sp.) 8° Berl., (R v. Decker).
Viertelj. 3.50
Wirts-Taschenbuch f. 1901. Hrsg. v. CA Hammer. (Schreib-
kalender u. 67) 12° Stuttg., Zeller & Schm. — 75 d
Fortsetzg war zu erhalten.
Wirts-Zeitung, deut. Zentral-Organ f. d. Wirtsgewerbe. Red.:
F Wilhelm. Nebst Beil.: Stuttgarter Unterhaltgs-Bl. Illustr.
Wochenschrift. 11—15. Jahrg. 1901—5 je 52 Nrn. (1901. Nr. 1
—10. 160) 40×26,5 cm. Stuttg., Zeller & Schm. Viertelj. 2 — d
Seit Juli 1903 m. d. untit. Beil.: „Die Wirtin".
Wirtz, A: Kellner Franz. Roman a. d. soz. Leben. (78) 8° Cöln-
Ehrenf., H Schleypen 04. 2 —
Wirtz, P: Das französ. Konkordat v. J. 1801. [S.-A.] (42) 8°
Mainz, Kirchheim & Co. 05. — 60
Wirtz, W: Die Wartg d. Fördermaschine. (104 u. 8 m. 12 Taf.)
8° Ess., GD Baedeker 01. Kart. 4 —

Wirz's Schreib-Kalender f. schweiz. Landwirte f. 1906. 12. Jahrg.
(840) 8° Aar., E Wirz. L. 1 — d
— Schreibkalender f. schweiz. Ornithologen u. Kaninchen-
züchter f. 1902. (Schreibkalender u. 66) 12° Ebd. L. 1 — d ð F
Wirz, C, s.: Bullen u. Breven z. schweiz. Gesch.
— Der Uranier vor Kirche u. Schrift. (44) 8° Lpzg, M Spohr
04. 1 —
Wirz, DOM: Leben d. im Rufe d. Heiligkeit gestorb. P. Heinr.
'1 byssen, a. d. Orden d. hl. Franziskus. Nach d. Fläm. (74
m. 1 Bildnis.) 8° Dülm., A Laumann 02. 1 —; geb. 1.50 d
— St. Benedicts-Büchl. Vollständ. Gebetbüchl. (280 m. Titel-
bild.) 16° Ebd. 02. L. — 75 d
Wirz, J: Die Getreideproduktion u. Brotversorgg d. Schweiz.
(175 m. 9 Taf.) 8° Soloth., A Lüthy 02. 3 —
Wirz, O: Gedichte. (130) 8° Strassbg, J Singer 05. 3 — d
Wirz-Bürgi, Frau: Was s'Anna Maryli (Mymeli) u. d. Nazi
am eidgenöss. Schützenfeste zu Luzern gesehen u. erlebt
haben. (34 m. Abb.) 8° Luz. 02. (Aar., E Wirz.) nn — 30 d
Wisbacher, F: Neue Gedichte. (154 m. Bildnis.) 12° Salzbg,
H Dieter 02. 1.50; geb. nn G. 2.50 d
Wischer, F: Aus d. plattdeut. Dichterwald. Eine Anthol. d.
besten plattdeut. Dichtgn. (241 u. 6) 8° Kiel, R Cordes (02).
2 —; L. 3 — d
Wischn, M: Die soz. Stellg d. Lehrers u. s. Standesehre, s.:
Abhandlungen, pädagog.
Wischin, RA: Die Naphthene (cykl. Polymethylene d. Erdöls)
u. ihre Stellg zu and. hydrürten cykl. Kohlenwasserstoffen.
(158) 8° Brnschw., F Vieweg & S. 01. 5 —
Wischmeyer, J: Leitf. f. d. Konfirmandenunterr. auf Grund
d. kl. Katech. Luthers. 4. Aſl. (76) 8° Bethel bei Bielef., Bh.
d. Anst. Bethel 02. 1 —
Wischmeyer, P: Übgsstoffe f. d. Unterr. in Sprachlehre usw.,
s.: Schreß, H.
Wischniowsky, GJ,s.:Assecuranz-Compass.—Jahrbuch,finan-
zielles, f. Österr.-Ungarn. — Revue, finanzielle, u. Assecu-
rans-Revue.
Wiseman, N: Fabiola od. d. Kirche d. Katakomben. Aus d.
Engl. v. T Elsässer. 2. Aſl. (516 m. Abb.) 8° Osnabr., B Wehberg 02. L. 1.50 d
— dass. Übers. v. J Okorn. (584 m. Abb.) 8° Graz, Styria 05.
L. 1.60 d
— dass. Aus d. Engl. v. CB Reiching. 12. Aſl. (464 m. Abb.) 8°
Rgnsbg, Verl.-Anst. vorm. GJ Manz 02. 2 —; L. 2.96 d
— dass. Neue Illustr., verb. Ausg. Mit feinen Holzschn.-Bil-
dern. Gez. v. E Bitter v. Steinle. (428) 8° Ebd. 05. 4 —
L. M. G. 5.50 d
— dass. Übers. v. FH Reusch. 38. Aſl. (465 m. H. u. 11 Vollbildern.) 8° Köln, JP Bachem (04). 2.75; in Salonbd 4 — d
— dass., s.: Bibliothek d. Gesamtlitt. — Volksbücherei.
— dass., s.: Illustrierte Jugend- u. Heiландes Jesus Christus. Betrachtgn. Übertr. v. T Grewer. (262) 12° Köln, JB
Bachem (02).
Wislicenus, G, s.: Auf weiter Fahrt.
— Deutschlds Seemacht sonst u. jetzt. Nebst e. Überblick üb.
d. Gesch. d. Seefahrt aller Völker. 2. Aſl. (320 m. Abb. u.
6 farb. Taf.) 4° Lpzg, FW Grunow 01. Kart. 6 — d
Wislicenus, H: Neue Fortschritte in d. chem. Verwertg d.
Walderzeugnisse u. d. Torfes. Vortr. Mit Demonstrationen.
[S.-A.] (31) 8° Freibg, Oraz & G. 04. 1 — d
— Ueb. u. Waldluftuntersuchg in d. sächs. Staatsforstrevieren
u. d. Rauchgefahr im Allg. Vortr. (26) 8° Ebd. 01. — 75 d
Wislicenus, J: Die Wandgemälde im Kaiserhaus zu Goslar.
Mit erläut. Text v. M Jordan. (12 Photogr. m. 31 S. Text.) 4°
Gosl., J Brumby. V. (01). L. 5 —; Text allein — 50 d
— dass. Mit erläut. Text v. M Jordan u. A Wode. 2. Aſl. (20 Taf.
m. 30 S. Text.) 8° Ebd. (04). 5 —
Wislicenus, WF: Astronomie, s.: Möbius, AF.
— Astrophysik, s.: Sammlung Göschen.
— s.: Jahresbericht, astronom.
— Der Kalender im gemeinverständl. Darstellg, s.: Aus Natur
u. Geisteswelt.
Wisliceny, H: Der bibl. Christus od. Unterschiede zw. Bibel-
lehre u. Kirchenlehre. (84) 8° Schmiedebg 03. (Berl., H Kuhz.)
1 —
Wismeyer, J: Latein. Übgsb., s.: Englmann, L.
Wismüller, FX: Gesch. d. Teilg d. Gemeinländereien in Bayern,
s.: Studien, Münch. volksw.
Wismar, J: Die Stadt Znaim (Gotteshäuser u. Schulen), s.:
Heimatkunde d. polit. Bez. Znaim.
Wisniewski, C: Präparat. z. Gesangunterr. in Volkssch. (83)
8° Heiligenst., FW Cordier 01. 1 — d
Wisotzky, v. Schleichert's Heimatkde v. Halle u. Umgegend.
2. Aſl. v. A Grothe. 1. Tl. 8° Halle, Bh. d. Waisenh. Geb. 1.20 d
1. Geograph. Heimatkde. Vorst., bes. f. d. 2. u. 4. Schulj. (100 m. Abb.)
(Näheres, Textbart., 1 Pl. u. 1 Karte.) 04. 1.20
Wisotzky, K: Schicksalsstunden. 4 Szenen. (I. Nach Jahren.
II. Heimwärts. III. Worte d. Trostes. IV. Die 1. Predigt.)
(39) 8° Lpzg, Modernes Verl.-Bureau 04. 1 —
Wispel, A: Entwickelgsgesch. d. Stadt Naumburg a. S., nebst
e. Anh.: Abriss d. Gesch. v. Freyburg a. U., Goseck, Schön-
burg, Saaleck u. Rudelsburg. (190) 8° Naumbg, A Schirmer's
Nf. 05. 1 —; geb. nn 2.60 d

Wissemann: Philipp d. Grossmüt., Landgraf v. Hessen, s.: Wartburghefte.
Wissen, d., f. Alle. Volksthüml. Vortr. u. populär-wiss. Rundschau. Red.: V Tichy. 2. Jahrg. 1902. 52 Nrn. (Nr. 1. 20 u. 8 in 8° m. Abb.) 4° Wien, M Perles. Viertelj. nn 2.50; einz. Nrn nn — 20 d
— dass. Begründer: M Szeps. Hrsg.: L Szeps. Red.: V Tichy. 3. Jahrg. 1903. 52 Nrn. (Nr. 1. 16 u. 8 in 8° m. Abb.) 4° Ebd. il 4. u. 5. Jahrg. 1904 u. 5. Red. v. R Lampa. Viertelj. nn 2.50; einz. Nrn nn — 20; m. Schule d. Mathematik 3 — d
— eigenes. Wegweiser z. Selbstbelehrg in allen Lebenslagen. 1—24. Bd. 8° Lpzg, C Schubert. Je — 50
  Allerwelts-Briefsteller f. Haudel u. Gewerbe, Stellengesuche, Verkehr m. Behörden, bürgerl. Leben. (40) (03.) [11.] d
  Ammann, M: Die Geheimsprachen. Briefmarken-, Blumen-, Fächersprache, Geheimschriften etc. (40) (03.) [20.] d
  Bischoff, E: Wie führe ich meine Prozesse? (39) (03.) [1.] d § Deut. Sprachschule. (40) (03.) [3.] d § Die Steuer-Einschätzg u. Reklamation in Sachsen u. Preussen. (40 m. Tab.) (03.) [4.] d § 1. Wie errichte ich e. Testament? 2. Was erbe ich? (40) (03.) [7.] d § Gemeinverständl. Wechsel- u. Diskont-Lehre. (39) (03.) [9.]
  Blumenflor, d., im Zimmer. Von e. Blumenfreunde. (40) (03.) [10.] d
  Brückner, P: Wie erhalte ich Stelig? (40) (03.) [18.] d
  Clemens, B: Die vernünft. Kindererziehg. (40) (03.) [15.] d
  David, L: Der Amateurphotograph. (40 m. Fig.) (03.) [8.] § Braut- u. Ehestand. Ratgeber in allen Rechts- u. Wirtschaftsfragen. (40) (03.) [9.] § Was soll ich schenken? (32) (03.) [5.] d
  Fiebiger, G: Prinzipal u. Angestellter, ihre Rechte u. Pflichten. (40) (03.) [16.] d
  Halbe, E: Der gewerbl. Arbeiter, s. Rechte u. Pflichten. (40) (03.) [19.] § Herrschaft u. Dienstboten, ihre Rechte u. Pflichten. (40) (03.) [17.] d
  Hallberg, E: Schönheits-Spiegel. Damen-Brevier. (39) (03.) [13.] d
  Nietzky, A: Wie werde u. bleibe ich gesund? Hausärztl. Ratgeber. (39) (03.) [12.] § Die junge Mutter. (38) (03.) [6.] d
  Röder, P: Mieter u. Vermieter, ihre Rechte u. Pflichten. (39) (03.) [14.] d
  Ruben, E: Gläubiger u. Gemeinschuldner im Konkursverfahren. (39) (03.) [24.]
  Volger, O: Die amerikan. Buchführg als Ersatz f. d. italien. (40 m. 1 Tab.) (03.) [23.] § Die dopp. italien. Buchführg. (48) (03.) [22.] § Die einf. Buchführg. (39) (03.) [21.]
— d., d. Gegenwart. 2., 18., 21., 38., 52. u. 54. Bd. 8° Lpzg, G Freytag. — Wien, F Tempsky. L. il 1.60
  Behaghel, O: Die deut. Sprache. 3. Afl. (370) 04. [54.]
  Hansen, A: Die Ernährg d. Pflanzen. 2. Afl. (299 m. Abb.) 01. [38.] 5 — d
  Klein, HJ: Allg. Wittergkde m. bes. Berücks. d. Wettervorsausage. 2. Afl. (247 m. Textabb. u. 2 Kart.) 06. [2.]
  Krümmel, O: Der Ozean. Einführg in d. allg. Meereskde. 2. Afl. (265 m. Abb.) 02. [52.] 4 —
  Schulz, A: Kunst u. Kunstgesch. Einführg in d. Studium d. neueren Kunstgesch. 2. Afl. 1. Abth. Architektur u. Plastik. (277 m. Abb. u. 36 Taf.) 01. [18.] § 2. Abth. Malerei u. vervielfältig. Kunst. (246 m. Abb. u. 48 Taf.) [31.]
— u. Leistungen d. modernen Starkstrom-Elektrotechnik. Mit Ausschl. d. elektr. Bahnen. (In 3 Tln.) 1. Tl. 8° Halle, CO Lehmann. 5 —; geb. 6 —
  1. Gerteis, A: Die Elektrizität. Ihre Eigenschaften, Wirkgn u. Gesetze. (246 m. Fig. u. 1 Taf.) 91.
Wissendorff, H: Chansons lataviennes, s.: Baron, K.
Wissenschaft, die. Sammlg naturwiss. u. mathemat. Monographien. 1—10. Heft. 8° Brnschw., F Vieweg & S. il 47.90
  Aufsess, O Frhr v. u. zu: Die physikal. Eigensch. d. Seen. (120 m. Abb.) 05. [4.]
  Baumhauer, H: Die neuere Entwickelg d. Kristallogr. (164 m. Abb.) 06. [7.] 4 —; geb. 4.60
  Curie, Mme S: Untersuchgn üb. d. radioaktiven Substanzen. Übers. u. m. Litt.-Ergänzgn versehen v. W Kaufmann. 1. u. 2. Afl. (132 m. Abb.) 04. [1.] 5 —; geb. 5.60
  Faust, ES: Die tier. Gifte. (248) 06. [9.] 4 —; geb. 4.80
  Frölich, O: Die Entwickelg d. elektr. Messgn. (192 m. Abb.) 05. [5.] 6 —; geb. 6.80
  Geitler, J Ritter v.: Elektromagnet. Schwinggn u. Wellen. (154 m. Abb.) 05. [6.] 4.60; geb. 5.20
  Lippa, G: Die psych. Massmethoden. (151 m. Abb.) 06. [10.] 3.60; geb. 4.10
  Schmidt, GC: Die Kathodenstrahlen. (190 m. Abb.) 04. [2.] 3 —; geb. 3.60
  Thomson, JJ: Elektrizität u. Materie. Übers. v. G Siebert. (100 m. Abb.) 04. [3.] 5 —; geb. 5.80
  Werner, A: Neuere Anschaugn auf d. Gebiete d. anorgan. Chemie. (199) (06.) [8.] 5 —; geb. 5.80
— d., f. Alle. Red.: I. V.: G Temps. 1. Jahrg. Juli—Decbr 1905. 6 Nrn u. als Beigabe 12 Bde v. Hillger's illustr. Volksbib. (Nr. 3.) 8° Berl., H Hillger. Viertelj. 1.80; Beigabe geb. 5 — d
— d., an d. Univers. u. ihre Priester. Weckruf an alle Gebildeten v. LAe Seneca jun. (31) 8° Berl., Jünger & Hahn 04. 1 —
— u. Religion. Sammlg bedeut. Zeitfragen. 1—9. Heft. 8° Strassbg, FX Le Roux & Co. Je — 50 d
  Allard, P: Haben d. Christen Rom unter Nero in Brand gesteckt? Aus d. Franz. (29) (05.) [8.] § Die Christenverfolgg u. d. moderne Kritik. Aus d. Franz. v. J Holtzmann. (63) (06.) [9.]
  Badet: Die christl. Frau, ihr Einfl. u. ihre Rolle in d. Zeiten d. Verfolggn. Aus d. Franz. (57) (05.) [4.] § Das Problem d. Leidens. Betrachtet v. Standpunkt d. Vernunft u. d. Christentums. Aus d. Franz. v. J R. (51) (05.) [5.]
  Conrbet, P: Das Dasein Gottes, e. Postulat d. Wiss. Nach d. 5. franzö. Afl. (84) (05.) [7.]
  Fonsegrive, G: Die Stellg d. Katholiken gegenüber d. Wiss. 2. deut. Afl. Nach d. 5. franzö. Afl. Übers. v. J Schiesser. (65) (04.) [3.]
  Guibert, J: Die Seele d. Menschen. Aus d. Franz. n. d. 5. Afl. (65) (04.) [3.]
  Sertillanges: Kunst u. Moral. Nach d. d. franzö. Afl. (61) 05. [6.]
  Tournebize, F: Vom Zweifel z. Glauben. Mit Voraussetzg e. Briefes v. P Coppée. Nach d. 10. Afl. Aus d. Franz. v. J Schiesser. (72) 04. [1.]
— u. Schule. Kathol. Schulzeitg f. Nordwestdeutschl. Hrsg: F Tonberge. Jahrg. 1904 u. 5 je 52 Nr. (844 u. 832) 8° Hildesh., F Borgmeyer. Viertelj. 1.50 d
Wissenswertes, allerlei, üb. d. freiwill. Erziehgsbeirat f. schulentlass. Waisen, s.: Schriften d. freiwill. Erziehgsbeirates f. schulentlass. Waisen.

Wisser, JE: Aus Pokerwitz. Jeu-Geschichten. (198) 8° Lpzg, Verl. „Monopol" (05). 1.50 d
Wisser, W: Watt Grotmoder vertellt. Ostholstein. Volksmärchen. (96 m. Abb.) 8° Lpzg 04. Jena, E Diederichs. || Neue Folge. 1—8. Taus. (96 m. Abb.) Jena 05. Kart. je nn — 75 d
Wissfeld, G: Das Bankier-Conto-Corrent n. französ. u. deut. Art. (58) 8° Waltersh. 02. Wangen, P Kluge. 2 —
Wissing, JA: Kreis-Verkehrsk. v. Apenrade. 1 : 50,000. Farbdr. n. kol. 91×47 cm. Apenrade, (A Wohlenberg) (o. J.). nn 1.50
Wissmann, H v.: Afrika. Schildergn u. Rathschläge z. Vorbereitg f. d. Aufenthalt u. d. Dienst in d. deut. Schutzgebieten. 2. Afl. (108) 8° Berl., ES Mittler & S. 03. 1.20; geb. 2 — d
— Unter deut. Flagge quer durch Afrika v. West n. Ost. Von 1880—83 ausgeführt v. P Pogge u. H v. Wissmann. 8. Afl. (423 m. Abb., 22 Taf. u. 1 Karte.) 8° Berl., Herm. Walther 02. 8 —; geb. 10 — d
Wissmann, J: Bete u. arbeite! Predigten. Mit e. Lebensabriss d. Verstorbenen. (249 m. Bildnis.) 8° Zür., Schulthess & Co. 04. 3.60; L. 4.50 d
Wissow, R v.: Ring u. Dolch, s.: Hume, F.
Wissowa, F: Reg., s; Jahrbücher f. Nationalökonomie u. Statistik.
Wissowa, G: Ges. Abhandlgn z. röm. Relig.- u. Stadtgesch. Ergänzgsbd zu d. Verf. „Relig. u. Kultus d. Römer". (329) 8° Münch., CH Beck 04. 8 —; HF. nn 10 —
    (Hauptwerk u. Ergänzgsbd: 18 —; geb. nn 22 —)
— s.: Pauly's Real-Encyclop. d. class. Altertumswiss.
— Relig. u. Kultur d. Römer, s.: Handbuch d. klass. Altertumswiss.
Wit, A fr. O: Feindschaft. Das höchste Gesetz. — Orpheus in d. Dessa, s.: Seemann's kl. Unterhaltsgsbibliothek.
Wit, P de: Geigenzettel alter Meister v. 16. bis z. Mitte d. 19. Jahrh. (34 Taf. m. 8. Text.) 4° Lpzg, P de Wit 02. Kart. 7.50
— s.: Katalog d. musikhistor. Museums v. Paul de Wit.
— 8.: Welt-Adressbuch d. ges. Musikinstrumenten-Industrie.
Witasek, J: Ein Beitr. z. Kenntnis d. Gattg Campanula, s.: Abhandlungen d. k. k. zool.-botan. Gesellsch. in Wien.
Witasek, S: Grundz. d. allg. Ästhetik. (410) 8° Lpzg, JA Barth 04. 4 —; L. 5 —
— 100 psycholog. Schulversuche m. Angabe d. Apparate, s.: Höfler, A.
With, F: Aus voller Seele. Gedichte. (94) 8° Münch., C Haushalter 06. 1.50; geb. 2.50 d
Withalm, H: Ecce homines! Skizzen. (147) 8° Strassbg, J Singer 04. 2.50 d
— Verbrochenes. Gedichte. (58) 12° Ebd. 04. 2 —
Witilo, M (M Gräfin Wedel): Friedrich d. Freidige. Schausp. (87) 8° Weim., A Huschke Nf. 01. 1 —; geb. 1.50 d
Witkop, P: Ein Liebeslied u. and. Gedichte. (96) 8° Zür. (02.). Kempt., J Kösel. 2.50; geb. 3.50 d
— Die Organisation d. Arbeiterbildg. Kritik u. Verknüpfg sämtl. Arbeiterbildgs-Bestrebgn. (132) 8° Berl., F Siemenroth 04. 2.50
Witkowski, G: Cornelia, d. Schwester Goethes. Mit ihren z. Tl ungedr. Briefen u. Tagebuchblättern. (290 m. 1 Bildnis u. 1 Fksm.) 8° Frankf. a/M., Lit. Anst. 03. 5.50; geb. 7 — d
— Das deut. Drama d. 19. Jahrh. in d. Entwicklg, s.: Aus Natur u. Geisteswelt.
— Was sollen wir lesen u. wie sollen wir lesen? Vortr. (Umschl.: 6—15. Taus.) (32) 8° Lpzg, M Hesse 04. — 20 d
— s.: Meisterwerke, d. d. deut. Bühne.
Witkowski, S, s.: Eos.
Witlaczil, E: Bau, Thätigk. u. Pflege d. menschl. Körpers. Zunächst f. Mädchenlyzeen. (63 m. H.) 8° Wien, A Hölder 03. Geb. 1.10 d
— Gesch. d. Erde, zunächst f. Mädchenlyzeen. (73 m. Abb.) 8° Ebd. 03. Geb. 1.20 d
— Naturgesch. f. Bürgersch. in 3 Stufen. 2. u. 3. Stufe. 8° Ebd. Geb. je 1.40 d
    2. Die wichtigsten Gruppen d. Reiche. 2. Afl. (156 m. H. u. 1 Karte.) 01.
    3. Der menschl. Körper. Übersicht d. 3 Reiche d. Natur. 2. Afl. (155 m. m. H.) 02.
    Neue Afl, u. d. T:
— Naturgesch. in Lebensbildern. Dreiteil. Ausg. f. Bürgersch. 1. Stufe: Die wichtigsten Naturkörper d. 3 Reiche. 4. Afl. (148 m. H.) 8° Ebd. 04. Geb. 1.40 d
— Naturgesch. d. Pflanzenreiches in Lebensbildern. Zunächst f. Mädchenlyzeen. (176 m. H.) 8° Ebd. 04. Geb. 2.50 d
— Naturgesch. d. Tierreiches in Lebensbildern. Zunächst f. Mädchenlyzeen. (270 m. H. u. 1 Karte.) 8° Ebd. 04. Geb. 2.80 d
Witowski: Die Anstellgsverhältn. d. Inhaber d. Zivilversorggscheins u. d. Kommunalverbänden für Arb. preussen; bezw. bei d. Landes-Versichergsanst., s.: Handbücher f. Militäranwärter.
Witry, T: Im Treubann d. Kaiserin Kunigunde. Historie a. Franken. (76 m. 2 Taf.) 8° Bambg, Handels-Dr. u. Verlagsh. (02). 1 — d
Witschel: Anl. f. Keulenübgn. 2. Afl. (28 m. Abb.) 12° Berl., ES Mittler & S. 03. — 80 d
Witschel, JHW: Morgen- u. Abendopfer nebst and. Gesängen. 3. Afl. (390) 8° Chur, FZ Schuler 04. L. m. G. 3 — d
Witt: Musterglut. Einführg d. Torfstuhlverfahrens, s.: Fraenkel, C.

Witt, Mme de, née Guizot: Premier voyage du petit Louis, s.: Schulbibliothek, französ. u. engl. (M Muhry).
Witt, C: Griech. Götter- u. Heldengeschichten. Für d. Jugend erzählt. 7. Afl. (212) 8° Stuttg., M Waag(05). 1.60; geb. 2 — d
Witt, FX, s.: Musica sacra.
Witt, H: Prakt. Sprachübgn z. festen Einübg d. regier. Wörter. 2 Hefte. 8° Alt.-Othm., K Witt 01.   Je — 50 d
  1. Die Verhältniswörter. (24—27. Afl.) [77] 2. Die regier. Zeitwörter u. Eigenschaftswörter nebst vermischten Schlussaufg. 16. Afl. (72)
— dass. Schlüssel. 2 Hefte in 1 Bde. (72, 72 u. 7) 8° Ebd. 01.   Kart. 1.60 d
Witt, J: Der Römerbrief. Erklärt. (292) 8° Kiel, Verl. d. Kieler China-Miss. 02.   2 —; L. 3 — d
— Saul u. David. Erklärg d. Bücher Samuelis. (359) 8° Ebd. 02.   2.40; L. 3.40 d
— Der Tag Jesu Christi. Erklärg d. Offenbarg. 2. Afl. (286) 8° Neumünst. (1896). Kiel, Verl. d. Kieler China-Miss.   2 —; L. 3 — d
Witt, J: Musterblätter f. d. Fachzeichnen, nebst erläut. Text. 1—9. Heft, 6. Afl. u. 10. Heft, 2 Tle. 8° Berl., H Spamer.   23 — d
  1. Für Tischler. (9 farb. Bl. m. 4 S. Text.) (04.) 2.50 | 2. Für Klempner. (7 farb. Bl. m. 3 S. Text.) (04.) 2 — | 3. Für Schuhmacher. (5 Bl. m. 2 S. Text.) (04.) 1.60 | 4. Für Maschinenschlosser. (8 farb. Bl. m. 4 S. Text.) (04.) 2.50 | 5. Für Bau- u. Kunstschlosser. (8 farb. Bl. m. 6 S. Text.) (04.) 2.50 | 6. Für Schmiede. (9 farb. Bl. m. 3 S. Text.) (04.) 2.50 | 7. Für Sattler. (9 farb. Bl. m. 3 S. Text.) (04.) 2.50 | 8. Für Stellmacher. (9 farb. Bl. m. 3 S. Text.) (04.) 2.50 | 9. Für Maurer. (9 farb. Bl. m. 4 S. illustr. Text.) (04.) 2.50 | 10. Für Schneider. 2 Tle. (8 u. 7 Bl. m. je 2 S. Text.) 05. Je 1.60.
— dass. Textb. zu Serie I bis IX. (74 m. Fig.) 8° Elbing 01. Berl., H Spamer.   2 — d
Witt, L: Lehr- u. Leseb. f. ländl. Fortbildgs- u. Wintersch. 3. Afl. (256) 8° Bresl., F Hirt 05.   Geb. 1.80 d
— Der prakt. Schulmann. Method. Lehr- u. Stoffverteilgspläne u. a. als Beitrag z. Förderg d. Lehrarbeit in 2sprach. Schulen. (166) 8° Ebd. 02.   1.50 d
— u. E Zimmermann: Ackerbaulehre, s.: Unterricht, d. landw., im Seminar.
Witt, M: Die weltl. Komödie. (88) 8° Stuttg., Strecker & Schr. 05.   1.90 d
— Der hl. Krieg. (88) 8° Zür., C Schmidt 01.   1.20 d
— dass. 2. Afl. (384) 8° Hambg 05. (Essl., W Langguth.) 4.50 d
Witt, ON, s.: Bericht üb. d. V. internat. Kongress f. angewandte Chemie. — Grundlagen, d. allg., d. Kultur d. Gegenwart. — Industrie, d. chem.
— Die chem. Industrie auf d. internat. Weltausstellg zu Paris 1900. (136) 8° Berl., Weidmann 02.   L. 5 —
— Die chem. Industrie d. Deut. Reiches im Beginn d. 20. Jahrh. (229) 8° Ebd. 02.   L. 10 —
— Nartheküon. Nachdenkl. Betrachtgn e. Naturforschers. Neue Folge. (262) 8° Berl., R Mückenberger 04.   4.40
    (I u. II.: 8.80; Einbde in 1., je — 60)
— s.: Prometheus.
— u. A **Buntrock**: Chem. Technol. d. Gespinnstfasern, s.: Handbuch d. chem. Technol.
Witt, R de, s.: Reuter's, F, Werke in Bildern. — Fritz Reuter-Album.
Witt Huberts, F de: Method. Kommandieren auch als Mittel z. Kräftigg d. Stimme. (28) 8° Amsterd., SL van Looy 04.   1 —
Witte & Lüntzmann: Farb. Malerb. f. d. Praxis. I. Sammlg. Farb. Entwürfe f. dekorative Malerei. (20 Taf. m. 1 Bl. Text.) 4° Hannov., Bolm & Lockemann (03).   In M. 15 —
Witte, Finanzminister, u. d. russ. Reichsrat üb. d. Finanzlage Russlds. Protokoll d. Plenarsitzg d. russ. Reichsrats v. 30.XII.'02 (12.I.'03). (Ausg. d. „Osswoboschdenje".) (Aus d. Russ.) (20) 8° Stuttg. 03. (Paris, A Schulz.)   — 50 d
Witte, CJ(S), s.: Bericht d. Finanzministers an d. Kaiser üb. d. Reichsbudget.
— s.: Selbstherrschaft u. Semstwos in Russld.
Witte, E: Beitr. z. Kenntnis d. Azochinoline. (36 m. 2 Taf.) 8° Freibg i/B., Speyer & K. 05.   1.20
Witte, E: Das Problem d. Tragischen bei Nietzsche. (126) 8° Halle, CA Kaemmerer & Co. 04.   2 —
Witte, F: Rechenb. f. d. Volkssch., s.: Behrens, W. — Bosse, FW.
Witte, GH: A Rubinsteins Symphonie dramat., s.: Musikführer, d.
Witte, H: Die Infant.-Patrouille. (47 m. Fig.) 8° Berl., R Eisenschmidt 05.   — 60 d
Witte, H: Wendische Bevölkergsreste in Mecklenburg, s.: Forschungen z. deut. Landes- u. Volkskde.
— Wismar unter d. Pfandvertrage 1803—1903. (153 m. 16 Taf.) 8° Wism., Hinstorff's V. 03.   2 —
Witte, H: Bad Kudowa u. s. Kur. (44) 8° Bresl., Maruschke & B. (05).   — 80
Witte, H s.: Regesten d. Markgrafen v. Baden u. Hachberg.
Witte, H: Reinheit. Drama. (220) 8° Dresd., E Pierson 09.   3 — d
Witte, JH: Volkssch. u. Hülfssch. Üb. Förderg d. Schwachen im Rahmen d. normalen Volkssch. u. d. mehrfach bedenkl. Einrichtg v. Hülfssch. als Schulen nur f. schwachbegabte Kinder. (43) 8° Thorn, E Lambeck 01.   1.20
Witte, K: Beitr. z. Kenntnis d. para- u. ortho-Oxychinolone. (43) 8° Freibg i/B., Speyer & K. 04.   1.20
Witte, L: 10 Ansprachen u. Eröffngsreden bei Generalversammlng d. ev. Bundes, s.: Wintzingerode-Bodenstein, Grafv.

Witte, L: Friedrich d. Gr. u. d. Jesuiten. 2. Afl. (115) 8° Halle, CE Müller 01.   2 — d
— Von d. Geheimnissen d. Reiches Gottes. — Hus u. Savonarola, s.: Predigt-Hausschatz, ev.
— Die Kampfesaufg. d. ev. Bundes u. d. christl. Liebespflicht. Vortr. (20) 8° Lpzg, (C Braun)(01).   nn — 10 d
— Hast du d. köstl. Perle?, s.: Predigt-Hausschatz, ev.
— s.: Zeitfragen.
Witte, R: Friedrich Nietzsche, e. Warngszeichen an d. Schwelle d. neuen Jahrh. Vortr. (37) 8° Stolp, H Hildebrandt's Bh.(02).   — 50 d
Witte, W: Fortschritte u. Verändergn im Geb. d. Waffenwesens in d. neuesten Zeit. (Als Ergänzg u. Fortsetzg d. gemeinfassl. Waffenlehre.) 2. Afl. Nachtr. II (1901/1902). 3 Thle. (Deckblätter.) 8° Berl., Liebel 02. Je 1 — || Nachtr. III (1902/3). 3 Thle. (13, 8 u. 5 Bl. m. Abb.) 03. 1 — || Nachtr. IV (1903/4). (20) 04.   — 50 (Hauptwerk m. I—IV. Nachtr.: 13 —) d
  1. Geschichtl. Entwicklg d. Waffenwesens u. s. w. Treibmittel u. Sprengstoffe. Das Schiessen u. d. Wirkg d. Feuerwaffen. Die Einrichtg u. d. Gebr. d. Handfeuerwaffen. (14 Bl.)
  2. Einrichtg d. Geschützrohre. Laffeten u. Fahrzeuge. Mitrailleusen, Revolverkanonen, Maschinengewehre, Schnellfeuer- u. Panzergeschütze. Die Artilleriemunition. (18 Bl.)
  3. Gebr. d. Feld-, Belagergs-, Festgs- u. Küstengeschütze. (11 Bl.)
Witteborg, A: Der Eingang durch d. enge Pforte. Predigt. (12) 8° Barm., Wuppertaler Traktat-Gesellsch. (04).   — 10 d
— Ein frühvollend. Missionarsleben (Miss. Krumm), s.: Auf Missionspfaden.
Witteborg, A: Choralb. z. Gesangb. f. ev. Gemeinden Schlesiens, f. d. Orgel od. d. Harmonium od. Pianoforte 4stimmig m. Zwischensp. u. Schlüssen versehen. 3. Afl. (128) 4° Sag., (W Baustein) (03).   2 — d
— Chorgesänge geistl. u. weltl. Inhalts f. Präparanden-Anst. Dreistimmig bearb. (80) 8° Herdecke (03). (Sag., W Daustein).   nn — 80
Wittels, F: Der Taufjude. (40) 8° Wien, M Breitenstein 04.   — 70 d
Witten, M v.: Hans Heiling, s.: Eckstein's Reise-Bibliothek.
Wittenbach, F: Filia hospitalis. Studentenstück. (116) 8° Wien, O Konegen 03.   2 — d
— Die Hübscherin u. ihr Gärtlein. Dichtg. (138) 12° Ebd. 02.   2 — d
— Der Privatdozent. Ein Stück a. d. akadem. Leben in 4 Aufzügen. (240) 8° Lpzg, G Wigand 05.   2.50; L. 3.50 d
Wittenbecher, H: Der Steinmetz, s.: Opderbecke, A.
Wittenberg, H: s.: Habt d. Brüder lieb.
Wittenberg, M: Reederei-Neubauten im J. 1905. (31) 8° Hambg (05). Berl., KW Mecklenburg.   1 — d
— Staats-Hypothekenbanken. Vorschl. z. Reform d. Hypothekenbankwesens. (9) 8° Berl. 01. Hambg (Schlüterstr. 7a), Dr. M Wittenberg.   — 25 d
Wittenhaus, KA: 100 Rätsel. (108) 12° Münch., CH Beck (05).   Kart. 1 — d
Wittenstein, F: Hammer Verkehrsb. Ausg. 1902. (76) 12° Hamm, Emil Griebsch.   — 20 d
Witter, M, s.: Leske, M.
Wittern, H, v.: Das kgl. sächs. 1. (Leib-)Grenadier-Regt Nr. 100, s.: Hodenberg, G F Frhr v.
Witterung im J. 1903. 12 Nrn. (Je 2) 8° Berl., J Springer. 1 —
  Bildet d. Fortsetzg zu: Beobachtungs-Ergebnisse d. v. d. forstl. Versuchsanst. d. Kgr. Preussen usw. eingerichteten forstlich-meteorolog. Stationen.
Wittgen, P: Aufbauendes Zeichnen. Anregg z. Selbstbetätigg d. Schülers im neuzeitl. Zeichenunterr. Für Volks- u. höh. Schulen, insbes. d. Unterkl. d. Fachsch. (86 z. Tl farb. Taf. m. 12 S. Text.) 8° Wiesb., P Plaum (05).   In M. 4.50
Wittgen, W: Der Bergmann v. Klostergrab, s.: Tannenzweige.
— Landgraf Friedrich II. v. Homburg u. d. Klostergrab, s.: Geschichtsblätter d. deut. Hugenotten-Ver.
— Gott ist uns. Zuversicht u. Stärke, s.: Bücherschatz, Barmer.
— Gräfin Ursula v. Haldau, s.: Erzählungen, Nassauer.
— Der Herr ist mein Licht, s.: Tannenzweige.
— Die Salzburger, s.: Bücherschatz, Barmer.
— Treu geführt, s.: Christblumen.
Wittgenstein, A: Physikalisch-diätet. Behandlg d. Magenkrankh., s.: Bibliothek, medizin., f. prakt. Ärzte.
Witthauer, K: Etwas üb. Frauen-Krankh., s.: Volksbücherei, medizin.
— Lehrb. d. Vibrationsmassage m. bes. Berücks. d. Gynäkol. (111 m. Abb.) 8° Lpzg, FCW Vogel 05.   4 —; geb. nn 5 —
— Leitf. f. Krankenpflege im Krankenhaus u. in d. Familie. 2. Afl. (192 m. Abb.) 8° Halle, C Marhold 02. 3 —; geb. 3.50 d
Wittich: Reise in Norwegen. (25) 8° Eisen., Hofbuchdr. Eisenach, H Kahle (01).   nn — 50 d
Wittich, M: Vineta. Eine moderne Hundstagsphantasie. (Umschl.: Humorist. Roman.) (21) 8° Dresd., C Reissner 01. 3 —; geb. 4 — d
Wittich, M: Reform d. Strafrechts u. d. Strafrechtspflege. (99) 8° Hambg, O Meissner's V. 01.   2 — d
Wittich, M: Der schwarze Tod. Betrachtgn üb. d. unheilvollen Einfl. d. kathol. Kirche auf Deutschlds staatl. u. geist. Entwicklg. (54) 8° Bambg, Handels-Dr. u. Verlagsh. (08).   1 — d
Wittich, M: Die Kunst d. Rede, s.: Bibliothek d. prakt. Wissens.
— s.: Lieder e. fahr. Schülers.

Wittich, **Manfred**. Lebens- u. Charakterbild v. A R. (20 m. Bildnis.) 8° Lpzg, R Lipinski 02. — 20 d Vergr.

Wittich, W, s.: Abhandlungen a. d. staatswiss. Seminar zu Strassburg i. E.

— Die Frage d. Freibauern. Untersuchng üb. d. soz. Gliederg d. deut. Volkes in altgerman. u. frühkaroling. Zeit. [S.-A.] (111) 8° Weim., H Böhlau's Nf. 01.   3 —

— Deut. u. französ. Kultur im Elsass. [S.-A.] (93 m. Abb.) 4° Strassbg, Schlesier & Schw. 1900.   5 —

Wittichen, FK: Preussen u. Engl. in d. europ. Politik 1785—88, s.: Abhandlungen, Heidelb., z. mittl. u. neueren Gesch.

— Preussen u. d. Revolutionen in Belgien u. Lüttich 1789—90. (122) 8° Gött., Vandenhoeck & R. 05.   3.80 d

Wittichen, P: H de Catt u. s. Manuskripte Friedrichs d. Gr. [S.-A.] (5) 8° Rom, (Loescher & Co.) (04).   nn — 40

— s.: Consalvi's Briefe a. d. J. 1795—96 u. 98.

— Zur Gesch. d. apost. Vikariats d. Nordens zu Beginn d. 18. Jahrh. [S.-A.] (27) 8° Rom, (Loescher & Co.) 04. nn — 80

— Zu d. Verhandlgn Württembergs m. d. Kurie im J. 1806. [S.-A.] (4) 8° Ebd. (04).   nn — 25

Wittig, J: Papst Damassus 1, s.: Quartalschrift, röm., f. christl. Altertumskde u. f. Kirchengesch.

Wittig, O: Ges. üb. d. Fürsorgeerziehg Minderjähr. v. 2.VII. 1900, nebst d. Ausführgsbestimmgn. (107) 8° Bresl., M & H Marcus 01.   L. 2 — d

Wittig, PO: Geolog. Querschnitt durch Sachsen, s.: Etzold, F.

Wittig, A: Stenograph. Leseb., s.: Lichtenauer, H.

Witting, C: L van Beethoven's Klavierkonzert in Es-dur. — M Bruch's Violin-Konzert in G moll. — E Mlynarski's Violinkonzert op. 11, s.: Musikführer, d.

Witting, F: Die Anfänge christl. Architektur. — Kirchenbauten d. Auvergne, s.: Zur Kunstgesch. d. Ausl.

— Von Kunst u. Christentum. Plastik u. Selbstgefühl. Von antikem u. christl. Raumgefühl. Raumbildg u. Perspektive. (109 m. Abb.) 8° Strassbg, JHE Heitz 03.   2.50

— Westfranzös. Kuppelkirchen, s.: Zur Kunstgesch. d. Auslandes.

Witting, W: Künstlerisches a. d. Briefen Friedrich Prellers d. Älteren, s.: Preller, F.

Wittke, W: Uns. liebe Frau v. Montserrat u. deren Verehrg in Österr. Mit Gebeten u. Liedern. 2. Afl. (150 m. farb. Titelbild.) 16° Prag (13, Abtei Emaus), Administr. d. St. Benediktsstimme 04.   — 50; geb. — 85 d

Wittken, A v.: Lehrg. d. Kurzschrift n. d. System d. vereinf. deut. Stenogr. (Einiggsystem Stolze-Schrey) z. Selbstunterr. u. Gebr. an Kapitalantensch. 3. Heft. Übgs-u. Leseb. (66) 8° Berl., Liebel 1899.   1 — (Vollst., erm. Pr.: 1.20) d

Wittkowski: Commentar zu Methoden u. Präparaten Prof. Dr. CL Schleichs. (10) 8° Berl. 01. Halle, C Marhold. — 90 d

Wittlinger, E, s.: Kreisärzarzt, d. preuss., als Beamter, Praktiker u. Sachverständiger.

Wittmack, L, s.: Gartenbau-Lexikon, illustr. — Gartenflora.

Wittmann, CF: Die Dilettanten-Bühne, s.: Herbst, E.

— Festspiele. — Solo-Spiele. — Vorträge. Scherz u. Ernst, s.: Universal-Bibliothek.

Wittmann, H: Isabel, s.: Für Herz u. Haus.

Wittmann, H: Lortzing, s.: Universal-Bibliothek.

Wittmann, M: Zur Stellg Avencebrol's (Ibn Gebirol's) im Entwicklgsgang d. arab. Philosophie, s.: Beiträge z. Gesch. d. Philosophie d. M.-A.

Wittmann, P: Der Fasan, s.: Jagdpraxis, d.

Wittmayer, L: Die organisir. Kraft d. Wahlsystems. Vortr. [S.-A.] (28) 8° Wien, Manz 03.   — 50 d

— Uns. Reichsrathswahlrecht u. d. Taaffe'sche Wahlvorlage. (188) 8° Ebd. 01.   2.80 d

Wittneben: Lackschrift-Lehr-Werk, s.: Hirsch.

Wittner, A: Hygiene d. Auges, s.: Hausbücher, medizin.

Wittner, M, s.: Assecuranz-Jahrbuch.

Wittner, O: Mein Kaiser u. mein Kaiser u. a. Vortr. Lyrisch-ep. Worte an jung u. alt. (68) 8° Dresd., P Pierson 04. 1.20; geb. 2.20 d

Wittram: E: Leitf. f. d. Unterr. in d. deut. Grammatik. II. Tl. Satzlehre (Syntax). (156) 8° Riga, N Kymmel's 3. 04.   Kart. 1.80 d

Der 1. Tl ist noch nicht erschienen.

Wittram, T, u. F **Renz**: Telegraph. Längenbestimmg zw. Pulkowo u. Potsdam, s.: Publications de l'observatoire central Nicolas.

Wittrich, M: Method. Hdb. f. d. Unterr. in d. mathemat. Geogr. in d. Volkssch. (140 m. Fig.) 8° Halle, H Schroedel 04.   2 — d

Wittrock, V, s.: Heimatstimmen.

— Zur Konfirmationsfrage. Synodalvortr. [S.-A.] (26) 8° Jurj. (Dorp.), JG Krüger 05.   — 60 d

Wittschewsky, V: Russlds Handels-, Zoll- u. Industriepolitik v. Peter d. Gr. bis auf d. Gegenwart. (392) 8° Berl., ES Mittler & S. 05.   7 —; geb. 8.50 d

Wittschier: Das staatl. Besiedelgswesen in d. preuss. Ostprovinzen. Vortr. [S.-A.] (36 m. 1 Pl.) 8° Berl., C Wittwer 01.   — 60

Wittstein, T: Lehrb. d. Elementar-Mathematik. I. Bd. 2. Abtlg. Planimetrie. 19. Afl. (211 m. Fig.) 8° Hannov., Hahn 02. 2 — d

— 5 stellige logarithmisch-trigonometr. Taf. 23. Afl. (56, 122) 8° Ebd. 06.   Geb. 2 —

Wittstock, A: Das Hohelied d. Natur. (Gedichte.) (152) 8° Lpzg, G Wigand (05).   L. 5 — d

Wittstock, O: Wollen u. Vollbringen. 4 Vortr. (74) 8° Hermannst., GA Seraphin (04).   1 —; kart. 1.20 d

Wittum, J: 7 Monate im Burenkriege. Erlebnisse d. 1. deut. Ambulanz. (128 m. Abb.) 8° Freibg i/B. 01. (Lpzg, H Blömer.)   1.50 d

Wittwer, S: La conjugaison des verbes allemands. (54) 8° Bern, A Francke 04.   1 —

— Kurz gef. Vaterlandskde. 5. Afl. (34 m. 1 Karte.) 8° Ebd. 04.   — 50 d

Witulski, E: Um e. Welt. Drama. (162) 8° Dresd., E Pierson 02.   2.50 d

Witwenleben, ein. (Aus d. Franz.) (18) 12° Bas., (Basler Missionsbh.) 1898.   — 15 d

Wits, O: Jubiläumsbüchl. Belehrgn u. Andachtsübgn z. Feier d. 50jähr. Jubiläums d. Verkündigg d. Dogmas d. unbefl. Empfängnis Mariä u. d. v. Papst Pius X. ausgeschrieb. ausserordentl. Ablass-Jubiläums. (56 m. Titelbild.) 16° Freibg i/B., Herder 04.   — 25 d

— Theolog. Prinzipienlehre, s.: Schill, A.

Wits-Oberlin, CA, s.: Hausfreund, ev. — Jahrbuch d. Gesellsch. f. d. Gesch. d. Protestantismus in Österr.

— Jesus Christus a. d. Ev. Johannis. Exegetisch-homilet. Reden üb. d. Worte d. Herrn Kap. 5—7. (238) 8° Berl. 02. Lpzg, M Heinsius Nf.   3.60; geb. 4.50 d

— Der Heidelberger Katech. 4. Afl. (155) 8° Wien, W Braumüller 05.   L. — 80

— Das Evangelium Matthäus. Für Bibelfreunde erklärt. (538) 8° Stuttg., M Kielmann 05.   7 —; geb. 8.30 d

— Unser Panier im 20. Jahrh. (18) 8° Wien, Stähelin & L. 01.   — 25 d

— s.: Predigten, 4, bei d. 57. Hauptversammlg d. ev. Ver. d. Gustav Adolf-Stiftg geh.

— Ev. Vereins- u. Liebestätigk. in Oesterr. (287) 8° Klagenf., J Heyn 05.   1 — d

Witze, 855 neueste. (33 m. Abb.) 8° Neu-Weissens., E Bartels (02).   — 25 d

— 300 neueste, u. humorist. Redensarten z. Todtlachen. (28 m. Abb.) 8° Ebd. (o. J.).   — 25 d

— 1000 urdfele, z. Todtlachen sind schwer zu machen. (32 m. Abb.) 8° Ebd. (02).   — 25 d

— u. Scherze, Geistesblitze, Wortspiele, Anekdoten etc., gen. d. »lust. Timofai«, v. Lito. (5. Afl.) (103) 16° Komot., (A Stampf) 1900.   80 d

Witzsock, O: Techn. Erholgn. (170) 8° Lpzg, JG Bach (04).   1.50; geb. 2.10 d

Witzel, K: Chirurgie u. Prothetik bei Kiefererkrankgn. (268 m. Abb. u. 8 Taf.) 8° Berl., Berlinische Verl.-Anst. 05. L. 13.50

Witzel, E, u. K Donnebaum: Übgssätze u. Musterbriefe z. Einführg in d. engl. Handelskorrespondenz. 2. Afl. (100) 8° Cöth., O Schulze, V. 05.   Kart. 1 —

— u. H Messien: Übgssätze u. Musterbriefe z. Einführg in d. französ. Handelskorrespondenz. 8. Afl. (108) 8° Ebd. 04.   Kart. 1 —

Witzgall, J: Das Buch v. d. Biene. 2. Afl. (580 m. Abb.) 8° Stuttg., E Ulmer 04.   L. 6.50 d

Witzleben: V: Das Infant.-Exerzir-Reglement in d. Cigarrentasche. (36) 32° Strassbg, (W Heinrich) 01.   nn — 30 d

Witzleben, M v.: Wie wecken wir bei uns. weibl. Jugend tieferes Verständnis f. d. Bedeutg uns. ev. Gottesdienste u. d. italien. Sprache. (86) 8° Lpzg, R Gerhard 05.   1 — d

— Leitf. d. Haushaltgslehre in Frage u. Antwort. 2. Afl. (42) 8° Berl., W Vobach & Co. (02).   — 30 d

Witzleben, M Gräfin, geb. Prinzessin Reuss j. L.: Erzählgn zu d. Wundern d. alten Welt. 3. Afl., als Prachtausg. illustr. v. F Müller-Münster. (75) 4° Berl., Fischer & Fr. (09).   L. m. G. 6 —d

— Hdb. d. regelmäss. u. unregelmäss. Verben d. italien. Sprache, m. deut. Bemerkgn. 2. Afl. d. Hilfsb. z. schnelleren Erlerng d. italien. Sprache. (86) 8° Lpzg, R Gerhard 05.   1 — d

— Iwan. Dramat. Lebensgesch. in 7 Bildern. Für d. Jugend z. Aufführen eingerichtet. (16) 8° Dresd., (EH Meyer) (02). 1 — d

— Konradin. Erzählg a. d. Zeit d. letzten Hohenstaufen. (175 m. Abb.) 8° Berl., HJ Meidinger (05).   L. 4 — d

— K. russ. Lehrbibliothek f. Anfänger u. Kinder m. deut. Anmerkgn. 1—29. Bd. 8° Lpzg, R Gerhard.   Je — 60 d

1. Deutsch-russ. Übgssätze f. Anfänger u. Kinder. I. Tl. 2. Afl. (80) 01.
2.3. Dass. 2. Tl. Sätze, Gespräche, Erzählge u. Briefe. (97) 01.
4. Die Katharina. Erzählg a. d. russ. Gesch., bearb. n. Fos. (58) 01.
5. Ein gutes Wort. Erzählg a. d. engl. Gesch. (23) 01.
6. Ein schöner Tod. Erzählg a. d. Zeit d. Hohenstaufen. (31) 01.
7. Der gefangene Kaiser. Erzählg a. d. russ. Gesch. (40) 01.
8. Maxeppa. Erzählg a. d. russisch-schwed. Kriege. (31) 02.
9. Die Braut. Die spät. Kaiserin Katharina II. (53) 02.
10. Der sonderbare Alte. Erzählg a. d. Zeit d. Dekabristenaufstandes 1. Tl. (33) 02.
11. Pascha. Erzählg a. d. Volksleben. (Neue [Tit.-]Ausg.) (30) [01] 02.
12—14. Monika. Eine Kindergesch. a. d. Deutschen v. A Stein. (Neue [Tit.-]Ausg.) (141) [01] 02.
15. Demetrius. Erzählg a. d. russ. Gesch., frei bearb. n. Zieche. (Neue [Tit.-]Ausg.) (23) [01] 02.
16. Der sonderbare Alte. Erzählg a. d. Zeit d. Dekabristenaufstandes. 2. Tl. (33—67) 02.
17.18. Sapper, A: 2 Erzählgn f. kl. Mädchen. Aus d. Deutschen v. A Zickler. (50) 02.

19. Dankbarkeit. Aus d. Leben d. Kaiserin Katharina II. (31) 02.
20.21. Helden, 2, v. Sebastopol. Erzählga. d. Zeit d. Krimkrieges. (43) 02.
22—25. Nisrits, G: Der kl. Trommelschläger. Eine Gesch. a. d. Feldzuge Napoleons I. 1812. Übers. v. A Zickler. (141) 02.
26. Rurik n. s. Brüder. (21) 03.
27. Erinnerungen an Kaiserin Alexandra v. Russl., geb. Prinzessin Charlotte v. Preussen. (26) 05.
28.29. Iwan. Eine dramat. Lebensgesch. in Bildern a. d. russ. Gesch. (66) 04.
Der 11—15. Bd erschienen in 1. Ausg. u. d. T.: Zickler, A: Russ. Kindererzählgn.

Witzleben-Wendelstein, F v., s.: Revue, internat., üb. d. ges. Armeen u. Flotten.
Witzmann. G: Die unterrichtl. Behandlg d. Gleichnisse Jesu. Mit e. Anh., enth. Kontext, Texte u. Grundgedanken d. wichtigeren Gleichnisse. (119) 8° Dresd., Bleyl & K. 04. 2—;
geb. 2.50 d
— Präparat.-Entwürfe zu d. Gleichnissen Jesu. Auf Grund sr Schrift: „Die unterrichtl. Behandlg d. Gleichnisse Jesu" bearb. (60) 8° Ebd. 05. 1— d
Wise, KF: „In d. Stunde d. Gedanken". Üb. d. schönen Künste. (111) 8° Berl., R Trenkel 05. 2—
Wladieseck, R v.: Die Grausamkeit, e. erot. Passion d. Weibes. (167) 8° Dresd., E Engelmann's Nf. 04. 4— d
— Moderne Märtyrer. Intimes a. d. Liebesleben grausamer Frauen. (154) 8° Dresd. (05). Lpzg, Moderner Dresdner Verl. 4— d
Wlaïnatz, M: Die agrarrechtl. Verhältn. d. mittelalterl. Serbiens, s.: Sammlung nationalökonom. u. statist. Abhandlgn.
Wlaschütz, W: Bedeutg v. Befestiggn in d. Kriegführg Napoleons. Bearb. n. d. „Correspondance Napoléon Ier". (Suppl. zu d. Mitteilgn d. k. u. k. Kriegsarchivs.) (312 m. 4 Skizzen u. 1 Bdl.) 8° Wien, LW Seidel & S. 05. 8—; geb. 10—
Wlassak, R: Der Alkoholismus im Gebiete v. Mährisch-Ostrau. [S.-A.] (19) 8° Wien, (Wiener Volksbh.) 03. — 50
Wlha, J: Engl. Möbel a. d. Sammlg d. k. österr. Museums f. Kunst u. Industrie in Wien. Fotografisch aufgenommen u. hrsg. 2 Hefte. (Je 20 Bl.) 4° Wien, (JJ Plaschka) 01. Je 12.50
Wislocki, H v., s.: Weltgeschichte.
Wo liegt d. grössere Deutschl.? Kritik uns. gegenwärt. Augstpolitik. Von einem Deutschen. (15) 8° Berl., Fussinger 03. — 50 d
— ist d. Grenze? Mahnwort an d. deut. Arbeiter. Von e. Vaterlandsfreunde. (43) 8° Lpzg, Dürr'sche Bh. 02. — 30 d
— logiere ich?" Internat. Hotel-Verkehr. Zuverläss. Taschen-Hotelführer. 1. Heft. Rheinprovinz. Ausg. 1902/3. (136) 12° Metz, Verl. d. „Hotel-Verkehr". (?) — 50
— logiere ich am besten? Prakt. Wegweiser u. Rathgeber f. Kur-Gäste, Sommer-Frischler u. Touristen. Harz, Thüringen u. Kyffhäuser. 3. Afl. (51) 12° Jena, (P Doesbereiner) 1900. — 50 d
— ist d. Vater? — Die 2 Christbäume, s.: Volksschrift d. Arbeiterfreundes.
Woas, F, s.: Rangliste d. Baubeamten. — Rang-Liste d. preuss. u. Reichs-Baubeamten.
Wobbe, W: Handkommentar z. Arzneib. f. d. Deut. Reich, s.: Schneider, A.
— Pharmaceutisch-techn. Manuale, s.: Hager, H.
— s.: Vierteljahresschrift f. prakt. Pharmazie.
Wobbermin, G, s.: Beiträge z. Welterentwicklg d. christl. Relig.
— Der christl. Gottesglaube in s. Verhältnis z. gegenwärt. Philosophie. (127) 8° Berl., A Duncker 02. 2—; L. m 2.60
— Theol. u. Metaphysik. Das Verhältn. d. Theol. z. modernen Erkenntnistheorie u. Psychol. (291) 8° Ebd. 01. 4.80; L. nn 6 —
Wobeser, B v.: Kleine Reitinstruktion f. Damen, befürwortet v. EJ Seidler. 3. Afl., m. e. Anl. üb. Ringstechen u. QuadrilleReiten. (118 m. Abb.) 8° Berl., ES Mittler & S. 01. 2.50; L. 3.— d
Wobig, R: Lehr- u. Leseb. f. ländl. Fortbildgssch., s.: Deissmann, K.
Wobith, R: Aurelius Augustinus. Lebensbild. (48) 8° Brem., Bh. u. Verl. d. Traktath. (03). L. — 75 d
Wöbking, W: Der Konfessionsstand d. Landgemeinden d. Bist. Osnabrück um 1.I.1624. [S.-A.] (97) 8° Brnschw., A Limbach 04. — 90 d
Wobst, G: Die Forellenzucht in Teichen. (49 m. Abb.) 8° Schmallenbg 1900. (Kötzschenbr., C Finster.) 1— d
Woche, die. Moderne illustr. Zeitschrift. Red.: G Dahms, 1902 P Renner, 1903—5 P Dobert, f. Oesterr. B Wirth. 3—7. Jahrg. 1901—5 je 52 Nrn. (1901. Nr. 1. 50) 4° Berl., A Scherl. Je — 25 d
— d. Kieler. Hrsg. v. G Baumann-Felskowski. 4. Jahrg. 1904. (48 m. Abb.) 8° Berl., Boll & P. — 60 d
1902, 3 u. 5 sind Sonderausg. nicht erschienen.
— d. medicin., u. balneolog. Centralzeitg. Red.: P Meissner (1902 H Gilbert). 2—6. Jahrg. 1901—5 je 50 Nrn. (Nr. 1. 8 m. 1 Fig.) 4° Berl., Halle, C Marhold. Je 6 —; einz. Nrn — 20
— pädagog. Gratisbeil.: „Literaturbl.", „Jugend- u. Volkslektüre". Hrsg. v. d. Vorständen d. westfäl. Prov.-Ver. d. „Kath. Lehrerverbandes" u. d. „Hermann-Hubertus-Stiftg". 1. Jahrg. 1905. 52 Nrn. (672 m. Bildnissen.) 8° Arnsbg, J Stahl. Viertelj. 1.25 d
— sächs. Illustr.Wochenbl. Chefred.: H Goeres. 1. Jahrg. Febr.

—Mai 1903. 15 Nrn. (Nr. 1. 40) 4° Zwickau, Verl. d. „Sächs. Woche". (?) Viertelj. 1.80; einz. Nrn — 15 d
Mitte Mai m. „Das Telephon" vereinigt.
Wochenberichte. Handelsbl. d. Leipz. Monatsschrift f. Textil-Industrie. Zugl.: Wochenschrift f. Spinnerei u. Weberei. Allg. Zeitschrift f. d. Textil-Industrie, vormals „Die Textil-Zeitg", Hrsg.: T Martin. 16—20. Jahrg. 1901—5 je 52 Nrn. (Nr. 1. 16) 4° Lpzg, Verl. d. Leipz. Monatsschrift f. Textil-Industrie. Halbj. 5 —
Wochenblatt f. d. christl. Volk. Red.: 1901 T Stadler, 1902 P Siebertz. 39. u. 40. Jahrg. 1901 u. 2 je 52 Nrn. (Nr. 1. 16 m. Abb.) 8° Augsbg, B Schmid. Je 2—‖ 41.Jahrg. Jan.—Septbr 1903. Red.: FJ Meier. 39 Nrn. 1.50 d
Fortsetzg s. u. d. T.: Sonntags-Blatt, kathol. bayer.
— evangel. Organ d. ev. Gesellsch. Zürich. Red.: L Pestalozzi (u. E Preiswerk). 42—46. Jahrg. 1901—5 je 52 Nrn. (Nr. 1. 4) 4° Zür., Bh. d. ev. Gesellsch. Je nn 2.50 d
— d. Johanniter-Ordens-Balley Brandenburg. Red. v. C Herrlich, u., seit 1904, D v. Oertzen. 42—46. Jahrg. 1901—5 je 52 Nrn. (Nr. 1. 6) 4° Berl., C Heymann. Viertelj. 2—;
einz. Nrn nn — 25 d
— kirchl. f. Schlesien u. d. Oberlausitz. Red.: v. Schweinitz. 43—47. Jahrg. 1901—5 je 52 Nrn. (Nr. 1. 16 Sp.) 4° Mertsch. u. Diesdf. (Bresl., C Dülfer.) Viertelj. — 75 d
— landwirthsch. f. d. landw. u. Gartenbau. Red.: L Danger. 18.Jahrg. 1905. 52 Nrn. (Nr. 1—22. 176) 4° Lüb., C Coleman. Viertelj. — 50; einz. Nrn — 10 d
— württemberg., f. Landw. Hrsg. v. d. kgl. Zentralstelle f. d. Landw. Red.: Stürm. Jahrg. 1904 u. 5 je 52 Nrn. (Nr. 1. 16) 4° Stuttg., (P Stahl). Je nn 4 — d
— d. landw. Ver. im Grossh. Baden. Hrsg. v. dessen Präsidium. Red.: Bach, u., seit 1903, Stengele. Jahrg. 1901—5 je 52 Nrn. (1901. Nr. 1. 12) 4° Karlsr., (G Braun'sche Hofbuchdr.). Je 2.80; einz. Nrn † — 15 d
— österr. landw. Red. v. G Krafft. 27—31. Jahrg. 1901—5 je 52 Nrn. (Nr. 1. 8 m. Abb.) Fol. Wien, W Frick. Viertelj. 4 — d
— musikal. Schriftleiter: W Fritzsch u., seit 1903 Nr. 1, C Kipke. 32—36. Jahrg. 1901—5 je 52 Nrn. (1901. Nr. 1—14. 198 4° Stuttg., (P Stahl). Viertelj. 2 —; einz. Nrn — 40
— pädagog., f. d. akademisch gebild. Lehrerstand Deutschlds. Schriftleitg: E Penner u., v. 12. Jahrg. an, R Werner. 11—15. Jahrg. (Schulbr 1901—Septbr 1906 je 48 Nrn. (Nr. 1. 4) 4° Lpzg, Renger. Halbj. 5 —
— f.Papierfabrikation. Hrsg.:Günther-Staib. 33—36.Jahrg. 1901—5 je 52 Nrn. (1901. Nr. 1—8. 516) 8° Biber., (Dorn). Halbj. nn 4 —
— photograph. Red. v. J Gaedicke. 27—31. Jahrg. 1901—5 je 52 Nrn. (Nr. 1. 8) 8° Berl. (Lpzg, EH Mayer.) Viertelj. 2.50
— d. Kreishauptmannschaftzu Leipzig. Red.:Schmöger. Jahrg. 1903—5 je 52 Nrn. (1903. Nr. 1. 4) 8° Leipz. Viertelj. — 60 d
— dass. Verz. d. Hauptinhalts d. Jahrgänge 1867 bis m. 1902. Bearb. v. A Wengler. (29) 8° Ebd. 03. (4—) 5 — d
Wochenblätter, ev.-luther., f. Kirche, Schule u. innere Mission. Begründet v. Schwartz, hrsg. v. H Hausdörfer u., seit 1903, W Kirchberg. 21—25. Jahrg. 1901—5 je 52 Nrn. (Nr. 1. 8) 4° Wolfenb., J Zwissler. Viertelj. 1 — d
Wochenbulletin, sanitarisch-demograph., d. Schweiz. — Bulletin démograph. et sanitaire suisse. Hrsg. v. Schweiz. Gesundheitsamt u. Febr. Jahrg. 1901—5 je 52 Nrn. (Nr. 1. 16) 8° Bern, Scheitlin, Spring & Co. Je 3 —;
postfrei je 5 —
Wochen-Chronik, Zürcher. 3—7. Bd. 1901—5 je 52 Nrn. (Nr. 1. 8 m. Abb.) 8° Zür., Art. Instit. Orell Füssli. Je 8 —;
einz. Nrn — 20 d
Der Einbd- u. Jahrg.-Titel lautet: Chronik d. Stadt Zürich.
Wochengottesdienste, uns., in d. Festzeiten d. Kirchenj. (12) 8° Rothenbg o/T., JP Peter 04. — 10 d
Wochen-Benn-Kalender f. Deutschl. Bearb. u. hrsg. v. General-Sekretariat d. Union-Klub. 27—30. Jahrg. 1901—4 ‖ 31.Jahrg. (1901. Nr. 1. 64) 8° Berl., (WH Kühl). Je † nn 4 —;
† nn 55 —; einz. Nrn † 1.60
Wochenschach. Beibl. z. Berliner Schachzeitg. Hrsg. v. (A Heyde,) B Hülsen, H Ranneforth u. M Karstedt. 17—21.Jahrg. 1901—5 je 52 Nrn. (1901. Nr. 1. 12 m. Diagr.) 8° Potsd., A Stein. Viertelj. postfrei nn 3 —
Wochenschrift, akadem. Red.: P Schaumburg. Sommer-Sem. 1905 u. Winter-Sem. 1905/6. (Nr.1—14. 128) 4° Halle, Paalzow & Co. Für d. Sem. 2 — d
Bisher u. d. T.: Hochschulzeitung, Hallesche.
— f. Aquarien- u. Terrarienkde. Hrsg. v. K Stansch. 1.Jahrg. Apr.—Dezbr 1904. 39 Nrn. (48 m. Abb.) 4° Brnschw., G Wenzel & Sohn. ‖2. Jahrg. 1905. 52 Nrn. 8° Ebd. einz.Nrn — 15 d
— f. Therapie u. Hygiene d. Auges. Hrsg. v. Wolfsberg. 9. Jahrg. Oktbr 1901—Septbr 1906 je 52 Nrn. (5—8. J.: 416, 416, 496 u. 416) 4° Dresd., Steinkopff & Spr. Viertelj. 3 —
— f. deut. Baumeister. Red.: G Klapper. 18.Jahrg. 1901—5 je 52 Nrn. (Nr. 1. 12 u. 2 m. Fig.) 4° Berl., O Elsner. Viertelj. postfrei nn 2.50 d
— österr., f. d. öffentl. Baudienst. Amtl. Fachblatt, hrsg. v. d. k. k. Ministerien d. Innern, d. Finanzen, d. Handels,

d. Eisenb. u. d. Ackerbaues. Chef-Red.: A Ritter Weber v. Ebenhof. 7. Jahrg. 1901. 46 Hefte. (1016 m. Abb. u. 96 Taf.) 4° Wien, R v. Waldheim. || 8—11. Jahrg. 1902—5 je 52 Hefte. (914, 894, 902 u. 798 m. Abb. u. 98, 99, 125 u. 92 Taf.) Je 18 —; einz. Hefte 1 —
Bisher u. d. T.: Monalsschrift, österr., f. d. öffentl. Baudienst. — Heft 1 u. 2 d. Jahrg. 1901 erschienen ebenfalls noch unter diesem Titel.
Wochenschrift f. Brauerei. Hrsg. v. M Delbrück. Red.: W Windisch (u. E Struve). 18—23. Jahrg. 1901—5 je 52 Nrn. (1901. Nr. 1. 24) 4° Berl., P Parey. Je 20 — d
Ergänzgsbd s. u. d. T.; Jahrbuch d. Versuchs- u. Lehranst. f. Brauerei in Berlin.
— schweiz., f. Chemie u. Pharmacie. — Journal suisse de chimie et pharmacie. Red.: C Buhrer u. B Studer-Steinhäuslin. 39—43. Jahrg. 1901—5 je 52 Nrn. (600, 636, 640, 728 u. 716) 8° Zür., Art. Instit. Orell Füssli. Je nn 10 —; einz. Nrn nn — 30
— deut. chem. Rundschau üb. d. Fortschritte u. Beweggn auf d. Ges.-Geb. d. chem. Technol. unter bes. Berücks. d. Gewerbehygiene, Arbeiterwohlfahrt u. Unfallverhütg. Hrsg. v. H Braun. 4. Jahrg. 1903. 52 Nrn. (292 m. Abb.) 4° Berl., Polyt. Bh. (A Seydel). Viertelj. 2.50 || 5. Jahrg. 1904. 24 Nrn. (304) 5 —
Bisher u. d. T.: Anzeiger, allg. deut., f. chem. Industrien. — Fortsetzg s. u. d. T.: Ratgeber, chemisch-techn.
— f. Eisenb.-Telegr.-Beamte. Red.: F Siemenroth. Nebst Beil.: Illustr. Unterhaltsblatt. Red.: A Ihring. 8. Jahrg. 1901. 52 Nrn. (Nr. 1. 8 u. 4) 4° Berl.-Grunew., A Troschel. Viertelj. 1.50 d
— dass. 9. Jahrg. 1902. 52 Nrn. (Nr. 1. 8 u. 4) 4° Berl. u. Lpzg. Luckhardt's Bh. f. Verkehrswesen. Viertelj. 1.50 d ö F
— f. deut. Förster. Nebst „Illustr. Unterhaltsgsbl.", seit 1904 „Wort u. Bild". Schriftleitg: G v. Stresow. 9—15. Jahrg. 1901—5 je 52 Nrn. (1901. Nr. 1. 22 u. 4 in 4°) 8° Berl., (O Nahmmacher). Viertelj. 2 — d
— f. Industrie u. Technik, s.: Uhland, WH.
— israelit. Zeitschrift f. d. Gesamtinteressen d. Judentums. Red.: MA Klausner. 10. Jahrg. 1901. 52 Nrn. Nebst Beibl.: Jüd. Litt.-Blatt. Red.: M Rahmer. 25. Jahrg. 1901. 12 Nrn. (Nr. 1. 16 u. 8) 4° Berl., S Cronbach. Viertelj. 3 —
Litt.-Bl. allein 1 — d
— dass, 11—14. Jahrg. 1902—5 je 52 Nrn. Nebst d. Beibl.: Jüd. Litt.-Bl. Red.: M Rahmer, 1905: LA Rosenthal. 26—29. Jahrg. 1902—5 je 12 Nrn. (1902. Nr. 1—17. 272) 4° Berl. (C. 19, Ross-Str. 3), A Scholem. Viertelj. 3 —; Litt.-Bl. allein 1 — d
— jurist. Organ d. deut. Anwalt-Ver. Hrsg. 1901 v. M Kempner, 1902 v. L Kuhlenbeck u. seit 1903 v. H Neumann. 30—34. Jahrg. 1901—5.'(1901. Nr. 1—3. 28) 4° Berl., W Moeser. Je 25 —; einz. Nrn — 30 d
— kirchl., f. ev. Christen. Hrsg. v. d. Freunden d. positiven Union. Schriftleitg: G Lasson. Jahrg. 1901—3 je 52 Nrn. (Nr. 1. 8) 4° Berl., Trowitzsch & S. Viertelj. 1.50 d
Bildet zugl. d. Fortsetzg zu: Monatsschrift, kirchl. — Fortsetzg s.: Union, positive.
— Berliner klin. Mit Berücks. d. preuss. Medicinalverwaltg u. Medicinalgesetzgebg. Red.: CA Ewald u. C Posner. 38—42. Jahrg. 1901—5 je 52 Nrn. (1325, 1251, 1251, 1398 u. 1662) 4° Berl., A Hirschwald. Viertelj. 6 —
— Wiener klin. Begründet v. H v. Bamberger. Red. v. A Fraenkel. 14—18. Jahrg. 1901—5 je 52 Nrn. (1314, 1404, 1474, 1424 u. 1398 m. Abb.) 4° Wien, W Braumüller. Halbj. 10 —
— klinisch-therapeut., früher therapeut. Wochenschrift. Hrsg. u. red. v. MT Schnirer. 8—12. Jahrg. 1901—5 je 52 Nrn. (Nr. 1. 40 Sp.) 4° Wien, (F Deuticke). Je 12 —
Fortsetzg s. u. d. T.: Wochenschrift, Wiener klinisch-therapeut.
— Berliner klinisch-therapeut. Hrsg. v. MT Schnirer u. A Wolff. Red.: A Wolff. Jahrg. 1904. 52 Nrn. (Nr. 1. 16 u. 16 in 8°) 4° Berl., Berlinische Verl.-Anst. Viertelj. 2 —
|| Jahrg. 1905. Viertelj. 2 —
— Wiener klinisch-therapeut. Hrsg. u. red. v. MT Schnirer. Jahrg. 1904 u. 5 je 52 Nrn. (Nr. 1. 36 Sp.) 4° Wien, (F Deuticke). Je 16 —
— f. Kunst u. Musik. Red.: J Forgách. Hrsg.: A Stöckler. Verantwortl. Red.: A Frhr v. Eder. 3. Jahrg. 1905. 52 Nrn. (Nr. 1. 12) 4° Wien (I, Tuchlauben 17), Administr. 2 — d
— deut. medizin. Mit Berücks. d. deut. Medizinalwesens, d. öffentl. Gesundheitspflege u. d. Interessen d. ärztl. Standes. Begründet v. P Börner. Red.: (A Eulenburg u.) J Schwalbe. 27—31. Jahrg. 1901—5 je 52 Nrn. (1901. Nr. 1. 16, 8 u. 8 m. 1 Bildnis.) 4° Lpzg, G Thieme. Viertelj. 6 —; einz. Nrn — 80
— Münch. medizin. (Früher Ärztl. Intelligenz-Blatt.) Red.: B Spatz. 48—52. Jahrg. 1901—5 je 52 Nrn. (62, 2150; 64, 3186; 71, 2304; 78, 2340 u. 85, 2598 m. 9, 12, 10, 9 u. 16 Bildn.) 4° Münch., JF Lehmann's V. Viertelj. 6 —; einz. Nrn — 80
— Prager medizin. Schriftleiter: I Herrmheiser, 1903 E Pietrzikowski, u. seit 1904 L Waelsch. 26—30. Jahrg. 1901—5 je 52 Nrn. (1901. Nr. 1. 16 m. Abb. u. 1 Taf.) Fol. Prag, C Bellmann. Halbj. 8 —
— St. Petersburger medicin., unter d. Red. v. K Dehio, J Krannhals, R Wanach. Hrsg.: E Wanach. 26. Jahrg. Neue Folge. 18. Jahrg. 1901. 52 Nrn. (574) 4° St. Petersbg, KL Ricker. || 27—29. Jahrg. 19—22. Jahrg. 1902—5. Nebst Revue d. russ. medicin. Zeitschriften. Je 12 Nrn. ('02—4: 538, 566 u. 562) Halbj. postfrei nn 10 —

Wochenschrift, Wiener medizin. Red. v. H Adler. 51—58. Jahrg. 1901—8 je 52 Nrn. (Nr. 1. 64 Sp.) Nebst Beil.: Der Militärarzt. 24 Nrn. 4° Wien, M Perles. Viertelj. nn 5 —; postfrei nn 6 —; m. d. Zentralbl. f. d. medicin. Wiss. jährlich (bis 1902) nn 30 —
— dass. 54. u. 55. Jahrg. 1904 u. 5 je 52 Nrn. (Nr. 1. 48 Sp.) Nebst Beil.: Der Militärarzt. Je 24 Nrn. 4°. Ebd. Viertelj. nn 5 —; postfrei nn 6 —; einz. Nrn nn — 80; m. d. Zentralbl. f. d. ges. Therapie nn 7 —; postfrei nn 7.50
— naturwiss. Red.: H Potonié. 16. Bd. Jan.—Septbr 1901. 39 Nrn. (Nr. 1. 12) 4° Berl., F Dümmler's V. Viertelj. 4 —
— dass. Red.: H Potonié u. F Körber. Neue Folge. 1. Bd; 39 Nrn. (Nr. 1. 12) 4° Berl., F Dümmler's V. Viertelj. 4 —
— dass. Einschl. d. Zeitschrift „Die Natur" (Halle a. S.) seit 1.IV.'02. 1. Bd. (Oktbr 1901—Septbr 1902.) 52 Nrn. d. ganzen Reihe 18. Bd. (Oktbr 1902—Septbr 1903.) 52 Nrn. (624 m. Abb.) 4° Ebd. || 3. [19.] Bd. Oktbr 1903—Dezbr 1904. 65 Nrn. (1040 m. Abb.) Viertelj. 1.50; einz. Nrn — 20 || 4. [20.] Bd. 1905. (839 m. Abb.) Halbj. 4 —; einz. Nrn — 20 d
— d. Ver. z. Hebg d. Offizier-Pferde-Materials in d. deut. Armee, s.: Ross u. Reiter.

— f. d. Papier- u. Schreibwaaren-Handel u. d. Papier verarb. Industrie. Hrsg. u. Red.: H Hirschberg. 17—21. Jahrg. 1901—5 je 52 Nrn. (1901. Nr. 14. 52 m. Abb.) 4° Berl., Wochenschrift usw. Viertelj. 1 —
— f. klass. Philol. Hrsg. v. G Andresen, H Draheim u. F Harder. 18—22. Jahrg. 1901—5 je 52 Nrn. (Je 1432 Sp.) 4° Berl., Weidmann. Viertelj. 6 —
— Berliner philolog. Hrsg. v. C Belger u. O Seyffert u., seit 1903, v. O Seyffert u. K Fuhr. Mit d. Beibl.: Bibliotheca philologica classica bei Vorausbestellg auf d. vollständ. Jahrg. 21—25. Jahrg. 1901—5 je 52 Nrn. ('01—4: 1632, 1632, 1664 u. 1664 Sp.) 4° Lpzg, OR Reisland. Je 24 —; viertelj. nn 6 —; einz. Nrn — 75
— psychiatr. Sammelbl. z. Besprechg. aller Fragen d. Irrenwesens u. d. prakt. Psychiatrie einschl. d. gerichtl. Irrenärztl. Correspondenzblatt. Hrsg. v. K Alt, G Anton, A Gutstadt, E Mendel. Red. v. J Bresler. 3. Jahrg. Apr. 1901—März 1902. 52 Nrn. (Nr 1. 18 m. Abb.) 4° Halle, C Marhold. Viertelj. 4 —
Fortsetzg u. d. T.:
— psychiatrisch-neurolog. Sammelbl. z. Besprechg aller Fragen d. Irrenwesens u. d. prakt. Psychiatrie einschl. d. gerichtl., sowie d. prakt. Nervenheilkde. Red. v. J Bresler. 4—7. Jahrg. Apr. 1902—März 1906 je 52 Nrn. (4—6. J.: 572, 560 u. 546) 4° Ebd. Viertelj. 4 —
— d. Centralver. f. Rübenzucker-Industrie in d. Oesterr.-Ungar. Monarchie. Red.: E Kutschera. 39—43. Jahrg. 1901—5 je 52 Nrn. (Nr. 1. 1) Fol. Wien, (W Frick). Je 16 —
— f. Scheitbauers Stenogr. Red.: W Bohle. Apr. 1901—März 1903. Je 20 Nrn. (Nr. 1. 8 u. 4) 12° Lpzg, K Scheithauer. Je 5 —; einz. Nrn nn — 10
Fortsetzg war nicht zu erhalten.
— süd-afrikan. Journal f. Goldminen-Interessenten. Hrsg. u. Red.: F Bittorff u., v. 11. Jahrg. an, G Funder. 10—14. Jahrg. Oktbr 1901—Septbr 1906 je 52 Nrn. (Nr. 470. 20 m. Abb.) 4° Berl. (SW. 48, Wilhelmstr. 32), Exp. Viertelj. nn 3 —
— südd. Polem. Blätter f. öffentl. Leben, Wiss., Kunst u. Lit. Hrsg.: E Wolfram. Chefred.: R Dahl. 1. Jahrg. Oktbr—Dezbr 1904. 13 Nrn. (Nr. 1. 32) 8° Münch., Verl. d. süddeut. Wochenschrift. 2 —; einz. Nrn — 30 d ö F
Soll v. 1.X.'06 an wieder erscheinen.
— f. Theologie, f. d. kathol. Seelsorgsklerus deut. Zunge. Von JE Weis-Liebersdorf. 2. Jahrg. 1905. 52 Nrn. (Nr. 1. 8) 8° Bad.-B., P Weber.
Der 1. Jahrg. erschien u. d. T.:
— Münchner theolog., f. d. kathol. Seelsorgsklerus deut. Zunge. Hrsg. v. JE Weis-Liebersdorf. 1. Jahrg. Apr.—Dezbr 1904. 39 Nrn. (Nr. 1. 8) 8° Münch. Bad.-B., P Weber. Viertelj. 1.50; einz. Nrn 1 — 30 d
— Berliner tierärztl. Red.: Schmaltz. Jahrg. 1901—5 je 52 Nrn. (800, 848, 816, 914 u. 904) 4° Berl., R Schoetz. Viertelj. 5 —
— südd. tierärztl., hrsg. v. Dammann, Lydtin, Röckl. Red. v. Malkmus. 9—13. Jahrg. 1901—5 je 52 Nrn. (586, 498, 496, 556 u. 519 m. Abb.) 4° Hannov., (M & H Schaper). Viertelj. 4 —
— f. Tierheilkde u. Viehzucht. Hrsg. v. M Albrecht (u. PJ Göring). 45. u. 46. Jahrg. 1901 u. 2 je 52 Nrn. (Je 624) 8° Münch., (M Rieger). Halbj. nn 3.50 || 47. Jahrg. 1903. (628) Halbj. nn 3 — || 48. u. 49. Jahrg. 1904 u. 5. (Je 886) Halbj. nn 4 —
— deut., f. Versicherungswesen (früher Assekuranz-Tribüne). Organ f. Volkswirtschaft. Red.: L Grothe. 28—32. Jahrg. 1901—5 je 52 Nrn. (Nr. 1. 4) Fol. Wiesb. (Kapellenstr. 97), L Grothe. Halbj. postfrei nn 7.50
— volkswirtschaftl., v. A Dorn. Red.: W Sträussler. 35—44. Bd. Jahrg. 1901—5 je 52 Nrn. (Nr. 888. 26) 4° Wien, Volksw. Verl. A Dorn. Halbj. 12 —; einz. Nrn — 50

Wochenstoffbuch f. d. 2sprach. Elementarsch. (48) 4° Gebw., J Boltze (04). Geb. nn 1.80 d
— f. d. 1-, 2-, 3- u. mehrklass. Elementarsch. in Elsass-L., m. allg. Angabe d. Unterr.-Stoffe. 17. Afl. Ausg. f. Ober- u. Unter-Elsass. Ausg. 1905. (Je 66) 4° Ebd. Kart. je nn 2 — d

Wochen-Zeitung, illustr. Zeitschrift m. Kunstbeil. 45. Jahrg. d. illustr. Familienblattes: „Der Hausfreund". Red.: W Engel. Jahrg. 1902. 60 Hefte. (1. Heft. 16 m. 1 Taf.) 4° Berl., W Vobach & Co.   Je — 15 d
— *Fortsetzg s. u. d. T.: Im häusl. Kreise. — Bildet d. Fortsetzg zu:* — neue illustr. 45. Jahrg. d. illustr. Familienbl.: „Der Hausfreund". Red.: W Engel. 1. Jahrg. Oktbr—Dezbr 1901. 13 Hefte. (1. Heft. 36) 4° Ebd.   Je — 15 d
Bildet d. Fortsetzg nachsteh. Zeitschriften: Am deut. Herd. — Blätter, illustr. — Erholungsstunden. — Familienzeitung, illustr. — Hausfreund, d. — Heimat, d. — Sonntagsblatt, Breslauer.

Wochinger, K: Bayerns Gebührenges., umfassend d. Gebührenges., d. Hinterleggs-Gebührenordng, d. Gebührenvorschriften d. Gerichtsvollzieher, d. Gebührenordng d. Rechtsanwälte, nebst e. Anh. m. d. Texten d. Gebührenordngn f. d. Notare u. pfälz. Hypothekenämter sowie e. Zusammenstellg älterer noch gelt. Gebührenvorschriften, Tab. u. ausführl. Sachreg. (429) 8° Münch., J Schweitzer V. 04. L. 6 — d

Wode, A: Die Wandgemälde im Kaiserhaus an Goslar, s.: Wislicenus, H.

Wode, A, s.: Saga, d., v. Hühner-Thor.

Woedtke, E v.: Gewerbe-Unfallversichergsges. u. Ges., betr. d. Abänderg d. Unfallversichergsges., neu bearb. v. F Caspar. — Invalidenversichergsges. — Krankenversichergsges., neu bearb. v. G Eucken-Addenhausen, s.: Guttentag's Sammlg deut. Reichsges.
— Unfallversichergsges. Kommentar. 5. Afl. In d. Fassg d. Ges., betr. d. Abänderg d. Unfallversichergsges., v. 30.VI.1900 als Gewerbe-Unfallversichergsges, neu bearb. v. F Caspar. (722) 8° Berl., G Reimer 01.   15 —; HF. 17 — d
„Wohin!" Berliner illustr. Wochenschrift. Red.: A Moeglich. 1. Jahrg. Mai—Dezbr 1902. 35 Nrn. (Nr. 1 u. 2. 36) 4° Berl., Deutsch-russ.Verl.-Gesellsch. Viertelj. 1.30; einz. Nrn—10 0 F
Abonnenten f. d. Viertelj. Juli—Septbr '02 erhalten d. bis 1.VII. erschein. Nrn unberechnet.
— d. Frauenrechtlerei führt, 2. Afl., s.: Frauen-Privilegien, gesetzl., in Engl.
— gehen wir morgen? Führer durch d. Umgebgn Zürichs. (40) 8° Zür., E Speidel 03.   — 50 d
„— dieses Jahr?" „Was kostet's?" Stockhausen's illustr. Führer durch d. Bäder, Luftkurorte u. Sommerfrischen. I. Der bad. u. württemberg. Schwarzwald. 4. Afl. (118 m. Abb.) 8° Nürnbg, Litterar. Instit. Stockhausen 02.   1.50

Wohl, L: Dramatisches. (84) 8° Dresd., E Pierson 02. 1.50 d
— Emil Redivivus. Briefe u. Blätter e. Schülers an s. Lehrer. (75) 8° Ebd. 04.   1 —; geb. 2 — d
Wohl, P: Übgsb. f. mündl. u. schriftl. Rechnen, s.: Räther, H.
Wohlandt, K: Geistliche als Erfinder, s.: Sammlung zeitgemässer Broschüren.
Wohlbrück, O: Extreme, s.: Kürschner's, J Bücherschatz.
— Iduna. Eine Sehnsuchtsgesch. (356) 8° Lpzg (02). Berl., H Seemann Nf.   3 —; geb. 4 — d
Wohlenberg, C: Siebenmal uns. Missionsstation Koraput in Jeypur (Vorderindien). (91 m. Abb.) 8° Brekl., (Christl. Bh.) 03.   — 50 d
— Ins Jeypurland. Reisebeschreibg. (40 m. Abb.) 8° Ebd. 01.   — 20 d
Wohlenberg, G: Das Gebet u. s. Erhörg, s.: Wort, d., sie sollen lassen stahn!
— Paulus, d. Ideal e. Missionars. Vortr. (22) 8° Brekl., (Christl. Bh.) 03.   — 80 d
— Der 1. u. 2. Thessalonicherbrief ausgelegt, s.: Kommentar z. Neuen Test.
Wöhler, C, s. a.: Peregrina, C. — Schmid, C.
— Krippe u. Altar, od. Weihnachten in d. Eucharistie. Betrachtgn. 6. Afl. (471 m. 1 St.) 12° Egnsbg, Verl.-Anst. vorm. GJ Manz 02.   3 —; L. 3.75 d
— Osterbilder a. Gottes Wort u. Gottes Haus in Prosa u. Poesie. (452 m. Titelbild.) 12° Ebd. 03.   2.50; L. 3.20 d
— Der Weg n. Golgatha. Betrachtgn, Gebete u. Lieder. 5. Afl. (374 m. 1 St.) 12° Ebd. 02.   2.70; geb. 3.50 d
Wöhler, F: Briefwechsel, s.: Berzelius, J.
Wöhlers, W: Das Reichsges. v. 6.II.1875, 6. Afl., s.: Kruse, F, u. Standesamt.
— Das Reichsges. üb. d. Unterstützgswohnsitz, erläut. n. d. Entscheidgn d. Bundesamtes f. d. Heimathwesen. 9. Afl., nebst e. Anh., behandelnd d. f. d. Armenverbände wichtigsten Vorschriften d. BGB. Bearb. v. J Krech. (296) 8° Berl., F Vahlen 01.   4.60; geb. 5.40 d
Wohlfahrt, die. Zeitschrift f. naturgemässe Lebens- u. Heilweise auf Grundl. d. Selbstreform u. soz. Gesundheitspflege. Begründet u. hrsg. v. F Branek. 8—10. Jahrg. 1901—3 je 12 Hefte. (1901. 1. Heft. 20) 4° Ruppersdorf-Reichenberg i/B., J Beranek. (Nur dir.) Je nn 2.60; einz. Hefte — 30 d
     1904. 3 —; einz. Hefte — 30 d F
Wohlfahrt, B: Bilder a. d. Friedensleben d. altpreuss. Heeres (1768—1806). (168) 4° Berl. 01. Jena, H Costenoble. L. 5 — d
Wohlfahrtsarbeit, ländl. 5—7. Hauptversammlg d. Ausschusses f. Wohlfahrtspflege auf d. Lande in Berlin. 8° Berl., Deut. Landbh.   3 — d
     5. '01. (150) 01. (1 —) — 50 | 6. '02. (108) 02 1 — | 7. '03. (92) 03. — 50.
— dass. 8. u. 9. Hauptversammlg d. deut. Ver. f. ländl. Wohlfahrts- u. Heimatpflege Berlin '04 u. 05. (69 u. 81) 8° Ebd. 04.05.   Je nn — 50 d

Wohlfahrts-Einrichtungen, d., d. Arbeitgeber zu Gunsten ihrer Angestellten u. Arbeiter in Oesterr. Hrsg. im k. k. arbeitsstatist. Amte im Handelsministerium. I. Thl, 2 Hefte u. II. Tl. 3° Wien, A Hölder.   12 —
   I, 1. Wohlfahrts-Einrichtgn d.Eisenb. 1. Heft. Privat-Eisenb. (230) 02.
   4 — | § 2. Dass. 2. Heft. Die bei d. k. k. österr. Staatsb. besteh. Wohlfahrts-Einrichtgn. (118) 03. 3 —
   II. Wohlfahrts-Einrichtgn d. gewerbl. u. Handelsbetriebe. (414) 04. 6 —
— d., Berlins u. sr Vororte, nebst e. Anh. üb. öffentl. Armenpflege, Arbeiterversicherg u. and. f. d. Wohlfahrtspflege wicht. Rechtsgebiete. Hrsg. v. d. Auskunftsstelle d. deut. Gesellsch. f. eth. Kultur. 3. Afl. (94, 496) 8° Berl., J Springer 04.   Kart. 1.50 d
— d., in Leipzig. (104) 8° Lpzg, JC Hinrichs' V. 05.   1 — d
— dass. Festschrift z. 33. Kongr. f. innere Mission 1905. (29, 104) 8° Ebd. 05.   1.20 d
— d., Nürnbergs. Auskunftsb., hrsg. v. d. Ortsgruppe Nürnberg d. allg. deut. Frauenver. (284) 8° Nürnbg, F Korn 01.   Geb. nn 3 — d
Wohlfarth, G: Beten u. moderner Mensch sein, s.: Pfade, neue, z. alten Gott.
Wohlfarth, R: Synopsis d. deut. u. schweizer Flora, s.: Koch, WDJ.
Wohlfeil, P: Der Kampf um d. neusprachl. Unterr.-Methode, s.: Flugschriften d. neuen Frankf. Verlags.
Wohlgemuth, F: Neues Recht. Scherzhafter Ernst a. d. BGB. z. Handgebr. im Gebiet d. französ. Rechts. (94) 8° Neuw., Heuser's Erben 01.   1.50 d
Wohlgemuth, J: Zur Erinnerg an David Kaufmann. [S.-A.] (12) 8° Berl., (M Poppelauer) 1899.   — 50 d
— Die Unsterblichkeitslehre in d. Bibel. (58) 8° Ebd. 1900. 1.50
Wohlhaupt, F: Das Lebensziel d. Menschen — diesseitig od. jenseitig? Eine Prüfg d. Lebensideale, bes. d. gegenwärt. Richtgn in d. Theol. (92) 8° Lpzg, A Deichert Nf. 02. 1.50 d
Wohlleben, K: Der Deutsche Ritterorden in d. Ostmarken, s.: Bilder a. Deutschlds Werdezeit.
Wohlleben, OC: Des deut. Adlers Flug in fremde Erdteile. — Bilder a. d. Zeit d. deut. Hansa, s.: Bilder a. Deutschlds Werdezeit.
— Das preuss. Fürsorge-Erziehgsges., s.: Magazin, pädagog.
— Was soll d. Kanal bezahlen? (Umschl.: 4. Taus.) (20) 8° Cöln, Westdeut. Schriftenver. (05).   — 30
— Deut. Kultur unter d. sächs. Kaisern. — Deut. Kulturbilder a. d. Zeitalter d. Kreuzzüge, s.: Bilder aus Deutschlds Werdezeit.
— s.: Volksbücher f. Jung u. Alt.
— Die Zeit d. Karolinger, s.: Bilder a. Deutschlds Werdezeit.
Wohlmuth, A: Ferien-Träume. (71) 8° Münch., G Müller 04.   1 —; geb. 2 — d
— Gedichte. (123) 8° Münch., A Langen 02.   2 —; geb. 3 — d
— Die kl. Residenz. Komödie. (97) 8° Münch., G Müller 04.   2 — d
— Hans Schreier, gr. Mime. 2. Afl. (58 m. Abb.) 8° Lpzg 03. Berl., H Seemann Nf.   1 — d
Wohlmuth, G: Lehrb. d. Philosophie, s.: Stöckl, A.
Wohlrab, M: Ästhet. Erklärg klass. Dramen. 5. u. 6. Bd. 8° Dresd., L Ehlermann.   Je 1.50; geb. je 2 — d
   5. Sophokles' König Ödipus. (75) 04. | 6. Shakespeares Julius Cäsar. (87) 05.
Den 1—4. Bd bilden d. Erklärgn zu: Hamlet, Coriolan, Iphigenie auf Tauris u. Antigone.
— dass. v. Goethes Iphigenie auf Tauris. (84) 8° Ebd. 03. 1.50; geb. 2 — d
— dass. Shakespearischen Dramen. 1. u. 2. Bd. 8° Ebd. Je 1.50; geb. je 2 — d
   1. Hamlet, Prinz v. Dänemark. (92) 01. | 2. Coriolan. (96) 02.
— dass. Sophokleischer Dramen. 1. Bd. Antigone. (68) 8° Ebd. 03.   1.50; geb. 2 — d
— Die altklass. Realien im Gymnasium. 6. Afl. (104 m. 2 Pl.) 8° Lpzg, BG Teubner 05.   Geb. 1.20 d
Wohlrabe: Deutschl. v. heute. Ergänzgsbd zu jedem Volksu. Fortbildgssch.-Leseb. 3 Tle. 8° Lpzg, Dürr'sche Bh. 2 — d
   geb. 2.70 n. 3.20; in 1 Bd geb. 3 —; Geschenkbd 5.40
   1. Teil. 5. Afl. Heer. (160 m. Abb.) 05. — 60; geb. — 90 u. 1 —. 2. Tle. Heer. (147 m. Abb.) 03. — 60; geb. — 90 u. 1 —. 3. Land u. Stadt. (204 m. Abb.) 05. — 60; geb. — 90 u. 1.40.
— Einrichtgs-, Lehr- u. Stoffpl. f. Halbtags- usw. Schulen, s.: Pfeifer, W.
— Fibel, s.: Scharlach, F. — Steger.
— Fibel-Leseb., s.: Pfeifer, W.
— Der Lehrer in d. Lit. Beitr. z. Gesch. d. Lehrerstandes. 3. Afl. (563) 8° Osterw., AW Zickfeldt 05.   L. 5.50 d
— Leseb. f. Bürger- u. Volks-Sch., s.: Scharlach, F.
— Leseb. f. einf. Fortbildgssch., s.: Pfeifer, W.
— Leseb. f. gewerbl. Fortbildgssch. 1—3. Abdr. (483) 8° Lpzg, (Dürr) 05.   geb. 1 — d
— Leseb. f. Mittelsch., s.: Steger.
— Schillerbüchlein. Zum Gedenken d. 100jähr. Wiederkehr d. Todestages d. Dichters. (160 m. Abb.) 8° Lpzg, Dürr'sche Bh. 05.   — 80 d
— Volksschul-Leseb., s.: Scharlach, F.
— u. Storbeck: Leseb., s.: Scharlach, F.
— Leseb. f. Volks-u. Fortbildgssch. — u. Storbeck: Leseb. f. hüttenmänn. Fortbildgssch. (544 m. Abb.) 8° Lpzg, R Voigtländer 05.   Geb. 3.50 d
Wohlrabe, Frau L: Leseb. f. Mädchenfortbildgssch., s.: Kuntz,O.
Wohlrath: T: Hilfsb. f. d. Frauen- u. Mädchenturnen. (115 m. Abb.) 12° Stuttg., P Mähler 02.   1.50; geb. 2 — d

Wohlrath, T: Eine Quelle f. Turnwarte u. Turnlehrer. Enth.;
Neue Übgsgruppen in d. Frei-, Hantel-, Stab- u. Keulenübgn.
(65 m. Abb.) 12° Stuttg., P Mähler (04).   — 85; geb. 1 — d
— Eine Quelle f. Vorturner, Turnwarte u. Turnlehrer. Enth.:
Neue Uebgsgruppen an d. Geräten, in 3 Schwierigkeitsstufen
zusammengest. u. m. bildl. Erklärgn versehen. (57) 16° Ebd.
03.   — 65; kart. — 80 d
— 9 Reigentänze f. Vereins-Festlichk., Maskenbälle u. turner.
Aufführg etc. Mit e. Anh.: Das Lanzenschwingen. (63 m.
Abb.) 8° Ebd. (05).   1.50; kart. 1.80 d
— Spiel-Buch f. Turn-Vereine u. Schulen. (253 m. Abb.) 8° Ebd.
05,06.   2 —; geb. 2.60; in 4 Tln je nn — 65 d
I. 27 Ballspiele. (85) | II. 15 Kampfspiele. (66) | III. 21 Spiele f. Mäd-
chen. (52) | IV. 26 Lauf- u. Fangspiele f. Kinder- u. Volksschulfeste. (49)
— 10 Turnreigen. Tanz-, Lieder-, Stab-, Fahnen- u. Keulen-
reigen, (57 m. Abb.) 12° Wien, A Pichler's Wwe & S.01. — 60 d
— u. F Jakob: Das Keulenschwingen. (108 m. Fig.) 12° Ebd. 01.
                                            1 — d
Wohltätigkeits-Kalender. Illustr. Haus-Kalender f. 1904. (97)
Seidel & S.) 02.   — 60 d
4° Münch., Seitz & Sch.
Fortsetzg s. u. d. T.: Rote Kreuzfreund, d.
Wohlthat, A: Die klass. Schuldramen u. Inhalt u. Aufbau.
1. u. 2. Afl. (192) 8° Wien, F Tempsky. — Lpzg, G Freytag 02.05.
                                            2.50
Wohltmann, F: Bericht üb. s. Togo-Reise im Dezbr 1899. [S.-A.]
(27 m. Abb. u. 1 Karte.) 8° Berl., (ES Mittler & S.) 1900. 2 —
— Chilisalpeter od. Ammoniak? 1. u. 2. Afl. (50) 8° Berl., J
Parey 03.   2 —
— 120 Kultur- u. Vegetations-Bilder a. uns. deut. Kolonien.
(120 Bl. m. 8 S. Text.) 4° Berl., W Süsserott 04. L. 16 — d
— Uns. Lage u. Aussichten in d. Kolonie Deutsch-Rüdwest-
Afrika. (49) 8° Bonn, F Cohen 05.   — 60 d
— Das Nährstoff-Kapital westdent. Böden m. bes. Berücks.
ihrer geolog. Natur, ihrer Kataster-Bonität u. ihres Dünger-
bedürfnisses. (Gedenkschrift z. Einweihg d. neuen Instit. f.
Bodenlehre u. Pflanzenbau d. landw. Akad. Bonn-Poppels-
dorf im Beginn d. Sommer-Sem. 1901. Zugl. Bericht Nr. I.
dieses Instit.) (63 m. 1 Abb. u. 7 Tab.) 4° Bonn, C Georgi 01. 5 —
— Pflanzg u. Siedelg auf Samoa. Erkundsbericht an d. ko-
lonial-wirtschaftl. Komitee in Berlin. (164 m. Abb., 20 Taf.
u. 2 Kart.) 4° Berl., (ES Mittler & S.) 03.   5 —
— s.: Tropenpflanzer, d.
— u. P Holdefleiss: Julius Kühn, s. Leben u. Wirken. Festschrift z. 80. Geburtstag. (56 m. 1 Bildn., 2 Taf. u. 1 Tab.)
8° Berl., P Parey 05.   2.50 d
Wohlwill, A: Die hamburg. Bürgermeister Kirchenpauer,
Petersen, Versmann. (196 m. 3 Bildnissen.) 8° Hambg, O
Meissner's V. 03.   6 —; L. 7.50 d
— Hamburg im Todesj. Schillers. [S.-A.] (63) 8° Hambg, (J
Gräfe & S.) 05.   2 —
Wohlzogen, K v., s.: Wolzogen, K v.
Wohnhäuser, mustergilt. ebenerd. Sammlg v. freisteh. u.
eingebauten ebenerd. Wohnhäusern, sowie Eskarterreahäusern
in einf.' aber gedieg. Ausführg u. allen Stylarten. 1: 100.
10 Hefte. (90 Taf.) 4° Münch., (Techn. Vert.-Anst. (01.02).
                                        In M. 40 —
Wohn- u. Geschäftshäuser, moderne. Sammlg neuer ausge-
führter Bauten. 2. Lfg. (25 Lichtdr.) Fol. Berl. (01). Lpzg,
Baumgärtner.   10 — (1 u. 2.: 20 —)
Wohnig, K: Trachyt. u. andesit. Ergussgesteine v. Tepler
Hochland, s.: Archiv f. d. naturwiss. Landesdurchforschg
v. Böhmen.
Wohnlich, H v.: Menschen, Menschen sind sie alle, (114 m.
Abb.) 12° Münch., A Schupp (01). (Lpzg, F Förster.) 1 —;
                                 L. 1.50; Luxusausg., geb. 1.50 d
Wohnräume. Liefergswerk. Hrsg. v. Lehrmittelbureau f. kunst-
gewerbl. Unterr.-Anstalten am k. k. österr. Museum f. Kunst
u. Indusrie. 1—8. Lfg. (85 Bl. je 43×56,5 cm u. 9 Bl. je 112
×85,5 cm.) Wien, Hof- u. Staatsdr. (03-05).   Je 10 —
Wohnungs- u. Geschäfts-Adressbuch s.: Adressbuch.
Wohnungs-Anzeiger s.: Adressbuch.
Wohnungs-Enquete in Augsburg. Veranstaltet u. bearb. v.
wirtschaftl. Verband d. Arbeitnrer. v. Augsburg u. Um-
gebg. Nebst Anh. üb. d. Wohngsverhältn. d. sog. Arbeiter-
Quartiere d. hies. Fabrik-Etablissements, d. Faggerei u. übr.
Arbeiter-Stiftsgshäuser. (45) 8° Augsbg, (Lit. Inst. v. Dr.
M Huttler) 01.   nn — 50 d
Wohnungsfrage, d., u. d. Reich. Sammlg v. Abhandlgn, hrsg.
v. Ver. Reichs-Wohngsgesetz. 4—7. Heft. 8° Gött., Vanden-
hoeck & R.   4.40 d
Heise, C: Wohngareform u. Lokalverkehr. (128) 03. [7.]   1.60
Seutemann, K: Die deut. Wohngsstatistik, ihr gegenwärt. Stand u. ihre
Bedeutg f. d. Wohngsreform. (52) 02. [6.]   — 80
Stier-Somlo, F: Uns. Mietrechtsverhältn. u. seine Reform. (29) 02. [4.]
                                                — 50
Stühben, J: Die Bedeutg d. Bauordngn u. Bebaugspläne f. d. Wohngs-
wesen. Mit e. Litt.-Verz. (55) 02. [5.]   1 —
— u. Volkswohl. 5 Vortr. v. F Oppenheimer, M Neisser, Gon-
ser, Dalmatius, F Naumann. Hrsg. im Auftr. d. I. allg. deut.
Wohngskongresses. (46) 8° Ebd. 05.   — 80 d
Wohnungsfürsorge, d., im Reiche u. in d. Bundesstaaten.
Denkschrift, bearb. im Reichsamte d· Innern. (510 u. 233) 4°
Berl., C Heymann 04.   9 — d
Wohnungsliste s. a.: Adressbuch.
— d. Offiziere u. Militärbeamten d. Garnisonen u. Militärbehörden d. XVI. Armee-Korps. Jahrg. 1901. 2 Hefte. (Nr. ,44

[d. ganzen Folge Nr. 68]. Jan. 30) 8° Metz, R Lupus.
                                        Je — 40 d 0 F
Wohnungsverhältnisse hamburg. Volksschullehrer u. -lehrer-
innen. Bearb. v. d. statist. Kommission d. „Gesellsch. d.
Freunde d. vaterländ. Schul- u. Erziehgswesens in Hamburg".
(123) 8° Hambg, L Voss 04.   2 —
Wohnungs- u. Gesundheitsverhältnisse, d., d. Heimarbeiter
in d. Kleider- u. Wäscheconfection. Hrsg. v. arbeitsstatist.
Amte im Handelsministerium. (131) 8° Wien, A Hölder 01. 2 —
Wohnungs-Verzeichnis s.: Adressbuch.
Wöhr, J: St. Johannes Liebe, s.: Vereinsbühne.
Wöhr, K: Neue Formen d. Friedhof-Architektur, s.: Maier, H.
Woehrer, I: De A. Cornelii Celsi rhetorica, s.: Dissertationes
philologae Vindobonenses.
Wojciech v. Ketrzyński s.: Kętrzyński.
Wójcik, C: Ursachen u. Verlauf d. chines. Wirren. (Kurzer
Überblick.) Vortr. [S.-A.] (41 u. 6 m. 6 Beil.) 8° Wien, (LW
Seidel & S.) 02.   2 —
Wojdyalawski, I: Toldoth. Menachem Asarja a. Fano, enth.:
Menachem Asarjas Lebensbeschreibg, Wirken u. Psychol.,
nebst Beurteilg sr Schriften u. Abhandlgn. (In hebr. Sprache.)
(88 m. Bildnis.) 8° St. Petersbg 03. (Frankf. a/M., J Kauff-
mann.)   2.50
Woike, CL: Zweimal 48 bibl. Historien f. ev. Elementarsch.
Mit Zugrundelegg d. bibl. Gesch. v. Preuss zusammengest.
124. Afl. v. R Triebel. (203 m. 1 Abb. u. 4 Kart.) 8° Köngsbg,
JH Bon's V. 06.   — 50; geb. nn — 75 d
Wolkowsky-Biedau, V v.: Helga. (96) 8° Stuttg. (04), (Mgdebg,
Lückhardt.)   — 80
Woinovich, E: Elemente d. Kriegführg. 2. Afl. (91 m. Abb.)
8° Wien, LW Seidel & S. 01.   3 —
— s.: Kriegsjahr, d., 1809.
Woisin, J: Ueb. d. Anfänge d. Merovingerreiches. 2. Tl. Stu-
dien z. Gesch. d. 4. u. 5. Jahrh. (57) 8° Meldf (01). Glückst.,
M Hansen.   1.20 (1 u. 2.: 2.40) d
Woisky, Bv.: Aus dunkeln u. hellen Stunden. Gedichte. (170)
8° Dresd., E Pierson 04.   2 —; geb. 3 — d
Wojnucki, E: Ueb. d. Emancipation d. Frauen. Rectoratsrede.
(31) 8° Czernow., (H Pardini) 01.   nn 1 —
Woker, P M.: s.: Seelsorger, d. kathol.
Wolbe, E: Quellenstudien zu John Home's „Douglas". (48) 8°
Berl., Mayer & M. 01.   1.20
Wölbling, B: Das deut. landw. Ausstellgswesen. Vortr. (18)
8° Berl , P Parey (04).   nn — 75 d
Wolbrandt, C: Die Strömg. Ornamentale Studien, unter Mit-
wirkg v. P Wolbrandt. (54 farb. Taf. m. Titslbl. u. 7 S.Text.)
8° Lpzg, BG Teubner (05).   In Umschl. 8 — d
Woldeck, F: Nachts um d. 12. Stunde u. and. Erzählgn. (96)
8° Lpzg, Picknick-Verl. (05).   — 60 d
— Nichts f. junge Mädchen u. and. Erzählgn, d. sie ruhig
lesen dürfen. (104) 8° Ebd. (05).   — 60 d
— Selbstbekenntnisse eines Unstäten u. and. Erzählgn. (90) 8°
Ebd. (05).   — 60 d
— Sie hat ihn geküsst u. and. Erzählgn. (96) 8° Ebd. (05).
                                            — 60 d
Woldřich, JN: Das nordostböhm. Erdbeben v. 10.I.'01, s.: Mit-
teilungen d. Erdbeben-Commission d. kais. Akad. d. Wiss.
in Wien.
— Leitf. d. Zool. f. d. höh. Schulunterr. 9. Afl, v. A Burger-
stein. (228 m. Abb. u. 2 Tl farb. Abb. u. 2 farb. Taf.) 8° Wien, A
Hölder 03.   Geb. 3 —
— u. J Woldřich: Das Wolynkathal in Böhmerwalde, s.: Archiv
f. d. naturwiss. Landesdurchforschg v. Böhmen.
Wolf-Junghans' Universal-Radsport-Karten. Red. v. G Müller.
Nr. 1—9, 12, 13 u. 16. Farbdr. Lpzg, T Thomas 01.
In L.-Decke 17.50; auf L. in L.-Decke 29 —
1. Kgr. Sachsen. (Kleine Ausg.) Mit 2 Nebenk. auf d. Rücks. 220×45 cm.
                                        1.50; besw. 2.50
2. Prov. Sachsen, Anhalt, Brannschweig, Hannover, östl. Thl. Mit 2
Nebenk. auf d. Rücks. 55,5×40 cm.   1.50; besw. 2.50
3. Prov. Brandenburg. Mit 3 Nebenk. auf d. Rücks. 39,5×55 cm. 1.50;
                                                besw. 2.50
4. Thüring. Staaten. Kgr. Bayern, nördl. Tl. 49×59,5 cm. 1.50; besw. 2.50
5. Kgr. Bayern, mittl. Tl. 1:500,000. Mit 2 Nebenk. auf d. Rücks. 89×
66 cm.   1.50; besw. 2.50
6. Kgr. Bayern, südl. Tl. 1:500,000. Mit 2 Nebenk. auf d. Rücks. 39,5×
56 cm.   1.50; besw. 2.50
7. Kgr. Sachsen nebst Tln d. angrenz. Länder. (Grosse Ausg.) 1:400,000.
Mit 3 Nebenk. auf d. Rücks. 45,5×61 cm.   1.50; besw. 2.50
8. Rheinprov., Westf., Nr. 4d. Rheinl., Nr. 9. Frankfurt a/Main, Nr. 17a.
Gau Nr. 5. Westf., Nr. 4. Rheinl., Nr. 9. Frankfurt a/Main, Nr. 17a.
Cassel. Mit 5 Nebenk. auf d. Rücks. 40,5×53 cm.   1.50; besw. 2.50
9. Württemberg. Grossh. Hessen u. Baden, nordöstl. Tl. Gau Nr. 5.
Mittelrhein, Nr. 9. Württemberg, Nr. 10. Würzburg u. z. Tl Nr. 6.
Hessen, Nr. 7. Schwarzwald. Mit 7 Nebenk. auf d. Rücks. 39,5×
                                            1.50; besw. 2.50
12. Prov. Schlesien. Gau Nr. 23. Görlitz, Nr. 24. Breslau, Nr. 37. Ober-
schlesien. Mit 3 Nebenk. auf d. Rücks. 43,5×54 cm. 1.50; besw. 2.50
13. Prov. Hannover, Oldenbg, nördl. Tl. Lippe Hamburg, Bremen, Niederl. östl. Tl. Gau Nr. 2. Bremen, Nr. 3. Westf. u. z. Tl
Nr. 1. Mit 9 Nebenk. auf d. Rücks. 58×57 cm.
16. Prov. Posen. Gau Nr. 25 Posen o. z. Tl Nr. 26. Frankfurt a/Oder.
Mit 3 Nebenk. auf d. Rücks. 54×57 cm.
Fortsetzg s.: Junghans.
Wolf: Wo standen Caesars Rhein-Brücken? — Die Schlacht
im Teutoburger Walde, s.: Beiheft z. Militär-Wochenbl.
Wolf s.: Erinnerungen, Langensalzaer.

Wolf: Unser Rochlitz. (20 m. 2 Abb. u. 9 Taf.) 4° Rochl., (B
Pretzsch Nf.) (01). — 60 d
Wolf, A. H Steckel, R Grossmann u. H Heidrich: Lehrb. d.
franzöz. Sprache f. Bürgersch. 1. Tl. (238 m. 4 Bildern.) 8°
Lpzg, Dürr'sche Bh. 04. || 2. Tl. (239 m. 2 Kart. u. 1 Pl.) 05.
Geb. je 2.40; Wrtrverz. (39) 05. — 50 d
Wolf, A: Bibl. Gesch. Alten u. Neuen Test., f. d. Kinder d.
Unterst. in einf. u. kindl. Form erzählt. 7. Afl. (24) 8° Bresl.,
F Hirt 01. — 30 d
— Bibl. Historien Alten u. Neuen Test. f. d. Kinder d. Mittelst.
7. Afl. (54) 8° Ebd. 04. Kart. — 50 d
Wolf, A: Streiflichter üb. d. Strafvollzug in Österr. u. anderes.
(287) 8° Salzbg, (E Höllrigl) (04). 3 — d
Wolf, A: Üb. d. an d. medizin. Univ.-Klinik zu Strassbnrg
behandelten Oesophaguserkrankgn (1888 bis Febr. 1905). (43)
8° Strassbg, J Singer 05. 1 —
Wolf, A: Lebend. Bildg u. ihre wahren, ernsten Grundge-
·setze. (160) 8° Lpzg, J Klinkhardt 01. 2.40; geb. 3 — d
— „Seele!" Die Moral- u. »Kraftfrage d. Gegenwart, z. Ver-
einigg d. Lehre Jesu m. d. Philosophie bearb. (54) 8° Lpzg,
E Fiedler 02. 1.20
Wolf, C, s.: Wolf, K.
Wolf, C: Histor. Schul-Atlas, s.: Kiepert, H.
Wolf, CJ: Leda m. d. Schwan, s.: Seemann's kl. Unterhaltgs-
bibliothek.
— Moderne Minneritter, s.: Bibliothek Langen, kl.
Wolf, E: Einfache Bauten. Neue prakt. Wohn- u. Geschäfts-
häuser, Schulen, Rathhäuser, Kirchen u. s. w. f. Stadt u.
Land. 1. Serie. 5 Lfgn. (60 Taf.) 44,5×38,5 cm. Wien, F
Wolfrum & Co. (03.04.) In M. je 10 —
Wolf, E: Vom Fürsten Bismarck u. s. Haus. Tagebuchblätter.
1. u. 2. Afl. (232 m. 3 Bildnissen u. 1 Fksm.) 8° Berl., E Fleischel
& Co. 04. 3 — d
— Deutsch-Südwestafrika. Ein off. Wort. (33) 8° Kempt., J
Kösel 05. — 50 d
Wolf, F: Aufgaben f. schriftl. Rechnen, s.: Rocke, G.
Wolf, F: Der Dombaumeister v. Freiburg. Erzählg a. d. 13.
Jahrh. (360) 12° Lahr, M Schauenburg (01). 3 — d
Wolf, F: Stilisierte Naturformen u. ihre Verwendg im freien
Flachornament, bes. f. d. Gebr. an gewerbl. Lehranst. (20
z. Tl farb. Taf. m. 3 S. Text.) 53×37,5 cm. Lpzg, Seemann
& Co. (05). In M. 20 —
Wolf, F: Das österr. Zollstrafrecht, s.: Gesetz-Ausgabe,
Manz'sche.
Wolf, F: Die Krone alles Wissens od. Das Buch d. Weish.
Die Erläuterg d. wahren Relig., d. Bewegg d. Kräfte in d.
Natur durch menschl. Willen vermöge d. Magie, Theurgie
u. verwandter Wiss. nebst Erklärg d. Freimaurerei. Der
Mensch in Annäherg z. Geisterwelt, sowie d. Geheimnis d.
6. u. 7. Buch Mose in meiner Heilkunst. (243 m. Bildnis.) 8°
Lpzg, E Fiedler (05). 3 — d
— „Wie ich e. Wissender wurde!" Meine Erlebnisse auf d.
Wege z. Okkultismus. Bearb. v. Efreb-Kador. (68 m. Bildnis.)
8° Ebd. (03). 1 — d
Wolf, FC: Prakt. Geometrie f. d. Schul- u. Selbstunterr. 1. u.
2. Heft. 2. Afl. 8° Lpzg, E Wunderlich. — 80 d
1. (73 m. Fig.) 04. — 30 || 2. (55 m. Fig.) 04. — 50.
Wolf's, G, Gesch. Israels f. d. israelit. Jugend. I—V. Heft.
8° Wien, A Hölder. 3.28 d
I. 15. Afl. v. H Pollak. (86) 03. Geb. — 54 || II. 14. Afl. v. H Pollak. (88
m. 1 Karte.) 03. Geb. — 90 || III. 11. Afl. v. H Pollak. (80) 03. Geb. — 65
|| IV. Von d. babylon. Gefangenschaft bis z. Zerstörg d. 2. Tempels.
10. Afl. v. H Pollak. (46) 01. — 44 || V. Anh.: Kurzer Abriss d. Gesch. d.
Juden seit d. Zerstörg d. 2. Tempels bis auf d. neueste Zeit. 10. Afl.
(54) 05. — 45.
Wolf, G: Der Protestantismus in Elsass-L. Vortr. (26) 8° Lpzg,
(C Braun) 05. — 45 d
Wolf, G: Das blaue Land. (82) 8° Wien, G Szelinski 05. 1 —
Wolf, G: Aus Kurköln im 16. Jahrh., s.: Studien, histor.
Wolf, H: Die mechan. Behandlg d. Emphysems, s.: Klinik,
Wiener.
— Üb. Malariarezidive, s.: Strasser, A.
Wolf, H: Einführg in d. Sagenwelt d. griech. Tragiker. (156)
8° Lpzg, H Bredt 02. 1.50; geb. 2 — d
— Homer's Odyssee, s.: Klassiker, d. ausländ., erläut. n. ge-
würdigt f. höh. Lehranst.
Wolf's, H, Briefe an Hugo Faisst. Hrsg. v. M Haberlandt. (304
m. Bildnis.) 8° Stuttg., Deut. Verl.-Anst. 04. 3.50; geb. nn 4.50 d
— Briefe an Oskar Grohe. Hrsg. v. H Werner. (318) 8° Berl.,
S Fischer 05. 5 —; geb. nn 6 — d
— Briefe an Emil Kauffmann. Hrsg. v. E Hellmer. (191) 8° Ebd.
03. 3.50; geb. nn 4.50 d
Wolf, J: Liederb. f. Mittelsch., Töchtersch. u. d. Oberkl. ge-
hob. Elementarsch. Op. 27. (80) 8° Strassbg, JHE Heitz 03.
Kart. nn — 50 d
— 180 Präludien zu d. gebräuchlichsten Chorälen. Op. 24. (113)
4° Strassbg, (E van Hauten) 01. HF, nn 6 —
Wolf, J: Realienb., s.: Streich, TF.
— Wandk. d. Eisenb. u. Flüsse v. Württemberg, Baden u. Hohen-
zollern. 4 Bl. je 81,5×83,5 cm. Farbdr. Stuttg., A Bonz & Co.
(01). In M. 3 —; auf L. m. St. 3 —
Wolf, J: Gesch. d. Mensural-Notation v. 1250—1460. 1—3. Tl.
8° Lpzg, Breitkopf & H. 04. 30 —; Einbde je 1 —
1. Geschicht. Darstellg. (4r4) 14 — || 2. Musikal. Schriftproben d. 13.—15.
Jahrh. 76 Kompositionen g. d. Handschriften in d. Orig.-Notation mitge-
teilt. (130) 6 — || 3. Dass. Übertraggn. (202) 8 —

Wolf, J, s.: Ramis de Pareia, B, musica practica.
Wolf, J: Verhältnis d. beiden ersten Aufl. d. Kritik d. reinen
Vernunft zu einander. (181) 8° Halle, CA Kaemmerer & Co.
05. 2.40
Wolf, J: Beobachtgn u. Messgn d. Temperatur, d. Salzgehal-
tes, d. Farbe u. Durchsichtigk. d. Wassers in d. nördl. Adria,
ausgeführt im Winter '01- Aus d. Nachl. v. J Luksch zusam-
mengest. [S.-A.] (12) 8° Wien, (A Hölder) 03. — 30
Wolf, J: Das Deut. Reich u. d. Weltmarkt. (78) 8° Jena, G
Fischer 01. 2 — d
— s.: Materialien betr. d. mitteleurop. Wirtschaftsverein. —
Zeitschrift f. Socialwiss.
Wolf, K: Anno Dazumal u. heute. Meraner Skizzen. (184) 12°
Innsbr., A Edlinger 02. 3 — d
— Neue Geschichten a. Tirol. (239) 8° Ebd. 02. 3.20; geb. 4 —
— Meran, s.: Grieben's Reiseführer.
— Die alte Posteria u. and. Gesch. a. Tirol. (161) 8° Innsbr.
A Edlinger 05. 2 —; geb. 3 — d
— Sixt u. Hartl. (159 m. Titelbild.) 8° Ebd. 03. 2 —; L. 3 — d
— Aus d. Volksleben Tirols. (182) 8° Ebd. 02. 2 —; geb. 3 — d
Wolf, K: Beitrag z. Kenntnis d. Gättg Braunina Heider. [S.-A.]
(34 m. 1 Fig. u. 1 Doppeltaf.) 8° Wien, (A Hölder) 03. — 80
Wolf, K: Die gesundheitsgemässe Einrichtg uns. Wohng, s.:
Volksbücherei, medizin.
Wolf, L: Der groteske u. hyperbol. Stil d. mhd. Volksepos,
s.: Palaestra.
Wolf, M: Frühlent.Gedichte. (95) 8° Strassbg, Strassb.Druckerei
u. Verl.-Anst. 04. 2 — d
Wolf, M: Walter Scott's Kenilworth. Untersuchg üb. s. Ver-
hältnis z. Gesch. u. zu s. Quellen. (79) 8° Lpzg, Bh. G Fock
03. 1.60
Wolf, M: Ueb. d. Bestimmg d. Lage d. Zodiakallichtes u. d.
Gegenschein. [S.-A.] (11 m. 1 Taf.) 8° Münch., (G Franz' V.) 1900.
— 40
— Die Entdeckg u. Katalogisirg v. kleineren Nebelflecken
durch d. Photogr. [S.-A.] (16) 8° Ebd. 01. — 40
— Die Photogr. d. Sternhimmels, s.: Projections-Vorträge.
— s.: Publikationen d. astrophysikal. Observatoriums Königstuhl-Heidelberg.
Wolf, P: Die schweiz. Bundesgesetzgebg. 2. Afl. 1—4. Lfg. (1.Bd.
862 m. 9 Formularen u. 2.Bd. 1—366 nebst. u. 9.Bd. 7 Formularen.)
8° Basel, (Basler Buch- u. Antiquariatsh. vorm. A Geering)
(04.05). Je 7 —
Wolf's, R, geb. Heinemann: Kochb. f. israelit. Frauen. 12. Afl.
(291) 8° Frankf. a/M., J Kauffmann 01. L. 3.50 d
Wolf's, R (H & F Wolf), Jahr-Buch f. d. deut. Actien-Brau-
reien u. Actien-Malzfabriken. Statist. Nachschlageb. üb. d.
Vermögensverhältn. u. Geschäftsergebnisse derselben im Be-
triebsj. 1903/04. 15. Jahrg. (376 m. 20 Tab.) 8° Freibg i/Br., (C
Troemer) 05. 5 —; geb. 6 — d
Wolf, R, A Jahn u. **A Haala:** Ges. u. Verordnng üb. d. Wein-,
Fleisch-, Linienverzehrgssteuer, s.: Taschenausgabe, Manz-
sche, d. österr. Ges.
Wolf, T: Potentillen-Studien. I. u. II. 8° Dresd., W Baensch. 4.50
I. Die sächs. Potentillen u. ihre Verbreitg, bes. im Elbhügellande, m. Aus-
blicken auf d. moderne Potentillenforschg. (128 m. Abb.) 01. 2.75
II. Die Potentillen Tirols m. d. Anhange einer z. Revision d. Potentillen-
sammlg im Herbar d. „Ferdinandeums", incl. d. Zimmeterschen Her-
bars in Innsbruck. (72) 03. 1.75
Wolf, W: Merk- u. Nachschlagebüchl. f. Konfirmanden u. Kon-
firmierte. 2. Afl. (64) 8° Duisbg, Dietrich & Hermann (04).
Kart. — 50 d
Wolf-Baudissin, s.: Baudissin.
Wolf v. Glanvell, V, s.: Kanonessammlung, d., d. Kardinals
Deusdedit.
Wolf-Rabe, F (Frau E Wolfram): Frauenlehre. Gesch d. Diana
v. Wengern. (159) 8° Dresd., E Pierson 04. 2.50 d
— Midasgold. Roman. (297) 8° Dresd., CReissner 02. 3 —; geb. 4 — d
— Sebedan Singb. Roman e. Hindu. (204) 8° Lpzg (02). Berl.,
H Seemann Nf. 3 —; geb. 4 — d
Wolfart, K: Die Augsburger Reformation in d. Gesch., s.:
Studien z. Gesch. d. Theol. u. d. Kirche.
Wolfarth, K, s.: Frisch's, J, Amts- u. Terminkalender f. Kanz-
leien.
— Leitf. z. Vorbereitg auf d. nied. Dienstprüfg im k. württ.
Departement d. Innern f. Verwaltgskandidaten. (Begründet
v. L Waas.) 2. Afl. (76) 8° Stuttg., W Kohlhammer 04.
Kart. 1.50 d
Die 1. Afl. erschien u. d. T.: Waas, L, Studienplan z. Vorbereitg
auf d. nied. Dienstprüfg im k. ...
— Populäre Vortr. üb. d. BGB. m. Einschl. d. zutreff. Aus-
führgsbestimmgn üb. d. Nachlasswesen, d. Geaindeordng,
sowie d. Ges. üb. d. Liegenschaftsumsatz- u. Erbschafts- u.
Schenkgssteuer. 3. Abdr. (248) 8° Stuttg., W Kohlhammer 01. 1.50 d
— Gemeinverständl. Vortr. üb. d. neue Steuergesetzgebg m.
Berücks. d. Gemeinde- u. Amtskörperschaftsbesteuerg. (125)
8° Schonndorf. (05). (Biber., Dorn.) 1 — d
— u. L Waas: Die Verjährgsfristen d. deut. Reichs- u. württ-
Landesgesetzgebg in alphabet.Ordng. (101) 8° Stuttg.,
W Kohlhammer 04. 1.20 d
Wolfer, A: Beobachtgn d. Sonnenoberfläche in d. J. 1893—95,
s.: Publikationen d. Sternwarte d. eidg. Polytechnikums zu
Zürich.
Woelfer, T: Grundl. d. landw. Taxationswesens. Mit Berücks.
d. Prov. Westfalen bearb. (143) 8° Paderb., F Schöningh 02.
2.80 d

Woelfer, T: Grundsätze u. Ziele neuzeitl. Landw. (261) 8º Berl., W Parey 03. L. 4 — d
Wolfersdorff, E v., s.: Berkow, K.
Wölfert, W: Der Teufel in Berlin. Berliner Roman. 1. u. 2. Afl. (278) 8º Berl., J Gnadenfeld & Co. 01. 3.50; geb. 4.50 d
Wolff: Was müssen Kirchenälteste u. Gemeinde-Vertreter wissen v. d. ev. Kirchenverfassg? (61) 8º Berl., Vaterländ. Verl.- u. Kunstanst. 05. 60 d
Wolff: Liederb. Sammlg d. beliebtesten Volksweisen f. Volkssch. in 2 Heften. 8º Barby, H Kropp. Je nn — 85 d
1. Unter- u. Mittelst. (60) 04. ‖ 2. Oberst. (68) 04.
Wolff: Was muss d. Barbier z. Verhütg d. Vorbreitg ansteck. Haar-Krankh. wissen? (21 m. 5 Taf.) 8º Berl., E Staude 01.
— 50 d
Wolff: Befiehl d. Herrn deine Wege. Rede bei d. Konfirmation d. Herzogin Cecilie zu Mecklenburg. (11) 8º Berl., Vaterländ. 03. — 25 d
— Die Freude am Herrn ist uns. Stärke. Predigt. (16) 8º Ebd. 01. — 15 d
Wolff, A, u. H Pflug: Wirtschaftsgeogr. Deutschlds u. sr Hauptverkehrsländer. 2 Tle. 8º Berl., ES Mittler & S. Je 2 —; geb. je 2.40
1. Das Deut. Reich. (165 m. 3 Tab.) '05. ‖ 2. Deutschlds Hauptverkehrsländer. (180) 06.
Wolff, A, s.: Wochenschrift, Berliner klinisch-therapeut.
Wolff, A: Gute Freudschaft, s.: Pletsch, O.
Wolff, AJ: Hors d'oeuvre. Kleines u. Feines. (159) 8º Berl., M Lilienthal 04.
Wolff, B: Ueb. d. prophylakt. Wendg, s.: Klinik, Berliner.
Wolff, C: Entbindgsanst. u. Hebammensch, s.: Handbuch d. Architektur.
— Die Kunstdenkmäler d. Prov. Hannover. 2—4. Heft. 8º Hannov., (T Schulze). L. 18 — (1—4.: 24 —)
2.3. II. Reg.-Bez. Hildesheim. 1 u. 2. Stadt Goslar. Bearb. in Gemeinschaft m. A v. Behr u. U Hölscher. (416 m. Abb. u. 16 Taf.) 05. L. 12 —
4. III. Reg.-Bez. Lüneburg. 1. Kreise Burgdorf u. Fallingbostel. (162 m. Abb. u. 2 Taf.) 02. Geb. od. geb. 6 —
— Die Prov.-Heil- u. Pflegeanst. bei Lüneburg. [S.-A.] (82 m. Abb. u. 5 Taf.) Fol. Wiesb., CW Kreidel. 02. Kart. 4 —
— u. R Jung: Die Baudenkmäler in Frankfurt am Main, Fortsetzg, s.: Baudenkmäler.
Wolff, CA: Kerzen f. d. Herzen. 6 Nrn. (Je 16) 8º Reutl., Enßlin & L. (05). Je — 10 d
1. Der Heilaweg. ‖ 2. Worte an d. Pforte. ‖ 3. Ein Büchl. v. d. Treukuchtsplage. ‖ 4. Ein Büchl. v. d. Karteuspiel. ‖ 5. Für Tänzer u. Tanz-liebl. Kranz. ‖ 6. Schossbündchen u. Lieblingsründchen.
— Die Weihnachtsfeier in Kindergottesdiensten, Schulen, christl. Vereinen u. in d. Familie. Mit e. Anh. v. Weihnachtswünschen. (48) 16º Ebd. (05). — 15 d
Wolff, CAH: Elementar-Gesanglehre, s.: Universal-Bibliothek.
— Die Elemente d. deut. Kunstgesanges. (Method. Unterr.- Briefe d. Rede- u. Gesangskunst.) Mit e. Abhandlg: Anatomie u. Physiol. d. Stimmorgane. Von E Fink. 20 Lfgn. (351) 8º Lpzg (02.03). Berl., H Seemann Nf. Je — 50; in 1 Bd geb. 12 —; gesangl. Tl. Ausg. A f. hohe Stimme (Sopran u. Tenor), Ausg. B f. mittl. Stimme (Mezzosopran u. Bariton), Ausg. C f. tiefe Stimme (Alt u. Bass). Je 8 Lfgn. (Je 16) 8º Je — 50
Von Lfg 1—3 erschien 1901 e. Ausg. in Magdebg.
— Der Weg z. Meisterschaft d. deut. Sprech-, Gesangs- u. Darstellgskunst. (39) 8º Hambg, AJ Benjamin. — 50
Wolff, E: Abriss d. Handelsgesch. auf Grundl. d. Wirtschaftsu. Sozialgesch. (168) 8º Lpzg, Verl. d. mod. kaufm. Bibliothek (01). Geb. 2.75
Wolff, E: Grundr. d. preuss.-deut. sozialpolit. Volkswirtschafts-Gesch. v. 1640—1900. 2. Afl. (270) 8º Berl., Weidmann 04. Lehrb. d. Gesch., s.: Schenk, K.
— u. F Maigatter: Deut. Gesch. v. Ausg. d. 30jähr. Krieges bis z. Gegenwart, s.: Schenk, K, Lehrb. d. Gesch.
Wolff, E: Der Fabrikarbeiter. Systemat. Darstellg d. Rechtsverhältn. ze. d. Fabrikanten u. Fabrikarbeiter. 2. Afl. (98) 8º Lpzg, H Klasing 02. L. 2.20
— Die deut. Gewerbegerichte u. Inngs-Schiedsgerichte sowie deren Rechtsprechg. (147) 8º Ebd., O Liebm. L. 2.80
— Dar. Gewerbetreib. u. s. Recht. (148) 8º Lpzg, Verl. d. mod. kaufm. Bibliothek 01. L. 2.75
— Der Handwerker u. s. Arbeiter (Handwerks-Gesellen, -Gehilfen u. -Lehrlinge). (154) 8º Lpzg, H Klasing 02. L. 3 —
— Die Kaufmannsgerichte u. d. Verfahren vor denselben nach d. Reichsges. v. 6.VII.'04 sowie d. Rechtsverhältn. zw. d. Prinzipal, d. Handlgsgehilfen u. -Lehrlingen, nebst ausführl. Kommentar u. Musterstatut. (112) 8º Lpzg, Verl. d. mod. kaufm. Bibliothek (05). L. 2.75
— Die Praxis d. Finanzierg bei Errichtg, Erweiterg, Verbesserg, Fusionierg u. Sanierg v. Aktiengesellsch., Kommanditgesellsch. auf Aktien, Gesellsch. m. beschr. Haftg, Bergwerken sowie Kolonialgesellsch. (204) 8º Berl., O Liebmann. L. 4.75 d
Wolff s, E, Düngerlehre, 14. Afl. v. hC Müller, s.: Thaer-Bibliothek.
Wolff, E: Die Durchquerg d. Gazelleahinsel, Bismarckarchipel, s.: Verhandlungen d. deut. Kolonial-Gesellsch.
Wolff, E: Fel. Mendelssohn Bartholdy, s.: Musiker, berühmte.

Wolff, E: 12 Jahre im litterar. Kampf. Studien u. Kritiken z. Litt. d. Gegenwart. (552) 8º Oldnbg, Schulze 01. 6 —; geb. 7 — d
— Konrad Ferd. Meyer, e. protestant. Dichter. Vortr. (16) 8º Berl., G Nauck 03. — 50 d
— Wilh. Raabe u. d. Ringen u. e. Weltanschaug in d. neueren deut. Dichtg. Vortr. (15) 8º Ebd. 02. — 50 d
— s.: Schiller im Urteil d. 20. Jahrh.
— Von Shakespeare zu Zola. Zur Entwickelgsgesch. d. Kunststils in d. deut. Dichtg. (196) 8º Berl. 02. Jena, H Costenoble.
5 —; geb. 6 — d
Wolff, E: Philonthropie bei d. alten Griechen. (28) 4º Berl., Weidmann 02. 1 —
Wolff, F: Vorstudien zu e. geologisch-petrograph. Untersuchg d. Quarzporphyrs d. Umgegend v. Bozen.(Südtirol). [S.-A.] (6) 8º Berl., (G Reimer) 02. — 50
Wolff, F: Le classement des monuments historiques en Alsace-L. [S.-A.] (9 m. Abb.) 4º Strassbg i/E. (Brandg. 2), Verl. d. illustr. elsäss. Rundschau (01). 2 —
— Die Denkmalpflege in Elsass-L. Vortr. [S.-A.] (16) 8º Strassbg, KJ Trübner 05. — 50 d
— Hdb. d. staatl. Denkmalpflege in Elsass-L. (404) 8º Ebd. 03. 4 —
— 1000jähr. Kalender. 2 Taf. (Je 2 m. 1 drehbaren Scheibe.) 32,5×49,5 cm. Ebd. 04. Auf Pappe je 2 —
1. Vom J. 1—1000. ‖ 2. Vom J. 1000—2000. Julian. Kalender v. J. 1000—4.X.1582; Gregorian. Kalender v. 15.X.1582—2000.
— Die Klosterkirche St. Maria zu Niedermünster im Unter-Elsass. (57 m. Abb. u. 25 Taf.) 48,5×33,5 cm. Strassbg, L Beust Geb. 30 —
— 04::: Münster-Blatt, Strassburger.
— Verz. d. Zeichngn u. Abbildgn d. geschichtl. Denkmäler in Elsass-L. (Kais. Denkmal-Archiv zu Strassburg i. E.) (232) 8º Strassbg, KJ Trübner 05. nn 12 —
Wolff, F v.: Bericht üb. d. Ergebn. d. petrographisch-geolog. Untersuchg d. Quarzporphyrs d. Umgegend v. Bozen. [S.-A.] (13) 8º Berl., (G Reimer) 05. — 50
Wolff, F: Ein Duell. Schausp. (72) 8º Lpzg, O Mutze 04. 1 — d
— Das verkaufte Lied. Märchendichtg. (102) 8º Linz 02. Wien, J Deubler. 2 — d
Wolff, F: Weltgesch., s.: Schlosser, FC.
Wolff, F, s.: Kunstgeschichte in Einzeldarstellgn.
— Verantwortg u. Kunstkritik. (39) 8º Lpzg 01. Jena, E Diederichs. — 50 d
Wolff, F T: Die infinitive d. Indischen u. Iranischen. 1. Tl.: Die oblativisch-ablativ. u. d. accusativ. infinitive.(111) 8º Gütersl., C Bertelsmann 05. 2.40
Wolff, FA: Die Persönlichk. d. Seelsorgers. [S.-A.] (28) 8º Lpzg, A Strauch (03). — 50
Wolff, G: An d. Gewissen d. deut. Volkes. 1—10. Taus. Hrsg. v. d. Central-Ver. deut. Staatsbürger jüd. Glaubens. (46) 8º Kassel 01. (Velten bei Berl., Buchdr. G Wolff.) (Nur dir.) — 50 d
Wolff, G: Die Erdbefestiggn v. Heldenbergen. [S.-A.] (26 m. Abb. u. 3 Taf.) 4º Hdlbg, O Petters 1900. 3.60
— Das Kastell Gross-Krotzenburg. [S.-A.] (43 m. Abb. u. 8 Taf.) 4º Ebd. 03. 4 —
— Das Kastell Okarben. [S.-A.] (37 m. 1 Abb. u. 5 Taf.) 4º Ebd. 03. 6 —
Wolff, G: Ueb. Gruppen d. Reste e. belieb. Moduls im algebr. Zahlkörper. (46) 8º Gött. 05. (Berl., Mayer & M.) 1.50
Wolff, G: Applikatorisch-takt. Aufg., s.: Kollert, E.
— s.: Beziehungen d. Feld-Sanitätsdienstes z. Felddienste.
— Militär. Propädeutik als Einl. in d. Studium d. Feld- u. Sanitätsdienstes, s.: Cron.
Wolff, G: Klin. u. krit. Beitr. z. Lehre v. d. Sprachstörgn. (100 m. Fig.) 8º Lpzg, Veit & Co. 04. 2.40
— Mechanismus u. Vitalismus. (36) 8º Lpzg, G Thieme 02. 1 — ‖ 2. Afl. (58 m. Fig.) 05. 1.40
— Psychiatrie u. Dichtkunst, s.: Grenzfragen d. Nerven- u. Seelenlebens.
Wolff, H: Leitf. f. d. Unterr. in Geometrie an Baugewerkensch. u. and. gewerbl. Schulen. (40 m. Fig.) 8º Lpzg, F Brandstetter 01. — 75 d
Wolff, H: Die Gustav-Adolf-Gemeinden d. Schässburger Kirchenbez. (Hergestellt f. d. russ. Dichter. Vortr. (32) 8º Hermannst., (W Krafft) 06. nn — 21 d
— Deut. Leseb. f. Mittelsch., s.: Netoliczka, O.
Wolff, H: Die russ. Naphtha-Industrie u. d. deut. Petroleummarkt, s.: Abhandlungen, volksw., d. bad. Hochsch.
— Der Spessart. 6 Kohlzeichngn. m. Wirtschaftsleben. (483 m. Abb.) u. 1 Karte.) 8º Aschaffenbg, C Krebs (05). 16 —
Wolff, H: Sammlg d. Reichs- u. Landesges. f. d. Herzogth. Braunschweig. 2 Afl. 16—55. Lfg. (2. Thl. 1100 u. 3. Thl. 27—783) 8º Brasdiw., JH Meyer 01.02. Je 1 — (2. Thl.: 14 —; 3. Thl. nn 16.50; 3. Thl: 10 —; geb. 17 — vollst. [36 —] nn 12 —)
Wolff, H: Ueb. e. Fall v. circulärem Condylom d. Urethra m. Gefäss-, Drüsen- u. Epithelwucherg. (21) 8º Freibg i/B., Speyer & K. 02. — 80
— Die Skiaskopietheorie v. Standpunkt d. geometr. Optik, d. Ophthalmoskopie u. entopt. Wahrnehmg (entopt. Skiaskopietheorie). (28 m. Abb.) 8º Berl., S Karger 06. — 80

Wolff, H: Ueb. d. Skiaskopietheorie, skiaskop. Refraktions-
bestimmg u. üb. mein elekt. Skiaskopophthalmometer, nebst
Bemerkgn üb. d. Akkommodationslinie u. d. sphär. Aberration d. Auges. (60 m. Abb., 2 Taf. u. 1 Tab.) 8° Berl., S Karger 03.   3 —
Wolff, HL: Mustersammlg deut. Gedichte f. höh. Lehranst.,
Bürgersch., Privat-Institute u. f. d. deut. Haus. 23. Afl. (448)
8° Jena, HW Schmidt 04.   Geb. 2 — d
Wolff, J: Deut. Leseb. f. d. Elementar-, Bürger- u. höh.
Volkssch. d. ev. Landeskirche A. B. in d. siebenbürg. Landesteilen Ungarns. II. u. III. Tl. 4. Afl. 8° Nagyszeben (Her-
mannst.), W Kraftt.   Geb. je nn 1.40 d
II. 2. Schulj. (725) 04. | III. 4. Schulj. (716) 04.
— dass. Anh. z. II. u. III. Tl, zusammengest. v. A Scheiner.
(38) 8° Ebd. 04.   nn — 30 d
Wolff, J: Die Geheimsprache d. Handelsleute, 3. Afl., s.:
Bischoff, E, jüdisch-deut. Dolmetscher.
Wolff, J: Lionardo da Vinci als Ästhetiker. Versuch e. Darstellg u. Beurteilg d. Kunsttheorie Lionardos auf Grund s.
„Trattato della pittura". (140) 8° Strassbg, JHE Heitz 01. 3 —
Wolff, J: Theoretisch-prakt. Behelf f. d. gefechtsmäss. Ausbildg d. Plänklers, Schwarmes, Zuges u. d. Kompagnie,
gleichzeitig reglementarisch-takt. Studie üb. d. Gefecht d.
Kompagnie, s.: Behelfe f. d. Fortbildg d. im Truppendienste
steh. Offiziere.
— Instruktionsbücher f. d. gefechtsmäss. Ausbildg. I. Die
systemat. Ausbildg d. Soldaten z. denk- u. selbstät. Schützen
f. d. Gefecht auf Punkt 197 Exerz.-Regl., m. Aufg.-Beisp. (136)
— Debreczen 05. (Wien, LW Seidel & S.)   nn 2.40
Wolff, J: Till Eulenspiegel redivivus. Ein Schelmenlied.
25. Taus. (176) 8° Berl., G Grote 03. 4 —; L. 4.80; HF. 5.40 d
— Die Hohkönigsburg. Eine Fehdegesch. a. d. Wasgau. 1—
23. Taus. (416) 8° Ebd. 02.03.   5 —; L. 6 —; HF. 6.60 d
— Der flieg. Holländer. Eine Seemannssage. 32. Taus. (191) 8°
Ebd. 03.   4 —; L. 4.80; HF. 5.40 d
— Der wilde Jäger. Waidmannsmär. 95. Taus. (345) 8° Ebd. 04.
     4 —; L. 4.80; HF. 5.40 d
— Lurlei. Romanze. 61. Taus. (330) 8° Ebd. 04. 5.60; L. 6 —;
     HF. 6.60 d
— Die Pappenheimer. Reiterlied. 23. Taus. (343) 8° Ebd. 01.
     5.60; L. 6 —; HF. 6.60 d
— Der Rattenfänger v. Hameln. Eine Aventiure. 73. Taus. (223
m. h.) 8° Ebd. 01.   4 —; L. 4.80; HF. 5.40 d
— Der Raubgraf. Eine Gesch. a. d. Harzgau. 53. Taus. (444)
8° Ebd. 03.   5 —; L. 6 —; HF. 6.60 d
— Das Recht d. Hagestolze. Heirathsgeschichte a. d. Neckar-
thal. 36. Taus. (415) 8° Ebd. 04.   6.60; L. 7 —; HF. 7.60 d
— Renate. Dichtg. 29. Taus. (384) 8° Ebd. 02.   5.60; L. 6 —;
     HF. 6.60 d
— Der Sülfmeister. Eine alte Stadtgesch. 42. Taus. 2 Bde. (340
u. 311) 8° Ebd. 02.   8 —; L. 9.60; HF. 10.80 d
— Tannhäuser. Minnesang. 2 Bde. 40. Taus. (260 u. 286 m. Bild-
nis.) 8° Ebd. 01.   8 —; L. 9.60; HF. 10.80 d
— Das schwarze Weib. Roman a. d. Bauernkriege. 22. Taus.
(358) 8° Ebd. 02.   6.60; L. 7 —; HF. 7.60 d
— Zweifel d. Liebe. Roman a. d. Gegenwart. 1—20. Taus. (454)
8° Ebd. 04.   5 —; L. 6 —; HF. 6.60 d
Wolff, J: De clausulis Ciceronianis. (34.) (100) 8° Lpzg, BG
Teubner 01.   4 —
Wolff, J: Heilg u. Verhütg d. Schreibkrampfes n. verwandter
Bewegsstörgn. 2. Afl. (188 m. Abb.) 8° Berl., O Coblentz 01. 3 —
Wolff, J: Üb. frühzeit. Operation d. angebor. Gaumenspalten,
s.: Sammlung klin. Vortr.
— Üb. d. Ursachen, d. Wesen u. d. Behandlg d. Klumpfusses.
Hrsg. v. G Joachimsthal. (161 m. Fig. u. Bildnis.) 8° Berl.,
A Hirschwald 03.   4 —
— Üb. d. Wechselbeziehgn zw. d. Form u. d. Function d. einz.
Gebilde d. Organismus. Vortr. (35 m. Abb.) 8° Lpzg, FCW Vogel
01.   1 —
Wolff, J: Die argentin. Währgsreform u. ihre s.: Forschungen,
staats- u. sozialwiss.
Wolff, JF: Badisch Blut. Histor. Versspiel. (28) 8° Karlsr.,
G Braun'sche Hofbuchdr. 02.   — 50 d
Wolff, JJ: Sprachübgn f. d. Mittel- u. Oberst. d. Volkssch.
nebst Übgn üb. d. wichtigsten Stoffe a. d. Rechtschreibg.
Ausg. 4. mehrklass. Schulen. 2 Hefte. 8° Düsseldf, L Schwann
03.   Kart. nn — 80 d
1. Übg f. d. Mittelst. 2. Afl. (40) nn — 25 | 2. Übgn. f. d. Oberst. 2. Afl.
(79) nn — 45.
— dass. Ausg. B f. einklass. Schulen. 6. Afl. (80) 8° Ebd. 03.
     Kart. nn — 45 d
— dass. Ausg. C: Lehrerheft. 3. Afl. (53) 8° Ebd. (04).
     Kart. nn — 30 d
Wolff, K Baron: Histor. Reisebegleiter f. Rom. (200) 8° Berl.,
Borstell & K. 02.   2.50
Wolff, K, s.: Wolff, C.
Wolff, K: G Charpentier's Louise, s.: Hoursch's Opern-Führer.
— Erinnergn a. d. Wiener Reise d. Kölner Männer-Gesangver.
im April 1901. (35 m. 2 Bildnissen.) 8° Köln, Kölner Verl.-
Anst. u. Druckerei 01.   1.50
— K Goldmarks „Die Königin v. Saba". — R v. Koczalski's
Rymond. — C Saint-Saëns' „Samson u. Delila". — K Weis'
d. poln. Jude. — H Zoellner's versunkene Glocke, s.: Hoursch's
Opern-Führer.

Wolff, L: Adam u. Eva. Beitrag z. Klärg d. sexuellen Frage.
(112) 8° Münch., Seitz & Sch. (04).   2 —
Wolff, L: Rationelle Bienenpflege. (16 m. Abb.) 8° Berl., R
Kühn (01).   — 30
Wolff, L: Aus d. Rothenburger Chronik. Bürgermeister Toppler's
Leben u. trag. Ende. Die Grafen v. Nordenberg. (2 Erzählgn.)
3. Afl. (321) 8° Rothnbg, CH Trenkle 04.   3 — d
Wolff, L: Ges. Humoresken u. Kulturbilder, s.: Bibliothek,
jüdisch-humorist.
— Lehrb. d. Schechita u. Bedikah in 5 Tln. (I. u. II. Tl: Zu-
sammenfass. Darstellg d. Regeln üb. d. Schächten, d. Unter-
suchen d. inneren Organe u. Entadern d. Vorderviertels. III. Tl:
Die Schächtfrage v. Standpunkt d. Wiss. IV. Tl: Repetitorium.
V. Tl: Lernst. f. d. Laien-Fleischbeschau m. d. betr. Ges.) (192
m. 3 Taf.) 8° Lpzg, MW Kaufmann 01. 3.50; Einbd in L. nn — 50 d
Wolff, L: „Ich". Liedeskunst. Der Lieder 4. Afl. (271 m. Bildnis.)
8° Dresd., E Pierson 01.   2.50; geb. 3.50 d
— Unehrlich. Drama. (75) 8° Ebd. 03.   1.50 d
— Anna Willing. Schausp. (28) 8° Cass., (Gebr. Gotthelft) 04.
     — 50 d
Wolff, LC: General-Bericht üb. d. Torfversuche zu Oldenburg
im Grossherzogt. (Monat Novbr '01). (56 u. 4 m. 5 graph. Taf.)
4° Berl., L Simion Nf. 04.   3 —
Wolff, M, s.: Maimūnī's, M, 8 Capitel.
Wolff, M: Die Interpretirkunst d. deut. Patentamtes in d.
Bock'schen Patentprozessen. (119) 8° Köln, (J & W Boisserée)
01.   1 — d
Wolff, M: Die Neugestaltg d. Familienfideikommissrechts in
Preussen. (114) 8° Berl., C Heymann 04.   3 —
— Die Ordng d. Rechtsstudiums a. d. 1. jurist. Prüfg im Kgr.
Preussen, s.: Daude, P.
— Des Recht z. Besitze. [S.-A.] (32) 8° Berl., O Liebmann 03. 1 —
— Die Zwangsvollstreckg in d. Schuldner nicht gehör. be-
wegl. Sache. [S.-A.] (24) 8° Berl., V Vahlen 05.   — 80
Wolff, M Frhr v.: Untersuchgn z. Venezianer Politik Kaiser
Maximilian I. währ. d. Liga v. Cambray m. bes. Berücks.
Veronas. (181) 8° Innsbr., Wagner 05.   3.50
Wolff, MJ: Die Rächerin u. and. Novellen. 1. u. 2. Afl. (273) 8°
Berl., F Fontane & Co. 05.   3 —; geb. 4 — d
— William Shakespeare. Studien u. Aufsätze. (410) 8° Lpzg 03.
Berl., F Fontane & Co.   3.50; geb. 5 — d
— Tanz d. Gedanken. Gedichte. Neue Ausg. (179) 8° Berl. (02).
     3 —; geb. 4.30 d
— Irene Wesenburg. Roman. 1. u. 2. Afl. (284) 8° Berl., F Fontane
& Co. 05.   3 —; geb. 4 — d
Wolff, O: Beuron. Bilder u. Erinnergn a. d. Mönchsleben d.
Jetztzeit. 5. Afl. (225) 8° Stuttg., Süddeut. Verl.-Bh. 05. 2 —;
     geb. 3 — d
Wolff, P: Westpreuss. Herdb., Fortsetzg, s.: Herdbuch.
Wolff, PA: Preciosa, s.: Bibliothek d. Gesamtlitt.
Wolff, PMC: Tierarzneib., s.: Haselbach, H.
Wolff, R: Grammatik d. Kinga-Sprache (Deutsch-Ostafrika,
Nyassagab.), s.: Archiv f. d. Studium deut. Kolonialsprachen.
Wolff, RE, s.: Rudelli, W.
Wolff, T: Das Reichsges. üb. d. Zwangsversteigerg u. Zwangs-
verwaltg, s.: Kommentar z. BGB. u. s. Nebenges.
— Das Wildschadenges., s.: Holtgreven, A.
Wolff, T, s.: Wolff-Thüring, T.
Wolff, U, s.: Frank, U.
Wolff, W: Die Arbeiter-Versicherg in Grossbritannien, s.:
Zacher, d. Arbeiter-Versicherg im Ausl.
Wolff, W: Ist Harnack's „Wesen d. Christentums" e. Ergebnis
geschichtl. Forschg? (29) 8° Kass., E Röttger (01).   — 30 d
— Die drch. Zerstörg d. ev. Kirche in Deutschl., bes. in Preussen
u. ihre Abwehr. (40) 8° Cassel, wie vorig. J Braun (03).   — 50 d
— Wie predigen wir d. Gemeinde d. Gegenwart? [S.-A.] 05. —
— Wie predigen wir d. Gemeinde d. Gegenwart? Konferenz-
vortr. (54) 8° Giess., A Töpelmann 04.   1 — d
— Preussens Werdegang. Festrede. (8) 8° Odenk., J Rummel
01.   — 30 d
Wolff, W: Stoffberechngs-Tab. f. alle Zweige d. Confection. —
Maass-Anleitg f. Damen-, Herren- u. Wäsche-Confection. —
Der Confectionär od. d. Kunst, durch Selbstunterr. sich in
ein. Stunden z. perfecten Confections-Einkäufer, Confections-
Verkäufer od. Confectionär auszubilden. — Des Handigs-
gehülfen u. d. Chefs Rechte u. Pflichten. — Der Cassen-
Control od. d. sicherste Controlle, sofort anzugeben, wie viel
jedes Metermaass u. and. Waaren u. allen vorkomm. Preisen
kostet. (64 m. Abb. u. 2 Tab.) 12° Hannover (Lützowstr. 4
Selbstverl. (01). || 2. Afl. (76 m. Abb. u. 2 Tab.) 02. Je 1 — d
4. Afl. u. d. T.:
— Wie bilde ich mich zu e. gewandten Verkäufer? Stoffberechngs-Tab. f. alle Zweige d. Confection usw. 4. Afl. (120
m. 2 Taf.) 8° Ebd. (05).   Kart. 1 — d
Wolff, W, u. Wiener u. Pariser Schnittmuster f. Taillen, Jackets
u. Morgenröcke in Orig.-Grössen v. 80 bis 116 cm Oberweite,
nebst Rechschnittmuster u. Aermelschnittmuster. 2. Afl. Fol.
[S.-A.] 8° Ebd. (05).   Kart. 3 — d
Wolff, W: Prakt. Rathgeber f. Gartenfreunde. (366 m. Abb.) 8°
Berl., R Mosse (01).   3 — d Vergr.
Wolff-Beckh, B: Joh. Friedr. Böttger, d. deut. Erfinder d. Por-
zellans. (48 m. 1 Bildnis.) 8° Stegl. bei Berl., FGB Wolff-
Beckh 03.   1 —

Wolff-Beckh, B: Gedichte. 2. Afl. (68) 12° Stegl. b/Berl., FGB
  Wolff-Beckh (03). Kart. 1 — d
— Das Recht d. bild. Künstlers u. d. Kunstgewerbetreib. (79)
  8° Ebd. 03. 1.20
— Kaiser Titus u. d. jüd. Krieg. [S.-A.] (35 m. 1 Bildnis.) 8°
  Ebd. 05. 1.80
Wolff-Immermann, F: Beitr. z. Kenntnis d. Höhenklimas. [S.-A.]
  (32) 8° Münch., Seitz & Sch. 02. 1 —
Wolff-Meder, M: Die Macht d. Guten. Roman. (373) 8° Berl.,
  O Janke (02). (4 —) 2 — d
Wolff-Thüring, T (T Wolff): Die Amazone, s.: Eckstein's Illustr.
  Romanbibliothek.
— Rote Byzantiner! Eine moral. u. krit. Würdigg d. Sozial-
  demokratie u. ihrer Führer. (38) 8° Lpzg, O Gracklauer 03.
  — 50 d
— Frauenschlacht. Ein krit. Bericht z. Frauenfrage. (120) 8°
  Zür., C Schmidt 04. 1.60 d
— Leiden u. Leidenschaften. Seelenskizzen. (110) 8° Berl., Herm.
  Walther 02. 1.30 d
— Philosophie d. Gesellschaft. I. Tl. Individualismus u. Sozialis-
  mus. (231) 8° Berl., R Schröder (03). 4 —
— Krit. Studien. 1. Heft. (47) 8° Ebd. 03. — 40
— Arme Sünder! Novellen. (135) 8° Zür., C Schmidt 04. 1.60 d
— Wilhelm II. Eine krit. u. Charakterstudie. (36) 8° Ebd. 03. — 80 d
Wolffberg, L: Schutzmassregeln geg. d. Augeneiterg d. Neu-
  geborenen u. geg. Ansteckg durch dieselbe. (16 m. 1 Abb.)
  8° Dresd., Steinkopff & Spr. 02. — 60
— s.: Wochenschrift f. Therapie u. Hygiene d. Auges.
Wolffenstein, s.: Cremer.
Wolffenstein, E: Mora accipiendi d. gemeinen Rechts u. Gläu-
  bigerverzug d. BGB. (82) 8° Berl., HW Müller 02. 1.60
Wolffgarten: Dienstvorschriften f. d. Volkssch. H. Tl. Der
  Lehrer im Amte. Enth. d. üb. Schulpflicht, Dispensationen,
  Schulentlassg, Schulversäumnisse, Schulgesundheitspflege,
  Schulzucht u. d. Fürsorgeerziehg erlass. behördl. Anordngn,
  insbes. d. kgl. Regierng in Düsseldorf u. Arnsberg. (336) 8°
  Ess., GD Baedeker 03. 4.50 (I u. II.: 8.50; Einbde in L. je 1 —) d
  Den I. Tl bildet: Der Lehrer im Unterr.
— Sammlg d. f. Präparandenanst., Lehrer- u. Lehrerinnen-
  seminare, höh. Mädchensch., Taubstummen- u. Blindenanst.
  ergang. Bestimmgn u. Verordngn. (856) 8° Ebd. 05. L. 14 — d
Wolffhügel, K, s.: Zeitschrift f. Infektionskrankh. usw. d.
  Haustiere.
Wolffing, J: Die rechtl. Stellg d. Nebenklägers im deut. Straf-
  verfahren, s.: Abhandlungen, strafrechtl.
Wolffing, E: Mathemat. Bücherschatz, s.: Abhandlungen z.
  Gesch. d. mathemat. Wiss.
Wölfflin, E v., s.: Archiv f. latein. Lexikogr.
— Zur Composition d. Historien d. Tacitus. [S.-A.] (50) 8° Münch.,
  (G Franz' V.) 01. — 80
Wölfflin, H: Die Kunst Albr. Dürers. (316 m. Abb.) 8° Münch.,
  Verl.-Anst. F Bruckmann 05. 10 —; geb. 12 — d
— Die klass. Kunst. Einführg in d. italien. Renaissance. 3. Afl.
  (272 m. Abb.) 8° Ebd. 04. 9 —; L. 10 —
Wolfgang: Lose Lieder. (52) 8° Lpzg, O Mutze 05. 1 — d
Wolfgang, E: Das Bärble v. Schwarzenbeur. — Treue um
  Treue. — Ein sel. Weihnachtsfest, s.: Kleinkindergarten.
Wolfgarten, G: Ave Maria. Vollständ. Gebeth. f. fromme Ver-
  ehrer d. hochgebenedeiten Gottesmutter. 4. Afl. (447 m. Titel-
  bild.) 7×11 cm. Kevel., J Thum 04. L — 90 d
— Deklamationsb. f. christl. Ver., bes. Gesellenver. 4. Afl. (642)
  12° Freibg i/B., Herder (01). 2.40; geb. 3.40 d
— Ganz kurze Frühreden. 3 Jahrgänge. 2. Afl. (Neue [Tit.-
  Ausg.) (606) 8° Rgnsbg, J Habbel [1900] (03.) ll 3. u. 4. Afl. (707)
  04. Je 5.25; HF. je 6.40; auch in 7 Lfgn zu — 75 d
— Himmelsbrot. Kurzes Gebetbüchl. f. kathol. Christen. 150—
  150. Taus. (221 m. Titelbild.) 16° Kevel., J Thum 01. L — 50 d
— Jesus, meine Zuversicht! Mess-, Beicht-, Kommunion-An-
  dachten usw. 2. Afl. (192 m. Titelbild.) 6,5×11 cm. Ebd. (03),
  geb. m. G. 1.85 d
— Stern d. Heils! Vollständ. Gebet- u. Andachtsb. f. Katho-
  liken. 60—70. Taus. (408 m. Titelbild.) 16° Ebd. (02). Ldr 1.25 d
Wolfgruber, M: Beichtbüchl. (147 m. Titelbild.) 16° Linz, Press-
  ver. 05. Geb. — 50 d
— Beicht-Unterr. f. Erwachsene m. dazugehör. Beicht- u. Kom-
  munionandacht. (191) 11,3×6,7 cm. Salzbg, A Pustet (04).
  Kart. — 50 d
Wolfhagen, E: Pädagog. Studien, s.: Pfeil, E.
Wolfhard, A: Kampf u. Friede. Gedichte. (95) 8° Hdlbg, Ev
  Verl. 03. 1 — d
Wolfhardt, H: Mächte d. Finsternis, s.: Weichert's Criminal-
  Bibliothek.
Wölfler, A, u. G Doberauer: Kunstfehler in d. Chirurgie, s.:
  Handbuch d. ärztl. Sachverständigen-Tätigk.
Wolfram, C: Feuerwehr in Dorf u. Stadt. Eine Reihe leb.
  Bilder a. d. Feuerwehrleben, m. verbind. Text u. Musikbe-
  gleitg. (12) 8° Berl., M Böhm (02). 1 — d
Wolfram, CG: Gesch. d. Stadt Metz, s.: Städte u. Burgen in
  Elsass-L.
  — s.: Kunstdenkmäler, elsäss. u. lothring.
Wolfram, Frau E, s.: Wolf-Rabe, F.
Wolfram, E: Irrlicht u. Sonnentau. (148) 8° Dresd., E Pierson
  01. 2 —; geb. 3 —
— s.: Wochenschrift, süddeut.

Wolfram, EH: Führer durch d. Umgebg v. Dillenburg, Dill.,
  Lahn- u, Sieggebiet zw. Rothaargebirge u. Westerwald. 2. Afl.
  (107 m. 1 Karte.) 8° Dillenbg, (C Seel's Nf.) 01. 1 —
Wolfram, G: Die hannov. Armee u. ihre Schicksale in u. n.
  d. Katastrophe v. 1866, s.: Cordemann.
Wolfram v. Eschenbach, hrsg. v. A Leitzmann, s.: Textbibliothek, altdeut.
— hrsg. v. K Marold, s.: Hartmann v. Aue.
— Auswahl, s.: Hagen, P. — Hartmann v. Aue.
— Parzival, z. Gebr. an höh. Lehranst. übers. u. eingerichtet
  v. G Bötticher. Kleine Ausg. 2. Afl. (205) 8° Berl., Friedberg
  & M. 03. 1.25 d
— dass. Neu bearb. v. W Hertz. 3. Afl. (562) 8° Stuttg., JG
  Cotta Nf. 04. 6.50; HF. 8.50 d
— dass. Rittergedicht. Ausz. z. Schulgebr., hrsg. v. F Polack.
  4. Afl. (73) 8° Lpzg, BG Teubner 05. — 60; geb. — 90 d
— dass., s.: Teubner's, BG, Sammlg. deut. Dicht- u. Schrift-
  werke (G Bornhak). — Universal-Bibliothek. — Velhagen &
  Klasing's Sammlg deut. Schulausg. (G Legerlotz).
— dass. u. Titurel, hrsg. v. E Martin, s.: Handbibliothek, germanist.
Wolfring, L v.: Was ist Kinderschutz?, s.: Rechtsschutz d.
  Jugend.
Wolfrum, A: Die Grundz. d. chem. Didaktik. Studie üb. d.
  Studium d. Chemie u. d. Laboratoriumsunterr. (147) 8° Lpzg,
  W Engelmann 03. 6 —
— Die Methodik d. industriellen Arbeit als Teilgebiet d. In-
  dustriekde bezw. d. techn. Chemie. (310) 8° Stuttg., F Enke
  04. 8 —
— Chem. Praktikum. 2 Tle. 8° Lpzg, W Engelmann. L. 38 —
  1. Analyt. Übgn. (562 m. Fig.) 02. 10 —
  2. Präparative u. fabrikator. Übgn. Mit e. Atlas u. d. T.: „Die Appa-
  rate d. chem. Technik u. d. Laboratoriums sowie d. Einrichtg voll-
  ständ. Betriebe". (560 m. Fig. u. Atlas, 156 m. Fig. u. 21 Taf. in gr° 02.
  28 —; Text allein 15 —; Atlas allein 20 —
Wolfrum, L: Beitr. z. Pathogenese d. Hirnapoplexie, s.: Ab-
  handlungen, Münch. medizin.
Wolfrum, M: Zur Reform d. Börsenwesens. (43) 8° Auss., A
  Becker 04. 1 —
— Das internat. Übgskontor z. Gebr. an Handelhochsch. u.
  Handelsakad. (480 m. 1 Taf.) 8° Olm., F Grosse 01. 6 —
— Das kaufmänn. Unterr.-Wesen in d. Verein. Staaten v. Nord-
  Amerika. (52) 8° Auss., (A Becker) (03). 1 —
Wolfsberg, K v.: Der Epauletten wegen. Schausp. (74) 8°
  Dresd., H Kramer 05. 1 — d
— Kl. Grossstadt- u. gr. Kleinstadt-Geschichten. Ausgew. Hu-
  moresken. (111) 8° Ebd. 04. 2 —; geb. 3 — d
— Liebe u. Leben. Lyr. Gedichte. (80) 8° Ebd. 04. 2 —;
  geb. 3 — d
— Neue Lieder. 66 ausgew. lyr. Gedichte. (80) 8° Ebd. 04.
  2 —; geb. 3 — d
Wolfschläger, C: Erzbischof Adolf I. v. Köln als Fürst u.
  Politiker (1193—1205), s.: Beiträge, Münstersche, z. Geschichts-
  forschg.
Wolfsdorf, E: Die Auferstehg d. Toten. — Das Gebet. — Das
  jüngste Gericht. — Gotteswort od. Menschenwerk? — Auf
  d. Grenze zweier Weltanschaungn. — Jesu Lehre, s.: Volks-
  schriften z. Umwälzg d. Geister.
— Der Kampf um d. höchsten Güter d. Menschh. (28) 8° Babng,
  Handels-Dr. u. Verlagsh. (02). — 30 d
— Warum bin ich d. Landeskirche ausgetreten? Antritts-
  vortr. (16) 12° Ebd. (02). — 20 d
Wolfsgruber, C, s.: Abteien u. Klöster in Österr.
— Die k. u. k. Hofburgkapelle u. d. k. u. k. Hofkapelle. (638
  m. Abb. u. 11 Taf.) 8° Wien, Mayer & Co. 05. 20 —; geb. 24 —
— Das Kaiser Ferdinand-Kruzifix in d. k. u. k. Hofburgkapelle
  in Wien. 3 Predigten. (31 m. 1 farb. Abb.) 8° Ebd. 05. 1.50 d
— Predigt, geh. z. Sekundiz, d. Bischof Dr. Laurenz Mayer
  am 11. X. '03 in d. k. u. k. Hofburgkapelle gefeiert hat. (20
  m. Titelbild.) 8° Ebd. 03. — 60 d
— Der Rosenkranz. 5 Predigten. (45 m. 1 Taf.) 8° Wien, H
  Kirsch 01. — 80 d
— Die Schönh., Heiligk. u. Wahrh. d. kathol. Kirche. 3 Pre-
  digten. (27 m. 1 Bild.) 8° Wien, Mayer & Co. 01. — 60 d
Wolfsgruber, R: Illustr. Führer im Kurorte Gmunden am
  Traunsee u. dessen Umgebg. 7. Afl. (82 m. 1 Panorama u.
  u. 3 Kart.) 8° Gmund., (E Mänhardt) 03. 1.20
Wolfshagen, G v., s. a.: Carl, C. — Cassau, K. — Ilmenau, O v.
— Die Pluderhosen d. Junkers v. Bützow. Die Ueberschwemm-
  ten. Ein Päckchen Briefe. Heimchen, s.: Ensslin's Roman-
  a. Novellenschatz.
Wolfshofer, B: Was muss man v. d. Milch-, Butter- u. Käse-
  wirtschaft wissen? (80) 8° Berl., H Steinitz (04). 1 — d
— Wie schützt man sich geg. Raubzeug u. Ungeziefer jeder
  Art? (78 m. Abb.) 8° Ebd. (02). 1 — d
Wolfskehl, K: Ges. Dichtgn. (135) 8° Berl., G Bondi 03. 2.50
Wolfsohn, J: Der Einf. Gazali's auf Chisdai Crescas. (78) 8°
  Frankf. a/M., J Kauffmann 05. 2 —
Wolfstrigl-Wolfskron, M Reichsritter v.: Die Tiroler Erz-
  bergbaue. 1301—1665. (473) 8° Innsbr., Wagner 03. 10 — d
Wolgast, H: Die Bedeutg d. Kunst f. d. Erziehg. Vortr. (23)
  8° Lpzg, E Wunderlich 03. — 50
— Das Elend uns. Jugendlit. 3. Afl. (225) 8° Lpzg, BG Teubner
  05. 2.40 d

Wolgast, H: Schöne alte Kinderreime. Für Mütter u. Kinder ausgew. (79) 16° Hambg 02. (Lpzg, Leipz. Buchdr.)
Kart. † — 30 d
— dass. (Neue Ausg.) (88) 8° Münch., Verl. d. Jugendblätter (04), Kart. — 60°; Luxusausg. geb. 1.20 d
Wolkan, R: Die Briefe d. Eneas Silvius vor ar Erhebg auf d. päpstl. Stuhl. [S.-A.] (19) 8° Wien, (A Hölder) 05. — 40
— Die Lieder d. Wiedertäufer. (295) 8° Berl., B Behr's V. 03. 8 —
Wolkenhauer, W, s.: Blätter, deut. geograph.
— Landeskde d. freien Hansestadt Bremen u. ihres Gebietes. 5, Afl. (40 m. Abb. u. Kart.) 8° Bresl., F Hirt 05. Kart. — 50 d
— Lehrb. d. Geogr. — Leitf. f. d. Unterr. in d. Geogr., s.: Daniel, HA.
Wolkenstein, LA: 13 Jahre in d. Schlüsselburger Festg. (In russ. Sprache.) (96) 8° Berl., H Steinitz 02. 2 —
— dass. Uebers. v. H Paul. Und Anderes. (94) 8° Neuweissens., E Bartels (o. J.). 2 — d
Wolkenstein-Rosenegg, A Graf, s.: Rodank, A v.
Wölkerling, W: Das Wichtigste a. d. reinen u. angewandten Chemie in Einzeldarstellgn f. d. Oberst. mehrklass. Volks- u. Bürgersch. 2. Afl. (59 m. Abb.) 8° Potsd., A Stein (02). — 80°; kart. 1 — d
Wolkonski, Fürst: Eine merkwürd. Gesch., s.: Gabelsberger-Bibliothek.
Wolkonski, Fürstin MN: Memoiren, m. Vorwort u. Beil. hrsg. v. Fürsten MJ Wolkonski. Aus d. Russ. v. C v. Gütschow. (144) 8° Lpzg, B Elischer Nf. (05). 2.50 d
Wolkonsky, Fürst S: Bilder a. d. Gesch. u. Lit. Russlds. Uebers. v. A Hippius. 2. [Tit.-]Ausg. (317) 8° Gotha, FE Perthes [1898] 05. 5 — d
Wolkonsky, Fürst G: Ein Blick auf d. heut. Lage Russlds. (In russ. Sprache.) (48) 8° Stuttg., JHW Dietz Nf. 03. 2 —
— Mitteilgn an d. Red. d. Zeitg „Das Recht" z. Prozess MA Stachowitsch geg. Fürst WP Meschtschersky. (In russ. Sprache.) (39) 8° Berl., H Steinitz 05. 2 — d
Woelky, CP, s.: Urkundonbuch, neues preuss.
Woll, KA: Pfälz. Gedichte. 5. Afl. (164) 8° Hdlbg, K Groos 01. 1.50; geb. 2.50 d
— Neue Ausg. Gedichte. Aus s. Nachlasse ges. u. hrsg. v. E Woll. (96) 8° St. Ingbert, H Eder 02. 1 —; L. 1.60; m. G. 1.80 d
Wollebaek, A: Uebersicht üb. d. Seefischerei Schwedens, s.: Trybom, F.
Wollemann, A: Bedeutg u. Aussprache d. wichtigsten schulgeograph. Namen. (68) 8° Brnschw., W Scholz 05. 1 —
— Die Fauna d. Lüneburger Kreide, s.: Abhandlungen d. kgl. preuss. geolog. Landesanst.
Wollen, deut.! Eine nationale Bücherei, geleitet v. O Hötzsch u. W Graef. 1. u. 2. Bd. 8° Prenzl., A Mieck. 1.80 d
Beckmann, F: Die Kämpfe um d. akadem. Freiheit einst u. jetzt. (84) 05. [1.] — 90
Kuhlenbeck, L: Das Evangelium d. Rasse. Briefs üb. d. Rassenproblem. (72) 05. [2.] 1 —
— ernstes. Halbmonatsschrift. Hrsg. v. Mitarbeitern d. früheren Versöhng M v. Egidys. Eigentümer: R Deutsch u. JJ Driesmans. Schriftleitg: H Driesmans. 3. Jahrg. Apr. 1901—März 1902. 24 Nrn. (384) 8° Berl. Lpzg, Deut. Kultur-Verl. Viertelj. 1.50; einz. Nrn — 30 d
— dass. Nebst Beil.: Die Kunst im Leben d. Kindes. Schriftleitg: W Spohr. 4. u. 5. Jahrg. Apr. 1902—März 1904 je 24 Nrn. (Nr. 61. 16 u. 8) 8° Ebd. Viertelj. 1.50; einz. Nrn — 30 d
— dass. Monatsschrift f. aufbauende Kulturbewegg. Eigentümer: R Deutsch u. H Driesmans. Schriftleitg: H Driesmans. Mit d. Mitteilgn d. Vereinig „Die Kunst im Leben d. Kindes. Schriftleitg: CLA Pretzel. 6. Jahrg. Apr. 1904—März 1905. 12 Nrn. (Nr. 109. 40 u. 8) 8° Ebd. Viertelj. 1.50; einz. Nrn — 30 d
Fortsetzg s. u. d. T.: Kultur, deut.
Wollenberg, A: Nietzsche's Gigantomachie. Vortr. (21) 8° Güstr., Opitz & Co. — 40 d
Wollenberg, R: Hdb. d. gerichtl. Psychiatrie, s.: Hoche, A.
— Die Hypochondrie, s.: Pathologie u. Therapie, spec.
— s.: Lehrbuch d. Psychiatrie.
— Üb. d. Querulieren Geisteskranker, s.: Grenzfragen, juristisch-psychiatr.
Wollen-Gewerbe, d. deut. Zeitschrift f. d. ges. Wollen-Industrie, Baumwollen-Industrie u. d. bezügl. Geschäftsbranchen. Red.: C Löbner. 33—37. Jahrg. 1901—15 je 104 Nrn. (1901. Nr. 1 —38. 460 m. Abb.) 4° Grünbg, Löbner & Co. Viertelj. 3 — d
Wollensack, A: Beobachtgn, Fragen u. Aufg. a. d. Geb. d. elementaren astronom. Geogr., s.: Rusch, G.
— Astronom. Geogr. — Himmelskde, s.: Rusch, G, Lehrb. d. Geogr.
Wollensak, J: Nach d. Tages Last u. Arbeit. Deklamationsb. f. christl. gesell. Vereine. (384) 12° Ravnsbg, F Alber (02). Geb. 2.70 d
Wollenzien, J: Examinatorium f. d. Subaltern-Beamten d. kgl. preuss. Justizbehörden, s.: Conradi.
— u. W Jacobeit: Die gerichtl. Kalkulatur in Preussen. 2. Afl. (In ca 10 Lfgn.) 1—3. Lfg. (1—240) 8° Lpzg, Rossberg'sche Verl.-Bh. 05. Je 1.50 d
Woller, T: Bauernbrett'ln. (144) 8° Budap. (03). (Wien, G Szelinski.) 1.70
— Unterspicktes. Anekdoten, Scherze, Rätsel etc. 1—8. Dosis. (128) 8° Ebd. 06. Je — 40; in 1 Bd geb. 2.50
— Zwischenbrettl. Sammlg v. Couplets, humorist. Vorträgen,

Solo- u. Duo-Scenen. 1—3. Taus. (217) 8° Wien, E Beyer (01). — 2 — d
Wöller's Comptoir-Kalender (in Monatsstab.) f. 1906. (14 auf Karton in Leporelloform.) 31×16 cm. Lpzg, IT Wöller. — 50
— Jugendbibliothek. 1—4. Bdchn. (Mit je 1 Titelbild.) 8° Ebd. Je — 75; kart. je 1 — d
Alberti, E: Hüben u. drüben od.: Von Düppel u. Alsen. Erzählg. a. d. schleswigholstein. Kriege im J. 1864. 7. Afl. (107) (04.) [2.] ‖ Am Rhein währ. d. Belagerg u. Übergabe Strassburgs im J. 1870. 2. Afl. (107) (04.) [3.]
Rierhed, O: Die Buschmühle od. Elterausegen — Gottessegen. (Neue Afl.) (144) (04.) [4.]
Köhne, A: Die Rosen v. Gorze. — Die Waisenknaben. 2 geschichtl. Erzählgn a. d. Zeit d. französisch-deut. Krieges 1870/71. 2. Afl. (114) (04.) [5.]
Wöller, R: Die Schulzucht u. d. körperl. Züchtigg, s.: Für d. Schule a. d. Schule.
Wollermann, G: Studien üb. d. deut. gerätnamen. (81) 8° Parch. 04. Brnschw., H Wollermann. 1.50
Wollermann, T: Wie überwinden wir Aerzte uns. wirtschaftl. Not? (46) 8° Lpzg, W Schumann Nf. 02. 1 —
— Wundbehandlg u. Blutstillg. (118) 8° Ebd. 02. Geb. 1.50 d
Wollff, K: Soz. Geist. Sein Wesen u. s. Entfaltg. (152) 8° Mannh., E Aletter 01. 2.40 d
— Katech. d. Frauenbewegg. (84) 8° Lpzg, BG Teubner 05. 1 — d
Wollinger, J: Deut. Leseb. f. Realsch. u. verwandte Lehranst. 1. u. 2. Tl. Neue Afl. v. E Pitzer. 8° Rgnsbg, F Pustet. 4.20; Einbde je — 60 d
1. Für 1. u. 2. Kl. 5. Afl. (392) 02. 2.20 ‖ 2. Für 3. u. 4. Kl. 2. Afl. (352) 2 —
Wollmann, F: Sprachübgn, s.: Merth, B.
— Der deut. Sprachunterr. in d. Volks- u. Bürgersch. auf Grundsätzen R Hildebrands. Mit bes. Berücks. d. Sprachinhaltes. 1—3. Afl. (58) 8° Wien, A Pichler's Wwe & S. 02-04. 1 — d
Wollner, B: Die Verstaatlichg d. Arbeitsvermittlg. Vortr. (15) 8° Prag, (G Neugebauer) 01. — 60 d
Wollny, F: Moderne Cultur. (37) 8° Berl., (L Simion Nf.) 05. 1 — d
— Berliner Fragen. Etwas auf d. Weg in d. neue Jahrb. (111) 8° Berl., Herm. Walther 01. 1 — d
— Gedanken, welche d. projectirte Bau d. Unterpflasterbahn in Berlin erwecken kann. (20) 8° Ebd. 02. — 30 d
— Kritiken u. Erklärgn. (90) 8° Ebd. 01. 1.50 d
— Leitf. d. Moral. 2. Afl. (60) 8° Lpzg, T Thomas (03). 1 — d
— Der Materialismus im Verhältniss zu Relig. u. Moral. 3. Afl. (78) 8° Ebd. 02. 1.50 d
— Naturwiss. u. Occultismus. (22) 8° Berl., Herm. Walther 02. — 50 d
Wollpert, JG: Was d. Gebet vermag. 3. Afl. (148) 8° Stuttg., Christl. Verlagshaus (02). — 80; L. 1.25 d
Wollschack, T, s.: Telfen, CW.
Wollwarth-Lauterburg, Frhr G v., s.: Ferroviarius.
Wollwarth, E: Schülerhandk. d. Grossh. Baden, s.: Schwarz, W.
Wollwerth, V: Heimatskde v. preuss. Reg.-Bez. Kassel (Kurhessen). 6. Afl. (58 m. Abb., Titelbild u. 1 Karte.) 8° Frankf. a/M., Kesselring (05). — 50 d
— dass. v. preuss. Reg.-Bez. Wiesbaden (Nassau). 19. Afl. (56 m. Abb., Titelbild u. 1 Karte.) 8° Ebd. (05). — 40 d
— Karte d. Stadt- u. Landkreis Frankfurt a/M. 1:110,000. 35,5×37,5 cm. Farbdr. Ebd. (05). nn — 15; auf L. nn — 30
— Plan d. Stadt Frankfurt a/M. 1:15,000. 35,5×43,5 cm. Farbdr. Ebd. (05). nn — 25; auf L. nn — 50
— Schulbandk. d. preuss. Prov. Hessen-Nassau. 1:643,000. 33×<0,5 cm. Farbdr. Ebd. (05). — 90; auf L. 1 — 50
— dass. v. preuss. Reg.-Bez. Kassel (Kurhessen). 1:643,000. 33,5×37,5 cm. Farbdr. Ebd. (05). — 20; auf L. — 40
— dass. v. preuss. Reg.-Bez. Wiesbaden (Nassau). 1:450,000. 34,5×25 cm. Farbdr. Ebd. (05). — 20; auf L. — 40
— d. Grossh. Baden. 1:600,000. 16. Afl. 34,5×25,5 cm. Farbdr. Giess., E Roth 02. — 20; auf Pappe — 35
Wolpert, A: Theorie u. Praxis d. Ventilation u. Heizg. 4. Afl. in 5 Bdn. Bearb. v. A u. H Wolpert. 3. u. 4. Bd. 8° Berl., W & S Loewenthal. 28 — (1—4.: 50 —; Einbde in HF. je 2 —) (05.) 13 —
Wolpert, H: Die Tageslichtmessg in d. Schulen, s.: Gotschlich, F.
Wolschner, A: Leitf. d. Zool., s.: Hillmann, R.
Wolseley, Viscount: Die Gesch. e. Soldatenlebens. Uebersetzg. 2 Bde. (866 u. 355 m. Bildnis u. Plänen.) 8° Berl., K Siegismund 05. 12 —; L. 15 — d
Wolter, A: Führer in d. Feldmess- u. Nivellierkunst. Zum Gebr. in landw. u. ähnl. Lehranst., sowie z. Selbstunterr. 3. Afl. v. C Gieseler. (112 m. Fig. u. 1 Pl.) 8° Berl., E Freyhoff 02. L. 1.80 d
Wolter, C: Korea, einst u. jetzt. [S.-A.] (15) 8° Hambg, L Friederichsen & Co. (02). 1 — d
Wolter, E: Frankr. Gesch., Land u. Leute. Lese- u. Realienb. f. d. franzos. Unterr. (In 2 Tln.) 2. Tl. La France et les Francais. Lectures pratiques. — Correspondance. 3. Afl. (806 m. 7 Pl. u. 1 Karte.) 8° Berl., Weidmann 05. Wrtrb. (78) — 30 d
— Lehr- u. Leseb. d. französ. Sprache. 2. Tl. 3. Afl. (455) 8° Ebd. 03. Geb. 4.40 d
Wolter, F: Die Entstehgursachen d. Gelsenkirch. Typhusepidemie v. 1901, s.: Emmerich, R.

Wolter, FA: Gesch. d. Stadt Magdeburg v. ihrem Ursprg bis auf d. Gegenwart. 3. Afl. (336 m. Abb. u. 1 Karte.) 8º Mgdbg, Faber'sche Buchdr. 01. 4.50; geb. 5 —; L. 6 —;
 Liebhaberausg. 8 —; HF. 10 — d
Wolter, L: Konstruktions-ABC d. Bautechnikers, s.: Sammlung v. Kompendien f. d. Studium u. d. Praxis.
Wolter, M: Ein Sonntag in Friedensfeld auf St. Croix. — St. Jan u. s. Missionar, s.: Traktate, kl., a. d. Brüdermission.
Wolter, M: Psallite sapienter. Psalliert weise! Erklärg d. Psalmen im Geiste d. betracht. Gebets u. d. Liturgie. 3. Afl. (In 5 Bdn.) 1. u. 2. Bd. 8º Freibg i/B., Herder. 15.20;
 Einbde in HF. je 1.20; auch in 17 Lfgn zu — 90 d
1. Ps. 1—35. 8 Lfgn. (20,614) 04. 7.30 § 2. Ps. 36—71. 9 Lfgn. (710) 05. 8 —
Wolter-Borbé, C: Der Herr Professor, s.: Gaben, humorist., f. Vergnügsver.
Woltereck, R: Ueb. d. Entwicklg d. Velella a. e. in d. Tiefe vorkomm. Larve, s.: Jahrbücher, zoolog.
 — Trochophora-Studien, s.: Zoologica.
Wolters, F: Studien üb. Agrarzustände u. Agrarprobleme in Frankr. v. 1700—90, s.: Forschungen, sozial- u. staatswiss.
Wolters, O, s.: Literatur, techn.
Wolters, P: Zu griech. Agonen. 30. Programm d. kunstgeschichtl. Museums (M v. Wagner-Stiftcg) d. Univ. Würzburg. Mit d. Jahresberichte f. 1899—1900. (23 m. Abb. u. 1 Taf.) 4º Würzbg, Stahel's V. 04. 1.50
Wolters, W: Siebenschön. Erzählg. (248) 8º Dresd., E Pierson 04. 2.50; geb. 3.50 d
 — n. Königsbrun-Schaup: Der Hochzeitstag, s.: Universal-Bibliothek.
Woltersdorf, F: Die rechtl. Natur d. Mäklervertrags. (62) 8º Berl., Struppe & W. 05. 1.50 d
Woltersdorf, T: Zur Gesch. d. ev.-kirchl. Selbständigk.-Bewegg. Hrsg. v. J Websky. [S.-A.] (75) 8º Berl. 05. Lpzg, M Heinsius Nf. 1.25
Wolterstorff, H: Aus d. Hochgebirge. Erinnergn a. Bergsteigers. (312 m. Abb., Taf. u. 2 Kart.) 8º Mgdbg 02. (Lpzg, OR Reisland.) 7 —; geb. 8 —
Wolterstorff, W: Streifzüge durch Corsica. (35 m. 3 Taf.) 8º Mgdbg, Faber'sche Buchdr. 01. 1.50; geb. 2 — d
 — Die Tritonen d. Untergattg Euproctus Gené u. ihr Gefangenleben, nebst e. Ueberblick d. südwestl. paläarkt. Region. (47 m. 1 farb. Taf.) 8º Stuttg. 02. Lpzg, E Nägele. 1 —
Wolterstorff, RH: De Platone prae-socraticor. philosophor. existimatore et iudice. (215) 8º Leid, Bh. u. Dr. vorm. EJ Brill 04. m 6 —
Woltmann: Wirtschaftsgesch. Deutschlds, s.: Kreuzkam.
Woltmann, L: Polit. Anthropol. Untersuchg üb. d. Einfl. d. Descendenztheorie auf d. Lehre v. d. polit. Entwicklg d. Völker. (326) 8º Eisen. 03. Lpzg, Thüring. Verl.-Anst. 6 —; L. 7 —
 — Die Germanen u. d. Renaissance in Italien. (150 u. 48 m. Bildnissen.) 8º Ebd. 05. 8 —; geb. 10 —
 — Pilgerfahrt. Skizzen a. Palästina. (71) 8º Ebd. 05. 1.50 d
 — s.: Revue, politisch-anthropolog.
 — Die Stellg d. Sozialdemokratie z. Relig. (32) 8º Cobg 01. Lpzg, Thüring. Verl.-Anst. (1 —) — 50
Woltze, P: Die Saalburg. Castellum limitis romani Saalaburgense. Auf Grund d. Ausgrabgn u. d. teilweisen Wiederherstellg durch L Jacobi. 5 Bilder in Farbendr. (darunter e. Doppelbl.). Gotha, FA Perthes 04. 15 —; auf L. m. St. 25 —; einz. Bl.: 1 u. 2: 8 —; auf L. m. St. 12 —; 3—6: Je 3 —; auf L. m. St. je 4.50; Text v. E Schulze. (34 m. 5 Taf.) 8º — 80
1.2. Castellum limitis romani Saalaburgense. 83>61,25,5 cm. § 3. Porta decumana. Sacellum et quae sunt ei vicina. Principia. Atrium cum porticus. 62>63,5 cm. § 4. Limes Germaniae superioris et limes Raetiae. Turris limiti tutando destinata. 83>62 cm. § 5. Fabrica. Canabae. Hypocaustum. 62,5>63,5 cm. § 6. Mithraeum cum fonte perenni. Milbraei pars interior. 83>61,5 cm.
 — dass., s.: Spiel u. Arbeit.
Wolynski, AL: „Das Buch v. gr. Zorn". Nach d. vollständ. russ. Mskr. v. J Melnik. (301 m. 2 Taf.) 8º Frankf. a/M., Lit. Anst. 05. 6 —; geb. 7 —
 — Der moderne Idealismus. Übers. v. J Melnik. (125 m. Titelbild.) 8º Ebd. 05. 3.57; geb. 4.50
 — Die russ. Litt. d. Gegenwart, s.: Essays, moderne, z. Kunst u. Litt.
 — Anton Tschechow. Übers. v. J Melnik. (30 m. 1 Bildnis.) 8º Berl. a/M., Lit. Anst. 04. 1 —
Wolzendorff, G: Gesundheitspflege u. Medizin d. Bibel. (Christus als Arzt.) (63) 8º Wiesb. 03. Lpzg, O Nemnich. 1 —
Wolzendorff, K: Die Grenzen d. Polizeigewalt, s.: Arbeiten a. d. juristisch-staatswiss. Seminar d. kgl. Univ. Marburg.
Wolzogen, EL Frhr v.: Ein unbeschrieb. Blatt, s.: Universal-Bibliothek.
 — Ecce ego. Erst komme ich! Roman. 3. Afl. (430) 8º Berl., F Fontane & Co. 02. geb. 6.50 d
 — Die Entgleisten. Eine Katastrophe in 5 Tagen nebst e. Vorabend. 4. Afl. (347) 8º Ebd. 03. 3.50; geb. 5 — d
 — Feuersnot. Singgedicht. Musik v. R Strauss. (Textb.) (47) 8º Berl., A Fürstner (01). — 80 d
 — Geschichten v. lieben süssen Mädeln. Novellen. 5. Afl. (311) 8º Berl., F Fontane & Co. 02. 2 —; geb. 3 — d
 — Das 3. Geschlecht, s.: Eckstein's illustr. Romanbibliothek.
 — Die Gloriahose. — 's Maikatel u. d. Sexack. 2 Gesch. 4. Afl. (37 m. Abb.) 8º Stuttg., C Krabbe (03). 1 —; Ldr 2.50 d

Wolzogen, EL Frhr v.: Heiteres u. Weiteres. Kl. Geschichten. 4. Afl. (195) 8º Berl., F Fontane & Co. (03). 2 —; geb. 3 — d
 — Das Lumpengesindel. Tragikomödie. 2. Afl. (74) 8º Ebd. 02. 1.50; geb. 2.50 d
 — Was Onkel Oskar m. sr Schwiegermutter in Amerika passierte. 1—7. Afl. (92) 8º Ebd. 04. 1 —; geb. 2 — d
 — Vom Peperl u. and. Raritäten, s.: Bibliothek Langen, kl.
 — Die arme Sünderin, s.: Engelhorn's allg. Romanbibliothek.
 — Ein königl. Weib u. and. Gesch. 4. Afl. (92 m. Abb.) 8º Stuttg., C Krabbe (05). 1 —; Ldr 2.50 d
 — Das Wunderbare. Novelle. 3. Afl. (192) 8º Berl., S Fischer 01. 2 —
 — u. EL v. Wolzogen: Eheliches Andichtbüchlein. (80) 8º Berl., F Fontane & Co. 03. 2 — d
Wolzogen, H v.: Bayreuth, s.: Musik, d.
 — s.: Blätter, Bayreuther.
 — Thematic guide through the music of Parsifal, with a preface upon the legendary material of the Wagnerian drama. Translated by EC Carrick. (77) 8º Lpzg, F Reinboth 04. 2 —
 — Guide to the legend, poem and music of R Wagner's Tristand and Isolde. Translated and illustrated with extracts from Swinburne's Tristram of Lyonesse etc. by BL Mosely. (New ed.) 8º Lpzg, Breitkopf & H. 02. 1 —
 — Der starke Mann. Gespräch. (62) 12º Berl., Schuster & Loeffler 02. 1 — d
 — Raabenweisheit. Zum 70. Geburtstage d. Dichters a. d. Werken W Raabe's ausgew. (174) 8º Berl., O Janke 01. 2 —;
 geb. 3 — d
 — Das Veverl v. Walchensee. Oberbayer. Volkssage in 3 Aufzügen. (100) 8º Berl., F Wunder 02. 2 — d
 — Rich. Wagner, s.: Dichtung, d.
 — Wagner-Brevier, s.: Musik, d.
 — Aus dent. Welt. Ges. Aufsätze üb. dent. Art u. Kultur. (212) 8º Berl., CA Schwetschke & S. 05. 3 —; geb. 4 — d
Wolzogen (Wohlngen), K v.: Schillers Jugendjahre in Schwaben. [S.-A.] (32) 8º Lorch, K Rohm 05. — 10 d
 — Schillers Leben, s.: Handbibliothek, Cottasche.
Wondra, H: Theoretisch-prakt. Musik- u. Harmonielehre, s.: Heinze, L.
Wood, FA: Color-names an their congeners. (141) 8º Halle, M Niemeyer 02. 4 —
 — Indo-European ax: aːxi: aːxu. A study in Ablaut and in Word-formation. (159) 8º Strassbg, KJ Trübner 05. 4 —
Wood, H: Die vereinf. neue Denkspart. Die Möglichk., Harmonie u. Gesundheit zu erlangen. Aus d. Engl. v. L S. (184) 8º Lpzg, Lotus-Verl. (04). 2 —; geb. 3 —
Wood-Allen, M: Wenn d. Knabe z. Mann wird ... (43) 8º Zür., T Schröter's Nf. 04. — 60 d
 — Sag' mir d. Wahrheit, liebe Mutter! (30) 8º Ebd. 04. — 40 d
Woodhead, GS: Wunder u. Christentum. Aus d. Engl. v. C Herrmann. (29) 8º Gr.-Lichterf., C Herrmann 04. — 40 d
Woodroffe, D: Tangled trinities, s.: Collection of Brit. auth.
Woods, ML: Sons of the sword, s.: Collection of Brit. auth.
Woortman, JC: Reductions-Tab. (25) 8º Hambg, Herold 05. 2 —
Wopfner, H: Beitr. z. Gesch. d. freien bäuerl. Erbleihe Deutschtirols im M.-A., s.: Untersuchungen z. dent. Staats- u. Rechtsgesch.
Wordsworth, W: The highland girl, Lucy, She was a phantom of delight, Yarrow visited, s.: Authors, modern Engl. (H Sauer).
Worgitsky, G: Blütengeheimnisse. Eine Blütenbiol. in Einzelbildern. (134 m. Abb.) 4º Lpzg, BG Teubner 01. Geb. 3 — d
 — Pflanzen-Tod, s.: Frank, AB.
Wörishöffer, S: Der letzte Arnsteiner. Roman. (Neue Afl.) (203) 8º Gotha, Verl.-Anst. u. Dr. (H Bartholomäus) (05). 1 — d
 — Das Buch v. braven Mann. Bilder a. d. Wochen. Mit bes. Berücks. d. Gesellsch. z. Rettg Schiffbrüchiger. Der reif. Jugend gewidmet. 6. Afl. (240 m. Abb.) 8º Lpzg, F Hirt & S. (03). 3.50; geb. 5 — d
 — Der Fluch d. Schönheit, s.: Wiemann's Hausbibliothek.
 — Das Geheimnis. Roman. (Neue Afl. v. Geheimnis d. Hauses Wolfram.) (232) 8º Gotha, Verl.-Anst. u. Dr. (H Bartholomäus) (05). 1 — d
 — Geheimnis d. Hauses Wolfram. Roman. (Neue Ausg.) (232) 8º Erf., F Bartholomäus 03. 1 — d
 — Dämon Gold. Roman. (Neue Afl.) (239) 8º Ebd. (05). 1 — d
 — Gerettet a. Sibirien. Erlebnisse u. Abenteuer e. verbannten dent. Familie. Auf Grund e. Erzählg v. Améro u. Tissot f. d. reif. dent. Jugend bearb. 6. Afl. (240 m. Abb.) 8º Lpzg, F Hirt & S. (03). 3.50; geb. 5 — d
 — Kreuz u. quer durch Indien. Irrfahrten zweier junger dent. Leichtmatrosen in d. ind. Wunderwelt. 5. Afl. (629 m. 17 [1 farb.] Bildern.) 8º Stuttg., W Effenberg & Kl. 05. Geb. 9 — d
 — Das Naturforscherschiff od. Fahrt d. jungen Hamburger m. d. „Hammonia" n. d. Besitzgn ihres Vaters in d. Südsee. 7. Afl. (464 m. 24 [1 farb.] Bildern.) 8º Ebd. 05. Geb. 7 — d
 — Um 50,000 Taler. (Sensitive.) Roman. (Neue Afl.) (228) 8º Gotha, Verl.-Anst. u. Dr. (H Bartholomäus) (05). 1 — d
 — Vom Tode erstanden. (Der Väter Schuld.) Roman. (Neue Afl.) (231) 8º Ebd. (05). 1 — d
Woerl's, L, guide books. Majorca. Illustrated guide to Palma and the island of Majorca. (62 m. 1 Pl. u. 1 Karte.) 8º Lpzg, Woerl's Reisebh.-Verl. (05). — 50
 — handbooks for travel. Ramleh, the Eleusinian Riviera and

Alexandria (Egypt). Where is the most suitable winter resort on the Mediterranean coasts? Physiographical and medical notes by C Pecnik. With archaeological notes by J Botti. (121 m. Abb. u. 1 Pl.) 8° Lpzg, Woerl's Reisebb.-Verl. (04). — 1 —

Woerl, L: Die Hebg d. Fremden-Verkehrs in Stadt u. Land. (2e) 8° Lpzg, Woerl's Reisebb.-Verl. 01. — 50 || 2. Afl. (44 m. Abb. u. 1 Karte.) 01. 1 — d
— Manuals of travel. Guide to Heidelberg and its environs. 5. ed. (66 m. Abb., 2 Pl. u. 2 Panoramen.) 16° Ebd. (02). — 50
— Manuels de voyage. Majorque. Guide de Palma et l'île de Majorque. (66 m. Abb., 1 Pl. u. 1 Karte.) 8° Ebd. (05). — 50
— dass. Pecnik, C: Ramleh. La Riviera éleusinienne et Alexandrie (Egypte). Introduction: Où est située la meilleure station climatér. d'hiver des côtes de la Méditerranée? Comparaison entre l'Italie, les Rivieras, Madère, l'Algérie, et Ramleh. Avec notes archéolog. par J Botti. (114 m. Abb., Pl. u. Karte.) 16° Ebd. (01). 1 —
— Orientiergspl. zu d. hauptsächlichsten Sehenswürdigk., öffentl. u. Privatbauten, Denkmälern etc. in Leipzig u. Umgebg. 1 : 15,000. 14,5×18,5 cm. Mit Text auf d. Rücks. Ebd. (01). — 10
— Reisehandbücher. Führer durch nachsteh. Städte u. deren Umgebg. (Mit Abb., Pl. u. Kart.) 8° Ebd. Je — 50

Woerl's, L, Reisehandbücher. Helgoland. Reise-Skizze v. Erzherzog Ludwig Salvator. Nebst kurzem Anh.: Verkehr, Aufenthalt u. hygien. Winke üb. Kuren auf Helgoland u. in d. Nordseebädern. 2. Afl. (58 m. Abb., 6 farb. Taf. u. 1 Karte.) 16° Lpzg, Woerl's Reisebb.-Verl. (01). — 50
— dass. Herbsttage in Venedig. Von H Benjamin. (84 m. Abb. u. 1 Pl.) 16° Ebd. (02). — 50 d
— dass. Mit Rundreisebillet durch Italien. Von E Mager. (282 m. Abb., Pl. u. 1 Karte.) 16° Ebd. 04. 2 — d
— dass. Illustr.Führer durch d.Grossh.Luxemburg nebst Reisepl. f. Radfahrer u. Automobil. (304 m. 6 Kart. u. 1 Pl.) 16° Ebd. (04). 2 —
— dass. Kl. Orientführer f. Reis. n. Unterägypten, Palästina u. Syrien. (248 m. Abb., 3 Pl., 2 Kart. u. 1 Panorama.) 16° Ebd. 01. 2 —
— dass. Plan v. München. 1 : 12,500. 45×50,5 cm. Farbdr. Mit Strassenverz. usw. (auf d. Rücks.). Ebd. 05. — 5
— dass. Schneider, J: Wander-Buch f. Handwerker, Gesellen u. Arbeiter aller gewerbl. Berufsklassen. 3. Afl. (312 m. 1 Karte.) 16° Ebd. 01. 1.50 d
— Reise-Kompass. Wegweiser f. Reisen n. d. besuchtesten Teilen d. Erde nebst e. Zusammenstellg d. einschläg. Woerl'schen Reiseführer etc. (139 m. 2 Kart.) 8° Ebd. (03). — 50 d
— Samoa, Land u. Leute. (48 m. Abb. u. 2 Kart.) 8° Ebd. 01. 1 —
— Die Touristik od. d. Wanderleben in uns. Zeit. (104 m. Abb. u. 1 Karte.) 16° Ebd. 02. 1.50 d
— Wegweiser zu d. hauptsächlichsten Sehenswürdigk., öffentl. u. Privatbauten, Denkmälern etc. in Leipzig u. Umgebg. 3. Afl. (3 m. 1 Pl., 1 Karte u. 10 Ansichtspostk.) 16° Ebd. (03). — 20
World, the Engl. A monthly review. Hrsg. v. HP Junker. 1. Jahrg. 1. Halbj. Jan.—Juni 1901. 6 Nrn. (Nr. 1. 96 Sp. m. Abb.) 8° Lpzg, BG Teubner. 1 —. Jahrg. 6 Nrn. 2 —. ½ Jahrg. 3 —. ¼ Jahrg. France[4] 5 —. ½. Halbj. Juli—Dezbr 1901. 6 Nrn. || 2. Jahrg. 1. Halbj. Jan.—Juni 1902. 6 Nrn. 8° Ebd. 01. m. „La France" 6 — ô F
Wörle, H: Rad-Wanderfahrten durch Schwaben u. Neuburg u. d. östlich angrenz. Gebiet. (389 m. 1 Karte.) 8° Augsbg. (Lampart & Co.) (05). Kart. 1 —
Worm, F: Bur orer Engländer? Entwerer — orer! Plattdüt. Lustsp. (42) 8° Strals., (Bremer) 01. — 50 d
— Hans möt frigen. — Hei will wol frigen äwers blots „Ein". — De Schwigervadder in de Klemm, as! Theater, plattdeut. (27) 8° Ebd. 01. — 50 d
Woermann, K: Gesch. d. Kunst aller Zeiten u. Völker. 3. Bd: Die Kunst d. christl. Völker bis z. Ende d. 15. Jahrh. (719 m. Abb. u. 54 (15 farb.) Taf.) 8° Lpzg, Bibliogr. Instit. 05. 9 —. || 2. u. 3. — 30 —; Einbde in HF. je nn 2 —) d
— Katalog d. kgl. Gemäldegalerie zu Dresden. Gr. Ausg. 6. Afl. (28, 927 m. Abb. u. 2 Pl.) 8° Dresd., (H Burdach) 05. L. 7.50 d
— Kleiner Katalog. 6. Afl. (547 m. Abb. u. 2 Pl.) † 2 —
Wörmcke, M: Die freiwill. Invalidenversicherg u. d. bedeut. Leistgn bei längerer Krankh., dauernder Erwerbsunfähigk. im Alter. [S.-A.] (12) 8° Duckenhuden(-Hamburg,Hermann-str. 5), Selbstverl. (05). — 50 d
Worms, C: Erdkinder. Roman. 3. Afl. (388) 8° Stuttg., JG Cotta Nf. 04. 3.50; L. 4.50 d
— Die Stillen im Lande. 3 Erzählgn a. d. Winkel. (321) 8° Ebd. 05. 3 — L. 4 — d
— Thoms friert. Roman a. d. Gegenwart. 2. Afl. (382) 8° Ebd. 04. 4 —; geb. 5 — d
— Überschwemm. Eine balt. Gesch. (202) 8° Ebd. 05. 2.50: L. 3.50 d
Worms, R: Der Warenzeichenschutz bei Erzeugnissen d. chem. Industrie. (62) 8° Augsbg, Verl. f. chem. Industrie 04. 1 —
Worms, S: Schwazer Bergbau im 15. Jahrh. (177) 8° Wien, Manz 04. 6 —
— Das Gesetz d. Güterconcentration u. d. individualist. Rechts- u. Wirtschaftsordng. I. Bd, 3 Hbbde. 8° Jena, G Fischer. Je 5 —
   I, 1. Das Ges. d. Güterconcentration u. s. Bedeutg f. d. Wirtschaftspolitik. (321) 01.
   2. Die Ges. d. Güterconcentration.
   3. Die Agrar- u. Socialpolitik gegenüber d. Gruppen ohne Wirtschaft. (539—665) 05.
Wormser, JA: Engl. Lügen üb. Transvaal. Aufschlüsse üb. d. Ursachen d. südafrikan. Krieges, sowie üb. d. Unterr. in Transvaal. Deut. v. FE Köhler-Haussen. (63) 8° Lpzg 01. Berl., H Seemann Nf. 1 — d

204

Wormstall, D : 500 Aufsätze. — Aufsätze f. Oberkl., s.: Herold, H.
Wormstall, J : Landeskde d. Prov. Westfalen u. d. Fürsten-
tüm-r Lippe, Schaumburg-Lippe u. Waldeck. 3. Afl. (48 m.
Abb.) 8º Bresl., F Hirt 02.   Kart. — 60 d
— Thusnelda u. Thumelikus. (16) 8º Münst., Aschendorff 02.
                                                              — 50 d
Wörndl, F : Engelsgruss. Dichtg a. Alt-Nürnberg. (130 m. Abb.)
8º Nürnbg, S Soldan 03.   2.50 d
Wörndle, H v.: Gebhard Flatz, d. voralberg. Fiesole. (Geb.
11.VI.1800 — gest. 19.V.1881.) Vortr. [S.-A.] (38 m. Titelbild.)
8º Salzbg 01. (Innsbr., Vereins-Bh. u. Buchdr.)   — 30
— Kriegsereign. in Kirchdorf u. Umgebg a. d. Tagen d. Tiroler
Freiheitskämpfe. Denkschrift z. Enthüllgsfeier d. „Winter-
steller-Denkmales" in Kirchdorf (Tirol). Mit Benützg eigen-
händ. Aufzeichnng d. Kirchdorfer Viertelschreibers Leonhard
Millinger bearb. u. hrsg. (72 m. 1 Abb. u. 1 Bildnis.) 8º Innsbr.,
(Vereinsbh. u. Buchdr.) 01.   1 — d
— Akadem. Legionen. Der Antheil d. Innsbrucker Univ.-Stu-
denten an d. Tiroler Landes-Vertheidigg.Festschrift z.Fahnen-
weihe d. akadem. Schützengilde an d. k. k. Univ. Innsbruck.
(60 m. Titelbild.) 8º Ebd. 01.   — 80 d
Wörndle v. Adelsfried, E : Schulwandbilder a. Palästina. 12
Taf. in Farbendr. n. Aquarellen. 43×60,5 cm. Mit Text v. L
Wiedemayr. (26) 8º Münch., Piloty & L. 04.   In M. im 12.50 ;
                                      Familienausg. in eleg. M. 16 — d
Wörner, A : Das städt. Hospital z. Hl. Geist in Schwäb. Gmünd
in Vergangenh. u. Gegenwart. Mit e. Abhandlg üb. d. Gesch.
d. Hospitäler im Altertum u. M.-A. u. e. medicinisch-wiss.
Anh. Unter Mitwirkg v. JN Denkinger. (308 u. 265 m. Abb.,
5 Taf. u. 1 farb. Titelbild.) 8º Tüb., H Laupp 06.   geb. m 15 —
Wörner, B : Auf Leben u. Tod, s.: Volksschriften, Münch.
Wörner, G : Das sächs. Beamten-Unfallfürsorgeges. — Das
Mobiliar- u. Privat-Feuerversichergswesen im Kgr. Sachsen.
— Die Nebeuges. z. Reichs-Unfallversichergsgesetzgebg, s.:
Handbibliothek, jurist.
— Der Versichergsver. auf Gegenseitig. Nach d. Reichsges.
üb. d. privaten Versichergsunternehmgn v. 12.V.'01. (252) 8º
Lpzg-R., A Hoffmann 04.   4 — d
Woerner, O : Fachausdrücke in d. Stenogr. Nebst e. Anh.:
Die fremden Bezeichngn in d. Sprachlehre. (32) 8º Wolfenb.,
Heckner 05.   nn — 80
Wörner, P : Orchideen im Lössgrund. Geschichten v. Kaiser-
stuhl. (Matthis u. Matthes. Judenkirschen. Die Galoschen d.
Herrn Lehrers. Die beiden Onkel. Der Müllarz.) (437) 8º
Freibg i/B. 01. Lahr, Gross & Sch.   (8.50) 2.50 ; geb. (4.50) 3.50 d
— Heimlich stille Welt. Geschichten v. Kaiserstuhl. 1. Bd. (275)
8º Karlsr., F Gutsch (05).   3 — ; geb. 4 — d
Woerner, R, s.: Abhandlungen, germanist., Herm. Paul dar-
gebracht.
— Fausts Ende. Antrittsrede. 1. u. 2. Afl. (28) 8º Freibg i/B.,
C Troemer /02.04.   1 — d
Woerner, UC: Gedichte. (102) 8º Berl., B Cassirer 06.   2 — d
— Gerhart Hauptmann, s.: Forschungen z. neueren Litt.-Gesch.
— Vorfrühling. Drama. (212) 8º Berl., B Cassirer 06.   3 — d
Wörnhart, J : Soldaten-Liederb., s.: Dieter, H.
Wörnitz, H v. d., s. a.: Fischer, H.
— Ärztliches, Allzuärztliches. (128) 8º Lpzg, Modernes Verl.
Burmann 05.   2.50
Woronin, M : Beitr. z. Kenntnis d. Monoblepharideen. [S.-A.]
(24 m. 3 Taf.) 4º St. Pétersb. 04. (Lpzg, Voss' S.)   2 —
— Üb. Sclerotinia cinerea u. Sclerotinia fructigena. [S.-A.]
(38 m. 6 Taf.) 4º Ebd. 1900.   7 —
Wörrlein, J : Ist in Indien e. bes. Frauenmission nötig? —
Herm. Ernst Jürgenmeier. — Christian Kohlmeier. — Peter
Wilh. Heinr. Lüchow. — Reise v. Gudur üb. Jerusalem n.
Hermannsburg. — Karl Scriba, Missionar in Indien, s.: Mis-
sionsschriften, kl. Hermannsburger.
Wort, das. Zeitschrift (Monatsschrift) f. allseit. Erkenntnis.
Organ d. Illuminaten-Ordens, Hrsg. u. Red.: L Engel. 8. Jahrg.
1901. 12 Nrn. (Nr. 1. 40) 8º Meerane. Dresd., LC Engel.
                                                             Halbj. 3 —
— dass. Organ d. Illuminaten-Ordens. Monatsschrift f. allseit.
Erkenntnis. Hrsg. u. Red.: L Engel. 9. Jahrg. 1902. 13 Nrn.
(Nr. 1. 40) 8º Dresd., LC Engel.   Halbj. 3 — ô F
— e. off., an Bankdirektoren u. Bankangestellte. (16) 8º
Lpzg, O Gracklauer 04.   — 30 d
— e., üb. Christian Science. Aus d. Engl. (19) 8º Berl, M
Warneck (02).   — 25
— ein. (8 S. m. 1 aufgeklebten Abb.) 16º Münch., J Pfeiffer(02).
                                                     100 Stück 5 — d
— e. herzl., an d. Eltern uns. lieben Konfirmanden. (4.
Ausg.) (10) 8º Brnschw., J Neumeyer (02).   — 05 d
— e. ernstes, üb. e. ernste Sache f. erwachs. Mädchen. (Vom
Verf. d. Ein ernstes Wort üb. e. ernste Sache f. denk. Jünglinge. KWTPfeiffer). 3. Afl. (38) 12º Bas.,(Basler Missionsbh).
01.   — 15 d
— d. freie. Frankfurter Halbmonatsschrift f. Fortschritt auf
allen Geb. d. geist. Lebens, begründet u. bis z. 2. Jahrg.
hrsg. v. CSaenger. Red.: M Henning. 1—5. Jahrg. Apr. 1901—
März 1906 je 24 Nrn. (1. u. 2. J. 768 u. 784) 8º Frankf. a/M.,
Neuer Frankf. Verl.   Viertelj. 2 — ; einz. Nrn — 40 d
— dass. Ausw. v. Beitr. a. d. beiden ersten Jahrg. d. Zeit-

schrift „Das freie Wort". Hrsg. v. M Henning. (256) 8º Frankf.
a/M., Neuer Frankf. Verl. 03.   (2 —) nn 1 — d
„Wort, d. freie", ins. Kampfe geg. d. Bestechg v. Angestellten
in Handel u. Industrie. Sammlg d. in d. J. 1902—4 in d.
Halbmonatsschrift „Das freie Wort" z. Bestechgsfrage erschien. Artikel. (29) 8º Frankf. a/M., Neuer Frankf. Verl. 05.
                                                             — 50
— d., Gottes. („Mosco".) Von Moses Maria (M Wiener). (29) 8º
Lpzg(Kurprinzstr. 5), Verl. d. Schriften Moses Maria05. 2.50 d
— e. unabhäng. z. Reform d. Handelssch. in Oesterr., v.***.
(48) 8º Prag, JG Calve 01.   2 —
— e. kurzes, üb. d. Logen. (21) 8º St. Louis, Mo. (02). (Zwick.,
Schriften-Ver.)   — 20 d
„ — d., sie sollen lassen stahn!" 6 Vortr. (Glage, M : Gott u.
d. Dreieinigkeit. — Röbbelen, H : Die Bibel u. ihre göttl.
Eingebg. — Wohlenberg, G : Das Gebet u. s. Erhörg. —
Budde, E : Taufe u. Abendmahl u. ihre Wirkg. — Hunzinger,
AW : Jesus Christus u. s. Gottheit. — Hoppe, E : Das Wunder u. d. Naturges.) (95) 8º Schwer., F Bahn 04.   1.80 d
— e., üb. d. Truppenführg. Von Frh. v. W. (26) 8º Graz,
Leykam 02.   — 40 d
— u. Werk. Zeitschrift f. d. christl. Jünglingsver. deut. Bap-
tistengemeinden. Red.: JG Lehmann. 21. u. 22. Jahrg. 1901 u.
2 je 12 Nrn. (1901. Nr. 1. 16 u. 4) 8º Cass., JG Oncken Nf.
                          Je nn 1.60 ∥ 23—25. Jahrg. 1903—5. Je 1.75 d
Wort, K : Tomatenbüchlein. Kulturanweisg, Verwendg in d.
Küche. (24) 12º Lpzg, W Möschke (02).   — 40 d
Worte, d., üb. d. Feier d. Abendmahls u. d. Schrift. 2. Afl. (40)
8º Elberf., R Brockhaus (durch J Fassbender) 1898.   — 20 d
— Christi. (Hrsg. v. HS Chamberlain.) (286) 8º Münch., Verl.-
Anst. F Bruckmann (01). Kart. 4.50 ; Ldr 7 — ; auf holländ.
Büttenpap. 12 — ∥ Kl. Ausg. (316) 16º (05.) 2 — ; Ldr 3.50
— deut. Monatshefte, hrsg. v. E Pernerstorfer. 21—24. Jahrg.
1901—4 je 12 Hefte. ('04 : 512) 8º Wien (VIII, Langegasse 15),
E Pernerstorfer.   Halbj. 4 — ; einz. Hefte 1 — d ô F
— e., üb. d. Wesen Gottes. Eine Stimme a. d. Menschh.
(14) 8º Strassbg, (C Bongard) (05).   — 75
— z. Gedächtnis an d. Geb. Reg.-R. Prof. Dr. Emil Grosse,
weil. Dir. d. kgl. Wilhelms-Gymnasiums zu Königsberg, gesprochen v. s. Amtsnachfolger. (7) 8º Königsbg, (W Koch)
(04).   nn — 25 d
— 10. an Jedermann (jung u. alt, hoch u. niedrig) f. d.
tägl. Leben. Mit Nachbemerkg v. Antiquus. (32) 8º Dresd.
(02). Köngsbg, Ostdeut. Bh.   — 25
— ein., fürs tägl. Leben, s.: Strahlen, theosoph.
— off., an Jedermann u. an alle d. Unglücklichen, welche an
d. tranr. u. schmachvollen Folgen d. Selbstbefleckg
leiden. 11—20.Taus. (Hrsg. v. d. Gesellsch. f. wahreHeilkunst
u. Kultur.) (47 m. Abb.) 8º Lpzg, P Hülsemann (05).   — 50 d
— d. Trostes u. Rat d. Erfahrg a. d. Tageb. eines Bekümmerten. Nach 2. 0. Orig.-Afl. übert 4. Afl. (92) 16º St. Gall.,
Bh. d. ev. Gesellsch. 04.   Kart. — 60 ; m. Silberschn. — 80 d
— u. Werke, leb. 1—7. Bd. 8º Düsseldf, KR Langewiesche.
                                     Den 2. Tl s.: Jürgensen, H.

Arndt, EM : Deut. Art. Ausz. a. d. Schriften v. A. nebst ein. Briefen u.
Gedichten. Hrsg. v. G Schilling. (172) (08.) [5.]
Carlyle, T : Arbeiten u. nicht verzweifeln. Ausw. a. seinen Werken. Deutsch
v. M Kühn u. A Kretzschmar. 1—50. Taus. (181) (02-04.) [1.] § 51—60.
Taus. (290) (05.)
Claudius, M : Bei d. Demütigen Ist Weisheit. Ausz. a. s. Schriften, nebst
ausgew. Gedichten. Hrsg. v. H Thuu. 1—5. Taus. (208) (05.) [7.]
Kühn, M : Macht auf d. Tor! Macht auf d. Tor! Sammlg deut. Volks-
kinderlieder, Reime, Scherze u. Spiele. 1—8. Taus. Mit Melodien. (281)
(06.) [6.]
Luther, M : Denn d. Herr Ist dein Trotz. Ausz. a. s. Werken. Gewählt
v. F Bredow. (196) (03.) [3.]
Ruskin, J : Menschen untereinander. Ausw. u. Übersetzg v. M Kühn. (298
m. Bildnis.) (04.) [4.]
Volkslieder, deut. „Von rosen e. krentzelein". Hrsg. v. H Stierling. (292)
(04.) [5.]
Wörter u. Sätze. Zum Unterr. d. deut. Sprache in d. franzö.
Gymnasien. Sexta u. Quinta. (38) 12º Nizza, (L Gross) (05). — 75
Wörterbuch Deutsch-Esperanto, unter Red. v. Samenhof
(jetzt Zamenhof): hrsg. v. H Jürgensen u. M Pagnier. (235)
12º Berl., Esperanto Verl. Möller & B. (04).   2 —
— f. d. Ersatz bisher gebräuchl. Fremdwörter. Entwurf!
(Hrsg. im Reichs-Marine-Amt.) (24) 8º Berl., (ES Mittler & S.)
05.   nn — 30 d
— 5sprach., f. d. Gummiwarenhandel. Deutsch — Französisch — Englisch — Italienisch — Spanisch. (140) 8º Dresd.,
Steinkopf & Spr. (04).   M. 4 — ; durchsch. 4.50
— nautisch-techn., d. Marine, vol. II, s.: Dictionnaire
techn. et naut. de marine.
— d. schweizerdeut. Sprache, s.: Idiotikon, schweiz.
— deut. seemänn. Hrsg. v. A Stenzel. (484 m. Abb. m. 9
[2 farb.] Taf.) 8º Berl., ES Mittler & S. 04. 10 — ; geb. 12 — d
— technolog. Englisch-Französisch. 5. Afl. v. E v.
Hoyer u. F Kreuter. 2. Bd. 8º Wiesb., JF Bergmann. Je 12 —
1. Deutsch-Engl.-Franzö. ('84.) 02. § 2. Englisch-Deutsch-Franzö. ('87?)
05. § 3. Französisch-Deutsch-Engl. ('79?) 08.
— amtl., f.d.Abfassgd.Telegramme in verabredeter Sprache.
Bearb. v. d. internat. Bureau d. Telegr.-Verwaltgn in Bern
1894. Nichtamtl. Ngdr. (856) 4º Amsterd. 01. (Hambg, L
Friederichsen & Co.)   Kart. nn 25 —

Wörterbücher. Hrsg. v. Ver. f. niederdeut. Sprachforschg. IV. Bd. 8° Nord., D Soltau.   8 — (I—IV.: 36 —)
IV. Bauer, K: Waldeck. Wrtrb. nebst Dialektproben. Hrsg. v. H Collitz. (36, 106 u. 320 m. Bildnis.) 02.   8 —
Wörtergruppen f. d. Unterr. in d. Rechtschreibg. In konzentr. Kreisen zusammengest. f. d. Hand d. Schüler. (Hrsg. v. Vorst. d. Beurhaussüftg.) 2. Afl. (36) 8° Dortm., (FW Ruhfus) (03).
     †— 20 d
Wörterverzeichnis f. d. neue deut. Rechtschreibg. (12) 8° Gebw., J Boltze 03.   — 10 d
— dass. Unter Berücks. d. Verf. d. kaiserl. Oberschulrates f. Elsass-L. zusammengest. (12) 8° Ebd. 03.   — 10 d
— amtl., f. d. deut. Rechtschreibg z. Gebr. in d. prenss. Kanz-leien. Gemäss d. Beschlusse d. kgl. Staatsministeriums v. 11.VI.'03. (32) 8° Berl., Weidmann 03. nnn — 10 ; 10 Stück †1 — d
Worth, C: Das Schielen. Ätiol., Pathol. u. Therapie. Deutsch v. EH Oppenheimer. (134 m. Fig.) 8° Berl.; J Springer 05. 4 —
Worthmann, L: Die Friedenskirche z. hl. Dreifaltigkeit vor Schweidnitz. (72) 8° Schweidn., CF Weigmann 02.   — 75 d
Wortmann, H, s.: Franke(-Wortmann), JH.
Wortmann, H: Das Keulenschwingen in Wort u. Bild. 4. Afl. v. P Hentzschel. (236) 8° Hof, R Lion 05.   Geb. 2.80 d
Wortmann, J, s.: Bericht d. kgl. Lehranst. f. Wein-, Obst- u. Gartenbau zu Geisenheim.
— Die wiss. Grundl. d. Weinbereitg u. Kellerwirtschaft. (314 m. Abb.) 8° Berl., P Parey 05.   L. 12 — d
Wortmarken-Verzeichnis d. Registriergsj. 1895 bis einschl. 1901. Hrsg. v. k. k. Handels-Ministerium. (292) 4° Wien, (Hof- u. Staatsdr.) 02.   (10 —) 5 — || 1902. (73) 03. (5 —) 2.50
     || '03. (81) 04. (6 —) 3 —
— dass. 1904. (113) 8° Wien, (Lehmann & W.) 05.   6 —
Wortner, F: Geometrie u. geometr. Zeichnen f. Knabenbür-gersch. 1. u. 3. Afl. (170 bezw. 176 m. Fig. u. je 12 Taf.) 8° Wien, F Tempsky 1900.05.   Geb. 1.80 d
Woerz, (A), Billardb. (237 m. Abb.) 8° Berl., A Goldschmidt 04.
     Geb. 6 —
Wörz, E: Der Luxushund, s.: Züchtg, Erziehg u. Dressur sowie d. Hundekrankh. u. deren Heilg. 2. Afl. (320 m. Abb. u. 27 Taf.) 8° Münch. 05. Frankf. a/M., Kern & Birner. 3 —;
     geb. 4 — d
Wörz, R: Neuer Liederhorn. 60 Männerchöre. (168) 8° Reutl., Ensslin & L. (03).   — 75 d
Wosatka, J : Die feine Sitte in d. Familie, Gesellsch. u. im öffentl. Leben. (134) 8° Villach (03). (Prag, G Neugebauer).
     Geb. 2.40 d
— Studienbehelf f. d. Einj.-Freiwill. d. k. u. k. Heeres. Schiess-wesen. (74 m. Abb. u. 7 Tab.) 8° Villach (04). (Wien, LW Sei-del & S.)   1.20
— dass. Waffenwesen. (104 m. Abb., 2 Taf. u. 1 Tab.) 8° Ebd. (04). 1.65 || 2. Afl. (114 m. Abb., 2 Taf. u. 1 Tab.) Kremsier (04). 1.80
Wosinsky, M: Die inkrustierte Keramik d. Stein- u. Bronze-zeit. (188 m. Abb. u. 150 Taf.) 8° Berl., Behrend & Co. 04. 20 —
     *: L. 11.20
Wossidlo, H: Die Gonorrhoe d. Mannes u. ihre Komplica-tionen. (306 m. Abb. u. 4 farb. Taf.) Berl. 03. Lpzg, G Thieme.
     10 —; L. 11.20
Wossidlo, P: Leitf. d. Botanik f. höh. Lehranst. 10. Afl. 2. Abt. (329 m. Abb., 16 farb. Taf. u. 1 Karte.) 8° Berl., Weidmann 03.
     Geb. 3.30 d
— Leitf. d. Zool. f. höh. Lehranst. 2 Tle. (Mit Abb.) 8° Ebd.
     Geb. 4.20 d
1. Die Tiere. 12. Afl. (332 m. 4 farb. Taf.) 05. 2 — || 2. Der Mensch. Be-schreibg d. Baues u. d. Verrichtgn z. Körpers, nebst Unterweisgn üb. d. Gesundheitspflege. 9. Afl. (97) 01. 1 — || 10. Afl. (105) 03. 1.20.
Wossidlo, R: Ein Winterabend in d. mecklenburg. Bauern-hause. Nach mecklenburg. Volksüberliefergn. (60 m. 3 Taf.) 8° Wism., Hinstorff's V. 01.   1 — d
Wossidlo's W, Opern-Bibliothek. Populäre Führer durch Poesie u. Musik. Nr. 37, 38, 41—48, 51—53 u. 53—102. 8° Lpzg, Rühle & W. (1900-05).   Je — 20 d
d'Albert, E, d. Abreise. (12) [98.] | Kain. (16) [92.]
Auber, DFE, Maurer u. Schlosser. (70) [57.] | Die Stumme v. Portici. (27) [46.] | Des Teufels Anteil. (28) [74.]
Beethoven, L v., Fidelio. (27) [50.]
Berlioz, H, Benvenuto Cellini. (18) [98.]
Bizet, G, Carmen. (28) [58.]
Bloch, L, das war ich. (19) [101.]
Boieldieu, A, d. weisse Dame. (70) [47.] | Johann v. Paris. (19) [81.]
Brüll, I, d. gold. Kreuz. (28) [51.]
Charpentier, G, Louise. (18) [91.]
Cherubini, L, d. Wasserträger. (14) [88.]
Cornelius, P, d. Barbier v. Bagdad. (24) [62.]
Ditters v. Dittersdorf, C, Doktor u. Apotheker. (19) [63.]
Donizetti, G, Lucrezia Borgia. (16) [84.] | Lucia v. Lammermoor. (18) [49.] | Der Liebestrank. (28) [54.] | Die Regimentstochter. (29) [50.]
Enna, A, d. Hexe. (20) [81.]
Flotow, F v., Alessandro Stradella. (19) [51.]
Glinka, MJ, d. Leben f. d. Zar. (70) [84.]
Gluck, C Ritter v., Alceste. (15) [99.] | Iphigenie auf Tauris. (16) [66.] | Orpheus. (19) [65.]
Goldmark, C, d. Heimchen am Herd. (24) [69.] | Die Königin v. Saba. (28) [68.]
Goetz, H, d. Widerspenstigen Zähmg. (26) [67.]
Gounod, C: Romeo u. Julia. (15) [100.]
Halévy, JF, d. Jüdin. (22) [58.]
Kienzl, W, d. Evangelimann. (20) [80.]
Kretschmer, E, d. Folkunger. (27) [70.]
Kreutzer, R, d. Nachtlager in Granada. (22) [54.]
Leoncavallo, R, Roland v. Berlin. (26) [102.]
Lortzing, A, d. beiden Schützen. (18) [71.]
Maillart, A, d. Glöckchen d. Eremiten. (18) [94.]
Marschner, H, Hans Heiling. (26) [43.] | Der Templer u. d. Jüdin. (19) [72.] | Der Vampyr. (28) [43.]

Meyerbeer, G, d. Nordstern. (18) [90.]
Mozart, AW, Cosi fan tutte. (So machen es alle.) (22) [73.] | Titus. (16) [97.]
Nessler, VE, d. Rattenfänger v. Hameln. (24) [67.] | Der Trompeter v. Säkkingen. (20) [74.]
Nicolai, O, d. lust. Weiber v. Windsor. (22) [55.]
Offenbach, J, Hoffmanns Erzählgn. (19) [96.]
Rossini, G, Othello. (12) [56.] | Wilhelm Tell. (72) [41.]
Robinstein, A, d. Dämon. (77) [73.]
Saint-Saëns, C, Samson u. Dalila. (15) [89.]
Smetana, F, d. verkaufte Braut. (23) [56.]
Spohr, L, Jessonda. (26) [76.]
Strauss, R, Feuersnot. (27) [98.]
Verdi, G, Falstaff. (19) [56.] | Der Maskenball. (16, [76.] | Othello. (27) [57.] | Rigoletto. (20) [77.]
Weber, CM v., Silvana. (26) [79.]
Weis, K, d. poln. Jude. (28) [97.]
Zöllner, H, d. versunk. Glocke. (19) [88.]
Wostrowsky, P: Zur Feldgeschützfrage. Vortr. (35) 8° Wien, LW Seidel & S. 03.   1 —
Woestyne s.: Plason de la Woestyne.
Wotaš, H: Das Licht-Luftbad. (16) 8° Lüb., Lübcke & N. 05.
     20 d
Wotawa, A Ritter v.: Der deut. Schulver. 1880—1905. (72 m. 1 Tab. u. 2 Kart.) 8° Wien, (A Pichler's Wwe & S.) 05. 1 — d
Wothe, A (Frau A Mahn): Firnenglanz. Roman. (252) 8° Bre-merh., L v. Vangerow (04).   4 —; geb. 4 — d
— Das Hochzeitsbuch. Wegweiser u. Ratgeber f. Bräute u. junge Hausfrauen bei Hauseinrichtgn, Aussteuern, Hochzeits-geschenken, Festlichk., Polterabendaufführgn etc. 2. Afl. (264 m. Abb.) 8° Lpzg, A Mahn (01).   Geb. 3 — d
— Irrendes Licht. Roman. (281) 8° Bremerh., L v. Vangerow 03.
     4 —; L. 5 — d
— Moderne Pilger. Novellen. (332) 8° Ebd. (04). 4.50 ; geb. 5 — d
— Selbsterlebtes. Aus d. Werkstätten deut. Poesie u. Kunst. (136 m. Abb.) 4° Ebd. (04).   L. 15 — d
— Die Siegerin. Roman. (268) 8° Ebd. (04).   3 —; geb. 4 — d
— Sei sparsam! Führer u. Ratgeber f. sorgsame Hausfrauen u. solche, d. es werden wollen. 11. Afl. (342 m. Abb.) 8° Lpzg, A Mahn (05).   Geb. 3 — d
— Suse. Roman. 2. Afl. (338 m. Abb.) 8° Chemn. 01. Dresd., B Richter.   4 —; geb. 5 — d
— Verfemt. Roman. "(279 m. Bildnis.) 8° Bremerh., L v. Van-gerow 04.   4 —; L. 5 — d
— s.: Von Haus zu Haus.
— Wohin? Ratgeber f. alle Reiselustigen. 11. Afl. (476 m. Abb.) 8° Lpzg, A Mahn (05).   Geb. 3 — d
Wotho, G: Die Halskrankh. (63) 8° Berl., Deut. Verl. (02). 1 — d
— Die Harnkrankh. (58) 8° Ebd. (02).   1.75 d
— Die Ohrenkrankh. (54) 8° Ebd. (02).   1 — d
Wothke, E: Hilb. z. Vorbereitg auf d. Postsekretärprüfg im Verwaltungswesen, Postdienst, in d. schriftl. Arbeiten u. in d. Geogr. 2. Afl. (521) 8° Schlesenau-Bromberg 02. (Bromberg, A Dittmann.) (Nur dir.)   3 —; L. 3.50 d
— Der Post- u. Telegr.-Anwärter. (132) 8° Bromberg, (A Ditt-mann) 02. (Nur dir.)   1.60; geb. 1.90
— Leitf. z. Vorbereitg auf d. Post- u. Telegr.-Assistenten-Prüfg. 2. Afl. (482) 8° Ebd. 05.   3.75; geb. 4.25 d
Wotke, K: Das österr. Gymnasium im Zeitalter Maria There-sias, s.: Monumenta Germaniae paedagogica.
— Vincenz Ed. Milde als Pädagoge u. s. Verhältnis zu d. geist. Strömgn zr Zeit, s.: Beiträge z. österr. Erziehgs- u. Schulgesch.
Wotquenne, A : Themat. Verz. d. Werke v. Carl Philipp Ema-nuel Bach (1714—88). (111) 8° Lpzg, Breitkopf & H. 05. Kart. 10 —
— dass. v. Chr. W. v. Gluck (1714—87). Deutsch v. J Liebeskind. (96 m. 1 Bildnis.) 8° Ebd. 04.   Kart. 15 —
Wotruba, R : Die Grundlehren d. mechan. Wärmetheorie u. ihre elementare Anwendg in d. hauptsächlichsten Gebieten d. Technik. (382 m. Abb.) 8° Berl. 02. Jena, H Costenoble 02. 10 —
— Lehrbücher d. Elektrotechnik. Einführg in d. Hauptgebiete d. Elektrotechnik. Nebst Anl. z. Durchführg v. Praktikums-Arbeiten. 1. u. 2. Bd. (Mit Abb.) 8° Ebd. 02.   Je 5 —
1. Der elektr. Strom, s. Gesetze u. Wirkgn in d. Strombahn. 2. Ausg. (167) 2. Das magnet. Feld s. Stromhahn, Stromerzeugg durch Induktron. (195)
Wotta, J : Anh. z. Sammlg d. f. d. Bukowina in Kraft besteh. Ges. u. Verordngn, welche d. Volksschulwesen betreffen. (64 u. 19) 8° Czernow., E Schally 03.
     (Hauptwerk u. Anh.: nn 6 —)
Woynar, K: Lehrb. d. Gesch. d. M.-A. f. d. ob. Kl. d. Gymna-sien. (198) 8° Wien, F Tempsky '04.   Geb. 2.50
Woywod's Volks- u. Jugend-Bibliothek. 5—12. u. 17—23. Bd. 8° Bresl., M Woywod.   7.50 ; L. 13 — d
Frieben, P: Handwerk hat gold. Boden. (90) 01. [15.] — 50; geb. 1 —
Lichtenfeldt, C: Im Dienste d. Nächstenliebe. 3. Afl. 2 Tle. (102 u. 101) 05. [9.10.]   1 —; geb. 1.50
— Der Reisebiidner. Lebensbild. 2. Afl. 2 Tle. (108 u. 107) 04. [11.12.]   1 —; geb. 1.50
— Der Mutter Segen od. d. beiden Waisenkinder. 2 Tle. 3. Afl. (108 u. 111) 02. [7.1.]   1 —; geb. 1.50
— Der verlor. Sohn od. Die Hütte im Ilsethale. 2. Afl. 2 Tle in 1 Bde. (116 u. 103) 01. [5.6.]   1 —; geb. 1.50
Michaut, S : Ehrlich währt am längsten. (110) 04. [23.] — 50; geb. 1 —
— Durch Nacht z. Licht. (115) 01. [17.]   — 50; geb. 1 —
Naumann, E: Der Bienen-Hannes od. d. Wohltäter v. Sulzbach. (104) 02. [21.]   — 50; geb. 1 —
— Der kl. Sdefelputzer am Brandenburger Thore. (106) 01. [19.] — 50; geb. 1 —
Schmiedeberg, EF : Vor e. grauen Haupte sollst du aufstehen u. d. Alten ehren. (105) 01. [20.]   — 50; geb. 1 —
Schulz, G : Wer hat's am besten ? (107) 04. [22.]   — 50; geb. 1 —

     204.*

Wozak, J: Leitf. f. Schweinezüchter. 2. Afl. (39) 8⁰ Prag, (JG Calve) 05. nn — 80 d
— Die Pflege d. Stalldüngers, s.: Arbeiten d. deut. Section d. Landesculturrathes f. d. Kgr. Böhmen.
Wozu leben wir? Fragt ihr euch das nicht? Kein Buch f. kl. u. gr. Kinder, nur deut. Männern zu empfehlen. Von einem Lebenden (F Mader). (277) 8⁰ Lpzg, O Gracklauer 03. 3 — d
Wrabetz, K: Genossenschaftl. Grundsätze. Systemat. Zusammenstellg d. Vereinstagsbeschlüsse d. allg. Verbandes d. auf Selbsthilfe beruh. deut. Erwerbs- u. Wirtschaftsgenossensch. in Österr., nebst e. Skizze d. Gesch. d. Verbandes u. d. Vereinstage. 2. Ausg. (319) 8⁰ Wien, Manz 04. 7 —; geb. 8 — d
Wrangel, Graf CG: Das Buch v. Pferde. 2 Bde. 4. Afl. (703 u. 688 m. Abb., Bildnis u. 20 Kunstbeil.) 8⁰ Stuttg., Schickhardt & Ebner. 02. 20 —; HF. nn 25 —; auch in 20 Lfgn zu 1 — d
— Taschenb. d. Kavalleristen. Enth. d. Grundl. d. Pferdekde z. Selbststudium u. z. Gebr. an militär. Unterr.-Anst. 2. Afl. (318 m. Abb.) 12⁰ Ebd. 03. L. 3 — d
Wrangel, E Frhr v.: Mit d. Boeren geg. Albion. (99 m. Bildnis.) 8⁰ Zür., C Schmidt 03. 1.20 d
Wrangel, G Graf: Militär. Reiseeindrücke a. Schweden, s.: Beiheft z. Militär-Wochenbl.
Wrangell, F v.: Abweich. Ansichten. (166) 8⁰ Lpzg, G Wigand (05). 1.50
— Lebensfragen. (101) 8⁰ Ebd. 05. 1 —
— Russlds innere Lage. (24) 8⁰ Ebd. 05. — 50
Wrany, A: Gesch. d. Chemie u. d. auf chem. Grundl. beruh. Betriebe in Böhmen bis z. Mitte d. 19. Jahrb. (397) 8⁰ Prag, F Řicnáč 02. 10 —
Wrany, E, s.: Raaben, E.
Wrany, W: Deut. Sprachschule, s.: Stein, M.
Wratitsch, J, s.: Lauris, P.
Wrede, A, s.: Reichstagsakten, deut.
Wrede, A Frhr v.: Gesch. d. k. u. k. Wehrmacht. Die Regimenter, Corps, Branchen u. Anstalten v. 1618 bis Ende d. XIX. Jahrb. A. u. d. T.: Suppl. zu d. „Mittheilgn d. k. u. k. Kriegs-Archivs". 3. Bd. 2 Hftn u. 5. Bd. 8⁰ Wien, LW Seidel & S. 30 —; geb. 37 — (1—3 u. 5.: 50 —; geb. 61 —)
3. (55, 904, 26 u. 29—89) 01.—15 —; in 2 L.-Bdn od. 1 Hf.-Bd 19 — 3. (500)
02. 15 —; geb. 19 —
Fortsetzg s.: Geschichte.
Wrede, AJ: Die Kölner Bauerbänke. (86) 8⁰ Köln, (KA Stauff & Co.) 05. nn 1.50
Wrede, F, s.: Stamm's, FL, Ulfilas.
Wrede, F: Üb. d. Verbrennungswärme ein. organ. Verbindgn, s.: Fischer, E.
Wrede, F Fürst: Durchlaucht Iff u. and. Novellen. (208) 8⁰ Berl., E Hofmann & Co. 04. 3 —; geb. 4.20 d
Wrede, G Fürstin: In Schranken frei. Gedichte. (96) 16⁰ Dresd., E Pierson 04. 1.50; geb. m. G. 2.50 d
Wrede, R, s.: Handbuch d. Journalistik.
— Was heisst u. wie werde ich Journalist? (22) 8⁰ Berl., Dr. R Wrede (02). — 50
— s.: Kritik, d. — Redaktion, d.
Wrede, W: Charakter u. Tendenz d. Johannesevangelisms, s.: Sammlung gemeinverständl. Vortr. u. Schriften a. d. Geb. d. Theol.
— Die Echth. d. 2. Thessalonicherbriefs, s.: Texte u. Untersuchungen z. Gesch. d. altchristl. Lit.
— Das Messiasgeheimnis in d. Evangelien. Zugl. e. Beitr. z. Verständnd. d. Markusevangeliums. (291) 8⁰ Gött., Vandenhoeck & R. 01. 8 —; L. 9 —
— Paulus, s.: Volksbücher, relig.-geschichtl.
Wreden's Sammlg medizin. Lehrbb., Fortsetzg, s.: Sammlung medizin. Lehrbb.
Wredow's Gartenfreund. 19. Afl. v. H Gaerdt. (996 m. 2 Taf.) 8⁰ Berl., Weidmann 01. 8.40; L. 10 — d
— dass., bearb. v. A Fintelmann. 4. Afl. (112, 491) 8⁰ Berl., L Cronbach 04. L. 5 — d
Wreschner I, L, s.: Blätter f. Rechtspflege im Bez. d. Kammergerichts.
Wreschner, AR v.: Ernst Demelius, o. ö. Prof. d. österr. Zivilrechtes. †28.VII.'04. (31 m. 1 Bildnis.) 8⁰ Innsbr., Wagner 05. — 40
— Die Gesch. d. jurist. Fakultät an d. Univ. Innsbruck 1671 —1904. [S.-A.] (71) 8⁰ Ebd. 04. — 50
Wretschko, V: Die Verwalterstochter, s.: Theater, neues Wiener.
Wright, AE: Kurze Abhandlg üb. Anti-Typhus-Inokulationen, enth. e. Erklärg d. Prinzipien d. Methode u. summar. Behandlg d. durch ihre Anwendg erhalt. Resultate. (83 m. Fig. u. 24 Kurven.) 8⁰ Jena, G Fischer 06. 3 —
Wright, H v.: Gesch. d. Füsilier-Regts v. Gersdorff, s.: Dachend.
Wright, J: Engl. Chrestomathie, s.: Süpfle, L.
— Elementary grammar. — The German reader, s.: Otto, E.
Wright, W: Engl. Unterr.-Werk, s.: Krusger, G.
Writers, popular, of our time, hrsg. v. J Klasperich, s.: Schriftsteller, engl. u. französ., d. neueren Zeit.
Wrobel, B, s.: Siekmann's Taschen-Kalender f. Beamte d. Militär-Verwaltg.
Wrobel, E: Übgsb. z. Arithmetik u. Algebra. Zum Gebr. an Gymnasien, Realgymnasien u. höh. Lehranst. bearb. 2 Tle u. Resultate z. 1 Tl. 8⁰ Rost., H Koch. 7.70 d
1. Pensum d. Tertia u. Untersekunda. 10. Afl. (320) 05. Geb. 3.30 | Resul-

tate (nur an Lehrer). 2. Afl. (92) 02. +2.80 | 2. Pensum d. Obersekunda u. Prima d. Gymnasiums. 5. Afl. (164) 04. Geb. 1.60.
Wrobel, E: Übgsb. z. Arithmetik u. Algebra. Anh. f. höh. realist. Lehranst. 5. Afl. (72) 8⁰ Rost., H Koch 04. — 80 d
Wróblewski: Die „Appendicitis" v. Standpunkte d. prakt. Arztes, s.: Festschrift, d. Ärztever. d. Kreise Birnbaum usw. gewidmet.
Wróblewski, L: Üb. d. altengl. Ges. d. Königs Knut. (60) 8⁰ Berl., Mayer & M. 01. 1.50
Wruck, A: Die Geheimnisse d. Edelsteine. Prakt. Winke z. Erkenng d. Edelsteine u. gemeinverständl. Abhandlg d. einz. Fächer. (34 m. Abb.) 8⁰ Berl. (O 27, Blumenstr. 37), RF Funcke 01. — 75
Wressinski, R: Die Konkurrenz d. Ansprüche n. gemeinem Recht n. d. Recht d. BGB. (57) 8⁰ Berl., Struppe & W. 02. 1.60
Wucher, E: Dopp. Buchführg. Welt-System. (16 m. 2 Taf.) 8⁰ Gera, E Wacher (03). 1 —
Wucherer, C: Die Rose, ihre Anzucht u. Pflege im Ergzebirge. (10) 8⁰ Schwarzenbg, M Helmert (03). — 40 d
Wühl, F: Vollständ. Sach- u. Nachschlage-Reg, zu sämmtl, Landesgesetzblättern d. Erzh. Oesterr. ob d. Enns v. 1843 bis einschl. 1900. (212) 8⁰ Linz a/D., J Feichtinger's Erben 02. (Nur für.) L. 3.40 d
Wukadinović, S: Kleist-Studien. (192) 8⁰ Stuttg., JG Cotta Nf. 04. 3 — d
Wulf, A: Anl. z. einträgl. Hühnerzucht, s.: Bosse, F.
— Prakt. Fischzucht u. Teichnutzg. — Die Geflügelzucht, s.: Miniatur-Bibliothek.
— s.: Geflügelzüchter-Kalender, Leipz.
— Der Kanarienvogel. — Die Kaninchenzucht. — Molkerei. — Taubenzucht. — Wirtschaftsgeflügelzucht, s.: Miniatur-Bibliothek.
— Uns. in- u. ausländ. Zimmervögel, s.: Gretbleim's prakt. Hausbibliothek.
Wulfert, F: Archiv. sächs., f. deut. bürgerl. Recht.
— Generalreg., s.: Annalen d. kgl. sächs: Ober-Landes-Gerichts zu Dresden.
— Das kgl. sächs. Oberlandesgericht v. 1.X.1879 bis z. 1.X.'04. [S.-A.] (93) 8⁰ Lpzg, Rossberg'sche Verl.-Bh. 05. 2 — d
Wulfes, E: Allein durch Glauben. Volks-Schausp. (62) 8⁰ Bad Lanterbg, C Mittag's Nf. 02. 1.20; geb. 2 — d
Wulff: Die Krankenkassen im Herzogt. Oldenburg in d. J. 1900—2, nebst 8⁰ Oldnbg. (A Littmann) 04. — 75
— s.: Kurpfuscherei- u. Geheimmittelunwesen, d., im Herzogt. Oldenburg.
Wulff, A: Die Börsengesetznovelle. Krit. Bemerkgn u. Vorschläge. (46) 8⁰ Hambg, O Meissner's V. 05. 1 —
— Hamburg. Ges. u. Verordngn. 2. Afl. v. E Kannengiesser, M Leo, A Nöldeke, A Wulff. 4 Bde. 8⁰ Ebd. 49 —;
Einbde in HF. 8 —
(662) 02. 15 — | 2. (560) 03. 12 — | 3. (595) 03. 04. 14 — | 4. (Ergänzgsbd.)
(371) 04. 8 —
Wulff, C: Bei d. Buren. Erinnergn a. deut. Freiwill. a. d. Burenkriege. (99 m. 1 Karte.) 8⁰ Bonn, P Hanstein 02. 1 —
Wulff, C: Gedichte. (242 m. Abb.) 8⁰ Bresl., Schles. Buchdr. usw. 05. 2.50; geb. 3.50 d
Wulff, EL: Gedichte. (73) 12⁰ Wismar, Willgeroth & Menzel Nf. 01. (?) (Lpzg, CF Fleischer.) 1.90 d
Wulff, FW: Der Heidehof. Erzählg. (112) 8⁰ Mülh. a/R., J Bagel (05). — 80 d
— Mit d. Tode gesühnt. — Müldener, R: Insubordination. — Hirschberg-Jura, R: Der tote Liebhaber. Kriminal-Roman a. d. Theaterwelt. (Umschl.: Hirschberg-Jura, R, u. FW Wulff: Wer sind d. Täter? Kriminal-Novellen.) (109 u. 136) 8⁰ Ebd. (04). — 60 d
— u. F Friederich: Treu bis in d. Tod. 2 Erzählgn. (Der Heidehof v. W. — Im falschen Verdacht v. F.) (112 u. 127) 8⁰ Ebd. (05). — 60 d
Wulff, J: Der latein. Anfangs-Unterr. im Frankfurter Lehrpl. (42) 8⁰ Frankf. a/M., Kesselring 02. — 80 d
— Latein. Leseb. f. d. Anfangsunterr. reiferer Schüler, n. Pers. thes' latein. Lesebüchern bearb. Nebst Wortkde. 5. Afl. 2 Tle. (75 u. 156) 8⁰ Berl., Weidmann 04. Geb. 3.40
— Latein. Satzlehre, s.: Reinhardt, K.
— Übgsb. u. Übers. a. d. Deut. ins Latein. f. d. Anfangsunterr. reiferer Schüler (Frankf. Lehrpl.). 2. Afl. (92) 8⁰ Berl., Weidmann 01. Geb. 1.40
— E Bruhn u. R Freiser: Aufg. z. Übers. ins Latein. (Frankf. Lehrpl.). 3 Tle u. Wrtrverz. z. 3. Tl. 8⁰ Ebd. Geb. 7 — d
1. Für d. Anfangsunterr. (Untertertia) v. W. 4. Afl. (92) 05. 1.40 | 2. Für d. Obertertia d. Gymnasien bezw. Obertertia u. Untersekunda d. Realgymnasien v. W. u. B. (190) 02. 2.20 | 3. Für d. Sekunda d. Gymnasien u. d. ob. Kl. d. Realgymnasien v. B. u. P. (207) 05. 2.90 | Wrtrvers. (96) 05. 1.80.
Wulff, L, s.: Drehwurm, d., im Ueberbrettl. — Insel, d., d. Bildsinnigen.
— Kartätschen-Schüsse. 10. Afl. (64 m. Abb.) 8⁰ Berl., Harmonie (05). 1 —
— Na also! sprach Zarathustra u. anderes, s.: Brettl- u. Theater-Bibliothek, bunte.
Wulff, M, s.: Stein, A.
Wulff, O: Das Katholikon v. Hosios Lukas u. and. byzantin. Kirchenbauten, s.: Baukunst, d.
— Die Koimesiskirche in Nicäa u. ihre Mosaiken, s.: Zur Kunstgesch. d. Ausl.

Wulff, R: Auslegg d. kl. Katech. Luthers, s.: Maass, B.
— Ev. Glaubens- u. Sittenlehre f. Seminarien m. Lit.-Angaben f. d. Fortbildg d. Lehrers. (20, 187) 8° Lpzg, Dürr'sche Bh.   3.20; geb. 3.60 d
Wulff, W: Die Ortsschulaufsicht d. Geistlichen. Vortr. (39) 8° Schönbg i/M. 05. (Schwer., F Bahn.)   — 50 d
Wulffen, E: Reformbestrebgn auf d. Geb. d. Strafvollzugs, s.: Zeit- u. Streitfragen, neue.
Wullhorst: Aus d. Anfangstagen d. Ovambomission, s.: Missionstraktate, rhein.
Wüling, EA: Mikroskop. Physiogr. d. Mineralien u. Gesteine, s.: Rosenbusch, H.
Wüling, JE: Was mancher nicht weiss. Sprachl. Plaudereien. 1. u. 2. Afl. (192) 8° Jena, H Costenoble 05.   L. 2.50 d
Wülfingen s.: Bock v. Wülfingen.
Wulfmeyer, A: Stätten german. Freiheitskämpfe u. Götterheime bei Bielefeld. Untersuchg üb. Cäsars Germanicus, d. röm. Imperators, Rachezug v. Sommer d. J. 15 n. Chr., d. Überreste s. diesem Zuge in d. Gegend Bielefelds u. d. Beziehgn d. altnordisch-german. Göttersage zu diesem Gebiete. (40) 12° Melle 01. Stuttg., Heilmäull.   — 90 d
Wülker, RP, s.: Bibliothek angelsächs. Prosa.
Wulle, F: Erdkde. Hilfsb. f. d. vergleichend entwickelnden Geogr.-Unterr. 3. Afl. d. Landschaftskde, 3 Tle. 8° Halle, H Schroedel 05.   Je 2 — d
  1. Globuslehre. Allg. Erdkde. Länderkde d. ausereurop. Erdteile u. d. Weltmeere (im Ausschl. d. Atlant. Ozean). (216 m Abb.) || 2. Länderkde v. Europa n. d. Atlant. Ozean. (160) || 3. Länderkde d. Deut. Reiches, d. Niederl. u. Belgiens. Handelsgeogr. u. Weltverkehr. (196)
— Erdkde f. Lehrerbildgsanst. 1. Tl f. Präparandenanst. (227) 8° Ebd. 04.   2.25; geb. 2.75 d
— Die Prov. Schlesien, s.: Landeskunde Preussens.
— Der Unterr. in d. Heimatskde, s.: Tromnau, A.
Wulle, F: Volldampf voraus!, s.: Bloch's, L, Militär-Pestmappe.
Wüllenweber, FW: Diagr. d. elektr. u. magnet. Zustände u. Beweggn. Zugleich e. Beitr. z. Beantwortg d. Fragen: Was ist Elektrizität? Was ist Magnetismus? (64 m. 10 farb. Taf. in 4°.) 8° St. Johann a. d. S. 01. (Lpzg, JA Barth.)   4 — d
Wüllenweber, H: Lehrg. d. französ. Sprache, s.: Steinbart, Q.
Wüllenweber, W, s.: Recueil de contes et récits pour la jeunesse.
Wüllner, F: Chorübgn d. Münch. Musiksch. I—III. Stufe. 8° Münch., T Ackermann.   8.60
  I. Se. Afl. (90) 05. 1.60; geb. 2.60 || II. 6. Afl. (130) 03. 3 — || III. Sopran. 3. Abdr. (62) 1900. 1.50; Alt. 3. Abdr. (60) 05. 2 —
— dass. III. Stufe. Partitur. 5. Afl. (169) 8° Ebd. 05.   4.80
— Méthode élémentaire de chant choral. Traduite d'après la 25. éd. allemande par G Humbert. (28) 8° Ebd. 04.   1.60; geb. 2.40
Wullstein, L: Die Skoliose in ihrer Behandlg u. Entstehg. [S.-A.] (212 m. Abb.) 8° Stuttg., F Enke 02.   7.60
Wulsch, A: Die landw. Verwertg d. städt. Kanalwässer u. d. Vorbilde v. Eduardsfelde bei Posen. (100 m. Abb., 6 Pl. u. 2 Taf.) 8° Pos. 03. (Lpzg, Leineweber.)   L. 6 —
Wunder, d., d. Grotte v. Han [Belgien]. Führer, Album, Beschreibg. (41 m. Abb., 8 Taf. u. 1 Pl.) 8° Brüssel, (Kiessling & Co.) 1900.   — 80
— d. Jetztzeit, s.: Rosen-Knospen.
— d., u. d. Christentum, s.: Katholisches f. Jedermann.
Wunder, E, s.: Zeitschrift f. weibl. Bildg.
Wunder, F: Präparat. zu Ciceros Rede geg. Verres Buch IV. (48) 8° Lpzg, BG Teubner 02. || Buch V. (48) 04.   Je — 60
Wunder, H, s.: Ecce, Grimmaisches.
Wunder, R: Radfahrer-K. f. d. Herzogt. Braunschweig u. Umgebg. 1:300,000. 8. Afl. 60,5×86,5 cm. Farbdr. Brnschw., A Limbach 04.   1 —; auf Kartenlinw. 1.75
— Karte d. Umgebg v. Braunschweig. (Verkehrsk.) 1:100,000. 39×55 cm. Lith. Brnschw., R Wunder (o. J.).   — 50
— Karte v. Elm. Sekt. 1. 1:25,000. 38,5×48 cm. Farbdr. Ebd. (o. J.).   — 75
— Uebersichtsk. v. Elm. 1:35,000. 46,5×65,5 cm. Farbdr. Ebd. (o. J.).   1 —
— Wirtschaftsk. Sekt. Hannover. 1:600,000. 40,5×50,5 cm. Farbdr. Ebd. (o. J.).   1 —
— Radfahrk. v. Harz u. Kyffhäuser. 1:100,000. 53×72 cm. Farbdr. Ebd. (o. J.).   1 —
— Verkehrsk. v. Harz u. Kyffhäuser. II. Ausg. 1:150,000. 33× 48,5 cm. Lith. Ebd. (o. J.).   — 25
— Verkehrsk. d. Lüneburger Heide. 1:200,000. 46×64 cm. Farbdr. Ebd. (o. J.).   — 75
— Wanderkarten. Bad Harzburg. 1:25,000. 21×16,5 cm. Farbdr. Ebd. (o. J.).   — 30
— dass. Lichtenberg. 1:25,000. 18×14 cm. Farbdr. Ebd. (o. J.).   — 30
Wunderblut, d., zu Wilsnack, hrsg. v. P Heitz u. WL Schreiber, s.: Drucke u. Holzschnitte d. XV. u. XVI. Jahrh. in getreuer Nachbildg.
Wundere. (96) 8° Erl., (T Blaesing) 05.   1 —
— Polybios-Forschgn. 2. Tl: Citate u. geflügelte Worte bei Polybios, im Zusammenh. m. d. ästhetisch-litterar. Richtg d. Historikers untersucht. (100) 8° Lpzg, Dietrich 01. 2.40   (1 u. 2.: 5.20)
Wunderer, G, s.: Schweitzer's Terminkalender f. d. bayer. Juristen.

Wunderer, W: Meditationen u. Dispositionen zu deut. Absolutorialaufg. f. d. bayer. Gymnasien. 1. Tl. 2. Afl. (6n) 8° Bambg, CC Buchner's V. 02. || 2. Tl. (55) 02.   Je 1.20 d
Wunderlich, A: Fibel, s.: Schlimbach, G.
Wunderlich: Gesanglehre u. Liedersammlg f. d. unt. Kl. d. Gymnasien u. Realsch. 2. Afl. (206) 8° Nürnbg, F Korn 05.   Geb. 1.20 d
Wunderlich, G: Anl. z. Instrumentierg v. Chorälen, Chorliedern u. Gesangstücken jeder Art. 2. Afl. v. C Kipke. (102) 8° Lpzg, C Merseburger 01.   1.50 d
— Aufsatzb. f. einklass. Landsch. 6. Afl. (139) 8° Langens., Schulbh. 05.   1.20 d
— Deut. Sprichwörter, volkstümlich erklärt u. gruppiert. I. u. III. Büchn. 8° Ebd.   1.55 d
  I. 5. Afl. (97) 04. — 90 || III. 5. Afl. (100) 03. — 75.
Wunderlich, H: Der deut. Satzbau. 2. Afl. 2 Bde. (42, 41×u. 441) 8° Stuttg., JG Cotta Nf. 01.   Je 9 —
Wunderlich, M: Formensammlg f. d. Freihandzeichnen, s.: Bayr, E.
— Das Freihandzeichnen in Verbindg m. d. geometr. Formenlehre in d. Volkssch. Methodisch durchgeführte Lehrg. f. d. 3., 4. u. 5. Schulj. d. 5class. Volkssch. 3 Hefte. 2. Afl. 12° Wien, Sallmayer'sche Bh. 1900.   3 — d
  1. III. Cl. (23 m. 20 Taf.) — 80 || 2. IV. Cl. (27 m. 24 Taf.) 1 — || 3. V. Cl. (34 m. 31 Taf.) 1.20.
Wunderlich, T, s.: Kalender f. Zeichenlehrer.
— Der moderne Zeichen- u. Kunstunterr. (137 m. 24 Taf.) 8° Stuttg., Union (02).   Geb. 4 — d
Wundermann, E: 4 Alphabete. (5 Bl.) 8° Berl., Hilfsver. deut. Lehrer (04).   — 25
Wunderthäter, d., d. Gesandte d. Gr. Königs. Illustr. Monatsheft d. allg. Antonius-Sozietät in Padua. Red.: HJ Milani. 8. Jahrg. Juni 1901—Mai 1902. 12 Hefte. (1. Heft. 20) 8° Padua, Tipographia Antoniana. (Nur dir.)   2 —; feine Ausg. 3 — d
  Fortsetzg war nicht zu erhalten.
Wundisch, F: Die Schutzgesetzbestimmg in § 823, Abs. 2. BGB. (92) 8° Strassbg, JHE Heitz 05.   2 — d
Wundt, W: Barometr. Teildepressionen u. ihre weilenförm. Aufeinanderfolge, s.: Abhandlungen d. kgl. preuss. meteorolog. Instit.
Wundt, W: Einl. in d. Philosophie. 1. u. 2. Afl. (466) 8° Lpzg, W Engelmann 01.02.   L. 9 —
— dass. 3. Afl. Mit e. Anh. tabellar. Übersichten z. Gesch. d. Philosophie u. ihrer Hauptrichtgn. (18, 471) 8° Ebd. 04.   L. 9 —
— Ethik. Untersuchg d. Tatsachen u. Gesetze d. sittl. Lebens. 3. Afl. 2 Bde. 8° Stuttg., F Enke 03. 21 — ; Einbde in L. je 1.60   1. (481) 19 — 1 2. (409) 9 —
— Gust. Theodor Fechner. Rede. (92 m. 1 Abb.) 8° Lpzg, W Engelmann 01.   2 — d
— Grundr. d. Psychol. 4. Afl. (411) 8° Ebd. 01. || 5. Afl. (410) 02. || 6. Afl. (408 m. Fig.) 04. || 7. Afl. (414 m. Fig.) 05.   L. je 7 —
— Grundz. d. physiolog. Psychol. 5. Afl. 3 Bde. 8° Ebd. 02. —; Einbde in L. je 3 —   Je 8 —
  1. (553 m. Abb.) 02. 10 — || 2. (686 m. Abb.) 02. 13 — || 3. (796 m. Abb.) 03. 14 —
— dass. Gesamtreg. Bearb. v. W Wirth. (134) 8° Ebd. 05.   3 —; HF. 5 —
— Logik, Namenverz. u. Sachreg., s.: Lindau, H.
— Naturwiss. u. Psychol. Sonderansg. d. Schlussbetrachtgn z. 5. Afl. d. physiolog. Psychol. (126) 8° Lpzg, W Engelmann 03.   3 —; L. 3.50
— Outlines of psychology. Translated by CH Judd. 2. English ed. from the 4. German ed. (390) 8° Ebd. 02.   5 —
— Sprachgesch. u. Sprachpsychol. Mit Röcks. auf B Delbrücks „Grundfragen d. Sprachforschg". (110) 8° Ebd. 01.   2 —
— s.: Studien, philosoph. — Studien, psycholog.
— Völkerpsychol. Untersuchg d. Entwicklgsges. v. Sprache, Mythus u. Sitte. I. Bd, 2 Tle u. II. Bd. 1. Tl. 8° Lpzg, W Engelmann.   42 — ; Einbde in HF. je 3 —
  I1. I. Mythus u. Relig. 1. Tl. (617 m. Abb.) 05. 14 —
Wundtke, W: Dunkle Gewalten. — Der Glückspudel u. and. Glückshumoresken, s.: Kürschner's, J, Bücherschatz.
— Das Gold d. Sonnentochter. (Die Entdeckg d. arkt. Goldlager am Klondyke.) Roman a. d. Gegenwart. (311) 8° Mannh., J Benasheimer's V. (03).   1 —
— Ich ruf' Dich, Germania! 3 Visionen eines Deutschgläubigen. Ein deut. Wort in d. Sache d. Buren. (16) 8° Radeb.-Dresd. 1900. (Dresd.-A., J Juppe Nf.) (?) (Lpzg, R Streller.)   — 20 d
— Immer lustig, s.: König, EA.
— Mit Lust u. Laune. Humor u. Satire. 1. Bd. (152) 8° Lpzg, O Dietrich 04.   2 — d
— Die dumme Mamsa. Moderner Roman. (389) 8° Lpzg, A Cavael 05.   3.50; geb. nn 4.50 d
— Verworrene Pfade. Roman. (126) 8° Lpzg (1900). Erf., F Bartholomäus.   — 60 || 2. Afl. (126) Erf. 01. (1 —) — 60 d
— Satt geworden. Roman. (96) 8° Dresd., HL Diegmann (08).   1 —
— Wie Peter Schwämmel unter d. Haube kam. Eifersucht. Wie man s. Glück macht. s.: Ballenstedt, A Gagdeamus igitur.
— Das freie Volk sind wir! Dramat. Scene a. d. letzten Zeit d. Burenkrieges 1901. (27) 8° Dresd., E Pierson 02.   — 50 d
— Ein Wohltäter? & Anderes. Grossstadtgeschichten. (227) 8° Lpzg CF Tiefenbach, Sep.-Cto (03).   2 —

Wünn, A: Märchen u. Lieder, s.: Siess, A.
Wünnenberg, F: König Enzio zu Bologna. Gedicht a. d.
Hohenstaufenzeit. (136) 8° Lpzg.(H Lautenschläger)(04). 1.50
Wünsch, E: Das Frühlingsfest d. Insel Malta. Beitrag z. Gesch.
d. antiken Relig. (70) 8° Lpzg, BG Teubner 02. 2 —
— s.: Versuche u. Vorarbeiten, relig.-geschichtl.
— Antikes Zaubergerät a. Pergamon, s.: Jahrbuch d. kais.
deut. archäolog. Instit.
Wünsch- u. Gratulations-Buch f. Geburts- u. Namenstage.
Neue Ausg. (32) 8° Neuweissens., E Bartels (o. J.). — 25 d
— — f. Jung u. Alt. Neue Afl. (48) 8° Ebd. (o. J.). — 30 d
— — dass. Neue Ausg. (48) 8° Reutl., Ensslin & L. (01). — 20 d
Wünsche, uns. Mal-Buch. (10 [4 farb.] Bl.) 8° Hannov., A Molling & Co. (08). — 50 d
Wünsche, A. s.: Kolonial-Bilderbuch, deut.
— Kolonial-Wandbilder. 7 Bl. (Bl. 1—4, 6 u. 7 gemalt v. R
Heligrewe, Bl. 5 v. O Pfenningwerth.) Je 80×110 cm. Farbdr.
Dresd., (A Müller-Fröbelhaus) (02). Je nn 6 —; m. L.-Rand
u. Oesen je nn 6.50; auf Pappe m. L.-Rand je nn 7.50; auf
L. m. St. je nn 8.50 u. nn 9.50; Luxusausg. auf Kpfrdr.-Kart.
je nn 12 —; m. Glas u. Rahmen je nn 30 —; Texte je — 20
1. Im Hafen v. Dar es Salâm. (15 m. 1 Kartenskizze u. 1 Abb.) § 2. Auf
d. Steppe bei Windhosk. (8 m. 1 Abb.) § 3. Viktoria u. d. beiden Kamerun-
berge. (13 m. 1 Abb.) § 4. Wochenmarkt an d. Lagune v. Togo. (14 m.
1 Abb.) § 5. Pfahldorf auf d. Admiralitäts-Inseln (Bismarck-Archipel).
(16 m. 1 Abb.) § 6. Tsingtau, Stadt u. Hafen. (12 m. 1 Abb.) § 7. Dorf u.
chines. Mauer am Naukoupasse. (17 m. 1 Abb.)
— Schulgeogr. d. Kgr. Sachsen. (220 m. Fig.) 8° Lpzg, Dürr'sche
Bh. 06. 2 —; geb. 2.50 d
Wünsche, A: Der jüd. Humorist, s.: Dessauer, J.
— s.: Kranse's, KCF, Briefwechsel.
— Leseb. f. höh. Mädchensch., s.: Hausmann, G.
— Die Pflanzenfabel in d. Weltlit. (184) 8° Wien, Akadem. Verl.
05. nn 3.50
— Die Sagen v. Lebensbaum u. Lebenswasser, s.: Ex Orientelux.
— Der Sagenkreis v. geprellten Teufel. (129) 8° Wien, Aka-
dem. Verl. 05. 3 —
— Die Schönheit d. Bibel. 1. Bd: Die Schönh. d. Alten Test.
(390) 8° Lpzg, E Pfeiffer 06. 8 —; L. 9.50; HF. 10 — d
Wünsche, E: Karte d. Umgebg v. Gr. Winterberg, sächs.
Schweiz. 1:26,000. 32×48,5 cm. Farbdr. Dresd., G Damm
01. 1 —
Wünsche, O: Anl. z. Botanisieren u. z. Anlegg v. Pflanzen-
sammlgn. Nach d. gleichnam. Buche v. E Schmidlin neu
bearb. 4. Afl. (384 m. Fig.) 8° Berl., P Parey 01. L. 4 —
Bis x. 3. Afl. unter E Schmidlin erschienen.
— Blicke auf d. Entwickelg d. Naturwiss. Vortr. [S.-A.] (23)
8° Zwick., Gebr. Thost 02. — 50
— Die verbreitetsten Pflanzen Deutschlds. Übgsb. f. d. natur-
wiss. Unterr. 4. Afl. (282) 8° Lpzg, BG Teubner 03. Geb. 2 —
— Die Pflanzen d. Kgr. Sachsen u. d. angrenz. Gegenden.
9, Afl, (24, 442) 8° Ebd. 04. Geb. 4.60
Wünscher, ARO: Aus düsteren Landen. Bilder u. Skizzen v.
Tode. (92) 8° Dresd., E Pierson 05. 1 —; geb. 2.50 d
— Sonnensehnsucht. Bilder u. Skizzen v. Leben u. Liebe. (104)
8° Ebd. 05. 1.50; geb. 2.50 d
Wünscher, H: Aus Herzeleid z. Siegesfreud, s.: Mebrakter.
— Sagen, Geschichten u. Bilder a. d. Orlagau. 1. Bdchn. (116)
8° Bössn., F Gerold Nf. 02. 1.20 d
Wunschmann, E: Gesch. d. Physik im 19. Jahrh., s.: Jahr-
hundert, d. deut., in Einzelschriften.
— Leitf. f. d. physikal. u. chem. Unterr., s.: Stemon, P.
Wunschmann, G : Der Aufmunterg v. Spandau, s.: Geschichts-
u. Unterhaltungs-Bibliothek, vaterländ.
Wünschmann, B: Die Studentenfamilie. Schwank. (80) 8°
Zür., F Amberger 04. 1 —
Wünschmann, M: Rede auf König Georg. (15) 8° Annabg,
(Graser) (03). — 30 d
Neue Ausg. u. d. T:
— König Georg. Ein Lebensbild. Rede. (15) 8° Ebd. 04. — 20 d
Wuntsch, Hv., s.: Apotheker-Kalender, schweiz. — Drogisten-
Kalender, schweiz.
Würde u. Bürde. Hd. d. Bischofsamtes. Nach d. syr. Didaska-
lia, verf. um d. J. 250 n. Chr. Zur Konsekrationsfeier am
19.III.'04. [S.-A.] (23) 8° Mainz, Kirchheim & Co. 04. — 40 d
Würdig, L: Des alten Dessauers Leben u. Thaten. 3. Afl. v.
H Wäschke. (128) 8° Dess. 03. Ballenst., P Baumann. 1 —;
geb. 1.50 d
— Geld u. Herz, s.: Verein f. Verbreitg guter Schriften, Zürich.
— u. L Habicht: Vor d. Geschwornen u.a. Kriminal-Erzählgn.
— Artopé, T, u. a.: Die holde Kathinka. Nach Mitteilgn a. Kri-
minalbeamten. — Hage, CA: Wer ist d. Thäter? Kriminal-
Erzählg.- (Umschl.: Artopé, T, u. a.: Gefährl. Existenzen.
Kriminal-Novellen.) (127 u. 87) 8° Mülh. a/R., J Bagel (04).
— 60 d
Würfel, E: Gedichte. (111) 8° Kiel, R Cordes 05. 1.50 d
Würfl, C: Lehrb. d. Gesch. f. d. unt. Kl. d. Mittelsch. bez.
höh. Lehranst., s.: Gindely, A.
Würfter: Kinderschutzgesetzgebg. [S.-A.] (31) 8° Hambg,
Agent. d. Rauhen H. 04. 1 —
Würkert, L, s.: Glocken, drei.
Wurm: Die Pflege d. Augen im gesunden u. kranken Zustande.
Mit 6. Anh.: Ratgeber f. d. Berufswahl Schwachsichtiger
nebst Anl. zur Untersuchg d. Augen. 1—3. Afl. (103 m. Abb.
u. 2 Taf.) 8° Berl. 03. Rixdf, CMA Müller & Co. Kart. 1.20 d

Wurm, A: Die Irrlehrer im 1. Johannesbrief, s.: Studien, bibl.
— s.: Ludorff, A, d. Bau- u. Kunstdenkmäler v. Westfalen.
— Osnabrück. Gesch., Bau- u. Kunstdenkmäler. (144 m. Abb.
u. 1 Pl.) 8° Osnabr., G Pillmeyer 01. 1.50 Vergr.
Wurm, E: General-Reg., s.: Zeit, d. neue.
— Gesundheitsschutz in Staat, Gemeinde u. Familie. 17—25.
Heft. (513—824 m. Abb. u. 5 [4 farb.] Taf.) 8° Stuttg., JHW
Dietz Nf. 01. Je — 20 (Vollst.: 1 —; L. 6.50) d
Wurm, HJ: Die Papstwahl. Ihre Gesch. u. Gebräuche. (136)
8° Köln, (JP Bachem) 02. 2 — d
Wurm, P: Hdb. d. Relig.-Gesch. (431) 8° Calw u. Stuttg., Ver-
einsbh. 04. 4 —; HF. 5 — d
— Die Relig. d. Küstenstämme in Kamerun, s.: Missions-Stu-
dien, Basler.
Wurm, T: Die ev. Gesellsch. in Stuttgart 1830—1905. Fest-
schrift z. 75jähr. Jubiläum. (71 m. Abb.) 8° Stuttg., Bh. d.
ev. Gesellsch. 05. — 50 d
Wurm, W: Das Schwarzwaldbad Teinach (Mineralbad u. Was-
serheilanstalt). Führer nebst kurzer Charakteristik. 8. Afl.
(143 m. Abb. u. 2 Kart.) 8° Stuttg., Holland & J. 04. 1.60
Wurmb, A v.: Im Wachen u. Träumen. Gedichte. (129) 8°
Dresd., E Pierson 02. 2 —; geb. 3 — d
Wurmb, E v.: Dienst-Unterr. d. deut. Infanteristen, s.: Men-
zel, M.
— Der falsche Feldwebel, s.: Bloch's, L, Militär-Festmappe.
— Das Gewehr 98. Anlage zu Menzels Buch: Der deut. Infan-
terist als Lehrer u. Volkserzieher. (36 m. Abb.) 8° Berl., R
Eisenschmidt (01). — 20 d
— Der Infant.-Einj. — Der deut. Infanterist als Lehrer u.
Volkserzieher, s.: Menzel, M.
— Rosa, d. Feldwebelbraut, s.: Bloch's, L, Militär-Festmappe.
Wurmb, E: Pfiff u. Rauch. Roman in Gedichten. (52) 8° Wien,
Verl.-Anst. neuer Lit. u. Kunst 03. 1 — d
Wurmb, R v.: Die Babylon. Dresdner Roman. 1—4. Afl. (264)
8° Dresd., Moewig & Höffner (03). 2 — d
— Ein Bauspekulant. Roman. (299) 8° Dresd., H Minden (04).
3 —; geb. nn 4 — d
Warmbrand-Stuppach, S Gräfin, s.: Brand-Vrabely, S.
Wurr, E: Hdb. f. Maschinisten u. Heizer. (907) 8° Chemn., (C
Winter) 02. L. 1.50 d
2. Afl. u. d. T.:
— Hilfsb. f. Maschinisten u. Heizer. 2. Afl. (838 m. Abb.) 12°
Lpzg, Hachmeister & Th. 04. L. 2 —
Wurr, G, s.: Brüder-Kalender.
Würsdörfer, J: Rechenb., s.: Ohlenburger, A.
Wurster, P: Die bibl. Grundl. d. inneren Mission. [S.-A.] (110)
8° Güteral., C Bertelsmann 02. 1.60 d
— Das eig. Haus. Geeignet z. Aufführg in christl. Vereinen.
(16) 8° Stuttg., M Kielmann 01. — 30 d
— Hausbrot f. ev. Christen. Andachts- u. Gebetb. f. jeden Tag,
m. Bezeichng v. Bibelabschnitten f. d. Abendaudacht. 1—
15. Taus. (395) 8° Karls., Ev. Schriftenver. 03.04. L. 2 —;
m. G. 2.80 d
— Philipp Friedrich Hiller, d. Sänger d. „Geistl, Liederkäst-
leins", s.: Kirchenliederdichter, uns.
— Kirche u. Gemeinschaft. Nach e. Ansprache üb. 1. Petri 2,
1—5. (15) 8° Friedbg, (C Bindernagel) 04. — 20
— Innere Mission u. humanitäre Liebestätigk. Vortr. [S.-A.]
(20) 8° Brnschw., H Wollermann 03. — 30 d
— s.: Monatsschrift f. Pastoraltheol.
— Segen d. Wohlthuns. (Charakterzüge a. Gellerts Leben.)
Zur Aufführg hauptsächlich in Jünglings- u. and. christl.
Vereinen. 4. Afl. (28) 8° Stuttg., M Kielmann 02. — 30 d
— s.: Zeitfragen.
— Die Zukunft, uns. Sorge u. uns. Hoffng. Ansprache. (12) 8°
Lpzg, (C Braun) 03. nn — 10 d
— u. M Hennig: Was jedermann heute v. d. inneren Mission
wissen muss. 1—10. Taus. (270) 8° Stuttg., M Kielmann 02.
1.50; L. 2 — d
Würtenberger, E: Alemann. Bildnisse. — Bildnisse deut. Dich-
ter u. Musiker, s.: Teuerdank.
— Arnold Boecklin. Einiges üb. s. Art zu schaffen, s. Technik
u. s. Person. (15 m. 1 Bildnis.) 8° Berl.-Halensee, Verl. Dreililien 02. 1 —
Würtenberger, H: Wie d. Hubernaz a. d. Schulden heraus-
gekommen. (50) 8° Karlsr., G Braun'sche Hofbuchdr. 02.
Kart. — 50 d
— s.: Weinbau- u. Weinkellerei-Kalender, deut.
Würtenberger, T: Der Ueberlinger Tunnel u. s. Bedeutg f.
d. Bodensee-Geol. [S.-A.] (22 m. Abb.) 8° Frauenf. 01. (Konst.,
W Meck.) — 60
Württemberg, Haus, u. dessen Familienangehörige. 36 Bildnisse nebst Namenszügen. (1 Bl. Text.) 8° Stuttg., Zeller &
Schmidt (01). M. 12 — d
— d. Kgr. Statistisches Handb. u. Kreisen, Oberämtern u. Gemeinden.
Hrsg. v. d. k. statist. Landesamt. 1—2. Bd. 8° Stuttg., W
Kohlhammer. Je 5.60; HF. je nn 6.70 d
1. Afg. 17 n. Neckarkreis. (676 m. Abb., 7 Taf. u. 6 Kart) 04. § 2. Schwarz-
waldkreis. (663 m. Abb. u. 1 Karte.) 05.
— d. Kgr. 16 lith. Kart. 9. Afl. 4° Bruchs., O Katz (01). Je
einz. Kart. — 10
Würtz, MJ: Heinr. Bryat, O. Cist., Pfarrer u. Chronist v. Lut-
terbach, währ. d. 30jähr. Krieges. (16) 8° Strassbg, FX Le
Roux Co. 05. — 40

Würz, F: Die mohammedan. Gefahr in Westafrika. — Die Basler Mission in Kamerun u. ihre gegenwärt. Aufg., s.: Missions-Studien, Basler.

Würz, W: Beitr. z. Frage d. Konservierg u. Behandlg d. Stalldüngers. (91) 8° Pegau 01. (Lpzg, G Wittrin.)   2 —

Wurzbach, A v.: Niederländ. Künstler-Lexikon. (In etwa 14 Lfgn.) 1—7. Lfg. (1. Bd. 1—672 m. Monogr.) 8° Wien, Halm & G. 04.05.   Je 4 —; auf holländ. Büttenpap. je 6 —

Wurzbach, F: Beitr. z. Chronik Crimmitschaus. 1. Heftchen-Crimmitschau vor 100 Jahren. (46 m. 1 Pl.) 8° Crimmitsch., R Raab 03.   — 50 d

Wurzbach, W v.: Uffo Horn, s.: Sammlung gemeinnütz. Vortr.
— Josef Kriehuber. Katalog d. v. ihm lithografirten Portraits. (307 m. 1 Bildnis.) 8° Münch., H Helbing 02.   L. 20 —
— s.: Villon, Maistre François, Werke.

Wurzberger, A: Verhütg d. Schwangerschaft. Ratschläge. (31 m. Bildnis u. 1 Fig.) 8° Lpzg, (W Besser) (01).   — 80 d

Würzburger, G: Glückwunsch-Büchl. f. kl. u. gr. Kinder. 3. Afl. (282) 12° Wien, St. Norbertus 02.   Kart. 1.50; geb. 2 —

Würzburger, J: Das Recht d. strafrechtl. Notstandes vor u. n. d. Inkrafttreten d. BGB., s.: Abhandlungen, strafrechtl.

Wurzel: Thymian's Leiden u. Freuden. Scene a. d. Gärtnerleben. Dramat. Kohlgemüse u. Couplet-Salat. Musik von v. Weber. [S.-A.] (12) 8° Berl., Verlagsbh. d. allg. deut. Gärtnerver. 1900.   — 50 d

Wurzel, KG: Das jurist. Denken. [S.-A.] (102) 8° Wien, M Perles 04.   2 —

Wurzinger, F: Bilder a. Iglaus Vergangenh. (159 m. Abb. u. 1 Bildnis.) 8° Brünn (Backhausg. 12), Selbstverl. 04. nn 2.80 d

Würzner, A: Lehrb. d.engl.Sprache. — Engl.Leseb., s.: Nader, E.

Wäseke, F: Grundz. d. deut. Grammatik, 4. Afl., s.: Hofmann, F, u. Hdb. f. d. deut. Unterr.

Wüsinger, J: Geschichten u. Bilder a. d. Voralpen, s.: Für Hütte u. Palast.

Wust, M: Das 3. Reich. Ein Versuch üb. d. Grundl. individueller Kultur. (231) 8° Wien, W Braumüller 05.   4 —

Wüst's, A, leichtfassl. Anl. z. Feldmessen u. Nivellieren, 5. Afl.
— A Nachtweh, s.: Thaer-Bibliothek.
— Anl. z. Gebr. d. Taschen-Rechenschiebers f. Techniker. 5. Afl. — E Wüst. Mit e. Rechenschieber. (21 m. Fig.) 8° Halle, L Hofstetter, V. 04.   Kart. 2 —

Wüst, E, s.: Assanierung, d., v. Zürich.

Wüst, E: Die sichernden Massnahmen im Entwurf zu e. schweiz. Strafgesetzb. (346) 8° Zür., A Müller's V. 05.   4 —

Wüst, E: Beitr. z. Kenntnis d. Flussnetzes Thüringens vor d. 1. Vereisg d. Landes. [S.-A.] (17 m. 1 Karte.) 8° Halle, Tausch & Gr. 01.   1 —
— Ein Sandlöss m. Succinea Schumacheri Andreae in Thüringen. [S.-A.] (5) 8° Lpzg 1899. Stuttg., E Schweizerbart.   — 40
— Untersuchgen üb. d. Pliozän u. d. ält. Pleistozän Thüringens nördlich v. Thüringer Walde u. westlich v. d. Saale. (352 m. 2 Fig., 4 Tab., 9 Taf. u. 12 S. Erklärgn.) 8° Ebd. 1900. 16 —

Wüst, F: Eine Entgegng auf „Die Grundl. d. 19. Jahrh. v. HS Chamberlain". (245) 8° Stuttg., Strecker & Schr. 05. 3 —; geb. 4 —
— Ideale Erziehg. Ein Buch f. höh. Menschen. (46) 8° Berl.-Stegl. 03. Dt. Eylau, H Priebe & Co.   2 —; L. nn 3 —
— Üb. d. Freiheit d. Willens. (30) 8° Ebd. (03).   1.50
— Kritik d. modernen militär. Ausbildg. (27) 8° Ebd. 03. — 50 d
— Die neue Kunst. (54) 8° Ebd.(03). (1 —) 3 —; geb. (nn 1.60) nn 3 —
— Die Umwertg aller Werte. 1. Bd. Eine Philosophie d. modernen Lebens. 1. u. 2. Afl. (106) 8° Berl., J Harrwitz Nf. 04. 3 —
— Die neue Weltanschaug. 1. u. 2. Afl. (39) 8° Berl.-Stegl. (03.04). Dt. Eylau, H Priebe & Co. (1.60) 2 —; geb. (nn 2.20) nn 3 —

Wüst, K: Die zusammengesetzten Instrumentalformen. Erläutergn f. Schüler söh. Lehranst. u. jeden Musikfreund. (34) 8° Lpzg, M Hesse (04).   — 40 d

Wüstandt, E: Feuergsanlagen, s.: Jeep.

Wüste, E: Ein treuer Bekenner. 2. Afl. (16) 12° Friedenau-Berl., Bh. d. Gossner'schen Miss. (01).   nn — 05 d
— Grausamkeit als Götzendienst. (14) 12° Ebd. (01). nn — 05 d
— Den Weg d. Friedens wissen sie nicht. 2. Afl. (8) 12° Ebd. (01).   nn — 05 d

Wüstenberg-Rexin: Ein Grossgrundbesitzer üb. d. Resultate sr Wirthschaft. Die Forderg u. e. Enquete, insbes. m. Rücks. auf d. verschiedenart. Verhältnisse u. Bedürfnisse in Deutschl. (16) 8° Danz., (AW Kafemann) (02).   — 20

Wüstendörfer, H: Studien z. modernen Entwicklg d. Seefrachtvertrags, s.: Mitteilungen d. Gesellsch. f. wirtschaftl. Ausbildg e. V. Frankfurt a. M.

Wüster, K: Prakt.Buchführg f.Gewerbetreib., s.: Hoffmeister, W.
— Geschäftsgänge f. d. Unterr. in d. gewerbl. Buchführg f. Friseure, Glaser, Klempner u. Photographen, s.: Lehrhefte f. d. Einzelunterr. an Gewerbe- u. Handwerkersch.
— Ratgeber f. Gewerbetreib., s.: Hoffmeister, W.

Wustmann, G: Die Heilsbedeutg Christi bei d. apostol. Vätern, s.: Beiträge z. Förderg christl. Theol.
— Luther in Jena. (10) 8° Dresd., Verbandsbh. (E Zacharias) (04).   — 15 d
— Schuster bleib bei deinem Leisten. Deklamatorium. (12) 8° Ebd. (04).   — 15 d
— Im Waldhaus. Deklamatorium. (12) 8° Ebd. (04).   — 15 d

Wustmann, G, s.: Als d. Grossvater d. Grossmutter nahm.

Wustmann, G: Gesch. d. heiml. Calvinisten (Kryptocalvinisten) in Leipzig. Hieronymus Lotter d. Jüngere u. d. Fürstenbildnisse im Leipz. Rathause, s.: Neujahrsblätter d. Bibliothek u. d. Archivs d. Stadt Leipzig.
— Gesch. d. Stadt Leipzig. 1. Bd. (552 m. Abb.) 8° Lpzg, CL Hirschfeld 05.   10 —; HF. 12 — d
— Gesch. d. Leipz. Stadtbibliothek. Aus Briefen Friederike Oesers, s.: Neujahrsblätter d. Bibliothek u. d. Archivs d. Stadt Leipzig.
— Leipzig u. d. Leipz. Immobiliengesellschaft. 2. Ausg. (182 m. Abb. u. 1 Pl.) 8° Lpzg, Leipz. Immobiliengesellsch. 03. L. m. G. d ö H
— s.: Neudrucke, Leipz.
— Allerhand Sprachdummheiten. Kl.deut.Grammatik d.Zweifelhaften, d. Falschen u. d. Hässlichen. 3. Ausg. (20, 473) 8° Lpzg, FW Grunow 03.   L. 2.50 d
— Der Wirt v. Auerbachs Keller, Dr. Heinr. Stromer v. Auerbach. 1482—1542. Mit 7 Briefen Stromers an Spalatin. (100) 8° Lpzg 02. Berl., H Seemann Nf.   1 —; geb. 2 —

Wustmann, R: Deut. Gesch. im Grundriss. I u.II, Anh. 8° Lpzg. Rossberg'sche Verl.-Bh.   2.60 d
   I. Vom Anfang bis in d. Mitte d. 17. Jahrh. (228) 02.   Geb. 2 —
   II. Anh.: Seit d. Gründg d. neuen Reiches. (45) 02.   — 60
   Der II. Tl u. d. I. Anh. sind noch nicht erschienen.
— Von deut. Kunst. 1. Dürers Natursymbolik. 2. Goethe als Erneuerer. 3. Weltl. Musik im alten Leipzig. (54) 8° Lpzg, FW Grunow 04.   2 — d

Wüstnei, C: Die Adler Mecklenburg's. [S.-A.] (60) 8° Güstr., (Opitz & Co.) (04).   1 —
— u. G **Clodius**: Der weisse Storch, Ciconia alba Bechst., in Mecklenburg. Statistik sr Niststätten im J. 1901. [S.-A.] (57) 8° Ebd. 02.   1 —

Wüstner, A: Frauen-Evangelium, s.: Broschüren-Folge „Continent".

Wuthmann, L: Abriss d. Musikgesch. [S.-A.] (48 m. Bildnissen.) 8° Hannov., Dr. M Jänecke 04.   — 80 d
— Der Musiker, s.: Buch, d., d. Berufe.

Wüthrich, E, s.: Käserei- u. Molkerei-Kalender, schweiz.

Wüthrich, K, s.: Geschichte d. Bergwerksgesellsch. Georg v. Giesche's Erben. — Regesten z. schles. Gesch.
— Schlesiens Bergbau u. Hüttenwesen (1529—1740), s.: Codex diplomaticus Silesiae.

Wuttig, E: Fahrläss. Teilnahme am Verbrechen, s.: Abhandlungen, strafrechtl.

Wuttke, R: Der deutsch-österr.-ungar. Handelsvertrag v. 6. XII. 1891, s.: Schriften d. Ver. f. Socialpolitik.
— Die deut. Städte. Geschildert n. d. Ergebnissen d. 1. deut. Städteausstellg, Dresden '03. 2 Bde. Lpzg, F Brandstetter 04. L. 30 —
   1. (Text.) (44, 892) 8° § 2. Abbildgn. (455) 4°
— s.: Untersuchungen üb. d. Heimarbeit d. Frauen in Dresden.—Volkskunde, sächs.

Wuttke-Biller, E, a. s.: Biller, E.
— Ein Mann, 6. Wort! Gesch. e. deut. Ritters a. d. Kreuzzügen. Für d. reif. Jugend erzählt. 5. Afl. (209 m. Abb. u. 12 Vollbildern.) 8° Lpzg, Abel & M. (03).   Geb. 4.50 d
— Märchen e. Grossmutter. (341 m. Bildnis u. 3 farb. Taf.) 8° Lpzg, F Brandstetter 04.   Geb. 4.50 d

Wuttki Kaputhi. (34 m. z. Tl farb. Abb.) 4° Berl., Verl. d. „Lust. Blätter" (05).   — 60 d

Wutsdorf: Gog.u. Magog. [S.-A.] (12) 8° Lpzg, (Ev. luth. Zentralver. f. Miss. unter Israel) (03).   — 15 d

Wutsdorf, E, s.: Bericht üb. d. v. Komitee f. Krebsforschg erhob. Sammelforschg. — Verhandlungen d. Comités f. Krebsforschg. — Veröffentlichungen d. Komitee's f. Krebsforschung. — Zeitschrift f. Krebsforschg.

Wychgram, J, s.: Choix de nouv. modernes. — Frauenbildung.
— Gesch. d. höh. Mädchenschulwesens in Deutschl. n. Frankr., s.: Schmid, KA, Gesch. d. Erziehg.
— Hilfsb. f. d. Unterr. in d. höh. Litt.-Gesch., s.: Velhagen & Klasing's Sammlg deut. Schulausg.
— s.: Lectures pédagog.
— Von d. Leitg uns. Schulen. Vortr., geh. auf d. 17. Hauptversammlg d. „Deut. Ver. f. d. höh. Mädchenschulwesen". (24) 8° Lpzg, BG Teubner 01.   — 40 d
— s.: Prosa, deut. — Recueil de contes et récits pour la jeunesse.
— Schiller. Volksausg. 1—10. Taus. (399 m. 1 Bildnis.) 8° Bielef., Velhagen & Kl. 05.   L. 3 — d
— Charlotte v. Schiller, s.: Frauenleben.
— s.: Velhagen & Klasing's Sammlg pädagog. Schriftsteller.
— Stephan Waetzoldt. [S.-A.] (18) 8° Lpzg, BG Teubner 05. — 60
— H Lange u. G **Bäumer**: Schüler u. d. Seinen. (159 m. Abb.) 8° Berl., L Oehmigke's V. 05.   — 70 d

Wyczinski, M v.: Deutsch-russ. Konversationsb., s.: Connor, J.
— Poln. Konversations-Grammatik, s.: Wicherkiewicz, W.
— Russ. Konversations-Grammatik, s.: Fuchs, P.

Wydler, H: Aufg. f. d. Unterr. im Rechnen. I—VIII. Schulj. 8° Aar., HR Sauerländer & Co.   nn 1.65
   I. 9. Afl. (15) 05. nn — 15 d ‖ II. 11. Afl. (39) 04. nn — 15 d ‖ III. 19. Afl. (32) 05. nn — 15 d ‖ IV. 11. Afl. (32) 04. nn — 15 d ‖ V. 10. Afl. (32) 05. nn — 15 d ‖ VI.(Ausg. f. Gemeindesch.) 5. Afl. (33) 05. nn — 15 d ‖ VII.VIII. 7. u. 8. Schulj. 8° Ebd. 4. Afl. (116) 02. Kart. nn — 75.
— dass. (Ausg. f. Gemeindeschulen.) VI. Schulj. Ausg. f. Lehrer. Afl. 1903. (33 Doppels.) 8° Ebd.   — 60 d

Yahuda. AS: Prolegomena zu e. erstmal. Herausgabe d. Kitāb al-hidāja 'ila farā 'id al-qulūb (חובות הלבבות) v. Bachja ibn Josef ibn Paqūda s. d. Andalus, nebst e. grösseren Textbeilage. (94) 8° Frankf. a/M., J Kaufmann 04. —

Yates, E: Der stille Zeuge, s.: Kürschner's, J, Bücherschatz.

Yblagger, L: Ges., d. Fortsetzg. d. Grundentlastg betr., v. 2.II.1898, nebst d. Novellen v.12.XII.1899 u.10.VIII.'04. d. wichtigsten Ministerial-Bekanntmachgn u. Entschliessgn, sowie Formularen. (77) 8° Münch., J Schweitzer V. 05. Kart. 1.30 d

Yermoloff, A: Die landw. Volksweish. in Sprichwörtern, Redensarten u. Wetterregeln. Autoris. Ausg. 1. Bd: Der landw. Volkskalender. (567) 8° Lpzg, FA Brockhaus 05.   16 —; geb. 18 —

Yonge, CM: Modern broods, or, developments unlooked for, s.: Collection of Brit. auth.
— Ausgew. Erzählgn. I. Der Erbe v. Redclyffe. Nach d. Engl. v. C Kolb. 2 Tle in 1 Bde. 4. Afl. (385 u. 364) 12° Dresd., CL Ungelenk 03.   L. 5 — d
— s.: Herzog, d. kl.

Yonge, M: Benjamin Sylvester od. d. Sieg d. Wahrheit. Erzählg f. jung u. alt. 2. Afl. (92) 12° Bas., Kober 02.   — 70; L. 1.40 d

Yorck v. Wartenburg, Graf: Napoleon als Feldherr. 1. Thl. 3. u. 4. Afl. (340 bezw. 331) 8° Berl., ES Mittler & S. 01.04. Je 7.50 ‖ 2. (Schl.)-Thl. 3. Afl. (397 m. 1 Karte u. 1 Skizze.) 01. 10 —; in 1 Bd geb. 20 — d
— s.: Weltgeschichte in Umrissen.

York-Steiner, H (H Steiner): Der Talmudbauer. — Unterwegs. Erzählgn. (Umschl.: 2. Afl.) (306) 8° Berl. (04). Köln, Jüd. Verl.   4 —; geb. nn 5.25

York-Antwerp-Rules 1890. Grundsätze d. gr. Haverei, angenommen v. d. Kongress d. Gesellsch. f. d. Reform u. Codification d. Völkerrechts zu Liverpool im J. 1890. Deut. u. engl. Ausg. 4. Afl. (15) 8° Hambg, Eckardt & M. 03.   — 40

Young, G: "G'spoass". Dialekt-Gedichte. (71 m. Bildnis.) 8° Mödl. (05). Wien, T Daberkow.   (— 90) — 50 d

Young, WH: Üb. d. Einteilg d. unstet. Funktionen u. d. Verteilg ihrer Stetigkeitspunkte. [S.-A.] (10 m. Fig.) 8° Wien, (A Hölder) 03.   — 30

Ysaye, L: Zwischenspiele in Versen. (52) 8° Wien, Wiener Verl. 01.   2.50 d

Ysentorff, H zu, s. a.: Gaehtgens zu Ysentorff, H.
— Per aspera ad astra. Handlg in 3 Acten. (63) 8° Berlin, W Süsserott 02.   1 — d
— An ihren Früchten. Roman a. e. Grossstadt. (347) 8° Zür., O Schmidt 04 (Umschl. 05).   4 — d
— Verhängnis. Militär. Sittenbild a. e. gr. Garnison. 2-4. Afl. (488) 8° Broschw. 04.   4 —; geb. 5 — d

Ysumbras, Sir, hrsg. v. G Schleich, s.: Palaestra.

Yung, E: Zermatt u. d. Visperthal. (107 m. Abb.) 4° Zür., (T Schröter's Nf.) (01).   Geb. 20 —

Zaar, E, u. AL Zaar: Geschäfts- u. Kaufhäuser, Wärenhäuser u. Messpaläste, Passagen od. Galerien, s.: Handbuch d. Architektur.

Zabel's Jahr- u. Adressb. d. Zuckerfabriken Europa's f. d. Kampagne 1905/6. Bearb. v. CA Schallehn. 38. Jahrg. (38, 190 u. 46 m. 1 Bildn.) 8° Mgdbg, Verl.-Anst. f. Zuckerindustrie.   L. 4 —

Zabel, E: Mecklenburgs Krüppelfürsorge in d. Landeskrüppelanst. "Elisabethheim" zu Rostock. (51 m. Abb.) 8° Rost., (H Koch) 03.   — 30

Zabel, E: Auf d. sibir. Bahn n. China. 2. Afl. (294 m. Abb. u. 1 Karte.) 8° Berl., Allg. Ver. f. deut. Litt. 04.   6 — d
— Bunte Briefe a. Amerika. (288) 8° Berl., G Stilke 05.   3 —; geb. 4 — d
— Zur modernen Dramaturgie. 3 Bde. 8° Oldnbg, Schulze 03.   Je 5 —; je 6 — d

1. Das deut. Theater. 2. Afl. (544) ‖ 2. Das ausländ. Theater. 2. Afl. (484) ‖ 8. Aus alter u. neuer Zeit. (457)

— Europ. Fahrten. 2 Bde. (361 u. 368) 8° Ebd. 01.   10 —; geb. 12 — d
— Moskau. — St. Petersburg, s.: Kunststätten. Darsteller.
— LN Tolstoi, s.: Darsteller.

Zabel, F: Die gesetzl. Bestimmgn üb. Glücksspiel, Lotterie, Ausspielg u. Wette. 05.3 u 8° Bresl., JU Kern 02. — 80 d

Zabel, H: Hdb. d. Laubholz-Benenng, s.: Beissner, L.

Zabel, R: Im muhammedan. Abendlande. Tageb. e. Reise durch Marokko. 1. u. 2. Afl. Nebst e. Anh. v. P Range, enth. d. geolog. Bearbeitg d. v. Verf. mitgebr. Gesteinsproben. (463 m. Abb. u. 5 Kart.) 8° Altnbg, S Geibel 05. 10 —; L. —; auch in Lfgn zu — 60 d
— Cuba. Die wirthschaftl., soc. u. polit. Entwickelg d. Insel. Unter bes. Berücks. d. deut. Handelsinteressen dargestellt. Neue (Tit.-)Ausg. (88) 8° Lpzg, O Gracklauer [1898] 01. 1.50 d
— Deutschl. in China. (433) 8° Lpzg, G Wigand 02.   7.50; geb. 9 — d
— Durch d. Mandschurei u. Sibirien. (314 m. Abb. u. Bildnis.) 4° Ebd. 03.   L. 20 —; auch in 20 Lfgn zu — 80 d
— s.: Monographien z. Weltpolitik.

Zabiensky s.: Dolenga v. Zabiensky.

Zabludowski, J: Massage im Dienste d. Kosmetik. [S.-A.] (37 m. Abb.) 8° Berl., A Hirschwald 05.   1 —
— Die neue Massage-Aust. d. Univ. Berlin. [S.-A.] (18) 8° Münch., Seitz & Sch. 01.   1 —

Zabludowski, J: Zur Prophylaxe u. Therapie d. Schreib- u. Musikkrampfes. [S.-A.] (12) 8° Berl., A Hirschwald 04. — 60
— Üb. Schreiber- u. Pianistenkrampf, s.: Sammlung klin. Vortr.
— Technik d. Massage. 2. Afl. (1. Afl. im Hdb. d. physikal. Therapie, hrsg. v. A Goldscheider u. P Jacob.) (123 m. Abb.) 8° Lpzg, G Thieme 03.   4 —; L. 5 —
— Zur Therapie d. Erkrankgn d. Hoden u. deren Adnexe. Vortr. [S.-A.] (33 m. Abb.) 8° Ebd. 03.   1.50
— Überanstrengg beim Schreiben u. Musizieren. Im Ausz. vorgetr. [S.-A.] (22 m. Abb.) 8° Ebd. 04.   1 —

Zaborowski: Der Ursprg d. Sprache, s.: Volksbibliothek, wiss.

Zaccherini, G: Praelectiones theologiae speculativae. Fundamentalis theologiae pars I. De vera religione. (513) 8° Rom, F Pustet (05).   5.10

Zaccone, P: Nicht schuldig, s.: Kriminal- u. Detectiv-Romane, moderne.

Zach, E v.: Lexicograph. Beitr. I—III. 8° Peking. Lpzg, O Harrassowitz.)   nn 14 —
1. (96) 02. an 4 — ‖ II. (136) 04. nn 5 — ‖ III. (135) 05. nn 5 —

Zäch, R: Illustr. Koch-Buch f. d. feine u. bürgerl. Küche m. Berücks. d. Fastenspeisen. 3. Afl. (173) 8° Stüttg., K Daser (05).   L. 3 — d

Zachar, A: Der Grundbesitz im Herzogth. Bukowina n. d. Stellg d. Besitzer u. n. Grössencl. d. Besitzes. — Die direkten Steuern im Herzogt. Bukowina. — Das Vermögen d. polit. Gemeinden in d. Bukowina. Statist. Darstellg d. autonomen Landesverwaltg d. Herzogth. Bukowina. Die directe Steuerschuldigk. d. Herzogth. Bukowina, s.: Mitteilungen d. statist. Landesamtes d. Herzogth. Bukowina.

Zachariä, FW: 9 poet. Gedichte (1754.55), s.: Literaturdenkmale, deut., d. 18. u. 19. Jahrh.

Zacharias, E: Üb. d. Cyanophyceen. [S.-A.] (41 m. 1 Taf.) 8° Hambg, (L Gräfe & S.) 04.   2 —

Zacharias, E: Die Posaunenchöre, ihre Entstehg u. Ausbreitg. Vortr. (16) 8° Dresd., Verbandsbh. (E Zacharias) 02. — 25 d

Zacharias, J: Die Akkumulatoren z. Aufspeicherg d. elektr. Stromes, deren Anfertigg, Verwendg u. Betrieb. 2. Afl. 5—7. Lfg. (385—724 m. Abb.) 8° Jena, H Costenoble 01. 10 —; (Vollst.: 22 —)
— Bau u. Betrieb elektr. Strassenb. (154 m. Abb.) 12° Halle, W Knapp 02.   Kart. 3 —
— Des Elektroingenieur's Taschenb. f. Bau u. Betrieb elektr. Bahnen. Deutsch n. d. engl. 2. Afl. d. The "Engineering" and Electric Traction Pocket-Book v. P Dawson. (516 m. Abb. u. Tab.) 8° Ebd. 04.   15 —
— Die elektr. Kraftübertragg, s.: Japing, E.
— s.: Mitteilungen, elektrotechn.
— Elektr. Spektra. Prakt. analyt. Studien üb. "Magnetismus". (176 m. Abb.) 8° Lpzg, T Thomas 04.   6 —; geb. 7 —
— Elektr. Strassenb., s.: Bibliothek, elektrotechn.
— Elektr. Verbrauchsmesser d. Neuzeit. (351 m. Abb. u. Tab.) 8° Halle, W Knapp 04.   15 —
— Elektr. Verkehrstechnik. Hdb. f. Entwurf u. Bau elektr. Strassenb. u. deren Betrieb. Unter Mitarb. v. J Müschel. (285 m. Abb. u. 1 Taf.) 8° Berl. 02. Jena, H Costenoble.   12 —
— u. M Müschel: Konstruktion u. Handhabg elektromedizin. Apparate. (308 m. Abb.) 8° Lpzg, JA Barth 05. 8 —; L. 9 —

Zacharias, L: Gedichte. (64) 8° Dresd., E Pierson (02). 1.50; geb. 2.50 d

Zacharias, O, s.: Archiv f. Hydrobiol. u. Planktonkde. — Forschungsberichte a. d. biolog. Station zu Plön.

Zacharias, OF: Die Rinderrassen Österr.-Ungarns u. ihre wirtschaftl. Leistg. Beschreibg. d. in Österr.-Ungarn heim. Rinderschläge, als Leitf. f. landw. Lehranst. (98 m. Abb.) 8° Wien, G Fromme 03.   1.50

Zache, E: Die Landschaften d. Prov. Brandenburg. (338 m. Abb., Kartenskizzen, 23 Taf. u. 1 Karte.) 8° Stüttg., Hobbing & S. 05.   5 —; geb. 6.25 d

Zacher: Kurzgef. Gesch. d. niederschles. Fussartill.-Regts Nr. 5. u. z. Kompagnien. (89) 12° Pos., F Ehbecke 01. — 50 d

Zacher: Die Arbeiter-Versicherg im Ausl. Heft 1 a, 3 a, 4 a, 5 a, 7 a, 8 a, 9 a, 10 a u. 13—16. 8° Berlin-Grunew., Verl. d. Arbeiter-Versorgg, A Troschel.   31.40 (1—16, 1 a, 3 a, 4 a, 5 a, 7 a, 8 a, 9 a, 10 a: 52,20; 13—16, 1 a, 3 a, 4 a, 9 a, 10 a in 1 HF.-Bd = II. Bd. 24 —)

1 a. In Dänemark. 1. Nachtr. (65) 03. 2 — | 1 a. 2 — | 8 a. In Norwegen. 1. Nachtr. (113) 04. 3.60 (1 u. 1 a: 5.60) | 4 a. In Frankreich. 1. Nachtr. (102) 03. 4.50 (1 u.1 a: 7.50) | 5 a. In Russland. 1. Nachtr. RW Weltr. (140) 03. 4.50 (1 u. 1 a: 7.60) | 7 a. In Österr. 1. Nachtr. Bearb. v. K Kögler. (142) 05. 4.50 | 8 a. In Ungarn. 1. Nachtr. Bearb. v. K Kögler. (30) 05. 1 — (8 7, 5, 7 a u. 8 a: 7.50) | 9 a. In Russl. 1. Nachtr. Bearb. v. Graf L Skarzynski. (39) 05. 3 — (9 u. 9 a: 4.20) | 10 a. In Pinl. 1. Nachtr. Bearb. v. A Hjelt. (15 u. 23) 05. 1.30 (10 u. 10 a: 2.50) | 13. In d. Niederl. (80) 05. 1.50 | 14. In Luxemburg. (26) 01. 2 — | 15. In Spanien. (69) 02. 2 — | 16. Möbius u. Anublick auf d. Entwickelg d. Arbeiterversicherg in Europa. (76) 02. 1 —

— Leitf. z. Arbeiter-Versicherg d. Deut. Reichs. 1902. 4. Hunderttaus. (48 in. Fig.) 8° Berl., Behrend & Co. 02. nn — 25 d
— dass. Neu zusammengest. f. d. Weltausstellg in St. Louis 1904. 10. Aufl. 4. Hunderttaus. (47) 8° Ebd. 04. nn — 25 d; engl. u. französ. Ausg. (Je 45) Je nn — 25

Zacher, A: Herr Assessor Assemacher in Italien. Freuden u. Leiden e. rhein. Jubiläumspilgers. (672) 8° Frankf. a/M., Neuer Frankf. Verl. 02.   6 —; L. 7.50 d

cording to the theories of G Heness. Engl. 1. and 2. book.
8° Berl., C Duncker. Kart. 4.75
1. (95) 01. 2 — | 2. (141) 02. 2.75.
Zapp, A: Méthode naturelle pour l'enseignement des langues étrangères d'après les théories de G Heness. Franç. 1. et 2. livre. 8° Berl., C Duncker. Kart. 5.25
1. (Neue [Tit.-]Ausg.) (132) [01] 02. 2.50 | 2. (159) 02. 2.75.
— Die natürl. Methode f. d. Unterr. fremder Sprachen n. d. Prinzipien d. G Heness. Deutsch. 1. u. 2. Buch. (211) 8° Ebd. (02). Kart. 3.50 d
— Um d. Mitgift willen. Roman. (254) 8° Mannh., J Bensheimer's V. (02). 3.50 d
— Der Mut zu lieben. Roman. (239) 8° Dresd., C Reissner 1900.
3 —; geb. 4 — d
— Promoviert, s.: Unterhaltungsbücher, neue, f. Stenogr.
— Mrs Carry Redfield. Roman. (126) 8° Berl., R Taendler (03).
2 —; geb. 3 — d
— Rhenania sei's Panier! Roman a. d. Studentenleben. (197) 8° Berl., C Duncker (04). 3 — d
— Der tolle Schmettwitz. Roman. (Neue [Tit.-]Ausg.) (352) 8° Stuttg., Dout. Verl.-Anst. [1895] (01). 1.50; kart. 1.75 d
— Der Sohn d. Ministers. Roman. (220) 8° Berl., C Duncker (03). 3 — d
— Der Talmi-Graf. Roman. (193) 8° Berl., H Steinitz (01). 3 — d
— Sergeant Thielke. Soldaten-Roman. (205) 8° Mannh., J Bensheimer's V. (04). 3 — d
— Ein Verbrechen? Orig.-Roman. (202) 8° Ebd. (02). 2.50 d
— Verurteilt, s.: Weichert's Criminal-Bibliothek.
— Kamerad v. Zeck. Lustsp. (54) 8° Berl., J Räde (05). 1.50 d
Zapp, E, s.: Foerster, C.
Zarathustras Veröhng. (62),8° Lpzg, JG Findel 01. 1.20 d
Zardetti, O: Die Bischofs-Weihe n. d. Lehre u. Liturgie d. kathol. Kirche. (96 m. Abb.) 16° Einsied., Verl.-Anst. Benziger & Co. 1889. L..1.20 d
Zarn, O: Die Sieges-Allee in Bild u. Wort. (32) 8° Berl., C Sagawe (02). — 25 d
Zarn, S: Novenenb. Sammlg d. beliebtesten neuntäg. Andachten, nebste. Anh. d. gewöhnlichsten Gebete. (192 m. 1 Taf.) 16° Einsied., Verl.-Anst. Benziger & Co. 1900. L. — 80;
Ldr m. G. 1.50 d
Zarnack, R, s. a.: Blankenburg, R.
— Bilderb. zu d. hl. 10 Geboten, s.: Thiele, L.
— Er lebt, s.: Osterglocken.
— Seine unaussprechl. Gnade, s.: Weihnachten.
Zarncke, F, s.: Zentralblatt, literar.
Zarniko, C: Die Krankh. d. Nase u. d. Nasenrachens, m. bes. Berücks. d. rhinolog. Propädeutik. 2. Aft. 2 Hälften. (740 m. Abb. u. 5 Taf.) 8° Berl., S Karger 03.05. 16.80; geb. 18 —
Zarth, H: Schwarz-Weiss, s.: Vrieslander, JJ.
Zasche, J: Das moderne Theater. Beitrag z. Erzielg e. grösseren Sicherh. im Theater durch Führg d. I. Rangtreppe direkt ins Freie u. e. zugfreien intimen Verbindg d. Parterres m. d. Foyer üb. d. I. Rangtreppe. (13 m. Abb.) 8° Wien, A Schroll & Co. (05). — 50 d
Zastrow, K: s. a.: Prenzlau, K v.
— Die Ansiedler in Kamerun u. d. Schätze d. Schiffes „Waldemar". Erzählg f. d. Jugend. 16. u. 17. Taus. (192 m. 5 Farbdr.) 8° Wes., W Düms (02). Geb. 2.50 d
— Conanchet, d. Häuptling d. Wampanowys, n. JF Cooper bearb. s.: Helden, s.: d. Indianervolkes.
— Der Günstling d. Zaren. Erzählg. (112) 8° Mülh. a/R., J Bagel (04). — 30 d
— Modernes Heiraten, s.: Friedrich, F, e. Freundesopfer.
— Märchen a. 1001 Nacht, s.: Goebel, F.
— Dem Mutigen hilft Gott. Erzählg. (128) 8° Mülh. a/R., J Bagel (04). — 40 d
— Ein Neger od. Der schwarze Sam. Erzählg. (127) 8° Ebd. (05). — 40 d
— s.: Volkserzählungen, kl.
— Wetten u. wagen u. and. histor. Erzäblgn, s.: Beneke, A.
— **Neumann-Strela u. A.:** Aus d. Leben d. nord. Semiramis u. and. histor. Skizzen. — Beneke, A, K Neumann-Strela u. K Zastrow: Wetten u. wagen u. and. histor. Erzählg. (Umschl.: Neumann-Strela, K, K Zastrow u. a.: Aus vergang. Tagon. Histor. Erzählgn.) (111 u. 128) 8° Mülh. a/R., J Bagel (04). — 60 d
— K v. **Prenzlau u. A.:** Ernstes u. Heiteres a. d. Theaterwelt. —Zastrow, K, K Teschner u. A.: Ein Schwank im Dachstübchen u. and. Humoreskem (Umschl.: Zastrow, K: Ernstes u. Heiteres.) (111 u. 112) 8° Ebd. (04). — 60 d
Zatsmann, V: Patriot. Festklänge. (48 m. Abb.) 8° Barm., DB Wiemann (01). 1 — d
Zauber u. Liebe. Lehrb. d. geheimen Künste: Liebe einzuflössen, zu erhalten, od. zu vernichlen. Liebe bezwingen. Darstellg d. Lehre d. Geistern u. geheimen Wunderkräften aller Art, sowie ihrem Hereingreifen in d. Welt d. Liebenden. Bearb. v. Faustulus DMP. 34. Afl. (93) 8° Lpzg, AF Schlöffel (04). 1.75 d

Zauberbuch, d., d. Hetären, s.: Ksemendra's Samayamätrikä.
Zauberkabinet. Ausw. leichtausführbarer, höchst interessanter Taschenspieler-Kunststücke. (Umschl.: Bellachinis Zauberkabinet.) (80) 8° Neu-Weissens., E Bartels (02). — 80 r
Halb]. Ausg. (32) — 25 d
Zauberringe, nordische. Von Gräfin M A.-Z. (57 m. Abb.) 8° Pass., M Waldbauer (02). 2 — d
Zauberspiegel, der. Illustr. Fachschrift f. Salonmagie, Illusionen, Antispiritismus etc. Red.: FW Conradi-Horster. 4. u. 5. Bd. 1904 u.5 je 12 Nrn. ('05- 194) 8° Berl., Horster. Halbj. 4 —
Von Juli 1898—Dezbr 1903 nicht erschienen.
Zauberwelt, die. Illustr. Journal f. Salon-Magie u. moderne Wunder. Red.: C Willmann. 7—10. Jahrg. 1901—4 je 12 Nrn. (Nr. 1—4. 64) 8° Hambg (Neue A-B-C-Strasse 3), C Willmann. Halbj. 4 —; einz. Nrn 1 —
Fortsetzg soli in unbest. Zwischenräumen erscheinen.
Zaufal, J: Der Bilanz-Schlüssel. Ausg. f. Monats-, Quartals- u. Semestral-Abschluss. (Je 30 u. 138) 41,5×26,5 cm. Wiesbaden (Walkmühlstr. 32 I), Selbstverl. (05). HF. je 50 —
— s.: Für Feste u. Fremde d. intimen Mission.
— Der Gustav-Adolf-Ver. im Kindergottesdienst. (180 u. Musikbeil. 20) 8° Lpzg, A Strauch 04. 2.40; geb. u. geb. 3.50 d
— s.: Kalender f. uns. Kinder.
— Uns. Kinder. Worte an junge Eltern. (61) 8° Bielef., Velhagen & Kl. 01. 1.20 d
— Deut. Kindergesangb., s.: Tiesmeyer, L.
— s.: Kindergottesdienst, d.
— Die ev. Kirche u. ihre Frauen. (20) 8° Brem., J Morgenbesser 03. — 30 d
— Was bedeutet mein Name? Erklärg d. bekanntesten Taufnamen. 2. Afl. (48) 8° Ebd. 02. — 60 d
— s.: Predigten bei d. 55. u. 57. Hauptversammlg d. ev. Ver. d. Gustav Adolf-Stiftg geh. — Taschenbuch f. Leiter u. Helfer d. Kindergottesdienstes.
— Welde meine Lämmer! Ein Werbe- u. Instruktionsbüchl. f. Helfer u. Helferinnen am Kindergottesdienst. 4. Aufl. (64) 8° Brem., J Morgenbesser 05. — 30 d
— Frohe Weihnacht, s.: Tiesmeyer, L.
Zauner, A: Die roman. Namen d. Körperteile. (194) 8° Erl., F Junge 02. 4.80
Zavadier, S: Altes u. Neues üb. d. Lactophenin nebst Bemerkgn üb. d. Arzneimittel-Synthese. (36) 8° Tüb., F Pietzcker 03. 1.20
Zavodny: Der Sauer- u. Graukäse in Tirol. [S.-A.] (12) 8° Lpzg, M Heinsius Nf. 01. — 40 d
Zavfel, J: Untersuchgn üb. d. Entwicklg d. Stirnangen (Stemmata) v. Vespa. [S.-A.] (36 m. Abb. u. 3 Taf.) 8° Prag, (F Řivnáč) 02. 1.30
Zay, A, u. A Schnell: Ungar. Sprach- u. Leseb. f. höh. Volks- u. Bürgersch. 2. Tl. (124) 8° Hermannst., W Krafft 02.
Kart. nn — 85 d
3. Tl u. d. T.:
— Magyar. Sprach- u. Léseb. f. Bürgersch. 3. Tl. (3. u. 4. Bürgerschulkl.) (160 u. 31) 8° Ebd. 03. Kart. u. geb. nn 1.45
(Vollst.: nn 3.15) d
Zdarsky, M: Alpine (Lilienfelder) Skilauf-Technik. 2. Afl. (98 m. Abb.) 8° Hambg 03. Berl., KW Mecklenburg. 2.50; geb. 3.50
Zdenek, EA: Die kathol. Kirchenreform u. d. Altkatholizismus, s.: Moos, LK.
— Die Wunder d. Pflanzenwelt. Projektions-Vortr. (24 Bl.) 8° Dresd., (Unger & Hoffmann) 01. 1.75
Zdobnicky, W: Käfer-Etiketten f. Schulsammlgn. (10 Bl.) 8° Tetsch., O Henckel (04). — 60
Zdziarski, AF, s.: Wegweiser auf d. gr. sibir. Eisenb.
Zdziechowski, M: Pessis perniciosissima. Esssay z. Charakteristik d. modernen Strömgn im Katholizismus. A. d. Poln. v. H Glück. (87) 8° Wien, (C Gerold's S.) 05. 2 —
Zebegény u.: Gründorf v. Zebegény.
Zobo, C: Vademekum f. d. Hausbesitzer. (52) 8° Wien, Manz 05. — 85 d
Zech, H: Dornen u. Disteln. Gedichte. (51) 8° Bambg, (Handels-Dr. u. Verlagsh.) 02. — 75 d
Zechanowitsch, A: Die Petersburger Nana. Roman a. d. modernen Petersb. Gesellsch. (342) 8° Lpzg, Leipz. Verl.-Comptoir 03. 3 —; geb. 4 — d
Zechlin, MR: Automobil-Kritik. (148 m. Abb.) 8° Berl., (WH Kühl) 05. L. 6 —
— Der Automobil-Sport, s.: Bibliothek f. Sport u. Spiel.
— s.: Ravenstein's Führer z. Gordon Bennett-Rennen.
Zechner, P: Hdb. d. österr. Bergrechtes, s.: Haberer, L.
— Leitf. f. d. Unterr. im österr. Bergrechte an Bergsch. 2. Afl. v. C v. Webern. (81 m. Fig. u. 1 Karte.) 8° Wien, Manz 05. 1.50 d
Zeck, E: De recuperatione Terre Sancte. Ein Traktat d. Pierre Dubois. (Petrus de Bosco.) I. Einl. u. Analyse d. 3 ersten Hauptteile d. Traktats. (33) 8° Berl., Weidmann 05. 1 —
Zeda, O: Elektr. Glockensignale, Telephone u. Blitzableiter. Beschreibg d. einschläg. Apparate nebst ein. prakt. Winken f. d. Installateur. (185 m. Abb.) 8° Wien, A Hartleben 05.
2 —; geb. 3 —
Zedelius, Frl. T, s.: Justus, T.

Zederbauer, E: Myxobacteriaceae, e. Symbiose zw. Pilzen u. Bakterien. [S.-A.] (36 m. 2 Taf.) 8° Wien, (A Hölder) 03. 1 —
— Eine Reise in d. Geb. d. Erdschias-Dagh, s.: Panther, A.
Zedler u. **Schott**: Führer durch Lobenstein u. Umgebg. Als Anh.: Verz. d. selt. Pflanzen, welche im Saalgeb. u. im Bez. Lobenstein vorkommen. (70 m. Abb. u. 2 Kart.) 8° Lobenst., F Krüger (02). — 80
2. Afl. u. d. T.:
— — Führer durch Lobenstein u. Umgebg sowie d. Saalthal, d. Sormitz- u. Selbitz-Geb. u. d. nordöstl. Frankenwald. 2. Afl. (70 m. Abb. u. 2 Kart.) 8° Ebd. (03). 1 —
Bildet Ersatz f. d. Aschenbach'schen Führer.
Zedler, G: Das Mainzer Catholicon, s.: Veröffentlichungen d. Gutenberg-Gesellsch.
— Das Mainzer Fragment v. Weltgericht, s.: Schröder, E.
— Gutenberg-Forschgn. (165 m. 4 Lichtdr.) 8° Lpzg, O Harrassowitz 01. 7 —
— Die älteste Gutenbergtype, s.: Veröffentlichungen d. Gutenberg-Gesellsch.
Zedler, P: Postheft. Anl. z. Anfertigg richt. Briefaufschriften u. z. Ausfüllg d. bei d. Post gebräuchlichsten Formulare. (Ergänzgsheft zu HC Otto's Schreibsch.) 1—6. Afl. (8 m. 32 Taf.) 4° Berl., M Rockenstein (02.03). — 50;
    Übgsformulare dazu. (33 Taf.) 03. nn — 20 d
Zedlitz, O Graf: Deut. Waidwerk unter d. Mitternachtssonne, s.: Roth, J.
Zedlitz u. **Neukirch**, A Freifrau v., geb. v. Bonin: Kindergedanken u. Gedanken üb. Kinder. [223] 8° Hambg, Agent. d. Rauhen H. 05. 3 —; geb. 4 —d
Zedlitz u. **Neukirch**, HR Frhr v.: Gesch. d. kgl. preuss. Leib-Kürassier-Regts „Grosser Kurfürst" (schles.) Nr. 1. 1. Tl. Kurbrandenburg. Leibdragoner. (598 m. Abb., Kart., Plänen u. 12 [4 farb.] Taf.) 4° Berl., R Eisenschmidt 05. 45 —;
Zedlitz u. **Neukirch** O Frhr v.: 30 Jahre preuss. Finanz-Steuerpolitik. (122) 8° Berl., ES Mittler & S. 01. 2.40; L 3.50 d
Zedlitz-Neukirch, WGS Frhr v., s.: Hegewald.
Zeeb's, A: Lehrb. d. Gesch. f. d. ob. Kl. d. Gymnasien. 2. Tl. Vom Beginn d. M.-A. bis z. Ende d. 30jähr. Krieges. 2. Afl. (269) 8° Laib., I v. Kleinmayr & F Bamberg 02. Geb. 2.40
— u. W **Schmidt**: Österr. Vaterlandskde f. d. VIII. Gymnasialcl. (261 m. 1 Tab.) 8° Ebd. 01. Geb. 2.70
Zeerleder, A: Gerüstgn u. Baumethoden d. gewölbten Brücken auf d. IV. u. V. Baulos d. Albulabahn, s.: Müller, R.
Zeerleder, F: Gedanken üb. Führg schweiz. Kavalleriedetachemente in schweiz. Verhältnissen, s.: Militärzeitung, allg. schweiz.
Zeglin, F: Gedichte. (63) 12° Dresd., E Pierson 03. 1 —; geb. 2 — d
Zeh, E: Volkssch.-Liederb., s.: Becker, K.
Zehden, G: Gesundh. u. Krankh., s.: Buch, d. prakt.
— Die 1. Hilfe bei Unglücksfällen, plötzl. Erkrankgn u. Vergiftgn, s.: Hillger's illustr. Volksbibl.
Zehden, K: Handelsgeogr. auf Grundl. d. neuesten Forschgn u. Ergebnisse d. Statistik. 9. Afl. v. R Sieger. (550 m. 1 Karte.) 8° Wien, A Hölder 03. Geb. nn 6.40
— Leitf. d. Handels- u. Verkehrs-Geogr. f. kaufmänn. Fortbildgssch. 6. Afl. v. T Cicalek. (126 m. 1 Karte.) 8° Ebd. 04. Kart. 1.20 d
— dass. f. 3klass. Handelssch. 5. Afl. v. T Cicalek. (234 m. 1 Karte.) 8° Ebd. 02. Kart. 2.10
Zehender, JK: Ansichten v. Frankfurt am Main im 18. Jahrh. „Flut u. Ufer, Land u. Höhen" z. Z. d. jungen Goethe. Mit erläut. Text v. A Hammeran. 3 Lfgn. (30 Bl. m. 24 S. Text.) 34,5×45 cm. Frankf. a/M., C Jügel 03.04. Je 12 —; Mappe nn 4— d
Zehender W v.: Ueb. opt. Täuschg m. bes. Berücks. d. Täuschg üb. d. Form d. Himmelsgewölbes u. üb. d. Grössenverhältn. d. Gestirne. [Rev. S.-A.] (121 m. Fig.) 8° Lpzg, JA Barth 02. 4 —
Zehl, A: Der Anwärter f. d. Subalternmannsdienst, s.: Handbibliothek, jurist.
Zehl, A: Die Gebärpraxe d. Rindes. (74 m. 1 Abb.) 8°, R Schoetz 05. 2 —
Zehlicke, A: Heinrich v. Plauen. Histor. Trauersp. m. d. Vorsp. Die Schlacht bei Tannenberg. Dramat. Gedicht. (213) 8° Berl. (S.W. Johannisstr. 11), Dr. A Zehlicke (1900). (†) 2 —;
    L. 3 — d
— Deut. Lieder. (65) 8° Ebd. 1898. L. 2 — d
Zehme, Frau: Aus d. Leben e. Tamulenchristin, s.: Lotosblumen, ind.
Zehme, A: German. Götter- u. Heldensage. Unter Anknüpfg an d. Lektüre f. höh. Lehranst., namentlich f. d. deut. Unterr., sowie z. Selbstbelehrg dargest. (258) 8° Wien, F Tempsky. — Lpzg, G Freytag 01. Geb. 3 —; geb. 4 — d
— Die Kulturverhältn. d. deut. M.-A. Im Anschl. an d. Lektüre z. Einführg in d. deut. Altertümer im deut. Unterr. geschildert. 2. Afl. (197 m. Abb.) 8° Ebd. 05. Geb. 3 —
— Deut. Leseb., s.: Lehmann, E.
Zehme, EC: Hdb. d. elektr. Eisenb. in 4 Bdn. 1. Bd: Die Betriebsmittel. (321 m. Abb. u. 66 L.) 4° Wiesb., CW Kreidel 03. 27 —; geb. 30 — d
Zehme, S: Heidnisches u. Christliches a. Kidâtaleimôdu, s.: Palmzweige v. ostind. Missionsfelde.
— Der Katechumenat im Erfahrgsbereich e. ev.-luther. Mis-

sionars. Nebst e. Anh.: Gespräch m. e. gelehrten Heiden üb. die d. Taufe vorangeb. Erleuchtg d. Hl. Geistes. (32) 8° Lpzg, Verl. d. ev.-luth. Miss. 05. 30 d
Zehme, S: Die Kirchweih zu Kallikadu. — Ein Monat auf Missionspfaden (Mâjâweram), s.: Palmzweige v. ostind. Missionsfelde.
— Die tamul. Singpredigt. Nebst e. Anh.: Legenden d. Grossen Purana, d. in heidn. Singpredigten z. Vortrage kommen. (32) 8° Lpzg, Verl. d. ev.-luth. Miss. 03. 30 d
Zehnder, L: Die Entstehg d. Lebens. Aus mechan. Grundl. entwickelt. 3. Tl. Seelenleben. Völker u. Staaten. (255 m. Abb.) 8° Tüb., JCB Mohr 01. 6 — (Vollst.: 18 —)
— Das Leben im Weltall. (125 m. 1 Taf.) 8° Ebd. 04. 2.50
Zehnhoff, am, s.: Bericht d. XX. Kommission d. Hauses d. Abg. üb. d. Gesetzentwurf betr. d. Herstellg u. d. Ausbau d. Wasserstrassen.

Zehn-Pfennig-Bibliothek, Frankfurter. Nr. 1—24. 8° Frankf. a/M., E Grieser. Je — 10 d
Enth. Erzählgn v. P Duplessis, F Gerstäcker, HD v. Höhenbach, WO v. Horn, Graf de Maistre, C Rostowaly, C Sealsfield, CW Webber, L v. Wildeck u. H Winter.
Teilweise auch u. d. T.: Volks-Bibliothek, Frankfurter.
— moderne. IV. Jahrg. 2. u. 3. Bd. 16° Neurode, WW(E) Klambt 05. Je — 10 d
Blankensee, T v.: Erkämpftes Glück. (125) [2.]
Gottschalk, A: Der Arct. (125) [3.]
Bisher u. d. T.: Kaufmann's moderne Zehnpfennig-Bibliothek.

Zehnpfennigbücher, stenotachygr. Nr. 4 u. 5. 16° Eisleben, Stenotachygraphen-Ver. (durch L Rennert) (04). (Nur dir.) Je nn — 10
Frohn, R: Ein braver Hochstapler. Humoreske. (16) [5.]
Rössler, R: Der neue Titel. Humoreske. (16) [4.]

Zehnpfennig-Unterhaltungshefte f. Nationalstenogr. Nr. 1 —15. 8° Liegn., Dr. v. Kunowski 05. Je — 10
Erzählgn v. A Achleitner, H Böhlau, E Muellenbach u. W v. Polenz.
Zehnpfund, R: Die Wiederentdeckg Nineves, s.: Orient, d. alte.
Zehntausend, d. ob. Wöchentl. Nachrichten u. Offerten f. d. Gesellsch. Red.: R Bühle. 1. Jahrg. April—Septbr 1902. 26 Nrn. (Nr. 1. 24) 4° Lpzg, Verl. Welt u. Haus. Viertelj. 2 — d
Fortsetzg u. d. T.: Welt u. Haus.
Zehnte, der. Den Zehnten geben. Wunderbare Gebetserhörg. (15) 16° Gotha, Missionsh. P Ott 03. Je — 10 d
Zehnter, JA: Das Reichsges. üb. d. privaten Versichergsunternehmgn, s.: Taschen-Gesetzsammlung.
Zehntner, L: Myriopoden a. Madagaskar u. Zanzibar, s.: Saussure, H de.
Zohren, C, s.: Clausen, E.
Zehrfeld, O: Musikal. Hdb. f. Seminare. op. 38. H. Tl: Gesang. 3. Afl. (116 m. Abb.) 8° Löban, JG Walde 02. 1.80
— Tonbildsübgn. Ergänzgsheft zu d. „Gesangsch." (24) 8° Ebd. 02. — 80 d
— Wegweiser f. d. Organisten. Literar. Ratgeber bei d. Ausw. geeigneter Vorsp. zu d. einz. Nummern d. sächs. Landeschoralb. (76) 8° Ebd. (03). || Ergänzgsheft. (68) (04). 1 —
Zeibig, T. u. J. **Hanicke**: Präparat. zu Luthers kl. Katech. in fortlauf. Gedankengange. I. Die hl. 10 Gebote. 9. Afl. m. e. Anh.: „Kurze Besprechg d. Gebote m. andrer Anordng d. Stoffes". (120) 8° Dresd., Bleyl & K. 05. 1.80; geb. 2.30 d
Zeichen- u. Mal-Bilderbuch. 2 Sorten. (Je 16 [4 farb.] S. ohne Text.) 4° Wes., W Düms (01). Je — 50 d
Zeichenbuch, d. moderne. Tribographie. [28] 8° Wes., W Düms (04). Je — 50 d
Zeichen- u. Malbuch, e., f. gute Kinder. (20 z. Tl farb. S. m. Text.) 8° Nürnbg, T Stroefer (05). 1.20 d
Zeichen-Kunst. Lehrreiche Vorl. z. Abzeichnen. Hrsg. v. C Hoffmann. II. 1—3. Heft. Tierzeichnen v. E Osswald. (20 z. Tl Taf.) 8° Ravnsbg, O Maier (05). Je 1 —
1 s.: Hoffmann, C.
Zeichenlehrer, der. Zeitschrift d. Ver. württemb. Zeichenlehrer. Red.: A Schirmer u., 1905, Kolb. 13—17. Jahrg. 1901—5 je 12 Nrn. (Nr. 1. 12 m. 1 Taf.) 4° Nagold. Stuttg., Verl. d. Zeichenlehrer. Je nn 3.50; einz. Nrn nn — 30
Zeichenmachnik, grosse. 84 Vorl. z. Selbstunterr. (Von C Votteler.) Nebst e. Anl. (4) 8° Reutl., Enslin & L. (05). 1 — in Hülse 1.50 d
Zeichensetzung u. **Fremdwörterverdeutschung**. Im Anschl. an d. Schrift „Regeln f. d. deut. Rechtschreibg nebst Wrtrverz." überarb. 7. Afl. (80) 8° Dresd., A Huhle 04. — 80 d
Zeichensprachen u. **Wahrsage-Künste**. (88 m. Kart. u. Taf.) 8° Berl., A Weichert (01). — 50 d
Zeichenunterricht, d. moderne, in uns. höh. Schulen. Hrsg. v. Vorstand d. Landesver. preuss. f. höh. Lehranst. Hrsg. v. Zeichenlehrer. (34 m. Abb.) 8° Boch., O Hengstenberg 05. — 80
Zeichenvorlagen, 50, in Mappe. Schattierte Landschaften, Tiere, Blumen u. Früchte. (50 Bl.) 8° Mülh. a/R., J Bagel (05). † 1 —
— 100. in Mappe. Einfache m. schattierte Landschaften, Bäume u. Früchte, Früstudien, Köpfe, Hände, Augen, Ohren, Nasen, einfache Linear- u. and. Gegenstände. (100 Bl.) 16° Ebd. (05). † 1.40
— neue. 6 Hefte. (Je 6 Bl.) 8° Ebd. (05). Je — 20
1—4. Schattierte Landschaften. 5. Tiere. 6. Blumen u. Früchte.
— dass. Blumen u. Fruchtstücke (Früchte). 3 Hefte. (Je 6 Bl.) 16° Ebd. (05). Je — 20
— dass. Figürl. Studien. (Köpfe, Hände, Augen usw.) 3 Hefte. (Je 6 Bl.) 16° Ebd. (05). Je — 20

Zeichenvorlagen, neue. Einfache Landschaften. 2 Hefte. (Je
  6 Bl.) 16° Mulh. a/R., J Bagel (05).   Je — 20
  — dass. Einfache schattierte Landschaften. 3 Hefte. (Je 6 Bl.)
  16° Ebd. (05).   Je — 20
  — dass. Einfache Linear- u. and. Gegenstände. 2 Hefte. (Je
  6 Bl.) 16° Ebd. (05).   Je — 20
  — dass. Tierstudien (Tiere). 3 Hefte. (Je 6 Bl.) 16° Ebd. (05).
                                                          Je — 20
Zeichner, der. Illustr. Zeitschrift f. d. Zeichner aller Gewerbe
  u. Industrieen. Hrsg: F Hood. Red.: F Huth. 3. Jahrg. 1901.
  4 Nrn. (Nr. 1 u. 2. 36) 4° Charlttnbg. Adorf, Verl. d. Musterzeichner.   1.50 d
  Fortsetzg s. u. d. T.: Zeitschrift f. Musterzeichner.
Zeichnungen alter Meister im Kupferstichkabinet d. k. Mu-
  seen zu Berlin. Hrsg. v. F Lippmann. 1—16. Lfg. (Je 10
  Lichtdr.) 48×35 cm. Abt., G Grote 02-05.   Je 15 —
Zeidler, E: Gustav Adolf. Schausp. a. Deutschlds gr. Glan-
  benskriege. (180 m. Abb.) 12° Dresd.-Blasew., Gustav Adolf-
  Verl. 03.   2 — d
Zeidler, J: Die elektr. Bogenlampen, s.: Elektrotechnik in
  Einzeldarstellgn.
Zeidler, J: Deutsch-österr. Litt.-Gesch., s.: Nagl, JW.
  — Das Wiener Schausp. im M.-A. [S.-A.] (38 m. 3 Taf.) Fol.
  Wien, A Holzhausen 03.   nn 13.50
Zeidler, KL: Neue Gesangsch., s.: Mason, LW.
Zeig, lauter lustiges!, s.: Gedichte u. Geschichten in erzgebirg.
  Mundart.
Zeiger, K: Rudelsburg-Album. Histor. Skizze, Auszug a. d.
  Fremdenb. d. Burg u. Anh.; Das Denkmal f. d. gefall. Corps-
  Studenten. 4. Afl. (112) 16° Naumbg, (J Domrich) 1882. — 50 d
Zelhe, B: Wer da Geld hat. Der verschwund. Leutnant, s.:
  Kürschner's, J, Bücherschatz.
  — u. FA König: Lust u. Leid im bunten Rock. Humoresken.
  (110) 8° Mülh. a/R., J Bagel (02).   — 30 d
  — dass., s.: Hermes, J; s. Hasenjagd in d. Kaserne.
Zell, E: Ehrenfriedersdorf.— Wolkenstein, s.: Grohmann, M,
  d. Obererzgebirge.
Zelle, E: 20 photograph. Wandtaf. z. gynaecolog. Operations-
  lehre, s.: Dührssen, A.
Zeller's Universal-Holzrechner. (94 m. Fig.) 8° Salzbg, (E Höllrigl) 02.   L. 4 — d
Zeller, P: Geburtshülfl. Handatlas, 3. Afl., s.: Entwicklung
  u. Geburt, d., d. Menschen.
Zellner, A: Geistessch. f. Ordensleute, s.: Neudecker, S.
Zeipel, H v.: Photometr. Beobachtgn d. Nova Persei, s.: Gra-
  bowski, L.
  — Durchgangsbeobachtgn v. Zodiacalsternen, s.: Publications
  de l'observatoire central Nicolas.
  — Angenäherte Jupiterstörgn f. d. Hecuba-Gruppe. [S.-A.] (144)
  4° St. Petersbg 02. (Lpzg, Voss' S.)   2 —
Zeischke's internat. Moden-Zeitg f. Herren- u. Kinder-Garderobe. 12—16. Jahrg. 1901—5 je 12 Nrn. (1902. Nr. 1. 12 m.
  4 Schnitt-Taf., 1 kolor. Modenbild u. Reduktionsschema.) 4°
  Dresd., J Zeischke.   Viertelj. 3 — d
Zeiss: Unterr.-Buch f. d. Infant.-Unteroffizier u. Oberjäger d.
  k. b. Armee. 2. Afl. (253) 12° Rgnsbg, H Banhof 01.
                                                    Kart. nn 1.30 d
  — dass. 4. Afl. 2 Tle. 8° Ebd. (04).   Kart. 1.80 d
  1. Stellg, Berufsaufg. u. bes. Dienstverhältn. d. Unteroffiziere, d. innere
  Dienst u. d. Garnisondienst. (181)   — 80
  2. Der Dienst d. Unteroffiziere bei d. Ausbildg u. Führg. (182) 1 —
  — Unterr.-Buch f. d. bayer. Infanteristen u. Jäger. 8. Afl. (203
  u. 37 m. Abb., 1 Bildnis u. 5 farb. Taf.) 8° Ebd. 04. Kart. — 60 d
Zeiss, A: Die Arbeiter-Bewegg in d. verschied. Kulturstaaten
  d. Gegenwart. Vortr. (48) 8° Detm., H Hinrichs 02.   — 50 d
Zeiss, A: Die goldn. Frucht. Gedichte. (129) 8° Dresd., H Min-
  den 06.   L. 3 — d
Zeiss, A: Meine Kunstsammlg. (56 m. Abb. u. 76 Lichtdr.) 4°
  Lpzg, EA Seemann 1900.   L. 30 —
Zeiss, M: Abgebrannt. — Regimentsbefehl, s.: Lustspiele.
  — Ragnarök.Philosophisch-soz.Studie.(77)8°Strassbg, J Singer
  04.   2 —
Zeissig, E: Der Dreibund v. Formenkde, Zeichnen u. Hand-
  fertigkeitsunter. in d. Volkssch., s.: Magazin, pädagog.
  — Präparat. f. Formenkde (Raumlehre — Geometrie) als Fach
  an Volkssch. Mit e. Vorschl. z. Vereinheitlichg v. Formenkde,
  Zeichnen u. Handfertigkeitsunterr. 1. T: Betrachtg, Dar-
  stellg u. Berechng d. geradfläch. Körperformen u. geradlin.
  Flächen. 2. Afl. (196) 8° Langens., H Beyer & S. 04.   3.40 d
  — Die Raumphantasie im Geometrieunterr., s.: Sammlung v.
  Abhandlgn a. d. Geb. d. pädagog. Psychol. u. Physiol.
  — Üb. d. Wort Konzentration, s. Bedeutg u. Verdeutschg, s.:
  Magazin, pädagog.
  — u. W Burckhardt: Aufgabenheft f. Formenkde (Raumlehre—
  Geometrie). 2 Hefte. 8° Langens., H Beyer & S.   — 75 d
  1. Geradfläch. Körperformen u. geradlin. Flächen. (24 m. Abb.) 1899.
  — 50 | 2. Krummfläch. Körperformen u. krummlin. Flächen. (59) 04. — 40
Zeissig, E: Gewerbkde f. Fortbildgssch. 1—5. Heft. 8° Meiss.,
  HW Schlimpert.   2.50 d
  1. Abteilg: Bauhandwerker. (40 m. 2 Taf.) 04. — 50 | 2. Abteilg: Holz-
  arbeiter. (46 m. 2 Taf.) 03. — 50 | 3. Abteilg: Metallarbeiter. (40) 03.
  — 50 | 4. Chemie. 1. Heft: Nichtmetall. Grundstoffe. Abteilg: Gemischte
  Berufe. 2. Afl. (64) (03.) — 60 | 5. Dass. 2. Heft: Die leichten Metalle.
  Abteilg: Gemischte Berufe. (31) 03. — 40.
  Das 6. Heft bildet :

Zeissig, E: Wechsellehre f. Fortbildgssch., sowie z. Selbst-
  unterr. f. Gewerbetreib. (35) 8° Meiss., HW Schlimpert 03.
                                                          — 50 d
Zeissig, G: Die Stellg d. landeskirchl. Gemeinschaften zu d.
  sektierer. Strömgn d. Gegenwart. 3. Afl. (15) 8° Dresd., CL
  Ungelenk (04).   nn — 10 d
Zeissig, J: Muster f. kl. Kirchenbauten. (43 m. Abb.) 8° Lpzg,
  Seemann & Co. (02).   3.50
Zeissl, M v: Behandlg d. männl. Harnröhrentrippers u. sr Com-
  plicationen. [S.-A.] (120 m. Abb.) 8° Wien, Urban & Schw.
  02.   4 —
  — dass. — Die Complicationen d. männl. Harnröhrentrippers,
  s.: Klinik, Wiener.
  — Diagnose u. Behandlg d. vener. Erkrankgn u. ihrer Compli-
  cationen beim Manne u. Weibe. 3. Afl. (800 m. Abb.) 8° Wien,
  Urban & Schw. 05.   L. 7.50
  — Diagnose u. Therapie d. Trippers u. sr Complicationen beim
  Manne u. Weibe. 2. Afl. (270 m. Abb.) 8° Ebd. 03.   6 —; L. 7.50
  — Üb. d. Innervation d. Blase m. bes. Berücks. d. Tripper-
  processes, s.: Klinik, Wiener.
  — Lehrb. d. vener. Krankh. (Tripper, vener. Geschwür, Syphilis). (532 m. Abb.) 8° Stuttg, F Enke 02.   10 —; L. 11.20
  — die. Nationalsoz. Wochenschrift. Hrsg.: F Naumann.Red.:
  P Rohrbach. Oktbr 1901—Septbr 1903 je 52 Nrn. (1901/2.Nr.1.
  30) 8° Berlin-Schönebg, Verl. d. „Hilfe".   Viertelj. 3 —}
                                                    einz. Nrn — 30 d
  Fortsetzg s.: Nation, d.
  — die. Wiener Wochenschrift f. Politik, Volkswirtschaft, Wiss.
  u. Kunst. Hrsg.: J Singer, M Burckhardt u. H Kanner. Red.
  f. bild. Kunst: R Muther. 29—32. Bd. Octbr 1901—Septbr 1902.
  52 Nrn. (29. Bd. Nr. 1. 16) Fol. Wien, C Konegen. Viertelj.
  5 —; einz. Nrn — 50 || 33—40. Bd. 1902/4, Hrsg.: J Singer, OJ
  Bierbaum u. H Kanner. Viertelj. 4 —; einz. Nrn — 40 d F
  — im Bild. Actuelle Illustr. Wochenschrift. Red.: A Lavrok.
  Febr.—Dezbr 1903. 48 Nrn (Nr. 1. 34) 8° Berl., Verl. Zeit im
  Bild. || 2. Jahrg. 1904. 52 Nrn. Viertelj. 1.80; einz. Nrn — 10
  || 3. Jahrg. 1905. 52 Nrn. Viertelj. 1.80; einz. Nrn — 15 d
  — gold. Meissner gemeinnütz. u. unterhalt. Kalender f.
  1906. (68 m. Abb.) 8° Meiss., HW Schlimpert.   — 20 d
  *Die gr. u. mittle Ausg., s. u. d. T.: Lebens. Meißner. — Bildet
  zugl. Ersatz f. d. „Erzähler".*
  — d. neue. Revue d. geist. u. öffentl. Lebens. Red'.: H Cunow.
  20. Jahrg. Oktbr 1901—Septbr 1902. 52 Hefte. (1. Heft. 32) 8°
  Stuttg., J Singer.   Viertelj. 3.25; einz. Hefte — 25 d
  — dass. Wochenschrift d. deut. Sozialdemokratie. Red.: E
  Wurm. 21—24. Jahrg. Oktbr 1902—Septbr 1906 je 52 Nrn.
  (Nr. 1. 32) 8° Ebd.   Viertelj. 3.25; einz. Nrn — 25 d
  — dass. General-Reg. d. Inhalts d. Jahrgänge 1883—1902, bearb. v. F Wurm. (216) 8° Ebd. 05.   4 — d
  — d., in Wort u. Bild. Illustr. actuelles Unterhaltgsbl. Sonntagsbl. d. Essener Volks-Zeitg. Red.: J Jörg u., seit 1904,
  T Kellen. 3—6. Jahrg. 1902—5 je 52 Nrn. (Nr. 1. 8) 4° Ess.,
  Fredebeul & K.   Viertelj. — 75 d
  — u. Ewigkeit. Kalender f. jedermann, hrsg. v. H v. R. 1906.
  3. Jahrg. (64 m. Abb.) 8° Berl., Deut. ev. Buch- u. Tractat-
  Gesellsch.   — 15 d
Zeitblätter, theol. Hrsg. v. d. ev.-luther. Synode v. Ohio u.
  and. Staaten. Red. v. FW Stellhorn. 21—24. Jahrg. 1902—5
  je 6 Nrn. (1902. Nr. 1—3. 192) 8° Columbus, Ohio (52 E Main
  St.), Lutheran Book Concern.   Je 8.40 d
  — dass. gebd. durch. Haus-, Wirthschafts- u. Volkskalender
  f. 1906. (68 m.Abb., 2 Taf. u. 1 Farbdr.)8°Meiss., HW Schlimpert.
                                                          — 50 d
  Die mittle u. kl.Ausg. s. u. d. T.: Wirtschafts- u. Historien-Kalender.
Zeitfragen. 10 Vortr. a. d. ev. Bunde u. dessen Generalver-
  sammlgn, geh. v. CF Arnold, Bornemann, Burggraf, Horn,
  Kaweran, Reischle, Scholz, Trümpelmann, Witte u. Wurster.
  (Neue [Tit.-]Ausg.) (36, 8, 6, 10, 28, 29, 5, 4, 30 u. 12) 8° Lpzg,
  (C Braun) [03, 01, 1900, 03, 1899, 02, 1900, 1900, 1893 u. 03] 04.
                                                           2 —
  — Wochenschrift f. deut. Leben. Hrsg.: F Bley. 1. Jahrg. 1905.
  52 Nrn. (Nr. 1. 32) 8° Berl., Deut. Schriftenverl. Viertelj. 3 —;
                                                    einz. Nrn — 30 d
  — cavallerist. Reglements-Studie. (98 m. Fig.) 8° Wien, (LW
  Seidel & S.)   1.60
  — gewerbl. 18—21. Heft. 4° Bern, (Büchler & Co.).   5 —
  18. Hausierhandel u. unlauterer Wettbewerb. Gutachten, erstattet v.
  Centralvorstand d. schweiz. Gewerbever. an d. eidg. Handelsdeparte-
  ment. (69) 01.   1 —
  19. Boos-Jegher, E: Die Lage d. schweiz. Baugewerbe u. d. Notwendigk.
  d. gesetzl. Schutzes ihrer Fordergn. — Heilmüller, T: Das gesetzl.
  Pfandrecht f. d. Fordergn d. Bauhandwerker u. Unternehmer im
  Vorentwurf d. schweiz. Civilgesetzb. Zwei Vortr. (74) 02.   2 —
  20. Enquete d. schweiz. Gewerbever. üb. d. Bundesgesetzentwurf v.
  18.XI.09 üb. d. Sonntagsarbeit in d. dem Fabrikgesetz unterstelltes
  Betrieben. Mit e. Übersicht d. in d. wichtigsten europ. Industrie-
  staaten gelt. Bestimmgn betr. d. Sonntagsruhe. (35) 03.   1 —
  21. Vorentwurf, d. zu e. schweiz. Strafgesetzb. (Ausg. v. Juni '03.) Eingabe d. Zentralvorstandes d. schweiz. Gewerbever. an d. schweiz.
  Justizdepartement. (20) 03.   — 90
  — militär. 1—13. Heft. 8° Berl., A Bath.   14.05
  1. Pelet-Narbonne, v.: Improvisieren od. Organisieren. — Immanuel (Gefecht d. französ. Infant. (48) 09.
  2. Feldartillerie, d. französ., in ihrer neuesten Organisation, Bewaffng
  u. Kampfart. — Schwenniger, K: Das geplante Neugestaltg d. Lage-
  nieur- u. Pionier-Korps d. deut. Armee. (44) 02.
  3. Reiner Frhr v. Lichtenstern: Die Macht d. Vorstellg im Kriege u.
  ihre Bedeutg f. d. Friedens-Ausbildg. (48 m. 2 Skizzen.) 02.   1 —

4. I. Boguslawski, v.: Die zweijähr. Dienstzeit u. ihre Ergebnisse. — II. Zeitler, C: Die Artill. im südafrikan. Kriege. — III. Probenius, H: Die Leitg im Kampfe um Festgn. [49] 02.   1 —
5. [48] 09. [6. (61) 03.   Je 1 —
7. Waagemann: Für d. leichte Feldhaubitze! Erwiderg auf d. Flugschrift d. Generals v. Alten. [28] 04.   — 80
8. Rohne, H: Zur Artilleriefrage. [S.-A.] [48] 04.   1 —
9. Schweninger, C: „Cns. Pioniere". [92] 04.   1.50
10. Reisner Frhr v. Lichtenstern: Schiesstaktik d. Infant. [S.-A.] [40] 04.   1 —
     — 75
11. Osten-Sacken-Rhein, Frhr v. d.: Deutschids nächster Krieg. [S.-A.] [12?] 05.   2 —
12. Goltz, Frhr v. d.: Deut. Infanterie voran. — Goltz, Frhr v. d.: Takt. Fragen. — Balck: Takt. Anfordergn an e. zeitgemässes Exerzier-Regl. f. d. Infant. — Gefechtsausbildg. infanterist. Erfahrgn u. Vorschl. e. alt. Kompagniechefs. [S.-A.] [36] 05.   1 —
13. Küppeli: Vergl. d. Grundsätze f. d. takt. Verwendg d. deut. u. französ. Feldartill. — Rohne, H: Ueb. d. Feuerwirkg d. modernen Feldartill. [S.-A.] [38] 05.   1 —

Zeitfragen, moderne. Hrsg.: H Landsberg. Nr. 1—11. 8° Berl., Pan-Verl.   Je 1 — d
Bloch, I: Die Perversen. [42] [05.] [6.]
Hellpach, W: Prostitution u. Prostituierte. [42] [05.] [5.]   Geb. 1.50
Key, E: Liebe u. Ethik. Aus d. Schwed. v. F Maro. 1—4. Taus. [41] [05.] [10.]   Geb. 1.40
Klein, R: Die Sezession. 1. u. 2. Taus. [41] [05.] [9.]
Kullmann, J: Der Grossstadt-Verkehr. Modernes Verkehrswesen d. Grossstädte. Dargestellt an d. Reichshauptstadt Berlin. [44 m. 2 Fig. u. 2 Kart.] [05.] [3.]
— Der deut. Stahlwerkverband. [53] [05.] [7.]   Geb. 1.50
Landsberg, H: Theaterpolitik. 1. u. 2. Taus. [45] 05. [8.]
Rein, W: Kirche, Staat u. Schule. [29] [05.] [2.]
Simmel, G: Philosophie d. Mode. 1. u. 2. Taus. [41] [05.] [11.]   Geb. 1.50
Söcker, H: Bund f. Mutterschutz. [92] [05.] [4.]
Tönnies, F: Strefrechtsreform. [42] [05.] [1.]   Geb. 1.50

— **pädagog.** Hrsg. v. F Weigl. 1—6.Heft. 8° Münch., JJ Lentner.   3.60
Lohrer, J: Vom modernen „Elend in d. Jugendlit." Mit bes. Berücks. d. Kampfes um d. Jugendschriften in Bayern u. e. Anh.: Empfehlenswerte Schriften f. d. Jugend kathol. Volksach. Bayerns. [51] 05. [6.] — 60
Tibitanzl, J: Die Bedeutg Ferd. Kindermanns f. d. Schulwesen. 3 Vortr. [68] 05. [5.]   — 50
Weigl, F: Heilpädagog. Jugendfürsorge in Bayern. [S.-A.] [42] 05. [1.] [Zur Orientierg üb. d. Grundfragen d. Schulbaukonstruktion. [49 m. Abb. u. 3 Tab.] 05. [2.]   — 60
Weigl, J: Jugenderziehg u. Gemassgfhe. [29] 05. [3.]   — 40
Willmann, O: Didaktik u. Logik in ihrer Wechselbeziehg. Üb. d. als wendg d. Psychol. auf d. Pädagog. 2 Vortsagg. [36] 03. [4.]   — 40

— **polit., in Württemberg.** Nr. 5—8. 8° Stuttg., „Deut. Volksblatt".   nn 1.70 (1—8.: nn 3.60) d
Ernberger, M' Beitr. z. Parität in Württemberg. [96] 05. [7.] nn — 50
Hanser, G: Landesversammlg d. württemberg. Zentrumspartei. Ravensburg '05- Sämtl. Reden, Verlanf d. Parteitages. [77] [05.] [8.]   nn 1 —
Landes-Versammlung d. württemberg. Zentrumspartei zu Gmünd v. 11. XI.1900. (Sonderabdr. d. Prozr. f. d. Landtagswahlen 1900 u. d. Reden üb. dieses Programm.) [86] 03. [5.]   — 60
Schneele, K: Das Recht d. Kirche auf d. Schule. [104] 05. [6.] nn — 50

— **schweizer.** 33.Heft. 8° Zür., Art.Instit. Orell Füssli. 6.20
Guyer-Freuler, E: Krit. Betrachtgn üb. Staats- u. Gemeinde-Haushalt. [30] 03. [33.]   1 —
Meili, F: Der gesetzgeber. Kampf geg. Schädigen im Banhandwerk in d. illoyalen Konkurrenz u. im Genossenschaftswesen. 2 Vortrgg. [71] 01. [32.]   — 80
— Die Kodifikation d. schweiz. Privat- u. Strafrechts. [124] 01. [31.] 2 —

— **soziale.** Beitr. zu d. Kämpfen d. Gegenwart. Hrsg. v. A Damaschke. 16—22. 8° Berl., Verl. „Bodenreform".   3.30 d
Boetars: Bodenreform u. Kolonialpolitik. Referat. [22] 05. [19.]   — 50
Eschwege, L: Zum Kampf um d. deut. Kohlenschätze. (Umschl.:2. Taus.) [46] 05. [21.22.]   — 50
Gruber, M: Tuberkulose u. Wohnungsnot. Referat. 2. Taus. [32] [04.] [16.]   — 50
Hanser, A: Einführg in d. städt. Bodenreform. Referat. 2. u. 3. Taus. [27] [04.] [17.]   — 50
Lechler, P: Der 1. Schritt z. nationalen Wohngsreform. 2. Afl. [15] [04.] [19.]   — 50
Zwachsteuer, die. Vorträge u. Aussprache auf d. 14. Bundestag d. deut. Bodenreformer, Darmstadt '04 v. Baumeister, EJäger, Heurich, MKnorr, Flegier, Lehmann, Pahlman, Behrens u. a. [90] [04.] [18.]   — 50
Bisher u. d. T.: Streitfragen, soz.

— **soziale u. polit.** Zwanglose Hefte, hrsg. v. Mitgliedern d. Zentrums-Fraktion d. Reichstages. 4. Heft. 8° Köln, JP Bachem.   4 — (1—4.: 7.95) d
Wenzel, J: Gewerbl. Sonntagsruhe u. Zentrum m. Berücks. d. übr. Parteien. [332] 04. [4.]   4 —

— **sozialwirtschaftl.** Hrsg. v. A Tille. 1—7. Heft. 8° Berl., O Elsner.   4 —
Ballerstedt, p: Arbeiterorganisation u. Rechtsfähigk. d. Berufsvereine. [79] 05. [7.]   — 80
Cree, TS: Der kollektive Arbeitsvertrag. [42] 04. [1.]   — 80
Reiwitz, WGH Frh. v.: Gründet Arbeitgeberverbände! 1. u. 2. Afl. [55] 04. [3.]   — 80
Tille, A: Der soz. Ultramontanismus u. s. „kathol. Arbeiterver". [36] 05. [4.]   1 —
— Der Wettbewerb weisser u. gelber Arbeit in d. industriellen Produktion. [69] 04. [6.]   1 —
Tille, A.: Wirtschaftsarchive. [110] 05. [5.]   1.50

— Hrsg. v. Vaterlands-Ver. 10.u.11.Heft. 8° Berl., (Schriftenvertriebsanst.).   Je — 30 d
Bosse, B: Die Hohenzollern als Volkserzieher. [22] 01. [10.]
Voss: Was kann d. Volksach. thun, um uns. Landbevölkerg d. Helmat lieb zu machen? [92] 01. [11.]

— d. christl. Volkslebens. Hrsg. v. E Frhr v. Ungern-Sternberg bis Heft 224, U v. Hassell u. F Wahl. 192—232. Heft. (25. Bd, 8. Heft u. 26—30. Bd je 8 Hefte.) 8° Stuttg., C Belser.   Für d. Bd v. 8 Heften 5 —; geb. 6 —; Bd 30 4 —; geb. 5 — d
Baumeister, R: Stadtbaupläne in alter u. neuer Zeit. [86] 05. [206.] — 60
Bosse, G v.: Das heut. Deutschtum in d. Verein. Staaten v. Amerika. [50] 04. [200.]   — 50

Bosse, G v.: Die kirchl. Verhältn. in d. Verein. Staaten v. Amerika. [61] 05. [225.]   — 60
Dennert, E: Arbeitstellg in Natur- u. Menschenleben. [47] 01. [199.] — 50
Eberhard, H: Zweck u. Wesen d. Fleischbeschan. [47] 03. [211.] — 50
Eberhard, O: Die Kirche als Macht d. Erziehg im Volksleben. [54] 05. [210.]   — 50
— Innere Mission u. Volksach. [72] 05. [231.]   1 —
Eberhard, T' Edvard Mörike. Ein schwäb. Charakterbild. [43] 04. [192.] — 80
Ernst, J: Die Entwicklg d. nationalen Gedankens in d. Gegenwart. [63] 03. [214.]   1 —
— Zur gelben Gefahr' nebst Schlussbemerkg z. Missionsfrage. [35] 04. [223.]   — 50
— Sommerfrische u. Grossstadt. Betrachtgn u. Bedenken. [46] 01. [196.]   — 50
Picker, P: Religionslose Moral — e. Unding. Beitrag zu d. Frage n. d. Warden u. Wesen d. Sittlichk. [40] 01. [197.]   — 50
Finger, B: Tolstoi'sches Christentum. [51] 02. [707.]   — 50
Flad, J: Konfusien, d. Heilige Chinas in christl. Beleuchtg a. chines. Quellen u. Faber: „Der Lehrbegriff d. Konfuzius". [91] 04. [224.] 1.20
Froehlich, J: „Radiumstrahlen". Beitrag zu d. Frage: Mechanist. od. vitrl. Weltanschaug? [52] 04. [221.]   — 50
Fuchs, GF: Die Lungenschwindsucht, ihre Entstehg, Verbreitg u. Bekämpfg. [40] 1900. [192.]   — 80
— Die Wohngsnot u. ihre Bekämpfg. [30] 02. [203.]   — 60
Harraens, K: 2 Evangelien d. Moniamus. Strauss' „alter u. neuer Glaube" u. Haeckels „Welträtsel" verglichen u. beleuchtet. [45] 02. [204.] — 50
Hassell, U v.: Offentl. Bücher- u. Lesehallen als Bildgsmittel f. d. Volk. [47] 03. [215.]   — 50
— Deutschl. — e. Weltmacht? [46] 05. [226.]   — 50
— Streifbilder auf d. Unterhalgs-Litt. d. letzten 20 Jahre. [50] 01. [195.]   — 50
— Dent. Zeitschriften u. ihre Wirkg auf d. Volk. [48] 02. [201.]   — 50
Kalb, E: Gemeinschaftspflege u. Evangelisation in geschlechtl. Beleuchtg. [65] 01. [194.]   1 —
König, E: Die moderne Relig.-Flucht u. ihre häufigsten Anlässe, beleuchtet. [45] 04. [219.]   1 —
Landenberger, A: Joh. Gottfr. v. Herder, s. Leben, Wirken u. Charakterbild z. Erinnerg an s. 100jähr. Todestag, d. 18.XII.1803. [55] 03. [216.]   — 60
Mulot, R: Die Friedensbewegg, ihre geschichtl. Entwicklg u. d. Stellg d. Christen zu ihr. [57] 02. [705.]   — 50
Nathusius, M v.: Üb. wiss. u. relig. Gewissh. [36] 02. [205.]   — 60
Oertzen, D v.: Der Deutsche im Ausl., m. bes. Berücks. d. Schweiz. [42] 04. [217.]   — 50
— Die dent. Schaubühne als „moral. Anstalt". [38] 05. [227.]   — 50
Otto, FW: Kontrovig. Woher? Wohin? [60] 05. [228.]   — 60
Paret, F: Konstantinäg u. Volksach. [35] 05. [209.]   1 —
Paulsen, P: Das Leben n. d. Tode. Zeitgemässer Beitrag z. Lehre v. d. letzten Dingen. [64] 01. [200.]   1 —
Repke, J: Tolstai u. d. Patriotismus. [35] 01. [196.]   — 50
Rieks: Das Zentrum u. d. Protestanten. [44] 06. [322.]   — 50
Simon, T: Immanuel Kant. s. Leben u. s. Lehre. [36] 04. [215.] 1 —
Wahl, T: Der Anarchismus. Beitrag z. Kenntnis u. Wesen u. s. Abwehr. u. s. Verständnis d. rechten Art zr Bekämpfg. [55] 02. [207.]   — 50
— Was lehrt uns d. Babel- u. Bibelstreit? [47] 03. [212.]   — 50
— Uns. Reichspflege im Volksbewusstsein. Klagen u. Wünsche u. Laien. [64] 01. [193.]   — 50
— Der Wormser Synodalentag u. d. synodale Bewegg im ev. Deutschl. [55] 05. [229.]   — 50
Zange, F: Konfessionelle od. Simultansch.? Würdigg d. für u. geg. d. nationalliberal-konservativen Schulkompromiss vorgebr. Gründe v. Standpunkte d. Pädagogik, d. Kenntnis u. Wesen u. d. Betätiligen jenseits u. konservativ u. liberal. [64] 05. [292.]   1 —

Zeitfragen, volkswirtschaftl. Vorträge u. Abhandlgn, hrsg. v. d. volksw. Gesellsch. in Berlin. 176—215. Heft. 22. Jahrg., 8. Heft; 23—26. Jahrg. je 8 Hefte u. 27. Jahrg. 1—7. Heft. 8° Berl., L Simion Nf.   Für d. Jahrg. v. 8 Heften 6 — d
Arndt, P: Die Bedeutg d. Handelshochsch. f. d. Kaufmann. [91] 06. [215.] [Das Studium auf d. Handelshochsch. Vortr. [31] 05. [193.] Je 1 —
Bleicher, H: „Volksversicherg". [46] 05. [208.]   — 50
Brentano, L: Die Schrecken d. überwieg. Industriestaats. [55] 01. [183.84.]   1 —
Crüger, H: Handel u. Genossenschaftswesen. Nach e. Vortr. [36] 02. [192.]   — 50
Dietzel, H: Kornzoll u. Socialreform. Vortr. [56] 01. [177.78.]   1 —
Eberhard, O: Die Handelspolitik. [94] 02. [189—90.]   1 —
— Vergleigsstelle. [60] 04. [204.5.]   — 80
Fitger, E: Die Rückwirkg d. ostasiat. Krieges auf d. Völkerrecht. Die Notwendigk. e. neuen Seerechtskonferenz. [63] 04. [202.]   1 —
Gothein, G: Die wirtschaftl. Bedeutg d. Verkehrsabgaben. Vortr. [37] 04. [203.]   1 —
— Die Vereitaslig d. Kohlenbergbaues. Vortr. [30] 05. [210.]   — 50
Hirschberg, E: Arbeitslosen-Versicherg u. Armenpflege. Vortr. [34] 05. [197.]   — 50
— Bilder u. d. Berliner Statistik. Vortr. [29] 04. [200.]   — 50
— Die Wohngsfrage u. d. Eingemeindg d. Berliner Vororte. Vortr. [28] 01. Skizze.] 03. [212.]   — 50
Hoeniger, R: Die Kontinentalsperre u. ihre Einwirkgn auf Deutschl. Vortr. [32] 05. [211.]   — 50
Katzenstein, L: Die Trusts in d. Verein. Staaten. Vortr. [31] 1900. [178.] 1 —
Koczynski, R: Die Einwandergspolitik u. d. Bevölkergsfrage d. Verein. Staaten v. Amerika. [46] 05. [206.]   — 50
— Ist d. Landw. d. wichtigste Grundl. d. deut. Wehrkraft? [75] 05. [213.14.]   1 —
Lewinstein, G: Aktien-Gesellschaften, Volkswohlstand, Handelskrisen. [31] 01. [192.]   1 —
Lotz, W: Sonderinteressen gegenüber d. Wiss. einst u. jetzt. Beitrag z. Beurtheilg d. Wirkgn d. Protektionssystemes auf d. Industrie. Vortr. [31] 01. [187.]   1 —
Neugestaltung, d., d. deut. Handelspolitik. Denkschrift d. Aelt. d. Kaufmannschaft v. Berlin. [94] 01. [179—81.]   1 —
Prager, M: Die amerikan. Gefahr. Vortr. [33] 02. [191.]   — 50
— Die Mittelstandsfrage. [49] 04. [201.2.]   1 —
— Die Reichsbankidee in d. Verein. Staaten v. Amerika. [64] 03. [198.99.]   1 —
Riesser: Die Notwendigk. e. Revision d. Börsenges. v. 22.VI.1896/I.I.1897. Vortr. [64] 01. [185.96.]   1 —
Rubow, W: Die hinterpommersche Landgemeinde Schwessin, d. Lage ihrer Landwirte u. ihr Interesse an d. Getreidezöllen. [68] 05. [195.96.] 2 —
Schipfer, A: Preussisch-deut. Eisenb.-Fragen insbes. d. Reform d. Personenverkehrs. [43] 05. [209.]   1 —

Zeit- u. Lebensfragen, wicht. Hrsg. v. J Führmann. 1.—5. Heft. 8° Lpzg. Goslar, Verl. f. Lebensreform.   Je — 60
— Führmann, J: Gesundheits u. Geistesheilkde. Kurzgef. Darstellg dieser neuen Heilmethode u. e. Hinweis auf d. Gefahren, welche d. Menschh. v. dieser neuen Geistesbewegg drohen. (147—106) 04. [5.] ‖ Ist d. Hypnotismus e. Verbrechen? od.: Die Gemeingefährlichkeit d. hypnot. Suggestion. (109—140) 04. [4.] ‖ Spiritismus, Spiritualismus u. d. occulte Wiss. Kurze Darlegg d. spiritist. Weltanschaung u. Erklärg deren Phänomene auf Grund d. occulten Wiss. (62) 04. [3.2.] ‖ Verbrechen u. Todesstrafe. (69—100) 04. [3.]
Zeit- u. Streitfragen, biblische. Hrsg. v. Boehmer (nur I. Serie) u. Kropatschek. 1.Serie, 12 Hefte u.II.Serie, 1.Heft. 8° Gr. Lichterf., E Runge.   Für d. Serie v. 12 Heften 4.80 d
— Bachmann, P: Die neue Botschaft in d. Lehre Jesu. (32) 05. [I,8.] — 40
— Barth, F: Das Johannesevangelium u. d. synopt. Evangelien. (45) 05. [I,4.]   — 50
— Beth, K: Die Wunder Jesu. (40) 05. [II,1.]   — 45
— Hass, K v.: Neutestamentl. Parallelen zu buddhist. Quellen. (33) 05. [I,2.]   — 40
— Juncker, A: Das Gebet bei Paulus. (32) 05. [I,6.]   — 40
— Köberle, J: Das Rätsel d. Leidens. Einführg in d. Buch Hiob. (32) 05. [I,1.]   — 40
— König, E: Der ält. Prophetismus bis auf d. Heldengestalten v. Elia u. Elisa. (46) 05. [I,9.]   — 50
— Nösgen, KF: Der Text d. Neuen Test. (32) 05. [I,7.]   — 45
— Riggenbach, E: Die Auferstehg Jesu. (38) 05. [I,3.]   — 40
— Seeberg, A: Die Taufe im Neuen Test. (25) 05. [I,10.]   — 50
— Seeberg, R: Das Abendmahl im Neuen Test. (40) 05. [I,2.]   — 50
— Sellin, E: Die bibl. Urgesch. (47) 05. [I,11.]   — 50
— Weiss, B: Die Geschichtlichk. d. Markusevangeliums. (57) 05. [I,5.] — 50
— — genossenschaftl., begründet v. L Parisius u. H Crüger, fortgeführt v. H Crüger. 5—7. Heft. 8° Berl., J Guttentag.   4.10 (1—7.: 7.55) d
— Crüger, H: Die internat. Genossensch.-Kongresse in Paris im J 1900. (113) 01. [5.]   2.50
— Gebhart, A: Vorträge z. BGB. u. Handelsgesetzb. (59) 03. [7.]   1 —
— Meyer, W: Die Unterschg d. Nahrgs- u. Genussmittel. (34) 02. [6.] — 60
— — neue. Hrsg. v. d. Gehestiftg zu Dresden. I. u. II. Jahrg. je 9 Hefte u. III. Jahrg. 1. Heft. 8° Dresd., v. Zahn & J.   Für d. Jahrg. v. 9.Heften 6 — d
— Böhmert, M: Die neuzeitl. Goldproduktion u. ihr Einfl. auf d. Wirtschaftsleben. Vortr. (46) 05. [II,8.4.]   1.50
— Brandenburg, E: Die parlamentar. Obstruktion, ihre Gesch. u. ihre Bedeutg. Vortr. (46) 04. [I,7.]   1 —
— Dade: Der deut. Bauer d. Gegenwart. Vortr. (30) 04. [II,2.]   1 —
— Esche, A: Der geistl. Arbeitsschutz d. gewerblich beschäftigten Jugend. Vortr. (32) 05. [II,8.]   1 —
— Francke, E: Der internat. Arbeiterschutz. Vortr. (56) 05. [I,2.]   1 —
— Gareis, K: Die Fortschritte d. internat. Rechts im letzten Menschenalter. Vortr. (34) 04. [II,1.]   1 —
— Göttsch, O: Gemeindesteuerrecht. Vortr. (52 m. 1 Tab.) 05. [II,7.3.] 1.50
— Hahn, E: Die Strafrechtsreform u. d. jugendl. Verbrecher. Vortr. (46 m. 4 graph. Taf.) 04. [I,3.6.]   1.50
— Hefkseff, H: Die Bedeutg d. Arbeiterstände in Theorie u. Praxis d. Volkswirtschaft. Vortr. (36) 05. [III,1.]   1 —
— Jellinek, G: Dzg Finkulwahlrecht n. s. Wirkgs. Vortr. (42) 05. [II,6.] 1 —
— Marcks, E: Die imperalist. Idee in d. Gegenwart. Vortr. (32) 03. [I,1.] 1 —
— Mayer, O: Die Entschädigungspflicht d. Staates n. Billigkeitsrecht. Vortr. (36) 04. [I,8.]   1 —
— Petermann, T: Die Gelehrtensch. u. d. Gelehrtenstand. Vortr. (51) 04. [I,9.4.]   1.50
— Wolffen, E: Reformbestrebgn auf d. Geb. d. Strafvollzugs. (43) 05. [II,5.]   1 —
— Zitelmann, E: Die Kunst d. Gesetzgebg. auf Grund e. Vortr. (48) 04. [I,4.]   1 —

Bilder d. Fortsetzg d. Jahrbuchs d. Geheistiftg.
— — stenograph. 1. u. 2. Heft. 8° Lpzg, E Zehl.   Je — 20
— Dix, F: Die Vorlage üb. d. Anderg d. Gabelsb.'schen Schrift v. Standpunkt d. deut. Sprache u. betrachtet. (16) 02. [2.]   1 —
— Fischer, R: Die Idealität d. deut. Redezeichenkunst. Aus e. Vortr. — Zur Kritik d. Systemrevision. (14) 02. [1.]
Zeitgedanken, psychotheist. Eine Kritik d. Gegenwart, ihrer Anschaugn, Bestrebgn u. Zustände. Vom Verf. d. Schriften "Vom künftl. Gott u. s. Kult" u. "Lessings Sehnsucht". J Mohlmann.) (85) 8° Lpzg, O Wigand 05.   1 —
Zeitgenossenlexikon, deut. Biograph. Hdb. deut. Männer u. Frauen d. Gegenwart. (Hrsg.: F Neubert.) (1626 Sp.) 8° Lpzg, Schulze & Co. 05.   L. 12 — d
Zeitler, C: Die Artill. im südafrikan. Kriege, s.: Zeitfragen, militär.
Zeitler, J, s.: Jahrmarkt d. Worte.
— Die Kunstphilosophie v. Hippolyte Adolphe Taine. (205) 8° Lpzg 01. Berl., H Seemann Nf.   5 —
— s.: Liebesbriefe, deut., a. 9 Jahrh. — Männer d. Zeit.
— Taten u. Worte. Ein Stück Lit.-Psychol. (263) 8° Lpzg 03. Berl., H Seemann Nf.   3 —
Zeitler, R: Jagdgeschichten, s.: Universal-Bibliothek.
— "Jägerleben". Heiteres u. Ernstes a. d. Jägerleben. (152) 8° Münch. 03. Wien, K Mitschke.   1.50; geb. 2.50 d
— "Der Vierzehnender" u. and. Jagdhumoresken. (173) 8° Wien, K Mitschke 04.   1.50
— Wald-, Wild- u. Jagdgeschichten, s.: Kürschner's, J Bücherschatz.
— Weidmannsheil! (125) 8° Innsbr., Wagner 04.   1.50
Zeitlexikon. Hrsg. v. M Krauss u. L Holthof. 1901. 12 Hefte. (770 u. 626) 8° Stuttg., Deut. Verl.-Anst.   Je 1 — [1]   In 2 Bde geb. je 9 — d ô F
Zeitlin, L: Fürst Bismarcks social-, wirtschafts- u. steuerpolit. Anschaugn. (262) 8° Lpzg, R Wöpke 02.   6 —; geb. 7.50 d
Zeitlinger, K: Eine neue Gefahr f. d. Sensen-Industrie. Denkschrift, gerichtet an d. k. k. Handels-Ministerium u. verf. f. d. Kirchdorf-Micheldorfer Sensenwerks-Genossensch. (42) 8° Linz, (Zentraldr. vorm. E Mareis) (02).   1 — d

Zeitschrift d. Aachener Geschichtsver. 22—26. Bd. 8° Aach., Cremer.   Je 6 —
   22. (368 m. 1 Bildnis u. 1 Taf.) 1900. ‖ 23. (439 m. 1 Taf.) 01. ‖ 24. (396 m. Abb.) 02. ‖ 25. (451) 03. ‖ 26. (456) 04.
— f. afrikan., ozean. u. ostasiat. Sprachen. Mit bes.Berücks. d. deut. Kolonien. Neue Folge d. Zeitschrift f. afrikan. u. ozean. Sprachen. Hrsg. v. A Seidel. 6. u. 7. Jahrg. 1902 u. 3 je 4 Hefte. (6. Jahrg. 1. u. 2. Heft. 188) 8° Berl. (W Süsserott).   Je 12 —; einz. Hefte 4 — ô F
— f. Agrarpolitik. Organ d. deut. Landw.-Raths. Hrsg. v. Dade. 1—3. Jahrg. 1903—5 je 12 Nrn. (Nr. 1. 48 Sp.) 4° Berl., P Parey.   Viertelj. 1.50 d
   Bisher u. d. T.: Nachrichten v. deut. Landwirthschaftsrath.
— f. ägypt. Sprache u. Altertumskde, hrsg. v. A Erman u. G Steindorff. 39—41. Bd je 2 Hefte. (154, 159 u. 150 m. Abb. u. 5, 5 u. 1 Taf.) 4° Lpzg, JC Hinrichs' V. 01-04.   Je 15 —
— f. d. ges. Aktienwesen. Jurist. u. volksw. Monatsschrift f. Aktiengesellsch. u. Kommanditgesellsch. auf Aktien u. spez. f. d. Mitglieder d. Vorst. u. d. Aufsichtsrates. Hrsg.: A v. Harder u. J Ichenhaeuser. 11. Jahrg. 1901. 12 Nrn. (Nr. 1. 24) 8° Berl. (N.W. 23, Altonaerstr. 36), Dr. J Ichenhaeuser.   Halbj. 6 — d
   Fortsetzg war nicht zu erhalten.
— d. deut. u. österr. Alpenver. Red. v. H Hess. Jahrg. 1901—5. 32—36. Bd. 8° Münch., (J Lindauer). Je 12 —; L. je nn 13.80; m. Bild auf d. Einbddecke je nn 14.50; HF, je nn 14.5 32. (417 m. Abb., 28 Vollbilder., 1 Karte u. 1 Panorama.) 01. ‖ 33. (411 m. Abb., 97 Vollbilder u. 3 Kart.) 02. ‖ 34. (412 m. Abb., 51 Vollbilder u. 2 Kart.) 03. ‖ 35. (404 m. Abb., 55 Vollbilder u. 1 Karte.) 04. ‖ 36. (400 m. Abb., 90 Vollbilder u. 1 Karte.) 05.
— dass. Wiss. Ergänzgshefte. 1. Bd, 3. Heft u. II. Bd, 1. Heft. 8° Innsbr. (Münch., J Lindauer.)   18 — (I u. II, 1: 34 —)
— Eckert, M: Das Gottesacköfplateau, e. Karstenfeld im Allgäu. (108 m. Abb., 20 Taf. u. 1 Karte.) 02. [I,3.]   10 —
— Finch, F: Üb. d. Gebirgsbau d. Tiroler Zentralalpen m. bes. Rücks. auf d. Brenner. (98 m. Abb., 25 Taf. u. 1 Karte.) 05. [II,1.]   8 —
— f. d. alttestamentl. Wiss. Hrsg. v. B Stade. 21—25. Jahrg. 1901—5 je 2 Hefte. (372 m. Abb., 354, 392, 356 u. 400) 8° Giess., A Töpelmann.   Je 10 —
— dass. 5—9. Beiheft. 8° Ebd.   nn 32.90 (1—9.: nn 46 —)
— Baumann, E: Der Aufbau d. Amosreden. (86) 03. [7.]   2.40
— Brederek, E: Konkordanz z. Targum Onkelos. (196) 06. [9.]   6.50
— Diettrich, G: Eine Apparhus criticus z. Pešitto z. Prophete Jesaia. (32, 283) 05. [6.]   10 —
   — Eine Jakobit. Einl. in d. Psalter, in Verbindg m. 2 Homilien a. d. gr. Psalmenkommentar d. Daniel v. Salah z. 1. Male hrsg., übers. u. bearb. (47, 167) 01. [5.]   nn 6.50
   — dass't Stellg in d. Auslegggesch. d. Alten Test. an s. Commentares zu Hosea, Joel, Jona, Sacharja 9—14, ein. nachhängsten Psalmen veranschaulicht. (55, 163) 02. [6.]   7.50
— f. allg. österr. Apotheker-Ver. (Oesterr. Zeitschrift f. Pharmazie). 55—59. Jahrg. Hauptschriftleiter: AJ Schwarz. 39—43. Jahrg. 1901—5 je 52 Nrn. (1406, 1570, 1486, 1588 u. 1368 m. Abb.) 4° Wien, (W Frick).   Halbj. 7 —
— f. Arbeiterversicherg. Hrsg. v. G Kälber. Red. i. V.: E Görlach. 14—18. Jahrg. 1901—5 je 12 Nrn. (Je 384) 8° Stuttg., W Kohlhammer.   Je 5 — d
— d. Centralstelle f. Arbeiter-Wohlfahrtseinrichtgn. Neue Folge d. Wohlfahrts-Korrespondenz. Hrsg. v. J Post, K Hartmann, H Albrecht. 8. Jahrg. 1. Halbj. Jan.—Juni 1901. 12 Nrn. (Nr. 1. 10) 4° Berl., C Heymann.   Je —; einz. Nrn — 50
   Fortsetzg u. u. d. T.: Concordia.
— f. Architektur u. Ingenieurwesen. Hrsg. v. d. Vorst. d. Architekten- u. Ingenieur-Ver. zu Hannover. Schriftleiter: C Wolff. Jahrg. 1901. (47. Bd. 6. Bd d. neuen Folge.) 4 Hefte. (1. Heft. 132 Sp. m. Abb. u. 4 Taf.) Fol. Wiesb., CW Kreidel. nn 30 —; einz. Hefte nn 5 — ‖ Jahrg. 1902—5. (48—51. bezw. 7—10. Bd.) Je 6 Hefte. Je nn 30 —; einz. Hefte nn 3.35
— dass., früher Zeitschrift d. Architekten- u. Ingenieur-Ver. zu Hannover, 6. alphabet. Inhaltsverz. Bd. 38—47. — Jahrg. 1892—1901. 8° Hannover, Th J Vorstände d. Architekten- u. Ingenieur-Ver. zu Hannover. (213) 4° Ebd. (05).   nn 10 —
— archival. Hrsg. durch d. bayer. allg. Reichsarchiv in München. Neue Folge. 9—12. Bd. (374, 311, 318 u. 324) 8° Münch., T Ackermann 1900-05.   Je 12 —
— f. armen. Philol. Hrsg. v. FN Finck, E Gjandschezian u. s. A Manandian. 1. u. 2. Bd je 4 Hefte. (352 u. 390) 8° Marbg, NG Elwert's V. 01-03.   Je 10 — ô F
— f. d. Armenwesen. Organ d. Centralstelle f. Arbeiter-Wohlfahrtseinrichtgn, Abtlg f. Armenpflege u. Wohltätigk. Hrsg. u. red. v. Münsterberg. 1. u. 3. Jahrg. 1901 u. 3 je 12 Nrn. (1901. Nr. 1. 4) 4° Berl., C Heymann. Je 3 —; einz. Nrn — 50 ‖ 4—5. Jahrg. 1903—5 je 12 Nrn. ('04. 380) 8° Je 8 —; einz. Nrn — 75
— schweiz., f. Artill. u. Genie. Hrsg. v. FC Bluntschli. 37—41. Jahrg. 1901—5 je 12 Nrn. (1901. Nr. 1. 48) 8° Frauenf., Huber & Co.   Je 6 —
   Vgl. a.: Blätter, schweiz. militär.
— f. prakt. Aerzte, Fortsetzg, s.: Praxis, deut.
— f. ärztl. Fortbildg. Organ f. prakt. Medizin. Hrsg. v. d. Zentralkomitee f. ärztl. Fortbildgswesen in Preussen u. d. Landeskomitees f. d. ärztl. Fortbildgswesen in Baden, Bayern, Württemberg u. Sachsen. Red. v. R Kutner. 1. u. 2. Jahrg. 1904 u. 5 je 24 Nrn. (730 u. 792 m. Abb.) 4° Jena, G Fischer.   Halbj. 4 —
— f. Assyriol. u. verwandte Gebiete. Hrsg. v. C Bezold. 16—19. Bd je 4 Hefte. (16. Bd. 424 m. 4 Taf.) 8° Strassbg, KJ Trübner 02-05.   Je nn 18 —; einz. Hefte nn 5 —

Zeitschrift f. Assyriol. u. verwandte Gebiete. Hrsg. v. C Bezold. 17. Bd. Beiheft. 8° Strassbg, KJ Trübner. 10 —

1bg Quraiba's 'Ujûn al ahâr. Nach d. Handschriften zu Constantinopel u. St. Petersburg hrsg. v. C Brockelmann. 2. Tl. (145) 06. 10 —
(1 u. 2.: 20 —)

Den 1. Tl erschien 1900 in d. semitisi. Studien.

— **f. Augenheilkde, red. v. H Kuhnt u. v. Michel.** 5—14. Bd. Jahrg. 1901—5 je 12 Hefte. (507, 518; 512, 680; 652, 566; 584, 616 u. 620, 642 m. Abb. u. 7, 9; 9, 12; 6, 6; 12, 6 u. 4 u. 18 Taf.) 8° Berl., S Karger. Der Jahrg. 30 —
— **dass. Ergänzungshefte z. 8., 9. u. 12. Bd.** 8° Ebd. 13.50
5. (77—213 m. 6 Taf.) 02. 5 — | 9. (327—488 m. 5 Taf.) 03. 4 — | 12. (97—235 m. Abb. u. 1 Taf.) 04. 4.50.

Bei d. Seitenzahlen d. Bde sind die d. Ergänzgsbde mit einbe- griffen. — Im Bd-Preise jedoch nicht.

— **f. Automobilen-Industrie u. Motorenbau.** Früher: „Die Technik" u. „Die Automobilen-Industrie". Red.: A Neu- burger (u. AJ Kail). 5—7. Jahrg. 1901—3 je 24 Nrn. (Nr. 1. 16 m. Abb.) 4° Berl., M Krayn. Viertelj. 2 —; einz. Nrn — 40
Bidet d. Fortsetzg zu: Automobilen-Industrie, d. u. Technik, d. — Fortsetzg s. u. d. T.: Motorwagen, d.

— **Basler, f. Gesch. u. Altertumskde.** Hrsg. v. d. histor. u. antiquar. Gesellsch. zu Basel. 1—3. Bd je 2 Hefte. (1. Bd. 1. Heft. 151 m. 4 Taf. u. 8 Kart.) 8° Bas, Helbing & L. 01-05.
Je 7.20

— **f. d. Baugewerbe. Begründet als Zeitschrift f. Bauhand- werker v. FL Haarmann.** Hrsg. v. L Haarmann. 49. Jahrg. März—Dezbr 1905. 24 Nrn. (Nr. 1 u. 2. 16 m. Abb. u. 1 Taf.) 4° Halle, C Marhold. Halbj. 5 —
Bisher u. d. T.: Haarmann's, FL, Zeitschrift f. Bauhandwerker.

— **f. Bauhandwerker, s.: Haarmann, FL.**
— **bautechn. Illustr. Wochenschrift üb. d. Fortschritte im Bauwesen.** Red.: GH Nix. 16. Jahrg. 1901. 52 Nrn. (Nr. 1. 8 m. 1 Doppel-Taf.) 4° Weim., R Wagner Sohn. ‖ 17—19. Jahrg. 1903—4. Red.: W Bode. Viertelj. 3 —; einz. Nrn — 30 ‖ 20. Jahrg. 1905. Viertelj. 2.40 d

1901 erschien in Berlin.

— **f. Bauwesen. Im Ministerium d. öffentl. Arbeiten.** Schriftleiter: O Sarrazin u. F Schultze. 51—55. Jahrg. 1901—5 je 12 Hefte. (548 Sp., 128 S.; 568 Sp., 88 S.; 700 Sp., 65 S.; 704 Sp., 88 S. u. 744 Sp., 88 S. m. Abb. u. 59, 71, 69, 67 u. 68 Taf.) 47×31,5 cm. Berl., W Ernst & S. Je 36 —
— **dass. Inhalts-Verz. d. Jahrgänge 1851—1900 (Bd I bis L).** Bearb. v. P Roloff. (63) Fol. Ebd. 04. 6 —

— **d. kgl. bayer. statist. Bureau. Red. v. M Proebst u., v. 34. Jahrg. an, E Trutzer.** 33—37. Jahrg. 1901—5 je 4 Nrn. (J. '04 u. 5: 272, 330, 47 u. 366) 4° Münch., (J Lindauer). Je 6 —

— **f. Beleuchtgswesen, Heiz- u. Lüftgs-Technik.** Red.: H Lux. 7—11. Jahrg. 1901—5 je 36 Hefte. (1901. 1. Heft. 14 m. Abb.) Fol. Berl., S Fischer. Halbj. 6 —; einz. Hefte — 50
— **d. Verbandes d. Bergbau-Betriebsleiter. Mit d. Beil.: Mitteilgn d. Verbandes d. Bergbau-Betriebsleiter. Hrsg.: Ver- band d. Bergbau-Betriebsleiter f. d. Revierbergamtsbezz. Teplitz, Brüx u. Komotau in Teplitz.** Red.: J Teirich. Jahrg. 1903. 12 Nrn. (Nr. 1. 24 u. 10 m. Abb.) 4° Tepl.-Schönau, (A Becker). nn 24 —
— **dass. Hrsg.: Central-Verband d. Bergbau-Betriebsleiter Oesterr.** Red.: J Teirich. Jahrg. 1904 u. 5 je 12 Nrn. (1904. Nr. 1. 22 u. 12 m. Abb.) 4° Ebd. Je nn 20 —

— **d. Berg. Geschichtsver. Hrsg. v. W Harless.** Register zu Bd 1 bis 30. Verf. v. Redlich. (576) 8° Elberf., (B Hartmann) 1900. nn 10 — d
— **dass. 35—38. Bd (d. neuen Folge 25—28. Bd). Jahrg. 1900—5.** 8° Ebd. nn 10 — d
35 [25]. Halbbd. Hrsg. v. W Harless. J. 1900-01. (155 m. 1 Kunstbeil.) 01. (nn 4 —) nn 6 — | 36 [26]. J. '02. (3 —, Hrsg.: Harless. (257 m. 1 Kunst- beil.) 03. nn 6 — | 37 [27]. Krsg. v. Vorstande. J. '04. (327) 04. nn 6 — | 38 [28]. J. '05. (490 m. 3 Taf.) 05. nn 6 —

— **f. Bergrecht. Red. u. hrsg. v. H Brassert.** 42. Jahrg. 1901. 4 Hefte. (1. Heft. 128) 8° Bonn, E Marcus u. E Weber. 8 — d
— **dass. 43. Jahrg. 1902, red. u. hrsg. v. Mitgliedern d. k. Ober- bergamts zu Bonn.** 4 Hefte. (1. Heft. 128) 8° Ebd. 8 — d
— **dass. Red. u. hrsg. v. d. rechtskund. Vortrag. Räten d. Berg- abteilg d. kgl. preuss. Ministeriums f. Handel u. Gewerbe.** 44—46. Jahrg. 1903—5 je 4 Hefte. (Je 8 —; einz. Hefte 2.50
— **österr., f. Berg- u. Hüttenwesen. Red.: H Höfer u. C v. Ernst.** 49. u. 50. Jahrg. 1901 u. 2 je 52 Nrn. (1901. Nr. 1. 15 m. 1 Taf.) 4° Wien, Manz. Halbj. 13 —‖51. Jahrg. 1903. Red.: F Toldt u. C v. Ernst. ‖ 52. u. 53. Jahrg. 1904 u. 5. Red.: G Kroupa u. Cv. Ernst. Je 21 —

— **f. d. Berg-, Hütten- u. Salinen-Wesen im preuss. Staate. Hrsg. im Ministerium f. Handel u. Gewerbe.** 49— 53. Ed je 7—8 Hefte. (49. Bd. 1. Heft. 46, 243, 44, 9 u. m. 1 Bildnis u. 1 Atlas v. 6 Taf.) 4° Berl., W Ernst & S. 01-05.
Je 25 —
— **dass. Inhaltsverz. d. Jahrg. 1853—1902. (Bd 1—50.) (259)** 4° Ebd. 03. 7.50

— **bibl. In Verbindg m. d. Red. d. „Bibl. Studien" hrsg. v. J- Göttsberger u. J Sickenberger.** 1—3. Jahrg. 1903—5 je 4 Hefte. (442, 448 u. 449) 8° Freibg i/B., Herder. Je 12 —
— **allg., f. Bierbrauerei u. Malzfabrikation. Hrsg. v. K Fasbender.** 29—33. Jahrg. 1901—5 je 52 Nrn. (1901. Nr. 1 u. 2. 30 m. Abb.) 8° Wien, (JM Gebhardt.) Halbj. 5 —

Hinrichs' Fünfjahrskatalog 1901—1905.

Zeitschrift f. Binnen-Schiffahrt. Hrsg. v. Central-Ver. f. Hebg d. deut. Fluss- u. Kanal-Schiffahrt. Leiter: Hilken. 8. Jahrg. 1901. (33.Jahrg. d. „Mitteilgn" d.Central-Ver.) 24 Hefte. (1. Heft. 23 m. 3 Karten.) Fol. Berl.-Grunew., A Troschel. 12 — ‖ 9. Jahrg. 1—3. Viertelj. Jan.—Septbr 1902. 18 Hefte. 9 —; einz. Hefte — 75
— **dass. Leiter: Rágóczy. 9. Jahrg. (34. Jahrg. d. „Mittheilgn" d. Central-Ver.) 4. Viertelj. Oktbr—Dezbr 1902. 6 Hefte. (19. Heft. 16) 4° Berl., H Paetel. 3 — ‖ 10—12. (bezw. 35—37.) Jahrg.** 1903—5 je 24 Hefte. Je 12 —; einz. Hefte — 75
— **f. Biochemie. Red. u. Hrsg.: Reiff. Verantwortlich f. den d. Tierheilkde betr. Tl: F Meinert.** 1—4. Jahrg. 1902—5 je 12 Nrn. (Nr. 1 u. 2. 16) 8° Oldenbg, (H Nonne). Je 3 —

— **f. Biologie v. C Voit. 41. Bd. Neue Folge. 23. Bd. 4 Hefte.** (571 m. 2 Taf.) 8° Münch., R Oldenbourg 01. ‖ 42. bezw. 24. Bd. Jubelbd zu Ehren v. C Voit. (709 m. 4 Taf. u. 1 Bildnis.) 01. ‖ 43—47. bezw. 25—29. Bd je 4 Hefte. 02-05. Je 20 —
— **allg. botan., f. Systematik, Floristik, Pflanzengeogr. etc. Hrsg. v. A Kneucker.** 7—11. Jahrg. 1901—5 je 12 Nrn. ('01— je: 216, 05: 208) 8° Karlsr., JJ Reiff. Je 6 —; einz. Nrn nn — 50
— **österr. botan. Hrsg. u. red. v. R v. Wettstein.** 51—55. Jahrg. 1901—5 je 12 Nrn. (1901. Nr. 1. 40) 8° Wien, C Gerold's S. Je 18 —

— **d. botan. Abteilg d. naturwiss. Ver. d. Prov. Posen. Hrsg. v. Pfahl.** 7. Jahrg. 2. u. 3.Heft. (33—96) 8° Pos., (J Jolowicz) 1900.01. ‖ 8. Jahrg. 1. u. 2. Heft. (64) 01. Je — 80
Fortsetzg s. u. d. T.:
— **d. Section f. Botanik d. deut. Gesellsch. f. Kunst u. Wiss. in Posen. Naturwiss. Abteilg (naturwiss. Ver.). Hrsg. v. Pfahl.** 8. Jahrg. 3. Heft. (65—96) 8° Ebd. 02. ‖ 9. Jahrg. 1. Heft. (32) 02. Je — 80
Fortsetzg s. u. d. T.: Zeitschrift d. naturwiss. Abteilg (d. natur- wiss. Ver.) (d. deut. Gesellsch. f. Kunst u. Wiss. in Posen).
— **f. d. ges. Brauwesen. Begründet v. C Lintner sen. Hrsg. v. G Holzner. Neue Folge. 24—26. Jahrg. 1901—5 je 52 Nrn.** (829, 802 u. 896 m. Fig. u. 0, 0 u. 19 Taf.) 4° Münch., R Olden- bourg. ‖ 27. u. 28. Jahrg. 1904 u. 5. Hrsg. unter Red. v. C Bleisch. (920 m. 3 Taf. u. 864 m. Fig.) Je 16 —
— **f. Deutschlds Buchdrucker. Hrsg. v. Deut. Buchdrucker- Ver. Schriftleiter: E Wiener.** 13. u. 14. Jahrg. 1901—2 je 52 Nrn. (1901. Nr. 1. 12 m. Abb.) 4° Lpzg, Zeitschrift f. Deutschlds Buchdrucker. Viertelj. 2 —; Druckereiausg. nn 1 —
Fortsetzg u. d. T.:
— **f. Deutschlds Buchdrucker, Steindrucker u. verwandte Gewerbe. Hrsg. v. Deut. Buchdrucker-Ver. Schriftleiter: E Wiener.** 15—17. Jahrg. 1903—5 je 52 Nrn. (Nr. 1. 16 m. Abb.) 4° Ebd. Je 8 —; einz. Nrn —20; Druckereiausg. viertelj. nn — 50
— **f. Bücherfreunde. Monatshefte f. Bibliophilie u. ver- wandte Interessen. Hrsg. v. F v. Zobeltitz.** 5. Jahrg. Apr. 1901—März 1902. 12 Hefte. (488 u. Beibl. 16 m. 15. Abb. u. 3 Taf.) 8° Bielef., Velhagen & Kl. Viertelj. 6 —; einz. Hefte 3 — bis 4 — ‖ 6. Jahrg. Apr. 1902—März 1903 je 12 Hefte. (512, 512, 486 u. 514 m. Abb. u. Taf.) Viertelj. 9 — (Vollst., in 2 Bde geb., d. Bd 21 —)
— **f. bildtäglig. Fachbl. f. d. ges. Rechnungswesen. Hrsg. v. H Belohlawek (u. T Drapala).** 10—14. Jahrg. 1901—5 je 12 Nrn. (Nr. 1. 24) 8° Linz, Zentraldr. vorm. E Mareis. Je nn 8 —
Seit 1903 m. d. Obtit.: Der Buchrevisor.
— **f. das. bürgerl. Recht m. franzòs. Civilrecht, letzteres m. bes. Berücks. d. Zwischenrechts. Begründet v. S Puchelt, hrsg. v. E Huber, seit 1904 F Diefenbach.** 32—36. Bd 1901—5 je 12 Hefte. (1. Heft. 64) 8° Mannh., J Bensheimer's V. Je 12 — d
— **f. Bürsten-, Pinsel- u. Kammfabrikation u. d. ein- schlag. Geschäftszweige. Begründet v. P Ludwig.** 20—25. Jahrg. Oktbr 1900—Septbr 1906 je 24 Nrn. (23. Jahrg. 673) 4° Lpzg, A Duncker. Viertelj. 1.50 d
— **byzantin. Hrsg. v. K Krumbacher.** 10—14. Bd je 4 Hefte. (10. Bd. 1. u. 2. Heft. 384 m. Abb.) 8° Lpzg, BG Teubner 01-05.
Je 20 — d
Ergänzg s. u. d. T.: Archiv, byzantin.
— **f. Calciumcarbid-Fabrikation u. Acetylen-Beleuchtg. Hrsg.: A Ludwig.** 5. Jahrg. Apr. 1901—März 1902. 52 Nrn. (Nr. 1. 8) 4° Berl., Verl. Dr. Wedekind & Co. Halbj. 6 —
— **dass. u. Acetylen- u. Kleinbeleuchtg. Hrsg.: N Caro (u. A Ludwig.** Red.: H Bloch). 6.Jahrg. Apr.1902—März 1903. 52 Nrn. (Nr. 1. 8) 4° Ebd. Halbj. 6 — ‖ 7. Jahrg. Apr.—Dezbr 1903. 39 Nrn. Je 12 — ‖ 9. Jahrg. 1904 u. 5. Hrsg. u. red. v. JH Vogel. Je 52 Nrn. Halbj. 8 —
— **f. analyt. Chemie. Begründet v. R Fresenius, hrsg. v. H Fresenius, W Fresenius u. E Hintz.** 41—44. Jahrg. 1902—5 je 12 Hefte. (780, 804, 788 u. 812 m. Fig. u. 0, 2, 3 u. 0 Taf.) 8° Wiesb., CW Kreidel. Je 18 —
— **dass. Autoren- u. Sach-Reg. zu d. Bdn 31—40 (Jahrg. 1892— 1901). Bearb. v. H Fresenius. Unter Mitwirkg v. A Czapski.** (258) 8° Ebd. 03. 10 —
— **f. angewandte Chemie. Begründet v. F Fischer, hrsg. v. (H Caro u.) L Wenghöffer. L Wenghöffer.** 14—18. Jahrg. 1901—5 je 52 Hefte. (1389, 1350 u. 1276 m. Abb.) 4° Berl., J Springer. ‖ 17. Jahrg. 1904. Hrsg. u. red. v. B Rassow. (2008 m. Abb.) Je 20 —; einz. Hefte — 60 ‖ 18. Jahrg. 1905. Hrsg. u. red. v. B Rassow. (2087 m. Abb.) 25 —

Zeitschrift f. anorgan. Chemie. Begründet v. G Krüss. Hrsg. v. R Lorenz (u. F W Küster). 26—41. Bd. (460, 484, 476, 475, 434, 476, 476, 424, 460, 484, 536, 476, 460, 488, 468 u. 476 m. Fig.) 8° Hambg, L Voss 01-04. ‖ 43—47. Bd. Hrsg. v. G Tammann u. R Lorenz. (04.05.) Der Bd 12 —
— f. öffentl. Chemie. Red.: R Riechelmann. 7—11. Jahrg. 1901—5 je 24 Hefte. (1. Heft. 20) 8° Plauen, (A Kell).
Viertelj. 3 —

Jahrg. 1901—4 wurden auf je 8 — ermässigt.
— f. physikal. Chemie, Stöchiometrie u. Verwandtschaftslehre. Hrsg. v. W Ostwald u. JH van't Hoff. Namen- u. Sachreg. zu d. Bdn 1—24 v. FW Küster u. T Paul. 2—10. Lfg. (161—858 u. 796) 8° Lpzg, W Engelmann 01-04. 47.50 (Vollst.: 52.50)
— dass. 36—54. Bd. Je 6 Hefte m. Fig. 8° Ebd. Je 17 —
36. (756) 01. ‖ 37. (758) 01. ‖ 38. (762 m. 1 farb. Taf.) 01. ‖ 39. (760 m. 1 Bildnis m. Reg. zu Bd 36—39.) 01. ‖ 40. (760 m. 1 Bildnis.) 02. ‖ 41. (756) 02. ‖ 42. (758 m. 1 Bildnis m. Reg. zu Bd 40—42.) 02. ‖ 43. (760) 03. ‖ 44. (760) 03. ‖ 45. (758 m. Reg. zu Bd 48—45.) 03. ‖ 46. Jsbelbd. Wilh. Ostwald gewidmet v. seinen Schülern. Mit e. Taf. v. JH van't Hoff. (79, 878 m. 1 Bildnis.) 03. ‖ 47. (758) 04. ‖ 48. (758 m. 1 Bildnis.) 04. ‖ 49. (738 m. Reg. an Bd 46—49.) 04. ‖ 50. (758 m. 1 Bildnis) 04. ‖ 51. (758 m. 5 Taf.) 05. ‖ 52. (758) 05. ‖ 53. (760) 05. ‖ 54. (762 m. 3 Taf.) 05.
— f. physiolog. Chemie, s.: Hoppe-Seyler, F.
— chemische. Centralbl. f.d.Fortschritte d.ges.Chemie, hrsg. v. FB Ahrens. 1. u. 2. Jahrg. Oktbr 1901—Septbr 1903 je 24 Nrn. (786 u. 770 m. Taf.) 4° Lpzg, S Hirzel. ‖ 3. Jahrg. Oktbr 1903—Dezbr 1904. 30 Nrn. (828) ‖ 4. Jahrg. 1905. 24 Nrn. (564)
Viertelj. 5 —; einz. Nrn 1 —; Einbde f. d. Jahrg. 5 —
— f. chemische Apparatenkde. Hrsg. v. P Schuberg. 1. Jahrg. Oktbr 1905—Septbr 1906. 24 Nrn. (Nr. 1. 32 m. Abb.) 8° Berl., R Mückenberger. 20 —
— deut., f. Chirurgie. Red. v. (E Rose u.) H Helferich. 58—66. Bd. Je 6 Hefte. (63. u. 64. Bd. 603 u. 584 m. Abb. u. z bezw. 6 Taf.) 8° Lpzg, FC V Vogel 1900-02. ‖ 67. Bd. Festschrift, Hrn Prof. Dr. F Y. Esmarch z. Feier s. 80. Geburtstages gewidmet. (676 m. Abb. u. 11 Taf.) 02. ‖ 68—80. Bd je 6 Hefte. (73—75. u. 78—80. Bd. 568, 692, 572, 696, 618 u. 596 m. 9, 3, 5, 5, 6 u. 7 Taf.) 03-05. Je 18 —
— f. orthopäd. Chirurgie, einschl. d. Heilgymnastik u. Massage. Hrsg. v. A Hoffa. 8—14. Bd je 4 Hefte m. Abb. 8° Stuttg., F Enke.
VIII. (542) 1900.01. 19.40 ‖ IX. (713 m. 5 Taf.) 01. 26.60 ‖ X. (626 m 2 Tab.) 02. 37 — ‖ XI. (600 m. 4 Taf.) 02. 30 — ‖ XII. (704) 03. 34.20 ‖ XIII. (662 m. 4 Taf.) 04. 27.40 ‖ XIV. (736) 05. 27.80.
— f. deut. Civilprozess, s.: Zeitschrift f. deut. Zivilprozess.
— f. Dampfkessel- u. Maschinenbetrieb. Mitteilgn a. d. Praxis d. Dampfkessel- u. Dampfmaschinen-Betriebes, sowie d. Feuergs-, Elektro- u. allg. motor. Betriebes. Hrsg. unter Leitg. v. H Minssen u. C Cario. Red.: B Berger. 27. u. 28. Jahrg. 1904 u. 5 je 52 Nrn. (Nr. 1. 12 m. Abb.) 4° Berl., (F Mosse). Je 12 —; einz. Nrn — 30
Bisher u. d. T.: Mitteilungen a. d. Praxis d. Dampfkessel- u. Dampfmaschinen-Betriebes.
— bayer. Dampfkessel-Revisions-Ver. Verwaltg: W Gyssling. Schriftleitg: J Reischle. 5. u. 6. Jahrg. 1901 u. 2 je 12 Nrn. (1901. Nr. 1. 13 m. Abb. u. 1 Taf.) 4° Münch. (Georgenstr. 30), Bayer. Dampfkessel-Revisions-Ver. Je 7. Jahrg. 1903. nn 0 — d
Von Nr. 4 d. Jahrg. 1903 ab u. d. T.: Zeitschrift d. bayer. Revisions-Ver.
— dermatolog. Hrsg. v. O Lassar. 8—10. Bd. 1901—3. Der Bd 6 Hefte. (824, 908 u. 666 m. Abb. u. 0, 5 u. 6 Taf.) 8° Berl., S Karger. (11. u. 12. Bd. Jahrg. 1904 u. 5 je 12 Hefte. (906 u. 858 m. 4 u. 21 Taf.) Jährlich 30 — ‖ Namen- u. Sachreg. zu Bd 1—11. (107) 05. 4 —
— deut. Nationale Rundschau f. Politik u. Volkswirtschaft, Litt. u. Kunst, hrsg. v. E Wachler. Red.: M Frhr v. Münchhausen. 15. Jahrg. Oktbr 1901—März 1902. 12 Hefte. (1. Heft. 32) 8° Berl., Gose & T. Viertelj. 3 —; einz. Hefte — 60 d
— dass. 2. Halbj. Apr—Septbr 1902. 12 Hefte. 8° Berl., F Wunder. (?) Viertelj. 3 —; einz. Hefte — 60 d
Fortsetzg u. d. T.:
— deut., f.Politik u. Volkswirtschaft, Litt. u. Kunst, begründet u. hrsg. v. E Wachler. 5. Jahrg. Oktbr 1902—Septbr 1903. 12 Hefte. (572) 8° Berl. Jena, H Costenoble. Viertelj. 3 —; einz. Hefte 1 — d
Fortsetzg s.: Iduna.
— f. deut. Altertum u. deut. Litt. Hrsg. v. E Schroeder u. G Roethe. 45—47.Bd je 4 Hefte. (1901. 1. Heft. 132 u. Anzeiger 112) 8° Berl., Weidmann 01-03. Je 15 —
— f. deut. Philol., begründet v. J Zacher, hrsg. v. H Gering u. F Kauffmann. 33—85. Bd je 4 Hefte. (576, 568 u. 576) 8° Halle, Bh. d. Waisenh. 01-03. Je 18 — ‖ 36. u. 37. Bd. '04.05. (Je 576) Je 20 —
— d. allg. deut. Sprachver. Begründet v. H Riegel. Hrsg. v. O Streicher. 16—20. Jahrg. 1901—5 je 12 Nrn. (Nr. 1. 32 Sp.) 4° Berl., Verl. d. allg. deut. Sprachver. Je 3 —; einz. Nrn — 30 d
— dass. Wiss. Beihefte. Schriftleitg: P Pietsch. 19—24. Heft. 8° Ebd. 2 — d
19. (3. Reihe 265—316) 1900. — 50 ‖ 20. (317—353) 01. — 30 ‖ 21—24. (354—397) 02. — 80.
— f. d. deut. Unterr. Begründet unter Mitwirkg v. R Hildebrand. Hrsg. v. O Lyon. 15—19. Jahrg. 1901—5 je 12 Hefte. ('04. 808) 8° Lpzg, BG Teubner. Je 12 — d
— f. deut.Wortforschg, hrsg. v. F Kluge. 2—7.Bd je 4 Hefte. (2. Bd. 1. Heft. 84) 8° Strassbg, KJ Trübner 01-05. Je 10 —; HF. je 12.50 d

Zeitschrift f. deut. Wortforschg, hrsg. v. F Kluge. Beiheft z. 3. u. 6. Bd. 8° Strassbg, KJ Trübner. 7.50 d
Göpfert, E: Die Bergmannssprache in d. Sagepta d. Johann Mathesius. (107) 02. [3.] 3 — f. Abnehmer d. Zeitschrift 2.50
Kühlewein, W, m. T Bohnör: Beitr. zu e. Goethe-Wrtrb. (192) 04. [5.] 4.50
— f. Freunde d. Dichtkunst. Red.: F Moser. 2.Bd. 6 Nrn. (Nr.1. 24 m. Bildnissen.) 8° Oetzsch 1900.01. Naunhof, F Moser. 1.25
Fortsetzg war nicht zu erhalten.
— f. Drechsler, Elfenbeingraveure u. Holzbildhauer. (Lpzg. deut. Drechsler-Zeitg.) Hrsg. v. EA Martin u. C Marggraf. 24—28. Jahrg. 1901—5 je 24 Nrn. (Nr. 1. 24 m. Abb., 1 Musterbog. u. 1 Taf.) 4° Lpzg, Verl. d. Zeitschrift f. Drechsler.
Viertelj. 2 —; einz. Nrn nn — 35 d
— eisenb.-techn., f.d.Ges.-Geb.d.Vollb., Kleinb.u.Strassenb. (früher Illustr. Zeitschrift f. Klein- u. Strassenb.). 11. Jahrg. 1905. 24 Nrn. (Nr. 1. 88 m. Abb.) 4° Berl., HT Hoffmann. 12 —;
einz. Nrn nn 1 —
Bisher u. d. T.: Zeitschrift, illustr., f. Klein- u. Strassenb.
— f. Eisenb.-Telegr.-Beamte. Nebst: Illustr.Unterhaltgsblatt. 1. Jahrg. Oktbr—Dezbr 1902. 6 Nrn. (Nr. 1. 8 u. 4) 4° Berl., F Siemenroth. ‖ 2. u. 3. Jahrg. 1905 u. 4 je 24 Nrn.
Viertelj. 1 — d
— dass. Schriftleitg: F Siemenroth. 4.Jahrg. 1905. 24 Nrn. (Nr. 1. 8 u. 4) 4° Berl., M Regenhardt. Viertelj. 1 —; einz. Nrn — 20 d
— f. d. internat. Eisenb.-Transport, hrsg. v. d. Central-Amt in Bern. 9—13. Jahrg. 1901—5 je 12 Nrn. (Nr. 1. 36) 4° Bern. Zür., Art. Instit. Orell Füssli. Je 8 —; einz. Nrn u. a. 1.50
Französ. Ausg. u. d. T.: Bulletin des transports internat. par chemins de fer.
— f. Eis-Handel u. -Fabrikation u. verwandte Berufszweige. Red.: K Oertel. 4. Jahrg. 1901. Je 1—7. 56) 4° Lpzg, C Coleman. Viertelj. 1 — 0 F
— f. Elektrochemie. Hrsg. v. d. deut. elektrochem. Gesellsch. unter Leitg v. R Abegg. 7. Jahrg. 3. Halbj. u. 8. Jahrg. 1. Halbj. Juli 1901—Juni 1902 je 26 Nrn. (Nr. 57. 8 m. Fig.) 8° Halle, W Knapp. Viertelj. 4 —
— dass. Hrsg. v. d. deut.Bunsen-Gesellsch. f. angewandte physikal. Chemie (früher deut. elektrochem. Gesellsch.) unter Leitg v. R Abegg. 2. Halbj. Juli—Dezbr 1902. 26 Nrn. (Nr. 29. 20) 8° Ebd. ‖ 9. Jahrg. 1903. 52 Nrn. Viertelj. 5 —
— dass. u. angewandte physikal. Chemie. Hrsg. v. d. deut. Bunsen-Gesellschaft f. angewandte physikal. Chemie unter Leitg v. R Abegg u. H Danneel. 10. u. 11. Jahrg. 1904 u. 5 je 52 Nrn. ('04. 960 m. Abb.) 8° Ebd. Viertelj. 5 —
— elektrochem. Organ f. d. Ges.-Geb. d. Elektrochemie, Elektrometallurgie, f. Batterien- u. Akkumulatorenbau, Galvanoplastik u.Galvanostegie. Red.: A Neuburger. 8—12.Jahrg. Apr. 1901—März 1906 je 12 Hefte. (9. Jahrg. 1. Heft. 24 m. Abb.) 4° Berl., M Krayn. Viertelj. 4 —; einz. Hefte 1.50
— f. Elektrotechnik. Red. 1901: L Kusminsky, 1903 : J Seidener u. M Zinner. 19—23. Jahrg. 1901—5 je 52 Hefte. (1. Heft. 16 m. Abb.) 8° Wien, (Spielhagen & Sch.). Viertelj. 25 —
— f. d. Ges.-Geb. d. Elektrotechnik. Red.: A Brümmer u. O Lindenberg. Jahrg. 1903. 12 Hefte. (1. Heft. 46 m. Fig.) Fol. Lpzg, H Buschmann. Viertelj. 3.60; einz. Hefte 1.50
Fortsetzg war nicht zu erhalten.
— f. Elektrotechnik u. Maschinenbau. Red.: R Bauch. 4—7. Bd. 1901—4 je 24 Nrn. (516, 480, 476 u. 480 m. Abb. u. 45, 26, 26 u. 24 Taf.) 4° Potsd., Geschäftsstelle. Viertelj. 2 — ‖ 8. Bd. 1905. (522 m. Abb. u. 20 Taf.) Viertelj. 2.50
Die Blätter f. Maschinenbau wurden hiermit vereinigt.
— elektrotechn. (Centralbl.f.Elektrotechnik.) Red.: G Kapp. 22—26. Jahrg. 1901—5 je 52 Hefte. (1074, 1142, 1096, 1122 u. 1184 m. Abb.) Fol. Berl., J Springer. Je 20 —; einz. Hefte — 60
— dass. General-Reg. 1890—1902. Bearb.: G Reichardt. (277) 8° Ebd. 04. 4 —
— schweiz. elektrotechn. Red.: S Herzog. 1. Jahrg. 1904. 26 Hefte. (1—5.Heft. 89 m. Abb.) Fol. Zür., F Amberger. nn 9.50 ‖ 2. Jahrg. 1905. 52 Hefte. Halbj. nn 8 —
— f. Elektrotherapie u. ärztl. Electrotechnik. Hrsg. v. d. Red. d. Centralbl. f. Nervenheilkde u. Psychiatrie, red. v. H Kurella. 3. Jahrg. 1901. 4 Nrn. (Nr. 1. 48 m. Abb.) 8° Cobl., W Groos. 8 —; einz. Hefte 2.25
— dass. u.verwandten physikal.Heilmethoden (Phototherapie, Radiotherapie, Thermotherapie) auf Grundl. d.Elektrotechnik. Red. u. hrsg. v. H Kurella. 4. u. 5. Jahrg. 1902 u. 3 je 12 Nrn. (419 u. 428) 8° Berl., Lpzg, JA Barth. Je 12 —; ‖
— f. Käufer d. Zentralbl. f. Nervenheilkde u. Psychiatrie 6 u. 7. Jahrg. 1904 u. 5 je 12 Nrn. (432 u. 443 m. 1 u. 2 Taf.) 8° Lpzg, JA Barth. ':
Das 1. Heft d. Jahrg. 1904 erschien noch in Berlin.
— f. Entomol. Hrsg. v. Ver. f. schles. Insektenkde zu Breslau. Neue Folge. 26—30. Heft. 8° Breslau. (Marusche & B.). 5.70
26. (16, 26) 01. 1 — ‖ 27. (38, 53) 02. 1 — ‖ 28. (36, 54) 03. 1 — ‖ 29. (35, 28) 04. 1.20 ‖ 30. (34, 47) 05. 1.70.
Bisher u. d. T.: Zeitschrift, illustr., f. Entomol. — Fortsetzg s. u. d. T.:
Zeitschrift f. wiss. Insektenbiol.
— entomolog. Red. 15. Jahrg.: H Scholz, 16. Jahrg.: H Redlich, 17. Jahrg.: R Calliess. 15—17.Jahrg. Apr. 1901—März 1904 je 24 Nrn. (15. Jahrg. Nr. 1. 10) 4° Gub. (Berl., H Spamer.)

Je 8 — ‖ 18. Jahrg. 1904/5. **36** Nrn. ‖ 19. Jahrg. 1905/6. Red.: P Hoffmann. Halbj. 5 —

Zeitschrift, Berliner **entomolog**. (1875—90 : Deut. entomolog. Zeitschrift). Hrsg. v. d. entomolog. Ver. zu Berlin unter Red. v. H Stichel. 46—49. Bd (1901—4) je à 4 Hefte à. 50. Bd (1905) 1. u. 2. Heft. 8° Berl., (R Friedländer & S.). 147 —
46. (30, 556 m. Fig. u. 9 [7 farb.] Taf.) 01.02. 43 — | 47. (28, 202 m. Fig. u. 2 [3 farb.] Taf.) Nebst : Nachtr. 1 u. Bücher-Verz. d. Bibliothek d. entomolog. Ver. zu Berlin. (45°) 02. 20 — | 48. (32, 236 u. 26 m. Fig. u. 2 Taf.) 03. 20 — | 49. (37—38, 32 u. 332 m. Fig. u. 4 Taf.) 04.05. 20 — | 50.I.II. (161 m. 1 Bildn. u. 5 Taf.) 05. 15 —

— **deut. entomolog. Inhalts-Verz. d. Jahrg. 1883—99.** Zusammengest. v. R Lohde. (36) 8° Berl., Nicolai's V. (01). 1.50
— dass., hrsg. v. d. deut. entomolog. Gesellsch. Jahrg. 1898. 3. Heft, 2. Hlfte ; 1899. 3. Heft, 2. Hlfte ; 1900. 2. Heft u. 3. Heft, 2 Hlften ; 1901. 3 Hefte ; 1902. 1. u. 2. Heft u. 3. Heft ; 1903. 1. u. 2. Heft u. 3. Heft, 1. Lfg ; 1904. 1. u. 2. Heft u. 3. Heft, 1. Lfg u. 1905. 1. u. 2. Heft. 8° Ebd.
1898. ‖II. Bericht üb. d. wiss. Leistgn im Geb. d. Entomol. währ. d. J. 1897. 2. Hlfte v. T Kuhlgatz, R Lucas u. B Wandolleck. Red.: G Kraatz. (321—1206) 01. 60 — (Vollst.: 104 —) 1899. 3 II. Bericht üb. d. wiss. Leistgn im Geb. d. Entomol. währ. d. J. 1898 v. T Kuhlgatz, R Lucas u. B Wandolleck. (331—1003) 02. 50 — (Vollst.: 94 —) 1900. 2. (16 u. 225—472) 1900. 10 — ‖ 3. L Hlfte. Bericht üb. d. wiss. Leistgn im Geb. d. Entomol. währ. d. J. 1899. I. Hlfte v. R Lucas u. G Seidlitz. Red.: G Kraatz. (306) 01. 20 — ‖ 2. Hlfte v. R Lucas u. B Wandolleck. (369—1244) 05. 60 — (Vollst.: 100 —) 1901. 1.2. (276 u. 33—64 m. Abb. u. 1 Taf.) 01. 71 — ‖ 3 I. Bericht üb. d. wiss. Leistgn im Geb. d. Entomol. währ. d. J. 1900. 1. Hlfte v. G Seidlitz. Red.: G Kraatz. (288) 02. 22 — ‖ 2. Hlfte. Red.: G Kraatz u. J Wüst. 1. Lfg. v. R Lucas. (289—648) 01. (94.) 45 — ; 2. Lfg. v. R Lucas, B Wandolleck, T Kuhlgatz. (649—1671) 05. 38 — 1902. Red.: G Kraatz u. J Wüst. 1.2. (416) 21 — ‖ III,1. Bericht üb. d. wiss. Leistgn im Geb. d. Entomol. währ. d. J. 1901. 1. Hlfte. Von G Seidlitz. Red. G Kraatz. (384) 03. 22 — 1903. 1.2. (424 m. Fig., 1 Taf. u. 8 Bildnissen). 03. 24 — ‖ 3 I. Bericht üb. d. wiss. Leistgn im Geb. d. Entomol. währ. d. J. 1902. 1. Lfg. Von G Seidlitz. (290) 04. 32 — 1904. 1.2. (464 m. 1 Taf.) 04. 25 — ‖ 3 I. Bericht üb. d. wiss. Leistgn im Geb. d. Entomol. währ. d. J. 1903, v. G Seidlitz. Insecta : Allg. u. Coleopterh. Red.: G Kraatz u. J Weise. (556) 05. 25 — 1905. 1.2 m. Bl.: Hofn, W: Systemat. Index d. Cicindeliden. (340 u. 56) 05. 72 — ; Beilage allein 3 —

— dass., hrsg. v. d. Gesellsch. Iris zu Dresden in Verbindg m. d. deut. entomolog. Gesellsch. zu Berlin. Lepidopterolog. Hefte 1900, II u. '01 : I.II. (Iris, Dresden, XIII. Bd, 2. Heft u. XIV. Bd, 2 Hefte.) Red.: C Ribbe. 8° Berl., R Friedländer & S. Je nn 12 —
1900 I. (161—362 m. 4 [2 farb.] Taf. u. 1 Bildnis.) ‖ '01 I.II. (393 m. 2 [2 farb.] Taf.

Fortsetzg u. d. T.:
— **deut. entomolog., Iris,** hrsg. v. entomolog. Ver. Iris zu Dresden. Jahrg. 1903—4 je 2 Hefte à. 1905 1.Heft. (Iris, Dresden, Bd XV—XVII u. XVIII, 1.) Red.: C Ribbe. 8° Ebd. nn 75 — '03 (XV). (360 m. 7 Taf.) 03.03. Je 12 — | '03 (XVI). (20, 298 m. 1 Bildn. u. 8 Taf.) 03.04. Je nn 12 — | '04 (XVII). (634 m. 9 Taf.) Je nn 10 — | '05 (XVIII) 1. (236 m. 7 Taf.) Je nn 10 —

— **d. Gesellsch. f. Erdkde zu Berlin.** Hrsg. v. G Köllm. 36. Bd. 1901. 6 Nrn. (Nr. 1. 68 m. 5 Taf. u. 1 Karte.) 8° Berl., WH Kühl. — ES Mittler & S. 12 — ; nebst Verhandlgn d. Gesellsch. f. Erdkde zu Berlin 15 — ; Verhandlgn allein 6 —
— dass. (37—40. Bd.) 1902—5 je 10 Nrn. ('04. 752 m. Abb. u. 14 Taf.) 8° Berl., ES Mittler & S. Je 15 — ; einz. Nrn 3 —
Die Verhandlgn sind hiermit vereinigt.

— f. d. Gesch. u. Altertumskde Ermlands. Hrsg. v. F Dittrich. 13—15. Bd. Der ganzen Folge 40—45. Heft. 8° Braunsbg, (E Bender). nn 31.50 à
13. Der ganzen Folge 40. u. 41. Heft. (990) 1900.01. nn 12 — | 14. Der ganzen Folge 42. u. 43. Heft. (715 m. 3 Stammtaf.) 02.03. nn 9 — | 15 I.II. Der ganzen Folge 44. u. 45. Heft. (799) 04.05. nn 10.50.

— f. Erwerb u. Nebenerwerb. Halbmonatsschrift z. Förderg d. Erwerbslebens in u. ausser d. Haus. Ratgeber in allen Existenz- u. Lebensfragen. Vermittler f. Angebot u. Nachfrage. 1. Bd. Oktbr—Dezbr 1901 u. Apr.—Dezbr 1902. 24 Nrn. (Nr. 1. 16) 8° Naunhof, F Moser. Viertelj. 1 — d
Fortsetzg war nicht zu erhalten. — Ist f. Jan.—März 1902 nicht erschienen.

— f. Erziehg u. Unterr., e. Monatsbl. f. Volksgesundheitspflege, f. diätet. u. physikal. Therapie (d. i. Naturheilkde) u. im besond. f. e. naturgemässe Lebensweise in körperl. u. geist. Hinsicht. Hrsg.: M Schmidtbauer. Red.: C Koindorfer. 15—19. Jahrg. 1901—5 je 12 Hefte. (Je 244) 8° Schwanenstadt (Oberösterr.), Bekrt. a. D. M Schmidtbauer. Je nn 3.40
— kathol., f. Erziehg u. Unterr. Hrsg. v. AJ Cüppers. 50— 54. Jahrg. 1901—5 je 12 Hefte. (592, 584, 588, 585 u. 578) 8° Düsseldf, L Schwann. Viertelj. 1 — ; einz. Hefte — 40 d
Die „Katholische Schulkwde" wurde hiermit vereinigt.

— f. Ethnol. Organ d. Berliner Gesellsch. f. Anthropol., Ethnol. u. Urgesch. Red.-Commission: M Bartels, R Virchow, A Voss.) 33—37. Jahrg. 1901—5 je 6 Hefte. (819, 578 ; 276, 525 ; 1054, 919 u. 1064 m. Abb. u. 9, 15, 0, 9 u. 13 Kart. u. Taf.) 8° Berl., Behrend & Co. Je 24 —
— dass. 37. Jahrg. 1905. Suppl. 8° Ebd. 3 —
Ehreoreich, P : Die Mythen u. Legnden d. südamerikan. Urvölker u. ihre Beziehgn zu denen Nordamerikas u. d. alten Welt. (107) 05. 3 —
— dass. Ergänzgsblätter. Nachrichten üb. deut. Altertumsfunde. Hrsg. v. d. Berliner Gesellsch. f. Anthropol., Ethnol. u. Urgesch., unter Red. v. (R Virchow u. A Voss. 12—15. Jahrg. 1901—4 je 6 Hefte. (Je 90 m. Fig.) 8° Ebd. Je 3 — 6 F

Zeitschrift f. **Farben- u. Textil-Chemie** m. Einschl. d. verwandten Geb. d. organ. chem. Industrie u. d. Textil-Industrie. Hrsg. u. red. v. A Buntroek. 1—3. Jahrg. 1902—4 je 24 Hefte. (1902. 1. Heft. 36 m. 1 Bildnis u. 1 farb. Taf.) 4° Berl., Verl. f. Textil-Industrie. Viertelj. 5 — ; einz. Hefte 1 —
Seit 1904 Heft 10 u. d. T.:
— **f. Farben- u. Textil-Industrie.** Hrsg. u. red. v. A Buntroek u. O Johannsen. 4. Jahrg. 1905. 24 Hefte. (1. Heft. 32 m. Abb. u. Stoffproben.) 8° Ebd. Viertelj. 5 — ; einz. Hefte 1 —
1902 v. 3 erschienen in Braunschweig, 1904 u. 1905 1. Halbj. in Sorau.

— d. **Ferdinandeums** f. Tirol u. Vorarlberg. Hrsg. v. d. Verwaltgs-Ausschusse. 3. Folge. 44—47. Heft. 8° Innsbr., (Wagner). 40 —
44. (218 u. 75 m. 1 Doppeltaf.) 1900. 4 — ‖ 45. (223 u. 96 m. 2 Bildnissen, 1 Taf. u. 1 Karte.) 01. 12 — ‖ 46. (350 u. 56 m. Abb. u. 3 Taf.) 02. 12 — ‖ 47. (352 u. 87 m. 9 Taf. u. 1 Karte.) 03. 12 —

— d. **Ver. bad. u. württemberg. Finanzbeamten.** Hrsg. v. bad. Ver. Schriftleitg : Eitel u., seit 1902, W Friederich. 8—10. Jahrg. 1901—3 je etwa 12 Nrn. (1901. Nr. 1. 12) 4° Karlsr., (JJ Reiff). Je 3 — d
Fortsetzg. u. d. T.:
— **süddeut. Finanzbeamten.** Schriftleiter : Eitel. 11. Jahrg. 1904. Etwa 12 Nrn. (Nr. 1. 16 u. 8) 4° Ebd. ‖ 12. Jahrg. 1905. Etwa 24 Nrn. Je 3 — d

— f. **Fischerei u. deren Hilfswiss.** Hrsg. v. P Schiemenz u. F Fischer. 9—11. Bd. (9. Bd. 1 u. 2. Heft. 109) 8° Berl., Gebr. Borntraeger 01-03. Je 12 —
Die Bde 9—8 sind Selbstverl. d. deut. Fischerei-Ver., waren jedoch ebenso wie d. Fortsetzg nicht zu erhalten.

— f. d. ges. **Fleischbeschau** u. Trichinenschau. Hrsg. v. G Felisch, P Heine, J Memmen, E Reimers. Red.: E Reimers. 1. Jahrg. Oktbr 1903—Septbr 1904. 24 Nrn. (Nr. 1. 14) 8° Hannov., Verl. d. „Rundschau". ‖ 2. Jahrg. 1. Halbj. Oktbr 1904— März 1905. 12 Nrn. Halbj. 2.50
Mit d. „Rundschau auf d. Geb. d. ges. Fleischbeschau u. Trichinenschau" vereinigt.

— f. **Fleisch- u. Milchhygiene.** Hrsg. v. E Ostertag. 12— 16. Jahrg. Oktbr 1901—Septbr 1906 je 12 Hefte. (12—15. J. 384, 408, 424 u. 388 m. Abb.) 4° Berl., R Schoetz. Viertelj. 4 —
— **schweiz., f. Forstwesen.** Red. v. F Fankhauser. 52—56. Jahrg. 1901—5 je 12 Nrn. (316, 332, 344, 318 u. 322 m. Abb. u. 11, 15, 13, 14 u. 14 Taf.) 8° Bern, A Francke. Je 5 — d
— f. **Forst- u. Jagdwesen.** Zugl. Organ f. forstl. Versuchswesen. Hrsg. v. B Danckelmann u., seit 1902, v. P Riebel u. W Weise. 33—37. Jahrg. 1901—5 je 12 Hefte. (768, 758, 756, 812 u. 822 m. je 1 Bildnis.) 8° Berl., J Springer. Halbj. 8 — d
— f. d. **ges. Fortbildungsschulwesen** in Preussen. Hrsg. v. H Siercks, F Lembke u. M Dennert. 1—3. Jahrg. Septbr 1903—Aug. 1906 je 12 Hefte. (u. 1. J. 2. 612 u. 576) 8° Kiel, Lipsius & T. einz. Hefte 1 —
— dass. 1. Sonderheft. 8° Ebd. 1.50 ;
f. **Abnehmer d. Zeitschrift** 1 —
Lembke, F : Die dän. Volkshochsch. nebst Plan e. deut. ländl. Volkshochsch. (55) 04. [L.] 1.50 ; bzw. 1 —

— f. **franzö. Sprache u. Litt.**, unter bes. Mitwirkg ihrer Begründer G Körting u. E Koschwitz hrsg. v. D Behrens. 23. Bd. 8 Hefte. (1. u. 3. Heft. d. Abhandlgn 1 u. 2. Heft. 188) 8° Berl., 01. Chemn., W Gronau. 15 — ; einz. Hefte 2.50
— dass. Begründet v. G Körting u. E Koschwitz, hrsg. v. D Behrens. 24—28. Bd je 8 Hefte. (u. 3. J. 3. Heft. d. Abhandlgn 1 u. 2. Heft. 180) 8° Ebd. 02-05. Je 15 — ; einz. Hefte 2.50
Jahrg. 1905 erschien in Chemnitz.

— f. **französ. u. engl. Unterr.** Hrsg. v. M Kaluza, E Koschwitz, G Thurau. 1. u. 2. Bd je 4 Hefte. (472 u. 448) 8° Berl., Weidmann 02.03. Je 8 — Vergr. ‖ 3. Bd. 6 Hefte (548) 04. 10 — ‖ 4. Bd. Hrsg. v. M Kaluza u. G Thurau. 6 Hefte. (578) 05. Je 10 — d

— d. **Gesellsch.** f. Beförderg d. Gesch.-, Altertums- u. Volkskde v. Freiburg, d. Breisgau u. d. angrenz. Landschaften, s.: Alemannia.

— f. **Gärtner** u. Gartenfreunde. Hrsg. v. Ver. d. Gärtner u. Gartenfreunde in Hietzing. Red.: A Bayer. 1. Jahrg. 1906. 12 Nrn. (Nr. 1. 12) 8° Wien (XIII.), Linzerstr. 21), Administr. — f. komprimierte u. flüss. Gase, sowie f. d. Pressluft-Industrie. Hrsg. v. M Altschul (u. C Heinel). 5—8. Jahrg. Apr. 1901—März 1905 je 12 Hefte. (1. Heft. 16 m. Fig.) 4° Weim., C Steinert. 2 Jahrg. (u. 3. Jahrg. 1901—Juni 1905. Juli 1905—Juni 1906. 12 Hefte. Halbj. 8 —
Erschien April—Juni 1905 nicht.

— f. d. **Gas- u. Wasserfach**, s.: Schweickhart.
— f. **Geburtshülfe u. Gynäkol.** Hrsg. v. Olshansen u. Hofmeier. 44—54. Bd je 3 Hefte. 55. Bd u. 56. Bd 3 Hefte m. Abb. 8° Stuttg., F Enke.
44. (346 m. 7 Taf.) 1900.01. 34.50 ‖ 45. (578 m. 9 Taf.) 01. 36.40 ‖ 46. (329 m. 1 farb. Taf.) 02. 19 — ‖ 47. (514 m. 5 farb. Taf.) 02. 21.50 ‖ 48. (681 m. 3 farb. Taf.) 02. 22.20 ‖ 49. (356 m. 70 m. 71 farb. Taf.) 03. 24 — ‖ 50. Mit Reg. f. d. Bde 26—50. (394 u. 9 m. 71 farb. Taf.) 03. 27 — ‖ 51. (645 m. 11 u. 71 farb. Taf.) 04. 32.50 ‖ 52. (544 m. 3 m. 71 farb. Taf.) 04. 36.40 ‖ 53. (598 m. 10 Taf.) 04. 37.40 ‖ 54. (991 m. 11 Taf.) 05. 27 — ‖ 55. (528 m. 2 farb. Taf. u. 1 Bildn.) 05. 20 — ‖ 56. (632 m. 4 Taf.) 05. 24 40.

Zeitschrift, schweiz., f. Gemeinnützigkeit. Red.-Kommission; O Hunziker, HC Müller, R Wachter, F Zollinger. 40—44. Jahrg. 1901—5 je 4 Hefte. (1901. 1. Heft. 116 m. Abb.) 8° Zür., (Gebr. Leemann & Co.). Je 5 —; einz. Hefte nn 1.30
— geograph. Hrsg. v. A Hettner. 7. u. 8. Jahrg. 1901 u. 2. je 12 Hefte. (7. J. 720 m. Abb. u. 5 Taf.) 8° Lpzg, BG Teubner. Halbj. 9 — || 9—11. Jahrg. 1903—5. (9. u. 10. J. je 720 m. Abb.
 u. 11 u. 13 Taf.) Halbj. 10 —
— f. pra. t. Geol. m. bes. Berücks. d. Lagerstättenkde. Hrsg. v. M Krahmann, 9 u. 10. Jahrg. 1901 u. 2. je 12 Hefte. (447 u. 439 m. Abb. u. 0 u. 1 Taf.) 4° Berl., J Springer. Je 18 —
— dass. m. bes. Berücks. d. Lagerstättenkde u. d. davon abhäng. Bergwirtschaftslehre. Hrsg. v. M Krahmann u. P Krusch. 11—13. Jahrg. 1903—5 je 12 Hefte. (472, 442 u. 445 m. Abb. u. 0, 3 u. 0 Taf.) 8° Ebd. Je 18 —
General-Reg. f. Jahrg. 1—10 s.: Krahmann, M, Fortschritte d. prakt. Geol.
— d. deut. geolog. Gesellsch. 53—56. Bd je 4 Hefte. (56. Bd 351, 222, 306, 7 u. 43 m. Abb. u. 36 Taf.) 8° Berl., JG Cotta Nf., Zweigniederlassg 01-04. Je 24 —
— dass. Reg. f. d. Bde 1—50 (1848—98). (361) 8° Ebd. 03. 9 —
— f. d. freiwill. Gerichtsbark. u. d. Gemeindeverwaltg in Württemberg. Früher hrsg. v. A V Bosetzer, fortgesetzt v. K Mayer. Red.: K Mayer. 43—47. Jahrg. 1901—5 je 12 Nrn. (408, 392, 391, 392 u. 388) 8° Stuttg., JB Metzler. Je 7 —;
 einz. Nrn — 60 d
— f. d. bayer. Gerichts-Sekretariat u. verwandte Dienstesgesparten. Hrsg. u. red. v. A Wansch. 1. Jahrg. Aug.—Dezbr 1903. 3 Nrn. (72) 4° Münch., O Haushalter. || 2. Jahrg. 1903. 24 Nrn. (196) Viertelj. postfrei 1.95 d
Fortsetzg s. u. d. T.:
— f. d. Gerichts-Sekretariat u. f. d. Gerichtsvollzieher. Rundschau f. d. mittl. Justizdienst. Red.: A Wansch. 3. Jahrg. 1904. 24 Nrn. (388) 4° Ebd. Viertelj. 1.50 d
Fortsetzg s. u. d. T.: Rundschau, justizdienstl.
— f. d. preuss. Gerichtsvollzieher-Verband. Organ f. Vollstreckgs-, Zustellgs- u. Kostenwesen. Hrsg. v. W Hahn. 17° u. 18. Jahrg. 1903 u. 4 je 24 Nrn. (192 u. 204) 4° Berl., R Kühn. Je 7 —; viertelj. 1.80 d
Bisher u. d. T.: Zeitschrift f. Vollstreckgs-, Zustellgs- u. Kostenwesen. — Fortsetzg s. u. d. T.: Gerichtsvollzieher-Zeitung, deut.
— schweiz., f. Gesang u. Musik. (8—12. Jahrg. d. „Volksgesang".) Red.: O Lüning u., v. 9. Jahrg. an, F Fehrmann. 8—10. Jahrg. Dezbr 1900—Novbr 1905 je 24 Nrn. (8. Jahrg. Nr. 1. 8 u. Musikbeil. 3 in 8°.) 4° St. Gall., Zweifel-Weber.
 Viertelj. 1 — ô F
— f. Bekämpfg d. Geschlechtskrankh. Hrsg. v. A Blaschko, E Lesser u. A Neisser. 1—3. Bd. (405, 508 u. 484) 8° Lpzg, JA Barth 03.04. Je 12 —
— dass. 4. Bd. Verbandlgn d. 2. Kongr. d. deut. Gesellsch. z. Bekämpfg d. Geschlechtskrankh., München 1905, hrsg. v. Vorstande. (277) 8° Ebd. 05. Je 18 —
— f. Gesundheitspflege. Nebst Beilage: Vita sexualis. Zeitschrift z. Erforschg d. Geschlechtslebens u. z. Ausbreitg d. Verständn. f. d. anthropolog., kriminellen u. hygien. Seiten desselben. Hrsg. v. E Paul. 5. Jahrg. April 1905—März 1906. 12 Nrn. (Nr. 1—4. 32 u. 32) 8° Glarus, Asiago b/Vicenza, Ewald Paul. (Nur dir.) Halbj. 1.50; einz. Nrn — 90
— f. Gewässerkde. Hrsg. v. H Gravelius. 4—6. Bd je 6 Hefte. (384, 388 u. 397 m. Fig. u. 9, 5 u. 1 Taf.) 8° Lpzg, S Hirzel 01-06. Je 16 —; einz. Hefte 3 —
— dass. 7. Bd. Juli 1905—Juni 1906. 6 Hefte. (i. Heft. 64 m. Abb.) 8° Dresd., W Baensch. Je 18 —
— f. Gewerbe-Hygiene, Unfall-Verhütg u. Arbeiter-Wohlfahrts-Einrichtgn. Mit d. Beibl.: „Die Fabriks-Feuerwehr". Hrsg. u. Red.: V Steiner. 8—12. Jahrg. 1901—5 je 24 Nrn. (1901. Nr. 1. 20 u. 4 m. Abb.) 4° Wien, (Spielhagen & Sch.). Halbj. 9 —
— f. gewerbl. Unterr. Zentralbl. f. d. deut. Fach- u. Fortbildgsschulwesen. Red.: F Stülcke. 16—20. Jahrg. April 1901—März 1906 je 24 Nrn. (20. J. 200 m. Fig.) 4° Lpzg, Seemann & Co. Halbj. 4 —; einz. Nrn — 40
— f. d. Leipz. Grundbesitz. Red.: W Ryssel. (8—12.) Jahrg. 1901—5 je 24 Nrn. (01—4 : 268, 274, 282 u. 290) 4° Lpzg (Ritterstr. 4), Allg. Hausbesitzer-Ver. Je 2 — ô
— f. Deutschlds Gutsbesitzer u. adlg. Anzeiger f. Rittergutsbesitzer u. adel. Gutsbesitzer. Red.: E Richter. 3. Jahrg. ?—4. Viertelj. Jan.—Dezbr 1901. 18 Nrn. (Nr. 7 u. 8. 12 m. Abb.) 4° Cöth., P Schettler's Erben. Viertelj. 1 — || 1902. Mit d. Unterhaltgsbl. f. d. Gutsherrin u. ihre Töchter „Für d. Kemenate". 24 Nrn. Viertelj. — 50 ô ô F
Das 1. Viertelj. '01 s. u. d. T.: Anzeiger, allg., f. Deutschlds Ritterguts-Besitzer.
— f. d. Gymnasialwesen. Hrsg. v. HJ Müller. 55—59. Jahrg. Der neuen Folge 35—39. Jahrg. 1901—5 je 12 Hefte. (807, 344; 800, 378; 351, 312; 808, 454 u. 788, 380) 8° Berl., Weidmann. Je 20 —
— f. d. österr. Gymnasien. Hrsg. J Huemer, E Hauler, H v. Arnim. 52—54. Jahrg. 1901—3 je 12 Hefte. (Je 1158) 8° Wien, C Gerold's S. || 55. u. 56. Jahrg. 1904—5. (Mit Beibl.: „Zeitschriftenschau".) Je 24 —
Suppl. s. u. d. T.: Studien, Wiener.
— d. Ver. f. hamburg. Gesch. XI. Bd. 3 Hefte. (501) 8° Hambg, (L Gräfe & S.) 01-03. || XII. Bd. 1. u. 2. Heft. (324) 04. 05.
 Das Heft 3 — d

Zeitschrift f. d. ges. Handelsrecht, begründet v. L Goldschmidt, hrsg. v. H Keyssner u. K Lehmann. 51—57. Bd. Neue Folge. 36—42. Bd. (51—55. Bd. 642, 646, 650, 632 u. 582) 8° Stuttg, F Enke 01-05. Je 16 — d
— dass. 55. Bd. Beilageheft. 8° Ebd. 7.20 d
Silberschmidt, W: Die deut. Sondergerichtsbark. in Handels- u. Gewerbe-sachen, insbes. seit d. französ. Revolution. (280) 04. 7.20
— d. Harz-Ver. f. Gesch. u. Altertumskde. Hrsg. v. E Jacobs. 34—38. Jahrg. 1901—5. Je 2 Hefte, (559 m. 1 Abb., 1 Pl. u. 12 Taf.; 472 m. 8 Taf.; 308 m. 1 Karte u. 1 Taf.; 212 u. 230 m. 3 Taf.) 8° Werniger. (Quedlinbg, HC Huch.)
 Je nn 8 — d
— dass. Reg. üb. d. Jahrgänge 25—30 (1892—97) einschl. d. Festschrift z. 25jähr. Gedenkfeier d. Ver., angefertigt v. J Moser. 1. Bd. Geograph. Reg. (549) 8° Ebd. 04. 6 — d
— f. hebr. Bibliogr. Hrsg. v. A Freimann u. H Brody. Red.: A Freimann. 5—9. Jahrg. 1901—5 je 6 Nrn. (Je 192) 8° Frankf. a/M., J Kauffmann. Je 6 —
— f. Heilkde. (Red.: H Chiari.) 22—26. Bd. (Neue Folge 2—6. Bd.) Jahrg. 1901—5 je 12 Hefte. 8° Wien, W Braumüller. Je 30 —; in einz. Abtlgn: Interne Medizin (368, 595, 433, 393, 588 m. 14, 3, 6, 12 u. 9 Taf.) Chirurgie (408, 376, 392, 425. u. 416 m. 12, 22, 16, 4 u. 11 Taf.) u. pathol. Anatomie (384, 431, 379, 388 u. 451 m. 16, 36, 30, 21 u. 23 Taf.) (je 4 Hefte). Jede Abtlg jährlich 10 —
— f. Heizg, Lüftg u. Beleuchtg. Hrsg. v. Wiebe u. OH Erich. 7. u. 8. Jahrg. Juli 1902—Juni 1904 je 24 Nrn. (7. Jahrg. Nr. 1. 12 m. Abb.) Fol. Halle, C Marhold. || 9. u. 10. Jahrg. 1904/06. Hrsg. v. H Millenbach. Halbj. 6 —
Bisher u. d. T.:
— f. Heizgs-, Lüftgs- u. Wasserleitgstechnik, sowie f. Beleuchtgswesen. Hrsg. v. Wiebe u. OH Erich. 6. Jahrg. Juli 1901—Juni 1902, 24 Nrn. (12 m. Abb.) Fol. Ebd.
 Halbj.
— d. Ver. f. henneberg. Gesch. u. Landeskde in Schmalkalden. 14. Heft. (93) 8° Schmalk., (O Lohberg) 01. 1 — d
— d. Ver. f. hess. Gosch. u. Landeskde. Neue Folge. 24. Bd. (Der ganzen Folge 34. Bd.) II. Heft u. 25—28. (bezw. 35—38.) Bd. 8° Kass., (G Dufayel). 30 —
24, II. (140—440 m. 1 Stammtaf.) 01. 6 — (Vollst.: 9 —) || 25. (320 m. 1 Pl.)
01. 6 — || 26. (304 u. 7 Taf.) 02. 8 — || 27. (384 u. 9 m. 1 Taf. u. 1 Stammtaf.) 03. 6 — || 28. Festschrift z. Gedächtnis Philipp d. Grossmüt., Landgrafen v. Hessen, geb. am 13.XI.1504. (1504—1904.) Hrsg. v. Ver. f. hess. Gesch. u. Landeskde. (359 m. 1 Bildnis u. 1 Fksm.) 04. 6 —
— dass. Neue Nolge. XIII. u. XIV. Suppl. 8° Ebd. Je 6 —
Armbrust, L: Gesch. d. Stadt Melsungen bis z. Gegenwart. (320 m. 1 Abb., 1 Karte u. 2 Taf.) 03. [XIV.] Je 6 —
Roller, OK: Eberhard v. Fulda u. s. Urkundenkopien. (73 m. 3 Beil. u. 1 Lichtdr. in Fol.) 01. [XIII.]
— histor. (Begründet v. H v. Sybel.) Hrsg. v. F Meinecke. Neue Folge. 51—60. Bd. (Der ganzen Reihe 87—96. Bd. 3 Hefte. (Je 588) 8° Münch., R Oldenbourg 01-05. Je 11.25 d
— f. hochdeut. Mundarten. Hrsg. v. O Heilig u. P Lenz. 2—6. Jahrg. 1901—5 je 6 Hefte. 8° Hdlbg, C Winter, V. Je 12 —; einz. Hefte 2.50
— f. d. Reform d. höh. Schulen. Hrsg. v. F Lange. 13. u. 14. Jahrg. 1901 u. 2 je 4 Nrn. (Nr. 1. 20) 4° Berl., O Salle. || 15—17. Jahrg. 1903—5. Hrsg. v. Lentz. Je 3 —;
 einz. Nrn 1 — d
— Leip. populäre, f. Homöopathie. Hrsg. v. d. homöopath. Central-Apotheke Dr. W Schwabe. Red.: W Scharff. 32—36. Jahrg. 1901—5 je 12 Doppel-Nrn. (Nr. 1. u. 2. 16) 4° Lpzg, Dr. W Schwabe. Je 2.60 d
— d. Berl. Ver. homöopath. Aerzte. Hrsg. v. Windelband u. Burkhard. 20. Bd. Jahrg. 1901. 6 Hefte. (1. Heft. 64 u. 209—240) 8° Berl., B Behr's V. 10 —; einz. Hefte 2 — || 21—24. Bd. 1902—5. Je 12 —; einz. Hefte 2.50
— f. Hygiene u. Infektionskrankh. Hrsg. v. R Koch u. C Flügge. 36—51. Bd je 3 Hefte u. 52. Bd 1. Heft. 8° Lpzg, Veit & Co.
 8° Lpzg, Veit & Co.
36. (464 m. 11 Taf.) 01. 20 — || 37. (500 m. 6 Taf.) 01. 20 — || 38. (499 m. 6 Taf.) 01. 20 — || 39. (589 m. 7 Taf.) 02. 20 — || 40. (640 m. 4 Taf.) 02. 20 — || 41. 564 m. 13 Taf.) 02. 20 — || 42. (588 m. 8 Taf.) 02. 21 — || 43. (568 u. 6 Taf.) 03. 21 — || 44. (540 m. 10 Taf.) 03. 20 — || 45. (544 m. 6 Taf.) 03. 20 — || 46. (546 m. 7 Taf.) 04. 21 — || 47. (524 m. 11 Taf.) 04. 21 — || 48. (562 m. 9 Taf.) 04. 20 — || 49. 48. (560 m. 6 Taf.) 04. 20 — || 50. (486 m. 10 Taf.) 05. 20 — || 51. (560 m. 4 Taf.) 05. 6 — || 52. I. (160 m. 4 Taf.) 05. 6 —
— f. systemat. Hymenopterol. u. Dipterol. Hrsg. v. FW Konow. 1—5. Jahrg. je 6 Hefte. (1901. 1. Heft. 48 m. 1 Taf.) 8° Teschendf bei Stargard. (Lpzg, M Weg.) Je nn 10 —
— f. Hypnotismus, Fortsetzg. s.: Journal f. Psychol. u. Neurol.
— f. Infektionskrankh., parasitäre Krankh. u. Hygiene d. Haustiere. Hrsg. v. R Ostertag, E Joest u. K Wolffhügel. I. Bd. (i. Heft. 96 m. 1 Taf.) 8° Berl., R Schoetz 05. 20 —
— d. Ver. deut. Ingenieure. Red.: T Peters. 45—49. Bd. Jahrg. 1901—5. (1560, 1988, 1904, 2012 u. 2124 m. Abb. u. 26, 45, 29, 23 u. 19 Taf.) 4° Berl., (J Springer). Je nn 36 —; einz. Hefte 1 —; in Inhaltsverz. d. Jahrg. 1894—1903. (745 m. Abb.) (108) 04 (Umschl. 05). 4 — d
— d. österr. Ingenieur- u. Architekten-Ver. Red.: K Freih. v. Popp. Red.-Stellvertreter: M Paul. 53—55. Jahrg. 1901—3 je 52 Nrn. (1. 16 m. Abb. u. 2 Taf.) 4° Wien, (LW Seidel & S.). Je 22 — || 56. u. 57. Jahrg. 1904 u. 5. Je nn 26 —
— f. wiss. Insektenbiol. Früher: Allg. Zeitschrift f. En-

tomol. Red. v. C Schröder. 1. Bd. (1. Folge. 10. Bd.) 12 Hefte.
(1. Heft. 48 m. Abb.) 8° Husum, (F Petersen) 05.　　　15.60
Bisher u. d. T.: Zeitschrift, allg., f. Entomol.
Zeitschrift d. Altertumsgesellsch. Insterburg. 4—9. Heft. 8°
Insterbg, (J Krauss Nf.).　　　　　　　　　　　nn 13.25
4. (86 u. 14) 1896. 2 — d § 5. (51 u. 16) 1898. 2 — d § 6. (50 u. 21) 1900. 2 — d
§ 7. (106 u. 17 m. 2 Taf.) 01. 8 — d § 8. (36) 03. nn 1.35 § 9. *Festschrift z.*
25jähr. Jubiläum. (22 m. 17 Taf.) 05. nn 3 —
— f. Instrumentenbau. Offiz. Organ d. Berufsgenossensch.
　d. Musikinstrumenten-Industrie usw. Red. u. Hrsg.: P de
　Wit. 22—26. Jahrg. Oktbr. 1901—Septbr 1906 je 36 Nrn. (379,
　388, 386, 379 u. 260 m. Abb.) 4° Lpzg, P de Wit. Viertelj. 3.50;
　　　　　　　　　　　　　　　　　　　wohlf. Ausg. 1.50
— f. Instrumentenkde. Organ f. Mittelign a. d. ges. Geb.
　d. wiss. Technik. Red.: S Lindeck. Mit d. Beibl.: Deut. Me-
　chaniker-Zeitg. Red.: A Blaschke. 21—25. Jahrg. 1901—5 je
　12 Hefte. (1901. 1. Heft. 32 u. 90 m. Abb.) 8° Berl., J Springer.
　　Je 20 —; Mechaniker-Zeitg allein je 6 —
— f. Demogr. u. Statistik d. Juden. Hrsg. v. Bureau f. Sta-
　tistik d. Juden. Red.: A Ruppin. 1. Jahrg. 1905. 12 Hefte.
　(1. Heft. 16) 8° Berlin-Halensee (Westfäl. Str. 16), Bureau f.
　Statistik d. Juden.　　　　　　　　　6 —; halbj. 3.50
— d. bern. Juristenver. u. Monatsbl. f. bern. Rechtsprechg.
　Red.: E Rüegg u., v. 39. Jahrg. an, M Gmür. 37—41. Jahrg.
　1901—5. Der „Zeitschrift d. bern. Juristenver." 37—41., d.
　Monatsbl. f. bern. Rechtsprechg" 18—22. Jahrg. je 12 Hefte.
　(1901. 1. Heft. 48) 8° Bern, Büchler & Co.　　　Je 8 —
— jurist., f. d. Reichsl. Elsass-L. Hrsg. v. (Poehn u.) MB
　Sohn. 26—30. Jahrg. 1901—5 je 12 Hefte. (512, 570, 690, 702
　u. 688) 8° Strassbg, W Heinrich.　　　　　　Je 8 — d
— f. d. ges. Kälte-Industrie. Begründet v. H Lorenz. Hrsg.
　u. red. v. R Stetefeld. 8—12. Jahrg. 1901—5 je 12 Hefte. (Ja
　ca 340 m. Abb. u. Taf.) 4° Münch., R Oldenbourg. Je 15 —
— katechet. Organ f. d. ges. ev. Relig.-Unterr. in Kirche
　u. Schule. Hrsg. v. A Spanuth. 4—8. Jahrg. 1901—5 je 12
　Hefte. (1. Heft. 48) 8° Stuttg., Greiner & Pf. Viertelj. 1.25 d
— f. d. ges. kaufmänn. Unterr.-Wesen. Hrsg. im Bureau d.
　deut. Verbandes f. d. kaufm. Unterr.-Wesen. Verantwort-
　lich: F Stegemann. (4. u. 5. Jahrg. nebst Beil.: Archiv f.
　Handelssch. u. Kontor. Sammlg neuerer f. Handelssch. u.
　Kontor wissenswerter Bestimmg a. Ges., Verordngn, Ent-
　scheidgn etc.) 4—8. Jahrg. 1901—März 1906 je 12 Nrn.
　(4. Jahrg. Nr. 1. 34 u. 6) 8° Lpzg, BG Teubner.　Je 7.50
— österr., f. d. kaufmänn. Unterr.-Wesen. Hrsg. v. österr.
　Handelsschullehrer-Ver. unter Red. v. J Ziegler, J Hertl u.
　J Priebsch. 1. Jahrg. 1905. 12 Hefte. (1. Heft. 32) 8° Wien,
　Manz.　　　　　　　　　　　8.60; einz. Hefte — 80
— f. Kinderforschg. s. Kinderfehler, d.
Beihefte z.: Beiträge z. Kinderforschg.
— f. d. Kindergartenwesen. Unter Berücks. v. Krippe,
　Bewahranst. u. Elementarcl. Hrsg. v. J Kraft. Red.: F Pleh-
　ler. 20. u. 21. Jahrg. 1901 u. 2 je 12 Nrn. (Nr. 1. 20 m. 1 Taf.)
　8° Wien, A Pichler's Wwe & S.　　　　　　Halbj. 2 — d
— dass. Hrsg. v. J Kraft. Red.: RE Bondi. 22. u. 23. Jahrg.
　1903 u. 4 je 12 Nrn. (1903. Nr. 1—5. 84) 8° Wien (V, Schön-
　brunnerstr. 32), Verl. d. Zeitschrift f. Kindergartenwesen.
　　　　　　　　　　　Halbj. 3.80 || 24. Jahrg. 1905. 3.35 d
— f. d. ev.-luther. Kirche in Hamburg. Hrsg. v. A v. Broecker.
　7—10. Bd je 12 Hefte. (7. Bd. 1. Heft. 24) 8° Hambg, L Gräfe
　& S. 01-04.　　　　　　　　　　Je 6 — d ö F
— f. Kirchengesch. Hrsg. v. T Brieger (u. B Bess). 22—
　26. Bd je 24 Hefte. (652, 656, 622, 636 u. 648) 8° Gotha, FA
　Perthes 01-05.　　　　　　　　　Das Heft 4 —
— d. Gesellsch. f. niedersächs. Kirchengesch. 6—10. Jahrg.
　8° Brnschw., A Limbach.　　　　　　　Je 5 — d
— d. Ver. f. d. Gesch. u. Altertmskde. v. Tschackert hrsg. v. K Kayser. (283)
　01. § 7. Unter Mitwirkg v. P Tschackert u. K Kayser. § 8. Unter Mitwirkg v. P Cohrs hrsg. v. K Kayser.
　(314) 03. § 9. Unter Mitwirkg v. P Tschackert u. K Kayser hrsg. v. F
　Cohrs. (283, 299 u. 307) 04.05.
— d. Ver. f. Kirchengesch. in d. Prov. Sachsen. Schrift-
　leitg: CO Radlach. 1. u. 2. Jahrg. 1904 u. 5 je 3—5 Hefte.
　(1. Heft. 150) 8° Mgdbg, (Ev. Bh.).　　　　Je 4.50 d
— deut., f. Kirchenrecht. Hrsg. v. E Friedberg u. E Sehling.
　3. Folge d. -v. Dove begründ. Zeitschrift f. Kirchenrecht.
　11—15. Bd. (Der ganzen Folge 33—37. Bd.) Je 3 Hefte. (476,
　461, 451, 470 u. 494) 8° Tüb., JCB Mohr 01-05.　Je 12 —
— dass. I. Ergänzgsbd. (28 u. 433—1182) 8° Ebd. 04.　18 —
— kirchl. Hrsg. v. d. ev.-luther. Synode v. Iowa u. and.
　Staaten. Red.: V Proehl, 1905: W Rau. 25—29. Jahrg. 1901—5
　je 6 Hefte. (1. Heft. 48) 8° Chicago, Wartburg Publishing
　House.　　　　　　　　　　　Je 6 — d
— neue kirchl., hrsg. v W Engelhardt. 12—16. Jahrg. 1901—5
　je 12 Hefte. (1901. 1. Heft. 95) 8° Lpzg, A Deichert Nf.
　　　　　　　　　　　　Viertelj. 2.50 d
— f. Kleinbahnen. Hrsg. im Ministerium d. öffentl. Ar-
　beiten. Red.: A v. d. Leyen. Nebst Mitteilgn d. Ver. deut.
　Strassenb.- u. Kleinb.-Verwaltgn. Red.: Kollmann, 1905: A
　v. d. Leyen. 8—10. Jahrg. 1901—3 je 12 Hefte. (829, 873 u.
　644 m. Abb. u. 2, 9 u. 5 Taf.) 4° Berl., J Springer. Je 10 — || 11.
　u. 12. Jahrg. 1904 u. 5. (870 u. 913 m. Abb. u. 2 u. 1 Taf.)
　　　　　　　　　　　　　　　Je 15 —
— illustr., f. Klein- u. Strassenbahnen (früher: „Die
　Schmalspurbahn"). Zeitschrift f. Bau u. Betrieb v. Klein-,
　Strassen-, Industrie- u. Feldb. Hrsg. u. red.: W Klein-,
　7—9. Jahrg. 1901—3 je 24 Nrn. (1901. Nr. 1 u. 2. 92) 8° Berl.,
　HT Hoffmann.　　　　　　　Je 8 —; einz. Nrn 1 —

Zeitschrift, illustr., f. Klein- u. Strassenbahnen m.
　elektr. u. Dampfbetrieb. Geleitet v. M Unger u. H Schulz.
　10. Jahrg. 1904. 24 Nrn. (Nr. 1. 64) 8° Berl., HT Hoffmann. 8 —;
　　　　　　　　　　　　　　　einz. Nrn 1 —
Fortsetzg s. u. d. T.: Zeitschrift, eisenbahntechn.
— f. d. ges. Kohlensäure-Industrie. Mit d. Suppl.: Die
　Industrie komprimierter Gase. Unter Mitwirkg v. N Wender
　hrsg. u. red. v. M Wender 7—11. Jahrg. 1901—5 je 24 Nrn.
　(1901. Nr. 1. 32 m. Abb.) 4° Berl., M Brandt & Co. (Wien,
　Spielhagen & Sch.)　　　　　　　　Halbj. 5 —
— koloniale. Verantwortlich: F Wogk. 2. Jahrg. 1. Viertelj.
　Jan.—März 1901. 7 Nrn. (87 m. Abb.) 4° Lpzg. Berl.-Charltbg,
　Deut. Kolonial-Verl.　　　　　2.50; einz. Nrn — 50
— dass. Red.: H Trenckmann. Hrsg.: C Groddeck. 2. Jahrg.
　2—4. Viertelj. Apr.—Dezbr 1901. 19 Nrn. (Nr. 8. 89—100 m.
　Abb.) 4° Berl., Verl. d. kolonialen Zeitschrift. || 3. Jahrg.
　1902. 26 Nrn. || 4—6. Jahrg. 1903—5. Hrsg.: G Meinecke. Red.:
　A Herfurth. Je 36 Nrn.　　Viertelj. 2.50; einz. Nrn nn — 50
— f. Kolonialpolitik, Kolonialrecht u. Kolonialwirtschaft.
　Hrsg. v. d. deut. Kolonialgesellschaft. Schriftleiter: H Henoch.
　5. u. 7. Jahrg. 1904 u. 5 je 12 Hefte. (1. Heft. 84) 8° Berl.,
　W Süsserott.　　　　Je 12 —; einz. Hefte 1.25 d
Bisher u. d. T.: Beiträge z. Kolonialpolitik.
— f. Krankenanst. Halbmonatsschrift f. Bau, Einrichtg,
　Ausstattg, wirtschaftl. Betrieb u. Organisation d. Verwaltg
　d. Krankenhäuser, Hospitäler, Lazarette usw. Red.: R Helbig.
　1. Jahrg. 1905. 12 Nrn. (Nr. 1. 32 Sp. m. 1 Abb.) 4° Lpzg, F
　Leineweber.　　　　　　　　　　Viertelj. 4 —
— f. Krankenpflege. Hrsg. 1901 v. M Mendelsohn, 1903 v. H
　Reineboth u. 1903—5 v. R Kobert u. H Cramer. In Verbindg m.:
　Illustr. Monatsschrift d. ärztl. Polytechnik (begründet v. G
　Beck). Hrsg. v. R Eosen. 23—27. Jahrg. 1901—5 je 12 Hefte.
　(1901. 1. Heft. 48 u. 16) 8° Berl., Fischer's med. Bh. Je 12 —;
　　　　　　　　　　　　　　einz. Hefte 1.50
— f. Krebsforschg. In Verbindg m. d. klin. Jahrb. Hrsg.
　v. E v. Leyden, P Ehrlich, M Kirchner, E Wutzdorff. Red. von
　v. Hansemann, G Meyer. 1. Bd. 5 Hefte. (496 m. Abb., 6 Taf.,
　5 Fl. u. 6 Tab.) 8° Jena, G Fischer 03. || 2. Bd. 3 Hefte. (412
　m. Abb. u. 16 Taf.) 02.　　　　　　　Je 20 —
— dass. Hrsg. v. Komitee f. Krebsforschg zu Berlin. Red. v.
　D v. Hansemann u. G Meyer. 3. Bd. 4 Hefte. (641 m. Fig. u.
　28 Taf.) 8° Berl., A Hirschwald 05.　　　　30 —
— kriegstechn. Für Offiziere aller Waffen. Zugl. Organ f.
　kriegstechn. Erfindgn u. Entdeckgn auf allen militär. Ge-
　bieten. Verantwortlich geleitet v. E Hartmann. 4—6. Jahrg.
　1901—5 je 24 Nrn. ('04. 552 m. Abb. u. 12 Taf.) 8° Berl., ES
　Mittler & S.　　　　　　Je 10 —; einz. Hefte 1.50
— f. Krystallogr. u. Mineral. Hrsg. v. P Groth. 34—40. Bd
　je 6 Hefte u. 41 Bd. 1—4. Heft. (Mit Fig.) 8° Lpzg, W Engelmann.
　34. (727 m. 18 Taf.) 01. 35 (682 u. 15. (617 m. 15 Taf.) 01.02. 36 — d 86. (555
　m. 18 Taf.) 03. 37 (617. 15. (691 m. 7 Taf.) 03.04. | 38. (718 m. 9 Taf.)
　04.05. 38 — d 39. (517 m. 14 Taf.) 04. 36 —] u. 40. (568 m. 15 Taf.)
　04.05. § 41. [—(?) (413 m. 3 Taf.) 05.
— f. Kulturgesch. Hrsg. v. G Steinhausen. 9. Bd. 6 Hefte.
　(1—3. Heft. 239) 8° Berl., E Felber 01.02.　　　10 —;
　　　　　　　　　　　　　　einz. Hefte 2 — d
Fortsetzg war nicht zu erhalten.
— f. bild. Kunst. Begründet 1866 v. C v. Lützow. 37—41 d.
　neuen Folge 13—17. Jahrg. Oktbr 1901—Septbr 1906 je 12
　Hefte. (1. Heft. 24 m. Abb. u. 2 Taf.) Nebst Kunstgewerbe-
　blatt. Hrsg. u. Red.: K Hoffacker. Neue Folge. 13—16. Jahrg.
　1901/1906 je 12 Hefte. (1. Heft. 24 m. Abb. u. 1 Taf.) Mit d.
　Beibl. Kunstchronik. Je 33 Nrn. 4° Lpzg, EA Seemann.
　Halbj. 16 —; einz. Hefte 2 — ohne Kunstgewerbebl. 12 —;
　　　　　　　　　　　　　　einz. Hefte 2.50
Von 39. Jahrg ab m. d. weit. Beibl. Kunstmarkt. Je 52 Nrn.
— f. christl. Kunst. Hrsg. v. A Schnütgen. 14—18. Jahrg.
　Apr. 1901—März 1906 je 12 Hefte. (1. Heft. 32 Sp. m. Abb.
　u. 1 Taf.) 4° Düsseldf, L Schwann. Halbj. 5 —; einz. Hefte 1.10
— f. klimat. Kurorte, einschl. Krankenhäuser u. Sanatorien.
　Red.: L Jankau. 2. Jahrg. 1901. 12 Nrn. (1. Heft. 8) 4° Münch.,
　Seitz & Sch.　　　　　　　　　　Halbj. 2 —
Bisher u. d. T.: Winterstationen, d.
— dass. u. Verkehrshygiene. Red.: L Jankau. 3. Jahrg. 1902.
　24 Nrn. (Nr. 1. 12) 8° München (Planegg), Humanitas-Verl.
　　　　　　　　　　　　Viertelj. 2 — ö F
— f. d. Landeskultur-Gesetzgebg d. Preuss. Staaten.
　Hrsg. v. d. kgl. Ober-Landeskulturgericht. 35. Bd. 3 Hefte.
　(1. Heft. 173) 8° Berl., P Parey 02.　　　　6 — d
— f.Landschaftsgärtnerei u. Gartenarchitektur,Fortsetzg.
　s.: Landschaftsgärtnerei u. Gartenarchitektur.
— naturwiss., f.Land- u.Forstw. Hrsg. v. K Frhr v. Tubeuf
　u. L Hiltner. 1—3. Jahrg. 1903—5 je 12 Hefte. (488, 508 u.
　523 m. Abb. u. 11, 14 u. 5 Taf.) 8° Stuttg., E Ulmer. Je 12 — d
— dass. 1. u. 2. Beiheft. 8° Ebd.　　　　　9.50 d
　Fabricius, L: Gesch. d. Naturwiss. in d. Forstwiss. Aus J. 1880. (187)
　05. [?]
　Kraus, C: Die Gliederg d. Gersten- u. Haferhalmes u. deren Beziehgn
　zu d. Fruchtständen. (353 m. Abb.) 05.　　　　5.50
— sächs. landw. Hrsg.: O Raubold. 49—53. Jahrg. Der neuen
　Folge als Wochenbl. 23—27. Jahrg. 1901—5 je 52 Nrn. (Nr. 1.
　24) 8° Dresd. (Lpzg, G Schönfeld.)　　　Je nn 8.48 d
— schweiz. landw. Hrsg. v. schweiz. landw. Ver. Chef-Red.:
　FG Stebler. 29—33. Jahrg. 1901—5 je 52 Nrn. (1. Heft. 24
　m. Abb.) 8° Aar., E Wirz. Je 5.50; f. d. Schweiz 4 — d
Seit 1902 m. monatl. Gratisbeil.: „Schweiz. Bauernzeitg".

Zeitschrift f. d. landw. Versuchswesen in Oesterr. Red. v. E Meissl, T Ritter v. Weinzierl, J Stoklasa, E Godlewski u. W Bersch. 4—6. Jahrg. 1901—3 je 12 Hefte. (1120, 1408 u. 828 m. Abb. u. 19, 30 u. 5 Taf.) 8° Wien, A Hartleben. Je 10 —;
L. je 15 —
— dass. Red. v. E Meissl, TR v. Weinzierl, AR v. Liebenberg, L Adametz, J Stoklass, E Godlewski u. W Bersch. 7. u. 8. Jahrg. 1904 u. 5 je 12 Hefte. (918 u. 1150 m. Abb. u. 20 u. 16 Taf.) 8° Wien, W Frick. Je nn 10 —; L. je nn 15 —
— f. lateinlose höh. Schulen. Begründet u. hrsg. v. G Weidner, fortgeführt v. G Holzmüller. Hrsg. v. Schmitz-Mancy. 13—15. Jahrg. Oktbr 1901—Septbr 1904 je 12 Hefte. (Je 376) 8° Lpzg, BG Teubner. Je 10 — || 16. u. 17. Jahrg. 1904/6. Je 12 — d
— f. Lehrmittelwesen u. pädagog. Lit. Hrsg. v. F Frisch. 1. Jahrg. 1905. 10 Nrn. (Nr. 1. 48 m. Abb.) 8° Wien, A Pichler's Wwe & S. 4.20
— f. vergl. Lit.-Gesch. Hrsg. v. W Wetz u. J Collin. Neue Folge. 15. u. 16. Bd je 6 Hefte. (15. Bd. 480) 8° Berl., E Felber 08-05. Je 14 —; einz. Hefte 3 —
— f. d. ges. Lokal- & Strasenb.-Wesen. Hrsg. v. W Host-mann, J Fischer-Dick, F Giesecke. 19. Jahrg. 1900. 3. Heft; 20—23. Jahrg. 1901—4 je 3 Hefte u. 24.Jahrg. 1905, 1. u. 3. Heft. (Mit Abb.) 4° Wiesb., JF Bergmann. Das Heft 4 — 1900,III. (131—194) || '01. (205) || '02- (191) || '03. (200) || '04. (179 m. 1 Karte.) 6,51.II. (125)
— f. Lokomotivführer. Begründet v. CD Maass. Hrsg. v. W Maass. 18—22. Bd. Apr. 1901—März 1905 je 12 Hefte. (1. Heft. 32 m. 1 Abb.) 8° Hannov., (Schmorl & v. S. Nf.). Je nn 5 — d
— d. Ver. f. lübeck. Gesch. u. Alterthumskde. 8. Bd. 2. Heft. (217—546) 8° Lüb., Lübcke & N. 1900. 3 — (Vollst.: 6 —)
Fortsetzg war nicht zu erhalten.
— f. Luftg u. Heizg, s. Haase, FH.
— d. deut. Ver. f. d. Gesch. Mährens u. Schlesiens. Red. v. K Schober. 5—9. Jahrg. je 4 Hefte. 8° Brünn, (C Winiker). Das Heft nn 2 — (5—8. J. d)
5. (400 m. 1 Karte u. 1 Stammtaf.)) 01. || 6. (318 m. Abb.) 02- || 7. (409 m. 9 Taf.) 03. || 8. (407) 04. || 9. (459) 05.
— d. mähr. Landesmuseums. Hrsg. v. d. mähr. Museums-gesellsch. (deut. Sektion). Red.: A Rzehak, C Schirmeisen, (J Matzura,) E Soffé. I—V. Bd je 2 Hefte. 8° Ebd.
Das Heft nn 1.50
I. (150 m. Abb.) 01. || II. (219 m. Abb. u. 4 farb. Taf.) 02. || III. (231 m. Abb.) 03. || IV. (201) 04. || V. (280) 05.
— d. histor. Ver. f. d. Reg.-Bez. Marienwerder. 37., 38. u. 40—43. Heft. 8° Marienwerder (Westpr.), Histor. Ver. 9.60 d 37. (66 u. 36) 1899. 1.40 || 38. (44) 1900. — 60 || 40. (72) 01. 1.50 || 41. (92) 02. 2.10 || 42. (87) 03. 2 — || 43. (82) (04.) 2 —
Das 39. Heft bildet: Plehn, H, Ortsgesch. d. Kreises Strasburg in Westpreussen.
— f. Maschinenbau u. Schlosserei. Mit d. Beil.: „Der elektro-techn. Rathgeber". Hrsg.: G Hoffmann. Red.: W Beschetznik. 18—22. Jahrg. 1901—5 je 24 Nrn. (1902. Nr. 1—13. 202 m. Abb. u. Taf.) 4° Berl., Gust. Hoffmann. Je 3 —
— f. Maschinenbetrieb u. Montage, s.: Häder, M.
— f. Mathematik u. Physik. Begründet durch O Schlömilch. Hrsg. v. R Mehmke u. C Runge. 46—52. Bd je 4 Hefte. (46. Bd. 1. u. 2. Heft. 264 m. 1 Bildnis, Fig. u. 4 Taf.) 8° Lpzg, BG Teubner 01-05. Je 16 —
— f. mathemat. u. naturwiss. Unterr. Organ f. Methodik, Bildsgehalt u. Organisation d. exakten Unterr.-Fächer an Gymnasien, Realsch., Lehrerseminarien u. gehob. Bürgersch. Begründet u. bis 1901 hrsg. v. JCV Hoffmann. 32. Jahrg. 1901. 8 Hefte. (1. Heft. 84) 8° Ebd. || 33. Jahrg. 1902—5. Hrsg. v. H Schotten. Je 12 —
— f. klin. Medizin. Red. v. E V. Leyden u. G Klemperer. 43—52. Bd je 6 Hefte. (516, 496, 515, 502, 518, 505, 529, 502, 557 u. 554 m. Abb. u. 6, 6, 4, 3, 3, 2, 3, 2, 1 u. 9 Taf.) 8° Berl., A Hirschwald 01-04. || 53. Bd. (Festschrift, Herrn Geh. Med.-Rath Prof. Dr. F Riegel gewidmet v. s. Assistenten u. Schülern.) (491 m. Abb. u. 1 Bildnis.) 04. || 54. Bd. 6 Hefte. (574 m. Abb. u. 5 Taf.) 04. || 55. Bd. (Festschrift, Errn Geheimr. Prof. Dr. Naunyn gewidmet v. s. Schülern.) (556 m. Abb. u. 1 Bildnis.) 04. || 56—58. Bd. je 6 Hefte. (600, 570 u. 560 m. 1, 1 u. 4 Taf.) 05. Je 16 —
— f. Medizinalbeamte. Zentralbl. f. gerichtl. Medizin u. Psychiatrie, f. ärztl. Sachverständigentätigk. in Unfall- u. Invaliditätssachen, sowie f. Hygiene, öffentl. Sanitätswesen, Medizinal-Gesetzgebg u. Rechtsprechg. Hrsg. v. O Rapmund. Mit d. Beil.: Rechtsprechg u. Medizinal-Gesetzgebg. 14—18. Jahrg. 1901—5 je 24 Nrn. (1901. Nr. 1. 40 m. 8) 8° Berl., Fischer's med. Bh. Je 12 —; m. d. Berl. Klinik 18 —; einz. Nrn — 80 || Sonderheft. Novbr 1902. (142) 2 —
— meteorolog. Red. v. J Hann u. G Hellmann. 18—22. Bd. 1901—5, zugl. 36—40. Bd d. „Zeitschrift d. österr. Ges. f. Meteorol." je 12 Hefte. (592, 584, 576 u. 584 m. Abb. u. 5, 2, 1 u. 4 Taf.) 8° Wien, E Hölzel. Je 20 —
— f. angewandte Mikroskopie, hrsg. v. G Marpmann. 7. u. 8. Bd. Apr. 1901—März 1903 je 12 Hefte. (8. Bd. 1. Heft. Weim., C Steinert.
— dass. 9. Bd. Apr. 1903—März 1904. 12 Hefte. (1. Heft. 28) 8° Lpzg, H Hedewig's Nf. Viertelj. 3 —; einz. Hefte 1.50
— dass. u. klin. Chemie. Mit bes. Rücks. auf d. mikroskop. Untersuchg v. Nahrgs- u. Genussmitteln, techn. Produkten, Krankh.-Stoffen, Mikroorganismen, Schimmelpilzen u. Diatomaceen. In Verbindg m. H van Heurck hrsg. v. G Marp-

mann. 10. u. 11. Bd. Apr. 1904—März 1906 je 12 Hefte. (11. Bd. 324) 8° Lpzg, H Hedewig's Nf. Viertelj. 3 —; einz. Hefte 1.50
Zeitschrift f. wiss. Mikroskopie u. f. mikroskop. Technik. Unter bes. Mitwirkg v. L Dippel, P Schiefferdecker, R Brauns hrsg. v. WJ Behrens, 18—90. Bd je 4 Hefte. (562, 589 u. 533 m. Abb. u. 3, 6 u. 2 Taf.) 8° Lpzg, S Hirzel 01-03. || 21. u. 22. Bd. Hrsg. v. E Küster. 04.05. Je 20 —; einz. Hefte 5 —
— dass. Begründet v. WJ Behrens. Unter bes. Mitwirkg v. E Schiefferdecker u. E Sommerfeldt hrsg. v. E Köster. Reg. II zu Bd XI—XX (Jahrg. 1894—1903). (375) 8° Ebd. 04. 14 —
— deut. militärärztl. Red.: (R v. Leuthold u.) A Krocker. 30—34. Jahrg. 1901—5 je 12 Hefte. (1901. 1. Heft. 64 u. 4) 8° Berl., ES Mittler & S. Je 15 —
Suppl.-Bd s. u. d. T.: Roth's, W, Jahresbericht üb. etc. Militär-Sanitätswesen.
— öster. militär., s.: Streffleur.
— f. Missionskde u. Relig.-Wiss. Hrsg. v. T Arndt v., seit 1901, A Kind. 16—20. Jahrg. 1901—5 je 12 Hefte. (Je 384) 8° Hdlbg, Ev. Verl. Je 5 — d
— f. Moorkultur u. Torfverwertg. Hrsg. v. J Koppens u. W Bersch. 1. Jahrg. Juli—Dezbr 1903. 4 Hefte. (148 m. Abb.) 8° Wien, W Frick. || 2. u. 3. Jahrg. 1904 u. 5 je etwa 6 Hefte. (272 u. 316 m. Abb. u. 7 u. 22 Taf.) Je 2 — d
— Wiener, f. d. Kunde d. Morgenlandes. Hrsg. u. red. v. J Karabacek, P Kretschmer (seit 1904), DH Müller, (L Rei-nisch,) L v. Schroeder. 15—19. Bd je 4 Hefte. (15. Bd. 1. Heft. 116) 8° Wien, A Hölder 01-05. Je 10 —
Auch m. engl. Titel: Journal, Vienna Oriental.
— d. mitteleurop. Motorwagen-Ver. Organ f. d. ges. In-teressen d. Automobilwesens. Verantwortlich. Hrsg.: Mittel-europ. Motorwagen-Verein. Verantwortlich: O Cronström. 3. u. 4. Jahrg. 1904 u. 5 je 24 Nrn. (1904. 1. Heft. 20 m. Abb.) 4° Berl., (Boll & Pickardt). Je 20 —; einz. Hefte 1 —
— Münch. Alterthums-Ver. Erschien früher u. d. T.: Die Wartburg. Neue Folge. 12—15. Jahrg. 4° Münch., (J Lind-auer). 6 —
12. Red. v. F Fbrn v. Reitzenstein. 1900/01. (48 m. Abb. u. 11 Taf.) 2 — || 13. Red. v. J Heigenmooser u. J Bauer. 09. (36 m. Abb. u. 11 Taf.) 2 — || 14.15. Red. v. A Holmberg, W Orlemann, JB Schmid. 1902/4. (52 m. Abb. u. 9 Taf.) 02. 2 —
— neue, f. Musik. (Begründet v. R Schumann.) Red.: E Roch-lich. 68—70. Jahrg. [97—99. Bd.] 1901—3 je 52 Nrn. (1901. Nr. 1. 12 m. 1 Bildnis u. Musikbeil. 4) 4° Lpzg, CF Kahnt Nf. Halbj. 5 —; einz. Nrn — 50 d || 71. u. 72. Jahrg. 100. u. 101. Bd. 1904 u. 5 je 52 Nrn. (1904. 1. Heft.) A Schering u. W Niemann. Vier-telj. 2 —; einz. Nrn — 30; v. 1905 Nr. 17 an — 50
— d. internat. Musikgesellsch. Red.: O Fleischer. Mitver-antwortlich: (H Abert,) E Euting u. A Mayer-Reinach. 3—5. Jahrg. Oktbr 1901—Septbr 1904 je 12 Hefte. (3. u. 4. Jahrg. 512 u. 759) 8° Lpzg, Breitkopf & H. || 6. u. 7. Jahrg. 1904/5. Red.: A Heuss. Je 10 —; einz. Hefte 1 —
— f. Musterzeichner. Red.: A Oettel. 1. Jahrg. Aug.—Dezbr 1898. 5 Nrn. (30) 4° Lpzg, (W Opetz). — 75 || 2. Jahrg. 1. Vier-telj. Jan.—März 1899. 5 Nrn. (30) — 75 || 3.—7. Jahrg. 1. Vier-telj. 1900 —5, 4. Jahrg. 1901. Apr.—Dezbr 1899. 9 Nrn. (21—74 m. Taf.) Viertelj. 1.50 || 5. u. 6. Jahrg. 1900 u. 1901. Je 12 Nrn. (3. Jahrg. 78 m. Taf.) Adorf. Viertelj. 1.50
— dass. 5—7. Jahrg. 1902—4 je 12 Nrn. (1902. Nr. 1. 12 m. Abb. u. 1 Taf.) 4° Adorf i/V., TH Trautvetter. (Nur dir.) Viertelj. 1.50
Die Zeitschrift „Der Zeichner" wurde hiermit vereinigt.
— dass. Red.: G Henschkel u. R Kalkus. 8. Jahrg. 1905. 13 Nrn. (140 m. Abb. u. 7 Taf.) 4° Ober-Schöneweide bei Berl. (Tab-hertstr. 32), Geschäftsstelle. Viertelj. 1.50
Erschien x. TH noch in Elberfeld.
— f. Untersuchg d. Nahrgs- u. Genussmittel, sowie d. Gebrauchsgegenstände. Hrsg. v. K v. Buchka, A Hilger, J König. Red.: A Bömer. (Neue Folge d. „Vierteljahresschrift üb. d. Fortschritte auf d. Gebiete d. Chemie d. Nahrgs- u. Genussmittel etc." u. d. „Forschgs-Berichte üb. Lebensmittel u. ihre Beziehgn z. Hygiens etc.") 4—6. Jahrg. 1901—3 je 24 Hefte. (1220, 1251 u. 1192 m. Abb.) 8° Berl., J Springer. Je 30 — || 7—10. Bd. 1904—5. (305, 796, 797 u. 730) Der Bd 30 —
— naturärztl. Gesamttausg. d. verein. Zeitschriften: „Das Sanatorium" (8—10. Jahrg.), „Naturärztl. Zeitschrift" (12—14. Jahrg.). Hrsg. u. Red.: H Rösch u. A Scholta u., seit 1904, P Quack u. A Scholta. 8—10. bezw. 12—14. Jahrg. 1903—5 je 24 Nrn. (Nr. 1. 10 u. 6 m. Abb.) 8° Berl., P Quack. Halbj. 3 —
— Jenaische, f. Naturwiss., hrsg. v. d. medizinisch-naturwiss.

Gesellsch. zu Jena. 35—40. Bd. Neue Folge, 28—33. Bd je
4 Hefte. (Mit Fig.) 8° Jena, G Fischer.
45 (30). (656 m. 17 Taf.) 01. 22 — | 28 (36). (780 m. 26 Taf.) 01.02. 58 —
| 27 (30). (740 m. 22 Taf.) 02.03. 56 — | 36 (31). (520 m. 28 Taf.) 03.04. 53 —
39 (33). (748 m. 24 Taf.) 04.05. 54 — | 40 (33). (740 m. 29 Taf.) 05. 60.50.

Zeitschrift f. Naturwiss. Hrsg. v. G Brandes. 74—77. Bd je
6 Hefte. (74. Bd. 1. u. 2. Heft. 160 m. 1 Fig. u. 2 Taf.) 8° Stuttg.,
E Schweizerbart 01-04. Je 12 —
— bibliograph., f. Naturwiss. u. Mathematik. Vol. III. 6 Nrn.
(Nr. 1 u. 2. 58) 4° Berl., W Junk (03). 6 —
Nr. I erschien noch u. d. T.: „Laboratorium & Museum".
— d. naturwiss. Abteilg (d. naturwiss. Ver.) d. deut. Gesellsch. f. Kunst u. Wiss. in Posen). IX. Jahrg. 2—4. Heft;
X. Jahrg. 6 Hefte u. XI. Jahrg. 1. Heft. 8° Pos., (J Jolowicz). 6 —
X,2.3. Eutomol. I Jahrg. 1. u. 7. Heft. Hrsg. v. Pfuhl u. E Schumann.
(35—117) 07. Je — 85 | 4. Botanik. 2 Jahrg. 2. Heft. (112—147) — 90 | X.
Botanik. 2. (40) 08. — 50 | 7—6. (421—154 m. 20 Taf.) 04. 2 — | XI,1. Ento-
mol. 2. Jahrg. 1. Heft. Hrsg. v. Pfuhl u. E Schumann. (32) 04. — 80.
Die früh. Bde z. u. d. T.: Zeitschrift d. botan. Abteilg d. naturwiss. Ver. d. Prov. Posen.
— deut., f. Nervenheilkde. Hrsg. v. W Erb, L Lichtheim,
F Schultze, A v. Strümpell. Red. v. A Strümpell. 19—30. Bd
je 6 Hefte. (20. Bd. 493 m. Abb. u. 12 Taf.) 8° Lpzg, FCW
Vogel 1900-05. Je 16 —
— f. d. neutestamentl. Wiss. u. d. Kunde d. Urchristentums, hrsg. v. E Preuschen. 2—6. Jahrg. 1901—5 je 4 Hefte.
(559, 360, 552, 360 u. 372) 8° Giess., A Töpelmann. Je 10 —
— d. histor. Ver. f. Niedersachsen, zugl. Organ d. Ver. f.
Gesch. u. Altertümer d. Herzogtt. Bremen u. Verden u. d.
Landes Hadeln. Jahrg. 1901, (504) 8° Hannov., Halbj. || 1909
—5 je 4 Hefte. (616 m. 5 Taf., 736 m. 1 Karte, 558 m. 3 Kart.
u. 55²2 m. 1 Taf.) Je 6 —; einz. Hefte 1.50 d
— f. Notariat u. freiwill. Gerichtsbark. in Österr. Hrsg. v.
österr. Notarenver. Red.: C Wagner. Jahrg. 1903. 52 Nrn.
(416) Fol. Wien (I, Tiefer Graben 11), Administr.
Halbj. nnn 10 — d ö H
— f. d. Notariat u. f. d. freiwill. Rechtspflege d. Gerichte
in Bayern. Hrsg. v. F Weber, unter ständ. Mitwirkg v. W v.
Henle u. G Schmitt. Neue Folge. 2. Jahrg. 1901. 12 Nrn. (288)
8° Münch., CH Beck. 8 —
— dass. Hrsg. v. H Kaisenberg, unter Mitwirkg v. W v. Henle,
G Schmitt u. Osenstätter. Neue Folge. 3—6. Jahrg. 1902—5
je 12 Nrn. (274, 268, 286 u. 269) 8° Ebd. Je 8 — d
— d. deut. Notarenver. f. deut. Notarver. (e. V.) zu
Halle a. S. Leiter: A Weissler. 1—3. Jahrg. 1901—5 je 12
Hefte. (1. Jahrg. 578 m. 1 Bildnis.) 8° Halle a/S. (Lpzg,
Dürr'sche Bh.) Je 6 —; einz. Hefte 1.50 d
— f. Numismatik. Hrsg. v. H Dannenberg, H Dressel, J
Menadier. 22—25. Bd je 4 Hefte. (23. u. 24. Bd. 311, 25 u. 408,
113, 23 m. 3 u. 7 Taf.) 8° Berl., Weidmann 01-05. Je 14 —;
einz. Hefte 4 —
— numismat., hrsg. v. d. numismat. Gesellsch. in Wien,
durch deren Red.-Komitee. 32—36. Bd. Jahrg. 1900-04. 8°
Wien, (Manz). Je 12 —
32. (519 m. Abb., 14 Taf. u. 19 Taf. in 4°.) 01. | 33. (315 m. Abb. u. 10 Taf.
u 1 Atlas v. weit. 11 Taf. [in 4°]) 02. | 34. (361 m. Abb. u. 7 Taf.) 03. 04.
(367 m. Abb. u. 3 Taf.) 04. | 35. (255 m. Abb. u. 7 Taf.) 05.
— f. d. Gesch. d. Oberrheins, hrsg. v. d. bad. histor. Kommission. Neue Folge. 16—20. Bd. (Der ganzen Reihe 55—59. Bd.)
Je 4 Hefte. (772, 130; 740, 68; 780, 118; 772, 175 u. 700, 143,
74) 8° Hdlbg, C Winter, V. 01-05. Je 12 —; einz. Hefte 4 — d
1901 erschien in Karlsruhe.
— f. Obst- u. Gartenbau. Red.: C Braunbart. 27—31. Jahrg.
Neue Folge. 1901—5 je 12 Nrn. (Nr. 1. 16) 8° Dresd., C Heinrich. Je 3 —; einz. Nrn — 30 d
— schweiz., f. Obst- u. Weinbau. Red.: Müller-Thurgau u.
T Zschokke. 10. u. 11. Jahrg. Der Monatsschrift f. Obst- u.
Weinbau 37. u. 38. Jahrg. 1901 u. 2 je 24 Nrn. (Nr. 1 u. 2. 32)
8° Frauenf., Huber & Co. Je 5 — || 1903. Red.: Müller-Thurgau,
J Hofer u. A Schoch. 12. Jahrg. Der Monatsschrift f. Obst-
u. Weinbau 39. Jahrg. || 1904 u. 5. Jahrg. J Hofer, E Seewer,
A Schoch. 13. u. 14. Jahrg. Der Monatsschrift f. Obst- u.
Weinbau 40. u. 41. Jahrg. Je 4.40 d
— f. ungar.-öffentl. u. Privatrecht. Red. v. E Nagy (4.40 d
(Sgalitzer). Mitred. 1905: H Markl. 7—11. Jahrg. 1901—5 je
12 Hefte. (1904. 1—5. Heft. 160) 8° Budap., Administr. — Berl.,
Puttkammer & M. Je 17 —
— f. Ohrenheilkde n. bes. Rerücks. d. Rhinol. u. d. übr.
Grenzgebiete, in deut. u. engl. Sprache hrsg. v. H Knapp,
O Körner, A Hartmann, U Pritchard. 39—42. Bd je 4 Hefte.
(400, 406, 382 u. 414 m. Abb. u. 15, 15, u. 5 Taf.) 8° Wiesb.,
JF Bergmann 01.02. || 43. Bd. Jubiläumsbd, Friedr. Bezold
gewidmet. (299 m. Abb., 1 Bildnis, 24 Taf. u. 6 Tab.) 03. ||
—51. Bd je 4 Hefte. 03-05. Je 12 —
— dass. 45. Bd. Ergänzgsheft. (136 m. Abb. u. 3 Taf.) 8° Ebd.
04. 4 —
— dass. General-Reg. f. 31—40 incl. Besprch. v. W Schwartz.
(89) 8° Ebd. 02. 3.60
— f. Orgel- u. Harmoniumbau. Hrsg. u. Schriftleiter: M
Mauracher. 3. Jahrg. 1905. 12 Nrn. (Nr. 1. 8) 8° Graz, Styria.
1.35
Erschien bisher als Beilage d. gregorian. Rundschau.
— f. österr. Volkskde. Red. v. M Haberlandt. 7—11. Jahrg.
1901—5 je 6 Hefte. (264, 267, 260, 252 u. 212 m. Abb. u. 23, 5,
16, 10 u. 5 Kart. u. Taf.) 8° Wien, (Gerold & Co.). Je 6 —;
einz. Hefte 1 —

Zeitschrift f. österr. Volkskde. Red. v. M Haberlandt. I—
III. Suppl.-Heft. 8° Wien, (Gerold & Co.). 4.50
I. Bünker, JR: Heanänische Kinderreime. — Piger, FF: Kinderreime
u. Kindersprüche a. d. Iglauer Sprachinsel. (25) 1900. 1 —
II. Penak, A: Grabschriften a. Österr. (75) 04. 1 —
III. Höfer, M: Weihnachtsgebäcke. Vergleich. Studie d. german. Or-
bildforte z. Weihnachtszeit. (77 m. 12 Taf.) 05. 2.50
— f. Gesch. u. Kulturgesch. Österr.-Schlesiens. Hrsg. v.
K Knaflitsch. Jahrg. Septbr 1905—Aug. 1906. 4 Hefte. (1. Heft.
m. 4 Taf.) 8° Tropp., (O Gollmann). 4 —; einz. Hefte 1.20
— ökadser g. Organ f. d. Interessen d. steierm. Schulwesens.
Hrsg.: Der Grazer Lehrerver. Geleitet v. F Fellner. 34—38.
Jahrg. 1901—5 je 26 Nrn. (452, 523, 540, 482 u. 508) 8° Graz
(Leonhardstr. 107), Grazer Lehrerver. Je nn 3 —
— schweiz. pädagog. Hrsg. v. schweiz. Lehrerver. unter
Red. v. F Fritschi. 11. u. 12. Jahrg. 1901 u. 2 je 8 Hefte.
(820 u. 268) 8° Mit Beil.: „Pestalozziblätter". red. v. O Hun-
ziker. 22. u. 23. Jahrg. 1901 u. 2. (66 u. 72) Zür., Art. Instit.
Orell Füssli. Je 3 —; f. Abnehmer d. Schweiz. Lehrerzeitg
je nnn 2 — || 13—15. bezw. 23—26. Jahrg. 1903—5. (332, 66;
350, 62 u. 344, 64) Je 3.50; bezw. nnn 3.50; einz. Hefte 1 —
— f. pädagog. Psychol. u. Pathol. Hrsg. v. F Kemsies u.
L Hirschlaff. 3. Jahrg. 1901. 6 Hefte. (504) 8° Berl., Herm.
Walther. (8 —) 10 —; einz. Hefte (1.50) 2 —
Fortsetzg u. d. T.:
— f. pädagog. Psychol., Pathol. u. Hygiene. Hrsg. v. F
Kemsies u. L Hirschlaff. 4—7. Jahrg. 1902—5 je 6 Hefte. (4.
u. 5. J. 563 u. 530) 8° Ebd. Je 10 —; einz. Hefte 2 —
— d. deut. Palaestina-Ver. Hrsg. unterd. Red. v. I Benzinger
u., v. 26. Bd an, C Steuernagel. 23—28. Bd. 8° Nebst Mitteilgn u. Nachrichten d. deut. Palaestina-Ver. Hrsg. v. H
Guthe. Jahrg. 1900—5 je 6 Nrn. Lpzg, K Baedeker. Je nn 10 —
22. Bd. 4 Hefte. (1. u. 2. Heft. (96 m. 1 Taf.) 1900. 23 u. 25. Bd. je 3 Hefte.
(24. Bd. 1. Heft. 48) 01.02. || 26—28. Bd. je 4 Hefte. '24. Bd. 188 m. 1 Karte.)
— f. Papier- u. Schreibwaren-Händler. Red.: P Hahn.
1. Jahrg. Oktbr—Dezbr 1905. 6 Nrn. (Nr. 1. 8) 8° Berl., GBC
Rahn. 1 —
— f. experimentelle Pathol. u. Therapie. Hrsg. v. L Brieger,
HE Hering, F Kraus, R Paltauf. 1. Bd. 2. Heft. (692 m. Fig.
u. 23 Taf.) 8° Berl., A Hirschwald 05. 23 — || 2. Bd. 4 Hefte.
(674 m. Abb. u. 20 Taf.) 05. 27 —
— f. d. gesetzl. Regelg d. Pensions- u. Hinterbliebenen-
Versicherg d. Privatangestellten im Deut. Reich. Red.:
JF Schraer. 1. Jahrg. 1. Halbj. April—Septbr 1903. 18 Nrn.
(Nr. 1—16. 120) Fol. Eberswalde, C Müller's Buchdr. (Nur dir)
Viertelj. nnn 1 — d ö H
Seit 1.X.'03 u. d. T.: Der Privatbeamte.
— f. Pferdekde u. Pferdezucht. Red.: JM Wimmer. 18—22.
Jahrg. 1901—5 je 24 Nrn. (1901. Nr. 1. 12 m. Abb.) 8° Lpzg,
RC Schmidt & Co. Je 2.40 d
— bayr., f. Pferde-Zucht u. Sport. Red.: E v. Bressens-
dorf. 1—4. Jahrg. April 1901—März 1905 je 24 Nrn. (Nr. 1. 8)
4° Münch., (d Palm). Viertelj. 1 — d ö F
— f. Pflanzenkrankh. Hrsg. v. P Sorauer. 11—15. Bd. Jahrg.
'01—5 je 6 Hefte. ('01—4 je 372 u. '05: 375 m. Abb. u. 4, 6,
6, 6, u. 5 Taf.) 8° Stuttg., E Ulmer. Je 15 —
— f. Philosophie u. Pädagogik. Hrsg. v. O Flügel u. W Rein.
8—13. Jahrg. je 6 Hefte. (8—12. J. 540, 540, 524, 540 u. 544)
8° Langens., H Beyer & S. 01-05. Das Heft 1 —
— f. Philosophie u. philosoph. Kritik. (Vormals Fichte-Ul-
ricische Zeitschrift.) Im Verein m. H Siebeck u. J Volkelt
hrsg. u. red. v. R Falckenberg u. v. 120. Bd an, L Busse.
118—127. Bd. je 2 Hefte. (1518. Bd. 268) 8° Lpzg, R Voigtländer 01-05. Je 6 —; einz. Hefte 4 —
— f. wiss. Photogr., Photophysik u. Photochemie. Unter Mitwirkg v. H Kayser hrsg. v. E Englisch u. K Schaum. 1. u.
2. Bd je 12 Hefte. (434 u. 442 m. Abb. u. 1 u. 5 Taf.) 8° Lpzg,
JA Barth 03.04. || 3. Bd. Hrsg. v. K Schaum. (474 m. 3 Taf.)
05.06. Je 20 —
— physikal. Hrsg. v. E Riecke u. HT Simon. Red.: HT Simon. 3. Jahrg. Oktbr 1901—Septbr 1902 24 Nrn. (600 m. Fig.
u. 5 Taf.) 4° Lpzg, S Hirzel. || 4. Jahrg. Oktbr 1902—Dezbr
1903. 30 Nrn. (872) || 5. Jahrg. 1904. 10 Nrn. (832) Viertelj.
5 —; einz. Nrn — || 6. Jahrg. 1905. Red.: E Rose. (920 m.
6 Taf.) Viertelj. 6.25; einz. Nrn 1.20
— f. d. physikal. u. chem. Unterr. Unter bes. Mitwirkg v. E
Mach u. B Schwalbe hrsg. v. F Poske. 14. Jahrg. 1901. 6 Hefte.
(390 m. Abb.) 4° Berl., J Springer. 12 —
— dass. Begründet v. E Mach u. B Schwalbe. Hrsg. v F Poske.
15—18. Jahrg. 1902—5 je 6 Hefte. (400, 392, 398 u. 391 m. Abb.
u. Taf.) 4° Ebd. Je 12 —
Sonderhefte z. u. d. T.: Abhandlungen z. Didaktik u. Philosophie
d. Naturwiss.
— f. allg. Physiol. Hrsg. v. M Verworn. 1—5. Bd. (5. Bd.
622 u. 74 m. Abb. u. 15 Taf.) 8° Jena, G Fischer 02-05. Je 24 —
— f. Polizei- u. Verwaltgs-Beamte. Hrsg. v. G Kautz.
(Vormals: Zeitschrift f. Amts- u. Gemeinde-Vorsteher.) Red.:
G Bartsch u., seit 1904, O Schuchardt. 8. u. 10. Jahrg. 1901
u. 3 je 24 Nrn. (1901. Nr. 1. 12) 4° Berl., J Guttentag. || 11. Jahrg.
1—2. Viertelj. Jan.—Septbr 1903. 18 Nrn. Viertelj. 1.80 || 11.
Jahrg. 4. Viertelj. Oktbr—Dezbr 1903. 8 Nrn. || 12. Jahrg. 1904.
11—18. Jahrg. 1905. 36. Nrn. Viertelj. 2.50
— f. Posamenten-Industrie. Fachbl. f. d. ges. Möbel- u.
Besatz-Posamenten-Fabrikation u. Handel u. deren Neben-

zweige usw. Red.: E Tretbar. 12—16. Jahrg. 1901—5 je 24 Nrn. (Nr. 1. 8 m. 1 Taf.) 4° Dresd., E Tretbar. Viertelj. 2 — d
Zeitschrift d. histor. Gesellsch. f. d. Prov. Posen, zugl. Zeitschrift d. histor. Gesellsch. f. d. Netzedistrikt zu Bromberg. Hrsg. v. R Prümers. 16. Jahrg. 2 Halbbde. (300) 8° Pos., (J Jolowicz) 01. 8 — d
— dass. (Halbjährl. Beilage zu d. histor. Monatsblättern f. Prov. Posen.) 17—20. Jahrg. Je 2 Halbbde. (328, 332, 318 u. 317 m. Abb.) 8° Ebd. 02-05. Je 8 —
— f. Post u. Telegr. Zentral-Organ f. d. k. k. österr. Post-, Telegr.- u. Telephonwesen, nebst verwandten Verkehrszweigen (Eisenb. u. Schiffahrt) u. Volkswirtschaft. Red.: K Schewel. 8—12. Jahrg. 1901—5 je 36 Nrn. (Nr. 1. 8) Fol. Wien (V, Straussengasse 16), R Spies & Co. Halbj. nn 6.50
— d. kgl. preuss. statist. (Bureaus, seit 1905) Landesamts. Hrsg. v. E Blenck. 41—45. Jahrg. 1901—5 je 4 Hefte. (1901. 1. u. 2. Heft. 126, 24 u. 84) 4° Berl., Verl. d. k. statist. Landesamts. Je 10 —
— dass. 20—23. Ergänzsheft. 4° Ebd. 16.20
Evert, G: Die preuss. Landtagswahlen d. J. 1903 u. früh. Jahre. (253 m. 3 Taf.) 05. [26.] . . 7.30
Guttstadt, A: Die Verbreitg d. vener. Krankh. in Preussen sowie d. Massnahmen z. Bekämpfg dieser Krankh. (66) 01. [20.] 2 —
Petersilie, A: Mitteilg z. dent. Genossenschaftsstatistik f. 1901. (122) 04. [21.] 3.20 | Dass. f. '02. '04. (24 u. 50) 05. 3.80
— f. d. Privat- u. öffentl. Recht d. Gegenwart. Hrsg. v. CS Grünhut. 29—33. Bd. (31. Bd. 796) 8° Wien, A Hölder 02-05. Je 20 —
— f. internat. Privat- u. öffentl. Recht. Begründet v. F Böhm, hrsg. v. T Niemeyer. 12. Bd. (Jahrg. 1902.) 4 Hefte, (670) 8° Lpzg, Duncker & H. || 13. u. 14. Bd. (Jahrg. 1903 u. 4.) Je 6 Hefte. (647 u. 634) Das Heft 2 —; Einzelpr. 3 — || 15. Bd. (Jahrg. 1905.) (658) 13.80; einz. Hefte 3 — (1—14 zus.: nn 84 —) Bisher u. d. T.:
— f. internat. Privat- u. Strafrecht m. bes. Berücks. d. Rechtshülfe. Begründet v. F Böhm, hrsg. v. T Niemeyer. 11. Bd. (Jahrg. 1901.) 6 Hefte. (585) 8° Ebd. Das Heft 2 —; Einzelpr. 3 —
— allg., f. Psychiatrie u. psychisch-gerichtl. Medizin, hrsg. v. Deutschlds Irrenärzten, unter d. Mit-Red. v. Grashey (v. Krafft-Ebing), Pelman, Schüle unter H Laehr. 58—62. Bd. je 7 Hefte. (1208, 397; 985, 353; 1046, 261; 936, 332 u. 913, 196 m. 5, 1, 5, 4 u. 1 Taf.) 8° Berl., G Reimer 01-5. Je 24 —; einz. Hefte 5.50
— dass. Reg. f. Bd 51—61. (217) 8° Ebd. 04. 6 —
— f. Psychol. u. Physiol. d. Sinnesorgane. Hrsg. v. H Ebbinghaus, (A König) u. WA Nagel. 25—40. Bd je 6 Hefte. (498, 446, 456, 492, 458, 472, 494, 448, 474, 478, 481, 474, 474, 474 u. 454 m. Abb.) 8° Lpzg, JA Barth 01-05. einz. Hefte 14 —
— dass. Reg. zu d. Bdn 1—25, zusammengest. v. H Ebbinghaus. (171) 8° Ebd. 02. 8 —
— dass. 2. Ergänzsbd. 8° Ebd. 8 — (1 u. 2.: 16 —)
Meinong, A: Über Annahmen. (396) 02. [2.] 8 —
— f. d. Realschulwesen. Hrsg. u. red. v. E Czuber, A Bechtel u. M Glöser. 26—30. Jahrg. 1901—5 je 12 Hefte. ('04. 768) 8° Wien, A Hölder. Je 14 —
— bayer., f. Realschulwesen, hrsg. durch d. bayer. Realschulmänner-Ver., geleitet v. H Stöckel u., seit 1903, T Gelzer. 9—13. Bd d. neuen Folge. (29—26. Bd d.,Blätter f. d. bayer. Realschulwesen".) Jahrg. 1901—5 je 4 Hefte. (1901. 1. Heft. 90) 8° Münch., T Ackermann. Je 5 —
— f. schweiz. Recht. Hrsg. v. A Heusler. 43—46. Bd. Neue Folge 21—24. Bd je 4 Hefte. (43. Bd. 1. Heft 168 u. 28) 8° Bas., Helbing & L. 02-05. Je 13 —
— d. Savigny-Stiftg f. Rechtsgesch. Hrsg. v. EI Bekker, (A Pernice,) L Mitteis, R Schröder, H Brunner, U Stutz. 22—26. Bd. 35—39. Bd d. Zeitschrift f. Rechtsgesch. Je 3 Hefte. 8° Weim., H Böhlau's Nf. 119.20
22. '01. 1. Germanist. Abth. (465) 12.40 | 2. Romanist. Abth. (249) 7.20
23. '02. 3. Germanist. Abth. (99, 369) 10.40 | 2. Romanist. Abth. (526) 13.60
24. '03. 1. Germanist. Abtlg. (27, 487) 12.40 | 2. Romanist. Abtlg. (495) 12.90
25. '04. 1. Germanist. Abtlg. (455) 11 — | 2. Romanist. Abtlg. (471) 14.40
26. '05. 1. Germanist. Abtlg. (455) 11.20 | 2. Romanist. Abtlg. (518) 13.90
— f. populäre Rechtskde f. Männer u. Frauen aller Stände. Hrsg. v. M Raschke. 2. Bd. Oktbr 1901—Dezbr 1902. 12 Hefte. (1. u. 2. Hft. 48 u. 40) 8° Berl., E Ebering. einz. Hefte — 60 d 6 f
— f. Rechtspflege in Bayern. Hrsg. v. T v. d. Pfordten. 1. Jahrg. 1905. 24 Nrn. (Nr. 1. 32) 8° Münch., J Schweitzer V. Geb. 14 —; viertelj. 3 — d
— f. Rechtspflege im Herzogt. Braunschweig. Red.: A Dedekind. 48—52. Jahrg. 1901—5 je 12 Nrn. (Nr. 1. 16) 8° Braunschw., A Limbach. Je nn 6.50; einz. Nrn nn — 60 d
— mecklenburg., f. Rechtspflege u. Rechtswiss., hrsg. v. H Altvater u. O Birkmeyer. 20—24. Bd je 4 Hefte. (398, 373, 397, 378 u. 401) 8° Wism., Hinstorff's V. 01-05. Je 8 —
— f. Rechtsverfolg g im Ausl. Halbmonatsschrift f. d. dent. Rechtsinteressen im Ausl. Hrsg. v. M Wieland unter Mitwirkg v. A v. Harder u. M Friedländer. Red.: M Friedländer. 1. Jahrg. Septbr 1904—Aug. 1905. 24 Nrn. (Nr. 1. 16 Sp.) 4° Berl. (W. 57, Potsdamerstr. 89), Gesellsch. f. Rechtsverfolgg im Ausl. in Liqu. Viertelj. 3 — δ f
Nur Nr. 1, 2 u. 5 sind erschienen.
— f. vergleich. Rechtswiss. Hrsg. v. F Bernhöft, G Cohn

u. J Kohler. 15—18. Bd. (Je 480) 8° Stuttg., F Enke 01-05. Je 15 —
Zeitschrift f. moderne Reklame. Red.: R Hösel. April 1904—März 1905. 12 Hefte. (1. Heft. 32 m. z. Tl farb. Abb. u. 4 Beil.) 4° Berl. (W., Potsd. Str. 56), R Hösel. (?) 10 —; einz. Hefte 1 — d
— f. d. ev. Relig.-Unterr., hrsg. v. F Fauth u. J Köster. 13—17. Jahrg. Oktbr 1901—Septbr 1906 je 4 Hefte. (13. Jahrg. 1. Heft. 84) 8° Berl., Reuther & R. Je 6 —; einz. Hefte 1 — d
— f. Reproduktionstechnik. Hrsg. v. A Miethe u. G Aarland. 2—7. Jahrg. 1900—05. Je 12 Hefte. Nebst Beil.: Photograph. Chronik. Je etwa 104 Nrn. (1900. 650 u. 658 m. Abb. u. 23 [9 farb.] Taf.) 4° Halle, W Knapp. Viertelj. 3 —; f. Abnehmer d. „Atelier d. Photographen", ohne Beil: 2 —
— d. bayer. Revisions-Vereins f. Kraft-, Heiz- u. Licht-Anlagen. Dampfkessel u. Feuergn. Dampfmaschinen. Elektr. Anlagen f. Licht u. Kraft. Acetylenanlagen. Gas- u. Erdölmotoren. Schriftleitg: J Reischle. 8. Jahrg. 1904. 24 Nrn. (Nr. 1. 10 m. Abb.) 4° Münch. (23, Kaiserstr. 14), Bayer. Revisions-Ver. nn 9 —
Bisher u. d. T.: Zeitschrift d. bayer. Dampfkessel-Revisions-Vereins.
— dass. Dampfkessel u. Feuergn. Elektr. Anlagen f. Licht u. Kraft. Azetylenanlagen. Gas- u. Erdölmotoren. Schriftleitg: J Reischle. 9. Jahrg. 1905. 24 Nrn. (Nr. 1. 10 m. Abb.) 4° Ebd. nn 9 —
— d. Ver. f. rhein. u. westfäl. Volkskde. Hrsg. v. K Prümer, P Sartori, O Schell u. K Wehrban. 1. u. 2. Jahrg. 1904 u. 5 je 4 Hefte. (319 u. 340) 8° Elberf., A Martini & Gr. Je 5 —; einz. Hefte 1.50
— f. roman. Philologie. Hrsg. v. G Gröber. 25—29. Bd je 6 Hefte. (769, 769, 770, 768 u. 768) 8° Halle, M Niemeyer. Je 25 —; einz. Hefte 6 —
— dass. 1897—98 u. 1900—3. Suppl.-Heft. XXII—XXVII. Bibliogr. 1897—1902. 8° Ebd. 36 —
XXII. XXVII. 1897.98 v. A Braunholtz. (422) 02. 12 — | XXIV. 1899 v. A Braunholtz. (281) 04. 6 —; Einzelpr. 8 — | XXV. 1900. (193) 03. 6 —; Einzelpr. m. 1 | XXVI. '01 v. A Schneider. (256) 05. 6 —; Einzelpr. 8 — | XXVII. '02 v. A Braunholtz. (280) 05. 6 —; Einzelpr. 8 —
— dass. Beihefte. 1. Heft. 8° Ebd. 4 —
Şaluzan, L: La création métaphor. en franç. et en roman. Images tirées du monde des animaux domest. Le côté avec un appendice sur la fouine, le singe et les striglnes. (148) 05. 4 —
— d. k. sächs. statist. Büreaus. Red. v. A Geissler u., seit 1903, E Würzburger. 47—50. Jahrg. 1901—4 je 4 Hefte. (232, 230, 226 m. 15 Taf. u. 275 m. Abb. u. 1 Karte.) 4° Dresd., (v. Zahn & J.) Je nn 3 — d
— f. d. 48. Jahrg. 1901 u. 2. Heft. 4° Ebd. nn 4.50 d
'01. Das Ergebnis d. Viehzählg v. J. 1900. (179) (02.) nn 3 —
'02. Die sächs. Volkszählg am 1.XII.1900. (188) (02.) nn 1.50
— f. Samariter- u. Rettgswesen. Zeitg d. deut. Samariter-Bundes. Schriftleiter: P Streifer. 7—11. Jahrg. 1901—5 je 24 Nrn. (Nr. 1. 8 m. Abb.) 4° Lpzg (Nikolaikirchhof 2), Geschäftsstelle d. deut. Samariter-Bundes. Je 4 —; einz. Nrn nn — 25 d
— d. Ver. f. Gesch. u. Altertbum Schlesiens. Hrsg. v. C Grünhagen. 35—39. Bd. (416, 464 m. Abb., 372, 386 u. 365) 8° Bresl., E Wohlfarth 01-05. Je 4 — d
— dass. Reg. zu Bd 26—55. (232) 8° Ebd. 04. 3 — d
— d. Gesellsch. f. schleswig-holstein. Gesch. 31—34. Bd. 8° Kiel, (Univ.-Bh.). Je 8 — d
31. (297 m. 1 Taf.) 01. | 32. (520) 02. | 33. (340 m. 1 Karte.) 03. | 34. (250 m. 15 Taf.) 04.
— dass. Reg. zu Bd 21—30, v. K Friese. (221) 8° Ebd. 04. 5 — d
— f. Schulgeogr. Hrsg. v. A Becker. Red.: F de Linz. 23. u. 24. Jahrg. Oktbr 1901—Septbr 1903 je 12 Hefte. (1. Heft. 32) 8° Wien, A Hölder. || 25—27. Jahrg. Hrsg. v. G Rusch unter Mitwirkg v. A Becker. 1903/6. (25, J. 384). Je 6 —
— f. Schulgesundheitspflege. Begründet v. L Kotelmann. Red. v. F Erismann. 14. u. 15. Jahrg. 1901 u. 2 je 12 Hefte. (784 m. 2 Taf. u. 742 m. Abb.) 8° Hambg, L Voss. Halbj. 4 —
— dass. 16—18. Jahrg. Mit.-Beil.: Der Schularzt. Unter bes. Mitwirkg v. P Schubert red. v. F Erismann. 1—3. Jahrg. 1903 —5 je 12 Hefte. (1. Heft. 62) 8° Ebd. Halbj. 4 —
— d. histor. Ver. f. Schwaben u. Neuburg. 27—30. Jahrg. 8° Augsbg, (JA Schlosser). Je 4 —
27. (147 m. 1 Taf.) 1900. 6 — | 28. (275 m. 2 Taf.) 01. 6 — | 29. (92 u. 92 m. 1 Karte.) 02. 6 — | 30. (143) 03. 3 —
— f. d. Behandlg Schwachsinn. u. Epilept. Organ d. Konferenz f. d. Idiotenwesen. Hrsg. v. W Schröter, HA Wildermuth. 17—21. [21—26.] Jahrg. 1901—5 je 12 Nrn. (216, 200, 196, 196 u. 204) 8° Dresd., (H Burdach). Je nn 6 —; einz. Nrn nn — 50
— f. schweiz. Statistik. Journal de statistique suisse. Hrsg. v. d. Centralkommission d. schweiz. statist. Gesellsch. unter Mitwirkg d. eidg. statist. Bureau. 37. Jahrg. 1901. 5 Lfgn; 38. Jahrg. 1902. 4 Lfgn; 39. u. 40. Jahrg. 1903 u. 4 je 6 Lfgn u. 41. Jahrg. 1905. 4 Lfgn. (A Francke.)
'01. (576 m. 2 Diticknzen.) 9.40 | '02. (660) 10.80 | '03. (644 u. 272 m. Fig. u. 4 Taf.) 15.50 | '04. (476 m. 302 m. 1 Diticknz.) 9.40 | '05. (368 u. 602 m. Abb. u. 18 Taf.) 13.40.
— dass. 38. Jahrg. 1902. Repertorium d. h. Inhaltsverz. zu d. 37 Jahrgg. 1865 bis u. m. 1901. (109) 4° Ebd. 1.80
— f. Socialwiss. Hrsg. v. J Wolf. 4. Jahrg. 1901. 12 Hefte. (848) 8° Berl., G Reimer. Viertelj. 4 —; einz. Hefte 1.50 || 5—7. 8. Jahrg. 1902—5. (996, 818, 822 u. 833) Viertelj. 5 —; einz. Hefte 2 —

Zeitschrift f. Spiritismus (Somnambulismus, Magnetismus, Spiritualismus) u. verwandte Gebiete. (Seit 1.1.1899 vereinigt m. d. v. B Cyriax begründ. „Neuen spiritualist. Blättern".) Hrsg. v. Feilgenhauer. 5—9. Jahrg. 1901—5 je 52 Nrn. (Nr. 1. 8) 4° Lpzg, O Mutze. Halbj. 3 —; einz. Nrn — 20 d
1—9. Jahrg. xns.: 30 —; einz. Jahrg. 3.50.
— f. Spiritusindustrie. (Unter Mitwirkg v. M Maercker.) Hrsg. v. M Delbrück. Red.: M Student. 24. u. 25. Jahrg. 1901 u. 2 je 52 Nrn. (Nr. 1. 10) Fol. Berl., P Parey. Je 20 — || 26— 28. Jahrg. 1903—5. (558, 526 u. 488 m. Abb.) Je 25 — d
— f. vergleich. Sprachforschg auf d. Geb. d. indogerman. Sprachen. Begründet v. A Kuhn. Hrsg. v. E Kuhn u. W Schulze. 38—40. Bd. Neue Folge. 18—20. Bd u. 4 Hefte u. 1 Reg.-Heft. (38. u. 39. Bd. 683 u. 500) 8° Gütersl. 02-05. Gött., Vandenhoeck & R. Je 16 —
— f. Staats- u. Gemeinde-Verwaltg im Grossh. Hessen. Red. v. Fey. 26—30. Jahrg. Apr. 1901—März 1906 je 24 Nrn. (Nr. 1. 8) 4° Mainz, J Diemer. Postfrei je nn 7.12 d
— f. Staats- u. Volkswirtschaft. Red.: H Herrnfeld. 12 —16. Bd. Jahrg. 1901—5 je 52 Nrn. (1901. Nr. 1. 12) 4° Wien, (M Perles). Halbj. 12 —
— f. d. ges. Staatswiss. Hrsg. v. A Schäffle (bis 1903) u. K Bücher. 57—61. Jahrg. 1901—5 je 4 Hefte. (762, 768, 764, 768 u. 764) 8° Tüb., H Laupp. Je 16 —; einz. Hefte 5 —
— dass. 1—18. Ergänzungsheft. 8° Ebd. Subskr.-Pr. 53.35; Einzelpr. 68 —
Gogitschaischwili, P: Das Gewerbe in Georgien unter bes. Berücks. d. primitiven Betriebsformen. (121) 01. [1.] 2.50; bezw. 3.30
Hacker, F: Die Bezirke f. bes. Gebiete d. Statistätigk. im Deut. Reiche u. in s. bedeutenderen Gliedstaaten. (107) 03. [4.] 2.40; bezw. 3 —
Hanisch, H: Deutschlds Lederproduktion u. Lederhandel. (110) 05. [16.] 2.50; bezw. 3.20
Heubner, PL: Der Musterlagerverkehr d. Leipz. Messen. (118 m. 1 Kart.) 04. [11.] 2 —; bezw. 2 —
Hey, K: Die Parzellenwirtschaften im Kgr. Sachsen. (216) 03. [5.] 4.50; bezw. 6 —
Kuske, B: Das Schuldenwesen d. deut. Städte im M.-A. (92) 04. [13.] 2 —; bezw. 3.50
Lübbers, LE: Ostfrieslds Schiffahrt u. Seefischerei. (112 m. 3 Tab.) 03. [7.] 3.45; bezw. 3.30
Ludwig, F: Die Gesindevermittlg in Deutschld. (167 m. 2 graph. Darstellgn.) 03. [10.] 3 —; bezw. 4.50
Mitscherlich, A: Die Schwankgn d. landw. Reinerträge, berechnet f. ein Fruchtfolgen m. Hilfe d. Fehlerwahrscheinlichkeitsrechng. (130 m. Tab. u. 2 Taf.) 03. [8.] 3.60; bezw. 4.90
Prütze, A: Die landw. Produktiv- u. Absatzgenossensch. in Frankr. (96) 03. [6.] 2.10; bezw. 2.75
Rafael, F: Engl. Freihändler vor Adam Smith. (192) 03. [15.] 4 —; bezw. 5 —
Schneider, R: Der Petroleumhandel. (95) 02. [3.] 2.10; bezw. 2.75
Schulze, A: Die Bankkatastrophen in Sachsen im J. 1901. (186 m. 1 Tab.) 3.50; bezw. 4.50
Seakel, W: Wollproduktion u. Wollhandel im 19. Jahrh. m. bes. Berücks. Deutschlds. (142 m. Diagr.) 01. [9.] 4 —; bezw. 5 —
Siebeck, O: Der Frondienst als Arbeitsystem. Seine Entsteng u. s. Aufbreitg im M.-A. (92) 04. [12.] 2 —; bezw. 3 —
Strieder, J: Die Inventur d. Firma Fugger a. d. J. 1527. (127) 05. [17.] 3 —; bezw. 3.60
Thiele, O: Salpeterwirtschaft u. Salpeterpolitik. Volkswirtschaftl. Studie üb. d. ehemal. europ. Salpeterwesen, nebst Beil. (237) 05. [15.] 5 —; bezw. 6 —
Zwiedineck-Südenhorst, O v.: Beitr. z. Lehre v. d. Lohnformen. (127 m. 2 Kurven.) 04. [13.] 2.90; bezw. 3.60
— f. Stadtverordnete. Wegweiser f. prakt. Gemeindepolitik. Red.: B Preibisch. 2. Jahrg. Apr. 1905—März 1906. 26 Nrn. (308) 8° Haynau, CO Raupbach's Nf. Halbj. 3 — d
Bisher u. d. T.:
— f. Stadtverordnete, Gemeindevertreter, Bürgerausschussmitglieder,Bürgervorsteher, Gemeinderäte, Gemeindebevollmächtigte. Wohlf. Ausg. d. Organ f. Städtewesen „Die deut. Stadt". Red.: O Rentsch. 1. Jahrg. Oktbr 1904—März 1905. 12 Nrn. (Nr. 1. 32) 8° Ebd. Halbj. 3 — d
Erschien bis Mitte Jan. '05 in Bunzlau, bis Ende Septbr '05 in Görlitz.
— f. Stärke-Industrie. Fachbl. f. d. Stärke-, Stärkezucker-, Syrup-, Dextrin-, Couleur-, Sago-, Puder- u. Nudelfabrikation. Hrsg. v. L Friedemann. 1. Jahrg. Septbr 1900—Aug. 1901. 12 Nrn. (Jede Nr. etwa 10) 8° Dresd. (Lpzg, RC Schmidt & Co.) || 2. u. 3. Jahrg. Nr. 1—5. Nvbr 1902—März 1902. (76) Je 5 —
Fortsetzg s. u. d. T.: Zeitung f. Spiritus- u. Stärke-Industrie.— Nr. 1 trägt keine Jahrg.-Bezeichng, Nr. 2 lautet 2. Jahrg., — Nr. 3 an 3. Jahrg., sodass s. 2. Jahrg. gar nicht erschienen ist.
— steir., f. Gesch. Hrsg. v. histor. Ver. f. Steiermark. 1— 5. Jahrg. Je 4 Hefte. (1. Jahrg. 1 Heft. 48 m. 1 Bildnis.) 8° Graz, (Leykam) 05-05. Je 4 — d
Bildet d. Fortsetzg d. „Mitteilungen d. histor. Ver. f. Steiermark".
— österr., f. Stomatologie. Organ f. d. wiss. u. Standes-Interessen d. Zahnärzte Österr. Red. v. H Trebitsch, B Vierthaler. 1. Jahrg. 1903. 14 Hefte. (480 m. Abb.) 8° Wien (VII/1, Mariahilferstr. 92), Verwaltg d. österr. Zeitschrift f. Stomatol. || 2. u. 3. Jahrg. 1904 u. 5. Geleitet v. H Trebitsch, E Vierthaler, S Ornstein. Schriftleitg: F Trebitsch. Je 12 Hefte. Je nn 12.50
Die Wiener zahnärztl. Monatsschrift wurde hiermit vereinigt.
— schweiz., f. Strafrecht. Revue pénale suisse. Hrsg. v. C Stooss. 14—17. Jahrg. 1901—4 je 6 Hefte. (498, 456, 468 u. 472) 8° Bern. (Bas., Georg & Co.) Je 10 —
— dass. Hrsg. v. C Stooss, E Zürcher, A Gautier u. E Hafter. 18. Jahrg. 1905. 6 Hefte. (498) 8° Ebd. 10 —

Hinrichs' Fünfjahrskatalog 1901—1905.

Zeitschrift f. d. ges. Strafrechtswiss. Hrsg. v. F v. Liszt, K v. Lilienthal u., v. 25. Bd an, P Herz. 22—24. Bd je 6 Hefte. (22. Bd. 1. Heft. 160) Nebst: Mitteilungen d. internat. kriminalist. Vereinigg. 10. Bd. (1. Heft. 260) 8° Berl., J Guttentag 01-03.. Je 20 — d
— dass. Hrsg. v. F v. Liszt, K v. Lilienthal, B v. Hippel u. E Kohlrausch. 25. u. 26. Bd je 6 Hefte. (1. Heft. 122) 8° Ebd. 05.06. Je 20 — d
— dass. Systematisch-alphabet. Generalreg. zu Bd 13—25. Zugl. Bibliogr. aller in d. Bdn 13—25 enth. Lit.- u. Gesetzgebgsberichts, bearb. v. H Eylau. (116) 8° Ebd. 05. 4.50 d
— d. Ver. d. a. höh. Gewerbesch. hervorgegang. Techniker. Schriftleiter: W Hollitscher. 1. Jahrg. 1904. 24 Nrn. (Nr. 1—3. 48 m. Abb.) 4° Wien, (Spielhagen & Sch.). || 2. Jahrg. 1905. 12 Nrn. Je 10 —
— technisch-gewerbl. Gemeinsame Fortsetzg d. Blätter: Revisions-Ingeniör (früher: Revisions-Ingeniör u. Gewerbeanwalt); Elektro-Überwachg; techn.Sachverständigen-Zeitg; Chemiker- u. Ingeniör-Korrespondenz; Patent-Ratgeber; Ausstellgs-Reform; techn. Bote d. Städte, Gemeinde- u. sonst. Verwaltgn; Wo errichten wir uns. Fabrik? Hrsg. v. W Heffter. Schriftleitg: W Heffter. 3. Jahr. 1904. 36 Hefte. (1. Heft. 20 m. Fig.) 4° Lpzg, CA Fischer. || 4. Jahrg. 1905. Schriftleiter: F Jnke. 24 Nrn. Viertelj. 2.25
Bisher u. d. T.: Bote, techn., d. Städte- usw.-Verwaltgn. — Chemiker- u. Ingeniör-Korrespondenz. — Revisions-Ingeniör. — Erschien bis Ende Juni 1905 in Berlin.
— f. d. ges. Textil-Industrie. 5—9. Jahrg. Oktbr 1901— Septbr 1905 je 52 Nrn. (6. Jahrg. Nr. 1—39. 560 m. Abb.) 4° Lpzg, LA Kleppzig. Viertelj. 4 —;
ohne Kurse u. letzte Nachrichten 3 —
— f. Theol. u. Kirche, hrsg. v. J Gottschick. 11—15. Jahrg. 1901—5 je 6 Hefte. (527, 548, 559, 536 u. 544) 8° Tüb., JCB Mohr. Je 6 —; einz. Hefte 1.50 d
— deutsch-amerikan., f. Theol. u. Kirche. Gegründet v. E Jäckel u. hrsg. v. d. Fakultät d. Nast theolog. Seminars zu Berea, Oh., C Riemenschneider, FW Schneider, JL Nülsen, OW Hertzler, JC Marting. 22. Bd. 3. Folge: 2. Bd. Mai 1901— Apr. 1902. 6 Hefte. (1. Heft. 85) 8° Berea, Ohio, Rev. JC Marting. 5 — d
Fortsetzg war nicht zu erhalten.
— f. kathol. Theol. 25—29. Bd. 1901—5 je 4 Hefte. (775, 640, 808, 802 u. 791) 8° Innsbr., F Rauch. Je 6 — d
— f. prakt. Theol., Fortsetzg. s.: Monatsschrift f. d. kirchl. Praxis.
— f. wiss. Theol. Hrsg. v. A Hilgenfeld. 44—48. Jahrg. Der neuen Folge 9—13. Jahrg. je 4 Hefte. ('01—4: 640, 592, 608 u. 576) 8° Lpzg, OR Reisland 01-04. Je nn 15 —
— internat. theolog., s.: Revue internat. de théol.
— schweiz. theolog., red. v. F Meili, seit 1904 weitergeführt v. A Waldburger. 19—22. Jahrg. 1901—5 je 4 Hefte. (252, 252, 254, 266 u. 272) 8° Zür., A Frick. Je 6 —
— f. diätet. u. physikal. Therapie. Red. v. E v. Leyden u. A Goldscheider. 5. u. 6. Bd (Jahrg. 1903/5). Je 8 Hefte. (5. Bd. 1. Heft. 96 m. Abb.) 8° Lpzg, G Thieme. || 7—9. Bd. Apr. 1903— März 1906 je 12 Hefte. Je 12 —
— f. Thiermedicin. Neue Folge d. Deut. Zeitschrift f. Thiermedicin u. d. Oesterr. Zeitschrift f. wiss. Veterinärkde. Hrsg. unter d. Red. v. Albrecht, Bang, Bayer etc. 5—9. Bd je 6 Hefte. (Je 480 m. 8, 0, 5, 6 u. 0 Taf.) 8° Jena, G Fischer 1900-05. Je 10 —
— d. Ver. f. thüring. Gesch. u. Altertumskde. Hrsg. v. J Dobenecker. Neue Folge. 12. Bd. Der ganzen Folge 20. Bd. II—IV. Heft; 13—15. Bd. I—IV. Heft je 3 Hefte u. 16. bezw. 24. Bd. I. Heft. 8° Ebd. 40.60
12.II—IV. (141—708 m. Abb. u. 2 Taf.) 01.02. 9.10 (Vollst. 14.10) || 18. (505 u. 66 m. Abb. u. 2 Taf.) 02.03. 9.50 || 14. (668 u. 90 u. 1 Karte.) 04.04. 7.50 || 15. (448 m. Abb. u. 2 Taf.) 04.05. 9.50 || 16.I. (260 m. Abb. u. 1 Karte.) 5.5.50.
— dass. Neue Folge. 1. Suppl.-Heft. 8° Ebd. 2.70
Liebeskind, P: Die Glocken d. Neustädter Kreises. (140 m. Abb.) 05. [1.] 2.70
— f. Transportwesen u. Strassenbau. 18—22. Jahrg. 1901—5 je 36 Nrn. (1901. Nr. 1. 16 m. Abb.) 4° Berl., J Engelmann. Viertelj. 5 —
— f. Tuberkulose u. Heilstättenwesen. Hrsg. v. (C Gerhardt,) B Fränkel, E v. Leyden, (A Moeller,) W v. Leube. 2—8. Bd je 6 Hefte. (2—7. Bd 550, 552, 568, 564, 582 u. 592 m. Abb. u. 1, 3, 2, 1, 0 u. 2 Taf.) 8° Lpzg, JA Barth 01-05. Je 20 —; einz. Hefte 4 —
— f. d. ges. Turbinenwesen. Wasserturbinen, Dampfturbinen, m. Einschl. d. Turbodynamos u. d. Turbinenschiffe sowie d. Kreisel-Pumpen u. -Gebläse. Hrsg. v. M Müller. 1. Bd. Septbr—Dezbr 1904. 12 Hefte. (122 m. Abb.) 4° Münch., R Oldenbourg. 9 —|| 2. Bd. 1905. 24 Hefte. Halbj. 9 — d
Erschien bis März 1905 in Berlin-Charlottenburg.
— f. Turnen u. Jugendspiel. Hrsg. v. H Schnell u. H Wickenhagen. 10. Jahrg. Apr. 1901—März 1902. 26 Nrn. (Nr. 1. 16 m. Abb.) 8° Lpzg, R Voigtländer. Halbj. 3.50; einz. Nrn — 40 d
Fortsetzg s. u. d. T.: Körper u. Geist.
— f. Vermessungswesen. Hrsg. v. C Reinhertz u. O Steppes. 30. u. 31. Bd. Jahrg. 1901 u. 2 je 24 Hefte. (692 u. 736 m. 1 Taf.) 8° Stuttg., K Wittwer. Je 9 —|| 32. Bd. Jahrg. 1903 u. 4. (704 u. 712 m. u. 1 Karte.) || 34. Bd. 1905. 36 Hefte. (792) Je 10 —

Zeitschrift f. Vermessgswesen. Inhaltsverz. Bd 1—33,
Jahrg. 1872—1904, hrsg. v. d. Vorstandschaft d. deut. Geo-
meterver. (379) 8° Stuttg., K Wittwer 06.   5 —
— österr., f. Vermessgswesen. Hrsg.: Der Ver. d. österr.
k. k. Vermessgsbeamten. Red.: M Reinisch. 3. Jahrg. 1905.
24 Nrn in 12 Doppelheften. (Nr. 1—4, 48 m. Fig.) 8° Wien,
(O Möbius).   nn 13 —
— f. Versicherungswesen. Hrsg. u. Red.: J Neumann. Jahrg.
1901 u. 2 je 52 Nrn. (Nr. 1, 12) Fol. Berl., (ES Mittler & S.).
Viertelj. nn 5 — || Jahrg. 1903—5. ('04. 584) Viertelj. nn 6 —;
einz. Nrn nn — 50
— Saski'sche, f. d. Versicherungswesen. (Hrsg.: C Saski.)
Red.: G Saski. 37—41. Jahrg. 1901—5 je 52 Nrn. (Nr. 1, 4)
48×33 cm. L z , (H Schultze).   Halbj. 9 —
— f. d. ges. Versicherungs-Wiss. Hrsg. v. deut. Ver. f. Versicherungs-Wiss. Schriftleitg: A Rüdiger. 3. Bd. Oktbr 1901—
Septbr 1902, 4 Hefte. (1. Heft. 112) 8° Berl., ES Mittler & S.
|| 3. Bd. Oktbr 1902—Oktbr 1903. 5 Hefte. (570) Das Heft 2.25 d
|| 4. Bd. 1904. 4 Hefte. (516) || 5. Bd. Schriftleitg: A Manes.
(646.) Je 12 —; einz. Hefte 3 —
— österr., f. Verwaltg. Hrsg. v. C Ritter v. Jaeger. Red.:
A Heilmann. 34—38. Jahrg. 1901—5 je 52 Nrn. ('04. 218) 4°
Wien, (M Perles). Je 10 —; m. Beil.: „Erkenntnisse d. Ver-
waltgs-Gerichtshofes" ja nn 20 — d
— f. Praxis u. Gesetzgebg d. Verwaltg, s.: Fischer, O.
— f. Verwaltg u. Rechtspflege im Grossh Oldenburg. (Fortsetzg d. Magazins f. d. Staats- u. Gemeinde-Verwaltg im
Grossh. Oldenburg u. d. Archivs f. d. Praxis d. ges. im
Grossh. Oldenburg gelt. Rechts.) Hrsg. von v. Bach, Bothe,
(Oeltermann, Ruhstrat), Riessbieter, Schomann u. Scheer.
28—32. Bd je 2 Hefte. (29—32. Bd. 355, 256, 256 u. 256) 8° Oldnbg,
(G Stalling's V.) 01-05.   Das Heft nn 3 — d
— f. bad. Verwaltg u. Verwaltgsrechtspflege, Ges. Inhaltsverz. f. 1869 bis einschl. 1900, bearb. v. E Müller. (56) 4°
Hdlbg, A Emmerling & S. 01.   5.60 d
— dass. Hrsg. u. red. v. F Lewald. 33—37. Jahrg. 1901—5 je
26 Nrn. (264, 264, 264, 268 u. 268) 4° Ebd.   Je 8 — d
— f. Veterinärkde m. bes. Berücks. d. Hygiene. Red. v. A
Grammlich. 13—17. Jahrg. 1901—5 je 12 Hefte. ('04. 574) 8° Berl.,
ES Mittler & S.   Je 12 —; einz. Hefte 1.50 d
— d. Ver. f. Volkskde. Neue Folge d. Zeitschrift f. Völkerpsychol. u. Sprachwiss., begründet v. M Lazarus u. H Steinthal. Hrsg. v. K Weinhold. 11. Jahrg. 1901. 4 Hefte. (478 m.
Abb. u. 6 Taf.) 8° Berl., Behrend & Co.   Je 16 —
— dass. Begründet v. K Weinhold. Hrsg. v. J Bolte. 12—15.
Jahrg. 1902—5 je 4 Hefte. (480, 484, 480 u. 476 m. Abb. u. 2, 8,
3 u. 0 Taf.) 8° Ebd.   Je 16 —
— f. d. österr. Volksschulwesen. Hrsg. v. JM Hinterwaldner. 12—14. Jahrg. 1901—3 je 12 Hefte. (384, 386 u. 384) 8°
Wien, F Tempsky. || 15—17. Jahrg. Septbr 1903—Septbr 1906.
(Je 384)   Je 8.40; einz. Hefte — 50 d
Der 14. Jahrg. erschien Jan.—Septbr 1903.
— f. Volkswirtschaft, Rechtspflege u. Verwaltg. u.
Red.: H Hirsch. 3. Jahrg. Jan.—Juni 1901. 12 Nrn. (Nr. 1. 8)
4° Olm., E Hölzel.   6 — 0 F
— f. Volkswirtschaft, Sozialpolitik u. Verwaltg. Hrsg.
v. E Böhm-Bawerk, KT v. Inama-Sternegg, E v. Philippovich (v. 13. Bd an), E v. Plener u F v. Wieser (v. 14. Bd
an). 10—14. Bd je 6 Hefte. (644, 632, 646, 654 u. 646) 8° Wien,
W Braumüller 01-05.   Je 20 —; einz. Hefte 4 —
— f. Vollstreckgs-, Zustellgs- u. Kostenwesen unter
vorzugsweiser Berücks. d. ges. Aufg. d. dent. Gerichts-
vollzieherstandes. Begründet n. hrsg. v. H Walter. Schriftleiter: H Walter. 15. Jahrg. 1901. 24 Nrn. (188) 4° Berl., R
Kühn. Viertelj. 1.60; einz. Nrn — 40 || 16. Jahrg. 1902. (192)
7 —; einz. Nrn — 40 d
Fortsetzg s. u. d. T.: Zeitschrift f. d. preuss. Gerichtsvollzieher-
Verband.
— f. histor. Waffenkde. Schriftleitg: K Koetschau. III. Bd.
Jahrg. 1903—5. 12 Hefte. (376 m. Abb.) 4° Dresd. L z , Exp.
Das Heft 4 —
— f. weibl. Bildg, insbes. f. d. ges. höh. Unterr.-Wesen d.
weibl. Geschlechts. Begründet durch R Schornstein. Hrsg.
v. E Wunder. 29. Jahrg. 1901. 24 Hefte. (1. Heft. 24) 8° L z ,
BG Teubner.   Halbj. 6 — 0 F
— f. Werkzeugmaschinen u. Werkzeuge. Hrsg. v. E Dalchow. 6—9.Jahrg. Oktbr1901—Septbr1905 je 36Nrn. (Nr. 1. 16 m.
1. Heft. 16 m. Abb.) Fol. Berl., S Fischer.   einz. Hefte — 75
— westdeut., f. Gesch. u. Kunst. Hrsg. v. F Hettner u. J
Hansen. 20. u. 21. Jahrg. 1901 u. 2 je 4 Hefte. (1901. 1. Heft.
98) 8° Nebst Korrespondenzbl. je 12 Nrn. 8° Trier, J Lintz.
Je 15 —; Korrespondenzbl. allein je 5 —
— dass. Begründet v. F Hettner u. K Lamprecht. Hrsg. v. H
Graeven, J Hansen (u. H Lehner). 22—24. Jahrg. 1903—5 je 4
Hefte. (1903. 1. Heft. 115 m. 1 Taf.) Nebst Korrespondenzbl.
Je 12 Nrn. 8° Ebd. Je 15 —; Korrespondenzbl. allein je 5 —
— dass. X—XII. Ergänzgsheft. 8° Ebd.   8.60 (I—XII.; 52.60)
Bericht üb. d. 1. Verbandstag d. west- u. süddent. Ver. f. römisch-ger-
man. Altertumsforschg, Trier '01. (67) 01. [X.] 1.60; f. Abnehmer d.
Zeitschrift 1.30
Dahm, O; Die Feldzüge d. Germanicus in Deutschl. (142 m. Fig. u.
Anl.) 02. [X.]   5—;
Loesch, H v.; Die Kölner Kaufmannsgilde im 12. Jahrh. (91) 04. [XII.]
2 —; f. Abnehmer d. Zeitschrift 1.60

Zeitschrift f. vaterländ. Gesch. u. Altertumskde. Hrsg. v. d. Ver.
f. Gesch. u. Altertumskde Westfalens, durch C Mertens u.
A Pieper. 58—62. Bd 8° Münst., Regensberg.   Je 9 —
58. (302 u. 241 m. 1 Lichtdr. u. 1 Pl.) 1900. § 59. (364 u. 221) 01. § 60. Nebst:
Historisch-geograph. Register zu Bd 1—50, bearb. v. A Bömer. 1. Lfg.
(210, 237 u. 160) 02. § 61. (222, 223 m. Abb., 3 Taf. u. 1. Pl. m. Reg. 2. u.
3. Lfg. 76 u. 161—426) 03. § 62. (264 u. 253) 04.
— dass. Historisch-geograph. Reg. zu Bd 1—50, bearb. v. A
Bömer. 4—6. Lfg. (2. Bd. 477) 8° Ebd. 05.   4.50 d
Lfg 1—3 wurden d. Zeitschrift unberechnet beigegeben.
— d. westpreuss. Gesch.-Ver. (Red.-Commission: Damus,
Günther, Kruse.) 43—47. Heft. 8° Danz., (L Saunier). nn 25 —
43. (279) 01. nn 5 — § 44. (264) 02. nn 5 — § 45. (228) 03. nn 5 — § 46. (139)
04. 3 — § 47. (279 m. 4 Taf.) 04. 7 —
— f. Wohngswesen. Hrsg. u. red. v. H Albrecht. 1—4. Jahrg.
Oktbr 1902—Septbr 1906 je 24 Nrn. (Nr. 1. 16) 8° Berl., C Heymann.   Halbj. 4 —; einz. Nrn — 40
— wiss., f. Xenol., z. exakten Erforschg d. sog. okkulten
Thatsachen u. d. z. Z. noch fremden Energieformen im Menschen u. in d. Natur. Hrsg.: F Maack. 2. Bd. (202) 8° Hamburg
(St. Pauli, Marktstr. 23), Dr. F Maack 01-02.   6 —
(1. u. 2. Bd, 9 Nrn: 6 —) 0 F
— d. Ver. deut. Zeichenlehrer. Red.: F Kleist u., seit 1904,
H Grothmann. 28—32. Jahrg. 1901—5 je 33 Nrn. (Nr. 1. 16)
8° Stade, (A Pockwitz).   Halbj. 4 —; einz. Nrn — 50
— f. Ziegenzucht. Hrsg. v. C Nörner u., seit 1903, Momsen.
1—3. Jahrg. 1901—5 je 12 Nrn. (Nr. 1. 16) 8° L z , RC Schmidt
& Co.   Je 1.20; einz. Nrn — 20 d
— f. dent. Zivilprozess u. d. Verfahren in Angelegenh. d.
freiwill. Gerichtsbark. Begründet v. R Busch. Hrsg. v. M
Schultzenstein u. F Vierhaus. 29—35. Bd je 4 Hefte. (29—
34. Bd. 590, 623, 582, 614, 620 u. 582) 8° Berl., C Heymann 01-05.
Je 12 —; geb. je nn 14.50
Bis z. 31. Bde u. d. T.: Zeitschrift f. deut. Civilprozess.
— dass. Generalreg. zu Bd 21—30. (223) 8° Ebd. 03.   3 —
— f. Zollwesen u. Reichssteuern. Hrsg. u. red. v. Kunckel,
1905 v. Hausbrand. 1—5. Bd. 1901—5 je 8 Nrn. ('04. 256) 4°
Ebd.   Je 8 —; einz. Nrn 1.25 d
— f. wiss. Zool., begründet v. CT v. Siebold u. A v. Kölliker, hrsg. v. A v. Kölliker u. E Ehlers. 69—79. Bd je
4 Hefte; 80. Bd, 1. u. 2. Heft; 81. u. 83. Bd. 8° Lpzg, W Engelmann.
69. (621 m. 45 Taf.) 01. 54 — § 70. (732 m. 33 Taf.) 01. 52 — § 71. (707 m.
46 Taf.) 02. 54 — § 72. (749 m. 8 Schwarz u. m. 30 Taf.) 02. 66 — § 73. (682
m. 40 Taf.) 02.02. 54 — § 74. (710 m. 36 Taf.) 03. 57 — § 75. (705 m. 35 Taf.)
03. 50 — § 76. (673 m. 32 Taf.) 04. 52 — § 77. (651 m. 31 Taf.) 04. 46 — § 78.
(750 m. 7 Taf.) 04. 52 — § 79. (619 m. 30 Taf.) 05. 48 —; 80. (m. 5 Taf.)
Lif. (292 m. 15 Taf.) 05. 27 — § 82.05. [Festschrift, Hrn Prof. Dr. Ernst
Ehlers gewidmet. 2 Bde.) (692 m. 34 Taf. u. 741 m. 37 Taf. u. 6 Furchgs-
taf.) 05. 100 —
Der Schluss d. 80. Bds, sowie Bd 81 sind 1906 erschienen.
— f. Zuckerindustrie in Böhmen. Red. v. M Nevole u. F
Herles. Red.: F Herles. 25—30. Jahrg. Oktbr 1900—Septbr 1906
je 11 Hefte. (25. Jahrg. 2. Heft. 81) 8° Prag, (F Řivnáč).
Je 17 —
— dass. 1—25. Bd. (Jahrg. 1876/77—1900/01.) Autoren- u. Sach-
Reg. (186) 8° Ebd. 03.   nn 2 —
— d. Ver. d. deut. Zucker-Industrie. General-Reg. zu
Bd 43—52 (Jahrg. 1893—1902. Lfg. 444—563). Bearb. v. O
Schrefeld. (373) 8° Berl., (R Friedländer & S.). Geb. nn 6 —
— österr.-ungar., f. Zuckerindustrie u. Landw. Hrsg. v.
Centralver. f. Rübenzucker-Industrie in d. Oesterr.-Ungar.
Monarchie. Red. v. F Strohmer. 30—34. Jahrg. 1901—5 je
6 Hefte. (1901. 1. Heft. 220 m. 12 Taf.) 8° Wien, (W Frick).
Je 32 —

Zeitschriften, Sammel- u. Fortsetzungswerke d. Bibliothek
d. Gehe-Stiftg zu Dresden. 1901. (51 m. 1 Taf.) 8° Dresd.,
v. Zahn & J. (01).   — 60 d
Bildet d. Fortsetzg zu: Katalog d. Bibl. d. Ges.-Stiftg zu Dresden.
— **Zeitschriftenschau**, volkskundl., f. 1903, hrsg. v. A Strack.
(281) 8° L z , BG Teubner 05. 7 —; m. d. 3. Bde d. „Hess. Blätter
f. Volkskde" in 1 Bd geb. 12.90 d
— **Zeitschriften-Verzeichnis** d. schweiz. Bibliotheken, umfassend
d. im J. 1902 geh. Periodica u. Serien. Hrsg. v. d. Vereinigg
schweiz. Bibliothekare. 1—3. Heft. 8° Zür., (A Müller's V.) 04.
nn 2.50 Vergr.

— **Zeitschwingen**. Hrsg.: HC Jüngst. 2. Heft. (48) 8°
Berl., R. Eckstein Nf.   — 50 d 0 F
Der 1. Bd war nicht zu erhalten.
— die. Monatsschrift f. Volksbildg, Aufklärg u. Unterhaltg.
Hrsg. u. Red.: A Behr. 12. u. 13. Jahrg. 1901 u. 2 je 12 Hefte.
(1. Heft. 32) 8° Saaz i/Böhmen (Mlynarschen Nr. 580), A Behr.
Je 4.80 d

Zeitspiegel, humorist., od. lust. Deutg v. 500 Fremd- n. and.
Wörtern durch a. Kritikus, (48) 8° Zür., C Schmidt 04.   — 60 d
— **Zeitstimmen**. Monatsschrift f. Lit. u. Kritik. Hrsg. v. Ver. d.
Lit.-Freunde. Schriftleiter: RW Enzio. Der „Rhein. Rund-
schau" 3. Jahrg. 1904. 12 Hefte. (1—6. Heft. 152) 8° Tuttenhendf.
(Janer, O Hüllmann).   nn 5 — d
Nr. 1 erschien noch in Cöln-Bayenthal. — Bildet zugl. d. Fortsetzg
v.: Janus.
— dass. Hrsg. u. Chefred.: ER Salbey. Red.: L Freudenthal u.
H Ludwig. 4. Jahrg. 1905. 12 Hefte. (1. Heft. 32) 8° Erf. (Lpzg,
Fritzsche & Schmidt).   5 — d
— protestant. XI. Ein Beitr. z. Oesch. u. ev. Landeskirche in

Preussen währ. d. J. 1898/1901. Von e. Laien. (59) 8° Berl.,
J Springer 01.   1 — d
Zeittafel d. Verkehrswesens. Entwickelgsgesch. d. Post-,
Telegr.- u. Fernsprechwesens, nebst Gesetzestaf. (38) 8° Berl.
(O 27, Blumenstr. 87), (RF Funcke) 1900.   1 —
Zeittafeln f. d. Unterr. in d. Gesch. an d. ob. Kl. d. höh. Schulen
Württembergs. 9. Afl. (15) 8° Stuttg., JB Metzler 05. nn — 20
Zeitung, Wiener akadem. Unpolit. Organ f. akadem. Publi-
zistik, Standesinteressen, Wiss., Kunst u. Lit. Hrsg. u. Red.:
O Wessetzky. 1. Jahrg. April—Dezbr 1905. 39 Nrn. (Nr. 1. 12
m. Abb.) 4° Wien (Esterhazyg. 28), Administr. Viertelj. 2.50 ;
          einz. Nrn — 20 d
— allg.Beil. Ausg.inWochenheften. Hrsg.: O Bulle. Jahrg.1901
—4 je 52 Hefte. (1901. 1. Heft. 8, 8, 8 u. 8) 4° Münch., Bayer.
Druckerei u. Verl.-Anst. [Jahrg. 65. 1. Halbj. Jan.—Juni.
       Viertelj. 5 —; einz. Hefte — 50 d ö F
— d. Unterstützgsver. f. Architekten, Ingenieure u. Techniker zu Berlin. Red.: A v. Goedecke. 2. Jahrg. April 1905—März
1906. 18 Nrn. (Nr. 1—6. 52 m. Abb.) 4° Berl. (W. 57, Pots-
damerstr.56, Gartenhaus pt.), Geschäftsstelled. Unterstützgs-
          ver.   Viertelj. 1 —
*Erschien April—Septbr monatlich, v. da an 2mal monatlich. —
Der 1. Jahrg. ist nicht im Handel.*
— balneolog. Offiz. Organ d.Ver. d. Kurorte, Bäder u.Mineral-
quellen-Interessenten Deutschlds, Oesterr.-Ungarns u. d.
Schweiz. Hrsg. u. red. v. P Petzold. 12. u. 13. Jahrg. 1901 u. 2
je 36 Nrn. (1901. Nr. 1. 8) Fol. Berl. (S.W.46, Möckernstr. 144),
Exp. [14. Jahrg. 1. Halbj. Jan.—Juni 1903. 18 Nrn.
    Viertelj. postfrei nn 2.50 ; cinz. Nrn nn — 30
— dass. 14. Jahrg. 2. Halbj. Red. v. Kionka u. P Zunk. Juli—
Dezbr 1903. 18 Nrn. Fol. [15. u. 16. Jahrg. 1904 u. 5 je 36 Nrn.
          Viertelj. 2.25
— berg-u. hüttenmänn. Red. 1901: G Köhler u. F Kohlbeck,
1902: Köhler u. Schertel, 1905: Köhler u. O Doeltz, 1904:
Köhler u. F Peters. 60—63. Jahrg. 1901—4 je 52 Nrn. (Nr. 1.
16 m. Abb.) 4° Lpzg, A Felix.   Viertelj. 6.50 ö F
Mit „Glückauf" vereinigt.
— allg., f. Bienenzucht. Mit d. Beil.: Blätter f. Haus- u.
Landw., Sport u. Gesundheitspflege. Begründet u. hrsg. v.
M Kuchenmüller. Oktbr 1903—Septbr 1904. 12 Nrn. (Nr. 5. 12
m.Abb.) 4° Konst. (Lpzg, Fritzsche & Schmidt.) 1 — [Jahrg. 1905
   u. 6. (Oktbr 1904—Septbr 1906.) Je 24 Nrn. Halbj. 1 — d
— illustr., f. Blechindustrie. (Früher: Deut. Blätter f.Blech-
arbeiter.) Red.: W Blossfeldt. 30—34. Jahrg. 1901—5 je 52 Nrn.
(Nr. 1. 48) Fol. [, F Stoll jr.   Je 6 — d
— botan. Red.: H Graf zu Solms-Laubach, F Oltmanns. 59—
63. Jahrg. 1901—5 je 12 Hefte u. 24 Nrn. (1901. Nr. 1. 16 Sp.)
4° L z , A Felix.   Je 24 —
— illustr., f. Buchbinderei u. Cartonnagenfabrikation, sowie
f. sämmtl. verwandte Fächer, Portefeuille-, Album- u. Mappen-
fabrikation. Zugl. Organ f. d. Papierhandel. Red.: O Loewenstein. 34. u. 35. Jahrg. Juli 1901—Dezbr 1902 od. 60—62. Bd je
26 Nrn. (Nr. 1. 10) 4° Berl., Verl. d. Zeitg f. Breubbinderei.
[36. Jahrg. 1903 od. 63. u. 64. Bd. 52 Nrn. Viertelj. 1 — d
Fortsetzg s. u. d. T.: Archiv f. Buchbinderei.
— deutsch-südwestafrikan., früher Windhoeker Anzeiger. Red.: G Wasserfall. 5. Jahrg. 1903. 52 Nrn. (Nr. 1. 4)
46×29.5 cm. Swakopmund. (Berl., W Baensch.) Halbj. 4.50 ; m.
d. landw. Beil. (12 Nrn.) 5.50 [6. u. 7. Jahrg. 1904 u. 5. Halbj. 6 —
— d. Ver. deut.Eisenb.-Verwaltgn. Schriftleiter: v. Mühlenfels. 41—45. Jahrg. 1901—5 je etwa 104 Nrn. (1586, 1570, 1542,
1598 u. 1532) 4° Berl., J Springer.   Halbj. 8 —
— (Stettiner) entomolog. Hrsg. v. d. entomolog. Ver. zu
Stettin. 62. Jahrg. 1901 [# Nrn u. 83—66. Jahrg. 1902—5. (396,
384, 372, 418 u. 392 m. 2, 2, 5, 5 u. 5 Taf.) 8° Stett. (Berl.,
R Friedländer & S.)   Je 12 —
— Wiener entomolog. Gegründet. red. u. hrsg. v. E Reitter,
FA Wachtl. 20.Jahrg.1901.10 Hefte. (1.u.2.Heft. 48 m.1 Bildnis.)
8° Wien. (Berl., R Friedländer & S.)   nn 9 —
— dass. Gegr. v. L Ganglbauer, F Löw, J Mik, E Reitter, F
Wachtl. Red. u. hrsg. v. A Hetschko u. E Reitter. 21—24. Jahrg.
1902—5 je 10 Hefte. (1902. 1. Heft. 28 m. Fig. u. 1 Taf.) 8°
Ebd.   Je nn 9 —
— f. Feuerlöschwesen. 34—38. Jahrg. 1901—5 je 24 Nrn.
(1901. Nr. 1. 8) 4° Münch., PL Jung. Halbj. 1.80; cinz.Nrn —15 d
— offic., d. internat. Ausstellg f. Feuerschutz u. Feuer-
rettgswesen Berlin 1901. Red.: P Kunzendorf. (Nr. 1. 16) Fol.
Berl., M Pasch. Für d. Dauer d. Ausstellg 12 —; einz. Nrn —15
— f. d. Gas- u. Wasserfach, elektr. Anlagen aller Art,
Heizgs- u. Beleuchtgswesen, sowie Hydraulik. Red.: P Mayer-
Besselich u., seit 1905, M Heins. 32—36. Jahrg. 1901—5 je 52 Nrn.
(1901. Nr. 13 u. 14. 4 u. 2) Fol. Trier, N Besselich. (Nur die.)
          Je postfrei 14 —
— allg. homöopath. Hrsg. u. Schriftleiter: Mossa u. (1905)
A Stiegele. 142—151. Bd. Jahrg. 1901—5 je 26 Doppelnrn. (Nr. 1
u. 2. 16) 4° L z , A Marggraf. Der Bd 10.50; einz. Nrn — 50
— illustr. Red.: F Metsch. Jahrg. 1901—5 od. 116—125. Bd.
Jährlich 52 Nrn. (116. Bd. Nr. 1. 36 m. 1 Taf.) 42×30 cm.
L z , JJ Weber.   Viertelj. 7.50 ; 1 Bd geb. in L z 12 —
          cinz. Nrn 1 — d
— Berliner illustr. Red.: H Dupont u., seit 1902, N Falk.
10—14.Jahrg. 1901—5 je 53—58 Nrn. (70—5 : 834, 838, 868 u. 922)
Fol. Berl., Ullstein & Co.   Viertelj. 1.30; einz. Nrn — 10 d
— süddeut. illustr., s.: Familienfreund, d.
— dent. israelit. Organ f. d. Ges.-Interessen d. Judenthums,

m. d. Beil. „Die Laubhütte", israelit. Familienbl. Hrsg. v.
S Meyer. 18—22. Jahrg. 1901—5 je 52 Nrn. (1901. Nr. 1. 16) 4°
Rgnsbg, (H Bauhof).   Viertelj. 2.25 d
Bisher u. d. T.: „Die Laubhütte".
Zeitung, allg., d. Judentums. Nebst Beil.: Der Gemeinde-
bote. Begründet v. L Philippson. Red.: G Karpeles. Verantwortlich: M Bauchwitz. 65—69. Jahrg. 1901—5 je 52 Nrn.
(Nr. 1. 12 u. 4) 4° Berl., R Mosse.   Viertelj. 3 — ;
          cinz. Nrn — 30 d
— f. Kaninchen-Züchter, s.: Vogelsberg, KR.
— Königsberger Hartungsche. Sondernummer z. Gedächt-
nisstage d. 100jähr. Todestages Immanuel Kants. (10 m. Abb.) 49×
35 cm. Königsbg, Hartung (04).   — 50 d
— deut. allg. f. Landw. m. landw. Handelszeitg. Vereinigt
m. d. „Hess. Landwirth" u. d „Landw. Zeitg u. Anzeiger"
in Kassel. Red.: Leithiger u. A Grain. 25—28. Jahrg. 1901—4
je 52 Nrn. (1901. Nr. 1. 8) Fol. Frankf. a/M., Annoncen-Exp.
Daube & Co.   Viertelj. 2 — d
Fortsetzg s. u. d. T.: Bund d. Landwirts f. Südwest-Deutschl.
— landw., s.: Fühling.
— braunschweig. landw. Schriftleitg: Pommer. 59—73.Jahrg.
1901—5 je 52 Nrn. (1901. Nr. 1. 6) 40,5×38 cm. Braunschw., JH
Meyer.   Je 6 — d
— landw., f. ganz Deutschl. Allg. Zeitg f. deut. Land- u.
Forstwirte. 65—67. Jahrg. Landw. u. Industrie 83—85. Jahrg.
Hrsg.: Homuth. Nebst Beil.: Die deut. Hausfrau. 14—16.Jahrg.
1902—4 je 52 Nrn. (Nr.1. 16) 4° Berl. Halberst., Landw. Zeitg
f. ganz Deutschl.   Viertelj. 2 — d
Fortsetzg in Eberswalde, aber nicht mehr im Buchh.
— illustr. landw. (Früher „Landw. Tierzucht" Bunzlau.) Amtl.
Organ d. Bundes d. Landwirte. Red.: Frbr v. Dobeneck, f.
d. Handels- u. geschäftl. Tl: E Mallon. 21—24. Jahrg. 1901—4
je 104 Nrn. (Nr. 1. 4) Mit Beil.: Blätter f. d. deut. Hausfrau.
Red.: E Stosch. Je 52 Nrn. (Nr. 1. 4) 42,5×29,5 cm. (seit
1904) Maschinen-Zeitg. Red.: L Mayer. Je 24 Nrn. (Nr. 1. 12
m. Abb.) 4° Berl., Verl. d. Deut. Tages-Zeitg. Viertelj. 2 —
          einz. Nrn — 20 d
— dass. 25. Jahrg. 1905. 104 Nrn. (Nr. 1. 26 m. 2 Taf.) Mit Beil.:
Landw. Marktzeitg (früher Getreidemarkt). 6.Jahrg. (Nr. 1. 4)
Blätter f. d. deut. Hausfrau. Red.: E Stosch. 52 Nrn. (Nr. 1. 4)
42,5×29,5 cm u. Maschinen-Zeitg. Red.: L z . Je 24 Nrn.
(Nr. 1. 12 m. Abb.) 8° Ebd. Viertelj. 3 —; cinz. Nrn — 20 d
— thüringer landw. Prakt. Wochenschrift f. d. mitteldeut.
Landw. Schriftleitg: F Moszeik. Für Oertliches u. Anzeiger:
Günte. 40—42. Jahrg. 1902—4 je 52 Nrn. (Nr. 1. 7. 561
4° Wein. (Lpzg, H Voigt.)   Je 3.50 d ö F
— Wiener landw. Hrsg.: HH, R u. H Hitschmann. Red.: JL
Schuster,A Lill u.R Hitschmann. Verantwortlich: JL Schuster.
51—55. Jahrg. 1901—5 je 104 Nrn. (1901. Nr. 1. 12 m. Abb.)
46.5×31.5 cm. Wien, (C Gerold's S.)   Viertelj. 2 — d
— Königsberger landw. forstw. f. d. nordöstl. Deutschl.
Red.: Boehme. 37—41. Jahrg. 1901—5 je 52 Nrn. (1901. Nr. 1—36.
232) 44×30 cm. Königsbg, (F Beyer).   Viertelj. nn 1.50 d
— Strassburger medizin. Red. v. A Levy u. J Klein. 1. u.
2. Jahrg. 1904 u.5 je 12 Hefte. ('04: 338) 8° Strassbg, L Beust.
       Viertelj. 2.50; einz. Hefte 1 —
*Bildet zugl. d. Fortsetzg zu: Archiv f. öffentl. Gesundheitspflege in
Elsass-L.*
— allg. Wiener medizin. Begründet v. B Kraus. Hrsg. u. Red.:
E Kraus. 46—50. Jahrg. 1901—5 je 52 Nrn. (1901. 12) Fol.
Wien, (Manz).   Je 24 —
— pädagog. Hrsg. v. Berliner Lehrerver. Red.: G Röbl u.,
seit 1903, W Pässler. Mit d. (monatl. Beil.: Litterar. Beil.
Rechtsbeil., Jugendschriften-Warte u., seit 1904, statist. Beil.
30—34.Jahrg. 1901—5 je 52 Nrn. (1901. Nr. 1. 16 u. 8) 4° Berl.
(W & S Loewenthal).   Viertelj. nn 1.75
— neue pädagog. Red. f. d. schulpolit. Tl: F Schreck, f. d.
übr. Inhalt: C Schröder. 28. Jahrg. 1904. 52 Nrn. (1210) 4°
Mgdbg, Friese & Fuhrmann.   Viertelj. nnn 1 — ö H
— pharmazeut. Begründet v. H Mueller. Red.: H Böttger.
46—50. Jahrg. 1901—5 je 52 Nrn. (1086, 1034, 1000, 1118 u. 1100
m. Abb.) Fol. Berl., J Springer.   Viertelj. 2.50
— d. Verbandes deut. Privateisenb.-Beamten. Schriftleitg: H Oesten. 1. Jahrg. Juli—Dezbr 1901. 6 Nrn. (8 m. Abb.)
8° Fol. Berl., A Bodenburg. [2—5. Jahrg. 1902—5.
          Viertelj. 1.25 d
— f. Spiritus- u. Stärke-Industrie, sowie d. Presshefe-,
Essig-, Dextrin-, Syrup- u. Stärkezucker-Fabrikation (früher
Zeitschrift f. Stärke-Industrie). 3. Jahrg. Novbr 1901—Dezbr
1902. 14 Nrn. (6. 13 m. 1 Abb.) 4° L z , RC Schmidt & Co.
[4—6. Jahrg. 1903—5. Je 24 Nrn.   Halbj. 5 —
Erschien bis Nr. 5 d. 3. Jahrg. u. d. T.: Zeitschrift f. Stärke-Industr.
— neue illustr., f. Gabelsb.'sche Stenogr. 27—29. Jahrg. Juli
1901—Juni 1906 je 12 Hefte. (1. Heft. 20) 4° L z , E Trachbrodt.   Halbj. 3 — d
— kaiserl.Wiener. Jubiläums-Festnummer. 8.VIII 1703. 1903.
(156 m. Abb. u. 10 faks. S. m. 1 Taf.) 42×50 cm. Wien, (Goldschmiedt).   nn 1 — d
Zeitungsleser, d. gebildete, s.: Der Vielwisser, Auskunfts-
Lexikon. (79) 8° Neuweissens., E Bartels (o. J.).   3 — d
Zeitvertreib, lust. Malbüchl. f. art. Kinder. (8 m. z. Tl farb.
Abb.) 12° Konst., C Hirsch (01).   — 10 d
— mein. Zeichenbuch. (16 m. Abb. ohne Texte, m. Pausen.) 16°
Hannov., A Molling & Co. (01).   — 15 d

Zeitvertreibs-Kalender, Römhilder, f. 1906. (72 m. Abb.) 8°
Hildburgh., FW Gadow & S. — 18 d
Zeitz, K: Kriegserinnergn e. Feldzugsfreiwilligen a. d. J. 1870
u. 71. 5. Afl. (920 m. Abb. u. 1 Karte.) 8° Altnbg, S Geibel (03).
8.50; L. 10 — d
— dass. Jugend-(kl.)Ausg., bearb. v. K Horn. 1—5. Afl. (415
m. Abb. u. 1 Karte.) 8° Ebd. (05). 3 —; L. 4 — d
Zelak, D: Tieck u. Shakespeare. Beitrag z. Gesch. d. Shakespeareomanie in Deutschl. (72) 8° Tarnopol 02. (L z , Bh. G
Fock.) 3 —
Zelau, C v.: Nordafrikan. Touristenfahrten (Algerien, Tunisien,
Tanger). (148 m. Abb.) 8° Hannov., Dr. M Jänecke 04. 3 —;
geb. 4 — d
Zelenka, EK: Altkathol. Handbüchl. 5. Ausg. n. d. Stande v.
1.IX.'05. (70) 8° Bad.-B., E Sommermeyer 05. nn — 25 d
Die 1. u. 2. Ausg. erschienen ohne Angabe e. Bearbeiters.
— Wesen u. Wirkg d. röm. Systems u. d. Mittel zu sr Abwehr.
(87) 8° Halle, E Strien 02. 1 — d
Zelger, F, s.: Festreden an d. Schlachtfeier in Sempach.
Zell, C v.: Detta. Wer war's?, s.: Kürschner's, J, Bücherschatz.
— Heimatlos, s.: Weber's moderne Bibliothek.
Zell, F: Bauern-Trachten a. d. bayer. Hochland. 30 (z. Tl
farb.) Taf. m. illustr. Text. (8) 47×34,5 cm. Münch., Verein.
Kunstanst. 03. In M. 40 — d
— s.: Kalender f. d. süddeut. Baumeister.
— Volkskunst im Allgäu. Orig.-Aufnahmen a. d. Ausstellg f.
„Volkskunst u.Heimatkde" in Kaufbeuren—Septbr1901. 6 Lfgn.
(75 m. Abb. u. 36 Taf.) 4° Münch., Verein. Kunstanst. (02.03).
Je in 2.50; in 1 Bd geb. 20 — d
Zell, T: Das rechn. Pferd. Gutachten üb. d. „Klugen Hans"
auf Grund eig. Beobachtgn. (80) 8° Berl., R Dietze 04. 1 — d
— Polyphem e. Gorilla. Eine naturwiss. u. staatsrechtl. Untersuchg v. Homers Odyssee Buch IX V. 105 ffge. (184) 8°
Berl., W Junk 01. 3.50 d
— Ist d. Tier unvernünftig? Neue Einblicke in d. Tierseele.
1—9. Afl. (198) 8° Stuttg., Franckh (04.05). 2 —; geb. 3 — d
— Tierfabeln n. and. Irrtümer in d. Tierkde. 1—3. Afl. (84 m.
1 Taf.) 8° Ebd. (05). 1 —; geb. 2 — d
Zell-Thom, P: Illustr. Hdb. d. Damenschneiderei, Putzmacherei
u. Weissnäherei, d. Wäscherei u. Bügelei, d. Stick-u. Häkelkunst. Mit 36 Vorlagetaf. v. G Triepel. 34 Lfgn. (232) 8°
Lpzg, HEF Reisner 03. Je —15; in 1 L.-Bd 5 — d
— Die Puppen-Schneiderin. Illustr. Lehrbüchl. (31 m. 12 Schnittmuster- u. Modell-Taf.) 8° Ebd. 04. 1 — d
— Viktoria-Lehrb. d. Damenschneiderei. 8—21. Afl. (67 m. 1
Farbdr.) 8° L z , Deut. Moden- u. Schnittmuster-Industrie
03. 1.80 d
Zelle, F: Das 1. ev. Choralb. (Osiander, 1586.) (12, 20) 4° Berl.,
Weidmann 03. 1 — d
— s.: Haus-Gesangbuch, d. ält. luther.
— Klosterbuch d. 19. Jahrh. Verz. d. Lehrer u. Schüler d.
Berlin. Gymnasiums z. grauen Kloster 1804—1903. (64) 8°
Berl., Weidmann 04. 1 — d
Zelle, R: Hdb. d. gelt. öffentl. u. bürgerl. Rechts. 5. Afl. v.
R Korn u. G Langerhans. (20, 629) 8° Berl., J Springer 04.
L. 7.50 d
— Die Städteordng v. 1853 in ihrer heut. Gestalt nebst d.
Kommunalabgabenges. u. Nebenges. 4. Afl. (132) 8° Ebd. 03.
Kart. 1.60 d
Zelle, W: 1812. Das Völkerdrama in Russl. (254 m. 1 Karte.)
8° Brnschw. 03. L z , R Sattler. 3 — d
— 1813. Preussens Völkerfrühling. (522) 8° Ebd. 05. 4 — d
— Wer hat Ernst Winter ermordet? (24) 8° Ebd. 04. — 50 d
Zeller u. Beuggen. 2. Afl. [S.-A.] (64 m. 1 Bildnis.) 8° Bas.,
(Basler Missionsbh.) 1899. — 35 d
Zeller, Mutter, in Beuggen. 4. Afl. (92) 8° Bas., Kober 01.
— 50; L. 1.20 d
Zeller, A: Das Heidelberger Schloss. Werden, Zerfall u. Zukunft. 12 Vortr. (144 m. Abb. u. 34 Taf.) 4° Karlsr., G Braunsche Hofbuchdr. 05. L. 12 —
— Burg Hornberg am Neckar. (60 m. Abb. u. 11 Taf.) Fol.
Lpzg, (KW Hiersemann) 03. 10 — d
— Die Stiftskirche St. Peter zu Wimpfen im Tal. Baugesch.
u. Bauaufnahme. Grundsätze ihrer Wiederherstellg. (100 Sp.
m. Abb. u. 32 Taf.) 44×31 cm. Wimpf. 03. (Lpzg, KW Hiersemann.) In L.-M. 48 —
Zeller, A: Trost u. Rat. Aus d. Nachlass ges. (31, 107) 8° Bas.,
Helbing & L. 01. L. 3 — d
Zeller, A: Erläutergn z. kl. Zeichenschüler. 4. Afl. Für d.
Gebr. d. Lehrers sowie z. Selbstunterr. (60 m. Abb.) 8° Strassbg,
Strassb. Druckerei u. Verl.-Anst. (01). Kart. 1 — d
— Der kl. Zeichenschüler. Methodisch geordn. Zeichenkurs.
I—IV u. VI—VIII. Heft. (Je 12 Bl.) 4° Ebd. Je — 15 d
I. 125. Afl. (05). II. 122. Afl. (05.) III. 114. Afl. 05. ⋕ IV. 74. Afl. (05.)
VI. 33. Afl. 1900. ⋕ VII. 22. Afl. 1900. ⋕ VIII. 17. Afl. (03.)
Zeller, B: Gedanken üb. d. edelste Frucht d. Geistes, d. Liebe.
(Für alle Tage d. Monats.) 3. Afl. (51) 12° Bas., (Basler Missionsbh.) 02. nn — 85 d
Zeller, C: 9 Weihnachtsbäume, s.: „Vergissmeinnicht"-Erzählungen.
Zeller, CH: Ueb. d. Anbetg Christi. [S.-A.] (16) 8° Lichtenth.
Gernsb., Christl. Kolportage-Ver. — 06 d
— 01 von menschl. Krankh. u. deren göttl. Zwecken. 4. Afl. [S.-
A.] (16) 12° Bas., (Basler Missionsbh.) 1896. — 10 d

Zeller, E: Erziehgsfehler. Vortr. (40) 8° Bas., Helbing & L. 05.
— 50 d
— Erzbischof Fenelon v. Cambray. Lebensbild a. d. Zeit Ludwigs XIV. (74 m. 1 Bildnis.) 12° Bas., (Basler Missionsbh.)
1897. — 40 d
Zeller, E: Grundr. d. Gesch. d. griech. Philosophie. 7. Afl.
(324) 8° Lpzg, OR Reisland 05. 5.20; geb. 6 —
— Die Philosophie d. Griechen in ihrer geschichtl. Entwicklg.
III. Thl, 2. Abth. Die nacharistotel. Philosophie, 2. Hlfte.
4. Afl. (931) 8° Ebd. 03. 20 —
Zeller, E: Andachten f. Kinder. (48) 12° Bas., Kober 03. — 40 d
— Der Einfl. d. Gebetes auf unser relig. Leben. Referat. (11)
8° Bern (Münzrain 3), Generalsekretariat d. christl. Studentenkonferenz O Lauterburg (03). nn — 20
Zeller, F: Stammbaum u. Chronik d. Familie Zeller a. Martinszell in Bayern v. 1500—1900. (288 m. 1 Ansicht u. 8 Bildnissen.) 8° Prag, JG Calve 04. 8 — d
Zeller, F: Lese- u. Sprachb., f. allg. Volkssch. in Tirol. (In
3 Tln.) I. u. II. Tl. 8° Innsbr., Vereinsbh. & Buchdr. Geb. 1.50 d
I. 3 Tln. m. Abb.] 05. — 50 ⋕ II. 3. Afl. (186 m. 1 Bildnis.) 05. 1 —
Zeller, H: Frisch auf! Gedichte in oberbayer. Mundart. (123)
8° Stuttg., A Bonz & Co. 03. L. 3 — d
Zeller, J: Doktors Kinder. Erzählg. (44) 12° Bas., Kober 01.
— 25 d
Zeller, R: Frühe! Täglich! Heute! Immer wieder! Mahnwort.
5. Afl. (32) 12° Bas., Kober 02. nn — 12 d
Zeller, S: Gerne will ich sie lieben. Betrachtgn üb. Hosea 14.
(324) 8° Männedf (02). (Stuttg., Bh. d. deut. Philadelphia-Ver.)
nn 1.90; geb. nn 2 — d
— Haus-Andachten. Geh. in Männedorf. 8. Afl. (77) 8° Bas.,
Kober 03. — 30 d
— Der HErr segne dich u. behüte dich! Betrachtg üb. 4. Mose
6, 22—27. 2. Afl. (41 m. Titelbild.) 8° Männedf.(04). (Stuttg.,
Bh. d. deut. Philadelphia-Ver.) nn — 50 d
— Strafe u. Trost. 6 Betrachtgn üb. Bibel-Abschnitte. 7. Afl.
(79) 8° Bas., Kober 05. nn — 45 d ⋕ Kart. L. 1.20 d
Zeller-Werdmüller, H: Das Fraumünster in Zürich, s.: Rahn
JR.
— s.: Sigelabbildungen z. Urkundenb. d. Stadt u. Landsch.
Zürich. — Stadtbücher, d. Zürcher, d. XIV. u. XV. Jahrh.
Zellmann, JA: Dora. Erzählg. (307) 8° Strassbg, J Singer 06.
4 —; L. 5 — d
Zellmer, W: Lehrb. d. brandenb.-preuss. Gesch. f. höh. Töchtersch. 5. Afl. (108 m. 1 Karte.) 8° Berl., (A Nauck & Co.) 04.
Geb. 1.90 d
— Lehrb. d. Weltgesch. f. höh. Töchtersch., s.: Wernicke, C.
Zellner, E: Das herald. Ornament in d. Bankunst. (104 m. Abb.)
8° Berl., W Ernst & S. 03. 4 —; geb. 5 —
Zellner, J: Die künstl. Kohlen f. elektrotechn. u. elektrochem.
Zwecke, ihre Herstellg u. Prüfg. (295 m. Fig.) 8° Berl., J
Springer 05. 8 —; L. 9.20
Zellner, M: Ueb. Störgn d. Nahrgstriebes. (30) 8° Freibg i/B.,
Speyer & 01. 1 — d
Zellweger, A: Ein Beitr. z. Kenntnis d. Entwicklg d. Menschen od. d. Skelett d. Menschen, s. Aufbau u. s. fernere
Entwicklg. Vortr. (51) 12° Zür., C Schmidt 02. 2 —
— „Gott". Betrachtgn. Vortr. (72) 8° Ebd. 05. — 80
Zelaki, A: Bilder a. Italien. Reiseskizzen. I. Eine Fahrt durch
d. Abruzzen. II. Volksleben in Neapel. (15) 8° Zitt., A Graun
05. — 30 d
— 3 Tage in Monte Carlo. Nebst e. Anh.: Das Roulettespiel.
(16) 8° Ebd. 05. — 30 d
Zelter, O: Die statutar. Gütererbrechte d. Uebergangszeit in
Preussen. (75) 8° Berl., HW Müller 01. Kart. 3 — d
Zelter, KF: Briefwechsel, s.: Goethe, JW v.
Zeltner, A: Rathgeber in allen Fragen d. Zuständigk. (16) 8°
Wien, (R Lechner & S.) (01). — 48 d
Zema, LM: Quaestiones canonico-liturgicae de sepultura ecclesiastica. (64) 8° Regli Julii 02. (Rom, F Pustet.) 1.20
Zement u. Beton. Illustr. Monatsschrift f. Zement- u. Betonbaukunst. Verantwortlich: E Cramer. 1. Jahrg. Septbr—Dezbr
1903. 3 Nrn. (Nr. 1. 16) 4° Berl., Tonindustrie-Zeitg. 2 — ⋕
2—4. Jahrg. 1903—5 je 12 Nrn. Viertelj. 2 —
Die ersten Nrn erschienen u. d. T.: Cement u. Beton.
Zementbuch (C), d. kleine. Eigenschaften u. Verwendg d. Portland-Cements. Dargest. auf Veranlassg d. Ver. Deut. Portland-Cement-Fabrikanten. (32) 16° Berl., (WH Kühl) 01.
nn — 25 d

Zemke, O: Der Rechtsanwalt im Hause. Selbstvertretg vor
Gericht, unter Berücks. d. neuen bürgerl. Ges., in Klagen,
Anträgen, Zahlgsbefehlen u. Rechtsgeschriften. (120) 8° Erf.,
F Bartholomäus 01. 1 — d
— Der schriftl. Verkehr im geschäftl. Leben. Korrespondenz,
Kontrakte u. Verträge sw. Eingaben u. Gewerbetreib. (111)
8° Ebd. 01. 1 — d
— dass. m. d. Militär-Behörde. Gesuche, Eingaben, Reklamationen. (96) 8° Ebd. 01. 1 — d
— dass. m. d. Polizei- u. Verwaltungsbehörde. Gesuche, Eingaben
u. Reklamationen aller Art, Gesinde-, Miet- u. Pacht-Rechte.
(100) 8° Ebd. (01). 1 — d
— dass. m. d. Steuer-Behörde. Reklamationen u. Anträge betr.
Einkommen-, Gewerbe-, Ergänzgs- u. Gebäudesteuer. (108)
8° Ebd. (01). 1 — d

Zemke, W: Das Rechnen d. Volkssch. Sammlg v. Aufg. 3 Hefte. g° Lpzg, C Merseburger 05.   1 —; Einbde je nn — 12 d I. (2. u. 4. Schulj.) (46) — 22 ‖ II. (3. u. 5. Schulj.) (45) — 25 ‖ III. (7. u. 8. Schulj.) (70 m. Fig.) — 55.

Zemlak, S: Die in Finsternis wandeln. Ruthen. Novellen. Aus d. Franz. v. J Hermann. (231) 8° Lpzg, Fel. Dietrich (05). 4 — d — Unter d. Knute, s.: Engelhorn's allg. Roman-Bibliothek.

Zemurich, J: Leipzig—München u. zurück, s.: Rechts u. links d. Eisenb.

— Sprachgrenze u. Deutschtum in Böhmen. (116 m. 5 Kart.) g° Brnschw., F Vieweg & S. 02.   1.60 d

Zender, M: Bilder a. d. vaterländ. Gesch. Für d. Schulgebr. m. bes. Berücks. d. neueren Zeit u. n. Massgabe d. jüngsten Erlasse bearb. 4. Afl. (143 u. 16 m. Abb. u. Titelbild.) 8° Bresl., F Hirt 02.   1.50 d

— dass. (Kleinere Ausg. f. d. Hand d. Schüler.) (68 u. 18) 8° Ebd. 04.   Kart. — 60 d

— Bonn im Wandel zweier Jahrtaus. Festrede. (20 m. 2 Abb. u. 1 Bildnis.) 8° Bonn, P Hauptmann (04).   — 20 d

Zenetti, P: Der geolog. Aufbau d. bayer. Nord-Schwabens u. d. angrenz. Geb. (143 m. 1 Karte.) 8° Augsbg, (Lampart & Co.) 04.   4 —; L. 4.80

Zenger, KW: Die Meteorol. d. Sonne u. d. Wetter im J. 1850, zugl. e. Wetterprognose f. 1900 u. 1910. (23, 80 m. 1 Taf.) 8° Prag, (F Řivnáč) 01.   2.40

Zenger, M: Frz Schuberts Wirken u. Erdenwallen, s.: Magazin, musikal.

Zenke, E: Hdb. in Form v. Mustern z. prakt. Gebr. bei Anfertigg v. Gesuchen, Urkunden u. Klagen in amtsgerichtl. Angelegenh. u. in Verwaltgs-Sachen. 2. Afl. (105) 8° Osterode, (H Riedel) 1900.   1.50 d

Zenker, EV: Soz. Ethik. (284) 8° Lpzg, GH Wigand 05.   6 —

— Die Gesellschaft. H. Bd. Die sociolog. Theorie. (134) 8° Berl., G Reimer 03.   3 — (I u. II.: 8 —)

— Reform d. Parlamentarismus. (93) 8° Wien, Verl. „Die Wage" 02.   1 —

Zenker, L: Bürgermeister u. Priorin. Volksschausp. a. d. Görlitzer Reformationszeit. (71) 8° Görl., H Tzschaschel 03. 2 — d

Zenker, R: Boeve-Amlethus, s.: Forschungen, literarhistor.

— Die Syzagon-Episode d. Moniage Guillaume. II. Beitrag z. Gesch. d. altfranzös. Nationalepos. [S.-A.] (46) 8° Halle, M Niemeyer 02.   1.60

Zenker, W: Das Walten d. Natur. Streiflichter auf e. neue Weltanschauung in Bezug auf Belenchtg, Erwärmg u. Bewohnbark. d. Himmelskörper. Astrophysisch-metaphys. Hypothese m. d. sich daraus ergeb. Consequenzen auf Ethik u. Relig. sowie d. Möglichk. e. „Weltunterganges". 8. Taus. (100) 8° Brnschw., A Graff (02).   1.20

Zenneck, J: Elektromagnet. Schwingaen u. drahtlose Telegr. (28, 1019 m. Fig.) 8° Stuttg., F Enke 05.   28 —; L. 30 —

Zenner, E: Was muss man v. d. Ölmalerei wissen? (63) 8° Berl., H Steinitz (04).   1 — d

Zenner, J: Beitr. z. Erklärg d. Klagelieder. (42) 8° Freibg i/B., Herder 05.   1.50

Zeno et **Zenonis** discipuli, s.: Stoicorum veterum fragmenta.

Zensor (C), der. Halbmonatsschrift f. Politik, Wiss., Künste a. Litt. Gegen d. Sozialismus u. d. Entartg auf allen Gebieten. Hrsg.: ARH Lehmann. 1. Jahrg. Oktbr—Dezbr 1905. 6 Nrn. (Nr. 1. 32) 8° Berl.-Wilmersdf, H Klee.   3 —; einz. Nrn — 50 d

Fortsetzg war nicht zu erhalten.

Zentenarfeier (C) f. d. am 12.IV.1801 in Berlin geb. Hofpred. Prof. Dr. theol. Otto v. Gerlach. — 1. Gedächtnisspredigt v. O v. Ranke. — 2. Ansprache v. M v. Gerlach. (16) 8° Berl., ES Mittler & S. 01.   — 90 d

Zentral-Adressbuch s.: Adressbuch.

Zentral-Anzeiger (C), ärztl. Red.: Wolter. 16—20. Jahrg. 1901—5 je 52 Nrn. (534, 680, 728, 784 u. 808) 4° Hambg, Gebr. Lüdeking.   Viertelj. — 60

— ('01—3 C) f. d. deut. Braunindustrie. Fachbl. f. Bierbrauerei u. Malzfabrikation. Red.: U Lehmann. 12—16. Jahrg. 1901—5 je 24 Nrn. ('04. 312) 4° Nend., J Neumann.   — 75 d

— (C) chemisch-techn. Fortsetzg v. Deut. Chemiker-Zeitg. 16. Jahrg. Nebst Berliner techn. Anzeigen. 6. Jahrg. 2. Halbj. Juli—Dezbr 1901. 26 Nrn. (Nr. 27. 8) 4° Berl., E Grosser. ‖ 17. Jahrg. 1902. 26 Nrn.   Halbj. 2 —

Bisher u. d. T.: Chemiker-Zeitung, deut.

— (C) d. Goldschmiedekunst u. Bijouteriewaaren-Fabrikation. Red.: R Fix. 22. u. 23. Jahrg. 1901 u. 2 je 26 Nrn. (Nr. 1. 24) 4° Lpzg, H Schlag Nf. Je 2 — ‖ 24. u. 25. Jahrg. 1903 u. 4 je 52 Nrn. ‖ 26. Jahrg. 1905. Red.: O Webel u. R   Garten. Je 3 —

— (C) f. d. ges. Seilerwaaren-Industrie, Fortsetzg, s.: Seiler-Zeitung, deut.

— (C) thierärztl. Red.: Schaefer. 7. u. 8. Jahrg. 1901 u. 2 je 36 Nrn. (Nr. 1. 8) 4° Friedenau-Berl. (Rheinstrasse 21), Kreisthierarzt a. D. Dr. Schaefer.   Je 4 —

Fortsetzg u. d. T.: Rundschau, tierärztl.

Zentralblatt (C) f. Accumulatoren- u. Elementenkde. Hrsg. u. red. v. F Peters. 2. Jahrg. 1901. 24 Nrn. (533 m. Abb.) 4° Halle, W Knapp.   Viertelj. 3 —; einz. Hefte — 50

Fortsetzg u. d. T.:

— (C) f. Accumulatoren-, Elementen- u. Accumobilienkde. Hrsg. v. F Peters. 3. u. 4. Jahrg. 1902 u. 3 je 24

Nrn. (1901. Nr. 1. 16 m. Abb.) 4° Gr. Lichterf.-West, Dr. Frz Peters.   Viertelj. 3 —

Fortsetzg u. d. T.:

Zentralblatt (C) f. Accumulatoren-Technik u. verwandte Gebiete. Internat. Organ f. d. Industrie d. Primär- u. Sekundärelemente u. ihre Hilfs- u. Anwendgstechniken. Hrsg. v. F Peters. 5. u. 6. Jahrg. 1904 u. 5 je 24 Nrn. (Nr. 1. 12 m. Abb.) 4° Gr. Lichterf.-West, Dr. Frz Peters. Viertelj. 3 —; einz. Nrn — 60

— (C) f. Agrikulturchemie, s.: Biedermann.

— f. normale u. patholog. Anatomie m. Einschl. d. Mikrotechnik, hrsg. u. red. v. R Krause u. M Mosse. 1. Bd. 1904. 12 Hefte. (384) 8° Berl., Urban & Schw. 24 —; einz. Hefte 2.50 — dass. u. Mikrotechnik, hrsg. u. red. v. R Krause u. M Mosse. 2. Bd. 1905. 12 Hefte. (1. Heft. 32) 8° Ebd. 24 —; einz. Hefte 2.50

— (C) f. Ansichtskarten-Sammler. 4. Jahrg. 1901. 24 Nrn. (Nr. 1. 16) 8° Nordhausen, A Metzner. (Nur dir.)   2.50

— (C) dass. Mit d. Gratisbeil.: Der Briefmarken-Sammler, Geutferngruss! Der Vereinsbote. Der Reklamebilder-Sammler. 5. Jahrg. 1902. 12 Hefte. (188) 8° Bad.-B., R Lutz.   2.50 — dass. Vereinigt m. „Gutferngruss"-Cölleda, „Illustr. Postkarte"-Wien, „Internat. Ansichtskarten-Revue"-B.-Baden u. „Germania"-Berlin. Hrsg.: R Lutz. 6. Jahrg. 1903. 12 Hefte. (1. Heft. 16) 8° Ebd. Halbj. 1.25; viertelj. — 65; einz. Nrn — 25

Bildei zugl. d. Fortsetzg zu Ansichtskarten-Revue, internat. — Fortsetzg s. u. d. T.: Blatt, d. blaue.

— (C) f. Anthropol., Ethnol. u. Urgesch. Hrsg. v. G Buschan. 6. Jahrg. 1901. 6 Hefte. (348) 8° Jena, H Costenoble. 12 —; einz. Hefte 2 —

Fortsetzg u. d. T.:

— (C) internat., f. Anthropol. u. verwandte Wiss. Hrsg. u. geleitet v. G Buschan. 7. u. 8. Jahrg. 1902 u. 3 je 6 Hefte. (1. u. 2. Heft. 128) 8° Stettin (Postamt 6), Dr. G Buschan.   Je nn 13 — 6 H

Fortsetzg u. d. T.:

— (C) f. Anthropol. Hrsg. v. G Buschan 9. u. 10. Jahrg. 1904 u. 5 je 6 Hefte. (403 u. 381) 8° Brnschw., F Vieweg & S.   Je 15 —

— (C) f. prakt. Augenheilkde. Hrsg. v. J Hirschberg. 23. Jahrg. 1900. Suppl. (40 u. 385—540) 8° Lpzg, Veit & Co. 01.   4.20 (Vollst.: 16.20)

— (C) dass. 25. Jahrg. 1901. 12 Hefte u. Suppl. (39, 510) 8° Ebd. — 31. Jahrg. 1902. 12 Hefte u. Suppl. (458) 14 — ‖ 27.Jahrg. 1903. 12 Hefte u. Suppl. (484) 14.80 ‖ 28. Jahrg. 1904. 12 Hefte u. Suppl. (484) 14.80 ‖ 29. Jahrg. 1905. 12 Hefte 12 —

— (C) f. Bäcker u. Conditoren. Red.: A Böhme. 13—17. Jahrg. 1901—5 je 52 Nrn. (1901. Nr. 1. 10) Fol. L z -B. (Senefelderstr. 13), A Böhme & Co.   Viertelj. 1 — d

— (C) f. Bakteriol., Parasitenkde u. Infektionskrankh. Abtlg: Medizinisch-hygien. Bakteriol. u. tier. Parasitenkde. In Verbindg m. Loeffler, R Pfeiffer u. M Braun hrsg. v. O Uhlworm. (Jahrg. 1901.) 29. u. 30. Bd je 26 Nrn. (1056 u. 1013 m. Fig. u. 9. u. 12 Taf.) 8° Jena, G Fischer.   Jeder Bd 15 —

— (C) dass. Originale. 31—40. Bd. (323, 958, 854, 870, 822, 758, 757, 774, 735 u. 774 m. Abb. u. 11, 21, 19, 21, 15, 15, 14, 12, 13 u. 16 Taf.) 8° Ebd. 02-05.   Je 15 —

— (C) dass. Referate. 31—37. Bd je 26 Nrn. (841, 829, 844, 846, 855, 827 u. 827 m. Abb.) 8° Ebd. 02-05.   Je 15 —

— (C) dass. 2. Abtlg: Allg. landw.-technolog. Bakteriol., Gärgsphysiol., Pflanzenpathol. u. Pflanzenschutz. Hrsg. v. O Uhlworm u. EC Hansen. 7. Bd. 26 Nrn. (966 m. 24 Taf.) 8° Ebd. 01. 20 —; f. Abnehmer d. 1. Abtlg 16 — ‖ 8—15. Bd je 26 Nrn. (840, 970, 832, 826, 799, 830, 830 u. 824 m. Abb. u. 11, 11, 6, 10, 17, 14, 11 u. 15 Taf.) 02-05. Je 15 —; f. Abnehmer d. beiden Tle d. 1. Abtlg je 12.50

— (C) dass. General-Reg. f. d. Bde I—X. Bearb. v. G Lindau. (184) 8° Ebd. 03.   4 —

— f. d. deut. Baugewerbe. Red. v. C Zetzsche. 1. Jahrg. Septbr—Dezbr 1902. 25 Nrn. (Nr. 1. 8 m. Abb.) 4° Berl., Zentralblatt f. d. deut. Baugewerbe. ‖ 2. u. 3. Jahrg. 1903 u. 4 je 104 Nrn. ('04. 836 m. Abb.) Viertelj. 3 — d ‖ 4. Jahrg. 1905. Red.: M Wagenführ. 52 Nrn. Viertelj. 2.25; einz. Nrn — 30

— (C) d. Bauverwaltg. Hrsg. im Ministerium d. öffentl. Arbeiten. Inhalts-Verz. d. Jahrg. 1891 bis einschl. 1900 (XI bis XX). Bearb. v. R Hartmann. (98) 4° Berl., W Ernst & S. 02.   5 —

— ('01.02 C) dass. Für d. nichtamtl. Thl verantwortlich: O Sarrazin. 21—25. Jahrg. 1901—5 je 104 Nrn. (536, 544, 652, 656 u. 548 m. Abb.) 4° Ebd.   15 — d; Denkmalspflege jährlich 18 —

— ('01 C) techn., f. Berg- u. Hüttenwesen, Maschinen-Fabriken u. d. Baufach, früher: „Der Gewerbefreund". Red.: O Italiener. 11—15. Jahrg. 1901—5 je 52 Nrn. (2 je 1040 m. Abb.) 4° Berl., Technolog. Verl. O Italiener. Viertelj. 3.50; einz. Nrn — 60

— ('01—03 C) f. Bibliothekswesen. Hrsg. v. O Hartwig. 18—20. Jahrg. 1901—3 je 12 Hefte. (1901. 1. u. 2. Heft. 96) 8° Lpzg, O Harrassowitz. Je 15 —; m. d. Blättern f. Volksbibliotheken u. Leschallen je 16 — ‖ 21. u. 22. Jahrg. 1904 u. 5. Hrsg. v. P Schwenke. Je 15 —

— dass. Generalreg. z. XI—XX. Jahrg. (1894—1903). Bearb. v. C Haeberlin. (254) 8° Ebd. 05.   11 —

— dass. 25—29. Beiheft. (25.26 C.) 8° Ebd. 35.80 (1—29.: 209.60) Briefe an Desiderius Erasmus v. Rotterdam. Hrsg. v. J Förstemann u. O Günther. (70, 460) 04. [27.]   17 —

Falk, F: Beitr. z. Rekonstruktion d. alten Bibliotheca fuldensis u. Bibliotheca lauresbamensis. Mit 4. Beil.: Der Fuldaer Handschriften-Katalog s. d. 16. Jahrh. Neu hrsg. u. eingeleitet v. C Seberer. (112) 02. [96.] 5 —
Hautzsch, V: Die Landkartenbestände d. kgl. öffentl. Bibliothek zu Dresden. Nebst Bemerkge üb. Einrichtg u. Verwaltg v. Kartensammlgn. (146) 04. [28.] 6 —
Hortschansky, A: Bibliogr. d. Bibliotheks- u. Buchwesens. 1. Jahrg. 1904. (135) 05. [70.] 5 —
Nentwig, H: Das klt. Buchwesen in Braunschweig. Beitrag z. Gesch. d. Stadtbibliothek. (68 m. 1 Taf.) 01. [75.] 2.80

Zentralblatt (C), bienenwirtschaftl. Red.: G Lehzen. 37—41. Jahrg. 1901—5 je 24 Nrn. (1901. Nr. 1. 16) 8° Hannov., (C Brandes). Je 3 — d
— (C) biochem. Vollständ. Sammelorgan f. d. Grenzgeb. d. Medizin u. Chemie, hrsg. v. C Oppenheimer. 1—3. Bd je 24 Hefte. (1903. 1. Heft. 32) 8° Lpzg, Gebr. Borntraeger 03-05. Je nn 30 —
— (C) f. d. ges. Biol. II. Abtlg. Biophysikal. Centralbl. Vollständ. Sammelorgan f. Biol., Physiol. u. Pathol., hrsg. v. C Oppenheimer u. L Michaelis. 1. Bd. (746) 8° Ebd. 05. 30 —; f. Abnehmer d. „Biochem. Centralbl." 25 —
— (C) biolog., unter Mitwirkg v. K Goebel u. (E Selenka) R Hertwig hrsg. v. J Rosenthal. 21—25. Bd 1901—5 je 24 Nrn. (Nr. 1. 32 m. Abb.) 8° Lpzg, G Thieme. Je 20 —; cinz. Nrn 1 — Erschien v. März 1901—Jan. 1902 in Berlin.
— (C) biophysikal., s.: Zentralblatt f. d. ges. Biol.
— (C) botan. Referir. Organ f. d. Ges.-Gebiet d. Botanik d. In- u. Ausl. Hrsg. v. O Uhlworm u. FG Kohl. 85—88. Bd od. Jahrg. 1901. 52 Nrn. (1740) 8° Cass. (Jena, G Fischer.) Halbj. 14 —
— (C) dass. Referir. Organ d. Association internat. des botanistes f. d. Ges.-Geb. d. Botanik. Hrsg. unter d. Leitg v. K Goebel, FO Bower u. PJ Lotsy. Chefred.: JP Lotsy. 89—100, Bd od. 23—26. Jahrg. 1902—5 je 52 Nrn. (1902. Nr. 1. 32) 8° Leiden. (Jena, G Fischer.) Halbj. 14 —
— (C) dass. Generalreg. zu Bd I—LX. Hrsg. v. F Schaumburg. 4—8. Heft. (241—667) 8° Cass. 1898-03. (Jena, G Fischer.) nn 13.50 (Vollst.: nn 21 —)
— (C) dass. Beihefte. Orig.-Arbeiten. 10. Bd. 7 Hefte. (764 m. 5 Taf.) 8° Cass. 01. (Jena, G Fischer.) 14 —
— (C) dass. Beihefte. Orig.-Arbeiten. Hrsg. v. O Uhlworm u. FG Kohl. 11—17. Bd je 5 Hefte. (558, 538, 436, 380, 601, 455 u. 480 m. 14, 11, 14, 22, 5, 21 u. 8 Taf.) 8° Jena, G Fischer 02.03. Je 16 —
— (C) dass. Beihefte. Orig.-Arbeiten. Hrsg. v. O Uhlworm u. FG Kohl. 18. u. 19. Bd. 1. Abtlg: Anatomie, Histol., Morphol. u. Physiol. d. Pflanzen. (18. Bd. 471 m. Abb. u. 13 Taf.) 8° Lpzg, G Thieme 04.05. Je 16 —
— (C) dass. 2. Abtlg: Systematik, Pflanzengeogr., angewandte Botanik etc. (18. Bd. 526 m. Abb. u. 5 Taf.) 8° Ebd. 04.05. Je 16 —
— (C) f. d. Bürsten-, Pinsel- u. Kammbranche, Fortsetzg, s.: Bürstenmacher-Zeitung.
— (C) chem. Vollständ. Repertorium f. alle Zweige d. reinen u. angewandten Chemie, hrsg. v. d. deut. chem. Gesellsch. Red.: R Arendt u., seit 1903, A Hesse. 72—75. Jahrg. (5 Folge. 5—8. Jahrg.) 1901—4 je 2 Bde zu 26 Nrn. (43, 1548; 42, 1532, 44, 1584; 47, 1695. 54, 1630; 57, 1540 u. 59, 1882 u. 57, 1972 m. Fig.) 8° Berl., (R Friedländer & S.). Halbj. nn 30 — || 76. [9. Jahrg. 1905. Halbj. nn 32 —
— (C) dass. V. Folge. Jahrg. 1897—1901. General-Reg. Bearb. v. R Arendt. (1297) 8° Ebd. 02. nn 45 —
— ('01. 02 C) f. Chirurgie, hrsg. v. E v. Bergmann, F König, E Richter. 28—32. Jahrg. 1901—5 je 50 Nrn. (Nr. 1. 32 m. 1 Fig.) 8° Lpzg, Breitko f & H. Halbj. 10 —
— (C) dermatolog. InternatpRundschau auf d. Geb. d. Haut- u. Geschlechtskrankh. Hrsg. v. M Joseph. 5—9. Jahrg. Oktbr 1901—Septbr 1906 je 12 Nrn. (394, 392, 394, 394 u. 394 m. Abb.) 8° Lpzg, Veit & Co. Je 12 —
— ('01—03 C) f. d. deut. Reich. Hrsg. im Reichsamte d. Innern. 29—33. Jahrg. 1901—5 je 52 Nrn. (1901. Nr. 1. 2) 4° Berl., C Heymann. Viertelj. 2 —; einz. Nrn —20 d
— (C) internat., f. d. ges. Eis-Industrie u. verwandte Branchen. 1. Jahrg. Apr.—Dezbr 1904. 9 Nrn. (Nr. 1. 8) 4° Gött., E Kelterborn. Viertelj. 1.50 d 6 f
— (C) Wiener, f. elektrotechn. Industrie, Bau-, Beleuchtgs- u. Verkehrswesen, Technik u. Gewerbe. Hrsg. v. Red.: L Klasen. 4. Jahrg. 1908, 26 Nrn. (Nr. 1—9. 108 m. Abb.) 4° Wien, (Lehmann & W.). Halbj. 6 —; viertelj. 3.50 || 5. u. 6. Jahrg. 1904 u. 5. Halbj. 5.50; viertelj. 3 —; einz. Nrn — 50
— ('01. 02, 04. 05 C) f. d. ges. Forstwesen. Organ d. k. k. forstl. Versuchsanst. in Mariabrunn. Hrsg. v. J Friedrich. Red.: C Zentzytzki. 27—31.Jahrg. 1901—5 je 12 Hefte. (548, 552, 554, 520 u. 528) 8° Wien, W Frick. Halbj. 8 — d
— (C) forstwiss. Zugl. Publikationsorgan f. d. württ. forstl. d. kgl. bayer. forstl. Versuchsanst. Hrsg. v. H Fürst. 23—27. Jahrg. 1901—5. (Der ganzen Reihe 45—49. Jahrg.) je 12 Hefte. (1901. 1. Heft. 48) 8° Berl., P Parey. Je 14 — d
— (C) d. Bundes deut. Frauenver. Bundesorgan, begründet v. J Schwerin. Hrsg. u. red. v. Frau M Stritt. 7. Jahrg. Apr.1905—März 1906. 24 Nrn.(Nr.1. 12) 4° Coepenick, H Jenne. Viertelj. — 75; cinz. Nrn — 20 d
— (C) f. d. deut. Gastwirtsgewerbe. Red.: E Heitmann. 10—12. Jahrg. 1903—4 je 52 Nrn. (1901. Nr. 1.—27. 268) 40× 28 cm. Lpzg, (E Heitmann). Viertel.— 50 || 13. Jahrg. 1905. Viertelj. 1 — d

Zentralblatt (Z), geolog. Revue géolog.—Geological review. Anzeiger f. Geol., Petrogr., Palaeontol. u. verwandte Wiss. Hrsg. v. K Keilback. 1—3. Jahrg. 1901—3 je 24 Nrn. (Nr. 1. 32) 8° Lpzg, Gebr. Borntraeger, || 4. u. 5. Bd. '03.04, Je nn 30 —
— (C) f. freiwill. Gerichtsbark. u. Notariat. Hrsg. v. A Lobe. 2, u. 3. Jahrg. Juli 1901—Juni 1903 je 26 Hefte. (940 u. 894) 4° Lpzg, Dieterich. Je 15 — d
— (4. J, C) dass. sowie Zwangsversteigerg. Hrsg. v. A Lobe. 4—6. Jahrg. Juli 1903—Juni 1906 je 24 Hefte. (6. Jahrg. 941) 4° Ebd. Je 15 — d
— (C) f. allg. Gesundheitspflege. Hrsg. v. Lent, Stübben, Kruse. 20—24. Jahrg. 1901—5 je 12 Hefte. (485, 456, 498, 466 u. 428 m. Abb. u. 10, 3, 9, 9 u. 0 Kart. u. Taf.) 8° Bonn, M Hager. Je 10 —
— (C) dass. Reg. zu Bd I—XX u. Suppl.-Bd I—III (Jahrg. 1882—1901). Zusammengest. v. O Stöcker. (85) 8° Ebd. 02. 2 — Beilageheft s.: Finkler u, H Lichtenfelt, d. Eiweiss.
— (19.20. C) f. d. gewerbl. Unterr.-Wesen in Österr. Red. v. A Müller. 19—23. Bd je 4 Hefte. (22. Bd. 612 m. Abb. u. 5 Taf.) 8° Wien, A Hölder 01-05. Je 13 —
— (C) f. Glas-Industrie u. Keramik m. General-Anz. f. d ges. Maschinen-, Metall- u. Blech-Industrie. (Hrsg.: S Buchbinder's W'ee.) Red.: H Loewenthal. 18. Jahrg. 1905. 36 Nrn. (Nr. 594. 8) 4° Wien (IX/1, Porzellang. 49 A), Administr. || 19. Jahrg. 1904. 24 Nrn. Postfrei je nn 12 — Fortsetzg u. d. T:
— (C) f. d. Glas-, Porzellan- u. Ziegel-Industrie. General-Anzeiger f. d. Kunststein- u. Kaolinbranche. Hrsg. u. Chefred.: H Loewenthal. 20. Jahrg. 1905. 24 Nrn. (Nr. 640. 8) 4° Ebd. Postfrei nn 12 —
— (C) österr.-ungar. graph., f. Buch-, Stein-, Licht-, Zink- u. Kupferdruckereien, Lithographien u. verwandte Geschäfte. Hrsg. u. Red.: A Schwartz. 14. u.15. Jahrg. 1901 u. 2 je 24 Nrn. (1901. Nr. 1. 10) 4° Wien. (Lpzg, G Hedeler.) Je 6 — Fortsetzg u. d. T:
— (C) österr.-ungar. graph., f. Buch- u. Steindruckereien, Lithographien u. verwandte Geschäfte. Hrsg. u. Red.: A Schwartz. 16—18. Jahrg. 1903—5 je 24 Nrn. (Nr. 1. 8) 4° Ebd. Je 6 —
— (01.02 C) f. Gynäkol., hrsg. v. H. Fritsch. 25—29. Jahrg. 1901—5 je 50 Nrn. (Nr. 1. 32 m. 1 Fig.) 8° Lpzg, Breitkopf & H. Halbj. 10 —
— f. d. Eintraggn in d. Handelsregister. Hrsg. v. d. k. k. Handelsministerium. 4. Jahrg. 1905. 104 Nrn. (Nr. 1. 14) 8° Wien, (M Perles). 5 —; cinz. Nrn — 20; einseitig bedr. 7 —
— f. d. Krankh. d. Harn- u. Sexual-Organe. Hrsg. v. M Nitze, red. v. FM Oberlaender. 12—16. Bd je 12 Hefte. (12. Bd. 1. Heft. 56 m. 1 Taf.) 8° Trier, N Bessellich. Je 20 —; einz. Hefte 2 — Erschien v. Ende März 1901—Jan. 1902 in Berlin.
— f. Verbandes f. hauswirtschaftl. Frauenbildg. Hrsg. v. M Nouvel. 1. Jahrg. Oktbr 1903—Septbr 1904. 12 Nrn. (188) 8° Lpzg, BG Teubner. 3 — || 2. Jahrg. 1904/5. (188) 4 —; cinz. Nrn. — 50 d
— dass. 3. Jahrg. Oktbr 1905—Septbr 1906. 12 Nrn. (Nr. 1. 16) 8° Berl., Verl. Frauen-Reich. 4 —; cinz. Nrn — 50; m. Frauen-Reich 6 —; viertelj. 2 — d
— f. d. Holz- u. Holzwarenhandel u. d. holzverarbeit. Gewerbe- u. Industriezweige. Red.: M Heinz. 57. Jahrg. 1905. 24 Nrn. (Nr. 1—9. 108) 4° Berl., N Bessellich. (Nur dir.) Viertelj. 3 — d
— f. d. ges. Holz-Industrie. Red.: R Stübling. (Der deut. Drechsler-Zeitg) 15. Jahrg. 1905. Nr. 1. (24) 4° Berl., W & S Loewenthal. Viertelj. 1.50 d
— (C) d. Hütten- u. Walzwerke. Organ f. d. Interessen d. deut. Eisen- u. Metall-Industrie. Red.: F Kuh. 9. Jahrg. 1905. 36 Nrn. (Nr. 1. 24 m. Abb.) 4° Berl., O Elsner. Halbj. postfrei 4 — Bisher u. d. T.: Zentralblatt (C) d. Walzwerke.
— (C) f. Jagd- u. Hunde-Liebhaber. (Red.-Komitee: G Bruggisser, M Feer, A Heim, Cv. Moralt, JD Staub,) H Peter.) 17—21. Jahrg. 1901—5 je 52 Nrn. (Nr. 1. 12 m. Abb.) 4° Zür., A Müller's V. Je 5 —
— (01.02 C) österr., f. d. jurist. Praxis. Nebst Zentralbl. f. Verwaltgspraxis. Hrsg. u. red. v. L Geller. 19—25. Jahrg. 1901—5 je 12 Hefte. ('04. 1056) 8° Wien, M Perles. Halbj. 10 —; m. d. Spruchpraxis 13 —
— (C) schweiz. kaufmänn. Red.: E Schindler. 8. Jahrg. (33. Jahrg. d. „Fortschritt".) 1904. 52 Nrn. (Nr. 1—3. 18) 44×30 cm. Zürich (Ishistr. 20), Schweiz. kaufmän. Ver. nnn 5.80 0 H
— (C) f. Kinderheilkde. Hrsg. v. E Graetzer. 6. u. 7. Jahrg. 1901 u. 02 je 12 Nrn. (428 u. 417) 8° Lpzg, JA Barth. Je 7.50; einz. Nrn. — 80 || 8. Jahrg. (9X/1, Porzellang. 49 A), 1904. Nrn. [10 (1901. Nr. 1—12. 154) 4° Posen, (V F—; cinz. Nrn. 1 —
— (01—05 C) f. d. Kneipp'sche Heilverfahren, m. „Kneipp-Bote" u. amtl. Fremdenliste. Hrsg. u. Red.: A. Jahrg. Apr.—Dezbr 1901. 18 Nrn. (220 u. 18) 8° Wörlsh., Buchdr. n. Verl.-Anst. || 9—12. Jahrg. 1902—5 je 24 Nrn. Viertelj. 1 —
— (C) landw. Amtl. Organ d. Landw.-Kammer f. d. Prov. Posen. Red.: H Wagner, 1905 I. V.: Schumacher. 52.u.53. Jahrg. 1904 u. 5 je 52 Nrn. (Nr.1—12. 154) 4° Posen, (V F begkle). Viertelj. 1 — d
— (C) schweiz. landw. Red. v. R Bnrri u. HC Schellenberg. 20—22.Jahrg. Der neuen Folge 6—8.Jahrg. 1901—3 je 12 Hefte.

(1. Heft. 32) 8° Mit Beil.: Schweiz. Bauernzeitg. Red.: H Abt.
1—8. Jahrg. je 12 Nrn. (432, 404 u. 388) 4° Frauenf., Huber
& Co.   Je 4.80 d ö F
Zentralblatt (C), internat., f. Laryngol., Rhinol. u. verwandte Wiss. Hrsg. v. Sir F Semon. 17—21. Jahrg. 1901—5 je
12 Nrn. (671, 539, 632, 648 u. 566) 8° Berl., A Hirschwald.
     Je 15 —
— (C) liter., f. Deutschl. Begründet v. F Zarncke. Hrsg. u.
Red.: E Zarncke. 52. Jahrg. 1901, 52 Nrn. Nebst Beil. 26 Nrn.
(2152 Sp.) 4° Lpzg, E Avenarius. Viertelj. 7.50; einz. Nrn †—75;
Beilage allein jährlich 6 — d
— (02.03 C) dass. 53—56. Jahrg. 1902—5 je 52 Nrn. Nebst Beil.:
Die schöne Lit. 3—8. Jahrg. je 24 Nrn. (1752, 1792, 1808 u.
1800) 4° Ebd. Viertelj. 7.50; einz. Nrn — 75; m. Beil. 1 — d
— (01.02 C) f. d. ges. Medizin [innere Medizin — Chirurgie
— Gynäkol.]. Jahrg. 1901—5 je 52 Nrn. (1901. Nr. 1. 32, 32
u. 32 m. Fig.) 8° Lpzg, Breitkopf & H.   Viertelj. 12.50
— (01.02 C) f. innere Medizin, red. v. H Unverricht. 23—26.
Jahrg. 1901—5 je 52 Nrn. (1901. Nr. 1. 33) 8° Ebd. Halbj. 10 —
— (C) f. d. Grenzgebiete d. Medizin u. Chirurgie. Hrsg. v.
H Schlesinger. 4. u. 5. Bd. 1901 u. 2 je 24 Nrn. (Nr. 1. 64) 8°
Jena, G Fischer. Je 20 —; f. Abnehmer d. „Mitteilgn a. d.
Grenzgebieten d. Medizin u. Chirurgie" je 16 —; einz. Nrn
1 — ‖ 6—8. Bd. 1903—5 je 24 Nrn. (Je 960) Je 24 —; bezw. 20 —
— (C) f. d. medicin. Wiss. Unter Mitwirkg v. H Senator, (J
Munk,) E Salkowski, F Schultz red. v. M Bernhardt. 39—43.
Jahrg. 1901—5 je 52 Nrn. (928, 921, 936, 930 u. 923) 8° Berl.,
A Hirschwald.   Je 28 —
— (C) oesterr.-ungar., f. d. medicin. Wiss. Red. v. T Zerner
[nn. 12. u. 13. Jahrg. 1901 u. 2 je 24 Nrn. (Nr. 1. 16) 8° Wien,
M Perles. Viertelj. 3 —; m. d. Wiener medizin. Wochenschrift
     nn 7.50; einz. Nrn — 60 ö F
— (C) medicinisch-chirurg. Begründet v. CL Praetorius.
Red. v. J Segel. 36—39. Jahrg. 1901—4 je 52 Nrn. (1901. Nr·
1—45. 608) 4° Wien, Zitter. ‖ 40. Jahrg. 1905. Nebst: Österr.
Krankenpflege-Zeitg. 3. Jahrg. 24 Nrn.   Viertelj. nn 4 —
— milchwirtschaftl., s.: Milch-Zeitung.
— (C) f. Mineral., Geol. u. Palaeontol., in Verbindgm. d. neuen
Jahrb. f. Mineral., Geol. u. Palaeontol. hrsg. v. M Bauer,
E Koken, T Liebisch. Jahrg. 1901—5 je 24 Nrn. (766, 759, 759,
760 u. 752 m. Fig.) 8° Stuttg., E Schweizerbart.   Je 12 —;
   f. Abnehmer d. neuen Jahrb. entsprechend billiger.
— (C) f. Moden. Zeitschrift f. Damen- u. Kindergarderobe,
Putz, Wäsche u. Handarbeiten. Gesammtleitg u. verantwort-
lich: E Calé. 1—4. Jahrg. 1902—5 je 24 Nrn. (Nr. 1. 12 m.
Abb. u. 1 Schnittbog.) Fol. Berl., JH Schwerin. Viertelj. — 75 d
Bildet d. Fortsetzg v.: Modenwelt, grosse. Billige Ausg.
— (C) f. Nervenheilkde u. Psychiatrie. Internat. Monats-
schrift f. d. ges. Neurol. in Wiss. u. Praxis, m. bes. Be-
rücks. d. Degenerations-Anthropol. Hrsg. v. A Erlenmeyer.
Red. v. H Kurella u. R Gaupp. 24. Jahrg. Neue Folge. 12. Bd.
1901. 12 Hefte. (1. Heft. 64) 8° Nebst: Zeitschrift f. Electro-
therapie u. ärztl. Electrotechnik. (3. Jahrg.) 1901. 4 Nrn.
Cobl., W Groos.   21 —; einz. Hefte 2 —
— (C) dass. Red. v. R Gaupp. 25—27. Jahrg. Neue Folge. 13—
15. Bd. 1902—4 je 12 Hefte. (1902. 1. Heft. 80) 8° Berl., Vogel
& Kr. 20 — ‖ 28. [16.] Jahrg. 1905. 24 Nrn. 24 —; einz. Nrn 1.20
— (01—04 C) neuphilolog. Hrsg. v. W Kasten. 15—19.Jahrg.
1901—5 je 12 Nrn. (Je 384) 8° Bannov., C Meyer. Halbj. 4 —;
     einz. Nrn — 65
— (C) neurolog. Uebersicht d. Leistgn auf d. Gebiete d.
Anatomie, Physiol., Pathol. u. Therapie d. Nervensystems
einschl. d. Geisteskrankh. Hrsg. v. E Mendel. 20—24. Jahrg.
1901—5 je 24 Nrn. (1190, 1190, 1194, 1198 u. 1198 m. Abb.) 8°
Lpzg, Veit & Co.   Je 24 —
— (C) internat., f. Ohrenheilkde. Hrsg.: O Brieger u. G Gradenigo. 1—4. Bd. Oktbr 1902—Septbr 1906 je 12 Nrn. (514, 547,
507 m. 1 Taf. u. 551) 8° Lpzg, JA Barth.   Je 16 —
— ('01—05 C) f. d. österr.-ungar. Papierindustrie. [Hrsg.:
J Markowich.) Schriftleiter: A Hladufka. 19. Jahrg. 1901.
24 Nrn. (Nr. 1. 40) 8° Wien. (Lpzg, G Hadeler.) ‖ 20—24. Jahrg.
1902—5 je 36 Nrn.   Je nn 16 —
— (C) f. Papierverarbeitgs-Industrie n. Papier-Handel.
Red.: R Gardau. 1. Jahrg. Septbr—Dezbr 1902. 17 Nrn. (Nr. 1
—3. 56) 4° Berl. (W. 50, Neue Ansbacherstr. 7), H Thiele & Co.
     Je 4 —
Fortsetzg war nicht zu erhalten.
— (C) f. allg. Pathol. u. pathol. Anatomie. Hrsg. v. E Zieg-
ler. Red. v. C v. Kahlden u., seit 1902, MB Schmidt. 12—
16. Bd. 1901—5 je 24 Nrn. (1040, 1024, 1055, 1040 u. 1046 m.
Abb. u. 1, 4, 0, 0 u. 1 Taf.) 8° Jena, G Fischer.   Je 24 —;
     einz. Nrn 1 —
— (C) dass. Ergänzgshefte. 8° Ebd.   Subskr.-Pr. 21 —;
     Einzelpr. 24 —
Verhandlungen d. dent. pathol. Gesellsch. Hrsg. v. G Schmorl. 6. Tagg,
Kassel '03. (212 m. Fig. u. 7 Taf.) 04. / bezw. 10 — ‖ 7. u. 8. Tagg,
Berl. '04 u. Breslau '05. (267 m. Abb. u. 4 Taf. u. 104 m. Abb. u. 5 Taf.)
     04.05. 21 —; bezw. 30 —
— (C) f. Sammlg u. Veröffentlichg v. Einzeldiagnosen neuer
Pflanzen, s.: Repertorium novar. specier. regni vegetabilis.
— f. Pharmazien. Chemie.Hrsg.u.Red.:CA Schalleim.1.Jahrg.
Apr.—Dezbr 1905. 39 Nrn. (Nr. 1. 8) 4° Mgdbg, Schalleim &
Wollbrück.   Viertelj. 2 —

Zentralblatt (C), photograph. Zeitschrift f. künstler. u. wiss.
Photogr. Red. v. F Matthies-Masuren, F Schiffner u. Aarland.
7. Jahrg. 1901.24 Hefte. (1. Heft. 24 m. Abb. u. 6 Taf.) 8° Münch.,
GDW Callwey. ‖ 8. Jahrg. 1. Viertelj. Jan.—März 1902. 6 Hefte.
Viertelj. 3 —; einz. Hefte (Illustr.) 1 —; nicht illustr. nn — 50
— (C) dass. 8. Jahrg. 2—4. Viertelj. April—Dezbr 1902. 18 Hefte.
(7. Heft. 24 m. Abb. u. 5 Taf.) 8° Halle, W Knapp. § 9. Jahrg.
1903. 24 Hefte. ‖ 10. Jahrg. 1904. Red. v. F Matthies-Masuren,
R Neuhauss u. F Schiffner. (350)   Viertelj. 3 —;
     einz. Hefte (illustr.) 1 —; nicht illustr. nn — 50
Forsetzg s. u. d. T.: Rundschau, photograph.
— (C) physikalisch-chem. — Physico-chemical review. —
Revue physico-chim. Vollständ. internat. Referatenorgan f.
d. physikal. Chemie u. d. angrenz. Gebiete d. Chemie u.
Physik. Hrsg. v. M Rudolphi, M Centnerszwer, MG Levi, C
Marie, LE Morgan u. FS Spiers. 1. u. 2. Bd je 24 Hefte.
(1. Heft. 32 m. Fig.) 8° Berl., Gebr. Borntraeger 03-05.
     Je nn 30 —
— (C) f. Physiol. Hrsg. v. S Fuchs u. J Munk. 15—17. Bd:
Lit. 1901—3 je 26 Nrn. (938, 879 u. 904) 8° Wien, F Deuticke.
     Je 30 —
— dass. Hrsg. v. R du Bois-Reymond, O v. Fürth u. A Kreidl.
18. u. 19. Bd: Lit. 1904 u. 5 je 26 Nrn. (Nr. 1. 32) 8° Ebd.
     Je 30 —

Beibl. s. u. d. T.: Bibliographia physiologica.
— (C) polytechn. Red.: M Gcitel. 62. u. 63. Jahrg. Oktbr 1900—
März 1903 je 24 Nrn. (63. Jahrg. Nr. 1—6. 80 m. Abb.) 4° Berl.,
M Pasch.   Viertelj. 3 —; einz. Nrn nn — 50
— (C) dass. 64. Jahrg. d. Gesammtfolge. Apr.—Septbr 1903.
13 Nrn. (Nr. 1. 12 u. 4 m. Abb.) 4° Berl., Haasenstein & V.
     Viertelj. 3 —; einz. Nrn nn — 50
Fortsetzg s. u. d. T.: Welt, d., d. Technik.
— (C) f. Rechtswiss. Hrsg. v. O v. Kirchenheim. 21—25. Bd.
1901—Septbr 1906 je 12 Hefte. (378, 388, 408, 414 u.
374) 8° Lpzg, JC Hinrichs' V.   Je 12 —
— (C) internat., f. Reinigg-Instit. u. verwandte Geschäftszweige. Zeitschrift z. Wahrg u. Förderg d. ges. fachl.
u. geschäftl. Interessen d. Fenster-, Gebäude-, Glas-, Fuss-
böden-, Gasglühlicht-, Parquett-, Strassen-, Trottoir-, Tep-
pich- u. Bettfedern-Reiniggs-Instit., sowie verwandte Rei-
niggs-Anst. 3—5. Jahrg. 1903—5 je 24 Nrn. (1903. Nr. 1—9. 72)
4° Göttingen, E Kelterborn.   Viertelj. 1.50 d
— schweiz., f. Staats- u. Gemeinde-Verwaltg. Red.: A
Bosshardt. 2—4. Jahrg. Apr.1901—März 1906 je 24 Nrn. (1.Jahrg.
Nr. 1. 8) 4° Zür., Art. Instit. Orell Füssli.   Je nn 4.40
Vom 5. Jahrg. an m. d. Nebentit.: „Der Armenpfleger".
— ('01—3 C) f. Stoffwechsel- & Verdaungs-Krankh.,
hrsg. v. C v. Noorden, red. v. E Schreiber u. A Schittenhelm.
2. Jahrg. 1901—5 je 24 Nrn. (656, 598, 560, 673 u. 560) 8°
Gött. Berl., Urban & Schw. Halbj. 10 —; einz. Nrn 1.20
— (C) f. d. Textil-Industrie. (Wohlf. Monats-Ausg.) Red.:
H Goetze. Jahrg. 1901—3 je 12 Nrn. (1903. 144 m. Fig.) Fol.
Berl., W & S Loewenthal.   Je 8 —
Mit d. Textil-Zeitung Berlin vereinigt.
— (C) therapeut. Red. v. J Segel. 1. u. 2. Jahrg. 1904 u. 5 je
24 Nrn. (Nr. 1. 8) 8° Wien, Zitter.   Viertelj. 3 —
— (C) f. d. ges. Therapie. Hrsg. v. M Heitler. 19. u. 20. Jahrg.
1901 u. 2 je 12 Hefte. (1. Heft. 64) 8° Wien, M Perles.
     Halbj. 6 —
— (C) dass. Begründet v. M Heitler, red. v. E Schwarz. 21.
Jahrg. 1903. 12 Hefte. (1. Heft. 64) 8° Ebd.   Halbj. 6 —
— dass. Hrsg. v. Brieger u. E Schwarz. 22. u. 23. Jahrg. 1904
u. 5 je 12 Hefte. (704. 664) 8° Wien, M Perles. — Berl., O Coblentz.   Halbj. 6 —
— f. physikal. Therapie u. Unfallheilkde. Red. v. A Hoffa
u. A Bum. 1. Bd. 1902. 12 Hefte. (1—6. Heft. 192 m. Abb.) 8° Wien,
Urban & Schw. 04.   10 —; einz. Hefte 1.20 ö F
— ('01.02 C) f. d. ges. Unterr.-Verwaltg in Preussen. Hrsg.
in d. Ministerium d. eistl., Unterr.- u. Medizinal-Angelegenh. Jahrg. 1901—5 je 12 Hefte. (1901. 1. Heft. 100) 8° Berl.,
Stuttg., JG Cotta Nf., Zweigniederlassg Berlin.   Je 7 —;
     einz. Hefte — 80; 1. Heft 1.60 d
— ('01.02 C) dass. Ergänzgshefte. 8° Ebd.   Je 1.80 d
Mitteilungen, statist., üb. d. höh. Unterr.-Wesen im Kgr. Preussen. 11—21.
Heft. 1900—4. (108, 108, 110 u. 105) 01-05.
— dass. Register-Bd zu d. Jahrg. 1890—1899. (199) 8° Ebd.
     — d
— f. städt. u. ländl. Verwaltgsorgane auf d. Gebiete d.
Bauwesens, d. Beleuchtg, Heizg u. Feuerwehr; d. Schul-
wesens, d. Kirchenbaues u. d. Krankenhäuser; d. öffentl.
Gesundheitspflege, d. städt. Gartenanlagen, d. Strassenbaues,
d. Wasserversorgg, d. Abfuhr u. d. Schlachthöfe; sowie d.
Polizeiämter, Standesämter, d. Steuerwesens, d. Sparkassen,
d. Gefängniswesens, d. Verwaltg, Rechtspflege u. Volkswirtschaft. 17. Jahrg. 1900. 24 Hefte. (1. Heft. 12) 4° Lpzg,
M Hofmann.   Halbj. 4 —; einz. Hefte — 40 d
Fortsetzg war nicht zu erhalten.
— (1. u. 2. C) f. Volksbildungswesen. Organ f. d. Gebiet d.
Hochschulwesens, d. volkstüml. Vortragswesens, d. Volks-
bibliothekswesens, d. volkstüml. Kunstpflege u. verwandte
Bestrebgn. Hrsg. v. A Lampa. 1. u. 3. Jahrg. Novbr 1900—
Dezbr 1902 je 12 Hefte. (1. Heft. 48) 8° Lpzg,
BG Teubner. — Wien, C Graeser & Co. ‖ 3. u. 4. Jahrg. 1903
u. 04 je 12 Nrn. ('04.-199) ‖ 5. Jahrg. Oktbr 1904—Dezbr 1905.
(188)   Je 3 —

Zentralblatt (C) f. Wagenbau, Sattlerei, Riemerei, Täschnerei, Tapezirerei, Stellmacherei, Lackirerei u. verwandte Gewerbe. Red.: K Sachsthal u., seit 1905, M Laubsch. 18—22. Jahrg. 1901—5 je 24 Nrn. (1901. Nr. 1. 28 m. Abb. u. 3 Taf.) 4° Berl., Laubsch & Everth. Halbj. 4 —; einz. Nrn — 50 d
— (C) österr.-ungar., f. Walderzeugnisse. Holz-Revue. Wochenbl. f. Forstwirthschaft, Holzproduction, Holzhandel u. Holzindustrie. Begründer: M Strassberger. Red. v. J Sachs. Verantwortlich: C Fritscher. 22—26. Jahrg. 1901—5 je 52 Nrn. (Nr. 1016. 6) 42,5×29,5 cm. Wien (III/2, Fragerstr. 5), Sachs' Verl. Je 16 — d
— (C) d. Walzwerke. Organ f. d. Interessen d. deut. Walzwerk-Industrie. Red.: F Kuh. 5—8. Jahrg. 1901—5 je 32 Nrn. (1901. Nr. 1. 22 m. Fig.) 4° Berl., O Elsner. Halbj. postfrei 4 —
Fortsetzg s. u. d. T.: Zentralblatt d. Hütten- u. Walzwerke.
— internat., f. d. Wäscherei-Industrie, s.: Wäscherei-Centralblatt, internat.
— (C) deut. Zither-Vereine. Red.: H Thauer. 24—28. Jahrg. 1901—5 je 12 Nrn. (1901. Nr. 1. 18 u. Musikbeil. 2) 4° Münch. (Lpzg, A Kabatek.) Halbj. 1,50
— ('01.02 C) zoolog., unter Mitwirkg v. O Bütschli u. B Hatschek hrsg. v. A Schuberg. 8. Jahrg. 1901. 26 Nrn. (925) 8° Lpzg, W Engelmann. 25 —; einz. Nrn 1.20 || 9—12. Jahrg. 1902—5. (910, 998, 912 u. 907) Je 30 —; einz. Nrn 1.50
— (C) f. d. Zuckerindustrie. Red.: CA Schallehn. 10—14. Jahrg. Oktbr 1901—Septbr 1906 je 52 Nrn. (10. Jahrg. Nr. 1. 22) 4° Mgdbg, Verl.-Anst. f. Zuckerindustrie. Viertelj. 3 —
Zentralfrage (C), d., d. Christenthums, s.: Volksaufklärung.
Zentralhalle (C), pharmaceut., f. Deutschl. Gegründet v. H Hager. (Fortgeführt v. E Geissler.) Hrsg. v. A Schneider u. P Süss. 42—46. Jahrg. Der neuen Folge 22—26. Jahrg. 1901—5 je 52 Nrn. (834, 674, 930, 1028 u. 966) 8° Dresd. (Berl., J Springer.) Je 10 —
Zentralkarte (C) v. Hannover f. Radfahrer, Touristen u. Militärs. Terrain-Einzeichng m. Höhen- u. Enferngs-Angaben. 1:300,000. 2. Afl. 59×59 cm. Farbdr. Hannov., C Borgmeyer (03). 1 —; auf Kartenl. 1.50
Zentralkataster (C), österr., sämtl. Handels-, Industrie- u. Gewerbebetriebe. Zusammengest. auf Grund d. amtl. Daten a. d. v. d. Handels- u. Gewerbekammern geführten Gewerbekatastern m. Benützg d. Ergebnisse d. allg. Betriebszählg v. 3. VI. '02 u. d. v. d. Vorständen d. Ortsgemeinden z. Verfügg gestellten Materials. Ergänzgn. 10 Bde. (Mit Abb. u. je 1 Karte.) 8° Wien, Volksw. Verl. A Dorn 03. Geb. 133.47

1. Wien. (70, 1254, 483, 52 u. 40)	10.85
2. Niederösterr. Handelskammerbez. Wien. (31, 646, 483, 32 u. 40)	13.70
3. Oberösterr. u. Salzburg. Handelskammerbez. Linz, Salzburg. (36, 562, 483, 20 u. 40)	9.74
4. Steiermark. Handelskammerbez. Graz, Leoben. (81, 629, 488, 22 u. 40)	8.35
5. Kärnten u. Krain. Handelskammerbez. Klagenfurt, Laibach. (37, 406, 483, 20 u. 40)	6.68
6. Küstenl. u. Dalmatien. Handelskammerbez. Görz, Rovigno, Triest, Ragusa, Spalato, Zara. (47, 369, 483, 20 u. 40)	5.30
7. Tirol u. Vorarlberg. Handelskammerbez. Bozen, Innsbruck, Rovigno, Feldkirch. (39, 411, 483, 20 u. 40)	5.—
8. Böhmen. 2 Bde. Handelskammerbez. Eger, Reichenberg u. Budweis, Pilsen, Prag. (46, 2676, 483, 72 u. 40)	26.70
9. Mähren u. Schlesien. Handelskammerbez. Brünn, Olmütz, Troppau. (45, 1146, 483, 20 u. 40)	10.88
10. Galizien u. Bukowina. Handelskammerbez. Brody, Krakau, Lemberg, Czernowitz. (37, 1567, 483, 70 u. 40)	21.50

Zentralkomitee f. d. ärztl. Fortbildgswesen in Preussen. 4. Jahresbericht, erstattet v. R Kutner. (112) 8° Jena, G Fischer 03. 2.40
Der 1. u. 2. Jahresbericht sind nicht im Handel.
Zentral-Marken-Anzeiger. Hrsg. v. k. b. Handelsministerium. 1905. 12 Nrn. (Nr. 1. 132 m. Abb.) 8° Wien, (Lehmann & W.) †nn 60 —; einz. Nrn f. d. Druckbog. †— 70
— dass. (Sonder-Ausg. d. Gruppe I.) 1905. 12 Nrn. (Nr. 1. 23 m. Abb.) 8° Ebd. †20 —; einz. Nrn †2 —
Bisher u. d. T.:
Zentral-Marken-Register ('01.02 C) d. k. b. Handelsministeriums. 1901 u. 2 je 12 Hefte. (1901. 1. Heft. 143 m. Abb.) 8° Wien, (Hof- u. Staatsdr.). Je 32 — || 1903 u. 4. Je 48 —
Zentral-Organ d. allg. deut. Arbeitgeber-Verbandes f. d. Schneidergewerbe. 2—4. Jahrg. 1903—5 je 52 Nrn. (1903. Nr. 1—6. 24) Nebst: Nebst: deut. Handwerkerblatt. 5—7. Jahrg. 1903—5 je 24 Nrn. (1904. Nr. 1—10. 120) 4° Wein, P Plaum. Viertelj. 1,25 d
Vom 1. X. '05 an im Verl. d. Arbeitgeber-Verb. f. Schneidergewerbe in München, 6 H
— (C) f. Lehrmittel. Kunst in Schule u. Haus u. f. Schulmöbel. Schriftleitg: H Thierack. 1. Jahrg. März 1903—Febr. 1904. 2 Hefte. (Je 32) 8° Nordh. Lpzg, KGT Scheffer. 1.50
Fortsetzg u. d. T.:
— f. Lehr- u. Lernmittel. In Verbindg m. H Thierack u. M Eschner hrsg. v. Scheffer. 2. Jahrg. Septbr 1903—Aug. 1904. 4 Nrn. (1. 60 m. Abb.) 4° Lpzg, KGT Scheffer. 1.50; einz. Nrn — 50 || 3. u. 4. Jahrg. 1904/5. Halbj. 2 —; einz. Nrn — 50 d
Zentralredaktionsabschluss üb. d. Staatshaushalt. im Reichsrate vertret. Königreiche u. Länder f. 1903. Vom k. k. obersten Rechngshofe f. d. im Reichsrate vertret. Königreiche u. Länder. (24, 706) 4° Wien, (Hof- u. Staatsdr.) 04. 7.50 d
Zentral-Zeitung (C), ärztl., m. Beil.: Therapeut. Ratgeber. Hrsg. u. Red.: H Deutsch u., seit 1904, E Lederer. 13—17. Jahrg. 1901—5 je 52 Nrn. (840, 834, 856, 840 u. 776) 4° Wien, (F Deuticke). Je nn 12 —

Zentral-Zeitung, landw., f. beide Grossh. Mecklenburg u. d. angrenz. Provv. Pommern, Brandenburg, Hannover, Schleswig-H. u. Oldenburg. Red.: E Frehse. 6. Jahrg. 4. Viertelj. Oktbr—Dezbr 1903. 13 Nrn. (Nr. 40. 8 m. Abb.) 49,5×32,5 cm. Neustrel., Barnewitz' Verl. || 7. u. 8. Jahrg. 1904 u. 5 je 52 Nrn. Viertelj. — 60 d
Bisher u. d. T.: General-Anzeiger, landw.
— (C) allg. medicin. Red.: H u. T Lohnstein. 70. u. 71. Jahrg. 1901 u. 2 je 104 Nrn. (1220 u. 1234) 4° Berl., O Coblentz. || 72—74. Jahrg. 1903—5 je 52 Nrn. (1046, 1018 u. 996) Viertelj. 4 —; m. d. Monatsschrift f. Ohrenheilkde 6 —; einz. Nrn. nn — 60
— (C) f. Optik u. Mechanik, Elektrotechnik u. verwandte Berufszweige. Red.: O Schneider. 22—26. Jahrg. 1901—5 je 24 Nrn. (1901. Nr. 1. 10 m. Abb.) 4° Berl., Verl. d. Central-Zeitg. Viertelj. 2 —; einz. Nrn — 40
— (C) allg., f. Tierzucht, Fortsetzg, s.: Tierzucht, deut. landw.
Zeremonial-Buch (C) f. d. kgl. preuss. Hof. X u. XI. (Neue Afl.) 8° Berl., R v. Decker. Je 1.50
X. Hof-Rang-Regiement. (74) 03. || XI. Trauer-Regiement. (50) 05.
Zeremonien (C) bei Ankunft d. Herrn Bischofes in e. Pfarrei bei Gelegenh. d. hl. Firmg. (19) 16° Strassbg, (FX Le Roux & Co.) (02). — 10 d
Zenz, W, s.: Lehrbuch d. spez. Methodik.
— Methodik d. Unterr. in d. Elementarkl., s.: Beck, J.
— Sammlg d. Volksschulges. f. d. Erzh. Österr. ob d. Enns, s.: Timmel, J.
— Zool. f. Lehrer- u. Lehrerinnen-Bildganst. 5. Afl. (212 m. Abb.) 8° Wien, A Hölder 03. L. 2.30
Zepelin, C v., s.: Heere u. Flotten, d., d. Gegenwart.
— Das russ. Küstengebiet in Ostasien. (Primorskaja Oblastj.) [S.-A.] (60 m. 2 Kart. u. 1 Pl.) 8° Berl., ES Mittler & S. 02. 1.20 d
— Die Insel Sachalin. (Der Kriegsschauplatz in Ostasien.) [S.-A.] (18) 8° Ebd. 05. — 60 d
Zepethek s. Tötössy de Zepethek.
Zepf, J: Wie können d. Methoden naturwiss. Forschg f. d. Unterr. fruchtbar gemacht werden? (50) 8° Lpzg, BG Teubner 01. — 80 d
Zepler, G: Die Lage d. Ärzte u. ihr Verhältnis zu d. Krankenkassen: Umfrg. m. Zahlen u. Weiteres. Argumente z. Abwehr u. Aufklärg. [S.-A.] (43) 8° Berl., E Grosser 03. — 80
— Ueb. d. Notwendigk. e. Kranken-Unterstützg f. Prostituirte u. ein. and. Massnahmen z. Bekämpfg d. Geschlechtskrankh. [Umgearb. u. verm. S.-A.] (32) 8° Berl., O Coblentz 03. — 60
Zepler, MN: Volkshochsch., s.: Fortschritt, soz.
Zeppelin's, Graf, Ritt in Feindesland. Aus d. Feldzugserinnergn e. Reservisten. Die Rose v. Gorze, s.: Jugend-Bibliothek, stenograph.
Zerbst, M: Bewegg! Grundl. e. neuen Weltanschaung. (50) 8° Dresd., K Lingner 02. 2 —
— Die Philosophie d. Freude. (214) 8° Lpzg, CG Naumann (04). 4 —; L. 5 —
— Zu Zarathustra! 2 Vortr. (81) 8° Ebd. (05). nn 1.75; L. nn 2.60
Zergiebel, EH, s.: Lesebuch, deut., f. höh. Lehranst.
Zerjett, JB: Chorgesangschule. 1. u. 2. Tl. (35 u. 48 m. Bild-Ausg.) 8° Hanov., CA Gries 1900. Kart. je 1.50
Zernecke, E: Leitf. f. Aquarien- u. Terrarienfreunde. 2. Afl. v. M Hesdörffer. (490 m. Abb. u. 1 Taf.) 8° Dresd., H Schultze 04. 6 —; geb. 7 —
Zernecke, WFH: Gesch. d. Familie Zernecke, e. Raths-Geschlechts d. ehemal. freien Städte Danzig u. Thorn. (413 u. 30 m. Abb., 12 Taf. u. 1 Stammtaf.) 8° Graudenz 1900. (Danz., L Saunier.) 15 — d
Zernial, H: Aus d. alten Stadt. Neuhaldensleber Erinnergsblätter a. d. dreiss., vierz. u. fünfz. Jahren d. 19. Jahrh. (100 m. 2 Abb.) 8° Neuhaldensl., CA Eyraud. 02. (Nur dir.) †1.20 d Vergr.
Zernial, U: Deut. Leseb. f. höh. Schulen, s.: Hellwig, P.
Zernicki-Szeliga, E v.: Gesch. d. poln. Adels. Nebst e. Anh.: Vasallenliste d. 1772 Preussen huldig. poln. Adels in Westpreussen. (84 u. 55) 8° Hambg, H Grand 05. 6 —; HF. nn 8.50
— (6 farb. Taf.) 8° Ebd. 04. 12 —; HF. 15 — d
Zerniko, H (H Conitzer): Die Kunst, Schulden zu machen. Humoristisch-satir. Studie. (64) 8° Hambg, F Asche & Co. (01). (?) 1 — d
Zernin, (J): Führer durch Darmstadt u. Umgebg. 5. Afl. (96 m. Abb. u. 1 Pl.) 8° Darmst., (E Zernin) (01). nn — 75
— s.: Goeben, Aug. v. Ausw. er Briefe. — Goeben, Aug. V., in s. Schriften.
Zeromski, S: Asche. (In poln. Sprache.) 3 Bde. (383, 406 u. 396) 8° Münch., Etzold & Co. 03. 9 —
— Den Raben u. Geiern z. Frass, s.: Novellen-Bibliothek, internat.
— In Schutt u. Asche. Roman a. d. napoleon. Zeit. Deutsch v. R Schapire. 2 Bde. (445 u. 506) 8° Münch., Etzold & Co. 10 —; geb. 13 — d
— Aus d. Tiefen, s.: Dewa-Roman-Sammlung.
Zerr, G, u. R Rübencamp: Hdb. d. Farben-Fabrikation. (In etwa 25 Lfgn.) 1—31. Lfg. (1—672 m. Abb. u. 2 Tab.) 8° Dresd., Steinkopff & Spr. 04.05. Je 1 —

Zerstreuungen, d. 1001, d. Herrn v. Träamerisch. Lustsp. Frei n. d. Franz. v. e. Vereinspräses. (34) 12° Ess., Fredebeul & K. 1900. — 40 d
Zervès, S, s.: Aetii sermo sextidecimus et ultimus.
Zesas, DG: Üb. d. Resultate d. chirurg. Therapie d. typhösen Perforationsperitonitis, s.: Klinik, Wiener.
Zesch, A: Wilde Blumen. Dichter. Versuche, Knittelverse, tolles Zeug u. Schelmereien. (116) 16° Stuttg., (F Fleischhauer). (Nur dir.) L. m. G. nn 3 — d
Zesch, M: Der Prozess geg. d. Räuberhauptmann Joh. Karraseck u. s. Genossen. (1801—05.) Ein'Stück Lausitzer Kulturgesch. Nach d. im kgl. Amtsgerichte zu Grossschönau aufbewahrten Prozessakten bearb. (40 m. 3 Fksms.) 8° Grossschönau 05. (Zitt., A Graun.) 1 — d
Zeschau, H v.: Bela.' Schickgn einer Heimatlosen. Roman in 2 Bdn.(312) 8° Gotha, FE Perthes 05. 4 —; geb. 5 — d
Zeschko, L: Die neue Lösgs- u. elektrochem. Theorie. Experimentelle Widerlegg d. herrsch. „Elektrolyt.Dissociationstheorie" v. Standpunkte d. Problemtheorie. Der neuen konstanten Valenzlehre Schlusssteinlegg. I. (35) 8° Berl., R Friedländer & S. 04. 1 — d
Zeta-Romano: Die Jagd n. d. Tiara. Polit. Zeitbild a. d. Gesch. Roms z. Z. d. Konklave v. '05· (505) 8° Emsclw. 05. Lpzg, R Sattler. 4 —; geb. 5 — d
Zetkin, C: Geist. Proletariat, Frauenfrage u. Sozialismus. Nach e. Vortr. (32) 8° Berl., Bh. Vorwärts 02. — 25 d
— Die Schulfrage. Referat. (16) 8° Ebd. 04. — 15 d
Zetsche, E: Bilder a. d. Ostmark. Ein Wiener Wanderbuch. (218 m. Abb. u. 12 Taf.) 4° Innsbr., A Edlinger 02.
L. (20 —) 10 — d
Zettel, K: Huldiggs-Dialog. (3) 4° Münch., (J Lindauer) (01). — 15 Vergr.
— Deut. Leseb. f. höh. Lehranst. Neue Afl. v. J Nicklas. I. u. II. Tl. 8° Ebd. 3 —; Einbde je — 40 d
I. 11. Afl. (191) 01. 1.20 ‖ II. 10. Afl. (3. Afl. d. Neubearbeitg.) (206) 1900. 1.80.
— dass. Neubearbeitg. 5 Tle. 8° Ebd. 8.60; Einbde je — 40 d
I. 12. Afl. v. G Maurer. (132) 04. 1.20 ‖ II. 11. Afl. v. M Hergt. (242) 02. 1.80 ‖ III. 10. Afl. v. J Menrad. (272) 03. 1.80 ‖ IV. 10. Afl. v. E Knoll. (264) 04. 1.80 ‖ V. 10. Afl. v. F Schmitt. (217) 04. 2 —
— Monacensia. Zeit- u. Stimmgsbilder a. Alt- u. Jungmünchen. 3. Folge. (119 m. Bildnis.) 8° Ebd. 04. 1.50; L. 2.50
(Vollst.: 5.50; geb. 8.30) d
Zetterstèen, KV: Beitr. z. Kenntnis d. relig. Dichtg Balai's. Nach d. syr. Handschriften d. Brit. Museums, d. Bibliothéque nationale zu Paris u. d. kgl. Bibliothek zu Berlin hrsg. u. übers. (52 u. 56) 4° Lpzg, JC Hinrichs' V. 02. 12 —
Zettler, M: Methodik d. Turnunterr. 3. Afl. (338) 8° Berl., F Dümmler's V. 02. 3.50; L. 4 — d
Zettner, H: Shelleys Mythendichtg. (64) 8° Lpzg, J Klinkhardt 04. 1.50
Zettnow, E: Beitr. z. Kenntnis v. Spirobacillus gigas, s.: Festschr. z. z. 50. Geburtstage v. Rob. Koch.
— s.: Handbuch d. pathogenen Mikroorganismen.
Zetzmann, C, s.: Panorama v. Inselberg. — Panorama v. d. Schneekoppe.
Zetzmann, H: Schreibvorlagen, s.: Sellner.
Zetzsche, C: Einf. Land- u. Stadthäuser, s.: Einzelausgaben d. architekton. Rundschau.
Zetzsche, F: Die wichtigsten Faserstoffe d. europ. Industrie. (36 m. Abb. u. 11 Taf.) 8° Kötzschenbr., HFA Thalwitzer 05. L. 3 — ‖ 2. Afl. (52 m. Abb., 1 Tab. u. 12 Taf.) 05. Geb. 3 — d
— Das Mikroskop, s.: Bücherei, kulturgeschichtl.
Zetzsche, KE, u. F **Zetzsche**: Eb. u. räuml. Geometrie, s.: Weber's illustr. Katech.
Zeugnis, d., d. Hl. Schrift üb. d. ewige Verdammnis im Gegensatz zu d. sog. Wiederbringgslehre. 4. Afl. (44) 8° Elberf., R Brockhaus (durch J Fassbender) 1898. — 20 d
Zeugnisse v. Christo. (Predigten.) Ges. u. hrsg. v. J u. A Kröker. Jan., Febr.-März, April u. Mai. 8° Elberf., (FW Köhler) 01. 1 — d
Jan. (22) — 20 ‖ Febr.-März. (36) — 40 ‖ Apr. (70) — 50 ‖ Mai. (22) — 20.
Fortsetzg war nicht zu erhalten.
— neue. f. alte Wahrheiten. 1. u. 2. Heft. 8° Brekl., (Christl. Bh.). — 50 d
Dahle, L : Christl Versöhngswerk u. d. Schrift. Deutsch v. H Hansen. (37) (01.) [2.] — 30
Thomsen: Alter u. neuer Glaube, ist d. Unterschied wirklich so grosse? (16) (01.) [1.] — 20
Zeugung, d., in Sitte, Brauch u. Glauben d. Südslaven. (Von FS Krauss.) III. [S.-A.] (149—266) Lzr.? Paris, H Welter 02.
nn 13 — (Vollst.: nn 40 —)
Zeumer, K, s.: Leges Visigothorum. — Quellen u. Studien z. Verfassgsgesch. d. Deut. Reiches.
— Quellensammlg z. Gesch. d. deut. Reichsverfassg in M.-A. u. Neuzeit, s.: Quellensammlungen z. Staats-, Verwaltgs- u. Völkerrecht.
Zeuner's, FP, Waaren-Preis-Schnellberechner. (Kalkulator.) Nebst Umwandlgstab. v. Mark u. Pfennigen in Francs — Kronen — Gulden — Rubel u. Pfund Sterling. (28) 8° Lpzg, (G Weigel) (02). 1.50 ‖ 2. Afl. (30) (05.) 1.20; geb. 1.50
Zeuner, G : Die Schieberstenergn. Mit bes. Berücks. d. Lokomotivsteuergn. 6. Afl. (259 m. Abb. u. 6 L.) 8° Lpzg, A Felix 04. 8 —; L. 9 — d
— Techn. Thermodynamik. 2. Afl. Zugl. 4. Afl. d. „Grundz. d. Hinrichs' Fünfjahrskatalog 1901—1905.

mechan. Wärmetheorie". 2. Bd. Die Lehre v. d. Dämpfen. (468 u. 29 m. Abb.) 8° Lpzg, A Felix 01. 14 — (Vollst.: 27 —,
Zeuner, W: Luftreinheit. asept. u. atox. Behandlg d. Lungen z. Bekämpfg d. Tuberkulose.(83) 8° Berl., A Hirschwald 03. 1.60
Zeus. Gedanken üb. Kunst u. Dasein v. e. Deutschen. (218) 8° Stuttg., F Enke 04. 3.60; L. 4.60 d
Zeuss, K: Die Deutschen u. d. Nachbarstämme. 2. Afl. Anastat. Neudr. d. Ausg. v. 1837. (780) 8° Gött., vangenhoeck & R. 04. 16 —; ge . 18 —
Zeuthen, HG: Gesch. d. Mathematik im 16. u. 17. Jahrh., s.: Abhandlungen z. Gesch. d. mathemat. Wiss.
Zeyen, L: Im Krug z. grünen Kranze, s.: Radfahrer-Pantomimen.
Zeyer, J: Geschichten u. Legenden, s.: Novellen-Bibliothek, internat.
— In d. Götterdämmerg. Eine Chronik. Deutsch v. O Bruch v. d. Mohra. (327) 8° Brix., A Weger 05. 3 — d
— Roman v. d. treuen Freundschaft d. Ritter Amis u. Amil, s.: Roman-Bibliothek, slav.
— Sulamit. Dramat. Dichtg. Aus d. Böhm. v. V Melichar. (117) 8° Dresd., E Pierson 02. 1.50
Zeynek's, G Ritter v., deut. Lit.-Gesch. Als Hilfsb. f. Schulen, m. bes. Berücks. d. Lehrerbildgsanst., u. z. Selbststudium bearb. 7. Afl. (362) 8° Graz, Leuschner & L. 01. Geb. 3 — d
— deut. Stilistik u. Poetik. Leitf. f. Schulen m. bes. Berücks. d. Lehrer-Bildgsanst. 9. Afl. v. A Meixner. (237) 8° Ebd. 04. Geb. 3 — d
Zeynek, R v.: Üb. d. Blutfarbstoffe. — Üb. d. Fermente. — Üb. d. Kupfer, s.: Vorträge d. Ver. z. Verbreitg naturwiss. Kenntnisse in Wien.
Zeysig, JA v.: Die ungar. Krise u. d. Hohenzollern. (38) 8° Berl., (W Frey) 05. — 30
Zeyss u. Schols: Die Bedeutg d. BGB. f. d. ev. Pfarrer. I. Einfl. d. BGB. auf d. Kirche, d. ev. Kirchenrecht u. d. soz. Leben. II. Welche Aufgaben erwachsen d. ev. Pfarrer a. d. BGB.? 2 Vortr. (67) 8° Lpzg 01. Dresd., CL Ungelenk. 1 — d
Zeyss, A : Joh. Ernst Christian Haun, s.: Berbig, M, u. Würdigg d. Verdienste Herzog Ernst d. Frommen.
Zhuber, P v.: Rundschau v. Laibacher-Schlossberg, s.: Roschnik, R.
Zichy, Graf E: Forschgn im Osten z. Aufhellg d. Urprgs d. Magyaren, s.: Forschungsreise, 3. asiat., d. Grafen E Zichy.
Zichy, Michel de, sa vie, son oeuvre. Collection de 40 grandes planches (héliograv. et autres), reproduisant les principales oeuvres de l'artiste, précédée d'une notice biograph. et descriptive illustrée. 8 Lfgn. (8 S. Text.) Fol. Wien (I, Dorotheergasse 11), HO Miethke 1895. 72 —; geb. 80 —
Zickel's, S, illustr. Familien-Kalender 1905. (56) 8° New-York. S Zickel. (?) — 75 d 0 f
Zickerow: Die Schul- u. Jugendsparkassen, s.: Senckel, E.
Zickfeldt's pädagog. Taschenkalender u. Ratgeber f. 1906/7. 10. Jahrg. (166) 16° Osterw., AW Zickfeldt. L.— 75 d
Bisher u. d. T.: Hasse's pädagog. Taschenkalender.
Zickgraf, O: Die Bildg v. Guanidin bei Oxydation v. Leim m. Permangansaten, s.: Kutscher, F.
Ziegler, A: Russ. Kindererzählgn. (In russ. Sprache. (Mit deut. Anmerkgn hrsg. 1—3. Bd. 8° Lpzg, E Gerhard 01. (2.90) 3 —
1. Pascha. Erzählg a. d. russ. Volksleben. (30) (— 40) — 80 ‖
2. Monka. Eine Kindergesch. a. d. russ. Leben. v. A Ssejew. (141) (—) 1.60 ‖ 3. Demetrius. Erzählg a. d. russ. Gesch., frei bearb. n. Zickm. (23) (—) 1 —
Neue Ausg. s. u. d. T.: Witzleben, M v., kl. russ. Lehrbibliothek f. Anfänger u. Kinder, 11—15. Bd.
Ziekler, K: Vorrichtgn u. Maschinen z. Herstellg v. Tiefbohrlöchern, s.: Köhler, G.
Ziebarth, E: Beitr. z, Gelehrtengesch. d. 17. Jahrh., s.: Kelter, E.
— Eine Inschriftenhandschrift d. Hamburger Stadtbibliothek. (17) 4° Hambg, (Herold) 03. nn 1.50
Ziebarth, R: Gewichtstab. f. Walzeisen. 5. Afl. (144) 12° Berl., Weidmann 03. A. 3.60
Ziegelei-Kalender, deut. Hrsg.v.E Tscheuschner. 5.Jahrg.1903. (Notizkalender, 153 u. 53) 12° Lpzg, Schulze & Co. 2 — 0 f
Ziegeler, E: Dispositionen d. deut. Aufsätzen f. Tertia u. Sekunda. 1. Heft. 4. Afl. (112) 8° Paderb., F Schöningh 05. 1 —
‖ 2. (Schl.-)Heft. 4. Afl. (137) 05. 1.60 d
— Gymnasium u. Kulturstaat. Off. Brief an Herrn Past. Dr. A Ziegler. (17) 8° Brem., Rühle & Schl. 05. — 30
— 12 Reden Ciceros, disponiert. 2. Afl. (55) 8° Brem., G Winter 04. 1 —
Ziegelroth: Zur Abwehr d. Krebsgefahr. (60) 8° Berl., M Richter 01. 2 —
— s.: Archiv f. physikalisch-diätet. Therapie.
— s.: Schirrmeister: Fleischnot od. Fleischüberschätzg? 2 Vortr. (32) 8° Berl., Lebensreform (05). — 50 d
Ziegenbein: Die Viehzucht im Grossh. Oldenburg. (76 m. Abb.) 8° Lpzg, RC Schmidt & Co. 03. 1.60 d
Ziegenberg, H: Die Messtechnik, s.: Heinke, C.
Ziegenfuss, A (P Philipp): Hermann d. Befreier. Vaterländ. Festsp. f. d. Volksbühne. (52) 8° Dresd., Holze & Pahl (05). — 75 d
— Moritz v. Sachsen. Vaterländ. Festsp. f. d. Volksbühne. 1. Afl. (79) 8° Ebd. [1900] (05). 1 — d
Ziegenspeck, R: Zur Aetiol. d. Prolapsus uteri. (19 m. Abb.) 8° Münch., Verl. d. ärztl. Rundschau 03. 1 —

Ziegenspeck, R: Ueb. Fötal-Kreislauf. (15 m. Abb.) 8° Münch., Verl. d. ärztl. Rundschau 02.　　—
— Die Lehre v. d. dopp. Einmündg d. unt. Hohlvene in d. Vorhöfe d. Herzens u. d. Autoritätsglaube, s.: Sammlung klin. Vortr.
— Geburtshilf. Nothilfe. (11) 12° Münch., Verl. d. ärztl. Rundschau (02).　　— 40

Zieger, B: Lit. üb. d. ges. kaufmänn. Unterr.-Wesen u. d. kaufmänn. Unterr.-Bücher, s.: Veröffentlichungen d. deut. Verbandes f. d. kaufmänn. Unterr.-Wesen.

Zieger, Frl. M: Grammatik u. Vokabular zu d. Lehrb. d. engl. Sprache. — Lehrb. d. engl. Sprache, s.: Thiergen, O.

Zieger, M: 100 Gedichte. (143) 8° Stuttg., Strecker & Schr. 05.　　　　　　L. m. G. 2.50 d

Ziegert, P: Üb. Ursprg u. Wesen d. heut. dent. Baptismus. Vortr. (28) 8° Halle, M Niemeyer 04.　　— 60

Ziegesar, Frhr v.: Geschichtl. Nachrichten üb. d. Burgruine Zavelstein im Schwarzwalde u. Beschreibg derselben. (24 m. Abb.) 8° Stuttg., (F Stahl) 03.　　　　1.50
— 2 württemberg. Soldatenbilder a. alter Zeit: 1. Das Bild d. herzogl. württ. Obristen u. Statthalters d. französ. Herzogt. Alençon in d. Normandie Benjamin v. Buwinghausen-Wallmerode (1570—1635), 2. Das Bild d. herzogl. württ. Generallieutenants u. Chefs d. württ. Husaren-Regts Freihrn AMF v. Buwinghausen-Wallmerode (1728—96). (140 m. Abb. u. 3 Taf.) 8° Ebd. 04.　　　　Kart. 2 — d

Ziegesar, H v.: Der Burenkrieg, s.: Liman, P.

Zieglauer, F v.: Geschichtl. Bilder a. d. Bukowina z. z. d. österr. Militär-Verwaltg. (8—11. Bilderreihe.) [S.-A.] 8° Czernow., H Pardini.　　　7 — (1—11.; 31 —) d
n. Das J. 1786. (150 n. 2) 01. 1 — ‖ 9. Das J. 1786. (114 u. 2) 02. 2 —‖ 10. Nachträge u. Ergänzgn 1777—86. (86) 04. 2 — ‖ 11. Nachträge u. Ergänzgn. (75) 05. 1 —

Ziegler's graph. Darstellg d. trigonometr. Funktionen, s.: Peters, F.

Ziegler, A: Lehrb. d. gewerbl. Buchhaltg, nebst e. Ausz. a. d. Wechselkde u. e. Anh. üb. Schriftstücke u. Berechngn im Geschäftsverkehre d. Kleingewerbetreib. u. Kleinhändlers. (110) 8° Wien, A Hölder 02.　　　　Kart. 1.40
— Übgshefte z. gewerbl. Buchhaltg. I—IV. 4° Ebd.　Je — 56
I. Die Buchhaltg d. Schnittmachers. (24) 02. ‖ II. Die Buchhaltg d. Bäckers. (24) 03. ‖ III. Die Buchhaltg d. Tischlers. (24) 03. ‖ IV. Die Buchhaltg d. Schneiders. (30) 04.

Ziegler, C: Der Rechenunterr. im Lichte d. sozialpädagog. Prinzips u. d. Konzentration. — Die Stellg d. Dezimalbrüche im Rechenunterr., s.: Abhandlungen, pädagog. (34)
8° Aar., HR Sauerländer & Co. 04.　　　— 60 d

Ziegler, E: Anweisg z. Führg d. Feldbuches nebst kurzgef. Regeln f. d. Felddienst beim Feldmessen, Winkelmessen, Kurvenabstecken, Nivellieren, Peilen u. Tachymetrieren, sowie e. Anl. z. Gebr., z. Prüfg u. Berichtigg d. erforderl. Feldmessinstrumente. (144 m. Abb. u. 6 Taf.) 8° Hannov., Dr. M Jänecke 05.　　　　L. 2 20
— dass. Anh., als Feldbuch f. d. Feldmessübgs eingerichtet. (128 m. Abb.) 8° Ebd. 05.　　　　L. 4 —

Ziegler, E, s.: Beiträge z. patholog. Anatomie u. allg. Pathol.
— Lehrb. d. allg. Pathol. u. d. patholog. Anatomie. 3 Bde (m. z. Tl farb. Abb.). 8° Jena, G Fischer. 29 —; Einbde je 2 —
1. Allg. Pathol. od. d. Lehre v. d. Ursachen, d. Wesen n. d. Verlauf d. krankhaften Lebensvorgänge. 10. Afl. (798) 01. 12 — ‖ 11. Afl. (810) 05.
2. Spec. patholog. Anatomie. 10. Afl. (996) 02.　　　10 —
— dass. Ergänzgsheft. 8° Ebd.　　3.40; geb. nu 4 —
A. Kühn, Chr. v.: Technik d. histolog. Untersuchg patholog.anatom. Präparate. 7. Afl. v. E Gierke. (196) 04.　　3.40; geb. nu 4 —
— s.: Zentralblatt f. allg. Pathol. u. patholog. Anatomie.

Ziegler, E: Mädchenschicksal. 2 Novellen. (245) 8° Zür., Schulthess & Co. 03.　　　3.20; geb. 4 — d
— August Wehrli. Einakter in Zürcher Mundart. (55) 8° Zür., (F Amberger) 03.　　　　— 80

Ziegler, E v.: Die Praxis d. bayer. Hochgebirgstes. Studie üb. d. Handhabg d. Rechte d. bayer. Landtags z. Festsetzg d. Staatsausg. u. Staatseinnahmen, sowie gegenüber d. Vorlage d. Rechngsnachweisgn. (241 m. 1 Tab.) 8° Münch., (F Ackermann 05.　　　　3.60 d

Ziegler, F: Wesen u. Wert kleinindustrieller Arbeit, gekennzeichnet in e. Darstellg d. berg. Kleineisenindustrie. (400 u. 89 m. graph. Darstellgn u. 1 Karte.) 8° Berl., Bruer & Co. 01.　　　　12 — d
— Private Wohlfahrtspflege f. Fabrikarbeiter, s.: Kolleck, G.

Ziegler, F: Systemat. Anl. g. einheitl. Ausgestaltg v. Weichenverbindgn. 1. Thl. Die Weichenstrassen u. ihre gegenseit. Verbindgn z. Entwickelg v. Gleisgruppen. (90 m. 31 Taf. Zeichngn u. 4 Heften m. 37 Musterbl. Fol. Erf., C Villaret 01.　　　　Kart. u. geb. 16 —

Ziegler, G: Das Eisenb.-Projekt Dar-es-Salam—Mrogoro u. d. damit zusammenhäng. verkehrspolit. u. wirtschaftl. Zeitfragen f. Deutsch-Ostafrika. (164) 8° Eichst., P Brönner 04.— 80

Ziegler, H: Hinaus in d. Welt! Erlebnisse, Studien u. Betrachtgn e. Weltreisenden. 1. u. 2. Heft. 8° Berl., W Süsserott (05).　　　　Je nn 1.80 d
1. Wie ich Weltreisender wurde. (110) ‖ 2. Fahrten in Westafrika. (108 m. 3 Kart.)

Ziegler, H: Die Stimme Jesu in d. Gegenwart.- Predigten u. Betrachtgn. (248) 8° Tüb., JCB Mohr 04.　4 —; geb. 4.80 d

Ziegler, H v., u. H v. Osten: Unser Lockenköpfchen u. anderes. I. Unser Lockenköpfchen, von v. Z. II. Die Freundinnen, von v. O. 19—29. Taus. Neue Ausg. (127 m. 4 Farbdr.) 8° Wes., W Düms (05).　　　　Geb. — 60 d
— K Sprengel u. K Cassau: Frühlingsblumen. Erzählgn f. Junge Mädchen. (1—10. Taus.) (238 m. 5 Farbdr.) 8° Ebd. (03).
　　　　Geb. 1,50 d

Ziegler, HE: Der Begriff d. Instinctes einst u. jetzt, s.: Jahrbücher, zoolog.
— Die ersten Entwickelgsvorgänge d. Echinodermeneies, insbes. d. Vorgänge am Zellkörper, s.: Denkschriften d. mediz. naturwiss. Gesellsch. in Jena.
— Lehrb. d. vergleich. Entwickelgsgesch. d. nied. Wirbeltiere in systemat. Reihenfolge u. m. Berücks. d. experimentellen Embryol. (366 m. Abb. u. 1 farb. Taf.) 8° Jena, G Fischer 02.　　　　10 —
— s.: Natur u. Staat.
— Ueb. d. derzeit. Stand d. Descendenzlehre in d. Zool. Vortr. (54 m. Fig.) 8° Jena, G Fischer 02.　　　1.50
— Die Vererbgslehre in d. Biol. (76 m. Fig. u. 2 Taf.) 8° Ebd. 05.　　　　2 —

Ziegler, J: Grüne Blätter f. meine Söhne u. uns. Knabeninstit. 1. Bd. 3. Afl. (492 m. 1 Bildnistaf.) 8° Wilhelmsdf, Verl. d. Ziegler'schen Anst. 1896.　　　　L. 3 — d
— Ein Königskind. Erzählt f. meine Söhne. (374 m. Taf.) 8° Wilhelmsdf 05. Stuttg., Bh. d. ev. Gesellsch.　Kart. 1.80;
　　　　L. 2,50 d
— Die menschl. u. göttl. Seite v. e. grossem Leid. Die Heimholg meines lieben Neffen Willi Ziegler. (24 m. 1 Bildnis.) 12° Wilhelmsdf, Verl. d. Ziegler'schen Anst. 02.　　— 20 d
— Meines Sohnes „Ja,“ — aber“. Beantwortet f. meine Söhne. 29—33. Taus. (55) [2° Bas., F Reinhardt 01. — 25; geb. — 80 d
— dass. 3. Afl. (63) 8° Wilhelmsdf 05. Stuttg., Bh. d. deut. Philadelphia-Ver.　　　— 50; geb. — 60; m. G. 1 — d

Ziegler, I: Die Königsgleichnisse d. Midrasch beleuchtet durch d. röm. Kaiserzeit. (32, 456 u. 192) 8° Bresl., Schles. Buchdr. usw. 03.　　　　10 —; geb. nn 12 —

Ziegler, J: Die Mädchenhochsch. in Amerika. (66) 8° Gotha, EF Thienemann 01.　　　　1.30 d

Ziegler, J: Gelegenheitsreden, s.: Zollner, JE.
— Rosen u. Lilien. Eine Sammlg v. schönen Beispielen a. d. Gartenland d. kathol. Missionen, m. d. Hauptstücke d. kathol. tech. f. d. Schule verteilt u. z. Förderg d. Glaubensverbreitg zusammengest. (376) 8° Rgnsbg, Verl.-Anst. vorm. GJ Manz 01.　　　　1.80; L. 2.40 d
— Vorträge f. Jungfrauenver. (183) 8° Ebd. 02. ‖ 2. Afl. (193) 05. Je 1.20 d

Ziegler, J, u. W König: Das Klima v. Frankfurt am Main. Nachtr. (32, 68 m. 2 Taf.) 8° Frankf. a/M., (Reitz & K.) 02.
　　　　— (Hauptwerk u. Nachtr.: 10 —)

Ziegler, J: Beitrag z. Begründg d. 2 Kontenreihen in d. Buchhaltg. [S.-A.] (20) 8° Wien, Administr. d. österr. Handelsmuseums 04.　　　　— 60
— Lehrb. d. Buchhaltg f. höh. kommerzielle Lehranst. 3 Tle. 8° Wien, A Hölder.　　　　Geb. 5.20
1. Einf. Buchhaltg. (187) 04. 2.24 ‖ 2. Dopp. Buchhaltg. (213) 04. 2.96.
— Lehr- u. Übgsb.: d. Buchhaltg f. 2class. Handelsschn. 3. Afl. (313) 8° Ebd. 05.　　　Kart. 2.85
— dass. Suppl. Die amerikan. Buchführg, nebst e. Sammlg v. Buchhaltgsaufg. (36) 8° Ebd. 02.　　　Kart. 1.12

Ziegler, JH: Die wahre Einheit v. Relig. u. Wiss. 4 Abhandlgn. (192 m. Abb. u. 2 Taf.) 8° Zür., (Art. Instit. Orell Füssli) 04.　　　　4 —
— Die wahre Ursache d. hellen Lichtstrahlg d. Radiums. (48) 8° Ebd. 04. ‖ 2. Afl. (54) 05.　　　Je 1.50
— Die universelle Weltformel u. ihre Bedeutg f. d. wahre Erkenntnis aller Dinge. 1. Vortr. (40 m. Abb.) 8° Ebd. 02. ‖ 2. Afl. (41) 03. ‖ 2. Vortr. (38) 03.　　　　Je 1.50

Ziegler, JM: Karte d. Kt. Zürich. 1:125,000. (Neue Ausg. 1905.) 52,5×45 cm. Farbdr. Zür., J Meier.　　Auf L. 2.40

Ziegler, K, u. A Steinkamp: Aus d. Kinderwelt. Bilder u. Gedichte a. d. Kinderleben. Zeichngn v. Z. Verse v. S. (16 S. illustr. Text m. 6 farb. Taf.) 4° Duisbg, JA Steinkamp (o. J.).　　　　Kart. †1 — d
— — Fröhl., seel. Kinderzeit. Bilder u. Gedichte a. d. Kinderleben. Zeichngn v. Z. Verse v. S. (24 S. illustr. Text m. 12 farb. Taf.) 4° Ebd. (o. J.).　　　Kart. †2.50 d
— — Wie's uns gefällt. Bilder u. Gedichte a. d. Kinderleben. Zeichngn v. Z. Verse v. S. (12 S. illustr. Text m. 6 farb. Taf.) 4° Ebd. (o. J.).　　　　Kart. †1 — d

Ziegler, KW: Die Versöhng m. Gott. Bekenntnisse u. Erkenntniswege. (441) 8° Tüb., JCB Mohr 03.　　6 —; geb. nn 7 — d

Ziegler, L (G Leo): Neus Rätsel f. Gross u. Klein. (96) 8° Halbg, C Winter, V. 02.　　　1.90; L. 2 — d

Ziegler, L: Zur Metaphysik d. Tragischen. (104) 8° Lpzg, Dürr'sche Bh. 02.　　　　1.60
— Der abendländ. Rationalismus u. d. Eros. (236) 8° Lpzg, E Diederichs 05.　　　　geb. 9 — d
— Das Wesen d. Kultur. (192) 8° Lpzg 03. Jena, E Diederichs.　　　　4 —; geb. nu 5 — d

Ziegler, O: Die 5 Deklinationen (Abwandlgn) d. latein. Sprache, m. Aufzählg d. gebräuchlichsten Hauptwörter u. Eigenschaftswörter, sowie Regeln zur Bildg d. pharmazeut., botan. u. chem. Namen. (Umschl.: Latein. Unterrichtsb. f. Drogisten-

Ziese, JH: Die Ohnmacht u. Macht uns. Kirche. (48) 8°
Gütersl., C Bertelsmann 01. — 80 d
Ziesemer, J: Erläutergn zu d. Mittel- u. Oberst. d. Ausg. D
v. F Hirts deut. Leseb., s.: Schocke, O.
— Geogr. f. d, Mittelschullehrer- u, Rektoratsprüfg, s.: Mittel-
schullehrer- u. Rektoratsprüfung, d.
— Kl. mathemat. Geogr. 5. Afl. (64 m. Fig.) 8° Bresl., F Hirt
04. Kart. 1 — d
— Die Provv. Ost- u. Westpreussen, s.: Landeskunde Preussens.
Zieser, J: Das Prager Jesulein. Gebet- u. Andachtsb. 6. Afl.
(160 m. Titelbild.) 16° Kevel., J Thum (03). L. — 50 d
Ziethe, W: Das Konfirmanden-Bückl. Wegweiser f. junge Wanderer am Scheidewege. 55. Afl. (32) 12° Berl., Hauptver. f.
christl. Erbaugsschriften (04). nn — 10; geb. — 20 d
— dass. Dän. Ausg. Efter tredivte Oplag. Femfte Oplag. (32)
8° Brekl., (Christl. Bh.) (04). — 15 d
— 2 lust. Kriegsgesch., s.: Gabelsberger-Bibliothek.
— Meine Lehr- u. Wanderj. Aufzeichngn. (512 m. Bildnis.) 8°
Berl., Hauptver. f. christl. Erbaugsschriften (04). 5 —;
geb. 6 — d
— Palmzweige. Erzählgn f. Christenkinder. Nr. 409—420. (Je
16) 16° Ebd. (02). Je — 06 d
Fortsetzg s. u. d. T.: Palmzweige.
Zietlow, E: Subtrop. Agrikultur. '(221) 8° Lpzg, Dr. Seele &
Co. 04. 3.50
Zietz, M: Wie urteilen Theologen üb. d. kirchl. Stimmrecht
d. Frauen?. Ges. Antworten auf e. Umfrage d. Deut. Ver-
bandes f. Frauenstimmrecht. (97) 8° Hambg, O Meissner's V.
05. — f.
— 25 lust. Kriegsgesch., s.: Gabelsberger-Bibliothek.
Zifferer, D: Ballotage u. Aufnahme, s.: Instruktions-Vorträge,
3, geb. in d. Loge „Zukunft".
Zifferer, I: Aus d. Selbstbekenntnis e. Frau. (102) 8° Dresd.,
F Pierson 04. 1 —; geb. 2 — d
— Visionen. (58) 8° Ebd. 04. 1 —; geb. 2 — d
Zifferer, P: Pariser Cantilenen. (59) 8° Berl., H Seemann Nf.
(04). 1 —
— Der kl. Gott d. Welt. Romandichtg. (220) 4° Lpzg 02. Berl.,
H Seemann Nf. 3 —; geb. 4 — d
Zigany, Z, n. K v. Baross: Üb. d. Kellerei-Genossensch. Anl.
f. Weinproduzenten, wie sie ihr Weinprodukt durch Vermittlg
d. Kellerei-Genossensch, zu besseren Preisen verwerthen kön-
nen u. auf welche Weise solche Genossensch. konstituirt
werden können. (In deut. u. ungar. Sprache.) (96) 8° Budap.,
(O Nagel jun.) 1899. nn — 35
Zigeunerkind, d., od. Ohne Vater, ohne Mutter allein auf d.
Welt! Oder: Die Geheimnisse e. Fürstenhauses. 100 Hefte.
(2400 m. je 1 Vollbild.) 8° Berl., Verlagsh. f. Volkslitt. u. Kunst
(03). Je — 10; auch in 20 Bdn zu — 10 d
Zigliara, TM: Propaedeutica ad sacram theologiam in usum
scholar. seu tractatus de ordine supernaturali. Ed. V. (499)
8° Rom (Via dell' Università 42—48),' (Libreria antiquaria
Nardecchia) 03. † 6 —
Zihlmann, H: Der Verlöbnisbruch im modernen Recht m. bes.
Berücks. d. schweiz. Privatrechts. (156) 8° Zür., A Müller's
V. 02. 2 —
Zikel, H: Osmolog. Diagnostik u. Therapie. Neue Untersuchgn.
(520 m. Abb.) 8° Berl., R Trenkel 05. 16 —; geb. 18.50
— Neuere Fortschritte d. klinisch-osmolog. Heilkde. (30 m. Abb.)
8° Ebd. 05. 1 —
— Lehrb. d. klin. Osmol. als funktionelle Pathol. u. Therapie.
Nebst ausführl. Anweisg z. kryoskop. Technik. Einführg v.
Senator. (19, 418 m. Abb., Tab. u. 1 Bildnis.) 8° Berl., Fischer's
med. Bh. 02. 10 —
Zilchert, R: Das Evangelium in Prag, s.: Festschriften f. Gustav-
Adolf-Ver.
— Der Mensch. — Das Leben, s.: Sammlung gemeinnütz. Vortr.
— Schuld, Gewissen u. Tod. 3 Vortr. (61) 8° Wien, Stähelin &
L. 02. 1.50
Zill, L: Die Parabel v. verlorenen Sohne. Dargest. in Fasten-
predigten. 2. Afl. (112) 8° Rgnsbg, Verl.-Anst. vorm. GJ Manz
05. 1.20 d
Ziller, F: Just. Wilh. Lyra, s.: Bär, M.
— Die bibl. Wunder in ihrer Beziehg zu d. bibl. Welt- u. Gottes-
vorstellgn, s.: Sammlung gemeinverständl. Vortr. u. Schrif-
ten a. d. Geb. d. Theol.
Ziller, T: Einl. in d. allg. Pädagogik. 2. Afl. v. O Ziller. (169)
8° Langens., H Beyer & S. 01. 1.80
— s.: Jahrbuch d. Ver. f. wiss. Pädagogik.
Zillessen, F: Haben sich d. Aussichten f. d. Erhaltg d. ev.-
christl. Schulwesens in d. letzten Jahren günstiger gestaltet
od. nicht? Vortr. [S.-A.] (15) 8° Berl., F Zillessen (03). — 20 d
— Das Bilderb. Fitzebutze. (12) 8° Ebd. (01). — 20 d
Fortsetzg s. u. d. T.: Nochmals d. Bilderbuch Fitzebutze.
Zilliacus, K: Das revolutionäre Russl. Schilderg d. Ursprgs
u. d. Entwicklg d. revolutionären Bewegg in Russl. Aus d.
Schwed. v. F v. Känel. (390) 8° Frankf. a/M., Lit. Anst.
5 —; geb. 6.50
Zillich, K: Statik f. Baugewerksch. u. Baugewerksmeister.
3 Tle. (Mit Abb.) 8° Berl., W Ernst & S. Kart. 5.80
1. Graph. Statik. 2. Afl. (87) 01; 8. Afl. (87) 04. Je 1.20 | 2. Festigkeits-
lehre. 2. Afl. (172) 02; 3. Afl. (176) 05. Je 2.90 | 3. Graphische Konstruktio-
nen. 2. Afl. (112) 03. 1.80.
Zillig, P: Welches sind d. pädagog. Anfordergn an e. Lehrpl.
f. d. bayer. städt. Volksch.? (58) 8° Nürnbg, F Korn 04. — 00 d
— Wahre Bildg d. Kindes u. Dr. Kerschensteiners Schullehrpl.,

Lehranweisgn u. Lehrplantheorieen. Erwäggn z, Elementar-
Methode. [S.-A.] (58) 8° Langens., H Beyer & S. 01. 1 —
Zillig, P: Der pädagog. Gedanke, d. Berufsgedanke d. Volks-
schullehrers, s.: Bausteine, pädagog.
Zilligstein, E vom, s.: Barber, E.
Zillinger, H: Ein neuer Himmel u. e. neue Erde. Reformations-
Festpredigt. (15) 8° Dresd.,, F Sturm & Co. 02., — 20 d
Zillmann, P, s.: Rundschau, neue metaphys.
Zimbern u. Teutonen. Marbod, König d. Markomannen, s.:
Gabelsberger-Bibliothek.
Zimels, J: David Humes Lehre v. Glauben u. ihre Entwickelg
v. Treatise z. Inquiry. (84) 8° Berl., Mayer & M. 03. 2 —
Zimmer, Vater, s.: Leben u. Wirken, s.: Missionsschriften, rhein.
Zimmer, C: Cumaceen, s.: Ergebnisse d. Hamburger Magal-
haens. Sammelreise.
— E: Das Not-Signal an d. schweiz. Grenze. § 193. (43)
8° Weing. (03). (Ravnsbg, F Alber.) — 50 d
Zimmer, F: Chorgesangsch. f. höh. Lehranst. 3. Afl. (80) 8°
Quedlnbg 01. Berl., Gr. Lichterf., CF Vieweg. Kart. — 60 d
— Elementar-Musiklehre. Neu hrsg. v. G Hecht. 3 Hefte. 8°
Ebd. Geb. 4.70
1. Tonlehre. Rhythmik. Allg. Accordlehre. 26. Afl. (102) 04.
2. Theoretisch-prakt. Harmonielehre, nebst Aufgabenheft. 20. Afl. (193)
(05.) 1.80! Aufgabenheft. (65) (02.) — 40
3. Organik, musikal. Formenlehre u. Abriss d. geschichtl. Entwicklg d.
abendländ. Musik, insondersh. d. ev. Kirchengesanges. 11. Afl. (184 m.
H.) 02. 1.80
— Gesanglehre. Studien f. d. deut. Volksgesang. 1-, 2- u. 3-
stimm. prakt. Übgn in method. Folge m. eingefügten Merk-
sätzen z. Förderg d. Tonvorstellg u. Tonbildg. 3. Afl. (100)
8° Ebd. 04. Kart. — 75
— 25 volkstüml. Lieder f. Männerchor. (1. Heft d. Zimmer-
Möhring'schen Lieder.) 6. Afl. (39) 8° Osterbg, R Danehl 01.
, — 20 d
— Kl. Liederschatz. Sammlg 1-, 2- u. 3stimm. Lieder in volkstüml. Satze f. deut. Schulen nach Jahreskursen methodisch
geordnet u. m. ton. Übgn versehen. 13. Afl. (104) 8° Qued!
lnbg (01). Gr. Lichterf., CF Vieweg. || 14. Afl. v. J Emilius.
(118) (04.) Je — 35 d
— Notenschreibbuch. [S.-A.] Neuausg. v. G Hecht. (8 n. Noten-
beil. 4) 8° Ebd. (01). nn — 15
Zimmer, F, s.: Frauendienst.
— „Frauennot u. Frauendienst". Der ev. Diakoniever. u. s.
Zweiganst. 6. Afl. (515) 8° Berl.-Zehlendf, Ev. Diakoniever.
04. 2 — d
— s.: Fröbel, F, d. 1. Erziehg.
— Grundr. d. Philosophie n. Frdr. Harms. (114) 8° Tüb., JCB
Mohr 02. 2 —
— Das 1. Konitzer Mordaffaire. (86) 8° Berl.-Zehlendf,
Ev. Diakoniever. 04. — 50 d
— s.: Kinderfehler, d.
Zimmer, F: Humoristisch-karnevalist, Lieder in Coblenzer
Mundart. (100) 8° Cobl., Gebr. Friedrich 04. 1 — d
— Deut. Sinn, s.: Theaterspiel, d.
Zimmer, G: Auskunftei, s.: Weigand, FA.
Zimmer, G: Der Mord in Konitz am 11.III.1900. Die öffentl.
Gerichtsverhandlgn in d. Winter'schen Mordaffaire. 2. Heft.
(16) 8° Danzig (1900). (Konitz, J Schmolke.) — 10 d
— dass. in d, Konitzer Mordaffaire. 3—6., 8—10. u. 12. Heft.
8° Konitz, (F Schmolke) (1900). Je — 10 d
1—6. Der „Fall Speisiger" vor Ge-
richt. 3 Tble. (11 u. 16) | 6. Der gr. Judenkrawall vor Gericht. (15) | 8—
10.18. Meineidsprozess geg. Maslof u. Genossen. 3—8. u. 11. u. 12. Ver-
handlgang. (16, 16, 16 u. 14.)
Die fehlenden Hefte sind vergriffen.
Zimmer, H: Die deut. Erziehg u. d. deut. Wiss., s.: Meyer's
Volksbb.
— s.: Gressler's, FGL, Klassiker d. Pädagogik.
— Volkstumspädagogik. (59) 8° Langens., Schubb 04. 1.20 d
— Pelagius in Irland. Texte u. Untersuchgn z. patrist. Litt.
(450) 8° Berl., Weidmann 01. 12 —
— Untersuchgn üb. d. Satzaccent d. Altirischen. [S.-A.] (46)
8° Berl., (G Reimer) 02. — 50
Zimmer, H: Stuttgarter Raub- u. Streifzüge. Urbans Freuden
u. Leiden. Humoristisch-satir. Gedicht in schwäb. Mundart.
(15) 8° Stuttg., P Mähler 04. — 25 d
Zimmer, M: Üb. Metalltitrationen mittelst Chromsäure. (86)
8° Freibg i/B., Speyer & K. 02. 1.20
Zimmer, O: Die Kirchenaustritts-Frage od. Aus welchen Gründen u. auf welche Weise soll man a. d. Kirche austreten?
4. Afl. (16) 8° Berl., O Zimmer 03. — 10 d
— Das Sozialist v. Nazareth. Lebensgesch. Jesu, verbunden
m. e. Kritik d. Strauss'schen Standpunktes u. d. dieszeitigl,
sozialist. Parteischriften. (40) 8° Ebd. 03. — 50 || 3. Afl. (48)
03. — 75 d
Zimmer, W: Sonnenglanz. Skizzen u. Verse. (85) 8° Dresd.,
E Pierson 02. 1.50; geb. 2.50
Zimmer v. Ulbersdorf: Deut. Lieder a. d. wilden Westen. (225)
8° Dresd., E Pierson 03. 3 —; geb. 4 —
Zimmerauer, F Ritter v., s.: Unterrichts-Zeitung, land- u.
forstw.
Zimmerer, EM: Kräutersegen. Die Bedeutg. uns. vorzüglichsten heim. Heilkräuter in Sitte, Sage, Gesch. u. Volksglau-

ben; ihr wirtschaftl. u. industrieller Nutzen u. ihre prakt. Verwendg als Hausmittel. 2. Afl. (464 m. 56 farb. Taf.) 8° Donauw., L Auer 02.   L. 8 — d
Zimmerer, H, s.: Weltgeschichte.
Zimmerer-Bewegung, d. brem. Darstellg. d. Entwicklg u. Kämpfe d. brem. Zimmerer-Organisation, verbunden m. e. Abrechng v. Ausstande im J. '04. Hrsg. v. Vorstande d. Zahlstelle Bremen d. Zentral-Verbandes d. Zimmerer Deutschlds, im Auftr. H Steffen. (88) 8° Brem., (Bh. Bremer Bürger-Zeitg) 05.   — 80 d
Zimmerli, GW: Auf d. Alpen u. am Meer. Gedichte. (123 u. 4) 8° Jever, (CL Mettcker & S.) (05).   1.80 d
— Ausgew. Gedichte, s.: Volks-Bücherschatz.
Zimmerlin, F: Vom Stift Zofingen u. wie es an d. Kt. Aargau kam. (46 m. Tab.) 8° Zofingen, Dr. Zimmerlin (01). 1,20 d
Zimmermann: 100 Bekanntmachgn in poln. Sprache. Übersetzg in bes. Anh. (37 u. 35) 8° Berl., A Bath 06. Kart. u. geb. 1 —
Zimmermann, A: Beitrag z. Kenntnis d. Hypertrophien angebor. Ursprgs. (54 m. Abb.) 8° Strassbg, J Singer 02. 1.20
Zimmermann, A: Die deut. Kolonial-Gesetzgebg. 5. Thl. 1899—1900. (42, 223 u. 34) 8° Berl., ES Mittler & S. 01.   7 —;
         HF. nn 8.50 (1—5.: 38.30; geb. nn 45.10) d
Fortsetzg s. u. d. T.: Kolonial-Gesetzgebung, d. deut.
— Kolonialpolitik, s.: Hand- u. Lehrbuch d. Staatswiss.
— Die europ. Kolonien. Schilderg ihrer Entstehg, Entwicklg, Erfolge u. Aussichten. 4. u. 5. Bd. 8° Berl., ES Mittler & S.
     16 — (1—5.: 45 —; Einbde in L. je nn 1.50) d
4. Die Kolonialpolitik Frankreichs. Von d. Anfängen bis z. Gegenwart. (433) 01.   9.50
5. Die Kolonialpolitik d. Niederländer. (304 m. 1 Karte.) 03.   6.50
— Weltpolitisches. Beitr. u. Studien z. neueren Kolonialbewegg. 2. Afl. (294) 8° Berl., Allg. Ver. f. deut. Litt. 01. 5 —;
         L. od. HF. 6,50 d
Zimmermann, A, u. T Goldschmid: In d. Nachfolge Jesu. Leitf. f. d. Konfirmationsunterr. 7. Afl. (46) 8° Zür., (Bh. d. ev. Gesellsch.) 04.   L. nn — 75 d
Zimmermann, A: Bilder a. d. Kirchengesch., s.: Staub, E.
Zimmermann, A: Das Gold v. Parpan. Eine Gesch. a. d. Bündnerbergen. (274) 8° Aar., HR Sauerländer & Co. 05. 3.40;
         geb. 4.40 d
Zimmermann, A: Engl. u. d. soz. Reform. — Das neue Vereinsges. u. d. religiös. Kongregat. in Frankr. — Amerikan. Wohlthätigkeits-Anst., s.: Broschüren, Frankf. zeitgemässe.
Zimmermann, C: Die Unfallverhütg im Dampfkesselbetriebe, s.: Heidepriem, C.
Zimmermann, E, s.: Pastoralblätter f. Homiletik, Katechetik u. Seelsorge.
Zimmermann, E: Übgsb. im Anschl. an Cicero, Sallust, Livius, Tacitus z. mündl. u. schriftl. Übers. a. d. Deut. ins Latein. II. Tl. 2 Abtlgn. 2. Afl. 8° Berl., Weidmann 03.   Kart. 1.90 d
II, I. Im Anschl. an Sallusts Verschwörg Catilinas. (96)   1 —
   2. Im Anschl. an Ciceros catilinar. Reden. (135)   — 90
Zimmermann, E: Ackerbaulehre, s.: Witt, L.
Zimmermann, E: Das Dunkle. Die Gesch. e. Seele. (75) 8° Wien, Wiener Verl. 01.   2 —
— Gothik. Dichtg. (78) 8° Ebd. 03.   2 —; geb. nn 3 —
Zimmermann, E: Das Verkehrssteuerges., s.: Lang's Sammlg deut. u. bad. Ges.
— Das Wechselstempelsteuerges. v. 10.VI.1869, nebst d. Ausführgsbestimmgn d. Bundesraths v. 8.III.1901. (112) 8° Karlsr., G Braun'sche Hofbuchdr. 02.   Kart. 2.20 d
Zimmermann, E: Vaterlands- u. Erinnergsklänge. Ernst u. Scherz a. Ostpreussen. (168) 8° Köngsbg, Gräfe & U., Bh. 01.
         3 —; L. 4 — d
Zimmermann, E: Prakt. Anl. z. Gebr. d. Liederb. f. d. Volkssch. d. Reg.-Bez. Arnsberg. (58) 8° Arnsbg, J Stahl 01. Geb. 1.50 d
— Gesanglehre f. deut. Volks- u. höh. Schulen, Seminarien, weltl. u. kirchl. Gesangver. Schülerheft. 5. Afl. (16 m. 1 Tab. u. 1 Schema.) 8° Ebd. 04.   nn — 20 d
— dass. Neue method. Bearbeitg d. Singschule v. FT Stahl. Ausg. f. Lehrer. 2. Afl. (118 m. 1 Tab.) 8° Ebd. 02. Geb. 3 — d
— Gesang-Unterr. im 1. Schulj. Method. Hülfsbüchl. (36) 8° Ebd. 01.   — 50 d
— Liederb. f. deut. Schulen, s.: Stahl, J.
— Material z. Unterr. i. Tact: Vor- u. frühgeschichtl. Altertümer d. Prov. Westfalen, s.: Stahl's J, f Sammlg zeitgemässer pädagog. Vorträge u. Abhandlgn.
— Das Ziel d. Gesangunterr. in d. Volkssch., s.: Abhandlungen, pädagog.
Zimmermann, E: Breisach. Führer durch Stadt u. Umgebg. (48 m. 16 Kunstbeil.) 12° Freibg i/B., FP Lorenz 01.   — 60
Zimmermann, EJ: Hanau, Stadt u. Land. Kulturgesch. u. Chronik e. fränkisch-wetterauischen Stadt u. ehemal. Grafschaft. Mit 840 Abbildgn., Karten u. PL im Text u. auf 52 Taf. u. Beil. 7—11. Heft. (86 u. 305—736) 8° Hanau, (F König) 01-04.
       Subskr.-Pr. je 1 — (Vollst.: HF. 30 —) d
Zimmermann, F: Beethoven u. Klinger. (51) 8° Dresd., G Kühtmann 06.   2 —
Zimmermann, F: Das Archiv d. Stadt Hermannstadt u. d. sächs. Nation. Führer. 2. Afl. (202) 8° Hermannstadt, Archiv d. Stadt 01.   † 1.80
— Die Lage d. Archivs d. Stadt Hermannstadt u. d. sächs. Nation. (57) 8° Wien, Gerold & Co. 05.   1 —
— s.: Urkundenbuch z. Gesch. d. Deutschen in Siebenbürgen. 1

Zimmermann, F v.: Die Teilschuldverschreibg a. d. Reichsges. betr. d. gemeinsamen Rechte d. Besitzer v. Schuldverschreibgn v. 4.XII.1899. (124) 8° Berl., C Heymann 01.   2.40
Zimmermann, F: 2 Frauen. Gedicht in 9 Gesängen. (93) 8° Dresd., E Pierson 04.   1.50; geb. 2.50 d
Zimmermann, FWR: Die Ergebnisse d. Volkszählgn v. 2.XII. 1895 u. v. 1.XII.1900 im Herzogt. Braunschweig, s.: Beiträge z. Statistik d. Herzogt. Braunschweig.
— Steuerlehre, s.: Kaufmann, d. deut.
— A Johanning, v. Frankenberg, R Stegemann: Betrieb v. Fabriken. (436) 8° Lpzg, BG Teubner 05.   8 —; L. 8.60
Zimmermann, G, s.: Schiller-Reden.
Zimmermann, G: Allerlei Kleeniggeeten. Gedichte in sächs. Mundart. (123 m. Bildnis.) 8° Berl., E Siegismund (03). L. 2 — d
Zimmermann, G: Ziele u. Wege d. Funktionsprüfg d. Ohres, s.: Vorträge, klin., a. d. Geb. d. Otol. usw.
Zimmermann, H: Der histor. Wert d. ält. Überlieferg v. d. Gesch. Jesu im Markusevangelium. (203) 8° Lpzg, A Deichert M. 05.   3.60
Zimmermann, H, s.: Handbuch d. Ingenieurwiss.
— Üb. Raumfachwerke. Neue Formen u. Berechngsweisen f. Kuppeln u. sonst. Dachbauten. (93 m. Abb.) 8° Berl., W Ernst & S. 01.   8 —; L. 9 —
— Rechentaf. nebst Sammlg häufig gebr. Zahlenwerthe. 9—11. Taus. (34, 204) 8° Ebd. 03.   L. 5 —
— dass. Translated by L Descroix. (31, 204) 8° Ebd. 04. L. 5 —
— Der gerade Stab m. stet., elast. Stütze u. beliebig gericht. Einzellasten. [S.-A.] (15 m. 2 Fig.) 8° Berl., (G Reimer) 05. — 50
Zimmermann, H: Hdb. f. d. Anschauungsunterr. u. d. Heimatkde. Mit Berücks. d. Winkelmannschen, Leutsmannschen n. Pfeifferschen Bilderwerke in ausgeführten Lektionen methodisch bearb. u. m. Erzählgn, Märchen, Fabeln, Räseln etc. versehen. 4. Afl. (480) 8° Brnschw., E Appelhans & Co. 03. 3.50; geb. 4.50 d
Zimmermann, H: Zur Ikonogr. d. Hauses Habsburg. — Quellen z. Gesch. d. kais. Haussammlgn u. d. Kunstbestrebgn d. allerdurchl. Errzhauses, s.: Jahrbuch d. kunsthistor. Sammlgn d. allerh. Kaiserh.
Zimmermann, H: Eine neue Tarsonemusart auf Gartenmoorbeeren. [S.-A.] (14 m. 1 Abb. u. 1 Taf.) 8° Brünn, (C Winiker) 05.   nn — 60
Zimmermann, HA: Perfekter Stenograph durch d. Blitzstenogr. — Deut. allg. Stenogr., gen. Blitz-Stenographie. — 25 Orig.-Lehrbriefe z. vollstä d. Erlerng d. einf., dopp. u. amerikan. Buchführg. — Universalschlüssel z. dopp. Buchführg, s.: Bibliothek, handelswiss.
Zimmermann, HO: Anl., d. Leseb. usw. zu behandeln, s.: Otto, F.
Zimmermann, J: Reichsges. betr. d. Verkehr m. Nahrgs- u. Genussmitteln, als: Allg. Nahrgsmittelges. v. 14.V.1879 m. Nebenges., Süssstoffges. v. 7.VII.'02, Margarineges. v. 15.VII. 1897, Weinges. v. 24.V.'01. Im Anh.: Wettbewerbges. v. 27.V. 1896, allg. Anmerkgn, Abhandlg üb. d. Verkehr m. Honig. 3. Afl. (154) 8° Lpzg, RC Schmidt & Co. 05.   L.1.50 d
Zimmermann, J: Das Verfassgsprojekt d. Grossh. Peter Leopold v. Toscana. (195) 8° Hälbg, C Winter 01.   4.80 d
Zimmermann, J: Der hl. Joseph. Kantate f. Soli u. gemischten Chor m. Klavier- od. Orchesterbegleitg z. Aufführg m. 7 leb. Bildern. Op. 20. Textb. (11) 8° Fulda, A Maier 04.   — 20 d
— Dem Kaiser Heil! 18 Lieder f. 1-, 2- u. 3stimm. Kinderchor od. Kinderchor m. Klavier- resp. Harmonium-Begleitg nebst verbind. Text. Dichtg v. C Offermanns. 2. Aufführg m. leb. Bildern comp. v. Z. Op. 12. Textb. 12. Afl. (19) 12° Fulda, A Maier 02.   — 20
— Schülerherz in Lust u. Schmerz. Sammlg v. 61 Liedern f. 1-, 2- u. 3stimm. Kinderchor z. Gebr. bei d. verschied. Schulfesten. op. 17. (58) 4° Rgnsbg, F Gleichauf (01).   1.50 d
Zimmermann, JA: Die Festfeier in d. Volkssch. u. zwar je a. Gebet, Ansprache, Gesang z. Deklamation bestin. Kaiser-Sedan-, Christ- u. Entlassgsfeier, sowie Gedächtnisrede auf Kaiser Wilhelm I. u. Friedrich III. (46) 8° Neuw., Hauser's Erben (02).   — 60 d
Zimmermann, JG: Vom Nationalstolze. Über d. Einsamkeit. Neu v. E Weber. (Neue [Tit.-]Ausg.) (80 u. 43) 8° Aar., HR Sauerländer & Co. [1884] (03).   L. 1.40 d
Zimmermann, K: Onkel Sam. Amerikan. Reise- u. Kulturbilder. 1. u. 2. Afl. (251) 8° Stuttg., Strecker & Schr. 04.   4 — d
Zimmermann, K v.: Üb. d. Bildg v. Ortstein im Geb. d. nordböhm. Quadersandsteins u. Vorschläge z. Verbesserg d. Waldkultur auf Sandböden. (64) 8° Leipa, (J Hentschel) 04. nn 1.20
Zimmermann, L: Referenz-Buch, enth. Detail- u. Engros-Geschäfte d. Manufaktur-, Mode-, Weiss-, Baumwollwaren-, Leinen-, Wäsche-, Tuch-, Wollwaren-, Trikotagen, Möbelstoff-, Konfektions- u. Kurzwaren-Branche, sowie Firmen d. Herren- u. Knabenkleider-Massgeschäft, welche Tuchlager halten u. Städten Deutschlds, welche 1500 bis 15000 Einwohner z hlen. Ausg. f. 1904 u. 05. (435) 8° Lpzg, (Alwin Schmidt) (04).   25 —

Zimmermann, L: Rechentaf. Kleine Ausg. z. Gebr. f. Schule u Praxis. 2. Afl. (33, 35) 8⁰ Liebenw., R Reiss 1897. L. 1.50
Zimmermann, MG: Allg. Kunstgesch., s.: Knackfuss, H.
— Sizilien. I. Die Griechenstädte u. d. Städte d. Elymer. II. Palermo, s.: Kunststätten, berühmte.
Zimmermann, N: Der instrunier. Unteroffizier. (60) 8⁰ Bruchs., O Katz 03. — 50 d
Zimmermann, O, s.: Lesebuch, deut., f. Realsch.
Zimmermann, O: Robinson Crusoe, s.: De Foe, D de
Zimmermann, P: Die nationalliberale Jugendbewegg, s.: Schriften, jungliberale.
Zimmermann, P, s.: Abhandlungen, germanist., Herm. Paul dargebracht.
— Album d. herzogl. Gymnasiums zu Wolfenbüttel, s.: Wahnschaffe, U.
— s.: Jahrbuch d. Geschichtsver. f. d. Herzogt. Braunschweig.
— Magazin, braunschweig.
Zimmermann, P v.: Das Evangelium in Wien, s.: Festschriften f. Gustav-Adolf-Ver.
— s.: Hausfreund, ev. — Predigten, 3, bei d. 58. Hauptversammlg d. ev. Ver. d. Gustav-Adolf-Stiftg geh.
— Was wir d. Reformation zu verdanken haben u. Hauptpunkte d. ev. Glaubensbekenntnisses: Zugl. e. Wort d. Verständigg an d. Gebildeten u. Denkenden unter uns. Gegnern. Auch 7. Uebertretende. 6. Afl. (83) 8⁰ Heilbr., E Salzer 02. — 50 d
— Das Vater Unser. Betrachtgn. 2. Afl. (211) 8⁰ Dresd., CL Ungelenk (01). L. 2.40; m. 8 Bildern, L. m. G. 3.30 d
Zimmermann, R: Ein Fall v. Blasenpapillom m. Prolaps durch d. Harnröhre. (15) 8⁰ Tüb., F Pietzcker 02. nn — 60
Zimmermann, R: Münz-, Mass- u. Gewichtstab., s.: Gloeckner.
Zimmermann, R: Wagners Tannhäuser. Künstlerleben u. Volkssage. (24) 8⁰ Lüb., (Lübeke & N.) 02. — 70
Zimmermann, R: Die Mineralien. Anl. z. Sammeln u. Bestimmen derselben, nebst e. Beschreibg d. wichtigsten Arten. (130 m. 8 farb. Taf.) 8⁰ Halle, H Gesenius 04. 2 —; geb. 2.50 d
Zimmermann, T, u. A Zimmermann: Georg Rudolf Zimmermann, Pfarrer am Fraumünster u. Dekan. Lebensbild a. d. Zürcher Kirche. (158 m. Abb.) 8⁰ Zür., Bh. d. ev. Gesellsch. 03. L. 3 — d
Zimmermann's, VF, Telefon- u. Handels-Adressbuch f. d. Deut. Reich u. d. wichtigsten Handelsplätze Böhmens, Belgiens, Hollands, d. Schweiz u. Luxemburg. 11. Ausg. Jahrg. 1905. (3644 u. 223) 8⁰ Hambg. Berl. (8W 11), Bartel, Standtke & Co. L. 15 —
Bis 1902 u. d. T.: Telephon- u. Handels-Adressbuch.
Zimmermann, W: Die kgl. Gärten Oberbayerns, bearb. v. J Trip u. H Schall, s.: Gärten, deut., u. Nord u. Süd.
Zimmermann, W: Handel u. Schiffahrt in Hamburg an d. Jahrh.-Wende. (91) 8⁰ Hambg, Hamburger Börsen-Halle 01. 1 —
Zimmermann, W: Die Rechtswirkgn d. Veräusserg u. d. Belastg d. vermieteten Grundstücks auf d. Mietsverhältnis n. deut. Rechte. (101) 8⁰ Halle, J Schweitzer V. 01. 2.80 d
Zimmermann, W: Der Glasmaler v. Urach u. d. Geldmünzer, s.: Sonntagsbibliothek.
Zimmermann, W: Das Beizen u. Färben d. Holzes. (81) 8⁰ Barm. (04). (Zür., A Wehner.) d || 2. Afl. (86) Lpzg 04. Je 1.50 || 3. Afl. (129) Lpzg 05. 2.50; L. 3 —
— Moderne Farben auf Holz (Beizgn). (7 Taf. in Leporelloform m. farb. Proben u. Text auf d. Einbd.) 8⁰ Lpzg 05. Zür., A Wehner. L. nn 5 —
Zimmermann, W: Die Aussteuer u. d. Ausstattg n. d. BGB. f. d. Deut. Reich. (47) 8⁰ Berl., Struppe & W. 05. 1 — d
Zimmermann-Schoepp, Frau M, s.: Schoepp, M.
Zimmern, H: Vergleich. Grammatik d. semit. Sprachen, s.: Porta linguar. orientalium.
— Babylon. Hymnen u. Gebete, s.: Orient, d. alte.
— Keilinschriften u. Bibel n. ihrem relig.-geschichtl. Zusammenh. Leitf. z. Orientierg im sog. Babel-Bibel-Streit, m. Einbeziehg auch d. neutestamentl. Probleme. (54 m. Abb.) 8⁰ Berl., Reuther & R. 03. 1 —
— Die Keilinschriften u. d. Alte Test., s.: Schrader, E.
— s.: Studien, Leipz. semitist.
— Bibl. u. babylon. Urgesch., s.: Orient, d. alte
— Hebr. u. aramäisches Wrtrb. üb. d. Alte Test., s.: Gesenius, W.
Zimmeter, F v.: Das Oetztal. (47 m. Abb. u. 1 Karte.) 8⁰ Innsbr. (04). (Münch., J Lindauer.) † — 60
— Tiroler Verkehrs-Buch. 2. Afl. (205 m. Abb. u. 46 Kart.) 8⁰ Ebd. 04. — 70
3. Afl. s. u. d. T.: Verkehrs- u. Hotel-Buch, tiroler.
Zimmeter, K: Führer durch d. Hofkirche nebst geschichtl. u. kunstgeschichtl. Erläutergn. (59 m. Abb. u. Taf.) 8⁰ Innsbr., Wagner (02). 1 —
— dass. Traduit par R Peyriot. (59 m. Abb.) 8⁰ Ebd. (04). 1 —
— Michael Angelo u. Franz Sebald Unterberger. Beitrag z. Gesch. d. tiroler Malerei d. 18. Jahrh. (69 m. 5 Taf.) 8⁰ Ebd. 03. 2.40
Zimper, O: Aus d. Heckbauer. Gedichte. (113) 8⁰ Dresd., E Pierson 05. 2 —; geb. 3 — d
Zincke: Leitf. f. usw. d. Kanoniere u Fahrer d. sächs. Feldartill., s.: Batsch.
Zindler, E: Ub. continuierl. Involutionsgruppen. [S.-A.] (9) 8⁰ Wien, (A Hölder) 01. — 20
— Liniengeometrie m. Anwendgn, s.: Sammlung Schubert.

Zingel, E: Humoresken a. d. Leben. (68) 8⁰ Dresd., E Pierson 05. 1 —; geb. 2 — d
Zingeler, KT: Geneal. d. Gesamth. Hohenzollern, s.: Grossmann, J.
— Zollern-Nürnberg. Roman. (Neue [Tit.-]Ausg.) (360) 8⁰ Stuttg., deut. Verl.-Anst. [1896] (01). 1.50; kart. 1.75 d
Zingerle, A: Zum 43. u. 44. Buche d. Livius. [S.-A.] (17 u. 14) 8⁰ Wien, (A Hölder) 02/04. Je — 50
Zingerle, H: Bau, Leistg u. Erkrankg d. menschl. Stirnhirnes, s.: Anton, G.
Zingsheim, T: Präparat. f. d. Turnunterr. in vollständig ausgeführten Lektionen. (Mit Abb.) In 5 Tln. 8⁰ Bresl., J Hirt. 3.80 d
1. Für 1-, 2- u. 3klass. Schulen ohne Turnhallen. (144) 02. 1.80
2. Für Schulen ohne Turnhallen m. 4 u. mehr als 4 Kl. (141) 02. 1.80
3. Für d. Mittelst. (III—V.Schulj.) v. Schulen m. Turnhallen. (148) 03. 1.80
4. Für d. Oberst. (VI—VIII. Schulj.) v. Schulen m. Turnhallen. (184) 03. 2.40
5. Uebg am Schwingseil, Sprossenständer, Pferd, Rundlauf usw. 12 Aufnahme-Uebgn. 12 Reigen u. Spiele, s. Erteilg d. Turnunterr. (76) 02. 1 —
Zink-Malshof, Frl. J, s.: Jezma, PF.
Zinkernagel, F: Die Grundl. d. Hebbelschen Tragödie. (84, 188) 8⁰ Berl., G Reimer 04. 3 — d
Zinkgräf, K: Bilder a. d. Gesch. d. Stadt Weinheim. 1682—93. Nach d. Weinheimer Ratsprotokollen. [S.-A.] (76) 8⁰ Weinh., (German) 04. 1.80
Zinngiesser, d. deut. 3. Jahrg. 1904. 24 Nrn. (Nr. 1. 4) 4⁰ Münch. Ulm u. D., Exp. (Nur dir.) 4 — d
— dass., vereinigt m. d. "Deut. Zinngiesser-Zeitg", gegründet 1895 in Köln a. Rh. Red.: C Rischart. 5. Jahrg. 1905. 36 Nrn. (Nr. 4. 4) 4⁰ Ebd. Vierteljh. 08. 4 — d
Zinnowitz, d. Seebad, e. Perle d. Ostsee. Führer durch Zinnowitz, Carlshagen, Koserow, Zempin u. Umgebg. (68 m. 1 Pl. m. 3 Kart.) 12⁰ Wolgast (03), Zinnow., F Cleppien. Kart. — 50
Zinsen. 1 M. bis 99.999 M. auf 2, 2¹/₄, 2¹/₂, 2³/₄, 3, 3¹/₄, 3¹/₂, 4, 4¹/₄, 4¹/₂, 5, 5¹/₄, 5¹/₂, 6, 6¹/₂ % auf 1 Tag berechnet. (3) 8⁰ Döb., P Trebs (04). — 75 d
Zinsser, K: Wie ist m. d. landw. Mittel- u. Kleinbetrieb zweckmässig Obstbau zu vereinigen, wenn d. Landw. Handbetrieb bleiben soll? (59 m. 3 Taf.) 8⁰ Dresd., C Heinrich 04. 1 — d
Zinssmeister, J: Die Wirtschaftsfrage im Eisenb.-Wesen. (144) 8⁰ Schweinf. 05. (Lpzg, W Engelmann.) 2 — d
Zint, H: Urkundenunterdrückg u. Grenzfrevel in § 274 & 275 d. StrGBs, s.: Abhandlungen, strafrechtl.
Zintl, FX: Die verhängnisvolle Nachtwache. (Ein lust. Studentenstreich.) Kom. Scene f. 4 Männerstimmen (Quartett). Text v. F Jungbauer, komponiert v. Z. Textb. (?) 8⁰ Rgnsbg, A Coppenrath's V. (03). — 20 d
Zinsendorf, NL v.: Die letzten Stunden uns. Herrn u. Heilandes auf Erden. (87) 8⁰ Nendietendl, Eifert & Scheibe (03). — 60; L. m. G. 1 — d
Zion's Wacht-Turm u. Verkünder d. Gegenwart Christi. Red.: OA Koetitz. 9. u. 10. Jahrg. 1904 u. 5. Je 12 Nrn. (Nr. 1. 16) 4⁰ Elberf., Verl. d. Wacht-Turm. Je 2 —; viertelj. — 90; einz. Nrn — 20 d
Zionismus u. Kirchenstaat, v. H K. (Samuelo). (23) 8⁰ Berl., J Singer & Co. (05). — 50
Zions-Bote. Luther. Organ f. d. Deutschen in d. General-Synode d. ev.-luther. Kirche v. Nord-Amerika. Hrsg. v. d. deut. Nebraska-Synode u. d. Wartburg-Synode. Red.: W Rosenstengel. Hilfs-Redd.: R Neumaerker u. F Bahr. 6. Jahrg. 1902. 24 Nrn. (Nr. 1—10. 160) 4⁰ Chicago, Ill. (566—568 Ogden Avenue), Verl. d. Zionsboten. nn 5 — 4 0 H
Zionsführer, der. Sammlg geistl. Gedichte. (32) 16⁰ Diessdf bei Gäbersdorf, Kr. Striegau. Buchdr. d. Schreiberhau-Diessdorfer Rettganst. (04). — 10 d
Zions-Lieder. (164) 8⁰ Berl., Vaterländ. Verl.- u. Kunstanst. (01). — 90; Ausg. m. Noten. (440) (05.) L. 3 — d
Zipp, H: Elektr. Bahnen. I. Bd. Der Motorwagen. 2 Tle. (69 u. 65 m. Abb.) 8⁰ Berl., C Malcomes 04. L. je 1.80
— Berechng elektr. Leitgsnetze m. spez. Berücks. d. Hochspanng. 2 Tle. 8⁰ Ebd. 03. L. 3.60
(70 m. Abb.) 1.80 || 2. (91 m. Abb.) 3 —
Zippel, F: Warum nicht mehr Predigten in Form d. Homilie? (60) 8⁰ Mgdbg, CE Klotz 03. 1.20 d
Zippel, H: Ausländ. Kulturpflanzen in farb. Wandtaf. m. erläut. Text, nach Z. neu bearb. v. OW Thomé. Zeichngn v. K Bollmann. Text. 3. Abtlg. Mit e. Atlas, enth. 22 Taf. m. 94 gr. Pflanzenbildern u. 185 Abb. charakterist. Pflanzenteile (62×45 cm). 2. Afl. (150 m. H.) 8⁰ Brnschw., F Vieweg & S. 03. In M. 18 —
Zippendorf, MJ: Von Berg u. Thal. Gedichte, Erzählgn u. Skizzen. (197) 8⁰ Dresd., E Pierson 02. 2 —; geb. 3 — d
Zipper, A: Goethes Egmont. — Goethe's Reineke Fuchs. — Goethe's Torquato Tasso. — Franz Grillparzer, s.: Universal-Bibliothek.
— Hdwrtrb. d. deut. u. poln. Sprache, s.: Konarski, F.
— Lessings Nathan d. Weise. — Schillers Wallenstein, s.: Universal-Bibliothek.
Zipperer, P: Die Schokoladen-Fabrikation. 2. Afl. (306 m. Fig. u. 2 Taf.) 8⁰ Berl., M Krayn 01. 7.50; geb. 8.70; engl. Ausg. 2. Afl. (277 m. Abb. u. 3 [2 farb.] Taf.) 02. L. 16 —
Zipperlen, W: Der illustr. Haustierarzt f. Landwirte u. Haustierbesitzer. Mit e. Anh. üb. d. Hauptmängel. 9. Afl. (880 m. H. u. farb. Taf.) 8⁰ Ulm, J Ebner (03). L. 7 — d

Zippert, L: Schwester Vera. Schausp. (58) 8° Berl., H Steinitz 04. 2 — d

Zips, FX: Handk. d. k. k. Bezirkshauptmannsch. Znaim, Schulbez. Znaim, umfassend d. Gerichtsbezz. Frain, Znaim, u. Joslowitza. 1:125,000. 29×48 cm. Farbdr. Sternbg, AB Hitschfeld 03. nn — 20

Zipser, A: Üb. substituierte Rhodaninsäuren u. ihre Aldehydkondensationsprodukte, s.: Andreasch, R.

Zipser, J: Die textilen Rohmaterialien u. ihre Verarbeitg zu Gespinsten. (Die Materiallehre u. d. Technol. d. Spinnerei.) I. Thl u. II. Thl, 1. Hlfte. 8° Wien, F Deuticke. 5 —
— I. Die textilen Rohmaterialien. (Die Materiallehre.) 3. Afl. (100 m. Abb.) 05. 1.80
— II, 1. Die Verarbeitg d. textilen Rohstoffe zn Gespinsten. (Die Technol. d. Spinnerei.) 1. Hlfte: Die Verarbeitg d. pflanzl. Rohstoffe. 2. Afl. (166 m. Abb.) 04. 3.50
— Technol. d. Spinnerei. (80 m. Fig.) 8° Ebd. 02. Kart. 1.25
— Wandtaf. f. Textil-Technol. Taf. 1—30. Farbdr. Nebst Text. (Je 1) 4° Wien, A Pichlers Wwe & S. Je 5.20; auf L. m. St. je nn 7 —
— 1. Die Laufdeckelkarde. 77×110 cm. (03.) ‖ 2. Der Mittelflyer. 81×107 cm. (03.) ‖ 3. Der Baumwoll-Selfaktor. 77×109 cm. (03.) ‖ 4. Der Vieltrommelen-Florteiler. 77×106 cm. (03.) ‖ 5. Die Nassspinnmaschine. 81×104 cm. (03.) ‖ 6.7. Der Handtuchstuhl. Je 77×108 cm. (03.) ‖ 8. Die Zylinderwalke. 80 ×106 cm. (03.) ‖ 9. Die dopp. Raubmaschine. 79×106 cm. (03.) ‖ 10. Die Langsohermaschine. 79×108 cm. (03.) ‖ 11. Der Crighton-Öffner. 77× 106,5 cm. (03.) ‖ 12. Der Hackwolf. 77×106,5 cm. (03.) ‖ 13. Die Reisswolf-Strecke. 77×106,5 cm. (03.) ‖ 14. Die Ringspinnmaschine. 80×106,5 cm. (03.) ‖ 15.16. Die Wollwaschmaschine „Leviathan". Je 77×108,5 cm. (03.) ‖ 17. Die Reiskrempel. 77×108,5 cm. (03.) ‖ 18. Anlegemaschine. 76×107 cm. (04.) ‖ 19. Jacquard-Maschine. 74×107 cm. (04.) ‖ 20. Zylinderpresse. 76,5× 100 cm. (04.) ‖ 21. Einf. Schlagmaschine. 70×107,5 cm. (04.) ‖ 22. Baumwoll-Walzenkrempel. 76,5×109 cm. (04.) ‖ 23. Ringzwirnmaschine. 105× ×1 cm. (04.) ‖ 24. Flügelspinnmaschine. 108×51 cm. (04.) ‖ 25. Krempelwolf. 73×109 cm. (04.) ‖ 26. Kammgarukrempel. 71,5×109 cm. (04.) ‖ 27. Heilmaschensche Wollkämmmaschine. 79×106,5 cm. (04.) ‖ 28. Krenzspinnmaschine, System Hill & Brown. 103,5×51 cm. (04.) ‖ 29. Mechan. Webstuhl. 103,5×91 cm. (04.) ‖ 30. Hydraul. Tuchpresse. 106,5×91,5 cm. (04.)

Zirbes, P: Eifelsagen u. Gedichte. 4. Afl. (190 m. Bildnis.) 8° Cobl., W Groos 02. L. 1.50 d

Zirnn, J: Liederb. f. d. unt. Kl. österr. Mittelsch. (83) 8° Wien, A Fichler's Wwe & S. 03. Kart. 1 — d

Zirkel, der. Hrsg. u. Red.: H Glücksmann. 32—36. Jahrg. Oktbr 1901—Septbr 1906 je 35 Nrn. (32. Jahrg. Nr. 1. 24 m. Abb.) 8° Wien, (J Eisenstein & Co.). Je 12 —

Zirkel: Arithmet. Epigramme d. griech. Anthol., s.: Piffl, H, Aufgabensammlg u. d. Algebra.

Zirkel, F: Elemente d. Mineral., s.: Naumann, CF.
— Üb. Crausscheidgn in rhein. Basalten, s.: Abhandlungen d. kgl. sächs. Gesellsch. d. Wiss.
— u. R Reinisch: Petrogr., s.: Ergebnisse, wiss., d. deut. Tiefsee-Exped.

Zirker, M: Vereinsliederb. f. Jung-Juda. Hrsg. im Auftr. d. jüd. Turnver. „Bar Kochba"(-Berlin). (112) 16° Berl., (M Poppelauer) (01). Kart. — 40 d

Zirkularverordnung d. kgl. ung. Ministers d. Innern. Inslebentreten u. Vollzug d. Gesetzartikels IV. v. J. '03; üb. d. Auswanderg, betr. (58) 8° Budap., (L Toldi) (04). — 80

Zirngiebl, H: Die Feinde d. Hopfens u. d. Tier- u. Pflanzenreich u. ihre Bekämpfg. (64 m. Abb.) 8° Berl., P Parey 02. 1.60 d

Zirwer, O: Étude sur Venceslas. Tragédie de Rotrou. (23) 4° Berl., Weidmann 03. 1 —

Zistler, F: Der Grazer Schlossberg. (80 m. Abb.) 8° Graz, Leykam 05. — 80 d

Zitelmann, E: 2 Ansprachen an d. Kaisersöhne in Bonn. (16) 8° Bonn, L Röhrscheid 03. — 50 d
— Zum Grenzstreit zw. Reichs- u. Landesrecht. (80) 8° Lpzg, Duncker & H. 02. 2 —
— Die Kunst d. Gesetzgebg, s.: Zeit- u. Streitfragen, neus.
— Lücken im Recht. Rede. (46) 8° Lpzg, Duncker & H. 03. 1.20
— Internat. Privatrecht. II. Bd. 2. Stück (enth. Sachenrecht u. Obligationenrecht). (305—608) 8° Ebd. 03. 5.40 (I—II,2: 21.80)
— Radiergn u. Momentaufnahmen. (132) 8° Ebd. 04. 2.20; geb. 3 — ‖ 2. u. 3. Afl. (135) 05. 2.40; L. 3.20 d

Zitelmann, G: Lehrhefte f. Gewerbesch. I. Das bürgerl. Wohnhaus. Text u. Atlas. 8° Wien, H Heuss (03). 4 —
— Text. (30) — 50 ‖ Atlas. (77 Taf.) In M. 3.50.

Zitelmann, K (K Rinhart): Der Bräutigam wider Willen u. Anderes. (157) 8° Berl., C Duncker (05). 2.50 d
— Die berühmte Frau, s.: Goldschmidt's Bibliothek f. Haus u. Reise.
— Indien. Ein Buch f. Reisende u. Nichtreisende. (185 m. 4 Taf. u. 1 Karte.) 8° Lpzg, Woerl's Reisebücherverl. (05). 3 —
— Alte Liebe, s.: Kürschner's, J, Bücherschatz.
— Denn sie Schuld rächt sich auf Erden. Roman. (230) 8° Berl., C Duncker (04). 3 — d

Zither-Zeitung, Wiener. Hrsg. u. Red.: F Wagner. Red.: C Seemann, 15. u. 16. Jahrg. 1901 u. 2 je 24 Nrn. (Nr. 1. 12 u. Musikbeil. 4 m.1Bildnis.) 4° Wien,(MKrämer'sNf.).Je8 —; ohne Musikbeil. 4 —; mit Musikbeil. 4.40; ohne Musikbeil. 2.20; viertelj. 2.40; ohne Musikbeil. 1.20
— dass. Hrsg.: O Slezak. Red.: L Zborzil. 17. Jahrg. Jan.— Septbr 1903. 18 Nrn. (Nr.18. 16 u. Musikbeil. 16) 4° Wien, M Breitenstein. 6 —; halbj. 4.40; viertelj. 2.40 ‖ 18.Jahrg. Oktbr 1903—Septbr 1904. 24 Nrn. 8 —; halbj. 4.40; viertelj. 2.40 ‖ 19. Jahrg. Oktbr 1904—Septbr 1905. Hrsg. u. Red.: O Slezak. 12 Nrn. (Nr.1. 8 u. Musikbeil. 16) 8 —; viertelj. 2.40 d ö F

Zittel, KA v.: Grundz. d. Paläontol. (Paläozool.). 1. Abtlg: Invertebrata. 2. Afl. (558 m. Abb.) 8° Münch., R Oldenbourg 03. L. 16.50
— s.: Palaeontographica.
— Üeb. wiss. Wahrheit. Rede. (14) 4° Münch., (G Franz' V.) 02. — 40
— Palaeontolog. Wandtaf. Taf. 69—73. (Schl.) Je 108×143 cm. Farbdr. Stuttg., E Schweizerbart (01). Je 2 —; auf L. m. St. je nn 5 —

Zivier, E, s.: Oberschlesien.

Zivilgesetzbuch (C), schweiz. Vorentwurf d. eidg. Justizu. Polizei-Departements. (309) 8° Bern, (A Francke) 1900. 2 —
— (C) dass. Erläutergn z. Vorentwurf. 3 Hefte. (Von E Huber.) (881) 8° Ebd. 6 —
— 01. 1 — ‖ 2. Sachenrecht. (425) 02. 3 — ‖ 3. Erbrecht. (182) 01. 1 — ‖ 2. Sachenrecht. (425) 02. 2 —
— Französ. Ausg. s. u. d. T.: Code civil suisse.

Zivilisation (C) u. Weltfriede. Impressionen zu e. Lehre v. Glückseligkeit in. Erkenntnis. Von Anthropos. (253) 8° Dresd., E Pierson 03. 4 —; geb. 5 — d

Zivilprozessordnung, d., v. 1.VIII.1895, s.: Taschenausgabe d. österr. Ges.
— u. Gerichtsverfassungsgesetz nebst d. Einführgsges. in d. Fassg d. Bekanntmachg v. 20.V.1898 unter Hervorhebg d. durch d. Ges. v. 20.III. u. 5.VI.'05 erfolgten Ändergn. Textausg. m. Sachreg. 2. Afl. (27, 444) 16° Berl., F Vahlen 05. L. 2 — d

Zivilversorgung, die. Zeitschrift f. Militäranwärter, Unteroffiziere u. Beamte, m. d. Unterhaltsbeil. Deut. Treue. Schriftleitg: Witkowski. 10. Jahrg. Apr. 1905—März 1906. 26 Nrn. (Nr. 1. 24) 8° Berl., Kameradschaft. Viertelj. 1.50; einz. Nrn — 50 d

Žižek, F: Die Wohngsfrage in Frankr., s.: Schriften d. Ver. f. Socialpolitik.

Zizmann, P: Die Krane, s.: Lehrhefte, techn.

Zlocisti, T: Die Erkrankgn d. Auges bei d. akuten Exanthemen. (66) 8° Berl., S Karger 01. 1.60

Zlocisti, T: Vom Heimweg. Verse e. Juden. (81) 8° Berl., Verl. Jüd. Volksstimme 03. L. 3 — d
— Moses Hess. (171) 8° Berl., L Lamm 05. 2.50

Zluhan: Das Sachrechnen, s.: Weit.

Zobel, E: Das Damen-Reiten, s.: Bibliothek f. Pferdeliebhaber.
— Gegensätze, s.: Kürschner's, J, Bücherschatz.
— Die Landespferdezucht in Deutschl. u. d. Remontierg d. deut. Armee. (239 m. Abb.) 8° Lpzg, RC Schmidt & Co. 04. L. 5 — d
— Praktisches u. Theoretisches z. Reitunterr. f. d. Offiziere d. Fusstruppen, sowie 14 Vorträge üb. Pferdekenntniss, Kauf u. Verkauf v. Pferden, Stall- u. Pferdepflege usw., nebst e. Anh. Rev. Ausg. v. „Der Reitunterr. f. d. Offizier d. Fusstruppen". (318 m. Abb. u. 2 Taf.) 12° Lpzg 04. Berl., Zuckschwerdt & Co. L. 3 — d
— Titelausg. [1890] m. Anh. v. S. 302—318.

Zobel, V: Darmstadt, s.: Koch, A.
— Üeb. Gärten u. Gartengestaltg. (86) 8° Münch., GDW Callwey (05). Kart. 1.20
— Bürgerl. Hausbaukunst. (93) 8° Ebd. (04). Kart. 1.20

Zobeltitz, F v.: Trude Alberti. Roman. (257 m. Abb.) 8° Stuttg., C Krabbe (05). 3 —; L. 4 — d
— Albine. Roman. 3—4. Taus. (283) 8° Berl., R Eckstein Nf. (02). 3 —; geb. 4 — d
— Der Backfischkasten, s.: Engelhorn's allg. Roman-Bibliothek.
— Berlin u. d. Mark Brandenburg, s.: Land u. Leute.
— Das eigene Blut. Märk. Bauernstück. (67) 8° Berl., E Fleischel & Co. 1896. 3 —
— Unter d. Dornenkrone, s.: Kürschner's, J, Bücherschatz.
— Die Freibeuter. Ein Roman vor 100 Jahren. 2 Bde. 1. u. 2. Afl. (271 u. 368) 8° Berl., E Fleischel & Co. 02. 8 —; geb. 10 — d
— Besser als Knecht. Roman. 2. Afl. (402) 8° Ebd. 03. 5 —; geb. 6.50 d
— Der Herr Intendant. Geschichte e. Hoftheatersaison. Roman. 2. Afl. (318) 8° Berl., S Gl:wer 01. 3.50; Liebhaberbd 5 —
— „Kreuz wende dich", s.: Engelhorn's allg. Roman-Bibliothek.
— Nachdrucke literarhistor. Seltenh.
— Die arme Prinzessin, s.: Engelhorn's allg. Roman-Bibliothek.
— Märkische Romane. 1. u. 2. Bd. 8° Stuttg., Deut. Verl.-Anst. (04). Je 3 — d
— 1. Der gemordete Wald. 3. Afl. (402) (02.) ‖ 2. Aus tiefem Schacht. 3. Afl. (301) (02.)
— Der Telamone. Roman a. d. Artistenwelt. (2. [Umschl.-] Afl.) (499 m. Abb.) 8° Berl., A Schall [1894] (02). 5 —; geb. 4.50 d
— dass., s.: Romane, deut.
— Tyrannen d. Glücks, s.: Universal-Bibliothek.
— Dem Waren, Edlen, Schönen. Grossstadtroman. 1. u. 2. Afl. (298) 8° Berl., E Fleischel & Co. 05. 3.50; geb. 5 — d
— s.: Zeitschrift f. Bücherfreunde.

Zobeltitz, H v.: Arbeit. Roman a. d. Leben e. deut. Grossindustriellen. 1—4. Afl. (321) 8° Jena, H Costenoble 04.05. 4 —; geb. 5 — d

Zobeltitz, H v.: Die ewige Braut. Roman. 3. Afl. (262) 8º Jena,
. H Costenoble 04. 3 —; geb. 4 — d
— Das Brett d. Karneades, s.: Universal-Bibliothek.
— Die Erben. Roman. 2 Bde. 1. u. 2. Afl. (294 u. 192). 8º Jena,
H Costenoble (01). 6 —; geb. 7.50 d
— s.: Frauenleben.
— Gavotte. — Der Riesenwicht. (157 m. Abb.) 8º Stuttg., C
Krabbe (05). 2 —; L. 3 — d
— Die Generalsgöhre. Roman. 3. Afl. (330) 8º Berl. 02. Jena,
H Costenoble. 3 —; geb. 4 — d
— Prinzess Hummelchen. (167 m. Abb.) 8º Stuttg., C Krabbe
(02). 2 —; L 3 — d
— Der goldene Käfig. Roman. (260 m. Abb.) 8º Ebd. (04). 3 —;
L. 4 — d
— Frau Karola. — Krach, s.: Engelhorn's allg. Roman-Bi-
bliothek.
— Gräfin Langeweile. Ihr Bild. (153 m. Abb.) 8º Stuttg., C
Krabbe (03). 2 —; L. 3 — d
— König Pharaos Tochter u.. and. Novellen, s.: Universal-
Bibliothek.
— Prinzesschens Glück. — Das Röschen v. Sternberg, s.:
Sammlung Franckh.
— Rohr im Winde u. Anderes. (156 m. Abb.) 8º Stuttg., C Krabbe
(05). 2 —; L. 3 — d
— Besiegter Stein. Roman. (275) 8º Berl. 02. Jena, H Coste-
noble. 3 —; geb. 4 — d
— Das Tageb. e. Hofdame. Roman. (292) 8º Berl., W Vobach
& Co. (05). 4 —; geb. 5 — d
— Die Tante a. Sparta, s.: Engelhorn's allg. Roman-Bibliothek.
— Die Todbringerin. (94 m. Abb.) 8º Stuttg., C Krabbe (02).
1 —; L. 2 — d
— Der Wein, s.: Sammlung illustr. Monographien.
Zöckler, O: Die Absichtslenkg od. Der Zweck heiligt d.
Mittel. Beitrag z. Beleuchtg d. Jesuitenfrage. (70) 8º Gü-
tersl., C Bertelsmann 04. 1 — d
— Die christl. Apologetik im 19. Jahrh. Lebensbilder u. Cha-
rakteristiken deut. ev. Glaubenszeugen a. d. jüngsten Ver-
gangenh. (Erweit. S.-A.] (123 m. Bildnissen.) 8º Ebd. 04.
2.50; geb. 3.50 d
— s.: Beweis, d., d. Glaubens.
— Der Brief Pauli an d. Galater, s.: Scholler, O.
— Das Evangelium n. Matthäus, s.: Lange, JP.
— Gottes Zeugen im Reich d. Natur. Biographien u. Bekenntnisse gr. Naturforscher a. alter u. neuer Zeit. 2. Afl. (496)
8º Gütersl., C Bertelsmann 06. 6 —; geb. 7 — d
— s.: Kommentar, kurzgef., zu d. hl. Schriften Alten u. Neuen
Test.
— Die Tugendlehre d. Christentums geschichtlich dargest. in
d. Entwicklg ihrer Lehrformen, m. bes. Rücks. auf deren
zahlensymbol. Einkleidg. (378) 8º Gütersl., C Bertelsmann 04.
6 —; geb. 7 — d
Zoega, G: Catalogus cod. copticor. manu scriptor. Annotat.
Neudr. d. Orig.-Ausg. v. 1810. (Catalogus cod. copticor. manu
scriptor., qui in museo Borgiano Velitris adservantur. [Opus
posthumum.] Romae 1810.) (635 m. 7 Taf.) 4º Lpzg, JC Hin-
richs' V. 03. Kart. 50 —
Zograf, N v.: Das unpaare Auge, d. Frontalorgane u. d. Nacken-
organ ein. Branchiopoden. (44 m. Fig. u. 5 L.) 4º Berl., R
Friedländer & S. 04. 8 —
Zöhren, A, u. G Mader: Schul-Wandk. d. Kreises Ruhrort.
1:17,000. 4 Bl. je 73×75 cm.' Farbdr. Arnsbg, J Stahl (03).
Auf l. m. St. 20 —
Zöhrer, F: Chronik v. Wien, s.: Für Hütte u. Palast.
— Der Engel v. Augsburg. Orig.-Erzählg a. d. M.-A. (90) 12º
Linz, Pressver. (01). nn — 70 d
— Österr. Fürstenb. 90 Erzählgn a. d. Regentenleben d. Baben-
berger u. Habsburger. 2. Afl. (208 m. 3 Abb. u. 14 [6 farb.]
Vollbildern.) 8º Tesch., K Prochaska (05). 5 — d
— Lebensbilder a. Österr.-Ungarn. 3. Afl. (112 m. Abb. u. Bild-
nis.) 8º Linz, Pressver. 05. L. 2 — d
Zöhrs, J: Neues Salzburger Kochb. f. mittl. u. kleinere Haus-
haltgn. Mit e. Anh. üb. d. Tranchieren u. Einsieden, Ge-
tränke u. dergl., üb. d. Bereiten u. Servieren d. Thee u.
Kaffee. 2. Afl. (256) 8º Salzbg, Mayr 03. 1 —; L. 2.50 d
Zois, MA Frhr v.: Der Vollmensch. Rennfahrerroman. (311)
8º Dresd., C Reissner 02. 4 —; geb. 5 — d
Zola, E: Arbeit. Der „4 Evangelien" 2. Tl. Roman in 3 Büchern.
Aus d. Franz. v. L Rosenzweig. 2 Bde. 1—10. Afl. (408 u. 404)
8º Stuttg., Deut. Verl.-Anst. 01. 6 —; geb. nn 8 — d
— Ein Bad u. and. Novellen, s.: Bibliothek Langen, kl.
— Ein Brief an Dr. Laupts üb. d. Frage d. Homosexualität.
Übers. u. eingeleitet v. R v. Boulwitz. [S.-A.] (12 u. 2 S. in
Fksm.) 8º Lpzg, M Spohr 05. 1 — d
— Capitän Burle od. d. Zahlmeister. Jaques Damour od. e.
v. Tode erstand. Gatte. Neue Ausg. (96) 8º Neuweissens, E
Bartels (o. J.). 2 — d
— La débacle, s.: Prosateurs franç. (L Wespy).
— Die Affäre Dreyfus. Der Siegeszug d. Wahrheit. Aus d.
Franz. v. P Seliger. 1—5. Afl. (294 brosch. 298) 8º Stuttg., Deut.
Verl.-Anst. (01). 3 —; geb. nn 4 — d
— Die Erdbeeren u. and. Novellen, s.: Bibliothek Langen, kl.
— Erinnergn e. Kommunarden u. and. Novellen, s.: Samm-
lung Franckh.
— Der Experimentalroman. (62) 8º Lpzg, J Zeitler 04. 1.20

Zola, E: Das Fest in Coqueville u. and. Novellen, s.: Reclam's
Unterhaltgs-Bibliothek. — Universal-Bibliothek.
— Fruchtbarkeit. Roman in 6 Büchern. Aus d. Franz. v. L
Rosenzweig. 10. Afl. 2 Bde. (404 u. 480) 8º Stuttg., Dent.
Verl.-Anst. 02. 6 —; geb. nn 8 — d
— Germinal, s.: Bibliothek d. Gesamtlitt.
— Leichtfüss. Histörchen. Neue Ausg. (96) 8º Neuweissens., E
Bartels (o. J.). 2 — d
— Die wilde Jagd. Roman. Deut. Ausg. 3—5. Afl. (228) 8º Lpzg,
H Hedewig's Nf. (03). 2 —; geb. 2.80 d
— Um e. Liebesnacht. Die Austern d. Herrn Chabre. Ueber-
setzg. (96) 8º Neuweissens, E Bartels (o. J.). 2 — d
— Um e. Liebesnacht u. and. Novellen. — Meine Liebste u.
and. Novellen. — Lili u. and. Novellen, s.: Bibliothek
Langen, kl.
— Lourdes. (Die 3 Städte.) Übers. v. A Schwarz. (412) 8º Bu-
dap., G Grimm (04). 3 —; geb. 4 — d
Diese Ausg. darf im Deut. Reiche nicht verkauft werden.
— Malerei, s.: Bibliothek hervorrag. Kunstschriftsteller.
— Das Märchenb. d. Liebe. (Erzählgn v. Ninon.) Neue deut.
Ausg..(96) 8º Neuweissens., E Bartels (o. J.). 2 — d
— Die Erstürmg d. Mühle. Das Tanzbüchlein, s.: Weichert's
Wochen-Bibliothek.
— Der Sturm auf d. Mühle u. and. Novellen, s.: Bibliothek
Langen, kl. — Sammlung Franckh. — Universal-Bibliothek.
— Nana. Aus d. französ. Original neu übers. u. bearb. v. F
Netto. (160) 8º Neuweissens., E Bartels (o. J.). 3 — d
— Nantas u. and. Novellen, s.: Bibliothek Langen, kl.
— Novellen-Bibliothek. Deut. Ausg. 5 Bdchn. (5. Afl.) 8º Lpzg,
H Hedewig's Nf. (03). Je — 50 d
1. Leben u. Lieben. (57) | 2. Freudenrausch am Strande. (54) | 3. Ball-
nummer. — Ein Bad. (52) | 4. Scheintot. (67) | 5. Um e. Liebesnacht.
(76) 6. Im Kampfgewühl. (74) | 7. Die Austern d. Herrn Chabre. (67)
| 8. Jacques Damour. (67).
— Paris. (Die 3 Städte.) Übers. v. A Schwarz. (478) 8º Budap.,
G Grimm (04). 3 —; geb. 4 — d
Diese Ausg. darf im Deut. Reiche nicht verkauft werden.
— Rom. (Die 3 Städte.) Übers. v. A Schwarz. (462) 8º Ebd.
(04). 3 —; geb. 4 — d
Diese Ausg. darf im Deut. Reiche nicht verkauft werden.
— Romane. Deut. Ausg. 10 Bde. 8º Lpzg, Deut. Verl.-Instit.
Je 3 — d
1. Erzählg an Ninon. (240) | 2. Therese Raquin. (317) | 3. Die Wonne d.
Lebens. (340) | 4. Mutter Erde. (154) | 5. Zum Paradies d. Damen. Uebers.
v. H Rosé. (319) | 6. Nana. Pariser Roman. (360) | 7. Ein süßsam Heim.
(327) | 8. Die Sünde d. Priesters. (324) | 9. Das Glück d. Familie Rou-
gon. (192) | 10. Se. Excellenz Eugen Rougon. Uebers. v. GA Volchert.
(246)
— Die Schultern d. Marquise u. and. Novellen, s.: Bibliothek
Langen, kl.
— Sinnen u. Leiden. Erzählgn, Deutsch v. E Kühne. (160) 8º
Berl. (o. J.). Lpzg, H Hedewig's Nf. 2 —; geb. 2.80 d
— Madame Sourdis. Nantas, s.: Deva-Roman-Sammlung.
— Die Tanzkarte u. and. Novellen, s.: Bibliothek Langen, kl.
— Rasch tritt d. Tod d. Menschen an. In Hochwassersnot,
s.: Welt, alle.
— Der Traum, s.: Weichert's Wochenbibliothek.
— Wahrheit. Der „4 Evangelien" 3. Tl. Roman in 4 Büchern.
Aus d. Franz. v. L Rosenzweig. 3 Bde. 1—6. Afl. (371 u. 355)
8º Stuttg., Deut. Verl.-Anst. 05. 6 —; geb. nn 8 — d
— Der Wunsch d. Toten, s.: Sammlung Franckh.
— Der Zusammenbruch. (Der Krieg v. 1870—71.) Roman. 21—
25. Lfg. (541—765 m. Abb. u. Bildnis.) 8º Stuttg., Deut. Verl.-
Anst. 01. Je — 40 (Vollst.: 10 —; L. 12 —) d
Zolger, I: Das kommerzielle Bildgswesen im Deut. Reiche,
bezw. in Engl., s.: Bildungswesen, d. kommerzielle, d. europ.
u. aussereurop. Staaten.
Zoll jun., F: Sind Schenkgn bei Berechng d. Pflichtteils in
Anschlag zu bringen od. nicht? [S.-A.] (78) 8º Wien, Manz
05. 1.70 d
Zoll- u. Steuerbeamte, der. Vorbereitg z. Annahmeprüfg u.
z. weit. Ausbildg u. Prüfg. Methode Rustin. Selbst-Unterr.-
Briefe. (Red. v. C Ilzig.) 28—163. Lfg. (4049 m. Abb., 1 Tab.
u. 15 Kart.) 8º Potsd., Bonness & H. (01-05). Subskr.-Pr. je — 90;
Einzelpr. je 1.25 d
Zoll- u. Steuerbeamten-Zeitung, deut., m. d. Beil. „Zollhaus-
laube" u. „Mode- u. Handarbeit". Hrsg. v. e. Anzahl be-
währter Fachmänner in Nord- u. Süd-Dentschl. 4. Jahrg.
1. Viertelj. Jan.—März 1901. 6 Nrn. (Nr. 3, 4, 4 u. 4 m. Abb.
u. Schnittbog.) 4º Berl., Eug. Schneider. 1 — d
Von Nr. 4 an vereinigt m.: Umschau auf d. Geb. d. Zoll- u.
Steuerwesens.
Zölle, d. allg. u. vertragsmäss., d. österr.-ungar. Zolltarifes
(1854—1900). [S.-A.] (196) 4º Wien, (Hof- u. Staatsdr.) 01.
6 — d
Zoller, M: Übgsb. f. d. Rechenunterr., s.: Schmidt, T.
Zoller, M: Der ländl. Fortbildgssch. Vortr. (43) 8º Rgnsbg,
Verl.-Anst. vorm. GJ Manz 05. — 50 d
— Illustr. Führer f. Sommerfrischler u. Touristen v. Rieden-
burg a. h. Kellheim u. n. Kipfenberg durch d. Schambachtal
u. üb. d. nächsten Jurahöhen. (153 m. 1 Karte.) 8º Riedenbg
(03). (Rgnsbg, A Coppenrath's S.). nn 2.30 d
Zoller, P: Familien-Chronik. (32) 4º Rorsch. (02). (St. Gall.,
W Hausknecht & Co.) Geb. m. G. 2.30
Zöller-Lionheart, C: Aus gutem Hause. Novelle. (170) 8º Berl.,
A Goldschmidt 04. 1 —; L. 1.50 d

Zöller-Lionheart, C: Salon u. Werkstatt. Mignon vom Belvedere. Friedhofsblüten. — Die Seelenretterin u. anderes, s.: Ensslin's Roman- u. Novellenschatz.
— Böse Zungen, s.: Kürschner's, J, Bücherschatz.
Zollgesetz nebst Zolltarif f. Ecuador. [S.-A.] (18) 4° Berl., ES Mittler & S. 1900. || Neue Ausg. 1901. (14)   Je — 60 d
— allg., f. Rumänien v. 18.VI./1.VII.'05, nebst Ausführgsbestimmgn v. 22.VI./5.'VII.'05 u. d. Zollniederlageordng v. 18.VI./1.VII.'05. (104) 8° Ebd. 05.   1.50 d
— f, Serbien. [S.-A.] (14) 4° Ebd. 01.   — 40 d
Zollhandbuch f. d. internat. Warenverkehr. Hrsg. v. Vosberg-Rekow u. A Etienne. I. Tl. Die Zolltarife aller Länder d. Erde. 1. Bd. 1. Heft. 8° Berl., Puttkammer & M.   1 —
1. Die Zolltarife d. Handelsvertragsländer (Deutschl., Belgien, Österr.-Ungarn, Italien, Russl., Rumänien, Serbien, Schweiz). 1. Heft: Erzeugnisse d. Acker-, Garten- u. Wiesenbaues. (17, 34) 08.   1 —
Zöllig, A: Die Inspirationslehre d. Origenes, s.: Studien, Strassb. theolog.
Zollikofer, E: Zur Frage d. Rentabilität in d. Tierzucht, s.: Momsen, C.
Zolling, T, s.: Gegenwart, d.
Zollinger, E: Kl. Erdkde. — Handelsgeogr., s.: Egli, JJ.
Zollinger, F: Bestrebgn auf d. Geb. d. Schulgesundheitspflege u. d. Kinderschutzes. Bericht an d. hohen Bundesrat d. schweiz. Eidgenossensch. üb. d. Weltausstellg in Paris 1900. (305, 23 u. 50 m. Abb. u. 3 farb. Taf.) 8° Zür., Art. Instit. Orell Füssli (02).   5 —
— Die körperl. Erziehg d. Jugend in d. Schweiz. Vortr. (48 m. Taf.) 8° Lpzg, R Voigtländer 04.   1.20 d
— Joh. Jak. Redinger u. s. Beziehg zu Joh. Amos Comenius. (104 m. Abb.) 8° Zür., F Amberger 05.   6.40 d
Zollitsch: Die geist. Störgn in ihren Beziehgn zu Militär-Dienstunbrauchbark. (bezw. Invalidität) u. Zurechngsfähigk. (28) 8° Würzbg, A Stuber's V. 01.   — 60
Zollmann, T: Das Beste in d. Welt. Matthäus, Kap. 5. (26) 8° Dresd. 01. Lpzg, HAL Degener.   — 60
Zollner, B: Ungar. Novellen. Uebersetzg. (88) 8° Wien, G Szelinski (05).   1.20 d
Zöllner, JE: Armenseelenpredigten. — Grabreden u. Grabschriften, s.: Mohler, L.
— u. J Ziegler: Gelegenheitsreden. 2. Bd. 2. Afl. (484) 8° Hgnsbg, Verl.-Anst. vorm. GJ Manz 04.   4 — d
Fortsetzg s.: Gelegenheitsreden.
Zoellner: Gesch. d. k. b. 11. Infant.-Regts „v. d. Tann" 1805—1905. (515 m. 7 [3 farb.] Taf.) 8° Münch., J Lindauer 05. 12 —;   geb. 14 — d
Zöllner, E: Der unverwüstl. Gesellschafts-Komiker. 3. Afl. (94) 16° Berl. 05. Lpzg, J Püttmann.   — 50 d
Zoellner, H: Beethoven in Bonn. Ein Sang v. Rhein. 9. Afl. (140) 8° Dresd., E Pierson 02.   2 —; geb. 3 — d
Zoellner, W: Die Grundl. d. gesunden Gemeinschaftslebens im Diakonissen-Mutterhause. Vortr. (31) 8° Kaisersw., Bb. d. Diakonissenanst. (04).   — 25 d
— s.: Handreichung z. Vertiefg christl. Erkenntnis.
Zollordnung, mexikan. [S.-A.] (90) 8° Berl., ES Mittler & S. 05.   1 — d
— schwed., v. 1.VII.'04. [S.-A.] (118) 8° Ebd. 05.   1.40 d
— u. Zolltarif f. Bolivien. [S.-A.] (93) 8° Ebd. 02.   1.50 d
Zolltarif, belg. [S.-A.] (17) 8° Berl., ES Mittler & S. 02.   — 60 d
— f. Britisch-Ostindien. [S.-A.] (10) 8° Ebd. (02).   — 30 d
|| Ausg. '05. (11) — 75 d
— d. neue bulgar., v. 10.IV.(28.III.)'03 im Vergl. m. d. geltd. Zolltarif, s.: Mitteilungen d. Zentralstelle usw. z. Vorbereitg d. Handelsverträge.
— d. deut., v. 25.XII.'02 m. d. auf d. Handelsverträgen d. Deut. Reichs m. Belgien, Italien, Österr.-Ungarn, Rumänien, Russl., d. Schweiz u. Serbien beruh. Bestimmgn. Hrsg. im Reichsamt d. Innern. 1. u. 2. Afl. (160) 8° Berl., ES Mittler & S. 05.   2.50; kart. 2.80 3 — d
— d. deut. allg., u. Vertrags-Zolltarif. Hrsg. im Reichsamt d. Innern. (45) 4° Ebd. 01.   1.50 d
— d. neue deut., nebst d. Zolltarifges. v. 25.XII.'02 (u. d. amtl. Veröffentlichg u. e. Inhaltsverz.). (189) 16° Berl. (S. 14), Dresd. Str. 80), L Schwarz & Co. 03.   (1.30) 1.40 d
— d. neue niederländ., nebst Zolltarif. Hrsg. v. H Potthoff. (184) 8° Berl., G Reimer 04.   1 —
— norweg. [S.-A.] (37) 8° Berl., ES Mittler & S. 05.   1 — d
— d. neue österr.-ungar. nebst Zolltarifges. (unter Berücks. d. im deutsch-österr.-ungar. Handelsvertrag vereinbarten Andergn u. im Vergleich m. d. bisher. Zollsätzen). Hrsg. v. Handelsvertragsver. (256) 8° Berl., Liebheit & Th. 05.   3 — d
— d. neue, f. d. österr.-ungar. Zollgebiet m. Einbeziehg Hinrichs' Fünfjahrskatalog 1901—1905.

d. bisher in Kraft steb. Zollsätze u. ihrer Tarif-Nummern z. vergleich. Übersicht. Sammt d. beantragten Einführgsges. u. e. alphabet. Warenverz. (180) 8° Prag, Höfer & Kloobek 03.   2.10 d
Zolltarif, pers., v. 26.I./8.II.'03. [S.-A.] (12) 4° Berl., ES Mittler & S. 03.   — 30 d
— f. Peru. (Nach d. amtl. Ausg. v. J. 1895 unter Berücks. d. seither. Aendergn.) [S.-A.] (64) 4° Ebd. (01).   1.25 d
— dass. 1901/1902. (Nach d. amtl. Ausg. v. J. 1900.) [S.-A.] (60) 4° Ebd. 01.   2 — d
— d. neue allg. rumän., im Vergl. m. d. gelt. Zolltarife, s.: Mitteilungen d. Zentralstelle usw. z. Vorbereitg d. Handelsverträge.
— d. neue allg. russ. v. 16/29.I.'03, s.: Mitteilungen d. Zentralstelle usw. z. Vorbereitg d. Handelsverträge.
— allg., f. Russl. f. d. europ. Handel. Vom 13.I. (a. St.) '03. [S.-A.] (42) 4° Berl., ES Mittler & S. 03.   1 — d
— f. Salvador. [S.-A.] (21) 4° Ebd. 01.   — 50 d
— schwed. Nach d. Stande v. 1.IX.'03. [S.-A.] (30) 8° Ebd. 03.   — 75 || Dass. Gültig v. 1.I.'05 ab. [S.-A.] (38) 04.   1 — d
— d. neue schweiz. Von d. Bundesversammlg angenommen am 10.X.'02. (63) 8° Zür., Art. Instit. Orell Füssli (03).   1.60
— dass., nebst Zolltarifges. unter Berücks. d. im deutsch-schweiz. u. schweiz.-italien. Handelsvertrag vereinbarten Andergn u. im Vergl. m. d. bisher. Zollsätzen. Hrsg. v. Handelsvertragsver. (180) 8° Berl., Liebheit & Th. 05.   2.50
— d. neue serb., v. 30./17.III.'04 im Vergl. m. d. gelt. Zolltarif, s.: Mitteilungen d. Zentralstelle usw. z. Vorbereitg d. Handelsverträge.
— f. Venezuela. (Nach d. amtl. Ausg.) [S.-A.] (14) 4° Berl., ES Mittler & S. 01.   — 50 d
Zolltarife d. 19 wichtigsten Handelsstaaten u. 1904/05. Spezialausg. d. II. Tls d. Export-Hand-Adressb. v. Deutschl. (internat. Welthandels-Adressb.) 1904/05. 10. Ausg. (525) 8° Berl., Laubsch & Everth (04).   5 —
— d., aller Länder d. Erde, s.: Zollhandbuch f. d. internat. Warenverkehr.
Zolltarifgesetz v. 25.XII.'02, nebst zugehör. Zolltarif. Mit e. Inhaltsverz. d. Zolltarifs u. e. alphabet. Verz. d. im Zolltarif aufgeführten Waren, hrsg. im Reichsschatzamt. (344) 8° Berl., R v. Decker 02.   1.50 d
Zoll- u. Steuerverwaltung, d. kgl. sächs., in ihrer Einrichtg u. geschäftl. Wirksamk., unter Berücks. i. Reiche u. ihrem Beamtenwesen. 6. Afl. v.: „Die Ausbildg, Prüfg u. Anstellg d. Beamten d. kgl. sächs. Zoll- u. Steuerverwaltg". (151) 8° Lpzg, CL Hirschfeld 05.   Kart. 2 — d
Zollvorschriften f. d. Einfuhr in Venezuela. [S.-A.] (25) 8° Berl., ES Mittler & S. 05.   — 50 d
Zölss, B: Elektrizitätszerstreng in Kremsmünster. — Messgn d. Elektrizitätszerstreng in Kremsmünster. — Messgn d. Potentialgefälles in Kremsmünster, s.: Beiträge z. Kenntnis d. atmosphär. Elektrizität.
Zomarides, E: Die Dumba'sche Evangelien-Handschrift v. J. 1226. (28 m. 2 Lichtdr.) 8° Lpzg, Dörffling & Fr. 04.   2 —
Zondek, M: Stereoskop. Atlas (v. Macerations-Präparaten) d. Nieren-Arterien-, -Venen, -Becken u. -Kelche. (36 Taf. m. 8 S. Text.) 8° Berl., A Hirschwald 05.   In Klapp-Kasten 36 —
— Zur Chirurgie d. Ureteren. (57 m. Abb.) 8° Ebd. 05.   2 —
— Die Topogr. d. Niere u. ihre Bedeutg f. d. Nieren-Chirurgie. (104 m. Abb.) 8° Ebd. 03.   3 —
Zondervan, H: Allg. Kartenkde. Abriss ihrer Gesch. u. ihrer Methoden. (210 m. Fig. u. 5 Taf.) 8° Lpzg, BG Teubner 01.   4.50; L. 5.30

Zoologica. Orig.-Abhandlgn a. d. Ges.-Gebiete d. Zool. Hrsg. v. C Chun. Heft 32—39, 40 I. u. 41—45. 4° Stuttg, E Schweizerbart.   689 —
Börner, C: Beitr. z. Morphol. d. Arthropoden. 1. Ein Beitrag z. Kenntnis d. Pedipalpen. 2 Bltln. (174 m. Fig. u. 7 Taf.) 04. [42.]   8 —
Bösenberg, W: Die Spinnen Deutschlds. 5 Hefte. (465 m. Fig. u. 45 Taf.) 01-03. [35.]   72 —
Daday, E v.: Untersuchgn üb. d. Süsswasser-Mikrofauna Paraguays. Mit e. Anh.: Zur Kenntnis d. Naididen v. W Michaelsen. (374 m. Fig. u. 23 Taf.) 05. [44.]   72 —
Escherich, K: Das System d. Lepismatiden. (164 m. Fig. u. 4 Taf.) 05. [43.]   43 —
Fischer, O: Vergleichend-anatom. Untersuchgn üb. d. Bronchialbaum d. Vögel. (46 m. Fig. u. 5 Taf.) 05. [45.]   28 —
Handrick, K: Zur Kenntnis d. Nervensystems u. d. Leuchtorgane d. Argyropelecus hemigymnus. (66 m. 6 Taf.) 01. [38.]   28 —
Heymons, R: Die Entwicklgsgesch. d. Scolopender. 3 Thle. (244 m. 16 Taf.) 01. [33.]   87 —
Illig, KG: Deflorgane d. männl. Schmetterlinge. (34 m. 5 Taf.) 02. [38.]   14 —
Leche, W: Zur Entwicklgsgesch. d. Zahnsystems d. Säugethiere, zugl. e. Beitr. z. Stammesgesch. dieser Thiergruppe. II. Thl: Phylogenie. 1. Heft: Die Familie d. Erinaceidae. (104 m. Fig. u. 4 Taf.) 02. [37.]   (3 u. II.: 88 —)
Michaelsen, W: Zur Kenntnis d. Naididen, s.: Daday, E v., Untersuchgn üb. d. Süsswasser-Mikrofauna Paraguays.
Müller, H: Beitr. z. Embryonalentwicklg. d. Ascaris megalocephala. (80 m. Fig. u. 17 farb. Taf.) 05. [41.]   24 —
Schaninland, H: Beitrag z. Entwicklgsgesch. u. Anatomie d. Wirbelthiere. II. III. (166 m. 56 Taf.) 03. [39.]   90 —
Strassen, OL z. Gesch. d. T-Riesen v. Ascaris megalocephala. I. Tl. (87 m. Fig. u. 5 Taf.) 05. [40 I.]   42 —
Stromer v. Reichenbach, E: Die Wirbel d. Land-Raubtiere, ihre Morphol. u. systemat. Bedeutg. (202 m. 5 Taf.) 02. [36.]   48 —
Woltereck, R: Trochophora-Studien. I. Ueb. d. Histol. d. Larve u. d. Entsteh. d. Annelids bei d. Polygordius-Arten d. Nordsee. (71 u. 12 m. Fig. u. 11 Taf.) 04. [34.]   40 —

209

Zu Prof. Jägers 70stem Geburtstag. Sonderausg. v. G Jägers
  Monatsbl. Juni/Juli 1902. Mit 6. Nachtrag. (52 m. 1 Bildnis.)
  8° Stuttg., W Kohlhammer 02.   1 — d
— Kants Gedächtnis. 12 Festgraben zu s. 100jähr. Todestage
  v. O Liebmann, W Windelband, F Paulsen, A Riehl, E Kühne-
  mann, E Troeltsch, F Heman, F Staudinger, G Runze, B
  Bauch, FA Schmid, E v. Aster. Hrsg. v. B Vaihinger u. B
  Bauch. [S.-A.] (350 m. 4 Bell.) 8° Berl., Reuther & R. 04. 6 —
— Kaulbachs Charakterbild, s.: Gabelsberger-Bibliothek.
— Lehr u. Wehr. 1., 2., 4—10. u. 13. Bdchn. 8° Rvnsbg, F
  Albar.   6.77 d
  Bergmann, J: Kl. Lesete. Gedichte. 2. Afl. (111) (05.) [6.]   — 50
  — Zu Nutz u. Kurzweil. Sprüche u. Gedichte. (111) 05. [1.]   — 80
  Birkle, O: Sei zufrieden! Ein Büchlein fürs Volk. (120) (05.) [5.]   — 50
  Brams, C: Engelbeaurhs. Aus d. Engl. (174) (05.) [5.]   — 70
  Buchdorf, F v.: Ein fahr. Schüler im Morgenl. (188) (05.) [9.]   1 —
  Egler, K: Lichtwellen. Gedichte. (265) (05.) [7.]   2 —; geb. 3 —
  Hader, J: Volksgesundheit. Abhandlg üb. d. gesetzl. Heilverfahren in
    Württemberg. (72) 05. [2.]   12
  Neele, JM: Glaubensstern. Erzählgn u. Legenden a. d. Kirchengesch.
    Aus d. Engl. (117) (05.) [4.]   — 60
  Seraphinus: Eine weitherzthmte Arznei geg. alle Krankh. f. Arm u.
    Reich od. Die Arbeit in jedem Stand u. Beruf. Aus d. Holl. (54) (05.)
    [10.]   — 80
  Severinus, G : Der Oktober Rosenkranz-Monat u. d. November Armen-
    seelen-Monat. (47) (05.) '13.]   — 35
  Das 3. Bdchn bildet: Brechenmachar, JK, Friedr. Schiller. Das
  11. u. 12. Bdchn sind noch nicht erschienen.
— Friedrich Ratzels Gedächtnis. Geplant als Festschrift z.
  60. Geburtstage, aus d. Grabespende dargebracht v. Fach-
  genossen u. Schülern, Freunden u. Verehrern. (471 m. 1 Titel-
  bildnis, 1 Kartenbeil., 4 Taf., u 4 Kärtchen u. 2 Abb. im Texte.)
  8° Lpzg, Dr. Seele & Co. 04.   L. 22 —
— spät! Doppel-Scene f. Jünglings-Ver. (f, 8 Personen). 2. Afl.
  Von e. alten Vereinsfreunde. (11) 8° Hambg, Bundesbh. (1896.
  97).   — 30 d
— Richard Wagner's Gedächtnis. 4 Wagnerhefte d. „Musik".
  (148, 80 u. 80 m. Abb., Taf., Musikbeil. n. Fksms.) 8° Berl.,
  Schuster & Loeffler (04).   3 —
Zub, F: Beitr. z. Geneal. u. Gesch. d. steir. Liechtensteine,
  s.: Veröffentlichungen d. histor. Landes-Commission f. Steier-
  mark.
Zubaty, J: Zu Schleicher's litauischen Studien. [S.-A.] (20) 8°
  Prag. (F Řivnáč) 01.   — 50
Zuberbühler, A: Neues Lehrb. d. französ. Sprache, s.: Baum-
  gartuer, A.
— Kl. Lehrb. d. italien. Sprache. 2 Tle. 8° Zür., Art. Instit.
  Orell Füssli.   Geb. 4.10 d
  . 1. Lehr- u. Leseb. 5. Afl. (136) 04. 1.60 | 2. Lese- u. Übgsb. (191) 04. 2.50.
Zuberbühler, W: Landerziehgsheime, s.: Frei, W.
Zucalli, V: Bolle di sapone. (100) 8° Triest, FH Schimpff 02. 2
— d, J Hayek: Deut. Leseb. f. italien. Bürgersch. unter Be-
  nützg d. Hölzelschen Wandbilder. 2 Tle. (50) Mit Abb. u. je
  2 Schrifttaf.) 8° Wien, E Hölzel 05.   —Geb. 3.40 d
  1. (Für d. 1. u. 2 Kl.) (122) 1.60 | II.. (Für d. 3. Kl. u. f. d. Fortbildgs-
  kurs.) (137) 1.80.
Zucchi: Das Gebet z. allerselt. Jungfrau. Aus d. Franz. [S.-A.]
  (31 m. Titelbild.) 16° Innsbr., F Rauch 01.   — 12 d
Zucco Cucagna, M: Vita Sensitiva. (67) 8° Wien, Akadem.
  Verl. 05.
Zuccoli, L: Italien. Reiterleben. Satir. Roman. Deutsch v. J
  Graf v. Oriola. 1—5. Taus. (166 m. Abb.) 8° Stuttg., Deut.
  Verl.-Anst. 04.   2 —; geb. 3 — d
Zuchhold, H: Des Nikolaus v. Landau Sermone als Quelle f.
  d. Predigt Meister Eckharts u. s. Kreises, s.: Hermaea.
Zuchtregister f. Sauen. (Nr. 1. Nach Entwurf v. Boesch-Neu-
  kirchen.) (192) Fol. Lpzg, RC Schmidt & Co. (02). Geb. 3 — d
Zuck, O: Lehrb. f. d. ges. Relig.-Unterr. auf d. Oberst. 2. Tl.
  Das neue Test. 4. Afl. (506) 8° Dresd. 01. Lpzg, HAL Degener
  01.   4.40; geb. 4.90 d
— Der ges. Relig.-Unterr. auf d. Unterst. 3. Afl. (151) 8° Ebd.
  03.   2 —; geb. 2.50 d
Zucker, d., beurteilt v. ärztl. Autoritäten wie v. Bunge, Grass-
  nick, v. Leyden u. a. (31) 12° Berl., C Skopnik 01.   — 50
Zucker, A: Repetitorium d. Photochemie z. Gebr. f. Stadtr.,
  Fachphotogr. u. Amateure. Mit Berücks. d. Röntgenphotogr.
  f. Aerzte, Apotheker u. Drogisten. (84) 8° Wien, A Hartleben
  01.   1.80
Zucker, A: Ueb. ein. Reformen d. Vorverfahrens im moder-
  nen Strafprocesse. (157) 8° Wien, M Perles 02.   4.50
— Ueb. Strafe u. Strafvollzug in Uebertretgsfällen. (135) 8°
  Ebd. 05.   3.50
— Soll d. gerichtl. Voruntersuchg aufrechterhalten bleiben?,
  s.: Zur Problemstellg in d. Frage d. gerichtl. Voruntersuchg.
— Ein Wort z. Aufhebg d. gerichtl. Voruntersuchg. (74) 8°
  Berl., J Guttentag 04.   2 —
Zucker, I: Lose Blätter üb. d. österr. Zoll- u. Handelspoli-
  tik, nebst e. Blicke auf d. inneren Verhältn. (43) 8° Wien,
  Manz 01.   — 80 d
Zucker, M: Albr. Dürer, s.: Schriften d. Ver. f. Reformations-
  gesch.
— s.: Kunstblatt, christl.
Zuckerbäcker, od. Konditor u. Fabrikant. Red.: G Sommer,
  1905: G Thaden. 14—18. Jahrg. 1901—5 je 52 Nrn. (1902, Nr. 1.
  16) 4° Bernbg, G Sommer.   Je 4 —; einz. Nrn — 50
Zuckerharnruhr u. einfache Harnruhr, s.: Miniatur-Bibliothek.

Zuckerindustrie, die. 2 Tle. 8° Lpzg, BG Teubner 05.   7.40;
                           L. 8.20; in 1 Bd geb. 7.80
  I. Claassen, H, u. W Barts: Die Zuckerfabrikation. (270 m. Abb.) 5.80;
                                 geb. 6 —
  II. Pile!, O : Der Zuckerhandel. (92)   1.80; geb. 2.20
— d. deut. Wochenbl. f. Landw., Fabrikation u· Handel. Begründet v. W Herbertz. Red.: C Hager n., seit 1904, A Bartens. 28—30. Jahrg. 1901—5 je 52 Nrn. (1901. Nr. 1. 40 u.
  16 Sp.) 4° Berl., (R Friedländer & S.).   Halbj. nn 12 —
Zucker-Industrie-Kalender 1906. Hrsg.v.WKrüger. 10. Jahrg.
  2 Tüle. (Schreibkalender, 185, 47 u. 145) 8° Lpzg, Eisenschmidt
  & Sch.   L. n. geb. 2.50
Zuckerkandl, E: Zur vergleich. Anatomie d. Hinterhaupt-
  lappens. [S.-A.] (71 m. Abb.) 8° Wien, F Deuticke 04.   2 —
— Atlas d. descriptiven Anatomie d. Menschen, s.: Heitz-
  mann, C.
— Atlas d. topograph. Anatomie d. Menschen. 3—5. Heft. (Mit
  z. Tl farb. Fig.) 8° Wien, W Braumüller.   52 —
                                   (Vollst.: 48 —; geb. 52 —)
  3 Bauch. (289—411) 01. 8 — | 4. Berken. (413—566) 02. 10 — | 5. Brach-
  pfosten. Extremitäten. (593—645) 04. 14 —
— Beitr. z. Anatomie d. Riechcentrums. [S.-A.] (42 m. Fig. u.
  1 Taf.) 8° Wien, (A Hölder) 1703.   1 — d
— Zur Entwicklg d. Balkens u. d. Gewölbes. [S.-A.] (75 m.
  1 Fig. u. 8 Taf.) 8° Ebd. 01.   3.60
— Zur Morphol. d. Musculus ischiocaudalis. [S.-A.] (10 m. 3
  Taf.) 8° Ebd. 1900.   1 — || 2. Beitr. (7 m. 1 Taf.) 01. — 50
Zuckerkandl, O: Ueb. Atlas u. Grundr. d. chirurg. Operationslehre,
  s.: Lehmann's medicin. Handatlanten.
— s.: Handbuch d. Urol.
Zucker-Klümpkes aoder Spass. Stückskes ut d. Läben v.
  Franz Schulte Kakum. Verdellt un verteilt van Lachmandus
  Heiter. 2. Upl. (97) 8° Ess., Fredeboul & K. 02.   — 75 d
Zuckermann, M, s.: Katalog d. israelit. Gemeindebibliothek
  zu Hannover.
Zuckersteuer-Ausführungsbestimmungen u. Ausführungs-
  bestimmungen zu d. Ges., betr. d. Vergütg d. Kakaozolls
  v. 25.VI.'03. (157) 4° Berl., C Heymann (03).   4 —
Zuckersteuergesetz nebst Ausführgsbestimmgn. Hrsg. im
  Reichsschatzamte. (228) 8° Berl., R v. Decker 03.   1.20 d
Zufall s.: Weihnachten.
Zuflucht, d. letzte, od. d. Naturarzt Joh. Schroth u. dessen
  Heilmethode. Zusammengest. v. R. u. hrsg. v. e. Menschen-
  freunde. Neue Afl. (19 m. 1 Bildnis.) 8° Freiwald., A Blašek
  04.   — 70 d
Zug, d., d. Herzens u. and. lust. Gesch., s.: Nagel's Biblio-
  tuek illustr. Humoresken.
Zügel, K: Die hauptsächlichsten Methoden d. Konto-Korrent-
  Rechnens (51) 8° Stuttg., W Nitzschke — A Brettinger(05).1.20
Zugmayer, E: Eine Reise nach Island im J. '09· (192 m. Abb.
  u. 1 Taf.) 8° Wien, P Knepler 06.   4 —; geb. 5 —
— Eine Reise durch Vorderasien im J. 1904. (411 m. Abb., 8
  farb. Taf. u. 4 Kart.) 8° Berl., D Reimer 05.   L. 12 —
Zugmeyer, H: Das Gebetsapostolat. Seine Berechtigg. Pre-
  digt. (12) 12° Strassbg, (FX Le Roux & Co.) 04.   — 20 d
Zählke, P: Üb. d. geodät. Linien u. Dreiecke auf d. Flächen
  konstanten Krümmungsmasses u. ihre Beziehgn z. sog. Nicht-
  Euklid. Geometrie. (58 m. 1 Taf.) 8° Berl., (T Fröhlich's Nf.)
  02.   1 —
Zühlsdorff, E: Zur Frage d. akadem. Studiums d. Volksschul-
  lehrer. (74) 8° Langens., Schulbh. 05.   — 75 d
— Die Psychol. als Fundamentalwiss. d. Pädagogik, s.: Bibliothek, pädagog.
Zukomme uns dein Reich. Gebetb. f. kathol. Christen. Von
  e. Priester d. Erzdiöz. St. Louis. (602 m. Titelbild.) 16°
  Freibg i/B., Herder (04).   1.30; Ldr 1.80 d
Zukunft, die. Hrsg.: M Harden. 9—14. Jahrg. Oktbr 1°00—
  Septbr 1906 je 52 Nrn. (9. Jahrg. Nr. 1. 46) 8° Berl., Verl.
  d. Zukunft.   Viertelj. 5 —; einz. Nrn — 60 d
— die. Monatsschrift f. Jünglinge. Hrsg. v. F Meyer u., v.
  7. Jahrg. an, A Fäh. 3—7. Jahrg. Novbr 1901—Oktbr 1906
  je 12 Hefte. (1. Heft. 8° Elmsled., Eberle & Rickan-
  bach.   Je 1.80; postfrei je nn 2 — d
— die. Organ f. Gabelsb.'sche Stenogr. in akadem. u. Schülerkreisen. Red. v. P Strassner. 21. u. 22. Jahrg. 1903 u. 4 je
  26 Nrn. (Nr. 1. 8) 8° Wolfenb., Heckner.   Je nn 2 —
— dass. Monatsschrift z. Verbreitg u. Förderg d. Gabelsb.-
  schen Stenogr. in akadem. u. Schülerkreisen. Geleitet v. P
  Strassner. 23. Jahrg. 1905. (Nr. 1. 8 u. autogr. Beil. 8.)
  8° Ebd.   nn 2 —
— d., Deutschlds! Von Ariacus. (60) 8° Zür., C Schmidt 05. 1.20 d
— unsere, liegt auf d. Wasser? Krit. Untersuchgn u. Ratgeber
  d. deut. Weltpolitikers.(225) 8° Münch., J Schweitzer V. 05. 2 —
Zukunftsstaat, d., d. Junker, s.: Agitations-Bibliothek, sozialdemokrat.
— d., als höchstes u. letztes Ziel d. Naturheilkde. Form u.
  Gesetze d. Gesellschaft „Sorgenfrei" z. Begründg v. Erden-
  glück. (186) 12° Gesundheitsstätte Erdenglück b/Frauendf,
  Gesundheitsblätter-Verl. (05).   1 — d
Zulkowski, K: Zur Erhärtgstheorie d. hydraul. Bindemittel.
  [S.-A.] (95) 8° Berl., Weidmann 01.   2 —
Zülow, R v.: Lehrb. d. französ. Sprache f. Post- u. Telegr.-
  Beamte, s.: Kunst, d., d. Polyglottie.
Zum Andenken. Anthol. f. Geist u. Harz a. d. Werken

deut. n. ausländ. Schriftsteller. (160 m. Abb.) 12°. Lahr, GA
Wagenmann (01).　　　　　　　　　　　　L. m. G. 2 — d
Zum Gedächtnis d. verstorb. Friedrich Ernst Beyring, Pfarrer
am Linsebühl St. Gallen. (32 m. 1 Bildnis.) 8° St. Gall., Zweifel-
Weber (1900).　　　　　　　　　　　　　　　— 50 d
— Gedächtnis weil. Ihrer kgl. Hoh. d. Grossh. Caroline v.
Sachsen, *13.VII.1884, †17.I.'05. (22) 8° Weim., H Böhlau's Nf.
05.　　　　　　　　　　　　　　　　　　　— 50 d
— 100jähr. Bestehen d. Feld-Artill.-Regts v. Scharnhorst
(1. hannov.) Nr. 10. 19.XII.'03. (Von Frau J v. Knauer.) (117
m. 1 Bildnis.) 8° Hannov., Hahn 03.　　　　　　　— 1 d
— Andenken an Diakonisse Anna Forcke, Oberin d. Henrietten-
stifts zu Hannover. (64 m. Bildnis.) 8° Hannov., (H Feesche)
04.　　　　　　　　　　　　　　　　　　L. 1.80 d
— Gedächtnis d. weil. Ober-Consist.-Rats Gen.-Superint. d.
Fürstent. u. Superint. d. Stadt Hildesheim D. theol. Eduard
Hahn. Sein Leben u. Sterben, nebst 3 n. s. Abscheiden geh.
Gedächtnisreden. (55) 8° Hildesh., Gerstenberg 01.　　— 50 d
— Andenken an Pfarrer Gust. Wilh. Haerter. (15) 8° Strassbg,
(Bh. d. ev. Gesellsch.) 03.　　　　　　　　　　　— 20 d
— Gedächtnis an weil. Prof. u. Univ.-Prediger Dr. theol. Ferd.
Hoerschelmann. Nachrufe u. Reden. (62 m. 1 Bildnis.)
8° Jurj., JG Krüger 02.　　　　　　　　　　　nn 1.50 d
— 18. Januar 1701. Ein Hohenzoller-Festspiel vor 200 Jahren.
Hrsg. u. m. Vorwort versehen v. W Kleefeld. (55) 4° Lpzg 01.
Berl., H Seemann Nf.　　　　　　　　　　　　— 80 d
— Gedächtnis d. 10jähr. Bestehens d. christl. Ver. junger
Männer zu Leipzig. Mit Vorwort v. Pank. (52 m. 5 Taf.)
8° Lpzg, (P Eger) 03.　　　　　　　　　　　　— 50 d
— Kampfe geg. d. Kurpfuscher. II. Fort m. d. Apotheken!
Aufruf an d. deut. Aerzte v. Homosum. (31) 8° Münch., M
Poessl 01.　　　　　　　　　　— 60 (1 u. II.: 1.10) d
— 25jähr. Papstjubiläum Leo XIII. Von Symmachus. (48) 16°
Warnsdf, A Opitz (03).　　　　　　　　　　　　— 10 d
— 150jähr. Jubiläum d. Lübeck. Anzeigen u. d. 75jähr.
Gründg d. lithograph. Anstalt u. Steindruckerei Gebrüder
Borchers, 30.V.1826. 1901. (64 m. Abb.) Fol. Lüb., Gebr. Borchers
01.　　　　　　　　　　　nn 12 —; in Prachtbd nn 15 —
— Gedächtnis d. letzten Senators u. zweimal. Bürgermeisters
d. vorm. freien Stadt Frankfurt Dr. Emil v. Oven, geb. d.
1.IV.1817, gest. d. 26.XI.1903. (8 m. 1 Bildnis.) 8° Frankf. a/M.,
A Neumann (04).　　　　　　　　　　　　　　— 50
— Gedächtnis d. am 21.VIII.1900 zu Lightpass in S.A. ent-
schlafenen Pfarrers Gustav Julius Rechner, d. Synodal-
u. Missionspräses d. ev.-luth. Immanuel-Synode Australiens.
(Von AF Rechner.) (176 m. 1 Bildnis.) 8° Tanunda 03. (Stuttg.,
JF Steinkopf.)　　　　　　　　　　　　nn 2.75 d
— 100. Todestage. Friedrich v. Schiller, geb. 10.XI.1759, gestorben 9.V.1805. (Euth.: Das Lied v. d. Glocke.) (48) 2.5×
j.1 cm. Dresd., JLStange(05). Geb.in Metall m.Anhänger—50 d
— ält. Strafrecht d. Kulturvölker. Fragen z. Rechtsver-
gleichg, gestellt v. T Mommsen, beantwortet v. H Brunner,
B Freudenthal, J Goldziher, HF Hitzig, T Noeldeke, H Oldenberg, G Roethe, J Wellhausen, U v. Wilamowitz-Moellendorff.
Mit e. Vorworte v. K Binding. (112) 8° Lpzg, Duncker & H.
05.　　　　　　　　　　　　　　　　　　3.60
— Gedächtnis an Prof. Dr. D. Wilhelm Volck. Worte d. Erinnerg v. s. Freunden. (46) 8° Lpzg, &Hinrichs 04. — 75 d
— militär. Waffendienst d. ev. Theologen. Von Theologus.
(50) 8° Gütersl., C Bertelsmann 05.　　　　　　— 60 d
— Verständnis d. Denkmals Kaiser Wilhelms I. (7) 8° Berl.,
Schultze & Velhagen (01).　　　　　　　　　　— 15
— Zeitvertreib. Malb. (12 m. z. Tl farb. Abb.) Länggr. 8°
Nürnbg, T Stroefer (01).　　　　　　　　　　— 80 d
Zumbusch, A: Richtig Deutsch! Sprech- u. Sprachübgn z. Ver-
meidg d. geläudigsten Dialektfehler niederrhein. Schüler. 2.Afl.
(16) 8° Düsseldf, Schmitz & O. 01.　　　　　　— 80 d
Zumbusch, L v., s.: Liederbuch, uns.
Zumpe, Hermann. Persönl. Erinnergn nebst Mitteilgn a. s.
Tagebuchblättern u. Briefen. Mit Geleitwort v. E v. Possart.
(176 m. Bildnis.) 8° Münch., CH Beck 05.　　　5 —; L. 6 —
Zünd-Burguet, A: Das franzds. Alphabet in Bildern. Schüler-
Ausg. zu: Méthode prat., physiolog. et comparée de pronon-
ciation franç. Deut. Ausg. (50) 8° Marbg, NG Elwert's V. 03.
　　　　　　　　　　　　　　　1 —; kart. 1.20
Zündel, G: Gedanken üb. d. Vorlesen. Mit e. Verz. s. Vor-
leseungeeigneter Lit.(19)8°Dresd.,E Engelmann'sNf.05. — 40 d
Žunkovič, M: Wann wurde Mitteleuropa v. d. Slaven besiedelt?
(111 m. Abb. u. 1 Karte.) 8° Kremsier, Heinr. Slovák 04.
(Nur dir.)　　　　　　　　　　　　　　　1 —
— Die Ortsnamen d. ob. Pettauer Feldes. (102) 8°. Marbg a/D.,
(W Blanke Nf.) (02).　　　　　　　　　　　　1 —
Zunts, N, A Loewy, N Müller, W Caspari: Höhenklima u. Berg-
wandergn in ihrer Wirkg auf d. Menschen. (494 m. Abb.,
6 Taf., 2 Kart. u. 33 Tab.) 8° Berl., Deut. Verlagshaus Bong
& Co. 06.　　　　　　　　　　-18 —; HF. 20 —
— s. Schumburg: Studien zu e. Physiol. d. Marsches, s.: Biblio-
thek v. Coler.
Zuns s.: Bücher, d. 24, d. hl. Schrift.
Znpitza, J: Einführg in d. Studium d. ml·d. 7.Afl. (122) 8° Berl.,
Chemn., W Gronau.　　　　　　　　　　　2.50 d
— Alt- u. mittelengl. Übgsb. z. Gebr. bei Univ.-Vorlesgn u.
Seminar-Übgn. m. e.·Wrtrb. .7. Afl. v. J Schipper.—(338) 8°
Wien, W Braumüller 04. · · · ' · ' · ·　　　L. 6.80

Zuppinger, W: Antrieb durch elektr. Motoren im Fabrikbetrieb.
[S.-A.] (5 m. Abb.) 4° Zür., (Rascher & Co.) (05).　— 25
Zur Abwehr. Entgegng auf: „Aufklärgn üb. d. Schulkampf
im J.1904 u.05. Von EJ Müller, Stadtverordn.in Frankfurt a.M."
Hrsg. v. Vorst. d. Lehrerver. zu Frankfurt a. M. (80). 8°
Frankf. a/M., (Kesselring) (05).　　　　　　　— 80 d
— Frage d. Besteuerg d. Actiengesellsch. in Oesterr. Ein-
gabe d. Handels- n. Gewerbekammer in Prag an d. k. k.
Ministerien d. Handels u. d. Finanzen. (28) 8° Prag, (F Řivnáč)
1900.　　　　　　　　　　　　　　　　　— 80
— Alkoholfrage. Farb. Plakat. 80×60,5 cm. Wiesb., R Bech-
told & Co. (03).　　　1.50; kl. Ausg. 48,5×30,5 cm. nn — 25
— Förderg d. Arbeiterwohngswesens. — Adickes: Die
Wohngsfrage u. d. städt. Verwaltgn. — Schroeder: Die Auf-
gaben d.Landesversichergsanst.in d.Arbeiterwohngsfrage.—
Thorwart: Die Beschaffg erweit. Kredits f. gemeinnütz. Bau-
thätigk. durch Erschliessg d. Erwerbskapitals. Vorträge.
(52) 8° Frankf. a/M., (A Detloff) (01).　　　　　— 75 d
— Kunde d. Balkanhalbinsel. Reisen u. Beobachtgn. Hrsg.
v. C Patsch. 1—3. Heft. 8° Wien, A Hartleben.　Je 2.25
Koetschet, J: Aus Bosniens letzter Türkenzeit. Hinterlass. Aufzeichnung.
Veröffentlicht v. G Grassl. (109 m. Bildu.) 05. [2.]
Steinmetz, K: Eine Reise durch d. Hochländergaue Oberalbaniens. (68
m. Abb.u. 1 Karte.) 04. [1.]
— Ein Vorstoss in d. nordalban. Alpen. (80 m. Abb. u. 1 Karte.) 05. [2.]
— Gesch. d. Einnahme v. Berlin durch d. Streifkorps d. kais.
Feldmarschall-Lieut. Grafen Hadik im Oktbr 1757, s.: Bei-
träge z. Forschungen, urkundl., z. Gesch. d. preuss. Heeres.
— Frage dest. Bisthümer in Böhmen. Ein Wort z. Aufklärg
u. Beruhigg a. d. Mitte d. deut. Clerus Böhmens. 1. u. 2. Afl.
(107) 8° Prag, JG Calve 02.　　　　　　　　　1.20 d
— Erinnerg an Pastor Ernst Böhme. (45 m. 1 Bildnis.) 8°
Berl., (F Zillessen) (01).　　　　　　　　　　— 40 d
— Gesch. d. Costüme, s.: Zur Geschichte d. Kostüme.
— Eisenbahnfrage in Württemberg. Selbsthilfe od. Eisen-
bahngemeinschaft? (18) 8° Stuttg., W Kohlhammer 02. — 30 d
— Erinnerg an d. Elsass, m. künstler. Beitr. v. F Bauer, L
Christmann, J Euting, A Koerttge, F Luib, W Paulcke, L
Schnug u. C Spindler. (27 m. Abb, u. 13 Taf.) 4° Strassbg,
E d'Oleire (1900).　　　　　　　　　　(3 —) — 2 — d
— Erheiterg. Vademecum f. lust. u. traur. Juristen. 3. Thl.
4. Afl. (192 m. Abb.) 8° Münch., Braun & Schn. (1895). 2 —;
kart. nn 2.50 d
Den 1. Thl s. u. d. T.: Vademecum f. lust. u. traur. Juristen. —
Den 3. Thl s. u. d. T.: Jurist, d. lust.
— Ehre d.Erretters! Festliederbl.d.Blauen Kreuzes. (Deut,
Ausg.) 8.Afl. (384) 8° Bern 04. Barm., Elim. L. 1.50; m.G. 2.50 d
— Frage d.Zusammenkunft d.Feldzugsteilnehmer
d. 106. Regts 1870/71 am 2. u. 3.VIII.'02 in Leipzig. — Schön-
berg, G v.: Kurze Gesch. d. kgl. sächs. 7. Infant.-Regts „Prinz
Georg" Nr. 106, jetzt 7. Königs-Infant.-Regt Nr. 106, währ.
d. Feldzuges 1870/71. Nebst e. Verz. d. im J. '02 noch leb.
Feldzugsteilnehmer. (96 m. Bildnissen.) 8° Lpzg, Schulze & Co.
02.　　　　　　　　　　　　　　　　　　1.50 d
— Kritik d. Kritik d. Systems d. russ. Finanzministers.
Von N S .... (23) 8° Berl., H Steinitz 02.　　　　— 80 d
— Vereinfachg d. franzds. Elementarunterr. auf Grund d.
Erlasses v. 26.II.'01. Vorschl. d. Ver. f. neuere Sprachen in
Hannover, nebst m. Begleitwort v. F Hornemann. [S.-A.] (7)
8° Hannov., C Meyer 01.　　　　　　　　　　— 80
— Casuistik d. Fremdkörperin d. Luftwegen. Wiss. Katalog
d. an d.k.k. III.medicin.Univ.-Klinik in Wien befindl.Sammlg.
Hrsg. v. d. k. k. Schritter. (99 m. Fig.) 8° Stuttg., F Enke 01. 5 —
— Gesch.d.Friedrich-Gymnasiums(zu Berlin)1850—1900.
Nachtr., auth.Gedächtnisreden: 1. v. K Kempf auf Hob.Pinder,
2. v. J Müller auf Karl Kempf, 3. v. J Müller auf Fritz Bischoff,
4· v. J Fischer auf Rich. Müller. (36) 4° Berl., Weidmann 01.
　　　　　　　1 — (Hauptwerk u. Nachtr.: 2 —) d
Die Gesch. d. Gymnasiums ist bearb. v. P Goldschmidt (im Kat.
1896/1900).
— Frage d. Revision d. bayer. Gehaltsregulativs. (Mit
bes. Berücks. d. Besoldgsverhältn. akademisch gebild. Lehrer
in Deutschl.) (Von JM Tauner.) [S.-A.] (16 u. 15 m. 2 Tab.)
8° Münch., J Lindauer 02.　　　　　　　　　— 50
— Abwehr röm. Gesch.ichtsbehandlg, s.: Schriften d. Ver.
f. Reformationsgesch.
— Schlacht v. Gravelotte St. Privat, s.: Beiheft z. Militär-Wochenbl.
— Feier d. 100jähr. Bestandes d. k. k. Hof- u. Staats-
druckerei im Wien Novbr '04. (112 m. Abb. u. 10 [2 farb.] Taf.)
41×31 cm. Wien, Hof- u. Staatsdr. 04.　　　　　5 —
— Jugendschriftenfrage. Sammlg v. Aufsätzen u. Kri-
tiken. Mit 3. Anh.: Empfehlenswerte Bücher f. d. Jugend m.
charakterisier. Anmerkgn. Hrsg. v. d. verein. deut. Prüfgs-
Ausschüssen f. Jugendschriften. 1. u. 2. Afl. (148 bezw. 161)
8° Lpzg, E Wunderlich 03./06.　　　　1.60; geb. 2 —
— Erinnerg an d. Kaiserparade bei Hamburg-Altona, gr.
Exerzierplatz bei Gr. Flottbeck-Lurup am 5.IX.'04. (19 m.
Bildnissen.) 8° Altona, Schlüter (04).　　　　　— 20
— Erinnerg an Immanuel Kant. Abhandlgn a. Anlass d. 100.
Wiederkehr d. Tages s. Todes, hrsg. v. d. Univ. Königsberg.
(374) 8° Halle, Bh. d. Waisenh. 04.　　19 —; geb. 14 —
— Erinnerg an Seminardir. Jakob Keller, geb. 23.X.1843,
gest. 1.XII.1904. (27) 8° Aar., HR Sauerländer & Co. 01. — 80

Zur Gesch. d. Königstädt. Realgymnasiums. Gedächtnisreden auf d. verstorb. Lehrer Proff. DD. Schwannecke, Steuer, Hinze u. Mögelin. (20) 4° Berl., Weidmann 02. , 1 —
— Gesch. d. Kostüme. II. Thl. (Neue Ausg.) (69 Bog.) 42×
38,5 cm. Münch., Braun & Sohn. (02). Kart., in Fol. 8 —;
m. farb. Taf. 14.80 (Vollst., in 1 Bd geb.: 14 —; bezw. 25.40) d
— dass. 114—119. Bog. (Münch. Bilderbog.) 45×35,5 cm. Ebd.
(04). Je — 10; kolor. Je — 20 d
— Kunstgesch. d. Ausl. 4—37. 8° Strassbg, JHE Heitz.
255.50 (1—37.: 265.50)

Brach, A: Giottos Schule in d. Romagna. (124 m. 11 Lichtdr.) 02. [9.] 8 —
— Nicola u. Giovanni Pisano u. d. Plastik d. XIV. Jahrh. in Siena.
(132 m. Abb.) 04. [15.] 8 —
Fechheimer, S: Donatello u. d. Reliefkunst. (96 m. 16 Taf.) 04. [17.] 8 —
Goldschmidt, A: Die Kirchenthür d. hl. Ambrosius in Mailand. Ein Denkmal frühchristl. Skulptur. (30 m. 9 Lichtdr.) 02. [7.] 3 —
Gottschewski, A: Die Fresken d. Antoniazzo Romano im Sterbezimmer d. hl. Caterina v. Siena zu S. Maria Sopra Minerva in Rom. (26 m. 11 Taf.) 04. [22.] 4 —
Gruner, A: Raffaels Disputa. (58 m. 2 Lichtdr.) 05. [37.] 2.50
Groete, M v.: Die Entstehg d. jon. Kapitells u. s. Bedeutg f. d. griech. Baukunst. (56) 05. [34.] 2 —
Hamilton, N: Die Darstellg d. Anbetg d. hl. 3 Könige in d. toskan. Malerei v. Giotto bis Lionardo. (118 m. 7 Lichtdr.) 01. [6.] 8 —
Hasse, C: Roger van Brügge, d. Meister v. Flemalle. (32 m. 8 Taf.) 04. [21.] 5 —
— Roger van d. Weyden u. Roger van Brügge m. ihren Schulen. (84 m. 15 Taf.) 05. [30.] 4 —
Hedicke, R: Jacques Dubroeucq v. Mons. Ein niederländ. Meister a. d. Frühzeit d. italien. Einflusses. (296 m. 42 Lichtdr.) 04 [26.] 30 —
Krücke, A: Der Nimbus u. verwandte Attribute in d. frühchristl. Kunst. (145 m. 7 Lichtdr.) 05. [35.] 8 —
Liebenberg, R Fehr v.: Das Porträt an Grabdenkmalen u. Entstehg u. Entwickelg v. Alterthum bis z. italien. Renaissance. (151 m. 44 Lichtdr.) N. [11.] 4 —
Pelka, O: Altchristl. Ehedenkmäler. (167 m. 4 Lichtdr.) 01. [5.] 3 —
Pinder, W: Einleit. Voruntersuchg u. Rhythmik roman. Innenräume in d. Normandie. (92 m. 2 Doppeltaf.) 04. [24.] 6 —
— Zur Rhythmik roman. Innenräume in d. Normandie. (65 m. 4 Doppeltaf.) 05. [36.] 4 —
Poppelreuter, J: Der anonyme Meister d. Poliphilo. Studie z. italien. Buchillustration u. z. Antike in d. Kunst d. Quattrocento. (62 m. Abb.) 04. [20.] 4 —
Prestel, J: Die Baugesch. d. jüd. Heiligthums u. d. Tempel Salomons. (56 m. 7 Taf.) 02. [8.] 4.50
— Des Marcus Vitruvius Pollio Basilika zu Fanum Fortunae. (57 m. 7 L.) 01. [4.] 4 —
Rauwal, J: Schnitzaltäre in schwed. Kirchen u. Museen u. d. Werkstatt d. Brüsseler Bildschnitzers Jan Bormann. (59 m. Abb.) 05. [14.] 4 —
Rothes, W: Die Blütezeit d. sienes. Malerei u. ihre Bedeutg f. d. Entwickelg d. italien. Kunst. (188 m. 52 Lichtdr.) 04. [15.] 20 —
— Die Darstellgn d. Fra Giovanni Angelico u. d. Leben Christi u. Mariae. (47 m. 12 Lichtdr.) 02. [12.] 6 —
Sachs, C: Das Tafernak-l m. Andrea's del Verrocchio Thomasgruppe an Or San Michele zu Florenz. (45 m. 4 Lichtdr.) 04. [23.] 4 —
Schmerber, H: Die Schlange d. Paradieses. (30 m. 3 Taf.) 05. [31.] 2.50
Schubring, P: Urbano da Cortona. Beitrag z. Kenntnis d. Schule Donatellos u. d. Sieneser Plastik im Quattrocento. Nebst e. Anh.: Andrea Guardi. (92 m. Abb.) 03. [15.] 6 —
Sirén, O: Don Lorenzo Monaco. (138 m. 54 Lichtdr.) 05. [33.] 20 —
Stengel, W: Formalikonograph. Detail-Untersuchgn. I. Das Tabernymbol d. hl. Geistes. (Bewegesdarstellg, Stilisierg, Bildtemperament.) (32 m. 4 Taf.) 04. [18.] 3.50
Solda, W: Florentin. Maler um d. Mitte d. 14. Jahrb. (50 m. 33 Lichtdr.) 05. [32.] 4 —
Valentiner, W: Rembrandt n. s. Umgebg. (164 m. 7 Lichtdr.) 05. [29.] 8 —
Weber, R: Fiorenzo di Lorenzo. (168 m. 25 Lichtdr.) 04. [27.] 13 —
Witting, F: Die Anfänge christl. Architektur. Gedanken üb. Wesen u. Entstehg d. christl. Basilika. (103 m. Abb.) 02. [10.] 8 —
— Kirchenbauten d. Auvergne. (60 m. Abb.) 04. [19.] 3.50
— Westfranzös. Kuppelkirchen. (40 m. Abb.) 04. [19.] 3 —
Wulff, O: Die Koimesiskirche in Nicäa u. ihre Mosaiken nebst d. verwandten kirchl. Baudenkmälern. Untersuchg z. Gesch. d. byzantin. Kunst im 1. Jahrtausend. (379 m. Abb. u. 6 Taf.) 03. [13.] 12 —

— Kurzweil. Unterhaltendes u. Belehrendes f. d. Jugend in Poesie u. Prosa, v. Robertino. (59) 8° Stuttg., Strecker & Schr. 04. Kart. 1.20 d
— Ausgestaltg d. Marodenzimmer d. k. u. k. Heeres, s.: Publikationen, militärärztl.
— militär. Tagesfrage. Von e. k. u. k. Feldmarschalleutnant. [S.-A.] (36) 8° Wien, LW Seidel & S. 05. 1 — d
— Erinner an d. 50jähr. Bestehen d. naturwiss. Ver. f. d. Fürstent. Lüneburg. 1851—1901. (101) 8° Lüneburg, (Herold & W.) 01. 2 —
— Erinner an Hrn Fr. H. Neviandt, Prediger d. freien ev. Gemeinde Elberfeld-Barmen, u. langjähr. Vorsitzer d. ev. Brüdervereins Elberfeld. geb. 1.X.1837, gest. 6.IV.'01. (23) 8° Elberf., Bh. d. ev. Brüderver. (01). — 30 d
— Pädagogik d. Gegenwart. Sammlg v. Abhandlgn v. Vorw. 8—18. Heft. 8° Dresd., Bleyl & K. 10.15 (1—18.: 16.15)
Barchewitz, O: Neue Bahnen im heimatkundl. Unterr. [S.-A.] (20) 05. [16.] 1.20
Häntsch, K: Üb. Herbarts Bildgsideal. (76) 03. [13.] 1.50
Hoffmann, F: Die kunsthistor. Moderne u. d. Kunst-Erziehg. Kreisen u. z. fachwiss. Anordng. [S.-A.] (44) 04. [19.] 1 —
Lange, K: Die Erziehg d. sittlich gefährd. Schulkinder. [S.-A.] (33) 04. [14.] — 66
Meltzer, E: Die staatl. Schwachsinnigenfürsorge im Kgr. Sachsen. [S.-A.] (34) 04. [16.] — 66
Seckauf, A: Zur Lehrpl.-Theorie d. geschichtl. Stoffe im Relig.-Unterr. d. Volksech. [S.-A.] (72) 01.) 10.] 1 —
Schilling, F: Schiller u. s. Bedeutg f. d. Pädagogik d. Gegenwart. [S.-A.] (36) 05. [15.] 2 —
Schubert, C: Die Werke d. bild. Kunst in d. Erziehgs-Schule. [S.-A.] Mit e. Anh.: Verz. v. Reproduktionen d. Werke d. bild. Kunst, d. f. d. Volksech. sich eignen. (32) 03. [12.] — 60

Vogt. [S.-A.] (199) 02. [11.] 2.35
Thriedorf: Ein Wort z. Simultanschulfrage. [S.-A.] (15) 05. [17.] — 40
Wilk, E: Der gegenwärt. Stand d. Geometrie-Methodik. [S.-A.] (61) 01. [6.] 1.50

Zur Gesch. d. Petersketten u. ihrer Nachbildg. (Nach: Les chaines de Saint Pierre par P Menacci. 4ème éd. Rome 1877.) (14) 13,2×8,5 cm. Münst., Alphonsus-Bh. (04). 100 Stück 4 — d
— Erinner an d. Kongress f. experimentelle Psychol. Giessen '04. (34 m. Abb. u. 1 Pl.) 12° Giess., A Töpelmann 04. — 50
— Psychol. uns. Zeit. Beitr. z. Sittengesch. uns. Zeit. Hrsg. v. Veriphantor. 1—6. Heft. 8° Berl., J Singer & Co. Je — 75
Mühsam, E: Die Homosexualität. 1—2. Taus. (43) 03. [5.]
Verifantor: Der Fetischismus. 1—2. Taus. (30) 05. [2.] Der Flagellantismus. 1—10. Taus. (27) 05. [1.] Der Masochismus. 1—2. Taus. (27) 05. [3.] Der Sadismus. 1—2. Taus. (29) 05. [4.]
— Erinner an d. Reinhardt-Kommers 17.IX.'04. (30) 8° Frankf. a/M., FB Auffarth (04). 1 —
— Entwicklgsgesch. d. Revolution in Russl. Vortr. v. e. alten russ. Revolutionär. (31) 8° Wien, Wiener Volksbh. 05. — 80 d
— Würdigg Schiller's in Amerika. Erinnargsblätter an d. 100. Wiederkehr v. Schiller's Todestag. Hrsg. v. d. Comite d. Chicago Schiller-Gedenkfeier Mai '05. (124 m. Abb.) 4° Chicago, Koelling & Kl. (05). L. 6 — d
— Erinner an d. Schiller-Feier d. U. T. G. (Uhlenhorster Turngesellschaft.) Hamburg, 6.V.'05. (12) 8° Ludwigsl., (Hinstorff) 05. — 50
— Erinnerg an Theodor Schütz, Landschafts- u. Genremaler in Düsseldorf. (23) 8° Berl., F Zillessen (01). — 50 d
— schwedisch-norweg. Unionsfrage. Die Adresse d. schwed. Reichstags an d. König. 2. Afl. (19) 8° Stockh. 05. (Lpzg, N Fehrsson.) † — 80
— Jahrhundertfeier d. Geburt Joh. Gabriel Seidls. [S.-A.] (100) 8° Wien, O Gerold's S. 04. 1.50
— Erinner an Paul Aug. Sick, Dr. med. Obermed.-Rat u. Hausarzt d. ev. Diakonissen-Anst. in Stuttgart, geb. am 17.VI.1836, gest. am 16. XII.1900. (20) 8° Stuttg., (JF Steinkopf) (01). — 30 d
— Sonntagsruhe-Frage in d. Gärtnerei. (Von O Albrecht.) (14) 8° Berl., Verlagsbh. d. allg. deut. Gärtner-Ver. 02. — 10
— Abwehr d. Steuerdrucks in Sachsen. Proteste u. Gegenmassregeln sowie Ratschläge f. Steuerzahler. Hrsg. v. A E. (47) 8° Lpzg, AH Payne (03). — 50 d
— guten Stund e. Illustr. Familien-Zeitschrift. Red.: R Bong. 15. u. 16. Jahrg. Septbr 1901—Oktbr 1905 je 14 Vollhefte. (13. Jahrg. 1. Heft. 136 Sp. m. z. Tl farb. Taf. u. Beigabe: F Hebbels ausgew. Meisterwerke. (16 8°) 4° Berl., Deut.Verlagshaus Bong & Co. (04.) 8 — d
(Vollst. in 2 L.-Bdn: Der Bd 8 —) d
— dass. Quartalsheft-Ausg. 14—16. Jahrg. 1901—3 je 28 Hefte. (1901. 1. Heft. 36 m. 3 [2 farb.] Taf. u. Beigabe: Ludwig's, O, ausgew. Meisterwerke. 16 M Abb. 8°) 4° Ebd. Viertelj. 2.50 d
— dass. Salon-Hefte. 10—12. Jahrg. 1901—3 je 18 Hefte. (1901. 1. Heft. 31 m. 3 [3 farb.] Taf. u. Beigabe: Ludwig's, O, ausgew. Meisterwerke. 16 m. Abb. 8°) 4° Ebd. — 60 d
— dass., vereinigt m. „Für alle Welt". Illustr. Familien-Zeitschrift. Hrsg. unter Red. v. R Bong. Für Österr.-Ungarn Red.: F Scherer u. F Bauer. 17—19. Jahrg. 1904—6, (Aug. 1903—Juli 1906.) Je 23 Hefte. (1. Heft. 38 m. z. Tl farb. Abb. u. 1 Farbdr.) 40×29,5 cm. Ebd. Je — 40 d
— dass. Quartalheft-Ausg. 17. u. 18. Jahrg. 1904 u. 5 je 28 Hefte. (1. Heft. 24 m. 1 farb. Taf.) Fol. Ebd. Viertelj. 2.50 d
— dass. Salon-Heft-Ausg. 13. u. 14. Jahrg. 1904 u. 5 je 23 Hefte. (1. Heft. 23 m. Abb. u. 1 farb. Taf.) 4° Ebd. Je — 40 d
— Tagesfrage. Verbot. Aufsätze u. Gedichte v. M Gorki, LN Tolstoi etc. (In russ. Sprache.) (64) 8° Berl., H Steinitz 02. 1 —
— Tolstoi d. Techniker u. ●●●●. Hrsg. v. Zentral-Ver. d. a. höh. Gewerbesch. hervorgegang. Techniker, Wien. (23) 8° Wien, Spielhagen & Sch. 02.
— Tuberkulose-Bekämpfg 1904. Verhandlgn d. deut. Central-Komites z. Errichtg v. Heilstätten f. Lungenkranke in d. 8. General-Versammlg v. 20.V.'04 zu Berlin. Red. v. Niethammer. (88) 8° Berl. (W. 9, Eichhornstr. 9), Deut. Central-Komite z. Errichtg v. Heilstätten f. Lungenkranke 04. 2 —
— Erinnerg an Ludwig Uhland u. d. Uhlandhaus in Tübingen. (Von C Neeff.) (92) 8° Stuttgart, Prof. Neeff 03. L d Als Mskr. gedr. u. ausgegeben.
— Erinnerg an Rudolf Virchow. 3 histor. Arbeiten Virchows z. Gesch. u. Vaterstadt Schivelbein. Von neuem hrsg. d. Gesellsch. f. Pommersche Gesch. u. Altertumskde. (85 m. 4 Taf.) 8° Berl., Behrend & Co. 03. 2 — d
— Wiedergeburt d. deut. Volkstnums. Aus. d. besten deut. Bücher. Rathgeber f. völk. Büchereien, wie z. Selbsterziehg. (11) 4° Innsbr. (01). Wien, Verwaltg d. Scherer. — 25 d
— Problemstellg in d. Frage d. gerichtl. Voruntersuchg. Zucker, A: Soll d. gerichtl. Voruntersuchg aufrechterhalten bleiben? — Benedikt, J. u. W Schneeberger: Die Parteienöffentlichk. in d. Voruntersuchg. 3 Vortr. (47) 8° Wien, Manz 02. 1 —
— Wasserstrassen-Frage in Österr. (30)6° Prag, (K André) 01. — 50
— Erinnerg an d. Jakob Weber z. Schleife. Raden (v. O Herold u. W Ryhiner), geb. bei sr. Beerdigg am 16.I.'01. (14) 8° Winterth., (M Kieschke Nf.) 01. — 30 d

vereinbarten Vertragszollsätze u. vertragsmäss. Bestimmgn,
nebst d. österr.-ungar. Zolltarifgesetzentwurfe u. e. alphabet.
Verz. d. im Zalltarifentwurfe u. im Zusatzvertr. aufgeführten
Waren. Red. u. hrsg. v. d. Oesterr.-ungar. Zoll- u. Spedi-
tions-Zeitg. Wien. 1. u. 2. Afl. (158) 8° Wien, M Perles 05. 2 —
Zusammenstellung u. Heizwerte österr. Stein- u. Braun-
kohlen. Kohlenproduction u. Wertverhältn. d. Kohlen Nord-
westböhmens, Oesterr. u. and. Länder. [S.-A.] (16) 12° Tepl.-
Schönau, A Becker 01.   1 —
Zuscher, P: Trier. Gesch., s.: Haller, N.
Zuschlag, B: Englisch. — Französisch. — Geogr. — Gesch.
— Gesch.-Daten, s.: Bibliothek Schüler-Versetzg.
— Der versetzte Griechisch-Schüler. Für Schüler d. Kl. Unter-
tertia—Oberprima einschl. bearb. (84) 8° Lpzg-R., Verein.
Verl.- u. Reisebuchhdlgn (02).   1 —
— Lösg planimetr. Konstruktionsaufg. — Planimetrie. — Rech-
nen. — Trigonometrie (Goniometrie u. Trigonometrie). —
Eb. u. sphär. Trigonometrie, s.: Bibliothek Schüler-Ver-
setzg.
Zuschneid, H: Echter deut. Humor. Gedichte u. Prosastücke.
1. u. 2. Bdchn. (144 u. 155) 8° Offenburg i/B., H Zuschneid
02.03. (Nur dir.)   Je 1.20; geb. je 2 — d
Zuschneid, K: Method. Leitf. f. d. Klavierunterr., unter Zugrundelegg d. „Theoretisch-prakt. Klaviersch." d. Verf. (64
m. 1 Taf.) 8° Berl.-Gr.-Lichterf., CF Vieweg (03). Geb. 1.30
— Die Zollern u. d Reich. Festkantate, m. verbind. Deklamation gedichtet v. H Winkler. Für gemischten Chor m. Orchester-
od. Klavier-Begleitg komponiert v. Z. op. 50. (Textb.) (35) 8°
Quedlinbg (1900), Berl.-Gr.-Lichterf., CF Vieweg.   — 60 d
Zuschneide-Lehre „Favorit". Ausführl. Anl. z. gründl. Erlerng
e. einf., zuverläss. u. nie veralt. Zuschneide-Methode m. Hilfe
v. Favoritschnitten. (63 m. Abb.) 8° Dresd., Exp. d. europ.
Modenzeitg (04).   1 —
Zuschneide-Tafeln, prakt., für's Haus. 8. Heft. Unterbeinklei-
der f. Herren u. Knaben. Mit Text auf d. Umschl. Fol. Dresd.,
Exp. d europ. Modenzeitg (01). Gebr in 8° — 40 (Vollst.: 3.30)
Zustand u. Fortschritte d. deut. Lebensversicherungs-Anst. in
d. J. 1900—02. (74, 72 u. 54 m. je 2 Tab.) 8° Jena, G Fischer
01-03.   Je 2.40 ö F
Zutavern, A: Zu Jesu Füssen. Geistl. Gedichte. (Neue [Tit.-]
Ausg.) (150) 8° Freibg i/B., O Fleig [m] (05).   L. 1 — d
Die 1. Ausg. erschien in Kirchh. u. Teck [01].
Zuwachs d. grossh. Bibliothek zu Weimar in d. J. 1899—
1901. (68) 8° Weim., (H Böhlau's Nf.) 02. — 50 fl 1902—4. (50)
                                                         — 50
Zuwachssteuer, d., v Baumeister, E Jaeger, Henrich, M Knorr,
Fleg er, Lehmann, A Pohlman, Behrens, s.: Zeitfragen, soz.
Zwahlen, P, s.: Verkehrskarte d. Schweiz.
Zwangs-)Fürsorge-)Erziehung, d., s.: Grenzfragen, juristisch-
psychiatr.
Zwangsglaube, d., d. kgl. bayer. Oberkonsistoriums. Von einem
Beteiligten. (53) 8° Bambg, (Handels-Dr. u. Verlagsh.) (01).
                                                         — 30 d
20 Heller-Kalender, österr. illustr., f. 1906. 25. Jahrg. (32,
24) 8° Wien, M Perles.   — 50 d
Bis z. 21. Jahrg. u. d. T: 25 Heller-Kalender.
20-Heller-Schreib-Kalender, Fromme's neuester, Fortsetzg,
s.: Fromme.
Zweck, A: Die Bildg d. Triebsandes auf d. Kurischen u. d.
Frischen Nehrung. (38 m. Abb., 2 Skizzen u. 2 Kart.) 8°
Königsbg, (Hartung) 03.   1 —
— Karte v. Ost-Preussen, s.: Sicker, G.
— Litauen. — Masuren, s.: Ostpreussen.
— Samland, Pregel- u. Frischingthal. Landes- u. Volkskde.
(160 m. Abb. u. 3 Pl.) 8° Stuttg., Hobbing & B. 02.   4 —;
                                                      geb. 5.50 d
— dass., s.: Ostpreussen.
— Das masur. Seeengebiet. Landschaftsbilder u. Kulturskizzen.
Nebst e. Beigabe: Reiserouten in Masuren. [S.-A.] (184 u. 4
m. Abb.) 8° Stuttg., Hobbing & B. 1900.   3 — d
Zwehl, HF v.: König Baldurs Liebe. Märchenepos. (54) 8° Berl.,
A Bath 01.   L. m. G. 2 — d
Zwehl, T v.: Hdb. f. d. Einj.-Freiw. usw. d. kgl. bayer. In-
fant., s.: Müller, CT.
Zweierwahl, d., e. Schutz f. d. Minoritäts-Parteien. (Von
H gnoll.) (15) 8° Ludwigsh., (A Lauterborn) (2.   — 20 d
Zweifel, B: Alpenrosen. Neues Liederb. f Jugend- u. Frauen-
chöre u. höh. Lehranst. 1. Heft. 85 drei- u. vierstimm. Orig.-
Kompositionen. 2. Afl. (177) 8° St. Gall., Zweifel-Weber 1898.
                                                       an — 90 d
Das 2. Heft s. Haug, G.
— Helvetia. Liederb. f. Schweizersch. 24. Afl. A. Ausg. f. Pri-
marsch. (1?2) 12° Ebd. (03).   Kart. — nn 60 d
— dass. 27. Afl. B. Ausg. f. Primar- u. Sekundar-(Bez.- u. Sing-)
Sch. (3?4) 12° Ebd. (03).   Kart. — nn 60 d
Zweifel, P: Das geheimen Krankh. in ihrer Bedeutg f. d. Ge-
sundheit. (15) 8° Lpzg, JC Hinrichs' V. 02.   — 20 d
— Lehrb. d. Geburtshilfe. 5. Afl. (601 m. z. Tl farb. Abb.) 8°
Stuttg., F Enke 03.   14 —; L. 15.20
— Lehrb. f. Hebammen. — Die geburtshülfl. Untersuchg, s.:
Leopold, G.
Zweig, B: Katharina v. Alexandrien od. Der Stern d. Heiles,
s.: Schul- u. Vereinsbühne, christl.
Zweig, S: Die Liebe d. Erika Ewald. Novellen. (179) 8° Berl.,
E Fleischel & Co. 04. 2 —; geb. 3 —; Luxusausg. geb. 6 — d

Zweig, S, s.: Lilien. EM. Sein Werk.
— Silberne Saiten. Gedichte. (88) 8° Berl., Schuster & Loeffler
01.   2 — d
— Verlaine, s.: Dichtung, d.
Zweigert s.: Verwaltung, d., d. Stadt Essen im 19. Jahrh.
Zweigert, A: Kommentar z. Strafgesetzb. f. d. Deut. Reich,
s.: Olshausen, J.
Zweigle, W: Freundl. Bilder f. brave Kinder. Mit begleit. Text
v. F Erck. (4 Farbdr. m. 7 S. Text.) 4° Stuttg., G Weise (08).
                                                         d
Zweikampf, der. Audiatur et altera pars. (16) 8° Zür., C Schmidt
02.   — 40
Zweinert, H: Handelsgesetzb. v. 10.V.1897 (m. Ausnahme d.
Seerechtes), nebst d. Einführgsges. z. Handelsgesetzb. so-
wie zahlreichen Stellen and. Ges., insbes. d. BGB. f. d. Deut.
Reich. (277) 8° Lpzg 04. Berl., Dr. W Rothschild. Geb. 3 —
Zwenger: Das Artill.-Buch. Gesch. d. brandenb.-preuss. Artill.
v. ihrer Entstehg bis z. Gegenwart. 2. Afl. (124 m. 1 farb.
Taf.) 8° Köln 01. Lpzg, J Püttmann.   Kart. 1 — d
— Die Ausbildg im Richten u. Schiessen bei d. Feldartill., m.
Schliessebup, Schiessregeln u. d. Bemerkgu d. Inspektion
d. Feldartill. Üb. d. Schiess-Ausbildg. (133 m. Abb.) 8° Berl.,
Vossische Bh. 03.   2 — d
— Das Feldartill.-Material 96. 2. Afl. (60 m. Abb.) 12° Ebd. 03.
                                                         — 20 d
— Das Feldhaubitz-Material 98. 2. Afl. (71 m. Abb.) 12° Ebd.
03.   — 30; auf bess. Pap. — 50 d
— Gesch. d. 1. westfäl. Feldartill.-Regts Nr. 7. 2. Afl. (477 m.
Bildnissen.) 8° Berl., ES Mittler & S. 01. 11 —; L. nn 12.75 d
In J. Afl. bearb. v. Hamm u. Moewes.
— Neues Hdb. f. d. Unterr. u. d. Ausbildg d. Einj.-Freiw. d.
Feldartill. (Kanonen- u. Haubitzbatterien), zugl. z. Gebr. f.
Fahnenjunker, Fähnriche u. jüngere Offiziere. 1. Afl.
(497 m. Abb. u. Taf.) 8° Berl., Vossische Bh. 03.04. 7.50;
                                                     geb. 8.50 d

3. Afl. u. d. T:
— Neues Hdb. f. d. Unterr. u. d. Ausbildg d. Einj.-Freiwill.
u. Offizier-Aspiranten d. Feldartill., zugl. z. Gebr. f. Fahnenjunker, Fähnriche u. jüngere Offiziere. 3. Afl. Für Kanonen-
u. Haubitzbatterien. (454 m. Abb. u. Taf.) 8° Ebd. 06. 7.50
                                                     geb. 8.50 d
— Neues Hdb. f. d. theoret. Weiterbildg d. Reserveoffizier-
aspiranten u. Offiziere d. Beurlaubtenstandes d. Feldartill.
währ. d. Uebgn A, B u. d. weiteren Uebgn. (158 m. Abb.) 8°
Ebd. 03.   3 —; geb. 3.75 d
— Leitf. f. d. Unterr. u. d. Ausbildg d. Kanoniere u. Fahrer
d. Feldartill., s.: Batsch.
— Unteroffizier-Hdb. f. d. Feldartill. 2 Thle. 2. Afl. 12° Berl., ES
Mittler & S. 03.   2.90; geb. 3.60 d
1. Der innere Dienst. (127) — 90; geb. 1.20 § 2. Der äussere Dienst. (240)
2 —; geb. 2.40.
Zwerger, F: Leitf. f. d. geograph. Unterr., s.: Graf, M.
— Leseb. f. Fortbildgssch. — Leseb. f. gewerbl. Fortbildgssch.
— Deut. Leseb. f. kaufmänn. Fortbildgssch., s.: Loessl, V.
Zwerger, JB: Eltern! Erziehet eure Kinder z. Unschuld! Mahn-
rufe an christl. Eltern. (20) 12° Graz, Styria 03.   — 12 d
— Der Glaube als göttl. Tugend od. d. Pflicht zu glauben in
ihrer Begründg, Erfüllg u. Übertretg. 3. Afl. v. A Michelitsch.
(266) 8° Ebd. 06.   L. 2.40 d
— Die wahre Kirche Jesu Christi in ihrer Wesenh. u. in ihrer
Beziehgn z. Menschh. 2. Afl. v. A Michelitsch. (313) 8° Ebd.
04.   L. 2.40 d
— Der Priester in ar Vorbereitg u. in s. Amte. Sammlg v.
Bibelstellen. Jugendarbeit. Hrsg. v. F Fhr v. Oer. (159)
12° Graz, U Moser 02.   L 1 — d
— Die Reise in d. Ewigkeit. 6. Afl. (136) 8° Graz, Styria (01).
                                                       L. 1 — d
— Die Schätze d. römisch-kathol. Christan. 4. Afl. (v. A Miche-
litsch). (190) 8° Ebd. 06.   L. 1.20 d
— Die schönste Tugend u. d. hässlichste Laster. 6. Afl. (21, 335
m. 2 Taf. u. 1 Bildnis.) 8° Ebd. 05.   Geb. 2.40 d
Zwerger, M: Leitf. s. Unterr. in d. elementaren Mathematik
m. e. Sammlg v. Aufg. Neue Afl. d. Leitf. d. Mathematik v.
H Müller. 4 Abtign. 8° Münch., J Lindauer.   5.80;
                                              Einbde je — 40 d
1. Arithmetik. 12. Afl. (346) 03. 2.40 § 2. Eb. Geometrie. 12. Afl. (160 m.
Fig.) 02. 1.60 § 3. Trigonometrie. 12. Afl. (159 m. Fig.) 04. 80. § 4. Anal.
Geometrie. 11. Afl. (55 m. Fig.) 02. 1 —
Zwick, H: Elemente d. Experimentalphysik. (38, 520 m. Fig.
u. 1 farb. Taf.) 8° Berl., L Oehmigke's V. 02. 12 —; HF. 11 —
                                       § Neue (Tit.-]Ausg. 06. ? —; HF. 11 —
— Grundz. d. Experimentalphysik zugl. Gebr. f. Schüler. (220
m. Fig.) 8° Ebd. 05.   Geb. 1.80 d
— Das Kinderschutzges. (Reichsges. betr. Kinderarbeit in ge-
werbl. Betrieben. Vom 30.III.'03.) Nebst e. Darstellg d. so-
zial-polit. Bedeutg d. Ges. u. statist. Erhebgn. (74) 8° Berl.,
O Liebmann 03.   — 80 d
— Das Schön-Schnell-Schreiben ohne Hilfe e. Lehrers.
8° Berl., L Oehmigke's V. 03.
Zwicker, J: Das Schön-Schnell-Schreiben ohne Hilfe e. Lehrers.
(8 Bl. m. Text auf d. Umschl.) 4° Aue 03. Zwickau i/S., Selbst-
verl.   — 80
Zwickh, N, s.: Schematismus d. medizin. Behörden usw. im
Kgr. Bayern.

Zwicky, M: Grundr. d. Planimetrie u. Stereometrie nebst Übgs-
aufgaben. 2 Tle. 8° Bern, A Francke. Geb. u. kart. 2.70
1. Planimetrie. 2. Afl. v. G Weruly. (96 m. Fig.) 04. Geb. 1.55 || 2. Stereo-
metrie. 2 Afl. (67 m. Fig.) 01. Kart. 1.20.
— Leitf. f. d. Elemente d. Algebra. 1. Heft. 2. Afl. (47) 8° Ebd.
01. nn — 35
Zwiedineck-Südenhorst H v.: Das gräfl. Bamberg'sche Fami-
lienarchiv zu Schloss Feistritz bei Ilz, s.: Veröffentlichungen
d. histor. Landes-Commission f. Steiermark.
— Deut. Gesch. v. d. Auflösg d. alten bis z. Errichtg d. neuen
Kaiserreiches (1806—71). 2. u. 3. Bd. 8° Stuttg., JG Cotta Nf.
12 — (Vollst.: 20 —; Einbde in HF. je 2 —) d
7. Gesch. d. dent. Bundes u. d. Frankfurter Parlaments. (1815—49.) (496)
03. 6 — | 3. Die Lösg d. dent. Frage u. d. Kaisertum d. Hohenzollern
(1849—71). (504 m. Kartenskizzen.) 05. 6 —
— dass., s.: Bibliothek deut. Gesch.
— Maria Theresia, s.: Monographien z. Weltgesch.
— s.: Weltgeschichte.
Zwiedineck-Südenhorst, O v.: Arbeiterschutz u. Arbeiterver-
sicherg, s.: Aus Natur u. Geisteswelt.
— Beitr. z. Lehre v. d. Lohnformen, s.: Zeitschrift f. d. ges.
Staatswiss.
— Ueb. Gebürtigk. u. Wandergn in Baden, s.: Festgaben f.
Friedr. Jul. Neumann.
Zwiedinek Edler v. Südenhorst u. Schidlo, F, s.: Erbfolge-
krieg, österr.
Zwierzina, V: Lehr- u. Leseb. d. kaufmänn. Stenogr., s.:
Jahne, J.
Zwiesele, H: Buchführg, Wechselkde u. Kalkulation d. Hand-
werkers. In Fragen u. Antworten. (99) 8° Stuttg., EH Moritz
05. Geb. 1.20 d
— dass. d. Schneiders. (96) 8° Ebd. 05. || Dass. d. Schuhmachers.
(93) 05. Geb. je 1.50 d
— Geschäftsgänge z. Unterr. in d. gewerbl. Buchführg, s.:
Möllen, T.
— Haustelegr. u. Telephonanlagen. (87 m. Abb. u. 48 Taf.) 8°
Ravnsbg, O Maier (04). 5 — d
Zwiklitz, Frau M v.: Die Handarbeiten. — Die Haushaltg,
s.: Buch, d. prakt.

Zwillinge, ed., s.: Macht, d., d. Liebe.
— d., u. and. Gesch. Erzählgn f. Jung u. Alt v. M v. O. 1. u.
2. Afl. (80 m. 3 Abb.) 8° Schwer., F Bahn 02. — 90; L. 1 — d
Zwillingsbrüder, d., s.: Vergissmeinnicht-Erzählungen.
Zwinger u. Feld. Illustr. Wochenschrift f. Jägerei u. Züchtg
v. Jagd- u. Luxushunden. Red.: E Jaeckh, 1905 R Friedemann,
1904 F Bergmiller. 10—13. Jahrg. 1901—4 je 52 Nrn. ('01, 1384)
8° Stuttg. (Augustenstr. 7), Verl. v. Zwinger u. Feld.
Viertelj. 1.50; einz. Nrn — 25
— — dass. Illustr. Wochenschrift f. Jägerei, Fischerei u.
Züchtg v. Jagd- u. Luxushunden. Red.: F Bergmiller. 14. Jahrg.
1905. 52 Nrn. (Nr.: 1. 36) 8° Ebd. nn 7 —; einz. Nrn nn — 25
— Vademekum f. gebild. Jünglinge, s.: Traktate, zeitgemässe,
a. d. Reformationszeit.
Zwingli, J: Das züricher. Vormundschaftswesen. (55) 8° Zür.,
. (C Bachmann) 04. nn 1 —
Zwingliana. Mitteilgn z. Gesch. Zwinglis u. d. Reformation.
Hrsg. v. d. Vereinigg f. d. Zwinglimuseum in Zürich. Red.:
E Egli. (Nr. 9—17.) Jahrg. 1901—3 je 2 Nrn u. Jahrg. 1904
3 Nrn. (1. Bd. 185—483 m. 7 Taf. u. 1 Fksm.) 8° Zür., Züreher
& F. Die Nr. — 75 (1. Bd vollst.: geb. 16 —) || Jahrg. 1905.
Hrsg. v. Zwingliver. in Zürich. Nr. 1. (2. Bd. Nr. 1.) (1—32
m. 1 Taf.) — 75
Zwischenbrettl-Abend, e. Mit Beitr. v. R Ellinger, F Klein,
R Schmidt, A Weiss. (88) 8° Wien, F Rörich & Co. 02. 1 —
Zwitsers, AE: Die bibl. Gesch. m. Erläutergn als Grundl. f.
d. unterrichtl. Behandlg. Für angeb. u. wirkl. Lehrerinnen
bearb. 1. Tl. Das Alte Test. (198) 8° Lpzg, Dürr'sche Bh. 04.
Geb. 2.40 d
— Übersicht d. Gesch. d. christl. Kirche, s.: Heuermann, A.
Zwolski, S: De bibliis polonicis quae usque ad initium saeculi
XVII. in lucem edita sunt. (181) 8° Posen, (Druckarnia i
Ksiegarnia św. Wojciecha) 04. nn 3 —
Zwymann, K: Aesthetik d. Lyrik. I. Das Georgesche Gedicht.
Neue (Tit.-)Ausg. (153) 8° Berl., K Schnabel [02] 04. 2.50
Zychlinski, P v.: Illustrierende Aussprüche, Sentenzen u. Gesch.
zu Gottes Wort. 2 Hftn. (263) 8° Halle, R Mühlmann's V. 02.
Je 1.80 d
— s.: Spurgeon, CH, gold. A-B-C.

---

*Die Nachträge und Verbesserungen zu diesem Bande befinden sich — der bequemeren Über-
tragung halber — am Schluss des Registerbandes.*

Neuigkeiten,

welche in den „Halbjahrs-Kataloge" 1901—1905 als zukünftig erscheinend angezeigt gewesen,
aber bis 17. November 1906 nicht erschienen sind, oder die
einzusehen bisher nicht möglich gewesen ist.

*Über die mit * bezeichneten Titel war trotz vielfach wiederholter Bemühung
keinerlei Nachricht vom Verleger zu erhalten.*

Abert, F.: Das Wesen d. Christentums n. Thomas v. Aquin.
Würzbg., Göbel & Scherer. ca. 1 —
Abwehr, e. „Das Buch üb. d. dent. Nachfolger im Licht uns.
Zeit". Berl., P. Speier & Co. Erscheint nicht.
Achelis, Th.: Zum Verständnisse Goethes. Münch., C. H. Beck.
Erscheint nicht.
Acta Gregorii papae XVI. Tom. I. Turin, C. Clausen. ca. 8 —.
Einsendg. wurde verweigert.
*Adressbuch f. d. Kreis Gelsenkirchen. Geilenk., C. van Gils.
Geb. ca. 4 —
*— f. d. graph. Gewerbe. Dresd.-Löbtau, M. Paul. 1 —
— f. Postkarten-Hersteller usw. d. ganzen Welt. Berl. (W.,
Friedrichstr. 75), O. Seiffert Nf. 10 —. Einsendg. wurde ver-
weigert.
Akten, d., d. Homberger Synode. Hrsg. v. F. Wiegand. Lpzg.,
A. Deichert Nf.
Almanach, musikal. Köln, Jüd. Verl. ca. 4 —
Alp, A.: Wandk. d. Kreises St. Goarshausen. Oberlahnst., H
J. Mentges. L. m. St. ca. 12 —
*Andachten, monatl., zu Ehren d. hl. Joseph f. d. Pfarrei Hess-
loch. Mainz, J. P. Haas. — 15
*Andachtsübungen -z. Gebr. frommer Christen bei d. Prozes-
sionen an d. Bittagen. Mährisch-Neust., A. Reinelt.
Andrejeff, L.: Im Nebel. Münch., Etzold & Co. Erscheint nicht.
*Aner, K.: Gedenke an deine Konfirmationszeit. Gera, Th. Eis-
mann. — 20
Ansiedlungskommission u. Raiffeisen. Posen, A. Spiro. — 20.
Vergr.
*Anzeiger, kunstliterar. Hrsg. v. E. Gramatzki. 1. Bd. Oktbr.

1904—Septbr. 1905. 12 Nrn. (Halle a/S., Meckelstr. 23), E. Gra-
matzki. 5 —
Archenhold, F.S.: Die Sternenwelt. Berl., H.J. Meidinger, Geb. 3 —
Arendt-Denart, M.: Christentum ist Heidentum: Berl., H Schild-
berger. Erscheint nicht.
Aronstein, Ph.: Ben Jonson. Berl., E. Felber. ca. 3 —
Aucassin u. Nicolette. Ein franzÖs. Roman a. d. 18. Jahrh.,
übers. u. m. Einleitg. versehen v. R. Zoozmann. Dresd., H.
Angermann. Nicht erschienen. Fa. erloschen.
*Auf d. Wacht in Ostasien. Erlebnisse e. deut. Obermatrosen.
Klingenthal, Gebr. Hohenstein. — 75
Aus d. Tageb. Leopold Wölfling's (Erzherzog Leopold Ferdi-
nand v. Oesterreich). Zür., C. Schmidt. Erscheint nicht.
*Ave Maria. Wallfahrts- u. Gebetbüchlein in Altötting. Alt-
Ötting, J. Lindauer. Geb. 1.20
Avenarius, F.: Böcklin. Münch., G. D. W. Callwey. ca. 1 —
*Avien, d., Ora maritima. Berl., Weidmann. erklärt v. W. Sieglin, 2 Tle.
Berl., Weidmann. ca. 7 —
*Bäder, Kurorte u. Heilanstalten Österr.-Ungarns. Zür., C.
Schmidt. Geb. 3 —
*Baer, G.: Heil Wittelsbach, Heil Bayern! Festschrift 1806—
1906. Zweibr., H Reiselt. ca. 3.50
Berát, A.: Die kgl. Freistadt Temesvár. Temesvár, Selbstverl.
ca. 3 —. Nicht zu ermitteln.
*Barmen in Bildern. Barm., Heidsieck & G. In M. 10 —
Barschall: Neue Publikation. Beitrag z. Lösg. d. Schienenstossfrage.
Berl., Gutenberg. Nicht im Handel.
*Barth: Sexuelle Degeneration. Münch., K. Hess. ca. 1.70

*Batka u. Rychnovsky: Die Responsorien Balthasar Harzers (Resinarius). Prag, Dürerverlag.
Battonyai,E.: Adressb. sämmtl. protokollirtenFirmen v.Ungarn. Wien, G. Szelinski. Wird kaum erscheinen.
*Bauer,A.: Der Export nach Italien. Zittau, Schiemann & Co. 3 —
*Baumbach, R.: Quix u. Quax. Eine lust. Gesch. f. Gross u. Klein. Steglitz-Berl., Steglitzer Werkstatt.
Becker, Ph. A.: Altfranzös. litterarhistor. Elementarb. Hdlbg., C. Winter. V.
*Behrend, P.: Aus meiner Dienstzeit. Blätter d. Erinnerg. an d. Dienst in d. kais. deut. Marine. Berl., A. Schall. Geb. 4 —
*Benz,F.:Gebete d.Mönch.Münch.,Litteratur-Magazin-Verl. 1.50
*— Nur Liebe. Dichtgn. Ebd. 1.50
*— Lieder d. Sehnsucht. Ebd. 1.50
*— Schwarze Orchideen. Ebd. 1.80
Verf., Inhaber d. Verlags, Thierschplatz 1, verstorben.
*Berger, H.: Drüben. Skizzen a. d. amerikan. Leben. Uebers. v. M. Hartmann-Sommer. Berl., R. Eckstein Nf. 2 —
*Berger, O.: Wie gewinne ich am Totalisator. Berl., W. G. Grzymisch. 1 —
*Bergmann,W.:Expansionstheorien.Stockh.,Norstedt&Söner.
*Bericht, offiz., üb. d. 3. Spielzeit d. Bergtheaters zu Thale a/H. Weimar, Verlag d. Iduna. ca. — 50
— stenograph. üb. d.Geheimbündelei-Prozess in Thorn. Thorn, E. Lambeck. Erscheint nicht.
*Berlin bei Tag! Berlin bei Nacht! Berl., W. Kraus. 1 —
Betriebsreglement f. d. Eisenb. d. im Reichsrathe vertret. Königreiche u. Länder. Wien, Hof- u. Staatsdr. Nicht im Handel.
Benningen, Th. v.: Der Krieg im fernen Osten. Kassel, E. Röttger. Erscheint nicht.
— Wachet! Ich komme bald. Weissagg. u. Geschichte. 1. Tl. Ebd. Erscheint nicht.
*Bibliorum, sacrorum, fragmenta copto-sahidica Musei Borgiani. Novum Testamentum, ed. P. J. Balestri. Turin, C. Clausen. ca. 60 —
Bierbaum, E.: Brotgetreide u. Arbeitslohn. Berl., W. Baensch. Erscheint nicht.
Bierbaum, O.: Th. Th. Heine. Berl., Bard, Marquardt & Co. Kart. 1.50
Bildnis-Miniatur, d., in Österr. Text v. E. Leisching. Wien, Artaria & Co. Subskr.-Pr. bis 15.X.1905 80 —
Birkenfeld, H. (H. Modersohn): Beruf. Münch., Verl.-Anst. M. Bickel. Erscheint nicht.
Blasig: Typhus. Lpzg., W. Schumann Nf. Geb. 1.50
Blätter, heitere. 1. Jahrg. 1902/1903. 52 Nrn. Berl., Verein. Verlagsanstalten Golda & Co. Erscheinen nicht mehr.
*Blendinger, G.: Predigt üb. Jes. 28, 16, geh. am Bibelfeste zu Nürnberg. Nürnbg., F. Banckwitz. — 20
Blum, E.: Aesthetik od. allg. Theorie d. schönen Künste u. Wiss. Lpzg., K. F. Pfau. 2 —
Blume, v.: Moltke. Berl., B. Behr's V.
Bobillier, C.: Neuer illustr. Plan d. Stadt Genf u. Umgebg. Genf, R. Burkhardt. 1 20; kl. Ausg. — 60
Bode, W.: Bilderrahmen in alter u. neuer Zeit. Berl., H. Seemann Nf.
— Florentiner Majoliken d. 15. Jahrh. Ebd.
*Boden, A.: Der Täufer. Drama. Lpzg., Selbstverlag. Nicht aufzufinden.
*„Bohème", die (Künstlerwitz u.-Ernst) u. „Die Glocke" (Philosophie u. Satire). Wien (VI, Kettenbrückeng. 13), S. Sobotka. Jede Nr. ca. — 10
*Böhm, A.: Hoch d. „Achter"! Erlebnisse auf d. Kriegsschauplatze in Bosnien im J. 1878. Wien, A. Amonesta. ca. — 50
Boltenstern, O. v.: Alkohol- u. Tabakvergiftg. Lpzg., W Schumann Nf. Geb. 1.50
*Borchardt, R.: Rede üb. Hofmannsthal. Lpzg., J. Zeitler. Geb. ca. 2.50
Börgen, C., u. A. Schmidt: Hdb. d. Erdmagnetismus. Stuttg., J. Engelhorn.
Borrmann, R.: Antike Möbel u. Hauseinrichtgn. Berl., H. Seemann Nf.
*Borthen, L.: Die Blindenverhältnisse bei d. Lepra. Kristiania, H. Aschehoug & Co.
Bothfeld, J.: Stille Stunden. Lieder f. Heimgesuchte. Neudietendf., Eifert & Scheibe. Geb. 1.50
Boettiger, Franz. Ein Beitrag z. Gesch. d. Kunstgewerbes d. Gegenwart. Giess., A. Frees. ca. 1.50
Bousset, W.: Untersuchgn. zu d. pseudoclementin. Schriften. Gött., Vandenhoeck & R.
Brahe's, T., astronomiae instauratae mechanica, ed. B. Hasselberg. Lund, A. & O. Schedin. 55 —. Einsendg. wurde verweigert.
Braun, E. W., u. J. Folnesics: Die k. k. Wiener Porzellanmanufaktur. Wien, Hof- u. Staatsdr. Subskr.-Pr. bis 20.VI.1905. Geb. ca. 120 —
*Braun, W.:Schützenerinnergn.a.Brau nau.Braunau,F.Bohosch. — 46
Brentano, C.: Gockel, Hinkel, Gakeleja. Mährchen. Neudr. d. Orig.-Ausg. v. 1838. Lpzg., Insel-Verl. Geb. ca. 25 —
— Godwi od. d. steinerne Bild d. Mutter. Ein verwilderter Roman. Hrsg. u. eingeleitet v. E. A. Regener. 2 Bde. Lpzg., F. Rothbarth. Erscheint nicht.
Brettlprinzessin, die, Roman v. *₊*. Stuttg., H. Koch.
Briefwechsel König Friedrichs d. Gr. m. sr. Schwester, d. Markgräfin v. Beyreuth. Hrsg. v. R.Berner. Berl., A. Duncker.
Hinrichs' Fünfjahrskatalog 1901—1905.

Briefwechsel König Friedrichs d. Gr. m. Voltaire a. d. kronprinzl. Zeit. Hrsg. v. R. Koser. Berl., A. Duncker
— d. Königin Louise v. Preussen m. König Friedrich Wilhelm III. Hrsg. v. E. Bailleu. Ebd.
Bröcker: Die Ethik Jesu. Tüb., J. C. B. Mohr. ca. — 30
*Brode: Im Herzen Deutschlds. Histor. Skizzen. Halle, Gebauer-Schwetschke. 1.50
Brückner, E.: Hdb. d. Flusskde. Stuttg., J Engelhorn.
Brukner, I.: Ernstes u. Heiteres. Gedichte. Wien, A. Breitenstein. Geb. ca. 2 —
Brüssau, O.: Gesch. d. inneren Mission. Hambg., G. Schloessmann. Geb. 2 —
Bücher, K.: Zur griech. Wirthschaftsgesch. Tüb., H. Laupp.
Büdner, J.: Die Wiedergeburt d. Adels. Grossenh., Baumert & R. Wird kaum erscheinen.
*Bülow, H. v.: Aus Russlds Gewaltherrschaft. Wien, K. Mitschke. ca. 1.20
Bunke, E., u. O. Brüssau: Gesch. d. Erweckgsbewegg. Hambg., G. Schloessmann. Geb. 2 —
Burenkalender f. 1902. Lpzg., W. Malende Nf. Erscheint nicht.
Burwinkel, O.: Malaria u. Gelbes Fieber. Lpzg., W. Schumann Nf. Geb. 1.50
Caine, H.: Capt'n Davy's Flitterwochen. Das letzte Geständnis. — Die blinde Mutter. Lpzg., H. A. L. Degener. ca. 5 —
— Der „Deemster". 3 Bde. Ebd. ca. 6 —
Calvin's Institutio. Hrsg. v. A. Lang. Lpzg., A. Deichert Nf.
Chabot, F.: Johan de Witt, Ratspensionär v. Holland u. Westfriesl. 1. Abtlg. Hdlbg., C Winter, V. ca. 2.40
*Chamisso's sämtl. Werke. 2 Bde. Lpzg., Bibliograph. Anst. A. Schumann. Geb. 4 —
Christoffersson, H.: Studia de fontibus fabularum Babrianarum. Lund, A. & O. Schedin. Einsendg. wurde verweigert.
Chybinski, A.: Frédéric Chopin. Berl., Bard, Marquardt & Co. Kart. ca. 1.50
*Clarron, E. (M. Mayer): Zur Quadratur d. Kreises. Was ist π? Neubearb. Aufl. Münch., Selbstverlag. (?)
Cleland, J.: Die Memoiren d. Fanny Hill. 2 Bde. Wien, C. W. Stern. Subskr.-Pr. bis 1./II.'06· Geb. ca. 25 —. Privatdruck. ö H.
*Clericus, P.: Wie erhalten wir uns. Kindern d. schöne Stimme? Halensee-Berlin, Grunewald-Buchh.
Cloetta,W.:Altfranzös.Elementarb. Hdlbg., C.Winter, V. ca.5 —
*Cranz, A. F.: Ein Wort z. Beherzigg., d. Fürsten u. Herren Deutschlds. gewidmet. (Neadr.) Berl. (W. 8.Charlottenstr. 59), A. H. Cranz. ca. 5 —
*Cremat, W.: Die Schwächg. d. Volkskraft durch d. Serum-Heilkunst. Gr.-Lichterf., Verlag „Der Mensch u. seine Pflege. — 75
Crescini, V.: Altprovençal. litterarhistor. Elementarb. Hdlbg., C. Winter, V.
Crönert, W.: Zeugnisse z. Gesch. d. Heilkde. a. griech. Inschriften u. Papyri. Bresl., J. U. Kern. Erscheinen ganz unsicher.
Cuno, F. W.: Der Heidelberger Katech., erklärt m. d. Wortan bewährter Lehrer d. reformirten Kirche alter u. neuer Zeit. Kuttelberg (Österr.-Schlesien), Pfarrer Szalatnay. 5 —
— Philipp Ludwig II., Graf zu Hanau u. Rieneck, Herr zu Münzenberg. Ebd.
Dahl, R.: Hofkamarilla u. Justiz in Österr. Zur Affaire Coburg —Mattachich. Berl., Herm. Walther. Erscheint nicht.
*Dändliker, Friedrich. Erinnergs. an d. Hausvater d. Diakonissenh.in Bern1821—1900.Dinglingen,St.Johannis-Druckerei. 1.50
Decsey, E.: Wien als Musikstadt. Berl., Bard, Marquardt & Co. Kart. ca. 1.50
Delitzsch, F., u. L. Messerschmidt: Inschriften a. Assur. Lpzg., J. C. Hinrichs' V. ca. 6 —
Bernburg, H.: Die Lehre v. d. Rechtsverwirklichg., d. Urheberrechtzd.Deut.Reichs u. Preussens. Halle, Bh. d. Waisenh. Deutschlands Kali-Industrie. Berl., Verl. d. Industrie. 30 —
Dichterbriefe. Briefe v. Klopstock, Lessing, Herder u. a. m. Berl., Pan-Verl.
Dietzsch, E. H.: Serbien in and. Umständen. Berl., A Dressel. — 20. Vergr.
*Dittmar, O.: Der Weg z. Anmuth u. Schönh. durch d. Schönh.-Mittel d. Natur. Lpzg., Nestmann & Wittig. — 60
Doblhoff, J. v.: Kunstpflege u. Vandalismus. Wien (II, Eschenbachg.), Verl. d. wiss. Klub.
*Dohme, F. V.: Generation, d. Gottestum d. Gattenschaft f. Frauen gedient. Berl., K Singer & Co. ca. 2 —
Dopsch, A.: Das sogenannte babenberg. Landrecht u. d. sex. Entwicklg. Österr. im 13. Jahrh. Innsbr., Wagner.
Dörnhöffer,F.: Das Buch als Kunstwerk. II. Druck u. Schmuck. Berl., . Seemann Nf.
Doyle, A-MC.: Der Teufel in d. Böttcherei u. and. Gesch. Übers. v. J. Cassirer. Berl., H. Steinitz. Erscheint nicht.
Dreyer, M: Müller Hildebrandt. Schausp. Stuttg., Deut. Verlags-Anstalt.
Droste-Hülshoff's, A. v., ausgew. Gedichte, m. Einl. hrsg. v. J. Schwering. Münst., H. Schöningh. Erscheint nicht.
Duimchen, T.: Uns. Rechtspflege. Berl., Hüpeden & M. ca. 2.50
Dürfen wir in Deutschland f. d. Socialdemokraten stimmen? Von e. liberalen Wähler. Berl., J Belling. — 10. Einsendg. verweigert. — Vergr.

*Daschnitz, A., J. Löffler u. A. Prinz: Das gold. Buch d. Renn-, Reit- u. Traber-Sport. Wien (XX., Rauscherstr. 14), Red. „Das goldene Buch".

Dyck, A. van: 20 Photogr. n. s. besten Werken m. Text v. M. O. Nieuwbarn. Amsterd., Scheltema & Holkema. 250 —. Einsendg. wurde verweigert.

*Eberstein, A. Frhr. v.: Begründg d. deut. Reiches. Lpzg., J. Werner. 1.50

*— Etwas a. meinem Leben. Ebd. 2 —

Eckert, C.: Das deut. Volk u. d. Weltwirtschaft. Mainz, Kirchheim & Co. Geb. ca. 8 —

Eckmann, O.: Flachornamente u. Innendecoration. Berl., H. Seemann Nf.

Ehrhardt, F.: Die Anfertigg. v. Kindergarderobe. Lpzg., K. Grethlein. Geb. 1 —

Ehrhardt, K.: Uns. Schulwesen. Stuttg., E. H. Moritz. ca. 1 —

*Eiben, E.: Das Lebenswunder. Eine göttl. Komödie. Dresd., O. Schuhknecht. 3 —

*— Das ewige Licht. Ein göttl. Komödienkranz. Ebd. 3 —

Eisenschmidt, A.: Off. Brief an Papst Leo XIII. Lpzg., Verl.-Anst. M. Minde. Erscheint nicht.

*Elbertzhagen, H.: Entstehg., Leben u. Ende d. privaten Versichergsunternehmgn. kirchl., A. W. Hayn's Erben.

El Neccar: Unter and. Namen. Orig.-Roman a. d. französ. Familienleben. Dresd., H. L. Diegmann. 3 —

*Enzberg, E. Frbr. v.: Roter Mohn. 22 ausgew. Dichtgn. Berl., O. v. Holten. 1.50

*Ergebnisse, wiss., d. schwed. Südpolar-Exped. 1901—3 unter Leitg. v. O. Nordenskjöld. Stockh., Generalstabens lithogr. Anstalt.

*Ertl, M.: Anl. z. Verfassg. d. Aufnahmegesuche f. Einj.-Freiwill.-Aspiranten aller Truppen u. Branchen. Linz a/D., J. Feichtinger's Erben. ca. 1 —

Escales, R.: Nitroglycerin u. Dynamite. Lpzg., Veit & Co.

Esswein, H.: Das Atelier. Studien in Prosa. Münch., Verl. Avalun. Erscheint nicht.

Ewald, C.: Der Ameisenhaufen u. and. Gesch. a. d. Tier- u. Pflanzenleben. Aus d. Dän. v. O. Reventlow. Berl., H. Seemann Nf. 1 —

— Der stille See. Geschichten a. d. Tier- u. Pflanzenleben. Aus d. Dän. v. O. Reventlow. Ebd. 1 —

Eysell-Kilburger, C.: Dreiklang. 3 Novellen. Schöneberg, P. Unterborn. 4 —

Falke, O. v.: Deut. Steinzeug. Berl., H. Seemann Nf.

*Falkenegg, Baron v.: Bleiben d. Königsmörder in Belgrad unbestraft? Berl., R. Boll. Erscheint nicht.

Fall, d., Rechtsanwalt Dr. Bauer u. Oberamtsrichter Schott vor d. Kriegsgericht zu Heidelberg. Hdlbg., Heidelb. Verl.-Anst. u Dr. Erscheint nicht.

*— d., Schemmel u. d. reformierte Landeskirche in Lippe. Detm., Meyer. — 50

Faderweiss, W.: Im Wechsel d. Standes liegt d. Zukunft. Lpzg., (H. Kessler). Erscheint nicht.

*Felke-Kalender, illustr. hygien. Regelener, 1905. Moers, G. Pannen.

*Fessel, —.: Ringelreihe. Herzige Lieder. Berl., U. S. Fessel. Geb. 2 —

*Festzeitung f. d. lw. deut. Turnfest. Hrsg. v. Pressausschuss. Ca. 12 Nrn. Nürnbg., W. Tümmel. 4 —

Feuerberd: Die bild. Kunst u. M.-A. einschl. d. Renaissance. Lpzg., R. Sattler. Erscheint nicht bei Sattler.

Finke, H.: Joh. Hus. Mainz, Kirchheim & Co. Geb. ca. 3 —

*Flacci, G. V., Balbi Setini Argonauticon lib. VIII. Recog. C. Giarratano. Mailand, Sandron.

Flamm, R.: Schwangerschaft u. Geburt. Lpzg., W. Schumann Nf. Erscheint voraussichtlich nicht.

Flaubert: Briefe an Zeit- u. Zunftgenossen. Mind., J. C. C. Bruns.

Fleischer, M.: Die neuere Entwickelg d. schwed. Handels in d. schwedisch-norweg. Union. Frankf.a/M., E. Griesel ca. —30

Flemming, A.: Buchführg f Haudwerker. Berl., W.Schurich. 1 —

*Flemming, H.: Einführg in d. Elektricität u. d. prakt. Verwendg d. elektr. Stromes. Lpzg., H. Buschmann. ca.2.50

*Formbals, L.: Winke u. Ratschläge f. Gesangseleven vor zeginn d. Unterrichts. Lpzg., F. E. Fischer. 1 —

Fouqué, H. K. de la Motte: Undine. Gross-Lichterf.-Ost, C. Langenscheidt. Erscheint nicht.

*Haas, E.: Die Meer-Crocodilier (Thalattosuchia) d. ob. Jura unter spec. Berücks. v. Dacosaurus u. Geosaurus. Stuttg., E. Schweizerbart.

Fragen, d., d. Königs Menandros. Aus d. Pali v. O. Schrader 1. (älterer) Tl. Berl., P. Raatz.

Frauenbriefe. Briefe v. Frau Gottsched, Rahel, Bettina u. ! m. Berl., Pan-Verl.

Frauenkalender, illustr. Bearb. v. E. Mensch u. C. Dișr. Berl., Verlag d. Frauen-Rundschau. Erscheint nicht.

Fred, W.: Madrid. Berl., Bard. Marquardt & Co. Kart. 1.50

Freund, F.: Zur Gerechtigk. u. Bussel Nachwort an Berl. landeskirchl.Versammlg.v.2.V.'05. Langens., J.Beltz.. — 80.

*Freund, S.: Das in Österr. gelt. Verein-sammslgsge-setz. 3.Aufl. Wien (IX, Eisengasse 15), Dr.S.Freund ca.7 —

*Freytag, V.: Spreewald-Skizzen. Berl., B. Behr's V.

Friedrich: Gneisenau: Berl., B. Behr's V.

Fritze, H. E.: Christian Klebauer & Co. Zittau, H. Lümöder.

Fröblich, K: Grammatik d. Weltsprache „Reformlatein". Wien, Philanthrop. Verlagsanstalt E. Frandsen.

— Lexikon d. Weltsprache „Reformlatein". Ebd.

— Uebgsb. d. Weltsprache „Reformlatein". Ebd.

Erscheinen alle 3 nicht.

Fuchs, H.: Assessor Tillhoeven. Eine masochist. Novelle. Berl., M. Marcus. Einsendg. wurde verweigert.

Fuchs, R.: Der Kampf ums Gold. (Im Burenland.) Erzählg. a. d. Gegenwart. Bresl., Ev. Bh. Kart. — 50. Vergr. Neue Aufl. erscheint nicht.

Führer durch d. photograph. Industrie. Dresd., Steinkopff & Spr. Erscheint nicht.

*— durch Bad Wildungen u. Umgebg. Bad Wildung., C. Hundt. ca. 1 —

*Funde, d., v. Antikythera. Athen, Beck & Barth.

Fürst, L.: Neurasthenie (Nervenschwäche) u. Hysterie. Lpzg., W. Schumann Nf. Erscheint voraussichtlich nicht.

*Galander: „Waffen, Truppentheile, Kriegsrecht, Kriegsmusik u. Orden". Viersen, J. Stockheim. ca. — 30

Garn- u. Seide-Markt, der. 1. Jahrg. 24 Nrn. Lpzg., Jacobi & Quillet. Viertelj. ca. 1.50

Geiger: Austritt a. d. Kirche u. Wiederaufnahme in dieselbe n. kirchl. u. bürgerl. Rechte. Paderb., F. Schöningh.

Gerf. Sarg u. Sorge. Von *„*. Freibg. i/B., F. E. Fehsenfeld. Erscheint nicht.

Gesammtabenteuer. 100 altdent. Erzählgn., hrsg. v. F. H. v. der Hagen. Unverkürzter Neudr. d. Orig.-Ausg. v. 1850. Dresd., K. Angermann. Erscheint nicht. — Fa. erloschen.

*Geschichte d. Juden in Böhmen. Brünn, Jüd. Buch- u. Kunstverl. ca. 3 —

Gesetz v. 25.II.'09, betr. Aufsuchen v. Bestellgn. auf Waren durch Gewerbeinhaber u. Handlgsreis., nebst Durchführgsbestimmgn. Linz, Zentraldruckerei vorm. E. Mareis. ca. — 40

Gbeyn, van d.: Die Kathedrale „St. Bavo" in Gent. Haarlem, H. Kleinmann & Co. 20 —. Nur in französ. Sprache.

Gideon, A.: Der Begriff Transscendental in Kant's Kritik d. reinen Vernunft. Marbg., N. G. Elwert's V. 3 —

*Gisesbrecht, L.: Gedichte. Ausgew. v. H. Kaeker. Stett., F. Wittenhagen. Geb. — 75

*Glaser, J., u. W. Lang: Ferienaufg. Übgn. a. d. Unterr.-Stoffe d. 2. u. 3. Bürger- u. Volksschulkl. Wien, Sallmayersche Bh.

*Goedsche: Sagen d. Riesengebirges. Warmbr., E. Gruhn. 1.50

Goldschmidt, A: Frühmittelalterl. Elfenbeinskulpturen. Berl., H. Seemann Nf.

Göller, E.: Forschgn. üb. d. apostol. Pönitentiaria, ihre Statuten u. ihre Geschäftspraxis v. 13—15. Jahrh. Rom, Loescher & Co.

Göllerich, A.: Franz Liszt. Berl., Bard. Marquardt & Co. Kart. ca 1.50

*Goethe's ausgew. Werke. 4 Bde. Lpzg., Bibliograph. Anst. A. Schumann. Geb. 10 —

— der röm. Carneval. Genaue Nachbildg. d. Orig.-Ausg. v. 1789. Lpzg., Insel-Verl. Geb. ca. 40 —. Vergr.

*Goethekultur, nicht Goethekultus. Von *„*. Frankf a/M.-Sachsenhausen (Gutzkowstr. 3), Englert & Schlosser. ca. — 60

Gourmant, R. de: Was e. Frau träumt . . . Roman. Uebetr. v. A. S. Gasteiger. Lpzg., F. Rothbarth. ca. 3 —

Graf, M.: Hector Berlioz. Berl., Bard, Marquardt & Co. Kart. 1.50

Grass, K. K.: Die weissen Tauben od. Skopzen. Lpzg., J. C. Hinrichs' V. ca. 2 —

Graul, R.: Bronce-Klein-Plastik seit d. Renaissance. Berl., H. Seemann Nf.

Grimmelshausen: Der abenteuerl. Simplizissimus. Lpzg., Insel-Verl. Geb. ca. 25 —. Vergr.

*Gross, K.: Aurea dicta. Bambg., C. C. Buchner's V. ca. — 60

Gross, Th.: Georg d. junge Schmied. Erzählg. a. d. Zeit d. Befreigskriege. Münch., C. Haushälter. Erscheint nicht.

Grothe, H.: Die Balkanstaaten, ihr Volkstum u. ihr Wirtschaftsleben. I. Halle, Gebauer-Schwetschke. 1.50

Grünbaum, H.: Algebra. Berl., C. Malcomes. 1.70

Grundriss d. Wiss. d. Judentums, hrsg. im Auftr. d. „Vereins z. Förderg. d. Wiss. d. Judentums". Berl., S. Calvary & Co.

*Gudowsky, H.: Die Hochzeits-Zeitg. Hagen, H. Bobendahl. ca. 3 —

Gunkel, H.: Lit.-Gesch. d. prophet. Bücher. Gött., Vandenhoeck & R.

— dass. d. Psalmen. Ebd.

*Gutachten, e., d. Ehren- u. Schiedsgerichts d. deut. Buchdruckerver. in Leipzig kritisch beleuchtet. Karlsr., J. Velten. — 20

Outhe, H.: Bibelatlas in 20 grösseren u. kleineren Karten. Lpzg., H. Wagner & E. Debes.

*Gyp:Israel. Wien (I, Grubangasse 1),Verl.d.„Herikli". ca.3.60

*Hagen, A.: Aus Heimat u. Fremde. Lpzg., J. Werner. 2 —

*— Weihnachten. Eine zeitbild. Betrachtg. Ebd. — 50

Hajek, M.: Nasen- u. Rachenerkrankgu. Wien, A. Hölder.

Halle, v.: Das Verhältnis v. Handelsmarine zu Kriegsmarine. Dresd., v. Zahn & Jaensch. Erscheint nicht.

*Hallenberg, E. v.: Ausgew. Gedichte. Zeitbild. St. Johann, G. Kaufmann. 1 —

Hallerer, R.: In weibl. Peitschenzucht. Nach Tagebuchblättern e. Amikazerin bearb. Berl., M. Marcus. 4 —. Erscheint nicht.

Halm, F.: Ausgew. Novellen. Hrsg. u. eingeleitet v. A. Klaar. Berl., L. Simion Nf. Erscheint nicht bei Simion Nf.

Hammer, E.: Hdb. d. Kartogr. Stuttg., J. Engelhorn.
Hammurabi: Der Jesuiten Einzug! Hell- u. Dunkelmänner-
    briefe. Lpzg.-Schl., Alldeut. Verlag. Erscheint nicht.
*Handbuch f. Handel, Verkehrs- u. Speditionswesen. Berl.,
    H. A. Weber.   1 —
— d. Kaliwerke, Salinen, Erdöl- u. Tiefbohr-Unternehmgn.
    Berl., Finanzverl. Geb. 8 —. Einsendg. wurde verweigert.
Handelsstatistik, schweiz. Bern, C. Marz. 3 —. Einsendg. wurde
    verweigert.
*Handkarte v. Schaumburg-Lippe u. d. Kreise Rinteln. Stadt-
    hagen, H. Heine.   ca. — 30
*Handwerkerschule, d. jüd., im Elsass. Brünn, Jüd. Buch- u.
    Kunstverl.   ca. — 30
*Hannesen: Harm. Erzählg. a. d. Vergangenh. Wangerooges.
    Oldenbg., H. Hintzen's Bh. W. Kühl.   Geb. ca. 2 —
*Hanssen, F.: Metr. Studien zu Alfonso v. Berceo. Valparaiso,
    Guill. Halfmann.
*Hare, W. L.: Griech. Religion. Die Theologie d. alten Grie-
    chen u. deren philosoph. Lehren. Lpzg., A. Owen & Co. ca. 3 —
Harnack, A.: Usb. d. sittlich-soz. Bedeutg. d. heut. Bildgs-
    strebens. Gött., Vandenhoeck & R. Nur in d. Verhandlungen
    d. 13. ev.-sozialen Kongresses.
Hart, P.: Hatto. Eine Gesch. a. d. XVII. Jahrh. Münch., C.
    Haushalter. Erscheint nicht.
Hartmann, O. R.: Formen d. Holzbaues d. Renaissance. Lpzg.,
    J. M. Gebhardt.   ca. 5 —
Hartmann, G. K.: Ev. Christentum. 5 Predigten. Gött., Van-
    denhoeck & R. Erscheint nicht.
Hartmann, Haberstroh, Goertz, Weidlich, Stegemann: Anlage
    v. Fabriken. Lpzg., B. G. Teubner.   Geb. ca. 8 —
Haeseler, Graf v.: Meine Erinnergn an d. Prinzen Friedrich
    Karl. Berl., E. S. Mittler & S.
Hassert, K.: Hdb. d. Quellen. Stuttg., J. Engelhorn.
*Kauff's sämtl. Werke. 4 Bde. Lpzg., Bibliograph. Anst. A.
    Schumann.   Geb. 8 —
*Haus-Arzt f. Reiche u. Arme. Werniger., W. Trümpelmann.
     ca. — 50
*Hedanus, F.: Neues Leben. Drama. Wien, C. W. Stern. 2.50
Heidemann, L.: Die territoriale Entwicklg. d. Staaten Grie-
    chenlds bis auf Alexander. 1. Heft. Berl., Weidmann. ca. 4 —
Heine's, H., Werke. Lpzg., C. Grumbach.
*— sämtl. Werke, m. e. biograph. Einleitg. v. F. Düsel. 4 Bde.
    Lpzg., Bibliograph. Anst. A Schumann.   Geb. 8 —
*— sämtl. poet. u. dramat. Werke. Hrsg. v. G. Karpeles. Berl.,
    W. Herlet.   Geb. 3 —
Heinrich, J.: Uns. Weihnachtstanne. Magdbg., R. Zacharias.
     ca. 2.50
Hemmann: Die Mischg v. Fichte u. gemeiner Kiefer in Deutschl.
    Köstr., C. Seifert.   1.50. Vergr.
*Herrman, A.: Das Glück im Spiel n. Wunsch zu lenken. Berl.,
    W. G. Grzymisch.
Hettler, A.: Adressb. d. wichtigsten Archive Europas. 1. Tl.
    Deut. Reich ohne Preussen. 1903. Halle a/S., A. Hettler. 10 —;
    2. Tl. Königr. Preussen. Subskr.-Pr. 8 —; Einzelpr. 12 —;
    3. Tl. Oesterr.-ungar. Monarchie. Subsk.-Pr. ca. 8 —; Ein-
    zelpr. ca. 12 —. Einsendg. wurde verweigert.
*Heuser, H. R.: Krystalle. Gedichte. Diessen, J. C. Huber.
*Heymann, R.: Der Polarfloh u. a. Soziale Skizzen u. Satiren.
    Strassbg., C. Bongard.   ca. 1.50
— Venedig. Lpzg., H. Dege. Erscheint nicht.
Hildebrand, P.: Vorl. z. Quadrillefahren. 6 Bl. Lpzg., Rauh
    & Pohle.   8 —. Vergr. Neue Aufl. fraglich.
*Hildebrandt, P.: Neue Brettl-Chansons, gesungen v. Hede
    Gassenhauer jetzt Ernestine u. Überbrett. Berl., P. Hilde-
    brandt.   — 50
*— Fremdenführer durch Berlin in deut., französ. u. engl.
    Sprache. Ebd.
*— Deutsche Kunstandenkwerkstätten in Wort u. Bild. 1. Bd.
    Ebd.   — 50
*Hinterstoisser, F.: Aus meinem Luftschiffertageb. Rzeszów,
    J. A. Pelar.   ca. 4 —
*Hirsch, W. H.: Die Prostitution d. deut. Kunst. Berl., E.
    Wertheim.   — 50
Hoffmann, L.: Maidlich u. Buawe. Erzählgn in hohenloh.(fränk.)
    Mundart. Schwäb. Hall, W. German. Erscheint nicht.
Hoffmann, O.: Von d. Terra z. Mars od. unter d. Martiern.
    ca. 10 Lfgn. Papiermühle b/Soda, Gebr. Vogt. Erscheint nicht.
— Von d. Terra z. Saturn od. unter d. Saturniten. ca. 10 Lfgn.
    Ebd. Erscheint nicht.
Höfken, R. v.: Studien z. Bracteatenkde. Süddeutschlds. 1. Bd.
    Wien (IV/1, Hauptstr. 17), Reg.-R. v. Höfken. 7 —. Einsendg.
    wurde verweigert.
Hofmannsthal, H. v.: Der Schüler. Pantomime. Berl., S. Fischer,
    Verl.   — 50
*Hobburg, P.: Stürme. Soz. Drama. Zürich, G. M. Stein. (?) 2 —
*Hohenfels, H.: Unverwüstlich. Vortragsb. f. frohe Kreise.
    2. Aufl. Berl., Moderne Bücherei.   1 —
Holländer, F.: Maupassant. Berl., Bard, Marquardt & Co.
     Kart. ca. 1.50
*Holzmann, M., u. H. Bobatta: Deut. Anonymenlexikon 1501—
    1850. 1. Bd. Weimar, Gesellsch. d. Bibliophilen. ö H
*Horaz: Aasgew. Oden, im Versmasse d. Urschrift ins Deut.
    übertr. v. Hamelbeck. Mgdbg., (F. Hoede).   1 —
*Hösterey, W.: Haltet ein u. denket nach! Lpzg., Scholz & Maerter.
     ca. — 30

*Hottinger, Ch. G.: Iconographia universalis. 10000 Bildnisse
    geschichtlich hervorrag. Männer u. Frauen aller Zeiten u.
    Alter. Südende-Berlin, Selbstverlag.
Hugfeld: Togo. Berl., W. Süsserott. Erscheint nicht.
Jacobi: Bewegg. Lpzg., W. Schumann Nf. Erscheint voraus-
    sichtlich nicht.
Jahrhundert, e., österreich. Malerei 1800—1900. Wien (I, Doro-
    theengasse 14), H. O. Miethke. Subskr.-Pr. bis 31.XII.1905 f.
    jede Lfg. ca. 25 —. Einsendg. wurde verweigert.
*Jarrow, E.: Der weisse Fluss. Weinböhla, E. Krug.   1 —
Jessen, J.: Kaiserin Friedrich. Berl., Bard, Marquardt & Co.
     Kart. ca. 1.50
Jessen, P.: Wohngekunst seit d. Renaissance. Berl., H. See-
    mann Nf.
Im Kampfe um d. neue Geschlecht. Von Antarktis. Charlot-
    tenbg., F. W. Bietert.   — 40
— Kampfe um Wahrheit u. Recht. Tragödie e. unschuldig Ver-
    urteilten. Berl. (Wasserthorstr. 27), Berolina-Versandbh.
Index librorum saeculo XV. impressorum quorum exempla pos-
    sidet bibliotheca regia Hafniensis. Kopenh., Gyldendal. Ein-
    sendg. wurde verweigert.
Indianer-Kalender f. d. Jugend. Hannov., Edler & Krische. 1 —.
    Vergr.
*Johannes, Th.: Wann endlich kommt d. Reformator? Gedan-
    ken üb. d. Wesen d. beginn. Reformation. Dresd., H. L. Dieg-
    mann.   — 50
Johnston, E.: Schriftmalerei. Berl., H. Seemann Nf.
*Jugend, deut. Wochenschrift f. Schüler u. Schülerinnen höh.
    Lehranst. Völklingen a/S., Verl. d. „Deut. Jugend“. Firma
    ist erloschen.
Jugendbücherei, deut. in Heften. Pyritz, Konrekt. Koeppen.
     Je — 10
Just, C.: Englisch f. Kaufleute. 24 Hefte. Lpzg., P. Spindler.
    Erscheint nicht.
Kalender d. deut. Bücherei. Berl., Exp. d. deut. Bücherei. Er-
    scheint nicht.
Kalisch, A.: London als Musikstadt. Berl., Bard, Marquardt
    & Co. Erscheint nicht.
*Kampf, d., um e. deut. Fürstenthron. Detmold, Meyer. — 50
Kan, A. H.: De Jovis Dolichani cultu. Groningen, J. B. Wol-
    ters. ö H.
Kanarienvogel, der. Behandlg., Zucht u. Pflege. Donauw., E.
    Mager.   ca. — 30
*Karte z. russisch-japan. Krieg. Berl., W. Greve.   — 30
*Karte z. russisch-japan. Krieg. Berl., W. Greve.   — 30
Kauffmann, Gr.: Die Legende v. hl. ungenähten Rock in Trier
    u. d. Verbot d. 4. Lateransynode. Frankf. a/M., Neuer Frankf.
    Verl.   — 50
Kellerfels, M.: Die dunkle Welt. 60 Lfgn. Wien, J. v. Ilko. Je — 20.
    Makuliert.
Kellermann, A.: Giordano Bruno a. Borngraebers Neujahrhun-
    dert-Ouvertüre gl. Namens. Oldenburg i/Gr., Selbstverlag.
Kieler, L.: André v. Kautokejna. Berl., D. Dreyer & Co. (ca. 2 —)
Kienast, V.: Orthopädie. Wien, A. Hölder.
Kiesewetter, D., u. H. Steffahny: Das Baby. Abbildungen v.
    Babykleidg. usw. Berl., P. Quack.   Kart. ca. 1.50
Kipka: K.: Maria Stuart im Drama d. Weltlit. Lpzg., M. Hesse.
*Kleist's sämtl. Werke. 2 Bde. Lpzg., Bibliograph. Anst. A.
    Schumann.   Geb. 4 —
Kliche: Unser Glaube, unser Sieg. Lemgo, O. Mai. Vergr.
Knoop, O.: Gewässer, Wassergeister u. Warserspuk (in d. Prov.
    Posen). Lissa, F. Ebbecke.
Kock, P. de: Das Milchmädchen v. Montfermeil. Weimar, R.
    Leutloff. (?)   1.50
*Konferenz, internat. wirtschaftl. Verhandlgu. am 18 u. 19.
    V.1905 im preuss. Abgeordnetenh. zu Berlin. Berl., Liebheit
    & Th.   ca. 1.20
König, C.: Herrenberg, Nach d. Tode. Ascona, C. v. Schmidtz.
    Erscheint nicht.
*Köpke, R.: Vorl. f. d. Fachzeichnen im Hufbeschlag. Lpzg.,
    P. Schimmelwitz.   10 —
Koeppen, A.: Preuss. Mädchen. Pyritz, Konrekt. Koeppen.
     Geb. — 50
Kordon, H.: Die tote Mutter. Roman. Zür., Th. Schröter's Nf.
    Erscheint nicht.
*Körner's sämtl. Werke. 2 Bde. Lpzg., Bibliograph. Anst. A.
    Schumann.   Geb. 4 —
*Kostüm- u. Trachtenbilder. (III. Serie.) Wien, Gesellsch. f.
    graph. Industrie.   In M. nn 12.50
*Kostüme u. Trachten f. Kinder. 15 farb. Bl. Wien, Gesellsch.
    f. graph. Industrie.   Je — 85
*Köthner, D.: Die Goldmacherkunst im M.-A. u. in d. Gegen-
    wart. Stuttg., E. Schweizerbart.   — 40
Kötzschke, R.: Hdb. d. allg. histor. Erdkde. Stuttg., J. Engel-
    horn.
Kramer, Ch.: Leichte Geburten. Kötzschenbroda, H. F. A. Thal-
    witzer.   Geb. ca. 50
Kramer, E.: Die Bremsen electr. Strassenb. u. d. Mittel z.
    Steigerg. ihrer Leistgsfähigk. Münch., R. Oldenbourg. Er-
    scheint voraussichtlich nicht.
Kraus, O.: Die grüne Brieftasche. Novellen. Münch., A.Schupp. (?)
    Erscheint nicht.
*Krause-Malonnek : Patholog.Zeitbetrachtgn. Berl.,F.Schlosser.
     1 —

*Krehl, L.: Die Lehre Muhammeds. Aus d. Nachlass hrsg. v. A. Fischer. Berl., E. Felber.   ca. 6 —
Kremmer: Landeskde d. Prov. Posen. Stuttg., W. Spemann.
Kretschmar, K.: Gesch. d. Erdkde im M.-A. u. im Zeitalter d. Entdeckgn. Stuttg., J. Engelhorn.
Kretzschmar, H.: Gesch. d. deut. Liedes. Lpzg., Breitkopf & H.
*Kronegg, F.: Masochismus. Masochistisch-flagellant. Studien. Hambg., M. Jacobson.   3 —
*Kubli, O.: Die räuml. Kompetenzabgrenzg. staatl. Strafgewalt. Glarus, J. Baeschlin.   3 —
*Kunstbörse, die. Mitteilgn. üb. alle Gebiete d. Kunstmarktes. 1. Jahrg. 24 Hefte. Münch., R. Abt.   3 —
*Kopka, J.: Album. Cáslau, H. Levý.   Geb. ca. 15 —
Lafontaine's Fabeln. Ausw. Hrsg. v. O. Kötz. Berl., Weidmann.   Geb. ca. 1.50
Laforest, D. de: PariserAbenteuer. Roman. Berl., Iris-Verl. Nicht erschienen. — Fa. erloschen.
Landesberger, J.: Die Kartelle u. ihre gesetzl. Regelg. Berl., J. Guttentag.   3 —
Lang, G.: Schulwandk. v. Mittelfranken, Regnitz- u. Altmühlgebiet. Miltenbg., F. Halbig.   18 —
Lanz, O.: Die präventive Chirurgie. Amsterd., Scheltema & Holkema. 1.50. Einsendg. verweigert.
Lauxmann, Kunstmaler Th.: Bilder a. d. Gesch. Württembergs. m. Vorwort u. Text v. O. Schanzenbach. I. Serie. 6 Taf. Stuttg., (R. Levi). 12 —
*Leben. Monatsschrift f. moderne Lit. Hrsg.; E. G. Butzke. 1. Jahrg. 1904. 12 Nrn. Berl., Verlag Leben (E. G. Butzke). Viertelj. 1.50
— u. Wirken d. P. Claudius de la Colombiére, S. J. Aus d. Franz. v. M. Gruber. Agram, A Scholza.   2.60
Leeder: Die Aenderg. d. mass- u. gewichtspolizeil. Bestimmgn. im Deut. Reiche in ihrer Bedeutg. f. Landwirte, Kaufleute, Fleischer usw. Lpzg., M. Prager.   — 30
Lehmann, P. A.: Polizei-Handlexikon. Berl., Schreiter. Erscheint nicht.
*Lehrbücher z. Vorbereitg. auf d. Lehrerprüfg. ca. 90 Hefte. W.-Jena, Thüringer Verl.-Anst.   Je — 15
*Leitfaden f. d. Unterr. in d. Mechanik. Wilhelmsh., A. Heine's Verl.
*— f. Turbinenlehre. Ebd.
*Lenau's sämtl. Werke. 2 Bde. Lpzg., Bibliograph. Anst. A. Schumann.   Geb. 4 —
Lenclos, N. de: Briefe an d. Marquis de Sévigné. Lpzg., F. Rothbarth. Erscheint nicht.
Lentscheuer: Bleivergiftg. Lpzg., W. Schumann Nf. Erscheint voraussichtlich nicht.
*Lesser, E.: Ans Lucie's Leben. Abschauliches u. Erfreuliches. Berl., Berliner Verl.   2 —
Leue: Deutsch-Ostafrika. Berl., W. Süsserott.
Levec, W.: Gesch. d. ält. landesfürstl. Steuerwesens in Österr. u. Steiermark. Innsbr., Wagner.
Levy, E.: Provençal. Wrtrb. Hdlbg., C. Winter, V.
Lexikon, allg. d. bild. Künstler. Hrsg. v. U. Thieme u. F. Becker. 20 Bde. Lpzg., W. Engelmann.   Je ca. 20 —
*Lichtenberg, K.: Die Spekulation d. modernen Buch- u. Zeitgrvertriebs. Köln, K. Fulde.
Liebmann, A.: Die sprachl. Entwicklg. u. Behandlg. geistig zurückgebliebn. Kinder. Berl., Herm. Walther.   — 80. Nicht separat erschienen.
Linnebach: Friedrich Wilhelm I. Berl., B. Behr's V.
*Literatur- u. Schriftsteller-Kalender, staatswiss. Hrsg. v. E. Gramatzki. 1904. Halle, Heynemann'sche Buchdr. Geb. ca. 10 —
*Literatur- u. Kunst-Zeitung. Hrsg. v. H. C. Jüngst. Jahrg. 1904. Dresden-Blasewitz, Verl. d. deut. Litteratur- u. KunstZeitg.
*Léronthey, E.: Die pannon. Fauna v. Budapest. Stuttg., E. Schweizerbart.
*Los v. Leipzig. Ein Wort an alle Freunde d. Sortimentersache. Von Severinus. Königsbg., Akadem. Bh.   ca. — 15
— v. Rom. Histor. Roman v. Implacabilis. Bambg., Handelsdr. u. Verlagsh.
— v. Rom od. Revolution! Ein ernstes Wort an meine kathol. Glaubensbrüder u. d. Protestanten. 1. Heft. Münch., Bh. „Isaria" M. Koniecki.   3 —
*Lothar, R.: Das geist. Proletariat. Berl., J. Räde.   2.50
Loyola, J v.: Geistl. Übgn. Erste u. vollständ. deut. Ausg. v. R. Schickele. Lpzg., F. Rothbarth.   ca. 3 —
Lübke, H.: Schulwandk. d. Havellandes. 1:150,000. Berl., Fussinger. Auf 1. m. St. 19 —. Einsendg. wurde verweigert.
*Ludwig, O.: Zwischen Himmel u. Erde. Mit 60 Illustr. n. Orig.-Zeichngn. v. A. C. Baworowski. Lpzg., Bibliograph. Anst. A. Schumann.   ca. 10 —
*Lölse d. Namenlose, vorm. Kronprinzessin v. Sachsen, u. ihr Liebhaber André Giron. Von A. v. R. Münch., M. Foessl. — 50
*Lumbroso, G.: Expositio totius mundi et gentium Rom, Tip. della r. Accademia dei Lincei.
Lüstenöder's Erzähligsschatz. 6 Hefte. Zitt., H. Lüstenöder.   Je — 10
Luther, M.: De servo arbitrio. Hrsg. v. C. Stange. Lpzg., A. Deichert Nf.
— Pädagog. Schriften. Ausw. Hrsg. v. Michaelis. Bielef., Velhagen & Kl.
— Vorreden zum N. Test. u. weit. Texte z. Entwickelg. d.

protestant. Schriftprincips. Hrsg. v. J Kunze. Lpzg., A. Deichert Nf.
Lutze, A.: Das Anti-Corsett. Berl., H.Bermühler.Erscheint nicht.
*Maas, O.: Üb. Medusen a. d. Solenhofer Schiefer u. d. unt. Kreide d. Karpathen. Stuttg., E. Schweizerbart.   8 —
Mackowsky, H.: Michelagniolo. Berl., Bard, Marquardt & Co.   Kart. ca. 1.50
Magnus, H.: Die Lehre v. Blutumlauf in d. voralexandrin. Medizin. Bresl., J. U. Kern. Erscheinen ist ganz unsicher.
*Mahnung, die. Das 1. gedr. Buch Gutenbergs in deut. Sprache. Hrsg. u. erläutert v. J. Neuhaus. Kopenh. (Krystalgade 28), S. Bernsteen's Verl. & Buchdr.   7 —
Markmann's Führer durch Frankfurt a/M. Lpzg., A. Schumann's Verl. Erscheint nicht.
*Marxen, K.: Jesus als d. Vernichter d. Sozialismus. Elmshorn, D. Feddersen jr.   — 30
Mathias, W.: Brutalitäten. Psycholog. Studie. Berl., W. Renter. 1.50. Beschlagnahmt.
Maude, F. N.: Die Entwicklg. d. modernen Strategie seit d. 18. Jahrh. Aus d. Engl. v. J. Nestler. Lpzg., A. Owen & Co.   ca. 6 —
Maurer, O.: Shelley u. d. Frauen. Berl., E. Felber.   ca. 3 —
Max, K.: Prostitution, freie Liebe u. gesunder Menschenverstand. Münch., E. Koch.   ca. 1 —
*May, K.: Sonnenstrahlen. Dresden-Niedersedl., H. G. Münchmeyer.   1 —
Mayer, L. J.: Geschichtliches a. Niederöster. m. Lebensbildern v. Regenten usw. Wien (IV/1), Ludw. Jos. Mayer.   ca. 10 —
Mayr, M.: Methodik u. Praktik d. techn. u. graph. Zeichnens. Münch., Verlag d. Kunstmaterialien- u. Luxuspapier-Zeitg. (Nur direkt.)   ca. 1.50
Meinardus, W.: Untersuchgn üb. d. Einfl. d. Nordatlantic auf d. Wittergasanomalien d. nördl. Hemisphäre. Berl., E. S. Mittler & S.
*Meister, F.: Abenteuer z. See. Berl., U. Meyer.   Jedes Heft ca. — 10
Melanchthoniana dogmatica. Hrsg. v. O. Kirn. Lpzg., A. Deichert Nf.
Meredith, G.: Diana v. Kreuzweg. Übers. v. F. S. Delmer. Berl., S. Fischer.
— Die trag. Komödianten. Übers. v. F. S. Delmer. Ebd.
Merkle, S.: Josef Görres. Mainz, Kirchheim & Co. Geb. ca. 3 —
Mousel, F.: Edmund Burkes Schriften geg. d. franzö. Revolution (1790—97). Berl., Weidmann.   ca. 4 —
Meyer, A. G.: Stil, Stilgesch. u. Stillehre. Berl., H. Seemann Nf.
Meyer-Lübke, W.: Histor. franzö. Grammatik. Hdlbg., C. Winter, V.
Meyr, M.: Regina. Roman. Zitt., H. Lüstenöder.
*Mintalapok: Musterblätter f. Gewerbetrieb. u. Gewerbeschulen. Mit Text in ungar., kroat., französ., engl. u. deutscher Sprache. 4 Tle. Wien, Gerlach & Wiedling. 480 —. Einsendg. wurde verweigert.
Molina, T. di (G. Telley): Der grüne Gil. Komödie. Frei bearb. v. R. Zoozmann. Dresd., H. Angermann. Nicht erschienen.   — Fa. erloschen.
*Moll, A.: Das perverse Sexualleben. Berl., J. Räde.   2.50
Möller, H.: Friedrich Alfred Krupp. Erfurt, H. W. Möller.   — 30. Nicht zu ermitteln.
Morold, M.: Wolf u. Bruckner. Berl., Bard, Marquardt & Co. Erscheint nicht.
*Motz, W.: Wer ist v. Gottes Gnaden? Komödie. Münch., F. Krug.
Mügge, Th.: Die Vendéerin. Revolutionsroman. Zitt., H.Lüstenöder. Erscheint nicht.
Mulfinger, G. A.: Ferd. Kürnbergers Roman „Der Amerikamüde", dessen Quellen u. Verhältnis zu Lenaus Amerikareise. Philadelphia, „German American Annals" Press. Vergr. ..
*Müller, El.: Frauenkrank. Wangen, P. Kluge.   ca. 1.60
Müller-Brasel, H.: Die „Wissener Bauernstube" im vaterländ. Museum d. Stadt Hannover. Hannov., Dr. M. Jänecke. Erscheint voraussichtlich nicht.
Murray, A.: Das wahre Leben a. Gott. Lpzg., E. Sonnenhol. Erscheint nicht bei Sonnenhol.   Geb. 2 —
Musik ins Dorf! Berl., Deut. Landbuchh. Erscheint vorläufig nicht.
Nansen, F.: In Nacht u. Eis. Die norweg. Polarexpedition 1893—96. Volksausg. v. R. Roth. Lpzg., F. A. Brockhaus. Erscheint nicht.
Naturforscher-Zeitung, allg. Hrsg. v. C. Wenck. 1. Jahrg. Oktbr. 1901—Septbr. 1902. 104 Nrn. Berl., Verlag d. „Allgemeinen Naturforscher-Zeitg". Erscheint nicht.
*Nelke, L.: Die Chronologie d. Correspondenz Cyprians u. d. pseudocyprian. Schriften ad Novatianum u. liber de rebaptismate. Thorn, E. Lambeck.   4 —
Nelle, W.: Kindergottesdienst-Feiern. Liturg. Ordngn. Gött., Vandenhoeck & R.   ca. 3.60
*Nepomuk, p. hl. Johannes v., u. s. Verehrg. Mainz, J. P. Haas.   — 26
Neubaur: Chirurg. Operation. Lpzg., W. Schumann Nf. Erscheint voraussichtlich nicht.
Neubaur, F.: Die Taubenjagd. Minnespiel. Gotha, R. Schmidt. Erscheint nicht.
Neuburger, M.: Emanuel Swedenborg als Physiologe. Bresl., J. U. Kern. Erscheinen ist ganz unsicher.
Neumann, E.: Die franzö. Küche. Metz, P Even.   ca. 3.50

Neumann, G.: Wie wir uns. Heimat sehen. Anregn. z. besinnl. Betrachtg. v. Rudolstadt. Lpzg., K. G. Th. Scheffer.

Neumeister: Generalreg. zu Stoepels preussisch-deut. Gesetzcodex. Frankf. a/O., Trowitzsch & S. Erscheint nicht.

Nieden, W.: Die zweckmäss. Ausgestaltg. d. Grund- u. Gebäudesteuer. Berl., R. Hülsen. — 60 δ H.

*Niedurny, M.: 130 gereimte Grüsse f. Ansichts-Postk. Sohrau, J. Herzig's Nf. — 20

Niessen, van: Die Stadtwirtschaft im märk. Oderlande. Jena, H Costenoble. Erscheint nicht.

Nietzsche, F.: Autobiograph. Aphorismen. Hrsg. v. E. Förster-Nietzsche. Berl., Schuster & Loeffler.

Nissen, W.: Zw. Himmel u. Erde. Stuttg., Verl.-Anst. Brand. Fa. erloschen.

Nomberg, C. D.: Skizzen u. Erzäblgn. Aus d. Hebr. u. Jüd. v. J. Eljaschoff u. B. Feiwel. Köln, Jüd. Verl. 2.50

*Not, d. schware. Lpzg., C. Jacobsen. — 30

*Obr, W.: Die Entstehg d. württemberg. Herzogswürde. Stuttg., Stuttgarter Buchdr.-Gesellsch. (Nur dir.)

*Oppenheimer, F.: Der soziolog. Optimismus. Berl., J. Räde. 2.50

Ortsverzeichnis d. Länder d. ungar. Krone, hrsg. v. kgl. ung. statist. Landesbureau. Wien, G. Szelinski. Geb. 10 —

Oslander, A.: Von d. ein. Mittler Jesu Christo u. Rechtfertigg. d. Glaubens 1551. Hrsg. v. F. Kropatscheck. Lpzg., A. Deichert Nf.

*Ostseealbum, grosses. Stett., A. Schuster. 3 —

*Ostwald, W.: Üb. e. neue theoret. Betrachtgsweise in d. Planktol. Stuttg., E. Schweizerbart. 1 —

Otto, B.: Leselernb. 2 Ausgaben. Lpzg, K. G. Th. Scheffer.

*Ovid's Verwandlgn., in deut. Hexameter übertr. v. Hammelbeck. 5—15. Heft. Buch 5—15. Mgdbg., F. Hoede. Je — 50

Park- u. Villengarten, der. Hrsg. v. Th. Lange. 1. Jahrg. Carlshorst-Berl., H. Friedrich. Erscheint nicht.

Parteiprogramme, deut., seit 1871. Berl., A. Düncker. Vergr.

Passow's Wrtrb. d. griech. Sprache, neu bearb. v. W. Crönert. Gött., Vandenhoeck & R. ca. — 80

Patzig, C.A.: Sozialdemokratie u. Schutzzoll. Berl., A Duncker.

Paul, A.: Cie Teufelskirche. Berl., Schuster & Loeffler. ca. 1 —

*Paul, E.: Die Sünden d. Germanentums. Asiago b./Vicenza (Italien), E. Paul's Deutsches Verlagshaus. ca. 1 —

Paul, O.: Die Praxis d. Harmonie. Lpzg., F. Zocher. Geb. 5 —

Penck, A.: Das Eiszeitalter. Stuttg., J. Engelhorn.

*Peregrin, P.: Ein moderner Sklave. Masochist. Novelle. Hambg., M. Jacobson. 3 —

*Perlen d. Malerei. 90 Kupfergrav. Berl., Berliner Verlag. In 2 L.-M. 30 —

Pernice, E.: Antike Gold- u. Silber-Arbeiten. Berl., H. Seemann Nf.

Petrinjensis: Bosnien u.d.kroat. Staatsrecht. Agram, A.Scholza.

Pfau, K. F., u. E. Höhnlein: Rechtslexikon d. Deut. Buchhandels. 10 Lfgn. Lpzg., K. F. Pfau. Je 1.50

Pfeffer, G.: Hdb. d. Tiergeogr. Stuttg., J. Engelhorn.

Pfenningsdorf, E.: Im Reich d. Natur. Hambg., G. Schloessmann. Geb. 2 —

Pharusplan Berlin. (Radfahrerplan.) Berl., Pharus-Verlag. — 50. Vergr.

*Piper, K.:Fegefeuer.Gedichte.Charlttnbg.,K.Henckell & Co. 2 —

*— Waffen u. Wunden. Neue Gedichte. Hrsg. v. D. v. Lilliencron. Berl., Schuster & Loeffler. 2 —

Pius-Kalender. Aachen, G. Schmidt. Erscheint nicht.

*Plüschke, P.: Ein Strauss a. Rübezahls Reich. Warmbr., E. Grubn. 1 —

Pohle, L., F. Naumann u. A Wagner: Ueb. Ursachen u. Wirkgn. d. modernen Industrie- u. Handelskrisen. Gött., Vandenhoeck & R. Nur in d. Verhandlgn. d. 13. ev.-soz. Kongresses.

Poehlmann's Gedächtnislehre. (Neue Anfl.) Lpzg., Jordan & Siep. 25 —. Einsendg verweigert.

Polzien, H.: Die menschl. Bestie vor Gericht. Darstellg. d. Prozesses geg. d. Hebamme Wiese.Lpzg.,Verl.-Anst. „Cliché". — 20. Fa. erloschen.

*Popert,H.:Das nächste prakt.Ziel d.Abstinenzbewegg.Flensbg., Deutschlds Grosslcge 2. —15

Poppenberg, F.: Hugo v. Hofmannsthal. Berl., Gose & T. — 50

Posilović, S.: Das Immobilarrecht in Bosnien u. Hercegovina. Agr., L. Hartman. 2.60

Prange, E.: Simson. Drama. Frankf. a/M., F. Eifert. Als Mskr. gedr. u. vergr.

Preisänderungen, d., d. deut. Buchhandels n. d. Stande am Ende d. J. 1900. 20 Lfgn. Lpzg., L. Kreichauf. Erscheint nicht.

Presse, d. deut. wissenschaftl. Jahrb. 1902. Lpzg., Fel. Dietrich. Erscheint nicht.

*Priester, O.: Der Schutz d. schriftsteller., künstler. u. gewerbl. geist. Eigentums. Köln, K. Fulda.

Prinzessin Namenlos. Der Roman d. Kronprinzessin Luise v. Sachsen. Wien (I, Wollzeile 8), A Singer. ca. — 50. Einsendg. wurde verweigert.

Protokoll, nationalsoz., v. Göttingen '03. Berl.-Schönebg.,Verl. d. Hilfa. — 50. Vergr.

*Prüfung, d., d. Leimes. Grünbg., Löbner & Co. — 60

*— d., d. Schmieröls. Ebd. — 60

*Psenner, L.: Kernpunkt d. soc. Frage. 2 Tle. Warnsdf.,'A. Opitz.' — 80

Ram, H.: Legende v. Mar Elia (Qissat Már Iljas). Lpzg., J. C. Hinrichs' V. ca. 2.50

*Ratkow-Roshnow, E.: Die russ. Wechselordng. St. Petersbg., R. Jassé. 2 —. Einsendg. wurde verweigert.

Ratzel, F.: Hdb. d. Geogr. d. Küsten. Stuttg., J. Engelhorn.

Reber, B.: Gallerie hervorrag. Therapeutiker u. Pharmakognosten d. Gegenwart. Genf (Avenue du Mail 22), B. Reber. 40 —. Einsendg. wurde verweigert.

— Vorhistor. Sculpturen-Denkmäler im Kt. Wallis. Ebd. 4 —. Vergr.

Rechtenbude, ärztl. 24 Vortr. Jena, G. Fischer.

Redlich, E.: Therapie d. Erkrankgn. d. Nervensystems. Wien, A. Hölder.

Regenbogen, H.: Deut. Trotz. Deut. Herzstärkgn. in gebundner, ungebundner u. ungehalrner Rede. Lpzg.-Schl., Alldeut.Verl. Erscheint nicht.

Reimann, H.: Hans v. Bülow. Berl., Harmonie. Geb. 4 —

*Reischach, Gräfin: Zwingergarde. Bresl., A. Nessel. 1.20

*Reiser, N.: Durchweb. Bindgn. od. Verstärkg. v. Geweben ohne besondere Fäden. 2. Afl. Grünbg., Löbner & Co. 3 —

*Reisner, V. v.: Ein Staatsstreich. Berl., Verl. f. moderne Literatur. ca. 2 —

Reizes, E.: Aus e. Leben. Aus d. Nachlass hrsg. v. M. Klein-Reizes u. I. Schneider-Schönfeld. Mit Einleitg. v. G. Brandes. Berl., H. Seemann Nf. 3 —

Rema, E.: Ist d. moderne Medizin noch Heilkde.? Berl., Hüpeden & M. ca. 2.50

René, C.: Russlds. Staatswirtschaft in d. letzten 10 Jahren. Berl., Puttkammer & M. 3 —

*Retzlaff, F.: Der prakt. Polizeidienst, Recklingh., F. Retzlaff. Geb. ca. 1.60

Renter's, F., sämtl. Werke, hochdeut. Ausg. 30 Lfgn. Berl., W. Issleib. Erscheint nicht.

— Olle Kamellen. I. Zwei lust. Geschichten. Berl., R. Eckstein Nf. ca. 1 —

— Ut mine Stromtid. Roman. Ebd. ca. 3.60

Reutlingen, H. v.: Blücher als Ehestifter. Zschop., F. O. König. 2 —

Revenlow, Graf E.: Lehren f. d. deut. Flotte a. d. russischjapan. Kriege. Berl., Boll & P. Erscheint nicht.

Rheuda, L. W.: Die Hoflieferanten-Wappen Deutschlds. Papierm., Gebr. Vogel. Erscheint nicht.

*Richards, J. W.: Über Aluminium. Deutsch v. O. Marpurg. Cöthen, O. Marpurg.

Richter, Ludwig, u. d. Erzgebirge. Annab. Graser. ca. 3 —

*Rixdorfer, der. Witzblatt. 1. Jahrg. 1906. 52 Nrn. Rixdorf (Erkstr. 26), Märk. Kunst- & Verl.-Anst. Je — 05

* o a., R.: Dana Petrowitsch. Drama. Wien, Wiener Verl. 2 —

*R. 'bis Rosenkranz. Ebd. 2 —

*Rosanow, M. N.: Jacob Lenz, d. Dichter d. Sturm- u. Drangperiode. Lpzg. (Poniatowskystr. 10), C. v. Gütschow.

Rosenbach, O.: Die Abstinenz. Berl., Pan-Verl. Erscheint nicht.

Rost, P.: Überreste d. drawäno-polab. Sprache. Lpzg., J. C. Hinrichs' V. ca. 12 —

Röttekær: Sturm- u. Drangperiode d. deut. Litt. Würzbg., Ballhorn & Cr. Nf.

Rudel, E.: Zimmergärtnerei. Lpzg., K. Grethlein. Geb. 1 —

Rumler: Selbstbewahrg u. Rettgsanker f. d. männl. u. weibl. Geschlecht. Wien, Huber & Lahme Nf. Erscheint nicht.

Runkel, P.: Schwankende Liebe. Roman. Berl., Fussinger. Erscheint nicht.

*Rymen-Serkan: Was beabsichtigen Ultramontanismus u. Jesuitismus in Bezug auf d. deut. Schule? Berl. (N.W., Thurmstr. 37), R. Meyer. 2 —

*Sacher, K.:Aus d. Herzen. Gedichte. Stett., F.Wittenhagen. 1.20

Sailer, J. M.: Das Eine Nothwendige ins Kurze gebracht. Hrsg. v. A. Reichlin v. Meldegg. Würzbg, Göbel & Zehrer. Erscheint nicht.

*Salvator, E.: Die neue Rechtschreibg. Lpzg., Verl. „Für's prakt. Leben". — 50

*Sängers, d., Freunde. Sammlg. v. 200 d. beliebtesten Männerchor-Texten. Berl., E. Janetzke. — 30

Sapper, K.: Hdb. d. Vulkanbde. Stuttg., J. Engelhorn.

*Säuberich, M.: Welche Aufg. erwachsen d. Kirche a. d. Gemeinschaftsbewegg? Giessen, A.Töpelmann. Erscheint nicht.

Sarre, F.r: Pers. Keramik. Berl., H. Seemann Nf.

*Säuberlich, H.: Stnd. rer. journ. Chemn., Verl. Saxonia.

Sauder's prakt. Fass-Kontrolle. 3. Afl. Lpzg., Eisenschmidt & Sch.

Sauerbering, F.: Fachausdrücke a. Kunstgesch. u. Kunsttechnik f. Laien erläutert. Essl., P. Nef. 5 —

*Schaper, G.: Der Hässliche. Tagebuch. Hannov., Berenbergsche Buchdr. 2 —

*Schelduffs: Schemabuchführg. f. Brauereien. Lpzg., P. Schmelwitz. Geb. 12 —

*— dass. f. Brennereien. Ebd. Geb. 12 —

*— dass. f. Hotels. Ebd. Geb. 8 —

*— dass. f. Landwirte. Ebd. Geb. 2.50

*Schelmuffsky's wahrhaft. curiöse u. sehr gefährl. Reisebeschraibg zu Wasser u. zu Lande. 2 Tle. Lpzg., Insel-Verl. Erscheint nicht.

Schenck: Die Goldschätze d. Erde, ihre Produktion u. Werte. Halle, Gebaer-Schwetschke. ca. 1.50

Schiff, A.: Alexandr. Dipinti. Berl., Weidmann. ca. 6 —

Schiller: Schillerstammbäume. Stuttg., J. Hoffmann. Subskr.-Pr. ca. 60 —

Schiller, F. v., in seinen Briefen. Hrsg. v. Joost. Stuttg., Greiner & Pf. Erscheint nicht.
— Philosoph. u. ästhet. Schriften. Hrsg. v. J. E. Frh. v. Grotthass. Ebd. Erscheint nicht.
Schirmer, E.: Java. Der Todfeind Russlds. u. Deutschlds. Lpzg., K. F. Pfau. Erscheint nicht.
*Schloss, H.: Üb. d. Ursachen d. Idiotie. Wien, Sallmayer'sche Bh.   ca. — 60
Schlosser, J. v.: Kunst- u. Kuriositäten-Kammern seit d. Renaissance. Berl., H. Seemann Nf.
— Höf»che Wohngskunst im M.-A. Ebd.
Schmaltz, F.: Predigten u. Ansprachen. Güstr., Opitz & Co. 1 —. Vergr.
Schmedding: Die öffentl. Armenpflege. Paderb., F. Schöningh.
Schmeltz, J. D. E.: Beitr. z. Ethnogr. v. Neu-Guinea · I. Leid., Bh. u. Dr. vorm. E. J. Brill. ca. 5 —. Einsendg. wurde verweigert.
Schmidt, F.: Die photograph. Objektive. Lpzg., O. Nemnich. Erscheint vorläufig nicht.
— Photog aph. Repetitorium in Frage u. Antwort. Erscheint vorläufig nicht.
*Schmuck, d. moderne. Jährlich 4 Hefte. Berl., P. Hildebrandt.   3 —
Schneegans, F. E.: Mittelfranzös. litterarhistor. Elementarb. d. XV. Jahrh. Hdlbg., C. Winter, V.
Schnick-Schnack. Ein lustig Büchl. f. (erwachsene) Leute, d. Spass verstehen. Münch., A. Schupp. (?) Erscheint nicht.
Schnitzler, J.: Chirurg. Diagnostik. Wien, A. Hölder. Erscheint nicht.
*Schnorr v. Carolsfeld, J.: Die Bibel in Bildern. Hrsg. v. Oh. G. Hottinger. Südende-Berl., G. Hottinger.   Geb. 2 —
Schnurr, G.: Diphtherie. Lpzg., W. Schumann Nf. Erscheint voraussichtlich nicht.
Schönheiten, architekton., a. Bayreuth. Bayreuth, H. Heuschmann jun. In M. 30 —. Vergr.
*Schreiber, E.: Gesch. d. k. k. priv. Scharfschützencorps zu Braunau. Braunau, F. Bocksch.   1 —
*Schriften z. Goethe-Kultur. Frankf. a/M.-Sachsenhausen(Gutzkowstr. 3), Englert & Schlosser.
Schröder, K.: Das Volksb. v. Till Eulenspiegel. Berl., Weidmann. Erscheint nicht.
*Schroe¹er, J. F.: Untersuchg. üb. d. Eigenbewegg. in d. Zone 65°—70° nördl. Declination. Christiania, Aschehong & Co.
Schubring u. v. Erdberg: Der Einfl. d. Künste auf d. Volksleben. Gött., Vandenhoeck & R. Nur in d. Verhandlungen d. 19. ev.-soz. Kongresses.
Schüler, C.: Frau Blaubart. Berl., D. Dreyer & Co. (ca. 2 —)
— Eine unbekannte Erde. Ebd. (ca. 2 —.) Vergr.
*Schülerliteratur f. 1906. Trier, N. Disteldorf.
Schulz, A.: Die Verbreitg. d. halophilen Phanerogamen im Saalebezirke. Stuttg., E. Schweizerbart.   — 60
*Schumi, F.: Christus u. d. Kirche. 1. Heft. Altona, C. Bägel.   — 50
Schunke, H.: Geolog. Schulwandk. v. Kgr. Sachsen. Dresd., A. Huhle. Erscheint nicht.
Schuricht, F. A.: Hund od. Hündin? Berl., H. Seemann Nf. — 60
*Schuster's, A., Führer durch Binz. Stett., A. Schuster.   — 50
Schütz: Böcklin. Berl., H. Schildbarger. Erscheint nicht.
*Schwalm, K.: Aufsatzunterr. u. Stilaufg. in d. Volks- u. Bürgersch. Wien, Sallmayer'sche Bh.   ca. — 40
Schwarz u. Weiss. Halbmonatsschrift f. geist., relig. u. soz. Leben. Berl., P. Raatz. Erscheint nicht.
*Sebert, A.: Gedankenbeherrachg. Schweidn., P. Frömsdorf.   ca. 2 —
Seidel, P.: Die dekorative Kunst unter Friedrich I. v. Preussen. Berl., H. Seemann Nf.
Seidenstücker, K. B.: Die asiat. Gefahr. 2 Hefte. Lpzg., Theosoph. Central-Bh. Erscheint nicht.
Sendach, L.: Wellen u. Wogen. Gedichte. Dresd., H. L. Biegmann. 5.50. Vergr.
Shakespeare, W.: Ein Sommernachtstraum. Gross-Lichterf.-Berl., Dr. P. Langenscheidt. Erscheint nicht.
Silbermann, H.: Die Fortschritte auf d. Geb. d. photo- u. chemigraph. Reproduktionsverfahren. Lpzg., H. A. L. Degener.   ca. 25 —
Simon : Synodalakten d. reformierten Gemeinde in Cöln. Bonn, P. Hanstein.
Sincerus, P.: Das höh. Schulwesen in Sachsen. Lpzg., Renger.   — 75 6 H.
*„Sink, burn, destroy". Der Schlag geg. Deutschl. Skizze v. S. Darmst., L. Vogelsberger.   ca. — 75
Skutsch, F.: Etymolog. Wrtrb. d. Latein. Lpzg., B. G. Teubner.
Sobotta, J.: Das Nerven- u. Gefässsystem u. d. Sinnesorgane d. Menschen. Münch., J. F. Lehmann's V.
Sorgo, J.: Therapie d. Tuberculose. Wien, A. Hölder.
Spaeth, H.: Die Konkurrenzen f. d. Bau d. Kaiser Franz Josef-Stadtmuseums in Wien v. d. Architekten 'Max Hegele, V. F. v. Krauss, F. Tölk usw. Wien, Gerlach & Wiedling. Erscheint nicht.
Sponsel, J. L.: August d. Starke u. d. Kunstgewerbe. Berl., H. Seemann Nf.
— Benvenuto Cellini. Ebd.
— Deut. Rokoko. Ebd.
Spooner, C.: Möbeltischlerei u. Möbelzeichnen. Berl., H. Seemann Nf.

Staël, Mme de: Ausw. a. ihren Schriften. Hrsg. v. H. Quayzin. Berl., Weidmann.   ca. 1.50
*Stangen, E.: Kainszeichen. Novellen u. Skizzen. Berl., E. Bahn.   3 —
*Starzen, J.: Nervöse Liebesgeschichten. Wien, Verl.-Anst. neuer Lit. u. Kunst.   ca. 3.60
*Stätten, jüd., in Palästina. 25 Bl. m. Text. Lpzg., B. Hentschel.   In M. 20 —
Steiner, R.: Ludwig Jacobowski. Berl., Gose & T. Erscheint nicht.
*Stellhorn, G.: Führer durch d. Ruhr- u. Lennegebiet. Hagen, A. Sessinghaus.   1.25; Karte d. Gebietes — 75
Stelzhamer: Volksausg. Linz a/D., Stelzhamer-Bund.
*Stern, M. R. v.: Ges. Erzählgn. Lpzg., Verl. d. „Literar. Bulletin".   ca. 6 —
*— Lieder aus. Ebd.   ca. 5 —
— Indiskretionen. Linz, Zentraldruckerei vorm. E. Mareis. 2.50
*— Lieder a. d. Zaubertal. Lpzg., Verl. d. „literar. Bulletin".   ca. 2.50
Stettiner, R.: Sèvresporzellan. Berl., H. Seemann Nf.
*Stöckel, H.: Altdeut. Leseb. Bambg., C.C. Buchner's V. ca. 2.80
Stöcker, H.: Nietzsche u. d. Frauen. Berl., Bard, Marquardt & Co.   Kart. ca. 1.50
*Stoepl, O.: Franz Metzner. Prag, C. Bellmann.   ca. 2 —
Stoetzel : 314 Taf. in 8 verschied. Gruppen z. graph. Berechng. d. Gefälles u. d. Durchflussweiten f. Drainröhren, Röhren, Kastenschleusen usw. Thorn, W. Lambeck. Geb. ca. 25 —. Vergr.
*Straus, C.: Die prakt. Lösg. d. Wohngsfrage m. Hülfe d. Er² werbskapitals. Frankf. a/M., Dr. E. Schnapper.   ca. 1.50
Sultan, G.: Atlas u. Grundr. d. spez. Chirurgie. 2 Bde. Münch., J. F. Lehmann's V.   Je ca. 12 —
Sulze : Der moderne Kirchenbau. Gött., Vandenhoeck & R. Erscheint nicht.
Swedenborg, L.: Das Buch v. d. ehel. Liebe Übers. v. L. Brieger-Wasservogel. Jena, E. Diederichs. Erscheint nicht.
— Naturwissenschaftl. Schriften. Hrsg. v. J. Herz. Ebd. Erscheint nicht.
Synodus, Berner. Hrsg. v. E. Güder. Gött., Vandenhoeck & R. Erscheint nicht.
*System, d. beste, tägl. viertelstünd. Arbeit f. d. Gesundh. Lpzg., O. Weber.   ca. 2 —
Szalatnay, J. G. A.: Kirchenb. z. Gebr. in d. ev.-reformierten Gemeinden deut. Zunge zunächst in Österr. Kuttelberg (Österr.), Pfarrer Szalatnay.   1 —
*Tanner-Tandler, M.: Die Moral u. Anderes. Wien, Kratz, Helf & Co.   — 50
Tarrasch, S.: Schachpartien, im J. 1894 gespielt. Lpzg., Veit & Co.   ca. 1.20
*Taschenkalender f. d. Amateurphotogr. Berl.-Friedenau, Verl. f. Lit. u. Kunst.
— f. d. kath. Geistlichen. Trier, N. Disteldorf.
*Tempel, d., u. d. Teufelspalat in Jerusalem im Verlauf d. Jahrtausende. 8 Bl. m. Text. Lnzg., B. Hentschel. In M. 10 —
Thiel, V.: Der Burgfrieden d. Stadt Wien im M.-A. Wien, Druckerei d. k. Wiener Zeitg. Erscheint nicht, erscheinen.
*Thiele, R: Die Blutlaus (Schizoneura lanigera Htg). Stuttg., E. Schweizerbart.   1 —
Thier, M.: Gr. Permanent-Briefmarken-Album, früher Schwanebergersche Ausg. Lpzg., J. J. Arnd.
*Thom's Handadressb. v. Leipzig samt Vororten. Lpzg., H. Thom.   — 50
Thyen, O.: Im dunkelsten Deutschl. Kolonialroman. Oldenbg., H. Hintzen's Bh.   3.50
*Tierschutz u. Tierzucht. Monatsschrift. 1.Jahrg. 12 Hefte. Cilli, G. Adler.   3 —
*Tihanyi, Frau M. (Gräfin Manon-Sturza-Tihanyi): „Ich". Erzählgn. Sopron, J. Thiering.   ca. 3 —
Tizian: Meisterbilder. Lpzg., W. Weicher.   ca. — 80
*Tornau, H.: Jan van Scoul u. d. Geheimnisse d. Stylkritik. Prag, C. Bellmann.
*Torrey: Wie erlangen wir d. Fülle d. Kraft? u. Erweckgsreden. Mülh. a/R., Dr. Ev. Vereinsb.
*Touristalbum f. d. Landsch. Angeln. Husby, W. Wulff.   ca. 2 —
*Toussaint, F. W.: Der Grossgrundbesitz u. d. ländl. Arbeiter. Halle, Heynemann'sche Buchdr.   ca. 1.25
*Transche-Roseneck, A. v.: Zur Gesch. d. Lehnswesens in Livl. I. Tl. Riga, N. Kymmel's S.   3 —
*Trempenau, W.: Prakt. Unterr. in d. dopp. Buchführg. f. Waren-, Speditionsgeschäfte usw. Balrad, W. Berg.   2 —
Tachechoff, A.: In d. Steppe. Lpzg, Insel-Verl. Erscheint nicht.
Tutt, J. W.: Üb. brit. Lepidoptera. Deutsch v. O. Marpurg. Cöthen, O. Marpurg. Erscheint nicht.
Twain, M.: Die Millionen-Pfundnote. Novellen. Wien, Wiener Verl. Als unberecht. Übersetzg. a. d. Handel gezogen.
Ubell, H.: Olympia. Berl., Bard, Marquardt & Co.   ca. 1.50
*Ulfers, S.: Gerechtigk. 6 Novellen. Aus d. Holl. v. F. Bönninger. Zür., O Schmidt.   ca. 2.40
*Uellenberg, E.: Taschenb. u. Repetitorium d. allg. Botanik. Lpzg., J. Werner.   2.50
Veltzé, A.: Die Schill'schen Offiziere. Wien, C. W. Stern.
Vereinsblatt f. Bureaubeamte bei d. Rechtsanwälten u. Notaren. Eberswalde, C. Müller's Verl. 6 H.

Vetter, Th.: Litterar. Beziehgn zw. Engl. u. d. Schweiz im Reformationszeitalter. Zürich, Zürcher & Furrer. Einsendg. wurde verweigert.

Villiers de l'Isle d'Adam, Graf: Tribulat Bonhomet. Übers. v. R. Schickele. Lpzg., F. Rothbaith. Erscheint nicht.

Vising, J.: Arg'o-Normann. Elementarb. Hdlbg., C. Winter, V.

*Volpe, V.:DemVaterlande gewonnen. Roman. Berl., E Hahn. 3 —

Vasio, E. M.: Neues Lotteriespiel auf sittl. u. wirtschaftl. Grundl. Wien (XIII, Edelhofgasse 13), Ver. Dalmatia. — 60

— Olynthos. Roman. (In italien. Sprache.) Ebd. 2 —

Waechter's Schülerfreund. Livius (Answ.). Halle, L. Nebert.

— dass. Vergil's Aeneis. Ebd.

*Wagner, J.: Herbstlese. Wiesb., R. Bechtold & Co. ca. 1 —

*Walcker, M.: Der Heimath zu. Gedichte. München u. Wien, G. Kühle. Kart. 1 —

Walde, H: Illustr. Hdb. d. Tischlerkunst. Lpzg., JJ Arnd. Erscheint nicht.

*— Pultkalender f. d. Tischlergewerbe. Ebd. ca. 1.50

*Waentig-Haugk, F.: Chronolog. Notizen üb. d. Familie Waentig. Dresd., Arnoldi'sche Bb. Einsendung wurde verweigert.

— An d. Verf., inzwischen verstorben, zurückgegeben.

Warnke, K.: Altfranzös. Wrtrb. Bdll g., C. Winter, V.

Warte, jäd. Zur Belehrg f. Schule u. Haus. Lpzg., J. A. Sigall & O. Koch. Erscheint nicht.

Was a. Backfisch, e. junge Ehefrau, e. junger Ehemann, e. Frau in reiferen Jahren, e. Knabe, e. junges Mädchen, e. junger Mann u. e. Mann in reif. Jahren wissen sollten. Lpzg., H Welter. Erscheinen sämtlich nicht.

*Weib, d., in d. Weltgesch. 20 Lebensbeschreibgn. berühmter u. berüchtigter Frauen. Lpzg., A. Giegler. 3 —

*Welt-Adressbuch d. Post-Stempel-Wertzeichen- u. Ansichtskartensammler-Vereine u. Zeitschriften 1904. Giess., Gust. Schmidt. Geb 2.50

Wendel, H.: Rosen ums Schwert. Berl., Lyrik-Verlag. Nicht zu ermitteln.

*Werdermann, F. (B. Grimm): Von Sieg zu Sieg. Kulturbilder u. Scenen a. d. Vergangenh. d. brandenburg-preuss. Staates. Berl., C. A. Weller. Geb. 4 —

Westenberger: Die Wassarkur. Lpzg., W. Schumann Nf. Erscheint voraussichtlich nicht.

Weule, K.: Hdb. d. Völkerkde. u. Hilfswiss. d. Geogr. Stuttg., J. Engelhorn.

Wicherkiewicz: Die äusseren Geschwülste d. Auges. Bresl., J. U. Kern. Erscheint vorläufig nicht.

Wickhoff, F.: Der italien. Garten. Berl., H. Seemann Nf.

— Die Wohng. in d. Niederl. u. Frankr. im 15. Jahrh. Ebd.

Wider d. Jesu-wider. Weimar, R. Leutloff. (?)

Wie ist's? Monatl. Betrachtgn. üb. Sein u. Werden. (Politik, Kultur. Recht.) Hrsg. v. P. Ob. Martens. 1. Jahrg. Berl. (S. 42, Alexandrinenstr. 95/96), Steuer & Co. Mit Nr. 3 eingegangen. 50

*— man Karriere macht. Der Weg z. Erfolg. Von e. hohen Staatsbeamten. Hambg., G. Fritzsche. 5 —

— sah Luther aus? Berl., Gose & T.

— sah Schiller aus? Ebd.

Wienthal, d., u. s. Sommerfrischen. Wien, Wienthal-Verein. Nicht zu ermitteln.

Wilde: Präparationen f. d. Anschaugsunterr. in d. 1. u. 2. Kl. d. Volkssch. Kaisersl., H. Kayser. Neustadt a/H., Lehrer Wilde. Geb. 2.80

Wilhelmi: Anatomie u. Physiol. Lpzg., W. Schumann Nf. Erscheint voraussichtlich nicht.

Wilson, H.: Gold- u. Silberschmiedearbeiten. Berl., H. Seemann Nf.

Wimmer, K.: In Meister Gabelsb.'s Werkstätte. Zweibr., W. Ruppert. ca. — 60

*Winkler, H.: Die Trinker u. ihre Kinder. Vortr. Halle, J. Fricke's V. — 25

*Wintera, L.: Gesch. d. „Stern" bei Braunau. Braunau, F. Bocksch. — 20

*— Geschichtsbild d. Stadt Braunau u. d. Umgebg. Ebd. 1.20

*— Eine Stätte alter Benedictinercultur. (Kloster Sazawa in Böhmen.) Ebd. — 40

Wirth, M.: Der Ring d. Nibelungen, d. Weltgedicht d. Kapitalismus. 1—6. Heft. Lpzg., F. Reinboth. Je — 75

— Der Wagnerdenkmalstreit u. d. Leichnerhetze. Lpzg., O. Mutze. Erscheint nicht.

*Wlodzimirski, K.: Vater u. Liebhaber. Berl., K. Singer & Co. ca. 2 —

*Wolf, G.: Zimmerarbeitslohn u. d. Dauer d. Arbeitszeit v. Zimmerarbeiten, d. als Handarbeiten ausgeführt werden. Lpzg.-Schl. (Schnorrstr. 36), K. Richter. 3 —

Wolf-Thüring, Th.: Die Gesellschaft. Berl., K. Schröder.

— Das Socialproblem. Ebd.

Wollermann, Th.: Die Atmg. einschl. d. Anatomie v. Lunge, Kehlkopf u. Nase. || Bakterien u. Mikroorganismen. || Der Blutkreislauf. || Bruchleiden. || Fettleibigk. u. Gicht. || Fuss-pflege u. Fussbekleidg. || Kopfschmerzen. || Plattfuss u.Klampfuss. || Die Rückenmarksschwindsucht (Tabes dorsalis). || Trichinenkrankheit. Lpzg., W. Schumann Nf. Werden sämtlich voraussichtlich nicht erscheinen.

Wolz, E: Die Haftpflicht n. deut. Reichsges. gemeinverständlich erläutert. Donauw., E. Mager. ca. — 80

Woerl's Städte-monographien. Lpzg., Woerl's Reisebücher-Verl. Erscheinen vorerst nicht.

*Wunderer, W.: Die Haftpflicht f. d. Oberkl. d. Gymnasien. 1. Tl. Bambg., C. C. Buchner's V. ca. 3.30

*Wussow: Die Haftpflicht d. Strassenb. Berl., Schulz & Co. ca. 5 —

*Zangwill, Israel. Aus d. Tageb. e. Meschumeds. Brünn, Jüd. Buch- u. Kunstverl. ca. — 50

*Zeitler, R.: Die Gamsbirsch u. Anderes. Wien, K. Mitschke. ca. 1 —

*Zeitung, Wiener illustr. Wien, R. Pawliska. Je ca. — 20

Zentralblatt (C), archival. Begründet u. hrsg. v. A. Est lar. 1. Bd. 1903. In zwanglos erschein. Nrn. Grossenh., Baumert & R. Je an 1 —. Einsendg. wurde verweigert.

Zentrum u. Sozialdemokratie im Saargebiet. Berl., A. Duncker. 2 —

*Zetzsche,P.: Poesien u. Grüsse f. Genre-Karten. Baden-Baden, R. Lutz. — 20

*Ziegler, d. lipp. Beitr. z. Gesch. d. lipp. Zieglergewerbes. Detmold, Meyer. ca. 2 —

*Zillmann, P.: Die Einwirkg d. Alkohols auf d. Entwicklelg. d. Menschen. Vortr. Gross-Lichterf., P. Zillmann. ca. — 25

Zola, E., n. A. Proust: Manet. Berl., Gose & T. Erscheint nicht.

*Zolltarif d. Verein. Staaten v. Amerika f. d. Philippinen. Hrsg. im Reichsamt d. Innern. Berl., E. S. Mittler & S. ca. 1 —

Zunfturkunden d. mittelalterl., d. Stadt Köln. Hrsg. v. H. v. Loesch. Bonn, P. Haustein.

Zuschlag: Die versetzte Schülerin. Bettenh., H. Zuschlag. 1 —

Firmenänderungen bis 17. November 1906.

Abt, R., in München, d. ascet. Verlag, jetzt: Münch., J.Maier. —

Die an G. Schuh & Co. übergegangenen Werke jetzt wieder: R. Abt.

A.-G., Neue Börsenhalle in Hamburg, jetzt: Hamburger Börsenhalle.

Administration Die Welt in Wien, jetzt: Köln, Verlag Die Welt.

Akadem. Verlag f. soc. Wissenschaften in Berlin, erst: Dr.J.Edelheim, dann zerstreut, s. Einzeltitel. (Lpzg., C. F. Fleischer.)

Albin, J. M. in Luzern, jetzt: J. M. Albin's Erben.

Albrecht, C., in Sonneberg, jetzt: C. Seichter.

Alexanderwerk A. v. d. Nahmer in Remscheid, jetzt: Düsseldorf (Hansa-Haus), Verl. d. Mitteilgn. f. d. Eisenwaren- usw. Handel.

Alicke, Paul, in Blasewitz, jetzt in: Dresden.

Allgemeine Verlags-Agentur in Charlottenbg., dann Wilmersdf., jetzt: Friedenau.

Anhaltische Verlagsanstalt in Dessau, pädagog. u. Schulbücher-Verlag, jetzt: Berl., Gerdes & Hödel. — Erloschen. (Lpzg., R. Hoffmann.) Vgl. a. Einzeltitel.

Apollo-Verlag (E. Heuss) in Höchst a/M., dann in Frankfurt a/M., jetzt wieder in Höchst.

Arbeiter, der, in Berlin, jetzt: Verlag „Der Arbeiter".

Arkadien-Verlag in Berlin. Aufgelöst.

Arnold, Gebr., in Leipzig-Plagwitz, jetzt: Graph. Institut Gebr. Arnold in Leipzig-Schleussig.

Arnold,A.,& Gröschel in Blasewitz,dann in: Dresden. Erloschen.

Asche, F., & Co. in Hamburg. Erloschen. (Lpzg., O. Maier.)

Asher & Co. in Berlin, Verlag jetzt: Behrend & Co.

Augener & Co. in London, jetzt: Augener Limited.

Bachmann, Ernst, in Amberg, Verlag jetzt in: Deggendorf.

Bachmann, J., in Schaffh., jetzt: Ernst Bachmann.

Baedeker in Elberf., Verlag jetzt: A. Martini & Grüttefien.

Badische Landeszeitg. in Karlsruhe. Verkehrt nur noch direkt.

Badstübner, F., in Leipzig-Pla. erloschen. (Lpz., L. A. Kittler.)

Bahn, M., Verlag in Berlin, jetzt in: Magdeburg.

Bahnmaier, M., in Basel, jetzt: Helbing & Lichtenhahn.

Baier & Co. in Kassel, jetzt: Hess. Schulbuchh. R. Röttger.

Baier & Schneider in Heilbronn. Verkehren nur noch direkt.

Baensch, W., in Berlin, jetzt, m. Ausnahme v. Nebel, Transvaalsphinx, Veltes, Snabeligramm. u. Ursachen d. Herero-Aufstandes: Berl., A. Duncker.

Bär, E., in Zwickau. Verkauft nur noch direkt.

Bard, J., in Berlin, jetzt: Bard, Marquardt & Co.

Barkemeyer, H., & Co. in Zeitz, dann in Eisenach, jetzt: Bremen, Bh. u. Verl. d. Traktath.

Bart, H. in Leipzig. Fla. erloschen. (Lpzg., O. Borggold.)

Bartel, R., in Berlin, jetzt: Bartel, Standke & Co.

Bartels & Co. in Davos, jetzt: H. Erfurt.

Barth, W., in Athen, d. Verlag jetzt: Bock & Barth.

Barth, R., in Danz., erloschen. (Lpzg., G. Brauns.)

Baessler & Drexler in Zürich, jetzt: Luz., Baessler; Drexler & Co.
Baum, R., in Lpzg., jetzt: Baum's Verl.-Bh.
Baumann, F. E., in Bitterf., jetzt in: Schmiedeberg.
Baumann, P., Verlag in Dessau, jetzt in: Ballenstedt.
Beck, C., in Athen, d. Verlag jetzt: Beck & Barth.
Beck, C., in Basel, jetzt in: Lpzg.
Becker, F., in Bergen. Erloschen. (Lpzg., E. F. Steinacker.)
Becker, Frdr., in Dresd., jetzt in: Breslau.
Beethoven-Haus in Bonn. Nur noch direkt.
Benda, B., in Lausanne, erst: B. Benda Nachf., jetzt: Th. Sack.
Benteli, A. & Co., in Bern, jetzt: A. Benteli.
Berger & Jache in Döbeln, jetzt: Lpzg., C. Schubert.
Berggold, F., in Berl., jetzt: Verlag d. allg. deut. Sprachvereins.
Bergmann, A., in Breslau, jetzt: Lpzg., R. Lipinski.
Bergsträsser, A., in Darmst., d. Veröffentlichgn. d. histor. Ver. f. d. Grossh. Hessen jetzt: Darmstadt, Histor. Verein. (Nur direkt.)
B--rgsträsser, A... in Stuttg., jetzt: A Kröner.
Berliner Adressbuch-Gesellschaft in Berlin, jetzt: A. Scherl.
— Druckerei-Gesellschaft in Berlin, jetzt: W. Schurich.
— Verlagsgesellschaft, Dr. Dietze & Wundermann in Berlin, erst: Berliner Verlagsgesellschaft Senff & Wundermann, jetzt: Verlag d. deut. Familienblattes Dr. Hennings & Wundermann.
— Zeitschriften-Vertrieb in Berlin, jetzt: Verlag f. moderne Literatur.
Berner's, H. W., Verlag in Berlin. Erloschen. (Lpzg., C. F. Fleischer.)
Berolina, F. Cronmeyer & Co., jetzt: Berolina (F. Cronmeyer).
Berolina-Versand-Buchh. in Berlin, jetzt nur direkt: S. 42, Wasserthorstr. 27.
Berthoud, A. G., in Neuchâtel, jetzt: A. G. Berthoud fils.
Besser'sche Bh. in Berlin, jetzt: Stuttg., J. G. Cotta Nf.
Bethge, J., in Gera, jetzt in: Dresden.
Bibliographisches Institut f. Versichergswiss. in Berlin, jetzt in: Bamberg.
Bielefeld, J., in Karlsruhe, jetzt in: Freibg. i/B., d. gesamte nichtsprachwiss. Teil jetzt: Karlsr., G. Braun.
Biessmann, Jos., in Wardt b/Xanten, jetzt: Kathol. Zentral-Buchh. (Jos. Biessmann).
Bilz, F. E., in Lpzg, jetzt in: Oberlössnitz.
Birkner & Teetzmann in Dessau, jetzt: E. Vollmar. Erloschen. (Lpzg., G. Brauns.)
Bischkopff, M., in Wiesb., jetzt: Lpzg., Th. Thomas.
Blanke, W., in Marburg a/D., jetzt: W. Blanke's Nachf.
Blankenstein, R., in Waldenbg., Verlag jetzt: Bresl., Priebatsch.
Blücher, L. B., Nachf. in Altenburg, jetzt: R. Fuchs.
Bock & Co., in Braunschw., jetzt: M. Frege.
Boneberger, A., in Mindelheim, jetzt: A. Schorer.
Bonnier Adf., in Stockholm, jetzt: Alb. Bonnier.
Bosse, F., in Naunhof, jetzt in: Oetzsch-Gautzsch.
Boessenecker, J. G., Verl. in Regensburg, jetzt: E. Feuchtinger.
Brandner, O., in Hannover, jetzt in: Frankfurt a/M.
Brandstätter, J., in Lpzig. Erloschen. (Lpzg., J. Werner.)
Braune, R., in Arnstadt, verkehrt nur noch direkt.
Breitenbach, Dr. W., in Odenkirchen, jetzt, m. Ausnahme d. Darwinist. Vorträge u. Abhandlgn.: J. Rummel.
Breitenbach, Dr., & Hoerster in Brackwede, jetzt: Dr. W. Breitenbach.
Breslauer & Beyer in Berl., Verlag jetzt: Edm. Meyer.
Brockhaus & Co. in Berl., jetzt: Grunewald.
Brodmann, G. A., in Erfurt, jetzt: W. Schenker.
Bruer, W. T., in Berl., jetzt: A. Bruer, (SW. 11, Schönebergerstr. 19 I).
Brunn, R., in Lübeck, dann in Frankf. a/M. u. Hannover, jetzt in: Dresden.
Buchdruckerei Arnold & Co. in Dresden, erst: A. Arnold & Gröschel, dann erloschen.
— Moriell in Heidelberg, verkehrt nur noch direkt.
— u. Buchh. J. Kowaï & Co. in Leitmeritz, dann Buchdr. u. Buchh., „Austria", jetzt: K. Tschertner.
— u. Verlagsanstalt d. Leipz. Volkszeitg. G. Heinisch in Lpzg., jetzt: Leipz. Buchdruckerei.
Buchdruckerei- usw. Genossenschaft, 1. Korneuburger, in Korneubg., J. Kühkopf.
Buchhandlung Austria in Leitmeritz, jetzt: K. Tschertner.
—, Berliner Stadtmission in Berl., jetzt: Vaterländ. Verlags- u. Kunstanstalt.
— Digel in Hambg., jetzt: W. Digel.
— d. Ev. Bundes v. C. Braun in Lpzg. jetzt: (C. Braun).
— d. ev. Vereinshauses in Dessau, jetzt: A. Haarth.
— d. ev. Vereinshauses in Magdeburg, jetzt: Ev. Buchh.
— „Imperial" in Dresden, jetzt: Ernst Ueberwege.
— Isaria in Münch., jetzt: M. Koniecki. Erloschen.
— Jungborn in Stapelburg, jetzt: R. Just in Jungborn-Stapelburg.
— d. kath.-polit. Pressverein in Brixen, jetzt: Pressvereins-Buchh.
— „Lebensreform" in Berlin, jetzt: Lebensreform.
— d. literar. Monatsberichte in Steglitz-Berl., erst Arnstadt, jetzt: Berl., C. Malcomes.

Buchhandlung Philadelphia in Stuttg., jetzt: Buchh. d. deut. Philadelphia-Vereins.
— d. westdout. Jünglingsbundes, jetzt: Westdeut. Jünglingsbund.
Buch- u. Kunsthandlung „Der Eigene" in Charlottenburg, jetzt: A. Brand, Wilhelm-Platz 1 a.
Buchverlag deutschnationaler Handlungsgehilfen-Verband in Hamburg, jetzt: Deutschnationaler Handlungsgehilfen-Verband.
— d. Hilfe in Schönebg., jetzt: Verlag d. Hilfe.
Buddhistischer Missions-Verlag in Leipzig, jetzt: Buddhistischer Verlag.
Bühring, Dr. Gust., in Düben (1896/1900), jetzt: Stuttgart, nur direkt.
Bülz, M., in Chemnitz, d. Veröffentlichgn. d. sächs. meteorolog. Instit., jetzt: Brunner.
Bureau d. prakt. Maschinen-Constrakteur in Lpzg., jetzt: Uhland's techn. Verl.
Burger, L., in Münch., zuerst M. Götz, jetzt: P. Zipperer.
Busch-du Fallois Soehne in Krefeld, nur noch direkt.
Buschhorn, P., in Detmold, jetzt wieder in: Paderborn.
Buschmann, H., in Lpzg., jetzt zum grössten Tl.: Berl., Dr. W. Rothschild (s. Einzeltitel).
Busse, A. v., in Breslau (IX, Scheitnigerst. 23), verkehrt nur noch direkt.
Calebow & Co., Dresden. Erloschen. (Lpzg., P. Eberhardt.)
Carins, O., in Göttingen, Verlag jetzt: H. Peters.
Cauer, K., in Wiesbaden, jetzt in: Marburg.
Cavael, F., in Lpzg., Restvorräte jetzt: Berl., Globus Verl.
Oharon-Verlag in Berl.-Westend jetzt: Lpzg., K. G. Th. Scheffer.
Chelius, G., in Stockholm, jetzt: Chelius & Co.
Christaller, E. G., in Ottenhausen, jetzt: Jugenheim, Sueria-Verlag.
Christen, J. J., in Thun, jetzt: O. Hopf.
Christen, F. W., in New York, jetzt: Dyrsen & Pfeiffer.
Christliche Buchh. in Norden, jetzt: P. Walter.
— Schriftenniederlage in Liegnitz, jetzt: Buchh. d. schles. Prov.-Ver. f. innere Mission.
Christlicher Kolportageverein in Lichtenthal, jetzt in: Gernsbach.
— Volksschriften-Verlag in Bremen, jetzt: A. Lagemann.
Christliches Verlagshaus Barkemeyer & Co. in Eisenach, Verlag jetzt: Buchh. d. Verl. d. Traktath.
— Verlagshaus, O. Schulze in Dresden, jetzt: Christl. Verlagshaus Schulze, Braun & Knappe.
Cleppien, J., in Wolgast, Verlag jetzt in: Zinnowitz.
Cloeter, E., in Würzbg., jetzt in: Pappenheim (Bayern).
Cohn, Alb., in Berl., jetzt m. Ausnahme d. Logarithmen: J. A. Stargardt.
Cohn, Alb., Nf., in Berl. Erloschen. (Lpzg., Haessel.)
Collier, H., in Burg(Bez. Magdeburg), verkehrt nur noch direkt.
Commissions- u. Export-Buchhandlung J. Singer in Berlin, jetzt: Commissions- u. Exportbuchhandlung J. Singer & Co.
Correspondenz Gelb in Berlin, jetzt: Finanzverlag.
Costenoble, H., in Jena, dann in Berlin, jetzt wieder in: Jena.
Cotta, J., Nachf. in Lpzg., jetzt: H. Lautenschlager.
Creutz, H., in Berl. Erloschen. (Lpzg., R. Hoffmann.)
Cronmeyer, F., in Berl., jetzt: Berolina, F. Cronmeyer.
Cumme, E., in Berl. Erloschen. (Lpzg., G. Brauns.)
Cynamon, F., in Berl. Erloschen. (Lpzg., H. Kessler.)
Daberkow, C., in Wien, Verlag jetzt: Th. Daberkow.
Dabis, H., in Jena, dann in Rudolstadt, jetzt: Rudolst., A. Bock.
Daube & Co. in Frankf. a/M., jetzt: Annoncen-Expedition Daube & Co. in Berlin.
Deffner, A., in Wiesbaden, Verlag jetzt: W. Bröcking.
Dencker, Dr., in Berl., jetzt: Dr. F. Ledermann.
Depot d. ev. Gesellschaft in Zürich, jetzt direkt.
Dessauer Verlagshaus, E. Vollmar in Dessau. Erloschen. (Lpzg., G. Brauns.)
Deutsche Buchhandlung in Mörchingen, jetzt: O. Steinbicker.
— in Metz, f. d. Verlag jetzt: R. Lupus.
— Färberzeitung in Wittenbg., jetzt: A. Ziemsen.
— Jahrbuch-Gesellschaft in Berl., verkehrt nur noch direkt.
— Jugendpost in Berl. Erloschen. (Lpzg., K. F. Koehler.)
— Orient-Mission in Berl., jetzt in: Gross-Lichterfelde-West.
— techn. Rundschau in Berl., jetzt: Berl., Berliner Druckerei-u. Verlags-Gesellschaft.
Deutscher Autoren-Verlag in Berl., liefert z. Tl. J. Harrwitz Nf. in Berl.
— Kolonial-Verlag in Berl., jetzt in: Charlottenbg.
— Kultur-Verlag in Berl., jetzt in: Lpzg.
— Sanitäts-Verlag in Hambg., jetzt: W. Digel.
— Verlag Historia (C. Kottasieper) in Hagen. Erloschen. (Lpzg., J. Werner.)
Deutsches Kolonialhaus B. Antelmann in Berl. Nur direkt. (W. 35, Lützowstr. 89/90.)
Deutschnationale Buchh. u. Verlagsanstalt in Berl., dann in Gross Lichterfelde, jetzt: Hambg.
Deutsch-völkischer Scherer-Verlag in Innsbr., jetzt: Wien, Verwaltg. d. Scherer.
Devrient, A., in St. Petersburg, jetzt: A. F. Devrient.
Diederichs, E., in Lpzg., jetzt in: Jena.
Dienemann, Paul, in Dresd., jetzt wieder in: Potsdam.

Dietert, F. W., in Zoppot, jetzt in: Charlottenburg.
Dietmar, K., in Langensalza, dann Dietmar & Schütz, jetzt: H. Schütz.
Dietz, J. H. W., Nachf. in Stuttg., die an d. Soc. nouv. de librairie in Paris übergegangenen russ. Werke jetzt: Paris, A. Schulz. (Vgl. Einzeltitel.)
Dirnböck, J., in Wien, jetzt: E. Beyer.
Döbereiner'sche Bh. in Jena, jetzt: Akadem. Bh. O. Rassmann.
Dobrowsky & Franke in Budapest. Erloschen. (Lpzg., R. Hoffmann.)
Dohrn, H. R., in Dresd., jetzt: Lpzg., Leipz. Verlag.
Doleschal, Geschw., in Luzern, erst: J. Eisenring, jetzt: E. Haag.
Doppler, A., in Baden (Schweiz), jetzt: Gebr. Doppler.
Dorfschriften-Verlag, deut., in Berl., jetzt: Deutscher Verlag.
Dorn in Ravensbg., jetzt: F. Alber.
Dramaturgisches Centralbureau in Lpzg., jetzt in: Berlin.
Dülfer, Rud., in Breslau, jetzt in: Görlitz.
Düms, K. H., in Berl., jetzt: Militär-Verlagsinstitut K. H. Düms. Erloschen. (Lpzg, O. Maier.)
Dünnhaupt, W., in Berlin, Verlag, jetzt: W. Herlet.
Dyk, P. van, in Leipzig, dann in Dresden, erloschen, Verlag liefert: E. Kammer, Lpzg.
Ebner, L., in Berlin, jetzt: Ebner & Ungerer.
Eckardt, H., in Kiel, jetzt: H. J. Eckardt in Heidelberg.
Edelheim, Dr. John, in Berlin. Erloschen, Verlag zerstreut, vgl. Einzeltitel. (Lpzg., C. F. Fleischer.)
Edlund'sche Buchh. in Helsingfors. Jetzt: Edlundska bokhandeln.
Effenberger, W., in Stuttg., jetzt: K. Wittwer.
Eggimann, Ch., & Co., in Genf, erst: V. Pasche & Co., jetzt: Société anonyme Atar.
Ehlers, Rob., in Braunschw., jetzt: S. Hellmann. (Nur direkt.
Eichberg, A., in Davos, jetzt: H. Stahl.
Eifert, F., in Frankfurt a/M. Erloschen. (Lpzg., K. F. Koehler.
Eifert, V., in Neudietendt, jetzt: Eifert & Scheibe.
Eisenring, J., in Luzern, jetzt: E. Haag.
Eisoldt & Rohkrämer in Berlin, jetzt in: Tempelhof.
Eisselt, E., in Gr.-Lichterf., jetzt in: Berlin.
Elektrotechnische Verlagsanstalt in Berlin, jetzt: Lpzg., J. A. Barth.
Elsässische Druckerei vorm. G. Fischbach in Strassburg i/E. Verkehrt nur noch direkt.
Elsiepen, C., in Frankfurt a/M. Erloschen. (Lpzg., L. A. Kittler.)
Ende, H. vom, in Köln, jetzt in: Trier.
Engelmann, O., Nachf. in Potsschappel, jetzt: C. Engelmann.
Ennecceerus, F., in Frankf. a/M. Erloschen. (Lpzg., F. Volckmar.)
Enslin, O., in Berl., jetzt: M. Grosse.
Etlinger in Würzbg., jetzt in: Veitshöchheim.
Evangelische Vereinsbuchhandlung O. Kotthaus in Bielefeld, jetzt: O. Fischer.
Expedition d. Archivs f. Homoeopathie in Dresden, jetzt: Homoeopath. Verlag. (Nur direkt.)
— d. deut. Färberzeitig in Berlin, jetzt: Lpzg., Buchh. G. Fock.
— d. deut. Kinderfreundes in Dresd., dann: Lpzg., jetzt: Verlag deut. Kinderfreund.
— d. Drogistenzeitg. (O. Meissner) in Leipzig, jetzt: Drogistenzeitung.
Fachlitteratur- u. Korrespondenz-Verlag in Lpzg., jetzt: Webel's Verl.
Fändrich, H., in Lpzg., jetzt: Theosoph. Centralbuchhandlung.
Felber, E., in Schöneberg., jetzt wieder in: Berl.
Fassel, U. S., in Berlin. Verkehrt nur noch direkt.
Festenberg-Pakisch, v., & Co. in Hambg., jetzt: A. J. Benjamin.
Ficker in Lpzg., jetzt: Ficker's Verl.
Ficker, O., in Lpzg., jetzt in: Heidelberg.
Fiedler & Kluge in Friedenau. Erloschen. (Lpzg., G. Klemm.)
Findler, Hans, in Lindau, jetzt: Buchs, Verlag d. Emmanuel.
Fisch, Wild & Co. in Brugg, jetzt: Effingerhof A.-G.
Fischer, S. A., Verl. in Charlottenburg, jetzt in: Berlin.
Fischer, Adb., Nf. in Lpzg., jetzt: Berl., Neufeld & Henius.
Fischer, H., Nachf. in Norden. Erloschen.
Fischer & Franke in Berlin, dann in: Düsseldorf, jetzt wieder in Berlin.
Fisher, Th. G., & Co. in Kassel, jetzt in: Berlin/Charlottenburg.
Fleig, O., in Hugsweier, jetzt in: Freibg. i/B.
Fleischhauer, F., in Stuttgart. Nur noch direkt.
Flemming, C., in Glogau, alle Bilderbücher u. Jugendschriften, im Ausnahme v. „Herzblättchen's Zeitvertreib" u. „Töchter-Album", jetzt: Berl., Schreiter.
Förster, E. Th., in Gr.-Lichterf., jetzt in: Neu-Temmen.
Fournes, G., in Wien, jetzt: Wiener Mode-Fachblätter H. Fournes & Co. in Perchtoldsdorf.
Frank, F. C W., in Berl., jetzt in: Köln.
Fraunholz, F., in Homburg, jetzt: L. Staudt. — F. Supp. Vgl. auch Einzeltitel.
Freier Verlag in Berl., jetzt: Berliner Verlagsgesellschaft.
Freyschmidt, A., in Kassel, Verlag jetzt: G. Dufayel.
Freytag, H., in Stuttgart. Nur noch direkt.
Friedmann, G., in Berlin (W. 57, Steinmetzstr. 25 II), nur noch direkt.
Friedrich, Wilh., in Lpzg., d. Restbestände jetzt: Lpzg., W. Altmann.

Friese, R., Sep.-Cto., jetzt: Lpzg., A. Cavael.
Friese & v. Puttkamer in Dresden, jetzt: Blasew., J. L. C. v. Puttkamer.
Fritsche, V., in Essegg, jetzt: R. Bačić.
Fritzsch, E. W., in Lpzg., jetzt: C. F. W. Siegel.
Frohberger's, J., Nachf. in Erfurt, jetzt: Berl., Lehrbücher-Verlag.
Fröhlich, Th., in Berl., jetzt: Th. Fröhlich's Nf. — Die Schriften d. Gesellschaft f. Verbreitg. v. Volksbildg. jetzt: Berl., Gesellschaft f. Verbreitg. v. Volksbildg.
Galler, O., in München. Erloschen. (Lpzg., F. Volckmar.)
Gaertner, R., in Berl., jetzt: Berl., Weidmann. Einzelne Werke (vgl. Einzeltitel) Freibg. i/B., H. Heyfelder.
Geibel, Bruno, in Gr.-Lichterfelde, Verlag jetzt: B. W. Gebel.
Geibel & Brockhaus in Lpzg., sämtl. Jugendschriften jetzt: Berl., Neufeld & Henius.
Georgi, Arth., in Lpzg, dann in Berl., jetzt: Lpzg., G. Thieme.
Georgi's, G., Nachf. in Arco, jetzt: A. Lutteri.
Gerber, C., in Münch., jetzt: Buchdr. u. Verlagsanst. C. Gerber.
Gerlach, M., & Co. in Wien, jetzt: Gerlach & Wiedling.
Gerö, J. E., in Budapest. Erloschen. (Lpzg., C. F. W. Fest.)
Gerold's, C., Sohn in Wien, sämtl. Veröffentlichgn. d. Akad. d. Wiss. in Wien jetzt: A. Hölder.
Gesellschaft f. Rechtsverfolgg. im Ausl. in Berlin (W. 57, Potsdamerstr. 88), verkehrt nur noch direkt.
Gess, O, in Konstanz bleibt: W. Meck.
Giegler, Bud., Verlag in Lpzg., jetzt: Art. Giegler.
Gierer, A., in München (Reichenbachstr. 11), verkehrt nur noch direkt.
Gilberts in Dresd., jetzt in: Leipzig.
Giontini, J., in Laibach. Erloschen. (Lpzg., H. Kessler.)
Gloeckner, F. W., & Co. in Lpzg., jetzt: Modern-medizin. Verlag.
Gnad, H., in Würzbg., jetzt: E. Mönnich.
Göbel, A., in Würzburg, jetzt: Göbel & Scherer.
Goepper, W., in Bern, erst: L. A. Jent, jetzt: C. Marz.
Gottheiner, F., in Berl., jetzt in: Charlottenbg.
Gotthold-Expedition in Cottbus, jetzt in: Sagan.
Götz, M., in Münch., jetzt: P. Zipperer.
Gracklauer, O., in Leipzig, d. Verlag bis 1901 z. grössten Teil jetzt: Schulze & Co.
Graf, W., in Aschersleben, jetzt: E. Riesel.
Greyl, M., in Berlin, jetzt in: Lichtenberg b/Berlin.
Griesbach, C. B., in Gera. Vorräte jetzt: Gera, P. Stötzner.
— Die theolog. Werke: W.-Jena, Thüringer Verlagsanst.
Gronau, W., in Berlin, jetzt in: Chemnitz.
Gross, Ch. Th., Verl. in Heidelberg, jetzt: C. Winter.
Grosse, H., in Wien, jetzt: M. Grosse.
Grottke, E., in Leipzig, dann in: Berlin, erloschen. Verlagswerke s. Einzeltitel.
Grübel & Sommerlatte in Lpzg., jetzt: Bernh. Meyer.
Grumbkow, H. v., in Dresden, jetzt in: Blasewitz.
Grund, Heinr., in Berlin, d. Bibelverlag jetzt: Lpzg., Deut. Bibelgesellschaft.
Günther, E., in Lpzg., der nichtpharmakolog. Verlag jetzt: Berl., Verlag Hermes, einz. Werke, vgl. Einzeltitel, Stuttg., A. Kröner.
Guttzeit, J., jetzt in: Wohlau.
Haacke, H., in Lpzg., jetzt in: Sachsa.
Haase & Bockermann in Zittau, jetzt: Schiemann & Co. (Nur dir.)
Haberland, E., in Leipzig, sämtl. Prachtwerke u. Tagebücher jetzt: Berl., C. Voegels.
Hachl, F., in München, jetzt: Verlag d. Complemente zu Reisebüchern M. v. Hartung. Erloschen. (Lpzg., R. Friese.)
Haeckern, P., in Brandenburg, jetzt in: Berlin.
Hahn, E., in Berl.-Schönebg., jetzt: Berl. SW. 11, Luckenwalderstr. 13.
Hahn, E., in Stuttg., jetzt: Tüb., G. Schnürlen.
Haendcke, E., in Dresden, der stenograph. Verlag jetzt: Dresd., F. Jacobi.
Haendcke & Lehmkuhl in Hamburg, jetzt: Dresd., E. Haendcke.
Haensch, F., in Duderstadt, jetzt in: Göttingen. (Nur direkt.)
Hansen, M., in Meldorf, Verlag jetzt in: Glückstadt.
Hansmann, M., in Linz, jetzt: K. Pirngruber.
Haerdle, H., in Jena, jetzt: Passage-Buchh.
Harich'sche Buchh. in Allenstein, jetzt: K. Danehl.
Harrach, F., in Kreuznach, jetzt: F. Harrach Nachf.
Hartmann, H., in Plauen, jetzt in: Dresden.
Hassenberger, E., in Wien, jetzt: E. Hassenberger & Co.
Hassenstein in Münch., jetzt in: Berlin-Charlottbg.
Hauck, C., in Pforzheim. Erloschen. (Lpzg., K. F. Koehler.)
Hausknecht, W., in St. Gallen, jetzt: W. Hausknecht & Co.
Hausknecht-Verlag O. Schulze-Köln in Darmst., jetzt: Wiesb., Hausknnst-Verlag J. Köstler.
Hedewig, H., in Lpzg., jetzt: H. Hedewig's Nachf.
Heiland, A., in Meiderich, jetzt: A. Heiland & Co.
Heine, J. J., in Berlin, jetzt: J. Guttentag.
Heinemann & Balestier in Lpzg., jetzt: The Engl. Library Ltd.
Heller, S. G., in Ichenhausen, verkehrt nur noch direkt.
Henckell, G., in Zürich, jetzt in: Charlottbg. Die Schriften v. K. Henckell jetzt: Berl., Bard, Marquardt & Co.
Herrosé & Ziemssen in Wittenbg., jetzt: G. Ziemssen.
Hertel, R., in Neustadt, jetzt: Hertel's Bh. (ohne Vornamen).
Herzig, M., in Wien, jetzt: Literar. Institut Kosmos M. Herzig.

Hess, J., in Ellwangen, Verlag jetzt in: Stuttgart.
Hettler, A., in Berlin, Bern usw., jetzt in: Halle a/S.
Heuer, G., & Kirmse, in Berlin, jetzt in: Halensee.
Heukeshoven, Th., in Kötzschenbroda, jetzt: C. Finster.
Heuser's Verl. in Neuwied, jetzt, m. Ausnahme d. Schulbücher: Heuser's Erben.
Hey'l, F., in Stockholm. Erloschen. (Lpzg., K. F. Koehler.)
Heyn, F., in Köln. d. Verlag jetzt: Hoursch & Bechstedt.
Heyne, Ernst, in Leipzig. Erloschen.
Hildebrandt, A., in Berlin (S. 53, Schleiermacherstr. 19), verkehrt nur noch direkt.
Hildebrandt, Hans, in Berlin, jetzt in: Wilmersdorf.
Hildebrandt, P., in Berlin (W. 8, Markgrafenstr. 59), verkehrt nur noch direkt.
Hildebrandt, M., in Charlottbg., dann in: Berlin, jetzt in: Schlachtensee b. Berlin.
Hilgart, A., in Eisenstein, jetzt in: Teplitz. (Nur direkt.)
Hille, W., in Braunschweig. Nur direkt.
Hirmer, M., in Straubing, Verlag jetzt in: München.
Hitz in Chur, Verlag jetzt: F. Schuler.
Hobbing, R., in L z ., jetzt in: Berl.
Höckner, C., in Dresd., Verlag jetzt: C. Damm.
Hoffmann, M., in Altona, d. früher A. Schmidt'sche Verl. erst Anklam, A. Schmidt, jetzt: Potsd., Stiftgs-Verlag.
Hoffmann, H. Th., in Berl., sämtl. Schulbücher jetzt: Neubrandenbg., C. Brünslow.
Hoffmann, R., in Berl., dann in: Charlottbg., jetzt: Berl., H. W. Müller.
Hoffmann, G. C., in Hainichen, jetzt: L z ., Jahn & Sohn.
Hoffmann, Max, in Leipzig, Verl. liefert Aug. Hoffmann in Lpzg.-B.
Hoffmann, C., in Stuttg., jetzt: A. Bleil.
Hofmann, E., in Elgg (Schweiz). Nur direkt.
Hofmann, Th., in Lpzg., jetzt: B. G. Teubner.
Hohbaum, F., in Meldorf, jetzt: K. Rose.
Hohns, G., in Krefeld, erst: G. A. Hohns Söhne jetzt erloschen. (L z ., F. E. Fischer.)
Hollmann, B. W., in Bremen, jetzt: B. W. Hollmann Nachf.
Hölscher, G., in Köln. Erloschen. (Lpzg., F. A. Brockhaus.)
Hoerschelmann, L., in Riga, liefert z. Tl.: Jonck & Poliewsky.
Horster in Dresd., dann Nürnbg., jetzt in: Berlin.
Hostmann, O., in Rostock, jetzt in: Leipzig.
Hotter, H., in Regensburg, jetzt: A. Botzler.
Hottinger's Verl. in Berl., jetzt in: Südende-Berl.
Huber, J., in Frauenfeld, jetzt: Huber & Co.
Huber & Lahme in Wien, jetzt: Huber & Lahme Nachf.
Huberti, Dr. L., in Lpzg., jetzt: Verl. d. modernen kaufmänn. Bibliothek (m. Ausnahme d. Handels-Akademie).
Hübner & Matz in Königsberg. Erloschen. (L z ., O. Klemm.)
Huch, F., in Neisse, jetzt: J. Herrmann.
Huckewitz, H., in Berl., jetzt: P. Huckewitz.
Hug, Gebr., & Co. in Lpzg., Zür. usw., jetzt: Hug & Co.
Hundt, C., sel. Wwe. in Hattingen. Nur direkt.
Huth, O. v., in Potsd., jetzt in: Berlin.
Huye in Braunsberg, Verlag jetzt: E. Bender.
Hygienisches Institut in Glarus, jetzt: Hygien. Verlag in Konstanz.
Illgner & Enslin in Dzg., jetzt: Schkeuditz, P. Friedrich. Erloschen. (Lpzg., CLF. Fleischer.)
Illustrierte, landw. Zeitung in Berl., jetzt: Dent. Tageszeitg.
Internationale Gewerbebuchh. in Budapest u. L z ., jetzt: Budap., Techn. Verlagsanstalt.
Internationaler Verlag Berl., jetzt: Lpzg.
Internationales Verlagshaus G. Stein in Zür., jetzt: G. M. Stein. Erloschen. (L z ., F. E. Fischer.)
Iris-Verlag in Berl., jetzt: J. Gnadenfeld & Co.
Irrgang, F., in Brünn, d. übernommenen C. Winkler'schen Verlagswerke jetzt wieder: C. Winkler.
Jäckel, G. A., in L z ., jetzt: Braunschw., Schondorf.
Jacobi & Zocher in L z ., jetzt: Jacobi & Quillet.
Jacobsthal, R., in Berlin, jetzt in: Schöneberg-Berl.
Jacoby, Rob., in Berlin, dann: Konstanz, dann wieder in Berlin, jetzt in: Friedenau.
Jäger, Frz., in Berl. Erloschen. (Lpzg., H. Hoffmann.)
Jaeger'sche Verlagsbuchh. in Frankf. a/M., jetzt in: Lpzg.
Jäneckes, Gebr., in Hannov., Verlag jetzt: Dr. M. Jänecke.
Jenke, L., in Basel, jetzt: B. Wepf & Co.
Jent, L. A., in Bern, jetzt: C. Marx.
Jent & Co. in Bern, jetzt: H. Jent. (Nur dir.)
Jonasson-Eckermann, O., in Berlin, jetzt: O. Jonasson-Eckermann & Co.
Jüdischer Buch- u. Kunstverlag in Brünn, jetzt: Verlag „Jüd. Volksstimme.
Jüdischer Verlag in Berl.-Charlottbg., jetzt in: Köln.
Juncker, A., in Berl., Verlag jetzt: Stuttg.
Juppé, J., in Dresd., erst: J. Juppé Nf. Erloschen. (L z ., R. Streller.)
Kahle, H., in Eisenach, jetzt: Hofbuchdruckerei Eisenach, H Kahle.
Kahlenberg & Günther in Berlin, jetzt in: Gr. Lichterfelde.
Kaiser-Wilhelm-Dank in Berl. Die Zeitschriften jetzt: Kameradschaft.
Kalb, Rich., in Markranstädt, jetzt in: Leipzig-Gohlis (Lothringerstr. 691).
Kämmerer, A., in Naumbg., jetzt in: Berlin.

Kampffmeyer'scher Zeitzgsverlag in Berl., jetzt: Kampffmeyer-scher Verl.
Kampf-Verlag in Berlin. Erloschen. (L z ., O. Maier.)
— in Bern, jetzt in: Basel.
Kannengiesser, E., in Schalke, jetzt in: Gelsenkirchen.
Karolus, Jul., in Wien. Konkurs. (L z ., O. Junne.)
Karow, E. J., in Dorpat, jetzt: J. Anderson.
Kaeser, P., in München, Verlag jetzt: H. Helbing.
Katholische Vereinsbuchhandlung in Stuttg., dann in Nagold, jetzt erloschen. (L z ., F. Wagner.) Verlag z. Tl. an F. Unterberger in Feldkirch.
Katz, Alb., in Berl., jetzt: Pankow b/Berl., Florastr. 58.
Kaufmann, G. A., in Dresd., Verlag jetzt z. grössten Tl.: Kattow., C. Siwinna.
Kaufmann, A., in Suhl, jetzt: A. Kaufmann Nf.
Kaufmännischer Hilfsverein f. weibl. Angestellte in Berlin, jetzt: Kaufmann. Verband f. weibl. Angestellte.
Keil, K., in Rudolstadt, jetzt: K. Keil's Nachf.
Keil's, E., Nachf., L z ., Verlag jetzt, m. Ausnahme d. Gartenlaube u. d. Gartenlaube-Kalenders: Stuttgart, Union.
Kellermann, Alfr., in Detmold, dann Schönebeck, jetzt: Oldenburg i/Gr.
Kiefer, A., in Breslau, jetzt: Kiefer & Gottlieb.
Kiehne, C., in Bremen, jetzt: P. Krabbe.
Kiehne, H., Selbstverl. in Nordhausen, jetzt z. Tl.: Kiel, A. Missfeldt.
Kieschke, M., in Winterth., jetzt: M. Kieschke's Nachf.
Killinger, H., in Münch., jetzt m. Ausn. d. Zeitschriften (in Ulm) in: Nordhausen.
Kirchheim in Münch., jetzt: Mainz, Kirchheim & Co.
Kirchner, F., in L z ., jetzt in: Erfurt.
Kitz, Herm., in Ravensburg, Verlag m. Ausnahme d. Adress-u. Geschäftshandb., d. Albums u. d. Führers v. Ravensburg jetzt in: München. Erloschen. Einen Tl. d. Verl. hat Abt, Münch., Schub & Co., Münch., Verl.-Anst. vorm. Manz, Regensburg usw.
Kitz, H., Nachf., in Saulgau, jetzt: H. Burger.
Kitzinger, W., in Stuttg. Erloschen. (L z ., H. G. Wallmann.)
Kiefer, G. E., in Berlin, jetzt: Verlag Baldur.
Klein, H., in Barmen. Die Familien- u. Grossenbibl., sowie d. Unterhaltgs- u. Erbangslit. jetzt: Basel, E. Finckh. Siehe auch Einzeltitel. Das übr. H. Klein's Verl.
Klein, Rich., in Saargemünd, Konkurs. (L z ., G. Brauns.)
Konkurs noch z. au Ende, bei Brauns unbekannt, was aus d. Verlag geworden.
Klein, H., in Zweibrücken, jetzt: R. Schultze.
Klement, V., in Jungbunzlau, jetzt: J. L. Svikal.
Klemm & Beckmann in Stuttg., jetzt in: Berlin. — Der Militär-Verlag: Lpzg, F. Engelmann. — Der Städteführer- u. Pläneverlag: Stuttg., W. Seifert.
Klimoff & Co. in Berl., jetzt: Deutsch-russ. Verlagsgesellschaft.
Klindworth's Verlag in Hannover, jetzt: B. Pokrantz.
Klingelhoeffer, A., in Darmstadt, jetzt: K. Buchner.
Klinner, E., in Leipzig, Verlag jetzt: C. Glaser.
Klöckner & Mausberg in Kempen, jetzt: Thomas-Druckerei u. Buchh.
Kloss, C., in Hambg., Verlag jetzt: C. H. A. Kloss.
Knobloch, Rnd., in Kolberg, jetzt: J. Courtois.
Koch, A., in Darmst., jetzt: Verlagsanstalt A. Koch.
Koch, W., in Königsbg., Verlag (nicht aber d. Kommissions-Verlag) jetzt: J. H. Bon's Verl.
Köhler, L., in Neunkirchen, jetzt: P. Weidinger.
Kohlschmidt, M., in Friedeberg, jetzt: W. Vahl.
Koniecki, M., in München. Nur dir.
Koobs, O., in Forst, Verlag jetzt in: Berlin.
Korff, H., in München, jetzt: M. Beckstein.
Korth, C., in Düsseldf., jetzt: W. Deiters.
Kratochwill, V., in Wien, jetzt: Bosworth & Co.
Kreibohm & Co. in Halle, etzt: Paalzow & Co.
Kretzschmar, P., in Leipzig, erloschen. (Lpzg, F. Volckmar.)
Kroh, F., in Iglau, jetzt: Th. Nessl.
Krötzsch, Hugo, in Leipzig, jetzt: Hugo Krötzsch & Go.
Krüger, Rich., in Berl., jetzt: W. Frey.
Krüger, K. W., in Würzburg, jetzt in: Lohr.
Kühtmann, G., in Dresd. Eine Anzahl techn. u. pädagog. Werke, vgl. Einzeltitel, jetzt: Lpzg., H. A. L. Degener.
Kulm, C, & L. Kraus in Wien, jetzt: C. Kulm.
Kündig, H., in Genf, jetzt: C. Kündig.
Kuprion's, O., Nachf. in Kassel, jetzt in: Bettenhausen.
Kutzscher, C. F., in Luckau, jetzt: F. Meissner.
Lampart, Th., in Augsbg., Verlag jetzt durch: Lampart & Co.
Landwirtschaftliche Zeitung f. ganz Deutschl. in Halberstadt, jetzt in Eberswalde. Nur noch direkt.
Lang, G. L., in Dürkheim, jetzt: R. Lewerer.
Lang, G. L., in Speyer, jetzt: M. Nimtz.
Lange, G., in Würzburg, jetzt: C. Nessl.
Langenscheidt's Verl. in Berl., jetzt in: Berl.-Schönebg.
Langenscheidt, Dr. F., in Berlin, jetzt in: Gr. Lichterf.-Ost.
Laris, E., in Marburg, m. Ausnahme d. Handelsbl. f. Waldererzeugnisse jetzt: Eisenach, E. Laris Nachf.
Laue, A., in Eisenach, jetzt: J. Starcke.
Lebenslauf-Verlag in Berlin, jetzt in: Koblenz.
Leemann, E., in Zürich, jetzt: Gebr. Leemann & Co.

Lehmann, F., in Zweibrücken, Verlag jetzt in: Stuttgart.
Leipziger Romanverlag, in Lpzg., jetzt: Erfurt, F. Bartho-
   lomäus.
Lemke, C., in Pritzwalk, jetzt: Dr. A. Tienken.
Lese- u. Redehalle deut. Studenten in Prag, jetzt: Germania,
   Lese- u. Redeverein d. deut. Hochschüler.
Lesser, R., in Einbeck, jetzt in: Berlin.
Leutloff, R., in Weimar. Erloschen. (Lpzg, F. Förster.)
Lewent'sche Buchdr. in Berlin (S.W. 68, Lindenstr. 93). Nur
   direkt.
Lewin, L., in Berlin, Jugendschriften jetzt: Berl., H. J. Mei-
   dinger.
Lichtenbahn, H., in Basel, jetzt: Helbing & Lichtenhahn.
Lierow & Co. in Bern. Nur direkt.
Liesegang, E., in Düsseldorf, jetzt in: Leipzig.
Lippert & Schmidt in Halle, d. 1841 v. O. Hendel übernommenen
   Werke jetzt wieder: O. Hendel.
Literarisches Bureau in Nürnberg, jetzt: Beisswanger, Konr.
   — Institut v. Dr. M. Huttler in Augsburg. Alle Kommissions-
   artikel aus St. Ottilien jetzt: St. Ottilien, Missionsverlag.
   — Institut C. Stockhausen in Freiburg i/B., jetzt: Nürnberg,
   E. Stockhausen.
Löbbecke, O., in Braunschw., jetzt in: Schöningen. (Lpzg, C.
   F. Fleischer.)
Lorenz & Waetzel in Freiburg i/B., Verlag jetzt: F. P. Lorenz.
Loewenstein'sche Verlagsbh. in Berlin, jetzt in: Dresden-
   Blasewitz.
Löwy, J., in Wien, jetzt: Hofkunstanstalt J. Löwy.
Luckhardt's Musik-Verl. in Stuttg., jetzt in: Magdeburg.
Luckhardt, F., in Lpzg. in Konkurs. Versch. Werke jetzt:
   Lpzg, O.Gracklauer. (Siehe Einzeltitel.) — (Lpzg, G. Brauns.)
Lüders, Rich., & Co., in Berlin, jetzt in: Kleinzschachwitz
   b/Dresden.
Ludwig, A., in Gr.-Lichterfelde, jetzt in: Dresden-A.
Lumen-Verlag in Radebeul, jetzt in: Rottmannshöhe.
Lüstenöder, H., in Weimar, dann in: Gablonz, jetzt in: Zittau.
Lützenkirchen & Bröcking in Wiesbaden, jetzt: W. Bröcking.
Magazin f. Kunst u. Wissenschaft in Zürich, St. Ludwig u.
   Säckingen, jetzt: Konstanz, Hygien. Institut.
Magazin-Verlag in Lpzg., dann: Berlin, jetzt: Lpzg., F. Roth-
   barth.
Mager, E., in Augsburg, jetzt in: Donauwörth.
Maier, J., in Stuttg., jetzt: Bremerhaven, L. v. Vangerow.
Malcomes, C., in Arnstadt, jetzt in: Berlin.
Malcomes, C., in Stuttg., Verlag jetzt: Weissensee, H. W. Th.
   Dieter.
Malunde, W., Nachf. in L z ., dann in: Gautzsch b/Lpzg.,
   Halle, jetzt wieder: Lpzg.
Marchlewski, Dr. J., & Co. in Münch., jetzt: Etzold & Co.
Mareis, E., in Linz, jetzt: Zentraldruckerei vorm. E. Mareis.
Martinelli, J., in Berlin, jetzt in: St. Petersburg.
Marx, D. R., in Baden-Baden. Erloschen. (L z ., F. A. Brock-
   haus.)
Maske, G., in Oppeln, dann in: Salzbrunn, erloschen. (Lpzg.,
   B. Hermann.)
Mässigkeits-Verlag in Hildesheim, jetzt in: Berlin.
Massute, L., in Frankf. a/O., jetzt: A. J. Benjamin in Ham-
   burg.
Maurer-Greiner, J. H., in Berlin, jetzt J. H. Maurer-Greiner
   Nf. in Gebhardshagen.
May, H., Nf. in Lauterbach (Hessen). Nur direkt.
Medizinischer Verlag K. Singer & Co. in Berl., jetzt: K. Sin-
   ger & Co.
Meissler, J., & Co. in Essen, jetzt: Berl., Gesellschaft f. direkte
   Handelsauskunfteteilg.
Meissner, W., in Bitterf., jetzt: W. Meissner Nf.
Merzbacher, Dr. Eug., Nf., in München. Nur direkt.
Messer, C., & Co. in Berlin. Erloschen. Ein Teil d. Verl. ging
   an d. Berl. Zeitschr.-Vertrieb in Berlin über.
Meusser & Messer in Berlin, jetzt: H. Meusser.
Mewes, R., in Berlin (N.W. 21, Pritzwalkerstr. 14). Nur direkt.
Meyer, C., in Zofingen, jetzt: F. Lieberherr.
Meyer & Wunder in Berl., erst G. H. Meyer, dann F. Wunder,
   vgl. G. H. Meyer.
Michaelis, A. A., in Arnstadt, dann in: Kassel, jetzt z. Z. in
   Göttingen.
Michaelis, R., in Leipzig-R., jetzt: A. Michaelis.
Michaelis, R., in Neu-Ruppin, jetzt: Volkston-Verlag in Demmin.
Mickl, F. C., in Münch., jetzt in: Wien.
Middendorf, H., in Dortmund. Nur direkt.
Mieschel, W., in Treptow, jetzt: Schlachtensee, Neuer Gemein-
   schaft-Verlag.
Militärisches Zeitschriften-Verlag in Gr. Lichterf., jetzt: Ber-
   lin, E. Eisselt.
Minuth, G., in Berl.-Schöneberg, jetzt in: Charlottenburg.
Missionsbuchhandlung in Basel, jetzt: Basler Missionsbuchh.
Moderne Bücherei in Dresden, jetzt in: Berlin.
Moderner Dresdner Verlag in Dresd., jetzt in: Lpzg.
Modern-pädagogischer u. psycholog. Verlag in Charlottenburg,
   jetzt in: Berlin.
Möhring, R., in Berl., dann in Steglitz, jetzt wieder in: Berlin.
Moll, G., in Stargard, jetzt wieder: Weber.

Möller, W., in Berl., jetzt in: Oranienburg.
Möller, Borel & Ginzel in Berlin, jetzt: Möller & Borel.
Moeser, Paul, in Berlin, jetzt: Franz Moeser Nf.
Möser, F., Nf. in Berl., jetzt: Verlag v. Möser's Kunsbach.
Müller, O., in Aachen, jetzt: M. Flöck.
Müller, G. W. F., in Berlin, sämtl. Verlagswerke m. Aus-
   nahme v. A. Böhme, Rechenb. f. d. Berliner Gemeindesch.,
   jetzt: Bielef., Velhagen & Klasing.
Müller, C. M. A., & Co. in Berl., jetzt in: Rixdorf.
Müller, P. J., & Co. in Charltnbg, jetzt: C. L. Ungelenk.
Müller & Schott in Wiesbaden. Erloschen. (Lpzg, E. Schmidt.)
Müller & Trüb in Aarau, jetzt: A. Trüb & Co.
Müller & Zeller in Zürich, jetzt m. Ausnahme d. Reisebuchh.:
   C. Bachmann.
Müllern v. Schönenbeck, M., in Breslau u. Lpzg., dann in
   Düsseldorf, jetzt in: Leipzig.
Münchmeyer, H. G., in Dresden, jetzt in: Niedersedlitz.
Nagel, G. E., in Berl., jetzt in: Berl.-Schönebg.
Nägele, E., in Stuttg., jetzt in: Leipzig, einzelne Artikel, vgl.
   Einzeltitel, Stuttg., E. Schweizerbart.
Nägelsbach, H., in Salzbg., jetzt teilweise: E. Richter.
Nassauische Central-Buchhandlung in Wiesbaden. Verkehrt
   nur noch direkt.
Nathansen & Lamm in Berl., jetzt: L. Lamm.
Naumann, J., in Dresden, Verlag jetzt: C. L. Ungelenk.
Naumburg's, R., Verl. in Kindelbrück. Nur direkt.
Nebel, G., in Hannov., dann in: Kirchrode, jetzt: Hannov.,
   E. Schlemm.
Naff, P., Verl. in Stuttg., jetzt in: Esslingen.
Nemnich, O., in Wiesb., jetzt in: Lpzg.
Neokosmos-Verlag in München. Erloschen. Verlag liefert: Lpzg,
   H. Dege.
Neubauer, R., in Dresden, jetzt in: Charlottenburg.
Neue Literaturanstalt in Wien, jetzt: Verlag neuer Literatur
   u. Kunst.
Neuer Verlag in Berl. Erloschen (Lpzg., G. Brauns.)
Neumann, Alb., in Halle, dann in Leipzig u. Graz, jetzt in:
   Zürich.
Neumann, R. in Pforzheim. Nur direkt.
Neumeister, R., in Berlin, jetzt: Berlin, E. Beyer.
Nissen, J. G., in Hamburg, jetzt: Berl., M. Marcus.
Nürnberger Buchversandhaus in Nürnberg. Erloschen. (Lpzg.,
   G. Brauns.)
Nusser, A., in (Itzehoe, dann Dresden u.) Rostock, jetzt: Stuttg.,
   J. F. Steinkopf.
Oberer's sel. Wwe. in Salzburg, jetzt: Oberer's Bh.
Obst, H., in Dresden(-A., Rabenerstr. 5). Nur direkt.
Oehlmann, Fr. in Dresd., jetzt: J. Schreitmüller.
Oehmigke's, A., Verl., in Lpzg., jetzt in: Einbeck.
Oehrlein, E., in Sonneberg, jetzt: J. Seichter.
Opetz, E., in Leipzig, jetzt: W. Opetz.
Opitz, A., in Wien, jetzt: A. Opitz Nachf.
Ortner, Brüder, & Co. in Wien, jetzt: Winkler & Wagner.
Ossenbrunner, L., in Augsburg. Nur direkt.
Osswald, Th., sen. in Bayreuth, jetzt: Th. Osswald.
Ost, Leop., in Hannover, jetzt: E. Büsing.
Oestergaard, P. J., in Schönebg., jetzt in: Berl.
Österreichische Verlagsanstalt in Linz, dann in Wien. Er-
   loschen. Verl. zerstreut, vgl. Einzeltitel.
Otto, A., in Neustadt, jetzt: H. Epp.
Otto & Co. in Lpzg., jetzt: H. Hedewig's Nf.
Pannonia in Györ (Raab). Nur direkt.
Paritscheke & Schurich in Berl., erst: Berliner Druckerei-Ge-
   sellschaft, jetzt: W. Schurich.
Pasche, V., & Co. in Genf, jetzt: Société anonyme Atar.
Paetow, M., in Bützow. Erloschen. (Lpzg., B. Giegler's Sort.)
Paez, C., in Berlin, jetzt: Eisoldt & Rohkrämer.
Perthes, F. E., in Georgenthal, dann Leipzig, jetzt in: Gotha.
Peschke's, Th., Nachf. in Hirschberg, jetzt: H. Springer.
Peter, E., in Lpzg., jetzt: Dürr'sche Buchh.
Peters, Herm., in Berl., jetzt in: Göttingen.
Peterson, E., in Berl., jetzt: Schles. Druckerei-Genossen-
   schaft.
Pezoldt, O., in Hildburgh., d. Verlag jetzt: Karlsr., Polytechn.
   Verlag O. Pezoldt, einzelne Werke, vgl. Einzeltitel, Lpzg.,
   J. M. Gebhardt.
Pfeiffer, Karl, in Erlangen. Fa. erloschen. Inhaber nach Leipzig
   verzogen. Komm.: L Staackmann.
Philantropische Verlagsanstalt v. E. Frandsen in Wien. Er-
   loschen. (Lpzg., B. Streller.)
Phönix Verlag (W. Vogel) in Grunewald, jetzt: in Berlin.
   — in Lpzg-Co., jetzt wieder A. Spitzner's Verl.
Pittius, F., in Berl., jetzt: Emil Richter.
Planken, G., in Mörs u. Leipzig, jetzt in: Godesberg.
Plass & Schrödinger in Bonn, jetzt: M. J. Goergen.
Plaum, P., Nachf. in Prüm, jetzt: M. J. Goergen.
Plazer, V. v. in Münch. Erloschen. (Lpzg., O. Maier.)
Ploch's, F., Nachf., in Königshütte. Nur direkt.
Ploetz, A. G., in Berl., jetzt in: Lpzg.
Plutus-Verlag in Berl., jetzt in: Charlottenburg.
Pock, J., in Graz, jetzt: M. Pock.
Politischer Verlag (P. Wenzel) in Berlin, jetzt in: Leipzig.
Politzer, S., & Sohn in Budap., jetzt: C. Grill.
Pollák, J., in Budapest. Nur direkt.

Polytechnische Anstalt f. Verlag u. Publizität in Bern, erst: Polytechn. Verlagsanstalt. Erloschen. (Lpzg., K. F. Koehler.)
Polytechnischer Verlag O. Pezoldt in Hildbrgh., dann Karlsruhe, jetzt teilweise: Lpzg, J. M. Gebhardt.
Porges, E., in Dresden. Erloschen. (Lpzg., R. Forberg.)
Poeschel, C. E., in Lpzg., erst: Poeschel & Kippenberg, jetzt wieder: C. E. Poeschel.
Prager, E., in Charlottenbg. Erloschen. (Lpzg., B. Herrmann.)
Prange & Co. in Weissenfels, erst: Prange & Co. Nachf., jetzt: R. Schirdewahn.
Praetorius, O., in Kreuzburg, jetzt: J. Lebek.
Prausnitz, A., in Berl., jetzt: W. Prausnitz.
Prechter, A. F., in Stuttg., jetzt: O. Hager.
Preiser, H., in Liegn., Verlag jetzt in: Wolgast.
Preuss, J. S., in Berl., jetzt: Verlag Dr. Wedekind & Co.
Priebe, H., & Co. in Berl.-Stegl., jetzt in: Dt.-Eylau.
Püttmann, J., in Köln, dann in Berl., jetzt in: Lpzg.
Rackwitz, O., in Lpzg., jetzt: K. G. Th. Scheffer.
Ramann, F., in Michelstadt, jetzt: H. Kraft.
Rascher, Ed., in Zürich, erst: E. Rascher's Erben, jetzt: Rascher & Co.
Rath, J., in Backnang, jetzt in: Stuttgart. — Der gesamte hauswirtschaftl. u. Kochbuch-Verlag jetzt: Gotha, P. Hartung.
Rauh & Pohle in Probstheida, jetzt in: Lpzg.
Raunecker, A., in Klagenfurt, jetzt: R. Hanel.
Reformverlag C. v. Schmidtz in Haimhausen, später C. Rohm in Lorch, jetzt: Ascona, C. v. Schmidtz.
Regel, O., in Lpzg.-Neustadt, jetzt in: Lpzg. — Die Werke, welche v. Verband d. Ärzte hrsg. sind, jetzt: Lpzg.-Co., Bh. d. Verbandes d. Ärzte Deutschlds.
Regenhardt, C., in Berl., jetzt, m. Ausnahme d. Kalender: M. Regenhardt.
Reich, R., in Basel, jetzt: Helbing & Lichtenhahn.
Reich Christi-Verlag in Berl., jetzt: Gr.-Lichterf.-West, Tempel-Verlag.
Reitterer, F. X., & Co. in Budweis, wieder Verlagsanstalt Moldavia.
Rentzsch, A., in Zwickau, jetzt in: Oelsnitz i/V.
Rentzel, E., in Berl., jetzt in: Schöneberg b/Berlin.
Reuter, G., in Berlin-Charlottbg., München, jetzt wieder in: Berl.
Richter, H., in Davos, d. Verlag m. Ausnahme d. Zeitschriften, jetzt: Chur, F. Schuler.
Richter, Fr., in Dresd., jetzt: C. L. Ungelenk.
Richter, J. F., in Hambg., erst: Verlagsanstalt u. Druckerei, dann: Verlagsanstalt Henze & Kloss, jetzt: Berl., K. W. Mecklenburg Vgl. a. Einzeltitel.
Richter, C. B., in Lpzg., vorher in Chemnitz, jetzt: Dresd., B. Richter.
Richter, Fr., in Leipzig, jetzt: Dresden, C. L. Ungelenk.
Ricker, J., in Giessen, f. d. Verlag jetzt: A. Töpelmann.
Riesen & Calebow in Dresden, erst: Calebow & Co. Erloschen. (Lpzg., P. Eberhardt.)
Rietz, R., in Berl., jetzt in: Paris.
Rimbach & Licht in Köln, jetzt: P. Neubner.
Rippstein, Th., in Thun, jetzt: O. Hopf.
Rockoll, Paul, in Stuttg., jetzt: Basel, E. Finckh.
Rohm, Karl, in Amden, jetzt in: Lorch. — Die Verlagswerke d. Reformverlags C. v. Schmidtz in Haimhausen jetzt: Ascona, C. v. Schmidtz.
Röhmann, W., in Lpzg., jetzt: W. Röhmann Nf.
Röhrscheid & Ebbecke in Bonn, jetzt: L. Röhrscheid.
Roock, W., in Kolmar. Erloschen. (Lpzg., K. F. Koehler.)
Röpke, F., in Kropp, jetzt wieder: Buchhandlung Eben-Ezer.
Rösler, J., in Schorndorf, jetzt: Schorndorf, C. W. Mayersche Buchdr.
Rossberg'sche Hofbuchh. in Leipzig, Verlag jetzt: Rossberg'sche Verlagsbuchh.
Rossberg & Berger in Leipzig, jetzt: Rossberg'sche Verlagsbuchh.
Rost, A. W., in Dresd., jetzt: Dresd. E. Hoffmann.
Rost, P., in Kötzschenbr., jetzt: C. Finster.
Roth, Gebr., in Elberfeld, jetzt: Schmargendf., O. Roth.
Roth, Otto, in Elberf., jetzt in: Schmargendorf.
Roth, O., in Steglitz-Berl., jetzt: Hans Wiedling.
Roth, J., in Stuttg., jetzt in: München.
Rothbarth, F., in München, jetzt in: Lpzg.
Rudolph, G. A., in Hamburg, jetzt in: Wandsbek.
Russell, A., in Münster, jetzt m. Ausnahme d. Gesamt-Verlag-Katalogs [Lpzg., Hinrichs' V.]: H. Schöningh Sep.-Cto.
Russy, L., in Burghausen, jetzt: W. Trinkl.
Sachs & Pollak in Budapest, jetzt: F. Sachs.
Sadelkow, H., in Neubrandenburg. Erloschen. (Lpzg., B. Herrmann.)
Sallmann, C., in Lpzg., jetzt in: Basel.
Sankt Stefans-Verein in Budapest, jetzt: Verlags- u. Sort.-Buchh. A. G. des Sankt Stefans-Vereines.
Sattler, R., in Braunschw., jetzt in: Lpzg.
Schaar & Dathe in Trier, jetzt: Kunst- u. Verlagsanstalt Schaar & Dathe.
Schacherl & Mütterlein in München, jetzt: O. Mütterlein.
Schäfer & Schönfelder in Leipzig, jetzt in: Naunhof.
Schafstein & Co. in Köln, jetzt: H. u. F. Schafstein.
Schauenburg, O., & Co. in Lahr, jetzt: Gross & Schauenburg.
Scheibe, O., in Mörchingen, jetzt: O. Steinbicker.

Scheidbach, C., in Marburg a. D. Nur direkt.
Schenk, A., in Reval, jetzt: Cordes & Schenk.
Scherer, K., in Karlsruhe, Verlag jetzt: Weinh., F. Ackermann.
Schergens, J., in Frankfurt a/M., jetzt wieder in: Bonn.
Schimmel, M., in Berlin, jetzt: R. M. Schimmel.
Schimmelwitz, P., & Co. in Lpzg., jetzt: P. Schimmelwitz.
Schimon & Burger in München, jetzt: P. Zipperer.
Schindler, Rich., in Berlin. Erloschen. (Lpzg., W. Dietrich.)
Schipper, O., in Bremerh., jetzt: Schipper, Mocker & Co.
Schleininger, F., in Konitz. Erloschen. (Lpzg., P. Stiehl.)
Schleusner, E., in Bonn, jetzt in: Tempelhof.
Schlossmann, G., in Gotha, jetzt: Hamburg; einzelne Verlagswerke unter Einzeltiteln, jetzt: Verlagsbureau, erst: Gotha, dann Arnstadt.
Schmack, H., & Co. in Nürnbg., jetzt in: Dresden.
Schmid & Francke in Bern, jetzt: A. Francke.
Schmidt, A., in Anklam, jetzt: Potsd., Stiftungsverlag.
Schmidt, Herm., in Berl., jetzt in: Stuttg.
Schmidt, H. W., in Halle, d. 1841 v. O. Hendel übernommenen Werke jetzt wieder: O. Hendel, das übrige jetzt in: Jena.
Schmidt, R. M., in Saarbrücken, jetzt wieder: H. Hecker.
Schmidt, R. C., & Co. in Lpzg., der gärtner. u. forstl. Verlag jetzt: Berl., P Parey.
Schmerrotz, P., in Bernstadt, jetzt in: Löbau.
Schneeweiss, Rob., in Schöneberg (vorher in Breslau u. Berlin), jetzt in: Berlin.
Schnetter, M., in Berl., jetzt: Schnetter & Dr. Lindemeyer.
Scholtze, K., in Lpzg., dann in Oetzsch, jetzt wieder in: Lpzg.
Scholz, O., in Werdohl, erst: W. Scholz, jetzt: Lpzg., Scholz & Maerter.
Scholz, W., in Werdohl, jetzt: Lpzg, Scholz & Maerter.
Schönfeld, G., in Dresden, jetzt in: Leipzig. — Der forstl. Verlag jetzt: Berl., P. Parey.
Schönfeld, Herm., in Dresden. Konkurs. (Lpzg., F. E. Fischer.)
Schönwolff, E., in Gleiwitz, jetzt: Oberschles., Geschäftsbücherfabrik u. Druckerei R. Schönwolff.
Schriften-Niederlage d. christl. Gemeinsch. in Hamburg, jetzt: Schriften-Niederlage d. Samariterver.
— d. Vereins f. innere Mission in Nürnbg., jetzt: Buchh. d. Ver. (Schrenk, F. W., in Pola, jetzt: Schrinner'sche Bh. (ohne Vornamen),
Schröder, R., in Breslau, jetzt: Schles. Gewerbebuchh.
Schröter, Th., in Leipzig, jetzt: Zürich, Th. Schröter's Nf.
Schröter, Th. in Zürich, jetzt: Th. Schröter's Nf. — Sämtl. Zeitschriften jetzt: Zürich, E. Richter.
Schroeter, H. L., Nachf., in Arolsen. Erloschen. (Lpzg., K. F. Koehler.)
Schubert, C. in Chemn., jetzt in: Lpzg.
Schuh, G., & Co. in Münch., der früher R. Abt'sche Verlag jetzt wieder: R. Abt.
Schuh- u. Leder-Adressbuch, jetzt: Kampffmeyer'scher Verl.
Schulbuchhandlung in Hannover & Celle. Erloschen. (Lpzg., C. Cnobloch.)
Schulhaus-Verlag in Berl.-Tempelhof, jetzt in: Berlin.
Schultz' Erben in Lpzg., jetzt: Weinh., F. Ackermann.
Schultz-Engelhard, W., in Berlin, jetzt m. Ausnahme d. Buchverlags (also alle Vorlegenwerke): W. Schultz-Engelhard Nf.
Schulz, Dr. A., in Berlin, jetzt: Dr. A. L. H. Schulz.
Schulz, Carl, in Tegel. Nur direkt.
Schulz, Aug., in Hamburg, jetzt: Neustett., F. A. Eckstein.
Schulz & Co. in Berlin, erst: Berl., Organisation, jetzt: H. Th. Hoffmann.
Schumann, R., in Coeth., jetzt: Wien, F. C. Mickl.
Schumann, J. F. W., in Lpzg., jetzt: W. Schumann Nachf.
Schumann, W., in Lpzg., jetzt: W. Schumann Nachf.
Schupp, A., in Münch. Erloschen. (Lpzg., F. Förster.)
Schuster & Bufleb in Berl., jetzt in: Schöneb.
Schwarz, G., in Heidelberg, jetzt in: Karlsruhe.
Schwarz, Gebr., in Pressbg., jetzt: Ph. Schwarz. Erloschen. (Lpzg, R. Hoffmann.)
Schweizer Verlagsanstalt (B. Vogel) in Zürich, d. Theaterverlag jetzt: Asr., H. R. Sauerländer & Co.
Schwetschke, G., Verlag in Halle, jetzt: Gebaner-Schwetschke.
Schwetschke, C. A., & Sohn in Berl., Das Weltall n. alle Sonderdr. daraus jetzt: Treptow, Verlag d. Treptow-Sternwarte; der gesamte theeolog. Verlag jetzt: Lpzg., M. Heinsius Nf.
Seegers, A., in Göttingen, jetzt in: Salingen.
Seehagen, O., in Berl., jetzt m. Ausnahme v. Schlosser's Weltgesch.: Berl., Lehrbücher-Verlag.
Seemann, H., Nachf. in Lpzg., jetzt in: Berlin.
Seiling, Ign., in Münster. Fa. Konkurs. (Lpzg., O. Maier.)
Sendebach, G., in Coburg, jetzt: J. F. Albrecht.
Seyfarth & Czaikowski in Lembg., jetzt: G. Seyfarth.
Sieber, G., in Warnsdorf, jetzt: C. Stöhr.
Siedenburg, L. W., in Berl., erst in Linz, jetzt in: Lpzg.
Siemenroth & Troschel in Berlin, jetzt: F. Siemenroth.
Siloah in Potsdam, jetzt in: Oranienburg.
Simion, L., in Berl., jetzt: L. Simion Nf.
Simon, F., in Berlin, jetzt in: Charlottenburg.
Simons, H., in Berlin, jetzt in: Teltow.
Simson, M., in Charlottbg., jetzt in: Berlin.
Sirk & Schmalenbach in Berl., jetzt: Allg. österr. Lehrmittelanstalt.
Sklarek, Dr. M., & Co. in Berlin. Erloschen. (Lpzg., F. Volckmar). Vgl. Einzeltitel.

Socialer Verlag in Leipzig, jetzt: Modern-paedagog. u. psycholog. Verlag.
Société suisse d'édition in Genf, jetzt in: Lausanne.
— nouvelle de libaire et d'édition in Paris, d. russ. Schriften jetzt: Paris, A. Schulz. (Vgl. Einzeltitel.)
Sohnrey's Dorfbote in Berl., jetzt: Berl., Deut. Landbuchh.
Sollors, P., in Reichenberg, jetzt: P. Sollors Nachf.
Sommer, E., in Dresd., dann in Erfurt, jetzt: Dresden, F. Casper & Co.
Sommermeyer's Verlagsbh. in Baden-Baden, jetzt: E. Sommermeyer.
Sonderegger, J. J., in St. Gall., jetzt: H. Honer.
Spemann, W., in Berlin, jetrt in: Stuttgart; d. archäolog. u. oriental. Verlag jetzt: Berl., G. Reimer.
Spirgatis, M., in Lpzg., jetzt: Halle, R. Haupt.
Sponholtz, A., in Hannov., f. d. Verl. jetzt: A. Sponholtz Verl.
Stahl, E., in Regensbg., jetzt: Bresl., E. Stahl's Nachf.
Stahl, F., in Stuttgart, die früher Malcomes'schen Verlagsartikel jetzt: Weissensee, H. W. Th. Dieter.
Stampfel, K., in Pressbg., Verl., jetzt: Budapest, Stampfel'sche Verlagsbh.
Stapelmohr, H., in Genf, erst: A. Eggimann & Co., jetzt: Société anonyme Atar.
Starke, J., in Halle, Verlag jetzt: R. Mühlmann's Sort.
Stauff, K. A., in Köln, jetzt: K. A. Stauff & Co.
Stechert, G. E., in New York, jetzt: G. E. Stechert & Co.
Steffen, Ch., in Lpzg., dann Kreuznach, jetzt: Lpzg., L. A. Klepzig.
Stegelmann & Roelz in Malante, jetzt: E. Stegelmann.
Stahli, H., in Chur, jetzt: A. Keel-Gut.
Stahli & Keel in Chur, jetzt: A. Keel-Gut.
Steiger & Tschopp in Zürich, jetzt: A. Tschopp.
Stein, F., in München (früher Otto Maier), Linnprunnstr. 50. Erloschen.
Stengel & Co. in Dresd., jetzt: Kunstanstalt Stengel & Co.
Sternkopf, G., in Halle, jetzt in: Leipzig-Schleussig.
Stock's, F., Wwe. in Wien, jetzt: F. Stock.
Stöcker, H., in Düsseldf., jetzt in: Berlin.
Stoll, C., in Dresden. Konkurs. (Lpzg., R. Hoffmann.)
Stoetzner, P., in Gera, d. theolog. Werke jetzt: W.-Jena, Thüringer Verlagsanstalt.
Strauss, E., in Bonn, m. Ausnahme e. Anzahl wiss. Werke, jetzt: Stuttg., A. Kröner; letztere, vgl. Einzeltitel, Bonn, M. Hager.
Strelow-Verlag M. Caap in Berlin, jetzt: W. Strelow, Verl. (S.W. 29, Belle Alliancestr. 74).
Studnička & Co. in Sarajevo. Nur direkt.
Stumpf, G., in Heidelberg, jetzt: E. J. G. Stumpf.
Sturzenegger, C., in Bern, jetzt: Scheitlin, Spring & Co.
Südwestdeutscher Verlag in Frankf. a/M. u. Soden. Erloschen. (Lpzg., P. Eberhardt.)
Sukennikoff, M., in Berlin. Erloschen. (Lpzg., F. Cnobloch.)
Sulzer, R., Nachf., Sort. in Berlin. Erloschen. (Lpzg., Hug & Co.)
Süssermann, E., in Anklam, jetzt: M. Negelein.
Suter & Lierow in Bern, jetzt: Lierow & Co. Nur dir.
Tabor, P., in Dillingen, jetzt: L. Tabor.
Tanner, S., in Samaden, jetzt: Engadin Press Co.
Taussig, I., in Prag, jetzt: Akadem. Antiquariat usw. Taussig & Taussig.
Technische Verlagsanstalt u. Sort. J. Keil in Leipzig, jetzt: Internat. Gewerbebuchhandlung in Budapest.
Technisch-gewerblicher Verlag in Berl., dann in Lpzg., jetzt: Lpzg., C. A. Fischer.
Telge, F., in Schönebg.-Berl., jetzt: Berl., Deut. Tageszeitg.
Tempelkunst-Verlag in Berlin-Wilmersdf., jetzt: Charlottenbg., Kunst- u. Musikverlag d. Rich. Wagner-Gesellschaft usw.
Tempsky, F., in Wien u. Prag, jetzt nur noch in: Wien. — Alle im Katalog 1886/90 unter Wien, (F. Tempsky) aufgenommenen Akademie-Schriften jetzt: Wien, A. Hölder. Schriften mit Verlagsort Wien u. Prag, od. Prag allein bleiben Tempsky.
Tessaro-Verlag in Berl. Die Lieder-, Volks- u. Indianerbücher jetzt: Berl., W. Frey.
Teubner, H., in Magdeburg, jetzt: Mgdbg., Verlagsgesellschaft.
Teufen, C., in Wien, jetzt: C. Teufen's Nachf.
Teutonia, akad. Bh. in Lpzg., f. d. Verl. jetzt: Teutonia-Verlag.
Teutsch, J. N., in Lindau (Exped.-Filiale d. Emmanuel), jetzt: Buchs., Verl. d. Emmanuel.
Thalia-Verlag in Berl., jetzt: Verlag d. kl. Witzblattes.
Thiel, B., in Wien, jetzt: Th. Daberkow.
Thieme, E., in Kaiserslaut., jetzt: Thieme'sche Druckereien in Kaisersl. u. Kirchheimbol.
Thieme, O., in Kirchheimbolanden, jetzt: Thieme'sche Druckereien in Kaisersl. u. Kirchheimbol.
Thümecke, A., Nachf. in Berl. Erloschen. (Lpzg., F. A. Brockhaus.)
Thümmler's, H., Verlag in Reutlingen, jetzt: Chemnitz.
Thüringische Verlagsanstalt in Eisenach, jetzt in: Leipzig.
Tirichter, E. W., in Neunkirchen jetzt: F. Weidinger.
Titze, B., in Freiwaldau, Verlag liefert A. Błażek.
Tremel, H., in Kaisersl., dann in Heidelbg., jetzt in: Stettin.
Treuenfeld, H. v., in Gr.-Lichterfelde, dann in München, jetzt in: Marnau.
Treves, Fratelli, in Bologna, jetzt: Libreria Treves.

Trewendt, E., in Breslau, jetzt in: Berlin.
Uhland, W. H., in Lpzg., jetzt: Uhland's techn. Verl.
Ulrich, J. F. u. St., in Riedlingen, jetzt: Ulrich'sche Bh. (ohne Vornamen).
Universal-Verlag in Lpzg., jetzt: Lpzg., Ficker's. Verl. (Mit Ausn. d. Buchhändlerzeitg.)
Unterborn, P., in Stuttg., jetzt in: Schöneberg-Berl.
Unterhofer, H., in Saulgau, jetzt: F. X. Rau.
v. Vangerow'sche Sort.-Bh. in Bremerh., jetzt: Schipper, Mocker & Co.
Vereinigte Kunstinstitute A.-G. vorm. O. Troitzsch in Berlin, jetzt in: Schöneberg, Feurig-Str. 65.
— Verlagsanstalten Golda & Co. in Berlin. Erloschen. (Lpzg., L. Fernau.)
Verlag d. Allg. Zeitg. in Münch., jetzt: Bayer. Druckerei u. Verlags-Anst.
— Apollo in Dresd., jetzt: Unger & Hoffmann.
— Arbeiter-Versorgg in Berlin, jetzt in: Grunewald-Berl.
— d. Archiv-Gesellschaft in Berlin, jetzt in: Schlachtensee.
— d. ärztl. Ratgebers in Friedenau-Berl., erst in Lpzg., jetzt in: Naunhof.
— Aufklärung in Berlin, jetzt: Dr. J. Edelheim, erloschen. (Lpzg., C. F. Fleischer.)
— d. kl. Berl. Adressb. Erloschen. (Lpzg., Th. Thomas.)
— f. Börsen- u. Finanzlitteratur in Lpzg., jetzt in: Berlin.
— „Der Burenfreund" in Berlin, jetzt: Verlag Continent.
— d. Complemente zu Reisebüchern in München. Erloschen. (Lpzg.: R. Friese.)
— Concord in Münch., jetzt in: Göttingen.
— Continent in Berlin-Charlottbg., jetzt in: Berlin.
— d. deut. Alpenzeitg. in Münch., jetzt: G. Lammers.
— d. deut. Hausfrauenzeitg. in Berl., jetzt: Verlag Frauen-Reich. — Der Buchverlag jetzt: L. Morgenstern.
— d. Deutschen Hochwacht in Berlin, jetzt: Deut. Hochwacht.
— d. deut. Litt.- u. Kunstzeitg. in Dresden-Blasewitz. Nur direkt.
— d. Deut. Stimmen, jetzt m. Ausnahme d. „Deut. Stimmen": Berl., A. Duncker.
— d. deutsch-französ. Rundschau in München, jetzt: (Lpzg., H. Dege).
— d. Dokumente d. modernen Kunstgewerbes in Berlin, jetzt: Stegl., Dr. H. Pudor.
— d. „Don Quixote" in Wien. Erloschen. (Lpzg., L. A. Kittler.)
— d. Dorfbarbier in Berlin, jetzt in: Schöneberg b/Berlin.
— d. ev. Allianzblattes in Blankenburg i. Th., jetzt: Ev. Allianzhaus.
— Fortschritt in Berl., jetzt: A. Stephan.
— d. Frauen-Rundschau in Lpzg., jetzt in: Berlin.
— d. Frauenwarte in Berlin, jetzt in: Berlin-Schöneberg (Grunewaldstr. 40).
— d. Fröbel-Oberlin-Vereins in Berlin, erst: Hausmädchenschule, dann: Fröbel-Oberlin-Verlag.
— Frührot in München, jetzt: Lpzg., H. Dege.
— d. Funken in Lpzg., jetzt: F. Rothbarth.
— Germania in St. Pölten, jetzt: Annaberg in Niederösterr., H. Tanzer.
— gesundes Leben in Langensalza. Die Ztschr. „Gesundes Leben", jetzt: Verl. gesundes Leben in Mellenbach, d. übr. Verlag bleibt Langensalza.
— im Goethehaus in Charlottenbg., jetzt: Berl., Modern-pädagog. u. psycholog. Verlag.
— d. graph. Beobachter in Lpzg., jetzt: S. Schnurpfeil.
— d. grünen Blätter in Leipzig, jetzt in: Mainberg bei Schonungen.
— f. Handel u. Industrie in Hamburg (Alsterdamm 7). Erloschen. (Lpzg., F. Volckmar.)
— d. Handels-Hochschul-Nachrichten in München, jetzt: Lpzg., B. G. Teubner.
— d. Hausfrau in Münch., dann in: Nürnberg, jetzt wieder in: München.
— d. Heilsarmee in Berlin, jetzt: Heilsarmee-Grundstücksgesellschaft.
— Heimdall in Stuttg., jetzt: Heimdall, deutschvölkisch-soz. Verl.
— Hephata in Zürich, jetzt: A. Neumann.
— Humanitas in Friedrichshagen-Berlin, jetzt in: Röthen b/Spreenhagen.
— d. Jagdfreund in Wien, jetzt: K. Mitschke.
— Jung-Deutschland in Eberswalde, jetzt: Lpzg., C. F. Tiefenbach.
— d. katbol. Press-Vereins in Linz-Urfahr, jetzt: Linz, Press-verein.
— d. Kontorfreund in Leipzig, jetzt: Seiler & Co.
— Kraft u. Schönheit in Berl., jetzt in: Steglitz.
— kreis. Ringe in Lpzg., jetzt: M. Spohr.
— Kunstgewerbe für's Haus in Berl., jetzt in: Halensee.
— Lebensreform in Berl., jetzt: Lebensreform.
— d. literar. Agentur in Berl., jetzt: C. Georgi.
— f. Lteratur u. Kunst in Friedenau-Berlin, jetzt in: Düsseldorf.
— d. „Litth Puck" in Hamburg, jetzt: H. Paustian.
— „Die medizin. Woche", jetzt: Halle, C. Marhold.
— f. moderne Belletristik in Lpzg, jetzt: A. Cavael.
— d. „Modernen Reklame" in Berl. Erloschen. (Lpzg., K. F. Koehler.)

Verlag „Moderne Sitten" in Wien (XVI,1, Hasnerstr. 72). Nur direkt.
— d. Musikwelt in Berl., jetzt in: Gr. Lichterf.-West.
— d. Musikwoche in Lpzg., jetzt: Dresd., E. Hoffmann.
— Neue Gemeinschaft in Berl.-Schlachtensee, jetzt: Neue Gemeinschaft-Verlag.
— d. österr. Handels-Museums in Wien, jetzt: Administration.
— Palästina in Halensee, jetzt: Köln, Jüd. Verlag.
— d. Pelikan in Buchs u. Schaar, jetzt: Verlag d. Emmanuel.
— v. Polyglott Kuntze's Kosmos in Lpzg., jetzt: Berl., Polyglott Kuntze „Kosmos". (?) Vgl. a. Einzeltitel.
— „Rote Erde" in Dresden. Erloschen. (Lpzg., O. Maier.)
— Sanitas in Bielef., jetzt: Lpzg., Modern-medizin. Verlag.
— d. Satyr in Berl., jetzt: Verlag Das kl. Witzblatt.
— d. Saxonia in Chemnitz, jetzt in: Markersdorf b/Chemnitz.
— „Der Schaufenster-Dekorateur" in Hannover. Erloschen. (Lpzg., C. Cnobloch.)
— „Der Scherer" in Innsbruck, jetzt: Wien, Verwaltg. d. Scherer.
— v. Schuh & Leder in Frankfurt a/M., jetzt: Kampffmeyerscher Verl.
— „Siloah" in Potsdam, jetzt: Oranienburg, „Siloah".
— d. S. Soldan'schen Hofbuchh. in Nürnbg., jetzt: S. Soldan.
— d. soz. Revue in Essen, jetzt: Fredebeul & K.
— d. Spiegel, jetzt: Berl., K. Singer & Co.
— d. kgl. statist. Bureaus in Berlin, jetzt: Verlag d. kgl. statist. Landesamts.
— d. „Süddeut. Wochenschr." in München. Erloschen. (Lpzg., C. F. Fleischer.)
— f. Textil-Industrie in Soran, jetzt in: Berlin.
— d. Traktathauses in Bremen, jetzt: Buchhandlung u. Verlag d. Tr.
— d. „Volksanwalt" in Kiel, jetzt: Weimar, Verlag d. Rechtshort.
— d. „Volkserzieher in Berl., jetzt: Schlachtensee, Volkserzieher-Verlag.
— d. Weldmann in Berlin, jetzt: Schönebg., Verl. Die Jagd.
— Die Yacht in Berlin, jetzt: Verlag Dr. Weicher.
— d. Ztschr. „Der Privatbeamte" in Kempten, jetzt in: Quedlinburg. Nur direkt.
— d. Ztschr. Das Schöne in Charlottbg. Erloschen. (Lpzg., O. Klemm.)

Verlagsanstalt Augustin & Co. in Berlin, jetzt in: Charlottenburg.
— Cliché in Lpzg. Erloschen.
— Henze & Kloss in Hambg., jetzt, m. Ausnahme d. „Führer": Berl., K. W. Mecklenburg.
— Nach Feierabend G. Gottwald & Co. in Leipzig, jetzt: Lpzg., B. Me er.
— Pallas in Berlin, jetzt: Neufeld & Henius.
— Zürich A.-G. vorm. Wirth & Co. in Zürich, jetzt: Verlagsanstalt Minerva.
— u. Annoncen-Exped. G. Braunbeck in Münch., jetzt in: Berlin.
— u. Druckerei vorm. J. F. Richter in Hambg., d. Reiseführer jetzt: Hambg., C. H. A. Kloss; Hamerling's Schriften: Lpzg, M Hesse; d. übr. Verlag: Berl., K. W. Mecklenburg.
Verlagsbureau in Gotha, jetzt in: Arnstadt.
Verlagshaus Digel in Hambg., jetzt: W. Digel.
Verlagsmagazin vorm. J. Schabelitz in Zürich, jetzt: Th. Schröter's Nf.
Vierling in Görlitz, jetzt: R. Worbs & Co.
Vieweg, Ch. F., in Quedlinburg, d. Verlag jetzt in: Gr. Lichterfelde.
Violet, Wilh., in Lpzg, dann Dresden, jetzt in: Stuttgart.
Vogel, J., in Glarus, d. Theater-Verlag jetzt: Aar., H. R. Sauerländer & Co.
Voigt, M., in Lpzg., jetzt: Dr. Boden.
Voigtländer, R., in Kreuznach, jetzt: R. Voigtländer Nf.

Volkening, J., in Berlin, jetzt: Volldampf-Verlag.
Volkening, M., in Minden, Verlag jetzt: A. Hufeland.
Volkserzieher-Verlag in Berl., jetzt in: Schlachtensee.
Volks- u. Jugendschriften-Verlag in Straubing, jetzt in: München.
Volksschriften- u. Romanverlag Leipz., F. Abshoff & Co. in Lpzg., jetzt: A. Schumann's Verl.
Volkston-Verlag in Neu-Ruppin, jetzt in: Demmin.
Wackermann, G., in Berl.-Schönebg., jetzt in: Rixdorf.
Wagner, H., in Graz, jetzt: M. Pock.
Walther, Dr., in Wien u. Lpzg., Verlag jetzt: W. A. G. Müller.
Wanderer-Verlag in Lpzg., jetzt in: Oetzsch-Gautzsch.
Warnitz, K., & Co. in Köln. Erloschen. (Lpzg., K. F. Koehler.)
Wartig's, E., Verlag in Leipzig, dann in: Darmstadt u. Elberf., jetzt in: Altenburg, die Schriften v. F. Hoppe vom 1.VII.'06 an: Lpzg., J. A. Barth.
Weber in Stargard, erst: G. Moll, jetzt wieder: Weber.
Wehner, A., in Lpzg., jetzt in: Zürich.
Weiss, G., in Kassel, jetzt: Oblan. F. Leichter.
Weiss, P., in Montjoie, jetzt: P. Weiss Wwe.
Weisske, Wilh., & Co. in Lpzg. Erloschen.
Weller, A., in Kahla, jetzt: Gebr. Vogt in Papiermühle b/Roda.
Weller, A., & Co. in Papiermühle b/Roda, jetzt: Gebr. Vogt.
Wenger's Verl. in München, jetzt: Berl., J. Gnadenfeld & Co.
Werner, W., in Lpzg., dann in Leutzsch, jetzt wieder in: Lpzg.
Werther, W., in Berl., erst in: Düsseldf., jetzt wieder in: Berlin.
Westdeutsche Verlagsanstalt in Siegen, d. Liebscher'schen Verlagswerke jetzt wieder: M. Liebscher.
Weyl, A., in Berlin, Buchverlag z. Tl. jetzt: Berl., P. Lehmann.
Wiegandt & Grieben in Berl., die theolog. u. einige ält. pädagog. Werke, jetzt: Lpzg., Krüger & Co. Vgl. Einzeltitel.
Wiener Musikverlagshaus vorm. F. Rörich, jetzt: F. Rörich & Co.
Wiener in Berlin, jetzt in: Schöneberg.
Wigand's, W., Buchdr. in Lpzg., jetzt: O. Wigand.
Willgeroth & Menzel in Wismar, jetzt: Willgeroth & Menzel Nf. Erloschen. (Lpzg., C. F. Fleischer.)
Winkler, C., in Brünn. Die an F. Irrgang verkauften Verlagswerke m. 2 Ausnahmen jetzt wieder: C. Winkler.
Winkler, E. A., in Lpzg., dann in Eisleben, Verlag jetzt wieder: Lpzg., C. Jacobson.
Wirth'sche, J. Hofbuchdr. in Mainz, jetzt: Frankf. a/M., J. Kauffmann. Mit Ausnahme d. „Israelit".
Wirth & Co. in Zürich, erst: Verlagsanstalt Zürich vorm. Wirth & Co., jetzt: Verlagsanstalt Minerva.
Wischan & Wettengel in Halle, jetzt: Wischan & Burkhardt.
Wiser & Frey in St. Gallen, jetzt: Buchdruckerei & Verlagsanstalt Merkur.
Wolf, A., in Dresden, jetzt: Radebeul, M. Wolf.
Wolf, Gust., in Dresden, jetzt: Allgem. Schlosserztg.
Wolf, M., in Dresd., jetzt in: Radebeul.
Wolf, Gust., in Lpzg. Erloschen. (Lpzg., Th. Thomas.)
Wolff, J., in Augsbg., jetzt: M. Rieger.
Wöpke, R., in Lpzg., d. theolog. Verlag jetzt: Gött., Vandenhoeck & R.
Wortmann, H., in Zürich u. Säckingen, jetzt: Konstanz, Hygien. Institut.
Wunder, Frz., in Göttingen, jetzt in: Berlin; d. Göttinger Lokalverl. jetzt: C. Spielmeyer's Nf.
Wurzner Verlags-Comptoir in Wurzen, jetzt: Leipzig (Nürnb. Str. 7), M. Pötsch.
Zeitschriftenverlag „Der Mensch in Berlin, jetzt: Lebensreform'.
Zeller & Schmidt's Verl. in Stuttg., jetzt: K. Daser.
Zickfeldt, A. W., in Braunschw., jetzt: G. Wenzel & Sohn.
Ziemsen, G., in Wittenberg, jetzt in: Berl.-Friedrichshagen.
Zuckschwerdt & Co. in Lpzg., jetzt in: Berlin.
Zückler, R., in Zwickau, jetzt: Zwickauer Zeitung.

Verlags- und Preisänderungen einzelner Werke bis 17. November 1906.

Verleger und Preise sind nur soweit angegeben als sie zu ändern sind. Erhöhte Preise sind durch Erh. hervorgehoben. Die Zahlen vor dem Titel beziehen sich auf unsere Fünfjahrs-Kataloge bezw. den Halbjahrs-Bd. 1906 I. 1901/05 siehe Register-Band S. 641 ff.

96/00. Aabel, M.: Alle Verlagswerke v. J. Rath in Backnang: Gotha, P. Hartung.
86/90. Abel, L., u. H. Winckler: Keilschrifttexte. Berl., G. Reimer.
86/00. Abhandlungen, hrsg. vom naturwiss. Verein in Bremen. Brem., F. Leuwer.
91/00. — z. Landeskde. d. Prov. Westpreussen. Danz., L. Saunier.
96/00. Absoluta, relative. Lpzg., R. Wöpke.
96/00. Achleitner, A.: Bergquellen. Lpzg., F. Rothbarth.
96/00. — Halali. Ebd.

96/00. Ackermann, L.: Papst Leo XIII. u. d. hl. Beredsamk. Regensburg, Verlagsanstalt vorm. G. J. Manz.
51/65. Ackner, M. J.: Die Colonien u. militär. Standlager d. Römer in Dacien. Wien, A. Schroll & Co.
86/00. Acta natonis Germanicae univ. Bononiensis. Geb. 94 — mann.
96/00. Adam n. d. Bibel nicht d. erste Mensch. Dresd., E. Hoffmann.
86/90. Adam, V.: Globus, Wien, A. Mojstrik.
96/00. Adams-Lehmann, H. B.: Das Frauenbuch. Berl., H. Schild.
96/00. — Die Gesundheit im Haus. Ebd.

81/00. Adelsblatt, deut. Neud., J. Neumann.

0¹/05. Adelung, S. v.: Sonntagsfriede. 1 —

96/00. Adler, F.: Neue Gedichte. Prag-Weinberge, Fr. Adler.

96/00. Adolf, M.: Polterabend-Grüsse. Je — 40

91/95. Adressbuch d. deut. Maschinen-Industrie. Dresd., Verlag deut. Fachadressbücher.

91/95. Akyas, C. v.: Das L'hombre-Spiel. Linz, Zentraldr. vorm. E. Mareis. Erh. 1 —

51/55. Albers, J. F. H.: Die Spermatorrhoea. Aachen, I. Schweitzer. 1 —

91/95. Albrand, W.: Lehrproben. Würzbg., A. Staber's Verl.

96/00. Albrecht, G.: Die Elektrizität. Stuttg., Franckh.

91/95. Album v. Objecten a. d. Sammlg. kunstindustrieller Gegenstände d. Allerh. Kaiserhauses. Arbeiten d. Goldschmiede- u. Steinschlifftechnik. Wien, (Gilhofer & Ranschburg).

91/95. — v. Bad Hall. — 85

91/00. — hervorrag. Gegenstände a. d. Waffensammlg. d. Allerh. Kaiserhauses. Wien, Gilhofer & Ranschburg. 30 —

96/00. Alcock, D.: Die span. Brüder. Aus d. Engl. v. Spangenberg. Konst., C. Hirsch. Erh. 2.40

91/95. Alexander-Katz, H.: Freimaurerei in Preussen. Berl., A. Unger.

96/00. Alfar, S.: 2 Königskinder. Frankf. a/M., Apollo-Verl.

91/95. Alfonsus, A.: Die Wanderbienenzucht. Lpzg., R. C. Schmidt & Co.

96/00. Alge, S.: Sprachbücher. Vertrieb f. Deutschl., Österr.-Ungarn, Skandinavien, Russl. Lpzg., F. Brandstetter.

76/80. Algier, J. J.: Fremdwörterbuch. — 20

91/95. — Rätseltaschenbuch. — 50

91/95. — Taschenspieler. — 50

91/95. — Witz u. Laune. — 50

91/96. Allen, G.: Der Farbensinn. Stuttg., A. Kröner.

86/00. S. 1010. Alpen. Randegger, J.: Wandkarte. Bern, Geogr. Kartenverl. 18 —; aufgez. 26 —

86/90. S. 1011. Alsen. Karte. na 1 —

91/00. Altes u. Neues a. d. luther. Kirche. Elberf., Luther. Bücherver.

86/90. Althaus, F.: Thdr. Althaus. Bonn ,M. Hager.

51/85. Altmüller, F.: Carita. Zürich, A. Wehner.

96/00. Alvenaleben, C. v.: Zum Flintenschuss. Wien, Huber & Lahme Nf.

96/00. Aly, E.: Wolkenkuckucksheimer Dekamerone. Berl., E. Fleischel & Co.

96/00. — Der neue Schwabenspiegel. Ebd.

96/00. Ambrassat, A.: Der relig. Lernstoff. Hilchenb., L. Wiegand.

91/95. — M. Luthers kl. Katech. Ebd.

37/47. Ammon, F. A. v.: Klin. Darstellgn d. Krankh. u. Bildgsfehler d. menschl. Auges. Erh. 54 —; I: 29 —; II: 12 —; III: 18 —; IV: 1 —

71/75. Anchieta, I. de: Arte de grammatica da lingua mais. Lpzg., O. Harrassowitz. na 4 —

81/85. Andacht, d. 6sonntäg., z. Ehre d. hl. Aloysius. Regensburg, Verlagsanstalt vorm. G. J. Manz.

91/95. — 9täg., z. hist. Andlitz uns. Herrn u. Heilandes Jesus Christus. Ebd.

91/95. — 9täg., f. d. armen Seelen d. Fegfeuers v. B. Ebd.

96/00. Anderegg, F.: Die Berufsgenossensch. Bern, Scheitlin, Spring & Co. — 80

96/00. — Lehrb. schweiz. Alpwirtschaft. Ebd. 15 —

96/00. An der Lan-Hochbrunn, H. v.: Die wundertät. schmerzhafte Gottesmutter v. Kalvarienberge in Jerusalem. Regensburg, Verlagsanstalt vorm. G. J. Manz.

96/00. — Das wundertät. Jesukind v. Aracöli. Ebd.

96/00. Anderle, Z.: Mit Schellen u. Fritsche. 2 —; geb. 3 —

91/95. Andersen, H. C.: Schönste Märchen. Bagel. 1 —

86/90. Anderson, E. L.: Die mittl. Reitschule. Berl., Zuckschwerdt & Co.

51/75. Andrä, (C. J.): Vorweltl. Pflanzen. Aachen, I. Schweitzer.

06 I. Andrae, H.: Die Geschichte Israel v. Neukirchen, Bh. d. Erziehgsver.

86/90. Andreae, M.: Martyrium in Genf. Lpzg., Krüger & Co. 1.50

91/95. Andreae, F.: Dunkle Gotteswege. Bas., E. Finckh.

71/75. Angström, C. A.: Ueb. Gesteinsbohrmaschinen. 1 —

51/65. Ankershofen, G. v.: Kärntens älst. Kirche. Denkmalbauten. Wien, A. Schroll & Co.

96/00. Anleitung z. Erteilg. e. gründl. Handarbeits-Unterr. Stuttg., Muth.

96/00. Anschauungsbilder, bibl., z. Neuen Test. Lpzg., Leipz. Schulbilderverl. v. F. E. Wachsmuth.

98/00. Antiquitäten-Zeitung. Stuttg., H. Pfisterer.

96/00. Anzeiger, allg. deut., f. chem. Industrie. Berl., Polyt. Bh. A. Seydel.

96/00. — allg., d. Thon-Industrie f. d. Kgr. Sachsen. Dresd., Calebow & Co. (?)

91/95. Anzengruber, L.: Brave Leut' vom Grund. 1.50; geb. 2.50

47/52. Aphorismen, 100, üb. Staat, Kirche, Schule. Lpzg., Krüger & Co. — 20

96/00. Aram, K.: 'Unter Wolken. Berl., E. Fleischel & Co.

81/85. Arbeiten, kunstgewerbl., a. d. culturhistor. Ausstellg. zu Graz. Lpzg., K. W. Hiersemann.

96/00. Arbeiterbibliothek, Göttinger. o F.

81/00. Arbeiterwohl. 1—20. Jahrg. M.-Gladb., Zentralstelle d. Volksver. f. d. kathol. Deutschl.

96/00. Architekt, der. Jahrg. 1895/1898. Je 5 —; zusammen bezogen 18.50

91/00. Archiv f. hess. Gesch. Darmst., Histor. Ver. f. d. Grossh. Hessen. (Nur direkt.)

81/00. — f. christl. Kunst. Ravensbg., F. Alber.

81/00. — f. d. ges. Physiologie. Bonn, M. Hager.

91/00. — f. soz. Gesetzgebg. u. Statistik. 7—16. Bd. Tüb., J. C. B. Mohr.

91/00. Argo. Wien (XVIII, Gentzgasse 52), Prof. A. Müllner. Mit 1903 eingegangen.

81/85. Arlost's ras. Roland. Uebers. v. O. Gildemeister. Stuttg., J. G. Cotta Nachf. 6 —; geb. 10 —

91/95. Aristophanes: Aves. Ed. J. van Leeuwen. Leid., A. W. Sijthoff.

91/95. Aristoteles: Die Politik. Hrsg. v. M. Brasch. Sachsa, H. Haacke.

96/00. Armee-Zeitung, neue. Wien, L. W. Seidel & Sohn.

99/00. Armen-Seelen-Blatt. 11—13. Jahrg. Donauw., E. Mager.

91/95. Arminius an Publikus. Berl., Deutscher Selbst-Verlag.

96/00. Arminius, W.: Verschieden Weidwerk. Berl., Heilbrunn & Co.

91/95. Armknecht, W.: Pfadweiser. Lpzg., Krüger & Co. — 50

91/95. Arndt, F.: Die Bibel e. Volksb. Hannov., E. Schlemm.

96/00. Arndt, W.: Logenreden. Berl., F. Wunder.

76/80. Arnim, L. A. v., u. C. Brentano: Des Knaben Wunderhorn. Münch., E. Pohl. Geb. Erh. †40 —

51/65. Arnold, A.: Platons Werke. Sachsa, H. Haacke.

41/46. — Uebersetzg. u. Erklärg. einiger Werke Platon's. Ebd.

96/00. Arnold, E.: Die Entwickelg. d. Elektrotechnik in Deutschl. Karlsr., F. Gutsch.

96/00. Arnold, F.: Die Vögel Europas. Stuttg., Verlag f. Naturkde.

96/00. Arnold, R. F.: Europ. Lyrik. Berl., F. Wunder.

96/00. Arnswaldt, C. v.: Gedichte. — 75; geb. 1 —

81/85. Arvisenet, C.: Memoriale vitae sacerdotis. Regensbg., Verlagsanstalt vorm. G. J. Manz.

51/65. Aschbach, J.: Trajans steinerne Donaubrücke. Wien, A. Schroll & Co.

71/75. Asmus, P.: Das Ich u. d. Ding an sich. Sachsa, H. Haacke.

71/80. — Die indogerman. Religion. Ebd.

96/00. Assmann, W.: Die gesetzl. Bestimmgn. betr. d. Verkehr m. Arznei- u. Geheimmitteln. Berl., F. Wunder.

96/00. — Die reichsgesetzl. Bestimmgn. betr. d. Gewerbebetrieb im Umherziehen. Ebd.

96/00. — Das Gesetz üb. d. persönl. Freiheit. Ebd.

96/00. — Die Polizei-Verwaltgs-Gesetze. Ebd.

96/00. — Reichsges. b. Bekämpfg. d. unlaut. Wettbewerbe. Ebd.

96/00. — Reichsges. üb. d. Erwerb u. Verlust d. Reichs- u. Staatsangehörigk. Ebd.

91/95. — Die Stempelgesetze u. Tarife f. d. Deut. Reich. Ebd.

96/00. — Die Veranstaltg. u. Besteuerg. d. öffentl. Lustbarkeiten. Ebd.

96/00. — Die Verfolgg. etc. d. n. d. Auslande geflücht. Verbrecher. Ebd.

91/95. — Das Zolltarifgesetz. Ebd.

96/00. Athletenzeitung. Illustr. Münch.. A. Stolz & Co.

66/75. Atlas kirchl. Denkmäler d. M.-A. Wien, (A. Schroll & Co.).

86/95. — kunsthistor. Ebd.

66/70. Auerbach, B. H.: Gesch. d. israelit. Gemeinde Halberstadt. Berl., L. Lamm. 1.20

96/00. Auf dass sie alle eins seien. Hambg., Schriftenniederl. d. Samariterver.

06 I. — d. Warte. Neumünst., Vereinsbh. G. Ihloff & Co.

96/00. — verangd. Warte. o F.

96/00. Auferstehungsfest. o F.

86/90. Aufnahme, stenogr., d. usw. Central-Commission f. Kunst- u. histor. Denkmale. Wien, A. Schroll & Co.

96/00. Augustinus, A.: Ostergruss. Deutsch v. Wolfsgruber. Münch. (Mariahilfplatz 32), A. Killer.

91/95. Aus goldener Jugendzeit. — 50

86/90. — d. Kinderleben. Bas., E. Finckh.

96/00. — d. Kinderwelt. — 50

96/00. — d. alten Paris. — In d. Wüste. Konst., C. Hirsch, 2.40

81 85. — d. Leben e. reformierten Pastors. Bas., E. Finckh.

96/00. — d. Tageb. e. Verstorbenen. Frankf. a./M., Verl. Orient.

91/95. — grosser Zeit. Patriot. Festspiel. Stuttg., Holland & J. Kaufmann.

91/00 u. 06 I. — fremden Zungen. Berl., Dr. F. Ledermann.

71/75. Ausgleich u. „Verfassungstreue". Lpzg., O. Gracklauer.

96/00. Ausrechner, d. zuverlässig. 1.20

96/00. Ausstell. u.: Pfälz. Idiotikon. Kaisersl., E. Crusius. 2 —

96/00. Automobil u. Velosport. o F.

82/00. Ave Maria. Aachen. Gellenk., C. van Gils.

96/00. Baader, K.: Handb. f. Delikatessenhandlgn. Gotha, P. Hartung.

86/95. Bach, M.: Studien u. Lesefrüchte a. d. Buch d. Natur. III. u. IV. Bd. Köln, J. P. Bachem. Erh. je 3.50; geb. je 5 —

64/70. Bachmann, J.: Das Buch d. Richter. Lpzg., Krüger & Co. 1.50

76/80. Back, S.: Das Synhedrion unter Napoleon I. Frankf. a/M., J. Kauffmann.

91/95. Bäck, S.: R. Mair ben Baruch. 1. Bd. 1.50

71/75. — Die Religionssätze d. hl. Schrift. Lissa, F. Ebbecke.

96/00. Bäder- u. Sport-Zeitung, internat. ö F.
86/90. Bahnen, neue. Hrsg. v. J. Meyer u. H. Scherer. Lpzg.,
R. Voigtländer.
96/00. Bahusen, W.: Andachtsb. f. ev. Christen. Berl., A. Duncker.
81/85. Bahr, H.: Rodbertus' Theorie d. Absatzkrisen. Wien, Manz.
96/00. Bahrfeldt, M.: Beitr. z. Münzgesch. d. Stadt Hameln.
Berl., P. Lehmann.
91/95. Baier, A.: Aus d. Vergangenheit. Lpzg., Krüger & Co. 1 —
91/95. Ballif, P.: Röm. Strassen in Bosnien u. d. Herzegowina.
Wien, A. Holzhausen.
81/85. Ballin, P.: Der Haushalt d. arbeit. Klassen. Lpzg., O.
Gracklauer.
91/95. Baltz, J.: Das Wappen d. Pecci. — 45; geb. — 60
81/85. Baltzer, E.: 5 Bücher v. wahren Menschenthume. Lpzg.,
K. Lentze.
7/680. — Empedocles. Ebd.
71/75. — Ideen z. socialen Reform. Ebd.
66/70. — Pythagoras. Ebd.
91/95. Bamberg, F.: Repetitorium d. Pädagogik. Lpzg., H. A.
L. Degener. 1.20
66/70. Bames: Reise durch d. Welt in Versen. — 30
96/00. — Weitzmann u. A.: Heitere Gedichte in schwäb. Mundart. — 50; geb. — 75
86/90. Earbeck, H.: Die soziale Frage u. d. Programm Bebel's.
Berl., Reichsverbandsverlag. Erh. — 50
76/80. — Gesch. d. Juden in Nürnberg u. Fürth. Berl., L.
Lamm. 1.50
76/80. Bardua, W.: Jugendleben d. Malerin Caroline Bardua.
Berl., (Edm. Meyer). (Preis.)
96/00. Barleben, K.: Christrosen. Stuttg., Holland & J.
91/95. Bartsch, E.: Die grundbücherl. Eintragg. Wien, Manz.
98/90. — Die Landtafel. Ebd.
91/95. — Das gerichtl. Verfahren in Ehesachen. Ebd.
96/00. Basile, G.: Der Pentamerone. Berl., Schreiter.
91/95. Baessler, A.: Südsee-Bilder. Berl., (G. Reimer). nn 8 —
96/00. — Neue Südsee-Bilder. Ebd. nn 10 —
96/00. Bataillon, Regiment u. Brigade. Berl., W. Thoms.
96/00. Bauch, H.: Humorist. Erzählgn. iu deutsches. Mundart. 1—
4. Bd. je 1.80; geb. je 2.25
81/00. Bau- u. Kunstdenkmäler d. Prov. Westpreussen. Danz.,
L. Sannier.
96/00. Baudissin, E. Gräfin v.: Der gute Erich. 2 —
96/00. Bauditz, S.: Erzählgn. Berl., F. Wunder.
96/00. Bauer, K.: Die Kunst- u. Feinwäscherei. Gotha, P. Hartung.
91/95. Bauer, L.: Dieses Buch gehört d. Jugend. Augsbg., Schwäb.
permanente Schulausstellg. Erh. — 75
96/00. Baumann, O.: Afrikan. Skizzen. 3.50
96/00. Baumaterialienkunde. Freibg i/B., J. Bielefeld.
91/95. Baumbach, R.: Abenteuer u. Schwänke. Ill. v. Mohn u. A.
"Ausg. m. gr. Schrift. Stuttg., J. G. Cotta Nachf. 2.80
51/65. Baur, G. A. L.: Gesch. d. alttestamentl. Weissagg. 2.40
51/65. — Predigten in d. ersten halben Jahre s. Amtsführg. in
Hamburg. 2 —
96/00. Bauriedel, P.: Reise-Erinnergn. a. d. Krim. Nürnbg., U.
E. Sebald.
96/00. Bausteine, pädagog. 1—11. Heft. Berl., Gerdes & H.
96/00. Baute, J.: Wallfahrt nach Jerusalem. Paderb., F. Schöningh.
91/00. Bantz, R.: Formenstudien. Frankf. a/M., A. Blažek jun.
96/00. — Kunstpädagog. Wort. Ebd.
96/00. Bauwerke d. Renaissance u. d. Barock in Dresden. Berl.,
M. Spielmeyer. Erh. 5 —
91/95. Bayenthal, A.: Freudenspender. Geb. 1.50
96/00. Becher, H.: Das rechtsrheinisch-bayer. Landescivilrecht.
Geb. nn 8 —
96/00. Bechstein, L.: Märchenbuch. Bagel. — 70
91/95. Bechtold, H. v.: Das Eisenbahnwesen. Lpzg., Luckhardt's
Bh. f. Verkehrswesen.
81/85. Beck, J. T.: Briefe u. Kernworte. 1.20; geb. 1.80
91/95. — Erklärg. d. Briefes Pauli an d. Epheser. 2 —; geb. 2.50
81/85. — Erklärg. d. Briefes Pauli an d. Römer. 6 —; geb. 7 —
76/80. — Erklärg. d. 2 Briefe Pauli an d. Timotheus. 3 —; geb.
3.50
91/95. — Erklärg. d. Briefes Petri. 2.50; geb. 3 —
81/85. — Erklärg. d. Offenbarg. Johannis. Kap. 1—12. 2 —;
geb. 2.50
— Erklärg. d. Propheten Micha u. Joel. 2 —; geb. 2.50
98/00. — Erklärg. d. Propheten Nahum u. Zephanja. 1.50; geb.
2 —
96/00. — Gedanken a. u. n. d. Schrift. 1.50; geb. 2 —
91/95. — Pastorallehren d. Neuen Test. 8 —; geb. 3.50
86/90. — Die Vollendg. d. Reiches Gottes. — 80
86/90. — Vorlesgn. üb. christl. Glaubenslehre. 10 —; geb. 12 —
96/00. Beck, W.: Die Elektrizität u. d. Technik. Erh. 27 —
96/00. Beck, E. steht geschrieben. Frankf. R. Brunn.
Geb. 4 —
96/00. — An d. Qu. a. d. Lebens. Brekl., Christl. Buchh.
68/70. — Des Rabbi Vermächtnis. Kaisersl., E. Crusius. Geb. 10 —
96/00. Becker, H.: Zum Verständnis d. Bibel. 2 Bde. Geb. 3.50
91/95. Becker, M.: Der Brückenbau. Lpz., H. A. L. Degener.
— Handb. d. Ingenieur-Wiss. Ebd.
76/80. Becker, T.: Plato's Charmides. Sachsa, H. Haacke.
96/00. Beckmann, J.: Die Wahrheit üb. Bulgarien. Berl., F.
Wunder.

96/00. Beckmann, O.: Special-Post- u. Eisenbahnk. d. Deut.
Reichs. Berl., Klemm & Beckmann.
91/95. Beddow, B.: Erinnergn. an Stambourne. Neukirch., Bh.
d. Erziehgsver.
91/00. Befestigung, d. ständ., u. d. Festgskrieg. Wien, L. W.
Seidel & S.
96/00. Behse, W. H.: Darstell. Geometrie. 3 —
96/00. Beiträge, Bonner, z. Anglistik. 4. Heft. Erh. 3.60
76/90. — z. Gesch. v. Stadt u. Stift Essen. Essen, Histor. Ver.
ein. Erh. Heft 2—4 je 1 —; Heft je 1.50; 9 u. 13 je 2 —;
1, 5—7 u. 11 vergr.
72/80. Bellesheim, A.: Giuseppe Kard. Mezzofanti. Regensbg.,
Verlagsanst. vorm. G. J. Manz.
51/95. Bemerkungen zu d. Sätzen d. Antwort Prof. Harnack's
an e. Abordng. Theologie-Studirender in Sachen d. Aposto-
likums. Lpzg., Krüger & Co. — 50
91/95. Bender, A.: Die Reiterkäthe. Bad Eberbach, Selbstverl.
91/95. Bender, H.: Rom u. röm. Leben im Altertum. 3 —; geb. 5 —
91/95. Bender, H.: Wesen d. Sittlichk. Sachsa, H. Haacke.
51/00. Bender, J.: Repetitorien u. Examinatorien. Berl., R.
Trenkel.
98/00. — Repetitorium u. Examinatorium d. BGB. Ebd. 8 —;
geb. 10 —; 1. Heft 1.50; 2. Heft 3 —; 3. Heft 1.75; 4. Heft
2 —; 5. Heft 1.75
81/85. Benecke, E.: Wilh. Vatke. Bonn, M. Hager.
81/85. Benedix, R.: Haustheater. 2 Bde. Je 3 —; geb. je 4.50
96/00. Benesch, A.: Sdsténegrüsse. 1 —
91/95. Benno, M.: Glück auf! Münch., Allg. Verlags-Gesellschaft.
Erh. 1.20; geb. 1.80
91/95. — Aus Nah u. Fern. Ebd.
96/00. Beowulf. Aus d. Angelsächs. v. P. Hoffmann. Barm.,
Heidsieck & G. Erh. 2 —; geb. 3 —
71/75. Berg, O. H. E. v.: Gesch. d. deut. Wälder. Berl., P. Parey.
96/00. Bergemann, P.: Adam Smith's pädagog. Theorien. Sachsa,
H. Haacke.
91/95. Berger, W.: Daheim u. Draussen. Berl., W. Herlet.
96/00. — Von Glück u. Leid. Ebd.
96/00. Bergervoort, B. M.: Direkter Abortus u. Kraniotomie.
Regensbg., Verlagsanst. vorm. G. J. Manz.
86/90. Berg- u. Hüttenmann. d. Dresd., Calebow & Co. (?)
96/00. Bergmann, A.: Wiener Küche. Wien, Dorfmeister.
96/00. Bergmann, A.: Musterbriefe. Karlsr., F. Gutsch.
96/00. Bericht üb. d. Gemeinde-Verwaltg. d. Stadt Altona. Altona, (J. Harder, Sort.). 6 —
91/00. — üb. d. Verhandlgn. d. 6. u. 7. ev.-soz. Kongresses.
Gött., Vandenhoeck & R.
81/00. — d. Central-Commission f. Erforschg. u. Erhaltg. d.
Kunst- u. histor. Denkmale. Wien, (A. Schroll & Co.).
91/00. — d. Wiener Stadtphysikates. Wien, Gerlach & W.
71/00. — üb. d. Veterinärwesen im Kgr. Sachsen. Dresd., v. Zahn
& J.
71/00. Berichte u. Mitteilungen d. Altertumsver. zu Wien.
Wien, (Gerold & Co.).
96/00. Berlin n. seine Bauten. 20 —; geb. nn 30 —
96/00. Bern, M.: Sonntagsglocken. 2 —; geb. m. G. 3 —
71/75. Bernard, E.: W. Langland. Bonn, M. Hager.
96/00. Bernardo de Nantes: Catecismo da lingua Kariris. Lpzg.,
O. Harrassowitz. nn 12 —
96/00. Berner, W.: Aus d. Praxis f. d. Praxis. Lpzg., G. Uhl.
91/95. Bernhard, E.: Gipsabgüsse. Lpzg., M. Heinsius Nf.
91/95. — Das Wasserglas. Ebd.
81/90. Bernoulli, J. J.: Röm. Ikonographie. Berl., G. Reimer.
96/00. Bernstein, A.: Naturwiss. Volksbücher. Einzelpr. jedes
Teils d. Einzelausg. 1 —
96/00. Bernstein, E.: Zur Gesch. u. Theorie d. Socialismus.
Berl., Vita.
96/00. Bernstorff, F.: Franz u. Minchens Abenteuer. 1 —
96/00. Beronson, B.: Die florentin. Maler d. Renaissance. Berl.,
P. Lehmann.
76/80. Berthold, C.: Die Forschgsreisen v. Armand David.
Regensbg., Verlagsanst. vorm. G. J. Manz.
86/90. Berthold, T.: Das Leben Mariä f. Kinder. 1.90
76/80. Bertonio, L.: Arte de la lengua Aymara. Lpzg., O. Harrassowitz. nn 9 —
71/75. Bertram's (G. J. v. Schultz) ges. Schriften. Reval, F.
Kluge. 6 —
71/75. — Ilmata. Ebd.
71/75. — Hallerlei nurrige Sichten. Ebd. — 50
68/70. — verbunt Eulge. Ebd. 3 —
96/00. Berzeviczy, G. v.: Aus d. Lehr- u. Wanderjahren e.
ungar. Edelmannes. Berl., F. Wunder.
91/95. Besant, A.: Geist u. Welt. Lpzg., M. Altmann.
71/75. Beschluss d. k. Consistoriums d. Prov. Brandenburg in
d. Disziplinar-Untersuchg. wider Sydow. Lpzg., Krüger &
Co. — 90
96/00. Beschreibung d. Bildwerke d. christl. Epochen. Berl.,
G. Reimer.
86/95. — d. antiken Münzen d. kgl. Museen zu Berlin. Ebd.
76/80. — d. Bez.-Amts Ochsenfurt. Würzbg., F. X. Bucher.
91/00. — d. in d. Reichs-Telegraphenverwaltg. gebräuchl. Apparate. 10 —
91/95. — d. antiken Skulpturen. Berl., G. Reimer. Geb. 25.50
71/80. Besser, L.: Die Ehe. Bonn, M. Hager.
81/85. — Was ist Empfindg.? Ebd.

76/80. Besser, L.: Der Mensch u. seine Ideale. Bonn, M. Hager.
91/05. — Das d. Menschh. Gemeinsame. Ebd.
86/90. — Die Religion d. Naturwissenschaft. Ebd.
96/00. Bethe, A.: Dürfen wir d. Ameisen psych. Qualitäten zuschreiben? Bonn, M. Hager.
51/55. Bethmann-Hollweg, M. (A.) v.: Joh. Gossner. Lpzg., Krüger & Co. — 90
96/00. Betz, L. P.: Pierre Bayle. Strassbg., K. J. Trübner.
91/95. — Heine in Frankr. Ebd.
71/75. Beust, Graf, im Lichte d. Wahrheit. Lpzg., O. Gracklauer.
91/95. Bewar, M.: Bei Bismarck. Laubegast, Goethe-Verl.
91/95. — Bismarck wird alt. Ebd. — 50
91/95. — Bismarck im Reichstage. Ebd.
86/90. — Bismarck, Moltke u. Goethe. Ebd. — 50
91/95. — Bismarck u. Rothschild. Ebd.
91/95. — Gedanken. Ebd.
86/90. — Gedanken üb. Bismarck. Ebd.
91/95. — Gedichte. Ebd.
96/00. — Ein Goethepreis. Ebd.
91/95. — Grabschriften auf Bismarck. Ebd.
91/95. — Rembrandt u. Bismarck. Ebd.
66/70. Bhagavad-Gîtâ, d., übers. v. F. Lorinser. Lpzg., O. Harrassowitz. 4 —
96/00. Bibel, die. (Hrsg. v. Müller u. Benzinger.) Lpzg., Deut. Bibelgesellsch.
96/00. — die. Hrsg. v. Strack u. Kurth. Ebd.
86/00. — die. Mit Bildern d. Meister christl. Kunst. Hrsg. v. R. Pfleiderer. Konst., C. Hirsch.
51/65. Bibelwerk, d. Bunsen'sche. Lpzg., Krüger & Co. — 40
81/85. Biblia sacra vulgatae editionis usw. Erh. 4.30
86/00. Bibliotheca botanica. Stuttg., E. Schweizerbart.
86/00. — mathematica. N. F. 13 Bde. m. Generalreg. Stockh., Aktie-Bolaget Nordiska Bokhandeln.
91/00. — medica. Stuttg., E. Schweizerbart.
91/00. — patrum latinor. britann. Wien, (A. Hölder).
81/00. — zoologica. Stuttg., E. Schweizerbart.
66/80. Bibliothek f. christl. Leser. Regensbg., J. Habbel.
76/80. — naturwiss. Schriften. 1. Bd. Berl., H. Barsdorf.
96/00. — nord. Meister-Erzähler. Berl., Schreiter. 6 F.
66/70. — philosoph. (Baco, neues Organon.) Lpzg., Dürr'sche Bh. Erh. 5 —
86/90. — geogr. Reisen. 14. u. 15. Bd. Die erm. Preise sind aufgehoben.
96/00. — d. Reisen u. Abenteuer. Berl., E. Freyhoff.
91/95. — theosoph. Lpzg., M. Altmann.
96/00. Biedenfeld, C. Frhr. v.: Auszüge a. d. amerikan. Tageb. Lpzg., G. Müller-Mann. 1.50
81/85. Biedermann, A. E.: Dogmatik. 12 —; I.: 4 —; II.: 8 —
81/85. — Vorträge u. Aufsätze. 5 —
91/95. Bielenstein, A.: Reiseskizzen. Riga, Jonck & P. 1.20
96/00. Bienenstein, K.: Die Heimatscholle. Wien, J. Deubler.
81/00. Bienenzeitung, deut. illustr. Lpzg., R. C. Schmidt & Co.
96/00. Bierbaum, O. J.: Gugeline. Lpzg., Insel-Verl.
96/00. Biermann, G.: Gesch. d. Protestantismus in Österr.-Schlesien. Prag, (F. Ehrlich). 3 —
35/42. Biese, F.: Die Philosophie d. Aristoteles. 10 —
71/85. Bilder z. deut. Gesch. Die Sammlg. 9 —; Text d. Heft — 75
96/00. Bilderatlas z. deut. Geschichte. Frankf. a/M.-Sa., Englert & Schlosser. (Nur dir.)
96/00. Bilharz, O.: Die mechan. Aufbereitg. v. Erzen. I. 25 —; II. 15 —
91/00 u. 06 I. Billard, das. Mainz, (Mainzer Verl.-Anst.).
91/00. Biner, J.: Kinder-Glückwünsche. Würzbg., F. X. Bucher.
96/00. — P. Kern. G. Zeller: Präparationen f. Behandlg. d. Lesestücke in Fischers Unterklassen-Lesebuch. Ebd.
96/00. Birnbaum, M.: Wie werde ich wieder jung? — 60
91/95. Bischoff, C. A.: Handb. d. Stereochemie. Lpzg., M. Heinsius Nf.
91/95. Bismarck u. Caprivi. Laubegast, Goethe-Verl.
91/95. — u. d. Hof. Ebd.
91/95. — u. d. Kaiser. Ebd.
91/95. — u. d. auswärt. Politik. Ebd.
91/95. — u. d. Sozialdemokratie. Ebd.
91/95. — u. d. allg. Wahlrecht. Ebd.
91/95. Bismarckfeier, d., in Bonn 1895. Bonn, M. Hager. Erh. — 60
96/00. Bittrich, M.: Neue Spreewaldgesch. Berl., F. Wunder. 1.50; geb. 3 —
96/00. Blachny, F.: Der treue Eckart. Stuttg., Holland & J. — 40
96/00. — Melanchthon u. Luther. Ebd. — 40
96/00. — In schwerer Zeit. Ebd. — 40
91/95. Blank, F.: Mathemat. Unterr.-Briefe. Gera, P. Stoetzner.
91/95. Blaschke, P.: Anl. z. Selbsterlerng. d. französ. Sprache. 1.50
81/85. Blasius, E. H.: Die Cholera. Lpzg., O. Gracklauer.
86/00. Blatt, dies, gehört d. Hausfrau. Berl., Ullstein & Co.
86/00. Blätter f. Architektur u. Kunsthandwerk. Berl., M. Spielmeyer.
71/85. — deut., f. Blecharbeiter. Lpzg., F. Stoll jr.
96/00. — deutsch-soz. Hambg., Reichsverband d. deutsch-soz. Partei. 1.
64/00. — f. Gefängniskde. Hdlbg., C. Winter, V.
85/00. — f. Geflügelzcht. Reichenbach,(J. G. Koch.
76/00. — schleswig-holstein., f. Geflügelzucht. Kiel, Geschäftsstelle. ò H.

76/00. Blätter, deut. geograph. Brem., F. Leuwer.
71/00. — neue militär. Berl., Rissel's Deut. Centrale f. Militärwiss.
76/00. — f. ält. Sphragistik. Wien, A. Schroll & Co.
81/00. — österr., f. Stenogr. Wien, Manz.
86/90, 96/00. — österr., f. Faulmann'sche Stenogr. Wien, (A. Bermann).
66/00. — f. Angelegenh. d. bayer. Turnerbundes. Nürnberg, Bayer. Turnerbund.
96/00. Blau, H.: Gautama. Lpzg., Dürr'sche Bh.
86/95. Bleek, F.: Einleitg. in d. hl. Schrift. 13 —; I: 6 —; II: 7 —
96/00. Bleibtreu, K.: Krit. Beiträge z. Geschichte d. Krieges 1870-71. Lpzg., O. Gracklauer.
88/95. — Lord Byron. Lpzg., F. Luckhardt.
86/90. — Byron d. Übermensch. Ebd.
91/95. — Christentum u. Staat. Lpzg., O. Gracklauer.
86/90. — Dramat. Werke. Ebd.
86/90. — Die Entscheidgsschlachten d. europ. Krieges 18.. Berl., R. Eckstein Nf.
86/90. — Das Erbe. Lpzg., O. Gracklauer.
91/95. — Erbrecht. Berl., R. Eckstein Nf.
86/90. — Ein Faust d. That. Lpzg., O. Gracklauer.
86/90. — Feldherrnbilder. Berl., R. Eckstein Nf.
96/00. — Der russ. Feldzug 1812. Ebd.
86/90. — Der Freiheitskampf in Siebenbürgen. Ebd.
96/00. — Gedankenübertragg. beim gr. Generalstabe. Lpzg., M. Altmann.
86/90. — Gesch. d. engl. Litt. Ebd.
91/95. — Gesch. u. Geist d. europ. Kriege unter Friedrich d. Grossen u. Napoleon. Berl., R. Eckstein Nf.
81/85. — Schlechte Gesellschaft. Ebd. 2 —
86/90. — Götzen. Lpzg., O. Gracklauer.
96/00. — Grössenwahn. Berl., R. Eckstein Nf.
86/90. — Das Halsband d. Königin. Lpzg., O. Gracklauer.
86/90. — Heroica. Berl., R. Eckstein Nf.
96/00. — Der Imperator. Lpzg., O. Gracklauer.
86/90. — Der Kampf ums Dasein in d. Literatur. Ebd.
81/85. — Kraftkuren. Berl., R. Eckstein Nf. 1 —
91/95. — Kriegstheorie u. Praxis. Lpzg., F. Luckhardt.
81/95. — Kosmische Lieder. Lpzg., O. Gracklauer.
81/85. — Lieder a. Tirol. Lpzg., F. Luckhardt.
91/95. — Massenmord. Lpzg., O. Gracklauer.
86/90. — Napoleon I. Berl., R. Eckstein Nf.
91/95. — Der Nibelunge Not. Lpzg., O. Gracklauer.
96/00. — Die Propaganda d. That. Berl., R. Eckstein Nf.
91/95. — Zur Psychologie d. Zukunft. Lpzg., O. Gracklauer.
86/90. — Rache. Auferstanden. Ebd.
88/90. — Revolution d. Lit. Lpzg., M. Altmann.
86/90. — Schicksal. Lpzg., F. Luckhardt.
91/95. — Die Schlacht v. Bochnia. Berl., R. Eckstein Nf.
86/90. — Schlachtenbilder. Ebd.
81/85. — Lyrisches Tageb. Lpzg., O. Gracklauer.
76/80. — Der Traum. Ebd.
86/90. — Vaterland. Ebd.
96/00. — Deutsche Waffen in Spanien. Berl., R. Eckstein Nf.
91/95. — Letzte Wahrheiten. Lpzg., O. Gracklauer.
86/90. — Weltgericht. Ebd.
96/00. — Der böse Wille d. Militarismus. Lpzg., M. Altmann.
96/00. Bley, F.: Botan. Bilderb. Lpzg., F. Hirt & S.
96/00. Bley, F.: Durch! Berl., E. Fleischel & Co.
96/00. — Horrido! Ebd.
96/00. Blochmann, R. H.: Die Physik. Stuttg., Franckh.
96/00. — Die Sternkde. Ebd.
96/00. Block, M.: Kleines Hdb. d. Nationalökonomie. Berl., M. Krayn.
91/95. Blumberger, J.: Moselwein u. Moselbier. Köln, Hoursch & Bechstedt.
24/56. Blume, F.: Iter Italicum. Berl., R. L. Prager. I. 3 —; III. 3 —; IV. 4 —; II tist vergr.
91/95. Blumensprache, d., d. Liebe u. Freundschaft. — 90
86/00. Blumenthal, H.: Buchhändler-Fachschriften. Iglau, Th., Nessl.
96/00. Blumenthal, O., u. G. Kadelburg: Im weissen Rössl. Berl., E. Bloch.
96/00. Blunk, K.: Der Freiheitskampf d. Dithmarschen. Glückst., M. Hansen. 1 —
96/00. Blüten u. Früchte. Reutlingen, Ensslin & L. Je — 15; je 2 in 1 Bd kart. — 40
06 I. Boas, J. E. V.: Lehrb. d. Zool. Erh. 11 —; geb. 13 —
81/85. Bobertag, F.: Gesch. d. Romans. 12 —
96/00. Boccaccio's, G., Dekameron. Deutsch v. D. W. Soltau. Ebd.
96/00. — Die lieb. Fiammetta. Deutsch v. E. Soltau. Ebd.
96/00. Bock, A.: Dora Peters. Berl., E. Fleischel & Co.
96/00. — Die Prinzessin v. Sestri. Ebd.
96/00. — Bodo Sickenberg. Ebd.
86/90. Bock, W.: Italien. Bildhauer d. Renaissance. Berl., G. Reimer.
96/00. Bode, W.: Alkohol & Co. Weim., W. Bode. Erh. — 20
96/00. — Nachdenkl. Geschichten v. Trinken. Ebd.
96/00. — Neue Geschichten v. Trinken. Ebd.
96/00. — Warum uns. Kinder Wein u. Bier nicht haben sollen. Ebd. Erh. — 10
96/00. — An d. Politiker. Ebd.

91/95. Bode, W.: Zum Schutz uns. Kinder vor Bier u. Wein. Weim., W. Bode. — 20
96/00. — Deut. Worte üb. deut. Trinken. Ebd.
91/95. Bodelschwingh, F. v.: Von d. Leben u. Sterben 4 sel. Kinder. Bethel b/Bielef., Bh. d. Anst. Bethel.
96/00. Boden, K.: Giftschlangenbisse. Oranienbg., W. Möller.
96/00. Bögh, E.: Wahrheits Pilgergang. Berl., A. Wertheim.
96/00. Böhlau, H.: Schlimme Flitterwochen. Berl., E. Fleischel & Co.
81/85. Böhlk, A.: Berechng d. Balkenbrücken. Lpzg., H. A. L. Degener.
91/95. Boehmer, J.: Liturg. Bibelandachten. Stuttg., Greiner & Pf.
96/00. — Das bibl. „Im Namen". 1.20
96/00. — Brenn. Zeit- u. Streitfragen. 2.70; I u. II. je — 75; III u. IV. je — 60
81/85. Bohn, E.: Bibliogr. d. Musik-Druckwerke bis 1700. Bresl., (J. Hainauer). 7 —
91/95. — 50 histor. Concerte in Breslau. 2 —
86/90. — Die musikal. Handschriften usw. in d. Stadtbibl. zu Breslau. 7.50
81/85. Bohn, R.: Die Propyläen d. Akropolis zu Athen. Berl., G. Reimer.
96/00. Böhtlingk, A.: Uns. deut. Eisenb. Karlsr., F. Gutsch.
96/00. — Carl Friedr. Nebenius. Ebd.
86/90. Boillot: Essais de levée. Lpzg., C. Beck. 1.50
51/65. Bokelberg, E.: Die Längengefälle d. Kunststrassen. Lpzg., H. A. L. Degener.
96/00. Boll's musikal. Haus- u. Familienkalender. 6 F.
86/90. Bolley's Hdb. d. techn.-chem. Untersuchgn. 12 —
96/00. Bondy, O.: Beschäftigg. d. Kindes. Berl., J. Gnadenfeld & Co.
96/00. Boneberger, A.: Der Kneippkur-Charlatanismus. Mindelh., A. Schorer.
96/00. Bonnenberg, E.: Das Strafverfahren in Zoll- u. Steuersachen. 5 —; geb. 5.50
86/90. Boos-Jegher, E.: Stickerei-Buchstaben. 1 —
86/95. — Stickerei-Monogramme. 6 Hefte. Je 1 —; vollst. geb. 4 —
66/70. Borchers, E.: Die prakt. Markscheidekunst. Lpzg., H. A. L. Degener.
96/00. Borchert, K.: Lehr- u. Übgsbb. f. d. Schreibmaschine. Berl., Frz. Schulze.
96/00. Borel, E.: Grammaire franç. à l'usage des Allemands. Stuttg., A. Bonz & Co.
71/75. — dass. à l'usage des Anglais. Ebd.
81/85. Borgius, E.: Brosamen v. Tische d. Herrn. Lpzg., Krüger & Co. — 75
91/95. — Der christl. Glaube. Königsbg., Ev.Buchh. 1.50; geb. 2.50
96/00. — Aus Posens u. Polens kirchl. Vergangenheit. Lpzg., Krüger & Co. — 40
91/95. Bormann, G.: Meer u. Heide. Berl., W. Herlet.
51/65. Bormann, K.: Die Hohenzollern'schen Landesherrn u. d. Bibel. Lpzg., Krüger & Co.
71/75. — Das Mädchen a. d. Fremde. Ebd. — 60
76/80. — Pädagogik f. Volksschullehrer. Ebd. 1.50
51/65. — Die Berliner Realschule u. d. kath. Schulen Schlesiens u. Oesterr. Ebd. — 15
71/75. — Schulkunde f. ev. Volksschullehrer. II. u. IV. Tl. Ebd. II. 1.20; IV. 1 —
96/00. Born, S.: Erinnergn. e. Achtundvierzigers. Berl., Heilbrunn & Co.
96/00. Bornstein, P.: Der Tod in d. modernen Litt. 3 —
91/95. Borntraeger, J.: Compendium d. gerichtsärztl. Praxis. Würzbg., A Stuber's V.
91/95. — Desinfektion. Ebd.
81/85. Borovský, F. A.: Führer durch d. Böhmerwald. 2 —
81/85. — Ausführl. Führer durch Prag. 1 —
76/80. Borst, F.: Rundschrift. Würzbg., F. X. Bucher.
96/00. Bote, d. russisch-deut. Berl., Verein. Verlagsanstalten & Co. (?)
96/00. Boettcher, J., u. A. Bernewitz: Ein Beitr. z. Bau d. Hauses Gottes. Riga, Jonck & P.
91/00. Boetticher, F. v.: Malerwerke d. 19. Jahrh. Lpzg., K. F. Koehler.
91/95. Boucher, F.: 58 Bl. Lichtdr. Berl., J. Gnadenfeld & Co.
51/75. Bourdaloue, L.: Sämtl. Werke. 14 Bde. Erh. 18 —; 4—6. Bd. 6.60; 9. u. 10. Bd. 4 —; 9—12. Bd. 6.60
91/95. Bouvier, M. P. L.: Handb. d. Oelmalerei. Lpzg., K. W. Biersemann.
91/95. Boy, I.: Die Spiritisten. Stuttg., Holland & J.
96/00. Boy-Ed, I.: 2 Novellen. Berl., Harmonie.
81/85. Braasch, A. H.: Das Conto zw. d. ev. u. kath. Kirche. Jena, H. W. Schmidt. — 10
96/00. Bradke, F. Ferin v.: Novellen. Münch., Allg. Verlags-Gesellschaft.
86/90. Bradke, P. v.: Beitr. z. Kenntnis d. vorhistor. Entwicklg. uns. Sprachstammes. — 80
86/90. — Üb. Methode u. Ergebnisse d. ar. Alterthumswiss. 2.40
91/95. Brahm, O.: H. v. Kleist. Berl., E. Fleischel & Co.
76/80. Brandstäter, F. A.: Chronolog. Uebersicht d. Gesch. Danzigs. Danz., L.-Saunier.
81/85. Brandt, M. G. W.: Liturg. Christfeier. Bas., E. Finckh.
96/00. Brann, M.: Gesch. d. Juden in Schlesien. Bresl., Koebner.
96/00. Braess, M.: Uns. gefiederten Freunde. Dresd., H. Schultze.

96/00. Brauer, A.: Die Heiliggskraft d. Blutes Jesu. Arnst., Verlagsbureau.
96/00. Braun's Novellen- u. Roman-Sammlg. Rgnsbg., J. Habbel.
81/85. Braun, E.: Durchs Leben. Stuttg., Holland & J.
81/85. Braun, F.: Glaubenskämpfe u. Friedenswerke. Stuttg., J. F. Steinkopf.
86/90. Braun, F.: Die Pensionirung d. Staatsbeamten. Lpzg., Luckhardt's Bh. f. Verkehrswesen.
81/85. Braun, H.: Der Kinder Lieblings-Märchen. — 50
78/80. Braun, J.: Lieder v. Leben im irrd. Eden. 1. Afl. Aach., I. Schweitzer.
81/85. Braun, J. W.: Schiller u. Goethe im Urtheile ihrer Zeitgenossen. 3. Bd. Lpzg., O. Gracklauer.
91/95. Braun, T.: Die Bekehrg. d. Pastoren. Lpzg., Krüger & Co. — 20
86/90. — u. Fischer: Zum Gedächtnis D. Büchsels. Ebd. — 20
96/00. Brecher, G.: Richard Strauss. Berl., Harmonie.
96/00. Bredenbrücker, R.: Crispin, d. Dorfbeglücker. Stuttg., A. Bonz & Co.
96/00. — Von d. Lieb'. Ebd.
96/00. — Unterm Liebesbann. Ebd.
96/00. — Der led. Stiefel. Ebd.
96/00. — Drei Teufel. Ebd.
86/90. Brehmer, H.: Die Therapie d. chron. Lungenschwindsucht. Berl., Vogel & Kreienbrink.
96/00. Breitner, A.: Belletrist. Archäol. Lpzg., C. F. Tiefenbach. 1 —
91/95. — Diemut. Ebd.
91/95. — Juvaviae rudera. Ebd.
86/90. — Vindobonae Rosa. Ebd.
76/80. Brennekam, O.: Irrfahrt u. Heimfahrt. Lpzg., Krüger & Co. 1.20
96/00. Brennert, H.: Modeworte. Berl., E. Fleischel & Co.
47/51. Brennglas, A.: Berl. Volksleben. Berl., Patria-Verl.
91/95. Brennwald, A.: Zur Lage d. Welthandels. Weissensee, H. W. Th. Dieter.
96/00. Bresnitz v. Sydačoff: Abdul Hamid u. d. Christenverfolggn. in d. Türkei. Lpzg., O. Gracklauer.
96/00. — Die panslav. Agitation u. d. südslav. Bewegg. in Oesterreich-Ungarn. Ebd.
96/00. — Bulgarien u. d. bulgar. Fürstenhof. Ebd.
96/00. — Die Christenverfolggn. in d. Türkei unter d. Sultan Abdul Hamid. Ebd.
96/00. — Das Ende d. Dynastie Obrenovic. Ebd.
96/00. — König Karl, Rumänien u. d. Rumänen. Ebd.
96/00. — Die Korruption in Serbien. Ebd.
96/00. — König Milan. Ebd.
96/00. — Czar Nikolaus II. u. sein Hof. Ebd.
96/00. — Die Polen u. d. Mission d. Polenklubs im österr. Reichsrathe. Ebd.
96/00. — Will Russland d. oriental. Frage lösen. Ebd.
96/00. — Bulgar. Sittenbilder. Ebd.
96/00. — Soll d. Türkei getheilt werden? Ebd.
81/00. Breton, D.: Dictionnaire caraibe-franç. Lpzg., O. Harrassowitz. nn 22 —; caraibe-franç. nn 10 —; franç.-caraibe nn 12 —
96/00. Bretschneider, H.: Lectures et exercices franç. Lpzg., R. Wöpke.
96/00. Briefe von u. üb. Jak. Frohschammer. Berl., F. Wunder.
96/00. — skept. — 40
96/00. Briefmarkensprache. — 15
96/00. Brieger, A.: Verirrt u. heimgefunden. Berl., F. Wunder.
96/00. Briesen, E. v.: Dichtgn. Düsseldf., W. Deiters.
91/95. Brinckmeier, E.: Anlage u. Erhaltg v. Blumenparterres. Carlshorst-Berl., H. Friedrich.
91/95. — Anl. z. Iohn. Kultur d. Schnittblumen. Ebd.
81/90. Brinkmann, F.: Syntax d. Französ. u. Engl. I. 5 —; II 1. 3 —; II 2. 4 —
78/80. Brischar, K.: P. Adam Contzen. Rgnsbg., Verlagsanstalt vorm. G. J. Manz.
78/80. — P. Athanasius Kircher. Ebd.
51/75. Brockerhoff, F.: Rousseau. Berl., H. Barsdorf.
96/00. Brogger, W. C., u. N. Rolfsen: Fridtjof Nansen. 3.50; geb. 5 —
96/00. Bruck-Auffenberg, N.: Die Frau comme il faut. Berl., J. Gnadenfeld & Co.
91/95. Bruckbräu's T., Münchener Kochb. Gotha, P. Hartung.
71/75. Brückner, B. B.: Gemeinschaft d. ev. Landeskirchen im deut. Reich. Lpzg., Krüger & Co. — 20
65/70. — Die Weisg. d. Herrn d. Kirche an d. erwählten Mitarbeiter f. d. Zwecke d. Kirche. Ebd. — 15
96/00. Brüll's Monatsblätter. Frankfurt a/M. (Feldbergstr. 36 II), Selbstverl.
96/00. Brunckow, O.: Die Wohnplätze d. Deut. Reiches. Dessau, Selbstverl.
91/95. Brunner, P.: Ich kann schon lesen. Berl., J. Gnadenfeld & Co.
96/00. — Kindertheater. Ebd.
91/95. Bube, J.: Engl. Leseb. Stuttg., A. Bonz & Co. Erh. geb, 3.50
96/00. — Erstes engl. Leseb. Ebd.
96/00. — Schulgrammatik d. engl. Sprache. Ebd.
96/00. — Engl. Übgsb. Ebd.
96/00. Buberl, J.: Bericht d. usw. Comités, betr. Typen f. Walzeisen. Wien, Spielhagen & Sch.

66/70, 76/85. Buch, L. v.: Schriften. 50—; I u. II je 7 —; III 11 —; IV. 25 —
96/00. Buchenau, F.: Bremen. Brem., E. Hampe. 2 —; geb. 3 —
86/90. Bucher, B.: Die alten Zunft- u. Verkehrsordngn. d. Stadt Krakau. Wien, Gilhofer & Ranschburg. 10 —
81/85. Bücher, K.: Die Trauerfrage im Mittelalter zu ändern in: Frauenfrage.
49/50. Buchfellner, S.: Leben d. Heiligen Gottes. Rgnsbg., Verlagsanstalt vorm. G. J. Manz.
96/00. Buchhandelsblätter, deut. Erfurt, Ohlenroth'sche Buchdr.
91/00. 06 I. Buchhändler-Zeitung, allg. Lpzg, E. Thomas.
76/80. Büchner, G.: Sämtl. Werke u. handschriftl. Nachlass, hrsg. v. Franzos. Stuttg., J. G. Cotta Nf.
91/95. Büchner, L.: Darwinismus u. Sozialismus. Stuttg., A. Kröner.
81/85. — Die Macht d. Vererbg. Ebd.
86/90. Buechner, W.: De Neocoris. — 70
71/75. Büchsel: Predigt üb. Psalm 23. Lpzg., Krüger & Co. — 10
91/00. Büchsel, C.: Erinnergn a. d. Leben e. Landgeistlichen. Berl., M. Warneck.
96/00. Buchwald, G.: D. Paul Eber. Lpzg., B. Liebisch.
96/00. — Gesch. d. ev. Gemeinde zu Kitzingen. Ebd.
96/00. — Philipp Melanchthon. Ebd.
96/00. — Reformationsgesch. d. Stadt Leipzig. Ebd.
91/95. Buckman, S. S.: Vererbsgesetze. Stutt., A Kröner.
91/95. Budde, E.: Mechanik d. Punkte u. starren Systeme. 15 —; I. 7 —; II. 8 —
86/90. Budde, K.: Die Bücher Richter u. Samuel. 5 —
93/00. — Die sog. Ebed-Jahwe-Lieder. 1 —
81/85. — Die bibl. Urgesch. 10 —
76/80. Büdinger, M.: Vorlesgn. üb. engl. Verfassgsgesch. Wien, Manz.
96/00. Bühring, G.: Lenz u. Liebe. Stuttg, Dr. Bühring.
86/90. Bulle, C.: Gesch. d. neuesten Zeit. Berl., L. Simion Nf. 9 —
81/85, 96/00. Bulletin du musée histoire d. Mulhouse. Lpzg., C. Beck. I—III je nn 4 —; IV—XXVIII je nn 2 —
96/00. Bülow, E. v.: Die Kahnstatuen. Wien, Selbstverl.
95/00. Bumüller, J.: Mensch od. Affe? Münch., G. Schuh & Co.
96/00. Bunke, E.: Glaube an d. Herrn Jesum Christum. Berl., Vaterländ. Verl.- u. Kunstanst. — 60
96/00. Bunyan, J.: Die Pilgerreise nach d. Berge Zion. Kart. 1.50
75/80. Bunz: Der Franzosenfeiertag 1848. — 40
96/00. Burchardt-Nienstein, A.: Der grosse Kaiser. Gött, H. Peters.
66/70. Burckhardt, F.: Die Erfindg. d. Thermometers. Basel, B. Wepf & Co. 2 —
91/95. Burckhardt, W.: Mathemat. Unterr.-Briefe. Gera, P. Stoetzner.
51/55. Burger, C. G.: Hausarzt. 1 —
81/85. Burk, C.: Gesch. d. christl. Kirche. Stuttg., J. F. Steinkopf.
81/85. — Mart. Luther. Ebd.
96/00. Burkhardt, G.: Warum d. Brüdergemeine usw. Herrnhut, Missionsbuchh.
86/90. Bürklin, A.: Der Lehrer Hinkende. 3 Bde. Je 1.50; geb. je 2 —
86/90. Burmester, J.: Lehrb. d. Kinematik. I. Bd. 25 —
96/00. Busse, K.: Novalis Lyrik. Bresl., Koebner.
96/00. Büttel, G. A.: Gustav Adolfs Grab. Bas., E. Finckh.
81/85. Büttner, H.: Bethania. Hannov., E. Schlemm.
96/00. — Golgatha. Ebd.
81/85. — Jesu Wort an d. wein. Töchter v. Jerusalem. Ebd.
96/00. Büttner, H.: Die Lehrerin. Lpzg., C. Bange.
91/00. Büttner Pfänner zu Thal: Anhalt's Bau- u. Kunstdenkmäler. Dess., C. Dünnhaupt. Geb. 30 —
96/00. Buxbaum, E.: Thatenbuch d. deut. Reiterei. Lpzg., O. Gracklauer.
96/00. Cahn, W.: Pariser Gedenkblätter. Berl., E. Fleischel & Co.
96/00. Oahu, T., u. L. Forest: Das Vergessen? 2 —; geb. 2.75
96/00. Caine, H.: Der Manksman. Lpzg., H. A. L. Degner
51/55. Camesina, A.: Die Darstellgn. auf d. Bronze-Thüre v. S. Marco. Wien, A. Schroll & Co.
51/55. — Glasgemälde a. d. 12. Jahrh. Ebd.
91/95. Campe, J. H.: Robinson Krusoe. Bagel. 2 —
91/95. Canisius, P.: Summa doctrinae christianae. Hrsg. v. J. B. Reiser. Rgnsbg., Verlagsanstalt vorm. G. J. Manz.
96/00. Canitz, M.: Frauenkrankh. 3 —; geb. 5 —
96/00. — Naturheilkde. Berl., J. Singer & Co.
66/70. Cardanus, H.: De reformatione Bernensi. Aachen, I. Schweitzer.
96/00. Carlyle, T.: Sozialpolit. Schriften. 3 Bde. Vollst. 10 —
96/00. Carring, O.: Das Gewissen. Lpzg., R. Lipinski.
91/95. Carter, T. T.: Erinnergn. aus d. Leben v. Harriett Monsell. Lpzg., Krüger & Co. — 25
96/00. Caspari, O.: Das Problem üb. d. Ehe. 1 —
81/85. Catalog e. Sammlg. ital. Münzen. Berl., (P. Lehmann).
96/00. Catecismo brasilico da doutrina christ. Lpzg., O. Harrassowitz. nn 13 —
96/00. Cathédrale, la, de Djakovo. Lpzg., A. Twietmeyer.
76/00. Centralblatt, botan. Jena, G. Fischer.
91/00. — dass. Beihefte.
86/00. — dass. Generalreg. zu Bd. 1—50. Ebd.
81/00. — f. allg. Gesundheitspflege. Bonn, M. Hager.
96/00. — f. Instrumentalmusik. o F.
96/00. — f. Kinderheilkde. Lpzg., J. A. Barth.

96/00. Centralblatt f. Stoffwechsel- u. Verdauungskrankh. Wien, Urban & Schw. Einz. Hefte erh. 1.20
80/00. Central-Zeitung f. Optik u. Mechanik. Berl., Verl. d. Centralzeitg.
91/95. Cervantes de Saavedra: Don Quixote, bearb. v. M. Hübner. Münst., H. Schöningh, Sep.-Cto. Erh. 2.40; geb. 3 —
81/85. Chambalu, A.: De magistratibus Flaviorum. Bonn, M. Hager.
91/95. Chamberlain, H. S.: Richard Wagner. Illustr. Ausg. Erh. 34 —; geb. 40 —
81/85. Chamisso's, A. v., Werke. Gütersl., C. Bertelsmann. 3 —
96/00' Charakterbilder, geograph., a. Schwaben. Stuttg., Holland & J. 36 —; aufgez. nn 42 —
91/95. Charles, E.: Die Herrin v. Ravenstein. Rgnsbg., J. Habbel.
86/90. Charles, M.: Zeitgenöss. Tondichter. Lpzg., Serig.
96/00. Chelius, O.: Übersichtskarte d. Odenwalds. Giess., E. Roth.
91/95. Chérot, H.: Der hl. Aloysius v. Gonzaga. Münst., H. Schöningh, Sep.-Cto. Erh. 1 —; geb. 1.20
96/00. Cheyne, F. K.: Einl. in d. Buch Jesaja. 5 —; geb. 4.50
96/00. Chillonius: Mamsell Espenlaub. Lpzg., C. F. Tiefenbach.
91/95. Chitil, W.: Die Geräte d. Wiener Berufsfeuerwehr. Wien, Gerlach & W.
91/95. Chop, M.: Führer durch Liszts sinfon. Dichtgn. Lpzg., Serig.
96/00. — Vom Rhein z. Adria. Ebd.
91/95. — Vademecum f. Wagnerfreunde. Ebd.
06 I. Christ, d. freie. Kattow., R. Urban-Kalenda.
76/80. Christgesänge u. Weihnachtsklänge. Bas., E. Finckh.
91/95. Christomanos, T.: Sulden-Trafoi. Wien, J. Deubler.
81/85. Chronik, Wetterfelder. 2.50
96/00. Chun, C.: Beziehgn. zw. arkt. u. antarkt. Plankton. Stuttg., E. Schweizerbart.
96/00. Civilprozessordnung m. d. bad. Landesgesetzen. (Karlsr., Scherer.) Weinh., F. Ackermann.
86/00. Clark, D. B.: Die Strassenbahnen. Lpzg., H. A. L. Degener.
96/00. Clausen, E.: Der Ehe-Ring. 2 —
96/00. — Henny Hurrah! 2 —
96 00. — Judas. 1 —
96/00. Clemens, C.: Niedergefahren zu d. Toten. 2.50
81/85. Clemens, T.: Üb. d. Heilwirkgn. d. Elektrizität. 15 —
96/00. Jacobsen, A. V., u. J. Jacobi: Das Römerkastell Saalburg. Homburg, L. Standt.
96/00. Collection Brillant. Je — 60
81/85. Collins, E.: New german grammar. Stuttg., A. Bonz & Co.
96/00. Coloma, L.: Lapallen. Geb., erh. 5 —
96/00. Colshorn, T.: Deutsche Balladen u. Bilder. Geb. 2.50
76/80. — Des Knaben Wunderhorn. Halle, H. Gesenius. Geb. 2.50
76/80. Concils v. Trient, d. heil. ökumen., Canones u. Decrete in neuer deut. Uebersetzg. Rgnsbg., Verlagsanstalt vorm. G. J. Manz.
96/00. Congress, d. Wiener. Erh. 140 —; geb. nn 185 —
96/00. Conrad, H.: Shakesperes Selbstbekenntnisse. 2.20; geb. 3 —
96/00. Conrad, L.: Grüsse an meine Freunde in New York. New York, Dyrsen & Pfeiffer.
96/00. Consulats-Zeitung, deut. Berl., Deut. Verlag.
66/70. Conrten, H. C. W.: Zur Würdigg. d. Mittelalters. Lpzg., O. Gracklauer.
96/00. Corelli, M.: Barabbas. Stuttg., K. Daser.
96/00. — Thelma. Ebd.
91/95. Cornelius Nepos: Vitae. Hrsg. v. K. Erbe. Stuttg., A. Bonz & Co. Erh. 3.20
91/95. Cornill, C. H.: Die Psalmen in d. Weltlitt. Berl., M. Poppelauer.
63/00. Corpus reformatorum. Vol. 29—87 (Calvini opera.) Frankf. a/M., J. Baer & Co. 240 —
96/00. Correspondenz, antisemit. Hambg., Reichsverband d. deutsch-soz. Partei.
91/00. — numismat. Berl. (Kurfürstend. 17), Dr. E. Bahrfeldt.
96/00. — d., d. Unterabtheilg. Wien, L. W. Seidel & Sohn.
59/00. Correspondenzblatt d. kgl. stenogr. Instituts zu Dresden. Dresd., B. G. Teubner.
96/00. Cris, J.: Der Demokrit v. 1900. 1 —
96/00. — Ragout fin da siècle. 1.50; geb. 2 —
96/00. — Vortragsgarten. Lpzg., W. Strübig. Je 1 —
96/00. Cornelius-Aamot, W.: Die Chinesen u. d. christl. Mission. Lpzg., C. F. Tiefenbach.
96/00. Die Gesch. Ostasiens. Ebd. 2 —; geb. 2.50
96/00. — Durch d. Land d. Chinesen. Ebd. Geb. 2.50
91/95. Craik: John Halifax. Deutsch v. S. Verena. 2.50; geb. 3.50
86/90. Crane, S.: Maggie. Berl., Schreiter.
91/95. Cremer, C. J.: Königs-Jubiläum. Lpzg., O. Gracklauer.
91/95. Cremer, H.: Aufl. u. Bedeutg. d. Predigt. Lpzg., Krüger & Co.
96/00. — Die Befähigg. zum geistl. Amte. Ebd. — 50
86/90. — Üb. d. Einfluss d. christl. Princips d. Liebe. Ebd. — 20
91/95. — Warum können wir d. apostol. Glaubensbekenntn. nicht aufgeben? Ebd. — 30
91/95. — Zum Kampf um d. Apostolikum. Ebd. — 40
71/75. — Die kirchl. Traug. Ebd. — 80
91/95. Cronberger, R.: Die Blumenpflege. Lz zg, M. Heinsius Nf. 1 —

96/00. Croner, W.: Grundr. d. internen Therapie. Würzbg., A. Stuber's Verl.
51/65. Crusenstolpe, M. J. v.: Der russ. Hof. Berl., F. E. Lederer.
51/65. — Der Versailler Hof. Ebd.
76/80. Cüppers, W.H.: Lehr- u.Gebetbüchl.Aachen, I.Schweitzer.
81/85. Curtius, P.: Der Weg z. Frieden. Lpzg., O. Gracklaner.
96/00. Cyon, E. v.: Beiträge z. Physiologie d. Schilddrüse. Bonn, M. Hager.
91/95. Cyprian: Die innere Mission d. Protestanten in Bayern u. München. Rgnsbg., Verlagsanstalt vorm. G. J. Manz.
91/95. — dass. in Deutschl. Ebd.
96/00. Cyprian v. Eggolsheim: Die relig. u. soz. Bedeutg. d. Marian. Mädchenschutz-Ver. Rgnsbg., Verlagsanstalt vorm. G. J. Manz.
91/95. Czapski, S.: Theorie d. opt. Instrumente. Lpzg., (J. A. Barth).
96/00. Czech, A.: Die bibl. Gesch. d. alten u. neuen Bundes. Warnsdf., C. Stöhr.
76/80. Czerwinski, A.: Die Tänze d. 16. Jahrh. Frankf., a/M., J. Baer & Co. 3 —
86/90. Dächsel, K. A.: Liturgisches Hdb. Lpzg., Krüger & Co. — 30.
88/90. — Kanzelbüchlein. Ebd. — 50
86/90. — Ordng. d. öffentl. Gottesdienstes. Ebd. 2 —
71/75. Dahn, F.: Die Amalungen. 3 —; geb. 4 —
81/85. — Gedichte. II. Sammlg. 5 —; geb. 6 —
91/95. — Gedichte. III. Sammlg. 5 —; geb. 6 —
91/95. — Gedichte. IV. Sammlg. 5 —; geb. 6 —
96/00. — Kämpf. Herzen. 3 —; geb. 4 —
91/95. — Jugendgedichte u. Gedichte. V. Sammlg. in 1 Bd. 5 —; geb. 6 —
91/95. — Julian d. Abtrünnige. 15 —; geb. 18 —
96/00. — Die Kreuzfahrer. 10 —; geb. 12 —
71/75. — König Roderich. 3 —; geb. 4 —
91/95. — Rolandin. Erh. 3 —; geb. 4 —
96/00. — Kleine Romane a. d. Völkerwanderg. I—XII. Je 5 —; geb. je 6 —
96/00. — Sigwalt u. Sigridh. Erh. 3 —; geb. 4 —
86/90. — Skirnir. 3 —; geb. 4 —
96/00. — Weltuntergang. 5 —; geb. 6 —
96/00. Damen-Kalender. Hrsg. v. Rüdiger. ôF.
91/95. Dämonen d. Unzucht. Lpzg., H. Hedewig's Nf.
91/95. Damus, R.: Danzigs Eintritt in d. preuss. Staat. Danz., L. Saunier.
96/00. Danneil, F.: Gesch. d. magdeburg. Bauernstandes. I. 8 —; II. 6 —
91/95. Dannenberg, H.: Münzgesch. Pommerns im M.-A. Berl., P. Lehmann.
68/70. Dante Alighieri: La div. commedia. Traduz. ebr. di S. C. Formiggini. Berl., M. Poppelauer.
96/00. Danzer's Armee-Zeitg. Wien, L. W. Seidel & Sohn.
86/90. Darwin, C.: Ges. kleinere Schriften. Stuttg., A. Kröner.
96/00. Das ist d. Deutschen Vaterland. Lpzg., Bibliogr. Anst. A. Schumann.
91/00. Daten, statist., üb. d. Stadt Wien. Wien, Gerlach & W.
96/00. Dandet, E.: Herzenswirren. Stuttg., K. Daser.
96/00. Daul, A.: Das neue BGB. Lpzg., Jacobi & Quillet. Erh. geb. 12 — u. 13.50
91/95. Daul, A.: Die Langlebigkeit. Zür., Th. Schröter's Nf.
96/00. David, J. J.: Frühschein. Berl., Schuster & Loeffler. 3.50; geb. 3.50
96/00. — 4 Geschichten. Ebd.
96/00. — Neigung. Ebd.
96/00. — Regentag. Ebd.
96/00. Dawyl, L.: Der Roman einer Verlorenen. Lpzg., H. Hedewig's Nf.
96/00. Debatte, die. Berl., Gerdes & H.
96/00. Debus: Der ärztl. Notstand. — 50
71/75. Dechen, H. v.: Erläutergn. z. geolog. Karte d. Rhein-prov. 2. Bd. Aachen, I. Schweitzer.
65/70. — Rede und Alex. v. Humboldt. Ebd. — 50
86/90. Dedekind, J.: Die Achten-Lini. nn 1 —; geb. nn 1.50
96/00. Dehmel, R.: Lucifer. Berl., S. Fischer.
91/95. — Der Mitmensch. Ebd.
91/95. Deinhard, L.: Die Geheimlehre. Lpzg., M. Altmann.
91/95. — Psychometrie. Ebd.
86/90. Delbrück, H.: Die Strategie d. Perikles. 1 —
86/90. Delbrück, K.: Käthchen. Hannov., E. Schlemm.
96/00. — Paulus uns. Vorbild. Ebd.
06 I. Delius, Hans: Hdb. d. Rechtshilfeverfahrens. Nürnbg., U. E. Sebald.
86/90. Delius, N.: Abhandlgn. zu Shakepeare. Carlsh.-Berl., H. Friedrich. Erh. 10 —
86/90. Demmer, E.: Leitf. d. Kirchengesch. Lpzg., Krüger & Co. — 20
96/00. Denekanen, F.: Japan. Motive. Berl., M. Spielmeyer. Vollst., erh. 55 —
91/95. Denk, O. V. M.: Einführg. in d. altcatalan. Litt. Dresd., P. Alicke. 6 —
86/90. Dennler, J.: Die Wachsmotten. Lpzg., R. C. Schmidt & Co.
06 I. Dennler, Wilh.: Gemeindewaisenrat. Nürnbg., U. E. Sebald.
51/65. Denton, W.: Serbien u. d. Serben. Lpzg., Krüger & Co. 1.50

81/90. Dernburg, H.: Lehrb. d. preuss. Privatrechts. 3 Bde. Auf einmal bezogen 20 —
86/00. Destillateur u.Liqueur-Fabrikant, der. Lpzg., Webel'sVerl.
91/95. Detlefsen, D.: Gesch. d. holstein. Elbmarschen. Glückst., M. Hansen.
76/80. Dettmer, J.: Der Sachsenführer Wittakind. Rgnsbg., Verlagsanstalt vorm. G. J. Manz.
81/85. Detzel,H.:EineKunstreisedurchd.Frankenland. Rgnsbg., Verlagsanstalt vorm. G. J. Manz.
96/00. Deutschland als mitteleurop. Macht. Berl., F. Wunder.
96/00. Deutschthümler, W.: Ueb. Schopenhauer zu Kant. Wien, E. Beyer.
91/95. Deventer, L.: Züge aus d. Leben v. Ludw. Deventer. Lpzg., Krüger & Co. — 30
91/95. Dewald, G. A. S.: Telegraph.Auskunftsb. Nordh., F.Eberhardt.
96/00. Dewitz, A.: In Dänisch-Westindien. 1 —; geb. 1.50
96/00. Diamant-Bibliothek. Je —50
45/00. Dibre Emeth. Berl. (SW. 12, Charlottenstr. 88), J. Windolff.
96/00. Diccionario, o, anonymo da lingua geral do Brasil. Lpzg., O. Harrassowitz. nn 12 —
96/00. Dichter, deut., in Auswahl. Berl., Verlag Baldur.
96/00. Dichterbuch, hannov. 2 —; geb. 3 —
96/00. Dieckmann, O.: Postgesch. deut. Staaten. Lpzg., J. J.Arnd.
96/00. Diehl, W.:Zur Gesch. d. Gottesdienstes usw. 2.25; geb. 3 —
96/00. — Zur Gesch. d. Konfirmation. 1.25
91/95. Diendorfer, J. E.: Die Aufhebg. d. Jesuitenordens im Bist. Passau usw. Rgnsbg., Verlagsanst. vorm. G. J. Manz.
68/70. — Der staatl. Schulzwang. Ebd.
96/00. Dienstanweisung f. Post u. Telgr. Neue Afl. I. — 50; IV. — 50; V,2. 1 —; VI. 1 —; VII. 1.50; VIII. 1 —; IX. — 20; X. 1.50; XI. — 50; XII. — 50
68/70. Dieringer, F. X.: Die Theologie d. Vor- u. Jetztzeit. Aach., I. Schweitzer. — 50
86/90. Dieskau, M. v.: Eine Quedlinb. Äbtissin. Quedlinbg., H. Schwanecke. Geb. nn 1.75
86/90. — Jochen Albrecht. Ebd. Geb. 1.50
96/00. Diestel, G.: Gerechtigk., Gnade u. Wiederverkörperg. Lpzg, M. Altmann.
51/65. Dieterici, F.: Die Propaedentik. Lpzg., J. C. Hinrichs' Verl.
51/65. — Der Streit zw. Thier u. Mensch. Ebd. 2.25
96/00. Dietrich,H.:Schweiz.Volksschulwesen.Sachsa,H.Haacke.
81/85. Dietriche, H., u. L. Parisius: Bilder a. d. Altmark. Berl. (SW. 48, Friedrichstr. 243), Gesellsch. f. dekorative Kunst.
91/95. Dillmann, C.: Die Presse im Dienste d. Kaufmanns. Berl., F. Wunder.
77/00. Dingler's polytechn. Journal. Berl., R. Dietze.
91/95. Dionysius d. Kartäuser: Von d. letzten Dingen d. Menschen. 1 —
91/95. Dippe, A.: Geschichtsstudium. Lpzg., Krüger & Co. 1 —
91/95. — Untersuchgn. üb. d. Denkform-Idee. Ebd. — 50
81/85. Dippel, J.: Der russ. Nihilismus. Rgnsbg, Verlagsanstalt vorm. G. J. Manz.
81/85. — Der neuere Pessimismus. Ebd.
96/00. — Der neuere Spiritismus. Ebd.
86/90. S. 1016. Dirschau. Karte. nn 1.50
96/00. Distanzenkarte d. Schweiz. Bern, Geograph.Karten-Verl.
91/95. Doberenz, M.: Um d. Kindes willen. Pirna, F. J. Eberlein. 2 —; geb. 3 —
96/00. Doeberl, M.: Bayern u. Frankreich. Münch., Th. Ackermann.
96/00. Döblin: Predigtz.Generalsynode.Lpzg., Krüger&Co.—10
76/80. Dočkalik, E.:Fonograf. Faulenzer. Wien, A. Mejstřik.—85
91/95. Dodel, A.: Biolog. Atlas d. Botanik. Serie Iris. Essl., J. F. Schreiber.
91/95. Döhner, S.: Weltreise e. Hamburgerin. 3 —; geb. 4.50
96/00. Döllinger: Akadem. Vorträge. Nördl., C. H. Beck.
91/95. Döll, E.: Wie erwirbt d. junge Kaufmann e. allg. Bildg.? Lpzg., C. G. Naumann Verl.
96/00. Domanig, K.: Die Fremden. Münch., Allg. Verlags-Gesellschaft.
96/00. — Der Gutsverkauf. Ebd.
96/00. — Porträtmedaillen d. Erzhauses Österr. 12.50
86/90. Dombrowski, E. v.: Die Lehre v. d. Zeichen d. Rothhirsches. Wien, Huber & Lahme Nf. Erh. 2 —
91/95. Domingo de Sancto Thomas: Arte de la lengua Quichua. Lpzg., O. Harrassowitz. nn 8 —
91/95. Donau-Album. — 85
96/00. Donkin, A. S.: Heilg. d. Brightschen Nierenkrankh. Oranienbg., W. Möller.
96/00. — Heilg. d. Zuckerkrankh. Ebd.
96/00. Donner, J. O. E.: Lord Byrons Weltanschaug. Helsingfors, Waseninska Bokhandel.
91/95. Dorfgeschichten, Thüringer. Lpzg.,O. Borggold. Je 1.50; geb. je 2.50
96/00. Dorfkirche u. Bauernhaus im Kgr. Sachsen. Lpzg., F. Brandstetter.
96/00. Dorf-Zeitung, kleine. Berl., Deut. Landbh. Vergr.
51/65. Döring, G.: Choralkde. Hannov., L. Oertel. 4 —
96/00. Dornau, C. v.: Das Kucknoksel. 2 —
96/00. Dornblüth, O.: Kochb. f. Kranke. Würzbg., A. Stuber's Verl.

1/75. Dorner, A.: Principien d. Kant. Ethik. Sachsa, H. Haacke.
66/70. Doss, A. v.: Geistl. Lieder. 2. Abth. Aach., I. Schweitzer.
1 —
51/85. — Melodiae sacrae. Ebd. 1 —
91/95. Dotter, J. M.: Katech. üb. d. Obstbaumzucht. Würzbg., F. X. Bucher.
96/00. Drachmann, H.: Kärntner Novellen. Münch., G. Müller.
81/85. Dreher, E.: Beitr. z. uns. mod. Atom- u. Molekular-Theorie. Sachsa, H. Haacke.
76/80. — Beitr. z. e. exakten Psycho-Physiologie. Ebd.
81/85. — Der Darwinismus. Ebd.
86/90. — Physiologie d. Tonkunst. Ebd. Erh. 2.40
76/80. — Ton u. Wort. Ebd.
96/00. Dresbach, E.: Veilchen in d. Himmelsschlüssel. Bonn, E. Falkenroth. 1.30; geb. 2.50
96/00. Drescher, A.: Werden. Sein. Vergehen. 1 —
96/00. Dreyer, M. Alle bei G. H. Meyer bezw. Meyer & Wunder erschienenen Verlagswerke jetzt: Stuttg., Deut. Verlags-Anstalt.
91/95. — Ein Liebestraum. Ebd.
96/00. Dreyfus, A.: Feste in Moll. Lpzg., (H. Dege).
66/70. Drossbach, M.: Üb. Erkenntniss. Sachsa, H. Haacke.
76/80. — Üb. Kraft u. Bewegg. Ebd.
51/85. — Objecte d. sinnl. Wahrnehmg. Ebd.
81/85. — Üb. d. scheinbaren u. wirkl. Ursachen d. Geschehens. Ebd.
96/00. Druckbuchstaben, deut. Neubrandenbg, C. Brünslow.
91/00. Drucke, seltene, in Nachbildgn. Halle, R. Haupt. Erh. L. 6 —
66/70. Dubelmann, J. F. P.: Die confessionslose Volkssch. Aach., I. Schweitzer.
48/85, 81/85. Du Bois-Reymond, E.: Unters. üb. thier. Elektricität. 20 —; I. 9 —; II, 1. 6 —; II, 2. 3 —; II, 2 Schluss 2 —
66/70. Dudik, B.: Die neu entdeckten Fresken a. d. Leben d. hl. Apostel Cyrill u. Method in Rom. Wien, A. Schroll & Co.
96/00. Dührssen, A.: Heilg. u. Verbreitg. v. Frauenkrankh. Nannh., Schäfer & Schönfelder.
91/95. [Duisburg, C. L. v.:] Inhaltsverz. z. Sammlg. d. Medaillen. Berl., P. Lehmann.
96/00. Düll, E.: Wiederholgs- u. Übgsmaterial f. d. Unterr. in d. Chemie. Stuttg., F. Grub.
86/90. Dümmler, F.: Akademika. 2.50
81/85. Duncker, H.: Das Christentum u. d. deut. Geist. Lpzg., Krüger & Co. — 20
91/95. Dunker, W., u. M. Bell: Engl. Academy. Lpzg., Deut. Kultur-Verlag.
96/00. Duprée, G.: Christl. Vergissmeinnicht. Geb. 1.50
66/70. Durdik, J.: Leibnitz u. Newton. Sachsa, H. Haacke.
76/80. Düring, C. v.: Schloss Hohenfels. Bas., E. Finckh.
91/95. Dürr, F.: Die natürl. Grundlagen d. Bienenthätigk. Lpzg., R. C. Schmidt & Co.
88/00. Dürre, E. F.: Hdb. d. Eisengiesserei-Betriebes. 2 Bde. Je 20 —; geb. je nn 25 —
81/85. Dyrenfurth, M.: Die Epilepsie. Verweisg. zu ändern in Hausbücher.
96/00. Dziobek, O.: Lehrb. d. analyt. Geometrie. Brnschw., A. Graff. 4.50; geb. 5.50
96/00. Ebe, G.: Der deut. Cicerone. Vollst. geb. 10 —; einz. Bde. 3 —
96/00. Ebeling, M.: Frei u. doch gebunden. Stuttg., Holland & J.
96/00. — Das Paradies d. Kindheit. Ebd.
96/00. Eberhard, L.: Das Selbstfrisieren d. Damen. Gotha, P. Hartung.
91/95. Eberli, H.: Switzerland poetical and pictorial. 5 —
91/95. Ecce homo. Klagenf., Buch- u. Kunsth. d. St. Josef-Vereines. L. nn 1.35
72/00. Echo. Uebgsbl. z. Einführg. in d. stenograph. Praxis. Dresd., B. G. Teubner.
96/00. — literar. Berl., E. Fleischel & Co. Einz. Hefte, erh. — 60
90/00. — d. Annalen v. Lourdes. Donauw., E. Mager.
96/00. Eckart, R.: Allg. Sammlg. niederdeut. Rätsel. Brem., E. v. Masars.
91/95. — Niedersächs. Sprachdenkmäler. Düsseldf., F. Teubner. (?)
96/00. Eckart, T.: Durch Glauben z. Frieden. Hannov., E. Schlemm.
86/90. Eckarti, A.: Specimen linguae Brasilicae vulgaris. Lpzg., O. Harrassowitz. nn 1 —
96/00. Ecksteins Reisebibl. Nr. 165. Telmann, K., schwarze Zöpfe. Müh., J. Bagel.
96/00. — illustr. Romanbibliothek. Berl., Schreiter.
91/95. Eckstein, E.: Der Bildschnitzer v. Weilburg. 2 —
91/95. Edda, d. Deutsch v. W Jordan. 3 —; geb. 4 —
47/52. Edelmann's, Joh. Chr., Selbstbiographie. Lpzg., Krüger & Co. 1.80
96/00. Edler, K. E.: Duino-Novellen. Berl., W. Heriet.
91/95. Edlinger, A.: Aus deut. Süden. Wien, Friese & Lang. 7 —
96/00. Edward, M. G.: Colloquial Engl. Lpzg., O. R. Reisland.
96/00. — dass. Deut. Übersetzg. Ebd.
96/00. — uns'. Ebd.
91/95. Egbert, W.: Im Garten d. Semiramis. Angermünde (Bahnhofstr. 9), Frl. Fernande Grieben.

96/00. Eger, G.: Das Gesetz üb. Kleinb. 4 —
96/00. — dass. Textausg. 1 —
96/00. Eger, K.: Die Anschaugn. Luthers v. Beruf. 1.60
81/85. Ehrenwerth, J. v.: Das Eisenhüttenwesen Schwedens. 4 —
91/95. Ehrhardt, A.: Die Kunst d. Malerei. Lpzg., K. W. Hiersemann.
96/00. Ehrlich, A.: Streichquartett. Geb. m. G. 3.50
76/80. Eichenauer, A.: Die Seilscheibengerüste. Lpzg., H. A. L. Degener.
96/00. Eichendorff, J. Frhr. v.: Das Incognito. Bresl., Koebner.
96/00. Eichert, F.: Höhenfeuer. Wien, Mayer & Co.
96/00. — Kreuzlieder. Ebd.
91/95. Einkehr od. Umkehr in d. Medicin? Nordh., F. Eberhardt.
86/90. Eiselen, E. W. B.: Abbildgn. v. Turn-Übgn. Geb. 1 —
81/85. — Hantelübgn. — 50
51/65. Eiselen, F.: Lehr- u. Leseb. f. d. 1. geschichtl. Unterricht. Lpzg., Krüger & Co. — 50
96/00. Eisenbahnbeamten-Kalender. 2 —
96/00. Eisenbahn-Kalender, österr. 5 H.
96/00. Eisenbahner-Kalender, österr. 5 H.
96/00. Eisenbahn-Zeitung, preuss. Berl., H. Schlichting. 5 H.
91/00. Eisengiesser, der. Lpzg., (F. Schneider.)
96/00. Eisenträger, H.: Künstlerliebe. — 30
96/00. — Der Mann seiner Frau. — 30
81/85. Eisler, M.: Vorlesgn. üb. d. jüd. Philosophie d. M.-A. Berl., M. Poppelauer.
96/00. Eissert, J.: Die Geschäftsagenden d. k. k. Steuerämter.
51/85* Eitelberger v. Edelberg, R.: Cividale in Friaul u. seine Monumente. Wien, A. Schroll & Co.
91/00. Elektrizität, die. Berl., P. Huckawitz.
81/85. Elfeld, C. J.: Die Relig. u. d. Darwinismus. Stuttg., A. Kröner.
86/90. Elfes, A.: Aristotelis doctrina de mente humana. Bonn, M. Hager.
96/00. Elkan, S.: Hygiene u. Diätetik f. Lungenkranke. Würzbg., A. Stuber's Verl.
91/95. Elsenhans, W.: Der Herr ist gut. Geb. 1.50
81/85. Elter, A.: De Joannis Stobaei codice Photiano. Bonn, M. Hager. 1.50
96/00. Emin Efandi, M.: Kultur u. Humanität. Lpzg., O. Gracklauer.
96/00. — Die Zukunft d. Türkei. Ebd.
96/00. Energie. Berl. (S.W. Planufer 17), J. Timar.
96/00. Engel, L.: Lichtstrahlen. Berl., L. C. Engel. 2 —
96/00. Engerer, H.: Methode z. Erfindg. usw. origineller Ideen. Rgnsbg., A. Botzler.
96/00. Entwicklungen, authent., dass d. Kronprinz Rudolph v. Oesterr. usw. Lpzg.-Schl., Alldeut. Verl.
96/00. Entwicklung u. Gburt, d., d. Menschen. Lpzg., Ernst. Geb. 5 —
76/80. Entwurf e. Gesetzes betr. d. Verkehr m. Nahrgsmitteln. Berl., J. Springer. nn — 50
66/70. Epistolae romanorum pontificum. I et II. Ed. A. Thiel. Braunsbg., E. Bender. Zus. nn 15 —
91/95. Epstein, L.: Vaterländ. Gesch. Lissa, F. Ebbecke. Erh. 3.50
91/95. Erb, L.: Regeln f. d. Aussprache d. Deutschen. Stuttg., A. Bonz & Co.
96/00. — Fünfmal sechs Sätze f. d. Aussprache d. Deutschen. Ebd.
81/85. — u. P. Vernier: Vergleich. Wortkde. d. latein. u. franzö. Sprache. Ebd.
96/00. Erfolge, d., u. d. BGB. Münch., J. Schweitzer Sort. 1.50
81/85. Erdmann, D.: Brief d. Jakobus. Lpzg., Krüger & Co. — 90
51/65. — Primae Ioannis epist. argum., nexus et cons. Ebd. 1 —
91/95. Erdmann, G. A.: Die deut. Kriegsmarine in 12. Stunde! Lpzg., G. Gracklauer.
96/00. — Wehrlos z. See. Ebd.
51/65. Erdmann, J. E.: Üb. d. Naturalismus. Sachsa, H. Haacke.
51/65. — Preussen u. d. Philosophie. Ebd.
96/00. Ergebnisse d. Viehzählg. in Bosnien u. d. Herzegowina vom J. 1895. Wien, A. Holzhausen.
96/00. — d. Volkszählg. in d. Stadt Zürich. Zür., Rascher & Co. 2.40
91/95. Erhard, E.: Ein Fragezeichen. Berl., W. Vobach & Co.
86/90. — Zwischen Havel u. Spree. Ebd.
86/90. — Die Lohnsjungfer. Ebd.
81/85. — Das Meerweibchen. Ebd.
91/95. — Die Rose vom Haff. Ebd.
91/95. — Gräfin Ruth. Ebd.
81/85. — Im Spiegel. Ebd.
81/85. — Turf u. Parkett. Ebd.
96/00. Erhardt, F.: Psycho-physischer Parallelismus. Sachsa, H. Haacke.
91/95. — Der Satz v. Grunde. Ebd.
96/00. Erholungsstunden. Schöne Märchen u. Geschichten. — 70
96/00. Erk, L., F. Erk u. W. Greef: Sängerhain. Erh. Ausg. A. 2 Bde. 5.70; I. 3 —; II.: 2.70; Ausg. B. 2 Bde. 3.80; I.: 2.30; II.: 1.60; Heftausg. 6 Hefte. 6.40; 1.— 80; 2. u. 3. je 1 —; 4—6. je 1.20
96/00. Erkrankungen d. inneren Organe. Heidhausen b/Werden, Camillushaus.
76/80. Ernesti, J. A.: Praelectiones in libros symbolicos ecclesiae Lutheranae. Lpzg., Krüger & Co. — 50

51/65 u. 71/75. Ernst: Gedichte. Geb. 3 —
96/00. Ernst, A. W.: Neue Beitr. zu Heinr. v. Leuthold's Dichterportrait. Erh. 2.50
96/00. — Herm. v. Gilm. Berl., F. Wunder.
91/95. Ernst, K.: 20 kl. Erzählgn. — 50
96/00. — Wunderschöne Geschichten. — 50
91/95. — Aus glückl. Kinderzeit. 1 —
91/95. — Mairöschen. 1 —
81/85. Erzählungen a. Scrivers Seelenschatz. Geb. 2 —
96/00. — u. Bilder, ausgew. bibl. Weissensee, H. W. Th. Dieter. 2.50; kart. 3 —; geb. 3.50
81/85. Erzeugnisse d. Silberschmiede-Kunst a. d. 16—18. Jahrh. Lpzg., K. W. Hiersemann. 48 —
91/95. Es war einmal. 2 —
71/75. Esche, L.: Eines Stammes. 1.50; geb. 2 —
91/95. Eschelbach, H.: Naturbilder. Münst., H. Schöningh, Sep.-Cto. 1.50; geb. 2 —
91/95. — Der Wald. Ebd. 1.50; geb. 2 —
96/00. Eschen, M. v.: Mädchenschicksale. 2 —
96/00. Eschner, M.: Der Buchbinder. Stuttg., P. Hobbing.
96/00. — Illustr. Gewerbekde. Ebd. In 1 Bd. geb. 5 —
96/00. — Natur u. Menschenhand. II. Bd. geb. 6 —; vollst. in 1 Bd. geb. 10 —
96/00. Eschricht, E.: Reine Liebe. 2 —
91/95. — Unter dunklen Menschen. 1 —
81/00. Eschstruth, N. v.: Romane u. Novellen in Einzelausgabe. Alles: Lpzg., P. List. Der Bd. 9.75; geb. 3.75
91/95. Essenwein, A. Ritter v.: Die farb. Ausstattg. d. zehneck. Schiffes d. Pfarrkirche z. hl. Gereon in Köln. Lpzg., K. W. Hiersemann. 160 —
91/95. Etiquettefragen. Berl., J. Gnadenfeld & Co.
96/00. Ettmayer, K.: Adolf. Wien, J. Deubler.
96/00. Eubel, C.: Hierarchia catholica. Richt. Preis 50 —
86/90. Eucken, R.: Die Philosophie d. Thomas v. Aquino. Sachsa, H. Haacke.
91/00. Euler, C.: Hdb. d. ges. Turnwesens. I u. H je 4.50; III 4 —; Einbde. je 1 —
96/00. — u. R. Hartstein: Hans Ferd. Massmann. Berl., Berlinische Verlagsanst.
96/00. Evangelien, d. 4, n. d. Übersetzg. M. Luthers. Gera-Untermh., F. E. Köhler. Geb. 15 —; in Ldr. m. G. 18 —
91/00. Evangelium, das. Monatshefte z. Wiederherstellg. d. Lehre Jesu. Karlsr., G. Schwarz.
96/00. Evers, E.: Blumen am Wege. Altenbg., S. Geibel.
96/00. — Berliner Evangelien-Postille. Der erm. Pr. ist aufgehoben.
96/00. Ewald, F.: Antwort auf d. off. Brief d. Herrn A. v. Reinhardt. Rgnsbg., Verlagsanstalt vorm. G. J. Manz.
96/00. — Die Freimaurerei im Staate. Ebd.
96/00. — Hdb. d. deut. Freimaurerei. Ebd.
96/00. — Patriotismus d. Freimaurerei. Ebd.
96/00. — Ziele u. Wesen d. Freimaurerei. Ebd.
96/00. Ewald, J. R.: Eine neue Hörtheorie. Bonn, M. Hager.
93/00. Ewald, K.: Eva. Berl., Schreiter.
71/75. Ewald, P.: Walram v. Naumburg. Bonn, M. Hager.
73/00. Export. Lpzg., (R. Friese).
81/85. Extramundana v. C. F. Tandem. Jena, E. Diederichs.
96/00. Eynatten, C. Freiin v.: Wollt Ihr glücklich sein? Osterholz, H. Hölzer.
91/95. Faber, E.: Darstell. Geometrie. Lpzg., H. A. L. Degener.
96/00. Fabricius, W.: Die deut. Corps. 5 —; geb. 6 —
96/00. Fabrikation, d., d. Grundessenzen comp. äther. Oele. 2 —
96/00. Fachzeichnen f. Holzdrechsler. Lpzg., H. A. L. Degener.
91/95. Falk, F.: Relig. Bilderschatz. Mainz, Mainzer Verlagsanst. u. Dr.
96/00. Falke, G.: Landen u. Stranden. Geb. 5 —
96/70 u. 76/85. Falke, J. v.: Gesch. d. fürstl. Hauses Liechtenstein. Lpzg., H. Blömer.
96/00. — Lebensleiten nergp. Berl., F. Wunder.
96/00. Falkner's, T., Nachricht v. d. moluch. Sprache. Lpzg., O. Harrassowitz. nn 2 —
91/95. Falstein, A. v.: Eulennest. Dresd., H. Minden.
91/00. Familie, d. kathol. Münch., Münch. Volksschriften-Verl. Der Jahrg. geb. 1 —
96/00. Familien-Almanach. Hrsg. v. E. M. Hamann. Münch., Allg. Verlags-Gesellschaft.
71/00. Familien-Bibliothek fürs deut. Volk. Bas., E. Finckh. Je — 40
96/00. Farazdak: Divan. Lpzg., O. Harrassowitz.
69/00. Färber-Zeitung, deut. Wittenbg., A. Ziemsen. Bis 1896 vergr.
96/00. Farinelli, A.: Grillparzer u. Raimund. Berl., Heilbrunn & Co.
96/00. Farrar, F. W.: Das Leben Jesu. 10.50; L. 12 —
76/80. Faulmann, C.: Die Phonographie. Wien, A. Mejstrik. — 50
76/80. — Neue Untersuchgn. üb. d. Entstehg. d. Buchstabenschrift. Ebd. — 75
96/00. Faust. Der Tragödie 3. Tl. Kart. 2 —; geb. 3 —
96/00. Faust-Kalender. ö F.
96/00. Fechter, d., vom Geist. ö F.
91/95. Feierstunden. Erzählgn. u. Märchen. 2 —
96/00. Feller, L.: Sing. Gratulanten. Strieg., A. Hoffmann.
96/00. Fels, G.: Die Rosenkreuzer. Lpzg., A. Schumann's V.
96/00. Fernow, L.: Tante Fabula. Lpzg., Serig.
96/00. Fesoj, Ö.: Umrechngs-Tab. — 30

91/95. Fest z. Fahne. Elberf., Luther. Bücherverein.
86/90. Fester, R.: Rousseau u. d. deut. Geschichtsphilosophie. Berl., Heilbrunn & Co.
96/00. Festgruss, Bernh. Stade dargebracht. Einzelausgaben: Diehl — 60; Drescher 1 —; Eger — 60; Gall — 60; Preuschen 1.20
96/00. Festschrift z. Versammlg. d. Eth. Bundes. Verleger in Charlottnbg.
91/95. — Rud. Virchow gewidmet v. Assistenten d. Berl. pathol. Instituts. 20 —
46/65 u. 76/90. Feuerbach, L.: Werke. 10 Bde. Je 3 —
96/00. Fichte, C.: Der Wirt u. seine Leute. Gotha, P. Hartung.
51/65. Fichte, J. H.: Unterschied zw. eth. u. naturalist. Theismus. Sachsa, H. Haacke.
96/00. Fick, H. A.: Herr, lehre uns beten! Hambg., G. Schloessmann.
96/00. Fick, R.: Auf Deutschlds hohen Schulen. 6 —; geb. 7.50
96/00. Ficker, L. v.: Sündenkinder. Igls b/Innsbr., Selbstverl.
96/00. Fidler, F.: Leitf. durch d. BGB. u. d. Handelsgesetzb. — ; geb. 7 —
76/80. Figueira, L.: Grammatica da lingua do Brasil. Lpzg., O. Harrassowitz. nn 3 —
86/90. Finkelnburg, C.: Errichtg. v. Volks-Sanatorien f. Lungenschwindsüchtige. Bonn, M. Hager.
91/95. Fischbach, F.: Bunt-Stickerei-Vorlagen. Lpzg., Teutonia-Verl. 5 —; einz. Hefte 2.50
86/90. — Haekel-Vorlagen. Ebd. Je 2 —
76/80. — Lieder e. Ketzers. Ebd. 2.50
91/95. — Lieder u. Sprüche. Ebd.
76/80. — Neue Muster f. Stickerei u. Häkel-Arbeiten. Ebd.
91/95. — Ornament-Album. Ebd. 24 —
71/85. — Ornamente d. Gewebe. Ebd. Erh. 216 —
81/85. — Rafael u. Cornelius. Ebd.
96/00. — Die Rolandsknappen. Ebd. 1.20
96/00. — Stickerei-Muster. Ebd.
96/00. — Der Ursprg. d. Buchstaben Gutenbergs. Ebd.
91/00. Fischer, A.: Kirchengesch. Stuttg., M. Kielmann.
91/95. — Leitsätze f. kirchengeschichtl. Unterr. Ebd.
76/80. Fischer, H.: Anlass u. Gefahr d. Beschäftigg. m. d. Offenbarg. St. Johannis in d. Gegenwart. Lpzg., Krüger & Co. — 30
71/75. Fischer, K.: Francis Bacon u. s. Nachfolger. Hdlbg., C. Winter, V.
96/00. Fischer, T. v.: Wie hypnotisiert man? (Auslieferg. jetzt: Th. Thomas.)
96/00. Flaischlen, C.: Prof. Hardtmut. Berl., E. Fleischel & Co.
91/95. — Martin Lehnhardt. Ebd.
91/95. — Im Schloss d. Zeit. Ebd.
91/95. — Toni Stürmer. Ebd.
91/95. Flathe, Th.: Deut. Reden. 6 —; geb. 8.50
91/95. Flaun, F.: Das Gestüt Walterkehmen. Berl., Zuckschwerdt & Co.
96/00. Fleiner, A.: Ein Wort üb. volkstüml. Kunst. Verleger in Charlottbg.
96/00. Fleischbeschauer, der. Mgdbg. (Frankestr. 4), H. Reinhardt.
76/00. Fleischer-Zeitung, deut. Berl., (S. W., Wilhelmstr. 119/120), Expedition.
66/70. Flügel, G.: Die arab., pers. u. türk. Handschriften usw. Wien, M, Kuppitsch Wwe. Erh. 20 —
96/00. Flugschriften d. Heimat. 1. Heft. (Bartels, e. Berl. Literaturhistoriker.) Münch., G. Müller.
96/00. — dass. 2. u. 4. Heft (Lienhard). Stuttg., Greiner & Pf.
91/95. Flygare-Carlén's Werke. Berl., J. Gnadenfeld & Co.
81/85. Fog, B. J.: Das theolog. Studium. Lpzg., Krüger & Co. — 60
76/80. Folz, K.: Gesch. d. Salzburger Bibl. Wien, A. Schroll & Co.
76/95. Fontes rer. Bernensium. Bern, Staempfli & Co. I. Bd. nn 16 —; V. u. VI. Bd. je nn 22.40; VII. Bd. nn 20.80; Verz. d. Urkunden 8.80
76/80. Foeppl, A.: Ausgew. Kapitel a. d. mathemat. Theorie. I u. II. Je 3 —
78/80. Försch, J.: Blick in d. Ewigkeit. Rgnsbg., Verlagsanst. vorm. G. J. Manz.
96/00. Forschungsberichte a. d. biolog. Station zu Plön. V—VII. Bd. Stuttg., E. Schweizerbart.
96/00. Förster, F.: Preuss. Privatrecht. 20 —
96/00. Foerster, F. W.: Die Dienstbotenfrage. Verleger in Charlottbg.
96/00. Förster, P. R.: Schulklassische Verirrungen. Münch., Allg. Verlags-Gesellschaft.
51/85. Foerster, T.: De doctrina Dionysii. Lpzg., Krüger & Co. — 30
68/70. — Eine Papstwahl vor 100 Jahren. Ebd. — 30
96/00. — Neues u. Altes a. d. Sagenkreise d. Vater brocken. Quedlinbg., H. Schwanecke.
96/00. — Aus d. Sagen- u. Märchenwelt d. Harzes. Ebd.
86/00. Fortbildungsschule. 3—14. Jahrg. Bonndf., Spachholz & Ehrath.
81/00. Fortschritte d. Medicin. Lpzg.-Gj., M. Gelsdorf.
96/00. Foucher, F.: Ein Vermächtnis. Stuttg., K. Daser.
96/00. Francis, E.: Die Schule d. Kleidermachens. Berl., J. Gnadenfeld & Co.
91/95. Franck, K.: Der Eingang in d. Heilige. Lpzg., Krüger & Co. — 60
88/90. — Friede auf Erden. Ebd. 1 —; geb. 1.60
81/85. — Aus d. innern Heiligtum. Ebd. — 90

81/85. Franck, K.: LethersVermächtnis. Lpzg., Krüger &Co. — 25
81/85. — Die christl. Wahrheit. Ebd. 1 —
86/90. — Aus beiden Welten. Ebd. — 30
96/00. Francke, W.: Die Krankenpflegerin. Lpzg., C. Bange.
91/95. Frank, F.: Der Klerus u. d. Bauernstand. Rgnsbg., Verlagsanst. vorm. G. J. Manz.
96/00. Frank, F., u. H. Martens: Rechenb. f. Gewerbe- u. Bausch. Lpzg., H. A. L. Degener.
86/90. Franke, E.: Prakt. Anwendg. v. F.'s Initialen. 1 —
81/90. — Neue Initialen. 12 Hefte. Je 1 —
86/90. — Das neue Monogramm. 1 —
91/95. — Monogramm-Triaden. 1.50
91/95. — 298 Monogramm-Vorlagen z. Feinstickerei. 1 —
91/95. — Deut. Renaissance-Initialen. 1 —
91/95. — Rondo-Monogramme. 1 —
91/95. — Neues Stickerei-Monogramm. 1.50
91/95. — Das neue Universal-Monogramm. Je 1.80
96/00. Franke-Schievelbein, G.: Die Hungersteine. Berl., E. Fleischel & Co.
91/95. — Kunst u. Gunst. Ebd.
96/00. — Liebeswerben. Ebd.
91/95. — Ni. Ebd.
91/95. — Rotdorn. Ebd.
96/00. — Stark wie d. Leben. Ebd. Erh. 6.50
91/00. Frankenberg u. Ludwigsdorf, E. v.: Anhalt. Fürsten-Bildnisse. Dess., C. Dünnhaupt. Vollst. 16 —; Pr.-Ausg. 25 —
91/95. Frankenberger, J. B.: J. Schnall a. d. Kongregat. d. allerhlst. Erlösers. Rgnsbg., Verlagsanst. vorm. G. J. Manz.
91/95. Franklin, E.: Die Amateur-Photogr. Lpzg., M. Heinsius Nf.
96/00. Franzou's, F., Reise um d. Welt. Barm., Deut. China-Allianz-Mission. Erh. 1.20
81/85. Frantz, A.: Die liberale Doctrin u. d. Societät. Lpzg., Krüger & Co. — 60
96/00. Frapts, C., u. O. Schuchardt: Die deut. Politik d. Zukunft. Dresd., (v. Zahn & J.).
51/65. Franz, C. F.: Die Raumlehre. Lpzg., Krüger & Co. — 30
76/00. Franzos, K. E., alle bei d. Concordia in Berl. erschienenen Werke: Stuttg., J. G. Cotta Nf.
86/90. — Halb-Asien. Ebd. 22 —; geb. 26 — (III.IV. 8.50) geb. 10 —; V.VI. 5 —; geb. 7 —)
81/85. — Junge Liebe. Ebd. 4 —
96/00. — Mann u. Weib. Ebd. 2.50; geb. 3.50
96/00. — Moschko v. Parma. Ebd. 2 —; geb. 3 —
91/95. — Trag. Novellen. Ebd. 2.50; geb. 3.50
91/95. — Der Präsident. Ebd. 2 —; geb. 3 —
81/85. — Die Reise in d. Schicktal. Ebd. 4 —; geb. 5 —
86/90. — Die Schatten. Ebd. 3 —; geb. 4 —
91/95. — Die Suggestion u. d. Dichtg. Ebd.
91/95. — Judith Trachtenberg. Ebd. 3 —; geb. 4 —
96/00. — Der Wahrheitsucher. Ebd. 6 —; geb. 8 —
96/00. — LeibWeihnachtskuchen u. sein Kind. Ebd. 2.50; geb. 3.50
91/00. Frauenleben. Wien, H. Heller & Co.
96/00. Fraungruber, H.: Ausseer G'schichten. Wien, J. Deubler.
91/95. Freiwillige, d. Nenkirch, Buchh. d. Erziehgsver. öF.
86/90. Freude in Gott. Rgnsbg., Verlagsanst. vorm. G. J. Manz.
91/95. Freund, J.: Mit rascher Klinge. Berl., Harmonie.
96/00. Frey, Just., e. verscholl. österr. Dichter. Berl., F. Wunder.
91/95. Frey, K.: Die Schulaufsicht. Bielef., A. Helmich.
96/00. Frey, W.: Onkel Toms Hütte. 1 —
96/00. Fricke, W.: Peter Simpel. 1.50
51/65. Fricker, J. L.: Weish. im Staube. Stuttg., Fleischhauer & Sp. — 80
96/00. Friedens-Blätter. Würzbg., Goebel & Scherer.
81/85. Friedensburg, F.: Schlesiens Münzen. Berl., P. Lehmann.
81/85. Friedericha, C.: Die Gipsabgüsse antiker Bildwerke d. Museen zu Berlin. Berl., G. Reimer. Geb. 18 —
71/75. — Berlins antike Kunstwerke. II. Ebd.
86/90. — Matronarum monumenta. Bonn, M. Hager.
81/85. Friedländer, J.: Repertorium z. antiken Numismatik. 6 —
76/80. — u. A. v. Sallet: Das kgl. Münzkabinet. Berl., G. Reimer. 5 —
86/90. Friedländer, P.: Fortschritte d. Theerfarbenfabrikation. .1. Bd. Erh. nn 40 —
96/00. Friedrich, C. A.: Der Uebermensch. Strassbg., Bh. d. ev. Gesellsch. — 75
96/00. Friedrich, F.: Ein Freundesopfer. — 30
91/95. Fries-Schwenzen, H.: Durch d. Brandg. 1 —
96/00. — Aus Fr. Nansens Heimat. 1 —
78/80. Friese, E.: Aus d. Skizzenb. e. Jägers. Münch., E. Ertel. Erh. 3 —
76/80. — Am Stammtisch. Ebd.
96/00. Friis, H. E.: Königin Christine v. Schweden. Berl., Heilbrunn & Co.
96/00. Frimmel, T. v.: Gemalte Galerien. Münch., G. Müller.
96/00. — Galeriestudien (3. Folge d. kl. Galeriestudien). Ebd.
91/00. — Kleine Galeriestudien. Neue Folge. Ebd.
66/70. Frischbier, H.: Hexenspruch u. Zauberbann. Lpzg., W. Heims.
51/70 u. 76/80. — Preuss. Sprichwörter. Ebd.
66/70. — Preuss. Volksreime u. Volksspiele. Ebd.
81/85. — Preuss. Wörterb. Ebd.
86/00. Friseur-Zeitung, allg. deut. Berl., Friseur-Zeitg.
96/00. Fritsche, H.: Schriften. Früher Petersburg, jetzt: Riga, Wendensche Str. 5, Selbstverl.
91/95. Fröhlich, C.: Wunschbuch. — 50

96/00. Fröhlich, E.: 52 ausgew. Predigten. 1.50; geb. nn 2.50
96/00. Fröhlich, J. G., u. E. Schmitt: Der Gesanglehrer. Stuttg., Muth.
96/00. Frohmut, B.: Holdchens u. Goldchens Weihnachtsfahrt. Schwein i/M., Frau Pastor M. Martius.
91/95. Frommel, E.: Das Gebet d. Herrn. Bas., E. Finckh.
96/00. — Die 10 Gebote. Ebd.
71/75. — Predigt am Friedens- u. Dankfeste d. 18.VII.1871. Lpzg., Krüger & Co. — 10
91/95. Frommel, M.: Charakterbilder z. Charakterbildg. Altenbg., S. Geibel.
96/00. — Einwärts-Aufwärts-Vorwärts. Ebd.
86/90. — Herzpostille. Ebd.
91/95. — Pilgerpostille. Ebd.
86/90. Frommele, F.: Regulae iuris. Jena, H. W. Schmidt.
91/95. Frühwein, F.: Lieb' u. Leid im Lied. Münch., Allg. Verlags-Gesellsch.
96/00. Fuchs, P. J.: Deut. Wörterb. auf etymolog. Grundl. Stuttg., P. Hobbing.
96/00. Führer v. Ravensburg-Weingarten. Ravensbg., H. Kitz Nf.
91/95. Führich's, L. Ritter v., ausgew. Schriften. Münch., Allg. Verlags-Gesellsch. 2 —; geb. 3 —
86/90. Fulda, L.: Gedichte. Stuttg., J. G. Cotta Nf.
71/75. Funcke: Grundl. d. Raumwiss. Lpzg., H. A. L. Degener.
71/00. Fundgrube, d. Eisl., E. Winkler.
51/65. Funk u. Rasch: Pläne d. neuen Irrenanst. zu Göttingen u. Osnabrück. Lpzg., H. A. L. Degener.
96/00. Funke: Der Sprachenkampf in Böhmen. Berl., F. Wunder.
96/00. Für Haus u. Herd. öF.
91/95. — kleine Mädchen. — 50
91/95. — d. Mädchenwelt. 1.50
96/00. Für's Album. Mülh., Bagel. — 20
91/95. Furrer, K.: Wandergn. durch d. hl. Land. 6 —
96/00. Furtwängler, A.: Beschreibg. d. geschnitt. Steine. Berl., G. Reimer.
81/85. — Beschreibg. d. Vasensammlg. im Antiquarium d. k. Museen zu Berlin. Ebd. Geb. 22 —
86/90. Gabriel, W.: Das Fahren u. Kunstfahren auf d. Zwei- u. Dreirad. Lpzg., Bauh & Pohle.
91/95. Gaedicke, C.: Kochb. Königsbg., Bon's Bh.
76/80. Gaedicke, C.: Der Accussativ im Veda. Hdlbg., O. Ficker. 3 —
00 I. Galen's, Philipp, ges. Schriften. Lpzg., A. Schumann's Verl.
91/95. Gall, A. Frhr v.: Die Einheitlichk. d. Buches Daniel. 2 —
96/00. — Die Herrlichk. Gottes. 1.60
86/90. Galusek, W.: Gemeindeordng. f. Mähren. Brünn, F. Irrgang.
96/00. Ganswindt, A.: Lehrbuch d. Baumwollengarn-Färberei. 4. Abth. Die Gerbstoffe als Beizen. Wittenberg, A. Ziemsen.
91/95. Garbe, R.: Die Sámkhya-Philosophie. 6 —
96/00. Garner, E. L.: Die Sprache d. Affen. Dresd., H. Schultze.
51/70. Gartenlaube, die. 1858, 68, 72, 75, 77, 81, 83/97, 99 u. 1900. Je 3 —; geb. je 5 —
81/85. — dass. Generalreg. z. 1—38. Jahrg. 2 —
96/00. Gartenwelt, die. Berl., P. Parey.
96/00. Gärtner-Zeitung, allg. deutsche. Lpzg., H. Voigt.
81/90. Gass, W.: Geschichte d. christl. Ethik. 14 —; I. 5 —; II. 4 —; II. 2. 5 —
91/95. Gaucher, N.: Pomologie d. prakt. Obstbaumzüchters. Stuttg., O. Hager.
96/00. Gaudy, A. Freiin v.: Balladen u. Lieder. 2 —; geb. 3 —
96/00. Gaus-Bachmann, A.: Der Teufelsschlosser. Rgnsbg., J. Habbel.
86/90. Gay: Kl. Mai- od. Marienmonat. Rgnsbg., Verlagsanst. vorm. G. J. Manz.
88/90. Gayette-Georgens, J. M. v.: Spielb. f. Mädchen. Berl., Schraiter.
96/00. Gebande, christl., f. Schule u. Haus. Lissa, F. Ebbecke.
91/95. Gebhardt, H.: Aus d. Gesch. d. Dorfes Molschleben. Lpzg., Krüger & Co. — 40
81/90. Gedanensia. Danz., L. Saunier.
96/00. Gedanken u. Erinnerungen an d. Krieg Englands gegen d. Burenstaaten in d. J. 1899/1900. Lpzg., O. Gracklauer.
96/00. Geiger, A.: Gedichte. Freibg., I/B., J. Bielefeld.
76/80. Geisenhof, G.: Gastpredigt. Gött., L. Horstmann. — 90
96/00. Geissler, L.: Das bürgerl. Wohnhaus. Lpzg., J. M. Gebhardt.
91/95. Gelderblom, H.: Die Begeisterg. Hannov., E. Schlemm.
86/90. — Unter d. stahl. Himmel. Ebd.
81/85. 91/00. Gemeinde-Verwaltung, d., d. Stadt Wien. Wien, Gerlach & W.
96/00. Gemeindewaisenrat, Vormund u. Gegenvormund usw. Münch., Buchdr. u. Verl.-Anst. C. Gerber. Erh. 1.50
96/00. General-Register d. deut.Industrie u.Gewerbe. 4—3.Jahrg. Berl., J. Räde.
96/00. Gensichen, O. F.: Zu d. Sternen. Berl., W. Harlet.
76/80. George-Kaufmann, A.: Das Kloster Solesmes. Rgnsbg., Verlagsanst. vorm. G. J. Manz.
91/95. Georgens, J. D.: Neues Spielb. f. Knaben. Berl., Schraiter.
71/75. Gerber: Mitteilgn. üb. Godesberg. Aach., I. Schweitzer.
91/95. Gerber, G.: Das Ich. Freibg. i/B., H. Heyfelder.
81/85. — Die Sprache u. d. Erkennen. Ebd.
81/85. — Die Sprache als Kunst. Ebd.
96/00. Gerhard, A.: Gedichte. Berl., F. Wunder.

96/00. Gerhard, J.: Meditationes sacrae. Elberf., Luther. Bücherver.
96/00. Gerhart, E.: Vorlagenwerk f. d. Fachzeichnen d. Herrenkleidermacher. Wien, A. Pichler's Wwe. & S. Erh, 12 —
96/00. Gerlach, H.: Heirat auf Tausch. Berl., E. Fleischel & Co.
91/05. — Die v. Hinterhaus. Ebd.
91/95. Gerlach, J. B.: Wie erlangt d. Betriebsbeamte gute Stellg.? Kart. 1 —
96/00. Gerlach, M.: Chronik d. ev. Kirche v. Kotzenau. Kotzenau, P. Wagner.
91/95. Gerlach, M, v.: Ist uns d. alte Testament noch Gottes Wort? Lpzg., Krüger & Co. — 40
91/95. Gerling, F. W.: Familie Barren. Berl., A. Hoffmann. Erh. 2 —
96/00. Gerling, W.: Florian Geyer. Berl., A. Hoffmann. Erh. 2 —
96/00. Germania, d. Burschenschaft. Jena, H. W. Schmidt. 12 —
91/95. Gerok, G.: Karl Gerok. Stuttg., J. F. Steinkopf.
88/90. Gerok, K.: Vor Feierabend. Stuttg., J. F. Steinkopf.
91/95. — Der Heimat zu. Ebd.
91/95. — Illusionen u. Ideale. Ebd.
81/85. — Die Wittenberger Nachtigall. Ebd.
91/95. — Die Psalmen in Bibelstunden. Ebd.
96/00. — Trost u. Weihe. Ebd.
96/00. Gersdorff, A. v.: Blumen im Schutt. 2 —
96/00. — Erlösende Worte. 2 —
82/00 Gerstäcker, F.: Alle bei H. Costenoble in Jena erschienenen Werke: Berl., Neufeld & H.
86/00. Gerstung, F.: Bienenbücher. Berl., F. Pfenningstorff.
81/95. Gesammt-Verlags-Katalog d. deut. Buchhandels. Lpzg., J. C. Hinrichs' Verl.
96/00. Geschäftsbericht d. Arbeitsvermittlgsamtes v. Wien. Wien, Gerlach & W.
96/00. Geschichte, polit., d. Gegenwart. ô F.
06.I. Geschichtsblätter, hans. Jahrg. 1—32. nn 129.60
71/95. Geschichtsquellen, hans. I. Folge 7 Bde. Lpzg., Duncker & Humblot, nn 33.30
96/00. — dass. Neue Folge 2 Bde. Ebd. nn 16.35
81/85 u. 96/00. — d. Bistg Münster. Richt. Fr. f. I—IV. 30.50; f. I—VI. 66.50
96/00. Gesetze u. Verordnungen, österr., f. Industrie. Lpzg., H. A. L. Degener.
91/95. Gestrin, E. T.: Die Rechtfertiggslehre d. Professoren Beck, Myrberg u. Nitzsch. Lpzg., Krüger & Co. — 50
96/00. Geszler, J.: Die Moden d. 19. Jahrh. Restvorworte an P. E. Lindner in Lpzg.
96/00. Gewerbegericht, d. 5. u. 6. Jahrg. Erh. je 4 —; einz. Nrn. — 40
96/00. Gewerbe-Zeitung, allg. Kassel (Köllnsche Str. 10), Dr. Eley. ô H.
96/00. — Thüringer. Ebd. ô H.
96/00. Geyer, G.: Ueb. d. Färben d. Schmuckfedern. Wittenbg., A. Ziemsen.
96/00. Geyso, A. v.: Hdb. f. d. aktiven Offiziere d. Armee. Berl., W. Thoms.
91/95. Giehrl, E.: Das goldene ABC d. hl. Bonaventura. Münch., Allg. Verlags-Gesellsch.
96/00. Giessler, C. M.: Die Atmg. Sachsa, H. Haacke.
88/90. Giessler, M.: Tiefen d. Traumlebens. Sachsa, H. Haacke.
96/00. Girgensohn, T.: Zur Erbaug. Riga, Jonck & P. Erh. 1.50
96/00. — Das Wunder. Ebd.
91/95. Girod, T.: Tierstaaten u. Tiergesellschaften. Dresd., H. Schultze.
91/95. Glasenapp, C. F.: Wagner-Encyklopädie. Lpzg., C. F. W. Siegel. 8 —; geb. 10 —
86/90. Glaser, G.: Katechet. Predigt-Entwürfe. Rgnsbg., Verlagsanst. vorm. G. J. Manz.
96/00. Glaube, d. alte. Lpzg., (A. Deichert Nf.).
96/00. Glaubrecht, O.: Das Heidehaus. Erh. geb. 1.50
96/00. Gleditsch H.: Das kgl. Wilhelms-Gymnasium in Berlin. Lpzg., Krüger & Co. — 30
91/00. Gleichheit, die. Stuttg., P. Singer.
81/85. Gleichnisse a. Scrivers Seelenschatz. Geb. 2.20
96/00. Glinzer, E.: Grundr. d. Festigkeitslehre. Lpzg., H. A. L. Degener.
81/85 u. 91/00. — Lehrb. d. Elementar-Geometrie. Ebd.
96/00. Globus-Kalender. ô F.
06. I. Glocke, die. Konst., C. Hirsch. Geb. 3 —; 4 — u. 5 — ô F.
71/00. Glocken, freie. Dölitz, Monist. Centralbh. A. R. Teichmann.
91/95. Glück, d. wahre. Münch. (Mariahilfplatz 32), A. Killer.
65/00. Glückauf. Berg- u. hüttenm. Wochenschr. Ess., Verlag d. Glückauf.
96/00. Glücksmann, E.: Damenwahl. Berl., J. Gnadenfeld & Co.
51/85. Glückwunsch-Büchlein f. kl. u. gr. Kinder. — 20
96/00. Gnadenmittel, d., d. göttl. Wortes. Lpzg., Krüger & Co. — 40
96/00. Gnauck-Kühne, E.: Aus Wald u. Flur. Münch., Allg. Vorlags-Gesellsch.
88/90. Gnissel, E. G.: Das Quitzow-Ungethüm. Berl., Deutscher Selbst-Verlag. Erh. — 50
81/85. Goedde, A.: Der Wildpark. Wien.-Huber & Lahme Nf.
96/00. Goedicke, E.: Up ewig ungedeelt. 2 —
96/00. Goehde, K.: Koche m. Märchen! Verl. jetzt in Friedenau.
96/00. Goldmann, P.: Ein Sommer in China. 4 —; geb. 5 —
86/90. Gold- u. Silber-Münzen Japans. Berl., P. Lehmann.

81/85. Goeler v. Ravensburg, F. Frhr.: Rubens u. d. Antike. Berl., H. Barsdorf.
96/00. Golowin, K: Die finanzielle Politik Russlds. Lpzg., B. Hermann.
76/80. Goltstein, M.: Wirkgn. d. Stickoxydulgases. Bonn, M. Hager.
71/75. Goltzsch, E. T.: Anweisg z. Lese- usw. Unterr. Lpzg., Krüger & Co. — 25
51/65. — Tägliches Brot. Ebd. — 30
66/70. — Einrichtgs- u. Lehrplan f. Dorfsch. Ebd. — 80
71/75. — Lautzeichenstäbe u. Vorübgn. f. d. 1. Schreibunterr. Ebd. — 25
68/70. — Die Stellg. d. Seminare zu d. Volksschulen. Ebd. — 30
96/00. Gordon, M.: Kosmetik. Broch. 1 —
96/00. Goron, M.: Pariser Liebe. Berl., Schreiter.
76/80. Göschl, L.: Kurze Grammatik d. arab. Sprache. Wien, A. Mejstrik. 2.50
86/90. Göser, J. E.: Im Kreuz ist Heil. Münch. (Mariahilfplatz 32), A. Killer.
86/90. — Wider Sklavenjagd u. Sklavenhandel. Ebd.
81/85. Goethe's, J. W., Werke. 14 Bde. Gütersl., C. Bertelsmann. 15 —
96/00. — Gedichte, Ausgew. v. K. Heinemann. Mit Bildern v. F. Kirchbach. 30 —
91/00. Gottes Wort in Hause. Dresd., Dresdner Verlagsh. M. O. Groh. Geb. 15 —
96/00. Gotthard, J. P.: Ich kann schon singen. Berl., J. Gnadenfeld & Co.
96/00. Gottschall, R. v.: Aretin u. s. Haus. Berl., W. Herlet.
96/00. — Georg Ebers. Lpzg., C. F. Tiefenbach.
86/90. Gottschick, J.: Die Glaubenseinh. d. Evangelischen gegenüber Rom. — 20
96/00. Goetz, K. G.: Das Christentum Cyprians. 1.60 —
96/00. Goetz, L. K.: Redemptoristen u. Protestanten. — 40
96/00. Grabe, F.: 200 neue poet. Orig.-Postkarten-Grüsse. — 20
96/00. — Postkarten-Poesie. — 20
96/00. — Neue poet. Radiergrüsse. — 20
86/90. Gräber, H. J.: Der Jesusmorden. Bas., E. Finckh.
86/90. — Die geheimen Vorschriften usw. d. Jesuiten. Ebd.
86/00. Grabreliefs, d. att. Berl., G. Reimer.
76/80. Grädener, C. G. P.: System d. Harmonielehre. Heilbr., C. F. Schmidt. 2.50
96/00. Grainer, F.: Aus freier Wildbahn. Berl., Neufeld & H.
91/95. Granichstätten, O.: Der internat. Strafrechtsverkehr. Wien, Manz.
91/95. — Das Urheberrecht. Ebd.
86/90. Grasberger, H.: Adam u. Eva. Münch., G. Müller.
96/00. — Steir. Geschichten. Ebd.
96/00. — 7 Kaiserlegenden. Ebd.
91/95. — Licht u. Liebe. Ebd.
96/00. — Die Naturgesch. d. Schnadahüpfels. Ebd.
96/00. — Ein Triptychon. Ebd.
86/90. Grashey, O.: Nachseuche auf angeschossenes Wild. Wien, Huber & Lahme Nf. 1 —
81/85. — DieRacekennzeichen d. deut.Hunderacen. Frankf. a/M., Kern & Birner.
96/00. Grauenhorst, C. u. E.: Schriften. Berl., Fröbel-Oberlin-Verlag.
86/95. Gravenhorst, C. J. H.: Imker-Album. Lpzg., R. C. Schmidt & Co.
96/00. Gravenhorst, H.: Anleitg. z. Ausnutzg. d. Bienenvolkes. Lpzg., R. C. Schmidt & Co.
76/95. Graveur-Zeitung. Lpzg., W. Diebener.
81/85. Grazie, M.E. delle: Hermann. Lpzg., Breitkopf & H.
81/85. — Saul. Ebd.
81/85. — Die Zigeunerin. Ebd.
91/95. Greif, M.: Francesca da Rimini. Lpzg., C. F. Amelang.
96/00. Greiner, L.: Das Jahrtausend. Lpzg., (H. Dege).
96/00. Greinz, H.: Küsse. Wien, J. Deubler.
96/00. Greinz, R. H.: Die Rose v. Altspaur. Berl., Heilbrunn & Co.
96/00. Grelle, F.: Elemente d. Theorie d. usw. Funktionen. Lpzg., H. A. L. Degener.
81/85. — Analyt. Geometrie d. Ebene. Ebd.
51/85. — Prinzipien d. Arithmetik. Ebd.
91/95 Grethlein, K.: Theaterkatalog. Münst., H. Schöningh, Sep.-Cto. 3 —; geb. 4 —
91/95. Griebel, C.: Unter jüd. Diktatur. Berl., A. Kämmerer.
91/95. — Die Herzkrankh. Ebd.
91/95. — Das Judentum in d. Naturheilkde. Ebd.
91/95. — Der Magen. Ebd.
91/95. — Die Nervenkrankh. Ebd.
91/95. — Nierenerkrankg. u. Wassersucht. Ebd.
96/00. — Rheumatismus, Gicht etc. Ebd.
96/00. Griesbach, H.: Untersuchgn. üb. d. Sinnesschärfe. Bonn, M. Hager.
96/00. Grimm, E.: Münzen u. Medaillen d. Stadt Wismar. Berl., P. Lehmann.
86/90. Grimm, J., u. W. Grimm: Briefe an G. Fr. Beneoke. 2 —
96/00. — — Kinder-Märchen. — 50
91/95. — — Kinder- u. Hausmärchen. Bagel. 2 —
91/95. — — Das herrl. brave Kinder. — 50
81/85. Grimm, W.: Kurzgef. Gesch. d. luther. Bibelübersetzg. Jena, H. W. Schmidt. 1.50

96/00. Gröger, F.: Hirten- u. Weihnachtslieder a. d. österr. Gebirge. Jena, H. W. Schmidt. 1.50
78/85. Groschenbibliothek fürs deut. Volk. 63 Nrn. Bas., E. Finckh.
96/00. Grosse, J. W.: Germania. Berl., Deutscher Selbst-Verlag.
96/00. Grossjohann, H., u. A. Hennig: Lehrb. d. vereinf. deut. Stenogr. Berl., Gerdes & Hödel.
96/00. Grossschmetterlinge, palaearkt. Lpzg., J. Paul.
96/00. Grousilliers, A. de: Bismarck-Museum. Lpzg., Jacobi & Quillet.
71/80. Grueber, B.: Die Kunst d. M.-A. in Böhmen. Wien, (A. Schroll & Co.).
91/95. Grün, A.: Gedichte. Geb. 2.50
51/65. — Robin Hood. Berl., G. Grote. 1.50
51/65. — Nibelungen im Frack. Ebd. 1 —
76/80. — Pfaff v. Kahlenberg. Geb. 2 —
71/75. — Der letzte Ritter. Geb. 2 —
91/95. — Schutt. Geb. 2 —
76/80. — Spaziergänge e. Wiener Poeten. Geb. 1.50
76/80. — In d. Veranda. Geb. 2 —
91/95. Grünbaum, M.: Neue Beitr. z. semit. Sagenkde. Frankf. a/M., J. Kauffmann. nn 3.50
91/95. Gründler, B.: Die Lage d. ev. Geistlichen e. „Notlage". Lpzg., Krüger & Co. — 40
96/00. Grünwald, W.: Die prakt. Holzausnützg. Wien (Pragerstr. 5 III/2), Sachs' Verl. 1 —
96/00. Grützner, P.: Zum Andenken an R. Heidenhain. Bonn, M. Hager.
96/00. Guglia, E.: Noch e. Reise nach Italien. Berl., F. Wunder.
96/00. Guhlen, F. Frhr. v.: Die Sprengg. d. Dreibundes. Lpzg., O. Gracklauer.
76/80. Guidonis micrologus de disciplina artis musicae. Berl., L. Liepmannssohn. Erh. 73 —
96/00. Guinness, M. G.: Die Gesch. d. China-Inland-Mission. Barmen, Deutsche China-Allianz-Mission.
96/00. Güldner, H.: Für d. Techniklers Tisch u. Tasche. Lpzg., H. A. L. Degener.
96/00. Gumprich, J.: Kochb. f. jüd. Küche. Trier, (F. Lintz). 91/95. Guntermann: Mit Badens Wehr f. deut. Ehr. Karlsr., F. Gutsch.
95/00. Günther, A.: Vorschl. z. e. zeitgemässen Gestaltg. d. Gesch.-Unterr. Sachsa, H. Haacke.
96/00. Güter-Adressbuch v. Mecklenburg-Schwerin & Strelitz. Stett., P. Niekammer.
96/00. Guttstadt, A.: Krankenhauslexikon: 8 —; geb. 10 —
73/80. Guye, P. H.: Die Schweiz in ihrer polit. Entwicklg. Bonn, M. Hager. Erh. — 80
51/65. Haas, K.: Die Kunstdenkmale d. M.-A. in Steiermark. Wien, (A. Schroll & Co.).
96/00. Haase, H.: Krit. Betrachtgn. üb. d. Navier'sche Bogentheorie. Rgnsbg., Oberbauinsp. a. D. Haase.
96/00. — Mit Gott f. Licht u. Wahrheit. Ebd.
96/00. — Das Grundgesetz d. Horizontalschube. Ebd.
96/00. — Die Theorie d. parabol. u. ellipt. Bogen. Ebd. 3.40
95/00. — Theorie d. parabol. Brückengewölbe. Ebd.
96/00. Haass, R.: Im Zeichen Bismarcks. Karlsr., F. Gutsch.
88/90. Haberland, M.: Beitr. z. wiss. Landeskde v. Mecklenb.-Strelitz. Neustrel., G. Barnewitz. Je — 50
81/85. — Wie unterscheidet sich d. Methode d. Mathematik usw. Ebd.
91/95. Habermann's, J., gröss. christl. Gebetb. Geb. 1 —
96/00. Habermann, M. v.: Die christl. Frau. Rgnsbg., Verlagsanstalt vorm. G. J. Manz.
96/00. Hachfeld, H.: Der kl. Katechismus M. Luthers. Berl., G. Nauck. 1 —
76/80. Haeckel, E.: Das Protistenreich. Stuttg., A. Kröner.
96/00. Hacker, H.: Die Ärztin. Lpzg., C. Bange.
91/95. Hacker, O.: Thüringer Sagenbuch. Lpzg., O. Borggold.
96/00. Haeder, E.: Merkbuch. Bureau-Ausg. 1.20
96/00. Hafner, F., u. O. Weilhart: Die brotlose Kunst. Berl., F. Wunder.
96/00. Hagedorn, A.: Waldesklänge. 1.20
66/70. Hagemann, H.: Dorner's Gesch. d. protestant. Theol. Aachen, I. Schweitzer. — 30
96/00. Hagen, L.: Die Nadelkünste. Zür., Th. Schröter's Nf.
96/00. Hagen-Tobler: Prakt. Anl. z. leichten Erlerng. d. einfachen Kleidermachens. 1 —
96/00. Hagenauer, A.: Muspilli. Wien, J. Deubler.
96/00. Hahn, J.: Harfenklänge. Potsdam, M. v. Ehrenberg. (?)
88/90. Hahn, A.: Bad Elster. Weissens., H. W. Th. Dieter.
51/90. 98/00. Hahn-Hahn, I. Gräfin v., alle bei Kirchheim erschienenen Werke: Rgnsbg., J. Habbel.
96/00. Hähnel, F.: Auf festem Grunde. Brem., O. Melchers. — 50
76/80. Haehnelt, W.: Ich bin d. Herr, dein Arzt. Lpzg., Krüger & Co.
96/00. Häkelmuster-Album d. „Wiener Mode". Berl., J. Gnadenfeld & Co.
67/80. Hallier, E.: Ästhetik d. Natur. Lpzg., P. E. Lindner.
96/00. — Grundz. d. landschaftl. Gartenkunst. Berl., F. Wunder.
96/00. Halusa, T.: H. Heine. Rgnsbg., Verlagsanst. vorm. G. J. Manz.
96/00. — Tautröpfchen. Münch., Allg. Verlags-Gesellschaft.
96/00. Hamann, E. M.: Erhebet Euch! Rgnsbg., Verlagsanst. vorm. G. J. Manz.
96/00. — M. Herbert. Münch., Allg. Verlags-Gesellschaft.

51/00. Hamerling, R., alles bei J. F. Richter bezw. Verlagsanstalt u. Druckerei in Hambg. erschienene: Lpzg., M. Hesse.
91/95. Hammer, A.: Europas Tierwelt. Geb. 2.50
91/95. Handarbeits-Bibliothek d. „Wiener Mode". Berl., J. Gnadenfeld & Co.
91/00. Handbuch d. Krankh. d. weibl. Adnexorgane. Berl., S. Karger. I. nn 9 —; II. nn 18 —
86/00. — genealog., bürgerl. Familien. Görl., C. A. Starke.
96/00. — polit., f. nationalliberale Wähler. Berl., A. Duncker.
86/00. — grosses, d. Philatelie. Lpzg., J. J. Arnd.
96/00. — f. Post u. Telegr. 1.25
91/00. Handbücher d. kgl. Museen zu Berlin. Berl., G. Reimer.
96/00. Handel u. Gewerbe. 8. Jahrg. Nr. 26 ff. Berl., Ö. Heymann.
91/00. Handels-Akademie. Lpzg., Verlag d. Handels-Akademie.
71/00. Handelsblatt f. Walderzeugnisse. Freibg. i/B., Verlag d. Handelsbl.
96/00. Handelszeitung, bayer. Münch., (H. Lukaschik).
86/00. Handschriften, berühmte, d. M.-A. I. Das Nibelungenlied. Frankf. a/M., J. Baer & Co. 36 —
96/00. Hanl, F.: Das Rechnen d. Kleinen. Wien, A. Pichler's Wwe. & S. 2 —
96/00. Hann, F. G.: Kunstgeschichtl. Führer durch d. Gurker Dom. Klagenf., Buch- u. Kunsth. d. St. Josef-Vereines. nn — 20
96/00. Hann v. Weyhern: Major Bolstern v. Boltenstern. 2 —
96/00. Haunnoken, M.: Aus fernen Kindertagen. 1.50
96/00. — Der hl. Tom. 1.50
96/00. Hans, J.: Mitgabe f. Konfirmanden. — 35; geb. — 60
86/90. Haenselmann, L.: Deut. Bürgerleben. 1. Bd. nn 1.50; geb. nn 2 —
96/00. Hansen, A.: Repetitorium d. Botanik. Giess., A. Töpelmann.
66/70. Hanstein, J.: Uebersicht d. natürl. Pflanzensyst. Aach., I. Schweitzer. Erh. — 75
96/00. Hansult, M.: Patronat. Giess., A. Töpelmann. 1.20
76/80. Haringer, K.: Krankentrost. Rgnsbg., Verlagsanst. vorm. G. J. Manz.
96/00. Harlan, W.: Die Dichterbörse. Berl., E. Fleischel & Co.
51/65. Harless, J. S. H.: Summa d. bibl. Gesch. d. A. Test. Lpzg., Krüger & Co. — 40
51/65. — dass. d. N. Test. Ebd. — 40
81/85. Harnack, O.: Das Karfürstencollegium. 2 —
96/00. Harro, F.: Die Auferstehg. u. Himmelfahrt Christi. Lpzg., P. Schimmelwitz.
96/00. Hartleib, O.: Die ges. Betriebsbuchführg. f. Maschinenfabriken. Berl., A. Unger.
91/95. — Die Buchführg. d. Handwerkers. Ebd.
96/00. — Prakt. einf. u. dopp. Buchführg. bes. f. Ziegelei-Gewerbe. Ebd.
91/95. — Der industrielle Lohnbuchhalter u. Kalkulator. Ebd.
96/00. — Dopp. Spezial-Buchführg. f. Maschinenfabriken. Ebd.
91/95. Hartmann, L.: Kochbuch. Lpzg., Geschäftsstelle d. Allg. deut. Buchh.-Gehilfen-Verb.
96/00. Hartmann, M.: Feiner Humor. Kolberg, Selbstverl.
96/00. Hartmann, R. J.: Palaestina. Stuttg., Th. Benzinger. 8 —; Luxusausg. 18 —
66/70. Hartmann, F. A. v.: Grundlegg. v. Aesthetik. Sachsa, H. Haacke.
76/80. — Grundz. d. Psychologie. Ebd.
66/70. — Grundz. d. Wiss. d. Glücks. Ebd.
76/80. — Methode d. wiss. Darstellg. Ebd.
81/85. — Wirkg. d. Irrigation. Bonn, M. Hager.
96/00. Hartwich, W.: Der Rechtsanw. im Hause. Lpzg., Jahn & Schreyer.
91/95. Hartwig, P.: Die griech. Meisterschalen. Berl., G. Reimer.
76/80. Haselmayer, F.: Dichter-Bilder. Würzbg., F. X. Bucher.
81/85. Haselmayer, J. E.: Aufsätze u. Aufsatzpläne. Würzbg., F. X. Bucher.
91/95. — Dichtgslehre. Ebd.
81/85. — Der Geschäftsstil. Ebd.
86/90. Hasler, F.: Üb., d. Verhältn. d. Volkswirtsch. u. Moral. Rgnsbg., Verlagsanst. vorm. G. J. Manz.
81/85. Hatch, E.: Gesellschaftsverfassg. 2.50
96/00. Gundlegg. d. Kirchenverfassg. Westeuropas. 1 —
81/85. Haton de la Goupillière: Grundr. d. Aufbereitgskde. 4 —
86/90. — Hydraulik u. hydraul. Motoren. I u. II. Je 3 —
81/85. Hatscheck, E.: Algebr. Analysis. Lpzg., H. A. L. Degener.
81/85. — Einl. in d. höh. Analysis. Ebd.
71/75. — Die Sturm'schen Functionen. Ebd.
81/85. Hauer, J. Ritter v.: Die Fördermaschinen. 20 —; geb. nn 25 —
76/80. — Die Hüttenwesens-Maschinen. Suppl. 6 — (Vollst.: 20 —)
76/80. — Die Wasserhaltgsmaschinen. 15 —
76/80. — Die Wettermaschinen. 8 —; geb. 10 —
96/00. Haupt, H.: Beitr. z. Reformationsgesch. d. Stadt Worms. — 80
96/00. Hauptergebnisse d. auswärt. Waarenverkehrs Bosniens u. d. Hercegovina. Wien, A. Holzhausen.
91/00. Hauptrechnungs-Abschluss d. Stadt Wien. Wien, Gerlach & W.
96/00. Hauptresultate d. Volkszählg. in Bosnien u. d. Herzegowina v. J. 1895. Wien, A. Holzhausen.
91/00. Hauptvoranschlag d. Stadt Wien. Wien, Gerlach & W.

91/00. Hausbesitzer-Zeitung, deut. Dresd., M. Hölzer.
96/00. Haus-Bibliothek, illustr. Der Jahrg. 6 —
96/00. Hausegger, F. v.: Die Anfänge d. Harmonie. Münch., Verlagsanst. F. Bruckmann.
91/95. — Das Jenseits d. Künstlers. Ebd.
86/90. — Die Musik als Ausdruck. Ebd.
86/90. — Die künstler. Persönlichk. Ebd.
91/95. Haeuselmann, J.: Letztes Zeichentaschenbuch. 3 —
81/85. — u. R. Ringger: Taschenb. f. d. farb. Ornament. 4 —
81/85. — Petit traité d'ornement. 4 —
96/00. Hausfrau, d. deut. Radeb., M. Wolf. ô F.
74/00. Hausfrauen-Zeitung, deut. Berl., L. Morgenstern. Je 4 —; geb. je 7.50
96/00. Hausschatz christl. Erzählgn. ô F.
91/95. — d. grossen Loge Kaiser Friedrich z. Bundestreue. Berl., A. Unger.
66/70. Haussmann, J. G. F.: Homöop. Noth- u. Hilfsbüchl. — 80
96/00. Havestadt, B.: Chilidúgu. Lachrymae salutares. Lpzg., O. Harrassowitz. nn 2 —
96/00. — Chilidúgu sive tractatus linguae chilensis. Ebd. nn 20 —
96/00. Hebel, J. P.: Alemann. Gedichte. Mit Einl. v. H. Albrecht. 4 —
86/90. Hebler, O.: Elemente d. philos. Freiheitslehre. 3 —
96/00. Hecher, J.: Predigten üb. d. Vater unser. Hamm, Breer & Thiemann.
96/00. Hecht, H.: Untersuchgn. üb. einige zw. Porzellan u. Feldspat-Steingut besteh. Beziehgn. Erh. 1.50
91/95. Hecht, K.: Hand- u. Hülfsh. z. Abstecken v. Eisenb.- u. Strassenkurven. Lpzg., H. A. L. Degener.
91/95. — Hülfsb. z. Abstecken v. Kreisbögen. Ebd.
91/00. — Lehrb. d. reinen u. angew. Mechanik. Ebd.
96/00. Heck, L.: Lebende Bilder a. d. Reiche d. Tiere. Lpzg., Bibliograph. Anstalt A. Schumann. Geb. 6 —
96/00. Hedenstjerna, A af. Alles bei G. H. Meyer, bezw. Meyer & Wunder in Berlin Erschienene: Lpzg., W. Strübig. Je 1 —; geb. je 2 —
91/95. Hegeler, W.: Mutter Bertha. Berl., E. Fleischel & Co.
96/00. — Ingenieur Horstmann. Ebd.
91/95. — Und alles um d. Liebe. Ebd.
96/00. — Nellys Millionen. Ebd.
96/00. — Pygmalion. Ebd.
96/00. — Sonnige Tage. Ebd.
81/85. Hegewald; Der Gebrauchshund. Neud., J. Neumann.
96/00. Heiberg, H.: Durchbrochene Dämme. 2 —
96/00. — Fast um e. Nichts. 2 —
86/90. Heidenkind, d. St. Ottilien, Missionsverlag.
51/65. Heider, G.: Liturg. Gewänder. Wien, (A. Schroll & Co.).
51/65. — Mittelalterl. Kunstdenkmale. Ebd.
91/95. Heilandsworte f. alle Tage d. Jahres. Riga, Jonck & P.
91/95. Heim, A., u. C. Schmidt: Geolog. Karte d. Schweiz. 8.40; auf L. 7.20
96/00. Heimat. Neue Folge d. Boten f. deut. Litt. Berl., Heimat-Verlag.
96/00. — deut. Ebd.
96/00. Heimatglocken. Berl., (W. Schultze).
91/95. Heine, H.: Der Erbe. Stuttg., Holland & J.
91/95. — Es ist noch Raum da. Ebd.
96/00. Heineke, R.: Synopse d. 3 ersten kanon. Evangelien. 2 —
76/80. Heinel, F.: Gesch. Preussens. Königsbg., J. H. Bon's Verl.
96/00. Heinrich, J. B.: Lehrb. d. kathol. Dogmatik. Münst., Aschendorff.
71/00. — Dogmat. Theologie. Ebd.
96/00. Heinrich, L.: Der ehrbare Mann u. d. prostituierte Frau. Lpzg., H. Hedewig's Nf.
96/00. Heinrich, P.: Selbstunterrichtsbriefe. Lpzg., Deutsches Bücherversandthaus A. Herzog & Co.
71/75. Heinrici, G.: Die Valentinian. Gnosis u. d. hl. Schrift. Lpzg., Krüger & Co. — 75
71/75. Heintze, A.: Dramat. Bilder. Stolp, H. Hildebrand's Bh. 1 —
71/75. — Mhd. Leseb. Ebd. 2 —
81/85. Heinzelmann, W.: Üb. Bildg. u. Einfalt. Lpzg., Krüger & Co. — 40
86/90. — Üb. d. Erziehg. z. Freiheit. Ebd. — 50
96/00. Heise, J.: Die Denkmalspflege. Danz., L. Saunier.
86/90. Held, O.: Die besteh. Organisation u. d. erforderl. Reorganisation d. preuss. Polizei-Verwaltg. Lpzg., O. Gracklauer.
91/95. Heldenbuch, d., v. K. Simrock. 2.40
51/65. — dass. Amelungenlied. Bd. 2. u. 3 je 2 —
86/90. Helene (v. J. Mackay). Berl., Schuster & Loeffler. 1 —; geb. 2 —
91/95. Helfert, J. A. Frhr. v.: Staatliches Archivwesen. Wien, (A. Schroll & Co.).
96/00. — Denkmalpflege. Ebd.
91/95. — Eine Gesch. v. Thoren. Ebd.
91/95. — 3 Stadtpläne u. 1 Stadtansicht v. alten Prag. Ebd.
98/00. Heller, M., u. F. Trenkwalder: Die österr. Executionsordng. Wien, Manz.
86/90. Hellwald, F. v.: Die menschl. Familie. Stuttg., A. Kröner.
86/90. Helme, E.: Prinz Rosa-Stramin. Berl., F. Wunder. 3 —; geb. 3 —
96/00. Helmerstein, K.: Neue Damen-Vorträge. — 25
96/00. — Neue Gesellschafts-Vorträge. Je — 25
96/00. — Hochzeitslieder u. Aufführgn. Je — 20

96/00. Helmerstein, K.: Humor u. Ernst. Je — 25
96/00. — In froher Runde. 1 —
96/00. — Neue Vorträge f. Damen u. Herren. — 25
76/80. Helmert, F. R.: Die Uebergangscurven. Lpzg., H. A. L. Degener.
86/90. Henckell, K.: Amselrufe. Berl., Bard, Marquardt & Co.
86/90. — Diorama. Ebd.
96/00. — Gedichte. Ebd. 5 —; geb. 6 —
81/85. — Poet. Skizzenb. Ebd. (Vergr.)
91/95. — Strophen. Ebd.
91/95. — Trutznachtigall. Ebd.
96/00. — Widmgsblatt an Böcklin. Ebd. 2 —
91/95. — Zwischenspiel. Ebd.
86/90. Henko, H. K.: Beiträge z. Statistik d. Forsten d. Europ. Russland. Eisenach, E. Laris Nf.
91/95. Hennes, G.: Die Kreuzzüge. Münst., H. Schöningh. Sep.-Oto. Geb. 1.60
91/95. — Berühmte Seefahrer u. Entdecker. Ebd. Erh. 1.20; geb. 1.60
96/00. Henniger, F.: Die Absatz-Kontrolle. Lpzg., H. Hedwig's Nf.
91/95. Henschel, A.: Ev. Lebenszeugen d. Posener Landes. Lissa, F. Ebbecke. Geb. 4 —
96/00. Hentig, O.: Gesamt-Ausg. d. am 1.1.1900 in Kraft getret. Reichsges. Lpzg., Verein.Verl.- u. Reisebuchhdlgn. Erh: geb. 15 —
81/85. Henzen, W.: Die Anbetg. d. Hirten. Lpzg., O. Gracklauer.
81/85. — Bettina de Monk. Ebd.
81/85. — Die Geissel. Ebd.
96/00. — Kaiser, König u. Bauer. Ebd.
96/00. — Savitri. Ebd.
96/00. Hephata. Ein Ruf Gottes an d. Menschh. Lpzg., H. Hedewig's Nf. 3 —
76/80. Heppe, H.: Kirchengesch. beider Hessen. 4 —
96/00. Heptameron; der. Aus d. Franz. v. W. Förster. Berl., Schreiter.
96/00. Herbert, M.: Geistl. u. weltl. Gedichte. Münch., Allg. Verlags-Gesellschaft. 2.50; geb. 3.50
91/95. Herbst, R.: Doppelter Sieg. Erh. 1.50
91/95. Herchenbach, W.: Robinsons fernere Schicksale. 1.50
91/95. Hercher, B.: Lehrb. d. analyt. Geometrie d. Ebene. Altbg., H. A. Pierer.
76/80. Hergenröther, J.: Kardinal Maury. Rgnsbg., Verl.-Anst. vorm. G. J. Manz.
86/90. Hermann, F.: Sozialdemokratie u. Christent. Lpzg., Krüger & Co. — 20
96/00. Hermann, G.: Aus d. letzten Hause. Berl., E. Fleischel & Co.
96/00. — Modelle. Ebd.
96/00. — Spielkinder. Ebd.
96/00. — Die Zukunftsfrohen. Ebd.
96/00. Hermann, M.: Die Geheimnisse d. Falschspieler. Lpzg., A. F. Schlöffel. Erh. — 75
86/90. Hermann, R.: Die Braut v. Alsen. Lpzg., O. Gracklauer.
91/95. Hermans: Die Werke d. Barmherzigk. Bas., E. Finckh.
96/00. Hermes, J.: Eine Hasenjagd in d. Kaserne. — 30 —
81/85. Herodot: Historiae ed. H. Stein. 2 vols. Erh. je 2.40
86/90. Herrig, H.: Ges. Schriften. Lpzg., Thüring. Verl.-Anst.
71/75. — Jerusalem. Ebd.
86/90. — Der dicke König. Ebd.
81/85. — Konradin. Ebd.
76/80. — Der Kurprinz. Ebd.
76/80. — Luther. Ebd.
81/85. — Mären u. Geschichten. Ebd.
81/85. — Nero. Ebd.
81/85. — 3 Operndichtgn. Ebd.
76/80. — Die Schweine. Ebd.
96/00. Herrmann, E.: Die Theorie d. Versicherg. Wien, Manz. Erh. 3.60; geb. 4.80
96/00. Herrmann, V. E.: Kinderlust. Münch. (Mariahilfplatz 32), A. Killer.
96/00. Hertel, A.: Die alte Kaiserstadt Goslar. Berl., Verl.-Anst. Universal. ô H.
91/95. Hertwig, P.: Lotosauge. Lpzg., Buddhist.Verl. Geb. — 40
91/95. Hertzsch, R. H.: Ontogenet.-phylogenet. Beweis f. d. Dascin Gottes. Erh. 1.20
96/00. Herzberg, W.: Jüd. Familienpapiere. Frankf. a/M., J. Kauffmann. 2 —; geb. 3 —
86/90. Herzen, A.: Grundlinien s. allg. Psychophysiologie. Stuttg., A. Kröner.
96/00. Hesdörffer, M.: Anl. z. Blumenpflege. Berl., P. Parey.
91/95. — Unter Blumen. Ebd.
96/00. — Hdb. d. prakt. Zimmergärtnerei. Ebd.
96/00. — Monatshefte f. Blumen- u. Pflanzenfreunde. Ebd.
96/00. — E. Köhler u. R. Rudel: Die schönsten Standen. Ebd.
81/85. Hesekiel, L.: Elisabeth Luise, Königin v. Preussen. Lpzg., Krüger & Co. 1 —
91/00. Hess, J.: Anl. z. 1. Hilfeleistg. Lpzg., M. Heinsius Nf.
91/95. — Ratgeber. Ebd.
81/85. Hess, W.: Bilder a. d. Aquarium. 2 Bde. Je 2 —
86/90. Hesse, M.: Der Hüttenmeister. 2 —
71/75. Hesse, E. A. v.: Der unterseeische Tunnel zw. Engl. u. Frankr. Lpzg., H. A. L. Degener.

91/95. Hesse, R.: Die Hypogaeen Deutschlds. Berl., R. Friedländer & S. 25 —

91/95. Hessel, K.: Rheinlieder. 3 —

96/00. Hessen, R.: Das Glück in d. Liebe. Kiel, Lipsius & T.

06 I. Hessler, Carl: Hess. Landes- u. Volkskde. I u. II kart. 15 —

76/80. Hettinger, F., Grundidee d. göttl. Komödie. Aachen, I. Schweitzer. — 60

76/80. Hettner, F.: De Iove Delicheno. Bonn, M. Hager.

91/95. Hetzel, H.: Die Humanisierg. d. Krieges. 6 —

51/65. Heusinger v. Waldegg, E.: Die eiserne Eisenb. Lpzg., H. A. L. Degener.

86/90. — Musterconstructionen f. Eisenb.-Bau. Ebd.

86/90. — Musterconstructionen f. Eisenb.-Betrieb. Ebd.

71/75. Heydemann, H.: Die antiken Marmorbildwerke in d. sogen. Stoa d. Hadrian. 4.50

71/75. — Die Vasensammlgn. d. Museo Nazionale zu Neapel. 12 —

96/00. Heyfelder, V.: Üb. d. Begriff d. Erfahrg. bei Helmholtz. F ei u i/B., H. Heyfelder.

96/00. Heyne, P.: Wörterb. d. Elektrotechnik. Lpzg, H. A. L. Degener.

86/90. Hickmann, H. W.: Innere Mission u. Familie. Lpzg., Krüger & Co. — 15

96/00. Hilty, C.: Der beste Weg. Berl., Heilsarmee-Grundstücks-Gesellsch.

96/00. Himmel, H. v.: Eine Orient-Reise. Münch., Allg. Verlags-Gesellschaft.

86/90. Himmelbauer, F.: Waldsagen. Wien, J. Deubler.

86/90. Hinterlochner, M.: Seraphische Weckstimmen. Rgnsbg., Verlagsanst. vorm. G. J. Manz.

81/85. Hintze, C: Die Bedeutg. krystallograph. Forschg. f. d. Chemie. Bonn, M. Hager.

71/75. Hipler, F.: Spicilegium Copernianum. Braunsbg., E. Bender. nn 4.50

96/00. Hirsch, M.: Die 12 Propheten. Geb. nn 5 —

96/00. Hirschberg: Ein deut. Seeoffizier. IH. Abth. Erh. 4.50

91/95. Hirtenbriefe, d., d. bayer.Episkopates. 1—3.Heft. Rgnsbg., Verlagsanst. vorm. G. J. Manz.

96/00. Hirth, G.: Das ges. Turnwesen. 3 Bde. nn 10 —; geb. nn 14 —

96/00. Hittenkofer, M.: (Baufach.) 41. Entwerfen d. Fassaden. C. Barock- u. Rokokofassaden. — 90

91/95. — dass. 41 I. Der Fassadenbau. 1. Tl. Hausteinbau. 10 —; geb. 13 —

51/65. Hoburg, K.: Gesch. d. Festgsewerke Danzigs. Danz., L. Saunier. 5 —

96/00. Hochfeld, H.: Anleitg. a. d. Handschrift Charakter u. Gemüth zu bestimmen. Dt.-Eylan, H. Priebe & Co.

96/00. Höck, J. H.: Bilder a. d. Gesch. d. hamburg. Kirche. 3 —; geb. 4 —

96/00. Hofbibliothek, d. i. Wien. Wien, Gilhofer & Ranschburg. 8 —

96/00. Höfe, d., Europas. I. Bd. Berl., Berliner Verlagsgesellschaft. (Preis.)

76/80. Hoff, J. F.: Adrian Ludw. Richter. Erh. 10 —

96/00. Hoffmann, A.: Schlesiens Gesch. Bresl., Koebner.

81/85. Hoffmann, C.: Bibelforschgn. 2 Bde. Stuttg., M. Kielmann. 5 —

81/85. — Mein Weg nach Jerusalem. 2 Bde. Ebd. 8 —

96/90. Hoffmann, E.: Nach d. Harz. — 80

71/75. Hoffmann, E. T. A.: Ges. Schriften. 8 —; geb. 12 —

81/85. Hoffmann, J.: Streiflichter auf d. heut. Protestantismus. Rgnsbg., Verlagsanst. vorm. G. J. Manz.

51/65. Hoffmann, W.: Die Erdkunde im Lichte d. Reiches Gottes. Lpzg., Krüger & Co. — 20

51/65. — Die innere Mission d. deutsch-ev. Kirche. Ebd. — 20

51/65. — Die Predigt Jerusalems. Ebd. — 20

51/65. — Predigt bei d. Kröng. d. Kön. Wilhelm u. d. Königin Augusta v. Preussen zu Königsberg. Ebd. — 10

51/65. — Predigt am Kröngs- u. Ordensfeste. Ebd. — 10

51/65. — Ruf z. Herrn. 4—8. Bd. Ebd. IV. 1 —; V. 2.50; VI. 1.80; VII. 3.50; VIII. 2 —

51/65. — Visitationsreden. Ebd.

1822/27. Hoffmann v. Fallersleben, H.: Bonner Bruchstücke v. Otfried. Aachen, I. Schweitzer. 1 —

91/95. Höfler, M.: Isarwinkel. Münch., J. J. Lentner.

91/95. — Volksmed. u. Aberglaube in Oberbayerns Gegenw. u. Vergangenh. Ebd.

91/95. — Wald u. Baumkult. Ebd.

96/00. Hofmann, E.: Schmetterling-Etiketten. Stuttg., Verlag f. Naturkde.

71/75. Hofmann, F.: Aufg. a. d. nied. Arithmetik. Lpzg., P. Eger.

76/80. — Grundr. d. mathemat. Geogr. Ebd.

51/65. — Grundr. d. Stereometrie. Ebd.

81/85 u. 91/95. — Sammlg. v. Aufg. a. d. Arithmetik u. Algebra. Ebd.

61/65. — Sammlg. stereometr. Aufg. Ebd.

81/85. — Sammlg. d. wichtigsten Sätze a. d. Arithmetik u. Algebra. Ebd.

76/80. — Die wichtigsten Sätze u. Aufg. d. Planimetrie. Ebd.

51/65. — Die wichtigsten Sätze u. Aufg. d. Trigonometrie. Ebd.

51/65. — Tab. z. Vergleich. versch. Masse usw. Ebd.

76/80. — Zusammenstellg. d. wichtigsten Figuren a. d. Geb. d. mathemat. Unterr. Ebd.

91/00. Hofmann, H.: Bibl. Anschaugsbilder. Lpzg., Leipz.Schulbilderverl. v. F. E. Wachsmuth.

96/00. — Ich bin bei Euch. Ebd.

86/90. — Kommet zu mir. Ebd.

91/96. Hofmann, R.: Zur Gesch. d. Stadt Pirna. 1 —

91/00. Höhenkurvenkarte v. Württemberg. Das Bl. nn 1.50; m. Gebirgsabtöng. nn 2 —

96/00. Höhmann, E.: Tourenb. f. Radfahrer im Bonngau. Bonn, F. Cohen.

71/75. Hohndorf, L.: Aus bewegten Tagen. 2 —

91/95. Hohrath, O.: Margarete. Bas., E. Finckh.

86/90. Holberg, Frhr. L. v.: Dänische Schaubühne. Vollst. 5 — & Co. — 75

51/65. Hollenberg, W. A.: Der Brief an Diognet. Lpzg., Krüger & Co. — 75

51/65. — De Hermae pastoris cod. Lips. Ebd. — 30

51/65. — Die freie christl. Thätigkeit u. d. kirchl. Amt. Ebd. — 60

96/00. Hollmann, F.: Der ev. Relig.-Unterr. Riga, Jonck & P.

96/00. Holmgren, A. M.: Frau Strahle. Berl., Schreiter.

81/85. Holsten, C.: Das Evangelium d. Paulus. 5 —

96/00. Holzheuer, O.: Das Abendmahl. Lpzg., Krüger & Co. — 40

81/85. — Der Brief an d. Ebräer, ausgelegt. Ebd. — 80

96/00. — Christologia. Ebd. — 30

96/00. — Die ev.-kirchl. Jerusalemsfahrt d. J. 1896. Ebd. — 30

91/95. — Predigt z. Eröffng. d. ausserordentl. Generalsynode am 27.X.1894. Ebd.

96/00. Holz, A.: Dr. Richard M. Meyer. Münch., R. Piper & Co.

96/00. — Phantasus. Ebd.

96/00. — Revolution d. Lyrik. Ebd.

66/70. Homann, A.: 150 alte u. neue Volksweisen. Lpzg., Krüger & Co. — 10

91/95. Homer: Ilias. Übers. v. W. Jordan. 2.50; geb. 3.50

86/90. — Odyssee, übers. v. W. Jordan. 2.50; geb. 3.50

96/00. Hoenig, F.: Beitr. z. Schlacht v. Vionville—Mars la Tour. Berl., W. Thoms.

96/00. — Dokumentarisch-krit. Darstellg. d. Strategie f. d. Schlacht v. Vionville—Mars la Tour. Ebd.

96/00. Hopp, F. A.: Weltschriften. Erh. 1 —

96/00. Horak, A.: Kubik-Tab. Wien (III/2, Pragerstr. 5), Sachs' Verl. 6 —

96/00. Hörmann, A. v.: Grüsse a. Tirol. Münch., J. Lindauer. 1 —

96/00. — Das Salig-Fräulein. Ebd. 1 —

96/00. — Die Trutzmühle. Ebd. 1 —

96/00. Horn,W.O.v.: Die Bärenfamilie v.Klarfontein. Bagel:—50

91/95. Hoerschelmann, W.: Der griech. Mimus. Riga, Jonck & P.

51/65. Hosse, F.: Die Weissaggn. d. Propheten Jesaia. Lpzg., Krüger & Co. — 40

71/75. Hottinger, G. G.: Präparat. z. Genesis.' Südende-Berl., Prof. Hottinger.

86/90. Hradisch, J. v.: Blumensprache. Lpzg., Jaeger. — 60

81/85. Hübbe-Schleiden: Deut. Colonisation. 2 —

91/95. — Das Dasein. Lpzg., M. Altmann.

76/80. — Ethiopien. 5 —

86/90. — Jesus a. Buddhist. Lpzg., M. Altmann.

76/85. — Überseeische Politik. 2 Tle. Je 3 —

81/85. — Weltwirtschaft. — 50

51/65. Huber, V. A.: Üb. akad. Convikte. Lpzg., Krüger & Co.—11

51/65. — Üb. span. Nationalität u. Kunst im 16. u. 17. Jahrh. Ebd.

71/75. Hübner, T.: Die Glocke. Aach., I. Schweitzer. — 30

71/75. Hügel, H.: Die Sprache auf d.Bühne. Wien, A. Mejstrik. — 50

96/00. Hummel, A.: Volksschulatlas. Biber., Dorn.

96/00. — Wandtaf. z. Einführg. in d. Kartenverständnis. Stuttg., Holland & J. 5 —; aufgez. 10.50 u. 11.70

96/00. Hummler, J.: Der Occultismus. Saulgau, Selbstverl.

91/95. — Vortrag üb. d.Weltsprache. Münch.(Mariahilfplatz 32), A. Killer.

51/65. Hunaeus, G. C. K.: Die geometr. Instrumente. Lpzg., H. A. L. Degener.

66/70. — Lehrb. d. prakt. Geometrie. Ebd.

51/55. Hundeshagen, C. B.: Üb. d. Natur usw. d. Humanitätsidee. Lpzg., Krüger & Co. — 25

96/00. Hunziker, O.: Gesch. d. schweiz. gemeinnütz. Gesellschaft. 2 —

51/65. Hupfeld, H.: Die heut. theosoph. od. mytholog. Theologie u. Schriftklärg. Lpzg., Krüger & Co. — 20

96/00. Hurp, H.: Ein Missale speciale. Münch., L. Rosenthal.

91/95. Hurter, A.: Vorlagen f. Maschinenzeichnen. 18 —; I. 8 —; II. 12 —

81/85. Hussen's letzte Tage u. Feuertod. — 15

91/95. Husserl, E. G.: Philosophie d. Arithmetik. Sachsa, H. Haacke.

86/90. Huth, G.: The Chandoratnakara. Berl., Mayer & Müller.

91/95. — Die Inschrift v. Karakorum. Ebd.

86/95. — Die Zeit d. Kālidāsa. Ebd.

96/00. Huysmans, J. K.: Gegen d. Strich. Lpzg., F. Rothbarth.

96/00. Hygieia. Hrsg. v. Gerster. 5 F.

76/80. Ja Herr, abergloch! Gedichte. Lpzg., Krüger & Co. — 30

96/00. Jacob, G.: wahre. Stuttg., P. Singer.

51/65. Jacob, O.: d. Entstehg. d. Ilias u. d. Odyssee. 4 —

96/00. Jacobi, C.: Geographie d. Reg.-Bez.Wiesbaden. Wiesbad., H. Staadt. Erh. 1 —

96/00. — Handkarte z. Geographie d. Reg.-Bez. Wiesbaden. Ebd. — 30; aufgez. — 50

213*

86/90. Jacobi, J.: Just. Ludw. Jacobi. Lpzg., Krüger & Co. —80; geb. 1.20
68/70. Jacobi, J. L.: Die Lehre d. Irvingiten. Lpzg., Krüger & Co. — 30
51/85. — Die Zeitalter d. Kirche. Ebd. — 10
96/00. Jacobi, L.:Das Römerkastell Saalburg. Hombg., L.Staudt.
96/00. Jacobowski, L.: Satan lachte. Berl., F. Wunder.
96/00. Jacobsen, J. P.: Werke. Erh. 16 — I. 6 —; II. 5 —; III. 5 —
96/00. — Gedichte. Berl., F. Wunder.
96/00. Jacoby, L.: Cunita. Verleger in: Charlottbg.
81/85. Jäger, G.: Entdeckg. d. Seele. Stuttg., W. Kohlhammer.
66/70. — Das Leben im Wasser. Stuttg., Kosmos.
78/80. — Lehrb. d. allg. Zool. Stuttg., W. Kohlhammer.
91/95. — Aus Natur- u. Menschenleben. Ebd.
81/85. — Neuralanalyse. Ebd.
81/85. — Die Seele d. Landw. Ebd.
78/80. — Seuchenfestigk. u. Konstitutionskraft. Ebd.
91/95. — Stoffwirkg. in Lebewesen. Ebd.
88/90. Jäger, H., u. E. Benary: Die Erziehg. d. Pflanzen a. Samen. Erf., Samenhandlg. v. Benary.
96/00. Jaeger, J.: Wandergn. in Russl. Wien, C. Teufen.
96/00. Jäger, K.: Luther's relig. Interesse an d. Lehre v. d. Realpräsenz. — 80
96/00. Jaeger, O.: Grundzüge d. Gesch. d. Naturwiss. Stuttg., A. Bonz & Co.
96/00. Jäger-Zeitung. Leipz. Lpzg., G. Weigel.
1847 I. Jahn, O.: Archäolog. Beiträge. 6 —
96/00. Jahne, L.: Arnulf v. Kärnten. Berl., F. Wunder.
96/00. Jahnke, E.: Bilder a. d. Erdkde. Danz., Jahn & R.
96/00. — Bilder a. d. vaterländ. Gesch. A u. B. Bresl., F. Hirt.
96/00. Jahrbuch f. usw. österr. Arbeiterversicherg. ö F.
96/00. — d. deut. archäolog. Instit. IV. Ergänzgsheft. 30 —
91/00. — d. Astronomie u. Geophysik. 1—10. Jahrg. Zusammenbezg. 40 —
71/00. — statist., f. Baden. 1—30. Jahrg. Je 6 —
51/65. — d. Central-Comm. z. Erforschg. u. Erhaltg. d. Baudenkmale. Wien, (A. Schroll & Co.). Erh. je 20 —
78/00. — f. brem. Statistik. Brem., F. Leuwer.
96/00. — deutsch-evangel. ö F.
96/00. — schweiz., f. Finanz- u. Versichergswesen. Bern, Neukomm & Zimmermann.
65/00. — Tharänder forstl. 18—55. Bd. Nebst Suppl. Berl., P. Parey.
96/00. — d. Frauenhilfe. Potsd., Stiftgsverl.
96/00. — d. Freimaurerloge „Pionier" in Pressburg. ö F.
96/00. — f. jüd. Gesch. Berl., M. Poppelauer.
91/95. — f. Jugend- u. Volksspiele. Lpzg., B. G. Teubner.
96/00. — kirchl., f. d. Herzogt. Sachsen-Altenburg. Altenbg., S. Geibel.
96/00. — d. histor. Gesellsch. f. d. Netzedistrikt. ö F.
96/00. — statist., d. autonomen Landesverwaltg. usw. Je 10 —
96/00. — f. Volks- u. Jugendspiele. Lpzg., B. G. Teubner.
81/85 u. 91/00. — statist., d. Stadt Wien. Wien, Gerlach & W.
91/95. Jahre, fünf, am Hofe d. Königs v. Serbien. Lpzg., O. Gracklauer.
96/00. — 100, in Wort u. Bild. Berl., Neufeld & H.
96/00. Jahresbericht üb. d. Beobachtgs-Ergebnisse d. usw. forstlich-meteorolog. Stationen. ö F.
80/00. — d. rheinisch-westfäl. Gefängnis-Gesellsch. Düsseldf., Selbstverl.
96/00. — d. ornitholog. Ver. München. Jena, G. Fischer. Erh. f. 1897/98.; 5 —
71/90. — d. Wiener Stadtfysikates. Wien, Gerlach & W.
91/00. — üb. usw. Zuckerfabrikation. 38—39. Bd. je 6 —
96/00. Jahrhundert...s., d. Mode. 1 —; bunt 5 —
96/00. — d. neue. Hrsg. v. H. Land. ö F.
91/95. Jakob, A.: Die gr. franz. Revolution. Münst., H. Schöningh Sep.-Cto. 1.20; geb. 1.60
86/90. Jamnig, C., u. A. Richter: Die Technik d. geklöppelten Spitze. 20 —
81/85. Janecke, R.: Die wichtigsten electr. Eisenbahn-Signal-Vorrichtgn. Lpzg., Luckhardt's Bh. f. Verkehrswesen.
86/90. — Die Grundz. d. elektromagnet. Telegraphie. Ebd.
86/90. Janke, H.: Die willkürl. Hervorbringg. d. Geschlechts bei Mensch u. Hausthieren. 6 —
96/00. Jannasch, R.: Rathschläge f. Auswanderer n. Südbrasilien. Berl., Verl. d. Export.
81/85. Jansen, A.: Rousseau als Botaniker. 5 —
81/85. — Rousseau als Musiker. 6 —
96/00. Janson, v.: Das strateg. u. takt. Zusammenwirken v. Heer u. Flotte. Vollst. 2.50; geb. an 3.75
51/65. Jaspis, A. S.: Das Evangelium v. d. 10 Jungfrauen. Lpzg., Krüger & Co. — 10
91/95. Ich erwachte. Lpzg., M. Altmann.
96/00. Jeder s. eig. Professor. Verl. jetzt wieder in Ziegenhals.
76/80. Jelinek, A.: Katech. d. Mathematik. Wien, A. Mejstrik, I.: 1 —; II.: — 75
76/80. Jellinek, G.: Die socialkth. Bedeutg. v. Recht usw. Berl., O. Häring.
78/80. — Die Beziehgn. Goethe's zu Spinoza. Ebd.
81/85. — Die Lehre v. d. Staatsverbindgn. Ebd.
78/80. — Die rechtl. Natur d. Staatenverträge. Ebd.
81/85. — Österr.-Ungarn u. Rumänien in d. Donaufrage. Ebd.

96/00. Jellinek, G.: Das Recht d. Minoritäten. Berl., O. Häring.
81/85. — Ein Verfassgsgerichtshof f. Österr. Ebd.
96/00. Jenny, S.: Die röm. Begräbnisstätte v. Brigantium (östl. Thl.). Wien, (A. Schroll & Co.).
96/00. — Poetovio. Ebd.
71/85. Jensen, H. N. A.: Schleswig-holstein. Kirchengeschichte. Kiel, R. Cordes.
96/00. Jensen, W.: Chiemgau-Novellen. Lpzg., B. Elischer Nachf.
95/00. — Auf d. Ganerbenburg. Ebd.
91/95. — Holzwegtraum. Ebd.
96/00. — Um meines Lebens Mittag. Ebd.
96/00. — Vom Morgen z. Abend. Ebd.
96/00. — Die Rosen v. Hildesheim. Ebd.
91/95. — Übermächte. Ebd.
91/95. — Vom Wegrand. Ebd.
96/00. — Die Wunder auf Schloss Gottorp. Ebd.
96/00. — Aus stiller Zeit. Ebd.
91/95. Jentzen, E.: Baumechanik. Lpzg., H. A. L. Degener.
91/95. — Reuleaux' Urteil. Ebd.
86/90. Jephson, O. H. J.: The Gotthard-railway. 4 —
86/90. Jesuitenkünste u. Seelenfang am Krankenbett. Basel, E. Finckh.
91/95. Ilg, A.: Kunsttopogr. Mitthlgn. a. d. fürstl. Schwarzenberg. Besitzgn. in Südböhmen. Wien, (A. Schroll & Co.).
91/95. Ils, J.: Hand- u. Lehrb. f. d. Unterr. an ländl. Fortbildgsschulen. Stuttg., Muth. 1.80; geb. 2 —
96/00. — Hilfsbüchl. f. männl. Sonntagsschulen. Ebd.
91/95. — Lese- u. Aufsatzb. f. ländl. Fortbildgsschulen. Ebd. Geb. 1.60
96/00. — Ratgeber u. Leseb. f. männl. Fortbildgs- u. Sonntagsschulen. Ebd. 1.50; geb. 1.70
96/00. Im Lande d. Rothäute. 2 —
96/00. Imfeld, X.: Reliefkarte d. Centralschweiz. Bern, Geogr. Kartenverl. 2.40; aufgez. 3.20
96/00. Immanuel: Einführg. in d. Felddienstordng. 1 —
86/00. Industrie, die. Zugl. deut. Konsulats-Zeitg. Berl., Deut. Verlag.
96/00. Industrie-Unterricht, d., in d. Volksschule. Stuttg., Muth.
96/00. Industrie-Zeitung, deut. Berl., Deut. Verlag.
91/95. Ingraham, J. H.: Die Feuersäule. Übertr. v. O. Brandner. Konst., C. Hirsch. 2.40
96/00. Ingwer, J.: Die Rechtsstreitigkeiten vor d. Gewerbegerichte. Wien, Manz. Erh. 3.60; geb. 4.40
91/95. Innen-Dekoration, moderne. Geb. 20 —
76/80. Jodl, F.: Culturgeschichtschreibg. Sachsa, H. Haacke.
71/75. — Leben u. Philosophie David Hume's. Ebd.
86/90. Joël, K.: Zur Erkenntnis d. geist. Entwickelg. u. d. schriftsteller. Motive Platos. Freibg. i/B., H. Heyfelder.
91/95. — Der echte u. d. Xenophontische Sokrates. Ebd.
91/95. Jókai, M.: Der Fluch d. Priesters. 1 —
91/95. Jolles, A.: Üb. Margarin. Bonn, M. Hager.
81/95. Joos, O.: Landwirtschaftl. Buchführung. Stuttg., Muth. 40
76/80. Jordan, W.: Andachten. 2 —; geb. 3 —
71/75. — Arthur Arden. 1 —; geb. 2 —
76/80. — Ep. Briefe. 2 —; geb. 3 —
86/90. — Féli Dora. 3 —; geb. 4 —
76/80. — Episteln u. Vorträge. 2 —; geb. 3 —
76/80. — Die Erfüllg. d. Christentums. 2 —; geb. 3 —
91/95. — Deut. Hiebe. — 50
91/95. — Liebe, was du lieben darfst. 1 —; geb. 2 —
91/95. — Letzte Lieder. 2 —; geb. 3 —
71/75. — Strophen u. Stäbe. 3 —; geb. 4 —
96/00. — In Talar u. Harnisch. 2 —; geb. 3 —
81/85. — Tausch enttäuscht. 1 —; geb. 2 —
81/85. — Sein Zwillingsbruder. 1 —; geb. 2 —
51/65. Joerres, P.: Die Curven d. 3. Grades als Kegelschnitte betrachtet. Aach., I. Schweitzer. — 40
91/95. Josaphet, D.: Bibel u. Judentum. Rgnsbg., Verlagsanstalt vorm. G. J. Manz.
96/00. Joseph, M., u. P. Meissner: Atlas d. Histopathol. d. Haut. Berl., P. Nitschmann. 14 —
86/90. Joseph, P.: Die Wetterauer Brakteaten. Berl., P. Lehmann.
86/90. — Die Münzen d. gräfl. Hauses Erbach. Ebd.
96/00. Jost, W.: Hältst Du d. Sonntag? Bethel b/Bielef., Bh. d. Anst. Bethel.
96/00. — Wort Gottes u. Gebet im Jünglingsver. Ebd.
81/85. Joest, W.: Um Afrika. 6 —
86/90. — Durch Sibirien. 2.25
96/00. Journal franç. pour l'Allemagne. ö F.
1890/76. — polytechn. Berl., R. Dietze.
85/00. — de teinture. Lpzg., Bh. G. Fock.
81/85. Iriarte, Don T. de: Literar. Fabeln. Starg., Prange's Verl. 1.50
96/00. Isolani, E.: Merkwürd.· Leute. 1 —
91/95. — Vor u. hinter d. Vorhang. 1 —
96/00. — Dies a. d. Vorstadt. 1.50; geb. 2 —
61/00. Israelit, der. Frankf. a/M., Verl. d. Israelit. Fast alles vergr.
91/95. Judeich, J. F.: Zur Gesch. d. Forstakad. Tharandt. Berl., P. Parey.
96/00. Jugend, d., Heimgarten. Berl., Schreiter.

96/00. Jugendfürsorge, die. Berl., Deut. Centralver. f. Jugendfürsorge.

88/00. Jugendpost, musikal. Berl., Neufeld & H.

96/00. Jugendschriften. Hrsg. v. Lehrerhausverein in Oberösterr. Linz, Lehrerhausverein. Je nn — 85

96/00. Jung, H. R., u. W. Schröder: Rhein. Gärten. Das Heidelb. Schloss. Berl., P. Parey.

81/85. Jungmann, E.: Skomand. Hannov., E. Schlemm.

96/00. Justus, T.: Auf heim. Erde. Berl., Heilbrunn & Co.

96/00. Juvenal, D. J.: Roms Weiber. Hambg., J. Kriebel.

96/00. Kafemann, R.: Die Erkrankgn. d. Sprechstimme. 1.20

96/00. Kaehlbrandt, E.: Predigt am V. Sonntage nach Epipha-
nias. Riga, Jonck & P.

71/75. Kahle, F. H.: Lehrplan f. einklass. utraquist. Schulen.
Lpzg., Krüger & Co. — 40

91/95. Kainz, C.: Die ältesten chines. Staatsmünzen. Berl., P.
Lehmann.

91/95. — Die sog. chines. Tempelmünzen. Ebd.

96/00. Kaiser, d., u. d. Pastoren. Laubegast, Goethe-Verlag.

96/00. — u. d. südafrikan. Krieg. Lpzg., O. Gracklauer.

86/90. Kaiser, K.: Welchen Anfordergn. muss e. Normal-Lehrplan f. d. höh.Töchtersch. usw.entsprechen? Weinh., F.Acker-
mann.

96/00. Kaiser- u. Kanzler-Briefe, hrsg. v. J. Penzler. Kiel, Lipsius & T. Geb. nn 2.60

96/00. Kaisser, B.: Gesch. d. Erziehg. Stuttg., Muth.

91/00. — Gesch. d. Volksschulwesens in Württemberg. Ebd.

91/95. — Gesch. Württembergs. Ebd.

86/90. — Gmünd. Ebd.

81/85. — Das Leseb. f. einklass. Volksschulen. Ebd. 1 —

91/95. Kaizl, J.: Passive Eisenbahnen. Berl., F. Wunder.

96/00. Kalender f. d. ev. Arbeiter-Vereine. ö F.

96/00. — f. Böttcher. Regensw., C. Wittke.

96/00. — f. Schüler an gewerbl. Lehranst. ö F.

96/00. — d. märk. Volkszeitg. ö F.

96/00. Kalischer, E.: Predigten. Berl., M. Poppelauer.

81/85. Kalkmann, A.: De Hippolytis Euripideis quaestiones novae. Bonn, M. Hager.

86/90. — Pausanias d. Perieget. 5 —

91/95. Kallusky, M.: Phönix. Belzig, Rechtsanw. R. Winkler.

86/90. — Schnee u. Blüthen. Ebd.

96/00. Kalthoff, A.: Frdr. Nietzsche. Lpzg., M. Altmann.

96/00. — Schleiermachers Vermächtnis. Ebd.

96/00. — An d. Wende d. Jahrh. Ebd.

91/95. Kambli, W.: Bergluft. Lpzg., Krüger & Co. 1.20

86/90. Kant, J.: Das nachgelassene Werk K.'s: Vom Uebergange etc. Hambg., C. Boysen.

47/52. Kapp, O.: Manhold. Lpzg., Krüger & Co. — 50

71/95. Karmarsch, K., u. Heeren: Techn. Wörterb. Im Vertrieb
d. Polyt. Buchh. A. Seydel in Berl. Geb. 85 —

86/90. Karpeles, G.: Zionsharfe. Frankf. a/M., J. Kauffmann.
Geb. 5 —

71/75, S. 583. Karte d. Kreise: Angerburg, Darkehmen, Heide-
krug, Lyck, Memel, Oletzko u. Ragnit. Berl., R. Eisenschmidt.
Je nn 1.50

96/00. — d. Umgegend v. Berlin. 1 : 100,000. nn 1.50

96/00. — d. Kreises Cleve. nn 1.50

76/80, S. 134. — d. Kreise: Danzig, Fischhausen, Goldapp,
Heiligenbeil, Insterburg, Labiau, Niederung, Tilsit. Berl., R.
Eisenschmidt. Je nn 1.50

96/00. — d. Kreises Grimma. nn 1.50

91/95. — d. Kreises Jarotschin. nn 1.50

96/00. — v. d. Truppen-Übgs.-Platz bei Münsingen. 4 Bl. nn 3 — ;
einz. Bl. nn — 75

96/00. — d. Kreises Ober-Barnim. nn 1.50

91/95. — d. Kreises Osthavelland. nn 1.50

91/95. — d. Kreises Westhavelland. nn 1.50

96/00. — d. Kreises Znin. nn 1.50

86/90. Katalog d. Handschriften d. Univ.-Bibl. in Heidelberg.
16 —

96/00. — d. deut. Kunstausstellg. d. Berliner Secession. Berl.,
P. Cassirer.

96/00. — d. oriental. Münzen in d. kgl. Museen zu Berlin. Berl.,
G. Reimer.

91/95. — d. Danz. Stadtbibliothek. Lpzg., L. Saunier. Erh. 6 —

96/00. Katechismus, gr., d. katbol. Religion. Klagenf., Buch-
u. Kunsth. d. St. Josef-Vereines. nn — 68

91/95. Katechismusstücke, vier, in Gebetsform nach F. Spec.
Münch. (Mariahilfplatz 32), A. Killer.

86/90. Kattenbusch, F.: Üb. relig. Glauben. — 80

81/85. — Luthers Stellg. zu d. oecumen. Symbolen. — 80

96/00. Katz, A.: Die Juden in China. Berl., M. Poppelauer.

96/00. Katz, H.: Uebergangs-Bestimmgn. zu d. Civil-Prozess-
Ges. Wien, Manz. Erh. 2.40

96/00. — Das Urtheil im neuen österr. Civilprocesse. Ebd.

78/80. Kaufmann, D.: Gesch. d. Attributenlehre. Berl., M. Poppelauer. 8 —

91/95. Kaufmann, E.: Untersuchgn. üb. d. sogen. foetale Rachitis. 12 —

71/80 u. 91/95. Kaven, O.: Vorträge üb. Eisenb.-Bau. Lpzg., H.
A. L. Degener.

81/85. — Vorträge üb. Strassen- u. Eisenbahnbau. Ebd.

96/00. Kayserling, M.: Die Juden als Patrioten. Berl., M.Poppel-
auer.

91/95. Kayserling, M.: Dr. W. A. Meisel. Berl., L. Lamm. — 50

51/85. — Moses Mendelssohn. Ebd. 1.50

51/85. — Moses Mendelssohn's philosoph. u. relig. Grundsätze.
Ebd. 1 —

96/00. — Ludwig Philippson. Ebd. 2.50

51/85. — Sephardim. Ebd. 4 —

96/00. Keel, A.: Churer Postkarten-Verse. Chur, A. Keel-Gut.

96/00. Keil, R.: Neue Märchen f. d. liebe Jugend. — 50

96/00. Keim, A. W.: Die Feuchtigk. d. Wohngg. Geb. 3.30

96/00. Kaiser, H.: Bedinggn. f. d. Eintritt in d. relig. Frauen-
Orden. Ess., Fredebeul & K.

91/95. — Bedinggn. f. d. Eintritt in d. relig. Männerorden. Ebd.

91/95. Kekulé, R.: Üb. e. weibl. Gewandstatue. Berl., G. Reimer.

96/00. Keller, A.: Spanisch f. Kaufleute. Lpzg., O. R. Reisland.

91/95. Keller, E.: Der deutsch-französ. Krieg 1870/71. Geb. — 60
u. — 75

06 I. Keller, Helen: Optimismus. Verleger richtig: R. Lutz.

96/00. Keller, S.: Evangelisationsvorträge. 1—6, Heft. Je nn — 10

96/00. Kellner, A., u. L. Kellner: Engl. Märchen. Berl., J. Gnadenfeld & Co.

96/00. Kellner, E.: Die wichtigsten Unterscheidgslehren. Elberf.,
Luther. Bücherverein.

78/80. Kellner, L.: Erziehgsgesch. in Skizzen u. Bildern. 6 — :
geb. 8 —

86/90. — Pädagog. Mitteilgn. a. d. Gebieten d. Schule u. d.
Hauses. 4 — ; geb. 2.80

51/65. — Die Poesie in d. Volksschule. — 75; geb. 1.25

86/90. — Volksschulkde. 2 — ; geb. 2.80

96/70. Kellner, W.: Kurzer Abriss d. Gesch. d. Reg.-Bez. Kassel
u. Wiesbaden. Lpzg., O. Gracklauer.

96/00. Kelterborn, R.: 6 humorist. Novellen. 2.50; geb. 3.50

78/80. Kemer, F.: Neue röm. Funde in Wien. Wien, (A. Schroll
& Co.)

78/80. — Röm. Sonnenuhren a. Aquileja. Ebd.

91/95. Kerer, F. X.: Das Büchl. v. d. Barmherzigk. Gottes.
Münch., M. Beckstein.

96/00. Kern, O.: Die Inschriften v. Magnesia. Berl., G. Reimer.

88/90. Kessler, H. Graf: Notizen üb. Mexiko. Berl., E. Fleischel & Co.

88/90. Kessler, E.: Mani. 10 —

51/85. Ketteler, E.: Beobachtg. üb. d. Farbenzerstreug. d. Gase.
Aach., L. Schweitzer. — 80

78/80. Kettmaier, R.: In Sturm u. Sonnenschein. Münch., Allg.
Verlags-Gesellsch. e -

96/00. Khull, F.: Die Gesch. d. Skalden Egil Skallagrimsson.
Graz, Leuschner & L. 1.25; geb. 1.70

96/00. Khuenberg, S. v.: Die Liebesleiter. Graz (Heinrichstr. 57),
Frau S. Kleinert.

81/85. Kichr, F.: Das Gesetz d. proportionalen Widerstände, 2 —

91/95. Kiehne, E.: Kleine Lieder. — 60; geb. nn. 1 —

96/00. Kielland, A. L.: Arbeiter. Verleger ist: Charlottbg.

96/00. Kiene: Die Volksschulfrage. Münch. (Mariahilfplatz 32),
A. Killer.

96/00. — Die Zwangserziehg. Minderjähriger. Stuttg., Muth.

91/95. Kisegan, L.: Der deutsch-franz. Krieg 1870/71. Münst.,
H. Schöningh, Sep.-Cto. — 75; geb. 1.25

81/85. Kikebusch, E.: Gesch. d. Schlossgemeinde zu Cöpenick.
Lpzg., Krüger & Co.

96/00. Kind, d. unehel., u. s. Vater. Lpzg., Leipz. Verl.-Comptoir.

91/95. Kinder, d., Wundergarten. — 50

96/00. Kinderfreund, der. Monatsschrift z. Belehrg. u. Unterhaltg. ö F.

96/00. Kindergeschichten f. Erwachsene. Berl., J. Gnadenfeld
& Co.

96/00. Kinder-Kalender f. d. evang. Sonntagsschule. ö F.

86/90. Kinderstuben-Geschichten. 1 —

81/85. Kinzel, K.: Das deut. Volkslied d. 16. Jahrh. Halle, Bh.
d. Waisenh.

96/00. Kirberg, E.: Mancherlei neue Geschichten. Berl., E. Fleischel & Co.

96/00. Kirberg, A.: Eisenb.-Wörterb. 3 — ; geb. 3.60

91/95. Kirchbach, W.: Das Leben auf d. Walze. 2.50

96/00. — Die Lieder v. Zweirad. Berl., F. Wunder.

51/00. Kirchenblatt, märk. Berl., D. Poetschki. (Vergr.)

96/00. Kirchenzeitung, reformirte. 17—23. Jahrg. Freudenbg.,
W. R. Siebel.

96/00. Kirchrath, P.: Anl. u. psycholog. Begründg. zu e. rationellen Gesangsmethode. Stuttg., Süddeut. Verlagsbh.

91/95. Kirmis, M.: Hdb. d. polu. Münzkde. Erh. 8 —

91/95 — Chem. Winke f. Numismatiker. Berl., P. Lehmann.

91/95 — Kittan, R.: Stellg. d. ev. Kirche zu d. Volksschule. Lpzg.,
Krüger & Co. — 15

91/95. Kittel, A.: Lehrb. f. d. Uhrmacher. Lpzg., H. A. L. Degener.

96/00. Klaeber, H.: Die preuss. Artill. in d. Schlacht bei Spicheren. Berl., W. Thoms.

96/00. — Leben u. Thaten d. Generals Jean Baptist Kleber. 5 —

91/95. Klasen, L.: Die Blitzableiter. Lpzg., H. A. L. Degener.

91/95. — Hdb. d. Fundiergsmethoden. Ebd.

96/00. Klein, E.: Verzeichniss v. z. Aufführg. in ev. Vereinen
geeigneten dramat. Stücken. — 20

96/00. Klein, C.: Die Physiognomie d. europ. Waldbäume. Karlsr.,
F. Gutsch.

51/85. Kleinert, P.: Jesus im Verhältnis zu d. Parteien s. Zeit. Lpzg., Krüger & Co. — 30
66/70. — Schiller's relig. Bedeutg. Ebd. — 30
96/00. Kleinschmidt, A.: Wandertage im Odenwald. Giess., E. Roth.
91/95. Kleist's, H. v., sämtl. Werke. (Bertelsmann.) 3 —
51/85. — Briefe an s. Schwester Ulrike. Berl., F.A.Herbig. 2 —
96/00. — Der zerbrochene Krug. Mit Illustr. v. A. Menzel. 5 —
91/95. Klimpert, R.: Wiederholgs- u. Übgsb. z. Studium f. Physik. Lpzg., H. A. L. Degener.
96/00. Klimsch's Jahrbuch. Richt. Pr. nn 5 —
96/00. Klinck-Lütetsburg, F.: Seine „dumme" kleine Frau. 4 —; geb. 5 —
96/00. — Alte u. neue Geschichten. 2 Bde. Stuttg., K. Daser. 3 —; in 1 Bd. geb. 4 —
96/00. Klinger, J.: Das Rätsel d. Lebens. Lpzg., M. Altmann.
96/00. Klob, A.: Das Mädchen in Haus u. Welt. Berl., J. Gnadenfeld & Co.
96/00. Klob, C. M.: Ernster Sang u. Schellenklang. Wien, E. Hassenberger & Co.
81/85. Kloeber, C.: Die Pilzküche. Quedlinbg., H. Schwanecke.
96/00. — Der Pilzsammler. Ebd.
81/85. Klöpper, A.: Der Brief an d. Colosser. 6 —
71/75. — Kommentar üb. d. 2. Sendschreiben d. Apostels Paulus an d. Gemeinde zu Korinth. 5 —
51/85. Klose, H. A.: Theorie d. eisernen Träger. Lpzg., H. A. L. Degener.
96/00. Klotz, E.: Vom Sinn d. Lebens. Lpzg., O. Mutze.
71/75. Klügmann, A.: Die Amazonen. Berl., G. Reimer.
51/85. Knaake, J. K. F.: Luther's Antheil an d. Augsb. Conf. Lpzg., Krüger & Co. — 50
96/00. Knapp, L.: Geburtshilfl. Propädeutik. Lpzg., J. A. Barth.
66/70. Knauer, G.: Conträr u. contradictorisch festgest. Sachsa, H. Haacke.
76/80. Knauth, P.: Geograph. Beschreibg. d. Bez.-Amts Lohr. Würzbg., F. X. Bucher.
91/85. Kniel, C.: Die St. Benediktsmedaille. Münch. (Mariahilfplatz 39), A. Killer.
86/90. Knipfer, J.:¯Persönl. Frömmigkeit u. kirchl. Gemeinsinn. Lpzg., Krüger & Co. — 20
76/80. Knorr, L.: Erörtergn. auf philosoph. Gebiete. Sachsa, H. Haacke.
96/00. Knorr, P.: Die Nutzgeflügelzucht. — 75
96/00. Knospen u. Blüten. 1 —
86/90. Knothe, H.: Gesch. d. Oberlausitzer Adels. 9 —
86/90. Köber, R.: Leo Tolstoi. Lpzg., M. Altmann.
86/90. Koberstein, K.: Preuss. Bilderb. 2.40
91/95. Koch, R.: Anatomie u. Physiol. d. männl. Zeuggsorgane. Oranienbg., W. Möller.
91/95. — dass. d. weibl. Zeuggsorgane. Ebd.
96/00. — Ärztl. Versuche an leb. Menschen. Ebd.
71/75. Koch, E.: Ges. Schriften. Berl., F. Wunder. 2 —; geb. 3 —
71/75. — Aus d. Leben e. bösen Jungen. Ebd.
96/00. Koch, T.: Märchen a. 1001 Nacht. 1 —
91/95. Köchin, d. kleine, v. Tante Pepi. Münch., Allg. Verlags-Gesellsch. Kart. — 30
96/00. Kock, P. de: Ausgew. humorist. Romane. 6 F.
96/90. Kockerols: Die Notariats-Einrichtgn. in Deutschl. u. Oesterr. Hannov., Helwing.
88/90. Koditek, J.: Repertorium. Lpzg., H. A. L. Degener.
96/00. Koegel, F.: Gedichte. Berl., F. Wunder. Geb. 4 —
96/00. Kohl, F. G.: Botan. Wandtaf. Lpzg., E. Nägele.
96/00. Kohlenegg, V. v.: Kühnrod. Berl., F. Fontane & Co. Erh. 4 —
86/90. Köhler: Stellg. d. ev.-luth. Kirche im gegenw. Kampfe m. Rom. Lpzg., Krüger & Co. — 15
96/00. Kohut, A.: Das Ewig-Weibliche. 1.50; geb. 2 —
96/00. — Gesch. d. deut. Juden. Vollst. geb. 15 —
91/95. Koiransky, Z.: Russisch-deut. Wörterb. f. Armee u. Marine. 4 —; geb. nn 4.75
81/85. Kolb, F. G.: Kulturgesch. d. Menschh. 10 —
81/85. Kolb, J. v.: Münzen, Medaillen u. Jetone d. Erzherzth. Oesterreich ob d. Enns. Linz a/D., (Museum Francisco-Carolinum). 1.70
96/00. Koll, O.: Karte d. Umgegend v. Bonn. Bonn, F. Cohen.
96/00. Kollbach, K.: Rhein. Wanderbuch. L. 2.50
91/95. Koller, T.: Künstl. Baumaterialien. Lpzg., M. Heinsius Nf.
91/95. — Ersatzstoffe f. gewerbl. u. techn. Fabrikate. Ebd.
91/95. — Die Surrogate. Ebd.
96/00. Kölling, W.: Dogmatisch-symbol. Studien üb. d. Trinität u. d. Sacramente. Lpzg., Krüger & Co. — 20
96/00. Kollmann, P.: Statist. Beschreibg. d. Gemeinden d. Herzogth. Oldenburg. 7.50
81/00. Kolonialzeitung, deut. Berl.(W. 9, Schellingstr.4), Deut. Kolonial-Gesellschaft.
96/00. Kommen, d., u. Messias. Erh. 3.60
91/95. Koneberg, H.: Die Kirche. Münch. (Mariahilfplatz 39), A. Killer.
96/00. Koenig's Berliner Fahrpläne. 6 F.
66/00. König, E. A.: Alle Romane, d. bei H. Costenoble in Jena erschinen sind: Berl., Verlagsgesellschaft Berlin.
96/00. König, F.: Ratgeber in gesunden u. kranken Tagen. Erh. 19 —

86/90. S. 1024. Königsberg. Karte. nn 1.50
91/95. Konrad: Der Ring d. Nibelungen. Hannov., L. Oertel. Erh. — 50
96/00. Kontorfreund, der. Lpzg., Seiler & Co.
96/00. Konversations-Lexikon d. Frau. Berl., W. Vobach & Co. 15 —
81/85. Koepp, F.: De gigantomachiae usw. Bonn, M. Hager.
96/00. Koppen, L.: Freddy u. seine Freunde. Stuttg., Levy,& M.
96/00. — Im Lindenbaume. Ebd.
66/70. Koppmann, K.: Kl. Beitr. z. Gesch. d. Stadt Hamburg. Hambg., C. Boysen. I. — 40; II. — 60
66/70. — Die⁰mittelalterl. Geschichtsquellen in Bezug auf Hamburg. Ebd. — 50
91/95. Korb: Liederb. f. deut. Ärzte u. Naturforscher. 3 Bde. 4 —; geb. 5 —
91/00. Kortzfleisch: Gesch. d. braunschw. Infant.-Regts. Nr.92. Je 7.50
96/00. Koschel, G.: 30 Psalmen. Lpzg., H. A. L. Degener.
76/80. Kösterus, F.: Frauenbildg. im M.-A. Rgnsbg., Verl.-Anst. vorm. G. J. Manz.
96/90. Kotanyi, E.: Venus am Kreuz. Berl., Heilbrunn & Co.
91/00. Kotze, O.: Polizeigesetze· u. Verordngn. d. Reg.-Bez. Liegnitz. 6.50; geb. 7.50; m. Nachtr. 9.50; geb. 11.50
96/00. Kowalewska, S.: Die Nihilistin. Berl., J. Gnadenfeld & Co.
91/95. Krabbel, C.: Prinzipien d. Kirchen-Musik. Aachen, I. Schweitzer.
96/00. — Regeln üb. d. Vortrag d. gregorian. Chorals. Ebd.
91/95. Krais, J.: Haltet an am Gebet. 2 —
96/00. Krailk, R. v.: Das deut. Götter- u. Heldenbuch. Münch., Allg. Verlags-Gesellschaft.
96/00. — Altgriech. Musik. Ebd.
96/00. Kramář, K.: Das böhm. Staatsrecht. Berl., F. Wunder.
81/85. Krämer, A.: Allg. Theorie d. astronom. Fernror-Objective. 6 —
91/95. Kramsall, E.: Leseb. d. Gabelsbergerschen Stenographie. Wien, A. Mejstrik. 2 —
86/90. — Die Stenographie im Dienste d. Parlamente. Ebd. — 50
96/00. Kranewitter, F.: Um Haus u. Hof. Berl., F. Wunder.
81/85. Krause, A.: Populäre Darstellg. v. Kant's Kritik d. reinen Vernunft. Hambg., C. Boysen.
76/80. — Die Gesetze d. menschl. Herzens. Ebd.
81/85. — Immanuel Kant wider Kuno Fischer. Ebd.
76/80. — Kant u. Helmholtz. Ebd.
81/85. — Zur Widerlegg. d. Satzes: Geb. d. Geschmack etc. Ebd.
76/80. Krause, E.: Erasmus Darwin. Stuttg., A. Kröner.
96/00. Krause, F.: Die Ermittelg. d. Ergebnisse d. Unterr. in d. Erziehgsch. Berl., Gerdes & Hödel.
91/85. — Die Gliederg. d. Unterarbeit in d. Erziehgsch. Ebd.
96/00. — Das Leben d. menschl. Seele u. ihre Erziehg. 2 Tle. Ebd.
88/90. Krause, R.: Lehrb. d. Philatelie. Lpzg., J. J. Arnd.
96/00. Krauss, N.: Im Waldwinkel. Berl., E. Fleischel & Co.
91/85. Kreuz, E.: Ed. Mörike. 2 —; geb. 3 —
76/80. Kreftig, G.: Die Versöhnlehre auf Grund d. christl. Bewusstseins dargestellt. Lpzg., Krüger & Co. — 80
88/90. Kretschmer, A.: Deut. Volkstrachten. Lpzg. Bibliogr. Anstalt A. Schumann. 25 —
96/00. Kreuzer, M.: Die Verkommenen. Lpzg., O. Gracklauer.
96/00. Kreuzweg-Andachten, 7 verschied. Münch. (Mariahilfplatz 39), A. Killer.
91/95. Krick, L.: Das Kirchenjahr. Rgnsbg.. Verlagsanst. vorm. G. J. Manz.
96/00. Krick, L. H.: Anleitg. z. Berechng. d. Interkalarfrüchte d. erledigten kathol. Pfründen. Rgnsbg., Verlagsanst. vorm. G. J. Manz.
91/95. — Kirchl. Baupflicht u. kirchl. Bauwesen im Kgr. Bayern. Münch., J. Schweitzer V.
91/95. — Die christl. Tugenden. Rgnsbg., Verlagsanst. vorm. G. J. Manz.
96/00. Krickeberg, E.: Dahinten in Polen. 2 —
96/00. Krieg, d. gelbe. Lpzg. (Nürnb. Str. 7), M. Pötsch.
96/00. Krieger, A.: Sachsenstern. Kötzschenbr., C. Finster.
96/00. Kritik, katholische, u. Hyperkritik. Von J. Benevolus. Rgnsbg., Verlagsanst. vorm. G. J. Manz.
76/85. Kroeber, T.: Die Wohng. d. Glücks. Kiel, Lipsius & T.
76/85. Krohn, R.: Resultate a. d. Theorie d. Brückenbaus. Lpzg., H. A. L. Degener.
86/90. Kron, R.:¯W. Langleys Buch v. Peter d. Pflüger. Kiel, E. Cordes.
51/75. Krönes, F. E.: Homilet. Reallex. 14 Bde. Erh. 24 —
96/00. Krüger, C.: Industrielle f..Erwachsene. Vollst. 1.20
51/85. Krummacher, A.: Christus, sein Wort u. seine Kirche. Lpzg., Krüger & Co. — 20
51/75. Krummacher, F. W.: Bunsen u. Stahl. Lpzg., Krüger & Co. — 60
51/85. — Ub. Wesen u. Zweck d. ev. Bundes. Lpzg., Krüger & Co. — 10
96/00. Kruse, J.: Schwarzbrodesser. Berl., F. Wunder.
96/00. Kruse, W.: Einfluss d. städt. Lebens auf d. Volksgesundh. Bonn, M. Hager.
96/00. Küchler, U.: Der engl. Hund. 1. Heft. Erh. 4 —
96/00. Küchling, H.: Der engl. Hund. Lpzg., L. W. Siedenburg.
91/95. Kügele, R.: Musik-, Harmonie- u. Formenlehre. Bresl., F. Goerlich.

96/00. Kügelgen, C. W. v.: Die Dogmatik Ritschls. Gött., Vandenhoeck & R.
96/00. — Kant's Auffassg. v. d. Bibel. Ebd.
96/00. — Die Rechtfertiggslehre d. J. Brenz. Ebd.
91/96. Kühl, W. H.: Aëronaut. Bibliographie 1870—1895. Erh.
nn — 50
96/00. Kühne, E.: Gesch. d. Dorfes Mehringen. Cöth., P. Schettler's Erben. Erh. 3 —
96/00. Kühne, E.: Deut. Reichs-Ortschaftsverz. 0 F.
96/00. Kühnert, M.: Der Gesichtsausdruck in Kunstwerken.
Berl., Gerdes & Hödel.
91/96. Kujawa, J. T.: Marsch- u. Quartier-Erlebnisse. 7 Bdchn.
Kevel., Butzon & B.
91/95. — Militär-Erlebnisse. 2 Bde. Ebd.
91/95. — Militär-Humoresken. 7 Bdchn. Ebd.
96/00. Külpe, F.: Welche Moral ist heutzutage d. beste? Riga,
Jonak & P.
91/00. Kultur, ethische. Berl., L. Simion Nf.
96/00. Kandt, F.: Seine Generation. Berl., Hellbrunn & Co.
91/95. Kunowski, A. v., u. F. v. Kunowski: Die Kurzschrift
als Wiss. u. Kunst. Liegn., Dr. v. Kunowski.
96/00. Kunst, die. 1—3. Jahrg. Einz. Hefte erh. 3 —
96/00. — d., im Leben. 5 F.
96/00. — d., d. Schaufenster-Dekoration. II. Bd. ns 5 —
91/95. — d., Servietten zu falten. Berl., J. Gnadenfeld & Co.
91/95. Kunstbeiträge a. Steiermark. Lpzg., K. W. Hiersemann.
91/00. Kunstblätter, christl. Linz, Pressverein.
81/00. Kunstfreund, der. (Bozen.) Innsbr., Vereinsbuchh. u.
Buchdr.
96/00. Kunstgewerbe fürs Haus. Berl.-Halensee, Verlag Kunstgewerbe fürs Haus.
91/00. Kunsthalle, die. Berl., J. Harrwitz Nf.
96/00. Kunstschatz, der. Lpzg., Bibliograph. Anst. A. Schumann.
86/90. Kunsttopographie d. Herzogth. Kärnten. Wien, (A.
Schroll & Co.).
96/00. Kuntze: Polyglott Kuntze's Kosmos. Lpzg. Jacobi &
Quillet. Je — 50
81/90. Kuntze, C.: Der Gesangunterr. an d. Wandtaf. Lissa,
F. Ebbecke.
71/75. — dass. Commentar. Ebd.
91/95. Kuntzemüller, O.: Die Lösg. d. Schulfrage etc. Berl.,
Gerdes & Hödel.
81/85. Kunze, F.: Soziale Reform u. Tabaksmonopol. Lpzg.,
O. Gracklauer.
71/75. Kunze, M. F.: Die wichtigsten Formeln d. Zins- u. Rentenrechng. Berl., P. Parey.
66/70. — 7stell. Kreisflächen. Ebd.
71/75. — Meteorolog. u. hypsometr. Taf. Ebd.
86/90. Künzel, R.: Bleicherei, Färberei u. Appretur. Wittenbg.,
A. Ziemsen.
96/00. Kupfar, M.: Gedichte. Berl., F. Wunder.
96/00. Kupferstichkabinet, das. 0 F.
96/00. Küppers: Zur Pädagogik am Krankenbette. Bas., E.
Finckh.
96/00. Kurberichte üb. Erfolge d. physikalisch-diätet. Heilfaktoren. Lpzg.-Schl., E. Kretschmer.
86/90. Kurs, marian. Rgnsbg., Verlagsanst. vorm. G. J. Manz.
71/85. Kurschat, F.: Wörterb. d. littauischen Sprache. I. Bd.
Erh. 28 —; vollst. 40 —; geb. 45 —
96/00. Kurth: Bilder a. d. Burenkriege. — 50
91/95. Kurtz, H.: Adam. nn — 50
91/95. Kurz, I.: Italien. Erzählgn. Stuttg., J. G. Cotta Nf.
86/90. — Phantasien u. Märchen. Ebd.
96/00. Kurz-Elsheim, F.: Flittergold. — 30
86/90. Küssner, G.: Kritik d. Pessimismus. Sachsa, H. Haacke.
96/00. Kutschmann, T.: Gesch. d. deut. Illustr. Berl., Neufeld & H.
96/00. Kutter, H.: Clemens Alexandrinus. 1.50
96/00. — Wilhelm v. St. Thierry. 2 —
91/95. Kypke, H.: Durch welche Mittel ich meinen chron.
Bronchialkatarrh bekämpft habe. Nordh., F. Eberhardt.
91/95. Laban, F.: Der Gemüthsausdruck d. Antinous. Berl., G.
Reimer.
86/90. Lacher, K.: Holzintarsion. Lpzg., K. W. Hiersemann.
86/90. Lachmann, R.: Die Reptilien u. Amphibien Deutschlds.
Dresd., H. Schultze.
96/00. Laforest, D. de: Die Rächerin. Lpzg., Leipz. Verl.-
Comptoir.
96/00. Laehr, H.: Die Darstellg. krankh. Geisteszustände in
Shakespeares Dramen. Berl., (G. Reimer).
71/75. Laien-Vorträge, z. z. d. Krieges in e. preuss. Land-
hause geh. Lpzg., Krüger & Co. — 40
81/85. Laing, F. A., u. T. Weischer: Analyses of classic english
plays. Stuttg., A. Bonz & Co.
86/90. Lambert, A., u. E. Stahl: Das Möbel. Berl., Schuster
& Bufleb.
51/55. Laemmer, H.: Papst Nikolaus I. Lpzg., Krüger & Co. — 25
91/95. Lampa, A.: Die Nächte d. Suchenden. Lpzg., M. Altmann.
86/90. Lampadius, W. A.: Fel. Mendelssohn-Bartholdy. 2 —;
geb. 3 —
96/00. Lampe's, M. A., Tierheilkde. Erh. 28 —
96/00. — H. Davenport u. W. Nagel: Das Pferd. Erh. 36 —
86/00. Lamprecht, K.: Deutsche Geschichte. Freibg. i/B., H.
Heyfelder.
96/00. — Die histor. Methode d. Hrn. v. Below. Ebd.
96/00. — Die kulturhist. Methode. Ebd.

96/00. Lamprecht, K.: Alte u. neue Richtgn. in d. Geschichts-
wissenschaft. Freibg. i/B., H. Heyfelder.
96/00. — Zwei Streitschriften. Ebd.
96/00. Land u. Leben, deut. I. 2. Bd. Volk, G.: Der Odenwald.
Giess., E. Roth.
91/00. Landesgesetze, mähr. Brünn, F. Irrgang.
81/85. Landes-Zeughaus, d., in Graz. Lpzg., K. W. Hiersemann. 42 —
65/70. Landgrebe, G.: Mineralogie d. Vulcane. Lpzg., O. Gracklauer.
96/00. Landhäuser, ausgew. u. hrsg. v. d. Schriftleitg. d. Blätter
f. Architektur. Berl., M. Spielmeyer.
76/85 u. 91/00. Landsperg, H. de: Hortus deliciarum. Strassbg.,
Schlesier & Schw. Vollst., erb. 200 —
96/00. Landsteiner, F.: Sammlg. der d. Volksschulwesen betr.
Gesetze. Wien, Gerlach & W.
96/00. Landwirtschaft, d., in Bosnien u. d. Herzegowina. Wien,
A. Holzhausen.
96/00. Lang's Sammlg. deut. u. bad. Gesetze. Klotz, A.: Das
deut. u. bad. Sonntagsrecht. 3 —
96/00. Lange, T.: Des Gärtners Beruf. Berl., P. Parey.
91/00. Lange, W.: Das Fachzeichnen. Lpzg., H. A. L. Degener.
96/00. — Der 1. Rechenunterr. Ebd.
96/00. — Vorl. f. Elektrotechniker. Ebd.
96/00. Langer, O.: Präparat z. Leseb. f. d. Mittelkl. d. Volkssch.
Augsbg., Schwäb. permanente Schulausstellg.
91/95. Langthaler, J.: Wegweiser bei Einrichtg. katbol. Pfarr-
bibliotheken. Linz, Pressver. — 90
76/80. Lardelli, J.: Epistolario italiano. Bern, J. Heuberger.
81/85. Larfeld, W.: Sylloge inscriptionum boeoticarum. 6 —
86/90. Laris, E.: Die Handels-Usancen im Welt-Holz-Handel.
Eisen., E. Laris Nf.
91/95. — Die Holzvermessg. Ebd.
86/90. — Kubik-Tabellen f. Rundhölzer. Grosse Ausg. Ebd.
96/00. — Taschenbuch f. Sägemühlenbesitzer. Ebd.
96/00. Lassalle, F.: Werke, hrsg. v. E. Blum. 4 Bde. Lpzg., (H.
Blömer).
91/95. Lauda Sion salvatorem. Berl., Elisabeth-Krankenhaus.
Nur direkt.
96/00. Laudien, H.: Polterabend- u. Hochzeits-Gedichte. Je — 20
91/95. — Rätselbüchlein. — 20
96/00. Lauff, J.: Herodias. Berl., G. Grote. 3 —; geb. 4 —
91/95. Laurenčič, J.: Uns. Monarchie. Wien, G. Szelinski.
Geb. 18 —
96/00. — Österreich in Wort u. Bild. Ebd. Geb. 18 —
91/00. Laurent, P. M.: Lebensgesch. Napoleons I. Weissensee,
E. Bartels. Erh. 5 —; geb. 6 —
81/85. Lavater, J. K.: Weish. auf jeden Tag d. Jahres. Stuttg.,
Fleischhauer & Sp. — 80
96/00. — Worte d. Herzens. Ebd. 1.30
96/00. Laverrenz: Jaczo, d. Wendenfürst. Berl., Verlagsanst.
„Kosmos". 1 —
91/95. — Ein Jahr im bunten Rock. Berl., Schreiter.
91/95. — Deut. Novellen. Berl., Verl.-Anst. Kosmos.
96/00. — Berliner Originale. Berl., H. Steinitz.
96/00. — Nach Süden. Berl., Verl.-Anst. Kosmos.
96/00. — Vom Wege ab. Ebd.
96/00. — König Wittichis. Ebd. — 50
71/75. Lay, F.: Die Verbreitg. u. Cultur d. Südslaven. Lpzg.,
(Teutonia-Verl.). 1.20
96/00. Leander, A.: Die Behandlg. d. Lungenschwindsucht.
Oranienbg., W. Möller.
96/00. Leben, deutscher. Berl., Berliner Verlagsgesellschaft Dr.
Russak & Co.
96/00. Lebensjahre, letzte, u. Ende Alexanders III. Weissensee.
H. W. Th. Dietz.
85/90. Leberl, A.: Das Verhältnis d. Konfirmandenunterr. zum
Religionsunterr. Lpzg., Krüger & Co. — 15
91/95. — Die prakt. Vorbereitg. d. evang. Theologen f. d. geistl.
Amt. Ebd. — 30
96/00. Locher, O.: Rede üb. d. ungar. Ausgleichs-Provisorium.
Berl., F. Wunder.
86/90. Lechler, K.: Der Ev. Bund u. d. kirchl. Parteien. Stuttg.,
Holland & J.
96/00. Lehmann, C., u. Parvus: Das hungernde Russland. 3 —;
in Lfgn. zu — 20
91/95. Lehmann, J.: Schneewittchen. Lpzg., A. Lorentz.
66/70. Lehmann, J.G.: Gesch. d.Herzogth.Zweibrücken. Zweibr.,
F. Lehmann. 3.25
96/00. Lehmann, O.: Versuchsergebnisse u. Erklärgsversuche.
Karlsr., F. Gutsch.
96/00. Lehmann, O., u. a.: Der Jugend Sagenschatz. 1 —
91/95. Lehmann, R.: Erinnergn. a. Künstlern. 4 —; geb. 5 —
91/00. Lehrbücher d. Seminars f. oriental. Sprachen zu Berlin.
Berl., G. Reimer.
96/00. Lehre, d., Heile im Heiland. — 50
86/90. — d., v. Kreuze Christi. 1 —
96/00. — dass. — 70
81/00. Lehrerin, die. Lpzg., B. G. Teubner.
06 I. Lehrerinnenzeitung. Lpzg., Dr. P. Abel.
91/00. Lehrerzeitung, Posener. Lissa, F. Ebbecke.
91/00. Lehrhefte, techn. Lpzg., J. M. Gebhardt.

91/95. Lehrs, M.: Der Meister d. Liebesgärten. Lpzg., K. W. Hiersemann.

96/00. — Der Meister $\overline{W} \spadesuit$. Ebd.

96/00. Lehrtexte f. d. österr. gewerbl. Fortbildgasch. Wien, F. Deuticke.

96/00. Leichtenstern, O.: Ueb. „infectiöse" Lungenentzündgn. Bonn, M. Hager.

96/00. Leipziger, W. v.: Fin de siécle-Bilder. Lpzg., W. A. G. Müller. Geb. 3.75

96/00. Leitner, B.: Wie werde ich stark? Berl., H. Stöcker.

76/80. Leitner, J.: Das Apostolatsbuch. Rgnsbg., Verlagsanstalt vorm. G. J. Manz.

78/80. — Die schmerzhafte Mutter Gottes. Ebd.

96/00. Leixner, O. v.: Lehrb. d. Baustile. Lpzg., Baumgärtner.

96/00. Leixner, O. v.: Die Ehereifen. 2 —

96/00. — Der Frack Amors. 2 —

96/00. Lemme, A.: Gesch. d. märk. Volksgesangsfeste. Ebersw., H. Langewiesche.

93/00. Lemme, G.: Gedichte. Ebersw., H. Langewiesche.

86/90. Lemme, L.: Die Macht d. Gebets. Bas., E. Finckh.

76/80. Lenormant, F.: Die Geheimwiss. Asiens. Berl., H. Barsdorf.

86/90. Lenzen, M., geb. di Sebrégondi: Blumen d. Haide. Rgnsbg., J. Habbel.

1842 ff. Leo, H.: Rectitudines singular. personar. Berl., R. L. Prager. 2 —

91/95. Leoni, F.: Farbenspiele d. Lebens. Weissensee, H. W. Th. Dieter.

96/00. — Der Staatsanwalt. Berl., E. Fleischel & Co.

96/00. Lepsius, C. R.: Denkmäler a. Aegypten. Preis in d. Anmerkg. zu ändern in nn 550 —

96/00. Lernstoff, d. relig., an Kirchenliedern usw. Bresl., Trewendt & Gr.

72/00. Lesebibliothek, stenograph. Beibl. z. Correspondenzbl. d. stn. Instit. zu Dresden. Dresd., B. G. Teubner.

91/00. Lesebuch, deut., f. d. Schulen d. Grossh. Hessen. Ausg. A, B u. C. Giess., E. Roth.

96/00. Less, H.: Der Eisgang. Berl., F. Wunder.

81/85. Lessing's, G. E., Werke. 7 Bde. Gütersl., C. Bertelsmann. 8 —

91/95. Lesske, F. A.: Beitr. z. Gesch. u. Beschreibg. d. Plauenschen Grundes. Dresd.-Plauen, H. Focken.

91/95. Leutemann, H.: Zeichenhefte. Lpzg., C. Jacobsen.

96/00. Leutz, F.: Die Kolonien Deutschlands. Weinh., F. Ackermann.

91/95. Leuzinger, R.: Biblisch-topograph. Karte v. Palästina. Bern, Geograph. Kartenverl.

96/00. — Reise-Reliefkarte v. Tirol. Ebd.

91/95. — Relief-Reisekarte v. Mittel- u. Südbayern. Ebd.

71/75. Lewi, H.: Das oesterr. Hochdeutsch. Wien, A. Mejstrik. — 50

66/80. Lexer, M.: Mhd. Handwörterb. Erh. 90 —; geb. 100 —; Einzelnr. II. 35 —; III. 25 —; einz. Lfgn 6 —; I nicht mehr einzeln.

96/00. Lhotzky, H.: Die Gesch. v. d. Schäfchen. Pasing b/München, Dr. Lhotzky.

91/00. Library, the Engl. Lpzg., The Engl. Library Ltd.

86/90. Libri d. testo per le scuole industriali. Wien, F. Deuticke.

96/00. Lichtenstein, A.: Für unser Bekenntnis „Geboren v. d. Jungfrau". Lpzg., Krüger & Co. — 50

93/00. Lichtwark, A.: Hamburg-Niedersachsen. Berl., B. Cassirer.

96/00. — Deut. Königstädte. Ebd.

91/95. — Wege u. Ziele d. Dilettantismus. Ebd.

96/00. — Die Wiedererweckg. d. Medaille. Ebd.

96/00. Lieber, A.: Hochlandsklänge. Feldkirch, F. Unterberger.

96/00. Liebes-Briefsteller f. Damen. — 20

96/00. — neuester. Hrsg. v. Rosendñft. — 25; bez w. — 50

94/00. Liebeskind, P.: Gesch. d. Füsilier-Regts. Nr. 40.¹ Berl., Vaterland. Verlags- u. Kunstanstalt.

91/95. Liebesorakel. — 20

91/00. Liebhaberkünste. Wiesb., Hauskunst-Verl. v. J. Köstler. Separathefte 1, 2, 5 u. 7—16 je 2 —

96/00. Lieder a. d. kleinsten Hütte. Laubegast, Goethe-Verl.

98/00. Liederbuch, neues allg. 10. Aß. — 50

96/00. Lienhard, F.: Alles (m. Ausnahme v. Der Raub Strassburgs): Stuttg., Greiner & Pf.

68/70. Liessem, H. J.: De Herm. Buschii vita. Aachen, I. Schweitzer. — 60

81/85. Lignitz u. v. Elsner: Vorschläge zu Leistsgprüfgn. v. Schweisshunden. Wien, Huber & Lahme Nf.

91/95. Lilleroron, A. v.: Getreu bis in d. Tod. Bas., E. Finckh.

96/00. — Die Ulanenbraut. Ebd.

96/00. Lilla, F.: Klippen d. Glücks. — 30

71/75. Lind, K.: Die öst. kunsthist. Abth. d. Wr. Weltausstellg. Wien, (A. Schroll & Co.).

96/00. Lindacher, E.: Die Conservirg. d. Früchte u. Gemüse. Metz, R. Lupus.

96/00. Lindau, H.: Joh. Gottl. Fichte u. d. neuere Sozialismus. Berl., E. Fleischel & Co.

96/00. Lindau, P.: Ferien im Morgenlande. Berl., E. Fleischel & Co.

91/95. Lindau, R.: Aus China u. Japan. Berl., E. Fleischel & Co.

96/00. — Erzählgn. e. Effendi. Ebd.

98/00. — Der Fanar u. Mayfair. Ebd.

91/95. — Der Flirt. Ebd.

96/00. — Türkische Geschichten. Ebd.

96/00. Lindau, R.: Liebesheiraten. Berl., E. Fleischel & Co.

91/95. — Reisegefährten. Ebd.

91/95. — Zwei Reisen in d. Türkei. Ebd.

91/95. — Ges. Romane u. Novellen. Ebd.

91/95. — Schweigen. Ebd.

96/00. Lindner, F.: Bayer. Bürger-Hdb. Nürnbg., U. E. Sebald.

91/95. — Der Verwaltgsger.-Process in Bayern. 1.50

76/80. Lindner, G. F.: Schwanenhals-Lust. Wien, Huber & Lahme Nf.

96/00. Lippe's, C. D., bibliograph. Lexicon. 6 F.

96/00. Lipsius, H. F.: Flotte u. Volkswohl. — 30

51/65. Lisco, F. G.: Die Heilslehre d. Theologia Deutsch. Lpzg., Krüger & Co. — 60

96/00. Litteraturbilder fin de siécle I—IV. Lpzg., C. F. Tiefenbach.

81/00. Litteratur-Blatt, numismat. Hildesh., A. Lax.

81/95. Litteraturdenkmale, deut., d. 18. u. 19. Jahrh. Berl., B. Behr's Verl. — Pyra, I. J., u. S. G. Lange: Freundschaftslieder. 1.80

81/85. 91/95. Livius: Ausgew. Stücke a. d. 3. Dekade. Stuttg., A. Bonz & Co.

91/00. Lloyd, d. ostasiat. Berl., Expedition.

91/95. — Festpredigt bei d. 75. Jahresfeier d. sächs. Hauptmissiousver. Ebd. — 15

71/75. — Das Himmelreich u. d. Armen sind f. einander da. Ebd. — 15

96/00. — Das innere Leben od. d. Verkehr d. Christen m. Gott Menschen. Ebd. 2.50

81/85. — Leben u. Frieden. Ebd. — 20

71/75. — Furchtlose Treue u. verfehltes Leben. Ebd. — 20

96/00. Loebner, M.: Der Zwerg-Obstbaum. Berl., P. Parey.

96/00. Locke, R.: Vollbibel, Schulbibel, bibl. Leseb.? Lpzg., Krüger & Co. — 15

91/95. Logen-Correspondenz, Braunschw. Brnschw., F. Vieweg & S.

88/90. Löhe, W.: Beicht- u. Kommunionbuch. 1.60; geb. 2 —; m. G. 2.50

96/00. — Epistel-Postille. 4.50; geb. 6 —

88/93. — Evangelien-Postille. 4.50; geb. 6 —

96/00. — Haus-, Schul- u. Kirchenbuch. 2.40

88/90. — Predigten üb. d. Vater-Unser. 1.50; geb. 1.80

91/95. — 7 Vorträge üb. d. Worte Jesu Christi v. Kreuze. 1.50; geb. 2 —

68/70. Loher u. Maller. Von K. Simrock. 1 —

96/00. Lohmann, E.: Der Befehl d. Königs. Bethel b/Bielef., Bh. d. Anst. Bethel.

96/00. Lohmeyer, J.: Kinder-Lieder u. Reime. Berl., W. Vobach & Co.

81/85. — Lieder e. Optimisten. Ebd.

81/85. Loehnis, H.: Die europ. Kolonien. Bonn, M. Hager.

76/80. Löhr: Zur Frage üb. d. Echtheit v. Jesaias 40—66. Lpzg., Krüger & Co. — 60

81/85. — Die Gesch. d. heil. Schrift vom Anfang d. Dinge. Ebd. — 40

96/00. Lorenz, H.: Wehrkraft u. Jugenderziehg. Lpzg., B. G. Teubner.

96/00. Lorenz, P., bad. Bücherei. 6 F.

96/00. Loti... P.: Impressions de voyage. Erh. 1.60. Die Notiz „Aus d. Handel gezogen" zu streichen.

96/00. Louvier, F. A.: Chiffre u. Kabbala in Goethe's Faust. Hambg., (C Boysen). 1.50

96/00. — Die Kabbalist. Ebd. 1.50

86/90. — Die neue Méthode d. Faustforschg. Ebd. — 50

91/95. — Sphinx locuta est. Ebd. 5 —

96/00. Löw, O.: Die chem. Energie d. leb. Zellen. Stuttg., F. Grub.

91/95. — Ein natürl. System d. Giftwirkgn. Ebd.

91/95. Löwe, F.: Amatus. Lpzg., P. List.

91/95. — Fau Jutta, d. Päpstin. Ebd.

91/95. Lübben, E.: Oldenburger Gestütbuch. Rodenkirchen, Oldenburg, Verband d. Züchter d. Oldenburger eleganten schweren Kutschpferdes.

71/75. Lubbock, J.: Die Entstehg. d. Civilisation. Berl., H. Barsdorf.

71/75. — Die vorgeschichtl. Zeit. Ebd.

96/00. Luckhardt, F.: Wie es im Buchhandel aussieht? Lpzg., O. Gracklauer.

91/95. — Juden u. Christen. Ebd.

96/00. Lüdemann, H.: Der Mann aus d. Fremde. Brem., E. Hampe.

96/00. — Die Vorherrschaft d. Geistes. Ebd.

76/80. Ludolff, M.: Erzählgn. Aachen, I. Schweitzer. 1.75

96/00. Luftfahrten, wiss. 60 —

86/90. Luiz de Valdivia: Arte, vocabulario de la lengua de Chile. Lpzg., O. Harrassowitz. nn 10 —

86/90. Lukas, F.: Methode d. Eintheilg. bei Platon. Sachsa, H. Haacke.

91/95. Luneburg, G.: Die Koch- u. Haushaltsschule. Ebersw., H. Langewiesche.

91/95. — Leitf. f. d. Unterr. an Koch- u. Haushaltsgsschulen. Ebd.

91/95. — u. Rehfeldt, dass. Ebd.

96/00. Lüpke, H. v.: Die Arbeit d. Pfarrers f. d. Wohlfahrt d. Landvolks. Berl., Deutscher Verlag.
96/00. Luther, M.: Kl. Katech., wie derselbe e. Bekenntnisschrift d. Kirche ist. — 05.
81/85. — Weish. auf jeden Tag d. Jahres. Stuttg., Fleischhauer & Sp. — 80
96/00. Lutherdenkmal. Lpzg., B. Liebisch.
76/80. Lüttringhaus, J.: Borussia. Geb. 5 —
96/00. Lutz, K. G.: Der Pflanzenfreund. Stuttg., W. Nitzschke.
96/00. — Wanderg. in Begleitg. e. Naturkundigen. Stuttg., Verlag f. Naturkde.
96/00. Luxus-Kalender, Fromme's. 6 F.
71/75. Mach, E.: Beiträge z. Dopplerschen Theorie d. Ton- u. Farbenänderg. durch Bewegg. Lpzg., J. A. Barth.
71/75. — Zur Theorie d. Gehörorgans. Ebd.
71/75. — Optisch-akust. Versuche. Ebd.
86/00. Mackay, J. H., alles erschienene: Berl., Schuster & Loeffler.
91/95. — Die Anarchisten. Ebd. 3 —; geb. 4 —
96/00. — Ges. Dichtgn. Ebd. In 1 Bd. geh. 4 —; L. 5 —
91/95. — Fortgang. Ebd. 1 —; geb. 2 —
86/90. — Das starke Jahr. Ebd. 1 —; geb. 2 —
96/00. — Max Stirner. Ebd. 4 —; geb. 5 —
86/90. — Jenseits d. Wasser. Ebd. 1 —; geb. 2 —
96/00. — Wiedergeburt. Ebd. 1 —
81/00. Magazin f. Stenographie. Berl., Gerdes & H.
91/95. Malcomes' internat. russ. Unterhaltgsbibl. Weissensee, H. W. Th. Dieter.
96/00. Maler-Zeitung, Berliner. Berl., Verl. d. Berl. Malerzeitg.
96/00. Malling, F.: Die Eremitagenidylle. Berl., F. Wunder.
91/95. Manassewitsch, B.: Russisch-deut. u. deutsch-russ. militär. Wörterb. Weissensee, H. W. Th. Dieter. 2 —
91/95. Manger, A. M.: Kochbuch. Lpzg., C. Jacobsen.
81/85. Mangold, W.: De ecclesia primaeva etc. Bonn, M. Hager.
1846 II. Manili, M., astronomicon libri V. Recensuit F. Jacob. Erh. 3 —
96/00. Mann, X.: Ein Verbrechen. Lpzg., C. F. Tiefenbach.
76/00. Mantegazza, P., alle bei Costenoble erschienenen Schriften: Berl., Neufeld & H.
91/95. Manteuffel, U. Z. v.: Auf d. hohen Fels. 2 —
96/00. Manthei, G.: Der herrschaftl. Diener. Berl. (S.W. 48, Wilhelmstr. 28), Selbstverl.
86/90. Marbach, F.: Psychologie d. Firmianus Lactantius. Sachsa, H. Haacke.
91/95. Marban, P.: Arte de la lengua Moxa. Lpzg., O. Harrassowitz. nn 16 —
81/85. S. 894. Marburg. Karte. Berl., R. Eisenschmidt. nn 1 —
1847 I. Marchand, R. F.: Üb. d. Alchemie. Wien, F.C. Mickl. — 75
91/95. Märchen, Geschichten u. Liedchen, schöne. — 50
91/95. Märchenlust. 1 —
91/95. Märchenquell. 1.50
91/95. Märchenstrauss f. liebe Kinder. — 50
96/00. Marck, L.: Till Eulenspiegel in Schilda. Stuttg., K. Daser. 1 —
96/00. Maercker, H.: Gesch. d. ländl. Ortschaften usw. d. Kreises Thorn. Danz., L. Saunier.
96/00. Mark, L.: Ideale. Stuttg., K. Daser. — 60
91/95. Markow, A.: Russ. Chrestomathie. Weissensee, H. W. Th. Dieter.
96/00. Martens, K.: Roman a. d. Décadence. Berl., E. Fleischel & Co.
96/00. — Die gehetzten Seelen. Ebd.
96/00. — Aus d. Tagebuche e. Baronesse v. Treuth u. a. Novellen. Ebd.
76/80. Martens, L.: De libello παι ύφεοε. Bonn, M. Hager.
96/00. Martens, R.W.: Befreite Flügel. Münch., R. Piper & Co.
71/75. Martens, W.: Üb. Caspar Hauser. Dresd., R. Damm.
91/95. Martin, P.: Zur Frage d. Konzentration d. Volksschulunterr. Sachsa, H. Haacke.
96/00. Martin, P., u. O. Schmidt: Soll d. Raumlehre im Anschluss an einheitl. Sachgebiete behandelt werden? Berl., Gerdes & H.
91/95. Martiny, B.: Kirne u. Girbe. Lpzg., M. Heinsius Nf.
76/80. Martius, G.: Die Lehre vom Urtheil. Bonn, M. Hager.
96/00. Mass, T.: Erziehgs- u. Unterr.-Lehre. Kappeln, Th. Mass. (Nur dir.)
96/00. — Lehrproben a. allen Unterr.-Fächern. Ebd.
96/00. — Schulpraxis. Ebd.
96/00. Maeterlinck, M.: Aglavaine u. Selysette. 2 —; geb. 3 —
96/00. — Der Schatz d. Armen. 1 Afl. Erh. 10 —
96/00. — 3 myst. Spiele. 2 —; geb. 3 —
91/95. Matthaei, A.: Fürchtet euch nicht. Münch. (Pappenheimerstr. 1 II), Selbstverlag.
71/75. Matthias, J.: Die Formensprache d. Kunstgewerbes. Lpzg., H. Blömer.
81/85. — Naturzeichnen. Ebd.
96/00. — Die Regel v. gold. Schnitt. Ebd.
71/75. — Der menschl. Schmuck. Ebd.
91/95. Matzura, J.: Führer durch d. Beskiden. 2.75
96/00. Maupassant, G. d.: Ges. Werke. Berl., E. Fleischel & Co.

91/95. Maurer, J.: Prinz Eugen v. Savoyen. Münst., H. Schöningh, Sep.-Cto. 1.20; geb. 1.60
91/95. — Tiroler Haiden. Ebd. 1.20; geb. 1.60
96/00. May, R. E.: Die Kanone als Industriehebel. Verleger in Charlottbg.
96/00. — Die Wirtschaft in Vergangenheit usw. Lpzg., R. Lipinski.
86/95. Mayer, A. v.: Gesch. u. Geogr. d. deut. Eisenb. Berl. (W. 57, Ahrensleebenstr. 4), W. Stein.
96/00. Mayer, E. v.: Die Bücher Kains. Verleger in Charlottbg.
76/80. Mayer, J. G.: Gesangslehre. Stuttg., Muth.
96/00. — Liedersammlg. f. kathol. Volksschulen. Ebd.
96/00. Mayer, P. O.: Die Militär-Straf-Gerichtsordng. Münch., E. Ertel. Erh. 3.50; kart. 4 —
81/85. Maywald, A.: In memoriam. Bonn, M. Hager
96/00. Megede, M. z.: Liebe. Berl., F. Fontane & Co. 3 —; geb. 4 —
91/95. Meggendorfer, L.: Des Kindes 1. Buch. 1.20
71/75. Mehler, L.: Beisp. z. ges. christl.-kathol. Lehre. 6 Bde.
96/00. Mehring, J.: Das neue Einwesen-System. Berl., F. Pfenningstorff.
96/00. Meier, F. V.: Anton Möller. Danz., L. G. Homann. 3 —
96/00. Meier, J.: Liedersegen. Geb. 4 —
91/95. Meinhardt, A.: Reise- u. Heimats-Novellen. Berl., W. Herlet.
91/00. Meissner, G.: Die Hydraulik. 40 —; I. 12 —; II. 1. 2 u. III ¼ 10.50
96/00. — Die Kraftübertragg. 2 Bde. 18 —; geb. nn 20.50; einz. Lfgn. 1.50
91/95. Meister, F.: Kaiser Wilhelm II. 1.50; geb. 2.40
96/00. Melching, O.: Hand- u. Verkehrskarte v. Württemberg u. Hohenzollern. Bibrach, Dorn. 1 —; m. St. 1.50
81/85. Mellin, G.: Unsere deut. Brüder. Lpzg., Krüger & Co. 2 —
96/00. Melzer, J.: Deut. Volkstag Eger. Lpzg., H. Blömer.
86/90. Memoiren e. arab. Prinzessin. Berl., H. Rosenberg. 6 —; geb. 8 —
91/00. Menadier, J.: Deut. Münzen. Berl., P. Lehmann.
96/00. Mende's, A., neuester Taschenpl. v. Berlin m. Vororten. Berl., A. Mende.
86/90. Mennel, J. N.: Die Vertretg. d. kathol. Pfarrgemeinden. Lfgn., Muth.
91/95. — C. Rieg u. J. Schneiderhan: Das Volksschulgesetz. Ebd.
96/00. Mensch, d. (Zeitschrift.) Berl., Lebensreform.
96/00. Mensendieck, O.: Charakterentwickelg. etc. d. Verf. v. Piers the Plowman. Lpzg., Dürr'sche Bh.
96/00. Mentor, bad. 6 F.
96/00. Menzel, P.: Musterblätter f. Kerbschnitt. I. 1.50; II. 1.20
96/00. Mercator, B.: Das Hexenkind. Hambg., G. Schloessmann.
96/00. — Unter Jerusalems Thoren. Ebd.
91/95. Merkens, H.: Was sich d. Volk erzählt. Jena, H. W. Schmidt.
96/00. Merkheft z. Geogr. v. Bayern. Würzbg., F. X. Bucher.
91/95. Merkle, J.: Segensreiche Wirksamkeit durch 4 Generationen. Weissensee, H. W. Th. Dieter.
51/65. Merle d'Aubigné, J. H.: L'église et la diète de l'église. Lpzg., Krüger & Co. — 20
51/65. — Die Kirche u. d. Kirchentag. Ebd. — 10
71/75. Merten, H.: Complimentirbuch. — 50
96/00. Mertens, H. J.: Die Einführg. d. Christentums in England. Regensbg., Verlagsanst. vorm. G. J. Manz.
96/00. Messalinen Berlins. Berl., Schreiter.
96/00. Messtischblätter d. preuss. Staates. Zeichenerklärg. nn — 50
96/00. Methode Schliemann z. Erlerng. d. französ., italien. u. span. Sprache. Stuttg., W. Violet
81/85. Mettenius, C.: Alexander Braun's Leben. Geb. 6 —
96/00. Metzner, R.: Botanisch-gärtner. Taschenwörterb. Berl., P. Parey.
91/95. Mey, O.: Kraftbedarf mechan. Webstühle. Lpzg., H. A. L. Degener.
96/00. Meyer, A.: Geburtstags-Glückwünsche. — 20
81/85. Meyer, C.: Gesch. d. Landes Posen. Lissa, F. Ebbecke. 3 —; geb. 4 —
96/00. Meyer, D. K. A. L. W. F.: Kleiner Beichtspiegel f. ev. Geistliche. Lpzg., Krüger & Co. — 40
91/95. Meyer, F. B.: Der gegenwärtige Gnadenstand. Berl., Deut. ev. Buch- u. Tractat-Gesellsch.
91/95. — Christliches Leben. Ebd.
91/95. Meyer, H.: Für u. wider d. Alkohol. Berl. (C. 2, Kaiser-Wilhelmstr. 39, II), Verein „Jugendschutz".
96/00. Meyer, K.: Heimatskde f. d. Schulen d. Kreises Sangerhausen. Nordh., C. Haacke.
91/95. Meyer, W.: Gewichtstab. Erh. —
86/90. Meyer, W.: Charley. Stuttg., Franckh.
86/90. Meyer-Foerster, E.: Junge Menschen. Berl., Schreiter.
86/90. Meyer-Markau, W.: Das Fremdwort in d. deut. Sprache. Sachsa, H. Haacke.
96/00. Michaëlis, A.: Reise durch Deutschl. in Versen. — 40 ₰

96/00. Michaelis, K.: Durch d. Wogen d. Lebens. 2 —; geb. 3 —
66/70. Michelis, F.: Formenentwicklgsgesetz im Pflanzenreich. Aachen, I. Schweitzer. 1.50
96/00. Mikszáth, K. v.: Ges. Schriften. Berl., Heilbrunn & Co.
96/00. — Intimes a. d. Menschenleben. Ebd.
96/00. Milkowicz, W.: 2 Fresco-Kalender. Wien, (A. Schroll & Co.).
96/00. — Ein nord-russ. auf Holz gemalter Kalender. Ebd.
96/00. Millen-Meierhoff, H. v.: Geschichten v. heute. Lpzg., W. A. G. Müller. 2.25; geb. 3 —
96/00. Miller, E.: Frisch v. d. Schmiede. Münch., Allg. Verlags-Gesellschaft.
51/65. Miller, W. H.: Abhandlg. üb. Krystallographie. Aachen, I. Schweitzer.
96/00. Minetti, W.: Äussere Holz-Architektur. Lpzg., J. M. Gebhardt.
96/00. Mingoschufte. die. — 80
96/00. Miniatur-Bibliothek. Lpzg., A. O. Paul.
96/00. Misch, R.: Frau Hellas Ruhm. Berl., Harmonie.
96/00. Mission, d., d. Brüdergemeine in Missionsstunden. Herrnh., Missionsbuchh. Je 1 —
76/80. — d. innere, in Deutschl. II. Bd. H. Schmidt, Die innere Mission in Württemberg. Stuttg., Buchh. d. Ev. Gesellsch. 9 —
96/00. Mit Kelle u. Schwert. Erlebnisse e. Diaspora-Geistlichen. Lpzg., Krüger & Co. — 30
91/00. Mitteilungen d. Vereins f. anhalt. Gesch. u. Altertumskde. Dess., (C. Dünnhaupt). Erh. jedes Heft 4 —
51/75. — d. Central-Comm. z. Erforschg. u. Erhaltg. d. Baudenkmale. Wien, (A. Schroll & Co.).
91/00. — wiss., a. Bosnien u. d. Herzegowina. I—VII. Wien, A. Holzhausen. Je 10 —
86/90. — d. Ver. f. Gesch. Dresdens. Dresd., W. Baensch.
81/90. — d. Ver. f. Gesch. u. Topogr. Dresdens. Ebd.
96/00. — d. geschichts- u. altertumsforsch. Vereins zu Eisenberg. Eisenbg., P. Bauer.
96/00. — d. österr. Fischerei-Ver. Wien (I, Schauflerg. 6), Administr. d. öst. Fischereizeitg.
91/00. — d. Ver. f. Gesch. u. Altertumskde zu Homburg. I—VI. Hombg., F. Supp.
96/00. — d. Vereins f. dekorative Kunst u. Kunstgewerbe. Fa. Erloschen.
76/00. — d. Central-Comm. f. Erforschg. u. Erhaltg. d. Kunst-u. histor. Denkmale. Wien, (A. Schroll & Co.).
81/00. — techn. f. Malerei. Münch., Administration.
96/00. — a. d. Orient. Frankf. a/M., Verl. Orient.
86/90. — a. d. oriental. Sammlgn. d. kgl. Museen zu Berlin. Berl., G. Reimer.
96/00. — d. Seminars f. oriental. Sprachen an d. Univ. zu Berlin. Ebd.
96/00. — d. bayer. Sängerbundes. ö F.
51/00. — u. Nachrichten f. d. ev. Kirche in Russld. Riga, Jonck & P.
96/00. Möbel-Architekt, d. Lpzg., Baumgärtner. 1. Jahrg. In M. 50 —
81/85. Möbius, H.: Heinr. Schaumberger. 2 —; geb. 3 —
96/00. Mochow, E.: Mars u. Amor. — 50
96/00. Mohaupt, F.: Allerlei Hobelspäne. Tetsch., O. Henckel.
81/85. Mohn, F.: Märchen-Strauss. Berl., G. Stilke. 4 —
96/00. Mohr, C.: Compendium d. Physiol. Würzbg., A. Stuber's Verl.
76/80. Molina, F. A. de: Vocabulario de la lengua mexicana. Lpzg., O. Harrassowitz. nn 25 —
91/95. Molitor, P.: Das Leben uns. Heilandes. Münch., Verein. Kunstanstalten. Erh. 30 —
96/00. Moll, A.: Das nervöse Weib. Berl., E. Fleischel & Co.
91/95. Moellenhoff, D.: Die Zulässigk. d. Vergleiches üb. Beleidiggn. Bonn, M. Hager.
96/00. Möller, M.: Lieder u. Legenden. Berl., O. Elsner.
86/90. Monarchie, d. österr.-ungar., in Wort u. Bild. Wien, E. Beyer. 120 —; geb. 170 —
91/95. Monat, d., Uns. L. Frau v. Lourdes. Rgnsbg., Verlagsanst. vorm. G. J. Manz.
96/00. Monatsberichte üb. Kunstwiss. u. Kunsthandel. Münch. (Herrenstr. 33/34), Verein. Druckereien u. Kunstanstalten.
51/00. Monatsblatt d. norddeut. Missionsgesellsch. Brem., Nord-deut. Missionsgesellsch.
96/00. Monatsblätter f. deut. Litt. Berl., Dr. A. Tetzlaff.
81/00. — z. Belehrg. üb. d. Judentum. Frankf. a/M. (Unterlindau 44), Dr. Brüll.
96/00. — f. d. Schulansicht. Bresl., F. Hirt.
96/00. Monatshefte, architekton. 6. Jahrg. Stuttg., J. Engelhorn.
96/00. — d. Berliner Börse. ö F.
91/00. Monatsschau, stenograph. Berl., Gerdes & Hödel.
66/00. Monatsschrift, bait. Riga, N. Kymmel's Sort.
81/95. — deut. botan. Wien. (Kohlstr. 31 I), Dr. H. Reinecke. 1883 u. 1886/96 je 3 —
91/95. — deut., f. Handel u. Industrie. Berl., Volldampf-Verl.
96/00. — jurist., z. Vorbereitg. auf d. Prüfgn. f. d. höh. Justiz-u. Verwaltgsdienst in Bayern. Jahrg. I—IX zus. bezogen 15 —; Jahrg. I—III je 2.50; Jahrg. IV—IX je 1.50 —.
96/00. — deut., f. Mode u. Industrie. Berl., Volldampf-Verl.
91/00. — ornitholog. Dresd., H. Schultze.
96/00. — f. christl. Social-Reform. Luz., Bässler, Drexler & Co.
71/00. — statist. Brünn, F. Irrgang.
91/95. Monier-Bauweise, die. Zu streichen: Gropius'sche Bh.

96/00. Mönkemeyer, W.: Die Sumpf- u. Wasserpflanzen. Berl., P. Parey.
96/00. Monteton, O. v.: Ist d. Sozialdemokratie e. vorübergeh. Erscheing.? Lpzg., O. Gracklauer.
76/80. Montoya, A. R. de: Arte, bocabulario, tesorio y catecismo de la lengua Guarani. Lpzg., O. Harrassowitz. nn 28 —
96/00. Moody, d. Evangelist. 1.20; geb. 1.80
96/00. Moody, D. L.: Das erhörl. Gebet. — 50
96/00. Morburger, C.: Wie sie sind. Gr.-Lichterf., Dr. P. Langenscheidt.
86/90. Morgenstern, F. L.: Einführg. in d. Geb. d. Physik. Weinh., F. Ackermann.
91/95. Morgenstern, L.: Frauen d. 19. Jahrh. Berl., L. Morgenstern. 18 —; einz. Bde. 6.50
66/70. Moerner, T. v.: Kurbrandenburgs Staatsverträge. 6 —
96/00. Morold, J.: Steph. Milow. Berl., F. Wunder.
86/90. Moses, IM. Schmp d. Maimon : Mischne Thora. 4 —
96/00. Moszeik, C.: Deutsch-litthauisches Vokabularium. Tilsit, J. Reyländer & Sohn. nn 50 —
96/00. Motorwagen, d. 1898—1900 je 12 —
91/95. Motta, J. V. da: Nachtrag zu Stadien bei Hans v. Bülow v. Th. Pfeifer. Lpzg., Thüringische Verl.-Anst.
96/00. Much, M.: Frühgeschichtl. Funde a. d. öst. Alpenländern. Wien, (A. Schroll & Co.).
76/80. — Das vorgeschichtl. Kupferbergwerk auf d. Mitterberg. Ebd.
86/90. — Die Kupferzeit in Europa. Ebd.
96/00. Mugica, P. de: Libro de lectura. Berl., G. Reimer.
96/00. — Übgsstücke z. Übersetzen a. d. Deut. ö H.
91/00. Mühlberg, R.: Kleine Architekturen u. Details. Lpzg., Baumgärtner.
91/95. Mülberger, A.: Zur Kenntnis d. Marxismus. Berl., F. Wunder.
91/95. — Studien üb. Prondhon. Ebd.
96/00. Müllenhoff, K.: Sagen, Märchen u. Lieder d. Herzogth. Schleswig-H. Siegen, M. Liebscher. Erh. nn 15 —
51/65. Müller, A. v.: Perlen a. d. Nachfolge Christi. Aach., I. Schweitzer. nn 60 —
91/95. Müller, C.: Homöopath. Haus- u. Familienarzt. Lpzg., Dr. W. Schwabe.
91/95. Müller, E.: Exercier-Reglement f. d. Wiener Berufsfeuerwehr. Wien, (Gerlach & Wiedling).
96/00. Müller, E. F. K.: Das ev. Lebensideal. Neukirch., Bb. d. Erziehgsver.
91/95. Müller, F.: Kassel seit 70 Jahren. Geb. 3 —
96/00. Müller, F., u. M. Roller: Prologe u. Festreden. — 50
81/85. Müller, G.: Ein Jahr in Schweden. Lpzg., O. Gracklauer.
91/95. Müller, G. A.: Goethe in Strasseburg. 1 —
96/00. — Die Tempel zu Tivoli bei Rom. Lpzg., P. Schimmelwitz.
96/00. Müller, H.: Wie erwirbt man usw. e.. dringl. Arrest? Stettin, H. Tremel.
51/65 u. 81/85. Müller, H.: Ev. Herzenspiegel. Konst., C. Hirsch. Geb. 4 —
51/65. Müller, J.: Die Lehre v. d. Elektrizität. 1.50
51/65. Müller, J.: Die ev. Union. Lpzg., Krüger & Co. — 60
51/65. — u. E. F. Ball : Der Consensus luth. u. ref. Lehre in d. ev. Kirche Deutschlands. Ebd. — 20
96/00. Müller, K.: Abenteuer u. Erlebnisse e. jungen Deutschen in Kanada. 1.50
96/00. — Die jungen deut. Auswanderer in Australien. 1.50
91/95. — Die Indianerburg. 1.50
96/00. Müller, K. J.: Die Berliner Centenarfeier f. Kaiser Wilhelm d. Gr. Berl., L. Frobeen.
96/00. Müller, W.: Männergehirn u. Frauengehirn. — 60
96/00. Müller-Guttenbrunn, A.: Der suspendierte Theaterdirektor. Berl., F. Wunder.
51/65. Munch, P. A.: Die nordisch-german. Völker. Giess., A. Töpelmann. 1 —
51/65. — Das heroische Zeitalter d. nordisch-german. Völker. Ebd. 1 —
96/00. Münch, H.: Taschenb. f. d. Eisenb.-Fahrdienst. Marsbg., (A. Buddenkotte).
81/00. Münzblätter, Berliner. Berl. (Kurfürstend. 17), Dr. E. Bahrfeldt.
96/00. Münzer, G.: Zur Einführg in R. Wagner's Ring d. Nibelungen. Kart., erh. 3.30
81/85. Morgue, D.: Üb. Grubenventilatoren. 2 —
86/90. Murz, G.: Hintanhaltg. d. Kraftzersplitterg. Lpzg., R. C. Schmidt & Co.
96/00. Musenalmanach, Göttinger. 1898: 1.50; geb. 2 —; 1900: — 75; geb. 1 —; 1901: 2.50; geb. 3 —
96/00. — d. Hochschüler Wiens. Berl., F. Wunder.
91/85. Museum. Sammlg. litterar. Meisterwerke. Gütersl., C. Bertelsmann.
96/00. Musikwelt, die. Berl. (W. 50, Neue Ansbacherstr. 7), H. Thiele & Co.
96/00. Musik- u. Theaterwelt, die. Berl. (W. 50, Neue Ansbacherstr. 7), H. Thiele & Co.
96/00. Musik- u. Theater-Zeitung, österr. Wien (IV, Mozartstr. 4), Administration.
86/90. Musiol, R.: Musiker-Lex. Berl., Neufeld & H.
96/00. Mystik. ö F.
96/00. Nach Feierabend. Lpzg., Bernh. Meyer.

214*

96/00. Oertzen, O.: Beitr. z. mecklenburg. Münzkde. Berl., P. Lehmann.
96/00. Oeser, A.: Theosoph. Schriften. Charlottbg., G: Helberg.
96/00. Ossit: Ilse. Berl., E. Fleischel & Co.
96/00. Ost-Asien. Monatsschrift. Berl. (SW.11, Kleinbeerenstr.9), K. Tamai.
96/00. Oestéren, F. W. van: Merlin. Berl., F. Wunder.
96/00. Ostermeyer, M.: Hdb. d. Sachenrechts. 4 —
71/75. Oesterreich's parlamentar. Grössen. Lpzg., O.Gracklauer.
71/75. Oesterreich-Ungarn betrachtet a. unparteiischem Standpunkte. Lpzg., O. Gracklauer.
86/90. Ostertag, J. F.: Der Petrefakten-Sammler. Stuttg., K. G. Lutz.
91/95. Ostrowsky, A.: Das Gewitter.Weissensee, H.W.Th.Dieter.
96/00. Oettingen, W. v.: Unter d. Sonne Homers. Berl., G. Grote.
51/45. Oettinger, E. M.: Gesch. d.dän. Hofes. Berl., F.E.Lederer.
96/00. Oettli, S.: Ideal u. Leben. Arnstadt, Verlagsbureau.
96/00. Otto, B.: Lateinbriefe. Lpzg., K. G. Th. Scheffer.
90/00. Otto, R.: Die Düngg. d. Gartengewächse. Carlsh.-Berl., H. Friedrich.
76/80. Overbeck, F.: Zur Gesch. d. Kanons. Tüb., J. C. B. Mohr.
71/75. — Studien z. Gesch. d. alten Kirche. Ebd.
96/00. Ozar Tob. Berl., M. Poppelauer.
91/95. Paar, M.: Désirée. Lpzg., O. Gracklauer.
81/85. — Der Dombau zu Cöln. Ebd.
98/00. — Gedichte. Ebd.
81/85. — Helene. Ebd.
81/85. — Ein Wintermärchen. Ebd.
98/00. Pabst, G.: Vierstell. Kubik-Taf. 2 —
96/00. — Zweistell. Kubik-Taf. nach d. mittl. Durchmesser. 1'—
96/00. — dass. nach d. mittl. u. runden Durchmessen. 1.50
96/00. Pagel, F.: Der freiwill. Erziehgsbeirat f. schulentlassene Waisen. Deut. Centralver. f. Jugendfürsorge.
96/00. Pajeken, F. J.: Unter heisser Sonne. — 30
51/45. Palearius, A.: Das goldene Büchlein. Stuttg., Fleischhauer & Sp. Kart. — 15
86/90. Pander, E.: Das Pantheon d. Tschangtscha Hutuktu. Berl., G. Reimer.
98/00. Pap, J.: Die Studentenschaft u. d. soz. Frage. Berl., F. Wunder.
91/95. Papagei u. Puppenbäumchen. Münch., Allg. Verlags-Gesellschaft. Kart. — 30
96/00. Papst, d., in Friedrichsruh. Laubegast, Goethe-Verl. Erh. 1.50
96/00. Päris, H.: Les Français chez eux et entre eux. Lpzg., O. R. Reisland.
96/00. — dass. Deut. Übersetzg. Ebd.
96/00. Parisien, le. Journal instructif. Würzbg., O.Tzschaschel.
96/00. Parrot, C.: Materialien z. bayer. Ornithologie. Jena, G. Fischer. Erh. f. 1 1.50
96/00. Parsch, F. X.: Die Olmützer Kunstuhr. Erh. 1 —
96/00. Partheil, G., u. W. Probst: Zur Konzentration d. naturkundl. Fächer. Berl., Gerdes & Hödel.
96/00. Paschkis, M.: Osteurop. Geschichten. Berl., F. Wunder.
96/00. Pasig, P.: Das ev. Kirchenjahr. Lpzg., C. Naumburg.
96/00. Passarge, L.: Schweden. Berl., E. Fleischel & Co.
96/00. Pastor, W.: Berlin. Münch., G. Müller.
81/85 u. 91/95. Pastors Kinder auf d. Lande. Quedlinbg., H. Schwanecke.
96/00. Pataki, H.: Die Kunst schön zu bleiben. Berl., J. Gnadenfeld & Co.
86/00. Patent u. Industrie. Münch., C. Beck (L. Häile).
96/00. Paeuer, K.: Der Kampf um Wohlfahrt. Graz (Schillerstr. 60), Oberlandesager.-R. Dr. Paeuer.
96/00. Paul, E.: Die Kunst sich zu verjüngen. Lpzg., F. Cavael. 1.50
51/85. Paul, L.: Kant's Lehre v. radicalen Bösen. Sachsa, H. Haacke.
91/95. Paulick, H.: Lehrb. f. Fortbildgs- usw. Schulen. Lpzg., H. A. L. Degener.
81/85. Paulsen, J.: Bibelstunden üb. d. Ev. St. Matthäi. Geb. 2.60
91/95. — Brotkorb f. Sonn- u. Festtags-Nachmittage. Erh. geb. 2 — u. 2.50
81/85. — Geschichten a. d. Reiche Gottes. I. 1.50; II. erh. 1.50; III. 1.50; vollst. geb. 4 —
86/90. — Hausbuch [Abendsegen]. Geb. 4 —
81/85. — Hausbuch [Morgensegen]. Geb. 5.50
96/00. — Heideblumen. Erh. geb. 2.50
96/00. — Nachtisch f. Gotteskinder. Erh. geb. 4.50 u. 5.50
81/85. — Zukost. Geb. 3 —
91/95. Pazdera, L. F.: Magnificat anima mea dominum. Klagenf., Buch- u. Kunsth. d. St. Josef-Vereines. Geb. — 84
95/00. Pearse, M. G.: Gold u. Weihrauch. — 50
86/90. Pell, G. A.: Die Lehre d. hl. Athanasius v. d. Sünde. Rgnsbg., Verlagsanst. vorm. G. J. Manz.
86/90. Pelman, C.: Nervosität u. Erziehg. Bonn, M. Hager.
96/00. — Rassenverbesserg. Ebd.
81/85. Penzig, R.: Ein Wort v. Glauben. Zür., A. Wehner. 1.50
96/00. Penzier, J.: Fürst Bismarck nach s. Entlassg. Bresl., P. Lück & Co.
86/90. Perbandt, E. v.: Nalube. Lpzg., O. Gracklauer.
96/00. Peregrin, P.: Deut. Blut. Lpzg., K. F. Pfau.
96/00. Peregrina, C.: An d. Kirche Hand z. Vaterland. Rgnsbg., Verlagsanst. vorm. G. J. Manz.

71/75. Perikopen, d. kirchl., od. d. Evangelien u. Episteln f. alle Sonn- u. Festtage d. Kirchenjahres. Lpzg., Krüger & Co. — 60
96/00. Peritz, M.: 2 alte arab. Übersetzgn. d. Buches Rûth. Berl., M. Poppelauer.
76/80. Peschel, O.: Abhandlgn z. Erd- u. Völkerkde. 15 —
86/90. — Phys. Erdkde. 10 —
76/80. — Europ. Staatenkde. 3 —
96/00. Peter, H.: Tragfähigkeitstab. Lpzg., H. A. L. Degener.
66/70. Pfaff, J.: Die Synodal-Frage. Lpzg., O. Gracklauer.
96/00. Peters, J.: Waldmeister u. Enzian. Berl., F. Wunder.
96/00. Peters, G.: Das Skatspiel. — 50
96/00. — Streichholzkünste. — 50
96/00. Petersen, P.: Ziegenzucht. Berl., Deutscher Verlag.
91/95. Peterson, J. O.: Die Küche d. Zukunft. Berl., A. Kämmerer. Erh. 1.30
76/80. Petrick, C. L.: Multiplications-Tab. Liefert: Lpzg., E. F. Steinacker.
81/85. Petrlik, C.: Das Walzen d. Strassen. 1.20
76/80. Petz, F. S.: Der Bischof u. d. Domkapitel usw. Rgnsbg., Verlagsanst. vorm. G. J. Manz.
96/00. Petzold, E.: Die Landschafts-Gärtnerei. Lpzg., H.Blömer.
66/70. Pfaff, J. G.: Die Synodal-Frage. Lpzg., O. Gracklauer.
96/00. Pfander, G.: Fussilforen. Verleger in: Charlottbg.
91/95. Pfau, K. F.: Deutsch-französ. Korrespondenz f. Buchhändler. Lpzg., H. Beyer.
98/00. — Einige Worte üb. d. innere Organisation im Sortiments- usw. Betrieb. Ebd.
96/00. Pfefferkorn, F.: Gelände-Erwerbgn. d. gr. bad. Domänenärars. Karlsr., F. Gutsch.
91/95. Pfeiffer, T.: Studien bei Hans v. Bülow. Lpzg., Thüringische Verl.-Anst.
96/00. Pfersche, E.: Der parlamentar. Staatsstreich. Berl., F. Wunder.
71/75. Pfleiderer, E.: Empirismus u.Skepsis in D. Hume's Philosophie. 5 —
81/85. — Kant. Kritizismus u. engl. Philosophie. Sachsa, H. Haacke.
86/90. — Die Philosophie d. Heraklit v. Ephesus. 5 —
86/90. Pflüger, E. F. W.: Üb. d. Kunst d. Verlängerg. d. Lebens. Bonn, M. Hager.
86/90. — Lebenserscheingn. Ebd.
76/80. — Wesen d. Physiologie. Ebd.
96/00. Pfohl, F.: Arthur Nickisch. Berl., Harmonie.
91/95. Phelps, E. S., u. H. Ward: Lazare, komm heraus. (Liebe um Liebe.) Stuttg., P. Hobbing.
71/76. Philipp, D.: Real-Index zu Dingler's polytechn. Journal. Berl., R. Dietze.
81/85. Philipp, S.: Üb. Ursprg. u. Lebenserscheingn. d. tier. Organismen. Stuttg., A. Kröner.
96/00. Philippi, O.: Landwirtschaftliches. Lpzg., R. C. Schmidt & Co.
91/95. Philippovich, E. v.: Die Aendergn. uns. Wirtschaftsverfassg. im 19. Jahrh. Berl., F. Wunder.
96/00. Philo vom Walde: Vinzenz Prissnitz. 3 —; geb. 4 —
96/00. Philon Alexandrinus: Opera, edd. Cohn u. Wendland. Ed. minor. Erh. jedes vol. 4 —
81/85. Philostratus: Apollonius v. Tyana. Lpzg., K. 'Lentze.
98/00. Pichler, A.: Der Anderl u. 's Resel. Münch., G. Müller.
98/00. — Ges. Erzählgn. Ebd.
96/00. — Hymnen. Ebd.
96/00. — Krenz & quer. Ebd.
96/00. — Marksteine. Ebd.
96/00. — Die Tarquinier. Ebd.
96/00. Pithler; F.: Aus Sabbatha. Lpzg., C. F. Tiefenbach.
96/00. Pietsch, L.: Wie ich Schriftsteller geworden bin. 5 —; geb. 6.50
91/95. Pilgerreise z. himml. Heimat. Rgnsbg., Verlagsanst. vorm. G. J. Manz.
76/80. Pinzger, L.: Die geometr. Constructionen u. Weichen-Anlagen. Lpzg., H. A. L. Degener.
81/00. Pionier, der. Organ d. schweiz. Schulausstellg. Bern, Gymn.-Lehr. E. Lüthi. 0.75
51/85. Piper, F.: Üb. d. Gründg. d. christl.-archäol. Kunstsammlg. bei d. Univ. zu Berlin. Lpzg., Krüger & Co. — 25
96/00. Pirres: Russ. Sprachlehre. I. Berl., S. Hahne.
96/00. Pitra, D.: Kl. Tagesdienst. Mutter Gottes. Rgnsbg., Verlagsanst. vorm. G. J. Manz.
96/00. Placzek, S.: Auf d. Rade. Berl., F. E. Lederer.
98/00. Plan v. Bonn. Bonn, F. Cohen.
91/00. — v. Leipzig. Detailblätter. Je nn 2 —
71/75. Plazidus, J.: Aus d. Bal v. Paranaguá. Lpzg., O. Harrassowitz. nn 4 —
81/85. — Glossar d. finnländ. Sprache. Ebd. nn 5 —
71/75. — Grammatik d. brasilian. Sprache nach Anchieta. Ebd. nn 4 —
91/95. — Weshalb ich Neudrucke d. alten amerikan. Grammatiken veranlasst habe. Ebd. nn 2.50
96/00. — Der Sprachstoff d. brasilian. Grammatik z. Luis Figueira. Ebd. nn 12 —
96/00. Pochhammer, A:'Einführg. in d. Musik. Berl., Harmonie.
96/00. Pochhammer, P.: Durch Dante. Verleger in Charlottbg.
91/95. Pohlmann, A.: Der Schulfriede. — 60
98/00. — Ein Wort f. d. Schulfrieden. — 20

91/95. Poinsignon, A.: Geschichtl. Ortsbeschreibg. d. Stadt Freiburg i/B. 1.50
96/00. Polenz, W. v.: Andreas Bockholdt. Berl., F. Fontane & Co.
96/00. — Heinr. v. Kleist. Ebd.
91/95. — Die Unschuld. Ebd.
96/00. Politik, sexuelle. Lpzg., H. Hedewig's Nf.
96/00. Poliak, G.: Das tote Kätzchen. Berl., Heilbrunn & Co.
96/00. Polizrabend-Aufführungen. — 40
96/00. Pommer, J.: Jodler u. Juchezer. Wien, A. Robitschek.
91/95. — 252 Jodler u. Juchezer. Ebd. 2 —
76/80. Porphyrius: 4 Bücher v. d. Enthaltsamkeit. Lpzg., K. Lentze.
91/00. Portrait-Galerie d. akadem. Lehrkörper Deutschlds. usw. Darmst., K. B. Vogelsberg. Einzelne Bl. 1 —
96/00. Posthorn, das. Lpzg., H. Dege.
96/00. Poestion, J. C.: Isländ. Dichter d. Neuzeit. Münch., G. Müller.
91/00. Postzeitung, deut. Berl., Verl. d. Verbandes deut. Post- u. Telegraphen-Assistenten.
86/90. Prätorius, E.: Haideblumen. Gött., L. Horstmann. — 25; geb. — 50
96/00. Praxis, d., d. Batterie-Chefs. Berl., W. Thoms.
96/00. — d., d. Eskadron-Chefs. Ebd.
96/00. — d., d. Kompagnie-Chefs. Ebd.
96/00. — literar. Berl.-Friedenau, Verl. d. litt. Praxis. Sep.-Cto. Geh. — 75
86/95. Predigten, altdeutsche, hrsg. v. Schönbach. Lpzg., M. Heims.
96/00. Preindlsberger-Mrazović, M.: Bosn. Skizzenb. 4 —
96/00. Prel, C. du: Ausgew. Schriften. Berl., Verl. Hermes.
81/85. Preller's, F., Odyssee-Landschaften in Aquarell-Farben- dr. Vollst.: 180 —; einz. Bl. 20 — u. 10 —
96/00. Premerstein, A. v., u. S. Rutar: Röm. Strassen u. Be- festiggn. in Krain. Wien, (A. Schroll & Co.).
66/70. Preser, C.: Die Sterner. Lpzg., O. Gracklauer.
81/85. Pressensé, E. v.: Evangel. Studien. Sachsa, H. Haacke.
81/85. — Die Ursprünge. Ebd.
96/00. Preuschen, E.: Palladius u. Rufinus. 6 —
91/95. Preuss, T.: Die Begräbnisarten d. Amerikaner u. Nord- ostasiaten. Lpzg., K. W. Hiersemann.
91/95. Preussen, d. neue, u. s. Zukunft. Münch. (Mariahilfplatz 32), A. Killer.
96/00. Prévost, M.: Was Frauen schreiben. Münch., A. Langen. 2 —
96/00. — Der verschlossene Garten. 2 —
91/95. — Cousine Laura. 2 —
96/00. — Liebesbeichte. 2 —
96/00. — Der Skorpion. 2 —
96/00. — Die Sünde d. Mutter. 2 —
81/85. Prayer, W.: Farben- u. Temperatur-Sinn. Bonn, M. Hager.
91/95. Pringnitz, J. N.: Gedanken üb. Disciplin. Neubrandenbg., O. Brünslow.
96/00. — Hdb. f. Schulkinder. Ebd.
96/00. — Katechismus f. d. pomm. Volkssch. Ebd.
96/00. — Lernbüchl. f. d. ev. Schulen zu Berlin. Ebd.
96/00. — Deut. Sprache, Georgr. u. Gesch. Ebd.
96/00. Prior, E.: Vereinbargn. betr. d. Untersuchg. d. Bieres. Stuttg., F. Grub.
96/00. Probst, W.: Lehrplanskizze e. Naturkde. Berl., Gerdes & Hödel.
96/00. Professoren- u. Lehrer-Kalender, Fromme's österr. ö F.
96/00. Projections-Vorträge. Lpzg., (E. Liesegang).
96/00. — a. d. Kunstgesch. 3. Heft. Ebd. Erh. 2 —
96/00. Protokoll d. 1. öst. Krankenkassentages. 1896. Erh. nn 1.50
86/90. Protokolle üb. d. v. Mitgliedern usw. d. k. k. Central-Comm. f. Kunst- u. histor. Denkmale abgeh. Conferenz. Wien, (A. Schroll & Co.).
76/80. Prüfungsordnung f. Lehrerinnen u. Schulvorsteherinnen. Lpzg., Krüger & Co. — 50
91/95. Prydz, A.: Gunvor auf Haerö. Berl., Schreiter.
96/00. Publikationen d. deut. Literatur-Gesellsch. in München. Nr. 1. Rgnsbg., Verlagsanst. vorm. G. J. Manz.
96/00. — d. kathol. Press- u. Lit.-Ver. Feldkirch, F. Unter- berger. 1 —
91/95. — d. Gesellsch. f. rhein. Geschichtskde. IX. Bd. (Merlo, köln. Künstler.) 20 —; geb. 25 —
96/00. Punktierbüchlein. — 20; bezw. — 40
96/00. Puppentheater, grosses. 2.50
86/95. Pütz, W.: Histor. Darstellgn. u. Charakteristiken. I, 1. 3.90; I, 2. 2 —; in 1 Bd. geb. 6 —; II. 4.90, geb. 6 —; III. 5.10, geb. 6.30; IV. 4.50, geb. 5.70
96/00. S. 1032. Putzig. Karte. nn 1.50
96/00. Quandt, C.: Nachricht v. d. arawack. Sprache. Lpzg., O. Harrassowitz. nn 1 —
91/95. Quandt, C.: Gertrud v. Loden. 2 —; geb. 3 —
96/00. Quandt, E.: Festpredigten. Dresd., C. L. Ungelenk. I. 2.50; geb. 3.50
06 L. Quantz, J. J.: Versuch e. Anweisg. d. Flöte traversiere zu spielen. 6 —; geb. 7 —
96/00. Quartalblätter d. histor. Ver. f. d. Groesh. Hessen. Darmst., Histor. Ver. f. d. Grossh. Hessen. (Nur dir.)
1819/00. Quartalschrift, theolog. 1—82. Jahrg. (bis 1900 einschl.). Tüb., H. Laupp jr.

86/00. Quellen z. Gesch. d. Juden in Deutschl. Berl., L. Lamm. 27.50 (I. 5 —; II. 10 —; III. 12.50)
96/00. — u. Darstellungen z. Gesch. Westpreussen. Danz., L. Saunier.
81/85. Quenssel, C. G. L.: Die Abstammg. usw. d. Schweiss- hundes. Wien, Huber & Lahme Nf.
81/85. — Die Hüttenjagd auf Raubzeug. Ebd.
86/90. — Der Jagdschutz. Ebd.
91/95. Quilling, P.: Schriften. Frankf. a/M., F. B. Auffarth.
91/95. Raack, G.: Epistel-Büchl. Lpzg., H. A. L. Degener.
81/85. Rachberger, O.: Christas ist mein Leben usw. Rgnsbg., Verlagsanst. vorm. G. J. Manz.
96/00. Rademacher, C., u. T. Scheve: Bilder a. d. Gesch. d. Stadt Köln. Kart. 2.50; geb. 3 —
96/00. Rafael, L. (Frau H. Kiesekamp): Junge Herzen. Münch., Allg. Verlags-Gesellsch.
91/95. Rambaldi, K. v.: Wandergn. im Geb. d. Isarthalbahn. Münch., H. Hugendubel.
96/00. Ratgeber, prakt., d. Wiener Mode. Berl., J. Gnaden- feld & Co.
86/90. Ratz, C. E. J.: Alttestamentl. Psalmen in neutest. Lie- dern. Lpzg., Krüger & Co. — 60; geb. 1 —
51/65. Rauch, C.: Elementare Arithmetik. Lpzg., H. A. L. Degener.
51/65. — Planimetrie. Ebd.
91/95. Rauchenegger, B.: Buch d. Reden u. Toaste. Münch., H. Hugendubel.
96/00. Baumer, C. v.: Die gefall. Mädchen u. d. Sittenpolizei. Berl., Berlinische Verl.-Anst. — 50
91/95. Rauscher, J. O. Ritter v.: Darstellg. d. Philosophie. Münch. (Mariahilfplatz 32), A. Killer.
91/95. Rawitz, B.: Compendium d. vergleich. Anatomie. Würzbg., A. Stuber's Verl.
76/80. Reban, H.: Käferbüchl. 1.20
76/80. — Schmetterlingsbüchl. 1.20
91/95. Reber, W.: Konstruktion u. Berechng. d. Wasserräder. Geb. 7.50
81/85. Reber, F. v.: Gesch. d. neueren deut. Kunst. Berl., Heil- brunn & Co.
86/90. Rebhuhn, A., u. E. Wilke: Gedenkbl. z. 100. Geburts- tage Diesterwegs. Sachsa, H. Haacke.
96/00. Recht, unser neues, in gemeinfassl. Einzeldarstellgn. Berl., U. Meyer. 5 —; einz. Hefte — 30
96/00. Rechtshilfe, die. ö F.
86/90. Rechtsschutz, gewerbl., u. Urheberrecht. 1—5. Jahrg. Erh. je 30 —
91/95. Reden, T.: Geist. Weihnachten. Lpzg., Krüger & Co.
91/00. Reform, medizin. Berl., Gutenberg.
80/00. — d. zahntechn. Berl. (Hohenstaufenstr. 22), G. Ehrke.
96/00. Reformblätter. Red.: M. König. Hannov., Reformblätter- Verl.
96/00. Regel, F.: Der Kurfürst als Richter. Stuttg., Holland & Josenhans. — 40
91/95. Regenhardt's, C., Almanach. ö F.
91/95. Regis, P. de: Jesus v. Nazareth. Sachsa, H. Haacke.
96/00. Reibmayr, W.: Die Technik d. Massage. Wien, W. Brau- müller.
96/00. Reich, d., Christi. Gr. Lichterf., Tempel-Verl.
91/95. Reichenau, W. v.: Bilder a. d. Naturleben. Stuttg., A. Kröner.
76/80. — Die Nester u. Eier d. Vögel. Ebd.
86/90. Reichenlechner, C.: Luitgardenbuch. Rgnsbg., Verlags- anstalt vorm. G. J. Manz.
86/90. — Der Sühne- u. Gebets-Ver. d. sel. Luitgard. Ebd.
76/80. Reichenlechner, J. B.: Lilie d. Unschuld. Rgnsbg., Ver- lagsanstalt vorm. G. J. Manz.
91/95. Reimann, M.: Leichtfassl. Chemie. Lpzg., Buchh. G. Fock. Erh. 12 —; geb. 14 —
91/95. — Färberei d. Baumwolle. Ebd.
86/90. — Die Färberei d. Wolle. Ebd.
86/90. — Färber-Zeitung. Ebd.
71/75. — Jedermann eigener Färber. Ebd. Erh. 4 —
91/95. Reimer, H.: Hdb. f. Standesbeamte. Hdb. f. Standesbeamte. Berl., J. Pfeffer.
86/90. Reimer, H.: Hdb. d. spec. Klimatotherapie. 5 —; geb. 6 — nn — 95
86/90. Reimesch, K.: Liedersammlg. Kronst., H. Zeidner. nn — 85
86/90. Reineke, W.: Excursionsflora d. Harzes. Quedlinbg., H. Schwaneke.
96/00. Reiners, A.: Lourdes als Welt-Heiligtum. Rgnsbg., Ver- lagsanstalt vorm. G. J. Manz.
96/00. — Das neue Offizium v. Lourdes usw. Ebd.
96/00. Reinhard, I.: Meine Jugend. Münch., R. Piper & Co.
96/00. Reinhart, J.: Liedl. Verl. seist in Charlottbg.
96/00. Reinstein, H.: Scherz u. Ernst. Lpzg., Rauh & Pohle. Erh. je 1 —
96/00. Reise, die, durch Jahrhunderte. Dresd., R. Braun. — 75; geb. 1 —
96/00. Reisefreund, d. Mit Nr. 2 eingegangen.
96/00. Reiser, N.: Fehler in Wollewaren. Berl., M. Krayn.
91/00. Reiser, O.: Materialien zu e. Ornis balcanica. Wien, A. Holzhausen.
51/65. Reise-Skizzen d. niedersächs. Bauhütte. Lpzg., H. A. L. Degener.

96/00. Reiter, J.: Die 10 Gebote in d. häusl. Erziehg. Feldkirch, F. Unterberger. — 40
91/95. Reitinger, K.: Liederb. Straub., H. Appel.
96/00. Reliefkarte v. Elsass-Lothr. Lpzg., A. König.
68/70. Remy, A.: A first english reading book with engl. germ. vocab. Lpzg., Krüger & Co. — 80
96/00. Renaissance. Münch., Dr. Jos. Müller.
86/90. Rendtorff: Die Diakonissensache in Thüringen. Arnstadt, Verlagsbureau.
96/00. Renesse, E. v.: Die Lehre d. 12 Apostel. 2 —
76/80. Renninger, J.: Die Grundlage christl. Politik. Rgnsbg., Verlagsanstalt vorm. G. J. Manz.
51/65 u. 78/80. Rentzmann, W.: Numismat. Legenden-Lex. Lpzg., K. W. Hiersemann. Erh. 24 —
96/00. Repz, L. O.: SeptNor. 2 —; geb. 3 —
71/00. Repertorium f. Kunstwiss. Berl., G. Reimer.
96/00. Resener, H.: Ägypten unter engl. Okkupation. Berl. (S., Prinzenstr. 48), R. Resener.
96/00. Ress, R.: Farben. Münch., R. Piper & Co.
91/00. Reuleaux, C.: Schriften. Op.1—16. Ascona, C.v.Schmidtz.
91/85. Reuling, C. G.: Fragwürdige Gestalten. 1 —
96/00. Reum, A.: Französ. Übgsb. f. d. Vorst. Erh. 1.40
71/75. Reumont, A. v.: Pro romano pontifice. Aachen, I. Schweitzer. — 30
96/00. Reuss, E.: Philipp v. Nathusius. Hambg., Agentur d. Rauhen Hauses.
96/00. Reuter's theolog. Klassikerbibl. Berl.-Schöneberg, M. Heimbrecht.
96/00. Reuter, F.: Olle Kamellen. — De Reis' nah Belligen. Je 1.20
51/65. Reuter, H.: Clementis Alex. theologicae mor. capitum select. particulae. Lpzg., Krüger & Co. — 25
96/00. Reventlow, F. Gräfin zu, u. O. E. Thossan: Klosterjungen. Berl., Schreiter.
86/00. Revue, österr. ungar. Wien, C. W. Stern.
91/00. Reye, T.: Die Geometrie d. Lage. Stuttg., A. Kröner.
91/95. Reynolds, J.: Zur Aesthetik u. Technik d. bild. Künste. Lpzg., J. A. Barth.
96/00. Rheinlande, d. Düsseldf., Verl. d. Rheinlde.
96/00. Rhiem, C.: Weihnachtsüberraschg. u. Weihnachtsfreude. Stuttg., Holland & J.
71/75. Ricardo, D.: Grundz. d. Volkswirtschaft u. Besteuerg. 4 —
96/00. Richter's Führer. Hambg., C. H. A. Kloss.
76/80. Richter, C.: Wie d. alten Denkmäler usw. d. Wahrheit d. Alt. Test. beweisen. Bonn, J. Schergens. — 30
91/95. Richter, E.: Borwin. Dess., C. Dünnhaupt.
76/80. Richter, E.: Die Entwickelg. d. Verkehrs-Grundlagen. Lpzg., O. Gracklauer.
81/85. Ried, V.: Fünf Ulanen. Lpzg., O. Gracklauer.
98/00. Riedl, L.: Heiteres u. Ernstes im Krieg u. Frieden. Münch. (Mariahilfplatz 39), A. Killer. Geb. 3 —; m. G. 3 —
96/00. — Lebens-Erfahrgn. e. Convertiten. Ebd. 1.50; geb. 2.50; Prachtbd. 3 —
96/00. Riegel, H.: Beitr. z. Kunstgesch. Italiens. Lpzg., K. W. Hiersemann.
86/90. Rieks, J.: Die Jungfrau v. Orleans. Lpzg., Krüger & Co. — 30
86/90. — Lehre d. 12 Apostel. Ebd. — 10
91/95. — Rechte u. Pflichten d. Arbeiter u. Gesellen. Ebd. — 20
81/85. Riemann, H.: Elementar-Musiklehre. Heilbr., C. F. Schmidt. 1.20
76/80. — Die objective Existenz d. Untertöne in d. Schallwelle. Lpzg., O. Gracklauer.
76/80. — Die Hülfsmittel d. Modulation. Ebd.
81/85. — Neue Schule d. Melodik. Heilbr., C. F. Schmidt. 2.50
86/90. — Systemat. Modulationslehre. Ebd. 2.50
81/95. — Opern-Hdb. 2 Bde. Berl., Harmonie.
91/95. Rietmann, A.: Pyramiden. Lpzg., Rauh & Pohle.
96/00. Rilke, R. M.: Mir z. Feier. Berl., F. Wunder. 3 —; geb. 4 —
71/75. Riotte, H.: Der moderne Diogenes. Berl., Deutscher Selbstverlag.
91/95. — Vater Klaus. Ebd. — 70; geb. 1 —
91/95. — Rudolf v. Habsburg. Ebd.
96/00. — Der „Weisse-Hirsch-See". Ebd. — 60
96/00. Ritscher, J.: Anl. z. Pastellmalerei. (Lpzg., Th. Thomas.)
76/80. Ritter, A.: Anwendgn. d. mechan. Wärmetheorie. Lpzg., H. A. L. Degener.
96/00. — Lehrb. d. höh. Mechanik. Stuttg., A. Kröner.
96/00. — Lehrb. d. techn. Mechanik. Ebd.
96/00. Ritter, B.: Erziehgs- u. Unterr.-Lehre. Erh. 10 —
1882/89. Ritter, C.: Die Erdkunde im Verh. z. Natur u. Gesch. d. Menschen. 2—19. Thl. 100 — Der 1. Thl. ist vergr.
96/00. Rittland, K.: Unter Palmen. Dresd., C. Reissner.
96/00. — Sanitätsrats Türkin. Ebd.
96/00. — Ihr Sieg. Ebd.
96/00. — Nur Weib. Ebd.
96/00. — Weltbummler. Ebd.
81/85. Rivnač's Reisehdb. f. Böhmen. 3 —
86/90. Robert, H.: Abnoba. Karlsr., F. Gutsch.
96/00. Roberts, A. v.: Nachgelassene Novellen. 2 —
96/00. — Schlachtenbummler. 2 —
96/00. — Schwiegertöchter. 4 —; geb. 5 —
91/95. Rocholl, H.: Hauptpunkte im Programm d. Christentums. Hannov., E. Schlemm.

96/00. Rocholl, H.: Mein Heim — mein Glück! Reutl., Ensslin & Laiblin.
96/00. — Zum Hochzeitstage. Ebd.
96/00. — In d. Lebens Feierstunden. Ebd. 3.50
96/00. — Was betrübst du dich, meine Seele? Ebd.
88/90. Rodatz, H.: Der schwarze Tuck. Lpzg., Krüger & Co. — 20
96/00. Rodatz, J.: Glockenblumen. Berl., Vaterländ. Verl.- u. Kunstanstalt. 2.50
91/95. Rogge, B.: Festschrift z. 50jähr. Jubelfeier d. brandenburg. Hauptvereins d. evang. Gustav-Adolf-Stiftg. Lpzg., Krüger & Co. — 25
91/95. — Pförtnerleben. Grimma, (G. Gensel's Verl.). 1.20
91/00. Roggenhofer, G.: Hdb. der Fleckenreinigg., Wäscherei u. Färberei. Wittenberg, A. Ziemsen.
76/80. Röhm, J.: Predigten auf d. Feste d. sel. Jungfrau. Rgnsbg., Verl.-Anst. vorm. G. J. Manz.
96/00. Röhrig, F.: In 8 Stunden gründlich doppelte Buchführg. Burgstädt (Sachs.), Selbstverl.
96/00. — In 5 Stunden gründlich einfache Buchführg. Ebd.
76/80. Roland, A.: Der blaue Schleier. Kiel, R. Cordes.
96/00. Roland, E.: In blauer Ferne. 2 —
96/00. — Gefühlsklippen. 2 —
96/00. — Kinder d. Zeit. 2 —
91/95. Romanes, G. J.: Die geist. Entwicklg. beim Menschen. Stuttg., A. Kröner.
81/85. — Die geist. Entwicklg. im Tierreich. Ebd.
86/90. Roman- u. Novellenschatz. Münch., H. Kitz. (?)
91/95. Römheld, C. J.: Das hl. Evangelium in Predigten. Lpzg., G. Strübig.
86/90. — Theologia sacrosancta. 2 —
81/85. — Die Verpflanzg. d. inneren Mission, insbes. d. weibl. Diakonie, auf d. Land. Lpzg., Krüger & Co. — 40
71/75. — Die sittl. Weltordng. u. d. Weltzerstörg. Ebd. — 80
96/00. — Die Reise ins Blaue. Lpzg., C. F. Tiefenbach. 1.80
96/00. Roquette, O.: Die Reise ins Blaue. Lpzg., C. F. Tiefenbach.
96/00. — Waldmeisters Brautfahrt. Illustr. Ausg. 6 —
96/00. Rosegger, P.K.: Ausgew. Schriften. 30 Bde. 90 —; 1.20 —; HF. 150 —; einz. Bde. 3 —; L. 4 —; HF. 5 —
96/00. Rosenkranz, C.: Die Pflanzen im Volksaberglauben. Halle, H. Schroedel. 2.25
96/00. Rosenzeitung. Trier, J. Lintz. Je 4 —
51/65. Rösing, W.: 12 Entwürfe zu e. Kirchthurme. Lpzg., H. A. L. Degener. 2 —
66/70. Roesner, F.: Die Semi-Säcular-Feier d. Sem. u. Waisenh. zu Neuzelle am 5.VII.1867. Lpzg., Krüger & Co. — 20
91/95. Rothenburg, A. v.: Ferdnand getr. 1.50; geb. 2 —
96/00. Rothschönberg, O.: Samoa deutsch. Lpzg., Leipz. Verl.-Comptoir.
96/00. Roy, B.: Der Wiederaufbau Jerusalems. Lpzg., Krüger & Co. — 50
91/95. Ruckert, A. J.: Lernheft f. deut. Steilschrift. Würzbg., F. X. Bucher.
91/95. — dass. f. latein. Steilschrift. Ebd.
91/95. — Die Steilschrift. Ebd.
91/95. — Üb. d. Wesen u. d. Ziele d. senkrechten Steilschrift. Ebd.
96/00. Rudeck, W.: Pharmacopoea poetica. Berl., H. Barsdorf.
96/00. Rudelli, W.: Auf brauner dürrer Heide. 3 —; geb. 4 —
96/00. — Uns. lieben kleinen Lämmer. — 75; geb. 1.50
96/00. — Lieb ohn' Lied. 1 —; geb. 1.80
91/95. — Miserere Domine. 2.25; geb. 3 —
91/95. Rudow, W.: Um d. Erde. Bas., E. Finckh.
91/95. Rüegg, A.: Die Schrottlinie. 5 —
96/00. Ruff, J.: Die junge Mutter. 1.50
86/90. Ruge, S.: Abhandlgn. u. Vorträge z. Gesch. d. Erdkde. Lpzg., Dr. Seele & Co.
51/65. — Der Chaldäer Seleukos. Ebd.
71/75. — Das Verhältnis d. Erdkde. zu d. verwandten Wiss. Ebd.
76/80. — Die Weltanschaug. d. Columbus. Ebd.
86/90. S. 1033. Rügen. Karte, hrsg. v. d. kartogr. Abth. d. pr. Landesaufnahme. am 1.50
91/95. Rühl, F.: Die palaearkt. Grossschmetterlinge. Lpzg., J. Paul.
98/00. Ruhnstruck, W.: Hdb. d. Postgeogr. Cass., G. Dufayel.
96/00. Ruiz, A.: Der Sprachstoff d. guaran. Grammatik. Lpzg., O. Harrassowitz. 19 —
91/95. Ruland, W.: Légendes du Rhin. Köln, Hoursch & Bechstedt.
96/00. — Legends of the Rhine. Ebd.
91/95. — Max v. Mexiko. Münch., Allg. Verl.-Gesellsch.
91/95. — Pro Patria. Ebd. Erh. 2 —
91/95. Rümelin, G.: Aus d. Paulskirche. Berl., F. Wunder.
96/00. Rundschau, astronom. Lussinpiccolo, Verl. d. astronom. Rundschau.
86/90. — brautechn. Mähr.-Ostrau, Administr.
81/00. — elektrotechn. Potsd., Bonness & H.
96/00. — auf d. Gebiete d. Fleischbeschau. Berl., O. Elsner.
96/00. — keram. Berl., Verl.-Gesellsch. Corania.
96/00. — Wiener klin. Wien, Zitter.
91/00. — südamerikan. Hambg., F. W. Thaden.

96/00. Rundschau, Wiener. Lpzg., W. Opetz. Hört mit Nr. 18 zu erscheinen auf.
81/85. Runze, G.: Der ontolog. Gottesbeweis. Sachsa, H.Haacke.
96/00. Rüppel, H.: Weihnachtsfeetspiele. Stuttg., Holland & J.
51/65. Russwurm, H.: Lieder e. Kranken. Rgnsbg., Verl.-Anst. vorm. G. J. Manz.
66/70. — Neue Lieder e. Kranken. Ebd.
66/70. — Neneste Lieder e. Kranken. Ebd.
66/70. — Passions-Blüten. Ebd.
86/90. Rust: Die Emin-Pascha-Expedition. Lpzg., O. Gracklanes.
81/85. Räibe, F.: Studien üb. Steinmetz-Zeichen. Wien, (A. Schroll & Co.).
91/95. — hm. Zinngefässe.-Ebd.
96/00. Saatkörner a. d. ev.-luth. Kirche. Elberf., Luther. Bücherver.
98/00. Sacher, E.: Die Massenarmut. Lpzg., R. Lipinski.
91/96. Sacher-Masoch, L. v.: Amor m. d. Korporalstock. Berl., Schreiter.
91/95. — Zur Ehre Gottes. Ebd.
91/95. — Ein Geniestreich d. Pompadour. Ebd.
91/95. — Galizische Geschichten. Ebd.
96/00. — Falscher Hermelin. Ebd.
91/00. — Russ. Hofgeschichten. Ebd.
96/00. — Wiener Hofgeschichten. Ebd.
51/65. — Kaanitz. 2 Bde. Ebd.
91/95. — Kenschheits-Kommission. Ebd.
91/0?. — Liebesgeschichten. Ebd.
91/95. — Marchande de Modes-Mädchen. Ebd.
86/90. — Gute Menschen u. ihre Geschichten. Ebd.
96/00. — Die Messalinen Wiens. Ebd.
91/95. — Im Venusberg. Ebd.
96/00. Sacher-Masoch, W.v.: Die Damen im Pelz. Berl., Schreiter.
91/95. Sachs, A.: Hertha. Stett., A. Schuster.
96/00. Sachs, H.: Ausgew. Schauspiele, bearb. v. H. C. Schwarzkopf. 1. u. 2. Heft. Stuttg., Holland & J.
66/70. Sachsengrün. Lpzg., Dr. Seele & Co. Erh. — 60
51/65. Sacken, E. v.: Die Kunstdenkmale d. M.-A. im Kreise ob d. Wr. Wald in Nieder-Öst. Wien, (A. Schroll & Co.).
96/00. Sagenbuch, bad. I. u. II. Abtlg. Geb. je 4.50
75/85 u. 91/95. Sagenschatz, d., d. Bayernlandes. Würzbg., F. X. Bucher.
96/00. Saint-George, A. v.: Die Kunst d. Goldstickerei. Berl., J. Gnadenfeld & Co.
96/00. Salburg, E.: Die österr. Gesellschaft. Dresd., C. Reissner.
96/00. — Das armen Mannes Liederb. Ebd.
96/00. — Mirabeau. Ebd.
96/00. — Was d. Wirklichk. erzählt. Ebd.
96/00. Samaritan, der. Wien, Bh. Reichspost.
96/00. Samarow, G.: Der Krone Dornen. Berl., K. Voegels. Geb. d. Bd. 3.50
96/00. Sammlung criminalanthropolog. Vorträge. Paris, The scientific London Press.
96/00. — geistl. Lieder f. Kinder. Reval, Kluge & Ströhm. Erh. — 60
96/00. — auserles. geistl. Lieder (Bruderbüchl.). 1 —
66/00. — gemeinnütz. Vorträge, hrsg. v. deut. Ver. in Prag. Prag, J. G. Calve.
96/00. — d. bewährt. Hausarzneimittel. 1 —
91/00. — ausgew. kirchen- u. dogmengeschichtl. Quellenschriften. Heft 5. 2 —; 11. 1.80; 12. 2 —
91/00. — v. Lehrmitteln f. höh. Unterr.-Anst. Stuttg., A Bonz & Co. V. Erh. geb. 2.20
91/00. — militärwiss. Vorträge. Berl., W. Thoms.
96/00. — pädagog. Vorträge. X—XII. Bd. Mind., C. Marowsky.
96/00. — volkstüml. Rechtsbücher. Bd. 1. — 75; Bd. 2. — 35
96/00. — d., d. kgl. sächs. Altertumsver. Dresd., W. Baensch. 30 —
91/95. — v. Wörterverzeichnissen als Vorarbeiten zu e. Wörterb. d. alten arab. Poesie. Berl., G. Reimer.
51/65. — v. Zeichngn. a. d. Geb. d. höh. Baukunst. Lpzg., H. A. L. Degener.
51/65. — v. Zeichngn. a. d. Geb. d. Eisenbahnbau. Ebd.
96/00. Sanatorium, das. Berl., P. Quack.
96/00. San Callisto, M. di: Das Dokument d. Lady. Münch., Allg. Verlags-Gesellschaft.
96/00. — Die Wunder d. Kirche. Ebd.
96/00. Sang u. Klang im 19. Jahrh. Berl., Neufeld & H.
86/90. Sat, S.: Bilder a. d. Gesch. d. 20. Jahrh. Lpzg., O. Gracklauer.
71/75. Sattler, H.: Üb. sog. Cylindrome.
81/85. Sauer, H.: Der Brief Pauli an d. Galater. Lpzg., Krüger & Co. — 80
91/95. Saurma-Jeltsch, H. v.: Die Saurma'sche Münzsammlg. Berl., P. Lehmann.
71/75. Sava, K. v.: Die Siegel d. öst. Regenten bis zu Kaiser Max I. Wien, (A. Schroll & Co.).
96/00. Scala, F.: St. Fidelis v. Sigmaringen. Brixen, Pressver.-Bh.
96/00. Schäden an Dampfkesseln. Wien, Spielhagen & Sch. II. 6 —
96/00. Schaefer, G.: Die silb. Glocken v. Mörlenbach. Giess., E. Roth.
96/00. Schäfer, K.: Wegweiser f. Dürkheim. Dürkh., R. Lewerer.

96/00. Schäfer, R.: Das Passah-Maxxoth-Fest. Gütersl., C. Bertelsmann.
86/95. Schäfer, T.: Die weibl. Diakonie. Potsd., Stiftsverl. Der Bd. 2.50; geb. 3.50
51/65. Schaff, F.: Amerika. Lpzg., Krüger & Co. — 50
51/65. — Der Bürgerkrieg. Ebd. — 30
71/75. — Die Christusfrage. Ebd. — 10
91/95. Schäffler, A.: Deut. Kern- u. Zeitfragen. 2 Bde. Je 6 —; geb. Je 4 —
91/95. Schamberger, G.: Die Gesch. d. Bauernstandes. Linz, Ob.-ö. Buchdr.- u. Verl.-Gesellsch. 1 —
96/00. Schaper, H., u. P. Eichholz: Decorative Malereien in goth. Stil. Lpzg., G. Schlemminger. 50 —
96/00. Scharrelmann, W.: Anna Maria. Berl., E. Fleischel & Co.
96/00. Schättl, H.: Hagebutten. Konst., C. Hirsch.
91/95. Schatzkästlein, literar. 2 Bd. Bürgerl. Tod v. Schönaich-Carolath. Lpzg., G. J. Göschen.
96/00. — dass. 7. Bd. Zobeltitz, H. v.: Der Riesenwicht. Charlottenbg. (Kantstr. 51), H. v. Zobeltitz.
91/00. Schau-in's Land. Freibg. i/B., Schau-in's-Land-Verein.
96/00. Schaukal, R.: Sehnsucht. Lpzg., (H. Dege).
86/00. Schaumberger's, H., Werke. 9 Bde. 15 —
91/95. Schauspiele, humanist. (nicht humorist.). Lpzg., M. Altmann.
96/00. Schawo, M.: Beitr. z. Alpen-Flora Bayerns. Berl., W. Junk.
86/90. Schellwien, R.: Opt. Häresien. Sachsa, H. Haacke.
86/90. — dass. 1. Folge u. d. Ges. d. Polarität. Ebd. Erh. 2.50
91/95. — Max Stirner u. Frdr. Nietzsche. Ebd.
91/95. Schenckendorff, E. v., u. F. A. Schmidt: Üb. Jugend- u. Volksspiele. Lpzg., B. G. Teubner.
96/00. Scherer, R.: BGB. Weinb., F. Ackermann.
71/75. Scherr, J.: Blätter im Winde. Lpzg., M. Hesse.
75/80. — Grössenwahn. Ebd.
71/80. — Novellenbuch. Ebd.
96/00. Schierlinger, F.: Der prakt. Rechtsbeistand. Münch., E. Koch.
96/00. Schiffbau. Berl., Schiffbau
81/85. Schiller's, F. v., Werke. Gütersl., C. Bertelsmann. 10 —
86/90. — sämtl. Werke. (Hrsg. v. F. A. Krais.) Lpzg., G. Grumbach. 14 —; u. 21 —
96/00. — Briefe. Hrsg. v. F. Jonas. 10.50; geb. nn 17.50
76/80. — Briefe an Herzog Friedrich Christian v. Schleswig-H. üb. ästhet. Erziehg. 1.50
91/95. — Lied v. d. Glocke n. seine geistvollsten Parodien. 2 —
96/00. — u. W. v. Humboldt: Briefwechsel. 4 —; geb. 5 —
96/00. Schilling, F.: Kompendium d. diätet. u. physikal. Heilmethode. Würzbg., A. Stuber's Verl.
95/00. Schimper: Pflanzengeogr. Geb. etn. 55 —
96/00. Schindler, A., Selbstverlag in Basel. Ascona, C. v. Schmidtz.
86/90. — Wie überwindet man d. Sünde? Ebd. — 35
96/00. Schindler, R.: Spurgeon. Kart. 1 —; geb. 1.50
96/00. Schinnerer, L.: Die Kunst d. Weiss-Stickerei. Berl., J. Gnadenfeld & Co.
71/80. Schlächter-Zeitung, allg. Berl. (SW., Wilhelmstr. 119/190), Expedition d. Fleischerzeitg.
96/00. — 3. Reich. Ebd.
96/00. — Stille Welten. Ebd.
96/00. Schlaikjer, E.: Hinrich Lornsen. Münch., G. D. W. Callway.
96/00. — Der Schönheitswanderer. Ebd.
76/80. Schlebach, W.: Übgsblätter z. Plan- u. Terrainzeichnen. Bern, Geogr. Kartenverl.
81/85. Schleich, J. Th.: Die Poesie d. Sozialismus. Rgnsbg., Verlagsanstalt vorm. G. J. Manz.
96/00. Schleiden, M. J.: Die Romantik d. Martyriums bei d. Juden. — 60
71/75. — Die Rose. 2.50; geb. 3 —
71/75. — Das Salz. 2 —; geb. 2.50
51/65. — Studien. 3 —; geb. 3.50
81/85. Schleiermacher, F.: Der christl. Glaube. 4 —
91/95. Schlesinger, H.: Grundz. d. Ernährg. Lpzg., M. Heinsins N.
96/00. Schlesinger, M.: Gesch. d. Breslauer Theaters. Bresl., Koebner. 2 —
96/00. Schlickeysen, F. W. A.: Erklärg. d. Abkürzgn. auf Münzen d. neueren Zeit. Berl., G. Reimer.
96/00. Schlickeysen, G.: Blut od. Frucht. Lpzg., K. Lentze.
96/00. Schlieben, E.: Gelegenheitsgedichte f. Christenleute. 1 —
96/00. Schliemann, H.: Claus Hansen. 1 —; geb. 1.60
76/80. Schloss Raunach. Lpzg., Krüger & Co. 1.50
91/00. Schlosser-Zeitung, allg. Dresd., Allg. Schlosser-Zeitg.
91/95. Schlösch, J.: Analyt. Geometrie d. Ebene. Lpzg., H. A. L. Degener.
51/65. Schlottmann, C.: Das Buch Hiob. 2. Abtlg. Lpzg., Krüger & Co. 1.50
96/00. Schlumpf, H.: Handk. d. Kt. Zürich. Bern, Geogr. Kartenverl.
66/70. Schlüter, C.: Beitr. z. Kenntn. d. Ammoneen. Aach., L Schweitzer. 3 —
91/95. Schmachtenberg's, J. P., Choralb. Barm., H. Klein. 4 —; geb. 5 —

76/80. Schmalenbach, T.: Die Realität d. unmittelbaren Welt. Lpzg., Krüger & Co. — 90
96/00. — Stille halbe Stunden. 2 Bdchn. Geb. je 1.20; in 1 Bd. geb. 2 —
86/90. Schmarsow, A.: Melozzo da Forli. Berl., G. Reimer.
81/85. — Bernardino Pinturicchio in Rom. Ebd.
76/80. — Raphael u. Pinturicchio in Siena. Ebd.
91/95. Schmid, C. v.: Erzählgn. f. d. liebe Jugend. 2 —
96/00. — 100 kl. Erzählgn. — 70
96/00. — Schönste Erzählgn. f. d. Jugend. Je — 50; bezw. — 90
91/95. Schmid, E. v.: Die Schlachten bei Villiers u. Champigny. Berl., W. Thoms.
96/00. Schmid, H. A.: Arnold Boecklin. Berl., E. Fleischel & Co.
96/00. Schmidhuber: Der deutsch-französ. Krieg. Landshut, J. F. Rietsch. nn 3 —; geb. nn 3.50
91/95. Schmidt, C.W. O.: Die Werkzeichng. f. Bauausführgn. 2.50
96/00. Schmidt, D.: Der neue Diogenes. Elberf., Luther. Bücherverein.
91/95. — bete Figur d. Kirche. Ebd. Geb. 1.50
96/00. — 10 bibl. Vorbilder. Ebd.
96/00. — u. F. Biehler: Die besond. Aufg. d. ev.-luther. Kirche in Preussen. Ebd.
91/95. Schmidt, Frdr. Zum Gedächtn. F. Schmidt's. Wien, (A. Schroll & Co.).
91/95. Schmidt, F. W.: Kurzes Lehrb. d. anorgan. Chemie. Stuttg., F. Grub.
96/00. Schmidt, G.: Die kirchenrechtl. Entscheidgn. d. Reichsgerichts. nn 4 —; geb. nn 10 —
96/00. Schmidt, J.: Hänjörgels Geschichten. Warnsdf., C. Stöhr.
91/95. Schmidt, M.: Otto Weddigen. Berl., Concordia. Erh. 1 —
96/00. Schmidt, M.: Ges. Werke. 1—32. Bd. Geb. je 1.25
91/95. — Hančička, d. Chodenmädchen. 2.50
96/00. Schmidt, R.: Der Himmel hängt voller Geigen. Berl., Heilbronn & Co.
91/95. Schmidt, W.: Brauchen wir e. neues Dogma? Lpzg., Krüger & Co. — 30
86/90. — Die Gefahren d. Ritschl'schen Theologie f. d. Kirche. Ebd. — 30
86/90. — Das Gewissen. Ebd. — 30
86/90. — Der alte Glaube u. d. Wahrh. d. Christent. Ebd. 2 —
91/95. — Der Kampf ums Dogma. Ebd. — 50
86/90. — Die göttl. Vorsehg. u. d. Selbstleben d. Welt. Ebd. 2 —
91/95. Schmidt, W.: Allg. Heimatkde. Gemeinhdb., M. Wintergerst. — 30
86/90. Schmidt, W. A.: Gesch. d. deut. Verfassgsfrage. Berl., F. Wunder.
96/00. Schmiede-Zeitung, deut. Berl., W. Mannstaedt & Co.
86/90. Schmitt, E. H.: Geheimniss d. Hegelschen. Dialektik. Sachsa, H. Haacke.
96/00. Schmitz, O. A. H.: Orpheus. Stuttg., A. Juncker 1.50
86/90. Schmolke's, B., Morgen- u. Abendandachten. Geb. 1 —
91/95. Schmüser, E.: Goth. Ornamente. Lpzg., Baumgärtner.
86/90. Schnabel, H. P.: Die Kirche u. d. Paraklet. Lpzg., Krüger & Co. 1 —
96/00. Schnadahüpfln u. Sprüchln füa Bürga u. Bauan. Dess., Anhalt. Verlagsanst. (?) (Lpzg., R. Hoffmann.) — 30
96/00. Schneefocken. Gütersl., C. Bertelsmann.
76/80. Schneider, A.: Beitr. z. vergleich. Anatomie u. Entwickelgsgesch. d. Wirbelthiere. 12 —
96/00. Schneider, E.: Württemberg. Gesch. 4 —; geb. 5 —
91/95. Schneider, G.: Paris u. d. Pariser. Lpzg., C. F. Tiefenbach. Erh. — 60
96/00. Schneider, H. G.: Moskito. 1.20; geb. 1.80
86/90. Schneider, K.: Bildgsziel u. Bildgswege f. uns. Töchter. Lpzg., Krüger & Co. — 30
51/65. Schneider, K. F. T.: Die Aechtheit d. Johanneischen Evangeliums. Lpzg., Krüger & Co. — 30
86/90. Schneiderhan, J.: Die gesetzl. Bestimmgn. f. d. unständ. Lehrer u. Lehrerinnen Württembergs. Stuttg., Muth.
51/65. Schnell, K. F.: Die Schuldisciplin. Lpzg., Krüger & Co. — 30
1850 I. — Wie sind muthwillige Schulversäumnisse zu verhüten. Ebd. — 20
96/00. Schneller, O.: Blüthen u. Garben. Berl., F. Wunder.
91/95. Schnerich, A.: Die beiden bibl. Gemälde-Cyklen im Dome zu Gurk. Wien, (A. Schroll & Co.).
76/80. Schnitger, C. R.: Heimatskde. Hambg., C. Boysen. — 40; kart. — 55
96/00. Schnitzer, M.: Franja, d. Magd. Berlin (S. W., Lichterfelderstr. 30 I), Selbstverl.
96/00. — Käthe, ich u. d. Anderen. Berlin, Globus Verl.
96/00. — Drillichauer Lebensläufe. Berlin (S. W., Lichterfelderstr. 30 I), Selbstverl.
96/00. — Ist das d. Liebe. Ebd.
96/00. — Sophie et moi. Ebd.
96/00. Schobert, H.: Die Brillanten-d. Herzogin. 2 —
76/80. Scholz, A.: Die Aegyptologie u. d. Bücher Mosis. Rgnsbg., Verlagsanst. vorm. G. J. Manz.
96/00. Scholz, F.: Von Aerzten u. Patienten. Münch., Verlag d. ärztl. Rundschau.
91/95. Scholz, G.: Seid getrost, alles Volk d. Landes, u. arbeitet. Lpzg., Krüger & Co. — 15
96/00. Scholz, W. v.: Der Besiegte. Berl., H. Seemann Nf.
96/00. — Der Gast. Ebd.

96/00. Scholz, W. v.: Hohenklingen. Berl., H. Seemann Nf.
96/00. Schön, J.: Haus- u. Geschäfts-Briefsteller. Kl. Ausg. — 80; mittle Ausg. — 80; geb. 1 —; gr. Ausg. 1.50
96/00. Schoenbeck, B.: Hippolog. Alphabet. Berl., Zuckschwerdt & Co.
91/95. — Fahrhdb. Ebd.
81/85. Schönfeld, P.: Andrea Sansovino. 7.50
96/00. Schönhausen, A. v.: Genovefa. — Rosa v. Tannenburg. Je — 50; in 1 Bd. geb. 1 —
91/95. — Gullivers Reise nach Liliput. — 50
96/00. Schoepp, M.: Novellen u. Skizzen. Berl., W. Herlet.
96/00. Schöppel's Taf. üb. d. an d. Univ. usw. gelt. Gesetze. 6 F.
81/85. Schoetensack, H. A.: Beitr. zu e. wiss. Grundlage f. etymolog. Untersuchgn. auf d. Geb. d. franzos. Sprache. Bonn, M. Hager.
96/00. Schott, F.: Sommer. Goslar, F. A. Lattmann.
96/00. Schott, O.: Glaubenszeugnisse. 2.50
86/90. — Wachet u. betet. HF. 2.50; L. m. G. 3 —
86/90. Schrader, R.: Unter d. Kreuz. Lpzg., Krüger & Co. 1 — geb. 1.50
91/95. Schrader, W.: Gesch. d. Friedrichs-Univ. zu Halle. Geh. 18 —
96/00. Schragen d. Gilden u. Aemter d. Stadt Riga. 9.80
91/95. Schram, W. C.: Der kleine Schmetterlingssammler. Lpzg., Bibliograph. Anstalt A. Schumann.
96/00. Schreiber, H.: Gesetz, betr. d. Staatshaushalt. Potsd., (A. Stein). 2.50; geb. 3 —
96/00. Schreiber, H.: Kinder d. Nacht. Berl., Deutsche Verlags-Anstalt „Patria".
96/00. Schreiber, P.: Einwirkg. d. Waldes auf Klima u. Witterg. Berl., P. Parey.
91/95. Schreiber, W. L.: Manuel de l'amateur de la gravure sur bois etc. Lpzg., O. Harrassowitz.
91/95. Schriften d. Bundes deut. Frauenver. 1. Heft. Dresd., O. V. Böhmert. — 20
86/95. — zum Besten des Ver. „Jugendschutz". Berlin (C. 2, Kaiser Wilhelmstr. 39 II), Verein „Jugendschutz".
86/95. — d. Ver. f. Meining. Gesch. u. Landeskde. Hildburgh., F. W. Gadow & Sohn.
96/00. — d. thüring. Paramenten-Ver. Arnstadt, Verlagsbureau.
81/00. — d. Ver. f. Reformationsgesch. Halle, R. Haupt.
96/00. — d. Ver. f. Sachsen-Meining. Gesch. u. Landeskde. Hildburgh., F. W. Gadow & S.
91/00. — theosoph. 30 Hefte. Lpzg., M. Altmann.
81/00. — f. d. deut. Volk. Halle, R. Haupt.
96/00. Schriftsteller- u. Journalisten-Kalender. ö F.
96/00. Schrill, E.: Sein Erbe. Hag., O. Rippel.
91/95. — Die Natschalniza. Ebd.
96/00. — Aus Russland Steppen. Ebd.
96/00. — Steppenbilder u. Steppenleute. Ebd.
96/00. — Der Vasenpfennig. Ebd.
96/00. — Doctor Vorwärts' z. Traug. Ebd.
88/90. Schröder, E.: Kaiser-Worte. (Volks-Ausg.) Lpzg., O. Gracklauer.
96/00. Schroeder, C. u. E. Mugdan: Das deut. Vormundschaftsrecht. 5 —
71/75. Schroeter, J.: Das Holz d. Coniferen. Berl., P. Parey.
76/80. — Forstchem. new. Untersuchgn. Ebd.
96/00. Schroller, F.: Bilder a. d. Gesch. Schlesiens. Gr.-Strehl., A. Wilpert. Erh. je — 60
76/80. Schröter, A.: Das Moabiter Zellengefängnis. Lpzg., Krüger & Co. — 25
81/85. Schröter, T.: Spielkarte u. Kartenspiel. Weinh., F. Ackermann.
96/00. Schrutz, D.: Deklamationsbuch f. Damen. Geb. 2.50
91/00. Schubert, H.: Aufg. a. d. Arithmetik u. Algebra, m. Resultaten. Lpzg., G. J. Göschen.
86/90. — Sammlg. v. Aufg. nebst Resultaten. Ebd.
81/85. — System d. Arithmetik. Ebd.
91/95. Schubert, H. v.: Die Entsteng d. Schleswig-Holstein. Landeskirche. Kiel, R. Cordes.
96/00. Schubert, R., s.: Deutschunterricht zu ändern in: Rudolph, G., d. Deutschunterr.
96/00. Schuchardt, O.: Die deut. Politik d. Zukunft. Dresd., v. Zahn & J.
96/00. Schücking, L. L.: Der Sommerkönig. — 75; geb. 1 —
91/00. Schulanzeiger f. Oberfranken. Jährlich 2 —
91/00. Schulausgaben, deut., v. Schiller u. Valentin. Geb. 1, 14, 23 je — 50; 2, 4, 5, 20, 24, 27, 30, 33 je — 60; 3, 19, 29 je 80 —; 6/7, 8/9, 10/11, 12/13, 17/18, 21/22, 25/26 je 1.20; 15/16 1.40; 28 — 40; 31/32 1 —
96/00. Schulausg., d. d. Schnittzeichnens. Berl., J. Gnadenfeld & Co.
1835/00. Schulfreund, der. (Trier, Lintz.) Hamm, Breer & Th.
96/00. Schulgrammatik, franzos., f. höh. Lehr.-Anst. Stuttg., A. Bonz & Co.
96/00. Schüllern, H.: Im Vormärz d. Liebe. Wien, C. Konegen.
96/00. Schulreform, d. deutsche. Lpzg., L. Fernau.
81/85. Schulze, E.: Üb. d. teleolog. Fundamentalprinzip d. allg. Pädagogik. Weinh., F. Ackermann.
76/80. — Predigten. Ebd.
86/90. Schultz, P.: Gesch. d. deut. Litt. Dresd., L. Ehlermann.
86/90. u. 96/00. — Meditationen. I—III. Ebd.
86/90. — Merktafel z. Litteraturgesch. Ebd.

51/65. Schulta, G.: Peterslieder. Reval, F. Kluge. — 50
86/90. Schultz, H.: Die Bestrebgn d. Sprachgesellschaften d. 17. Jahrh. 1.60
71/75. Schultz, J. C.: Danzig u. seine Bauwerke. 75 —
96/00. Schultze, E.: Freie öffentl. Bibliotheken. Hambg., Gutenberg-Verl.
96/00. — Volksbildg u. Kneipenleben. Ebd.
96/00. — Volksbildg u. Volkswohlstand. Ebd. Erh. 2 —; geb. 3 —
76/80. Schultze, E. W.: Zwischen Tiber u. Spree. Lpzg., Krüger & Co. — 50
91/95. Schultze, M.: Marie, Königin v. Bayern. Münch., M. Beckstein.
96/00. Schulz-Euler, S.: Buntes. Frankf. a/M., C. F. Schulz.
96/00. Schulze, C. R.: Vorsch. d. anorgan. Experimentalchemie. Berl., Gerdes & Hödel.
91/95. Schulze, G. E.: Die Dachschiftgn. Lpzg., J. M. Gebhardt.
91/95. Schulze, K.: Leitf. usw. f. d. arithmet. Unterr. an Fachsch. Lpzg., H. A. L. Degener.
76/00. Schulzeitung, rhein.-westfäl. Aach., P. Urlichs.
96/00. Schumann, H.: Einführg. in d. neuere Elektrizitätslehre. Stuttg., F. Grub.
81/85. Schumann, K.: Die pädagog. Tagespresse. Lpzg., Krüger & Co. — 25
81/85. Schupp, O.: Kirmes! Bas., E. Finckh.
76/80. Schüren, O.: Zur Lösg. d. soc. Frage. Lpzg., . Gracklauer.
96/00. Schüssler, H.: Die prakt. Lösg. d. soz. Frage. Erh. 1 —
96/00. Schuster, A.: Der Kinder-Spiegel. Verleger jetzt in Charlottbg.
96/00. Schuster, C.: Die Oelfarbentechnik. Verleger jetzt in Charlottbg.
76/80. Schütz, L.: Die Unfreih. u. Freih. d. menschl. Willens. Rgnsbg., Verlagsanst. vorm. G. J. Manz.
96/00. Schütze, K.: Käthchen, Karlchen u. ich. Berl., F. Palm.
91/95. Schwabe, H.: Geschichtl. Rückblick auf d. ersten 50 Jahre d. preuss. Eisenbahnwesens. Lpzg., Luckhardt's Bh. f. Verkehrswesen.
91/95. Schwally, F.: Idioticon d. christlich-palästin-Aramaeisch. 3 —
96/00. Schwann, M.: Die Rheinlande. Berl., J. Gnadenfeld & Co.
96/00. Schwartz, C.: Projektionszeichnen. Erh. 1.75
91/95. — Zirkelzeichnen. Erh. 1.50
96/00. Schwartzkopff, P.: Gottesoffenbarg. 1.80
96/0). — Konnte Jesus irren? — 50
96/00. — Die Irrtumslosigk. Jesu Christi. 1 —
96/00. — Die prophet. Offenbarg. 1.40
96/00. Schwarz, A.: Brautechn. Reisesskizzen. Mähr.-Ostrau. Administr.-d. brautechn. Rundschau.
91/95. Schwarz, F. v.: Alexander d. Gr. Feldzüge in Turkestan. Stuttg., F. Grub.
76/80. Schwarz, F. W. S.: Eins ist Not. Lpzg., Krüger & Co. — 20
66/70. — Die religionslose Schule d. Niederl. Ebd. — 20
71/75. — Deutsche Ziele f. d. ev. Kirche Preussens. Ebd. — 20 lauer.
96/00 Schwarz, H.: Die Wurstfabrikation. Gotha, P. Hartung.
91/95. Schwarze's, B., Unterr.-Briefe. 2 —
96/00. Schwarzloss, F. W.: Die Waffen d. alten Araber. Lpzg., O. Harrassowitz. 7 —
01/05. Schwarzer, A.: Die Waldhochzeit. Linz, Ob.-österr. Buchdr.-u. Verl.-Gesellsch.
96/00. Schweitzer, G.: Emin Pascha. 8 —; geb. 10 —
96/00. Schweiz, die. Zür., Verl. d. Schweiz.
86/90. S. 1036. — Vogelschaukarte. Je 1 —
87/00. Schweizer-Blätter, kathol. Luzern, Buchdr. Schill.
96/00. Schwerdt, P.: Ein Ersatz f. d. Duell. Rgnsbg., Verlagsanst. vorm. G. J. Manz.
96/00. — Offizier u. Sozialdemokrat. Ebd.
91/95. Schwert in Kelle. Jahrg. 2—5, 12, 13 je 1.50 (Jahrg. 1 u. 4/11 vergr.)
76/80. Schwind, M. v.: Märchen v. d. 7 Raben. Ausg. III. (30 —) 15 —
91/95. Schwindel, allerlei. Oranienbg., W. Möller.
96/00. Scribe, E., et Legouvé: Bataille de dames. Hrsg. v. Hamann. Erh. 1.90
96/00. Seeböck, Ph.: Sankt Leonhardibüchl. Rgnsbg., Verlagsanst. vorm. G. J. Manz.
96/00. Seelen-Apothek, heilsame. 1.20
91/95. Seemann, I.: Bildh. d. vervielfältig. Künste. Lpzg., C. Bange.
96/00. Segnitz, E.: Carl Reinecke. Berl., Harmonie.
96/00. Seidensticker, A.: Rechts- u. Wirtschaftsgesch. 3 —; geb. 4 —
96/00. Seifarth, F.: China. Lpzg., O. Gracklauer.
96/00. Selbstdiktierer, der. Hambg., A. J. Benjamin.
86/00. Selbsthilfe, die. Blätter f. deut. Lehrer. Berl., Verlag d. Selbsthilfe. (Nur dir.)
86/00. Seler, E.: Altmexikan. Studien. Berl., G. Reimer.
91/95. Semler, H.: Die ges. Obstverwertg. 4 —
96/00. Semmig, J. B.: Gedichte. Dresd., A. Urban.
66/70. Senckel, E.: Ein Leib u. Ein Geist. Lpzg., Krüger & Co. — 2
96/00. Sendler, R.: Hdb. z. Vorbereitg. auf d. 2. Prüfg. d. Lehrer. 2 —; geb. 2.60
Hinrichs' Fünfjahrskatalog 1901—1905.

71/75. Sendschreiben an d. geist. Adel deut. Nation. Lpzg., O. Gracklauer.
81/85. Senn-Barbieux, W.: Garibaldi. Luz., E. Nedwig. 4 —
91/95. Sepp, J. N.: Altbayer. Sagenschatz. Münch., O. Schönhuth.
86/00. Settegast, H.: Der Darwinismus. Berl., A. Unger.
91/95. — Erlebtes u. Erstrebtes. 2 —; geb. 3 —
91/95. — Die deut. Freimaurerei. Berl., A. Unger.
96/00. — Was d. Freimaurerei noch retten kann. Ebd.
96/00. — Der deut. Freimaurerei Gegenwart u. Zukunft. Ebd.
91/95. — Die gr. Freimaurerloge in Preussen. Ebd.
96/00. — Mehr Licht! Ebd.
96/00. — Woher? — Wohin? Ebd.
96/00. Seuffert, J. A.: Blätter f. Rechtsauwendg. Jahrg. 1898—1900. Nürnbg., U. E. Sebald.
96/00. Seydel, C.: Seliko. 1 —
86/90. Seydel, R.: Der Schlüssel z. objektiven Erkennen. Sachsa, H. Haacke.
96/00. Seydlitz, R. Frhr. v.: In Licht u. Sonne. 1 —
81/85. Shakespeare's, W., Werke. 8 Bde. Gütersl., C. Bertelsmann. 9 —
96/00. Shaw, V.: Einiges üb. Pflege u. Aufzucht d. Hunde. Wien. Huber & Lahme Nf.
75/80. Sickinger, C.: Savonarola. Rgnsbg., Verlagsanst. vorm. G. J. Manz.
76/80. Siecke, E.: Die Judenfrage u. d. Gymnasiallehrer. Lpzg. O. Gracklauer.
96/00. Siefken, T.: Die amerikan. Buchfährg. — 50
96/00. Siegemund, R.: Vorbereitgn. f. d. Behandlg. v. Lichtbilder-Reihen. I. Dresd., Unger & Hoffmann. — 75
86/90. Sievers, B.: Der Christ in d. Trübsal. Lpzg., Krüger & Co. — 15
96/00. Sievert, A. J.: Lopodunum-Ladenburg. Karlsr., F. Gutsch.
96/00. Sighele, S.: Psychol. d. Auflaufs. 2 —
96/00. Silbermann, H.: Die Seide. Lpzg., H. A. L. Degener.
91/95. Silberstein, A.: Die Bibel d. Natur. Lpzg., A. König.
96/00. Silvanus, P.: Mein ist d. Rache. Rgnsbg., J. Habbel.
91/95. Simonsen, J.: Herr lehre uns beten. Lpzg., Krüger & Co. 1.60
96/00. Simplicissimus. Münch., Simplicissimus-Verl.
86/85. Simrock, K.: Die ältere u. jüngere Edda, m. Erläutergn. 5 —; geb. 6 —
51/55. — Gedichte. Neue Ausw. 1.20; geb. 2 —
86/90. — Altdeut. Leseb. in neudeut. Sprache. 1 —
96/00. Simson, P.: Der Artashof in Danzig. Danz., L. Saunier.
71/75. Sinclair, J. G. T.: Der deutsch-französ. Krieg. Berl., E. Rosenstein.
96/00. Singet d. Herrn! Organ d. Sängerbundes. Elberf., Bh. d. ev. Gesellsch.
91/95. Skach, J.: Baupläne f. bienenwirtschaftl. Bauten. Lpzg., R. C. Schmidt & Co.
91/95. — Der amerikan. Stock. Ebd.
71/75. Skizzen a. d. soc. Leben Oesterreichs. Lpzg., O. Gracklauer.
96/00. Skram, A.: Die Leute v. Felsenmoor. Berl., Schreiter.
96/00. — Lucie. Ebd.
96/00. — Konstanze. Ebd.
96/00. Sohnrey, H.: Dorfgeschichten. I. Reihe. 1. Bd. Berl., M. Warneck.
96/00. — Rosmarin u. Häckerling. Ebd.
91/95. Soldatenleben, französ., vor Ausbruch u. währ. d. Krieges 1870/71. Lpzg., O. Gracklauer.
86/90. Solms-Rödelheim, O. Graf zu: Friedrich Graf zu Solms Laubach. Lpzg., O. Gracklauer.
91/95. Sommer, F. X.: Maiandacht. Rgnsbg., Verlagsanst. vorm. G. J. Manz.
91/95. Sommer, R.: Grundz. e. Gesch. d. deut. Psychol. Lpzg., (J. A. Barth.)
96/00. Sommerlad, T.: Die wirtschaftl. Tätigk. d. Kirche in Deutschl. 6 —
91/00. Sonnenblumen. Berl., Bard, Marquardt & Co. Der Jahrg. 8 —; in 1 M. 10 —
96/00. Sonnenburg, F.: Pfade d. Liebe. 2 —
96/00. Sonntag, der. Berl.(O.17, Rüdersdorferstr. 45), Verlag Leo-Hospitz.
96/00. — St. Petersburger evangel. ö H.
96/00. Sonntagsblatt fürs deut. Haus. Berl., U. Meyer.
96/00. Sonntagsgabe a. Sophien. ö H.
96/00. Sonntay, T.: Lieder d. Lebens. Berl., F. Wunder.
96/00. Spanier, M., u. E. Flauter: Wegweiser f. d. jüd. Relig.-Unterr. Berl., W. Latte.
96/00. Specht, P.: Tierzeichenschule. 12 —
96/00. Specht, P. A. K. v.: Das Festland Asien-Europa. Lpzg., O. Gracklauer.
96/00. Spelzhahn, J. H.: Französ. Grammatik. Berl., J. Gnadenfeld & Co.
96/00. — Französ. Übgsb. Ebd.
96/00. Spemann's, W., deut. Reichsb. ö F.
96/00. Spemrath, J.: Das gefahrlose Karbonisieren d. Wolle. Berl., M. Krayn.
96/00. — Materiallehre f. d. Textilindustrie. Ebd.
78/80. Spengler, M.: Die Erzfeinde d. Waldes. Berl., P. Parey.
88/90 u. 96/00. Spetzler, O.: Die Bauformenlehre. Lpzg., Baumgärtner.
96/00. Spezialgesetze usd., z. BGB. Weinh., F. Ackermann.
96/00. Sphinx. Begründet v. Hübbe-Schleiden. Lpzg., M. Altmann. 22 Bde. 88 —

96/00. Spielhagen, F.: Romane. Bd.-Ausg. HF., erh. je 5 —;
vollst. 29 Bde. 87 —; L. 116 —; HF. 145 —
91/95. Spielmann, C.: Der Unterr. am Gymnasium zu Idstein.
Lpzg., K. W. Hiersemann. Erh. 2.40
06 I. Spiel- u. Holzwaren-Markt, der. Chemnitz, Verlag d.
Spiel- u. Holzwaren-Markt.
76/80. Spiess, E.: Entwicklgsgesch. d. Vorstellgn. v. Zustande
n. d. Tode. Jena, H. W. Schmidt. 3.50
96/00. Spindler, J.: Die deut. Schulvereinsschh. in Wrschowitz.
Berl., F. Wunder.
86/90. Spliedt, E.: Spurgeon's Austritt u. d. Tadelsvotum. Neukirch., Bh. d. Erziehgsver.
71/90. Spörlin, M., alle bei F. Schneider in Basel, dann A. Geering,
später Basler Buch- u. Antiquartatsh. vorm. Geering erschienene Schriften: Stuttg., J. F. Steinkopf.
01/00. Sport im Bild. Berl., A. Scherl.
96/00. — im Wort. Ebd.
96/00. Sprachenverordngn., d., d. Grafen Badeni. Lpzg., O.
Gracklauer.
96/00. Springer, A.: Die Unfallverhütg. in d. Holzindustrie.
Wien (III, Pragerstr. 5), Sachs' V.
91/00. Springer, W.: Der Knaben-Handarbeitsunterr. Lpzg., A.
Schumann's Verl.
96/00. Spurgeon, C. H.: Dennoch. Neukirch., Bh. d. Erziehgsver.
96/00. — Das Evangelium im Jesaja. 2 —; geb. 3 —
91/95. — Das Evangelium d. Reichs. 2.50; geb. 3 —
96/00. — Das Evangelium f. allerlei Volk. 3 —; geb. 3.80
96/00. — Darf ich glauben? — 75; geb. 1 —
96/00. — Haus-Postille. Geb. 4 —
91/95. — Honig im Munde. Neukirch., Bh. d. Erziehgsver.
96/00. — Für Jesus allein. — 75; geb. 1 —
96/00. — Kleinode göttl. Verheissgn. Geb. 1.50
96/00. — Die Kunst d. Illustration. Kass., J. G. Oncken.
96/00. — Leuchte u. Licht. 8 —; geb. 10 —
96/00. — Die Natur u. d. Reich d. Gnade. 1.50; geb. 2 —
91/95. — Das stellvertret. Opfer Christi. Neukirch., Bh. d. Erziehgsver.
96/00. — Perlen u. inneren Schmuck. Ebd.
96/00. — Hans Pflügers Bilder. Geb. 1.50
96/00. — An d. Pforte. Neukirch., Bh. d. Erziehgsver.
96/00. — Predigt-Entwürfe. 2 Tle. Beide Tle geb. 6 —
96/00. — Reden hinterm Pflug. Geb. 1.50
96/00. — Seelengewinner. Kass., J. G. Oncken Nf.
96/00. — Unter seinen Studenten. Ebd.
96/00. — Tauperlen u. Goldstrahlen. 4 —; eleg. geb. 5 — u. 5.50
91/95. — Nach d. Verheissg. Geb. 1 —
96/00. — Weide meine Lämmer. — 75; geb. 1 —
96/00. — Worte d. Ermunterg. — 75; geb. 1 —
96/00. — Worte d. Warng. — 75; geb. 1 —
91/95. — Worte d. Weisheit. Geb. 1 —
96/00. — 7 Wunder d. Gnade. — 75; geb. 1 —
91/95. Spurgon, Charles Haddon. Neukirch., Bh. d. Erziehgsver.
86/00. Staats-, Hof- u. Kommunal-Handb. d. Reichs usw. Münch.,
E. Ertel.
1831/35. Stackelberg, O. M. v.: Trachten u. Gebräuche d. Neugriechen. 30 —; kolor. 80 —
81/85. Stade, B.: Üb. d. Lage d. ev. Kirche Deutschlds. — 40
91/95. — Die Reorganisation d. theol. Fakultät zu Giessen. — 60
81/85. Stadtbuch, berlin. Berl., R. L. Prager. 4 —
96/00. Städte u. Landschaften, nordostdeut. Nr. 2. Püttner,
Danzig. 1 —
96/00. Stälin, v., u. Bach: Die Herrschaftsgebiete d. jetz. Kgr.
Württemberg. nn 2 —
96/00. Stamm, H.: Kaiser Wilhelm d. Grosse. Lpzg., O. Gracklauer.
71/95. Stammer, K.: Jahresbericht üb. Zuckerfabrikation. 12. u.
17. Bd. je 9 —; 13—16. u. 26—31. Bd. je 6 —; 16. Bd. 7 —;
18—20. Bd. je 10 —; 21. Bd. 14 —; 22. Bd. 12 —; 23. Bd. 11 —;
24. u. 25. Bd. je 15 —; 32. Bd. 6.50; 12—16. Bd. zus. 90 —; 17—
24. Bd. zus. 30 —; 21—25. Bd. zus. 50 —
81/85. Stämmler, R.: Üb. d. Bau neuer ev. Kirchen u. Pfarrhäuser. Lpzg., Krüger & Co. — 40
81/85. — Ratschläge u. Erläutergn. zu d. Gesetzen üb. d. Ruhe-
gehalt d. emerit. Geistl. d. preuss. Landeskirche. Ebd. — 50
96/00. Stark, K.: Das Damenfrisieren. Gotha, P. Hartung.
96/00. — Die Schminken u. Pudern. Ebd.
96/00. Statistik d. kirchl. u. Unterr.-Verwaltg. in Schlesw.-Hol-
stein. Kiel, R. Cordes.
91/95. Statzmann, K.: Methode d. Linearzeichnens. Lpzg., H.
A. L. Degener.
81/85. Staudinger, E.: Hundemaulkörbe u. Hundefuhrwerke.
Wien, Huber & Lahme Nf. — 50
86/90. — Üb. d. Verwerflichkt. d. permanenten Maulkorbzwanges.
Ebd. — 60
91/00. Staudinger, O., u. E. Schatz: Exot. Schmetterlinge.
Erh. f. d. Lfg. 9 —; vollst. 180 —; geb. 200 —
96/00. Stavenow, B., u. E. Mochow: Das Gespenstim Küraas. — 30
96/00. Stechauner, F.: Salamanca. Fottendorf-Landegg, Selbst-
verlag.
96/00. Schneeflocken. Ebd.
86/90. Steck, R.: Der Galaterbrief. 5 —
96/00. Steckel, E.: Die Heimat. Lpzg., H. A. L. Degener.
Ausg. B. erh. nn — 80
86/90. Steen, A.: Kommen u. gehen. 3 —

96/00. Steffen, G. F.: Aus d. modernen Engld. 3 —; geb. 4 —
96/00. — Streifzüge durch Grossbritannien. 3 —; geb. 4 —
66/70. Stegmann, C.: Ornamente. Lpzg., H. A. L. Degener.
76/00. Steichele, A.: Das Bist. Augsburg. Die Lfg. 1 —
96/00. Steiger, E.: Das Werden d. neuen Dramas. Berl., E.
Fleischel & Co.
81/95. Stein, A.: Die Verstaatlichg. d. Advokatur. Lpzg., O.
Gracklauer.
91/95. Stein, A.: Marlene. Bas., E. Finckh.
96/00. Stein, A. (H. Nietschmann): Doktor Martinus u. Jungfer
Käthe. Stuttg., Holland & J.
86/00. — Stille Nacht, hl. Nacht. Ebd. — 40
96/00. Stein, K. H. v.: Giordano Bruno. Münch., G. Müller.
96/00. Steinberg, G.: Nabarkels. 1 —
91/00. Steiner, A.: Brengstiftzeichngn. 1. Heft 1.50; 2. Heft 2 —
96/00. Steiner, K.: Die Waldkönigin. Lpzg., W. A. G. Müller.
81/85. Steinhausen, H.: Gevatter Tod. Bas., E. Finckh.
96/00. Steinhoff, J.: Grossh. Friedrich v. Baden. Weinh., F.
Ackermann.
96/00. Steinitzer, H.: Perspektiven. Berl., Schreiter.
81/85. Steinmann, C.: Die Grabstätten d. Fürsten d. Welfen-
hauses. Brschw., B. Goeritz. nn 1.50; geb. nn 2 — u. nn 2.50
96/00. Steinmetz, C. P.: Theorie u. Berechng. d. Wechselstrom-
erscheingn. Lpzg., J. A. Barth.
76/85. Steinmeyer, F. L.: Beiträge z. Christologie. 3 Bde. Lpzg.,
Krüger & Co. 1.20; d. Bd. — 60
51/70. — Beiträge z. Schriftverständnis in Pred. I., IV. u.
VI. Bd. Ebd. I u. IV je — 60; VI. 1 —; I, IV u. VI zusammen 1.70
76/80. — Beiträge z. prakt. Theologie. III. u. V. Bd. Ebd.
III. 1.50; V. — 50
86/95. — Beiträge z. Verständniss d. Johanneischen Evangeliums. 8 Bde. Ebd. 3.50; einzeln I. — 75; II, III, VII u. VIII je
— 50; IV. — 60; V u. VI je — 40
81/85. — Die Geschichte d. Passion d. Herrn. Ebd. 2.40
71/75. — Ostern u. Pfingsten. Ebd. — 20
81/85. — Die Rede d. Herrn auf d. Berge. Ebd. 1.75
91/95. — Studien üb. d. Brief d. Paulus an d. Römer. Ebd. — 80
81/85. — Die Wundertaten d. Herrn. Ebd. 1 —
76/80. — Der Zweifel u. d. Glaubensgewissheit. Ebd. — 20
96/00. Stengel, E., Frhr. v.: Deut. Kolonialpolitik. Hagen, W.
Bamberger. (?)
96/00. — Rechtsencyclopädie z. Gebr. f. Forstmänner. Münch.,
Th. Ackermann.
91/95. — Die Verfassgsurkunde d. Kgr. Bayern. Münch., J.
Schweitzer Verl. Geb. 1.50
91/95. Stenographie-Uebungsheft. Hambg., A. J. Benjamin.
96/00. Stephan, H. v.: Luther als Musiker. Bethel b. Bielef.,
Bh. d. Anst. Bethel.
96/00. Stern, L. W.: Psychologie d. Verändergsauffassg. 4 —
91/95. Steude, E. G.: Lebensworte. Hannov., E. Schlemm.
81/95. Stevenson, T.: Die Illumination d. Leuchttürme. Lpzg.,
H. A. L. Degener.
91/95. Stiehler, A.: Pfarrer Reinhardt. Weissensee, H. W. Th.
Dieter.
96/00. Stier, G.: Schulreden u. Vorträge. Berl., Gerdes & Hödel.
51/65. Stier, R.: Dr. Stahl's Buch: Die luth. Kirche u. d. Union.
Lpzg., Krüger & Co. — 10
96/00. Stinde, C.: Glücksklee. 1 —
81/85. Stirner, M.: Kl. Schriften. 2 —; geb. 3 —
81/85. Stobbe, A.: Festspiel. Ausg. A. nn — 50; B. nn — 25
76/80. Stöcker, A.: Ansprache auf d. diesjähr. Pastoral-Con-
ferenz. Lpzg., Krüger & Co.
76/80. — Predigt üb. Ev. Luc. 2, 16. Ebd. — 10
96/00. Stoeckl, C.: Der österr. Ingenieur- u. Architektenver.
Wien, Spielhagen & Sch. 3 —
96/00. Stoddard, J. L.: Im Fluge durch d. Welt. Lpzg., Junghans & Koritzer.
91/95. — Die neue Welt. Lpzg., Bibliograph. Anst. A. Schumann.
96/00. Stoffe, welche, sind nach d. Fordergn. d. Gegenwart a.
d. Lehrpl. d. Volkssch. zu entfernen? Berl., Gerdes & Hödel.
91/95. Stolle, F.: Das photomechan. [Pressendruckverfahren.
Lpzg., M. Heinsius Nf.
96/00. Stolzenberg, G.: Neues Leben. Münch., R. Piper & Co.
91/95. Storjohann, J.: Die grosse Gebetserhörg. Davids in d.
letzten Philisterkriegen. Lpzg., Krüger & Co. — 30
96/00. Stosch, G.: Der pastoraltheolog. Ertrag d. Bergpredigt.
Lpzg., Krüger & Co. — 20
91/95. Stoessel, A.: Freunde. 2 —; geb. 2.50
96/00. Stöwer, W.: Deutsche Flottenmanöver. 10 —
91/95. Stratz, H.: Belladonna. Berl., E. Fleischel & Co.
96/00. — Drohnen. Ebd.
96/00. — Friede auf Erden. Ebd.
96/00. — Berliner Höllenfahrt. Ebd.
96/00. — Der lange Traum. Ebd.
96/00. Straub, S.: Sprachbuch f. Elementarklasse II. Stuttg.,
Muth. 1.20; geb. 1.60
91/95. Straub, W.: Das Rauben d. Bienen. Lpzg., R. Schmidt
& Co.
91/95. Strauss, A.: Das Beste u. d. Welt. Stuttg., Holland & J.
96/00. — In Feindesland. Ebd.
96/00. — Furchtlos u. Treu. Ebd.

96/00. Strauss, A: Das Geschenk. Stuttg., Holland & J.
96/00. — Das falsche Glück. Ebd.
91/95. — Heil Kaiser Wilhelm! Ebd.
96/00. — Uns. Jugend am Geburtstage d. Kaisers. Ebd.
96/00. — Kaiserfeier zu Treuenfels. Ebd. — 40
91/95. — Die Klebitzeier. Ebd. — 40
96/00. — Um 1000 Mark.˙ Ebd.
96/00. — Sergeant Pieske am 18. Januar. Ebd.
96/00. — Ein Reich, e. Volk, e. Gott. Ebd.
96/00. — Scherz u. Ernst. Ebd.
96/00. — Auf Strafwache am Kaisergeburtstag. Ebd. — 40
91/95. — Wach auf, mein Volk! Ebd.
96/00. — Der Weihnachtsengel. Ebd.
96/00. — Die Weihnachtskönigin. Ebd.
91/95. — Aus grosser Zeit. Ebd.
76/80. Strauss, E. R. J.: Bibl. Wörterb. Konst., C. Hirsch-
Geb. 3 —
86/90. Streckfuss, A.: 500 Jahre Berliner Gesch. Berl., Gsellius.
77/80. Streffleur's österr. militär. Zeitschrift. Wien, L. W.
Seidel & S.
71/75. Strehle, F.: Olympia. Lpzg., Krüger & Co. 1 —
91/95. Streich, T. F., u. J. Vatter: 18 bibl. Gesch. Frankf. a/M.,
K. Scheller.
91/95. Streissler, F.: Der Autoren-Verkehr. Lpzg., H. Hedewig's Nf.
91/95. — Usancen-Kodex. Lpzg., C. Bange.
91/95. — Verleger u. Drucker. Ebd.
91/95. Strell, C.: Lehrb. d. einfachen Buchhaltg.·f. Handelsschulen. Wien, A. Mejstrik. 1 —
91/95. Strigl, J.: Wörterbuch d. stenograph. Debattenschrift.
Wien, A. Mejstrik. 1 —
96/00. Strindberg, A.: Ehestandsgeschichten. Berl., Schreiter.
96/00. Strnadt, J.: Peuerbach. Linz a/D., Museum Francisco
Carolinum. 3.40
96/00. Strobl, C.: Der verkannte Hans. 1 —
81/85. Stuart, C. F.: Nachtschatten. Berl., E. Fleischel & Co.
Geb. 3 —
91/95. Stübe, R.: Jüdisch-babylon. Zaubertexte. Halle, R. Haupt.
1.50
91/95. Stübel, A., u. M. Uhle: Die Ruinenstätte v. Tiahuanaco.
Lpzg., K. W. Hiersemann. 105 —
76/80. Stück, H. A. L.: Taf. z. Umwandlg. d. bisher. Hamb.
Masses. Hambg., C. Boysen. — 75
96/00. Stucken, E.: Balladen. Halensee, Verl. Dreililien.
96/00. — Yrsa. Ebd.
76/80. Studien, kath. Rgnsbg., Verlagsanst. vorm. G. J. Manz.
96/00. — u. Skizzen a. d. inneren Mission. Riga, Jonck & P.
5 — (I. 1.20; II. 2 —)
66/70. Stumpf, T.: Die soc. Frage. Aach., I. Schweitzer.
91/95. Sturm, A.: Deut. Liederbuch. Lpzg., C. Jacobsen.
91/95. Sturm, C.: Alle im Katalog steh. Schriften: Berl., Hygien. Verl.
96/00. — Was ist thier. Magnetismus. Ebd.
96/00. — Die Männerkrankh. Ebd.
96/00. Sturmhoefel, A.: Akustik d. Baumeisters. Lpzg., H. A. L.
Degener.
91/95. Stutzer, A.: Die Milch als Kindernahrg. Bonn, M. Hager.
96/00. Submissions-Blatt, bayer. Münch., Verl. d. süddeut. Bau·
hütte.
66/70. Suchen u. Finden. Lpzg., Krüger & Co. 1.20
96/00. Sudermann, C.: Die Siegerin. Berl., J. Gnadenfeld & Co.
96/00. Sue, E.: Der ewige Jude. In 2 Bde. geb. 5.80
96/00. Süpfle, R.: Das Namensrecht n.d. BGB. Karlsr., F. Gutsch.
96/00. Süskind, H.: Präparation zu W. Jordans Stücken a. d.
3. Dekade d. Livius. Stuttg., A. Bonz & Co.
96/00. Světlá, K.: Sylva. Münch., Allg. Verl.-Gesellsch.
96/00. Sybel, H. v.: Gesch. d. 1. Kreuzzuges. Lpzg., C. F. Tiefenbach.
96/00. Tabak-Arbeiter, der. Lpzg., Leipz. Buchdr.
86/90. Tagesfragen, pädagog. 1—IV. Hilchenb., L. Wiegand.
96/00. Taillemeter. Dresd., F. L. F. Koch.
76/80. Taine, H.: Der Verstand. Bonn, M. Hager.
96/00. Takacs, E.: Ungar. Sprachquetscher. Wien, A. Reitinger.
— 60
96/00. Talmud, d. babylon., hrsg. v. L. Goldschmidt. Lpzg.,
O. Harrassowitz.
91/95. Tamm, T.: Der Ursprg. d. Rumänen. Bonn, M. Hager.
81/85. Tandem, F.: Prometheus u. Epimetheus. Jena, E. Diederichs.
86/90. — Schmetterlinge. Ebd.
96/00. Tänzer, A.: Der Erzieher. Lpzg., L. W. Siedenburg.
86/90. Täpper, W.: Plattdüt. Lachpillen. 4.—6. u. 8. Bd.
Ess., Fredebeul & K.
86/90. — Plattdüt. Vertellkes. Ebd.
96/00. Taschenbuch f. Handel u. Industrie. 2. Tl. (317) Einzelpr.
1.50. Die Bemerkg. unter d. Titel entfällt damit.
96/00. Taschenkalender f. d. ev.-luther. Geistlichen im Kgr.
Sachsen. 6 F.
86/90. Taubstummenfreund, der. Berl. (N.O., Elisabethstr. 46a),
Frau Anna Schenck.
91/95. Taule, R.: Maurer. Bücherkde. Stuttg., A. Koch & Co.
91/95. — Die kathol. Geistlichk. u. d. Freimaurerei. Ebd.
96/00. Taylor, J. H.: Absonderg. u. Dienst. Frankf. a/M., Verl.
Orient.

86/90. Tegnér, E.: Kleinere ep. Gedichte. Deutsch v. Willatzen.
1 —; geb. 1.50
91/95. — Lyr. Gedichte. Deutsch v. Willatzen. 2 —; geb. 3 —
86/90. Teichmann, A.: Die Univ. Basel in d. 50 Jahren seit
ihrer Reorganisation. Lpzg., C. Beck.
51/65. Tellkampf, H.: Grundz. d. höh. Mathematik. Lpzg., H.
A. L. Degener.
91/95. Terebelsky's, H., Lehrb. d. čech. Sprache. Wien, A.
Reitinger.
81/85. Terlago-Terlago, Gräfin C.: Gedichte. Berl., F. Wunder.
06 I. Tesch, Johs.: Katechismen. Berl., K. W. Mecklenburg.
91/95. Tesch, P.: Gesch. d. Methoden d. 1. Leseunterr. Bielef.,
Velhagen & Kl.
96/00. Tesnière, A.: Hdb. d. Anbetg. d. hl. Altarssacramentes.
Bruchs., Verl. d. Emmanuel. Erh. 3.85
91/95. Testa, S.: Der Freiherr v. Erbach. Riga, Jonck & P.
96/00. Testament, d. Neue, hrsg. v. Müller u. Benzinger. Lpzg.,
Deut. Bibelgesellsch.
96/00. — dass. Hrsg. v. Strack u. Karth. Ebd.
96/01. Textbibliothek, engl., hrsg. v. J. Hoops. Hdlbg., C.
Winter, V.
96/00. Texte u. Forschungen z. Gesch. d. Erziehg. Berl., A.
Hofmann & Co.
71/80. Theater, neues Wiener. Alle Anzengruber'schen Stücke:
Stuttg., J. G. Cotta Nf. Je 1.50; geb. je 2.50
51/65. Theel, F. W.: Aufg. zu Bruchzahlbildgs.- u. Rechenübgn.
Lpzg., Krüger & Co. — 30
91/00. Theiner, J. A., u. A. Theiner: Die Einführg. d. erzwung.
Ehelosigk. usw. Bas., E. Finckh.
51/65. Themann,T.: Der Fruchtwechsel.Aach.,J.Schweitzer.—60
96/00. Therapie, d., d. Gegenwart. J. 1899 u. 1900. Erh. je 20 —
96/00. Thesaurus d. engl. Realien- u. Sprachenkde. Stuttg., W.
Violet.
51/65. Thesmar, F. H. J.: Die Stellg. d. Staates u. d. ev. Kirche
gegenüb. d. röm. Kurie in Sachen d. gem. Ehe. Lpzg.,
Krüger & Co. 2 —
78/80. Thöl, H.: Theaterprozesse. Gött., L. Horstmann. — 60
78/80. Thoma, d. Gesch. d. Klosters Frauenalb. Kaisr., J. J.
Reiff. 1 —
96/00. Thoma, E.: Eine Lebensgesch. Verlager in: Charlttnbg.
78/80. Thoma, R.: Deut. Liedergarten. Bresl., Ries & Erler.
96/00. Thonwaarenfabrikant, der. ö F.
96/00. Thorus, W. B.: Die Behandlg. chron. Herzleiden. Oranienbg., W. Möller.
96/00. Thossau, O. J.: Beim Kommiss. Berl., Schreiter.
86/90. Thudichum, F.: Femgericht u. Inquisition. — 80
88/90. Thunert, F.: Acten d. Ständetage Preussens kgl. Anteils.
Danz., L. Saunier.
96/00. Thüringen in Wort u. Bild. Geb. 3 —
51/65. Tieck, L.: Ges. Novellen. 10 —; geb. 14 —
94/00. Tierbilder-Album. 1.20
91/00. Tierfreund, allg. bayer. Veitshöchh., Administr.
96/00. — deut. Lpzg., (F. Wagner).
96/00. Tiergeschichte. Lpzg., (F. Wagner).
86/90. Tiesenhausen, H. v., · Alt. v. Berson, ausgew. Schriften. Lpzg., Carl Köhler.
91/95. Tietz, H.: Vorlagen z. Tuschen v. Façaden. 4 —
96/00. Tiling, T.: Ueb. d. Charakter. Riga, Jonck & P.
96/00. — Das Verbrecherthum. Ebd.
91/95. Timar's Rundschau. Berl. (S.W., Planufer 17), J. Timar.
91/95. Tobien, W.: Aus d. Tagbb. d. Aebtissin. Hannov., E.
Schlemm.
06 I. Töchterpensionat, d. Lpzg., Dr. P. Abel.
96/00. Tolstoi Sohn, Graf L. L.: Ein Präludium Chopins. Übers.
v. Czmnikow. Weissens., H. W. Th. Dieter.
96/00. Tolstoj, Graf L. N.: Reife Aehren. Verleger in : Charlttnbg.
96/00. — Auferstehg. Übers. v. W. Tronin u. I. Frapan. Berl.,
E. Fleischel & Co.
96/00. Ton-Ende naht. Verleger in: Charlttnbg.
91/95. — Das Reich Gottes ist in Euch. Jena, E. Diederichs.
91/95. Tomek, W. W., u. J. Mocker: Die Basilick. d. ehemal.
St. Agnes-Klosters in Prag. Wien (A. Schroll & Co.)
96/00. Topographie d. histor. u. Kunstdenkmale im Kgr. Böhmen. (Mit Ausnahme Böhmens): Lpzg., K. W. Hiersemann.
Erh. I. 5 —; II. 4 —; III. 6 —; IV. 5 —
51/65. Tornauw, N. v.: Das moslem. Recht. Berl., R.L. Prager. 4 —
96/00. Touristenkarte, neueste, d. mittl. Schwarzwaldes. Freudenst., Schlaetz.
91/95. Traumbuch, neues. — 20
96/00. — neues vollständ. — 60
96/00. — dass. — 40
96/00. Traun, J. v. d.: Die Gesch. v. Scharfrichter Rosenfeld.
Berl., Heilbrunn & Co.
91/95. Trautmann,F.: Im Münch. Hofgarten. Münch., O. Schönhuth.
91/95. — Alt Münchner Wahr- u. Denkzeichen. Ebd.
96/00. Trautmann, G.: Bilder a. d. brandenb.-preuss. Gesch.
Berl., Gerdes & Hödel.
96/00. — Bilder a. d. deut. Gesch. Ebd.
51/65. Trautmann, J. B.: Die apostol. Kirche. Lpzg., Krüger
& Co. — 80; geb. 1.20
96/00. Treller, F.: Donna Manuela. 2 —
96/00. Trembecki, H.: Poln.Sprachquetscher. Wien, A.Reitinger.
— 60

91/95. Trempenau, W.: Müllerei-Buchführg. Lpzg., H. A. L. Degener.
81/85. Trenkle, J. B.: Die alemann. Dichtg. seit Joh. Pet. Hebel. Karlsr., J. Lang. 1.50
91/95. Treuge, J.: Jagdabenteuer. N. F. Geb. 2 —; m. d. 1. Bd. in 1 Bd. geb. 3 —
96/00. Trillich, H.: Einrichtg. u. Uebgsordng. f. Fabrik-Feuerwehren. Kref., W. Greven.
88/90. Trojan, J.: Kleine Bilder. Berl., A. Hofmann & Co. 1.50; geb. 2 —
86/90. — Von Drinnen u. Draussen. Ebd. 1.50; geb. 2 —
86/90. — Von Strand u. Heide. Ebd. 1.50; geb. 2 —
96/00. Trost, F.: Alt-Nürnberg. 10 —
96/00. Trotha, T. v.: Reiterleben. Berl., Freund & J.
96/00. — Ein zerschelltes Wappenschild. Ebd.
96/00. Truth: Prinzessin Fee. Berl., F. E. Lederer.
91/95. Tschaplowitz, F.: Humus u. Humuserden. Carlshorst-Berl., H. Friedrich.
76/80. — Agriculturchem. Tabelle. Ebd.
86/95. Tümpel, W.: Gesch. d. ev. Kirchengesangs im Herzogt. Gotha. I u. II. Lpzg., Krüger & Co. I. — 50; II. — 40
71/75 u. 81/85. Turgenjew's, I., ausgew. Werke. Mitau, E. Behre. Je 3 —
91/95. Türk: Feldpostbriefe. Grimma, (G. Gensel's Verl.).
91/95. Türk, K.: Die Ritter v. Gelde. Lpzg., H. Hedewig's Nf.
58/00. Turn-Zeitung, schweiz. Lpzg., P. Eberhardt. Jährlich 5 —
91/95. Twiehausen, O.: Allerlei f. d. kleinen Leute. Hilchenb., L. Wiegand. — 70
71/75. Ueber d. kirchl. Unfehlbark. Aach., I. Schweitzer. — 80
88/00. Übersichten d. Weltwirtschaft. Brünn, F. Irrgang.
96/00. Uechtritz, O. v.: Gedankensplitter. Berl., E. Fleischel & Co.
96/00. Ude, E.: Das Recht im Handel. I. 2.25; geb. 3 —; II. 1.80; geb. 2.50
96/00. Ufer-Held, F.: Mehr denn Salomo. Barm., E. Müller.
91/95. Uhland, L.: Gedichte. 4ᵗᵉ Ausg. (Stuttg., Cotta.) (12 —) 7 —
86/00. Uhland, W. H.: Branchen-Ausg. d. Skizzenb. f. d. prakt. Maschinenkonstr. Lpzg., H. A. L. Degener.
76/85. — Skizzenb. f. d. prakt. Maschinen-Konstrukt. Ebd.
76/80. Uhlig, C.: Die wirtschaftl. Bedeutg. d. Anfastg. Berl., P. Parey.
81/85. Ulbrich, J.: Lehrb. d. österr. Staatsrechts. Wien, Manz.
96/00. Ulmann, J.: Cicerone f. Italienreisende. Münch., J. Lindauer.
91/95. — Fussreise durch Tirol. Ebd.
96/00. Ulmann, R.: Das Soll u. Haben d. Hausfrau. Berl., Gnadenfeld & Co.
96/00. — Der Wäscheschrank. Ebd.
66/70. Ulrici, H.: Zur log. Frage. Sachsa, H. Haacke.
76/80. — Der sogen. Spiritismus. Ebd.
91/95. Umlauft's Werke. Ebersw., H. Langewiesche.
91/95. Unger, J.: System d. österr. allg. Privatrechts. Je 6 —; geb. je 7.50
96/00. Union-Führer. 300 Ausflüge in d. Umgegend v. Berlin. Berl., H. Eichblatt. (?) (Lpzg., F. Volckmar.)
91/95. Universal-Bibliothek, jüdische. Prag, R. Brandeis.
91/95. Unter d. Kreuz d. Südens. Konst., O. Hirsch. Geb. 2.40
91/95. Untergang, d., Österreichs. Laubegast, Goethe-Verlag.
96/00. Unterhaltungs-Bibliothek, allg. ō F.
91/95. Unterricht üb. d. allg. Verein d. christl. Familien. (Ravnsbg., Kitz.) Münch. (Mariahilfplatz 39), A. Killer.
91/95. Untersuchungen üb. Arbeitslöhne. Dresd., O. V. Böhmert.
96/00. Urbantschitsch, M.: Margueriten. Berl., F. Wunder.
91/95. Urkunden z. Gesch. d. Hauptamts Insterburg. Insterbg., J. Krauss Nf. nn 1.25
71/75. Urkundenbuch, brem. Brem., Diercksen & Wichlein.
81/85. — pommerellisches. Danz., L. Saunier.
81/85. — neues preuss. Westpreuss. Thl. Ebd.
91/95. Urteile, protestant., üb. d. Jesuiten. Münch., G. Schuh & Co.
96/00. Ussing, J. L.: Pergamos. Berl., G. Reimer.
71/75. Valentin, V.: Die hohe Frau v. Milb. 5 —
96/00. Valeton jr., J. J. P.: Amos u. Hosea. 2 —
96/00. Vallentin, W.: Gesch. d. südafrikan. Republik. Berl., (H. Paetel.) Je 4 —
96/00. — Irrfahrten. Ebd. 2 —
96/00. — Die Ursachen d. Krieges zw. Engl. u. d. Buren-Republiken. Ebd. 1.50
71/75. Vandenesch, M.: Doctrina divi Thomae Aquinatis de conceptiscentia. Aach., I. Schweitzer. — 75
71/75. — Ss. oecumenici conc. vatic. doctrina. Ebd. — 50
86/90. Vatke, W.: Einleitg. in d. Alte Test. Bonn, M. Hager.
88/90. — Religionsphilosophie. Ebd.
96/00. Vātsyāyana: Das Kamasutram. Berl., A. Singer & Co.
51/55. Vehse, E.: Gesch. d. deut. Höfe. Berl., F. E. Lederer.
96/00. Velten, C.: Märchen u. Erzählgn. d. Suaheli. (Übersetzg.) Berl., G. Reimer.
91/95. Verding, G.: Wie d. deut. Theater d. Kunst fördern. Münch., G. Müller.
96/00. Verfassung u. Verwaltung d. westpreuss. Prov.-Verbandes. 3 —; geb. 4 —
86/90. Vergissmeinnicht. Stammbuchverse u. Sprüche. — 40
91/00. Verhältnisse, d. geschlechtlich-sittl., d. Landbewohner im Deut. Reich. Lpzg., H. Hedewig's Nf. — •

96/00. Verhandlungen d. XIV. Versammlg. d. hess. Forstver. Eisen., E. Laris Nf.
86/00. — Mitteilungen u. Berichte d. Centralverbandes deutscher Industrieller. Berl., J. Guttentag.
96/00. Verkehrs-Geschichte, übersichtl., v. Arlberg u. Umgebg. Kufstein, E. Lippott. — 60
96/00. Verkehrskarte v. Göttingen. Gött., C. Spielmeyer's Nf.
96/00. — v. Hirschberg. Hirschbg., H. Springer.
96/00. Veröffentlichungen d. Bibelbundes. Nr. 1. Brnschw., H. Wollermann.
96/00. — d. philosoph. Gesellsch. an d. Univ. zu Wien. Lpzg., J. A. Barth.
86/00. — a. d. Museum f. Völkerkde. Berl., G. Reimer. Der IV. u. V. Bd. verbleiben bei D. Reimer.
96/00. Verus, S. E.: Vergleich. Übersicht d. 4. Evangelien. Auslieferg. durch: Lpzg., E. Kummer.
96/00. Verzeichnis, ausführl., d. ägypt. Altertümer. Berl., G. Reimer.
96/00. — d. Betriebs-(Fabrik-)Krankenkassen. 2 —
96/00. — d. Galerie befindl. usw. Gemälde. Berl., G. Reimer.
96/00. — beschreib., d. Gemälde d. kgl. Museen zu Berlin. Ebd.
96/00. Veterinärkalender. Hrsg. v. A. Koch. Ausg. f. Deutschl. ō F.
96/00. Veterinärwesen, d., in Bosnien u. d. Herzegowina seit d. J. 1879. Wien, A. Holzhausen.
96/00. Viebig, O.: Barbara Holzer. Berl., E. Fleischel & Co.
96/00. — Pharisäer. Ebd.
96/00. Vildhaut, H.: Hdb. d. Quellenkde. z. deut. Gesch. Werl, A. Stein.
96/00. Vinzelberg, E.: Der Kanarienvogel. — 75
91/95. Vinzenz, J.: Anl. z. mikroskop. Untersuchg. d. Gespinnstfasern. Lpzg., H. A. L. Degener.
91/95. — Lehrb. d. Bindegalehre. Ebd.
91/00. Vogel, C., u. E. Pichler: Woraus sie tranken. 2.50; geb. 3 —
91/95. Vogeler, A.: Herodias. Berl.; Heilbrunn & Co.
96/00. — Wer liebt? Berl., F. Wunder.
76/80. Vogelsang, v.: Betrachtgn. üb. d. Ges. Egnsbg., Verlagsanst. vorm. G. J. Manz.
96/00. Vogelstein, H., u. P. Rieger: Gesch. d. Juden in Rom. 2 Bds. 8 —
96/00. Voges, Th.: Sagen a. d. Lande Braunschweig. nn 1.50; geb. nn 2 —
91/95. Vogtländer, H.: Schul-Naturgesch. Hilchenb., L. Wiegand.
81/85. Voigt, Th.: Deutsche Gedichte. Weinh., F. Ackermann.
96/00. Volk, Q.: Sunndåg u. Werdåg. Giess., E. Roth. Geb. 2.50; m. G. 3 —; in 3 Bdchn. I. — 40; II. — 30; III. — 80
91/95. Völker, d. Russlands in Waffen. Lpzg., W. Malende Nf. 1 —
91/95. Vollheimer, A.: Die Missa cantata u. d. deut. Kirchenlied. Egnsbg., Verlagsanst. vorm. G. J. Manz.
96/00. Volksarzt, d., v. Boffenmeyer. Münch., Allg. Verlags-Gesellschaft.
91/00. Volksatlas d. Schweiz. Je 1 —
91/00. Volksbildungs-Blätter. Krems, F. Oesterreicher.
96/00. Volksbücher, neue. (Schriftenvertriebsanstalt.) Jeder Bd. kart. — 40
96/00. — neue sächs. Kronst., H. Zeidner. — 35
96/00. Volkserzieher, der. Berl.-Schlachtensee, Volkserzieher-Verl.
96/00. Volksfeste, deut. Lpzg., B. G. Teubner.
96/00. Volksfreund z. Beförderg. d. Mässigkeitsbestrebg. Werden-Heidthausen, St. Kamillushaus.
96/00. Volks- u. Hauskalender, jüd. ō F.
1850 II. Volkslieder u. Krain. Uebers. v. A. Grün. Berl., G. Grote. 1.50
96/00. Volkstheater, schweiz. Bern, Lierow & Co. (Nur direkt.)
96/00. Volksunterricht. Berl., Schwarzwald. nn 5 —
96/00. Volksunterhaltung, die. Berl., Volksunterhaltgs-Verlag.
96/00. Volksvohl, das. Passau. ō F.
96/00. Voll, K.: Velazquez. 4 —
91/00. Volldampf. Berl., Volldampf-Verlag.
91/00. Vollmar, A. Die bei Wiegandt & Grieben erschienenen billigen Erzählgn.: Berl., Wilh. Schultze.
88/00. — grünen Rasen. Stuttg., Franckh.
81/85. Von Gibraltar nach d. Oase Biskra. Bonn, M. Hager.
96/00. — nach Zug an Haus. Lpzg., Vereinigte Verlags- u. Reisebuchhandlgn.
96/00. — d. protestant. Theol. z. kathol. Priesterthum. Dillingen a/D., Prof. Dr. Ludwig.
76/80. Vorbildung u. Ausbildung, d., d. Technikers. Lpzg., H. A. L. Degener.
96/00. Vorschriften üb. d. Vorbildg. f. d. geistl. Amt d. ev.-luther. Landeskirche d. Prov. Schleswig-H. Kiel, R. Cordes.
81/95. Vorträge, philosoph. Sachsa, H. Haacke.
96/00. — d. theol. Konferenz zu Giessen. XVI. Weiss, J. 1.50
96/00. — d. theolog. Konferenz zu Kiel. Kiel, R. Cordes.
86/95. — zoolog. Lpzg., Geschäftsstelle d. Allg. deut. Buchh.-Gehilfen-Verbandes.

91/00. Vorwärts, vegetar. Berl., Lebensreform.
91/95. Vosen, C. H.: Venite adoremus. Kevel., Butzon & B.
96/00. Voss, A.: Elisabeth. Berl., Heilbronn & Co.
96/00. Voss, E.: Bilderpflege. Lpzg., K. W. Hiersemann.
96/00. Waas, L.: Wie treibe ich meine Fordergn. ein? Stuttg., Zeller & Schmidt.
96/00. Wachler, E.: Unter d. Buchen v. Sassnitz. Münch., G. Müller.
96/00. — Die Läuterg. deut. Dichtkunst. Ebd.
96/00. — Üb. Otto Ludwigs ästhet. Grundsätze. Ebd.
91/95. Wachsmuth, G. F.: Cholera. Würzbg., A. Stuber's Verl.
96/00. — Die Hygiene d. tägl. Lebens. Ebd.
81/85. Wachtel, A. Ritter v.: Hilfsb. f. chemisch-techn. Untersuchgn. auf d. Gesammtgebiete d. Zucker-Fabrikation. 2 —
96/00. Wachter, A.: Die christl. Familie. Ravensbg., Dorn.
91/95. Wächter, G.: Method. Leitf. f. d. Unterr. in d. Pflanzenkunde. Brnschw., F. Vieweg & Sohn.
81/85. Wächter, O. v.: Encyklop. d. Wechselrechts. Münch., E. Ertel. 10 —; geb. 14 —
71/75. Wagner, A.: Rede üb. d. soc. Frage. Lpzg., Krüger & Co. — 30
86/90. Wagner, C.: Trauergottesdienst f. Kaiser Wilhelm I. Lpzg., Krüger & Co. — 10
96/00. Wagner, P.: Sprachlaute d. Engl. Stuttg., A. Bonz & Co.
71/75. Wagner, R.: Üb. d. Aufführg. d. Bühnenfestspieles „Der Ring d. Nibelungen". Lpzg., C. F. W. Siegel. — 25
71/75. — Bericht an d. deut. Wagner-Verein üb. usw. d. Ring d. Nibelungen. Ebd. — 25
71/75. — Üb. d. Bestimmg. d. Oper. Ebd. — 25
71/75. — Üb. Schauspieler u. Sänger. Ebd. — 25
96/00. Wahrheit, d., üb. d. Tod Alexanders II. Weissensee, H. W. Th. Dieter.
96/00. Wahrheitsspiegel, der. Lpzg., Theosoph. Centralbb.
66/85. Waidmann, d. Berl.-Schönebg., Verlag Die Jagd.
81/85. Waidmanns Strauwelpeter. Wien, Huber & Lahme Nf.
96/00. Waitz, G.: Kurze schleswig-holstein. Landesgeschichte. Kiel, R. Cordes.
51/85. — Schleswig-Holsteins Gesch. Gr. Ausg. Erh. 18 —
91/95. Waldmann, F.: Russ. Dichter u. Schriftsteller in Livland. Riga, Jonck & P.
76/80. Waldmüller, R.: Walpra. 1 —
51/85. Waldschmidt, J.: Vorschl. z. Förderg. d. Pferdezucht. Aachen, I. Schweitzer.
91/95. Waldstein, Graf E. K.: Die Bilderreste d. Wigalois-Cyklus. Wien, (A. Schroll & Co.).
91/95. Wallpach, A. v.: Im Sommersturm. Wien, Verwaltg. d. Scherer. 1.25; geb. 2 —
96/00. — Sonnenlieder. Berl., F. Wunder. Geb. 4 —
51/85. Walter, G.: Mikroskop. Studien. Aachen, I. Schweitzer. 1.50
96/00. Walter, M.: Der Mönch v. Amalfi. Lpzg., M. Altmann.
91/95. Walther, H.: Schul-Naturlehre. Hilchenb., L. Wiegand.
96/00. Walther, K.: Bismarck in d. Karikatur. Geb. 2.75
91/95. Walther, P.: Soz. Gedanken. 1.50
96/00. Walther, W.: Gott wohnt im Lande. Lpzg., W. A. G. Müller. 3 —; geb. 3.75
96/00. — Die moderne Kunst. Ebd. 3 —; geb. 3.75
96/00. — Ein Stoff. Ebd.
86/90. Wand, H.: Die Rechtsverhältn. d. öffentl. Wege in d. Pfalz. Kirchheimbolanden, Thieme'sche Druckereien. Geb. 6.75
81/85. Wandgemälde d. Abtheilg. d. ägypt. Alterthümer in d. k. Museen zu Berlin. Berl., G. Reimer.
96/00. Wandtafeln, Wiener, f. d. Unterr. in weibl. Handarbeiten. Auf d. Hälfte ermässigt.
71/75. — naturgeschichtl. Aachen, I. Schweitzer. Je 1.50
81/85. Warneck, F. S.: Ehret d. Frauen. Braunschw., H. Wollermann. 1.50; geb. 2.50
91/95. Warnus, A. v.: Der Pfarrer v. Atzbach. 2 —; geb. 3 —
86/90. — Schneeglöckchen Liebe. 2 —; geb. 3 —
51/85. Wartburgkrieg, d. 2 —
91/00. Warte, vegetar. Frankf. a/M., Geschäftsstelle d. deut. Vegetarier-Bundes.
91/95. Was ich n. meinem Tode erlebte. Nordh., F. Eberhardt. Erh. — 80
96/00. Wasow, I.: Skizzen a. d. bulgar. Residenzleben. Berl., Heilbronn & Co.
96/00. Wassermann, J.: Die Juden v. Zirndorf. Berl., S. Fischer.
96/00. — Melusine. Ebd.
91/85. Watteau, A., N. Lancret u. J. B. Pater: 71 Bl. Lichtdr. Berl., J. Gnadenfeld & Co.
86/90. Waetzoldt, S.: 2 Goethevorträge. Lpzg., Dürr'sche Bh.
51/85. Weber, J.: Die Fortbildgssch. zu landw. Zwecken. Aachen, I. Schweitzer.
91/95. Weber, L.: Christus ist uns. Friede. 4 —
76/80. Weber, L.: Preussen vor 400 Jahren. Danz., L. Saunier.
91/95. Weber, L.: Repetitorium d. Experimentalphysik. Stuttg., F. Grub.
96/00. Weber, V.: Die Abfassg. d. Galaterbriefes. Freibg. i/B., Herder. 4 —
96/00. — Die Adressaten d. Galaterbriefes. Ebd.
96/00. Weber, W.: G. F. Händel's Oratorien. I u. II. Je — 30
96/00. — Schlummernde Seelen. Wien, O. Konegen.
96/00. Weckesser, A.: Gedächtnisrede auf Uhland. Karlsr., F. Gutsch.
86/90. — Zur Lehre v. Wesen d. Gewissens. Bonn, M. Hager.

91/95. Weddigen, O.: Westfäl. Dorf- u. Stadtgeschichten. Berl., Concordia.
91/95. — Gesch. d. deut. Volksdichtg. Ebd.
96/00. — Novellen u. Erzählgn. 3 —; geb. 4 —
96/00. — Schein u. Sein. Ebd.
76/80. Weech, F. v.: Aus alter u. neuer Zeit. 4 —
71/75. Wegner, R.: Ein pomm. Herzogth. u. e. deut. Ordens-Komthurei. Schwetz, W. Moeser.
96/00. Weichs-Glon, F. Frhr. zu: Freier Boden. Rgnsbg., Verlagsanstalt vorm. G. J. Manz.
96/00. — Die Erhöhg. d. Getreidepreise u. d. Kommunalisierg. d. Brotbäckerei. Ebd.
96/00. — Wissensch., Kunst u. Religion in ihren Beziehgn. zu einander. Ebd.
81/85. Weidinger's, G., Waaren-Lexikon d. chem. Industrie. Lpzg., H. Blömer.
91/95. Weidling, J.: Schwedische Geschichte. Lpzg., Krüger & Co. — 60
88/00. Weidmann, d. Berl.-Schönebg., Verlag Die Jagd.
91/95. — Wörterb. d. Elektricität. 6 —; geb. 7 —
71/75. Weill, C.: Einmache-Buch. Lpzg., Krüger & Co. 1 —
96/00. Weimar's Festgrüsse z. 28. VIII. 1896. Erh. 3 —
96/00. Weimar, G.: Üb. Choralrhythmus. — 80
96/00. Weimar, W.: Monumental-Schriften. Berl., J. Gnadenfeld & Co.
81/00. Weinbau u. Weinhandel. Mainz, Ph. v. Zabern.
66/75. Weiss, C. E.: Fossile Flora. Aachen, I. Schweitzer. I. Heft 5 —; II. Heft, 1—3 8 —; erh. 14 —
96/00. Weiss, J., u. S. Schweiger: Therapeut. Indikationen. Münch., Verl. d. ärztl. Rundschau.
96/00. Weiss, J. E.: Die schädlichsten Krankh. uns. Feld- usw. Gewächse. Frankf. a/O., Trowitzsch & S.
91/95. — Schul- u. Excursionsflora v. Bayern. Stuttg., F. Grub.
91/95. — dass. v. Deutschl. Ebd.
71/75. Weiss, K.: Das wahre Bedürfniss d. preuss. Volksschule. Lpzg., Krüger & Co. — 25
86/90. — Die Fortbildgsschule f. Mädchen. Ebd. — 50
86/90. Weitbrecht, R.: Bauernpfeiffer. Bas., E. Finckh.
81/85. — Feindl. Mächte. Ebd.
51/85. Welches Bekenntniss? Lpzg., Krüger & Co. — 50
96/00. Welt, alte u. neue. Jahrg. 1898. 4 —; geb. 6 —
96/00. — Fromme's musikal. ö. F.
81/85. Wendt, J.: Die Baumechanik. Lpzg., H. A. L. Degener.
96/00. Wendlandt, R. P. G.: Kollin u. Rossbach. Stuttg., Holland & J. — 40
96/00. — Sanssouci. Ebd.
96/00. — Deutsche Treue. Ebd.
96/00. — Treue um Treue. Ebd.
96/00. Wengen, F. v. d.: Die Schlacht v. Vionville—Mars la Tour. Berl., W. Thoms.
91/95. Wengler, E.: Prakt. Hdb. f. Buchhändler. Lpzg., C. Bange.
91/95. — Kalkulation u. Abschluss. Ebd.
91/95. — Chancen-Codex. Ebd.
96/00. Wengler, G.: Ausw. v. Vorträgen f. Polterabend u. Hochzeit. 1.50
91/95. Wenzely, J.: Die Kontokorrent-Zinsrechng. Lpzg., H. A. L. Degener.
91/00. — Lehrb. d. kaufmänn. Arithmetik. Erh. I. 1.70; geb. nn 2 —; II. 2.20; geb. nn 2.50
96/00. — Unterr. in Kontorarbeiten. Lpzg., C. E. Poeschel.
96/00. — u. M. d'Arcy: Unterr. in engl. Handelskorrespondenz.
96/00. Werder, H.: Im Inselmeer. 2 —
96/00. Werder, K.: Columbus. Berl., E. Fleischel & Co.
91/95. — Gedichte. Ebd.
91/95. — Vorlesgn. üb. Lessings Nathan. Ebd.
91/95. — Vorlesgn. üb. Shakespeares Hamlet. Ebd.
96/00. Werfer, A.: Kath. Missionsbüchl. Rgnsbg., Verl.-Anst. vorm. G. J. Manz.
96/00. Werle, H.: Ein maler. Bürgerheim. 24 —
96/00. — Das vornehme deut. Haus. 32 —
91/95. Werner: Der Nerven- u. Rückenmarks-Kranke. — 50
96/00. Werther, C. W.: Die mittl. Hochländer d. nördl. Deutsch-Ost-Afrika. nn 3 —
86/90. Westarp, A. Graf v.: Die Königsschlösser Ludwig II. Lpzg., O. Gracklauer.
81/85. Westenhöffer, J.: Le fablier de nos enfants. Weinh., F. Ackermann.
81/85. — Französ. Fibel. Ebd.
81/85. — Die Regeln d. franz. Aussprache. Ebd.
91/95. Westländer, A.: Russl. vor e. Regime-Wechsel. Weissensee, H. W. Th. Dieter.
96/00. Wetts, H.: Fridolin, d. Bettlerkönig. Köln, (P. Neubner). d. 70. Verst. v. W. M. L. de: Lehrb. d. hist.-krit. Einleitg. in d. Bibel. 9 —; I. 5 —; II. 4 —
81/85. Weyermüller, P.: Harfe u. Schwert. Kropp, Bb. Ebenezer. Geb. 4 —
80/95. Weygandt, C.: Ein kl. Beitrag z. Förderg. d. Bienenzucht. Lpzg., R. C. Schmidt & Co.
96/00. Weyl, A.: Sammlg. amerikan. Münzen u. Medaillen. Berl., P. Lehmann.
66/70. Wichmann, E. H.: Begleitworte zu d. Wandk. d. Hamburger Geb. Hambg., C. Boysen. — 50
96/00. Wichmann, F.: Die Alpinisten. 2 —

86/90. Wichner, J.: Das Kloster Admont. Wien, (A. Schroll & Co.).
06 I. Wichulla, A.: Wie verkaufe ich mein Grundstück. 1 —
06 I. — Plantagenbau. 4 —; geb. 6 —
96/00. Wickström, V. H.: Abenteurerleben. Berl., E. Fleischel & Co.
96/00. — Eine moderne Geschichte. Ebd.
76/80. Widder: Der Kulturkampf. Rgnsbg., Verl.-Anst. vorm. G. J. Manz.
81/85. Wie es war u. wurde. 4 —
96/00. Wiedemann, J.: Der Wartburg Sagen- u. Bilderb. Dresd., J. Bettenhausen.
91/95. Wiederholungen a. Gesch. u. Geogr. Stuttg., Muth.
96/00. Wiegand, J.: Leidenschaften. Münch., G. Müller.
96/00. Wieland, F.: Ein Ausflug ins altchristl. Afrika. Münch., J. Roth. 1.80; geb. 2.80
96/00. Wiemann's Hausbibliothek. 5. Bd. Supper, A.: Unter d. Jesuitenhut. Heilbr., E. Salzer. 2.20
81/85. Wiermann, H.: Prinz Albrecht v. Preussen. Lpzg., O. Gracklauer.
86/90. Wiesen, J.: Israels Gebete. Frankf. a/M., A. J. Hofmann.
96/00. — Thora-Pforte. Ebd.
91/95. Wiesener, H.: Die ev. Seelsorge in d. deut. Kriegsmarine. Lpzg., Krüger & Co. — 60
91/95. Wigand, P.: Das Fehmgericht Westfalens. Bielef., A. Helmich.
86/90. Wigge, H.: Ein Blatt z. Ruhmeskranze Diesterwegs. Sachsa, H. Haacke.
91/95. — u. P. Martin: Grundl. z. naturgemässen Umgestaltg. d. ges. Volksschulwesens. Weinh., F. Ackermann.
96/00. Wiggin, K. D.: 3 Gesch. v. armen u. reichen Kindern. Stuttg., P. Hobbing.
91/95. Wilhelm II. u. Alexander III. Laubegast, Goethe-Verl.
96/00. Wilhelm, P.: Welt u. Seele. Berl., F. Wunder.
96/00. Wilhelmi, A.: Einer muss heiraten. Mühlh. i/Th., G. Danner. Erh. 2 —
96/00. Wille, B.: Materie nie ohne Geist. Berl., Vita.
86/70. Willer, C.: Lehrg. f. d. Zeichenunterr. Lpzg., Krüger & Co. — 70
76/80. Willkomm, M.: Deutschlds. Laubhölzer. Berl., P. Parey.
51/65. — Die Nonne. Ebd.
96/00. Wimmer, R.: Im Kampf um d. Weltanschaug. — 80
96/00. — Inneres Leben. — 80
96/00. — Das Leben im Licht. 1.80; geb. 2.50 u. 2.80
96/00. Windholz, J. C.: Totentanz. Berl., Hellbrunn & Co.
91/95. Windschild, K.: An e. Haar. Stuttg., Holland & J.
91/95. — Kaiser Joseph II. u. d. Amtmann. Ebd.
96/00. Winkler, A.: Die Schneekönigin. Markranst., C. L. Winkler.
96/00. Winkler, M.: Der Traditionsbegriff. Rgnsbg., Verlagsanst. vorm. G. J. Manz.
96/00. Winkler, W.: Sudetenflora. 4.50
86/90. Winnefeld, H.: Hypnos. Berl., G. Reimer.
76/80. Winnertz, J.: Muster zu Tortenverziergn. Aach., I. Schweitzer. — 60
96/00. Winteler, J.: Üb. Volkslied u. Mundart. Verleger in Charlottbg.
91/95. Winter, F.: Griech. Porträtkunst. Berl., G. Reimer.
81/85. — Die jüngeren att. Vasen. Ebd.
76/80. Winter, G.: Bruchstücke a. d. Gesch. e. öst. Stadt-Archives. Wien, (A. Schroll & Co.).
76/80. Winterfeld, A. v.: Neue Garnisongeschichten. 11 Bde. Berl., J. Gnadenfeld & Co.
81/90. — Humoresken. 3 Bde. Ebd.
81/90. — Soldatengeschichten. 16 Bde. Ebd.
91/95. Wirken d. hl. Geistes auf d. Lofoten-Inseln. Lpzg., Krüger & Co. — 50
66/70. Wirtgen, P.: Die Eifel. Aachen, I. Schweitzer. 1.50
71/75. — Flora d. preuss. Rheinlande. Ebd. 1.20
76/80. Wirthmüller, J. B.: Üb. d. Sittenges. Rgnsbg., Verlagsanst. vorm. G. J. Manz.
81/85. Wisbyfahrt, hansische. 4 —
96/00. Wislicenus, G.: Kernpunkte d. Flottenfrage. Lpzg., O. Gracklauer.
86/90. Witte, J. H.: Sinnen u. Denken. Sachsa, H. Haacke.
86/90. — Wesen d. Seele. Ebd.
96/00. Wittum, J.: Unterm roten Kreuz in Kamerun. Geb. 1 —
96/00. Wlha, J.: Miniaturen a. d. Psalterium d. hl. Elisabeth. Wien, J. J. Plaschka.
96/00. Woche, d. mediziu. Berl., C. Marhold.
57/00. Wochenschrift f. Tierheilkde. Münch., M. Rieger.
96/00. Wocke, E.: Die Alpenpflanzen. Berl., P. Parey.
76/80. Wohl, d.. d. Kindes. Berl., J. Gnadenfeld & Co.
96/00. Wohlbrück, O.: Vater Chaim. Berl., F. Wunder.
91/95. — Glück. Lpzg., B. Elischer Nf.
96/00. — Aus 3 Ländern. Berl., F. Wunder.
96/00. Wohlthätigkeits-Vereine. Berl., (Gerlach & W.).
96/00. Wohnhäuser, städt. Berl., M. Spielmeyer.
96/00. Wohn- u. Geschäftshäuser, moderne. Lpzg., Baumgärtner.
76/80. Woldermann's plast. Schulatlas. Lpzg., A. König. Erh. Ausg. zu 20 Karten 6 —; 24 Karten 7.50; einz. Karten — 40; Doppelkarten — 50 u. 70
91/95. Wolf, F.: Die That Arminius. Lpzg., O. Gracklauer.
86/90. Wolf, G.: Der Augsb. Relig.-Friede. Berl., F. Wunder. 3 —

86/90. Wolff, A.: Das jüd. Erbrecht. Frankf. a/M., J. Kauffmann. 1 —
91/95. Wolff, C. Frhr. v.: Der Schütze auf d. Treibjagd. Wien, Huber & Lahme Nf.
96/00. Wolff, F.: Die Abteikirche v. Maursmünster. Strassbg., L. Beust.
81/85. Wolffsberg, S.: Nährwerth d. Alkohols. Bonn, M. Hager.
96/00. — Schutzwirkg. d. Impfg. Ebd.
81/85. Wolfram v. Eschenbach: Parzival u. Titurel. Mit Erläutergn. v. Simrock. 4 —
99/00. Wolfsgruber, C.: Gregor d. Grosse. Münch. (Mariahilfplatz 32), A. Killer.
96/00. — Christoph Anton Kardinal Migazzi. Ebd.
96/00. Wollen, ernstes. Lpzg., Deut. Kulturverlag.
91/95. Wollheim da Fenseca, A. E.: Handwörterb. d. deut. u. portugies. Sprache. Lpzg., P. E. Lindner. 6 —
96/00. Wolter, J.: Das Ganze d. Taubenzucht. — 75
96/00. Wolters, W.: Rache. 1.80; geb. 2.50
86/90. Wolzogen, H. v.: Rich. Wagner u. d. Tierwelt. Halensee, M. Schwantje.
91/95. Woenig, F.: Eine Pusstenfahrt. Hannov., O. Tobies.
86/90. Wörner, E.: Bibl. Anthropologie. Stuttg., Holland & J.
96/00. Wortschatz, latein. — 80
91/95. Wörz, E.: Der vollständ. Vorsteh- u. Gebrauchshund. Neud., J. Neumann.
86/90. Wrede, A.: Einführg. d. Reformation in Lüneburg. Gött., L. Horstmann.
91/95. Wreschner, A.: Ernst Platner. Sachsa, H. Haacke.
96/00. Wucher, d., e. actives Creditverbrechen. 2 —
96/00. Wudrian's, V., Kreuzschule. Geb. 1.20
81/85. — Christl. Kreuzschule. Geb. 1.50
96/00. Wolff, F. W.: Mit d. Tode gesühnt. — 30
96/00. Wüllner, A.: Lehrb. d. Experimentalphysik. 4 Bde. Vollst.: 23 —; geb. 34 —
91/95. Wunder, C.: Die doppelte Hôtelbuchführg. Zür., Th. Schröter's Nf. 6 —
96/00. Würdig, L., u. L. Habicht: Vor d. Geschworenen. — 30
96/00. Wurzbach, W. v.: Lope de Vega. Erh. 6 —
91/95. Wysocki, F.: Ein Schatz v. Krondenaren d. Wladislaus I. Perl., P. Lehmann.
96/00. Xenien. Laubegast, Goethe-Verlag.
96/00. Zache, E.: Taf. d. geolog. Wand im Humboldthain. Ausleferg. durch: A. Müller-Fröbelhaus in Dresden. Aufgez. m. St. nu 18 —
86/90. Zahn, A.: Predigten. Bas., E. Finckh.
96/00. Zahn, C.: Die Posthalterin. 2 —
96/00. — Im Schosse d. Familie. 2 —
86/90. Zahn, D.: Evangelium in d. Episteln. Lpzg., Krüger & Co. 3 —
51/65. Zahn, Tr.: Die Voraussetzgn. rechter Weihnachtsfeier. Lpzg., Krüger & Co. — 30
91/95. Zange, F.: Realgymnasium u. Gymnasium gegenüber d. grossen Aufg. d. Gegenwart. Lpzg., Krüger & Co. — 15
96/00. Zapfen, H. vom, E. Mochow etc.: Lieutenantsleben u. Lieben. — 30
96/00. Zapp, A.: Die Directrice. 1.50; geb. 2.50
96/00. Zarnack, B.: Das Licht a. Bethlehem. — 25
91/95. Zastrow, K.: Ein Husar a. d. Leibregiment. 1 —
96/00. — Iwan. 1 —
96/00. — Ein Neger. — 70
91/95. — u. F. Friedrich: Zwei Helden d. Indianervolkes. 2 —
96/00. — Neumann-Strela u. A.: Aus d. Leben d. musik. Romantik. — 30
96/00. — K. v. Prenzlau u. A.: Ernstes u. Heiteres a. d. Theaterwelt. — 30
96/00. — K. Teschner u. a.: Ein Schwank im Dachstübchen. — 30
91/95. Zauberland. 1 —
96/00. Zehn-Pfennig-Miniatur-Bibliothek. Lpzg., A. O. Paul.
96/00. Zeibig, T., u. L. Hanicke: Präparationen. II. 1.50; III. 1.25
91/00. Zeichenlehrer, der. Stuttg., Verl. d. Zeichenlehrer.
96/00. Zeichner, der. Adorf, Verl. d. Musterzeichner.
51/65. Zeichnungen v. Brücken a. Schmiedeeisen. Lpzg., H. A. L. Degener.
91/00. Zeit, die. Hrsg. v. Singer usw. Wien, C. Konegen.
91/00. — d. neue (Stuttg., Dietz). Stuttg., P. Singer.
91/95. Zeitfragen, ev.-soz. Tüb., J. C. B. Mohr. Je — 20
06 I. Zeitschrift f. Bahn- u. Kassenärzte. Lpzg., (J. A. Barth).
96/00. — f. Deutschlds Deutschlehrer. Zeitschrift f. Deutschlands Buchdr.
88/95. — f. Gerichtsvollzieher. Berl., R. Kühn.
81/90. — d. deut. Ver. f. (volksverständl.) Gesundheitspflege. Berl., Bh. u. Verl. d. Naturarzt.
96/00. — f. d. Glasinstrumenten-Industrie. ö F.
96/00. — f. Kosmetik usw. ö F.
96/00. — f. Landschaftsgärtnerei u. Gartenarchitektur. Berl., Degener.
06 I. — f. d. ges. Lokal- u. Strassenbahn-Wesen. ö F.
90/76. — österr. militär. Wien, L. W. Seidel & Sohn.
96/00. — f. Morphol. u. Anthropol. Jena, G. Fischer.
97/00. — d. Münch. Altertums-Vereins. Münch., J. Lindauer. Je 2 —
81/85. — f. Naturheilkde. Berl., Bh. u. Verl. d. Naturarzt.
06 I. — d. deut. Nonarvet. Lpzg., Dürr'sche Bh.
88/00. — f. d. Gesch. d. Oberrheins. Neue Folge 1—16. Bd. Hdlbg., C. Winter, V.

51/00. Zeitschrift f. Philosophie u. philosoph. Kritik. Lpzg., R. Voigtländer.
96/00. — physikal. Einz. Nro. erh. 1 —
91/95. — d. Verbandes deut. Post- u. Telegraphen-Assistenten. Berl., Verl. d. Verbandes.
81/00. — f. vergleich. Sprachforschg. auf d. Geb. d. indogerman. Sprachen. Gött., Vandenhoeck & R.
96/00. — f. ausländ. Unterr.-Wesen. ö F.
91/00. — f. Vollstreckgsrecht. Berl., R. Kühn.
96/00. — f. Vollstreckgs-, Zustellgs- u. Kostenwesen. Berl., R. Kühn.
96/00. — f. histor. Waffenkde. Lpzg., Exped.
76/00. — d. westpreuss. Geschichtsver. Danz., L. Saunier.
81/00. Zeitung f. Blechindustrie. Lpzg., F. Stoll jr.
96/00. Zeller, A.: Lieder d. Leids. 2 —; geb. 3 —
96/00. Zeugung, d., in Sitte, Brauch u. Glauben d. Südslaven. I. Bd. nn 12 —
96/00. Zielenziger, B.: Gedichte. Berl., (K. Schnabel).
96/00. — Neue Gedichte. Ebd.
00,I. Zimmermann's, V. F., Telefon- u. Handelsadressb. Berl. (SW, 11), Bartel, Standke & Co.
96/00. Zincke, W.: Carl Alexander, Grossherzog v. Sachsen. Eisen., J. Starcke.
91/95. Zittel, E.: Die Schriften d. Neuen Test. 3 —; geb. 3.50
96/00. Zobeltitz, F. v.: Ein Schlagwort d. Zeit. Berl., E. Pleischel & Co.
96/00. — Neue Waffen. Ebd.

81/85. Zoder, M.: Kurzgef. Harmonielehre. Heilbr.,C. F.Schmidt. 1.50
96/00. Zola, E.: Zum Glück d. Damen. Hrsg. v. K. Walther. Berl., Schreiter.
96/00. — Das Glück d. Familie Rougon, hrsg. v. K.Walther. Ebd.
96/00. — Königin Primavera. Lpzg., Leipz. Verl.-Comptoir.
96/00. Zoologica. Stuttg., E. Schweizerbart.
96/00. Zoth, O.: Formen d. Pedalarbeit beim Radfahren. Bonn, M. Hager.
86/90. Zsigmondy, E: Im Hochgebirge. Wien, J. Deubler.
96/00. Zuchhold, H.: Frau Sehnsucht. Jauer, O. Hellmann. 1 —
96/00. Zuchthausvorlage, d. sogen., u. d. deut. Reichstag. Lpzg., O. Gracklauer.
81/00. Zuck, O.: Alles aufgefährte: Lpzg., H. A. L. Degener.
96/00. Zuckerbäcker, der. Bernburg, G. Sommer.
91/95. Zuckermann, B.: Anl. u. Tab. z. Vergleich. jüd. u. christl. Zeitangaben. Bresl., Koebner.
66/70. Zunz: Nachtrag z. Literaturgesch. d. synagogalen Poesie. Berl., L. Lamm.
78/80. Zur oriental. Frage. Ein Mahnruf. Lpzg., O. Gracklauer. Erh. nn — 60
96/00. Zwergenschmiede, die. — 50
91/95. Zwierzina, V.: Leitfaden f. d. Gabelsberger'sche Stenographie. 1.Thl.(Correspondenzschrift.) Wien,A. Mejstrik.—35
91/00. Zwinger u. Feld. Stuttg., Verl. v. Zwinger & Feld.

Nachträge zu den Sachregistern.

Die Zahlen beziehen sich auf die Fünfjahrs-Bände 1891—1905.

01/05. Astronomie, füge ein: s. a. Himmel.
01/05. Böhme, M.: Tageb. e. Verlorenen: Esther.
01/05. Brücken, Rhein, Ruhrort-Homberg, füge vor: ein: Strassenbrücke.
96/00. Bühnendichtungen. Welser, Ph.: Redwitz.
01/05. Burschen heraus!, füge ein: Burschen —
01/05. Deutsch-Horschowitz s. Horschowitz.
01/05. Englisch, Lehr- u. Unterrichtsbücher, Leseb., streiche: Uebe (Ha)
96/00. Erbauungsbücher, kathol. Myrtenkranz: Kremer. (Nicht: Myrtenkranz.)
01/05. Fallbremsen s. Bremsen.
91/95. Frauenkrankheiten, Massage, Erfolge: Freudenberg.
01/05. Geodäsie, niedere, Lehrb.: Baur, F.
01/05. Gradual, röm., Epitome ändere in: Epitome.
96/00. Jugendschriften. Sonnenkind, unser: Sprengel. (r M)
01/05. Kaiser, der, König u. Bürger gehört vor Mein.
01/05. Kaisersgeburtstag, streiche: Kaiser werde modern; beim Stichwort Kaiser nachzutragen.

01/05. Kindermörderin, d. Vorname des Verf. ist: HL — s. a. Kindesmörderin.
01/05. Kulturkampf, bad., ändere in: Sperrlingsleben.
01/05. Märzveilchen: Paula, M. (r K)
01/05. Medizin, beseelte, ist irrtümlich eingerückt.
01/05. füge ein: Lehranstalten, Bau: Müssigbrodt.
96/00. Mineralogie, Lehr- u. Unterr.-Bücher, Lehrb.: Scharizer.
01/05. Naumburg a. S., Gesch.: Borkowsky.
01/05. Nikolaus III, off. Brief, gehört zu Nikolaus II.
96/00. Paris, Eindrücke: Poppowitz.
96/00. Photochromie, Lehrb.: Zenker, W.
96/00. Photographie, Farben, natürl.: Zenker.
96/00. Simon Johanna, vor et Theophilus ist Simon Jadaeus ausgefallen und zu ergänzen.
96/00. Taubstumme, Sprach- u. Gebetbuch: Beuschert.
91/95. Testament, Altes, Vergängliches u. Ewiges: Valeton.
96/00. Unterhaltungsschriften. Pickhingst's Kriegsfahrten: Beyer, C.
96/00. Zuständigkeit, preuss. Gesetz: Schroeder. A.

Übersicht der Anhänge.

Druck von August Pries in Leipzig.